の辞典のやくそく

발음 표시 発音表示(囲み記事 31 参照)

表現 어법・활용 語法・活用

参考 유래 由来・어원 語源・해설 解説 ・발음의 주의 사항 등・発音の注意事項など

▷위의 모든 풀이에 관련된다는 표시 上の語義すべてに関連するというしるし

문교부 제정 한문 교육용 기초 한자
文教部 制定 漢文教育用 基礎漢字(教育漢字)
中学校用基礎漢字(900字)
高等学校用基礎漢字(900字)
음의 구분 音の区分
훈의 구분 訓の区分
일본의 상용 한자와 일부 인명용 한자 常用漢字と一部の人名用漢字
표제어가 앞에 옴 見出し語が前にくる語
표제어가 뒤에 옴 見出し語が後にくる語

그림 絵

파생어 派生語

외래어와 그 국적 外来語とその国籍 (略語表 参照)

박스 기사 囲み記事
말의 지식 ことばの知識
말의 쓰임새 ことばの使い方
말의 사용 구분 ことばの使いわけ

고가 古歌

표제어・파생어・관용구 등 약 42,000어 외에 용례・반대어・유의어・참고란 등 합하여 50,000여어 수록 見出し語・派生語・慣用句など約 四万二千語のほか用例・対語・類語などあわせて五万余語収録

이 페이지는 본문을 짜맞추어 꾸몄습니다
このページは本文をくみあわせてつくりました.

…べき.
…
…'の活
…が現れる.

갉다 [kakta]〈他〉❶かじる. 句例 쥐가 벽을 ~ ねずみが壁をかじる. ❷(くまでなどで)… 参考 갉으니 かじると''갉고 かじって'は [kalgŭni], [kalkko]と読む.

***가리키다**〈他〉❶指さす. 指さし示す. 示す. 句例 방향을 ~ 方向を指し示す. 文例 시계 … ▷→囲み記事 2

자 〔漢字項目〕

【者(者)】中學 자 シャ. ❶놈 者. 행동의 주체 行動の主体. ■왕자 왕자 おうじゃ.… ❷… ■전자 전자 ぜんしゃ…

【刺】高校 자 シ. 척 シ. 라 ■〔자〕찌르다… ■〔척〕칼로 찌르다 刀でさす… ■〔라〕《韓》수라 상…

***가르다**(가르니, 갈라서)〈他〉❶割る. 裂く… を二つに割る. ❷分ける. ㉠区分する. 仕分ける. 取り分ける. ㉡分かつ. 句例 이익을 ~ 利益を分ける / 돈을 둘이서 ~ 金を二人で分ける. ㉢(髪を)振り分ける. 句例 머리를 한가운데서 ~ 髪を真ん中から振り分ける. ▷→囲み記事 1

〈가르마〉

가르마〈名〉(髪の)分け目. 絵 **가르마(를) 타다** 髪を(振り)分ける.

달가닥〈副・하自他〉固くて小さい物が軽る…ともいう. **~거리다**〈自他〉がらがらする. か…. **달가닥달가닥**〈副・하他〉がらがら. かたかた.

비-시-지【BCG】[pi:shi:ji:]〈名〉ビーシージー. 語例 ~ 접종 ビーシージの接種. ◇프 Bacille de Calmette-Guérinの略.

囲み記事 3
■'가름'と'갈음' ■
二つの言葉が発音上では [karŭm]となるので混同しやすいが, 言葉の使い方で…

《古歌 1》

가시리 去りしや

高麗歌謡の一つ. 別れを惜しむ歌で, …

歌 詞

新韓日辭典(例解) 初版 —— 目次

新韓日辭典
(例解)

編著
金 貞 淑

辭書專門
民衆書林

編 著 者

金　　貞　　淑

〈編著者 紹介〉

1929年　出　生
1950年　梨花女子大學校 卒業
1968年　日本東京教育大學體育學部 大學院修士
1970年　日本拓殖大學 語學研究所講師(韓國語)
1975年
1984年　筑波大學 外國人教師(韓國語)

1985年　4月부터 現在
近畿大學留學生센터教授
非常勤講師로서 다음 大學에 勤務
東海大學, 關東管區警察學校, 麗沢大學, 上智大學, 大正大學, 專修大學

著 書　「韓国語学習の完成」(共著, 同文書院, 1982年)
譯書　「スポーツ断想 —— 歓喜に賭けた青春像」(ぎょうせい, 1981年)

編著者의 말

일본 삼성당(三省堂) 발행인 예해 신국어사전(例解新國語辭典)을 일한사전(日韓辭典)으로 번역 편찬하여 세상에 내 놓은 지 5년이 되었다.

그동안 일본 삼성당(三省堂)과 한국 민중서림이 애써 준 덕분과 특히 일본과 한국의 학도들과 식자들의 뜻밖의 절찬과 애호로 역자로서 큰 보람을 가지게 된 것을 감사하게 생각한다. 원래 가지고 있던 또 하나의 소망인 한일사전(韓日辭典)을 이에 힘입어서 3년여의 각고 끝에 다시 여러분 앞에 내놓게 되었다. 이 일은 이 두 개의 사전을 손에 갖추어 가져야 진실로 찾고 싶고 알고 싶은 두 나라의 말의 뜻이 정확하게 살아서 숨 쉴 수 있다고 믿었던 까닭에서였다.

그동안 이 일에 깊은 관심을 가지고 물심양면의 도움과 격려를 아끼지 않으신 LG 연암문화재단(蓮庵文化財團)의 具滋暻 이사장(理事長)님과 姜泰泳女史에게 깊은 사의를 표하며, 이 辭典이 빛을 보도록 편집과 출판을 도와 준 민중서림에 감사를 드린다.

— 日本東京에서 —

1996년 3월 1일

金 貞 淑

略 語 表

語 法

〈名〉 名詞	〈數〉 数詞	〈他〉 他動詞	〈形〉 形容詞	〈副〉 副詞	〈頭〉 接頭辞
〈依名〉 依存名詞	〈自〉 自動詞	〈不他〉 不完全動詞	〈補形〉 補助形容詞	〈感〉 感嘆詞	〈尾〉 接尾辞
〈代〉 代名詞	〈不自〉 不完全自動詞	〈補動〉 補助動詞	〈冠〉 冠形詞	〈助〉 助詞	《韓》 韓国の固有音

〈하自〉〈하形〉などの‘하’は‘하다’のつく語

専 門 語

〔建〕建築	〔基〕基督教	〔文〕文学	〔史〕歴史	〔數〕数学	〔言〕言語学	〔地〕地学	〔貝〕貝類
〔經〕経済	〔機〕機械	〔物〕物理	〔社〕社会	〔植〕植物	〔野〕野球	〔天〕天文学	〔韓醫〕韓医学
〔工〕工業	〔劇〕演劇	〔美〕美術	〔寫〕写真	〔心〕心理学	〔醫〕医学	〔哲〕哲学	〔海〕海事
〔鑛〕鉱業	〔論〕論理	〔民〕民俗	〔商〕商業	〔樂〕音楽	〔印〕印刷	〔蟲〕昆虫	〔化〕化学
〔軍〕軍事	〔農〕農業	〔法〕法律	〔生〕生理	〔藥〕薬学	〔電〕電気	〔컴〕컴퓨터 コンピューター	
〔氣〕気象	〔動〕動物	〔佛〕仏教	生物	〔魚〕魚類	〔宗〕宗教	〔土〕土木	

用 法

《宮》宮中語　《詩》詩語　《兒》小児語　《學》学生語　《古》古語　㊖ 対語　㊮ 類義語

外 来 語

그…ギリシャ	러…ロシア	아랍…アラブ	페…ペルシア
네…オランダ	미…アメリカ	이…イタリア	포…ポルトガル
노…ノルウェー	범…梵語	인…印度	폴…ポーランド
도…ドイツ	벨…ベルギー	일…日本	프…フランス
라…ラテン	스…スペイン	중…中国	히…ヘブライ
			영어는 표시 없음 (英語は示さない)

日本語の位相

《老》 老人語	《女》 女性語	《雅》 雅語	《婉》 婉曲語
《文》 文語	《学》 学生語	《口》 口語	《関西方》 関西方言
《卑》 卑語	《蔑》 軽蔑語	《俗》 俗語	
《児》 小児語	《方》 方言		

고가 목차 古歌 目次

이 사전의 편집을 도와 주신 분들(가나다순)

高明秀	朴建鎬	柳一香	李恩卿	田在萬
權孝明	朴美貞	劉漢成	李泰周	全昌鎭
金東憲	朴宣映	兪活蘭	李泰煥	韓榮珣
金眞美	安京喜	尹次鉉	林大植	洪承惠
金泰珠	安在昶	李起喆	林聖宰	黃圭顯
南宮貞心	吳鏞熙	李英淑	張明燮	
南元祐	柳承瑾	李允表		

ㄱ

ㄱ [기역 kiyŏk] ハングル字母の第一番目の字.

ㄱ자-자【一字一】〈名〉かね尺.

ㄱ자-집【一字一】〈名〉〔建〕棟の形がㄱ字形の家. 絵

〈ㄱ자집〉

***가** [ka:]〈名〉❶縁. へり. 際. 端. へ(辺)《雅》. 語例 책상~ 机のへり / 물~ 水際. 水のへ(辺) / 창~ 窓際 / 강~ 川べ. 岸べ / 바닷~ 海べ. ❷あたり. かたわら. ほとり. 文例 겨울밤에 난롯~에서 옛날 이야기를 듣는다 冬の夜ろばたでむかし話を聞く.

가【可】[ka:]〈名〉可. ❶よいこと. よいと許すこと. 文例 ~도 아니고 불가도 아니다 可でもなく不可でもなし. 對 불가(不可). →가(可)하다. ❷学校成績の評価等級の一つ. 語例 우미양~ 優美良可.

가〈助〉終声のない体言につく. ❶その体言が主語のはたらきをすることをしめす: …が. 文例 새~ 운다 鳥がなく / 지금, 비~ 오고 있다 今雨が降っている / 네~ 좋다 君が好きだ. ❷それになることを表わす語: …に. 句例 작가~ 되다 作家になる / 얼마~ 되느냐 いくらになるか. ❸否定の '아니다'を伴って, それではないことを表わす語: …で. …では. 文例 그것은 내 교과서~ 아니다 それはわたしの教科書ではない.
參考 終声のある語につく時は'사람이 있다 人がいる'のように'이'になる.

가 [ka:] ['가아'の略] 行って. 句例 ~ 보다 行ってみる. 文例 ~ 보아라 行ってみなさい.
參考 '가'は'가다 行く'の語幹. '아'は語尾.

가-【假】[ka:]〈頭〉❶仮…. 仮の. 臨時の. 語例 ~처분 仮処分 / ~계약 仮契約 / ~출옥 仮出所. ❷偽の. 語例 ~성명 仮名.

-가【家】〈尾〉❶その道の人: …家. 語例 전문~ 専門家 / 독서~ 読書家 / 정치~ 政治家 / 정열~ 情熱家. ❷役がらや姓などの後につけて, その家を表わすことば: …家. 語例 재상~ 宰相家 / 케네디~ ケネディ一家.

-가【歌】〈尾〉…歌. 句例 애국~를 부르다 愛国歌を歌う. 語例 유행~ 流行歌.

가 〔漢字項目〕

【佳】中學 가 カ. ❶아름답다 美しい. ◧佳人 가인 かじん. ◧麗佳 여가 れいか. ❷좋다 優れている. ◧佳作 가작 かさく. ◧絶佳 절가 ぜっか.

【價(価)】中學 가 カ. 값 値. ◧價値 가치 かち. ◧物價 물가 ぶっか. 代價 대가 だいか. 評價 평가 ひょうか.

【假(仮)】 가 カ. ケ. ❶거짓 いつわり. 가짜 にせもの. ◧假性 가성 かせい. 假名 가명 かめい. けみょう. ❷빌리다 貸す. ◧假借 가차 かしゃく. ❸임시로 かりの. ◧假定 가정 かてい. 假稱 가칭 かしょう. ❹가령 もし. ◧假令 가령 けりょう. たとい.

【加】中學 가 カ. ❶더하다 加える. ◧加筆 가필 かひつ. 加算 가산 かさん. ◧追加 추가 ついか. ❷(해를) 가하다 (害を)加える. ◧加害 가해 かがい. ❸들다 加わる. ◧加盟 가맹 かめい. ◧參加 참가 さんか.

【可】中學 가 カ. ❶옳다 よい. ◧可否 가부 かひ. ◧不可 불가 ふか. ❷좋다 よろしい. ◧許可 허가 きょか. 認可 인가 にんか. ❸…할 수 있다 …することができる. ◧可能 가능 かのう. ◧不可避 불가피 ふかひ.

【家】中學 가 カ. ケ. ❶집 家. ◧家屋 가옥 かおく. ◧民家 민가 みんか. ❷집안 身内. ◧家庭 가정 かてい. ◧一家 일가 いっか. ❸전문가 玄人. ◧畫家 화가 がか. 作家 작가 さっか.

【歌】中學 가 カ. ❶노래 歌. ◧歌舞 가무 かぶ. ◧校歌 교가 こうか. ❷노래하다 歌う. ◧歌唱 가창 かしょう. 歌手 가수 かしゅ. ◧詠歌 영가 えいか. 謳歌 구가 おうか.

【街】中學 가 ガイ. カイ. 거리 まち. ◧街道 가도 かいどう. 街路 가로 がいろ. ◧商店街 상점가 しょうてんがい. 市街 시가 しがい.

【暇】高校 가 カ. ❶겨를 暇. いとま. ◧休暇 휴가 きゅうか. 餘暇 여가 よか. ❷한가하다 ひまだ. ◧閑暇 한가 かんか.

【架】高校 가 カ. ❶시렁 棚. ◧書架 서가 しょか. ❷건너 지르다 かける. ◧架設 가설 かせつ. 架橋 가교 かきょう. ◧高架 고가 こうか.

가가【家家】〈名〉家ごと. 各家.

가가-호호【家家戶戶】[—ho:ho]〈名・副〉毎戸. 家ごと(に). 戸ごと(に). 句例 ~에 家ごとに. 戸ごとに / ~ 찾아다니다 一軒一軒訪ねまわる.

가감【加減】〈名・하他〉加減. 語例 ~ 승제 加減乗除.

가-건물【假建物】[ka:gŏnmul]〈名〉仮に建てた建物. 仮小屋.

***가게** [ka:ge]〈名〉店. 店舗. 句例 ~를 내다〔차리다〕店を張る〔出す・開く〕/ ~를 드리다〔닫다〕店仕舞いする. 文例 이 ~에서 담배도 팝니까 この店でタバコも売っていますか / 빵집은 밤에 일찍 ~문을 닫는다 パン屋は夜早く店仕舞いする. 語例 구멍 ~ 軒店. ちっぽけな店 / 생선 ~ 魚屋. 類 상점(商店).
參考 '가가(假家) 仮の建物. 露店'の転訛.

가게-채 [ka:gech'ae]〈名〉店のある棟〔家屋〕.

가겟-방【一房】[ka:getpang]〈名〉店として使う間. 規模の小さい店.

***가겟-집** [ka:getchip]〈名〉❶店を張って商売

しょうばいをする家．店．❷店として使う家．(對)살림집．

*가격【價格】〈名〉価格．値段．[文例] 최근에는 ~이 안정되어 있다 最近は価格が安定している．[語例] 도매 ~ 卸値段 / 구입 ~ 元値 / 적정 ~ 適正価格 / ~ 인하 値下げ / ~폭 値ざや / ~폭 제한 値幅制限 / ~ 정책〔經〕価格政策 / ~ 차익 価格差益 / ~표(票) 価格票．下げびら / 공정 ~ 公定価格．(類)값．

가결【可決】[ka:gyŏl]〈名・하他〉可決．[句例] 만장 일치로 ~하다 満場一致で可決する / 의안을 ~하다 議案を通す．[文例] 회의에서 원안이 ~되었다 会議で原案が可決された．(對)부결(否決)．

가경【佳景】〈名〉佳景．いい景色．よい眺め．

가경【佳境】〈名〉佳境．❶話のおもしろいところ．[句例] 점입 ~이다 いよいよ佳境に入る / 이야기가 ~에 들다 物語が佳境にはいる．❷景色のすばらしいところ．[句例] 세계 제일의 ~ 世界一の佳境．

가계【家系】〈名〉家系．家筋．血筋．[語例] ~도 家系図．(類)핏줄．혈통(血統)．

*가계【家計】〈名〉家計．[句例] ~를 줄이다 暮らしをつめる．[語例] ~부 家計簿 / ~비 生活費．(類)생계(生計)．

가곡【歌曲】〈名〉歌曲．❶歌．=노래．❷韓国の在来音楽の一つ．❸〔樂〕リート．[句例] 슈베르트의 ~ シューベルトのリート．

가공【加工】〈名・하他〉加工．[文例] 돼지고기를 ~해서 햄을 만든다 豚肉を加工してハムを作る / 외국에서 수입한 원료를 이 공장에서 ~합니다 外国から輸入した原料をこの工場で加工します / 항구 도시에선 수산물의 ~업이 성하다 みなと町では水産物の加工業がさかんだ．[語例] ~ 무역 加工貿易 / ~비 加工費 / ~품 加工品 / ~ 식품 加工食品．加工食料品 / ~ 생산 加工生産 / ~재 加工材．

가공【架空】[ka:gong]〈名〉架空．[句例] ~의〔적인〕계획 架空の計画．[語例] ~ 인물 架空(の)人物．

가공-할【可恐—】[ka:gonghal]〈冠〉恐るべき．[句例] ~ 인물 恐るべき人物 / ~ 파괴력 恐るべき破壊力．

[表現] 原形は'가공하다'であるが，'가공할'の活用形だけが使われる．

가관【可觀】[ka:gwan]〈名〉❶みもの．見る値打ちのあること．[文例] 경치가 ~이다 景色がみものだ．❷見苦しいさま．不様なようす．[文例] 꼴이 ~이다 見られたざまじゃない．なんてざまだ．

가교【架橋】[ka:gyo]〈名・하自〉架橋．[語例] ~ 공사 架橋工事．

가교【假橋】[ka:gyo]〈名〉仮橋．仮に架けた橋．

가교【駕轎】[ka:gyo]〈名〉〔史〕前後に一頭ずつの馬が担うようにしかけた王が乗るこし(輿)．[絵]

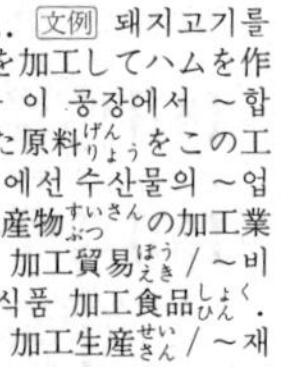

〈가교〉

가구【家口】〈名〉❶一家の家族．❷所帯．世帯．[文例] 이 마을에는 80 ~가 살고 있다 この村には八十世帯の人が住んでいる．[語例] ~수 世帯数 / ~주 所帯主．

*가구【家具】〈名〉家具．[文例] 장이랑 응접 세트 등의 ~를 샀다 たんす(箪笥)や応接セットなどの家具を買った / 그 사람은 ~ 하나 없는 방에 살고 있어요 その人は家具が一つもない部屋に住んでいますよ．[語例] ~점(店) 家具屋 / ~장이 家具師．家具屋．

가극【歌劇】〈名〉歌劇．オペラ．[句例] ~ 나비 부인 歌劇'マダム・バタフライ'．

가급-적【可及的】[ka:gŭpchŏk]〈名・副〉可及的．なるべく．できるだけ．[句例] ~ 속히 できるだけすみやかに．なるべく速く．[文例] ~이면 빨리 돌아오세요 できるだけ早く帰って来てください / 갠 날에는 ~ 밖에서 논다 天気の日はなるべく外で遊ぶ．

가급적이면 できるだけ．

가까스로〈副〉やっと．辛うじて．ようやく．[句例] ~ 이기다 辛うじて勝つ / ~ 살아가다 やっと暮らしていく．[文例] ~ 대어갔다 やっとのことで間に合った / ~ 구조되었다 危うく助かった / ~ 기차를 탔다 やっと汽車に乗れた．

**가까이〈名・副〉近く．親しく．[句例] ~ 가다 近づく．近よる．[文例] 그 사람과는 ~ 지냈다 その人とは親しく付き合った / 이쪽으로 좀 더 ~ 오십쇼 こちらにもう少し近く寄ってください / 지하철 역 ~에 살고 있어서 교통이 편리합니다 地下鉄の駅近くに住んでいますから，交通が便利です．

가까이-하다 (→하다)〈他〉近づける．寄り付ける．親しむ．[文例] 가을은 책을 가까이하기에 좋은 계절이다 秋は書物と親しむのにいい季節だ / 나쁜 친구를 가까이하지 않도록 해라 悪い友達とは親しまないようにしなさい．

**가깝다 (가까우니, 가까워서)〈形〉近い．❶遠くない．[句例] 학교에 가까운 곳 学校に近いところ / 가까운 장래 近い将来 / 가장 가까운 역 最寄りの駅．[文例] 학교는 집에서 ~ 学校はうちから近い / 경주는 서울보다 부산에 ~ 慶州はソウルよりは釜山に近い / 육십이 ~ 六十に近い / 여름 방학이 가까워 온다 夏休みが近づく．❷似ている．[句例] 천재에 가까운 사람 天才に近い人．[文例] 성질이 산에 ~ 性質が酸に近い．❸親しい．[句例] 아주 가까운 사이 ごく近い〔親しい〕間柄 / 둘 사이가 가까워지다 ふたりの仲が近づく．[文例] 이웃과는 가깝게 지내고 있습니다 おとなりとは親しくつきあっています．❹(血縁が)密接だ．[句例] 가까운 친척 近い親戚．[文例] 둘이는 사촌이니까 가까운 사이이다 ふたりはいとこで近いあいだがらである．

가깝디-가깝다 (—가까우니, —가까워서)〈形〉ごく近い〔親しい〕．[句例] 가깝디가까운 거리〔사이〕ごく近い距離〔親しい仲〕．

*가꾸다〈他〉❶(よく)育てる．培う．栽培する．作〔造〕る．[句例] 꽃을 ~ 花を育てる / 농작물을 ~ 作物を培う / 화초 가꾸기의 명수 花作

はなづくりの名人. 文例 정성껏 가꾼 보람이 있다 丹精をこめて育てたかいがある. ❷手入れをする. 装う. 飾る. 句例 잘 가꾼 정원 手入れの行き届いた庭 / 몸을 ~ 身を装う. 身ごしらえをする.

*가끔 〈副〉 ❶時時. 時折. 時たま. たまに. 句例 ~ 만나다 時たま会う / ~ 만나는 사람 たまに出会う人. 文例 시골의 고모가 ~ 찾아온다 いなかのおばが時折たずねて来る / ~ 그분 생각이 납니다 時時あの方が思い出されます. ❷しばしば. ちょいちょい. ＝종종(種種). 文例 그런 일이 ~ 있다 そういうことがちょいちょい〔間間〕ある.

가끔-가끔 〈副〉 時時. 時折. ちょいちょい.

가끔-가다가 〈副〉 時たまに. 時折. 時時. 略して'가끔가다'ともいう. ＝가끔. 文例 ~ 부수입도 있다 たまには副収入もある. →가다가

가나다-순 【一順】〈名〉イロハ順. 文例 동물 이름을 ~으로 배열하라 動物の名前をイロハ順にならべよ.

가나-오나 〈副〉 どこへ行くにしても. いつも. 文例 ~ 말썽이다 いつも問題を引き起こす.

*가난 〈名〉 貧乏. 貧しいこと. 貧しさ. **~하다** 〈形〉 貧乏だ. 貧しい. 句例 ~한 살림 貧しい暮らし / ~하게 貧しく / ~해지다 貧しくなる / ~한 집에 태어나다 貧乏な家にうまれる / ~하게 살다 貧しく暮らす / ~한 집안에서 자라다 貧困な家庭に育つ / ~에 허덕이다 貧しさに苦しむ. 語例 ~ 구제 貧民救済. 類빈곤(貧困).

参考 '간난(艱難)'の転訛.

**가난-뱅이 〈名〉 貧乏人. 對부자(富者).

가내 【家内】〈名〉 家内. 一家の内. 家族. 句例 ~ 번창을 빌다 家内繁盛を祈る. 語例 ~ 공업 家内工業.

가냘프다 (가냘프니, 가냘파서) 〈形〉 か弱い. か細い. ひ弱い. 句例 가냘픈 몸 か細いからだ / 가냘픈 체격 きゃしゃな体格 / 어린 아이의 가냘픈 손 おさな子のか弱い手. 文例 가냘픈 몸으로 잘도 견뎠다 か細いからだでよくもがんばった. 對억세다. 類연약하다.

*가누다 〈他〉 (からだや心などを)支える. 保つ. 文例 간신히 몸을 가누었다 辛うじてからだを支えた.

**가느-다랗다 [kanŭdarat'a] (가느다라니, 가느다라오) 〈形〉 極めて細い. ほっそりとしている. 句例 가느다란 실 ごく細い糸. 對굵다랗다.

가느스름-하다 (→하다) 〈形〉 やや細い. 細めだ.

가는귀-먹다 〈自〉 耳が少し遠い.

가는-눈 〈名〉 細目. 句例 ~을 뜨다 細目をあける. 目を細める. 文例 ~을 뜨고 미소지었다 細目でほほえんだ.

가는-바늘 〈名〉 細い針.

가는-실 〈名〉 細糸. ほそ

**가늘다 (가느니, 가늘어서) 〈形〉 細い. ❶太くない. 句例 목이 ~ 首が細い. 文例 좀더 가는 끈은 없어요 もっと細いひもはありませんか. 語例 가늘게 細く / 가늘어지다 細くなる. ❷(幅が)狭い. 文例 눈을 가늘게 뜨다 目を細める. 目を細くする. ❸(声が)低い. 句例 가는 목소리 低い声. ❹細かい. 句例 가늘게 짜다 細かく編む.

가늘디-가늘다 (一가느니, 一가늘어서) 〈形〉 極めて細い.

가늠 〈名〉 ❶ねらい. 照準. **~하다** 〈他〉 ねらう. ねらいをつける. 句例 잘 ~하다 よくねらいをつける. ❷見当. 予想. 見積もり. 見計らい. **~하다** 〈他〉 見積もる. 見計らう. 句例 ~할 수가 없다 見当がつかない. 見当ができない.

가늠(을) 보다 〈他〉 ❶ねらう. ねらいをつける. ❷見当をつける. 予想する. 見計らう.

*가능 【可能】 [ka:nŭng] 〈名〉 可能. **~하다** 〈形〉 可能だ. できる. 句例 실행 ~한 일 実行可能なこと / ~한 한 なるべく. できるかぎり. できるだけ / ~한 한의 원조 できるかぎりの援助 / ~성이 있다〔높다・강하다〕 可能性がある〔高い・強い〕 / 세탁이 ~하다 洗濯が利く. 文例 머지 않아 달세계 여행도 ~해질 것이다 やがて月への旅も可能になるだろう / 온갖 ~한 방법을 다했으나 실패했다 あらゆる可能な方法を尽くしたが失敗した. 語例 ~성 可能性. 對불능(不能). 불가능(不可能).

**가다

(가거라) ━〈自〉 ❶行く(《'ゆく'라고도 하지만, 약간 예스러운 말임》).

㉠向かう. 参る. 句例 이웃 마을에 ~ となりの村へ行く / 학교에 ~ 学校へ行く / 바다로 ~ 海へ行く / 서울로 ~ ソウルへ向かう / 편지를 부치러 ~ 手紙を出しに行く. 文例 한발 앞서 갔다 一足先に行った.

㉡(年月が)立つ. 句例 가는 봄 行く春. 文例 시간 가는 것이 아깝다 時間の立つのがもどかしい.

㉢死ぬ. 句例 저승으로 ~ あの世へ逝く.

㉣(ある所に)通じる. 句例 역으로 가는 길 駅へ行く道 / 서울로 가는 길 ソウルに通じる道.

㉤立ち去る. 文例 가는 이를 어찌 말리리 行く人をいかに(して)引き止めよう.

㉥関心・心が引かれる状態になる. 句例 호감이 ~ 好感がもてる / 납득이 ~ 合点〔得心〕が行く / 관심이 ~ 関心が行く.

❷帰る. 文例 선생님은 아까 가셨습니다 先生はさっきお帰りになりました.

❸出かける. 文例 이제 가 보겠습니다 もう失礼いたします / 가 봐라 行きたまえ / 이제 가 볼까 もう行こうか.

❹(味などが)変わる. 悪くなる.

❺(流行・盛りなどが)過ぎる. 句例 한물 ~ 盛りが過ぎる. 下火になる.

❻(明かりが)消える. 句例 전깃불이 ~ 電灯が消える.

❼(ひびが)入る. (しわが)寄る. 句例 접시에 금이 ~ 皿にひびが入る / 벽에 금이 ~ 壁にひびが入る.

❽続く. 保つ. 持つ. 句例 손이 많이 가는 일 手の込んだしごと / 신어서 오래 가는 구두 じょうぶで長持ちする靴.

❾(値段が)か(掛)かる. (いくら)する. 文例 양복 한 벌에 30만원이나 간다 洋服一着に30万ウォンもする.

三〈他〉❶(目的地などに向かって)行く〔歩く〕. 句例 밤길을 ~ 夜道を歩く / 가을 들판을 ~ 秋の野を行く / 낚시를 ~ 釣りに行く / 사냥을 ~ 狩りに行く.
❷(身を寄せるべき所へ)移る. 句例 군대를 ~ 軍隊に入る / 교도소를 ~ 刑務所に入る / 시집을 ~ 嫁に行く. 嫁ぐ.
≡〈補動〉…しつつある. いく. 句例 병이 나아 ~ 病気がなおりつつある / 밤이 깊어 ~ 夜がふけていく. 文例 돈이 떨어져 간다 お金がだんだん少なくなっていく / 아이가 커 간다 子供が大きくなっていく. ▷→부록 동사 활용표

가는 날이 장날 行った日が市の立つ日. たまたま行ったところ意外なことに出会うことのたとえ.

가는 말이 고와야 오는 말이 곱다 売り言葉に買い言葉.

가다가 〈副〉 たまには. たまたま. 時には. 時折. 時たま. 文例 ~ 그런 일도 있다 たまにはそういう事もある.

***가다듬다** [kadadŭmtta] 〈他〉 ❶(気を)取り直す. (心を)引き締める. 落ち着ける. (興奮を)静める. 文例 마음을 가다듬고 잘 읽어보다 気を落ち着けてよく読んでみる. ❷(声を)繕う. 整える. 澄ます. 文例 목소리를 가다듬고 노래를 불렀다 声を整えて歌を歌った. ❸(身なりなどを)整える. 句例 옷차림을 ~ 服装を整える.

가-다랑어 【一魚】〈名〉〔魚〕かつお(鰹).

가닥 **一**〈名〉(糸などの)より. 糸筋. 筋. 句例 (사건 해결의) ~을 잡다 (事件解決の)糸口をつかむ / ~이 잡히다 糸口がみつかる / ~을 잡지 못하다 糸口がさがせない.
≡〈依名〉細長いものを数える語: 筋. 文例 한 ~의 희망도 없다 一筋の望みもない.

가닥-가닥 〈名・副〉 (ひもなどが)幾筋にも分かれているさま: 筋ごとに. 一筋一筋に.

가담 【加擔】〈名〉加担〔荷担〕. **~하다** 〈自〉加担する. くみ(与)する. 加わる. 句例 모의에 ~하다 謀議に加わる / 못된 일에 ~하다 悪事に加担〔くみ〕する. 語例 ~자 加担人.

가당-찮다 【可當一】 [ka:dangch'ant'a] 〈形〉 ❶当たっていない. 不当だ. とんでもない. 法外だ. 文例 가당찮은 값을 매기다 法外な値をつける / 상대방의 가당찮은 요구를 퇴짜놓았다 先方の不当な要求をつっぱねた. ❷なみたいていでない. 句例 가당찮은 추위 とてつもない寒さ.

가당-하다 【可當一】 [ka:dang—] (→하다) 〈形〉 ❶適切だ. 当然だ. もっともだ. 正当だ. 妥当だ. 句例 가당한 말 もっともな話. 文例 함부로 억지를 쓰다니 가당하기나 한 말인가 やたらに無理強いをするなんてとんでもない話だ. 類마땅하다. →가당찮다. ❷(任務などに)当たり得る. 堪えられる.
表現 '가당한 もっともな. 当然な'または反語的に'가당하기나 한가 当然〔当たり前〕だというのか'の形でよく使われる.

가댁-질 〈名・하自〉 鬼ごっこ.

가도 【街道】 [ka:do] 〈名〉 ❶街道. 語例 경인 ~ 京仁街道. ❷街路.

가동 【可動】 [ka:dong] 〈名〉 可動. 語例 ~ 장치 可動装置 / ~ 차량수 可動の車両数.

가동 【稼動】〈名・하自他〉 稼働〔稼動〕. 語例 ~ 시간 稼働時間 / ~ 일수 稼働日数 / ~률 稼働率 / ~ 인구 稼働人口.

가두 【街頭】 [ka:du] 〈名〉 街頭. まちかど. 句例 신문의 ~ 판매 新聞の立ち売り / ~ 모금을 하다 街頭募金をする. 語例 ~ 선전 街頭宣伝. つじ宣伝 / ~ 시위(示威) 街頭デモ / ~ 연설 街頭演説 / ~ 판매 街頭販売. 立ち売り.

***가두다** 〈他〉 ❶閉じ込める. 封じ込める. 押し込める. 囲う. 句例 교도소에 ~ 刑務所に閉じ込める〔つなぐ〕/ 돼지를 우리에 ~ 豚を小屋に囲う. 文例 가둬 놓았던 닭들을 밖으로 풀어 주었다 囲い込んでおいた鶏を外に放してやった. ❷(水流を)た(溜)める. せき止める. 句例 논물을 ~ 田の水をためる.

가두리-양식 【一養殖】 [ka:duri—] 〈名〉 囲い網養殖. 区画漁業.

가두리 어장 【一漁場】 [ka:duri—] 〈名〉 区画漁場.

가드-레일 [ga:dŭreil] 〈名〉 ガードレール. ◇「guardrail

***가득** 〈副〉 いっぱい. ぎっしり. たっぷり. なみなみ. 句例 장내에 ~ 찬 사람 場内いっぱいの人. 文例 가방을 책으로 ~ 채우다 カバンを本でいっぱいにする / 강당은 청중으로 ~ 차 있었다 講堂は聴衆でいっぱいになっていた. 聴衆は講堂に満ちていた.

가득가득 〈副・하形〉 ぎっしり. なみなみ. たっぷり. 文例 ~ 담아라 ぎっしりつめこみなさい.

***가득-하다** [kadŭk'ada] (→하다) 〈形〉 いっぱいだ. みなぎっている. 満ちている. 文例 아들을 생각하는 마음으로 ~ 息子を思う気持ちでいっぱいだ / 그의 눈은 눈물로 가득했다 彼の目は涙でいっぱいだった. **가득히** [kadŭk'i] 〈副〉 いっぱい(に). ぎっしり(と). なみなみ(と). たっぷり(と). 文例 컵에 맥주를 가득히 따르다 コップにビールをなみなみとつぐ.

가-등기 【假登記】 [ka:dŭnggi] 〈名〉〔法〕 仮登記.

가뜩 〈副〉 ❶⇨ 가뜩이①. ❷⇨ 가뜩이나

가뜩-가뜩 〈副・하形〉 いっぱい. ぎっしり. なみなみ(と). たっぷり.

가뜩-이 [kattŭgi] 〈副〉 ❶いっぱい. たっぷりと. なみなみと. ❷⇨ 가뜩이나

가뜩-이나 [kattŭgina] 〈副〉 そうでなくても. その上(に). 加えて. おまけに. 句例 ~ 지쳤는데 それでなくても疲れているのに. 文例 ~ 어려운데 도둑까지 맞았다 そうでなくても苦しいのに泥棒にまで見舞われた.

가뜩-하다 [kattŭk'ada] (→하다) 〈形〉 いっぱいだ. みなぎっている. 満ちている.

가뜬-하다 (→하다) 〈形〉 身軽だ. 気軽だ. 手軽だ. 句例 가뜬한 복장 身軽な服装. 文例 가뜬한 차림으로 여행을 떠나다 身軽なしたくで旅に出る. **가뜬히** 〈副〉 軽く. やすやすと. 句例 가뜬히 들어올리다 軽く持ち上げる.
表現 語感の大きい語は'거뜬하다'.

가라사대 〈不自〉 のたまわく. いわく. 句例 공자 ~ 孔子いわく. 類왈(日).
表現 '가로되'の敬語. 主に孔子・孟子など

儒教の大思想家の発言を敬っていうことば.

*가라-앉다 [karaantta] 〈自〉 ❶沈む. [句例] 낚시찌가 ~ 浮きが沈む / 배가 폭풍으로 ~ 船があらし(嵐)で沈む. (對)뜨다. (類)침몰(沈沒)하다. ❷静〔鎮〕まる. おさまる. なぐ. [句例] 마음이 ~ 心が静まる / 소동이 ~ 騒ぎが静まる / 폭풍우가 ~ あらしが静まる / 바람이 ~ 風がおさまる. 風がなぐ / 아픔이 ~ 痛みがおさまる. [文例] 얼마나 놀랐는지 한참 동안 마음이 가라앉지 않았어요 どんなに驚いたことか, しばらくの間気持ちが静まりませんでした. ❸(はれが)ひく. 散る. [句例] 부기가 ~ はれが散る. →앉다[參考]

가라-앉히다 [karaanch'ida] 〈他〉 '가라앉다'の使役形. ❶沈める. [句例] 배를 ~ 船を沈める. [文例] 시체를 바다에 ~ 死体を海に沈める. ❷静〔鎮〕める. 落ち着ける. 治める. [句例] 마음을 ~ 心を静める / 인심을 ~ 人心を安んじる. ❸(はれものなどを)散らす. [句例] 약물로 맹장을 ~ くすりで盲腸を散らす. [文例] 수술하지 않고 맹장염을 가라앉혔다 手術しないで盲腸炎を散らした. →앉히다[參考]

가락¹ [一]〈名〉 ❶錘. ❷細長い棒状または筒状のもの. ❸手足のゆび. [語例] 손~ 指 / 발~ 足ゆび.
[二]〈依名〉 棒状の物を数える単位. [句例] 엿 다섯 ~ あめん棒五本.

*가락² 〈名〉 ❶曲. 節. 拍子. 調べ. [句例] 음악의 ~ 音楽の調べ / ~을 붙이다 節をつける / ~을 맞추다 調子を合わせる / ~이 맞지 않다 調子が合っていない. 調子外れだ. ❷能率.

가락이 나다 調子づく. 脂が乗る.

가락가락-이 [karakkaragi] 〈副〉 節ごとに. 毎曲.

가락-국수 〈名〉 うどん.

가락지 〈名〉 ❶(二つ一組の)指輪. [句例] ~를 낀 손가락 指輪をはめた指. (類)반지. ❷ 柱頭にはめるたが(箍).

가랑-눈 〈名〉 粉雪・.

가랑-머리 〈名〉 お下げ(髪).

가랑-무 〈名〉 二また大根.

가랑-비 〈名〉 小雨. ぬか雨. 細雨. お湿り《女》. [句例] ~가 뿌리다 小雨がばらつく. [文例] ~에 촉촉히 젖다 細雨にそぼぬれる. (類)이슬비.

가랑이 〈名〉 また(叉・股). ❶一つの本から二つ以上分かれている部分. [語例] 바짓~ ズボンのまた. ❷またぐら(股座). [句例] ~를 크게 벌리다 大またを開く.

가랑이가 찢어지게 가난하다 赤貧洗うがごとし.

*가랑-잎 [karangnip] 〈名〉 枯れ葉. 落ち葉. [句例] ~을 긁어 모으다 落ち葉をかき集める. (類)낙엽(落葉).

가랑잎에 불붙기 枯れ葉に火がつくよう. 短気で度量が狭いことのたとえ.

가랑잎이 솔잎더러 바스락거린다고 한다 落ち葉が松葉に向かってかさかさするなと文句を言う. 目くそ鼻くそを笑う.

가래¹ [一]〈名〉 すき(鋤). [語例] ~꾼 すきを使う人 / ~질 すきで土をすき起こすこと.
[二]〈依名〉 すきで土をすくう回数を表わす語: …すくい. [語例] 두 ~ 二すくい.

가래² 〈名〉〔生〕 たん(痰). [句例] ~침을 뱉다 たんを吐く. [文例] 길에다 ~를 뱉지 말기 바란다 道にたんをはかないでほしい. [語例] ~침 たん(痰). たんつば(痰唾).

가래³ 〈名〉(もち・あめなどを棒状に延ばして切った) 一切れ. [語例] 떡~ もちの一切れ / ~떡 細長い棒状のもち / ~엿 あめん棒.

가래-톳 〈名〉 横根. [句例] ~이 서다 横根ができる. ももの付け根のリンパ腺がはれる.

*가량 【假量】 [kkaryang] 〈依名〉 …ばかり. …ほど(程). …くらい. [句例] 두 말 ~ 二斗ばかり / 사십 ~의 사나이 四十がらみの男. [文例] 만 원 ~ 주십시오 一万ウォンほどください / 두 사람 ~ 필요하다 ふたりほど必要だ / 얼마 ~입니까 どれぐらいですか.

가려-내다 〈他〉 えり分ける. より分ける. 選別する. [句例] 캐낸 광석을 ~ 掘り出した鉱石を選別する / 썩은 사과를 가려내 버리다 痛んでいるりんごをえり分けてすてる.

가려워-하다 (→하다) 〈自〉 かゆがる.

가련-하다 【可憐—】 [ka:ryŏn—] (→하다) 〈形〉 可憐だ. 気の毒だ. 哀れだ. かわいそうだ. [文例] 가련한 생각이 들었다 かわいそうな気がした / 그 아이는 부모도 없으니 참 가련해 보인다 その子は父母もいないから, とてもかわいそうに思える. **가련히** 〈副〉 可憐に. 哀れに. かわいそうに.

가렴-주구 【苛斂誅求】 [ka:ryŏm—] 〈名〉 苛斂誅求. [句例] ~를 일삼다 苛斂誅求を事とする.

**가렵다 (가려우니, 가려워서) 〈形〉 かゆい. [句例] 등이 ~ 背中がかゆい / 가려운 데를 긁다 かゆいところをかく. [文例] 모기에 물린 데가 ~ 蚊にさされたあとがかゆい.

가령 【假令】 [ka:ryŏng] 〈副〉 たとえ. たとい. 例えば. 仮に. [句例] ~ 그렇다 하더라도 たとえそうだとしても. [文例] ~ 하루에 열 단어를 암기한다고 하자 例えば一日に10個の単語を暗記するとしよう / ~ 그것이 사실이라고 하더라도 나는 인정하고 싶지 않다 たといそれが事実だとしても, わたしは認めたくない.

**가로 〈名・副〉 横(に). [句例] ~의 너비 横幅 / ~ 쓰다 横に書く / 머리〔고개〕를 ~ 젓다 首を横に振る / 줄을 ~ 긋다 線を横に引く. [文例] 이 그림은 세로가 1미터, ~가 2미터이다 この絵は縦が1メートル, 横が2メートルである. [語例] ~ 글씨 横文字 / ~대 横木. バー / ~닫이 引き戸. やり戸 / ~ 세로 縦と横 / ~ 무늬 横紋様 / ~ 쓰기 横書き / ~축 横軸 / ~ 짜기 〔印〕 横組み / ~획 文字の横に引いた字画. (對)세로.

가로 【街路】 〈名〉 街路. 通り. [句例] 넓은 ~ 広い通り. [語例] ~등 街灯 / ~수 並木. 街路樹 / ~숫길 並木道.

가로-놓이다 [karonoida] 〈自〉 横たわる. [句例] 어려움이 ~ 困難が横たわる. [文例] 앞쪽에 장벽이 가로놓여 있다 前方に障壁が横たわっている.

가로-눕다 (—누우니, —누워서) 〈自〉 横たわる.

ㄱ

가로다 〈不自〉'이르다 話す. 申す' '말하다 言う'の意を表わす語. '가로되' '가라사대'の形で使われる.
가로되 〈不自〉いわく. 言いけらく. 句例 공자 ~ 孔子いわく / 옛사람이 ~ 古人言いけらく. 類왈(曰). →가라사대
가로-막【一膜】〈名〉〔生〕横隔膜.
가로-막다 〈他〉❶ふさぐ. 隔てる. 句例 입구를 가로막고 서다 入り口に立ちふさがる. 文例 자동차가 길을 가로막았다 自動車が道をふさいだ. ❷遮る. 妨げる. 句例 발언을 ~ 発言を遮る.
가로-막히다 [karomak'ida] 〈自〉'가로막다'の受け身: 立ちふさがれる. 隔てられる. 遮られる. 文例 담에 가로막혀 보이지 않다 塀に隔てられて見えない.
가로-맡다 〈他〉❶引き受ける. 句例 싸움을 ~ (人の)けんかを引き受ける. けんかを買って出る. ❷(人の事に)干渉する. 横やりを入れる.
가로무늬-근【一筋】[karomunigŭn]〈名〉〔生〕横紋筋.
*__가로-지르다__ (—지르니, —질러서)〈他〉❶(横に)渡す. 句例 빗장을 ~ かんぬき(閂)をかける. ❷横切る. 貫く. 突っ切る. 句例 행렬〔길〕을 ~ 行列〔道〕を横切る. 文例 시가의 중앙을 가로질러 강이 흐르고 있다 市街の中央を貫いて川が流れている.
가로-채다 〈他〉横取りする. ふんだくる《俗》. 取る. 奪う. ひったくる. 句例 남의 재산을 ~ 人の財産を横取りする.
가로-채이다 〈自〉'가로채다'の受け身: 横取られる. ひったくられる. 奪われる.
가로-타다 〈他〉(山などを)横切って登る.
가로-퍼지다 〈自〉❶横に広がる. ❷ずんぐりする.
가료【加療】〈名・하自〉加療. 文例 일주일간의 입원 ~를 요하다 一週間の入院加療を要する. 語例 ~중 加療中.
가루 〈名〉粉・こ. 粉末. 句例 ~를 빻다 粉をひく / 몸이 ~가 되도록 身を粉にして. 文例 뼈빠지고 몸이 ~가 되도록 일하다 骨が砕け身が粉になるまで働く. 語例 석탄 ~ 石炭の粉末 / ~차 抹茶 / ~분 粉おしろい. パウダー / ~ 비누 粉せっけん. 洗い粉 / ~ 식품 粉食 / ~약 粉薬. 散薬. 散剤 / 분필 ~ はくぼくの粉 / ~ 우유 粉ミルク / 고춧~ 唐がらし粉 / 밀~ 小麦粉. メリケン粉.
가루-받이 [—baji]〈名〉〔植〕受粉.
*__가르다__ (가르니, 갈라서)〈他〉❶割る. 裂〔割〕く. かっ切る. 句例 생선의 배를 ~ 魚の腹を裂く / 대를 ~ 竹を割る / 사과를 둘로 ~ りんごを二つに割る. ❷分ける. ㉠区分する. 仕分ける. 取り分ける. 句例 크기에 따라서 ~ 大きさによって分ける. ㉡分かつ. 句例 이익을 ~ 利益を分ける / 돈을 둘이서 ~ 金を二人で分ける. ㉢(髪を)振り分ける. 句例 머리를 한가운데서 ~ 髪を真ん中から振り分ける. ▷→囲み記事1
가르마 〈名〉(髪の)分け目. 絵
가르마(를) 타다 髪を(振り)分ける.

〈가르마〉

가르치다 〈他〉❶教える. 仕込む. 句例 영어를 ~ 英語を教える. 文例 개에게 재주를 ~ 犬に芸を仕込む. ❷教え導く. 指導する. 句例 아이들을 ~ 子供を導く. ▷→囲み記事2
*__가르침__ 〈名〉❶教え. 仕込み. 句例 스승의 ~ 師の教え / ~을 받다 教えを受ける〔仰ぐ〕/ 부모님의 ~을 따르다 父母の教えに従う / ~을 청하다 教えを請う. ❷教訓. 教義. 句例 공맹의 ~ 孔孟の教え.
가름 〈名〉❶(仕事を) 分けること. **~하다**〈他〉分ける. ❷区別. 区分. 識別. 判断. **~하다**〈他〉区別する. 区分する. 識別する. 語例 ~대 そろばん(算盤)のはり(梁). ▷→囲み記事3
가리¹ 〈名〉竹を円筒形に編んだ魚を捕

囲み記事1

■ '가르다'と'가리다' ■

가르다 (1) 分ける. 分かつ —— 편을 가르다 組を分ける.
(2) 裂く. 割く —— 생선의 배를 가르다 魚の腹を裂く.
가리다 (1) 遮る —— 사람이 가려서 안 보인다 人に遮られて見えない.
(2) えり分ける —— 불량품을 가려내다 不良品をえり分ける.
(3) 人見知りをする —— 낯 가리는 아이 人見知りをする子供.
(4) わきまえる —— 선악을 가리다 善悪をわきまえる.

囲み記事2

■ '가르치다'と'가리키다' ■

가르치다 (知識や技術などを)教える —— 일본어를 가르치는 선생님 日本語を教える先生.
가리키다 (指あるいは言葉・動作などで)指し示す —— 그는 말없이 손으로 극장을 가리켰다 彼は物も言わずに劇場を指し示した.

囲み記事3

■ '가름'と'갈음' ■

二つの言葉が発音上では[karum]となるので混同しやすいが, 言葉の使い方ではまるきり違う.
가름 (一緒にしていた仕事などを)分けること —— 셋으로 가름 三つに分けること.
갈음 (…の)おかわりにすること. 一般に'하다'を付け動詞形に変えて使う —— 간단하나마 이것으로 인사를 갈음하겠습니다 簡単ながら, これでごあいさつのおかわりにいたします.

る漁具.

가리² 〈名〉(穀物・薪などを積み重ねた)むら(叢). 語例 볏~ 稲むら.

***가리다**¹ 〈自他〉遮る. 覆う. 隠す. ふさぐ. 句例 손수건으로 얼굴을 ~ ハンカチで顔を覆う / 빛을 ~ 光を遮る / 눈을 ~ 目を覆う / 커튼으로 ~ カーテンで遮る. 文例 흐르는 눈물이 앞을 가려서 그녀의 얼굴을 제대로 볼 수가 없었다 流れる涙が目の前を遮って彼女の顔をろくに見ることができなかった. →囲み記事1

****가리다**² 〈他〉❶選ぶ. よ(選)る. より〔えり〕分ける. 句例 수단을 가리지 않다 手段を選ばない / 불량품을 ~ 不良品をえり分ける. ❷人見知りをする. 人おじする. なつかない. 句例 낯을 ~ 人見知りをする. 文例 우리 애는 퍽 낯을 가립니다 うちの子はとても人見知りをします. ❸(勘定を)済ます. 清算する. 支払う. 弁済する. 句例 빚을 ~ 借金を済ます〔返す〕. ❹わきまえる. 分かつ. 見分ける. 句例 선악을 ~ 善悪をわきまえる / 시비를 ~ 是非を弁じる. 理非を分かつ / 밤낮을 가리지 않고 昼夜を分かたず / 장소도 가리지 않고 場所柄もわきまえずに. ❺(食べ物の)えり〔より〕好みをする. 文例 음식을 가린다 食べ物にえり好みをする / 나는 음식을 가리지 않는다 わたしは食べ物を選ばない / 반찬을 너무 가리지 말고 이것저것 골고루 먹어라 おかずをあまりえり好みしないであれこれなんでも食べなさい. ❻(髪を)大ざっぱにすく. ▷→囲み記事1

가리다³ 〈他〉(幼子が)大小便をわきまえる. 漏らさない.

가리맛-조개 〈名〉〔貝〕あげまき(揚巻).

가리비 〈名〉〔貝〕帆立貝.

가리어-지다 〈自〉遮られる. 隠される. ふさがる. 覆われる. 包まれる. 略して'가려지다'とも言う. 句例 안개 속에 ~ 霧に包まれる. 文例 햇빛이 구름에 ~ 日光が雲に隠される.

***가리키다** 〈他〉❶指す. 指し示す. 示す. 句例 방향을 ~ 方向を指し示す. 文例 시계 바늘이 정오를 가리켰다 時計の針が正午を指した / 지남철의 바늘은 북을 가리킨다 磁石の針は北を指す. ❷知らせてやる. 教える. 示す. 句例 길을 ~ 道を示す〔教える〕. ❸特に指定する. 文例 이순신 장군을 가리켜 성웅이라 한다 李舜臣将軍を指して聖雄と言う. ▷→囲み記事2

가마¹ 〈名〉'가마솥'の略.

가마² 〈名〉窯. 文例 이 청자는 저 ~에서 구운 것이다 この青磁はあの窯で焼いたものだ. 語例 숯~ 炭焼き窯.

가마³ 〈名〉つむじ. 旋毛. ぎりぎり《俗》.

***가마**⁴ [ka:ma] 〈名〉かご(駕籠). こし(輿). 絵 句例 ~를 메다 かごをかつぐ / ~를 타고 가다 かごに乗って行く / ~ 타고 시집가다 かご〔こし〕に乗って嫁に行く. 語例 ~꾼 かごか(舁)き / ~채 かごの担ぎ棒.

〈가마〉

가마⁵ 〈名・依名〉'가마니'の略.

***가마니** ■〈名〉かます(叺). 絵 文例 비료를 ~에 담다 肥料をかますに入れる. 語例 ~때기 使い古したかます. またはその切れはし.
■〈依名〉(穀物・肥料などの量を数える語: …かます. 語例 쌀 두 ~ 米二かます. ◇일 かます

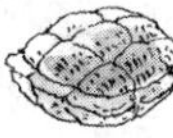

〈가마니〉

가마리 [ka:mari] 〈依名〉嘲笑の的. 文例 남의 웃음 ~가 되다 人の笑いぐさになる. 語例 조롱 ~ 嘲笑の的.
参考 実地の言語生活では'웃음 가마리 [usŭmkkamari]'のように硬音に発音される.

가마-솥 〈名〉かま(釜). 略して'가마¹'とも言う. 絵 句例 ~에 든 고기 かまの中の魚. 俎上の魚. 文例 부엌에서 ~을 쓰는 집이 드물어졌다 台所でかまを使う家がまれになった.

〈가마솥〉

가마우지 〈名〉〔鳥〕う(鵜).

****가만-가만** 〈副〉静静と. こそこそと. ひそ(密)かに. =가만가만히. 句例 ~ 걷다 静静と歩く / ~ 소곤거리다 こそこそとささやく.

가만-두다 〈他〉そっとしておく. そのままにしておく. ほうっておく. 文例 가만두어라 そっとしておきなさい / 너 가만두지 않을 거야 お前をこのままほうってはおかないよ.

가만-있자 [kamanitcha] 〈感〉考えがすぐ浮かばないときに使う語: さて. おや. はて. 文例 ~, 누구더라 さて, だれだったけ / ~, 오늘이 며칠이더라 ちょっと待って, 今日は何日だったけ.

****가만-히** 〈副〉じっと. 静かに. 黙って. ひそかに. おとなしく. 句例 ~ 숨어들다 ひそかに忍び込む / ~ 있어도 팔리다 黙っていても売れる. 文例 ~ 있어요 じっとしていなさい / ~ 생각해 보니까 내가 손해본 셈이다 じっと考えてみると, わたしが損をしたことになる / 그는 ~ 앉아 있을 뿐이었다 彼は黙って座っているばかりだった.

가망【可望】 [ka:mang] 〈名〉見込み. 望み. 句例 ~이 없다 見込みがない / 도저히 ~이 없다면 どうしても見込みがなければ. 文例 아직은 ~이 있다 まだ望みはある.

가맹【加盟】 〈名・하自〉加盟. 語例 ~국 加盟国 / ~ 단체 加盟団体 / ~점 加盟店.

가면【假面】 [ka:myŏn] 〈名〉❶仮面. 面. マスク. 句例 ~을 쓰다〔벗다〕仮面をかぶる〔脱ぐ〕. 文例 ~을 쓰고 있어서 누가 누군지 알 수가 없다 仮面をかぶっているのでだれがだれだか分からない. 語例 ~ 무도회 仮面舞踏会. ❷正体を隠している状態. 句例 ~을 벗기다 仮面をはがす / ~이 벗겨지다 化けの皮がはがれる. ▷㊫탈.

가멸다 [ka:myŏlda] (가머니, 가멸어서) 〈形〉(財産などが)豊かだ. 金持ちだ. 富んでいる.

가명【家名】 〈名〉家名. 句例 ~을 더럽히다 家名を汚す.

가명【假名】[ka:myŏng]〈名〉仮名．仮の名．偽名．句例 ～을 쓰다 偽名〔仮名〕を使う．文例 소년의 범죄는 장래를 생각해서 ～으로 보도된다 少年の犯罪は将来を考えて仮名で報道される．對본명(本名)．실명(實名)．

가무【歌舞】〈名・하自〉歌舞．語例 ～음곡 歌舞音曲．

가무스름-하다（→하다）〈形〉やや黒い．浅黒い．略して'가뭇하다'ともいう．
表現 語感の大きい語は'거무스름하다'．語勢の強い語は'까무스름하다'．

가무잡잡-하다 [kamujapchap'ada]（→하다）〈形〉(顔色が)浅黒くてぱっとしない．

가무족족-하다 [kamujokchok'ada]（→하다）〈形〉浅黒くて澄んでいない．

가문【家門】〈名〉家門．❶一家一門．句例 ～의 명예 家門の名誉．❷家柄．門閥．門地．文例 ～의 수치다 家の面汚しである．
가문(을) 흐리다 家門を汚す．

가문-비〈名〉〔植〕えぞまつ(蝦夷松)．＝가문비나무．

***가물**〈名〉'가물음'の略：日照り．干魃〔旱魃〕．＝가뭄．句例 ～이 계속되다 日照りが続く／～에 단비 干天の慈雨．
가물(이) 들다 ❶照り込む．❷干魃が悪い影響を与える．
가물에 콩나기 日照りに豆が生えるよう．まれにしかないことのたとえ．
가물에 콩나듯 '가물에 콩나기'のこと．
가물(을) 타다 干魃の影響をたやすく受ける．日照りに弱い．

가물-거리다〈自〉❶(物や明かりなどが)ちらちら〔ゆらゆら〕する．揺らぐ．句例 가물거리는 불빛 揺らぐともしび(灯)．文例 촛불이 바람에 가물거렸다 ろうそく(蠟燭)の火がそよ風に揺らめいた．❷(遠くの物が)ぼんやり〔かすんで〕見える．ちらちら見える．ちらつく．かすむ．しょぼつく．句例 눈이 ～ 目がちらつく．目がちらちらする〔しょぼつく〕．❸(気が)ぼうっとする．朦朧となる．めまい(眩暈)がする．文例 가물거리는 기억을 더듬다 かすかな記憶をたどる．
가물가물〈副〉ちらちら．ゆらゆら．ぼうっと．ぼんやり．**～하다**〈自〉ちらちら〔ゆらゆら〕する．揺らぐ．ぼんやり見える．ぼうっとする．句例 멀리 ～ 보이는 섬 遠くにぼんやり見える島．

가물다（가무니，가물어서）〈自〉日照りになる．干魃〔旱魃〕になる．句例 날씨가 ～ 日照りになる．日照りが長く続く．文例 봄시 가물어서 땅이 갈라진다 干魃がひどくて地面が割れる／저수지가 있으면 오래 가물어도 걱정이 없다 貯水池があれば日照りが長く続いても心配はない．

가물음 [kamurŭm]〈名〉'가물・가뭄'のもとの語形．

가물치〈名〉〔魚〕カムルチィ．雷魚．

***가뭄**〈名〉'가물음'の略：日照り．干魃〔旱魃〕．語例 ～ 피해 日照りによる被害．

가미【加味】〈名・하他〉加味．❶㋐味を付け加えること．文例 여름에는 얼큰한 맛을 ～하면 좋다 夏はピリッとした味を加味するといい．㋑他の要素を付け加えること．文例 법에 인정을 ～하다 法に人情を加味する．❷〔韓醫〕加薬．(韓方で)主要な処方薬に補助の薬材を加えること．

가발【假髮】[ka:bal]〈名〉かつら．ウイッグ．句例 ～을 쓰다 かつらをつける．絵

(가발)

가방〈名〉かばん(鞄)．句例 어깨에 ～을 메다 肩にかばんをかける／～에 채워넣다 かばんに詰める．文例 저는 매일 무거운 ～을 들고 학교에 갑니다 わたしは毎日重たいかばんを持って学校に行きます．語例 책～ 学生用かばん．

가배【嘉俳・嘉排】〈名〉〔史〕新羅時代，宮中で陰暦の八月の十五夜に行なわれた年中行事の一つ．

가벼이〈副〉軽く．軽軽と．句例 ～ 들어올리다 軽軽と持ち上げる．

가변【可變】[ka:byŏn]〈名〉可変．

***가볍다**（가벼우니，가벼워서）〈形〉軽い．❶(目方が)重くない．句例 가벼운 짐 軽い荷物／무게가 ～ 目方が軽い．文例 종이는 돌보다 ～ 紙は石より軽い．❷重大〔大切〕でない．軽微だ．句例 가벼운 손해 軽い損害／가벼운 상처 浅い傷／책임〔부담〕이 ～ 責任〔負担〕が軽い／가볍게 보다 軽くみる．❸気軽だ．手軽だ．軽快だ．句例 가벼운 일 軽い仕事／가벼운 옷차림 軽いみなり／가벼운 읽을거리 軽い読み物．❹軽はずみだ．軽率だ．句例 입이 ～ 口が軽い．▷對무겁다．

가볍디-가볍다（—가벼우니，—가벼워서）〈形〉非常に軽い．

가보【家寶】〈名〉家宝．句例 조상 대대로 내려오는 ～ 先祖代代の家宝．

가봉【假縫】[ka:bong]〈名・하他〉仮縫い．下縫い．句例 양복의 ～을 하다 洋服の仮縫いをする．

가부【可否】[ka:bu]〈名〉可否．句例 ～를 결정하다 可否を決める．

가부-간【可否間】[ka:bugan]〈副〉よかれあしかれ．どっちにしても．とにかく．いずれにせよ．

가부-장【家父長】〈名〉〔史〕家父長．家長．語例 ～제 국가 家父長制国家．

***가-분수**【假分數】[ka:bunssu]〈名〉〔數〕仮分数．

가불【假拂】[ka:bul]〈名・하他〉前借り．先借り．前借．内借り．仮渡し．句例 급료를 ～받다 給料を前借りする．語例 ～금 前借り金．先借り金．内借金．

가빠-지다〈自〉息苦しくなる．(息が)せ(急)く．句例 숨이 ～ 息がせく．

가뿐-하다（→하다）〈形〉(ほどよく)軽い．**가뿐히**〈副〉ほどよく軽く．軽やかに．
가뿐가뿐〈副〉軽やかに．軽軽と．文例 그녀는 ～ 춤추기 시작했다 彼女は軽やかに舞いはじめた．

가쁘다（가쁘니，가빠서）〈形〉❶手に余って苦しい．❷息苦しい．句例 가쁜 숨을 쉬다 息を切らす／숨이 ～ 息切れがする．

가사【家事】〈名〉家事. 語例 ～ 노동 家事労働 / ～ 심판 家事審判.

가사【袈裟】〈名〉〔佛〕袈裟. 絵

*__가사__【歌詞】〈名〉〔樂〕❶正楽の中で古雅な形式になっている長編の歌の一つ. ❷歌詞. 句例 ～를 짓다 作詞する. 文例 노래를 부르고 싶은데 ～를 몰라요 歌いたいのですが歌詞を知りません.

〈가사〉

가산【加算】〈名·하他〉加算. ❶加えて数えること. 語例 ～세 加算税 / 운임을 ～하다 運賃を加算する. ❷加え算. 足し算. 寄せ算. ＝가법(加法).

가산【家産】〈名〉家産. 身代. 屋台骨. 句例 ～이 기울다 家産〔身代〕が傾く / ～을 탕진하다 家産をつぶす.

가상【假想】[ka:sang]〈名·하他〉仮想. 語例 ～ 적국 仮想敵国.

가상-하다【嘉尚―】(→하다)〈形·他〉❶けなげで立派だ. 文例 그 효행은 참으로 ～ その孝行ぶりは実にけなげで立派だ. ❷感心だとほめたたえる. **가상히**〈副〉りっぱだと. 句例 가상히 여기다 よいとしてほめる. 立派だと思う.

가-석방【假釋放】[ka:sŏkpang]〈名·하他〉〔法〕仮釈放. 仮出獄.

가-선 [ka:sŏn]〈名〉ささべり(笹縁). へり縫い. 句例 돗자리의 ～을 두른 천 ござのへり布. **가선(을) 두르다** ささべりをあてる. へり縫いをする.

가설【架設】[ka:sŏl]〈名·하他〉架設. 句例 전화〔철교〕의 ～ 電話〔鉄橋〕の架設 / 송전선을 ～하다 送電線を架設する.

가설【假設】[ka:sŏl]〈名·하他〉仮設. 語例 ～ 공사 仮設工事 / ～ 무대 仮設ステージ.

가설【假說】[ka:sŏl]〈名〉〔論〕仮説. 句例 ～을 세우다 仮説をたてる.

가세【加勢】〈名〉加勢. **～하다**〈自〉加勢する. 味方する.

가세【家勢】〈名〉家勢. 句例 ～가 기울다 家運が傾く / ～가 넉넉하다 家勢が豊かだ.

가소-롭다【可笑―】[ka:soropta](→롭다)〈形〉(ちゃんちゃら)おかしい. ばかげている. 笑わせる. 片腹痛い. 句例 가소롭기 짝이 없다 笑止千万だ. **가소로이**〈副〉あきれたことにも. ばかばかしく.

가속【加速】〈名·하自他〉加速. 語例 ～기 加速器 / ～ 장치 加速装置.

가-속도【加速度】〈名〉〔物〕加速度. 句例 ～가 붙다 加速度がつく.

가솔린〈名〉ガソリン. 語例 ～ 기관 ガソリン機関. ガソリンエンジン. 類휘발유. ◇gasoline

가수【歌手】〈名〉歌手. 歌い手. 語例 유행가 ～ 流行歌の歌手 / 오페라 ～ オペラ歌手 / 인기 ～ 人気の歌い手.

가수 분해【加水分解】〈名〉〔化〕加水分解. 語例 ～ 효소 加水分解酵素.

*__가스__〈名〉ガス. 句例 ～가 새다 ガスが漏れる. 文例 겨울이 되면 연탄 ～로 죽는 사람이 생긴다 冬になると練炭ガスで死ぬ人が出る. 語例 도시 ～ 都市ガス / 수소 ～ 水素ガス / 프로판 ～プロパンガス / ～ 레인지 ガスレンジ / ～통 ガスボンベ / ～ 라이터 ガスライター / ～ 버너 ガスバーナー / ～ 탱크 ガスタンク / ～ 난로 ガスストーブ / ～ 보일러 ガスボイラー. ◇gas

**__가슴__〈名〉胸. ❶胸部. 句例 ～을 펴다 胸を張る / ～을 앓다 胸を患う / ～이

《古歌 1》

가시리 去りしや

高麗歌謡の一つ. 別れを惜しむ歌で, 楽章歌辞(高麗時代から朝鮮朝初期までの歌謡・楽章などを集めた歌集)に収められている.

歌詞

〈古文〉	〈現代文〉	
가시리 가시리잇고 나ᄂᆞᆫ ᄇᆞ리고 가시리잇고 나ᄂᆞᆫ 위 증즐가 太平盛代	가시리 가시리잇고 버리고 가시리잇고.	去りしや 去り行きしや 捨てて 去り行きしや. ウィズンズルガ テピョンソンデ
날러는 엇디 살라 ᄒᆞ고 ᄇᆞ리고 가시리잇고 나ᄂᆞᆫ 위 증즐가 太平盛代	나는 어찌 살라 하고 버리고 가시리잇고.	わたしをば, いかに生きよと 捨てて 去り行きしや. ウィズンズルガ テピョンソンデ
잡ᄉᆞ와 두어리마ᄂᆞᄂᆞᆫ 선ᄒᆞ면 아니 올셰라. 위 증즐가 太平盛代	붙잡아 두겠습니다마는 서운하면 아니 올까 두렵습니다.	恨みを起こさせば帰らざるか と憂わし. ウィズンズルガ テピョンソンデ
셜온 님 보내ᄋᆞᆸ노니 나ᄂᆞᆫ 가시ᄂᆞᆫ ᄃᆞᆺ 도셔 오쇼셔 나ᄂᆞᆫ 위 증즐가 太平盛代	설우 임을 보내옵나니 가자마자 곧 돌아서서 오소서.	いとしきお方お送りはいたすものの 行き着くなりすぐお帰りあそばせ. ウィズンズルガ テピョンソンデ

'나ᄂᆞᆫ'は語調を整える語. '위 증즐가 태평성대'は折り返し.

답답하다・胸が苦しい / ～이 뛰다〔두근두근하다〕胸がどきどきする / ～이 터질 것같은 슬픔 胸のさけるような悲しみ / 단도를 ～에 들이대다 短刀を胸先〔胸元〕につきつける. 文例 ～에 붉은 꽃 한 송이를 단 저 분은 누구십니까 胸に一本の赤い花をつけたあの方はどなたですか. 語例 ～앓이 胸焼け / ～뼈 胸骨 / ～ 지느러미〔魚〕胸びれ / ～패기 胸元. ❷心. 句例 ～이 설레다 胸がさわぐ / ～ 속에 숨기다 胸にひめる / ～이 찔리다 (良心の呵責で)心が痛む. 文例 아무리 하여도 설레는 ～을 가라앉힐 수 없었다 高なる胸をどうしても静めることができなかった. ❸(衣服の)胸部. 語例 옷～ 服の胸にあたる部分. 前身ごろ.

가슴-둘레 〈名〉胸囲. ＝흉위. 句例 ～를 재다 胸囲をはかる.

가시 〈名〉❶とげ(刺). ㉠草木の茎や葉にある針のようなもの. 句例 장미의 ～ バラのとげ. 文例 아름다운 것에는 ～가 있다 美しいものにはとげがある. 語例 ～나무〔植〕いばら / ～ 덤불 いばらのやぶ(藪) / ～밭 いばらのやぶばら(籔原) / ～밭길 いばらの道 / ～ 철사 有刺鉄線 / ～ 철망 鉄条網. ㉡(魚の)骨. 小骨. のぎ(鯁). 文例 목에 ～가 걸렸다 魚の小骨がのどにささった. ㉢肌にささった木切れ・竹などの細片. 句例 손가락에 ～가 박이다 指にとげがささる. ㉣人の心をつきさすもの. ❷憎い人のたとえ. 句例 눈엣～ 目の上のこぶ.

가시(가) 돋치다 とげが立つ. 句例 가시돋친 말 とげのある〔針を含んだ〕言葉.

가시 【可視】[ka:shi]〈名〉可視. 語例 ～ 거리 可視距離 / ～ 광선 可視光線 / ～ 스펙트럼 可視スペクトル.

가시다 ■〈自〉去る. う(失)せる. なくなる. 消える. 句例 아픔이 ～ 痛みが消える〔取れる〕. 苦痛が去る. 文例 마음에 입은 상처가 좀처럼 가시지 않았다 心に受けた傷がなかなか消えなかった.
■〈他〉すすぐ. ゆすぐ. そそぐ. 句例 입을 ～ 口をすすぐ.

가식 【假飾】[ka:shik]〈名・하他〉虚飾. 飾り気. 見せかけ. 句例 ～이 없는 사람 飾り気のない人 / ～에 찬 생활 虚飾にみちた生活.

*__가야-금__ 【伽倻琴】〈名〉〔樂〕伽倻琴. 類가얏고. 参考 六世紀ごろ, 今の慶尚北道高霊附近にあった伽倻国の嘉実王が楽師干勒に命じて造ったといわれる12絃の撥絃楽器. 絵

〈가야금〉

가업 【家業】〈名〉家業. 句例 ～을 잇다 家業を継ぐ.

가-없다 [ka:ŏpta]〈形〉果てしない. 限りない. **가없이** [—ŏpshi]〈副〉果てしなく. 限りなく.

가역 반응 【可逆反應】[ka:yŏkpa:nŭng]〈名〉〔化〕可逆反応.

가연-성 【可燃性】[ka:yŏnssŏng]〈名〉可燃性. 語例 ～ 가스 可燃性ガス.

*__가열__ 【加熱】〈名〉加熱. **～하다**〈自〉加熱する. 熱する. 語例 ～기 加熱器 / ～ 살균 加熱殺菌.

⁑__가엾다__ [ka:yŏpta]〈形〉かわいそうだ. 哀れだ. 不憫〔不愍〕だ. 気の毒だ. 痛ましい. いたわしい. 句例 가엾은 처지 かわいそうな境遇 / …을 가엾게 여기다 …をかわいそうに思う. 文例 그 애는 부모가 없다니 참으로 가엾구나 その子は両親がいないそうでまことにかわいそうだね. 語例 가엾게도 かわいそうにも. 哀れにも. **가엾이** [ka:yŏpshi]〈副〉かわいそうに. 哀れに. 不憫〔不愍〕に. 気の毒に.

가오리 〈名〉〔魚〕えい.

가오리-연 【一鳶】〈名〉えいの形のたこ(凧).

*__가옥__ 【家屋】〈名〉家屋. 家. 句例 ～이 유실하다 家屋が流失する / ～을 수리하다 家屋を修理する. 語例 유실 ～ 流失家屋.

가외 【加外】〈名〉余分. 余計. 語例 ～ 수입 余禄 / ～ 지출 余分の支出 / 가욋일 余分の仕事.

가요 【歌謠】〈名〉歌謡. 語例 ～곡 歌謡曲 / ～계 歌謡界 / 대중 ～ 大衆歌曲. 演歌.

가용 【家用】〈名・하他〉❶一家の生活費. 句例 ～을 줄이다 一家の費用を切り詰める. ❷家で用いる〔使う〕もの. 自家用.

가용-성 【可溶性】[ka:yongssŏng]〈名〉可溶性. 對불용성(不溶性).

가용-성 【可鎔性】[ka:yongssŏng]〈名〉金属が低温でよくとける性質.

가운 【家運】〈名〉家運. 句例 ～이 기울다 家運が傾く.

가운 〈名〉ガウン. 句例 ～을 입다 ガウンをはおる〔きる〕/ ～ 차림의 의사 ガウンすがたの医者. ◇gown

⁑__가운데__ 〈名〉中. ❶中間. 内部. 間. 内側. 内. 句例 ～가 우묵하다 中がへこんでいる / 보고 있는 ～ 見ている内に. 文例 ～로 들어가 주십쇼 どうぞ中へお入りください / 바쁘신 ～ 와 주셔서 감사합니다 お忙しい中を来ていただきまして恐縮であります / ～가 빈 것을 골라라 中が空いている物を選びなさい / 그는 항상 대중 ～에 들어갔다 彼はいつも大衆の中に入った. ❷(多くの)中. 内. 句例 그 ～서도 その中でも / 형제들 ～서 兄弟の中で / 많은 ～서 고르다 多くの中で選ぶ. 文例 여러분 ～ 아시는 분은 손을 들어 주세요 皆さんの中で御存じの方は手をあげてください. ❸二番目. 語例 ～ 형 中の兄. ❹'한가운데'の略：真ん中. 語例 가운뎃방 中の間 / 가운뎃발가락 真ん中の足指.

가운뎃-손가락 [—sonkkarak]〈名〉手の中指. ＝중지(中指). 장지(長指).

가운뎃-점 【—點】〈名〉〔言〕文章符号の一つ. 中点. 黒丸《・》. ＝중점(中點).

가운뎃-집 〈名〉❶三人兄弟の二番目の人の家. ❷三軒家の真ん中の家.

⁑__가위__[1] 〈名〉❶はさみ(鋏). 句例 ～ 한 자루 はさみ一挺. 語例 전정 ～ 剪定ばさみ / ～질 は

さみ仕事/～표 かけじるし《×》. ❷(じゃんけんの)はさみ. ちょき.

가위² 〈名〉'한가위'の略. (類)가배(嘉俳).

가위³ 〈名〉夢魔. 悪夢.

가위(에) 눌리다 うなされる. 夢魔に襲われる.

****가위-바위-보** 〈名〉じゃんけんぽん. ぐうちょきぱあ. [文例] ～로 정하자 じゃんけん(両拳)で決めよう.

가으-내 〈副〉秋中(ずっと).
[参考] '가을내'の転訛.

****가을** 〈名〉秋. 略して '갈'ともいう. [語例] ～갈이 秋耕/～걷이 秋の取り入れ/～별 秋びよりのひ(陽)/～바람 秋風/～비 秋雨/～보리 秋ま(蒔)きの麦/～뿌림 秋ま(蒔)き/～일 取り入れの仕事/～ 장미 秋の長雨/～철 秋. 秋の季節/～하늘 秋空/늦～ 晩秋.

가이드 〈名〉ガイド. [文例] ～의 안내로 관광하다 ガイドの案内で観光する. [語例] ～ 라인 ガイドライン. ◇guide

가이-없다 [kaiŏpta] 〈形〉果てし(が)ない. 限りがない. [句例] 가이없는 부모의 사랑 果てしない親の愛情. **가이없이** [—ŏpshi] 〈副〉果てしなく. 限りなく.

가인【佳人】 〈名〉佳人. [句例] 절세의 ～ 絶世の佳人. [語例] ～ 박명 佳人薄命/～ 재자 佳人才子.

가인【歌人】 〈名〉歌人・うたびと.

가-일층【加一層】 ㊀〈副〉なお一層. なおさら. [句例] ～ 분발하다 なお一層奮発する.
㊁〈名・하自他〉なお一層加えること. [句例] ～의 노력 より一層の努力.

가입【加入】 〈名・하自他〉加入. [句例] 조합에 ～하다 組合に加入する. [語例] ～자 加入者/～금 加入金/～ 신청 加入申し込み. (對)탈퇴(脱退). (類)가맹(加盟).

가자미 〈名〉〔魚〕かれい(鰈).

가작【佳作】 〈名〉佳作.

***가장【家長】** 〈名〉家長.

가장【假裝】 [ka:jang] 〈名・하自他〉仮装. 装うこと. 見せかけること. [文例] 임금님이 거지로 ～하여 거리에 나갔다 王さまがこじきに身をやつして町へ出た. [語例] ～ 행렬 仮装行列.

****가장** 〈副〉最も. 一番. 何より(も). [句例] ～ 뛰어난 인물 最もすぐれた人物/세계에서 ～ 높은 산 世界で一番高い山.

****가장자리** [ka:jangjari] 〈名〉縁. へり. 端・はた. まわり. [文例] 이 접시는 ～에 작은 흠이 있다 この皿は縁に小さなきずがある.

****가재** [ka:jae] 〈名〉〔動〕ざりがに. えびがに(海老蟹).

가재도 게 편이라 ざりがにもかに(蟹)に味方する《似ていて縁故のある方に味方することのたとえ》.

가재【家財】 〈名〉家財. [句例] ～를 끌어내다 家財を持ち出す. [語例] ～ 도구 家財道具.

가재-걸음 [ka:jaegŏrŭm] 〈名〉❶(ざりがにのような)後ろ歩み. ❷事がはかど(捗)らず滞ること. 進歩のないこと.

가재걸음(을) 치다 (ざりがにのように)後じさりする. 退歩する.

가전【家電】 〈名〉〔工〕家電. [語例] ～ 제품 家電製品.

가정【家政】 〈名〉家政. [句例] ～부를 두다 家政婦を雇う. [語例] ～과 家政科/～부 家政婦. お手伝い(さん).

***가정【家庭】** 〈名〉家庭. [句例] 좋은 ～ 立派な〔良い〕家庭/원만한 ～ えんまんな家庭/～의 날 家庭の日/～적인 남편 家庭的な夫/～을 지키다 家庭を守る/～에 들어앉다 家庭に納まる/～교사를 두다 家庭教師をつける/결혼해서～을가지다 結婚して家を持つ. [語例] ～ 교육 家庭教育/～ 방문 家庭訪問/～ 생활 家庭生活/～ 통신 家庭通信/～ 상비약 家庭常備薬/～ 법원 家庭裁判所/～ 부인 家庭夫人. 主婦.

가정【假定】 [ka:jŏng] 〈名・하自他〉仮定. [句例] …라고 ～하자 …と仮定しよう/…라 ～하고 …と仮定して/이것은 ～의 이야기인데 これは仮定の話であるが. [文例] 한 시간에 5킬로 걸을 수 있다고 ～하여 계산하다 一時間に五キロ歩けると仮定して計算する/아직 ～의 단계라 확실하지 않다 まだ仮定のだんかいだから, はっきりしない.

가제【加除】 〈名・하他〉❶加除. [句例] 명부의 ～ 名簿の加除. ❷〔數〕加法と除法. ❸添削.

가제 [ka:je] 〈名〉ガーゼ. ＝거즈. ◇도 Gaze

****가족【家族】** 〈名〉家族. [句例] ～을 부양하다 家族を養う. [文例] 벽지의 분교는 학생수도 적으므로 ～적인 분위기에서 교육이 이루어진다 僻地の分校は生徒数も少ないので, 家族的な雰囲気で教育が行なわれる. [語例] 핵～ 核家族/～ 계획 家族計画/～법 家族法/～ 수당 家族手当て/～ 제도 家族制度/～ 회의 家族会議.

가죽 〈名〉❶皮. [句例] ～을 벗기다 皮をはぐ〔はがす・むく〕/볕에 타서 살～이 벗겨지다 日に焼けて皮がむける. [語例] 털～ 毛皮/낯～ つらの皮. ❷革. 皮革. [句例] ～이 질기다 革がじょうぶだ. [語例] 쇠～ 牛革/～ 제품 革製品/～끈 革ひも. 革緒.

가중【加重】 〈名・하自他〉加重. [句例] 부담이 ～되다 負担が加重される.

가증-스럽다【可憎—】 [ka:jŭng—] (→스럽다) 〈形〉憎らしい. 卑劣だ. [句例] 가증스러운 행위 憎むべき〔卑劣な〕行為.

가증-하다【可憎—】 [ka:jŭng—] (→하다) 〈形〉⇨ 가증스럽다

****가지¹** 〈名〉枝. [句例] ～가 휘도록 枝もたわわに/～를 뻗다 枝を出す〔広げる〕/～를 꺾다 枝を折る. [語例] 나뭇～ 木の枝/～치기 枝打ち/～꽂이 枝さし/～접붙이기 枝つぎ.

가지 많은 나무가 바람 잘 날이 없다 枝の多い木に風が静まる日無し《子供の多い人は心配が絶えないことのたとえ》.

가지(를) 치다 ❶枝が張る〔伸びる〕. ❷枝打ちする. 枝を下ろす. はさみ(鋏)を入れる.

가지² 〈名〉〔植〕なす(茄・茄子). なすび《方》.

****가지³** 〈依名〉種類. 種. [句例] ～각색의 복장 様様の服装. [語例] 가짓수 種類/여러～ いろ

いろ．もろもろ／～각색 様様．色色．種種．

가지-가지[1] 〈副〉枝ごとに．

가지-가지[2] ■一〈名〉種種．まちまち．色色．様様．文例 취미도 ～이다 趣味も様様である．■二〈冠〉種種の．いろいろな〔の〕．様様な〔の〕．文例 ～ 생각이 난다 いろいろの想念が浮かぶ．

가지고 ■一〈補動〉語尾"-아"・"-어"の下に付く語：動作・状態を保っていることを表わす．文例 책을 넣어 ～ 왔다 本を入れて持って来た／돈을 받아 ～ 왔다 お金をもらって来た／그래 ～ 나중에 커서 뭐가 되려고 그러니 そんな調子じゃ，大きくなってなんになろうていうんだ／그 사람한테 전화해 ～ 오늘 오라고 그래라 その人に電話して，きょう来いと言いなさい．■二〈他〉'가지다'の活用形．❶手段や道具を表わして'로, 으로 で'の意味に使われる．文例 칼을 ～ 장난하다 ナイフでいたずらをする．❷対象にすることを表して'을 を，に'の意味に使われる．文例 나만 ～ 야단이야 わたしにだけ小言を言う．

****가지다** 〈他〉持つ．❶手に取る．句例 오른손에 ～ 右手に持つ．❷携える．句例 가지고 다니다 携え歩く／가지고 들어가다〔오다〕 持ち込む．❸所有する．有する．句例 집을 ～ 家を持つ／권리를 ～ 権利を有する．❹いだく．句例 반감을 ～ 反感を持つ／야심을 ～ 野心をいだく／희망을 ～ 希望を持つ．❺保つ．句例 여자와 관계를 ～ 女と関係を持つ．❻行なう．句例 졸업식을 ～ 卒業式を行なう／모임을 ～ 会合を持つ．❼はらむ．身ごもる．句例 아이를 ～ 身ごもる．

***가지런-하다** (→하다) 〈形〉整然としている．(高さや先きが)そろっている．句例 크기가 ～ 大きさがそろう．**가지런히** 〈副〉整然と．一様に．きちんと．句例 가지런히 서다 整然と並ぶ／신을 가지런히 정돈하다 はき物をそろえる．

****가짜**【假―】[ka:tcha]〈名〉偽物．替え玉．まがい物．がんぶつ(贋物)．句例 ～를 속아 사다 いかものをつかまされる．文例 진짜와 ～는 잘 가려야 한다 本物と偽物とは，よく区別しなければならない．語例 ～ 물건 偽物／～ 시계 てんぷら〔いんちき〕時計／～ 경찰관 偽者の警官．㊖진짜．

가차-없다【假借―】[ka:ch'aŏpta]〈形〉容赦ない．**가차없이** [―ŏpshi]〈副〉容赦なく．ぴしぴし(と)．句例 가차없이 다루다 容赦なく扱う．

가창【歌唱】〈名・하自〉歌唱．語例 ～ 지도 歌唱指導／～력 歌唱力．

가책【呵責】[ka:ch'aek]〈名・하他〉呵責．句例 양심의 ～ 良心の呵責．文例 양심의 ～을 느낄 일은 없다 やま(疚)しいことはない．

***가축**【家畜】〈名〉家畜．句例 ～을 기르다 家畜を飼う．語例 ～ 병원 家畜病院／～ 시장 家畜市場．

가출【家出】〈名・하自〉家出．語例 ～ 소녀 家出少女．

***가치**【價値】〈名〉価値．値打ち．句例 ～가 있다 価値がある／～가 높다 価値が高い／～가 떨어지다 価値がさがる／～를 잃다 価値をうしなう／～관이 다르다 価値観がちがう／아무런 ～도 없다 なんの価値もない．文例 제주도는 한번 가 볼만한 ～가 있다 済州島は一度出かけてみる価値がある．語例 ～설 価値説／～론 価値論／～ 판단 価値判断／이용 ～ 利用価値／화폐 ～ 貨幣価値．㊫값．값어치．

가친【家親】〈名〉自分の父を他人に対して言う語：父．家君．

가칠-하다 [ka:ch'il―] (→하다)〈形〉やつれている．やせて皮膚がかさかさしている．

가칭【假稱】[ka:ch'ing]〈名・하他〉仮称．

가타-부타【可―否―】[ka:t'abut'a]〈副・하自〉可とか否とか．いいとか悪いとか．

가타부타 말이 없다 可否の反応がない．

가택【家宅】〈名〉家宅．住まい．句例 ～ 수색을 하다 家宅捜索をする．がさを入れる／～ 수색을 받다 家宅捜索を受ける．語例 ～ 수색 영장 家宅捜索令状／～ 침입죄 家宅侵入罪．

가톨릭 〈名〉〔宗〕カトリック．❶⇨ 가톨릭교．❷⇨ 가톨릭 교회．❸가톨릭 교도．▷＝카톨릭．◇Catholic

가톨릭-교【Catholic教】〈名〉〔宗〕カトリック教．ローマカトリック教．＝구교(舊教)．천주교(天主教)．

가톨릭 교도【Catholic教徒】[―kyo:do]〈名〉カトリック教徒．

가톨릭 교회【Catholic教會】[―kyo:hoe]〈名〉カトリック教会．ローマカトリック教会．

가파르다 (가파르니, 가팔라서)〈形〉(山や道の勾配が)急だ．句例 가파른 비탈 急な坂／가파른 산 険しい山．

가판【街販】[ka:p'an]〈名・하他〉['가두 판매'の略] 立ち売り．

가표【可票】[ka:p'yo]〈名〉賛成票．

가풍【家風】〈名〉家風．句例 ～에 맞지 않다 家風にあわない．

가필【加筆】〈名・하自〉加筆．句例 구고에 ～하여 출판하다 旧稿に加筆して出版する．

가-하다【可―】[ka:hada] (→하다)〈形〉よろしい．**가히** [ka:hi]〈副〉❶まさに．文例 가히 절경이다 まさに絶景である．❷かなり．よく．十分に．文例 그의 심정은 가히 이해할 수 있다 彼の心情は十分理解し得る．

가-하다【加―】(→하다)〈他〉加える．句例 타격〔일격〕을 ～ 打撃〔一撃〕を加える／박차를 ～ 拍車をかける．

가해【加害】〈名〉加害．**～하다**〈自〉危害を与える〔加える〕．語例 ～자 加害者／～ 행위 加害行為．

가호【加護】〈名・하自他〉加護．句例 신의 ～로 神に見守られて／신의 ～가 있다 神の加護がある．

가혹-하다【苛酷―】[ka:hok'ada] (→하다)〈形〉苛酷だ．ひどい．手ひどい．むごい．句例 가혹한 시련 きびしい試練／가혹한 처분 厳酷な処分／가혹한 처사 ひどいしうち／가혹하게 굴다 つらく当たる．**가혹히** [ka:hok'i]〈副〉手ひどく．つらく．

가화-만사성【家和萬事成】[kahwama:nsasŏng]

〈名〉家和して万事成す.

가훈【家訓】〈名〉家訓.

*__각__【角】〈名〉❶角. 語例 ~세공 角細工. 類 뿔. ❷四角. 語例 ~사탕 角砂糖. ❸〔數〕角. 句例 ~의 크기를 재다 角の大きさを測る. ❹角度. 句例 ~을 재다 角度を測る. ❺角. 句例 ~진 데 角だった所. ❻〔樂〕五音の一つ: 角.

*__각__【各】〈冠〉各. 各各の. それぞれの. 文例 ~회사가 이에 반대하였다 各社がこれに反対した. 語例 ~학교 各学校 /~문제 各問/~방면 各方面.

각 〔漢字項目〕

【刻】高校 각 コク. ❶새기다 刻む. ◧刻字 각자 こくじ. ◧彫刻 조각 ちょうこく. ❷깎다 削ずる. ◧刻削 각삭 こくさく. ❸각박하다 きびしい. むごい. ◧刻薄 각박 こくはく. ❹시간 時間. ◧時刻 시각 じこく. 遲刻 지각 ちこく.

【却】高校 각 キャク. ❶물러나다 退く. ◧退却 퇴각 たいきゃく. ❷물리치다 退ける. ◧却下 각하 きゃっか. ◧棄却 기각 ききゃく. ❸없애버리다 無くしてしまう. ◧賣却 매각 ばいきゃく. 忘却 망각 ぼうきゃく. ❹도리어 かえって. ◧却說 각설 きゃくせつ.

【各】中學 각 カク. 각각 おのおの. ◧各界 각계 かっかい. 各學校 각학교 かくがっこう. 各自 각자 かくじ. 各地 각지 かくち.

【脚】中學 각 キャク. カク. キャ. ❶다리 脚. ◧脚氣 각기 かっけ. ◧健脚 건각 けんきゃく. 行脚 행각 あんぎゃ. ❷물건의 하부 物の下部. ◧脚註 각주 きゃくちゅう. ◧橋脚 교각 きょうきゃく. ❸토대가 되는 것 土台になる物. ◧脚本 각본 きゃくほん. ❹지위 地位. ◧失脚 실각 しっきゃく.

【覺(覚)】高校 각 カク. ❶깨닫다 悟る. ◧覺悟 각오 かくご. ◧大覺 대각 だいかく. ❷느끼다 感ずる. ◧感覺 감각 かんかく. ❸깨다 目がさめる. ◧覺醒 각성 かくせい. 覺知 각지 かくち. ❹드러나다 ばれる. ◧發覺 발각 はっかく.

【角】中學 각 カク. ❶뿔 角. ◧角弓 각궁 かっきゅう. ◧牛角 우각 ぎゅうかく. ❷네모난 것 四角いもの. ◧角柱 각주 かくちゅう. 角材 각재 かくざい. ❸구석 すみ. 모퉁이 かど. ◧四角 사각 しかく. ❹겨루다 争う. ◧角逐 각축 かくちく. ❺각도 角度. ◧直角 직각 ちょっかく.

【閣】高校 각 カク. ❶다락집 楼閣. ◧樓閣 누각 ろうかく. 殿閣 전각 でんかく. ❷내각 内閣. ◧閣僚 각료 かくりょう. ◧組閣 조각 そかく. ❸높은 지위에 있는 사람의 경칭 高い地位にある人の敬称. ◧閣下 각하 かっか.

각가지【各一】〈名・冠〉いろいろ(の). 句例 ~물건 いろとりどりの品物/~의 추측 いろいろな推測. 類 각종(各種).

*__각각__【各各】〈副〉各各. 各自. 別別に. 句例 ~다른 일 別別の仕事. 文例 사람은 ~생각하는 것이 다르다 人はおのおの考えかたがちがう/가족에게 ~선물을 사주다 家族にべつべつおみやげを買ってやる/대금은 ~치렀다 勘定はめいめい払った.

각-개인【各個人】〈名〉各個人. 各人. 文例 무엇을 그릴 것인지는 ~이 정할 것 なにをえがくかは各人できめること.

각계【各界】〈名〉各界. 句例 ~의 명사 各界の名士. 語例 ~각층 各界各層.

각고【刻苦】〈名・하自〉刻苦.

각광【脚光】〈名〉脚光.

각광을 받다 脚光〔フットライト・スポットライト〕を浴びる.

*__각-국__【各國】〈名〉各国. 国国.

각급【各級】〈名・冠〉(いろいろなクラスからできている組織体系での)各級. それぞれのクラス. 各クラス. 各級(の). 語例 ~학교 各級の学校.

각기【脚氣】〈名〉〔醫〕脚気. 類 각기병(病).

*__각기__【各其】〈名・副〉各各. それぞれ. めいめい(銘銘). 文例 사람은 ~장점과 단점이 있다 人にはそれぞれ長所と短所がある.

*__각-기둥__【角一】〈名〉〔數〕角柱.

각다귀 〈名〉❶〔蟲〕やぶか(藪蚊). ❷吸血鬼のような人のたとえ. 語例 ~판 吸血鬼がたかっているような場面.

*__각도__【角度】〈名〉❶〔數〕角度. 句例 ~를 재다 角度を測る. 語例 ~계 角度計. ❷角度. 観点. 方面. 句例 여러 ~로 검토하다 あらゆる角度から検討する.

*__각도-기__【角度器】〈名〉分度器.

參考 '분도기'는 旧称.

각론【各論】[kangnon]〈名〉各論. 句例 ~으로 들어가다 各論に入る. 文例 상세한 것은 ~에서 논술한다 詳細は各論で述べる. 對 총론.

각료【閣僚】[kangnyo]〈名〉閣僚. 語例 ~회의 閣僚会議.

각막【角膜】[kangmak]〈名〉〔生〕角膜. 語例 ~염 角膜炎/~이식 角膜移植.

각목【角木】[kangmok]〈名〉角材.

각박-하다【刻薄一】[kakpak'ada] (→하다)〈形〉世知辛い. きびしい. 句例 각박한 세상 きびしい世の中. **각박히** [kakpak'i]〈副〉きびしく.

각-방면【各方面】〈名〉各方面. 四方八方.

각별-하다【各別一】(→하다)〈形〉格別だ. 特別だ. 句例 각별한 대우를 받다 格別の待遇を受ける/각별한 주의를 기울이다 格別の注意を払う. **각별히**〈副〉格別(に). 特に. ことに. とりわけ. 句例 각별히 친한 사이 別懇の間柄.

각본【脚本】〈名〉❶脚本. 句例 ~을 쓰다 脚本を書く. 類 극본(劇本). ❷['영화 각본'の略] シナリオ.

각부【各部】〈名〉各部. 語例 ~장관 各部の長官.

각-부분【各部分】〈名〉各部分.

각색【各色】〈名〉❶いろいろな色. ❷各様. 語例 각인~ 各人各様. 十人十色.

각색【脚色】〈名・하他〉脚色. 句例 소설을 영화로 ~하다 小説を映画に脚色する.

각서【覺書】〈名〉覚え書き. 文例 무역에 관한

ㄱ

~를 교환하다 貿易に関する 覚え書きをとりかわす.

각선-미【脚線美】〈名〉脚線美.

각-설탕【角雪糖】〈名〉角砂糖.

각성【覺醒】〈名〉覚醒. **~하다**〈自〉覚醒する. 目覚める. 句例 ~을 촉구하다 覚醒を促す. 語例 ~제 覚醒剤. 気付け薬.

각시〈名〉小さな女人形. 語例 ~놀음 人形遊び / ~방 新妻の部屋.

각양-각색【各樣各色】[kagyang—]〈名〉色とりどり. 句例 ~의 몸차림 色とりどりのいでたち. 文例 시장에 가면 ~의 물건이 많다 市場に行けば様様な品物がたくさんある.

각오【覺悟】[kago]〈名〉覚悟. **~하다**〈他〉覚悟する. 覚悟を決める. 句例 필승의 ~ 必勝の覚悟 / ~가 서다 覚悟が据わる. 文例 아버지에게 야단맞을 것은 ~한 바입니다 父からしかられることは覚悟の上です.

각의【閣議】[kagŭi]〈名〉閣議. 句例 ~를 열다 閣議を開く. 語例 정례 ~ 定例閣議.

각인【各人】[kagin]〈名〉各人. 語例 ~ 각양 各人各様 / ~ 각색 十人十色.

*__각자__【各自】㊀〈名〉各自. 文例 이 문제는 ~가 맡아서 처리해야 한다 この問題は各自がよくわきまえて処理しなければならない. ㊁〈副〉各自. めいめい(銘銘). 各各. 文例 도시락은 ~ 가지고 올 것 おべんとうは各自もってくること.

각재【角材】〈名〉角材.

*__각종__【各種】〈名〉各種. 文例 ~ 스포츠카가 진열되어 있다 各種のスポーツカーがならんでいる. 語例 ~ 광고 各種の広告.

*__각지__【各地】〈名〉各地. 句例 ~의 명산 各地の名産. 文例 ~에서 반대 운동이 일어나다 各地で反対運動がおこる. 語例 전국 ~ 全国各地. 類 각처(各處).

각질【角質】〈名〉角質. ケラチン.

각처【各處】〈名〉各所. 語例 시내 ~ 市内の各所.

각축【角逐】〈名・하自〉角逐. 文例 우승을 노리고 ~을 벌이다 優勝をめざして角逐する. 語例 ~전 角逐戦.

각층【各層】〈名〉❶各層. 語例 각계 ~ 各界各層. ❷各階.

각파【各派】〈名〉各派. 句例 ~의 주장 各派の主張 / 당내의 ~ 党内の各派.

각피【角皮】〈名〉〔生〕角皮. クチクラ.

각하【却下】[kak'a]〈名・하他〉却下. 句例 상고를 ~하다 上告を却下する. 類기각.

각하【閣下】[kak'a]〈名〉閣下. 語例 대통령 ~ 大統領閣下.
表現 今は大統領にだけ使われる.

각혈【咯血】[kak'yŏl]〈名・하自〉⇨ 객혈(喀血)

각화【角化】[kak'wa]〈名・하自〉〔動・植〕角化. 角質化.

간〈名〉❶塩辛い調味料. ❷塩加減. あんばい(塩梅・按配). 塩気. **~하다**〈自〉塩加減をする. あんばいをする. 句例 ~을 보다 あんばいを見る. 味を見る. 文例 이 요리는 ~이 잘 맞았다 この料理は塩加減がよい / 곰탕은 ~을 해서 잡수세요 コムタンは塩を入れてお召しあがり下さい.

간【刊】〈名〉刊. 刊行すること. 句例 민중서림~ 한일 사전 民衆書林刊韓日辞典.

간【肝】[ka:n]〈名〉['간장(肝臟)'の略] ❶〔生〕肝. 肝っ玉. 胆力. 語例 ⇨ 간염 / ~디스토마 肝臓ジストマ. ❷(食品としての)肝臓. レバー. 句例 소의 ~ 牛の肝臓〔レバー〕. 文例 ~은 구워서 드릴까요 レバーは焼いて召しあがりますか.

간(이) 떨어지다 肝をつぶす.

간에 기별도 안 간다 蛇が蚊をのんだよう, 量があまり少なくて食べた気がしないことのたとえ.

간에 붙었다 쓸개에 붙었다 한다 肝臓にくっついたり胆のうにくっついたりする. ふたまたこうやく(二股膏薬).

간이 뒤집혔나 허파에 바람이 들었나 肝臓が引っくりかえったのか, 肺に風が入ったのか. わけもなくしきりに笑う人をとがめる語.

간이라도 빼어 주겠다 肝でも出してやりそうだ. ごく親しい仲でなんでも惜しみなくやりそうだ.

간이 콩알만해지다 肝を冷やす. 肝がつぶれる.

간(이) 크다 肝が太い. 肝が大きい. 句例 간큰 사람 肝が太い人.

간[1]【間】〈依名〉間. ❶家の間数をかぞえる語. 語例 초가 삼~ 間数三間の草屋. 小さい家 / 육~ 대청 六間広さの板の間. 大きな板の間. ❷長さの単位(1間=1.82m). 句例 도리 4~에 대들보 3~ けたゆ(桁行)き四間はり(梁)間三間.

*__간__[2]【間】〈依名〉❶間. 間. 句例 3일 ~ 三日間 / 서울 인천 ~ ソウル・仁川間 / 양국민 ~에 両国民間に. 文例 학생들 ~에 인기가 있다 生徒の間に人気がある. ❷二つの中のどれか. …の中. 句例 있고 없고 ~에 有ろうが無かろうが.

-간【間】〈尾〉❶'…がある所' '…に使う所'の意. 語例 외양~ 牛小屋 / 대장~ かじ(鍛冶)屋. ❷間. 間柄. 関係. 語例 친척~ 親戚の間柄 / 부부~ 夫婦の間. ❸(空間的・時間的の)間. 語例 다년~ 多年間 / 대륙~ 大陸間. ❹'どちらでもよい'との意. 語例 좌우~ とにかく. 何はともあれ / 가부~ よくとも悪くとも / 다소~ 多かれ少なかれ.

간 〔漢字項目〕

【刊】高校 간 カン. ❶파다 刻む. ▮刊刻 간각 かんこく. ❷인쇄・출판하다 印刷・出版する. ▮刊行 간행 かんこう. ▮出刊 출간 しゅっかん. 發刊 발간 はっかん. 週刊 주간 しゅうかん.

【姦】高校 간 カン. ❶간사하다 よこしまだ. ▮姦計 간계 かんけい. ▮大姦 대간 たいかん. ❷간음하다 姦淫する. ▮姦夫 간부 かんぷ. ▮和姦 화간 わかん. 強姦 강간 ごうかん.

【干】中學 간 カン. ❶방패 盾. ▮干戈 간과 かんか. ❷막다 防ぐ. ▮干城 간성 かんじょう. ❸간여하다 あずかる. ▮干涉 간섭 かんしょう. ❹마르다 干る. ▮干潮 간조 かんちょう. 干滿 간만 かんまん. ❺천간(天干) 十干. ▮干支 간지 かんし. ❻약간 そこばく. ▮若

干 약간 じゃっかん.

【幹】高校 간 カン. ❶몸 からだ. ◧軀幹 구간 くかん. ❷줄기 幹. 또, 사물의 주요 부분 また, 事物の主要部分. ◧幹線 간선 かんせん. ◧基幹 기간 きかん. 根幹 근간 こんかん. ❸주관하다 主管する. ◧幹事 간사 かんじ. ◧主幹 주간 しゅかん.

【懇】高校 간 コン. ❶정성 誠. 친하다 親しい. ◧懇切 간절 こんせつ. ❷간절히 ねんごろに. ◧懇望 간망 こんもう. こんぼう. 懇請 간청 こんせい. 懇願 간원 こんがん.

【看】中學 간 カン. ❶보다 みる. ◧看護 간호 かんご. 看病 간병 かんびょう. 看破 간파 かんぱ. ❷지키다 見張る. ◧看守 간수 かんしゅ.

【簡】高校 간 カン. ❶댓조각 竹の札. ◧簡札 간찰 かんさつ. ◧竹簡 죽간 ちっかん. 木簡 목간 もっかん. ❷문서 文書. 편지 手紙. ◧書簡 서간 しょかん. ❸간단하다 簡単だ. ◧簡略 간략 かんりゃく. 簡素 간소 かんそ. 簡潔 간결 かんけつ.

【肝】高校 간 カン. ❶간 肝. ◧肝臓 간장 かんぞう. 肝肺 간폐 かんはい. ❷마음 心. ◧肝膽 간담 かんたん. ◧心肝 심간 しんかん. ❸요긴하다 緊要だ. ◧肝要 간요 かんよう.

【間】中學 간 カン. ケン. ❶사이. 동안. 間. ◧間隔 간격 かんかく. ◧時間 시간 じかん. 中間 중간 ちゅうかん. ❷사이에 끼여 있다 間に挟まっている. ◧間食 간식 かんしょく. 間接 간접 かんせつ. ◧民間 민간 みんかん. ❸몰래 살피다 ひそかにうかがう. ◧間諜 간첩 かんちょう. 間者 간자 かんじゃ. ◧反間 반간 はんかん. ❹이간하다 間を離す. ◧間言 간언 かんげん. ◧離間 이간 りかん. ❺척관법의 길이의 단위 尺貫法で長さの単位. ◧六間大廳 육간대청 六間の広い板の間.

간간【間間】[ka:n-gan]〈副〉⇨ 간간이

간간-이【間間—】[ka:n-gani]〈副〉❶ときどき. たまに. ときたま. 間間. 文例 말소리가 ~ 들린다 話声が絶え絶えに聞こえる / 그런 일이 ~ 있다 そういうことが間間ある. ❷まばらに. 文例 집이 ~ 있다 家がまばらにある.

간간-하다 (→하다)〈形〉❶かなり面白い. ❷ぞくぞくする程危なっかしい. ❸塩気がやや利いて舌触りがいい.

*__간격__【間隔】〈名〉間隔. 隔たり. 間. ギャップ. 句例 일정한 ~을 두다 一定の間隔をおく / ~을 떼다 間隔をあける / ~을 잡다 間隔をとる. 文例 5분 ~으로 전동차가 온다 五分間隔で電動車が来る.

간결【簡潔】[ka:n-gyŏl]〈名〉簡潔. ~**하다**〈形〉簡潔だ. 句例 ~한 문장 簡潔な文章 / ~하게 이야기하다 簡潔に話す. ~**히**〈副〉簡潔に.

간계【奸計】〈名〉奸計〔姦計〕. 悪巧み. 句例 ~에 걸리다 姦計にはかられる. 悪巧みにかかる

간곡-하다【懇曲—】[ka:n-gok'ada] (→하다)〈形〉懇切だ. ねんごろだ. **간곡히** [ka:n-gok'i]〈副〉懇懇と. ねんごろに. 句例 간곡히 타이르다 懇懇とさとす / 간곡히 부탁하다 丁重にお願いする.

간곳-없다 [kan-godŏpta]〈形〉影も形もない. 跡形もない. **간곳없이** [—ŏpshi]〈副〉影も形もなく. 跡形もなく.

간과-하다【看過—】(→하다)〈他〉看過する. 見過ごす. 見逃す. 見落とす. 句例 간과할 수 없는 중대한 과실 看過できない〔見逃せない〕重大な過失. 文例 간과할 수 없는 중대 사태가 발생했다 看過しえない重大な事態が発生した.

간교-하다【奸巧—】(→하다)〈形〉悪賢い. 句例 간교한 노인 悪賢い老人.

간-니 [ka:nni]〈名〉〔生〕永久歯. 對 젖니.

*__간단__【簡單】〈名〉簡単. ~**하다**〈形〉簡単だ. たやすい. ぞうさない. 句例 ~한 문제 簡単な問題. 文例 ~한 면접 시험이 있다 簡単な面接試験がある / 선생님은 ~하고도 요령있는 대답을 해주셨다 先生は簡単ながら要領のいい答えをしてくださった. 語例 ~명료 簡単明瞭. ~**히**〈副〉簡単に. ぞうさなく. たやすく. 手短かに. 句例 ~히 말하면 早い話が. つづめて言えば. 文例 ~히 요점만 말했다 手短に要点だけ述べた.

간단-없다【間斷—】[ka:ndanŏpta]〈形〉絶え間がない. ひっきりなしだ. **간단없이** [—ŏpshi]〈副〉間断なく. のべつ. 絶え間なく. ひっきりなしに. 句例 간단없이 지껄이다 のべつ〔ひっきりなしに〕しゃべる.

간담【肝膽】[ka:ndam]〈名〉肝胆. 句例 ~을 서늘케 하다 肝胆〔心胆〕を寒からしめる. 荒肝をひしぐ / ~ 상조(相照)하다 肝胆相照らす.

간담【懇談】[ka:ndam]〈名・하自〉懇談. 語例 ~회 懇談会.

간데-없다 [kandeŏpta]〈形〉⇨ 간곳없다

간데-족족〈副〉行く先ごとに. どこへ行こうと. 至る所. 文例 ~ 대환영이다 行く先ごとに大歓迎である.

간드랑-거리다〈自〉つるされているものがひっきりなしに横に軽く揺れ動く. ゆらゆらする.

간드랑간드랑〈副〉つるされているものがひっきりなしに軽く横に揺れ動くさま: ゆらゆら. ~**하다**〈自〉ゆらゆら揺れ動く.

간드러-지다〈形〉見目よくなまめかしい. しなやかだ. びらしゃらする. 句例 기생의 간드러진 웃음소리 妓生のなまめかしい笑い声.

간들-거리다〈自〉❶しなやかになまめかしく動く. ❷(風が)そよそよ吹く. ❸軽く揺れ動く. 文例 풍경(風磬)이 바람에 ~ 風鈴が風に軽く揺れる.

간들간들〈副〉❶しなやかになまめかしく続けて動くさま: しゃなりしゃなり《俗》. 文例 그녀는 ~ 걷고 있다 彼女はしゃなりと歩いている. ❷風がそよ吹くさま. ❸軽く揺れ動くさま. ~**하다**〈自〉❶しゃなりしゃなりする. ❷(風が)そよそよ吹く. ❸ゆらゆらする.

간-디스토마【肝—】[ka:ndisŭt'oma]〈名〉肝臓ジストマ.

*__간략-하다__【簡略—】[kallyak'ada] (→하다)〈形〉簡略だ. 句例 간략한 기사 簡略な記事. **간략히** [kallyak'i]〈副〉簡略に. 文例 요점만 간략

히 말하다 要点だけを手短に述べる / 절차를 간략히 하다 手つづきを簡略にする.

간만【干滿】〈名〉干満. 満ち干. [句例] ～의 차 干満の差. [文例] 조수의 ～이 심하다 潮の干満が激しい.

간-맞다〈形〉塩加減がほどよい.

간-맞추다〈他〉塩加減をする.

간명-하다【簡明―】(→하다)〈形〉['간단명료하다'の略] 簡明だ. [句例] 간명한 문체 簡明〔簡潔〕な文体. **간명히**〈副〉簡明に. [句例] 요점을 간명히 설명하다 要点を簡明にせつめいする.

간-밤〈名〉ゆうべ. 昨夜. 先夜. [句例] ～의 비 昨夜の雨. [文例] ～의 꿈이 생각난다 ゆうべの夢が思い出される.

간병【看病】〈名・하他〉看病. 介抱. [句例] 정성껏 ～하다 心をこめて看病する. ㊫병구완.

간부【幹部】〈名〉幹部. [語例] ～ 후보생 幹部候補生 / ～회 幹部会 / ～ 사원 幹部社員.

간사【奸詐】〈名〉いつわり. 悪巧み. **～하다**〈形〉ずるい. 悪賢い. [句例] ～한 사람 悪賢い人. **～히**〈副〉ずるく. 悪賢く.

간사(를) 떨다 '간사(를) 부리다'のこと.

간사(를) 부리다 悪巧みをする. 悪賢いことをする.

간사【幹事】〈名〉幹事. [句例] 동창회 ～ 同窓会の幹事.

간사-스럽다【奸邪―】(→스럽다)〈形〉よこしまだ. **간사스레**〈副〉よこしまに.

간사-스럽다【奸詐―】(→스럽다)〈形〉ずるい. 悪賢い. **간사스레**〈副〉ずるく. 悪賢く.

*__간사-하다__【奸邪―】(→하다)〈形〉よこしまだ. [文例] 그는 아주 간사한 사람이다 彼はなかなかの奸物だ. **간사히**〈副〉よこしまに.

간살〈名〉お世辞. おべっか. お愛想.

간살(을) 떨다 '간살(을) 부리다'のこと.

간살(을) 부리다 お世辞を言う. おべっかを使う. [句例] 간살부리는 웃음 おべっか笑い / 상사에게 ～ 上役におべんちゃらを言う.

간살-쟁이〈名〉お世辞者. おべっかつかい. ㊫간살꾼.

간상-배【奸商輩】〈名〉奸商輩.

간색【間色】[ka:nsaek]〈名〉間色.

간석-지【干潟地】〈名〉干潟.

간선【幹線】〈名〉幹線. [語例] ～ 도로 幹線道路. ㊊지선(支線).

*__간섭__【干涉】〈名・하自他〉干渉. [句例] 강대국의 ～ 大国の干渉 / 관계없는 일에 ～하다 横やりを入れる. [文例] 남의 ～을 받고 싶지 않다 他人の干渉を受けたくない / 그런 것은 쓸데없는 ～이다 そんな事はいらぬおせっかいだ / 내 일에 어머니는 ～하지 않습니다 わたしのすることに, 母は干渉しません. [語例] 내정 ～ 内政干渉.

간성【干城】〈名〉干城. [句例] 국가의 ～ 国家の干城. [語例] ～지재 干城の材.

간소【簡素】〈名〉簡素. **～하다**〈形〉簡素だ. [句例] ～한 생활 簡素な生活. [文例] 결혼식은 ～했다 結婚式は簡素だった. [語例] ～화 簡素化. **～히**〈副〉簡素に.

간수〈名〉保管. 仕末. **～하다**〈他〉保管する. 仕末する. しまう. [句例] 옷을 옷장에 ～하다 着物をたんす(簞笥)に仕末する.

간수【―水】〈名〉にがり(苦汁). 苦塩. [文例] 두부를 만들 때 ～를 쓴다 とうふをつくるときににがりを使う.

간수【看守】〈名〉看守. ❶'교도(矯導) 最下位の刑務官'の古い言いかた. ❷'건널목지기. 건널목 안내원 踏切番'の古い言いかた.

⁑__간식__【間食】[ka:nshik]〈名・하自他〉おやつ. 間食. [句例] ～을 먹다 間食をする. 間食する. [文例] ～만 하고 제대로 식사를 하지 않으면 영양 실조가 된다 間食ばかりしてきちんと食事をしないと栄養のバランスがとれなくなる.

간신【奸臣・姦臣】〈名〉奸臣. 佞臣.

*__간신-히__【艱辛―】〈副〉辛うじて. やっと. 辛くも. ようやく. [句例] ～ 도망치다 辛うじて逃れる. 命からがら逃げ出す. [文例] ～ 살아났다 ようやくのことで助かった.

간악-스럽다【奸惡―】[kanak―] (→스럽다)〈形〉奸悪だ.

간악-하다【奸惡―】[kanak'ada] (→하다)〈形〉奸悪だ. [句例] 간악한 사람 奸悪な人 / 간악한 계교 奸計.

간-암【肝癌】[ka:nam]〈名〉〔醫〕肝臓がん.

간-염【肝炎】[ka:nyŏm]〈名〉〔醫〕肝炎. 肝臓炎. [語例] 유행성 ～ 流行性肝炎 / B형 ～ B型肝炎.

간유【肝油】[ka:nyu]〈名〉肝油. [句例] ～를 마시다 肝油を飲む.

간-유리【―琉璃】[kannyuri]〈名〉す(磨)りガラス. ＝젖빛 유리. 흐린 유리.

*__간이__【簡易】[ka:ni]〈名〉簡易. **～하다**〈形〉簡易だ. 手軽だ. [句例] ～한 방법을 찾아내다 簡易な方法をみつける. [語例] ～역 簡易駅 / ～숙박소 簡易宿泊所. どや《俗》/ ～ 보험 簡易保険 / ～ 식당 簡易食堂.

⁑__간장__【―醬】〈名〉しょうゆ(醬油). お下地《女》. 略して'장'ともいう. [語例] 초～ 酢しょうゆ / ～병 しょうゆびん.

간장【肝腸】〈名〉❶〔生〕肝臓と腸. ❷いらだって焦がれるような気持ち.

간장을 녹이다 ❶心をとろかす. 心を奪う. ❷気苦労させる. せつない思いをさせる.

간장이 녹다 ❶心がとろける. 心を奪われる. ❷気苦労する. せつない思いをする. [句例] 간장이 녹을 듯한 슬픔 はらわた(腸)がちぎれそうな悲しみ.

⁑__간장__【肝臟】[ka:njang]〈名〉〔生〕⇨ 간(肝)

*__간절-하다__【懇切―】[ka:njŏl―] (→하다)〈形〉ひとしおだ. 切だ. [句例] 간절한 소원 切な願い / 갖고 싶은 마음은 간절하지만 ほしいのは山々だが. [文例] 고향에 돌아가고 싶은 마음이 ～ 故郷に帰りたい気持ちがひとしおである. **간절히**〈副〉切に. ひとえに. ひたすらに. [句例] 간절히 바라다 切に願う. 切にお願いする.

*__간접__【間接】[ka:njŏp]〈名〉間接. [句例] ～으로 間接に. [文例] 아버지의 분부를 형한테서 ～으로 들었다 父の言いつけを兄から間接に聞いた. [語例] ～ 무역 間接貿易 / ～비 間接費 / ～선거 間接選挙 / ～세 間接税 / ～ 조명 間接照明 / ～ 침략 間接侵略 / ～ 화법 間接話

法. (對)직접.

간접-적【間接的】[ka:njŏpchŏk]〈名・冠〉間接的. 句例 ～인 부탁 又頼み / ～으로 알고 있는 사람 間接的に知っている人. 文例 ～으로 들은 얘기라 확실하게는 알 수 없다 間接的に聞いた話だからはっきりとは分からない.

간조【干潮】〈名〉干潮. 引き潮. 潮干. (對)만조.

간주-곡【間奏曲】[ka:njugok]〈名〉〔樂〕間奏曲. インテルメッツォ.

간주-하다【看做―】(→하다)〈自〉みなす. 見立てる. 文例 대답이 없는 자는 찬성으로 간주한다 返事のない者は賛成とみなす.

간지【干支】〈名〉えと. 干支. 文例 올해는 ～로 무슨 해예요 今年はえとで何年ですか.

간지【奸智・姦智】〈名〉奸智. 悪知恵. 句例 ～가 많다 奸智にたけている.

⁑**간지럼**〈名〉くすぐったいこと. 句例 ～을 타다 くすぐったがる / ～을 태우다 くすぐる.

⁑**간지럽다** (간지러우니, 간지러워서)〈形〉くすぐったい. こそばゆい. 面はゆい. てれくさい. 句例 발바닥이 ～ 足のうらがくすぐったい / 간지러운 소리를 하다 くすぐったいことをいう / 간지러워하다 くすぐったがる.

간지럽히다 [kanjirŏp'ida]〈他〉くすぐる.

*__간직-하다__ [kanjik'ada] (→하다)〈他〉よくしまっておく. 保管する. 納める. 句例 마음속에 ～ 腹に収める / 옛모습을 ～ おもかげをとどめる. 文例 돌아가신 아버지가 사 주신 시계를 30년이 지난 지금도 간직하고 있다 亡くなったお父さんが買ってくださった時計を30年が過ぎた今も大事にとってある.

간질【癎疾】[ka:njil]〈名〉てんかん(癲癇). 句例 ～을 일으키다 てんかんを起こす.

간질-거리다 一〈自〉くすぐったい. むずむずする. 二〈他〉しきりにくすぐる.

간질간질〈副〉くすぐったいさま: むずむず. もぞもぞ. こちょこちょ. **～하다**〈自・形〉むずむずする. くすぐったい. 文例 감기가 들었는지 코가 ～하고 기침이 나온다 風邪を引いたのか鼻がむずむずしてせきが出る.

表現 語感の大きい語は'근질거리다'.

간질이다 [kanjirida]〈他〉くすぐる. こそぐる. 句例 겨드랑이를 ～ わきの下をくすぐる / 남의 마음을 ～ 人の気持ちをくすぐる.

간-처녑【肝―】[ka:nch'ŏnyŏp]〈名〉牛の肝臓〔レバー〕とはちすい(蜂巣胃).

간척【干拓】〈名・하他〉干拓. 語例 ～공사 干拓工事 / ～사업 干拓事業 / ～지 干拓地.

⁑**간첩**【間諜】[ka:nch'ŏp]〈名〉間諜. 間者. 回し者. スパイ. いぬ《俗》. 句例 ～을 보내다 間諜を放つ / ～이 잡히다 間諜が捕らわれる / ～ 혐의를 받다 スパイの容疑を受ける / ～이 잠입하다 間者が入り込む. 語例 ～선 スパイ船 / ～죄 間諜罪.

간청【懇請】[ka:nch'ŏng]〈名・하他〉懇請. 文例 교장의 ～을 뿌리칠 수 없어 축사를 했다 校長の懇請を退け難く祝辞を述べた. →囲み記事 4

*__간-추리다__〈他〉選り分けて簡単にまとめる. 簡潔に取りまとめる. 句例 대충 ～ 大づかみにまとめる / 요점을 ～ 要点を取りまとめる.

간친【懇親】[ka:nch'in]〈名〉懇親. **～하다**〈自〉親しみ合う. 語例 ～회 懇親会.

간택【揀擇】[ka:nt'aek]〈名・하他〉〔史〕王・王子・王女の配偶者を選ぶこと.

간파【看破】〈名〉看破. **～하다**〈他〉看破する. 見破る. 見抜く. 見透かす. 句例 음모를 ～하다 陰謀を見破る. 文例 마음 속을 ～했다 心底を見抜いた.

*__간판__【看板】〈名〉看板. 句例 ～을 세우다 看板を立てる / ～을 내걸다 看板をかかげる / 야구를 ～으로 하고 있는 학교 野球を看板にしている学校. 文例 자선 사업을 ～으로 악랄한 짓을 하고 있다 慈善事業を看板にあくどいことをしている. 語例 입～ 立て看板 / ～ 스타 看板スター.

간판-장이【看板匠―】〈名〉看板屋.

*__간편-하다__【簡便―】(→하다)〈形〉簡便だ. 句例 간편한 방법 簡便な方法 / 간편한 절차 安直な手続き / 활동하기에 간편한 옷 活動するのに便利な服. **간편히**〈副〉簡便に.

간-하다 (→하다)〈自〉(食べ物に)塩加減をする. あんばい(塩梅)をする.

간-하다【諫―】[ka:nhada] (→하다)〈他〉いさめる. 諫言する.

간행【刊行】〈名・하他〉刊行. 句例 사전의 ～ 辞書の刊行 / 개정판을 ～하다 改訂版を刊行する. 語例 (정기)～물 (定期)刊行物.

간헐【間歇】[ka:nhŏl]〈名〉間欠. 語例 ～적 間欠的 / ～온천 間欠温泉 / ～천 間欠泉.

*__간호__【看護】〈名・하他〉看護. 句例 병자를 ～하다 病人を看護する. 語例 ～부 '간호사'の古い言いかた / ～인 看護人 / ～조무사 準看護婦 / ～학교 看護学校.

간호-사【看護師】〈名〉看護婦. 語例 수～ 看護長.

간혹【間或】[ka:nhok]〈副〉時折. ときたま. たまに. 間間. 文例 ～ 그런 일도 있다 たまにはそんなこともある.

*__갇히다__ [kach'ida]〈自〉'가두다'の受け身: 閉じこめられる. 監禁される. 句例 교도소에 ～ 刑務所に監禁される. 文例 산에서 비에 갇혔다 山で雨に降りこめられた.

갈 〔漢字項目〕

【渴(渇)】中學 갈 カツ. ❶목마르다 のどが渇く. ■渴望 갈망 かつぼう. ■飢渴 기갈 きかつ. ❷물이 마르다 水が渇

囲み記事 4

■ '간청'と'강청' ■

간청(懇請) ねんごろに願うこと. 懇請. 懇願 ―― 원조를 간청하다 援助をこい願う.

강청(強請) しいて請うこと. 無理に願うこと. 強請 ―― 사절하는데도 불구하고 거듭 강청하다 ことわるのにもかかわらずかさねて強請する.

く. [一]渇水 갈수 かっすい. [二]涸渇 고갈 こかつ.

갈-가리 [ka:lgari]〈副〉['가리가리'の略] ずたずたに. 八つ裂きに. 句例 ～ 찢다 八つ裂きにする / 옷이 ～ 찢기다 衣服を八つ裂きにされる.

갈-가마귀〈名〉〔鳥〕こくまるからす(黒丸鳥).

갈개-발〈名〉凧の下方の両隅につける長い紙切れ.

갈겨-쓰다 (—쓰니, —써서)〈他〉走り書きする. 殴り書き(に)する. 句例 갈겨쓴 메모 走り書きのメモ.

갈고랑-쇠〈名〉❶かぎ(鉤)型の金物. ❷つむじ曲がり. へそ曲がり. あまのじゃく.

갈고랑이〈名〉❶かぎ(鉤). 手かぎ. ❷とび口.

갈고리〈名〉'갈고랑이'の略.

갈기 [ka:lgi]〈名〉たてがみ. 句例 ～를 쓰다듬다 たてがみを撫でる.

갈기-갈기〈副〉ずたずた. ちぎれちぎれ. きれぎれ. 八つ裂きに. 文例 깃발이 ～ 찢어졌다 旗がちぎれちぎれになった.

갈기다〈他〉ぶんなぐる. 張る. ひっぱたく. 句例 뺨을 ～ ほっぺたを張り飛ばす.

갈다[1] (가니, 갈아서)〈他〉替〔換〕える. 取り替える. 切り替える. 張りかえる. 句例 갈아입다 着替える / 갈아 타다 乗り換える. 文例 전구를 갈아 끼워야겠다 電球を新しいのに替えなくちゃ.

갈다[2] [ka:lda] (가니, 갈아서)〈他〉❶磨く. 研ぐ. す(擦)る. 下ろす《すり板・おろしがねで》. 句例 칼을 ～ 刀を研ぎ澄ます. ねたばを合わせる / 먹을 ～ 墨をする / 무를 ～ 大根を下ろす. ❷(ひきうすで)ひく. 句例 콩을 ～ 豆をひく. ❸歯ぎしりする. 句例 이를 부드득 ～ ぎりぎりと歯ぎしりをする.

갈다[3] [ka:lda] (가니, 갈아서)〈他〉耕す. すき起こす. 句例 밭을 ～ 畑を耕す / 논을 ～ 田を返す / 밭을 가는 농부들의 모습 畑を耕す農夫たちの姿.

*__갈-대__ [kalttae]〈名〉〔植〕あし(葦・蘆). よし. 語例 ～발 よしず(葦簾) / ～밭 あし(葦)原 / ～청 あしの薄い膜.

갈등【葛藤】 [kalttŭng]〈名〉葛藤. もつれ. 悶着. 争い. いざこざ. 句例 감정의 ～으로 사이가 나빠지다 感情のもつれで仲たがいになる / 이제까지의 ～을 씻어버리다 これまでのいざこざを洗い流す.

갈등(이) 나다 葛藤が起こる. もつれが生じる. =갈등이 생기다.

갈라-놓다 [kalla-not'a]〈他〉引き離す. 句例 부모 자식 사이를 ～ 親と子を引き離す / 사랑하는 사이를 억지로 ～ 生木を裂く.

갈라-서다〈自〉❶関係を断つ. ❷離婚する. 別れる. 句例 깨끗이 ～ 未練なく別れる.

*__갈라-지다__〈自〉割れる. 裂ける. 分岐する. 分かれる. 句例 얼음이 ～ 氷が割れる / 지진으로 땅이 ～ 地震で地面が裂ける / 길이 ～ 道が分かれる / 의견이 ～ 意見が分かれる. 文例 길이 사방으로 갈라져 있다 道が四方に分岐している.

*__갈래__ [一]〈名〉また(叉). 分岐点. 語例 갈랫길 分かれ道.
[二]〈依名〉一つのもとから分かれた部分を数える語: また. 語例 두 갈랫길 二また道. 枝道 / 세 ～ 三つまた. →갈림길

갈래-꽃〈名〉〔植〕離弁花. 對통꽃.

갈리다[1]〈自〉❶'가르다'の受け身: 分けられる. 句例 길이 두 갈래로 ～ 道が二またに分けられる / 야당의 표가 ～ 野党の票が割れる. ❷分かれる. 句例 의론이 구구하게 ～ 議論がまちまちに分かれる.

갈리다[2] [一]〈他〉'갈다'の使役形: ❶磨かせる. 研がせる. ❷ろくろがんな(轆轤鉋)で削らせる. [二]〈自〉'갈다'の受け身: ❶磨かれる. 研がれる. す(擦)れる. 句例 분해서 이가 ～ くやしくて歯ぎしりがする. ❷ろくろがんなで削られる.

갈리다[3] [一]〈他〉'갈다'の使役形: 取り換えさせる. [二]〈自〉'갈다'の受け身: 取り換えられる. 句例 교장이 ～ 校長が替わる.

갈림-길 [kallimkkil]〈名〉分かれ道. 岐路. 句例 생사의 ～ 生死の分かれ目 / 운명의 ～에 서다 運命の岐路に立つ / 인생의 ～에 서다 人生の角番に立つ.

갈망〈名・하他〉事をなし遂げること. 句例 뒷～도 못하면서 나서다 後始末もできないくせに出しゃばる.

갈망【渇望】〈名・하他〉渇望. 切望. 句例 평화에 대한 ～ 平和への渇望 / 귀국을 ～하다 帰国を切望する. 文例 ～하여 마지 않다 切望してやまない / 새로운 지식을 ～하고 있다 新しい知識に飢えている.

*__갈매기__〈名〉〔鳥〕かもめ(鷗).

갈무리〈名〉蓄え. **～하다**〈他〉蓄える. 蓄えておく. 文例 무・배추의 ～도 끝냈다 大根や白菜の貯蔵も済ました.

갈-묻이 [ka:lmuji]〈名・하他〉田畑をよく耕し, 古い切り株などが埋まるようにすること.

갈비〈名〉❶あばら骨. 類늑골. ❷カルビ. 牛のあばら肉《焼き肉・煮込みなどに用いる》. 語例 ～구이 カルビ焼き. あばらの焼き肉 / ～찜 あばら肉の煮物 / ～탕 牛のあばら肉をぶっ切りにして煮込んだ汁を飯にかけた食べ物.

갈비-뼈〈名〉あばら骨. ろっ骨. 句例 ～가 부러지다 ろっ骨が折れる. 類늑골.

갈빗-대〈名〉ろっ骨. あばら.

갈빗대(가) 휘다 荷が重過ぎてほねがおれる.

*__갈색【褐色】__ [kalssaek]〈名〉褐色. 茶色. かばいろ(蒲色). 句例 짙은 ～ 焦げ茶色.

갈수【渇水】 [kalssu]〈名〉渇水. 語例 ～기 渇水期 / ～량 渇水量 / ～위 渇水位.

갈-수록 [kalssurok]〈副〉ますます. より一層. 行けば行くほど. 日増しに. 句例 끝판에 ～ 능률이 오르다 しり(尻)上がりに調子が出る / 경기는 ～ 좋아지다 景気は日増しによくなって来る. 文例 전투는 ～ 치열해졌다 戦闘は日増しに熾烈になった / ～ 태산이다 月日が立つにつれて苦難が多くなる. 一難去ってまた一難.

갈아-대다 [karadaeda]〈他〉(新しいものと)入れ換える. 取り換える. 句例 대팻날을 ～ かんな(鉋)の刃を取り換える.

갈아-엎다 [kara—]〈他〉耕し返す. 句例 논

을 ~ 田をすき返す.
****갈아-입다** [kara—]〈自〉着替える. 句例 새 옷으로 ~ 新しい服に着替える.
갈아-치우다 [kara—]〈他〉すげ替える. 取り換える. 入れかえる. 句例 임원을 ~ 役員を交替する.
갈아-타다 [kara—]〈他〉乗り換える. 句例 비행기를 ~ 飛行機を乗り換える / 지하철로 ~ 地下鉄に乗り換える.
갈음 [karŭm]〈名〉代わり. **~하다**〈自他〉代える. 文例 리포트 제출로 시험을 ~하기로 했다 レポート提出をもって試験に代えることにした. →囲み記事 3
갈이[1] [kari]〈名〉田畑を耕すこと. 句例 밭~를 하다 畑を耕す. 語例 물~ 水田を耕すこと.
갈이[2] [kari]〈依名〉取り替え. 句例 구두의 창 ~ 靴底の取り替え. 語例 물~ 水の入れ替え.
갈-잎 [ka:llip]〈名〉❶落ち葉. ❷かしわ(柏)の葉.
갈증【渴症】[kaltchŭng]〈名〉(のど(喉)の)渇き. 句例 ~을 풀다 (のどの)渇きをいやす / ~이 풀리지 않는다 渇きが止まらない.
갈증(이) 나다 渇する. 渇きを覚える.
갈지자-걸음【—之字—】[kaljitchagŏrŭm]〈名〉千鳥足. ひょろひょろ歩き. 句例 취해서 ~으로 걷다 酔ってひょろひょろと歩く.
갈채【喝采】〈名·하自〉喝采. 句例 ~를 받다 喝采をあびる〔博する〕. 語例 박수 ~ 拍手喝采.
****갈치**〈名〉〔魚〕たちうお(太刀魚).
갈퀴〈名〉くま手. さらい.
갈퀴-질〈名·하自〉くま手でか(搔)くこと.
갈탄【褐炭】〈名〉褐炭.
***갈팡-질팡**〈副〉当惑するさま. とまどうさま: うろうろ. まごまご. どぎまぎ. **~하다**〈自〉うろうろする. まごつく. とまどう. 惑う. 文例 길을 잃고 ~하다 道にまごつく / 어쩔 줄을 몰라 ~ 헤매다 どうしてよいか分からず, うろうろとさまよう / ~하여 대답하지 못했다 とまどって答えられなかった.
갈포【葛布】〈名〉葛布·.
***갈피**〈名〉❶要領. 分別. 筋道. 物事のみわけ. 文例 그의 말은 ~를 잡을 수가 없다 彼の言うことは見当がつかない. ❷(本などの)間. 句例 책~에 돈을 끼워놓다 本のページ間にお金をはさんでおく.
갈피를 못 잡다 筋道〔糸口〕がつかめない.
갉다 [kakta]〈他〉❶かじる. 句例 쥐가 벽을 ~ ねずみ(鼠)が壁をかじる. ❷(くま手などで)かき集める. ❸そしる. けなす. ❹人の物をちょびりちょびりかすめ取る.
参考 '갉으니 かじると' '갉고 かじって'は[kalgŭni], [kalkko]と読む.
갉아-먹다 [kalgamŏkta]〈他〉❶かじって食う. かじる. 文例 쥐가 호박을 ~ ねずみがかぼちゃをかじって食う. ❷(人の物を)しぼり〔かすめ〕取る.
갉죽-거리다 [kakchuk—]〈他〉❶やたらにかき〔かじり〕続ける. ❷(人の痛い所などを)こづいてかき立てる.
갉죽갉죽 [kakchukkakchuk]〈副〉やたらにかき〔かじり〕続けるさま: がりがり. ぼりぼり. **~하다**〈他〉がりがり〔ぼりぼり〕かく〔かじる〕.
***감** [ka:m]〈名〉〔植〕かき(柿). 句例 ~이 열리다 かきが実る / ~을 우리다 かきの渋をぬく. 語例 침~ たる柿 / 날~ 渋がき. →곶감
***감**【感】[ka:m]〈名〉感. ❶感じ. 思い. 気持ち. 句例 때늦은 ~이 있다 時期外れの感がある / 이상한 ~이 들다 変な感じがする. 語例 기대~ 期待感 / 현실~ 現実感 / 초조~ 焦燥感 / 압박~ 圧迫感. ❷'감도(感度)'の略: 感度. 句例 ~이 좋은 라디오 感度のいいラジオ.
***-감**〈尾〉がね. 物事の材料. 種·元となるもの. 語例 신랑~ むこがね / 양복~ 洋服生地.

감 〔漢字項目〕

【減】中學 감 ゲン. ❶줄다 へる. ◧減少 감소 げんしょう. ◨半減 반감 はんげん. ❷줄이다 へらす. ◧減員 감원 げんいん. ◨削減 삭감 さくげん. ❸빼다 引く. ◧減數 감수 げんすう. ◨加減 가감 かげん. ❹빼기 引き算. ◧減法 감법 げんぽう.

【感】中學 감 カン. ❶감동하다 感動する. ◧感泣 감읍 かんきゅう. ◧感激 감격 かんげき. ❷감동시키다 感動させる. ◧感化 감화 かんか. ❸감응하다 感応する. ◨靈感 영감 れいかん. ❹느끼다 感ずる. ◧感覺 감각 かんかく. ◨觸感 촉감 しょっかん.

【敢】中學 감 カン. ❶굳세다 つよい. ❶敢戰 감전 かんせん. ◨勇敢 용감 ゆうかん. ❷결단성 있게 하다 あえて行う. ◨果敢 과감 かかん. ❸감히 あえて. 감히 하다 あえてする. ◧敢行 감행 かんこう.

【甘】中學 감 カン. ❶달다 あまい. ◧甘味 감미 かんみ. 甘露 감로 かんろ. ❷맛나다 うまい. おいしい. ◧甘酒 감주 あまざけ. ❸들어서 기분이 좋다 聞いて気分がよい. ◧甘言 감언 かんげん. ❹달게 여기다 あまんずる. ◧甘受 감수 かんじゅ.

【監】高校 감 カン. ❶살피다 見張る. ◧監視 감시 かんし. ◨總監 총감 そうかん. ❷감옥 ろうや. ◧監房 감방 かんぼう. 監禁 감금 かんきん. ❸감찰하는 벼슬. 또 그 사람 とりしまる役目. また, その役にある人. ◧監察監 감찰감 かんさつかん. ❹마을. 관청 役所. ◨國子監 국자감 こくしかん.

【鑑】高校 감 カン. ❶거울 かがみ. ◨明鑑 명감 めいかん. ❷본보기 てほん. ◨龜鑑 귀감 きかん. ❸비추어 보다 鑑みる. 식별하다 見分ける. ◧鑑賞 감상 かんしょう. ◨印鑑 인감 いんかん.

감각【感覺】[ka:mgak]〈名〉感覚. 句例 신선한 ~ 新鮮な感覚 / ~이 마비되다 感覚がまひする / ~이 날카롭다 感覚がするどい 文例 추워서 손발의 ~이 없어졌다 寒さのため手足の感覚がなくなった. 語例 ~ 기관 感覚器官 / ~ 기능 感覚機能 / ~ 신경 感覚神経 / 미적 ~ 美的感覚.

감각-적【感覚的】[ka:mgakchŏk]〈名・冠〉感覚的. 句例 ~인 문장 感覚的な文章.

감감-무소식【一無消息】〈名〉消息がとだえること. 文例 ~이다 何の消息もない. なしのつぶてだ.

감감-하다(→하다)〈形〉❶消息がない. ❷探すすべがなく途方に暮れている. なくなった物をさがす見通しがつかない. 文例 잃어버린 반지를 찾을 길이 ~ 失った指輪をさがす見通しがつかない.

*__감개__【感慨】[ka:mgae]〈名〉感慨. 句例 ~에 젖다 感慨にひたる. 文例 아버지는 ~가 깊은 듯이 옛날 사진을 들여다보고 있었다 父は感慨深そうにむかしの写真に見入っていた.

감개-무량【感慨無量】[ka:mgaemuryang]〈名〉感慨無量. **~하다**〈形〉感慨無量だ.

*__감격__【感激】[ka:mgyŏk]〈名・하自〉感激. 句例 ~을 금할 수 없다 感激にたえない / 크게 ~하다 大いに感激する. 文例 사람을 ~시키는 연설이었다 人を感激させる演説であった / 위인의 전기를 읽고 ~의 눈물을 흘렸다 偉人の伝記を読み, 感激の涙を流した. **~스럽다**(→스럽다)〈形〉感激的だ.

감격-적【感激的】[ka:mgyŏkchŏk]〈名・冠〉感激的. 句例 ~인 순간 感激的な瞬間.

감광【感光】[ka:mgwang]〈名・하自〉感光. 語例 ~약 感光薬 / ~ 재료 感光材料 / ~지 感光紙.

감금【監禁】〈名〉監禁. **~하다**〈他〉監禁する. 取りこめる. 語例 불법 ~ 不法監禁 / ~죄 監禁罪.

⁑**감기**【感氣】[ka:mgi]〈名〉風邪. 感冒. ＝고뿔. 句例 ~가 들다 風邪をひく / ~로 콜록거리다 風邪でせ(咳)き込む. 語例 ~약 風邪薬 / ~ 기운 風邪気 / 유행성 ~ 流行性感冒 / 코~ 鼻風邪.

감기다¹ ━〈自〉❶'감다¹'の受け身: 目が閉じられる. ❷眠気がさす. 眠くてまぶたがたるむ. 句例 졸려서 눈이 ~ ねむくて目がふさがる. ━〈他〉'감다¹'の使役形: 目を閉じさせる〔つぶらせる〕. 句例 죽은 이의 눈을 ~ 死者の目をつぶらせる.

감기다² ━〈自〉'감다³'の受け身: 巻かれる. ━〈他〉'감다³'の使役形: 巻かせる.

감기다³〈他〉'감다²'の使役形. ❶洗わせる. ❷洗ってやる.

⁑**감-나무**[ka:mnamu]〈名〉〔植〕かき(柿)の木.

감내-하다【堪耐一】(→하다)〈他〉耐え忍ぶ. 忍耐する.

*__감다__¹[ka:mtta]〈他〉(目を)閉じる. つぶる. 句例 눈을 ~ 目をつぶる〔つむる〕/ 눈을 감고 생각하다 目をつぶって(じっと)考える. 文例 눈을 감으면 그리운 고향이 떠오른다 目をつぶると懐かしいふるさとが浮かんでくる.

*__감다__²[ka:mtta]〈他〉(からだや髪などを)洗う. 句例 멱을 ~ (川で)水浴びをする. 文例 먼저 세수부터 하고 더운 물에 머리도 감아라 まず顔を洗ってからお湯で髪も洗いなさい.

*__감다__³[ka:mtta]〈他〉巻く. 句例 실을 ~ 糸を巻く / 필름을 ~ フィルムを巻く / 태엽을 ~ ゼンマイを巻く.

감당【堪當】〈名〉十分になしおえること. 十分堪え得ること. 事に当たり得ること. **~하다**〈他〉なし得る. 堪える. 句例 ~을 못하다 なしおえられない. 堪えられない / 소임을 ~하다 任に堪える.

감도【感度】[ka:mdo]〈名〉感度. 句例 ~가 좋다 感度がいい. 文例 산골 마을에서는 ~ 좋은 안테나가 필요하다 谷間の村では感度のいいアンテナが必要だ.

감독【監督】〈名・하他〉監督. 句例 ~을 받다 監督を受ける / 도로 공사를 ~하다 道路工事を監督する. 語例 ~관 監督官 / ~ 관청 監督官庁 / ~자 監督者 / 야구 ~ 野球の監督 / 무대 ~ ステージマネジャー / 현장 ~ 現場監督.

감-돌다[ka:mdolda](감도니, 감돌아서) ━〈自〉漂う. 垂れこめる. 句例 전운이 ~ 戦雲が垂れこめる / 따뜻한 분위기가 ~ なごやかな雰囲気が漂う.

━〈他〉(川の流れなどが) 曲がって流れる.

*__감동__【感動】[ka:mdong]〈名・하自〉感動. 句例 ~을 주다 感動をあたえる / ~을 받다 感動を受ける / ~을 부르다 感動を呼ぶ / ~으로 가슴이 벅차다 感動で胸がいっぱいになる. 文例 '집없는 아이'를 읽고 대단히 ~했다 '家なき子'を読んでたいへん感動した. 語例 ~적 感動的.

감람【橄欖】[ka:mnam]〈名〉〔植〕橄欖. 語例 ~나무 かんらんの木.

감량【減量】[ka:mnyang]〈名〉減量. **~하다**〈自他〉減量する. 語例 체중 ~ 体重の減量. 對증량(増量).

감로【甘露】[kamno]〈名〉甘露. 語例 ~수 甘露水 / ~주 甘露酒.

감리【監理】[kamni]〈名・하他〉監理. 語例 공사 ~ 工事監理.

감리-교【監理教】[kamnigyo]〈名〉〔基〕メソジスト教会.

감면【減免】[ka:mmyŏn]〈名・하他〉減免. 句例 세금의 ~ 税金の減免 / 형을 ~하다 刑を減免する.

감명【感銘】[ka:mmyŏng]〈名・하自〉感銘〔肝銘〕. 句例 깊은 ~ 深い感銘 / ~깊은 작품 感銘ぶかい作品 / ~을 받다〔주다〕感銘を受ける〔与える〕. 文例 강연을 듣고 ~했다 講演を聞いて感銘した / 스승의 은혜에 깊이 ~했다 師の恩に肝銘した.

감미【甘味】〈名・하形〉甘味・あま味. 語例 ~료 甘味料. **~롭다**(→롭다)〈形〉甘い. 句例 ~로운 멜로디 甘いメロディー. **~로이**〈副〉甘く.

감방【監房】〈名〉監房. 句例 ~에 갇히다 監房に閉じこめられる.

감별【鑑別】〈名・하他〉鑑別. 鑑定. 句例 필적을 ~하다 筆跡の鑑別を行なう. 文例 병아리의 암수를 ~하다 ひよこのめす, おすを鑑別する. 語例 ~법 鑑別法 / 병아리 ~ ひなの鑑別.

감복【感服】[ka:mbok]〈名・하自〉感服. 文例 네 효심에 정말 ~했다 きみの親思いにはまったく感服した.

감봉【減俸】[ka:mbong]〈名・하他〉減俸. 減給. 語例 ~ 처분 減俸処分.

감-빛 [ka:mppit]〈名〉かき色.

감사【感謝】[ka:msa]〈名・하形自他〉感謝. 句例 ~의 말 感謝のことば/~를 드리다 感謝申し上げる. 感謝いたす. 文例 지난번에는 ~했습니다 先日はありがとうございました/호의에 ~합니다 ご好意に感謝します/선생님 은혜에 깊이 ~합니다 先生のご恩に深く感謝します. 語例 ~장 感謝状/~패 感謝牌.

감사【監司】〈名〉〔史〕監司. 朝鮮時代, 全国八道の地方長官'観察使'の別称.

감사【監事】〈名〉(法人・団体などの)監事. 語例 상임 ~ 常任監事.

감사【監査】〈名・하他〉監査. 語例 국정〔회계〕~ 国政〔会計〕監査.

감산【減産】[ka:msan]〈名・하自他〉減産. 對 증산(増産).

*__감상__【感想】[ka:msang]〈名〉感想. 句例 ~을 말하다 感想を述べる. 語例 ~문 感想文.

*__감상__【感傷】[ka:msang]〈名・하自〉感傷. 句例 ~에 젖다 感傷にひたる/~에 잠기다 感傷にふける.

*__감상__【鑑賞】〈名・하他〉鑑賞. 句例 그림을 ~하다 絵を鑑賞する. 語例 음악 ~ 音楽鑑賞.

감상-적【感傷的】[ka:msangjŏk]〈名・冠〉感傷的. 句例 ~인 소녀 感傷的な少女/~인 기분 感傷的な気持ち.

감색【紺色】〈名〉紺色.

감성-돔〈名〉〔魚〕くろだい(黒鯛).

감소【減少】[ka:mso]〈名・하自他〉減少. 句例 수입이 ~하다 収入が減少する. 對 증가(増加). 증대(増大).

감속【減速】[ka:msok]〈名・하自他〉減速. 對 가속(加速).

감수【甘受】〈名・하他〉甘受. 句例 비난을 ~하다 非難を甘受する.

감수【減収】[ka:msu]〈名・하自〉減収. 減作.

감수【減數】[ka:msu]〈名・하自他〉減数. 語例 ~ 분열 減数分裂.

감수【監修】〈名・하他〉監修. 句例 사전을 ~하다 辞典を監修する.

감수-성【感受性】[ka:msussŏng]〈名〉感受性. 句例 ~이 예민〔풍부〕하다 感受性がするどい〔ゆたかだ〕.

*__감시__【監視】〈名・하他〉監視. 句例 ~의 눈을 속이다 監視の目をくらます. 語例 ~망 監視網.

감식【鑑識】〈名・하他〉鑑識. 句例 미술품의 ~에 능하다 美術品の鑑識に長じている. 語例 ~력 鑑識力.

*__감-싸다__ [ka:mssada]〈他〉❶覆いかぶせる. 包み隠す. くるむ. 句例 갓난아기를 타월에 ~ 赤ん坊をタオルにくるむ. ❷かば(庇)う. 庇護する. 句例 허물〔잘못〕을 ~ あやまちをかばう.

감싸고 돌다 かば(庇)う. かばい立てする. 庇護する.

감싸 주다 取り繕ってやる. かば(庇)い立てする. ひいきする.

감안-하다【勘案一】[kamanhada](→하다)〈他〉勘案する. 句例 사정을 ~ 事情を勘案する〔考え合わせる〕.

감언【甘言】[kamŏn]〈名〉甘言. 甘口. 句例 ~에 넘어가다 甘口に乗る. 甘言に釣られる. 語例 ⇨ 감언이설

감언-이설【甘言利說】[kamŏnni:sŏl]〈名〉口車. 句例 ~에 넘어가다 口車に乗る.

감염【感染】[ka:myŏm]〈名・하自〉感染. 語例 ~률 感染率.

*__감옥__【監獄】[kamok]〈名〉監獄. 句例 ~에 들어가다 監獄に入る/~에서 나오다 出獄する/~에 갇히다 監獄に閉じこめられる〔ぶちこまれる〕. 語例 ~살이 監獄暮らし/~소(所) 監獄.

参考 やや古めかしい通称. 正式には, 刑務所に当たる'교도소(矯導所)'と'구치소(拘置所)'に分けられる.

감옥-살이【監獄一】[kamoksari]〈名・하自〉獄中の生活. 囚人の生活. 略して'옥살이'ともいう. ＝철창 생활(鐵窓生活).

감응【感應】[ka:mŭng]〈名・하自〉感応. 語例 ~코일 感応コイル.

**__감자__〈名〉〔植〕[もとの語形は, '감저(甘藷)'] 芋. ジャガ芋. 馬鈴薯. ポテト. 句例 ~를 찌다 芋をふかす.

감전【感電】[ka:mjŏn]〈名・하自〉感電. 語例 ~사 感電死.

감점【減點】[ka:mtchŏm]〈名・하他〉減点. 文例 사소한 실수로 크게 ~을 당했다 ちょっとしたミスで大きく減点された/~이 많아 실격되었다 減点が多くて失格になった.

*__감정__【感情】[ka:mjŏng]〈名〉感情. 句例 ~을 해치다 感情を害する/~을 누르다 感情をおさえる/~을 드러내다 感情をおもてにだす/~의 기복이 심하다 感情の起伏がはげしい/~에 호소하다 感情に訴える. 語例 연애 ~ 恋愛感情/~ 이입 感情移入.

감정【憾情】[ka:mjŏng]〈名〉不満からの恨みや怒り. 句例 ~이 나다 不満足で腹が立つ/~을 내다 1)不満足で腹を立てる. 2)憤慨させる. 腹を立たせる.

감정【鑑定】〈名・하他〉鑑定. 句例 필적을 ~하다 筆跡を鑑定する. 語例 ~가 鑑定家/~료 鑑定料/~ 가격 鑑定価格/~서 鑑定書/~인 鑑定人.

감주【甘酒】〈名〉甘酒. 類 단술.

감지-덕지【感之德之】[ka:mjidŏkchi]〈副・하他〉この上なくありがたがるさま.

감질【疳疾】〈名〉もの欲しさにもどかしがる心.

감질(이) 나다 じれったい. 歯がゆい. まだるっこい. 句例 감질나는 이야기 じれったい話.

감쪽-같다〈形〉全くそっくりだ. 少しもたがわない. 寸分たがわない. 繕ったり直したりした跡がない. **감쪽같이** [—kach'i]〈副〉跡形なく. きれいさっぱりと. まんまと. うまうまと. 文例 감쪽같이 속았다 まんまとだまされた/감쪽같이 해 놓았다 そっくりもとの通りにやってのけた.

감찰【監察】〈名・하他〉監察. 語例 ~관 監察官. 目付け役.

ㄱ

감천【感天】[ka:mch'ŏn]〈名・하自〉真心が天に通じること. 文例 지성이면 ~이다 誠を尽くせば天に通じるものだ.

감초【甘草】〈名〉〔植〕かんぞう(甘草). あまくさ. →약방
表現 かんぞうはほとんどの韓方薬には必須の薬材なので, '약방에 감초 薬舗にかんぞう'のいいまわしで, どんなことにでも首をつっこむ人. または欠くことのできない物の意味に使われる.

감촉【感觸】[ka:mch'ok]〈名〉感触. 句例 ~이 부드럽다 手触りがよい. 感触が柔らかい / 촉촉한 ~ しっとりした感触.

감추다〈他〉隠す. ❶くらます. 句例 종적을 ~ そうせき(踪跡)をくらます. 姿を消す. ❷秘する. 秘める. 潜める. 文例 초조한 빛을 감출 수 없다 焦燥の色が隠せない.

감축【減縮】[ka:mch'uk]〈名・하自他〉減縮. 句例 예산을 ~하다 予算を減縮する.

감치다 [ka:mch'ida]〈他〉❶まつる. 刺し縫いする. 句例 옷단을 ~ すそ(裾)をまつる. ❷ひだ縫いする. かがる.

감칠-맛 [ka:mch'ilmat]〈名〉❶食欲をそそる味. 句例 ~이 나는 술 口当たりのいい酒. こくのある酒. ❷人の心を引きつける力. 句例 ~이 나는 이야기 小味の利いた話.

감침-질 [ka:mch'imjil]〈名・하他〉まつり縫い.

감탄【感歎】[ka:mt'an]〈名・하自〉感嘆. 語例 ~ 부호 感嘆符.

감탄-사【感歎詞】[ka:mt'ansa]〈名〉〔言〕感動詞. 間投詞.

감퇴【減退】[ka:mt'oe]〈名・하自〉減退. 句例 식욕이 ~하다 食欲がおちる. 語例 정력 ~ 精力減退. 對증진.

감투〈名〉❶むかし, 官員が'갓'の下にかぶった冠の一種《馬の毛で仕立てる》. ❷⇨ 탕건. ❸役職. 官職. 句例 ~를 쓰다 官職に就く. 語例 ~ 싸움 役職争い.
參考 ②・③は俗っぽい言いかた.

감투【敢鬪】[ka:mt'u]〈名・하自〉敢闘. 語例 ~상 敢闘賞.

감-하다【減—】[ka:mhada] (→하다) ■〈自〉減じる. 減る.
■〈他〉減らす. 句例 3할을 ~ 三割を減らす.

감행【敢行】[ka:mhaeng]〈名・하他〉敢行.

감형【減刑】[ka:mhyŏng]〈名・하自他〉減刑.

감화【感化】[ka:mhwa]〈名・하自他〉感化. 句例 ~를 받다 感化をうける.

감회【感懷】[ka:mhoe]〈名〉感懐. 句例 ~를 피력하다 感懐を述べる / ~가 깊다 感懐が深い.

감흥【感興】[ka:mhŭng]〈名〉感興. 句例 ~을 자아내다 感興を催す.

감-히【敢—】[ka:mhi]〈副〉❶恐れ多くも. おそれげもなく. よくも. 文例 ~ 선생님에게 대들다니 よくも先生にたて突いたな. ❷あ(敢)えて. 強いて. 押し切って. 句例 ~ 위험을 무릅쓰다 あえて危険をおかす.

***갑**【甲】〈名〉甲. ❶順序の始め. ❷甲. 十干の始め. 等級の第一位. ❸二つ以上の物事のうち, その一つの名前の代わりに使う語. 文例 이하 원고를 ~, 피고를 을이라고 칭한다 以下原告を甲, 被告を乙と称する.

갑【匣】■〈名〉箱. ケース. 語例 담뱃~ タバコの箱.
■〈依名〉小さい箱状の物を数える語: …箱. 語例 두 ~ 二箱.

갑　〔漢字項目〕

【甲】 中學 갑 コウ. カン. ❶첫째 천간 十干の第一. ◧甲子 갑자 こうし. ❷첫째 第一位. ◧甲乙 갑을 こうおつ. ❸껍질 かたい外皮. ◧甲殼 갑각 こうかく. ◨龜甲 귀갑 きっこう. ❹갑옷 よろい. ◧甲冑 갑주 かっちゅう. ◨兵甲 병갑 へいこう. ❺손톱 つめ. ◨爪甲 조갑 そうこう.

갑갑-증【—症】〈名〉うっとうしさ. いらだち. もどかしさ. 句例 ~이 나서 못 견디다 うっとうしくて耐えられない.

***갑갑-하다** [kapkap'ada] (→하다)〈形〉❶息づまる. 窮屈だ. 句例 꼭 끼어 갑갑한 옷 窮屈な服. ❷退屈だ. うっとうしい. 文例 집에 혼자 있기가 ~ 家にひとりいるのが退屈だ. **갑갑히** [kapkap'i]〈副〉❶息づまるように. 窮屈に. ❷退屈に.

갑골 문자【甲骨文字】[—muntcha]〈名〉甲骨文字.

갑론-을박【甲論乙駁】[kamnonŭlbak]〈名・하自〉甲論乙駁.

갑문【閘門】[kammun]〈名〉閘門.

갑부【甲富】〈名〉第一番の金持ち. 句例 장안의 ~ 都随一の物持ち.

갑사【甲紗】〈名〉良質の紗. 語例 ~ 댕기 紗の手絡.

갑상-선【甲狀腺】〈名〉〔生〕甲状腺.

갑신-정변【甲申政變】〈名〉〔史〕甲申の政変. 1884年甲申の年に, 金玉均らの開化党が起こした政変. 事大党を退けて革新政府を建てようとした.

갑오-개혁【甲午改革】[kabo—]〈名〉〔史〕甲午の改革. 1894年甲午の年に, '政治制度を西洋式に改めたこと. 갑오경장(甲午更張)ともいう.

***갑옷**【甲—】[kabot]〈名〉よろい(鎧). 語例 ~ 미늘 さね(札) / ~ 투구 甲冑.

갑을【甲乙】[kabŭl]〈名〉甲乙.

갑인-자【甲寅字】[kabinja]〈名〉甲寅活字. 1434年甲寅の年に, 朝鮮世宗の命で鋳造した銅活字.

****갑자기**〈副〉急に. いきなり. にわかに. 突然. やにわに. ひょいと. ついと. つと. 出し抜けに. 句例 ~ 일어서서 가다 ついと立って行く. 文例 ~ 비가 내리기 시작했다 急に雨が降り出した / ~ 형세가 역전되었다 俄然形勢が逆転した.

갑작-스럽다 (→스럽다)〈形〉突然だ. 急だ. にわかだ. 不意だ. 句例 갑작스런 죽음 突然の死. **갑작스레**〈副〉急に. いきなり. にわかに. 突然. やにわに. 出し抜けに.

갑절 ㊀〈名・하他〉倍. 句例 크기가 ~이다 大きさが倍である / ~이 되다 倍になる. 語例 세 ~ 3倍.
㊁〈副〉倍に. 一倍. 句例 남보다 ~ 노력하다 人と一倍努力する. 類배(倍).

갑종【甲種】〈名〉甲種. 語例 ~ 합격 甲種合格.

갑충【甲蟲】〈名〉〔蟲〕甲虫. かぶとむし(甲虫).

갑판【甲板】〈名〉甲板. デッキ. 語例 ~장 甲板長. ボースン.

***값** [kap]〈名〉値. ❶値打ち. 値. 価値. 句例 ~이 있는 値打ちのある / ~으로 칠 수 없는 보배 無価の宝.
❷代金. 料金. 料. 代. 語例 물~ 水道料 / 방~ 部屋代 / 몸~ 身の代(金).
❸価格. 値段. 値. 句例 ~이 비싸다 値が高い〔張る〕/ ~이 싸다 値段〔値〕が安い / ~이 오르다〔내리다〕 値が上がる〔下がる〕/ ~을 매기다 値をつける〔踏む〕. 語例 도맷~ おろし値段.
❹代価. 対価. 犠牲. 文例 깨뜨린 유리 ~을 물다 割ったガラスの代金をつぐなう.
❺⇨ 금[1]
❻〔數〕値. 文例 x의 ~을 구하라 xの値を求めよ.
參考 '값은 値は' '값과 値と'は[kaps ŭ n], [kapkwa]と読む.

값-나가다 [kamnagada]〈自〉❶値段〔値〕が…もする. ❷値打ちがある. 高価だ. めぼしい. 文例 값나가는 물건은 없다 めぼしいものはない. ▷略して'값가다, 값나다'ともいう.

값-비싸다 [kappissada]〈形〉高価だ. 値段が高い.

***값-싸다** [kapssada]〈形〉安い. 安っぽい. ちゃちだ《俗》. 句例 값싼 양복 安っぽい洋服 / 값싼 물건 ちゃちな品 / 값싼 동정 安価な同情.

***값-어치** [kabŏch'i]〈名〉値打ち. 価値. 句例 ~가 있다 値打ちがある / ~가 오르다〔떨어지다〕 値打ちが上がる〔下がる〕.

값-없다 [kabŏpta]〈形〉❶値がつけられない. (値の知れないほど)たいへん貴重だ. ❷値打ちがない. 無価値だ. **값없이** [kabŏpshi]〈副〉❶たいへん貴重だ. ❷値打ちなく. 無価値に.

값-있다 [kabitta]〈形〉値打ちがある.

***값-지다** [kapchida]〈形〉高価だ. めぼしい. 貴い. 貴重だ. 句例 값진 물건 高価な〔めぼしい〕物 / 값진 체험 貴い体験. **값지게** [kapchige]〈副〉高価に.

값-하다 [kap'ada]〈自〉値に相当することをする.

***갓**[1]〈名〉❶むかし, 馬のたてがみや尾の毛で仕立てた成人用の冠. カッ. 句例 ~을 쓰다 カッをかぶる. 絵 ❷冠の形をしたもの. 句例 전등의 ~ 電灯のかさ. ❸〔植〕菌傘. きのこ(茸)のかさ(笠). 句例 송이버섯의 ~이 피다 まつたけのかさが開く.

〈갓〉

갓[2]〈名〉〔植〕からしな(芥子菜). 高菜.

갓[3]〈副〉ただいま(只今). いますぐ. 今しがた. ちょうど今. …たばかり. …立て. 句例 ~ 구운 생선 焼き立ての魚 / ~ 낳은 달걀 生み立ての卵.

갓-〈頭〉二十歳以上で十の倍数になる数をあらわす数詞の前につけて, 'ちょうど'・'きっちり'の意味に用いる語. 句例 ~마흔 ちょうど四十歳.

갓-고깔〈名〉僧侶の山形の頭巾.

갓-길 [ka:tkil]〈名〉路肩.・ろけん.

갓-나다 [kannada]〈自〉たった今生まれたばかりだ.

***갓난-아기** [kannanagi]〈名〉赤ちゃん.

***갓난-아이** [kannanai]〈名〉嬰児. みどりご. 赤子. 赤ん坊.

***강**【江】〈名〉江. 川〔河〕. 大河・たいが. 語例 ~줄기 河の流れ.

강 건너 불구경 高見の見物.

강-〈頭〉❶ひどい. 厳しい. 語例 ~추위 厳しい寒さ. ❷いわれのない. 語例 ~호령 いわれのないどなりつけ.

강 〔漢字項目〕

【剛】高校 강 ゴウ. ❶굳세다 強い. ◧剛直 강직 ごうちょく. 剛健 강건 ごうけん. ❷억세다 堅い. ◧外柔内剛 외유내강 がいじゅうないごう.

【康】高校 강 コウ. ❶편안하다 安らかだ. 튼튼하다 健やかだ. ◧康寧 강녕 こうねい. ◧健康 건강 けんこう. ❷즐겁다 楽しい. ◧康樂 강락 こうらく.

【強】中學 강 キョウ. ゴウ. ❶강하다 つよい. こわい. ◧強健 강건 きょうけん. ◧屈強 굴강 くっきょう. ❷강하게 하다 つよくする. ◧強化 강화 きょうか. ◧增強 증강 ぞうきょう. ❸힘쓰게 하다 努めさせる. ◧勉強 면강 べんきょう. ❹강요하다 しいる. ◧強制 강제 きょうせい. 強盗 강도 ごうとう.
參考 '强'とも書く.

【江】中學 강 コウ. 강 かわ. ◧江河 강하 こうが. ◧江湖 강호 こうこ.

【降】中學 강 コウ. 항 コウ. ㊀〔강〕❶내리다 おりる, くだる. ◧降下 강하 こうか. ◧下降 하강 かこう. 昇降 승강 しょうこう. ❷시간적으로 이후 あと. ◧以降 이강 いこう. ㊁〔항〕굴복하다 負けしたがう. ◧降服 항복 こうふく. ◧歸降 귀항 きこう.

【綱】高校 강 コウ. ❶벼리 おおづな. 사물을 규제하는 일 物事をしめくくること. ◧綱常 강상 こうじょう. ◧紀綱 기강 きこう. ❷대강 大本. ◧綱目 강목 こうもく. ◧大綱 대강 たいこう. ❸다스리다 治める. ◧綱紀 강기 こうき.

【講(講)】中學 강 コウ. 구 コウ. ク. ㊀〔강〕❶풀이하다 説きあかす. ◧講讀 강독 こうどく. ◧進講 진강 しんこう. ❷이야기하다 述べる. ◧講演 강연 こうえん. ❸익히다 ならう. ◧講學 강학 こうがく. ◧講習 강습 こうしゅう. ❹검토 연구하다 しらべ研究する. ◧講求 강구 こうきゅう. ❺화해하다 和解

わかいする. ■講和 강화 こうわ.
■〔구〕화해하다 なかなおりする.

【鋼】高校 강 コウ. 강철 はがね. ■鋼鐵 강철 こうてつ. ■製鋼 제강 せいこう.

*강-가【江一】[—kka]〈名〉川岸. 河岸. 川のほとり. 河畔. 岸べ. 類강변.

강강-술래〈名〉〔民〕婦女子らが手に手を取って踊る民俗円舞. また, その踊りに合わせて歌う歌.

강건【強健】〈名〉強健. ～하다〈形〉強健だ. 句例 ～한 신체 強健な身体.

강경【強硬】〈名〉強硬. ～하다〈形〉強硬だ. 句例 ～한 수단 強硬な手段 / ～하게 나오다 強腰に出る. ～히〈副〉強硬に. 句例 ～히 주장하다 強硬に言い張る.

강경-파【強硬派】〈名〉強硬派. たか派.

강공【強攻】〈名・하他〉強攻. 句例 ～책을 쓰다 強攻策をとる.

강관【鋼管】〈名〉鋼管.

강구【講究】[ka:nggu]〈名〉講究. ～하다〈他〉講究する. 講じる. 句例 수단을 ～하다 手段を講じる / 비책을 ～하다 秘策を練る.

강국【強國】〈名〉強国.

강군【強軍】〈名〉強い軍隊〔チーム〕.

강권【強勸】[ka:nggwon]〈名・하他〉無理強いに勧めること.

강권【強權】[kangkkwon]〈名〉強権. 語例 ～ 발동 強権発動.

강-기슭【江一】[kangkkisŭk]〈名〉川辺. 類 강안(江岸).
参考 '강기슭에 川べに' '강기슭과 川べと'は [kangkkisŭlge], [kangkkisŭkkwa]と読む.

강남【江南】〈名〉江南. ❶中国の揚子江以南の土地. ❷中国の別称. ❸ソウルの漢江以南の地域. 對강북(江北).

*강낭-콩〈名〉〔植〕隠元豆. いんげんささげ. さんどまめ(三度豆).
参考 中国から渡来した豆の意の '강남(江南)콩'の転訛.

강단【講壇】[ka:ngdan]〈名〉講壇. 句例 대학 ～에 서다 大学の講壇に立つ.

강당【講堂】[ka:ngdang]〈名〉講堂. 句例 ～에 집합하다 講堂に集合する.

강대【強大】〈名〉強大. ～하다〈形〉強大だ. 句例 ～한 해군력 強大な海軍力. 語例 ～국 強大な国. 強国. 大国. ～히〈副〉強大に. 對약소.

강도【強度】〈名〉強度. 句例 ～를 측정하다 強度を測定する.

강도【強盜】[ka:ngdo]〈名〉強盗. 句例 승객이 ～로 돌변하다 乗客が強盗に開き直る. 語例 ～질 強盗をはたらくこと.

강-도래【江一】〈名〉〔蟲〕かわげら.

강-둑【江一】[—ttuk]〈名〉川の土手〔堤〕.

강등【降等】[ka:ngdŭng]〈名・하自他〉降等. 降任. 句例 2 계급 ～ 二階級に降等.

강력【強力】[kangnyŏk]〈名〉強力. ～하다〈形〉強力だ. 句例 ～한 전력 強力な戦力. 語例 ～분(粉) 強力メリケン粉. ～히〈副〉強力に. 句例 ～히 추진하다 強力に推し進める.
表現 '강력범(犯)'の場合は'暴力'の意で, ≡'ごうりきはん(強力犯)'と訳される.

강렬【強烈】[kangnyŏl]〈名〉強烈. ～하다〈形〉強烈だ. 句例 ～한 펀치 強烈なパンチ / 한여름의 ～한 태양 真夏の強烈な太陽. ～히〈副〉強烈に.

강령【綱領】[kangnyŏng]〈名〉綱領.

강론【講論】[ka:ngnon]〈名・하他〉❶講釈して討論すること. 講論. ❷〔基〕説教. 語例 산상 ～ 山上の垂訓.

강림【降臨】[ka:ngnim]〈名〉降臨. ～하다〈自〉降臨する. 天下る.

강-마르다 (강마르니, 강말라서)〈形〉❶すっかり乾く. 干からびる. 句例 강마른 논바닥 干からびた田. ❷ひどくやせている.

강매【強買】[ka:ngmae]〈名・하他〉(売らないものを)無理じいに買うこと.

강매【強賣】[ka:ngmae]〈名・하他〉強売. 押し売り.

**강-물【江一】〈名〉川水.

강-바닥【江一】[—ppadak]〈名〉川底.

강-바람【江一】[—pparam]〈名〉川風.

강박【強迫】[ka:ngbak]〈名・하他〉強迫. 語例 ～ 관념 強迫観念.

강변【江邊】〈名〉川岸. 川べ. 語例 ～ 도로 川沿いの道路.

강병【強兵】〈名〉強兵. 語例 부국 ～ 富国強兵.

강북【江北】〈名〉江北. ❶川の北側. ❷中国の揚子江北側の地方. ❸ソウルの漢江の北側. 對강남.

강사【講師】[ka:ngsa]〈名〉講師. 語例 대학 ～ 大学講師 / 시간 ～ 非常勤講師.

*강산【江山】〈名〉川と山. 国土. 句例 삼천리 금수 ～ 錦繡のように美しい三千里の山河. 韓国. 文例 십년이면 ～도 변한다《속담》 十年もたてば山川草木も変わる. 語例 ～ 풍월 自然の美しい風景.

강상【江上】〈名〉江上.

강-샘〈名・하自〉嫉妬. ＝질투. 투기(妬忌). 句例 ～ 부리다 やきもちを焼く.

강설【降雪】[ka:ngsŏl]〈名〉降雪. 語例 ～량 降雪量.

강성【強性】〈名〉強性.

강성【強盛】〈名〉強盛. ～하다〈形〉強盛だ.

강세【強勢】〈名〉❶強勢. ❷〔經〕強気. 文例 주식 시장이 ～를 회복하다 株式市場が強気を取り戻す / ～를 유지하다 強気を保つ. ❸〔言〕アクセント.

강수【降水】[ka:ngsu]〈名〉降水. 語例 ～량 降水量.

강습【強襲】〈名・하自他〉強襲. 句例 적진을 ～하다 敵陣を強襲する.

강습【講習】[ka:ngsŭp]〈名・하他〉講習. 句例 ～을 받다 講習を受ける. 語例 ～회 講習会 / 요리 ～ 料理の講習.

강심-제【強心劑】〈名〉強心剤. 句例 ～를 놓다 強心剤を打つ.

**강아지〈名〉子犬.

*강아지-풀〈名〉〔植〕えのころぐさ(狗尾草). ねこ(猫)じゃらし《俗》.

강압【強壓】[ka:ng-ap]〈名・하他〉強圧. 句例

～적으로 나오다 かさにかかる.

강약【強弱】〈名〉強弱.

강-어귀【江—】〈名〉川口〔河口〕.

강연【講演】[ka:ng-yŏn]〈名・하他〉講演. 語例 ～회 講演会.

강요【強要】[ka:ng-yo]〈名・하他〉強要. 句例 자백을 ～하다 自白を強要する. 文例 기부를 ～해서는 안된다 寄付の強要はしてはならない.

강우【降雨】[ka:ng-u]〈名〉降雨. 語例 인공～ 人工降雨／～량 降雨量.

강의【講義】[ka:ng-ŭi]〈名・하他〉講義. 句例 ～를 듣다 講義を聞く／문학을 ～하다 文学を講じる. 語例 ～록 講義録／～실 講義室.

강인【強靭】〈名〉強靭. **～하다**〈形〉強靭だ. 句例 ～한 태도 強靭な態度／～한 인간 しぶとい人間.

강자【強者】〈名〉強者. つわもの. 對약자(弱者).

강장【強壮】〈名〉強壮. **～하다**〈形〉強壮だ. 語例 ～ 음료 強壮飲料／～제 強壮剤.

강재【鋼材】〈名〉鋼材.

강적【強敵】〈名〉強敵. 大敵. 句例 ～을 물리치다 強敵をほふ(屠)る.

강점【強占】[ka:ngjŏm]〈名・하他〉強占. 語例 일제 ～기 日帝強占期. 日本が大韓帝国を強制して合併した1910年から太平洋戦争の敗戦によって韓国が解放された 1945年までの35年間.

강점【強點】[kangtchŏm]〈名〉強み. 文例 영어를 할 줄 아는 것이 그의 ～이다 英語のできるのが彼の強みだ.

*__강제__【強制】[ka:ngje]〈名〉強制. **～하다**〈他〉強制する. 強いる. 語例 ～ 노동 強制労働／～력 強制力／～ 송환 強制送還／～ 집행 強制執行.

*__강제-로__【強制—】[ka:ngjero]〈副〉強制的に. 強引に. 無理やりに. 句例 ～ 일을 시키다 無理無体に働かせる／～ 마시게 하다 無理やりにのませる.

강제-적【強制的】[ka:ngje—]〈名・冠〉強制的. 句例 ～이다 強制的だ／～으로 시키다 無理やりやらせる. 語例 ～인 強制的な.

*__강조__【強調】[ka:ngjo]〈名・하他〉強調. 句例 국방의 중대성을 ～하다 国防の重大性を強調する. 語例 ～ 주간 強調週間.

강좌【講座】[ka:ngjwa]〈名〉講座. 語例 영어～ 英語講座.

강직【剛直】〈名〉剛直. **～하다**〈形〉剛直だ. 句例 ～한 사람 剛直な人. 堅物／～한 성격 生一本な性格.

강직【強直】〈名〉強直. 硬直. 語例 사후～ 死後硬直. 「計

강진【強震】〈名〉〔地〕強震. 語例 ～계 強震

강짜 〈名・하自〉'강샘'の俗っぽい言いかた: 焼きもち. 嫉妬. ねたみ.

강짜(가) 나다 嫉妬心が起こる.

강짜(를) 부리다〔내다〕 焼きもちを焼く.

강철【鋼鐵】〈名〉鋼鉄. スチール. 鋼. 對연철(軟鐵).

강청【強請】[ka:ngch'ŏng]〈名〉強請. **～하다**〈他〉強請する. ゆする. 句例 기부의 ～ 寄付の強請. →囲み記事 4

강체【剛體】〈名〉〔物〕剛体. 語例 ～ 역학 剛体力学.

강촌【江村】〈名〉江村.

강-추위〈名〉(雪のない) 酷寒.

강치〈名〉〔動〕あしか.

강타【強打】〈名・하他〉強打. 句例 후두부를 ～하다 後頭部を強打する／초구를 ～하다 初球を強打する. 語例 ～자 強打者.

강탈【強奪】[ka:ngt'al]〈名・하他〉強奪. 文例 돈을 ～당했다 金を強奪された.

강-태공【姜太公】〈名〉❶太公望. ❷'낚시꾼'の俗っぽい言いかた: 釣り師.

강토【疆土】〈名〉疆土.

강판【鋼板】〈名〉鋼板.

강판【薑板】〈名〉下ろし金. 句例 ～에 갈다 下ろし金におろす／～으로 무즙을 내다 下ろし金で大根おろしをつくる.

강평【講評】[ka:ngp'yong]〈名・하他〉講評. 句例 실습에 대한 ～을 하다 実習の講評をする.

강풍【強風】〈名〉強風. 語例 ～ 주의보 強風注意報.

강하【降下】[ka:ngha]〈名・하自他〉降下. 語例 낙하산 ～ 落下傘降下.

**__강-하다__【強—】(→하다)〈形〉強い. 句例 의지가 ～ 意志が強い／강하게 하다 強める／강한 팀 強いチーム. 文例 나는 추위에 ～ ぼくは寒さに強い／바람이 강하게 분다 風が強く吹く. 語例 강하게 強く.

강행【強行】[ka:nghaeng]〈名・하他〉強行. 句例 농지 개혁을 ～하다 農地改革を強行する／반대를 무릅쓰고 ～하다 反対を押し切る.

강-행군【強行軍】[ka:ng—]〈名・하自〉強行軍. 句例 하루 60킬로의 ～을 하다 一日六十キロの強行軍をする.
表現 むりを承知で, 短期間にたくさんの仕事をする場合にも使う.

강호【江湖】〈名〉江湖. 句例 ～의 호평을 받다 江湖の好評を博する.
參考 '강(江)'は 中国の揚子江, '호(湖)'は洞庭湖のことで, その二つをならべて'世の中全体'の意味を表わす.

강호【強豪】〈名〉強豪. 句例 ～와 맞붙다 強豪にぶつかる.

*__강화__【強化】〈名・하自他〉強化. 句例 단속을 ～하다 取り締まりを強化する／태세를 ～하다 態勢を強化する. 語例 ～ 식품 強化食品／～ 유리 強化ガラス.

강화【講和】[ka:nghwa]〈名〉講和. **～하다**〈自〉講和する. 和を講じる. 語例 ～ 회의 講和会議／～ 조약 講和条約.

강화도 조약【江華島條約】〈名〉〔史〕江華島条約. 丙子修好条約.
參考 1876年, 朝鮮と日本の間に結ばれた最初の条約.

*__갖-가지__〈名・冠〉'가지가지'の略: もろもろ(の). 種種(の). いろいろ(の). さまざま(な). とりどり(の). 句例 ～ 꽃 いろいろの花／～ 복장으로 とりどりの服装で.

갖다¹ ━〈他〉'가지다'の略. 句例 자신을 ～ 自信を持つ / 공포심을 ～ 恐怖心をいだく. ━['가져 다가'の略] 持って行って〔来て〕. 文例 책을 ～ 다오 本を持って来てくれ.

갖다² 〈形〉取りそろ(揃)えている.

갖-바치 〈名〉皮靴師.

갖바치 내일 모레 紺屋のあさって. 約束の期日のあてにならないことのたとえ.

*__갖은__ [kajŭn]〈冠〉いろいろな. さまざまな. 句例 ～ 고생 さまざまな苦労 / ～ 악행을 다하다 悪行の限りを尽くす. →囲み記事5
参考 '갖다²'の活用形.

갖은-소리 [kajŭn—] 〈名〉 ❶あらゆる言葉. 句例 ～로 간하다 言葉をつくしていさめる. ❷ものに不自由しないふりの言葉.

갖은-양념 [kajŭnnyangnyŏm]〈名〉もろもろの薬味.

갖은-자【一字】[kajŭnja]〈名〉本字より画数の多い漢字. 文例 삼(三)의 ～는 삼(參) 三の画数多い漢字は參.

갖추 〈副〉もれなく備わっているさま: いろいろ. 取りそろ(揃)えて. みな. すっかり.

갖추-갖추 〈副〉必要なものがもれなく取りそろっているさま: ことごとく. のこらず.

*__갖추다__ 〈他〉整える. 取りそろえる. 備える. 句例 태세〔준비〕를 ～ 態勢〔準備〕を整える / 참고 자료를 모두 ～ 参考資料を取りそろえる / 자격을 ～ 資格を具備する.

갖춘-마디 〈名〉〔樂〕完全小節.

**__같다__ 〈形〉❶同じだ. 等しい. 句例 같은 날 同じ日 / 고향이 ～ 故郷が同じだ. ❷…らしい. …ようだ. …しそうだ. …に見える. 句例 비가 올 것 ～ 雨が降りそうだ / 죽은 것 ～ 死んだようだ / 속이 뒤틀리는 것 ～ 腹が煮え返るようだ. ❸似ている. …らしい. …ようだ. 句例 꽃잎과 같은 입술 花びらのようなくちびる. ❹('같으면'の形で) …だったら. …なら. 句例 나 같으면 わたしだったら. わたしなら / 옛날 같으면 昔だったら. 昔なら. ❺('같으니' '같으니라고'の形で)どなりつけたりひとりごとで人の悪口を言うときに使う語. 文例 나쁜놈 같으니 悪党め(奴)が / 괘씸한 놈 같으니 けしからんやつめ.

> 囲み記事5
>
> ■ '갖은'と'가진' ■
>
> 가진は, 他動詞'가지다 持つ'の冠形詞型に活用された語である. '가지다 持つ'は, '가지고 持って', '가진 持った', '가지겠다 持つことにする', '가졌던 持っていた'などと活用される. ところが, '가지다'の省略型が'갖다'であるから, '갖은'を'가지다'の活用型'가진'と混用しやすい. しかし, 갖은は限定的形容詞の性質を持つ관형사(冠形詞)なので活用されることがなく, 常に'갖은'の形ばかりで用いられる.
>
> 갖은 'いろいろな' 'もろもろの' —— 갖은 양념 もろもろの薬味. 갖은 고생을 다 겪었다 あらゆる辛苦をなめ尽くした.
>
> 가진 —— 손에 가진 돈이 얼마 없다 手元金があまりない. 가진 나라 持てる国.

*__같아-지다__ [kat'ajida]〈自〉同じくなる. 等しくなる. 似てくる. …らしくなる. 文例 자랄수록 아버지와 같아진다 成長するにつれて父に似てくる.

같은 값이면 [kat'ŭn-gapshimyŏn] 同じことなら. どうせ同じならば.

같은 값이면 다홍치마 同じなら赤いチマ. 石臼ならんより茶臼なれ.

같은-또래 [kat'ŭnttorae]〈名〉同輩. 同類.

**__같이__ [kach'i] ━〈副〉❶同じく. 同一に. 同様に. 等しく. 文例 이전과 ～ 처리해 주세요 以前と同様に処理してください. ❷いっしょに. 共に. もろとも(諸共)に. 文例 ～ 영화 구경 가자 一緒に映画を見に行こう.
━〈助〉…ように. …と同じく. …ごとく. 句例 눈～ 희다 雪のように白い.

*__같이-하다__ [kach'ihada] (→하다)〈他〉共にする. 同じくする. いっしょにする. 句例 운명을 ～ 運命を共にする / 생사를 같이한 사이 生死を共にした仲.

같-잖다 [katchant'a]〈形〉❶同じでない. 同一でない. ❷なってない. くだらない. つまらない. 句例 같잖은 녀석 つまらない〔けしからん〕やつ(奴).

*__갚다__ 〈他〉❶返す. 戻す. 返済する. 句例 꾼 돈을 ～ 借りた金を戻す / 빚을 ～ 借金を返す. ❷報いる. 償う. 句例 원수를 ～ あだ(仇)を取る. あだを討つ / 은혜를 ～ 恩に報いる / 은혜를 원수로 ～ 恩をあだで返す. 文例 돌아가신 아버지의 원수는 꼭 갚겠다 亡くなった父の恨みはきっとはらす.

**__개__ [kae:]〈名〉❶〔動〕犬. 文例 ～는 사람에게 충실한 동물이다 犬は人間に忠実な動物だ. 語例 잡종～ 駄犬. 雑犬 / ～죽음 犬死に / 진돗～ 珍島犬. ❷いぬ. 走狗. 句例 경찰의 ～ 警察のいぬ.

**__개__【介・個・箇】〈依名〉個. 語例 사과 세 ～ りんご三個. りんご三つ.

개 〔漢字項目〕

【介】高校 개 カイ. ❶끼다 間にはさまる. ◨介在 개재 かいざい. 介入 개입 かいにゅう. ❷소개하다 なかだちする. ◨紹介 소개 しょうかい. 媒介 매개 ばいかい. ❸홀로 独り. ◨孤介 고개 こかい. ❹갑옷 よろい. ◨介冑 개주 かいちゅう.

【個】中學 개 コ. カ. 낱낱 ひとつひとつ. 하나 ひとつ. ◨個別 개별 こべつ. 個性 개성 こせい. ◨各個 각개 かっこ.

【慨(慨)】高校 개 ガイ. ❶분개하다 いきどおる. ◨慨世 개세 がいせい. ◨憤慨 분개 ふんがい. ❷슬퍼하다 嘆く. ◨慨歎 개탄 がいたん. ◨悲慨 비개 ひがい.

【改】中學 개 カイ. ❶고치다 改める. ◨改革 개혁 かいかく. 改造 개조 かいぞう. ❷변경하다 変える. ◨改變 개변 かいへん. ◨更改 경개 こうかい.

【槪(概)】高校 개 ガイ. ❶대개. 대강 おおむね. あらまし. ◨概要 개요 がいよう. ◨梗概 경개 こうがい. ❷절개 みさお. ◨

節概 절개 せつがい. ❸풍채 風格. ▮風概 풍개 ふうがい. ❹풍치 けしき. ▮勝概 승개 しょうがい.

【蓋】高校 개 ガイ. ❶덮다 おおう. ▮蓋世 개세 がいせい. ▮無蓋車 무개차 むがいしゃ. ❷덮개 おおい. ▮天蓋 천개 てんがい. ❸일산 日傘. ▮車蓋 차개 しゃがい.

【皆】中學 개 カイ. 다 みな. すべて. ▮皆勤 개근 かいきん. ▮國民皆兵 국민개병 こくみんかいへい.

【開】中學 개 カイ. ❶열다 ひらく. あける. ▮開門 개문 かいもん. ▮展開 전개 てんかい. ❷시작하다 始める. ▮開會 개회 かいかい. 開始 개시 かいし. ❸입을 열다 口をひらく. 開口 개구 かいこう. 開陳 개진 かいちん. ❹전답을 일구다 田畑をひらく. ▮開墾 개간 かいこん. ❺수학에서 제곱근을 구하다 数学で乗根を出して示す. ▮開平 개평 かいへい. ❻문화가 개발되다 人知がひらく. ▮開化 개화 かいか. ❼펴다 ひもとく. ▮開卷 개권 かいかん. ❽피다 咲く. ▮開花 개화 かいか.

개가【改嫁】[kae:ga]〈名・하自〉改嫁. 再嫁. 句例 장래를 생각해서 ~하다 将来を考えて再嫁する.

개가【凱歌】[kae:ga]〈名〉['개선가'の略] 凱歌.

개가(를) 부르다 凱歌を奏する.

개가(를) 올리다 凱歌をあげる.

개각【改閣】[kae:gak]〈名〉内閣改造. 内閣の改組. **~하다**〈自〉内閣を改組する. 内閣改造を行う.

개간【開刊】〈名・하他〉開刊. 創刊.

개간【開墾】〈名〉開墾. **~하다**〈他〉開墾する. 切り開く. 句例 황무지를 ~하다 荒れ地を切り開く.

개강【開講】〈名・하他〉開講. 文例 오늘 ~이다 今日開講である.

개개【箇箇】[kae:gae]〈名〉個個. おのおの. それぞれ. 句例 ~ 승복하다 犯した罪をいちいち白状する.

개개다〈自他〉うるさく付きまとわれて損をする. うるさく付きまとって損をさせる.

개개-인【箇箇人】[kae:gaein]〈名〉各個. おのおの. めいめい. それぞれ. 各自. 各人. 句例 ~의 의견을 묻다 めいめいの意見を聞く.

개개-풀어지다 [kae:gaep'urŏjida]〈自〉❶ねばり気がなくなる. ❷(酒に酔って, または眠たくて)まぶた(瞼)がたるむ. とろんとする. 句例 개개풀어진 눈 とろんとした目 / 피로하여 눈이 ~ 疲れて目がしょぼしょぼする.

개경【開京】〈名〉〔史〕開城の高麗時代の名.

개-고기 [kae:gogi]〈名〉❶犬の肉. ❷ならずもの. 悪たれっ子.

개골-개골〈副・하自〉蛙の鳴くさま. また, その鳴き声: けろけろ.
表現 語感の大きい語は'개굴개굴'.

개골-산【皆骨山】[kaegolssan]〈名〉冬の金剛山の称.
参考 金剛山は季節による景観の変化にしたがって, 春は'금강산 金剛山'. 夏は'봉래산 蓬莱山'. 秋は '풍악산 楓岳山'の別名でよばれる.

개과-천선【改過遷善】[kae:gwach'ŏnsŏn]〈名〉改過遷善. **~하다**〈自〉過ちを悔い改めてよくなる.

개관【開館】〈名・하自他〉開館. 對폐관(閉館). 表現 初めて業務を開始することにも, 当日の業務を開始することにもいう.

개교【開校】〈名・하自〉開校. 語例 ~ 기념일 開校記念日. 對폐교(閉校).

⁑**개구리**〈名〉蛙. かわず. 句例 우물안의 ~《속담》井の中のかわず.

개구리 올챙잇적 생각 못 한다 富とみてはおご(驕)る.

*__개구리-밥__〈名〉〔植〕うきくさ(萍).

개구리-헤엄〈名〉平泳ぎ. かえる泳ぎ.

개구쟁이〈名〉腕白. 餓鬼.

개국【開國】〈名・하自〉開国. 建国. 語例 ~공신〔史〕開国の功臣.

개그-맨〈名〉ギャグマン. ◇gagman

개근【皆勤】〈名・하自〉皆勤. 語例 ~상 皆勤賞. 類정근(精勤).

개기-식【皆既蝕】〈名〉〔天〕皆既食.

개기 월식【皆既月蝕】[—wolsshik]〈名〉〔天〕皆既月食.

개기 일식【皆既日蝕】[—ilsshik]〈名〉〔天〕皆既日食.

개-꿈 [kae:kkum]〈名〉気にかける程のこともないつまらない夢.

⁑**개나리** [kae:—]〈名〉〔植〕れんぎょう(連翹).

개념【概念】[kae:nyŏm]〈名〉概念. 句例 민주주의에 대한 ~ デモクラシーについての概念 / ~적인 지식 概念的な知識. 語例 상위 ~ 上位概念.

*__개다__[1] [kae:da]〈自〉晴れる. 句例 맑게 갠 날씨 晴れ上がった天気 / 비가 ~ 雨が晴れる / 날씨가 ~ 天気が晴れる. 對흐리다.

개다[2] [kae:da]〈他〉練る. 溶く. 句例 밀가루를 물에 ~ 小麦粉を水に溶く / 그림 물감을 기름으로 ~ 絵の具を油で溶く.

*__개다__[3] [kae:da]〈他〉畳む. 折り畳む. 句例 이불을 ~ 布団を畳む.

개당【個當】〈名・副〉一個あたり. 一つで. 句例 ~ 500원 一個あたり五百ウォン.

개도-국【開途國】〈名〉'개발 도상국'の略.

개-돼지 [kae:dwaeji]〈名〉犬と豚. 畜生.

개-떡 [kae:ttŏk]〈名〉❶小麦のあら粉・そばのこぬか(粉糠)または砕け麦などをこねのばして蒸したそまつなもち(餅). ❷取るに足りないこと.

개떡-같다 [—katta]〈形〉つまらない. 取るに足りない. くだらない. 句例 개떡같은 자식 くだらないやつ(奴).

개똥-벌레 [kae:ttong—]〈名〉〔蟲〕蛍. =반딧불이.

개 띠 [kae:tti]〈名〉戌年生まれ.

개략【概略】[kae:ryak]〈名〉概略. あらまし. 句例 ~적인 계획 粗い計画 / 사건의 ~ 事件の概略.

개량【改良】[kae:ryang]〈名・하他〉改良.

句例 새로 ~된 복사기 新しく改良された複写機. 語例 품질 ~ 品質改良.

개론【概論】[kae:ron]〈名・하他〉概論. 句例 ~과 각론 概論と各論.

개막【開幕】〈名・하自他〉開幕. 句例 우주 시대의 ~ 宇宙時代の開幕 / ~을 알리는 종이 울리다 開幕を知らせるベルが鳴る. 語例 ~식 開幕式 / ~ 시간 開幕時間. 對폐막(閉幕).

개-망신【—亡身】[kae:—]〈名・하自〉ひどい恥さらし.

개명【改名】[kae:myŏng]〈名・하自〉改名. 語例 ~ 신고 改名届け.

개명【開明】〈名・하自〉開明.

**개미 [kae:mi]〈名〉〔蟲〕あり(蟻). 語例 ~집 ありの巣 / ~ 허리 細腰. 柳腰.

개미 금탑(金塔) 모으듯 ありが金の塔を盛り上げるよう. 財物などをこつこつと集めることのたとえ.

개밋-둑 [kae:mittuk]〈名〉ありづか(蟻塚).

개-바자〈名〉川柳の枝で編んでつくった柴垣.

개-발 [kae:bal]〈名〉犬の足.

개발에 편자라 犬の足に蹄鉄だ. 猫に小判の意.

*__개발__【開發】〈名・하他〉開発. 句例 신제품의 ~ 新製品の開発. 文例 토지 ~이 진행되면 자연이 파괴된다 土地の開発がすすむと, 自然が破壊される. 語例 경제 ~ 経済開発 / 전원 ~ 電源開発 / 국토 ~ 国土開発.

개발 도상국【開發途上國】〈名〉開発途上国. 略して'개도국(開途國)'ともいう.

개방【開放】〈名・하他〉開放. 句例 시설을 시민에게 ~하다 施設を市民に開放する. 語例 문호 ~ 門戸開放 / ~ 정책 開放政策 / ~주의 開放主義 / ~ 도시 開放都市.

개방-적【開放的】〈名・冠〉開放的. 句例 ~인 성격 開放的な性格.

개벽【開闢】〈名・하自〉開闢. 語例 천지 ~ 天地の開闢.

개벽-이래【開闢以來】[kaebyŏgirae]〈名・副〉開闢以来. 句例 ~의 대사건 開闢以来の大事件.

개별【個別】[kae:byŏl]〈名〉個別. 語例 ~ 심사 個別審査 / ~성 個別性 / ~ 지도 個別指導 / ~ 행동 個別行動.

개별-적【個別的】[kae:byŏltchŏk]〈名・冠〉個別的. 句例 ~으로 면담하다 個別に面談する. 語例 ~으로 個別に.

개봉【開封】〈名〉開封. 口切り. 封切り. **~하다**〈他〉開封する. 封切りする. 句例 편지를 ~하다 手紙を開封する / 신작 영화를 ~하다 新作映画を封切りする. 語例 ~관 封切り館.

*__개비__ 一〈名〉細く割った木の切れっぱし. 二〈依名〉割木を数える単位: 本. 語例 성냥 한 ~ マッチ一本 / 장작 한 ~ まき(薪)一本.

개비【改備】[kae:bi]〈名〉取り替えて新たに備えること. 改替. 取り替え. **~하다**〈他〉取り替える. 文例 낡은 텔레비전을 새것으로 ~하다 古いテレビを新しいのと取り替える.

개-사초【改莎草】[kae:sach'o]〈名・하他〉墓の芝の植え替え.

개산【概算】[kae:san]〈名・하他〉概算. ＝어림셈. 語例 ~불 概算払い.

개-살구 [kae:salgu]〈名〉〔植〕まんしゅうあんず(満州杏).

개-상【—床】[kae:sang]〈名〉いねこき台.

개-새끼 [kae:saekki]〈名〉❶犬ころ. 子犬. ❷犬畜生.

개서【改書】[kae:sŏ]〈名・하他〉書き替え. 書き直し. 書き改め. 句例 명의를 ~하다 名義を書き替える.

개선【改善】[kae:sŏn]〈名・하他〉改善. 句例 ~을 도모하다 改善をはかる / ~의 여지가 있다 改善の余地がある. 語例 ~책 改善策 / 대우 ~ 待遇改善 / 체질 ~ 体質改善 / 생활 ~ 生活改善 / ~되다 改善される. 對개악(改惡). 類개량(改良).

개선【改選】[kae:sŏn]〈名・하他〉改選. 句例 임원을 ~하다 役員を改選する.

개선【凱旋】[kae:sŏn]〈名・하自〉凱旋. 文例 승리를 거두고 ~하였다 勝利をおさめて凱旋した. 語例 ~ 장군 凱旋将軍 / ~가 凱旋歌. 凱歌.

개선-문【凱旋門】[—mun]〈名〉凱旋門. 文例 파리의 에투알 ~이 특히 유명하다 パリーのエトワール凱旋門がとくに有名である.

개설【開設】〈名・하他〉開設. 句例 연구소의 ~ 研究所の開設 / 어린이 유원지를 ~하다 児童遊園地を開設する.

개설【概說】[kae:sŏl]〈名・하他〉概説. 語例 서양사 ~ 西洋史概説. 類개론(概論).

개성【個性】[kae:sŏng]〈名〉個性. 句例 ~이 강하다 個性が強い / ~이 없는 작품 個性の欠けた作品 / ~을 존중하다 個性を尊重する. 語例 ~파 個性派.

*__개성-적__【個性的】[kae:sŏngchŏk]〈名・冠〉個性的. 句例 ~인 미모〔문장〕 個性的な美貌〔文章〕.

개소【個所・箇所】〈依名〉箇所. 語例 사오 ~ 四五箇所 / 파손 ~ 破損箇所.

개수【改修】[kae:su]〈名・하他〉改修. 句例 다리의 ~ 橋の改修. 語例 ~ 공사 改修工事.

*__개수__【箇數】[kae:ssu]〈名〉個数. 句例 짐의 ~를 세다 荷物の個数を数える.

개-수작【—酬酌】[kae:sujak]〈名・하自〉理屈に合わない言動. 文例 ~ 떨지 마라 ふざけたまね(真似)をするな.

개수-통【—水桶】〈名〉流しの汚水桶.

개숫-물【—水—】[kaesunmul]〈名〉食器洗いの水.

개시【開始】〈名〉開始. ふた明け. 皮切り. **~하다**〈他〉開始する. 句例 수업 ~가 늦어지다 授業の開始が遅れる / 공격을 ~하다 攻撃を開始する. 語例 시합 ~ 試合開始. 對종료(終了).

개신【改新】[kae:shin]〈名・하自他〉改新. 語例 ~교 改新教. 類쇄신(刷新).

개심【改心】[kae:shim]〈名・하自〉改心.

개악【改惡】[kae:ak]〈名・하他〉改悪. 句例

제도를 ～하다 制度を改悪する. 對개선(改善).

개안【開眼】〈名・하自〉❶〔佛〕開眼. ❷〔醫〕開眼. 語例 ～ 수술 開眼手術.

개암〈名〉榛の実.

개업【開業】〈名・하自他〉開業. 語例 ～중 開業中 / ～ 축하 開業祝い. 對폐업(閉業). 휴업(休業).

개업-의【開業醫】[kaeŏbŭi]〈名〉開業医. 町医者.

개연-성【蓋然性】[kae:yŏnssŏng]〈名〉蓋然性. プロバビリティー. 句例 ～이 높다 蓋然性が高い. 類가능성(可能性). 확률(確率). 공산(公算).

表現 '가능성(可能性)'より'개연성'の方が, 確率が高い.

개요【概要】[kae:yo]〈名〉概要. あらまし. 句例 사건의 ～ 事件の概要.

개운-하다(→하다)〈形〉❶気分がさっぱりする. すっきりする. 晴ればれする. 句例 개운한 마음 すきっとした気持ち / 속이 ～ 心が晴ればれする. 文例 몸도 가볍고 마음도 ～ 身も軽く心もさっぱりする. ❷(食べ物の)口当たりがあっさりしている. **개운히**〈副〉❶さっぱりと. 晴ればれと. すきっと. ❷口当たりがあっさりと.

**개울〈名〉谷川. 小川. 語例 ～가 小川のほとり / ～물 谷川の水.

***개월**【個月】〈依名〉…か月. 語例 삼～ 三か月 / 몇 ～ 何か月. 数か月 / 서너～ 三, 四か月.

表現 主に漢字語数詞の下に使われ, 固有語では '몇' '서너' '여러'などに付くだけである.

개으르다(개으르니, 개을러서)〈形〉'게으르다'の語感の大きい語.

개을러-빠지다〈形〉非常になまける. 略して'갤러빠지다'ともいう.

개의-하다【介意—】[kae:ŭi—](→하다)〈他〉介意する. 頓着する. 句例 개의하지 않다 意に介しない.

***개인**【個人】[kae:in]〈名〉個人. 句例 ～의 주관 個人の主観 / ～의 비밀 個人の秘密 / ～ 자격으로 個人の資格で. 文例 이것은 내 ～의 문제다 これはわたし個人の問題だ / 여행중에는 ～ 행동을 해서는 안 된다 旅行中は個人で行動してはいけない / ～ 생활은 피차 침범해서는 안 된다 個人の生活はたがいにおかしてはいけない. 語例 ～ 택시 個人タクシー / ～ 경영 個人経営 / ～ 경기 個人競技 / ～ 교수 個人教授 / ～상 個人賞 / ～전(展) 個展 / ～전(戰) 個人戦 / ～차 個人差. 對단체.

개인-적【個人的】[kae:inchŏk]〈名・冠〉個人的. 句例 ～인 문제 個人的な問題 / ～인 생각 個人的な考え / ～으로 알고 있다 個人的に知っている. 類사적(私的).

개인-주의【個人主義】[—juŭi]〈名〉個人主義. 對전체주의(全體主義).

개입【介入】[kae:ip]〈名・하自〉介入. 句例 분쟁에 ～하다 紛争に介入する / 사적 감정을 ～시키다 私情をさしはさむ. 語例 무력 ～ 武力介入 / 군사 ～ 軍事介入. 類간섭(干涉).

개자【芥子】〈名〉からし(芥子) ＝겨자. 語例 ～유 からし油.

개작【改作】[kae:jak]〈名・하他〉改作. 句例 소설을 ～하다 小説を改作する.

개장【改裝】[kae:jang]〈名・하他〉改装. 句例 점포를 ～하다 店を改装する.

개장【開場】〈名・하自他〉開場. 句例 풀장 ～ プール開き. 文例 박물관의 ～은 9시입니다 博物館の開場は九時です. 對폐장(閉場).

개-장국【—醬—】[kae:jangkkuk]〈名〉犬肉のあつもの(羹).

개재【介在】[kae:jae]〈名・하自〉介在. 文例 양자 사이에 ～하는 벽을 제거하자 両者のあいだに介在するかべをとりのぞこう.

개전【改悛】[kae:jŏn]〈名・하自〉改悛. 句例 ～의 정이 현저하다 改悛の情が著しい.

개전【開戰】〈名・하自〉開戦. 句例 ～을 선포하다 開戦を宣する. 對종전(終戰).

개점【開店】〈名・하自他〉開店. 店開き. 文例 ～은 10시 입니다 店開きは十時です. 語例 ～ 시간 開店の時間. 對폐점(閉店).

개점 휴업【開店休業】〈名〉開店休業.

表現 なにかをしはじめたのに, なにもすることがないことを'개점 휴업 상태 開店休業の状態'という.

개정【改正】[kae:jŏng]〈名・하他〉改正. 句例 법률을 ～하다 法律を改正する. 類개정(改定).

개정【改定】[kae:jŏng]〈名・하他〉改定. 句例 요금의 ～ 料金の改定 / ～ 법령을 시행하다 改定法令を施行する. 類개정(改正).

개정【改訂】[kae:jŏng]〈名・하他〉改訂. 句例 교과서의 ～ 教科書の改訂. 語例 ～판 改訂版.

개정-안【改正案】[kae:jŏng—]〈名〉改正案. 句例 법률 ～을 제출하다 法律改正案を提出する.

개조【改造】[kae:jo]〈名・하他〉改造. 文例 교실을 ～하여 방송실로 삼는다 教室を改造して放送室にする.

개종【改宗】[kae:jong]〈名・하自〉〔宗〕改宗. 句例 기독교로 ～하다 キリスト教に改宗する.

개-죽음 [kae:jugŭm]〈名・하自〉犬死に. むだ死に.

개중-에는【個中—】[kae:jungenŭn]〈副〉中には. 文例 젊은이뿐이지만 ～ 늙은이도 있다 若い人ばかりだが中には年寄りもいる.

개짐〈名〉月経帯.

参考 いまは'생리대(生理帯)'と婉曲にいわれる.

개-집 [kae:jip]〈名〉犬小屋.

개-차반 [kae:ch'aban]〈名〉くそ(糞)の意で, 卑猥な人をそしっていう悪口.

参考 '차반'は食べ物・おかずの意の古語.

개찰【改札】[kae:ch'al]〈名・하他〉⇨ 개표(改票)

***개척**【開拓】〈名〉開拓. **～하다**〈他〉開拓する. 開く. 切り開く. 句例 운명을 ～하다 運命を開く / 판로를〔시장을〕 ～하다 販路〔市場〕を開拓する / 새 부야를 ～하다 新分野を切り開く. 語例 ～지 開拓地 / ～자 開拓者 / ～ 정신 開拓精神 / 미～ 未開拓.

개천【開川】〈名〉❶どぶ. 溝. ❷川. 小川. 語例 ～가 川べ.

ㄱ

개천에서 용(龍)**난다** 小川から竜が出る. とび(鳶)がたか(鷹)を生む.

개천-절【開天節】〈名〉韓国の建国記念日. 檀君が即位した日で, 十月三日.

*__개최__【開催】〈名〉開催. **~하다**〈他〉開催する. 催す. 句例 동창회를 ~하다 同窓会を催す. 語例 ~중 開催中 / ~ 기간 開催期間.

개축【改築】[kae:ch'uk]〈名〉改築. 再築. **~하다**〈他〉改築する. 再築する. 建て直す. 句例 ~한 건물 改築した建物.

개키다〈他〉畳む. 折り畳む. 句例 옷을 ~ 衣服を折り畳む / 이불을 ~ ふとんを畳む.

개탄【慨嘆】[kae:t'an]〈名・하自〉慨嘆. 句例 세상을 ~하다 世を嘆く / 도덕의 퇴폐를 ~하다 道徳の退廃を慨嘆する / ~을 금치 못하다 慨嘆にたえない.

개통【開通】〈名・하自〉開通. 句例 지하철의 ~식 地下鉄の開通式.

개-판 [kae:p'an]〈名〉乱雑ででたらめな状態の俗っぽい言いかた. 文例 세상은 ~이다 でたらめな世の中だ. 世はおしまいだ.

개펄〈名〉沼地. 浜. 潟《雅》. 略して'펄'ともいう.

개편【改編】[kae:p'yŏn]〈名・하他〉改編. 語例 교과서 ~ 教科書の改編 / 조직 ~ 組織の改編.

개폐【開閉】〈名・하他〉開閉. 開け閉め. 語例 자동 ~ 장치 自動開閉装置 / ~기 開閉器 / ~교 開閉橋.

개표【改票】[kae:p'yo]〈名・하自〉改札. 文例 발차 20분 전에 ~를 시작한다 発車二十分前に改札を始める. 語例 ~구 改札口.

개표【開票】〈名・하自〉開票. 句例 투표 결과를 ~하다 投票結果を開票する. 語例 당일 ~ 即日開票.

개학【開學】〈名〉(学校の)始業. **~하다**〈自〉始業する. 学校が始まる. 文例 내주부터 ~이니까 공부하자 来週から学校だから勉強しよう. 語例 ~식 始業式.

개항【開港】〈名・하他〉開港. 語例 ~장 開港場.

개헌【改憲】[kae:hŏn]〈名・하自〉改憲. 憲法改正. 語例 ~안 改憲案.

개-헤엄 [kae:heŏm]〈名〉犬かき. 犬泳ぎ.

개혁【改革】[kae:hyŏk]〈名・하他〉改革. 句例 제도를 ~하다 制度を改革する / 시정의 ~을 도모하다 市政の改革をはかる. 語例 토지 ~ 農地改革.

개화【開化】〈名・하自〉開化. 句例 ~된 나라 開化した国 / 세상이 ~되다 世が開ける. 語例 ~기〔史〕開化期 / ~파〔史〕開化派 / ~문물 開化した西洋の文物.

参考 韓国では, 外国のすすんだ文化をとり入れはじめた1876年の丙子条約以後から韓日強制合邦までの時期が'개화기 開化期'にあたる. その頃, すすんだ外国の文化をとり入れて近代化を実現しようと主張した金玉均・徐光範・朴泳孝らの一派が'개화파 開化派'で, 一名'독립당 独立党'または'개화당 開化党'などとも呼ばれる. また, 当時始めてステッキがもたらされて'개화장(開化杖)'と呼ばれ, ポケットは'개화(開化) 주머니'といわれた.

*__개화__【開花】〈名・하自〉開花. 句例 신문화의 ~ 新文化の開花. 語例 ~기 開花期.

개황【概況】[kae:hwang]〈名〉概況. 語例 일기 ~ 天気概況.

개회【開會】〈名・하自他〉開会. 句例 ~를 선언하다 開会を宣する. 語例 ~사 開会の辞 / ~식 開会式.

개-흙 [kaehŭk]〈名〉川べのどす黒い泥土. →흙 参考

객【客】[1]〈名〉客. 句例 ~을 접대하다 客をもてなす. 語例 불청~ まねかれざる客 / 문병~ 見舞い客.

객【客】[2]〈冠〉つまらない. 無駄な. 語例 ~소리 無駄な言葉 / ~식구 居候.

객 〔漢字項目〕

【客】 中學 객 キャク. カク. ❶손님 訪問してくる人. ▮客室 객실 きゃくしつ. ▮賓客 빈객 ひんかく. ❷기식하는 사람 いそうろう. ▮門客 문객 もんかく. ❸단골 손님 とくいの客. ▮顧客 고객 こかく. ❹나그네 たびびと. ▮客舍 객사 きゃくしゃ. ▮旅客 여객 りょかく. ❺사람 人. ▮政客 정객 せいかく. 酒客 주객 しゅかく. ❻지난 세월 過ぎ去った年月. ▮客年 객년 かくねん.

객고【客苦】〈名・하自〉旅やつれ. 旅先の苦労.

객관【客觀】〈名〉客観. 語例 ~성 客観性 / ~주의 客観主義. 對 주관(主觀).

객관-적【客觀的】〈名・冠〉客観的. 文例 자기를 ~으로 보기는 어렵다 自分を客観的にみるのはむずかしい. 對 주관적(主觀的).

객기【客氣】〈名〉客気. 空元気. 句例 ~에 이끌리다 客気にかられる.

객기(를) 부리다 客気にはやる.

객담【喀痰】〈名・하自〉喀痰. =각담(喀痰). 語例 ~ 검사〔醫〕喀痰検査.

객사【客死】〈名・하自〉客死. のたれ死に.

객석【客席】〈名〉客席.

객-소리【客一】〈名・하自〉むだ口. つまらないおしゃべり. 駄弁. 文例 ~ 말아라 むだ口をたたくな.

객-식구【客食口】〈名〉食客. 居候.

객실【客室】〈名〉客室. 客間. 句例 ~로 안내하다 客間に案内する.

객원【客員】[kaegwon]〈名〉客員. 語例 ~ 교수 客員教授.

객주【客主】〈名〉昔, 旅商人の物貨の売買の仲介と宿場を兼ねた営業.

객지【客地】〈名〉客地. 旅先. 他郷. よその土地. 句例 ~에서 앓다 旅の空に病む. 文例 ~에서 고생하십니다 よその土地でご苦労なさっておいでですね.

객-쩍다【客一】〈形〉つまらない. 緊要でない.

객차【客車】〈名〉客車. 對 화차(貨車).

객창【客窓】〈名〉客窓.

객체 높임법【客體一法】[—nop'imppŏp]〈名〉

ㄱ

〔言〕'높임법'の一つ. 動作の対象を丁寧に表現する敬語法. '드리다 上げる' '뵙다 お目にかかる. お伺いする' '여쭙다 申し上げる' '모시다 仕える'などの用言が用いられる.

객토【客土】〈名〉〔農〕客土. 置き土. いれ土. 句例 척박한 논에 ～하다 やせた水田に客土をする〔はこび入れる〕.

객혈【喀血・咯血】 [kaek'yŏl]〈名・하自〉喀血. 肺出血.
参考 胃など消化器官を傷めて血を吐くのは, '토혈(吐血)'という.

갬 [kae:m]〈名〉晴れ. 文例 3월1일. 월요일. ～ 三月一日. 月曜日. 晴れ.
表現 日記などでその日の天気を表す語の一つとして使われる.

갯-가〈名〉❶浦べ. 浜べ. 潟《雅》. ❷水際.

갯-값 [kae:tkap]〈名〉ひどい安値. 句例 ～에 팔다 二束三文でたたき売る. →값 参考

갯-마을 [kaenmaŭl]〈名〉浦べの村. ＝포촌(浦村).

갯-바람〈名〉浜風. 潮風.

갯-버들〈名〉〔植〕猫柳.

***갯-벌**〈名〉砂州. 干潟.

갯-지네〈名〉〔動〕⇨ 갯지렁이

갯-지렁이〈名〉〔動〕ごかい(沙蚕).

갱〈名〉ギャング. ◇gang

갱 〔漢字項目〕

【更】 中學 갱 コウ. 경 コウ. ㊀〔갱〕다시 さらに. ◧更生 갱생 こうせい. 更新 갱신 こうしん.
㊁〔경〕❶고치다 あらためる. ◧更訂 경정 こうてい. ◧變更 변경 へんこう. ❷바꾸다 変える. ◧更迭 경질 こうてつ. ❸시각 時刻. ◧三更 삼경 さんこう.

갱년-기【更年期】 [kae:ngnyŏn-gi]〈名〉更年期. 語例 ～ 장애 更年期障害.

갱도【坑道】〈名〉〔鑛〕坑道. 略して'갱(坑)'ともいう.

갱목【坑木】〈名〉坑木.

갱생【更生】 [kae:ngsaeng]〈名・하自他〉更生. 語例 자력 ～ 自力更生.

갱신【更新】 [kae:ngsin]〈名・하自他〉更新. 句例 계약을 ～하다 契約を更新する.

갱신-못하다 [—mot'ada] (→하다)〈自〉精根がつきはてて身動きがままにならない.

갸륵-하다 [kya:rŭk'ada] (→하다)〈形〉殊勝だ. 奇特だ. けなげ(健気)だ. 句例 갸륵한 마음씨 殊勝な〔けなげな〕心掛け.

갸름-하다 (→하다)〈形〉やや細くて長めである. 句例 갸름한 얼굴의 미인 面長の美人.

갸우듬-하다 (→하다)〈形〉少し傾いている. やや斜めだ. **갸우듬히**〈副〉やや斜めに.

갸우뚱-거리다〈自他〉あちこちに傾きながら揺れる. 傾けながら揺り動かす.
갸우뚱갸우뚱〈副・하自他形〉あちこちに傾きながら揺れるさま. また, 傾けながら揺り動かすさま.

갸웃-거리다〈自他〉'기웃거리다'の語感の小さい語.
갸웃갸웃〈副・하自他形〉'기웃기웃'の語感の小さい語.

갸웃-이 [kyaushi]〈副〉ややかしげて. いくぶん傾けて.

갸웃-하다 [kyaut'ada] (→하다) ㊀〈形〉やや傾いている. ㊁〈他〉やや傾ける. かしげる. 句例 고개를 ～ 首をかしげる.
表現 語感の大きい語は'기웃하다'.

갹출【醵出】〈名・하他〉拠出. 句例 의연금을 ～하다 義援金を拠出する.

****걔** [kyae:] ['그 애'の略] その子. あの子. 文例 ～가 온다 その子が来る. 語例 ～네들 その子ら. あの子ら.

걘 [kyae:n] ['그 애는'の略] その〔あの〕子は. 文例 ～ 예쁘다 その子はかわいい.

걜 [kyae:l] ['그 애를'の略] その〔あの〕子を. 文例 ～ 잡아라 その子をつかまえなさい.

****거** ㊀〈依名〉'것'の略: 物. 事. 句例 책상 위에 있는 ～ 机の上にある物. 文例 제일 좋은 ～는 내 ～야 一番いいのは僕のだ / 내일은 비가 올 ～야 あしたは雨が降るだろう / 나도 갈 ～야 僕も行くよ.
㊁〈代〉'그것'の略: それ. 文例 ～ 잘 됐다 そりゃ, よかった.
㊂〈感〉そりゃ. そら. 文例 ～ 봐라 そら見ろ / ～ 참 좋구나 そりゃ本当にいいね.

거 〔漢字項目〕

【去】 中學 거 キョ. コ. ❶가다 いく. ㉠떠나가다 さる. ◧去留 거류 きょりゅう. ◧退去 퇴거 たいきょ. ㉡지나다 過ぎさる. ◧去年 거년 きょねん. ◧過去 과거 かこ. ㉢죽다 なくなる. ◧死去 사거 しきょ. 逝去 서거 せいきょ. ❷버리다 捨てる. ㉠없애다 取り除く. ◧去勢 거세 きょせい. ◧除去 제거 じょきょ. ㉡내쫓다 追いだす. ◧七去 칠거 しちきょ.

【居】 中學 거 キョ. ❶살다 住む. ◧居住 거주 きょじゅう. 居室 거실 きょしつ. ◧同居 동거 どうきょ. 別居 별거 べっきょ. ❷있다 いる. 집에 있다 家にいる. ◧居喪 거상 喪中. 居家 거가 きょか.

【巨】 中學 거 キョ. ❶크다 大きい. ◧巨人 거인 きょじん. 巨木 거목 きょぼく. ❷많다 多い. ◧巨額 거액 きょがく. 巨多 거다 きょた.

【拒】 高校 거 キョ. 구 ク. ㊀〔거〕❶막다 防ぐ. ◧拒守 거수 きょしゅ. ◧防拒 방거 ぼうきょ. ❷겨루다 張り合う. ◧抗拒 항거 こうきょ. ❸거절하다 こばむ. 어기다 そむく. ◧拒絶 거절 きょぜつ. 拒否 거부 きょひ.
㊁〔구〕네모진 진 四角の陣形. 방진 方陣.

【據(拠)】 高校 거 キョ. コ. ❶의거하다 よる. ◧據點 거점 きょてん. ◧根據 근거 こんきょ. 證據 증거 しょうこ. ❷웅거(雄據)하다 ある地を占めてかたく守る. ◧占據 점거 せんきょ.

【擧(挙)】 中學 거 キョ. ❶들다 あげる. ㉠들어 올리다 持ちあげる. ◧擧手 거수 きょしゅ. ㉡사실이나 예를 들다 事実や例をあげる. ◧擧證 거증 きょしょう. ◧列

舉 열거 れっきょ. ❷붙잡다 捕らえる. ◨檢擧 검거 けんきょ. ❸기용하다 とりたてて地位につかせる. ◨推擧 추거 すいきょ. 選擧 선거 せんきょ. ❹일으키다 起こす. ◨擧兵 거병 きょへい. ❺모두 あげて. こぞって. 다 皆な. ◨擧國 거국 きょこく. 擧世 거세 きょせい. ❻행하다 とりおこなう. 행동 行動. 거동 たちふるまい. ◨擧動 거동 きょどう. 擧式 거식 きょしき. ◨快擧 쾌거 かいきょ. 義擧 의거 ぎきょ. ❼과거 かきょ. ◨科擧 과거 かきょ.

【距】 高校 거 キョ. ❶떨어지다 へだたる. 떨어진 정도 へだたり. ◨距離 거리 きょり. ◨測距儀 측거의 そっきょぎ. ❷며느리발톱 けづめ. ◨鷄距 계거 けいきょ. ❸도약하다 跳び上がる. ◨距躍 거약 きょやく. ❹막다 防ぐ. ◨距戰 거전 きょせん.

【車】 中學 거 シャ. 차 シャ. 一〔거〕 수레 くるま. ◨車馬 거마 しゃば. 車馬費 거마비 しゃばちん(賃). ◨人力車 인력거 じんりきしゃ. 自轉車 자전거 じてんしゃ.

二〔차〕 수레 くるま. ◨車輪 차륜 しゃりん. 車庫 차고 しゃこ. ◨列車 열차 れっしゃ. 駐車 주차 ちゅうしゃ. 自動車 자동차 じどうしゃ.

거간【居間】〈名〉❶仲買. 仲立ち. 橋渡し. **～하다**〈他〉仲買をする. 橋渡しをする. ❷[‘거간꾼’の略] 仲買人. 才取り. ブローカー.

거구【巨軀】[kŏ:gu]〈名〉巨軀. 巨体. 句例 신장 2미터, 몸무게 120킬로의 ～ 身長2メートル, 体重120キロの巨軀.

거국 일치【擧國一致】[kŏ:gugilch'i]〈名〉挙国一致. 句例 ～로 국난에 대처하다 挙国一致して国難に当たる.

거국-적【擧國的】[kŏ:gukchŏk]〈名・冠〉挙国的. 句例 ～인 행사 挙国的な行事. 語例 ～으로 国を挙げて.

거금【巨金】[kŏ:gŭm]〈名〉巨金. 大金. 多額の金. 文例 ～을 회사했다 大金を喜捨した.

거금【距今】[kŏ:gŭm]〈冠〉今を去る. 今から. 今をへだたる. 句例 ～ 백년 전에 今を去る百年前に.

거기 一〈代〉そこ(其処). 文例 ～서 막이 내렸다 そこで幕がおりた / ～가 중요하다 そこが大切だ / ～는 나도 가 봤다 そこはわたしも行ってみた.

二〈副〉そこに. 文例 지금 자네가 ～ 있지 않은가 現に君がそこにい(居)るんじゃないか.

거꾸러-뜨리다〈他〉❶(うつむけに)倒す. つんのめらせる. のめす. 転覆させる. ひっくり返す. ❷(打ち)倒す. (打ち)負かす. 覆す. 句例 씨름에서 상대를 ～ すもうで相手を打ち負かす. ❸殺す.

거꾸러-지다〈自〉❶(うつむけに)倒れる. ぱったりと倒れる. つんのめる《俗》. ひっくり返る. ❷打ち倒れる. (勢力が)崩れる. (打ち)負ける. ❸死ぬ. くたばる.

거꾸로〈副〉逆さまに. 逆に. あべこべに《俗》. 句例 ～ 되다 逆さまになる / ～ 뒤집히다 どんでん返しになる / 우표를 ～ 붙이다 切手を逆さまにはる. 文例 비행기가 논바닥에 ～ 박혔다 飛行機が田に逆さまに落ち込んだ.

거나-하다 (→하다)〈形〉ほろ酔いきげんだ. かなり酔っている. 句例 거나한 기분 ほろ酔いきげん.

거냉【去冷】[kŏ:naeng]〈名〉(さめた食べ物を)少し暖めて冷や気だけをなくすこと. **～하다**〈他〉少し暖めて冷や気をなくす.

거년【去年】[kŏ:nyŏn]〈名〉去年. 昨年. 類 작년. 지난 해.

表現 やや古い言いかた.

***거느리다**〈他〉率いる. 従える. 抱える. 句例 수행자를 ～ お供をひき連れる / 대군을 ～ 大軍を率いる / 대가족을 ～ 大家族を抱える. 文例 일족을 거느리고 이주하다 一族を従えて移住する.

거닐다 [kŏ:nilda] (거니니, 거닐어서)〈自〉ぶらつく. 徘徊する. 散歩する. 句例 공원을 슬슬 ～ 公園をぶらつく.

거대【巨大】[kŏ:dae]〈名〉巨大. **～하다**〈形〉巨大だ. 句例 ～한 조직망 巨大な組織網. 語例 ～ 도시 巨大都市 / ～ 과학 巨大科学. ビッグサイエンス.

거덕-거덕〈副・하形〉水気のあるものの表面が生乾きになっているさま. 句例 젖은 옷이 ～ 마르다 ぬれた服が半ば乾く.

거덜-나다 [kŏdŏllada]〈自〉つぶ(潰)れる. 倒れる. 倒産する. 句例 가게가 ～ 店がつぶれる / 은행이 ～ 銀行が破産する.

거동【擧動】[kŏ:dong]〈名〉挙動. 振る舞い. 素振り. **～하다**〈自〉挙動する. 句例 ～이 수상하다 挙動が怪しい. 文例 ～이 수상한 자를 신문하다 挙動の不審な者を尋問する.

거두【巨頭】[kŏ:du]〈名〉巨頭. 句例 정계의 ～ 政界の巨頭. 語例 ～ 회담 巨頭会談.

****거두다**〈他〉❶(散らばったものを)集め収める. 取り入れる. 句例 벼를 거두어 들이다 稲を取り入れる / 빨래를 거두어 들이다 洗濯物を取り込む. ❷(結果・成果などを)得る. 収める. 句例 승리를 ～ 勝利を収める / 소기의 성과를 ～ 所期の成果を収める / 성공을 ～ 成功を得る. ❸(金などを)取り立てる. 句例 세금을 ～ 税金を取り立てる. ❹世話をする. 引き取る. 句例 부모를 여읜 아이를 ～ 親に死なれた子を引き取る. ❺けりをつける. 引き取る. 句例 숨을 ～ 息を引き取る.

거두-절미【去頭截尾】[kŏ:du—]〈名・하他〉(主に‘～하고’の形で)単刀直入. 文例 ～하고 요점만 말하겠소 単刀直入に要点だけを話しましょう.

거드럭-거리다〈自〉もったいぶる. 傲慢ぶる. 句例 거드럭거리며 말하다 もったいぶって話す.

거드럭거드럭〈副・하自〉もったいぶるさま. ごうまんぶるさま.

거드름 [kŏ:dŭrŭm]〈名〉傲慢な態度. 尊大. もったい(勿体).

거드름(을) 부리다 ごうまんにふるまう.

거드름(을) 피우다 ごうまんな態度を取る.

거들다 [kŏ:dŭlda] (거드니, 거들어서)〈他〉手伝う. 力添えをする. 添える. 手助けする. 肩を入れる. 句例 말을 ～ 口添えする.

[文例] 어머니를 거들어 빨래를 하였다 母を手伝って洗濯をした.

거들떠-보다 〈他〉ちょっと目をくれる. [句例] 거들떠보지도 않다 目もくれない. 見向きもしない.

[表現] おもに用例のように否定的にだけ使われる.

거들먹-거리다 〈自〉(思いあがって)偉ぶる〔高ぶる〕. のさばる. [句例] 입선이 되었다고 ~ 入選したからと偉ぶる.

거들먹거들먹 〈副〉(思い上がって)偉ぶるさま. のさばるさま. **~하다** 〈自〉偉ぶる. のさばる.

거듭 〈副〉重ねて. さら(更)に. 繰り返して. [句例] ~ 간청하다 さらに懇請する. [文例] ~ 사과드립니다 重ねておわび申しあげます.

거듭-거듭 〈副〉❶重ね重ね. 返す返す. 幾重にも. [句例] ~ 부탁하다 返す返す頼む. ❷くれぐれも. ひとえに. [句例] ~ 사죄하다 重重〔幾重にも〕おわ(詫)びする.

거듭-나다 [kŏdŭmnada] 〈自〉(精神的に)新しい人間になる. 生まれ変わる.

거듭-되다 〈自〉度重なる. 繰り返される. [句例] 거듭되는 실패 度重なる失敗 / 부부 생활의 햇수가 거듭됨에 따라 連れそう年月の重なるに従い.

***거듭-하다** [kŏdŭp'ada] (→하다) 〈他〉繰り返す. [句例] 사투를 ~ 死闘を繰り返す / 실패를 ~ 失敗を重ねる.

거뜬-하다 (→하다) 〈形〉見かけより軽い. 身軽い感じだ. **거뜬히** 〈副〉軽く. 身軽く.

거뜬거뜬 〈副・하形〉軽軽と.

거란 【契丹】〈名〉〔史〕キタイ. きったん(契丹).

[参考] 4世紀以来内蒙古にいたモンゴル・ツングース系の遊牧民族. 936年遼を建国した.

거래 【去來】[kŏ:rae] 〈名・하他〉取り引き. [句例] 정당한 ~ 正当な取り引き / ~가 있다 取り引きがある. [文例] 저 회사와는 ~가 없다 あの会社とは取り引きがない. [語例] 실물〔선물〕 ~ 実物〔先物〕取引.

거래-소 【去來所】[kŏ:raeso] 〈名〉〔經〕取引所. [語例] 증권 ~ 証券取引所.

거론 【擧論】[kŏ:ron] 〈名・하他〉とりあげて論じること.

***거룩-하다** [kŏ:ruk'ada] (→하다) 〈形〉神神しい. 神聖だ. 偉大だ. [句例] 거룩한 마음 聖なる心 / 거룩하신 하나님 聖なる神.

거룻-배 〈名〉伝馬船. はしけ船. 三板. 略して'거루'ともいう. [絵]

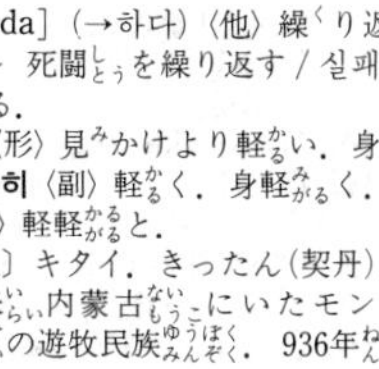

〈거룻배〉

거류 【居留】〈名・하自〉居留. [語例] ~민 居留民 / ~민단 居留民団 / ~지 居留地.

***거르다**[1] (거르니, 걸러서) 〈他〉こす. [句例] 술을 ~ 酒をこす. [文例] 사과 즙을 걸러서 먹다 リンゴのしるをこしてのむ.

거르다[2] (거르니, 걸러서) 〈他〉(順序を)飛ばす. 抜かす. 欠かす. 置く. [句例] 한 줄 걸러 一行置いて / 하루 걸러 隔日に. 一日置きに / 점심을 ~ 昼飯を抜かす. [文例] 산책을 하루도 거르지 않는다 散歩を一日も欠かさない.

***거름** 〈名〉肥. 肥料. 肥やし. =비료(肥料). **~하다** 〈自〉(田畑に) 肥料〔肥やし〕をやる. [句例] ~을 주다 肥やしをやる. 施肥する / ~ 구덩이에 빠지다 肥やしだめに落ちる. [語例] 밑~ 元肥 / ~통 肥たご. 肥桶. ためおけ. ▷→囲み記事6

***거름-종이** 〈名〉〔化〕濾過紙. 濾紙. こし紙.

거리[1] 〈名〉❶材料. 料. [語例] 국~ お汁・つゆの材料. ❷種. …ぐさ. [語例] 이야깃~ 話の種. 語りぐさ / 핑곗~ 言い種 / 웃음~ お笑いぐさ.

거리[2] 〈名〉'길거리'の略 : 町. 街. 通り. 市井. ちまた(巷). [句例] ~의 신사 街の紳士 / 환락의 ~ 歓楽のちまた / ~를 정화하다 町を浄化する / ~의 소리를 녹음하다 ちまたの声を録音する. [文例] 서울의 종로 ~를 거니는 것이 내 취미다 ソウルの鍾路の通りをぶらつくのが私の趣味だ.

***거리** 【距離】[kŏ:ri] 〈名〉距離. へだたり. [句例] ~를 재다 距離を測る / ~가 있다 距離がある / ~를 좁히다 距離をちぢめる / ~를 넓히다 距離を開く / ~가 좁혀지다 距離がせばまる〔迫る〕/ ~를 두다 距離をおく / 가까운 ~ 近距離. [文例] 자동차로 두 시간 ~이다 自動車で二時間の道のりである. [語例] 직선 ~ 直線距離.

거리-거리 〈名・副〉街街. 市街. 至る所. [文例] ~ 사람의 물결이다 市街至るところが人の波である.

거리끼다 〈自〉気にかかる. はばかる. [句例] 거리낌없이 心おきなく / 거리낌없이 말하다 はばかりなく言う. 辺り構わず言いまくる. [文例] 어려운 일이 있으면 뭐든지 거리낌없이 말씀하세요 困ったことがあれば何でも心おきなくおっしゃってください.

-거리다 〈尾〉同じ音または同じ動作を繰り返すことを表わす. =-대다. [語例] 두근~ どきどきする / 번들~ ぴかぴかする / 흔들~ ゆらゆらする.

[参考] 2音節以上の擬態語・擬聲語が語根になる. また, 有声音の後では [gŏrida] と発音される.

거마 【車馬】〈名〉車馬. [語例] ~비 車代. 足代. 交通費.

囲み記事 6

■ '거름'と'걸음' ■

二語に共に[kŏrŭm]と発音されて区別しにくい.

거름　肥料 —— 채소밭에 거름을 주다 野菜畑に肥料を施す.

걸음　歩み. '걷다 歩く'の名詞形 —— 걸음이 더디다 歩みがのろい.

거만【倨慢】[kǒ:man]〈名〉倨慢．高慢．横柄．**～하다**〈形〉倨慢だ．高慢だ．横柄だ．句例 ～한 태도 倨慢な態度．おおふう(大風)な態度／～하게 굴다 傲慢にふるまう．文例 ～한 콧대를 꺾어 놓다 高慢の鼻をへし折る．
～스럽다(→스럽다)〈形〉傲慢だ．横柄だ．句例 ～스럽게 말하다 横柄な口をきく．かさ高に物を言う．**～스레**〈副〉傲慢に．横柄に．

거머리 [kǒ:mǒri]〈名〉❶〔動〕ひる(蛭)．❷人につきまとって苦しめる人．❸小児の眉間にある青い筋．

거머-쥐다〈他〉ぎゅっと握る．ひっつかむ．わしづかみにする．句例 소매를 ～ 袖をひっつかむ．

거멀-못 [kǒ:mǒlmot]〈名〉かすがい(鎹)．

거멓다 [kǒ:mǒt'a]（거머니, 거머오）〈形〉非常に黒い．

거메-지다 [kǒ:me—]〈自〉黒くなる．句例 얼굴이 ～ 顔が黒くなる．
表現 語勢の強い語は'꺼메지다'．

거목【巨木】[kǒ:mok]〈名〉巨木．句例 ～이 쓰러지다 巨木が倒れる／소나무 ～ 松の巨木．

거무데데-하다(→하다)〈形〉下品に黒ずんでいる．

거무스름-하다(→하다)〈形〉やや黒い．浅黒い．＝거뭇하다．句例 거무스름한 얼굴 浅黒い顔．

거무죽죽-하다 [kǒmujukchuk'ada]（→하다）〈形〉黒くて澄んでいない．どす黒い．くすんだ黒である．

*__거문-고__〈名〉〔樂〕コムンゴ．琴．＝현금(玄琴)．絵
参考 六世紀頃高句麗の王山岳が作ったといわれる六絃琴．

〈거문고〉

거물【巨物】[kǒ:mul]〈名〉大物．大立て者．句例 정계의 ～ 政界の大立て者．

거뭇-거뭇〈副〉点点と黒いさま．**～하다**〈形〉点点と黒い．

거뭇-하다 [kǒmut'ada]（→하다）〈形〉'거무스름하다'の略：やや黒い．浅黒い．

**거미〈名〉〔動〕くも(蜘蛛)．句例 ～가 집을 짓다 くもが巣をかける〔張る〕．語例 ～집 くもの巣．

**거미-줄〈名〉❶くも(蜘蛛)の糸．くもの巣．❷犯人を捕らえるための非常網．文例 전국에 수사망을 ～처럼 치다 全国に捜査網をくもの巣のように張る．
거미줄(을) 치다 ❶くもが巣を張る．❷犯人を捕らえるための非常線を張る．

거반【居半】〈副〉'거지반'の略：ほとんど．文例 ～ 다 됐다 ほとんど終わった．

거-봐 ⇨ 거봐라

거-봐라〈感〉それみろ．それ見たことか．文例 ～, 내 말이 맞지 それごらん，わたしの言ったとおりでしょ．

거부【巨富】[kǒ:bu]〈名〉巨富．

거부【拒否】[kǒ:bu]〈名〉拒否．**～하다**〈他〉拒否する．拒む．句例 요구를 ～하다 要求を拒否する．語例 승차 ～ 乗車拒否／～당하다 拒否される．

거부-권【拒否權】[kǒ:bukkwon]〈名〉拒否権．句例 ～을 행사하다 拒否権を行使する．

거부 반응【拒否反應】[kǒ:buba:nŭng]〈名〉〔醫〕拒否反応．句例 ～을 일으키다 拒否反応をおこす．

**거북〈名〉〔動〕かめ(亀)．
表現 親しみをこめ擬人化して'거북이'ともいう．

〈거북선〉

*__거북-선__〈名〉〔史〕亀甲船．朝鮮朝宣祖のとき，李舜臣将軍がはじめて造った亀形の鉄甲船．絵

거북-스럽다 [kǒ:buk—]（→스럽다）〈形〉⇨ 거북하다

거북-하다 [kǒ:buk'ada]（→하다）〈形〉気まずい．窮屈だ．決まりが悪い．いづらい．句例 속이 ～ 胃がもたれる／거북한 생각이 들다 気まずい思いがする．文例 저 사람 앞에 나가면 ～ あの人の前では窮屈だ／그 분 부탁은 거절하기가 거북해요 あの方の頼みは断りづらいのです．語例 거북하게 気まずく．ぎこちなく．気恥ずかしく．

거사【擧事】[kǒ:sa]〈名・하自〉大事を起こすこと．旗揚げ．

거상【巨商】[kǒ:sang]〈名〉巨商．豪商．

거상【居喪】〈名・하自〉❶喪に服していること．忌服．句例 망부의 ～중 亡父の忌服中．❷'상복 喪服'の俗っぽい言いかた．句例 ～을 입다 喪服を着る．▷略して'상(喪)'ともいう．

거석【巨石】[kǒ:sǒk]〈名〉巨石．語例 ～ 문화 巨石文化／～ 신앙 巨石信仰．

거세【去勢】[kǒ:se]〈名・하他〉去勢．句例 ～한 말 金切り馬／반대 세력을 ～하다 反対勢力を取り除く．

*__거세다__〈形〉(荒っぽく)強い．激しい．たけだけ(猛猛)しい．句例 거센 파도 荒波／거센 파도를 헤치고 나아가다 怒濤をしのいで進む．

거센-말〈名〉〔言〕語感を強めるために使う語．→센말
参考 '캄캄하다 真っ暗だ'・'차란차란 なみなみと'など．

거센-소리〈名〉〔言〕有気音．'ㅊ・ㅋ・ㅌ・ㅍ'などの破裂音．＝격음(激音)．→된소리

거수【擧手】[kǒ:su]〈名・하自〉挙手．句例 일～ 일투족 一挙手一投足／～로 채결하다 挙手で採決する．語例 ～ 경례 挙手の礼．

거스러미〈名〉ささくれ．さかむけ．語例 손～ ささくれ．さかむけ．

*__거스르다__（거스르니, 거슬러서）〈他〉❶逆らう．語例 왕명을 ～ 王命に逆らう．❷反対の方向を取る．逆らう．句例 바람을 거슬러 올라가다 風に逆らって進む／시대의 조류를 ～ 時代の潮流に逆らう．❸反する．外れる．句例 도리를 ～ 道理に反する．❹つり銭を払う．句例 잔액을 거슬러 받다 おつりをもらう／거슬러 주다 おつりをあげる．つり銭を払う．

거스름 〈名〉'거스름돈'の略.
거스름-돈 [kŏsŭrŭmtton]〈名〉つり銭. おつり. 略して'거스름'ともいう.
거슬러-올라가다 〈自〉さかのぼる. 遡行する. 句例 옛날로 거슬러올라가면 昔にさかのぼれば. 文例 배를 저어 강을 ~ 船をこいで川をさかのぼる.
거슬리다 〈自〉 ❶'거스르다'の受け身: つり銭をもらう. ❷ひっかかる. 障る. 触れる. 句例 눈에 거슬리는 간판 目障りな看板 / 귀에 거슬리는 이야기〔소리〕 耳障りな話〔音〕/ 귀에 ~ 聞きづらい / 비위에 ~ (人の)気に触れる.
거슴츠레-하다 (→하다)〈形〉(眠気などのため)目に精気がない. 目がどんよりしている. 句例 거슴츠레한 눈 どろんとした目.
거시기 ㊀〈代〉なに. それ. あれ. 文例 저, ~가 어디에 살고 있더라 あの, だれがしがどこに住んでいたっけ.
㊁〈感〉ええと. あのう. なんだったけ. 文例 ~, 지금 뭐라고 했던가 あのう, いま何と言ったけな.
表現 ㊀は, 思い出せなかったり, ぼやかしていうときに用いる. ㊁は, 話がつまったときに用いる.
거액【巨額】[kŏ:aek]〈名〉巨額. 多額. 句例 ~의 예산 巨額の予算 / ~의 기부 大口の寄付 / ~을 횡령하다 巨額を横領する.
거역【拒逆】[kŏ:yŏk]〈名〉命令に逆らうこと. **~하다**〈他〉背く. 逆らう. 句例 신의 섭리에 ~하다 神の摂理に逆らう / 부모의 가르침에 ~하다 親の教えに背く.
⁑**거울** 〈名〉❶鏡. 句例 ~에 비친 영상 鏡に映った映像 / ~을 보다 鏡をのぞく. ❷鑑. 亀鑑. 文例 남의 실패를 ~로 삼다 人の失敗を我が身のかがみとする.
***거위**[1] 〈名〉〔鳥〕がちょう(鵞鳥).
거위[2] 〈名〉〔動〕回虫. 語例 ~배 虫腹.
***거의** [kŏ:ŭi]〈副〉ほとんど. 大方. 大部分. あらかた. およそ. 句例 ~ 죽을 지경에 이르다 ほとんど死にひんする / ~ 틀림없다 九分九厘まちがいない. 文例 ~ 오지 않는다 めったに来ない / ~ 완성되었다 ほとんど出来上がった.
거의-거의 [kŏ:ŭigŏŭi]〈副〉もうほとんど.
거인【巨人】[kŏ:in]〈名〉巨人. 巨漢. 大男. 句例 철학계의 ~ 칸트 哲学界の巨人カント. 類거성(巨星).
거장【巨匠】[kŏ:jang]〈名〉巨匠. 大家. 句例 화단의 ~ 画壇の巨匠. 類명장(名匠).
거저 〈副〉ただ(只)で. 無料で. 句例 ~ 얻다 ただでもらう. 文例 ~ 타고 왔다 ただ乗りして来た / 이런 일은 ~먹기다 こんなことは朝飯前だ.
거적 〈名〉むしろ(筵・蓆). こも(薦・菰). 句例 이삿짐을 ~으로 싸다 ひっこしの荷物をこもで包む / ~을 깔다 むしろを敷く / ~을 쓰다〔걸치다〕 こもをひっ掛ける.
***거절**【拒絶】[kŏ:jŏl]〈名〉拒絶. 断り. **~하다**〈他〉拒絶する. 断る. 拒む. 退ける. 句例 청을 ~하다 申し出を拒絶する / 부탁을 완곡히 ~하다 依頼を婉曲に断る. 語例 ~당하다 拒絶される. 断られる. 類거부(拒否).
거점【據點】[kŏ:tchŏm]〈名〉拠点. 足がかり. 句例 ~을 구축하다 拠点をきずく / 적의 ~을 분쇄하다 敵の拠点を粉砕する. 語例 군사 ~ 軍事拠点.
거족-적【擧族的】[kŏ:jokchŏk]〈名・冠〉挙族的. 句例 ~인 환영 朝野をあげての歓迎.
거주【居住】〈名・하自〉居住. 句例 ~ 이전의 자유 居住移転の自由. 語例 ~민 居住民 / ~지 居住地.
거죽 〈名〉表. 表面. 外面. 句例 옷의 ~ 衣服の表.
거중【居中】〈名・하自〉居中. 語例 ~ 조정 居中調停.
거중-기【擧重機】[kŏ:jung-gi]〈名〉挙重機《重い物を持ち上げて動かす滑車仕掛けの建設機械の一つ》. 絵 参考 18世紀の末頃朝鮮朝正祖の時, 丁若鏞が考案して水原城築造に用いた. 今の起重機に当たる.

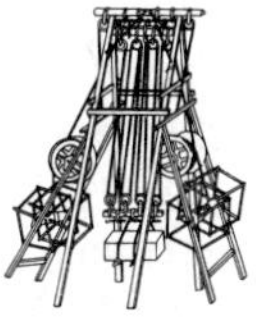
〈거중기〉

거즈 [kŏ:jŭ]〈名〉ガーゼ. =가제. ◇gauze
⁑**거지** [kŏ:ji]〈名〉こじき(乞食). 物もらい. そでごい. 文例 하룻밤 사이에 ~가 되다 一夜にしてこじきになる.
거지-반【居之半】〈副〉ほとんど. ほぼ. およそ. 大半. あらかた. =거의. 文例 준비가 ~ 끝났다 準備がもうほとんど終わった.
⁑**거짓** [kŏ:jit] ㊀〈名〉うそ. 偽り. 虚偽. 句例 ~없는 고백 偽りのない告白 / ~을 간파하다 うそを見抜く. 語例 ~ 증언 偽り〔虚偽〕の証言.
㊁〈副〉偽って. まことしやかに. 文例 ~ 맹세한 것은 자연히 드러나는 법이다 偽って誓った事はおのずとばれるものだ.
⁑**거짓-말** [kŏ:jinmal]〈名〉うそ. 空言. 虚言. 偽言. 虚辞. 句例 ~을 하다 うそをつく / ~을 늘어놓다 うそ八百を並べ(立て)る / 임시 방편으로 ~을 하다 その場逃れにうそをつく / ~처럼 맑게 갠 가을 하늘 うそのように晴れあがった秋空. 語例 ~ 탐지기 うそ発見機.
⁑**거짓말-쟁이** [kŏ:jinmal—]〈名〉うそつき. ほら吹き. 千三つ屋. 文例 ~는 싫어 うそつきはいやだ.
거짓-부렁 [kŏ:jitpurŏng]〈名〉'거짓말うそ'の俗っぽい言いかた. 類거짓말.
거찰【巨刹】[kŏ:ch'al]〈名〉巨刹. =대찰(大刹).
거-참 [kŏ:ch'am]〈感〉['그것 참'の略] それはそれは. それこそ本当に. いやはや. はてさて. ほう. 文例 ~, 정말 놀랐다 いやはや全く驚き入った.
거처【居處】〈名〉居所. 居場所. 居所. すみか. 所在. **~하다**〈自〉住む. 句例 ~가 없다 居場所がない / ~를 정하다 居所を定め

る / ~를 알 수 없다 所在が不明だ / ~를 옮기다 居所を移す / ~를 알리다 居場所を知らせる.

ㄱ

거쳐-가다 (—가거라) 〈他〉 (ある所を)経て行く. 経る. 経由する.

거쳐-오다 (—오너라) 〈他〉 (ある所に) 寄って来る. 経る.

거추장-스럽다 [kŏ:ch'ujang—] (→스럽다) 〈形〉 面倒だ. 厄介だ. 手にあまる. 足手まといだ. 煩わしい. 句例 거추장스러운 짐 厄介な荷物.

거취【去就】 [kŏ:ch'wi] 〈名〉 去就. 進退. 句例 ~를 망설이다 去就〔進退〕に迷う / ~를 결정하다 進退を決する / ~를 분명히 하다 去就を明らかにする.
表現 ふつう, 現在の自分の地位や職場にとどまるかどうか, と言うときに使う.

***거치다** ■〈自〉 (何かにさわって)ふれる. すれる. 語例 가로~ 邪魔になる.
■〈他〉 ❶立ち寄る. ❷経る. 経由する. 文例 동경을 거쳐 미국으로 돌아가다 東京を経てアメリカに帰る. →囲み記事 7

거치적-거리다 〈自〉 しきりにひっ掛かる. 邪魔になる. 足手まといになる. 句例 거치적거리는 나뭇가지를 잘라 버리다 邪魔な枝を切り払う.
거치적거치적 〈副〉 しきりにひっかかるさま. 邪魔になるさま. 足手まといになるさま.

거친-말 〈名〉 ぞんざいな言葉.

거친 사료【—飼料】 〈名〉 '粗飼料'のくだけた言いかた.

거칠다 (거치니, 거칠어서) 〈形〉 ❶(布などの目が)粗い. (木目などが)細かくない. 句例 거친 천 粗布 / 손이 거칠어지다 手が荒れる / 살결이 ~ 肌が粗い. 絵 ❷激烈だ. 荒い. 句例 숨결이 ~ 息づかいが荒い / 물결이 거칠어지다 波が荒立つ. ❸手くせが悪い. 手長だ. 句例 손이 ~ 手くせがよくない. 絵 ❹粗雑だ. ぞんざいだ. いいかげんだ. 句例 일이 ~ 仕事が雑だ〔ぞんざいだ〕. ❺(性格が)乱暴だ. ごつい. 荒い. がさつだ. 句例 마음이 거칠어지다 心がすさむ. 絵

살결이 거칠다　손이 거칠다　마음이 거칠어지다
〈거칠다〉

囲み記事 7

■ '거치다'と'걷히다' ■

二語とも発音上には[kŏch'ida]と読まれて混同しやすい.

거치다　経る. 経由するという意味の他動詞である —— 대전(大田)을 거쳐서 대구(大邱)로 간다 デジョンを経てデグに行く.

걷히다　他動詞'걷다 取りのける'あるいは'거두다 取り立てる'の受け身の形で (1) 雲などが晴れる —— 안개가 걷히다 霧が晴れる. (2) 金などが集まる —— 세금이 잘 걷히다 税がよく取り立てられる.

거칠-하다 [kŏ:ch'il—] (→하다) 〈形〉 (やせて肌や毛が) つやけがない. かさかさだ.
表現 語勢の強い語は'꺼칠하다'.

거침-없다 [kŏch'imŏpta] 〈形〉 ❶差し支えがない. 障りがない. ❷はばかりがない. 気遣うことがない. **거침없이** [—ŏpshi] 〈副〉 ❶差し支えなく. 障りなく. すらすら. 句例 일이 거침없이 진행되다 事が滞りなく運ぶ. ❷はばかることなく. 気遣うことなく. 句例 거침없이 거짓말을 하다 平気でうそをつく.

거푸 〈副〉 重ねて. 続けて. 立て続けに.
거푸거푸 〈副〉 重ね重ね. 続けざまに.

거푸-집 〈名〉 鋳型.

거품 〈名〉 泡. あぶく(泡). 句例 흰 ~ 白泡 / ~이 일다 泡が立つ / ~을 일게 하다 泡だてる / ~같이 사라지다 泡と消える. 語例 ~기 泡たて器. 攪拌機 / 비누 ~ せっけんの泡 / 맥주 ~ ビールの泡.

거-하다 [kŏ:hada] (→하다) 〈形〉 ❶山が雄大である. ❷木または草が生いしげっている. ❸盛大だ. 豪華だ. 句例 거하게 차린 음식 豪華なごちそう.

거행【擧行】 [kŏ:haeng] 〈名〉 挙行. **~하다** 〈他〉 挙行する. 取り行なう. 挙げる. 行なう. 句例 성대히 ~하다 盛大に行なう / 졸업식을 ~하다 卒業式を取り行なう.

****걱정** 〈名〉 ❶心配. 気がかり. 気遣い. 懸念. 不安. 憂い. 心痛. **~하다** 〈自他〉 心配する. 気遣う. 気にする〔かける〕. 案じる. 憂える. 句例 안부를 ~하다 安否を気遣う / 나라의 앞날을 ~하다 国の前途を憂える / 시험 결과를 ~하다 試験の結果を懸念する / …에게 ~을 끼치다 …に心配をかける / ~이 없다 心配がない. 文例 ~하실 것 없습니다 心配御無用です. 語例 ~꾸러기 1)心配性の人. 心配屋. 2)しょっちゅう心配をかける人 / ~덩어리 非常に大きな心配事. ❷(目下を気遣って)しかる言葉. 小言. **~하다** 〈自他〉 しかる. 怒る. 小言をいう. 句例 ~을 듣다 しかられる. 怒られる. 小言をくう. **~스럽다** (→스럽다) 〈形〉 心配だ. 気遣わしい. 気がかりだ. 心配げだ. 句例 ~스러운듯이 気づかわしげに.

걱정-거리 [—kkŏri] 〈名〉 心配ごと. 句例 ~가 많다 心配ごとが多い / ~가 있다 気がかりなことがある.

건【巾】 〈名〉 頭巾.

건【件】 件. ■〈名〉 事柄. 句例 말씀하신 ~ お申し越しの件 / 표기의 ~에 관하여 表記の件につき.
■〈依名〉 ことがらを数える語. 文例 남은 것은 이 ~ 한 ~뿐이다 残りは, この件一件だけ

だ.

건[1] ❶['것은'の略] …のは. …ことは. 文例 내 ~ 좋다 わたしのはいい / 싸우는 ~ 좋지 않다 争うのはよくない. ❷['그것은'の略] それは. 文例 그~ 쉬운 일이다 それはたやすい仕事だ.

***건**[2] 〈助〉['거나'の略] 終声のない語に付く語. ❶同じようなものをならべてえり好みをしない意を表わす語: でも. であっても. であろうと. 句例 승자~ 패자~ 勝者でも敗者でも. 勝った者であろうと負けた者であろうと. 文例 우유~ 홍차~ 좋다 ミルクでも紅茶でもよい. ❷'누구だれ' '어디どこ' '어느것どれ' '언제いつ'など疑問を表わすことばにつけて, すべてそうだ, あるいはすべてそうでないという意味を表わす. 文例 누구~ 들어올 수 있다 だれでも入れる / 어디서~ 팔고 있다 どこででも売っている / 언제~ 정각에 온 적이 없다 いつも定刻に来たためしがない / 어떤 문제~ 풀 수 있다 どんな問題であれ解くことができる.

表現 終声のある語につくときは '이건'となる. ≣'선생님이건 학생이건 先生でも学生でも.'

건　〔漢字項目〕

【乾】 中學 건 カン. ケン. ❶하늘 天. ▮乾坤 건곤 けんこん. ❷천자 天子. ▮乾德 건덕 けんとく. ❸마르다 かわく. ▮乾燥 건조 かんそう. 乾濕 건습 かんしつ. ❹말리다 かわかす. 말린 것 かわかした物. ▮乾酪 건락 かんらく. 乾魚 건어 かんぎょ.

【件】 高校 건 ケン. ❶사항 ことがら. 사건・조건 등 事件・条件など. ▮案件 안건 あんけん. 人件費 인건비 じんけんひ. 要件 요건 ようけん. ❷어떤 일의 수를 세는 말 ことがらの数をかぞえる語. ▮件數 건수 けんすう. ▮一件 일건 いっけん.

【健】 高校 건 ケン. ❶씩씩하다 元気だ. ▮健兒 건아 けんじ. ❷꿋꿋하다 ものごとに屈しない. ▮健鬪 건투 けんとう. ▮剛健 강건 ごうけん. ❸튼튼하다 丈夫だ. 건강하다 すこやかだ. ▮健康 건강 けんこう. 健脚 건각 けんきゃく.

【建】 中學 건 ケン. コン. ❶세우다 たてる. 일으키다 起こす. ▮建築 건축 けんちく. 建設 건설 けんせつ. 建立 건립 こんりゅう. ▮創建 창건 そうけん. 再建 재건 さいけん. さいこん. ❷아뢰다 申し述べる. ▮建議 건의 けんぎ. 建白 건백 けんぱく.

****건강**【健康】[kǒːn-gang]〈名〉健康. **~하다**〈形〉健康だ. 丈夫だ. 達者だ. 健やかだ. 句例 ~한 몸 健康な〔達者な〕からだ / ~한 정신 健康な精神 / ~한 아이 健康な子 / ~이 시원치 않다 健康がすぐれない / ~을 해치다〔유지하다・회복하다〕健康をそこなう〔たもつ・回復する〕/ ~을 위하여 健康のために / ~에 좋다〔나쁘다〕健康にいい〔悪い〕. 文例 ~하시어 다행입니다 お元気で何よりです. 語例 ~ 진단 健康診断 / ~미 健康美 / ~체 健康体. **~히**〈副〉健康に.　「부'の略.

건교-부【建交部】[kǒːn-gyobu]〈名〉'건설 교통

***건국**【建國】[kǒːn-guk]〈名・하自〉建国. 語例 ~ 신화 建国神話 / ~ 훈장 建国勲章.

건군【建軍】[kǒːn-gun]〈名・하自〉建軍. 語例 ~ 정신 建軍の精神.

건-깡깡이〈名〉技術や器具なしに素手で仕事をすること. また, その人. 句例 ~로 장사를 시작하다 素手で商売をはじめる.

건너 [kǒːnnǒ]〈名〉向こう(側). 句例 ~편 물가 向こう岸 / 강 ~ 동네 川向こうの村. 語例 건넛마을 向こうの村 / 건넛방 向かい側の部屋 / 건넛집 向かいの家.

****건너-가다** [kǒːnnǒgada] (—가거라)〈他〉渡って行く. 渡る. 横切る. 句例 강을 ~ 川を渡る / 미국으로 ~ アメリカへ渡る. ㊥건너오다.

****건너다** [kǒːnnǒda]〈自他〉渡る. 越える. 横切る. 句例 길을 ~ 道を横切る / 강을 ~ 川を渡る / 다리를 ~ 橋を渡る / 건널목을 ~ 踏切を渡る.

건너다-보다 [kǒːnnǒda—]〈他〉❶見渡す. 句例 저편을 ~ 向こう(側)を見渡す. ❷(人の利益を)ねたみ欲しがる.

***건너-뛰다** [kǒːnnǒttwida]〈他〉❶飛び越える. 飛び渡る. 句例 내를 ~ 小川を飛び渡る. ❷飛ばす. 抜かす. 句例 순서를 ~ 順序を飛ばす.

****건너-오다** [kǒːnnǒ—] (—오너라)〈他〉渡って来る.

건너-지르다 [kǒːnnǒ—] (—지르니, —질러서)〈自他〉(長い物を) 両側に渡す. 横渡しにする. 横切る.

건넌-방【—房】[kǒːnnǒnbang]〈名〉韓国式の家で, 居間と向かいあっている部屋. 略して '건너방, 거넌방'ともいう.

건널-목 [kǒːnnǒlmok]〈名〉踏切. 横断歩道. 句例 ~을 건너다 踏切を渡る. 語例 ~지기 踏切番. 踏切警手.

건네다 [kǒːnneda]〈他〉❶㉠(話を)かける. 句例 말을 ~ 言葉をかける. ㉡(人に金品などを)渡す. 手渡しする. 句例 아내에게 돈을 ~ 家内にお金を渡す. ❷'건너다'の使役形: 渡らせる. 句例 배로 사람을 ~ 舟で人を渡す.

건네-주다 [kǒːnnejuda]〈他〉❶手渡す. 句例 서류를 ~ 書類を手渡す. ❷渡してやる. 文例 나룻배를 띄워서 사람을 강건너로 ~ 渡し舟をこいで人を向こう岸へ渡す.

건달【乾達】〈名〉遊び人. やくざ者. ごろつき.

건-대구【乾大口】〈名〉干だら.

건더기〈名〉❶お汁・つゆの実〔具〕. 浮かし. ❷物事の中身. 文例 말할 ~가 못 된다 言うだけの値打ちもない.

건데〈副〉['그런데'の略] だが. ところが. ところで. 句例 ~말이야 ところがね.

건드러-지다〈形〉いき(粋)で見目うるわしくなよやかだ. あだっぽい.

表現 語感の小さい語は '간드러지다'.

****건드리다** [kǒːndŭrida]〈他〉触れる. ❶触る. 文例 이것을 건드리지 마라 これに触るな. ❷刺激する. 句例 남의 비위를 ~ 他人の気を損ねる. 人の不興を買う / 남의 기분을

～人のきげんを損なう．❸(女に)手を出す．手を付ける．句例 여자를 ～ 女に手を付ける．

건들-거리다 〈自〉 ❶なよなよと揺れ動く．❷(風が) 涼しくそよ吹く．❸(仕事に熱中しないで)のらりくらりする．

건들건들 〈副〉❶ゆらゆら．❷そよそよ．❸のらりくらり．

건립【建立】[kŏ:llip]〈名〉建立．造立．～**하다**〈他〉建立〔造立〕する．建てる．句例 사원의 ～ 寺院の建立．

건망-증【健忘症】[kŏ:nmangtchŭng]〈名〉健忘症．句例 ～이 심해지다 健忘症がひどくなる．

건목-치다【乾木―】〈他〉❶粗造りにする．粗削りする．❷ざっと見積もる．

건몸-달다 (―다니, ―달아서)〈自〉いたずらに独りで気をもむ．もどかしがる．

*__건물__【建物】[kŏ:nmul]〈名〉建物．句例 근대적인 ～ 近代的な建物．

건반【鍵盤】[kŏ:nban]〈名〉鍵盤．キーボード．句例 피아노의 ～ ピアノの鍵盤．語例 ～ 악기 鍵盤楽器．

건방-지다 〈形〉生意気だ．横柄だ．句例 건방진 태도 生意気な〔尊大な〕態度 / 건방지게 굴다 横柄にふるまう．文例 건방진 소리 하지 마 生意気なことを言うな / 건방진 수작 마라 生意気なまねをするな．

건배【乾杯】〈名・하自〉乾杯．

건사-하다 (→하다)〈他〉❶仕事をさせるに当たって，段取りをつけてやる．❷自分のことをうまく処理していく．❸保つ．保存する．句例 썩지 않게 잘 ～ 腐らないようによく保管する．

건삼【乾蔘】〈名〉干した朝鮮人参．

*__건설__【建設】[kŏ:nsŏl]〈名・하他〉建設．句例 민주주의 국가를 ～하다 民主主義国家を建設する / 신도시를 ～하다 新都市を建設する．語例 ～ 공사 建設工事 / ～ 기계 建設機械 / ～업 建設業．對 파괴(破壞)．

건설 교통부【建設交通部】[kŏ:nsŏl―]〈名〉建設交通部．建設省と運輸省に当たる．略して'건교부(建交部)'とも言う．語例 ～장관 建設交通部長官．

건설-적【建設的】[kŏ:nsŏltchŏk]〈名・冠〉建設的．句例 ～인 의견 建設的な意見．對 파괴적(破壞的)．

*__건성__ 〈名・副〉上の空．句例 ～으로 듣다 空聞きする．上の空で聞く．語例 ～ 대답 生返事．

건성【乾性】〈名〉乾性．語例 ～ 늑막염〔醫〕乾性肋膜炎 / ～ 피부 乾性皮膚．荒れ肌．

건성-건성 〈副〉上の空でするさま．

건수【件數】[kŏnssu]〈名〉件数．文例 겨울에는 여름보다 화재 ～가 는다 冬には夏より火事の件数が増す．

건습구 습도계【乾濕球濕度計】〈名〉〔物〕乾湿計．

건승【健勝】[kŏ:nsŭng]〈名・하形〉健勝．

表現 '건승을 빕니다(＝ご健勝をいのります)'のように多く手紙文などであいさつの言葉に使う．

건시【乾柹】〈名〉干しがき(柿)．

參考 くし(串)にさして干した干しがきが '곶감 くしがき'．

건실【健實】[kŏ:nshil]〈名〉堅実．～**하다**〈形〉堅実だ．句例 ～한 장사 堅い商売 / ～한 방법 堅実な方法．～**히**〈副〉堅実に．

건아【健兒】[kŏ:na]〈名〉健児．

건-어물【乾魚物】[kŏnŏmul]〈名〉干魚．干し魚．干物．

건위【健胃】[kŏ:nwi]〈名〉健胃．語例 ～제 健胃薬．

건-으로【乾―】[kŏnŭro]〈副〉❶理由〔いわれ〕なく．途方もなく．そぞろに．❷素手で．てぶらで．句例 ～ 사업을 일으키다 素手で事業を起こす．

건의【建議】[kŏ:nŭi]〈名・하他〉建議．語例 ～서 建議書 / ～안 建議案．

건장【健壯】[kŏ:njang]〈名〉壮健．～**하다**〈形〉壮健だ．

건재【建材】[kŏ:njae]〈名〉建材．語例 ～상 建材商．

건재【健在】[kŏ:njae]〈名〉健在．～**하다**〈自〉健在だ．文例 아버지는 아흔이지만 아직 ～하십니다 父は九十ですがまだ健在です．

건전【健全】[kŏ:njŏn]〈名〉健全．～**하다**〈形〉健全だ．健やかだ．句例 ～한 사고 방식 健全な考え方 / ～한 오락 健全な娯楽．文例 ～한 정신은 ～한 신체에 깃들인다 健全なる精神は健全なる身体に宿る．語例 ～ 재정 健全財政．～**히**〈副〉健全に．健やかに．

건-전지【乾電池】〈名〉〔物〕乾電池．バッテリー．

건조【建造】[kŏ:njo]〈名・하他〉建造．句例 군함을 ～하다 軍艦を建造する．語例 ～물 建造物 / ～ 계획 建造計画．

表現 一般の住宅や自動車などを造るときには使わない．

건조【乾燥】〈名〉乾燥．～**하다** ❶〈自他〉乾燥する．句例 ～를 방지하다 乾燥をふせぐ．❷〈形〉乾燥している．句例 공기가 ～하다 空気が乾燥している / ～가 빠르다 乾きが早い．語例 ～기 乾燥期．乾季〔乾期〕/ ～기 乾燥機 / ～ 기후 乾燥気候 / ～제 乾燥剤 / 이상 ～ 異常乾燥 / 무미 ～ 無味乾燥．

**건지다 〈他〉 ❶(水の中から)取り〔すくい〕上げる．つまみ出す．(沈んだものを)引き上げる．❷(おぼれた者を) 救う．(命を) 拾う．句例 목숨을 ～ 命を拾う〔とり留める〕．❸(困難・罪から) 救う．救い出す．句例 나라를 전화에서 ～ 国を戦禍より救う．

건초【乾草】〈名〉乾草．干し草．

*__건축__【建築】[kŏ:nch'uk]〈名・하他〉建築．語例 ～가 建築家 / ～과 建築科 / ～ 공학 建築工学 / ～ 구조 建築構造 / ～ 면적 建築面積 / ～물 建築物 / ～사 建築士．建築技師 / ～ 양식 建築様式 / ～ 설비 建築設備 / ～업 建築業．

건투【健鬪】[kŏ:nt'u]〈名・하自〉健闘．句例 ～를 빌다 健闘を祈る．

건평【建坪】[kŏ:np'yŏng]〈名〉建坪．句例 ～ 30평 建坪三十坪．

건폐-율【建蔽率】[kŏ:np'yeyul]〈名〉〔建〕建坪率．

건포【乾布】〈名〉乾布. 語例 ～ 마찰 乾布摩擦.

건-포도【乾葡萄】〈名〉干しぶどう.

****걷다**¹ [kŏ:tta] (걸으니, 걸어서)〈自他〉歩く. 句例 아장아장 ～ よちよち歩く / 산길을 ～ 山路をたどる / 걸을 수 있다 歩ける. 文例 역까지는 걸어서 20분 걸린다 駅までは歩いて二十分かかる.

***걷다**² 〈他〉❶(覆いを) 取りのける. 取り去る. 句例 상보(床褓)를 ～ おぜんの覆いを取りのける. ❷まくる. 巻き上げる. まくし〔まくり〕上げる. たくる. 句例 소매를 ～ そでをまくり上げる. ❸'거두다'の略：(会費などを) 取り立てる. 集める. 句例 세금을 ～ 税金を取り立てる / 회원으로부터 의연금을 ～ 会員から義援金を集める.

걷어-붙이다 [kŏdŏbuch'ida]〈他〉(そで(袖)・ズボンなどを)たくし上げる. まくり上げる. まくる. 句例 팔을 ～ 腕をまくる / 와이셔츠 소매를 ～ ワイシャツのそでをたくし上げる.

걷어-차다 [kŏdŏ—]〈他〉(足で)ける. けとばす. 句例 정강이를 ～ 向こうずねをける / 옆구리를 ～ 弱腰をけとばす / 공을 힘껏 ～ ボールを力いっぱいけとばす.

걷어-치우다 [kŏdŏ—]〈他〉❶(散らばっているものを)片付ける. 取り除く. 取り払う. ❷(していたことを)やめる. 畳む. 引き払う. 句例 살림을 ～ 所帯を畳む. 文例 가게를 걷어치우고 직업을 바꾸다 店を引き払って職を変える.

-걷이 [kŏji]〈尾〉…取り入れ. 語例 가을 ～ 秋の取り入れ / 밭～ 畑の取り入れ.

걷-잡다〈他〉とり留める. 食い止める. 収拾する. 句例 일이 걷잡을 수 없이 되다 事がとり留めようもなくなる. →囲み記事 8
表現 おもに'걷잡을 수 없다 とり留めようもない'のように否定的に使われる.

걷히다 [kŏch'ida]〈自〉'걷다'の受け身. ❶(雲霧などが) 晴れる. 句例 안개가 ～ 霧が晴れる. ❷(金・穀物などが) 集まる. 文例 세금이 잘 걷히지 않는다 税がよく集まらない / 외상값이 걷히지 않는다 掛け金が取れない. ▷→囲み記事 7

걸 [kŏ:l]〈名〉ガール. 語例 ～ 스카우트 ガールスカウト / ～프렌드 ガールフレンド. ◇girl

걸 ['것을'の略] 文例 그런 ～ 알고 있을까 そんなことを知っているかな. 語例 그 ～ それを.

걸 〔漢字項目〕

【傑】 高校 걸 ケツ. ❶재주가 뛰어난 사람 才能のすぐれた人. ▮傑物 걸물 けつぶつ. ▮俊傑 준걸 しゅんけつ. 女傑 여걸 じょけつ. ❷뛰어나다 抜きん出る. ▮傑出 걸출 けっしゅつ. 傑作 걸작 けっさく.

걸걸-하다 (→하다)〈形〉声が濁り気味で大きい.

걸근-거리다〈自〉❶(食べ物・財物などを) 世間体に構わずむさぼる. がっつく. 句例 볼썽사납게 ～ みっともなくがっつく. ❷(たん(痰)のためのどが)むずがゆくなる.

걸근걸근〈副〉❶がつがつ. **～하다**〈自〉がっつく. ❷(たんのためのどが)むずがゆいさま. **～하다**〈自〉むずがゆい.

걸-기대【乞期待】〈名〉期待せられよ. ご期待を請う.
参考 広告文などに使われることば.

****걸다**¹ [kŏ:lda] (거니, 걸어서)〈他〉か(掛)ける. ❶釣り下げる. かけ渡す. 句例 간판을 ～ 看板をかける / 모자를 ～ 帽子をかける. 絵 / 벽에 그림을 ～ 壁に絵をかける / 솥을 ～ かま(釜)をかける / 빗장을 ～ かんぬきをかける / 문을 닫아～ 戸閉まりをする.
❷(けんかを) 吹き掛ける〔仕掛ける〕. 句例 시비를 ～ 文句をつける. 絵
❸ある作用をさせる. 句例 엔진의 시동을 ～ エンジンをかける / 브레이크를 ～ ブレーキをかける / 전화를 ～ 電話をかける. 絵
❹(望み・期待などを)かける. 句例 희망을 ～ 望みをかける.
❺(かけ事などで金などを)かける. 句例 상금을 ～ 賞金をかける / 국운을 ～ 国運をかける / 십만원을 ～ 十万ウォンを張る / 목숨을 건 사랑 命をかけた恋.
❻(旗・スローガンなどを)掲げる. 句例 국기를 ～ 国旗を掲げる. 絵

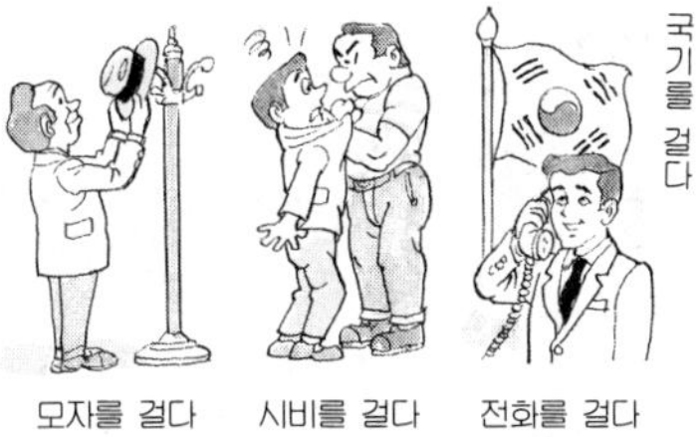

〈걸다〉

걸다² [kŏ:lda] (거니, 걸어서)〈形〉❶(土地が) 肥えている. 肥沃だ. 句例 건 땅 肥えている土地. ❷(液体が)濃い. こってりしている. 句例 풀을 걸게 쑤다 のり(糊)を濃いめに炊く.

囲み記事 8

■ '걷잡다'と'겉잡다' ■

二語とも発音上では[kŏtjapta]と同じく発音されるが, 言葉の使い道は大いに違う.

걷잡다 '(事・事態を)とり留める. 収拾する'の意であるが, 普通否定形で使われる —— 사태는 걷잡을 수 없는 혼란으로 빠져들어갔다 事態はとり留めようもなく混乱に陥った. 불이 걷잡을 수 없이 번져가다 火が押さえようもなく広がる.

겉잡다 見積もる. 見計るの意味の他動詞である —— 그 일을 하자면 겉잡아서 사흘은 걸릴 것 같다 その仕事を成すにはおよそ見積もって三日はかかりそうだ. 그의 의중은 도무지 겉잡을 수 없다 彼の意中はてんで推し量られない.

❸(手をつけるごとに)首尾よく〔うまく〕いく．手さばきが上手だ．[句例] 손이 ～ 手首尾がうまくいく．❹豪勢だ．はでだ．❺食い意地が張っている．❻口汚ない．口さがない．[句例] 입이 건 친구들 口さがない連中．

걸러 〈副〉おき．[語例] 하루 ～ 一日おき / 한사람 ～ 一人おき．

*걸레 〈名〉雑巾．[句例] 마른〔진〕～로 닦다 乾いた〔ぬれた〕雑巾でふく / ～같은 자식 汚らわしいやつ．[文例] ～로 마루를 잘 훔쳐라 雑巾で板の間をよくふけ．

걸레-질 〈名〉雑巾がけ．ふきんそうじ．～하다〈他〉雑巾をかける．雑巾でふく．

걸레질 치다 雑巾をかける．略して'걸레 치다'ともいう．

*걸리다[1] 〈自〉❶かかる．ひっ〔つっ〕かかる．つかえる．つっかえる《俗》．[句例] 목에 가시가 ～ のどに骨が立つ〔つっかえる〕/ 문지방에 걸려서 넘어지다 敷居にひっ〔つっ〕かかってころぶ / 머리가 천장에 ～ 頭が天井につかえる / 달이 중천에 ～ 月が中天にかかる．

❷かかる．い(要)る．費やされる．[句例] 시간이 ～ 時間がかかる．暇がかかる．暇どる．[文例] 한 시간 걸려서 답을 짜내다 一時間かかって解答をひねり出す．

❸(病気などに)かかる．犯される．[句例] 죽을 병에 ～ 死病に取りつかれる / 유행성 감기에 ～ はやりかぜにかかる / 감기가 걸린 사람 風邪を引いた人．

❹ひっかかる．陥る．[句例] 물고기가 그물에 ～ 魚が網にかかる / 사기에 ～ 詐欺にかかる．[文例] 그의 책략에 걸렸다 彼の策略にひっかかった．

❺(懸賞などが)かかる．[句例] 괴수의 목에 천금이 ～ 首魁の首に千金がかかる．

❻かかわる．[文例] 그건 목이 걸린 문제다 それは首にかかわる問題だ．

❼気になる．こだわる．[文例] 애인을 혼자 보내서 마음에 걸린다 恋人をひとりで帰して気にかかる．

걸리다[2] 〈他〉'걷다'の使役形：歩かせる．

걸-맞다 〈形〉似合っている．釣り合っている．ふさわしい．相応だ．[句例] 걸맞는 부부 似合いの夫婦 / 신분에 걸맞지 않는 身分不相応の．

걸머-지다 〈他〉❶背負う．[句例] 빚을 ～ 借金を背負う / 짐을 ～ 荷物を背負う．❷(責任などを) 引き受ける．背負い込む．

⁑걸상【一床】[kŏ:lssang]〈名〉❶長いす．ベンチ．❷腰掛け．椅子．

걸식【乞食】[kŏlssik]〈名〉こじき．～하다〈自他〉人から食べ物などをもらって生活する．

걸신【乞神】[kŏlssin]〈名〉食い意地．[句例] ～들리다 食い意地が張る．がっつく / ～들린 듯이 먹다 がつがつ〔むさぼり〕食う．

⁑걸어-가다 [kŏrŏgada] (―가거라)〈自他〉歩いて行く．

⁑걸어-다니다 [kŏrŏ―]〈自〉歩きまわる．[句例] 여기 저기 ～ あちこち歩きまわる．

⁑걸어-오다 [kŏrŏ―] (―오너라)〈自他〉歩いて来る．

*걸음 [kŏrŭm]〈名〉歩み．歩行．[句例] ～을 걷다 歩く / ～을 옮기다 歩を運ぶ / ～이 빠르다 足が速い / 빠른 ～ 速足 / 가벼운〔기운찬〕～으로 걷다 軽い〔元気な〕足取りで歩く / 한 ～ 양보하다 一歩を譲る．→囲み記事6

걸음아 날 살려라 三十六計逃げるにし(如)かず．

*걸음-걸이 [kŏrŭmgŏri]〈名〉歩きぶり．足取り．[句例] 무거운 ～ 重い足取り．

⁑걸음-마 [kŏrŭmma] ㊀〈名〉あんよ．幼児の歩き．

㊁〈感〉あんよは上手．＝걸음마 찍찍．

-걸이 [kŏri]〈尾〉…掛け．[語例] 양복～ 洋服掛け．ハンガー．

걸인【乞人】[kŏrin]〈名〉こじき(乞食)．物もらい．＝거지．

걸작【傑作】[kŏltchak]〈名〉傑作．[句例] 일대의 ～ 一代の傑作．[文例] 저놈은 정말 ～이다 あいつってのは，ほんとに傑作な男だ．㊩명작(名作)．역작(力作)．대작(大作)．수작(秀作)．

걸쭉-하다 [kŏltchuk'ada] (→하다)〈形〉(液体が)こってりしている．どろどろだ．どろりとしている．[句例] 걸쭉한 액체 どろりとした液体 / 걸쭉한 국물 どろどろ汁．걸쭉히 [kŏltchuk'i]〈副〉どろどろに．どろりと．

걸출【傑出】〈名〉傑出．～하다〈形〉傑出している．[句例] ～한 인물 傑出した人物．

*걸치다 [kŏ:lch'ida] ㊀〈自〉またがる．❶かかる．[句例] 큰 강에 걸쳐 있는 다리 大川にまたがっている橋．[文例] 빨래가 나무에 걸쳐 있다 干し物が木にかかっている．❷わたる．及ぶ．[句例] 5년 동안에 걸친 대공사 五年間にわたる〔またがる〕大工事．

㊁〈他〉かける．❶渡す．及ばせる．またげる．[句例] 두 다리를 ～ 二またをかける．❷まとう．着ける．ひっかける．[句例] 나들이 옷을 ～ 晴れ着をまとう．

걸터-앉다 [kŏ:lt'ŏantta]〈自〉腰掛ける．[句例] 의자에 ～ 椅子に腰掛ける．

걸핏-하면 [kŏlp'it'amyŏn]〈副〉ともすれば．ややもすれば．えてして．＝툭하면．[文例] ～ 넘어진다 ともすればころぶ / ～ 쉰다 えてして休みがちだ / ～ 화를 잘 낸다 ともすればよく怒りがちだ．

⁑검【劍】[kŏ:m]〈名〉剣・つるぎ．刀．[句例] ～을 휘두르다 剣を振り回す．

검 〔漢字項目〕

【儉(倹)】[高校] 검 ケン．검소하다 質素である．■勤儉 근검 きんけん．節儉 절검 せっけん．

【劍(剣)】[高校] 검 ケン．칼 かたな．검 つるぎ．■劍客 검객 けんかく．劍舞 검무 けんぶ．■短劍 단검 たんけん．刀劍 도검 とうけん．

【檢(検)】[高校] 검 ケン．❶조사하다 しらべる．■檢査 검사 けんさ．檢定 검정 けんてい．■點檢 점검 てんけん．臨檢 임검 りんけん．❷단속하다 とりしまる．■檢束 검속 けんそく．檢察 검찰 けんさつ．

검객【劍客】[kŏ:mgaek]〈名〉剣客・けんきゃく.

검거【檢擧】[kŏ:mgŏ]〈名・하他〉検挙. [句例] 일제 ~에 걸리다 狩込みに会ってつかまる. [語例] ~ 선풍 検挙旋風.

****검다** [kŏ:mtta]〈形〉❶(色が)黒い. [句例] 검은 연기〔구름〕黒い煙〔雲〕. ❷腹黒い. [句例] 뱃속이 검은 사람 腹の黒い〔腹黒い〕人.

검은 머리 파뿌리 되도록 夫婦が共白髪まで生きること.

검댕〈名〉すす(煤). 油煙.

검도【劍道】[kŏ:mdo]〈名〉剣道. [語例] ~장 剣道場.

검둥-개〈名〉黒犬.

검둥-오리〈名〉〔鳥〕くろがも(黒鴨).

****검-둥이**〈名〉❶黒犬の愛称: くろ. ❷肌色の黒い人. ❸黒人.

검디-검다 [kŏ:mttigŏmtta]〈形〉非常に黒い.

검무【劍舞】[kŏ:mmu]〈名〉剣舞. =칼춤.

검문【檢問】[kŏ:mmun]〈名・하他〉検問. [句例] ~을 받다 検問を受ける. [語例] ~소 検問所 / ~당하다 検問される.

검-버섯 [kŏ:mbŏsŏt]〈名〉(老人の)しみ.

검법【劍法】[kŏ:mppŏp]〈名〉剣法. 剣術.

검변【檢便】[kŏ:mbyŏn]〈名・하自〉〔醫〕検便.

검부러기〈名〉干し草のくず(屑). わらくず(藁屑).

검불〈名〉干し草や落ち葉. わらくず.

검-붉다 [kŏ:mbukta]〈形〉赤黒い. [句例] 검붉게 타다 赤茶けている.

[参考] 'ㄱ'で始まる語尾と付いて活用すると, '검붉게 [kŏmbulkke]'のように発音されるし, 母音で始まる語尾とついて活用すると '검붉은 [kŏmbulgŭn]'のように連音される.

검사【檢事】[kŏ:msa]〈名〉検事. [語例] 수석 ~ 上席の検事 / 부장 ~ 部長検事 / ~장 検事長.

***검사**【檢査】[kŏ:msa]〈名〉検査. テスト. **~하다**〈他〉検査する. とり調べる. テストする. [語例] 신체 ~ 身体検査 / 예비 ~ 下検分 / ~소 検査所 / ~원 検査員 / 정기 ~ 定期検査.

***검산**【檢算】[kŏ:msan]〈名〉験算〔検算〕. 試し算. **~하다**〈自他〉験算〔検算〕する. [句例] 답안을 내기 전에 ~하다 答案を出す前に験算する.

검색【檢索】[kŏ:msaek]〈名・하他〉❶検索. [句例] 색인으로 ~하다 索引を引いて検索する. ❷家宅捜索をすること.

***검소**【儉素】[kŏ:mso]〈名〉倹素. 質素. **~하다**〈形〉倹素だ. 質素だ. つつましやかだ. つましい. [句例] ~하게 살다 つましく〔つつましやかに〕暮らす.

검술【劍術】[kŏ:msul]〈名〉剣術. [句例] ~을 배우다 剣術を学ぶ. [語例] ~사 剣術使い.

검시【檢屍】[kŏ:mshi]〈名・하他〉検死, 検視. [語例] ~관 検死官.

검안【檢眼】[kŏ:man]〈名・하自〉検眼. [語例] ~경 検眼鏡 / ~기 検眼器.

검약【儉約】[kŏ:myak]〈名・하他〉倹約. [語例] ~가 倹約家. 締まり屋.

검역【檢疫】[kŏ:myŏk]〈名・하他〉検疫. [語例] ~관 検疫官 / ~소 検疫所 / ~원 検疫員 / ~항 検疫港.

검열【檢閱】[kŏ:myŏl]〈名・하他〉検閲. [句例] ~에 걸리다 検閲にひっかかる. [語例] ~관 検閲官 / ~ 점호 検閲点呼.

검은-깨 [kŏmŭnkkae]〈名〉くろごま(黒胡麻). =흑임자(黒荏子).

검은-엿 [kŏmŭnnyŏt]〈名〉黒あめ.

검은-자위 [kŏmŭnjawi]〈名〉〔生〕黒目. 黒目玉.

검은-콩 [kŏmŭnk'ong]〈名〉黒豆. =흑태(黒太). 검정콩. 「豆」.

검은-팥 [kŏmŭnp'at]〈名〉黒小豆. =흑두(黒

검인【檢印】[kŏ:min]〈名〉検印. [句例] 세관의 ~을 받다 税関の検印を受ける.

검-인정【檢認定】[kŏ:minjŏng]〈名・하他〉❶検認. ❷検定と認定. [語例] ~ 교과서 検定教科書と認定教科書 / ~필(畢) 検定〔認定〕済み.

검정〈名〉黒. [語例] ~말〔動〕黒毛 / ~빛 黒色 / ~콩 黒豆.

검정【檢定】[kŏ:mjŏng]〈名・하他〉検定. [語例] ~ 고시〔시험〕検定試験 / ~ 교과서 検定教科書 / ~필(畢) 検定済み.

검증【檢證】[kŏ:mjŭng]〈名・하他〉検証. [語例] 현장 ~ 現場検証.

검진【檢診】[kŏ:mjin]〈名・하他〉〔醫〕検診. [語例] 정기〔집단〕~ 定期〔集団〕検診.

검-질기다 [kŏ:mjilgida]〈形〉(性格が)粘り強い. 執念深い.

검찰【檢察】[kŏ:mch'al]〈名・하自他〉検察. [語例] ~ 총장 検事総長 / ~관 検察官.

검찰-청【檢察廳】[kŏ:mch'alch'ŏng]〈名〉検察庁.

[参考] 대검찰청(大検察庁. 最高検察庁にあたる)・고등 검찰청(高等検察庁)・지방 검찰청(地方検察庁)などがあり법무부(法務部)に属する. ㊜법원(法院).

검출【檢出】[kŏ:mch'ul]〈名・하他〉検出. [句例] 철분〔방사능〕을 ~하다 鉄分〔放射能〕を検出する.

검침【檢針】[kŏ:mch'im]〈名・하他〉検針. [句例] 도시 가스의 ~ 都市ガスの検針.

검토【檢討】[kŏ:mt'o]〈名・하他〉検討. [句例] 자세히 ~하다 詳しく検討する〔調べる〕/ ~를 요하다 検討を要する / ~를 가하다 検討を加える. [語例] 재~ 再検討 / ~중 検討中.

검파【檢波】[kŏ:mp'a]〈名・하他〉〔物〕検波. [語例] ~기 検波器.

검표【檢票】[kŏ:mp'yo]〈名〉検札. 車内改札. **~하다**〈自〉検札する.

검-푸르다 [kŏ:mp'urŭda] (검푸르니, 검푸르러서)〈形〉青黒い. [句例] 검푸른 바다 紺碧の海.

***겁**【怯】〈名〉おじけ. 恐怖心. 憶病風. [句例] ~없는 얼굴 不敵な面構え / ~없는 아이 物おじしない子供 / ~이 나다 怖い / ~을 내다 怖がる / ~이 많다 憶病だ.

겁결-에【怯―】[kŏpkyŏre]〈副〉おじけづいて. [文例] ~ 악하고 소리를 질렀다 おじけづいてあっ

と声を張り上げた．

겁-나다【怯—】[kŏmnada]〈自〉びくっとする．おじける．怖い．恐ろしい．句例 …이 겁나서 …が怖くて / 겁나게 하다 怖がらせる．怖がらせを言う / 겁나서 달아나다 恐ろしくて〔怖くて〕逃げる．文例 선생님에게 들킬까봐 겁났다 先生に見つかれはしないかとびくびくした．

**겁-내다【怯—】[kŏmnaeda]〈他〉恐れる．怖がる．おじる．臆する．びくつく．気遣う．句例 죽음을 ～ 死を恐れる / 겁내는 기색도 없이 ひるむ色もなく．文例 요만한 일로 겁내지 마라 これくらいの事でびくつくな / 겁내지 말고 당당하게 대답해 恐れず堂堂と答えなさい．

*__겁-먹다__【怯—】[kŏmmŏkta]〈自〉おじける．おじけづく．びくつく．怖がる．恐れる．

**__겁-쟁이__【怯—】〈名〉憶病者．意気地なし．弱虫．

겁탈【劫奪】〈名〉❶強奪．脅かして奪うこと．**～하다**〈他〉強奪する．❷強姦．＝겁간(劫姦)．**～하다**〈他〉強姦する．

**__것__〈依名〉❶もの．こと．句例 아무 ～도 없다 何もない / 새～과 헌～ 新しい物と古い物 / 이～과 저～ これとあれ / 어린～ 幼子．文例 그～은 볼만하다 それはみものだ．❷もの．の．句例 내 ～ わたしの物 / 네 ～ 君のもの．君の．❸('-ㄹ ～이다'の形で) …だろう．文例 좋을 ～이다 よかろう / 비가 올 ～이다 雨が降るだろう．❹要求・命令を表わす語：…こと．文例 빨리 갈 ～ 速く行くこと / 담배는 피우지 말 ～ タバコは吸わないこと．

**__겉__〈名〉表．上べ．表面．句例 ～을 꾸미다 上べを飾る．文例 ～만 보고서는 모른다 上面だけではわからない / ～으로 보기에는 좋은 사람 같다 見かけはいい人のように見える．

겉 다르고 속 다르다 裏表が同じじゃない．

겉-가량【一假量】〈名〉大体見積もること．目分量．見掛け推量．**～하다**〈他〉大体見積もる．目分量ではかる．見掛けで推量する．

겉-감〈名〉物の外に当てる材料．表地．

겉-겨〈名〉もみ殻．もみぬか(籾糠)．すりぬか．粗ぬか．

겉-곡【一穀】〈名〉殻をむかない穀物．＝겉곡식．

겉-꺼풀〈名〉外皮．

겉-껍데기〈名〉外殻．外皮．

겉-껍질〈名〉外皮．粗皮．

겉-날리다 [kŏnnallida]〈他〉(仕事を)ぞんざいにする．

겉-놀다 [kŏnnolda]〈自〉❶(まじわりが)しっくりしない．❷(くぎやねじなどが)ぴったり合わない．

겉-늙다 [kŏnnŭkta]〈自〉年の割に老けて見える．
参考 母音で始まる語尾と付いて活用すると '겉늙어서 [kŏnnŭlgŏsŏ]'のように連音されて発音される．

겉-대중〈名〉おおよその見積もり．概算．

겉-돌다(겉도니, 겉돌아서)〈自〉❶他のものとうまく調和・混合せず，離れ離れに動く．句例 바퀴가 ～ 輪が空回りする．文例 기름에는 물이 겉돈다 油は水をはじく．❷仲間にならない．句例 혼자 ～ 仲間外れになる．

겉-면【一面】[kŏnmyŏn]〈名〉表面．外面．

겉-모습【一貌襲】[kŏnmosŭp]〈名〉外観．見掛け．

*__겉-모양__【一模様・一貌様】[kŏnmoyang]〈名〉外貌．外見．外観．句例 ～을 꾸미다 見えを張る．体裁を繕う．

겉-보기〈名〉外観．外見．上べ．見掛け．句例 ～에는 좋다 見た目には〔見つきは〕いい．

겉-보리〈名〉❶殻麦．＝피맥(皮麥)．❷大麦．

겉-봉【一封】〈名〉❶封皮．❷封筒の表．❸封筒．

겉-불꽃〈名〉〔化〕外炎．㊉속불꽃．

겉씨-식물【一植物】[kŏtssishingmul]〈名〉〔植〕裸子植物．＝나자 식물．

겉-약다 [kŏnnyakta]〈形〉上べばかり小利口だ．利口ぶばかだ．

겉-옷 [kŏdot]〈名〉外衣．上着．

겉-잡다〈他〉だいたい見計る．推算する．見積もる．→囲み記事 8

겉-장〈名〉❶表の紙．❷表紙．

겉-절이 [kŏtchŏri]〈名〉二十日大根・白菜などを生漬けにし，薬味をあえた当座漬け．

겉-짐작〈名〉当て推量．おおよその見当〔見積もり〕．

겉-치레 [kŏtch'ire]〈名〉上べ飾り．見せかけ．虚飾．**～하다**〈自〉上べを飾る．虚飾する．句例 ～ 인사를 하다 通り一遍のあいさつをする．語例 ～꾼 見えっぱり．見え坊．

**__게[1]__ [ke:]〈名〉〔動〕かに(蟹)．語例 ～ 요리 かに料理 / ～살 かにの身〔肉〕．

게도 구럭도 다 잃었다 あぶ蜂取らず．

게[2] ❶〈副〉'거기'の略：そこ．文例 ～ 앉아라 そこに座りなさい / ～서 기다리고 있게 そこで待っていてくれ．
❷〈代〉相手をさげすんで言う語：そち．お前．文例 ～ 누군고 お前はだれだ．

게[3]〈助〉'에게'の略：(終声のない語について)…に．文例 내～ 맡겨요 わたしに任せなさい．
表現 終声のある語につくときは '에게'になる．≣'당신에게 드립니다 あなたにあげます'．

게[4] ['것이'の略] もの〔こと〕が．文例 그～ 뉘～냐 それはだれのか / 너 같은～ 대학에 간다고 おまえごときが大学へ行くんだとね / 가는～ 싫어 行くのがいやだ．

게 〔漢字項目〕

【憩】高校 게 ケイ．쉬다 休む．휴식하다 いこう．▮憩息 게식 けいそく．▮休憩 휴게 きゅうけい．小憩 소게 しょうけい．

게-거품 [ke:gŏp'um]〈名〉❶かに(蟹)の吹き出す泡．❷(人または動物が口から吹く)泡．あぶく．句例 ～을 뿜다〔튀기다〕泡を吹く．泡を飛ばす．

게걸〈名〉食い意地．**～스럽다** (→스럽다)〈形〉

がつがつしている．食い意地が張っている．[句例] ～스럽게 먹다 むさぼり〔がつがつ〕食う．

게걸-거리다〈自〉しきりに不平を鳴らす．盛んに愚痴をこぼす．

게걸게걸〈副・하自〉不平たらたら．ぶつぶつ．

게걸-들리다〈自〉食い意地が張る．がつがつする．

게-걸음 [ke:gŏrŭm]〈名〉かに(蟹)の横ばい．[語例] ～치다 横ばいする．

게-눈 [ke:nun]〈名〉かに(蟹)の目．

게눈 감추듯 かにがその目をかくすように瞬く間に食べ物を平らげるさま．

*__게다가__〈副〉❶'거기에다가 そこに'の意．[文例] ～놓아라 そこに置きなさい．❷それに．その上に．なおかつ．さらに．[文例] 머리도 아프고 ～ 감기기도 있다 頭も痛いしそれにかぜ気味だ / 영어도 하고 ～ 독일어도 한다 英語も話せるしおまけにドイツ語もできる．

게-딱지 [ke:ttakchi]〈名〉かに(蟹)の甲羅．

게딱지만-하다 [ke:ttakchiman—] (→하다)〈形〉(家などが)非常に小さい．ちっぽけだ．[句例] 게딱지만한 집 箱のようにちっぽけな家．

게름-뱅이 [ke:rŭmbaeng-i]〈名〉'게으름뱅이'の略：怠け者．のらくら者．ものぐさ太郎．

게릴라〈名〉ゲリラ．[語例] ～전 ゲリラ戦．◇ス guerilla

게-맛살 [ke:matsal]〈名〉かに足かまぼこ．略して'맛살'ともいう．

게-새우 [ke:saeu]〈名〉ざりがに．えびがに(海老蟹)．＝가재．
[参考] かにとえびに似ているからつけられた別名．

게시【掲示】 [ke:shi]〈名〉掲示．**～하다**〈他〉掲示する．掲げる．[句例] 성적을 ～하다 成績を張り出す．[語例] ～판 掲示板．

게양【掲揚】 [ke:yang]〈名〉掲揚．**～하다**〈他〉掲揚する．掲げる．[句例] 국기를 ～하다 国旗を掲げる〔揚げる〕．[語例] 국기 ～대 国旗掲揚台．

게우다〈他〉吐き出す．❶(食べたものを)吐く．返す．戻す．へど(反吐)を吐く．[句例] 게울 것 같다 戻し〔吐き〕気がある．❷(不正な所得などを)吐き出す．[句例] 횡령한 돈을 게워 내게 하다 横領した金を吐き出させる．

*__게으르다__ (게으르니, 게을러서)〈形〉怠惰だ．不精〔無精〕だ．略して'게르다・겔르다'ともいう．[句例] 게으른 사람 怠け者．ものぐさな人．

게으른 놈 짐 탐한다 なまくらの大荷物．

*__게으름__〈名〉怠惰．無精．ものぐさ．略して'게름'ともいう．[文例] ～을 피우는 버릇이 들었다 怠け癖がついた．

게으름(을) 부리다 '게으름(을) 피우다'のこと．

게으름(을) 피우다 怠ける．怠る．ずるける．サボる《俗》．

*__게으름-뱅이__〈名〉怠け者．のらくら者．ものぐさ太郎．略して'게름뱅이'ともいう．

게을러-빠지다〈形〉極めて怠惰だ．略して'겔러빠지다'ともいう．

게을리〈副〉怠って．おろそかに．**～하다**〈他〉怠る．おろそかにする．[句例] 주의를 ～하다 用心を怠る / 학업을 ～하다 学業をおろそかにする．

게임〈名〉ゲーム．**～하다**〈自〉ゲームをする．[語例] ～ 세트 ゲームセット / 시소 ～ シーソーゲーム．◇game

게재【掲載】 [ke:jae]〈名〉掲載．登載．＝싣다．**～하다**〈他〉掲載する．載せる．[句例] 논문을 잡지에 ～하다 論文を雑誌に載せる．

게-트림 [ke:t'ŭrim]〈名〉おおぎょうなおくび〔げっぷ〕．**～하다**〈自〉おおぎょうにおくび〔げっぷ〕をする．

겔러-빠지다 [ke:llŏppajida]〈形〉'게을러빠지다'の略．

겔르다 [ke:llŭda]〈形〉'게으르다'の略．

겨〈名〉ぬか(糠)．こぬか．[語例] 쌀～ 米ぬか．

겨냥 [kyŏ:nyang]〈名〉❶ねらい．**～하다**〈他〉ねらう．ねらいをつける．[句例] ～이 빗나가다 ねらいが外れる / 참새를 ～하다 すずめをねらう．❷見取りの寸法と様式．見本．[語例] ～도 見取り図．

겨누다〈他〉❶ねらう．ねらいをつける．[句例] 적을 겨누고 총을 쏘다 敵をねらって銃を撃つ．❷(長さなどを)比べ合わせて見る．▷→囲み記事9

*__겨드랑-이__〈名〉❶わき(脇・腋)(の下)．略して'겨드랑'ともいう．[句例] ～를 간질이다 わきをくすぐる / ～의 털 わき毛．❷着物のわき．

**__겨레__〈名〉同族．同胞．はらから．[文例] 칠천만 ～가 한결같이 조국의 통일을 염원하고 있다 7千万の同胞が等しく祖国の統一を念願している．[語例] ～붙이 同族(の人)．

*__겨루다__〈他〉競う．争う．張り合う．[句例] 무예를 ～ 武芸を競う / 성적을 ～ 成績を張り合う / 겨룰 만한 자가 없다 立ち並ぶものがいない．→囲み記事9

겨를〈名〉いとま(暇)．間．余暇．暇．[句例] 눈붙일 ～도 없다 一睡の暇もない．[文例] 자리에 붙어 있을 ～이 없다 席の暖まるいとまもない．

**__겨우__〈副〉やっと．ようやく．辛うじて．わずか．[句例] ～ 5천원이다 わずか5千ウォンである / 살림을 ～ 꾸려나가다 辛うじて暮らしを立てていく．[文例] ～ 몸만 빠져 도망쳐 왔다 命からがら逃げて来た / 성적이 나빴지만 ～ 낙제는 면했다 成績は悪かったけれど，やっと落第は免れた．

겨우-내〈副〉['겨울내'の略] 冬の間ずっと．冬すがら．冬じゅう．[文例] ～ 서울에 있었다 冬

囲み記事9

■ '겨누다'と'겨루다' ■

겨누다 (銃などで目標を)ねらう —— 새를 겨누고 방아쇠를 당겼으나 총알이 빗나갔다 鳥をねらって引き金を引いたが弾がはずれた．

겨루다 (力や実力などを相手と)競う．張り合う —— 자웅을 겨루다 雌雄を決する．겨룰만한 자가 없다 立ち並ぶものがいない．

をソウルで過ごした.

겨우-살이 [kyŏusari]〈名〉❶冬着. 冬物. ❷冬越し.

＊＊겨울〈名〉冬. 句例 ～을 나다 冬をこす / 긴 ～ 長い冬 / ～이 되다 冬になる. 語例 ～날 冬日. 冬の日和 / ～새 冬鳥 / ⇨ 동면(冬眠) / ～철 冬季. 冬の季節.

参考 겨울의 시작을 '초겨울 初冬', 겨울의 한창때를 '한겨울 真冬', 겨울의 마지막을 '늦겨울 晩冬'という. '엄동 厳冬'は冬の寒さのもっともきびしいころ.

겨울 방학【一放學】[—ppanghak]〈名〉冬休み. 文例 ～도 끝났다. 내일부터 개학이다 冬休みも終わった. 明日から学校が始まる.

겨울-잠 [—tcham]〈名〉冬ごもり. 冬眠. 句例 ～을 자다 冬ごもりする. 冬眠する.

表現 人や組織の活動が活発でないという意味にも使う.

겨워-하다 (→하다)〈他〉…にとって及ばないと〔手に負えないと・し過ぎると〕思う. 持て余す. 句例 자식이 많아서 힘에 ～ 子供が多くて持て余している.

겨자〈名〉❶〔植〕からしな(芥子菜). ❷辛子.

격【格】〈名〉格. ❶品位. 柄. 句例 ～이 다르다 格が違う / ～이 떨어지다 格が下がる. ❷身分. 分際. 分. 柄. 句例 ～이 높다 格が高い / ～에 맞지 않은 직책 柄にない役目 / 선배～으로 先輩格で. ❸〔言〕格. 語例 목적～ 目的格.

격 〔漢字項目〕

【撃(擊)】 高校 격 ゲキ. ❶치다 うつ. ㉠두드리다 たたく. ◧撃殺 격살 げきさつ. 撃砕 격쇄 げきさい. ◨打撃 타격 だげき. ㉡공격하다 攻める. ◧撃退 격퇴 げきたい. 撃破 격파 げきは. ◨攻撃 공격 こうげき. 追撃 추격 ついげき. ❷부딪치다 突きあたる. ◨肩摩轂撃 견마곡격 けんまこくげき. ❸눈에 띄다 目にふれる. 보다 見る. ◨目撃 목격 もくげき.

【激】 高校 격 ゲキ. ❶부딪치다 つきあたる. ◧激突 격돌 げきとつ. ◨衝激 충격 しょうげき. ❷세차다 はげしい. ◧激流 격류 げきりゅう. 激痛 격통 げきつう. ◨急激 급격 きゅうげき. 過激 과격 かげき. ❸분발하다 奮発する. 격려하다 励ます. ◧激發 격발 げきはつ. 激勵 격려 げきれい. ◨奮激 분격 ふんげき.

【格】 高校 격 カク. コウ. キャク. ❶이르다 至る. 궁구하다 窮める. ◧格物致知 격물치지 かくぶつちち. ❷바로잡다 正す. 바르다 正しい. ◧格言 격언 かくげん. ◨厳格 엄격 げんかく. ❸치다 手で打つ. 때리다 なぐる. ◧格闘 격투 かくとう. 格殺 격살 げきさつ. ❹법 おきて. 법식 法式. ◧格式 격식 かくしき. 格外 격외 かくがい. ◨規格 규격 きかく. 破格 파격 はかく. ❺지위・인품・조건 地位・人柄・条件. ◨人格 인격 じんかく. 資格 자격 しかく. 性格 성격 せいかく. 合格 합격 ごうかく.

격감【激減】〈名・하自他〉激減. 句例 매상이 ～하다 売り上げが激減する.

격납-고【格納庫】[kyŏngnapko]〈名〉格納庫.

격노【激怒】[kyŏngno]〈名・하自〉激怒. 文例 그는 동지의 배반에 ～했다 彼は味方の裏切りに激怒した.

격돌【激突】〈名・하自〉激突.

격동【激動】〈名〉❶激動. **～하다**〈自〉激動する. 句例 ～하는 사회를 살아나가다 激動する社会を生き抜く. 語例 ～기 激動期. ❷大いに感動すること. **～하다**〈自他〉大いに感動する〔させる〕.

＊격려【激勵】[kyŏngnyŏ]〈名〉激励. **～하다**〈他〉激励する. 励ます. 句例 서로 ～하다 互いに励まし合う. 語例 ～사 激励の辞 / 질타 ～ 叱咤激励.

격렬【激烈】[kyŏngnyŏl]〈名〉激烈. **～하다**〈形〉激烈だ. 激しい. 句例 ～하게 논쟁하다 激烈に論争する. **～히**〈副〉激烈に. 激しく.

격론【激論】[kyŏngnon]〈名・하自〉激論. 句例 ～을 벌이다 激論をたたかわす / 인권 문제를 가지고 ～하다 人権問題をめぐって激論する.

격류【激流】[kyŏngnyu]〈名〉激流. 奔流. 句例 ～가 소용돌이치다 激流が渦巻く / ～에 휘말리다 激流にのまれる.

격리【隔離】[kyŏngni]〈名・하自他〉隔離. 句例 환자를 ～시키다 患者を隔離する. 語例 ～병동 隔離病棟.

격멸【撃滅】[kyŏngmyŏl]〈名・하他〉撃滅. 句例 적을 ～하다 敵を撃滅する.

격무【激務】[kyŏngmu]〈名〉激務〔劇務〕. 句例 ～로 쓰러지다 激務に倒れる / ～를 견뎌내다 激務にたえる.

격변【激變】〈名・하自〉激変〔劇変〕. 句例 정세가 ～하다 情勢が激変する / ～하기 쉽다 激変しやすい. 文例 ～하는 국제 정세에 대비하다 激変する国際情勢にそなえる.

격분【激憤】〈名・하自他〉激憤. 憤激. 句例 ～을 참지 못하고 憤激をおさえきれず.

격분【激奮】〈名〉いきり立つこと. **～하다**〈自〉いきり立つ. 激昂する. 句例 모욕을 당하고 ～하다 侮辱を受けていきり立つ.

격상【格上】〈名・하他〉格上げ. 語例 ～되다 格上げされる. 格上げになる. (對)격하(格下).

격세【隔世】〈名・하自〉隔世. 文例 ～지감이 있다 隔世の感がある. 語例 ～유전 隔世遺伝. 先祖返り.

격식【格式】〈名〉格式. 句例 ～을 차리다 格式張る. 様式張る / ～을 존중하다 格式を重んじる / ～이 높다 格式が高い.

격심-하다【激甚—】(→하다)〈形〉甚だしい. 句例 변화가 ～ 変化が激しい. 文例 적에게 격심한 피해를 입히다 敵に甚大な損害を与える. 語例 격심하게 甚だしく.

격앙【激昂】[kyŏgang]〈名・하自〉激昂・激昂. 句例 ～한 군중 激昂した群衆.

격언【格言】[kyŏgŏn]〈名〉格言.

격월【隔月】[kyŏgwol]〈名・하自〉隔月. 一月おき. 句例 전집을 ～로 배본하다 全集を隔月に配本する. 語例 ～간 隔月刊.

격의【隔意】[kyŏgŭi]〈名〉隔意. へだてのある心. 句例 ～없이 이야기하다 隔意なく話す. 心おきなく話す.

격일【隔日】[kyŏgil]〈名・하自〉隔日. 一日

おき. 文例 아침 당번을 ~로 하자 朝の当番を隔日にやろう. 語例 ~ 근무 隔日勤務.

격자 【格子】〈名〉格子. 語例 ~ 무늬 格子じま(縞) / ~창 格子窓.

격전 【激戰】〈名・하自〉激戦. 句例 ~을 거듭하다 激戦をくりかえす. 語例 ~지 激戦地.

격정 【激情】〈名〉激情.

격조 【格調】〈名〉格調. 句例 ~ 높은 문장 格調の高い文章.

격-조사 【格助詞】〈名〉〔言〕格助詞.
参考 主格助詞・目的格助詞・連体格助詞・補格助詞・副詞格助詞・呼格助詞・叙述格助詞 などがある.

격조-하다 【隔阻―】(→하다)〈自〉御無沙汰する. 文例 오랫동안 격조했습니다 長らく御無沙汰いたしました.
表現 しばらく手紙を出さなかったことをわびるあいさつに使うことば.

격주 【隔週】〈名・하自〉隔週. 一週おき. 語例 ~ 토요 휴일 隔週土曜休日.

격증 【激增】〈名・하自〉激増. 句例 주문이 ~하다 注文が激増する. 對격감(激減).

격-지다 【隔―】〈自〉仲たがいする.

격차 【格差】〈名〉格差. 句例 ~가 벌어지다 格差がひろがる / ~를 두다 格差をつける. 語例 임금〔소득〕~ 賃金〔所得〕格差.

격차 【隔差】〈名〉隔たり. 句例 ~가 생기다 隔たりができる. 開く.

격찬 【激讚】〈名〉激賞. **~하다**〈他〉激賞する. 誉めちぎる. 句例 ~을 받다 激賞を浴びる / 입을 모아 ~하다 口をそろえて誉めちぎる.

격추 【擊墜】〈名〉擊墜. **~하다**〈他〉擊墜する. 擊ち落とす. 句例 적기를 ~시키다 敵機を擊墜する.

격침 【擊沈】〈名・하他〉擊沈. 句例 잠수함에 ~당하다 潜水艦に擊沈される.

격통 【激痛】〈名〉激痛. 句例 ~을 느끼다 激痛を覚える.

격퇴 【擊退】〈名・하他〉擊退. 句例 적의 대군을 ~하다 敵の大軍を擊退する.

격투 【格鬪】〈名〉格闘. 取っ組み合い. **~하다**〈自〉格闘する. ねじ合う. 文例 강도와 ~하여 잡았다 強盗と格闘してとっつかまえた.

격투 【激鬪】〈名・하自〉激闘. 文例 범인을 ~끝에 붙잡았다 犯人を激闘の末捕らえた.

격파 【擊破】〈名〉擊破. **~하다**〈他〉擊破する. 打ち破る. 句例 적의 주력을 ~하다 敵の主力を擊破する.

격하 【格下】[kyŏk'a]〈名・하自他〉格下げ. 句例 부장에서 과장으로 ~시키다 部長から課長に格下げする. 對격상(格上). 類강등(降等).

격-하다 【激―】[kyŏk'ada](→하다)〈自〉激する. 激越する. 句例 격한 어조로 激越な口調で. 文例 격한 마음을 가라앉혔다 激した心を鎮めた.

격화 【激化】[kyŏk'wa]〈名〉激化・. **~하다**〈自他〉激化する. 募る. 句例 전투가 ~하다 戦闘が激化する.

***겪다** 〈他〉❶経験する. 経る. 句例 온갖 고초를 ~ あらゆる難儀をなめる. 辛酸をなめる. 文例 허다한 곤란을 겪고나서 성공을 거두었다 幾多の困難を経て成功を収めた. ❷(客を)もてなす. 句例 손님을 ~ 客をもてなす.

견 〔漢字項目〕

【堅】 中學 견 ケン. ❶굳다 かたい. 굳건하다 しっかりしている. ▮堅固 견고 けんこ. 堅持 견지 けんじ. ▮強堅 강견 きょうけん. ❷굳게 かたく. 견고하게 堅固に. ▮堅忍 견인 けんにん. 堅守 견수 けんしゅ.

【犬】 中學 견 ケン. 개 いぬ. ▮犬馬之勞 견마지로 けんばのろう. 犬猿之間 견원지간 けんえんの仲. ▮愛犬 애견 あいけん. 猛犬 맹견 もうけん.

【絹】 高校 견 ケン. 명주 きぬ. ▮絹絲 견사 けんし. きぬいと. 絹布 견포 けんぷ. ▮人絹 인견 じんけん. 生絹 생견 せいけん. きぎぬ.

【肩(肩)】 高校 견 ケン. 어깨 かた. ▮肩章 견장 けんしょう. 肩胛骨 견갑골 けんこうこつ. ▮雙肩 쌍견 そうけん. 比肩 비견 ひけん.

【見】 中學 견 ケン. 현 ケン. ゲン. ━〔견〕❶보다 みる. ㉠눈으로 보다 目でみる. ▮見聞 견문 けんぶん. 見學 견학 けんがく. ▮望見 망견 ぼうけん. ㉡대면하다 対面する. 만나보다 人に会う. ▮引見 인견 いんけん. 會見 회견 かいけん. ❷생각하다 考える. 생각 考え. ▮見解 견해 けんかい. ▮意見 의견 いけん. 識見 식견 しきけん.
━〔현〕❶나타나다 現われる. 드러나다 現われて見える. ▮露見 노현 ろけん. 顯見 현현 けんげん. ❷뵈다 まみえる. ▮謁見 알현 えっけん. 朝見 조현 ちょうけん.

【遣(遣)】 高校 견 ケン. 보내다 つかわす. 임무를 띠어 보내다 任務を負わせて行かせる. ▮遣唐使 견당사 けんとうし. ▮派遣 파견 はけん.

견강-부회 【牽強附會】〈名〉牽強付会. こじつけ. **~하다**〈自〉牽強付会する.

견고 【堅固】〈名〉堅固. **~하다**〈形〉堅固だ. 堅い. 句例 ~한 건물 堅固な建物. 語例 ~성 堅固性. **~히**〈副〉堅固に. 堅く. 句例 ~히 하다 堅くする.

***견디다** ━〈自〉長持ちする. 持ち堪える.
━〈他〉我慢する. 耐える. 句例 견디어 내다 耐えぬく / ~ 못해 我慢しきれず / 더위를 참고 ~ 暑さを耐え忍ぶ / 아픔을 ~ 痛みを堪える. 文例 더워서 못 견디겠다 暑くてかなわない.

견마지-로 【犬馬之勞】〈名〉犬馬の労. 句例 ~를 다하다 犬馬の労をとる〔つくす〕.

견문 【見聞】[kyŏ:nmun]〈名・하他〉見聞. 見聞き. 句例 ~을 넓히다 見聞を広める. 語例 ~록 見聞録.

견물-생심 【見物生心】[kyŏ:nmul―]〈名〉物を見ると欲が生じること.

견본 【見本】[kyŏ:nbon]〈名〉見本. サンプル. 句例 상품의 ~ 商品の見本.

견사 【絹絲】〈名〉絹糸・きぬいと. ＝비단실. 語例 인조 ~ 人造絹糸.

견습 【見習】[kyŏ:nsŭp]〈名〉見習い. **~하다**

〈他〉見習う.
表現 '수습 기간 見習い期間' '수습공 見習い工'のようになるべく'수습(修習)'を使う.

견식【見識】[kyŏ:nshik]〈名〉見識. ＝식견(識見). 句例 ～이 넓다 見識が広い.

견실【堅實】〈名〉堅実. **～하다**〈形〉堅実だ. 手堅い. 句例 ～한 장사 堅い商売 / ～한 투자이다 堅実な投資である. 語例 ～성 堅実性. **～히**〈副〉堅実に. 手堅く.

견우 직녀【牽牛織女】[kyŏnujingnyŏ]〈名〉牽牛星と織女星. めおと星.

견원지-간【犬猿之間】[kyŏnwonjigan]〈名〉犬猿の仲.

견인【牽引】[kyŏnin]〈名〉牽引. **～하다**〈他〉牽引する. 引っ張る. 語例 ～차 牽引車. トラクター.

견적【見積】[kyŏ:njŏk]〈名〉見積もり. **～하다**〈他〉見積もる. 句例 ～을 내다 見積もりを出す. 語例 ～서 見積書.

견제【牽制】〈名・하他〉牽制. 句例 주자를 ～하다 ランナーを牽制する. 語例 ～구 牽制球.

견주다〈他〉❶比較する. なぞらえる. 比べ合わせる. 句例 키를 견주어 보다 背を比べてみる / 여비와 견주어서 여정을 정하다 費用とにらみ合わせて旅程をきめる. ❷競う. 張り合う. 句例 실력을 ～ 実力を競う.

견지【見地】[kyŏ:nji]〈名〉見地. 文例 대국적인 ～에서 보다 大局的な見地から見る.

견지【堅持】〈名〉堅持. **～하다**〈他〉堅持する. 立て通す. 句例 방침〔원칙〕을 ～하다 方針〔原則〕を堅持する.

견-직물【絹織物】[kyŏnjingmul]〈名〉絹織物. 絹布. 略して'견직(絹織)'ともいう.

견진 성사【堅振聖事】[kyŏnjinsŏ:ngsa]〈名〉〔天主教〕堅信式. 堅信礼.

견책【譴責】〈名・하他〉譴責. 語例 ～처분 譴責処分. 戒告処分.

*__견학__【見學】[kyŏ:nhak]〈名・하他〉見学. 句例 ～ 가다 見学に行く / 공항을 ～하다 空港を見学する. 語例 공장 ～ 工場見学.

견해【見解】[kyŏ:nhae]〈名〉見解. 意見. 句例 피상적 ～ 皮相の見 / ～의 차이 見解の相違. 文例 양자의 ～에 차이가 있다 両者の見解にずれがある.

겯다[1] [kyŏ:tta]（결으니, 결어서）㊀〈自〉❶（油気が）しみこむ. しみ入る. 句例 땀에 결은 옷 汗によごれた服. ❷手慣れる. 句例 손에 결은 솜씨 手慣れた腕前.
㊁〈他〉しみこます. 句例 장판지를 기름에 ～ オンドル紙に油をしみこます.

겯다[2] [kyŏ:tta]（결으니, 결어서）〈他〉❶編む. 句例 대바구니를 ～ 竹かごを編む. ❷組む. 句例 비계를 ～ 足場を組む / 어깨를 ～ 肩を組む. スクラムを組む.

결 ㊀〈名〉❶木目. 句例 ～이 곱다 木目がこまかい. ❷息づかい・波などのような高低の変化. 語例 물～ 波 / 숨～ 息づかい. ❸'성결'の略. ❹['결기'の 略] 句例 ～이 삭다 憤りが鎮まる.
㊁〈依名〉ついで. 折. 際. すがら. '…の間に'などの意. 句例 어느 ～에 いつの間にか / 꿈～에 夢の間に / 지나는 ～에 들르다 道すがら立ち寄る.

결　〔漢字項目〕

【決】中學 결 ケツ. ❶결정하다 決定する. 결단하다 決断する. ▮決心 결심 けっしん. 決斷 결단 けつだん. 決定 결정 けってい. ❷판단하다 判断する. ▮決裁 결재 けっさい. ▮判決 판결 はんけつ. 票決 표결 ひょうけつ. ❸갈라지다 裂ける. 터지다 破れる. ▮決裂 결렬 けつれつ. 決潰 결궤 けっかい. ❹망설임 끝에 思い切って. ▮決起 결기 けっき. 決然 결연 けつぜん.

【潔(洯)】中學 결 ケツ. ❶깨끗하다 きよい. 더럽혀지지 않다 汚れがない. ▮潔白 결백 けっぱく. ▮清潔 청결 せいけつ. 簡潔 간결 かんけつ. ❷바르다 正しい. 청렴하다 いさぎよい. ▮潔廉 결렴 けつれん. ▮純潔 순결 じゅんけつ.

【結】中學 결 ケツ. ❶맺다 むすぶ. 매다 ゆわえる. 묶다 束ねる. ▮結束 결속 けっそく. 結合 결합 けつごう. ▮連結 연결 れんけつ. 集結 집결 しゅうけつ. ❷열매를 맺다 実をむすぶ. ▮結果 결과 けっか. 結實 결실 けつじつ. ▮凍結 동결 とうけつ. ❸한동아리를 맺다 仲間になる. ▮結團 결단 けつだん. 結社 결사 けっしゃ. 結婚 결혼 けっこん. ❹꾸미다 かまえる. 組む. ▮結構 결구 けっこう. 結成 결성 けっせい. ❺끝맺다 しめくくる. ▮結論 결론 けつろん. 結末 결말 けつまつ.

【缺(欠)】高校 결 ケツ. ❶이지러지다 欠ける. ▮缺落 결락 けつらく. 缺月 결월 けつげつ. 缺點 결점 けってん. ▮脣缺 순결 しんけつ. ❷없다 無い. 모자라다 足りない. ▮缺乏 결핍 けつぼう. 缺如 결여 けつじょ. ▮補缺 보결 ほけつ. ❸쉬다 休む. 빠지다 もれる. ▮缺席 결석 けっせき. 缺勤 결근 けっきん. ❹해야 할 일을 하지 않음 するべきことをしない. ▮缺禮 결례 けつれい.

결-가부좌【結跏趺坐】〈名〉〔佛〕結跏趺坐. れんげ座.

결강【缺講】〈名・하自〉欠講. 類휴강(休講).

결격【缺格】[kyŏlkkyŏk]〈名〉欠格. 語例 ～자 欠格者 / ～ 사유 欠格事由.

*__결과__【結果】〈名〉結果. 句例 노력한 ～ 努力した結果 / ～를 중요시하다 結果を重要視する / ～가 나오다 結果がでる / ～를 보고하다 結果を報告する. 語例 ～론 結果論. 對원인(原因). 類결실(結實).

결구【結球】〈名・하自〉結球. 語例 ～ 배추 結球白菜.

*__결국__【結局】㊀〈名・하自〉結局. 文例 ～은 같은 것이다 結局は同じ事だ.
㊁〈副〉結局. 文例 ～ 네가 나쁘다 結局君が悪い / 노력했지만, ～ 허사였다 努力したが, 結局むだだった.

결근【缺勤】〈名〉欠勤. **～하다**〈自〉欠勤する. 休む. 語例 ～ 신고 欠勤届け. 對출근(出勤). 類결석(缺席).

결단【決斷】[kyŏlttan]〈名〉決断. 踏ん切り. **～하다**〈他〉決断する. 踏ん切る. 句例

~이 빠르다 決断が早い / ~이 내려지지 않는다 なかなか踏ん切りがつかない. 語例 ~력 決断力.

결단【結團】[kyŏlttan]〈名・하自他〉結団. 語例 ~식 結団式.
参考 '올림픽 선수단 결단 オリンピック選手団結団'のように一時的に結成される団体についていうことが多い.

결단-코【決斷—】[kyŏlttank'o]〈副〉❶断じて. 決して. 文例 ~ 그런 일은 없다 断じてそんな事はない / ~ 은혜를 잊어서는 안 된다 仮にも恩を忘れてはならない. ❷必ず. 文例 ~ 이기고야 말겠다 必ず勝って見せる.
表現 ①は必ず,打ち消しや禁止のことばをともなう.

결딴〈名〉全くだめになること. 台無しになること.
결딴(이) 나다 台無しになる. だめになる. 落ちぶれる. 句例 결딴이 난 집안 没落した家. 落ちぶれた家.
결딴(을) 내다 台無しにする. 句例 시계를 ~ 時計をこわす.

결렬【決裂】〈名・하自〉決裂. 物別れ. 句例 회담이 ~되다 会談が決裂する. 文例 교섭은 ~되었다 交渉は物別れに終わった. 對타결(妥結).

결례【缺禮】〈名・하自〉欠礼. 句例 ~가 되다 礼〔礼儀〕を欠く.

결론【結論】[kyŏllon]〈名・하他〉結論. 句例 ~이 나오다 結論がでる / ~에 도달하다 結論に達する / ~을 끌어내다 結論をひきだす.
결론(을) 짓다 結論づける. 結びをつける. 文例 이렇게 결론지어도 좋겠지 こう結論してもよかろう.

결리다〈自〉❶(筋肉が)凝る. 張る. 句例 어깨가 ~ 肩が凝る. 肩凝りがする. ❷ひるむ. すくむ.

결막【結膜】〈名〉〔生〕結膜. 語例 ~염 結膜炎.

결말【結末】〈名〉結末. けり. 句例 사건의 ~ 事件の結末.
결말(이) 나다 片がつく. 決まりがつく. けりがつく. 結末がつく. 句例 결말이 좋지 않게 나다 結末が不結果に終わる / 결말이 나지 않다 らち(埒)があかない.
결말(을) 내다 結末をつける. けりをつける.
결말(을) 짓다 けりをつける. メドをつける. まとめる. 句例 이야기를 결말짓다 話を締めくくる.

결박【結縛】〈名・하他〉両手を縛ること.
결박(을) 짓다 両手を縛り上げる.

결백【潔白】〈名〉潔白. **~하다**〈形〉潔白だ. 文例 나는 절대로 ~하다 僕は絶対に潔白である. 語例 청렴 ~ 清廉潔白.

결부【結付】〈名・하他〉結びつけること. 句例 원인과 결과를 ~시키다 原因と結果を結びつける.

결빙【結氷】〈名・하自〉結氷. 句例 강이 ~하다 川が結氷する. 語例 ~기 結氷期 / ~점 氷点.

결사【決死】[kyŏlssa]〈名・하自〉決死. 句例 ~의 각오 決死の覚悟 / ~적인 모험을 하다 命懸けの冒険をする / ~적으로 싸우다 命懸けで戦う. 語例 ~대 決死隊.

결사【結社】[kyŏlssa]〈名・하自〉結社. 句例 ~의 자유 結社の自由. 語例 비밀 ~ 秘密結社.

결산【決算】[kyŏlssan]〈名〉決算. **~하다**〈他〉決算する. 仕切る. 句例 상반기의 사업을 ~하다 上半期の事業を決算する. 語例 ~기 決算期 / ~ 보고 決算報告 / ~서 決算書 / ~일 決算日.

***결석**【缺席】[kyŏlssŏk]〈名〉欠席. **~하다**〈自〉欠席する. 休む. 句例 아프다는 핑계로 ~하다 病気にかこつけて休む. 語例 무단 ~ 無断欠席 / ~ 신고 欠席届け. 對출석(出席). 참석(參席). 類궐석(闕席).

결석【結石】[kyŏlssŏk]〈名〉〔醫〕結石. 語例 신장 ~ 腎臓結石.

결선 투표【決選投票】[kyŏlssŏnt'up'yo]〈名・하自〉決選投票.

결성【結成】[kyŏlssŏng]〈名・하他〉結成. 句例 동아리를 ~하다 サークルを結成する. 文例 야구팀을 ~하려면 적어도 선수가 9명 필요하다 野球チームを結成するには少なくとも選手が九人必要だ. 語例 ~식 結成式.

결속【結束】[kyŏlssok]〈名・하自他〉結束. 句例 ~을 다지다 結束をかためる / 재야의 여러 정당이 ~하다 在野の諸党が結束する.

결손【缺損】[kyŏlsson]〈名〉欠損. 赤字. 差損. マイナス. 句例 ~을 메우다 欠損を補う〔補塡する〕. 語例 ~금 欠損金 / ~ 가정 欠損家庭.
결손(이) 나다 欠損が生じる. 穴があく.

결승【決勝】[kyŏlssŭng]〈名・하自〉決勝. 文例 ~에서 아깝게도 졌다 決勝で惜しくも負けた〔敗れた〕. 語例 ~전 決勝戦 / 준~ 準決勝 / ~점 決勝点.

결승 문자【結繩文字】[kyŏlssŭngmuntcha]〈名〉結縄文字.

결식 아동【缺食兒童】[kyŏlssigadong]〈名〉欠食児童.

결실【結實】[kyŏlssil]〈名・하自〉結実. 実り. 実入り. 句例 ~의 가을 実りの秋 / 사과의 ~기 りんごの結実期 / 이제까지의 노력이 ~하다 これまでの努力が結実する. 文例 벼의 ~이 나쁘다 稲の実入りが悪い.

***결심**【決心】[kyŏlssim]〈名〉決心. **~하다**〈自他〉決心する. 思い切る. 句例 ~이 서다 決心がつく / ~을 굳히다 決心をかためる / 굳은 ~ かたい決心 / 일단 ~한 이상 一度決心したからには. 文例 좀처럼 ~이 안 선다 なかなか決心がつかない.

결심【結審】[kyŏlssim]〈名・하自他〉〔法〕結審. 語例 ~ 공판 結審公判.

결여【缺如】[kyŏryŏ]〈名〉欠如. **~하다**〈自〉欠如する. 欠ける. 句例 자주성〔상상력〕의 ~ 自主性〔想像力〕の欠如. 文例 도덕성이 ~되어 있다 モラルに欠ける.

결연【結緣】[kyŏryŏn]〈名〉縁結び. 縁組み. **~하다**〈自〉縁を結ぶ. 縁組みする. 句例 양자 ~을 하다 養子縁組みをする. 語例 자매

ㄱ

～ 姉妹縁組み.

결연-하다【決然―】[kyŏryŏnhada] (→하다)〈形〉決然としている. 句例 결연한 태도 決然たる態度. **결연히** [kyŏryŏnhi]〈副〉決然と. 句例 결연히 떨쳐 일어서다 決然とたちあがる.

결원【缺員】[kyŏrwon]〈名・하自〉欠員. 空席. 句例 ～이 생기다 欠員がでる／～을 메우다 欠員をうめる／～을 보충하다 欠員を補充する.

*__결의__【決意】[kyŏrŭi]〈名・하自他〉決意. ＝결심. 句例 ～를 굳게 하다 決意を固める／～를 표명하다 決意を表明する／굳은 ～로 맺어지다 かたい決意で結ばれる.

*__결의__【決議】[kyŏrŭi]〈名・하他〉決議. 句例 불신임안을 ～하다 不信任案を決議する. 語例 ～문 決議文／～안 決議案.

결의 형제【結義兄弟】[kyŏrŭihyŏngje]〈名〉義兄弟の約束を結ぶこと. また, その義兄弟.

결재【決裁】[kyŏltchae]〈名・하他〉決裁. 裁決. 句例 부장의 ～를 받다 部長の決裁をもらう.

결전【決戰】[kyŏltchŏn]〈名・하自〉決戦. 句例 최후의 ～에 대비하다 最後の決戦に備える.

*__결점__【缺點】[kyŏltchŏm]〈名〉欠点. 短所. 句例 ～이 있다 欠点がある／～을 들춰내다 欠点をさらけだす／～을 커버하다 欠点をカバーする. 文例 ～이 없는 사람은 없다 欠点のない人はない.

**__결정__【決定】[kyŏltchŏng]〈名・하他〉決定. 句例 ～에 따르다 決定にしたがう／예산을 ～하다 予算を決定する／날짜를 ～하다 日取りを取り決める／～되다 決定される／～권을 쥐다 決定権を握る. 語例 ～ 사항 決定事項.

결정(을) 짓다 決定する. 定まりをつける.

*__결정__【結晶】[kyŏltchŏng]〈名・하自〉結晶. 句例 노력의 ～ 努力の結晶／사랑의 ～ 愛の結晶. 語例 ～체 結晶体.

결정-적【決定的】[kyŏltchŏngjŏk]〈名・冠〉決定的. 句例 ～인 순간 決定的な瞬間／～이 되다 決定的になる. 文例 우승은 이제 ～이다 優勝はこれでもう決定的だ.

결정-판【決定版】[kyŏltchŏngp'an]〈名〉決定版. 句例 ～으로서 발간하다 決定版として刊行する.

결제【決濟】[kyŏltche]〈名・하他〉決済. 句例 어음을 ～하다 手形を決済する／수입 대금의 ～ 輸入代金の決済.

결집【結集】[kyŏltchip]〈名・하自他〉結集. 句例 총력을 ～하다 総力を結集する.

*__결-코__【決―】〈副〉'결단코'の略: 決して. 絶対に. 文例 ～ 용납하지 않는다 絶対に承知しない／～ 부자연스럽지 않다 決して不自然ではない／～ 배신하지 않는다 決して裏切らない.

表現 後に必ず否定のことばがつづく.

결탁【結託】〈名〉結託. **～하다**〈自〉結託する. ぐるになる. 句例 정치가와 ～한 상인 政治家とぐるになった商人.

表現 悪い意味につかう.

결투【決鬪】〈名・하自〉決闘. 句例 ～를 신청하다 決闘を申し込む.

결판【決判】[kyŏlp'an]〈名・하自〉事の是非を判定すること.

결판(이) 나다 是非の決定がつく. 是非が決まる.

결판(을) 내다 是非の決定をつける. 是非を決める. 勝負をつける.

*__결핍__【缺乏】〈名・하自〉欠乏. 句例 영양이 ～하다 栄養が欠乏する. 文例 비타민 B_1의 ～으로 각기병에 걸리다 ビタミンB_1の欠乏で脚気になる. 語例 ～증 欠乏症. 類 부족(不足).

결함【缺陷】〈名〉欠陥. 欠点. 文例 성격에 ～이 있다 性格に欠陥がある／～을 보완하다 欠陥をおぎなう. 語例 ～ 상품 欠陥商品／～차 欠陥車.

결합【結合】〈名・하自他〉結合. 句例 분자가 ～하다 分子が結合する. 語例 ～체 結合体. 對 분리(分離).

결항【缺航】〈名・하自〉欠航. 句例 폭풍우로 연락선이 ～하다 暴風雨で連絡船が欠航する.

결핵【結核】〈名〉〔醫〕結核. 語例 폐～ 肺結核／～균 結核菌／～증 結核症／～ 요양소 結核療養所.

參考 '폐결핵 肺結核'をさすことが多い.

결행【決行】〈名・하他〉決行. 文例 비가 와도 ～한다 雨が降っても決行する. 類 단행(斷行). 감행(敢行). 강행(強行).

*__결혼__【結婚】〈名・하自〉結婚. 句例 딸을 ～시키다 娘を嫁がせる／～ 첫날밤을 보내다 結婚初夜を過ごす／～ 신청을 하다 結婚を申しこむ. 語例 ～ 기념일 結婚記念日／～ 반지 結婚指輪／～ 사진 結婚写真／～ 적령기 結婚適齢期／～ 행진곡 ウェディングマーチ. 結婚行進曲. 對 이혼(離婚).

參考 法律用語では'혼인(婚姻)'.

*__결혼-식__【結婚式】〈名〉結婚式. 句例 ～을 올리다 結婚式をあげる.

겸 〔漢字項目〕

【兼(兼)】 高校 겸 ケン. ❶겸하다 かねる. 합치다 合わせる. ■兼業 겸업 けんぎょう. 兼用 겸용 けんよう. 兼併 겸병 けんぺい. ❷두 가지 이상을 아울러 맡음. 또 아울러 가짐 二つ以上のことをあわせ受けもつ. また, あわせもつ. ■兼任 겸임 けんにん. 兼備 겸비 けんび. 兼職 겸직 けんしょく. ❸한결같이 一様に. ■兼愛 겸애 けんあい.

【謙(謙)】 高校 겸 ケン. 겸손하다 へりくだる. ■謙遜 겸손 けんそん. 謙譲 겸양 けんじょう. 謙虚 겸허 けんきょ. ■恭謙 공겸 きょうけん.

겸비【兼備】〈名・하自他〉兼備. 句例 재덕을 ～한 여성 才徳兼備の女性.

겸사【謙辭】〈名〉❶謙辞. 語例 ～말 謙譲語. ❷〈하自〉丁寧に辞退すること.

겸사-겸사〈副〉かたがた. かねがね. がてら. 文例 일도 보고 구경도 할 겸 ～ 서울에 왔다 仕事がてら見物も兼ねてソウルにやって来た.

겸상【兼床】〈名・하自他〉二人が一つの食膳

をはさんで食事をすること．また，その食膳．

겸손【謙遜】〈名〉謙遜．**～하다**〈形〉謙遜だ．[句例] ～한 태도 謙遜な態度．**～히**〈副〉謙遜に．

겸양【謙讓】[kyŏmyang]〈名・하自他〉謙譲．へりくだること．[句例] ～의 미덕 謙譲の美徳．

겸연-쩍다【慊然―】[kyŏmyŏntchŏkta]〈形〉照れ臭い．くすぐったい．気まずい．[文例] 여러 사람 앞에서 칭찬을 들으니 어쩐지 ～ 皆の前でほめられて，なんだかくすぐったい．

겸용【兼用】[kyŏmyong]〈名・하他〉兼用．[句例] 어른과 아이가 ～하다 大人と子供が兼用する．

겸임【兼任】[kyŏmim]〈名・하他〉兼任．[句例] 두 회사의 사장을 ～하다 二つの会社の社長を兼任する．

겸직【兼職】〈名・하他〉兼職．

겸-하다【兼―】(→하다)〈他〉兼ねる．[句例] 꽃구경을 겸하여 花見がてらに／다른 학교의 강사를 ～ ほかの学校の講師を兼ねる．[文例] 그는 인기와 실력을 겸한 사람이다 彼は人気と実力を兼ねた人だ．

겸행【兼行】〈名・하他〉兼行．[文例] 지하철 공사가 주야 ～으로 진행되고 있다 地下鉄工事が昼夜兼行で進められている．

겸허【謙虛】〈名〉謙虚．**～하다**〈形〉謙虚だ．[句例] ～한 태도 謙虚な態度／～해지다 謙虚になる．

겹 ㊀〈名〉❶(層をなした)重なり．❷(物事が)重なること．
㊁〈依名〉重．[語例] 한 ～ 一重／여러 ～ 多重．

***겹겹-이** [kyŏpkyŏbi]〈副〉幾重にも．重なり合って．[句例] ～ 에워싸다 十重二十重に取り囲む／～ 쌓인 시체 累累たる死体．

겹-눈 [kyŏmnun]〈名〉〔動〕複眼．

겹다 [kyŏ:pta] (겨우니, 겨워서)〈形〉❶力の及ぶ限りでない．持てあます．[句例] 힘에 ～ 手に余る．❷抑えられない．[句例] 흥에 겨워 춤을 추다 興に乗って踊る／눈물～ 涙ぐましい．

겹-말 [kyŏmmal]〈名〉重ねことば．
[参考] '완두콩 えんどう(豌豆)まめ' '크디크다 非常に大きい'など．

***겹-받침**〈名〉〔言〕異なる二つの子音が重なった終声．ㄳ・ㄵ・ㄼ・ㄽ・ㄾ・ㅄ・ㄻ など．→쌍받침

겹-사돈【―査頓】〈名〉二重姻戚の間柄．

겹-세로줄〈名〉〔樂〕複縦線．

겹-실〈名〉合わせ糸．

겹-옷 [kyŏbot]〈名〉あわせ(袷)．

겹-이불 [kyŏmnibul]〈名〉綿を入れてない，裏地だけつけた掛け布団．

겹-잎 [kyŏmnip]〈名〉〔植〕複葉．(對)홑잎．

겹-질리다〈自〉(関節などが)くじ(挫)ける．捻挫する．

겹쳐-지다〈自〉重なる．畳まる．

***겹-치다**〈自他〉❶重ねる．[句例] 상자를 겹쳐 쌓다 箱を積み重ねる／이불을 겹쳐 깔다 布団を重ね敷く．❷重なる．かちあう．[句例] 불행이 ～ 不幸が重なる／일요일과 휴일이 ～ 日曜と休日が重なる／피로가 ～ 疲労が重なる．

겹-홀소리 [kyŏp'olssori]〈名〉〔言〕二重母音．重母音．＝복모음(複母音)．
[参考] 'ㅑ・ㅛ・ㅘ・ㅙ・ㅞ'などがある．

겻-불〈名〉もみがらを燃やす火．

경【經】〈名〉❶'경서(經書)'の略：経・．❷'불경(佛經)'の略：経．お経．[句例] ～을 외다 経をよむ．経を唱える．

경-【輕】〈頭〉質量・程度などの軽さを表わす語：軽…．[語例] ～금속 軽金属／～음악 軽音楽．

-경【頃】〈尾〉…ころ(頃)．[句例] 오후 다섯시～ 午後五時ごろ．[語例] 내달～ 来月あたり．

경　〔漢字項目〕

【京】 [中學] 경 ケイ．キョウ．❶서울 みやこ．■京師 경사 けいし．京邑 경읍 けいゆう．■上京 상경 じょうきょう．入京 입경 にゅうきょう．❷크다 大きい．■京觀 경관 けいかん．❸수의 단위．경．数の単位．けい．조(兆)의 1만배 兆の一万倍．

【傾】 [高校] 경 ケイ．❶기울다 かたむく．기울이다 かたむける．■傾覆 경복 けいふく．傾斜 경사 けいしゃ．■左傾 좌경 さけい．❷마음을 기울이다 心をそそぐ．■傾倒 경도 けいとう．傾注 경주 けいちゅう．傾聽 경청 けいちょう．

【卿】 [高校] 경 ケイ．キョウ．❶옛 관제에서 장관 이상의 벼슬 昔の官制で長官以上の官位．■卿大夫 경대부 けいたいふ．■九卿 구경 きゅうけい．❷군주가 신하를 부르던 호칭 君主が臣下を呼ぶときの呼称．■卿等 경등 けいら．

【境】 [高校] 경 キョウ．ケイ．❶토지의 경계 さかい．■境界 경계 きょうかい．境內 경내 きょうない．けいだい．■國境 국경 こっきょう．越境 월경 えっきょう．❷장소 場所．■勝境 승경 しょうきょう．絶境 절경 ぜっきょう．❸상태 状態．처지 立場．■境遇 경우 きょうぐう．■苦境 고경 くきょう．逆境 역경 ぎゃっきょう．

【庚】 [中學] 경 コウ．일곱째 천간 七番目の十干．かのえ．■庚午 경오 こうご．かのえうま．

【徑(径)】 [高校] 경 ケイ．❶지름길 近道．■徑路 경로 けいろ．徑庭 경정 けいてい．■山徑 산경 さんけい．❷지름 差し渡し．■徑尺 경척 けいしゃく．■直徑 직경 ちょっけい．❸길 道．방도 仕方．■捷徑 첩경 しょうけい．❹곧바로 まっすぐ．■徑行 경행 けいこう．

【慶】 [中學] 경 ケイ．❶경사 めでたいこと．■慶事 경사 けいじ．慶弔 경조 けいちょう．❷복 幸い．■餘慶 여경 よけい．❸축하 祝い．■慶祝 경축 けいしゅく．

【敬】 [中學] 경 ケイ．❶공경하다 うやまう．■敬愛 경애 けいあい．敬語 경어 けいご．■恭敬 공경 きょうけい．尊敬 존경 そんけい．❷삼가다 慎む．■敬禮 경례 けいれい．敬聽 경청 けいちょう．■謹敬 근경 きんけい．

【景】中學 경 ケイ. 영 エイ. ケイ. [一]〔경〕❶ 빛 光(ひかり). ◧景光 경광 けいこう. ◧日景 일경 にっけい. 斜景 사경 しゃけい. ❷크다 大(おお)きい. ◧景福 경복 けいふく. 景命 경명 けいめい. ❸우러러보다 仰(あお)ぐ. ◧景仰 경앙 けいぎょう. けいこう. ❹경치 景色(けしき). ◧景色 경색 けしき. ◧風景 풍경 ふうけい.
[二]〔영〕그림자 かげ. ◧景象 영상 けいしょう. 景從 영종 けいじゅう. えいじゅう.

【硬】高校 경 コウ. ❶단단하다 かたい. ◧硬骨 경골 こうこつ. 硬度 경도 こうど. ◧強硬 강경 きょうこう. ❷익숙하지 않다 慣(な)れていない. ◧生硬 생경 せいこう.

【竟】高校 경 キョウ. ❶끝나다 終(お)わる. 끝내다 終(お)える. ◧竟宴 경연 きょうえん. ❷끝 終(お)わり. ◧終竟 종경 しゅうきょう. 畢竟 필경 ひっきょう. ❸마침내 ついに. ◧究竟 구경 きゅうきょう.

【競】中學 경 キョウ. ケイ. 겨루다 きそう. ◧競技 경기 きょうぎ. 競走 경주 きょうそう. 競賣 경매 きょうばい. 競馬 경마 けいば.

【經(経)】中學 경 ケイ. キョウ. ❶날 縱糸(たていと). 남북의 줄 南北(なんぼく)の線(せん). ◧經緯 경위 けいい. ◧西經 서경 せいけい. ❷금을 긋다 すじをひく. 경계를 짓다 境界(きょうかい)をもうける. ◧經界 경계 けいかい. ❸변치 않는 도리 変(か)わらぬ道理(どうり). ◧經紀 경기 けいき. ◧常經 상경 じょうけい. ❹다스리다 治(おさ)める. 관리하다 管理(かんり)する. ◧經國 경국 けいこく. 經營 경영 けいえい. ❺거쳐가다 経(へ)る. 지나가다 通(とお)り過(す)ぎる. ◧經路 경로 けいろ. 經驗 경험 けいけん. 經歷 경력 けいれき. ❻목매다 首(くび)をくくる. ◧經死 경사 けいし. ❼서책 本(ほん). 성인이 쓴 책 聖人(せいじん)の書(か)いた書物(しょもつ). ◧經書 경서 けいしょ. 經典 경전 けいてん. きょうてん. ◧三經 삼경 さんきょう. 佛經 불경 ぶっきょう.

【耕(耕)】中學 경 コウ. ❶논밭을 갈다 田畑(たはた)をたがやす. ◧耕耘 경운 こううん. 耕作 경작 こうさく. ◧農耕 농경 のうこう. 春耕 춘경 しゅんこう. ❷일하여 생계를 해결하다 働(はたら)いて生計(せいけい)を解決(かいけつ)する. ◧筆耕 필경 ひっこう. 舌耕 설경 ぜっこう.

【警】高校 경 ケイ. ❶경계하다 戒(いまし)める. 주의하다 用心(ようじん)する. ◧警戒 경계 けいかい. 警報 경보 けいほう. ◧自警 자경 じけい. 夜警 야경 やけい. ❷경비하다 けいびする. ◧警備 경비 けいび. 警察 경찰 けいさつ. ◧軍警 군경 ぐんけい. ❸민첩하다 すばやい. 뛰어나다 優(すぐ)れている. ◧警拔 경발 けいばつ. 警捷 경첩 けいしょう. ◧奇警 기경 きけい. ❹깨우치다 諭(さと)す. ◧警世 경세 けいせい.

【輕(軽)】中學 경 ケイ. ❶가볍다 かるい. ◧輕重 경중 けいじゅう. けいちょう. 輕快 경쾌 けいかい. ❷가벼이 여기다 軽(かろ)んじる. ◧輕蔑 경멸 けいべつ. 輕視 경시 けいし. ❸경망스럽다 軽軽(かるがる)しい. ◧輕率 경솔 けいそつ. 輕薄 경박 けいはく.

【鏡】高校 경 キョウ. ❶거울 かがみ. ◧鏡臺 경대 きょうだい. ◧明鏡 명경 めいきょう. ❷감안하다 鑑(かんが)みる. ◧鏡鑑 경감 きょうかん. ❸비추어 보다 照(て)らして見(み)る. ◧照鏡 조경 しょうきょう. ❹안경 めがね. ◧眼鏡 안경 めがね. 望遠鏡 망원경 ぼうえんきょう. 顯微鏡 현미경 けんびきょう.

【頃】高校 경 ケイ. ❶잠깐 しばらく. ◧頃刻 경각 けいこく. ◧少頃 소경 しょうけい. ❷이마적 この頃(ごろ). ◧頃日 경일 けいじつ. 頃年 경년 けいねん. 頃者 경자 けいしゃ. ❸백이랑 百畝(ひゃくほ). ◧一碧萬頃 일벽만경 いっぺきばんけい. ❹경. 무렵 頃(ごろ). ◧年末頃 연말경 ねんまつごろ.

【驚】中學 경 キョウ. ❶놀라다 おどろく. ◧驚愕 경악 きょうがく. 驚異 경이 きょうい. ❷놀라게 하다 おどろかす. ◧震驚 진경 しんきょう.

경-가극【輕歌劇】〈名〉軽歌劇(けいかげき). オペレッタ.

경각【頃刻】〈名〉寸刻(すんこく). 寸時(すんじ). =경각간(頃刻間). 文例 목숨이 ~에 달려 있다 命(いのち), 旦夕(たんせき)に迫(せま)る.

경감【輕減】〈名・하他〉軽減(けいげん). 句例 과세를 ~하다 課税(かぜい)を軽減する.

경거-망동【輕擧妄動】〈名・하自〉軽挙妄動(けいきょもうどう). 句例 ~을 경계하다 軽挙妄動を戒(いまし)める.

경건【敬虔】[kyŏ:nggŏn]〈名〉敬虔(けいけん). **~하다**〈形〉敬虔だ. 句例 ~한 태도로 신에게 빌다 敬虔な態度(たいど)で神(かみ)に祈(いの)る / ~한 신자 敬虔な信者(しんじゃ). **~히**〈副〉敬虔に.

경계【境界】〈名〉境界(きょうかい). 境(さかい). 句例 토지의 ~에 나무를 심다 地境(じざかい)に木(き)を植(う)える. 語例 ~선 境界線(せん).

***경계**【警戒】[kyŏ:nggye]〈名〉警戒(けいかい). 戒(いまし)め. 諭(さと)し. **~하다**〈自他〉警戒する. 戒(いまし)める. 句例 ~해야 할 인물 警戒すべき人物(じんぶつ) / 물샐 틈 없는 ~ 水(みず)ももらさぬ警戒. 語例 ~ 경보 警戒警報(けいほう) / ~망 警戒網(もう) / ~색 警戒色(しょく) / ~ 수위 警戒水位(すいい) / ~심 警戒心(しん).

경고【警告】[kyŏ:nggo]〈名・하他〉警告(けいこく). 句例 떠들지 말라고 ~하다 さわがないようにと警告する / ~를 받아들이다 警告をききいれる.

경-공업【輕工業】〈名〉軽工業(けいこうぎょう). 語例 ~ 지대 軽工業地帯(ちたい). 對중공업(重工業).

경과【經過】〈名・하自他〉経過(けいか). 句例 병의 ~ 病気(びょうき)の経過 / 사건의 ~ 事件(じけん)のいきさつ / ~를 설명하다 経過を説明(せつめい)する. 文例 이 계획이 시작된 지 벌써 1년이 ~했다 この計画(けいかく)がはじまってから, すでに一年(いちねん)が経過した. 語例 ~ 규정 経過規定(きてい).

***경관**【景觀】〈名〉景観(けいかん). 句例 웅대한 ~ 雄大(ゆうだい)な景観. 語例 자연 ~ 自然(しぜん)の景観.

경관【警官】[kyŏ:nggwan]〈名〉['경찰관(警察官)'の略] 警官(けいかん). 句例 데모대와 ~이 엎치락뒤치락하다 デモ隊(たい)と警官がもみ合(あ)う.

경구【警句】[kyŏ:nggu]〈名〉警句(けいく). エピグラム.

경국 대전【經國大典】[kyŏnggguktae:jŏn]〈名〉〔史〕経国大典(けいこくたいてん).
參考 朝鮮朝(チョソンちょう) 成宗(ソンジョン) 二年(にねん)(1471)に公布(こうふ)された国政(こくせい)の基本法典(きほんほうてん).

경-금속【輕金屬】〈名〉軽金属(けいきんぞく). 語例 ~ 공업 軽金属工業(こうぎょう). 對중금속(重金屬).

경기【京畿】〈名〉京畿(キョンギ). ❶ソウル付近(ふきん)の地(ち). ❷['경기도 京畿道(キョンギド)'の略] 語例 ~ 일원 京

鐵道一円.

경기【景氣】〈名〉〔經〕景気. 句例 ~가 좋다〔나쁘다〕景気がいい〔わるい〕/ ~가 회복되다 景気が回復する. 語例 호~ 好景気 / 불~ 不景気 / ~ 대책 景気対策 / ~ 변동 景気変動 / ~ 지표 景気指標 / ~ 정체 景気停滞 / ~ 후퇴 景気後退.

경기【競技】[kyŏ:nggi]〈名・하自〉競技. 句例 멋진 ~ 鮮やかな競技〔プレー〕/ 일방적 ~ ワンサイドゲーム / ~를 시작하다 競技を開始する. 語例 육상 ~ 陸上競技 / ~자 競技者. プレーヤー / ~장 競技場 / ~ 종목 競技種目.

경-기관총【輕機關銃】〈名〉軽機関銃. 軽機. 略して'경기(輕機)'ともいう.

경-기구【輕氣球】〈名〉軽気球. 對열기구(熱氣球).

경내【境内】〈名〉境内. 句例 절의 ~ 寺内. 山内.

***경단**【瓊團】[kyŏ:ngdan]〈名〉団子.

경대【鏡臺】[kyŏ:ngdae]〈名〉鏡台.

경도【硬度】〈名〉硬度.

경도【傾度】〈名〉傾度.

경도【經度】〈名〉❶〔地〕経度. 句例 ~와 위도 経度と緯度. ❷月経. メンス.

경도【輕度】〈名〉軽度. 句例 ~의 화상 軽度のやけど(火傷).

경락【經絡】[kyŏngnak]〈名〉〔韓醫〕経絡. 參考 韓方で'경(經)'は動脈. '낙(絡)'は静脈の意.

경락【競落】[kyŏ:ngnak]〈名〉競落・けいらく. **~하다**〈他〉競落する. せり落とす. 語例 ~인 競落人.

경략【經略】[kyŏngnyak]〈名・하他〉経略. 句例 천하를 ~하다 天下を経略する.

경량【輕量】[kyŏngnyang]〈名〉軽量. 句例 ~급 선수 軽量級の選手.

경력【經歷】[kyŏngnyŏk]〈名・하他〉経歴. 句例 ~을 조사하다 経歴を調べる〔調査する〕. 類이력(履歷). 과거(過去).

경련【痙攣】[kyŏngnyŏn]〈名〉けいれん(痙攣). ひきつり. ひきつけ. 句例 ~을 일으키다 けいれんを起こす. 語例 위~ 胃けいれん.

***경례**【敬禮】[kyŏ:ngnye]〈名・하自〉敬礼. 句例 거수 ~를 하다 挙手の礼をする.

경로【敬老】[kyŏ:ngno]〈名・하自〉敬老. 語例 ~당(堂) 敬老を旨として建てた老人たちの憩いの家 / ~ 정신 敬老精神.

경로【經路】[kyŏngno]〈名〉経路〔径路〕. 句例 ~를 변경하다 経路を変更する / 전염병이 퍼진 ~를 조사하다 伝染病が広まった経路を調べる. 語例 입수 ~ 入手経路.

경륜【經綸】[kyŏngnyun]〈名・하他〉経綸. 句例 국가 ~의 인재 国家経綸の材.

경륜【競輪】[kyŏ:ngnyun]〈名・하自〉競輪.

경리【經理】[kyŏngni]〈名・하他〉経理. 句例 ~를 맡다 経理をあずかる. 語例 ~과 経理課 / ~ 사무 経理事務. 類회계(會計).

경마【競馬】[kyŏ:ngma]〈名・하自〉競馬. 句例 ~를 하다 競馬をする / ~로 재산을 날리다 競馬で身代をつぶす. 語例 ~말 賭馬 / ~장 競馬場. 馬場.

경망【輕妄】〈名〉軽はずみでそそっかしいこと. **~하다**〈形〉軽はずみだ. そこつ(粗忽)だ. 句例 ~한 사람 脳天気. **~히**〈副〉軽はずみに. そこつ〔うかつ〕に.

경매【競賣】[kyŏ:ngmae]〈名・하他〉競売. 競せり売り. 句例 ~에 내놓다〔부치다〕競売にかける. 語例 ~인 競売人 / ~ 시장 競せり市.

경멸【輕蔑】〈名・하他〉軽蔑. 軽侮. 句例 ~의 눈초리 軽蔑のまなざし / ~하는 눈으로 보다 軽蔑の目で見る. 文例 남을 ~하면 못쓴다 人を軽蔑してはいけない.

경모【敬慕】[kyŏ:ngmo]〈名・하他〉敬慕.

경묘【輕妙】〈名〉軽妙. **~하다**〈形〉軽妙だ. 句例 ~한 필치 軽妙な筆致.

경문【經文】〈名〉経文. 句例 ~을 읽다 経を読む.

경미【輕微】〈名〉軽微. **~하다**〈形〉軽微だ. 軽い. 句例 ~한 손해 軽微な損害 / ~한 상처 ちょっとした傷.
表現 被害や損害が軽い場合にいう.

경박【輕薄】〈名〉軽薄. **~하다**〈形〉軽薄だ. 句例 ~한 사람 軽薄な人. 調子者 / ~한 식견 近目. 對중후(重厚).

경범【輕犯】〈名〉'경범죄'の略.

경-범죄【輕犯罪】〈名〉軽犯罪.

경보【競步】[kyŏ:ngbo]〈名〉競歩. 語例 만 미터 ~ 一万メートル競歩.
參考 両足が同時に地面をはなれると失格になる.

경보【警報】[kyŏ:ngbo]〈名〉警報. 句例 ~를 발하다 警報をだす / ~를 해제하다 警報を解除する. 語例 경계 ~ 警戒警報 / 홍수 ~ 洪水警報 / ~기 警報器.

***경비**【經費】〈名〉経費. 句例 ~가 들다 経費がかかる / ~를 절약하다 経費を節約する. 語例 ~ 절감 経費節減.

경비【警備】[kyŏ:ngbi]〈名・하他〉警備. 句例 국경을 ~하다 国境を警備する / ~가 엄하다 警備が厳重である. 文例 휴전선의 ~가 더욱 강화되었다 休戦ラインの警備が一層強化された. 語例 ~원 警備員 / ~대 警備隊 / ~병 警備兵 / ~ 초소 警備哨所. 警備詰め所 / ~선 警備船.

경-비행기【輕飛行機】〈名〉軽飛行機.

***경사**【傾斜】〈名〉傾斜. 傾き. 句例 급한 ~ 急な傾斜. 語例 ~지 傾斜地 / ~도 傾斜度 / ~면 傾斜面.

경사【慶事】[kyŏ:ngsa]〈名〉慶事. めでたいこと. 喜び(ごと). 吉事. 句例 나라의 ~ 国の慶事. 文例 이웃집에 ~가 있다 隣にお喜びがある. **~스럽다**(→스럽다)〈形〉めでたい. 喜ばしい. **~스레**〈副〉喜ばしく.

***경사-지다**【傾斜—】〈自・形〉傾斜する. 一方に傾く. 傾斜になる. 文例 이 땅은 경사져서 농사짓기가 어렵다 この土地は傾斜していて耕作しにくい.

경상【經常】〈名〉経常. 語例 ~비 経常費 / ~ 수입 経常収入.

경상【輕傷】〈名・하自〉軽傷. 句例 ~을 입다 軽傷を受ける. 浅手を負う. 對중상(重傷).

경색【梗塞】〈名・하自〉梗塞. 句例 사태가 ～ 상태에 빠지다 事態が梗塞状態に陥る. 語例 금융 ～ 金融梗塞／심근 ～ 心筋梗塞.

경서【經書】〈名〉経書. 類경전(經典).
参考 四書・五経を中心とする儒教の根本的な書物. 仏教では'불전(佛典)'という.

경선【經線】〈名〉〔地〕経線. 對위선(緯線).

경솔-하다【輕率—】(→하다)〈形〉軽率だ. 軽はずみだ. 句例 경솔한 행동 軽率なふるまい／경솔한 생각을 뉘우치다 軽率な考えを悔いる. **경솔히**〈副〉軽率に.

경수【硬水】〈名〉〔化〕⇨ 센물

경수-로【輕水爐】〈名〉〔物〕軽水炉.

경승【景勝】〈名〉景勝. 語例 ～지 景勝の地. 類명승(名勝).

경시【輕視】〈名〉軽視. **～하다**〈他〉軽視する. 侮る. 句例 남을 ～하다 人を軽んじる. 對중시(重視).

경식【硬式】〈名〉硬式. 語例 ～ 야구 硬式野球. 對연식(軟式).

경신【更新】〈名・하他〉更新. 句例 기록을 ～하다 記録を更新する.
表現 '계약 기간의 갱신 契約期間の更新'のように内容はそのままにして, 期間だけを延長することは'갱신'. '기록 경신 記録更新'のようにあらたまって新しくなることは'경신'として区別する.

경신【敬神】[kyŏ:ngshin]〈名・하自〉敬神. 語例 ～ 숭조(崇祖) 神を敬い, 祖先を崇めること.

경악【驚愕】〈名・하自〉驚愕. 句例 ～을 금치 못하다 驚愕に耐えない.

***경애**【敬愛】[kyŏ:ng-ae]〈名・하他〉敬愛. 句例 ～하는 벗 敬愛する友.

경어【敬語】[kyŏ:ng-ŏ]〈名〉敬語. 文例 윗사람에게는 ～를 써야 한다 目上の人には敬語を使うべきだ. 語例 ～법 敬語法／～체 敬体.

경어-법【敬語法】[kyŏ:ng-ŏppŏp]〈名〉〔言〕⇨ 높임법

경연【競演】[kyŏ:ng-yŏn]〈名・하他〉競演. 語例 ～ 대회 コンテスト／음악 ～ 대회 音楽コンテスト.

경영【經營】〈名〉経営. **～하다**〈他〉経営する. 営む. 句例 천하를 ～하다 天下を経営する／회사의 ～ 会社の経営. 語例 ～ 관리 経営管理／～ 합리화 経営の合理化／～자 経営者／기업 ～ 企業経営／～난 経営難／～학 経営学.

경영【競泳】[kyŏ:ng-yŏng]〈名・하自〉競泳. 文例 그는 ～ 대회에 출전했다 彼は競泳大会に出戦した. 語例 ～ 종목 競泳種目.

경외【敬畏】[kyŏ:ng-oe]〈名・하他〉敬畏. 敬い恐れること.

***경우**【境遇】〈名〉その時のなりゆきや事情. 場合. 句例 만일의 ～ 万一の場合／때와 ～에 따라 時と場合によって.

경운-기【耕耘機】〈名〉耕運機. 絵

〈경운기〉

경원【經援】〈名〉'경제 원조'の略: 経援.

경원【敬遠】[kyŏ:ng-won]〈名・하他〉敬遠. 文例 노인이라 해서 ～하지는 않는다 年よりだからといって敬遠はしない.

경위【涇渭】〈名〉道理上の善しあしと是非の区別. 句例 ～ 밝은 사람 道理にたがわな

囲み記事 10

■ 경음화 硬音化 ■

ある音節において, 子音のあとにつづく子音が, 된소리 すなわち'ㄲ, ㄸ, ㅃ, ㅆ, ㅉ'と硬音化されて発音されるのがある. この硬音化(＝濃音化)を'경음화'あるいは'**된소리되기**'という. その外にも用言の活用過程や合成語の中で, あるいは一部の漢字の語においても硬音化されることがある.

(1) ㄱ(ㄲ, ㅋ, ㄳ, ㄺ) ／ ㄷ(ㅅ, ㅆ, ㅈ, ㅊ, ㅌ) ／ ㅂ(ㅍ, ㄼ, ㄿ, ㅄ)	＋ ㄱ	→	ㄲ	국가[국까], 읽기[일끼]
	＋ ㄷ	→	ㄸ	있다[인따], 같다[갇따]
	＋ ㅂ	→	ㅃ	국밥[국빱], 맞바꾸다[맏빠꾸다]
	＋ ㅅ	→	ㅆ	낯설다[낟썰다], 속셈[속쎔]
	＋ ㅈ	→	ㅉ	엽집[엽찝], 값지다[갑찌다]

＊この場合, 本辞典では, 制定された表記のきまりによって, 特別な発音の表記は示さなかった.

(2) 用言の活用過程の中で, '-고 …して', '-지 …で' '-게 …で', '-ㄹ …すべき'などのあとでも硬音化されるが, これらには発音の表記を示した.
신고[shi:nkko], 젊지[chŏ:mtchi], 넓게[nŏlkke] 할 바를[halpparŭl], 할수록[halssurok], 할 수는[halssunŭn]

(3) 連体詞的な機能を持つ合成語は, 硬音に発音されるが, これらにも発音の表記を示した.
눈-동자[nunttongja], 강-가[kangkka], 창-살[ch'angssal]

(4) 漢字の語において, ㄹ＋ㄷ, ㅅ, ㅈはㄸ, ㅆ, ㅉと硬音化されるが, これらにも発音の表記を示した.
갈등(葛藤)[kalttŭng], 일시(一時)[ilssi], 발전(發展・發電)[paltchŏn]
　これらの硬音化は, 次のように'同音異義語'の場合を考慮に入れて, 発音の表記を示した.
잠자리(とんぼ)[chamjari], 잠자리(寝床)[chamtchari]

い人.

경위【經緯】〈名〉経緯. ❶縦糸と横糸. ❷いきさつ. 句例 사건의 ～를 설명하다 事件のいきさつを説明する. ❸経線と緯線. 語例 ～도 経緯度 / ～선 経緯線.

경유【經由】〈名・하他〉経由. 句例 미국을 ～하여 귀국하다 アメリカを経由して帰国する. 表現 人ばかりでなく, 手紙や荷物などについてもいう.

경유【輕油】〈名〉軽油.

경음【硬音】〈名〉〔言〕⇨ 된소리

경-음악【輕音樂】〈名〉〔樂〕軽音楽.

경음-화【硬音化】〈名〉〔言〕硬音化. 濃音化. ＝된소리되기. →囲み記事 10

경의【敬意】[kyŏ:ng-ŭi]〈名〉敬意. 句例 ～를 표하다 敬意を表わす. 敬意をはらう.

경이【驚異】〈名・하自〉驚異. 句例 자연계의 ～ 自然界の驚異.

경작【耕作】〈名・하他〉耕作. 句例 논을 ～하다 田を耕す. 語例 ～ 면적 作付け面積 / ～권 耕作権 / ～지 耕作地.

***경쟁**【競爭】[kyŏ:ngjaeng]〈名〉競争. **～하다**〈自〉競争する. 競う. 張り合う. 句例 ～이 심하다 競争が激しい / ～심이 강한 사람 負けん気の強い人. 語例 생존 ～ 生存競争 / ～ 가격 競争価格 / ～국 競争国 / ～률 競争率 / ～ 입찰 競争入札.

경적【警笛】[kyŏ:ngjŏk]〈名〉警笛. 句例 ～을 울리다 警笛をならす. 文例 자동차 ～ 소리가 시끄럽다 自動車の警笛がやかましい.

경전【經典】〈名〉経典・きょうてん. 句例 유교의 ～ 儒教の経典 / 불교의 ～ 仏教の経典.

경정【更正】〈名・하他〉更正. 語例 ～ 예산 更正予算.

***경제**【經濟】〈名〉経済. 語例 ～ 관념 経済観念 / ～ 개발 5개년 계획 経済開発五箇年計画 / ～ 공황 経済恐慌. パニック / ～란 経済欄 / ～ 법칙〔정책〕経済法則〔政策〕/ ～ 봉쇄 経済封鎖 / ～ 사회 이사회 経済社会理事会 / ～ 제재 経済制裁 / 가정 ～ 家庭経済 / ～ 활동 経済活動 / ～학 経済学.

경제-계【經濟界】〈名〉経済界. 句例 ～의 거물 経済界の大立て者.

경제-력【經濟力】〈名〉経済力. 句例 풍부한 ～ 豊かな経済力.

경제-성【經濟性】[kyŏngjessŏng]〈名〉経済性. 句例 ～이 풍부하다 経済性に富む.

경제 성장【經濟成長】〈名〉経済成長. 語例 ～률 経済成長率.

경제 원조【經濟援助】[―wo:njo]〈名〉経済援助. 略して'경원(經援)'ともいう.

***경제-적**【經濟的】〈名・冠〉経済的. エコノミカル. 句例 ～인 물건 経済的な品 / ～ 자유 経済的自由. 文例 인간은 ～인 동물이다 人間は経済的動物である / ～인 이유로 직장을 옮겼다 経済的の理由で職場を変えた.

경조【慶弔】[kyŏ:ngjo]〈名〉慶弔. 語例 ～비 慶弔費 / ～ 전보 慶弔電報 / ～ 규정 慶弔規程.

경조【競漕】[kyŏ:ngjo]〈名・하自〉競漕. ボートレース. 語例 ～용 보트 競漕用ボート.

경종【警鐘】[kyŏ:ngjong]〈名〉警鐘. 句例 ～을 울리다 警鐘を鳴らす / 현대 문명에의 ～ 現代文明への警鐘.

경주【傾注】〈名・하自他〉傾注. 句例 전력을 ～하다 全力を傾注する.

경주【競走】[kyŏ:ngju]〈名〉競走. 駆けっこ《児》. 駆けくらべ. 駆けっくら. 走り競べ. **～하다**〈自〉競走する. 句例 백 미터 ～ 100メートル競走 / ～에서 꼴찌를 하다 競走でびりをする.

경증【輕症】[kyŏngtchŭng]〈名〉軽症. 句例 ～의 뇌일혈 軽症の脳溢血. 語例 ～ 환자 軽症患者. 對중증(重症).

경지【耕地】〈名〉耕地. 耕作地. 語例 ～ 면적 耕地面積 / ～ 정리 耕地整理 / ～ 이용률 耕地利用率.

경지【境地】〈名〉境地. ❶その人の置かれている立場. 句例 어려운 ～에 서다 苦しい境地に立つ. ❷ある段階に到達した心の状態. 句例 무아의 ～ 無我の境地. ❸(芸術などで)独自の分野. 句例 신～를 개척하다 新境地をきりひらく.

경직【硬直】〈名・하自〉硬直. 強直. 句例 ～된 관료주의 硬直した官僚主義. 語例 사후 ～ 死後硬直.

경진【輕震】〈名〉軽震.

경진【競進】[kyŏ:ngjin]〈名・하自〉競進. 語例 ～회(會) 競進会.

경질【更迭】〈名・하他〉更迭. 句例 참모 총장을 ～하다 参謀総長を更迭する.

경질【硬質】〈名〉硬質. 語例 ～ 도기 硬質陶器 / ～ 유리 硬質ガラス.

경찰【警察】[kyŏ:ngch'al]〈名〉警察. さつ《俗》. 語例 ～견 警察犬 / ～관 警察官. 警官 《略語》/ 여자 ～관 婦警《略語》/ ～ 대학 警察大学 / ～봉 警察棒 / ～서 警察署 / 비밀 ～ 秘密警察 / 지방 ～ 地方警察. 地警《略語》/ ～ 수첩 警察手帳.

경찰-청【警察廳】[kyŏ:ngch'alch'ŏng]〈名〉警察庁. 地方には '지방 경찰청 地方警察庁' がある. 長官は '경찰청장(長)' と言い, 治安総監が任じられる.

경첩〈名〉[もとの語形は'겹첩'] ちょうつが(蝶番)い.

경청【傾聽】〈名・하他〉傾聴. 句例 ～해야 할 의견 傾聴すべき意見 / ～할 만한 이야기 傾聴に値する話.

경축【慶祝】[kyŏ:ngch'uk]〈名・하他〉慶祝. 語例 ～ 행사 慶祝行事 / ～연 慶祝の宴 / ～식 慶祝式 / ～일 慶祝日. 祝日.

****경치**【景致】〈名〉景色. 風景. 眺め. 句例 봄(산)의 ～ 春(山)の景色 / ～가 좋다 景色がいい / ～를 바라보다 景色を眺める.

경-치다〈自〉❶酷刑を受ける. ❷ひどい目に会う. ひどい苦痛を受ける. 句例 몹시 ～ さんざんな目に会う / 경칠 놈《俗》横着なやつ. 罰あたりなやつ. 文例 이 경칠 놈아 この横着者め. この罰あたりめが.

表現 '경'と '치다'を分離しても使われる. '호되게 경을 쳤다' ひどい目にあわされた.

경칩【驚蟄】〈名〉啓蟄.

경칭【敬稱】[kyŏ:ngch'ing]〈名・하他〉敬称. 尊称. 句例 ～을 쓰다 敬称を用いる. 文例 ～은 생략합니다 敬称は略します〔省きます〕.

경쾌【輕快】〈名〉軽快. **～하다**〈形〉軽快だ. 句例 ～한 리듬 軽快なリズム / ～한 걸음걸이 軽快な足どり. **～히**〈副〉軽快に.

경탄【驚歎】〈名〉驚嘆. **～하다**〈他〉驚嘆する. 舌を巻く. 句例 묘기에 ～하다 妙技に驚嘆する / ～할 만하다 驚嘆に値する.

경판【經板】〈名〉経書の版木〔板木〕.

경-폭격기【輕爆擊機】〈名〉軽爆撃機. 軽爆《略語》.

경품【景品】〈名〉景品. おまけ. 句例 ～부 대매출 景品付き大売り出し / ～부 세일 景品付きセール / 제비뽑기의 ～ 福引きの景品. 文例 ～으로 책을 드립니다 おまけに本をさしあげます. 語例 ～권 景品券.

경풍【驚風】〈名〉〔韓醫〕驚風. ひきつけ. ＝경기(驚氣). 句例 ～을 일으키다 驚風をおこす.

경필【硬筆】〈名〉硬筆. 語例 ～ 습자 硬筆習字. 語例 ～ 대회 硬筆大会. (類)펜.

경하【慶賀】[kyŏ:ngha]〈名・하他〉慶賀. 句例 우리 나라에 있어 ～해야 할 일 我が国にとって慶賀すべき事. 文例 참으로 ～하여 마지 않습니다 まことに慶賀に堪えません.

경-하다【輕—】(→하다)〈形〉軽い. 軽率だ. 軽はずみだ. 句例 행동이 ～ 行動が軽はずみ〔軽率〕だ / 경한 벌 軽い罰 / 병이 ～ 病気が軽い.

경합【競合】[kyŏ:nghap]〈名・하自〉競合. 競り合い. 句例 서로 ～하다 互いに競い合う. 文例 유사한 제품이 시장에서 ～하고 있다 類似の製品が市場で競合している. 語例 ～범〔法〕競合犯.

경-합금【輕合金】〈名〉〔化〕軽合金.

경향【京鄕】〈名〉都と地方. 語例 ～ 각지 都と各地方.

경향【傾向】〈名〉傾向. 文例 상승하는 ～에 있다 上昇の傾向にある / 독재적인 ～이 있다 独裁の嫌いがある / 곧잘 규율을 어지럽히는 ～이 있다 ともすれば規律を乱す傾向がある. 語例 ～극 傾向劇 / ～ 문학 傾向文学 / ～ 소설 傾向小説.

***경험**【經驗】〈名・하他〉経験. 句例 씁쓸한 ～ 苦い経験 / 풍부한 ～ 豊かな経験 / ～을 쌓다 経験を積む. 場数を踏む / 오랜 ～을 살리다 長年の経験を生かす / 여러 가지 일을 ～하다 いろいろな事を経験する. 文例 좋은 ～이 되었다 いい経験〔勉強〕になった. 語例 ～가 経験家 / ～담 経験談 / 인생 ～ 人生経験.

경혈【經穴】〈名〉〔韓醫〕経穴. つぼ(壺). 灸穴とはり(鍼)の穴.

경호【警護】[kyŏ:ngho]〈名・하他〉警護. 句例 요인 ～에 임하다 要人の警護にあたる. 語例 ～인 警護人.

경화【硬化】〈名・하自〉硬化. 句例 태도를 ～시키다 態度を硬化させる. 語例 ～ 고무 硬化ゴム. エボナイト / 동맥 ～ 動脈硬化.

경황【景況】〈名〉ある感情・興味・行動などを起こさせる状況. 文例 그런데에 마음을 쓰고 있을 ～이 아니다 そんなことに心を奪われていられる状況でない. **～없다** [—ŏpta]〈形〉忙しかったり, または憂いのため興味や関心がわかない. 句例 ～없는 중에 他に心を使うゆとり〔いとま〕のない中で.

***곁**〈名〉横. そば(傍・側). がわ. わき(脇). はた(傍). 傍ら. 句例 ～에 두다 傍らに置く / 부모 ～에 親のもとに / ～에서 말참견하다 横〔わき〕から口を出す. 横やりをいれる.

곁-〈頭〉横・わき(脇)・そば(側)についているか, またはそこから分かれて出たことを意味する語. 語例 ～순(筍) わき芽 / ～길 横道. わき道.

곁-가닥〈名〉横に分かれ出た筋.

곁-가지〈名〉枝. わき(脇)からのびた小枝. 句例 ～를 치다 剪定をする.

곁-길〈名〉わき道. 横道. 枝道. 抜け道. 句例 이야기가 ～로 새다 話がわき道へそれる.

곁-눈 [kyŏnnun]〈名〉横目. わき目. わき見. 文例 ～을 팔지 마라 わき目をするな.

곁눈(을) 주다 ❶目くばせして知らせる. ❷秋波を送る. 色目をつかう.

곁눈-질 [kyŏnnun—]〈名・하自〉よそ見. わき見. 横見. 流し目. 文例 ～ 한번 하지 않고 공부했다 わき目もふらず勉強した / 여자에게 ～하지 마라 女の子に流し目を使うな.

곁-두리〈名〉小昼・こひる. 農夫や作業員などの間食. ＝샛밥. 새참.

곁-들다 (곁드니, 곁들어서)〈他〉❶そば(側)から助けて持つ. ❷そばで助ける. 助太刀する.

곁-들이다 [kyŏttŭrida]〈他〉❶添える. あしらう. 句例 꽃을 ～ 花を添える. 文例 고기 요리에 채소를 ～ 肉料理に野菜をあしらう / 비스킷을 곁들여 차를 마시다 ビスケットの茶請けでお茶を飲む. ❷兼ねる. 併せ持つ.

곁-땀〈名〉❶わき(脇)から出る汗. ❷汗がわきからひどく出る病気.

곁-말 [kyŏnmal]〈名〉地口. 皮肉って言うことば.

곁-방【—房】〈名〉❶奥の部屋に付いている小部屋. ❷間借り部屋. 語例 ～살이 間借りの暮らし.

곁-부축〈名〉❶わき(脇)を抱えて助け歩くこと. ❷傍らから仕事を助けてやったり助言したりすること. 略して'부축'ともいう. **～하다**〈他〉❶わきを抱えて助けながら歩く. ❷そばから助けてやる.

곁-쇠〈名〉合いかぎ.

곁-순【—筍】〈名〉側生の若葉. わき芽. 語例 ～치기〔따기〕わき芽を摘むこと.

곁-잠〈名〉添い寝. 添いぶし. 文例 젖을 먹이며 ～을 자다 乳を飲ませながら添い寝をする.

곁-채〈名〉わき棟. 別棟. 離れ.

계【戒】[kye:]〈名〉戒. ❶戒め. 諭し. 句例 ～를 어기다 戒を破る. ❷〔佛〕戒律. 禁戒. 語例 오～ 五戒 / 구족～ 具足戒.

계【計】[kye:]〈名〉計. ❶合計. 総計. 句例 ～ 십만 원정(整) 計十万ウォンなり. ❷はかりごと. 計画. 語例 국가 백년지～ 国家百年の計.

계【係】[kye:]〈名〉係. 文例 그녀는 총무～이다 彼女は総務係である. 語例 진행～ 進行

係.

계【契】[kye:]〈名・하自〉❶韓国の講の一つ. ❷頼母子.

-계【系】〈尾〉…系. 句例 기독교~의 학교 ミッション系の学校. 語例 자연~ 自然系.

-계【界】〈尾〉…界. 語例 의학~ 医学界 / 출판~ 出版界.

-계【計】〈尾〉…計. 語例 우량~ 雨量計 / 온도~ 温度計.

계 〔漢字項目〕

【係】高校 계 ケイ. ❶매다 つなぐ. 관계되다 かかわる. ◧係爭 계쟁 けいそう. 係累 계루 けいるい. ◨關係 관계 かんけい. ❷계 係. 사무 분담의 단위 事務分担の単位. ◧係長 계장 かかりちょう. ◨貨物係 화물계 かもつがかり.

【啓(啓)】高校 계 ケイ. ❶가르쳐 깨우치다 教え悟らす. ◧啓發 계발 けいはつ. 啓蒙 계몽 けいもう. ❷인도하다 導く. ◧啓導 계도 けいどう. ❸(편지 등에서) 여쭈다 (手紙などで)申し上げる. ◧啓白 계백 けいはく. ◨謹啓 근계 きんけい.

【契(契)】高校 계 ケイ. 글 キツ. ■〔계〕 서약. 약속 ちぎり. 서로 약속하다 互いに約束し合う. ◧契約 계약 けいやく. ◨默契 묵계 もっけい.
■〔글〕 부족 이름 部族の名. ◧契丹〔史〕글안 きったん.

【季】中學 계 キ. ❶어리다 幼い. ◧季女 계녀 きじょ. ❷말째 末. 막내아우 末の弟. ◧季父 계부 きふ. ❸계절의 끝 季節の末. ◧季夏 계하 きか. ❹철. 계절 季節. ◧季刊 계간 きかん. 季節 계절 きせつ. ◨春季 춘계. しゅんき.

【溪(渓)】中學 계 ケイ. 산골짜기 谷. ◧溪谷 계곡 けいこく. 溪流 계류 けいりゅう. ◨雪溪 설계 せっけい.

【階】高校 계 カイ. ❶섬돌 踏み石. ◧階段 계단 かいだん. ◨石階 석계 せっかい. ❷사다리 はしご. ◧階梯 계제 かいてい. ❸벼슬 차례 位の順序. ◧階級 계급 かいきゅう. ◨位階 위계 いかい.

【戒】高校 계 カイ. ❶경계하다 警戒する. ◨警戒 경계 けいかい. ❷주의하다 戒める. ◧戒心 계심 かいしん. ◨訓戒 훈계 くんかい. 自戒 자계 じかい. ❸계율 戒律. ◨十戒 십계 じっかい. 破戒 파계 はかい.

【桂】高校 계 ケイ. 계수나무 かつら. ◧桂樹 계수 けいじゅ. 桂皮 계피 けいひ. ◨月桂 월계 げっけい. 肉桂 육계 にっけい.

【械】高校 계 カイ. ❶형틀을 채워 자유를 구속하다 刑具をはめて自由を奪う. ◧械繫 계계 かいけい. ❷기구 器具. ◨機械 기계 きかい. 器械 기계 きかい.

【界】中學 계 カイ. ❶지경 境. ◧界域 계역 かいいき. ◨境界 경계 きょうかい. ❷범위 안 範囲の内. ◨限界 한계 げんかい. 學界 がっかい.

【癸】中學 계 キ. 천간(天干)의 열번째 えと(干支)の十番目. ◧癸亥 계해 きがい. 癸酉 계유 きゆう.

【系】高校 계 ケイ. ❶끈. 줄 線. すじ. 계통상의 분류 系統上の分類. ◧系列 계열 けいれつ. ◨大系 대계 たいけい. ❷혈통 血統. ◧系統 계통 けいとう. 系譜 계보 けいふ. ◨世系 세계 せいけい.

【繼(継)】高校 계 ケイ. ❶잇다 つなぐ. 이어나가다 続く. ◧繼續 계속 けいぞく. ◨後繼 후계 こうけい. ❷의붓관계 義理の関係. ◧繼父 계부 けいふ. ままちち. 繼母 계모 けいぼ. ままはは.

【計】中學 계 ケイ. ❶세다 数える. ◧計算 계산 けいさん. 計量 계량 けいりょう. ❷꾀하다 図る. ◧計略 계략 けいりゃく. ◨設計 설계 せっけい. ❸고안해낸 생각 はかりごと. ◨一年之計 일년지계 いちねんのけい. ❹합계 合計. ◧計五萬 계오만 けいごまん. ❺계량을 위한 장치 計量のための装置. ◧計器 계기 けいき. ◨溫度計 온도계 おんどけい. 體溫計 체온계 たいおんけい.

【鷄(鶏)】中學 계 ケイ. 닭 にわとり. ◧鷄卵 계란 けいらん. 鷄舍 계사 けいしゃ. 鷄肉 계육 けいにく. 鷄姦 계간 けいかん. ◨養鷄 양계 ようけい.
参考 '雞'も同じ字.

계간【季刊】[kye:gan]〈名〉季刊. 語例 ~지 季刊誌. クォータリー.

계고【戒告】[kye:go]〈名・하他〉〔法〕戒告. 語例 ~장 戒告状.

***계곡**【溪谷】〈名〉渓谷. 谷間. 谷.

계관【桂冠】[kye:gwan]〈名〉['월계관(月桂冠)'の略] 桂冠. 語例 ~ 시인〔文〕桂冠詩人.

계관【鷄冠】〈名〉❶鶏冠. 鶏のとさか. ❷〔植〕鶏頭. =맨드라미.

계교【計巧】[kye:gyo]〈名〉計略. はかりごと. 句例 ~를 꾸미다 計略をめぐらす. 文例 적의 ~에 걸려들었다〔빠졌다〕敵の策略にひっかかった / 그런 ~에는 넘어가지 않는다 その手には乗らない.

***계급**【階級】〈名〉階級. 句例 이~ 특진하다 二階級特進する. 語例 ~ 사회 階級社会 / ~장 階級章 / 노동자 ~ 労働者階級 / 유한 ~ 有閑階級.

***계기**【計器】[kye:gi]〈名〉計器. =미터. 語例 ~반 計器板〔盤〕/ ~ 비행 計器飛行 / ~ 착륙 장치 計器着陸装置.

계기【契機】[kye:gi]〈名〉契機. きっかけ. 動機. 転機. モーメント. 句例 이야기할 ~를 만들다 話のきっかけを作る. 文例 어머니의 죽음이 나에게 그 길을 걷게 하는 ~가 되었다 母の死が僕にその道を歩ませる契機となった / 애당초 친해진 ~는 하이킹이었다 そもそものなれ染めはハイキングであった.

계단【階段】〈名〉階段. 段段. 句例 가파른 ~ 急な階段. 語例 나선 ~ 螺旋階段 / ~석 階段席 / ~식 階段式 / ~식(式) 논 階段耕作の田. 段段式水田 / ~밭 段段畑.

계도【啓導】[kye:do]〈名・하他〉啓導. 啓発し導くこと.

⁑계란【鷄卵】〈名〉鶏卵. 卵. =달걀. 句例 ~을 풀어서 섞다 卵をときほぐす / ~을 낳다 卵

ㄱ

を産む. 語例 ～ 덮밥 卵どんぶり.

계략【計略】[kye:ryak]〈名〉計略. はかりごと. 策略. もくろみ. 計策. 句例 ～에 말려들다 計略にまきこまれる / ～에 빠지다 わな(罠)にひっかかる / ～을 꾸미다 計略をめぐらす / 온갖 ～을 다 써 보다 百計をめぐらして見る / ～에 걸리다 トリックにかかる. 文例 그 ～에는 넘어가지 않는다 その手には乗らぬ.

*__계량__【計量】[kye:ryang]〈名・하他〉計量. 語例 ～컵 計量カップ / ～기 計量器 / ～화 計量化 / ～ 스푼 計量スプーン.

계류【繫留】[kye:ryu]〈名・하自他〉係留. 句例 도크에 군함을 ～하다 ドックに軍艦を係留する. 語例 ～ 기구 係留気球 / ～ 기뢰 係留機雷 / ～ 부표〔軍・物〕係留浮標 / ～선 係留船.

계면-조【界面調】[kye:myŏntcho]〈名〉〔樂〕雅楽などで哀調をおびている曲調.

계명【階名】〈名〉❶〔樂〕階名. 音階の名. 語例 ～ 창법 階名唱法. 個個の音をドレミの音階の音名で歌う方法. ❷階級・位階の名称.

계모【繼母】[kye:mo]〈名〉継母. ままはは. ＝의붓어머니. 句例 ～ 밑에서 자란 아이 継母育ちの子.

계몽【啓蒙】[kye:mong]〈名・하他〉啓蒙. 句例 농촌 여성을 ～하다 農村の女性を啓蒙する. 語例 ～가 啓蒙家 / ～ 사상 啓蒙思想 / ～ 운동 啓蒙運動 / ～적 啓蒙的.

계발【啓發】[kye:bal]〈名・하他〉啓発. 句例 국민을 ～하다 国民を啓発する. 語例 자기 ～ 自己啓発.

계보【系譜】[kye:bo]〈名〉系譜. 系図. 句例 자연주의 문학의 ～ 自然主義文学の系譜 / ～를 추적하다 系譜をたどる.

계보-기【計步器】[kye:bogi]〈名〉計歩器.

계부【繼父】[kye:bu]〈名〉継父. まま父.

계-부모【繼父母】[kye:bumo]〈名〉継父母. まま父とままはは(継母). まま親.

계분【鷄糞】〈名〉鶏糞. 鶏のふん.

계사【鷄舍】〈名〉鶏舎. 鳥小屋. ＝닭장.

*__계산__【計算】[kye:san]〈名・하他〉計算. 勘定. 句例 시간의 손실을 ～에 넣다 時間のロスを計算に入れる / ～이 맞다 計算が合う. 文例 ～은 얼마입니까 お勘定はいくらですか / ～이 맞지 않는다 そろばんが合わない / 몇 번 해봐도 장부의 ～이 맞지 않는다 何度やっても帳簿の計算が合わない. 語例 ～기 計算器〔機〕/ ～서 計算書. 付け. 書き付け / ～자〔數〕計算尺 / 일당 ～ 日割り計算.

계상【計上】[kye:sang]〈名・하他〉計上. 句例 예산에 여비를 ～하다 予算に旅費を計上する.

__계속__【繼續】[kye:sok]〈名〉継続. 続き. **～하다〈自他〉継続する. 続く. 続ける. 句例 ～ 지다 立て続けに負ける / ～ 서게 하다 立ち詰めにする / 비가 ～ 오는 날씨 雨つづきの天気. 文例 길이 저쪽까지 ～되어 있다 道が向こうまで続いている / 하루 종일 ～해서 일을 하였다 一日中ぶっつづけで仕事をした. 語例 ～적 継続的.

계수【季嫂】[kye:su]〈名〉義妹. 弟嫁. 参考 季は末の弟, 嫂は'兄嫁'の意. 字意からするとこの語は間違いである. 正確には弟嫁は '제부 弟婦'とつづるのが正しいが, この語は慣用として使われている.

계수【係數】[kye:su]〈名〉係数. 語例 팽창 ～ 膨張係数 / 마찰 ～ 摩擦係数.

계수【計數】[kye:su]〈名・하他〉計数. 句例 ～에 밝다 計数に明るい. 語例 ～기 計数器. 数取り器.

계수-나무【桂樹—】[kye:su—]〈名〉❶〔植〕トンキンにっけい(肉桂). ❷昔, 月の中にあると想像した木. 月のかつら(桂).

계승【繼承】[kye:sŭng]〈名〉継承. **～하다**〈他〉継承する. 受け継ぐ. 引き継ぐ. 句例 왕위를 ～하다 王位を継承する / 유지를 ～하다 遺志を受け継ぐ. 語例 ～자 継承者.

계시【啓示】[kye:shi]〈名・하他〉啓示. 霊示. お告げ. 天啓. 句例 하늘의 ～ 天の啓示 / 신의 ～를 받다 神の啓示を受ける. 語例 ～록 啓示録. 黙示録 / ～ 문학 啓示文学 / ～ 종교 啓示宗教.

**__계시다__ [kye:shida] 一〈形〉おられる. いらっしゃる. まします《雅》. 句例 신께서 계시는 곳 神のおわします所 / 하늘에 계신 하느님 天にまします神. 文例 아무도 안 계십니까 どなたもいらっしゃいませんか.
二〈補動〉('-고 ～'の形で)'目上の人が何かをしている'の敬語: …をしておられる. 句例 책을 읽고 ～ 本をお読みになっておられる.
三〈補形〉('-아 ～, -어 ～'の形で)'ある動作をつづけてする'の敬語: …ておられる. 句例 의자에 앉아 ～ いすに腰をかけておられる.
参考 '있다'の敬語. '目上の人がいる'の意. '있다. 없다. 계시다. 안 계시다'を存在詞とする学者もいる.

계씨【季氏】[kye:ssi]〈名〉貴弟. 弟御. 成年になった他人の弟に対する敬称. ＝제씨(弟氏).

계약【契約】[kye:yak]〈名〉契約. **～하다**〈他〉契約する. 取り決める. 句例 ～을 맺다 契約を結ぶ / ～을 갱신하다 契約を更新する. 文例 3년 ～으로 집을 빌렸다 三年契約で家を借りた / 그는 그 ～을 파기했다 彼はその契約を破棄した / 그 ～은 이제 무효다 その契約はもう無効だ. 語例 ～금. ～ 보증금〔法〕契約金. 契約保証金. 手付け. 前渡し. 頭金 / ～서 契約書 / ～ 위반 契約違反.

계엄【戒嚴】[kye:ŏm]〈名・하他〉戒厳. 句例 ～령을 펴다 戒厳令をしく. 語例 ～령 戒厳令 / ～ 사령관 戒厳司令官 / ～ 지구 戒厳地区.

계열【系列】[kye:yŏl]〈名・하他〉系列. 句例 낭만주의 ～에 속하는 작품 ロマン主義の系列に属する作品. 語例 ～화 系列化 / ～ 회사 系列会社.

계영【繼泳】[kye:yŏng]〈名〉継泳. **～하다**〈自〉継泳する. メドレーリレーをする.

계원【係員】[kye:won]〈名〉係員. 文例 상세한 것은 ～에게 물으십시오 詳細は係員にお尋ねください.

계율【戒律】[kye:yul]〈名〉〔佛〕戒律. 律法

りっぽう. 句例 ～을 지키다 戒律を守る / ～을 어기다 戒律を破る〔犯す〕.

*계-이름【階—】〈名〉〔樂〉⇨ 계명(階名)

계인【契印】[kye:in]〈名・하自〉契印. 割り印. 割り判. 句例 ～을 찍다 割り印を押す / ～을 대조하여 조사하다 契印を照合して調べる.

계장【係長】[kye:jang]〈名〉係長.

계전-기【繼電器】[kye:jŏn-gi]〈名〉〔電〉継電器. リレー. 語例 ～ 회로 リレー回路.

*계절【季節】[kye:jŏl]〈名〉季節. 時節. 時候. 時. 時季. シーズン. 句例 ～의 변환기 季節の変わり目 / 새싹의 ～ 新芽の季節 / 신록의 ～ 若葉の時 / 결실의 ～ 実りの季節. 語例 ～ 감각 季節感 / ～품 季節品. きわもの(際物) / ～풍 季節風 / ～병 季節病.

계정【計定】[kye:jŏng]〈名〉勘定. 句例 …의 ～에 넣다 …の勘定に組み入れる. 語例 ～ 과목 勘定科目 / 손익 ～ 損益勘定.

계제【階梯】〈名〉❶階梯. きざはし. 段ばしご. ❷事が次第に進行する順序. ❸事がうまく運ぶか, または起こるようになった機会. 句例 ～ 좋게 折よく / 이 ～에 この際に / ～를 보아 말을 꺼내다 間を見計らって切り出す / 어떤 ～가 있을 때에 방문하다 事のついでに訪問する.

계좌【計座】[kye:jwa]〈名〉口座. 句例 ～를 트다 口座を開く / 지정된 ～에 납입하다 指定の口座に振り込む. 語例 ～ 번호 口座番号.

계주【契主】[kye:ju]〈名〉頼母子の講を組織し, 主管する人. 講元. 講親.

계주【繼走】[kye:ju]〈名〉[‘계주 경기’の略] 継走. リレー. リレーレース. **～하다**〈自〉継走する. 語例 ～ 경기 継走競技. 継走《略語》.

계집 [kye:jip]〈名〉❶女. 女子. 句例 ～에 미치다 女におぼれる. ❷妻. 女房. 句例 ～을 얻다 女をもらう. 結婚する. ❸卑しい人の妻. 語例 ～녀변(女邊) 女偏《妖・好・如などの‘女’》.

表現 ‘계집’は俗っぽい言いかた.

⁑계집-아이 [kye:jibai]〈名〉女の子. 女児. 娘. こびっちょ《俗》.

⁑계집-애 [kye:jibae]〈名〉‘계집아이’の略. 句例 ～를 낳다 娘を産む. 文例 ～한테는 약하다 女の子には弱い.

계책【計策】[kye:ch'aek]〈名〉計策. はかりごと. 計略. 策略. 策. 計. 句例 어리석은 ～을 쓰다 愚策を弄する / 온갖 ～이 다하다 万策尽きる.

계천【溪川】〈名〉小川と川.

계측【計測】[kye:ch'ŭk]〈名・하他〉計測. 句例 유량을 ～하다 流量を計測する.

*계층【階層】〈名〉階層. 句例 ～적 분류 階層的分類 / 유복한 ～ 裕福な階層. 語例 ～화 階層化 / 지식 ～ 知識階層.

계-타다【契—】[kye:t'ada]〈自〉頼母子の講のくじに当たって積み金を受け取る.

계통【系統】[kye:t'ong]〈名〉系統. システム. 句例 외가쪽 ～ 母方の系統 / 인상파 ～의 그림 印象派の系統の絵 / ～을 세워서 분류하다 系統立てて分類する. 語例 ～도 系統図 / ～적 系統的 / ～수〔生〕系統樹 / 사무 ～ 事務系統.

계투【繼投】[kye:t'u]〈名・하自〉〔野〕継投.

계파【系派】[kye:p'a]〈名〉政党・団体などで, 出身・縁故・特別な関係などで結ばれた派閥. 句例 ～간의 싸움 派閥間の争い.

계표【計票】[kye:p'yo]〈名・하自〉計票.

계피【桂皮】[kye:p'i]〈名〉〔藥〕桂皮. にっけい(肉桂)の樹皮.

⁑계획【計劃】[kye:hoek]〈名〉計画. もくろみ. 企て. たくらみ. 仕組み. プラン. **～하다**〈他〉計画する. たくらむ. 企てる. もくろむ. 句例 ～이 틀어지다 計画が狂う / ～을 세우다 計画を立てる / 장래의 ～ 将来の計画. 語例 ～적 計画的 / ～성 計画性.

곗-날【契—】[kye:nnal]〈名〉頼母子講中の定期会合の日.

곗-돈【契—】[kye:tton]〈名〉❶頼母子講の掛け金. ❷頼母子講が当たって受け取る積み金. ❸頼母子講の金.

고〈名〉わな(罠). ひもなどを輪の形にしたもの. 句例 ～에 꿰어매다 わなに通して結ぶ.

고 [ko:]〈名・感〉ゴー. 語例 ～고 ゴーゴー / ～고 춤 ゴーゴーダンス. ◇go

고〈冠〉それ. その. 文例 ～ 것을 다오 それをくれ. 語例 ～ 녀석 そいつ. そやつ.

表現 語感の大きい語は‘그’.

고【故】[ko:]〈冠〉故. 句例 ～ 김구 선생 故金九先生.

고〈助〉❶…と. …とて. 句例 졌다～ 해서 負けたからとて / 좋다～ 생각하다 いいと思う. 文例 부자라～ 해서 뽐낼것 없다 金持ちだからとていばることはない. ❷…で. 文例 저것은 병원이～ 이것은 우체국이다 あれは病院でこれは郵便局である / 그는 학자～ 소설가이다 彼は学者にして小説家である. ❸…も. …でも. 文例 소～ 개～ 모두가 가축이다 牛も犬もみな家畜である.

表現 終声のない語につく. 終声のある語には‘이고’がつく.

고-【古】[ko:]〈頭〉古…. 語例 ～문헌 古文献 / ～문서 古文書.

고-【高】〈頭〉高…. 語例 ～성능 高性能 / ～물가 高物価.

-고【高】〈尾〉…高. 語例 매출(賣出)～ 売上高 / 생산～ 生産高.

고 〔漢字項目〕

【古】 高校 고 コ. ❶예 いにしえ. 옛날 昔. ▮古代 고대 こだい. ▮太古 태고 たいこ. 上古 상고 じょうこ. ❷선조 祖先. ▮先古 선고 せんこ. ❸오래되다 古くなる. ▮古物 고물 こぶつ. ふるもの. 古書 고서 こしょ. ▮中古 중고 ちゅうこ.

【告(告)】 中學 고 コク. ❶고하다. 아뢰다 告げる. ▮告白 고백 こくはく. ▮上告 상고 じょうこく. ❷알리다 知らせる. ▮告示 고시 こくじ. 告知 고지 こくち. ▮勸告 권고 かんこく. 警告 경고 けいこく. ❸호소하다 訴える. ▮告訴 고소 こくそ. ▮原告 원고

げんこく. 被告 피고 ひこく.

【固】中學 고 コ. ❶굳다 固まる. 단단하다 固い. ◧固體 고체 こたい. 固守 고수 こしゅ. ◧堅固 견고 けんご. 凝固 응고 ぎょうこ. ❷완고하다 頑固だ. ◧固執 고집 こしゅう. ◧頑固 완고 がんこ. ❸본디부터 もとより. ◧固有 고유 こゆう.

【姑】高校 고 コ. ❶시어머니 しゅうとめ. ◧舅姑 구고 きゅうこ. ❷잠깐 しばし. 일시 一時. いっとき. ◧姑息之計 고식지계 こそくのけい.

【孤】高校 고 コ. ❶고아 みなしご. ◧孤兒 고아 こじ. ❷외롭다 孤独だ. ◧孤島 고도 ことう. 孤獨 고독 こどく. 孤立 고립 こりつ.

【庫】高校 고 コ. 곳집. 곳간 くら. 倉庫. ◧金庫 금고 きんこ. 倉庫 창고 そうこ. 冷藏庫 냉장고 れいぞうこ.

【故】中學 고 コ. ❶옛부터 정든 곳 昔なじみの所. ◧故鄕 고향 こきょう. 故國 고국 ここく. ❷사건 事がら. ◧故障 고장 こしょう. ◧事故 사고 じこ. 變故 변고 へんこ. ❸죽은 사람 死んだ人. ◧故人 고인 こじん. ◧物故 물고 ぶっこ. ❹일부러 わざと. ◧故意 고의 こい. ❺옛날에 있었던 사실 昔にあった事実. ◧故事 고사 こじ. ❻그러므로 故に.

【枯】高校 고 コ. ❶초목이 마르다 草木が枯れる. ◧枯木 고목 こぼく. 枯葉 고엽 こよう. 故死 고사 こし. ❷물기가 없어지다 水けが無くなる. ◧枯渴 고갈 こかつ. ❸쇠약해지다 衰える. ◧榮枯盛衰 영고 성쇠 えいこせいすい.

【稿】高校 고 コウ. ❶짚. 볏짚 わら(藁). ◧稿人 고인 こうじん. ❷초안 下書き. ◧稿料 고료 こうりょう. 稿本 고본 こうほん. ◧原稿 원고 げんこう. 草稿 초고 そうこう.

【考】中學 고 コウ. ❶생각하다 考える. ◧考慮 고려 こうりょ. ◧熟考 숙고 じゅっこう. ❷조사하다 調べる. ◧考課 고과 こうか. ◧參考 참고 さんこう. ❸죽은 아버지 先父. ◧先考 선고 せんこう. ❹시험 試験. ◧考試 고시 こうし.

【苦】中學 고 ク. ❶(맛이) 쓰다 苦い. ◧苦味 고미 くみ. にがみ. 苦言 고언 くげん. ❷괴롭다 苦しい. ◧苦樂 고락 くらく. 苦難 고난 くなん. ❸애쓰다 心労する. ◧苦心 고심 くしん. ◧勞苦 노고 ろうく.

【顧(顧)】高校 고 コ. ❶돌아보다 顧みる. ◧一顧 일고 いっこ. 右顧左眄 우고좌면 うこさべん. ❷지난 날을 생각해 보다 過ぎし日を考えてみる. ◧回顧 회고 かいこ. 後顧 후고 こうこ. ❸돌봐주다 目をかける. ◧顧客 고객 こかく. こきゃく. ◧愛顧 애고 あいこ.

【高】中學 고 コウ. ❶높다 高い. ◧高山 고산 こうざん. 高層 고층 こうそう. ◧標高 표고 ひょうこう. ❷존귀하다 尊い. ◧高貴 고귀 こうき. 高官 고관 こうかん. 高潔 고결 こうけつ. ❸정도가 높다 程度が高い. ◧高級 고급 こうきゅう. 高價 고가 こうか. 高齡 고령 こうれい. ❹높이다 高める. ◧高談 고담 こうだん. 高說 고설 こうせつ. ❺뽐내다 いばる. ◧高慢 고만 こうまん. 高言 고언 こうげん. ❻고등학교의 준말 高等学校の略. ◧高校 고교 こうこう. ◧附屬高 부속고 ふぞくこう.

【鼓】高校 고 コ. ❶북 鼓. ◧鼓笛 고적 こてき. ◧大鼓 대고 たいこ. 軍鼓 군고 ぐんこ. ❷(북을) 치다 打つ. ◧鼓動 고동 こどう. 鼓舞 고무 こぶ.

고가【古家】[koːga]〈名〉古家.

고가【高架】〈名〉高架. 語例 ～교 高架橋 / ～사다리 高架はしご / ～ 철도 高架鉄道.

고가【高價】[kokka]〈名〉高価. 語例 ～ 상품 高価な商品.

고갈【枯渴】〈名〉枯渇. **～하다**〈自〉枯渇する. 枯れる. 句例 자원의 ～을 초래하다 資源の枯渇を招く / 자금이 ～되다 資金が枯渇する.

**고개〈名〉❶首. うなじ(項). こうべ(首)《老》. 句例 반항심이 ～를 쳐들다 反抗心が頭をもたげる / ～를 돌리다 こうべを巡らす / ～를 가로젓다 首を横に振る / ～를 끄덕이다 首をたてに振る. ❷峠. 坂. 句例 가파른 ～ 急な坂 / ～의 내리막 峠の下り / (나이가) 오십 ～에 접어들다 五十の坂にさしかかる.

고개(를) 숙이다 うなじを垂れる.

고개-너머〈名〉峠の向こう.

고개-턱〈名〉峠を越える急な坂道.

고객【顧客】〈名〉顧客. こきゃく. 得意. 常客. 句例 고급 요정의 ～ 高級料亭の顧客 / ～을 소중히 하다 常客を大切にする. 語例 ～ 명부 顧客名簿.

고갯-길〈名〉坂道. 峠道.

고갯-마루 [kogaenmaru]〈名〉峠の頂. 山・坂の頂上.

고갯-짓〈名・하自〉頭を振ったり回したりする動作. 頭のしぐさ.

고갱이〈名〉〔植〕草木の茎の中心部の柔らかい部分〔芯〕. 髄. 語例 배추 ～ 白菜の芯.

고-거〈代〉'고것'の略.
表現 語感の大きい語は'그거'.

고-건 ['고것은'の略] それは. そいつは. 文例 ～ 못쓰겠다 それは〔そいつは〕役に立たない.
表現 語感の大きい語は'그건'.

고-걸 ['고것을'の略] それを. そいつを. 文例 ～ 그냥 둘 수는 없다 それ〔そいつ〕をそのままにはおけない.
表現 語感の大きい語は'그걸'.

고걸-로 ['고것으로'の略] それで. 文例 ～는 생활비도 안된다 それっぽちでは生活費にも足りない.
表現 語感の大きい語は'그걸로'.

고검【高檢】〈名〉['고등 검찰청'の略] 高検.

고-것〈代〉それ. そいつ. 文例 ～ 참 예쁘구나 そいつはほんとうにきれいだな.
表現 語感の大きい語は'그것'.

고-게 ['고것이'の略] それが. そいつ(め)が. 文例 ～ 뭘 안다고 そいつが何を知っているって / ～ 대체 뭐냐 それが一体なんだ.
表現 語感の大きい語は'그게'.

고견【高見】〈名〉高見. 貴意. 文例 ～을 듣고 싶습니다 ご高見を伺いたく存じます.

고결【高潔】〈名〉高潔. **~하다**〈形〉高潔だ. 句例 ~한 인격 高潔な人格.

고고【呱呱】〈名〉呱呱. 語例 ~지성(之聲) 呱呱の声.

고고-학【考古學】〈名〉考古学. 語例 ~자 考古学者.

고공【高空】〈名〉高空. 語例 ~ 비행 高空飛行 / ~ 침투 훈련 高空浸透訓練 / ~병 高空病. 對저공(低空).

고공-품【藁工品】〈名〉わら(藁)工品.

고과【考課】〈名・하他〉考課. 語例 인사 ~ 人事考課 / ~표 考課表.

고관【高官】〈名〉高官. 顕官. 語例 정부 ~ 政府高官 / ~ 대작 高官顕職.

고교【高校】〈名〉[‘고등 학교’の略] 高校. 語例 ~생 高校生.

⁑**고구마** [ko:guma]〈名〉〔植〕さつまいも. 芋. 甘藷. 語例 ~ 덩굴 さつまいものつる.

*__고국__【故國】[ko:guk]〈名〉故国. 語例 ~ 산천 故国の山川.

고군【孤軍】〈名〉 孤軍. 孤立した軍隊. 語例 ~ 분투 孤軍奮闘.

고궁【古宮・故宮】[ko:gung]〈名〉故宮. 昔の宮殿.

고귀【高貴】〈名〉高貴. **~하다**〈形〉高貴だ. 尊と・たっとい. 句例 ~한 분 尊いお方 / ~한 인품 高貴な人柄.

고금【古今】[ko:gŭm]〈名〉古今. 句例 ~을 통하여 변하지 않는 진리 古今を通じて変わらぬ真理 / ~의 명저를 모으다 古今の名著を集める. 語例 동서 ~ 東西古今.

고-금리【高金利】[kogŭmni]〈名〉高利.

*__고급__【高級】〈名〉高級. 上等. デラックス. 語例 ~ 공무원 高級公務員 / ~ 관리 高級役人 / ~ 물건 高級な品 / ~ 언어〔컴〕高級言語 / ~ 장교 高級将校.

⁑**고기**〈名〉 ❶(動物の)肉. ❷‘물고기’の略：魚・さかな. 語例 고깃국 肉汁 / 고깃덩어리. 고깃덩이 肉の塊.

고기 ■〈代〉そこ. 文例 ~가 아프다 そこが痛い. ■〈副〉そこに. 文例 ~다 숨겼다 そこに隠した. 表現 語感の大きい語は‘거기’.

고기-밥〈名〉 ❶魚にあたえるえさ(餌). 句例 ~을 주다 えさを与える. ❷釣りえ. =미끼.

고기밥이 되다 魚のえさになる. 溺死する.

고기알-붙이 [kogialbuch'i]〈名〉魚巣. =어소(魚巣).

고-기압【高氣壓】〈名〉高気圧. 對저기압.

고기작-거리다〈他〉もみくちゃにする. しわが寄るほどにいじくる. しわくちゃ〔くしゃくしゃ〕にする. 句例 서류를 ~ 書類をもみくちゃ〔くしゃくしゃ〕にする.

고기작고기작〈副〉 もみくちゃに〔しわくちゃに〕するさま：くしゃくしゃ. **~하다**〈他〉くしゃくしゃにする. 句例 ~해서 내던지다 くしゃくしゃにして投げ捨てる.

⁑**고기-잡이** [jabi]〈名〉漁業. **~하다**〈自〉魚をとる. 漁業をする. 語例 ~배 漁船.

고깃-간【一間】〈名〉肉屋. =푸줏간.

고깃-거리다〈他〉もみくちゃにする. しわくちゃにする.

고깃고깃〈副〉 しわくちゃ〔もみくちゃ〕にするさま：くちゃくちゃ. **~하다**〈他〉しわくちゃにする. くしゃくしゃにする.

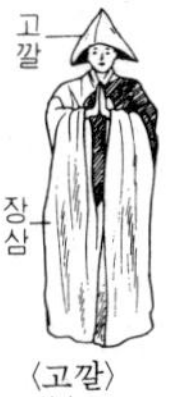

〈고깔〉

⁑**고깃-배**〈名〉漁船. =고기잡이배.

고-까짓〈冠〉それしきの. 文例 ~ 일로 소란을 피워서는 안된다 それしきのことで騒いではいけない.

고깔〈名〉 僧侶や尼僧の山形のかぶりもの. 絵

고깝다 (고까우니, 고까워서)〈形〉 薄情な感がある. うらめしい. つれない. 文例 고깝게 생각지 말아 주시오 つれなく思わないでください.

고꾸라-뜨리다〈他〉前〔うつむけ〕に倒す. うつぶせにのめす. つんのめさせる. 句例 앞으로 떼밀어서 ~ 突きのめす.

고꾸라-지다〈自〉 ❶前に〔うつむけに〕倒れる. (つん)のめる. ぱったり倒れる. 文例 발을 헛디뎌서 앞으로 ~ 足を踏み外して〔つまずいて〕前にのめる. ❷死ぬ. くたばる.

고난【苦難】〈名〉苦難. 句例 ~의 길을 걷다 苦難の道を歩む. 類고초.

고냥〈副〉❶そのまま. ❷そのまま続けて. ぶっとおしで.

表現 語感の大きい語は‘그냥’.

고뇌【苦惱】〈名〉苦悩. 悩み. 苦渋. =고민. **~하다**〈他〉苦悩する. 句例 ~에 찬 표정 苦悩に満ちた表情. 文例 어떻게 살 것인가를 ~하다 いかに生くべきかと苦悩する.

고누〈名〉 遊戯の一つ《地面または紙にこま盤を描いて相手方のこまを多く取る方が勝つ》. 十六むさし. 語例 ~판(板) ‘고누’遊びのこま盤.

고니〈名〉〔鳥〕白鳥. しらとり. スワン.

고다 [ko:da]〈他〉❶固いものをぐにゃぐにゃになるまで煮込む. 句例 고기를 ~ 肉を溶けるまで煮る. ❷エキスになるまで煮詰める. ❸焼酎を造る.

고단【高段】〈名〉高段. 語例 ~자 高段者. 参考 武術・碁・将棋などで, 特に五段以上をさしていう.

고단-하다 (→하다)〈形〉疲れてだるい.

고-달이 [kodari]〈名〉物を持ち上げたり, または掛けるためにひも(紐)や縄などを結んで輪状にしたもの.

고달프다 (고달프니, 고달파서)〈形〉ひどく疲れてだるい. つらい. 句例 고달픈 인생 つらい人生 / 몸이 ~ からだが疲れてだるい.

고답【高踏】〈名・하形〉高踏. 語例 ~파〔文〕高踏派. パルナシアン.

고답-적【高踏的】〈名・冠〉 高踏的. 句例 ~인 문학 高踏的な文学 / ~인 태도를 취하다 高踏的な態度を取る.

*__고대__【古代】 [ko:dae]〈名〉 古代. いにしえ. 語例 ~사 古代史 / ~ 사회 古代社会 / ~ 국가 古代国家 / ~ 문학 古代文学.

고대【苦待】〈名・하他〉待ちこがれる〔待ちあぐむ〕こと. 語例 학수(鶴首)~ 首を長くして待ちこがれる〔待ちに待つ〕こと.

고대〈副〉今(すぐ). 今まで. つい先. 文例 ~ 있었던 것이 없다 つい先までここにあったのが見当

みあたらない.

고대-고대【苦待苦待】〈副〉待ちこがれるさま. 待ちに待つさま.

고대-광실【高臺廣室】〈名〉非常に高く広い立派な屋敷.

고-대로〈副〉変わりなくそのまま(に). ありのまま. [文例] 백년 전 ~의 모습으로 보존되어 있다 百年前そのままの姿で保存されている / 사견을 섞지 않고 본 ~ 이야기하다 私見をまじえず見たことそのままを話す. [表現] 語感の大きい語は'그대로'.

고도【古都】[ko:do]〈名〉古都. 旧都. [句例] ~의 모습 古都の姿.

고도【孤島】〈名〉孤島. 離れ島. [句例] 절해의 ~ 絶海の孤島.

*__고도__【高度】〈名〉高度. [句例] ~ 1만 미터 高度一万メートル / ~의 기술 高度の技術. [語例] ~계〔計〕高度計 / ~ 성장 高度成長.

고독【孤獨】〈名〉孤独. **~하다**〈形〉孤独だ. さびしい. [句例] ~한 노인 孤独な老人. [語例] ~감 孤独感. **~히** [kodok'i]〈副〉孤独に. さびしく.

고동〈名〉❶(機械を動かす)栓. ねじ. スイッチ. [句例] 가스〔수도〕의 ~을 틀다〔잠그다〕ガス〔水道〕の栓をあける〔締める〕. [絵] ❷汽笛. [句例] 배가 ~을 울리다 船が汽笛を鳴らす. [絵] ❸(物事の)かなめ(要). 要点. [文例] ~만 말해 다오 要点だけ話してくれ. [絵]

고동(을) 틀다 ねじをまわす.

〈고동〉

고동【鼓動】〈名・하自他〉鼓動. [句例] 새 시대의 ~ 新時代の鼓動 / 심장의 ~이 멈추다 心臓の鼓動が止まる.

고동(이) 치다 ❶(心臓が)どきどきと脈打つ. [句例] 심장이 몹시 ~ 心臓が激しく鼓動する. ❷(希望・理想などで)躍動する.

*__고되다__〈形〉つらい. 苦しい. 手に余る. 荷がかちすぎる. [句例] 고된 생활 つらい生活.

고두-밥〈名〉こわ飯.

고둥〈名〉〔貝〕さざえ・たにしなどの巻き貝の総称.

고드랫-돌〈名〉すだれ・ござ(茣蓙)などを編む時縦糸を巻いてぶら下げる石.

고드름〈名〉つらら. 氷柱. 垂氷《古》.

고들-고들〈副・하形〉ご飯が水気がなくこわごわしているさま.

고들-빼기〈名〉〔植〕いぬやくしそう.

*__고등__【高等】〈名・하形〉高等. [語例] ~ 검찰청 高等検察庁 / ~ 법원 高等裁判所 / ~ 학교 高等学校. 高校《略語》.

**__고등어__〈名〉〔魚〕さば(鯖). [語例] 자반 ~ 塩引きのさば.

고딕〈名〉ゴシック. ゴチック. ❶〔建〕ゴシック式. ❷〔印〕活字字体の一つ. [語例] ~ 활자 ゴシック活字. ◇Gothic

고라니〈名〉〔動〕あかしか(赤鹿). おおじか(大鹿). =만주사슴.

고락【苦樂】〈名〉苦楽. [句例] ~을 같이하다 苦楽を共にする.

고란-초【皐蘭草】〈名〉〔植〕うらぼし.

고람【高覽】〈名・하他〉高覧. 尊覧. 御覧. [文例] ~하여 주시기를 청하다 ご高覧を請う.

고랑¹〈名〉畝間. 略して'골'ともいう. [句例] 밭~에 거름을 주다 畝間に肥をやる.

고랑²〈名〉'쇠고랑'の略.

고랑-창〈名〉小さくて深い畝間.

**__고래__〈名〉❶〔動〕鯨. [句例] ~가 물을 뿜다 鯨が潮を吹く. [語例] ~ 기름 鯨油 / ~ 수염 鯨ひげ / ~ 작살 鯨もり. ❷'대주가(大酒家) 大酒飲み'の俗っぽい言いかた.

고래【古來】[ko:rae]〈名〉古来. 昔から今まで.

고래-고래〈副〉大声でわめき立てるさま. [句例] ~ 소리를 지르다 大声でわめき立てる.

고래등-같다〈形〉建物などが非常に広壮である.

고래-로【古來一】[ko:raero]〈副〉'자고 이래(自古以來)로'の略.

고래-잡이 [koraejabi]〈名・하自〉捕鯨. 鯨取り. =포경. [語例] ~배 捕鯨船.

고랭-지【高冷地】〈名〉高冷地. [語例] ~ 농업 高冷地農業 / ~ 채소 高冷地野菜.

고량【高粱】〈名〉コーリャン(高粱). もろこし(蜀黍). =수수. [語例] ~ 소주(燒酒). ~주(酒) コーリャン酒.

고량-진미【膏粱珍味】〈名〉膏粱の珍味. おいしい食べ物.

고러다 '고렇게 하다가 そうしていては. そうすれば. そんなことでは. そんなでは'の略. [文例] ~ 경치지 そうしていてはひどい目にあおうが. [表現] 語感の大きい語は'그러다'.

고러-하다 (→하다)〈形〉そうだ. そのようだ. 略して'고렇다'ともいう.

고렇다 [korŏt'a]〈形〉'고러하다'の略. [文例] ~니까 そうだとも. [語例] ~면 そうであるなら(ば). [表現] 語感の大きい語は'그렇다'.

고려【考慮】〈名〉考慮. 思慮. 考量. **~하다**〈他〉考慮する. 思慮する. 考え合わせる. [句例] ~에 넣다 考慮に入れる / 사정을 깊이 ~하다 事情を深く考慮する. [文例] 아직도 ~의 여지는 있다 まだまだ考慮の余地はある.

고려【高麗】〈名〉〔史〕高麗. [語例] ~ 자기 高麗磁器 / ~ 청자 高麗青磁.

고려-인삼【高麗人蔘】〈名〉韓国で産出される朝鮮人参.

고려-장【高麗葬】〈名〉❶高句麗時代, 老衰者を墓室に入れて死後そのまま葬った故事. ❷生きたままの人を葬ること.

고려-조【高麗朝】〈名〉〔史〕❶高麗の王朝(918~1392). ❷高麗時代.

*고령【高齢】〈名〉高齢. 句例 ~에도 불구하고 출석하다 高齢にもかかわらず出席する. 語例 ~자 高齢者 / ~화 사회 高齢化社会.

고령-토【高嶺土】〈名〉陶磁器の原料になる土. 陶土. カオリン.

고-로【故—】〈副〉'그러므로 故に. だから. そのために. したがって'の意の接続副詞. 文例 나는 생각한다, ~ 나는 존재한다 我思う, 故に我あり. 語例 그런 ~ それ故に.

고료【稿料】〈名〉['원고료'の略] 稿料.

고루【固陋】〈名〉固陋. ~하다〈形〉固陋だ. 句例 ~한 가정 固陋〔旧弊〕な家庭.

고루【高樓】〈名〉高楼. 高閣. 語例 대하(大廈) ~ たいか(大廈)高楼.

*고루〈副〉等しく. 一様に. 平均して. 句例 ~ 나누어 주다 等しく分けてやる.

*고루-고루〈副〉すべて等しく. 略して'골고루'ともいう. 句例 각자에게 ~ 나누다 めいめいに等しく分ける / ~ 칠하다 まんべん(満遍)なくぬる.

**고르다[1] (고르니, 골라서)〈他〉❶よ(選)る. 選ぶ. 選択する. よ〔え〕り分ける. よ〔え〕り抜く. 句例 고르고 ~ よりによる. 文例 귤을 골라서 출하하다 みかんをえり分けて出荷する. ❷さがす. 見立てる. 句例 사윗감을 ~ 婿をさがす.

*고르다[2] (고르니, 골라서) ㊀〈形〉❶均等だ. 平等だ. 平均している. 平等で差がない. 句例 알이 고른 콩 粒ぞろいの大豆 / 고르게 분배하다 均等に分配する / 성적이 ~ 成績が均等である. ❷正常な状態だ. 文例 날씨가 고르지 않다 天気が不順だ.
㊁〈他〉ならす. 平らにする. 水平にする. 句例 땅을 ~ 地をならす / 밟아서 ~ 踏みならす.

고른-쌀〈名〉石・もみ(籾)などをより捨てた米. =석발미(石抜米).

**고름[1]〈名〉うみ(膿). 膿. 膿汁. 語例 ~집 うんでうみがたまった部位.

고름[2]〈名〉'옷고름'の略. 語例 자주 ~ 紫色の結びひも.

*고리〈名〉❶輪. かん(鐶). 輪状のもの. 句例 ~를 맺다 輪をつくる. ❷'문고리'の略.

고리【高利】〈名〉高利. 句例 월리 5푼의 ~ 月利五分の高利 / ~의 돈을 빌리다 高利の金を借りる. 語例 ~채 高利債.

고리다〈形〉❶臭い. 鼻持ちがならない. ❷人柄が卑劣で下品だ. →구리다
参考 道を歩いたのちなどに足指の間などからでるにおいを言うが, 日本語にはこれを指す語がない.

고리 대금【高利貸金】[—dae:gŭm]〈名〉❶高利の金. ❷高利貸し. 語例 ~업 高利貸し業 / ~업자 高利貸し.

고리타분-하다 (→하다)〈形〉❶腐った嫌なにおいがする. 鼻に不快なにおいを感じる. ❷狭量で陳腐だ. 略して'골타분하다'ともいう. 句例 고리타분한 생각 鼻持ちならぬ陳腐な考え.

고리탑탑-하다 [korit'apt'ap'ada] (→하다)〈形〉腐ったにおいで鼻持ちならない. 略して'골탑탑하다'ともいう.

고린-내〈名〉❶物の腐ったにおい. ❷(足などの)むれる臭気. 文例 그의 발에서 ~가 난다 彼の足から臭いにおいがでる.

고릴라〈名〉〔動〕ゴリラ. ◇gorilla

고립【孤立】〈名・하自〉孤立. 語例 ~어 孤立語 / ~무원 孤立無援.

고릿-적〈名〉[もとの語形は'고려(高麗) 적'] 昔の時代. ずっと昔. 句例 옛날 옛날 ~에 昔, 昔, 大昔.

고마움 [ko:maum]〈名〉ありがたさ. ありがたみ. 句例 부모의 ~을 알다 親〔父母〕のありがたさを知る.

고마이 [ko:mai]〈副〉ありがたく. =고맙게. 句例 ~ 여기다 ありがたく思う.

고막〈名〉〔貝〕はいがい(灰貝). =안다미조개.

고막【鼓膜】〈名〉〔生〕鼓膜. 句例 ~이 터지다 鼓膜が破れる. 語例 ~염 鼓膜炎.

고만[1]〈冠〉['고만한'の略] それ位の. それ程の. それしきの. 文例 ~ 일에 눈물을 보이다니 それ位の〔それしきの〕ことで涙を見せるとは.
表現 語感の大きい語は'그만'.

고만[2]〈副〉❶その程度で. それ位で. 文例 이제 ~ 해라 それ位でもうやめなさい. ❷そのまま. これで. もう. 文例 바쁘니 ~ 가야겠네 忙しいのでこれでおいとまするよ.
表現 語感の大きい語は'그만'.

고만고만-하다 (→하다)〈形〉似たり寄ったりだ. たいして違いがない. まあまあ〔そこそこ〕というところだ. どんぐりの背くらべだ. 文例 키가 모두 ~ 背丈が皆似たり寄ったりだ.
表現 語感の大きい語は'그만그만하다'.

고만-두다〈他〉❶その〔この〕程度でやめる. 中止する. 文例 그 일은 이제 고만두겠습니다 そのことはもうやめます. ❷やめる. よ(止)す. 句例 직장을 ~ 職場をやめる. 略して'관두다'ともいう.
表現 語感の大きい語は'그만두다'.

고만-하다 (→하다)〈形〉それ位だ. まあまあ〔そこそこ〕だ. 文例 키가 ~ 背丈がそれ位だ.

-고-말고 …とも. 文例 정말 기쁘~요 ほんとうにうれしいとも / 물론 가~요 もちろん行きますとも / 암, 그렇~ そりゃそうだとも.

고맘-때〈名〉そのころ. ちょうどその時分. 句例 작년 ~ 昨年のそのころ.

**고맙다 [ko:mapta]〈形〉(고마우니, 고마워서) ありがたい. ありがとう. 感謝する. かたじけない. 句例 고마우신 말씀 ありがたいお言葉 / 고맙게 여기다 ありがたく思う. 文例 여러가지로 고맙습니다 いろいろとありがとうございます / 고맙게도 비가 그쳤다 ありがたくも雨があがった.

고매【高邁】〈名・하形〉高邁. 句例 ~한 인격 高邁な人格.

고명〈名・하自他〉料理の薬味をかねて, 飾りとしてあしらう具などの総称.

고명-딸〈名〉息子が多い家の独り娘.

*고모【姑母】〈名〉(父方の)おば. 語例 ~부(夫) おじ(《'고모'の夫》).

고목【古木】[ko:mok]〈名〉古木. 老木.

고목【枯木】〈名〉枯木. 枯れ木. 句例 ~에 꽃이 피다 枯れ木に花開く.

고무【鼓舞】〈名・하他〉鼓舞. 句例 사기를 ~하다 士気を鼓舞する.

＊＊고무〈名〉ゴム. 語例 ~공 ゴムまり / ~ 도장 ゴム印 / ~ 마개 ゴム栓 / ~신 ゴム靴 / ~ 장갑 ゴム手袋 / ~ 장화 ゴム長 / ~ 찰흙 ゴム粘土 / ~판 ゴム板 / ~ 풍선 ゴム風船 / ~ 호스 ゴムホース. ◇프 gomme

고무-나무〈名〉〔植〕ゴムの木.

고무락-거리다〈自他〉からだ(体)をしきりにもぞもぞと動かす. もぞもぞする. もぞもぞさせる. 句例 발가락을 ~ 足指をもぞもぞする〔させる〕.

고무락고무락〈副〉もぞもぞ. **~하다**〈自他〉もぞもぞする.

고무래〈名〉えぶり(杁・柄振り). さらい(木杷・竹杷). えんぶり. 語例 ⇨ 고무래질. 絵

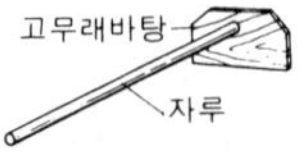

〈고무래〉

고무래-질〈名・하他〉えぶりでかき集めたりならしたりすること.

＊＊고무-줄〈名〉ゴムひも. 文例 ~이 늘어나서 속옷이 흘러 내린다 ゴムひもが延びて下着が下がってくる. 語例 ~넘기 ゴム飛び.

고무-총【一銃】〈名〉ゴム鉄砲. パチンコ.

고문【古文】[ko:mun]〈名〉古文. 文例 ~은 잘 못합니다 古文は苦手です.

고문【拷問】〈名〉拷問. 責め. **~하다**〈他〉拷問する. 責める. 句例 ~을 받다 拷問をうける / ~을 하다 拷問にかける.

고문【顧問】〈名〉顧問. 語例 ~ 변호사 顧問弁護士 / ~관 顧問官.

고-문서【古文書】[ko:munsŏ]〈名〉古文書.

고-문헌【古文獻】[ko:munhŏn]〈名〉古文献.

고물[1]〈名〉(もち(餅)などの)あん(餡). あんこ. =소. 語例 떡~ もちのあん.

고물[2]〈名〉船尾. ろ〔とも〕(艫). 對이물.

고물【古物】[ko:mul]〈名〉古物・古もの. 古道具. 中古. 句例 ~ 장사를 하다 古物を商う. 語例 ~차 ぼろ車. おんぼろ自動車. ぽんこつ車.

고물-거리다〈自他〉からだ(体)をもぞもぞと動かす. もたもたする. のろのろする. ぐずぐずする. 文例 가만히 있지 않고 몸을 ~ じっとしていないでからだをもぞもぞする.

表現 語勢の強い語は'꼬물거리다'.

고물고물〈副〉ぐずぐず. もたもた. のろのろ. **~하다**〈自他〉もたもた〔ぐずぐず・のろのろ〕する. もぞもぞと動く.

고물-상【古物商】[ko:mulssang]〈名〉古物屋. ぽんこつ屋. 古道具屋. 古物商.

고미-다락〈名〉〔建〕屋根裏部屋.

고민【苦悶】〈名〉苦悶. 悩み. もだ(悶)え. 煩い. **~하다**〈自〉苦悶する. もだえ苦しむ. もだえる. 悩む. 思い煩う. 句例 ~하는 모습 悩める姿. 語例 ~ 거리 悩みの種.

고발【告發】[ko:bal]〈名・하他〉告発. 語例 ~인 告発人 / ~장 告発状 / ~ 정신 告発精神 / ~ 문학 告発文学.

고배【苦杯】〈名〉苦杯.

고배를 마시다 苦杯をなめる〔喫する〕.

고백【告白】[ko:baek]〈名・하他〉告白. 句例 사랑의 ~ 愛の告白 / 죄를 ~하다 罪を告白する. 語例 ~ 문학 告白文学.

고법【高法】〈名〉['고등 법원(法院)'の略] 高等裁判所.

고변【告變】[ko:byŏn]〈名・하自〉変を告げること.

고별【告別】[ko:byŏl]〈名〉告別. いとまごい. **~하다**〈自〉告別する. 別れを告げる. いとまごいをする. 語例 ~사 告別の辞 / ~식 告別式.

고본【古本】[ko:bon]〈名〉古本・ふるほん・ふるぼん. 古書. 語例 ~ 고가 매입 古本高価買入れ.

고봉【高峰】〈名〉高峰. 高根〔高嶺〕. 句例 알프스의 ~ アルプスの高峰. 語例 ~ 준령 高峰峻嶺.

고봉【高捧】〈名・하他〉山盛り. 大盛り. 句例 밥을 ~으로 담다 ご飯を山盛りに盛る / ~으로 한 사발에 3천원 どんぶり(丼)一つに山盛りで三千ウォン.

고부【姑婦】〈名〉しゅうとめ(姑)と嫁. 語例 ~(지)간 しゅうとめと嫁の間柄.

고부라-지다〈自〉曲がる. 湾曲する. 句例 허리가 ~ 腰が曲がる. 文例 길이 고부라져 있다 道が曲がっている.

表現 語感の大きい語は'구부러지다'. また語勢の強い語は'꼬부라지다'.

고부랑-하다(→하다)〈形〉(一方に)少し曲がっている.

表現 語勢の強い語は'꼬부랑하다'.

고부랑고부랑〈副・하形〉みな曲がっているさま: くねくね. 句例 ~한 골목길 くねくねと曲がった路地.

고부리다〈他〉(一方または内側に)折り曲げる. 曲げる. たわめる. 句例 철사를 ~ 針金をおりまげる.

表現 語感の大きい語は'구부리다'. また語勢の強い語は'꼬부리다'.

고부장-하다(→하다)〈形〉❶ややたわ(撓)んでいる. 少し曲がっている. 文例 나뭇가지가 고부장하게 휘어 있다 木の枝が少しひん曲がっている. ❷少しひがんでいる.

고분【古墳】[ko:bun]〈名〉古墳. 句例 ~을 발굴하다 古墳を発掘する.

고분-고분〈副〉すなおに. 従順に. おとなしく. **~하다**〈形〉すなおだ. 従順だ. おとなしい. 句例 ~한 태도 すなおな態度. 文例 부모에게 ~하다 父母に従順だ. **~히**〈副〉すなおに. 従順に. 類순순(順順)히.

고불탕-하다(→하다)〈形〉(道などが)緩やかに曲がっている.

고불탕고불탕〈副・하形〉緩やかに曲がっているさま: くねくねと.

고비[1]〈名〉山. 山場. 瀬戸際. 峠. 絶頂. クライマックス. 文例 환자는 오늘 내일이 ~다 病人は今日明日が山だ / 더위도 ~를 넘겼다 暑さも峠を越した / 생사의 ~에 서다 生死の瀬戸際に立つ / 대회의 ~를 맞다 大会の山場を迎える.

고비[2]〈名〉〔植〕ぜんまい(薇). 語例 ~ 나물 ぜんまいの浸し.

고비-판〈名〉瀬戸際. 土壇場. どん詰まり.

ㄱ

[文例] 당락의 ~에 있다 当落の瀬戸際にいる.

고빗-사위 〈名〉 ⇨ 고비판

고뿔 〈名〉〔韓醫〕 風邪. ＝감기(感氣). [句例] ~에 걸리다 風邪をひく.

***고삐** 〈名〉 手綱. [句例] ~를 잡다 手綱を取る / ~를 당기다〔죄다〕 手綱を引き締める.

고삐 놓은 말 手綱を放れた馬. 自由な身のたとえ. ＝굴레 벗은 말.

고삐를 늦추다 手綱を緩める. 注意や見張りを緩める.

고사【古事·故事】[ko:sa]〈名〉古事〔故事〕. [句例] 맹모 삼천의 ~ 孟母三遷の故事.

고사【考査】〈名·하他〉 考査. [語例] 학년말 ~ 学年末考査.

고사【告祀】[ko:sa]〈名·하自〉〔民〕 一身や家庭の厄運をはらい幸運を祈る祭祀. [語例] ~떡 '고사'に供えるもち. ㊫제사(祭祀).

고사(를) 지내다〔民〕 もち(餅)·酒·干しすけとうだらなどを供えて'고사(告祀)'を行なう.

고사【固辭】〈名·하他〉 固辞. [句例] ~하여 받지 않다 固辞して受けない.

고사【枯死】〈名·하自〉 枯死. [語例] ~목 枯れ木.

고사리 〈名〉〔植〕 わらび(蕨). [語例] ~ 나물 わらびのお浸し.

고사리 같은 손 紅葉のような手.

고-사이 〈名·副〉 その間·か. 略して'고새'ともいう.

[表現] 語感の大きい語は'그 사이'.

고사-포【高射砲】〈名〉〔軍〕 高射砲.

고사-하고【姑捨一】〈副〉 …はおろか. …はさしおいて. …はいうまでもなく. …どころか. [文例] 만년필은 ~ 연필도 갖고 있지 않다 万年筆はおろか, 鉛筆も持っていない / 재산은 ~ 목숨까지 잃었다 財産はいうまでもなく命まで失なった.

고산【高山】〈名〉 高山. [語例] ~대 高山帯 / ~병 高山病.

고산 식물【高山植物】[—shingmul]〈名〉〔植〕 高山植物.

고상-하다【高尙一】(→하다)〈形〉 高尚だ. 上品だ. 気高い. [句例] 고상한 취미 高尚な趣味 / 별나게 고상한 체하다 変に高尚ぶる.

고샅 〈名〉 ❶村里の路地. ＝고샅길. ❷狭い谷間.

고샅-고샅 〈副〉 ❶村里の路地ごとに. ❷谷間ごとに.

고-새 〈名·副〉 '고사이'の略. [文例] ~ 가 버렸다 その間に行ってしまった.

[表現] 語感の大きい語は'그새'.

고색【古色】[ko:saek]〈名〉 古色. [句例] ~을 띠다 古色をおびる.

고색창연-하다【古色蒼然一】[ko:saek—] (→하다)〈形〉 古色蒼然としている. [句例] 고색창연한 기와집 古色蒼然たるかわら(瓦)屋.

****고생**【苦生】〈名〉 苦労. 困苦. 難儀. **~하다**〈自〉 苦労する. 苦しむ. 悩む. 骨折る. [句例] ~을 모르는 사람 苦労しらずの人. [文例] 큰눈으로 ~했다 大雪で難儀した / 익숙지 않아서 ~했다 慣れなくて苦労した. [語例] ~길 いばらの道 / ⇨ 고생바가지. **~스럽다** (→스럽다)〈形〉 苦しい. 難儀だ. つらい.

고생 끝에 낙이 온다 苦は楽の種. ＝고생 끝에 낙이 있다.

고생-대【古生代】[ko:saengdae]〈名〉〔地〕 古生代.

고생-문【苦生門】〈名〉 苦労する運命. [文例] ~이 훤하다 苦労する運命が明らかだ.

고생-바가지【苦生一】[—ppagaji]〈名〉(比喩的に)一生苦労ばかりする人. ＝고생주머니.

고생-살이【苦生一】[—sari]〈名·하自〉 苦しい暮らし.

고생-주머니【苦生一】[—tchumŏni]〈名〉 ⇨ 고생바가지

고서【古書】[ko:sŏ]〈名〉 古書. 古本·古本. ＝고서적.

고성【高聲】〈名〉 高声. 大声. [語例] ~ 방가 高声放歌.

***고-성능**【高性能】〈名〉 高性能. [語例] ~ 기계 高性能機械 / ~ 폭탄 高性能爆弾.

고소【告訴】[ko:so]〈名·하他〉〔法〕 告訴. [句例] 명예 훼손으로 ~하다 名誉棄損で告訴する. [語例] ~ 취하 告訴の取り下げ / ~인 告訴人 / ~장 告訴状.

고소【苦笑】〈名·하自〉 苦笑. 苦笑い. [句例] ~를 금할 수 없다 苦笑を禁じ得ない.

고소【高所】〈名〉 高所. [語例] ~ 공포증 高所恐怖症.

고-소득【高所得】〈名〉 高所得.

고소-하다 (→하다)〈形〉 ❶い(煎)りごま(胡麻)やごま油のにおいとか味のように, 香ばしい〔芳しい〕. [句例] 콩을 볶는 고소한 냄새 豆をいる香ばしいにおい. ❷いい気味だ. 小気味がよい. 胸がすくようだ. [文例] 거 참 ~ それはほんとにいい気味だ / 속으로는 고소해 하고 있다 内心ではいい気味だと思っている / 고소하기가 깨소금 맛이다 とても小気味よい.

고속【高速】〈名〉 '고속도(高速度)'の略：高速. [語例] ~ 도로 高速道路 / ~ 버스 高速バス / ~ 운전 高速運転 / ~ 철도 高速鉄道.

고-속도【高速度】〈名〉 高速度. 略して'고속'ともいう. [語例] ~강 高速度鋼 / ~ 촬영 高速度撮影.

고수【固守】〈名·하他〉 固守. [句例] 진지를 ~하다 陣地を固守する.

고수【高手】〈名〉 高段. 高段者. [句例] ~의 바둑 高段者の囲碁.

고수【鼓手】〈名〉 鼓手. [句例] 군악대의 ~ 軍楽隊の鼓手.

고수레 〈名·하自〉〔民〕 みこ(巫女)が厄払いするとき, または一般人が野外で物を食べる時, 鬼神に最初にささげるという意味で, 食べ物を少し分けて捨てながら唱える語. また, その行為.

고수-머리 〈名〉 縮れ毛. ちぢれっけ. 縮れ髪. ＝곱슬머리.

고수-부지【高水敷地】〈名〉 ⇨ 둔치②

고스란-하다 (→하다)〈形〉 変わった所がなくそっくりそのままだ. **고스란히**〈副〉 そっくりみんな. 余すところなく. そっくりそのまま. [句例] 고스란히 벌다 丸もうけする. [文例] 옛 모습이 고

스란히 남아 있다 昔の面影がそっくりそのまま残っている.

고스러-지다 〈自〉 稲・麦などの刈り入れ時が過ぎてしおれる〔しぼむ〕.

고슬-고슬 〈副・하形〉 飯が程よく炊けて舌触りのいいさま. 句例 ～한 밥 程よく炊けたまろやかな飯.

고슴도치 〈名〉〔動〕 針ねずみ.

고슴도치도 제 새끼가 함함하다면 좋아한다 針ねずみも自分の子の毛並みがつやつやしていると言われると喜ぶ. 人はとかく褒められるといい気になることのたとえ.

고승 【高僧】〈名〉〔佛〕 高僧.

고시 【古詩】 [ko:shi] 〈名〉 古詩. ❶古代の詩. ❷['고체시(古體詩)'の略] 語例 칠언〔오언〕 ～ 七言〔五言〕古詩.

고시 【考試】〈名・하他〉 考試. 試験. 語例 사법 ～ 司法試験.

고시 【告示】 [ko:shi] 〈名・하他〉 告示. 触れ. 句例 투표일을 ～하다 投票日を告示する. 語例 내각 ～ 内閣告示 / ～ 가격 告示価格.

고시랑-거리다 〈自〉 ぶつぶつ言う. 不平を鳴らす.

고시랑고시랑 〈副〉 ぶつぶつ.

고-시조 【古時調】 [ko:shijo] 〈名〉 昔のシジョ(時調). 古人のシジョ. →시조(時調)

고식-적 【姑息的】〈名・冠〉 姑息的. 句例 ～인 수단 姑息的な手段.

고심 【苦心】〈名〉 苦心. 腐心. **～하다** 〈自〉 苦心する. 苦しむ. 句例 ～한 작품 苦心の作. 文例 ～한 흔적이 역력히 보인다 苦心の跡がありありと見える. 語例 ～ 참담 苦心惨憺.

고아 【孤兒】〈名〉 孤児. みなしご. 句例 ～를 떠맡다 みなしごを引き取る. 語例 전재 ～ 戦災孤児 / ～원 孤児院.

고아 【高雅】〈名〉 高雅. 上品. みや(雅)びやか. **～하다** 〈形〉 高雅だ. 句例 ～한 분위기의 귀부인 高雅な雰囲気の貴婦人.

고안 【考案】〈名・하他〉 考案. 工夫. 句例 새로 ～된 기계 新たに考案された機械.

고압 【高壓】〈名・하他〉 高圧. 語例 ～선 高圧線 / ～ 산소 탱크 高圧酸素タンク / ～ 전기 高圧電気.

고압-적 【高壓的】〈名・冠〉 高圧的. 高飛車. 句例 ～인 태도〔말투〕 高圧的な態度〔口調〕 / ～으로 나오다 高飛車に出る.

고액 【高額】〈名〉 高額. 語例 ～권 高額券 / ～ 지폐 高額紙幣 / ～ 소득자 高額所得者.

고약 【膏藥】〈名〉 膏薬. 句例 ～을 종기에 붙이다 膏薬をはれ物に張る.

고약-하다 [ko:yak'ada] (→하다) 〈形〉 悪い. ❶気むずかしい. 偏屈だ. つむじ曲がりだ. 意地汚い. 意地悪だ. 文例 고약한 일을 맡다 厄介な仕事を引き受ける. ❷横着だ. 不届きだ. 句例 고약한 놈 横着〔不届き〕なやつ / 고약한 짓을 하다 不届きな事をする. ❸ひどい. 鼻持ちならない. 不快だ. 句例 고약한 냄새 鼻持ちならない〔いやな〕におい. ❹みにくい. 険しい. 句例 고약한 생김새 険しい人相. ❺不順だ. 文例 날씨가 ～ 天気が不順だ. 天気が悪い.

고얀 [ko:yan] 〈冠〉 ['괴이한'の略] 不届きな. 句例 ～ 놈 不届きな〔悪い〕やつ / ～ 짓을 하다 たち(質)の悪い事をする.

고양 【高揚】〈名・하他〉 高揚. 句例 국위를 ～시키다 国威を高揚させる.

⁑**고양이** 〈名〉〔動〕 猫. 語例 얼룩 ～ 三毛猫. ぶちの猫 / 도둑 ～ 泥棒猫 / 들～ 野良猫.

고양이 목에 방울 단다 猫の首に鈴をつける. だれが猫に鈴をつけるのか.

고양이 보고 반찬 가게 지키란다 猫にかつお節.

고양이 이마빼기만하다 猫の額. 面積の狭いことのたとえ. 句例 고양이 이마빼기만한 뜰 猫の額ほどの庭.

고어 【古語】 [ko:ŏ] 〈名〉 古語. ＝고언(古言).

고언 【苦言】〈名〉 苦言. 句例 ～을 드리다 苦言を呈する.

고-에너지 【高 energy】〈名〉 高エネルギー.

고역 【苦役】〈名〉 苦役. 苦しい労働. 句例 ～을 당하다 苦役を課せられる.

고열 【高熱】〈名〉 高熱. 句例 ～을 내다 高熱を発する / ～에 시달리다 高熱にうなされる. 對저열(低熱).

고엽-제 【枯葉劑】〈名〉 枯れ葉剤. 語例 ～ 후유증 枯れ葉剤後遺症.

고옥 【古屋】 [ko:ok] 〈名〉 古屋.

고온 【高溫】〈名〉 高温. 語例 ～ 다습 高温多湿 / ～ 염색 高温染色.

고요 〈名〉 静けさ. 静かさ. 静寂. **～하다** 〈形〉 静かだ. もの静かだ. 静やかだ. 句例 ～의 바다〔天〕 静かな海 / ～한 돈 강(江) 静かなドン / ～한 아침의 나라 静かな朝の国. 韓国を指す語. **～히** 〈副〉 静かに. 静やかに. しめやかに.

고용 【雇用】〈名・하他〉 雇用. 雇うこと. 語例 장기 ～ 長期雇用 / ～ 운전수 お抱え運転手 / ～주 雇い主.

고용 【雇傭】〈名・하自〉 雇用. 雇われること. 語例 ～인 雇用人 / ～자 雇用者 / ～ 계약 雇用契約 / ～ 조건 雇用条件 / 종신 ～ 終身雇用.

고용-살이 【雇傭―】 [―sari] 〈名・하自〉 雇われ生活. 庸人暮らし. 句例 딸을 ～로 내보내다 娘を奉公に出す.

고용-원 【雇傭員】〈名〉 雇用員. ＝고용인(雇傭人). 對고용주(雇用主).

고원 【高原】〈名〉〔地〕 高原. 語例 ～ 지대 高原地帯.

고위 【高位】〈名〉 高位. 語例 ～급 회담 高官会談 / ～층 高位階層(の人たち).

고-위도 【高緯度】〈名〉 高緯度.

*__고유__ 【固有】〈名・하形〉 固有. 句例 우리나라 ～의 문화 我が国に固有の文化 / ～한 성질을 지니다 固有の性質を持つ. 語例 ～어 固有語 / ～ 재산 固有財産 / ～ 명사 固有名詞. 類특유(特有).

고육 【苦肉】〈名〉 苦肉. 語例 ～지계(之計). ～책(策) 苦肉の策.

고율 【高率】〈名〉 高率. 句例 ～의 세금 高率の税金.

*__고을__ 〈名〉 ❶郡. ❷〔史〕 朝鮮朝時代の, 州・府・郡・県の総称. 略して'골'とも

いう. ❸郡役所のある所.

고을-고을 一〈名〉各郡. 句例 ~(을) 돌아다니다 各郡をまわり歩く.
二〈副〉郡ごとに. 句例 ~ 할당하다 郡ごとに割り当てる.

고음【高音】〈名〉高音. ❶高い音. 句例 찢어지는 듯한 ~ 裂けるような高音. ❷〔樂〕ソプラノ. ▷對저음(低音).

고의【故意】[ko:ŭi]〈名〉故意. 句例 ~ 또는 과실 故意または過失. 語例 ~범 故意犯 / 미필적 ~ 未必の故意. 對과실(過失).

고의-로【故意―】[ko:ŭiro]〈副〉故意に. わざと. 文例 ~ 부딪치다 故意に〔わざと〕ぶつかる / ~ 져주다 わざと負けてやる.

고의【袴衣】〈名〉夏のバチの代わりにはくひとえもの. 語例 ~ 적삼 ひとえの上下そろい.

고이 [ko:i]〈副〉❶大事に. ㉠きれいに. 句例 ~ 기른 딸 大事に育てた娘. ㉡大切に. 謹んで. 句例 ~ 간직하다 大事にしまっておく. ❷安らかに. 平安に. 静かに. 句例 ~ 잠든 얼굴 安らかな寝顔 / ~ 잠든 바다 静かにないだ海. 文例 ~ 잠드소서 安らかに〔平安に〕眠りたまえ.

고이-고이〈副〉'고이'の強調語.

고인【故人】[ko:in]〈名〉故人. 亡き人. 句例 ~이 되다 故人となる / ~의 명복을 빌다 故人の冥福を祈る.

〈고인돌〉

고인-돌〈名〉〔史〕ドルメン. =지석(支石). 絵

고자누룩-하다 [kojanuruk'ada] (→하다)〈形〉❶ひとしきりの騒ぎが過ぎて静かだ. 文例 아이들이 잠시 고자누룩해지다 子供らがしばらくしんと静まり返る. ❷苦しかった病状がやや治まりかげんである.

고-자세【高姿勢】〈名〉高姿勢. 高飛車. 居丈高. 句例 ~로 나오다 高姿勢で臨む. お高くとまる. 高飛車に出る / ~의 말투 高飛車な物言い. 對저자세(低姿勢).

고자-쟁이【告者―】[ko:ja―]〈名〉告げ口をよくする人. 告げ口屋.

고자-질【告者―】[ko:ja―]〈名・하自〉告げ口. 密告. 句例 선생님에게 ~하다 先生に言いつける.

고작〈副〉精一杯. たかが. 高高. せいぜい(のところ). やっとのこと. 文例 저 혼자 먹고 사는 것이 ~이다 自分ひとり食って行くのが精一杯である / ~ 하루 삼십리를 걸었다 やっとのことで一日三里を歩いた / ~해야 천원이다 たかが千ウォンだ / 상대는 ~해야 어린애가 아니냐 相手はたかが子供じゃないか.

*__고장__〈名〉❶地方. 地元. 句例 낯선 ~ 不案内の土地. ❷ふるさと. 生長地. 句例 우리 ~ 사람들 うちのくにの人人. ❸本場. 産地. 句例 사과의 ~ リンゴの産地 / 포도주의 ~ ワインの本場.

**__고장__【故障】[ko:jang]〈名〉故障. 狂い. (からだ(体)の)障害. 句例 기계의 ~ 機械の狂い / 무릎 ~으로 휴장하다 ひざの故障で休場する. 文例 차가 ~을 일으켰다 車が故障を起こした.

고장(이) 나다 故障する. 故障を起こす.

고쟁이〈名〉女性の下着の一種. 肌着の上, '단속곳'の下にはく.

고저【高低】〈名〉高低. =높낮이. 語例 ~ 장단 高低長短.

*__고적__【古蹟·古跡】[ko:jŏk]〈名〉古跡. 古址〔古趾〕. 旧跡. 語例 ~ 보존회 古跡保存会 / 명소 ~ 名所旧跡.

고적-대【鼓笛隊】〈名〉鼓笛隊.

고적-운【高積雲】[kojŏgun]〈名〉〔氣〕高積雲. =높쌘구름.

고전【古典】[ko:jŏn]〈名〉古典. 句例 ~을 읽다 古典を読む / ~미가 있다 古典美がある. 語例 ~ 연구 古典研究 / ~ 발레 古典バレエ / ~ 문학 古典文学 / ~적 古典的 / ~주의 古典主義.

고전【苦戰】〈名・하自〉苦戦. 句例 ~ 끝에 이기다 苦戦のすえ勝つ.

*__고정__【固定】〈名・하自他〉❶固定. 据え付けること. 句例 ~식 의자 固定式椅子 / 나사로 ~시키다 ネジで固定させる / 못으로 ~하다 くぎで留める. 文例 ~되어 있어서 뗄 수가 없다 据え付けになっていて取りはずすことができない. 語例 ~급 固定給 / ~도르래 定滑車 / ~ 부수 固定部数 / ~ 수입 固定収入 / ~ 자산 固定資産. ❷(目上の人が)興奮や怒りを静めること. 文例 이제 그만 ~하시고 제 말을 들어주십시오 もうそろそろ気を静めてわたしの話をお聞きください.

고정 관념【固定觀念】〈名〉固定観念. 句例 ~에 사로잡히다 固定観念にとらわれる.

고조【高祖】〈名〉'고조부(高祖父)'の略: 高祖.

고조【高潮】〈名〉高潮. 句例 최~에 이르다 最高潮に達する. 語例 ~시 高潮時 / ~선 高潮線.

고조-되다【高調―】〈自〉高調する. 高まる. 句例 의식이 ~ 意識が高調する / 관심이 ~ 関心が高まる.

고-조모【高祖母】〈名〉高祖母. 祖父の祖母.

고-조부【高祖父】〈名〉高祖父. 祖父の祖父. 略して'고조'ともいう.

고졸【高卒】〈名〉'고등 학교 졸업 高等学校卒業'の略: 高卒.

고종【姑從】〈名〉'고종 사촌'の略.

고종 사촌【姑從四寸】[―sa:ch'on]〈名〉父の姉妹の息子や娘. いとこ.

고주-망태〈名〉へべれけ. 酔いつぶれること. 句例 ~가 되다 へべれけに酔う〔酔いつぶれる〕.

고주알-미주알〈副〉⇨ 미주알고주알

고-주파【高周波】〈名〉〔物〕高周波. 語例 ~ 요법 高周波療法 / ~ 전류 高周波電流. 對저주파(低周波).

고증【考證】〈名・하他〉考証. 句例 ~이 잘된 소설 考証が行き届いた小説. 語例 ~학 考証学 / 시대 ~ 時代考証.

고지〈名〉(カボチャ・なすなどの)干物. かんぴょう. 句例 호박 ~ カボチャのかんぴょう.

고지【告知】[ko:ji]〈名・하他〉告知. 通知. 語例 부실 ~ 不実の告知 / 수태 ~〔基〕受胎告知.

ㄱ

*고지【高地】〈名〉高地. 句例 ~를 점거하다 高地を占拠する. 語例 ~ 재배 高地栽培 / 백마 ~ 白馬高地.

고-지대【高地帶】〈名〉高地帯. 語例 ~ 주민 高地帯住民.

고지-서【告知書】[ko:jisŏ]〈名〉告知書. 語例 납세 ~ 納税告知書.

고지식-하다 [kojishik'ada] (→하다)〈形〉生まじめだ. くそ(糞)まじめだ. 句例 고지식한 사람 生まじめな人. 文例 고지식하여 융통성이 없다 生まじめで融通がきかない.

고진-감래【苦盡甘來】[kojin-gamnae]〈名·하自〉苦しみが尽きて幸せが来ること.

고질【痼疾】〈名〉❶痼疾. 持病. 句例 오랜 ~로 고생하다 年来の痼疾になやむ. ❷長い間の悪い習慣. 文例 노름이 ~이 되었다 博打が病み付きになった.

*고집【固執】〈名〉固執. 我意. 我. ~하다〈他〉固執する. 我を通す〔張る〕. 立て通す. 句例 ~이 세다 我が強い / ~을 꺾다 我を折る. 我意を曲げる / ~(을) 부리다 我を張る / 끝까지 ~을 세우다 最後まで意地を張り通す. ~스럽다 (→스럽다)〈形〉意地っ張りだ. 強情っぱりだ. 頑固だ.

고집-불통【固執不通】〈名〉意地っぱりで融通がきかないこと. 文例 이런 ~을 처음 본다 こんな意地っぱりは見たことがない.

*고집-쟁이【固執―】〈名〉意地っぱり. 強情っぱり. =고집통이.

고집통-이【固執―】〈名〉❶意地っぱり〔強情っぱり〕の性格. ❷⇨ 고집쟁이

고-차원【高次元】〈名〉高次元. 句例 ~의 세계 高次元の世界.

고찰【古刹】[ko:ch'al]〈名〉古刹. 古寺.

고찰【考察】〈名·하他〉考察. 句例 문제점을 ~하다 問題点を考察する.

고참【古參】[ko:ch'am]〈名〉古参. 古株. 古顔. 句例 직장의 ~ 사원 職場の古参社員 / ~이 되다 古株になる. 文例 그는 팀에서는 ~인 편이다 彼はチームでは古参の方だ. 語例 ~병 古参兵 / 최~ 最古参. 對신참(新參).

고창【鼓脹】〈名〉〔醫〕鼓腸〔鼓脹〕. 語例 ~증 鼓腸症.

고철【古鐵】[ko:ch'ŏl]〈名〉古鉄·古金. くず鉄. スクラップ. 語例 ~상(商) 古鉄買い. くず鉄屋.

*고체【固體】〈名〉〔物〕固体. 句例 ~를 액화하다 固体を液化する.

고초【苦楚】〈名〉苦楚. 苦難. 辛苦. 句例 온갖 ~를 다 겪다 もろもろの辛苦〔苦労〕をなめつくす.

**고추〈名〉[もとの語形は'고쵸(苦草)'] ❶とうがらし(唐辛子). 語例 ~씨 とうがらしの種 / 고춧가루 とうがらしの粉 / ~냉이〔植〕わさび. ❷(子供の) ちんちん. ちんこ《愛称》.

**고추-잠자리〈名〉〔蟲〕しょうじょうとんぼ. 赤とんぼ.

**고추-장【―醬】〈名〉とうがらしみそ(唐辛子味噌). とうがらし粉を練り込んで作った辛味のみそ.

고-출력【高出力】〈名〉高い出力.

고충【苦衷】〈名〉苦衷. 苦情. 句例 ~을 제기하다 苦情を申し立てる / 남의 ~을 헤아리다 人の苦衷を察する.

고취【鼓吹】〈名·하他〉鼓吹. 句例 애국심을 ~하다 愛国心を鼓吹する.

고층【高層】〈名〉高層. 語例 ~ 빌딩 高層ビル / ~ 건축 高層建築 / ~ 아파트 高層アパート. 對저층(低層).

고치〈名〉繭. 句例 누에가 ~를 짓다 蚕が繭をかける.

**고치다〈他〉直す. ❶修理する. 修繕する. 繕う. 文例 고장난 시계를 ~ 壊れた時計を直す / 구두를 ~ 靴を直す.
❷正す. 矯める. 改める. 修正する. 訂正する. 句例 결점을 ~ 欠点を直す / 잘못을 ~ 誤りを正す / 앉음새를 ~ 居ずまいを正す / 복장을 ~ 服装を直す.
❸変える. 変更する. 改める. 句例 룰을 ~ ルールを直す / 시간표를 ~ 時間割りを変える.
❹治療する. 治す. い(癒)やす. 句例 위장병을 ~ 胃腸病を治す / 병자를 ~ 病人を治す.
❺訳する. 換算する. 句例 달러를 파운드로 ~ ドルをポンドに直す / 영어를 한국어로 ~ 英語を韓国語に直す.
❻やり直す. 句例 고쳐 읽다 読み直す / 옷을 고쳐 짓다 服を仕立て直す.

고칭【古稱】[ko:ch'ing]〈名〉古称. 昔の名前.

고탑지근-하다 (→하다)〈形〉❶少し腐ったようでいやなにおいがする. ❷(性格やしぐさが) 浅はかで古くさい. 陳腐だ.

*고통【苦痛】〈名〉苦痛. 句例 정신적 ~ 精神的苦痛 / ~을 호소하다 苦痛を訴える / ~을 가라앉히다 苦痛を和らげる. ~스럽다 (→스럽다)〈形〉苦痛だ. 苦しい. つらい. 文例 ~스러운 처지에 놓이다 苦しい立場に置かれる. ~스레〈副〉苦痛に.

고투【苦鬪】〈名·하自〉苦闘. 語例 악전 ~ 悪戦苦闘.

고패〈名〉ろくろ(轆轤). 滑車. ベルト車. 語例 고팻줄 滑車の引き綱.

고평【高評】〈名〉高評. 句例 ~을 바랍니다 ご高評を請います.

고풍【古風】[ko:p'ung]〈名〉古風. 昔風. いにしえぶり. 句例 ~을 지키다 古風を守る. ~스럽다 (→스럽다)〈形〉古めかしい. 古風だ. 句例 ~스런 집 古めかしい家.

**고프다 (고프니, 고파서)〈形〉ひもじい. 空腹だ. 文例 배가 몹시 ~ 腹〔おなか(腹)〕がぺこぺこだ / 배가 너무 고파서 공부가 안 된다 腹があまりにもへって勉強ができない.

고하【高下】〈名〉高下. 高低. 句例 신분의 ~를 막론하고 身分の高下を問わず / 값은 ~간에 値段の高下はさておいて.

고-하다【告―】[ko:hada] (→하다)〈他〉❶告げる. (目上の人に)申しあげる. 句例 작별을 ~ 別れを告げる / 종막을 ~ 終幕を告げる / 조국에 고함 祖国に告ぐ. ❷告げ口をする. 文例 선생님에게 몰래 고해 바쳤다 先生にこっ

そり告げ口をした.

고학【苦學】〈名・하自〉苦学. 語例 ～생 苦学生.

고-학년【高學年】[kohangnyŏn]〈名〉高学年. 對저(低)학년.

*__고함__【高喊】〈名〉叫び. 大声. 句例 ～ 소리가 들리다 叫び声が聞こえる.

고함(을) 지르다 大声で叫ぶ〔わめく〕. 大声を張り上げる. 句例 목청껏 ～ 声を限りに叫ぶ. 文例 고함을 질러 도움을 청하다 叫び声を上げて助けを求める.

고함(을) 치다 大声でどなる. 文例 아무리 고함을 쳐도 소용없다 いくらどなってもだめだ.

고행【苦行】〈名・하自〉❶苦行. 句例 ～을 거듭하다 苦行を重ねる. 語例 난행 ～ 難行苦行. ❷〔佛〕将来僧になるために, お寺で僧侶に仕える人. ＝정인(淨人).

**__고향__【故鄕】〈名〉故郷. ふるさと. くに. 郷里. 句例 ～을 멀리 떠나다 故郷を遠く離れる / ～을 그리다 故郷をしのぶ / 마음의 ～ 心のふるさと / 그리운 나의 ～ なつかしい我がふるさと. 語例 ～ 산천 故郷の山河.

고혈【膏血】〈名〉膏血. 句例 인민의 ～을 짜다 人民の膏血を絞る.

고-혈압【高血壓】[kohyŏrap]〈名〉高血圧. 語例 ～증 高血圧症. 對저혈압(低血壓).

고형【固形】〈名〉固形. 語例 ～물 固形物 / ～연료 固形燃料.

고혼【孤魂】〈名〉孤魂. 寄るべなくさまよう魂.

고희【古稀】[ko:hi]〈名〉古希. よわい(齢)七十の称. 語例 ～연(宴) 古希の祝い.

*__곡__【曲】〈名〉曲. ❶'곡조(曲調)'の略. 句例 슬픈 ～ 悲しい調べ / 씩씩〔활발〕한 ～ 勇ましい曲. ❷'악곡(樂曲)'の略.

곡【哭】〈名・하自〉哭. 哭泣. ❶大声で泣くこと. また, その声. ❷人の死を悼んで声を立てて泣く礼. また, その声. →곡(哭)하다

곡　〔漢字項目〕

【哭】高校 곡 コク. ❶울다 泣く. 큰 소리로 울다 大声をあげて泣く. ▮哭泣 곡읍 こっきゅう. ❷곡하다 哭する. 사람의 죽음을 슬퍼하며 우는 예 人の死を悲しんで泣く礼. ▮哭聲 곡성 こくせい.

【曲】中學 곡 キョク. ❶굽다 曲がる. ▮曲線 곡선 きょくせん. 曲折 곡절 きょくせつ. ▮屈曲 굴곡 くっきょく. 灣曲 만곡 わんきょく. ❷굽히다 曲げる. ▮曲筆 곡필 きょくひつ. 曲解 곡해 きょっかい. ▮歪曲 왜곡 わいきょく. ❸(음악의) 가락이나 작품 (音楽の)メロディーや作品. ▮曲名 곡명 きょくめい. 曲目 곡목 きょくもく. ▮作曲 작곡 さっきょく. 名曲 명곡 めいきょく. ❹어려운 기술(재주) 難しい技. ▮曲藝 곡예 きょくげい. 曲馬團 곡마단 きょくばだん.

【穀(穀)】中學 곡 コク. 곡식. 곡물 穀物. ▮穀類 곡류 こくるい. 穀物 곡물 こくもつ. 穀倉 곡창 こくそう. ▮雜穀 잡곡 ざっこく.

【谷】中學 곡 コク. 골짜기 谷. ▮峽谷 협곡 きょうこく. 溪谷 계곡 けいこく.

곡가【穀價】〈名〉穀価.

곡-괭이〈名〉つるはし. 唐ぐわ. 絵

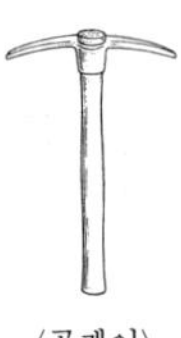

〈곡괭이〉

곡구【曲球】〈名〉❶巧みな玉突きのわざ. ❷(野球での)曲球. カーブ.

곡기【穀氣】〈名〉穀物で作った食べ物の総称. ＝낟알기.

곡기를 끊다 食を断つ〔廃する〕. 文例 그는 슬픈 나머지 곡기를 끊었다 彼は悲しさのあまり食を廃した.

곡기를 놓다 '곡기를 끊다'のこと.

곡류【穀類】[kongnyu]〈名〉穀類.

곡률【曲率】[kongnyul]〈名〉〔數〕曲率. 語例 ～ 반지름〔數〕曲率半径.

곡마-단【曲馬團】[kongmadan]〈名〉曲馬団. サーカス.

곡면【曲面】[kongmyŏn]〈名〉〔數〕曲面. 語例 ～체 曲面体.

곡명【曲名】[kongmyŏng]〈名〉曲名.

곡목【曲目】[kongmok]〈名〉〔樂〕曲目.

*__곡물__【穀物】[kongmul]〈名〉穀物. ＝곡식. 語例 ～상 穀物商.

곡사-포【曲射砲】〈名〉〔軍〕曲射砲.

곡삼【曲蔘】〈名〉根を曲げて乾かした朝鮮人参. 對직삼(直蔘).

*__곡선__【曲線】〈名〉曲線. カーブ. 句例 ～으로 이루어지다 曲線から成る / 완만한 ～을 그리다 なだらかな曲線を描く. 語例 ～ 운동〔物〕曲線運動 / ～자 曲線定規. 對직선(直線).

곡선-미【曲線美】〈名〉曲線美. 句例 허리의 ～ 腰の曲線美 / ～를 강조한 자동차 디자인 曲線美を強調したカーデザイン.

곡성【哭聲】〈名〉哭声. 人の死を悼んで泣く声.

곡수【曲水】〈名〉曲水. うねり曲がって流れる水.

곡수(를) 놓다 曲水の模様を刺繡する.

*__곡식__【穀―】〈名〉穀物.

곡예【曲藝】[kogye]〈名〉曲芸. 軽業. 離れ技. 句例 ～를 부리다 離れ技を演じる. 語例 공중 ～ 空中曲芸 / ～사(師) 曲芸師. 軽業師. アクロバット.

곡절【曲折】〈名〉❶曲折. ㉠折れ曲がること. ㉡状態が変化すること. 移り変わり. 句例 ～을 겪다 曲折を経る. 語例 우여 ～ 紆余曲折. ❷訳. いきさつ. 委曲. 理由. 文例 거기에는 복잡한 ～이 있다 そこには込み入ったいきさつがある.

곡조【曲調】〈名〉曲調. 調べ. 調子. 節回し. 略して'곡(曲)'ともいう. 句例 슬픈 ～ 悲しい調べ / ～가 어렵다 節回しがむずかしい.

곡주【穀酒】〈名〉穀物でかもした酒.

곡창【穀倉】〈名〉穀倉. 語例 ～ 지대 穀倉地帯.

곡척【曲尺】〈名〉⇨ 곱자

곡필【曲筆】〈名・하他〉曲筆. 句例 무문 ～하다 舞文曲筆を弄する.

곡-하다【哭―】[kok'ada] (→하다)〈自〉哭す

ㄱ

る．哭泣する．→곡(哭)

곡해【曲解】[kok'ae]〈名・하他〉曲解．句例 상대방의 의도를 ～하다 相手の意図を曲解する．

곤 〔漢字項目〕

【困】中學 곤 コン．❶곤란하다 困る．▮困難 곤란 こんなん．困惑 곤혹 こんわく．❷생활이 어렵다 生活が貧しい．▮困窮 곤궁 こんきゅう．▮貧困 빈곤 ひんこん．❸지치다 疲れる．▮疲困 피곤 ひろう(疲労)．疲労困憊 피로곤비 ひろうこんぱい．

【坤】中學 곤 コン．❶땅 地．대지 大地．▮乾坤 건곤 けんこん．❷역에서 팔괘의 하나 易の八卦の一つ(☷)．❸방위는 서남 方位は西南．❹왕후 王后．きさき．▮坤極 곤극 こんきょく．

*__곤경__【困境】[ko:n-gyŏng]〈名〉苦境．苦しい立場．句例 ～에 처하다 苦境に立つ / ～에 빠지다 苦しい羽目に陥る / ～을 헤쳐 나가다 苦境を乗り越える．

곤궁【困窮】[ko:n-gung]〈名〉困窮．窮乏．～**하다**〈形〉困窮だ．(特に)貧乏で苦しむ．句例 생활이 ～하다 生活が困窮している．～**히**〈副〉困窮に．

곤-대 [ko:ndae]〈名〉里芋の葉茎．＝고운대．

곤댓-짓〈名・하自〉もったいぶって頭を振る動作．

곤돌라〈名〉ゴンドラ．◇이 gondola

곤두-곤두 [ko:ndu—]〈感〉赤ん坊を手のひらにのせて立たせながら調子を取る声：よいしょよいしょ．

곤두-박이다 [kondubagida]〈自〉真っ逆様に落ちる．まったく逆さになって倒れる〔落ち込む〕．

곤두박이-치다 [kondubagich'ida]〈自〉真っ逆様に落ちる．句例 곤두박이쳐 떨어지다 真っ逆様になって落ちる．

곤두박-질〈名・하自〉[もとの語形は'근두박질'] 真っ逆様に〔まったく逆さになって〕落ちること．文例 비행기가 ～하여 추락하였다 飛行機が真っ逆さまに墜落した．

곤두박질-치다〈自〉真っ逆さまに落ちる．

곤두-서다〈自〉❶逆立つ．句例 머리털이 ～ 髪の毛が逆立つ．❷(神経が)過敏になる．とが(尖)る．句例 신경이 ～ 神経がとがる．気が立つ．

곤두-세우다〈他〉❶逆立てる．逆さまに立てる．句例 눈썹을 ～ まゆを逆立てる．文例 닭이 고양이를 보고 깃털을 ～ 鶏が猫に向かって羽を逆立てる．❷(神経を)とが(尖)らせる．句例 신경을 ～ 神経をとがらす．

곤드라-지다〈自〉(過労や酔いのため)正体なく眠りこける．へべれけになる．文例 술에 취해서 죽은 듯이 곤드라졌다 酒に酔って死んだように眠りこけた．

곤드레-만드레〈副〉酔っ払って正体がなくなったさま：ぐでんぐでん(に)．べろべろ(に)．べろんべろん(に)．へべれけに．～**하다**〈自〉ぐでんぐでんに酔う．句例 ～ 취하다 ぐでんぐでんに〔べろんべろんに〕酔っ払う．酔いつぶれる．

곤들-매기〈名〉〔魚〕いわな(岩魚)．

*__곤란__【困難】[ko:llan]〈名〉[もとの語形は'곤난'] 困難．難儀．困却．～**하다**〈形〉困難だ．難儀だ．困る．難しい．句例 ～해지다 困難になる．困るようになる / 말하기 ～하다 言いにくい / 처치(가) ～하다 処置に困る．始末つに負えない / 많은 ～이 따르다 多くの困難を伴う．文例 좀 ～한데 ちょっと困ったなあ / 생활이 ～하지는 않다 生活には困らない / 당장 생활이 ～하다 さしずめ暮らしが難しい．語例 호흡 ～ 呼吸困難．～**히**〈副〉困難に．難儀に．参考 '곤란←곤난' '한란계←한난계(寒暖計)'と同じように原音から離された現実の音を標準音に採択した例．実際の発音は[kollan]，[hallan-gye]となる．

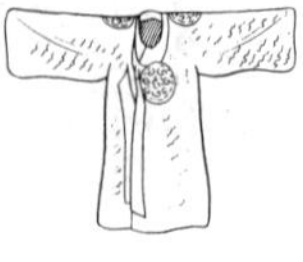

〈곤룡포〉

곤룡-포【袞龍袍】[ko:llyongp'o]〈名〉〔史〕(王の)袞竜の御衣．絵

곤봉【棍棒】〈名〉棒棍．語例 ～ 체조 棍棒体操．

곤약【菎蒻】[konyak]〈名〉こんにゃく(蒟蒻・菎「蒻」)．語例 ～판 こんにゃく版．

곤욕【困辱】[ko:nyok]〈名〉困辱．侮辱．句例 ～을 당하다〔치르다〕侮辱を受ける．

곤장【棍杖】〈名〉〔史〕昔の笞刑具の一つ．罪人のしりを打つ平たい木の棒．しもと(笞)．

곤쟁이〈名〉〔動〕あみ(醤蝦)の一種．

곤쟁이 주고 잉어 낚는다 えび(蝦)で鯛を釣る．えびで鯛．

곤전【坤殿】〈名〉⇨ 왕비(王妃)

곤죽【一粥】〈名〉❶道がひどくぬかっているさま：どろどろ．どろんこ．句例 길이 ～이 되다 道がどろんこになる．❷ひどく酔って正体がないさま：べろ(ん)べろ(ん)．ぐでんぐでん．へべれけ．句例 ～이 되게 취하다 べろんべろんに酔う．❸非常に疲れたさま：へとへと．くたくた．文例 너무 지쳐서 ～이 되어 돌아왔다 あまりにも疲れてくたくたになって帰って来た．❹事が度外れて全く手のつけようのないさま：めちゃめちゃ．めちゃくちゃ．文例 ～이 되도록 얻어 맞았다 めちゃくちゃにたたきのめされた．

곤줄-박이 [konjulbagi]〈名〉〔鳥〕やまがら．

곤지〈名〉(韓国式の結婚式で)花嫁の額につける丸紅．

곤지-곤지〈名・感・하自〉赤ん坊の遊戯の一つ．人差し指で他の手のひらをつっつくまね．また，その時出す声．

*__곤충__【昆蟲】〈名〉昆虫．語例 ～기 昆虫記 / ～류 昆虫類 / ～ 채집 昆虫採集 / ～ 학자 昆虫学者．

곤-하다【困—】[ko:nhada] (→하다)〈形〉非常に疲れて気だるい．＝피곤하다．**곤히**〈副〉ぐったり．ぐっすり．文例 곤히 자고 있다 疲れてぐったり寝こんでいる．

곤혹【困惑】[ko:nhok]〈名〉困惑．困却．～**하다**〈自〉困惑する．とまどう．～**스럽다** (→스럽

다)〈形〉困惑だ. 句例 ～스런 표정을 짓다 困惑した表情をする / ～스러워 머리를 긁다 とまどって〔困惑して〕頭をかく.

**곧〈副〉❶すぐ(に). 直ちに. じき(に). 早速. 即刻. 句例 일어나자마자 ～ 起きるとすぐ / ～ 잊어버리다 すぐ忘れてしまう. 文例 ～ 가겠습니다 すぐ参ります / 당도하면 ～ 연락해 주기 바란다 着いたらすぐ連絡してほしい.
❷やがて. 間もなく. 遠からず. 近近. 文例 소란도 ～ 가라앉았다 騒ぎもやがておさまった / ～ 봄이 오겠지 遠からず〔間もなく〕春が来るだろう / ～ 알게 될 테지 そのうちにわかるようになるだろう.
❸すなわち. つまり. とりも直さず. いいかえると. 言わば. 句例 서울 ～ 한국의 수도 ソウルすなわち韓国の首都. 文例 이것이 ～ 정치라는 것이다 これが言わば政治というものだ / 그것은 ～ 죽음을 뜻한다 それはつまり死を意味する / 말이 ～ 행동이니라 言すなわち行動なり. 類즉(卽).

***곧다**〈形〉まっすぐだ. 正しい. ❶曲がっていない. 句例 곧은 선 まっすぐな線 / 곧은 자세 正しい姿勢. ❷正直だ. 生一本だ. 律儀〔律義〕だ. 句例 곧은 사람 正直な人 / (대쪽같이) 곧은 성격 (竹を割ったような)まっすぐな性格 / 세상을 곧게 살아가다 正直に世を渡る.

곧-바로〈副〉まっすぐに. ❶すぐに. 直ちに. (寄り道をしないで)まっすぐ(に). 即刻. 句例 ～ 나아가다 まっすぐに進む. 文例 학교가 파하면 ～ 돌아오너라 学校が終わったらまっすぐ帰りなさい. ❷ありのままに. 文例 ～ 말씀드려라 ありのままに申し上げなさい.

곧-바르다(곧바르니, 곧발라서)〈形〉まっすぐだ. まっすぐで正しい. 句例 곧바른 길 まっすぐな道.

곧뿌림〈名・하自〉〔農〕⇨ 직파(直播)

곧은-결 [kodŭn-gyŏl]〈名〉〔建〕正目.

곧은-길 [kodŭn-gil]〈名〉まっすぐな道.

곧은-뿌리 [kodŭnppuri]〈名〉〔植〕直根.

곧은-창자 [kodŭnch'angja]〈名〉〔生〕直腸.

곧이 [koji]〈副〉❶まっすぐに. 直に. ❷正しく. ❸偽りなく.

곧이-곧대로 [kojigottaero]〈副〉❶率直に. 偽りなく. ありのまま(に). 句例 ～ 말하다 ありのままに話す / ～ 받아들이다 額面どおり受け入れる. ❷はばかりなく. 気ままに. 句例 ～ 행동하다 ありのままにふるまう.

***곧이-듣다** [kojidŭtta](一들으니, 一들어서)〈他〉真に受ける. ことば通りに受け取る. 句例 겉치레말을 ～ お世辞をまともに受け取る. 文例 그 말을 곧이들었다 その話を本気にした / 농담을 곧이듣고 화내다 冗談を真に受けて怒る.

곧잘〈副〉❶よく. たびたび. しばしば. 好んで. 文例 ～ 영화를 본다 よく映画を見る / 나이가 들면 ～ 넘어지다 年をとるとよくころぶ / ～ …하곤 했었다 よく …したものだ. ❷かなりよく. なかなか(よく). 文例 공부를 ～ 한다 勉強をかなりよくする / ～ 팔린다 なかなかよく売れる.

곧장〈副〉(横にそれないで)まっすぐに. 直ちに. すぐ(に). 直接(に). 句例 ～ 학교로 가다 まっすぐに学校へ行く. 文例 이 길로 ～ 가시오 この道をまっすぐに行きなさい / 도착하거든 ～ 전보를 쳐라 到着したらすぐ電報を打て.

곧추〈副〉(下から上へ)まっすぐに. 直立させて. 垂直に. 語例 ～뛰기 その場でジャンプする運動.

곧추-들다(一드니, 一들어서)〈他〉立てて持つ. 句例 창을 ～ 槍を立てて持つ.

곧추-서다〈自〉まっすぐに立つ. 直立する. 文例 말이 놀라서 앞다리를 들고 곧추섰다 馬が驚いて前脚を上げて棒立ちになった.

곧추-세우다〈他〉まっすぐに立てる. 直立させる. 句例 아기를 곧추세워 안다 赤ん坊をまっすぐ立てて抱く.

곧추-앉다 [kotch'uantta]〈自〉背を立ててまっすぐに座る. 句例 곧추앉아서 훈시를 듣다 正座して訓示を聞く. →앉다 参考

골¹〈名〉❶骨髄. 句例 ～이 빠지다 ひどく骨が折れる. 語例 쇠～ 牛の骨髄. ❷['머릿골'の略] 脳髄. 頭. 句例 ～이 울린다 頭ががんがんする / ～이 아프다 頭が痛い / ～이 비다 頭が空っぽだ.

골²〈名〉怒り. 腹立ち. 憤り. 語例 ⇨ 골나다 / ⇨ 골내다
 골이 상투 끝까지 나다 怒髪天を突く. 頭から湯気を出す.

골³〈名〉(靴・帽子などの)型. 語例 구둣～ 靴型 / 짚신～ 草履の型.

골⁴ [ko:l]〈名〉❶'고을'の略. ❷'골목'の略. ❸深い穴. ❹谷. 句例 ～이 깊다 谷が深い. ❺溝. ＝고랑. 句例 ～을 파다 溝を掘る.
 골로 가다 '죽다 死ぬ'の俗っぽい言いかた. くたばる.

***골** [ko:l]〈名〉ゴール. 句例 ～ 바로 앞에서 앞지르다 ゴールのすぐ前で追い抜く. 語例 ～게터 ゴールゲッター / ～ 라인 ゴールライン / ～인 ゴールイン / ～키퍼 ゴールキーパー / ～대 ゴールポスト. ◇goal

골 〔漢字項目〕

【骨】中學 골 コツ. ❶뼈 骨. ▮骨格 골격 こっかく. 骨肉 골육 こつにく. ▮遺骨 유골 いこつ. ❷사물의 중추 事物の中枢. ▮骨子 골자 こっし. ▮鐵骨 철골 てっこつ. ❸몸. 신체 からだ. ▮病骨 병골 びょうこつ. 老骨 노골 ろうこつ. ❹기질 気質. 인품 人柄. ▮氣骨 기골 きこつ. 風骨 풍골 ふうこつ.

골간【骨幹】〈名〉骨幹. ❶骨組み. 骨格. ＝뼈대. ❷物事の大本. 根幹. 句例 일의 ～을 이루다 物事の根幹をなす.

***골격【骨格】**〈名〉〔生〕骨格. 句例 ～이 튼튼한 운동 선수 骨格のたくましい運動選手. 文例 빌딩의 ～이 거의 다 완성되었다 ビルの骨組みがほとんど出来上がった.

***골고루**〈副〉'고루고루'の略. 句例 ～ 나누다 均等に分ける〔分配する〕/ 주의가 ～ 미치다 注意が行き渡る.

골-골¹ [ko:lgol]〈副〉❶長患いで病勢がひ

ㄱ

どくなったりよくなったりするさま. ❷病気がちで, いつもからだが弱いさま. **～하다**〈自〉からだが弱くてよく病気になる. 病気がちである. **～거리다**〈自〉'골골하다'のこと.

골-골² [ko:lgol]〈副〉めんどりが卵を産もうとして出す鳴き声: コーコッコッ. **～하다**〈自〉めんどりが卵を産もうとしてコーコッコッと鳴く. **～거리다**〈自〉'골골하다'のこと.

골-김 [kolkkim]〈名〉腹立ちまぎれ. ＝홧김.

골-나다 [kollada]〈自〉腹が立つ. ＝성나다.

골-내다 [kollaeda]〈自〉腹を立てる. 立腹する. 怒る・いかる. ＝성내다. 文例 그렇게 골내지 말게 そう腹を立てるなよ.

골다 [ko:lda] (고니, 골아서)〈他〉(いびきを)かく. 句例 코를 ～ いびきをかく.

골동-품【骨董品】[kolttongp'um]〈名〉骨董品. ❶収集の対象となる, 古美術品. ❷比喩的に, 古いだけで価値のないもの. 文例 네 차는 아주 ～이구나 君の車はまったく骨董品だね.

골든 아워 [ko:ldŭnawo]〈名〉ゴールデンアワー. ◇golden hour

골-딱지〈名〉'골²'の俗っぽい言い方. 句例 ～내다 腹を立てる.

골딱지(가) 나다 '골나다'の俗っぽい言いかた.

골똘-하다 (→하다)〈形〉夢中だ. 一生懸命だ. 熱心だ. 熱中している. 句例 연구에 ～ 研究に夢中だ / 게임에 ～ ゲームに熱中する. **골똘히**〈副〉夢中に. 一生懸命に. 熱心に. 熱中して. 没頭して. 句例 골똘히 들여다보다 熱心に見入る.

골라-내다 [ko:llanaeda]〈他〉選び出す. より出す. 取り去る. より分ける. つまみ出す. えり抜く. 句例 쌀에서 뉘를 ～ 米からもみをより出す〔取り去る〕.

골라-잡다 [ko:llajapta]〈他〉よ(選)り取る. 選び取る〔持つ〕. 句例 마음대로 ～ より取り見取りする / 좋은 것으로 ～ いいものをより取る. 文例 골라잡아 한 개 천원 より取りで一つ一千ウォン.

골-마루 [ko:lmaru]〈名〉部屋についている狭い板の間.

골마지〈名〉酒・醤油など水気の多い食品に生えるかび. 句例 술에 ～가 끼다 酒にかびが生える.

골막【骨膜】〈名〉〔生〕骨膜. 語例 ～염〔醫〕骨膜炎.

골막-하다 [kolmak'ada] (→하다)〈形〉容器にほとんど一杯だ.

골막골막〈副・하形〉容器ごとにほとんど満ちているさま.

골-머리〈名〉'머릿골 頭'の俗っぽい言い方. 文例 귀찮은 일만 생겨서 ～가 아프다 面倒なことばかり起こって頭が痛い.

골머리(를) 앓다 頭を悩ます.

골목 [ko:lmok]〈名〉路地. 横町. 句例 세번째 ～ 三つめの横町 / ～ 안에 살다 路地裏に住む / 막다른 ～ 袋小路 / ～길로 질러가다 横町から近道をする. 語例 ～길 小道. 小路. 横町 / ～ 대장 餓鬼大将 / ～쟁이 横町の奥深いところ.

골목-골목 [ko:lmok—]〈名・副〉路地ごと(に). 句例 ～ 외치고 다니다 路地ごとに叫び歩く. 文例 ～ 아이들로 가득하다 路地ごとに子供であふれる.

골몰-하다【汨沒—】(→하다)〈自〉没頭する. 没入する. 熱中する. 凝る. 句例 연구에 ～ 研究に没頭する / 독서에 ～ 読書にふける / 골몰하는 성질 凝り性. **골몰히**〈副〉没頭して. 凝って. 熱心に.

골무〈名〉指ぬき. 指差し. 句例 ～를 끼다 指ぬきをはめる.

골-바람 [ko:lpparam]〈名〉谷間の風. 谷風. 對산바람.

골반【骨盤】〈名〉〔生〕骨盤.

골-방【—房】[ko:lbang]〈名〉小部屋.

골-백번【—百番】〈名〉'何度も'を強調する語: 数百回. 何百回. 文例 열심히 공부하라고 ～이나 얘기했다 一生懸命に勉強しろと何百回も言いつけた / ～이나 전화를 했지만 집에 없었다 何度も何度も電話をかけたが留守だった / ～도 더 잔소리를 했지만 허사였다 口がすっぱくなる程小言を言ってみたが無駄だった.

골-병【—病】〈名〉膏肓に入った病.

골병(이) 들다 ❶病膏肓に入る. 句例 속으로 ～이 들다 人知れず病膏肓に入る. ❷致命的な打撃を受ける. 文例 이번만은 제놈도 골병이 들었을 게다 今度こそはあいつ〔きゃつ〕もこっぴどくやられただろうよ.

골-뿌림 [ko:lppurim]〈名〉〔農〕筋まき. ＝조파(條播). **～하다**〈他〉畝間に種をま(播)く. 筋まきをする.

골-샌님〈名〉❶型にはまった〔生まじめな〕人. ❷(からかって)狭量で融通の利かない人.

表現 '샌님'は'생원(生員)님'のくだけた言葉. 普通, 男の紳士を言うが, たまには冷やかしの意味を含む. '골'は凝り固まったものを指すことば.

골-생원【—生員】〈名〉❶狭量で固陋な人. ＝골샌님. ❷虚弱な人. 病気がちな人.

골-속 [kolssok]〈名〉脳髄〔頭〕の中. 文例 ～이 텅 비어 있다 脳みそが空っぽだ.

골수【骨髓】[kolssu]〈名〉骨髄. ❶〔生〕骨の内の腔所にある柔軟組織. ❷心の底. 心中. 文例 원한이 ～에 사무치다 恨みが骨髄に徹する. 語例 ～염 骨髄炎. ❸要点. 骨子. 語例 ～ 분자(分子) 核心要員.

골-안개 [ko:ran-gae]〈名〉谷間の朝霧.

골-오르다 [kororŭda] (골오르니, 골올라서)〈自〉怒りがこみあがる. 腹が立つ.

골육【骨肉】[koryuk]〈名〉骨肉. ❶骨と肉. 肉体. ❷'골육지친'の略: 肉親. 句例 ～의 정 骨肉の情 / ～간의 다툼 骨肉の争い.

골육-상잔【骨肉相殘】[koryuk—]〈名・하自〉骨肉相食むこと. 肉親どうしの争い. ＝골육상쟁.

골육-상쟁【骨肉相爭】[koryuk—]〈名・하自〉骨肉相争うこと. ＝골육상전(相戰).

골육지-친【骨肉之親】[koryukchich'in]〈名〉骨肉(の間柄). 肉親《略語》.

골자【骨子】[koltcha]〈名〉骨子. 要点. 大綱. 句例 법안의 ~를 설명하다 法案の骨子を説明する. 文例 ~만 말하세요 要点だけ言いなさい.

골재【骨材】[koltchae]〈名〉骨材. 語例 천연~ 天然骨材.

골절【骨折】[koltchŏl]〈名・하自〉〔醫〕骨折. 句例 택시에 치여〔받혀〕~되다 タクシーにひかれて〔はねられて〕骨折する.

*골짜기〈名〉谷. 谷間. 谷あい. 渓谷. 略して'골짝'ともいう. 句例 ~의 백합 谷間のゆり / ~의 작은 마을 谷間の小村 / 천 길의 ~ 千尋・ちひろの谷. 語例 산~ 山あい. 山峡. 類 골.

골-초【一草】〈名〉❶低質のタバコ. ❷大変なタバコ好き〔愛煙家〕. ヘビースモーカー.

골치〈名〉'골머리 頭'の下品な言いかた. 句例 골치를 앓다(→小項目). 語例 ⇨ 골칫거리.
 골치(가) 아프다 頭が痛い.
 골치(를) 앓다 頭を悩ます. 頭を痛める.

골-치다〈他〉型をすえる. (型にはめて)形を直す.

골칫-거리〈名〉頭痛の種. 困り者. 厄介者 難物. 句例 집안의 ~ 一家の困り者.

골-켜다 [ko:lk'yŏda]〈他〉丸太を縦にひ(挽)いて溝を作る.

골-탕【一湯】〈名〉'크게 혼남 ひどい目' '큰 손해 ひどい損害'の俗っぽい言いかた.
 골탕(을) 먹다 ひどい損害を被る. ひどい目にあう. 文例 골탕먹은 건 바로 나다 ひどい目にあったのはこの僕だ.
 골탕(을) 먹이다 ひどい目にあわせる. 損害を与える〔着せる〕. 文例 까다로운 문제를 내어 학생들을 ~ 難しい問題を出して生徒たちに肩透かしをくわせる / 여럿이서 짜고 한 사람을 골탕먹였다 みなが示し合わせて一人を懲らしめた.
 参考 もともと'골탕'は牛の脳髄や脊髄を煮込んだ澄まし汁.

골통〈名〉'머리 頭'の俗っぽい言い方. 句例 ~이 빈 녀석 頭の空っぽなやつ.

골통-대〈名〉火皿の大きいキセル. マドロスパイプ.

골-파 [ko:lp'a]〈名〉〔植〕❶わけぎ(分葱). ❷ねぎ(葱)の一種. 略して'파'ともいう.

골-판지【一板紙】[ko:lp'anji]〈名〉(包装用の)段ボール.

골패【骨牌】〈名〉骨牌. 語例 ~놀이 骨牌を用いる賭博.
 参考 伝統的な賭博用具の一つ. 四角い木札にいろいろの数字を示す穴を彫った白い骨片を張りつけたもので, 32片が一組.

골퍼〈名〉ゴルファー. ◇golfer

골-풀〈名〉〔植〕い(藺). いぐさ(藺草). とうしんぐさ(灯心草).

골-풀무 [ko:lp'ulmu]〈名〉たたら(踏鞴). 句例 ~를 밟다 たたらを踏む.

골-풀이 [kolp'uri]〈名・하自〉八つ当たり. 当たり散らすこと. 文例 회사 일로 아내에게 ~하다 会社の事で妻に八つ当たりする〔当たり散らす〕.

골품【骨品】〈名〉〔史〕新羅時代の王族や貴族などの血統による身分の等級.

골프〈名〉ゴルフ. 語例 ~ 바지 ゴルフパンツ / ~장(場) ゴルフリンク / ~ 클럽 ゴルフクラブ. ◇golf

골필【骨筆】〈名〉骨筆.

골-함석 [ko:lhamsŏk]〈名〉波板. なまこ板.

곪다 [ko:mtta]〈自〉う(膿)む. ❶化膿する. 句例 상처 자리가 ~ 傷口がうむ〔化膿する〕/ 곪은 데를 도려내다 うんだ部位をえぐり取る. ❷(比喩的に)腐る. 句例 곪을 대로 곪은 사회 腐りきった社会.
 参考 '곪으니 うむから' '곪고 うんで'は[kolmŭni], [komkko]と読む.

곬 [kol]〈名〉一方に開いている道. ひと向き. ひたむき. いちず(一途). 句例 외~으로만 나아가다 ひたむきに進む. 一点張りで通す. →외곬

곯다¹ [kolt'a]〈自〉❶(中身から)腐る. 傷む. 句例 달걀 곯은 냄새 卵の腐ったにおい / 수박이 ~ すいかが傷む. ❷人知れず〔知らぬ間に〕痛手〔損〕を受ける. 文例 나 혼자만 곯는다 わたし一人だけが痛手を受ける〔損する〕.
 参考 '곯으니 腐るので' '곯고 腐って'は[korŭni], [kolk'o]と読む.

곯다² [kolt'a]〈自〉(食べ物が足りなくて)腹をすかす. 文例 흉년으로 배를 ~ 凶作で腹をすかす.
 参考 '곯으니 腹をすかすので' '곯고 腹をすかして'는 [korŭni], [kolk'o]と読む.

곯리다¹ [kollida]〈他〉(食べ物が不足して)腹をすかせる. ひもじい思いをさせる.
 参考 '곯리니 腹をすかせるので' '곯리고 腹をすかせて'는 [kollini], [kolligo]と読む.

곯리다² [kollida]〈他〉'곯다'の使役形. ❶中身が傷んで腐るようにする. ❷損を与える. 痛手を負わせる. 困らせる. 文例 얄미운 놈을 곯려 주다 憎らしいやつをこらしめてやる.
 参考 '곯리니 腐らせるので' '곯리고 腐らせて'は [kollini], [kolligo]と読む.

곯아-떨어지다 [korattŏrŏjida]〈自〉(ひどく疲れて, または酒に酔って)正体なく眠りこける. 文例 맨 먼저 술에 ~ まっさきに飲みつぶれる / 너무나 피곤해서 곯아떨어졌다 あまりにも疲れて正体なく眠りこけた.

곯아-빠지다 [korappajida]〈自〉❶(中身が傷んで)腐りきる. ❷酒色やばくち(博打)におぼ(溺)れきる.

**곰 [ko:m]〈名〉❶〔動〕くま(熊). ❷愚鈍な人をあざける語. 句例 ~같이 미련한 놈 くまのように愚かなやつ.

곰곰 [ko:mgom]〈副〉⇨ 곰곰이

곰곰-이 [ko:mgomi]〈副〉じっくり, つくづく(と). よくよく. つらつら. 句例 ~ 생각하다 じっくり考える. 文例 자신의 앞날을 ~ 생각해 보았다 自分の行く先をつくづくと考えてみた.

곰-국 [ko:mkkuk]〈名〉〔料理〕牛肉をじっく

り煮込んだ汁物.

곰기다 〈自〉(出来物が)う(膿)み, その辺りがは(腫)れあがって固くなる.

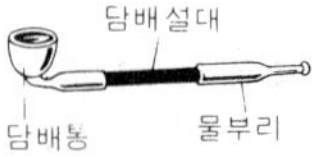

〈곰방담뱃대〉

곰방-담뱃대 〈名〉管の短いキセル. 絵

곰방-대 〈名〉⇨ 곰방담뱃대

곰배 〈名〉'곰배팔이'の略.

곰배-팔 〈名〉屈伸のできない腕.

곰배팔-이 [kombaep'ari]〈名〉腕が曲がっていて屈伸のできない人. 片輪腕の人.

**곰보 [ko:mbo]〈名〉あばた面の人. じゃんこ《俗》. 語例 ～딱지 ひどいあばた面の人をあざける語.

곰-삭다 [ko:msakta]〈自〉❶(着古した衣服などの)地がもろくなる. ❷(塩辛などが)充分に漬かる.

곰-살궂다 [ko:msalgutta]〈形〉性格が穏やかで優しい.

곰상-스럽다 (→스럽다)〈形〉(性格などが)せせこましい. こせこせしている. こまごまと優しい. 句例 곰상스럽게 돌보아 주다 こまごまと世話をやく.

곰실-거리다 〈自〉もぞもぞうごめく. 句例 벌레가 ～ 虫がもぞもぞと動く.

곰실곰실 〈副・하自〉もぞもぞ. 文例 작은 벌레가 ～ 기어 돌아다닌다 小虫がもぞもぞはい回っている.

곰-취 [ko:mch'wi]〈名〉〔植〕おたからこう.

곰치 〈名〉〔魚〕うつぼ(鱓). なまだ.

곰-탕【一湯】 [ko:mt'ang]〈名〉〔料理〕牛の肉・骨・内臓などをじっくり煮込んだ濃い汁物.

곰팡 [ko:mp'ang]〈名〉〔植〕'곰팡이'の略.

곰팡(이) 나다 かびが生える. 句例 곰팡난 떡 かびの生えたもち.

곰팡(이) 슬다 かびが生える. 文例 빵에 곰팡이 슬었다 パンにかびが生えた.

곰팡(이) 피다 (一面に)かびが生える. かびる. 略して'곰피다'ともいう.

곰팡-내 [ko:mp'angnae]〈名〉⇨ 곰팡냄새

곰팡-냄새 [ko:mp'ang—]〈名〉❶かび(黴)のにおい. ❷物事が古ぼけたさま. 古臭い行動や思想. 句例 ～ 나는 케케묵은 생각 かびてしまった旧弊な考え.

곰팡-스럽다 [ko:mp'angsŭrŏpta] (→스럽다)〈形〉(することが)変てこで古臭い. かび臭い. 句例 곰팡스러운 설교 かび臭い説教.

*__곰팡-이__ [ko:mp'ang-i]〈名〉〔植〕かび(黴). 略して'곰팡'ともいう. 句例 ～ 피다〔슬다〕かびが生える. か(黴)びる. 文例 여름에는 습해서 ～가 피기 쉽다 夏は湿っているのでかびが生えやすい. 語例 푸른 ～ 青かび.

곰-피다 [ko:mp'ida]〈自〉['곰팡 피다'の略] かび(黴)が生える. かびる.

곱[1] 〈名〉❶出来物や傷口などににじみ出るやに状の液. ❷腸から排出される薄白い, または血の混じった粘液. →곱끼다

*__곱__[2] 〈名・하他〉倍. ❶'곱쟁이'の略. 句例 수입을 ～으로 늘리다 収入を倍にのばす. ❷'곱절'の略. 句例 다섯～ 五倍. →곱하다

곱-걸다 (곱거니, 곱걸어서)〈自〉❶(縄などを)二重にしてくくる. ❷(博奕で)二倍をかける.

곱-걸리다 〈自〉'곱걸다'の受け身: 二重に〔重ねて〕かけられる.

곱-꺾다 〈他〉関節を曲げたり伸ばしたりする.

곱-끼다 〈自〉はれ物などにやに状の物ができる.

곱다[1] 〈形〉(寒さで手足が)かじかむ. かじける. 凍える. 句例 곱은 손을 녹이다 かじかんだ〔凍えた〕手を暖める. 文例 손끝이 곱아서 글씨를 쓸 수 없다 指先がかじかんで字が書けない.

곱다[2] 〈形〉ゆがんでいる. 曲がっている. 文例 등이 곱았다 背が曲がっている.
表現 語感の大きい語は'굽다'.

**__곱다__[3] [ko:pta] (고우니, 고와서)〈形〉きれいだ. ❶美しい. 麗しい. あでやかだ. 句例 고운 꽃 美しい花 / 곱게 차려 입은 새색시 きれいに〔あでやかに〕着飾った花嫁. ❷(声などが)美しい. 句例 꾀꼬리처럼 고운 목소리 うぐいす(鶯)のようにきれいな声. ❸(気立てが)優しい. 句例 마음씨가 고운 여자 気立ての優しい女性. ❹(肌・粉・織り目・木目・きめなどが)細かい. 句例 고운 모래 きれいな砂 / 살결이 고운 피부 きめの細かい肌 / 고운 체 細かいふるい / 나뭇결이 ～ もくめが細かい. ❺('곱게…'の形で) 'きれいに', '穏やかに'などの意を表わす. ㉠安らかに. 平安に. 句例 곱게 잠들다 安らかに眠る. ㉡大切に. きれいに. 句例 물건을 곱게 다루다 持ち物を大切に扱う. 文例 상대방의 공을 곱게 받아 치다 相手の球をきれいに打ち返す. →고이

곱다랗게 [ko:ptarak'e]〈副〉きれいに. 元のまま. 損なわれずに. 句例 ～ 모셔 놓다 そっくりそのまま祭って置く. 文例 옛 모습을 ～ 간직하고 있다 昔の面影を変わりなくとどめている.

곱다랗다 [ko:ptarat'a] (곱다라니, 곱다라오)〈形〉❶とてもきれいだ. 句例 곱다라니 피어 있는 목련꽃 きれいに咲いているモクレンの花. ❷変わりもせずそっくり元のままだ. 手をつけていない. 損なわれていない.

곱다래-지다 [ko:ptaraejida]〈自〉きれいに〔美しく〕なる.

곱-돌 〈名〉〔鑛〕滑石. タルク. タルカン. 語例 ～ 냄비〔솥〕滑石作りのなべ〔かま(釜)〕.

곱-되다 〈自〉(物の数や量が)倍になる.

곱-빼기 〈名〉❶二度重ねること. ❷(一つの器に盛った)二人前の食べ物. 大振り. 文例 김밥을 ～로 먹었다 のり巻きを二人前食べた / 쇠고기 덮밥 ～로 하나 주시오 ぎゅうどん(牛丼)大振りで一丁願います.

곱사-등 〈名〉くる病で曲がった背.

곱사-등이 〈名〉せむし(傴僂). くる(佝僂). ＝구루(佝僂). 꼽추.

곱사-병【一病】 [kopsappyŏng]〈名〉くる病.

곱살-끼다 [ko:psalkkida]〈自〉(ひどく)むずかる. せがむ. 文例 아기가 아파서 ～ 赤子が病

気でむずかる.

곱살-스럽다 [ko:psalsŭrŏpta] (→스럽다) 〈形〉 (顔立ち, 気立て, 色, 音などが)きちんと整っていて感じがよい. 美しい. きれいだ.

곱살-하다 [ko:psal—] (→하다) 〈形〉 (顔立ち, 気立て, 色などが)優しくてきれいだ. 美しい.

곱-삶다 [kopsamtta] 〈他〉 二度煮る. 煮なおす.

곱-새기다 〈他〉 ❶思い違いする. 曲解する. ❷再考する. 考えなおす.

*__곱-셈__ 〈名〉 掛け算. 乗法. 乗算. ～하다 〈他〉 掛け算をする. 掛け合わせる.

곱셈 구구 【一九九】〈名〉 ⇨ 구구법(九九法)

곱셈-표 【一標】〈名〉〔數〕 乗算記号《'×'の称》. ＝곱셈 기호.

⁑**곱슬곱슬-하다** (→하다) 〈形〉 (髪などが)縮れている. 縮くれる. [句例] 머리카락이 ～ 髪の毛が縮れている.

곱슬-머리 〈名〉 ⇨ 고수머리

곱실-거리다 〈自他〉 '굽실거리다'の語感の小さい語. [文例] 함부로 그렇게 곱실거리지 마라 やたらにそうぺこぺこするな.

곱자 〈名〉 かね尺. 曲がり尺. かねざし(曲差). 曲尺.

곱장-다리 〈名〉 がにまた(蟹股). わに足. O脚.

곱쟁이 〈名〉 倍の数量. 略して'곱'ともいう.

곱절 〈名・副・하他〉 倍. 倍数. [句例] ～ 아름다워지다 倍もきれいになる. [文例] 물가가 ～이나 뛰었다 物価が倍も跳ね上がった / ～의 분량이 필요하다 倍の分量を必要とする.

곱-창 〈名〉 牛の小腸. [語例] ～구이 牛の小腸焼き.

곱-치다 〈他〉 ❶二つに折り合わせる. ❷倍にする. 倍する. [句例] 꾼 돈을 곱쳐서 갚다 借りた金を倍にして返す.

*__곱-하기__ [kop'agi] 〈名〉〔數〕 ❶掛け算. ＝곱셈. ❷掛けること. [句例] A ～ B AかけB.

*__곱-하다__ [kop'ada] (→하다) 〈他〉 掛ける. 乗じる. [句例] A에 B를 ～ AにBをかける.

⁑**곳** 〈名〉 ❶所. 場所. [句例] 조용한 ～ 静かな所 / 폭발한 ～ 爆発した所 / 저 ～ あそこ / 그곳 そこ. [文例] 물가는 ～에 따라 다르다 物価は場所によって違う / 창피해서 눈을 보낼 ～이 없다 恥ずかしくて目のやり場がない. ❷その点. 部分. 所. [句例] 주의를 요하는 ～ 注意を要する所〔点〕.

곳간 【庫間】〈名〉 倉〔蔵〕. 物置. 納屋. 倉庫. ＝곳집. [句例] 장작을 ～에 넣어 두다 薪を納屋にしまう. [語例] 술 ～ 酒蔵 / 배의 ～ 船蔵. せんそう.

곳간-차 【庫間車】〈名〉 '유개 화차 有蓋貨車'の俗っぽい言いかた.

*__곳-곳__ 〈名〉 所所, 至る所. 方方. あちこち(ら)こち(ら). どこもかしこも. [句例] ～에 간판이 있다 至る所に看板がある / ～에〔으로〕 심부름꾼을 보내다 方方に使いを出す.

곳곳-이 [kotkoshi] 〈副〉 至る所(に). 所所(に). 方方(に). どこもかしこも. [句例] ～ 인파로 가득하다 どこもかしこも人出でいっぱいだ.

⁑**공** [ko:ng] 〈名〉 ❶まり(毬). 玉〔球〕. ボール. [句例] (공치기・당구에서) ～을 치다 玉〔まり〕を突〔撞〕く / ～을 던지다 球を投げる / (야구에서) ～을 때리다〔치다〕 球を打つ / ～을 차다 ボールをけ(蹴)る / 똑바른 ～ まっすぐなボール〔球〕/ ～을 받다 まり〔ボール〕を受ける / 좋은 ～ いい球. [語例] 고무～ ゴムまり / 야구～ 野球のボール / 당구～ 玉突きの球. ❷〔數〕 球.

공 【工】 ■〈名〉 '공업'の略.
■〈尾〉 職工の意: …工. [語例] 수습～ 見習い工 / 용접～ 溶接工 / 인쇄～ 印刷工.

공 【公】 ■〈名〉 公. ❶公. 表向き. また, 社会. 世間. [句例] ～과 사의 구별을 짓다 公と私のけじめをつける / ～에 이바지하는 몸 公に仕える身. ❷'공작(公爵)'の略.
■〈代〉 公. ❶⇨ 당신. [文例] ～의 허가를 받고 싶소이다 あなたの許可を得たく存じます. [語例] 귀～ 貴公. ❷対称代名詞. 男子三人称の敬称.
■〈尾〉 男子の姓・諡号・雅号・官爵の後につけて相手を高める語: …公. [語例] 충무～ 忠武公 / 김～ 金公.

*__공__ 【功】〈名〉 '공로'の略: 功. 功名. いさお. 働き. てがら. [句例] ～을 서두르다 功をあせる / ～을 세우다 功をたてる / 내조의 ～ 内助の功 / 수고는 많고 ～이 적은 일 労多くして功が少ない仕事.

공 【空】〈名〉 ❶空・. ㉠うつろ. [語例] ～방 空き部屋. ㉡事実でないこと: 空・から. [語例] ～치사 空世辞. ❷零. ゼロ. [語例] 3천 ～ 52원 三千飛び五十二ウォンなり《聞き取り算での語》. ❸代価が不要なこと: ただ. 無料. 無償. [句例] ～으로 받다 ただでもらう. ❹むだ. [語例] ⇨공치다

공 〈名〉〔樂〕 ゴング. 銅鑼. [句例] 시합 개시의 ～이 울리다 試合開始のゴングが鳴る. ◇gong

공 〔漢字項目〕

【供】 高校 공 キョウ. ク. ❶(신불에게) 바치다 (神仏に)供える. ▌供米 공미 くまい. 供養 공양 くよう. ❷제공하다 提供する. ▌供出 공출 きょうしゅつ. 供給 공급 きょうきゅう. ▌提供 제공 ていきょう. ❸죄인이 범죄 사실을 진술하다 罪人が犯罪事実を述べる. ▌供述 공술 きょうじゅつ. ▌自供 자공 じきょう.

【公】 中學 공 コウ. ❶드러냄 あらわす. ▌公認 공인 こうにん. 公約 공약 こうやく. ❷정부나 관공서 政府や役所. ▌公營 공영 こうえい. 公立 공립 こうりつ. ▌官公廳 관공청 かんこうちょう. ❸공적임 公的なこと. ▌公金 공금 こうきん. 公私立 공사립 こうしりつ. ❹변함이 없음 変わりがない. ▌公式 공식 こうしき. 公理 공리 こうり. ❺공평하다 偏らない. ▌公正 공정 こうせい. 公明 공명 こうめい. 公平 공평 こうへい. ❻동배의 호칭 同輩に対する呼称. ▌貴公 귀공 きこう. 金公 김공 キムこう. ❼귀족의 존칭 貴族の尊称.

ㄱ

◧公子 공자 こうし. 公女 공녀 こうじょ. ❽작위의 하나 爵位の一つ. ◨公爵 공작 こうしゃく. ❾친근 또는 경멸을 나타냄 親しみ, または軽蔑を表わす. ◨主人公 주인공 しゅじんこう. 犬公 견공 けんこう.

【共】 中學 공 キョウ. ❶같이〔함께〕하다 共にする. ◧共通 공통 きょうつう. 共有 공유 きょうゆう. ◨公共 공공 こうきょう. ❷'공산주의·공산당'의 준말 '共産主義'·共産党'の略. ◨反共 반공 はんきょう. 容共 용공 ようきょう. 中共 중공 ちゅうきょう.

【功】 中學 공 コウ. ク. ❶공적 功績. 성과 成果. ◧功績 공적 こうせき. 功労 공로 こうろう. ◨成功 성공 せいこう. 武功 무공 ぶこう. ❷효과 効果. 효험 効験. ◧功徳 공덕 くどく. 功力 공력 くりき.

【孔】 高校 공 コウ. ❶구멍 あな. ◨氣孔 기공 きこう. 鼻孔 비공 びこう. 眼孔 안공 がんこう. ❷공자를 일컬음 孔子を称する. ◧孔孟 공맹 こうもう. 孔門 공문 こうもん. ❸성씨의 하나 姓の一つ. ◧孔氏 공씨 こうし.

【工】 中學 공 コウ. ク. ❶만들다 つくる. ◧工作 공작 こうさく. 工事 공사 こうじ. ◨加工 가공 かこう. 人工 인공 じんこう. 細工 세공 さいく. ❷공업 工業. 기물을 만드는 일 器物をつくること. ◧工業 공업 こうぎょう. 工場 공장 こうじょう. こうば. ◨施工 시공 しこう. せこう. 着工 착공 ちゃっこう. ❸공장 근로자 労働者. ◨旋盤工 선반공 せんばんこう. 電工 전공 でんこう.

【恐】 高校 공 キョウ. ❶두려워〔무서워〕하다 恐れる. ◧恐怖 공포 きょうふ. 恐慌 공황 きょうこう. ❷으르다. 공갈하다 おどす. ◧恐喝 공갈 きょうかつ. ❸무시무시하다 恐ろしい. ◧恐龍 공룡 きょうりゅう.

【恭】 高校 공 キョウ. ❶공손하다 うやうやしい. ◧恭順 공순 きょうじゅん. 恭賀 공하 きょうが. ❷받들다 たてまつる. ◧恭行 공행 きょうこう.

【攻】 高校 공 コウ. ❶치다 撃つ. 공격하다 攻める. ◧攻撃 공격 こうげき. 攻守 공수 こうしゅ. ◨速攻 そっこう. 猛攻 맹공 もうこう. ❷학문을 닦다 学問を修める. ◧攻究 공구 こうきゅう. ◨專攻 전공 せんこう.

【空(空)】 中學 공 クウ. ❶하늘 空. ◧空中 공중 くうちゅう. ◨上空 상공 じょうくう. 低空 저공 ていくう. ❷비우다 空だ. ◧空間 공간 くうかん. 空席 공석 くうせき. ◨眞空 진공 しんくう. ❸아무 성과도 없다 むだだ. ◧空轉 공전 くうてん. 空論 공론 くうろん. ❹항공기의 航空機の. ◧空港 공항 くうこう. 空路 공로 くうろ.

【貢】 高校 공 コウ. ク. ❶공물 貢ぎ物. 공물을 바치다 貢ぐ. ◨朝貢 조공 ちょうこう. 入貢 입공 にゅうこう. 年貢 연공 ねんぐ. ❷이바지하다 尽くす. ◧貢獻 공헌 こうけん.

공간【空間】〈名〉空間. 句例 시간과 ~ 時間と空間 / ~을 이용하다 空間を利用する.

공갈【恐喝】[ko:nggal]〈名〉❶恐喝〔脅喝〕. ゆす(強請)り. 脅し. **~하다**〈他〉恐喝する. 脅す. ゆする. 句例 비밀을 누설하겠다며 ~하다 秘密を漏らすといって脅す / 바람기를 꼬투리로 ~하다 浮気をねたに恐喝する. ❷'거짓 うそ(噓)'の俗っぽい言いかた. **~하다**〈他〉うそをつく. 文例 ~놓지 마라 うそつくな / 순전한 ~이다 全くのうそだ.

表現 '공갈하다'の意味で'공갈(을) 놓다, 공갈(을) 때리다, 공갈(을) 치다'などの言いまわしが使われるがこれらは俗っぽい言いかたである.

공감【共感】[ko:nggam]〈名·하自〉共感. 句例 많은 사람들의 ~을 부르다 多くの人人の共感を呼ぶ / 그의 의견에 ~한다 彼の意見に共感する.

공개【公開】〈名·하他〉公開. 句例 소장품을 ~하다 所蔵品を公開する. 語例 ~ 강좌 公開講座 / ~장 公開状 / ~ 방송 公開放送 / ~ 투표 公開投票.

공-것【空—】[kongkkŏt]〈名〉ただ(の物). ただで得た物. 無償. 無料. ロハ. 文例 세상에 ~이 어디 있나 世の中にただで得られるのがあるものか. 類공짜.

***공격**【攻撃】[ko:nggyŏk]〈名〉攻撃. **~하다**〈他〉攻撃する. 攻める. 句例 3회 말의 ~ 三回裏の攻撃 / 여론의 비난 ~을 받다 世論の非難攻撃をうける. 文例 ~은 최상의 방어이다 攻撃は最良の防御だ. 語例 ~적 攻撃的. 對수비(守備).

***공경**【恭敬】〈名〉恭敬. **~하다**〈他〉恭敬する. 敬う. 尊ぶ. 句例 부모를 ~하다 父母を敬う / 하늘을 ~하다 天を敬う.

공고【工高】〈名〉'공업 고등 학교'の略: 工高.

공고【公告】〈名·하他〉公告. 触れ. 句例 입산 금지의 ~를 내다 入山禁止の触れを出す / 입찰 기일을 ~하다 入札期日を公告する.

공고-하다【鞏固—】[ko:nggo—] (→하다)〈形〉強固だ. 句例 공고한 수비 強固な守り. **공고히**〈副〉強固に. 句例 지위를〔입장을〕공고히 하다 地歩を強固にする.

***공공**【公共】〈名〉公共. 社会一般. 句例 ~의 복지와 밀접한 관계를 가지다 公共の福祉と密接な関係を持つ / ~의 이익이 우선하다 公共の利益が優先する. 語例 ~ 요금 公共料金 / ~ 생활 公共生活 / ~ 시설 公共施設 / ~ 단체 公共団体 / ~ 사업 公共事業 / ~물 公共物.

공공연-하다【公公然—】(→하다)〈形〉公然だ. おおっぴらだ. 表向きだ. 句例 공공연한 비밀 公然の秘密 / 모순이 공공연해지다 矛盾があらわになる / 공공연한 반감 あらわな反感. **공공연히**〈副〉公然に〔と〕. おおっぴらに. 表向きに. あら(露)わに. 句例 공공연히 반기를 들다 公然と反旗を翻す / 공공연히 말하다 あらわに言う.

공과-금【公課金】〈名〉公課金.

공과 대학【工科大學】[kongkkwadaehak]〈名〉工科大学. 工学部. 略して'공대(工大)'ともいう.

공관【公館】〈名〉公館. 語例 재외 ~ 在外公館 / ~장 公館長 / ~장 회의 公館長会議.

공교-롭다【工巧—】(→롭다)〈形〉⇨ 공교하다.

句例 공교로운 비 때문에 중지되다 あいにくの雨で中止になる / 공교롭게도 손님이 계셔서 あいにく来客があって. 文例 공교롭게도 비가 내리기 시작했다 折あしくも雨になった / 마침 그 때 공교롭게도 그가 와 주었다 ちょうどその時, 都合よく彼が来てくれた. **공교로이** 〈副〉 ⇨ 공교히

공교-스럽다 (→스럽다) 〈形〉 ⇨ 공교롭다

공교-하다 【工巧—】 (→하다) 〈形〉 ❶巧妙だ. 精妙だ. 奇妙だ. 妙なことだ. ❷意外だ. 偶然だ. 思いがけない. 思いの外だ. ❸折がよい. または悪い. **공교히** 〈副〉 ❶巧妙に. ❷意外に. 偶然に. 思いがけなく. ❸あいにく. 折よく〔あしく〕. 都合よく〔わるく〕.

*__공구__ 【工具】〈名〉 工具. 語例 절삭 ~ 切削工具.

공구 【工區】〈名〉 工区. 語例 제1 ~ 第一工区.

*__공군__ 【空軍】〈名〉 空軍. 語例 ~ 본부 空軍本部 / ~ 사관 학교 空軍士官学校.

공권 【公權】 [kongkkwon] 〈名〉 〔法〕 公権. 語例 ~적 해석 公権的な解釈. 對사권(私權).

공권 【空拳】〈名〉 空拳. 素手. 句例 적수 ~으로 적과 맞서다 赤手〔徒手〕空拳で敵にあたる.

공그르기 〈名〉 くけ縫い.

공그르다 (공그르니, 공글러서) 〈他〉 くける. くけ縫いをする. 句例 옷의 소맷부리를 ~ 着物のそで口をくける.

공글리다 〈他〉 ❶(地面などを)固める. ❷(事の始末を)きれいにする.

공금 【公金】〈名〉 公金. 句例 ~을 횡령하다 公金を横領する. 語例 ~ 유용 公金流用.

공급 【供給】 [ko:nggŭp] 〈名·하他〉 供給. 句例 수요와 ~의 균형 需要と供給のバランス / 재해지에 물자를 ~하다 災害地に物資を供給する. 語例 ~ 계약 供給契約. 對수요(需要).

공기 [ko:nggi] 〈名〉 ❶石なご. いしなどり. 石投げ. ❷(お)手玉.

공기(를) 놀다 ❶石なご〔石などり〕をして遊ぶ. ❷お手玉を持って遊ぶ.

공기(를) 놀리다 ❶お手玉〔いしなご〕遊びをする. ❷人をもてあそぶ.

공기 【公器】〈名〉 公器. 文例 신문은 사회의 ~이다 新聞は社会の公器だ.

*__공기__ 【空氣】〈名〉 空気. ❶大気. 句例 신선한 ~ 新鮮な空気 / 겨울의 찬 ~를 마시다 冬の冷たい空気を吸う / ~의 액화 空気の液化 / ~를 바꾸어 넣다 空気を入れかえる. 語例 ~ 압축기 空気圧縮機. エアコンプレッサー / ~ 제동기 空気制動機. エアブレーキ / ~ 조절 空気調節 / ~ 주머니 気嚢. ❷雰囲気. 句例 어색한 ~가 흐르다 気まずい空気が流れる.

공기 【空器】〈名〉 ❶空の器. ❷椀. 茶わん. 句例 나무 ~에 밥을 담다 木の椀に飯を盛る.

공기-총 【空氣銃】〈名〉 空気銃.

공기 펌프 【空氣—】〈名〉 空気ポンプ.

공깃-돌 [ko:nggittol] 〈名〉 石なご遊びに使う小石.

공깃-밥 【空器—】〈名〉 椀に盛った飯.

공납-금 【公納金】〈名〉 納金. ❶役所に納入する金. ❷学生が学校に定期的に納める金.

공단 【工團】〈名〉 '공업 단지'の略: 工団.

공단 【公團】〈名〉 公団. 語例 ~ 주택 公団住宅 / 도로 ~ 道路公団.

공대 【工大】〈名〉 '공과 대학'の略: 工大.

공대 【恭待】〈名·하他〉 ❶親切丁寧にもてなすこと. ❷敬語を使うこと. ▷對하대(下待).

공대-말 【恭待—】〈名〉 敬語. ＝존대어. 경어(敬語). 句例 ~을 쓰다〔하다〕 敬語を使う. 對 예사말.

공덕 【公德】〈名〉 公徳. 句例 ~심을 기르다 公徳心を養う.

공덕 【功德】〈名〉 ❶功徳. ❷〔佛〕 功徳. 句例 ~을 베풀다 功徳を施す / ~을 쌓다 功徳を積む / 부처님의 ~ 仏様の功徳.

공도 【公道】〈名〉 公道. 句例 천하의 ~를 밟다 天下の公道を踏む.

공-돈 【空—】 [kongtton] 〈名〉 労せずに〔ただで〕得た金. 句例 ~이 생기다 ただで金が入る.

공-돌다 【空—】 (공도니, 공돌아서) 〈自〉 空回り〔空転〕する. 句例 엔진이 ~ エンジンが空回りする.

*__공동__ 【共同】 [ko:ngdong] 〈名·하他〉 共同. 語例 ~ 경영 共同経営 / ~ 설립 共同設立 / ~ 경작 共同耕作 / ~ 못자리 共同苗代 / ~ 관리 共同管理 / ~ 성명 共同声明.

공동 【空洞】〈名〉 空洞. 洞穴·洞穴. うつろ. 句例 폐결핵으로 폐에 ~이 생기다 肺結核で肺に空洞ができる. 語例 ~화 현상 空洞化現象.

공동 묘지 【共同墓地】 [ko:ngdongmyo:ji] 〈名〉 共同墓地.

공동 변소 【共同便所】 [ko:ngdong—] 〈名〉 共同便所. 公衆便所.

공동 사회 【共同社會】 [ko:ngdong—] 〈名〉 共同社会. 對이익 사회(利益社會).

*__공동-체__ 【共同體】 [ko:ngdongch'e] 〈名〉 共同体. 語例 생활 ~ 生活共同体.

공든 탑 【功—塔】〈名〉 ❶念が入った塔. ❷骨折って成し遂げた仕事.

공든 탑이 무너지랴 念入りに築いた塔はくずれない《誠を尽くして成し遂げた仕事は無駄になることはないとの意》.

공-들다 【功—】 (공드니, 공들어서) 〈自〉 努力が入る. 念が入る. 骨が折れる. 句例 공드는 일 骨の折れる〔念入りの〕仕事.

공-들이다 【功—】 [kongdŭrida] 〈自〉 念を入れる. (念を)凝らす. 骨を折る. 句例 공들인 작품 念を凝らした〔念入りの〕作品 / 화장에 ~ 化粧を凝らす.

공-떡 【空—】〈名〉 労せずただで得た利益. 拾い物. 棚からぼたもち. たなぼた. 句例 생각지도 않은 ~ 思わぬ拾い物.

공-뜨다 【空—】 (공뜨니, 공떠서) 〈自〉 ❶宙に浮く. 句例 신선이 ~ 仙人が宙に浮く. ❷交わらずに別別になっている. 互いにとけ合わない. 浮く. 相いれない. 句例 기름이 물 위에 ~ 油が水に浮く.

공란 【空欄】 [kongnan] 〈名〉 空欄. 句例 ~에

ㄱ

답을 써넣다 空欄に答えを書き込む.

공람【供覧】[koːngnam]〈名・하他〉供覧. 句例 ~에 부치다 供覧に付する.

공랭【空冷】[kongnaeng]〈名〉['공기 냉각'の略] 空冷. 語例 ~ 엔진 空冷エンジン / ~식 기관총 空冷式機関銃.

공략【攻略】[koːngnyak]〈名・하他〉攻略. 句例 기습으로 적진을 ~하다 奇襲で敵陣を攻略する / 우선 강경론자부터 ~하다 まず強硬論者から攻略する.

공로【功勞】[kongno]〈名〉功労. 功. 手柄. 働き. いさお(功・勲). 略して'공(功)'ともいう. 句例 여러 해의 ~를 위로하다 長年の功労をねぎらう / 창설의 ~자 創設の功労者 / ~를 세우다 いさおを立てる. 語例 ~상 功労賞.

공로【空路】[kongno]〈名〉空路. 航空路. 句例 ~로 귀로에 오르다 空路で帰路につく.

공론【公論】[kongnon]〈名・하他〉公論. =세론(世論). 句例 천하의 ~ 天下の公論 / ~에 따르다 公論に従う.

공론【空論】[kongnon]〈名・하他〉空論. 語例 탁상 ~ 机上の空論 / 공리 ~ 空理空論 / ~가 空論家.

공룡【恐龍】[koːngnyong]〈名〉恐竜. 語例 중생대 ~ 中生代の恐竜.

공률【工率】[kongnyul]〈名〉〔物〕工率.

공리【公利】[kongni]〈名〉公利. 公益.

공리【公理】[kongni]〈名〉公理. 句例 수학의 ~ 数学の公理. 類정리(定理).

공리【功利】[kongni]〈名〉功利. 句例 ~적인 생각 功利的な考え. 語例 ~성 功利性 / ~주의 功利主義.

공립【公立】[kongnip]〈名〉公立. 語例 ~ 학교 公立学校.

공매【公賣】〈名・하他〉公売. 句例 ~에 부치다 公売に付する / 압류품을 ~하다 差し押さえ品を公売する. 語例 ~ 처분 公売処分.

공명【公明】〈名〉公明. ~하다〈形〉公明だ. 語例 ~ 정대 公明正大 / ~ 선거 公明選挙. ~히〈副〉公明に.

공명【功名】〈名・하自〉功名. 句例 뜻밖의 ~ けがの功名 / ~을 서두르다 功名をあせる / ~을 꿈꾸다 功名を夢見る. 語例 ~심 功名心 / ~욕 功名欲.

공명【共鳴】[koːngmyŏng]〈名・하自〉共鳴. 句例 소리굽쇠가 ~하다 音叉が共鳴する / 주지에 ~하다 主旨に共鳴する. 語例 ~기 共鳴器 / ~ 상자 共鳴箱.

공모【公募】〈名・하他〉公募. 句例 사원의 ~ 社員の公募 / 교통 표어를 ~하다 交通標語を公募する.

공모【共謀】[koːngmo]〈名〉共謀. ぐる《俗》. ~하다〈他〉共謀する. ぐるになる. なれ合う. 句例 회사의 탈취를 ~하다 会社の乗っ取りを共謀する / 업자가 ~하여 값을 올리다 業者がなれ合って値を上げる. 語例 ~자 共謀者.

공무【公務】〈名〉公務. 句例 ~를 등한히 하다 公務をおろそかにする / ~로 출장가다 公務で出張する.

*공무-원【公務員】〈名〉公務員. 役人. 官公吏. 語例 말단 ~ 小役人.

공문【公文】〈名〉'공문서'の略: 公文.

공문【空文】〈名〉空文. 句例 ~으로 화한 법규 空文と化した法規.

공-문서【公文書】〈名〉公文書. 對사문서(私文書).

공물【貢物】[koːngmul]〈名〉〔史〕貢ぎ物. 貢物. 貢ぎ. 略して'공(貢)'ともいう. 句例 ~을 내놓다〔바치다〕 貢ぎ物を差し出す〔捧げる〕.

공미리〈名〉〔魚〕さより(細魚).

공민【公民】〈名〉公民. 文例 참정권을 가진 국민을 ~이라 한다 参政権をもつ国民を公民という.

공민-권【公民權】[—kkwon]〈名〉〔法〕公民権. 句例 ~을 박탈당하다 公民権を剝奪される.

공박【攻駁】[koːngbak]〈名〉(他人を)非難攻撃すること. 駁論. ~하다〈他〉非難攻撃する. 責める. やりこめる. 駁論する.

공방【工房】〈名〉工房.

공방【攻防】[koːngbang]〈名〉攻防. 句例 ~을 되풀이하다 攻防を繰り返す / 격렬한 ~전을 전개하다 激しい攻防戦を展開する.

공배【空排】〈名〉(囲碁の)だめ(駄目). 句例 ~를 메우다 だめを押す〔指す〕.

*공-배수【公倍數】〈名〉〔數〕公倍数. 文例 2와 3과 4의 최소 ~는 12이다 二と三と四の最小公倍数は十二である. 語例 최소 ~ 最小公倍数.

공백【空白】〈名〉空白. 句例 ~의 시기 空白の時期 / 정치의 ~ 政治の空白. 語例 ~기 空白期. 類여백(餘白). 블랭크.

공범【共犯】[koːngbŏm]〈名・하他〉〔法〕❶共犯. 句例 ~의 혐의로 체포되다 共犯の容疑で逮捕される. ❷'공범자'の略.

공범-자【共犯者】[koːngbŏmja]〈名〉〔法〕共犯者. 共犯.

공법【工法】[kongppŏp]〈名〉工法.

공법【公法】[kongppŏp]〈名〉〔法〕公法. 語例 국제 ~ 国際公法. 對사법(私法).

공변 세포【孔邊細胞】[koːngbyŏnseːp'o]〈名〉〔植〕孔辺細胞.

공병【工兵】〈名〉工兵. 語例 ~대 工兵隊.

공보【公報】〈名〉公報. 句例 ~를 돌리다 公報を回す. 語例 선거 ~ 選挙公報.

공보-처【公報處】〈名〉公報処. 中央官庁の一つ. 国内外に対する広報, 世論調査, 言論, 放送などに関する事をつかさどる. 語例 ~ 장관 公報処長官.

공복【公僕】〈名〉公僕. 句例 사회〔국민〕의 ~ 社会〔国民〕の公僕.

공복【空腹】〈名〉空腹. すき腹. すきっ腹. 句例 ~을 참다 空腹にたえる / ~으로 잠을 못자다 空腹で眠れない / ~을 채우다 空腹を満たす.

⁑공부【工夫】〈名〉勉強. 学習. ~하다〈自他〉勉強する. 学ぶ. 句例 무엇이나 ~라고 생각하고 해 보다 何事も勉強と思ってやってみる / ~가 되다 勉強になる. 文例 하루 다섯 시간

～한다 一日五時間勉強する / 그림을 ～하려고 상경했다 絵の勉強に上京した.

공분【公憤】〈名〉公憤. 義憤. 句例 도덕적 ～ 道徳的公憤 / ～을 느끼다 公憤を覚える. 對사분(私憤).

*** 공비**【工費】〈名〉工費. 句例 ～가 불어나다 工費がかさむ / 총 ～ 150억원의 계획 総工費百五十億ウォンの計画.

공비【共匪】[ko:ngbi]〈名〉共匪. 語例 ～ 토벌 共匪討伐.

參考 '공비(共匪)'は中国で, 国民政府時代に共産党の指導で活動していたゲリラを匪賊になぞらえてそしっていった語である. 韓国でも解放直後より韓国戦争の終わりまでこれらの蠢動による弊害が絶大であったため, この呼称を借りて共産ゲリラをこう呼んだ.

*** 공사**【工事】〈名〉工事. 句例 ～가 지연되다 工事が遅れる. 語例 ～ 현장 工事現場 / 도로 ～ 道普請 / 날림 ～ 安普請 / ～비 工事費 / ～장〔판〕工事場 / 택지 조성 ～ 宅地造成工事.

공사【公私】〈名〉公私. 句例 ～의 구분 公私のけじめ. 語例 ～ 혼동 公私混同 / ～ 다망 公私多忙.

공사【公使】〈名〉公使. 語例 ～관 公使館 / 주미 ～ 駐米公使.

공사【公社】〈名〉公社. 語例 ～ 채권 公社債券 / 도로 ～ 道路公社.

공사【空士】〈名〉['공군 사관 학교'の略] 空士.

공-사립【公私立】〈名〉公私立. 語例 ～ 고등학교 公私立高等学校.

공산【工産】〈名〉'공산물(工産物)'の略. 語例 ～물 工産物 / ～품 工産品.

공산【公算】〈名〉公算. 確率. 句例 ～이 크다 公算が大きい / ～이 높아지다 公算が強まる.

공산【共産】[ko:ngsan]〈名〉'공산주의'の略: 共産. 語例 ～권 共産圏 / ～군 共産軍 / ～치하 共産治下〔統治下〕/ ～당 共産党.

공산-명월【空山明月】〈名〉❶空山の明月. ❷山の上に満月を描いた花札の一つ. ❸は(禿)げ頭のこっけい(滑稽)語.

*** 공산-주의**【共産主義】[ko:ngsanjuŭi]〈名〉共産主義. 語例 ～자 共産主義者.

공상【公傷】〈名〉公傷. 對사상(私傷).

*** 공상**【空想】〈名・하他〉空想. 句例 ～에 잠기다 空想にふける. 語例 ～화 空想画 / ～ 과학 영화 空想科学映画. ＳＦ映画. 類몽상(夢想).

공상-적【空想的】〈名・冠〉空想的.

공생【共生】[ko:ngsaeng]〈名・하自〉共生. 語例 ～ 공사 共生共死 / ～ 식물〔동물〕共生植物〔動物〕.

공석【公席】〈名〉❶公務上の席. 公的な席. ❷公務を執る席.

공석【空席】〈名〉空席. ❶空いている席. 句例 ～을 찾다 空席を探す. ❷欠員の職・地位. 句例 임원의 ～ 役員の空席.

공선【公選】〈名・하他〉公選. 類민선(民選).

공설【公設】〈名・하他〉公設. 語例 ～ 보육원 公設保育園 / ～ 시장 公設市場 / ～ 운동장 公設運動場.

공성【攻城】[ko:ngsŏng]〈名・하自〉攻城. 語例 ～포 攻城砲.

공세【攻勢】[ko:ngse]〈名〉攻勢. 句例 ～로 돌다 攻勢に転じる / ～를 취하다 攻勢に出る. 語例 취재 ～ 取材攻勢 / 평화 ～ 平和攻勢. 對수세(守勢).

공소【公訴】〈名・하他〉〔法〕公訴. 起訴. 語例 ～권 公訴権 / ～ 기각 公訴棄却 / ～ 시효 公訴時効 / ～장 公訴状.

공손-하다【恭遜―】(→하다)〈形〉丁寧だ. 恭しい. 柔順だ. 句例 공손한 인사 丁寧なあいさつ(挨拶) / 공손한 태도 柔順な態度 / 공손한 말씨 丁寧な言葉遣い. **공손히**〈副〉丁寧に. 恭しく. 柔順に.

공수【攻守】[ko:ngsu]〈名〉攻守. 句例 ～ 양면에서 활약하다 攻守両面で活躍する. 語例 ～ 동맹 攻守同盟.

공수【空手】〈名〉空手・空手. 素手. 手ぶら.

공수래 공수거(空手來空手去) 手ぶらで来て手ぶらで去る. 裸で生まれ来て裸で逝く.

공수【空輸】〈名・하他〉['공중 수송'の略] 空輸. 句例 활어를 ～하다 活魚を空輸する. 語例 ～ 부대 空輸部隊.

공수-병【恐水病】[ko:ngsuppyŏng]〈名〉〔醫〕恐水病. 狂犬病.

공-수표【空手票】〈名〉空手形. 句例 ～를 떼다 空手形を切る.

表現 '공수표를 남발하다 空手形を乱発する'は実現不可能な約束をみだりにすることを意味する. '공수표를 떼다 空手形を切る' '공수표로 끝나다 空手形に終わる'も似通った意味合いを持つ. ちなみに, '공수표'の'수표'は'小切手'のこと.

공순【恭順】〈名〉恭順. 柔順. **～하다**〈形〉丁寧で温順だ. 句例 무기를 버리고 ～의 뜻을 표하다 武器を捨てて恭順の意を表する / ～한 태도 温順な態度. **～히**〈副〉温順に. 柔順に.

공-술【空―】[kongssul]〈名〉振る舞い酒. ただ飲みの酒.

공술【供述】[ko:ngsul]〈名・하他〉供述. ＝진술(陳述). 句例 죄다 ～하다 洗いざらい供述する. 語例 ～서 供述書 / ～인 供述人.

공습【空襲】〈名・하他〉空襲. 句例 ～을 받다〔당하다〕空襲を受ける / 적의 비행장을 ～하다 敵の飛行場を空襲する. 語例 ～ 경보 空襲警報.

공시【公示】〈名・하他〉公示. 公布. 句例 총선거의 ～ 総選挙の公示. 語例 ～ 사항 公示事項. 類고시(告示).

공식【公式】〈名〉公式. ❶おおやけに決められた形式. 句例 ～ 자리에서의 발언 公式の場における発言. 語例 ～ 견해 公式の見解. 對비공식(非公式). ❷原理や計算法則を数式で示したもの. 句例 ～에 맞추어서 계산하다 公式に当てはめて計算する / 수학의 ～ 数学の公式.

*** 공식-적**【公式的】〈名・冠〉公式的. 句例 사무원의 ～인 대응 事務員の公式的な対応 / ～으로는 그렇게 말했지만… 公式的にはあのよう

に言ったが. (對)비(非)공식적.

공신【功臣】〈名〉功臣. [語例] 이등 ~ 二等功臣.

공신-력【公信力】[kongshinnyŏk]〈名〉〔法〕公信力. [句例] ~을 잃다 公信力を失う.

공약【公約】〈名・하他〉公約. [句例] 시설 확장을 ~하다 施設の拡張を公約する / ~을 지키다 公約を守る / ~을 이행하다 公約を果たす. [語例] 선거 ~ 選挙公約.

*__공-약수__【公約數】〈名〉〔數〕公約数. [語例] 최대 ~ 最大公約数.

공양【供養】[ko:ng-yang]〈名・하他〉❶目上の人に飲食をあてがい養うこと. ❷〔佛〕供養. [語例] ~미 供米. 供養米 / ~주 供養主. 飯炊きの僧 / ~물 供物.

공양(을) 드리다 '공양하다 供養する'の敬語. =불공(을) 드리다.

공언【公言】〈名〉公言. **~하다**〈他〉公言する. おおっぴらに言う. [句例] ~하여 거리낌이 없다 公言してはばからない. (類)명언(明言).

공업【工業】〈名〉工業. [語例] ~ 지대 工業地帯.

공업 고등 학교【工業高等學校】〈名〉工業高等学校. 略して'공고(工高)'ともいう.

공업 단지【工業團地】〈名〉工業団地. コンビナート. 略して'공단(工團)'ともいう.

공업 전문 대학【工業專門大學】〈名〉工業専門大学. 工業短期大学. 略して'공전(工專)'ともいう.

공업 진흥청【工業振興廳】[—chi:nhŭngch'ŏng]〈名〉工業振興庁. 工業の技術振興, 品質管理, 工業標準化などに関する事をつかさどる. '통상 산업부'に属し, 長官は'공업 진흥청장(長)'と言う. 略して'공진청'とも言う.

공업-화【工業化】[kong-ŏp'wa]〈名・하自他〉工業化.

공여【供與】[ko:ng-yŏ]〈名・하他〉供与. [句例] 무기를 ~하다 武器を供与する.

공역【共譯】[ko:ng-yŏk]〈名・하他〉共訳. [語例] ~자 共訳者.

공연【公演】〈名・하他〉公演. [句例] 인형극을 ~하다 人形劇を公演する. [文例] 지방 순회 ~을 떠났다 旅興行に出た. (類)상연(上演).

공연【共演】[ko:ng-yŏn]〈名・하自〉共演. [句例] 5대 스타의 ~ 五大スターの共演 / 십년만에 ~하다 十年ぶりに共演する.

공연-스럽다【空然—】(→스럽다)〈形〉⇨ 공연하다. **공연스레**〈副〉⇨ 공연히

*__공연-하다__【空然—】(→하다)〈形〉空しい. いたずらだ. [句例] 공연한 짓을 하고 얻어맞다 つまらないことをして殴られる / 공연한 기대 空しい期待 / 공연한 근심 つまらない心配. **공연히**〈副〉いたずらに. 空しく. 無駄に. わけもなく. むやみやたらに. むしょうに. [句例] 공연히 떠들어 대다 いたずらに騒ぎ立てる / 공연히 눈물이 쏟아지다 わけもなく涙がこぼれる / 공연히 화가 나다 無性に腹が立つ / 공연히 노력을 소비하다 いたずらに労力をついやす.

공-염불【空念佛】[kongnyŏmbul]〈名〉空念仏・空念仏. **~하다**〈自〉空念仏を唱える. [句例] ~로 끝나다 空念仏に終わる / 그 말은 ~에 지나지 않는다 その話は空念仏に過ぎない.

*__공영__【公營】〈名・하他〉公営. [語例] ~ 기업 公営企業 / ~ 선거 公営選挙 / ~ 주택 公営住宅. (對)사영(私營). (類)국영(國營).

공영【共榮】[ko:ng-yŏng]〈名・하自〉共栄. [語例] 공존 ~ 共存共栄.

공영【共營】[ko:ng-yŏng]〈名・하他〉共営. [語例] ~ 기업 共営企業.

*__공예__【工藝】〈名〉工芸. [句例] ~의 진보 工芸の進歩. [語例] ~ 작물 工芸作物 / ~품 工芸品.

[表現] '공예'は造形美術の一つで, '機能'と'装飾'の両面を調和させて, 織物・染め物・漆器・陶磁器など, 日常生活に役立つ物品を製作することをいう.

공용【公用】〈名・하他〉公用. [句例] ~으로 외출하다 公用で出かける. [語例] ~ 출장 公用出張 / ~ 재산 公用財産 / ~문 公用文. (對)사용(私用).

공용【共用】[ko:ng-yong]〈名・하他〉共用. [文例] 방 하나를 형제가 ~하다 一部屋を兄弟で共用する. [語例] 남녀 ~ 男女共用.

공원【工員】〈名〉工員. 職工.

*__공원__【公園】〈名〉公園. [句例] ~을 산책하다 公園を散歩する. [語例] 국립 ~ 国立公園 / 어린이 ~ 児童公園 / ~ 묘지 公園墓地.

공유【公有】〈名〉公有. [語例] ~지 公有地 / ~림 公有林 / ~ 수면 公有水面 / ~ 재산 公有財産. (對)사유(私有).

공유【共有】[ko:ng-yu]〈名・하他〉共有. [句例] 국민 ~의 문화재 国民共有の文化財 / 요트를 친구 3명과 ~하다 ヨットを友人三人と共有する. [語例] ~ 재산 共有財産. (對)전유(專有).

공-으로【空—】〈副〉ただ(只)で. ロハで. 無料〔無償〕で. [句例] ~ 먹다 ただで食う. ただ食いする / ~ 얻다 ただでもらう〔入手する〕/ ~ 타다 ただで乗る / ~ 일하다 ただで働く. ただ働きする. (類)공짜로.

공이〈名〉❶きね(杵). (類)절굿공이. ❷撃針.

공이-치기〈名〉打ち金. 撃鉄.

*__공익__【公益】〈名〉公益. [句例] ~을 꾀〔도모〕하다 公益を図る. [語例] ~ 사업 公益事業 / ~ 법인 公益法人. (對)사익(私益).

공인【公人】〈名〉公人. [句例] ~으로서 말하다 公人としてものを言う / ~의 입장에서 참석하다 公人の立場で出席する / ~의 자격 公人の資格. (對)사인(私人).

공인【公認】〈名・하他〉公認. [句例] 부모 ~의 사이 父母公認の仲. [文例] 세계 신기록으로서 ~하다 世界新記録として公認する. [語例] ~ 회계사 公認会計士.

공-일【空—】[kongnil]〈名〉ただで働くこと. ただ働き. [句例] ~을 하다 ただで働く. ただ働きする.

공일【空日】⇨ 공일날

공일-날【空日—】[kong-illal]〈名〉日曜日.

休日.

공임【工賃】〈名〉工賃. 句例 ～을 올리다 工賃を上げる.

공작【工作】〈名・하他〉工作. 句例 배후에서 ～하다 かげで工作する / 경영 참가를 ～하다 経営参加を工作する. 語例 ～물 工作物 / ～선 工作船 / 정치〔이면〕～ 政治〔裏面〕工作 / 파괴 ～ 破壊工作 / ～원 工作員 / 사전 ～ 下工作.

**공작【孔雀】[ko:ngjak]〈名〉〔鳥〕くじゃく(孔雀). ＝공작새.

공작【公爵】〈名〉〔史〕公爵. プリンス. 語例 ～ 부인 公爵夫人. プリンセス.

**공장【工場】〈名〉工場・工場. 語例 ～ 지대 工場地帯 / ～장 工場長 / ～도 가격 工場渡し値段 / ～ 폐수 工場廃水.
表現 韓国では'工場'も'工場'も等しく'공장'と言う. 日本語では'こうじょう'はより本格的なもの, 'こうば'は規模が小さいものをさす.

공저【共著】[ko:ngjǒ]〈名・하他〉共著. 合著. 句例 부부의 ～ 夫妻の共著. 語例 ～자 共著者.

공적【公的】[kongtchǒk]〈名・冠〉公的. 句例 ～인 견해〔일〕公的な見解〔仕事〕. 對사적(私的).

공적【功績】〈名〉功績. いさお(し)(功). 手柄. 働き. 句例 ～을 세우다 いさおを立てる / ～을 올리다 功績をあげる. 文例 신발견은 그의 ～이다 新発見は彼の功績だ.

공전【工專】〈名〉'공업 전문 대학'の略.

*공전【公轉】〈名・하自他〉〔天〕公転. 文例 달은 지구의 주위를 ～한다 月は地球の周囲を公転する. 語例 ～ 주기 公転周期. 對자전(自轉).

공전【空前】〈名〉空前. 句例 ～의 규모 空前の規模〔スケール〕/ ～의 히트 空前のヒット.

공전【空轉】〈名・하自〉空転. 空回り. 句例 차바퀴가 ～하다 車輪が空回りする / 의론이 ～하다 議論が空転する.

공정【工程】〈名〉工程. プロセス. 句例 한 ～ 줄이다 一工程はぶく. 文例 여러 ～을 거치어 완성되다 いくつもの工程を経て完成される. 語例 생산 ～ 生産工程 / ～표 工程表.

공정【公正】〈名〉公正. ～하다〈形〉公正だ. 句例 ～을 기하다 公正を期する. 文例 ～한 재판을 바라다 公正な裁判を望む. 語例 ～ 증서 公正証書 / ～ 거래 위원회 公正取引委員会. ～히〈副〉公正に. 句例 ～히 판단하다 公正に判断する.

공정【公定】〈名・하他〉公定. 語例 ～ 가격 公定価格 / ～ 시세 公定相場 / ～ 환율 公定為替相場 / ～ 이율 公定歩合.

공정 부대【空挺部隊】〈名〉空挺部隊. ＝공정대(隊).

공제【共濟】[ko:ngje]〈名・하他〉共済. 語例 ～ 제도 共済制度 / ～ 조합 共済組合.

공제【控除】[ko:ngje]〈名〉❶控除. 差し引き. 天引き. ～하다〈他〉控除する. 差し引く. 天引きする. 句例 소득에서 ～되다 所得から控除される / 급료에서 의료 보험금을 ～하다 給料から医療保険金を天引きする. 語例 부양 ～ 扶養控除. ❷(碁の)込み. ＝덤. 句例 5호 반의 ～ 五目半の込み.

공조【共助】[ko:ngjo]〈名・하他〉共助. 互助. 語例 사법 ～ 司法共助 / ～ 수사 共助捜査.

공존【共存】[ko:ngjon]〈名・하自〉共存・共存. 文例 그녀의 마음 속에는 악마와 천사가 ～하고 있다 彼女の心の中には悪魔と天使が共存している. 語例 평화 ～ 平和共存 / ～ 공영 共存共栄. 類양립(兩立).

**공주【公主】〈名〉公主. 王女・王女.
參考 中国の秦漢時代に天子がその娘を嫁らせるとき, 三公にその支度をさせたところからこの語ができたという.

*공중【公衆】〈名〉公衆. 句例 ～의 면전에서 수모를 당하다 公衆の面前で侮辱される. 語例 ～ 변소 公衆便所. 類대중. 민중.

*공중【空中】〈名〉空中. 中空. 宙. 句例 ～에 뜨다 宙にうく / ～에 흩날리다 宙に舞う. 語例 ～ 급유 空中給油 / ～전 空中戦 / ～ 분해 空中分解 / ～ 수송 空中輸送.

공중(에) 뜨다 (努力が)むな(空)しい結果になる. だめ(駄目)になる. (受け取るべきものが)取り戻せなくなる. 倒れになる. ふいになる. 句例 오랜 수고가 ～ 長年の苦労がふいになる.

공중 도덕【公衆道德】[—do:dǒk]〈名〉公衆道徳.

공중 위생【公衆衛生】〈名〉公衆衛生.

공중 전화【公衆電話】[—jǒ:nhwa]〈名〉公衆電話. 語例 ～ 카드 テレフォンカード.

공중-제비【空中—】〈名・하自〉宙返り. とんぼ返り. 句例 ～를 넘다 とんぼ返りをうつ.

공증【公證】〈名・하他〉公証. 語例 ～ 문서 公証文書 / ～인 公証人.

공지【空地】〈名〉空地. 空き地.

공지 사실【公知事實】[—sa:shil]〈名〉公知の事実.

공지 사항【公知事項】[—sa:hang]〈名〉公知事項.

공직【公職】〈名〉公職. 句例 ～에서 물러나다 公職から身を引く / ～에 오르다 公職につく.

공진【共振】[ko:ngjin]〈名・하自〉〔物〕共振. 共鳴. 語例 ～ 회로 共振回路.

공-집기【空—】〈名・하自〉人の数だけ作った紙切れのくじを取らせ, おのおのの金額を出させる買い食いのかけ.

공-집합【空集合】[kongjip'ap]〈名・하自〉〔數〕空集合.

공-짚기【空—】〈名・하自〉くじを引いて金を出し合い, 買い食いするかけ《白紙に人数分の線を引いたくじを用いる》. →공집기

*공짜【空—】〈名〉ただ(只・唯). ロハ. 無料. 無償. ただで得たもの. ＝거저. 文例 ～가 결국은 비싸게 먹힌다 ただが結局は高くつく.

공짜-로【空—】〈副〉ただで. ロハで. 無料で. 句例 ～ 얻다 ただでもらう〔手に入れる〕/ ～ 일하다 無報酬で働く.

ㄱ

공차【空車】〈名〉❶空車・からぐるま. 空き車. =빈차. ❷ただ乗りの車. 句例 ~를 타고 여행하다 ただ乗りの車で旅行する.

공채【公債】〈名〉公債. 語例 ~ 증서 公債証書.

****공책**【空冊】〈名〉筆記帳. 帳面. ノート(ブック). 句例 ~에 적다 ノートに書き込む. 語例 수학 ~ 数学ノート.

공처-가【恐妻家】[ko:ngch'ŏga]〈名〉恐妻家.

공천【公薦】〈名・하他〉公薦. 語例 자유당 ~ 후보 自由党公薦候補.

공청-회【公聽會】〈名〉公聴会. 聴聞会. 句例 ~를 열다 公聴会を開く.

공출【供出】[ko:ngch'ul]〈名・하他〉供出. 語例 ~미 供出米. 供米.

공-치기 [ko:ngch'igi]〈名〉球戯. 球を打つこと.

공-치다【空一】〈自〉❶丸〔円〕をつける. まるを描く. 文例 맞는 답안에 공치시오 正しい答えに円をつけなさい. ❷当てがはずれる. ❸徒労をする. 無駄〔徒労〕に終わる. 徒労に帰する. 文例 결국 수고만 하고 공치고 말았다 結局無駄骨折りに終わった / 오늘도 또 공쳤다 今日もまた無駄に終わった.

공-치사【功致辭】〈名〉人のためにしてやったことを自慢すること. 人のための功をてらうこと. **~하다**〈自〉恩に着せる. 功をてらう.

공칭【公稱】〈名〉公称. 語例 ~ 부수 100만 公称部数百万 / ~ 자본 公称資本.

공쿠르-상【Goncourt賞】[kongk'u:rŭsang]〈名〉〔文〕(フランスの)ゴンクール賞.

공탁【供託】[ko:ngt'ak]〈名・하他〉供託. 句例 보증금을 ~하다 保証金を供託する. 語例 ~금 供託金.

공-터【空一】〈名〉空き地. 空地. 句例 근처의 ~에서 놀다 近所の空き地で遊ぶ.

공통【共通】[ko:ngt'ong]〈名・하自〉共通. 句例 ~의 화제〔이해〕共通の話題〔利害〕/ 전체에 ~되는 성질 全体に共通する性質. 語例 ~성 共通性 / ~ 인수 共通因数 / ~ 부분 共通部分.

공통-어【共通語】[ko:ngt'ong-ŏ]〈名〉〔言〕共通語.

공통-점【共通點】[ko:ngt'ongtchŏm]〈名〉共通点. 句例 ~을 찾아내다 共通点をみいだす.

공판【公判】〈名・하自〉〔法〕公判. 句例 ~에 부치다 公判に付する.

공판【共販】[ko:ngp'an]〈名・하他〉['공동 판매'の略] 共販. 語例 ~장 共同販賣場 / ~ 회사 共販会社.

공판-정【公判廷】〈名〉〔法〕公判廷. 公廷.

공평【公平】〈名〉公平. **~하다**〈形〉公平だ. 句例 ~을 기하다 公平を期する / ~을 결하다〔잃다〕公平をかく / ~한 견해 公平な見方 / ~하게 다루다 公平にあつかう. 對불공평(不公平). 類공정(公正). **~히**〈副〉公平に.

공포【公布】〈名・하他〉公布. 発布. 句例 법령의 ~ 法令の発布 / 신헌법을 ~하다 新憲法を公布する. 類고시(告示).

공포【空砲】〈名〉空砲. 空鉄砲. 句例 ~를 쏘다〔놓다〕空砲を放つ〔撃つ〕. 語例 ~ 사격 空砲射撃.

공포【恐怖】[ko:ngp'o]〈名〉恐怖. 句例 죽음의 ~ 死の恐怖 / ~의 살인귀 恐怖の殺人鬼. 語例 ~ 정치 恐怖政治 / ~감 恐怖感 / ~심 恐怖心 / ~증 恐怖症. 類두려움.

공-표【一標】〈名〉丸印. =동그라미표.

공표【公表】〈名〉公表. 公示. **~하다**〈他〉公表する. 披露する. 句例 ~를 꺼리다 公表をはばかる / 결과를 ~하다 結果を公表する.

공학【工學】〈名〉工学. 語例 기계 ~ 機械工学 / ~ 박사 工学博士. 工博.

공학【共學】[ko:nghak]〈名・하自〉共学. 句例 남녀 ~의 고교 男女共学の高校.

공한-지【空閑地】〈名〉空閑地. 空き地.

***공항**【空港】〈名〉空港. エアポート. 語例 국제 ~ 国際空港. 類비행장. 항공항(航空港).

공해【公海】〈名〉公海. 語例 ~ 어업 公海漁業. 對영해(領海).
参考 どの国にも属さず, どの国も航海・通商・漁業などを自由に行うことができる.

공해【公害】〈名〉公害. 語例 ~ 문제 公害問題 / ~병 公害病 / 소음 ~ 騒音公害.

공허【空虛】〈名〉空虚. **~하다**〈形〉空虚だ. むなしい. うつろだ. 句例 ~한 생활〔이야기〕空虚な生活〔話〕/ ~한 논리 空虚な論理. 語例 ~감 空虚感.

공헌【貢獻】[ko:nghŏn]〈名・하自他〉貢献. 句例 승리〔평화〕에 ~하다 勝利〔平和〕に貢献する. 語例 ~도 貢献度. 類기여(寄與).

공화-국【共和國】[ko:nghwaguk]〈名〉共和国.

공화-제【共和制】[ko:nghwaje]〈名〉共和制.

공황【恐慌】[ko:nghwang]〈名〉恐慌. パニック. 句例 ~을 초래하다 恐慌をきたす. 語例 금융 ~ 金融恐慌 / 경제 ~ 経済恐慌.

공회-당【公會堂】〈名〉公会堂. 句例 ~에서 연주회를 열다 公会堂で演奏会を開く.

공훈【功勳】〈名〉功勲. 勲功. 手柄. いさお(功・勲). 句例 ~을 세우다 手柄を立てる.

***공휴-일**【公休日】〈名〉公休日. 略して'公休'とも言う.

공-히【共一】[ko:nghi]〈副〉共に. いっしょに. 同じように. 語例 남녀 ~ 男女共に / 명실 ~ 名実共に.

-곶【串】〈尾〉岬を表す語. 語例 월산~ 月山岬.

****곶-감**〈名〉くしがき(串柿). ころがき. 干しがき. つるしがき. 句例 ~을 매달다 干しがきをつるす.

곶감 꼬지에서 곶감 빼 먹듯 くしがきをつぎつぎと抜き出して食うように物を使い果たすことのたとえ.

과【科】〈名〉科. ❶研究分野の小区分. 部門. 語例 국어~ 国語科. ❷生物の分類学上の用語《目と属の間》. 語例 콩~ マメ科 / 고양잇~ 猫科.

과【課】〈名〉課. ❶事務分担の区分. 語例 ~장 課長 / 인사~ 人事課. ❷教科書などの一区切り. 語例 제1~ 第一課.

과 〔漢字項目〕

【寡】高校 과 カ. ❶적다 少ない. 작다 小さい. ◨寡少 과소 かしょう. ◧多寡 다과 たか. ❷홀어미 やもめ. 홀아비 やもお. ◨寡婦 과부 かふ. ◧鰥寡 환과 かんか. ❸왕후의 자칭 王侯の謙称. ◨寡人 과인 かじん.

【戈】高校 과 カ. ❶창 ほこ. ◨戈矛 과모 かぼう. ❷전쟁 いくさ. ◧干戈 간과 かんか.

【果】中學 과 カ. ❶나무 열매 木の実. ◨果實 과실 かじつ. ◧青果 청과 せいか. ❷사물의 귀결 なりゆき. ◧結果 결과 けっか. 因果 인과 いんが. ❸과감히 해내다 思いきっておこなう. ◨果斷 과단 かだん. 果敢 과감 かかん. ❹과연 はたして. ◨果然 과연 かぜん.

【瓜】高校 과 カ. 오이 うり. ◨瓜田 과전 かでん. ◧西瓜 서과 すいか.

【科】高校 과 カ. ❶분류한 명목 分類して配列した部門. ◨科目 과목 かもく. ◧理科 이과 りか. ❷법 おきて. ◨科條 과조 かじょう. ❸관리의 등용 시험 官吏の登用試験. ◨科擧 과거 かきょ. ❹죄 とが. ◨科料 과료 かりょう. ◧罪科 죄과 ざいか.

【課】中學 과 カ. ❶시험하다 ためす. ◨課試 과시 かし. ◧考課 고과 こうか. ❷할당하다 わりあてる. ◨課税 과세 かぜい. ◧賦課 부과 ふか. ❸일 따위의 할당 しごとなどのわりあて. ◨課程 과정 かてい. ◧日課 일과 にっか. ❹사무 분담의 한 단위 事務分担の一単位. ◨課長 과장 かちょう. ◧庶務課 서무과 しょむか.

【誇】高校 과 コ. 자랑하다 ほこる. 자만하다 自慢する. ◨誇示 과시 こじ. ◧驕誇 교과 きょうか.

【過(過)】中學 과 カ. ❶지나가다 通りすぎて行く. ◨過客 과객 かかく. ◧通過 통과 つうか. ❷때가 지나다 時がたつ. ◨過去 과거 かこ. 過般 과반 かはん. ❸지나치다 度がすぎる. ◨過度 과도 かど. 過激 과격 かげき. ❹잘못 あやまち. ◨過誤 과오 かご. ◧大過 대과 たいか. ❺죄, 허물 とが. ◨過料 과료 かりょう. ◧罪過 죄과 ざいか.

과감【果敢】[kwa:gam]〈名〉果敢. **~하다**〈形〉果敢だ. 句例 ~한 공격 果敢な攻撃. **~히**〈副〉果敢に. 句例 ~히 맞서다 果敢に立ち向かう. **~스럽다** (→스럽다)〈形〉果敢だ.

과객【過客】[kwa:gaek]〈名〉過客. 旅人. 旅がらす. 句例 지나가는 ~이 들르다 通りがかりの旅人が寄る.

과객-질【過客—】[kwa:gaekchil]〈名・하自〉金銭を持たず旅から旅へ渡り歩くこと. 各地を渡り歩くこと, 無銭旅行.

***과거**【科擧】〈名・하自〉〔史〕科挙. 句例 ~에 급제하다 科挙に及第する. 語例 ~ 제도 科挙制度.

과거(를) 보다 科挙を受ける.

參考 中国と韓国で行われた官吏の登用試験. 中国では隋・唐代に始まり清代末期に, 韓国では高麗代初期に始まり朝鮮代末期に廃止された.

***과거**【過去】[kwa:gŏ]〈名〉過去. 句例 ~로 거슬러오르다 過去にさかのぼる / ~를 돌아다보다 過去を振り返る / ~ 5년간의 통계 過去五年間の統計 / ~를 청산하다 過去を清算する / ~를 잊다 過去を忘れる / 어두운 ~ 暗い過去. 文例 남에게 말 못할 ~가 있다 人に言えない過去がある. 對현재. 미래. 類이전. 옛날.

과거-사【過去事】[kwa:gŏsa]〈名〉過去の事. 過ぎ去った事. =과거지사.

과격【過激】[kwa:gyŏk]〈名・하形〉過激. 句例 ~한 행동으로 나오다 過激な行動に出る. 語例 ~파 過激派 / ~분자 過激分子. 對온건(穩健). **~히**〈副〉過激に.

***과-꽃** [kwa:kkot]〈名〉〔植〕えぞぎく. アスター.

과-냉각【過冷却】[kwa:naenggak]〈名〉〔物〕過冷却. 過冷.

***과녁** [kwa:nyŏk]〈名〉[もとの語形は'관혁(貫革)'] 的. ターゲット. 句例 ~을 맞히다 的をあてる〔射る〕/ ~을 빗나가다 的を外れる / ~에 맞다 的にあたる. 語例 ~빼기 真向かい / ~빼기집 真向かいの家.

과년-하다【過年—】[kwa:nyŏnhada] (→하다)〈形〉(女性が)婚期を逸する. 年頃が過ぎになる. 句例 과년한 딸이 있다 婚期を逸した娘を持っている.

과다【過多】[kwa:da]〈名〉過多. **~하다**〈形〉多すぎる. 過多だ. 句例 ~한 지출을 억제하다 過多な支出をおさえる. 語例 위산 ~ 胃酸過多 / 인구 ~ 人口過多. 對과소(過少). 類과잉(過剩). **~히**〈副〉過多に. あまり多く.

과단-성【果斷性】[kwa:dansŏng]〈名〉決断力のある性質. 思い切って物事を行う性質. 句例 ~ 있는 행동 果断な行動.

과당【果糖】[kwa:dang]〈名〉〔化〕果糖. =프룩토오스.

과당【過當】[kwa:dang]〈名〉過当. **~하다**〈形〉過当だ. 度が過ぎる. 句例 ~한 청구 過当な請求. 語例 ~ 경쟁 過当競争.

과대【過大】[kwa:dae]〈名〉過大. **~하다**〈形〉過大だ. 大きすぎる. 句例 ~한 기대 過大な期待. 語例 ~ 평가 過大評価. 對과소(過小). **~히**〈副〉過大に.

과대【誇大】[kwa:dae]〈名〉誇大. 大げさ. おおぎょう(大仰). **~하다**〈他〉誇大に表現する. 句例 성과를 ~해서 발표하다 成果を誇大に発表する. 語例 ~ 망상 誇大妄想 / ~광고 誇大広告 / ~ 선전 誇大宣伝.

과도【過渡】[kwa:do]〈名〉過渡. 句例 ~적인 현상 過渡的な現象. 語例 ~ 정부 過渡政府.

과도-하다【過度—】[kwa:dohada] (→하다)〈形〉過度だ. 行き過ぎである. 程度をこしている. 句例 과도한 피로 過度の疲労. **과도히**〈副〉過度に. 度をこして.

과두 정치【寡頭政治】[kwa:du—]〈名〉寡頭政治.

과락【科落】〈名〉科落. =과목 낙제.

ㄱ

과로【過勞】[kwa:ro]〈名・하自〉過労. 句例 ~로 쓰러지다 過労で倒れる / ~하여 병이 나다 過労して病気になる. 語例 ~사 過労死.

과료【科料】〈名〉〔法〕科料. とがりょう. 文例 경범으로 3만 원의 ~를 처벌받다 軽犯で三万ウォンの科料を科せられる.
参考 刑罰としての性質をもたない金銭罰は'과태료(過怠料) 過料'という.

과립【顆粒】〈名〉顆粒. 粒. 句例 ~상의 약 顆粒状の薬.

과목【科目】〈名〉科目. 語例 계정 ~ 勘定科目 / 선택 ~ 選択科目 / 필수 ~ 必須科目.

과묵-하다【寡默—】[kwa:muk'ada] (→하다)〈形〉寡黙である. 無口である. 句例 과묵한 사람됨 寡黙な人柄.

과문-하다【寡聞—】[kwa:mun—] (→하다)〈形〉寡聞である. 見聞が狭い. 文例 과문한 탓으로 알지 못합니다 寡聞にして知りません.
表現 謙遜な言葉づかい.

*__과민__【過敏】[kwa:min]〈名〉過敏. **~하다**〈形〉過敏だ. 句例 ~한 반응을 나타내다 過敏な反応を示す. 語例 신경 ~ 神経過敏 / ~증 過敏症. アレルギー / ~성 대장 증후군 過敏性大腸症候群.

과밀【過密】[kwa:mil]〈名〉過密. **~하다**〈形〉過密だ. 語例 ~ 도시 過密都市 / ~ 스케줄 過密スケジュール. 對과소(過疎).

과반【過半】[kwa:ban]〈名〉過半. 大半. 半分以上.

과반-수【過半數】[kwa:ban—]〈名〉過半数. 句例 ~를 차지하다 過半数を占める / 출석자의 ~의 찬동을 얻다 出席者の過半数の賛同を得る.

과부【寡婦】[kwa:bu]〈名〉寡婦. やもめ. 後家. 未亡人. 句例 ~로 수절하다 後家を立てる. 語例 ~살이 やもめ暮らし.
과부 사정은 과부가 안다 同病相哀れむ.

과-부족【過不足】[kwa:bujok]〈名〉過不足. 句例 ~없이 분배하다 過不足なく分配する. 對 과불급(過不及).

과분-하다【過分—】[kwa:bunhada] (→하다)〈形〉過分だ. 分に過ぎる. 身分不相応でもったいない. 句例 과분한 칭찬의 말씀을 듣다 過分のお褒めことばをいただく / 과분한 광영 身に余る光栄. 文例 회장님이 몸소 말씀을 걸어 주시다니 ~ 会長自らお声掛かりとはもったいない. **과분히**〈副〉過分に.

과-산화【過酸化】[kwa:sanhwa]〈名〉〔化〕過酸化. 語例 ~ 수소 過酸化水素 / ~ 질소 過酸化窒素.

과세【過歲】[kwa:se]〈名・하自〉お正月を迎えること. 文例 ~ 안녕하십니까 新年おめでとうございます. 類송구 영신(送舊迎新).

과세【課稅】〈名・하自〉課税. 語例 ~율 課税率 / 누진 ~ 累進課税.

과소【過小】[kwa:so]〈名〉過小. **~하다**〈形〉過小である. 句例 공해의 영향을 ~하게 보다 公害の影響を過小に見る. 對과대(過大). **~히**〈副〉過小に.

과소【過少】[kwa:so]〈名〉過少. **~하다**〈形〉過少である. 句例 ~한 수당 過少な手当て. 語例 ~ 소비 過少消費. 對과다(過多). **~히**〈副〉過少に.

과-소비【過消費】[kwa:sobi]〈名〉過度の消費.

과속【過速】[kwa:sok]〈名〉超過速度. 規定以上の速度.

과수【果樹】[kwa:su]〈名〉〔植〕果樹. 果木. 語例 ~원 果樹園 / ~ 원예 果樹園芸.

과시【誇示】[kwa:shi]〈名・하他〉誇示. 句例 젊음을 ~하다 若さを誇る. 語例 자기 ~ 自己顕示.

과식【過食】[kwa:shik]〈名〉食い〔食べ〕過ぎ. 過食. **~하다**〈自他〉食べ〔食い〕過ぎる. 過食する. 句例 밥을 ~하다 ご飯を食べ過ぎる. 文例 ~은 몸에 해롭다 食べ過ぎはからだに悪い.

과신-하다【過信—】[kwa:shinhada] (→하다)〈他〉過信する. 文例 과학을 과신해서는 안 된다 科学を過信してはならない.

과실【果實】[kwa:shil]〈名〉果実. 果物. フルーツ. 語例 ~나무 果樹 / 법정 ~ 法定果実 / ~주 果実酒 / ~즙 果汁. 類과일.

과실【過失】[kwa:shil]〈名〉過失. 過ち. しくじり. 句例 ~을 범하다 過失〔過ち〕をおかす / ~을 사죄하다 過失をわびる. 對고의(故意).

*__과언__【過言】[kwa:ŏn]〈名・하自〉過言. 言い過ぎ. 文例 그를 천재라 해도 ~은 아니다 彼を天才と言っても過言ではない.

과업【課業】〈名〉課業. 句例 정규 ~ 이외의 공부 正規の課業以外の勉強.

**__과연__【果然】[kwa:yŏn]〈副〉果然. 果たして. さすが. あんのじょう. 予期していた通り. なるほど. やっぱり. いかにも. やはり. 句例 ~ 학생다운 태도 いかにも学生らしい態度. 文例 ~ 그는 젊다 なるほど彼は若い / ~ 그 말이 맞다 いかにもその通りだ / ~ 훌륭한 집이군요 さすが立派なお宅ですね / ~ 어느 것이 진실이냐 果たしてどれが真実か / 수상한 이야기라고 생각했었는데 ~ 거짓말이었다 怪しい話だと思っていたが果たしてうそ(嘘)だった / ~ 예상은 적중했다 やはり, 予想は的中した.

과열【過熱】[kwa:yŏl]〈名・하自他〉過熱. 句例 모터가 ~하다 モーターが過熱する. 文例 판매 경쟁이 ~ 기미를 나타내다 販売競争が過熱の気配を示す.

과오【過誤】[kwa:o]〈名〉過誤. 過ち. 間違い. 過失. 句例 ~를 범하다 過ちを犯す. 文例 사실의 인정에는 조금치의 ~도 허용되지 않는다 事実の認定にはいささかの過誤も許されない.

과외【課外】〈名〉課外. 語例 ~ 수업 課外授業 / ~ 활동 課外活動 / ~ 공부 課外の勉強.

과욕【過慾】[kwa:yok]〈名・하形〉あまり欲張ること. 文例 매사에 ~은 금물이다 万事に欲張りは禁物だ.

과용-하다【過用—】[kwa:yong—] (→하다)〈他〉使いすぎる. 句例 약품을 ~ 薬品を用いすぎる.
表現 食事などをおごられた時, '오늘 과용하셨습니다' '오늘 과용하신 게 아닙니까'とお

礼を述べて'どうもごちそうさまになりました' 'あまりお世話になって相すみません'の意を表わす.

과육【果肉】[kwa:yuk]〈名〉果肉.

과음【過飮】[kwa:ŭm]〈名〉飮み過ぎ. 過飮. **～하다**〈自他〉飮み過ぎる. 過飮する. 句例 간밤의 ～으로 머리가 아프다 昨晩の飮み過ぎで頭が痛い.

과인산-석회【過燐酸石灰】[kwa:insansŏk'oe]〈名〉〔化〕過燐酸石灰. 略して'과석(過石)'ともいう.

****과일** [kwa:il]〈名〉果物. フルーツ.

과잉【過剩】[kwa:ing]〈名〉過剩. **～하다**〈形〉過剩である. 句例 생산이 ～ 상태가 되다 生産が過剩の状態になる. 語例 ～ 인구 過剩人口 / ～ 투자 過剩投資. 對과소(過少). 類과다(過多).

****과자**【菓子】〈名〉菓子. おかし. ケーキ. キャンデー. 語例 일본 ～ 和菓子 / 양～ 洋菓子 / ～점(店) 菓子屋.

과장【科場】〈名〉〔史〕科挙を受けるところ. 科場.

***과장**【誇張】[kwa:jang]〈名・하他〉誇張. 句例 ～이 너무 심하다 あまり誇張しすぎる / 사건을 ～해서 말하다 事件を誇張して言う. 語例 ～법 誇張法.

과장【課長】〈名〉課長.

과-적재【過積載】[kwa:jŏkchae]〈名・하他〉過積載.

과-전압【過電壓】[kwa:jŏnap]〈名〉〔物〕過電圧.

***과정**【過程】[kwa:jŏng]〈名〉過程. プロセス. 句例 도달까지의 ～ 到達までの過程. 語例 연구 ～ 研究過程.

과정【課程】〈名〉課程. 教科課程. 語例 전문 ～ 専門課程. 類커리큘럼.

***과제**【課題】〈名〉課題. 句例 여름 방학의 ～ 夏休みの課題 / 금후의 ～로서 남다 今後の課題として残る / ～를 주다 課題をあたえる / 당면한 ～ 当面の課題. 語例 ～장 課題帳.

과중-하다【過重―】[kwa:jung―] (→하다)〈形〉過重である. 重過ぎる. 句例 과중한 노동 過重な労働. **과중히**〈副〉過重に.

과즙【果汁】[kwa:jŭp]〈名〉果汁. 語例 ～ 음료 果汁飲料 / 천연 ～ 天然果汁.

과징-금【課徵金】〈名〉課徴金. 文例 수입품에 10퍼센트의 ～을 부과하다 輸入品に十パーセントの課徴金を賦課する. 語例 수입〔수출〕 ～ 輸入〔輸出〕課徴金.

과찬【過讚】[kwa:ch'an]〈名〉褒め過ぎ. 過賞. **～하다**〈他〉褒め過ぎる. 過賞する. 文例 아니, 원 ～의 말씀을 これは, どうも, 身に余るお言葉を.

과채【果菜】[kwa:ch'ae]〈名〉果菜. 語例 ～류 果菜類.

과태【過怠】[kwa:t'ae]〈名〉過怠. 過失. 語例 ～료 過料.

과-하다【科―】(→하다)〈他〉科する. 処する. 句例 형벌을 ～ 刑罰を科する.

과-하다【課―】(→하다)〈他〉課する. 負わせる. 掛ける. 句例 숙제를 ～ 宿題を課する / 세금을 ～ 税金を掛ける.

과-하다【過―】[kwa:hada] (→하다)〈形〉過度だ. 過ぎる. あんまりだ. 句例 낭비가 ～ 無駄遣いが過ぎる. 文例 그에게는 너무 과한 처사다 彼にはあまりひどい仕打ちだ. **과히**〈副〉余り. あんまり. 大して. それほど. 文例 과히 잘 그린 그림은 아니다 余りうまい絵ではない.

表現 '과히'で, '그다지 余り・大して'の意を表わす時には後に打ち消しの語を伴う.

****과학**【科學】〈名〉科学. 語例 ～ 기술 科学技術 / ～ 병기 科学兵器 / ～ 소설 科学小説. SF / ～ 위성 科学衛星 / 자연 ～ 自然科学 / ～전 科学戦.

과학 기술처【科學技術處】〈名〉科学技術処. 科学技術庁に当たる. 略して'과기처'とも言う. 語例 ～ 장관 科学技術処長官.

***과학-적**【科學的】〈名・冠〉科学的. 語例 ～인 사고 방식 科学的な考え方. 對비(非)과학적.

***과학-화**【科學化】[kwahak'wa]〈名・하他〉科学化.

곽 〔漢字項目〕

【郭】 高校 곽 カク. ❶도읍을 둘러싼 성(城) 都の外まわりの土壁. ■城郭 성곽 じょうかく. ❷둘레 物の外まわり. ■郭外 곽외 かくがい. ■輪郭 윤곽 りんかく.

곽란【霍亂】[kwangnan]〈名〉〔韓醫〕霍乱. 語例 토사 ～ 吐瀉霍乱.

관【官】〈名〉'관청'の略 : 官. 句例 ～에서 하는 일 役所でなすこと. 對민(民).

관물(을) 먹다 '관청물(을) 먹다'の略(→'관청물'の小項目).

관【冠】〈名〉〔史〕冠・かんむり.

관【貫】〈名〉'본관(本貫)'の略.

***관**【棺】〈名〉棺. ひつぎ(棺・柩). 棺おけ. 句例 유해를 ～에 넣다 遺体を棺に収める.

관【管】〈名〉管・くだ. 句例 ～이 막히다 管がつまる. 語例 가스～ ガスの管 / 수도～ 水道管.

관【貫】〈依名〉貫. ❶〔史〕昔の銭一千文. ❷重さの単位. 語例 6 ～ 六貫.

관〈副〉'고만'の略. 文例 ～ 둬라 やめろ. やめてくれ. もう嫌だ.

관 〔漢字項目〕

【冠】 高校 관 カン. ❶관 かんむり. ■冠帶 관대 かんたい. ■王冠 왕관 おうかん. ❷닭의 볏 とさか. ■鷄冠 계관 けいかん. とさか. ❸어른이 되는 관례를 올리고 성인이 되다 元服する. ■冠者 관자 かんじゃ. 冠婚 관혼 かんこん. ❹어른 成人. ■弱冠 약관 じゃっかん. ❺으뜸 首位. ■冠絶 관절 かんぜつ.

【官】 中學 관 カン. ❶벼슬 官職. ■官位 관위 かんい. ■高官 고관 こうかん. ❷벼슬아치 役人. ■官憲 관헌 かんけん. ■任官 임관 にんかん. ❸마을. 관가 役所. ■官廳 관청 かんちょう. ❹생리 기능 生理機能. ■官能 관능 かんのう. ■五官 오관 ごかん.

【寬(寛)】 高校 관 カン. ❶너그럽다 おおようだ. ■寬大 관대 かんだい. 寬仁 관인 かんじん. ❷용서하다 ゆるす. ■寛

容 관용 かんよう. ❸넓다 ひろい. ◨寛閑 관한 かんかん.

【貫】[高校] 관 カン. ❶돈꿰미 穴あき銭をひもで貫いたもの. ◨錢貫 전관 せんかん. ❷꿰다 貫く. ◨貫通 관통 かんつう. 貫流 관류 かんりゅう. ◨縱貫 종관 じゅうかん. ❸이루다 なしとげる. ◨貫徹 관철 かんてつ. ❹호적 戸籍. ◨貫籍 관적 かんせき. ◨本貫 본관 ほんかん.

【館(舘)】[高校] 관 カン. ❶숙사 泊まる所. ◨旅館 여관 りょかん. ❷관청. 또, 그 건물 役所. また, その建物. ◨公館 공관 こうかん. 圖書館 도서관 としょかん. ❸가게 みせ. ◨商館 상관 しょうかん. 書館 서관 しょかん. ❹큰 집 大きい建物. ◨別館 별관 べっかん. 新館 신관 しんかん.

【關(関)】[中學] 관 カン. ❶문빗장 かんぬき. ◨關鍵 관건 かんけん. ❷잠그다 錠をかける. ◨關鎖 관쇄 かんさ. ❸관 せき. 출입을 맡은 곳 出入りをとりしまる所. ◨關門 관문 かんもん. ◨難關 난관 なんかん. 稅關 세관 ぜいかん. ❹관계하다 かかわる. ◨關係 관계 かんけい. ◨連關 연관 れんかん. ❺기계를 움직이는 장치 機械を動かす装置. ◨機關 기관 きかん.

【慣】[高校] 관 カン. ❶익숙하다 なれる. ◨慣用 관용 かんよう. 慣習 관습 かんしゅう. ❷익숙하여진 것 ならわし. ◨慣例 관례 かんれい. ◨習慣 습관 しゅうかん.

【管】[高校] 관 カン. ❶관 くだ. ◨管狀 관상 かんじょう. ◨鐵管 철관 てっかん. ❷붓자루 筆の軸. ◨筆管 필관 ひっかん. ❸관악기 管楽器. ◨管樂 관악 かんがく. 管絃 관현 かんげん(管弦). ❹주관하다 つかさどる. ◨管理 관리 かんり.

【觀(観)】[中學] 관 カン. ❶주의하여 보다 くわしく見る. ◨觀察 관찰 かんさつ. ◨諦觀 체관 ていかん. ❷바라보다 眺める. ◨觀光 관광 かんこう. ❸구경. 또, 그 대상 見物. また, その対象. ◨壯觀 장관 そうかん. 美觀 미관 びかん. ❹천문을 보다 天文を観測する. ◨觀象 관상 かんしょう. 觀測 관측 かんそく. ❺보이다 見せる. ◨觀兵 관병 かんぺい. ❻모양 ようす. ◨外觀 외관 がいかん. 奇觀 기관 きかん. ❼생각 考え. ◨主觀 주관 しゅかん. 人生觀 인생관 じんせいかん.

관가【官家】〈名〉〔史〕役所.

관개【灌漑】[kwa:n-gae]〈名·하他〉灌漑. [句例] 물을 끌어 사막을 ~하다 水を引いて砂漠を灌漑する. [語例] ~ 농업 灌漑農業 / ~ 용수 灌漑用水.

관객【觀客】〈名〉観客. [句例] ~의 박수 観客の拍手. [語例] ~석 観客席.

관건【關鍵】〈名〉関鍵. かなめ. ポイント. =핵심. [句例] 문제 해결의 ~ 問題解決のかなめ. [參考] もとは'문빗장 かんぬき'の意.

관계【官界】〈名〉官界. [句例] ~로 나아가다 官界に出る.

관계【關係】〈名〉関係. かかわり合い. かかわ(係·関)り. **~하다**〈自〉関係する. かかわる. [句例] 부모 자식의 ~ 親子の関係 / 주어와 술어의 ~ 主語と述語の関係 / 매스컴 ~의 구인 광고 マスコミ関係の求人広告 / 프라이드에 ~되다 プライドにかかわる / 회사의 존립에 ~하다 会社の存立にかかわる / 우승에 ~되는 시합 優勝にかかわる試合 / ~를 맺게 하다 関係付ける. [文例] 나와는 아무 ~도 없는 사건이다 私にはなんのかかわりもない事件だ. [語例] 가족 ~ 家族関係 / ~식 関係式 / ~대명사 関係代名詞.

관계-없다【關係—】[—ŏpta]〈形〉❶関係ない. かかわりない. ❷構わない. 心配ない. **관계없이** [—ŏpshi]〈副〉関係〔かかわり〕なく. かかわらず. [句例] 결과 여하에 관계없이 結果のいかんにかかわりなく.

관계-자【關係者】〈名〉関係者. [句例] ~ 이외는 출입 금지 関係者以外立ち入り禁止. [語例] 방송 ~ 放送関係者.

관공-서【官公署】〈名〉官公署.

*__관광__【觀光】〈名·하他〉観光. 物見. 見物. [語例] ~ 도시 観光都市 / ~ 여행 観光旅行 / ~지 観光地 / ~단 観光団 / ~ 사업 観光事業.

*__관광-객__【觀光客】〈名〉観光客. [句例] ~을 유치하다 観光客を誘致する.

관군【官軍】〈名〉官軍. 對적군(賊軍).

관권【官權】[kwankkwon]〈名〉官権. [語例] ~ 남용 官権乱用〔濫用〕.

관내【管內】〈名〉管内. [句例] ~의 각 서에 지령하다 管内の各署に指令する. 對관외(管外). 類관할(管轄).

관념【觀念】〈名〉観念. [句例] ~으로서의 미 観念としての美. [文例] 시간 ~이 없다 時間(の)観念がない / 경제 ~이 발달되어 있다 経済観念が発達している. [語例] 고정 ~ 固定観念 / ~론 観念論.

관념-적【觀念的】〈名·冠〉観念的. [句例] ~이면서 난해한 시 観念的で難解な詩. [文例] ~이 아니라 구체적인 충고가 필요하다 観念的でなく具体的な忠告が必要だ.

관노【官奴】〈名〉〔史〕役所の奴僕. 官奴.

관능【官能】〈名〉官能. [句例] ~을 자극하다 官能を刺激する. [語例] ~적 官能的.

관-다발【管—】[kwanttabal]〈名〉〔植〕維管束. [語例] ~식물 維管束植物.

관대-하다【寬大—】(→하다)〈形〉寛大だ. [句例] 관대한 처분 寛大な処分. **관대히**〈副〉寛大に. [句例] 관대히 조치하다 寛大に処置する.

관동【關東】〈名〉〔地〕関東. 大関嶺以東の江原道地域. [語例] ~ 팔경 関東八景.

*__관-두다__ [kwa:nduda]〈他〉'고만두다'の略: やめる. [句例] 회사를 ~ 会社をやめる / 장사를 ~ 商売をやめる / 달리기를 ~ 走るのをやめる. [文例] 싫으면 관둬 いやならやめろ.

*__관등-놀이__【觀燈—】[—nori]〈名〉陰暦の四月八日に, ちょうちんをともして釈迦の誕生日を祝う行事.

관등-절【觀燈節】〈名〉〔佛〕陰暦四月八日の釈迦誕生日《お寺の境内にお祝いのちょうちんをつるすことから出た言葉》.

관디〈名〉〔史〕[もとの語形は'관대(冠帶)'] 冠帯

《昔の官服. 今は旧式の結婚式で新郎が礼服として着る. この時‘사모(紗帽)’をかぶる.

관람【觀覽】[kwallam]〈名・하他〉観覧. 句例 전시품을 ~하다 展示品を観覧する. 語例 ~객 観客. 見物客 / ~권 観覧券 / ~료 観覧料. 見料 / ~석 観覧席.

***관련**【關聯】[kwallyŏn]〈名・하自〉関連. 句例 문화에 ~되는 이야기 文化に関連する話. 文例 교육과 환경은 ~이 깊다 教育と環境とは関連が深い / 아무런 ~성도 없다 なんの関連性もない. 語例 ~ 사항 関連事項. 類 연관(聯關). 관계.

관례【冠禮】[kwallye]〈名・하自〉〔史〕冠礼. 元服.

관례를 치르다 冠礼をあげる. 元服する.

관례【慣例】[kwallye]〈名〉慣例. 仕来り. 句例 ~에 따르다 慣例に従う. 語例 ~화 慣例化. 類 관행(慣行).

관록【貫祿】[kwallok]〈名〉貫禄. 句例 ~이 있다 貫禄がある / ~이 붙다 貫禄がつく. 文例 나이가 듦에 따라 ~이 붙다 年とともに貫禄がついて来る.

관료【官僚】[kwallyo]〈名〉官僚. 句例 ~ 출신의 정치가 官僚畑〔官僚育ち〕の政治家 / ~적인 경향 官僚的(な)傾向. 語例 ~주의 官僚主義.

관리【官吏】[kwalli]〈名〉官吏. 役人. 官員. 類 벼슬아치. 관헌(官憲). 관원(官員).

***관리**【管理】[kwalli]〈名・하他〉管理. 句例 주택의 ~비 住宅の管理費. 語例 품질 ~ 品質管理 / 건강 ~ 健康管理 / 인사 ~ 人事管理 / 사무 ~ 事務管理 / ~직 管理職.

관리-인【管理人】[kwalliin]〈名〉管理人. 管理者. 句例 아파트의 ~ アパートの管理人. 語例 재산 ~ 財産管理人.

관립【官立】[kwallip]〈名〉官立《現在, 日本では‘国立’と言う》. 語例 ~ 학교 官立学校. 對 사립(私立).

관망【觀望】〈名・하他〉観望. 句例 형세를 ~하다 形勢を観望する.

관목【灌木】[kwa:nmok]〈名〉〔植〕灌木. 低木. =떨기나무. 對 교목(喬木).

관문【關門】〈名・하自〉関門. 関. 関所. 句例 자격 시험의 ~을 돌파하다 資格試験の関門を突破する / ~을 닫다 関門を閉ざす.

관물【官物】〈名〉官物・官物. =관급품.

관민【官民】〈名〉官民. 句例 ~ 일체의 협력 官民一体の協力.

관변【官邊】〈名〉官辺. 句例 ~의 의견 官辺の意見. 語例 ~ 소식통 官辺消息筋 / ~측 官辺側. 官辺筋.

관보【官報】〈名〉〔法〕官報. 句例 ~에 고시하다 官報に告示する.

관복【官服】〈名〉官服. 句例 ~을 지급하다 官服を支給する.

관비【官費】〈名〉官費. 国費. 語例 ~ 유학 官費留学 / ~생 官費生. 對 사비(私費). 類 국비(國費).

관사【官舍】〈名〉官舎. 公務員宿舎.

관사【冠詞】〈名〉〔言〕❶‘관형사(冠形詞)’の略. ❷(英語などの)冠詞. 語例 정~ 定冠詞 / 부정 ~ 不定冠詞.

관상【觀相】〈名・하自〉観相. 人相見. 語例 ~가〔쟁이〕観相家. 人相見. 相者 / ~술 観相術.

관상(을) 보다 人相を見る. =상(相)보다.

관상【觀賞】〈名・하他〉観賞. 句例 열대어를 ~하다 熱帯魚を観賞する. 語例 ~ 식물 観賞植物 / ~어 観賞魚.

관상-대【觀象臺】〈名〉‘기상대(氣象臺)’の古い言いかた.

관서【官署】〈名〉官署. 役所.

관선【官選】〈名・하他〉官選. 語例 ~ 의원 官選議員 / ~ 변호인 官選弁護人. 對 민선(民選).

관성【慣性】〈名〉〔物〕慣性. 句例 ~의 법칙 慣性の法則. 類 타성(惰性).

관세【關稅】〈名〉関税. 語例 ~ 동맹 関税同盟 / ~ 장벽 関税障壁.

관세음-보살【觀世音菩薩】〈名〉〔佛〕観世音菩薩. 略して‘관음보살, 관음’ともいう.

관세-청【關稅廳】〈名〉関税庁. 大蔵省の関税局に当たる. 長官は‘관세청장(長)’と言う.

관속【官屬】〈名〉〔史〕官属. 役所の下級官吏.

관솔 [kwa:nsol]〈名〉やにの多い松の節や小枝《たきつけやともしびに使う》. 語例 ~불 松火. たいまつ(松明)の火.

관습【慣習】〈名〉慣習. 仕来り. 習わし. 句例 ~을 깨뜨리다 慣習をやぶる / 예로부터의 ~ 昔からの仕来り / ~을 지키다 慣習を守る. 類 풍습(風習). 습관.

관습-법【慣習法】〈名〉〔法〕慣習法.

***관심**【關心】〈名・하自他〉関心. 句例 ~을 보이다 関心を示す / ~이 있다 関心がある / ~을 기울이다 関心をはらう / ~이 높아지다 関心が高まる / 정치에 ~이 없다 政治に関心がない / 복장에 ~을 가질 나이또래 服装に関心を持つ年頃. 語例 ~사〔거리〕関心事 / 무~ 無関心.

관아【官衙】[kwana]〈名〉〔史〕官衙. 役所. 官庁. 語例 공주 ~ 公州官衙.

관악【管樂】[kwanak]〈名〉〔樂〕管楽. 語例 ~기 管楽器. 吹奏楽器. 對 현악(絃樂).

관여【關與】[kwanyŏ]〈名〉関与〔干与〕. **~하다**〈自〉関与〔干与〕する. かか(関)わる. 句例 국정〔인사〕에 ~하다 国政〔人事〕に関与する. 文例 네가 ~할 문제가 아니다 君の関与すべき問題ではない. 類 참여(參與).

관엽 식물【觀葉植物】[kwanyŏpshingmul]〈名〉観葉植物.

관영【官營】[kwanyŏng]〈名〉官営. 官業. 語例 ~ 사업 官営事業 / ~ 요금 官営料金. 對 민영(民營).

관용【官用】[kwanyong]〈名〉官用. 語例 ~차 官用の車.

관용【慣用】[kwanyong]〈名・하他〉慣用. 句例 ~적인 용법 慣用的な用法.

관용【寬容】[kwanyong]〈名〉寛容. **~하다**〈他〉寛大に許す. 大目に見る. 句例 ~의

정신 寛容の精神. 語例 ~성 寛容性.

관용-구【慣用句】[kwanyongkku]〈名〉〔言〕慣用句(‘눈에 띄다 目につく’ ‘하늘을 찌르다 天をつく’など).

관용-음【慣用音】[kwanyong-ŭm]〈名〉〔言〕慣用音(‘십월(十月) 十月’を‘시월’と読むなど).

관운【官運】[kwanun]〈名〉官吏になる運. 官吏として出世する運. 句例 ~이 트이다 官吏としての出世運が開ける.

관원【官員】[kwanwon]〈名〉官員. 官吏. 役人. =벼슬아치. 관리(官吏).

관음【觀音】[kwanŭm]〈名〉〔佛〕‘관세음보살’の略: 觀音. 語例 ~보살 觀音菩薩 / ~경 観音経 / ~상 観音像 / ~전 観音殿.

관인【官印】[kwanin]〈名〉官印.

관인【寛仁】[kwanin]〈名〉寛仁. **~하다**〈形〉寛仁だ. 語例 ~ 대도 寛仁大度.

관자-놀이【貫子—】[—nori]〈名〉こめかみ.

관장【館長】〈名〉館長. 語例 도서~ 図書館長.

관장【灌腸】[kwa:njang]〈名〉〔醫〕浣腸〔灌腸〕. 注腸. 語例 ~기 灌腸器.

관재【管財】〈名・하自〉管財. 語例 ~인 管財人. 管財者.

관전【觀戰】〈名・하自他〉観戦. 句例 스탠드에서 프로 야구를 ~하다 スタンドでプロ野球を観戦する. 語例 ~평 観戦評.

관절【關節】〈名〉〔生〕関節. =뼈마디. 句例 ~이 욱신거리다 関節がぎくぎく痛む. 語例 ~류머티즘 関節リューマチ / ~염 関節炎.

관점【觀點】[kwantchŏm]〈名〉観点. 句例 ~이 다르다 観点がちがう / ~의 상이 観点の相違. 文例 ~을 바꿔 다시 보다 観点を変えて見直す / 물리학자의 ~에서 발언하다 物理学者の観点から発言する. 類시점(視點). 견지(見地).

관제【官製】〈名・하他〉官製. 語例 ~ 엽서 官製葉書 / ~품 官製品. 對사제(私製).

관제【管制】〈名・하他〉管制. 文例 항공기의 발착을 ~하다 航空機の発着を管制する. 語例 등화 ~ 灯火管制 / 보도 ~ 報道管制.

관제-탑【管制塔】〈名〉管制塔. コントロールタワー.

관조【觀照】〈名・하他〉観照. 句例 사물을 냉정히 ~하다 物事を冷静に観照する.

관존-민비【官尊民卑】〈名〉官尊民卑.

***관중**【觀衆】〈名〉観衆. 句例 ~이 들끓다 観衆が沸く. 語例 ~석 観衆の座席. 類관객(觀客).

관직【官職】〈名〉官職. =벼슬. 句例 ~에 오르다 官職につく / ~에서 물러나다 官職から身を引く.

***관찰**【觀察】〈名・하他〉観察. 句例 시세를 ~하다 時勢を観察する / ~안이 날카롭다 観察眼が鋭い / 곤충의 생태를 ~하다 昆虫の生態を観察する. 語例 ~ 기록 観察記録 / ~력 観察力.

관찰-사【觀察使】[—ssa]〈名〉〔史〕観察使. 朝鮮時代, 地方の行政機関であった道の長官.

관철【貫徹】〈名・하他〉貫徹. 句例 요구를 ~하다 要求を貫徹する / 초지를 ~하다 初志を貫徹する.

***관청**【官廳】〈名〉官庁. 役所. 語例 지방 ~ 地方官庁 / 사법 ~ 司法官庁 / 행정 ~ 行政官庁 / ~ 사무 役所事務.

관청물(을) 먹다 官吏の生活をする. 略して‘관물(을) 먹다’ともいう.

***관측**【觀測】〈名・하他〉観測. 句例 월식을 ~하다 月食を観測する. 語例 천체 ~ 天体観測 / 기상 ~ 気象観測 / ~ 데이터 観測データ / ~ 기구 観測気球 / ~소 観測所 / ~통(通) 観測筋 / 희망적 ~ 希望的観測.

관통【貫通】〈名〉貫通. **~하다**〈自他〉貫通する. 貫く. 突き抜ける. 句例 터널이 ~되다 トンネルが貫通する / 도시를 ~하는 한길 町を貫通する大通り.

관포지-교【管鮑之交】〈名〉管鮑の交わり.

관하【管下】〈名〉管下. 句例 기상청 ~의 각 기상대 気象庁管下の各気象台. 類관내(管內).

관-하다【關—】(→하다)〈自〉関する. かかわる. 関係する. 句例 장래에 관한 희망 将来に関する希望. 文例 신호등 설치에 관해서 의견을 말하다 信号灯設置に関して意見を述べる.

表現 ‘…에 관하여, …에 관해서 …に関して, …について’ または ‘…에 관한 …に 関する, …にかかわる’の形で用いる.

관할【管轄】〈名・하他〉管轄. 所轄. 句例 ~하에 두다 管轄下に置く. 文例 이 파출소는 넓은 구역을 ~하고 있다 この交番は広い区域を管轄している. 語例 ~ 구역 管轄区域 / ~ 관청 管轄官庁 / ~ 법원 管轄裁判所 / ~권 官轄権.

관행【慣行】〈名・하他〉慣行. 句例 ~을 지키다 慣行を守る / 백중·세모의 ~ 中元・歳暮の慣行 / 양국간의 ~ 両国間の慣行. 類관례(慣例).

관향【貫鄕】〈名〉氏族の始祖の出生地. =본(本). 본관(本貫).

관허【官許】〈名・하他〉官許. 句例 ~를 받다 官許を受ける. 語例 ~ 요금 官許料金.

관헌【官憲】〈名〉官憲. 句例 ~의 탄압을 받다 官憲の弾圧を受ける.

관현【管絃】〈名〉〔樂〕管弦. 句例 시가·~에 뛰어나다 詩歌・管弦に長じる.

관현-악【管絃樂】[kwanhyŏnak]〈名〉〔樂〕管弦楽. 語例 ~단 管弦楽団. オーケストラ.

관형격 조사【冠形格助詞】[kwanhyŏngkkyŏk-cho:sa]〈名〉〔言〕冠形格助詞. 格助詞の一つで, 体言のあとにつけてその体言を冠形語につくる助詞. ‘의’がある.

관형-사【冠形詞】〈名〉〔言〕冠形詞. 体言の前に冠して体言の意味を修飾する語. 活用しない. ‘첫 初’ ‘이 この’ ‘여러 多くの’など. 略して‘관사(冠詞)’とも言う.

관형사-형【冠形詞形】〈名〉〔言〕冠形詞形. 冠形詞のように体言を修飾する用言の活用形の一つ. ‘맑은 清い’ ‘볼 見る’など. =관형형(冠形形). 매김꼴.

관-혼-상-제【冠婚喪祭】〈名〉冠婚葬祭. '사례(四禮)'ともいう.

괄괄-하다 (→하다)〈形〉(性格が)きびきびしていて荒っぽい. 熱っぽくてずばずばしている. 略して'괄하다'ともいう.

괄목-하다【刮目—】[kwalmok'ada] (→하다)〈自〉刮目する. 目をこすって〔注意して〕見る. 句例 괄목할 만하다 刮目に価する / 괄목할 만한 경제 발전 刮目すべき〔目覚ましい〕経済発展.

괄시【恝視】[kwalssi]〈名〉蔑視. さげすみ. 軽視. 冷遇. 見下げ. **～하다**〈他〉軽視〔蔑視〕する. 見下げる. さげすむ. 見くびる. 見下す. ＝업신여기다. 句例 ～를 받다 ないがしろにされる / 가난한 사람을 ～하다 貧乏人を冷遇する.

괄-하다 [kwa:lhada] (→하다)〈形〉'괄괄하다'の略.

괄호【括弧】〈名〉かっこ(括弧). 句例 ～에 넣다 かっこに入れる / ～로 묶다 かっこでくくる / ～를 열다 かっこを開く.

***광** [kwa:ng]〈名〉物置(小屋). 納屋. 蔵〔倉〕. 句例 쌀을 ～에 보관하다 米を蔵に保管する.

광에서 인심 난다 人の恩情は倉から出る《生活に余裕があれば自然と人情もゆたかになるものである》.

광[1]【光】〈名〉❶〔物〕光. 光線. ＝빛. ❷(花札の)光物.

광[2]【光】[kwa:ng]〈名〉光. つや(艶). 光沢. 光彩. 句例 ～이 나다 つやがでる / 닦아서 ～을 내다 磨いてつやをだす.

-광【狂】〈尾〉…狂. マニア. 語例 야구～ 野球狂 / 영화～ 映画狂 / 낚시～ 釣り気違い / 연극～ 芝居気違い / 수집～ コレクトマニア.

광 〔漢字項目〕

【光】中學 광 コウ. ❶빛 光. ◧光線 광선 こうせん. ◧日光 일광 にっこう. ❷광채 輝き. ◧光澤 광택 こうたく. ◧採光 채광 さいこう. ❸영예・위세 따위 誉れなど. ◧光榮 광영 こうえい. ◧威光 위광 いこう. ❹경치・모양 따위 景色・ありさまなど. ◧光景 광경 こうけい. ◧風光 풍광 ふうこう. ❺일월 日月, 시간 時間. ◧光陰 광음 こういん.

【廣(広)】中學 광 コウ. ❶넓다 広い. ◧廣大 광대 こうだい. 廣域 광역 こういき. ❷넓히다 広める. ◧廣義 광의 こうぎ. ❸넓이 広さ. ◧廣狹 광협 こうきょう. ❹널리 広く. ◧廣告 광고 こうこく.

【鑛(鉱)】高校 광 コウ. 쇳돌 あらがね. ◧鑛石 광석 こうせき. 鑛山 광산 こうざん. ◧金鑛 금광 きんこう.

광각【廣角】[kwa:nggak]〈名〉広角. 語例 ～렌즈 広角レンズ / ～촬영 広角撮影.

광견【狂犬】〈名〉狂犬. ＝미치개

광견-병【狂犬病】[—ppyŏng]〈名〉〔醫〕狂犬病. 恐水病.

***광경**【光景】〈名〉光景. 句例 산정에서 본 ～을 그리다 山頂から見た光景を描く / 무시무시한 ～을 목격하다 おそろしい光景を目撃する. 類정경(情景).

광고【廣告】[kwa:nggo]〈名・하他〉広告. 句例 신간을 텔레비전으로 ～하다 新刊をテレビで広告する / 신문에 ～를 내다 新聞に広告を出す. 語例 ～쟁이《俗》広告屋. 広め屋. ちんどん屋 / ～ 대리업 広告代理業 / ～ 기구 広告気球. ＝광고 풍선 / ～란 広告欄 / ～문 広告文 / ～탑 広告塔 / ～지 広告紙. 類선전(宣傳).

광공-업【鑛工業】[kwa:nggong-ŏp]〈名〉鉱工業.

광구【鑛區】[kwa:nggu]〈名〉〔法〕鉱区. 語例 제5～ 第五鉱区.

광구【鑛口】[kwa:nggu]〈名〉坑口. ＝굿문・갱구(坑口).

광궤【廣軌】[kwa:nggwe]〈名〉広軌. 語例 ～철도 広軌鉄道. 對협궤(狹軌).

광기【狂氣】[kwangkki]〈名〉狂気. 句例 ～를 부리다 狂気じみたことをする.

광-나다【光—】[kwa:ngnada]〈自〉❶光が出る. ❷つや(艶)が出る. 句例 닦아서 광이 나는 구두 磨いてつやの出る靴.

광-내다【光—】[kwa:ngnaeda]〈他〉❶光を出す. ❷つやを出す. 句例 마루를 닦아서 ～ 床を磨いてつやを出す.

광년【光年】〈依名〉〔天〕光年. 語例 십만 ～ 10万光年.

***광대** [kwa:ngdae]〈名〉❶昔, 仮面劇や人形劇・綱渡り・'판소리'などの演芸者をさした語. 役者. 芸能人. ❷舞台化粧をすること.
表現 '廣大'は漢字の当て字.

광대【廣大】[kwa:ngdae]〈名〉広大. **～하다**〈形〉広大である. 句例 ～한 목장 広大な牧場. **～히**〈副〉広大に. 広く大きく.

광대-뼈 [kwa:ngdaeppyŏ]〈名〉頬骨. 顴骨. ほお骨. 句例 ～가 나온 얼굴 ほお骨の突き出た顔.

광도【光度】〈名〉〔物〕光度. 語例 ～ 계급 光度階級 / ～ 등급 光度等級.

광독【鑛毒】[kwa:ngdok]〈名〉鉱毒. 句例 ～으로 강물이 오염되다 鉱毒で川の水が汚染する.

광-디스크【光 disk】〈名〉光ディスク. 語例 ～장치 光ディスク装置.

광란【狂亂】[kwangnan]〈名・하自〉狂乱. 句例 반 ～의 상태로 울부짖다 半狂乱の状態になって泣き叫ぶ.

광량【光量】[kwangnyang]〈名〉〔物〕光量.

광림【光臨】[kwangnim]〈名・하自〉光臨. 句例 ～의 영광을 입다 光臨の栄に浴する. 類왕림(枉臨).

광막-하다【廣漠—】[kwa:ngmak'ada] (→하다)〈形〉広漠としている. 句例 광막한 원야 広漠たる原野 / 광막한 대평원 広漠とした大平原. **광막히** [kwa:ngmak'i]〈副〉広漠と.

광맥【鑛脈】[kwa:ngmaek]〈名〉〔鑛〕鉱脈. 句例 새 ～을 찾아내다 新しい鉱脈を見いだす.

광명【光明】〈名・하形〉光明. 句例 한 가닥의

～ ひとすじの光明 / 일루의 ～을 찾아내다 一縷の光明を見いだす / 아미타의 ～ 阿弥陀の光明.

광목【廣木】[kwa:ngmok]〈名〉カナキン. カネキン.

광물【鑛物】[kwa:ngmul]〈名〉〔鑛〕鉱物. 語例 ～성 섬유 鉱物性繊維 / ～성 색소 鉱物性色素 / ～유 鉱物油 / ～성 염료 鉱物性染料 / ～질 비료 鉱物質肥料.

광-범위【廣範圍】[kwa:ngbŏmwi]〈名〉広範囲. =광범. **～하다**〈形〉広範囲だ. 句例 ～에 미치다 広範囲に及ぶ / ～에 걸친 수색 広範囲にわたる捜索 / ～한 거래 広範囲な取り引き.

광범-하다【廣範—】[kwa:ngbŏm—]（→하다）〈形〉広範だ. =광범위하다. 句例 광범한 영향 広範な影響 / 광범한 연구 広範な研究. 文例 이번 피해는 광범한 지역에 미쳤다 今度の被害は広範な地域に及んだ. **광범히**〈副〉広範に. 句例 광범히 자리를 차지하다 広範に位置を占める.

*__광복__【光復】〈名・하自他〉光復. 輝かしい回復. 特に国権の回復. 語例 ～ 운동 光復運動. 国権回復運動.

광복-군【光復軍】〈名〉〔史〕光復軍. 中国に亡命した大韓民国臨時政府の抗日独立軍.

광복-절【光復節】〈名〉光復節. 1945年8月15日. 韓国が日本の統治から国権を回復した記念日.

광부【鑛夫】[kwa:ngbu]〈名〉'광원(鑛員)'の旧称.

광분【狂奔】〈名・하自〉狂奔. 句例 돈마련에 ～하다 金策に狂奔する.

*__광산__【鑛山】[kwa:ngsan]〈名〉〔鑛〕鉱山. 語例 ～ 지대 鉱山地帯 / ～촌(村) 鉱山に発達した集落.

*__광산-물__【鑛産物】[kwa:ngsanmul]〈名〉鉱産物.

광상-곡【狂想曲】〈名〉〔樂〕狂想曲. カプリッチオ.

광석【鑛石】[kwa:ngsŏk]〈名〉〔鑛〕鉱石. 句例 ～을 캐내다 鉱石を掘り出す.

*__광선__【光線】〈名〉〔物〕光線. 語例 가시 ～ 可視光線 / 레이저 ～ レーザー光線 / 직사 ～ 直射光線.

광속【光速】〈名〉〔物〕光速. =광속도(光速度).

광-속도【光速度】〈名〉〔物〕光速度.

광신【狂信】〈名・하他〉狂信. 句例 미신을 ～하다 迷信を狂信する / ～적인 태도 狂信的な態度. 語例 ～도 狂信徒 / ～자 狂信者. 類맹신(盲信).

광야【廣野】[kwa:ng-ya]〈名〉広野・広野. 句例 눈 덮인 ～ 雪に覆われた広野.

광어【廣魚】[kwa:ng-ŏ]〈名〉〔魚〕ひらめ. =넙치.

광업【鑛業】[kwa:ng-ŏp]〈名〉鉱業.

광역【廣域】[kwa:ng-yŏk]〈名〉広域. 句例 ～에 걸치다 広域にわたる. 語例 ～ 경제 広域経済 / ～ 중심 도시 広域中心都市.

광역-시【廣域市】[kwa:ng-yŏk—]〈名〉広域市. 地方自治団体の一つ. '도 道'と同格で中央政府の監督を受ける. 仁川・大田・光州・大邱・釜山などがある. もと, 직할시(直轄市)と言った.

광열【光熱】〈名〉光熱. 語例 ～비 光熱費.

광원【光源】〈名〉〔物〕光源.

광원【鑛員】[kwa:ng-won]〈名〉鉱夫.

광음【光陰】〈名〉光陰. =세월. 때.

광의【廣義】[kwa:ng-ŭi]〈名〉広義. 句例 ～의 고전 음악 広義の古典音楽 / ～로 해석하다 広義に解釈する. 對협의(狹義).

광자기 디스크【光磁氣disk】〈名〉光磁気ディスク.

*__광장__【廣場】[kwa:ngjang]〈名〉広場. 句例 ～에 모이다 広場に集まる / 대화의 ～ 話し合いの場. 対話の場. 語例 역전 ～ 駅前の広場.

광적【狂的】[kwangtchŏk]〈名・冠〉狂的. 句例 ～인 신앙심 狂的な信心 / ～으로 고집하다 狂的に意地を張る.

광-전지【光電池】〈名〉〔物〕光電池・光電池. 語例 셀렌 ～ セレン光電池.

광주리〈名〉（はぎ・竹・柳の枝などで編んだ丸く大きい）かご(籠). 絵

〈광주리〉

광주리-장수〈名〉日用雑貨を入れたかごを頭にのせて売り歩く女.

광차【鑛車】[kwa:ngch'a]〈名〉鉱車. トロッコ. トロ.

광채【光彩】〈名〉光彩. 句例 ～를 발하다 光彩を放つ / ～가 나다 光彩が出る. 光り輝く.

광천【鑛泉】[kwa:ngch'ŏn]〈名〉〔地〕鉱泉. 語例 ～수 鉱泉の水 / 라듐 ～ ラジウム鉱泉 / ～온천 鉱泉温泉.

광층【鑛層】[kwa:ngch'ŭng]〈名〉鉱層.

광태【狂態】〈名〉狂態. 句例 술에 취해서 ～를 부리다 酒に酔って狂態を演じる. 類추태(醜態).

*__광택__【光澤】〈名〉光沢. つや(艶). 句例 ～을 내다 光沢〔つや〕を出す / ～이 있는 진주 光沢のある真珠 / 비단과 같은 ～ 絹のような光沢. 語例 ～지 光沢紙. グロッシー.

광-통신【光通信】〈名〉光通信.

광-파이버【光fiber】〈名〉光ファイバー. 語例 ～ 통신 光ファイバー通信. =광섬유(光纖維).

광포-하다【狂暴—】(→하다)〈形〉狂暴だ. 句例 상처를 입은 광포한 곰 手負いの狂暴なくま(熊).

광폭【廣幅】[kwa:ngp'ok]〈名・하他〉広幅. 句例 ～의 신사복지 広幅の紳士服地.

광풍【狂風】〈名〉狂風. あらし(嵐). 語例 일진 ～ 一陣の狂風.

광학【光學】〈名〉〔物〕光学. 語例 ～ 기계 光学機械 / ～ 유리 光学ガラス.

광-합성【光合成】〈名〉光合成・光合成.

광해【鑛害】[kwa:nghae]〈名〉鉱害.

광-화학【光化學】〈名〉〔化〕光化学・光化学.

광화학 스모그【光化學 smog】〈名〉光化学・光化学スモッグ.

광활-하다【廣闊—】[kwa:nghwal—]（→하다）〈形〉広闊だ. 句例 광활한 대지 広闊な大地.

괘【卦】〈名〉❶卦. 語例 육십사 ～ 六十四

卦. ❷⇨ 점괘(占卦). 句例 나쁜 ~가 나오다 悪い卦が出る.

괘　〔漢字項目〕

【掛】高校 괘 ケイ. カ. 걸다 かける. ▮掛圖 괘도 かけず.

괘념【掛念】〈名〉懸念. 心配. 気がかり. 頓着・とんじゃく. **~하다**〈他〉懸念する. 気にかける. 心配する. 頓着する. 句例 주위의 잡음에 ~하지 않다 周囲の雑音に頓着しない / 때늦지 않았나 하는 ~ 手遅れではないかという懸念. 文例 과히 ~ 마십시오 あまり心配しないでください.

괘도【掛圖】[kwae:do]〈名〉掛け図. 語例 지리 ~ 地理の掛け図.

괘사〈名〉おどけ. ふざけ. 道化. **~스럽다**(→스럽다)〈形〉ひょうきん(剽軽)だ. おどけている. こっけい(滑稽)だ. 句例 ~스러운 짓거리로 남을 웃기다 こっけいなしぐさで人を笑わせる.

괘사(를) 떨다 おどける. おどけたまねをする. こっけいなしぐさをする.

괘사(를) 부리다 '익살(을) 부리다'の意(→'익살'の小項目).

괘선【罫線】[kwae:sŏn]〈名〉罫. 罫線. 句例 ~을 긋다 罫線を引く. 語例 굵은〔가는〕~ 裏〔表〕罫.

괘씸-하다(→하다)〈形〉けしからぬ〔ない〕. 不都合だ. 不埒だ. 不届きだ. 句例 괘씸하기 짝이 없다 不届き〔不都合〕千万だ. 文例 윗사람에게 대들다니 괘씸한 녀석이군 目上の人に手向かうとは, けしからんやつ(奴)だな.

괘종【掛鐘】[kwae:jong]〈名〉掛け時計. 柱時計. ＝괘종 시계. 句例 ~이 다섯 시를 치다 掛け時計が五時を打つ.

괜스레[kwae:nsŭre]〈副〉'공연스레'の略. 句例 ~ 눈물이 나다 わけもなく涙が出る.

****괜찮다** [kwaench'ant'a]〈形〉[もとの語形は'괜하지 않다']よろしい. いい(良い・好い・善い). よい. ❶悪くない. 足りる. 間に合う. 結構だ. 好ましい. 句例 인물이 ~ 器量が悪くない〔よい〕/ 괜찮은데 悪くないね. いいなあ / 괜찮은 인상〔청년〕好ましい印象〔青年〕/ 두 사람 사이는 ~ 二人の仲はよい. 文例 놀러 가는 것도 괜찮지만 일은 어떻게 할 생각이냐? 遊びに行くのも結構だが仕事はどうするつもりだね. ❷差し支えない. 構わない. 句例 돈은 얼마라도 ~ 金はいくらでも構わない / 괜찮네 いいよ〔とも〕. いいさ / 혹 괜찮으시다면 もしよかったら. 文例 돌아가도 괜찮겠습니까 帰ってもいいんですか / 이거 먹어도 괜찮나요 これ食べてもいいんでしょうか / 내버려 둬도 괜찮아요 ほったらかしておいてもいいんですよ / 그에게 맡겨 두면 괜찮을 거야 彼にまかせておけば大丈夫だろう / 괜찮다면 대신해도 좋아요 なんだったら肩代わりしてもいいんですよ.
参考 '괜찮으니 よろしいので' '괜찮고 よろしくて'は [kwaench'anŭni], [kwaench'ank'o]と読む.

괜찮-이 [kwaench'ani]〈副〉よく. 結構よく. 悪くなく. 立派に. うまく. 句例 ~ 산다 結構よく暮らす / 노래를 ~ 부른다 歌をうまく歌う / ~ 생기다 結構器量がいい.

괜-하다 [kwae:nhada](→하다)〈形〉'공연(空然)하다'の略. 句例 괜한 고집을 부리다 つまらない意地を張る / 괜한 지출 無駄な出費 / 괜한 참견이다 いらぬお世話だ. **괜히**〈副〉'공연(空然)히'の略. 句例 괜히 운다 わけもなく泣く / 괜히 무섭다 なんとなく恐ろしい〔こわい〕.

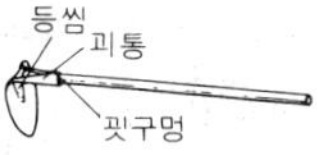

〈괭이〉

괭이¹〈名〉くわ(鍬). 絵 句例 ~로 땅을 파다 くわで土を掘る / ~로 북주다 くわで差し土をする.

괭이² [kwae:ng-i]〈名〉〔動〕'고양이'の略.

괴　〔漢字項目〕

【塊】高校 괴 カイ. ❶흙덩이 土の塊. ▮塊狀 괴상 かいじょう. ▮土塊 토괴 どかい. ❷덩어리 塊. ▮塊炭 괴탄 かいだん. ▮金塊 금괴 きんかい.

【壞(壊)】高校 괴 カイ. 회 エ. ━〔괴〕❶무너뜨리다 こわす. ▮壞損 괴손 かいそん. ▮破壞 파괴 はかい. ❷무너지다 こわれる. ▮壞滅 괴멸 かいめつ.
━〔회〕앓다 わずらう. ▮壞死 회사 えし. 壞疽 회저 えそ《今は'괴사' '괴저'と言う》.

【怪】高校 괴 カイ. ❶의심하다 あやしむ. ▮怪疑 괴의 かいぎ. 怪漢 괴한 かいかん. ❷기이하다 めずらしい. ▮怪奇 괴기 かいき. ❸요괴 ばけもの. ▮怪物 괴물 かいぶつ. ▮妖怪 요괴 ようかい.

【愧】高校 괴 キ. 부끄러워하다 はじる. ▮慙愧 참괴 ざんき.

괴괴망측-하다【怪怪罔測―】[koegoemangch'ŭk'ada](→하다)〈形〉奇怪千万だ. 句例 괴괴망측한 소문이 나다 奇怪千万なうわさが立つ.

괴괴-하다(→하다)〈形〉ひっそり閑としている. 非常に静かだ. しんと静まり返っている. 文例 산은 괴괴하여 소리 하나 없다 山は静まりかえって物音一つしない / 집안은 괴괴하였다 家の中はひっそり閑としていた. **괴괴히**〈副〉しんと. ひっそり閑と. 寂として. 物音一つなく〔しないで〕. 静まりかえって.

괴기【怪奇】[koe:gi]〈名〉怪奇. **~하다**〈形〉怪奇である. 句例 천하에 ~한 이야기 世にも怪奇な物語 / ~한 용모 怪奇な容貌. 語例 ~ 소설 怪奇小説 / ~ 영화 怪奇映画. 類미스테리.

괴-까다롭다(→롭다)〈形〉変にむずかしい. いやにややこしい. **괴까다로이**〈副〉(いやに)ややこしく. 変に気むずかしく.
表現 語勢の強い語は'꾀까다롭다'.

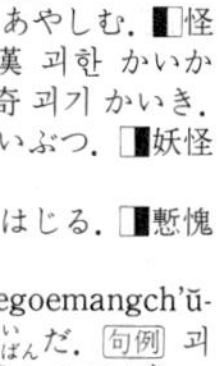
〈괴나리봇짐〉

괴나리-봇짐〈名〉旅人が背負う小さな包み. 略して'괴나리'ともいう. 絵

***괴다¹** [koe:da]〈自〉た(溜)まる. よど(澱)む. 句例 도랑에 빗물이 ~ 溝に雨水がたまる / 굽이진 부분에 물이 ~ 湾曲した部分に水がよどむ.

괴다² [koe:da]〈自〉(酒・酢・みそなどが)発酵

はっこうしてぷくぷく泡立つ.

괴다[3] [koe:da]〈他〉❶(物を)支える. 句例 팔꿈치를 ~ ひじ(肘)をつく / 턱을 ~ ほおづえ(頬杖)をつく / 찻바퀴를 ~ 輪留めをする / 장롱 밑을 ~ たんす(箪笥)の下にまくら木を当てる / 벽에 버팀목을 ~ 壁につっかい棒を当てる. ❷(果物・食べ物などを)盛る. 句例 접시에 떡을 ~ 皿に餅を盛る.

괴담【怪談】[koe:dam]〈名〉怪談. 語例 ~집 怪談集.

괴력【怪力】[koe:ryŏk]〈名〉怪力. 句例 ~의 소유자 怪力の持ち主. 語例 ~ 무쌍 怪力無双.

괴로움〈名〉苦しみ. 苦痛. 悩み. 煩〔患〕い. 略して'괴롬'ともいう. 句例 집안이 평온하여 아무런 ~도 없다 一家平穏で何の煩いもない / ~을 털어 놓다 悩みをうち明ける / 출산의 ~ 産みの苦しみ / 차마 말할 수 없는 ~ 言うに言われない苦痛.

괴로워-하다 (→하다)〈自〉苦しむ. 苦しがる. あえぐ. 悩む. 煩う. 句例 병으로 ~ 病気に苦しむ / 사랑 때문에 ~ 恋に苦しむ / 두통으로 ~ 頭痛に悩む / 그 일에 마음이 사로잡히어 ~ そのことに心を捕らわれて思い苦しむ / 양심의 가책으로 ~ 良心の呵責にさいなまれる.

****괴롭다** (→롭다)〈形〉苦しい. つら(辛)い. 切ない. 悩ましい. 煩わしい. 困っている. 句例 직장에서 괴로운 처지에 놓이다 職場で苦しい立場に置かれる / 괴로운 심중을 살피다 苦しい心中を察する / 일이 ~ 仕事がつらい / 괴로운 훈련을 견디다 つらい訓練に耐える / 어떻게 해야 좋을지 몰라서 ~ どうしたらいいかわからずに困っている / 대답하기가 ~ 返事に困る. **괴로이**〈副〉苦しく. つら(辛)く. 悩ましく. 煩わしく. 切なく.

***괴롭-히다** [koerop'ida]〈他〉苦しめる. 煩わす. いじ(苛)める. なぶる. 責める. さいなむ. つら(辛)い思いをさせる. 困らせる. 句例 맹연습으로 제자들을 ~ 猛練習で弟子たちを苦しめる / 어려운 질문으로 ~ 難問で苦しめる / 몹시〔심하게〕 ~ 責めさいなむ / 고양이가 쥐를 ~ 猫がねずみをなぶる / 마음을 ~ 心を煩わす.

괴뢰【傀儡】[koe:roe]〈名〉傀儡. くぐつ. 語例 ~군 傀儡軍 / ~ 정권 傀儡政権 / ~ 정부 傀儡政府.

괴리【乖離】〈名・하自〉乖離. 句例 인심의 ~ 人心の乖離 / 현실과 ~된 이상 現実と乖離した理想.

괴멸【壊滅】[koe:myŏl]〈名・하自〉壊滅. 句例 ~의 위기에 직면하다 壊滅の危機に瀕する / ~ 상태가 되다 壊滅状態になる. 類 궤멸(潰滅).

***괴물**【怪物】[koe:mul]〈名〉怪物. 句例 ~을 퇴치하는 이야기 怪物を退治する物語 / 정계의 ~ 政界の怪物.

괴발-개발 [koe:balgaebal]〈副〉字を下手くそに書いたさま: みみずの, のたくったように.
괴발개발 그리다 みみずの, のたくったように描〔書〕く.

괴변【怪變】[koe:byŏn]〈名〉怪変. 変異. 変事. 句例 연예계의 ~ 演芸界の変事.

괴사【壊死】[koe:sa]〈名〉〔醫〕壊死.

괴상망측-하다【怪常罔測—】[koesangmangch'ŭk'ada] (→하다)〈形〉奇怪千万だ.

괴상야릇-하다【怪常—】[koesangnyarŭt'ada]〈形〉奇妙だ.

괴상-하다【怪常—】(→하다)〈形〉奇怪である. 不思議だ. 奇妙だ. 変だ. 怪奇だ. 怪しい. 妙だ. 句例 괴상한 사건 奇怪な事件 / 괴상하기 짝이 없는 일 奇妙きてれつな出来事 / 괴상한 용모 怪奇な容貌 / 어쩐지 괴상한 소리가 나다 なんだか妙な音がする / 괴상한 소리를 내다 とんきょう(頓狂)な声を上げる / 괴상 야릇한 이름 変てこりんな名前. **괴상히**〈副〉妙〔奇妙・変〕に. 不思議に.

괴석【怪石】[koe:sŏk]〈名〉怪石.

괴수【怪獸】[koe:su]〈名〉怪獣. 句例 네스호(湖)의 ~ ネス湖の怪獣 / 수수께끼의 대(大)~ なぞ(謎)の大怪獣.

괴수【魁首】〈名〉魁首. 首魁. 頭. 首領. 句例 도둑의 ~ 盗賊の首魁.

괴어-오르다 (—오르니, —올라서)〈自〉発酵し始める.

괴이-쩍다【怪異—】〈形〉怪しげだ. 怪しい(感じがする・所がある). 句例 어쩐지 저 두 사람이 ~ どうもあの二人が怪しい / 괴이쩍은 행동을 하다 怪しげな行動をする.

괴이-하다【怪異—】(→하다)〈形〉怪異である. 不思議だ. 怪しい. 句例 괴이한 사건 怪異な出来事 / 야광충이 괴이하게 반짝이다 夜光虫が怪しく光る / 괴이한 비행 물체 怪しい飛行物体.

괴저【壊疽】〈名〉〔醫〕えそ(壊疽). 参考 もとは'회저'と読んだ.

괴질【怪疾】[koe:jil]〈名〉❶原因不明のはやり病. ❷'콜레라 コレラ'の俗っぽい言いかた.

괴짜【怪—】〈名〉変人. 奇人〔畸人〕. 変わり者〔種〕. 物好き. 句例 읍내 제일의 ~ 町内きっての変わり者 / ~여서 기행이 많다 変人で奇行が多い.

괴팍-스럽다【乖—】[koe:p'aksŭrŏpta] (→스럽다)〈形〉偏屈だ. **괴팍스레**〈副〉偏屈に.

괴팍-하다【乖—】[koe:p'ak'ada] (→하다)〈形〉偏屈で気むずかしい. 突飛でかたくなだ. 句例 괴팍한 성미 偏屈で突飛な性格.

괴한【怪漢】[koe:han]〈名〉怪漢. 文例 ~이 공장에 침입했다 怪漢が工場に侵入した / ~이 번화가를 배회하고 있다 怪漢が盛り場をうろついている.

괴-현상【怪現象】[koe:hyŏnsang]〈名〉怪現象. 文例 그 때 ~이 일어났다 その時怪現象が起こった.

괴혈-병【壊血病】[koe:hyŏlppyŏng]〈名〉壊血病. 句例 ~을 앓다 壊血病を患う.

굄[1] [koe:m]〈名〉かわいがること. 寵愛. 句例 ~을 받다 かわいがられる. 寵愛を受ける.

굄[2] [koe:m]〈名〉支え. 支えるもの. 突っ張り. つっかい. 支柱. 語例 ⇨ 굄목

굄-돌 [koe:mttol]〈名〉支え石. 滑り止め. 輪留め.

괴-목【一木】[koe:mmok]〈名〉支え木. つっかい棒. 突っ張り. 滑り止め. 輪留め.

괴-새 [koe:msae]〈名〉果物・もち(餅)・揚げ物・菓子などを皿や盆に盛ったさま. また, 盛る腕前.

괴-질 [koe:mjil]〈名・하自〉皿・盆・器などに果物や揚げ物・もち(餅)・菓子などを体裁よく盛ること.

굉음【轟音】〈名〉轟音. 句例 ～을 내다 轟音を発する. 文例 일대 ～과 함께 폭파되었다 一大轟音と共に爆破された

굉장-하다【宏壯一】(→하다)〈形〉広壮だ. 大きく立派だ. すばらしい. すごい. すさまじい. ものすごい. 句例 굉장한 저택 広壮な邸宅/과연 굉장하구나 さすがに大したものだ/굉장한 미인 すごい美人/굉장한 명성 すばらしい名声/굉장한 폭음 ものすごい爆音. 文例 그는 굉장한 부자다 彼は大金持ちだ/거 참 ～ そいつはすばらしい. **굉장히〈副〉広壮に〔と〕. とても. 非常に. すごく. たいそう. ものすごく. めっぽう(に). 句例 굉장히 분하다 非常に残念だ/굉장히 큰 사람 とても大きな人/굉장히 불쾌하다 甚だしく不愉快だ. 文例 오늘 아침은 굉장히 춥다 今朝はめっぽう寒い/그는 공부를 굉장히 한다 彼はすごく勉強をする/이 책은 굉장히 웃긴다 この本はとても笑わせる.

교【教】[kyo:]〈名〉'종교'の略: 教. 句例 ～를 믿다〔가지다〕宗教を信じる〔持つ〕.

교 〔漢字項目〕

【交(交)】中學 교 コウ. キョウ. ❶사귀다 つきあう. ◧交際 교제 こうさい. ◧社交 사교 しゃこう. ❷섞이다 まじりあう. ◧交流 교류 こうりゅう. ❸엇갈리다 行きかう. ◧交叉 교차 こうさ. 交錯 교착 こうさく. ❹오고가다 行き来する. ◧交通 교통 こうつう. ◧通交 통교 つうこう. ❺주고받다 やりとりする. 바꾸다 換える. ◧交戰 교전 こうせん. 交替 교체 こうたい. ❻서로 たがいに. ◧交互 교호 こうご. ❼흘레하다 つるむ. つがう. ◧交尾 교미 こうび. 交接 교접 こうせつ.

【巧】高校 교 コウ. ❶솜씨가 있다 たくみだ. ◧巧拙 교졸 こうせつ. 巧辯 교변 こうべん. ◧精巧 정교 せいこう. ❷예쁘다. 귀엽다 かわいい. ◧巧態 교태 こうたい. ❸계교. 책략 はかりごと. ◧巧猾 교활 こうかつ.

【教(教)】中學 교 キョウ. ❶학문・도덕 学問・道徳. ◧教示 교시 きょうじ. ❷덕화 徳化. ◧教化 교화 きょうか. ❸종교 宗教. ◧教徒 교도 きょうと. ◧聖教 성교 せいきょう. ❹교령 教令. ◧教旨 교지 きょうし. ❺가르치다 教える. ◧教授 교수 きょうじゅ. 教育 교육 きょういく.

【校】中學 교 コウ. キョウ. ❶학교 がっこう. ◧校舍 교사 こうしゃ. 校長 교장 こうちょう. ❷부대 部隊. 지휘관 指揮官. ◧將校 장교 しょうこう. ❸조사하다 調べる. ◧校書 교서 こうしょ. ◧檢校 검교 けんぎょう. ❹교정하다 くらべて正す. ◧校訂 교정 こうてい. 校閱 교열 こうえつ.

【橋】中學 교 キョウ. 다리 橋. ◧橋脚 교각 きょうきゃく. ◧鐵橋 철교 てっきょう.

【矯】高校 교 キョウ. ❶바로잡다 矯める. ◧矯正 교정 きょうせい. 矯弊 교폐 きょうへい. ❷속이다 いつわる. ◧矯飾 교식 きょうしょく.

【較】高校 교 カク. コウ. ❶견주다 くらべる. ◧較差 교차 かくさ. ◧比較 비교 ひかく. ❷분명하다 明らかだ. ◧較然 교연 こうぜん. かくぜん.

【郊】高校 교 コウ. 도회의 부근 町はずれ. ◧郊外 교외 こうがい. ◧近郊 근교 きんこう.

교가【校歌】[kyo:ga]〈名〉校歌. 句例 ～를 부르다 校歌を歌う.

교각【橋脚】〈名〉橋脚. 橋ぐい. 橋柱.

교각-살우【矯角殺牛】[kyo:gaksaru]〈名〉角を矯めて牛を殺すこと. 少しの欠点を直そうとして全体をだめにすること.

교감【交感】〈名・하自〉交感. 交わって感応すること. 句例 영(靈)과의 ～ 霊との交感.

교감【校監】[kyo:gam]〈名〉教頭.

교과【教科】[kyo:gwa]〈名〉教科. 語例 ～목 教科目.

**교과-서【教科書】[kyo:gwasŏ]〈名〉教科書. 語例 ～ 검정 제도 教科書検定制度/～체 教科書体.

교관【教官】[kyo:gwan]〈名〉教官.

교교-하다【皎皎一】[kyo:gyo—](→하다)〈形〉皓皓としている. 句例 교교한 달빛 皓皓たる月光. **교교히**〈副〉皓皓と. 句例 달이 교교히 비치다 月が皓皓と照る.

교구【教具】[kyo:gu]〈名〉教具.

교구【教區】[kyo:gu]〈名〉〔宗〕教区. 語例 서울 ～장 ソウル教区長.

교군【轎軍】〈名・하自〉❶かご(駕籠). ❷かご(駕籠)を担ぐこと. ❸'교군꾼'の略.

교군-꾼【轎軍一】〈名〉かごか(駕籠舁)き. かご担ぎ人夫.

교기【校旗】[kyo:gi]〈名〉校旗.

교기【驕氣】〈名〉驕気. おごり高ぶる気質.

교기(를) 부리다 驕気に振る舞う. おごり高ぶる.

교내【校內】[kyo:nae]〈名〉校内. 語例 ～ 방송 校内放送. 對 교외(校外).

교단【教團】[kyo:dan]〈名〉教団. 語例 감리교단 メソジスト教団.

교단【教壇】[kyo:dan]〈名〉教壇. 句例 ～을 떠나다 教壇を去る/～에 서다 教壇に立つ. 類 교직(教職).

교당【教堂】[kyo:dang]〈名〉教会堂.

교대【交代】〈名〉交替〔交代〕. **～하다**〈自他〉交替〔交代〕する. 入れかわる. 立ちかわる. (互いに)かわり合う. 句例 ～로 운전하다 交替で運転する/당번을〔보초를〕～하다 当番〔歩哨〕を交替する/선수를 ～하다 選手を交替する/모두가 ～하여 짐을 지다 皆でかわり合って荷物をかつぐ. 語例 선수 ～ 選手交替/～제 交代制.

ㄱ

교대【教大】[kyo:dae]〈名〉'교육 대학 教育大学'の略: 教大.

교도【教徒】[kyo:do]〈名〉教徒. 信徒. ＝신도. 신자(信者). 語例 기독 ～ キリスト教徒 / 불(佛)～ 仏教徒 / 가톨릭 ～ カトリック教徒 / 이슬람 ～ イスラム教徒.

교도【教導】[kyo:do]〈名・하他〉❶教導. ＝교유(教諭). 句例 학생의 ～에 힘쓰다 生徒の教導に努める. ❷生徒の生活問題を指導すること.

교도-관【矯導官】[kyo:dogwan]〈名〉刑務官.

교도-소【矯導所】[kyo:doso]〈名〉刑務所. 句例 ～의 높은 담 刑務所の高い塀. →감옥(監獄). 형무소(刑務所)

교두-보【橋頭堡】〈名〉〔軍〕橋頭堡. ＝근거지(根據地). 거점(據點). 句例 ～를 구축하다 橋頭堡を築く.

교란【攪亂】〈名・하他〉攪乱. 句例 사회를 ～하다 社会を攪乱する. 語例 ～ 공작 攪乱工作.

교량【橋梁】〈名〉橋梁. 橋. 句例 ～을 가설하다 橋梁を架設する. 語例 ～ 공사 橋梁工事.

교련【教鍊】[kyo:ryŏn]〈名・하自他〉〔軍〕教練. 語例 군사 ～ 軍事教練 / ～ 교관 教練教官.

교령【教領】[kyo:ryŏng]〈名〉〔宗〕'천도교(天道教)'の教主.

교료【校了】[kyo:ryo]〈名・하自他〉校了. ＝완준(完準). 오 케이(O.K.). 語例 책임 ～ 責任校了. 責了《略語》.

교료(를) 놓다 校了の旨をゲラの刷りに記入したり, 印を押す.

*__교류__【交流】〈名・하自〉交流. 句例 인사의 ～를 꾀하다 人事の交流をはかる / 한일 문화의 ～ 韓日文化の交流. 語例 경제 ～ 経済交流 / ～ 발전기 交流発電機 / ～ 전력 交流電力. 對직류(直流).

교리【教理】[kyo:ri]〈名〉教理. 教義. 句例 종교의 ～ 宗教の教理. 語例 ～ 문답 教理問答. 信仰問答. カテキズム.

교만【驕慢】〈名〉驕慢. きょうごう(驕傲). おごり. **～하다**〈形〉驕慢だ. おごり高ぶる. 句例 교만한 태도 驕慢な態度. 對겸손. **～스럽다**(→스럽다)〈形〉驕慢だ.

교만(을) 부리다 驕慢に振る舞う.

교명【校名】[kyo:myŏng]〈名〉校名.

교목【喬木】〈名〉〔植〕高木. 對관목(灌木).

교묘-하다【巧妙—】[kyo:myohada] (→하다)〈形〉巧妙だ. 巧みだ. 句例 교묘한 수법 巧妙な手口 / 교묘한 함정〔수단〕巧妙な罠〔手段〕/ 교묘하게 거짓말을 하다 巧みにうそをつく. **교묘히**〈副〉巧妙に. 巧みに. うまく. 句例 교묘히 논점을 피하다 巧妙に論点をずらす / 교묘히 짜여진 트릭 巧みに仕組まれたトリック.

교무【教務】[kyo:mu]〈名〉教務. 語例 ～ 주임 教務主任.

*__교문__【校門】[kyo:mun]〈名〉校門. 句例 ～을 떠나다〔나서다〕校門を去る〔出る〕.

교미【交尾】〈名・하自〉〔生〕交尾. 語例 ～기 交尾期.

교민【僑民】〈名〉僑民. 語例 ～회 僑民会.

교반【攪拌】〈名〉攪拌. **～하다**〈他〉攪拌する. かき混ぜる〔回す〕. 語例 ～기 攪拌機.

교배【交配】〈名・하自他〉〔生〕交配. 交雑. 句例 ～를 거듭하다 交配を重ねる / 식물을 인공적으로 ～시키다 植物を人工的に交配させる. 語例 ～ 적기 交配適期 / ～종 交配種. 類교잡(交雜).

교번【交番】〈名〉交番. 交代して番に当たること. ＝체번(遞番). **～하다**〈自〉交番する. 交代で番に当たる. 語例 세대 ～ 世代交番 / ～제 交番制.

교복【校服】[kyo:bok]〈名〉校服. 学校の制服. 語例 ～ 착용 校服着用.

교본【教本】[kyo:bon]〈名〉教本. 教科書. 教則本. 語例 자동차 운전 ～ 自動車運転教本 / 피아노 ～ ピアノ教本.

교부【交付・交附】〈名・하他〉交付. 句例 운전 면허증의 ～ 運転免許証の交付 / 보조금을 ～하다 補助金を交付する. 語例 ～금 交付金 / 무상 ～ 無償交付.

교분【交分】〈名〉交分. 交わり. 交際. よしみ. 付き合い. 句例 ～이 두텁다 交分が厚い / ～을 끊다 交わりを絶つ / 문경의 ～ 刎頸の交わり.

교사【校舍】[kyo:sa]〈名〉校舎. 句例 새로 ～를 짓다 新しく校舎を建てる.

교사【教師】[kyo:sa]〈名〉教師. 教員. 先生. 語例 영어 ～ 英語の教師 / 가정 ～ 家庭教師.

교사【教唆】[kyo:sa]〈名〉教唆. **～하다**〈他〉教唆する. そそのかす. 句例 ～를 받아 악의 길로 달리다 そそのかされて悪の道に走る / 생각이 얕은 젊은이를 ～하다 思慮の浅い若者を教唆する / 살인을 ～하다 殺人を教唆する. 語例 ～죄 教唆罪 / 살인 ～ 殺人教唆.

교살【絞殺】〈名〉絞殺. **～하다**〈他〉絞殺する. 絞め殺す. 句例 개를 ～하다 犬を絞め殺す. 文例 사인은 ～로 판명되었다 死因は絞殺と判明された. 語例 ～ 사체 絞殺死体.

교생【教生】[kyo:saeng]〈名〉'교육 실습생'の略. 教生.

교서【教書】[kyo:sŏ]〈名〉教書. メッセージ. 句例 ～를 발표하다 教書を発表する. 語例 연두 ～ 年頭教書 / 일반 ～ 一般教書.

교섭【交涉】〈名〉交渉. **～하다**〈自他〉交渉する. 折衝する. 掛け合う. 句例 외국과의 ～이 끊어지다 外国との交渉が絶える / ～이 결렬되다 交渉が決裂する / ～에 들어가다 交渉に入る / ～이 이루어지다 交渉がまとまる / ～을 받다 交渉を受ける / ～ 단계에 있다 交渉の段階にある / 정전에 대하여 ～하다 停戦について交渉する. 語例 단체 ～ 団体交渉.

교성【嬌聲】〈名〉嬌声. 句例 ～을 지르다 嬌声を上げる.

**__교수__【教授】[kyo:su]〈名・하他〉教授. 句例 일본어를 ～하다 日本語を教授する / 우수한 교수진 優秀な教授陣. 語例 경제학 ～ 経済学の教授 / ～법 教授法 / 대학 ～ 大学教授.

교수【絞首】〈名・하他〉絞首. 句例 ～형에 처하

다 絞首刑に処する. 語例 ~대 絞首台.

교습【教習】[kyo:sŭp]〈名・하他〉教習. 句例 자동차 운전의 ~을 받다 自動車運転の教習を受ける. 語例 바이올린 ~소 バイオリン教習所.

교시【教示】[kyo:shi]〈名・하他〉教示. 示教. 句例 ~를 청하다 教示を仰ぐ. 文例 참뜻을 ~해 주십시오 まこと(真)の意味をご教示ください.

교신【交信】〈名・하自〉交信. 句例 가장 가까운 기지와 ~하다 最寄りの基地と交信する.

****교실**【教室】[kyo:shil]〈名〉教室. 教場. 句例 ~에 들어가다 教室に入る. 語例 노천 ~ 青空教室 / 계단 ~ 階段教室 / 지리학 ~ 地理学教室.

교안【教案】[kyo:an]〈名〉教案. 指導案. 教授案. 句例 ~을 작성하다 教案を作成する.

***교양**【教養】[kyo:yang]〈名・하他〉教養. 句例 ~을 갖추다 教養を身につける / 고전 문학에 관한 ~ 古典文学に関する教養 / ~이 있는〔없는〕사람 教養のある〔ない〕人 / 높은 ~ 高い教養 / 풍부한 ~ ゆたかな教養. 語例 ~ 소설 教養小説 / ~ 강좌 教養講座 / ~ 프로 教養番組 / ~인 教養人.

교역【交易】〈名・하他〉交易. 句例 외국과 ~하다 外国と交易する. 語例 ~ 조건 交易条件 / ~선 交易船. 類무역(貿易).

교열【校閲】[kyo:yŏl]〈名・하他〉校閲. 句例 저자의 ~을 거치다 著者の校閲を経る / 기사를 ~하다 記事を校閲する.

교외【郊外】〈名〉郊外. 近郊. 町外れ. 語例 ~ 전차 郊外電車. 類근교(近郊).

교외【校外】[kyo:oe]〈名〉校外. 語例 ~ 지도 校外指導 / ~ 활동 校外活動. 對교내(校内).

교우【交友】〈名・하自〉交友. 朋友. 句例 많은 학자와 ~관계가 있다 多くの学者と交友関係がある.

교우【校友】[kyo:u]〈名〉校友. 語例 ~회 校友会. 同窓会. 類동창(同窓).

교우【教友】[kyo:u]〈名〉教友. 同じ信仰の仲間.

교원【教員】[kyo:won]〈名〉教員. =교사(教師).

교위【教委】[kyo:wi]〈名〉['교육 위원회'の略] 教委.

교유【交遊】〈名・하自〉交遊. 句例 20년래의 ~ 二十年来の交遊 / 불순한 이성 ~ 不純な異性交遊.

***교육**【教育】[kyo:yuk]〈名・하他〉教育. 句例 영재 ~을 받다 英才教育を受ける / 많은 학생을 ~하다 多くの学生を教育する / ~적인 가치 教育的な価値. 語例 의무 ~ 義務教育 / 가정 ~ 家庭教育 / 중등 ~ 中等教育 / 재~ 再教育 / ~가 教育家 / ~ 공무원 教育公務員 / ~ 구청 教育区庁 / ~ 대학 教育大学 / ~자 教育者 / ~장 教育長.

교육-부【教育部】〈名〉[kyo:yukpu] 教育部. 文部省に当たる. 語例 ~ 장관 教育部長官. 文部大臣.

교육 실습생【教育實習生】[kyo:yukshilssŭp—]〈名〉教育実習生. 略して'교생(教生)'ともいう.

교육 한자【教育漢字】[kyoyuk'a:ntcha]〈名〉教育漢字. 中学・高校で教育することに決められた 1800字の基礎的な漢字.
参考 (1) 1973年, 文教部(今の教育部)で'中学校及び高等学校教育用基礎漢字'として制定された.
(2) 本辞典は'漢字項目'として収録した.

교인【教人】[kyo:in]〈名〉教徒. 信徒. 語例 기독 ~ キリスト教徒.

교자-상【交子床】[—ssang]〈名〉台盤.

교잡【交雜】〈名・하自他〉交雑. 語例 ~종 交雑種.

***교장**【校長】[kyo:jang]〈名〉'학교장 学校長'の略. 校長. 句例 ~ 선생님의 훈시 校長先生の訓示.

교장【教場】[kyo:jang]〈名〉教場. 語例 분(分)~ 分教場 / 야외 ~ 露天教場.

교재【教材】[kyo:jae]〈名〉教材. 句例 명작을 ~로 쓰다 名作を教材に使う. 語例 시청각 ~ 視聴覚教材 / ~비 教材費.

교전【交戰】〈名・하自〉交戦. 句例 ~ 상태에 들어가다 交戦状態に入る / 치열하게 ~하다 熾烈に交戦する. 語例 ~국 交戦国.

교정【校正】[kyo:jŏng]〈名〉校正. **~하다**〈他〉校正する. 校する. 句例 ~이 나오다 校正が出る. 語例 ~ 기호 校正記号.

교정(을) 보다 校正する.

교정【校訂】[kyo:jŏng]〈名・하他〉校訂. 語例 ~본 校訂本 / ~판 校訂版.

교정【校庭】[kyo:jŏng]〈名〉校庭. キャンパス. 句例 ~에 집합하다 校庭に集合する.

교정【矯正】[kyo:jŏng]〈名〉矯正. **~하다**〈他〉矯正する. 矯める. 句例 성격〔발음〕을 ~하다 性格〔発音〕を矯正する / 치열을 ~하다 歯並びを矯正する. 語例 치열 ~ 歯列矯正 / ~술 矯正術 / ~ 시력 矯正視力.

교제【交際】〈名〉交際. 交わり. 付き合い. **~하다**〈自他〉交際する. 交わる. 付き合う. 句例 ~가 넓다 交際が広い / ~가 끊기다 交際を絶たれる / 친밀한 ~를 맺다 親交を結ぶ / 이웃간의 ~ 隣付き合い / 남녀의 ~ 男女の交際 / 가까이 ~하다 親しく交際する. 語例 ~비 交際費.

교주【教主】[kyo:ju]〈名〉教主. ❶〔佛〕釈尊. ❷教祖. 宗祖.

교지【校誌】[kyo:ji]〈名〉校誌. 句例 ~의 발행 校誌の発行.

교지【教旨】[kyo:ji]〈名〉教旨. 宗旨.

교직【教職】[kyo:jik]〈名〉教職. 句例 ~에 오르다 教職に就く. 語例 ~원 教職員.

교차【交叉】〈名〉交差. **~하다**〈自〉交差する. 交わる. 句例 선로가 ~하다 線路が交差する / 나뭇가지가 ~하다 枝が交わる / 만감이 ~하다 万感こもごも至る. 語例 입체 ~ 立体交差 / ~로 交差路 / ~점 交差点.

교차【較差】〈名〉較差. 最高と最低との差. 句例 기온의 ~ 気温の較差. 語例 연~ 年較差.

교착【交錯】〈名・하自〉交錯. 句例 빛의 ～ 光の交錯. 文例 사랑과 미움이 ～하고 있다 愛と憎しみが交錯している / 이상과 현실이 ～하고 있다 理想と現実が交錯している.

교착【膠着】〈名〉膠着. **～하다**〈自〉膠着する. 粘りつく. 文例 회담은 ～ 상태에 빠졌다 会談は膠着状態に陥った.

교체【交替】〈名・하自他〉交替〔交代〕. 句例 임원의 ～ 役員の交替 / 선수를 ～시키다 選手を交替させる / 당번을 ～하다 当番を交替する. 語例 투수 ～ 投手リリーフ. ピッチャーチェンジ / 선수 ～ 選手交替 / 세대 ～ 世代交代.

교칙【校則】[kyo:ch'ik]〈名〉校則. 句例 ～을 지키다 校則を守る. 語例 ～ 위반 校則違反.

교칙-본【教則本】[kyo:ch'ikpon]〈名〉教則本. 語例 바이에르 ～ バイエル教則本.

교탁【教卓】[kyo:t'ak]〈名〉教卓. 句例 ～ 위에 꽃병을 놓다 教卓の上に花瓶を置く / ～ 앞에 서다 教卓につく.

교태【嬌態】〈名〉嬌態. 句例 ～를 부리다 嬌態をふりまく.

⁑교통【交通】〈名〉交通. 通行. 往来. 句例 ～이 끊어지다 交通がとだえる / ～의 방해 交通のさまたげ / ～편이 나쁘다〔좋다〕 交通の便が悪い〔いい〕/ 해상 ～의 요로 海上交通の要路 / ～이 정체되다 交通が渋滞する. 語例 ～비 交通費 / ～ 순경 交通巡査 / ～ 신호 交通信号 / ～ 정리 交通整理 / ～ 사고 交通事故 / ～량 交通量 / ～망 交通網 / 도시 ～ 都市交通 / ～ 마비 交通麻痺 / ～ 지옥 交通地獄 / ～ 안전 交通安全 / ～ 차단 交通止め.

교통 경찰【交通警察】[—gyŏ:ngch'al]〈名〉交通警察.

교통 기관【交通機關】〈名〉交通機関.

교통 도덕【交通道德】[—do:dŏk]〈名〉交通道徳.

교파【教派】[kyo:p'a]〈名〉教派. 宗派. 句例 ～를 달리하다 教派が異なる.

교편【教鞭】[kyo:p'yŏn]〈名〉教鞭.
 교편을 잡다 教鞭を執る.

***교포**【僑胞】〈名〉海外同胞. 外国に住んでいる同胞. 句例 일본에 사는 한국 ～ 日本に居留する韓国同胞.

교풍【校風】[kyo:p'ung]〈名〉校風. スクールカラー. 句例 자주를 숭상하는 ～ 自主を尊ぶ校風 / ～을 어지럽히는 행위 校風を乱す振る舞い.

교향-곡【交響曲】〈名〉〔樂〕交響曲. シンフォニー.

교향-악【交響樂】〈名〉〔樂〕交響楽. 語例 전원 ～ 田園交響楽 / ～단 交響楽団.

교화【教化】[kyo:hwa]〈名・하他〉教化. 句例 민중을 ～하다 民衆を教化する. / 불량 소년의 ～ 不良少年の教化.

***교환**【交換】〈名〉交換. とり替え. やり取り. **～하다**〈他〉交換する. 交わす. とり替える. 引き換える. やり取りする. 句例 의견을 ～하다 意見を交換する / 우표를 ～하다 切手を交換する / 재화나 서비스를 서로 ～하다 財貨やサービスを互いにやり取りする / 계약서를 ～하다 契約書を取り交わす. 語例 ～대 交換台 / ～원(員)(을 불러내다) 交換手(をよびだす).

교환【交歡・交驩】〈名・하自〉交歓. 語例 ～ 경기 交歓競技 / ～ 음악회 交歓音楽会.

교활-하다【狡猾—】[kyo:hwal—](→하다)〈形〉狡猾だ. 狡獪だ. 悪賢くてずるい. こすい. ずる賢い. 句例 교활하게 굴다 狡猾に立ち回る / 교활한 수단 狡猾な手段 / 교활한 인물 狡猾な人物.

교황【教皇】[kyo:hwang]〈名〉〔天主教〕教皇. 法王. ＝로마 교황.

교황-청【教皇廳】[kyo:hwangch'ŏng]〈名〉教皇庁. 法王庁.

***교회**【教會】[kyo:hoe]〈名〉〔宗〕教会. 語例 ～ 음악 教会音楽 / 장로 ～ 長老教会.

교회-당【教會堂】[kyo:hoedang]〈名〉〔基〕教会堂.

교훈【校訓】[kyo:hun]〈名〉校訓. 句例 ～을 외우다 校訓を唱える.

***교훈**【教訓】[kyo:hun]〈名・하他〉教訓. 戒め. 教え. 句例 ～을 주다 教訓をあたえる / 부모의 ～을 지키다 親の教訓を守る / ～을 살리다 教訓を生かす / 쓰라린 ～ 手痛い教訓.

구【句】〈名〉句. 句例 윗～, 아랫～, 끝～ 上の句, 下の句, 末の句.

구【球】〈名〉球. 球体.

구【區】〈名〉区. 語例 선거～ 選挙区 / 특별～ 特別区 / 종로～ 鍾路区.

구【具】〈依名〉死体を数える語: 体. 句例 40 ～의 시체 四十体の死体.

⁑구【九】〈數〉九・く. ＝아홉.

구-【舊】[ku:]〈頭〉旧…. 語例 ～체제 旧体制.

구 〔漢字項目〕

【丘】 高校 구 キユウ. 언덕 丘. ▌丘陵 구릉 きゅうりょう. 丘山 구산 きゅうざん. ▌砂丘 사구 さきゅう. 段丘 단구 だんきゅう.

【久】 中學 구 キュウ. ク. 오래다 久しい. 시간적으로 길다 時間的にながい. ▌久遠 구원 くおん. きゅうえん. ▌永久 영구 えいきゅう. 長久 장구 ちょうきゅう.

【九】 中學 구 キュウ. ク. ❶아홉 ここのつ. ▌九天 구천 きゅうてん. 九九 구구 くく. ❷수가 많음 数の多いこと. 아홉번 九回. ▌九拜 구배 きゅうはい. 九死 구사 きゅうし. 九牛一毛 구우 일모 きゅうぎゅうのいちもう.

【俱】 高校 구 グ. ク. 다 皆な. 共に. ▌俱存 구존 ぐそん. 俱發 구발 ぐはつ.

【具(具)】 高校 구 グ. ❶갖추다 備える. 갖추어지다 備わる. ▌具備 구비 ぐび. 具足 구족 ぐそく. ▌不具 불구 ふぐ. ❷그릇 器. ▌道具 도구 どうぐ. 家具 가구 かぐ. 運動具 운동구 うんどうぐ. ❸갖추어 そろえて. 일일이 一一. ▌具現 구현 ぐげん.

【區(区)】 高校 구 ク. ❶갈라놓은 지역 分けた地域. ▌區域 구역 くいき. 區間 구간 くかん. ▌地區 지구 ちく. 選擧區 선거구 せんきょく. ❷나누다 分ける. ▌區分 구분 くぶん. 區別 구별 くべつ. ❸제각기 다

르다 まちまちである. ◧區區 구구 くく. ❹행정 구역 단위 行政区域(ぎょうせいくいき)の単位(たんい). ◧區政 구정 くせい. 區民 구민 くみん. ◨行政區 행정구 ぎょうせいく. 管區 관구 かんく.

【口】中學 구 コウ. ク. ❶입 口(くち). ◧口腔 구강 こうこう. 口蓋 구개 こうがい. ◨糊口 호구 ここう. 經口 경구 けいこう. ❷아가리 瓶(びん)やつぼなどの口. 출입구 出入(でい)り口. ◧口徑 구경 こうけい. ◨河口 하구 かこう. かわぐち. 銃口 총구 じゅうこう. ❸사람 人(ひと). 인원수 人数(にんずう). ◧口分田 구분전 くぶんでん. ◨人口 인구 じんこう. 戶口 호구 ここう. ❹말하다 いう. ◧口頭 구두 こうとう. 口論 구론 こうろん.

【句】中學 구 ク. 구절 く. 문장 중의 한 토막 文章(ぶんしょう)の中(なか)の一区切(ひとくぎ)り. ◧句點 구점 くてん. 句讀 구두 くとう. ◨語句 어구 ごく. 慣用句 관용구 かんようく.

【懼】高校 구 ク. 두려워하다 恐(おそ)れる. 걱정하다 心配(しんぱい)する. 삼가다 つつしむ. ◨畏懼 외구 いく. 恐懼 공구 きょうく. 危懼 위구 きく. 疑懼 의구 ぎく.

【拘】高校 구 コウ. ❶잡다 とらえる. ◧拘束 구속 こうそく. 拘置 구치 こうち. ❷구애하다 こだわる. ◧拘泥 구니 こうでい. ◨不拘 불구 かかわらないこと.

【救】中學 구 キュウ. ク. グ. ❶구원하다 救(すく)う. ◧救援 구원 きゅうえん. 救急 구급 きゅうきゅう. ❷돕다 助(たす)ける. ◧救助 구조 きゅうじょ. 救恤 구휼 きゅうじゅつ.

【構(構)】高校 구 コウ. ❶얽어 만들다 構(かま)える. 얽어짜다 組(く)み立(た)てる. ◧構成 구성 こうせい. 構想 구상 こうそう. ◨虛構 허구 きょこう. 機構 기구 きこう. ❷구조 構え. 울타리 등으로 둘러싼 것 囲(かこ)い. ◧構內 구내 こうない.

【求】中學 구 キュウ. グ. ❶구하다 求(もと)める. 바라다 望(のぞ)む. ◧求愛 구애 きゅうあい. 求婚 구혼 きゅうこん. ◨要求 요구 ようきゅう. 欲求 욕구 よっきゅう. ❷찾다 探(さが)し求める. ◧求職 구직 きゅうしょく. 求道 구도 きゅうどう. ぐどう. ◨探求 탐구 たんきゅう.

【狗】高校 구 ク. 개 いぬ. ◧狗盜 구도 くとう. 狗肉 구육 くにく. ◨走狗 주구 そうく. 喪家之狗 상가지구 そうかのいぬ.

【球】高校 구 キュウ. ❶옥 玉(たま). 옥 같은 모양의 것 玉のような形(かたち)のもの. ◧球根 구근 きゅうこん. 球菌 구균 きゅうきん. ◨電球 전구 でんきゅう. 血球 혈구 けっきゅう. ❷공 ボール. 구기 球技(きゅうぎ). ◧球戲 구희 きゅうぎ. 球團 구단 きゅうだん. ◨庭球 정구 ていきゅう. 打球 타구 だきゅう.

【究】中學 구 キュウ. ❶궁구하다 突(つ)き詰(つ)める. 究(きわ)める. ◧究明 구명 きゅうめい. ◨硏究 연구 けんきゅう. 探究 탐구 たんきゅう. ❷다하다 尽(つ)きる. 사물이 끝나다 ものごとが終(お)わる. 究まる. ◧究極 구극 きゅうきょく. 究竟 구경 きゅうきょう.

【舊(旧)】中學 구 キュウ. ク. ❶옛날 昔(むかし). 과거 過去(かこ). ◧舊惡 구악 きゅうあく. 舊誼 구의 きゅうぎ. ◨懷舊 회구 かいきゅう. ❷오래다 古(ふる)い. ◧舊式 구식 きゅうしき. 舊制 구제 きゅうせい. ❸오랜 친구 昔(むかし)なじみ. ◧舊友 구우 きゅうゆう. ◨故舊 고구 こきゅう. ❹낡다. 오래 묵다 古(ふる)くなる. ◧舊債 구채 きゅうさい. 舊習 구습 きゅうしゅう.

【苟】高校 구 コウ. 구차함 かりそめ. 일시를 미봉하다 一時的(いちじてき)にとり繕(つくろ)う. ◧苟安 구안 こうあん. 苟且 구차 こうしょ.

【驅(駆)】高校 구 ク. ❶몰다 駆(か)る. ㉠말이나 탈것을 타고 달리게 하다 馬(うま)や乗(の)り物(もの)を走(はし)らせる. ◨疾驅 질구 しっく. 先驅 선구 せんく. ㉡쫓다 追(お)う. 몰아내다 追(お)い立(た)てる. ◧驅逐 구축 くちく. ❷내보내다 出(だ)す. 내치다 思(おも)いどおりにする. ◧驅使 구사 くし.

【鷗】高校 구 オウ. 갈매기 かもめ. ◧鷗鷺 구로 おうろ. ◨白鷗 백구 はくおう. 海鷗 해구 かいおう. うみかもめ.

구【龜】⇨ 귀【龜】

구가-하다【謳歌—】(→하다)〈他〉謳歌(おうか)する. 歌(うた)う. たたえる. 句例 청춘을〔평화를〕~ 青春(せいしゅん)〔平和(へいわ)〕を謳歌する / 우리 인생을 구가하는 작품 我(わ)が人生(じんせい)をたたえる作品(さくひん).

구간【區間】〈名〉区間(くかん). 句例 역전 경주의 ~ 기록 駅伝競争(えきでんきょうそう)の区間記録(きろく) / 도로의 불통 ~ 道路(どうろ)の不通(ふつう)区間. 語例 ~ 시간 区間時間(じかん) / ~제 운임 区間制(せい)運賃(うんちん).

구간【軀幹】〈名〉軀幹(くかん). 胴体(どうたい). からだ. =동체(胴體). 몸통. 語例 ~골〔生〕軀幹骨(こつ).

구갈【口渴】[ku:gal]〈名〉渇(かわ)き. 句例 ~을 느끼다 のどの渇きをおぼえる. 語例 ~증(症) 渇きの病(やまい).

구강【口腔】[ku:gang]〈名〉〔生〕口腔(こうこう). 語例 ~염 口腔炎(えん) / ~ 위생 口腔衛生(えいせい).

구개-음【口蓋音】[ku:gaeŭm]〈名〉〔言〕口(こう)がい(蓋)音(おん). 'ス'·'ㅉ'·'ㅊ'など.

구개음-화【口蓋音化】[ku:gaeŭm—]〈名〉〔言〕口(こう)がい(蓋)音(おん)化(か). →囲み記事 72

구걸【求乞】〈名〉物(もの)もらい. 物(もの)ごい. こじき(乞食). そでごい. **~하다**〈他〉物もらい〔物ごい〕する. 乞食する.

구겨-지다〈自〉もみくちゃ〔しわくちゃ〕になる. しわむ. 句例 몹시 구겨진 바지 しわくちゃのズボン / 몹시 구겨진 종이 もみくちゃになった紙(かみ). しわくちゃの紙.

****구경** [ku:gyŏng]〈名〉見物(けんぶつ). 物見(ものみ). 観覧(かんらん). **~하다**〈他〉見(み)る. 見物する. 観覧する. 句例 ~하러 가다 見物に行(い)く / ~하고 돌아다니다 見て〔見物して〕回(まわ)る. 文例 그의 턱시도 차림은 꽤 ~할 만했을 것이다 彼(かれ)のタキシード姿(すがた)はさぞみものだったろう. 語例 명소〔고적〕~ 名所(めいしょ)〔古跡(こせき)〕見物 / ~꾼 見物人(にん) / 단풍 ~ 紅葉狩(もみじが)り.

구경 가다 見物(けんぶつ)に行(い)く.

구경(이) 나다 みもの〔見世物(みせもの)〕ができる.

구경【口徑】[ku:gyŏng]〈名〉口径(こうけい). 句例 총포의 ~ 銃砲(じゅうほう)の口径 / ~이 작은 렌즈 口径の小(ち)さいレンズ

구경【球莖】〈名〉〔植〕⇨ 알줄기

구경-가마리 [ku:gyŏngkkamari]〈名〉なぶり物(もの). 嘲笑(ちょうしょう)の的(まと). 句例 남을 ~로 삼다 人(ひと)をみものにする.

구경-감 [ku:gyŏngkkam]〈名〉⇨ 구경거리

구경-거리 [ku:gyŏngkkŏri]〈名〉みもの. 見世物. 句例 세상의 좋은 ~가 되다 世間のいい見世物になる / ~로 삼다 みものにする.

구공-탄【九孔炭】〈名〉❶九つ穴の練炭. ❷[‘십구공탄’の略] 十九個の穴がある煉炭. ❸穴のある練炭の総称. →구멍탄

구관【舊官】[ku:gwan]〈名〉前官. 前任者. 對신관(新官).

구관이 명관(名官)이다 前官が賢吏である. 経験の多い人の方が優れているとの意. 本木にまさる末木なし.

구관【舊館】[ku:gwan]〈名〉旧館. 對신관(新館).

구관-조【九官鳥】〈名〉〔鳥〕九官鳥.

구교【舊教】[ku:gyo]〈名〉旧教. カトリック. =가톨릭(교). 語例 ~도 旧教徒. 對신교(新教).

구구【九九】〈名〉〔數〕❶‘구구법’の略. ❷九九の掛け算公式で計算すること. ~하다〈他〉九九で計算する. 句例 ~를 배우다 九九を習う.

구구 [kugu:]〈感〉(えさをやる時などに) 鶏を呼び集める声.

구구구〈感〉はとや鶏の鳴き声: くうくう.

구구-법【九九法】[—ppŏp]〈名〉〔數〕九九. 一から九までの数どうしの積の表. またその暗唱法.

구구-절절이【句句節節—】[—jŏljŏri]〈副〉句節ごとに. 一言一句すべて.

구구-표【九九表】〈名〉〔數〕九九の表.

구구-하다【區區—】(→하다)〈形〉まちまちだ. ばらばらでまとまっていない. つまらない. 取るに足りない. 文例 구구한 변명은 하지 마라 つまらない言い訳をするな / 논의가 구구하게 갈라졌다 論議が区区に分かれた. 구구히〈副〉区区に. ばらばらと. まちまちに. くだくだしく. 句例 의견이 구구히 갈라지다 意見が区区に分かれる / 구구히 핑계대다 くだくだしく言い訳する.

구국【救國】[ku:guk]〈名〉救国. ~하다〈自〉救国する. 国の危難を救う. 語例 ~지사 救国の士.

구근【球根】〈名〉〔植〕⇨ 알뿌리

구금【拘禁】〈名・하他〉〔法〕拘禁. 句例 용의자를 ~하다 容疑者を拘禁する. 類감금(監禁).

구급【救急】[ku:gŭp]〈名・하他〉救急. 語例 ~법 救急法 / ~ 상자 救急箱 / ~차 救急車 / ~약 救急薬.

구기【球技】〈名〉球技. 語例 ~ 종목 球技種目.

구기다 一〈他〉も(揉)む. しわくちゃにする. 句例 바지〔종이〕를 ~ ズボン〔紙〕をしわくちゃにする. 文例 휴지를 구겨서 휴지통에 버렸다 ちり紙をしわくちゃにしてちり箱に捨てた.
二〈自〉しわがよる. しわむ. しわぐむ. 句例 옷이 ~ 服にしわがよる.

구기-자【枸杞子】〈名〉〔植〕❶くこ(枸杞). =구기자나무. ❷くこ(枸杞)の実. 語例 ~차(茶) くこ茶.

구기적-거리다〈他〉しわくちゃ〔もみくちゃ・くちゃくちゃ〕にする.

구기적구기적〈副〉くちゃくちゃ. もみくちゃ〔しわくちゃ〕になったさま. ~하다〈他〉ひどくもみくちゃ〔しわくちゃ〕にする.

구김-살 [—ssal]〈名〉しわ(皺). 句例 ~이 지다 しわがよる / ~을 펴다 しわをのばす / 옷이 ~ 투성이가 되다 着物がしわだらけになる / ~ 없이 자란 아이 伸び伸びと育った子供.

구김-새〈名〉しわがよったさま. また, その程度.

구깃-거리다〈他〉しわくちゃ〔もみくちゃ〕にする.

구깃구깃[1]〈副〉しわくちゃ〔もみくちゃ〕にする〔なっている〕さま: くちゃくちゃ. くしゃくしゃ. ~하다〈他〉しわくちゃ〔もみくちゃ〕にする.

구깃-구깃[2]〈副・하形〉しわくちゃ〔もみくちゃ〕になっているさま.

구난【救難】[ku:nan]〈名・하他〉救難. 語例 ~대 救難隊 / ~ 신호 救難信号.

구내【區内】〈名〉区内. 語例 ~에 살다 区内に住む.

구내【構内】〈名〉構内. 語例 역 ~ 駅の構内 / ~ 식당 構内食堂 / ~ 매점 構内売店 / ~ 전화 インターホン. 對구외(構外).

구년【舊年】[ku:nyŏn]〈名〉旧年. 昨年. 去年. 語例 ~ 친구(親舊) 1)旧友. 2)長らく別れていた友. 對신년(新年).

구단【球團】〈名〉球団. 語例 ~ 사무소 球団事務所.

구-대륙【舊大陸】[ku:daeryuk]〈名〉〔地〕旧大陸. 對신대륙.

구덕-구덕〈副〉乾いて水気が少ないさま: ばさばさ. ~하다〈形〉表面が乾いて水気が少ない.

*구덩이〈名〉❶くぼ(凹・窪)み. へこみ. 句例 뜰의 ~에 빗물이 괴다 庭のくぼみに雨水がたまる. ❷〔鑛〕坑.

구도【構圖】〈名〉構図. 文例 이 그림은 ~는 좋으나 색조가 나쁘다 この絵は構図はいいが色調が悪い.

구독【購讀】〈名・하他〉購読. 文例 매호 빠뜨리지 않고 ~하고 있다 毎号欠かさず購読している. 語例 ~자 購読者 / ~료 購読料.

**구두〈名〉靴. 語例 ~ 닦기 靴磨き. 靴を磨くこと / ~닦이 靴を磨く人 / ~끈 靴紐 / ~약(藥) 靴墨. 靴クリーム / 구두창 靴底 / ⇨ 구둣주걱

구두【口頭】[ku:du]〈名〉口頭. 句例 ~로 전하다 口頭で伝える / ~로 출원하다 口頭で願い出る. 語例 ~ 계약 口頭契約 / ~ 시험 口頭試問. 口述試験 / ~ 변론 口頭弁論 / ~ 약속 口約束.

구두-법【句讀法】[—ppŏp]〈名〉〔言〕句読法. →부록 문장 부호

*구두-쇠〈名〉けちんぼ(う). しみったれ. しわんぼう. 握り屋. 文例 그 녀석은 ~여서 기부도 하지 않는다 あいつはしみったれだから寄付もよこさない.

구두-점【句讀點】[—tchŏm]〈名〉〔言〕句読点. 読点. 句例 ~을 찍다 句読を切る. 句読点を打つ.

구둣-발〈名〉靴ばきの足. 語例 ~길 靴ばきの

け(蹴)足.

구둣-방【一房】〈名〉靴屋.

구둣-솔〈名〉靴ブラシ.

구둣-주걱〈名〉靴べら. 靴すべり.

구드러-지다〈自〉乾いて堅くなる. 句例 죽어서 몸뚱이가 ～ 死んでからだがこわ張る.

구득【求得】〈名・하他〉求め得ること.

구들〈名〉'방구들'の略.

구들-구들〈副〉御飯などが少しごわごわするさま. ～**하다**〈形〉飯などが少しごわごわする.

구들-장 [kudŭltchang]〈名〉オンドル石.

구들장(을) 지다 '구들방에 눕다 オンドル部屋に横になる'の俗っぽい言いかた.

구라파【歐羅巴】〈名〉〔地〕'유럽 ヨーロッパ'の音訳.

구라파 전쟁【歐羅巴戰爭】[—jŏ:njaeng]〈名〉❶欧州大戦. ❷'싸움 けんか. もめ事'や'소동 騷動'の俗っぽい言いかた. 文例 뱃속에서 ～이 일어났다 おなかを壊して腹がぐうぐう鳴る.

구랍【舊臘】[ku:rap]〈名〉旧臘. 句例 ～25일 밤 旧臘二十五日の夜.

구렁〈名〉くぼ(窪)地. 深いへこみ. ふち(淵). 句例 차가 진～에 빠지다 車がぬかるみのくぼ地にはまる/악의 ～으로 떨어지다 悪の深淵に落ちこむ.

구렁이〈名〉❶〔動〕大蛇. おろち. 青大将. 語例 먹～ 黒おろち/황(黃)～ 黄色いおろち. ❷腹黒い人を皮肉る語.

구렁이 담 넘어가듯 おろちが塀をはい越えるようだ. 物事をはきはきと成し遂げず人の陰でこそこそと成すことのたとえ.

구렁-텅이〈名〉どん底. 深淵. 深いくぼ地〔ほら穴〕. 句例 악의 ～에 빠지다 悪のどん底〔深淵〕に落ちる.

구레-나룻〈名〉ほおひげ(頰髯). 句例 ～을 기르다 ほおひげを伸ばす.

***구령**【口令】[ku:ryŏng]〈名・하自他〉号令. 句例 ～에 맞추어 달리다 号令に合わせて走る/～을 내리다 号令をかける/'받들어총' 하고 ～하다 '捧げ銃'と号令する.

구류【拘留】〈名・하他〉〔法〕拘留〔勾留〕. 句例 ～를 살다 拘留される. 語例 ～간. ～장 拘留場/～ 기간 拘留期間/미결 ～ 未決拘留.

***구르다**[1] (구르니, 굴러서)〈自〉転がる. 転げる. 転ぶ. 転じる. 句例 공이 ～ ボールが転がる/구르듯이 달리다 転ぶように走る/돈이 굴러 들어오다 金が転がり込む/굴러 떨어지다 転がり落ちる.

구르는 돌은 이끼가 안 낀다 転がる石にはこけが生えない.

굴러 온 호박 開いた口へぼたもち.

⁑**구르다**[2] (구르니, 굴러서)〈他〉踏み鳴らす. 句例 발을 구르며 분해하다 じだんだ(地団駄)を踏む. 文例 이제 와서 발을 굴러 봐도 이미 늦다 今になってじだんだを踏んでももう遅い/소란스레 마루를 구르면서 달려 들어오다 床を騒騒しく踏み鳴らしながら駆けつける.

⁑**구름**〈名〉雲. 句例 ～이 길게 뻗치다 雲がたなびく/～이 뜨다 雲が浮く/～이 흐르다 雲が流れる/～이 피어오르다 雲がわく. 語例 ～ 사이 雲間/조개～ いわし雲/비늘 ～ うろこ雲/비～ 雨雲/먹～ 黒雲/떼～ むら雲/뭉게～ 入道雲/～ 다리 歩道橋. 高架橋/～장 雲のかたまり.

구름(을) 잡다 雲をつかむ. 漠然として取り留めがない.

구름-금 [—kkŭm]〈名〉(ジャンプなどの)踏み切り前の線.

***구름-판**【一板】〈名〉(ジャンプなどの)踏み切り.

구릉【丘陵】〈名〉丘陵. 丘. =언덕. 語例 ～지대 丘陵地帯.

***구리**〈名〉〔化〕銅. あかがね. 語例 구릿빛 あかがね色.

구리 철사【一鐵絲】[—ch'olssa]〈名〉銅線.

구리다〈形〉❶臭い. くそのにおいがする. 句例 구린 냄새 臭いにおい/입김이 ～ 息が臭い. ❷(やり口が)汚い. いやらしい. 疑わしい様子に見える. 怪しい. 文例 아무래도 저 남자가 ～ どうもあの男が臭い/뒤가 구린 짓을 하고 있다 後ろ暗いことをしている.

구린-내〈名〉臭いにおい. くそのにおい. 悪臭. 句例 ～가 나다 臭い〔屁・くそのような〕においがする.

구린내(를) 피우다 悪臭を漂わす〔放つ〕.

***구매**【購買】〈名・하他〉購買. 購入. 句例 ～층을 조사하다 購買層を調べる/～욕을 부추기다 購買欲をそそる. 語例 ～력 購買力. 類 구입(購入).

⁑**구멍**〈名〉穴. 句例 ～을 파다 穴を掘る/～에 빠지다 穴に落ちる/연기가 빠져 나갈 ～ 煙の抜け穴/쥐～을 찾다(→'쥐구멍'の小項目)/벽에 ～을 내다 壁に穴をあける. 語例 단춧～ ボタン穴.

구멍-가게 [—kkage]〈名〉小店. 軒店.

구멍-탄【一炭】〈名〉練炭. 略して'탄'ともいう.

구면【舊面】[ku:myŏn]〈名〉旧知. 前からの知り合い. 昔なじみ. 句例 ～의 사이 旧知の間柄.

구명【救命】[ku:myŏng]〈名・하他〉救命. 助命. 語例 ～ 동의 救命胴衣/～정 救命艇. ライフボート.

구문【口文】〈名〉口銭. 仲介料. コミッション. 句例 ～을 먹다〔떼다〕 口銭を取る.

구문(을) 받다 口銭をもらう.

구문【構文】〈名〉構文. 句例 복잡한 ～ 複雑な構文. 語例 ～론 構文論.

구문【舊聞】[ku:mun]〈名〉旧聞. 句例 이야기는 얼마간 ～에 속하지만… 話はいささか旧聞に属するが…. 對 초문(初聞).

구미【口味】[ku:mi]〈名〉❶食い気. 食欲. 口当たり. 舌触り. 句例 ～가 생기다 食欲が起こる/～가 떨어지다 食欲がなくなる. ❷興味. 句例 ～가 당기는 이야기 興味のわく〔そそられる〕話.

구미가 나다 ❶食欲が起こる. ❷欲がでる.

구미가 동하다 ❶食欲が起こる. ❷欲がでる.

구미(가) 돌다 ❶食欲が生じる. ❷興味がわく.

구미를 돋구다 ❶食欲をそそる. ❷興味をそそる.

구미를 돋우다 '구미를 돋구다'のこと.

구미【歐美】〈名〉欧米. 語例 ～ 문학 欧米文学

文 / ~인 欧米人 / ~ 제국 欧米諸国.

구민【區民】〈名〉区民. →시민(市民). 동민(洞民)

구박【驅迫】〈名〉虐待. こらしめ. いじめ. **~하다**〈他〉虐待する. いじ(苛)める. さいなむ. いびる. 句例 며느리를 ~하다 嫁をいびる / ~을 받다 いじめられる / ~이 자심하다 いびり方がますますひどくなる.

구배【勾配】〈名〉❶⇨ 물매 ❷〔數〕⇨ 기울기

구변【口辯】[ku:byŏn]〈名〉口弁. 弁舌. 弁才. 口才. 句例 ~이 좋다 もの言いが巧みだ. 口達者である / ~ 좋게 지껄여대다 弁舌さわやかにまくし立てる / ~도 좋고 수단도 좋은 사람 口八丁手八丁の人.

구변-머리【口辯—】[ku:byŏn—]〈名〉'구변'の俗っぽい言いかた. 句例 ~가 없다 弁才がない.

***구별**【區別】〈名〉区別. けじめ. **~하다**〈他〉区別する. けじめをつける. 弁じる. 句例 남녀의 ~ 男女の区別 / 선악의 ~을 짓다 善悪のけじめをつける / ~을 분명히 하다 区別を明らかにする / 선악을 ~하다 善悪を弁じる.

구보【驅步】〈名〉駆け足. **~하다**〈自〉駆ける. 駆け足する.

구부러-지다〈自〉曲がる. たわむ. 湾曲する. 句例 허리가 ~ 腰が曲がる / 눈으로 소나무 가지가 ~ 雪で松の枝が曲がる. 文例 길이 구부러져 있다 道が曲がっている.

***구부리다**〈他〉曲げる. たわめる. 屈曲させる. 折り曲げる. かが(屈)む. かが(屈)める. =굽히다. 句例 철봉을 ~ 鉄棒を曲げる / 허리를 ~ 腰を曲げる / 비틀어 ~ ねじ曲げる / 몸을 ~ 身をかがめる.

구부정-하다(→하다)〈形〉⇨ 꾸부정하다

***구분**【區分】〈名〉区分. 区分け. 区割り. **~하다**〈他〉区分する. 分ける. 区分けする. 仕分ける. 句例 우편물의 ~ 郵便物〔配達品〕の区分け / 토지의 ~ 土地の区分 / 공사를 ~하다 公私のけじめをつける. 文例 생물은 동물과 식물로 ~된다 生物は動物と植物に区分される.

구불-거리다〈自〉⇨ 꾸불거리다

구불텅-하다(→하다)〈形〉⇨ 꾸불텅하다

구붓-이 [kubushi]〈副〉やや曲がって. 曲がり気味に〔加減で〕.

구붓-하다 [kubut'ada] (→하다)〈形〉やや曲がっている. 曲がり気味だ.

구붓구붓〈副・하形〉みなやや曲がっている〔曲がり気味な〕さま.

구비【口碑】[ku:bi]〈名〉口碑. 伝説. 句例 ~를 모아서 출판하다 口碑を集めて出版する. 語例 ~ 동화 口碑童話.

구비【具備】〈名〉具備. **~하다**〈他〉具備する. 備える. 句例 필요 조건을 ~하다 必要条件を具備する / 에어컨을 ~한 방 エアコンを備えた部屋. 語例 ~ 서류 具備書類.

구사【驅使】〈名〉駆使. **~하다**〈他〉駆使する. 使いこなす. 句例 고용인을 ~하다 使用人を駆使する / 영어를 ~하다 英語を駆使する.

구사-일생【九死一生】[—ilssaeng]〈名〉九死に一生を得ること. 命拾い. 十死一生. 文例 사지에서 ~으로 살아났다 死地で九死に一生を得た.

구상【具象】〈名〉具象. =구체(具體). 句例 ~적인 그림 具象的な絵. 語例 ~ 예술 具象芸術 / ~화 具象画. 對추상(抽象).

구상【構想】〈名・하他〉構想. 句例 ~이 떠오르다 構想が浮かぶ / ~을 짜다 構想を練る / 웅대한 ~ 雄大な構想.

구색【具色】〈名〉品物の取りそろえ. **~하다**〈他〉品物を取りそろえる. 句例 일류 상품의 ~을 갖춘 가게 一流商品を取りそろえた店 / ~이 안 맞다 品数がそろっていない.

****구석**〈名〉隅. 隅っこ. 隅角. コーナー. アングル. 句例 방의 ~ 部屋の隅(っこ) / 한(쪽) ~에 片隅に. 文例 ~쪽에서 조그맣게 움츠리고 있다 隅の方で小さくすくんでいる. 語例 ~방(房) 家の片隅の部屋.

***구석-구석**〈副〉隅隅. 方方の隅まで. くまなく. あらゆる方面. 句例 ~ 마음을 쓰다 隅隅まで心を配る / 달빛이 사방을 ~ 비추다 月光が四方をくまなく照らす / ~까지 깨끗이 쓸다 隅から隅〔隅隅〕まできれいに掃く.

구-석기【舊石器】[ku:sŏkki]〈名〉〔史〕旧石器. 語例 ~ 시대 旧石器時代.

구석-지다〈形〉奥まる. 隅っこに片寄る. 句例 구석진 방 奥まった部屋 / 구석진 산골 へんぴな山奥.

구설【口舌】[ku:sŏl]〈名〉口舌. 口. そしり. 誹謗. 悪口. 句例 남의 ~을 받다 人のそしりを受ける / 남의 ~에 오르다 人のうわさにのぼる.

구설-수【口舌數】[ku:sŏlssu]〈名〉(人から)悪口〔そしり・誹謗〕を受ける運勢〔悪運〕.

***구성**【構成】〈名〉構成. 組み立て. 組成. **~하다**〈他〉構成する. 組み立てる. 組成する. 仕組む. 形作る. 句例 문장의 ~ 文章の構成 / 사회를 ~하다 社会を構成する. 文例 위원회는 5명으로 ~된다 委員会は五人で構成される / 독일은 연립 내각을 ~했다 ドイツは連立内閣を構成した. 語例 ~원 構成員 / ~ 요소 構成要素 / ~ 분자 構成分子. 類조성(組成).

구성-지다〈形〉(歌声などが)いきで哀れだ. 句例 구성진 가락 いきで哀れっぽい曲 / 노랫소리가 ~ 歌声がいきで聞きよい.

구세-군【救世軍】[ku:segun]〈名〉〔基〕救世軍.

구세-주【救世主】[ku:seju]〈名〉〔基〕救世主. 救い主. キリスト. メシア. 語例 ~ 예수 救い主イエスキリスト.

구속【拘束】〈名〉拘束. **~하다**〈他〉拘束する. 束縛する. 縛る. 句例 일에 ~되다 仕事に拘束される / ~당하다 縛られる. 拘束される / 신병을 ~하다 身柄を拘束する / 그 무엇에도 ~받지 않다 何物にも拘束されない. 語例 ~ 시간 拘束時間 / ~력 拘束力 / ~ 영장 拘束令状. 逮捕状.

구속【球速】〈名〉〔野〕球速. 句例 투수의 ~에 밀리다 ピッチャーの球速におされる / ~을 재다 球速を計る.

구수-하다 (→하다) 〈形〉 ❶(味・においが)快い. (ごま油・みそ汁のような)ゆかしい味わいやにおいがする. 香ばしい. 風味がいい. 句例 구수한 된장국 냄새 風味のあるみそ汁のにおい. ❷(話が)もっともらしい. おもしろみがある. 聞きよい. 句例 구수한 옛날 이야기 情味ゆたかでおもしろい昔話.
表現 語感の小さい語は'고소하다'.

구순-하다 (→하다) 〈形〉 むつ(睦)まじい. 親しい. 句例 사이가 구순한 내외 仲むつまじい夫婦 / 며느리와 시어머니 사이가 ～ 嫁と姑の間柄がむつまじい.

구술【口述】[ku:sul] 〈名〉 口述. 口陳. 口上〔口状〕. **～하다** 〈他〉 口述する. 口上〔口状〕する. 句例 메모를 ～하다 覚え書きを口述する. 語例 ～ 시험 口述試験 / ～ 필기 口述筆記.

⁑구슬 〈名〉 玉. 句例 ～을 굴리듯 玉をころがすよう / ～을 아로새기다 玉をちりばめる / 장중(掌中)의 ～을 잃다 掌中の玉を失う.

구슬이 서 말이라도 꿰어야 보배라 三斗の玉もつないでこそ宝. いかに高価な物でも用を足さねば価値がないことのたとえ.

구슬-땀 〈名〉 玉の汗. 玉なす汗. 文例 격렬한 운동으로 ～을 흘렸다 激しい運動で玉の汗を流した.

구슬리다 〈他〉 うまく説き落とす. 丸め込む. 丸める. 言い含める. 言いなだめる. とりなす. 句例 노여움을 ～ 怒りをなだめる / 반대파를 ～ 反対派を丸め込む. 文例 완전히 구슬림을 당했다 すっかり丸められてしまった / 내가 잘 구슬려 놓겠다 わたしがうまくとりなしておこう.

구슬려 내다 (うまい言葉で) 誘い出す. おびきだす. 句例 그럴듯한 말로 ～ うまいこと言って誘い出す.

구슬려 대다 (しきりに)おだてる. なだめる. そそのかす. 文例 구슬려 대자 흐뭇해 했다 しきりにおだてるといい気になった.

구슬려 삶다 うまい言葉で説き落とす. 丸め込む. 句例 그럴듯한 말로 ～ 言葉たくみに丸め込む〔言い含める〕.

구슬-사탕【一砂糖】〈名〉 あめ玉. ＝눈깔사탕.

구슬-치기 〈名・하自〉 ビー玉遊び. 玉ころがし.

구슬프다 (구슬프니, 구슬퍼서) 〈形〉 うら悲しい. もの悲しい. なんとはなしに悲しい. うら〔もの〕寂しい. しめやかだ. 句例 구슬픈 벌레소리 うら悲しい虫の声 / 구슬픈 멜로디 もの悲しいメロディー / 구슬픈 황혼〔가을〕 うら寂しい夕暮れ〔秋〕 / 교외의 구슬픈 경치 町外れのもの寂しい景色.

구슬피 〈副〉 うら〔もの〕悲しく. 哀れげに. しめやかに. 句例 ～ 울다 哀れっぽく〔ぽい声で〕泣く / 장례식을 ～ 거행하다 葬儀をしめやかにとり行う.

구습【舊習】[ku:sŭp] 〈名〉 旧習. 旧慣. 句例 ～을 묵수하다 旧習を墨守する.

구-시대【舊時代】[ku:shidae] 〈名〉 旧時代.

구시렁-거리다 〈自〉 しつこく独り言をいう. 愚痴をこぼす〔言う〕. くどくど独りごつ《雅》. 文例 노인이 불만스러운 듯 구시렁거리고 있다 老人が不満がましくくどくど愚痴をこぼしている.

구시렁구시렁 〈副〉 くどくど. **～하다** 〈自〉 くどくど言う.

구시-월【九十月】〈名〉 九月と十月.

구식【舊式】[ku:shik] 〈名〉 旧式. 句例 생각이 ～이다 考え方が旧式だ. 語例 ～ 자동차 旧式の自動車 / ～ 의상 古臭い衣装.

***구실** 〈名〉 役目. 役割. 任務. 句例 부모의 ～을 다하다 親の役目を果たす / 한 사람의 ～을 해내다 一人前の役割を果たす.

***구실【口實】**[ku:shil] 〈名〉 口実. 言い逃れ. 言い訳. 句例 ～을 주다 口実をあたえる / ～을 만들다〔마련하다〕 口実をつくる〔設ける〕 / 그럴싸한 ～ もっともらしい口実 / 일을 ～로 거절하다 仕事を口実に断る. 類핑계.

구실(을) 붙다 言い掛かりを付ける.

구실(을) 삼다 事寄せる. かこつける. 口実にする. 出しに使う. 句例 병을 구실삼아 참가를 거절하다 病気に事寄せて参加を断る.

구심【球審】〈名〉〔野〕 球審. 主審.

구심-력【求心力】[―nyŏk] 〈名〉〔物〕 求心力. 對원심력(遠心力).

구심-점【求心點】[―tchŏm] 〈名〉 求心点.

구십【九十】〈數〉 九十. ＝아흔.

구아【歐亞】〈名〉〔地〕 欧亜. ヨーロッパとアジア. ユーラシア. 語例 ～주 欧亜州.

구악【舊惡】[ku:ak] 〈名〉 旧悪. 句例 ～이 드러나다 旧悪が露見する.

구애【求愛】〈名〉 求愛. **～하다** 〈自〉 求愛する. 言い寄る. 句例 ～의 말〔편지〕 求愛の言葉〔手紙〕 / 소녀에게 ～하다 少女に求愛する.

구애【拘礙】〈名〉 拘泥. **～하다** 〈自〉 拘泥する. こだわる. なずむ. 句例 형식에 ～되다 形式にこだわる / 하찮은 일에 ～하다 つまらないことに拘泥する / 구래의 누습에 ～되다 旧来の陋習になずむ / 승패에 ～되지 않다 勝敗にこだわらない.

구약【舊約】[ku:yak] 〈名〉〔基〕 旧約. 語例 ～ 성서 旧約聖書. 對신약(新約).

구어【口語】[ku:ŏ] 〈名〉〔言〕 口語. 口頭語. 話し言葉. 語例 ～문 口語文 / ～체 口語体. 對문어(文語).

***구역【區域】**〈名〉 区域. エリア. 語例 위험 ～ 危険区域 / 출입 금지 ～ 立入禁止区域.

구역【嘔逆】〈名〉 吐き気. むかつき. 語例 ～증(症) 吐き気.

구역(이) 나다 むかつく. 吐き気を催す. 戻し〔吐き〕そうになる.

구역-질【嘔逆―】〈名・하自〉 へど(反吐). 嘔吐. 句例 ～이 나다 吐き気を催す. へどが出る. 文例 얼굴을 보기만 해도 ～이 난다 顔を見ただけでも吐き気がする. 語例 헛～ から吐き気.
表現 '생각만 해도 구역질이 난다 思っただけでもへどが出る'のような言い表わし方で対人的な不快感のたとえにも言う.

구연【口演】[ku:yŏn] 〈名・하他〉 口演. ＝구술(口述). 語例 ～ 동화 口演童話.

구옥【舊屋】[ku:ok] 〈名〉 旧屋. 古屋. ＝고

옥(古屋).

구완 〈名・하他〉［もとの語形は'구원(救援)'］（病気・出産の）看護．みと(看取)り．看病．介抱．語例 ⇨ 병구완
参考 '병구완'と'해산(解産) 구완 出産の世話'との通称．

구우-일모【九牛一毛】〈名〉九牛の一毛．文例 반대 의견은 ～에 지나지 않는다 反対意見は九牛の一毛に過ぎない．

구운 두부【一豆腐】〈名〉焼き豆腐．略して'군두부'とも言う．

구운-밤 〈名〉焼きぐり(栗)．略して'군밤'とも言う．語例 ～장수 焼きぐり屋．

구운-빵 〈名〉あぶり焼いたパン．略して'군빵'とも言う．

구원【救援】［ku:won］〈名〉救援．**～하다**〈他〉救援する．救う．句例 ～의 손을 뻗치다 救援の手を伸ばす．語例 ～대 救援隊／～병 援兵／～ 투수 救援投手．リリーフピッチャー．類 구호(救護)．→구완

구월【九月】〈名〉九月．

구유 〈名〉飼い葉おけ(桶)．まぐさおけ．馬ぶね．絵

〈구유〉

구이 〈名〉焼き．焼き物．語例 소금 ～ 塩焼き／생선 ～ 焼き魚／꼬치 ～ くし焼き．

구인【求人】〈名・하自〉求人．語例 ～ 광고 求人広告／～난 求人難．對 구직(求職)．

구입【購入】〈名〉購入．買い入れ．**～하다**〈他〉購入する．仕入れる．句例 세탁기를 ～하다 洗濯機を購入する．語例 공동 ～ 共同購入／～ 자금 購入資金／～처 仕入れ先．類 구매(購買)．

구장【球場】〈名〉球場．野球場．語例 잠실 ～ 蠶室球場．

구저분-하다 (→하다)〈形〉汚らしい．よごれていて汚い．句例 때가 덕지덕지 묻은 구저분한 옷 あかまみれの汚らしい服．**구저분히**〈副〉汚らしく．汚らわしく．句例 구저분히 먹다 汚らしく食う．類 추저분하다．

구전【口傳】［ku:jǒn］〈名〉口伝．口伝え．口づて．口授・口授．言い伝え．言い継ぎ．**～하다**〈他〉言い伝える．語り継ぐ．句例 한 말 한 말 ～으로 가르치다 一語一語口伝えで教える／소문을 ～으로 듣다 うわさを口づてで聞く／항간에 ～되고 있는 유명한 이야기 巷間に言い伝えられている有名な話／～되어 온 전설 語り継がれて来た伝説．類 구승(口承)．

구전【口錢】〈名〉口銭．上げ銭．コミッション．仲介料．＝구문(口文)．句例 ～을 받다 口銭を取る／벌이의 절반을 ～으로 뜯기다 もうけの半分をピンはねされる．

구절【句節】〈名〉❶句と節．❷句．文章や言葉の一区切り．

구절-양장【九折羊腸】［kujǒllyangjang］〈名〉つづら折り．羊腸．句例 ～의 산길 つづら折りの山道．

구절-판【九折坂】〈名〉'구절판 찬합'に詰めた盛り合わせの料理．

구절판 찬합【九折坂饌盒】［─ch'a:nhap］〈名〉九つに区分けした八角形の器《真ん中になにも一つの仕切りがあって九種の料理を盛る》．絵

구점【句點】［kutchǒm］〈名〉句点．句例 ～을 찍다 句点を打つ．

구접-스럽다 (→스럽다)〈形〉汚らしい．汚らわしい．〈구절판 찬합〉句例 하는 짓이 ～ やり方が汚い．

구정【舊正】［ku:jǒng］〈名〉❶陰暦の元旦．❷旧の正月．

구정【舊情】［ku:jǒng］〈名〉旧情．句例 ～을 새로이하다 旧情を温める．

구정-물 〈名〉汚水．下水．汚れ水．句例 ～을 끼얹다 汚水をひっ掛ける．

구제【救濟】［ku:je］〈名〉救済．救援．**～하다**〈他〉救済する．救い助ける．句例 난민을 ～하다 難民を救済する．語例 빈민 ～ 사업 貧民救済事業／～책 救済策／～품 救済品．類 구원(救援)．

구제【驅除】〈名・하他〉駆除．句例 기생충을 ～하다 寄生虫を駆除する．

*__구조__【救助】［ku:jo］〈名〉救助．救い．**～하다**〈他〉救助する．救う．助ける．句例 ～의 손을 뻗치다 救助の手を差し伸べる／피해자를 ～하다 被害者を救助する．語例 ～대(袋) 救助袋／～ 대원 救助隊員／～미 救助米／～사다리 救助ばしご(梯子)／인명 ～ 人命救助．

*__구조__【構造】〈名・하他〉構造．仕組み．造り．機構．句例 자동차의 ～ 自動車の構造／～상의 결함 構造上の欠陥／사회의 ～ 社会の構造．語例 이중 ～ 二重構造／～물 構造物．

구주【救主】［ku:ju］〈名〉〔基〕救い主．救世主．

구주【歐洲】〈名〉〔地〕［'구라파주(歐羅巴洲)'の略］欧州．＝유럽주．

구중【九重】〈名〉九重．❶九重．❷［'구중 궁궐(宮闕)'の略］宮中．

구중중-하다 (→하다)〈形〉湿っぽい．じめじめしている．句例 장마철의 구중중한 나날 じめじめした梅雨の日日／집안이 ～ 家の中が湿っぽい／구중중한 이불 じめついた布団．

구지레-하다 (→하다)〈形〉汚らしい．薄汚ない．薄汚れる．句例 구지레한 바지 薄汚れたズボン．文例 구지레한 가구는 내다 버려라 薄汚い家具は持って行って捨てなさい．

구직【求職】〈名・하自〉求職．語例 ～ 광고 求職広告．對 구인(求人)．

구질-구질〈副〉❶湿っぽくて小汚いさま：じめじめ．**～하다**〈形〉湿っぽくて小汚い．じめじめしている．句例 ～ 내리는 비 じめじめと降る雨／～한 날씨 じめじめした天気．❷(性格が)だらしのないさま．(古物などが)ごちゃごちゃしているさま．**～하다**〈形〉だらしない．汚らしい．句例 ～한 옷차림 むさくるしい風体／～하게 따라다니다 ねちねちと付きまとう．

구차-하다【苟且─】［ku:ch'a─］(→하다)〈形〉❶窮屈だ．句例 구차한 변명을 늘어놓다 窮屈な言い訳〔弁解〕を並べ立てる．❷貧しい．貧窮だ．困窮だ．句例 구차한 살림 貧しい暮らし〔生活〕／생활이 ～ 生活が困窮して

いる．구차히〈副〉貧しく．困窮に．

구척-장신【九尺長身】〈名〉背丈九尺の長身．また，そんな大男．

구청【區廳】〈名〉区役所．語例 ～장 区長／～ 직원 区役所の職員．

구체【具體】〈名〉具体．＝구상(具象)．語例 ～성 具体性．對추상(抽象)．

*__구체-적__【具體的】〈名・冠〉具体的．句例 ～인 방법 具体的な方法／～으로 예를 들다 具体的に例をあげる．文例 어디가 어떤지 더 ～으로 말해다오 どこがどうなのか，もっと具体的に話してくれ．對추상적．

구체-화【具體化】〈名・하自他〉具体化．句例 이념의 ～ 理念の具体化／오랜 꿈을 ～하다 長年の夢を具体化する．

구축【構築】〈名〉構築．**～하다**〈他〉構築する．築く．句例 성벽을 ～하다 城壁を構築する／이론을 ～하다 理論を構築する〔築く〕．語例 ～물 構築物．

구축【驅逐】〈名〉駆逐．**～하다**〈他〉駆逐する．追い払う．句例 악서를 ～하다 悪書を駆逐する．語例 ～함(대) 駆逐艦(隊)．→악화(惡貨)

구출【救出】[ku:ch'ul]〈名〉救出．**～하다**〈他〉救出する．救い出す．句例 인질을 ～하다 人質を救出する．語例 ～ 작업 救出作業／～ 작전 救出作戦．

구충【驅蟲】〈名・하自〉駆虫．＝제충(除蟲)．語例 ～제 駆虫剤．虫下し．

구취【口臭】[ku:ch'wi]〈名〉口臭．＝입내．

구층-탑【九層塔】〈名〉九層〔九重・ここのえ〕の塔．

구치【臼齒】〈名〉⇨ 어금니

구치【拘置】〈名・하他〉拘置．句例 (형사) 피고인을 ～하다 (刑事)被告人を拘置する．

구치-소【拘置所】〈名〉拘置所．

구칭【舊稱】[ku:ch'ing]〈名〉旧称．

구타【毆打】〈名・하他〉殴打．句例 배트로 ～당하다 バットで殴打される．

구태【舊態】[ku:t'ae]〈名〉旧態．句例 ～ 의연한 사고 방식 旧態依然たる考え方／～를 벗어나다 旧態を脱する．

구태여〈副〉わざわざ．強いて．あえて．無理に．わざと．略して'구태'とも言う．＝일부러．굳이．文例 그런 것까지 ～ 말하지 않아도 좋다 そんなことまでわざわざ言わなくてもいい／～ 출석하실 것까지는 없습니다 強いて御出席には及びません．

表現 一般に，否定文の中や反語的に使う．

구토【嘔吐】〈名〉嘔吐．へど．げろ《俗》．＝토역(吐逆)．**～하다**〈他〉嘔吐する．もどす．吐く．

구파【舊派】[ku:p'a]〈名〉旧派．對신파(新派)．

구판【舊版】[ku:p'an]〈名〉旧版．句例 ～의 잘못을 정정하다 旧版の誤りを訂正する．對신판．

구푸리다〈他〉身をかがめる．句例 몸을 구푸리고 문을 지나다 からだをかがめて戸をくぐる．

**__구-하다__【求—】(→하다)〈他〉求める．探す．手に入れる．句例 도움을 ～ 助けを求める／직장을 ～ 職を求める〔探す〕／허가를 ～ 許可を求める／답을 ～ 答えを求める／하숙을 ～ 下宿を探す／인재를 ～ 人材を求める／동정을 ～ 同情を求める．文例 이 물건은 어디서 구하셨습니까 この品はどこでお求めになりましたか．

*__구-하다__【救—】[ku:—] (→하다)〈他〉救う．句例 인명을 ～ 人命を救う／난민을 ～ 難民を救う／세상을 ～ 世を救う／조난자를 ～ 遭難者を助ける．

구현【具現・具顯】〈名・하自他〉具現．句例 사회 정의의 ～ 社会正義の具現／하나의 인간상으로서 ～하다 一つの人間像として具現する．

구형【求刑】〈名・하自他〉〔法〕求刑．句例 징역 5년의 실형을 ～하다 懲役五年の実刑を求刑する．

구형【矩形】〈名〉⇨ 직사각형

구형【球形】〈名〉球形．＝구상(球狀)．句例 ～의 추 球形をした重り．

구형【舊形・舊型】[ku:hyŏng]〈名〉古い型．旧式な型．

구호【口號】[ku:ho]〈名・하他〉❶⇨ 군호．❷叫び声．掛け声．スローガン．句例 ～에 그치다 掛け声だけに終わる．

*__구호__【救護】[ku:ho]〈名・하他〉救護．句例 이재민을 ～하다 罹災民を救護する．語例 ～반 救護班／～금 救恤金．

구혼【求婚】〈名・하自〉求婚．プロポーズ．＝청혼(請婚)．句例 마음을 작정하고 ～하다 意を決して求婚する．

구화-법【口話法】[ku:hwappŏp]〈名〉口話法．對수화법(手話法)．

구황【救荒】[ku:hwang]〈名・하自他〉救荒．語例 ～ 작물 救荒作物．

구획【區畫・區劃】〈名・하他〉区画．句例 도시의 한 ～ 都市の一区画／작게 ～하다 小さく区画する．語例 ～ 정리 区画整理／행정 ～ 行政区画．

**__국__〈名〉❶おつゆ．汁．汁物．あつもの(羹)．つゆ．吸い物．句例 ～의 간 汁のあんばい(塩梅)／네 가지 찬에 ～이 딸리다 四菜に汁がつく．語例 된장～ みそ汁／맑은 장～ 澄まし汁／⇨ 국그릇．❷'국물'の略．

국【局】〈名〉局．❶役所などの事務の一区分の部署．語例 총무～ 総務局．❷'우체국 郵便局'の略．❸囲碁や将棋の勝負．❹'판국'の略．

국 〔漢字項目〕

【國(国)】中學 국 コク．❶나라 国．국가 国家．▮國土 국토 こくど．國民 국민 こくみん．▮愛國 애국 あいこく．共和國 공화국 きょうわこく．❷고향 故郷．▮鄉國 향국 きょうこく．

【局】高校 국 キョク．❶구획한 한 방 区画した一つの室．전하여，구분・구획 転じて，区分・区画．▮局部 국부 きょくぶ．局限 국한 きょくげん．❷관아 役所．▮局長 국장 きょくちょう．▮事務局 사무국 じむきょく．當局 당국 とうきょく．❸장기・바둑

등의 판 将棋・囲碁などの盤面. ▮棋局 기국 ききょく. 對局 대국 たいきょく. ❹재간 才能. 도량 度量. ▮局量 국량 きょくりょう. ❺당면한 사태 当面の事態. ▮局面 국면 きょくめん. ▮時局 시국 じきょく. 戰局 전국 せんきょく. ❻사물의 끝 事物の終わり. ▮結局 결국 けっきょく. 終局 종국 しゅうきょく.

【菊】 高校 국 キク. 국화 菊. 菊の花. ▮菊花 국화 きくか. きっか. ▮殘菊 잔국 ざんぎく. 寒菊 한국 かんぎく.

***국가**【國家】〈名〉国家. 国. =나라. 語例 고대 ~ 古代国家 / 법치 ~ 法治国家 / ~ 공무원 国家公務員 / ~ 고시 国家試験.

국가【國歌】〈名〉国歌. 句例 ~를 연주하다 国歌を演奏する.

국가 보훈처【國家報勳處】[―bo:hunch'ŏ]〈名〉国家報勳処. 中央官庁の一つ. 国家功労者とその遺家族に対する補償・援助などに関する事務をつかさどる. 略して'보훈처'とも言う. 長官は'국가 보훈처장(長)'と言う.

***국가-적**【國家的】〈名・冠〉国家的. 句例 ~인 행사 国家的な行事.

국-거리〈名〉汁の材料. (おつゆの)具.

국-건더기〈名〉おつゆの実.

***국경**【國境】〈名〉国境. 句例 ~을 굳게 지키다 国境を固める / ~을 넘다 国境を越える. 語例 ~선 国境線.

국경-일【國慶日】〈名〉旗日. 国民の祝日. 祝祭日.

국고【國庫】〈名〉〔經〕国庫. 語例 ~금 国庫金 / ~ 보조 国庫補助.

국교【國交】〈名〉国交. 句例 ~를 회복〔수립〕하다 国交を回復〔樹立〕する. 語例 ~ 정상화 国交正常化 / ~ 단절 国交断絶.

국교【國敎】〈名〉国教. 句例 회교를 ~로 하는 나라들 イスラム教を国教とする国国.
参考 韓国では憲法上国教としての宗教はない.

****국군**【國軍】〈名〉国軍. ❶国家の軍隊. ❷韓国軍. 文例 대통령은 ~의 통수권을 가진다 大統領は国軍の統帥権を持つ.

국군의 날【國軍―】[kukkunŭinal]〈名〉国軍の日. 韓国軍創設記念日《十月一日》.

국권【國權】〈名〉国権. 語例 ~ 수호 国権の守護 / ~ 회복 国権の回復.

국-그릇〈名〉吸い物のわん(碗).

국극【國劇】〈名〉国劇. ❶その国に特有の伝統的な劇. ❷'창극(唱劇)'のこと.

국기【國技】〈名〉国技. '씨름' '태권도'など.

***국기**【國旗】〈名〉国旗. 句例 ~를 게양하다 国旗を掲揚する. 語例 ~함 国旗箱.

국난【國難】[kungnan]〈名〉国難. 句例 ~을 극복하다 国難を克服する.

***국내**【國內】[kungnae]〈名〉国内. 文例 ~에서는 무적의 챔피언이다 国内では無敵のチャンピオンである. 語例 한국 ~ 韓国国内/ ~ 관세 国内関税 / ~선 国内線 / ~ 항로 国内航路 / ~ 문제 国内問題.

***국-내외**【國內外】[kungnaeoe]〈名〉国の内外. 国内と国外.

국도【國道】〈名〉国道. 語例 이십삼번 ~ 国道二十三番線.

***국력**【國力】[kungnyŏk]〈名〉国力. 句例 ~을 쌓다 国力を蓄える / 전쟁으로 ~이 피폐하다 戦争で国力が疲弊する. 語例 ~ 신장 国力伸張.

국련【國聯】[kungnyŏn]〈名〉'국제 연합'の略: 国連. 語例 ~군 国連軍. UN軍.

국록【國祿】[kungnok]〈名〉国の禄. 国の俸禄. 扶持.

국론【國論】[kungnon]〈名〉国論. 句例 ~이 분열하다 国論が分裂する / ~이 비등하다 国論が沸騰する.

국리【國利】[kungni]〈名〉国利. 語例 ~ 민복 国利民福.

***국립**【國立】[kungnip]〈名〉国立. 語例 ~ 도서관 国立図書館 / ~ 묘지 国立墓地 / ~ 박물관 国立博物館 / ~ 국어 연구원 国立国語研究院. 對사립(私立). 類국영(國營).

국립 공원【國立公園】[kungnip―]〈名〉国立公園.

국립 대학【國立大學】[kungnip―]〈名〉国立大学. 略して'국대(國大)'とも言う.

국-말이 [kungmari]〈名〉汁を掛けた飯. または, うどん.

국면【局面】[kungmyŏn]〈名〉局面. ❶囲碁・将棋などの勝負の形勢. ❷物事の成り行き. 形勢. 情勢. 句例 ~을 타개하다 局面を打開する / 새로운 ~을 맞이하다 新たな局面を迎える. 類형세. 정세.

국명【國名】[kungmyŏng]〈名〉国名.

국모【國母】[kungmo]〈名〉国母.

국무 총리【國務總理】[kungmuch'o:ngni]〈名〉国務総理. 内閣総理大臣に当たる. 略して'총리'とも言う.

국무 회의【國務會議】[kungmuhoe:ŭi]〈名〉国務会議. 大統領, 国務総理, 国務委員で構成される.

국문【國文】[kungmun]〈名〉❶国文. 邦文. ❷'국문학'の略. 語例 ~과 国文科.

국-문법【國文法】[kungmunppŏp]〈名〉国文法.

국-문학【國文學】[kungmunhak]〈名〉国文学. 句例 ~을 전공하다 国文学を専攻する.

****국-물** [kungmul]〈名〉❶つゆ(汁). 汁. 液汁. 煮出し. (に)だし汁. 略して'국'とも言う. 句例 멸치 ~을 내다 白子を煮出す / ~이 많은 음식 汁物 / 김치〔깍두기〕~ キムチ〔カクテキ〕の汁. ❷余得. 余禄. 役得. おこぼれ. 句例 ~이 많은 자리 余禄の多い役職 / ~을 얻어 먹다 おこぼれをちょうだいする.

국물도 없다 なんの利得もない.

***국민**【國民】[kungmin]〈名〉国民. 句例 ~의 권리와 의무 国民の権利と義務. 語例 ~ 가요 国民歌謡 / ~ 소득 国民所得 / ~ 연금 国民年金 / ~장 国民葬《国民全体の名で行なう葬儀》/ ~ 투표 国民投票.

국민-성【國民性】[kungminssŏng]〈名〉国民性. 句例 근면한 ~ 勤勉な国民性.

국민 의례【國民儀禮】[kungmin—]〈名〉国民儀礼. 儀式で行なう国旗に対する敬礼, 国歌の斉唱, 黙禱などの儀礼.

국민 총생산【國民總生産】[kungminch'o:ng-saengsan]〈名〉〔經〕国民総生産. =지엔피(GNP).

***국민 학교**【國民學校】[kungmin—]〈名〉国民学校. 小学校. 語例 ～ 학생 ⇨ 국민 학생
参考 '초등 학교'の旧称.

국민 학생【國民學生】[kungmin—]〈名〉小学生. 今は'초등 학생'と言う.

국-밥〈名〉汁をか(掛)けた御飯.

***국방**【國防】〈名〉国防. 語例 ～비 国防費.

국방-부【國防部】〈名〉国防部. 防衛庁に当たる. 語例 ～ 장관 国防部長官.

국번【局番】〈名〉['국번호'の略] 局番.

국법【國法】〈名〉国法. 句例 ～을 준수하다 国法を遵守する.

***국보**【國寶】〈名〉国宝. 句例 ～로 지정하다 国宝に指定する. 語例 ～급 문화재 国宝級の文化財 / ～적 존재 国宝的存在.

국부【局部】〈名〉局部. =국소(局所). 句例 ～적으로 아프다 局部的に痛む. 語例 ～ 마취 局所麻酔.

국비【國費】〈名〉国費. 語例 ～ 유학 国費留学 / ～생 国費生.

국빈【國賓】〈名〉国賓. 句例 ～으로서 초대되다 国賓として招待される. 語例 ～ 대우 国賓待遇.

국사【國史】〈名〉国史. 韓国歴史.

국사【國事】〈名〉国事. 句例 ～를 논하다 国事を論じる.

국산【國産】〈名〉国産. 語例 ～품 国産品 / ～차 国産車. 對외국산.

국세【國稅】〈名〉国税. 語例 ～청 国税庁. 對지방세(地方稅).

국세【國勢】〈名〉国勢. 語例 ～ 조사 国勢調査.

국세-청【國稅廳】〈名〉国税庁. 長官は'국세청장(長)'と言う.

국소【局所】〈名〉局所. =국부(局部).

국-솥〈名〉汁がま(釜).

***국수**〈名〉麵類の総称: うどん, そうめん, そばなど. 語例 ～ 장국 温麵 / 국숫집 うどん屋. そうめん屋.
국수를 먹다 '麵を食べる'の意で, 結婚の祝宴に温麵が用いられることから'結婚式を挙げる'ことの地口.

국수【國手】〈名〉国手. 今はこと(殊)に碁や将棋の名人を言う.

국수-주의【國粹主義】〈名〉国粋主義. 語例 ～자 国粋主義者.

국시【國是】〈名〉国是. 句例 자유 민주주의를 ～로 삼다 自由民主主義を国是とする.

국악【國樂】[kugak]〈名〉国楽. その国の固有な音楽. 韓国の古典音楽. 語例 국립 ～원 国立国楽院.

***국어**【國語】[kugŏ]〈名〉国語. 韓国語. 語例 ～ 사전 国語辞典 / 현대 ～ 現代国語.

국역【國譯】[kugyŏk]〈名・하他〉国訳. 邦訳. 語例 ～본 国訳本.

국영【國營】[kugyŏng]〈名・하他〉国営. 語例 ～ 방송 国営放送. 對민영(民營). 類관영(官營). 공영(公營).

***국왕**【國王】[kugwang]〈名〉国王. 王. 語例 ～ 폐하 国王陛下.

국외【國外】[kugoe]〈名〉国外. 句例 ～로 추방당하다 国外に追放される. 語例 ～ 탈출 国外脱出. 對국내(國內).

국운【國運】[kugun]〈名〉国運. =국보(國步). 국조(國祚). 句例 ～을 걸다 国運を賭する / ～이 번창하다 国運が栄える.

국위【國威】[kugwi]〈名〉国威. 句例 ～를 선양하다 国威を宣揚する.

국유【國有】[kugyu]〈名〉国有. 句例 기간 산업을 ～화하다 基幹産業を国有化する. 語例 ～림 国有林 / ～ 재산 国有財産 / ～ 철도 国有鉄道. 對사유(私有). 類관유(官有).

국-으로 [kugŭro]〈副〉ありのまま. そのまま. 生まれつきそのまま. 分限〔分際〕をわきまえて. 文例 ～ 잠자코 있어라 (分際をわきまえて)そのまま黙っていろ.

국익【國益】[kugik]〈名〉国益. 句例 ～을 지키다 国益を守る / ～에 반하는 행위 国益に反する行為.

국자〈名〉ひしゃく(柄杓). 杓子. お玉(じゃくし). しゃく(杓). 句例 국을 ～로 뜨다 おつゆをひしゃくですくう. 語例 조가비 ～ 貝杓子.

국장【局長】〈名〉局長. 語例 우체 ～ 郵便局長.

국장【國葬】〈名・하他〉国葬.

국적【國籍】〈名〉国籍. 句例 ～ 불명의 비행기 国籍不明の飛行機. 語例 한국 ～ 韓国国籍.

국전【國展】〈名〉['대한 민국 미술 전람회'の略] 国展. 日本の日展に当たる.

국정【國政】〈名〉国政. 句例 ～에 참여하다 国政に参与する. 語例 ～ 감사 国政調査.

국정 교과서【國定教科書】[—gyŏ:gwasŏ]〈名〉国定教科書.

***국제**【國際】〈名〉国際. 語例 ～ 결혼 国際結婚 / ～ 전화 国際電話 / ～ 회의 国際会議 / ～ 정세 国際情勢 / ～ 공항 国際空港 / ～선 国際線 / ～어 国際語.

국제-법【國際法】[kukcheppŏp]〈名〉国際法. 對국내법(國內法).

***국제 연합**【國際聯合】〈名〉国際連合. 略して'국련(國聯)'とも言う. =유엔(UN). 語例 ～ 총회 国際連合総会. 国連総会.

국제-적【國際的】〈名・冠〉国際的. 句例 ～인 문제 国際的な問題 / ～으로 유명한 학자 国際的に有名な学者.

국지【局地】〈名〉局地. 句例 ～적인 큰비 局地的な大雨 / ～전(쟁) 局地戦(争).

국채【國債】〈名〉国債. 句例 ～를 모집〔발행〕하다 国債を募集〔発行〕する.

국책【國策】〈名〉国策. 語例 ～ 회사 国策会社.

국철【國鐵】〈名〉['국유 철도'の略] 国鉄.

***국토**【國土】〈名〉国土. 領土. 文例 전란으로 ～가 피폐했다 戦乱で国土が疲弊した. 語例 ～ 계획 国土計画 / ～ 종합 개발 国土総

ㄱ

合開発 / ~ 방위 国土防衛.

국판【菊判】〈名〉菊判. ほぼ教科書の大きさ.

국학【國學】[kuk'ak]〈名〉国学. 語例 ~자 国学者.

국한【局限】[kuk'an]〈名・하他〉局限. 句例 테마를 ~하다 テーマを局限する. 文例 문제의 범위를 이 점에 ~한다 問題の範囲をこの点に局限する. 類 한정(限定).

국-한문【國漢文】[kuk'anmun]〈名〉国漢文. 国語と漢文. 語例 ~ 혼용 国漢文混用.

국호【國號】[kuk'o]〈名〉国号. =국명(國名). 句例 ~를 조선이라고 칭하다 国号を朝鮮と称する.

국화【菊花】[kuk'wa]〈名〉〔植〕菊. 菊の花. 語例 ~ 향기 菊の香り / ~ 만두(饅頭) 菊模様入りのまんじゅう(饅頭).

국화【國花】[kuk'wa]〈名〉国花《韓国のむくげ(木槿), 日本の桜, イギリスのばら(薔薇), フランスのゆり(百合)など》.

국화-빵【菊花―】[kuk'wappang]〈名〉菊模様の型に焼いたパン.

*__국회__【國會】[kuk'oe]〈名〉国会. 句例 ~를 해산하다 国会を解散する / ~의 회기 国会の会期. 語例 ~ 도서관 国会図書館 / ~ 의사당 国会議事堂.

*__국회 의원__【國會議員】[kuk'oe―]〈名〉国会議員. 代議士. 句例 ~에 당선되다 国会議員に当選する.

군【軍】〈名〉軍. ❶'군부(軍部)'の略. ❷'군대(軍隊)'の略. 句例 ~에 입대하다 軍に入隊する. ❸陸軍の最大編成単位《軍団の上》. 語例 제2~ 사령관 第二軍司令官.

*__군__【郡】[ku:n]〈名〉❶地方. 郷里. ❷行政区画の一つ. '도(道)'の下, '읍(邑)・면(面)'の上. 行政をつかさどる長は'군수(郡守)'. ❸'군청(郡廳)'の略.

군- [ku:n]〈頭〉'余計な' '余分の' 'あまった分の'の意を表わす語. 句例 부모에게 ~걱정을 끼치다 親に余計な心配をかける. 語例 ~이야기 余計な話 / ~말 無駄口. 無駄話 / ~살 ぜい肉.

군 〔漢字項目〕

【君】中學 군 クン. ❶임금 君. ◧君主 군주 くんしゅ. 君國 군국 くんこく. ◨名君 명군 めいくん. 主君 주군 しゅくん. ❷아버지・남편의 존칭 父・夫の尊称. ◨父君 부군 ふくん. 夫君 부군 ふくん. ❸선조의 존칭 祖先の尊称. ◨府君 부군 ふくん. ❹뛰어난 사람 優れた人. ◧君子 군자 くんし. ❺님 さん. 남의 존칭 他人に対する尊称. ◨朴君 박군 パックん.

【群】高校 군 グン. ❶무리 群れ. 여러 사람 多くの人. ◧群衆 군중 ぐんしゅう. 群像 군상 ぐんぞう. ◨大群 대군 たいぐん. 抜群 발군 ばつぐん. ❷모이다 集まる. 떼를 짓다 群れを成す. ◧群集 군집 ぐんしゅう. 群居 군거 ぐんきょ. ❸많은 多くの. 많다 多い. ◧群雄 군웅 ぐんゆう. 群臣 군신 ぐんしん.

【軍】中學 군 グン. ❶군대 軍隊. ◧軍紀 군기 ぐんき. 軍勢 군세 ぐんぜい. ◨陸軍 육군 りくぐん. 義勇軍 의용군 ぎゆうぐん. ❷군사 軍事. 전투 戦い. ◧軍備 군비 ぐんび. 軍略 군략 ぐんりゃく. ◨從軍 종군 じゅうぐん. ❸병제로서 몇 개 사단을 편성한 단위 兵制で, 数箇師団を編成した単位. ◧軍團 군단 ぐんだん. ◨一軍 일군 いちぐん.

【郡】中學 군 グン. 행정 구획의 하나 行政区画の一つ. ◧郡縣 군현 ぐんけん. ◨南海郡 남해군 ナムヘぐん.

군가【軍歌】〈名〉軍歌.

**__군것-질__ [ku:n-gŏtchil]〈名・하自〉間食. おやつを食べること. 買い食い. 類 주전부리.

군-고구마 [ku:n―]〈名〉焼き芋. 八里半. 十三里. 語例 ~ 장수 焼き芋屋.

군국【軍國】〈名〉軍国. 語例 ~주의 軍国主義.

군기【軍紀】〈名〉軍紀. 軍律. 句例 ~를 문란시키다 軍紀を乱す / ~를 바로잡다 軍紀を正す.

군-내 [ku:nnae]〈名〉(古い漬物から出る)臭いにおい.

*__군대__【軍隊】〈名〉軍隊. 句例 ~에 들어가다 軍隊に入る. 語例 ~ 생활 軍隊生活.

군-더더기 [ku:ndŏdŏgi]〈名〉(なくてもよい)余計〔無駄〕なもの. 蛇足. あまり. 句例 ~를 없애다 無駄を省く / 문장에 ~가 많다 文章に無駄が多い.

**__군데__〈依名〉箇所〔個所〕. 文例 잘못이 세 ~ 있었다 間違いが三箇所あった. 語例 몇 ~ 幾箇所.

군데-군데〈名・副〉ところどころ. ここかしこ. あちらこちら. 文例 ~ 페인트가 벗겨져 있다 ところどころペンキがはげている / ~ 눈이 남아 있다 あちらこちらに雪が残っている.

군도【群島】〈名〉群島. 語例 말레이 ~ マレー群島. 類 제도(諸島).

군락【群落】[kullak]〈名〉群落. 句例 식물의 ~ 植物の群落.

군량【軍糧】[kullyang]〈名〉兵糧. 兵食. 軍糧. 糧秣. 語例 ~미(米) 兵糧米. 軍糧米.

군림【君臨】[kullim]〈名・하自〉君臨. 句例 왕자로서 ~하다 王者として君臨する.

군-말 [ku:nmal]〈名〉無駄口. 駄弁. 冗語. 贅言. **~하다**〈自〉無駄口をきく. 句例 아무 쓰잘데없는 ~을 농하다 愚にもつかぬ駄弁を弄する / ~을 빼다 冗語を省く / ~을 지껄이다 無駄口をたたく.

군모【軍帽】〈名〉軍帽.

군목【軍牧】〈名〉軍付きの牧師.

군문【軍門】〈名〉軍門. ❶陣門. ❷軍隊. 句例 ~에 들어가다 軍隊に入る.

**__군-밤__ [ku:nbam]〈名〉'구운밤'の略: 焼きぐり(栗).

군번【軍番】〈名〉❶認識番号. ❷'認識票'の俗称.

군벌【軍閥】〈名〉軍閥. 語例 ~ 정치 軍閥政治.

군법【軍法】[kunppŏp]〈名〉軍法. 軍紀. 軍

律. 語例 ~ 회의 軍法会議. 軍事裁判所.
參考 '군법 회의'は'군사 법원(軍事法院)'と改称され, 今は旧用語となっている.

군복【軍服】〈名〉軍服. 句例 ~을 벗다 軍服を脱ぐ.

군부【軍部】〈名〉軍部. 略して'군'とも言う. 句例 ~의 압력 軍部の圧力.

군-불 [ku:nbul]〈名〉オンドル(温突)部屋を暖めるためにた(焚)く火. 句例 ~을 때다〔지피다〕(オンドル部屋を暖めるために)たき口に火をたく.

군비【軍備】〈名〉軍備. 兵備. 語例 ~ 축소 軍備縮小. 軍縮 / ~ 확장 軍備拡張. 軍拡.

군사【軍士】〈名〉❶軍人. ❷兵士. 兵.

***군사**【軍事】〈名〉軍事. 兵事. 句例 ~ 목적을 위해 발사하다 軍事目的のため打ち上げる. 語例 ~ 기지 軍事基地 / ~ 교련 軍事教練 / ~ 동맹 軍事同盟 / ~력 軍事力 / ~ 우편 軍事郵便.

군-사설【一辭說】[ku:nsasŏl]〈名〉(くどくどしい)無駄話. 無駄な長話. 冗長な無駄話. **~하다**〈自〉無駄口をたたく. 句例 끝도 없이 ~을 늘어놓다 長ったらしい駄弁を並べ立てる.

군-살 [ku:nsal]〈名〉❶たこ. こくみ. あまじし(余肉). 文例 귀에 ~이 돋아났다 耳にこくみができた. ❷ぜい肉. 句例 필요 이상으로 찐 ~ 必要以上についたぜい肉 / 인원 삭감으로 ~을 빼다 人員削減でぜい肉を落とす.

군색-스럽다【窘塞一】[ku:nsaek—](→스럽다)〈形〉⇨ 군색하다. **군색스레**〈副〉⇨ 군색히

군색-하다【窘塞一】[ku:nsaek'ada](→하다)〈形〉❶貧しい. 貧乏である. 貧窮する. 句例 군색한 살림살이 貧しい暮らし / 군색하게 살아가다 貧しく暮らす. ❷(事が)詰まってうまく行かない. 窮屈だ. 句例 군색한 변명을 하다 窮屈な弁解をする〔弁明・言い訳を立てる〕. **군색히** [ku:nsaek'i]〈副〉❶貧窮に. 貧しく. ❷窮屈に.

군소【群小】〈名〉群小. 語例 ~ 작가 群小作家 / ~ 정당 群小政党.

군-소리 [ku:n—]〈名・하自〉❶無駄にぶつぶつ言うこと〔言葉〕. ❷⇨ 군말. ❸⇨ 헛소리

군-수【一手】[ku:nsu]〈名〉(碁や将棋で)無駄な手.

군수【軍需】〈名〉軍需. 語例 ~ 경기 軍需景気 / ~ 공장 軍需工場 / ~품 軍需品. 對민수(民需).

군수【郡守】[ku:nsu]〈名〉郡守. 郡長.

군-식구【一食口】[ku:n—]〈名〉食客. 居候.

군신【軍神】〈名〉軍神. いくさがみ.

군실-거리다〈自〉(かゆくて)むずむずする.
군실군실〈副・하自〉こそばゆいさま: むずむず. 句例 등이 ~하다 背中がむずむずする.

군악【軍樂】[kunak]〈名〉軍楽. 語例 ~대 軍楽隊.

군왕【君王】[kunwang]〈名〉君王.

군용【軍用】[kunyong]〈名〉軍用. 語例 ~견 軍用犬. 軍犬 / ~ 열차 軍用列車 / ~기 軍用機.

군웅【群雄】[kunung]〈名〉群雄. 群豪. 語例 ~할거 群雄割拠.

군-음식【一飮食】[ku:n—]〈名〉食事以外の間食. おやつ. 文例 ~을 많이 먹으면 살이 찐다 間食をたくさんすると太る.

군의【軍醫】[kunŭi]〈名〉['군의관'の略] 軍医. 語例 ~관 軍医官.

*
***군인**【軍人】[kunin]〈名〉軍人. 兵士.

군-일 [ku:nnil]〈名・하自〉無駄事.

군-입 [ku:nnip]〈名〉❶寝覚めの口. ❷間食を取った後の口.
군입(을) 다시다 ❶何かを食べるように寝覚めに舌鼓を打つ. ❷間食後, もの足りないように舌鼓を打つ.

군자【君子】〈名〉君子. 句例 ~연(然)하다 君子然とする. 君子ぶる. 君子を気取る. 語例 성인 ~ 聖人君子. 對소인(小人).

군자-금【軍資金】〈名〉軍資金. 略して'군자(軍資)'ともいう. 句例 해외여행 ~을 벌다 海外旅行の軍資金を稼ぐ.

군자-란【君子蘭】〈名〉〔植〕くんしらん(君子蘭).

군정【軍政】〈名〉〔法〕軍政. 句例 ~을 펴다 軍政をしく. 對민정(民政).

군주【君主】〈名〉君主. 皇帝. 天子. 王. 語例 ~국 君主国 / ~제 君主制 / ~ 정치 君主政治. 類황제. 천자(天子). 왕(王).

군중【群衆】〈名〉群集〔群衆・群聚〕. 句例 연도의 ~ 沿道の群衆. 語例 ~극 群衆劇 / ~ 심리 群衆心理.

군집【群集】〈名〉群集. **~하다**〈自〉群がる. 群れる.

군-짓 [ku:njit]〈名〉いらぬしぐさ. 無駄な仕業. **~하다**〈自〉余計〔無駄〕なことをする.

군청【郡廳】[ku:nch'ŏng]〈名〉郡庁. 郡役所.

군청【群青】〈名〉群青. 語例 ~색 群青色. おなんどいろ. ウルトラマリーン.

군축【軍縮】〈名〉['군비 축소'の略] 軍縮. 語例 ~ 회담 軍縮会談. 對군확(軍擴).

군-침 [ku:nch'im]〈名〉生つば(唾). よだれ(涎). 句例 ~을 흘리다 よだれを垂らす〔流す〕.
군침(이) 돌다 よだれ〔生つば〕がたまる.
군침(을) 삼키다 生つばを飲み込む.

군-턱 [ku:nt'ŏk]〈名〉二重顎.

군표【軍票】〈名〉軍票. 軍用手形. 軍用切手.

군함【軍艦】〈名〉軍艦. 語例 ~조 軍艦鳥.

군항【軍港】〈名〉軍港.

군현【郡縣】[ku:nhyŏn]〈名〉郡県. 語例 ~ 제도 郡県制度.

군호【軍號】〈名・하他〉合い言葉. 軍隊の暗号.

군화【軍靴】〈名〉軍靴. 句例 ~의 울림 소리 軍靴の響き.

굳건-하다 (→하다)〈形〉(意志・行動などが)頑丈だ. 堅固だ. 堅い. 強い. がっしりしている. 頑強だ. 句例 굳건한 의지 堅固な意志 / 굳건한 구조 頑丈な構え / 두 발로 대지를 굳건하게 디디다 二足で大地をしっかりと

踏まえる. **굳건히**〈副〉しっかり(と). 堅固に. 頑丈〔頑強〕に. 強く. 堅く. 句例 굳건히 저항하다 頑強に抵抗する.

굳-기름〈名〉脂肪.

굳다 ※※ 一〈形〉固〔堅・硬〕い. ❶(物などが)かたい. 句例 굳은 금속 硬い金属 / 굳은 빵 固いパン.
❷堅固だ. (基礎・心などが)容易に動かしがたい〔ぐらつかない〕. 句例 굳게 다문 입술 堅く閉じた唇 / 굳은 결심 堅い決心 / 굳은 유대 かたいきずな(絆) / 굳게 믿다 固く信じる / 머리가 ～ 頭が固い / 굳게 금하다 堅く禁じる.
❸(動作や表情などが) こわ張って〔緊張して〕いる. 句例 표정이 ～ 表情がかたい / 긴장으로 몸이 굳어지다 緊張でからだがこわ張る / 돌같이 굳은 표정으로 石のようにこわ張った〔かたい〕表情で. ▷→囲み記事 11
二〈自〉❶(柔らかいものが)固くなる. こわ張る. 硬直する. 句例 딱딱하게 굳은 빵 固くなったパン / 얼굴이 굳어지다 顔がこわ張る / 굳어진 생각 硬直した考え. 文例 그는 일순간 얼굴이 굳어졌다 彼は一瞬顔がこわ張った.
❷(癖・習わしが)固まる. 習慣になる.
❸こご(凝)る. 凝結する. 固くなる. 句例 손발이 얼어서 ～ 手足が凍えて固くなる.

굳은 땅에 물이 괸다 地固まって水たまる.

굳-세다〈形〉強い. 頑強だ. 屈強だ. 頑丈で極めて力が強い. 不屈だ. 不撓不屈だ. 句例 굳센 젊은이 不屈な若者 / 굳센 정신 不撓不屈の精神 / 굳세게 대적하다 頑強に対敵する / 굳세게 살아가다 くじけず強く生きていく.

굳어-지다 [kudǒjida]〈自〉固〔堅〕くなる. こわ張る. 固まる. こご(凝)る. 硬直する. 句例 긴장하여 몸이 ～ 緊張してからだ(身体)がこわ張る / 얼굴이 ～ 顔がこわ張る / 콘크리트가 ～ コンクリートが固まる / 결심이 ～ 決心が固まる / 교조주의로 굳어진 사람 教条主義に凝り固まった人 / 국가의 기초가 ～ 国家の基礎が固まる / 증거가 ～ 証拠が固まる.

굳은-살 [kudŭnsal]〈名〉たこ(胼胝). ＝못. 句例 ～이 박이다 たこができる.

굳이 [kuji]〈副〉あ(敢)えて. 強いて. わざわざ. わざと. 是非とも. 押して. 無理に. 句例 무리함을 알고서 ～ 해보다 無理を承知であえてやってみる / ～ 원하신다면 たってお望みとあれば / ～ 위험을 무릅쓰다 あえて危険をおかす. 文例 ～ 출석하실 것 까지는 없으십니다 強いて御出席するには及びません / 그런 것까지 ～ 말하지 않아도 되네 そんな事までわざわざ言わなくてもいい.

> 囲み記事 11
>
> ■ '굳다'と'궂다' ■
>
> 二語とも発音上では[kutta]と同じく発音されるので, 混同しやすい.
>
> **굳다**　堅い. 堅固だ. 固まるなどの意 —— 결심이 굳다 決心が堅い. 비온 뒤에 땅이 굳어진다 雨降って地固まる.
>
> **궂다**　忌まわしい. 天候が悪い —— 좋은 일 궂은일 다 겪었다 いい事忌まわしい事すべてなめ尽くした. 날씨도 궂은데 하루 쉬기로 하자 空模様も雨がちなので一日休むことにしよう.

굳-히다 [kuch'ida]〈他〉固める. 固くする. 句例 결심을 ～ 決心を固める / 콘크리트로 ～ コンクリートで固める / 젤리를 냉장고에서 식혀서 ～ ゼリーを冷蔵庫で冷やして固める / 밟아서 ～ 踏み固める.

＊**굴**〈名〉〔貝〕❶かき(牡蠣)類の総称. ❷['굴조개'の略] ❸かきの身. 語例 ～ 밥 かき飯 / ～젓 かきの塩辛.

＊**굴**【窟】[ku:l]〈名〉❶洞窟. 洞. 洞穴. 横穴. 穴. 句例 ～을 파다 穴を掘る / 원시인이 살았던 ～ 原始人が住んでいた洞穴. ❷トンネル. 句例 ～을 뚫다 トンネルを開ける. ❸獣の隠れ穴. 句例 곰이 사는 ～ くま(熊)の住む穴. 語例 호랑이 ～ とら(虎)の穴.

굴　〔漢字項目〕

【屈】高校 굴 クツ. ❶굽다 屈む. 굽히다 折りまげる. ▮屈曲 굴곡 くっきょく. 屈指 굴지 くっし. ❷뜻을 굽히다 志をまげる. ▮屈従 굴종 くつじゅう. 屈服 굴복 くっぷく. ❸다하다 尽きる. ▮窮屈 궁굴 きゅうくつ. ❹강하다 強い. ▮屈強 굴강 くっきょう.

굴곡【屈曲】〈名・하形〉屈曲. 折れ曲がり. 句例 ～된 벼랑길 屈曲したがけ(崖)道.

굴광-성【屈光性】[—ssǒng]〈名〉〔植〕屈光性. 向光性. ㊇배일성(背日性).

굴다 [ku:lda]〈補動〉(主に'-게 ～'の形で)そういうふうに行動することを表す語: 振る舞う. 動作をする. 句例 방약 무인하게 ～ 傍若無人に振る舞う / 자연스럽게 ～ 自然に振る舞う / 멋대로 ～ かってに振る舞う.
表現 副詞形の言葉'…처럼 …のように''멋대로… 勝手に…'などにもつけられる: 어른처럼 굴다 大人のように振る舞う.

굴-다리【窟—】[ku:lttari]〈名〉陸橋.

굴대 [ku:lttae]〈名〉心棒. 心木. 軸. 語例 ～통(筩) 轂. ＝축(軸).

＊＊**굴뚝** [ku:lttuk]〈名〉煙突. 煙筒. けむ出し. ＝연통(煙筒). 句例 ～이 임립하다 煙突が林立する.

굴뚝-새 [ku:lttuk—]〈名〉〔鳥〕みそさざい.

＊＊**굴러-가다** [ku:llǒgada]〈自〉転がって〔転がり〕いく. 転がる. 転げる. まろ(転)ぶ. 句例 공이 풀숲으로 ～ ボールが草むらに転がっていく / 광차(鑛車)가 레일 위를 ～ トロッコがレールの上を転がる.

굴러-다니다 [ku:llǒdanida]〈自〉❶(物が)あちこち転がり回る. (物がここかしこと)散らかって〔転がって〕いる. 文例 방 안에 고무공이 굴러다니고 있다 部屋の中にゴムまりが転がり回っている. ❷ありふれた物として存在する. 転がっている. 文例 이런 물건은 어디에나 굴러다니고 있다 こんな物はどこにでも転がっている.

❸(あてどなく)さすらう. 放浪する. さまよう. 彷徨する. 句例 눈보라 속을 어슬렁어슬렁 ～ 吹雪の中をうろうろさまよい歩く / 지향도 없이 여기저기 ～ あてもなくあちこちさすらい歩く.

굴러-먹다 [ku:llŏmŏkta] 〈自〉 方方をさすらい歩きながらいろいろつらい経験をする〔辛酸をなめる〕. 句例 화류계에서 굴러먹은 여자 色町で辛酸をなめて来た女 / 여기저기 ～ 方方をさすらう.

굴렁-쇠 [ku:llŏng—] 〈名〉 (輪回し用の)輪.

굴레 〈名〉 ❶おもがい(面繫). ❷きずな(絆). 羈絆. ほだし. 句例 부모 자식 사이의 ～ 親子のきずな / 은혜와 사랑의 ～ 恩愛のきずな.

굴레 벗은 말 'おもがいをはずされた馬'の意から. ❶荒荒しく行動する人. ❷束縛を脱して自由な人.

굴레(를) 쓰다 仕事にしばられる〔束縛される〕. がんじがらめにされる. 句例 규칙의 굴레를 쓰다 規則でがんじがらめにされる.

굴레 쓴 말 束縛された立場のたとえ.

굴레(를) 씌우다 仕事に縛り込む. がんじがらめにする.

**굴리다 [ku:llida] 〈他〉 ❶転がす. 転ばす. 句例 드럼통을 ～ ドラム缶を転がす / 차를 ～〔운전하다〕 車を転がす / 땅볼을 ～ ごろを転がす. ❷金貸しをする. 回す. (金銭などを)運用する. 句例 돈을 비싼 이자로 ～ お金を高利で回す. ❸ほったらかす. うっちゃっておく. 句例 물건을 내 ～ 物をほったらかして置く. ❹車で営業をする. 句例 차를 열 대 ～ 十台の車を持って営業をする.

굴복【屈服】〈名〉屈伏〔屈服〕. ～하다 〈自〉屈服する. 屈する. 句例 적에게 ～하다 敵に屈伏する / 상대를 ～시키다 相手を屈伏させる. 類굴종(屈從).

굴비 〈名〉(塩漬けにした)いしもち(石持)〔ぐち〕の日干し.

굴-속【窟—】[ku:lssok]〈名〉❶洞穴・洞穴の中. ❷真っ暗い所.

굴욕【屈辱】[kuryok]〈名〉屈辱. 句例 ～을 입다〔받다〕屈辱をうける / ～을 당하다 屈辱をこうむる / ～을 참지 못하다 屈辱に耐えられない / ～적인 조약 屈辱的な条約. 語例 ～감 屈辱感.

굴절【屈折】[kultchŏl]〈名・하自〉屈折. 句例 빛의 ～ 光の屈折 / 무릎의 ～ 운동 ひざの屈折運動 / ～된 길 屈折した道 / ～된 심리 屈折した心理 / ～된 양국 관계 屈折した両国関係. 語例 ～률 屈折率 / ～ 망원경 屈折望遠鏡.

굴-젓 〈名〉かき(牡蠣)の塩辛.

굴지【屈指】[kultchi]〈名・하自〉屈指. 指折り. 句例 ～의 명연주가 指折りの名演奏家 / 국내 ～의 자산가 国内屈指の資産家. 類유수(有數).

굴진【掘進】[kultchin]〈名〉掘進. ～하다〈自〉掘進する. 掘り進む.

굴착【掘鑿】〈名・하他〉掘削. 語例 ～기 掘削機.

굴-하다【屈—】(→하다)〈自他〉屈する. ❶かがめる. ❷屈服する. くじける. 句例 어려움에 굴하지 않고 해내다 困難に屈することなくやり通す / 권력에 ～ 権力に屈する.

**굵다 [kukta]〈形〉❶太い. 粗い. ㉠幅や体積が大きい. 句例 굵은 줄 太い線 / 굵은 팔 太い腕 / 다리가 ～ 脚が太い. 絵 / 굵은 체 粗いふるい. ㉡声などが低音で音量が豊かだ. 句例 굵은 목소리 太い声. 絵 ㉢物事に恐れず大胆だ. 句例 굵은 신경의 소유자 太い神経の持ち主 / 선이 ～ 線が太い. ❷粒が大きい. 句例 굵은 밤 大きいくり(栗). 絵 / 감자의 알이 ～ じゃがいもの粒が大きい. 對가늘다. 잘다.

參考 '굵고 太く' '굵어서 太くて'は[kulkko], [kulgŏsŏ]と読む.

굵고 짧게 太く短く. 文例 하고 싶은 대로 하면서 ～ 살고 싶다 欲しいままにしながら太く短く生きて行きたい.

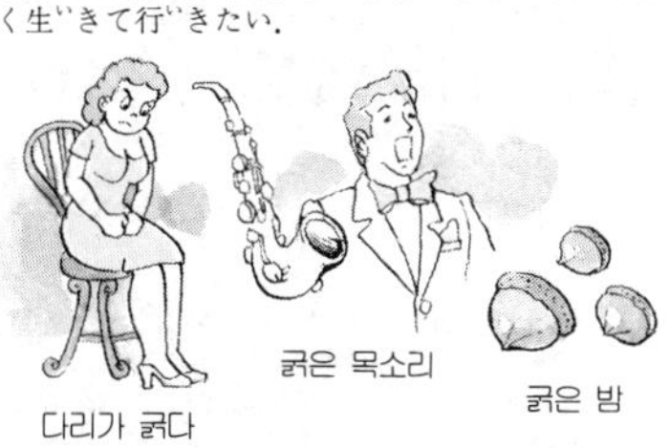

〈굵다〉

굵-다랗다 [kuktarat'a]〈形〉太っぽい. 太くて大きい. 句例 굵다란 손가락 太っぽい指 / 굵다란 줄무늬 太目の縞模様 / 밤톨이 ～ くり(栗)の実が大きい. 對가느다랗다.

굵디-굵다 [kuktigukta]〈形〉非常に太い〔粗い〕.

*굵어-지다 [kulgŏjida]〈自〉太くなる.

굵직-하다 [kukchik'ada] (→하다)〈形〉かなり〔大分〕大きい. 太目だ. 句例 굵직한 목소리로 노래하다 大分太い声で歌を歌う. 文例 굵직한 줄무늬가 나 있다 太目の縞模様が付いている / 근하 신년이라고 굵직하게 썼다 謹賀新年と肉太に書いた.

굶기다 [kumgida]〈他〉飢えさせる. ひもじい思いをさせる. (食べ物を与えず)干ぼしにする. 文例 실직을 하면 처자식 셋을 굶기게 된다 失業したら妻子三人干ぼしになる.

*굶다 [ku:mtta]〈自他〉飢える. かつ(飢)える. 句例 굶어 죽다 飢え〔かつえ〕死にする / 굶어 죽을지언정 かつえ死にするとも.

參考 '굶고 飢えて' '굶으면 飢えると'は[kumkko], [kulmŭmyŏn]と読む.

*굶-주리다 [kumjurida]〈自〉飢える. かつ(飢)える. 句例 굶주린 사람들 飢えた人々 / 사랑에 ～ 愛に飢える / 피에 굶주린 이리 血に飢えたおおかみ / 남의 동정에 ～ 人の同情に渇する.

굶주림 [kumjurim]〈名〉飢え. かつえ. 干ぼし. 空腹. 飢餓. 句例 ～으로 고생하다 飢えに苦しむ / ～을 견뎌내다 飢えをしのぐ / 마음의 ～ 心の飢え. 類기아(飢餓. 饑餓).

굼닐다 (굼니니, 굼닐어서) ㊀〈他〉[もとの語形は'굽일다'] 屈伸させる.
㊁〈自〉屈伸しながら仕事をする.

굼-뜨다 [ku:mttŭda] (굼뜨니, 굼떠서) 〈形〉(動作が)のろい. 鈍い. しり重だ. 句例 그는 일이 ~ 彼は仕事がのろい / 소걸음처럼 ~ 牛の歩みのようにのろい / 말하는 것이 ~ 話し方がのろい / 굼뜨게 걷다 のろのろ(と)歩く.

굼벵이 [ku:mbeng-i] 〈名〉❶〔蟲〕せみ(蟬)の幼虫. ❷のろい人. のろま.
表現 ②は俗っぽい言いかた.

굼실-거리다 〈自〉(虫などが)うごめく. おごめく. もぞもぞする〔動く〕.
굼실굼실 〈副・하自〉もぞもぞ. もそもそ. 句例 등이 ~하다 背中がもぞもぞする.

굽 〈名〉❶(牛馬などの)ひづめ. ❷かかと(踵). きびす. ＝발굽. 句例 ~이 높은 구두 かかとの高い靴 / ~을 들어올리다 かかとを上げる. ❸脚. 糸底. 句例 술잔의 ~ 杯の糸底.

굽-갈다 (굽가니, 굽갈아서) 〈他〉(靴の)かかとをとり替える. (ぽくり(木履)の)歯をとり替える. 蹄鉄などをとり替える.

**굽다[1] [ku:pta] (구우니, 구워서) 〈他〉❶(肉などを)焼く. あぶ(炙・焙)る. 句例 생선을 ~ 魚をあぶる〔焼く〕/ 쿠키를 ~ クッキーを焼く. 語例 구운 밤 焼きぐり(栗) / 대합구이 焼きはまぐり(蛤). ❷(炭・煉瓦・瀬戸物などを)焼く. 句例 옹기를 ~ 陶器を焼く. ❸(乾ききらない木材などを)火にあてて乾かす.

**굽다[2] ㊀〈形〉曲がっている. たわんでいる. かがんでいる. 句例 굽은 나뭇가지 曲がった枝振り. ㊁〈自〉曲がる. たわむ. 湾曲する. 句例 허리가 ~ 腰が曲がる / 눈 때문에 대나무가 ~ 雪で竹が曲がる.
굽도 젖도 할 수 없다 進退きわまる. にっちもさっちも行かない.

굽-달이 [kuptari] 〈名〉糸底のついた皿.
굽-뒤축 〈名〉(牛馬などの)ひづめのかかと.
굽-바닥 〈名〉かかとの底.

굽실 〈副〉ご機嫌を取ったりへつらったりするさま: ぺこぺこ. へいこら. **~하다** 〈自他〉ぺこぺこする. へいこらと頭を下げる. 句例 상사에게 ~ 머리를 숙이다 上役にへいこらと頭を下げる.

굽실-거리다 〈自他〉ぺこぺこする. へいこらする. 句例 상급자에게 ~ 上役にへいこらする / 상사가 하라는 대로 하면서 ~ 上司の言いなりになりながらぺこぺこする.
굽실굽실 〈副・하自他〉ぺこぺこ. ぴょこぴょこ. ぴょこんぴょこん. 文例 그는 ~ 절을 하면서 나다녔다 彼はぴょこぴょこお辞儀をしながら出歩いた.

굽어-보다 [kubŏ—] 〈他〉❶見下ろす. 俯瞰する. 句例 2층의 창으로부터 ~ 二階の窓から見下ろす / 꼭대기에서 기슭을 ~ 頂上からふもとを見下ろす / 속계를 ~ 俗界を俯瞰する. 類내려다보다. ❷思いやる. 察する. 句例 상대방의 심중을 ~ 相手の心中を思いやる.

굽어-살피다 [kubŏ—] 〈他〉察する. 気を配る. 思いやる. 照覧する. 文例 신도 굽어살피소서 神も御照覧あれ.

굽이 [kubi] 〈名〉曲がり. 湾曲.

굽이-굽이 [kubigubi] 〈副〉❶曲がりごとに. 句例 ~ 꽃핀 산길 曲がりごとに花の咲いた山道. ❷曲がりくねって流れるさま: くねくね. まがりにまがって. 句例 골짜기의 물이 ~ 흐르다 谷間の水が曲がりくねって流れる.

굽이-돌다 [kubi—] (—도니, —돌아서) 〈自〉(流れ・道が)曲がりくねる. 句例 길이 ~ 道が曲がりくねっている.

굽이-지다 [kubi—] 〈自〉(流れが)曲がる. 入り江になる. 句例 강물이 굽이져 흐르다 河が曲がりくねりながら流れる.

굽이-치다 [kubi—] 〈自〉(流れが)曲がりくねる. うねる. 句例 파도가 ~ 波がうねる / 산길이 굽이치며 뻗어 있다 山道がうねって続いている.

*__굽히다__ [kup'ida] 〈他〉曲げる. かがめる. 折る. 句例 안쪽으로 ~ 内側に曲げる / 다리를〔팔을〕 ~ 足〔腕〕を曲げる / 뜻〔신념〕을 ~ 志〔信念〕を曲げる / 허리를 ~ 腰をかがめる〔折る〕. →굽다[2]

굿[1] 〈名〉❶〔民〕みこ(巫女・神子)の祈りの儀式. →굿하다. ❷みもの. 見世物.
参考 韓国古来の民俗的儀式によるもので, 普通家の無病息災・人の幸運または病気などの快癒をみこが祈るか, 神霊の託宣・死霊の意思を受け継ぐために供え物を並べてシャーマニズム的歌や踊りでにぎわう催し.
굿이나 보고 떡이나 먹지 よそさまの催す'굿'でも見てもち(餅)をもらい食え《人のことにお節介せずおのれのことに励めとの意》.

굿[2] 〈名〉グッド. 語例 ~ 아이디어 グッドアイデア. ◇good

굿-거리 〈名〉〔樂〕❶['굿거리 장단'の略] (みこ(巫女・神子)が'굿'を挙げるときに鳴らす)拍子や節回し. ❷鼓などで調子とる拍子の一つ.

굿 모닝 [kunmo:ning] 〈感〉グッドモーニング. ◇Good morning

굿-바이 〈感〉グッドバイ. 語例 ~ 홈런〔野〕さよならホーマー. ◇Good-bye

굿-보다 〈自〉❶'굿'を挙げるのを見物する. ❷(人のことにたち入らないで)見てばかりいる. 傍観する.

굿-하다 [kut'ada] (→하다) 〈自〉みこ(巫女・神子)が神霊に祈りの儀式を挙げる.

궁【宮】 〈名〉❶〔史〕宮・宮殿. 王宮. ❷(将棋で)将のこま(駒). 王将. 敵玉. 句例 ~을 외통으로 몰다 王将を詰める.

궁 〔漢字項目〕

【宮】高校 궁 キユウ. ク. グウ. 대궐. 또, 그곳에 있는 사람 御殿. また, そこにいる人. ▌宮闕 궁궐 きゅうけつ. 宮殿 궁전 きゅうでん. ▌東宮 동궁 とうぐう. 中宮 중궁 ちゅうぐう.

【弓】中學 궁 キュウ. ❶활 弓. ▌弓術 궁술 きゅうじゅつ. 弓矢 궁시 きゅうし. ▌強弓 강궁 ごうきゅう. ❷활 모양의 것 弓形

のもの. ■天弓 천궁 てんきゅう.

【窮】 [高校] 궁 キュウ. ❶궁구하다 窮める. ■窮理 궁리 きゅうり. ❷다하다 つきる. 끝나다 終わる. ■窮極 궁극 きゅうきょく. ■無窮 무궁 むきゅう. ❸궁하다 窮する. 막히다 行き詰まる. ■窮地 궁지 きゅうち. 窮乏 궁핍 きゅうぼう. ■困窮 곤궁 こんきゅう. 貧窮 빈궁 ひんきゅう.

궁구【窮究】〈名〉窮究. 極め尽くすこと. **～하다**〈他〉究める.

궁궐【宮闕】〈名〉宮廷. 王宮. 大内. ＝대궐. [句例] ～의 문 禁門 / 구중 ～ 九重の奥. 奥深い宮殿. 宮中.

궁극【窮極】〈名・하形〉究極〔窮極〕. とどのつまり. きわまり. [句例] ～의 목적 究極の目的. [文例] ～에 가서는 승리를 거두었다 とどのつまりは勝ちを収めた.

궁금-증【―症】[kunggŭmtchŭng]〈名〉心配事. 気がかり. [句例] ～을 풀어 주다 気がかりを晴らしてやる.

***궁금-하다**(→하다)〈形〉気になる. 気遣わしい. 心配だ. [句例] 결과가 ～ 結果が気になる / 집 소식이 ～ うち(のこと)が気になる. **궁금히**〈副〉気遣わしく. [句例] 궁금히 여기다 気遣わしく思う.

궁기【窮氣】[kungkki]〈名〉貧困に陥った気色.

궁내【宮內】〈名〉宮内. 宮中.

궁녀【宮女】〈名〉宮女. 女官. ＝나인.

궁도【弓道】〈名〉弓道. ❶弓術の錬磨. ❷弓術の奥義.

궁-도련님【宮―】[kungttoryŏnnim]〈名〉世間知らずの坊っちゃん.

****궁둥이**〈名〉尻. けつ《俗》.
 궁둥이가 무겁다 尻が重い.
 궁둥이가 질기다 尻が長い. 長居をする.

궁둥-짝〈名〉左右の臀部.

***궁리**【窮理】[kungni]〈名〉窮理. **～하다**〈他〉按ずる. 思案する. 思いを巡らす. 工夫する. [句例] 여러 모로 ～를 하다 いろいろと思いを巡らす. 思案に暮れる.

궁벽-스럽다【窮僻―】(→스럽다)〈形〉辺鄙な気がする.

궁벽-하다【窮僻―】[kungbyŏk'ada] (→하다)〈形〉草深い. 辺鄙だ. [文例] 궁벽한 촌 구석에서 산다 草深い田舎に住む.

궁상【窮狀】〈名〉窮状. 貧窮なさま. 惨めなさま. **～스럽다**(→스럽다)〈形〉貧乏たらしい. 貧乏くさい. [句例] ～스러운 얼굴 貧乏たらしい顔.
 궁상(을) 떨다 いやに貧乏たらしい様をあらわにする. 困った振りをする. [文例] 그렇게 궁상 떨지마라 そんなに貧乏くさいまねをするな.

궁상-맞다【窮狀―】〈形〉貧乏たらしい. いやに貧乏くさい. [句例] 궁상맞은 얼굴 貧乏くさい顔.

궁색-하다【窮塞―】[kungsaek'ada] (→하다)〈形〉貧窮だ. ひどく困窮している. [文例] 그의 생활은 매우 ～ 彼の暮らしはひどく貧しい.

궁서【窮鼠】〈名〉窮鼠.
 궁서(가) 고양이를 문다 窮鼠猫をかむ.

궁수【弓手】〈名〉弓の射手.

궁술【弓術】〈名〉弓術. 弓道. [語例] ～ 대회 弓術大会.

궁여지-책【窮餘之策】〈名〉窮余の一策. 苦しまぎれ(の一策). [文例] ～으로 빚을 내기로 하였다 窮余の一策として金を借りることにした.

***궁전**【宮殿】〈名〉宮殿.

궁정【宮廷】〈名〉宮廷. ＝대궐. [語例] ～ 시인 宮廷詩人.

궁중【宮中】〈名〉宮中. 禁廷. [句例] ～의 사건 宮中の出来事. [語例] ～ 문학 宮廷文学 / ～ 정치 宮廷政治.

궁지【窮地】〈名〉窮地. 苦境. ＝궁경(窮境). [句例] ～에 몰리다 せっぱ詰まる / ～를 벗어나다 窮地を脱する / ～에 몰아넣다 窮地に追い込む.

궁-터【宮―】〈名〉宮殿の跡.

궁핍【窮乏】〈名〉窮乏. **～하다**〈形〉窮乏している. [句例] ～한 생활 窮乏生活 / ～을 참고 견디다 窮乏に耐える.

궁-하다【窮―】(→하다)〈形〉❶貧しい. 窮する. 貧乏である. [句例] 돈에 ～ 金に窮する / 궁한 살림 貧しい暮らし. [文例] 인플레로 생활이 궁해졌다 インフレで暮らしが詰まってきた. ❷(物が足りなくなって)困っている. 不如意である. [句例] 이야기 밑천이 ～ 話の種が尽きて困っている. ❸なすすべがない. 行き詰まっている. [句例] 답변에 ～ 返答に窮する.
 궁하면 통한다 窮すれば通じる.

궁합【宮合】〈名〉(男女の)相性. [句例] ～이 맞다 相性がいい. [文例] ～이 맞는다더라 相性が合うそうだ.
 궁합(을) 보다 相性の善しあしを見てもらう.

궂다 ■〈形〉❶よくない. 悪い. 不吉だ. 忌まわしい. ❷天気が悪い. じめじめする. [文例] 궂은 날씨가 계속될 것 같다 雨がちの日が続くらしい.
 ■〈自〉目が見えなくなる. 視覚に障害を起こす. ▷→囲み記事 11 「あめ.

궂은-비 [kujŭnbi]〈名〉じめじめと降り続く雨.

궂은-일 [kujŭnnil]〈名〉❶汚らしくて嫌なこと. いとわしい物事. [文例] 요즘은 ～만 겹쳐서 피곤하다 このごろは嫌なことばかり重なって疲れる. ❷(人の死亡などの)忌まわしい出来事.
 궂은일에는 일가만한 이가 없다 親しは泣き寄り.

권【勸】[kwo:n]〈名・하他〉勧め. 勧告. [文例] 친구의 ～에 따라 증권에 투자했다 友の勧めに従って証券に投資した. →권하다

****권**【卷】[kwo:n]〈依名〉❶巻. [語例] 상～ 上巻 / 하～ 下巻. ❷冊. [句例] 한 ～ 一冊 / 여러 ～ 数冊 / 책 세 ～ 三冊の本.

-권【券】〈尾〉…券. [語例] 입장～ 入場券 / 일만 원～ 一万ウォン札.

-권【圈】〈尾〉…圏. [語例] 대기～ 大気圏 / 당선～ 当選圏.

-권【權】〈尾〉…権. [語例] 선거～ 選挙権 / 참정～ 参政権.

ㄱ

권 〔漢字項目〕

【券(券)】 高校 권 ケン. 어음 手形. 어음을 쪼갠 한쪽. 전하여, 증권 割り符. 転じて, 証券. ◧券契 권계 けんけい. 券狀 권장 けんじょう. ◨債券 채권 さいけん. 旅券 여권 りょけん.

【勸(勧)】 中學 권 カン. 권하다 勧める. 장려하다 励ます. ◧勸誘 권유 かんゆう. 勸奬 권장 かんしょう. 勸業 권업 かんぎょう.

【卷(巻)】 中學 권 カン. ケン. ❶두루마리 巻き物. ◧卷子本 권자본 かんすほん. ❷책 書物. ◧卷頭 권두 かんとう. ◨萬卷 만권 まんがん. ❸도서의 편차의 구분 書物の編次の区分. ◨上卷 상권 じょうかん. 下卷 하권 げかん. ❹말다 まく. ◧卷軸 권축 かんじく. ◨席卷 석권 せっけん. せっかん.

【拳(拳)】 高校 권 ケン. ゲン. ❶주먹 こぶし. ◧拳鬪 권투 けんとう. ◨鐵拳 철권 てっけん. 空拳 공권 くうけん. ❷주먹을 쥐다 こぶしを握る. ◧拳銃 권총 けんじゅう. ❸정성껏 간직하다 ささげ持つ. ◧拳拳 권권 けんけん. 拳拳服膺 권권 복응 けんけんふくよう.

【權(権)】 中學 권 ケン. ゴン. ❶저울 はかり. 저울의 추 はかりの分銅. ◧權衡 권형 けんこう. ❷꾀 はかりごと. 기지 機智. ◧權謀術數 권모 술수 けんぼうじゅっすう. ❸권세 権勢. ◧權力 권력 けんりょく. 權利 권리 けんり. ◨人權 인권 じんけん. 政權 정권 せいけん.

권고【勸告】[kwo:n-go]〈名・하他〉勧告. アドバイス. 句例 사직 ～를 받다 辞職勧告を受ける / 의사의 ～에 따르다 医者の勧めに従う.

권내【圈内】[kwo:nnae]〈名〉圏内. 文例 결국 합격 ～에 못 들었다 結局合格圏内に入れなかった.

권농의 날【勸農―】[kwo:nnong-ŭinal]〈名〉勧農の日《5月の第四番目の火曜日》. ＝권농일.

권력【權力】[kwollyŏk]〈名〉権力. 句例 ～을 잡다 権力を握る / ～을 휘두르다 権力を振るう / ～ 다툼을 하다 権力争いをする / ～을 남용하다 権力をほしいままにする. 語例 ～가 権力家 / ～ 투쟁 権力闘争.

*__권리__【權利】[kwolli]〈名〉権利. 句例 평등한 ～를 요구하다 平等な権利を要求する / 남의 ～를 침범하다 人の権利を侵す. 語例 ～금 権利金 / ～ 선언 権利宣言 / ～ 침해 権利侵害. 對의무(義務).

권말【卷末】〈名〉巻末. 句例 ～의 부록 巻末の付録. 語例 ～기 巻末記. 對권두(卷頭).

권면【券面】〈名〉券面. 語例 ～액 券面額.

권모 술수【權謀術數】[kwonmosulssu]〈名〉権謀術数. 句例 ～에 능하다 権謀術数にたける.

권문【權門】〈名〉['권문 세가'の略] 権門. 句例 ～에 아첨하다 権門にこびる. 語例 ～ 귀족 権門と貴族 / ～ 세가 権門勢家 / ～ 자제 権門の子弟.

권법【拳法】[kwo:nppŏp]〈名〉❶こぶし(拳)を使ってする運動または武芸. ❷拳法.

권-불십년【權不十年】[kwonbulshimnyŏn]〈名〉いかに強大な権力も十年を越せない《おごる平家久しからず》. 類화무십일홍(花無十日紅).

권사【勸士】[kwo:nsa]〈名〉〔基〕伝道を任務とするキリスト教の教職の一つ.

권선-징악【勸善懲惡】[kwo:nsŏn―]〈名〉勧善懲悪.

*__권세__【權勢】〈名〉権勢. 権力と勢力. 句例 ～를 자랑하다 権勢を誇る.

권세(를) 부리다 権勢を振るう. ＝권세(를) 피우다.

권속【眷屬】[kwo:nsok]〈名〉眷属〔眷族〕. 家族. 語例 일가 ～ 一家眷族.

권신【權臣】〈名〉権臣.

권외【圈外】[kwo:noe]〈名〉圏外. 文例 당선 ～로 밀려나다 当選圏外に押し出される. 對권내(圈内).

*__권위__【權威】[kwonwi]〈名〉権威. ❶権勢と威力. 句例 ～ 있는 월간 잡지 権威ある月刊雑誌. 文例 저 사람은 ～주의에 사로잡혀 있다 あの男は権威主義のとりこになっている. ❷(その道の)大家. オーソリティー. 句例 사계의 ～자 斯界の権威者.

*__권유__【勸誘】[kwo:nyu]〈名〉勧誘. **～하다**〈他〉勧める. 勧誘する. 句例 간절한 ～를 물리치다 切なる勧めを退ける / 출마를 ～하다 出馬を勧める.

권익【權益】[kwonik]〈名〉権益. 句例 ～을 옹호하고자 싸우다 権益擁護のために闘う. 語例 특수 ～ 特殊権益.

*__권장__【勸奬】[kwo:njang]〈名〉勧奨. **～하다**〈他〉勧奨する. 勧める. 句例 정부의 ～으로 육성되다 政府の勧奨によって育てられる.

권좌【權座】〈名〉権力の座. 句例 ～에 오르다 権力の座に就く.

권주【勸酒】[kwo:nju]〈名・하自〉酒を勧めること. 語例 ～가(歌) 酒を勧め〔献じ〕ながら歌う歌.

권총【拳銃】[kwo:nch'ong]〈名〉拳銃. ピストル. 短銃. 句例 ～을 들이대다 ピストルを突き付ける / ～을 겨누다 短銃をかまえる. 語例 ～ 강도 ピストル強盗.

권커니 작커니【勸―酌―】[kwo:nk'ŏnijakk'ŏni] お互いに杯のやり取りをして飲むさま. 文例 둘이서 ～ 밤늦도록 술을 마셨다 二人で夜更けまで杯を交わしつつ飲んだ.

권태【倦怠】[kwo:nt'ae]〈名〉倦怠. 句例 ～를 느끼다 倦怠を覚える〔感じる〕. 語例 ～감 倦怠感 / ～기 倦怠期. **～롭다** (→롭다)〈形〉飽き飽きしていやである. 気だるい.

권토-중래【捲土重來】[kwo:nt'ojungnae]〈名・하自他〉捲土重来. 文例 ～를 기하고 일단 물러나다 捲土重来を期していったん退く.

**__권투__【拳鬪】[kwo:nt'u]〈名〉拳闘. ボクシング. 語例 ～ 경기 ボクシング試合 / ～계 ボクシング界 / ～ 선수 ボクサー / ～장(場) リング.

*__권-하다__【勸―】[kwo:nhada] (→하다)〈他〉勧める. 勧告する. 句例 독서를 ～ 読書を勧

める / 담배를 ~ タバコを勧める.

권한【權限】〈名〉権限. [句例] ~ 밖의 일 権限外のこと / 단속할 ~을 위임받다 取り締まる権限を委任される. [文例] 당신은 나한테 명령할 ~이 없다 あなたはわたしに命令する権限を持っていない. [語例] ~내 権限内.

궐 〔漢字項目〕

【厥】[高校] 궐 ケツ. ❶그 その. '其'와 뜻이 같음 '其'と同義. ◧厥初 궐초 けっしょ. ❷터키계(系)의 유목민 トルコ系の遊牧民. ◧突厥 돌궐 とっけつ.

궐기【蹶起】〈名・하自〉決起. [語例] ~ 대회 決起大会.

궐내【闕內】[kwollae]〈名〉宮中. 宮廷. =궁내(宮內). ㉾궐외(闕外).

궐련 [kwo:llyŏn]〈名〉[もとの語形は'권연(卷煙)'] 巻きタバコ. 紙巻きタバコ. シガレット. [句例] ~을 피우다 シガレットを吸う. [語例] ~ 물부리 シガレットホルダー.

궐석【闕席】[kwolssŏk]〈名・하自〉欠席. =결석(缺席). [語例] ~ 재판 欠席裁判.

궤【櫃】[kwe:]〈名〉櫃. 木箱. [語例] 쌀~ 米櫃.

궤간【軌間】[kwe:gan]〈名〉❶軌道の幅. ❷(鉄道の)軌間. ゲージ.

궤도【軌道】[kwe:do]〈名〉軌道. [句例] 전철의 ~ 電鉄の軌道 / 사업이 ~에 오르다 事業が軌道に乗る / ~를 벗어나다 軌道から外れる. [語例] ~차 軌道車.

궤멸【潰滅】[kwe:myŏl]〈名・하自〉壊滅. つい(潰)えること. [句例] 적군을 일시에 ~시키다 敵軍を一時に壊滅させる. [文例] 아군은 맥없이 ~되고 말았다 我が軍はもろくもつい去った.

궤변【詭辯】[kwe:byŏn]〈名〉詭弁. [句例] ~적 논리 詭弁的な論理 / ~을 일삼다〔농하다〕詭弁を弄する. [語例] ~가 詭弁家.

궤양【潰瘍】[kwe:yang]〈名〉〔醫〕潰瘍. [語例] 위~ 胃潰瘍.

궤-짝【櫃―】[kwe:tchak]〈名〉'궤'の俗っぽい言いかた. 櫃.

⁑귀〈名〉❶〔生〕耳. 耳朶. [句例] ~에 거슬리는 말 耳障りな話 / ~를 막다 耳を覆う〔ふさぐ〕/ ~를 기울이다 耳をそばだてる. [絵] / ~에 거슬리다 耳に逆らう. [文例] 아무리 타일러도 한 ~로 듣고 한 ~로 흘린다 いくら論しても右から左へ筒抜けだ.
❷'귓바퀴'の略: 耳介. 耳殻. [句例] ~가 크다 耳が大きい / ~가 쫑긋 선 개 耳が立った犬 / ~를 쫑긋거리다 耳をそばだてる / ~밑이 빨개지다 耳の根元が赤くなる.
❸['귀때'の略] (茶瓶などの)注ぎ口. [句例] 도가니의 ~ るつぼの注ぎ口.
❹(紙・織物などの)耳. [句例] 종이의 ~를 가지런히 하다 紙の耳をそろえる. [絵]
❺(針の)耳. めど. [語例] 바늘 ~ 針の耳. [絵]
❻(碁盤の)隅. [語例] 네 ~ 四隅.
❼(まとまった金額の)はした(端). [句例] 백만 원에 ~가 달린 금액 百万ウォンにはしたが付いた金額.

귀가 번쩍 뜨이다 (うまい話などに)引きつけられてはっとする.

귀가 보배다 耳が宝だ《耳学問をふざけていう語》.

귀가 솔깃해지다 耳寄りな話に聞き耳を立てる.

귀가 절벽이다 ❶耳が全然聞こえない. ❷(比喩的に)全く分からず屋である.

귀(가) 따갑다 '귀아프다'の意.

귀를 의심하다 耳を疑う.

귀에 걸면 귀고리, 코에 걸면 코고리 耳にかければ耳輪, 鼻にかければ鼻輪《ものは見方によってこうにもああにも取れる》.

귀에 못이 박이다 耳にたこができる. [文例] 그 말은 귀에 못이 박이도록 들었다 その話は耳にたこができるほど聞いた.

귀에 익다 耳慣れる. [句例] 귀에 익은 목소리 耳慣れた声.

〈귀〉

귀-【貴】〈頭〉貴…. ❶相手に対する敬称. [語例] ~교 貴校 / ~회사 貴会社. 貴社. ❷'尊い'の意. [語例] ~금속류 貴金属類.

귀 〔漢字項目〕

【歸(帰)】[中學] 귀 キ. ❶돌아가다 帰る. ◧歸還 귀환 きかん. 歸國 귀국 きこく. ◧復歸 복귀 ふっき. 不歸 불귀 ふき. ❷붙좇다 従う. ◧歸依 귀의 きえ. 歸順 귀순 きじゅん. ❸어떤 방향을 향해 움직이다 ある方向を指して動く. ◧歸趨 귀추 きすう.

【貴】[中學] 귀 キ. ❶귀하다 貴い. 지위가 높다 地位が高い. ◧貴人 귀인 きじん. 貴賤 귀천 きせん. ◧高貴 고귀 こうき. ❷값이 비싸다 値段が高い. ◧貴金屬 귀금속 ききんぞく. ◧騰貴 등귀 とうき. ❸존칭의 접두어로 쓰임 尊称の接頭語として用いられる. ◧貴國 귀국 きこく. 貴社 귀사 きしゃ.

【鬼】[高校] 귀 キ. ❶귀신 鬼. ㉠음의 신령 陰の神霊. ◧鬼神 귀신 きじん. きしん. ◧百鬼 백귀 ひゃっき. ㉡죽은 사람의 혼 死者の魂. ◧鬼哭 귀곡 きこく. ◧餓鬼 아귀 がき. ㉢사람에게 앙화를 내리는 귀신 荒ぶる神. ◧惡鬼 악귀 あっき. ❷도깨비 化け物. ◧鬼魅 귀매 きみ. 鬼門 귀문 きもん. ❸초인적인 능력이 있다 超人的な能力をそなえている. ◧鬼才 귀재 きさい. ◧神出鬼沒 신출귀몰 しんしゅつきぼつ.

【龜(亀)】[高校] 귀 キ. 구 キ. 균 キ. ◧〔귀〕거북 かめ. 거북 껍데기 かめの甲. ◧龜卜 귀복 きぼく. 龜甲 귀갑 きっこう.

きこう.
　■〔구〕 나라 이름 国の名.
　■〔균〕 (피부가) 트다 荒れる. 갈라지다 ひび割れる. ▮龜裂 균열 きれつ.

귀가【歸家】[kwi:ga]〈名〉帰宅. 帰り. 戻り. ~**하다**〈自〉(家へ)帰る. 帰宅する. 文例 요즘은 ~가 늦다 このごろは帰宅が遅い.

귀감【龜鑑】〈名〉亀鑑. かがみ(鑑). 句例 무인의 ~ 武人のかがみ / 민주 시민의 ~으로서 존경받다 民主市民の亀鑑として尊敬される.

귀-걸이 [kwigŏri]〈名〉❶耳当て. 耳袋. ❷'귀걸이 안경'の略. 語例 ~ 안경 フレームの代わりに糸を通して掛ける, 折り畳み式の眼鏡. ❸耳飾り. イヤリング. ＝귀고리.

귀결【歸結】〈名・하自〉帰結. 文例 ~되는 바는 꼭 같다 帰するところは同じである / 당연한 ~로서 当然の帰結として. 語例 ~점 帰結点.

귀결(을) 짓다 決着をつける.

귀경【歸京】〈名・하自〉帰京.

귀-고리〈名〉耳輪. 耳飾り. イヤリング.

귀공【貴公】[kwi:gong]〈代〉貴公. 文例 ~은 아주 훌륭하네 貴公は全く見上げたものだね.

귀-공자【貴公子】[kwi:gongja]〈名〉貴公子. 句例 ~다운 모습 貴公子のような風采. 貴公子然とした風采.

귀국【貴國】[kwi:guk]〈名〉貴国. 語例 ~ 정부 貴国政府.

귀국【歸國】[kwi:guk]〈名・하自〉帰国. 句例 ~길에 오르다 帰国の途につく. 文例 홍콩을 경유하여 ~하였다 ホンコンを経由して帰国した. 語例 ~선 帰国船.

귀-금속【貴金屬】[kwi:gŭmsok]〈名〉〔化〕貴金属. 語例 ~상 貴金属商.

귀기【鬼氣】[kwi:gi]〈名〉鬼気. 句例 ~가 섬뜩하니 감돌다 鬼気ひしひしと迫る.

귀-기울이다 [kwigiurida]〈自〉耳を傾ける〔澄ます〕. 聞き入る. 聞き耳を立てる. 句例 설교에 ~ 説教に聞き入る.

귀납【歸納】〈名・하他〉帰納. 句例 ~적 논리 帰納的論理. 語例 ~법 帰納法.

귀넘어-듣다 [kwinŏmŏdŭtta] (―들으니, ―들어서)〈他〉上の空で聞く. 聞き流す. 對귀담아듣다.

귀-담다 [kwidamtta]〈他〉聞いて肝に銘じる.

귀담아-듣다 [kwidamadŭtta] (―들으니, ―들어서)〈他〉注意深く聞く. 心して聞く. 對귀넘어듣다.

귀댁【貴宅】[kwi:daek]〈名〉貴宅. 貴家. お宅. 文例 ~의 만복을 빕니다 お宅のご多幸を祈ります.

귀두【龜頭】〈名〉亀頭. かりくび. カリ《俗》.

귀-따갑다 (귀따가우니, 귀따가워서)〈形〉❶(やかましい音で)耳がちくちくする. ❷(嫌になるほど聞かされて)耳にたこができる. ひどく耳に障る. 文例 그 이야기는 예전부터 귀따갑게 들어왔다 その話ならその昔から嫌になるほど聞いているよ.

귀-때기〈名〉'귀'の俗っぽい言いかた. 耳. 文例 ~를 갈겼다 耳をひっぱたいてやった.

귀-떨어지다 [kwittŏrŏjida]〈自〉(平たいものの)縁が欠ける.

귀떨어진 돈 縁の欠けたお札.

***귀뚜라미**〈名〉〔蟲〕こおろぎ. きりぎりす《雅》. 文例 부엌에서 ~가 귀뚤귀뚤 울고 있다 台所でこおろぎがころころと鳴いている.

귀띔〈名〉耳打ち. ほのめかし. ヒント. ~**하다**〈他〉耳打ちする. ほのめかす. 句例 ~을 받다 耳打ちされる. 文例 몸을 피하도록 살짝 ~해 주었다 身を避けるようこっそり耳打ちしてやった.

귀로【歸路】〈名〉帰路. 帰り道. 句例 ~에 오르다 帰路につく / ~에 들르다 帰りにたち寄る.

귀리 [kwi:ri]〈名〉〔植〕燕麦. からすむぎ(烏麦).

귀-머거리〈名〉耳の聞こえない人. 聴覚障害者.

귀-먹다〈自〉耳が遠くなる. 句例 귀먹은 할아버지 耳の遠くなったおじいさん.

귀먹은 체하다 聞こえない振りをする.

귀-밑〈名〉耳元.

귀밑-때기〈名〉'귀밑 耳元'の俗っぽい言いかた.

귀-밝다 [kwibakta]〈形〉耳ざとい. 耳が早い. 句例 잠~ 寝耳がさとい.
参考 '귀밝으니 耳ざといから' '귀밝고 耳ざとくて'は [kwibalgŭni], [kwibalkko]と読む.

귀-부인【貴夫人】[kwi:―]〈名〉貴夫人. 大奥方. ＝영부인(令夫人).

귀-부인【貴婦人】[kwi:―]〈名〉貴婦人.

귀빈【貴賓】[kwi:bin]〈名〉貴賓. 語例 ~석 貴賓席 / ~실 貴賓室.

귀-빠지다〈自〉'태어나다'の俗っぽい言いかた. 生まれ落ちる. 文例 오늘은 그가 귀빠진 날이다 今日は彼の誕生日だ.

귀-뿌리〈名〉耳の付け根.

귀사【貴社】[kwi:sa]〈名〉貴社.

귀-설다 (귀서니, 귀설어서)〈形〉耳慣れていない. 耳遠い. 初耳だ. 文例 귀선 목소리가 들려왔다 耳慣れない声が聞こえてきた / 그것은 귀선 이야기인데 それはあまり聞いてない話だね.

귀성【歸省】〈名・하自〉帰省. 帰郷. 文例 여름 휴가엔 ~할 생각이다 夏休みには帰省するつもりだ. 語例 ~객 帰省客 / ~ 열차 帰省列車.

귀소-성【歸巢性】[kwisossŏng]〈名〉〔動〕帰巣性. 回帰性. 句例 제비의 ~ つばめ(燕)の帰巣性.

귀속【歸屬】〈名・하自〉帰属. 文例 부정 축제는 국고에 ~한다 不正蓄財は国庫に帰属する.

귀순【歸順】〈名・하自〉帰順. 文例 ~해 와서 충성을 다했다 帰順して来て忠誠を尽くした. 語例 ~병 帰順兵.

***귀신**【鬼神】[kwi:shin]〈名〉鬼. ❶鬼神. ㉠死者の霊. ㉡(人に福または災いをもたらすという)霊. 鬼神. 句例 ~도 울리다 鬼神をも泣かしめる. 文例 ~이 곡(哭)할 일〔노릇〕이다 世にも不思議な出来事である / 돈만 있으면 ~도 부릴 수 있다《속담》地獄の沙汰も金次第.
❷ずば抜けた才能のある人. 鬼才. (その

道の)神様. [文例] 참으로 ~ 같다 全く鬼をも欺く技である / 그는 바둑에는 ~이라고 한다 彼は碁の神様といわれている.

귀신도 모른다 鬼すら全く知らない. だれも知らない.

귀신도 빌면 듣는다 鬼の目にも涙.

귀신(이) 들리다〔씌다〕 物の怪に取り付かれる. 神懸かりになる.

귀-싸대기〈名〉 横っ面. ほっぺた. びんた. [句例] ~를 후려갈기다 びんたを食わす.

귀-아프다 (귀아프니, 귀아파서)〈形〉(騒騒しくて)耳が痛い. (小言などが)聞きづらい. [文例] 그 말은 귀아프도록 들었다 その話なら耳にたこができるほど聞いた.

귀애-하다【貴愛―】[kwi:aehada] (→하다)〈他〉かわいがる. [句例] 손녀를 ~ 孫娘をとてもかわいがる.

귀얄〈名〉はけ(刷毛). [語例] ~ 자국 はけ目.

귀양〈名〉〔史〕[もとの語形は'귀향(歸鄕)'] 配流. 島流し. 流刑. [文例] ~ 땅의 이슬이 되었다더라 配所の露と消えたそうである. [語例] ⇨ 귀양살이

귀양(을) 가다 流刑にされる.

귀양(을) 보내다 流刑に処する. [句例] 먼 섬으로 ~ 遠島に流す.

귀양(을) 살다 配所暮らしをする.

귀양(을) 오다 流刑にされて来る.

귀양(이) 풀리다 流刑が解かれる.

귀양(을) 풀어 주다 流刑の罪人を釈放する.

귀양-살이 [―sari]〈名・하自〉〔史〕❶流刑暮らし. 島流しの生活. [句例] 쓸쓸한 ~ わびしい配所の暮らし. ❷へんぴな片田舎で世間とかけ離れて暮らすことのたとえ.

귀-어둡다 (귀어두우니, 귀어두워서)〈形〉❶耳が遠い. ❷(時代に遅れて)世事にうとい.

귀엣-말 [kwienmal]〈名・하自〉耳打ち. 内緒話. 耳雑談. [句例] ~을 하다 内緒話をする / 무언가 ~을 주고 받다 なにやらひそひそ話をする. [文例] ~로 살짝 전해 줬다 そっと耳打ちしてやった.

귀-여리다〈形〉人の話にすぐ乗る. [文例] 형은 귀여려서 남에게 잘 속는다 兄は耳うぶで人によくだまされる.

**귀여워-하다 [kwi:yŏwohada] (→하다)〈他〉かわいがる. いとおしむ. 慈しむ. [句例] 개를 ~ 犬をかわいがる / 외아들을 ~ 独り子を慈しむ.

귀염 [kwi:yŏm]〈名〉かわいらしさ. 愛らしさ. [文例] 동생은 누구에게나 ~을 받는다 弟はだれからもかわいがられる / 선생님의 ~을 독차지하다 先生の愛を独り占めしている. [語例] ~성(性) かわいらしいところ. かわいげ.

**귀엽다 [kwi:yŏpta] (귀여우니, 귀여워서)〈形〉かわいい. かわいらしい. いとしい《雅》. [句例] 귀여운 인형 かわいい人形. [文例] 새끼 강아지가 生まれ立ての小犬がかわいらしい.

귀여운 자식은 고생을 시켜라 かわいい子には旅をさせよ.

귀영【歸營】〈名・하自〉帰営. [語例] ~ 시간 帰営時間 / ~ 나팔 帰営ラッパ.

귀-울다 (귀우니, 귀울어서)〈自〉耳鳴りがする. 「鳴」.

귀-울음 [kwiurŭm]〈名〉耳鳴り. =이명(耳

귀의【歸依】〈名〉帰依. ~하다〈自〉帰依する. 帰する. [句例] 불도에 ~한 청년 仏道に帰依した青年. [語例] ~승 帰依僧 / ~심 帰依心.

귀이개〈名〉耳かき.

귀인【貴人】〈名〉貴人. [語例] ~상(相) 貴人の相.

귀임【歸任】〈名・하自〉帰任. [句例] 임지에 ~하다 任地に帰任する.

귀재【鬼才】[kwi:jae]〈名〉鬼才. [文例] 그는 보기 드문 문단의 ~이다 彼は世にまれな文壇の鬼才だ.

귀정【歸正】〈名〉正道に帰ること. [語例] 사필(事必)~ すべての物事は必ず正しきに帰する.

귀정(이) 나다 正しく結末がつく.

귀정(을) 짓다 正しく結末をつける.

귀족【貴族】[kwi:jok]〈名〉貴族. [句例] ~티가 나다 貴族臭を吹かす. [文例] ~ 집안에서 자랐다 貴族の家柄で育った / 몰락한 ~은 처량하다 没落した貴族の様は見られないものだ. [語例] ~ 계급 貴族階級 / ~적 貴族的. ノーブル / ~ 정치 貴族政治.

귀중【貴中】[kwi:jung]〈名〉御中. [語例] 교육부 ~ 文部省御中.

*귀중【貴重】[kwi:jung]〈名〉貴重. 珍重. ~하다〈形〉貴重だ. 尊い. 大切だ. [句例] ~하게 여기다 珍重がる. [文例] ~한 연구 자료를 사장시키고 있다 貴重な研究資料を死蔵させている / ~한 보물을 잃고 낙담하다 貴重な宝物を無くして気落ちする. [語例] ~품 貴重品. ~히〈副〉大切に.

귀-지 [kwi:ji]〈名〉耳あか. 耳くそ.

귀지【貴誌】[kwi:ji]〈名〉貴誌. [句例] ~의 논설 貴誌の論説.

귀지【貴紙】[kwi:ji]〈名〉貴紙. [句例] ~의 보도에 따르면 貴紙の報道によれば.

귀착【歸着】〈名〉帰着. ~하다〈自〉帰着する. 帰する. 行き着く. [句例] ~점은 하나이다 帰着点は一にして二にあらず.

*귀찮다 [kwich'ant'a]〈形〉['귀치 않다'の略] 厄介だ. 面倒だ. うるさい. 煩わしい. [句例] 아주 ~ とても面倒臭い / 귀찮게 묻다 うるさく聞きただす / 귀찮으시겠지만 ご不承でしょうが / 귀찮게 굴다 うるさがせる. [文例] 귀찮은 일을 떠맡다 厄介な役をしょい込む / 귀찮은 것은 피차 매일반이다 厄介なことはお互いさまである / 나이를 먹으니 만사가 ~ 年をとると何もかもおっくう(億劫)だ.

[參考] '귀찮으니 うるさいから' '귀찮게 うるさく' は [kwich'anŭni], [kwich'ank'e]と読む.

귀책【歸責】〈名〉帰責. [語例] ~ 사유 帰責事由.

귀천【貴賤】[kwi:ch'ŏn]〈名〉貴賤. 尊卑. [句例] 상하 ~의 차별 上下貴賤の別. [文例] 직업에는 ~이 없다 職に貴賤なし.

귀-청 [kwich'ŏng]〈名〉鼓膜. [句例] ~이 떨어지다 鼓膜が破れる / ~을 찢는 듯한 폭음 耳をつんざくばかりの爆音. [文例] 시끄러워서 ~이

ㄱ

터질 것 같다 騒騒しくて鼓膜が破れそうだ.

귀추【歸趨】〈名〉帰趨. 成り行き. 句例 승패의 ～ 勝敗の帰趨 / 사안(事案)의 ～에 놀라다 事の成り行きにあきれる.

귀퉁이〈名〉❶耳元. ❷(物の)角や隅. 句例 방의 네 ～ 部屋の四隅. 文例 책상 ～에 부딪쳤다 机の角にぶつかった.

귀하【貴下】[kwi:ha]〈名・代〉貴下. (手紙で)様. 殿.

***귀-하다**【貴―】[kwi:hada] (→하다)〈形〉❶(身分・地位などが)高い. 尊い. 句例 귀하신 어른 尊いお方. ❷まれだ. 珍しい. 句例 귀한 물건 珍しい物. 文例 귀한 선물을 받았다 珍しい品をいただいた. ❸かわいらしい. **귀히**〈副〉尊く. 珍しく. かわいらしく.

귀한 자식 매로 키워라 かわいい子には旅をさせよ.

귀한【貴翰】[kwi:han]〈名〉貴翰. ＝귀함(貴函).

귀함【貴函】[kwi:ham]〈名〉貴簡. お手紙. ＝귀한(貴翰). 귀찰(貴札). 文例 어제 ～을 배접하였습니다 きのう貴簡を拝接いたしました.

귀함【歸艦】〈名・하自〉帰艦. 文例 출격한 함재기가 모두 ～하였다 出撃の艦載機がみな帰艦した.

귀항【歸航】〈名・하自〉帰航. 文例 그 배는 ～길에 올랐다 その船は帰航の途についた.

귀항【歸港】〈名・하自〉帰港.

귀향【歸鄕】〈名・하自〉帰郷. 帰国. 帰村. 文例 여름 방학에는 ～할 생각이다 夏休みには帰郷の予定だ / 가정부가 ～하고 없다 お手伝いさんがくにに帰っていない.

귀화【歸化】〈名・하自〉帰化. 句例 한국에 ～한 미국인 韓国に帰化したアメリカ人 / ～를 허가받다 帰化を許される. 語例 ～민 帰化民 / ～ 식물 帰化植物.

귀환【歸還】〈名〉帰還. **～하다**〈自〉帰還する. 引き揚げる. 文例 나는 전달에 외국에서 ～하였다 わたしは先月外国から帰った. 語例 ～병 帰還兵 / ～시키다 帰らせる. 帰還させる. 呼び戻す.

귀휴【歸休】〈名・하自〉帰休. 語例 ～병 帰休兵 / ～ 제도 帰休制度.

귓-가〈名〉耳元. 耳の周り.

귓가로 듣다 聞き流す.

귓-결〈名〉聞きばさみ. ふと耳にすること. 文例 언뜻 ～에 들었다 ちらりと耳にした.

****귓-구멍**〈名〉耳の穴. 句例 ～을 후비다 耳の穴をほじくる.

귓구멍이 넓다 耳の穴が広い. (人の言うことに)だまされやすい.

귓-바퀴〈名〉耳介. 耳殻. 句例 ～로 소리를 받다 耳殻で音を受けとる.

귓-불〈名〉耳たぶ.

귓-속〈名〉耳のなか. 内耳. 文例 그들은 무언가 ～말을 주고 받고 있었다 彼らは何かひそひそ語っていた. 語例 ～말 耳打ち / ～질 告げ口.

귓-전〈名〉耳元. 句例 ～에 대고 속삭이다 耳元でささやく.

귓전으로 듣다 うわの空で聞く. 聞き流す.

규 〔漢字項目〕

【叫】高校 규 キョウ. 부르짖다 叫ぶ. 울부짖다 泣き叫ぶ. ■叫喚 규환 きょうかん. ■絶叫 절규 ぜっきょう.

【規】高校 규 キ. ❶원을 그리는 도구 円をえがく道具. 컴퍼스 コンパス. 전하여, 표준・규칙・법 転じて, 標準・きまり・法. ■規則 규칙 きそく. 規約 규약 きやく. ■內規 내규 ないき. 法規 법규 ほうき. ❷바로잡다 正す. ■規正 규정 きせい. 規戒 규계 きかい. ❸본뜨다. 모범으로 삼다 手本にする. ■規範 규범 きはん. 規準 규준 きじゅん.

【閨】高校 규 ケイ. ❶부녀가 거처하는 방 婦人の部屋. 침실 ねや. ■閨房 규방 けいぼう. 閨中 규중 けいちゅう. ■深閨 심규 しんけい. ❷부녀자 婦女子. ■閨秀 규수 けいしゅう. 閨閥 규벌 けいばつ.

규격【規格】〈名〉規格. 句例 ～화하다 規格化する / ～에 맞다 規格に合う. 語例 ～품 規格品 / ～ 통일 規格統一 / ～판 規格判.

규명【糾明】[kyu:myŏng]〈名〉糾明. **～하다**〈他〉糾明する. 正す. 究める. 句例 진상을 ～하다 真相を究める / 죄를 ～하다 罪を正す / 사건의 동기를 ～하다 事件の動機を糾明する. 文例 그 약품의 본질을 철저히 ～해 냈다 その薬品の本質を極め尽くした.

***규모**【規模】〈名〉規模. 構え. 文例 전국적인 ～로 부정이 이루어졌다 全国的な規模で不正がなされた / 대～의 연구로 그것이 밝혀졌다 大仕掛けの研究によってそれが解き明かされた / 어느 쪽이나 부자지만 ～가 다르다 どちらも金持ちではあるがけた(桁)が違う / 그는 ～가 큰 회사에 근무하고 있다 彼は大手筋に勤めている.

규방【閨房】〈名〉閨房. ねや(閨). 語例 ～ 문학 閨房文学.

***규범**【規範】〈名〉規範. 句例 ～적 행위 規範的行為 / ～에 따르다 規範に従う. 語例 사회 ～ 社会規範.

규사【硅砂】〈名〉けい砂. 石英砂.

규산【硅酸・珪酸】〈名〉〔化〕けい酸. 語例 ～ 나트륨 けい酸ナトリウム / ～염 광물 けい酸塩鉱物.

규석【硅石】〈名〉けい石.

규소【硅素・珪素】〈名〉〔化〕珪素. 語例 ～강 珪素鋼 / ～ 수지 珪素樹脂.

규수【閨秀】〈名〉❶娘. ＝처녀. ❷けいしゅう(閨秀). 学芸に優れた女性. 語例 ～ 작가 けいしゅう作家 / ～ 화가 けいしゅう画家.

규약【規約】〈名・하自〉規約. 句例 ～의 대강 規約の大綱 / ～을 고치다 規約を改める〔直す〕/ ～을 정하다 規約を定める. 語例 ～ 위반 規約違反.

규율【規律】〈名〉規律. 句例 ～ 바른 생활 規律正しい生活.

규정【規定】〈名・하他〉規定. 決まり. おきて(掟). 定め. 句例 특별한 ～이 없는 한 特別の定めなき限り. 語例 사무 ～ 事務規定.

규정(을) 짓다 規定する.

규제【規制】〈名・하他〉規制. [文例] 그 일은 법률로써 ~하였다 そのことは法律で規制した. [語例] 교통 ~ 交通規制.
규조【硅藻】〈名〉〔植〕珪藻. [語例] ~석 珪藻石 / ~토 珪藻土.
규중【閨中】〈名〉閨中. ねや(閨)の内. 深窓. [語例] ~ 처녀 深窓の娘. 箱入り娘.
***규칙**【規則】〈名〉規則. 決まり. おきて. [句例] ~ 바르게 規則正しく. きちんと / ~에 들어 맞다 規則に当てはまる / ~에 따라서 움직이다 規則通りに動く. [文例] 회사에서는 ~만 내걸고 속박만 할 뿐이다 会社では規則一点張りで縛るばかりだ. [語例] ~ 동사 規則動詞 / 내근 ~ 内勤規則 / 야구 ~ 野球のルール.
규탄【糾彈】[kyu:t'an]〈名・하他〉糾弾. [句例] 시청의 비리(非理)를 ~하나 市役所の非を糾弾する.
규합【糾合】[kyu:hap]〈名・하他〉糾合. [句例] 동지를 ~하다 同志を集める.
균【菌】〈名〉菌. ❶'균류'の略. ❷'세균'の略. ❸'병균'の略. [文例] 병원~을 찾아냈다 病原菌を探し出した.

균 〔漢字項目〕

【均】[中學] 균 キン. ❶평평하게 하다 平たくする. 고르게 하다 ならす. ■均整 균정 きんせい. 均衡 균형 きんこう. ■平均 평균 へいきん. ❷같다 等しい. 고르다 一様だ. ■均一 균일 きんいつ. 均等 균등 きんとう.

【菌】[高校] 균 キン. ❶버섯 きのこ. ■菌類 균류 きんるい. 菌絲 균사 きんし. ❷세균 細菌. ■病菌 병균 びょうきん. 殺菌 살균 さっきん.

균【龜】⇨ 귀【龜】
균등【均等】〈名〉均等. **~하다**〈形〉均等だ. [句例] ~하게 할당하다 均等に割り当てる. [語例] 기회 ~ 機会均等. **~히**〈副〉等しく. 均等に.
균류【菌類】[kyunnyu]〈名〉〔植〕菌類.
균배【均配】〈名・하他〉均等に分けること.
균분【均分】〈名・하他〉均分. [文例] 재산을 자식들에게 ~하다 財産を子らに均分する. [語例] ~ 상속 均分相続.
균사【菌絲】〈名〉〔植〕菌糸. [句例] 버섯의 ~ きのこの菌糸. [語例] ~체 菌糸体.
균열【龜裂】[kyunyŏl]〈名・하自〉亀裂. 裂け目. ひび割れ. クラック. [句例] ~이 생기다 亀裂が入る. [文例] 북쪽 벽에 ~이 생겼다 北側の壁にクラックが生じた / 지진이 나면 흔히 ~이 생긴다 地震ではよく亀裂が生じる.
균일【均一】[kyunil]〈名〉均一・均一. 一様. **~하다**〈形〉均一だ. 一様だ. [句例] 천원 ~ 千ウォン均一 / ~하게 나누다 等しく分ける. 均分する. [語例] ~제 均一制 / ~ 요금 均一料金 / ~ 세일 均一セール.
균점【均霑】〈名・하他〉均霑. [句例] 이익의 ~ 利益の均霑.
균질【均質】〈名〉均質. [語例] ~로(爐)〔工〕均質炉.
***균형**【均衡】〈名〉均衡. 釣り合い. 平衡. バランス. [句例] 수급의 ~을 잡다 需給のバランスをとる / ~을 유지하다 釣り合いを保つ / ~을 잃다 平衡を失う. [語例] ~ 예산 均衡予算 / ~ 재정 均衡財政.
****귤**【橘】〈名〉みかん(蜜柑)類の総称. [句例] ~ 껍질을 벗기다 みかんの皮をむく. [語例] ~ 상자 みかん箱 / ~나무〔植〕たちばな(橘). みかんの木.
****그** ■〈冠〉その. あの. [句例] ~ 시절에 있었던 일 その〔あの〕ころにあったこと. [文例] ~대로 하다니 その〔あの〕ままにするとは / ~ 일 말입니까 あの事ですか / ~ 말을 들으면 면목이 없다 その話を言われると全く面目がない / ~ 자리를 얼버무려 모면했다 その場を何とかつくろって言い逃れた / ~ 이야기는 어떻게 되었느냐 くだんの〔その, 例の〕話はどうなったのかね. [語例] ~ 일 その〔あの〕事. その件 / ~ 날 あの〔その〕日 / ~처럼 その〔あの〕ように.
■〈代〉❶['그 이・그 사람'の略] 彼. [文例] ~가 무슨 학자란 말이냐 彼がなんと学者と言えるものか. ❷['그것'の略] それ. [句例] ~와 꼭 같은 물건 それ〔あれ〕と全く同じ物.
그-간【一間】〈名・副〉 その間・あいだ. その辺. [文例] ~의 경위는 잘 모르겠다 その間のいきさつはよく分からない.
****그-거**〈代〉'그것'の略. [文例] ~ 참 좋구나 それはほんとうにいいね / 아아, ~ 말이냐 あ, そのことかね.
그-건 ['그것은'の略] それは. そのもの〔件〕は. [文例] ~ 멀쩡한 속임수다 それは全くのいんちきである.
[表現] 語感の小さい語は'고건'.
그-걸 ['그것을'の略] それを. そのもの〔件〕を. [文例] 난 이제껏 ~ 모르고 있었다 わたしは, いまだにそれを知らずにいた.
[表現] 語感の小さい語は'고걸'.
그걸-로 ['그것으로'の略] それで.
****그-것** ❶〈代〉それ. そ《雅》. 略して'그. 그거'ともいう. [文例] 바로 ~일세 まさしくそれだよ / ~을 집어 주게 それを取っておくれ / ~도 그렇군 それもそうだね. ❷〈代〉그 사람 'その人'を見下げて言う語. [文例] ~의 말에도 일리가 있다 それ〔そいつ〕の言葉にも一理はある.
[表現] 語感の小さい語は'고것'.
그-게 ['그것이'の略] それが. [文例] ~ 어쨌단 말인가 それがどうしたと言うのかね.
그-글피〈名〉しあさって. 明明後日. やのあさって. [文例] ~에 빚을 갚는다고 하였다 しあさってになって, 借金を返すと言った.
그-까짓〈冠〉それしき(の). それぐらいの. その程の. 略して'그깟'ともいう. [句例] 겨우 ~ やっとそれしき(の). [文例] 뭘 ~ 걸 가지고 그러느냐 なんのそれしきの事で, もたつくのかね / ~ 것은 아무 것도 아니야 そんな事などへ(屁)のかっぱさ / ~ 일은 잊어버려라 それしきの事など忘れたまえ.
그-나마〈副〉それさえ(も). それまでも. それも. [文例] ~ 안 주더군요 それさえもくれませんでした / ~ 많기나 했으면 좋았는데 それにしても多くさえあればまだいいのだが.
그-날〈名〉その日. 当日. 即日. [句例] ~의 매상고 当日の売り高 / ~로 처리하다 即日に片付ける. [文例] ~ 밤으로 귀향해 버렸다 即夜

ㄱ

帰郷してしまった.

그날-그날 〈名・副〉その日その日. [文例] ～ 겨우 벌어먹고 사는 신세다 その日その日の稼ぎでやっと食いつないで行く身である.

*__그냥__ 〈副〉❶そのまま. ありのまま(に). ただ(で). [文例] 그 책은 ～ 두어라 その本はそのままにして置け / 거짓말을 하면 ～은 안 두겠다 うそをついたら,ただでは置かないぞ. ❷そのまま〔ずっと〕続けて. [文例] ～ 울기만 한다 ずっと泣いてばかりいる / ～ 이기기만 하였다 ずっと勝ち続けていた. ❸ただで. 無料で. [文例] ～ 드리지요 ただで差し上げましょう.

**__그네__ [kŭ:ne] 〈名〉ぶらんこ. 鞦韆. [語例] ～ 뛰기 ぶらんこ乗り / 그넷줄 ぶらんこの綱.

그네(를) 뛰다 ぶらんこ乗りをする.

그네-들 〈代〉その人たち. 彼ら.

*__그늘__ 〈名〉❶陰. 物陰. [句例] ～을 던지다 陰をおとす. [語例] 나무 ～ 木陰.[絵] / ～ 말림 陰干し. ❷(親または人の)もと(下). 庇護. [文例] 부모(의) ～에서 지내고 있다 親のもとで暮らしている. 親のすねをかじっている.[絵] ❸(人目にふれない)日陰. [句例] ～의 사나이 日陰の男.

그늘(이) 지다 ❶陰ができる. 陰になる. [句例] 그늘진 곳에서 쉬다 物陰で休む. ❷(陰に隠れて)表立たない. ❸(性格などが)陰気である. [文例] 그녀의 얼굴은 늘 그늘져 있었다 彼女の顔にはいつも陰があった.

〈그늘〉

그-다지 〈副〉さして. 大して. それほど. 別に. 特別(に). あまり. ＝별로. [句例] ～ 뜨겁지 않다 さして熱くない / ～ 멀지 않다 大して遠くはない. [文例] ～ 슬퍼할 일이 아니다 それほど悲しむべきことでない / ～ 가고 싶지는 않다 それほど行きたくはない / ～ 잘하지는 못했다 あまりうまくはなかった / ～ 곤란은 없습니다 大して困難はありません / ～ 싫진 않다 まんざらいやでもない.

그대 〈代〉❶'너 お前'と呼び捨てるにはかっこうの悪い間柄に使う文語体の語(('자네 君'よりはやや丁寧な語)). そなた. そち((雅)). そこもと. [句例] ～의 이름은 そちの名は. [文例] ～는 알고 있는가 そなたは知っているのかね. ❷(愛人の間柄で使う語)君. あなた. [句例] ～는 나의 생명 あなた〔君〕は我がいのち. [文例] 사랑하는 ～여 愛する君〔ひと〕よ.

*__그-대로__ 〈副〉そのまま(で). その通りに. [句例] 있는 ～ ありのまま(に). ありてい(に) / 문자 ～ 文字通り(に) / 옛날 ～의 풍습 昔ながらのしきたり. [文例] 정보가 ～ 귀에 들어왔다 情報が筒抜けに耳に入った / 나온 요리를 ～ 남겼다 出された料理をそっくり残した.
[表現] 語感の小さい語は'고대로'.

*__그득__ 〈副〉'가득'の語感の大きい語.

*__그-들__ 〈代〉❶彼ら. あれら. [文例] 그 곳이 바로 ～이 노리는 점이었다 そこが彼らの付け目だった / ～의 편견은 아주 뿌리 깊다 彼らの偏見はなかなか根強い. ❷それら. あれら.

그-따위 [一]〈名〉そんな種類(の物). [文例] ～는 본 적이 없다 そんな物は見たことがない.
[二]〈冠〉そのような種類の. [句例] ～ 버릇 そんな癖. [文例] ～ 잡동사니는 몽땅 내버려라 そんながらくたは皆捨ててしまえ.

*__그-때__ 〈名〉その時〔節・際〕. [句例] 바로 ～ ちょうどその時 / ～마다 その時ごと(に) / ～뿐인 약속 その場限りの約束. [文例] ～ 이후로 만나지 못했다 それ以来〔以降〕会えなかった / ～는 폐가 많았습니다 その節は大変お世話になりました / ～ 그의 나이는 스무살이었다 時に彼の年は二十であった.

그때-그때 〈副〉時時. その時その時. 折折. その都度. [文例] ～의 형편에 따라서 도와주었다 折おりの都合次第に手を貸してやった.

그라운드 〈名〉グラウンド. [語例] ～ 매너 グラウンドマナー. ◇ground

그라인더 〈名〉〔機〕グラインダー. 研削盤. ＝연삭기(研削機). ◇grinder

그래[1] 〈副〉❶['그러하여'の略] それで. [文例] ～ 가지고선 성공하기 힘들다 それで成功するとは虫がよすぎる. ❷'그리하여 そして. そうして'の意. [文例] ～ 넌 어떻게 할 셈이냐 そしてお前はどうするつもりなのかね.

*__그래__[2] 〈感〉❶目下に答える語: うん. あ. [文例] ～ 잘 알겠다 うん, よくわかった / ～ 지금 간다 あ, 今行くよ / ～ 그게 좋겠다 そう, それが良かろう. ❷'아 글쎄 それで. で'の意. [文例] ～ 그것도 못하느냐 で, それもできないのかい.

그래-그래 〈感〉目下に相づちを打つ語: うんうん. そうそう. [文例] ～ 잘 알았다 うんうん, よくわかった(よ).

**__그래서__ 〈副〉'그리하여서 そうして. そして. それで', '그러하여서 そういう訳で'の意. [文例] ～ 어떻게 하였느냐 それでどうしたのか(ね) / ～ 화가 났었느냐 そういう訳で怒ったのか / 자네는 ～ 병이 난거야 君はそれで病気になったのだよ / ～ 너는 뭐라고 대답했느냐 それで君はなんと答えたのか(ね).

그래야 ❶'그렇게 하여야 そうしなければ', '그러하여야 それでこそ'の意. [文例] 학생의 태도는 ～ 한다 学生の態度は(まさに)そうでなければいけない / ～ 자네는 성공할 수 있을 것이다 それでこそ君は成功するだろうよ. ❷'그래 보았자 いくら…でも. それにしても. せいぜい'の意. [文例] ～ 10만 원밖에 못 벌었다 それでせいぜい十万ウォンしか稼げなかった.

*__그래프__ 〈名〉グラフ. [語例] ～ 용지 グラフ用紙 / 막대 ～ 棒グラフ. ◇graph

그래픽 〈名〉グラフィック. [語例] ～ 디자이너 グラフィックデザイナー / ～ 디자인 グラフィックデザイン. ◇graphic

그랜드〈冠〉グランド. 大規模の. 大型の. 語例 ～ 오페라 グランドオペラ / ～ 피아노 グランドピアノ. ◇grand

그램〈依名〉〔數〕グラム. 語例 ～ 당량〔化〕グラム当量 / ～ 분자 グラム分子. ◇gram

그러고〈副〉そ(う)して. そんなにして. すると. 文例 ～도 학생이랄 수 있느냐 そんなにして学生と言えるのか / ～보니 속일 셈이었구나 さてはごまかす気だったね.

그러그러-하다 (→하다)〈形〉似たり寄ったりだ. まあまあのところ〔程度〕だ. そこそこだ. 大同小異である. 文例 그러그러한 물건들이다 似たり寄ったりの品ばかりである. 大した物ではない / 그의 시는 모두 ～ 彼の詩は皆まあまあのところだ.

그러기-에〈副〉['그러기 때문에'の略] だから. それで. 文例 ～ 내가 뭐라고 그러더냐 だから僕が何と言ったのかね / ～ 병이 난 것이 아니냐 それで病気になったのではないか.

***그러나**〈副〉'그렇지마는. 그러하지만 しかし. だが. けれど(も)'の意. 文例 ～ 말이야 だがね. だからね / ～ 말입니다 しかしですね / 겉으로는 그럴듯하지만 ～ 실속은 형편 없어 見掛けはいけるが, しかし中身は全然だね.

그러나-저러나 '그러하나 저러하나 いずれにしても', '어떻든 간에 いずれにせよ'の意: とにかく. ともかく. 文例 ～ 이것은 내 책임이다 いずれにせよ, これは, わたしの責任である.

***그러니**〈副〉'그러하니 だから'の意. 文例 ～ 어찌하면 좋겠느냐 だから, どうすればいいのかね.

***그러니까**〈副〉'그러하니까 だから. それ故に'の意. 文例 ～ 내 말대로 하시오 だからわたしの言う通りにしなさい / ～ 내가 뭐라고 그랬더냐 だから言わないことじゃないか / ～ 돈이 모인다 それなればこそ, 金がたまるのだよ.

***그러다** ['그렇게 하다'の略] そうする. そのようにする.

***그러다가** ['그렇게 하다가'の略] そうするうちに(もしや). そうして. そのようにして. 文例 ～ 다치기나 하면 어쩌느냐 そうして怪我でもしたらどうするかね.

그러-당기다〈他〉かき寄せる.

그러매 ['그러하매'の略] それだから. それで. そういう訳で.

***그러면**〈副〉'그렇다고 하면 それなら. して見ると. すると', '그렇게 될 것 같으면 そのようになれば. そういう訳なら', '그렇게 하면 そうすれば'の意. 文例 ～ 갔다 오겠습니다 (それ)じゃ行って参ります / 구하라, ～ 얻을 것이다 求めよ, しからば与えられん / ～ 시작합시다 では始めましょう.

그러면 그렇지 結局思った通りになって快哉をあげる語: やっぱり(そう)だ. 思った通りだ. 文例 ～ 내 말에 틀림이 있나 やっぱりそうだ, わたしの言った通りだ / ～ 해서 안 될 리가 있나 やっぱりそうだった, 手を出してできないはずはない.

***그러면서**〈副〉❶'그러하면서 それなのに'の意. 文例 ～ 왜 거기에 안 갔느냐 それなのになんでそこに行かなかったのか. ❷'그렇게 하면서 そうしながら'の意. 文例 ～ 연락선을 탔다 そうしながら, 連絡船に乗り込んだ.

그러-모으다〈他〉(散らばっているものを)かき集める. かき込む. 句例 낙엽을 ～ 落ち葉をかき集める / 희망자를 ～ 希望者を駆り集める.

***그러므로**〈副〉'그러한 까닭으로. 그런 고로 (それ)故(に). だから. ために'の意. 句例 ～ 해서 それだから(こそ). 文例 ～ 그 건에서 손을 떼겠다 だからその件から手を抜くよ.

***그러자**〈副〉'그렇게 하자 そうすると. そうするや', '그러하자 すると'の意. 文例 ～ 그가 놀라 일어났다 そうするや彼は驚いて立ち上がった.

그러잖아도 [kŭrŏjanado] ❶['그러하지 아니하여도'の略] そうでなくても. 文例 ～ 가려던 참이었다 そうでなくても行こうとしていたところだ. ❷['그리하지 아니하여도'の略] そうしなくとも. 文例 ～ 된다 そうしなくとも結構だよ.

그러-잡다〈他〉引き寄せてつかむ. ひっつかむ. 句例 손을 ～ 手を引っつかむ.

그러저러-하다 (→하다)〈形〉かくかくである. しかじかである. 句例 그러저러한 사람들 かくかくの人びと / 그러저러한 사정으로 しかじかの事情で.

그러-쥐다〈他〉ひっつかむ. 句例 로프를 ～ ロープをひっつかむ.

***그러-하다**〈形〉その通りだ. そのようだ. 句例 그러한 사람 そのような人 / 그러한 까닭에 そのような訳で. 文例 세상이란 그러한 것이다 世の中とはそういうものだ.

그러하고 말고 そうだとも. 略して'그렇고 말고'ともいう. 文例 암, ～ ああ, そうだとも.

그러한-즉〈副〉❶'그러하니 だから', '그러하니까 それ故に'の意. 文例 사정이 ～ 양해하게 そういう訳だから諒解してくれや / ～ 학비를 못 보내겠다 だから学費を送れない.

***그럭-저럭**〈副·하自〉❶とかく. かれこれ. どうやらこうやら. 文例 ～ 벌써 여섯 시가 되었네 かれこれすでに六時である / ～ 일도 끝나 간다 どうやら仕事も終わりに近づいた / ～ 정오가 됐네 そろそろお昼になったね. ❷どうにかこうにか(して). 文例 덕분에 ～ 지내고〔꾸려나가고〕있습니다 おかげさまでどうにかやっています.

***그런**〈冠〉['그러한'の略] そんな. 句例 ～ 사람 そんな人. 文例 ～ 사실 없다 そんな事実はない / 남자란 ～ 거다 男とはそういうものさ / ～ 말을 불쑥 꺼내면 곤란하다 そんなことをやみくもに言い出されては困る / ～ 짓을 하면 긁어 부스럼이 된다 そんなことをするのはやぶ蛇だよ.

그런 대로 '그러한 대로 それなりに. せめても(の)'の意. それなりに認められるさま. 文例 ～ 노력은 하였다 それなりに努力はしたつもりだ / 수입은 많지 않으나 ～ 살아가고 있다 収入は少ないがそれなりに暮らしている / ～ 위안이 되었다 せめてもの慰みになった.

그런-고로【一故一】〈副〉'그러므로 それ故に, 従がって'の意の接続副詞. 文例 나는 생각한다, ～ 존재한다 我思う, 故に我あり. 表現 やや古めかしい表現で, 書き言葉として用いられる.

****그런데**〈副〉'그러한데 ところで. ところが. しかる

に．さて'の意の接続副詞．略して'근데'ともいう．文例 ～ 그 건은 어떻게 되었나요 ところで，その件はどうなりましたか．

그런 양으로 [—nyang-ŭro] そのように．さように〔では〕．文例 ～ 한다면 용서할 수 없다 そのようにするなら，許す訳にはいかない．

그런-즉 〈副〉'그러한즉 であるから．だから．それ故に'の意．文例 ～ 너도 공부를 열심히 하여라 であるから，君も熱心に勉強しなさい．

그럴-듯하다 [kŭrŏlttŭt'ada] (→하다) 〈形〉 ❶もっともらしい．まことしやかだ．句例 그럴 듯한 의견 もっともらしい考え．❷いき(粋)だ．すてきだ．いかす．句例 그럴듯한 스타일 いかすスタイル．

그럴싸-하다 (→하다) 〈形〉 ⇨ 그럴듯하다．文例 그럴싸하게 거짓말을 한다 まことしやかにうそをならべる．

*__그럼__ ❶〈副〉'그러면 (それ)では．じゃ．それならば'の意．文例 ～ 가세 では，行こうよ / ～ 안녕 じゃ，さよなら / ～ 부탁하네 じゃ，頼むよ．
❷〈感〉(答えて)そうだよ．そうだ．そうだとも．文例 이게 네 것이냐? ～ 그게 내꺼야 これがお前のものかね．そうだよ，それは僕〔わたし〕のものさ / ～ 그렇고 말고 ああ，そうだとも．

그렁-그렁 〈副〉 ❶液体が器にいっぱい満ちているさま：あふれそうに．なみなみと．**～하다** 〈形〉 あふれそうだ．こぼれそうだ．文例 눈물이 ～하다 涙がこぼれそうだ / 독에 물이 ～ 차 있다 かめに水があふれんばかりだ．❷(汁などが)水っぽいさま．**～하다** 〈形〉 水っぽい．(水などを飲み過ぎて)おなかがだぶつく．文例 뱃속이 ～하다 腹がだぶついている．

*__그렇게__ [kŭrŏk'e] 〈副〉 ['그러하게'の略] そのように．それ程．さほど．句例 ～ 말은 하지만 そのように言ってはいるが．そうは言うものの．文例 ～도 만나고 싶은가 それ程にも会いたいのかね / 그럼 ～ 하기로 정하세 では，そうすることに決めよう．

그렇고 말고 [kŭrŏk'o—] ⇨ '그렇다'の小項目

**__그렇다__ [kŭrŏt'a] (그러니，그러오) 〈形〉 '그러하다'の略：そうだ．その通りである．しか(然)り．句例 ～고 해서 されぱと言って / ～ 치고 …であるとして / 가령 ～ 치더라도 たとえそうであるとしても / ～고는 해도 …とはいえ．文例 그것은 ～ それはそうである / ～면 나도 찬성하겠다 そうならば僕も賛成するよ / ～면 더군다나 형편이 좋다 それならばなおのこと好都合だ．

그렇고 말고 '그러하고 말고'の略：そうだとも．文例 그녀가 예쁘기는 예쁜가? 암，～ 彼女はそれ程美しいのかね．うん，そうだとも．

그렇-듯 [kŭrŏt'ŭt] 〈副〉 '그렇듯이'の略．

그렇-듯이 [kŭrŏt'ŭshi] 〈副〉 ['그러하듯이'の略] そうであるように．それほど(に)．そのように．文例 너도 ～ 나도 그렇다 君もそうであるように僕も(やはり)そうなんだよ．

그렇잖다 [kŭrŏch'ant'a] 〈形〉 ['그러하지 아니하다'の略] そうで(は)ない．しからず．

*__그렇지__ [kŭrŏch'i] 〈感〉 ❶そうだとも．そうとも．❷(やっぱり)そうだ．思った通りだ．

그렇지-마는 [kŭrŏch'imanŭn] 〈副〉 '그러하지마는 それはそうだが．しかし．…だが'の意．文例 ～ 그건 잘못이다 しかしそれは間違いだ．

*__그렇지-만__ [kŭrŏch'i—] 〈副〉 '그렇지마는'の略：そうではあるにしても．しかし(ながら)．でも．だが．とは言え．文例 ～ 이상하구나 しかしおかしいね / ～ 나한테마는 털어놓았으면 좋았을 것을 でも，わたしにだけは，うち明けてくれたらよかったのにね．

그렇지 않다 [kŭrŏch'iant'a] 〈形〉 ['그러하지 아니하다'の略] そうではない．しからず．句例 그렇지 않아도 そうでなくとも．ただでさえ．文例 그렇지 않으면 큰 일 날뻔했다 そうでなかったら大変なことになったはずだよ．

그레코-로만 〈名〉 グレコローマン．語例 ～ 미술 グレコローマン美術．◇Greco-Roman

그려 〈助〉 同輩の言葉に同感を表わす語：…ですね〔な〕．…でしょうよ．文例 가 봅시다 ～ 行って見ましょうや〔よ〕/ 잘 하네～ うまいですね．上手ですな / 자네 말 잘 했네～ 君なかなかうまいことを言ったね / 걱정되겠네 ～ 心配でしょうね．

*__그루__ ❶〈名〉 (草木などの)株．
❷〈依名〉 ❶(木を数える)単位．文例 나무를 세 ～ 잘랐다 木を三株切り出した．❷(同じ耕地での年中の)作付けの回数．句例 두 ～ 농사 二毛作．二期作．語例 ～갈이 二毛作 / ～터기 切り株．

그룹 [kŭru:p] 〈名〉 グループ．語例 ～ 학습 グループ学習．◇group

그르다 (그르니，글러서) 〈形〉 ❶正しくない．誤って〔間違って〕いる．句例 옳고 그른 것 正しいことと悪いこと / 행실이 ～ 品行が正しくない．文例 네 생각이 글렀다 君の考え方は間違っている．❷(人・物事の)見込みがない．だめである．文例 회복되기는 글렀다 回復の見込みがない / 저 놈은 이제 글렀다 あいつはもうだめだね．

그르렁-거리다 〈自他〉 (息などが)ぜいぜいする．(のどなどが)ごろごろする．文例 목이 그르렁거려서 숨 쉬기가 힘들다 のどがぜいぜいして息苦しい．

그르치다 〈他〉 誤って事をしくじる．誤る．し損なう．句例 본말을 ～ 本末を誤る / 몸을 ～ 身を誤る / 평생을 ～ 一生を台なしにする / 서둘러서 일을 ～ せいて事をし損なう．

**__그릇__ 〈名〉 器．❶入れもの．容器．句例 ～에 (계란을) 담다 器に(卵を)入れる．絵 文例 사기 ～은 깨지기 쉽다 瀬戸物はもろい．語例 질～ 素焼き．❷(人物などの)大きさ．器量

그릇에 담다　　지도자로서의 그릇

〈그릇〉

器量. [句例] 지도자로서의 ~ 指導者としての器量. [絵] [文例] 그는 워낙 ~이 크다 彼は元来器が大きい / 그는 회장의 ~이 아니다 彼はとても会長の器ではない.

*그릇-되다 〈自〉 事がまずくなる. 間違う. 誤っている. [句例] 그릇된 생각 誤った考え.

*그리 〈副〉 ❶そう. そのように. たいして. [文例] ~ 하시오 そうしなさい / ~ 잘 하지는 못한다 たいしてうまくはない / 값은 ~ 비싸지 않다 値段はそう高くはない. ❷そこに. そちらへ. [文例] ~ 갔습니다 そちらへ行きました.

**그리고 〈副〉 '그리하여 そして. それから'·'또 また, 및 及び'の意. [句例] 즐겁게 ~ 또한 뜻깊게 楽しくそして有意義に. [文例] 싸워라, ~ 이겨라 戦え, そして勝て / 사과도 ~ 배도 좋아한다 りんごも, それからなし(梨)も好きだ.

그리니치-시 【Greenwich時】 〈名〉 グリニッチ時. 世界時.

*그리다[1] 〈他〉 恋しがる. ❶しのぶ. 会いたくてじれる. [文例] 벌레 소리에 고향을 ~ 虫の音にふるさとをしのぶ. ❷恋い慕う. [句例] 애타게 ~ 恋い焦がれる.

**그리다[2] [kŭ:rida] 〈他〉 描く. ❶(絵などを)描く. [句例] 산수화를 ~ 山水画を描く / 마음에 ~ 心に描く / 눈썹을 ~ まゆを引く / 도면을 ~ 図面を引く. ❷描写する. [句例] 그때의 광경을 그린 글 そのときの光景を表わした文章.

*그리도 〈副〉 それほど〔くらい〕. そんなに. [文例] 그녀가 ~ 좋으냐 彼女がそんなに好きかね.

*그리-로 〈副〉 '그 쪽으로 そちらの方へ'の意. [文例] ~ 가라 そちらへ行け.

그리마 〈名〉〔動〕 げじ(蚰蜒). げじげじ《俗》.

*그리스 [kŭri:sŭ] 〈名〉〔地〕 国の名: ギリシア. [語例] ~ 교회 ギリシア正教会 / ~ 문자 ギリシア文字 / ~어 ギリシア語. ◇Greece

그리스도 〈名〉〔宗〕 キリスト. [語例] ~교 キリスト教. ◇Christ

그리움 〈名〉 恋しさ. なつかしさ. [句例] ~을 못이기다 恋しさに耐え切れない.

그리워-지다 〈自〉 恋しくなる. 懐かしくなる. [文例] 그가 점점 더 그리워진다 彼がますますなつかしくなる.

그리워-하다 (→하다) 〈他〉 恋しがる. 懐かしがる. しのぶ. [句例] 그녀의 모습을 ~ 彼女の面影をしのぶ. [文例] 미국에 가신 어머니를 ~ アメリカに行った母を慕う.

그리-하다 (→하다) 〈自他〉 そのようにする. そうする. [文例] 그리하여라 そのようにしなさい. [語例] 그리하여(서) そのようにして. そうして.

그린 [kŭri:n] 〈名〉 グリーン. [語例] ~ 벨트 グリーンベルト. 緑地帯 / ~ 하우스 グリーンハウス. ◇green

**그림 [kŭ:rim] 〈名〉 絵. [句例] ~을 그리다 絵を描く / ~ 책을 보다 絵本を見る. [語例] ~ 글자 絵文字 / ~ 그래프 絵グラフ / ~ 물감 絵の具. 顔料 / ~본(本) 絵の手本. 模本 / ~엽서 絵葉書 / ~ 일기 絵日記.

그림에 떡 絵にかいたもち(餅). 高嶺の花.

**그림자 〈名〉 影. ❶物に遮られて光または風雨などの当たらない所. [句例] ~가 비치다 影が差す. [語例] 산 ~ 山の影. ❷(鏡や水の面などに映った物の)像. [文例] 물에 비친 자기 ~를 보았다 水に映った自分の影を見た. ❸人影. [文例] (사람) ~도 볼 수 없다 人影すら見えない.

그림-쟁이 [kŭ:rim—] 〈名〉 '화가 画家'の俗っぽい言いかた: 絵かき. =환쟁이.

*그립다 (그리우니, 그리워서) 〈形〉 恋しい. 懐かしい. [句例] 그리운 사람 恋しい〔懐かしい〕人 / 그리운 추억 懐かしい思い出 / 고향이 ~ 故郷が懐かしい.

그만[1] 〈冠〉 ['그만한'の略] それくらいの. それ式の. [文例] ~ 일에 왜 화를 내느냐 それしきのことでなぜ怒るのかね / ~ 일로 울다니 それくらいのことで泣くとは.

**그만[2] [一] 〈副〉 ❶その程度だけ(にして). それくらいにして. [文例] ~ 해 두는 게 좋겠다 それくらいにしておいた方がよかろう / 자랑 좀 ~ 하게 ご自慢はいいかげんにしろや / ~ 돌아가자 もう帰ろうや. ❷すぐさま. 押さえ切れずに. [文例] 그 말에 ~ 화를 냈다 その話にすぐ怒り出した. ❸つい. うっかり. 思わず. [文例] ~ 입을 잘못 놀렸다 うっかり口を滑らした.

[二] 〈名〉 ❶申し分のないこと. 最高. [句例] ~이다 申し分ない. [文例] 자네는 이 일에 ~이야 君はこのことに関しては最高だよ. ❷おしまい. 終わり. [文例] 건물이 무너지면 ~이다 建物が崩れたらおしまいだぜ / 오늘은 이것으로 ~이다 今日はこれで終わりである.

그만그만-하다 (→하다) 〈形〉 '고만고만하다'の語感の大きい語.

*그만-두다 〈他〉 ❶やめる. 中止する. 差し控える. [句例] 이야기를 ~ 話をやめる / 회의를 ~ 会議をとりやめる / 학교를 ~ 学校を引く / 회사를 ~ 会社をやめる / 발표를 ~ 発表を差し控える. [文例] 그 일은 그만두겠소 その件からは手を引きます. ❷(食事などを)欠く. [文例] 점심은 그만두겠다 昼飯はとらないことにする. ▷略して'간두다'ともいう. [表現] 語感の小さい語は'고만두다'.

그만-저만 〈副〉 それくらいで. その程度で. ~하다 〈形〉 その程度のものだ. まずまずのところだ. [文例] 오늘(의) 매상액은 ~하다 今日の売り上げはまあまあのところだ.

*그-만큼 〈副〉 それくらい. それだけ. それ程. [文例] ~이나 크다 それくらい大きい.

그만-하다 (→하다) 〈形〉 ❶(病気などが)どうやら小康を保つ. [文例] 어머니 병세가 ~ 母の病気は(今のところ)まあまあである. ❷(程度・数量などが)その程度だ. ほぼ等しい. [文例] 그만한 돈은 내게도 있다 それくらいの金はおれにもある.

그맘-때 〈名〉 そのころ. その時分. [文例] ~가 되면 온다 その時分になればやって来る.

*그물 〈名〉 網. [句例] ~을 당기다 網を引く / 실로 ~을 뜨다 糸で網をすく〔編む〕 / ~에 걸리다 網にかかる / ~을 치다 網を張る〔打つ〕. [語例] 새 ~ 鳥網 / ~질 網打ち / ~코 網目.

그물에 든 고기 網にかかった魚《捕らわれの身となって逃げられぬ身のたとえ》.

그믐 〈名〉 ['그믐날'の略] みそか. つごもり. [句例]

~날 밤 みそかの夜. 語例 섣달 ~(날) おおみそか(大晦日) / ~께 みそかごろ.

그믐밤에 홍두깨 내민다 やぶから棒.

그-사이 〈名・副〉その間・かん. 略して'그새'ともいう.

그-새 〈名・副〉'그사이'の略.

그슬리다 [一]〈他〉'그스르다'の使役形: あぶりくすべる. いぶる. 表を軽く焼く. 句例 막대기를 ~ 棒をあぶる.
[二]〈自〉'그스르다'の受け身: あぶられる. 文例 촛불에 수염을 그슬렸다 ろうそくの火にひげをあぶられた.

그악-스럽다 (→스럽다)〈形〉(やり方などが)ひどい. あくどい.

그악-하다 [kŭak'ada] (→하다)〈形〉たちが悪い. あくどい. 悪らつだ. 句例 그악한 수법을 쓰다 悪らつな策を弄する.

그야 〈副〉['그것이야'の略] それは. そりゃ. 文例 ~ 사람 나름이지 そりゃ人様によりけりじゃ.

그야-말로 〈副〉❶まことに. 実に. 文例 ~ 힘든 일이었다 それこそ難しい仕事だった / ~ 크다 実に大きい. ❷['그것이야말로'の略] それこそ. 文例 ~ 안성맞춤이다 それこそおあつらえ向きだ / ~ 큰일인데 それこそ大変だな.

그예 〈副〉とうとう. ついに. 文例 ~ 큰일을 저질렀구나 ついに大事をしでかしたね / 그녀는 ~ 실성했다 彼女はとうとう気がふれた.

그윽-하다 [kŭŭk'ada] (→하다)〈形〉奥床しい. ❶(おもむきなどが)ゆかしい. 幽玄だ. (かおりなどが)馥郁としている. 句例 그윽한 산장 奥床しい山荘 / 그윽한 정취 ゆかしい情趣 / 그윽한 종소리 ものさびた鐘の音. ❷(意味などが)奥深い. **그윽히** [kŭŭk'i]〈副〉奥床しく.

***그을다** (그으니, 그을어서)〈自〉❶日焼けする. 句例 (햇볕에) 그을은 얼굴 日焼けした顔. ❷くすぶる. すすける. 文例 천장이 그을었다 天井がすすけている.

그을리다 〈他〉'그을다'の使役形. ❶日焼けさす. ❷くすぶらす. 句例 연기로 천장이 ~ 煙で天井がすすけている.

그을음 [kŭŭrŭm]〈名〉❶すす(煤). 句例 ~이 끼다 すすけている / 천장의 ~을 털어 내다 天井のすすを払う. ❷(すすなどで物の表にできた)よごれ. 墨. 句例 냄비의 ~ なべの墨.

그-이 〈代〉その人. 彼氏. ダーリン. 文例 당신의 ~는 멋진 분이시군요 あなたの彼氏はすてきなお方ね. 語例 ~들 彼ら. その人たち.

그-자 【一者】〈代〉'그 사람 その人'の意で相手を見下げて使う語: その者. 文例 ~가 한 짓이렸다 その者の仕業であろうな.

그-자리 〈名〉❶(ある出来事のあった)場所: その場. 文例 살인 사건으로 ~에 있었던 사람들은 모두 조사를 받았다 殺人事件の現場に居合わせた人たちは皆取調べを受けた. ❷即座. 当座. 文例 ~에서 계약했다 その場で契約を結んだ.

***그저** 〈副〉❶ひたすら(に). 一筋に. ただ. 文例 ~ 숨기기만 했다 ひた隠しに隠すばかりであった / ~ 울기만 했다 ただ泣くばかりであった. ❷なんの変哲もなく. いつもの通りに. ほんの. 文例 ~ 그렇게 지내네 なんの変哲もなく過ごしているよ / ~ 저의 성의 표시입니다 ほんのおしるしです. ❸(仕事の出来などの)まあまあ. まずまず. 句例 ~ 그만한 성적 まずまずの成績. 文例 ~ 그만하다 まあまあのところだ. ❹ただ. 無条件に. 文例 ~ 잘못했습니다 ただただ悪うございました / ~ 빌기만 했다 ひた謝りに謝るばかりであった. ❺ただ. 単に. 文例 ~ 물어 봤을 뿐이다 単に聞いてみただけだ / ~ 선생님 말씀에 따를 뿐이다 ただ先生のお言葉に従うだけだ. ❻どうか. なにとぞ. 文例 ~ 용서해 주십시오 どうかお許し願います. ❼それ見ろ. それ見たことか. 文例 ~ 그럴줄 알았지 それ見たことか.

⁑**그저께** 〈名〉昨日の前日. おととい. 一昨日. 略して'그제'ともいう. 語例 그저껫밤 おとといの夜〔晩〕.

그-전 【一前】〈名〉❶以前. 元(の). 句例 ~의 경험 以前の経験. ❷ひと昔(前). 文例 ~에는 여기가 논이었다 ひと昔前には, ここが水田であった. ❸ある時期の前. その前. この前. 文例 ~에는 그도 부자였다 その前までは彼も物持ちであった.

***그제** 〈名〉'그저께'の略.

***그제-야** 〈副〉その時になってからやっと. (…して)始めて. 文例 ~ 말문을 열었다 その時になってからやっと口を割った / 어머님이 돌아가시자 ~ 고마움을 알게 되었다 母が亡くなってから始めてありがたさが分かった.

그-중 【一中】[一]〈名〉その中. 文例 나도 ~의 한 사람이다 僕もその中の一人である.
[二]〈副〉中でも. なかんずく. とりわけ. 文例 저것이 ~ 낫다 あれがとりわけ良い / 그는 이걸 ~ 좋아했다 彼は中でもとりわけこれを好んだ.

***그지-없다** [kŭjiŏpta]〈形〉❶限りがない. 極みない. 計り知れない. この上ない. 句例 그지없는 명예 この上ない名誉. 文例 부모의 사랑은 ~ 親の愛は極みない. ❷言い尽くせない. 文例 억울하기 ~ 憤懣極まりない.

***그지-없이** [kŭjiŏpshi]〈副〉限りなく. この上なく. 言い尽くせないほど(に). 句例 ~ 행복한 나날 この上なく幸せな日日.

⁑**그치다** [一]〈自〉やむ. 止まる. とどまる. 句例 비가 ~ 雨がやむ〔上がる〕/ 새 소리가 ~ 鳥の声がやむ. 文例 분쟁이 그치지 않고 있다 もめごとが治まっていない / 손님이 그칠 새 없다 来客の絶え間がない.
[二]〈他〉やめる. (ある状態に)とどめる. 句例 울음을 ~ 泣きやむ. 文例 문제점을 제기하는 데 ~ 問題点を挙げるにとどめる / 피해를 최소한으로 그치게 하다 被害を最小限にとどめる.

그토록 〈副〉['그러하도록'の略] それほど. あれほど. そんなに. さしも. 文例 ~ 사랑하였다 それほど愛していた / ~ 주의했는데도… あれほど注意しておいたのに….

극 〔漢字項目〕

【克】 高校 극 コク. ❶잘 하다 よくする. 해내다 できる. ■克明 극명 こくめい.

❷이겨내다 うち勝つ. ◨克己 극기 こっき. 克服 극복 こくふく. ◨상극 相克 상극 そうこく. 下克上 하극상 げこくじょう.

【劇】高校 극 ゲキ. ❶심하다 激しい. 극심하다 はなはだしい. ◨劇毒 극독 げきどく. 劇甚 극심 げきじん. 劇薬 극약 げきやく. ❷바쁘다 せわしい. ◨劇務 극무 げきむ. ❸연극 演劇. ◨劇團 극단 げきだん. 劇作 극작 げきさく. 劇畫 극화 げきが. ◨歌劇 가극 かげき. 悲劇 비극 ひげき. 西部劇 서부극 せいぶげき.

【極】中學 극 キョク. ゴク. ❶극에 달한 것 極み. 끝 はて. ◨極點 극점 きょくてん. 極地 극지 きょくち. 極限 극한 きょくげん. ◨南極 남극 なんきょく. 磁極 자극 じきょく. ❷진력하다 極めつくす. 다하다 極める. ◨極力 극력 きょくりょく. 極言 극언 きょくげん. 極樂 극락 ごくらく. ❸극히 極めて. 대단히 非常に. ◨極大 극대 きょくだい. 極度 극도 きょくど. 極貧 극빈 ごくひん. 極惡 극악 ごくあく. ❹임금의 자리 王位. ◨登極 등극 とうきょく. ❺별의 이름 星の名. ◨極星 극성 きょくせい.

극광【極光】〈名〉極光. オーロラ.

극구【極口】㊀〈名・하他〉口を極めること. 語例 ~ 변명 言葉を尽くして弁解すること / ~ 칭찬 口を極めてほめたたえること.
㊁〈副〉口を極めて. ことばを尽くして. 句例 ~ 반대하다 口を極めて反対する.

극기【克己】〈名・하自〉克己. おのれに克つこと. 語例 ~심 克己心.

***극단**【極端】〈名・하形〉極端. 極度. 句例 ~에 흐르다 極端に走る / ~적인 말투 極端な言いかた. 語例 ~론자 極端論者.

극단【劇團】〈名〉劇団. 句例 ~의 전속이 되다 劇団の専属になる / 새 ~을 조직하다 新しい劇団を組織する.

극단【劇壇】〈名〉劇壇. =극계(劇界).

극대【極大】〈名・하形〉極大. 語例 ~화 極大化 / ~값〔數〕極大値. 對극소(極少).

극도【極度】〈名〉極度. 句例 ~의 피로로 極度の疲労で. **~로**〈副〉極度に. 句例 병세가 ~로 악화하다 病勢が極度に悪化する.

극동【極東】〈名〉〔地〕極東. 語例 ~ 지방 極東地方. 類원동(遠東).

극락【極樂】[kŭngnak]〈名〉〔佛〕極楽. 善所. 句例 ~을 빌다 後生を願う. 語例 ~세계 極楽世界. 極楽浄土. 極楽往生.

극력【極力】[kŭngnyŏk] ㊀〈名・하自〉極力. ㊁〈副〉極力. できる限り. 句例 전쟁을 ~ 피하다 戦争を極力さける.

극렬【極烈】[kŭngnyŏl]〈名・하形〉❶極めて猛烈なこと. ❷極めて熱烈なこと. 語例 ~ 분자 猛烈分子. **~히**〈副〉激烈に.

극렬【劇烈】[kŭngnyŏl]〈名〉激烈. **~하다**〈形〉激烈だ. **~히**〈副〉激烈に.

***극복**【克服】〈名・하他〉克服. 句例 난관을 ~하다 難関を克服する〔乗り越える〕/ 곤경을 ~하다 苦境を乗り越える / 불황을 ~하다 不況を乗り切る.

***극본**【劇本】〈名〉脚本. 台本. シナリオ. =각본. 語例 ~ 읽기 読み合わせ. 本読み.

극비【極祕】〈名〉〔'극비밀'の略〕 極秘. 句例 ~에 부치다 極秘に付する. 語例 ~리에 極秘のうちに / 대외 ~ 対外極秘 / ~ 정보〔문서〕 極秘情報〔文書〕.

극빈【極貧】〈名・하形〉極貧. 赤貧. 句例 ~에 허덕이다 赤貧にあえぐ.

극성【極盛】〈名・하形〉❶極めて盛んなこと. 語例 ~기(期) 最盛期. 盛り. ❷性格が激しいこと.

극성(을) 떨다 '극성(을) 부리다'のこと.

극성(을) 부리다 ❶猛烈に行動する. 押しを通す. ❷(ある勢いが)猛烈を極める. =극성(을) 떨다. 句例 전염병이 ~ 伝染病が猖獗を極める.

극성-맞다【極盛―】〈形〉押しが強い. 度を越している.

극성-스럽다【極盛―】(→스럽다)〈形〉押しが強いところがある. 我を通す.

극소【極小】〈名・하形〉極小. 語例 ~값〔數〕極小値. 對극대(極大).

극-소량【極少量】〈名〉極少量. 句例 ~의 극약 極少量の劇薬.

극-소수【極少數】〈名〉極少数. 句例 ~의 과격 분자 極少数の過激分子.

극심【極甚】〈名〉激甚〔劇甚〕. はなはだひどいこと. **~하다**〈形〉極めてひどい. はなはだ激しい. 句例 ~한 타격 劇甚な打撃 / ~한 추위 激しい寒さ. 語例 피해 ~ 被害激甚.

극악【極惡】[kŭgak]〈名・하形〉極悪. 句例 ~무도한 인간 極悪非道な人.

극약【劇藥】[kŭgyak]〈名〉劇薬. 句例 많은 ~을 먹다 多量の劇薬を飲む.

극-영화【劇映畫】[kŭngnyŏnghwa]〈名〉劇映画. 對기록(記錄) 영화.

극우【極右】[kŭgu]〈名〉極右. 句例 ~ 분자의 책동 極右分子の策動. 語例 ~ 단체 極右団体. 對극좌(極左).

극작【劇作】〈名・하他〉劇作. 語例 ~가 劇作家.

****극장**【劇場】〈名〉劇場. 映画館. 文例 ~에 영화를 보러 갔다 映画館へ映画を見に行った.

극적【劇的】〈名・冠〉劇的. ドラマチック. 句例 ~인 장면 劇的なシーン / ~인 만남 劇的な出会い / ~으로 탈출하다 劇的に脱出する.

극좌【極左】〈名〉極左. 句例 ~ 단체의 데모 極左団体のデモ. 對극우(極右).

극중【劇中】〈名〉劇中. 文例 저 사람의 생활은 ~ 인물을 연상케 한다 あの人の暮らしは劇中の人物を思わせる. 語例 ~극 劇中劇.

극지【極地】〈名〉極地. 語例 ~ 유배 極地流罪 / ~ 탐험 極地探険.

극진-하다【極盡―】(→하다)〈形〉手厚い. 丁重だ. 句例 극진한 간호 手厚い看護. 文例 극진한 대우였다 手厚い待遇であった / 그의 대접은 극진하였다 彼のもてなしは至れり尽くせりであった. **극진히**〈副〉手厚く. 丁重に.

극찬【極讚】〈名・하他〉激賞. 句例 입을 모아 ~하다 口をそろえて褒めちぎる.

극치【極致】〈名〉極致. 句例 감격의 ~ 感激の至り. 文例 그것은 정말 미(美)의 ~였다 それは全く美の極致であった.

극-하다【極—】[kūk'ada] (→하다)〈自他〉極める. 句例 사치를 ~ ぜいたく〔奢侈〕を極める. 文例 벼슬이 인신을 ~ 位, 人臣を極める.
극히 [kūk'i]〈副〉極めて. この上なく. 文例 그것은 극히 당연한 일이다 それは極めて当然のことである.

극한【極限】[kūk'an]〈名〉極限. 句例 ~에 달하다 極限に達する. 語例 ~값〔數〕極限値/~ 상황 極限状況/~ 투쟁 極限闘争. ㊫한계(限界).

극형【極刑】[kūk'yŏng]〈名〉極刑. 死刑. 句例 ~에 처하다 極刑に処する.

극화【劇化】[kūk'wa]〈名・하他〉劇化. 句例 소설을 ~하다 小説を劇化する.

근【近】[kū:n]〈冠〉近いことを表わす語: ほぼ. およそ. おおかた. 句例 ~ 한달 동안 一箇月近くの間. 文例 ~ 십 리 길이다 およそ一里の道のりである/~ 삼 년이 될 것이다 ほぼ三年になるだろう.

근 〔漢字項目〕

【僅】高校 근 キン. ❶아주 적음 わずか. ■僅少 근소 きんしょう. 僅差 근차 きんさ. ❷겨우 ようやく. ■僅僅 근근 きんきん.

【勤(勤)】中學 근 キン. ゴン. ❶부지런하다 いそしむ. ■勤勞 근로 きんろう. 勤勉 근면 きんべん. 勤學 근학 きんがく. ■精勤 정근 せいきん. ❷근무 勤め. ■勤務 근무 きんむ. ■內勤 내근 ないきん. 夜勤 야근 やきん.

【斤】高校 근 キン. ❶도끼 おの. ■斤斧 근부 きんふ. ❷무게의 단위 重さの単位. ■斤量 근량 きんりょう.

【根】中學 근 コン. ❶뿌리 根. ■根幹 근간 こんかん. ■塊根 괴근 かいこん. 球根 구근 きゅうこん. ❷사물의 근본 大本. ■根本 근본 こんぽん. 根源 근원 こんげん. ■病根 병근 びょうこん. 語根 어근 ごこん. ❸밑동 根元. ■山根 산근 さんこん. ❹타고 난 성질 もって生まれた性質. ■根氣 근기 こんき. 根性 근성 こんじょう. ❻(수학의) 근 根. ルート. ■三乘根 삼승근 さんじょうこん.

【近(近)】中學 근 キン. ❶거리가 가깝다 距離が近い. ■近郊 근교 きんこう. 近隣 근린 きんりん. ■遠近 원근 えんきん. 側近 측근 そっきん. ❷시간적으로 가깝다 時間的に近い. ■近來 근래 きんらい. 近世 근세 きんせい. 近代 근대 きんだい. ❸(관계가) 친하다 親しい. ■近親 근친 きんしん. 近臣 근신 きんしん. ❹가까워지다 近づける. ■近接 근접 きんせつ. ❺닮다 似る. ■近似 근사 きんじ.

【謹(謹)】高校 근 キン. 삼가다 謹む. ■謹啓 근계 きんけい. 謹愼 근신 きんしん. 謹呈 근정 きんてい. ■恭謹 공근 きょうきん.

근간【近刊】[kū:n-gan]〈名・하他〉近刊. 語例 「~ 안내 近刊案内.

근간【近間】[kū:n-gan]〈名〉近ごろ. 近いうち. 近近・近近. そのうち. 句例 ~의 정계 동정 近ごろの政界の動き/~에 열릴 국제 회의 近く催す国際会議. 文例 결혼식은 ~에 올릴 예정입니다 結婚式は近近挙げる予定であります/~ 또 찾아뵙겠습니다 いずれまたお伺い致します.

근간【根幹】〈名〉根幹. 句例 ~을 이루다 根幹をなす. 文例 이 점이 그 사상의 ~이다 この点がその思想の根幹である.

근거【根據】〈名・하自〉根拠. より所. 句例 ~ 없는 소문 根のない風聞/아무 ~도 없다 根も葉もない/생활의 ~를 잃다 生活のより所を失う. 語例 ~지 根拠地. 地元.

근-거리【近距離】[kū:n-gŏri]〈名〉近距離. 語例 ~ 통근 近距離通勤.

근검【勤儉】〈名・하形〉勤倹. 句例 ~ 저축하다 勤倹貯蓄する.

근교【近郊】[kū:n-gyo]〈名〉近郊. 近在. アウトスカート. 句例 서울 ~에 살다 ソウル近郊に住む. 語例 ~ 농업 近郊農業.

근근【僅僅】[kū:n-gŭn]〈副〉僅僅. やっと. 辛うじて. わずか. 句例 ~이 살아가다 やっと暮らしていく.

근년【近年】[kū:nnyŏn]〈名〉近年. 文例 금년은 ~에 없던 풍작이다 今年は近年にない豊作である.

근대〈名〉〔植〕ふだんそう(不断草).

근대【近代】[kū:ndae]〈名〉近代. 語例 ~ 국가 近代国家/~ 사상 近代思想/~ 소설 近代小説.

근대-화【近代化】[kū:ndaehwa]〈名・하自他〉近代化. 句例 ~를 가로막다〔지향하다〕近代化を阻む〔めざす〕. 文例 한국은 근년에 이르러 크게 ~하였다 韓国は近年に至って大いに近代化した.

근데〈副〉'그런데'の略. 文例 ~ 말이야, 그것은 어찌 되었나 ところがね, それはどうなったのかね.

근동【近東】[kū:ndong]〈名〉〔地〕近東. 句例 ~의 산유국 近東の産油国/~ 지방의 분쟁 近東地方の紛争.

*__근래__【近來】[kū:llae]〈名〉近来. 近ごろ. 句例 ~의 걸작 近来の傑作/~에 없는 추위 近来にない寒さ.

*__근력__【筋力】[kūllyŏk]〈名〉❶筋力. 体力. ❷気力. 元気. 文例 저 노인은 ~이 대단하다 あのお年寄りは元気旺盛である.

근로【勤勞】[kūllo]〈名・하自〉勤労. 句例 ~의 존귀함 勤労の尊さ. 語例 ~자 勤労者/~ 계약 労働契約/~ 기본권 労働基本権/~ 소득 勤労所得.

근린【近隣】[kū:llin]〈名〉近隣. (となり)近所. 語例 ~ 외교 近隣外交/~ 공원 近隣公園((都市と住宅街の)近所の人人がよく出入りする小公園).

*__근면__【勤勉】〈名〉勤勉. 文例 ~은 성공의 첫 조건이다 勤勉は成功の第一条件である.
~하다 一〈自〉まじめにつとめる. 二〈形〉勤勉だ. 句例 ~한 국민〔사람〕勤勉な国民〔人〕. **~히**〈副〉勤勉に.

근무【勤務】〈名〉勤務. 勤め. **~하다**〈自〉勤める. 勤務する. 句例 ~를 게을리하다 勤務を怠る. 文例 지점에 ~중이다 支店詰め中である/큰 회사에 ~하고 있다 大手会社に勤めている. 語例 ~처(處) 勤務先.

근방【近方】[kū:nbang]〈名〉近所. =근처.

근방【近傍】[kŭ:nbang]〈名〉辺り．近く．近所．句例 이 ~의 공장 지대 このあたりの工場地帯 / 이 ~ 지리는 잘 모른다 このあたりの地理には疎い．文例 그 ~ 어디엔가 있겠지 そこらのどこかにあるだろうよ．

***근본**【根本】〈名〉根本．❶草木の根元．❷物事の本もと．=기초．근원．句例 효는 백행의 ~ 孝は百行の本．文例 ~이 서야 도리가 선다 もと立ちて道生じる．

근본-적【根本的】〈名・冠〉根本的．句例 ~인 잘못 根本的な間違い．文例 ~으로 사상이 다르다 根っから思想が違う．

근사【近似】[kŭ:nsa]〈名〉❶近似．類似．**~하다**〈形〉似ている．句例 인간에 가장 ~한 동물 人間に最も類似した動物．語例 ~식〔數〕近似式 / ~값〔數〕近似値．❷似合っていていかすさま．**~하다**〈形〉すてきだ．かっこいい．いかす《俗》．句例 ~한 생각 すてきなアイデア．文例 이 모자는 ~한데 この帽子はいかすね．

表現 ②は俗っぽい言いかた．

근성【根性】〈名〉根性．性根．句例 ~이 비열한 사람 性根の卑しい人．語例 관료 ~ 役人根性．

근세【近世】[kŭ:nse]〈名〉近世．=근대(近代)．語例 ~사 近世史 / ~ 조선 近世朝鮮 / ~ 문학사 近世文学史．

参考 韓国の近世は朝鮮朝の約五百年間を指し，日本では安土・桃山時代及び江戸時代を併せて指す．

근소【僅少】[kŭ:nso]〈名〉僅少．**~하다**〈形〉わずかだ．僅少だ．文例 ~한 차로 이겼다 わずかの差で勝った．

근속【勤續】〈名・하自〉勤続．句例 ~ 이십 년의 사원 勤続二十年の社員．

근-수【斤數】[kŭnssu]〈名〉目方．斤目．斤量．句例 ~가 나가다 目方がかかる / ~가 모자라다 目方が切れる．

근시【近視】[kŭ:nshi]〈名〉近視．近眼．句例 심한 ~ 強度の近視 / ~안적 견해 近視眼的見解．語例 ~경 近視鏡 / ~안 近視眼．對원시(遠視)．

근신【謹愼】[kŭ:nshin]〈名・하自〉謹慎．句例 ~의 태도를 보이다 謹慎の態度をとる．

근심〈名〉心配．懸念．気がかり．**~하다**〈自他〉心配する．気にする．憂える．句例 돈 ~이 태산같다 金の心配でいっぱいだ．語例 ~거리 心配事．類걱정．**~스럽다**(→스럽다)〈形〉心配だ．気がかりだ．文例 장래의 일이 ~스럽다 将来のことが心配だ．

근엄-하다【謹嚴—】[kŭ:nŏm—](→하다)〈形〉謹厳だ．句例 근엄한 스승 謹厳な師 / 근엄하게 보이다 謹厳に見える．**근엄히**〈副〉謹厳に．

근역【槿域】[kŭnyŏk]〈名〉むくげ(木槿)の多い地の意で，韓国を指す語．

근원【根源】[kŭnwon]〈名〉根源．根源地．句例 제악의 ~ 諸悪の根源 / 모든 사회악의 ~을 뽑다 あらゆる社会悪の根源をえぐる．語例 ~지 根源地．

근위【近衛】[kŭ:nwi]〈名〉近衛．語例 ~병 近衛兵．

***근육**【筋肉】[kŭnyuk]〈名〉〔生〕筋肉．語例 ~노동 筋肉労働 / ~ 주사 筋肉注射 / ~질 筋肉質．

근인【近因】[kŭ:nin]〈名〉近因．文例 전쟁의 ~은 식량 문제였다 戦争の近因は食糧問題であった．對원인(遠因)．

근일【近日】[kŭ:nil]〈名〉近日．句例 ~중으로 近日中に．語例 ~ 개점 近日開店．

근저【根柢】〈名〉根底．句例 ~를 이루다 根底を成す．

근절【根絶】〈名・하他〉根絶．句例 악습을 ~하다 悪習を根絶する．

근접【近接】[kŭ:njŏp]〈名〉近接．**~하다**〈自〉近接する．近寄る．句例 태풍이 ~해 오다 台風が近寄る．語例 ~지 近接地．

근지럽다(근지러우니，근지러워서)〈形〉かゆい．句例 등이 ~ 背中がかゆい．

表現 語感の小さい語は'간지럽다'．

근질-거리다〈自〉むずがゆい．むずつく．

근질근질〈副〉むずむず．うずうず．**~하다**〈自〉(何かが)したくてむずむずする．句例 등이 ~하다 背中がむずむずする / 여행 가고파 몸이 ~하다 旅に出たくてからだがうずうずする．

근착【近着】[kŭ:nch'ak]〈名・하自〉近着．句例 ~한 원서 近着の原書．

***근처**【近處】[kŭ:nch'ŏ]〈名〉近所．付近．辺り．文例 그 ~에는 큰 저택이 많다 その辺りには大きな邸宅が多い / 학교 ~에 살고 있다 学校の近所に住んでいる．類근방(近方)．

근치【根治】〈名・하他〉根治．句例 병을 ~하다 病の根を切る / 그것은 ~가 어렵다 それは根治が難しい．

근친【近親】[kŭ:nch'in]〈名〉近親．文例 ~간의 결혼은 법으로써 금지되어 있다 近親婚は法律で禁止されている．語例 ~ 상간 近親相姦 / ~혼 近親婚．

근태【勤怠】〈名〉勤怠．❶仕事に励むことと怠けること．❷出勤と欠勤．=근만(勤慢)．근타(勤惰)．

근해【近海】[kŭ:nhae]〈名〉近海．文例 ~어가 점점 없어져 간다 近海魚がだんだんなくなる．語例 ~ 어업 近海漁業 / ~ 항로 近海航路．對원해(遠海)．

근황【近況】[kŭ:nhwang]〈名〉近況．近情．句例 집의 ~을 알려 주다 家の近況を知らせてやる．

****글**〈名〉文．文章．文字．句例 ~의 구조 文の構造 / ~을 잘 쓰다 筆が立つ．

***글-공부**【—工夫】[kŭlkkongbu]〈名・하自〉勉強．❶学問を修めること．文例 ~를 잘하여 출세하였다 学問に励んで出世した．❷形ばかりの勉強．

글-귀 [kŭlkkwi]〈名〉文句．文言．句例 ~를 다듬다 文句を練る．

글-동무 [kŭlttongmu]〈名〉勉強友達．文例 그와 나는 어렸을 때의 ~였다 彼と僕とは幼いときの勉強友達であった．

글라스〈名〉❶グラス．語例 스테인드 ~ ステンドグラス．❷眼鏡．語例 선~ サングラス．◇glass

글라이더〈名〉グライダー．◇glider

ㄱ

ㄱ

글래머 〈名〉 ①グラマー. ②グラマーガール. ◇glamour

글러브 〈名〉 グローブ. グラブ. ◇glove

글리세린 〈名〉〔化〕グリセリン. グリセロール. ◇glyserine

글-말 〈名〉 書き言葉. 文章語.

글-방【一房】[kŭlppang] 〈名〉 私塾. 寺子屋. ㊫서당(書堂).

글썽 〈副〉 涙がたまるさま. 涙ぐむさま. **~하다** 〈形〉 涙ぐんでいる. 句例 눈물이 ~하다 ほろりとする. **~거리다** 〈自〉 しきりに涙ぐむ. 文例 눈물을 ~거리고 있다 目に涙をにじませている.

글썽글썽 〈副〉 しきりに涙ぐむさま. **~하다** 〈自・形〉 しきりに涙ぐむ.

***글쎄** 〈感〉 ①深く考え込むときに出す語: はて. さて. さあ. 文例 ~ 무엇일까 はて, なんだろう / ~ 좀 기다려 봅시다 さあ, もうちょっと待って見ましょうよ. ②考えを強調するときに出す語: それで. 文例 ~ 그렇다니까 だから言わないことじゃないか. ③ためらうときに出す語: さて. さあ. さてさて. 文例 ~ 내가 할 수 있을지 さあ, わたしにできるかなあ / ~ 무엇부터 손대야 할지 さて, 何から始めたらいいものやら.

글쎄-올시다 [—olssida] 〈感〉 もっともではあるがこちらの判断が付かないときの語: そうですね. さあ. 文例 ~ 저로서는 뭐라고 해야 할지 모르겠군요 そうですね, わたしとしましてはなんと申してよいものか(判断が付きません).

글쎄-요 〈感〉 '글쎄올시다'のくだけた言いかた.

글-쓰다 (글쓰니, 글써서) 〈自〉 書き物をする. 文を書く. 句例 워낙 글쓰기는 못하는 터라 元元書き物が下手なので / 지금 글쓰고 있다 今書き物をしている.

***글씨** 〈名〉 文字. 書. 句例 ~를 배우다 文字を習う / ~가 서투르다 字が下手である. 語例 ~본 手本 / ~체 書体.

글월 [kŭrwol] 〈名〉 ①文. 文章. ②手紙. ㊫편지.

⁑**글-자【一字】**[kŭltcha] 〈名〉 字. 文字. ＝문자. 句例 ~ 그대로 文字通り.

글-재주【一才一】[kŭltchaeju] 〈名〉 文才. 句例 ~가 없어서 文才に乏しくて.

***글-짓기** 〈名〉 作文. つづり方.

글피 〈名〉 あさっての次の日. しあさって. 明後日. 文例 모레나 ~쯤에 가겠다 あさってかしあさってごろ行くよ. ㊫삼명일(三明日).

⁑**긁다** [kŭkta] 〈他〉 ①か(掻)く. こそげる. 句例 가려운 데를 ~ かゆい所をかく / 떡의 곰팡이를 긁어 없애다 もち(餅)のかびをこそげ落とす. ②かき集める. 句例 낙엽을 긁어 모으다 落ち葉をかき集める. ③(人の気を)かき立てる. じらす. ④(金品などを)巻き上げる.
参考 '긁으니 かくと' '긁고 かいて'は [kŭlgŭni], [kŭlkko]と読む.

긁어 부스럼 やぶ蛇.

긁어-모으다 [kŭlgŏ—] (—모으니, —모아서) 〈他〉 かき集める. ＝그러모으다. 句例 낙엽을 ~ 落ち葉をかき集める.

긁적-거리다 [kŭkchŏk—] 〈他〉 (しきりに)ひっかく. 句例 가려운 데를 ~ かゆい所をか(掻)く / 머리를 ~ 頭をかく.

긁적긁적 〈副・하他〉 しきりにひっかくさま: ぼりぼり. ばりばり.

긁히다 [kŭlk'ida] 〈自他〉 '긁다'の受け身: ひっかかれる. 文例 긁힌 자리가 부어 올랐다 ひっかかれた跡がは(腫)れあがった.

금[1] 〈名・하他〉 値. 値段. ＝가격. 句例 ~이 비싸다 値が高い / ~이 서다 値が立つ.

***금**[2] 〈名〉 ①折り目. ひだ(襞). ②割れ目. 裂け目. ひび(罅). 文例 벽에 ~이 갔다 壁にひびが入った. ③線. 句例 ~을 긋다 線を引く.

⁑**금【金】**〈名〉 金. 黄金.

금이야 옥이야 ちょう(蝶)よ花よ. 句例 ~ 하고 키우다 ちょうよ花よと育てる.

금-【今】〈頭〉 '今の…'の意: 今…. 語例 ~세기 今世紀 / ~학기 今学期.

-금 〈尾〉 ある語の後に付いてその語を強める. 句例 그로 하여~ 彼をして. 語例 다시~ 再び. またとして.

금 〔漢字項目〕

【今】 中學 금 コン. キン. ①지금 いま. 현재 現在. ◧今日 금일 こんにち. きょう. 今昔 금석 こんじゃく. ◧古今 고금 ここん. 現今 현금 げんこん. ②이번 この度. ◧今般 금반 こんぱん. 今回 금회 こんかい. ◧方今 방금 ほうこん. 只今 지금 ただいま.

【琴】 高校 금 キン. 거문고 琴. ◧琴線 금선 きんせん. ◧提琴 제금 ていきん. 胡琴 호금 こきん.

【禁】 中學 금 キン. ①금하다 差し止める. ◧禁令 금령 きんれい. 禁止 금지 きんし. ◧嚴禁 엄금 げんきん. 解禁 해금 かいきん. ②꺼림칙해서 피함 忌み避ける. ◧禁忌 금기 きんき. ③가두다 閉じ込める. ◧禁錮 금고 きんこ. 禁獄 금옥 きんごく. ④궁전 宮殿. ◧禁門 금문 きんもん. 禁城 금성 きんじょう. 禁中 금중 きんちゅう.

【禽】 高校 금 キン. ①날짐승 鳥. ◧禽獸 금수 きんじゅう. 禽鳥 금조 きんちょう. ◧家禽 가금 かきん. 野禽 야금 やきん. ②사로잡다 とりこにする. ◧禽荒 금황 きんこう. 禽獲 금획 きんかく.

【金】 中學 금 キン. コン. 김 キン. コン. 一〔금〕①쇠붙이 かね. ◧金石 금석 きんせき. 金屬 금속 きんぞく. ◧冶金 야금 やきん. ②황금 こがね. 금 きん. ◧金塊 금괴 きんかい. 金冠 금관 きんかん. ◧白金 백금 はっきん. 純金 순금 じゅんきん. ③황금색 黃金色. ◧金髮 금발 きんぱつ. 金粉 금분 きんぷん. ④가치있는 것 貴いもの. ◧金剛 금강 こんごう. 金言 금언 きんげん. ⑤돈 金. 화폐 かへい. ◧金錢 금전 きんせん. 金額 금액 きんがく. ◧基金 기금 ききん. 元金 원금 げんきん. 資金 자금 しきん. 二〔김〕성의 하나 姓の一つ. ◧金氏 김씨 キムし. 金先生 김선생 キムせんせい.

【錦】 高校 금 キン. ①비단 錦. ◧錦衣 금의 きんい. 錦帳 금장 きんちょう. 錦袍 금포 きんぽう. ②비단처럼 아름다운 것 錦のように美しいもの. ◧錦鱗 금린 きんりん. 錦繡江山 금수강산 きんしゅうこうざん.

금-가다 〈自〉ひびが入る. ひび割れる. 句例 땅에 ~ 地面にひびができる / 두 사람 사이에 ~ 二人の間にひびが入る.

금-가락지 【金―】〈名〉(二個一対の)金の指輪. ㊫금지환.

금-가루 【金―】[―kkaru]〈名〉金粉・きんこ.

금강 【金剛】〈名〉❶金剛石. ダイヤモンド. ❷金剛山.

금고 【金庫】〈名〉金庫. 語例 휴대용 ~ 手提げ金庫 / 신용 ~ 信用金庫.

금고 【禁錮】[kŭ:mgo]〈名〉禁固.

금과-옥조 【金科玉條】〈名〉 金科玉条. 句例 근면과 검약을 ~로 삼다 勤勉と倹約を金科玉条とする.

금관 【金冠】〈名〉金冠. 句例 ~을 쓰다 金冠をかぶる.

금관 악기 【金管樂器】[kŭmgwanakki]〈名〉〔樂〕金管楽器. ブラス.

금광 【金鑛】〈名〉〔鑛〕金鉱.

금-광석 【金鑛石】〈名〉〔鑛〕金鉱石.

금괴 【金塊】〈名〉金塊.

금권 【金權】[kŭmkkwon]〈名〉金権. 金力. 語例 ~ 만능 金権万能 / ~ 정치 金権政治.

금궤 【金櫃】〈名〉金箱. =철궤(鐵櫃).

금-긋다 (금그으니, 금그어서)〈自〉線を引く.

금기 【禁忌】[kŭ:mgi]〈名・하他〉禁忌. タブー. 文例 이 약은 소금이 ~이다 この薬には塩がタブーである. 語例 배합 ~ 약품 配合禁忌の薬品.

금남 【禁男】[kŭ:mnam]〈名・하自〉禁男. 句例 ~의 집 禁男の家.

금년 【今年】〈名〉今年・こんねん. 当年. =올해.

금년-도 【今年度】〈名〉今年度. 句例 ~에 등록한 학생수 本年度に登録した学生の数.

参考 '금년'は一月から十二月までを指し, '금년도'とは例えば三月から翌年の二月末までを一年と見るときに使う.

금-놓다 [―not'a]〈自〉値段を付ける. 値積もりをする. 文例 금놓아 보시오 値積もってください.

금-니 【金―】〈名〉金歯. 語例 ~박이 金歯の人.

금단 【禁斷】[kŭ:mdan]〈名・하他〉禁断. 禁制.

금단의 열매 禁断の木の実. ㊫선악과(善惡果).

금-덩이 【金―】[kŭmttŏng-i]〈名〉金塊.

금-도금 【金鍍金】〈名・하自他〉金めっき.

금력 【金力】[kŭmnyŏk]〈名〉金力. 句例 ~으로 정치를 좌우하다 金力で政治をほしいままにする.

금렵 【禁獵】[kŭ:mnyŏp]〈名・하自他〉禁猟. 語例 ~기 禁猟期 / ~ 구역 禁猟区域 / ~조 禁猟鳥.

금령 【禁令】[kŭ:mnyŏng]〈名〉禁令. 法度. 句例 ~을 범하다 禁令を犯す.

금리 【金利】[kŭmni]〈名〉金利. 句例 ~가 높다 金利が高い / ~로 생활하다 金利で生活する. 語例 은행 ~ 銀行の金利.

***금-메달** 【金medal】〈名〉金メダル.

금명-간 【今明間】〈名・副〉一両日の間. 略して'금명'とも言う. 句例 ~에 발표된다 一両日のうちに発表される.

금-모래 【金―】〈名〉砂金.

금물 【禁物】[kŭ:mmul]〈名〉禁物. 句例 술은 ~이다 酒は禁物である.

금박 【金箔】〈名〉金箔.

***금-반지** 【金斑指】〈名〉金の指輪.

금발 【金髮】〈名〉金髪. ブロンド. 語例 ~ 미인 ブロンドの美人.

***금방** 【今方】〈副〉今すぐ. たった今. =방금(方今). 文例 ~ 온다 今すぐ来る / 저 빌딩은 ~ 무너질 것 같다 あのビルは今にも倒れそうだ.

금방 먹을 떡에도 소를 박는다 今すぐ食べるもちにもあん(餡)を入れる. いくら取り急ごうとも順序はたどるべきものだとのたとえ.

금방-금방 【今方今方】〈副〉立て続けに. 休みなく. 文例 그 일은 ~ 진행되었다 その仕事は立て続けに進んだ.

금번 【今番】〈名〉こんど. この度. 今般. 文例 ~ 아래의 주소로 이전하였습니다 今般下記の住所に移転いたしました. ㊐전번.

금-본위 【金本位】[―bonwi]〈名〉〔經〕金本位. 語例 ~ 제도 金本位制度 / ~ 블록 金本位ブロック.

금-부처 【金―】〈名〉〔佛〕黄金作りの仏像.

***금-붕어** 【金―】〈名〉〔魚〕金魚.

금-붙이 【金―】[―buch'i]〈名〉金の装身具類. 文例 그 여자는 ~를 많이 갖고 있다 あの女性は金の装身具をたくさん持っている.

금비 【金肥】〈名〉金肥. ㊐퇴비(堆肥).

금-비녀 【金―】〈名〉 金のかんざし. =금잠(金簪). 금채(金釵).

금새 〈名〉値段. 句例 ~를 알아보다 値段を問い合わせる.

금서 【禁書】[kŭ:msŏ]〈名〉禁書. 語例 ~ 목록 禁書目録.

금석 【今昔】〈名〉今昔. 句例 ~지감을 금치 못하다 今昔の感に堪えない.

***금성** 【金星】〈名〉金星. ビーナス. 句例 초저녁의 ~ 宵の明星 / 새벽의 ~ 明けの明星.

***금세** 〈副〉❶たちまち. 直ちに. 文例 ~ 안 보였다 たちまち見えなくなった / ~ 다 팔렸다 たちまち売り切れた / 애들이란 ~ 자라는 법이다 子供はみるみる育つものだ. ❷たった今. 今すぐ. 句例 ~ 여기 있었는데 たった今ここにいたのにね.

금-세공 【金細工】〈名〉金細工.

***금속** 【金屬】〈名〉〔化〕 金属. =쇠붙이. 句例 ~성의 소리 金属性の音. 語例 귀~ 貴金属 / 경~ 軽金属 / ~ 공예 金属工芸 / ~ 화폐 金属貨幣 / ~ 활자 金属活字.

금수 【禁輸】[kŭ:msu]〈名〉禁輸. 語例 ~ 품목 禁輸品目.

금수 【禽獸】〈名〉禽獣. 句例 ~ 같은 행위 禽獣に等しい行い.

***금수-강산** 【錦繡江山】[kŭ:msu―]〈名〉❶錦繡のように美しい山河. ❷韓国の別称.

금-시계 【金時計】〈名〉金時計.

금시-초문 【今時初聞】〈名〉初耳. 文例 그 이야기는 ~이다 その話は全く初耳である.

ㄱ

금식【禁食】[kŭ:mshik]〈名・하自〉断食. 絶食. 句例 ~하여 수행하다 断食して修行する / 위검사를 위하여 ~하다 胃の検査のため絶食する.

금-실【金一】〈名〉金糸.

금실【琴瑟】〈名〉[‘금슬지락(琴瑟之樂)’の略] 夫婦の仲がむつまじいこと. 句例 ~이 좋다 夫婦の仲がむつまじい. 琴瑟相和す.
參考 ‘금슬’の転じた語.

금-싸라기【金一】〈名〉❶黄金の粒. ❷貴重なもの. 句例 ~ 같은 땅 非常に高価な土地.

***금액**【金額】[kŭmaek]〈名〉金額. 金高. 句例 ~이 안 맞는다 金高が合わない. 金額がそろわない. 語例 합계 ~ 合計金額.

금언【金言】[kŭmŏn]〈名〉❶金言. 金句. 句例 옛 사람의 ~ 古人の金言. ❷釈迦の法語.

금연【禁煙】[kŭ:myŏn]〈名・하自〉禁煙. 文例 장내에서는 ~입니다 場内では禁煙を願います.

금-요일【金曜日】[kŭmyoil]〈名〉金曜日.

금욕【禁慾】[kŭ:myok]〈名・하自〉禁欲. 語例 ~ 생활 禁欲生活.

***금융**【金融】[kŭmyung]〈名〉金融. 金繰り. 語例 ~계 金融界 / ~ 기관 金融機関 / ~업 金融業.

금-은【金銀】[kŭmŭn]〈名〉金銀. 語例 ~방 金銀を装身具に加工して売買する店.

금의-환향【錦衣還鄕】[kŭ:mŭi—]〈名・하自〉故郷に錦を飾ること. 錦衣を着て故郷に帰ること. 錦衣行.

금일【今日】[kŭmil]〈名〉今日・こんにち. 本日. = 오늘. 文例 입장권은 ~한(限) 유효하다 入場券は本日限り有効だ. 語例 ~ 휴업 本日休業.

금-일봉【金一封】[kŭmilbong]〈名〉金一封. 包み金. 文例 합격 축하로 ~을 보냈다 合格祝いに金一封を贈った.

금자-탑【金字塔】〈名〉金字塔. 句例 과학계의 ~ 科学界の金字塔 / 불멸의 ~을 세우다 不滅の金字塔を建てる.

금-잔디【金一】〈名〉美しい芝生.

금전【金錢】〈名〉金銭. お金. 語例 ~ 등록기 金銭登録器. レジスター / ~ 출납부 金銭出納簿.

금족【禁足】[kŭ:mjok]〈名〉禁足. 足留め. 句例 ~을 명하다 禁足を命じる / ~을 당하다 足留めを食らう. 語例 ~령 禁足令.

금-종이【金一】〈名〉金紙.

금주【今週】〈名〉今週. 文例 ~ 안에 끝내겠다 今週内に終えるつもりだ. 對내주(來週).

금주【禁酒】[kŭm:ju]〈名・하自〉禁酒. 文例 ~를 단행했다 禁酒を断行した. 語例 ~법 禁酒法 / ~ 금연 禁酒禁煙.

***금지**【禁止】[kŭ:mji]〈名・하他〉禁止. 句例 외출을 ~하다 外出を差し止める / 총기 휴대를 ~하다 銃器の携帯を禁止する. 語例 통행 ~ 通行禁止 / 출입 ~ たち入り禁止 / ~령 禁止令 / ~ 구역 禁止区域. 對허용(許容).

금지-옥엽【金枝玉葉】[—ogyŏp]〈名〉❶金枝玉葉. 句例 ~의 몸 金枝玉葉の御身. ❷大事な子孫.

금-테【金一】〈名〉金縁. 語例 ~ 안경 金縁の眼鏡.

금-팔찌【金一】〈名〉金の腕輪.

금품【金品】〈名〉金品. 句例 ~을 사취하다 金品をだまし取る.

금-하다【禁一】[kŭ:m—] (→하다)〈他〉禁じる. 止める. 句例 출입을 ~ 出入りを禁じる / 경악을 금치 못하다 驚愕に耐えない / 금할 길이 없다 禁じ得ない / 금할 수(가) 없다 抑えがたい. 禁じ得ない.

금형【金型】〈名〉金型.

금혼-식【金婚式】〈名〉金婚式.

금화【金貨】〈名〉〔經〕金貨.

금환【金環】〈名〉❶金の輪. 語例 ~식(蝕) 金環食. ❷⇨ 금반지

금후【今後】〈名・副〉今後. これ以後. 句例 ~의 형편에 따라서 今後の成り行きに従い.

급【急】〈名・하形〉急. ❶緊急. ❷出し抜けなこと. 語例 ~브레이크 急ブレーキ. ❸険しいこと. 語例 ~커브 急カーブ / ~경사 急傾斜. ▷→급하다

***급**【級】〈名〉級. ❶‘階級・等級’などの称. 語例 상~생 上級生 / 일~ 기사 第一級の技師. ❷(武道・碁などの)‘段’の下.

급 〔漢字項目〕

【及(及)】 中學 급 キュウ. ❶미치다 及ぼす. 따라붙다. 追いつく. ▮及追 급추 きゅうつい. ▮言及 언급 げんきゅう. ❷퍼지다 広まる. ▮普及 보급 ふきゅう. 波及 파급 はきゅう. ❸및 及び.

【急(急)】 中學 급 キュウ. ❶서두르다 急ぐ. 절박하다 差し迫る. ▮急迫 급박 きゅうはく. 急難 급난 きゅうなん. ▮應急 응급 おうきゅう. 緊急 긴급 きんきゅう. ❷갑자기 突然. ▮急變 급변 きゅうへん. 急襲 급습 きゅうしゅう. ❸빠르다 速い. ▮急流 급류 きゅうりゅう. 急速 급속 きゅうそく. ❹가파르다 険しい. ▮急降下 급강하 きゅうこうか.

【級(級)】 高校 급 キュウ. ❶등급 等級. ▮級數 급수 きゅうすう. ▮官級 관급 かんきゅう. 等級 등급 とうきゅう. ❷계층 階層. ▮高級 고급 こうきゅう. 進級 진급 しんきゅう. ❸학급 クラス. ▮級友 급우 きゅうゆう. ▮學級 학급 がっきゅう.

【給】 中學 급 キュウ. ❶나누어주다 配る. 생각해 주다 あてがう. ▮給食 급식 きゅうしょく. 給水 급수 きゅうすい. 給足 급족 きゅうそく. ▮發給 발급 はっきゅう. 自給 자급 じきゅう. ❷급여 手当て. ▮給料 급료 きゅうりょう. 給與 급여 きゅうよ. ▮俸給 봉급 ほうきゅう. 週給 주급 しゅうきゅう. ❸시중들다 世話をする. ▮給仕 급사 きゅうじ. ▮女給 여급 じょきゅう.

급-강하【急降下】〈名・하自〉急降下. 句例 기온이 ~하다 気温が急に下がる. 語例 ~ 비행 急降下飛行.

급거【急遽】〈副・하形〉にわかに. 急遽. 慌

ただしく. 文例 ~ 사고 현장에 달려갔다 急遽事故現場に駆けつけて行った.

급격-하다 【急激—】 [kŭpkyŏk'ada] (→하다) 〈形〉 急激だ. 句例 급격한 변화 急激な変化. **급격히** [kŭpkyŏk'i] 〈副〉 急激に. 句例 급격히 변동하다 急激に変動する.

급구 【急求】 〈名・하他〉 急に求めること. 急募.
参考 '경비원 3명 급구 警備員3人急募'のように掲示や広告文などに使う.

급급-하다 【汲汲—】 [kŭpkŭp'ada] (→하다) 〈形〉 汲汲としている. 句例 지위 보전(保全)에 ~ 地位を保つのに汲汲としている / 돈벌이에 ~ 金もうけに汲汲としている.

급기야 【及其也】 〈副〉 あげくの果てに. とうとう. ついに. 結局. 文例 ~ 그들은 성공하였다 ついに彼らは成功した.

급등 【急騰】 〈名・하自〉 急騰. 文例 물가의 ~으로 생활이 쪼들린다 物価の急騰で暮らしが苦しい. 語例 ~세 物価の跳ね上がる気味.

급락 【急落】 [kŭmnak] 〈名・하自〉 急落. がた落ち. 句例 주식의 ~ 株のがた落ち / 인기의 ~ 人気の急落.

급랭 【急冷】 [kŭmnaeng] 〈名・하自他〉 急に冷える〔冷やす〕こと.

급료 【給料】 [kŭmnyo] 〈名〉 給料. サラリー. 句例 ~가 오르다 給料が上がる / ~가 후하다 給料がいい / ~가 박하다 給料が悪い.

급류 【急流】 [kŭmnyu] 〈名・하自〉 急流. 早瀬. 句例 ~에 밀려 떠내려가다 急流に押し流される.

급매 【急賣】 [kŭmmae] 〈名・하他〉 (品物などを)急いで売ること.

급박-하다 【急迫—】 [kŭppak'ada] (→하다) 〈形〉 急迫している. 切迫している. せっぱ詰まっている. 句例 급박한 국제 정세 急を告げる国際情勢. 文例 병세는 급박해 갔다 病勢は急迫しつつあった / 드디어 사태는 급박해졌다 とうとう事態は急迫して来た. **급박히** [kŭppak'i] 〈副〉 急迫して. 切迫して.

급변 【急變】 〈名・하自〉 急変. 激変. 句例 사태가 ~해 가다 事態が急変して行く / 정국의 ~ 政局の急変. 文例 병세가 ~했다 容体が急変した.

급병 【急病】 〈名〉 急病. 急症. 句例 ~에 걸리다 急病にかかる.

급보 【急報】 〈名・하他〉 急報. 句例 ~에 접하다 急報に接する / 모친 위독의 ~를 받다 母親危篤の急報に接する.

급사 【急死】 〈名・하自〉 急死. 句例 뇌출혈로 ~하다 脳出血で急死する.

급사 【給仕】 〈名〉 給仕. =사환(使喚).

급살 【急煞】 〈名〉 ❶〔民〕 星回りで最も忌む凶星. ❷突然の災難.

급살(을) 맞다 急死する. 頓死する.

급살(을) 맞을 'ぽっくりと死んでしまう'の意. 悪口のことば. 文例 ~ 놈 罰当たりめ. くたばってしまえ.

급-선무 【急先務】 〈名〉 急務. 文例 구체적인 대책을 내세우는 것이 ~다 具体的な対策をうち出すのが急務である.

급성 【急性】 〈名〉 急性. 語例 ~ 전염병 急性伝染病 / ~병 急性疾患.

급소 【急所】 〈名〉 急所. ❶致命的部位. 泣き所. 句例 ~를 얻어맞다 急所をやられる / ~를 빗나가다 急所を外れる. ❷かなめ(要). 要点. 句例 ~를 찌른 질문 急所を突いた質問.

급-속도 【急速度】 〈名〉 ひどく速い速度. 急速. 句例 ~로 발전한 나라 急速に発展した国.

급속-하다 【急速—】 [kŭpsok'ada] (→하다) 〈形〉 急速だ. にわかだ. 句例 급속한 발전 急速な発展. **급속히** [kŭpsok'i] 〈副〉 急速に. にわかに. 句例 용태가 급속히 악화되다 容態がにわかに悪化する.

급수 【給水】 〈名・하自〉 給水. 文例 ~ 상태가 매우 나쁘다 給水状態がひどく悪い. 語例 ~관 給水管 / ~전 給水栓 / ~차 給水車.

급습 【急襲】 〈名・하他〉 急襲. 文例 적이 ~해 왔다 敵が急襲して来た.

급식 【給食】 〈名・하自〉 給食. 文例 점심은 학교에서 ~한다 昼飯は学校で給食する.

급여 【給與】 [kŭbyŏ] 〈名・하他〉 給与. サラリー. 給料. 句例 제복을 ~하다 制服を給与する. 語例 ~금 給与金 / 현물 ~ 現物給与.

급우 【級友】 [kŭbu] 〈名〉 級友. クラスメート.

급유 【給油】 [kŭbyu] 〈名・하自〉 給油. 語例 ~기 給油機 / 공중 ~ 空中給油.

급전 【急錢】 〈名〉 急用のお金. 文例 당장 ~이 필요하다 今すぐお金が要る.

급전 【急轉】 〈名・하自〉 急転. 文例 범인의 자백으로 사건은 ~되었다 犯人の自白により事件は急転した. 語例 ~ 직하 急転直下.

급-정거 【急停車】 〈名・하自他〉 急停車. 急停止.

급제 【及第】 〈名・하自〉 及第. 合格. パス. 文例 겨우 ~하였다 辛うじてパスした / 그라면 ~할 것이다 彼なら及第するだろう.

급증 【急增】 〈名・하自〉 急増. 文例 인구는 매년 ~했다 人口は毎年急増した.

급진 【急進】 〈名・하自〉 急進. 語例 ~ 사상 急進思想 / ~파 急進派.

급진-적 【急進的】 〈名・冠〉 急進的. 文例 ~인 사상은 위험하다 急進的な思想は危ない.

급파 【急派】 〈名・하他〉 急派. 句例 지원군을 ~하다 支援軍を急派する.

****급-하다 【急—】** [kŭp'ada] (→하다) 〈形〉 ❶急だ. ㉠緊急だ. 火急だ. 非常に急ぐ. 句例 급한 걸음으로 急ぎ足で / 급한 볼 일이 있어서 急用があって / 급한 문제 差し迫った問題 / 급하다는 소식을 듣다 急であると聞く. ㉡出し抜けである. 文例 급하게 떠났다 急いで行った. 出し抜けに立った. ㉢険しい. (カーブなどが)急だ. 句例 급한 언덕 険しい坂 / 급(한) 커브 急カーブ. ❷せっかちだ. 気が短い. 句例 성미가 급한 사람 気が短い人. **급히** [kŭp'i] 〈副〉 急に. 急いで. 速く. 文例 급히 갔다 와

ㄱ

라 急いで行って来い.

급하기는 우물에 가 숭늉 달라겠다 せっかちなあまり井戸端でお湯をせがむ. 急ぐばかりでことの順序を考えないとの意.

급하면 바늘 허리에 실 매어 쓸까 急ぎのあまり針の腰に糸を結って使えるものか. いかに急であっても順序を追ってすべきだとの意.

급한 불을 끄다 急火を消す. ひとまず, 差し迫った問題にけりをつけるとの意.

급히 먹는 밥에 목이 멘다 がつがつかき込む御飯はのどにつかえるものだ. 急がば回れの意.

급행【急行】[kŭp'aeng]〈名・하自〉急行. ❶急いで行くこと. 文例 사고 현장으로 ~했다 事故現場に急行した. ❷['급행 열차'の略] 句例 ~을 타다 急行に乗る. 語例 ~권 急行券 / ~ 요금 急行料金.

급-회전【急回轉】[kŭp'oejŏn]〈名・하自他〉急回転.

급훈【級訓】[kŭp'un]〈名〉級訓.

긋다[1] [kŭ:tta] (그으니, 그어서) ㊀〈自〉雨がしばらくやむ. 句例 비가 ~ 雨がやむ.
㊁〈他〉雨宿り(を)する. 句例 농가의 처마 밑에서 비를 ~ 農家の軒下で雨宿りをする.

긋다[2] [kŭ:tta] (그으니, 그어서)〈他〉❶(線などを)引く. 句例 구획선을 ~ 区画線を引く. 絵 / 성호(聖號)를 ~ 十字を切る. ❷(マッチなどを)す(擦)る. 絵 ❸(掛け帳簿に)付ける. 句例 긋고 먹다 掛けで食べる. 絵

선을 긋다　　긋고 먹다

〈긋다〉

긍 〔漢字項目〕

【肯】 高校 긍 コウ. ❶동의하다 うべなう. ▮肯定 긍정 こうてい. 肯諾 긍락 こうだく. ▮首肯 수긍 しゅこう. ❷뼈에 붙은 살 骨についた肉. ▮肯綮 긍경 こうけい.

긍정【肯定】[kŭ:ngjŏng]〈名・하他〉肯定. 句例 ~적인 태도 肯定的な態度. 文例 ~도 부정도 하지 않았다 肯定も否定もしなかった. 語例 ~문 肯定文. 對부정(否定).

*__긍지__【矜持】[kŭ:ngji]〈名〉矜持. 誇り. プライド. 句例 ~를 갖다 矜持を持つ / 민주 시민으로서의 ~ 民主市民としての矜持.

긍휼【矜恤】[kŭ:nghyul]〈名・하他〉矜恤. 哀れみ慈しむこと. **~히**〈副〉哀れに. 句例 ~히 여기다 哀れに思う.

기【氣】〈名〉気. ❶〔哲〕(東洋哲学で言う) 万物生成の根元であるエネルギー. ❷生命力. ❸ありったけの力. 句例 ~를 쓰고 덤비다 ありったけの力で迫る. ❹精神力. ❺息. ❻成長の力. 意気. 句例 ~를 꺾다 気をくじく.

기가 꺾이다 気がくじける. 心がくじける.

기가 질리다 いじけて元気がなくなる.

기(가) 나다 やる気になる. 意気込む. 気勢があがる.

기를 못 펴다 ❶気が引ける. ❷苦境から脱せられない. 気楽に暮らせない.

기를 살리다 幅を利かせる. 自由にふるまうようにさせる.

기(가) 막히다 ❶息が詰まる. ❷あきれ返る. あっけにとられる. すさまじい. 句例 기막힌 솜씨 とてもすばらしい手際 / 기막히게 비싼 물건 ものすごく高い品物.

기(를) 쓰다 気負い立つ. 躍起になる.

기(가) 죽다 気が引ける. ひるむ. 悪びれる. 気がめいる.

기(를) 죽이다 気勢を抑える. 鼻っぱしらをへし折る.

기(가) 차다 あきれる. あきれ果てる. 句例 기가 차서 말도 못하다 あきれてものも言えない.

기(를) 펴다 ❶安心する. 緊張を解く. ❷羽を伸ばす. 気楽になる.

기【旗】〈名〉旗. 句例 ~를 달다 旗を掲げる / ~를 올리다 旗を揚げる. →깃발

-기- 〈尾〉'ㄱ・ㅁ・ㅅ・ㅈ・ㅊ・ㅌ'などの終声のある語幹について, 他動詞を使役や受け身に, 自動詞を使役にする語. 語例 감~다 巻かれる / 벗~다 脱がせる / 숨~다 隠す. →-리-. -이-. -히-

기 〔漢字項目〕

【企】 高校 기 キ. ❶발돋움하고 서다 つま先だつ. ▮企望 기망 きぼう. ❷도모하다 企てる. ▮企圖 기도 きと. 企業 기업 きぎょう. 企劃 기획 きかく.

【其】 中學 기 キ. ❶그 その. 그것 それ. ▮其時 기시 そのとき. 其前 기전 そのまえ. 其他 기타 そのほか. ❷어세(語勢)를 고르게 하기 위해 붙이는 어조사 語勢を整えるために付ける助詞.

【器(器)】 高校 기 キ. ❶그릇 器. 도구 道具. ▮器具 기구 きぐ. 器機 기기 きき. 器物 기물 きぶつ. ▮什器 집기 じゅうき. 食器 식기 しょっき. ❷기관 器官. 도량 度量. ▮器官 기관 きかん. 器用 기용 きよう. 器量 기량 きりょう. ▮消火器 소화기 しょうかき. 泌尿器 비뇨기 ひにょうき.

【基】 中學 기 キ. ❶근본 根本. 기초를 두다 基づく. ▮基幹 기간 きかん. 基礎 기초 きそ. 基本 기본 きほん. ▮國基 국기 こっき. ❷바탕이 되는 물질 もとになる物質. ▮培養基 배양기 ばいようき. ❸화학 변화를 일으킬 때 하나의 원자처럼 반응하는 원자군 化学変化のさい, 一つの原子のように反応する原子の集まり. ▮水酸基 수산기 すいさんき. 塩基 염기 えんき. ❹고정시켜 놓은 것을 세는 수사 すえつけたものを数える数. ▮塔一基 탑일기 とういっき.

【奇】[高校] 기 キ. ❶괴상하다 珍(めずら)しい. 이상하다 不思議(ふしぎ)だ. ◧奇異 기이 きい. 奇形 기형 きけい. 奇行 기행 きこう. 奇蹟 기적 きせき. 奇岩怪石 기암괴석 きがんかいせき. ◨珍奇 진기 ちんき. 怪奇 괴기 かいき. ❷수학의 홀수 数学(すうがく)の奇数(きすう).

【寄】[高校] 기 キ. ❶몸을 의탁하다 身(み)を頼(たよ)る. ◧寄居 기거 ききょ. 寄留 기류 きりゅう. 寄生 기생 きせい. ❷맡기다 預(あず)ける. 의지하다 寄(よ)せる. ◧寄稿 기고 きこう. 寄託 기탁 きたく. ❸보내다 送(おく)る. ◧寄書 기서 きしょ. 寄送 기송 きそう. ❹들르다 寄る. ◧寄港 기항 きこう.

【己】[中學] 기 キ. コ. ❶자기자신 己(おのれ). ◨自己 자기 じこ. 克己 극기 こっき. ❷천간의 여섯째 十干(じっかん)の六番目(ろくばんめ). つちのと. ◧己丑 기축 きちゅう.

【幾】[中學] 기 キ. ❶징조 兆(きざ)し. 낌새 気配(けはい). ◧幾微 기미 きび. 幾望 기망 きぼう. ❷바라다 望(のぞ)む. ◨庶幾 서기 しょき. ❸얼마 いく. 몇 いくつ. ◧幾何 기하 きか. 幾日 기일 いくにち. 幾人 기인 いくにん.

【忌】[高校] 기 キ. ❶꺼리다 忌(い)む. 싫어하다 嫌(きら)う. ◧忌彈 기탄 きたん. 忌避 기피 きひ. ❷미워함 憎(にく)しみ. ◨憎忌 증기 ぞうき. 嫌忌 혐기 けんき. 猜忌 시기 さいき. ❸사람이 죽은 날 人(ひと)が死(し)んだ日(ひ). 상사(喪事) 忌(い)み. ◧忌中 기중 きちゅう. 忌日 기일 きにち. きじつ. 忌服 기복 きぶく.

【技】[中學] 기 ギ. 솜씨 腕前(うでまえ). 재주 技(わざ). ◧技巧 기교 ぎこう. 技術 기술 ぎじゅつ. 技藝 기예 ぎげい. ◨球技 구기 きゅうぎ. 美技 미기 びぎ. 演技 연기 えんぎ.

【旗】[高校] 기 キ. ❶기 旗(はた). ◧旗手 기수 きしゅ. 旗幟 기치 きし. ◨國旗 국기 こっき. 社旗 사기 しゃき. 軍旗 군기 ぐんき. ❷표지 標識(ひょうしき). ◧旗章 기장 きしょう. 旗艦 기함 きかん.

【旣(既)】[中學] 기 キ. ❶이미 すでに. 벌써 もはや. ◧旣刊 기간 きかん. 旣成 기성 きせい. 旣存 기존 きそん. 旣往 기왕 きおう. ❷다하다 尽(つ)きる. ◨皆旣日蝕 개기일식 かいきにっしょく.

【棄】[高校] 기 キ. 버리다 捨(す)てる. ◧棄權 기권 きけん. 棄却 기각 ききゃく. 棄民 기민 きみん. ◨放棄 방기 ほうき. 自棄 자기 じき. 廢棄 폐기 はいき.

【機】[高校] 기 キ. ❶베틀 機(はた). ◧機業 기업 きぎょう. 機織 기직 きしょく. ❷복잡한 장치 からくり. ◧機關 기관 きかん. 機械 기계 きかい. ◨起重機 기중기 きじゅうき. 輪轉機 윤전기 りんてんき. ❸중요한 부분 かなめ. ◧機密 기밀 きみつ. 機軸 기축 きじく. ❹동기 きっかけ. ◧機運 기운 きうん. 機會 기회 きかい. ◨勝機 승기 しょうき. 危機 위기 きき. ❺세밀한 작용 細(こま)かいはたらき. ◧機智 기지 きち. 機能 기능 きのう. 機略 기략 きりゃく. ◨心機 심기 しんき. ❻비행기 또는 비행기를 세는 말 飛行機(ひこうき), または飛行機を数(かぞ)える語(ご). ◨戰鬪機 전투기 せんとうき. 爆擊機 폭격기 ばくげきき. 五機編隊 오기 편대 ごきへんたい.

【期】[中學] 기 キ. ゴ. ❶만나다 会(あ)う. 약속하다 約束(やくそく)する. ◧期約 기약 きやく. 期待 기대 きたい. ❷한정된 기한 限定(げんてい)された期限(きげん). ◧期間 기간 きかん. 期日 기일 きじつ. 期限 기한 きげん. ◨長期 장기 ちょうき. 學期 학기 がっき. ❸돌 ひとめぐり. ◧期年 기년 きねん. 期月 기월 きげつ. ❹바라다 望(のぞ)む. ◨期待 기대 きたい. ◨豫期 예기 よき.

【欺】[高校] 기 ギ. 속이다 だます. 기만하다 欺(あざむ)く. ◧欺瞞 기만 ぎまん. 欺惑 기혹 ぎわく. ◨詐欺 사기 さぎ.

【氣(気)】[中學] 기 キ. ケ. ❶공기 空気(くうき). 기체 気体(きたい). ◧氣流 기류 きりゅう. 氣壓 기압 きあつ. ◨冷氣 냉기 れいき. 大氣 대기 たいき. 濕氣 습기 しっき. しっけ. 換氣 환기 かんき. ❷자연 현상의 근원이 되는 것 自然現象(しぜんげんしょう)のもとになるもの. ◧氣運 기운 きうん. 氣象 기상 きしょう. ◨磁氣 자기 じき. 陽氣 양기 ようき. ❸분위기 気配(けはい). ◧氣味 기미 きみ. 氣分 기분 きぶん. ◨運氣 운기 うんき. 人氣 인기 にんき. 活氣 활기 かっき. ❹마음과 정신의 힘 心(こころ)と精神(せいしん)の力(ちから). ◧氣槪 기개 きがい. 氣勢 기세 きせい. 氣魄 기백 きはく. ◨元氣 원기 げんき. 勇氣 용기 ゆうき.

【畿】[高校] 기 キ. 왕도에서 5백리 이내에 있는 땅 王都(おうと)から五十里(ごじゅうり)以内(いない)の土地(とち). ◧畿內 기내 きない. ◨京畿 경기 けいき. 近畿 근기 きんき.

【祈(祈)】[高校] 기 キ. 빌다 祈(いの)る. ◧祈願 기원 きがん. 祈雨 기우 きう. 祈禱 기도 きとう. 祈念 기념 きねん.

【紀】[高校] 기 キ. ❶기율 決(き)まり. 규칙 規則(きそく). ◧紀綱 기강 きこう. ◨軍紀 군기 ぐんき. ❷적다 記(しる)す. 기록하다 記録(きろく)する. ◧紀念 기념 きねん. 紀傳體 기전체 きでんたい. 紀行 기행 きこう. ❸세월 歲月(さいげつ). 연대 年代(ねんだい). ◧紀元 기원 きげん. ◨西紀 서기 せいき. ❹지질시대의 한 구분 地質時代(ちしつじだい)の一区分(いちくぶん). ◨白堊紀 백악기 はくあき.

【記】[中學] 기 キ. ❶적다 記(しる)す. 기록하다 記録(きろく)する. ◧記事 기사 きじ. 記入 기입 きにゅう. ◨速記 속기 そっき. 特記 특기 とっき. 筆記 필기 ひっき. ❷기록한 것 記録したもの. ◨史記 사기 しき. 日記 일기 にっき. 傳記 전기 でんき. ❸기억하다 覚(おぼ)える. ◧記憶 기억 きおく. ◨暗記 암기 あんき. ❹표지 しるし. ◧記號 기호 きごう. 記章 기장 きしょう.

【豈】[高校] 기 キ. 개 ガイ. ■一〔기〕 '어찌 どうして. 왜 なぜ. 어찌하여 いかにして. 설마 まさか'などの意(い)を表(あら)わす反語(はんご). ◧豈敢 기감 きかん.

■二〔개〕 ❶ 개선가 凱旋(がいせん)の歌(うた). ◧豈樂 개락 がいらく. ❷화평하고 즐겁다 安(やす)らかで楽(たの)しい. ◧豈敢 개감 がいかん.

【起】[中學] 기 キ. ❶일어나다 起(お)こる. 시작 始(はじ)まり. ◧起句 기구 きく. 起承轉結 기승전결 きしょうてんけつ. 起源 기원 きげん. ◨發起 발기 はっき. ❷일으키다 起こす. 시작하다 始める. ◧起工 기공 きこう. 起動 기동 きどう. 起草 기초 きそう. ◨蜂起 봉기 ほうき. 想起 상기 そうき. ❸일어서다 立(た)つ. 기상하다 き

しょうする. ■起居 기거 ききょ. 起立 기립 きりつ. ■再起 재기 さいき.

【飢(飢)】 高校 기 キ. ❶굶주리다 飢える. ■飢餓 기아 きが. 飢寒 기한 きかん. ❷흉년이 들다 凶年になる. ■飢饉 기근 ききん.

【騎】 高校 기 キ. ❶말을 타다 馬に乗る. ■騎兵 기병 きへい. 騎馬 기마 きば. 騎手 기수 きしゅ. ❷말을 탄 병사〔전사〕 馬に乗った兵士〔戦士〕. ■騎士 기사 きし.

기각【棄却】〈名・하他〉棄却. 文例 이유 없다고 항소를 ~했다 控訴を理由なしと棄却した.

기간【基幹】〈名〉基幹. 語例 ~ 단체 基幹団体 / ~ 산업 基幹産業 / ~ 요원 基幹要員.

***기간**【期間】〈名〉期間. 語例 제출 ~ 提出期間 / 체재 ~ 滞在期間.

기갈【飢渴】〈名〉飢渇.

기갈(이) 들다 非常に飢えている.

기갑 부대【機甲部隊】〈名〉機甲部隊.

기강【紀綱】〈名〉紀綱. 綱紀. 語例 ~ 확립 紀綱確立.

기개【氣概】〈名〉気概. 気骨. ＝기절(氣節). 句例 ~가 있는 남자 気概のある男 / ~가 없다 意気地がない.

기거【起居】〈名・하自〉起居. 立ち居振る舞い. 文例 ~를 같이 해 왔다 起居を共にして来た / ~가 부자유했다 立ち居が不自由だった / 간병을 위해 병원에서 ~했다 看病のため, 病院で起居した. 語例 ~ 동작 起居動作. 立ち居振る舞い. 物腰. 類동정(動靜).

기겁〈名・하自〉びっくり仰天すること. 腰を抜かすこと. 文例 승객은 ~을 하고 창밖으로 빠져 나왔다 乗客は仰天して窓から飛び出した.

기결【既決】〈名・하自〉既決. 語例 ~수 既決囚 / ~안 既決案 / ~ 사항 既決事項.

기계【棋界】〈名〉棋界. 碁界. 句例 ~의 혜성 碁界の彗星.

기계【器械】〈名〉器械. 語例 ~ 체조 器械体操 / 의료 ~ 医療器械.

***기계**【機械】〈名〉機械. マシン. 句例 ~를 움직이다 機械を動かす / ~에 기름칠을 하다 機械に油を引く. 語例 ~ 공학 機械工学 / ~ 문명 機械文明 / ~어(語) 機械語. 機械コード / ~톱 機械のこぎり.

기계-적【機械的】〈名・冠〉機械的. 句例 ~인 사고 방식 機械的な考え方 / ~인 일 機械的な仕事 / ~으로 외우다 機械的に暗記する.

기고【寄稿】〈名・하自他〉寄稿. ＝투고(投稿). 語例 ~가 寄稿家 / ~란 寄稿欄.

기고만장-하다【氣高萬丈—】(→하다)〈形〉❶得意の絶頂にある. 有頂天になっている. 文例 우승을 하여 기고만장했다 優勝して有頂天であった. ❷荒荒しく怒り狂う.

기골【氣骨】〈名〉❶気血と骨格. ❷気骨. 骨. 気概. 句例 ~이 장대(壯大)하다 気骨が壮大である.

기공【起工】〈名・하他〉起工. 着工. 句例 예정보다 ~이 늦어지다 予定より着工が遅れる. 語例 ~식 起工式.

기공【氣孔】〈名〉❶〔植〕気孔. ❷〔蟲〕気門.

기관【汽罐】〈名〉汽缶. ボイラー. かま(缶). 語例 ~실 汽缶室 / 증기 ~ 蒸気汽缶.

기관【氣管】〈名〉〔生〕気管.

***기관**【器官】〈名〉〔生〕器官. 語例 호흡 ~ 呼吸器官.

***기관**【機關】〈名〉機関. 語例 ~실 機関室 / ~사 機関士 / ~지 機関紙〔誌〕 / ~총 機関銃. マシンガン / 자문 ~ 諮問機関.

기관-지【氣管支】〈名〉〔生〕気管支. 語例 ~염 気管支炎 / ~ 천식 気管支喘息.

기괴-하다【奇怪—】(→하다)〈形〉奇怪である. 怪しい. 句例 기괴한 행동 奇怪な行動.

기교【技巧】〈名・하形〉技巧. テクニック. 語例 ~면 技巧の側面 / ~파 技巧派.

기구【氣球】〈名〉気球. 語例 ~ 관측 気球観測 / 계류 ~ 係留気球.

***기구**【器具】〈名〉器具. 道具. 語例 절연 ~ 絶縁器具 / 조명 ~ 照明器具 / 농~ 農器具.

***기구**【機構】〈名〉機構. からくり. メカニズム. 語例 ~ 개혁 機構改革 / 유통 ~ 流通機構.

기구-하다【崎嶇—】(→하다)〈形〉運命が数奇である. 世渡りが難しい. 句例 기구한 운명의 길을 걷다 数奇な運命をたどる.

기권【棄權】[kikkwon]〈名・하自〉棄権. 句例 부상으로 시합을 ~하다 けがで試合を棄権する / 투표를 ~하다 投票を棄権する.

기근【飢饉】〈名〉飢饉. 文例 ~으로 굶기 일쑤였다 飢饉で飢え苦しむのが常であった. 語例 대~ 大飢饉 / 물 ~ 水飢饉.

기금【基金】〈名〉基金. 句例 ~을 마련하다 基金を準備する. 語例 문예 ~ 文芸基金 / 아동 ~ 児童基金.

기기묘묘-하다【奇奇妙妙—】(→하다)〈形〉奇奇妙妙だ.

기꺼워-하다(→하다)〈自〉うれしく思う. 喜ぶ. 略して'기꺼하다'ともいう. 文例 합격 소식에 온 집안이 기꺼워했다 合格のニュースに家族そろって喜んだ.

기꺼이〈副〉快く. 喜んで. 進んで. 好んで. 句例 ~ 승낙하다 快く承諾する / ~ 앞장서다 進んで先頭に立つ.

***기-껏** [ki:kkŏt]〈副〉❶精一杯. 力の及ぶ限り. 句例 ~ 힘을 내다 精一杯の力を出す. 類힘껏. ❷せっかく(の). 句例 ~ 모은 돈 せっかくためたお金. 類모처럼. ❸せいぜい. 句例 ~ 백명의 참가자 せいぜい百名の参加者. 類고작.

기껏-해야 [ki:kkŏt'aeya]〈副〉せいぜい(のところ). 高高. 文例 여기서 서울까지는 ~ 백리다 ここからソウルまではせいぜい十里の道のりである. 類고작해야.

기나-긴 [ki:nagin]〈冠〉長長とした. 句例 ~ 형극의 역사 長い荊棘の歴史.

기녀【妓女】[ki:nyŏ]〈名〉妓女. ＝기생(妓生).

기념【紀念・記念】〈名・하他〉記念. 句例 좋은 ~이 되다 いい記念になる / 독립을 ~하다 独立を記念する. 語例 ~물 記念物. モニュメン

ト / ～비 記念碑 / ～식 記念式 / ～품 記念品 / ～ 행사 記念行事.

기능【技能】〈名〉技能. 腕前. 語例 ～ 검사 技能検査 / ～ 올림픽 技能オリンピック / ～직 技能職 / ～공 技能工.

*__기능__【機能】〈名〉機能. 作用. (物の)働き. 句例 위의 ～ 胃の働き / ～을 발휘하다 機能を発揮する / ～을 살리다 機能を生かす. 語例 운동 ～ 運動機能.

**__기다__[1]〈自〉❶は(這)う. 句例 아기가 ～ 赤ん坊がはう / 험한 산을 기어 오르다 険しい山をよじ登る. ❷(はうように)進む. 句例 얼음 길을 기듯이 걸어 가다 氷でつるつるの道をはうように進む. ❸(人を恐れて)はいつくばう. 語例 ⇨ 설설 기다

기는 놈 위에 나는 놈이 있다 上には上がある.

기도 못하고 뛰려고 한다 身に余ることをしようとする.

기다[2] ['그것이다'の略] (まさに)それである. 句例 이것이 아니고 ～ これでなく(まさに)それである.

기다랗다 [ki:darat'a] (기다라서, 기다라오)〈形〉[もとの語形は'길다랗다']ひどく長い. 随分長い. 略して'기닿다'ともいう. 句例 기다란 장대 長竿 / 기다랗게 줄을 서다 ずらっと並ぶ.

**__기다리다__〈他〉待つ. 句例 아버지의 귀가를 ～ 父の帰りを待つ / 목이 빠지게 ～ 首を長くして待つ / 애타게 ～ 待ち焦がれる. 文例 기다리기에 지쳤다 待ちあぐんでいる / 기다리고 기다리던 축제일이 왔다 待ちに待ったお祭りの日が来た.

기단【氣團】〈名〉気団. 語例 열대 해양성 ～ 熱帯海洋性気団.

*__기대__【期待】〈名〉期待. 当て. **～하다**〈他〉期待する. 当てにする. 句例 ～에 어긋나다 期待に外れる / ～에 부응하다 期待に添う / ～와는 다른 결과 期待に反した結果 / 김군에게 ～를 걸다 金君に期待をかける.

기대다 [ki:daeda]〈自他〉❶もたれる. 寄り掛かる. 句例 벽에 기대 앉다 壁にもたれる. ❷頼る. 頼みとする. 句例 어디고 기댈 데 없는 신세 頼りの全くない身. 寄るべのない身 / 부모에게 기대어 산다 親のすねをかじっている.

기대-서다 [ki:daesŏda]〈自〉もたれて立っている.

기대-앉다 [ki:daeantta]〈自〉(壁などに)よりかかって座る. 寄って座る. 句例 기둥에 ～ 柱によりかかって座る. →앉다 参考

*__기도__【企圖】〈名〉企図. 企て. たくらみ. **～하다**〈他〉企てる. たくらむ. 企図する. 句例 혁명을 ～하다 革命をたくらむ / 자살을 ～하다 自殺をはかる / 야당의 ～를 분쇄하다 野党の企てを打ち砕く.

*__기도__【祈禱】〈名〉祈り. 祈禱. **～하다**〈自〉祈る. 祈禱する. 語例 ～원 祈禱院 / ～문 祈禱文 / ～회 祈禱会.

기도【氣道】〈名〉〔生〕気道.

*__기독-교__【基督教】〈名〉キリスト教. 語例 ～도 キリスト教徒 / ～ 신자 キリスト教信者.

기동【起動】〈名・하自〉❶立ち動くこと. 句例 ～을 못하는 환자 寝たきりの患者. ❷['기거동작(起居動作)'の略] 立ち居(振る舞い). 挙動. ❸起動. 始動. 語例 ～ 장치 始動装置 / ～기 起動機.

기동【機動】〈名〉機動. 語例 ～력 機動力 / ～성 機動性 / ～ 연습 機動演習 / ～ 부대 機動部隊.

**__기둥__〈名〉柱. ❶(建物などの)上部の重さを支えるもの. 句例 ～을 세우다 柱を立てる / ～이 갈라지다 柱が干割れる. 語例 ～머리 柱頭 / ～뿌리 柱の根元. ❷支柱. 突っ張り. 句例 천막의 ～ テントの突っ張り / ～을 대어 버티게 하다 突っ張りをか(支)う. ❸頼りとなる人. 柱石. 大黒柱. 句例 나라의 ～ 国家の柱石 / ～ 같이 믿다 柱とも頼る.

기둥-감 [—kkam]〈名〉❶柱の材. ❷全体を支える人. 頼りとされる人.

기득-권【既得權】〈名〉〔法〕既得権. 句例 ～을 존중〔침해〕하다 既得権を尊重〔侵害〕する.

기라-성【綺羅星】〈名〉きら星. 文例 고관들이 ～처럼 늘어서 있다 高位高官がきら星のごとく立ち並んでいる.

기량【技倆】〈名〉技量. 腕(前). 手並み. =기능(技能). 句例 ～을 겨루다 技を競う / ～을 닦다 技量を磨く.

기량【器量】〈名〉器量. 句例 정치가다운 ～ 政治家らしい器量. 文例 지도자로서의 ～이 모자란다 指導者としての器量に欠けている.

기러기〈名〉〔鳥〕がん(雁). かり.

기러기-발〈名〉〔樂〕琴柱. こま. =안족(雁足). 안주(雁柱).

기력【氣力】〈名〉気力. 元気. =근력(筋力). 句例 ～이 왕성하다 元気旺盛だ / ～이 부친다 気力に乏しい. 文例 무리를 해서 ～이 쇠진했다 無理をして気力が尽きた.

기로【岐路】〈名〉岐路. 分かれ道. 境. =갈림길. 句例 인생의 ～ 人生の分かれ道 / 생사의 ～ 生死の境 / 운명의 ～ 運命の岐路.

기로에 서다 岐路に立つ.

*__기록__【記錄】〈名〉記録. ❶記すこと. 記したもの. **～하다**〈他〉記録する. 書き記す. 書き付ける. 語例 ～계 記録計 / ～ 문학 記録文学 / ～ 사진 記録写真. ❷成績. レコード. **～하다**〈他〉マークする. 句例 올림픽 ～을 깨다 オリンピックの記録を破る. 語例 신～ 新記録 / 세계 ～ 世界記録.

기뢰【機雷】〈名〉機雷. 語例 ～ 탐지기 機雷探知機.

기류【氣流】〈名〉❶〔氣〕気流. 句例 ～를 타고 날다 気流に乗って飛ぶ. 語例 상승 ～ 上昇気流 / 난～ 乱気流. ❷(飛行機などが)空中で起こす風.

**__기르다__ (기르니, 길러서)〈他〉❶育てる. 養う. 飼う. 句例 세 그루의 벚나무를 ～ 三株の桜の木を育てる / 금붕어를 ～ 金魚を飼う. 類 키우다. ❷(体力などを)養う. 句例 국력을 ～ 国力を養う / 담력을 ～ 胆力を養う. ❸(人材などを)養成する. 句例 십만 정예를 ～ 十万の精鋭を養う. ❹(髪などを)伸ばす. 生やす. 句例 머리를 길러서 따내

ㄱ

리다 髪を伸ばしてお下げにする / 수염을 ～ ひげを生やす. ❺(病気などを)こじらせる. [文例] 병을 기르면 고치기 힘들다 病気をこじらせると治しにくい.

기르던 개에게 다리를 물렸다 飼い犬に手をかまれる.

⁑**기름**〈名〉❶油〔脂〕. オイル. [句例] 물에 ～ 水に油. [語例] ～기 油〔脂〕気. 脂身 / ～걸레 油ぞうきん / ～때 脂あか(垢) / ～종이 油紙·あぶらがみ. ❷'참기름'の略. ❸'머릿기름'の略. ❹石油. ガソリン.

기름(을) 먹이다 油を引く.

기름(을) 짜 내는 듯 精神的に苦しむことのたとえ.

기름(을) 짜다 ❶(豆などの)油を搾る. ❷'착취하다 搾り取る. 搾取する'の俗っぽい言いかた. ❸大勢の人がごちゃごちゃにもみあう.

기름(을) 치다 ❶油を差す. ❷'뇌물을 주다 わいろを使う'の俗っぽい言いかた.

*__기름-지다__〈形〉❶あぶらっこい. [句例] 기름진 음식 あぶらっこい食べ物. ❷(土地などが)肥えている. [句例] 기름진 땅 肥えている土地. ❸(植物の葉などが)みずみずしい.

기름-하다 (→하다)〈形〉長めである. [句例] 기름한 스커트 長めのスカート.

기리다〈他〉たたえる. [句例] 덕을 ～ 徳をたたえる / 공로를 ～ 功労を褒めたたえる.

⁑**기린**【麒麟】〈名〉❶〈動〉麒麟. ジラフ. ❷想像上のめでたい動物. [語例] ～아 麒麟児.

기립【起立】〈名·하自〉起立. [語例] ～ 박수 立って行なう拍手. 對착석(着席).

기마【騎馬】〈名〉騎馬. [語例] ～ 순경 騎馬巡査 / ～전 騎馬戦 / ～ 민족 騎馬民族.

기-막히다【氣—】[—mak'ida] ⇨'기(氣)'の小項目

기만【欺瞞】〈名〉欺瞞. 瞞着. ＝기망(欺罔). **～하다**〈他〉欺く. 欺瞞する. [句例] 국민을 ～하다 国民を欺瞞する / 남을 ～하다 人を欺く. [語例] 자기 ～ 自己欺瞞.

기말【期末】〈名〉期末. [語例] ～ 고사 期末試験. 對기초(期初).

기맥【氣脈】〈名〉気脈. ❶血が通う筋道. ❷脈絡. 連絡. [句例] ～ 상통하다 気脈が相通じる / ～이 통하다 気脈が通じる.

기명【記名】〈名·하自〉記名. [句例] 공란에 ～하다 空欄に記名する. [語例] ～ 날인 記名捺印 / ～ 투표 記名投票. 對무기명(無記名).

기묘-하다【奇妙—】(→하다)〈形〉奇妙だ. [句例] 기묘한 풍습 奇妙な風習. **기묘히**〈副〉奇妙に.

기물【器物】〈名〉器. 器物. ＝기명(器皿). [句例] ～을 소중히 다루다 器物を大事に扱う. [語例] ～ 파손 器物破損.

기미〈名〉し(染)み.

기미(가) 끼다 (顔に)しみができる.

기미【氣味】〈名〉気味. ❶においと味. ❷感じ. 好み. [句例] 서로 ～가 맞다 好みが合う. ❸気配. 様子. [句例] 어수선한 ～ あわただしい気配. [文例] ～가 어떠하던가 様子はどうだったかね / 급등의 ～를 보였다 急騰の気配が見えた.

기미【機微】〈名〉気配. 機微. ＝낌새. [文例] 수상한 ～가 보인다 怪しい気配がする / 호전할 ～가 엿보인다 好転の気配がうかがわれる.

기미(를) 채다 (機微を)感づく. 気づく.

기민【機敏】〈名〉機敏. すばしこいさま. **～하다**〈形〉すばしこい. 機敏だ. [句例] ～한 동작 機敏な動作. [語例] ～성 機敏性. 敏捷性.

기밀【機密】〈名〉機密. **～하다**〈形〉機密である. [句例] ～을 누설하다 機密を漏らす. [語例] ～ 문서 機密文書 / ～ 사항 機密事項. **～히**〈副〉機密に.

*__기반__【基盤】〈名〉基盤. 基. 土台. [句例] 자연 보호를 ～으로 하다 自然保護を基盤とする. [語例] 경제적 ～ 経済的基盤.

기발-하다【奇抜—】(→하다)〈形〉奇抜である. [文例] 그것은 기발한 생각이다 それは奇抜な〔ふるった〕アイディアだ.

기백【氣魄】〈名〉気迫. 気概. [文例] 그의 ～에 눌렸다 彼の気迫に押された.

기법【技法】[kippŏp]〈名〉技法. [句例] 새로운 ～을 터득하다 新しい技法を会得する.

기벽【奇癖】〈名〉奇癖. [文例] 화가 날 때는 마구 먹는 ～이 있다 腹立たしいときにはやたらに食べる奇癖がある.

기별【奇別·寄別】〈名〉知らせ. 消息. 便り. 通知. **～하다**〈他〉(消息などを)知らせる. 送る. 伝える. [句例] ～을 전하다 消息を知らせる / ～을 띄우다 便りを出す / ～이 닿다 知らせが届く.

기병【騎兵】〈名〉騎兵.

기복【起伏】〈名·하自〉起伏. [句例] 땅의 ～이 심하다 土地の起伏がはなはだしい / 주가의 ～이 심하다 株の上がり下がりが激しい.

⁑**기본**【基本】〈名〉基本. 基. [語例] ～권 基本権 / ～ 단위 基本単位 / ～ 자세 基本姿勢 / ～ 방침 基本方針.

*__기본-적__【基本的】〈名·冠〉基本的. [文例] ～으로는 끝난 셈이다 基本的には終わったことになる. [語例] ～ 자유 基本的自由 / ～ 인권 基本的人権.

기본-형【基本形】〈名〉基本形. ❶基本になる形や型. ❷〔言〕活用語で, 活用の基本になる形態. 語幹に語尾'-다'がつく. '먹다' '크다'など. ＝원형(原形). 으뜸꼴.

기부【寄附】〈名·하他〉寄付. 寄進. [句例] 토지를 모교에 ～하다 土地を母校に寄付する. [語例] ～ 행위 寄付行為.

*__기분__【氣分】〈名〉気分. 気持ち. 機嫌. [句例] ～이 좋다 気持ちがいい / ～이 나쁘다 気持ちが悪い / ～이 언짢다 気分がすぐれない / ～을 전환하다 気分をかえる. [文例] 공부할 ～이 나지 않는다 勉強する気分にならない / 축제 ～으로 들떠 있다 祝祭気分に浮かれている. [語例] ～파 気分屋. お天気屋.

기브-앤드-테이크〈名〉ギブアンドテーク. [句例] ～의 관계 ギブアンドテークの関係. ◇give-and-take

*__기뻐-하다__ (→하다)〈自他〉喜ぶ. うれしく思う. うれしがる. [句例] 합격을 ～ 合格を喜ぶ / 친구의 무사함을 ～ 友の無事を喜ぶ. 對슬

퍼하다.

****기쁘다** (기쁘니, 기뻐서)〈形〉うれしい. 喜ばしい. 句例 기쁜 소식 うれしい知らせ / 이처럼 기쁜 일은 없다 これ程喜ばしい事はない / 기쁜 나머지 울음을 터뜨렸다 余りのうれしさに泣き崩れた. 對슬프다.

기쁨〈名〉喜び. うれしさ. 句例 최상의 ~ 最上の喜び / ~의 눈물 うれしい涙 / ~을 서로 나누다 喜びをわかち合う. 對슬픔.

***기사**【技師】〈名〉技師. 語例 건축 ~ 建築技師 / 측량 ~ 測量技師.

기사【記事】〈名・하他〉記事. 語例 신문 ~ 新聞の記事 / 기삿거리 記事の種 / 톱 ~ トップ記事.

기사【棋士】〈名〉棋士.

기사【騎士】〈名〉騎士. ナイト. 語例 ~도 騎士道.

기사-회생【起死回生】〈名〉起死回生.

기산【起算】〈名・하他〉起算. 文例 초하루부터 ~하면 1주일이 된다 一日から起算すると一週間になる. 語例 ~일 起算日.

기상【起床】〈名・하自〉起床. 文例 일찍 ~하여 조깅한다 早く起床してジョギングする. 語例 ~ 시간 起床時間 / ~ 나팔 起床ラッパ. 對취침.

***기상**【氣象】〈名〉気象. ❶気性. 気質. 句例 진취의 ~ 進取の気象. ❷大気の現象. 語例 ~ 관측 気象観測 / ~대 気象台 / ~도 気象図 / ~ 위성 気象衛星 / ~ 재해 気象災害 / ~ 통보 気象通報.

기상【氣像】〈名〉気性と品位.

기상【機上】〈名〉機上. 句例 ~에 오르다 飛行機に乗る. 語例 ~ 회견 機上会見.

기상-천외【奇想天外】[—ch'ŏnoe]〈名〉奇想天外. 文例 ~의 묘안을 짜냈다 奇想天外の妙案を絞り出した.

기상-청【氣象廳】〈名〉気象庁. 地方には地方気象庁や気象台・気象観測所などがある. 長官は'기상청장(長)'と言う.

기색【氣色】〈名〉気色. 顔色. けぶり. 気配. 文例 ~이 좋지 않다 気色が悪い / 당황한 ~이 뚜렷하다 ろうばいの色がありありと見える / 싫은 ~ 없이 떠맡았다 いやな顔をせずにうけもった.

기색을 살피다 気色をうかがう. 鼻息をうかがう.

기생【妓生】[ki:saeng]〈名〉妓生. 芸者. =기녀(妓女).

參考 '기생'の中にはいろいろの技芸を身につけており詩歌の教養も高い部類が相当あった.

기생【寄生】〈名・하自〉寄生. 文例 벌레가 ~하고 있다 虫が寄生している. 語例 ~ 동물 寄生動物.

기생-충【寄生蟲】〈名〉〔動〕寄生虫. 句例 사회의 ~ 社会の寄生虫.

기선【汽船】〈名〉汽船. 蒸気船.

기선【機先】〈名・하自〉機先. ❶まさに事が起ころうとする矢先. ❷言動の先を制すること. 句例 ~을 제(압)하다. ~을 잡다 機先を制する.

기성【既成】〈名・하他〉❶既成. 語例 ~ 세대 既成世代. ❷既製. 語例 ~품 既製品 / ⇨기성복

기성【期成】〈名・하他〉期成. 語例 ~회 期成会.

***기성-복**【既成服】〈名〉既成服. 對맞춤옷. 주문복(注文服).

기세【氣勢】〈名〉❶気勢. 勢い. 意気込み. 句例 ~가 오르다 気勢が揚がる / ~가 꺾이다 気勢がそがれる / ~에 눌리다 気をのまれる / ~가 등등하다 鼻息が荒い. ❷形勢. 句例 ~가 역전하다 形勢が逆転する.

기세(를) 부리다 気勢を振るう. 気張る.

기세(를) 피우다 '기세(를) 부리다'のこと.

기소【起訴】〈名・하他〉〔法〕起訴. 句例 사기 혐의로 ~되다 詐欺の疑いで起訴される. 語例 ~장 起訴状 / ~ 유예 起訴猶予.

기수【奇數】〈名〉⇨홀수

기수【基數】〈名〉〔數〕基数. =기본수(基本數).

기수【旗手】〈名〉旗手. 旗持ち. 句例 신문학의 ~ 新文学の旗手.

기수【機首】〈名〉機首. 句例 ~를 남쪽으로 돌리다 機首を南に転じる.

기수【騎手】〈名〉騎手. 語例 ~ 생활 騎手生活.

기숙【寄宿】〈名・하自〉寄宿. 寝泊まり. 文例 친척집에 ~하고 있다 親類のところに寄宿している. 語例 ~사 寄宿舎. 寮 / ~생 寄宿生. 寮生.

기술【奇術】〈名〉奇術. =요술. 語例 ~사 奇術師.

****기술**【技術】〈名〉技術. 技. 句例 ~을 익히다 技術を身に付ける / ~을 겨루다 技をきそう / ~을 전수(傳授)하다 技術を伝える / ~을 닦다 技術をみがく. 語例 과학 ~ 科学技術 / 선진 ~ 先進技術 / ~ 교육 技術教育 / ~ 장비 技術装備.

기술-자【技術者】[—tcha]〈名〉技術者. =엔지니어. 語例 ~ 양성 技術者の養成.

기술-적【技術的】[—tchŏk]〈名・冠〉技術的. 句例 ~인 문제 技術的問題. 文例 ~으로 어려움이 많다 技術上の難点が多い.

기슭 [kisŭk]〈名〉❶(斜面の)すそ. ふもと. 語例 산~ 山のふもと. 山足. ❷(川・海などの)岸. 語例 강~ 川岸.

參考 '기슭에 ふもとに' '기슭과 ふもとと'は[kisŭlge], [kisŭkkwa]と読む.

기습【奇襲】〈名〉奇襲. 不意打ち. **~하다**〈他〉奇襲する. 不意打ちをかける. 語例 ~ 공격 奇襲攻撃.

기승【氣勝】〈名・하形〉勝ち気. 利かん気. 負けん気.

기승(을) 떨다 勝ち気にふるまう.

기승(을) 부리다 ❶意地を張る. ❷(寒さなどが)猛威を奮う. 句例 늦추위가 ~ 余寒が猛威を奮う.

기-승-전-결【起承轉結】〈名〉〔文〕起承転結. =기승전락(起承轉落).

기식【寄食】〈名・하自〉寄食. 文例 친척 집에서 ~하고 있다 親戚の家に寄食している.

기실【其實】━〈名〉その事実. その実相.

ㄱ

㊁〈副〉その実. 実は. 本当のところ. [句例] ～ 난처한 입장이다 実は弱り果てているところだ.

기-쓰다【氣—】⇨'기(氣)'の小項目

기아【棄兒】〈名・하自〉捨て子.

기아【飢餓・饑餓】〈名〉飢餓. 飢え. [句例] 이럭저럭 ～를 면하다 どうにかして飢えをしのぐ.

기악【器樂】〈名〉〔樂〕器楽. [句例] ～용으로 작곡하다 器楽用として作曲する. [語例] ～ 연습곡 器楽練習曲 / ～곡 器楽曲. (對)성악(聲樂).

기안【起案】〈名・하他〉起案. [句例] 공문을 ～하다 公文を起案する. [語例] ～자 起案者.

기암【奇岩】〈名〉奇岩. [語例] ～ 괴석 奇岩怪石.

***기압**【氣壓】〈名〉〔氣〕気圧. [語例] ～골 気圧の谷 / ～ 배치 気圧配置 / 고～ 高気圧 / 저～ 低気圧.

[参考] 単位は'헥토파스칼 ヘクトパスカル'.

기압-계【氣壓計】〈名〉〔氣〕 気圧計. ＝청우계. 바로미터.

***기약 분수**【既約分數】[—punssu]〈名〉〔數〕既約分数.

기약-하다【期約—】[kiyak'ada] (→하다)〈他〉期約する. 期待する. 期する. [句例] 성공을 ～ 成功を期(約)する / 후일(後日)을 ～ 他日を期する. [文例] 생환(生還)을 기약할 수 없다 生還を期し得ない.

기어〈名〉ギア. [句例] ～를 저속으로 바꾸다 ギアを低速に切り替える. ◇gear

기어-이【期於—】〈副〉❶きっと. 必ず(や). ぜひ(とも). 誓って. [文例] ～ 이기겠다 きっと勝ってやる / ～ 가겠다고 고집을 부린다 なんでも行くと言って聞かない. ❷とうとう. ついに. [文例] 여러번 반복한 결과 ～ 이루고 말았다 なんどもくりかえした結果ついに成し遂げた.

기어-코【期於—】〈副〉⇨ 기어이

기억【記憶】〈名〉記憶. 覚え. **～하다**〈他〉記憶する. 覚える. [句例] ～을 더듬다 記憶をたどる. [文例] 들은 ～이 없다 聞いた覚えがない / 나이를 먹으면 ～이 희미해진다 年をとると記憶が薄れる / 어젯밤의 ～이 전혀 없다 昨晩の記憶は全くない. [語例] ～력 記憶力 / ～술 記憶術 / ～ 장치 記憶装置.

기엄-기엄〈副・하自〉は(這)うさま. [句例] 아기가 ～ 기다 赤ん坊がはいはいする.

***기업**【企業】〈名〉企業. **～하다**〈他〉企業を営む. [句例] ～의 번영 企業の繁栄 / ～화하다 企業化する. [語例] 중소 ～ 中小企業 / 대～ 大企業 / ～가 企業家.

기여-하다【寄與—】(→하다)〈自他〉寄与する. [句例] 국제 친선에 ～ 国際親善に寄与する. [文例] 나라에 기여한 바가 컸다 国に寄与するところが多大であった.

기역〈名〉〔言〕ハングル字母'ㄱ'の称. [語例] ～니은 字母'ㄱ'と'ㄴ'. ハングル / ～자(字)집 'ㄱ'字型の家.

기염【氣焰】〈名〉気炎. 気勢. [句例] ～을 토하다 気炎を吐く. 気勢をあげる.

기예【技藝】〈名〉技芸. [句例] ～를 닦다 技芸を磨く. [文例] 그는 ～에 능하다 彼は技芸に長じている.

***기온**【氣溫】〈名〉気温. [句例] ～이 오르다〔내리다〕気温が上がる〔下がる〕. [文例] 산협의 ～은 예측이 안 된다 山峡の気温は予測ができない. [語例] ～ 편차 気温偏差 / 최고 ～ 最高気温.

***기와**〈名〉かわら(瓦). [語例] ～ 지붕 かわら屋根 / ～장이 かわら師 / 기왓장 一枚一枚のかわら. →암키와. 수키와

기와 한 장 아껴서 대들보 썩힌다 一枚のかわらを惜しんだあげくはり(梁)を腐らす. 一文惜しみの百知らず.

기와-집〈名〉かわら屋. かわらぶきの家. ＝와가(瓦家). [句例] 동구 밖의 ～ 한 채 村はずれのかわら屋一軒.

기왕【既往】㊀〈名〉既往. 以前. 過去. [句例] ～의 잘못 前非. [語例] ～지사(之事) 既に過ぎ去ったこと.

㊁〈副〉❶すでに. とうに. ❷⇨ 기왕에

기왕-에【既往—】〈副〉どうせ. いずれにしても. ＝이왕에. [句例] ～ 탄로 난 사실 どうせばれたこと. [文例] ～ 가려면 빨리 가도록 해라 いずれ行くことなら早目の方がいい.

기왕-이면【既往—】〈副〉どうせのことなら. せっかくのことなら. ＝이왕(已往)이면. [文例] ～ 저것을 주세요 どうせのことならあれをください / ～ 나도 끼어 주게 どうせのことなら僕も仲間に入れてくれ.

기용【起用】〈名・하他〉起用. 取り立てること. [文例] 계장을 과장으로 ～하였다 係長を課長に起用した / 신인을 주역 배우로 ～하였다 ニューフェスを主演俳優に取り立てた.

기우【杞憂】〈名〉杞憂. とり越し苦労. [文例] 그것이 바로 ～라는 거다 それこそとり越し苦労というものだ.

기우듬-하다 (→하다)〈形〉やや傾いている. [句例] 굴뚝이 ～ 煙突がやや傾いている / 앞으로 ～ 前のめりになっている. **기우듬히**〈副〉やや傾きかげんに. [文例] 벽에 기우듬히 기대어 앉아 있다 壁にもたれて座っている.

기우뚱-거리다 ㊀〈自〉ぐらつく. ぐらぐらする. 揺れる. [句例] 보트가 ～ ボートが揺れる.

㊁〈他〉ぐらつかせる. ぐらぐらさせる. 揺らす. [句例] 자전거를 기우뚱거리며 타고 가다 自転車をぐらつかせながら乗って行く.

기우뚱기우뚱〈副・하自他〉しきりにぐらぐらするさま.

기우-제【祈雨祭】〈名〉雨ごいの祭り. [句例] ～를 지내다 雨ごいの祭りを行なう. 雨ごいをする. (對)기청제(祈晴祭).

***기운**〈名〉❶気. 精気. [句例] 만물 창조의 ～ 万物創造の精気. ❷生気. 元気. 活氣. [句例] ～이 팔팔한 젊은이 元気あふれる若者. [文例] ～을 내라 元気を出せ. ❸力. 精神力. [句例] ～을 쓰다 力を入れる. [文例] ～을 잃고 축 처져 있다 気を落としてげんなりしている. (類)힘. ❹気配. 気味. 空気. [文例] 그들 사이에는 한때 험악한 ～이 감돌았다 彼らの間には一時険しい空気が漂った.

기운【氣運】〈名〉気運. 時勢の成り行き. [句例] 개혁의 ～ 改革の気運. [文例] 민주화의

～이 높아졌다 民主化の気運が高まった.

기운【機運】〈名〉 機運. 時の巡りあわせ. 文例 실지 회복의 ～이 무르익었다 失地回復の機運が熟した.

기운-차다〈形〉 力強い. 元気旺盛だ. 句例 기운찬 음성 力強い声音. 類힘차다.

기울〈名〉ふすま(麩). 句例 닭에 ～을 주다 鶏にふすまをやる.

기울-기〈名〉〔數〕勾配.

***기울다** (기우니, 기울어서) 一〈自〉 傾く. ❶斜めになる. 句例 배가 ～ 船が傾く / 기둥이 ～ 柱が傾く / 침로가 남쪽으로 ～ 針路が南に片寄る.
❷(日や月が)暮れる. 陰る. 句例 해가 ～ 日が暮れる.
❸衰える. 滅びる. 句例 국운이 ～ 国運が傾く.
❹偏る. ある傾向を帯びる. 句例 찬성으로 ～ 賛成に傾く.
❺(月などが)欠ける. 食する. ＝이지러지다. 文例 달도 차면 기운다 月も満ちれば傾く.
❻似合わない. 釣り合わない. 句例 짝이 ～ 相手が互いに似合わない.
二〈形〉傾いている. 斜めになっている. 句例 저울대가 ～ はかりざおが傾いている.

기울어-지다 [kiurŏjida]〈自〉傾く. 句例 해가 ～ 日が傾く / 집이 ～ 家が傾く / 마음이 ～ 気持ちが引かれる. 文例 찬성 쪽으로 기울어지기 시작했다 賛成の方に傾きかけた.

***기울-이다** [kiurida]〈他〉傾ける. ❶斜めにする. 文例 병을 기울여 물을 따르다 瓶を傾けて水をつぐ. ❷ある方向に向かせる. 句例 귀를 ～ 耳を傾ける. ❸(力・心などを)集中する. 一方へ注ぐ. ＝경주(傾注)하다. 句例 심혈을 ～ 心血を傾ける / 온힘을 ～ 全力を傾ける. ❹形勢を悪くする. 勢いを衰えさせる. ❺器をかたむけて中の酒などを飲む. 句例 술잔을 ～ 杯を傾ける.

기웃-거리다〈自他〉 ひょいひょいとのぞきこむ. 句例 여기저기를 ～ ここかしこをのぞきこむ.

기웃기웃〈副〉 ひょいひょいとのぞき見るさま. **～하다**〈自他〉ひょいひょいとのぞきこむ. 句例 남의 집을 ～하다 人の家をひょいひょいとのぞく.

기원【祈願】〈名〉祈願. **～하다**〈他〉祈願する. 祈る. 句例 신불에게 ～하다 神仏に祈る / 합격을 ～하다 合格を祈願する.

기원【紀元】〈名〉紀元. 句例 서력 ～을 쓴다 西暦紀元を使う / 하나의 신～을 긋다 一つの新紀元を画する. 語例 ～전 紀元前 / ～후 紀元後.

기원【起源】〈名〉起源. 始まり. 起こり. **～하다**〈自〉始まる. 起こる. 起源する. 句例 종의 ～ 種の起源 / 인류의 ～ 人類の起源.

기원【棋院】〈名〉棋院. 碁クラブ.

기이-하다【奇異―】(→하다)〈形〉奇異である. 奇妙だ. 奇怪だ. 句例 기이한 동물 奇態な動物. 文例 기이한 느낌이 든다 奇異な感じがする / 기이하게도 그를 오랜만에 런던에서 만났다 くしくも彼をひさしぶりにロンドンで巡り会った.

기인【奇人】〈名〉奇人. 変人. 変わり者.

기인【起因】〈名〉起因. はじまり. 起こり. **～하다**〈自〉起因する. 根ざす. 文例 식량 부족은 인구 과잉에 ～한다 食糧不足は人口過剰に起因する. 類기인(基因).

기일【忌日】〈名〉忌日. 命日. 句例 할아버지의 ～ 祖父の忌日.

기일【期日】〈名〉期日. 日限. 日にち. **～하다**〈他〉日にちを決める. 句例 세금을 ～ 내에 납부하다 税金を期日まで納める / 내일이면 ～이 다 된다 明日は日限が切れる.

기입【記入】〈名〉記入. 書き込み. **～하다**〈他〉記入する. 書き込む. 句例 출납을 장부에 ～하다 出納を帳簿に書き込む. 語例 ～란 記入欄 / ～장 記入帳.

***기자【記者】**〈名〉記者. 語例 신문 ～ 新聞記者 / ～ 회견 記者会見 / ～단 記者団.

기장〈名〉〔植〕きび(黍). ＝나서(糯黍). 語例 ～떡 きびもち.

기장【機長】〈名〉機長.

기재【記載】〈名〉記載. **～하다**〈他〉記載する. 書き入れる. 書き込む. 語例 ～ 사항 記載事項.

기재【器材】〈名〉器材. 語例 실험용 ～ 実験用器材.

기저귀〈名〉おむつ. おしめ. 句例 ～를 채우다 おむつを当てる / ～를 갈아 주다 おむつを換えてやる.

기적【汽笛】〈名〉汽笛. 句例 ～을 울리다 汽笛を鳴らす.

***기적【奇蹟】**〈名〉奇跡. 文例 ～이 아니고서는 환자는 살아나지 못한다 奇跡でなくては病人は助からない.

기적-적【奇蹟的】〈名・冠〉奇跡的. 句例 ～으로 구조되다 奇跡的に助かる.

기절【氣絶】〈名〉気絶. ＝실신(失神). **～하다**〈自〉気絶する. 気を失う. 目を回す. 句例 ～ 직전의 상태 気絶寸前の状態. 文例 놀란 나머지 ～했다 驚きの余り気絶した.

기절-초풍【氣絶―風】〈名・하自〉 びっくり仰天すること. 驚愕すること. たまげること. 句例 천둥소리에 ～하다 雷の音にぶったまげる.

기점【起點】 [kitchŏm]〈名〉起点. 句例 철도 ～ 鉄道の起点. 對종점(終點).

기점【基點】 [kitchŏm]〈名〉基点. 語例 방위 ～ 方位の基点.

기정【既定】〈名・하他〉既定. 語例 ～ 방침 既定方針 / ～ 사실 既定の事実.

기조【基調】〈名〉基調. 句例 노랑을 ～로 한 서양화 黄色を基調とした西洋画. 語例 ～ 연설 基調演説.

기존【既存】〈名・하自〉既存. 語例 ～ 시설 既存の施設.

***기준【基準】**〈名〉基準. 句例 ～을 정하다 基準を定める / ～을 세우다 基準を立てる. 語例 ～선 基準線.

기중-기【起重機】〈名〉起重機. クレーン. ＝크레인.

기증【寄贈】〈名・하他〉 寄贈. ＝증여(贈與). 文例 모교에 피아노를 ～하였다 母校にピアノ

ㄱ

を寄贈した. 語例 ~품 寄贈品.

기지【基地】〈名〉基地. 句例 전진 ~를 설치하다 前進基地を設置する. 語例 군사 ~ 軍事基地 / 남극 ~ 南極基地.

기지【機智】〈名〉機知. 機転. ウイット. 句例 ~가 풍부하다 機知に富む / 번뜩이는 ~ ひらめくウイット.

****기지개** [ki:jigae]〈名・하自〉(疲れた時などの)伸び.

기지개(를) 켜다 伸びをする. =기지개(를)하다. 句例 하품과 함께 ~ あくびと共に伸びをする.

기진【氣盡】〈名〉気力が尽きること. **~하다**〈自〉気力が尽き果てる.

기진-맥진【氣盡脈盡】〈名〉精根が尽き果てること. **~하다**〈自〉精根が尽き果てる. 疲れてぐったりする.

기질【氣質】〈名〉❶気力と体質. ❷気質. 気立て. 気性. かたぎ. 句例 난폭한 ~ 荒っぽい気質 / 온순한 ~ 優しい気質 / 예술가적인 ~ 芸術家的な気質. 語例 장인(匠人) ~ 職人気質. 職人かたぎ.

****기차**【汽車】〈名〉汽車. 語例 ~ 여행 汽車旅行 / ~ 통근 汽車通勤 / 기찻길 汽車の線路.

기-차다【氣—】⇨'기(氣)'の小項目

기척〈名〉気配. 文例 사람이 오는 ~이 있었다 人の来る気配がした. 語例 인~ 人け.

기척도 없다 なんの気配もない.

***기체**【氣體】〈名〉〔物〕気体. 句例 유독 ~ 有毒の気体.

기체【機體】〈名〉機体. 文例 비행기의 ~가 산산 조각이 났다 飛行機の機体がばらばらになった.

기초【起草】〈名・하他〉起草. 起案. 略して'초(草)'とも言う. 句例 법안을 ~하다 法案を起草する.

***기초**【基礎】〈名〉基礎. 句例 견실한 ~ 堅実な基礎 / 사실을 ~로 하여 쓴 소설 事実を基礎として書いた小説 / ~를 다지다 基礎を固める. 語例 ~ 지식 基礎知識 / ~ 체력 基礎体力 / ~ 공사 基礎工事.

기초【期初】〈名〉期首. 對기말(期末).

***기초-적**【基礎的】〈名・冠〉基礎的. 句例 ~인 지식 基礎的な知識. 語例 ~ 요소 基礎的要素.

기총【機銃】〈名〉〔軍〕'기관총'の略：機銃. 語例 ~ 소사 機銃掃射.

기치【旗幟】〈名〉旗幟. 旗印. 句例 자유의 ~ 自由の旗印.

****기침**〈名〉せき(咳). **~하다**〈自〉せきをする. せく. 句例 ~이 나다 せきが出る / 연거푸 ~하다 せきこむ. 語例 ⇨ 헛기침

기침【起枕】〈名・하自〉(目上の人の)起床. 對취침(就寝).

***기타**【其他】〈名〉その他. その外. 語例 ~ 사항 その他の事項.

기타 [kit'a:]〈名〉〔樂〕ギター. 句例 ~를 치다 ギターをつま弾く. ◇guitar

기탁【寄託】〈名・하他〉寄託. 文例 전재산을 은행에 ~했다 全財産を銀行に寄託した.

기탄-없이【忌憚—】[kit'anŏpshi]〈副〉はばかりなく. 遠慮なく. 忌憚なく. 句例 ~ 말하다 はばかりなく言う / ~ 말하자면 はばかりなく言えば. 忌憚なく言えば.

·기통【汽筒・氣筒】〈名〉気筒. =실린더.

***기특-하다**【奇特—】[kit'ŭk'ada] (→하다)〈形〉奇特である. 殊勝だ. けなげだ. 感心だ. (子供などが)えらい. 句例 기특한 행실 殊勝な行い / 남의 일을 돕는 기특한 아이 人の手助けをするけなげな子. 文例 기특할 정도로 참을성이 많다 感心なほどに辛抱強い. **기특히** [kit'ŭk'i]〈副〉けなげに. 殊勝に.

기틀〈名〉(物事の)基礎. かなめ(要). 土台. 句例 발전의 ~을 마련하다 発展の土台を築く.

기틀(이) 잡히다 土台が出来上がる. 句例 기틀이 잡혀가다 本軌道に乗る.

기-펴다 ⇨'기(氣)'の小項目

기폭【起爆】〈名〉起爆. 語例 ~제 起爆剤 / ~장치 起爆装置.

기표-소【記票所】〈名〉投票用紙記入所.

기품【氣品】〈名〉気品. 句例 점잖은 ~ 穏やかな気品. 文例 어딘지 모르게 ~이 있다 どことなく気品がある.

기풍【氣風】〈名〉気風. 句例 근로의 ~을 키우다 勤労の気風を養う. 文例 그 집 사람들은 호학(好學)의 ~이 있다 その家の人人は好学の気風がある.

기피【忌避】〈名・하他〉忌避. 句例 책임을 ~하다 責任を忌避する. 語例 징병 ~ 徴兵忌避 / ~자 忌避者.

기필-코【期必—】〈副〉きっと. 必ず. 文例 이번에는 ~ 성공하겠습니다 こんどは，きっと成功して見せます.

기-하다【期—】(→하다)〈他〉期する. 句例 만전을 ~ 万全を期する. 文例 그들의 생환은 기하기 어렵다 彼らの生還は期し難い.

기하-학【幾何學】〈名〉〔數〕幾何学. 略して'기하'ともいう.

기한【期限】〈名・하他〉期限. 日限. 句例 ~내에 갚다 期限内に返す / ~이 다 되다 期限が尽きる. 語例 유효 ~ 有効期限.

기합【氣合】〈名〉❶呼吸が合うこと. ❷気合. ㉠精神を集中するときの気勢やかけ声. 句例 ~을 넣다 気合をかける. ㉡軍隊などで加える体罰の俗っぽい言いかた. 句例 ~을 넣다 気合を入れる.

기합-술【氣合術】〈名〉気合術.

기행【奇行】〈名〉奇行. 文例 그의 ~은 전설적이었다 彼の奇行は伝説的であった.

기행【紀行】〈名〉紀行. 語例 ~문 紀行文 / 유럽 ~ ヨーロッパ紀行.

기-현상【奇現象】〈名〉奇現象.

기형【畸形】〈名〉〔生〕奇形. 句例 ~의 개 奇形の犬.

***기호**【記號】〈名〉記号. 語例 발음 ~ 発音記号 / 원자 ~ 原子記号.

기호【嗜好】[ki:ho]〈名・하他〉嗜好. 好み. 句例 ~에 맞다 好みに合う. 語例 ~품 嗜好品.

기호【畿湖】〈名〉〔地〕韓国の京畿道・江原道・黄海道の南部及び忠清南

北道一帯の地域.

기혼【既婚】〈名・하自〉既婚. 語例 ～자 既婚者. 對미혼(未婚).

기화【奇貨】〈名〉奇貨. ❶めずらしい財貨. ❷(‘을〔를〕 ～로’の形で)…につけこんで. …にかこつけて. 好機. 句例 그것을 ～로 하여 それをいいことにして / 그의 약점을 ～로 삼다 彼の弱点に付け入る.
参考 ②は, 悪事に利用する機会の意.

*__기회__【機會】〈名〉機会. 機. 折. チャンス. 句例 다시 없는 ～ またとない機会 / 절호의 ～ 絶好のチャンス / ～를 잡다 機会をつかむ / ～를 노리다 機会をねらう / ～를 놓치다 機会をのがす. 文例 ～가 있으면 만나세 折があったら会おうよ. 語例 ～ 균등 機会均等 / ～주의 機会主義. 日和見主義.

기획【企劃】〈名・하他〉企画. 企て. プラン. 句例 ～을 세우다 企画を立てる / 뮤지컬을 ～하다 ミュージカルを企画する.

**기후【氣候】〈名〉〔地〉気候. 句例 온화한 ～ 温和な気候 / 불순한 ～ 不順な気候. 語例 대륙성 ～ 大陸性気候 / ～대 気候帯.

긴 〔漢字項目〕

【緊】高校 긴 キン. ❶굳다 かたい. ▮緊密 긴밀 きんみつ. ❷시급하다 急だ. ▮緊急 긴급 きんきゅう. 緊迫 긴박 きんぱく. ❸줄다 縮む. ▮緊縮 긴축 きんしゅく. ❹팽팽하다 張っている. ▮緊張 긴장 きんちょう.

긴급【緊急】〈名〉緊急. **～하다**〈形〉緊急だ. 句例 ～을 요하는 문제 緊急を要する問題 / ～ 한 용무 緊急な用事. 語例 ～ 동의 緊急動議 / ～ 사태 緊急事態. **～히**〈副〉緊急に. 句例 긴급히 처리하다 緊急に処理する.

긴-긴 [ki:n-gin]〈冠〉‘기나긴’の略: ひどく長い. 長長しい. 文例 ～ 세월의 고생을 참아왔다 長い年月を苦労に耐えて来た. 語例 ～날 長い日 / ～밤 夜長 / ～해 日長.

긴-말 [ki:nmal]〈名・하自〉長話. 長ったらしい話. 文例 이 건에 관해서는 ～이 필요없다 この件に関しては長話は無用だ.

*__긴밀-하다__【緊密—】(→하다)〈形〉緊密だ. 文例 긴밀한 연락이 필요하다 緊密な連絡を要する. **긴밀히**〈副〉緊密に.

긴박【緊迫】〈名〉緊迫. **～하다**〈形〉緊迫している. 文例 정계가 극도로 ～해졌다 政界が極度に緊迫して来た. 語例 ～감 緊迫感.

긴-병 [ki:nbyŏng]〈名〉長病み. 長患い. ＝장병(長病).

긴병에 효자 없다 長病みの親に孝行者なし.

긴-사설【—辭說】[ki:nsasŏl]〈名〉長話. ながったらしいおしゃべり. 「符」.

긴-소리 [ki:nsori]〈名〉長音. 語例 ～표 長音

긴요-하다【緊要—】(→하다)〈形〉緊要だ. 肝要だ. 句例 농어촌 대책은 국가의 긴요한 문제다 農漁村の対策は国の緊要な問題である. **긴요히**〈副〉緊要に. 肝要に.

*__긴장__【緊張】〈名・하自〉緊張. 句例 ～이 풀리다 緊張が解ける / ～된 분위기 緊張した雰囲気. 文例 양국은 잔뜩 ～하였다 両国は極度に緊張した. 語例 ～감 緊張感 / ～ 완화 緊張緩和.

긴축【緊縮】〈名〉緊縮. **～하다**〈他〉緊縮する. 引き締める. 語例 ～ 예산 緊縮予算 / ～ 정책 緊縮政策.

긴-하다【緊—】(→하다)〈形〉緊要である. 大切だ. 句例 긴한 볼일 大切な用事 / 긴한 물건 肝要な物 / 긴한 일 重要なこと. 文例 그것을 긴하게 쓰겠습니다 それを有意義に使わせて頂きます. **긴히**〈副〉折り入って. 格別に. 文例 긴히 부탁할 일이 있다 折り入って頼みたいことがある.

긷다 (길으니, 길어서) [ki:tta]〈他〉(水などを)くむ. 句例 두레박으로 물을 ～ つるべで水をくむ / 물을 길어 담다 水をくみ入れる.

**길[1]〈名〉道. ❶道路. 通路. 往来. 句例 ～을 트다 道を付ける / ～이 트이다 道が付く / ～을 잃다 道に迷う. 語例 큰～ 大通り / 골목～ 横町 / 뱃～ 船路.
❷道徳. 道理. 句例 사람이 갈 ～ 人の道 / 바른 ～ 正しい道.
❸行き掛け. 句例 …하는 ～에(…への)行き掛けに. (…する)途中で. 句例 가는 ～에 들르다 行き掛けに寄る.
❹道のり. 道程. 句例 성공의 ～ 成功への道 / ～을 터주다 道を開く. 語例 가시밭 ～ いばらの道.
❺方法. 手段. 文例 살아갈 ～이 트이다 暮らしの道が開ける.
❻方面. 専門. 句例 그 ～의 전문가 その道の専門家.

길(이) 닿다 めどがつく. 関係が開ける.

길(을) 떠나다 旅に出る. 旅立つ.

길을 두고 뫼로 갈까 道を差し置いて山を通ろうか. わざと難しいことをするはずがないことのたとえ.

길을 뚫다 ❶道をつける. 道を通す. ❷方法を探し出す.

길을 재촉하다 道を急ぐ.

길이 바쁘다 道を急がなければならない状況である.

길이 없다 (‘…ㄹ ～’ ‘…을 ～’の形で)(…の)道がない. (…する)すべがない. 文例 빠져 나갈 ～ 抜け出るすべがない / 도저히 찾을 ～ とうてい探す方法がない.

길이 열리다 道が開ける. 解決の方法が見つかる.

길[2]〈名〉 ❶(手入れなどによる)つや. 光沢. 文例 ～이 반들반들 들었다 手入れが行き届いてぴかぴかだ. ❷(家畜などを)飼い慣らすこと. 句例 ～을 들인 곰 飼い慣らしたくま. ❸(物を)使い慣らす. 句例 반들반들 ～이 든 단장 手慣れてつややかなステッキ.

길[3] [ki:l]〈依名〉❶人の背丈ほどの深さ: ひろ(尋). 文例 두 ～은 된다 二尋はある. ❷長さの単位. 八尺または十尺.

길 〔漢字項目〕

【吉】中學 길 キチ. キツ. ❶길하다 めでたい. ▮吉夢 길몽 きちむ. きつむ. 吉辰 길신 きっしん. ▮大吉 대길 だいきち. ❷착하다

おとなしい. ◧吉士 길사 きし. 吉人 길인 きつじん. ❸혼인 縁組み. ◧吉禮 길례 きつれい. 吉日 길일 きちじつ.

*길-가 [kilkka]〈名〉道端. 路傍. 句例 ~의 꽃 道端の花 / ~의 돌 路傍の石.

길-거리 [kilkkŏri]〈名〉往来. 通り. 略して'거리'ともいう. 句例 ~에 난 창문 往来に接した窓 / 북적대는 ~ 込み合う通り. 文例 ~에 주차할 때는 조심하여라 路上の駐車には注意しなさい.

길길-이 [ki:lgiri]〈副〉❶かんかんに怒るさま. 文例 성이 나서 ~ 뛰다 かんかんになって怒る. ❷(草木などが)高く生い茂った様子. 句例 ~ 자란 옥수수 高く伸びたとうもろこし. ❸ものが高く積もったさま. 句例 눈이 ~ 쌓이다 雪がうずたかく積もる.

길-눈 [killun]〈名〉道筋を覚える記憶力.

길눈(이) 밝다 道筋の覚えがよい.

길눈(이) 어둡다 道筋の覚えが悪い. 方向音痴だ.

**길다 [ki:lda] (기니, 길어서)〈形〉長い. ❶両端の距離が大きい. 句例 길게 늘어뜨린 머리 長く垂らした髪 / 끈이 너무 ~ ひもが余りにも長い. 文例 긴 편이 좋다 長い方がいい.

❷時間と時間の間がかなりたっている. 句例 목숨이 ~ 命が長い / 긴 여행길 長い旅路 / 싸움이 길어지다 戦いが長びく. 文例 여름은 낮이 ~ 夏は昼が長い / 인생은 짧고 예술은 ~ 人生は短く芸術は長し.

❸(話などが)長ったらしい. 文例 그의 길고도 자세한 설명에 감명받았다 彼の長くて詳しい説明に感銘した. ▷㊇짧다.

길게 늘어놓다 (話などを)並べ立てる. 文例 쓸데 없는 이야기를 길게 늘어 놓았다 ためにもならない話を長長と並べ立てた.

길고 짧은 것은 대어 보아야 안다 ものの長短は比べてみないことには分からない.

길-동무 [kilttongmu]〈名〉道連れ. =길벗. ~하다〈自〉道連れになる. 連れ立つ.

길-들다 (길드니, 길들어서)〈自〉❶(手入れがよくて)つやが出る. 文例 손질을 잘 해서 장롱이 길들었다 手入れがよくてたんすがぴかぴかする. ❷(家畜などが)手なずく. ❸手慣れる. 句例 길든 만년필 使い慣れた万年筆.

*길-들이다 [kildŭrida]〈他〉手なずける. 飼い慣らす. 句例 들개를 ~ 野良犬を飼い慣らす / 길들인 다람쥐 手なずけたりす(栗鼠) / 부하를 ~ 部下を手なずける. 文例 이것들은 내가 길들인 연모다 これらは(わたしの)手慣れの道具である.

길디-길다 [ki:ldigilda] (―기니, ―길어서)〈形〉ひどく長い. 長長しい. 句例 길디 긴 물건 ひどく長いもの.

길마〈名〉荷ぐら. 句例 소의 ~ 牛の荷ぐら.

길마 무거워 소 드러누울까 いくら荷ぐらが重くてもまさか牛が寝転ぶことはあるまい. おびえずに勇気を出してやれとのたとえ.

길마(를) 지우다 (牛の背に)荷ぐらをつける. 荷ぐらを置く.

길-목〈名〉❶道の要所. 句例 ~을 지키다 要所を守る. ❷街角. 文例 두 번째 ~에서 왼쪽으로 꺾어서 가시오 二つめの街角で左に曲がって進みなさい.

길몽【吉夢】〈名〉 縁起のいい夢. =상몽(祥夢). ㊇흉몽(凶夢).

길-바닥 [―ppadak]〈名〉道端. 路面. 句例 ~에서 서성거리다 道端でうろつく.

길-벗 [kilppŏt]〈名〉道連れ. =길동무.

길보【吉報】〈名〉吉報. ㊇흉보(凶報).

길-섶 [kilssŏp]〈名〉道端. 道のそば. 句例 ~에 앉아 쉬다 道端に座って休む.

길-손 [kilsson]〈名〉旅人. 句例 오가는 ~ 行き交う旅人.

길쌈〈名〉機織り. ~하다〈自〉機を織る. 句例 ~하는 아가씨 機織り娘 / ~ 잘 하는 며느리 機織りのうまい嫁.

길운【吉運】[kirun]〈名〉幸運. ㊇액운(厄運).

*길이[1] [kiri]〈名〉❶(物の)長さ. 丈. 句例 알맞은 ~로 자르다 ほどよい長さに切る. 文例 ~에 비해서 폭이 넓다 長さに比べて幅が広い. 語例 옷 ~ 着物の丈 / 강 ~ 川の長さ. ❷(時間的)長さ. 文例 밤과 낮의 ~는 같지 않다 夜と昼の長さは同じではない.

*길이[2] [ki:ri]〈副〉いつまでも. 末永く. 永遠に. 句例 ~ 잠들다 とこしえに眠る.

길이-길이 [ki:rigiri]〈副〉永遠に. とこしえに. 文例 그 이름은 청사에 ~ 빛나리 その名は青史に末永く輝くであろう.

길일【吉日】[kiril]〈名〉吉日・きちにち. 句例 ~을 택하다 吉日を卜する.

길잃은-새 [kirirŭnsae]〈名〉'미조(迷鳥) 迷鳥'のくだけた言い方.

길-잡이 [kiljabi]〈名〉❶道しるべ. 道標. 文例 북두칠성을 ~로 삼아 걸었다 北斗七星を道しるべにして歩いた. ❷(物事の)指針. 手引き. 句例 영어의 ~ 英語の手引き / 초학자의 ~가 되다 初学者の道しるべとなる. ❸['길라잡이'の略] 道案内(人). 句例 등산의 ~ 登山の道案内人.

길조【吉兆】[kiltcho]〈名〉吉祥. 吉兆. 文例 그것은 정말 ~다 それはほんとにさいさき(幸先)がいいね. ㊇흉조(凶兆).

길-짐승 [kiltchimsŭng]〈名〉地上をは(這)う動物. ㊇날짐승.

길쭉-이 [kiltchugi]〈副〉やや長めに.

길쭉-하다 [kiltchuk'ada] (→하다)〈形〉やや長い. 句例 길쭉한 물건 やや長めのもの / 길쭉한 얼굴 長めの顔.

길쭉길쭉〈副〉(皆が)長めなさま. ~하다〈形〉(皆が)長めである.

길품-삯 [kilp'umssak]〈名〉使い走りの駄賃. =보행삯.

길-하다【吉―】(→하다)〈形〉縁起がよい. めでたい. 文例 그것은 길한 일이다 それはめでたいことだ. ㊇흉(凶)하다.

길흉【吉凶】〈名〉吉凶. 句例 ~을 점치다 吉凶を占う. 語例 ~ 화복 吉凶禍福.

**김[1] [ki:m]〈名〉〔植〕のり(海苔). 干しのり. 句例 ~을 굽다 のりを焼く.

김[2] [ki:m]〈名〉草むしり. 草取り.

김(을) 매다 草取りをする. 句例 밭의 김을 매다

畑の草取りをする.

김³ [kiːm]〈名〉❶水蒸気. 湯気. 句例 ～이 오르다 湯気が立つ. ❷呼気. 息. 文例 거울에 입～이 서렸다 鏡が息で曇った. 語例 콧～ 鼻息. ❸(特有の)香りや味. 句例 김(이) 빠지다(→小項目).

김(이) 나다 ❶湯気が立つ. 句例 무럭무럭 김이 나는 찐빵 ほかほかと湯気の立つ蒸しパン. ❷(口から)熱い息が出る.

김(이) 빠지다 ❶湯気がさめる. ❷気が抜ける. ㉠(特有の)香りまたは味がなくなる. 句例 김빠진 맥주 気の抜けたビール. ㉡拍子抜けがする. 間が抜ける. 句例 김빠진 이야기 間が抜けた話. 間延びした話.

김(이) 새다 興ざめる. 気抜けがする. 意欲を失う. 白ける. 文例 김 새는 말은 그만하게 興ざめ話は止せや.

表現 '김(이) 새다'は俗っぽい言いかた.

김 안 나는 숭늉이 더 덥다 大げさにふるまう人よりはじっくりしている人の方が実がある.

김⁴ [kiːm]〈依名〉(事の)はずみ. 拍子. ついで. 折り. 句例 화난 ～에 腹立ちまぎれに. 文例 지나가는 ～에 들렀다 通り掛かりに寄った.

**김-나다 [kiːm—] ⇨ '김³'の小項目

김-매기 [kiːm—]〈名〉除草. 草取り. ＝제초(除草).

김-매다 [kiːm—] ⇨ '김²'の小項目

김-밥 [kiːm—]〈名〉のり巻き.

김-빠지다 [kiːmppajida] ⇨'김³'の小項目

김-새다 [kiːmsaeda] ⇨'김³'の小項目

김장〈名・하自〉(越冬用の)キムチを漬け入れること. 語例 ～감 キムチ漬け用の野菜及びスパイスなど / ～ 때 (立冬前後の)キムチを漬け入れる時期.

**김치〈名〉キムチ. 韓国特有の漬物. 句例 ～가 짜다 キムチが塩辛い / ～를 담그다 キムチを漬け込む. 語例 김칫거리 キムチ漬け用の白菜・大根及び薬味など / 묵은 ～ 古漬けのキムチ / 햇～ 漬けたてのキムチ / ～ 찌개 キムチを入れたなべ物.

参考 キムチの種類には材料と時期によりいろいろのものがあるが, その代表的なキムチは初冬に漬け込む白菜と大根を主な材料とするものである.

김칫-국〈名〉キムチの汁.

김칫국부터 마신다 まず, キムチの汁を飲む. 捕らぬたぬき(狸)の皮算用.

깁다 [kiːpta] (기우니, 기워서)〈他〉継ぎを当てる. 繕う. 句例 양말을 ～ 靴下を継ぐ / 너덕너덕 기운 옷 継ぎだらけの服 / 헝겊을 대어 ～ 継ぎを当てる. →囲み記事 12

깁스〈名〉ギプス. ❶石膏. ❷'깁스 붕대 ギプス包帯'の略. ◇도 Gips

깃¹〈名〉❶(鳥類の)羽毛. ＝깃털. 우모(羽毛). 句例 ～이 빠지다 羽が抜ける. ❷矢につけた羽.

깃(을) 다듬다 (鳥が)くちばしで羽を繕う.

깃²〈名〉'옷깃 襟'の略. 句例 셔츠의 ～ シャツの襟 / ～을 세우다 襟を立てる.

깃-대【旗—】〈名〉❶旗ざお. 句例 ～를 세우다 旗ざおを立てる. ❷'기 旗'の俗っぽい言いかた.

깃-들이다 [kittŭrida]〈自〉❶巣くう. ねぐらにつく. 宿る. 文例 처마 밑에 제비가 깃들었다 軒下につばめが巣をかけた. ❷静かに包む. 句例 고요가 ～ 静まり返る. ❸宿る. こもる. 句例 정성이 깃들인 선물 真心のこもった贈り物. 文例 건전한 정신은 건전한 육체에 깃들인다 健全な精神は健全な肉体に宿る.

**깃-발【旗—】〈名〉旗. ＝기면(旗面). 기폭(旗幅). 句例 ～이 휘날리다 旗がなびく / ～을 올리다 旗を揚げる.

깃발(을) 꽂다 勝ちどきをあげる. ＝개가를 올리다.

깃발(을) 날리다 意気揚揚とする. 句例 승리의 깃발을 날리다 勝利の旗を翻す.

깃-털〈名〉❶羽と毛. ❷(鳥類の)羽. ＝깃.

깃-펜〈名〉羽ペン.

깊다〈形〉深い. ❶奥行きまでの距離が長い. 句例 깊은 우물 深い井戸 / 깊은 바다 深い海 / 숲이 ～ 森が深い.

❷(学問・考えなどが)深い. 句例 깊은 생각 深い思い / 학식이 ～ 学識が深い. 文例 깊은 뜻이 담겨져 있다 深い意味が含まれている / 문학에 조예가 ～ 文学に造詣が深い.

❸(程度が)強い. 句例 깊은 인상 深い印象 / 관심이 ～ 関心が深い / 깊은 감동을 주다 深い感動を与える / 깊은 잠에 빠지다 深い眠りに陥る. 文例 깊은 상처를 입었다 深い傷を負った.

❹(関係などが)厚い. 句例 인연이 ～ 縁が深い / 깊은 사이 深い仲 / 깊은 관계를 맺다 深い関係を結ぶ. ▷㊥얕다.

❺(時が)更けている. 句例 어둠이 깊은 밤 やみ(闇)深い真夜中. 文例 가을이 깊어만 간다 秋が深まっていくばかりである / 밤이 깊어 간다 夜が更けていく. ▷→囲み記事 12

깊숙-이 [kipsugi]〈副〉深深と. 奥深く. 句例 모자를 ～ 눌러 쓰다 帽子を深深とかぶる.

*깊숙-하다 [kipsuk'ada] (→하다)〈形〉奥深い. 奥まっている. 句例 깊숙한 동굴 奥深い洞窟 / 숲속 깊숙한 곳 森の奥まった所.

*깊이¹ [kip'i]〈名〉❶深さ. 句例 우물의 ～ 井戸の深さ / 바다의 ～ 海の深さ. ❷深み. 句例 ～가 없는 소설 深みのない小説 / ～가 있는 인물 深みのある人物.

*깊이² [kip'i]〈副〉❶深く. 句例 ～ 생각한 끝에 熟考の末 / ～ 잠들다 ぐっすり寝入る / 우물을 ～ 파다 井戸を深く掘る. ❷詳しく. よ

> 囲み記事 12
>
> ■ '깁다'と'깊다' ■
>
> 깁다 '縫う'の意の他動詞 —— 옷을 깁다 着物を縫う.
>
> 깊다 '深い'の意の形容詞 —— 이 우물은 깊다 この井戸は深い. 깊은 잠에 빠지다 深い眠りにおちいる.

く. 文例 그 사건의 내막을 ~ 알고 있다 その事件の内幕を詳しく知っている.

깊이-깊이 [kip'igip'i] 〈副〉 よくよく. 非常に深く. 句例 ~ 생각한 끝에 よくよく考えた上で / 가슴에 ~ 숨긴 원한 胸の奥深く秘めた恨み.

ㄲ [쌍기역 ssanggiyŏk] 'ㄱ'の硬音.

까까-머리 〈名〉 くりくり坊主. 丸坊主.

까까-중 〈名〉 ❶くりくり坊主. いがぐり頭. ❷丸坊主の僧.

까뀌 [kka:kkwi] 〈名〉 ちょうな. 手おの. 絵 類자귀.

〈까뀌〉

까끄라기 〈名〉 (稲・麦などの)のぎ(芒).

까-놓다 [kkanot'a] 〈他〉 ❶(秘密などを)うち明ける. ありのままに話す. 文例 과거를 까놓고 이야기하더라 過去のことをうち明けていたよ. 類터놓다. ❷(皮を)むいて置く. 句例 호두를 ~ くるみ(胡桃)をむいて置く.

까놓고 말하다 ざっくばらんに話す. あけすけに言う.

까다¹ 〈他〉 (計算を)差し引く. 句例 원금에서 이자를 ~ 元金から利子を差し引く. 控除する. 文例 월급에서 가불 금액을 깠다 サラリーから前貸し分を差し引いた.

까다² 〈他〉 ❶皮をむく. 句例 마늘을 ~ にんにくの皮をむく.
❷(卵を)かえ〔孵〕す. 孵化する. 文例 암탉이 병아리를 깠다 めんどりがひなをかえした.
❸目をむく. 類부릅뜨다.
❹(獣が)子を産む.
❺(殴ったりけ(蹴)ったりして)傷つける. 文例 네 정강이를 까버리겠다 てまえの向こうずねを削り落とすぞ.
❻(人の欠点などを暴いて)非難する. 攻撃する. 文例 신문은 사정없이 정부를 깠다 新聞は容赦なく政府をこき下ろした.
表現 ③④⑤⑥は俗っぽい言いかた.

까다³ 〈他〉 口先だけを言う. 句例 입만 깠지 실속이 없는 사람 口先ばかりで実がない人.

*까다롭다 [kka:daropta] (→롭다) 〈形〉 ❶ややこしい. 面倒だ. 句例 까다로운 절차 ややこしい手続き / 까다로운 문제 面倒な問題. ❷やかましい. 小うるさい. 文例 규칙이 매우 ~ 規則がとてもうるさい. ❸気難しい. 句例 까다로운 성격 気難しい性格 / 옷에 ~ 着るものにうるさい. 까다로이 〈副〉 ややこしく. 気難しく. うるさく. 文例 매사에 까다로이 굴었다 事ごとに小うるさく振る舞った.

까닥-이다 [kkadagida] 〈他〉 軽くうなず(頷)く.
表現 語感の大きい語は'끄덕이다'.

**까닭 [kkadak] ━〈名〉 ❶理由. 訳. 句例 ~없이 울다 訳もなしに泣く / 무슨 ~인지 모르지만 どういう訳か知らないが / ~ 모를 눈물 訳の分からない涙. 文例 그가 이런 짓을 하는 것은 무슨 ~일까 彼がこんな事をするのはなんのためだろうか. ❷(事の)いきさつ. いわく. 句例 ~이 있는 듯한 눈짓 いわくありげな目配せ. 文例 여러 가지 ~이 있었다 いろいろないきさつがあった.
━〈依名〉 故に. …(の)ため. =때문. 句例 그런 ~에 돌아갔다 そういう訳で帰った.
参考 '까닭이 理由が'は [kkadalgi]と読む.

까딱 〈副〉 うなず(頷)くさま: こっくり. ~하다 〈他〉 こっくりうなずく. 文例 눈썹 하나 ~하지 않고 듣고만 있다 まゆ(眉)ひとつ動かさず聞いているだけである. ~거리다 〈他〉 しきりにうなずく. 文例 고개를 ~거리며 이야기를 듣다 しきりにうなずきながら聞き入る. ~없다 〈形〉 びくともしない. 平気である. 文例 그 만한 일에는 ~없다 そんなことではびくともしない. ~없이 〈副〉 びくともせずに. 文例 ~없이 앉아 있다 びくともせずにでんと座っている.
表現 語感の大きい語は'끄떡'.

까딱-하면 [kkattak'amyŏn] 〈副〉 ひょっとしたら. ややもすれば. まかり間違えば. 文例 ~ 큰 일 날뻔 했다 ひょっとしたら大事になるところであった / ~ 목숨이 없다 まかり間違えば命がない.

까라-지다 〈自〉 くたびれる. ぐったりする. 句例 더위로 (몸이) ~ 暑さでぐったりとなる. 文例 까라지는 몸을 일으켰다 ぐったりした身を起こした.

까르르 〈副〉 (多くの人が)どっと笑いこける声: きゃっきゃっ. 文例 여학생들이 ~ 웃어댔다 女学生らがきゃっきゃっと笑いこけた.

**까마귀 〈名〉 ❶〔鳥〕からす(烏). 語例 ~떼 からすの群れ. ❷(比喩的に)真っ黒いもの. 語例 ~손〔발〕 真っ黒い手〔足〕. 汚れた手〔足〕.

까마귀 날자 배 떨어진다 からすが飛び立つや梨が落ちる. 思わぬ疑いをかけられることのたとえ. =오비이락(烏飛梨落).

까마귀 밥이 되다 からすのえさになる. のたれ死にする.

까마득-하다 [kkamadŭk'ada] (→하다) 〈形〉 ['까마아득하다'の略] ❶(空間的に)はるかに遠い. 文例 배가 까마득하게 보인다 船がはるか遠くに見える. ❷(時間的に)久しい. おぼろげだ. 句例 까마득한 옛날 이야기 はるか昔の話 / 기억이 ~ 記憶がおぼろげだ. 까마득히 [—dŭk'i] 〈副〉 ['까마아득히'の略] はるかに. おぼろげに. 文例 까마득히 멀어졌다 はるかに遠くなった / 사람의 모습이 까마득히 보인다 人の影がおぼろげに見える.

까막- 〈頭〉 '真っ黒·真っ暗·皆無'などの意. 語例 ~눈 あきめくら / ~눈이 文盲. 無筆 / ~잡기 目隠し.

까막-까치 [kkamakkka:ch'i] 〈名〉 からす(烏)とかささぎ(鵲). =오작(烏鵲).

**까맣다¹ [kka:mat'a] (까마니, 까마오) 〈形〉 真っ黒い. 句例 까만 머리 黒黒とした髪の毛.
表現 語感の大きい語は'꺼멓다'.

까맣다² [kka:mat'a] (까마니, 까마오) 〈形〉 ❶はるかに遠い. 句例 까맣게 높은 산 はるかに高くそび(聳)えた山. ❷すっかり忘れる.

까맣게 모르다 全く知らない. 文例 그 소식을 까맣게 모르고 있었다 その消息を全然知らずにいた.

까맣게 잊다 とんと忘れる. 文例 그 약속도 까맣게 잊고 있었다 その約束もとんと忘れていた.

까매-지다 [kka:maejida] 〈自〉 真っ黒になる.

真っ暗になる. 句例 하늘이 ～ 空が真っ暗になる.

＊＊까-먹다 〈他〉 ❶皮をむいて食べる. 殻を割って食べる. 句例 밤을 ～ くり(栗)の皮をむいて食べる. ❷金を使い尽くす. 句例 밑천을 ～ 元も子も無くす. 文例 유산까지 다 까먹었다 遺産まですっかり無くした. ❸忘れる. 句例 약속을 까맣게 ～ 約束をすっかり忘れる. ❹(子供が) 買い食いをする.

까무러-치다 〈自〉 気を失う. 気絶する. 文例 그 참경(慘景)에 까무러치듯 놀랐다 その悲惨なありさまに息も絶えんばかりに驚いた.

까무스름-하다 (→하다) 〈形〉 '가무스름하다'の語勢の強い語.

까무잡잡-하다 [kkamujapchap'ada] (→하다) 〈形〉 '가무잡잡하다'の語勢の強い語.

까무족족-하다 [kkamujokchok'ada] (→하다) 〈形〉 '가무족족하다'の語勢の強い語.

까물-거리다 〈自〉 '가물거리다'の語勢の強い語.

까-바치다 〈他〉 暴いて告げる. 告げ口をする. 文例 엄마한테 까바칠테다 母ちゃんに言いつけるぞ / 남의 잘못을 ～ 人の過ちを告げ口する. 類일러바치다.
表現 '까바치다'は下品な言いかた.

까-발리다 〈他〉 ❶(皮などを)むいて中身を取り出す. 句例 밤송이를 ～ くり(栗)のいがをむく. ❷(正体などを)暴く. 文例 비밀을 ～ 秘密を暴く.

까부르다 (까부르니, 까불러서) 〈他〉 ふるい(篩)でひる. 略して'까불다'ともいう. 句例 키로 벼를 ～ み(箕)で稲をひ(簸)る.

까불다 (까부니, 까불어서) ━〈自〉 ❶激しく上下に揺れる. 句例 쪽배가 물결에 몹시 ～ 小舟が波にひどく揺れる. ❷軽薄に振る舞う. ふざける. 文例 노인이면서도 치신없이 까분다 年寄りのくせに世間体もなく振る舞う.
━〈他〉 ❶上下に揺り動かす. 文例 발을 까부는 버릇이 있다 足を揺する癖がある. ❷'까부르다'の略.

까슬-까슬 〈副・하形〉 ❶気難しいさま. ❷(肌などが)粗いさま: かさかさ. ざらざら. 句例 ～한 피부 かさかさした肌 / 혀가 ～하다 舌がざらざらする. ❸(紙などが)ざらざらしているさま. 句例 ～한 종이 ざらざらした紙.

까옥 〈副・하自〉 からすの鳴き声: かあかあ. 略して'깍'ともいう. **～거리다** 〈自〉 かあかあ鳴く.
까옥까옥 〈副・하自〉 かあかあ.

까지 〈助〉 まで. ❶物・状態の限度を表わす. 句例 부산에서 서울～ 釜山からソウルまで / 하나에서 열～ 一から十まで. 文例 거기～ 갔다왔다 そこまで行って来た / 집～ 걸어갔다 家まで歩いて行った.
❷作用の限度を表わす. 句例 그렇게～ 할 필요는 없다 そんなにまでする必要はない / 힘 닿는데～ 해 보아라 力の及ぶ限りやってみなさい.
❸'それにまた'の意を表わす. 文例 비가 오는 데다가 발～ 삐었다 雨が降るのに足までくじいた / 크게 질책당하고 벌금～ 물었다 ひどく責められた上罰金まで取られた. 類조차.
❹…するまでもない. 文例 조사할 것～도 없는 일일세 調べるまでもないことだよ.

까-지다 ━〈自〉 ❶(皮が)むける. 句例 무릎이 ～ ひざが擦りむける. ❷(財産などが)減る. 文例 옛날에 비해서 재산이 많이 까졌다 昔に比べて財産がひどく減った.
━〈形〉 世間ずれしている. 文例 저 녀석은 너무 까졌다 あの男はひどく世間ずれしている.

까짓 〈冠〉 '그까짓'の下品な言いかた.

-까짓 〈尾〉 (代名詞に付いて)…ほどの. …しきの. …くらいの. 句例 이～ 것 これしきのもの / 그～ 일 それしきのこと. 文例 그～ 녀석은 무섭지 않다 あんなやつは恐れるに足りない.

＊＊까치 [kka:ch'i] 〈名〉 〔鳥〕 かささぎ(鵲). 語例 ～발 〔建〕 腕木 / ～ 설날《兒》おおみそか.

＊까칠까칠-하다 (→하다) 〈形〉 (肌・物の表面が)ざらざらしている. かさかさしている. 句例 까칠까칠한 촉감 ざらざらした手触わり.

까칠-하다 (→하다) 〈形〉 やつれている. (肌などに) つやがない. 句例 까칠한 얼굴 やつれた顔. 文例 앓고 나더니 얼굴이 까칠해졌다 病み上がりでやつれている.

까탈 〈名〉 支障. 障害. **～스럽다** (→스럽다) 〈形〉 ひどく面倒だ. ひどくややこしい. 手に負えない. 文例 일이 생각보다 ～스럽다 仕事が思ったよりひどくややこしい.
까탈(을) 부리다 言い掛かりを付ける. 邪魔立てをする. 文例 까탈을 부리고 일을 안 한다 言い掛かりばかり付けてろくに仕事をしない.

까탈-지다 〈自〉 支障を来す. 面倒なことになる. ややこしい. 句例 까탈진 사람 面倒臭い人.

까투리 〈名〉 〔鳥〕 '암꿩 めすきじ(雌雉)'の異称. 對장끼.

까풀 〈名〉 ⇨ 꺼풀

까풀-지다 〈自〉 '꺼풀지다'の語感の小さい語.

＊깍-깍 〈副・하自〉 ['까옥까옥'の略] かあかあ. **～거리다** 〈自〉 かあかあ鳴く.

깍두기 〈名〉 カクテキ. 大根をさいのめに切ってキムチのように漬けたもの.

＊깍듯-이 [kkaktŭshi] 〈副〉 丁重に. 礼儀正しく. 句例 ～ 인사를 하다 丁重にあいさつをする.

깍듯-하다 [kkaktŭt'ada] (→하다) 〈形〉 丁重だ. 礼儀正しい. 文例 인사가 깍듯한 사람이다 きちんとした礼儀のある人である.

깍-쟁이 〈名〉 けちで利害にかけてはあくどいほど抜け目のない人. ちゃっかり者.

깍지[1] 〈名〉 ❶(豆などの)さや(莢). ❷殻. ＝껍질.

깍지[2] 弓を引く際, 親指にはめる角製のの指ぬき. ゆが(弓懸)け.
깍지(를) 끼다 ❶両手の指を組み合わせる. ❷(親指に)ゆがけをはめる.

＊＊깎다 〈他〉 ❶削る. 切る. そぐ. 句例 연필을 ～ 鉛筆を削る / 손톱을 ～ つめを切る. 文例 산을 깎아 택지를 만들다 山を切り崩して宅地を造成する.
❷(髪・草などを)刈る. そる. 句例 수염을 ～ ひげをそる / 잔디를 ～ 芝を刈る / 머리를 치

켜 ～ 髪を刈り上げる.

❸(金額などを)削る. 削減する. 値切る. 句例 예산을 ～ 予算を削る／물건값을 ～ 品物を値切る. 文例 천원 깎아서 샀다 千ウォン値切って買った.

❹(面目・名誉などを)損なう. 傷つける. けなす. 句例 남을 깎아내리는 말투 人をおとしめた口調.

❺(ピンポンなどで)スピンをかける. 句例 탁구공을 깎아 치다 ピンポンのボールにスピンをかけて打つ.

❻(果物の)皮をむく. 句例 칼로 사과를 ～ ナイフでりんごをむく.

깎아-지르다 [kkakkajirŭda] (—지르니, —질러서)〈他〉切り立つ. 句例 깎아지른 절벽 切り立つ絶壁. 険しい絶壁.

깎아지른 듯하다 切り立ったようだ. 文例 깎아지른 듯한 벼랑을 기어오르다 切り立ったようながけをよじ登る.

깎이다 [kkakkida] ㊀〈自〉'깎다'の受け身. ❶削られる. 文例 날이 무디어 연필이 잘 깎이지 않는다 刃が鈍くて鉛筆がよく削られない. ❷(髪・草などが)刈られる. そられる. 文例 나는 학교에서 강제로 머리를 깎였다 僕は学校で無理やりに髪を刈られた. ❸値切られる. 削減される. 文例 금년 예산이 크게 깎였다 今年の予算が大幅に削られた. ❹(名誉などが)傷つけられる. けなされる. 句例 체면이 ～ 体面が損なわれる. 文例 그 일로 낯을 깎였다 そのことで顔をつぶした.

㊁〈他〉'깎다'の使役形. ❶削らせる. ❷刈らせる. 句例 머리를 ～ 髪を刈らせる. ❸(名誉などを)傷つかせる.

깐 [kka:n]〈名〉(主に'제 깐에는'などの形で)自分なりの考えでは. 自分の心積もりでは. 文例 제 ～에는 하느라고 한 것이 이렇다 自分なりには励んだつもりがこんなざまになったわい.

깐깐-하다 (→하다)〈形〉気難しくてしつこい. 句例 깐깐한 청년 気難しくてしつこい若者. 文例 왜 그리 깐깐하냐 どうしてそうしつこいの.

깐-보다〈自〉❶見当をする. (様子を)予測する. 句例 깐보고 손을 대다 様子を見て手をつける. ❷探りを入れる. 句例 깐보고 대하다 探りを入れてから(人に)当たる.

깐-지다〈形〉(たちが)しつこくて気難しい. ねちねちしている.

깐-질기다〈形〉しつこくて気難しい. 句例 깐질긴 성질 ねちねちしていて気難しいたち.

表現 語感の大きい語は'끈질기다'.

깔개〈名〉敷物. 句例 ～를 깔고 앉다 敷物を敷いて座る.

깔기다〈他〉❶(用便を)所かまわずする. 句例 개가 길가에 오줌을 ～ 犬が道端に小便を垂らす. 類 누다. 싸다. ❷(昆虫などが)卵を産み付ける.

깔깔〈副〉高らかに笑いこける声: からから. きゃっきゃっ. 句例 ～ 웃다 からから笑う. ～거리다〈自〉からからと笑う.

表現 語感の大きい語は'껄껄'.

*깔깔-하다 (→하다)〈形〉❶(触りが)ざらざらしている. 粗い. 句例 깔깔한 손 がさがさした手／깔깔한 천 粗い布. 文例 담배를 너무 피워서 혀가 ～ タバコを吸い過ぎて舌がざらざらする. ❷(気性が)さっぱりしている.

깔끄럽다 (깔끄러우니, 깔끄러워서)〈形〉❶(のぎなどがからだにくっついて)ちくちくする. ❷(物が)がさがさ〔ざらざら〕している.

表現 語感の大きい語は'껄끄럽다'.

깔끔-하다 (→하다)〈形〉❶(性格または身なりなどが)さっぱりしている. スマートだ. 句例 깔끔한 성미 さっぱりした気性／깔끔한 옷차림 すっきりした身なり. ❷器用だ. 上手だ. 句例 깔끔한 음식 솜씨 見事な料理の腕前. 文例 바느질 솜씨가 ～ お針の手並みが鮮やかだ. 깔끔히〈副〉すっきりと. さっぱりと. 器用に. スマートに. 句例 깔끔히 치장하고 나서다 念入りに身繕いをして出かける.

⁑깔다 (까니, 깔아서)〈他〉❶敷く. ㉠(物を)のべ広げる. 句例 요를 ～ 敷布団を敷く／복선을 ～ 伏線を敷く／바닥에 타일을 ～ 床にタイルを張る.

㉡下に押さえつける. 組み敷く. 句例 도둑을 붙잡아 깔고 앉다 泥棒を捕まえて組み敷く／남편을 깔고 뭉개다 亭主を尻に敷く.

㉢(地面に)広げる. 文例 건초를 말리려고 땅에 깔아 놓다 干し草を乾かすため地面に広げておく.

㉣(目を)伏せる. 句例 눈을 아래로 깔고 얌전히 앉아 있다 目を伏せておとなしく座っている.

❷(金・品物などを)方方に貸したり 掛け売りする. 句例 외상을 여기저기 ～ 方方に掛け売りする.

*깔때기〈名〉じょうご. 漏斗.

깔리다〈自〉❶敷かれる. (一面に)散らばる. 文例 짙은 구름이 낮게 ～ 濃い雲が低く垂れている／꽃이 져서 땅에 깔려 있다 花が散って地面に散らばっている. ❷'깔다'の受け身: 組み敷かれる. 下敷きになる. 句例 차에 ～ 車の下敷きになる. 文例 밑에 깔려 움직일 수가 없다 組み敷かれて身動きができない.

*깔-보다〈他〉見下す. 侮る. 句例 깔보는 태도 見下す態度／사람을 ～ 人を見くびる. 文例 상대방이 약하다고 ～ 相手が弱いと見て侮る.

깜깜〈名・하形〉何も知っていないこと. 全く暗いこと. 全く疎いこと. 文例 지금의 상황이 어떠한지 아주 ～이군 今の状況がどうなっているのか全く知っていないね. 語例 ～ 부지(不知) 全く知っていないこと／～무(無)소식 消息が絶えていること. 全然知らないこと／～ 절벽(絶壁) 1)耳が遠い人. 2)話が全然通じない相手.

깜깜 밤중이다 全く知らない.

⁑깜깜-하다 (→하다)〈形〉❶真っ暗である. 句例 깜깜한 밤 真っ暗な夜. 文例 이내 깜깜해졌다 すぐ真っ暗になった. ❷全く知らない. 文例 컴퓨터에 관해서는 ～ コンピューターに関しては何も知らない.

表現 語感の大きい語は'껌껌하다'.

깜냥〈名〉❶(物事を成し遂げるいくらかの)

能力・力量. 文例 그의 ~으로는 어렵다 彼の能力では難しいことだ. ❷(人の能力を見下して)自分なりに. 文例 제 ~으로는 잘 했노라 할거다 自分なりにはよくやったつもりでいるだろうよ.

***깜박** 〈副〉 ❶(光などが)明滅するさま：ちらっと. きらっと. **~하다**〈自他〉ちらつく. 文例 바람에 촛불이 ~ 꺼졌다 風にろうそくの火がふっと吹き消された／별이 ~ 빛난다 星がきらっと光る. ❷(目をしばらく)閉じてから開けるさま：ぱちりと. ぱちっと. **~하다**〈自他〉瞬く. まじろぐ. 文例 눈 한번 ~하지 않는다 まばたきひとつしない. ❸一瞬ぼんやりするさま：うっかり. **~하다**〈自他〉うっかりする. 句例 눈 ~할 사이에 瞬く間に／~ 졸다 ついうとうとする. 文例 약속을 ~ 잊었다 うっかり約束を忘れた.

***깜박-거리다**〈自他〉❶(光が)ちらつく. (星が)瞬く. ❷(目を)ぱちぱちさせる. ぱちつかせる. ❸うっかりする. うかうかする.

깜박깜박〈副・하自他〉❶ちらちら(と). きらきら(と). 文例 불빛이 ~한다 ともしびがちらちらする. ❷ぱちぱち(と). 句例 눈을 ~하다 目をぱちぱちさせる. ❸うかうか(と). うとうと(と).

깜박-이다 [kkambagida] ■〈自〉(光が)ちらつく. 句例 별이 ~ 星が瞬く. 文例 저 멀리 깜박이는 불빛이 보인다 はるかかなたにちらつくともしび(灯)が見える.

■〈他〉(目を)しばたたかせる. まじろぐ. 句例 눈 하나 깜박이지 않고 まじろぎもせず.

깜부기〈名〉❶〔植〕黒穂. 句例 ~병(病) 黒穂病. ❷顔色の黒い人のあだ名.

깜빡〈副・하自他〉'깜박'の語勢の強い語.

깜빡-거리다〈自他〉'깜박거리다'の語勢の強い語.

깜빡-깜빡〈副〉'깜박깜박'の語勢の強い語.

***깜빡-이다** [kkamppagida]〈自他〉'깜박이다'の語勢の強い語.

깜작〈副〉(目を)しばたたかせる〔まばたく〕さま. **~하다**〈他〉瞬く. まじろぐ. まばたく. 文例 눈 ~할 사이에 사라져 버렸다 瞬く〔あっという〕間に消えうせてしまった. **~거리다**〈他〉しきりに瞬く〔まじろぐ〕. (目を)ぱちぱちさせる. 句例 눈을 자꾸만 ~거리다 目をしきりにしばたたかせる.

깜작깜작〈副・하他〉目をぱちぱちさせるさま：ぱちぱち. ぱちくり.

깜장〈名〉黒色. 黒の染料.

表現 語感の大きい語は'껌정'.

깜짝[1]〈副・하他〉'깜작'の語勢の強い語. **~거리다**〈他〉'깜작거리다'の語勢の強い語.

****깜짝**[2]〈副・하自〉はっと驚くさま：びっくり. 句例 세상을 ~ 놀라게 한 대참사 世人を仰天させた大惨事／~ 놀라게 하다 びっくり驚かせる. 文例 떨어질 뻔해서 ~ 놀랐다 落ちそうになってはっとした.

깜짝깜짝〈副・하自〉しきりに驚くさま.

깜짝-이 [kkamtchagi]〈名〉'눈깜짝이'の略.

깜짝-이야 [kkamtchagiya]〈感〉驚いたときに出す声：(ああ)びっくりした. 略して'깜짝야'ともいう. 文例 아이구 ~ ああ，びっくりした.

깜찍-스럽다 (→스럽다)〈形〉(年のわりに)こましゃくれたところがある. 句例 깜찍스러운 행동 こましゃくれた行ない.

깜찍-하다 [kkamtchik'ada] (→하다)〈形〉(年のわりに)こましゃくれている. 句例 깜찍한 아이 こましゃくれた〔ひねこびた〕子供.

깝대기〈名〉殻. ❶(貝・くりなどの)外皮. ❷中味を取り去った外側のもの.

깝대기(를) 벗기다 ❶皮をむく. ❷身ぐるみはがす.

깝죽-거리다〈自他〉得意げにそそっかしく振る舞う. お調子に乗る.

깝죽깝죽〈副・하自他〉得意げにそそっかしく振る舞うさま.

깡그리〈副〉すっかり. (一つも)残さず. ことごとく. 句例 ~ 먹어치우다 すっかり食い尽くす. 文例 논밭을 ~ 팔아 치웠다 田畑をすっかり売り飛ばした.

깡깡-이〈名〉〔楽〕雅楽で用いる'해금(奚琴)胡琴'の俗称.

깡충〈副〉'껑충'の語感の小さい語.

깡통〈名〉❶空き缶. ❷缶詰の缶. 語例 ~ 따개 缶切り. ❸頭が空っぽの人.

表現 ③は俗っぽい言いかた.

깡통(을) 차다 こじき(乞食)に成り果てる.

깡 패【一牌】〈名〉〔もとの語形は'갱 패(gang 牌)'〕ごろつき. 与太者. やくざ. 語例 정치 ~ 政治ごろ／~ 족속(族屬) 与太者のたぐい.

表現 '깡패'は俗っぽい言いかた.

****깨**〈名〉❶〔植〕ごま(胡麻)・えごま(荏胡麻)をまとめていう言葉. ❷ごまの種. 句例 ~를 빻다 ごまをす(擦)る.

깨가 쏟아지다 (特に新婚の)夫婦の仲がむつまじい.

깨-강정〈名〉い(炒)りごま(胡麻)をあめ(飴)で固めた菓子.

깨갱〈副〉小犬の鳴き声：きゃきゃん. **~하다**〈自〉きゃきゃんと鳴く. **~거리다**〈自〉きゃきゃんと鳴き続ける.

깨갱깨갱〈副・하自〉きゃきゃんきゃきゃん.

깨깨〈副〉ひどくやせこけたさま：ぎすぎす. 句例 ~ 마른 스무살 난 여자 ぎすぎすした二十の女性.

****깨끗-이** [kkaekkŭshi]〈副〉きれいに. ❶清潔に. 句例 ~ 청소하다 きれいに掃除する. 文例 식기를 ~ 씻어라 食器をきれいに洗いなさい. ❷きちんと. さっぱりと. 潔く. 句例 ~ 먹어치우다 きれいに平らげる／~ 거절당하다 あっさり断られる／~ 잊다 きれいに忘れる／빚을 ~ 갚다 借金をきれいに返す. 文例 병이 ~ 나았다 病気がきれいに治った／할 일을 ~ 해냈다 なすべきことをきれいに終えた.

깨끗-잖다 [kkaekkŭtchant'a]〈形〉〔'깨끗하지 아니하다'の略〕清潔でない. さっぱりしない. きれいでない.

**깨끗-하다

[kkaekkŭt'ada] (→하다)〈形〉❶清らかだ. 清潔だ. 句例 깨끗한 방 清潔な部屋／깨끗한 물 清い水. きれいな水／수염을 깨끗하게 깎다 ひげをきれいにそる. 對더럽다.

❷きちんとしている. 整然としている. 句例 깨끗한 옷매무새 きちんとした身なり／깨끗한

치열(齒列) きれいな歯並み. 對지저분하다.
❸潔い. 正正堂堂としている. 句例 깨끗한 최후를 마치다 潔い最期を遂げる / 깨끗한 태도 さらりとした態度 / 깨끗한 선거 クリーン選挙.
❹(手並みなどが)鮮やかだ. 見事だ. 文例 바느질이 ～ 裁縫の手並みが見事だ.
❺潔白である. 句例 금전에 ～ 金に潔癖である. 文例 그는 ～ 彼は潔白である.
❻(色・声などが)きれいだ. 文例 넥타이 색이 ～ ネクタイの色がきれいだ.
❼(病気などが治って)すっきりする. 文例 병후의 몸이 아직 깨끗하지 않다 病み上がりの身がまだすっきりしていない.

-깨나 〈尾〉'かなり・ちょっとばかり'の意. 句例 좀 힘～ 쓰는 사나이 小力のある男. 文例 돈～ 있어 보인다 ちょっとばかり金を持っているようだ.

깨-나다 [kkae:nada] (깨나거라) 〈自〉 [もとの語形は'깨어나다'] ❶(眠りなどから)覚める. 句例 악몽에서 ～ 悪夢から覚める. ❷(酒などから)覚〔醒〕める. よみがえる. 句例 마취에서 ～ 麻酔から覚める / 술에서 ～ 酔いが覚める. 文例 반나절 후에야 깨났다 半日がかりで意識が戻った. ❸(迷いから)覚める. 目覚める. 句例 악에서 ～ 悪から目覚める.

깨다¹ [kkae:da] 一〈自〉❶覚める. 起きる. 句例 잠이 ～ 目が覚める / 술이 ～ 酔いが覚める / 자나 깨나 寝ても覚めても. ❷頭が開ける. 句例 깬 사람 開けた人. 物分かりのいい人. 二〈他〉❶(目を)覚ます. 句例 자동차 소리에 잠을 ～ 自動車の音に目を覚ます. ❷'깨우다'の略: 覚めさせる. 句例 흔들어 ～ 揺り起こす.

깨다² 〈他〉❶(かたい物を)壊す. 割る. 句例 그릇을 ～ 器を割る / 유리창을 ～ 窓ガラスを割る / 얼음을 ～ 氷を割る. ❷(物事を邪魔して)だめにする. 句例 파티의 흥을 ～ パーティーを白けさせる / 모임을 ～ 会を割る. ❸(記録などを)破る. 更新する. 句例 (마라톤의) 세계 기록을 ～ (マラソンの)世界記録を破る. ❹(計画などを)取り消す. (約束を)破る. 句例 혼담을 ～ 縁談を壊す. 文例 할 수 없이 약속을 깨야 했다 仕方なく約束を破らねばならなかった.

깨다³ [kkae:da] 一〈自〉❶(卵からひなが)かえ(孵)る. ❷(体重・財物などが)減らされる. 二〈他〉(卵からひなを)かえ(孵)す.

*__깨닫다__ (깨달으니, 깨달아서) 一〈他〉悟る. ❶〔佛〕(迷いから)悟りを開く. 句例 진리를 ～ 真理を悟る / 인생의 덧없음을 ～ 人生のはかなさを悟る. ❷(物事の筋を)明らかに知る. 句例 잘못을 ～ 過ちを悟る / 현실을 ～ 現実に目覚める. ❸(前もって)感づく. 察する. 句例 죽음이 가까이 온 것을 ～ 死期が近付いたことを悟る.
二〈自〉真理を悟る.

깨달은-이 [kkaedarŭni] 〈名〉〔佛〕得道した人. ＝각자(覺者).

*__깨-뜨리다__ 〈他〉'깨다 壊す'の強調語. 句例 화분을 ～ 植木鉢を割る / 정적을 ～ 静寂を破る. 文例 작년 기록을 깨뜨렸다 昨年の記録を破った.

**__깨물다__ (깨무니, 깨물어서) 〈他〉かむ. かみしめる. 句例 혀를 ～ 舌をかむ / 분해서 입술을 꼭 ～ 悔しさに唇をかみしめる. 文例 어금니를 꽉 깨물고 아픈 걸 참았다 奥歯をかみしめて痛みをこらえた.

깨-부수다 〈他〉ぶち壊す. 打ち砕く. 粉砕する. 句例 항아리를 ～ かめ(瓶)をこなみじんにする.

*__깨-소금__ 〈名〉ごま塩.
깨소금 맛 (他人の不幸などに対して)非常に痛快で気味がいいと思うこと. 文例 그 놈이 시험에 떨어졌다니 정말 ～ 이군 あいつが試験に落ちたなんて, 本当にいい気味だ.

깨-알 〈名〉ごま粒.
깨알-같다 〈形〉ごま粒のようだ. 非常に細かい. 句例 깨알같은 글씨 ひどく細かい文字.
깨알같이 [—gach'i] 〈副〉ひどく細かく.

깨어-나다 (—나거라) 〈自〉⇨ 깨나다. 句例 악몽에서 ～ 悪夢から覚める / 환상에서 ～ 幻想から覚める.

깨어-지다 〈自〉'깨지다'のもとの語形.
깨어진 그릇 めちゃくちゃになった状態のこと.

**__깨우다__ 〈他〉起こす. 覚ます. 略して'깨다'ともいう. 句例 급한 일로 두드려 ～ 急用でたたき起こす / 태평의 잠을 ～ 太平の眠りを覚ます. 文例 늦잠 자는 애를 흔들어 깨웠다 寝坊している子供をゆり起こした.

*__깨우치다__ 〈他〉悟らせる. 諭す. 覚ます. 句例 진리를 ～ 真理を悟らせる / 사리를 ～ 道理を悟らせる.

*__깨-지다__ [kkae:jida] 〈自〉 [もとの語形は'깨어지다'] ❶壊れる. 砕ける. 割れる. 句例 컵이 ～ コップが割れる / 달걀이 ～ 卵がつぶれる / 산산이 ～ 粉みじんに砕ける.
❷(事が)破れる. だめになる. 句例 혼담이 ～ 縁談が破れる / 몸의 균형이 ～ からだのバランスが崩れる / 교섭이 ～ 交渉が破れる〔決裂する〕.
❸傷つく. 文例 돌에 맞아 이마가 깨졌다 石に当たって額が切れた.
❹(記録などが)破れる. 句例 세계 기록이 ～ 世界の記録が破れる.
❺(雰囲気などが)冷める. 白ける. 句例 흥이 ～ 興が冷める. 座が白ける.
❻負ける. 文例 우리 팀은 결국 깨졌다 うちのチームはとうとう負けた.
表現 ⑥は俗っぽい言いかた.

깨치다 〈他〉会得する. 悟る. 句例 한글을 ～ ハングルを会得する / 인생의 진리를 ～ 人生の真理を悟る.

깩 〈副〉驚いたりして不意に出す叫び: きゃっ.
～하다 〈自〉きゃっと叫ぶ. 句例 ～하고 쓰러지다 きゃっと叫んで倒れる.

깩-깩 〈副・하自〉驚いたりして続けざまに出す叫び: きゃっきゃっ. きゃあきゃあ. 句例 ～ 비명을 지르다 きゃあきゃあと悲鳴をあげる.
～거리다 〈自〉(続けざまに)きゃあきゃあと叫ぶ.

깩-소리 〈名〉返し言葉. たて突く言葉. 文例

～ 말아라 つべこべ文句言うな.
[参考] この言葉には'없다・못하다'などの否定語を伴う.
깩소리(도) 못하다 ぐうの音も出ない.
깻-묵 [kkaenmuk]〈名〉油かす(粕). 搾りかす.
깻-잎 [kkaennip]〈名〉ごまたはえごまの葉.
꺄우뚱-거리다〈自他〉'갸우뚱거리다'の強勢語.
꺼끄러기〈名〉のぎ(芒). 略して'꺼러기・꺼럭'ともいう.
꺼-내다 [kkŏ:naeda]〈他〉[もとの語形は'끄어내다'] 取り出す. 持ち出す. [句例] 서랍에서 종이를 ～ 引き出しから紙を取り出す / 금고에서 돈을 ～ 金庫からお金を取り出す / 용건을 ～ 用件を持ち出す.
꺼-뜨리다〈他〉(誤って)火を切らす. [句例] 화롯불을 ～ 火鉢の火を切らす.
꺼리다 [kkŏrida]〈他〉はばかる. ためらう. 嫌がる. [句例] 조금도 꺼리지 않고 ちっともためらわずに / 확답을 ～ 確答をしぶる / 남이 듣는 것을 ～ 他聞をはばかる / 남의 간섭을 ～ 人のおせっかいを嫌がる.
*__꺼림칙-하다__ [kkŏrimch'ik'ada] (→하다)〈形〉(なんとなく)気にかかる. ❶気が進まない. 乗り気にならない. [文例] 그와 만나는 것이 ～ 彼に会うのは気が重い. [類]떨떠름하다. ❷忌まわしい. 嫌な感じがする. [句例] 꺼림칙한 병 忌まわしい病気. [文例] 꺼림칙한 예감이 들었다 嫌な予感がした. ❸後ろめたい. [文例] 그를 혼자 보낸 것이 왠지 ～ 彼を独りで行かせてなんとなく後ろめたい.
꺼림-하다 (→하다)〈形〉❶気にかかる. (疑わしくて)すっきりしない. [文例] 꺼림해서 그의 선물을 안 받았다 後のことが気になって彼の贈り物を断った. ❷やましい. 気がとがめる. 後ろ暗い. [文例] 꺼림한 과거란 한 점도 없다 やましい過去って何もない.
꺼멓다 [kkŏ:mŏt'a] (꺼머니, 꺼머오)〈形〉黒い. 真っ黒い.
[表現] 語感の小さい語は'까맣다'.
꺼메-지다 [kkŏ:mejida]〈自〉黒くなる. (色が)黒ずむ.
[表現] 語感の小さい語は'까매지다'.
꺼벙-하다 [kkŏ:bŏnghada] (→하다)〈形〉大きいずうたい(図体)をしてぼさっとしている. 大柄の上に締まりがない. [文例] 꺼벙하게 보이나 일은 야무지다 ぼさっとしているように見えるが仕事振りは確かだ.
꺼지다[1]〈自〉❶(火・泡などが)消える. [句例] 전등이 ～ 電灯が消える. [文例] 비로 불이 꺼졌다 雨で火が消えた. ❷(目の前から)消え失せる. [文例] 잔소리 말고 꺼져 버려 つべこべ言わずにとっとと消え失せろ.
[表現] ②は俗っぽい言いかた.
꺼지다[2]〈自〉へこむ. 落ちこむ. [句例] 지진으로 땅이 ～ 地震で地が落ちこむ / 배가 ～ 腹がへこむ〔へる〕.
꺼칠-꺼칠〈副〉表面が滑らかでないさま: かさかさ. **～하다**〈形〉ざらざらしている. かさかさする. [句例] 감촉이 ～하다 手触りがかさかさする.
꺼칠-하다 [kkŏ:ch'ilhada] (→하다)〈形〉やつれて脂気がない. [句例] 피부가 ～ 肌がかさかさしている.
꺼풀〈名〉外皮. 皮. 膜. [文例] 그도 한 ～ 벗겨 보면 그렇고 그런 사람이다 彼だって一皮むけばなんの変哲もない人である.
꺼풀-지다〈自〉皮または殻をなす. 膜を張る.
*__꺾-꽂이__ [kkŏkkkoji]〈名〉〔植〕挿し木. =삽목(挿木). **～하다**〈他〉挿し木をする.
__꺾다__ [kkŏkta]〈他〉❶(枝などを)折る. 手折る. [句例] 나뭇가지를 ～ 木の枝を折る / 꽃을 ～ 花を手折る.
❷(布などを)折る. 折り返す. [句例] 치마의 아랫단을 ～ チマのすそ(裾)を折り返す.
❸(勢いを)へし折る. くじく. ひしぐ. [句例] 적의 예봉을 ～ 敵の鋭鋒をくじく / 기세를 ～ 気勢をひしぐ〔そぐ〕. [文例] 거만한 콧대를 꺾어 놓았다 高慢な鼻をへし折った.
❹(相手を)負かす. 破る. [句例] 우승 후보를 ～ 優勝候補を破る.
❺(方向を)横に変える. [文例] 급히 핸들을 왼쪽으로 꺾었다 あわててハンドルを左に切った.
❻(比喩的に, 文筆生活を)止める. やめる. [句例] 붓을 ～ 筆を折る. 筆を断つ.
❼(からだのある部位を)曲げる.
꺾-쇠〈名〉かすがい(鎹). 建材などに使われるㄷ字型の大くぎ.
꺾어-지다 [kkŏkkŏjida]〈自〉折れる. [句例] 바람에 나무가 ～ 風で木が折れる / 깃대가 바람에 ～ 旗ざおが風に折れる.
꺾이다 [kkŏkkida]〈自〉'꺾다'の受け身: 折れる. ❶(枝などが)折られる. 手折られる. [句例] 나뭇가지가 비바람에 ～ 枝が雨風に折れる. [絵]
❷(からだの一部が)折れる. [句例] 오른팔을 ～ 右腕を折られる.
❸(気などが)くじかれる. へし折られる. [句例] 기세가 ～ 気勢がそがれる. [絵] [文例] 기가 꺾여서 멍하니 앉아 있다 気をくじかれて呆然と座っている.
❹(ハンドルなどが)切れる. [句例] 공이 오른쪽으로 ～ ボールが右に切れる. [文例] 핸들이 꺾이지 않아 사고를 냈다 ハンドルが切れずに事故を起こした.
❺(相手に)破られる. 負ける. [句例] 상대 팀에게 ～ 相手のチームに破られる. [絵] [文例] 분하게도 결승전에서 꺾였다 惜しくも決勝戦で

〈꺾이다〉

負けた．
❻(道などが)折れる．曲がる．[句例] 길이 ～ 道が折れる．[絵][文例] 앞차가 네거리에서 왼쪽으로 꺾었다 前の車が十字路で左へ折れた．

껄껄〈副〉高らかに笑う声：からから．[語例] ～ 웃음 高笑い．豪傑笑い．**～거리다**〈自〉しきりに声高に笑う．

껄껄 웃다 からから笑う．[句例] 호탕하게 ～ あっはっはと豪傑笑いをする．

껄껄-하다 (→하다)〈形〉❶(性格が)荒い．[文例] 성질이 좀 껄껄한 편이다 気がちょっと荒い方である．❷粗い．ざらざらする．[句例] 감촉이 ～ 手触りがざらざらする．

껄끄럽다 (껄끄러우니, 껄끄러워서)〈形〉❶(のぎなどが)ちくちく刺す．❷ごつごつする．❸具合が悪い．[文例] 요즘에 와서 그들 사이가 껄끄러워졌다 最近になって彼らの仲が具合悪くなった．

껄렁껄렁-하다 (→하다)〈形〉❶(人となりが)不まじめでいいかげんだ．[文例] 사람됨이 껄렁껄렁해서 믿음성이 없다 人となりがいいかげんでとても信頼がおけない．❷(物などが)つまらない．略して'껄렁하다'ともいう．

껄렁-하다 (→하다)〈形〉'껄렁껄렁하다'の略．

껌 [kkŏ:m]〈名〉'추잉껌 チューインガム'の略：ガム．[句例] ～을 딱딱 씹다 音を出してガムをかむ．

껌껌-하다 (→하다)〈形〉❶真っ暗だ．[句例] 껌껌한 밤길을 가다 真っ暗な夜道を行く．❷腹黒い．[句例] 뱃속이 껌껌한 장사꾼 腹黒いあきんど．→컴컴하다

껌다 [kkŏ:mtta]〈形〉'검다'の強勢語．

껌벅-거리다〈自他〉⇨ 끔벅거리다

껌정〈名〉黒く．黒色の染料または絵の具．[語例] ～이 黒色の物．

****껍데기**〈名〉❶殻．[句例] 소라의 ～ さざえの殻．[語例] 조개 ～ 貝殻．❷中身を包んでいる外皮．カバー．[句例] 이불 ～ ふとんのカバー．

껍죽-거리다〈自他〉'깝죽거리다'の語感の大きい語．

껍죽껍죽〈副・하自他〉調子に乗ってそそっかしく振る舞い続けるさま．

****껍질**〈名〉皮．外皮．殻．[句例] 귤 ～을 벗기다 みかんの皮をむく．[語例] 사과 ～ りんごの皮／바나나 ～ バナナの皮．

-껏〈尾〉…のあらん限り．…を尽くして．[句例] 마음～ 즐기다 心ゆくまで楽しむ．[文例] 힘～ 노력해서 성공했다 力の限り努力して成功した．[語例] 정성～ 誠を尽くして／소신～ 信念を貫いて．

껑〈名〉'거짓말 うそ(嘘)'の俗っぽい言いかた．[句例] ～을 까다 うそをつく．

껑충〈副〉❶勢いよくはね上がるさま：ぴょんと．ぴょいと．[句例] 도랑을 ～ 뛰어넘다 どぶをぴょんと飛び越える．❷(物価などが)はね上がるさま．[文例] 채소 값이 두 배나 ～ 뛰었다 野菜の値が二倍にもはね上がった．**～거리다**〈自〉ぴょんぴょんはね回る．

껑충껑충〈副・하自〉ぴょんぴょんと．[文例] 징검다리를 ～ 뛰어 건너갔다 小川を飛び石伝いにぴょんぴょんと渡って行った．

껑충-이〈名〉のっぽ．

껑충-하다 (→하다)〈形〉ひょろ長い．[句例] 껑충하게 키만 큰 사나이 身の丈がいやにひょろ長い男．

께〈助〉(人を表わす体言に付いて)'…에게…に'の敬語．[句例] 어머니～ 드리는 편지 母への手紙．[文例] 선생님～ 안부 전해 주십시오 先生によろしくお願いします．

께느른-하다 (→하다)〈形〉気だるい．もの憂い．[句例] 께느른한 봄날 気だるい春の日．[文例] 봄이 되면 께느른해지게 마련이다 春になると気だるくなりがちだ．

께서〈助〉(人を表わす体言に付いて)❶'…가．…이'の敬語：…が．[文例] 할머님～ 주신 물건입니다 おばあさんから頂いたものです．❷('…는．…도．…만．…야'などの前に付いて)敬意を表わす．[文例] 할아버님～는 기력이 좋으신가？ (あんたの)おじいさんはお元気でいらっしゃるかね／선생님～도 그렇게 말씀하셨다 先生もそうおっしゃった／어머님～만 가십니다 母だけが行きます．

께옵서〈助〉'께서'の敬語：…におかせられて．[句例] 성상폐하～는… 聖上陛下におかせられましては….

껜 助詞'께는'の略：…には．[文例] 선생님～ 말씀드렸습니다 先生には申し上げました．

***껴-안다** [kkyŏantta]〈他〉抱え込む．抱きこむ．抱きすくめる．[句例] 큰 짐을 ～ 大きな荷物を抱えこむ／어머니와 아들이 서로 ～ 母と子が抱き合う／아기를 꼭 ～ 赤ん坊をぎゅっと抱きこむ．

껴-입다〈他〉着込む．[句例] 셔츠를 여러 벌 ～ シャツを何枚も着込む．

꼬기-꼬기〈副・하形〉(紙または布などが)しわくちゃになったさま：くしゃくしゃ．くちゃくちゃ．

꼬까 [kko:kka]〈名〉《兒》⇨ 때때．[語例] ～옷 ⇨ 때때옷

***꼬까-신** [kko:kkashin]〈名〉《兒》いろどりのきれいな子供の履物．＝때때신．

꼬꼬 一〈名〉《兒》鶏．＝닭．
二〈副〉めんどりの鳴き声：くっくっ．こっこっ．

꼬끼오〈副・하自〉おんどりの鳴き声：こけこっこう．

꼬다 [kko:da]〈他〉❶な(綯)う．あざなう．よ(撚)る．[句例] 실을 ～ 糸をよる／새끼를 ～ 縄をなう．❷(身を)よじる．ねじる．[句例] 다리를 ～ 脚を組む／몸을 꼬면서 웃다 からだをよじって笑う．❸'비꼬다'の略：当てこする．皮肉る．

꼬드기다 [kko:dŭgida]〈他〉❶そそのかす．おだてる．[句例] 착한 사람을 꼬드겨서 타락시키다 純な人をそそのかして堕落させる．❷(たこを高く上げるために)糸をはじく〔手繰る〕．

꼬락서니〈名〉体たらく．ざま．格好．[文例] 그게 무슨 ～냐 なんというざまだ．その格好は何かね／그런 ～로 어딜 간다는거냐 その体たらくでどこへ行くつもりかね．
[表現] '꼬락서니'は俗っぽい言いかた．

꼬랑이〈名〉'꼬리 しっぽ'の俗っぽい言いかた．

꼬르륵〈副・하自〉❶腹がすいたときに鳴る音：

ぐうぐう．ごろごろ．[文例] 배가 고파서 ～ 소리가 난다 腹がすいてぐうぐう鳴る．❷鶏が驚いて出す声：こっこ．❸水などが少しずつ小穴を通る音：ごぼごぼ．～거리다〈自〉❶(腹などが)ぐうぐう鳴る．❷(鶏が驚いて)こっこと鳴く．❸(水が小穴を通って)ごぼごぼ流れる．

꼬르륵꼬르륵〈副〉ぐうぐう．ごろごろ．ごぼごぼ．～하다〈自〉ぐうぐう鳴る．ごろごろする．ごぼごぼ流れる．

**꼬리 〈名〉尾．しっぽ．[句例] 혜성의 ～ 彗星の尾／～가 잡히다 足がつく．[語例] 개～ 犬のしっぽ／무～ 大根のしっぽ．[参考] 鳥の尾は'꽁지'という．

꼬리가 길면 밟힌다 悪い事を長く続ければいつかは見つかる．

꼬리가 빠지게 달아나다 (しっぽが抜けるほど)素早く逃げる．

꼬리(를) 감추다 形跡をくらます．

꼬리(가) 길다 ❶悪い事を長く続ける．❷(比喩的に)戸を閉めないで出て行く人をとがめて言う言葉．

꼬리(를) 달다 ❶(何かを)付け加えて話す．❷条件を付ける．

꼬리 먼저 친 개가 밥은 나중 먹는다 あわてる乞食はもらいが少ない．

꼬리(를) 물다 相次いで起こる．

꼬리(를) 밟히다 ことがばれる．

꼬리(를) 잇다 あい連なる．ひっきりなしに続く．＝꼬리(를) 물다．

꼬리(를) 잡다 しっぽをつかむ．人の弱点をつかむ．[句例] 말꼬리를 잡고 트집을 잡다 ことばじりを捕らえて難くせをつける．

꼬리(를) 치다 ❶尾を振る．❷(特に女性が)誘惑する．色目を使う．[表現] ②は俗っぽい言いかた．

꼬리-표【一票】〈名〉荷札．付け札．[句例] ～를 달다 荷札を付ける．

꼬리표(가) 붙다〔달리다〕 よくない評判がつきまわる．札付きになる．

**꼬마〈名〉❶小形〔小型〕．[語例] ～ 자동차 小型自動車／～ 전구 豆電球．❷ちびっこ．ちび．じゃり．[句例] 우리집 ～ うちのちびっこ．[語例] ～둥이 おちびちゃん．[表現] ②は俗っぽい言いかた．

꼬박〈副〉'꼬박이'の略．

꼬박-꼬박〈副・하他〉言いつけに素直に従うさま：きちんと．[句例] 규칙을 ～ 지키다 規則をきちんと守る／세금을 ～ 기한 내에 내다 税金をきちんと期限内に納める．

꼬박-이 [kkobagi]〈副〉ぶっ通し．丸まる…．略して'꼬박'ともいう．[句例] 뜬눈으로 ～ 밤을 새우다 まんじりともせず夜を明かす．[文例] ～ 사흘 동안이나 걸었다 三日間もぶっ通しで歩いた／～ 이틀을 굶었다 まる二日間何も食べなかった．

꼬부라-지다〈自〉❶(内側に)曲がる．[句例] 허리가 ～ 腰が曲がる／혀가 ～ 舌がもつれる／왼쪽으로 꼬부라진 골목 左側に曲がった露地．❷(性格などが)ゆがむ．ねじける．[句例] 마음이 꼬부라진 소녀 心のゆがんだ少女．

꼬부랑 글자【一字】 [kkoburanggŭltcha]〈名〉❶へたくそな字．❷'서양 글자 横文字'の俗っぽい言いかた．

꼬부랑-길 [—kkil]〈名〉曲がりくねった道．

꼬부랑 늙은이 [—nŭlgŭni]〈名〉腰の曲がった年寄り．

꼬부랑-하다 (→하다)〈形〉(内側に)曲がっている．

꼬부랑꼬부랑〈副・하形〉曲がりくねっているさま：くねくね．[句例] ～ 굽은 재 くねくねと曲がりくねった峠．

꼬부랑 할미〈名〉腰の曲がったばばあ．

꼬부리다〈他〉折り曲げる．[句例] 와이어를 ～ ワイヤを折り曲げる．[表現] 語感の大きい語は'꾸부리다'．

꼬부장-하다 (→하다)〈形〉やや曲がり気味である．[句例] 꼬부장한 영감 腰が曲がり気味のじい(爺)．[表現] 語感の大きい語は'꾸부정하다'．

꼬불탕-하다 (→하다)〈形〉緩やかに曲がっている．

*꼬이다〈自〉❶㉠もつれる．こじれる．[文例] 일이 꼬여만 간다 事がもつれるばかりだ．㉡(糸・ひもなどが)もつれる．[句例] 실이 ～ 糸がもつれる／꼬인 로프를 풀다 もつれたロープを解く．❷(感情などが)悪くなる．＝뒤틀리다．[句例] 성질이 ～ 性質がひねくれる．❸こじらせる．ねじれる．よれる．よじれる．[句例] 옷자락이 ～ すそ(裾)がよれる．

꼬장-꼬장〈副・하形〉❶細ながくまっすぐなさま．[句例] ～한 회초리 細ながくまっすぐな鞭．❷(年寄りが)しゃんとしている．[文例] 할아버지는 아직도 ～하시다 おじいさんはまだしゃんとしている．❸剛直で一本気である．(人となりが)融通が利かない．[句例] ～한 공무원 (潔癖すぎて)融通の利かない公務員．

**꼬집다〈他〉❶つねる．[句例] 팔을 ～ 腕をつねる．[文例] 꿈이 아닌가 하고 꼬집어 보았다 夢ではないかとつねってみた．❷(人の)弱点をつく．皮肉を言う．[文例] 입을 열었다하면 꼬집는 말만 한다 ものを言えば皮肉ばかりだ．

꼬챙이〈名〉くし(串)．略して'꼬치'ともいう．[句例] ～에 꿰다 くしに刺す．くし刺しにする／(생선을) ～에 꿰어 굽다 (魚を)くし焼きにする．

꼬치〈名〉❶'꼬챙이'の略：くし(串)．❷くし刺しの食べ物．❸おでん．[語例] ～ 백반(白飯) おでん飯／～ 안주 (さかな(肴)としての)おでん．

꼬치-꼬치〈副〉❶骨と皮ばかりにやせ衰えたさま：がりがり(に)．[文例] 병으로 ～ 말랐다 病で骨と皮ばかりになった．❷執拗に問いただすさま：根掘り葉掘り．[句例] ～ 캐묻다 根掘り葉掘り聞く．

*꼬투리〈名〉❶['담배 꼬투리'の略] タバコの葉の筋．❷さや(莢)．❸(事の)きっかけ．もと．[句例] 사건의 ～를 캐다 事件のもとをただす．❹言葉じり．揚げ足．[句例] (남의) 말 ～를 잡다 (人の)言葉じりをとらえる．

**꼭〈副〉❶必ず．きっと．是非．＝틀림없이．반드시．[文例] ～ 만나고 싶다 是非お会いしたい／～ 가보고 싶다 ぜひ行って見たい／그는 ～ 온다 彼はきっと来る／～ 성공하겠다 必ずや成功して見せる．

❷しっかり. 固く. ぎゅっと. 句例 ~ 매다〔묶다〕しっかり結ぶ〔縛る〕/ 수건을 ~ 짜다 タオルを固く絞る / 손을 ~ 잡다 手をぎゅっと握る. 文例 문을 ~ 닫아라 戸をしっかり閉めなさい / 입을 ~ 다물고 말이 없다 口をきっとつぐんでいる.

❸ぴったり. ちょうど. きっちり. 文例 구두가 발에 ~ 맞는다 靴がぴったり合う / 지금 ~ 한 시다 今ちょうど一時である / 계산이 ~ 맞는다 計算がぴったり合う.

❹まるで. あたかも. そっくり. =마치. 句例 ~ 호랑이 같은 눈 まるで虎みたいな目. 文例 ~ 봄 같다 あたかも春のようだ / 진짜와 ~ 같다 本物そっくりだ / 저 얼굴은 ~ 탈바가지 같다 あの顔付きはまるで能面みたいだ.

❺じっと. 文例 이틀 동안이나 방에 ~ 틀어박혀 있었다 二日間もじっと部屋に閉じこもっていた.

❻(否定の表現と共に用いられて)必ずしも. 文例 ~ 그렇게는 생각지 않는다 必ずしもそうとは思わない / ~ 이긴다고는 할 수 없다 必ずしも勝つとは限らない.

***꼭-꼭**〈副〉❶強く縛ったり押し込んだりするさま: ぎゅうぎゅう(と). しっかり(と). ぎりぎり. 句例 ~ 눌러 담다 ぎゅうぎゅうつめこむ / 붕대로 ~ 감다 包帯をぎりぎりと巻く. ❷必ず. きっと. 間違いなく. 文例 은사에게는 연하장을 ~ 보낸다 恩師には必ず年賀状を送る. ❸うまく隠れるさま. =꽁꽁. 文例 ~ 숨어라 しっかり隠れよ.

***꼭대기**〈名〉❶頂上. てっぺん. 語例 산 ~ 山の頂 / 머리 ~ 頭のてっぺん / 지붕 ~ 屋根のてっぺん. ❷頭. 首領.

***꼭두-각시**〈名〉❶傀儡. あやつり人形. ❷仮面をかぶって舞う女性.

꼭두각시-놀음 [kkoktugakshinorŭm]〈名・하自〉❶〔演〕人形劇. ❷人の手先として使われること.

꼭두-새벽〈名〉明け方. 朝っぱら. 文例 ~부터 왜 이리 시끄러우냐 朝っぱらからなんで騒騒しいのか.

***꼭지**〈名〉❶(かき(柿)・なすびなどの)ほぞ(蔕). へた. 句例 오이 ~를 따다 きゅうりのへたを取る. 語例 호박 ~ かぼちゃのへた. ❷(蓋などの)つまみ. 語例 냄비 ~ なべぶたのつまみ〔取っ手〕. ❸(たこのてっぺんに張る)色紙. ❹(こじきなどの)頭.

***꼭지-각**【一角】〈名〉〔數〕頂角.

***꼭지-점**【一點】〈名〉〔數〕頂点.

꼲다 [kkont'a]〈他〉評価する. 評定する. 採点する. 句例 성적을 ~ 成績を評定する. 參考 '꼲으면 評定すると' '꼲고 評定して'は[kkonŭmyŏn], [kkonk'o]と読む.

***꼴**¹〈名〉物事の状態・形またはなり振り. 格好. ざま(様). 句例 비참한 ~ 惨めなざま / ~ 보기 싫다 みっともない. 文例 이게 무슨 ~이냐 なんたるざまだ / ~ 좋구나 ざま(を)見ろ. ざまあみろ / 보다시피 저 ~이다 何しろあの始末だ. 語例 세모~ 三角形 / 네모~ 四角形 / 달걀~ 卵形.

꼴 같지 않다 ⇨ 꼴같잖다

꼴 좋다 いい面の皮だ. ざまを見ろ〔見やがれ〕. それ見たことか.

꼴²〈名〉まぐさ(秣). 飼い葉. 句例 ~을 베다 まぐさを刈る. 語例 ~간(間) まぐさ小屋. まぐさ置き場.

-꼴〈尾〉物の交換割合: …換え. 文例 한 부대에 오만 원~로 샀다 ひと袋五万ウォン換えで買い取った / 한 개에 일천 원~이다 一個当たり一千ウォンである.

꼴-같잖다 [kkolgatchant'a]〈形〉['꼴같지 않다'の略] ぶざまだ. 見苦しい. 気に食わない. 句例 꼴같잖은 태도를 취하다 いやに気に食わない態度をとる.

꼴뚜기〈名〉〔動〕いいだこ(飯蛸).

꼴리다〈自〉❶(陰茎が)勃起する. ❷怒りがこみあがる. 句例 배알이 ~ 腹が煮え返る.

꼴리는 대로 하다 勝手気ままにする. 心のままに振る舞う.

꼴-불견【一不見】〈名〉みっともないこと. 文例 참 ~이다 ざまといったら見ていられない.

꼴-사납다 (一사나우니, 一사나워서)〈形〉みっともない. 見苦しい. 句例 꼴사나운 짓 見苦しい振る舞い. みっともないまね / 꼴사납게 보이다 ぶざまに見える.

꼴찌〈名〉びり. 最下位. 句例 성적이 ~인 학생 成績がびりの生徒 / 마라톤에서 ~를 하다 マラソンでびりになる. 文例 ~부터 세는 편이 빠르다 びりから数えた方が早い.

꼼꼼-하다 (→하다)〈形〉抜け目なくきちょうめんだ. 句例 꼼꼼한 사람 きちょうめんな人 / 꼼꼼하지 못한 사람 ずぼらな人. **꼼꼼히**〈副〉抜け目なく. きちょうめんに. 句例 일기를 꼼꼼히 쓰다 日記をまめに付ける.

***꼼짝**〈副・하自他〉ちょっとばかり動くさま. 句例 ~ 않고 바라보다 身じろぎもせず見つめる. 文例 ~ 마라 動くな / ~할 수 없었다 とても身動きがとれなかった / ~ 않고 숨어 있었다 息を殺して隠れ通した.

꼼짝 못 하다 ❶全然身動きがとれない. 句例 아파서 ~ 痛くて身動きができない. ❷どうすることもできない. にっちもさっちも行かない. 句例 빚으로 ~ 負債で首が回らない.

꼼짝(도) 아니 하다 ❶身じろぎもしない. 息を殺している. 文例 손가락 하나 꼼짝 않는다 指だに動かさない. ちっとも働かない / 꼼짝 않고 앉아 있다 身じろぎもせずに座っている. ❷姿を現さない. 文例 그가 꼼짝 않으니 걱정이 된다 彼が顔を見せないので心配だ.

꼼짝-달싹〈副・하自〉(主に'못하다'などの否定語を伴って)ちょっとからだを動かすさま: びくっと. 文例 사람이 꽉 차서 ~ 못하겠다 人がぎっしり詰まって身動きもできない.

꼼짝-없이 [kkomtchagŏpshi]〈副〉どうすることもできずに. な(為)すすべもなく. 文例 ~ 잡혔다 なすすべもなく捕らえられた.

꼽다〈他〉❶(数えるため)指を折る. 句例 손꼽아 기다리다 指折り数えて待つ. ❷(優れていて)…の中に数えられる. 挙げる. 句例 손꼽는 부자 指折り〔屈指〕の金持ち. 文例 대통령 후보로 그를 ~ 大統領候補者に彼を挙げる / 그는 탐험가로 꼽힌다 彼は探険家に

数えられる.

꼽추 〈名〉せむし. ＝곱사등이.

꼿꼿-이 [kkotkkoshi]〈副〉❶まっすぐに. 句例 몸을 ~ 펴다 からだをまっすぐに伸ばす. ❷剛直に. 句例 ~ 살다 剛直に生きる.
表現 語感の大きい語は'꿋꿋이'.

*__꼿꼿-하다__ [kkotkkot'ada] (→하다)〈形〉❶まっすぐだ. 句例 꼿꼿한 대나무 まっすぐな竹. ❷剛直だ. 句例 꼿꼿한 기질 剛直な気質. ❸(水気がなくなって)こちこちだ. 文例 떡이 말라서 꼿꼿해졌다 もち(餅)が乾いてこちこちになった.

*__꽁꽁__ 〈副〉❶硬く凍り付いたさま: こちんこちん. かちかち. 文例 강이 ~ 얼었다 川がこちんこちん凍り付いた. ❷しっかりと隠れるさま. ＝꼭꼭. 文例 ~ 숨어라, 머리카락 보인다 しっかりと隠れていろよ, 髪の毛が見えるぞ.

꽁무니 〈名〉❶〔動〕脊柱の末端. (転じて)お尻. けつ《俗》. 句例 ~가 빠지게 달아나다 尻に帆をかける / 여자 ~를 쫓아다니다 女の尻を追いまわす. 語例 ~뼈〔生〕尾骨. ❷いちばんあと. びり. どんじり. ＝끝. 句例 행렬의 ~에 붙어가다 行列のどんじりに付いて行く. 語例 ~ 바람 追い風.

꽁무니를 따라다니다 尻を追いまわす. 人の尻につきまとう.

꽁무니(를) 빼다 身を引く. 尻込みする. 文例 놈들은 사태가 불리해지자 슬슬 꽁무니를 빼기 시작했다 やつらは事態が不利になるやそろそろと身を引き始めた.

꽁무니(를) 사리다 しっぽを巻く. 身を引こうとする.

꽁-보리밥 〈名〉麦だけで炊いた飯.

꽁-생원【—生員】〈名〉無口で心の狭い人をあざけて言う語.

꽁지 〈名〉鳥の尾. 句例 매의 ~깃 たか(鷹)の尾の羽.

꽁초【—草】〈名〉(タバコの)吸い殻. 吸いさし.

**__꽁치__ [kko:ngch'i]〈名〉〔魚〕さんま(秋刀魚).

꽁-하다 [kko:nghada] (→하다)〈形〉無口で度量が狭い. 根に持って忘れない. 句例 꽁하게 생각하다 根に持つ / 꽁한 감정이 안 풀리다 わだかまりが解けない.

**__꽂다__ 〈他〉❶差し込む. 挿す. 句例 꽃병에 꽃을 ~ 花瓶に花を挿す / 산 꼭대기에 기를 ~ 山の頂に旗を立てる / 머리에 비녀를 ~ 髪にかんざしを挿す / 플러그를 콘센트에 ~ プラグをコンセントに差し込む. ❷刺す. 句例 등에 침을 ~ 背にはりを打つ. ❸逆さまに投げとばす. 句例 업어치기로 메어 ~ 背負い投げで逆さまに投げとばす.

꽂히다 [kkoch'ida]〈自〉'꽂다'の受け身: 差し込まれる. 挿される. 刺さる. 句例 화살이 과녁에 ~ 矢が的に刺さる / 꽃병에 꽂힌 꽃 花瓶に挿された花.

**__꽃__ 〈名〉❶〔植〕花. 句例 ~을 꺾다 花を折る / ~을 가꾸다 花を育てる / ~이 시들다 花がしおれる(しぼむ) / ~을 즐기다 花をめでる / ~이 피다 花が咲く. 花をつける / ~이 지다 花が散る.
❷(比喩的に)美しいもの. 華やかなもの. 句例 사교계의 ~ 社交界の花 / 직장의 ~ 職場の花 / ~ 같이 아름다운 처녀 花のように美しい乙女.
❸最盛期. 盛り. 文例 청년 시절은 인생의 ~이다 青年時代は人生の花である.
❹(はしかなどの)発疹. 句例 ~이 피다 発疹が出る.

꽃 없는 나비 花のないちょう(蝶). 転じて, なんの生きがいも無くなった身の上.

꽃은 꽃이라도 호박꽃이다 花は花でもカボチャの花. 醜い女を指す語.

꽃이 좋아야 나비가 모인다 きれいな花にちょうちょう(蝶蝶)が寄る. ❶商品がよければ買い手が集まる. ❷よい結婚相手がみつかるかどうかは自分の身持ち次第である.

꽃(이) 피다 花が咲く. 盛んになる. 文例 이 땅에서 평화의 꽃이 피게 하자 この地に平和の花を咲かせよう.

꽃(을) 피우다 花を咲かせる. 盛んにする. 句例 밤새도록 이야기의 꽃을 피우다 夜もすがら話に花を咲かせる.

**__꽃-가게__ 〈名〉花屋. ＝꽃집.

꽃-가루 〈名〉〔植〕花粉. 句例 나비가 ~를 나르다 ちょう(蝶)が花粉を運ぶ.

꽃-게 〈名〉〔動〕がざみ. わたりがに.

꽃-구경 〈名〉花見. **~하다**〈自〉花見をする. 句例 ~(을) 가다 花見に行く.

꽃-구름 〈名〉彩雲. 句例 ~으로 뒤덮이다 彩雲におおわれる.

꽃-꽂이 [kkotkkoji]〈名〉生け花. 華道. 句例 ~를 배우다 生け花を習う.

**__꽃-나무__ [kkonnamu]〈名〉❶花の咲く木. ❷草花.

꽃-놀이 [kkonnori]〈名・하自〉花見. 文例 곧 ~철이 온다 間もなく花見時が来る / ~ 꾼들이 떼지어 있다 花見の人たちが群がっている. 類꽃구경.

꽃놀이 가다 花見に行く.

꽃-눈 [kkonnun]〈名〉〔植〕花芽.

꽃-다발 〈名〉花束. ブーケ. 文例 합격을 축하하여 ~을 보내다 合格祝いに花束を贈る. 語例 장미 ~ ばら(薔薇)の花束.

꽃-답다 (꽃다우니, 꽃다워서)〈形〉❶花のように美しい. まるで花のようだ. 句例 꽃다운 처녀 花のような乙女 / 꽃다운 나이 芳年. ❷美しさを備えている. 花らしい.

꽃-동산 〈名〉❶花園. ❷(比喩的に)楽園.

꽃-말 [kkonmal]〈名〉花ことば. 文例 장미의 ~은 순정이다 ばらの花ことばは純情である.

꽃-망울 [kkonmang-ul]〈名〉花のつぼみ.

꽃-무늬 [kkonmuni]〈名〉花模様. 句例 ~를 수놓은 손수건 花模様を刺繡したハンカチ.

꽃-바구니 〈名〉花かご. 句例 ~를 든 여학생 花かごを手に持った女学生.

꽃-바람 〈名〉花風.

**__꽃-밭__ 〈名〉❶花畑. ＝화전(花田). ❷若い女性の集まり場.
表現 ②は俗っぽい言いかた.

꽃밭에 불지르다 花畑に火を放つ. ❶風情をぶちこわす. ❷興を白けさす. ❸幸福な時に災難に会う.

**꽃-병【一瓶】〈名〉花瓶. ＝화병(花瓶). 句例 ～ 가득히 국화를 꽂다 花瓶いっぱい菊を生ける. 語例 ～ 깔개 花瓶敷き.

*꽃-봉오리〈名〉❶つぼみ(蕾). 略して'봉오리'ともいう. 句例 ～가 나오다 つぼみが出る / ～가 벌어지다 つぼみがほころびる. ❷(比喩的に)前途が期待される若者のたとえ.

꽃-삽【一鍤】〈名〉移植ごて.

꽃-샘〈名・하自〉花冷え. 語例 ～ 바람 花あらし.

**꽃-송이〈名〉花房.

꽃-술〈名〉花蕊. (花の)雄しべと雌しべ.

꽃-시계【一時計】〈名〉花時計.

꽃-식물【一植物】[kkotshingmul]〈名〉顕花植物.

*꽃-씨〈名〉花の種.

*꽃-잎 [kkonnip]〈名〉花弁. 花びら.

꽃-자루〈名〉〔植〕花柄. 花梗. ＝꽃꼭지.

꽃-집〈名〉花屋. ＝꽃가게.

꽃-차【一車】〈名〉花車.

꽃-차례〈名〉〔植〕'화서(花序)'のくだけた言いかた: 花序.

꽃-철〈名〉花時. 花の咲く季節.

꽈리 [kkwa:ri]〈名〉❶〔植〕ほおずき. ❷〔醫〕(手・足にできる)水疱.

꽉〈副〉❶強く押しつけたり握ったり縛りあげるさま: きゅっと. ぎゅっと. しっかり. ひしと. 句例 새끼로 ～ 묶다 縄でぎゅっと〔しっかり〕縛る / 손목을 ～ 쥐다 手首をしっかり握る / ～ 껴안다 ひしと抱きしめる / 가슴을 ～ 졸리다 きゅっと胸を締めつけられる / 철봉을 ～ 쥐다 鉄棒をしっかり握る. 文例 남의 발을 ～ 밟았다 人の足をぎゅっと踏んだ.
❷物の詰まっているさま: いっぱい. ぎっしり(と). 文例 운동장은 관중으로 ～ 차 있다 運動場は観衆でいっぱいである / 저 언덕은 집이 ～ 들어찼다 あの丘には家がびっしり(と)建ち並んでいる.
❸苦しみを堪え忍ぶさま: ぐっと. じっと. きゅっと. 句例 이를 ～ 물고 참다 歯をきゅっと食いしばって我慢する. 文例 아무리 아파도 ～ 참아라 いくら痛くてもじっと我慢しなさい / 눈물을 ～ 참았다 涙をぐっとこらえた.

꽉-꽉〈副〉❶幾度も強く押しつけたり, 堅く縛るさま: ぎゅうぎゅう. しっかり. 句例 ～ 죄다 ぎゅうぎゅうと締めつける / ～ 눌러 담다 ぎゅうぎゅう詰めこむ. 文例 짐을 ～ 묶어라 荷物をしっかりくくれよ. ❷いっぱい満ちているさま: ぎっしり. ぎっちり. 句例 ～ 밀어 넣다 ぎっしり押し詰める.

꽉-차다〈自〉いっぱいになる. ぎっしり詰まる. 句例 구경꾼으로 ～ 見物人でいっぱいになる. 文例 강당은 관중으로 꽉 차 있었다 講堂は観衆でぎっしりだった.

꽝¹〈名〉空くじ. 句例 ～을 뽑다 空くじを引く. 文例 가지고 있는 복권이 모두 ～이다 持ちあわせの宝くじがみんな空だ.
表現 '꽝'は俗っぽい言いかた.

꽝²〈副・하自〉❶銃砲などを撃つとき, または砲弾が落ちて破裂するときの音: どかん. ずどん. 句例 ～하고 떨어지다 どかんと落ちる. 文例 포탄이 ～하고 터졌다 砲弾がどかんと破裂した / ～하고 포성이 들려왔다 ずどんと砲声が聞こえた. ❷重いものが落ちたりぶつかったりするときの音: どん. ごん. ばたん. ぴしゃり. 句例 문을 ～하고 닫다 戸をばたんと閉める.

꽝-꽝〈副・하自〉❶しきりに鳴りひびく銃砲の破裂音: ずどんずどん. どかんどかん. 文例 포성이 ～ 들려온다 砲声がどかんどかんと聞こえてくる. ❷しきりに打ち鳴らしたりぶつかったりする時の音: どんどん(と). ばたんばたん. 句例 대문을 ～ 두드리다 戸をどんどんとたたく. ～거리다〈自他〉しきりにどかんどかんと鳴る. しきりにどんどんと鳴らす.

꽤〈副〉❶かなり. ずいぶん. なかなか. だいぶ. よほど. 句例 ～ 오래된 물건이다 随分古い品である / ～ 재미가 있다 なかなかおもしろい. 文例 건강〔성적〕이 ～ 좋아졌다 健康〔成績〕が大分良くなった / 그가 투기로 ～ 많은 재산을 모았다는 소문이 들린다 彼が投機でかなりの財産をこしらえたとのうわさだ. ❷割に. 割合に. やや. 文例 ～ 조용한 동네다 割に静かな町だ.

꽥〈副・하自〉❶驚いたり恐れたりして叫ぶ声: きゃっ. きゃあ. 句例 ～ 지르다 きゃっと叫ぶ. ❷怒ってどなる声: わっ. 類 꿱.

꽥-꽥 [kkwae:k—]〈副・하自〉わめき〔どなり〕散らす声: きゃあきゃあ. きゃっきゃっ. 句例 원숭이가 ～대다 猿がきゃっきゃっと騒ぎたてる. ～거리다〈他〉わめき散らす. どなりたてる.

꽹과리〈名〉かね(鉦). 絵

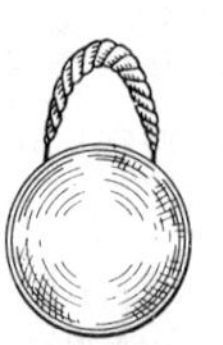
〈꽹과리〉

꾀〈名・하他〉知恵. 気転. はかりごと. 句例 ～가 많은 사람 知謀に富む人 / 얕은 ～를 부리다 浅知恵を利かす. 文例 제 ～에 제가 넘어간다《속담》自分の策に自分が陥る. 策士, 策におぼ(溺)れる. 語例 ⇨ 꾀보

꾀(가) 바르다 気転が利く. 小利口だ. こざかしい.

꾀(를) 부리다 ❶ずるける. なまける. ❷策を弄する. ▷＝꾀(를) 피우다.

꾀(를) 쓰다 ❶知恵を働かす. ❷なまける. ずるける. ＝꾀(를) 부리다.

꾀(를) 피우다 '꾀(를) 부리다'のこと.

꾀-까다롭다 (→롭다)〈形〉いやにややこしい. いやに気難しい. 句例 성격이 ～ 性格がいやに気難しい. 꾀까다로이〈副〉いやに気難しく. 文例 꾀까다로이 구는군 いやに気難しく振る舞うね.

*꾀꼬리〈名〉〔鳥〕朝鮮うぐいす(鶯). ＝황조(黃鳥).

꾀다¹ [kkoe:da]〈自〉❶(虫などが)群がり集まる. たかる. すだく. 句例 음식에 파리가 ～ 食べ物にはえ(蠅)がたかる. ❷(見物人などが)寄りたかる.

꾀다² [kkoe:da]〈他〉誘う. そそのかす. 惑わす. いざなう《雅》. ＝꼬이다. 句例 못된 길로 ～ 悪の道に誘う / 여자를 ～ 女をたらす / 감언(甘言)으로 ～ 甘い言葉で釣る.

꾀-병【一病】〈名・하自〉仮病. いつわりの病気. 句例 ~을 부리다 仮病を使う / ~을 앓다 病気を構える.

꾀병에 말라 죽겠다 仮病を使う者を皮肉る言葉.

꾀-보〈名〉知恵者. 利口者. 小才の利く者. =꾀쟁이.

꾀-부리다 ⇨'꾀'の小項目

꾀-쓰다 ⇨'꾀'の小項目

꾀어-내다 (一내거라)〈他〉誘い出す. おびき出す. 句例 감언(甘言)으로 ~ 甘い言葉で誘い出す / 술집으로 ~ 飲み屋に誘い出す.

꾀죄죄-하다 (→하다)〈形〉ひどくみすぼらしい. 薄汚い. 句例 꾀죄죄한 옷차림 みすぼらしい身なり.

꾀-피우다 ⇨'꾀'の小項目

***꾀-하다** (→하다)〈他〉たくらむ. 企てる. 図〔謀〕る. 句例 재기를 ~ 再起〔再挙〕を図る / 음모를 ~ 陰謀をたくらむ.

꾐 [kkoe:m]〈名〉誘い. 誘惑. 唆し. 句例 ~에 빠지다〔넘어가다〕誘いに乗る / ~에 빠져 도둑질을 하다 唆されて盗みを働く.

꾸기다〈自他〉'구기다'の強勢語.

꾸김-없다 [kkugimŏpta]〈形〉素直だ. 率直だ. 句例 꾸김없는 성격 素直な性格. **꾸김없이** [kkugimŏpshi]〈副〉素直に. 句例 꾸김없이 자라다 素直に育つ.

***꾸다**¹〈他〉(夢を)見る. 文例 괴상한 꿈을 꾸었다 おかしい夢を見た.

꾸다²〈他〉借りる. 句例 돈을 ~ 金を借りる. 借金する / 꾼 돈을 갚다 借りた金を返す. 類 빌리다.

꾸어다 놓은 보릿자루 借りて来た麦袋. 周りとうち解けずに, 独りでつくねんとしている人を嘲ていう語.

-꾸러기〈尾〉(名詞に付いて)たち(質)・癖を持つ人を表わす語. 語例 잠~ 寝坊 / 심술~ 意地っ張り / 익살~ ひょうきん者 / 욕심~ 欲張り / 말썽~ 厄介者.

꾸러미 ㊀〈名〉一まとめに束ねたり, くるんだりしたもの: 包み. 束. 語例 열쇠 ~ かぎ束 / 짐 ~ 荷包み.
㊁〈依名〉卵十個入りわらづと(藁苞)を数える語. 語例 달걀 세 ~ 三つの卵づと.

***꾸리다**〈他〉❶まとめてくくる. こ(梱)る. 荷造りをする. 句例 이삿짐을 ~ 引っ越しの荷造りをする. ❷切り回す. 処理する. 句例 살림을 꾸려 나가다 家事を切り盛りする / 바느질로 살림을 꾸려 가다 針仕事で暮らしを立てる / 집안 일을 혼자서 꾸려 가다 家事を独りで切り回す.

꾸며-내다〈他〉作り上げる. でっちあげる. 句例 정치적 사건을 ~ 政治的事件をでっちあげる. 文例 전부 꾸며낸 거짓말이었다 全部作り上げたうそであった.

꾸며-대다〈他〉言い繕う. それらしく言い訳をする. 句例 그럴 듯하게 ~ もっともらしく言い繕う.

꾸무럭-거리다〈自他〉⇨ 꾸물거리다

꾸무럭꾸무럭〈副・하自他〉⇨ 꾸물꾸물

***꾸물-거리다**〈自他〉❶(虫などが)うごめく. ❷(人が)ぐずつく. のろのろと動く. 文例 꾸물거리지 말고 빨리 와라 ぐずぐずしないで, 早くこい.

꾸물꾸물〈副・하自他〉ぐずぐず. のそのそ. もぞもぞ.

꾸미다〈他〉❶作り上げる. 仕立てる. 句例 살림을 ~ 所帯を構える / 정원을 ~ 庭を造る. ❷繕う. 見せかける. 飾る. 作り立てる. 装う. 句例 화려하게 꾸민 여자 華やかに装った女性 / 겉을 ~ 上べを飾る / 말을 ~ 言葉を繕う / 진짜처럼 ~ 本物らしく仕立てる. ❸こしらえる. でっちあげる. 句例 꾸며낸 이야기 でっちあげた話. ❹たくらむ. 企てる. 謀る. =꾀하다. 句例 일을 ~ 事を構える / 못된 짓을 ~ 悪事をたくらむ.

꾸밈〈名〉❶仕立てること. 外見を見栄えよくすること. 見せかけること. 装うこと. 語例 ⇨ 꾸밈새. ❷〔言〕(用言と体言に対する)修飾.

꾸밈-말〈名〉〔言〕'수식어 修飾語'のくだけた言いかた.

꾸밈-새〈名〉作り. 装い. 構え. 文例 집의 ~가 크고 훌륭하다 家の構えが大きくて立派だ.

꾸밈-음【一音】[kkumimŭm]〈名〉〔樂〕'장식음 装飾音'のくだけた言いかた.

***꾸벅**〈副・하他〉居眠りやお辞儀をするさま: こくり. ぺこり. 句例 ~ 절하다 ぺこりとお辞儀をする / 머리를 ~하다 頭をこっくりする. ~**거리다**〈他〉こくりこくりする. ぺこぺこする.

꾸벅꾸벅¹〈副・하他〉こくりこくり. ぺこぺこ. 句例 ~ 졸다 こくりこくり居眠りをする / ~ 절하다 ぺこぺことお辞儀をする.

꾸벅-꾸벅²〈副・하他〉ひたすらに従うさま. 文例 아무 말 없이 ~ 일만 하고 있다 何も言わず従順に仕事ばかりしている.

꾸벅-이다 [kkubŏgida]〈他〉頭を下げる. こっくりさせる.

꾸부러-뜨리다〈他〉'꾸부리다'の強調語: ひん曲げる. 曲げる.

꾸부러-지다〈自〉'구부러지다'の語勢の強い語.

꾸부렁-하다 (→하다)〈形〉(内側に)だいぶ曲がっている. 文例 할아버지 등이 ~ おじいさんの背が曲がっている.

꾸부렁꾸부렁〈副・하形〉多くの所が曲がりくねっているさま: くねくね.

꾸부리다〈他〉'구부리다'の語勢の強い語.

꾸부정-하다 (→하다)〈形〉⇨ 꾸부렁하다

꾸부정꾸부정〈副・하形〉あっちこっちが曲がっているさま.

꾸불-거리다〈自〉曲がりくねっている.

꾸불꾸불〈副・하自〉引き続き曲がりくねっているさま: くねくね. 句例 끝없이 ~ 이어진 산줄기 くねくねと連なる山脈 / ~한 산길을 오르다 曲がりくねった山道を登る.

꾸불텅-하다 (→하다)〈形〉緩く曲がっている.

꾸불텅꾸불텅〈副・하形〉幾重にも緩く曲がりくねっているさま: くねくね. 句例 ~한 산길 くねくねとした山道.

꾸뻑〈副・하他〉居眠りやお辞儀をするさま: こっくり(と). ぴょこん(と). ぺこり(と). 文例

얼떨결에 ～하고 절을 했다 まごまごしているうちにぺこんとお辞儀をした. **～거리다**〈他〉こっくりする. ぺこぺこする.

꾸뻑꾸뻑〈副・하他〉こっくりこっくり. ぺこぺこ. 句例 ～ 졸다 こっくりこっくりと居眠りをする.

꾸역-꾸역〈副〉❶一所に押しかけるか出て行くさま: 続続. どかどかと. 句例 ～ 모여들다 どかどかと詰め掛ける. ❷煙が時間をおいて,または続けて出るさま: むくむくと. もくもくと. 句例 연기가 ～ 나오다 煙がむくむくと出る.

꾸준-하다 (→하다)〈形〉粘り強い. 根気がある. **꾸준히**〈副〉うまずたゆまず. 根気よく. こつこつと. 文例 꾸준히 노력한 결과다 こつこつと努力した結果である.

***꾸중**〈名〉'꾸지람'の尊敬語: おしか(叱)り. 小言. おとがめ. **～하다**〈他〉しかる. 文例 선생님이 크게 ～하셨다 先生が大いにおしかりなさった.

꾸중(을) 듣다 しかられる. おしかりを受ける. 句例 크게 ～ ひどいお目玉をくう. 文例 아버지의 꾸중을 듣고 울상을 지었다 父のおしかりを受けて泣き面になった.

***꾸지람**〈名・하他〉叱責. 小言. とがめ. 句例 ～을 듣다 しか(叱)られる.

***꾸짖다**〈他〉しか(叱)る. とがめる. 句例 큰소리로 ～ 大声でしかり飛ばす.

꾹〈副〉❶強く押したり締め付けるさま: ぎゅっ(と). 句例 입을 ～ 다물다 口をぎゅっとしめる. 話を漏らさない / 상대의 목덜미를 ～ 조르다 相手の襟元を強く締め付ける. ❷苦しみなどを耐え忍ぶさま: じっと. ぐっと. 句例 모욕을 ～ 참다 侮りをじっと忍ぶ / 아픔을 ～ 참아내다 痛みをぐっとこらえる.

꾹-꾹〈副〉❶(多く入れようと)しきりに押し詰めるさま: ぎしぎし. ぎゅうぎゅう. ❷しきりに突くさま: ぎゅっぎゅっ.

-꾼〈尾〉(名詞に付いて) ❶ある事を専門的または習慣的にしている人を指す語. 語例 짐～ 荷運び人 / 농사～ 農民 / 잔소리～ やかまし屋 / 씨름～ 相撲取り / 장사～ 商人. ❷その場に集まった人たちの意. 語例 구경～ 見物人.

⁑**꿀**〈名〉蜜. はちみつ. ＝봉밀(蜂蜜). 句例 ～처럼 달다 蜜のように甘い.

꿀도 약이라면 쓰다 はちみつも薬だといわれたら苦い. 良薬口に苦し.

꿀 먹은 벙어리 はちみつをなめたおし(唖). 何も言わずにいる人のたとえ.

꿀꺽〈副・하自〉❶ごくり(と). ぐっ(と). 句例 감기약을 ～ 단숨에 넘기다 風邪薬を一息にごくりと飲み込む / 침을 ～ 삼키다 生つばをごくりと飲み込む. ❷ぐっ(と). じっ(と). 句例 분을 ～ 참다 憤りをぐっとこらえる.

꿀꺽꿀꺽〈副・하自〉ごくりごくり. ごくごく. ぐっぐっ.

***꿀-꿀**〈副・하自〉豚が鼻を鳴らす声: ぶうぶう. **～거리다**〈自〉盛んにぶうぶう(と)鼻を鳴らす.

꿀꿀-이 [kkulkkuri]〈名〉❶《兒》豚. ❷貪欲な人.

꿀꿀이-죽【—粥】[kkulkkuri—]〈名〉いろいろの食べものかすをまぜて煮込んだかゆ.

꿀-단지 [kkulttanji]〈名〉みつつぼ(蜜壺).

꿀-돼지 [—ttwaeji]〈名〉⇨ 꿀꿀이②

꿀-떡¹〈名〉甘もち(餅).

꿀떡²〈副・하自〉食べ物などを一息に飲み込むさま: ぐいと. ぐっと. がぶり. 句例 약을 ～ 마시다 薬をぐいと飲み込む.

꿀떡꿀떡〈副・하自〉ぐいぐい(と). がぶりがぶり(と).

꿀렁〈副・하自〉❶入れ物のなかで液体が揺れる音. ❷しっかりくっ付かず浮き上がっているさま: ぼこぼこ.

꿀렁꿀렁〈副・하自〉❶だぶだぶ. ❷あっちこっちが浮き上がっているさま. 句例 벽지가 ～하다 壁紙があっちこっちに浮いている.

꿀리다〈自〉❶しわ(皺)がよる. ❷気にかかる. 気がひける. 心後れする. ＝켕기다. ❸(生活に)窮する. 苦しくなる. 句例 살림이 몹시 ～ 暮らしがひどく窮する. ❹押される. 引け目を感じる. 劣る. 句例 힘이 ～ 力が劣る. 文例 그에게 꿀릴 것이 아무 것도 없다 彼に引け目を感じることは何もない.

꿀-물〈名〉はちみつを溶かした水.

꿀-밤〈名〉げんこつで軽く頭をたたくこと. 類 알밤.

表現 '꿀밤'は俗っぽい言いかた.

꿀밤(을) 먹다 頭にげんこつを食らう.

***꿀-벌**〈名〉〔蟲〕みつばち(蜜蜂). 略して'벌'ともいう. 句例 ～을 치다 みつばちを飼う.

꿇다 [kkult'a]〈他〉ひざまずく. 句例 왕 앞에 무릎을 ～ 王の前にひざまずく / 무릎을 꿇고 용서를 빌다 もろひざを突いて許しを請う.

參考 '꿇으면 ひざまずくと' '꿇고 ひざまずいて' は [kkurŭmyŏn], [kkulk'o] と読む.

꿇어-앉다 [kkurŏantta]〈自〉ひざをついて座る. ひざまずく. 跪座する. 略して'꿇앉다'ともいう. →앉다 參考

⁑**꿈**〈名〉❶夢. 句例 좋은 ～ めでたい夢 / 나쁜 ～ いやな夢 / 용～을 꾸다 めでたい夢を見る. ❷実現し得ない事柄. 文例 ～같은 소리 마라 夢みたいな話はよせよ. ❸理想. 文例 장래의 ～을 그려본다 将来の夢を描く. ❹('～에도'の形に否定語を伴って) 夢にも. 決して. 文例 나는 ～에도 모르는 일이다 わたしは全然知らないことだ / 그의 은혜는 ～에도 잊을 수 없다 彼の恩は決して忘れられない.

꿈(을) 꾸다 夢(を)見る. ❶夢を結ぶ. 文例 어젯밤에는 이상한 ～을 꾸었다 昨晩は妙な夢を見た. ❷夢をいだく〔描く〕, 志す. 句例 성공을 ～ 成功を志す / 미래를 ～ 未来を夢見る.

꿈보다 해몽이 좋다 夢よりは夢解きがいい. 夢は判じがら.

꿈에 본 돈이다 夢に金を拾う. 現実にはナッシングなこと.

꿈에 본 천량같다 '꿈에 본 돈이다'のこと.

꿈인지 생시(生時)인지 夢かうつつか.

꿈-같다〈形〉夢のようだ. 句例 꿈같은 이야기다

夢のような話である. 夢話である.

꿈-결 [kkumkkyŏl] 〈名〉 夢うつつ. 夢路. 句例 ~에 들리는 소리 夢うつつに聞こえる音 / ~같이 흘러간 세월 夢のように過ぎ去った年月.

꿈-길 [kkumkkil]〈名〉夢路. 句例 ~을 더듬다 夢路をたどる.

⁑**꿈-꾸다** ⇨'꿈'の小項目

꿈-나라 〈名〉 ❶夢のくに. 理想の世. ❷眠り. =잠. 句例 ~로 가다 深く寝入る.

꿈-속 [kkumssok] 〈名〉 夢のなか. むび(夢寐). 句例 ~의 꿈 夢のまたゆめ / ~에서 깨닫다 夢のなかで悟る.

꿈-자리 〈名〉 夢のあと. 夢見. =몽조(夢兆).

꿈자리가 사납다 夢見が悪い.

꿈지럭 〈副・하自他〉緩やかに動くさま: のそのそ. ぐずぐず. のっそり. **~거리다** 〈自他〉 のそのそする. ぐずぐずする. 文例 무얼 그렇게 ~거리느냐 なぜそんなにぐずぐずするのかね.

꿈지럭꿈지럭 〈副・하自他〉 のっそのっそと. ぐずぐずと.

꿈쩍 〈副・하自他〉 少しばかり鈍く動くさま: びくり(と). びく(と). 文例 그런 일로는 ~도 않는다 そんなことではびくともしない. **~거리다** 〈自他〉 びくびくと動く.

꿈쩍꿈쩍 〈副・하自他〉 びくびく. びくりびくり.

꿈쩍 못 하다 動きがとれない. 手も足も出ない. 文例 권력 앞에는 꿈쩍도 못 한다 権力にはぐうの音も出せない.

꿈쩍-없다 [kkumtchŏgŏpta] 〈形〉 微動だもしない. 文例 누가 뭐라든 ~ だれが何と言ってもびくともしない. **꿈쩍없이** [kkumtchŏgŏpshi] 〈副〉 びくともせずに.

꿈쩍-하면 [kkumtchŏk'amyŏn] 〈副〉 ちょっとでも動けば. 文例 ~ 돈이다 ちょっとでも出かけると金が要る.

꿈틀 〈副・하自他〉うごめくさま: ぴくり. 句例 근육이 ~하고 움직이다 筋肉がぴくりと動く. 文例 지렁이도 밟으면 ~한다《속담》 一寸の虫にも五分の魂. **~거리다** 〈自他〉 くねくねと動く. にょろにょろとうごめく.

꿈틀꿈틀 〈副・하自他〉 にょろにょろ(と). くねくね(と). 句例 뱀이 ~ 기다 へび(蛇)がくねくねとのたくる.

***꿋꿋-이** [kkutkkushi] 〈副〉 ひるまず. 屈せず. 句例 곤경을 헤치고 ~ 살아가다 苦境に屈せず正しく生きていく.

꿋꿋-하다 [kkutkkut'ada] (→하다) 〈形〉 ❶少しもひるまない. ❷気丈だ. しっかりしている. 文例 저 사람의 의지는 매우 ~ あの人の意志は気丈だ.

表現 語感の小さい語は'꼿꼿하다'.

꿍꿍이 〈名〉 '꿍꿍이셈'の略.

꿍꿍이-셈 〈名〉 胸算用. 略して'꿍꿍이'ともいう.

꿍꿍이-속 〈名〉胸中のもくろみ. 文例 무슨 ~인지 알 수가 없다 どういうもくろみなのか知らない.

꿍-하다 [kku:ng—] (→하다) 〈形〉 ⇨ 꽁하다

⁑**꿩** 〈名〉〔鳥〕 きじ(雉). 語例 ~ 사냥 きじ狩り.

꿩 구워 먹은 자리 きじを焼いて食べた跡《後始末がきれいで何の形跡も残っていない意》.

꿩 대신 닭 きじの代わりに鶏. 本物でなくて残念ではあるが, それに似たものでどうにか賄う意.

꿩 먹고 알 먹는다 一挙両得. 一石二鳥.

꿩 잡는 것이 매 きじを捕るのがたか(鷹). 本分を尽くし終えてこそ, 名実相伴うことのたとえ.

***꿰다** [kkwe:da] 〈他〉 ❶(糸などを穴に)通す. 句例 바늘에 실을 ~ 針に糸を通す / 구슬을 꿰어 목걸이를 만들다 玉をつないで首飾りにする. ❷(くしなどを)さす. 句例 고기를 꼬챙이에 꿰어서 굽다 肉をくし焼きにする. ❸(服などを)着る. (履物などを)履く. ひっ掛ける. 句例 작업복을 꿰입고 나가다 作業服をはいて出かける / 샌들을 꿰신다 サンダルをひっ掛ける.

꿰-뚫다 [kkwe:ttult'a] 〈他〉 ❶貫く. 突き通す. 句例 총탄이 벽을 ~ 銃弾が壁を突き抜ける. ❷(事情などを)見抜く. 見透かす. 文例 내막을 꿰뚫어 알고 있다 内幕を見抜いている. →뚫다 参考

꿰-매다 [kkwe:maeda] 〈他〉 縫う. 繕う. 句例 옷을 ~ 服を繕う / 해진 양말을 ~ 古びた靴下を繕う.

꿰미 [kkwe:mi] [一]〈名〉 通しひも(紐). [二]〈依名〉 物の穴にひもを通して一まとめにした束を数える語.

꿰-차다 [kkwe:ch'ada] 〈他〉 ❶ひもを通して一まとめにした物を腰にさげる. ❷自分のものにする. 連れにする. 句例 여자를 꿰차고 꽃놀이를 가다 女を連れて花見に行く.

表現 ②は俗っぽい言いかた

꿱-꿱 〈副・하自〉 どなり散らす声〔さま〕: がみがみ. **~거리다** 〈自〉 がみがみどなり散らす. がなりたてる. 文例 화가 난 그는 체면도 아랑곳없이 마구 ~거렸다 怒り心頭に発した彼はあたり構わずがみがみどなり散らした.

꿱-지르다 (—지르니, —질러서) 〈他〉 わっと叫ぶ〔どなる〕.

뀌다 [kkwi:da] 〈他〉 (へを)ひる. (おならを)ならす. 句例 뿡하고 방귀를 ~ ぷうっとおならをする.

끄나풀 〈名〉 ❶ひも(紐)の切れっ端. ❷手先. 手下. 句例 경찰의 ~ 警察の手先.

⁑**끄다** (끄니, 꺼서) 〈他〉 ❶消す. ㉠(火を)消す. 句例 담뱃불을 비벼 ~ タバコの火をもみ消す. ㉡(栓をひねって)止める. 句例 가스를 ~ ガスを止める / 스위치를 ~ スイッチを切る. ▷(對)켜다. ❷(固まりなどを)砕く. 句例 얼음을 ~ 氷を砕く. (類)깨다. ❸(借金などを)返す. (勘定などを)済ます. 文例 빚을 깨끗이 껐다 借金をきれいに返した.

끄덕 〈副・하他〉 うなずくさま: こくり(と). 句例 고개를 ~하며 こくりとうなずく. **~거리다** 〈他〉 こくりこくりする.

끄덕끄덕 〈副・하他〉 こくりこくり(と). 文例 고개를 ~하면서 승낙하였다 こくりこくりうなずいて承諾した.

*끄덕-이다 [kkudŏgida]〈他〉うなずく. 句例 고개를 ~ 首を縦にふる.

끄떡〈副・하自他〉首を強く縦にふるさま: こっくり(と). ~거리다〈自他〉続けざまに首を縦にふる.

끄떡끄떡〈副・하自他〉こっくりこっくり.

끄떡-없다 [kkŭttŏgŏpta]〈形〉平気だ. 大丈夫だ. びくともしない. 差し支えない. 文例 아무리 추워도 ~ どんなに寒くても平気だ. 끄떡없이 [kkŭttŏgŏpshi]〈副〉平気に. 平気で. 差し支えなく.

끄르다 (끄르니, 끌러서)〈他〉❶ほどく. 解く. =풀다. 句例 짐을 ~ 荷物をほどく / 허리띠를 ~ 帯を解く. ❷外す. 句例 단추를 ~ ボタンを外す / 지퍼를 끄르고 바지를 벗다 ファスナーを下ろしてズボンを脱ぐ.

끄집어-내다 [kkŭjibŏnaeda]〈他〉取り出す. つかみ出す. 持ち出す. 切り出す. 句例 혼담을 ~ 縁談を持ち出す / 서랍의 문방구를 ~ 引き出しのなかの文房具を取り出す. 類꺼내다.

끄집어-당기다 [kkŭjibŏdanggida]〈他〉引き寄せる. 引っ張り寄せる. 取り寄せる. 句例 밧줄을 ~ ロープを引き寄せる.

끄트머리〈名〉端. ❶さき. 句例 막대기의 맨 ~ 棒の端っこ / ~에서 ~까지 端から端まで. ❷(物事の)はじめ. 糸口. 類단서(端緒).

**끈〈名〉❶ひも(紐). 緒. 句例 ~을 풀다 ひもを解く / ~을 매다 ひもを結ぶ. ❷生計の道. 職. =벌잇줄. 句例 ~을 붙이다(→小項目) ❸手づる. 頼りところ.

끈(이) 떨어지다 ❶ひもが切れる. ❷寄るべがなくなる. 飯の食い上げになる.

끈(이) 붙다 職にありついて暮らし立てがつく. 生計の道を得る.

끈(을) 붙이다 暮らし立てがつくようにしてやる. 職を世話してやる.

*끈-기【一氣】〈名〉❶粘り気. 粘り. 句例 ~ 없는 밥 粘り気のない飯. ❷根気. 句例 ~ 있는 청년 粘り強い青年 / ~ 있게 계속하다 根気よく続ける.

끈끈-이 [kkŭnkkŭni]〈名〉鳥もち.

**끈끈-하다 (→하다)〈形〉❶粘っこい. 句例 끈끈한 송진 粘っこい松やに. ❷しつこい.

끈덕-지다〈形〉粘り強い. 根気よい. しつこい. 句例 끈덕진 기질 粘り強い気質 / 연구를 끈덕지게 계속하다 研究を根気よく続ける / 끈덕지게 물고 늘어지다 執拗に食い下がる.

끈적-거리다〈自〉べたつく. 粘(り)つく. 句例 풀이 ~ のり(糊)が粘つく / 땀으로 몸이 ~ 汗でからだがべたつく.

끈적끈적〈副・하自〉ねばねば. べたべた. べとべと. ねとねと. 句例 ~한 약을 바르다 べたべたする薬を塗る / 셔츠가 살에 ~ 달라붙다 汗ばんでシャツがねとねとする.

끈적-이다 [kkŭnjŏgida]〈自〉❶粘つく. べたつく. ❷あきらめが悪い.

끈-질기다〈形〉粘り強い. しつこい. 句例 끈질긴 질문 しつこい質問 / 끈질기게 조르다 しつこくねだる. 文例 지독하게 끈질긴 사람이다 性懲りもない人である. 類끈덕지다.

*끊기다 [kkŭnk'ida]〈自〉'끊다'の受け身: 切られる. 絶たれる. 句例 보급로가 ~ 補給路が絶たれる.

**끊다 [kkŭnt'a]〈他〉❶切る. 断つ. ㉠切断する. 句例 철사를 ~ ワイヤーを切る / 테이프를 ~ テープを切る.
㉡遮断する. 句例 적군의 보급로를 ~ 敵の補給路を断つ / 수도를 ~ 水道を断つ.
㉢(電話などを)切る. 句例 통화중에 전화를 ~ 通話中に電話を切る.
㉣(関係を)断つ. 句例 교제를 ~ 交際を断つ / 부부의 인연을 ~ 夫婦の縁を切る.
㉤(酒・タバコなどを)やめる. 断つ. 文例 오늘부터 담배를 끊기로 했다 今日限りタバコをやめることにした.
㉥(命などを)断つ. 句例 스스로 목숨을 ~ 自ら命を断つ.
❷(切符などを)買う. 句例 기차표를 ~ 汽車の切符を買う / 옷감을 ~ 切れ地を買う.
❸(言葉を)区切る. 句例 말을 또박또박 끊어서 하다 言葉をはっきり区切って話す / 그것으로 이야기를 ~ それで話のけりをつける.
❹(手形などを)振り出す. 句例 수표를 ~ 小切手を振り出す.
参考 '끊으면 切ると・切れば' '끊고 切って'は [kkŭnŭmyŏn], [kkŭnk'o]と読む.

끊어-뜨리다 [kkŭnŏttŭrida]〈他〉断ち切る.

**끊어-지다 [kkŭnŏjida]〈自〉切れる. ❶断ち切れる. 句例 전화줄이 ~ 電話線が切れる / 실이 뚝 ~ 糸がぷつっと切れる. ❷(関係が)切れる. 文例 그녀와의 왕래는 끊어졌다 彼女との行き来が断たれた. ❸絶える. ㉠(息が)止まる. 句例 숨이 ~ 息が切れる. ㉡とだえる. 断たれる. 句例 보급이 ~ 補給が絶える / 소식이 ~ 便りがとだえる / 폭풍우로 왕래가 ~ 暴風雨で往来がとだえる / 자손이 ~ 跡が絶え果てる.

끊음-음【一音】[kkŭnŭmŭm]〈名〉〔樂〕スタッカート. =단음(斷音).

끊음-표【一標】[kkŭnŭmp'yo]〈名〉〔樂〕スタッカート. =단음(斷音) 기호.

끊이다 [kkŭnida]〈自〉⇨ 끊어지다. 句例 내란이 끊이지 않는 나라 内戦の絶えない国 / 원조가 ~ 援助が切れる. 文例 손님의 발이 끊이고 말았다 客足が絶たれた.

*끊임-없다 [kkŭnimŏpta]〈形〉絶え間がない. 끊임없이 [kkŭnimŏpshi]〈副〉絶え間なく. ひきもきらず. ひっきりなしに. 句例 끊임없이 노력하다 絶えず努力する / 끊임없이 밀려오다 ひっきりなしに押し寄せて来る.

끌〈名〉のみ(鑿). 絵 句例 ~로 홈을 내다 のみで溝を彫る. →끌질

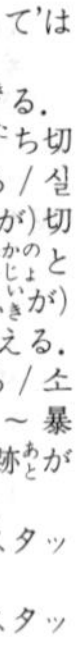
〈끌〉

**끌다 [kkŭ:lda] (끄니, 끌어서)〈他〉❶引く. 引きずる. 引っ張る. 句例 의자를 ~ 椅子を引く / 치맛자락을 끌고 걷다 チマのすそ(裾)を引きずって歩く.
❷(ガス・水道などを)引く. 架設する. 句例 전기를 ~ 電気を引く.
❸(人目を)引く. 注目を集める. 句例 남의 눈을 ~ 人の注意を引く.

❹(声を)延ばす. 句例 말끝을 길게 ~ 言葉じりを長く延ばす.
❺引用する. 文例 실례를 끌어다 설명했다 実例を引いて説明した.
❻(人を)引き入れる. 句例 손님을 ~ 客を引く.
❼(期日などを)遅らせる. 句例 대답을 ~ 返答を延ばす / 기한을 ~ 期限を引き延ばす.

끌러-지다 〈自〉解ける. ほどける. 句例 허리띠가 ~ 帯が解ける / 매듭이 ~ 結び目がほどける / 단추가 ~ ボタンが外れる.

끌려-가다 [kkŭ:llyōgada] (—가거라) 〈自〉 ['끌리어가다'の略] 引っ張られる. 句例 경찰에 ~ 警察に引っ張られる.

끌려-들다 [kkŭ:llyōdŭlda] (—드니, —들어서) 〈自〉 引き込まれる. 巻き込まれる. 釣り込まれる. 乗せられる. 句例 교묘한 화술에 ~ うまい話に釣り込まれる / 사건에 ~ 事件に巻き込まれる.

***끌리다** [kkŭ:llida] ㊀〈自〉 '끌다'の受け身. ❶引かれる. 句例 정취에 ~ 情趣に魅せられる / 마음이 ~ 心が引かれる. 文例 그의 말에 끌리어 지각했다 彼の話に釣られて遅刻した.
❷(すそなどが)引きずられる. 句例 치맛자락이 땅에 ~ チマのすそがずれる.
㊁〈他〉 '끌다'の使役形.

끌어-내다 [kkŭ:rōnaeda] 〈他〉 引きずり出す. 引っ張り出す. 句例 집에서 ~ 家から引きずり出す / 가재 도구를 ~ 家財道具を持ち出す / 강제 노동에 ~ 強制労働に駆り出す. 㘐끌어들이다.

***끌어-내리다** [kkŭ:rōnaerida] 〈他〉 引きずり下ろす. 句例 기차에서 짐을 ~ 汽車から荷物を引きずり下ろす. 㘐끌어올리다.

끌어-넣다 [kkŭ:rōnōt'a] 〈他〉 引き入れる. 引っ張り込む. 句例 사건에 ~ 事件に巻き込む / 자기 편으로 ~ 味方に引き入れる.

***끌어-당기다** [kkŭ:rōdanggida] 〈他〉 引き寄せる. 繰り寄せる. 句例 연을 ~ たこ(凧)を手繰る / 지남철이 못을 ~ 磁石がくぎ(釘)を引きつける.

끌어-들이다 [kkŭ:rōdŭrida] 〈他〉 引き入れる. 引き込む. 抱き込む. 句例 동네 유지를 ~ 村の有力者を抱き込む / 한패에 ~ 仲間に引き入れる / 회원으로 ~ 会員に誘い入れる / 도시 가스를 ~ 都市ガスを引き込む.

끌어-안다 [kkŭ:rōantta] 〈他〉 抱き寄せる. 抱き込む. 句例 애기를 ~ 赤ん坊を抱き抱える / 마주 끌어안고 울다 抱き合って泣く.

***끌어-올리다** [kkŭ:rōolrida] 〈他〉 引き上げる. 句例 침몰선을 ~ 沈没船を引き上げる / 짐을 삼층으로 ~ 荷物を三階に引き上げる. 文例 회사의 실적을 끌어올렸다 会社の実績を引き上げた. 㘐끌어내리다.

끌-질 〈名・하自〉 のみ仕事.

끌탕 〈名・하他〉 思い煩うこと.

끓는-점 【—點】 [kkŭllŭnjōm] 〈名〉 〔物・化〕 沸点. '비등점'は古い言いかた. 㘐어는점.

***끓다** [kkŭlt'a] 〈自〉 ❶沸く. 煮え返る. 句例 물이 ~ 湯が沸く.
❷ひどく熱くなる. 熱が高い. 句例 몸이 ~ からだの熱が高い.
❸ひどく腹が立つ. 句例 화가 나서 뱃속이 부글부글 ~ 憤りで腹が煮え返る.
❹(腹の調子が悪くて)ごろごろ鳴る.
❺(たん(痰)が支えて)ぜいぜいする.
❻(虫などが)たかる. わく. 句例 구더기가 ~ うじがわく / 파리가 ~ はえがたかる.
❼(情感が)わ(湧)く. 句例 적개심으로 피가 ~ 敵愾心で血がわく.
❽ひしめく. わいわい騒ぐ. 文例 거리는 군중으로 끓고 있었다 街は群衆でひしめきあっていた.
参考 '끓으면 沸くと' '끓고 沸いて'は [kkŭrŭmyŏn], [kkŭlk'o]と読む.

끓어-오르다 [kkŭrōorŭda] (—오르니, —올라서) 〈自〉 沸き上がる. ❶煮え立つ. 沸き立つ. 句例 국이 ~ おつゆが沸き立つ / 끓어 오르는 물에 넣다 煮え立つ湯に入れる. ❷(怒りなどが)煮え返る. 句例 화가 나서 속이 ~ 腹の中が煮え返る.

***끓이다** [kkŭrida] 〈他〉 ❶沸かす. 煮る. 句例 목욕물을 ~ 風呂を沸かす / 차를 ~ お茶を入れる. ❷(料理を)煮る. 句例 손님에게 떡국을 끓여 내다 お客に雑煮を出す. ❸気をもむ. 気に病む. 文例 하찮은 일로 속을 끓여 병이 났다 大したことでもないのを気に病んで病気になった.

끔벅 〈副・하自他〉 瞬くさま: ちらと. ぱちくり. **~거리다** 〈自他〉 ぱちぱちする. ぱちくりする.
表現 語感の小さい語は'깜박'.
끔벅끔벅 〈副・하自他〉 ぱちぱち.

끔쩍[1] 〈副・하他〉 閉じた目を開くさま: ぱちっ. **~거리다** 〈他〉 しきりにまばたく.
表現 語感の小さい語は'깜짝'.
끔쩍끔쩍 〈副・하他〉 ぱちっぱちっ. ぱちくりぱちくり.

끔쩍[2] 〈副・하自〉 驚くさま: ぱっと. ぴくっと. 文例 부스럭 소리에 그는 ~ 놀랐다 がさっという音に彼はぴくっとした.

끔찍-스럽다 (→스럽다) 〈形〉 むごい. むごたらしい. 句例 끔찍스러운 광경 むごたらしい光景.

***끔찍-이** [kkŭmtchigi] 〈副〉 ひどく. 大変. 大いに. 非常に. 文例 손녀를 ~ 사랑한다 孫娘を大変かわいがる.

끔찍-하다 [kkŭmtchik'ada] (→하다) 〈形〉 ❶ひどい. ものすごい. むごい. 句例 끔찍한 형상 ものすごい形相 / 끔찍한 광경 むごいありさま.
❷手厚い. 懇ろだ. 句例 끔찍한 대접을 받다 手厚いもてなしを受ける.

끙-끙 〈副・하自〉 続けてうめいたりまたは息む声: うんうん. **~거리다** 〈自〉 うんうん(と)うなる. うんうんと力む.

****끝** 〈名〉 ❶端. 先. 句例 머리에서 발 ~까지 頭からつま先まで. 語例 장대~ さおの先 / 코~ 鼻先 / 칼 ~ やいば(刃)の先. 刃先.
❷終わり. 果て. ㉠最後. 結果. 句例 처음에서 ~까지 始めから終わりまで / 이 세상 ~까지 この世の果てまで / ~까지 지켜보다 最後まで見守る.
㉡一番後ろ. びり. 句例 ~에서 세번째 終わりから三番目.

㉢限度. 文例 사람의 욕망은 ～이 없다 人間の欲望には切りがない.
㉣(小説などの)終わり.
❸('…～에'の形で)…の末に. …の〔した〕あげく. 句例 피나는 고생 ～에 血のにじむような苦労の末に. 文例 말다툼 ～에 싸움을 하였다 口争いのあげくけんかをした.
参考 '끝에 終わりに' '끝이 終わりが' '끝과 終わりと'は [kkŭt'e] [kkŭch'i] [kkŭtkwa]と読む.

끝(을) 마무르다 (事の)けりをつける.

끝 부러진 송곳 先の折れたきり. 肝心な部分が欠けて役に立たないことのたとえ.

끝(이) 빨다 先の方がとがっている.

끝-갈망 〈名〉締めくくり. まとまり. **～하다**〈他〉締めくくる. 取りまとめる.

끝끝-내 [kkŭtkkŭnnae]〈副〉❶終わりまで. あくまで. 最後に至っても. 略して'끝내'ともいう. 文例 ～ 말을 하지 않았다 最後に至るまで口を利かなかった. ❷ついに. とうとう. 文例 ～ 성공하고야 말았다 ついに成功して見せた / ～ 나타나지 않았다 ついに現われなかった.

***끝-나다** [kkŭnnada]〈自〉終わる. ❶済む. 果てる. 句例 일이 ～ 仕事が終わる / 대충 ～ 大方〔ひと通り〕済む / 연회가 ～ 宴会が終わる / 시험이 ～ 試験が済む / 실패로 ～ 失敗に終わる. ❷(時間的・空間的に)切れる. 明ける. 尽きる. 句例 계약이 ～ 契約が切れる / 휴가가 ～ 休暇が明ける. 文例 여기서 숲이 끝난다 ここで森が尽きる.

***끝-내** [kkŭnnae]〈副〉'끝끝내'の略. 句例 ～ 무실을 주장하다 あくまで無実を言い張る / ～ 지조를 지키다 あくまで操を守る.

끝-내기 [kkŭnnaegi]〈名・하自〉❶結末をつけること. (事の)けりをつけること. 類끝마감. ❷(碁の)寄せ. 収束. 句例 큰 ～ 大寄せ.

***끝-내다** [kkŭnnaeda]〈他〉終える. 済ませる. 果たす. 句例 볼일을 ～ 用事を済ます / 수업을 ～ 授業を終える / 회의를 ～ 会議を終える.

끝-마감 [kkŭnmagam]〈名〉締め切り. 仕上げ. 締めくくり. **～하다**〈他〉締め切る. 仕上げる. 締めくくる.

끝-마치다 [kkŭnmach'ida]〈他〉終える. 済ます. 句例 숙제를 ～ 宿題を終える. 文例 이상으로 방송을 끝마치겠습니다 これで放送を終わります.

끝-막음 [kkŭnmagŭm]〈名〉終結. 結末. **～하다**〈他〉終結する. 結着をつける.

끝-머리 [kkŭnmŏri]〈名〉末尾. 終わり. 句例 편지의 ～에 몇자 적다 手紙の末尾に追記する. 對첫머리.

***끝-물** [kkŭnmul]〈名〉(野菜・魚介など) 旬の過ぎたもの. 對만물.

끝-소리〈名〉〔言〕終声. ＝말음(末音). 對첫소리.

***끝-없다** [kkŭdŏpta]〈形〉切りがない. 果てがない. 果てしない. 句例 끝없는 야망 飽く無き野望 / 끝없는 사랑의 정념 果てしなき愛の情念. **끝없이** [kkŭdŏpshi]〈副〉果てしなく. 限りなく. 句例 끝없이 이어지는 대평원 果てしなく続く大平原.

끝-자리〈名〉❶(数字などの)いちばん下のけた. ❷末位. 末席.

***끝-장**〈名〉❶終わり. 結尾. けり. 締めくくり. 文例 이제 이것으로 ～이다 もうこれでおしまいだ. ❷死. ＝죽음.

끝장(이) 나다 終わる. おしまいになる. けりがつく. 終局に至る.

끝장(을) 내다 終える. 結末〔けり〕をつける.

끝장(을) 보다 結末をつける. 終わりを告げる. 事を終える.

끝-판〈名〉終局.

끼[1]〈名〉[もとの語形は'기(氣)'] 恋に陥りやすい性格. 浮気心. その気. 句例 ～가 있는 여자 その気のある女. 浮気な女性.
表現 '끼'は俗っぽい言いかた.

끼[2]〈依名〉食事の度数を指す語. 句例 밥 한 ～ 一食の御飯 / 설령 한 ～를 굶더라도 たとえ一食を欠くとも. →끼니

끼니〈名〉きまった食事. 文例 그날그날의 ～를 잇기가 어렵다 その日の食事にも事欠く / 세 ～를 하숙에서 먹는다 三食とも下宿でとる. 語例 ～때 飯時.

***끼다**[1] ■〈自〉'끼이다'の略. 句例 꼭 끼는 구두 きちきちの靴 / 마가 ～ 魔が差す / 명인 축에 ～ 名人の列に伍する. 文例 좋은 일이 있으면 한몫 끼워주게 うまい話があったら一口乗せてくれや.
■〈他〉❶'끼우다'の略. 句例 창문에 유리를 ～ 窓にガラスをはめる / 보청기를 ～ 補聴器を耳にはさむ.
❷わきに挟む. 抱える. 句例 몇권의 책을 끼고 何冊かの本をわきに抱えて / 끼고 자다 抱き寝する / 팔장을 ～ 腕を組む / 창을 끼고서 やり(槍)をかい込んで.
❸はめる. 句例 반지를 ～ 指輪をはめる.
❹沿って行く. 句例 산을 끼고 돌아가다 山に沿って回る.
❺(有力者などを)後ろ盾にする. 句例 당의 조직 위원장을 ～ 党の組織委員長を盾にする.

끼다[2] [kki:da]〈自〉❶たち込める. 句例 연기가 자욱이 ～ 煙が濃くたち込める. ❷(ほこりなどが)付く. 句例 주전자에 물때가 ～ やかんに水あかが付く. ❸こけむす. さ(寂)びる. 句例 이끼 낀 바위 こけむした岩.

-끼리〈尾〉…同士. 句例 친구～ 놀러 가다 友達同士で遊びに行く / 학생～의 결혼 学生同士の結婚. 文例 이웃～ 잘 지내야 한다 隣同士は仲良くしなければいけない / 이것은 우리～ 만의 이야기인데 これは内内の話だが. 語例 남자～ 男同士.

끼리-끼리〈副〉仲間同士. 句例 ～ 모이다 仲間同士が集まる / ～ 모여 살다 似た者同士が寄って暮らす.

끼-얹다 [kkiŏntta]〈他〉(水などを)振り掛ける. 浴びせる. 句例 물을 ～ 水をぶっかける. 文例 마치 머리에 찬물을 끼얹는 느낌이었다 あたかも頭に冷や水を浴びる思いであった. →얹다 参考

***끼우다**〈他〉❶はめる. 差し込む. 略して'끼다'

ともいう. 句例 서표(書標)를 책 사이에 ~ しおり(栞)を本に挟む / 창에 유리를 ~ 窓にガラスをはめる / 필름을 끼워넣다 フィルムを入れる / 단추를 ~ ボタンをかける / 반지를 ~ 指輪をはめる. ❷'끼다'の使役形: はめる. 差し込める.

끼이다 〈自〉 ❶'끼다'の受け身: 挟まる. はまる. 差し込まれる. 句例 잇사이에 무언가 ~ 歯に何か挟まる. 文例 두 사람 사이에 끼여서 난처했다 二人の中に挟まれて閉口した. ❷仲間入りをする. 加わる. ▷略して'끼다'ともいう.

끼치다[1] 〈自〉 ❶(毛などが)よだつ. 句例 소름이 ~ 身の毛がよだつ. ❷吹き付ける. 句例 더운 김이 얼굴에 확 ~ 熱い湯気がふっと顔に吹き付ける.

***끼치다**[2] 〈他〉 ❶(迷惑などを)掛ける. 句例 걱정을 ~ 心配を掛ける. 文例 폐를 많이 끼쳤습니다 大いにご迷惑を掛けて済みません. ❷(後に)残す. 及ぼす. 句例 자손 만대에 누를 ~ 末永く子孫に累を及ぼす.

끽-소리 〈名〉 ぐうの音. 句例 ~도 못하다 ぐうの音も出せない.

끽연 【喫煙】 [kkigyŏn] 〈名・하自〉 喫煙. =흡연(吸煙). 文例 ~은 건강에 나쁘단다 喫煙はからだに悪いそうだ. 語例 ~실 喫煙室.

끽-해야 [kkik'aeya] 〈副〉 せいぜい. 高高. 文例 출석자는 ~ 백명도 안 된다 出席者はせいぜい百人にも足りない / 계속한다 해도 ~ 사흘이다 続いてもせいぜい三日だ.

낌새 〈名〉 気配. 気色. 様子. 文例 비가 올 ~다 雨の気配である / ~가 어쩐지 이상하다 様子がどうも変だ.

낌새(를) 보다 気配をうかがう. 様子を探る. 文例 낌새를 보아 되돌아가자 様子を見て帰ろう / 일 돌아가는 낌새를 보자 事の成り行きを見よう.

낌새(를) 채다 けどる. 感づく. か(嗅)ぎつける. 文例 그는 아무 ~를 채지 못했던 것 같다 彼はなんの気配も感じていなかったらしい.

낑-낑[1] 〈副・하自〉 うめ(呻)いたりまたは力む声: うんうん. よっしゃよっしゃ. **~거리다**[1] 〈自〉 しきりにうんうんと息む〔力む〕.

낑-낑[2] 〈副・하自〉 赤ん坊がむずかる声. **~거리다**[2] 〈自〉 しきりにむずかる. 文例 잠이 오는지 ~거린다 眠たくてむずかるようだ.

ㄴ

ㄴ¹ [니은 niŭn] ハングル字母の第二番目の字.

ㄴ² 〈助〉'는'の略：(終声のない語について)は. 文例 나~ 가오 わたしは行きます / 여기~ 춥다 ここは寒い / 나~ 그런 거 몰라 僕はそんな事知らん / 이거~ 김치가 아니다 これはキムチではない.

**나 一〈代〉わたし. 僕. 我《文》. おれ. 句例 ~와 너 僕と君 / ~도 모르게 我もなく. 我しらず. 思わず / ~를 잊다 我を忘れる. 文例 ~는 한국인이다 わたしは韓国人だ / ~같은 늙은이는 이제 틀렸어 わたしみたいな老いぼれはもうだめだ / ~와 함께 가자 僕といっしょに行こう.
二〈名〉自分. 己. 我. 文例 ~를 버리고 대의에 산다. 我を捨てて大義に生きる.
表現 自分をさす代名詞は, ふつうは'나'を使うが, 改まった場面や目上の人にていねいに言うときは, '저'を使う. 男女ともに使える. 助詞'가・게'などの前では'내'に変わる. 내가 알 게 뭐야 おれの知ったことか.

나 〔漢字項目〕

【奈】高校 나 ナ. 내 ダイ. 一〔나〕❶어찌 いかん(せん). ❷범어의 음역 梵語の音訳. ▮奈落 나락 ならく.
二〔내〕어찌 いかん(せん). ▮奈何 내하 いかん(せん).

【那(那)】高校 나 ナ. 내 ダ. 一〔나〕❶어찌 なんぞ. ❷어떠하냐 いかん. ▮那何 나하 いかん. ❸어느 なに. 어떤 いずれ. ▮那邊 나변 なへん. ❹저 あの. どの. ▮那個 나개 あの. ❺아주 짧은 시간 とても短い時間. ▮刹那 찰나 せつな.
二〔내〕어조사(語助辭) 助辞.

**나-가다 (나가거라) 一〈自〉❶出る. ㉠外に出る. 出かける. 出向く. 句例 산책하러 ~ 散歩に出る / 약속 장소에 ~ 約束の場に出向く / 장보러 ~ 買い物に出る.
㉡進出する. 乗り出す. 句例 사회에 ~ 社会に出る〔進出する〕.
㉢出場する. 参加する. 句例 결승전에 ~ 決勝戦に出る.
㉣出席する. 出勤する. 句例 회사에 ~ 会社へ出る / 직장에 ~ 勤めに出かける / 회의에 ~ 会議に出る.
❷(服などが)破れる〔裂ける〕. 擦り切れる. 句例 구두창이 ~ 靴底が擦り切れる.
❸'나아가다'の略. 語例 일이 잘 ~ しごとがはかどる. 事が都合よく〔うまく〕運ぶ.
❹(値打ち・値段が)…する. (重さが)…ある. 句例 값 나가는 물건 値打ちのある品物. 文例 30파운드나 나간다 三十ポンドもある.
❺(電気が)止まる. 消える. 句例 전기가 ~ 電気が止まる. 停電になる.
❻(意識が)なくなる. (気を)失う. 句例 넋이 ~ 気が抜ける. ぼんやりする. 文例 정신 나간 사람이군 気の抜けた人だな.
❼(給料などが)支給される. 句例 수당이 ~ 手当てが支給される.
❽さばける. 売れる. =팔리다. 句例 가장 잘 나가는 책 最もよく売れる本 / 집이 ~ 家が売れる.
❾出刊される. 句例 12월호가 ~ 十二月号が出る.
二〈他〉❶出る. ㉠出て行く. =떠나다. 句例 집을 ~ 家を出る. 家出する.
㉡(職場などに)通う. 句例 강의를 ~ 講義に出る.
❷(職場を)やめる. =그만두다. 句例 회사를 ~ 会社をやめる.
三〈補動〉('-아〔-어〕 ~の形で)…していく. 句例 계속 읽어 ~ 引き続き読み進める / 처음부터 읽어 ~ 初めから読んでいく.

나가-동그라지다 〈自〉ころげ倒れる. 略して'나동그라지다'ともいう.

나가-떨어지다 [—ttŏrŏjida]〈自〉❶(転び)倒れる. 句例 얼음판에서 ~ 氷の上で転び倒れる. ❷'녹초가 되다 へたばる'の俗っぽい言いかた. へとへとになる. 文例 그까짓 일로 나가떨어지다니 それっぽちのことでへたばれるとは.

나가-자빠지다 〈自〉❶あおむけに倒れる. 転倒する. ❷かかわり合いから手を引く. 句例 빚을 지고 ~ 借り倒す.

나귀 〈名〉'당나귀'の略：ろば(驢馬).

*나그네 〈名〉❶よそ者. 句例 정처없는 ~ 旅鳥. ❷旅の者. 旅人. =여객. 길손. 행객. 句例 인생을 나그넷길에 비기다 人生を旅になぞらえる.

나그네-새 〈名〉旅鳥.

나긋나긋-하다 [nagŭnnagŭt'ada] (→하다)〈形〉❶(食べ物が)軟らかい. ❷(肌が)柔らかい. (からだが)しなやかだ. 句例 나긋나긋한 몸 しなやかなからだ. ❸親切で優しい. 句例 나긋나긋한 여자 優しい女.

나날 〈名〉日ごと. 毎日. 句例 눈물로 보내는 ~ 涙の日日 / 바쁜 ~을 보내다 忙しい毎日を送る.

*나날-이 [nanari]〈副〉日ごとに. 日に日に. 句例 ~ 푹해지다 日ごとにあたたかくなる / ~ 성장하다 日に日に成長する / ~ 더워지다 日増しに暑くなる.

*나누-기 〈名・하自他〉〔數〕割り算. 除法. 文例 6 ~ 2는 3 六割る二は三. 對곱하기.

**나누다 〈他〉❶分ける. 分かつ. ㉠分割する. 句例 몇 개로 ~ いくつかに分ける / 학생을 두 반으로 ~ 生徒を二組に分ける. ㉡区分〔区別・類別〕する. 句例 몇 구역으로 ~ いくつかの区域に分かつ. ㉢分配する. 句例 이익을 ~ 利益を分かつ / 절반씩 ~ 山分けする. 絵 / 유산을 ~ 遺産を分配する. ❷(数を)割る. 割り算をする. 句例 10을 5로 ~

十を五で割る. 絵 ❸共にする. 分かち合う. 句例 슬픔을 같이 ～ 悲しみを分かち合う. 絵 ❹交わす. やりとりする. 句例 이야기를 ～ 話を交わす. 話をする / 술잔을 ～ 酒をくみ交わす / 악수를 ～ 握手を交わす / 정을 ～ 情を交わす.

〈나누다〉

나누어-떨어지다 [nanuŏttŏrŏjida] 〈自〉 割り切れる. 文例 10은 3으로 나누어떨어지지 않는다 10は3で割り切れない.

*__나눗-셈__ 〈名〉〔數〕 割り算. ～하다 〈自他〉 割り算をする. 割る. (對)곱셈.

**__나다__[1] 〈自〉 ❶起こる. 発生する. できる. 句例 길이 ～ 道ができる〔開ける〕/ 상처가 ～ 傷が付く / 사건이 ～ 事件が起こる / 연기가 ～ 煙る. 煙が立つ / 소리가 ～ 音がする / 불이 ～ 火事が起こる / 혹이 ～ こぶができる / 소문이 ～ うわさが立つ / 발자국이 ～ 足跡がつく.
❷生える. 句例 풀이 ～ 草が生える / 이가〔수염이〕 ～ 歯〔ひげ〕が生える.
❸出る. ㉠…になる. (吐き気などを)催す. 句例 병이 ～ 病気にかかる / 현기증이 ～ めまいがする / 미열이 ～ 微熱が出る / 다래끼가 ～ 物もらいができる.
㉡流れる. わ(湧)き出る. 句例 눈물이 ～ 涙が出る / 땀이 ～ 汗をかく.
㉢産する. 句例 금이 ～ 金が出る. 金を産する / 사과가 나는 고장 リンゴの産地. 文例 이 광산에서 철이 난다 この山から鉄が取れる.
㉣載る. 句例 신문에 ～ 新聞に出る.
㉤加わる. 句例 속력이 ～ 速力が出る / 힘이 ～ 元気が出る. 力がつく.
❹現われる. ㉠…のようすが見える. …びる. 句例 이름이 ～ 有名になる. 名が上がる / 모가 ～ 角が立つ / 어른 티가 ～ 大人びる / 촌티가 ～ 田舎びる.
㉡生じる. 句例 할 마음이 ～ 気が向く. やる気が出る / 화〔부아〕가 ～ 腹が立つ. しゃくにさわる / 싫증이 ～ いやになる. いやけが差す.
❺ある結果になる. 句例 결딴이 ～ だめ〔だいなし〕になる / 동이 ～ 払底する. 品切れになる / 결말이 ～ 結末〔かた・決まり〕が付く / 승부가 ～ 勝負が付く.
❻(だんだん)…なる. 上がる. 句例 재미가 ～ おもしろくなる / 능률이 ～ 能率が上がる.
❼出回る. 句例 햅쌀이 ～ 新米が出回る.
❽(時間・空間的に)空〔開〕く. あ(明)く. 句例 틈〔손〕이 ～ 手が空く / 구멍이 ～ 穴があく / 과장 자리가 하나 ～ 課長のポストが一つ空く.
❾生まれる. 句例 내가 난 해 わたしの生まれた年.
❿(におい・味が)する. 句例 좋은〔고약한〕 냄새가 ～ いい〔くさい〕においがする.
⓫'잘나다 偉い'の俗っぽい言いかた. 句例 난체하다 もったいぶる. 偉ぶる / 난 사람 偉い〔できた〕人.
⓬(所帯を)構える. 句例 살림을 ～ 所帯を持つ.

*__나다__[2] 〈他〉 過ごす. 句例 겨울을 ～ 冬を過ごす〔越す〕.

나다[3] 〈補動〉 ❶('-아～ ・ -어～'の形で) その動作が続いていくことを表わす語. 句例 놀아～ 浮気する / 점점 자라나는 아이 だんだん大きくなる子供. ❷('-고 ～'の形で)その動作の完了を表わす語: …してしまう. …し終える. 文例 한잠 자고 나니 머리가 맑아졌다 一眠りしたところ頭がさえた / 시험을 끝내고 나니까 시원하다 試験を終えてしまったから気持ちがさっぱりしている.

나-다니다 〈自他〉 出歩く. 文例 그는 일의 성격상 나다니는 일이 많다 彼は仕事がら出歩くことが多い.

나달 〈名〉 四五日ほど. 文例 한 ～ 걸렸다 四五日ほどかかった.

*__나-돌다__ (나도니, 나돌아서) 〈自他〉 ❶'나돌아다니다'の略. ❷(うわさなどが)広まる. 句例 헛소문이 ～ 根も葉もないうわさが広まる. ❸出回る. 句例 가짜가 ～ にせ物が出回る.

나-돌아다니다 [nadoradanida] 〈自他〉 ❶出回る. 出歩く. ぶらつく. 略して'나돌다'ともいう. ❷(うわさが)ひろまる.

나-동그라지다 〈自〉 '나가동그라지다'の略.

나-뒹굴다 (나뒹구니, 나뒹굴어서) 〈自〉 転がる. 句例 길가에 나뒹굴고 있는 돌 道端に転がっている石ころ.

*__나들이__ [nadŭri] 〈名〉 外出. よそ行き. 外歩き. ～하다 〈自〉 外出する. よそに出かける. 句例 ～ 준비를 하다 よそ行きの支度をする.

나들이-옷 [nadŭriot] 〈名〉 外出着. 晴れ着. 訪問着. 句例 ～으로 몸치장을 하다 晴れ着で装う / ～으로 갈아입다 よそ行きに着替える.

**__나라__ 〈名〉 国. ❶国家. 句例 우리 ～ わが国 / 이웃 ～ 隣の国 / ～를 다스리다〔지키다〕 国を治める〔守る〕 / ～를 위해 죽다 国に殉じる. 文例 농사는 ～의 근본 農は国の本. 語例 ～꽃 国の花. 国花 / ～새 国鳥 / ～말 国語. 国言葉 / ～글자 国字. ハングル / ～살림 国政. ❷(ある特殊な)世界. 語例 꿈 ～ 夢の国〔世界〕 / 별～ 星の世界 / 달～ 月の世界 / 어린이 ～ 子どもの国. ❸地域. 語例 남쪽 ～ 南の国 / 사막의 ～ 砂漠の国. 参考 韓国の'나라새'はかささぎ(鵲). 日本の国鳥はきじ(雉).

나라-님 〈名〉 お上. 王. ＝임금.

나락【奈落】 〈名〉 奈落. 句例 ～에 떨어지다 奈落に落ちる.

ㄴ

*나란-히 〈副〉並んで. 句例 ～ 서다 並ぶ / ～ 달리다 並んで走る. 文例 앞으로 ～ 前にならえ.

나래 〈名〉翼.
參考 '날개'の古語・方言であるが, 詩語としても使われる.

나례【儺禮】[na:rye]〈名〉〔史〕追儺. 鬼やらい.
參考 むかし, 宮中でおおみそか(大晦日)に行なわれた鬼はらいの儀式.

나루 〈名〉渡し場. 句例 배가 ～에 닿다 舟が渡し場に着く. 語例 나룻가 渡し場のあたり.

나루-터 〈名〉渡し場. 船渡し. 渡船場. 語例 ～지기 渡し守.

나룻 〈名〉ほおひげ.

*나룻-배 〈名〉渡し船〔舟〕. 渡船.

*나르다 (나르니, 날라서)〈他〉運ぶ. 句例 짐을 ～ 荷物を運ぶ / 배로 ～ 船で運ぶ.

나른-하다 (→하다)〈形〉❶だるい. 句例 어쩐지 ～ 何となくけだるい / 더위로 몸이 나른해지다 暑さでからだがだらける. ❷弱弱しく柔らかい.
表現 語感の大きい語は'느른하다'.

나름 〈依名〉…なり. …次第. 句例 내 ～의 해석 私なりの解釈 / 일할〔일하기〕～ 働き次第. 文例 모든 일은 네가 할〔하기〕～이다 すべては君のやり方次第だ.
表現 体言や'-ㄹ' '-기'につく.

나리 〈名〉〔植〕ゆり(百合). ＝백합. 語例 ～꽃 ゆりの花.

나리 [na:ri]〈名〉〔史〕❶下位の者が堂下官を呼ぶ敬称. ❷王子に対する敬称. ❸身分の高い人に対する尊称：だんな(旦那). 語例 ～마님 '나리'の尊称：だんなさま.

나마 〈助〉'不満足ながらしんぼうしてする'の意を表わす語：…でも. ～(で)さえ. 文例 전화～ 걸어주었으면 電話でもかけてくれたらいいのに / 잠시～ 어머니를 만나고 싶다 一目だけでも母に会いたいものだ.
表現 終声のある語につくときは'이나마'になる. 조금이나마 도움이 된다면 少しでもお役に立つならば.

*나막-신 〈名〉ぼくり(木履). 句例 굽이 높은 ～ 高ぼくり. 高げた.

*나머지 〈名〉❶余り. ㉠余分. 残り. 文例 ～는 없다 余りはない. ㉡(割り算の)余り. 文例 10을 3으로 나누면 ～는 1 十を三で割ると余りは一. ❷後. 文例 ～는 상상에 맡긴다 後は想像に任せる. ❸('-ㄴ〔던〕～の形で)…したあげく. …のすえ. 終わり. 句例 슬픈 ～ 悲しみの余り. 文例 놀란 ～ 실신했다 驚きの余り失心した / 생각한 ～ 그이를 찾아가기로 결심했다 考えたあげくその人を訪ねて行く決心をした.

나 몰라라 自分は知らない. 自分はぜんぜん関係ない. 文例 동생의 일인데 ～ 할 수는 없다 弟に関する事なのに知らん顔しているわけにはいかない.

**나무 〈名〉❶木(樹). ㉠樹木. 句例 썩은 ～ 朽ち木 / ～를 심다 木を植える / ～가 우거지다 木が茂る. 語例 ～열매 木の実 / ～뿌리 木の根 / ～숲 木立. 木むら. ㉡材木. 材. 句例 ～를 깎다 木を削る / ～(로 만든) 상자 木で作った箱. 木箱. 語例 ～망치 木づち / ～쪽 木片. 木切れ / ～토막 木の切れ端〔切れっ端〕/ 나뭇조각 木切れ. 木片 / ～칼 木刀 / ～막대기 木の棒 / ～다리 1)木の橋. 2)木製の義足 / ～못 木くぎ / ～부처 木仏. 木ぼとけ. 木彫りの仏像. ❷たきぎ. まき. 句例 ～를 패다〔빠개다〕まきを割る.

나무(를) 하다 (たきぎを)こ(樵)る. たきぎを取る.

*나무-꾼 〈名〉きこり(樵). 句例 ～과 선녀 きこりと仙女.

나무라다 〈他〉しかる. とが(咎)める. なじる. 句例 나무랄 데가 없는 사람 非の打ちどころがない人. 文例 인사도 할 줄 모른다고 아이를 나무랐다 あいさつの仕方も知らないと子供をしかった.

나무람 〈名〉とがめ. ～하다〈他〉とがめる.

나무람(을) 타다 しかられて衝撃を受ける. とがめられたことを気にする.

나무-아미타불【南無阿彌陀佛】〈名〉❶〔佛〕南無阿弥陀仏. 六字の名号. ❷骨はを折ってやったことが徒労に終わることのたとえ.

나물 〈名〉おひたし. 浸し物. 句例 산으로 ～을 캐러 가다 山へ山菜をつみに行く / ～을 무치다 山菜をあ(和)える.

*나뭇-가지 〈名〉(木の)枝. 句例 ～를 꺾다 枝を折る.

나뭇-결 〈名〉木目・もく. 句例 ～이 곱다 木目が細かい.

**나뭇-잎 [namunnip]〈名〉木の葉. 句例 ～이 떨어지다 木の葉が散る.

나박-김치 〈名〉 四角に薄切りにした大根に, とうがらし・ねぎ・にんにく・せりなどを入れた汁の多いキムチ.

나방 〈名〉〔蟲〕が(蛾).

나병【癩病】[na:byŏng]〈名〉〔醫〕らい病. ハンセン病. 語例 ～환자 らい病患者. ハンセン病患者.

나-병원【癩病院】[na:byŏng-won]〈名〉らい病院.

나부끼다 〈自〉(風に)翻る. はためく. 句例 기(旗)가 ～ 旗がはためく.

나부랭이 〈名〉❶切れっ端. くず切れ. ❷端っくれ. 末輩. 語例 깡패 ～ よた者の端っくれ.

나불-거리다 〈自〉❶(軽く)揺らぐ. ひらひら揺れ動く. ❷しきりにしゃべる. 句例 입을 ～(出しゃばって)べらべらしゃべる.

나불나불 [nabullabul]〈副・하自〉ひらひら. べらべら.

나붓-거리다 〈自〉ひらひら揺れ動く. ひらめく.

나-붙다 〈自〉(広告などが)はり出される. はられる. 句例 합격자 명단이 ～ 合格者の名前がはり出される.

*나비[1] 〈名〉(布などの)幅. 類너비. 폭(幅).

**나비[2] 〈名〉〔蟲〕ちょう(蝶). ちょうちょう. 語例 ～매듭 ちょう結び.

나비[3] 〈名〉猫を呼ぶ語. 文例 ～야 猫や. お猫ちゃん.

나비 넥타이 〈名〉ちょう(蝶)ネクタイ. ボータイ.

나빠-지다 〈自〉 悪くなる. こじれる. 崩れる. 句例 날씨가 ~ 天気が崩れる / 건강 상태가 ~ 健康が衰える.

**나쁘다[1] (나쁘니, 나빠서) 〈形〉 悪い. ❶よくない. 忌まわしい. いとわしい. 句例 나쁜 환경 悪い環境 / 나쁜 꿈 忌まわしい夢 / 성능이 나쁜 기계 性能の悪い機械 / 머리가 ~ 頭が悪い / 평판이 ~ 評判が悪い / 좋은 일이건 나쁜 일이건 善〔良〕きにつけ悪しきにつけ. 文例 담배는 건강에 ~ タバコは健康に悪い. 語例 나쁘게 悪く. ❷(心が)善くない. 句例 나쁜 짓을 하다 悪事を働く / 심보가 ~ 意地悪い. ▷㊎좋다.

나쁘다[2] (나쁘니, 나빠서) 〈形〉 (量が)足らず気味だ. 文例 음식은 좀 나쁘게 먹는 것이 좋다 食べ物は少し不足ぎみ〔腹八分〕に食べるのがよい.

나삐 〈副〉 悪く.

나삐 보다 ❶悪く見る. ❷見くびる. 見下げる. ばかにする.

나삐 여기다 ❶あしざまに思う. ❷軽んじてばかにする.

나사 【羅紗】〈名〉 ラシャ. 語例 ~점 ラシャ店. ◇포 raxa

*__나사__ 【螺絲】〈名〉 ❶ねじ. 句例 ~를 죄다 ねじを締める / ~가 풀리다 ねじがゆるむ / ~를 돌리다 ねじをまわす〔巻く〕. 語例 ~골 ねじの溝 / ~산 ねじ山 / 나삿니 ねじ山 / ~송곳 ドリル. ねじぎり. ❷'나사못'の略. 句例 ~가 빠지다 ねじが抜ける.

나사-돌리개 【螺絲—】〈名〉 ねじ回し. ドライバー.

나사-못 【螺絲—】〈名〉 ねじ. ねじくぎ. 略して'나사'ともいう. 句例 ~으로 고정시키다 ねじでとめる.

*__나-서다__ ■〈自〉 ❶出る. ㉠前へ〔前に〕出る. 進み出る. 句例 한발 앞으로 ~ 一歩前に出る / 사람 앞에 나서기를 싫어하다 人前に出ることを嫌う. ㉡出かける. 句例 여행(길)에 ~ 旅に出る / 딸을 데리고 ~ 娘を伴って出かける. ㉢乗り出す. 立つ. 句例 정계에 ~ 政界に出る / 무대에 ~ 舞台に立つ. ㉣差し出る. でしゃばる. 干与〔関与〕する. 句例 형을 제쳐놓고 ~ 兄を差し置いてでしゃばる. 文例 네 따위가 나설 자리가 아니다 お前などの出る幕じゃない / 주제넘게 나서지 말게 差し出がましいことはやめたまえ. ❷立つ. 句例 안내를 맡고 ~ 案内に立つ. ❸(口が)見つかる. (希望者が)申し出る. 句例 취직 자리가 ~ 勤め口が見つかる / 혼담이 ~ 縁談が持ち上がる. ❹乗り出す. 行動を始める. 句例 발벗고 ~ ひと肌脱ぐ / 사태 수습에 ~ 事態収拾に乗り出す.
■〈他〉 立つ. 出発する. (外へ)出る. =떠나다. 句例 이른 아침에 집을 ~ 朝早く家を出る.

나선-상 【螺旋状】〈名〉 螺旋状.

*__나아-가다__ (나아가거라) 〈自〉 ❶進む. ㉠前進する. 出る. 句例 앞으로 ~ 前へ進む / 사람을 헤집고 ~ 人ごみを押し分けて進む / 금후 한국이 나아갈 길 今後韓国の進むべき道 / 앞장서서 ~ 先立って進む. 文例 자신을 위해서, 나아가서는 나라를 위함도 된다 自分のため, ひいては国のためにもなる. ㉡出る. 乗り出す. 句例 사회로 ~ 社会に出る / 준결승전에 ~ 準決勝戦に進む. ㉢はかどる. 句例 일이 잘 되어 ~ ことがうまくはかどる / 하루 한 페이지씩 ~ 日に一ページずつ進む. ❷(状態・病気などが)よくなりつつある. 好転しつつある. 句例 병이 ~ 病気が快方に向かう.

*__나아-지다__ 〈自〉 よくなる. 改まる. 句例 화장품의 질이 ~ 化粧品の質が改まる. 文例 환자가 나날이 나아졌다 病人が日増しに見直って来た.

나-앉다 [naantta] 〈自〉 ❶近寄って座る. 文例 앞으로 나앉아라 前の方に詰めて座りなさい. ❷住居などを移して新しく構える. 句例 장사를 하기 위하여 길가쪽으로 나앉았다 商売のため道路がわに住居を移した. →앉다 參考

나약-하다 【懦弱—】 [na:yak'ada] (→하다) 〈形〉 懦弱だ. いくじがない. 句例 나약한 남자 弱気な男 / 나약한 국민 懦弱な国民 / 나약한 소리를 하다 弱音を吐く.

나열 【羅列】〈名・하自他〉 羅列. 句例 단어를 ~하다 単語を羅列する.
表現 '이 문장은 낱말의 ~에 불과하다 この文章はことばの羅列にすぎない'というと, '内容がなくて, おもしろくない'というような意味になる.

__나-오다__ (나오너라) ■〈自〉 出る. ❶(内から)外へ出る. 出て来る. 句例 방에서 ~ 部屋を出る / 탕에서 ~ 風呂から上がる / 회충이 ~ 虫が下りる. 文例 마중 나왔습니다 お迎えに参りました.
❷流れ出る. 句例 피가 ~ 血が出る / 눈물이 ~ 涙が出る / (수돗)물이 잘 안 ~ 水の出が悪い.
❸現われる. 姿を見せる. 出席〔出勤・出場〕する. 句例 그 영화에 나오는 배우 その映画に出る俳優 / 유령이 ~ 幽霊が出る / 법정에 ~ 法廷へ出る. 文例 다들 나온 모양이니 회의를 시작할까 皆出そろったようだから会議を始めようか.
❹(候補に)立つ. 句例 종로 갑구에서 ~ 鐘路甲区から出る.
❺産出する. 文例 수박이 나올 때다 そろそろすいかが出回るころだ.
❻…から生じる. (源を)発する. 文例 그 돈은 어디서 나온 것인가 そのお金はどこから出たのか.
❼(勤め口を)やめる. 文例 직장에서 나온 지 벌써 일 년이 된다 職場をやめてからもはや一年になる.
❽出刊される. 句例 3월호가 ~ 三月号が出る.
❾見つかる. 文例 잃어버린 것이 나왔다 落とし物が出た.
❿支給される. 下がる. 下りる. 与えられる. 句例 허가가 ~ 許可になる. 許可が下りる / 여권이 ~ 旅券が下りる / 보너스가 ~ ボーナスが出る.
⓫態度を取る. 句例 크게 ~ 大きく構え

ㄴ

る / 고압적인 태도로 ～ 高飛車に出る. 高圧的に出る / 강경하게 ～ 強気に出る / 저자세로 ～ 下手に出る.
⑫突き出る. 句例 못이 나온 구두 くぎ(釘)がつき出た靴 / 이마가 ～ ひたいが突き出る.
■〈他〉卒業する. 出る. 文例 학교를 나왔지만 직장이 없다 学校を出たものの勤め先がない.

나왕【羅王】〈名〉〔植〕ラワン. ◇lauan

나위〈依名〉('-ㄹ ～ 없다'の形で)(もっとなし得る)余裕がない. (なすべき)必要がない. 句例 말할 ～도 없이 言うまでもなく / 더할 ～없다 この上もない. 申し分(が)ない.

＊＊나이〈名〉年. 年齢. よわい(齢). 句例 ～열 살 안팎의 아이 年十歳そこそこの子 / 사랑을 알 ～ 情を知る年ごろ / 철이 들 ～ 物心がつく年(ごろ) / 한창 일할 ～의 젊은이 働き盛りの若い人 / ～를 세다 年を数える / ～탓으로 돌리다 年のせいにする / ～가 많다 年をとっている / ～가 지긋하다 かなりの年輩だ. 文例 그는 ～에 비해서 몸집이 작다 彼は年のわりにからだが小さい / ～가 몇입니까 年はいくつですか / 드는 ～는 어쩔 수 없다 寄る年波には勝てない / ～깨나 먹고 부끄럽지도 않으냐 いい年をして恥ずかしくもないか / ～는 속일 수 없다 年は争われない〔隠せない〕/ ～보다 젊게 보인다 年より若く見える. 表現 目上の人の年齢をいうときは'연세(年歳)·춘추(春秋)'を使う.

나이(가) 들다 年が寄る. 老ける.

나이(를) 먹다 年をとる. 年老いる.

나이(가) 아깝다 年がいもない.

나이(가) 차다 一定の年齢に達する. 年ごろになる. 嫁にいく年ごろになる.

나이-대접【—待接】〈名·하他〉年長者に対する礼遇. 句例 ～을 받다 年長者として手厚いもてなしを受ける.

나이-배기〈名〉見かけより年をとった人.

나이스〈名〉ナイス. 語例 ～ 볼 ナイスボール. ◇nice

나이-테〈名〉〔植〕年輪. ＝연륜.

나이트〈名〉ナイト. 語例 ～가운 ナイトガウン / ～ 클럽 ナイトクラブ. ◇night

나이프〈名〉ナイフ. 語例 재크 ～ ジャックナイフ. ◇knife

나인 [na:in]〈名〉〔史〕宮女. 女官. 宮人.
参考 '내인(內人)'の転訛.

나인〈名〉ナイン. ◇nine
参考 原義は数詞の九であるが, 一チームが九人の選手からなることにより野球のチームを言うこともある.

나일론〈名〉ナイロン. 語例 ～ 스타킹 ナイロンストッキング. ◇nylon

나잇-값 [naitkap]〈名〉年がい. 年相応のふるまい. 句例 어른이 되고서도 ～도 못 한다 おとなになっても年がいもない. →값 参考
表現 皮肉をこめて用いられることが多い.

나잇-살〈名〉いい年. 年配. 文例 ～이나 먹고 분수도 모르는군 いい年をして身のほども知らない.

나-자빠지다〈自〉'나가자빠지다'の略.

나자-식물【裸子植物】[na:jashingmul]〈名〉〔植〕⇨ 겉씨식물

나전【螺鈿】〈名〉螺鈿. 語例 ～세공 螺鈿細工 / ～ 칠기 螺鈿漆器.

나절〈依名〉昼間の半分くらいの間. 小半日. 文例 청소하는 데 한 ～이 걸렸다 そうじに小半日かかってしまった. 語例 반 ～ 四半日 / 아침 ～ 午前中. 昼前. 朝方 / 저녁 ～ 夕方.

＊＊나중 [na:jung]〈名·副〉後·のち. 後程. 句例 맨 ～ いちばんあと / ～에 온 사람 あとに来た人. 文例 ～에 전화할게 기다려다오 後程電話するから待ってくれ / ～에 말했자 소용없다 あとに言っても始まらない / ～에 다시 찾아뵙겠습니다 後程改めてお伺いいたします.

나중에야 삼수 갑산을 갈지라도 たとえあとで三水や甲山に流されようと. '後は野となれ山となれ'の意.
参考 삼수と갑산は韓国の東北地方のへんぴなところ.

나지막-이 [najimagi]〈副〉かなり低く.

나지막-하다 [najimak'ada] (→하다)〈形〉かなり低い. 低めだ. 句例 나지막한 언덕 かなり低い丘.

나직-나직 [najingnajik]〈副·하形〉みなやや低いさま.

＊나직-이 [najigi]〈副〉低めに.

나직-하다 [najik'ada](→하다)〈形〉(声·位置などが)やや低い. 句例 나직한 목소리 低い声.

나체【裸體】[na:ch'e]〈名〉裸体. 裸身. はだか. ヌード. 語例 반～ 半裸体 / ～상 裸体像.

＊나침-반【羅針盤】〈名〉〔物〕羅針盤. コンパス. 語例 항해용 ～ 航海用羅針盤.

＊나타-나다〈自〉現〔表〕われる. ❶出て(く)る. 見えてくる. 句例 적이 ～ 敵が現われる / 갑자기 그 곳에 ～ 突然その場に現われる / 하늘에 별이 ～ 空に星が現われる. 文例 때마침 그 자리에 경관이 나타났다 折りよくその場へ警官がやって来た. ❷(表に)表われる. 浮かぶ. 句例 태도에 ～ 態度に表われる / 불쾌한 빛이 얼굴에 ～ 不快の色が顔に浮かぶ / 본성이 ～ 本性が現われる. ❸見つかる. 発見される. 文例 잃었던 시계가 나타났다 失った時計が見つかった.

＊나타-내다〈他〉現す. 表わす. ❶示す. 表する. 呈する. 出す. 見せる. 浮かべる. 句例 호경기를 ～ 好景気を呈する / 모습을 ～ 姿を現す〔見せる〕/ 반응을 ～ 反応を示す / 기쁨을 얼굴에 ～ 喜びを顔に浮かべる / 감사의 뜻을 ～ 感謝の意を表する / 약호로 ～ 略号で表わす. ❷(さらけ)出す. 句例 술에 취해 본성을 ～ 酒に酔って本性を表わす. ❸表現する. 句例 말로 나타낼 수 없다 言葉に表わせない.

나타냄-표【—標】〈名〉〔樂〕発想記号. ＝발상 기호.

나태-하다【懶怠—】[na:t'ae—] (→하다)〈形〉怠惰だ. 句例 나태한 생활 怠惰な生活 / 나태한 마음을 일으키다 なまけ心をおこす / 나태한 나날을 보내다 怠惰な日日を送る.

*나트륨 〈名〉〔化〕 ナトリウム《記号 Na》. 語例 ~램프 ナトリウムランプ. ◇도 Natrium

*나팔【喇叭】〈名〉〔樂〕ラッパ. 絵 句例 ~소리가 울려퍼지다 ラッパが鳴りひびく. 語例 ~소리 ラッパの音 / 기상 ~ 起床ラッパ / ~수 ラッパ手. ラッパ吹き.

나팔(을) 불다 ❶ラッパを吹く. ❷'병째로 마시다 らっぱ飲みする'の俗っぽい言いかた. ❸'떠들어 선전하다 やかましく宣伝する'の俗っぽい言いかた.

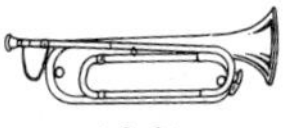
〈나팔〉

**나팔-꽃【喇叭—】〈名〉〔植〕あさがお.

나포【拿捕】[na:p'o]〈名〉拿捕. ~하다〈他〉拿捕する. 句例 상선이 ~되다 商船が拿捕される.

*나풀-거리다〈自〉 (風に)絶え間なくはためく. (激しく)ひらめく.

나풀나풀 [nap'ullap'ul]〈副〉ひらひら. ~하다〈自〉ひらひらひらめく.

*나프탈렌〈名〉〔化〕ナフタレン. ナフタリン. 句例 농 속에 ~을 넣다 たんすにナフタリンを入れる. ◇naphthalene

나한【羅漢】〈名〉〔佛〕['아라한(阿羅漢)'の略] 羅漢. 阿羅漢. 語例 오백 ~ 五百羅漢.

參考 もと古代インド語.

나흗-날 [nahŭnnal]〈名〉❶'초나흗날'の略. 句例 정월(초) ~ 正月四日. ❷四日めの日. 略して'나흘'ともいう. 句例 ~만에 돌아오다 四日ぶりに帰る.

나흘〈名〉❶四日. 四日間. 句例 ~동안의 여행 四日間の旅. 文例 ~이나 걸렸다 四日もかかった. ❷'나흗날'の略: 四日.

낙 〔漢字項目〕

【諾】 高校 낙 ダク. ❶대답하다 答える. ▮敬諾 경낙 けいだく. ❷승낙하다 うべなう. ▮承諾 승낙 しょうだく.

낙【樂】⇨ 악【樂】

낙관【落款】〈名・하自〉落款. 句例 ~을 찍다 落款を押す.

낙관【樂觀】〈名・하自他〉楽観. 文例 너무 ~하지 마 余り楽観するな. 語例 ~론 楽観論. 對 비관.

낙관-적【樂觀的】〈名・冠〉 楽観的. 句例 ~인 사고 방식 楽観的〔甘い〕考え方 / 사물을 ~으로 보다 物事を楽観的に見る. 對 비관적(悲觀的).

낙낙-하다 [nangnak'ada] (→하다)〈形〉ゆとりがある. 句例 낙낙한 옷 ゆとりのある服. 文例 이 신이 발에 ~ このくつの方が足にゆっくりしている. 낙낙히 [nangnak'i]〈副〉ゆとりがあって.

表現 (1) 大きさ・数量・かさ・重さなどについていう. (2) 語感の大きい語は'넉넉하다'.

낙농【酪農】[nangnong]〈名〉酪農. 語例 ~가 酪農家 / ~품 酪農品. 酪農製品.

낙담【落膽】〈名〉落胆. 気落ち. 力抜け. ~하다〈自〉落胆する. がっかりする. 文例 아들을 잃고 매우 ~하고 있다 息子に死なれてすっかり気を落としている.

낙도【落島】〈名〉離れ島. 離島. 絶島. 孤島. 句例 ~의 어린이들 離れ島の子どもたち.

낙락-장송【落落長松】[nangnak—]〈名〉 枝が垂れ下がった大きな松.

낙뢰【落雷】[nangnoe]〈名・하自〉落雷.

낙루【落淚】[nangnu]〈名・하自〉落涙. 句例 저도 모르게 ~하다 思わず落涙する / ~를 금할 수 없다 落涙を禁じえない.

낙마【落馬】[nangma]〈名・하自〉落馬. 文例 ~하여 허리를 다쳤다 落馬して腰を打った.

낙망【落望】[nangmang]〈名〉失望. 落胆. ~하다〈自他〉失望する. 落胆する. 文例 그렇게 ~하지 말게 そう失望するな.

낙반【落盤】〈名・하自〉〔鑛〕落盤. 句例 탄갱이 ~하다 炭坑が落盤する / 잇단 ~사고 相次ぐ落盤事故.

낙방【落榜】〈名〉 科挙〔入試〕に落ちること. 落第. ~하다〈自〉落ちる. 落第する. 句例 대학 입시에 ~하다 大学入試に落ちる〔すべる〕.

낙법【落法】〈名〉 (柔道の)受け身. 句例 ~을 익히다 受け身を習う.

낙상【落傷】〈名〉 (高い所から)落ちたり転んだりしてけがをすること. また, その傷. ~하다〈自〉落ちたり転んだりしてけがをする.

*낙서【落書】〈名・하自〉落書き. 句例 벽에 ~하다 壁に落書きする.

낙석【落石】〈名・하自〉落石. 文例 ~에 주의하시오 落石にご注意願います. 語例 ~ 주의 落石注意.

낙선【落選】〈名・하自〉 落選. 句例 선거에서 ~하다 選挙で落選する / ~의 고배를 마시다 落選のうき目を見る. 對 당선(當選). 입선(入選).

낙성【落成】〈名・하自他〉 落成. 句例 건물이 ~되다 建物が落成する. 語例 ~식 落成式.

*낙숫-물【落水—】[naksunmul]〈名〉 雨垂れ. 玉水. 句例 처마의 ~ 軒の雨垂れ.

낙승【樂勝】〈名・하自〉楽勝. 文例 축구에서 ~했다 サッカーで楽勝した / 경기는 ~으로 끝났다 試合は楽勝に終わった.

낙심【落心】〈名〉気落ち. 落胆. ~하다〈自〉気落ちする. 落胆する. 句例 낙방해서 ~하다 落第して気を落とす / ~천만이다 すっかり落胆している.

낙양【洛陽】[nagyang]〈名〉〔地〕洛陽.

參考 中国で, 古代から王朝の都としてさかえた都市.

낙양의 지가(紙價)를 올리다 洛陽の紙価を高める. 著書が世間で大いにもてはやされることの意.

낙엽【落葉】[nagyŏp]〈名〉 落ち葉. 落葉. 句例 ~이 쌓이다 落ち葉が積もる / ~을 그러모으다 落葉をかき集める / ~이 지다 落ち葉が散る / ~을 태우다 落ち葉を燃やす. 語例 ~수 落葉樹

낙엽-송【落葉松】[nagyŏp—]〈名〉〔植〕唐松.

낙오【落伍】[nago]〈名〉落伍. ~하다〈自〉落伍する. 句例 사회의 ~자 社会の落伍者.

낙원【樂園】[nagwon]〈名〉楽園. パラダイス.

語例 지상 ~ 地上の楽園 / 어린이의 ~ 子供のパラダイス.

낙인【烙印】[nagin]〈名〉らく印. 焼き印. 句例 ~이 찍히다 らく印をおされる / ~ 찍힌 악당 折り紙付きの悪人.

낙인(을) 찍다 ❶らく印を押す. ❷(悪い意で)周囲の人がそうであると決めてしまう.

ㄴ

낙장【落張】〈名〉落丁. 語例 ~본 落丁本.

낙제【落第】〈名・하自〉落第. =낙방(落榜). 句例 시험에 ~하다 試験に落第する / 학점이 모자라 ~하다 単位が足りなくて落第する. 語例 ~생 落第生 / ~점 落第点. 對진급(進級). 합격(合格). 급제(及第).

낙-제품【酪製品】〈名〉酪製品. 酪農製品.

낙조【落照】〈名〉落照. 落日. 入り日. 夕日影. =석양(夕陽).

**낙지〈名〉〔動〕たこ. まだこ. 語例 ~회 たこの刺し身.

낙진【落塵】〈名〉(核爆発による)放射性降下物. 死の灰.

낙차【落差】〈名〉落差. 句例 ~가 크다〔심하다〕落差が大きい〔ひどい〕/ 문화의 ~ 文化の落差.

낙착【落着】〈名・하自〉落着. 決着. 句例 분쟁이 ~되다 紛争が落着する.

낙찰【落札】〈名・하他〉〔經〕落札. 語例 ~가격 落札価格 / ~자 落札者 / ~되다 落札する.

낙천【樂天】〈名〉楽天. 語例 ~가 楽天家. オプティミスト / ~주의 楽天主義.

*****낙천-적**【樂天的】〈名・冠〉楽天的. 句例 ~인 생각〔사람〕楽天的な考え〔人〕. 對비관적.

**낙타【駱駝】〈名〉〔動〕らくだ. =약대. 語例 단봉〔쌍봉〕~ ひとこぶ〔ふたこぶ〕らくだ.

낙태【落胎】〈名・하自〉〔醫〕❶流産. ❷堕胎.

낙토【樂土】〈名〉楽土.

낙하【落下】[nak'a]〈名・하自〉落下. 語例 ~점 落下点 / ~지점 落下地点.

**낙하-산【落下傘】[nak'asan]〈名〉落下傘. パラシュート. 語例 ~ 부대 落下傘部隊. 空挺部隊 / ~병 落下傘兵 / ~ 인사 天下り人事.

낙향【落鄕】[nak'yang]〈名・하自〉都落ち. 句例 생활난으로 ~하다 生活難で都落ちをする.

낙화【落花】[nak'wa]〈名・하自〉落花. 語例 ~유수 落花流水.

낙화-생【落花生】[nak'wasaeng]〈名〉〔植〕落花生. 南京豆. ピーナッツ. =땅콩. 語例 ~유 落花生油.

낙후【落後】[nak'u]〈名〉落後. **~하다**〈自〉落後する. (人に)おくれる. 後れを取る. 語例 ~되다 落後する.

*****낚다**〈他〉❶(魚を)釣(り上げ)る. 句例 큰 고기를 ~ 大きな魚を釣る. ❷'이성을 꾀다 異性を誘いこむ'の俗っぽい言いかた. 釣る. 引っ掛ける. おびく. 句例 여자를 ~ 女を引っかける.

낚-대〈名〉'낚싯대'の略: 釣り竿.

낚-배〈名〉['낚싯배'の略] 釣り舟.

*****낚시**〈名〉❶釣り針. 句例 ~에 미끼를 끼우다 釣り針にえさをつける. ❷'낚시질'の略: 釣り. **~하다**〈自〉釣りをする. 釣る. 句例 ~가다 釣りに行く. 語例 ~친구 釣り仲間 / ~회 りの会. 釣友会 / ~터 釣り場 / ~꾼 釣り師. 釣り手. 釣り人 / ~찌 浮き / 낚싯배 釣り舟 / 낚싯봉 沈み. おもり.

낚시(를) 던지다 誘惑するためにえさをやる.

낚시-질〈名〉釣り. **~하다**〈自〉釣りをする. 釣る. 句例 ~하러 가다 釣りに行く.

*****낚싯-대**〈名〉釣りざお. 句例 ~가 휘어지다 釣りざおがしなう.

낚싯-바늘〈名〉'낚시①'の俗っぽい言いかた.

낚싯-밥〈名〉釣りえ. 釣りえさ. 句例 ~을 던지다 釣りえをまく. 誘いをかける.

낚싯-줄〈名〉釣り糸. 句例 ~을 드리우다 釣り糸を垂れる.

낚아-채다 [nakka—]〈他〉(釣り糸を手繰り寄せるように)ひったくる. 句例 핸드백을 ~ ハンドバッグをひったくる.

낚이다 [nakkida]〈自〉'낚다'の受け身: 釣られる. 釣れる. かかる. 文例 지금 한창 낚인다 今盛んに釣れる.

난【亂】[na:n]〈名〉'난리(亂離)'の略: 乱.

난【欄】〈名〉欄. 句例 이름을 적는 ~ 名前を記入する欄. 語例 윗 ~ 上の欄 / 가십~ ゴシップ欄. →囲み記事 20

난【蘭】〈名〉〔植〕蘭.

난 ['나는'の略] 僕は. わたしは. おれは. 文例 ~ 아직 학생이다 僕はまだ学生だ.

-난【難】〈尾〉…難. 語例 생활~ 生活難 / 교통~ 交通難.

난 〔漢字項目〕

【暖(煖)】 中學 난 ダン. ❶따뜻하다 暖かい. ▮暖風 난풍 だんぷう. ▮溫暖 온난 おんだん. ❷따뜻이 하다 暖める. ▮暖房 난방 だんぼう.

【難(難)】 中學 난 ナン. ❶어려움 難しいこと. 어렵다 難しい. ▮難局 난국 なんきょく. ▮國難 국난 こくなん. ❷어려워하다 難しがる. ▮難解 난해 なんかい. ❸괴로워하다 苦しむ. ▮難戰 난전 なんせん. ▮艱難 간난 かんなん. ❹괴로움 苦しみ. 근심 憂い. ▮避難 피난 ひなん. ❺나무라다 なじる. ▮詰難 힐난 なんきつ(難詰).

난간【欄干】〈名〉欄干. 手すり. 句例 다리의 ~ 橋の手すり / ~에 기대어 欄干にもたれて〔寄り掛かって〕.

난감-하다【難堪—】(→하다)〈形〉堪え難い. 辛抱しがたい. 語例 난감해지다 困り果てる.

난거지 든부자【—富者】〈名〉外ぼろの内錦. ぼろをまとって貧しく見えるが実は金持ちであること. 對난부자 든거지.

난공-불락【難攻不落】〈名〉難攻不落. 句例 ~의 성 難攻不落の城.

난-공사【難工事】〈名〉難工事.

난관【難關】〈名〉難関. 句例 ~을 돌파하다 難関を突破する〔切り抜ける〕.

난국【亂局】[na:n-guk]〈名〉乱局.
난국【亂國】[na:n-guk]〈名〉乱国. 秩序が乱れた国.
난국【難局】〈名〉難局. 句例 ~을 타개하다 難局を打開する / ~을 극복하다 難局を乗り切る.
난-기류【亂氣流】[na:n-giryu]〈名〉〔氣〕乱気流.
난다 긴다 하다 ⇨'날다''の小項目
난대【暖帶】[na:ndae]〈名〉暖帯. 語例 ~지방 暖帯地方 / ~림 暖帯林.
난데-없이 [na:ndeŏpshi]〈副〉だし抜けに. 文例 그가 ~ 나타났다 彼が突然〔だしぬけに〕現われた.
난도【難度】〈名〉難度. 句例 ~ C의 높은 기술 難度Cの高い技.
난도-질【亂刀―】[na:ndojil]〈名〉乱切り. めった切り. **~하다**〈他〉めった切りにする. 句例 고기를 ~하다 肉をめった切りにする.
난동【暖冬】[na:ndong]〈名〉暖冬. 語例 ~이변 暖冬異変.
*__난동__【亂動】[na:ndong]〈名·하自〉無法な振る舞い. 狼藉. 句例 ~을 부리다 狼藉を働く.
*__난로__【煖爐】[na:llo]〈名〉暖炉. ストーブ. 句例 ~를 피우다 ストーブをたく / ~를 쬐다 ストーブにあたる. 語例 난롯불 暖炉の火.
*__난류__【暖流】[na:llyu]〈名〉〔地〕暖流. 對한류(寒流).
난류【亂流】[na:llyu]〈名〉乱流.
난리【亂離】[na:lli]〈名〉乱. 変乱. 戦乱. 戦争. 略して'난(亂)'ともいう. 句例 ~가 나다 動乱が起こる. 騒ぎが起こる/~를 피하다 乱〔戦乱〕を避ける. 語例 물~ 洪水の騒動. 水飢饉の騒ぎ.
난립【亂立】[na:llip]〈名·하自〉乱立〔濫立〕. **~하다**〈自〉乱立する. 句例 ~을 막다 乱立を防ぐ. 文例 열 명의 후보자가 ~했다 十人の候補者が乱立した.
난맥【亂脈】[na:nmaek]〈名〉乱脈. 句例 ~상(相)을 드러내다 乱脈相を現わす / 경영이 ~에 빠지다 経営が乱脈に陥る.
난무【亂舞】[na:nmu]〈名〉❶乱舞. **~하다**〈自〉乱舞する. 踊り狂う. ❷横行. 跳梁. **~하다**〈自〉横行する. 跳梁する. 句例 폭력이 ~하다 暴力が跳梁する.
난민【難民】〈名〉難民. 語例 ~구제 難民救済.
난-바다〈名〉沖.
난-반사【亂反射】[na:nbansa]〈名〉〔物〕乱反射.
*__난방__【暖房】[na:nbang]〈名〉暖房. 語例 ~장치 暖房装置. ヒーティング / 중앙 ~ 中央暖房. セントラルヒーティング. 對냉방(冷房).
난-번【一番】〈名〉当直を終えて引き下がる番. 出番. 對든번.
난봉〈名〉放蕩. 遊蕩. 道楽. 不身持ち. 語例 ~꾼 放蕩者. 道楽者. 遊び人. 女たらし.
난봉(이) 나다 放蕩する.
난봉(을) 부리다 放蕩をはたらく.
난봉(을) 피우다 不身持ちをする.
난부자 든거지【一富者一】〈名〉外富内貧. 外は分限者内は乞食. 對난거지 든부자.
난사【亂射】[na:nsa]〈名·하他〉乱射. 句例 권총을 ~하다 ピストルを乱射する.
난-사람〈名〉すぐれた〔衆に秀でた〕人.
난산【難産】〈名·하自他〉難産. 文例 해산은 ~이었다 お産は難産であった / 이번 조각은 아주 ~이었다 こんどの組閣はなかなかの難産であった.
난색【暖色】[na:nsaek]〈名〉暖色.
난색【難色】〈名〉難色. 句例 ~을 보이다 難色を示す.
난생-처음【一生一】[na:nsaengch'ŏŭm]〈名·副〉生まれて初めて. 文例 ~ 좋은 구경을 했다 生まれて初めてすばらしい見物をした.
난세【亂世】[na:nse]〈名〉乱世. 句例 ~의 영웅 乱世の雄 / ~에 살다 乱世に生きる.
난-세포【卵細胞】[na:nsep'o]〈名〉〔生〕卵細胞.
난센스〈名〉ナンセンス. ◇nonsense
난수-표【亂數表】[na:nsup'yo]〈名〉乱数表.
난시【亂視】[na:nshi]〈名〉〔醫〕乱視.
난신【亂臣】[na:nshin]〈名〉乱臣. 語例 ~적자 乱臣賊子.
난이【難易】[nani]〈名〉難易. 句例 ~의 차 難易の差 / 입시 문제의 ~도 入学試験問題の難易度.
난입【亂入】[na:nip]〈名·하自〉乱入. 句例 적진 속으로 ~하다 敵の陣中に乱入する.
난자【卵子】[na:nja]〈名〉〔生〕卵子. 對정자(精子).
난자【亂刺】[na:nja]〈名〉ところかまわず突き刺すこと. **~하다**〈他〉ところかまわず〔むやみに〕突き刺す.
난잡-하다【亂雜一】[na:njap'ada] (→하다)〈形〉乱雑だ. みだりがわしい. 句例 난잡한 생활 みだらな生活 / 난잡한 행동 乱雑な行動. **난잡히** [na:njap'i]〈副〉乱雑に.
난장-판【亂場一】[na:njangp'an]〈名〉大勢の人がごった返している場面. 修羅場・修羅場.
난쟁이〈名〉一寸法師. ちび. 小人.
난쟁이 교자꾼 참여하듯 小人がかごかきに加わるように. 分外のことに差し出がましく関与することのたとえ.
난전【亂戰】[na:njŏn]〈名·하自〉乱戦. 混戦. 句例 ~이 벌어지다 乱戦になる.
난점【難點】[nantchŏm]〈名〉難点. 文例 돈이 많이 드는 것이 ~이다 お金がたくさんかかるのが難点である.
난제【難題】〈名〉難題. 句例 많은 ~를 안고 있다 多くの難題を抱えている.
난조【亂調】[na:njo]〈名〉乱調. 乱調子. ❶乱れた調子. 句例 투수가 ~를 보이다 投手が乱調を来たす. ❷〔經〕乱高下. 相場の変動が激しいこと. 文例 경제계는 ~에 빠졌다 経済界は乱調を来たした.
난처-하다【難處一】(→하다)〈形〉困る. まずい. 立場が苦しい. 句例 난처한 입장 苦しい

立場 / 몹시 ～ ほとほと困る. 困り切る. 困り抜く. 弱り抜く. [文例] 그것 참 난처하게 되었다 それはまずい〔困った・弱った〕ことになった. [語例] 난처하게도 困ったことには.

난청【難聴】〈名〉難聴. [語例] 노인성 ～ 老人性難聴 / ～지역〔電〕難聴地域.

난초【蘭草】〈名〉〔植〕蘭.

난치【難治】〈名・하形〉難治. [語例] ～병 難治の病. 難病.

난타【亂打】[na:nt'a]〈名・하他〉乱打. [語例] ～전 乱打戦.

난투【亂鬪】[na:nt'u]〈名・하自〉乱闘. [句例] ～극을 벌이다 大立ち回りを演じる / 노상에서 ～를 벌이다 路上で乱闘を繰り広げる. [語例] ～극 乱闘劇.

난파【難破】〈名〉難破. 難船. **～하다**〈自〉難破する. 難船する. [語例] ～선 難破船. 難船.

난폭 운전【亂暴運轉】[na:np'ogunjŏn]〈名〉(タクシーの)乱暴運転.

난폭-하다【亂暴―】[na:np'ok'ada] (→하다)〈形〉乱暴だ. 粗暴だ. 荒っぽい. [句例] 난폭한 행위 荒荒しい行ない / 난폭한 성품 荒っぽい気性 / 난폭한 말씨를 쓰다 乱暴な言葉遣いをする / 난폭한 짓을 하다 乱暴(なこと)をする / 난폭하게 굴다 暴れる.

난필【亂筆】[na:np'il]〈名〉乱筆. ❶乱れ書き. 殴り書き. ❷自分の筆跡の謙称. [文例] ～을 용서해 주십시오 乱筆(を)ごめんください.

난-하다【亂―】[na:n―](→하다)〈形〉❶はでだ. けばけばしい. [句例] 옷차림이 난한 여자 けばけばしい身なりの女 / 옷이 너무 ～ 衣服があまりはですぎる. ❷乱雑だ.

난항【難航】〈名〉難航. [句例] 회의가 ～을 거듭하다 会議が難航を重ねる.

난해【難解】〈名〉難解. **～하다**〈形〉難解だ. [句例] ～한 논문〔곡・문장〕難解な論文〔曲・文章〕.

난형-난제【難兄難弟】〈名〉兄たりがたく弟たりがたし. 二人の優劣を区別しにくいたとえ. [句例] ～의 실력이다 互角の実力である.

난황【卵黃】[na:nhwang]〈名〉〔生〕卵黄. 黄身. ＝노른자위.

囲み記事13

■ 낟・낫・낮・낯・낱 ■

発音上では, どれも[nat]と一様であるが, 意味においてはそれぞれ違う.

낟 穀粒 ―― 낟알[na:dal]. 낟가리[na:tkari].

낫 鎌 ―― 낫으로[nasŭro] 풀을 베다 かまで草を刈る.

낮 昼 ―― 낮에는[najenŭn] 일하고 밤에는 쉰다 昼には働き夜には休む.

낯 顔 ―― 낯을[nach'ŭl] 붉히다 顔を赤らめる. 대할 낯이 없다 合わす顔がない.

낱 (物の)個. 一個 ―― 낱으로[nat'ŭro]는 개당 천원씩이다 ばらには一個に付き千ウォンである.

낟 [na:t]〈名〉(穀物の)粒. ㊫낟알. →囲み記事13

낟-가리 [na:tkari]〈名〉刈り取った穀物をたばねて積み重ねたもの. (特に) 稲むら.

낟-알 [na:dal]〈名〉❶穀物の粒. [語例] ～기 穀類でつくったたべものの少量. ❷米粒. [文例] ～ 하나라도 아껴라 一粒の米でも大切にしなさい. ❸飯粒.

**날[1]〈名〉日. ❶日にち. [句例] 문화의 ～ 文化の日 / 어느 ～ ある日 / ～이 감에 따라 日〔日にち〕がたつにつれて / ～이 갈수록 커지다 日増しに大きくなる / ～이 새다〔밝다〕夜が明ける. 明け放れる / ～이 저물다 日が暮れる / 여러 ～ 동안 いく日もの間. [文例] 오늘은 아무래도 ～이 좋지 않다 今日はどうも日が悪い. [語例] 어린이 ～ 子供の日 / ～마다 日に日に. 日ごとに / ～로 日増しに.

❷日和. [句例] 청명한 ～ 晴天の日 / 무더운 ～ 蒸し暑い日 / 흐린 ～ 曇りの日 / 비오는 ～이나 바람부는 ～이나 雨の日も風の日も / ～이 개다 晴れる. 日が照る. [文例] 오늘은 ～이 좋아서 빨래가 잘 마르겠다 きょうは天気がいいから洗濯物がよく乾きそうだ.

❸日付. 日取り. [句例] ～을 잡다 日を決める. 日取りを決める / 약속한 ～ 約束の日. [文例] 결혼식 ～은 언제로 받으셨어요 結婚式の日取りはいつにお決めになりましたか. →囲み記事14

❹時. 時代. 暁. 場合. [句例] 성공하는 ～에는 成功の暁には / 젊은 ～의 모습 若き日の姿.

날(이) 들다 天気になる. 晴れる. (雨が)上がる. [文例] 날이 들 것 같다 晴れそうだ.

날(을) 받다 (儀式・ひっ越しなどの)日取りを決める. 日をきめる.

날 받아 놓은 색시 같다 結婚式の日取りが決まった娘みたいだ. 一日中家に引っこんでいる人のたとえ.

날 샌 올빼미 신세 夜明けを迎えたふくろうの身の上. 寄る辺のない身のたとえ.

날[2]〈名〉刃. やいば. [句例] ～이 무딘 톱〔식칼〕切れ味が甘いのこぎり〔包丁〕/ ～이 무디다 刃が鈍い. 切れ味が甘い. [語例] 양～ 両刃. もろ刃 / 대팻～ かんなの刃 / 톱～ のこぎりの歯 / 스케이트～ エッジ.

날(이) 서다 刃が鋭くなる.

날(을) 세우다 刃をつける. 刃をとぐ.

날[3]〈名〉(織物の)縦糸. ㊖씨.

날-〈頭〉生…. [句例] ～로 먹다 生で食べる. [語例] ～계란 生卵 / ～고기 生肉 / ～것 生物.

*날[4] [na:l] ['나를'の略] わたしを. 僕を. おれを. [文例] ～ 보라 わたしを見よ / ～ 따르라 わたしに従え.

날-감〈名〉渋がき.

날-강도【―強盜】〈名〉❶悪らつな強盗. ❷図太く厚かましい人.

**날개〈名〉翼. ❶羽. 羽《雅》. [句例] ～를 펴다 翼を広げる〔張る〕. 羽をのばす / ～를 치다 羽ばたく / 잠자리의 ～ トンボの羽 / ～가 돋힌 듯이 팔리다 飛ぶように売れる. [語例] ～소리 羽音. ❷翼. 羽. 機翼. ウィング. [句例]

선풍기의 ～ 扇風機の羽根 / 비행기의 ～ 飛行機の翼. 語例 꼬리 ～ 尾翼.
表現 '날개를 펴다'は鳥が羽をひろげることをいうほか, 自由にとびまわることをもいう. '상상의 날개를 펴다 想像の翼をひろげる'は, 自由に空想して楽しむこと.
날개(가) 돋치다 羽が生えて飛ぶ.
날개 부러진 매 羽の折れたタカ. 勢力が衰えて落ちぶれた身の上のたとえ.
날갯-죽지 〈名〉 ❶羽のつけ根. 翼の根元. ❷'날개①'の俗っぽい言いかた.
날갯-짓 〈名〉 羽ばたき. **～하다** 〈自〉 羽ばたく.
날-것 〈名〉 なま物. 文例 여름철에는 ～을 먹지 말아야 한다 夏にはなま物を食べてはいけない.
날-고기 〈名〉 生肉. ＝생고기.
날고-뛰다 〈自〉 ぬきんでる. 優れる.
날-김치 〈名〉 漬け立てのキムチ.
날다[1] (나니, 날아서) ━〈自〉 ❶飛ぶ. 句例 높이 ～ 高く飛ぶ / 새가 ～ 鳥が飛ぶ / 비행기가 ～ 飛行機が飛ぶ / 포탄이 ～ 砲弾が飛ぶ. ❷飛ぶように行く. 句例 나는 듯이 돌아오다 飛ぶように帰って来る. ❸(風に)吹き飛ばされる.
━〈他〉 飛んで行く. 飛ぶ. 句例 하늘을 ～ 空を飛ぶ.
나는 놈 위에 뛰는 놈 있다 上には上がある.
나는 새도 떨어뜨린다 飛ぶ鳥も落とす.
난다 긴다 하다 (技量が)すばぬけている.
날다[2] (나니, 날아서) 〈自〉 ❶(色が)あせる. 落ちる. 句例 옷색이 ～ 着物の色が落ちる. ❷(においが)消える.
날다[3] (나니, 날아서) 〈他〉 ❶紡ぐ. 句例 솜에서 실을 ～ 綿から糸を紡ぐ. ❷縦糸を整えて機にかける.
날-도둑놈 [naldodungnom] 〈名〉 ❶悪らつな泥棒. ❷図太く厚かましい人.
날-들다 ⇨ '날¹'の小項目
날-뛰다 〈他〉 ❶(喜んで)飛んだり跳ねたりする. 躍り上がる. 跳ね上がる. 句例 기뻐 ～ 跳ね上がって喜ぶ / 좋아서 ～ うれしがって躍り上がる.
❷荒れる. 暴れる. たける. はやる. 跳ね上がる. 句例 미친 듯이 날뛰는 말 荒れ狂う馬 / 미쳐 ～ 荒れ狂う / 분해서 ～ じだんだを踏んで悔しがる.
❸跳梁する. のさばる. 句例 불량배가 제멋대로 ～ 不良がのさばる〔横行する〕.
날라리 〈名〉 ❶〔樂〕 '태평소'をその音をとって言う俗っぽい言いかた. ❷仕事や勉強よりも遊びが好きな人をさげすんだことば.
***날래다** 〈形〉 すばしっこい. 手早〔手速〕い.
날려-보내다 〈他〉 ❶放してやる. 句例 새장의 새를 ～ かごの鳥を放してやる. ❷吹き飛ばす. 吹き払う. 句例 바람이 모자를 ～ 風に帽子が飛ばされる. ❸(身代を)つぶす. (金・財産を)使い果たす. 無くす. 句例 1억원을 ～ 一億ウォンを棒に振る / 재산을 ～ 財産を食いつぶす.
날렵-하다 [naːllyŏp'ada] (→하다) 〈形〉 ❶素早い. すばしっこい. 機敏だ. ❷すらりとしている.
날로[1] 〈副〉 日ごとに. 日増しに. 日に日に. ますます. 句例 ～ 커지다 日増しに大きくなる / ～ 더워지다 日増しに暑くなる.
날로[2] 〈副〉 生のまま. 生で. 句例 ～ 먹다 生で食べる.
날름 〈副〉 ぺろりと. べろりと. さっと. **～하다** 〈自他〉 ぺろりと(舌を)出したりひっ込めたりする. ぺろりと平らげる. 素早くかすめ取る. 句例 혀를 ～ 내밀다 ぺろりと舌を出す. **～거리다** 〈自他〉 ぺろぺろする. 句例 뱀이 혀를 ～거리다 蛇が舌をちょろちょろとなめずる.
날름날름 〈副・하自他〉 ぺろぺろ(と). 句例 ～ 혀를 내밀다 ぺろぺろと舌を出す.
날리다[1] 〈自他〉 (名を)はせる. (名が)うたわれる. 揚げる. '떨치다'の俗っぽい言いかた. 句例 한창 날리는 배우 はやりざかりの俳優 / 이름을 ～ 名をはせる〔揚げる〕. 文例 한때는 날리기도 했다 一時は鳴らしたものだ.
***날리다**[2] ━〈他〉 ❶(空に)飛ばす. 揚げる. 句例 연을 ～ たこを飛ばす〔揚げる〕 / 홈런을 ～ ホームランを(かっ)飛ばす.
❷放してやる. 句例 새를 ～ 鳥を放してやる.
❸(元手などを)つぶす. 振る. 句例 재산을 ～ 身代をつぶす.
❹(仕事などを)いい加減にする. ぞんざいにする. 飛ばす. 文例 공사를 ～ 工事をやっつけ仕事でする.
━〈自〉 '날다'の受け身: 飛ばされる. 句例 재가 바람에 ～ 灰が風に飛ばされる / 국기가 바람

ㄴ

囲み記事 14

■ 날 읽기 日の読み方(固有語) ■

1일 … 초하루(一日)	11일 … 열하루(十一日)
2일 … 초이틀(二日)	12일 … 열이틀(十二日)
3일 … 초사흘(三日)	15일 … 보름(十五日・望の日)
4일 … 초나흘(四日)	17일 … 열이레(十七日)
5일 … 초닷새(五日)	18일 … 열여드레(十八日)
6일 … 초엿새(六日)	19일 … 열아흐레(十九日)
7일 … 초이레(七日)	20일 … 스무날(二十日)
8일 … 초여드레(八日)	21일 … 스무하루(二十一日)
9일 … 초아흐레(九日)	22일 … 스무이틀(二十二日)
10일 … 열흘(十日)	30일 … 그믐(三十日)

特に陰暦の日付に使われる. また, '초(初)'は省いて使うこともある.

ㄴ

에 ~ 国旗が風に翻る.

날림 〈名〉やっつけ仕事. ぞんざいな仕事. 雑な仕事. また, そのようにして作った物. 句例 ~으로 지은 집 やっつけ仕事で建てた家. 語例 ~ 공사 安普請. 手抜き工事.

***날-마다** 〈名・副〉日日. 日ごと(に). 毎日. 句例 ~ 밤마다 日ごと夜ごと / ~의 근무 日ごとの勤め. 文例 ~ 비가 온다 毎日雨が降る.

날-밑 [nalmit] 〈名〉(刀の)つば.

날-받다 〈自〉冠婚喪祭や引っ越しなどの日を, 前もって吉日を選んで決める.

날-밤[1] 〈名〉寝つけない夜.

날밤(을) 새우다 (まんじりともしないで)夜明かしをする. 略して'날밤새다'ともいう.

날-밤[2] 〈名〉生ぐり.

날-벌레 [nalppŏlle] 〈名〉(が(蛾)などのような)飛ぶ虫.

날-벼락 〈名〉青天の霹靂. =생벼락. ❶落雷に当たること. ❷思わぬ災難.

날벼락(을) 맞다 思わぬ災いをこうむる.

날-변【一邊】 [nalppyŏn] 〈名〉日歩. 句例 ~으로 빚을 얻다 日歩で金を借りる

날-불한당【一不汗黨】 〈名〉ならず者. 無頼漢. ごろつき. 悪党.

날-붙이 [nalbuch'i] 〈名〉刀・かま(鎌)・斧などのような)刃物. やいば.

날-사이 [nalssai] 〈名・副〉ここ数日. 過ぎ去った数日間. 文例 ~ 별고 없으십니까 (ここ数日)お変わりはございませんか. 相変わらずお元気ですか.

날-삯 [nalssak] 〈名〉日給. 日当. 語例 ~꾼 日雇い(人夫). →삯 参考

날샐-녘 [nalsaellyŏk] 〈名〉夜明け方. 夜明けごろ. 暁. 曙.

날-수【一數】 [nalssu] 〈名〉日数・日数. 日日. 文例 다소간의 ~가 필요하다 まだ多少の日数を要する.

날-숨 [nalssum] 〈名〉呼気. 吐き出す息. 對 들숨.

날-실 〈名〉(織物の)縦糸. 對 씨실.

날-쌀 〈名〉生米.

날쌔다 〈形〉手早(手速)い. 敏捷だ. 素早い. 手っ取り早い. 句例 날쌔게 달아나다 素早くにげる.

****날씨** 〈名〉(お)天気. 空模様. 日和. 句例 끄물거리는 ~ ぐずつく天気 / 맑게 갠 ~ 晴れ上がった天気 / 잔뜩 찌푸린 ~ どんよりした空. 雨模様の空 / 변덕스런 ~ 気まぐれな天気 / 좋은〔나쁜〕 ~ いい〔悪い〕天気 / 따뜻한 ~ 暖かい日和 / 화창한 가을 ~ うららかな秋日和 / 흐린 ~ 曇った天気. 文例 어쩐지 ~가 이상하다 どうも空模様があやしい.

날씬-하다 (→하다) 〈形〉すらりとしている. すんなりしている. しなやかだ. きゃしゃだ. 句例 날씬한 미인 すらりとした美人 / 날씬한 허리 しなやかな腰つき. ほっそりした腰. 語例 날씬해지다 スマートになる / 날씬하게 すらりと.

****날아-가다** [nara—] (날아가거라) [一]〈自〉飛ぶ. ❶㉠飛び立つ. 飛んで行く. 飛び去る. 句例 공이 멀리 ~ ボールが遠くまで飛ぶ / 새가 ~ 鳥が飛んで行く. ㉡消し飛ぶ. 吹っ飛ぶ《俗》. 句例 폭발로 집이 ~ 爆発で家が消し飛ぶ. 文例 강풍으로 지붕이 날아갔다 強風で屋根が吹っ飛んだ. ❷無くなる. 吹っ飛ぶ. 文例 백만 원이 하룻밤 사이에 휙 날아갔다 百万ウォンが一晩で吹っ飛んだ. ❸解雇される. 首になる. 句例 목이 ~ 首が吹っ飛ぶ. 解雇される.
[二]〈他〉飛ぶ. 飛んで行く. 句例 하늘을 ~ 空を飛ぶ.

***날아-다니다** [nara—] 〈自他〉飛び回る. 句例 창공을 ~ 大空を飛び回る.

날아-들다 [nara—] (날아드니, 날아들어서) 〈自〉飛び込む. 句例 새가 둥지로 ~ 鳥が飛んで巣に帰る / 등불에 날아드는 하루살이 明かりに飛び込むかげろう.

***날아-오다** [nara—] (날아오너라) 〈自他〉飛んで来る. 飛来する. 句例 철새가 ~ 渡り鳥が飛来する / 메뚜기 떼가 ~ いなごの群れが飛来する / 창공을 ~ 青空を飛んで来る.

***날아-오르다** [nara—] (—오르니, —올라서) 〈自他〉飛び立つ. 飛び上がる. 舞い上がる. 句例 바람에 먼지가 ~ 風でほこりが舞い上がる.

날염【捺染】 [naryŏm] 〈名・하他〉捺染. プリント. 句例 ~한 옷감 プリントの服地. 捺染した布地.

날인【捺印】 [narin] 〈名〉捺印. **~하다** 〈自〉捺印する. 判を押す. 句例 서명 ~하다 署名捺印する.

날-일 [nallil] 〈名〉日雇い仕事.

날조【捏造】 [naltcho] 〈名〉捏造. でっちあげ《俗》. **~하다** 〈他〉捏造する. でっちあげる. 句例 ~한 이야기 でっち〔作り〕あげた話. 作り話 / ~된 사건 捏造された事件.

날-줄 [naltchul] 〈名〉〔地〕経線. 對 씨줄.

날-짐승 [naltchimsŭng] 〈名〉飛ぶ鳥. 飛鳥. 鳥類.

***날짜**[1] 〈名〉❶日数・日数. 句例 ~가 걸리다 日数がかかる / ~가 지나가다 日数をへる. ❷日. 日取り. 日付. 句例 접수한 ~ 受付の日付 / 결혼 ~를 정하다 結婚の日取りを決める. 語例 졸업 ~ 卒業の日 / 마감 ~ 締め切り日.

날짜[2] 〈名〉❶なま物. =날것. ❷新米. 素人.

날짜 변경선【一變更線】 [—byŏ:n-gyŏngsŏn] 〈名〉日付変更線. =날짜선(線). 参考 東経180度の経線を基準にした線. 東へ行くときは, 同じ日をくりかえし西へ行くときは一日とばす.

날짝지근-하다 (→하다) 〈形〉ひどく気だるい. もの憂い.

날치 〈名〉〔魚〕飛び魚.

날-치기 〈名〉かっぱらい. ひったくり **~하다** 〈他〉かっぱらう. ひったくる. さらう. 句例 ~를 당하다 ひったくりにあう / 가방을 ~하다 カバンをひったくる. 語例 ~꾼 かっぱらい.

날치다 〈自〉のさばる. 我が物顔に振る舞う.

날카로-이 〈副〉鋭く. 鋭利に. きびしく.

날카롭다 (→롭다) 〈形〉鋭い. ❶(先が)とがっている. 鋭利だ. 句例 날카로운 면도칼 刃の

鋭いかみそり / 날카로운 손톱 鋭い爪 / 칼날이 ~ 刃はが鋭い. ❷鋭敏だ. シャープだ. 句例 머리가 ~ 頭が鋭い〔切れる〕/ 날카로운 감각의 소유자 鋭い感覚の持ち主. ❸(勢いなどが)激しい. きびしい. 句例 날카로운 눈매〔눈초리〕鋭い目つき. 文例 날카로운 질문으로 꼼짝 못 하게 하다 鋭い質問でやり込める. ❹細かい. とがっている. 句例 신경을 날카롭게 하다 神経をとがらす / 신경이 ~ 神経がぴりぴりしている.

날-품 〈名〉日雇い(仕事). 語例 ~꾼 日雇い人夫.

날품(을) 팔다 日雇い仕事をする. 日当をもらって働く.

날품-팔이 [—p'ari] 〈名・하自〉日稼ぎ. 日雇い. その日稼ぎ.

***낡다** [nakta] 〈形〉古い. ❶古臭い. 古びる. 古ぼける. 句例 낡은 집 古い家. 古びた家 / 낡은 옷 古着 / 낡은 기계 使い古された機械. ㊠헐다㊂. ❷旧式だ. 時代後れだ. 古臭い. 句例 낡은 생각 古臭い考え. ▷㊔새롭다.

参考 '낡은 古びた' '낡고 古びて'は [nalgŭn], [nalkko]と読む.

낡아-빠지다 [nalga—] 〈形〉古臭い. 古ぼけている. いかれている《俗》. くたびれている《俗》. 句例 낡아빠진 모자 古ぼけた帽子 / 낡아빠진 사상 古臭い思想 / 낡아빠진 양복 くたびれた洋服 / 낡아빠진 텔레비전 いかれたテレビ.

****남** 〈名〉❶ 他人. (自分以外の)人. 人様. 他. 句例 ~의 집 よその家 / ~의 물건 人の物 / ~ 앞에서 人の前で / ~의 속도 모르고 人の気も知らないで / ~모르는 고생 人知れぬ苦労 / ~보기에는 よそ目〔はため・人目〕には / ~보기가 흉하다 よそ目が悪い / ~의 일 人事. よそ事 / ~의 손에 넘어가다 人手に渡る / ~의 말꼬리를 잡다 人の言葉じりをとらえる / 죄를 ~에게 씌우다 罪を人に着せる / ~의 밑에 붙다 人の下に付く / ~을 나쁘게 말하다 人をあしざまに言う / ~의 탓으로 돌리다 人のせいにする / ~의 돈에 손을 대다 人の金に手を出す / ~의 웃음거리가 되다 他人の物笑いの種になる / ~에게 의지하다 人に頼る / ~을 괴롭히다 人を困らせる / ~이 뭐라고 해도 人がなんと言おうと / ~의 입에 오르다 人のうわさにのぼる. 文例 ~이야 그러건 말건 무슨 상관이냐 人が何をしようと勝手だろう. ❷自分. 僕. おれ. 文例 네가 왜 ~의 책을 가져가니 君がどうして僕の本を持って行くのか.

남의 다리 긁는다 人の足をか(掻)く. 自分のためにした事が他人の利益になることのたとえ.

남의 떡에 설 쇤다 人のふんどしで相撲を取る.

남의 떡이 크다 隣の花は赤い.

남 잡이가 제 잡이 人を謀れば人に謀られる.

남 【男】〈名〉男. ❶男. ❷'남작 男爵'の略.

***남** 【南】〈名〉'남쪽'の略：南. 句例 기수를 ~으로 돌리다 機首を南に向ける. 語例 ~쪽 나라 南の国. ㊔북(北).

남 【藍】〈名〉あい(藍). ❶ ⇨ 쪽. ❷'남빛 あい色'の略.

남 〔漢字項目〕

【南】 中學 남 ナン. ナ. 남녘. 남쪽 南. ▐ 南極 남극 なんきょく. 南國 남국 なんこく. 南方 남방 なんぽう. ▐東南 동남 とうなん.

【男】 中學 남 ダン. ナン. ❶사내 男. ▐男子 남자 だんし. 男女 남녀 だんじょ. ▐美男 미남 びなん. ❷아들 息子. ▐長男 장남 ちょうなん. ❸오등작의 최하급 五等爵の最下位. ▐男爵 남작 だんしゃく.

남가-일몽 【南柯一夢】〈名〉南柯の夢. はかないことのたとえ.

参考 唐の小説'南柯記'の故事から出た言葉.

남계 【男系】〈名〉男系. ㊔여계(女系).

남국 【南國】〈名〉南国. 語例 ~ 정서 南国情緒. ㊔북국(北國).

***남극** 【南極】〈名〉南極. 語例 ~권 南極圏 / ~ 대륙 南極大陸 / ~성 南極星 / ~ 탐험 南極探検 / ~해 南極海 / ~ 기지 南極基地 / ~ 지방 南極地方. ㊔북극(北極).

****남기다** 〈他〉残す. ❶とどめる. 句例 유산을 ~ 遺産を残す / 이름을 후세에 ~ 名を後世に残す〔とどめる〕/ 미련을 ~ 未練を残す. ❷余す. 句例 용돈을 ~ 小遣いを余す / 일을 하다가 (중도에) ~ 仕事をやり残す〔し残す〕/ 음식을 먹다 ~ 食べ物を食い残す. ❸利益をつける〔得る〕. もうける. 得をする. 句例 많은 이익을 ~ 多くの利益を得る / 본전의 세 곱을 ~ 元値の三倍の利を得る.

남김-없이 [—ŏpshi] 〈副〉残らず. 余す所なく. すっかり. 根こそぎ. 句例 ~ 먹어치우다 残らず食べてしまう. 文例 ~ 이야기했다 すっかり〔全部〕話した.

남-남 〈名〉他人同士. 語例 ~끼리 他人同士(で) / ~ 사이 他人の間柄.

남남-북녀 【南男北女】 [—bungnyŏ] 〈名〉韓国で, 南部地方では男性が優れ, 北部地方では女が美しいということ.

参考 日本では'東男に京女'という言葉がある.

남-녀 【男女】〈名〉男女. 句例 ~를 불문하고 男女を問わず / ~ 칠세 부동석 男女七歳にして席を同じうせず. 語例 ~ 평등 男女平等 / ~ 동등권 男女同権.

남녀 공학 【男女共學】 [—go:nghak] 〈名〉男女共学. 句例 ~을 하는 학교 男女共学の学校.

남녀-노소 【男女老少】〈名〉老若男女・老若男女. 句例 ~가 함께 즐기다 老若男女がともに楽しむ.

남녀-유별 【男女有別】〈名〉男女別あり.

남-녘 【南—】〈名〉南の方. 南方. ㊔북녘.

****남다** [na:mtta] 〈自〉❶残る. ㉠余る. 余分がある. 句例 팔다 남은 책 売れ残りの本 / 얼마 안 남은 인생 残り少ない人生 / 한 개가 ~ 一つが余る / 여비가 만 원 ~ 旅費が一万ウォン余る〔浮く〕. 文例 십을 삼으로 나누면 일

이 남는다 10を3で割れば1が余る.
㉡残留〔残存〕する. 生き残る. とどまる. 句例 뒤에 남은 처자 あとに残った妻子 / 살아남은 사람 生き残った人 / 흉터가 ~ 傷跡が残る. 文例 어릴적 모습이 남아 있다 子供のころの面影が残っている / 수업 후 늦게까지 남아서 교실 청소를 했다 授業が終わったあと, 遅くまで残って教室の掃除をした.
㉢後世に伝わる. 句例 이름이 ~ 名が残る.
❷もうかる. もうけになる. 利を得る. 句例 많이 남는 장사 もうけの多い〔割のいい〕商売.

남-다르다 (남다르니, 남달라서)〈形〉並外れている. 格別だ. 句例 남다른 사이 特別な〔じっこんな〕間柄 / 남다른 재능의 소유자 並並ならぬ才能の持ち主 / 남다른 관심을 보이다 並並ならぬ関心を示す. 文例 어딘가 남다른 데가 있다 どこか並外れな〔一風変わった〕ところがある.

남단【南端】〈名〉南端. 對북단(北端).

남-달리〈副〉人並み〔並〕外れて. 格別に. 文例 그는 ~ 키가 크다 彼は人並み外れて背が高い.

***남-대문**【南大門】〈名〉❶(ソウルの)南大門. ❷'양복 바지의 파스너 ズボンのジッパー'の俗っぽい言いかた: 社会の窓. エムボタン.
參考 ①はソウルの'숭례문 崇礼門'の別称.

남도【南道】〈名〉〔地〕京畿道以南の地域. 忠清・慶尚・全羅道の三道を指す. 對북도(北道).

남동【南東】〈名〉南東. 語例 ~풍 南東の風 / ~향 南東向き. →남서(南西) 表現

남-동생【男同生】〈名〉弟. 對여동생(女同生).

남루【襤褸】[na:mnu]〈名〉ぼろ. **~하다**〈形〉(服が)ぼろぼろだ. みすぼらしい. 句例 ~한 옷 ぼろ(ぼろ)の服.

남만【南蠻】〈名〉南蛮.

***남매**【男妹】〈名〉兄と妹. 弟と姉. いもせ(妹背). 文例 우리는 오~예요 わたしたちは五人兄弟です. 語例 ~간 兄と妹〔弟と姉〕の間柄.

남-모르다〈自〉人が知らない. 句例 남모르는 고생 人知れぬ苦労.

남-몰래〈副〉ひそかに. こっそりと. 人知れず. 句例 ~ 연정을 품다 ひそかに思いを寄せる / ~ 고민하다 人知れず悩む.

남문【南門】〈名〉南門. 對북문(北門).

남미【南美】〈名〉〔地〕南米. 南アメリカ.

남바위〈名〉昔の防寒帽の一つ.

남-반구【南半球】〈名〉南半球.

남발【濫發】[na:mbal]〈名・하他〉❶乱発〔濫発〕. 句例 지폐〔어음〕의 ~ 紙幣〔手形〕の乱発. ❷乱射. 句例 총을 ~하다 銃を乱射〔乱発〕する.

남방【南方】〈名〉❶南方. 對북방(北方). ❷'남방 셔츠'の略.

남방 셔츠【南方shirts】〈名〉アロハシャツ.

남벌【濫伐】[na:mbŏl]〈名・하他〉乱伐〔濫伐〕.

남복【男服】〈名〉男の服. **~하다**〈自〉男装する.

***남부**【南部】〈名〉南部. 語例 ~ 지방 南部地方. 對북부(北部).

남-부끄럽다 (남부끄러우니, 남부끄러워서)〈形〉(人目に)恥ずかしい. 面目無い. 文例 남부끄러운 짓을 하지 마라 恥ずかしいまねはやめろ. →부끄럽다 參考

남-부럽다 (남부러우니, 남부러워서)〈形〉(人が)うらやましい. 句例 남부럽잖게 지내다 何不自由なく裕福に暮らす.
表現 ふつう打ち消しの語を伴った'남부럽지 않다', またはその略語'남부럽잖다'の形で用いられる.

남부-여대【男負女戴】〈名・하自〉所帯道具を男は背負い女は頭に載せて行くこと. 貧しい人人の流浪生活を指す語.

***남북**【南北】〈名〉南北. 句例 ~으로 갈라진 조국의 통일 南北に分かれた祖国の統一. 語例 ~극 南極と北極 / ~ 고위 회담 南北高官会談 / ~ 기본 합의서 南北基本合意書 / ~ 대화 南北対話 / ~ 문제 南北問題 / ~ 전쟁〔史〕(アメリカの)南北戦争 / ~조 시대〔史〕南北朝時代 / ~ 적십자 회담 南北赤十字会談.

남북 통일【南北統一】[—t'o:ng-il]〈名〉(韓国の)南北統一.

남분【濫分】[na:mbun]〈名〉身に余ること. 分不相応. **~하다**〈形〉身に余る. 分不相応だ.

남빙-양【南氷洋】〈名〉南氷洋. =남극해.

남-빛【藍—】[namppit]〈名〉あい(藍). あい色.

남-사당【男寺黨】〈名〉ナムサダン. 朝鮮朝末期, 主に男性が歌と踊り・曲芸・仮面劇・人形劇などを演じながら全国をさすらっていた芸人集団.

남산【南山】〈名〉〔地〕南山.
參考 ソウルの'목멱산 木覓山'の別称.

남산골 딸깍발이【南山—】[namsankkol—]〈名〉貧しい儒者.
參考 昔, ソウル南山のふもとに住んでいた儒者が貧しくて晴れた日にも雨天用のぼくり(木履)をはいてガタガタ音を立てて歩いたことから貧しい儒生をからかっていった語. '남산골 샌님'ともいった.

남상【男相】〈名〉男のような顔つきの女. 對여상(女相).

남상【濫觴】[na:msang]〈名〉濫觴. 始まり.

남상-거리다〈自〉もの欲しげに首を伸ばして, しきりに物越しに見る.
남상남상〈副・하自〉もの欲しげにしきりに首を伸ばして見るさま.

남새〈名〉野菜. 青物. 語例 ~밭 野菜畑. 菜園.

남색【藍色】〈名〉あい色. =남빛.

남생이〈名〉〔動〕くさがめ. いしがめ.

남서【南西】〈名〉南西. 語例 ~쪽 南西側 / ~풍 南西風.
表現 '남서'と'서남(西南)'は同じ方位であるが, '남서'が '남서풍 南西風'のように方角に重点をおく反面, '서남'は '서남아시아 西南アジア'のように位置に重点をおく.

***남성**【男性】〈名〉男性. 語例 ～미 男性美. 對 여성(女性).

남성【男聲】〈名〉男声. 語例 ～ 사중창 男声四重唱 / ～ 합창 男声合唱. 對 여성(女聲).

***남성-적**【男性的】〈名·冠〉男性的. 句例 ～인 매력 男性的な魅力. 對 여성적(女性的).

남실-거리다 〈自〉❶もの欲しげにしきりに首を伸ばしてこっそりと見る〔うかがう〕. ❷波がうねる.

남실남실 [namshillamshil]〈副·하自〉❶もの欲しげにしきりに首を伸ばしてこっそりと見る〔うかがう〕さま. ❷波がうねるさま：うねうね.

남십자-성【南十字星】〈名〉〔天〕(ケンタウロス座の南にある)南十字星.

남아【男兒】[nama]〈名〉男児. ❶男の子. 句例 ～를 출산하다 男の子を出産する. 語例 대한 ～ 大韓男児 / ～용 男児用. 對 여아(女兒). ❷男子. 句例 ～ 일언 중천금 男児の一言は千金よりも重し.

남아-돌다 [namadolda](—도니, —돌아서)〈自〉あり余る. 句例 남아도는 돈 あり余る金 / 남아돌 정도로 풍부하다 あり余るほど豊富だ.

***남-아메리카**【南America】[namamerik'a]〈名〉〔地〕南アメリカ. 南米. 略して'남미(南美)'ともいう. 對 북(北)아메리카.

남-아프리카【南Africa】[namap'ŭrik'a]〈名〉〔地〕南アフリカ. 南ア. 略して'남아(南阿)'ともいう. 對 북(北)아프리카.

남양【南洋】[namyang]〈名〉南洋. 語例 ～ 군도 南洋群島.

남여【籃輿】[namyŏ]〈名〉〔史〕らんよ(籃輿). いすかご.

남용【濫用】[na:myong]〈名·하他〉乱用〔濫用〕. 句例 약의 ～ 薬の乱用 / 직권을 ～하다 職権を乱用する. 語例 직권 ～ 職権乱用.

남우【男優】[namu]〈名〉男優. 語例 ～ 주연상 主演男優賞. 對 여우(女優).

남-우세 [namuse]〈名〉笑い物〔笑いぐさ〕になること. 略して'남세'ともいう. **～하다**〈自〉世間の笑い物になる. **～스럽다** (→스럽다)〈形〉嘲笑されそうだ.

남위【南緯】[namwi]〈名〉南緯. 語例 ～ 15 도 20 분 南緯十五度二十分. 對 북위(北緯).

남의-눈 [namŭinun]〈名〉人目. ＝이목(耳目). 句例 ～에 띄다 人目に付く / ～을 피하다〔꺼리다〕人目を忍ぶ〔はばかる〕.

남의-달 [namŭidal]〈名〉産み月の翌月.

남의달(을) 잡다 予定の月の翌月に出産する.

남의살-같다 [namŭisal—]〈自〉(凍えるかしびれて)肌の感覚がない.

남의집-살다 [namŭijipsalda]〈自〉住み込み奉公をする. 住み込む.

남의집-살이 [namŭijipsari]〈名〉住み込みの生活. また, その人. **～하다**〈自〉住み込む.

남인【南人】[namin]〈名〉〔史〕朝鮮朝の四常派の ひと)'북인 北人'から分派した》. →사색(四色)

***남자**【男子】〈名〉男子. 男. 男の人. おのこ《雅》. ＝사나이. 句例 ～ 체면을 세우다 男ぶりを上げる / 미덥지 못한 ～ 頼りない男. 語例 ～용 시계 男用〔男持ち〕の時計 / ～아이 男の子 / ～분 男の方 / ～ 친구 ボーイフレンド / ～옷 男物の服. 對 여자.

남자-답다【男子—】(—다우니, —다워서)〈形〉男らしい. 男前がある

남작【男爵】〈名〉〔史〕男爵.

남작 【濫作】[na:mjak]〈名·하他〉乱作〔濫作〕「らんさく.

남장【男裝】〈名·하自〉男装. 語例 ～ 미인 男装の美人. 對 여장(女裝).

남정-네【男丁—】〈名〉男衆.

參考 下流階級の女が男たちを指して言った言葉.

남존-여비【男尊女卑】[namjonnyŏbi]〈名〉男尊女卑.

남좌-여우【男左女右】[namjwayŏu]〈名〉〔民〕(陰陽説で)男は左が, 女は右が重要であるということ.

參考 左は陽, 右は陰であるから.

남중【南中】〈名·하自〉〔天〕南中. 文例 태양이 ～하면 정오가 된다 太陽が南中すると正午になる. 語例 ～ 고도 南中高度.

남진【南進】〈名·하自〉南進. 南下. 對 북진(北進).

남짓 〈依名〉(重さ·分量·数などが)いくらか余ること：余り. 余. **～하다**〈形〉…余りだ. 句例 삼십 ～한 여자 三十余りの女. 文例 키가 6척 ～하다 身の丈が六尺余りだ. 語例 한 달 ～ 一か月余り / 닷새 ～ 五日余り.

남짓-이 [namjishi]〈副〉…余り. 程. くらい.

***남-쪽**【南—】〈名〉南の方. 略して'남'ともいう. 句例 ～을 향해 서다 南の方を向いて立つ. 語例 ～ 나라 南の国 / ～ 하늘 南の空. 對 북쪽.

남창【男唱】〈名〉〔樂〕女が男の声で歌う歌. 對 여창(女唱).

남창【南窓】〈名〉南窓. 南向きの窓.

남천【南天】〈名〉南天. 南の空.

남촌【南村】〈名〉❶南の方の村. ❷〔史〕ソウル市内の南の地域. 對 북촌(北村).

남측【南側】〈名〉南側. 對 북측(北側).

남-치마【藍—】〈名〉あい色の'치마 チマ'.

남침【南侵】〈名·하自〉南侵. 對 북침(北侵).

남탕【男湯】〈名〉(銭湯の)男湯. 男風呂.

남파【南派】〈名·하他〉南派. 南の方に派遣すること. 語例 ～ 간첩 北朝鮮から韓国に送り込んだスパイ.

***남편**【男便】〈名〉夫. 亭主. 句例 ～ 있는 몸 夫のある身 / ～을 잘 섬기다 夫によく仕える / ～을 잃다〔여의다〕夫を失う. 夫に死なれる / ～을 깔아뭉개다 夫を尻に敷く. 語例 전～ 前の夫. 先夫. 前夫.

表現 '남편'은 '저의 남편은 회사원입니다 うちのひとは会社員です'のように自分の夫を指して言うときや, '그녀는 남편을 일찍 여의고 고생하고 있다 彼女は夫に早く死なれて苦労している'のように第三者のことを言うときに使う. 相手の人の夫を言うときは'부군(夫君)·바깥 양반(兩班)·바깥 어른·주인 양반·주인 어른'のようにいう.

남포[1] 〈名〉導火線を装置したダイナマイト.

남포[2] 〈名〉[ʻ남포등ʼの略] (石油)ランプ. 絵 語例 남폿불 ランプの火〔明かり〕.
参考 lampから出た言葉.

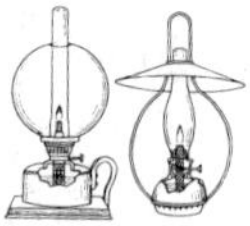
〈남포〉

남풍【南風】〈名〉南風・なんぷう. 對북풍. 類마파람.

남하【南下】〈名・하自〉南下. 語例 ～ 정책 南下政策. 對북상(北上).

*__남-학생__【男學生】〈名〉男の学生. 男子学生. 對여학생. →학생
表現 小学生から大学生までに対して使う.

*__남한__【南韓】〈名〉 ❶1945年8月15日の光復後の北緯38度線以南の韓国. ❷韓国動乱後の休戦ライン以南の韓国. 對북한(北韓).

*__남해__【南海】〈名〉南海. 南方の海.

*__남-해안__【南海岸】〈名〉南海岸.

남행【南行】〈名〉南行き. 語例 ～ 열차 南行きの列車.

남향【南向】〈名〉南向き. 南面. 語例 ～집 南向きの家 / ～판 (家の敷地・墓などが)南向きであること. 對북향(北向).

남화【南畫】〈名〉〔美〕[ʻ남종화(南宗畫)ʼの略] 南画.

남-회귀선【南回歸線】〈名〉〔天〕南回帰線. 對북회귀선.

남획【濫獲】[na:mhoek] 〈名・하他〉乱獲〔濫獲〕. 文例 ～으로 고래가 격감했다 乱獲で鯨が激減した / 치어까지 ～하는 것은 금지되어 있다 稚魚まで乱獲するのは禁じられている.

납 〈名〉鉛《記号 Pb》. 語例 ～중독 鉛中毒.

납【蠟】〈名〉蠟. 蜜蠟.

납　〔漢字項目〕

【納(納)】高校 납 ノウ. ナッ. トウ. ❶안에 넣다 内に入れる. 받아들이다 受け入れる. ▮納得 납득 なっとく. ▮出納 출납 すいとう. 嘉納 가납 かのう. ❷넣어두다 しまいこむ. 거두어 넣다 納め入れる. ▮納骨 납골 のうこつ. ▮收納 수납 しゅうのう. ❸(관청 따위에) 바치다 (官庁などに)納める. ▮納稅 납세 のうぜい. 納付 납부 のうふ. ▮獻納 헌납 けんのう.

납골【納骨】〈名〉納骨. 語例 ～당 納骨堂.

납관【納棺】〈名・하他〉納棺.

납기【納期】〈名〉納期. 句例 ～가 다가오다 納期が迫る.

납-덩이 〈名〉鉛の塊.

납덩이 같다 ❶(顔色が)鉛のように青白い. ❷(ひどく疲れてからだが)重く気だるい. 句例 머리가 납덩이같이 무겁다 頭が鉛のように重い.

납득【納得】〈名〉納得. 合点・がってん. 飲み込み. **～하다** 〈他〉納得する. 合点する. 飲み込む. 句例 ～이 가다 納得〔合点〕が行く / ～이 빠르다 飲み込みが早い / ～할 수 없다 納得できない / ～하기 어렵다 納得しがたい / 오해가 없도록 ～시키다 誤解のないよう言い含める / ～되다 納得できる. 合点する. 納得される.

납-땜【鑞─】〈名・하他〉はんだ付け. ろう付け. 語例 ～ 인두 はんだごて / ～질 はんだ付け仕事.

납량【納涼】[namnyang] 〈名〉納涼. 夕涼み. **～하다** 〈自〉納涼する. 夕涼みをする.

납본【納本】〈名・하他〉納本.

납부【納付・納附】〈名〉納付. **～하다** 〈他〉納付する. 納める. 句例 만 원씩 ～하다 一万ウォンずつ納める / 세금을 ～하다 税金を納付する. 文例 회비가 모두 ～되었다 会費が全部納められた. 語例 ～금 納付金.

납북【拉北】〈名・하他〉北朝鮮に拉致して行くこと.

납석【蠟石】〈名〉蠟石. ＝곱돌.

납세【納稅】〈名・하自〉納税. 句例 기일까지 ～하다 期日まで納税する. 語例 ～자 納税者 / ～ 고지 納税告知 / ～필증 納税済みの証明書 / ～ 의무 納税の義務.

납-세공【蠟細工】〈名〉蠟細工.

납신-거리다 ▬〈自〉ぺちゃくちゃとしゃべり立てる.
▬〈他〉しきりに頭を下げる. ぺこぺこする.

납신납신 〈副・하自他〉❶ぺちゃくちゃ. ❷ぺこぺこ.

납입【納入】[nabip] 〈名・하他〉納入. 句例 회비를 ～하다 会費を納入する. 語例 ～금 納入金 / ～ 고지 納入告知.

납작[1] 〈副・하形〉薄く平たいさま. また, 押しつけられたりやり込められたりしてぺちゃんこになるさま: 平たく. ひらべったく. ぺちゃんこに.

납작납작 [napchangnapchak] 〈副・하形〉皆が一様にひらべったいさま.

납작[2] 〈副〉 ❶口を素早く開いたり閉じたりするさま: ぱくっと. ぱくりと. がぶっと. 句例 ～ 받아먹다 ぱくっと食べる. ❷(からだを)素早くひれ伏すさま: ばったり. 句例 ～ 엎드리다 ばったりと伏せる.

납작-보리 〈名〉平麦. 押し麦. 押し割り(麦).

납작-이 [napchagi] ▬〈名〉顔がひらべったい人.
▬〈副〉平たく. ひらべったく. ぺちゃんこに.

납작-코 〈名〉あぐら鼻.

납작-하다 [napchak'ada](→하다)〈形〉平たい. ひらべったい《俗》. ぺちゃんこだ. 句例 납작한 상자 ひらべったい箱 / 납작한 접시 平たい皿 / 상대를 납작하게 만들다 相手の鼻をへし折る. やり込めてぺちゃんこにする〔へこます〕. 語例 납작해지다 平たくなる. ぺちゃんこになる.

납치【拉致】〈名・하他〉拉致. 句例 여객기를 ～하다 旅客機を乗っ取る / 괴한에게 ～되다 怪漢に拉致される. 語例 ～범 拉致犯.

납품【納品】〈名・하自他〉納品. 文例 백화점에 의복을 ～했다 デパートに衣服を納品した. 語例 ～서 納品書.

납회【納會】[nap'oe] 〈名〉納会.

**__낫__ 〈名〉かま. 絵 句例 ～을 갈다 かまを研ぐ / ～으로 풀을 베다 かまで草を刈る.

낫 놓고 ㄱ자도 모른다 いろはのいの字も知らない.

****낫다**[1] [na:tta] (낫고, 나으니, 나아서) 〈自〉 (病気が)直〔治〕る. い(癒)える《雅》. 句例 잘 낫지 않는 고질 よく治らない持病. 文例 진심으로 병이 낫기를 빈다 心から平癒を祈る. →囲み記事 15

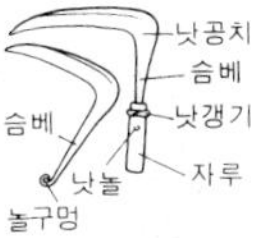

〈낫〉

***낫다**[2] [na:tta] (낫고, 나으니, 나아서) 〈形〉 勝る. 優れている. ましだ. 良い. 句例 좀더 나은 생활 よりよい暮らし / 소문보다 ～ 聞きしに勝る / 좀 더 나은 물건 もう少しましな品物. 文例 살아 수모를 겪느니 죽는 편이 ～ 生きて恥をさらすよりはむしろ死んだ方がましだ. 語例 나아지다 (より)良くなる. →囲み記事 15

낫-살 [na:tsal] 〈名〉 ['나잇살'の略] いい年. 文例 ～이나 처먹고 분수도 모른다 いい年をして身の程も知らない.

낫-잡다 [na:tchapta] 〈他〉 多目に見積もる. 余分に取る. 語例 낫잡아 多目に. 余分に.

낫-질 〈名〉 かまで刈ること. **～하다** 〈自〉 かまで刈る. 句例 ～이 서투르다 かまの使い方が下手だ.

낫-표 【一標】〈名〉 引用符号'「 」'の名.

낭 〔漢字項目〕

【娘】 高校 낭 ジョウ. 처녀 娘. 소녀 少女. ■娘子 낭자 じょうし. 娘子軍 낭자군 じょうしぐん. 娘娘 낭낭 じょうじょう.

낭군 【郎君】〈名〉 郎君. 表現 若い妻が夫をさす語.

낭도 【郎徒】〈名〉 ['화랑도(花郎徒)'の略] '화랑 花郎'の群れ.

낭독 【朗讀】[na:ngdok] 〈名・하他〉 朗読. 句例 시를 ～하다 詩を朗読する. 語例 시～ 詩の朗読 / ～자 朗読者.

낭-떠러지 〈名〉 がけ. 切り岸. 断崖. 句例 ～에서 떨어지다 がけから落ちる.

낭랑-하다 【朗朗—】[na:ngnang—] (→하다) 〈形〉 朗朗としている. 句例 낭랑한 명월 朗朗たる明月 / 낭랑한 목소리 朗朗とした〔玲瓏とした〕声.

낭만 【浪漫】[na:ngman] 〈名〉 浪漫. ロマン. 語例 ～주의 浪漫主義. ロマンチシズム / ～파 浪漫派.

낭만-적 【浪漫的】[na:ngmanjŏk] 〈名・冠〉 浪漫的. ロマンチック. 句例 ～인 생애 浪漫的な生涯.

낭보 【朗報】[na:ngbo] 〈名〉 朗報. 句例 합격했다는 ～ 合格したとの朗報.

***낭비** 【浪費】[na:ngbi] 〈名・하他〉 浪費. 空費. 乱費〔濫費〕. 無駄遣い. 句例 예산의 ～ 予算の乱費 / 돈을 ～하다 金を浪費する / ～를 없애다 無駄を省く. 語例 ～벽 浪費癖.

낭설 【浪說】[na:ngsŏl] 〈名〉 風説. 虚説. 流言. デマ. 句例 ～을 퍼뜨리다 流言を飛ばす. デマる《俗》. デマをまき散らす / ～이 떠돌다 根も葉もないうわさが広まる.

낭송 【朗誦】[na:ngsong] 〈名・하他〉 朗唱. 句例 시를 ～하다 詩を朗唱する.

낭자 【郎子】〈名〉 郎子. 表現 昔, 若い男性を親密にいった語.

낭자 【娘子】〈名〉 娘子. 娘. 乙女. 少女. 語例 ～군 娘子軍《若い女性だけで組織された軍隊や団体》. 表現 若い女性を親密にいう語.

낭자-하다 【狼藉—】[na:ngja—] (→하다) 〈形〉 取り散らかして乱雑だ. 句例 선혈이 ～ 鮮血が散り乱れている.

낭창-거리다 〈自〉 (細長い竿などが)しなやかにたわみ揺れる.

낭창낭창 〈副・하自〉 しなやかに揺れ動くさま.

낭패 【狼狽】[na:ngp'ae] 〈名〉 狼狽. 事が失敗してうろたえること. **～하다** 〈他〉 狼狽する. 慌てふためく. 句例 ～한 기색을 보이다 狼狽の色を見せる / ～를 보다〔당하다〕 不覚を取る. 文例 이거 ～로구나 これは困ったことになったな.

낭하 【廊下】〈名〉 ⇨ 복도

****낮** 〈名〉 昼間. 日中. 句例 ～과 밤 昼と夜 / ～과 밤을 가리지 않고 夜となく昼となく / ～이나 밤이나 昼も夜も. いつも / ～이 길다 昼が長い. 語例 ～동안 昼の内. 昼中. 昼間 / ～도둑 昼盗人. 昼とんび《俗》 / ～도깨비 昼間に現れる化け物〔お化け〕. 類 주간(晝間). 대낮.

****낮다** 〈形〉 低い. ❶高くない. 句例 낮은 산 低い山 / 책상이〔코가〕 ～ 机が〔鼻が〕低い. 語例 낮게 低く / 낮아지다 低くなる. 低まる. ❷(声・音が)小さい. 句例 낮은 음 低音 / 목소리가 ～ 声が低い. ❸(程度・地位が)劣っている. 句例 온도가 ～ 温度が低い / 비율이 ～ 歩が悪い / 낮은 금리 低い金利 / 질이 낮은 상품 質の悪い商品. ▷→囲み記事 15

낮-때 〈名〉 真昼. 類 한낮.

낮-말 [nanmal] 〈名〉 昼間に語る話.

낮말은 새가 듣고 밤말은 쥐가 듣는다 壁に耳あり. 昼には目あり, 夜には耳あり.

낮은-말 [najŭnmal] 〈名〉 ❶低い声でささやく語. ❷卑語.

낮은음자리-표 【一音一標】[najŭnŭm—] 〈名〉 〔樂〕 低音部記号. ヘ音記号. 絵 對 높은음자리표.

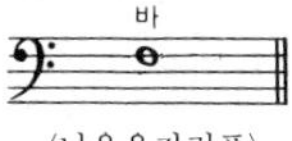

〈낮은음자리표〉

囲み記事 15

■ '낫다'と'낮다' ■

낫다は[na:tta]と長音に発音されて, '病気が治る'の意の自動詞と, '(…より)勝る〔よい〕, (…よりは)ましだ'の意の形容詞との用法がある —— 발의 상처가 다 나았다 足の傷がすっかり治った. 실력이야 이쪽이 낫지요 実力はこちらが勝っていますよ. 굴욕을 감수하느니 죽어도 싸우는 게 낫다 屈辱に甘んずるよりは死んでも戦うのがましだ.

낮다[natta]と短音で発音され, '低い'の意の形容詞である —— 낮은 산 低い山. 지위가 낮다 地位が低い. 낮은 목소리 低い声.

**낮-잠 〈名〉 昼寝. [句例] ～을 자다 昼寝をする. 午睡をとる. ㊊밤잠.

낮-잡다 〈他〉 元値より安く値踏みする. 低く見積もる.

*낮추다 〈他〉 ❶低くする. 低める. 下げる. 落とす. [句例] 목소리를 ～ 声を下げる〔落とす・低める〕/ 몸을 ～ 身を低める / 라디오의 볼륨을 ～ ラジオのボリュームを絞る. ❷目下に言う言葉遣いをする. [文例] 말씀을 낮추세요 勝手に話してください.

낮추-보다 〈他〉 ❶(人を)見下げる. ❷低く評価する〔見積もる〕. 略して'낮보다'ともいう.

낮춤-말 [natch'ummal] 〈名〉〔言〕へりくだった言いかた. '우리 我ら'に対する'저희 わたくしども' '본사 本社'に対する'폐사 弊社'などのことば. ㊊높임말.

*낯 〈名〉 顔. ❶顔面. 面. [句例] 싫은 ～을 하지 않다 嫌な顔をしない. ❷面目. 体面. [句例] ～을 보아 顔に免じて / ～이 서다 顔が立つ.

낯(을) 가리다 人見知りをする. ひとおじする. [文例] 이 애는 낯을 안 가려요 この子は人見知りをしません.

낯(이) 간지럽다 面映ゆい. しりこそばゆい. 照れ臭い. [句例] 낯간지러운 소리 照れ臭いことば. [文例] 너무 칭찬을 받아서 좀 ～ あまり褒められていささか面映ゆい.

낯(을) 깎이다 顔をつぶす.

낯(이) 두껍다 厚かましい. 面の皮が厚い. 鉄面皮だ. ずうずうしい.

낯(을) 들다 顔を上げて対面する. [文例] 부끄러워서 낯을 들고 다닐 수가 없다 恥ずかしくて顔を上げて歩けない.

낯(이) 뜨겁다 顔がほてる. 顔から火が出る. 顔向けができない.

낯(을) 붉히다 顔を赤らめる. 赤面する.

낯(이) 없다 面目ない. [文例] 대할 낯이 없다 合わす顔がない. 顔向けができない.

낯-가리다 ⇨'낯'の小項目

*낯-가림 〈名・하自他〉 人見知り. [文例] 이 아이는 ～을 합니다 この子は人見知りをします.

낯-가죽 〈名〉 面の皮.

낯가죽(이) 두껍다 面の皮が厚い. 鉄面皮だ.

낯가죽(이) 얇다 よく恥ずかしがる.

낯-간지럽다 ⇨'낯'の小項目

낯-깎이다 [natkkakkida] ⇨'낯'の小項目

낯-나다 [nannada] 〈自〉 顔〔面目〕が立つ.

낯-내다 [nannaeda] 〈自〉 顔を立てる. 恩に着せる. 恩着せがましく振る舞う.

낯-두껍다 ⇨'낯'の小項目

낯-들다 ⇨'낯'の小項目

낯-뜨겁다 ⇨'낯'の小項目

낯-모르다 [nanmorŭda] (낯모르니, 낯몰라서) 〈自〉 見知らない. 面識がない. [句例] 낯모르는 사람 見知らぬ人.

낯-바닥 〈名〉 '얼굴 顔'の俗っぽい言いかた: 面.

낯-부끄럽다 (낯부끄러우니, 낯부끄러워서) 〈形〉 面目ない. 面映ゆい.

낯-붉히다 [natpulk'ida] ⇨'낯'の小項目

낯-빛 〈名〉 顔色. ＝안색. [句例] ～이 달라지다 顔色が変わる.

*낯-설다 (낯서니, 낯설어서) 〈形〉 不慣れだ. 見知らない. 見慣れない. [句例] 낯선 사람 見慣れぬ〔見知らぬ〕人 / 낯선 고장 不慣れな土地.

낯-없다 [nadŏpta] ⇨'낯'の小項目

낯-익다 [nannikta] 〈形〉 顔なじみである. 見慣れている. [文例] 그녀와는 낯익은 사이다 彼女とは顔なじみである.

낯-익히다 [nannik'ida] 〈他〉 なじませる. 見慣れさせる. 親しませる.

낯-짝 [nattchak] 〈名〉 '얼굴 顔'の俗っぽい言いかた: 面. 面の皮. [句例] 무슨 ～으로 どの面を下げて. [文例] 그놈의 ～은 보기도 싫다 そいつの面など見たくもない.

*낱-개 [na:tkae] 〈名〉 (ばらになっている)一個. 一つ. ばら. [句例] ～로 팔다 ばらで売る.

낱-권【一巻】[na:tkwon] 〈名〉 一冊. 一巻. [文例] 전집은 ～으로도 팝니다 全集はばらでも売ります.

낱낱-이 [na:nnach'i] 〈副〉 一つ一つ. いちいち. 一つ残らず. [句例] 죄상을 ～ 들춰 내다 罪状を一つ残らずあばき出す / ～ 조사하다 一つ一つ調査する / ～ 기억하고 있다 一つ残らず覚えている.

낱-담배 [na:ttambae] 〈名〉 (露店商人などが)ばらで売るタバコ.

낱-돈 [na:tton] 〈名〉 ばら銭. 小銭.

*낱-말 [na:nmal] 〈名〉 単語. ＝단어(單語). [文例] 중요한 ～에는 밑줄을 쳤다 重要単語にはアンダーラインを引いた.

낱-셈 [na:tsem] 〈名・하他〉〔數〕一つ一つ数えること.

낱-소리 [na:tsori] 〈名〉 音素. [參考] 言語学上音韻の最小単位.

*낱소리-글 [na:tsori—] 〈名〉 音素文字. [參考] '한글 ハングル'やローマ字などがこれに当たる.

낱-알 [na:dal] 〈名〉 (個個の)粒. 一粒. [句例] ～이 크다 粒が大きい.

낱-자【一字】[na:tcha] 〈名〉 ❶一字一字. ❷字母.

낱-잔【一盞】[na:tchan] 〈名〉 (個個の)杯. [文例] 술을 ～으로 파는 술집이 있다 酒を杯で売る飲み屋がある.

*낱-장【一張】[na:tchang] 〈名〉 (紙などの)一枚. 一枚一枚.

**낳다[1] [nat'a] 〈他〉 生〔産〕む. ❶(子・卵などを)生〔産〕む. [句例] 쥐가 새끼를 ～ ねずみが子を産む / 닭이 알을 ～ 鶏が卵を産む / 사내 아이를 ～ 男の子を生む / 낳아 기르다 生み育てる. ❷作る. 生じる. [句例] 좋은 결과를 ～ よい結果を生む / 소문이 소문을 ～ うわさがうわさを生む / 기적을 ～ 奇跡を生む / 무에서 유를 ～ 無から有を生じる.

[參考] '낳는'と活用するときは [nannŭn], '낳은'と活用するときは [naŭn]と発音する.

낳은 정보다 기른 정이 크다 生みの親より育ての親.

놓다² [nat'a] 〈他〉 ❶紡ぐ. ❷(糸で織物を)織る.

-놓이 [nai] 〈尾〉 …織り. 語例 한산~ 韓山織り.

表現 地名に付いて，その地方で生産された織物の意を表わす.

내¹ 〈名〉 煙. ＝연기.

내 마신 고양이 상 煙を吸い込んだ猫の面. 毒毒しいしかめっ面のたとえ.

내² 〈名〉 '냄새'の略：におい. 句例 단 ~가 나다 焦げたにおいがする / 돈 ~를 맡다 金の気配をかぎつける. 語例 술~ 酒のにおい / 땀~ 汗のにおい / 비린~ 生臭いにおい.

****내³** [nae:] 〈名〉 流れ. 川. 小川. 句例 ~를 건너다 川を渡る.

表現 '시내 小川'より大きく'강 河'よりは小さい河川をいうが，小川も含まれる.

***내⁴** ■〈代〉 僕. おれ. わし. わたし. 文例 ~(가) 알 바 아니다 おれの知ったことではない / ~게도 한 잔 주지 않겠나 僕にも一杯注がないか. ■〈冠〉 僕の. わたしの. おれの. 我が. 文例 그건 ~ 것이다 それはわたし〔おれ〕の物だ. 語例 ~ 집 わたし〔僕〕の家. 我が家.

表現 第一人称の代名詞'나'は助詞'는・를・에게'の前まで使われるが，'가・게'の前では'내'になる. 同じような区別は'너 お前. 君' '저 わたくし'にもある.

내 밑 들어 남 보이기 自分の尻を人に見せつけるようなこと. 自分の短所を自らさらけ出すことのたとえ.

내 손톱에 장을 지져라 万一そうであったら〔なかったら〕腹を切ろう. 大言壮語するとか，強く否定するときの言葉.

내 코가 석자 わしの鼻汁が三尺. せっぱ詰まった羽目に陥って他人のことに構っていられないことのたとえ.

내 할 말을 사돈이 한다 こちらの言い分を相舅が言う. 自分の苦情を反対に相手が持ち込むことのたとえ.

내【内】〈依名〉 (区域・範囲の)内. うち. 語例 기한 ~ 期限内 / 합격권 ~ 合格圏内.

내- [nae:] 〈頭〉 ❶外の方に向かう動作を表わす語. 句例 ~보내다 出す / ~던지다 ほうり出す. ❷'力を入れて力強く'の意を表わす語. 句例 ~두르다 振り回す / ~몰다 追い立てる.

表現 固有語の動詞だけが付く.

내-【來】〈頭〉 '来る'の意：来…. 語例 ~학기 来学期.

-내 [nae:] 〈尾〉 '始めから終わりまで'の意を表わす語：…中. 語例 여름~ 夏じゅう / 겨우~ 冬じゅう.

表現 固有語にだけ付く.

내 〔漢字項目〕

【乃】 中學 내 ダイ. ナイ. ❶이에 そこで. 그리고 それから ❷어세를 고르게 하는 어조사 語勢を整える助辞. ■乃至 내지 ないし. ❸너 なんじ. ■乃父 내부 だいふ. ❹접때 さきに. ■乃者 내자 ないしゃ.

【内(內)】 中學 내 ナイ. ダイ. ❶안 内. 밖의 대(對) 外の反対. ■内面 내면 ないめん. ■城内 성내 じょうない. 國内 국내 こくない. ❷집안 家. 처 妻. ■内室 내실 ないしつ. 內子 내자 ないし. ■家內 가내 かない. ❸대궐 안 宮廷. ■大內 대내 だいない. ❹자기네끼리의 싸움 なかまうち. ■內亂 내란 ないらん. 內訌 내홍 ないこう. ❺몰래 ひそか. ■內應 내응 ないおう. 內諾 내락 ないだく.

【耐】 高校 내 タイ. ❶견디다 耐える. ■耐震 내진 たいしん. ❷참다 耐え忍ぶ. ■耐寒 내한 たいかん. ■忍耐 인내 にんたい.

내【奈】 ⇨ 나【奈】

내-가다 [nae:gada] (내가거라) 〈他〉 持ち出す. 句例 밥상을 ~ お膳を持ち出す〔下げる〕.

내각【內角】 [nae:gak] 〈名〉 ❶〔數〕 内角. ❷〔野〕 内角. インコーナー.

내각【內閣】 [nae:gak] 〈名〉 内閣. 語例 약체 ~ 弱体内閣 / 연립 ~ 連立内閣 / ~ 책임제 内閣責任制度 / ~ 불신임안 内閣不信任案 / ~ 총사퇴 内閣総辞職.

내-갈기다 [nae:galgida] 〈他〉 ❶ぶん殴る. 張り飛ばす. 句例 빰을 ~ ほっぺたをぶん殴る. ❷殴り書きにする.

내객【內客】 [nae:gaek] 〈名〉 女性の客. ＝안손님.

내객【來客】 〈名〉 来客. 訪問客. ＝손님. 句例 ~이 그칠 새 없다 来客の絶え間がない.

내-걷다 [nae:gŏtta] (내걸으니, 내걸어서) 〈自〉 前の方に向かって歩く.

내-걸다 [nae:gŏlda] (내거니, 내걸어서) 〈他〉 ❶(旗などを)掲げる. 句例 국기를 대문에 ~ 国旗を門に掲げる. ❷(条件・問題などを)ひっさげる. 掲げる. 句例 슬로건을 ~ スローガンを掲げる. ❸(命などを)かける. 句例 목숨을 내걸고 싸우다 命をかけて戦う.

내공【內攻】 [nae:gong] 〈名・하自〉 内攻.

***내과【內科】** [nae:kkwa] 〈名〉 内科. 語例 ~의 内科医者. 内科医.

내교【來校】 〈名・하自〉 来校.

내구【耐久】 [nae:gu] 〈名〉 耐久. 語例 ~력 耐久力 / ~성 耐久性 / ~ 소비재 耐久消費財.

내국【內國】 [nae:guk] 〈名〉 内国. 語例 ~세 内国税 / ~인 内国人. 對외국(外國). 類국내(國內).

내-굽다 [nae:gupta] 〈自〉 外の方に折れ曲がる. 對들이굽다.

내규【內規】 [nae:gyu] 〈名〉 内規. 句例 회사의 ~를 지키다 会社の内規を遵守する.

내근【內勤】 [nae:gŭn] 〈名・하自〉 内勤. 語例 ~ 기자 内勤記者. 對외근.

***내기** 〈名〉 かけ. かけ事. **~하다** 〈自〉 かけをする. かける. 句例 ~에 이기다 かけで勝つ. 文例 그는 ~를 좋아한다 彼は勝負事を好む. 語例 ~바둑 かけ碁 / 술~ 酒をかける勝負事.

-내기 〈尾〉 ❶(場所を示す語について)…生まれ. …育ち. 語例 시골~ 田舎っぺ / 서울~ ソウルっ子. ❷人となりを指す語. 語例 풋~ 青二才.

내나 [nae:na] 〈副〉 とうとう. ついに. 結局.

ㄴ

文例 그도 ~ 굴복했다 彼もとうとう〔ついに〕屈伏した.

내남-없이 [—ōpshi] 〈副〉 だれかれの区別なく. 自他共に. だれもかれも. 文例 그의 실력은 ~ 인정하는 바이다 彼の実力は自他共に認めるところである.

*__내내__ [nae:nae] 〈副〉 始終. 終始. ずっと. 句例 ~ 웃다 笑い通す. 文例 ~ 행복하시기를 末永くお幸せの程を / ~ 그 방침을 유지했다 終始その方針を持した. 語例 일년 ~ 一年じゅう.

**__내년__【來年】〈名〉 来年. 明年. 語例 ~봄 来春. 明春 / ~도 来年度.

*__내-놓다__ [nae:not'a] 〈他〉 ❶['내어놓다'の略] (外に)出す. 取り出す. 句例 책상을 복도에 ~ 机を廊下に出す / 가방에서 서류를 ~ かばんから書類を取り出す.
❷露出する. 句例 가슴을 ~ 胸をむき出しにする.
❸放す. 自由にする. 句例 짐승을 내놓고 기르다 家畜を放し飼いにする / 교도소에서 ~ 刑務所から出してやる.
❹売り物に出す. 句例 집을 ~ 家を売りに出す.
❺ 発表する. 出す. 句例 책을 세상에 ~ 本を世に出す / 의견을 ~ 意見を出す.
❻差し出す. 供する. 句例 재산을 빈민 구제에 ~ 財産を貧民救済に供する / 기부금을 ~ 寄付金を出す.
❼除く. 文例 나를 내놓고는 모두 부자다 僕を除いては皆お金持ちだ.
❽投げ出す. 句例 목숨을 내놓고 싸우다 命を投げ出して戦う.
❾('내놓고'の形で, 全体で) あけすけに. 包み隠さず. 句例 내놓고 비판하다 あけすけに批判する / 내놓고 말하다 包み隠さず言う.

내다[1] [nae:da] 〈自〉 (煙・炎が煙突を抜けずに)逆流する. 文例 장작이 내기만 하고 좀처럼 타지 않는다 まきがくすぶってなかなか燃えつかない.

*__내다__[2] [nae:da] 〈他〉 ❶出す. ㉠外に移す. 句例 책상을 밖으로 ~ 机を外へ出す.
㉡出発〔発車・出帆・出航〕させる. 句例 배를 ~ 船を出す / 임시 열차를 ~ 臨時列車を出す.
㉢提出〔出品〕する. (金を)支払う. 句例 원서를 ~ 願書を出す / 전람회에 ~ 展覧会に出す / 회비를 ~ 会費を出す. 文例 만원을 내고 샀다 一万円を出して買った.
㉣(新聞などに)載せる. 刊行する. 句例 광고를 신문에 ~ 広告を新聞に出す / 책을 ~ 本を出す / 잡지를 ~ 雑誌を発行する.
㉤新たに始める. 句例 가게를 ~ 店を出す〔張る〕/ 살림을 ~ 所帯を持つ.
㉥起こす. 生じる. 句例 불을 ~ 火事を起こす / 사고를 ~ 事故を起こす / 많은 사상자〔피해자〕를 ~ 多くの死傷者〔被害者〕を出す.
㉦(光・熱・声などを)発する. (ほこりなどを)立てる. 句例 소리를 ~ 音を出す〔立てる〕/ 먼지를 ~ ほこりを立てる.
㉧もてなす. おご(奢)る. 句例 술을 ~ 酒を振る舞う. 文例 이번엔 내가 한턱 내지 今度は僕がおごろう.
㉨(手紙などを)出す. 送る. 句例 독촉장을 ~ 督促状を出す.
㉩新たに加える. 句例 속력을 ~ 速力を出す / 힘〔기운〕을 ~ 元気を出す.
㉪(合計・解答・結果などを)出す. 句例 집계를〔답을〕~ 集計〔答え〕を出す / 결말을 ~ 結末をつける.
㉫生み出す. 句例 많은 인물을 ~ 多くの人物を出す.
❷(道を)つける. 開く. 通す. 句例 고속 도로를 ~ 高速道路をつくる.
❸(穴を)空ける. うがつ. 句例 터널을 ~ トンネルを掘る.
❹(時間・席などを)空ける. 句例 틈을 ~ 暇をつくる. からだを空ける / 자리를 ~ 席を空ける / 방을 ~ (貸すために)部屋を空ける / 틈을 내어 책을 읽다 暇を盗んで本を読む.
❺口に出す. 口外する. 漏らす. 句例 소문을 ~ うわさ(噂)を立てる. 文例 입밖에 내지 마라 口外するなよ.
❻表わす. 句例 성을 ~ 怒る / 화를 ~ 腹を立てる / 욕심을 ~ 欲張る.
❼(お金を)借りる. 句例 빚을 ~ 借金をする.
❽(穀物を市場に)出す. 句例 벼 열 섬을 ~ もみ(籾)10俵を市場に出す〔出して売る〕.
❾(苗を)植える. 田植えをする. 句例 모를 ~ 苗を植える.
❿(泡・湯気を)立てる.
⓫(かりうちで)進めた駒を上げる.
⓬(名詞とともに用いて)その名詞が示す状態にする意を表わす. 句例 박살을 ~ こなごなにする / 조각을 ~ 切れ切れにする.

*__내다__[3] [nae:da] 〈補動〉 ('-어〔-아〕'~の形で) その動作を成し遂げる意を表わす語: …しきる. …し抜く. …し終える. …し出す. 句例 끝까지 견디어 ~ 最後まで耐え抜く〔耐え切る〕/ 만들어 ~ 作り出す / 찾아 ~ 見つけ出す / 골라 ~ 選び出す / 좇아 ~ 追い出す.

*__내다-보다__ [nae:da—] 〈他〉 ❶外を見る. 眺める. 句例 창밖을 ~ 窓の外を眺める. ❷予知〔予測〕する. 見通す. 見越す. 句例 앞날을 ~ 将来〔先先〕を見通す / 값이 오를 것을 내다보고 땅을 사다 値上がりを見越して土地を買い込む.

내다-보이다 [nae:da—] 〈自〉 '내다보다'の受け身. ❶(内から)見える. 見渡される. 句例 창밖으로 공원이 ~ 窓から公園が見える. ❷(外から)見える. 透いて見える. 句例 속살이 ~ 肌身が透いて見える. ❸(将来のことが)見通せる. 予測される. ▷略して'내다뵈다'ともいう.

내-닫다 [nae:datta] (내달으니, 내달아서) 〈自〉 (いきなり)飛び出す. 急に走り出す.

내-달【來—】〈名〉 来月. =다음달.

내-달리다 [nae:dallida] 〈自〉 急に走り出す.

力強く進む.

내-대다 [nae:daeda]〈他〉冷たく当たる.

⁑내-던지다 [nae:—]〈他〉❶投げ〔たたき〕付ける. 投げ捨てる. ほう(放)る. ほうり出す. 句例 냅다〔휙〕 ~ 投げ飛ばす / 상사에게 사표를 ~ 上役に辞表をたたき付ける. ❷投げ出す. なげうつ. 見捨てる. 見放す. 句例 목숨을 ~ 命を投げ出す.

내-돋다 [nae:—]〈自〉(外または表に)生え出る. もえ出る. 句例 이마에 땀방울이 ~ 額に汗がにじみ出る.

내-돌리다 [nae:—]〈他〉むやみに物を持ち出して人に渡す〔回す〕.

내-동댕이치다 [nae:—]〈他〉投げ付ける. 振り捨てる. 投げ飛ばす. たたき付ける. 句例 땅바닥에 ~ 地面にたたき付ける / 일을 ~ 仕事をなげうつ.

내-두르다 [nae:—] (내두르니, 내둘러서)〈他〉❶振り回す. 句例 머리를 ~ 頭を振る. ❷(人を)言いなり放題にさせる. 意のままに動かす.

내-둘리다 [nae:—]〈自〉'내두르다'の受け身. ❶振り回される. ❷意のままに動かされる.

내-드리다 [nae:—]〈他〉(目上の人に)物を(取り出して)差し上げる.

내-디디다 [nae:—]〈他〉踏み出す. 略して'내딛다'ともいう. 句例 첫발을 ~ 第一歩を踏み出す.

내-뜨리다 [nae:—]〈他〉投げ飛ばす. ほうり投げる. (力いっぱい)投げ捨てる.

내락【內諾】 [nae:rak]〈名・하他〉内諾. 句例 ~을 얻다 内諾を得る.

***내란【內亂】** [nae:ran]〈名〉内乱. 句例 ~을 틈타 内乱に乗じて / ~을 일으키다〔진압하다〕 内乱を起こす〔鎮める〕. 語例 ~죄 内乱罪. 類내전(內戰).

⁑내려-가다 (—가거라) ━〈自〉下がる. 下る. ❶下〔降〕りる. 下〔降〕りて行く. 句例 단에서 ~ 壇を降りる / 기온〔열〕 이~ 気温〔熱〕が下がる / 빙점 이하로 ~ 氷点以下に下がる. ❷(都から地方に)行く. 句例 부산에 ~ 釜山へ下る / 내려가는 열차 下り列車. ❸(食べた物が)消化する. 文例 먹은 것이 내려가지 않아 뱃속이 트릿하다 食べた物が消化されず腹の中がもたれる. ❹(物価・成績などが)落ちる. 句例 시세가 ~ 相場が下がる / 성적이 ~ 成績が下がる.

━〈他〉下る. 句例 산길〔비탈〕을 ~ 山道〔坂〕を下る. ▷對올라가다.

내려-긋다 (내려그으니, 내려그어서)〈他〉(線を)下の方に引く.

⁑내려-놓다 [naeryŏnot'a]〈他〉下〔降〕ろす. 置く. 句例 짐을 땅바닥에 ~ 荷物を地面に下ろす.

⁑내려다-보다〈他〉見下ろす. 見下す. ❶上から下の方を見る. 句例 산에서 ~ 山から見下ろす. ❷見下げる 句例 남을 ~ 人を見下げる. 對올려다보다.

⁑내려-뜨리다〈他〉(下に)落とす.

내려본-각【一角】〈名〉俯角. 對올려본각.

⁑내려-서다〈自〉降り立つ. 文例 그는 비행기 트랩에서 지상으로 내려섰다 彼は飛行機のタラップから地上に降り立った.

내려-쓰다〈他〉(帽子を)目深にかぶる.

내려-앉다 [naeryŏantta]〈自〉❶下の方に座を取る. ❷(地位などが)落ちる. ❸(建物・山などが)崩れる. 崩れ落ちる. 句例 지붕이 ~ 屋根が崩れ(落ち)る.

⁑내려-오다 (—오너라) ━〈自〉❶下る. ㉠下〔降〕りる. 下〔降〕りて来る. 句例 하늘에서 ~ 天から下る / 단에서 ~ 壇を降りる / 이층에서 ~ 二階から下りて来る / 명령이 ~ 命令が下る. ㉡(都から地方へ)来る. 句例 서울에서 내려온 사람 ソウルから来た人. ❷伝わって来る. 伝わる. 句例 입에서 입으로 전해 내려오는 전설 口から口へと伝わった伝説.

━〈他〉下って〔下りて〕来る. 句例 산을 ~ 山を下りて来る. ▷對올라오다.

내려-지다〈自〉落とされる. 下ろされる. 落ちる. 句例 판결이 ~ 判決が下される〔下る〕.

내려-찍다〈他〉❶(斧などを)打ち下ろす. ❷写真を下向きに撮る.

내려-치다〈他〉打ち下ろす. 切り下ろす.

내력【內力】 [nae:ryŏk]〈名〉〔物〕内力.

***내력【來歷】**〈名〉来歴. 由緒. 由来. 句例 사건의 ~을 캐다 事件の来歴を尋ねる. 文例 그 ~을 들려주게 その来歴を聞かせてくれ / 이 소나무에는 ~이 있다 この松には由緒がある.

내로라 하다 (→하다) 自信満満な態度を表わす語: 我こそだ. 句例 내로라 하고 뽐내다 我だとばかり〔我が物顔に〕いばる. 文例 내로라 하는 인물이 다 모였다 自らを我と思うひとかどの人物が皆集まった.

***내륙【內陸】** [nae:ryuk]〈名〉内陸. 語例 ~ 지방 内陸地方 / ~국 内陸国 / ~성 기후 内陸性気候.

내리〈副〉❶上から下へまっすぐに. 下方へ. 句例 ~ 구르다 まっすぐに転がり落ちる. ❷初めから終わりまで. 始終. ずっと. 引き続き. ぶっ続けて. 文例 추운 날씨가 ~ 계속되었다 寒い日がずっと続いた.

내리-〈頭〉❶'上から下の方へ'の意. 句例 ~밀다 下の方に押しつける / ~훑다 (もみなどを)こ(扱)き下ろす. ❷'ひどく. やたらに'などの意. 語例 ⇨ 내리깎다 / ⇨ 내리퍼붓다

내리-긋다 (—그으니, —그어서)〈他〉(線を)縦に引く. 上から下へ引く.

내리-깎다〈他〉❶ひどく値切る. ❷ひどくけなす. こき下ろす.

내리-깔다 (—까니, —깔아서)〈他〉❶(目を)伏せる. ❷敷物などを下の方に敷く.

***내리다** ━〈自〉❶降〔下〕りる. 降る. 落ちる. 句例 내려 쌓이는 눈 降り積もる雪 / 부슬부슬 내리는 비 そぼ降りの雨 / 비가〔눈이〕 ~ 雨〔雪〕が降る / 서리가 ~ 霜が降りる / 막이 ~ 幕が下りる / 비행기가 ~ 飛行機が着陸する / 뛰어 ~ 飛び降りる.

❷(食べたものが)消化する. 文例 먹은 것이 내리지 않아 소화제를 먹었다 食べたものがよくこなれないので消化剤を飲んだ.

❸(神が)乗り移る．神懸かりになる．句例 신령이 무당에게 ～ 神霊がみこ(巫女)に乗り移る．

❹(乗り物から)降〔下〕りる．句例 배에서 ～ 船から降りる／버스에서 ～ バスから降りる．文例 다음 역에서 내리실 분은 왼쪽입니다 次の駅でお降りの方は左側です．

❺(熱・温度が)下がる〔下る〕．句例 기온이 ～ 気温が下がる／열이 ～ 熱が引く．

❻(物価・成績などが)下がる．

❼(肉が)落ちる．や(痩)せる．(体重が)減る．

❽(腫れが)引く．句例 부기가 ～ 腫れが引く．

❾根付く．(根が)下りる．張る．

❿(判決などが)下る．決まる．句例 무죄로 판결이 ～ 無罪に決まる／명령이 ～ 命令が下る．

[二]〈他〉❶下ろす．下す．下げる．句例 올린 손을 ～ あげた手を下ろす／짐을 ～ 荷を下ろす／막을 ～ 幕を下ろす．

❷落とす．㉠(値段を)切り〔引き〕下げる．句例 운임을 ～ 運賃を引き下げる．㉡(地位・程度などを)(引き)下げる．句例 한 계급 ～ 一階級引き下げる．

❸賜う．下す．取らせる．与える．句例 상〔상금〕을 ～ ほうび〔賞金〕を取らせる／벼슬을 ～ 官位を下す／시호(諡號)를 ～ 贈り名を与える．

❹(命令などを)下す．句例 판결을 ～ 判決を下す．

❺(結論などを)下す．つける．句例 정의를 ～ 定義づける／결단을 ～ 決断を下す．

❻(水を)流す．句例 (수세식 화장실의) 물을 ～ (水洗のトイレの)水を流す．

내리-닫다 (一달으니, 一달아서)〈自〉下の方に向かって走る．駆け下りる．

내리-닫이[1] [naeridaji]〈名〉上下続きの子供服．

내리-닫이[2] [naeridaji]〈名〉〔建〕上げ下げ窓．

내리-뜨다〈他〉目を伏せる．伏し目になる．

내리막〈名〉❶下り坂．語例 ～길 下り坂．❷(物事の)落ち目．句例 ～길에 처한 회사 下り坂の会社／경기가 ～에 접어들다 景気が下り坂に入る．對오르막．

내리-받이 [naeribaji]〈名〉下り坂．對치받이．

내리-비치다〈自〉上から照りつける．

내리-사랑〈名〉子に対する親の愛．

내리사랑은 있어도 치사랑은 없다 親が子を愛するのは人情だが，子はとかく親を疎んじやすい．

내리-쏟다〈他〉上から注ぐ．

내리-쏟아지다 [naerissodajida]〈自〉(水・雨などが)降り注ぐ．激しく降る．

*__내리-쬐다__〈自〉照り付ける．句例 한낮의 햇볕이 ～ 真昼の日差しが照り付ける／햇볕이 쨍쨍 ～ 日がかんかんと照る．

내리-치다〈他〉打ち下ろす．切り下ろす．たた(叩)き付ける．句例 몽둥이로 어깻죽지를 ～ 棒切れで肩口をたたき付ける．

내리키다〈他〉下りるようにさせる．下げる．下ろす．

내리-퍼붓다 (一퍼부으니, 一퍼부어서) [一]〈自〉降り注ぐ．句例 비가 ～ 雨が降り注ぐ．

[二]〈他〉(水などを)上から下へ注ぎかける．

내림〈名〉血統的な遺伝．(引いている)血筋．文例 성미가 급한 것이 그 집안 ～이다 気の短いのがその家系の血筋である．

내림【來臨】〈名〉来臨．らいが(来駕)．**～하다**〈自〉来臨する．

내림-세【一勢】〈名〉(物価・相場の)低落．下がり目．下がり気味．下向き．＝하락세(下落勢)．對오름세．

내림-표【一標】〈名〉〔樂〕変記号．フラット．對올림표．

내립떠-보다〈他〉伏し目でにらみつける．對치떠보다．

내막【內幕】 [nae:mak]〈名〉内幕．内実．楽屋裏．句例 회사의 ～ 会社の内幕／～을 폭로하다 内幕を暴く．文例 깊은 ～이 숨겨져 있다 深い内部事情が隠されている．

내-맡기다 [nae:matkida]〈他〉(すっかり)任せる．ゆだ(委)ねる．一任する．文例 회사의 업무 일체를 그에게 ～ 会社の業務一切を彼に任せる．

내면【內面】 [nae:myŏn]〈名〉内面．語例 ～적 内面的／～ 생활 内面生活／～ 묘사 内面描写．

내-명년【來明年】〈名〉再来年．＝후년(後年)．

내-명부【內命婦】 [nae:myŏngbu]〈名〉〔史〕内命婦．對외명부(外命婦)．

參考 朝鮮朝時代，正一位から従四位までの宮中女官の称．

*__내-몰다__ [nae:molda] (내모니, 내몰아서)〈他〉追い立てる．追い払う．退ける．追い出す．句例 집 밖으로 ～ 家の外へ追い出す．對들이몰다．

내-몰리다 [nae:mollida]〈自〉'내몰다'の受け身：追い立てられる．追い払われる．追い出される．駆逐される．

내무【內務】 [nae:mu]〈名〉内務．語例 ～반〔軍〕内務班／～ 행정 内務行政．

*__내무-부【內務部】__ [nae:mubu]〈名〉内務部．自治省に当たる．

내밀【內密】 [nae:mil]〈名・하形〉内密．内内．内緒．句例 ～히 조사하다 内密に調査する．内査する．

**__내-밀다__ [nae:milda] (내미니, 내밀어서) [一]〈自〉突き出る．張り出す．出っ張る．句例 내민 이마 張り出した額．

[二]〈他〉❶出す．㉠差し出す．押し出す．突き出す．句例 혀를 ～ 舌を出す／명함을 ～ 名刺を差し出す／손을 ～ 手を出す．1)手を突き出す．2)何かを要求する／창에서 머리를 ～ 窓から首を突き出す．㉡姿を見せる．句例 얼굴을 ～ 顔を出す．顔出しをする．❷差し出す．差し伸べる．句例 구원의 손길을 ～ 救いの手を差し伸べる．

내-밀리다 [nae:millida]〈自〉'내밀다'の受け身：突き〔押し〕出される．追いやられる．

내방【來訪】〈名・하自〉来訪．句例 ～을 받다

来訪を受ける. 語例 ～자 来訪者.

내방 가사【内房歌辭】[nae:banggasa]〈名〉〔文〉朝鮮朝時代, 閨秀作家たちが創作した歌辞文学.

내-뱉다 [nae:baetta]〈他〉吐き出す. 吐く. ❶(つば・たんなどを)吐く. 句例 가래침을 ～ たんを吐き出す. ❷言い捨てる. 飛ばす. 句例 내뱉듯이 말하다 吐き出すように言い捨てる.

내버려-두다 [nae:bŏryŏduda]〈他〉ほったらかす. 捨て置く. 差し置く. 放っておく. 見捨てる. 放置する. 文例 그대로 내버려둘 수는 없다 そのまま捨て置くわけには行かない / 그대로 내버려두면 그는 얼어 죽을 것이다 放って置けば彼は凍え死にするだろう.

****내-버리다** [nae:—]〈他〉(取り)捨てる. 投げ捨てる. 句例 휴지〔쓰레기〕를 ～ 紙くず〔ごみ〕を投げ捨てる.

****내-보내다** [nae:—]〈他〉❶出て行かせる. 句例 학생들을 사회에 ～ 学生たちを社会に送り出す. 文例 어린아이를 혼자 밖에 내보내면 위험하다 幼い子どもを一人で外に出すとあぶない. ❷(職場などから)辞めさせる. 解雇する. 追い出す. 句例 공원을 ～ 工員を解雇する. ▷㊥들여보내다.

내-보이다 [nae:boida]〈他〉取り出して見せる.

내복[1]【内服】[nae:bok]〈名〉下着. 肌着. ＝속옷. 내의(內衣). 句例 ～을 갈아입다 下着を着替える / ～ 한 벌 下着一着.

내복[2]【内服】[nae:bok]〈名・하他〉内服. 内用. 服用. ＝내용(內用). 語例 ～약 内服薬. 飲み薬.

***내부**【内部】[nae:bu]〈名〉内部. 内側. インサイド. 句例 ～ 사정에 밝다 内情〔内部の事情〕に明るい. 語例 ～ 사람 内部の者 / ～ 공작 内部工作 / ～ 기생 内部寄生 / ～ 에너지 内部エネルギー. ㊥외부(外部).

내분【内紛】[nae:bun]〈名〉内紛. (内輪の)もめ事. いざこざ. 内輪もめ. 内ゲバ. ないこう(内訌). 句例 ～에 휘말리다 内紛に巻き込まれる / ～이 끊이지 않다 内紛が絶えない.

내-분비【内分泌】[nae:bunbi]〈名〉〔生〕内分泌. 語例 ～선 内分泌腺.

내-붙이다 [nae:buch'ida]〈他〉張り出す. 掲示する. 句例 합격자 명단을 ～ 合格者名簿を張り出す.

내-비치다 [nae:bich'ida] ㊀〈自〉❶透き通って見える. ❷(光が)漏れる. 句例 창밖으로 불빛이 ～ 窓の外に明かりが漏れる.

㊁〈他〉ほのめかす. 句例 사의를 ～ 辞意をほのめかす.

내빈【來賓】〈名〉来賓. 語例 ～석 来賓席 / ～ 축사 来賓の祝辞.

내-빼다 [nae:ppaeda]〈自〉'달아나다 逃げ出す. 逃げる'の俗っぽい言いかた: ずらかる. 略して'빼다'ともいう. 句例 슬금슬금 ～ こそこそ逃げ出す.

내-뻗다 [nae:ppŏtta] ㊀〈自〉❶勢いよく伸びる. ❷あくまで突っ張る. 意地を張り通す.

㊁〈他〉勢いよく伸ばす〔噴き出す〕.

내-뻗치다 [nae:ppŏtch'ida]〈自他〉'내뻗다'の強調語. 句例 분수가 ～ 噴水が勢いよく噴き出る / 팔을 ～ 腕を力強く伸ばす.

내-뿜다 [nae:ppumtta]〈他〉噴き出す. 吹き付ける〔掛ける〕. 句例 분수가 물을 ～ 噴水が水を噴き上げる / 거울에 입김을 ～ 鏡に息を吹き掛ける / 시커먼 연기를 ～ 真っ黒い煙を噴き出す.

내사【内査】[nae:sa]〈名・하他〉内査.

***내색**【一色】[nae:saek]〈名〉けぶ(気振)り. 素振り. **～하다**〈自〉素振りを見せる. 表情に出す. 句例 ～도 하지 않다 素振りも見せない / 싫다는 ～을 보이다 嫌だとの素振りをする〔見せる〕.

내선【内線】[nae:sŏn]〈名〉内線. 句例 전화의 ～을 끌다 電話の内線を引く. ㊥외선(外線).

내성【耐性】[nae:sŏng]〈名〉耐性. 句例 ～이 생기다 耐性ができる. 語例 ～균 耐性菌.

내성-적【内省的】[nae:sŏngjŏk]〈名・冠〉内省的. 句例 ～인 성격 内省的な性格.

내세【來世】〈名〉〔佛〕来世. 後世. 句例 ～를 믿다 来世を信じる.

***내-세우다** [nae:seuda]〈他〉❶表面に立たせる. 立てる. 出す. 句例 그를 대표자로 ～ 彼を代表者に押し立てる / 친척을 증인으로 ～ 親戚を証人に立てる. ❷(申し)立てる. 主張する. 唱える. 掲げる. 句例 이의를 ～ 異を立てる. 異議を申し立てる / 직함을 지나치게 ～ 肩書きを振り回す / 권리를 ～ 権利を主張する / 조건을 ～ 条件を出す. 文例 이렇다 내세울 만한 것도 없다 取り立てて言う〔掲げる〕ほどのこともない.

내셔널〈名〉ナショナル. 語例 ～ 리그 ナショナルリーグ. ◇national

내셔널리즘〈名〉ナショナリズム. ◇nationalism

내-소박【内疏薄】[nae:sobak]〈名・하自〉妻が夫を疎んじて冷遇すること.

내수【内水】[nae:su]〈名〉内水. 語例 ～면 어업 内水面漁業.

내수【内需】[nae:su]〈名〉内需. 語例 ～ 산업 内需産業. ㊥외수(外需).

내수【耐水】[nae:su]〈名・하自〉耐水. 句例 시멘트는 ～성이 있다 セメントは耐水性がある. 語例 ～지 耐水紙.

내숭 [nae:sung]〈名・하形〉[もとの語形は '내흉(內凶)'] 上べは優しいようだが実は心がねじけて邪険なこと. **～스럽다** (→스럽다)〈形〉見掛けによらずこすくて邪険だ.

내숭(을) 떨다 猫をかぶる.

내-쉬다 [nae:swida]〈他〉(息を)吐く. 吐き出す. 句例 안도의 한숨을 ～ 安堵の胸をなでおろす. ㊥들이쉬다.

내습【來襲】〈名・하自〉来襲. 句例 적의 ～ 敵の来襲.

내습【耐濕】[nae:sŭp]〈名〉耐湿. 句例 ～성이 강하다 耐湿性が強い.

내시【内侍】[nae:si]〈名〉❶〔史〕王の食膳の監視・伝令・守衛・清掃などをつかさどった内侍府の官員《高麗毅宗以降宦官が勤めた》. ＝내관(內官). ❷去勢された男.

ㄴ

내시-경【內視鏡】[nae:shigyŏng]〈名〉〔醫〕内視鏡.
내식【耐蝕】[nae:shik]〈名〉耐食. 語例 ~성 耐食性.
参考 もとの字は'耐蝕'.
내신【內申】[nae:shin]〈名・하他〉内申. 語例 ~서 内申書/~ 성적 内申成績.
내신【來信】〈名〉来信. 来書. 来状. =내서(來書).
내실【內室】[nae:shil]〈名〉女性の居間. けいぼう(閨房). =내당(內堂). 對사랑(舍廊).
내실【內實】[nae:shil]〈名〉内的充実. 句例 ~을 기하다 内的充実を期する.
내심¹【內心】[nae:shim] 一〈名〉内心. 心のうち. =속마음. 句例 ~을 털어놓다 内心をうち明ける.
二〈副〉内心(では). 心のうち(では). 句例 ~ 불쾌감을 느끼다. 内心不快を覚える/~ 쾌재를 부르다 心のうちで快哉を叫ぶ. 文例 ~ 어떻게 생각하고 있는지 모른다 内心どう思っているのか分からない.
내심²【內心】[nae:shim]〔數〕内心.
내-쏘다 [nae:ssoda]〈他〉❶はばかりなく言いまくる. 鋭く言い放つ. ❷(銃などを)打ちまくる. ぶっ放す《俗》. 句例 대포를 ~ 大砲をぶっ放す.
내압【耐壓】[nae:ap]〈名〉耐圧.
내야【內野】[nae:ya]〈名〉〔野〕内野. インフィールド. 語例 ~수 内野手/~ 플라이 内野フライ. インフィールドフライ/~ 안타 内野ヒット〔安打〕/~ 땅볼 内野ゴロ. 對외야(外野).
내약【內約】[nae:yak]〈名・하他〉内約. 内内の約束.
내역【內譯】[nae:yŏk]〈名〉内訳. =명세(明細).
내연【內緣】[nae:yŏn]〈名〉内縁. 句例 ~의 처 内縁の妻. 語例 ~ 관계 内縁関係.
내연 기관【內燃機關】[nae:yŏn—]〈名〉内燃機関.
내열【耐熱】[nae:yŏl]〈名〉耐熱. 語例 ~ 유리 耐熱ガラス/~ 합금 耐熱合金/~성 耐熱性.
내-오다 [nae:oda](내오너라)〈他〉['내어오다'の略](外へ)持ち出す. 出す. 句例 술상을 ~ 酒肴のお膳を出す〔持ってくる〕.
내왕【來往】〈名・하自〉行き来. ❶来往. 句例 사람의 ~이 잦다 人の行き来が激しい. ❷交際. 文例 요즘 그이와는 ~이 없다 このごろ彼とは付き合いがない.
내외¹【內外】[nae:oe]〈名〉❶内外. =안팎. ㉠内と外. 句例 ~ 정세를 판단해 보건대 内外の情勢を判断すると. ㉡(数量などの)前後. くらい. 句例 백 명 ~ 百名内外. 百人前後/만 원 ~의 물건 一万ウォンくらいの品物. ❷夫婦. 夫妻. =부부. 文例 ~간의 금실이 좋다 夫婦の仲がごく睦じい. 語例 김씨 ~ 金さん夫婦.
내외간 싸움은 칼로 물 베기다 夫婦げんかは犬も食わない. =부부 싸움은 칼로 물 베기.
내외²【內外】[nae:oe]〈名〉(礼儀上)男女が面と向かうことを避けること. **~하다**〈自〉男女が互いに面と向かうことを避ける. 文例 너희가 컸다고 벌써 ~를 하니 お前たちが大きくなったからとてもう面と向かい合わないのかい.
내용【內用】[nae:yong]〈名・하他〉内用. 内服. =내복(內服). 語例 ~약 内服薬.
***내용**【內容】[nae:yong]〈名〉内容. (物事の)中身〔中味〕. 句例 이야기의 ~ 話の中身〔内容〕. 文例 이 책의 ~은 초등 학교 학생에게는 어렵다 この本の内容は小学生には難しい/자세한 ~은 아직 모르겠다 詳細はまだわからない. 語例 ~물 内容物. 中身/~ 증명 우편 内容証明郵便.
내용【耐用】[nae:yong]〈名〉耐用. 語例 ~ 연수 耐用年数.
내우-외환【內憂外患】[nae:uoe:hwan]〈名〉内憂外患.
내월【來月】〈名〉来月. =내달.
내유-외강【內柔外剛】[nae:yuoe:gang]〈名〉内柔外剛.
내응【內應】[nae:ŭng]〈名・하自〉内応. 内通. 裏切り. 句例 적에 ~하다 敵に内応する.
내의【內衣】[nae:ŭi]〈名〉下着. 肌着. =속옷. 내복(內服). 句例 ~를 입다 肌着を着る.
내의【內意】[nae:ŭi]〈名〉内意. 意中. 内内の意向.
내이【內耳】[nae:i]〈名〉〔生〕内耳. 語例 ~염 内耳炎.
****내일**【來日】〈名〉明日. ❶明日. あした. 略して'낼'ともいう. =명일(明日). 句例 ~이나 모레 あすかあさって. 文例 ~은 갤 테지 あすは晴れるだろう/~은 댁에 계십니까 あすはご在宅ですか. 語例 ~ 밤 あしたの晩. 明晩/~ 아침 あすの朝. 明朝. 對어제. ❷近い将来. =앞날. 句例 조국의 ~을 짊어질 젊은이 祖国のあすを担う若者/~에 대비하다 あすに備える.
내일은 해가 서쪽에서 뜨려나 보다 あすは太陽が西から昇るかも知れない. 突然の善行を皮肉っていう語.
내자【內子】[nae:ja]〈名〉家内. 女房. うちの者.
参考 他人に対して自分の妻を言う謙称.
내자【內資】[nae:ja]〈名〉国内の資本. 對외자(外資).
내장【內粧・內裝】[nae:jang]〈名・하自他〉内装. 語例 ~ 공사 内装工事.
내장【內藏】[nae:jang]〈名・하他〉内蔵. 句例 마이크가 ~되어 있는 카세트 라디오 マイクが内蔵されているラジカセ.
***내장**【內臟】[nae:jang]〈名〉〔生〕内臓. もつ《俗》. 語例 ~ 요리 臓物料理.
내재【內在】[nae:jae]〈名・하自〉内在. 文例 신은 각자의 마음 속에 ~한다 神は各人の心に内在する. 語例 ~ 철학 内在哲学. 對외재(外在).
내적【內的】[nae:tchŏk]〈名・冠〉内的. 句例 ~인 문제 内的な問題. 語例 ~ 요인 内的要因

/ ～ 경험 内的経験. 對외적(外的).

내전【內戰】[nae:jŏn]〈名〉内戦. 句例 ～이 끊일 사이 없는 나라 内戦がたえまない国. 類내란(內亂).

내접【內接】[nae:jŏp]〈名・하自〉〔數〕内接. 語例 ～원 内接円.

내정【內定】[nae:jŏng]〈名・하他〉内定. 句例 취직이 ～되다 就職が内定する.

내정【內政】[nae:jŏng]〈名〉内政. 語例 ～ 간섭 内政干渉.

*__내정__【內情】[nae:jŏng]〈名〉内情. 句例 ～을 살피다 内情を探る.

내조【內助】[nae:jo]〈名・하自他〉内助. 句例 ～의 공 内助の功.

내종【內從】[nae:jong]〈名〉'내종 사촌'の略. =고종(姑從). 語例 ～ 사촌 父の姉妹の子. いとこ. 對외종(外從).

내주【來週】〈名〉来週. 句例 ～ 토요일 来週の土曜日.

**__내-주다__ [nae:juda]〈他〉❶渡す. 渡してやる. 句例 서류를 ～ 書類を渡してやる / 저금을 ～ 貯金を払い戻してやる. ❷(中にあるものを)取り出して与える. 句例 금고에서 돈을 ～ 金庫からお金を取り出して与える. ❸明け渡す. 句例 집을 ～ 家を明け渡す / 정권을 ～ 政権を明け渡す / 사장 자리를 ～ 社長の座を譲る.

내-주장【內主張】[nae:jujang]〈名〉かかあ天下. **～하다**〈自他〉夫を尻に敷く.

*__내지__【乃至】[nae:ji]〈副〉ないし(乃至). または. 句例 북 ～ 북동풍 北ないし北東の風 / 삼년 ～ 사년 三年ないし四年. 文例 사장 ～(는) 부사장이 참석한다 社長あるいは副社長が出席する.
表現 '내지는 ないしは'ともいう.

내-지르다 [nae:jirŭda]〈他〉❶(外の方へ)けとばす. 突き出す. 句例 공을 멀리 ～ ボールを遠くへけとばす. ❷(声を)張り上げる. 句例 큰 소리를 ～ 大声を張り上げる. ❸'낳다(子を)産む'・'누다 排泄する'の俗っぽい言いかた.

내직【內職】[nae:jik]〈名〉内職. アルバイト. 對본직(本職). 類부업(副業).

내진【耐震】[nae:jin]〈名〉耐震. 語例 ～ 가옥 耐震家屋 / ～ 건축 耐震建築.

내-쫓기다 [nae:tchotkida]〈自〉'내쫓다'の受け身: 追い出される. 締め出しを食う. 句例 집에서 ～ 家から追い出される.

**__내-쫓다__ [nae:tchotta]〈他〉追い出す. 追い払う. 追放する. 文例 불평 분자를 조합에서 내쫓았다 不平分子を組合から追い出した. 類쫓아내다.

내-차다 [nae:ch'ada]〈他〉(外の方へ)けとばす.

내처 [nae:ch'ŏ]〈副〉引き続いて. ずっと終わりまで. 文例 아침까지 ～ 잤다 朝まですっと寝つづけた / 5시간이나 ～ 얘기했다 五時間もぶっこ抜いて話した / 일하던 김에 ～ 하자 仕事のついでに最後までやろう.

내-출혈【內出血】[nae:ch'ulhyŏl]〈名〉内出血. 語例 장～ 腸内出血.

내치【內治】[nae:ch'i]〈名・하他〉内治. ❶内服薬で病気を治すこと. ❷国内の政治. 對외교(外交).

내칙【內則】[nae:ch'ik]〈名〉内則.

내친-걸음 [nae:ch'ingŏrŭm]〈名〉行きがかり. 乗りかかった船. 事のついで. 文例 ～이라 그만둘 수 없다 乗りかかった船で後へは引かれない / ～에 종점까지 가자 ついでに終点まで行こう.

내친-김에 [nae:ch'in-gime]〈副〉やりかけたついでに. 行きがかり上. 文例 ～ 끝까지 하자 やりかけたついでに最後までやろう / ～ 그곳도 들렀다 갑시다 出かけたついでにそこにも寄って行きましょう.

내키다[1] [nae:k'ida] ■〈自〉気が向く. 気乗りする. 乗り気になる. 句例 내키지 않는 대답 気乗りのしない返事 / 마음(이) 내키는 대로 気の向くままに / 마음이 내키지 않다 気が乗らない.
■〈他〉乗り気にならせる. 気が向くようにする.

내키다[2] [nae:k'ida]〈名〉広めるためにの(退)ける.

내탐【內探】[nae:t'am]〈名・하他〉内探. 内偵. 句例 적정을 ～하다 敵情を内偵する.

내탕-금【內帑金】[nae:t'anggŭm]〈名〉ないどきん(内帑金). =내탕전(內帑錢).

내통【內通】[nae:t'ong]〈名・하自〉❶内通. 句例 적과 ～하다 敵と内通する. ❷(男女の)密通. 私通.

내-팽개치다 [nae:p'aenggaech'ida]〈他〉投げ捨てる. ほうり出す. かなぐり捨てる. たたき付ける. 句例 땅바닥에 ～ 地面にたたき付ける / 지위도 명예도 모두 ～ 地位も名誉もかなぐり捨てる. 文例 매일 공부는 내팽개치고 놀러만 다닌다 毎日勉強はほうり出して遊んでばかりいる.

내포【內包】[nae:p'o]〈名〉内包. **～하다**〈他〉内包する. はら(孕)む. 句例 위험성을 ～한 계획 危険性をはらんだ計画 / 가능성을 ～하다 可能性を内包する. 文例 그 말은 여러 가지 뜻을 ～하고 있다 その話はいろいろな意味を含んでいる.

내폭-제【耐爆劑】[nae:p'okche]〈名〉耐爆剤. アンチノック剤.

내피【內皮】[nae:p'i]〈名〉❶内皮. ❷甘皮. 渋皮. =보늬.

내핍【耐乏】[nae:p'ip]〈名・하自〉耐乏. 語例 ～ 생활 耐乏生活.

내-학기【來學期】〈名〉来学期.

내한【耐寒】[nae:han]〈名〉耐寒. 語例 ～ 훈련 耐寒訓練.

내한【來韓】〈名・하自〉来韓. (外国人が)韓国に来ること. 語例 ～ 공연 来韓公演.

내항【內港】[nae:hang]〈名〉〔地〕内港.

내항【內項】[nae:hang]〈名〉〔數〕内項.

내항【內航】[nae:hang]〈名〉内航. 語例 ～선 内航船.

내해【內海】[nae:hae]〈名〉〔地〕内海.

내-행성【內行星】[nae:haengsŏng]〈名〉〔天〕内惑星. 内遊星. 對외행성(外行星).

내향【內向】[nae:hyang]〈名〉内向. 語例 ～성 内向性.

내홍【內訌】[nae:hong]〈名〉内訌. うちわもめ. 内紛. ＝내분.

내화【耐火】[nae:hwa]〈名〉耐火. 語例 ～ 벽돌 耐火れんが / ～ 장치 耐火装置 / ～ 점토 耐火粘土.

내-후년【來後年】〈名〉再来年. 明後年.

*__내훈__【內訓】[nae:hun]〈名〉内訓.

*__냄비__〈名〉なべ. 句例 ～를 불에 올려놓다 なべを火にかける. 語例 ～ 요리 なべ物 / 자선 ～ 慈善なべ / ～ 뚜껑 なべぶた.

**__냄새__ [nae:msae]〈名〉❶にお(臭・匂)い. 香〔薫〕り. 香. 句例 코를 찌르는 ～ 鼻を突くにおい. 語例 향수 ～ 香水のかおり / 담배 ～ タバコのにおい. ❷…臭いこと. …めいた感じ. 句例 서양 ～가 나는 バタ臭い.

냄새가 나다 ❶にお(臭・匂)う. においがする. 句例 남자 냄새가 나는 방 男臭い部屋. 文例 가스 냄새가 난다 ガスがにおう. ❷嫌気・いやがさす. 鼻に付く. 文例 일 주일을 내리 라면만 먹었더니 라면 소리만 들어도 냄새가 난다 一週間続けてラーメンばかり食べていたのでラーメンと聞いただけでもうんざりする. 参考 ②は俗っぽい言いかた.

냄새(를) 맡다 においをか(嗅)ぐ. かぎ出す. かぎつける. 文例 범죄 냄새를 맡고 형사들이 찾아왔다 犯罪のにおいをかぎつけて刑事たちがやってきた.

냄새(를) 피우다 にお(臭・匂)わせる. 句例 향수 냄새를 피우다 香水をにおわせる / 정치적인 냄새를 피우다 政治的なにおいが漂う.

냅다[1] (내우니, 내워서)〈形〉煙たい. 煙い. 文例 방 안이 ～ 部屋のなかが煙たい.

*__냅다__[2]〈副〉一気に激しくするさま: 激しく. いきなり. 句例 ～ 때리다 (いきなり)殴り付ける. ぶん殴る《俗》/ ～ 던지다 投げ飛ばす. 投げ付ける. ぶん投げる《俗》/ ～ 도망치다 一目散に逃げ出す / ～ 달리다 突っ走る.

냅킨〈名〉ナプキン. ナフキン. 語例 종이 ～ 紙ナプキン. ◇napkin

*__냇-가__ [nae:tka]〈名〉川端. 川べ《雅》.

냇-둑 [nae:ttuk]〈名〉川岸〔河岸〕の土手.

**__냇-물__ [nae:nmul]〈名〉川水. 流れ. 句例 ～에 발을 담그다 流れに足を浸す / ～이 불어나다 川の水かさが増す.

냉【冷】[nae:ng]〈名〉〔韓醫〕❶冷え症. ❷下半身が冷え過ぎて起こる病気. ❸こしけ(白帯下). 下り物. 句例 ～이 있다 こしけがある.

냉-가슴【冷―】[nae:nggasŭm]〈名〉❶〔韓醫〕からだを冷やしたために生じる胸焼け. ❷人知れず気をもむこと. 句例 ～을 앓다 人知れず気をもむ. 一人でくよくよする.

냉각【冷却】[nae:nggak]〈名・하自他〉冷却. 語例 ～수 冷却水 / ～액 冷却液 / ～ 장치 冷却装置.

냉각-기【冷却期】[nae:nggakki]〈名〉['냉각 기간'の略] 冷却期間.

냉-국【冷―】[nae:ngkkuk]〈名〉冷やした澄まし汁. ＝찬국.

냉기【冷氣】[nae:nggi]〈名〉冷気. 冷え. 句例 ～가 심하다 冷えがきつい / ～가 감돌다 冷たい空気が漂う. 對온기(溫氣).

냉-난방【冷暖房】[nae:ngnanbang]〈名〉冷暖房. 語例 ～ 장치 冷暖房装置.

냉담【冷淡】[nae:ngdam]〈名〉冷淡. **～하다**〈形〉冷淡だ. 冷ややかだ. 冷たい. 句例 ～한 태도 冷ややかな態度 / ～하게 뿌리치다 冷淡に突き放す / ～하게 대하다 冷淡に対する. 冷たく当たる. **～히**〈副〉冷淡に. 冷ややかに. 冷たく.

냉대【冷待】[nae:ngdae]〈名〉冷遇. 冷ややかなあしらい. ＝푸대접. **～하다**〈他〉冷遇する. 冷や飯を食わせる. 句例 ～를 받다 冷遇を受ける. 冷遇される. 對후대(厚待).

냉돌【冷突・冷堗】[nae:ngdol]〈名〉冷たいオンドル部屋. ＝냉돌방(房).

냉동【冷凍】[nae:ngdong]〈名・하他〉冷凍. 語例 ～ 식품 冷凍食品 / ～육 冷凍肉. コールドミート / ～선 冷凍船 / ～고 冷凍庫. フリーザー / ～실〔기〕冷凍室〔機〕.

냉랭-하다【冷冷―】[nae:ngnaeng―] (→하다)〈形〉冷え冷えしている. 冷ややかだ. 冷たい. 句例 냉랭한 태도 冷ややかな態度. **냉랭히** [nae:ngnaenghi]〈副〉冷え冷えと. 冷ややかに.

냉매【冷媒】[nae:ngmae]〈名〉冷媒. 冷却剤.

냉면【冷麪】[nae:ngmyŏn]〈名〉れいめん(冷麵). ネンミョン. 語例 평양 ～ 汁のあるれいめん / 함흥 ～ 汁のないれいめん.

냉방【冷房】[nae:ngbang]〈名〉❶冷房. 句例 ～이 잘 되다 冷房が利く. 語例 ～병 冷房病 / ～ 장치 冷房装置. クーラー. 對난방(煖房・暖房). ❷火の気のない部屋. 類냉돌(冷突・冷堗).

냉-병【冷病】[nae:ngppyŏng]〈名〉〔韓醫〕冷え症. 冷え. ＝냉증(冷症).

냉상【冷床】[nae:ngsang]〈名〉〔農〕冷床. 對온상(溫床).

냉소【冷笑】[nae:ngso]〈名〉冷笑. あざ笑い. **～하다**〈他〉冷笑する. あざ笑う. 句例 ～를 퍼붓다 冷笑を浴びせる / ～적인 웃음 冷笑的な笑い / 입가에 ～를 띄우다 口元に冷笑を浮かべる.

냉수【冷水】[nae:ngsu]〈名〉冷水. 冷や水. 生水. お冷や. ＝찬물. 句例 ～를 마시다 冷や水を飲む / ～를 끼얹다 冷水をかける. 語例 ～ 마찰 冷水摩擦 / ～욕 冷水浴.

냉엄-하다【冷嚴―】[nae:ng-ŏm―] (→하다)〈形〉冷厳だ. きびしい. 句例 냉엄한 현실〔태도〕冷厳な現実〔態度〕/ 냉엄하게 대처하다 冷厳に対処する.

*__냉이__〈名〉〔植〕なずな(薺). ぺんぺん草. 三味線草. 語例 냉잇국 なずなの若葉のみそ汁.

냉장【冷藏】[nae:ngjang]〈名・하他〉冷蔵. 語例 ～ 온도 冷蔵温度.

**__냉장-고__【冷藏庫】[nae:ngjanggo]〈名〉冷蔵庫. フリーザー. 語例 전기 ～ 電気冷蔵庫.

냉전【冷戰】[nae:ngjŏn]〈名〉冷戦. 句例 ～ 상태가 계속되다 冷戦状態が続く. 文例 동서의 ～ 구조는 붕괴된 지 오래다 東西の冷戦構造は既に崩れて久しい. 語例 ～ 체제 冷戦

体制.

냉정【冷静】[nae:ngjŏng]〈名〉冷静. **~하다**〈形〉冷静だ. 句例 ~한 판단 冷静な判断 / ~을 되찾다 冷静に返る. 冷静を取り戻す / ~을 잃다 冷静を失う. **~히**〈副〉冷静に. 冷ややかに.

냉정-하다【冷情—】[nae:ngjŏng—] (→하다)〈形〉冷たい. つれない. 冷ややかだ. 句例 냉정한 사람 冷たい〔つれない〕人 / 냉정한 태도 冷ややかな〔冷たい〕態度. **냉정히**〈副〉冷淡に. 冷たく. 冷ややかに. つれなく.

냉주【冷酒】[nae:ngju]〈名〉冷酒. 冷や酒.

냉-찜질【冷—】[nae:ngtchimjil]〈名〉冷あんぽう(罨法).

냉차【冷茶】[nae:ngch'a]〈名〉冷やしお茶.

냉채【冷菜】[nae:ngch'ae]〈名〉冷やし物にした野菜のあえ物. 酢の物.

냉천【冷泉】[nae:ngch'ŏn]〈名〉冷泉. 對온천(溫泉).

냉철-하다【冷徹—】[nae:ngch'ŏl—] (→하다)〈形〉冷徹だ. 句例 냉철한 눈으로 관찰하다 冷徹な目で観察する. **냉철히**〈副〉冷徹に.

냉-커피【冷coffee】[nae:ngk'ŏ:p'i]〈名〉アイスコーヒー.

냉큼〈副〉直ちに. すぐに. 素早く. 文例 ~ 나가라 さっさと出て行け. 類빨리.

냉탕【冷湯】[nae:ngt'ang]〈名〉水ぶろ. 句例 ~에 들어가다 水ぶろに入る. 對온탕(溫湯).

냉해【冷害】[nae:nghae]〈名〉冷害. 句例 ~를 입다 冷害に見舞われる. 語例 ~ 대책 冷害対策.

냉혈【冷血】[nae:nghyŏl]〈名〉冷血. 語例 ~ 동물 冷血動物 / ~한 冷血漢.

냉혹-하다【冷酷—】[nae:nghok'ada] (→하다)〈形〉冷酷だ. むごい. 句例 냉혹한 처사 冷酷な〔むごい〕仕打ち. **냉혹히** [nae:nghok'i]〈副〉冷酷に. 冷ややかに.

***냠냠**〈副〉《兒》舌鼓を打つ音. **~하다**〈自〉食べたくて舌鼓を打つ. **~거리다**〈自〉❶おいしそうに食べる. ❷しきりに舌鼓を打つ.

냥【兩】〈依名〉両. 句例 은 한 ~ 銀一両目.

参考 昔の貨幣・重量の単位: '돈'の十倍.

****너**〈代〉お前. 君. 貴様《俗》. おぬし. 手前. なんじ《老》. 句例 ~의 집 君の家 / ~와 나 君と僕. 文例 ~ 나 하는 사이이다 お前おれと呼び合う間柄だ / ~는 누구냐 お前はだれか / 엄마는 ~를 무척 사랑한단다 お母さんはお前をとても愛しているんだよ.

表現 同等・目下に対して用いられる. 助詞'가・게'がつくときは'네'になる. 네가 좋아하는 영화 お前が好む映画. 네게 주마 お前にやろう.

너 자신을 알라 なんじ(汝)自らを知れ.

너 [nŏ:]〈冠〉四・よん. 句例 ~ 말 ~ 되 四斗四升 / 동전 ~ 푼 銅貨四文.

用法 'ㄷ・ㅁ・ㅂ・ㅍ・ㅎ'などを初声にする語の前に使われる.

너구리〈名〉〔動〕たぬき(狸).

너구리 같다 (たぬきのように)ずる賢い. 悪賢い. 句例 너구리 같은 놈 たぬきのようなやつ. 悪賢いやつ.

너구리 굴 보고 피물(皮物) 돈 내어 쓴다 捕らぬたぬきの皮算用.

너그러-이〈副〉大目に. 寛大に. 句例 ~ 봐주다 大目に見る / ~ 용서하다 寛大に許す.

***너그럽다** (너그러우니, 너그러워서)〈形〉寛大だ. 度量が大きい. 句例 너그러운 조처〔태도〕 寛大な処置〔態度〕/ 너그럽게 寛大に. 對옹졸하다.

너끈-하다 (→하다)〈形〉十分だ. 句例 너끈하게 十分に. 訳なく. **너끈히**〈副〉十分に. 訳なく. たやすく. 句例 너끈히 해내다 訳なくやりこなす.

너나-없이 [nŏnaŏpshi]〈副〉だれかれなしに. だれそれなく. だれもが. だれもかも. 文例 ~ 꿈은 있다 だれしも夢はある.

너나할것-없이 [nŏnahalkkŏdŏpshi]〈副〉⇨ 너나없이

너더-댓〈數・冠〉四つか五つ(くらい). 語例 ~ 새 四五日(くらい).

너더분-하다 (→하다)〈形〉ごたごたしている. 取り散らかしている. 乱雑だ. 句例 너더분하게 늘어놓다 ごたごた並べ立てる. **너더분히**〈副〉ごたごた(と).

너덕-너덕 [nŏdŏngnŏdŏk]〈副・하形〉べたべた(と). つぎはぎだらけに. 句例 ~ 기운 옷 継ぎはぎだらけの服 / 삐라를 ~ 붙이다 びらをべたべた(と)張る.

너덜-거리다 〈自〉❶出しゃばってしゃべり立てる. ❷(ぼろきれなどが)幾すじも垂れ下がって揺れる.

너덜너덜 [nŏdŏllŏdŏl]〈副・하自〉(ぼろきれなどが)揺れ動くさま. 句例 ~해진 옷 ぼろぼろの服.

너덧〈數・冠〉四つくらい. 語例 ~ 개 四個くらい / ~ 사람 四人ほど.

***너도-나도**〈副〉だれもかも. 句例 ~ 모여들다 だれもかも集まってくる.

너럭-바위〈名〉広く平たい岩.

***너르다** (너르니, 널러서)〈形〉広い. ＝넓다. 句例 너른 세상 広い世の中.

너만〈冠〉['너만한'の略] '君程度の'の意. 文例 ~ 친구도 없다 君ほどの友達もないよ.

***너머**〈名〉(山・垣などの)向こう. 向こう側. 物越し. …越し. 句例 창 ~로 보다 窓越しに見る / 벽 ~로 이야기하다 壁越しに話す. →囲み記事 16

囲み記事 16

▩ '너머'と'넘어' ▩

너머 家や山・峠など高いものを越えた, 向こう —— 산 너머 저쪽 하늘 멀리 山のかなたの空遠く. 고개 너머에 있는 마을 峠越しにある村.

넘어 '越える'の活用形'越えし' —— 고개를 넘어 날아간 새 峠を越えて飛び去った鳥. 국경을 넘어 도주하다 国境を越えて逃走する.

****너무** 〈副〉 あまり. あんまり. 随分. **～하다** 〈形〉 あんまりだ. 句例 ～ 심하다 あまりひどい / 해도 ～한 처사 あまりといえばあまりの仕打ち. 文例 ～ 욕심부리면 아무 것도 못 얻게 된다 あまり欲張るとあぶはち取らずになるよ.

***너무-나** 〈副〉 '너무'の強調語: あまりに. あまりにも. 句例 ～ 유명하다 あまりにも有名だ / ～도 あまりにも. 文例 ～ 아름다워 넋을 잃고 바라보았다 あまりの美しさにうっとりと見とれた / ～ 커서 깜짝 놀랐다 あまり大きいのでびっくりした.

너벅-선 【一船】 〈名〉 平底の船. 平田舟.

너부죽-이 [nŏbujugi] 〈副〉 ❶平たくてやや広く. ❷おもむろにひれ伏すさま. 句例 ～ 절을 하다 おもむろにひれ伏しておじぎをする.

너부죽-하다 [nŏbujuk'ada] (→하다) 〈形〉 平たくてやや広い.

***너비** 〈名〉 幅. ＝폭(幅). 句例 ～가 넓다〔좁다〕 幅が広い〔狭い〕 / 강의 ～가 50미터는 된다 川幅が50メートルはある. 類나비.

너비-아니 〈名〉 薄く切って味をつけて焼いた牛肉. 味付けの焼き肉. →불고기

너와-집 〈名〉 薄い木片で屋根をふ(葺)いた家.

너울 〈名〉 ❶〔史〕 黒色の薄絹で作った婦女子の外出用かぶり物. 絵 ❷昔, 新婦がつけた黒い紗のベール. 類면사포.

〈너울〉

너울-거리다 〈自〉 ❶(海が)大波を立てる. しきりにうねる〔波打つ〕. ❷(木の葉などが)揺れ動く. ゆらゆらなびく.

너울너울 [nŏullŏul] 〈副・하自〉 ゆらゆら. のたりのたり. ひらひら. 句例 나비가 ～ 춤추다 ちょう(蝶)がひらひらと舞う.

너절-하다 (→하다) 〈形〉 ❶(こざっぱりしないで)むさくるしい. 汚らしい. 句例 너절한 옷차림 むさくるしい身なり / 너절한 꼴 むさくるしい風体. ❷くだらない. つまらない. 句例 너절한 작품 くだらない作品.

너클 볼 [nŏk'ŭlbo:l] 〈名〉 ナックルボール. ◇knucle ball

너털-웃음 [nŏt'ŏrusŭm] 〈名〉 豪放な笑い. 高笑い. 句例 ～을 웃다 高笑いする.

너트 〈名〉 ナット. 句例 ～와 볼트 ナットとボルト. ◇nut

너풀-거리다 〈自〉 激しくはためく. 文例 국기가 너풀거리고 있다 国旗がはためいている.
表現 語感の小さい語は'나풀거리다'.

너풀너풀 [nŏp'ullŏp'ul] 〈副・하自〉 はたはた. ひらひら.

***너희** [nŏhi] 〈代〉 '너'の複数: お前たち. 君たち. お前ら. 諸君. なんじら《雅》. 者ども《雅》. 文例 ～집은 어디냐 君らのうちはどこだ / ～ 아버지는 돌아가셨니 お前たちの お父さんはなくなったのか. 語例 ～들 お前たちら. 君たちら.

넉 [nŏ:k] 〈冠〉 四. 語例 ～ 달 四か月 / ～ 장 四枚 / ～ 자 四尺 / ～ 단 四束 / 쌀 ～ 섬 米四俵.
表現 数詞の'넷 四'が'ㄴ・ㄷ・ㅅ・ス'などを初声とする語の前にきたとき変わった語.

넉-가래 〈名〉 穀物・雪などを一か所に寄せ集めるのに使う道具.

넉넉-잡다 [nŏngnŏkchapta] 〈自〉 余裕をもって見積もる. 句例 넉넉잡아 삼개월 長くて〔長く見積もって〕三か月.

****넉넉-하다** [nŏngnŏk'ada] (→하다) 〈形〉 ❶十分〔充分〕だ. 文例 쌀은 ～ お米は充分だ. ❷(暮らしが)豊かだ. 裕福だ. 事欠かない. 句例 넉넉한 살림 裕福な暮らし / 살림이 ～ 暮らし(向き)がよい. **넉넉히** [nŏngnŏk'i] 〈副〉 十分〔充分〕に. 裕福に.

넉살 〈名〉 ふてぶてしさ. 厚かましさ. **～스럽다** (→스럽다) 〈形〉 ふてぶてしい. 厚かましい. ずうずうしい. 図太い. 句例 ～스럽게 굴다 ふてぶてしく振る舞う. **～스레** 〈副〉 ふてぶてしく. 厚かましく.

넉살(을) 떨다 ふてぶてしく〔図太く〕振る舞う.

넉살(을) 부리다 ふてぶてしく振る舞う.

넉살(이) 좋다 ふてぶてしい. 虫がいい. 臆面がない. しゃあしゃあ(と)している. ずうずうしい. 図太い.

넋 [nŏk] 〈名〉 魂. ❶霊. 句例 희생자의 ～을 위로하다 犠牲者の霊を慰める〔鎮める〕. ❷精神. 気. 句例 ～을 빼앗다 魂を奪う. とろかす.
参考 '넋이 魂が', '넋을 魂を'は [nŏkssi], [nŏksŭl]と 読む.

넋(이) 나가다 (驚いて)魂が抜ける. 句例 넋이 나간 사람 魂の抜けた人.

넋(을) 놓다 ❶気を落とす. ❷(気が抜けて)ぼんやりする.

넋(이) 없다 ぼんやりしている. ぼうっとしている.

넋(을) 잃다 (…に)魂を奪われる. とろける. ぼんやりする. 句例 넋을 잃고 바라보다 我を忘れて見とれる〔見入る〕. ぼんやりと見入る.

넋-두리 [nŏkturi] 〈名〉 ❶(みこの)御託. 口寄せ. 死に口. ❷愚痴. 泣き言.

넋-없이 [nŏgŏpshi] 〈副〉 ぼんやりと. われを忘れて. 句例 ～ 서 있다 ぼんやり立っている.

넌더리 〈名〉 懲りること. 嫌気がさすこと. うんざりすること. 略して'넌덜'ともいう. →넌덜머리

넌더리(가) 나다 懲りる. うんざりする. 嫌気がさす. う(倦)む. 飽きる. 文例 생각만 해도 넌더리가 난다 考えただけでもうんざりする.

넌더리(를) 내다 ひどく嫌がる〔嫌う〕. 句例 잔소리에 ～ お説教にうんざりする.

넌덜-머리 〈名〉 '넌더리 うんざり'の下品な言いかた.

넌지시 〈副〉 それとなく. そっと. 暗に. 句例 ～ 일러주다 それとなく知らせる / ～ 사의(辭意)를 비치다 それとなく辞意をほのめかす / ～ 눈길을 보내다 ひそかに視線を送る / ～ 돈을 쥐어주다 そっとお金を握らせる.

널 [nŏ:l] 〈名〉 ❶['널빤지'の略] 板. 語例 너 푼 ～ 四分板. ❷板跳びの板. ❸ひつぎ(棺・柩).

널다 [nŏ:lda] (너니, 널어서) 〈他〉 干す. 干し物をする. 句例 빨래를 ～ 洗濯物を干す /

곡식을 마당에 ～ 穀物を庭に広げて乾かす.

*__널따랗다__ [nŏlttarat'a] (널따라니, 널따라오) 〈形〉 広広としている. 広い. 句例 널따란 목장 広広とした牧場・牧場. 對좁다랗다.

__널-뛰기__ [nŏ:lttwigi] 〈名〉 板跳び. ～**하다** 〈自〉 板跳びをする. ＝널뛰다.

__널름-거리다__ 〈他〉 ❶舌の先または手先を続けざまに素早く出したり入れたりする. ❷欲しがってしきりにねらう.

表現 語感の小さい語は'날름거리다'.

__널름널름__ 〈副・하自他〉 ぺろぺろ(と).

*__널리__ 〈副〉 ❶広く. あまねく. 句例 ～ 천하에 알리다〔알려지다〕 あまねく天下に知らせる〔知れ渡る〕/ 인재를 ～ 구하다 人材を広く求める. ❷寛大に. 大目に. 文例 ～ 이해해 주십시오 寛大にご理解ください.

__널리다__ 〈自〉'널다'の受け身. ❶散らばる. 文例 도처에 시체가 널려 있었다 至る所にしかばね(屍)が散らばっていた. ❷(干し物が)干される.

*__널-빤지__ [nŏ:lppanji] 〈名〉 板. 板材. 略して'널'ともいう. 句例 ～에 못을 박다 板に釘を打つ.

__널찍-이__ [nŏltchigi] 〈副〉 広やかに. 広広と.

__널찍-하다__ [nŏltchik'ada] (→하다) 〈形〉 広やかだ. 広広としている.

__널찍널찍__ [nŏltchingnŏltchik] 〈副〉 広広と. ～**하다** 〈形〉 みんな広広としている. 句例 ～한 마당 広広とした庭.

__널-판때기__ [nŏ:lp'anttaegi] 〈名〉 広くて長い厚板. ＝널판자.

**__넓다__ [nŏltta] 〈形〉 広い. ❶面積が大きい. 句例 이마가 ～ 額が広い.

❷幅が広い. 句例 넓은 길로 나오다 広い道へ出る / 보폭이 ～ 歩幅が広い.

❸心が寛大である. 句例 도량이 ～ 度量が広い.

❹付き合いが多い. 句例 교제가〔발이〕 ～ 交際が広い.

❺(範囲が)大きい. 句例 넓은 뜻으로는 広い意味では. 文例 학문의 세계는 끝없이 넓고 깊은 것이다 学問の世界は限りなく広くて深いものだ. ▷對좁다.

參考 '넓으니 広いから', '넓고 広くて'は [nŏlbŭni], [nŏlkko]と読む.

__넓디-넓다__ [nŏlttinŏltta] 〈形〉 とても〔非常に, たいへん〕広い. 限りなく広い. 広広としている. →넓다 參考

__넓어-지다__ [nŏlbŏjida] 〈自〉 広くなる. 広がる. 句例 길이 ～ 道が広がる. 對좁아지다.

*__넓이__ [nŏlbi] 〈名〉 ❶広さ. 句例 세 사람이 들어갈 ～ 三人が入れる広さ. ❷〔數〕 面積. 句例 원의 ～ 円の面積.

__넓이-뛰기__ [nŏlbittwigi] 〈名〉 ⇨ 멀리뛰기

__넓적-다리__ [nŏpchŏktari] 〈名〉 太もも. だいたい(大腿). 句例 ～를 드러내다 太ももをむき出す.

__넓적-하다__ [nŏpchŏk'ada] (→하다) 〈形〉 平たい. 扁平だ. 広い. 句例 넓적한 얼굴 平たい顔.

__넓적넓적__ [nŏpchŏngnŏpchŏk] 〈副・하形〉 皆一様に平たいさま.

__넓죽-이__ [nŏpchugi] 〈名〉 平たい顔の人.

*__넓히다__ [nŏlp'ida] 〈他〉 広くする. 広げる. 広める. 句例 도로를 ～ 道路を広げる / 견문을 ～ 見聞を広める / 세력을 ～ 勢力を広げる. 對좁히다.

__넘겨다-보다__ 〈他〉 ❶欲しがる. 不当な欲を出す. 句例 남의 재산을 ～ 人の財産をうかがう. ❷物越しに見る. のぞく. ＝넘어다보다.

__넘겨-씌우다__ [nŏmgyŏssiuda] 〈他〉 (人に)おっかぶせる. なすりつける. 句例 남에게 죄를 ～ 人に罪をなすりつける.

__넘겨-잡다__ 〈他〉 当て推量をする.

__넘겨-짚다__ 〈他〉 当て推量をする. かま(鎌)をかける《俗》. 句例 넘겨짚고 한 말 かま(鎌)をかけたことば.

__넘고-처지다__ [nŏ:mkkoch'ŏjida] 〈自〉 釣り合わない. 文例 내게는 넘고처지는 혼담이다 わたしには釣り合わない縁談である.

*__넘기다__[1] 〈他〉 ❶(物越しに)渡す. 句例 담 너머로 ～ 垣根越しに渡す.

❷倒す. 句例 나무를 잘라 ～ 木を切り倒す / 풀을 베어 ～ 草をなぎ倒す.

❸(困難などを)切り抜ける. 乗り切る. 越す. 句例 어려운 고비를 ～ 難場を切り抜ける / 추운 겨울을 ～ 寒い冬を越す. 文例 더위도 고비를 넘겼다 暑さも峠を越した.

❹渡す. 引き渡す. 句例 채권을 제3자에게 ～ 債権を第三者に譲る / 물건을 넘겨 주다 品物を渡す / 범인을 경찰에 ～ 犯人を警察に引き渡す.

❺(時間・期限などを)越す. 超過する. 句例 해를 ～ 年を越す / 약속 기일을 ～ 約束の期日を越す / 나이 60을 ～ 年六十を越す.

❻めく(捲)る. 繰る. はぐ(撥)る. 句例 달력을 ～ カレンダー〔暦〕をはぐる / 책장을 ～ ページをめくる〔繰る〕.

❼飛ばす. 句例 책 중간을 넘기고 읽다 本の半ばを飛ばして読む.

❽繰り越す. 持ち越す. 句例 심의를 내일로 ～ 審議を明日に持ち越す.

❾('-아〔-어〕 ～'の形で) その動作の語勢を強める語. 句例 팔아 ～ 売り渡す. 売り飛ばす / 속여 ～ まんまとだます.

__넘기다__[2] 〈他〉'넘다'の使役形. ❶越えさせる. ❷あふれさせる. 句例 수돗물을 ～ 水道の水をあふれさせる.

*__넘나-들다__ [nŏ:mnadŭlda] 〈自他〉 (頻繁に)出入りする. 句例 국경을 ～ 国境を往来する.

**__넘다__ [nŏ:mtta] ㊀〈自〉 ❶(度が)過ぎる. 越える. 句例 한 말이 ～ 一斗にあまる. 文例 재학생이 5백 명이 ～ 在学生が五百名を越える.

❷(時が)過ぎる. 句例 나이 마흔이 ～ 年四十を越す. 文例 벌써 열두 시가 넘었다 もはや十二時が過ぎた.

㊁〈他〉 ❶越す. 越える. 句例 산을 ～ 山を越える / 난관을 ～ 難関を越す.

ㄴ

ㄴ

❷(度を)越す．過ごす．句例 30도가 넘는 더위 30度を越す暑さ / 도를 ～ 度を越す / 예산을 넘지 않는 범위에서 予算を出ない範囲で．

❸(飛び)越える．またぐ．句例 담을 ～ 塀を越える / 문지방을 ～ 敷居をまたぐ．

넘버〈名〉ナンバー．語例 차량 ～ 車のナンバー / ～ 원 ナンバーワン．◇number

넘-보다 [nŏ:mboda]〈他〉見下げる．見下す．見くびる．＝깔보다．句例 상대를 ～ 相手を見くびる．相手を飲んでかかる．

넘실-거리다〈自〉❶(欲しがって)しきりに首を伸ばしてねらう〔うかがう〕．❷(波が)つづけざまにうねる．句例 황금 물결이 넘실거리는 평야 黄金の波がうねる平野．

**넘어-가다 [nŏmŏgada] (넘어가거라) ㊀〈自〉❶倒れる．㉠横に倒れる．句例 태풍에 담이 ～ 台風で塀が倒れる．㉡滅びる．倒産する．句例 회사가 불경기로 ～ 会社が不景気で倒れる．

❷経過する．過ぎる．句例 기한이 ～ 期限が切れる．

❸㉠(人の手に)落ちる．渡る．句例 집이 남의 손에 ～ 家が人手に落ちる〔渡る〕/ 소유권이 ～ 所有権が移る．㉡移る．句例 본론으로 ～ 本論に移る / 다음 단계로 ～ 次の段階に移る．

❹沈む．句例 해가 ～ 日が沈む．

❺だまされる．(甘言に)乗せられる．句例 남의 감언〔유혹〕에 ～ 人の甘口〔誘惑〕に乗る〔釣られる〕/ 감쪽같이 속아 ～ いっぱい食わされる / 호락호락 ～ むざむざ(と)ひっかかる．

❻(飲食物がのどもとを)過ぎる．句例 밥이 목구멍을 ～ ご飯がのどもとを過ぎる．

❼めくられる．句例 바람에 책장이 ～ 風に本のページがめくられる．

㊁〈他〉越える．越す．句例 국경선을 ～ 国境線を越えて行く．

넘어다-보다 [nŏmŏda—]〈他〉物越しに見る．句例 담을 ～ 塀越しに見る．

*__넘어-뜨리다__ [nŏmŏ—]〈他〉(打ち)倒す．＝넘어트리다．句例 나무를 ～ 立ち木を倒す / 정부를 ～ 政府を倒す / 앞으로 밀어 ～ 突きのめす．

*__넘어-서다__ [nŏmŏ—]〈他〉通り越す．切り抜ける．句例 문지방을 ～ 敷居を踏み越える / 병세가 고비를 ～ 病状がとうげを越す．

**__넘어-오다__ [nŏmŏ—] (—오너라) ㊀〈自〉❶(こちらへ)倒れる．句例 장작더미가 ～ 薪の山がこちらへ倒れる．❷(責任・権利などがこちらへ)移って来る．移管される．句例 소유권이 ～ 所有権が移って来る．❸(食べた物が)込み上げる．吐き気を催す．句例 먹은 것이 ～ 食べた物を戻す．

㊁〈他〉(こちらへ)越えて来る．句例 산〔국경선〕을 ～ 山〔国境線〕を越えて来る．

**__넘어-지다__ [nŏmŏ—]〈自〉倒れる．転ぶ．句例 미끄러져 ～ 滑って転ぶ / 발이 걸려 ～ つまずいて倒れる / 옆으로 ～ 横ざまに倒れる / 벌렁 ～ 仰向けに倒れる．

넘쳐-흐르다 [nŏmch'ŏ—] (—흐르니, —흘러서)〈自〉満ちあふれる．みなぎる．句例 젊음이 ～ 若さがみなぎる / 맥주가 컵에 ～ ビールがコップにあふれる．

*__넘치다__ [nŏ:mch'ida]〈自〉❶あふれる．こぼれる．みなぎる．句例 끓어 ～ 煮えあふれる / 투지가 ～ 闘志がみなぎる / 강물이 ～ 川の水があふれる / 기쁨이 넘치는 얼굴 うれしさにあふれた顔．❷過ぎる．あまる．句例 분에 ～ 分に過ぎる / 분에 넘치는 영광 身に余る光栄．

넙죽-거리다〈他〉❶(口を)ぱくぱくする．❷しきりにひれ伏す．

넙죽넙죽 [nŏpchungnŏpchuk]〈副・하他〉ぺたっぺたっと．

넙치〈名〉〔魚〕ひらめ．

表現 食品としては'광어(廣魚)'ともいう．

넝마〈名〉ぼろ．くず物．お払い物．句例 ～를 걸치다 ぼろをまとう / ～ 같은 옷 おんぼろな服．語例 ～장수 くず屋 / ～주이 くず拾い．ばた屋．拾い屋《俗》．

**__넣다__ [nŏ:t'a]〈他〉入れる．❶(中へ)差し入れる．込める．差す．句例 안약을 ～ 目薬を入れる / 타이어에 바람을 ～ タイヤに空気を入れる / 스위치를 ～ スイッチを入れる．

❷(金を)預ける．納める．句例 은행에 백만 원을 ～ 銀行に百万ウォンを預金する．

❸収容する．収める．しまう．句例 옷을 옷장에 ～ 服をたんすにしまう / 시체를 관에 ～ 死体を棺に収める / 주머니에 돈을 ～ ポケットに金を入れる．

❹含める．込める．句例 계산에 ～ 勘定に入れる．文例 운임은 수수료를 넣어서 5천 원입니다 運賃は手数料を含めて五千ウォンです．

❺(学校・団体などに)入れる．句例 학교에 ～ 学校に入れる〔入学させる〕．

❻(物を)はめ込む．差しはさむ．句例 반지에 보석을 ～ 指輪に宝石を入れる / 솜을 ～ 綿を入れる．

❼(自分の)物にする．句例 진귀한 고서를 손에 ～ 珍しい古書を手に入れる〔ものにする・手中に収める〕．

❽(感情を)込める．句例 감정을 넣어서 노래하다 感情を込めて〔入れて〕歌う / 기합을 ～ 気合を入れる．

❾介入させる．句例 중간에 사람을 ～ 間に人を介する．

*__네__[1] ㊀〈代〉お前．君．手前．そら．文例 ～가 해라 お前がやれ / ～가 가 줬으면 좋겠다 お前に行ってもらおう / ～가 알 바 아니다 手前の知ったことじゃない / ～게 주마 お前にやろう．

㊁〈冠〉'너의'の意．お前の．君の．文例 ～ 책이다 君の本だ / ～ 말이 맞다 君の言うとおりだ．

表現 主格助詞'가'および副詞格助詞'에게'の略'게'の前に使われる'너'の変形．

*__네__[2] [ne:]〈冠〉四つの．よん．よつ．語例 ～ 살 四歳 / ～ 사람 四人 / ～ 개 四個．よっつ．

*__네__[3]〈感〉❶返事をしたり承知したことを表わす語：はい．ええ．文例 ～, 그렇습니다 はい〔ええ〕, そうです．❷反問する意を表わす語：

え. 文例 ~, 뭐라고요 え, なんですって.
表現 目上の人に対して使われるより丁寧なことばは'예'.

네-거리 [ne:gŏri] 〈名〉 四つ角. 四つつじ(辻). 十字路. 句例 ~를 오른쪽으로 돌다 四つ角を右に曲がる.

***네-댓** 〈數・冠〉 四つか五つくらい. =네다섯. 句例 ~ 사람 四五人ぐらい.

$^{*}_{*}$네-모 [ne:mo] 〈名〉 四角. 角形. 句例 ~ 반듯한 집 きちんとした 四角の家. 語例 ~꼴 四角形.

네모(가) 나다 四角張っている. 句例 네모난 상자 四角の箱 / 종이를 네모나게 접다 紙を角形に折る.

***네모-지다** [ne:mo—] 〈形〉 角張る. 四角い. 句例 네모진 얼굴 角張った〔四角張った〕顔.

네-발 [ne:bal] 〈名〉 (獣の)四つ足. 四足. 語例 ~ 짐승 四つ足の動物.

네온 〈名〉〔化〕 ネオン. 語例 ~ 사인 ネオンサイン. ◇neon

네이블 〈名〉〔植〕 ['네이블 오렌지'の略] ネーブル. ◇navel

네임 〈名〉 ネーム. 語例 ~밸류 ネームバリュー. ◇name

네트 〈名〉 ネット. 語例 헤어 ~ ヘアネット / ~볼 ネットボール / ~인 ネットイン / ~ 플레이 ネットプレー. ◇net

네트-워크 [net'ŭwo:k'ŭ] 〈名〉 ネットワーク. ◇network

네-활개 [ne:hwalgae] 〈名〉 大の字に伸ばした両手両足. 句例 ~를 쭉 뻗고 자다 手足を広げて寝る.

네활개(를) 치다 大手を振って歩く. のさばる. 句例 네활개를 치며 다니다 意気揚揚と歩き回る. 大手を振って歩く.

넥타 〈名〉 ネクター. 句例 사과 ~ リンゴネクター. ◇nectar

$^{*}_{*}$넥-타이 〈名〉 ネクタイ. 句例 ~를 매다 ネクタイを締める. 語例 ~핀 タイピン. ネクタイピン / 나비 ~ ちょう(蝶)ネクタイ. ◇necktie

$^{*}_{*}$넷 [ne:t] 〈數〉 四つ. よん. 四. 句例 하나 둘 셋 ~ 一二三四. 文例 살아남은 사람은 ~뿐이다 生き残った人は四人だけだ.

녀 〔漢字項目〕

【女】 中學 녀 ジョ. ❶여자 女. ■女性 여성 じょせい. ■男女 남녀 だんじょ. ❷딸 娘. ■女壻 여서 じょせい. ■長女 장녀 ちょうじょ.

***녀석** 〈依名〉 やつ. 野郎. 句例 바보 같은 ~ ばか者 / 그 ~ そいつ / 이 ~ こいつ奴 / 우스운 ~ おかしな〔変わった〕やつ. ㊍년.
表現 男性をののしり卑しめていう語. 男の子を愛らしくいうときにも使う. 요~ 제법 컸구나 こいつ, ずいぶん大きくなったな.

년 〈依名〉 あま(っ子). あまっちょ. 女郎. 句例 이 망할 ~ このばいため. 句例 이 ~ 나가거라 このあま出て行け.
表現 女性をののしり卑しめていう語. 女の子を愛情をこめていうときにも使う.

고 ~ 참 예쁘다 そこの女の子本当にかわいいな.

***년** 【年】 〈依名〉 年. 句例 오 ~ 후 五年後 / 십 ~이 가도 백 ~이 가도 十年たっても百年たっても.

년 〔漢字項目〕

【年】 中學 년 ネン. ❶해 年. ㉠12개월 十二個月. ■年中 연중 ねんちゅう. ■多年 다년 たねん. ㉡시대 時代. 때 時. ■年代 연대 ねんだい. ❷나이 よわい. ■年齒 연치 ねんし. ■中年 중년 ちゅうねん.

념 〔漢字項目〕

【念】 中學 념 ネン. ❶생각 思い. ■念頭 염두 ねんとう. ■斷念 단념 だんねん. ❷생각하다 思う. ■念願 염원 ねんがん. ■執念 집념 しゅうねん. ❸외다 唱える. ■念誦 염송 ねんじゅ〔ねんず〕.

녕 〔漢字項目〕

【寧(寗)】 高校 녕 ネイ. ❶차라리 むしろ. ❷어찌 なんぞ. ❸평안하다 安んじる. 편안히 하다 安らかにする. ㉠무사하다 無事だ. ■寧日 영일 ねいじつ. 寧靜 영정 ねいせい. ㉡건강하다 健康だ. ■寧康 영강 ねいこう.

녘 〈依名〉 …ごろ. …方. 方. 語例 새벽 ~ 夜明けごろ / 동틀 ~ 明け方 / 해질 ~ 日暮れ方 / 북~ 하늘 北方の空.

노[1] 〈名〉 ひも(紐). 細引き. (ほそい)麻なわ. 句例 ~를 꼬다 ひもをよる. ㊋노끈.

노 드리듯 雨あがしの(篠)突くように激しく降り続くさま.

***노** 【櫓】 〈名〉 ろ(櫓). かい(櫂). オール. 句例 ~를 젓다 櫓を漕ぐ.

노[2] [no:] 〈名・感〉 ノー. 文例 답은 ~다 答えはノーだ / 예스냐 ~냐 イエスかノーか. 語例 ⇨ 노코멘트. ◇no

노 〔漢字項目〕

【努】 高校 노 ド. 힘쓰다 努める. 부지런히 일하다 一生懸命仕事をする. ■努力 노력 どりょく.

【奴】 高校 노 ド. ❶종 奴婢. 남자 종 下僕. ■奴隸 노예 どれい. ■官奴 관노 かんど. ❷놈 やっこ. やつ. ■賣國奴 매국노 ばいこくど. 守錢奴 수전노 しゅせんど.

【怒】 中學 노 ド. ❶성내다 怒る. 화내다 怒る. ■怒氣 노기 どき. ■憤怒 분노 ふんど. ふんぬ. ❷기세가 대단하다 勢いが強い. ■怒濤 노도 どとう. 怒號 노호 どごう.

노가리 〈名〉〔魚〕 すけとうだらの幼魚.

노경 【老境】 [no:gyŏng] 〈名〉 老境. =늙바탕. 句例 ~을 맞이하다 老境を迎える.

노고 【勞苦】 〈名〉 労苦. 苦労. 骨折り. 労. ~하다 〈自〉 苦労する. 労する. 骨折る. 句例 ~에 보답하다 労苦〔労〕に報いる / ~를 위로하다 労をいたわる. 労をねぎらう.

노고지리 〈名〉 '종다리 ひばり'の古語. 文例 ~ 우지진다 ひばりがさえずる.

노곤-하다【勞困—】(→하다)〈形〉けだるい. 疲れている. 句例 노곤한 봄 けだるい春.
노골-적【露骨的】[no:goltchŏk]〈名・冠〉露骨. 句例 ~으로 말하다 明け透けに物を言う. 露骨にいう / ~인 표현 露骨な〔むき出しの〕表現. 文例 지나치게 ~이다 あまり露骨だ.
노구【老軀】[no:gu]〈名〉老軀. 句例 ~를 이끌고 老軀を駆って / ~를 무릅쓰고 老軀をおして.
노그라-지다〈自〉❶くたびれてぐったりする. げんなりになる. 句例 몸이 노그라질 듯한 더위 げんなりする暑さ. ❷(ある人・ことに)うつつを抜かす. すっかりおぼ(溺)れ込む. 心を奪われる.
노글노글-하다 [nogŭllogŭl—] (→하다)〈形〉❶熟れ過ぎるかまたは煮過ぎて柔らかだ. ❷(からだが)柔軟だ. ぐにゃぐにゃだ. ❸(性質が)おとなしい. 柔順だ.
노기【怒氣】[no:gi]〈名〉怒気. 句例 ~를 띠다 怒気を帯びる〔含む〕/ ~ 충천하다 怒気〔怒髪〕天を突く / ~ 등등한 얼굴 すごいけんまく(剣幕).
노-끈〈名〉ひも(紐). =노¹. 句例 ~을 풀다 ひもをほど(解)く / 상자를 ~으로 동이다 箱をひもでくくる.
노년【老年】[no:nyŏn]〈名〉老年. 老齢. 老いらく《雅》. 語例 ~기 老年期.
노느다 (노느니, 노나서)〈他〉分ける. 分配する. 略して'논다'ともいう. =나누다. 句例 노나 먹다 分けて食べる.
노느-매기〈名〉分配. **~하다**〈他〉分配する. 分ける. 語例 ~ 접시 めいめい皿.
노느-이다〈自〉'노느다'の使役形: 分けられる. 分配される.
노늬다 [nonida]〈自〉'노느이다'の略.
노-닐다 [no:nilda] (노니니, 노닐어서)〈自〉(ぶらぶら)遊び歩く. 戯れる.
노다지〈名〉❶〔鑛〕豊富な鉱脈. 富鉱帯. 山. 句例 ~를 찾아내다〔잡다〕富鉱を当てる. 山を当てる. ❷大当たり. 思いがけない幸運. ぼろもうけ. 句例 ~를 만나다 大当たりをとる. 幸運に巡り合う.
노닥-거리다〈自〉くだらないことをしゃべりふざける.
노-대가【老大家】[no:—]〈名〉老大家. 句例 화단의 ~ 画壇の老大家.
노도【怒濤】[no:do]〈名〉怒濤. 句例 ~와 같이 몰려 드는 인파〔대군〕怒濤のごとく押し寄せる人波〔大軍〕.
*__노동__【勞動】〈名・하自〉労働. 句例 신성한 ~ 神聖な労働. 語例 중~ 重労働 / 육체〔정신〕~ 肉体〔精神〕労働 / ~력 労働力 / ~ 운동 労働運動 / ~ 쟁의 労働争議.
노동-부【勞動部】〈名〉労働部. 労働省に当たる. 語例 ~ 장관 労働部長官. 労働大臣.
*__노동-자__【勞動者】〈名〉労働者. 對자본가.
노동 조합【勞動組合】〈名〉労働組合. 略して'노조(勞組)'ともいう.
노동-판【勞動—】〈名〉肉体労働者たちの働き場. (特に)土木・建築工事の現場.
⁑__노랑__〈名〉黄色. 黄. 語例 ~꽃 黄色い花 / ~머리 黄色い髪の毛. また, そんな人.
노랑-이〈名〉❶黄色いもの. ❷けちん坊. しみったれ. けち.
⁑__노랗다__ [no:rat'a] (노라니, 노라오)〈形〉❶黄色い. 黄色っぽい. 句例 은행잎이 노랗게 물들다 いちょう(銀杏)の葉が黄ばむ / 노란 병아리 黄色いひよこ. 語例 노랗게 黄色く / 노래지다 黄色くなる. ❷見込みがない. 句例 싹수가 ~ とても見込みがない.
表現 ②は俗っぽい言いかた.
⁑__노래__〈名〉歌. 歌曲. **~하다**〈自他〉歌う. 句例 한때 유행한 ~ 一時はやった歌 / ~를 잘하다 歌がうまい / 바다를〔청춘을〕~한 시 海〔青春〕を歌った詩. 語例 ~ 자랑 歌のコンテスト. のどじまん / 노랫소리 歌声.
노래(를) 부르다 ❶歌を歌う. ❷(詩歌などを)吟じる. 朗詠する.
노래기〈名〉〔動〕やすで.
노래-방【—房】〈名〉カラオケボックス. カラオケルーム. 類단란 주점.
노랫-가락〈名〉❶歌の節回し. メロディー. ❷〔樂〕京畿民謡の一つ.
노략-질【擄掠—】〈名〉略奪行為. **~하다**〈自〉略奪する.
*__노려-보다__〈他〉にらむ. にらみ付ける. にらまえる《俗》. (鋭い目付きで)見つめる. 句例 눈을 부릅뜨고 ~ ぎょろりとにらみ付ける / 무서운 눈초리로 ~ すごい目でにらむ.
*__노력__【努力】〈名〉努力. **~하다**〈自〉努力する. 努める. 句例 피나는 ~ 血のにじむような努力 / ~의 열매 努力のたまもの / ~을 기울이다 努力を傾ける / ~한 보람도 없이 努力したかいもなく. 文例 이만저만한 ~이 아니다 並たいていの努力ではない / ~없이는 성공할 수 없다 努力なくして成功する事はできない. 語例 ~가 努力家.
노련-하다【老鍊—】[no:ryŏn—] (→하다)〈形〉老練だ. 老巧だ. 句例 노련한 선수〔수법〕老巧な選手〔やり口〕.
노령【老齡】[no:ryŏng]〈名〉老齢. 老年. 語例 ~ 인구 老齢人口.
노론【老論】[no:ron]〈名〉〔史〕朝鮮朝時代の四大党派の一つ. 對소론(少論).
⁑__노루__〈名〉〔動〕のろ. のろじか. ノル.
노루-꼬리〈名〉❶のろのしっぽ. ❷非常に短いもの.
노루꼬리 만하다 ノルのしっぽみたいだ. きわめて短いことのたとえ.
노루발-장도리〈名〉くぎ抜き付きの金づち. 參考 形がのろじかの足に似ている.
노르무레-하다 (→하다)〈形〉うす黄色い.
*__노르스름-하다__ (→하다)〈形〉黄みを帯びている. やや黄色い.
⁑__노른-자위__〈名〉❶卵の黄身. 卵黄. 略して'노른자'ともいう. 類난황(卵黃). ❷最も重要な部分. 要. 語例 ~땅 要地.
노름〈名〉ばくち. 賭博. かけ事. **~하다**〈自〉ばくちを打つ. かけ事をする. 句例 ~에 미치다 かけ事に夢中になる / ~으로 망하다 ばくち

で身を滅ぼす．語例 ～꾼 ばくち打ち．賭博師．博徒／～빚 賭博の借金／～판 ばくち場．賭場．→囲み記事17

*노릇〈名〉❶役割．役目．役．本分．句例 사람〔자식〕～을 하다 人〔息子〕としての本分を果たす／중매인 ～을 하다 仲人役をつとめる．語例 아버지 ～ 父親の役割．❷(職業を卑しめて)稼業．職．業．句例 선생 ～을 하다 先生稼業をする．語例 배우 ～ 俳優の職．❸こと．事情．文例 학생들만 나무랄 수도 없는 ～이다 学生たちばかり責めるわけにはいかない．

노릇-노릇 [norŭnnorŭt]〈副〉点点と黄色を帯びているさま．～하다〈形〉点点と黄色を帯びている．

노리개〈名〉❶金・銀・宝石などで作った女性用の装飾品．❷慰み物．なぶり物．おもちゃ．句例 여자를 ～로 삼다 女を慰み物〔なぶり物〕にする．
参考 ①はチョゴリの結びひもや，チマの腰の前につける．

*노리다[1]〈他〉❶にらむ．にらみ付ける．句例 무서운 눈으로 ～ すごい目でにらむ．→노려보다．❷ねらう．うかがう．目指〔目差〕す．目掛ける．句例 신기록을 ～ 新記録をめざす／급소를〔목숨을〕～ 急所〔命〕をねらう／틈을〔기회를・우승을〕～ 透きを〔機会を・優勝を〕ねらう／먹이를 노리고 다가가다 獲物を目掛けて近寄る／대중의 인기를 노린 영화 俗受けをねらった映画．

노리다[2]〈形〉❶毛が焼けるような臭いがする．やすでの臭いがする．❷けちだ．けちくさい．

노린-내〈名〉(やすで・羊・きつね(狐)などの)けだもの臭いにおい．句例 ～가 나다 けだもの臭いにおいがする．

노-마님【老―】[no:manim]〈名〉年老いた貴人の妻に対する呼称：老奥方．

노망【老妄】[no:mang]〈名〉ろうもう．もうろく(耄碌)．ぼ(惚)け．～하다〈自〉もうろくする．句例 ～을 떨다 ぼける．もうろくする／～한 노인 もうろくした老人／늙어서 ～을 부리다 老いてもうろくする．

노망(이) 나다 '노망(이) 들다'のこと．

노망(이)들다 もうろくする．ぼける．文例 나이 탓으로 ～이 들었다 年のせいでぼけて来た．

노면【路面】[no:myŏn]〈名〉路面．路上．句例 울퉁불퉁한 ～ でこぼこの路面．

노모【老母】[no:mo]〈名〉老母．句例 ～를 모시다〔섬기다〕老母に仕える．語例 칠순 ～ 七旬の老母．

노무【勞務】〈名〉労務．語例 ～ 관리 労務管理／～자 労務者．

노반【路盤】[no:ban]〈名〉路盤．句例 ～이 물러나서 함몰하다 路盤が緩んで陥没する．語例 ～ 공사 路盤工事．

노발대발-하다【怒發大發―】[no:baldaebal―](→하다)〈自〉激しく怒る，かんかんになって怒る．

노벨-상【Nobel賞】[no:belsang]〈名〉ノーベル賞．句例 ～을 받다〔수상하다〕ノーベル賞を受ける〔受賞する〕．

노변【路邊】[no:byŏn]〈名〉路辺．道端．

노병【老兵】[no:byŏng]〈名〉老兵．文例 ～은 죽지 않고 다만 사라질 뿐이다 老兵は死なず，ただ消え去るのみ．

노부【老父】[no:bu]〈名〉老父．

노-부모【老父母】[no:bumo]〈名〉老父母．句例 ～를 잘 모시다 老父母をよく養う．

노-부부【老夫婦】[no:bubu]〈名〉老夫婦．

노브〈名〉ノブ．◇knob

*노비【奴婢】〈名〉奴婢．＝종．

노비【路費】[no:bi]〈名〉⇨노자(路資)

노사【勞使】〈名〉労使．語例 ～ 관계 労使関係／～ 분쟁 労使の紛争／～ 협의회 労使協議会．

노상【路上】[no:sang]〈名〉路上．句例 ～에서 돈을 줍다 路上で金を拾う．

노상〈副〉いつも．常に．しょっちゅう．始終．句例 ～ 웃는 얼굴 常に笑う顔．文例 ～ 불평만 하고 있다 しょっちゅう不平ばかり言っている．

노상 강도【路上強盜】[no:sangga:ngdo]〈名〉辻強盗．句例 ～를 만나 빈털터리가 되다 辻強盗に会ってすっからかんになる．

노새〈名〉〔動〕らば(騾馬)．

노선【路線】[no:sŏn]〈名〉路線．線(略語)．句例 버스 ～이 바뀌다 バスの路線が変わる／국가의 시책 ～을 따르다 国策の線に沿う．語例 ～ 변경 路線変更／자주 ～ 自主路線／～도 路線図．

*노소【老少】[no:so]〈名〉老少．老若．長幼．句例 ～를 불문하고 老少を問わず．語例 남녀 ～ 老若男女／～ 동락 老少同楽．

노송【老松】[no:song]〈名〉〔植〕老松．古い松．語例 ～나무〔植〕ひのき．

노쇠【老衰】[no:soe]〈名〉老衰．～하다〈形〉老衰している．語例 ～기 老衰期．

노숙【露宿】[no:suk]〈名・하自〉露宿．野宿．句例 하룻밤을 ～하다 一夜を野宿する．

노숙-하다【老熟―】[no:suk'ada](→하다)〈形〉老熟している．句例 노숙한 연기 老練な演技／노숙한 경지에 이르다 老熟の域に達する．

노승【老僧】[no:sŭng]〈名〉老僧．

노-신사【老紳士】[no:shinsa]〈名〉老紳士．

노심-초사【勞心焦思】〈名・하自〉心を労し気を砕くこと．

노아〈名〉〔宗〕ノア．句例 ～의 방주 ノアの方舟／～의 홍수 ノアの洪水．◇Noah

노안【老眼】[no:an]〈名〉老眼．語例 ～경 老眼鏡．

노약-자【老弱者】[no:yakcha]〈名〉老弱．足弱．句例 ～를 보살피다 老弱をいたわ(労)る／

囲み記事17

■'노름'と'놀이'■

노름 賭博．博打 —— 노름빚 賭博の借金．博打による借り．노름판을 벌이다 博打の座を設ける．

놀이 遊び —— 즐거운 놀이 楽しい遊び．

ㄴ

ㄴ

～를 거느리다 足弱をひきつれる.

노약-하다【老弱―】[no:yak'ada]（→하다）〈形〉老弱だ. 句例 노약한 몸 老弱なからだ.

노어【露語】〈名〉露語. ロシア語. 句例 ～를 할 줄 알다 ロシア語が話せる.

*__노여움__ [no:yŏum]〈名〉怒り. 憤り. 立腹. 腹立ち. 略して'노염'ともいう. 句例 ～을 품다 怒りを含む / ～을 참다 怒りをこらえる / ～이 가라앉다 怒りが静まる / ～이 치밀다 怒りがこみ上げる / ～이 폭발하다 怒りが爆発する.

노여움(을) 사다 怒りをこうむる〔買う〕. 怒りに触れる.

노여움(을) 타다 少しのことにも腹を立てる. 怒りっぽい.

노여움(을) 풀다 怒りを和らげる〔静める〕.

노역【老役】[no:yŏk]〈名・하自〉老け役. 句例 ～을 맡기다 老け役を振る.

노역【勞役】〈名・하自〉労役. 句例 ～에 복역하다 労役に服する.

노염 [no:yŏm]〈名〉'노여움'の略.

노엽다 [no:yŏpta]（노여우니, 노여워서）〈形〉腹立たしく恨めしい. 文例 노엽게 생각지 마십시오 悪く思わないで下さい.

노예【奴隷】〈名〉奴隷. 句例 돈의 ～ 金銭の奴隷 / ～처럼 부리다〔일하다〕奴隷のようにこき使う〔働く〕. 語例 ～ 제도 奴隷制度 / ～ 해방 奴隷解放.

노을〈名〉朝焼け. 夕焼け. 略して'놀¹'ともいう.

노이로제〈名〉〔醫〕ノイローゼ. ◇도 Neurose

노-익장【老益壯】[no:ikchang]〈名〉老いてますます盛んなこと. 句例 ～을 과시하다 老いてますます盛んな(る)ことを誇る.

**__노인__【老人】[no:in]〈名〉老人. 年寄り. ＝늙은이. 句例 ～을 보살피다 年寄りをいたわる / ～을 공경하다 老人を敬う. 語例 ～병 老人病 / ～ 복지 시설 老人福祉施設 / ～정(亭) 村の老人たちが集まって休めるように設けられたあずまや / ～회 老人会 / ～성 치매 老人性痴呆.

노임【勞賃】〈名〉労賃. 労銀. 句例 비싼 ～ 高い労賃. 類품삯.

노자【路資】[no:ja]〈名〉路銭. 路用. 旅費. 路銀《老》. 句例 ～에 충당하다 路用に当てる.

노작【勞作】〈名・하自他〉労作. 句例 심혼을 기울인 다년간에 걸친 ～ 心魂を傾けた長年にわたる労作.

노장【老壯】[no:jang]〈名〉老壮. 語例 ～층 老壮年層.

노장【老莊】[no:jang]〈名〉老荘. 語例 ～학 老荘学 / ～ 사상 老荘思想.
参考 中国古代の思想家老子と荘子の並称.

노장【老將】[no:jang]〈名〉老将. 語例 백전 ～ 百戦の老将.

노적【露積】〈名・하他〉露積. 野積み.

노적-가리【露積―】〈名〉稲むら. にお(堆).

노적가리에 불 지르고 싸라기 주워 먹는다 稲むらに放火したあとで小米を拾って食べる. 火事あとのくぎ(釘)拾い.

노점【露店】〈名〉露店. 出店. 大道店. 句例 ～을 차리다 露店を出す〔構える〕. 語例 ～ 상인 露店商人 / ～ 시장 露店市.

노정【路程】[no:jŏng]〈名〉路程. 行程. 道のり. 道程. 句例 하루의 ～ 一日の路程〔道のり〕.

노정【露呈】〈名・하他〉露呈. 語例 ～되다 露呈する.

노조【勞組】〈名〉'노동 조합'の略：労組. 語例 출판 ～ 出版労組.

노-처녀【老處女】[no:ch'ŏnyŏ]〈名〉オールドミス.

노천【露天】〈名〉露天. 語例 ～ 극장 露店劇場 / ～ 시장 青空市場 / ～굴〔鑛〕露天掘り.

노총【勞總】〈名〉['노동 조합 총연합회'の略] 労総.

노-총각【老總角】[no:ch'onggak]〈名〉婚期の過ぎた未婚の男子.

노출【露出】〈名〉露出. **～하다**〈自他〉露出〔裸出〕する. むき出しにする. 句例 ～된 살갗 あらわな肌 / 가슴이 ～되다 胸がはだかる / 약점이 ～되다 弱点が明らかになる. 語例 ～ 부족 露出不足 / ～계 露出計 / ～증 露出症 / ～ 탄전 露出炭田.

노친【老親】[no:ch'in]〈名〉❶老親. ＝노부모. ❷ご老人.

노 코멘트 [no:―]〈名〉ノーコメント. 文例 기자단의 질문에 대해서는 일체 ～였다 記者団の質問に対してはいっさいノーコメントだった. ◇no comment

노크〈名・하自他〉ノック. ◇knock

노타이-셔츠 [no:t'ai―]〈名〉ノータイシャツ. ◇일 notie shirtsから.

노트 [no:t'ŭ]〈名・하他〉ノート. 句例 요점을 ～하다 要点をノートする. 語例 대학 ～ 大学ノート. ◇note

노트〈依名〉ノット. ◇knot

노파【老婆】[no:p'a]〈名〉老婆. ばば(婆). 老女.

노파-심【老婆心】[no:p'ashim]〈名〉老婆心. 句例 ～에서 말하다 老婆心から言う.

*__노폐-물__【老廢物】[no:p'yemul]〈名〉老廃物.

노폭【路幅】[no:p'ok]〈名〉道幅. 句例 ～이 좁다 道幅が狭い.

노-하다【怒―】[no:hada]（→하다）〈自〉'성내다'の丁寧語：怒る・おこる. 腹を立てる. 立腹する. いきどおる. 句例 불같이 ～ 火のように怒る. かんかんになって怒る / 열화같이 ～ 烈火のごとく怒る.

노-하우 [no:hau]〈名〉ノーハウ. ◇know-how

노형【老兄】[no:hyŏng]〈名〉❶老兄. ❷あまり親しくない間柄の男性たちが互いに呼び交わす呼称.

노화【老化】[no:hwa]〈名・하自〉老化. 語例 ～되다 老化する / ～ 현상 老化現象 / ～ 검사 老化検査.

노환【老患】[no:hwan]〈名〉老患.

노획【鹵獲】〈名・하他〉鹵獲. 捕獲. 句例 전차를 ～하다 戦車をぶんどる. 語例 ～품〔물〕鹵獲〔捕獲〕品.

노후【老朽】[noːhu]〈名〉老朽. **~하다**〈形〉老朽している. 句例 ~를 방지하다 老朽を防ぐ. 語例 ~선〔가옥〕老朽船〔家屋〕.

노후【老後】[noːhu]〈名〉老後. 句例 ~의 계획 老後の計画/~의 근심 老後の心配/~의 낙 老後の楽しみ.

녹【祿】〈名〉[‘녹봉(祿俸)’の略] 禄.

녹(을) 먹다 禄を食む.

녹【綠】〈名〉❶緑青. =동록(銅綠). ❷さび. 句例 빨간 ~ 赤さび.

녹(이) 나다 さ(銹)びる. さびがつく.

녹(이) 슬다 さびつく. ❶さ(銹)びる. さびがつく. 句例 녹슨 나이프 さびたナイフ/자물쇠가 ~ 錠がさびつく. ❷腕前や能力が衰える. 文例 그의 기술도 이젠 녹슬고 말았다 彼の技術ももうさびついてしまった.

녹각【鹿角】〈名〉鹿の角.

녹-나다【綠―】[nongnada] ⇨‘녹(綠)’の小項目

녹-내【綠―】[nongnae]〈名〉さびのにお(臭)い. 句例 ~가 나다 さび臭い.

녹-내장【綠內障】[nongnaejang]〈名〉〔醫〕緑内障. 青そこひ.

녹는-점【―點】[nongnŭnjŏm]〈名〉〔化・物〕融解点. 融点.

****녹다**〈自〉❶溶ける. ㉠(固体などが)液体になる. 句例 눈〔얼음〕이 ~ 雪〔氷〕が溶ける/초가 ~ ろうそくがとろける/불에 ~ 火に溶ける. ㉡水に溶ける. 文例 가루비누가 잘 녹지 않는다 粉石せっけんがよく溶けない.

❷暖かくなる. ぬるむ. 温まる. 句例 손이 ~ 手が温まる. 文例 따뜻한 방에 들어오니까 얼었던 몸이 녹았다 暖かい部屋に入ると凍えたからだが温まった.

❸(酒・女などに)おぼれる. とろける. 参る. 文例 그 여자의 춤에 녹아버렸다 彼女の踊りに参って〔ほれ込んで〕しまった.

❹(ことをしくじって)がっかりする. 参る.

❺ひどい〔さんざんな〕目にあう. 文例 이 더위에는 정말 녹았다 この暑さには参った.

녹-다운〈名〉ノックダウン. 語例 ~ 수출〔經〕ノックダウン輸出. ◇knock-down

녹두【綠豆】〈名〉〔植〕緑豆. ぶんどう(文豆). やえなり. 語例 ~묵 ぶんどうでつくった‘묵’.

녹록-하다【碌碌―】[nongnok'ada] (→하다)〈形〉❶ろくでもない. つまらない. とるに足りない. 句例 녹록치 않은 인물 並みでない人物. 侮り難い人物. ❷(人柄が)大様でない. 文例 녹록하게 휘어들 사람 같지 않다 簡単に頭を下げる人ではなさそうだ.

表現 打ち消しの形で使われることが多い.

***녹말**【綠末】[nongmal]〈名〉澱粉. =전분. 語例 ~풀 生麩糊/고구마 ~ さつまいも澱粉/~ 가루 澱粉.

녹-병【―病】〈名〉〔植〕さび病.

녹봉【祿俸】〈名〉〔史〕俸禄. 略して‘녹(祿)’ともいう.

녹비【綠肥】〈名〉緑肥. 草ごえ. =풋거름.

***녹색**【綠色】〈名〉緑. 緑色. 句例 짙은 ~ 濃緑. 語例 ~말〔조류〕〔植〕緑色藻類. 緑藻類. ㊫초록색.

***녹-슬다**【綠―】(―스니, ―슬어서) ⇨‘녹(綠)’の小項目

녹신-녹신〈副・하形〉非常に柔らかいさま: ぐにゃぐにゃ.

녹신-하다 (→하다)〈形〉柔軟だ. 柔らかだ.

녹-아웃 [nogaut]〈名〉ノックアウト. ◇knock-out

녹용【鹿茸】[nogyong]〈名〉〔韓醫〕鹿茸. 鹿の袋角.

녹음【綠陰】[nogŭm]〈名〉緑陰. 句例 ~의 계절 緑陰の季節. 語例 ~ 방초(芳草) 青葉茂る陰と, うるわしい草.

녹음【錄音】[nogŭm]〈名・하自他〉録音. 句例 ~을 지우다 録音を消す. 語例 ~ 테이프 録音テープ/~기 録音器. テープレコーダー/~ 방송 録音放送/~되다 録音される.

****녹이다** [nogida]〈他〉‘녹다’の使役形. ❶溶かす. ㉠(固体を高温で)液化する. 句例 쇠를 도가니에 넣고 ~ 鉄をるつぼに入れて熔かす. 絵/얼음〔눈〕을 ~ 氷〔雪〕を溶かす. ㉡(結晶体を)液体にする. 句例 그림물감을 기름으로 ~ 絵具を油で溶かす/설탕을 물에 ~ 砂糖を水に溶かす.

❷(からだを)温める. 句例 화로에 손을 ~ 火鉢に手をあぶる. 絵/목욕탕에서 몸을 ~ ふろでからだを温める.

❸(人の心などを)とろかす. とりこにする. 句例 남자의 마음을 ~ 男の心をとろかす. 絵/사람의 마음을 녹일 듯한 음악 人の心をとろかすような音楽.

❹ひどい〔さんざんな〕目に合わせる.

〈녹이다〉

녹조-류【綠藻類】〈名〉〔植〕[‘녹색 조류’の略] 緑藻類.

녹지【綠地】〈名〉緑地. 語例 ~대 緑地帯.

녹차【綠茶】〈名〉緑茶.

녹초〈名〉へたばった状態.

녹초(가) 되다 へたばる. へとへとになる. ぐったりとなる. へこたれる. 文例 하루 종일 아이에게 시달려 녹초가 되었다 一日じゅう子どもに振り回されてへとへとになった.

녹초(를) 만들다 へたばらせる.

녹초(를) 부르다 ‘녹초(가) 되다’の俗っぽい言いかた.

녹화【綠化】[nok'wa]〈名・하他〉緑化. 語例 산림 ~ 山林緑化/~되다 緑化する. 緑化される.

***녹화**【錄畫】[nok'wa]〈名・하自他〉録画. 句例 프로그램을 비디오로 ~하다 番組をビデオで録

画する. [語例] ～ 중계 録画中継 / ～ 테이프 録画テープ / ～기 録画撮り. カムコーダ / 예약 ～ 留守録画 / ～ 방송 録画放送 / ～되다 録画される.

⁑**논** 〈名〉田. 水田. たんぼ. [句例] 황폐한 ～ 荒れ田 / ～을 갈다 田を耕す / ～에 물을 대다 田に水を引く / ～에 모를 내다 田植えをする / ～이 말라서 갈라지다 田が干割れる. [語例] 계단식 ～ 棚田 / ～농사 水田農業. ㊊밭.

논(을) 매다 田の草取りをする.

논(을) 풀다 (未開墾地や畑を)田にする. 開墾して田をつくる.

논- 〈頭〉ノン. [語例] ～스톱 ノンストップ / ～픽션 ノンフィクション. ◇non-

논-갈이 [nongari] 〈名・하自〉田を耕すこと.

논객【論客】〈名〉論客.

논거【論據】〈名〉論拠. [句例] ～가 모호하다 論拠があいまいだ.

논고【論考・論攷】〈名・하他〉論考.

논고【論告】〈名・하他〉論告.

논공【論功】〈名・하他〉論功. [語例] ～ 행상 論功行賞.

논-길 [nonkkil] 〈名〉たんぼ道. あぜ道.

논-꼬 〈名〉田の用水の出し入れ口. 水口.

논-농사【―農事】〈名〉水田農業. ㊊밭농사.

논다 [no:ntta] 〈他〉'노느다'の略: 分ける. [句例] 다섯 몫씩 ～ 五人分ずつ分ける.

논단【論壇】〈名〉論壇. [句例] ～의 원로 論壇の元老 / ～을 떠들썩하게 하다 論壇をにぎわす.

*__논-두렁__ [nontturŏng] 〈名〉あぜ(畦・畔). [語例] ～길 あぜ道.

논-둑 [nonttuk] 〈名〉あぜ(畔).

논란【論難】[nollan] 〈名・하他〉[もとの語形は'논난(論難)'] 論難. [句例] ～의 대상이 되다 論難の的となる.

논리【論理】[nolli] 〈名〉論理. [句例] ～의 비약 論理の飛躍. [語例] 형식 ～ 形式論理 / ～성 論理性 / ～학 論理学.

논리-적【論理的】[nollijŏk] 〈名・冠〉論理的. [句例] ～인 사고 방식 論理的な考え方.

논-마늘 〈名〉水田で栽培されたにんにく. ㊊밭마늘.

논-마지기 〈名〉いくらかの田. 多少の水田. [文例] ～나 장만했다 いくらかの水田を手に入れた.

논-매다 ⇨'논'の小項目

*__논문__【論文】〈名〉論文. [句例] 연구 ～을 완성하다 研究論文をまとめる. [語例] ～집 論文集 / 졸업〔학위・박사〕 ～ 卒業〔学位・博士〕論文.

논-문서【―文書】〈名〉田の登記済み証〔権利証〕.

논-물 〈名〉田水. [句例] ～을 대다 田に水を引く / ～을 빼다 田水を抜く / ～을 가두다 田水を溜める.

*__논-바닥__ [nonppadak] 〈名〉田の地面. 田面. 田の面《雅》. [句例] ～이 갈라지다 田がひび割れる.

논박【論駁】〈名・하他〉論駁. [句例] 어용 학자의 논문을 ～하다 御用学者の論文を論駁する.

*__논-밭__ 〈名〉田畑. [句例] ～을 갈다 田畑を耕す. [語例] ～일 田畑の仕事 / ～ 전지(田地) 所有しているすべての田畑.

논-배미 [nonppaemi] 〈名〉田の一区画. 一枚の田.

논법【論法】[nonppŏp] 〈名〉論法. [語例] 삼단 ～ 三段論法.

논봉【論鋒】〈名〉論鋒. [句例] 날카로운 ～으로 따지다 鋭い論鋒で迫る.

*__논설__【論說】〈名・하他〉論説. [語例] ～문 論説文 / ～ 위원 論説委員.

논술【論述】〈名・하他〉論述. [句例] 논리가 정연한 ～ 論理の整然とした論述.

논어【論語】[nonŏ] 〈名〉論語.

논의【論議】[nonŭi] 〈名・하他〉論議. [句例] ～의 대상 論議の的 / ～를 불러일으키다 論議を呼び起こす / 충분히 ～하다 十分論議を尽くす. [語例] ～되다 論議される.

논-일 [nonnil] 〈名・하自〉田の仕事. ㊊밭일.

논쟁【論爭】〈名・하自他〉論争. [句例] 격렬한 ～ 激しい論争 / 무의미한 ～ 無意味な論争 / ～이 벌어지다 論争が展開される. [文例] 그 ～은 언제 끝날지 모른다 その論争はいつ終わるか分からない.

논저【論著】〈名〉論著. 論じて著述すること.

논전【論戰】〈名・하自他〉論戦. [句例] ～을 벌이다 論戦を展開する.

논점【論點】[nontchŏm] 〈名〉論点. [句例] ～을 흐리다 論点をぼかす.

논제【論題】〈名〉論題. [句例] 토론회의 ～ 討論会の論題.

논조【論調】〈名〉論調. [句例] 신문의 ～ 新聞の論調 / 격렬한 ～로 반박하다 激しい論調で反駁する.

논죄【論罪】〈名・하他〉論罪.

논증【論證】〈名・하他〉論証. [句例] 정당성을 ～하다 正当性を論証する.

논지【論旨】〈名〉論旨. [文例] ～가 극히 명쾌하다 論旨が極めて明快である.

논틀-밭틀 [nont'ŭlbatt'ŭl] 〈名〉曲がりくねった細いあぜ道.

논평【論評】〈名・하他〉論評. [句例] 신랄하게 ～하다 舌先鋭く論評する.

논-풀다 (―푸니, ―풀어서) ⇨'논'の小項目

논-프로 〈名〉ノンプロ. ◇nonpro

논-픽션 〈名〉ノンフィクション. ◇nonfiction

논-하다【論―】(→하다) 〈他〉論じる. [句例] 문학을〔정치를〕 ～ 文学を〔政治を〕論じる / 일의 시비를 ～ 事の是非を論じる / 논할 것도 없다 論じるまでもない.

놀[1] [no:l] 〈名〉'노을'の略: (朝・夕に)空が赤く染まること. 焼け. [語例] 저녁 ～ 夕焼け / 아침～ 朝焼け.

놀(이) 지다 (朝・夕に)空が赤く染まる.

놀[2] [no:l] 〈名〉大波. 荒波. 激浪.

놀(이) 지다 大波が立つ.

놀(이) 치다 大波が荒立つ.

놀다 [no:lda] (노니, 놀아서) ㊀〈自〉❶遊ぶ. ㉠戯れる. 好きなことをする. 句例 놀며 시간을 보내다 遊びながら時間をつぶす / 놀러가다 遊びに行く. 文例 또 놀러 오게나 また遊びに来たまえ / 강아지가 공을 가지고 논다 子犬がまりに戯れる〔じゃれる〕.
㉡…をして楽しむ. 句例 노래를 하며 ~ 歌を歌って遊ぶ.
㉢遊興する. 句例 놀기 좋아하는 사람 遊び好きの人. 文例 오늘 저녁 한잔 마시며 놀자 今夜一杯飲みながら遊ぼうや.
㉣何もしないでいる. 休む. 句例 노는 시간 休み時間 / 노는 날 休日. 休み. 文例 백화점은 오늘 노는 날이다 デパートはきょう休日だ / 내일은 노는 날이다 明日は休みだ.
㉤職を得られずにいる. ぶらぶらする. 句例 놀고 지내다 遊んで暮らす. 文例 지금 놀고 있습니다 今休んで〔遊んで〕います.
㉥使用されずにいる. 寝る. 句例 놀고 있는 돈〔땅〕遊んでいる金〔土地〕. 文例 돈이 놀고 있다니 아깝다 金が寝ているとはもったいない.
❷(打ち込まれた物が)緩み動く. 句例 못이 ~ 釘が死んでいる. 釘が緩む / 이가 ~ 歯が動く〔ぐらぐらする〕/ 나사가 ~ ねじが空回りする〔緩む〕.
❸わがままに振る舞う. 句例 제멋대로 ~ 勝手にふるまう.
❹(主体性なく)ふるまう. (人に操られて)動く. 句例 남의 장단에 ~ 人のおだてに乗る.
❺動き回る. 句例 물 속에서 붕어가 ~ 水中でふなが泳ぎ回る.
❻(胎児が)母体内で動く. 句例 뱃속의 아이가 ~ お腹の子が動く.
㊁〈他〉(遊戯などを)する. 句例 윷을 ~ かりうち〔'윷놀이'〕をする / 주사위를 ~ さいころを振る / 곳을 ~ '곳'をする.

놀라다 [no:llada]〈自〉❶驚く. びっくりする. 仰天する. 句例 소스라치게 ~ びっくり仰天する. 肝をつぶす / 놀랄 만한 사건 驚くべき事件 / 깜짝 놀라게 하다 あっと言わせる. 度胆を抜かす. 文例 놀란 나머지 실신했다〔까무러쳤다〕驚きのあまり気を失った. ❷驚嘆する. 感心する. 文例 그의 박식에는 나도 놀랐다 彼の物知りには私も驚いた〔感心した〕. ▷→囲み記事 18

놀라움 [no:llaum]〈名〉驚き. 驚愕. 句例 ~을 금치 못하다 驚きを禁じ得ない.

놀란-가슴 [no:llan-gasŭm]〈名〉ともすればどきどきする胸. 句例 ~을 진정시키다 どきどきする胸を抑える.

놀랍다 [no:llapta] (놀라우니, 놀라워서)〈形〉❶驚くべきだ. 句例 놀라운 소식 驚くべきニュース / 놀라운 기억력 驚くべき記憶力. 語例 놀랍게도 驚くべき事に. ❷目覚ましい. すばらしい. 見事だ. 句例 놀라운 진보〔발전〕目覚ましい進歩〔発展〕. ❸意外だ. 案外だ. 句例 놀랍게 여기다 案外に思う.

놀래다 [no:llaeda]〈他〉びっくりさせる. 驚かす. 文例 너를 놀래 줄 일이 있다 君をびっくりさせることがある. →囲み記事 18

놀려-먹다〈他〉からかう. もてあそぶ. なぶる. いじめる. 句例 동생을 ~ 弟をからかう.

놀리다[1]〈他〉'놀다'の使役形: 遊ばせる. ❶遊びをさせる. 楽しませる. 句例 어린 아이를 놀이터에서 ~ 子供を遊び場で遊ばせる. ❷休ませる. 休める. 文例 저 사람은 조금도 몸을 놀려 두지 않는다 あの人は少しも休まないで動き回っている. ❸使用しないでおく. 句例 기계를 놀려 두다 機械を遊ばせておく / 밭을 ~ 畑を休める / 돈을 놀려 두다 お金を寝かしておく.

놀리다[2]〈他〉❶からかう. 冷やかす. 句例 여자를 ~ 女を冷やかす. 文例 날 놀리지 마 おれをおちょくるなよ. ❷操る. 動かす. 句例 인형을 ~ 人形を操る / 기계를 ~ 機械を動かす / 손발을 ~ 手足を動かす / 붓을 빨리 ~ 筆を走らせる. ❸みだりにしゃべる. 句例 입을 잘못 ~ 間違って口を滑らす. 文例 입 좀 그만 놀려라 あまり無駄口をたたくな. 黙れ. ❹金を回す. 金貸しをする. 句例 월 5푼 이자로 돈을 ~ 月五分の利子でお金を貸す.

놀림〈名〉冷やかし. からかい. 句例 ~을 받다 からかわれる. 冷やかされる / 반 ~조로 冷やかし半分に. 語例 ~거리 笑いぐさ. もの笑いの種.

놀림-감 [nollimkkam]〈名〉なぶりもの. もの笑い. 笑いもの. 句例 ~이 되다 なぶりものになる / ~을 삼다 からかいの対象にする.

놀부 심사【―心事】〈名〉欲張りで意地悪な心根.
参考 '놀부'は古代小説'興夫伝'に登場する人物で, 欲張りで意地悪な人.

놀아-나다 [noranada]〈自〉❶浮気をし始める. 遊びだす. 遊びを覚える. ❷(人に)乗せられる. 句例 남의 손에 ~ 人に乗せられる.

놀음-놀이 [norŭmnori]〈名〉行楽. 大勢集まって遊ぶこと. 遊びごと.

놀이 [nori]〈名・하自〉(娯楽としての)遊び. ゲーム. …ごっこ. 語例 ~상대 遊び相手 / 카드~ カード遊び. カードプレイング / ~기구 遊戯器具 / 전쟁~ 兵隊ごっこ / 뱃~ 舟遊び / 들~ 野遊会 / 물~ 水遊び / 불꽃~ 花火遊び. →囲み記事 17

놀이-마당 [norimadang]〈名〉'판소리 パンソリ'や仮面劇などを演じる場所.

놀이-터 [norit'ŏ]〈名〉遊び場. 行楽地. 語例 어린이 ~ 子供の遊び場.

囲み記事 18

'놀라다'と'놀래다'

놀라다 驚く. びっくりする —— 문 밖의 총소리에 깜짝 놀랐다 戸外の銃声にびっくり仰天した. 그의 암기력에는 놀라지 않을 수 없다 彼の暗記力には驚かざるを得ない.

놀래다 驚かす —— 그를 놀래주려고 몰래 뒤로 다가갔다 彼を驚かそうとこっそり後ろから近付いた. 고함을 쳐서 그를 놀래 주자 大声をどなって彼を驚かしてやろう.

し

ㄴ

놀잇-배 [noritpae]〈名〉遊船. 舟遊びの船. 句例 강에 ~를 띄우다 川に遊船を浮かべる.

놀-지다 [no:ljida]〈自〉⇨'놀'の小項目

*__놈__ ■〈名〉❶やつ. 野郎. 句例 나쁜 ~ 悪いやつ / 바보 같은 ~ ばか野郎. ばかめ / 얼간이 같은 ~ とんま(頓馬)なやつ. 文例 이 ~이 この野郎が / 이 ~, 게 섰거라 この野郎, 待ちやがれ. 語例 ~들 やつら.

❷男の子を親しみをこめて呼ぶ語. 文例 고 ~ 참 기특하다 そいつ本当に殊勝だ. ▷ 対년.

■〈依名〉 ❶(動物・物などを指して)もの. 句例 알갱이가 굵은 ~을 고르다 粒の大きいのを選ぶ. 文例 암~이 수~보다 크다 めすがおすより大きい / 뛰는 ~ 위에 나는 ~이 있다《속담》走る者の上にとぶ者がいる《上には上がある》.

❷('그 ~, 이 ~'の形で)あとに続く名詞を卑しめる語. 句例 이 ~의 세상 こんな世の中 / 그 ~의 말 あの馬(の野郎).

❸(固有語の数詞について)…人. 文例 한 ~은 좋지만 두 ~은 나쁘다 ひとりは良いやつだがふたりは悪いやつだ.

놈-팡이〈名〉❶男を見下げていう語: 野郎. 文例 저런 ~는 상대를 마라 あんな野郎は相手にするな. ❷ならず者. ごろつき. やくざ者. 類건달(乾達). ❸ジゴロ. ひも. 句例 ~를 끼고 달아나다 男と夜逃げする.

表現 '놈팡이'は俗っぽい言いかた.

놋-그릇〈名〉真鍮の器. =유기(鍮器). 유기 그릇.

놋-대야〈名〉真鍮のたらい.

**__놋-쇠__〈名〉真鍮. 黄銅. 略して'놋'ともいう.

놋-숟가락〈名〉真鍮のさじ.

놋-요강【一尿鋼】[nonnyogang]〈名〉真鍮のおまる.

놋-젓가락〈名〉真鍮のはし(箸).

놋-좆【櫓一】〈名〉ろべそ(櫓臍). ろぐい(櫓杭).

농【弄】[no:ng]〈名・하自〉❶いたずら. 戯れ. 悪ふざけ. 句例 ~이 지나치다 いたずらが過ぎる. ❷'농담'の略: 冗談. 句例 ~을 걸다 冗談口をたたく. 文例 그냥 ~으로 한 말이야 ただ冗談で言っただけだ. →농(弄)하다

농(을) 트다 互いに冗談が言える親しい間柄になる. うち解ける.

농【籠】〈名〉❶つづら. 行李. ❷'장롱(欌籠)'の略: たんす. 句例 ~ 속에 좀약을 넣다 たんすの中にナフタリンを入れる.

농 〔漢字項目〕

【濃】高校 농 ノウ. ❶짙다 濃い. ㉠색이 진하다 色が濃い. ▌濃淡 농담 のうたん. ㉡안개 같은 것이 짙다 霧が深い. ▌濃霧 농무 のうむ. 濃露 농로 のうろ. ❷두텁다 厚い. ▌濃恩 농은 のうおん.

【農】中學 농 ノウ. ❶농사 農事. 농업 農業. ▌農耕 농경 のうこう. 農牛 농우 のうきゅう. ▌勸農 권농 かんのう. ❷농부 百姓. ▌農民 농민 のうみん. ❸힘쓰다 努力する.

*__농가__【農家】〈名〉農家. =농삿(農事)집. 語例 ~ 소득 農家所得.

농가-월령가【農家月令歌】〈名〉〔文〕農家で毎年行うべきことを十二か月に分けて'歌辞'形式に詠んだ作品. 朝鮮朝後期の作と推定される.

농간【弄奸】[no:nggan]〈名・하他〉手練. 手管. たくらみ. 句例 ~에 넘어가다 奸計にひっ掛かる.

농간(을) 부리다 手練を弄する. 手管に乗せる. 小細工を弄する. 奸計を巡らす.

농간-질【弄奸一】[no:ngganjil]〈名〉'농간'の俗っぽい言いかた.

농-게【籠一】〈名〉〔動〕⇨물맞이게

농경【農耕】〈名・하自〉農耕. 語例 ~지 農耕地 / ~ 생활 農耕生活 / ~ 민족 農耕民族.

농고【農高】〈名〉['농업 고등 학교(農業高等學校)'の略] 農高.

농공【農工】〈名〉農工. 語例 ~업 農工業 / ~ 병행 정책 農業と工業の並行政策.

농과 대학【農科大學】[nongkkwa—]〈名〉農科大学. 略して'농대(農大)'ともいう.

*__농구__【籠球】〈名〉バスケットボール. 語例 ~화(靴) バスケットボールシューズ.

농군【農軍】〈名〉農夫.

농기【農旗】〈名〉農旗.

参考 主に農楽の際に立てるのぼり(幟)で, 白地に'농자 천하지대본(農者天下之大本) 農は天下の大本'と墨書する.

농-기계【農機械】〈名〉農業機械.

*__농-기구__【農機具】〈名〉農機具. 類농구(農具).

농노【農奴】〈名〉農奴. 語例 ~ 해방〔史〕農奴解放.

농담【弄談】[no:ngdam]〈名〉冗談. 略して'농(弄)'ともいう. **~하다**〈自〉冗談を言う. 句例 ~으로 한 말 冗談で言ったこと / ~이 지나치다 冗談がひど過ぎる〔きつい〕/ 반 ~으로 冗談半分に. 半ば冗談で / 가벼운 ~ 軽い冗談 / ~을 곧이 듣다 冗談を真に受ける. 文例 ~이 진담 된다 冗談が本当になる / ~은 그만 하시오 冗談はそれくらいにしなさい.

농담【濃淡】〈名〉濃淡.

*__농도__【濃度】〈名〉濃度. 句例 ~가 높다 濃度が高い〔濃い〕. 語例 ~계 濃度計.

농땡이〈名〉のらくら(者). 怠け(者).

表現 '농땡이'は俗っぽい言いかた.

농땡이(를) 부리다〔치다〕 怠ける. サボる. 文例 그는 걸핏하면〔핑계만 있으면〕농땡이를 친다 彼は何かにつけ(て)サボる.

농락【籠絡】[nongnak]〈名〉籠絡. **~하다**〈他〉籠絡する. もてあそぶ. 句例 여자를 ~하다 女をもてあそぶ / 운명에 ~되다 運命にもてあそばれる. 語例 ~당하다 たぶらかされる. もてあそばれる.

농로【農路】[nongno]〈名〉農道.

농림-부【農林部】[nongnim—]〈名〉農林部. 農林業を主管する中央行政機関.

*__농민__【農民】〈名〉農民. 語例 ~ 계몽 운동 農民啓蒙運動 / ~ 문학 農民文学 / ~ 조합 農

民組合(くみあい).

*농번-기【農繁期】〈名〉農繁期(のうはんき). (對)농한기.

*농부【農夫】〈名〉農夫(のうふ). 百姓(ひゃくしょう). =농사꾼.

*농부-가【農夫歌】〈名〉農歌(のうか). 農夫(のうふ)が農作業(のうさぎょう)をしながら歌(うた)う歌(うた).

*농사【農事】〈名・하自〉農事(のうじ). 農業(のうぎょう). [句例] ~에 힘쓰다 農事にいそしむ. 農業に励(はげ)む. [文例] 금년 ~는 어떻습니까 今年(ことし)の作物(さくもつ)の出来(でき)はどうですか / 올해는 가물어서 ~가 잘 안 됐습니다 今年は旱魃(かんばつ)で農事がうまくいきませんでした / ~는 천하지대본(天下之大本) 農(のう)は国(くに)の本(もと). [語例] 벼~ 稲作(いなさく) / 채소~ 野菜(やさい)農業 / ~일 農事(のうじ). 農作業(のうさぎょう). 農務(のうむ) / ~ 시험장 農事試験場(しけんじょう).

농사(를) 짓다 農業をする〔営(いとな)む〕. 農作(のうさく)する. 耕作(こうさく)する.

농사-꾼【農事—】〈名〉百姓(ひゃくしょう). 農夫(のうふ). =농군(農軍). 농부.

농사-철【農事—】〈名〉農繁期(のうはんき). 農期(のうき). =농번기.

농산【農産】〈名〉農産(のうさん)(物(ぶつ)). [語例] ~ 가공품 農産加工品(かこうひん).

*농산-물【農産物】〈名〉農産物(のうさんぶつ). [語例] ~ 가공 農産物加工(かこう) / ~ 검사소 農産物検査所(けんさじょ) / ~ 집산지 農産物の集散地(しゅうさんち) / ~ 가격 農産物価格(かかく).

농성【籠城】〈名〉籠城(ろうじょう). 座(すわ)り込(こ)み. **~하다**〈自〉籠城する. 座り込む. [句例] 데모대가 관청 앞에서 ~하다 デモ隊(たい)が役所(やくしょ)の前(まえ)に座り込む. [語例] ~ 투쟁 籠城闘争(とうそう).

농-수산【農水産】〈名〉農水産(のうすいさん). [語例] ~물 農水産物(ぶつ).

농아【聾啞】〈名〉聾啞(ろうあ). [語例] ~ 학교 聾啞学校(がっこう).

*농악【農樂】〈名〉〔民〕農楽(のうがく). [絵] [語例] ~대 農楽隊(たい) / ~ 놀이 農楽にあわせて歌(うた)い踊(おど)ること. [参考] 農村(のうそん)で田植(たう)え時(どき)や刈(か)り入(い)れ時または祝祭日(しゅくさいじつ)に, 豊作(ほうさく)の祈願(きがん), 親睦(しんぼく)などを目的(もくてき)として, 農旗(のうき)を先頭(せんとう)に立(た)て, 銅鑼(どら)・かね(鉦)・장구(チャング)・太鼓(たいこ)・笛(ふえ)などをはやしながら歌(うた)い踊(おど)る民俗芸能(みんぞくげいのう).

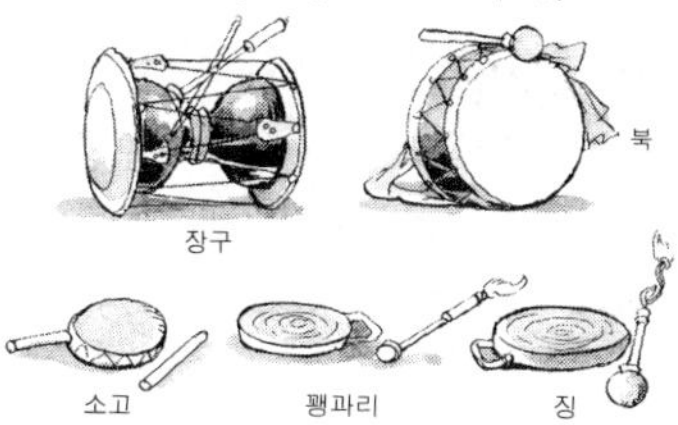

〈농악〉

*농약【農藥】〈名〉農薬(のうやく). [句例] ~을 살포하다 農薬を散布(さんぷ)する. [語例] 잔류 ~ 残留(ざんりゅう)農薬.

농양【膿瘍】〈名〉〔醫〕膿瘍(のうよう).

농어〈名〉〔魚〕すずき(鱸)

*농어-촌【農漁村】〈名〉農漁村(のうぎょそん).

*농업【農業】〈名〉農業(のうぎょう). [句例] ~에 종사하다 農業に従事(じゅうじ)する. [語例] ~ 경제 農業経済(けいざい) / ~ 교육 農業教育(きょういく) / ~국 農業国(こく) / ~ 기술 農業技術(ぎじゅつ) / ~ 용수 農業用水(ようすい) / ~ 인구 農業人口(じんこう) / ~ 정책 農業政策(せいさく).

*농업 협동 조합【農業協同組合】[nong-ŏp'yŏp-tongjohap]〈名〉農業(のうぎょう)協同組合(きょうどうくみあい). 略して'농협(農協)'ともいう.

농외 소득【農外所得】[—so:dŭk]〈名〉農業外所得(のうぎょうがいしょとく).

농요【農謠】〈名〉農民(のうみん)の民謡(みんよう).

농용【農用】〈名〉農用(のうよう). 農業用(のうぎょうよう). [語例] ~ 트랙터 農業用トラクター.

농우【農牛】〈名〉農牛(のうぎゅう). 農耕(のうこう)に使(つか)う牛(うし).

농원【農園】〈名〉農園(のうえん).

농-익다【濃—】[nongnikta]〈自〉爛熟(らんじゅく)する. 熟(じゅく)しきる. [句例] 농익은 참외 熟しきったまくわうり / 농익은 복숭아 よく熟(う)れた桃(もも).

농자【農者】〈名〉農事(のうじ)・農業(のうぎょう)の意(い).

농자 천하지대본 農(のう)は天下(てんか)の大本(おおもと). 農業は国(くに)の根本(こんぽん).

농작【農作】〈名・하他〉農作(のうさく).

*농작-물【農作物】[nongjangmul]〈名〉農作物(のうさくぶつ). 作物(さくもつ). [文例] 태풍 때문에 ~이 큰 피해를 당했다 台風(たいふう)のために農作物がひどい被害(ひがい)を被(こうむ)った.

*농장【農場】〈名〉農場(のうじょう). [句例] ~을 경영하다 農場を経営(けいえい)する / ~에서 일하다 農場で働(はたら)く. (類)농원(農園).

농조【弄調】[no:ngtcho]〈名〉冗談(じょうだん)めいた語調(ごちょう). ふざけた調子(ちょうし). [文例] ~로 한 말이니 고깝게 생각지 말게 冗談半分(はんぶん)に言(い)ったのだから悪(わる)く思(おも)わないでくれ.

농주【農酒】〈名〉❶農作業(のうさぎょう)の暇暇(ひまひま)に飲(の)む酒(さけ). ❷どぶろく.

*농지【農地】〈名〉農地(のうち). [語例] ~ 개혁 農地改革(かいかく).

농-지거리【弄—】[no:ngtchigŏri]〈名〉冗談(じょうだん). ざれ言(ごと). **~하다**〈自〉冗談口(ぐち)をたたく. ざれ言をいう.

*농촌【農村】〈名〉農村(のうそん). [句例] 시급한 ~ 문제 急(きゅう)を要(よう)する農村問題(もんだい). [語例] ~ 부흥 운동 農村復興運動(ふっこううんどう).

농촌 진흥청【農村振興廳】[—ji:nhŭngch'ŏng]〈名〉農村振興院(のうそんしんこういん). 農村振興のための研究(けんきゅう), 農民(のうみん)に対(たい)する農事指導(のうじしどう)などの仕事(しごと)をする. '농림 수산부'に属(ぞく)し, 長官(ちょうかん)は'농촌 진흥청장(長)'と言(い)い, '농진청・진흥청'と略す.

농축【濃縮】〈名・하自他〉濃縮(のうしゅく). [語例] ~액 濃縮液(えき) / ~ 우라늄 濃縮ウラン.

농토【農土】〈名〉農地(のうち). 田畑(たはた).

농-하다【弄—】[no:ng—](→하다)〈自〉❶ふざける. 冗談(じょうだん)を言(い)う. ❷弄(ろう)する. [句例] 궤변을 ~ 詭弁(きべん)を弄する. →농(弄)

농한-기【農閑期】〈名〉農閑期(のうかんき). [句例] ~를 이용한 수공업 農閑期を利用(りよう)した手工業(しゅこうぎょう). (對)농번기.

*농협【農協】〈名〉'농업 협동 조합'の略: 農協(のうきょう).

농황【農況】〈名〉農作物(のうさくぶつ)の出来具合(できぐあい). 作柄(さくがら). [句例] ~이 좋다 作柄がいい. (類)작황(作況).

농후-하다【濃厚—】(→하다)〈形〉濃厚(のうこう)だ. [句例] 혐의가〔정치색이〕~ 疑(うたが)い〔政治色(せいじしょく)〕

が濃厚だ. ㊊담백하다.

높-낮이 [nomnaji]〈名〉高低. 句例 소리의 ~ 声の高低.

높다 〈形〉 高い. ❶(空間的に)上の位置にある. 句例 높은 건물 高い建物 / 천장이 ~ 天井が高い / 산이 ~ 山が高い. 絵 / 높은 코 高い鼻. 語例 높게 高く / 높아지다 高くなる.
❷高貴だ. 貴〔尊〕い. 句例 지위가〔신분이〕 ~ 地位〔身分〕が高い. 絵 / 높은 자리에 오르다 高い地位に上がる. 文例 높은 양반이 오신다 (皮肉って)お偉方が来られる.
❸世間に知れ渡っている. 句例 평판이 ~ 評判が高い / 이름이 ~ 名高い.
❹優れている. 卓越だ. 句例 식견〔눈〕이 ~ 見識〔目〕が高い / 단수(段數)가 ~ 手練手管にたけている.
❺(温度・比などが)大きい. 句例 온도가〔열・혈압이〕 ~ 温度〔熱・血圧〕が高い / 사망률이 ~ 死亡率が高い.
❻値が張る. 句例 물가가 ~ 物価が高い.
❼(声・音が)大きい. 句例 목소리가 ~ 声が高い. 絵
❽(水準が)上だ. 句例 높은 생활 수준 高い生活水準 / 영양가가 ~ 栄養価が高い.
❾(勢いが)激しい. 句例 사기가 ~ 士気が高い / 파도가 ~ 波が高い. ▷㊊낮다.

산이 높다 지위가 높다 목소리가 높다

〈높다〉

높-다랗다 [noptarat'a] (높다라니, 높다라오) 〈形〉 非常に高い. 句例 높다란 건물 高くそびえる建物.

***높아-지다** [nop'ajida]〈自〉高くなる. 高まる. 句例 관심이 ~ 関心が高まる / 비난의 소리가 ~ 非難の声が高まる / 사기가 ~ 士気が高まる.

***높은음자리-표**【一音一標】[nop'ŭnŭmjarip'yo]〈名〉〔樂〕高音符記号. ト音記号. ㊊낮은음자리표.

높이 [nop'i] ■〈名〉高さ. 高度. 句例 ~를 재다 高さをはかる / 산의 ~ 山の高さ.
■〈副〉高く. 句例 소리 ~ 노래부르다 声高らかに歌う / 하늘 ~ 날아오르다 空高く舞い〔飛び〕上がる.
높이 사다 高く買う. 高く評価する. 句例 그의 기량을 ~ 彼の技量を高く買う.

***높이다** [nop'ida]〈他〉❶高める. 高くする. 句例 여성의 지위를 ~ 女性の地位を高める / 소리를 높여 외치다 声を張り上げて叫ぶ / 담〔둑〕을 ~ 塀〔土手〕を高くする / 생산성을 ~ 生産性を高める. ❷あがめる. 敬う. 句例 신으로 높여 모시다 神とあがめる. ❸敬語を使う. 丁寧な言葉遣いで話す. 句例 말을 ~ 敬語を使う. →높임말

***높이-뛰기** [nop'ittwigi]〈名〉高跳び. 走り高跳び. ハイジャンプ.

높임-말 [nop'immal]〈名〉〔言〕敬語. '할아버지 おじいさん'に対して'할아버님 おじいさま' '밥 ご飯'に対して'진지 お食事' '학교 学校'に対して'귀교 貴校'などの 간접 높임말と, '자다 眠る'に対する '주무시다 お眠りになる', '있다 いる'に対する '계시다 いらっしゃる'などの 직접 높임말がある. ㊊낮춤말.

높임-법【一法】[nop'imppŏp]〈名〉〔言〕敬語の用いかたの決まり. 敬語法. 文章の主体(=主語)に敬意を含ませる '주체(主體) 높임법', 聞き手に敬意を表わす '상대(相對) 높임법', 動作の対象を丁寧に表現する '객체(客體) 높임법'がある. =존대법(尊待法). 경어법. 공대법(恭待法).

높직-이 [nopchigi]〈副〉高めに. やや〔かなり〕高く. ㊊나직이.

높직-하다 [nopchik'ada](→하다)〈形〉やや高い. かなり高い. 句例 높직한 언덕 小高い丘. 語例 높직하게 高めに. かなり高く. ㊊나직하다.

놓다 [not'a] ■〈他〉❶置く. 句例 책상 위에 책을 ~ 机の上に本を置く.
❷残して置く. 句例 편지를 놓고 가다 手紙を置いて〔残して〕行く.
❸(持って〔握って〕いる物を)放す. 句例 핸들을 ~ ハンドルを放す / 새를 놓아 주다 鳥を放してやる / 소를 놓아 기르다 牛を放し飼いにする.
❹放つ. 句例 실탄을 한 방 ~ 実弾を一発放つ / 불을 ~ 火を放つ. 放火する / 총을 ~ 銃を撃つ.
❺(間に人・橋などを)置く. 掛け渡す. 句例 강에 다리를 ~ 川に橋をかける / 거간꾼을 ~ 仲買〔ブローカー〕を立てる.
❻装置する. 仕掛ける. 句例 덫을 ~ わなを仕掛ける.
❼架設する. 設置する. 引く. 句例 수도를 ~ 水道を引く / 전화를 ~ 電話を引く / 온돌을 ~ オンドル石を置く〔敷く〕. オンドルを設ける.
❽(はり(鍼)などを)打つ. 句例 침을 ~ はりを打つ / 주사를 ~ 注射を打つ.
❾飾り縫いをする. 刺繡する. 句例 꽃수를 ~ 花を刺繡する.
❿(そろばんを)置く. はじく. (算木を)置き並べる. 句例 수판을 ~ そろばんを置く〔入れる・はじく〕/ 산가지를 ~ 算木を置く.
⓫お(措)く. 句例 붓을 ~ 筆をおく / 숟가락을 ~ さじをおく. 食事をやめる〔終える〕.
⓬(緊張を)解く. (心配を)なくす. 句例 마음 놓고 일을 계속하다 安心して仕事を続ける. 文例 자식이 대학에 들어가 한시름 놓았다 息子が大学に入ったので一安心した.
⓭(買い手が)値段を言う. 買値をつけ

る. [文例] 값을 놓아 보시오 値段をつけて見なさい.

⑭(利子を取って)金を貸す. 賃貸しする. [句例] 오푼 이자로 돈을 ～ 五分の利子で金を貸す / 방을 세～ 部屋を賃貸しする.

⑮(ありったけの力を)出す. 注ぐ. [句例] 속력을 ～ 速力を出す / 목놓아 울다 大声を出して泣く / 빼소니를 ～ 一目散に逃げる.

⑯(対等または目下の人に対する言葉遣いで)話す. [文例] 말 놓으십시오 敬語でおっしゃらなくてもよろしゅうございます / 말을 놓고 지내자 君僕の間柄で付き合おう.

⑰(ある行動を)仕掛ける. [句例] 훼방을 ～ 邪魔〔妨害〕する / 엄포를 ～ こけおどしの文句を並べる.

⑱(碁で下手があらかじめ)碁石を置く. [句例] 석 점 놓고 두다 三目置いて打つ.

⑲('…을〔를〕 놓고'の形で)…をめぐって. …について. [文例] 그의 주장을 놓고 비판들이 많이 나왔다 彼の主張をめぐって批判がたくさん出た / 그 문제를 놓고 찬부 양론으로 갈렸다 その問題について賛否両論に分かれた.

㊁〈補動〉 ❶('-아〔-어〕 ～'の形で)…しておく. [句例] 미리 준비해 ～ あらかじめ準備しておく / 논을 갈아 ～ 田を耕しておく / 답안지를 엎어 ～ 答案用紙を伏せておく. [文例] 도화지는 좀 여유있게 사 놓자 画用紙はすこし多目に買っておこう.

❷(主に'놓아서, 놓으니'の形で)…してしまったので. [文例] 오랫동안 산에만 있어 놓으니 세상 일을 모르게 되었다 長い間山にばかりいたものだから世の中の事が分からなくなった / 고집이 센 사람이라 놓아서 남의 말을 들으려고도 하지 않는다 頑固者なので人の話を聞こうともしない.

❸('…다 ～'の形で)…しておく. [句例] 옮겨다 ～ 移して置く / 가져다 ～ 持って来ておく.

놓아-기르다 [noa—](—기르니, —길러서) 〈他〉 放し飼いにする. =놓아먹이다.

놓아-두다 [noa—] 〈他〉 ❶置いておく. [句例] 책을 선반 위에 ～ 本を棚の上に置いておく. ❷ほうっておく. ほったらかしておく. [文例] 참견 말고 그냥 놓아둬라 おせっかいはやめてほったらかしておけ. 干渉せずに好きなようにさせておけ.

놓아-먹이다 [noamŏgida] 〈他〉 放し飼いにする. 放牧する. =놓아기르다.

놓아먹인 말 放し飼いの馬. しつけの悪い人のたとえ.

놓아-주다 [noa—] 〈他〉 放してやる. 逃がす. 解放する. [句例] 잡은 새를 ～ つかまえた鳥を放してやる / 정치범을 ～ 政治犯を釈放する.

***놓이다** [noida] 〈自〉 '놓다'の受け身. ❶置かれる. [句例] 어려운 처지에 ～ 難しい立場に置かれる. ❷載る. かかる. [句例] 강에 놓인 다리 川にかかっている橋. [文例] 책상 위에 시계가 놓여 있다 机の上に時計が載っている. ❸(心が)安らぐ. [句例] 마음이 ～ 安心できる. 安心する.

***놓치다** [noch'ida] 〈他〉 ❶逃がす. 逃す. 取り逃がす. 逸する. [句例] 절호의 찬스를 ～ 絶好のチャンスを逃がす. 好機を逸する / 미행하던 범인을 ～ 尾行中の犯人を見失う / 일행을 ～ 一行にはぐれる. ❷乗り損なう. 乗り外す. 乗り遅れる. [句例] 2분 차이로 기차를 ～ 二分の違いで汽車に乗り損なう. ❸見失う. 見逃す. 見過ごす《老》. [句例] 깜박 ～ うっかり見逃す. ❹(手に持っていた物を)取り落とす. [句例] 그릇을 놓쳐 깨뜨리다 食器を取り落として割る.

놓친 고기가 더 크다 釣り落とした魚は大きい.

뇌 【腦】〈名〉 脳. 脳みそ《俗》. [句例] ～를 앓다 脳をおかされる. [文例] 뒤로 넘어져서 ～를 다쳤대 後ろに転んで脳に損傷を受けたそうだ.

뇌 〔漢字項目〕

【惱(悩)】 高校 뇌 ノウ. ❶괴로워하다 悩む. ▮苦悩 고뇌 くのう. 煩悩 번뇌 ぼんのう. ❷괴롭히다 悩ます. ▮悩殺 뇌쇄 のうさつ. のうさい.

【腦(脳)】 高校 뇌 ノウ. ❶머릿골 のうみそ. ▮脳漿 뇌장 のうしょう. ▮大脳 대뇌 だいのう. ❷머리 頭. ㉠두개 頭蓋. ▮脳蓋骨 뇌개골 のうがいこつ. ㉡판단력・기억력 등의 정신의 작용 判断力・記憶力らの精神の作用. ▮脳裏 뇌리 のうり. ▮洗脳 세뇌 せんのう.

뇌관 【雷管】〈名〉 雷管. [句例] 포탄의 ～ 砲弾の雷管.

뇌까리다 〈他〉 (不快な相手の言葉を混ぜ返して)くどくど繰り返して言う.

뇌다 [noe:da] 〈他〉 繰り返してくどくど言う.

뇌리 【腦裡】〈名〉 脳裏. [句例] ～에 새기다 脳裏に焼き付ける / ～를 스치다 脳裏をかすめる / ～에서 떠나지 않다 脳裏を去らない.

뇌막 【腦膜】〈名〉〔生〕 脳膜. [句例] ～염에 걸리다 脳膜炎にかかる.

뇌물 【賂物】〈名〉 賄賂. そでの下. [句例] ～을 쓰다 賄賂〔そでの下〕を使う / ～로 매수하다 賄賂で買収する / ～을 받다 賄賂をもらう.

뇌-빈혈 【腦貧血】〈名〉〔醫〕 脳貧血. [句例] ～을 일으키다 脳貧血を起こす.

뇌사 【腦死】〈名〉〔醫〕 脳死.

뇌성 【雷聲】〈名〉 雷声. 雷の音. [語例] ～ 벽력(霹靂) 雷鳴と落雷. 耳をつんざくようなとどろき.

뇌성 소아마비 【腦性小兒痲痺】 [—so:amabi] 〈名〉〔醫〕 脳性小児麻痺.

뇌쇄 【惱殺】〈名・하他〉 悩殺. [句例] 남자를 ～하는 포즈 男を悩殺するポーズ.

뇌수 【腦髓】〈名〉〔生〕 脳髄. 脳.

뇌-신경 【腦神經】〈名〉〔生〕 脳神経.

***뇌-염** 【腦炎】〈名〉〔醫〕 脳炎. [句例] ～에 걸리다 脳炎にかかる. [語例] ～ 모기〔蟲〕 こがたあかいえか.

뇌우 【雷雨】〈名〉 雷雨.

뇌-일혈 【腦溢血】〈名〉〔醫〕 脳溢血. 脳出血. =뇌출혈.

뇌-졸중 【腦卒中】 [noejoltchung] 〈名〉〔醫〕 脳卒

中.

뇌-진탕【腦震蕩】〈名〉〔醫〕脳震盪.

뇌척수-막【腦脊髓膜】〈名〉 脳脊髄膜. 語例 ~염 脳脊髄膜炎.

뇌-출혈【腦出血】〈名〉〔醫〕⇨ 뇌일혈

뇌파【腦波】〈名〉〔生〕脳波. 語例 ~ 검사 脳波検査.

뇌-하수체【腦下垂體】〈名〉脳下垂体.

누【累】[nu:]〈名〉累. わずらい. 句例 ~가 미치다 累が及ぶ. 類 폐(弊).

누(를) 끼치다 累を及ぼす. 文例 ~를 끼치게 돼서 죄송합니다 ご迷惑をおかけして申し訳ありません.

누(가) 되다 累を及ぼす. 迷惑をかける. 句例 친구에게 ~ 友人に迷惑をかける.

누각【樓閣】〈名〉楼閣. 高殿. 語例 공중 ~ 空中楼閣 / 사상 ~ 砂上の楼閣.

누계【累計】[nu:gye]〈名・하他〉累計. 語例 ~ 이천만 원 累計二千万ウォン.

⁑**누구**〈代〉だれ(誰). 句例 ~를 막론하고 だれかれを問わず. だれと限らず皆. 文例 넌 ~냐 君はだれか / 실례지만 ~시지요 失礼ですがどちら様〔どなた様〕でいらっしゃいますか / ~하고는 다르지 だれかさんとは違うよ / ~나 정치를 하겠다니 탈이다 猫も杓子も政治に手を出すとは困ったものだ / 이건 ~ 책입니까 これはだれの本ですか / ~나 다 그걸 바라고 있습니다 だれもが皆それを望んでいます / ~ 적당한 사람을 소개해 주세요 だれか適当な人を紹介してください / ~든지 이것을 요구할 권리가 있다 だれであれこれを要求する権利がある / ~한테든 그런 말을 해선 안 돼 だれにも, そんな事を言ってはだめだよ.
表現 疑問・不定を表わす人称代名詞. 主格助詞'가'の前では略して'누'が用いられる.

*__누구-누구__〈代〉'누구'の複数形: だれだれ. 句例 ~할 것 없이 だれかれなしに. だれかれの区別なく. だれもかも. 文例 이번에 당선된 사람은 ~입니까 こんど当選したのはだれだれですか.

누그러-지다〈自〉和らぐ. 和む. 軟化する. 句例 통증이 ~ 痛みが和らぐ / 험악한 공기가 ~ 険悪な空気が和む / 태도가 ~ 態度が和らぐ / 추위가 ~ 寒さが和らぐ.

누긋-이 [nugŭshi]〈副〉柔らかく. 柔和に. ゆったりと. のんびりと. 悠長に. 句例 ~ 기다리다 ゆったりと構えて待つ.

누긋-하다 [nugŭt'ada] (→하다)〈形〉❶(湿り気があって)柔らかい. しっとりしている. ❷(ゆとりがあって)柔和だ. 悠長だ. ゆったりしている. 句例 누긋한 태도 のんびりした態度 / 누긋하게 마음먹다 悠長に構える.

누기【漏氣】[nu:gi]〈名〉湿り. 湿り気. 句例 ~가 돌다 湿り気を帯びる.

누기(가) 차다 湿り気が多くなる. 湿っぽくなる. 句例 누기가 찬 방 湿り気の多い部屋 / 누기가 찬 김 じとじとになったのり(海苔). 文例 김에 누기가 찼다 のりに湿りがはいった.

⁑**누나** [nu:na]〈名〉姉. 姉さん.

누누-이【屢屢-】[nu:nui]〈副〉しばしば. 幾度も. こまごまと. 繰り返して. 句例 ~ 설명하다 こまごまと説明する.

*__누님__ [nu:nim]〈名〉姉さん. お姉さん. お姉さま.

⁑**누다**〈他〉(大小便を)する. 垂れる. 句例 오줌을 ~ 小便をする / 똥을 ~ 大便をする. 糞を垂れる.

누대【屢代】[nu:dae]〈名〉累代. 代代. 句例 ~의 묘 累代のお墓. 語例 ~ 봉사(奉祀) 代代の祖先に祭祀をすること.

누더기〈名〉ぼろ. 句例 ~를 걸친 사람 ぼろをまとった人 / ~ 같은 옷 おんぼろな服.

누덕-누덕 [nudŏngnudŏk]〈副〉継ぎはぎだらけなさま. **~하다**〈形〉継ぎはぎだらけだ. 句例 옷을 ~ 기워 입다 服をあちこち継ぎをして着る.

누드 [nu:dŭ]〈名〉ヌード. 語例 ~ 쇼 ヌードショー / ~ 사진 ヌード写真. ◇nude

누락【漏落】[nu:rak]〈名〉漏れ. 落ち. 抜け. 脱落. **~하다**〈自他〉漏れる. 抜ける. 落ちる. 落とす. 文例 장부에 ~이 있다 帳簿に落ちがある. 語例 ~자 (名簿などから)漏れている人 / 기입 ~ 記入漏れ / ~되다 漏れる. 抜ける. 落ちる. 脱落する.

누란【累卵】[nu:ran]〈名〉累卵. 句例 ~의 위기에 처하다 累卵の危機に直面する / ~의 위기를 벗어나다 累卵の危機を脱する.

누렁-이〈名〉❶黄色い物. ❷毛の黄色い犬.

*__누렇다__ [nu:rŏt'a] (누러니, 누러오, 누레)〈形〉黄色い. 黄ばんでいる. 黄金色だ. 句例 벼가 누렇게 익다 稲が黄色く実る.
表現 語感の小さい語は'노랗다'.

누렇게 뜨다 ❶(長い間飢えて)顔が黄色くむくむ. ❷(うろたえて)顔色が変わる.

누레-지다 [nu:rejida]〈自〉黄色くなる. 句例 벼가 익어서 ~ 稲が実って黄金色になる.
表現 語感の小さい語は'노래지다'.

*__누룩__〈名〉こうじ(麴). 語例 ~곰팡이〔植〕こうじかび.

⁑**누룽-지**〈名〉焦げ. お焦げ《女》. →눌은밥

*__누르께-하다__ (→하다)〈形〉黄色がかっている. 黄ばんでいる. =누르스름하다.

⁑**누르다**¹ [nu:rŭda] (누르니, 눌러서)〈他〉❶押さえる. ㉠(上から)押す. 句例 급소를 ~ つぼを押さえる / 목을 ~ のどを押さえる / 국수를 ~ (麵類製造器にこねた材料を入れて)うどんを作り出す. ㉡(強いて)押さ〔抑〕えつける. (抑)制する. 鎮圧する. 句例 격정을 ~ 激情を抑える / 노여움을 ~ 怒りを押さえる〔制する〕/ 충동을 ~ 衝動を制する / 반란을 ~ 反乱を鎮圧する.
❷押す. ㉠捺印する. 句例 도장을 ~ 印〔判こ〕を押す. ㉡(相手を)圧倒する. 圧する. 句例 권력으로 남을 ~ 権力で人を押さえつける / 실력으로 상대를 ~ 実力で相手を圧倒する. ㉢押して鳴らす. (スイッチ・ボタンを)押す. 句例 초인종을 ~ 呼び鈴を押す / 셔터를 ~ シャッターを押す.

누르다² (누르니, 누르러서)〈形〉黄色い. 黄色みを帯びている. 文例 누른 벌판은 농촌의 가을 풍경이다 ほんのり黄色い野原は農村の

秋の風景だ.

***누르스름-하다** (→하다) 〈形〉 薄黄色い. 黄みがかっている.

누름-단추 〈名〉 押しボタン.

누릇누릇-하다 [nurŭnnurŭt'ada] (→하다) 〈形〉 点点と黄色みがかっている.

누리[1] 〈名〉《古》'세상 世の中・世・世界'の意. [文例] 온 ~에 광명을 비추소서 全世界に光明をくだしたまえ.

누리[2] 〈名〉〔蟲〕いなご(蝗).

***누리다**[1] 〈他〉 (富貴・長寿などを)受ける. 享受する. [句例] 영화를 ~ 栄華を極める / 행복을 ~ 幸せを享受する. 幸福に暮らす / 장수를 ~ 長寿を保つ.

누리다[2] 〈形〉 (肉になどが)脂臭い. 獣臭い.

누린-내 〈名〉 (獣の肉から発する)脂臭いにおい. 獣の毛などを燃やすときにお(臭)う焦げ臭いにおい.

누-마루【樓一】 〈名〉 高殿の板の間.

누명【陋名】 [nu:myŏng] 〈名〉 ❶汚名. 不名誉. ❷ぬれぎぬ. [句例] ~을 씌우다 ぬれぎぬを着せる.

누명(을) 벗다 ぬれぎぬ〔冤罪〕を晴らす.

누명(을) 쓰다 ぬれぎぬを着せられる. 冤罪を被る.

누범【累犯】 [nu:bŏm] 〈名・하自他〉〔法〕 累犯. [語例] ~자 累犯者.

누비다 〈他〉 ❶(綿を入れて)刺し縫いする. 刺し子に縫う. [句例] 이불을 ~ 掛け布団を刺し子に縫う. ❷縫って進む. [句例] 인파를 누비고 가다 人波を縫って行く. ❸駆けずり回る. 立ち回る. [句例] 정계를 ~ 政界を泳ぎ(駆けずり)回る.

누비-옷 〈名〉 刺し子. 刺し縫いの服.

누비-이불 〈名〉 刺し縫いの掛け布団.

누선【淚腺】 [nu:sŏn] 〈名〉〔生〕 涙腺. ＝눈물샘.

누설【漏泄】 [nu:sŏl] 〈名〉 漏洩. **~하다** 〈自他〉 漏洩する. 漏らす. [句例] 비밀을 ~하다 秘密を漏らす / ~되지 않도록 하다 漏れないようにする.

누수【漏水】 [nu:su] 〈名〉 漏水. 水漏れ. 漏れる水. [語例] ~ 공사 漏水工事.

누심【壘審】 〈名〉 (野球の)塁審.

누에 〈名〉〔蟲〕 蚕. [語例] ~나방 蚕の蛾 / ~농사 養蚕. 蚕業 / ~고치 繭 / ~섶 まぶし / ~콩 〔植〕 空豆.

누에(를) 치다 蚕を飼う.

누옥【陋屋】 [nu:ok] 〈名〉 陋屋. [表現] 自分の家の謙譲語としても使われる.

누워-먹다 [一]〈他〉 寝そべって食べる. [二]〈自〉 ただで食う. 遊び暮らす.

누이 〈名〉 姉. 妹. [語例] ~동생(同生) 妹.

누이 좋고 매부 좋다 妹にも結構, 義弟にも結構. 両方共得になってよい.

누이다[1] 〈他〉 ❶寝かす. 寝かせる. 横たえる. [句例] 자리에 ~ 床に寝かせる. ❷(織物をあく(灰汁)で)練る. [句例] 명주를 ~ 絹を練る〔精練する〕. ❸(利子だけ受け取り)元金を据え置く.

누이다[2] 〈他〉 '누다'の使役形: 大小便をさせる. 略して'뉘다'ともいう. [句例] 오줌을 ~ 小便〔おしっこ〕をさせる.

누적【累積】 [nu:jŏk] 〈名・하自他〉 累積. [句例] ~된 적자 累積赤字 / ~된 피로 積もり積もった疲労 / ~된 울분이 터지다 積もった鬱憤が爆発する.

누전【漏電】 [nu:jŏn] 〈名・하自〉 漏電. [句例] ~으로 인한 화재 漏電による火災.

누지다 [nu:jida] [一]〈自〉 湿る. [二]〈形〉 やや湿っている. 湿り気がある. しめっぽい.

누진【累進】 [nu:jin] 〈名・하自〉 累進. [語例] ~세 累進税 / ~율 累進率.

누차【屢次】 [nu:ch'a] [一]〈名〉 屢次. 累次. 再再度. [句例] ~의 재해 累次の災害 / ~의 경고에도 불구하고 再再度〔たびたび〕の警告にもかかわらず. [二]〈副〉 しばしば. たびたび. [文例] 비슷한 사고가 ~ 일어났다 同じような事故がしばしば〔たびたび〕起こった.

누추-하다【陋醜一】 [nu:ch'u—] (→하다) 〈形〉 むさくるしい. むさい《俗》. 略して'누하다'ともいう. [句例] 누추한 방 むさくるしい部屋 / 누추한 옷차림 むさくるしい身なり. [文例] 누추한 집이지만 어서 들어오십시오 むさい所ですがどうぞお上がりください.

누출【漏出】 [nu:ch'ul] 〈名・하自〉 漏出. [句例] 가스 ~에 의한 사고 ガス漏れによる事故 / 송유관에서 석유가 ~하다 送油管から石油が漏出する.

눅눅-하다 [nungnuk'ada] (→하다) 〈形〉 しめっぽい. [句例] 눅눅한 종이 しめっぽい紙.

눅다[1] 〈自〉 ❶(相場が)下がる. ❷(寒さが)和らぐ. 暖かくなる.

눅다[2] 〈形〉 ❶(練粉などが)水気〔湿り気〕があって柔らかい. [句例] 밀가루 반죽이 ~ 小麦粉の練粉が柔らかい. ❷(性格が)穏やかだ. 和やかだ. [句例] 성격이 눅은 사람 性格が穏やかな人.

눅신-하다 (→하다) 〈形〉 (繊維質の物が)ややしめっぽくて柔らかい.

눅신눅신 〈副・하形〉 ややしめっぽくて柔らかいさま: ぐにゃぐにゃ. ふにゃふにゃ.

눅이다 [nugida] 〈他〉 ❶(固い物を)柔らかくする. 湿す. 湿らせる. [句例] 반죽을 ~ 練粉を薄くする. ❷(心を)和らげる. [句例] 날카로워진 신경을 ~ とがった神経を和らげる.

눅지다 〈自〉 (寒さが)ぬる(温)む. 和らぐ.

눅진-눅진 〈副・하形〉 柔軟でねばねばしているさま: とろとろ. [句例] ~한 엿 とろとろのあめ(飴).

****눈**[1] 〈名〉 目. ❶眼《雅》. めんめ《児》. お目目《児》. [句例] 맑은 두 ~ 澄んだ両目 / 벌겋게 충혈된 ~ 赤く充血した目 / 졸린 ~ 眠そうな目 / ~을 크게 뜨고 目を丸くして / ~을 내리깔다 目を伏せる / ~이 뜨이다 目が覚める / ~에 들어오다 目に入る / ~에 비치다 目に映る / ~을 희번덕거리다 目を白黒させる / ~을 비비다 目をこする. [語例] 왕방울~ どんぐり眼.

❷表情. 顔つき. 目つき. 句例 만족스러운 ~ 満足そうな目 / 분노에 찬 ~ 怒りに満ちた目 / 정감어린 ~ 情感にあふれる目 / 부러운 ~으로 보다 うらやましそうな目で見る / ~으로 알리다 目で知らせる / ~으로 인사하다 目礼する / 의심하는 ~으로 보다 疑いの目で見る / 호의적인 ~으로 보다 好意のまなざしで見る.

❸視力. 句例 ~이 나쁘다〔좋다〕 目が悪い〔良い〕 / 밤~에도 똑똑히 보이다 夜目にもはっきり見える.

❹心. 意中. 句例 돈에 ~이 어두워지다 金に目がくらむ.

❺注目. 注視. 視線. 句例 남의 ~을 피하다 人の目をさける〔忍ぶ〕 / 사람의 ~을 끌다 人の目を引く / ~을 떼지 않다 目を放さない / ~을 딴 데로 돌리다 目をそらす / ~이 닿다〔미치다〕 目がとどく. 文例 성적이 ~에 띄게 좋아졌다 成績が目に見えてよくなった.

❻見識. 眼力. 眼識. 文例 미술에 대한 ~이 있다 美術の目がある / 내 ~엔 틀림이 없다 私の目に狂いはない / 제겐 아직 사람을 보는 ~이 없어요 わたしにはまだ人を見る目がありません.

❼見方. 句例 서양 사람의 ~으로 보면 西洋人の目から見れば / 공평한 ~으로 보다 公平な目で見る. 文例 남자가 보는 ~과 여자가 보는 ~은 좀 달라요 男が見る目と女が見る目は少し違います.

❽自覚. 文例 이제 그 사람도 ~을 떴을 것이다 これで彼も目が覚めたであろう.

눈 가리고 아웅한다 目を覆ってにゃあと言う. すぐにばれるような仕方で人をだまそうとすることのたとえ.

눈(을) 감다 ⇨ 눈감다

눈(을) 기이다 目をかすめる. 人目を忍ぶ.

눈 깜짝할 사이에 瞬く間に. あっという間に.

눈(을) 뜨다 ❶目を開ける. 句例 차마 눈뜨고 볼 수 없다 見るに忍びない. 目も当てられない. ❷目覚める. 目を覚ます. 句例 성에 ~ 性に目覚める / 현실에 ~ 現実に目覚める.

눈(이) 맞다 ❶(二人の)目〔視線〕が合う. 目つきで互いの気持ちが通じる. ❷(男女の間に)愛情が通じ合う. 恋に陥る. なれ合う.

表現 ②は俗っぽい言いかた.

눈(을) 맞추다 ❶目を合わせる. 目で合図し合う. ❷互いに恋う目つきで見交わす.

눈(이) 멀다 ❶目がつぶれる. 目が見えなくなる. ❷目がくらむ. 句例 욕심에 ~ 欲に目がくらむ.

눈 밖에 나다 にらまれる.

눈(에) 설다 見慣れない. 目慣れない. 對눈(에) 익다.

눈에 거슬리다 目に障る.

눈에 넣어도 아프지 않다 目の中に入れても痛くない.

눈에 들다 目〔気〕に入る. 心にかなう.

눈에 띄다 目につく. 目に立つ〔とまる〕. 目立つ. 目に留まる. 目にふれる.

눈에 밟히다 (忘れられず)目にありありと浮かぶ.

눈에 불을 켜다 目を光らす.

눈에 불이 나다 目から火が出る. (忙しくて)目が回る. (殴られて)目から火が出る.

눈에 선하다 目に残る. 目にありありとする.

눈에 쌍심지를 켜다 目に角を立てる. 目をつり上げる. 目を三角にする.

눈에 어리다 目に浮かぶ. 目に焼き付く.

눈에 차다 気に入って満足する.

눈에 흙이 들어가다 死ぬ. 死んで土に埋められる. 文例 내 눈에 흙이 들어가기 전에는 안 된다 わたしの目の黒いうちはだめだ.

눈을 부라리다 目をむく.

눈을 부릅뜨다 '눈을 부라리다'のこと.

눈을 붙이다 少しの間眠る.

눈을 속이다 目を欺く. ごまかす.

눈을 흘기다 横目でにらむ.

눈이 가다 視線が引かれる. 目が届く.

눈이 꺼지다 目がくぼむ.

눈이 나오다 (値段が高くて)目が飛び出る.

눈이 높다 目が高い. 目が肥える. 句例 눈이 높은 사람 目の高い〔肥えている〕人.

눈이 동그래지다 目を丸くする. 目を見張る.

눈이 뒤집히다 目がくらむ. 理性を失う.

눈이 많다 人目が多い.

눈이 벌겋다 目が血走る. 血眼になる.

눈이 보배다 目が宝だ. 目が最も大切だ.

눈이 빠지도록 기다리다 首を長くして待つ.

눈이 삐다 見る目がおかしい.

눈이 시다 胸くそが悪い. 目に障る. =눈꼴(이) 시다.

눈이 시퍼렇다 ぴんぴんと生きている.

눈이 어둡다 目がくらむ.

눈이 휘둥그레지다 目をぱちくりさせる.

눈(에) 익다 見慣れている. 見覚えがある. 句例 눈에 익은 경치 見慣れた景色. 對눈(에) 설다.

눈(을) 주다 ❶約束の目配せをする. ❷目を向ける. 視線を移す.

*눈^{2} 〈名〉芽.

눈(이) 트다 芽ぐむ. 芽吹く. 芽生える. 文例 숲속 나무들이 눈트기 시작했다 森の木木が芽吹きはじめた.

*눈^{3} 〈名〉⇨ 눈금. 句例 저울 ~을 속이다 目〔目方〕を盗む. 語例 저울 ~ はかりの目.

눈^{4} 〈名〉(網などの)目. 句例 ~이 성긴 체 目の粗いふるい(篩). 語例 그물~ 網の目.

**눈^{5} [nu:n] 〈名〉雪. 句例 ~같이 흰 살갗 雪のような肌 / ~이 내리다〔오다〕 雪が降る / ~이 쌓이다 雪が積もる / ~이 녹다 雪が解ける / ~처럼 희다 雪のように白い. 雪を欺く / ~에 덮이다 雪におおわれる / ~에 묻히다 雪にうずもれる. 語例 큰 ~ 大雪. 豪雪 / 함박~ ぼたん雪 / 첫~ 初雪 / 싸라기~ あられ / ~싸움 雪合戦.

눈-가 [nunkka] 〈名〉目じり. 目縁. 句例 ~에 주름이 잡히다 目じりにしわが寄る / ~에 멍이 들다 目のまわりにあざができる.

눈-가루 [nunkkaru] 〈名〉雪の粉.

눈-가림 〈名・하自〉(人の目を)欺くこと. 見せかけ. 句例 ~으로 하는 일 見せかけにする仕事.

눈-감다 [nungamttta] 〈自〉 ❶目をつぶる〔閉じる〕. ❷息を引き取る. 死ぬ. ❸見て見ないふりをする.
눈감아 주다 大目に見る. 見逃がす. 黙認する. 文例 이번만은 눈감아 주시오 今度だけは大目に見てください.
눈감으면 코 베어 먹을 세상 生き馬の目を抜く.
눈-겨룸 〈名・하自〉 にら(睨)めっこ. にらみっくら.
눈-결 [nunkkyŏl] 〈名〉 つかのま. 瞬く間. 句例 ~에 언뜻 보다 一瞬ちらっと見る.
눈-곱 [nunkkop] 〈名〉 ❶目やに. 目くそ. ❷ごく小さいものをいう語. 句例 ~만한 양심도 없다 良心のかけらもない.
눈곱(이) 끼다 目やにがたまる.
눈곱만큼도 つめのあかほども. すずめの涙ほども. 文例 인정이라곤 ~ 없는 사람이다 人情なんかつめ(爪)のあか(垢)ほどもない人だ.
눈-구름 [nu:n-gurŭm] 〈名〉 雪雲.
눈-구멍 [nunkkumŏng] 〈名〉 眼孔.
눈-구석 [nunkkusŏk] 〈名〉 目頭. 目もと.
***눈-금** [nunkkŭm] 〈名〉 目盛り. 度盛り. 度. 目. =눈³. 句例 ~을 읽다 目盛りを読む/~을 세다 度盛りを数える/~을 긋다 目盛りをつける.
눈-기이다 ⇨ '눈¹'の小項目
눈-길¹ [nunkkil] 〈名〉 視線. 句例 따뜻한 ~ 暖かい視線.
눈길(을) 끌다 人目を引く. 目を奪う.
눈길(을) 모으다 人目を集める. 視線を集める.
눈-길² [nu:nkkil] 〈名〉 雪道.
***눈-까풀** 〈名〉 まぶた.
눈-깔 〈名〉 '눈¹'の俗っぽい言いかた.
⁑**눈깔-사탕** 【—砂糖】 〈名〉 あめ玉. 類알사탕.
눈-깜작이 〈名〉 '눈깜짝이'の語勢の弱い語.
눈-깜짝이 [—kkamtchagi] 〈名〉 習慣的に目をぱちぱちさせる人.
눈-꺼지다 ⇨ '눈¹'の小項目
눈-꺼풀 〈名〉 ⇨ 눈까풀
눈-꼴 〈名〉 目の形や目つきなどを見さげていう語: 目つき. 句例 ~이 험하다 目つきが険しい.
눈꼴(이) 사납다 ❶目つきが和やかでない. 目つきが悪い. ❷気〔しゃく〕に障る. 目障りだ. 目に余る.
눈꼴(이) 시다 胸くそが悪くなる. 目に障る. 見ただけでもへど(反吐)が出る. =눈꼴(이) 틀리다. 文例 눈꼴시어서 못 보겠다 目障りで見ていられない.
눈꼴(이) 틀리다 '눈꼴(이) 시다'のこと.
눈-꽃 [nu:nkkot] 〈名〉 雪花.
눈-높다 ⇨ '눈¹'の小項目
눈-대중 [nunttaejung] 〈名〉 目分量. 目積もり. =눈어림. 눈짐작. **~하다** 〈他〉 目分量で測る. 目測する.
눈-덩이 [nu:nttŏng i] 〈名〉 雪の塊. 句例 ~처럼 불어나다 雪の塊を転がすように〔雪だるま式に〕(お金・借金が)どんどん殖える.
눈-독 [nunttok] 〈名〉 貪欲な目つき. 目星.
눈독(을) 들이다 ねら(狙)う. 目星をつける. 見込む.
눈-동자 【—瞳子】 [nunttongja] 〈名〉 ひとみ(瞳). 瞳孔. 句例 검은 ~ 黒いひとみ.
눈-두덩 [nunttudŏng] 〈名〉 うわまぶた. 句例 ~이 붓다 まぶたがは(腫)れる.
눈-딱부리 〈名〉 どんぐり眼(の人).
눈-뜨다 (—뜨니, —떠서) ⇨ '눈¹'の小項目
눈뜬-장님 〈名〉 文盲. 字の読めない人.
***눈-망울** 〈名〉 目玉. 眼球. 句例 ~을 굴리다 目玉をくりくりさせる.
눈-맞다 ⇨ '눈¹'の小項目
눈-맞추다 ⇨ '눈¹'の小項目
***눈매** 〈名〉 '눈맵시'の略: 目つき. 句例 시원스러운 ~ すっきりした目つき/~가 곱다 目元が美しい.
눈-맵시 〈名〉 目つき. 略して '눈매'ともいう.
***눈-멀다** (—머니, —멀어서) ⇨ '눈¹'の小項目
⁑**눈-물** 〈名〉 涙. 句例 ~을 흘리면서 涙ながら(に)/~을 흘리다 涙を流す. 涙をこぼす/~을 글썽이다 涙を浮かべる/~을 닦다〔씻다〕 涙をぬぐ(拭)う/~이 복받치다 涙がこみ上げる. 文例 피도 ~도 없다 血も涙もない.
눈물(이) 나다 涙が出る. 涙が流れる.
눈물로 보내다 涙に明け涙に暮れる. 句例 눈물로 보내는 나날 涙の日日.
눈물(이) 어리다 涙ぐむ. (目に)涙がたまる.
눈물을 머금다 ❶涙ぐむ. ❷涙をのむ. 涙をこらえる.
눈물을 삼키다 涙をのむ.
눈물이 돌다 涙が浮かぶ.
눈물이 앞을 가리다 涙が遮る. 涙で前が見えなくなる.
눈물이 헤프다 涙もろい.
눈물(이) 지다 涙が流れる.
눈물(을) 짜다 ❶涙を流して泣く. ❷空涙を流す.
***눈물-겹다** (—겨우니, —겨워서) 〈形〉 涙ぐましい. 句例 눈물겨운 이야기 涙こぼれる話/눈물겨운 정경 涙ぐましい情景/눈물겨운 노력을 하다 涙ぐましい努力をする.
***눈물-샘** 〈名〉〔生〕 涙腺. =누선(涙腺).
눈물-어리다 ⇨ '눈물'の小項目
눈물-없이 [nunmurŏpshi] 〈副〉 涙なしに. 感動せずに. 句例 ~ 볼 수 없는 광경 涙なしには見られない光景.
눈물-지다 ⇨ '눈물'の小項目
눈물-짓다 (—지으니, —지어서) 〈自〉 涙する. 涙を浮かべる. 類울다.
눈-바람¹ [nu:nbaram] 〈名〉 ❶雪と風. 風雪. ❷厳しい苦難. 句例 ~이 몰아쳐도 견뎌 이겨내다 世の中の風雪にたえて生きぬく.
눈-바람² [nu:npparam] 〈名〉 雪の上を吹きまくる冷たい風. 雪まじりの風. 雪風.
***눈-발** [nu:nppal] 〈名〉 (筋を引いて)降りしきる雪.
눈발(이) 서다 雪模様になる.
눈-병 【—病】 [nunppyŏng] 〈名〉 眼病. 眼疾.
눈-보라 [nu:nbora] 〈名〉 吹雪.
눈보라(가) 치다 ふぶ(吹雪)く.

ㄴ

*눈-부시다〈形〉❶まぶ(眩)しい. まばゆい《雅》. 句例 눈부신 햇살 まぶしい日差し / 눈부시게 흰 눈 まぶしいほどに白い雪. ❷目覚ましい. 華華しい. 句例 눈부신 활약 目覚ましい働き. 華華しい活躍 / 눈부신 발전 まばゆいばかりの発展.

눈-비 [nu:nbi]〈名〉雪と雨.

눈-빛¹ [nunppit]〈名〉❶目色. 目つき. 句例 애원하는 듯한 ~ 哀願するような目つき. ❷目の色. 句例 파란 ~ 青い目の色.

눈-빛² [nu:nppit]〈名〉雪色. 雪の白色. 真っ白な色. 句例 ~처럼 흰 살결 雪のように白い肌.

**눈-사람 [nu:nssaram]〈名〉雪だるま.

눈-사태【—沙汰】[nu:nsat'ae]〈名〉雪崩. 句例 ~가 나다 雪崩が起こる.

*눈-살 [nunssal]〈名〉眉間のしわ. まゆ(眉)とまゆの間のしわ.

눈살을 펴다 眉間のしわを伸ばす. 愁眉を開く. 文例 눈살을 펼 새가 없다 眉間のしわを伸ばすひまがない. 気苦労が絶えない.

눈살(을) 찌푸리다 まゆ(眉)をひそめる.

눈-석임 [nu:nsŏgim]〈名・하自〉雪解け. 語例 ~물 雪解け水.

눈-설다 (—서니, —설어서) ⇨ '눈¹'の小項目

눈-속임 [nunsogim]〈名・하他〉ごまかし.

**눈-송이 [nu:nssong-i]〈名〉雪のひら. 雪片. 句例 ~가 바람에 날리다 雪片が風に舞う.

*눈-시울 [nunssiul]〈名〉目頭. 句例 ~이 뜨거워지다 目頭が熱くなる / ~을 적시다 目頭をぬらす.

눈-싸움¹〈名・하自〉にら(睨)めっこ. にら(睨)めっくら. 略して'눈쌈'ともいう. =눈겨룸.

*눈-싸움² [nu:nssaum]〈名・하自〉雪合戦. 雪投げ.

눈-썰미〈名〉目端が利いてすぐまねる手並み. 見まね. 句例 ~가 있다〔좋다〕見まねが上手だ.

**눈썹〈名〉まゆ(眉). まゆ毛. 句例 가는 ~ 細まゆ / 그린 ~ 作りまゆ. 引きまゆ毛 / 검은 ~ 黒いまゆ / 숱이 많은 ~ 濃いまゆ / ~을 그리다 まゆを描く〔引く〕/ ~을 찌푸리다 まゆ根をひそめる.

눈썹도 까딱하지 않다 まゆ一つ動かさない. びくともしない. 句例 눈썹도 까딱하지 않고 듣다 まゆ一つ動かさずに聞く.

눈-알 [nunal]〈名〉目玉. 眼《雅》. =안구(眼球).

눈알을 부라리다 ⇨'눈을 부라리다'の意(→'눈'の小項目)

*눈-앞 [nunap]〈名〉目の前. 目先. 眼前. 目前. 句例 ~의 이익 目先の利益 / ~의 적 眼前の敵 / ~에 닥친 큰 행사 目前に迫った大きな行事.

눈앞에 두다 目前に控える. 句例 결혼을 눈앞에 두고 結婚を目前に控えて.

눈앞이 캄캄하다 ❶目の前が暗くなる. ❷途方に暮れる. お先まっくら.

눈-약【—藥】[nunnyak]〈名〉目薬. =안약(眼藥). 句例 ~을 넣다 目薬を差す.

눈-어림 [nunŏrim]〈名〉目分量. 目算. 目加減. =눈짐작. ~하다〈他〉目算する. 目積もりする.

눈엣-가시 [nunetkashi]〈名〉目の上のこぶ. 目の敵.

*눈여겨-보다 [nunnyŏgyŏ—]〈他〉目を凝らして見る. 目を注ぐ. 目を留める. 注視する. 文例 일하는 것을 눈여겨보았다 働くことを目を凝らして見た.

눈-요기【—療飢】[nunnyogi]〈名・하自〉目の保養. 句例 ~를 하다 目の保養をする.

*눈-웃음 [nunusŭm]〈名〉目笑. 色目.

눈웃음(을) 짓다 目に笑いを浮かべる.

눈웃음(을) 치다 目で笑う. 色目を使う.

눈-익다 [nunnikta] ⇨'눈¹'の小項目

눈-인사【—人事】[nuninsa]〈名・하自〉目礼. 句例 ~를 나누다 目礼を交わす.

*눈-자위 [nuntchawi]〈名〉目の縁.

눈자위(가) 꺼지다 (死ぬと目が落ち込むことから)死ぬ.

눈-접【—椄】〈名〉芽接ぎ.

눈-정기【—精氣】[nuntchŏnggi]〈名〉目の精気. 目の輝き. 句例 ~가 돌다 目が輝く.

눈-조리개〈名〉〔生〕虹彩. =홍채(虹彩).

눈-주다 ⇨'눈¹'の小項目

*눈-짐작 [nuntchimjak]〈名・하他〉⇨ 눈대중. 눈어림

*눈-짓 [nuntchit]〈名〉目配せ. 目顔. 目色. 目まぜ. ~하다〈自〉目配せする. 句例 ~으로 알리다 目顔で知らせる. 目配せする.

눈-초리〈名〉目じり. まなじり. 目つき. 句例 험상궂은 ~ 険しい目つき / 매서운 ~ 鋭い目つき / ~가 샐쭉해지다 目じりがつり上がる. 怒った顔つきになる.

눈-총〈名〉どくどくしいまなざ(眼差)し. にら(睨)み.

눈총(을) 맞다 (きつい目で)にらまれる. 非常に憎まれる.

눈-총기【—聰氣】〈名〉(物事をすぐ見覚える)目の才気. 句例 ~가 있다 覚えがいい.

*눈치〈名〉❶目端. 機転. 勘. センス. 句例 ~가 빠르다 目端〔気〕が利く. 勘がいい. 目ざとい. ❷人を嫌う気色. 句例 싫은 ~ 하나 뵈지 않고 いやな顔ひとつせず. ❸表にあらわれた気色. ようす. 顔付き. 素振り. 文例 ~가 좀 이상하다 気色がちょっと怪しい / 불안해하는 ~다 不安そうなようす〔顔付き〕だ / 가고 싶은 ~다 行きたい素振りだ.

눈치가 다르다 (行動・態度が)普通〔いつも〕とは違う. ようすがおかしい.

눈치가 보이다 (人が自分を)嫌っているようだ.

눈치가 빠르면 절에 가도 젓갈을 얻어 먹는다 気の利く人は寺に行っても魚の塩辛にありつける. 目端の利く人はどこへ行っても困窮することはない.

눈치(를) 보다 人の顔色をうかがう. 気を遣う. ようすを探る. 人の気色を探る. 句例 주인의 눈치를 보다 主人の顔色〔ご機嫌〕をうかがう.

눈치(를) 살피다 人の顔色をうかがう.

눈치(가) 있다〔없다〕勘がいい〔鈍い〕. センスがある〔ない〕. 機転が利く〔利かない〕.

눈치(를) 차리다〔채다〕 気づく. か(嗅)ぎ付ける. 感じ取る. 文例 전혀 눈치채지 못했다 全く気がつかなかった.

눈치(를) 채이다 けど(気取)られる. 気づかれる. 感づかれる. 文例 이미 눈치채였다 既にけどられた.

눈치 코치도 모른다 目端がちっとも利かない.

눈칫-밥 〈名〉 (居候などの)気兼ねしながら食べるご飯.

눈칫밥(을) 먹다 気兼ねしながら食事をさせてもらう. 肩身の狭い生活をする.

눈-코 〈名〉 目と鼻.

눈코 뜰 사이〔새〕 없다 目が回るほど忙しい.

눈-퉁이 〈名〉 目縁のふくらんでいる所. 句例 ~가 붓다 目縁がは(腫)れる.

눈-트다 (—트니, —터서) ⇨ '눈[2]'の小項目

눋다 [nu:tta] (눌으니, 눌어서) 〈自〉 焦げる. 句例 밥이 노랗게 ~ ご飯が黄色く焦げる. 表現 初声が母音で始まる語尾を伴って活用するときは, '눌어 焦げて [nurŏ]'のように短音に発音される.

눌러 [nu:llŏ] 〈副〉 ❶(そのまま)大目に. 文例 부족한 점이 있더라도 ~ 봐 주십쇼 足りない点があっても大目に見てください. ❷引き続き. 文例 회장은 ~앉게 되었다 会長は居座ることになった / 다니던 직장에 ~ 있기로 했다 勤めて来た職場にとどまることにした.

눌러-보다 [nu:llŏboda] 〈他〉 (許す心で)大目に見る.

***눌리다**[1] [nu:llida] 〈自〉 '누르다'の受け身: 押される. 句例 기백에 ~ 気迫に押される / 강대국에 ~ 強大国に抑圧される / 눌려 지내다 押さえつけられて暮らす.

눌리다[2] 〈他〉 '눋다'の使役形: 焦がす. 句例 밥을 ~ ご飯を焦がす.

눌변【訥辯】 〈名〉 訥弁. 口べた. 對능변(能辯).

눌어-붙다 [nurŏbutta] 〈自〉 ❶焦げつく. 焼きつく. 句例 밥이 ~ ご飯が焦げつく. ❷長居する. しり長く居座る. 文例 한 자리에 눌어붙어 있어 미움을 받고 있다 長居して人に嫌われている.

눌은-밥 [nurŭnbap] 〈名〉 かま(釜)の底に焦げついたご飯に水を注いでしゃくしでつぶしかゆ(粥)みたいにした食べ物. →누룽지

****눕다** (누우니, 누워서) 〈自〉 伏す. 横たわる. 横になる. 寝る. 句例 침대에 ~ ベッドに横たわる / 배를 깔고 누워서 책을 읽다 寝そべって本を読む / 잔디밭에 ~ 芝生に横になる / 과로해서 몸져 ~ 過労のあげく病床に就く. 文例 병상에 누워 있는 친구를 문병했다 病床に伏している友人を見舞った / 고구마 줄기는 누워서 옆으로 뻗는다 さつまいもの茎ははいながら横に伸びる.

누운 소 타기 寝そべった牛に乗ること. 非常にたやすいこと. ＝누워 떡 먹기.

누울 자리 봐 가며 발을 뻗어라 寝所のようすを見て足を伸ばせ. 時と場所をわきまえて行動せよ.

누워(서) 떡 먹기 寝そべってもち(餅)を食べること. 朝飯前.

누워서 침 뱉기 天を仰いでつばきする.

눕히다 [nup'ida] 〈他〉 寝かす. 横たえる. 横にする. ＝누이다. 句例 몸을 ~ からだを横たえる / 어린애를 ~ 子供を寝かせる / 한 방에 때려 ~ 一発で張り倒す〔たたきのめす〕.

눙치다 〈自〉 (よく言い聞かせて相手の心を)和らげる. なだめる.

뉘[1] 〈名〉 つ(搗)いた米に混じっているもみ. 文例 밥에 ~가 섞여 있다 ご飯にもみが混じっている.

뉘[2] 〈代〉 '누구'の略: だれ(誰). 文例 ~에게 줬느냐 だれにやったのか / 댁은 ~시오 お前さんはだれかね / ~라서 나를 이기랴 だれがおれに勝てようか.

뉘[3] [nwi:] ['누구의'の略] だれの. 文例 ~ 짓이냐 だれの仕業か / ~ 집 애냐 どこの子かね.

뉘-반지기 〈名〉 もみのたくさん混じっている米.

뉘앙스 〈名〉 ニュアンス. ◇프 nuance

뉘엿-거리다 〈自〉 ❶日がまさに暮れようとする. ❷吐き気がする. むかつく.

뉘엿뉘엿 [nwiyŏnnwiyŏt] 〈副・하自〉 日がまさに沈もうとするさま. 文例 해가 ~ 저물어 간다 日がだんだん暮れていく.

***뉘우치다** 〈他〉 悔やむ. 反省する. 句例 전비를 ~ 前非を悔いる / 자기 잘못을 ~ 自分の過ちを悔いる / 뉘우치는 기색이 역력하다 反省の色がありありと見える. 文例 지나간 일은 아무리 뉘우쳐도 소용이 없다 過ぎ去った事はどんなに悔やんでも仕方がない / 이제 와서 뉘우친들 무슨 소용이 있나 今さら悔やんでどうなるというのか.

뉘우침 〈名〉 悔い. 反省.

뉴 [nyu:] 〈冠〉 ニュー. 語例 ~ 스타일 ニュースタイル / ~ 모드 ニューモード. ◇new

***뉴스** [nyu:sŭ] 〈名〉 ニュース. 句例 중대한 ~ 重大なニュース. ビッグニュース. 語例 ~ 밸류 ニュースバリュー / ~ 영화 ニュース映画 / ~ 캐스터 ニュースキャスター / 국내 ~ 国内ニュース / ~ 해설 ニュース解説 / ~ 속보 ニュース速報. ◇news

느글-거리다 〈自〉 むかつく. むかむかする. 吐き気を催す.

느글느글 [nŭgŭllŭgŭl] 〈副・하自〉 しきりにむかつくさま: むかむか.

느긋-이 [nŭgŭshi] 〈副〉 いかにも満足げに. 余裕ありげに. 句例 마음을 ~ 먹다 心をゆったり構える.

느긋-하다 [nŭgŭt'ada] (→하다) 〈形〉 余裕のある気構えである. 満足な気持ちだ. (心が)満ち足りている. のんびりしている. 句例 느긋한 마음 満ち足りた気持ち. ゆったりした心構え.

****느끼다** ■〈他〉 感じる. ❶知覚する. 覚える. 句例 추위〔더위〕를 ~ 寒さ〔暑さ〕を感じる / 공복을 ~ 空腹を感じる / 격통을 ~ 激痛を覚える / 신산함을 ~ [illegible]しみを感じる / 슬픔을 ~ 悲しみを覚える / 아픔을 ~ 痛みを感じる / 흥미를 ~ 興味を覚える / 만족을 ~ 満足を覚える. 語例 느껴지다 感じられる. ❷感動〔感心〕する. 句例 책임을 ~ 責任を感

じる / 느끼는 바 있어 思う所があって / 절실히 ～ 切実に感じる.

■〈自〉泣きむせぶ. すすり泣く. 句例 흑흑 느껴 울다 (悲しげに)すすり泣く.

느끼-하다 (→하다)〈形〉❶(食べ物が)脂ぎって口当たりが悪い. 脂っこい. 句例 느끼한 고기 요리 脂っこい肉料理. ❷(腹が)もたれ気味だ.

***느낌**〈名〉感じ. 感. 思い. 句例 밝은 ～의 그림 明るい感じの絵 / ～을 말하다 感想を述べる / 이상한 ～이 들다 変な感じがする. 文例 아직 이른 ～이 있다 まだ早い感がある.

느낌-표【一標】〈名〉〔言〕感嘆符. ＝감탄 부호(感歎符號).

느닷-없이 [nŭdadŏpshi]〈副〉いきなり. 出し抜けに. 不意に. 句例 ～ 찾아온 손님 不意に訪ねて来たお客 / ～ 때리다 いきなり殴り付ける / ～ 해고하다 出し抜けに解雇する.

느럭-느럭 [nŭrŏngnŭrŏk]〈副〉のろのろ(と). のそのそ(と).

느런-히〈副〉ずらりと並んで. 列をなして.
表現 語感の小さい語は'나란히'.

느렁이〈名〉〔動〕❶雌ノロ. ❷雌じか(鹿).

느루〈副〉(一気に片付けないで)引き延ばして. 長らく.

느루 먹다 食い延ばす. 文例 밥에 잡곡을 섞어 쌀을 느루 먹었다 ご飯に雑穀を混ぜてお米を食い延ばした.

느루 잡다 ❶ゆるく手にとる〔握る〕. ❷間をおいて日時を定める. 文例 출발 날짜를 한 열흘 느루 잡았다 出発の日を十日くらいの間をおいて決めた.

느른-하다 (→하다)〈形〉❶(疲れきって)くたくただ. 重ったるい. だるい. 句例 피곤해서 느른해지다 疲れてくたくたになる. ❷か弱く柔らかい.
表現 語感の小さい語は'나른하다'.

느릅-나무 [nŭrŭmnamu]〈名〉〔植〕にれ(楡). エルム.

느리-광이〈名〉のろま. 怠け者. ＝느림보.

****느리다**〈形〉❶のろ(鈍)い. 遅い. 句例 기차가 ～ 汽車がのろい / 발이〔진보가〕～ 足〔進歩〕が遅い / 일손이 ～ 手がのろい / 동작이 ～ 動作がのろい. 對 빠르다. ❷(性質が)おっとりしている. のんびりしている. (頭の働きが)鈍い. のろい. ❸(傾斜などが)緩い. 緩やかだ. 緩慢だ. 句例 경사가 ～ 傾斜が緩い. ❹(織り目・よ(縒)りなどが)緩い. 詰んでいない. 句例 느린 천 目の緩い布地.

느림〈名〉(カーテンなどに飾りとして垂らす)房飾り. ＝술.

***느림-보**〈名〉のろま. 怠け者. ＝느리광이.

느릿-느릿 [nŭrinnŭrit]〈副・하形〉❶のろのろ. のそのそ. のっそりのっそり. 句例 ～ 걷다 のそのそと歩く / ～ 일어나다 のっそりと立ち上がる / ～ 말하다 ゆっくりと話す. ❷よ(縒)りや織りが緩く. 句例 ～ 꼰 새끼 緩くよった縄.

느릿-하다 [nŭrit'ada] (→하다)〈形〉ややのろ(鈍)い. のっそりしている. 緩やかだ. 句例 동작이 ～ 動作がのっそりしている / 느릿한 걸음걸이 のろい足取り.

느물-거리다〈自〉ずるく振る舞う. ずるい話しぶりをする.

느물느물 [nŭmullŭmul]〈副・하自〉ずるく横着に振る舞うさま. 「う.

느물다 (느무니, 느물어서)〈自〉ずるく振る舞

느슨-하다 (→하다)〈形〉❶緩んでいる. たる(弛)んでいる. 句例 매듭이 ～ 結び目が緩んでいる / 허리띠가 느슨해지다 帯が緩む. ❷(性格が)締まりがない. 句例 성격이 느슨한 사람 締まりのない人 / 정신 상태가 느슨해지다 精神状態がたるむ. **느슨히**〈副〉緩く. 句例 끈을 느슨히 매다 ひも(紐)を緩く結ぶ.

느즈러-지다〈自〉❶(締めたものが)緩む. 緩くなる. 句例 매듭이 ～ 結び目が緩む. ❷たる(弛)む. 句例 눈까풀이 ～ まぶた(瞼)がたるむ / 느즈러진 마음을 다그치다 緩んだ心を引き締める. ❸延期される. 延びる. 句例 날짜가 ～ 期日が延期される.

느지감-치〈副〉かなり遅く. 相当遅く. 對 일찌감치.

느지막-이 [nŭjimagi]〈副〉かなり遅く. 句例 ～ 저녁을 먹다 かなり遅く夕ご飯を食べる.

느지막-하다 [nŭjimak'ada] (→하다)〈形〉かなり遅い. 句例 느지막한 시각에 도착하다 かなり遅い時刻に到着する.

느직-이 [nŭjigi]〈副〉やや遅く. 遅めに. 對 일찍이.

느직-하다 [nŭjik'ada] (→하다)〈形〉やや遅い.

느치〈名〉〔蟲〕こくぬすと.

느타리〈名〉⇨ 느타리버섯

느타리-버섯〈名〉〔植〕ひらたけ(平茸). ＝느타리.

느티-나무〈名〉〔植〕けやき(欅).

늑골【肋骨】〈名〉〔生〕肋骨. あばら骨. ＝갈비뼈.

***늑대**〈名〉〔動〕おおかみ(狼). ヌクテ.

늑막【肋膜】[nŭngmak]〈名〉〔生〕肋膜. ＝흉막(胸膜).

늑막-염【肋膜炎】[nŭngmang-nyŏm]〈名〉〔醫〕肋膜炎.

늑목【肋木】[nŭngmok]〈名〉肋木. 体操器具のひとつ. 絵

〈늑목〉

늑장〈名〉(急用を差し置き)ぐずつくこと.

늑장(을) 부리다 ぐずぐずする. ぐず(愚図)る. もたもたする.

는〈助〉終声のない語につく補助詞: は. 略して'ㄴ[n]'ともいう. 文例 나～ 한국인이다 わたしは韓国人である / 나～ 아니다 わたしではない / 만나기～ 했으나 이야기～ 안 했다 会いはしたが話はしなかった / 먹어서～ 안 된다 食べてはいけない / 빨리～ 안 됩니다 早くはできません.

表現 (1)終声のある語につくときは'은'になる. 이것은 책이다 これは本だ. (2)'는'がついたことばは, 文の中で主語になることが多いので, '는'は 主格助詞'가'と同じように主語を示す助詞と考えられがちであるが, '는'は主語だけに使われるとは限らない. たとえば, '먹어서는 안 된다'の'먹어서는'は主語ではない. (3)文のなかのある部分を強

つめていう場合は後に打ち消しのことばが使われたり，前に言ったこととは反対の意味のことが述べられたりすることが多い．

는질-거리다 〈自〉 ただれてどろどろ〔ぐにゃぐにゃ〕する．

는-커녕 〈助〉‘커녕’の強調語：どころか．…はおろか．[文例] 비디오~ 라디오도 없다 ビデオどころかラジオもないよ / 슬프기~ 즐겁기만 하다 悲しいどころかとてもうれしい．
[表現] 終声のある語につくときは ‘은커녕’になる．만 원은커녕 천 원도 없다 一万ウォンはおろか一千ウォンもないよ．

늘 〈副〉 いつも．常に．始終．しょっちゅう《俗》．[句例] ~ 놀고 지내다 いつもぶらぶら暮らす / ~ 공부만 하는 학생 いつも勉強ばかりしている学生．[文例] ~ 생각해 오고 있었습니다 ずっと考えていました．

늘그막 〈名〉 老年．老境．晩年．老いらく《雅》．[句例] ~의 사랑 老いらくの恋 / ~에 접어들다 老境に入る．老いを迎える / ~에 고생하다 年取って苦労する．

***늘다** (느니，늘어서) 〈自〉 ❶増える．増す．[句例] 인구가 ~ 人口が増える．[文例] 평균 수명이 많이 늘었다 平均寿命が随分伸びた．❷上達する．うまくなる．上がる．[句例] 솜씨가 ~ 腕〔手〕が上がる / 기술이 ~ 技術が向上する．❸(生活が)豊かになる．[句例] 살림이 ~ 暮らしがよくなる．

늘름 〈副〉 舌や手を素早く動かすさま：ぺろりと．さっと．**~거리다** 〈自他〉 しきりに手をさっと〔舌をぺろりと〕動かす．
[表現] 語感の小さい語は‘날름’．

늘리다 〈他〉 増〔殖〕やす．増す．伸ばす．[句例] 재산을 ~ 財産を増やす / 사람 수를 ~ 人数を増やす / 저축을 ~ 貯蓄を殖やす / 엿가락 늘리듯 ~ あめん棒を伸ばすようにずるずると引き延ばす / 고속 도로를 4차선으로 ~ 高速道路を4車線に広げる． →囲み記事19

늘비-하다 (→하다) 〈形〉 ずらりと置かれて〔並んで〕いる．

늘썽-하다 (→하다) 〈形〉 (編み目や織り目が)粗い．

늘씬-하다 (→하다) 〈形〉 ❶すらりとしている．[句例] 키가 ~ 背がすらりとしている / 늘씬한 현대 여성 すらりとしたモダンガール．❷(力が抜けて)ぐったりしている．[句例] 늘씬하게 얻어맞다 ぐったりとなるまで殴られる．
[表現] 語感の小さい語は‘날씬하다’．

늘어-가다 [nŭrŏ—] 〈自〉 ❶増〔殖〕えていく．[句例] 재산이 ~ 財産が殖えていく．❷うまくなっていく．上達する．伸びていく．[句例] 회화가 나날이 ~ 会話が日日にうまくなっていく．

***늘어-나다** [nŭrŏ—] 〈自〉 ❶伸びる．長くなる．[句例] 고무줄이 ~ ゴムひもが伸びる ❷増〔殖〕える．増大する．大きく〔多く〕なる．[句例] 인구가 ~ 人口が増える．❸(生活が)豊かになる．[句例] 살림이 ~ 暮らしが豊かになる．▷㉷줄어들다．

***늘어-놓다** [nŭrŏnot'a] 〈他〉 ❶ずらりと並べる．[句例] 한 줄로 ~ 一列に並べる / 보기 좋게 ~ きれいに並べる．❷散らかす．[句例] 장난감을 여기저기 ~ おもちゃをあちこち散らかす．❸(事業などを)あちこちに広げる．[句例] 사업체를 ~ 企業をあちこちに広げる．❹配置する．[句例] 감시원을 ~ 監視員を配置する．❺(言葉を)並べ立てる．連ねる．しゃべる．[句例] 불평을 ~ 不平を並べ立てる．[文例] 그는 이야기를 장황하게 늘어놓았다 彼は話を長長としゃべりまくった．

늘어-뜨리다 [nŭrŏ—] 〈他〉 垂らす．垂れる．ぶら下げる．[句例] 끈을 ~ ひも(紐)を垂らす / 개가 꼬리를 ~ 犬が尾を垂れる．[文例] 팔을 늘어뜨리고 의자에 앉아 있다 腕を垂らして椅子に座っている / 머리를 땋아 뒤로 길게 늘어뜨렸다 髪を編んで後ろに長く垂らした．

늘어-붙다 [nŭrŏ—] 〈自〉 ❶べたっとくっつく．❷一か所にとどまる．[文例] 하루종일 방 안에만 늘어붙어 있다 一日じゅう部屋にこも(籠)りっきりだ．

***늘어-서다** [nŭrŏ—] 〈自〉 並ぶ．立ち並ぶ．[句例] 이열 횡대로 ~ 二列横隊に並ぶ．[文例] 기와집이 죽 늘어선 길을 걸어갔다 瓦屋根の家がずっと立ち並んだ道を歩いて行った．

늘어-지다 [nŭrŏ—] 〈自〉 ❶長くなる．伸びる．[句例] 고무줄이 ~ ゴムひもが伸びる．[文例] 큰대(大) 자(字)로 늘어져 잤다 大の字にからだを伸ばして寝た．
❷(下に)垂れる．垂れ下がる．[句例] 등나무 꽃이 ~ ふじ(藤)の花が垂れ下がる / 손이 축 ~ 手がだらりと垂れる．
❸取りすがる．ぶら下がる．[文例] 아이들이 팔을 붙잡고 ~ 子供たちが腕をつかんでぶら下がる．
❹(時間が)長引く．延びる．[句例] 강연 시간이 ~ 講演の時間が延びる．
❺(からだが)へたばる．げんなり(と)する．[句例] 밥을 너무 먹고 축 ~ 飯を食い過ぎてげんなりする．
❻心配がなく暮らしが楽である．[句例] 팔자가 ~ 幸運に恵まれている．運が向いて楽になる．

***늘이다** [nŭrida] 〈他〉 ❶伸ばす．長くする．[句例] 고무줄을 잡아 ~ ゴムひもを引き伸ばす / 수명을 ~ 寿命を伸ばす．❷垂らす．垂れ下げる．[句例] 발을 ~ すだれ(簾)を垂れ下げる / 머리

囲み記事19

‘늘리다’と‘늘이다’

늘리다　増〔殖〕やす．増す —— 학생수를 늘리다 学生の数を増やす．재산을 늘리다 財産を殖やす．속도를 늘리다 速さを増す．

늘이다　(1) 伸ばす．長くする —— 치수를 늘이다 サイズを伸ばす．소매 길이를 조금 늘이다 そで(袖)の長さを少し伸ばす．
(2) 垂らす．垂れ下げる —— 낚싯줄을 늘이다 釣り糸を垂れ下げる．밧줄을 늘여놓다 ロープを垂らしておく．

를 땋아 ～ 髪をお下げに編んで垂らす. ▷→囲み記事 19

*늘임-표【一標】[nŭrimp'yo]〈名〉〔樂〕フェルマータ.

늘쩡-거리다〈自他〉(仕事などを)休み休みやる. のろのろする.

늘쩡늘쩡〈副・하自他〉のそのそ(と). のろのろ(と). 文例 일을 그렇게 ～하다간 해지기 전에 못 끝낸다 仕事をそんなにのろのろしては日暮れ前には済ませない.

늘컹-거리다〈自〉ぐんにゃりして垂れがちだ.

늘푸른-나무〈名〉⇨ 상록수(常綠樹)

**늙다 [nŭkta]〈自〉❶年を取る. 老いる. 老ける. 句例 늙은 사람 年取った人. 老人. 文例 나이보다 늙어 보인다 年より老けて見える. 對젊다. ❷(植物の)とう(薹)が立つ. 年数がたつ. 句例 늙은 호박 よく熟したカボチャ / 늙은 나무 老木. ❸結婚適齢期を過ぎる. 句例 늙은 총각 婚期を過ごした独身男. ❹古くなる. 古びる. 古ぼける. 類낡다.

늙으면 아이 된다 老いて再び稚児になる.

參考 '늙으면 老いると' '늙고 老いて'は [nŭlgŭmyŏn], [nŭlkko]と読む.

늙-다리 [nŭktari]〈名〉❶年取ったけだもの. 語例 ～ 고양이 年老いた猫. ❷'늙은이 年寄り'の俗っぽい言いかた: 老いぼれ. ＝늙정이.

늙수그레-하다 [nŭksugŭre—] (→하다)〈形〉かなり老けて見える.

늙어-빠지다 [nŭlgŏ—]〈形〉老いぼれる. すっかり老け込んでいる. 句例 늙어빠진 노인 老いぼれた〔よぼよぼの〕老人.

늙으신-네 [nŭlgŭshinne]〈名〉'늙은이 年寄り'の敬語: お年寄り. ご老人.

늙은-이 [nŭlgŭni]〈名〉年寄り. 老人. 文例 ～를 너무 비웃지 마라 老人をあまりあざけるな. 對젊은이.

늙은이 뱃가죽 같다 年寄りの腹の皮のようだ. しわのたくさんある物のたとえ.

늙정이 [nŭkchŏng-i]〈名〉'늙은이 年寄り'の俗っぽい言いかた: 老いぼれ. ＝늙다리. 文例 저런 ～가 뭣을 하겠는가 あんな老いぼれに何ができるもんか.

늙히다 [nŭlk'ida]〈他〉年を取るままにほうっておく. 老けさせる. 句例 처녀를 ～ 娘を嫁がせないまま年を取らす.

늠름-하다【凜凜—】[nŭ:mnŭm—] (→하다)〈形〉りり(凜凜)しい. たくましい. 凜凜としている. 句例 늠름한 체격 堂堂たる体格 / 늠름한 모습 りりしい姿 / 늠름한 청년 男らしい青年. 늠름히 [nŭ:mnŭmhi]〈副〉りりしく. 凜凜と. 堂堂と.

능【陵】〈名〉陵. 御陵. →囲み記事 20

능　〔漢字項目〕

【能】中學 능 ノウ. 내 タイ. 一〔능〕❶일을 할 수 있는 힘 物事をなし得る力. ▮能力 능력 のうりょく. ▮無能 무능 むのう. ❷작용 作用. 효과 効果. ▮能率 능률 のうりつ. ▮效能 효능 こうのう. ❸능하다 たける. ▮能筆 능필 のうひつ. ▮堪能 감능 たんのう. 二〔내〕견디다 耐える.

능가【凌駕】〈名〉凌駕. ～하다〈他〉凌駕する. しの(凌)ぐ. 句例 젊은이를 ～하는 기세 若者をしのぐ気勢.

능갈-치다〈形〉非常にずるい.

능-구렁이〈名〉❶〔動〕あまがさへび. ❷古だぬき. 古ぎつね.

능구렁이가 되다 古だぬきになる. 世故にたける.

능글-능글 [nŭnggŭllŭnggŭl]〈副〉いけずうずうしいさま. ～하다〈形〉いけずうずうしい. ふてぶて(太太)しい.

능글-맞다〈形〉いけずうずうしい. 厚かましい. ふてぶてしい.

능금〈名〉〔植〕ちょうせんりんご.

능동【能動】〈名〉能動. 語例 ～성 能動性.

능동-적【能動的】〈名・冠〉能動的. 句例 ～인 태도 能動的な態度.

능라【綾羅】[nŭngna]〈名〉綾羅. 綾絹と薄絹.

능란-하다【能爛—】[nŭngnan—] (→하다)〈形〉熟達していて非常に上手だ. 巧みだ. 句例 능란한 솜씨 巧みな〔素敵な〕腕前.

*능력【能力】[nŭngnyŏk]〈名〉能力. 句例 ～있는 사람 能力のある人 / ～의 한계를 넘다 能力の限界を超える / ～을 살리다 能力を生かす / ～껏 일하다 能力の限り働く. 語例 생산～ 生産能力 / 초～ 超能力.

*능률【能率】[nŭngnyul]〈名〉能率. 句例 ～이 오르다〔떨어지다〕能率が上がる〔下がる〕/ ～을 올리다 能率を上げる / ～을 높이다 能率を高める. 語例 ～급 能率給.

*능률-적【能率的】[nŭngnyultchŏk]〈名・冠〉能率的. 句例 일을 ～으로 처리하다 仕事を能率的に処理する.

능멸【凌蔑】〈名・하他〉ないがしろにすること. 軽んじること.

능변【能辯】〈名〉能弁. ～하다〈形〉能弁だ. 語例 ～가 能弁家. 對눌변(訥辯).

능사【能事】〈名〉能事. 能. 句例 거짓말을 ～로 삼다 うそ(嘘)がうまい. 文例 일을 빨리 끝내는 것만이 ～가 아니다 仕事を早く済ませることだけが能ではない.

능선【稜線】〈名〉稜線. 尾根. 山の端

囲み記事 20

■ '능'と'릉'及び'난'と'란' ■

능(陵)　陵——능묘 陵墓. 능역 陵域. 능원 陵園. 왕릉 王陵.

-릉(陵)　陵の意を表わす接尾語. また, 地名につく語——무열왕릉 武烈王陵. 서오릉 西五陵. 강릉 江陵(地名).

-난(欄)　欄. コラム. 固有語や外来語につく語——어린이난 子供の欄. 가십난 ゴシップの欄.

-란(欄)　欄. 漢字語に付く語——사회란 社会欄. 문예란 文芸欄. 학생란 学生の欄.

《雅》. 句例 ～을 타다 尾根づたいに歩く.

능소-능대【能小能大】〈名〉すべてに長じていること. ～하다〈形〉すべてに長じている. あらゆることに達者だ. 句例 ～한 사람 万事に長じている人.

능소니〈名〉子ぐま.

능수【能手】〈名〉巧みな腕前. 腕のいい人. 語例 ～꾼 その道のベテラン. やり手.

능수-버들〈名〉〔植〕こうらいしだれやなぎ.

*능숙-하다【能熟—】[nŭngsuk'ada] (→하다)〈形〉(熟練していて)上手だ. 巧みだ. 達者だ. 句例 능숙한 솜씨 達者な腕/영어가 ～ 英語が達者だ. 對미숙(未熟)하다.

능에〈名〉〔鳥〕のがん(野雁). ＝느시.

능욕【凌辱】〈名〉陵辱. ～하다〈他〉陵辱する. 辱める. 句例 폭한에게 ～당하다 暴漢に陵辱される.

능준-하다 (→하다)〈形〉あり余る. 十分だ.

능준히〈副〉(余るほど)十分に.

능-지기【陵—】〈名〉陵の番人. 陵守り.

능지-처참【陵遲處斬】[nŭngjich'ŏ:ch'am]〈名〉〔史〕大逆罪を犯した者に科した極刑. 頭・胴体・手・足を切り落としてさらし者にする.

능직【綾織】〈名〉あや織り.

능청〈名〉もっともらしく白をきる〔いけずうずうしい〕態度. ～스럽다 (→스럽다)〈形〉しらじらしい. とぼけている. いけずうずうしい.

능청(을) 떨다〔부리다〕もっともらしく白をきる. とぼける. しらばくれる.

능청-맞다〈形〉そらとぼけている. しらじらしい. しらばくれている.

*능통-하다【能通—】(→하다)〈形〉(物事に)よく通じている. 詳しい. 句例 한문에 능통한 사람 漢文に精通している人.

능-하다【能—】(→하다)〈形〉うまい. 長じている. たけている. 句例 처세가 ～ 世渡りがうまい. 処世にたけている/권모 술수에 ～ 権謀術数に富む/용병에 ～ 用兵に長じている/수영에 능한 사람 水泳の上手な人. 능히〈副〉よく. 充分に. 句例 능히 자기를 이겨내다 よく己にうち勝つ.

늦-가을〈名〉晩秋. 秋の暮れ. 對초가을. 類만추(晩秋).

늦-깎이 [nŭtkkakki]〈名〉❶年を取ってから僧侶になった人. ❷年を取ってから職人になった人. ❸(果物・野菜の)遅なり.

**늦다 [一]〈形〉❶(時間的に)遅い. 間に合わない. 句例 밤 늦게까지 夜遅くまで. 文例 늦어도 두 시까지는 도착하십시오 遅くとも二時までには到着してください/이제 늦었어 もう手遅れだよ/늦은 감이 없지 않아 있습니다 遅きに失した感がなきにしもあら(非)ずです/늦은 시간에 전화를 거는 건 실례다 遅い時間に電話をかけるのは失礼だ. 對이르다. ❷(結びなどが)緩んでいる. 緩い. 句例 끈이 ～ ひもが緩い.

[二]〈自〉遅れる. 文例 늦어서 미안합니다 遅れてすみません/출발이 늦어질 모양이다 出発が遅れるようだ.

늦게 배운 도둑이 날 새는 줄 모른다 遅く覚えた泥棒は夜が明けるのも分からない. 遅まきに始めたことほど熱中しやすいものだ.

늦-더위〈名〉残暑. 文例 ～가 기승을 부린다 残暑が猛威を振るう.

늦-되다〈自〉❶(物事が)遅れて成る. ❷(知覚が)遅れて目覚める. ❸(果物・穀物が)遅れて熟する〔実る〕. 句例 늦되는 과실 おくて〔遅なり〕の果物. ▷對올되다.

늦-둥이〈名〉❶年老いて産んだ子. ❷やる気がなくはきはきしない人. のろま.

늦-바람〈名〉❶夜遅く吹く風. 夜風. ❷四十過ぎの道楽. 年を取ってからの浮気.

늦바람(이) 나다 年取ってから浮気をする.

늦-벼〈名〉おくて(晩稲). 對올벼.

*늦-봄〈名〉晩春. 暮春. 類계춘(季春). 만춘(晩春).

늦어-지다 [nŭjŏjida]〈自〉遅れる. 遅くなる. 文例 약속 시각보다 한 시간 늦어졌다 約束の時刻より一時間遅れた.

늦-여름 [nŭnnyŏrŭm]〈名〉晩夏. 類만하(晩夏).

늦-잠〈名〉朝寝. 朝寝坊. 文例 ～자면 지각한다 寝過ぎると〔寝坊すると〕遅刻するよ. 語例 ～쟁이〔꾸러기〕朝寝坊.

늦-잡다〈他〉(日程などを)余裕をもって予定する. 遅めに見積もる.

늦-잡죄다〈他〉事に当たって後ればせにあわてて取り締まる. 間際になって準備する.

늦-장마〈名〉時期遅れの梅雨.

늦추〈副〉❶遅く. 句例 ～ 잡다 (日取りなどを)遅めに決める. ❷緩く. 句例 줄을 ～ 매다 ひもを緩く結ぶ.

늦추다〈他〉❶緩める. 句例 허리띠를 ～ 帯を緩める/경계를 ～ 警戒を緩める/속도를 ～ 速度を緩める〔落とす〕/고삐를 ～ 手綱を緩める. ❷延ばす. 延べる. 遅らせる. 句例 출발 시간을 ～ 出発時間を延ばす/결혼 날짜를 ～ 結婚の日取りを延期する/시계 바늘을 ～ 時計の針を遅らせる.

늦-추위〈名〉時節遅れの寒さ. 余寒.

늪〈名〉沼. 句例 ～에 빠지다 沼にはまる. 語例 ～지대 沼地/～언저리 沼べり.

닐리리 [nilliri]〈副〉笛・ラッパなどを吹き鳴らす音: ぴいぴい. ぴいひやら.

닐리리야 [nilliriya]〈名〉〔樂〕京畿民謡の一つ.

參考 歌詞のリフレイン '닐리리야'から命名された曲名.

닝큼 [ningk'ŭm]〈副〉すぐに. 即座に. 直ちに. 文例 ～ 갔다 오너라 すぐに〔素早く〕行って来なさい.

表現 語感の小さい語は'냉큼'.

니〈助〉列挙するときに用いる語: …やら, …だの. …とか. 文例 배～ 포도～ 감이니 밤이니, 가을에는 맛있는 게 많다 なしとかぶどうとかかきとかくりとか秋にはおいしい物が多い.

表現 終声のない語に付く. 終声のある語に付くときは'이니'になる.

니 〔漢字項目〕

【泥】高校 니 デイ. ❶진흙 泥. ◧泥土 이토 でいど. ◧雲泥 운니 うんでい. ❷진창 ぬかるみ. ◧泥濘 이녕 でいねい. 泥水 이수 でいすい. ❸막히다 滞る. ◧拘泥 구니 こうでい.

니그로 〈名〉ニグロ. 黒人. =깜둥이. ◇negro

니나노 〈名〉俗謡・民謡・流行歌など俗っぽい歌. 飲み屋で箸をもってテーブルをたたきながら取る拍子に合わせて歌う歌. 語例 니나놋집 商売女のいる飲み屋.

参考 もと, 京畿民謡 ‘늴리리야’の歌詞の折返しにある語.

니스 〈名〉['와니스'の略] ニス. 句例 ~를 칠하다 ニスを塗る. ◇varnishから.

니은 〈名〉〔言〕ハングルの子音字母 ‘ㄴ’の名称: ニウン.

***니켈** 〈名〉〔化〕ニッケル. ◇nickel

니코틴 〈名〉〔化〕ニコチン. 語例 ~ 중독 ニコチン中毒. ◇nicotine

니크롬 〈名〉〔化〕ニクロム. 語例 ~선 ニクロム線. ◇nichrome

닉-네임 [ningneim]〈名〉ニックネーム. あだ名. ◇nickname

님 〈名〉❶王. ❷君. 恋人. いと(愛)しい人. 文例 나를 버리고 가시는 ~은 십리도 못 가서 발병난다 わたしを捨てて行く君は一里も行けずに足が痛む.

表現 古語であるが, 詩語として使われるようになった.

-님 〈尾〉…さん. …様. …殿. 語例 아드~ むすこさん / 해~ お日様. おてんと様 / 대장~ 隊長殿 / 사장~ 社長(様) / 형~ 兄さん. 兄上 / 선생~ 先生.

表現 地位を表わす語に付く. ‘사장님’のように名詞の形が変わらないものと, ‘따님(←딸+님)’ ‘어머님(←어머니+님)’のように変わるものとがある.

닢 〈依名〉葉・硬貨・かます(叺)のような平たく薄い物を数える語: 枚. 文例 나뭇잎이 한 ~ 두 ~ 떨어진다 木の葉が一枚二枚と散る.

ㄷ

ㄷ [디귿 tigŭt] ハングル字母の第三番目の字.
参考 'ㄷ이 ㄷが' 'ㄷ을 ㄷを' 'ㄷ에 ㄷに'は [tigŭ-shi], [tigŭsŭl], [tigŭse]と読む.

ㄷ자-집【―字―】〈名〉〔建〕構えが'ㄷ'の字の形になっている家.

****다[1]** [ta:] ㊀〈副〉❶すべて. みんな. 皆. =모조리. 文例 이거 ~ 줄게 これみんな上げるよ / ~ 함께 춤을 춥시다 みんな一緒に踊りましょう / 일은 ~ 끝났다 仕事は皆終わった.
❷残らず. もれなく. ことごとく. つぶさに. すっかり. 句例 빚을 ~ 갚다 借金をすっかり返す / ~ 털어놓다 すっかり打ち明ける / 돈을 ~ 써버리다 お金を使い切る. 文例 세상의 쓴맛 단맛을 ~ 보았다 つぶさに世の辛酸をなめ尽くした.
❸いずれも. どれも. …共. 文例 둘 ~ 좋아 二つ共いいよ / 세 집 ~ 휴업이었다 三軒共休みだった.
❹ほとんど. =거의. 文例 너무 큰 충격에 정신을 ~ 잃을 뻔했다 あまりのショックにほとんど気を失いかけた / ~ 죽게 되어서 돌아왔다 ほとんど死にかけて帰ってきた.
❺軽い驚きや皮肉または感嘆を表わす語: 実に. どうも. …までも. 文例 별꼴 ~ 보겠다 なんというぶざまだ / 별 말씀 ~ 하십니다 どういたしまして. とんでもないことでございます.
❻(~ …했다の形で)未来のことを否定する語: もう …だめだ〔できない〕. 文例 비가 오니 소풍은 ~ 갔다 この雨じゃ遠足はもうだめだね.
㊁〈名〉❶皆. 文例 ~들 어디 갔느냐 皆どこに行ったのか / 그건 누구나 ~ 알고 있다 それはだれでも知っている.
❷おしまい. それっきり. 文例 이번에도 실패하면 그것으로 ~야 今度も失敗したらそれでおしまいだよ / 돈만 있으면 ~(란 말이)냐 お金さえあればそれでいい(という)のか / 한번 안된다고 하면 ~야 一度だめだといったらもうそれまでだよ.

다 된 죽에 코 빠졌다 できあがったかゆ(粥)に鼻をかむ. 完成されたことをだいなしにするとの意.

다[2] 〈助〉助詞'이다'の'이'が省略された形: …だ. …である. 文例 나는 남자~ おれは男だ / 이것은 배요, 저것은 사과~ これはなしで, あれはりんごである.
参考 (1) 終声のない体言に付く語. (2) 主に, 話し言葉に用いられる.

다[3] 〈助〉'다가'の略.

다 〔漢字項目〕

【多】 中學 다 タ. ❶많다 多い. ◧多數 다수 たすう. 多量 다량 たりょう. ◨過多 과다 かた. 雜多 잡다 ざった. ❷많게 하다 多くする. ◨多事 다사 たじ. ❸낫다 勝る.

【茶】 高校 다 チャ. サ. ❶차나무 茶の木. ❷차 茶. ◧茶菓 다과 ちゃか. さか. 茶房 다방 きっさてん(喫茶店). 茶飯事 다반사 さはんじ. ◨紅茶 홍차 こうちゃ.

다가 〈助〉 置き所を表わす語: …に. 文例 어디~ 둘까 どこに置こうかな.

***다가-가다** (다가가거라)〈自〉近寄る. 近付く. 文例 위험하니 다가가지 마라 危ないから近寄るな.

다가구 주택【多家口住宅】[―ju:taek]〈名〉貸家式で四階建て以下の単独住宅. →다세대 주택(多世帶住宅)

다가-놓다 [―not'a]〈他〉寄せて置く. 近寄せる.

다가-붙다 〈自〉くっつく. 寄り添う.

다가-서다 〈自〉そばへ近付く. 近寄る. 詰め寄る. 寄る. 近寄って立つ.

다가-앉다 [―antta]〈自〉詰めて座る. 近寄って座る. →앉다 参考

***다가-오다** (다가오너라)〈自〉近付く. 近寄る. 近付いて来る. 句例 여름이 ~ 夏が近付く / 기한이 ~ 期限が迫る / 눈 앞에 ~ 目前に迫る. 文例 시시각각으로 위험이 다가오고 있었다 刻刻と危険が迫っていた.

다각도-로【多角度―】〈副〉多角的に. 多方面に. 句例 ~ 검토하다 多角的に検討する.

다각-적【多角的】〈名・冠〉多角的. 句例 ~인 수사 多角的な捜査 / ~으로 생각하다 多角的に考える.

다각-형【多角形】[tagak'yŏng]〔數〕〈名〉多角形. =다변형(多邊形).

다갈-색【茶褐色】[tagalssaek]〈名〉とび色. 茶褐色.

다감-하다【多感―】(→하다)〈形〉 多感だ. 句例 다감한 청년 多感な青年.

다과【茶菓】〈名〉茶菓. 句例 ~를 대접하다 茶菓をもてなす. 語例 ~상 茶菓子のお膳 / ~점 菓子屋 / ~회 茶話会・茶会. ティーパーティー.

다그다 (다그니, 다가서)〈他〉❶近寄せる. 句例 책상을 창가로 ~ 机を窓際に寄せる. ❷繰り上げる. 文例 회의 날짜를 3일로 다가 잡았다 会議の日取りを三日に繰り上げた.

다그-치다 〈他〉せき立てる. 畳み掛ける. 句例 빨리 하라고 ~ 早くしろとせき立てる / 다그쳐 질문하다 畳み掛けて質問する.

다극【多極】〈名〉多極. 句例 외교의 ~화 外交の多極化. 語例 ~관 多極管.

다급-하다 [tagŭp'ada](→하다)〈形〉差し迫っている. 大変急だ. 緊急だ. 句例 다급한 사정 差し迫った事情. **다급히** [tagŭp'i]〈副〉差し迫って. 緊急に.

다기【茶器】〈名〉〔佛〕仏前に水を供える器.

다기-지다【多氣―】〈形〉大胆だ. 気丈だ. 度胸がある. 気強い. =다기차다. 文例 나약해 보이지만 다기진 데가 있다 惰弱に見えても気丈なところがある.

다난-하다【多難―】(→하다)〈形〉多難だ. 句例 다사 다난한 한 해 多事多難な一年.
다남【多男】〈名・하形〉息子が多いこと.
다녀-가다 (다녀가거라)〈自他〉たち寄って行く. 文例 나온 김에 시장에 다녀가자 出たついでに市場に寄って帰ろう.
*__다녀-오다__ (다녀오너라)〈自他〉行って来る. 帰る. 句例 학교에 ~ 学校へ行って来る. 文例 다녀오겠습니다(家を出るとき)行ってきます / 다녀왔습니다 (家へ帰ったとき)ただいま.
다년【多年】㊀〈名〉多年. ㊁〈副〉⇨ 다년간
다년-간【多年間】〈名・副〉多年間. 長年. 句例 ~ 연구해 온 결과 長年研究してきた結果 / ~의 고생 長年の苦労.
다년-생【多年生】〈名〉〔植〕'여러해살이'のくだけた言いかた.
**__다니다__〈自他〉❶通う. ㉠(一定の場所を)行き来する. 句例 병원에 ~ 病院へ通う / 이 길만을 ~ この道だけを行き来する. 文例 서울과 부산 간에는 고속 버스가 다닌다 ソウルと釜山の間にはハイウェーバスが通っている. ㉡勤める. 通勤する. 通学する. 句例 회사에 ~ 会社に勤める / 걸어서 학교에 ~ 歩いて通学する. ㉢しばしば行く. 出入りする. 句例 늘 다니는 다방 行き付けの喫茶店. ❷寄って〔行って〕来る. 文例 집에 다녀 오너라 家に行って来い. ❸…して回る. 句例 인사차 ~ あいさつに回る. 文例 못된 짓만 하고 다닌다 悪いことばかりして回る.
다-님〈名〉お月様. ＝달님.
表現 '해님 お日様・おてんと様'に対応する古めかしい言いかた. 今は'달님'の方がより一般的.
다다르다 (다다르니, 다다라서)〈自〉至る. (たどり)着く. 到達する. 届く. 達する. 句例 목적지에 ~ 目的地に至る / 절정에 ~ 絶頂をきわめる. 絶頂に達する / 험한 곳에 ~ 難所に差し掛かる / 산꼭대기에 ~ 山頂にたどり着く.
다다-익선【多多益善】〈名〉多多ますます弁ず. 多ければ多いほどいいこと.
*__다닥-다닥__〈副〉['다다귀다다귀'の略] 多くのものが付いているさま: 鈴なりに. ふさふさと. 文例 감나무에 감이 ~ 열려 있다 かきの木にかきが鈴なりになっている.
다닥-뜨리다〈自〉ぶっつかる. ぶつかり合う. 衝突する. 出くわす.
다달-이 [tadari]〈副〉月月に. 月ごとに. 毎月・毎月. 句例 ~ 열리는 모임 月月の会 / ~ 고향에 생활비를 부치다 毎月国もとへ仕送りする. 類매월. 매달.
다담-상【茶啖床】[tadamssang]〈名〉お客をもてなすための大きな食卓. 台盤.
다대기〈名〉香辛料の一つ. にんにくとしょうがなどを乱切りにしてつぶし, 醬油または水に入れ, とうがらし粉をかけて混ぜ合わせたもの. 冷麵などに添える.
다대-하다【多大―】(→하다)〈形〉多大だ. 句例 다대한 성과 多大な成果 / 다대한 전과를 올리다 多大な戦果をあげる.
다도【茶道】〈名〉茶道・さどう.
参考 茶道は, 八世紀中頃, 中国に始まり, 韓国では九世紀前半ごろ盛行し始め, 高麗時代には貴族階級を中心としてはやった.
다도-해【多島海】〈名〉多島海.
다독【多讀】〈名・하他〉多読. 文例 ~하는 것도 독서의 한 방법이다 多読するのも読書の方法の一つだ.
다독-거리다〈他〉❶(赤ん坊を寝つかせるときなどに)軽くたたく. ❷(壊れやすいものや散らばりやすいものを)軽くたたいて押さえつける. 整える. 句例 화롯불을 ~ 火針の火をか(搔)き集め整える.
다독다독〈副・하他〉軽くたたくさま: とんとん(と).
*__다듬다__ [tadŭmtta]〈他〉❶整える. ㉠手入れする. きれいにする. 仕上げる. 練る. 句例 문장을 ~ 文章を練る / 머리를 ~ 髪の手入れをする. ㉡(野菜の根などを)切り取ってきれいにする. (草木の)端を摘んで整える. 句例 콩나물을 ~ 大豆もやしの根を取り除く / 잘 다듬어진 잔디 よく刈り取られた芝生. ❷きぬた(砧)を打つ. 句例 잘 다듬은 명주옷 よくきぬた打ちされた絹の服.
다듬-이 [tadŭmi]〈名〉❶きぬた(砧). ❷'다듬이질'の略. 語例 다듬잇돌 きぬた / 다듬잇방망이 きぬたのつち(槌).
다듬이-질 [tadŭmijil]〈名〉きぬた打ち. **～하다**〈他〉きぬたを打つ.
다듬-질〈名・하他〉❶仕上げ. ❷'다듬이질'の略.
다디-달다 (―다니, ―달아서)〈形〉とても甘い. 句例 다디단 감 とても甘いかき.
다따가〈副〉にわかに. 出し抜けに. 突然. ＝별안간.
다라니【陀羅尼】〈名〉〔佛〕陀羅尼.
다락〈名〉〔建〕❶台所の上の屋根裏. ❷'다락집'の略.
다락-같이 [tarakkach'i]〈副〉(物価が)非常に高く. 文例 쌀값이 ~ 올랐다 米の値が天井知らずに〔うなぎ登りに〕高くなった.
다락-방【―房】〈名〉屋根裏部屋.
다락-집〈名〉〔建〕高殿. 楼閣.
**__다람-쥐__〈名〉〔動〕りす.
다람쥐 쳇바퀴 돌듯 りすの車回し. 反復するだけで結末のつかないことのたとえ.
다랍다 [ta:rapta] (다라우니, 다라워서)〈形〉❶ひどく汚い. ❷けち臭い. みみっちい. しわ〈吝〉い《関西方》. 句例 돈 씀씀이가 ~ お金の使い方がけち臭い. 文例 먹을 것에 다랍게 군다 食べ物に意地汚い.
다랑-어【―魚】〈名〉〔魚〕まぐろ.
参考 食品としては'참치'という.
다래〈名〉〔植〕❶さるなしの実. ❷まだ開いていない綿の花の実.
다래끼〈名〉〔醫〕物もらい. 麦粒腫. 句例 눈에 ~가 생기다 目に物もらいができる.
다량【多量】〈名〉多量. 句例 ~의 물 多量の水 / 염분을 ~으로 섭취하다 塩分を多量にとる. 對소량(少量). 類대량(大量).
*__다루다__〈他〉❶とり扱う. ㉠(事を)処理す

る．さばく．[句例] 다루기 힘든 문제 (とり)扱いにくい問題 / 공평히 ～ 公平に処理する / 신중히 ～ 慎重に扱う．㉡手で扱う．操作する．[句例] 거칠게 ～ 手荒く扱う / 소중히 ～ 大切に扱う / 새 기계를 다룰 줄 모르다 新しい機械を扱えない．㉢(人を)操る．取り回ます．[句例] 다루기 힘든 사람 扱いにくい人 / 사람을 잘 ～ 人をうまく操る．人の取り回しがうまい / 손님을 정중히 ～ お客さまを丁寧にもてなす．❷なめ(鞣)す．[句例] 가죽을 ～ 皮をなめす．❸競う．

⁑**다르다** (다르니, 달라서)〈形〉異なる．違う．[句例] 성격이 ～ 性格が異なる / 의견이 ～ 意見が違う / 배가 ～ 腹が違う / 다르게 異なって．違って．別に．[文例] 다른 것은 없습니까 外の物はありませんか / 전혀 다른 사람이다 全く別の人だ．

다름(이) 아니라 ほかでもなく．[文例] 이번에 내가 여기에 온 건 ～ 이 문제 때문이다 今回わたしがここに来たのはほかでもなくこの問題のためなのだ．

다름-없다 [tarŭmŏpta]〈形〉違う所がない．違いがない．同然だ．同様だ．[文例] A는 B와 ～ AはBと同様である．/ 이긴 거나 ～ 勝ったも同然だ / 그의 행색은 거지나 다름없었다 彼の身なりはこじきも同然だった．**다름없이** [—ŏpshi]〈副〉違いなく．同様に．相変わらず．[文例] 전과 ～ 사이좋게 지내다 以前と変わりなく仲良く付き合っている．

⁑**다리**[1]〈名〉❶足〔脚〕．[句例] ～가 짧다〔길다〕脚が短い〔長い〕/ ～를 뻗다 足を伸ばす / 굵은〔날씬한〕～ 太い〔細い〕脚 / 바짝 마른 ～ ほっそりとやせた脚 / ～가 튼튼하다 脚が丈夫だ．❷(物の)脚．[語例] 책상 ～ 机の脚 / 상 ～ お膳の脚．❸(眼鏡の)つる．[語例] 안경 ～ 眼鏡のつる．

다리를 뻗고 자다 まくらを高くして寝る．

⁑**다리**[2]〈名〉❶橋．[句例] ～를 놓다 橋をかける / ～를 건너다 橋を渡る．[語例] 외나무 ～ 一つ橋．一本橋．丸木橋．❷仲介．仲立ち．媒介．❸たどって行く過程．段階．[文例] 몇 ～를 거쳐서 완성되었다 いくつかの段階を経て完成された．

다리(를) 놓다 (人と人との)橋渡しをする．仲立ちをする．

다리[3]〈名〉かもじ．入れ髪．添え髪．付け髪．[語例] ～ 꼭지 かもじの束．

다리다〈他〉火のしをする．アイロンをかける．[句例] 양복을 ～ 洋服にアイロンをかける．→囲み記事 21

⁑**다리미**〈名〉火のし．アイロン．

다리미-질〈名・하他〉アイロンがけ．

다리-밟이 [taribalbi]〈名・하自〉〔民〕陰暦の正月十五夜に，その年の災いを免れるよう祈りながら橋を踏み渡ること．

다리-품〈名〉歩く労力．足労．

다리품을 팔다 ❶道を長く歩く．❷駄賃をもらって遠くまで使いに行く．

*__다림-질__〈名・하他〉アイロンがけ．＝다리미질．

다릿-골〈名〉足骨の骨髄．

다릿골(이) 빠지다 歩きすぎて足が突っ張る〔棒になる〕．

다릿-돌〈名〉踏み石．飛び石．

다릿-목 [tarinmok]〈名〉橋際．橋のたもと．

다릿-심〈名〉脚力．足骨．[句例] ～이 세다 足骨が強い．

⁑**다만** [ta:man]〈副〉ただ．❶単に．[文例] ～ 사람이 좋을 뿐이다 ただ人がいいというだけである / ～ 죽음이 있을 뿐이다 ただ死があるのみだ / ～ 물어봤을 뿐이다. 오해해서는 곤란해 ただ聞いてみただけだ．誤解されては困る．❷ただし．しかし．[文例] 그것은 재미있지. ～ 좀 위험하기는 하지만 そりゃおもしろいよ．ただ少少危険を伴うがね．

다망-하다【多忙—】(→하다)〈形〉多忙だ．[文例] 공사 다망하신데도 불구하고 왕림해 주셔서 더없는 영광입니다 公私ご多忙にもかかわらず御光臨を賜り光栄の至りであります．

다면-각【多面角】〈名〉〔數〕多面角．

다면-체【多面體】〈名〉〔數〕多面体．

다모-작【多毛作】〈名〉多毛作．

*__다목적-댐__【多目的dam】〈名〉多目的ダム．

⁑**다물다** (다무니, 다물어서)〈他〉つぐむ．閉じる．締(閉)める．[句例] 입을 ～ 口をつぐむ．

다반-사【茶飯事】〈名〉〔'항다반사(恒茶飯事)'の略〕茶飯事．

다발 ㊀〈名〉束．[句例] ～로 묶다 束にくくる．[語例] 꽃～ 花束．

㊁〈依名〉束．把．[語例] 한 ～ 一把．

⁑**다방**【茶房】〈名〉喫茶店．ティールーム．コーヒーショップ．[文例] ～에서 기다리겠습니다 ティールームでお待ちいたします．

*__다-방면__【多方面】〈名〉多方面．[句例] ～으로 활약하다 多方面に活躍する．

다변-형【多邊形】〈名〉〔數〕多辺形．

다변-화【多邊化】〈名・하自他〉多辺化．[句例] 무역의 ～ 貿易の多辺化．

다병【多病】〈名・하形〉多病．

다보록-이 [taborogi]〈副〉こんもりと．

다보록-하다 [taborok'ada] (→하다)〈形〉(草木などが)こんもりと生い茂っている．

다보-탑【多寶塔】〈名〉〔佛〕多宝塔．[参考] 慶州仏国寺の多宝塔が特に有名．

다복-솔〈名〉こんもりと生い茂っている若松．

다복-하다【多福—】[tabok'ada] (→하다)〈形〉

囲み記事 21

■ '다리다'と'달이다' ■

二語とも[tarida]と発音されるので混同しやすい．

다리다　アイロンをかける．양복은 늘 다려서 입도록 하여라 洋服は常にアイロンをかけて着るようにしなさい．

달이다 (1) 煮詰める —— 간장을 달이다 醬油を煮詰める．

(2) (薬を)せんじる —— 아버지에게 한약을 달여 드리고 있다. お父さんに漢方薬をせんじ上げている．

ㄷ

ㄷ

幸せだ. 幸せに満ちている. [句例] 다복한 가정 幸せに満ちた家庭.

다부지다 〈形〉 ❶(からだが)がっしりしている. たくましい. 頑丈だ. (性格が)しっかりしている. 気丈だ. [句例] 다부진 몸 がっしりしたからだ / 다부진 아이 気丈な子. ❷根気よく手抜かりがない. [文例] 그는 일을 다부지게 매듭지었다 彼は, 事を手抜かりなくしめくくった. ❸きつい. 骨が折れる.

다분-히 【多分—】〈副〉 多分に. [文例] 믿을 수 없는 점이 ~ 있다 信じられない点が多分にある.

다비 【茶毘】〈名〉〔佛〕 茶毗〔茶毘〕. 火葬. **~하다** 〈他〉 茶毗に付す.

다사 【多事】〈名〉 多事. [文例] ~ 다난했던 한 해가 저물어간다 多事多難な年が暮れていく. **~스럽다** (→스럽다)〈形〉 お節介がましい.

다사-롭다 (→롭다)〈形〉 温和だ. 暖かい. やさしい. [文例] 방안에는 봄의 다사로운 햇살이 들어차 있었다 部屋の中には春の暖かい日差しがみなぎっていた. **다사로이** 〈副〉 温和に. 暖かく. やさしく.

다사-하다 (→하다)〈形〉 少し暖かい. ぬる(温)い.

⁑**다섯** 〈數・冠〉 五つ. 五. [語例] ~ 사람 五人 / ~째 五つ目 / ~ 번째 五番目 / ~ 배 五倍.

다세대 주택 【多世帯住宅】 [—chu:t'aek] 〈名〉 多所帯住宅.
[参考] 分譲式の4階建て以下の単独住宅. 棟割長屋とは違う. 一棟式で, 各所帯のおのおのが所有権を持つところが貸家式の'다가구 주택(多家口住宅)'と異なる.

다소 【多少】 多少. [一]〈名〉 多寡. [句例] ~를 불문하고 多少を問わず / ~에 관계 없이 多少にかかわらず. [文例] 그에게도 ~의 잘못은 있었다 彼にも多少の誤ちはあった / ~라도 살기 좋은 곳에 살고 싶다 多少なりとも住み心地のいい所に住みたい.
[二]〈副〉 ❶少少. いくらか. [文例] 모은 돈이 ~ 있다 蓄えが多少ある. ❷'다소간'の略.

다소-간 【多少間】〈副〉 多かれ少なかれ. [文例] ~ 모두 피해를 입었다 多かれ少なかれ皆被害を被った.

다소곳-이 [tasogoshi] 〈副〉 (うつむいて) つつましやかに. 従順〔柔順〕に. うなだれて. [句例] ~ 앉아 있다 おとなしやかに座っている.

다소곳-하다 [tasogot'ada] (→하다)〈形〉 (うつむいて)黙ってうなだれている. つつましやかだ. 従順〔柔順〕だ.

다수 【多數】〈名〉 多数. [句例] ~를 차지하다 多数を占める. [文例] 부상자는 ~에 이른다 負傷者は多数にのぼる. [語例] 절대 ~ 絶対多数. ㊜소수(少數).

***다수-결** 【多數決】〈名〉 多数決. [句例] ~로 정하다 多数決で決める.

다수-당 【多數黨】〈名〉 多数党. ㊜소수당.

다수-파 【多數派】〈名〉 多数派. ㊜소수파.

다-수확 【多收穫】〈名〉 多収穫. [語例] ~ 작물 多収穫作物.

***다스** [ta:sŭ] 〈依名〉 ダース. [句例] 연필 한 ~ 鉛筆一ダース. ◇dozenから.

***다스리다** 〈他〉 ❶治める. ㉠統治する. [句例] 나라를 ~ 国を治める. [語例] 다스려지다 治められる. ㉡鎮める. [句例] 난을 ~ 乱を鎮める. ㉢治療する. [句例] 병을 ~ 病気を治す. ㉣学修する. [句例] 학문을 ~ 学を修める. ❷罰する. [句例] 죄인을 ~ 罪人を罰する.

다스-하다 (→하다)〈形〉 暖かっぽい. ぬる(温)い.

다슬기 〈名〉〔貝〕 にな(蜷).

다습 【多濕】〈名・하形〉 多湿. [句例] 고온 ~한 날씨 高温多湿の天気.

다습다 (다스우니, 다스워서)〈形〉 ほどよく暖かい.

⁑**다시** [一]〈副〉 再び. もう一度. また. さらに. [句例] ~ 보다 見直す. [文例] ~ 한번 해라 もう一度やりなさい / 꺼진 불도 ~ 보자 消えた火ももう一度確かめよう / 뭐, ~ 한번 말해 봐라 何, もう一度言ってみろ / 두번 ~ 하지 마라 二度とするなよ.
[二]〈感〉 繰り返させたり, やり直しをさせるときの号令: もう一度. やり直し. [文例] 소리가 작다, ~ 声が小さい, やり直し.
다시 말해서 言い換えれば. [文例] ~ 그것은 우리만의 문제가 아니다 言い換えれば, それは我我だけの問題ではない.
[表現] '또'が単純な繰り返しの意味で用いられるのに対して, '다시'は中断の再開ややり直しという意味で用いられる.

다시금 〈副〉 再び. いま一度. また.
[表現] '다시'の強調語.

다시-는 〈副〉 二度と(再び). [文例] 나는 그에게 ~ 묻지 않았다 わたしは彼に二度と尋ねなかった / 이러한 불상사는 ~ 일으키지 않겠습니다 このような不祥事は二度と再び起こしません.
[表現] 後に必ず打ち消しのことばがくる.

다시다 〈他〉 舌を鳴らす. 舌鼓を打つ. [句例] 입맛을 ~ 舌鼓を打つ.

***다시마** 〈名〉〔植〕 昆布.

다시-없다 [tashiŏpta] 〈形〉 またとない. これ以上はない. [句例] 다시없는 영광 またとない光栄 / 다시없는 즐거움 またとない楽しみ. **다시없이** [—ŏpshi] 〈副〉 またとなく. [句例] 다시없이 좋은 친구 この上なくよい友人.

다식 【茶食】〈名〉 でんぷん(澱粉)・松の花粉・くり・くろごまなどの粉を水あめや蜜でこね, 型で押し出し油であげた菓子. [語例] ~판 '다식'の抜き型.

다실 【茶室】〈名〉 喫茶店. ティールーム. =다방(茶房).

다양 【多樣】〈名・하形〉 多様. いろいろ. 様様. [句例] ~한 목적 多様な目的 / 가치의 ~화 価値の多様化. [文例] 국민의 개성을 ~하게 발달시키다 国民の個性を多様に発達させる. [語例] ~성 多様性. バラエティー.

다오 [ta:o] [一]〈不他〉 目下の人に直接何かを求める時に使う語. '달다[3]'の命令形: くれ. [文例] 물을 ~ 水をくれ.
[二]〈補動〉 '달다[3]'の目下に対する命令形: …してくれ. [文例] 어서 말해 ~ さあ話してくれ / 울지

말아 ～ 泣かないでくれ．→달다³

다용도-실【多用途室】〈名〉便利室．ユーティリティー(ルーム)．

다우【多雨】〈名〉多雨．語例 고온 ～ 지역 高温多雨地域．

다운〈名〉ダウン．❶下げる〔下がる〕こと．語例 코스트 ～ コストダウン．❷(ボクシングで)倒れること．＝녹다운．語例 ～시키다 ダウンさせる．❸へたばること．語例 ～되다 ダウンする．へこたれる．◇down

表現 ③は俗っぽい言いかた．

다원【多元】〈名〉多元．語例 ～론 多元論／～방송 多元放送／～ 방정식 多元方程式／～적 多元的．

****다음**〈名〉次．❶順序・順番のすぐあと．句例 ～ 편으로 보내다 次の便で送る．文例 생산 실적은 ～과 같습니다 生産の実績は次の通りです／어서, 그 ～을 계속해 주세요 どうぞその先を続けてください．語例 ～차례 次の番／～ 사람 次の人／～ 주 일요일 来週の日曜日．❷二番目．＝버금．文例 부장 ～으로 높다 部長の次にえらい．❸あと．のち．文例 ～에 또 만나자 今度また会おう／그 ～에는 소식이 끊어졌다 その後は消息が絶えた／저녁을 먹은 ～에 공부한다 夕飯を食べてから勉強をする．▷略して'담'ともいう．

다음-가다〈自〉次ぐ．続く．文例 부산은 서울에 다음가는 대도시이다 釜山はソウルに次ぐ大都市である．

***다음-날**〈名〉❶次の日．明くる日．翌日．語例 ～ 아침 明くる朝／～ 밤 翌晩．❷またの日．別の日．後日．文例 ～ 다시 만나기로 했다 後日また会うことにした．

다음-다음〈名〉次の次．二の次．句例 그 말씀은 ～으로 미루고 そのお話は二の次にして．語例 ～주 再来週／～달 再来月／～ 일요일 次の次の日曜日．

다음-달 [taŭmttal]〈名〉翌月．来月．次の月．＝내달．句例 ～로 돌리다 翌月に回ます．

다음-해〈名〉翌年．次の年．類내년(來年)．

***다이너마이트**〈名〉ダイナマイト．◇dynamite

다이빙〈名・하自〉ダイビング．◇diving

다이아몬드〈名〉ダイヤモンド．❶〔鑛〕金剛石．略して'다이아'ともいう．語例 ～반지 ダイヤモンドの指輪．❷〔野〕内野．◇diamond

다이어트〈名〉ダイエット．語例 ～ 식품 ダイエット食品．◇diet

***다이얼**〈名〉ダイヤル．句例 ～을 돌리다〔맞추다〕ダイヤルを回ます〔合わせる〕．◇dial

다이제스트〈名〉ダイジェスト．語例 ～판 ダイジェスト版．◇digest

다작【多作】〈名・하他〉多作．語例 ～ 작가 多作作家．

다잡다〈他〉❶きびしく取り締まる．❷念入りに処理する．❸気を引き締める．文例 마음을 다잡고 시험 공부를 했다 気を引き締めて試験勉強をした．

다정【多情】〈名・하形〉多情．❶思いやりがあり，優しいこと．句例 ～하게 말을 건네다 優しく言葉をかける／～한 목소리 優しい声．❷親しいこと．句例 ～한 친구 親しい友／～한 사이 親しい仲〔間柄〕．**～히**〈副〉優しく．情け深く．親しく．**～스럽다**(→스럽다)〈形〉思いやりがあり，優しい．親しい．

다정다감-하다【多情多感─】(→하다)〈形〉多情多感である．句例 다정다감한 청년기 多情多感な青年期．文例 다정다감한 일생을 보냈다 多情多感な一生を送った．

다중 통신【多重通信】〈名〉多重通信．

***다지다**〈他〉❶念を押す．確かめる．句例 단단히 ～ 何度も念を押す／꼭 오라고 몇 번씩이나 ～ ぜひ来るようにと何度も念を押す．❷(地面を)押し固める．踏み締める．突き固める．句例 땅을 다지고 집을 짓다 地をならし固めて家を建てる．❸切り刻む．句例 마늘을 곱게 ～ にんにくを細かく刻む．❹(漬物を漬けるときなどに)軽く押さえつけて味をなじませる．句例 오이를 절여서 다져 놓다 きゅうりに塩を振って押さえつけておく．❺堅固にする．固める．句例 민주주의의 기반을 ～ 民主主義の基盤を固める．❻心に誓う〔刻む〕．

다짐〈名・하自他〉❶念押し．文例 약속 시간과 장소를 재차 ～했다 約束の時間と場所をもう一度確かめた．❷誓い．確約．文例 다시 만나지 않겠다고 마음속으로 굳게 ～했다 二度と会うまいと心の底でかたく決心した．語例 ～장 念書．覚え書き．

다짐(을) 두다 確約する．念書を書く．

다짐(을) 받다 確約させる．念書を書かせる〔書いてもらう〕．

***다짜고짜-로**〈副〉いきなり．無鉄砲に．有無を言わせず．＝다짜고짜．句例 ～ 때리다 いきなり殴り付ける．有無を言わせず殴る．

***다채-롭다**【多彩─】(→롭다)〈形〉多彩だ．色とりどりだ．句例 다채로운 행사 多彩な催し〔行事〕．語例 다채로워지다 多彩になる．**다채로이**〈副〉多彩に．句例 다채로이 펼쳐지다 多彩にくりひろげられる．

다층【多層】〈名〉多層．語例 ～탑 多層塔．多重塔．

****다치다**〈自〉傷つく．けがする．痛める．句例 발을 ～ 足を痛める．文例 아이가 다치지 않도록 주의해 주게 子供にけがをさせないように気をつけてくれ．→囲み記事 22

> 囲み記事 22
>
> ■ '다치다'と'닫치다'と'닫히다' ■
>
> 三語とも発音の上では[tach'ida]と言って別に異なるところがない．それで，前後の文脈によってその意味が区別される．
>
> 다치다　けがをする──발을 다치다 足をけがする．허리를 다치다 腰を痛める．다친 곳을 만지지 마라 けがをしたところに触るな．
>
> 닫치다　力強く閉じる．閉める《'닫다'の強勢語》──문을 힘껏 닫쳤다 戸を力強く閉めた．
>
> 닫히다　閉まる．閉じる《'닫다'の受け身》──문이 저절로 닫혔다 戸がひとりでに閉じた．

ㄷ

다큐멘터리 〈名〉 ドキュメンタリー. ＝실록(實錄). ◇documentary

다크 호스 [ta:k'ŭho:sŭ] 〈名〉 ダークホース. ◇dark horse

**다투다 〈自他〉 ❶争う. 句例 세력을 ～ 勢力を争う / 아이들이 ～ 子供たちがけんかをする / 한 여자를 두고 두 남자가 ～ 一人の女に男二人が張り合う. ❷競う. 競り合う. ＝겨루다. 句例 미인 대회에서 미를 ～ コンテストで美を競う / 일등을 놓고 서로 ～ トップを競り合う.

*다툼 〈名・하自他〉 争い. 競い. いざこざ. もめ事. ごたごた. 語例 말 ～ 言い争い / 주도권〔세력〕 ～ 主導権〔勢力〕の争い.

다툼-질 〈名・하自〉 争い. もめ事. いざこざ. 句例 ～이 끊이지 않다 争いが絶えない.

다-하다 [ta:hada] (→하다) ㊀〈自〉 ❶終わる. 済む. 文例 이제야 겨우 다했다 今やっと終わった. ❷尽きる. 句例 목숨이 다하도록 해내다 命が尽きるまでやり抜く.
㊁〈他〉 ❶尽くす. 句例 최선을 ～ 最善を尽くす / 사치를 ～ ぜいたく(贅沢)をきわめる / 온갖 횡포를 ～ 横暴をきわめる. ❷果たす. 句例 임무를 ～ 役目を果たす / 사명을 ～ 使命を全うする.

다행【多幸】〈名〉 多幸. 幸い. 幸せ. 幸運. **～하다**〈形〉幸運だ. 幸いだ. 運がいい. 文例 불행 중 ～이다 不幸中の幸いだ / 무사히 돌아왔으니 그나마 ～이다 無事に帰ったのがせめてもだ / 목숨을 건졌으니 얼마나 ～이냐 命をとり留めたのだから何よりではないか / 큰 피해가 없어 ～이었다 大きな被害がなくて幸いなことだった. **～히**〈副〉 幸い(にして). 運よく. 文例 시험을 봤더니 ～히 붙었어요 試験を受けたところ幸いにも受かりました. **～스럽다**(→스럽다)〈形〉幸いだ. 幸運だ. 運がいい. 文例 ～스럽게 그의 컨디션은 최상이었다 幸いにして彼のコンディションは上上であった.

다혈-질【多血質】[tahyŏltchil] 〈名〉〔心〕多血質. 對 점액질(粘液質).

다홍【一紅】〈名〉 紅. まっか. 深紅色. 語例 ～치마 紅のチマ.

닥-나무 [tangnamu] 〈名〉〔植〕 こうぞ(楮).

닥-뜨리다 ㊀〈自〉 直面する. ぶつかる. 接する. 句例 난관에 ～ 難関に直面する.
㊁〈他〉 むてっぽうに引き締める.

닥지-닥지 〈副〉 あかやほこりなどが多くついているさま: べたべた.

닥쳐-오다 [takch'ŏ—] 〈自〉 迫る. 切迫する. 近付いて来る. 句例 목전에 위험이 ～ 目前に危険が迫る / 시험 날짜가 ～ 試験の日が迫って来る.

닥치다¹ 〈自〉 近付く. 差し迫る. 句例 눈앞에 ～ 目前に迫る / 겨울이 ～ 冬が迫る.
닥치는 대로 手当たり次第(に). むやみやたらに. 句例 ～ 읽다 手当たり次第に読む. 文例 그는 ～ 물건을 내던졌다 彼は手当たり次第に品物を投げつけた.

닥치다² 〈他〉 '입을 닫치다 口を閉ざす. 黙る'の意. 文例 아가리 닥쳐 黙れ.
表現 '아가리・주둥이・입'などのあとに命令形'닥쳐'がついて制止の意となる.

닥터 〈名〉 ドクター. 語例 ～ 코스 ドクターコース. ◇doctor

**닦다 〈他〉 ❶磨く. 句例 구두〔이〕를 ～ 靴〔歯〕を磨く. ❷ふ(拭)く. ぬぐ(拭)う. 句例 눈물을 ～ 涙をぬぐう / 유리창을 ～ ガラス窓を磨く / 이마의 땀을 ～ 額の汗をぬぐう / 접시를 ～ 皿を洗う / 습기를 닦아 내다 湿気をぬぐい取る. ❸平らになら(均)す. 句例 길을 ～ 道をならす. ❹修める. 磨く. 練る. 句例 기량을 ～ 技量を磨く / 무예를 ～ 武芸を修める / 심신을 ～ 心身を練る. 文例 무엇보다도 지혜를 닦아라 なによりも知恵を磨け. ❺固める. 築き上げる. 句例 기초를 ～ 基礎を固める / 선거 기반을 ～ 選挙基盤を築き上げる. ❻決算する. (帳じりを)合わせる.

닦달 〈名・하他〉 駆り立てること. せき立てること. 句例 빨리 끝내라고 ～하다 早くし終えよとせき立てる. 語例 ～질 人をきびしく責め立てること.

닦아-대다 [takkadaeda] 〈他〉 ひどく責め立てる. なじ(詰)る.

닦아-세우다 [takkaseuda] 〈他〉 なじりつける. 責めつける. 言い込める. 句例 부하를 호되게 ～ 部下をこっぴどく責めつける.

닦아-주다 [takkajuda] 〈他〉 責め立てる. しかりつける. どなり付ける.

닦이다 [takkida] 〈自〉 '닦다'の受け身: 磨かれる. ふ(拭)かれる.

단¹ [ta:n] 〈名〉 '옷단'の略: 〔衣服における〕折り返し. 句例 ～을 접다 折り返す.

단² ㊀〈名〉 束. 語例 짚 ～ わら束.
㊁〈依名〉 束・把. 句例 시금치 두 ～ ほうれんそう二束.
表現 名数としては固有語の数詞にだけ用いられる.

*단【段】㊀〈名〉 段. ❶(本・新聞などの)紙面を区切って線を引いた区分. ❷(碁・武術などの)段位. 句例 ～을 따다 段をとる.
㊁〈依名〉 反. 土地の面積の単位.

단【壇】〈名〉 壇. 句例 ～에 오르다 壇に上がる〔のぼる〕.

단【斷】[da:n] 〈名〉 断. ＝결단. 句例 ～을 내리다 断を下す.

*단【單】〈冠〉 ただ. たった. 単に. やっと. 句例 ～ 한번 ただの一度 / ～ 둘이서 たった二人だけで. 文例 ～ 이틀 만에 이루어졌다 たった二日で出来上がった / ～ 한 시간이라도 좋으니 ほんの一時間でもいいから.

단【但】[ta:n] 〈副〉 ただし. もっと(尤)も. ＝다만. 文例 내일은 임시 휴교. ～, 교직원은 출근할 것 明日は臨時休校. ただし, 教職員は出勤の事.

단 〔漢字項目〕

【丹】 中學 단 タン. ❶주사(朱砂) 丹砂. ▐ 丹砂 단사 たんしゃ. ❷정련한 장생불사의 영약 精練した不老不死の靈薬. ▐ 返魂丹 반혼단 はんこんたん. 仙丹 선단 せんたん. ❸붉다 赤い. 붉은 빛 赤い色. ▐ 丹青 단

청 たんせい. 丹朱 단주 たんしゅ. ❹정성을 다하다 心を尽くす. ◧丹誠 단성 たんせい. 丹心 단심 たんしん.

【但】中學 단 タン. ❶다만 但し. 단지 ただ. ◧但書 단서 但し書き. ❷특히 그것만 特にそれだけ. ❸헛되이 むなしく.

【單(単)】中學 단 タン. 선 ゼン. 一〔단〕❶홑 一つ. ㉠단지 하나 ただ一つ. ◧單數 단수 たんすう. 單身 단신 たんしん. 單獨 단독 たんどく. ㉡한겹 ひとえ. ◧單衣 단의 たんい. ㉢한 덩어리 一つのかたまり. ◧單元 단원 たんげん. 單位 단위 たんい. ❷복잡하지 않다 複雑ではない. ◧單純 단순 たんじゅん. ◧簡單 간단 かんたん. ❸테니스나 탁구에서 일대일로 하는 경기 テニスやピンポンなどのシングルス. ◧單式 단식 たんしき.
二〔선〕오랑캐 임금 匈奴の君主の名. ◧單于 선우 ぜんう.

【團(団)】高校 단 ダン. ❶둥글다 円い. ◧團圓 단원 だんえん. 團欒 단란 だんらん. ❷모이다 集まる. 모여 뭉치다 集まりかたまる. ◧團合 단합 だんごう. 團結 단결 だんけつ. ❸모임 集まり. 단체 団体. ◧軍團 군단 ぐんだん. 集團 집단 しゅうだん. ❹둥글게 뭉친 것 円いかたまり. ◧團子 단자 だんご.

【壇】高校 단 ダン. ❶약간 높게 마련된 자리 やや高く設けられた席. ◧壇上 단상 だんじょう. ◧教壇 교단 きょうだん. 祭壇 제단 さいだん. ❷장소 場所. 범위 範囲. ◧花壇 화단 かだん. ❸특수 사회 特殊な社会. ◧文壇 문단 ぶんだん. 劇壇 극단 げきだん.

【斷(断)】高校 단 ダン. ❶끊다 断つ. ㉠절단하다 切断する. ◧斷絕 단절 だんぜつ. ◧切斷 절단 せつだん. ㉡그만두다 やめる. ◧斷食 단식 だんじき. 斷煙 단연 だんえん. ❷끊어지다 断たれる. ◧斷續 단속 だんぞく. 斷線 단선 だんせん. ❸결단하다 決断する. ◧斷定 단정 だんてい. ◧判斷 판단 はんだん.

【旦】高校 단 タン. ❶아침 朝. ◧旦夕 단석 たんせき. ◧元旦 원단 がんたん. ❷밝다 あける. 밤이 새다 夜があける. ◧旦明 단명 たんめい.

【檀】高校 단 ダン. タン. ❶박달나무 おのおれかんば. ◧白檀 백단 びゃくだん. 黑檀 흑단 こくたん. ❷단향목 檀香. ◧栴檀 전단 せんだん. ❸범어의 음역자 梵語の音訳. ◧檀那 단나 だんな. 檀家 단가 だんか. だんけ.

【段】高校 단 ダン. ❶조각 かけら. ❷나누다 分ける. ㉠문장의 구분 文章の区分. ◧段落 단락 だんらく. ㉡종류나 등급으로 나누다 種類や等級に分ける. ◧分段 분단 ぶんだん. ❸층층대 きざはし. ◧階段 계단 かいだん. ◧段丘 단구 だんきゅう. ❹수단 てだて. ◧手段 수단 しゅだん. ❺유도・검도・바둑 따위의 기량의 등급 柔道・剣道・碁などの技の等級. ◧初段 초단 しょだん.

【短】中學 단 タン. ❶짧다 短い. 짧게 하다 短くする. ◧短小 단소 たんしょう. 短波 단파 たんぱ. ◧長短 장단 ちょうたん. ❷못하다 劣っている. 허물 欠点. ◧短所 단소 たんしょ. 短見 단견 たんけん.

【端】中學 단 タン. ❶바르다 正しい. 바로잡다 正す. ◧端正 단정 たんせい. 端然 단연 たんぜん. ❷실마리 糸口. ◧端緒 단서 たんしょ. ❸시초 始め. ◧戰端 전단 せんたん. 發端 발단 ほったん. ❹끝 端. ◧先端 선단 せんたん. 末端 말단 まったん. 尖端 첨단 せんたん.

단가【單價】[tankka]〈名〉単価. 句例 ～ 오천 원 単価五千ウォン.

단-감〈名〉甘がき.

단-거리【短距離】〈名〉短距離. 語例 ～ 경주 短距離競走 / ～ 선수 短距離選手 / ～ 탄도 미사일 短距離弾道ミサイル. 對장거리.

단걸음-에【單—】[tan-gŏrŭme]〈副〉⇨ 단숨에

단검【短劍】〈名〉短剣. 對장검.

단-것〈名〉甘い物. 文例 노인들은 ～을 좋아한다 年寄りは甘い物を好む.

단결【團結】〈名・하自〉団結. 句例 굳게 ～하다 かたく団結する. 文例 전원이 ～하여 나섰다 全員が団結して立ち上がった. 語例 대동 ～ 大同団結 / ～력 団結力 / ～심 団結心 / 일치 ～ 一致団結.

단계【段階】〈名〉段階. 句例 준비 ～에 있다 準備段階にある / 마무리 ～에 접어들다 締めくくりの段階に入る. 語例 실험〔초급〕～ 実験〔初級〕段階.

단계-적【段階的】〈名・冠〉段階的. 句例 ～으로 처리하다 段階的に処理する.

단골〈名〉❶'단골집'の略. ❷(取り引きなどで)なじみの関係. 得意先. 句例 ～이 많다 得意先が多い. 語例 ～ 의사 掛かり付けの医者 / ～ 가게 行き付けの店. 買いつけの店 / ～ 손님 常得意. お得意さん. 常連. 常客. なじみの客.

단골-집 [tan-goltchip]〈名〉常連の家〔店〕. なじみの店.

단과 대학【單科大學】[tankkwa—]〈名〉単科大学. 對종합 대학.

단교【斷交】[taːn-gyo]〈名・하自〉断交. 句例 ～를 선언하다 断交を宣言する.

단구【段丘】〈名〉〔地〕段丘. 語例 해안 ～ 海岸段丘.

단-국〈名〉甘い汁.

***단군**【檀君】〈名〉〔史〕檀君. 語例 ～ 기원 檀君紀元 / ～ 조선 檀君朝鮮. 檀君が建てた古代国家.
参考 韓国の開国神. 名は王倹. 紀元前2333年古朝鮮を建国した.

단권【單卷】〈名〉一巻本. 単行本.

단근-질 [taːn-gŭnjil]〈名・하他〉烙印の刑. =낙형(烙刑).

단기【短期】〈名〉短期. 語例 ～ 거래 短期取り引き / ～ 공채 短期公債 / ～ 대부 短期貸し付け / ～ 어음 短期手形 / ～전 短期戦. 對장기(長期).

단기【團旗】〈名〉団旗.

단기【檀紀】〈名〉['단군 기원(檀君紀元)'の略] 檀紀. →단군参考

단-기간【短期間】〈名〉短期間. =단기(短期). 對장기간.

단김-에 [tan-gime]〈副〉❶一気に. 一息に. いっぺんに. ❷好機を逃さず. すかさず. 句例 ～ 결판내다 好機を逃さず事の是非を決定する. 文例 쇠뿔도 ～ 빼랬다《俗談》鉄は熱いうちに打て.

단-꿈〈名〉甘い夢. 句例 ～을 꾸다 甘い夢を見る.

단-내 [ta:nnae]〈名〉❶焦げ臭いにおい. 句例 ～가 나다 焦げ臭いにおいがする. ❷(高熱のとき)鼻や口から出るにおい. 句例 코에서 ～가 나다(→'코'の小項目)

단념【斷念】 [ta:nnyŏm]〈名〉断念. あきら(諦)め. **～하다**〈他〉断念する. あきらめる. 見限る. 見切る. 句例 ～할 수 없다 あきらめられない / 할 수 없다고 ～하다 仕方がないとあきらめる. 文例 가망이 없는 듯해서 ～하였다 見込みがなさそうで見限った / ～할 수 밖에 없다 あきらめるしかない / 아직 ～하기에는 이르다 まだあきらめるのは早い / 적당히 ～하는 편이 좋겠다 いいかげんに見切りをつけた方がよさそうだ.

****단단-하다** (→하다)〈形〉固〔堅・硬〕い. ❶柔らかくない. 句例 단단한 연필 硬い鉛筆 / 쇠처럼 ～ 鉄のように硬い. ❷(中身が)充実している. しっかりしている. 句例 단단한 회사 しっかりした会社 / 단단한 사업 堅い商売. ❸㉠強い. 句例 적의 방어가 ～ 敵の防御が堅い. ㉡(結び目などが)きつい. きびしい. 句例 단단하게 맨 매듭 固い結び目. ㉢厳格だ. 句例 단단한 약속 堅い約束. ㉣がっちりしている. ひき締まっている. 句例 단단한 몸매 ひき締まったからだ. **단단히**〈副〉❶固〔堅〕く. しっかり(と). ぎっしりと. 丈夫に. 句例 수비를 단단히 하다 守備を固める / 단단히 매다〔묶다〕固く結ぶ〔縛る・くくる〕/ 단단히 결심〔약속〕하다 堅く決心〔約束〕する / 문단속을 단단히 하다 戸締まりをしっかりする / 단단히 단속하다 厳重に取り締まる. ❷大きく. 句例 장사에서 단단히 재미를 보다 商売で大もうけをする.

단당【段當】〈名〉反当たり. 語例 ～ 수확량 反当たりの収穫量.

단-대목【單―】〈名〉物前. 語例 섣달 ～ 正月の物前. 略して'단목'とも言う.

단도【短刀】 [ta:ndo]〈名〉短刀. 合い口. 懐剣. 句例 ～에 찔리다 短刀で刺される / ～를 품에 품다 短刀を懐に忍ばせる.

단도-직입【單刀直入】 [―jigip]〈名〉単刀直入. 句例 ～으로 용건을 말하다 単刀直入に用件をきりだす.

단독【單獨】〈名〉単独. 文例 ～으로 처리할 수는 없다 単独で処理することはできない. 語例 ～ 주택 一戸建ての家 / ～ 행동 単独行動 / ～ 행위 単独行為.

단-돈〈冠〉わずかのお金を強調する語: たった. ほんの. わずか. 句例 ～ 천 원도 없다 たったの千ウォンもない.

단-둘〈名〉ただ二人. 二人きり. 二人だけ. 句例 ～이서 ただ二人で. 文例 ～만 살아남았다 二人だけ生き残った / ～이 살고 있다 ただ二人で暮らしている.

단락【段落】 [tallak]〈名〉段落. ❶区切〔句切〕り. けじめ. 文例 일이 일～됐다 事がひとまず片付いた. 語例 일～ 一段落. ❷(長い文章の)切れ目.

단락(을) 짓다 段落をつける. 一区切りをつける. けりをつける.

***단란-하다【團欒―】** [tallan―] (→하다)〈形〉むつまじい. 句例 단란한 한때 だんらんの一時.

***단련【鍛鍊】** [tallyŏn]〈名〉鍛練〔鍛錬〕. **～하다**〈他〉鍛練〔鍛錬〕する. 鍛える. 練る. 句例 심신을 ～하다 心身を鍛える.

단리-법【單利法】 [tallippŏp]〈名〉〔経〕単利法. 對복리법.

단막【單幕】〈名〉〔劇〕一幕物. 語例 ～극 一幕物の劇.

단말【端末】〈名〉端末. 語例 ～ 장치 端末装置 / ～기 端末機. ターミナル.

단-말마【斷末魔】 [ta:nmalma]〈名〉断末魔. 句例 ～의 고통 断末魔の苦痛〔苦しみ〕.

***단-맛**〈名〉甘味. 句例 ～이 부족하다 甘味が足りない.

단맛 쓴맛 다 보았다 甘味も苦味もすべて味わった. つぶさに辛酸をなめたことのたとえ.

***단면【斷面】** [ta:nmyŏn]〈名〉断面. 句例 사회의 한 ～ 社会の一断面 / 일상 생활의 한 ～ 日常生活の一こま.

단면-도【斷面圖】 [ta:nmyŏndo]〈名〉断面図.

단면-적【斷面積】 [ta:nmyŏnjŏk]〈名〉断面積.

단명【短命】〈名・하形〉短命. 句例 ～한 작가 短命の作家. 語例 ～ 내각 短命内閣.

단-무지〈名〉たくあん.

단-물〈名〉❶淡水. ＝민물. 語例 ～고기 淡水魚. ❷実のある部分. 甘い汁. 句例 ～만 빨아먹다 甘い汁だけ吸い取る. 実利だけを取る. ❸〔化〕軟水. 對센물.

단-바둑【段―】 [tanppaduk]〈名〉段碁.

단박〈副〉'단박에'の略.

단박-에 [tanbage]〈副〉たちどころに. 直ちに. 一気に. 即座に. 略して'단박'ともいう. 句例 ～ 낫다 たちどころに治る.

단발【單發】〈名〉単発. ❶一発の弾丸〔発射〕. 語例 ～총 単発銃. 對연발(連發). ❷['단발총'の略] ❸発動機が一基だけであること. 語例 ～기 単発機. 對쌍발(雙發). 다발(多發).

단발【短髮】〈名〉短髪.

단발【斷髮】 [ta:nbal]〈名〉断髪. 語例 ～ 머리 断髪した髪. おかっぱ / ～ 미인 断髪の美人.

단발-령【斷髮令】 [ta:nballyŏng]〈名〉〔史〕断髪令.
参考 朝鮮高宗32年(1895年)に男子のまげを切り捨てるよう命じた法令.

단방-에【單放―】〈副〉❶ただ一発で. 句例 ～ 맞히다 たった一発で命中させる. ❷ただの一度で. いっぺんで.

***단백-질【蛋白質】**〈名〉〔生〕たんぱくしつ.

단번-에【單番―】 [tanbŏne]〈副〉ただいっぺんで. ただ一度に. 一挙に. 直ちに. 句例 ～에 따라붙다 直ちに追いつく / ～ 열세를 만회하다 一挙に劣勢を挽回する / ～ 시험에 합격하다 一度で試験に合格する.

단-벌【單―】〈名〉ただそれ一着〔一つ〕しか

ない服〔物〕. 語例 ～ 신사 着たきり雀《俗》.

단보【段步】〈依名〉反步. 語例 5～ 五反步. 参考 一段步は約992m². 300坪.

단-봇짐【單褓一】〈名〉ごく簡単な風呂敷包み.

단봉-낙타【單峰駱駝】〈名〉〔動〕ひとこぶらくだ. 對쌍봉낙타.

단-비〈名〉甘雨. 慈雨. 句例 ～가 촉촉히 내리다 甘雨がしずしずと降る.

단산【斷產】[ta:nsan]〈名・하自〉❶(女性が)子供を産めなくなること. ❷出産を断つこと.

단상【壇上】〈名〉壇上. 句例 ～에 오르다 壇上にのぼる / ～에 서다 壇上に立つ. 對단하(壇下).

단색【單色】〈名〉単色. 語例 ～광 単色光. 對다색(多色).

단서【但書】[ta:nsŏ]〈名〉但し書き. 句例 ～를 붙이다 但し書きをつける / ～가 붙어 있다 但し書きがついている.

단서【端緖】〈名〉端緒. 糸口. 手掛かり〔手懸かり〕. 句例 ～를 잡다 手掛かりをつかむ / ～를 찾다 端緒を探す / 사건 해결의 ～ 事件解決の手づる / ～를 잡지 못하다 手掛かりがつかめない.

단선【單線】〈名〉単線. 語例 ～ 궤도〔철도〕単線軌道〔鉄道〕. 對복선. 복복선.

단-세포【單細胞】〈名〉単細胞. 語例 ～ 동물〔생물〕単細胞動物〔生物〕.

단소【短簫】〈名〉〔樂〕短簫. 参考 細く短い竹の縦笛.

단속【團束】〈名〉取り締まり. **～하다**〈他〉取り締まる. 締めくくる. 句例 부정 유출을 ～하다 横流しを取り締まる / ～을 완화하다 取り締まりを和らげる / 문～을 엄히 하다 戸締まりを厳重にする / ～을 더욱 강화하다 取り締まりをより強化する. 語例 마약 ～ 麻薬の取り締まり / ～당하다 取り締まられる.

〈단속곳〉

단-속곳【單一】〈名〉チマの下に, 肌着の上に着るズボン形の女性の下着. 絵

단속-적【斷續的】[ta:nsokchŏk]〈名・冠〉断続的. 文例 ～으로 노랫소리가 들려온다 断続的に歌声が聞こえてくる.

단수【段數】[tanssu]〈名〉❶段位. 句例 ～가 다르다 段が違う. ❷手練手管の程度. 腕前. 句例 ～를 부리다 手管を弄する. 文例 너보다 ～가 한 단계 위다 君より一枚上手だ / 너하고는 ～가 틀려 君とはけたが違うよ.

단수(가) 높다 手練手管にたけている.

단수【單手】〈名〉(碁で)当たり.

단수【單數】〈名〉単数. 語例 삼인칭 ～ 현재 二人称単数現在. 對복수.

단수【端數】[tanssu]〈名〉端数. 余り. =우수리.

단수【斷水】[ta:nsu]〈名・하自他〉断水. 文例 공사 때문에 수도가 ～되었다 工事のため, 水道が断水された.

단순【單純】〈名〉単純. **～하다**〈形〉単純だ. 句例 ～한 생각 単純な考え / 성격이 아주 ～하다 性格が非常に単純だ / ～해지다 単純になる. 文例 ～한 풍문에 지나지 않았다 単なるうわさに過ぎなかった. 語例 ～ 노동 単純労働. **～히**〈副〉単純に. 文例 ～히 생각할 문제가 아니다 単純に考えるべき問題でない. 對복잡. 類간단.

단순-화【單純化】〈名・하自他〉単純化. 文例 새로운 기술의 도입으로 복잡한 공정이 ～되었다 新しい技術の導入により, 複雑な工程が単純化された.

단-술〈名〉甘酒.

단숨-에【單一】[tansume]〈副〉一気に. 一息に. 一挙に. 一度に. 句例 ～ 다 쓰다 一気に書き上げる / ～ 죽 들이켜다 一息に飲み干す.

단시【短詩】〈名〉〔文〕短詩. 對장시.

단-시간【短時間】〈名〉短時間. 對장시간.

단-시일【短時日】〈名〉短時日. 句例 ～내에 준공시키다 短時日の間に竣工させる. 對장시간.

단식【單式】〈名〉単式. 語例 ～ 경기 単式試合. シングルス / ～ 부기 単式簿記 / ～ 화산 単式火山. 對복식.

단식【斷食】[ta:nshik]〈名・하自〉断食. 語例 ～ 요법 断食療法 / ～ 투쟁 断食闘争 / ～ 기도 断食祈禱.

단신【單身】〈名〉単身. =홑몸. 語例 홀홀 ～ 飄飄単身. 身軽な単身.

단신【短信】〈名〉短信.

단심【丹心】〈名〉丹心. 真心. 赤心. 語例 일편 ～ いちず(一途)な赤心.

단아-하다【端雅一】[tanahada] (→하다)〈形〉端雅だ. 端麗だ. 句例 단아한 몸가짐 端麗な身だしなみ.

단안【單眼】[tanan]〈名〉〔動〕'홑눈'の漢字語. 對복안(複眼).

단안【斷案】[ta:nan]〈名〉断案. 句例 ～을 내리다 断案を下す.

단어【單語】[tanŏ]〈名〉単語. =낱말. 句例 영어 ～를 외다 英語の単語を覚える. 語例 ～장 単語帳 / 중요 ～ 重要単語.

단언【斷言】[ta:nŏn]〈名・하他〉断言. 言い切ること. 句例 ～할 수 있다 断言できる / 틀림없다고 ～하다 間違いないと言い切る. 文例 절대로 성공한다고 거리낌 없이 ～하다 絶対に成功すると断言してはばからない.

단역【端役】[tanyŏk]〈名〉〔劇〕端役. 句例 ～을 맡다 端役をやる〔振り当てられる〕/ ～ 배우 端役の俳優.

단연【斷然】[ta:nyŏn]〈副〉断然. ❶きっぱりと. 断固として. 句例 ～ 거절하다 断然断る. 文例 나는 그 제안에 ～ 반대한다 私は, その提案に断固として反対する. ❷並はずれて. 文例 ～ 다른 사람을 리드하고 있다 断然他をリードしている.

단연-코【斷然一】[ta:nyŏnk'o]〈副〉断然(として). 断固と(して). 文例 이번에는 ～ 가기로

결정했다 こんどは, 断然行くことに決めた.

단열【斷熱】[ta:nyŏl]〈名・하自〉〔物〕断熱. 語例 ～재 断熱材.

*__단오__【端午】[tano]〈名〉端午. 重五. あやめ(菖蒲)の節句.

단옷-날【端午―】[tanonnal]〈名〉端午の節句.

단원【單元】[tanwon]〈名〉単元.

단원【團員】[tanwon]〈名〉団員. 語例 합창 ～ 合唱団員.

단원-제【單院制】[tanwonje]〈名〉〔法〕一院制.

*__단위__【單位】[tanwi]〈名〉単位. 句例 길이의 ～ 長さの単位 / 조합 ～로 가입하다 組合単位で加入する. 語例 보조 ～ 補助単位 / 시 지 에스(C.G.S.) ～ シージーエス単位 / ～ 면적 単位面積.

*__단-음계__【短音階】[tanŭmgye]〈名〉〔樂〕短音階. 對장음계.

단일【單一】[tanil]〈名〉単一. 句例 ～ 민족으로 이루어진 국가 単一の民族からなる国家. 語例 ～ 후보 単一候補.

단자【單子】〈名〉贈り物の目録.

단자【端子】〈名〉〔電〕端子. ターミナル.

단-자엽【單子葉】〈名〉〔植〕'외떡잎'の漢字語. 對복자엽(複子葉).

단-자음【單字音】〈名〉〔言〕単子音. ㄱ・ㄴ・ㄷなどの子音. =홑닿소리. 對복(複)자음.

단작-스럽다 [ta:njak―] (→스럽다)〈形〉(いやしくて)汚らしい. みみっちい. しみったれだ. けち臭い. **단작스레**〈副〉けちくさく.

*__단-잠__〈名〉熟睡. 句例 ～을 깨우다 熟睡しているのを起こす. 對선잠.

단장【丹粧】〈名・하自〉装い. ❶化粧. 句例 얼굴을 곱게 ～하다 顔をきれいに化粧する. ❷美しく装飾すること. 句例 새로 ～한 다방 新装成ったティールーム / 새 옷으로 ～을 하고 외출하다 新しい服で身じまいをして〔きれいに着飾って〕出かける.

단장【短杖】[ta:njang]〈名〉短い杖. ステッキ. 句例 ～을 짚은 노신사 ステッキをついた老紳士.

단장【團長】〈名〉団長. 句例 사절단의 ～ 使節団の団長. 語例 응원 ～ 応援団長.

단장【斷腸】[ta:njang]〈名〉断腸. 句例 ～의 심정 断腸の思い.

단적【端的】[tantchŏk]〈名・冠〉端的. 句例 ～인 표현 端的な表現 / ～으로 말하면 端的に言えば / ～인 예 端的な例.

단전【丹田】〈名〉丹田. 句例 ～에 힘을 주다 丹田に力を入れる. 語例 제하 ～ 臍下丹田.

단전【斷電】[ta:njŏn]〈名・하自他〉休電.

단절【斷絶】[ta:njŏl]〈名・하他〉断絶. 語例 국교 ～ 国交断絶.

*__단점__【短點】[tantchŏm]〈名〉短所. 欠点. 句例 ～을 보완하다 短所を補う / 장점과 ～ 長所と短所. 文例 화를 잘 내는 것이 그의 ～이다 怒りっぽいのが彼の短所だ.

단정【斷定】[ta:njŏng]〈名・하他〉断定. 句例 ～을 내리다 断定を下す / ～할 수 없다 断定できない. 文例 밀고자는 그라고 ～하였다 密告者は彼だと断定した. 語例 ～짓다 断定づける / ～되다 断定される / ～적 断定的.

단정-하다【端正―】(→하다)〈形〉端正だ. 句例 단정한 복장 端正な服装 / 품행이 단정한 사람 品行方正な人 / 단정치 못하다 だらしない. **단정히**〈副〉端正に.

단조【單調】〈名・하形〉単調. **～롭다** (→롭다)〈形〉単調だ. 句例 ～로운 생활 単調な生活 / ～로운 나날을 보내다 単調な日日を過ごす. 文例 너무 ～로워서 재미가 없다 単調過ぎておもしろ(面白)くない. **～로이**〈副〉単調に.

*__단조__【短調】[tantcho]〈名〉〔樂〕短調. マイナー. 對장조.

단조【鍛造】〈名・하他〉鍛造.

단종【斷種】[ta:njong]〈名・하自〉〔生〕断種.

단죄【斷罪】[ta:njoe]〈名・하自〉断罪. 句例 죄상을 밝혀 ～하다 罪状を明らかにして断罪する.

단지〈名〉小さい素焼きのつぼ(壺). 語例 꿀～ はちみつ(蜂蜜)のつぼ.

단지【團地】〈名〉団地. 句例 ～를 조성하다 団地を造成する. 語例 주택〔공업〕～ 住宅〔工業〕団地.

*__단지__【但只】〈副〉単に. ただ(只・唯). ただ(啻)に. 句例 ～ 명령에 따를 뿐 ただ命令に従うのみ. 文例 ～ 그에게 물어봤을 뿐이다 単に彼に聞いてみただけである / 그것은 ～ 소문에 불과하다 それはただのうわさに過ぎない.

*__단짝__〈名〉大の仲よし. 仲よしコンビ.

단청【丹青】〈名・하自他〉丹青. 壁・柱・天井などに丹碧で絵や模様などをか(描)き入れること. 語例 ～집 丹青を施した建物.

*__단체__【團體】〈名〉団体. 句例 ～에 가입하다 団体に加入する / ～를 결성하다 団体を結成する. 語例 ～ 경기 団体競技 / ～ 교섭 団体交渉 / ～전 団体戦 / ～상 団体賞 / ～ 여행 団体旅行 / ～ 행동 団体行動 / ～ 협약 団体協約.

**__단추__〈名〉❶(衣服の)ボタン. 句例 ～를 채우다 ボタンをかける〔はめる〕/ ～가 떨어지다 ボタンが取れる / ～를 달다 ボタンをつける. 語例 단춧구멍 ボタンの穴. ボタンホール. ❷'누름단추 押しボタン'の略. ボタン. 句例 초인종의 ～를 누르다 呼び鈴のボタンを押す.

단축【短縮】〈名・하自他〉短縮. 句例 수명을 ～시키다 寿命を縮める / 노동 시간의 ～ 労働時間の短縮. 語例 ～ 수업 短縮授業 / ～되다 短縮される. 縮まる. 對연장.

단출-하다 (→하다)〈形〉❶(家族が少なくて)身軽だ. ❷(服装などが)簡便だ. 句例 단출한 차림으로 외출하다 軽い身なりで外出する. **단출히**〈副〉身軽に. 簡便に.

단층【單層】〈名〉一階. 語例 ～집 平家. 一階建て. 對다층. 類일층.

단-칸【單―】〈名〉一間. 一室. 語例 ～살이 一間所帯. 一間暮らし.

단칸-방【單―房】[tank'anppang]〈名〉たった一つの部屋. たった一間の広さの部屋.

단칼-에【單―】[tank'are]〈副〉一刀のもとに. 一太刀で. 句例 ～ 베어버리다 一刀のもとに

切り捨てる.
단타【單打】〈名〉〔野〕単打. シングルヒット. 句例 ～을 치다 単打を打つ.
단타【短打】〈名〉〔野〕短打. 對장타(長打).
단파【短波】〈名〉〔物〕短波. 語例 ～ 방송 短波放送 / 초～ 超短波.
단-판【單―】〈名〉一番勝負. 語例 ～ 승부 一番勝負. 一回きりの勝負 / ～ 씨름 一番勝負の相撲.
단-팥죽【―粥】〈名〉汁粉. ぜんざい.
단편【短篇】〈名〉短編. 語例 ～ 영화 短編映画 / ～집 短編集. 對장편.
단편 소설【短篇小說】[―so:sŏl]〈名〉〔文〕短編小説. 句例 토마스 하디의 ～ トーマスハーディーの短編小說. 對장편 소설.
단편-적【斷片的】[ta:np'yŏnjŏk]〈名・冠〉断片的. 句例 ～인 기록 断片的な記録. 文例 ～인 이야기로는 진상을 알 수 없다 断片的な話では真相がつかめない.
단풍【丹楓】〈名〉❶'단풍나무'の略. ❷紅葉. 句例 ～이 곱게 물들다 紅葉が美しく染まる. 語例 ～잎 紅葉. かえでの葉.
단풍(이) 들다 紅葉・こうようする. 句例 ～이 든 산 紅葉の山.
단풍-나무【丹楓―】〈名〉〔植〕かえで(楓).
단풍-놀이【丹楓―】[―nori]〈名・하自〉紅葉狩り. 句例 ～ 가다 紅葉狩りに行く.
단합【團合】〈名・하自〉団結. 句例 ～된 힘 団結した力. 語例 ～ 대회 団結を固めるための大会.
단행【斷行】[ta:nhaeng]〈名・하他〉断行. 句例 가격 인하를 ～하다 値下げを断行する / 즉시 ～하다 即時に断行する / 개혁을 ～하다 改革を断行する. 語例 ～되다 断行される.
단행-본【單行本】〈名〉単行本; 對전집. 총서(叢書).
단호-하다【斷乎―】[ta:nho―](→하다)〈形〉断固としている. 句例 단호한 결심 断固たる決心 / 단호한 조치를 취하다 断固たる処置を取る. 단호히〈副〉断固(として). 句例 단호히 반대하다 断固反対する / 단호히 거절하다 断固として拒絶する.
단화【短靴】[ta:nhwa]〈名〉短靴. 句例 ～을 신다 短靴を履く.
닫다[1] (달으니, 달아서)〈自〉走る. 駆ける. 急いで行く. 句例 전속력으로 ～ 全速力で駆ける. →囲み記事 24

囲み記事 23

■ '닫다'と'닿다' ■

닫다[tatta] (1) 走る. 駆ける —— 닫는 말에 채질한다 駆ける馬にむちを打つ.
(2) 閉じる. ふたをする —— 가게문을 닫다 店の戸を閉める. 뚜껑을 닫다 ふたを閉じる.
닿다[tat'a] (1) 接する. 触れる —— 몸과 몸이 닿았다 からだとからだが触れた. 책상이 벽에 닿다 机が壁に接する.
(2) 着く. 届く —— 두시에 서울에 닿는다 2時にソウルへ到着する.

닫는 말에도 채를 친다 '달리는 말에 채찍질'の意(→'달리다[4]'の小項目).
**닫다[2]〈他〉閉める. ❶閉じる. 句例 문을 ～ 戸を閉める / 서랍을 ～ 引き出しを閉める / 뚜껑을 ～ ふたをする / 문을 닫고 사람을 들이지 않다 戸を閉ざして人を入れない. ❷しまう(仕舞う). 文例 벌써 가게를 닫았군 もう店を閉めたな / 불경기로 문을 닫는 가게가 속출했다 不景気で商売をやめる店が続出した. ▷→囲み記事 23
닫아-걸다 [tadagŏlda](―거니, ―걸어서)〈他〉門(戸)を閉めてかんぬき(閂)をさす. 閉めてかぎ(鍵)をかける. 句例 대문을 ～ 表門にかんぬきをかける.
닫집〈名〉〔建〕天蓋.
닫치다〈他〉閉める. 閉じる. ▷→囲み記事 22 表現 原義は'닫다'の強調語であるが, 区別せずに使われる.
닫히다 [tach'ida]〈自〉'닫다'の受け身: 閉まる. 閉ざされる. 閉じる. ふさ(塞)がる. 句例 언제나 꼭 닫혀 있는 창문 いつも閉まっている窓 / 문이 ～ 戸が閉まる / 굳게 닫힌 대문 固く閉ざされた表門. ▷→囲み記事 22
**달〈名〉❶〔天〕月. 句例 ～이 비치는 밤 月の照る夜 / ～이 뜨다 月が出る〔昇る〕/ ～이 지다 月が沈む〔入る〕/ ～이 맑다 月が澄む〔さ(冴)えている〕/ ～이 밝다 月が明るい / ～이 떠 있다 月が浮かんでいる / ～이 구름에 가려지다 月が雲に隠れる. 語例 ～로켓 月ロケット / ～세계 月の世界. 月世界 / 초승～ 新月. 三日月 / ～밤 月夜.
❷(暦での)月. 句例 ～이 바뀌다 月が変わる / 한 ～에 한번 모이다 月に一度集まる / 큰 ～과 작은～ 大の月と小の月. 語例 다음 ～ 来月 / 지난 ～ 先月. →囲み記事 24
❸産み月. 臨月. 句例 ～이 차다 臨月になる.
달도 차면 기운다 月満つれば傾く. 物事には盛りを過ぎると衰える. すなわち, 栄枯盛衰があることのたとえ.

달 〔漢字項目〕

【達(達)】中學 달 タツ. ❶통하다 通じる. ㉠길이 통하다 道が通じる.

囲み記事 24

■ 달 읽기 月の読みかた(陰暦) ■

1월(一月)	정월(睦月)
2월(二月)	이월(如月)
3월(三月)	삼월(弥生)
4월(四月)	사월(卯月)
5월(五月)	오월(五月)
6월(六月)	유월(水無月)
7월(七月)	칠월(文月)
8월(八月)	팔월(葉月)
9월(九月)	구월(長月)
10월(十月)	시월(神無月)
11월(十一月)	동짓달(霜月)
12월(十二月)	섣달(師走)

◧四通八達 사통팔달 しつうはったつ. ㉡깨닫다 悟る. ◧達見 달견 たっけん. ◧通達 통달 つうたつ. ㉢사물에 익숙하다 物事に慣れる. ◧熟達 숙달 じゅくたつ. 錬達 연달 れんたつ. ❷달하다 達する. ㉠영화를 누리다 栄華をきわめる. ◧栄達 영달 えいたつ. ㉡목적을 이루다 目的を遂げる. ◧達成 달성 たっせい. ❸이르다 いたる. ㉠도착하다 到着する. ◧到達 도달 とうたつ. ㉡보내지다 送られる. ◧送達 송달 そうたつ. 配達 배달 はいたつ. ❹뜻을 전하다 意を伝える. ◧上達 상달 じょうたつ. 下達 하달 かたつ. 示達 시달 じたつ.

달가닥 〈副·하自他〉 固くて小さい物が軽く触れ合う音: がらがら. かたかた. 略して'달각'ともいう. **~거리다** 〈自他〉 がらがらする. かたかた〔ことこと〕する. また, そのようにさせる.

달가닥달가닥 〈副·하自他〉 がらがら. かたかた. ことこと.

달갑다 (달가우니, 달가워서) 〈形〉 ❶(気に入って)満足だ. 好ましい. 願わしい. ありがたい. 句例 달갑지 않다(→小項目). ❷('달갑게'の形で)いとわず. 甘んじて. 句例 벌을 달갑게 받다 甘んじて罰を受ける / 달갑게 여기지 않다 不満に思う.

달갑지 않다 不満だ. 願わしくない. ありがたくない. 文例 달갑지 않은 손님이다 願わしくないお客様だ.

⁑달걀 〈名〉 (鶏の)卵. =계란. 句例 ~을 깨다 卵を割る / ~을 낳다 卵を産む / ~을 품다 卵を抱く / ~을 부화하다 卵をかえ(孵)す / ~을 지지다 卵をい(煎)りつける. 語例 날~ 生卵 / 삶은 ~ ゆで卵 / 반숙 ~ 半熟の卵 / ~부침 卵焼き / ~가루 卵の粉 / ~흰자 卵の白身. 卵白.

달걀-노른자 [—rorŭnja] 〈名〉 ❶黄身. 卵黄. ❷最も重要な部分.

달게-받다 [ta:lge—] 〈他〉 甘受する. 甘んじる. 句例 비난을 ~ 非難を甘受する / 벌을 ~ 甘んじて罰を受ける.

달관【達観】 〈名·하他〉 達観. 句例 인생을 ~하다 人生を達観する.

달구 〈名〉 (地固めの)落としづち. たこ(蛸). 胴突き. 語例 달굿대 (胴突きの)たこ.

달구다 〈他〉 ❶(火で)熱する. 焼く. 句例 쇠를 ~ 鉄を熱する / 부젓가락을 새빨갛게 ~ 火ばしを真っ赤に焼く. ❷オンドル(温突)に火をたくさんたいて熱くする.

달구지 〈名〉 ❶牛車. ❷荷車. =짐수레.

달구-질 〈名〉 地固め. 地ならし. 胴突き. よいとまけ《俗》. **~하다** 〈自〉 地固めをする.

달그락 〈副·하自他〉 固く小さい物が触れ合う音: がらがら. ことり. かたり. **~거리다** 〈自他〉 がたがた〔がらがら〕する. ことことする. また, そうさせる.

달그락달그락 〈副·하自他〉 がらがら. ことりことり.

달그랑 〈副·하自他〉 固く小さい金属性の物が触れ合って出る〔出す〕音: かちん(と). ちゃりん. **~거리다** 〈自他〉 かちんかちん〔がちゃんがちゃん〕と鳴る.

달그랑달그랑 〈副·하自他〉 がちゃんがちゃん.

달-나라 [tallara] 〈名〉 月世界・月世界.

***달-님** [tallim] 〈名〉 お月さま. 対해님.
表現 もとは'다님'といった. おもに, 幼児語として使われる.

달다¹ [ta:lda] (다니, 달아서) 〈自〉 ❶(汁物などが)煮えすぎる. 煮詰まる. ❷非常に熱くなる. 熱せられて赤くなる. ほてる. 句例 빨갛게 단 쇠 赤熱の鉄 / 얼굴이 화끈 ~ 顔がほてる. ❸いらだつ. やきもきする. ❹(霜焼けで)ひび(皹)が切れる. 文例 얼음박힌 손이 달아서 쓰리다 霜焼けになった手がひび割れてひりひりする.
表現 '달아'のように母音で始まる語尾を伴って活用するときは, 短音に発音される.

⁑달다² (다니, 달아서) 〈他〉 ❶つ(吊)る. つるす. 句例 처마 끝에 풍경을 ~ 軒先に風鈴をつるす / 모기장을 ~ 蚊帳をつりさげる / 선반을 ~ 棚をつる.
❷かける. 掲げる. 句例 돛을 ~ 帆をかける / 국기를 ~ 国旗を掲げる.
❸付〔着〕ける. ㉠縫い付ける. 句例 단추를 ~ ボタンをつける. 絵 / 모자에 장식깃을 ~ 帽子に飾り毛をつける. ㉡(からだなどに)ぶら下げる. 句例 귀고리를 ~ 耳輪をぶら下げる / 가슴에 훈장을 ~ 胸に勲章をぶら下げる. 絵
❹'데리다 (人を)引き連れる'の俗っぽい言いかた. 句例 졸개를 달고 다니다 手下を引き連れて回る.
❺取り付ける. 架設する. 引く. 句例 벽에 스위치를 ~ 壁にスイッチを取り付ける / 전기를 ~ 電気を引く / 차에 에어컨을 ~ 車にクーラーを取り付ける.
❻付ける. ㉠(注釈·助詞などを)書き入れる. 句例 알기 쉽게 주석을 ~ 分かりやすいように注釈を付ける / 한자에 토를 ~ 漢字に振りがなをつける / 단서를 ~ 但し書きをつける. ㉡(勘定を)記録する. 句例 장부에 외상을 ~ 帳簿に掛けをつける. 文例 술값은 내 앞으로 달아 놓아라 酒代はわたしの勘定につけておきなさい.
❼〔民〕 (花婿を)つるし上げにしてぎゅうぎゅうの目に合わせる.
❽(はかりで)計〔測〕る. 句例 몸무게를 ~ 体重を測る. 絵 / 저울에 달아서 팔다 はかりにかけて売る.

단추를 달다

가슴에 훈장을 달다 몸무게를 달다

〈달다〉

달다³ [ta:lda] 〈不他〉 ('달라' '다오'の形で)'人に何かを請う. 求める'の意を表わす語.

**달다[4] (다니, 달아서)〈形〉❶甘い. 句例 맛이 ~ 味が甘い / 단 음식 甘い食べ物. 語例 달게 甘く. ❷食欲がよくてうまい. 句例 달게 먹다 うまそうに食べる. 舌鼓を打ちつつ食べる. ❸気に入って快い. 句例 달게 자다 熟睡する. ▷對쓰다.

달다 쓰다 말이 없다 口をつぐんでなんの反応も示さない. うんともすんとも言わない.

달면 삼키고 쓰면 뱉는다 甘ければ飲み込み苦ければ吐き出す. 自分の利害のみを考える利己的な態度のたとえ.

달달[1]〈副〉❶ぶるぶる. がたがた. 文例 어린 아이가 ~ 떨고 있다 子供がぶるぶると震えている. ❷車輪などが固い地面を転がり行く音: がたがた.

달달[2]〈副〉❶ごま(胡麻)・豆などをかき回しながらいい(炒)るさま. ❷ごま・豆などをひきうす(碾臼)でひくさま: がらがら. ❸くどくど言ってさいな(苛)むさま: がみがみ. ❹あちこちひっかき回しながら物を捜すさま: ごそごそ. ❺よどみなくすらすらと暗唱するさま. 句例 ~ 외다 よどみなくそらんじる.

달달-볶다 [—bokta]〈他〉❶ごま・豆などをかき回しながらいい(炒)る. ❷(人を)いびる. さいな(苛)む. いじめる.

달-뜨다 [ta:lttŭda] (달뜨니, 달떠서)〈自〉'들뜨다②'の語感の小さい語.

달라 [ta:lla]〈不他〉'달다[3]'の命令形: くれ. よこせ. 文例 종이를 ~ 紙をくれ / 자유 아니면 죽음을 ~ 自由でなければ死を与えよ / 쌀을 빨리 꾸어다 ~고 재촉했다 米を早く借りてきてくれと催促した.

*달라다 [ta:llada]〈他〉'달라고 말하다'の意を表わす語: くれと言う. 頼む. 請う. 要求する. 句例 돈을 ~ お金をくれと言う / 해 달라는 대로 해 주다 してくれと言う通りにしてやる. 文例 졸라서 사달라자 せがんで買ってもらおう / (시계를) 고쳐 달라자 (時計を)直してもらおう.

*달라-붙다〈自〉くっつく. 粘り着く. かじ(齧)りつく. へばり付く. 句例 책상에 ~ 机にかじりつく / 옷에 엿이 착 ~ 服にあめがべったり引っつく / 끈적끈적 ~ ねとねと粘り着く / 추근추근 ~ ねちねち食い下がる / 상대편에 ~ 相手がわにくっつく.

*달라-지다〈自〉変わる. 変化する. 句例 주소가 ~ 住所が変わる. 文例 서울이 몰라보게 달라졌다 ソウルが見違えるほど変わった.

달랑〈副・하自他〉❶小さい鈴の鳴る音: ちりん. りん. ❷落ち着きがなくそそっかしいさま. (前後をわきまえず)やたらに行動するさま. ❸ぽつんと. しょんぼり. 文例 커다란 방에 혼자만 ~ 남았다 広い部屋に一人だけぽつんと残った. ~거리다〈自他〉❶(鈴などが)ちりんちりんと鳴る. また, ならす. ❷そそっかしく振る舞う. ちょこまかする《俗》.

달랑달랑〈副・하自他〉❶ちりんちりん. ❷そそっかしく. ちょこまか.

달랑달랑-하다 (→하다)〈形〉(金などが)いくらも残っていない. 底が見えてくる. 尽きかけている. 残り少ない. 文例 밑천이 달랑달랑해서 불안하다 元手が残り少なくて不安だ.

달래〈名〉〔植〕ひめにら.

*달래다〈他〉❶慰める. 紛らす. 句例 고독을 ~ 孤独を紛らす / 슬픔을 술로 ~ 悲しみを酒で紛らす. ❷なだ(宥)める. すかす. あやす. 句例 쌍방을 달래어 화해시키다 双方をなだめて仲直りをさせる / 아이를 달래어 잠재우다 子供をすかして寝つかせる / 보채는 아기〔우는 아이〕를 ~ むずかる赤ん坊〔泣いている子〕をあやす.

*달러〈名〉ドル. 語例 ~ 부족 ドル不足 / ~ 위기 ドル危機 / ~ 박스 ドル箱. ◇dollar

달러 블록〈名〉〔經〕ドルブロック. =달러 지역. ◇dollar bloc

*달려-가다 (달려가거라)〈自他〉走って行く. 駆けつける. は(馳)せつける. =뛰어가다. 文例 그는 급보를 받고 달려갔다 彼は急報に接して駆けつけた.

달려-나가다 (달려나가거라)〈自〉飛び出す. 駆け出す. =뛰어나가다.

**달려-들다 (—드니, —들어서)〈自〉にわかに飛び掛かる. 飛びつく. 句例 개가 사람에게 ~ 犬が人に飛び掛かる / 칼을 들고 ~ 刃物を持って切りかかる.

**달려-오다 (달려오너라)〈自他〉走って来る. 駆けつける. =뛰어오다. 句例 헐레벌떡 ~ 息せき切って走って来る.

**달력【—曆】〈名〉暦. カレンダー. =월력.

달력-나이【—曆—】[tallyŏngnai]〈名〉数え年. 句例 ~로 스무살 数えて二十歳. 数え年で二十.

*달리〈副〉ほかに. 他に. 別に. 句例 기대와는 ~ 期待に反して. 期待とは別に / 예상한 바와(는) ~ 予想したのとは別に. 案に相違して. 文例 ~ 도리가 없었다 ほかになすすべがなかった.

**달리기〈名・하自〉走ること. 駆けくらべ. 駆けっこ《児》. 走り. 競走. 句例 토끼와 거북이의 ~ うさぎ(兎)とかめの駆けくらべ. 語例 백미터 ~ 百メートル競走.

달리다[1]〈自〉❶ぶら下がる. ㉠つ(吊)り下がる. 垂れる. 文例 처마 끝에 풍경이 달려 있다 軒先に風鈴がつり下がっている. ㉡(身などに)付けられている. 句例 귀에 달린 귀고리 耳にぶらさがっている耳輪. 文例 옷에 단추가 달려 있다 服にボタンが付いている.

❷取り付けられている. 句例 큰 거울이 달린 경대 大きな鏡が付いている鏡台. 文例 전등이 달려 있다 電灯が取り付けてある.

❸(ある関係に)左右される. かかる. …(いかん)による. 文例 노력 여하에 달려 있다 努力いかんによる / 문제는 저쪽〔상대방〕의 태도 여하에 달려 있다 問題は向こうの出方いかんによる / 승진은 수완 여하에 달렸다 昇進は手腕〔腕前〕次第だ / 그것은 보는 각도에 달려 있다 それは見方による.

❹養っている家族がいる. 文例 내게 달린 식구가 다섯이다 わたしが養っている家族は五人だ.

❺〔民〕(花婿が)つるし上げにされる. 文例 신랑이 달려서 혼난다 花婿がつるし上げられてひ

ㄷ

どい目に合う.
❻(はかりなどで)計られる. 文例 너무 무거워 저울에 달리지 않는다 重すぎてはかりに掛からない.
参考 ①, ②, ⑥, ⑦は '달다²'の受け身.

달리다² 〈自〉 ❶及ばない. 手に余る. 文例 힘이 달려 지고 말았다 力が及ばないので負けてしまった. ❷不足する. 句例 식량이 ~ 食糧が不足する / 사업 자금이 ~ 事業資金が続かない〔足りない〕.

달리다³ 〈自〉 ❶だるくて気力がなくなる. ❷(疲れて)目がたるむ. 句例 눈이 ~ 目がたるむ.

⁑**달리다⁴** ━〈自〉走る. 駆ける. は(馳)せる. 句例 전속력으로 ~ 全速力で走る / 나란히 ~ 並んで走る / 내쳐 달려서 숨이 차다 駆け通しで息がきれる / 기차가 ~ 汽車が走る / 골을 향해 ~ ゴールに向かって走る.
━〈他〉走らせる. 駆る. (自動車を)すっとばす. 句例 말을 ~ 馬を走らす〔駆る〕/ 시속 백킬로로 ~ 時速百キロで飛ばす.
달리는 말에 채찍질 走り馬にもむち. ❶ますます勢いを増す. ❷さらに努力するように励ます. ▷=주마가편(走馬加鞭).

달리아 [taːllia] 〈名〉〔植〕 ダリア. ◇dahlia

***달리-하다** (→하다) 〈他〉 異にする. 句例 언어를 달리하는 민족 言語を異にする民族 / 취향을 ~ 趣向〔趣〕を異にする.

달마【達磨】〈名〉〔佛〕 だるま(達磨).

***달-맞이** [talmaji] 〈名・하自〉〔民〕 月見. 観月. =영월(迎月).
参考 とくに陰暦正月十五日の夕べ, たいまつをかかげて月の出るのを見ること. 月を最初に見た人に幸運が訪れるという習わしがある.

달맞이-꽃 [talmajikkot] 〈名〉〔植〕 月見草.

달-무리 〈名〉 つきがさ(月暈). 句例 ~가 서다 つきがさがかかる.

달-밤 [talppam] 〈名〉 月夜.

달변【達辯】〈名〉 達弁. 口達者. 句例 ~인 사람 達弁の人 / ~이다 弁が立つ.

***달-빛** [talppit] 〈名〉 月光. 月明かり. 月影. 月色. 月の光. 句例 ~이 밝다 月が明るい / ~이 비쳐 들다 月の光がさし込む.

달성【達成】 [talssŏng] 〈名〉 達成. **~하다** 〈他〉 達成する. 果たす. 句例 목적을 ~하다 目的を果たす. 語例 목표 ~ 目標達成.

달싹-하다 [talssak'ada] (→하다) 〈形〉 (しっかり覆われずに)少し開いている. (ぴったり合わないで)少し透き間がある.

⁑**달아-나다** [taranada] (달아나거라) 〈自〉 ❶速く走る. 文例 손을 흔들었으나 버스는 그대로 달아났다 手を振ったがバスはそのまま走り去った. ❷逃げる. 句例 허둥지둥 ~ ほうほうの体で逃げる / 친구를 버리고 ~ 友を見捨てて逃げる / 달아나는 적을 추격하다 逃げる敵を追撃する. ❸なくなる. 吹っ飛ぶ. 句例 잠이 ~ 眠気が吹っ飛ぶ / 목이 ~ 首が飛ぶ.

달아-매다 [taramaeda] 〈他〉 ❶ぶら下げる. つるす. 句例 나무에 그네를 ~ 木にぶらんこをつるす. ❷縛り付ける. つなぐ. 句例 개를 기둥에 ~ 犬を柱に縛り付ける.

달아-보다 [taraboda] 〈他〉 ❶(はかりで)計ってみる. 句例 몸무게를 ~ 体重を計ってみる. ❷(人柄を)試してみる. 句例 인품을 ~ 人柄を試してみる.

달아-오르다 [taraorŭda] (―오르니, ―올라서) 〈自〉 ❶(鉄などが)熱する. 熱くなる. ❷(顔が)ほてる. 文例 부끄러운 나머지 내 얼굴은 벌겋게 달아올랐다 恥ずかしさの余りわたしの顔は赤くほてるのだった.

⁑**달음박-질** [tarŭmbakchil] 〈名〉 駆け足. 走ること. 略して'달음질'ともいう. **~하다** 〈自〉 駆け足する. 走る. 句例 ~해서 가다 駆け足で〔走って〕行く. 語例 ~치다 走る. 駆ける.

달음-질 [tarŭmjil] 〈名・하自〉 ❶駆けくらべ. かけっこ《児》. ❷'달음박질'の略. 語例 ~치다 走る. 駆ける.

***달이다** [tarida] 〈他〉 ❶煮詰める. 句例 간장을 ~ しょうゆ(醬油)を煮詰める. ❷せん(煎)じる. 句例 한약을 ~ 漢薬をせんじる. ▷→囲み記事21

달인【達人】 [tarin] 〈名〉 達人. 句例 검술의 ~ 剣術の達人.

달-집 [taltchip] 〈名〉〔民〕 陰暦正月十五日の月見の際, 火をつけて明るくするため薪を小屋の形に積み上げたもの.

달짝지근-하다 (→하다) 〈形〉 やや甘い. 少し甘味がある.

달착지근-하다 (→하다) 〈形〉 やや甘味がある.

달카닥 〈副〉 固い物どうしがぶつかって出す音: かたん. ことん. 略して'달칵'ともいう. **~하다** 〈自他〉 かたん〔ことん〕と鳴る. また, 鳴らす. **~거리다** 〈自他〉 かたんかたんと鳴る. また, 鳴らす.
달카닥달카닥 〈副・하自他〉 かたんかたん.

달콤새큼-하다 (→하다) 〈形〉 甘酸っぱい.

달콤-하다 (→하다) 〈形〉 甘い. 甘ったるい. 句例 달콤한 맛 甘ったるい味 / 달콤한 말로 유혹하다 甘い言葉で誘惑する / 달콤한 목소리로 말하다 甘ったるい声で話す. **달콤히** 〈副〉 甘く. 甘ったるく.

⁑**달팽이** 〈名〉〔動〕 かたつむり(蝸牛).

달-포 〈名〉 一か月余り. 句例 한 ~ 전에 約一か月余り前に.

달필【達筆】〈名〉 達筆. 句例 ~로 써 내려가다 達筆で書きなぐる.

***달-하다【達―】** (→하다) 〈自他〉 達する. ❶(ある程度・限度に)至る. 句例 인기가 절정에 ~ 人気が頂点に達する / 모여든 사람이 6만 명에 ~ 集まって来た人が六万名に達する. ❷目的を果たす. 句例 목적을 ~ 目的を達する. ❸栄華をきわめる.

⁑**닭** [tak] 〈名〉〔鳥〕 鶏. とり. 句例 ~을 치다 鶏を飼う / ~을 닭장에 넣다 鶏を鶏舎に入れる / ~이 홰를 치다 鶏が時を作る / ~이 알을 낳다 鶏が卵を産む / ~이 알을 품다 鶏が卵を抱く. 語例 수탉 おんどり / 암탉 めんどり.
参考 '닭이 鶏が' '닭과 鶏と'は [talgi], [takkwa] と読む.
닭 벼슬이 될망정 쇠꼬리는 되지 마라 鶏口とな

るも牛後となるなかれ.

닭 소 보듯 소 닭 보듯 鶏が牛を見るごとく, 牛が鶏を見るごとく. 相手に何の関心も見せないこと.

닭 잡아먹고 오리발 내놓기 鶏をつぶして食べた後, あひるの足を差し出す. 不正を働いて浅知恵で押し隠そうとするが, そのやりかたが間抜けていることのたとえ.

닭 쫓던 개 지붕 쳐다보듯 鶏を追いかけていた犬が(鶏が飛び上がった)屋根の方を見上げる. 仕事をしくじってがっかりしていることのたとえ.

닭-고기 [takkogi] 〈名〉鶏の肉. 鶏肉. とり肉. かしわ.

닭-고집【一固執】[takkojip]〈名〉意地っ張り.

닭-대가리 [taktaegari]〈名〉記憶力の悪い愚か者.

닭-똥 [takttong]〈名〉⇨ 닭의 똥

닭똥 같은 눈물 大変悲しくてはらはらと落とす大粒の涙.

닭-띠 [taktti]〈名〉酉年生まれ.

닭-살 [taksal]〈名〉鳥肌. 句例 ～이 돋다 鳥肌が立つ.

닭-싸움 [takssaum]〈名〉❶〔民〕闘鶏. 鶏合わせ. 鶏のけあい. ❷けんけん相撲. 略して'닭쌈'ともいう.

닭의-똥【talgittong】〈名〉鶏糞.

닭의-장【一欌】[talgijang]〈名〉鶏小屋. 鶏舎. 略して'닭장'ともいう.

닭-장【一欌】[takchang]〈名〉'닭의장'の略: 鶏小屋. 鶏舎.

닭-해 [tak'ae]〈名〉酉年.

닮다 [ta:mtta]〈他〉❶似る. 句例 부모를 ～ 親に似る. 文例 두 사람의 생애는 서로 닮은 데가 있다 二人の生涯には相似るところがある / 닮은 정도가 아니라 똑같다 似ているどころかうり二つだ〔そっくりだ〕/ 닮은 데가 전혀 없다 似ても似つかない. ❷まねる. まねてそれに近くなる. 句例 서양 풍속을 닮아 가다 西洋の風俗に似つつある. 文例 나를 닮지 말고 훌륭한 사람이 돼라 わたしをまねずに立派な人間になれ.

参考 '닮아서 似ていて' '닮고 似て'は [talmasŏ], [tamkko]と読む.

닮은-꼴 [talmŭnkkol]〈名〉〔數〕相似形.

*__닮음__ [talmŭm]〈名〉〔數〕相似. 語例 ～비(比) 相似比.

닳다 [talt'a]〈自〉❶す(擦)れる. すり減る. 句例 신발이 ～ くつがすり減る. 文例 손이 닳도록 빌었지만 허락을 못 받았다 手がすり切れるほどお願いしたけれども許可が得られなかった. ❷煮詰まる. ❸肌が凍えて赤くなる.

参考 '닳으면 すれると' '닳도록 すれるまで'は [tarŭmyŏn], [talt'orok]と読む.

닳고 닳다 ❶すり減っている. ❷(世の荒波にもまれて)世間ずれする. 人ずれする. すれる. 句例 닳고 닳은 사나이 すれた男 / 닳고 닳은 여자 すれっからしの女. あばずれ女.

닳리다 [tallida]〈他〉❶(靴などを)すり減らす. ❷煮つめる. ❸(肌などを)凍えさせて赤くする.

*__담__[1]〈名〉塀. 垣. 句例 담을 쌓다(→小項目) / ～을 뛰어넘다 塀を飛び越える / ～이 무너지다 塀が崩れる. 語例 벽돌 ～ 煉瓦塀 / 토～ 土塀 / 돌～ 石垣.

담(을) 쌓다 ❶塀を築く. 垣を巡らす〔作る〕. ❷交際を断つ. 関係を切る. 縁を切る.

담[2] [ta:m]〈名〉'다음'の略: 次. 句例 ～에 올 때 次に来るとき. 文例 ～은 누구냐 次はだれだ. 語例 ～ 차례 次の番.

담【痰】[ta:m]〈名〉❶〔生〕たん(痰). ＝가래. ❷分泌液の循環障害による, 一種の神経痛. 句例 ～이 결리다 神経痛で痛む〔うずく〕/ 담이 들다(→小項目). ❸〔韓醫〕'담병(痰病)'の略.

담(이) 들다 分泌液がからだの一部に凝固して神経痛を起こす.

담【膽】[ta:m]〈名〉❶〔生〕胆嚢. ＝쓸개. ❷'담력(膽力)'の略.

담이 크다 肝っ玉が太い.

-담【談】〈尾〉…談. 語例 무용～ 武勇談 / 경험～(이 재미있다) 経験談(がおもしろい).

담 〔漢字項目〕

【擔(担)】 高校 담 タン. ❶메다 担ぐ. 어깨에 메다 肩に担ぐ. ■擔荷 담하 たんか. ❷맡다 引き受ける. 부담하다 負担する. ■擔任 담임 たんにん. ■分擔 분담 ぶんたん.

【淡】 高校 담 タン. ❶(맛이) 싱겁다. 또 그 음식 塩分が少ない. また, その食べ物. ■淡水 담수 たんすい. 淡泊 담박 たんぱく. ❷엷다 薄い. 빛이 엷다 色が薄い. ■淡雲 담운 たんうん. ■濃淡 농담 のうたん.

【潭】 高校 담 タン. 심 タン. 一〔담〕깊다 深い. 깊은 곳 深い所. ■潭深 담심 たんしん. 潭思 담사 たんし. 潭淵 담연 たんえん. 二〔심〕물가 水のほとり. 岸. ■江潭 강심 こうたん.

【談】 中學 담 ダン. ❶이야기 話. 담화 談話 だんわ. ■談判 담판 だんぱん. ■美談 미담 びだん. 私談 사담 しだん. ❷얘기하다 話す. ■談笑 담소 だんしょう. 談論 담론 だんろん. ❸농하다 ふざける. ■弄談 농담 じょうだん(冗談).

*__담그다__ (담그니, 담가서)〈他〉❶漬ける. ㉠液体に漬ける. 浸す. 句例 물에 ～ 水に浸す / 따뜻한 물에 발을 ～ 暖かい水に足を浸す. 足湯を使う / 냇물에 발을 ～ 流れに足を入れる. ㉡(菜を)漬け込む. 句例 김치를 ～ キムチを漬ける. ❷(酒などを)仕込む. 醸造する. 句例 간장을 ～ 醬油を仕込む. ❸(魚などの)塩辛をつくる.

담금-질〈名〉〔工〕焼き. 焼き入れ. **～하다**〈他〉焼きを入れる.

*__담기다__〈自〉'담다'の受け身: 盛られる. 句例 광주리에 담긴 과일 かごに盛られた果物 / 정성이 담긴 선물 真心のこもった贈り物.

담-꾼【擔―】〈名〉天びん棒で重い荷物を運ぶ労働者.

담-날 [ta:mnal]〈名・副〉'다음날'の略: 次の日. 後日.

담낭【膽囊】[ta:mnang]〈名〉〔生〕胆嚢. ＝쓸개.

**담다 [ta:mtta]〈他〉❶(器に)盛る. 入れる. 句例 밥을 그릇에 골막하게 ～ ご飯を目八分に盛る / 단지〔상자〕에 담아 두다 つぼ〔箱〕に入れておく / 바구니에 담은 과일 かごに入れた〔盛った〕果物. ❷(比喩的に)込める. 句例 비디오〔그림〕에 ～ ビデオ〔絵〕に収める / 웃음을 담은 얼굴 笑みを含んだ顔 / 타오르는 사모의 정을 담은 편지 燃える思慕の念を込めた手紙. ❸('입에 ～'の形で)口にする. 言う. 文例 그런 말은 입에 담기조차 싫다 そんなことばは口にすることさえいやだ. 表現 母音で始まる語尾を伴って活用するときは, '담아[tama]'のように短音で発音される.

담-달 [ta:mttal]〈名〉'다음달'の略: 次の月. 来月. 翌月.

담-담 [ta:mdam]〈名〉'다음다음'の略: 次の次. 再来. 文例 ～ 정거장에서 내려 주세요 次の次の停留所で降ろしてください. 語例 ～달 再来月 / ～해 再来年.

담담-하다 [ta:mdam—] (→하다)〈形〉(当然何か言うべき所で)何も言わず口をつぐんでいる. 黙っている. 文例 그녀는 담담하게 남편의 변명을 듣고 있었다 彼女は黙り込んだまま夫の弁解を聞いていた. 담담히〈副〉何も言わずに. 口をつぐんで.

담담-하다【淡淡—】[ta:mdam—] (→하다)〈形〉淡淡としている. 句例 담담한 태도〔심경〕淡淡たる態度〔心境〕/ 담담한 맛 さっぱりした味. 淡淡たる味. 담담히〈副〉淡淡として.

담당【擔當】〈名・하他〉担当. 受け持ち. 句例 판매를 ～하다 販売を担当する / 일학년을 처음 ～하다 一年生を初めて受け持つ. 語例 ～관 担当官 / ～자 担当者 / ～ 구역〔분야〕担当区域〔分野〕.

*담대-하다【膽大—】[ta:mdae—] (→하다)〈形〉大胆だ. 肝っ玉が太い. 句例 담대한 사람 大胆な人. 담대히〈副〉大胆に.

*담력【膽力】[ta:mnyŏk]〈名〉胆力. 略して'담(膽)'ともいう. 句例 ～을 키우다 胆力を練る / ～을 기르다 胆力を養う. 文例 상당한 ～이다 相当な度胸だ.

담론【談論】[tamnon]〈名・하他〉談論. 句例 술을 마시면서 ～하다 酒を飲み交わしながら談じる.

담박-하다【淡泊—・澹白—】[ta:mbak'ada] (→하다)〈形〉淡白だ. ＝담백하다. 句例 담박한 맛 淡白な〔さっぱりした〕味 / 담박한 인품 淡泊な人柄.

**담배 [ta:mbae]〈名〉タバコ(煙草). 句例 ～ 한 갑〔개비〕タバコ一箱〔一本〕/ ～를 권하다〔끊다〕タバコを勧める〔やめる〕/ ～를 피우다 タバコを吸う〔のむ・ふかす〕/ 순한〔독한〕～ 軽い〔きつい〕タバコ / ～에 불을 붙이다 タバコに火を付ける. 語例 파이프 ～ パイプタバコ / ～꽁초 タバコの吸い殻 / 양(洋)～ 西洋のタバコ. 外国のタバコ.

담백-하다【淡白—】[ta:mbaek'ada] (→하다)〈形〉淡白だ. 句例 담백한 맛 淡白な味.

담뱃-가게 [ta:mbaetkage]〈名〉タバコ屋.

담뱃-갑【—匣】[ta:mbaetkap]〈名〉タバコの箱.

담뱃-값 [ta:mbaetkap]〈名〉タバコ代. タバコ銭. 句例 ～이 떨어지다 タバコ銭が切れる / ～도 넉넉지 못하다 タバコ銭にも事欠く. →값 参考

**담뱃-대 [ta:mbaettae]〈名〉キセル.

담뱃-불 [ta:mbaetpul]〈名〉タバコの火. 句例 ～을 비벼 끄다 タバコの火をもみ消す.

담뱃-재 [ta:mbaetchae]〈名〉タバコの灰.

담-벼락 [tamppyŏrak]〈名〉❶塀や壁の面. 句例 ～에 낙서를 하다 壁に落書きをする / ～에 부딪히다 壁にぶつかる. ❷朴念仁. わからずや. 句例 ～같은 사람 とうへんぼく.

담벼락 하고 말하는 셈이다 壁に向かって話すようなものだ. かかしに物言うごとく.

담병【痰病】[ta:mppyŏng]〈名〉〔韓醫〕からだの分泌液が高熱のために生じる病気をまとめていう言葉. 略して'담(痰)'ともいう. ＝담증(痰症).

담보【擔保】〈名・하他〉担保. 句例 ～를 잡다 担保をとる. 文例 집을 ～로 하여 돈을 빌렸다 家を担保〔抵当〕に入れて金を借りた. 語例 ～물 担保物.

담북-장【—醬】〈名〉❶みそ玉こうじ(麴)の粉に米粉・とうがらし粉・しょうが・塩を混ぜてつくるみそ. ❷⇨ 청국장

담비〈名〉〔動〕てん(貂).

담뿍〈副〉'듬뿍'の語感の小さい語

담색【淡色】[ta:msaek]〈名〉薄い色. 淡い色.

담소【談笑】〈名・하自〉談笑.

담수【淡水】[ta:msu]〈名〉淡水. 真水. 句例 소금물을 ～화(化)하다 塩水を淡水化する. 語例 ～어 淡水魚 / ～호 淡水湖.

담-쌓다 [tamssat'a] ⇨ '담[1]'の小項目

**담-요【毯—】[ta:mnyo]〈名〉毛布. ＝모포(毛布). 句例 ～를 덮다 毛布をかける.

*담임【擔任】[tamim]〈名〉担任. ～하다〈他〉担任する. 受け持つ. 句例 삼학년을 ～하다 三年生を受け持つ. 語例 ～ 선생 担任先生. 受け持ちの先生. 参考 '다님[tanim]'と発音するのは誤り.

담쟁이-덩굴〈名〉〔植〕つた(蔦). 略して'담쟁이'ともいう.

담즙【膽汁】[ta:mjŭp]〈名〉〔生〕胆汁.

담-차다【膽—】[ta:mch'ada]〈形〉大胆だ. 豪胆だ. 度胸がすわって太っ腹である. 文例 그는 담찬 사나이로 이름이 나 있다 彼は豪胆な男として名が知れている.

담채-화【淡彩畫】[ta:mch'aehwa]〈名〉淡彩画.

*담판【談判】〈名・하他〉談判. 句例 당사자와 직접 ～하다 当事者とじかだんぱん(直談判)する / ～이 결렬되다 談判が決裂する.

담화【談話】〈名・하自〉談話. 句例 ～문을 발표하다 談話文を発表する / 물가고에 관한 대통령 ～ 物価高についての大統領の談話.

*답【答】〈名・하自〉'해답(解答)・대답(對答)'の略: 答え. 返事. 文例 수학 문제(의) ～을 가르쳐 주었다 数学問題の解答を教えてやった. →답하다

답 〔漢字項目〕

【畓】高校 《韓》답 논 田. 수전 水田. ◧田畓 전답 たはた(田畑). 天水畓 천수답 てんすいでん(天水田).

【答】中學 답 トウ. ❶대답하다 答える. 대답 答え. ◧答辯 답변 とうべん. ◧回答 회답 かいとう. 應答 응답 おうとう. 名答 명답 めいとう. ❷보답하다 報いる. 갚다 お礼をする. ◧答禮 답례 とうれい.

【蹈(踏)】高校 답 トウ. ❶밟다 踏む. 밟고 누르다 踏み押さえる. ◧踏舞 답무 とうぶ. ❷걷다 歩く. ◧踏步 답보 あしぶみ(足踏み). 踏査 답사 とうさ. ◧未踏 미답 みとう.

답교【踏橋】〈名〉〔民〕⇨ 다리밟이

-답다 (-다우니, -다워서)〈尾〉'…らしい'・'…の価値がある'・'…にふさわしい'の意. 句例 남자다운 사람 男らしい人 / 학생답지 않은 사치스러운 생활 学生にふさわしくないぜいたくな暮らし. 文例 자네답지 않은 말을 하는군 君らしくもない事を言うね. 語例 여자~ 女らしい. 表現 名詞に付いて形容詞を作る.

*__답답-하다__【畓畓―】[taptap'ada] (→하다)〈形〉❶(病気・心配事などで)重苦しい. 句例 답답한 심정 重苦しい心境 / 가슴이 ~ 胸苦しい. ❷息苦しい. 句例 답답한 방 息苦しい部屋 / 답답하게 느끼다 息苦しく感じる. ❸さっぱりしない. うっとうしい. じれったい. もどかしい. 句例 답답한 일 솜씨 もどかしい仕事っぷり / 소식이 없어 ~ 消息〔便り〕が無いので気がもめる. ❹融通がきかない. 心が狭い. 文例 답답한 사람이군 分からん人だな. **답답히** [taptap'i]〈副〉重苦しく. 息苦しく.

답답한 놈이 송사(訟事)한다 困っている者が訴訟を起こす. 必要に迫られた者が急いで解決する.

답례【答禮】[tamnye]〈名・하自〉答礼. お返し. 返礼. 句例 ~의 선물 お返しの贈り物.

답변【答辯】〈名・하自〉答弁. 返答. 句例 장관이 국회에서 ~하다 長官が国会で答弁する / ~에 궁하다 返答に窮する / ~을 요구하다 答弁を求める. 文例 그 질문에 ~할 처지가 못된다 その質問に答えることのできる立場でない. 語例 ~서 答弁書.

답보【踏步】〈名・하自〉足踏み. 句例 ~ 상태에 있다 足踏み〔停滞〕状態にある.

답사【答辭】〈名・하自〉答辞. 句例 졸업생 대표로서 ~를 읽다 卒業生の代表として答辞を読む.

답사【踏査】〈名・하他〉踏査. 句例 실제로 ~해 보다 実際に踏査してみる.

답삭〈副〉'덥석'の語感の小さい語.

답서【答書】〈名・하自〉返信. 答書. ＝답장. 句例 ~가 오다 返信が来る / ~를 보내다 返書を出す.

답습【踏襲】〈名・하他〉踏襲. 句例 전례를 ~하다 前例を踏襲する.

-답시고〈尾〉('形容詞の語幹・-았〔-었〕~'の形で)'少しばかり…からといって'の意を皮肉って言う語. 句例 나이깨나 먹었~ ちょっと年を取ったからといって. 文例 돈 좀 있~ 사람을 깔보지 마라 少少金持ちだからとて人を軽蔑するな.

답신【答申】〈名・하自〉答申. 語例 ~서 答申書.

답안【答案】[taban]〈名〉答案. 句例 ~을 쓰다 答案を書く. 語例 시험 ~ 試験の答案 / 백지 ~ 白紙の答案 / ~지 答案用紙 / 모범 ~ 模範答案.

답장【答狀】〈名・하自〉返事. 返信. 返書《老》. 復文. 句例 ~을 내다 返事を出す / 편지가 오자마자 ~을 써 보내다 手紙が来るやいなや返事を書いて送る.

답전【答電】〈名・하自〉答電. 返電. 句例 ~을 치다 答電〔返電〕を打つ.

답지-하다【遝至―】(→하다)〈自〉(物やお金などが)一か所に集まる. 殺到する. 句例 주문이 ~ 注文が殺到する / 의연금이 ~ 義援金が殺到する.

답청【踏青】〈名・하自〉(青草を踏んで)春の野を散歩すること. 参考 もと, 清明の日に, 郊外を散歩して自然を楽しんだ中国の風習による. 韓国では陰暦の三月三日'삼짇날'を別に'답청절(踏青節)'と称する.

답파【踏破】〈名・하他〉踏破. 句例 전국을 ~하다 全国を踏破する.

*__답-하다__【答―】[tap'ada] (→하다)〈自〉答える. 返答する. 返事する. 文例 다음 글을 읽고 물음에 답하시오 次の文を読んで問いに答えなさい.

닷〈冠〉'다섯'の略: 五つ. 五. 語例 ~ 냥 五両 / ~ 말 五斗. 表現 'ㄱ・ㄴ・ㄷ・ㅁ・ㅂ・ㅅ'を初声字とする語の前で用いられる.

*__닷새__〈名〉❶五日. ❷(月の)五日. ＝초닷샛날.

닷샛-날 [tatsaennal]〈名〉❶五日目の日. ❷(月の)五日. ＝초닷샛날.

당【糖】〈名〉〔化〕糖.

*__당__【黨】〈名〉党. 句例 ~을 조직하다 党を組織する / ~의 방침 党の方針. 語例 ~총재 党の総裁 / ~확대 간부 회의 党拡大幹部会議.

-당【當】〈尾〉当たり. 句例 일인~ 만 원 ひとり当たり一万ウォン / 단보~ 수확량 反当たりの収穫量.

당 〔漢字項目〕

【唐(唐)】高校 당 トウ. ❶황당무계하다 荒唐無稽だ. ◧唐突 당돌 とうとつ. ◧荒唐 황당 こうとう. ❷넓다 広い. ◧唐唐 당당 とうとう. ◧浩唐 호당 こうとう. ❸당나라 中国王朝の名. ◧唐宋 당송 とうそう. 唐詩 당시 とうし.

【堂】中學 당 トウ. ❶집 家. ㉠주거 住居. 방 部屋. ◧堂房 당방 どうぼう. ㉡관아・사원・집회소 등의 높고 큰 집 役所・寺院・集会所などの高く大きな建物. ◧殿堂 전당 でんどう. 公會堂 공회당 こ

うかいどう. ❷당당하다 堂堂としている. ▮堂堂 당당 どうどう. ❸옥호・아호 등에 붙이는 말 屋号や雅号につける語. ▮六堂 육당 ろくどう. 資生堂 자생당 しせいどう. ❹남의 어머니에 대한 경칭 人の母に対する敬称. ▮慈堂 자당 ぼどう(母堂). ❺조부대에서 갈린 일가 祖父代から分かれた親戚. ▮堂叔 당숙 父の従兄弟の親しい言いかた.

【當(当)】 中學 당 トウ. ❶당하다 当たる. 당하게 하다 当たられる. ㉠맞서다 面とむかう. ▮當面 당면 とうめん. ▮一騎當千 일기당천 いっきとうせん. ㉡숙직하다 宿直する. ▮當直 당직 とうちょく. ❷마땅하다 適當だ. ▮至當 지당 しとう. 不當 부당 ふとう. ❸바로 맞다 あたる. ▮當選 당선 とうせん. 當籤 당첨 とうせん. ❹주관하다 主管する. ▮當局 당국 とうきょく. ▮擔當 담당 たんとう. ❺이것・저것・지금 등을 나타냄 これ・あれ・いまなどを表わす. ▮當代 당대 とうだい. 當初 당초 とうしょ.

【糖(糖)】 高校 당 トウ. ❶엿 あめ. ❷설탕 砂糖. 사탕수수 따위에서 짜낸 당분 砂糖きびなどで搾った糖分. ▮白糖 백당 はくとう. 製糖 제당 せいとう. ❸탄수화물 중 물에 녹고 단맛이 있는것 炭水化物中の水にとけて甘味があるもの. ▮糖類 당류 とうるい. ▮葡萄糖 포도당 ぶどうとう.

【黨(党)】 高校 당 トウ. ❶마을 村. 고대 중국의 행정구역의 하나. 전하여 향리・고향 古代中国の行政区域の一つ. 転じて郷里・故郷. ▮鄕黨 향당 きょうとう. ❷무리 ともがら. ㉠목적・의견・행동 등을 같이하는 자의 집단 目的・意見・行動などを同じくする者の集団. ▮黨派 당파 とうは. ▮徒黨 도당 ととう. ㉡정당 政党. ▮野黨 야당 やとう.

당-고모【堂姑母】〈名〉 父のいとこ(従姉妹). 語例 ~부(夫) 父のいとこの夫. 表現 '종고모(從姑母)'を親しくいう語.

당구【撞球】〈名・하自〉玉突き. 球. ビリヤード. 撞球. 句例 ~를 치다 球を突く. 玉突きをする. 語例 ~장 ビリヤード場. たまつき場. 撞球場 / ~대 たまつき台 / ~봉(棒) キュー.

囲み記事 25

■ '당기다'と'댕기다' ■

당기다 (1) 引く. 引き寄せる —— 밧줄을 당기다 つなを引く. 책상을 당기다 机を引き寄せる.
(2) (糸を)引き張る —— 활시위를 당기다 弓弦を引く.
(3) 繰り上げる —— 올해는 여름방학을 당겨서 실시한다 今年は夏休みを繰り上げて実施する.
(4) 食欲をそそる —— 도미회가 입맛을 당기다 たい(鯛)の刺身が食欲をそそる.
댕기다 (1) (火が)燃え移る —— 옷자락에 불이 댕기다 着物のすそに火が燃え移る.
(2) (火を)つける. ともす —— 장작에 불을 댕기다 たきぎに火をつける. 등잔에 불을 댕기다 ランプに火をともす.

***당국**【當局】〈名〉当局. 句例 ~에 신고하다 当局に申し立てる〔届け出る〕/ ~으로부터의 시달 当局からの示達. 語例 관계 ~ 関係当局 / ~자 当局者.

당근〈名〉〔植〕にんじん(人参). ＝홍당무.

당기【當期】〈名〉当期. 句例 ~의 이익 当期の利益.

***당기다** [一]〈他〉❶引く. 引き寄せる. 引っ張る. 句例 그물을 ~ 網を引く / 힘껏 ~ ぐいと引っぱる / 양념병을 앞으로 ~ 調味料入れを手前に引き寄せる. 語例 맞~ 引き合う. ❷糸を引き張る. 句例 실을 팽팽히 ~ 糸をぴんと引き張る / 활시위를 ~ 弓を引く. ❸繰り上げる. 句例 결혼식 날짜를 (앞) ~ 結婚式の日を繰り上げる. 對물리다. 미루다. ❹食欲をそそる. 文例 생선 굽는 냄새가 식욕을 당긴다 魚を焼くにおいが食欲をそそる. ▷→囲み記事 25
[二]〈自〉(心が)引かれる. (食欲などが)そそられる. 句例 구미가 당기는 이야기 心ひかれる話. 文例 배가 고프니 입맛이 당길 수밖에 腹がへっているので当然食欲がそそられるはず(筈)だ.

당길-문【一門】〈名〉開き戸.

당길-심 [tanggilssim]〈名〉(自分にだけ引きつけようとする)欲心. 我欲.

당김-음【一音】[tanggimŭm]〈名〉〔樂〕切分音. シンコペーション.

***당-나귀**【唐一】〈名〉〔動〕ろば. 略して'나귀'ともいう.

***당-나라**【唐一】〈名〉唐. 中国の王朝.

당내【堂内】〈名〉❶八等親以内の親族. 語例 ~ 지친(至親) 八等親以内の親族. ごく近い親族. ❷(仏堂・祠堂などの)堂内.

당년【當年】〈名〉当年. 語例 ~ 십팔세 当年(取って)十八歳.

당뇨【糖尿】〈名〉〔醫〕糖尿. 語例 ~병 糖尿病.

당-닭【唐一】[tangttak]〈名〉〔鳥〕ちゃぼ(矮鶏).

***당당-하다**【堂堂一】(→하다)〈形〉堂堂としている. 句例 당당한 태도〔체구〕堂堂たる態度〔体軀〕/ 당당한 기세 すさまじい勢い / 정정당당하게 싸우다 正正堂堂と戦う / 보무 당당히 나아가다 歩武堂堂と進む. **당당히**〈副〉堂堂と. 文例 시험에 당당히 합격하다 試験に堂堂と及第する.

당대【當代】[tangdae]〈名〉当代. 句例 ~의 영웅 当代の英雄.

당대-발복【當代發福】〈名〉〔民〕親を地相のよい地に葬った後, その子が富貴栄華を極めるようになること.

당도-하다【當到一】(→하다)〈自〉到達する. 到着する. たどり着く. 句例 목적지에 ~ 目的地に到着する / 정상에 ~ 頂上に達する.

당돌-하다【唐突一】(→하다)〈形〉大胆だ. 不敵だ. 向こうみずだ. 句例 당돌한 아이 向こうみずな子供 / 당돌한 태도 不敵な態度. **당**

돌히 〈副〉 大胆に.
당두-하다【當頭―】(→하다) 〈自〉 差し迫まる. 句例 시험날이 ～ 試験の日が差し迫る. 類박두(迫頭)하다.
당락【當落】[tangnak] 〈名〉 当落. 句例 ～이 결정되는 순간 当落の決定する瞬間 / ～의 고비 当落の境目.
당랑【螳螂】[tangnang] 〈名〉〔蟲〕 とうろう(蟷螂). '사마귀 かまきり'の漢名. ＝버마재비. 語例 ～ 거철(拒轍) とうろう車をさえぎる《はかない抵抗》.
당론【黨論】[tangnon] 〈名〉 党論.
당류【糖類】[tangnyu] 〈名〉〔化〕 糖類.
당면【唐麪】〈名〉 はるさめ.
당면【當面】〈名・하自〉 当面. 句例 ～한 과제 当面の課題 / 위기에 ～하다 危機に面する. 語例 ～ 목표 当面目標.
당목【唐木】[tangmok] 〈名〉 唐木綿. カナキン(金巾). ＝서양목(西洋木).
당목【撞木】〈名〉〔佛〕 撞木. 句例 ～으로 종을 치다 撞木で鐘を打つ.
당밀【糖蜜】〈名〉 糖みつ(蜜). みつ(蜜).
당백-전【當百錢】〈名〉〔史〕 当百銭. 參考 朝鮮末期, 景福宮を建てるとき, その費用を賄うため発行された貨幣. その一文の銭を百文として通用させた.
***당번**【當番】〈名・하自〉 当番. 句例 ～이 되다 当番に当たる / ～을 교대하다 当番を交代する. 語例 ～병 当番兵 / 취사〔청소〕 ～ 炊事〔掃除〕当番 / ～날 当番の日. 對비번(非番).
당부【當付】〈名・하他〉 しっかりと頼むこと. 句例 신신 ～하다 くれぐれも頼む. 文例 교장이 학생들에게 교통 질서를 잘 지키도록 ～했다 校長が生徒たちに交通の秩序をよく守るようしっかりと頼んだ.
당분【糖分】〈名〉 糖分.
당분-간【當分間】〈名・副〉 当分. しばらく. 差し当たり. 当座. 文例 결혼은 ～ 보류다 結婚は当分お預けだ / ～은 이것이면 된다 さしあたりこれならば間に合う / ～ 회사를 쉬기로 했다 当分の間会社を休むことにした.
당사【當社】〈名〉 当社.
당사-국【當事國】〈名〉 当事国.
당사-자【當事者】〈名〉 当事者. 語例 ～끼리 当事者同士 / 소송 ～ 訴訟当事者 / ～외 출입 금지 当事者以外立ち入り禁止.
당산【堂山】〈名〉〔民〕 堂山. その土地や村の守護神が鎮座しているといわれる山や丘.
당산-나무【堂山―】〈名〉〔民〕 村の守護神として先祖代代あが(崇)められてきた神木. ふつう, 村の入り口や中央にある.
당산-제【堂山祭】〈名〉〔民〕 堂山で行なわれる山の神を祭る祭祀. ふつう, 陰暦の正月十五日の夜に行なわれる.
당상【堂上】〈名〉〔史〕 堂上・どう. 語例 ～관 堂上官.
參考 朝鮮朝時代に宮殿に登ることを許された, 正従一品・正従二品. ならびに一部の正三品の官等をいう. 堂上官に含まれない正三品と正四品以下の官員は'당하(堂下)'として区別される.
당선【當選】〈名・하自〉 当選. 句例 ～권에 들다 当選圏に入る. 語例 ～자 当選者 / ～작 当選作 / ～ 무효 当選無効 / 무투표 ～ 無投票当選 / ～되다 当選する.
당수【唐手】〈名〉 空手.
당수【黨首】〈名〉 党首.
당숙【堂叔】〈名〉 父のいとこ(従兄弟). 語例 ～모(母) 父のいとこの妻.
表現 '종숙(從叔)'を親しくいう語.
***당시**【當時】〈名〉 当時. 句例 ～의 수상 当時の首相 / 그 ～를 회상하다 その当時をしのぶ. 語例 전쟁 ～ 戦争当時.
表現 副詞的にも使われる. 당시 나는 아직 어렸다 当時, わたしはまだ幼かった.
****당신**【當身】〈代〉 ❶対等の相手に対する呼称: あなた. あんた. 文例 ～에게 부탁할 일이 있소 あなたに頼む事がある / ～ 날 때릴 거야 あんた, おれを殴るつもりか. ❷目上の人を敬っていう三人称: ご自分. ご自身. 文例 아버지께서는 모든 일을 ～이 직접 하신다 父はすべてのことを自身でなさる. ❸夫婦の間で相手を指す語: あなた. あんた. 君. お前. 文例 그 일은 ～이 하세요 それはあなたがしてちょうだい / 내일은 ～도 아이를 데리고 놀러 갔다 오구려 あしたはあんたも子供を連れて遊びに行って来なさい.
당연시-하다【當然視―】(→하다) 〈他〉 当然だと思う.
당연지-사【當然之事】〈名〉 当然なこと. 当たり前のこと. もっともなこと. 文例 그것은 ～다 それは当たり前のことだ.
***당연-하다**【當然―】(→하다) 〈形〉 当然だ. 当たり前だ. もっともだ. 句例 당연한 결과 当然の結果 / 당연한 이치 理の当然 / 극히 당연한 일 決まりきった事. 文例 그런 일은 당연한 일이지 そんな事は当たり前さ / 게을렀으니까 성적이 나쁜 건 ～ 怠けたのだから成績が悪いのは当たり前だ / 그 질문은 당연하십니다 そのご質問はごもっともです. **당연히** 〈副〉 当然(に). 文例 당연히 그래야 한다 当然そうすべきだ.
당원【黨員】〈名〉 党員.
당의【唐衣】〈名〉 (中国から伝来したといわれる)昔の女性礼服の一つ. 絵
參考 現在は婚約式などで予備新婦が着る.

〈당의〉

당의-정【糖衣錠】〈名〉 糖衣錠.
당일【當日】〈名〉 当日. 文例 사건 ～에는 거기 없었다 事件当日にはそこにいなかった. 語例 ～ 판매 当日売り / ～ 코스 (旅行などの)日帰りコース.
表現 副詞的にも使われる. 표는 당일 판매합니다 切符は当日販売します.
당일-치기【當日―】〈名・하自〉 その日一日で終えてしまうこと. 句例 시험 공부를 ～로 하다 試験勉強を一夜漬けでする.
당자【當者】〈名〉 ❶その人. 当人. 本人.

ㄷ

文例 ～에게 물어 봐라 本人に聞きたまえ. ❷当事者.

*당장【當場】[一]〈名〉当の場所. その場. 句例 ～의 이익만 생각하다 目先の利益だけを考える. 文例 ～은 이것으로 만족한다 さしあたりこれで満足する.

[二]〈副〉すぐさま. 直ちに. 立ち所に. 早速. 句例 ～ 달려가다 すぐさま駆けつける. 文例 ～ 신청해 두자 早速申し込んでおこう / 이 약 한 첩으로 ～ 낫는다 この薬一服で立ち所に治る.

당재【唐材】〈名〉〔韓醫〕中国産の薬材. (対)초재(草材).

*당쟁【黨爭】〈名・하自〉党争. 句例 ～을 일삼다 党争を事とする / ～에 말려들다 党争に巻きこまれる.

당좌 수표【當座手票】〈名〉〔經〕当座小切手.

당좌 예금【當座預金】[—ye:gŭm]〈名〉〔經〕当座預金. 略して'당좌'ともいう. 語例 ～ 잔고 当座預金残高. 当座尻.

당직【當直】〈名・하自〉当直. 語例 ～자 当直者 / ～ 사관 当直士官.

당질【堂姪】〈名〉いとこの息子. 語例 ～녀(女) いとこの娘 / ～부(婦) いとこの息子の妻 / ～서(婿) いとこの娘婿.

表現 '종질(從姪)'を親しくいう語.

*당-집【堂—】[tangtchip]〈名〉(神仏を祭る)お堂. 社. ほこら(祠).

당차다〈形〉小柄でがっしりしている. 句例 당차게 생긴 사람 小さくてしたたか者.

당-찮다【當—】[tangch'ant'a]〈形〉'당치 않다'の略: 妥当でない. とんでもない. もっての外だ. 文例 당찮은 얘기다 とんでもない話だ / 당찮은 소리를 하고 있군 むちゃな事を言っているね.

당첨【當籤】〈名・하自〉とうせん(当籤). 句例 복권에 ～되다 宝くじに当たる. 語例 ～자 とうせん者 / ～운 くじ運.

당초【當初】〈名〉当初. ＝애초. 句例 개업 ～에는 開業当初は. 文例 ～부터 잘못됐다 最初から間違っていた / ～에는 그럴 작정이 아니었는데 当初はそんなつもりではなかったんだが.

당초-무늬【唐草—】〈名〉唐草模様. ＝당초문(唐草紋). 絵

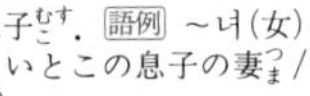
〈당초무늬〉

당초-에【當初—】〈副〉当初に. 最初に. 初めに. 略して'당최'ともいう. ＝애초에. 句例 ～ 잘못된 생각 初めから間違った考え.

당최〈副〉❶'당초에'の略. ❷全く. とうてい. 文例 ～ 알 수가 없다 とうてい分からない.

表現 ②は打ち消しの表現を伴って用いられる.

*당치 않다【當—】[tangch'iant'a]〈形〉'합당하지 아니하다 妥当でない'の意. 略して'당찮다'ともいう.

당파【黨派】〈名〉党派. 句例 ～를 초월하여 단결하다 党派を超えて団結する. 語例 초～ 超党派 / ～심 党派心 / ～ 싸움 党争. 派閥争い.

당포【唐布】〈名〉❶中国産の苧麻の織物. ❷唐木綿.

당-피리【唐—】〈名〉〔樂〕(唐)ひちりき(篳篥). 絵

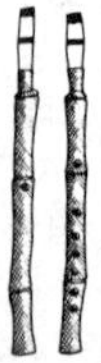
〈당피리〉

参考 中国から伝来した縦笛で九つの穴があったが, 朝鮮朝世宗以来八穴に改良された.

당하【堂下】〈名〉〔史〕堂下. 語例 ～관 堂下官. →당상(堂上) 参考

**당-하다【當—】(→하다) [一]〈形〉道理にかなう〔合う〕. もっともだ. 妥当だ. 句例 사리(事理)에 당한 말 道理にかなった話.

[二]〈自〉❶会う. ぶつかる. 当面する. 文例 눈앞에 당하면 어떻게 되겠지 いざ事に会ったらどうにかなるだろう / 어려움을 당해도 굴복하지 말아야 한다 困難に当たっても屈服してはならない. ❷やられる. 文例 이거 꼼짝없이 당했네 こりゃどうしようもなくやられたな.

[三]〈他〉❶打ち勝つ. 匹敵する. かな(適)う. 文例 그를 당할 사람이 없다 彼にかなう者はない / 힘이 못 당한다 力が及ばない / 실력으론 그를 당할 수 없다 実力では彼に歯が立たない. ❷事に当たる. 遭う. こうむる. 句例 낙선의 쓰라림을 ～ 落選の憂き目を見る / 반 죽음을 ～ 半殺しの憂き目に会う / 참패를 ～ 惨敗を喫する. 文例 그들은 고난을 당하고도 잘 참았다 彼らは苦難に直面してもよく辛抱した.

-당하다【當—】(→하다)〈尾〉…される. (…を)受ける. (…に)会う. 句例 모욕～ 侮辱される / 반격～ 反撃に会う / 가는 곳마다 거절～ 行くさきざきで断られる / 많은 사람 앞에서 창피～ 人中で恥をかく.

表現 動作性の名詞について受動的動詞をつくる.

당해【當該】〈冠〉当該. 語例 ～ 사항 当該事項 / ～ 기관 当該機関.

당혹-하다【當惑—】[tanghok'ada] (→하다)〈自〉当惑する. 文例 순간 당혹했다 はたと当惑した.

당화【糖化】〈名・하自他〉糖化.

*당황-하다【唐惶—・唐慌—】(→하다)〈自〉慌てる. 面くらう. うろたえる. まごつく. 句例 급보를 받고 ～ 急報を受けてうろたえる / 당황하여 도망치다 慌てふためいて逃げて行く.

당회【堂會】〈名〉〔基〕(長老教会で)牧師と長老からなる最高機関.

닻〈名〉いかり(錨・碇). アンカー. 絵 句例 ～을 내리다〔올리다〕いかりを下ろす〔上げる〕/ ～을 감다 (→小項目) / ～을 주다 いかりを打つ. いかりを下ろす. 語例 ～줄 いかり綱 / ～혀 いかりの爪〔鉤〕/ ～고리 いかりの環 / ～가지 いかりの腕 / ～장 いかりのストック / ～채 いかりの幹. →囲み記事 26

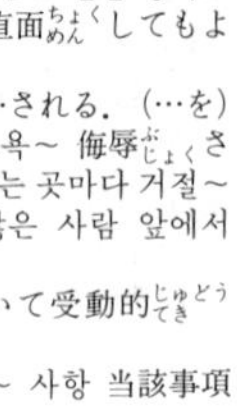

〈닻〉

닻(을) 감다 ❶いかりを巻く. ❷断念する. 途中でやめる.

**닿다 [ta:t'a]〈自〉❶着く. ㋐触れる. 接する. 触る. (手足・頭などが)届く

く. [句例] 가볍게 ～ 軽く触れる / 머리가 천장에 ～ 頭が天井に着く / 고압선에 닿아서 감전사하다 高圧線に触れて感電死する. [文例] 이 약은 아이들 손에 닿지 않는 곳에 두십시오 この薬は子供たちの手の届かない所に置きなさい.
㉡(目的地に)到着する. 届く. 至る. [句例] 행선지에 ～ 目的地に着く / 배가 물가에 ～ 船が岸に着く / 소포가 ～ 小包が届く / 포탄이 닿는 거리 砲弾の届く距離.
㉢(考えなどが)及ぶ. 届く. 至る. かなう. [句例] 이치에 닿는 말 理にかなう話. [文例] 정성이 하늘에 닿아 성공했다 至誠が天に通じて成功した / 힘 닿는 데까지 노력하자 力の及ぶ限り努力しよう.
㉣(都合が)つく. [句例] 형편이 닿는 대로 都合がつき次第. ▷→囲み記事 23
❷つる〔つて〕がある. [句例] 고위층에 줄이 ～ 高位の人に手づる〔コネ〕がある. [文例] 인연이 닿으면 또 만나겠죠 縁があったらまた会えるでしょうよ.
[参考] '닿으면 着くと' '닿고 着いて' '닿는 着く. 着いた'は [taŭmyŏn], [tak'o], [tannŭn]と読む.

닿-소리 [tassori] 〈名〉〔言〕'자음(子音)'の韓国固有の言いかた. ㉤홀소리. →囲み記事 27

대¹ [一]〈名〉 ❶茎. [語例] 수숫～ きびの茎. きびがら / 머윗～ ふきのとう(薹). ❷棒. 軸. [語例] 깃～ 旗竿 / 펜～ ペン軸 / 낚싯～ 釣り竿. ❸'담뱃대'の略: キセル. ❹'줏대'の略. [句例] ～가 세다 押しが強い / ～가 약하다 腰が弱い.
[二]〈依名〉 ❶火皿にタバコを詰める分量またはタバコを吸う回数を数える語: …服. [句例] 담배 한 ～ 피우다 タバコを一服する. ❷注射や針を打つ回数を数える語: …本. [句例] 주사 한 ～ 注射一本. ❸なぐる回数を数える語: …回. …発. [句例] 알밤 한 ～를 먹이다 げんこつを一発食らわせる. ❹棒状の物を数える語: …本. [句例] 갈비 두 ～ カルビ二本.
[表現] [二]の依存名詞は固有語の数詞にだけつく.

대² 〈名〉〔植〕竹. [句例] ～를 쪼개다 竹を割る / ～쪽 같은 성미의 사나이 竹を割ったような性格の男. [語例] ～마디 竹の節 / ～울타리 竹垣. 竹矢来.

대【大】[tae:] 〈名〉 大. [文例] ～는 소를 겸한다 大は小を兼ねる. ㉤소(小).
대를 살리고 소(小)를 죽이다 大を生かして小を殺す.

囲み記事 26

■ '닻'と'덫'と'돛' ■

닻 いかり(錨) ―― 닻을 내리다 いかりを下ろす.
덫 わな ―― 토끼가 덫에 걸렸다 うさぎ(兎)がわなにかかった.
돛 帆 ―― 순풍에 돛을 달다 順風に帆を上げる.

*__대__【代】[tae:] [一]〈名〉 ❶代. [句例] ～를 이을 아들 跡取り息子 / ～가 바뀌다 代が変わる / ～가 끊기다 家系が断絶する. [文例] ～를 이을 사람이 없다 世継ぎがない. ❷(王の)治世. 代. [句例] 고종의 ～ 高宗の治世.
[二]〈依名〉 ❶家系の順序を数える語: …代. [句例] 오～ 할아버지 五代前の先祖 / 십～ 손자 十代後の子孫 / 조선의 칠～ 왕 朝鮮朝の第七代の王. ❷年齢の範囲を示す語: …代. [句例] 이십 ～의 청년 二十代の青年.
대(를) 물리다 (財産などを子孫に)残す. 代代伝える.

대【隊】[tae:] 〈名〉 隊. [句例] ～를 편성하다 隊を編成する. [語例] 소방～ 消防隊 / 데모～ デモ隊

대【對】[tae:] [一]〈名〉 ❶対. [句例] A팀 ～ B팀 Aチーム対Bチーム / 삼 ～ 일 三対一. ❷対. [句例] ～를 이루다 対をなす.
[二]〈依名〉 対になるものを数える語: 対. [句例] 주련 한 ～ 柱聯一対.

*__대__【臺】〈依名〉 …台. [句例] 비행기 한 ～ 飛行機一機 / 자동차 백 ～ 自動車百台 / 윤전기 석 ～ 輪転機三台.
[表現] 乗り物や機械を数える語. 固有語・漢数字共に用いられる. →-대(臺).

대³ 〈冠〉 五. [句例] ～ 자 가웃 五尺半.
[表現] 長さの単位'자 尺'にだけ付く.

대-【大】[tae:] 〈頭〉 大…. [語例] ～학자 大学者 / ～찬성 大賛成 / ～보름〔民〕陰暦の正月十五日.

-대【代】〈尾〉 …代. ❶代金. [語例] 신문～ 新聞代 / 양복～ 洋服代. ❷〔地〕地質時代を表わす語. [語例] 신생～ 新生代.

-대【帶】〈尾〉 …帯. [語例] 무풍～ 無風帯 / 화산～ 火山帯.

-대【臺】〈尾〉 数・値段などに付いて大体の範囲を表わす語: …台. [句例] 수억～의 재산 数億台の財産 / 십만 원～의 물건 十万ウォン台の品.

대 〔漢字項目〕

【代】[中學] 대 ダイ. タイ. ❶대신하다 代わりにする. [一]代理 대리 だいり. 代筆

囲み記事 27

■ 닿소리의 순서와 이름 子音の順序と名称 ■

'한글'の子音14字の順とその名称は次のとおりである.
ㄱ(기역) ㄴ(니은) ㄷ(디귿) ㄹ(리을) ㅁ(미음) ㅂ(비읍) ㅅ(시옷) ㅇ(이응) ㅈ(지읒) ㅊ(치읓) ㅋ(키읔) ㅌ(티읕) ㅍ(피읖) ㅎ(히읗)
また, 上の子音でも書ききれないのは, 二つ以上の子音を合わせて書く. その順と名称は次のとおりである.
ㄲ(쌍기역) ㄸ(쌍디귿) ㅃ(쌍비읍) ㅆ(쌍시옷) ㅉ(쌍지읒)

대필 だいひつ. ❷교체하다 代わる. ◧交代 교대 こうたい. ❸대 代. ㉠세상 世. 시세 時世. ◧古代 고대 こだい. 時代 시대 じだい. ㉡한 왕조의 계속되는 동안 一王朝の継続する間. ◧唐代 당대 とうだい. 明代 명대 みんだい. ㉢한 사람이 생존하는 동안 一人が生存する間. ◧一代 일대 いちだい. 歴代 역대 れきだい. ㉣지질 시대의 구분 地質時代の区分. ◧古生代 고생대 こせいだい. 中生代 중생대 ちゅうせいだい. ❹대가 代価. ◧代金 대금 だいきん. ❺연령의 범위 年との範囲. ◧二十代 이십대 にじゅうだい.

【大】中學 대 ダイ. タイ. ❶크다 大きい. ㉠부피나 길이가 많은 공간을 차지하다 かさや長さが広い空間を占める. ◧大佛 대불 だいぶつ. ㉡넓다 広い. ◧大海 대해 だいかい. 大陸 대륙 たいりく. ㉢많다 多い. ◧大軍 대군 たいぐん. ㉣훌륭하다 立派だ. ◧大人物 대인물 だいじんぶつ. ㉤높다 高い. 존귀하다 尊い. ◧大官 대관 たいかん. 大人 대인 たいじん. ❷세부를 버린 전체 細部を捨てた全体. ◧大局 대국 たいきょく. ❸최고위를 나타내는 말 最高位を表わす語. ◧大將 대장 たいしょう. 大統領 대통령 だいとうりょう. ❹대강・개략 大綱・概略. ◧大要 대요 たいよう. 大概 대개 たいがい. ❺대학의 준말 大学の略. ◧法大 법대 ほうだい《法科大学》. 私大 사대 しだい《私立大学》.

【對(対)】中學 대 タイ. ツイ. ❶마주 보다 向かいあう. ◧對面 대면 たいめん. 對峙 대치 たいじ. 對立 대립 たいりつ. 對局 대국 たいきょく. ❷짝 対. ◧對偶 대우 たいぐう. ついぐう. ❸적수 相手になる. ◧對敵 대적 たいてき. 對陣 대진 たいじん.

【帶(帯)】高校 대 タイ. ❶띠 帯. 허리에 띠는 것 腰に帯びるもの. 띠 같은 것 帯のようなもの. ◧衣帶 의대 いたい. 繃帶 붕대 ほうたい(包帯). ❷지역 地域. ㉠대상의 지역 帯状の地域. ◧一帶 일대 いったい. 地帶 지대 ちたい. ㉡기후차에 의한 구분 気候の差による区分. ◧熱帶 열대 ねったい. 溫帶 온대 おんたい. ㉢식물 분포에 의한 구분 植物分布による区分. ◧森林帶 삼림대 しんりんたい. 地衣帶 지의대 ちいたい. ❸지층 地層. ◧化石帶 화석대 かせきたい. 火山帶 화산대 かざんたい. ❹허리에 차다 腰に差す. ◧帶劍 대검 たいけん. ❺데리고 다니다 つれて行く. ◧帶同 대동 たいどう. ◧世帶 세대 しょたい.

【待】中學 대 タイ. ❶기다리다 待つ. ◧待望 대망 たいぼう. 待機 대기 たいき. ❷대접하다 もてなす. ◧待遇 대우 たいぐう. ◧歡待 환대 かんたい.

【臺(台)】高校 대 ダイ. タイ. ❶대 台. ㉠흙을 높이 쌓아서 사방을 관망할 수 있게 만든 곳 土を高く積み上げ四方を眺めるようにつくった所. ◧高臺 고대 こうだい. 樓臺 누대 ろうだい. ㉡높고 평탄한 토지 高く平坦な土地. ◧臺地 대지 だいち. ㉢물건을 올려 놓거나 그 위에서 작업을 하는 받침 物を上に置くとか, またその上で仕事をする台. ◧臺座 대좌 だいざ. ◧燭臺 촉대 しょくだい. 舞臺 무대 ぶたい. ❷사물의 기초가 되는 것 物事の基になるもの. ◧臺本 대본 だいほん. ◧土臺 토대 どだい. ❸차나 기계 같은 것을 세는 말 車や機械などを数える語. ◧臺數 대수 だいすう. ◧三臺 삼대 さんだい. ❹수의 대강 범위를 나타내는 말 数のおよその範囲を表わす語. ◧五千원臺 오천원대 ごせんウォンだい.

【貸】高校 대 タイ. ❶빌려주다 貸す. 빌리다 借りる. ◧貸付 대부 かしつけ. 貸與 대여 たいよ. 貸借 대차 たいしゃく. ❷용서하다 許す. ◧貸宥 대유 たいゆう.

【隊(隊)】高校 대 タイ. ❶두 사람 이상의 조직. 특히 군대의 조직 二人以上の組織. 特に軍隊の組織. ◧隊長 대장 たいちょう. ◧聯隊 연대 れんたい(連隊). 橫隊 횡대 おうたい. ❷여러 사람이 일단으로 모여 있는 것 人人が一団となって集まっているもの. ◧隊商 대상 たいしょう. ◧樂隊 악대 がくたい.

대가【大家】[tae:ga]〈名〉❶['대방가(大方家)'の略] 大家. 巨匠. 句例 화단의 ~ 画壇の大立て者 / 사계(斯界)의 ~ その道の大家. 語例 ~연(然)하다 大家ぶる. 大家を気取る. ❷大きな家. 筋の良い家. 語例 대갓집 大家. 名家.

대가【代價】[tae:kka]〈名〉代価. 句例 비싼 ~(를 치르다) 高い代価(を払う) / 고생한 ~ 苦労した代価.

대-가다 [tae:gada] (대가거라)〈自〉❶間に合うように行く. 文例 열차 시간에 대갈 수 없다 列車の時間に間に合わない / 겨우 시간에 대갔다 やっと時間に間に合った. 對대오다. ❷面舵を取る.
表現 ②は船乗りの用語.

**대가리〈名〉❶'머리 頭'の俗っぽい言いかた. 語例 돌~ 石頭. ❷(動物・長い物の)頭部. 語例 못~ くぎ(釘)の頭.
대가리가 터지도록 싸우다 ひどく殴り合いながら争う.
대가리를 싸고 덤비다 鉢巻きをして歯向かう. 気負い立ってつっかかる.
대가리에 피도 안 마르다 頭の血も乾いてない. くちばしが黄色い.

대-가족【大家族】[tae:gajok]〈名〉大家族. 語例 ~ 제도 大家族制度.

*__대각__【對角】[tae:gak]〈名〉〔數〕対角. =맞각.

*__대각-선__【對角線】[tae:gaksŏn]〈名〉〔數〕対角線.

대간【臺諫】〈名〉〔史〕朝鮮朝時代, 国王に対する諫言を受け持った司憲府と司諫院の官僚.

대간첩 작전【對間諜作戰】[tae:ganch'ŏp—]〈名〉対スパイ作戦.

대갈-못〈名〉頭の大きいくぎ(釘). びょう(鋲). リベット.

대갈 장군【一將軍】〈名〉'頭でっかち'を嘲って言うことば.

대갈-통〈名〉'머리통 頭(のまわり)'の下品な言いかた. 句例 ~이 크다 頭の鉢が大きい.

*__대감__【大監】[tae:gam]〈名〉❶〔史〕朝鮮朝時代, 正二品以上の官員に対する尊

ㄷ

称. ❷みこ(巫女)が神をあがめて呼ぶ尊称. ❸大臣・長官の地位にある人に対する一般的な尊称.

*대강【大綱】[tae:gang] ㊀〈名〉[‘대강령(大綱領)’の略] 大綱. あらまし. 句例 ～의 줄거리 荒筋 / 계획의 ～ 計画の大筋み / 강의 내용의 ～ 講義内容の大要.
㊁〈副〉大体. 一通り. あらまし. おおむね. おおよそ. 文例 사정은 ～ 설명했다 事情はあらまし説明した / ～ 이해했다 あらかた理解した / ～ 한번 읽었다 ざっと一読した.
대강대강〈副〉大体. あらまし. ざっと. 大まかに.

대-강당【大講堂】[tae:gangdang]〈名〉大講堂.

대-갚음【對—】[tae:gap'um]〈名〉(人からこうむった仕打ちに対する)仕返し. (人の恩に対する)報い. **～하다**〈他〉仕返しをする. 報いる.

**대개【大概】[tae:gae]〈名・副〉大概. おおよそ. 大方. あらまし. たいてい. 文例 아침엔 ～ 산책을 한다 朝は大概散歩をする / ～는 알고 있다 たいていの事は知っている / ～ 처리됐다 ほぼ片づいた.

대거【大擧】[tae:gŏ]〈副〉大挙(して). 句例 ～ 참여하다 大挙して参加する / 일회말에 ～ 득점하다 一回の裏に大挙得点する.

대-거리【對—】[tae:gŏri]〈名・하自〉❶仕返し. 恩返し. ❷手向かうこと. 歯向かうこと.

대검【大檢】[tae:gŏm]〈名〉〔法〕‘대검찰청(大檢察廳)’の略: 大検察庁.

대검【帶劍】[tae:gŏm]〈名・하自〉❶帯剣. 帯刀. ❷銃剣.

대-검찰청【大檢察廳】[tae:—]〈名〉〔法〕大検察庁. 略して‘대검’とも言う.
参考 日本の最高検察庁に当たる. 長官は検察総長.

대견-하다 (→하다)〈形〉満足だ. 十分だ. 褒めるべきだ. 感心だ. 殊勝だ. 文例 육년 개근이라니 정말 ～ 六年皆勤とはまことに殊勝だ. **대견스럽다** (→스럽다)〈形〉満足だ. 殊勝だ. **대견스레**〈副〉殊勝に.

대결【對決】[tae:gyŏl]〈名・하自他〉対決. 句例 일대일의 ～ 一対一の対決 / 우승을 걸고 ～하다 優勝をかけて対決する.

대경실색-하다【大驚失色—】[tae:gyŏngshilssaek'ada] (→하다)〈自〉びっくり仰天して顔色を失う.

대계【大計】[tae:gye]〈名〉大計. 句例 국가 백년의 ～ 国家百年の大計.

대고 [tae:go]〈副〉やたらに. しきりに. 無理やり(に). 句例 ～ 조르다 しつこくねだる / ～ 웃다 しきりに笑う.

대-고모【大姑母】[tae:gomo]〈名〉祖父の姉妹. 大伯母〔大叔母〕. 語例 ～부 祖父の姉妹の夫.

대공【大公】[tae:gong]〈名〉大公. 語例 ～국 大公国.

대공【大功】[tae:gong]〈名〉大功.

대공【對空】[tae:gong]〈名〉対空. 語例 ～ 미사일 対空ミサイル / ～ 포화〔사격〕対空砲火〔射撃〕/ ～포 対空砲.

*대-공원【大公園】[tae:gong-won]〈名〉大公園.

대과【大科】[tae:gwa]〈名・하自〉〔史〕❶科挙の文科. ❷‘대과 급제(及第) 科挙の文科に合格すること’の略.

대과【大過】[tae:gwa]〈名〉大過. 句例 ～없이 소임을 다하다 大過なく任務を果たす.

대관【大官】[tae:gwan]〈名〉大官. 高官.

대관-식【戴冠式】[tae:gwanshik]〈名〉戴冠式.

대-관절【大關節】[tae:gwanjŏl]〈副〉一体. 一体全体. ＝도대체. 文例 ～ 어찌 된 일이냐 一体どうしたのか / ～ 이 꼴이 뭐야 一体全体このざまは何だ.
表現 疑問を表すときに用いられる.

*대교【大橋】[tae:gyo]〈名〉大橋. 語例 남해(南海) ～ 南海大橋.

대구【大口】〈名〉〔魚〕たら(鱈). 語例 ～알 たら子 / 건(乾)～ 干だら / 자반 ～ 塩だら.

대구루루〈副〉固いものが転がるさま. また, そのときに鳴る音: ころころ. 句例 공이 ～ 굴러가다 ボールがころころと転がる.

대국【大局】[tae:guk]〈名〉大局.

*대국【大國】[tae:guk]〈名〉大国.

대국【對局】[tae:guk]〈名・하自〉対局. 句例 ～ 성적에 따라 승단하다 対局成績によって昇段する. 語例 ～자 対局者.

대국-적【大局的】[tae:guktchŏk]〈名・冠〉大局的. 句例 ～으로 보다 大局的に見る.

대군【大君】[tae:gun]〈名〉❶〔史〕(王妃が生んだ)王子. ❷‘君主’の敬称.

대군【大軍】[tae:gun]〈名〉大軍. 句例 백만 ～을 거느리다 百万の大軍を率いる / 적의 ～을 격퇴하다 敵の大軍を撃退する.

대군【大群】[tae:gun]〈名〉大群. 句例 정어리의 ～이 몰려오다 いわしの大群が押し寄せる.

대굴-대굴〈副〉小さく固い物が転がるさま: ころころ. 句例 ～ 굴러가다 ころころ転がる.

대권【大圈】[tae:kkwon]〈名〉大圏. ❶〔數〕大円. ❷〔地〕地球の表面に描いた大円. 語例 ～ 항로 大圏航路.

대권【大權】[tae:kkwon]〈名〉大権. 句例 병마의 ～ 兵馬の大権 / ～을 장악하다 大権を掌握する. 語例 ～ 후보 大統領候補.

대궐【大闕】[tae:gwol]〈名〉宮殿. 御殿. ＝궁궐. 句例 ～같은 집 御殿のような家.

*대-규모【大規模】[tae:gyumo]〈名〉大規模. 句例 ～의 계획 大規模な計画 / ～로 이동하다 大規模に移動する. 語例 ～ 집적 회로 大規模集積回路. LSI. 對소규모.

대-그릇〈名〉竹製の容器.

대금【大金】[tae:gŭm]〈名〉❶大金. 大枚. ＝큰돈. 句例 ～을 기부하다 大金を寄付する. ❷〔樂〕真鍮で作った銅鑼に似た打楽器.

대금【大笒】[tae:gŭm]〈名〉〔樂〕大笒. 郷楽に用いる13孔の横笛. 絵

〈대금〉

대금【代金】[tae:gŭm]〈名〉代金. 句例 ~을 치르다〔받다〕代金を支払う〔受け取る〕. 文例 ~은 얼마인가요 お代〔値段〕はいくらですか. 語例 책 ~ 本代.

대금【貸金】[tae:gŭm]〈名・하自〉貸し金. 語例 고리 ~ 高利貸し／~업 貸し金業.

대기【大氣】[tae:gi]〈名〉大気. 語例 ~ 오염 大気汚染／~압 大気圧.

대기【大器】[tae:gi]〈名〉大器. 句例 미완의 ~ 未完の大器. 語例 ⇨ 대기 만성

*__대기__【待機】[tae:gi]〈名・하自〉❶待機. 句例 ~ 태세를 갖추다 待機態勢を整える. 語例 ~소 待機所／~실 待機室／~료（タクシーの）待機時間に対する料金／~ 명령 待機命令. ❷公務員の待命処分. 語例 ~ 대사 待命大使／~ 발령 待命処分の発令.

*__대기-권__【大氣圈】[tae:gikkwon]〈名〉〔地〕大気圏. 気圏. 句例 ~에서 벗어나다 大気圏から外れる〔脱する〕.

대기 만성【大器晩成】[tae:gima:nsŏng]〈名〉大器晩成.

대-기업【大企業】[tae:giŏp]〈名〉大企業.

대길【大吉】[tae:gil]〈名・하形〉大吉. 語例 입춘 ~ 立春大吉.

参考 2月4日頃の立春の日に'입춘 대길(立春大吉)'と漢字で墨書して表門に張る. これを'春聯'という.

대꾸 [tae:kku]〈名・하自〉'말대꾸'の略：口答え. 返事. 文例 아무리 불러도 ~가 없다 いくら呼んでも返事がない.

대꾼-하다 [tae:kkun—]（→하다）〈形〉（疲れ・病気などで）目がくぼみ元気がないように見える. 句例 눈이 ~ 目がくぼんでだるく見える.

대끼다[1]〈自〉（いろんな経験をして）もまれる.（苦労して）鍛えられる. 句例 세파에 ~ 世の荒波にもまれる.

대끼다[2]〈他〉（きびや麦などを）つ(搗)いてしら(精)げる. きれいにつ(搗)く. 句例 보리를 ~ 麦をつく.

*__대-나무__〈名〉〔植〕竹. 語例 ~ 장대 竹ざお.

대-낚시 [taenakshi]〈名〉さお釣り. 略して'대낚'ともいう.

대남【對南】[tae:nam]〈名〉対南. 語例 ~ 공작 対南工作. 對대북.

대납【代納】[tae:nap]〈名・하自他〉代納. 句例 세금을 현물로 ~하다 税金を現物で代納する. 文例 오빠가 입학금을 ~해 주었다 兄がわたしの代わりに入学金を納めてくれた.

대-낮 [tae:nat]〈名〉真昼. 白昼. 文例 ~부터 술타령이다 昼間から酒浸りだ. 對한밤.

대낮에 도깨비에 홀렸나 真昼にお化けに取りつかれたのか. とうてい納得がいかないことのたとえ.

대내【對內】[tae:nae]〈名〉対内. 語例 ~ 문제 対内問題. 對대외(對外).

*__대내-적__【對內的】[tae:naejŏk]〈名・冠〉対内的. 句例 ~인 사정 対内的な事情. 對대외적.

대농【大農】[tae:nong]〈名〉大農. 豪農. 對소농. 빈농.

대뇌【大腦】[tae:noe]〈名〉〔生〕大脳. ＝큰골.

대님〈名〉パジのすそ(裾)を締めるひも(紐).

대다[1] [tae:da]〈自〉(時間に)間に合う. 間に合わせる. 句例 간신히 기차 시간에 ~ 辛うじて列車に間に合う. 文例 서두르지 않으면 그 시간에 댈 수 없어요 急がなければ間に合いませんよ.

****대다**[2] [tae:da]〈他〉❶当てる. 句例 바대를 ~ 継ぎを当てる／이마에 손을 ~ 額に手を当てる.

❷比べる. 句例 키를 대어 보다 背を比べてみる.

❸付〔着〕ける. ㉠(物に)触れる. 文例 손을 대지 마십시오 手を触れないでください.

㉡(ある事に)手を付ける. とり掛かる. 句例 사업에 손을 ~ 事業に手を付ける. 文例 어떻게 손을 댈 수가 없다 手の付けようがない.

㉢口にする. 食べようとする. 句例 컵을 입에 ~ コップを口につける. 文例 술은 입에 대지도 않는다 酒は一切口にしない.

㉣(車・船などを)ぴったりと着ける. 句例 배를 항구에 ~ 港に船を着ける／자동차를 현관에 ~ 自動車を玄関へ着ける.

㉤そばに添わせる. 句例 변호사를 ~ 弁護士をつける.

❹つなぐ. 連結する. 文例 전화를 나한테 대어 주시오 電話をわたしにつないでください.

❺もた(凭)れる. 句例 등을 벽에 ~ 背を壁にもたせかける.

❻('대고'の形で)向かって. 句例 하늘에 대고 크게 소리치다 天に向かって大声で叫ぶ. 文例 나이도 어린 것이 어디다 대고 반말이냐 年端もいかないくせに, だれに向かってそういう口のきき方をするんだ.

*__대다__[3] [tae:da]〈他〉❶(水を)引き入れる. 句例 논에 물을 ~ 田に水を引き入れる. ❷(物質的に)世話をする. 出してやる. 句例 학비를〔밑천을〕대어 주다 学資〔元手〕を出してやる／뒤를 대어 주다 面倒をみてやる. ❸供給する. 取りつける. 句例 단골집에 물건을 ~ 得意先に品物を供給する. 文例 쌀은 이 가게에서 대어 먹는다 お米はこの店から取りつけている.

대다[4] [tae:da]〈他〉❶事実どおり話す. はっきり示す. 句例 증거를 ~ 証拠を出す／아는 대로 ~ 知っているとおりに話す. 文例 바른 대로 대 ありのままに吐いてしまえ. ❷(言葉だけの行動を)する. 句例 핑계를 ~ 言い訳をする／이유를 ~ 理屈をつける.

*__대다__[5] [tae:da]〈補動〉…し立てる. …し散らす. 句例 떠들어 ~ 騒ぎ立てる. はやし立てる／욕을 마구 해 ~ 悪口をさんざん言い散らす／먹어 ~ むさぼり食う.

-대다〈尾〉⇨ -거리다

대-다수【大多數】[tae:dasu]〈名〉大多数. ほとんどすべて. 句例 ~의 의견 大多数の意見／~가 찬성하다 ほとんどすべてが賛成する.

대-단원【大團圓】[tae:danwon]〈名〉大団円. 大詰め. 大尾. 句例 ~의 막이 내리다 大団円の幕が下りる. 文例 마침내 ~이 가까워진다 いよいよ大詰めに近付く.

대단-찮다 [tae:danch'ant'a] 〈形〉 [‘대단하지 아니하다’の略] 大したことはない. つまらない. ろくでもない. 取るに足りない. 句例 대단찮은 수입 ろくでもない収入. 文例 대단찮은 일을 가지고 싸우지 마라 つまらない事でけんかをするな.

****대단-하다** [tae:dan—] (→하다) 〈形〉 ❶ はなはだしい. 文例 취직난이 ~ 就職難がはなはだしい. ❷大変だ. すばらしい. すさ(凄)まじい. すご(凄)い. 句例 대단한 인기 大した〔すさまじい〕人気 / 대단한 수완 すごい腕前 / 대단한 미인 すごい美人. 文例 그는 대단한 학자였다 彼は大した〔大〕学者だった / 대단한 인물이다 なかなかの人物である / 대단한 것이 아니다〔못 된다〕 大したものではない. ❸(病気などが)非常に重い. 文例 감기로 열이 ~ 風邪で熱がひどい / 병세가 ~ 重病である. 病気が非常に重い. **대단히** 〈副〉 非常に. たいそう(大層). 大変. すこぶる. めっぽう(滅法). 随分. ひどく. すごく. 句例 대단히 재미있는 소설 すごくおもしろい小説 / 대단히 편리한 물건 非常に便利な物 / 대단히 더운 날 随分暑い日. 文例 대단히 감사합니다 たいへんありがとうございます / 올겨울은 대단히 춥겠단다 この冬はひどく寒いそうだ.

대담 【大膽】 [tae:dam] 〈名〉 大胆. **~하다** 〈形〉 大胆だ. 句例 ~한 계획 思い切った計画 / ~하게 발언하다 大胆に発言する. 文例 ~ 무쌍한 놈이다 大胆不敵なやつだ.

대담 【對談】 [tae:dam] 〈名・하自〉 対談. 語例 ~ 기사 対談記事.

****대답** 【對答】 [tae:dap] 〈名〉 返事. 返答. 答え. **~하다** 〈自〉 返事〔返答〕する. 答える. 句例 모호한 ~ 煮え切らない返事 / ~을 얼버무리다 返事を濁す / ~이 막히다 返事につか(支)える / 질문에 ~하다 質問に答える / ~을 듣다 返事を聞く / 아무 ~도 없다 なんの返事もない.

***대대** 【大隊】 [tae:dae] 〈名〉 大隊. 語例 ~장 大隊長.

대대 【代代】 [tae:dae] 〈名〉 代代. 語例 조상 ~ 先祖代代 / ~손손 子子孫孫.

대-대로 【大對盧】 [tae:daero] 〈名〉〔史〕 高句麗後期の最高の官職. 総理大臣に当たる.

대대-로 【代代—】 [tae:daero] 〈副〉 代代(に). 句例 ~ 내려오는 명문 代代に伝わって来た名門 / ~ 전하는 가보 代代に伝わる家宝.

대대-적 【大大的】 [tae:daejŏk] 〈名・冠〉 大大的. 句例 ~으로 선전하다 大大的に宣伝する.

대도 【大盜】 [tae:do] 〈名〉 大盗. 大泥棒.

대도 【大道】 [tae:do] 〈名〉 ❶大道. 句例 정의의 ~ 正義の大道. ❷大きな道(地方行政区域の一つ).

대-도시 【大都市】 [tae:doshi] 〈名〉 大都市. メトロポリス. ＝대도회(大都會). 句例 서울 다음 [illegible] ソウルに次ぐ大都市.

대독 【代讀】 [tae:dok] 〈名・하他〉 代読. 句例 축사를 ~하다 祝辞を代読する.

대동 【大同】 [tae:dong] 〈名・하自形〉 大同.

대동 【大東】 [tae:dong] 〈名〉 東方の大国の意で, ‘韓国’を指す言葉.

대동 【帶同】 [tae:dong] 〈名・하他〉 帯同. 連れて行くこと. 句例 비서를 ~하다 秘書を帯同する.

대동-단결 【大同團結】 [tae:dongdan-gyŏl] 〈名・하自〉 大同団結.

대-동맥 【大動脈】 [tae:dongmaek] 〈名〉〔生〕 大動脈. 文例 철도는 나라의 ~이다 鉄道は国家の大動脈である.

대동-법 【大同法】 [tae:dongppŏp] 〈名〉〔史〕 朝鮮朝中期に, 現物で納めていた貢ぎ物を米穀で代納させた制度.

대동소이-하다 【大同小異—】 [tae:dongsoi—] (→하다) 〈形〉 大同小異である. 句例 대동소이한 실력 大同小異の実力.

대두 【大斗】 〈名〉 一斗升. 句例 쌀 ~ 서 말 米三斗. 對소두.

대두 【大豆】 [tae:du] 〈名〉〔植〕 豆. 大豆. ＝콩. 語例 ~유 大豆油.

대두 【擡頭】 〈名・하自〉 台頭. 句例 신인이 ~하다 新人が台頭する.

대-들다 [tae:dŭlda] (—드니, —들어서) 〈自〉 食ってかかる. 食い掛かる. たて突く. 突っかかる. 歯向〔刃向〕かう. 句例 부모에게 ~ 親に食ってかかる / 악을 쓰고 ~ ありったけの力を出して立ち向かう. 文例 어른한테 대들면 못써 大人に食ってかかっちゃだめだよ.

대-들보 【大—】 [taedŭlppo] 〈名〉〔建〕 大梁. 棟梁. 句例 나라의 ~ 国家の棟梁〔柱石〕.

대들보 썩는 줄 모르고 기왓장 아끼는 격 大梁が朽ちるのを知らずかわら(瓦)を惜しむような格好. 将来大損をすることは知らず目先のわずかな費用を惜しむことのたとえ. ＝기와 한 장 아껴서 대들보 썩인다.

대등 【對等】 [tae:dŭng] 〈名・하形〉 対等. 句例 ~한 자격〔관계〕 対等な資格〔関係〕 / ~하게 다루다 対等に扱う. 文例 힘이 서로 ~하다 互いに力が対等である.

대뜸 〈副〉 すぐ. 直ちに. 文例 급보를 받자 ~ 달려갔다 急報に接するや直ちに駆けつけた.

대란 【大亂】 [tae:ran] 〈名〉 大乱. 句例 나라에 ~이 일어나다 国に大乱が起こる.

대략 【大略】 [tae:ryak] 大略. ━〈名〉 概略. 大体. 句例 ~을 말하다 大略をのべる. ━〈副〉 大体. あらまし. およそ. ほぼ. 文例 ~ 다음과 같다 大体(ほぼ)次のとおりである / ~ 백 명은 들어간다 およそ百人は入る.

대량 【大量】 [tae:ryang] 〈名〉 大量. 語例 ~ 생산〔소비〕 大量生産〔消費〕.

대령 【大領】 [tae:ryŏng] 〈名〉〔軍〕 佐官の最高位. 准将の下.
参考 日本の一佐(もとの大佐)に当たる.

대령 【待令】 [tae:ryŏng] 〈名・하自〉 ❶待命. 命令を待つこと. ❷待機.

대례 【大禮】 [tae:rye] 〈名〉 ❶(朝廷の)大礼. ❷婚礼.

대로 【大怒】 [tae:ro] 〈名・하自〉 大いに怒ること.

대로 【大路】 [tae:ro] 〈名〉 大路. 大道. 句例

탄탄 ~를 걷다 たんたんたる大路を歩く.

*대로 一〈助〉❶…の通り. …のまま. 句例 명령~ 시행하다 命令どおり施行する / 뜻~ 되다 意のままになる. 文例 그~ 둬라 そのままにしておきなさい. 語例 종전~ 従前どおり. ❷ 別別. …なりに. 文例 나는 나~ 하겠다 僕は僕なりにするよ.

二〈依名〉❶通り. 放題. 句例 배운 ~ 教わった通り / 하고 싶은 ~ 내버려 두다 したい放題にさせておく / 말씀하신 ~ おっしゃるとおり. お申し越しの通り / 생각나는 ~ 예를 들다 思い付くままに例をあげる. 文例 좋을 ~ 하세요 いいようにしてください / 될 ~ 돼라 成るように成れ. ❷…次第. 文例 결정되는 ~ 통지하겠습니다 決定次第, ご通知致します / 서울에 도착하는 ~ 전화 주세요 ソウルにお着き次第電話してください.

대롱〈名〉細い竹筒.

대롱-대롱〈副・하自〉ぶらりぶらり. 文例 수세미외가 ~ 매달려 있다 へちまがぶらりぶらりと垂れ下がっている.

대류【對流】[tae:ryu]〈名〉〔物〕対流. 語例 ~권 対流圏.

*대륙【大陸】[tae:ryuk]〈名〉大陸. 語例 ~도〔地〕大陸島 / ~법 大陸法 / ~붕〔사면〕〔地〕大陸棚〔斜面〕/ ~ 횡단여행〔철도〕大陸横断旅行〔鉄道〕/ ~성 기후〔氣〕大陸性気候 / 아시아 ~ アジア大陸.

대륙-적【大陸的】〈名・冠〉大陸的. 句例 ~인 기질 大陸的な気質.

대리【代理】[tae:ri]〈名・하他〉代理. 句例 본인을 ~해서 本人の代理として. 語例 과장 ~ 課長代理 / ~ 시험 替え玉受験 / ~ 행위〔法〕代理行為.

대리-석【大理石】[tae:risŏk]〈名〉大理石. 参考 中国の雲南省大理府でとれたことにちな(因)んで付けられた名.

대리-인【代理人】[tae:riin]〈名〉代理人.

대리-점【代理店】[tae:rijŏm]〈名〉代理店. 語例 광고 ~ 広告代理店.

대립【對立】[tae:rip]〈名・하自〉対立. 句例 의견이 크게 ~하다 意見が激しく対立する / 지역의 ~ 地域の対立. 語例 ~ 형질〔生〕対立形質.

대마【大馬】[tae:ma]〈名〉(碁で)大石. 句例 ~를 잡다 大石を捕らえる. 語例 ~ 불사 大石は死せず.

대마【大麻】[tae:ma]〈名〉〔植〕大麻. 麻. =삼. 語例 ~초 マリファナ.

대-만원【大滿員】[tae:manwon]〈名〉超満員. 大入り満員.

대망【大望】[tae:mang]〈名〉大望. 句例 ~을 품다 大望をいだく.

대망【待望】[tae:mang]〈名・하他〉待望. 句例 ~의 그 날 待望のその日.

대-매출【大賣出】[tae:maech'ul]〈名・하他〉大売り出し. 句例 재고 정리를 위한 염가 ~ 棚ざらえの大安売り. 語例 연말 ~ 歳末大売り出し.

대맥【大麥】[tae:maek]〈名〉〔植〕⇨ 보리

**대-머리 [tae:mŏri]〈名〉はげ頭. 句例 ~가 되다 はげ頭になる.

대면【對面】[tae:myŏn]〈名・하自他〉対面. 語例 ~시키다 対面させる.

대-명사【代名詞】[tae:myŏngsa]〈名〉〔言〕代名詞.

대명-천지【大明天地】[tae:myŏngch'ŏnji]〈名〉非常に明るい世の中.

대모【代母】[tae:mo]〈名〉〔天主教〕教母. ゴッドマザー. 対대부(代父).

대모【玳瑁・瑇瑁】[tae:mo]〈名〉❶〔動〕たいまい(玳瑁). ❷['대모갑(玳瑁甲)'の略] 鼈甲.

대목〈名〉❶物前. 語例 설달 ~ (正月を控えた)師走のかきいれ時 / ~장 物前の市. ❷(物事の)かなめ. 峠. 山場. 句例 감동적인 ~이 벌어지다 感動的な山場が展開する.

대목【大木】[tae:mok]〈名〉❶大きな建物を建築する技術を持った大工. ❷大工.

대-못〈名〉竹くぎ(釘).

대-못【大―】[tae:mot]〈名〉大きなくぎ(釘).

**대문【大門】[tae:mun]〈名〉門. 表門. 正門. 句例 ~을 두드리다 門をたたく / ~을 열다 門をあける / ~을 걸다 門にかんぬきをかける.

대문【大文】〈名〉❶本文. ❷文章の区切り. 段落.

대문-간【大門間】[tae:munkkan]〈名〉門の内側の空き間.

대문대문-이【大文大文―】[taemundaemuni]〈副〉文章の区切りごとに. 段落ごとに.

대-문자【大文字】[tae:muntcha]〈名〉大文字. 対소문자(小文字).

대-문장【大文章】[tae:munjang]〈名〉❶雄大で優れた文章. ❷名文家.

대문-짝【大門―】[tae:muntchak]〈名〉表門の扉.

대물【代物】[tae:mul]〈名〉代物. 代わりの品物. 語例 ~ 변제 代物弁済.

대물【對物】[tae:mul]〈名・하自〉対物. 語例 ~ 렌즈 対物レンズ.

대-물리다【代―】[tae:mullida] ⇨ '대(代)'の小項目

대미【大尾】[tae:mi]〈名〉大尾. 終わり.

대미【對美】[tae:mi]〈名〉対米. 語例 ~ 교섭〔외교〕対米交渉〔外交〕/ ~ 관계 対米関係.

*대-바구니〈名〉竹かご.

대-바늘〈名〉竹針.

대-발〈名〉竹すだれ.

대방【大房】[tae:bang]〈名〉❶大きな部屋. ❷他人の母・祖母に対する敬称. 語例 ~마님 ご母堂. おばあさま.

대-밭〈名〉竹やぶ. 竹林.

대번〈副〉'대번에'の略.

대번-에 [taebŏne]〈副〉いっぺんに. 一息に. 直ちに. 一気に. 略して'대번'ともいう. 句例 ~ 알아채다 いっぺんに見透かす / ~ 찾아내다 すぐに捜し出す.

대범-스럽다【大泛―】[tae:bŏm―] (→스럽다)〈形〉おうよう(鷹揚)だ.

대범-하다【大泛―】[tae:bŏm―] (→하다)〈形〉おうよう(鷹揚)だ. 句例 대범한 성격 おうような

性格. **대범히**〈副〉おうように.

대-법관【大法官】[tae:bŏpkwan]〈名〉〔法〕最高裁判所判事.

*__대-법원__【大法院】[tae:bŏbwon]〈名〉〔法〕最高裁判所. 最高裁. 略して'대법(大法)'ともいう.

대변【大便】[tae:byŏn]〈名〉大便. ㊟소변.

대변(을) 보다 大便をする.

대변【代辯】[tae:byŏn]〈名・하他〉代弁. 句例 소비자의 소리를 ~한 논설 消費者の声を代弁した論説.

대변【貸邊】[tae:byŏn]〈名〉〔經〕貸し方. ㊟차변(借邊).

대변【對邊】[tae:byŏn]〈名〉〔數〕対辺. =맞변.

대변-인【代辯人】[tae:byŏnin]〈名〉代弁人. スポークスマン. 句例 정부의 ~ 政府のスポークスマン.

대별【大別】[tae:byŏl]〈名・하他〉大別. 句例 둘로 ~되다 二つに大別される.

대병【大兵】[tae:byŏng]〈名〉大兵. 句例 ~을 거느리고 나아가다 大兵を率いて進む.

대-보다 [tae:boda]〈他〉比べてみる. 比較してみる. 当ててみる. 句例 키를 ~ 背を比べ(てみ)る / 옷이 몸에 맞는지 ~ 服がからだに合うかどうか当ててみる.

*__대-보름날__【大—】[tae:borŭmnal]〈名〉〔民〕陰暦の正月十五日. 上元. 略して'대보름'ともいう.

대본【臺本】〈名〉〔文〕❶台本. 脚本. シナリオ. 句例 ~을 읽다 台本を読む. ❷底本. 種本.

대봉【代捧】[tae:bong]〈名・하他〉(支払いするとき)金品の代わりにほかの物で済ますこと.

대봉(을) 치다 ほかの物を代わりとして充てる.

대부【代父】[tae:bu]〈名〉〔天主教〕教父. 名付け親. ゴッドファーザー. ㊟대모(代母).

대부【貸付】[tae:bu]〈名・하他〉貸し付け. ローン. **~하다**〈他〉貸し付ける. 貸す. 句例 은행 ~를 받다 銀行の貸し付けを受ける. 語例 ~금 貸付金 / 신용 ~ 信用貸し.

대-부대【大部隊】[tae:budae]〈名〉大部隊.

*__대-부분__【大部分】[tae:bubun]〈名・副〉大部分. 大分. 大方. たいてい. ほとんど. 文例 가옥의 ~이 유실됐다 家屋の大部分が流された / 낮에는 ~ 집에 있는 편입니다 昼間はたいてい家にいるほうです.

대비【大妃】[tae:bi]〈名〉〔史〕先王の后妃.

대비【對比】[tae:bi]〈名・하他〉対比.

대비【對備】[tae:bi]〈名〉対備. 備え. **~하다**〈自〉対備する. 備える. 句例 노후에 ~하다 老後に備える. 文例 장래에 ~하여 지금부터 계획을 세워야 한다 将来に備えて今から計画を立てねばならない.

대사【大事】[tae:sa]〈名〉❶大事. 句例 국가의 ~를 처리하다 国家の大事を処理する. ❷'대례(大禮) 婚礼'の俗っぽい言いかた. 文例 혼인은 인륜 ~이다 婚姻は人倫の大礼である.

대사【大使】[tae:sa]〈名〉['특명 전권 대사'の略] 大使. 句例 ~를 파견〔소환〕하다 大使を派遣〔召還〕する. 語例 순회 ~ 巡回大使 / 주일 ~ 駐日大使.

대사【大師】[tae:sa]〈名〉大師. 語例 사명 ~ 四溟大師.

대사【代謝】[tae:sa]〈名〉〔生〕'신진 대사(新陳代謝)'の略: 代謝. 語例 에너지 ~ エネルギー代謝 / 기초 ~ 基礎代謝 / ~ 기능 代謝機能.

대사【臺詞】〈名〉〔劇〕せりふ. 句例 ~를 외다 せりふを覚える / ~를 잘못 말하다 せりふを言い損なう.

대-사간【大司諫】[tae:sagan]〈名〉〔史〕朝鮮朝司諫院の最高の官職. 參考 正三品で, 王の政事の過ちをいさ(諫)める官職.

*__대사-관__【大使館】[tae:sagwan]〈名〉大使館. 語例 ~부 무관 大使館付き武官.

대-사헌【大司憲】[tae:sahŏn]〈名〉〔史〕朝鮮朝司憲府の最高の官職. 參考 従二品で, 官紀の粛正と風俗を取り締まる官職.

대살-지다〈形〉からだがや(痩)せてはいるが, ひき締まっている. やせていても強靭だ.

대상【大祥】[tae:sang]〈名〉大祥忌. 三回忌.

대상【大商】[tae:sang]〈名〉大商. 規模の大きい商人.

대상【大賞】[tae:sang]〈名〉大賞. グランプリ.

대상【代償】[tae:sang]〈名・하他〉代償. 句例 …의 ~으로서 …の代償として / 어떤 ~을 치르더라도 どんな代償を払っても.

대상【隊商】〈名〉隊商. キャラバン.

대상【對象】[tae:sang]〈名〉対象. 句例 어린이를 ~으로 한 방송 子供を対象とした放送. 語例 ~물 対象物.

대서【代書】[tae:sŏ]〈名・하他〉代書. 代筆. 語例 ~인 代書人 / ~방(房)〔소(所)〕代書人事務所.
表現 '대서인'はよほど前に使われた古めかしい用語で, 今は'법무사(法務士)''행정 서사(行政書士)'と区別している.

*__대서양__【大西洋】[tae:sŏyang]〈名〉〔地〕大西洋. 語例 ~ 항로 大西洋航路 / ~ 헌장 大西洋憲章.

대서-특필【大書特筆】[tae:sŏt'ŭkp'il]〈名・하他〉特筆大書. 句例 신문에 ~하다 新聞に特筆大書する.

대선【大選】[tae:sŏn]〈名〉['대통령 선거'の略] 大統領選挙.

대-선거구【大選擧區】[tae:sŏn-gŏgu]〈名〉大選挙区.

대-선사【大禪師】[tae:sŏnsa]〈名〉〔佛〕禅宗で最高位の階級.

대설【大雪】[tae:sŏl]〈名〉大雪・大雪. 語例 ~ 주의보 大雪注意報.

대성【大成】[tae:sŏng]〈名・하自他〉大成. 句例 물리학자로서 ~하다 物理学者として大成する.

대성【大聲】[tae:sŏng]〈名〉大声・大声. 句例 ~ 질타하다 大声叱咤する / ~ 통곡하다 大

ㄷ

声でつうこく(痛哭)する.

대-성공【大成功】[tae:sŏnggong]〈名・하自他〉大成功.

대-성황【大盛況】[tae:sŏnghwang]〈名〉大盛況. 句例 초만원을 이룬 ~ 大入り満員の大盛況.

대세【大勢】[tae:se]〈名〉大勢. 句例 ~에 순응하다 大勢に順応する / ~를 파악하다 大勢を把握する / ~를 따르다 大勢に従う / ~가 기울다 大勢が傾く.

대소【大小】[tae:so]〈名〉大小. 句例 ~를 가리지 않고 事の大小を問わず / ~ 여러 가지의 물건 大小さまざまな品物.

대소【大笑】[tae:so]〈名・하自〉大笑. 大笑い. 句例 가가 ~하다 呵呵大笑する.

대-소동【大騷動】[tae:sodong]〈名〉大騒動. 大騒ぎ. 句例 ~이 일어나다 大騒動が起こる.

대소-변【大小便】[tae:sobyŏn]〈名〉大小便.

대소-사【大小事】[tae:sosa]〈名〉大小の事柄.

대-소상【大小祥】[tae:sosang]〈名〉大祥と小祥. 一周忌と三回忌.

대손【貸損】[tae:son]〈名〉貸し倒れ.

대수 [tae:su]〈名〉[もとの語形は'대사(大事)'] 大したこと. 大変なこと. 文例 한 끼쯤 굶은들 ~냐 一食ぐらい抜いたって大したことあるものか.

表現 疑問や打ち消しの表現とともに用いられる.

대수[1]【代數】[tae:su]〈名〉〔數〕['대수학(學)'の略] 代数. 句例 ~로 풀다 代数で解く. 語例 ~학 代数学 / ~식 代数式.

대수[2]【代數】[tae:ssu]〈名〉代数. 世代の数.

대수【臺數】〈名〉台数. 文例 트럭 ~는 백 대나 되었다 トラックの台数は百台にも上った.

대수-롭다 [tae:suropta](→롭다)〈形〉[もとの語形は'대사(大事)롭다'] 大した事だ. 文例 그건 대수로운 일이 아니다 それは大したことではない. 句例 대수롭게 大した事に. 大切に.

表現 疑問や打ち消しの表現とともに用いられる.

대수롭지-않다 [tae:suropchiant'a]〈形〉大した事でない. 取るに足りない. さほど重要でない. 句例 대수롭지 않은 의견〔일〕取るに足りない意見〔事柄〕/ 충고를 대수롭지 않게 듣다 忠告をなおざりに聞き流す. 文例 그는 대수롭지 않은 인물이다 彼は大した事のない人物だ.

대-수술【大手術】[tae:susul]〈名〉〔醫〕大手術.

대-순〈名〉竹の子. =죽순(竹筍).

대-순환【大循環】[tae:sunhwan]〈名〉〔生〕大循環. 体循環.

대-숲〈名〉竹やぶ. やぶ(藪).

대승【大乘】[tae:sŭng]〈名〉〔佛〕大乗. 語例 ~ 불교 大乗仏教. 對소승(小乘).

대승【大勝】[tae:sŭng]〈名・하自形〉大勝. 句例 13대 0으로 ~하다 十三対零で大勝する. 對대패(大敗).

*__대-승리__【大勝利】[tae:sŭngni]〈名・하自〉大勝利.

대승-적【大乘的】[tae:sŭngjŏk]〈名・冠〉大乗的. 語例 ~ 견지 大乗的見地.

대식【大食】[tae:shik]〈名・하他〉大食. 語例 ~가 大食家. 大食漢.

*__대신__【大臣】[tae:shin]〈名〉〔史〕大臣.

参考 朝鮮朝では, '영의정(領議政)・좌의정(左議政)・우의정(右議政)'など三人の通称. '정승(政丞)'ともいう.

*__대신__【代身】[tae:shin] 一〈名〉代わり. ❶代理. 身代わり. **~하다**〈他〉代理する. 代わりをする. 句例 아버지를 ~하다 父の代わりをする. 文例 일동을 ~해서 제가 말씀드리겠습니다 一同に代わってわたしが申し上げます. ❷代用. **~하다**〈他〉代わりをする. 文例 이 책 ~에 저 책을 주시오 この本の代わりにあの本をください.

二〈副〉代わって. 代わりに. 句例 밥 ~ 빵을 먹다 ご飯の代わりにパンを食べる / 회의에 ~ 참석하다 会議に代わって出席する.

대안【代案】[tae:an]〈名〉代案. 句例 ~을 제시하다 代案を提示する / 그 ~을 내다 その代案を出す.

대안【對岸】[tae:an]〈名〉対岸. 向こう岸. 句例 ~의 불 보듯 하다 対岸の火を眺めるようだ. 自分に関係がないと無関心であるとのたとえ.

대안 렌즈【對眼lens】[tae:anrenjŭ]〈名〉〔物〕接眼レンズ.

**__대야__〈名〉たらい. 洗面器. 語例 세숫~ 洗面器 / 빨랫~ 洗濯だらい.

대양【大洋】[tae:yang]〈名〉〔地〕大洋.

대양-주【大洋洲】[tae:yangju]〈名〉〔地〕大洋州. オセアニア.

대어【大魚】[tae:ŏ]〈名〉大魚.

대언-장담【大言壯談】[tae:ŏn—]〈名・하自〉大言壮語.

대업【大業】[tae:ŏp]〈名〉大業. 句例 천하 통일의 ~ 天下統一の大業.

대여【貸與】[tae:yŏ]〈名・하他〉貸与. 句例 무료로 ~하다 無料で貸し与える.

대-여섯 [tae:yŏsŏt]〈數・冠〉五つか六つ. 五六. 略して'대엿'ともいう. 語例 ~ 사람 五六人.

대역【大逆】[tae:yŏk]〈名〉大逆. 語例 ~죄 大逆罪 / ~ 부도(不道) 大逆無道.

대역【代役】[tae:yŏk]〈名・하自〉代役. 句例 ~으로 발탁되다 代役として抜擢される.

대열【隊列】〈名〉隊列.

대엿-새 [tae:yŏtsae]〈名〉五六日.

대오【隊伍】〈名〉隊伍. 句例 ~를 정비하다 隊伍を整える.

대-오다 [tae:oda](대오너라)〈自〉間に合わせて来る. 句例 발차 시간에 ~ 発車時間に間に合わせて来る. 對대가다.

대-오리〈名〉竹ひご. ひご. 細く割った竹.

대왕【大王】[tae:wang]〈名〉❶〔史〕大王. 語例 세종 ~ 世宗大王. ❷先王の敬称.

대왕 대비【大王大妃】[tae:wangdae:bi]〈名〉〔史〕(存命中の)王の祖母.

대외【對外】[tae:oe]〈名〉対外. 語例 ～ 투자 対外投資 / ～ 정책〔교섭〕 対外政策〔交渉〕. 對대내(對內).

대요【大要】[tae:yo]〈名〉大要. 句例 사건의 ～ 事件の大要. 語例 경제학 ～ 経済学大要.

대욕【大慾·大欲】[tae:yok]〈名〉大欲. 文例 ～은 무욕과 같다 大欲は無欲に似たり.

대용【代用】[tae:yong]〈名·하他〉代用. 文例 이 책은 사전 ～이 될 수 있다 この本は辞書の代用になり得る. 語例 ～품 代用品 / ～식 代用食 / ～ 작물 代用作物.

***대우**【待遇】[tae:u]〈名·하他〉待遇. 扱い. 句例 극진한 ～를 받다 手厚い〔丁重な〕もてなしを受ける. 文例 거기선 사람 ～를 못 받는다 そこでは人間として扱われない. 語例 ～ 개선 待遇改善 / 국장 ～ 局長待遇.

대-운하【大運河】[tae:unha]〈名〉大運河. ❶大きな運河. ❷〔地〕中国の天津から杭州に至る運河.

대-울타리〈名〉竹垣. 竹矢来.

대웅-전【大雄殿】[tae:ungjŏn]〈名〉〔佛〕大雄殿. 金堂. 本堂.
參考 釈迦牟尼仏を本尊として安置した寺の本堂. '大雄'は四魔を降服させる力を持つ偉大な英雄の意の釈迦の徳号. '대웅전'は, 阿弥陀仏を本尊とする'극락전 極楽殿', 毘盧遮那仏を奉安する'대적광전 大寂光殿'とともに韓国仏寺における三大仏殿の一つ.

대원【大圓】[tae:won]〈名〉大円. 句例 ～을 그리다 大円を描く.

대원【隊員】〈名〉隊員. 語例 남극 탐험～ 南極探険隊員 / 특공～ 特攻隊員.

대원-군【大院君】[tae:won-gun]〈名〉〔史〕大院君. ❶傍系の王族が王位につ(即)いたときその国王の父親. ❷朝鮮朝末期の政治家'興宣大院君'の特称.
參考 '흥선 대원군(興宣大院君)'とは朝鮮朝末期の高宗の実父'이하응(李昰應)'のこと.

대위【大尉】[tae:wi]〈名〉〔軍〕大尉.
參考 自衛隊の階級の一尉に当たる.

대응【對應】[tae:ŭng]〈名·하自〉対応. 句例 정세 변화에 ～해 나가다 情勢の変化に対応していく / ～하는 두 개의 각 対応する二つの角. 文例 이 말에 ～하는 일본말이 있습니까 この言葉に対応する日本語がありますか / ～책을 강구하다 対応策を講じる.

대의【大意】[tae:ŭi]〈名〉大意. 句例 ～를 파악하다 大意をつかむ〔把握する〕.

대의【大義】[tae:ŭi]〈名〉大義. 句例 ～에 어긋나는 행동 大義に背く行動. 語例 ～충절 大義忠節.

대의-명분【大義名分】[tae:ŭimyŏngbun]〈名〉大義名分. 句例 ～이 서다 大義名分が立つ.

대의-원【代議員】[tae:ŭiwŏn]〈名〉代議員. 語例 ～ 대회 代議員大会.

대의 정치【代議政治】[tae:ŭijŏngch'i]〈名〉代議政治. 文例 영국은 ～의 본고장이다 英国は代議政治の本場である.

대인【大人】[tae:in]〈名〉大人. ❶巨人. 句例 걸리버 여행기의 ～국 ガリバー旅行記の大人国. ❷徳の高い人. 語例 ～군자 大人君子. ❸大人. 文例 ～ 한 장 주세요 大人のを一枚ください. 對소인(小人).

대인【對人】[tae:in]〈名〉対人. 句例 ～ 관계가 원만하지 못하다 対人関係が円満でない. 語例 ～ 행동 対人行動.

대-인기【大人氣】[tae:inkki]〈名〉大人気. 大もて. 句例 ～를 끌다 大もてにもてる.

대일【對日】[tae:il]〈名〉対日. 語例 ～ 감정 対日感情 / ～ 관계 対日関係.

대임【大任】[tae:im]〈名〉大任. 句例 ～을 완수하다 大任を全うする〔果たす〕.

대입【大入】[tae:ip]〈名〉['대학 입학(大學入學)'の略] 大学入学.

대입【代入】[tae:ip]〈名·하他〉〔數〕代入. 語例 ～법 代入法.

대-자¹〈名〉竹の物差し〔定規〕.

대-자²〈名〉五尺.

대자-대비【大慈大悲】[tae:jadae:bi]〈名·하形〉〔佛〕大慈大悲. 句例 ～하신 관세음 大慈大悲の観世音.

대-자리〈名〉竹で編んだござ.

대-자보【大字報】[tae:jabo]〈名〉大字報. 中国の壁新聞.

대-자연【大自然】[tae:jayŏn]〈名〉大自然. 句例 ～의 맹위〔신비〕 大自然の猛威〔神秘〕/ ～에 몸을 맡기다 大自然に身をゆだねる.

대작【大作】[tae:jak]〈名〉大作. 語例 초～ 超大作.

대작【代作】[dae:jak]〈名·하他〉代作.

대작【對酌】[tae:jak]〈名·하自他〉対酌. 類 대음(對飮).

대장【大將】[tae:jang]〈名〉大将. ❶〔史〕将帥. 将軍. ❷〔軍〕(陸·海·空軍の)最高級の将官. 語例 해군 ～ 海軍大将. ❸頭. 親分. 語例 골목 ～ 餓鬼大将 / 거짓말 ～ 嘘つき大将.

대장【大腸】[tae:jang]〈名〉〔生〕大腸. 語例 ～균 大腸菌 / ～염 大腸炎.

***대장**【隊長】〈名〉隊長. 語例 탐험～ 探検隊長 / 군악～ 軍楽隊長.

대장【臺帳】〈名〉台帳. 句例 ～에 올리다 台帳に記載する. 語例 비품 ～ 備品台帳 / 토지 ～ 土地台帳.

***대장-간**【-間】[tae:jangkkan]〈名〉鍛冶屋.

대-장경【大藏經】[tae:janggyŏng]〈名〉〔佛〕大蔵経. 略して'장경(藏經)'ともいう.

대-장군【大將軍】[tae:janggun]〈名〉〔史〕高麗の従三品の武官職. 大将軍.

대-장부【大丈夫】[tae:jangbu]〈名〉大丈夫. ますらお. 立派な男. 句例 ～의 기상 大丈夫の気性. 語例 사내 ～ ますらお. 男.

대장부답다 男らしい. (大丈夫らしい)威風がある. 堂堂としている. 句例 대장부다운 태도 男らしい態度.

대장-일 [tae:jangnil]〈名·하自〉鍛冶仕事.

대장-장이【-匠-】[dae:jangjang-i]〈名〉鍛冶屋.

대장장이 집에 식칼이 논다 鍛冶屋に包丁がない. 鍛冶屋の竹火箸. 紺屋の白袴.

대저【大著】[tae:jŏ]〈名〉大著.

대저【大抵】[tae:jŏ]〈副〉大体. たいてい. およそ. 類무릇.
表現 古めかしい表現.

대-저울〈名〉さおばかり(竿秤). 絵

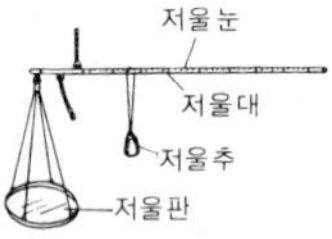

〈대저울〉

대적【大敵】[tae:jŏk]〈名〉大敵.

대적【對敵】[tae:jŏk]〈名·하自他〉対敵. 句例 ~할 수 없다 対敵することができない.

대전【大殿】[tae:jŏn]〈名〉❶宮殿. 王宮. ❷['대전마마(媽媽)'の略] 王の尊称.

대전【大戰】[tae:jŏn]〈名·하自〉大戦. 語例 제2차 세계 ~ 第二次世界大戦.

대전【代錢】[tae:jŏn]〈名〉代金. 代銭. 句例 ~을 치르다 代金を支払う.

대전【帶電】[tae:jŏn]〈名〉帯電. 語例 ~체 帯電体.

대전【對戰】[tae:jŏn]〈名·하自〉対戦. 語例 ~표 対戦表.

대-전제【大前提】[tae:jŏnje]〈名〉大前提.

대절【貸切】[tae:jŏl]〈名·하他〉貸し切り.
表現 '전세(專貰)'の旧称.

대접 [tae:jŏp]〈名〉平鉢.

*****대접**【待接】[tae:jŏp]〈名〉❶もてなし. 供応. ごちそう(御馳走). **~하다**〈他〉もてなす. 供応する. 句例 후히 ~하다 厚くもてなす / 식사 ~을 받다 ごちそうになる. 語例 손님 ~ お客の接待. ❷待遇. **~하다**〈他〉待遇する. 句例 사람 ~을 못 받다 人間扱いされない.

대접-살 [tae:jŏpsal]〈名〉牛の後ろ脚の内もも肉.

대-접전【大接戰】[tae:jopchŏn]〈名〉大接戦.

대-정맥【大靜脈】[tae:jŏngmaek]〈名〉〔生〕大静脈.

대정-코【大定一】[tae:jŏngk'o]〈副〉必ず. きっと.
表現 やや古めかしい言いかた.

대제【大帝】[tae:je]〈名〉大帝. 語例 피터 ~ ピーター大帝.

대-제전【大祭典】[tae:jejŏn]〈名〉大祭典. 句例 민족의 ~ 民族の大祭典.

대-제학【大提學】[tae:jehak]〈名〉〔史〕朝鮮朝, 弘文館·芸文館の最高官職. 類문형(文衡).
参考 位階は正二品.

대조【對照】[tae:jo]〈名·하他〉対照. 句例 원문과 ~하다 原文と対照する / 뚜렷한 ~를 이루다 はっきりした対照を見せる. 語例 ~법 対照法. 修辞法の一つ / 대차 ~표 貸借対照表.

대조-적【對照的】[tae:jojŏk]〈名·冠〉対照的. 句例 ~인 현상 対照的な現象. 文例 두 사람의 의견은 ~이다 二人の意見は対照的だ. 語例 ~으로 対照的に.

대졸【大卒】〈名〉['대학 졸업(大學卒業)'の略] 大卒. 大学出.

대종【大宗】[tae:jong]〈名〉大宗. ❶大宗家の系統. ❷大本. 句例 수출품의 ~ 輸出品の大宗. ❸大家. 権威. 句例 화단의 ~ 画壇の大宗.

대종【大鐘】[tae:jong]〈名〉大鐘.

대-종가【大宗家】〈名〉大宗家. 本家.

*****대종-교**【大倧教】[tae:jonggyo]〈名〉〔宗〕韓国固有の民族宗教の一つ. 檀君教.
参考 建国の始祖と檀君を崇拝するがため, 1909年, 羅喆が創始した民族宗教.

대좌【對坐】[tae:jwa]〈名·하自〉対座. 句例 손님과 ~하다 客と対座する.

*****대죄**【大罪】[tae:joe]〈名〉大罪. 句例 ~를 저지르다〔짓다〕大罪を犯す.

대죄【待罪】[tae:joe]〈名·하自〉待罪. 句例 석고(席藁) ~하다 むしろ(蓆)にうつぶしたまま処罰を待つ.

대주【大主】[tae:ju]〈名〉❶〔民〕みこ(巫女)が得意先のだんな(旦那)を言う語. ❷妻が自分の夫を指して言う語: 主人. 亭主.

대주【代走】[tae:ju]〈名·하自〉代走. ピンチランナー. 語例 ~자 代走者. ピンチランナー.

대-주교【大主教】[tae:jugyo]〈名〉❶〔天主教〕大司教. ❷(聖公会で)大主教.

대-주다 [tae:juda]〈他〉❶供給する. 賄う. 句例 양식을 ~ 食糧を供給する / 학비를 ~ 学費を出してやる / A공장에 석유를 ~ A工場に石油をあてがう. ❷(方向や住所などを)教えてやる. 句例 전화 번호를 ~ 電話番号を教えてやる. ❸あてがってやる. 添えてやる. 句例 쌀을 담을 자루를 ~ 米を入れる袋をあてがってやる / 컵을 입에 ~ コップを口に当ててやる. 文例 비서실을 대주세요 秘書室をお願いします〔つないでください〕.

대중〈名·하他〉❶見積もり. 概算. 見当. 文例 무슨 말인지 ~을 잡을 수가 없었다 なんの話なのか見当がつかなかった. 語例 눈~ 目分量. 目積もり. ❷標準. 目安.

대중【大衆】[tae:jung]〈名〉❶大衆. 句例 ~의 폭넓은 지지를 받다 大衆の幅広い支持を受ける / ~ 앞에서 연설하다 大衆を前に演説する. 語例 근로 ~ 勤労大衆 / ~성 大衆性 / ~ 문학〔소설〕大衆文学〔小説〕/ ~ 심리 大衆心理 / ~ 잡지 大衆雑誌 / ~ 매체 大衆媒体 / ~ (목욕)탕 大衆風呂場. 銭湯. 風呂屋. ❷〔佛〕大衆. 多くの僧侶. 語例 ~ 공양 大衆供養.

대중-없다 [taejung-ŏpta]〈形〉基準がない. まちまちだ. **대중없이** [—ŏpshi]〈副〉まちまちに. 基準もなく.

대중-잡다〈他〉概略の基準を定める. およその見当をつける. 目安をつける. 推測する. 句例 대중잡아 계산해 보다 あらまし計算してみる.

대중-적【大衆的】[tae:jungjŏk]〈名·冠〉大衆的. 句例 ~인 인기 大衆的な人気.

대중-치다〈他〉概算する. 見積もる.

대중-화【大衆化】[tae:junghwa]〈名·하自他〉大衆化. 句例 과학의 ~ 科学の大衆化. 語例 ~되다 大衆化する〔される〕.

대증【對症】[tae:jŭng]〈名〉対症. 語例 ~요법 対症療法.

대지【大地】[tae:ji]〈名〉大地. [句例] ~를 적시는 단비 大地を潤す恵みの雨 / ~에 뿌리를 박다 大地に根を下ろす.

대지【垈地】〈名〉敷地. [語例] 가옥 ~ 家屋の敷地.

대지【臺地】〈名〉〔地〕台地. [語例] 용암 ~ 溶岩台地.

대지【臺紙】〈名〉台紙. [句例] ~에 그림을 붙이다 台紙に絵を張る.

대-지주【大地主】[tae:jiju]〈名〉大地主.

대-지팡이〈名〉竹杖.

대직【大職】[tae:jik]〈名〉高位. 高い職階.

대진【代診】[tae:jin]〈名・하他〉代診.

대진【對陣】[tae:jin]〈名・하自〉対陣. [文例] 강을 사이에 두고 ~하다 川を隔てて対陣する.

대질【對質】[tae:jil]〈名・하自〉〔法〕対質. [句例] 공범자를 ~시키다 共犯者を突き合わせる. [語例] ~ 신문 対質尋問.

대-질리다〈自〉'대지르다'の受け身：突き刺される.

대-집행【代執行】[tae:jip'aeng]〈名〉〔法〕代執行.

대-짜【大一】〈名〉大物. [句例] ~가 걸리다〔낚이다〕大物がひっ掛かる〔釣れる〕.

대짜-배기【大一】〈名〉大物. [文例] ~로 한 마리 주시오 大きいやつの一匹をください / 싸움이 ~로 벌어졌다 けんかが大掛かりに起こった.

대-쪽〈名〉割った竹. 竹片. 竹のきれはし. [句例] ~ 같은 성미 竹を割ったような気性 / ~같이 곧다 竹を割ったようにまっすぐだ.

대차【大差】[tae:ch'a]〈名〉大差. [句例] ~가 나다 大差がつく / ~를 내다 大差をつける. [語例] ~없다 大差ない.

대차【貸借】[tae:ch'a]〈名〉貸借. [語例] ~ 관계 貸借関係 / ~ 대조표 貸借対照表. バランスシート.

대찰【大刹】[tae:ch'al]〈名〉〔佛〕大刹. 大きな寺. [語例] 명산 ~ 名山大刹.

대-창【一槍】〈名〉竹やり. ＝죽창(竹槍).

대책【對策】[tae:ch'aek]〈名〉対策. [句例] 만전의 ~을 강구하다 十全の対策を講じる / ~을 세우다〔짜다〕対策を立てる〔ねる〕. [語例] 실업〔물가〕~ 失業〔物価〕対策 / 긴급 ~ 緊急対策.

대처【大處】[tae:ch'ŏ]〈名〉都会. 都市.

대처【帶妻】[tae:ch'ŏ]〈名・하自〉妻帯. [語例] ~승 妻帯僧.

대처【對處】[tae:ch'ŏ]〈名・하他〉対処. [句例] 적극적으로 ~하다 積極的に対処する.

대천【大川】[tae:ch'ŏn]〈名〉❶大川. 大河. ❷有名な川.

대첩【大捷】[tae:ch'ŏp]〈名・하自〉大勝. たいしょう(大捷). [語例] 행주(幸州) ~〔史〕幸州たいしょう.
[参考] '행주 대첩'は朝鮮朝の宣祖26年(1593) 權慄将軍が漢陽の西の郊外の幸州山城で日本軍を大破した勝利で, 李舜臣将軍の閑山島大捷, 金時敏将軍の晋州城大捷と共に壬辰の倭乱〔文禄の役〕の三大捷の一つとされている.

대청【大廳】[tae:ch'ŏng]〈名〉母屋の広い板の間.

대-청소【大淸掃】[tae:ch'ŏngso]〈名〉大掃除.

****대체**【大體】[tae:ch'e]〈名・副〉大体. およそ. あらまし. 一体. [句例] ~적인 원칙 およその原則 / 사건의 ~를 보고하다 事件の大体を報告する. [文例] ~ 어떻게 된 셈이냐 一体どうしたのだ / ~ 무슨 생각으로 그런 짓을 했을까 一体何を考えてあんな事をしたのだろうか.

대체【代替】[tae:ch'e]〈名・하自他〉代替. [句例] 새것으로 ~하다 新しい物にとり替える. [語例] ~ 식량 代替食糧 / ~ 에너지 代替エネルギー / ~품 代替品.

대체【對替】[tae:ch'e]〈名・하他〉〔經〕振替. [語例] ~ 계정〔저금〕振替勘定〔貯金〕.

***대체-로**【大體一】[tae:ch'ero]〈副〉大体. 概して. 総じて. おおむね. およそ. [文例] 건강은 ~ 양호하다 健康は概して〔おおむね〕良好である / ~ 의견이 일치했다 大体において意見が一致した / 값은 ~ 얼마쯤입니까 値段は大体いくらぐらいですか / ~ 끝났다 大体おわった.

대-초원【大草原】[tae:ch'owon]〈名〉大草原.

대촌【大村】[tae:ch'on]〈名〉大きな村.

****대추** [tae:ch'u]〈名〉〔植〕なつめ(棗). [語例] ~나무 なつめの木.
대추나무에 연 걸리듯 なつめの木にたこ(凧)がひっ掛かったよう. あちこち借金が多くて首が回らないことのたとえ.

대추-씨 [tae:ch'ussi]〈名〉なつめの種. [句例] ~만 하다 (なつめの種のように)からだが小さい.
대추씨 같다 からだは小さいが, しっかりしていて透きがない.

대출【貸出】[tae:ch'ul]〈名〉貸し出し. **~하다**〈他〉貸し出す. [句例] 도서의 ~ 図書の貸し出し / 은행에서 돈을 ~하다 銀行から金を貸し出す. [語例] ~ 금리 貸し出し金利 / ~ 이자 貸し出し利息.

***대충**〈副〉[もとの語形は'대총(大總)'] 大体. およそ. 大方. ざっと. 概略. ＝대강. 대략(大略). [句例] ~ 한번 읽다 ざっと一読する / ~ 어림잡다 大まかに見積もる. [文例] 일이 ~ 정리되었다 仕事がおよそ片付いた / 이것으로 ~ 끝났다 これで一通り済んだ / ~ 이런 줄거리다 およそこのような筋書きだ.

대충-대충〈副〉大まかに. 大ざっぱに. 適当に. [文例] ~ 끝내라 いいかげんに切り上げろ.

대취【大醉】[tae:ch'wi]〈名・하自〉大酔. ひどく酔うこと.

대-취타【大吹打】[tae:ch'wit'a]〈名〉〔史〕管・弦・打楽器などで編成した軍楽.

대치【代置】[tae:ch'i]〈名・하他〉代置.

대치【對峙】[tae:ch'i]〈名・하自〉対峙. [句例] 경찰과 데모대가 ~하다 警察とデモ隊が対峙する.

대칭【對稱】[tae:ch'ing]〈名〉対称. [句例] ~의 중심 対称の中心. [語例] ~ 도형〔數〕対称図形 / ~면〔축〕〔數〕対称面〔軸〕.

대-칼〈名〉竹刀.

대타【代打】[tae:t'a]〈名・하自〉〔野〕代打. ピンチヒッター. 句例 ～로 나가다 代打に立つ.

대-테〈名〉竹のたが(箍).

대토【代土】[tae:t'o]〈名・하他〉替え地.

대-톱【大―】[tae:t'op]〈名〉大きなのこぎり(鋸).

대-통【一筒】〈名〉竹の筒. 竹筒.

대통【大通】[tae:t'ong]〈名・하自〉開運. 大いに運が開けること. 語例 운수 ～ 運勢大吉.

대통【大統】[tae:t'ong]〈名〉大統. 句例 ～을 잇다 大統を継ぐ.

****대통령**【大統領】[tae:t'ongnyong]〈名〉大統領.

대퇴【大腿】[tae:t'oe]〈名〉〔生〕大腿. もも(股・腿). ＝넓적다리. 語例 ～골 大腿骨.

대파【大破】[tae:p'a]〈名・하自他〉大破. 句例 배가 ～하다 船が大破する／적을 ～하다 敵を大破する. 語例 ～되다 大破する〔される〕.

대파【代播】[tae:p'a]〈名・하他〉(日照りで)田植えや種まきのできなかった田畑に, 代わりの穀物の種をまくこと.

대판【大―】[tae:p'an] ■〈名〉❶'대판거리'の略. ❷広い度量.
■〈副〉['대판거리로'の略] 大掛かりに. 句例 ～ 싸우다 大げんかをする.

대판-거리【大―】〈名〉大規模な場〔局〕. 句例 ～로 싸우다 おおがかりにけんかをする〔争う〕.

대패 [tae:p'ae]〈名〉〔工〕かんな(鉋). 絵 句例 ～로 밀다 かんなをかける. 語例 대팻날 かんなの刃／대팻밥 かんなくず／대팻집 かんな台.

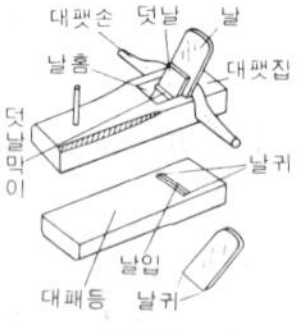

〈대패〉

대패【大敗】[tae:pae]〈名・하自〉大敗. 句例 선거에서 ～하다 選挙で大敗する. 對 대승.

대패-질 [tae:p'aejil]〈名〉かんな掛け. **～하다**〈自〉かんなをかける.

대-평원【大平原】[tae:pyŏng-won]〈名〉大平原.

대포 [tae:p'o]〈名〉大杯. 句例 ～ 한잔 하다 居酒屋で一杯ひっ掛ける. 語例 대폿집 一杯飲み屋. 立ち飲み屋. 居酒屋.

****대포**【大砲】[tae:p'o]〈名〉❶大砲. 句例 ～를 쏘다 大砲を撃つ. ❷うそ. ほら. 句例 ～가 세다 大ほら吹きだ.

대폭【大幅】[tae:p'ok] ■〈名〉大幅.
■〈副〉大幅に. ぐんと. 句例 예산을 ～ 삭감하다 予算を大幅に削減する／～ 늘리다 大幅にふやす／매상이 ～ 오르다 売り上げがぐんと伸びる.

대폭-적【大幅的】[tae:p'okchŏk]〈名・冠〉大幅. 句例 ～인 가격 인상 大幅な値上げ／～인 기구 개편 大幅の機構改編.

****대표**【代表】[tae:p'yo]〈名・하他〉代表. 句例 정부를 ～하다 政府を代表する. 語例 ～자 代表者／한국 ～팀 韓国代表チーム／～ 이사 代表取締役／～작 代表作／～ 번호 (電話の)代表番号.

대풍【大豐】[tae:p'ung]〈名〉大豊作. 句例 눈은 ～의 징조 雪は大豊作の前触れ.

대-풍류【一風流】[tae:p'ungnyu]〈名〉〔樂〕笛・チャング・太鼓・鼓弓などで演奏する音楽.

대피【待避】[tae:p'i]〈名・하他〉待避. 句例 방공호로 ～하다 防空壕に待避する. 語例 ～소 待避所／～선 待避線.

대필【代筆】[tae:p'il]〈名・하他〉代筆. 句例 편지를 ～해 주다 手紙を代筆してやる.

대하【大河】[tae:ha]〈名〉大河. 語例 ～ 소설 大河小説.

대하【大蝦】[tae:ha]〈名〉〔動〕いせえび.

대하【帶下】[tae:ha]〈名〉〔醫〕こしけ(腰気・帯下). 下り物. ＝대하증(症). 냉(冷).

***대-하다**【對―】[tae:hada](→하다)〈自他〉対する. ❶向かい合う. 句例 얼굴을 마주 ～ 面と向かう／길을 사이에 두고 마주 ～ 道を挟んで相対する. ❷相手にする. 句例 동생에게 심하게 ～ 弟につらく当たる／추위에 대하여 민감하다 寒さに敏感である. ❸もてなす. 接待する. 句例 친절한 태도로 손님을 ～ 親切な態度でお客を接待する. ❹('…에 대한'の形で)…についての. 句例 현대 문학에 대한 문제 現代文学についての問題／그 사건에 대한 수사 その事件に関する捜査. ❺('…에 대하여'の形で)…について. …に関して. 句例 정치에 대하여 큰 관심을 가지다 政治に対して大きな関心を持つ. 文例 이 문제에 대하여 생각하는 바를 말하시오 この問題につき思うところを述べよ.

****대학**【大學】〈名〉大学. 句例 ～에 들어가다 大学に入る／～을 졸업하다 大学を卒業する／～을 나오다 大学を出る／～을 그만두다 大学をやめる. 語例 ～ 교수 大学教授／～ 병원 大学病院／～생 大学生／～원 大学院／전문 ～ 短期大学.

대-학교【大學校】〈名〉大学. 総合大学. ユニバーシティー.

대-학자【大學者】[tae:hakcha]〈名〉大学者.

대한【大旱】[tae:han]〈名〉大旱. 大日照り. 句例 칠년 ～에 비 바라듯 七年の大旱に雨を望むよう(に強く待ち望む).

대한【大寒】[tae:han]〈名〉大寒.

***대한**【大韓】[tae:han]〈名〉大韓・. ❶'대한 민국'の略. 語例 ～ 무역 진흥 공사 大韓貿易振興公社. コトラ(KOTRA)／～ 적십자사 大韓赤十字社. ❷'대한 제국'の略.

***대한 민국**【大韓民國】[tae:hanmin-guk]〈名〉〔地〕大韓民国. 語例 ～ 임시 정부 大韓民国臨時政府. 1919年4月, 中国の上海で組織された.

대한 제국【大韓帝國】[tae:hanje:guk]〈名〉〔史〕大韓帝国. 朝鮮朝の高宗30年(1897)から日本に強制併合されるまで(1910)の国号.

대한 해협【大韓海峽】[tae:hanhae:hyŏp]〈名〉〔地〕朝鮮海峡.

대합【大蛤】[tae:hap]〈名〉〔貝〕はまぐり(蛤). ＝대합조개.

대합-실【待合室】[tae:hapshil]〈名〉待合室. 句例 ~에서 기다리다 待合室で待つ.

대항【對抗】[tae:hang]〈名・하自他〉対抗. 句例 적에 ~하다 敵に立ち向かう / ~할 수 있는 힘 対抗できる力. 語例 ~ 경기 対抗競技 / ~전 対抗戦 / ~책〔력〕対抗策〔力〕.

대해【大害】[tae:hae]〈名〉大害. 句例 태풍으로 ~를 입다 台風で大害を被る.

대해【大海】[tae:hae]〈名〉大海. 大海原. 句例 망망한 ~ 茫茫たる大海.

대행【代行】[tae:haeng]〈名・하他〉代行. 句例 직무를 ~하다 職務を代行する. 語例 ~ 기관 代行機関.

대-행성【大行星】[tae:haengsŏng]〈名〉大惑星.

대향【對向】[tae:hyang]〈名・하自他〉対向.

대형【大兄】[tae:hyŏng]〈名〉大兄. 表現 書簡文などで同輩またはやや年長の相手に使う敬称.

*대형【大型・大形】[tae:hyŏng]〈名〉大型〔大形〕. 句例 ~의 자동차 大型の自動車. 語例 ~ 선박〔냉장고〕 大型船舶〔冷蔵庫〕/ ~화 大型化 / ~주 大型株.

대형【隊形】〈名〉隊形. 句例 ~을 정비하다 隊形を整える. 語例 전투 ~ 戦闘隊形.

*대화【對話】[tae:hwa]〈名・하自〉対話. 会話. 句例 ~의 광장 対話の広場 / ~를 나누다 話を交わす. 語例 ~체 対話体 / ~극 対話劇 / 남북 ~ 南北対話.

대-환영【大歡迎】[tae:hwanyŏng]〈名・하他〉大歓迎.

*대회【大會】[tae:hoe]〈名〉大会. 句例 ~를 개최하다 大会を開催する / ~에 참가하다 大会に参加する. 語例 체육〔시민・국제〕 ~ 体育〔市民・国際〕大会.

대효【大孝】[tae:hyo]〈名〉大孝. 至孝. 優れた孝行.

*댁【宅】一〈名〉お宅. 文例 ~이 어디십니까 お宅はどちらですか / ~으로 보내드리겠습니다 お宅にお届けします / 주인께서는 ~에 계시죠 だんな様はご在宅でしょう. 語例 선생님 ~ 先生のお宅.

二〈依名〉❶夫の姓や職位の後に付けて, その人の妻であることを示す語: …夫人. …の奥さん. 語例 김사장 ~ 金社長夫人 / 처남 ~ 妻の男兄弟の奥さん. ❷女性の実家のある地名に付けてそこから嫁いできた人であることを示す語. 語例 강화 ~ 江華(カンファ)から(嫁いで)きた嫁〔奥さん〕.

三〈代〉名前が分からない対等以上の人を遠回しに呼ぶ語: お宅様. あなた. そちら. 文例 ~은 뉘시오 そちらはどなた(さま)ですか / ~은 이 일을 알고 계십니까 お宅はこの事をご存じですか.

表現 三では'참판댁 次官夫人' '밀양댁 =密陽(ミリャン)生まれの奥さん'は[ch'amp'anttaek], [miryangttaek]のように常に'댁'が[ttaek]と濃音化する.

댁-내【宅內】[taengnae]〈名〉お宅. ご家族一同. 文例 ~가 다 평안하십니까 お宅の皆さんお元気でいらっしゃいますか.

댁-네【宅一】[taengne]〈名〉目下の人の妻を呼ぶ語: 奥さん.

댁-대구루루〈副〉小さくて固い物がぶつかったり落ちたりして転がる音〔さま〕: ころころ. ことこと.

댄서〈名〉ダンサー. ◇dancer

댄스〈名〉ダンス. 語例 ~파티 ダンスパーティー / ~ 홀 ダンスホール. ◇dance

*댐〈名〉ダム. 語例 다목적~ 多目的ダム / 아치~ アーチダム. ◇dam

댑-싸리〈名〉〔植〕ほうきぐさ.

댓 [tae:t] 一〈數〉五つくらい. 句例 친구 ~이 찾아오다 友達五人ぐらいが訪ねてくる.

二〈冠〉五つくらい〔ほど〕の. 句例 ~사람이 모이다 五人ほどの人が集まる.

댓-가지〈名〉竹の枝.

댓-개비〈名〉竹ひご. 竹ぐし.

댓-돌【臺一】〈名〉雨落ちの内側に地面がくぼまないように敷きめぐらした石. 雨落ち石.

댓바람-에 [taetparame]〈副〉すぐに. 直ちに. いきなり. 急に. 句例 ~ 따귀를 올려붙이다 いきなりほっぺたを張り飛ばす.

댓살-배기 [tae:tsalbaegi]〈名〉五歳くらいの子供.

댓새 [tae:tsae]〈名〉五日くらい.

댓-잎 [taennip]〈名〉竹の葉.

댓-조각〈名〉竹切れ.

댓-진【一津】〈名〉(キセルの穴にたまった)タバコのやに. 句例 ~이 끼다 やにがたまる.

댓진 먹은 배암 タバコのやにを食らった蛇. 運の尽きた人のたとえ.

댕그랑〈副・하自他〉風鈴などの鳴る音: ちりん. 略して'댕강'ともいう. ~거리다〈自他〉ちりんちりんと鳴る.

댕그랑댕그랑〈副・하自他〉ちりんちりん.

댕기〈名〉手絡. 弁髪の尾に結い付ける赤紫・黒色のきれ〔リボン〕.

댕기다 一〈自〉火がつく. 燃え移る. 句例 옷자락에 불이 ~ すそ(裾)に火が燃え移る.

二〈他〉火をつける. 点火する. とも(点)す. 句例 등잔에 불을 ~ ランプに火をともす / 촛불을 ~ ろうそくをともす. ▷→囲み記事 25

댕기-풀이 [taenggip'uri]〈名・하自〉〔民〕冠礼の祝いに友達にごちそうを振る舞った古めかしい習わし.

댕-댕〈副〉銅鑼などを続けて打ち鳴らす音: かんかん. ごんごん. ちんちん.

댕댕이-덩굴〈名〉〔植〕青つづらふじ.

**더〈副〉❶(数量的に)より多く. もっと. もう. 句例 ~ 많이 もっとたくさん / 하나 ~ もう一つ / 조금 ~ もう少し. 文例 필요하면 ~ 가져 가려무나 欲しければもっと持って行けよ. ❷(時間的に)より長く. もう少し. 文例 잠깐만 ~ 기다려 주십시오 今しばらく〔もう少しだけ〕お待ちください. ❸(程度が)もっと. さら(更)に. 一層. なおさら(尚更). 句例 ~ 아프다 もっと痛い / 비가 ~ 세차게 오다 雨がさらに激しく降る. 文例 내달은 ~ 추워진단다 来月はなおさら寒くなるそうだ / ~ 이상 참을 수 없다 もうこれ以上我慢

ㄷ

しきれない〔我慢できない〕. ❹(否定の表現とともに用いられて)もはや…ない. もう…ない. 文例 ～ 참을 수 없다 もう我慢できない.

더도 말고 덜도 말고 한가위만 같아라 満ち過ぎたり足りなかったりすることなくすくなくとも'추석(秋夕)'のように暮らしたいものだ. 暑くもなく寒くもなく衣食も豊かに楽しく過ごせるお盆の日のように暮らすことができればという願望を表わす.

***더구나** 〈副〉 '더군다나'の略.

더군다나 〈副〉その上(に). しかも. さらに. のみならず. あまつさえ. なお. 文例 의욕도 있고 ～ 능력도 있다 意欲もあり, さらに能力もある / ～ 바람까지 불어서 더욱 춥다 その上に風まで吹いてなおさら寒い.

더그매 〈名〉 屋根裏.

더껑이 〈名〉 かゆ(粥)や牛乳などの表面にできる薄い膜.

더께 〈名〉 凝り固まったあか(垢).

더끔-더끔 〈副〉 重ね重ね. もっともっと.

더넘 〈名〉 ひっかぶった心配事.

더넘-스럽다 (→스럽다) 〈形〉 必要以上に大きい.

더-더군다나 〈副〉 '더군다나'の強調語.

더-더욱 〈副〉 '더욱'の強調語.

더덕 〈名〉〔植〕 つるにんじん(蔓人参). ととき.

더덕-더덕 〈副〉 一面に塗りつぶしたり張りついてあるさま: べたべた. 句例 분을 ～ 바르다 おしろいをべたべた塗る.

더뎅이 〈名〉 かさぶたやあか(垢)の塊. 句例 ～가 앉다 かさぶたができる.

더듬-거리다 〈自他〉 ❶手探りする. 句例 성냥을 더듬거려 찾다 マッチを手探りで探す. ❷たど(辿)る. 句例 눈길을 ～ 雪道をたどる. ❸言いよどむ. ども(吃)る. 句例 더듬거리며 말하다 どもりがちに話す. ❹たどたど(辿辿)しい. 句例 책을 더듬거리며 읽다 本をたどたどしく読む.

더듬더듬 〈副・하自他〉 しきりに手探りする〔どもる〕さま. 句例 ～ 말하다 つかえつかえ話す.

***더듬다** [tŏdŭmtta] 〈他〉 ❶手探りする. 句例 장롱 속을 ～ たんすの底を手探る. ❷(道を)たどる. 尋ね探す. 句例 산길을 더듬어 겨우 절을 찾다 山道をたどってやっと寺をさがし当てる. ❸ども(吃)る. 句例 더듬으면서 말하다 どもりながら話す. ❹(記憶などを)たどる. 句例 추억을 ～ 追憶をたどる.

더듬-이 [tŏdŭmi] 〈名〉〔蟲〕 ⇨ 촉각(觸角)

더듬적-거리다 〈他〉 ❶のろのろとしきりに手探りする. ごそごそする. ❷のろのろとどもりながら話す〔読む〕.

더디 〈副〉 遅く. 句例 심부름간 아이가 ～ 돌아오다 お使いに行った子が遅く帰って来る / 기차가 ～ 가다 汽車がのろのろ進む.

더디다 〈形〉 遅い. のろい. 句例 발걸음이 ～ 歩みがのろい / 진보가 ～ 進歩が遅い / 머리 회전이 ～ 頭の回転が鈍い. 文例 계산이 좀 더디지만 정확합니다 計算がちょっと遅いんですが正確です.

더디-더디 〈副〉 非常にのろのろと. しきりに遅く.

더러[1] 〈副〉 ❶いくらか. 多少. 文例 사람이 ～ 모였더라 人がいくらか〔何人か〕集まっていたよ. ❷たまに. 時時. 時折. まれに. 文例 요즘 그를 ～ 만난다 この頃彼をたまに会う.

더러[2] 〈助〉 …に. 文例 그 사람～ 물어 보시오 その人に聞いてみなさい.

더러-더러 〈副〉 '더러[1]②'の強調語: たまに. 文例 ～ 테니스를 치는 일도 있지 たまにはテニスをやることもある.

더러움 [tŏ:rŏum] 〈名〉 汚・けれ. 略して'더럼'ともいう. 句例 세상의 ～을 모르는 아이 世の中の汚れを知らない子供.

***더러워-지다** [tŏ:rŏwojida] 〈自〉 ❶汚くなる. 汚れる. あか(垢)がつく. 句例 옷이 ～ 服が汚れる / 때가 끼어 ～ あかじ(垢染)みる. ❷(志が)曲がる. 汚れる. 句例 마음이 ～ 心が卑しくなる. ❸醜くなる. 汚くなる. 句例 모양이 ～ 容姿が醜くなる. ❹操を失う. 句例 더러워진 몸 汚れたからだ. ❺名折れになる. 不名誉になる. 句例 가문의 명예가 ～ 家門の名誉が汚される.

더럭 〈副〉 ❶(一度に)どっと. たくさん. 文例 돈이나 ～ 주면 좋겠다 お金でもどっさりくれたらいいのに. ❷むらむら. どっと. 句例 ～ 겁이 나다 急に〔どっと〕お(怖)じけ(気)づく.

더럭-더럭 〈副〉 しつこく. しきりに. 句例 어머니를 ～ 조르다 母にしつこくねだる.

더럼 [tŏ:rŏm] 〈名〉 '더러움'の略: 汚・けれ. 句例 ～을 타다 汚れやすい.

더럽게 [tŏ:rŏpke] 〈副〉 いやに. 浅ましいほどひどく. 句例 ～ 쩨쩨하다 いやにけち臭い.

＊더럽다 [tŏ:rŏpta] (더러우니, 더러워서) 〈形〉 汚い. ❶汚れている. 不潔だ. 汚らしい. 句例 더러운 옷 汚い服 / 더러운 옷차림을 하고 있다 汚い身なりをしている / 손이 ～ 手が汚れている. ❷下品だ. 卑しい. 句例 더러운 자식 汚いやつ / 입이 ～ 口汚い. ❸醜い. 句例 더러운 환경 悪い環境. ❹卑怯だ. 句例 더러운 방법 汚い方法 / 더러운 승부 汚い勝負. ❺けちだ. みみっちい. 句例 돈에 아주 더럽게 굴다 お金にとてもけち臭く振る舞う.

더럽혀-지다 [tŏ:rŏp'yŏjida] 〈自〉 '더럽히다'の受け身: 汚される. 傷つけられる. 文例 한번 더럽혀진 명예는 되찾기 힘들다 一度損なわれた名誉は回復するのが難しい〔回復しにくい〕.

＊더럽히다 [tŏ:rŏp'ida] 〈他〉 汚・よす. ❶不潔にする. 句例 옷을 ～ 服を汚す / 낙서를 해 벽을 ～ 落書きで壁を汚す. ❷(操を)奪う. 句例 여자의 정조를 ～ 女の貞操を犯す. 女を汚す. ❸(名誉を)汚す. 冒瀆する. 句例 체면을 ～ 面を汚す. 体面を損なう / 가명을 ～ 家名を汚す / 말석을 ～ 末席を汚す《겸양의 뜻》. ❹醜くする.

***더미** 〈名〉 積み重ね. 山. 句例 잿～로 변하다 (火に燃えて)灰になる / 빚～에 올라 앉다 借金で首が回らない / 쓰레기 ～를 치우다 山と積まれたごみを片付ける / 장작을 산～처럼 쌓아 놓다 まき(薪)を山のように高く積み重ねておく. 語例 볏～ 稲むら.

더미-씌우다 [—ssiuda] 〈他〉 (責任や罪を)

おっかぶせる. 押しつける. ぬ(濡)れぎぬ(衣)を着せられる. 句例 죄를 친구에게 ～ 罪を友人におっかぶせる.

더버기 〈名〉❶(積み上げた)やま. 句例 흙～ 土やま. ❷…だらけ. …まみれ. 句例 양복이 진흙～가 되다 洋服が泥だらけになる.

더벅-머리 [tŏbŏngmŏri]〈名〉もじゃもじゃの髪. もつれ髪. ざんばら髪.

더부룩-이 [tŏburugi]〈副〉ぼうぼうと. 句例 ～ 자란 머리 ぼうぼうに伸びた髪.

더부룩-하다 [tŏburuk'ada] (→하다)〈形〉❶(草木・髪・ひげなどが)ぼうぼうと茂っている〔生えている〕. 句例 뜰에 잡초가 더부룩하게 자라다 庭に雑草がぼうぼうと生えている. ❷(腹が)張る. (胃が)もたれる. 文例 소화가 안 되어 뱃속이 ～ 消化不良で腹がもたれ気味だ. ❸うず高い. 句例 짚단이 더부룩하게 쌓여 있다 わら束がうず高く積み上げられている.

더부-살이 [tŏbusari]〈名〉(住み込みの)奉公人. 下働き. **～하다**〈自〉住み込む.

더불다〈不他〉('더불어'の形で)'一緒にする'の意を表わす語.

*__더불어__ [tŏburŏ]〈副〉('-와〔-과〕～の形で) ❶一緒に. 共に. 句例 자연과 ～ 지내다 自然と共に過ごす. 文例 우리들과 ～ 가기로 했다 われわれと一緒に行くことにした. ❷相手に(して). 文例 그와 ～ 겨루었다 彼を相手に競った.

더블〈名〉ダブル. 語例 ～ 베드 ダブルベッド / ～ 헤더 ダブルヘッダー / ～ 베이스 ダブルベース. ◇double

더블유-시【WC】[tŏbŭryushi:]〈名〉ダブリューシー. トイレ. ◇water closetの略.

더빙〈名・하自他〉ダビング. ◇dubbing

더-없이 [tŏŏpshi]〈副〉この上なく. またとなく. 句例 ～ 아름답다 またとなく美しい / ～ 반갑다 この上なくうれしい.

**__더욱__〈副〉もっと. さらに. より一層. より. 句例 ～ 힘든 일 より骨の折れる仕事 / 병세가 ～ 악화되다 病勢がさらに悪くなる / ～ 심해지다 もっと〔さらに〕ひどくなる. 文例 ～ 빨리 해라 もっと早くしなさい / ～ 열심히 공부해야 한다 より一層熱心に勉強しなければならない.

더욱-더〈副〉さらに一層. なおさら. ますます. ＝더한층. 句例 ～ 아름다워지다 さらに一層美しくなる. 文例 ～ 고향이 그리워집니다 ますます故郷が懐かしくなります.

더욱-더욱〈副〉もっともっと. ますます. 文例 ～ 행복하시길 빕니다 より一層のお幸せを祈ります.

*__더욱-이__ [tŏugi]〈副〉その上に. さらに. なおかつ. 句例 ～ 곤란한 것은 その上に困ったことには. 文例 그녀는 예쁘기도 하지만 ～ 마음씨가 곱다 彼女はきれいでもあるけれども, さらに気立てもやさしい.

**__더운-물__〈名〉温めた水. 温水. 湯. ㊊찬물.

더운-밥〈名〉炊きたての熱いご飯. ㊊찬밥.

더운-찜질〈名〉〔醫〕温湿布. ＝온엄법(溫罨法).

*__더워-지다__〈自〉❶(気候が)暑くなる. ❷熱く〔温かく〕なる. ❸体温が高くなる. 文例 갑자기 몸이 더워지기 시작했다 急にからだが熱くなりだした.

더워-하다 (→하다)〈自〉暑がる.

*__더위__〈名〉❶暑さ. 句例 심한 ～ ひどい暑さ / 숨막히는 ～ 息苦しい暑さ / 찌는 듯한 ～ 蒸すような暑さ / 타는 듯한 ～ 焼けつくような暑さ / ～를 피하다 暑さを避ける / ～를 견뎌내다 暑さを耐え忍ぶ / ～에 강하다〔약하다〕 暑さに強い〔弱い〕. ❷〔韓醫〕暑気当たり. 夏負け.

더위(를) 먹다 暑気当たりする. 暑さ負けする.

더위(를) 타다 暑がる. 暑さに負ける. 暑さに弱い.

더위-잡다〈他〉(高い所に登ろうとして何かを)つかむ.

더치다 ━〈自〉(治っていたり, 治りかかっていた病気が)再発する. ぶり返す. 高じる. 句例 찬 바람을 쐬어 감기가 ～ 冷や風に当たって風邪がぶり返す.

━〈他〉寝そびらせる. 句例 자는 아이를 더쳐서 울리다 寝る子を小突いて泣かす.

더펄-머리〈名〉ふさふさした髪.

더펄-이 [tŏp'ŏri]〈名〉おっちょこちょい. そそっかしい人.

더-하기〈名〉〔數〕足し算. 加え算. 文例 5～3은 8 五足す三は八. ㊊빼기.

**__더-하다__ (→하다) ━〈自〉(前より)ひどくなる. 募る. 重くなる. 句例 병세가 ～ 病勢が募る / 그리움이 더해지다 懐かしさが募る / 더위가 더해 가다 暑さがひどくなる.

━〈他〉加える. 足す. 文例 2에 3을 더하면 5다 二に三を足せば五になる.

━〈形〉より多い. よりひどい. 文例 게으르기로 말하자면 그가 ～ 怠ける点では彼がよりひどい.

더할 나위 없다 この上ない. 申し分ない. 最上である. 文例 더할 나위 없이 좋다 申し分なくいい.

더-한층【一層】〈副〉⇨ 더욱더

더해-지다〈自〉ひどくなる. 激しくなる. より以上になる. 句例 점점 더해지는 일손 부족 だんだん深刻化する人手の不足.

덕〈名〉干し竿. 棚.

덕【德】〈名〉❶徳. 句例 ～을 기리다 徳をたたえる / ～을 베풀다 徳を施す / 선행으로 ～을 쌓다 善行によって徳を積む. ❷恩恵. おかげ. 句例 부모 ～에 편안히 살다 父母のおかげで心安らかに暮らす.

덕(이) 되다 得になる. 利益になる. 助けになる. 文例 그의 조언이 크게 덕이 되었다 彼の助言が大いに助けになった.

덕(을) 보다 恵みを受ける. 利益を得る.

덕 〔漢字項目〕

【德(德)】 中學 덕 トク. ❶덕 徳. ㉠몸에 지닌 품성 身に付けた品性. ■德行 덕행 とっこう. 德望 덕망 とくぼう. ㉡널리 영향을 미치는 가르침 広く影響を与える教え. ■德化 덕화 とっか. 德澤 덕택 とくたく. 德育 덕육 とくいく. ❷복 福. 행복 幸

福. ■福德 복덕 ふくとく.

덕담【德談】〈名・하自〉相手に幸せあれかしと述べるあいさつの言葉.
表現 特に, 年始回りの時に交わす幸運や成功を祈る言葉.

덕망【德望】[tŏngmang]〈名〉徳望. 句例 ~이 높다 徳望が高い. 語例 ~가 徳望家.

덕목【德目】[tŏngmok]〈名〉徳目.

***덕분**【德分】〈名〉おかげ. 徳沢. 恩恵. 文例 자네 ~에 성공했네 君のおかげで成功したよ／~으로 살았다 おかげで助かった／누구~인지 아느냐 だれのおかげか知っているのか.
表現 主に'덕분에''덕분으로'の形で用いられる.

덕-불고【德不孤】〈名〉徳は孤ならず. 徳があれば孤立しないこと.

덕색-질【德色一】〈名・하自〉恩着せがましくすること. 恩着せ顔をすること.

덕석〈名〉寒いとき牛の背にかぶせるこも(薦).

덕성【德性】〈名〉徳性. 句例 ~을 기르다 徳性を養う. **~스럽다** (→스럽다)〈形〉徳性が備わっているように見える. 慈悲深く見える. 句例 ~스럽게 생긴 처녀 貞淑で気品のありげな娘.

덕-스럽다【德一】(→스럽다)〈形〉徳があるように見える.

덕용【德用】[tŏgyong]〈名〉徳用. 語例 ~ 성냥 徳用マッチ／~품 徳用品.

덕육【德育】[tŏgyuk]〈名〉徳育.

덕장〈名〉(魚などの)干し竿. また, その干し竿を設けた干し場.

덕지-덕지〈副〉あか(垢)やほこり(埃)などがこびりついて汚いさま: べっとり. こてこて. べたべた. 文例 때가 ~ 끼어 있다 あかがべっとりと付いている.

덕택【德澤】〈名〉徳沢. おかげ. 恩恵. 恵み. 文例 모든 게 선생님 ~입니다 すべてが先生のおかげです. 語例 ~에 おかげで.

덕행【德行】[tŏk'aeng]〈名〉徳行. 句例 ~으로 알려져 있다 徳行で知られている.

덕화【德化】[tŏk'wa]〈名・하他〉徳化. 句例 ~가 만민에게 미치다 徳化が万民に及ぶ. 語例 ~되다 徳化する〔される〕.

덖다[1]〈自〉ひどくあかじ(垢染)みる.

덖다[2]〈他〉(水気のある物を)い(煎)る. いた(炒)める.

던적-스럽다 [tŏ:njŏksŭrŏpta] (→스럽다)〈形〉汚らしい. 卑しい. さもしい. けち臭い. いやらしい. 句例 던적스러운 마음 さもしい心／던적스럽게 굴다 けち臭く振る舞う.

던져-두다〈他〉捨て置く. うっちゃる. ほったらかす.

****던지다**〈他〉投げる. ❶㉠(遠くへ)ほう(放)る. 投じる. 句例 공을 ~ ボールを投げる／붓을 ~ 筆を投げる／개에게 돌을 ~ 犬に石を投げる／폭탄을 ~ 爆弾を落とす／사재를 던져서 장학회를 만들다 私財をなげう(擲)って奨学会をつくる／사표를 ~ 辞表をたたきつける.
㉡(身を)投じる. 飛び込む. 句例 텀벙하고 강물에 몸을 ~ ざぶんと川に飛び込む／정계에 몸을 ~ 政界に身を投じる／나라를 위해 몸을 ~ 国のために身を投じる.
㉢差し出す. 持ち出す. 句例 화제를 ~ 話題を投げる.
㉣あきらめる. 句例 (바둑에서) 돌을 ~ (碁で)投げを打つ.
❷投票する. 句例 …에게 깨끗한 한 표를 ~ …に清い一票を投じる／찬성표를 ~ 賛成票を投じる.
❸影響を及ぼす. 投げかける. 句例 학계에 파문을 ~ 学界に波紋を投げかける／깊은 감동과 충격을 던진 화제작 深い感動と衝撃を投げかけた話題作.

던지럽다 [tŏ:njirŏpta] (던지러우니, 던지러워서)〈形〉卑しい. いやらしい. さもしい. 下品だ.

***덜** [tŏ:l]〈副〉❶(形容詞の前について)少なく. 少なめに. 句例 어제보다 ~ 춥다 きのうほど寒くない／비행기보다 ~ 빠르다 飛行機より速くない. ❷(動詞の前について)まだ…ない. 句例 ~ 익은 감 十分に熟していないかき(柿). しぶがき／~ 마른 셔츠 生乾きのシャツ／~ 취한 사람 まだあまり酔っていない人／~ 익다〔끓다・삶다〕 煮が足りない／잠이 ~ 깨다 眠りからまだ覚めていない.

덜거덕〈副・하自他〉固くて厚みのある物がぶつかるとき出す音: がちり. がたっと. 略して'덜걱'ともいう. 句例 대문이 ~하고 열리다 門ががたっと音を立てて開く. **~거리다**〈自他〉がたがたする.
덜거덕덜거덕〈副・하自他〉がたがた.

덜그럭〈副・하自他〉固くてやや大きな物がぶつかったりすれ合うとき出す音: がらがら. **~거리다**〈自他〉しきりにがらがら鳴る.

****덜다** [tŏ:lda] (더니, 덜어서)〈他〉減らす. 省く. 和らげる. 少なくする. 分ける. 句例 수고를 ~ 労(手間)を省く／고통을 ~ 苦痛を和らげる／경비를 ~ 経費を減らす／큰 그릇에서 덜어 내다 大きな器から分ける／부담을 ~ 負担を軽くする／짐을 ~ 荷物を少なくする.

덜덜〈副〉❶寒くて〔怖くて〕からだが震えるさま: ぶるぶる. がたがた. 句例 무서워서 무릎이 ~ 떨리다 恐ろしくてひざがくがくと震える／추워서 몸이 ~ 떨리다 寒さでからだがぶるぶる震える. ❷固い地面を車などが走る音: がらがら. 句例 짐수레가 ~ 굴러가다 荷車ががらがら進んで行く. **~거리다**〈自他〉❶続けてぶるぶる〔がたがた〕と身震いする. ❷続けてがらがらと音を出す. 句例 짐수레의 ~거리는 소리 荷車のがらがらする音.

덜-되다 [tŏ:ldoeda]〈形〉❶出来上がっていない. 完成していない. 文例 절차가 아직 덜되었다 手続きがまだ終わっていない. ❷間抜けである. 足りない. 文例 저 놈은 하는 짓이 덜되었다 あいつの行いはまだ足りない.

덜떨어지다 [tŏ:lttŏrŏjida]〈形〉成長しきっていないで愚かだ. 幼稚だ.
表現 子供の頭にこびりついたあか(垢)がまだ取れていないの意.

덜렁〈副・하自他〉❶大きな鈴がゆれたり, 大き

なものが互いにぶつかるとき出る音：りん．からん．❷そそっかしく振る舞うさま：ちゃかちゃか．❸驚き・恐怖で胸が激しく打つさま：どきっと．句例 가슴이 ～ 내려 앉다 胸がどきっとする．～**거리다**〈自他〉❶りんりんと鳴る．❷ちゃかちゃかする．句例 ～거리는 사람 そそっかしい人．❸胸がどきどきする．ひやっとする．

덜렁-말〈名〉暴れ馬．荒馬．

덜렁-쇠〈名〉そそっかし屋．あわてもの．おっちょこちょい．がさつな人．

덜렁-이〈名〉⇨ 덜렁쇠

덜렁-이다〈自〉そそっかしく振る舞う．慌てふためく．

덜리다〈自〉'덜다'の受け身：減^(らされ)る．少なくなる．省かれる．和らぐ．句例 수고가 ～ 手間が省かれる．

덜미〈名〉'뒷덜미'の略：首筋．首根っこ．

덜미를 누르다 首根っこを押さえる．

덜미(를) 잡히다 ❶首筋をつかまれる．首根っこを押さえられる．❷弱点を握られる．

덜미(를) 짚다 ❶首筋をつかまえて行く．❷(首筋を押さえんばかりに)ひどく催促する．せき立てる．

덜미-잡이 [tŏlmijabi]〈名・하他〉❶首筋をつかまえて行くこと．❷相撲での首投げ．

덜어-내다 [tŏrŏnaeda]〈他〉(一部を)取り出す．減^らす．省く．取り移す．分ける．

덜컥〈副〉ぎくり(と)．ぎくっ(と)．がくん(と)．どっと．句例 겁이 ～ 나다 ぎくりとする／가슴이 ～ 내려앉다 胸がぎくりとする／～ 몸져 눕다 どっと病床につく／뇌출혈로 ～ 죽다 脳出血でぽっくりと亡くなる／심한 충격을 받고 ～ 쓰러지다 激しい衝撃を受けてどっと倒れる．

덜컹〈副・하自他〉['덜커덩'の略] がちゃん．句例 ～하고 소리를 내다 がちゃんと音をたてる．～**거리다**〈自他〉がちゃんがちゃんする．句例 바람에 문이 ～거리다 風で戸ががたがたする．

덜컹덜컹〈副・하自他〉がちゃんがちゃん．

덜-하다 [tŏ:lhada] (→하다) ■〈自他〉❶(前よりは)ひどくない．減^る．薄らぐ．句例 기침이 ～ 咳が和らぐ／해가 지남에 따라 슬픔이 덜해지다 年がたつにつれて悲しみが薄らぐ．❷減じる．減^らす．句例 경비를 ～ 経費を減らす／주량을 ～ 酒量を減らす．

■〈形〉より少ない．句例 단맛이 ～ 甘みが足りない／관객이 전보다 ～ 観客が前より少ない．

덤 [tŏ:m]〈名〉❶おまけ．景品．文例 다 사시면 그것을 ～으로 드리겠습니다 皆お買いあげくだされぱそれをおまけに差し上げます．❷(碁で)込み．＝공제(控除)．文例 ～을 치르고도 흑이 반 집 이겼다 込みを引いても黒が半目勝った．

덤덤-하다 (→하다)〈形〉❶押し黙っている．文例 아무리 물어도 말은 않고 덤덤하게 앉아 있을 뿐이다 どんなに尋ねても口をきかずに黙って座っているばかりだ．❷平然としている．淡淡としている．句例 덤덤하게 이야기하다 淡淡と話す．❸(味が)薄い．味がない．水っぽい．句例 국맛이 ～ スープの味が薄い．**덤덤히**〈副〉黙黙と．淡淡と．

덤-받이 [tŏ:mbaji]〈名〉(妻の)連れ子．

덤벙〈副・하自他〉重くて大きな物が水に落ちる音〔さま〕：どぶん．句例 바다에 ～ 뛰어들다 海にどぶんと飛び込む．

덤벙덤벙〈副・하自他〉どぶんどぶん．

덤벙-이다〈自〉浮つく．そそっかしく振る舞う．

⁑**덤벼-들다** (—드니，—들어서)〈自〉飛びかかる．躍り〔襲い〕かかる．食いかかる．句例 사납게 ～ 猛然と襲いかかる．

덤불〈名〉草むら．やぶ(藪)．茂み．句例 ～이 우거지다 やぶがおい茂っている．

⁑**덤비다**〈自〉❶飛びかかる．襲いかかる．句例 개가 ～ 犬が飛びかかる／갑자기 ～ いきなり飛びかかる．❷食ってかかる．突っかかる．文例 조그만 놈이 어른한테 덤비면 못써 ちびのくせに大人に食ってかかっちゃだめだよ．❸せ(急)く．急ぐ．慌てる．文例 너무 덤비지 마 あまり焦るなよ／그렇게 덤벼서는 일이 안 된다 そんなにせ(急)いては事を成し得ない．

덤터기〈名〉(他人に押しつけたり押しつけられたりする)心配事．(身に覚えのない)疑い．

덤터기(를) 쓰다 ❶他人の心配事をしょい込む．❷(身に覚えのない) 疑いをかけられる．

덤터기(를) 씌우다 心配事を人に押しつける．なす(擦)りつける．ぬれぎぬを着せる．

덤프 카 [tŏmpŭk'a:]〈名〉ダンプカー．◇dump car

덤핑〈名〉〔經〕ダンピング．語例 ～ 관세 ダンピング関税．◇dumping

⁑**덥다** [tŏ:pta] (더우니，더워서)〈形〉❶暑い．句例 찌는 듯이 ～ 蒸し暑い／한창 더울 때 暑い盛り／날씨가 너무 ～ 暑すぎる．語例 덥게 暑く．對 춥다．❷体温が高い．熱がある．熱い．文例 인삼은 몸을 덥게 한다 朝鮮人参はからだを温める効き目がある．❸温かい．句例 더운 물 湯／더운 술 熱い酒．對 차다．

参考 '더운 暑い' '더워 暑く'は[tŏun]，[tŏwo]と短音になる．

덥석〈副〉わしづか(鷲掴)みにしたりかぶりつくさま：ひしと．むんずと．がぶりと．句例 아기를 ～ 안다 赤ん坊をひしと抱き締める／사과를 한 입 ～ 물다 りんごを一口かぶりつく．

덥석덥석〈副・하他〉ひしと．むんずと．がぶりがぶりと．句例 ～ 먹어치우다 ぱくぱくと食べてしまう．

덧〈名〉極めて短い時間．間．文例 어느～ 봄이 왔다 いつの間にか春が来た．

덧-가지〈名〉余計な枝．

덧-거름〈名・하自〉〔農〕追肥．追い肥．

덧-거리〈名・하他〉❶余分．余計な物．❷(あらぬことを)付け足して言うこと．誇張．語例 ～질 (あらぬことを)付け足して誇張する行為．

덧-깔다 (덧까니，덧깔아서)〈他〉重ねて敷く．句例 요 위에 담요를 ～ 敷きぶとんの上に毛布を敷き重ねる．

덧-나다[1] [tŏnnada]〈自〉❶(はれ物などが)とが

(咎)める. こじれる. 句例 상처가 ～ 傷口が悪化する / 종기가 ～ はれ物がとがめる. 類더치다. ❷(感情が)損なう. 文例 한번 감정이 덧나면 좀처럼 풀 줄 모른다 一度機嫌を損ねたらなかなか直らない.

덧-나다² [tŏnnada]〈自〉余計に突いて出る〔生える〕. 句例 이가 ～ 八重歯が生える.

덧-날 [tŏnnal]〈名〉裏がんな.

덧-내다 [tŏnnaeda]〈他〉❶(はれ物などを)とが(咎)める. こじらす. 句例 병을 ～ 病をこじらす / 상처를 ～ 傷口をとがめる. ❷(感情を)損ねる.

덧-니 [tŏnni]〈名〉八重歯. 語例 ～박이 八重歯の(生えた)人.

덧-대다〈他〉(布などを)重ねて当てる.

덧-들이다 [tŏttŭrida]〈他〉❶(感情を)損なう. 怒らせる. ❷寝そびらせる. 句例 잠을 ～ 寝そこなう. 寝そびれる.

덧-문【一門】[tŏnmun]〈名〉雨戸.

덧-버선〈名〉上足袋.

덧-붙이다 [tŏtpuch'ida]〈他〉❶重ねて付ける. ❷付け加える. 付け足す. 句例 덧붙여서 말하다 付け加えて話す.

덧-셈〈名・하自〉〔數〕足し算. 寄せ算. 對뺄셈.

덧-신〈名〉上靴. オーバーシューズ.

덧-신다 [tŏtshintta]〈他〉(靴・たびの上に)重ねてはく.

덧-양말【一洋襪】[tŏnnyangmal]〈名〉靴下カバー.

덧-없다 [tŏdŏpta]〈形〉❶跡形もない. 句例 덧없이 황폐한 옛 성터 跡形もなく荒れ果てた古城. ❷時の流れが速い. 句例 덧없는 세월 矢のように速い歳月. 瞬く間に過ぎる年月. ❸はかない. ㉠無常である. 定めがない. 句例 덧없는 사람 목숨 常ならぬ人の命 / 덧없는 세상에 살다 無常の世に生きる / 인생의 덧없음을 깨닫다 人生のはかなさを悟る. ㉡むな(空)しい. 句例 덧없는 꿈 はかない夢 / 덧없이 죽어 가다 むなしく死んでいく / 덧없는 희망을 걸다 はかない〔淡い〕望みをかける. ㉢かりそめである. 句例 덧없는 사랑 はかない〔かりそめの〕恋. **덧없이** [tŏdŏpshi]〈副〉❶跡形もなく. ❷(時の流れが) 速く. 矢のように. ❸はかなく. 文例 청춘기가 덧없이 지나갔다 青春期がむなしく過ぎ去った.

덧-저고리〈名〉 チョゴリの上に重ねて着るチョゴリ.

덧-줄〈名〉〔樂〕(五線紙の)加線.

덩〈名〉〔史〕王女の乗るこし(輿).

덩굴〈名〉〔植〕つる(蔓). 句例 ～이 뻗다 つるがはう. 語例 ～풀 つる草 / 칡～ くず(葛)のつる / 등나무 ～ ふじづる.

덩굴-손〈名〉〔植〕巻きひげ.

덩굴-지다〈自〉つるが生い茂る. つるが絡まる. つるがはう.

덩그렇다 [tŏnggŭrŏt'a] (덩그러니, 덩그러오)〈形〉❶高くそび(聳)え立つ. 句例 덩그렇게 큰 집 高くそびえる大きな家. ❷がらんとしている. 文例 빌딩 안은 덩그렇게 비어 있다 ビルディングの内はがらんと空いている.

덩-달다〈自〉しりうま(尻馬)に乗る. 雷同する. 句例 사람들이 떠드니까 덩달아 떠들다 人のしりうまに乗って騒ぎ立てる / 덩달아 웃다 (訳も分からず)つられて笑う.

表現 主に'덩달아' '덩달아서'の形で用いられる.

덩더-꿍〈副〉リズミカルな鼓の音: どんどん.

덩덩〈副〉鼓・太鼓などを打つ音: どんどん. 句例 ～ 북을 울리다 どんどんと太鼓を鳴らす.

덩덩하니 굿만 여겨 どんどんと音を立てるとすぐ'굿 クッ'だと思う(いいことがあると勘違いして騒ぎ立てる).

덩실-거리다〈自〉 興に乗って肩で拍子をとりながら踊りまくる.

덩실덩실〈副・하自〉肩で拍子をとりながら気持ちよさそうに踊るさま.

***덩어리**〈名〉塊. 語例 비계～ 脂肪の塊 / 석탄～ 石炭の塊 / 흙～ 土くれ / 욕심～ 欲の塊 / 얼음～ 氷の塊 / 골칫～ 悩みの種. やっかい者.

덩어리-지다〈自〉塊になる. 固まる.

덩이〈名〉小さな塊. 語例 쇳～ 鉄の塊 / 돌～ 石くれ

덩치〈名〉ずうたい(図体). =덩지. 文例 ～만 컸지 아직 어린애다 ずうたいばかり大きくてまだ子供だ.

덩칫값을 하다 一人前の用〔役割〕をなす.

덩크 슛〈名〉ダンク. ダンキングシュート. ◇dunk shoot

덫〈名〉わな(罠). 落とし. 計略. 句例 ～에 걸리다 わなにかかる〔計略にひっかかる〕/ ～을 놓다 わなを仕掛ける / 제가 놓은 ～에 걸리다 自分のわなにかかる. →囲み記事 26

덮개〈名〉❶覆い. (かけぶとんなど)覆うもの. 句例 짐에 ～를 씌우다 荷物に覆いをかける. ❷ふた(蓋). 句例 항아리에 ～를 덮다 かめ(瓶)にふたをする.

****덮다**〈他〉❶覆う. ㉠(覆い)かぶせる. 句例 모판을 비닐로 ～ 苗床をビニールで覆う / 담요를 덮어 주다 毛布をかぶせてやる / 보자기로 ～ ふろしきで覆う. 絵 / 하늘을 덮은 먹구름 空を覆った黒雲. ㉡ふた(蓋)をする. 句例 솥뚜껑을 ～ かまにふたをする. ❷閉じる. 句例 책을 ～ 本を閉じる. 絵 ❸(事実を)伏せる. とが(咎)めないでおく. 見逃がしてやる. 句例 허물을 ～ 過ちを見逃す. 絵 / 덮어둔 비밀이 폭로되다 隠しておいた秘密がばれる.

보자기로 덮다　책을 덮다　허물을 덮다

〈덮다〉

덮-밥 〈名〉どんぶり物. 語例 장어～ うなぎどんぶり.

덮어-놓고 [tŏp'ŏnok'o]〈副〉やたらに. むやみに. 善しあしを問わず. 何でもかんでも. 句例 ～ 굽실거리다 やたらに腰を折る / ～ 약속을 하다 むやみに約束をする / ～ 책을 읽다 やたらに本を読む. 文例 구경이라면 ～ 좋아한다 見物といえば何でもかんでも好きがる.

덮어-두다 [tŏp'ŏduda]〈他〉とが(咎)めない. 不問に付する. 伏せておく. 句例 잘못을 ～ 過ちを不問に付する〔見逃す〕. 文例 이번 일은 덮어둘 수 없다 今度のことは伏せておけない〔見逃すわけにはいかない〕.

***덮어-쓰다** [tŏp'ŏssŭda]〈他〉❶(ぬれぎぬを)かぶ(被)せられる. (引っ)かぶる. 句例 죄를 ～ 罪をかぶる. ❷覆いかぶ(さ)る. 引っかぶる. 句例 이불을 ～ ふとんを引っかぶる.

덮어-씌우다 [tŏp'ŏssiuda]〈他〉(無理強いに)ぬれぎぬをかぶ(被)せる. (引っ)かぶせる. なすり付ける. 句例 남에게 책임을 ～ 人に責任をかぶせる.

덮이다 [tŏp'ida]〈自〉'덮다'の受け身：覆われる. ❶㉠覆いかぶ(被)される. 句例 온통 눈에 ～ 一面雪に覆われる. ㉡包まれる. 句例 먹구름에 ～ 暗雲に覆われる / 어둠에 ～ 暗黒〔闇〕に覆われる. ❷覆い隠される. 遮られる. 句例 해가 구름에 ～ 日が雲に覆われる.

덮치다 〈自〉❶のし掛かる. 句例 상대를 덮쳐 누르다 相手にのし掛かる. ❷(いろんな事が一度に)押し寄せる. 句例 엎친 데 ～ 泣き面に蜂 / 불운에 불운이 ～ 不運の上にさらに不運が押し寄せる. ❸(不意に)襲う. 飛び付く. 降りかかる. 句例 신상에 재난이 ～ 身に災難が降りかかる / 해일이 ～ 津波が襲う / 경관이 ～ 警官が踏み込む / 현장을 ～ 現場を押さえる.

****데** 〈依名〉❶⇨ 곳. 句例 갈 ～가 없다 行く場がない / 잘 ～가 없다 寝る所がない. 文例 위험한 ～는 가지 마라 危ない所には行くな / 물은 높은 ～서 낮은 ～로 흐른다 水は高い所から低い所へと流れる. ❷場合.. 時. 句例 배 아픈 ～ 먹는 약 腹が痛い時に飲む薬. ❸…(する)こと. …(する)の. 文例 일이 이렇게 된 ～는 네게도 책임이 있다 事がこんな風になったのは君にも責任がある / 여행가는 ～ 필요한 게 무엇입니까 旅行に必要な物は何ですか / 그렇게 결정한 ～ 대한 항의가 대단하다 そう決定した事に対する抗議がはなは(甚)だしい.

데구루루 〈副〉固い物が転がるさまや音：ごろごろ.

데굴-데굴 〈副〉固くて大きな物が転がるさま：ごろごろ. 句例 ～ 구르다 ごろごろ転がる.

데꺽 〈副〉すぐに. 直ちに. 立ち所に. やすやすと. 句例 ～ 승낙하다 直ちに承諾する / ～ 해치우다 すぐに〔やすやすと〕やってのける.

데꺽데꺽 〈副〉てきぱきと. ぱっぱと. ぐいぐい. 句例 ～ 처리하다 てきぱき(と)片付ける.

***데다** [tē:da]〈自〉❶やけどする. 句例 끓는 물에 ～ 熱湯にやけどする / 부젓가락에 ～ 火ばしにやけどする / 덴 자국 やけどの跡 / 덴 데 やけどした所. ❷懲りる. 手を焼く. 文例 저 사람에겐 정말 데었다 あの人には本当に懲りた. 彼にはさんざん手を焼いた.

데데-하다 (→하다)〈形〉取るに足りない. つまらない. ばかばかしい. 文例 데데한 생각은 하지 마라 ばかばかしい考えはよせよ.

데드-라인 〈名〉デッドライン. ◇deadline

데드-볼 [tedŭbo:l]〈名〉デッドボール. ＝히트 바이 피치. 句例 ～로 일루에 나가다 デッドボールで一塁に出る. ◇dead＋ball

ㄷ

****데려-가다** (데려가거라)〈他〉連れて行く. 文例 그는 친구를 데려갔다 彼は友達を連れて行った.

****데려-오다** (데려오너라)〈他〉連れて来る. 句例 가출한 딸을 ～ 家出娘を連れ戻す / 처자를 고향에 ～ 妻子を故郷に連れて帰る.

***데리다** 〈不他〉('데리고' '데려'の形で)'(引き)連れる'の意を表わす語. 句例 데리러 가다 連れに行く / 딸을 데리고 떠나다 娘を引き連れて出かける / 데리고 가다〔오다〕 連れて行く〔来る〕.

데릴-사위 [terilssawi]〈名〉婿養子. 入り婿. 語例 데릴사윗감 1)婿養子にふさわしい人. 2)おとなしい男. 3)慎みがなく人にかわいがられる見込みのない人をさげすむ語.

데림-추 〈名〉確固たる信念がなく人に従ってばかりことをなす人をさげすんでいう語：追随者. 追従者. 腰ぎんちゃく.

데마 〈名〉デマ. 句例 ～를 퍼뜨리다 デマを言いふらす. ◇도 Demagogieから.

데면데면-하다 (→하다)〈形〉❶きちょうめんでない. (物事に)気をつけない. 軽率だ. ❷よそよそしい. 無愛想だ. 気まずい. 句例 데면데면하게 대하다 よそよそしくあしらう.

데모 〈名〉デモ. **～하다**〈自〉デモをする. 句例 ～대가 거리를 누비다 デモ隊が町をねり歩く. 語例 ～ 행진 デモ行進. ◇demonstrationから.

데모크라시 〈名〉デモクラシー. ◇democracy

데-밀다 [te:milda] (데미니, 데밀어서)〈他〉差し入れる. 押しこむ. 句例 문틈으로 신문을 ～ 門口の透き間に新聞を押しこむ / 우리 안에 먹이를 ～ おり(檻)の中にえさ(餌)を差し入れる.

데뷔 〈名・하自〉デビュー. 句例 은막에 ～하다 銀幕にデビューする. 語例 ～ 작품 デビュー作品. ◇프 début

데-삶다 [tesamtta]〈他〉生煮えにする. 半煮えにする. 句例 데삶은 고기 生煮えの肉. →삶다 参考

데생 〈名〉デッサン. ◇프 dessin

데스크 〈名〉デスク. ◇desk

데시- 〈頭〉デシ…《記号 d》. 語例 ～리터 デシリットル《記号 dl》/ ～미터 デシメートル《記号 dm》/ ～벨 デシベル《記号 db》. ◇라 deci

데-알다 (데아니, 데알아서)〈他〉生はんかに知る. よく知らない.

****데우다** 〈他〉温める. ぬくめる. 沸かす. 略して'데다'ともいう. 句例 찬밥을 ～ 冷や飯を温める / 술을 ～ かん(燗)をつける / 목욕물을 ～ ふろを沸かす.

데이 〈名〉デー. 語例 유엔~ ユーエンデー. ◇day

데이터 〈名〉データ. 句例 ~를 정리하다 データをまとめる / ~에 의하면 データによれば. 語例 ~베이스 データベース. ◇data

데이트 〈名・하自〉デート. 句例 ~ 약속을 하다 デートの約束をする / 애인과 ~하다 恋人とデートする. 語例 ~ 상대 デートの相手. ◇date

데치다 [teːch'ida]〈他〉❶ゆが(湯掻)く. ゆでる. 句例 시금치를 ~ ほうれんそうをゆがく. ❷(しか(叱)って)しょげさせる. ひどくやりこめる.

데퉁-바리 〈名〉ぶきっちょ. 鈍物. 無器用で気のきかない人.

데퉁-스럽다 (→스럽다)〈形〉気が利かない. 愚鈍で融通が利かない. =데퉁맞다.

덱-데구르르 〈副〉❶大きくて固い物がほかの物とぶつかりながら転がる音: ごろごろ. ❷遠くで雷が鳴る音: ごろごろ.

덴-가슴 [teːn-gasŭm]〈名〉ひどい目に合ってこりごりする気持ち. おじけづいた心. 表現 'やけどした胸'の意.

덴겁-하다 [ten-gŏp'ada] (→하다)〈自〉(思いがけないことに出会って)驚き慌てふためく. 句例 덴겁하여 도망치다 びっくり仰天して逃げ出す.

덴-둥이 [teːndung-i]〈名〉やけどした人.

델리킷 〈名・하形〉デリケート. 句例 ~한 문제 デリケートな問題. ◇delicate

델타 〈名〉〔地〕デルタ. =삼각주(三角洲). ◇delta

뎅그렁 〈副・하自他〉大きな鈴などが揺れて出す音: からんこらん. **~거리다** 〈自他〉からんこらんと鳴る. 句例 풍경이 추녀에서 ~거리다 風鈴が軒先でからんこらんと鳴る.

뎅뎅 〈副〉大きな金属の器をしきりに打ち鳴らす音: かんかん. ごんごん. がんがん.

*__도__【度】㊀〈名〉度. ❶程度. ほど. 句例 ~를 지나치다 度を過ごす / ~가 지나친 행동을 하다 度の過ぎた行いをする. ❷眼鏡の度. 句例 ~가 센 안경 度の強い眼鏡.
㊁〈依名〉度. ❶角度の単位. 句例 45~의 각 四十五度の角. ❷温度の単位. 句例 섭씨 100~ 摂氏百度. ❸回数. 句例 2~ 인쇄한 책 二度刷りの本. ❹〔地〕経度・緯度の単位. 句例 북위 38~ 北緯三十八度.

*__도__¹【道】[toː]〈名〉❶道. 道理. ❷〔宗〕悟り. 句例 ~를 깨닫다 悟りを開く. 道を悟る. ❸技芸や方術を行なう方法. 句例 ~가 트다 神技に達する.

도²【道】[toː]〈名〉道(行政区画の一つ). 文例 조선 시대에는 우리나라는 여덟 개의 ~로 나뉘어져 있었다 朝鮮時代には我が国は八つの道に分かれていた. 語例 경기~ 京畿道.

도 〈名〉〔樂〕ド. ◇이 do

도 〈助〉補助詞の一つ. ❶主格・補格・目的格・副詞格などにあまねく用いられる: …も. 文例 꽃~ 피었다 花も咲いた / 악기~ 잘 다룬다 楽器も上手に弾く / 나에게~ 상을 주었다 僕にも賞をくれた / 공업 원료로~ 쓰인다 工業原料としても使われる / 시인인 동시에 정치가이기~ 하다 詩人であると同時に政治家でもある / 이것~ 사자 これも買おう.
❷感嘆の意を表わす. 文例 사막이 넓기~ 하다 本当に広い沙漠だ / 날씨~ 좋다 天気がいいね / 그의 연기~ 과연 훌륭하군 彼の演技もさすがに立派だね.
❸二つ以上の事を列挙するときに用いる: …も. 文例 너~ 나~ 열심히 공부하자 君も僕も熱心に勉強しよう / 꽃~ 피고 잎~ 핀다 花も咲くし葉も開く.
❹普通以下かまたは予想以下であることを表わす: …も. 文例 그 사람은 집~ 없다 その人は家もない / 이렇게 쉬운 문제~ 모르다니 こんなに易しい問題も知らないなんて.
❺普通以上または予想以上であることを表わす: …も. 文例 천명~ 더 된다 千人以上もある / 그다지~ 많이 올 줄은 몰랐다 そんなにも大勢来るとは知らなかった.
❻特定の事に類似していることを暗示する: …も. 文例 오늘~ 춥다 今日も寒い / 여기~ 좋군 ここもいいね.
❼譲歩・許容の意を表わす: …も. …でも. 文例 삼등차~ 좋소 三等車でもいい / 오늘 안되면 내일~ 좋다 今日できなかったらあしたでもよい.
❽否定を強調するときに用いる: …も. 句例 뜯지~ 않은 편지 封も切ってない手紙. 文例 재미~ 없다 おもしろくもない.
❾('아니다'を伴って)…でも(ない). 文例 여름~ 아닌데 왜 이렇게 더울까 夏でもないのにどうしてこんなに暑いのだろう.
❿('되다'を伴って)…にも(なる). 文例 스무살~ 되기 전에 결혼했다 二十歳にもならぬうちに結婚した.

-도【度】〈尾〉年度を表わす語: …度. 句例 1995학년~ 1995学年度. 語例 금년~ 今年度.

-도【圖】〈尾〉…図. 語例 산수~ 山水図 / 설계~ 設計図.

도 〔漢字項目〕

【倒】 高校 도 トウ. ❶넘어지다 たおれる. 넘어뜨리다 たおす. ◧倒壞 도괴 とうかい. ◧卒倒 졸도 そっとう. ❷거꾸로 되다 ひっくりかえる. 거꾸로 하다 ひっくりかえす. ◧倒置 도치 とうち. 倒立 도립 とうりつ. ❸동작이 거칠다 動作があらい. ◧壓倒 압도 あっとう. 傾倒 경도 けいとう.

【刀】 中學 도 トウ. ❶칼 かたな. ◧刀痕 도흔 とうこん. ◧短刀 단도 たんとう. ❷칼 모양의 돈 刀子のかたちをした貨幣. ◧刀錢 도전 とうせん.

【到】 中學 도 トウ. ❶닿다 ゆきつく. ◧到着 도착 とうちゃく. 到達 도달 とうたつ. ❷가다 ゆく. 오다 くる. ◧到來 도래 とうらい. ❸다하다 いたりつくす. ◧到底 도저 とうてい. ❹주밀하다 ゆきわたる. ◧周到 주도 しゅうとう.

【圖(図)】 中學 도 ズ. ト. ❶그림 え. ◧圖示 도시 ずし. ◧構圖 구도 こう

ず. ❷지도 地表の諸物体・現象を平面上に表した図. ◧地圖 지도 ちず. 略圖 약도 りゃくず. ❸책 本. ◧圖書 도서 としょ. ❹꾀하다 はかる. ◧企圖 기도 きと. ❺헤아리다 おしはかる. ◧壯圖 장도 そうと. 雄圖 웅도 ゆうと.

【導(導)】高校 도 ドウ. ❶이끌다 みちびく. ◧引導 인도 いんどう. 指導 지도 しどう. ❷가르치다 教える. ◧教導 교도 きょうどう. 訓導 훈도 くんどう. ❸전기 따위를 전하다 電気などを伝える. ◧導火線 도화선 どうかせん. ◧半導體 반도체 はんどうたい.

【島】中學 도 トウ. 섬 島. ◧島民 도민 とうみん. ◧半島 반도 はんとう.

【度】中學 도 ド. ト. 탁 タク. ㊀〔도〕❶법도 のり. ◧制度 제도 せいど. 法度 법도 はっと. ❷자 ものさし. ◧度量衡 도량형 どりょうこう. ◧尺度 척도 しゃくど. ❸정도 ほどあい. ◧程度 정도 ていど. 限度 한도 げんど. ❹국량 器量. ◧度量 도량 どりょう. ◧大度 대도 たいど. ❺모습 ようす. ◧態度 태도 たいど. 襟度 금도 きんど. ❻횟수 回数. ◧度數 도수 どすう. ❼중이 되다 出家する. ◧得度 득도 とくど. 濟度 제도 さいど. ❽각도・온도 등의 단위 めもり. ◧角度 각도 かくど. 溫度 온도 おんど. 高度 고도 こうど. 速度 속도 そくど. 經度 경도 けいど.
㊁〔탁〕재다 はかる. ◧忖度 촌탁 そんたく.

【徒】中學 도 ト. ❶걸어다니다 あるく. ◧徒步 도보 とほ. ❷동류 なかま. ◧徒黨 도당 ととう. ❸제자 弟子. ◧徒弟 도제 とてい. ◧生徒 생도 せいと. ❹맨손 からて. ◧徒手 도수 としゅ. ❺징역 懲役. ◧徒刑 도형 とけい. ❻다만 공(功)만 들임 むだぼねおりをする. ◧徒勞 도로 とろう.

【挑】高校 도 チョウ. 돋우다 いどむ. ◧挑發 도발 ちょうはつ. 挑戰 도전 ちょうせん.

【桃】高校 도 トウ. 복숭아 もも. ◧桃花 도화 とうか. ◧櫻桃 앵도 おうとう.

【渡】高校 도 ト. ❶건너다 わたる. ◧渡來 도래 とらい. 渡海 도해 とかい. ❷주다 わたす. ◧讓渡 양도 じょうと. ❸나루 わたしば. ◧渡津 도진 としん.

【盜(盜)】高校 도 トウ. 훔치다 ぬすむ. ◧盜賊 도적 とうぞく. 盜用 도용 とうよう. ◧強盜 강도 きょうとう.

【稻(稲)】中學 도 トウ. 벼 いね. ◧水稻 수도 すいとう. 陸稻 육도 りくとう. おかぼ. 早稻 조도 わせ.

【跳】高校 도 チョウ. 뛰다 とぶ. 솟구치다 はねる. ◧跳梁 도량 ちょうりょう. 跳躍 도약 ちょうやく.

【逃(逃)】高校 도 トウ. ❶달아나다 にげる. ◧逃走 도주 とうそう. ◧逃亡 도망 とうぼう. ❷피하다 さける. ◧逃避 도피 とうひ.

【途(途)】高校 도 ト. 길 みち. ◧途中 도중 とちゅう. ◧前途 전도 ぜんと.

【道(道)】中學 도 ドウ. ❶길 みち. ◧道路 도로 どうろ. ❷노정 みちのり. ◧道程 도정 どうてい. ❸지켜야 할 도리 守るべき条理. ◧道德 도덕 どうとく. ◧正道 정도 せいどう. ❹정치・학문・기예 등 政治・学問・技芸など. ◧道樂 도락 どうらく. ◧王道 왕도 おうどう. 茶道 다도 ちゃどう. ❺말하다 かたる. ◧報道 보도 ほうどう. 唱道 창도 しょうどう. ❻행정상의 구획 行政上の区画. ◧道知事 도지사 どうちじ.

【都(都)】中學 도 ト. ツ. ❶서울 みやこ. ◧都城 도성 とじょう. ◧王都 왕도 おうと. ❷큰 고을 大きな町. ◧都市 도시 とし. 都心 도심 としん. ❸거느리다 ひきいる. ◧都督 도독 ととく. ❹아름답다 みやびやかだ. ◧都雅 도아 とが. ❺모두. 모조리 すべて. みな. ◧都合 도합 つごう.

【陶】高校 도 トウ. ❶질그릇 せともの. ◧陶器 도기 とうき. 陶瓦 도와 とうが. ❷사람을 교화하다 ひとを教えみちびく. ◧陶冶 도야 とうや. ◧薰陶 훈도 くんとう. ❸기뻐하다 よろこぶ. ◧陶醉 도취 とうすい. 陶然 도연 とうぜん. ❹근심하다 けねんする. ◧鬱陶 울도 うっとう.

도가【都家】〈名〉❶昔, 同業者たちが集まってたのもしこう(頼母子講)や商談をした家. ❷問屋. 卸し売り商. 語例 술~ 酒問屋.

도가니〈名〉❶['무릎도가니'の略] 牛のひざ骨とその肉. ❷るつぼ(坩堝). 句例 흥분의 ~로 화하다 興奮のるつぼと化す.

도가-머리〈名〉〔鳥〕鳥の頭に長く生えた毛: 羽冠.

도감【圖鑑】〈名〉図鑑. 語例 식물 ~ 植物図鑑.

도갓-집【都家一】〈名〉❶⇨ 도가(都家). ❷製造卸問屋.

도강【渡江】[to:gang]〈名・하自〉渡河. ＝도하(渡河). 語例 ~ 작전 渡河作戦 / ~선 渡し船.

도거리〈名〉一手. 一括. まとめ. 句例 ~로 사면 싸다 まとめて買うと安い / 일을 ~로 맡다 仕事を一括して請け負う.

도검【刀劍】〈名〉刀剣. 語例 ~ 불법 소지 刀剣不法所持.

도계【道界】[to:gye]〈名〉道と道との境界〔境〕.

도공【陶工】〈名〉陶工. ＝옹기장이.

도괴【倒壞】[to:goe]〈名・하自他〉倒壊. 句例 낡은 다리를 ~하다 古びた橋を倒壊する. 文例 지진으로 수많은 가옥이 ~되었다 地震により数多い家屋が倒壊した.

도교【道教】[to:gyo]〈名〉〔宗〕道教.

***도구**【道具】[to:gu]〈名〉道具. 語例 살림 ~ 所帯道具 / 취사 ~ 炊事道具.

도굴【盜掘】〈名・하他〉盜掘. 句例 고분을 ~하다 古墳を盜掘する.

도금【鍍金】[to:gŭm]〈名・하自他〉めっき(鍍金). 句例 은~한 숟가락 銀めっきのさじ / ~이 벗겨지다 めっきがはげる / 반지에 금을 ~하다 指輪に金を着せる.

도급【都給】〈名〉請負. 語例 ～ 계약 請負契約 / ～금 請負金 / ～ 가격 請負値段. →청부(請負)

도급(을) 맡다 請け負う. 句例 공사를 도급 맡다 工事を請け負う.

도급(을) 주다 請け負わせる. 請負に出す.

도기【陶器】〈名〉陶器. ＝오지그릇. 語例 경질 ～ 硬質陶器.

도깨-그릇〈名〉かめ・つぼなどの器をまとめていう言いかた.

****도깨비**〈名〉化け物. お化け. 鬼. 句例 ～에게 홀린 것 같다 化け物に化かされたようだ. 語例 ～집 お化け屋敷 / ～ 놀음 何がなんだかわからない奇怪なこと.

도깨비-불〈名〉❶鬼火. きつね火. 句例 ～이 날다 ひとだま(人魂)が飛ぶ. ❷原因不明の火事. 不審火.

****도끼** [to:kki]〈名〉斧. 句例 ～로 장작을 패다 斧でまき(薪)を割る / ～로 나무를 찍다 斧で木を切る. 語例 ～질 斧仕事 / 도낏자루 斧の柄.

도끼-눈 [to:kkinun]〈名〉(悔しさ・憎さで)にらみつける目.

도난【盜難】〈名〉盗難. 句例 ～을 당하다〔맞다〕盗難にあう. 語例 ～ 신고 盗難届け.

도내【道內】[to:nae]〈名〉道内.

도넛 [to:nŏt]〈名〉ドーナツ. 語例 ～판 ドーナツ盤. ◇doughnut

도달【到達】[to:dal]〈名・하自〉到達. 句例 목적지에 ～하다 目的地に着く / 기술이 높은 수준에 ～하다 技術が高い水準に到達する / 대화가 결론에 ～하다 話し合いが結論に達する. 語例 ～되다 到達する.

도당【徒黨】〈名〉徒党. 語例 반역 ～ 反逆の徒党.

도당【都堂】〈名〉❶〔史〕議政府の別称. ❷〔民〕村の守護神を祭る祭壇. 語例 ～굿 村の安泰と繁栄を祈って行う儀式.

도-대체【都大體】〈副〉❶一体. 一体全体. ＝대관절. 文例 ～ 무슨 일이 일어났느냐 一体何事が起こったのか / ～ 어떤 자일까 一体何者だろうか / ～ 어떻게 된 셈이냐 一体どうしたのだ. ❷(否定文で)全く. さっぱり. 文例 ～ 이해가 안 간다 まるで理解できないよ / 뭐가 뭔지 ～ 모르겠다 何がなんだかさっぱりわからない.

***도덕**【道德】[to:dŏk]〈名〉道徳. 句例 ～을 지키다 道徳を守る / ～이 퇴폐하다 道徳が乱れる. 語例 ～ 관념 道徳観念 / ～ 군자 道徳君子 / ～성 道徳性 / ～심 道徳心 / 상업 ～ 商業道徳 / 공중 ～ 公衆道徳.

***도덕-적**【道德的】[to:dŏkchŏk]〈名・冠〉道徳的. 句例 ～으로 생각하다 道徳的に考える. 語例 ～ 가치 道徳的価値.

도도록-이 [todorogi]〈副〉ふっくらと.

도도록-하다 [todorok'ada]（→하다）〈形〉(中の部分が丸みを帯びて)少し盛り上がっている. ふっくらとしている. 句例 입술이 ～ 唇がふっくらとしている / 도도록한 항아리 中心部がふっくらと盛り上がっているつぼ.

도도-하다 [to:dohada]（→하다）〈形〉高慢だ. 気位が高い. **도도히**〈副〉高慢(ちき)に. 句例 도도히 굳다 横柄に振る舞う.

도도-히【滔滔―】〈副〉とうとう(滔滔)と. 句例 ～ 흐르는 대하 とうとうと流れる大河 / ～ 열변을 토하다 とうとうと熱弁をふるう.

도두-보이다〈自〉実際よりもよく見える. 見栄えがする. 引き立つ. 略して'도두뵈다' '돋뵈다'ともいう.

****도둑**〈名〉泥棒. ぬすっと. ＝도적(盜賊). 句例 ～이 들다 泥棒が侵入する / ～을 잡다 泥棒を捕まえる〔捕らえる〕/ ～을 맞다 盗まれる / ～을 놓치다 泥棒を取り逃がす. 語例 ～고양이 野良猫 / ～놈 '도둑'をさげすんでいう言いかた.

도둑을 맞고 사립 고친다 盗人を見て取縄をなう. 遅れて準備すると物事を誤りやすいことのたとえ.

도둑이 매를 든다 ぬすっとたけだけしい.

도둑이 제 발이 저리다 後ろ暗ければ尻餅をつく. 悪いことをすると気がとがめて必ずばれることのたとえ.

도둑-장가〈名〉人に知らせないでこっそり嫁を迎えること.

****도둑-질**〈名・하他〉盗み. 句例 ～하러 들어가다 泥棒に入る.

도둑질을 해도 손이 맞아야 한다 泥棒も腹〔気〕が合わなければできない. 互いに協力しなければ何事もできないことのたとえ.

도드라-지다 ■〈形〉際立っている. 目につく. 目立つ. 著しい. 句例 도드라진 눈 際立っている目 / 도드라진 행동 目立つ行動.
■〈自〉やや盛り上がって突き出す.

도떼기-시장【―市場】〈名〉いろいろな商品・中古品・古物などの投げ売り・やみ取引などで大変混雑している市場.

****도라지**〈名〉〔植〕ききょう(桔梗). 句例 ～를 캐다 ききょう(の根)を掘る. 語例 ～ 나물 ききょうの浸し物 / ～ 생채 ききょうのあえもの.

도락【道樂】[to:rak]〈名〉道楽. 語例 식～ 食い道楽.

도란-도란〈副・하自〉(むつまじく)ささやき合うさま：ぼそぼそ. 句例 ～ 이야기하는 소리 ぼそぼそと親しく話し合う声.

도랑〈名〉溝. 堀. どぶ. 句例 ～을 파다 溝を掘る / ～이 막히다 溝がつまる. 語例 ～창 不潔な溝. どぶ.

도랑 치고 가재 잡는다 溝をさら(浚)ってざりがにを捕る. 事の順序が逆さまで努力のかいが現れないこと. また, 一挙両得であることのたとえ.

도래【到來】[to:rae]〈名・하自〉到来. 句例 위기가 ～하다 危機が到来する / 새 시대가 ～하다 新しい時代が到来する. 語例 호기 ～ 好機到来.

도래【渡來】[to:rae]〈名・하自〉渡来. 句例 외국에서 ～한 물건 舶来品.

도량【度量】[to:ryang]〈名〉度量. 句例 ～이 넓다〔좁다〕度量が広い〔狭い〕/ ～이 큰 사람 度量の大きい〔広い〕人.

도-량-형【度量衡】[to:ryanghyŏng]〈名〉度量衡

度量衡. 語例 ~ 원기 度量衡原器.

도려-내다 〈他〉えぐ(抉)る. くり抜く. 切り取る. 句例 상처를 ~ 傷口をえぐる.

도련 [to:ryŏn] 〈名・하他〉(ツルマギ・チョゴリの)すそ(裾)の縁.

도련【刀鍊】[to:ryŏn] 〈名〉 たくさん重ねた紙の端を切りそろえること.

도련(을) 치다 紙の端を切りそろえる.

***도련-님** 〈名〉 ❶坊ちゃん. 若旦那. ❷夫の未婚の弟をうやまっていうことば.

도령 [to:ryŏŋ] 〈名〉 未婚の男性に対する丁寧な呼称: 若旦那. 句例 춘향이와 이 ~ 春香と若旦那李さん《古代小説'春香伝'に登場する男女の主人公》.

参考 '道令'と書くのは当て字. もと, '도리(闍梨)'という高麗時代の古い習わしから伝来したといわれる.

도로【徒勞】〈名・하自〉徒労. 句例 ~에 그치고 말다 徒労に終わってしまう.

***도로【道路】**[to:ro] 〈名〉 道路. 句例 ~를 보수하다 道路を補修する / ~가 개통되다 道路が開通する / ~를 봉쇄하다 道路を封鎖する / ~를 횡단하다 道路を横断する / ~가 울퉁불퉁하다 道路がでこぼこだ / ~를 파헤치다 道路を掘り返す. 語例 ~ 공사 道路工事 / ~망 道路網 / 고속[고가] ~ 高速[高架]道路 / 포장 ~ 舗装道路 / 산업 ~ 産業道路.

***도로** 〈副〉 ❶元へ. 引き返して. 句例 가던 길을 ~ 오다 行った道を引き返して来る / ~ 제자리에 놓다 元の所へ返して置く. もと通りに置く / 물건을 ~ 찾다 品物を取り返す. ❷更に. また. 再び. 句例 중단했던 것을 ~ 시작하다 止めていたことを改めて始める / 대기의 영향으로 ~ 추워지다 大気の影響でまた寒くなる.

〈도롱이〉

도로-아미타불【—阿彌陀佛】〈名〉 元のもくあみ(木阿弥). 文例 노력은 ~이 되어버렸다 努力は元のもくあみになってしまった.

도롱뇽 〈名〉〔動〕ちょうせんさんしょううお(朝鮮山椒魚).

도롱이 〈名〉みの(蓑). 絵

도료【塗料】〈名〉塗料. 句例 ~를 칠하다 塗料を塗る.

도루【盜壘】〈名・하自〉〔野〕盗塁.

***도루-묵** 〈名〉〔魚〕はたはた(鰰). かみなりうお.

도륙【屠戮】〈名・하他〉ほふり殺すこと. とりく(屠戮). 皆殺し. 句例 ~이 나다 殺戮が行なわれる.

도르다[1] (도르니, 돌라서) 〈他〉へどを吐く. 戻す. 句例 젖먹이가 젖을 ~ 乳飲み子が乳を吐く.

도르다[2] (도르니, 돌라서) 〈他〉配る. 句例 신문을 집집마다 ~ 新聞を家ごとに配る / 카드를 쳐서 ~ カードを切ってから配る.

도르다[3] (도르니, 돌라서) 〈他〉 ❶(金などを) やり繰りする. 融通する. ❷(物事を)うまくやり繰りする.

도르래[1] 〈名〉竹とんぼ.

도르래[2] 〈名〉〔物〕滑車. ろくろ. ＝활차(滑車).

도르르 〈副〉 巻かれた紙などがほど(解)けてから独りで巻き返るさま: とろりっと.

도리 〈名〉〔建〕けた(桁).

도리【道理】[to:ri] 〈名〉 ❶道理. 句例 자식으로서의 ~ 子としての道理 / ~에 어긋나다 道理にかなわない / ~에 맞는 일 道理にかなったこと. ❷方法. すべ. 文例 어찌할 ~가 없다 どうにも仕様がない.

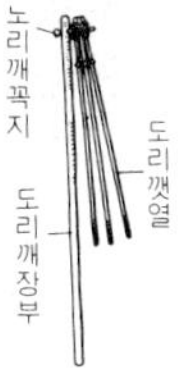

〈도리깨〉

도리깨 〈名〉〔農〕からざお(殻竿・連枷). 絵 語例 ~질 からざおで穀物の穂を打ち落とすこと.

도리다 〈他〉えぐ(抉)る. く(刳)りぬ(貫)く. 句例 사과의 상한 속을 ~ りんごの腐った心をえぐり取る[くりぬく].

⁑**도리-도리-도리** 〈感〉 赤ん坊にかぶりを振らせるあやし言葉: いやいや.

도리어 〈副〉 ❶かえって. 逆に. 文例 벌기는커녕 ~ 손해를 봤다 もう(儲)けるどころかかえって損をした. ❷むし(寧)ろ. いっそ. 文例 굴복하기보다는 ~ 죽음을 택할 것이다 屈服するよりはむしろ死を選ぶであろう.

도리-질 〈名・하自〉赤ん坊がかぶりを振って見せるかわいいしぐさ.

도립【倒立】[to:rip] 〈名・하自〉倒立. 逆立ち. ＝물구나무서기.

도립【道立】[to:rip]〈名〉道立. 語例 ~ 병원 道立病院.

⁑**도마** 〈名〉まないた(俎). 句例 ~질 まないたの上で包丁を使うこと.

도마 위에 오른 고기 そじょう(俎上)の魚.

⁑**도마-뱀** 〈名〉〔動〕 とかげ(蜥蜴). 語例 ~붙이〔動〕やもり(守宮).

***도막** 〈名〉切れ. 切れ端.

도막-도막 〈副〉切れ切れ. 切れごとに. 句例 ~ 자르다 切れ切れに切る.

도막-말 [tomangmal] 〈名〉短い言葉.

⁑**도망【逃亡】**〈名〉逃亡. **~하다** 〈自〉逃亡する. 逃げる. 句例 정신 없이 ~하다 無我夢中で逃げる / ~중인 죄인 逃亡中の罪人. 語例 ~자 逃亡者 / ~꾼 こっそり逃げる人. 逃亡者.

⁑**도망-가다【逃亡—】**(도망가거라)〈自〉逃げる. 逃げ出す. 句例 허둥지둥 ~ ほうほうの体で逃げる.

도망-질【逃亡—】〈名・하自〉逃げること.

도망질(을) 치다 逃げ出す. 逃走する.

***도망-치다【逃亡—】**〈自〉⇨ 도망가다. 句例 어둠을 타고 ~ やみ(闇)に紛れて逃げる / 남의 집에 도망쳐 들어가다 人の家に逃げ込む / 죽어라 하고[냅다] ~ 一目散に逃げ出す / 슬금슬금 ~ こそこそ逃げ出す / 급히 ~ 急いで逃げ出す.

도-맡다 〈他〉(一手に)引き受ける. 引き継ぐ. 句例 아버지를 대신하여 가게 일을 ~ 父に代わって店を引き受ける.

도매【都賣】〈名・하他〉卸. 卸し売り. 句例 ~로 사서 소매하다 卸で買って小売りする. 語例 ~ 가격 卸値. 卸値段 / ~업 卸し売り業 / ~ 시장 卸し売り市場.

ㄷ

***도매-상**【都賣商】〈名〉卸屋. 卸問屋. 問屋. 卸し売り商. =도매점. 도맷집. [語例] 포목 ~ 呉服問屋.

도맷-값【都賣—】[tomaetkap]〈名〉卸値. 卸値段. →값 [參考]

도면【圖面】〈名〉図面. [句例] 집의 설계 ~ 家の設計図面.

도모【圖謀】〈名〉企図. 企て. **~하다**〈他〉図〔謀〕る. [句例] 편의를 ~하다 便宜を図る / 국력의 신장을 ~하다 国力の伸張を図る.

***도무지**〈副〉どうも. 全く. まるきり. 皆目. [文例] ~ 반성의 빛이 없다 全く反省の色がない / ~ 맛이 없다 とんとおいしくない / ~ 짐작이 가지 않는다 皆目見当がつかない / 무슨 영문인지 ~ 모르겠다 何事やらまるきり分からない.
[表現] ふつう否定の表現とともに用いられる.

도미 [to:mi]〈名〉〔魚〕たい(鯛). 略して'돔'ともいう. [句例] 새우로 ~를 잡다 えびでたいを釣る / ~를 회로 요리하다 たいを刺し身に作る.

도미【渡美】[to:mi]〈名・하自〉渡米. [句例] ~ 유학의 길에 오르다 渡米留学の途につく.

도미노〈名〉ドミノ. [語例] ~ 이론 ドミノ理論. ◇domino

도민【島民】〈名〉島民. 島人.

도민【道民】[to:min]〈名〉道民.

도박【賭博】〈名・하自〉賭博. 博打. =노름. [句例] ~으로 재산을 없애다 賭博で財産をなくす / ~이 고질이 되다 賭博が病み付きになる. [語例] ~장 賭博場.

도발【挑發】〈名・하他〉挑発. [句例] ~적인 행동〔태도〕挑発的な行動〔態度〕. [語例] 전쟁 ~자 戦争挑発者.

도배【徒輩】〈名〉徒輩. やから. [語例] 공산 ~ 共産党のやから.

도배【塗褙】〈名・하自他〉壁や天井に紙を張ること. 上張り. [語例] ~지 壁紙. 天井紙 / ~장이 紙張り職人.

도백【道伯】[to:baek]〈名〉〔史〕'관찰사 觀察使'の古めかしい言いかた.
[表現] 今も'道知事'にたいして用いられる.

도벌【盜伐】〈名・하他〉盗伐. [語例] 산림 ~ 山林盗伐.

도법【圖法】[toppŏp]〈名〉['작도법(作圖法)'の略] 図法.

도벽【盜癖】〈名〉盗癖. 手長. 盗み癖. [句例] ~이 있는 사람 盗癖のある人. [文例] 그는 ~이 있다 彼は手長だ.

도별【道別】[to:byŏl]〈名〉道別.

도보【徒步】〈名・하自〉徒歩. [句例] ~로 십분 걸리다 徒歩で十分かかる. [語例] ~ 여행 徒歩旅行.

도보【圖譜】〈名〉図譜.

***도복**【道服】[to:bok]〈名〉武道修練用の運動服(柔道着・剣道着など).

도부-꾼【到付—】[to:bukkun]〈名〉旅あきんど. 行商人. =도붓장수.
[表現] '도부꾼'は俗っぽい言いかた.

도사【道士】[to:sa]〈名〉❶道士. ❷達人. 専門家. [語例] 슛~ シュートの達人.
[表現] ②は俗っぽい言いかた.

도-사공【都沙工】〈名〉船乗りの頭.

도사리다〈自他〉❶ひざを抱えてうずくまる. 足を組み合わせてしゃがむ. [句例] 도사리고 앉다 ひざを抱えてしゃがむ. ❷今後おこるべき事の手がかりがかくされている. [文例] 무서운 함정이 도사리고 있다 恐ろしいわなが隠されている. ❸(心に)わだかまる. [句例] 가슴 속에 도사린 불평 心の底にわだかまっている不平. ❹(浮き立った気持ちを)静める. [句例] 들뜬 마음을 ~ 浮き立った気持ちを静める.

도산[1]【倒産】[to:san]〈名・하自〉倒産. =파산(破産). [句例] 불경기로 ~하다 不景気で倒産する / ~ 위기에 처하다 倒産の危機にあう / 기업의 ~이 계속되다 企業の倒産が相次ぐ.

도산[2]【倒産】[to:san]〈名・하他〉〔醫〕倒産. 逆子.

도산-매【都散賣】〈名・하他〉卸し売りと小売り.

《古歌 2》

도산십이곡 陶山十二曲

朝鮮朝中宗・明宗時代の儒学者・文臣李滉(1501-70)が綴った十二首の'연시조 聯時調'・事物に接して起こる感興を歌った六曲と, 徳の修めを歌った六曲の十二曲からなっている. 作者はその号をつけて李退渓とも言う. また, 陶山は慶尚北道安東にある作者の故郷で, この地の陶山書院に本作品の木版刷りが所蔵されてある.

[歌 詞]

도산 육곡지이 陶山六曲之二

기오(其五)〈古 文〉	〈現 代 文〉	その五
청산(青山)은 엇데ᄒᆞ야	청산은 어찌하여	青山はいかにして
만고(萬古)애 프르르며	만고에 푸르르며	万古に青青たり,
유수(流水)ᄂᆞᆫ 엇데ᄒᆞ야	유수는 어찌하여	流水はいかにして
주야(晝夜)애 긋디 아니ᄂᆞᆫ고	주야에 그치지 아니하는가	晝夜なく流れ止まざるや
우리도 그티디 마라	우리도 그치지 말아	我らも止むことなしに
만고상청(萬古常青)호리라	만고상청하리라.	万古常青たらん.

도살【屠殺】〈名・하他〉屠殺. 句例 소를 ～하다 牛を畜殺する. 語例 ～장 屠殺場.
도상【途上】〈名〉❶途上. 文例 상경하는 ～에 그를 만났다 上京する途上で彼に会った. ❷中途. 途中. 語例 발전 ～국 発展途上国.
도상【圖上】〈名〉図上. 句例 ～에 표시된 지점 図上に示された地点. 語例 ～ 작전〔연습〕図上作戦〔演習〕.
도색【桃色】〈名〉桃色. 語例 ～ 영화〔잡지〕エロ映画〔雑誌〕.
*****도서**【島嶼】〈名〉島嶼. 島島.
도서【圖書】〈名〉図書. 書籍. 本. 語例 ～ 목록 図書目録 / ～실 図書室 / 우량 ～ 優良図書.
도서-관【圖書館】〈名〉図書館. 句例 ～에서 책을 빌리다 図書館で本を借りる. 語例 순회 ～ 巡回図書館 / ～학 図書館学.
도선【渡船】[to:sŏn]〈名〉渡船. 渡し船. ＝나룻배. 語例 ～장 渡船場. 渡し場.
도선【導船】[to:sŏn]〈名〉水先案内. **～하다**〈自〉水先案内をする. 語例 ～사 水先案内人. 水先人. パイロット.
도선【導線】[to:sŏn]〈名〉導線.
도섭 [to:sŏp]〈名〉がさつで気まぐれなしぐさ. **～스럽다** (→스럽다)〈形〉がさつで気まぐれだ.
도성【都城】〈名〉都. ＝서울.
도수【度數】[to:ssu]〈名〉度数. ❶回数. 句例 ～가 잦다 度数が多い. 語例 (전화의) ～계 (電話の)度数計 / ～ 요금 度数料金 / ～제 度数制. ❷眼鏡の度数と, またアルコールの含有量などを示す数. 句例 위스키〔안경〕의 ～ ウィスキー〔眼鏡〕の度数. ❸度. 程合い. 句例 ～가 지나치다 度を越す. ❹〔數〕頻度.
도수【徒手】〈名〉徒手. 素手. ＝맨손. 句例 ～ 공권으로 성공하다 徒手空拳で成功する. 語例 ～ 체조 徒手体操.
도수【導水】[to:su]〈名・하自〉導水. 語例 ～로〔관〕導水路〔管〕.
도술【道術】[to:sul]〈名〉道術.
도스르다 (도스르니, 도슬러서)〈他〉(ある事を成し遂げようと)心を引き締める.
도승【道僧】[to:sŭng]〈名〉〔佛〕道を悟った僧. 悟りを開いた僧.
도-승지【都承旨】〈名〉〔史〕朝鮮朝, 承政院の首席である正三品の官職.
⁑도시【都市】〈名〉都市. 句例 인구 백만명을 넘는 ～ 人口百万人を超える都市. 語例 주요 ～ 主要都市 / 위성〔소비・자매〕 ～ 衛星〔消費・姉妹〕都市 / ～ 가스 都市ガス / ～ 계획 都市計画 / ～ 국가〔史〕都市国家. 類도회(都會).
도시【圖示】〈名・하他〉図に示すこと. 図示. 句例 역에서 집까지의 길을 ～하다 駅から家までの道筋を図に示す.
도시【都是】〈副〉⇨ 도무지. 文例 ～ 네 말은 안[illegible] [illegible]가 [illegible]나 君の言うことは一向に理解できないね.
⁑도시락〈名〉弁当. 句例 ～을 만들다〔싸다〕弁当をこしらえる〔詰める〕/ ～을 싸 가지고 오다 弁当を持って来る. 語例 ～ 반찬 弁当のおかず.
도식【徒食】〈名・하自〉徒食. 語例 무위 ～ 無為徒食.
도식【圖式】〈名〉図式. 文例 10년간의 물가 동향을 ～으로 나타냈다 十年間の物価の動きを図式で示した. 語例 ～화 図式化.
도식-적【圖式的】〈名・冠〉図式的. 文例 네 생각은 지나치게 ～이다 お前の考え方は余りにも図式的である.
*****도심**【都心】〈名〉都心. 語例 ～지 都心地 / ～지대 都心地帯.
도안【圖案】〈名〉図案. デザイン. 語例 ～가 図案家. デザイナー.
도야【陶冶】〈名・하他〉陶冶. 語例 인격 ～ 人格陶冶.
도약【跳躍】〈名・하自〉跳躍. ジャンプ. 語例 ～ 운동 跳躍運動 / ～대 跳躍台.
도어〈名〉ドア. 語例 ～ 보이 ドアボーイ / ～ 체크 ドアチェック. ◇door
도열【堵列】〈名・하自〉並び立つこと. 堵列. 句例 길 양쪽에 ～하여 환영하다 道の両側に堵列して〔並び立って〕歓迎する.
*****도열-병**【稻熱病】[toyŏlppyŏng]〈名〉稲熱病. いもち病.
도예【陶藝】〈名〉陶芸. 語例 ～가 陶芸家 / ～전 陶芸展.
*****도와-주다**〈他〉助けてやる. 手伝ってやる. 手助けする. 助力〔助勢〕する. 句例 가난한 사람을 ～ 貧しい人を助けてやる.
도외-시【度外視】[to:oeshi]〈名・하他〉度外視. 句例 채산을 ～하다 採算を度外視する.
도요【陶窯】〈名〉陶窯. 焼き物窯. 語例 ～지 陶窯址.
도요-새〈名〉〔鳥〕しぎ(鴫).
도용【盜用】〈名・하他〉盗用. 句例 상표를 ～하다 商標を盗用する. 語例 디자인 ～ デザインの盗用.
*****도움**〈名〉助け. 助勢. 手助け. 助力. 援助. 支援. 句例 ～이 되다 助けになる / ～을 청하다 助力を請う / ～이 필요하다 援助が必要だ. 文例 아무 ～도 안 된다 何の足しにもならない. 語例 ～말 助言.
도움-닫기〈名・하自〉助走.
도원-경【桃源境】〈名〉桃源境. ユートピア.
도읍【都邑】〈名〉❶都. 句例 ～을 옮기다 都を移す. 語例 ～지 都. ❷都邑.
도의【道義】[to:ŭi]〈名〉道義. 句例 ～에 어긋나다 道義にもとる〔背く〕. 語例 ～심 道義心.
도의-적【道義的】[to:ŭijŏk]〈名・冠〉道義的. 句例 ～인 책임 道義的な責任.
도일【渡日】[to:il]〈名・하自〉渡日.
도입【導入】[to:ip]〈名・하他〉導入. 句例 새로운 기술을 ～하다 新しい技術を取り入れる. 語例 외자 ～ 外資導入.
*****도자-기**【陶磁器】〈名〉陶磁器.
도장【道場】[to:jang]〈名〉道場. 語例 태권도 [illegible]の道場.
도장【圖章】〈名〉印. 印章. 判こ. 句例 ～을 찍다 判こを押す / ～을 새기다 判こを彫る. 語例 인감 ～ 実印 / ～밥 印肉 / ～집 判こ入れ / ～방〔포〕判こ屋. 印章屋.

ㄷ

도장【塗裝】〈名・하他〉塗装. 語例 ～ 공사 塗装工事.

*__도저-히__【到底一】[to:jŏhi]〈副〉とうてい(到底). とても. どうしても. 句例 ～ 갈 수 없다 とうてい行けない / ～ 불가능하다 とても不可能だ / ～ 참을 수 없다 とても我慢できない. 文例 이것과 그것은 ～ 비교가 안 된다 これとそれはとうてい比較にならない / 너에겐 ～ 못 당하겠다 君にはとてもかなわない.

도적【盜賊】〈名〉盗賊. ＝도둑.

도전【挑戰】〈名〉挑戦. **～하다**〈自〉挑戦する. 挑む. 句例 신기록에 ～하다 新記録に挑戦する / 산에 ～하다 山に挑む / 정면으로 ～하다 正面から立ち向かう / ～을 물리치다 挑戦を退ける.

도전-적【挑戰的】〈名・冠〉挑戦的. 句例 ～인 행동 挑戦的な行動.

도정【道程】[to:jŏng]〈名〉道程. 道のり. 路程. 語例 ～표 道標. 道しるべ.

도제【徒弟】〈名〉徒弟. 小僧. でっち(丁稚). 内弟子. 句例 ～를 양성하다 徒弟を養成する.

도조【賭租】〈名〉小作料. 年貢.

도주【逃走】〈名・하自〉逃走. ＝도망. 語例 야반 ～ 夜逃げ.

*__도중__【途中】〈名〉途中. 句例 말하는 ～ 話ちゅう / 집에 돌아가는 ～에 家に帰る途中で / 회의 ～에 자리를 뜨다 会議の途中に席を立つ〔離れる〕. 語例 ～ 하차 途中下車.

도지【賭地】〈名〉小作料や一定の金額を払って借用する田畑や敷地.

도지개 [to:jigae]〈名〉ゆがんだ弓を矯め直す道具. 弓矯め・ゆみため.

*__도지다__ [to:jida]〈自〉(病気が)ぶり返す. こじれる. 句例 무리를 해서 병이 ～ 無理をして病気がぶり返す.

도-지사【道知事】[to:jisa]〈名〉道知事.

*__도착__【到着】[to:ch'ak]〈名〉到着. **～하다**〈自〉到着する. 着く. 句例 목적지에 ～하다 目的地に至る / 앞서거니 뒤서거니 ～하다 相前後して到着する. 語例 ～역 着駅 / ～되다 到着する.

도착【倒錯】[to:ch'ak]〈名・하自〉倒錯. 句例 ～된 심리 倒錯した心理. 語例 ～증 倒錯症 / 성적 ～ 性的倒錯.

도처【到處】[to:ch'ŏ]〈名・副〉至る所. 各所. 文例 ～에 대단한 인파다 到る所に大変な人出である / 우리 나라는 ～에 명산이 있다 わが国には到る所に名山がある / 인간 ～ 유청산 人間至る所に青山有り. 人間は至る所に行っても生きられることのたとえ.

도첩【度牒】[to:ch'ŏp]〈名〉〔史〕度牒. 参考 高麗・朝鮮朝時代, 新しく僧になった人に官から与えた僧侶の身分証明書.

도청【盜聽】〈名・하他〉盗聴. 句例 전화를 ～하다 電話を盗聴する.

*__도청__【道廳】[to:ch'ŏng]〈名〉道庁. 句例 강원 ～ 소재지 江原道道庁の所在地.

도체【導體】[to:ch'e]〈名〉〔物〕導体.

도축【屠畜】〈名・하自〉屠畜. 畜殺. 語例 ～장 畜殺場.

도출【導出】[to:ch'ul]〈名・하他〉導出. 導き出すこと. 句例 결론을 ～하다 結論を導き出す.

도취【陶醉】〈名・하自〉陶酔. 句例 승리에 ～하다 勝利に酔う / 아름다운 목소리에 ～되다 美しい声に陶酔する.

도탄【塗炭】〈名〉塗炭. 句例 ～에 빠진 민생고 塗炭の苦しみに陥った国民の生活苦.

도탑다 (도타우니, 도타워서)〈形〉'두텁다'の語感の小さい語.

도태【淘汰】〈名・하自他〉淘汰. 語例 자연 ～ 自然淘汰〔選択〕.

⁑**도토리**〈名〉どんぐり. 語例 ～묵 どんぐりで作ったところてん状の食品. どんぐりムク.

도톨-도톨〈副・하形〉ざらざら. でこぼこ.

*__도톰-하다__ (→하다)〈形〉'두툼하다'の語感の小さい語.

도통【道通】[to:t'ong]〈名・하自〉精通. 熟知. 句例 ～한 사람 その道に精通している人.

도통【都統】一〈名〉❶⇨ 도합(都合). ❷'도통사(都統使)'の略.
二〈副〉すべて. ひっくるめて. まとめあげて. 全く. 文例 무슨 말인지 ～ 알 수가 없다 何な事やら全く分からない.

도통-사【都統使】〈名〉〔史〕都統使. 朝鮮朝高宗の時, 武衛営を統べた将帥.

도투락-댕기〈名〉幼い女の子の髪につける手絡.

도투마리〈名〉(機の)糸を巻く棒. 緒巻き.

도판【圖版】〈名〉図版.

도-편수【都一】〈名〉大工の頭. 棟梁.

*__도포__【塗布】〈名・하他〉塗布. 語例 ～제 塗布剤.

도포【道袍】[to:p'o]〈名〉道袍. 絵 参考 昔, 男子が上着の上に羽織った道服に似た通常の礼服.

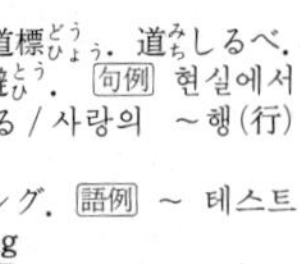
〈도포〉

*__도표__【圖表】〈名〉図表. 句例 ～로 나타내다 図表で表わす.

도표【道標】[to:p'yo]〈名〉道標. 道しるべ.

도피【逃避】〈名・하自〉逃避. 句例 현실에서 ～하다 現実から逃避する / 사랑의 ～행(行) 恋の逃避行.

도핑 [to:p'ing]〈名〉ドーピング. 語例 ～ 테스트 ドーピングテスト. ◇doping

도하【都下】〈名〉都下. 句例 ～의 각 신문에 보도되다 都下の各新聞に報道される.

도하【渡河】[to:ha]〈名・하自〉渡河. ＝도강.

도학【道學】[to:hak]〈名〉道学. 語例 ～ 군자 道学君子 / ～ 선생 道学先生 / ～자 道学者.

도한【盜汗】〈名〉盗汗. 寝汗. 句例 ～이 나다 寝汗をかく.

도합【都合】〈名・副〉都合. 合計. 締めて. 文例 ～ 20명이 된다 都合20名になる.

도항【渡航】[to:hang]〈名・하自〉渡航.

도해【圖解】〈名・하他〉図解. 句例 시계의 내부를 ~하다 時計の内部を図解する.

***도형**【圖形】〈名〉図形. 句例 ~을 그리다 図形をかく / ~으로 나타내다 図形に表わす. 語例 평면 ~ 平面図形 / 기하학적 ~ 幾何学的図形.

도호-부【都護府】〈名〉〔史〕都護府.
参考 朝鮮朝時代, '목(牧)'の下, '군(郡)'の上の級の地方行政区画. その長官は'도호부사(都護府使)'.

도화【桃花】〈名〉桃花. 桃の花. =복숭아꽃.

도화【圖畫】〈名〉図画. 語例 ~지 図画用紙.

도화-선【導火線】[to:hwasŏn]〈名〉導火線. 句例 전쟁의 ~ 戦争の導火線 / 다이너마이트의 ~에 불을 붙이다 ダイナマイトの導火線に火をつける.

도회【都會】〈名〉都会. 語例 ~지(地) 都会.

독〈名〉かめ(瓶). 句例 ~짓는 늙은이 かめをつくる老人 / 김치를 ~에 담다 キムチをかめに漬ける. 語例 장~ みそ・醬油などを入れるかめ / 김칫~ キムチがめ.
독 안에 든 쥐 袋の(中の)ねずみ.

독【毒】〈名〉毒. 句例 ~이 있는 버섯 毒のあるきのこ / 술에 ~을 타다 酒に毒を盛る.
독(이) 오르다 殺気立つ. 句例 독이 오른 얼굴 殺気立った顔.

***독**〈名〉ドック. 句例 배가 ~에 들어오다 船がドックに入る. ◇dock

독-【獨】〈頭〉独…. 独り…. 語例 ~무대 独り舞台 / ~차지 独り占め. 独占 / ~사진 独り写しの写真.

독 〔漢字項目〕

【毒】高校 독 ドク. ❶건강이나 생명을 해치는 성분 生命や健康を害するもの. ▮毒藥 독약 どくやく. ▮消毒 소독 しょうどく. ❷사람의 마음이나 생활을 해치는 것 人の心や生活を害するもの. ▮毒舌 독설 どくぜつ. ▮害毒 해독 がいどく.

【獨(独)】中學 독 ドク. ❶독신 ひとりみ. ▮獨身 독신 どくしん. ▮孤獨 고독 こどく. ❷혼자임 ひとり. ▮獨學 독학 どくがく. ▮單獨 단독 たんどく. ❸독일(獨逸)의 약어 独逸の略語. ▮獨語 독어 どくご.

【督】高校 독 トク. ❶살피다 みはる. ▮督察 독찰 とくさつ. ▮監督 감독 かんとく. ❷거느리다 ひきいる. ▮督軍 독군 とくぐん. ▮都督 도독 ととく. ❸재촉하다 うながす. ▮督促 독촉 とくそく. ❹우두머리 かしら. ▮總督 총독 そうとく.

【篤】高校 독 トク. ❶도탑다 てあつい. ▮篤實 독실 とくじつ. ❷병이 위중하다 病気がおもい. ▮篤疾 독질 とくしつ. ▮危篤 위독 きとく.

【讀(読)】中學 독 ドク. トク. 두 トウ. ■〔독〕읽다 よむ. ▮讀書 독서 どくしょ. ▮朗讀 낭독 ろうどく.
■〔두〕읽기 편하게 구절에 점을 찍는 일 読みやすいように文中に点をつけること. ▮句讀 구두 くとう.

독-가스【毒gas】〈名〉〔化〕毒ガス. 語例 ~탄 毒ガス弾.

독감【毒感】〈名〉悪性の風邪. 流行性感冒. 流感. インフルエンザ. 句例 ~에 걸리다 流感にかかる.

독경【讀經】〈名・하自〉〔佛〕読経. 語例 우이 ~ 馬の耳に念仏.

독-과점【獨寡占】〈名〉独占と寡占.

독-극물【毒劇物】[tokkŭngmul]〈名〉〔法〕毒物.

독금-법【獨禁法】[tokkŭmppop]〈名〉['독점 금지법'の略] 独禁法.

독기【毒氣】〈名〉毒気・どっ・どく. 毒. 句例 ~를 쐬다 毒気にあてられる / ~를 품은 눈 毒気を帯びた目. 文例 그의 말에는 ~가 있다 彼の言葉には毒がある.

독-나방【毒—】[tongnabang]〈名〉〔蟲〕毒蛾.

독녀【獨女】[tongnyŏ]〈名〉一人娘. =외딸. 語例 무남 ~ 兄弟のいない一人娘.

독농-가【篤農家】[tongnongga]〈名〉篤農家.

독단【獨斷】〈名・하他〉独断. 句例 회사 방침을 ~으로 정하다 会社の方針を独断で決める. 語例 ~ 전행 独断専行 / ~론 独断論 / ~주의 独断主義.

독단-적【獨斷的】〈名・冠〉独断的. 句例 ~인 판단 独断的な判断.

독담【獨擔】〈名・하他〉['독담당(獨擔當)'の略] 一人で担当すること.

독대【獨對】〈名・하自〉臣下が独りで王に拝謁し, 政治に関する意見を上奏すること.

독도-법【讀圖法】[toktoppŏp]〈名〉読図法.

독려【督勵】[tongnyŏ]〈名・하他〉督励. 句例 부하를 ~하다 部下を督励する.

독력【獨力】[tongnyŏk]〈名〉独力. 句例 ~으로 해내다 独力で成し遂げる.

독료【讀了】[tongnyo]〈名・하他〉読了. 類 독파(讀破).

＊독립【獨立】[tongnip]〈名〉独立. 独り立ち. 一本立ち. **~하다**〈自〉独立する. 独り立ちする. 句例 자식을 ~시키다 息子を独立させる. 文例 이제 ~할 나이다 もう独立すべき年だ. 語例 자주 ~ 自主独立 / 신흥 ~ 국가 新興独立国家 / ~국 独立国 / ~ 생활 一本立ちの生活 / 경제적 ~ 経済的独立 / ~ 가옥 独立家屋. 一軒家 / ~군 独立軍 / ~ 정신 独立精神 / ~ 기념관 独立記念館 / ~ 선언문(선언서) 独立宣言文(宣言書) / ~심 独立心 / ~성 独立性 / ~적 独立的 / ~되다 独立する.

독립-당【獨立黨】[tongniptang]〈名〉〔史〕独立党. 朝鮮朝末期の開化期に, 自主独立を主張した金玉均・朴泳孝・徐載弼たちが糾合した政治団体. 1884年甲申政変を主導した.

독립 만세 운동【獨立萬歲運動】[tongnimmanseu:ndong]〈名〉〔史〕'독립 만세' 独立万歳を叫びながら展開した独立運動.
参考 1919年3月1日に日帝の統治に対抗して自主独立しようと大韓独立万歳を唱えた全国的民族運動. '삼

일 운동 三一運動'とも称する.

독립-문【獨立門】[tongnimmun]〈名〉(ソウルの西大門近くにある)独立門.

参考 朝鮮朝末期, 1897年に'独立協会'が朝鮮の自主独立を宣言する目的で建てた石門.

***독립 신문**【獨立新聞】[tongnip—]〈名〉〔史〕独立新聞.

参考 1896年'독립 협회 独立協会'の徐載弼が創刊し, 1899年まで発行された朝鮮朝最初の民間新聞. 記事はすべてハングルで書かれた.

ㄷ

독립 운동【獨立運動】[tongnibu:ndong]〈名〉独立運動. 語例 ~가 独立運動家.

독립 투사【獨立鬪士】[tongnipt'usa]〈名〉独立運動の闘士.

독립 협회【獨立協會】[tongnip'yŏp'oe]〈名〉〔史〕独立協会.

参考 1896年, 自主独立を目的に組織された政治結社. 徐載弼・李商在・尹致昊らを中心に, 独立新聞の発行と独立門の建造など業績を残した.

독-무대【獨舞臺】[tongmudae]〈名〉独り舞台. =독판. 文例 회의가 의장의 ~가 되어선 안된다 会議が議長の独り舞台になってはいけない / 오늘의 야구는 김군의 ~였다 今日の野球は金君の独り舞台だった.

독물【毒物】[tongmul]〈名〉毒物. 句例 강물에서 ~이 검출되다 川の水から毒物が検出される.

독-미나리【毒—】[tongminari]〈名〉〔植〕毒ぜり.

독방【獨房】〈名〉❶独房. 句例 정치범을 ~에 넣다 政治犯を独房に入れる. ❷個室. 句例 ~을 차지하게 되다 個室をもてるようになる.

독배【毒杯】〈名〉毒杯.

독백【獨白】〈名・하自他〉独白. モノローグ. 独り言. 句例 ~체의 각본 独白体のシナリオ.

독-버섯【毒—】〈名〉〔植〕毒たけ. 毒きのこ. 句例 ~처럼 생겨나고 있는 사회악 毒きのこのように蔓延している社会悪.

독-벌【毒—】〈名〉〔蟲〕毒ばち.

독-벌레【毒—】〈名〉毒虫.

독법【讀法】〈名〉読法. 読み方.

독보【獨步】〈名〉独歩. 句例 ~적인 위치에 있다 独歩の位置にある / ~적인 존재 卓越した存在.

독본【讀本】〈名〉読本.

독불-장군【獨不將軍】〈名〉❶のけ者にされた人. ❷何でも独りで処理していく人.

表現 原義は, 独りでは将軍になれないの意で, 他人と協力すべきであるということであるが, 今はこの意味ではほとんど使われていない.

***독사**【毒蛇】〈名〉〔動〕毒蛇・毒へび.

독-사진【獨寫眞】〈名〉独り写しの写真. 独りの写真.

독살【毒殺】〈名・하他〉毒殺. **~스럽다** (→스럽다)〈形〉毒毒しい. 句例 독살스러운 표정 意地の悪い表情 / 독살스럽게 노려보다 憎憎しげににらみつける.

독살(을) 부리다〔피우다〕毒毒しく人に当たる. 意地悪をする.

독-살림【獨—】〈名・하自〉独立所帯. 一人暮らし.

독상【獨床】〈名〉独り膳. 句例 ~을 차려 내다 独り膳を出してもてなす.

독생-자【獨生子】〈名〉〔基〕キリストを指す語. 参考 神の一人息子の意.

***독서**【讀書】〈名・하自〉読書. 語例 ~가 読書家 / ~실 読書室(受験生などが勉強するようにしつらえたレンタルルーム) / ~회 読書会 / ~대 読書台 / ~ 주간 読書週間.

독서-당【讀書堂】〈名〉〔史〕朝鮮朝時代, 優秀な若い官吏に休暇を与えて学問に専念させた書斎. ソウルの漢江のほとりにあった.

독서-삼매【讀書三昧】〈名〉読書三昧. 句例 ~경(境)에 빠지다 読書三昧にふける.

독선【獨善】〈名〉独善. 独り善がり. 語例 ~가 独善家.

독-선생【獨先生】〈名〉個人指導の先生.

독선-적【獨善的】〈名・冠〉独善的. 句例 ~인 주장 独善的な主張.

독설【毒舌】〈名〉毒舌. 句例 ~을 퍼붓다 毒舌をふるう〔浴びせる〕. 語例 ~가 毒舌家.

독성【毒性】〈名〉毒性. 句例 ~이 강하다 毒性が強い. 語例 ~ 검사 毒性検査.

독소【毒素】〈名〉〔化〕毒素. 文例 소변에 의해서 체내의 ~도 함께 배설된다 小便によって体内の毒素も一緒に排泄される.

독수-공방【獨守空房】〈名〉夫婦が一緒に住めないこと. 特に, 結婚した女性の独り寝.

****독-수리**【禿—】〈名〉〔鳥〕はげわし(禿鷲).

독식【獨食】〈名・하他〉❶独りで食べること. ❷利益の独占.

독신【獨身】〈名〉❶一人っ子. 一人子. 類 독자(獨子). ❷(未婚の)独身. 独り者. 句例 평생 ~으로 지내다 一生独身を通す. 語例 ~자 独身者 / ~주의 独身主義.

독실【篤實】〈名〉篤実. **~하다**〈形〉篤実だ. 句例 ~한 신자 篤実な信者.

독심-술【讀心術】〈名〉読心術.

독야-청청【獨也靑靑】[togya—]〈名〉独り青青としていること. 転じて, 孤高として節操を守ること. 文例 백설이 만건곤할 제 ~하리라 白雪が天地を覆うとき独り青青としていようぞ. 不義がはびこって天地を覆うときにも孤高な節操を守るであろう.

독약【毒藥】[togyak]〈名〉毒薬. 毒.

독어【獨語】[togŏ]〈名〉ドイツ語.

독-오르다【毒—】[togorŭda] (독오르니, 독올라서)〈自〉❶毒気付く. ❷憎悪心が込み上げる.

독일【獨逸】[togil]〈名〉〔地〕ドイツ. 語例 ~ 문자 ドイツ文字 / ~ 사람 ドイツ人 / ~말 ドイツ語.

독자【獨子】〈名〉一人息子. =외아들. 語例 삼대 ~ 三代目の一人息子.

독자 【獨自】〈名〉独自. [語例] ～성 独自性 / ～노선 独自路線.

독자 【讀者】〈名〉読者. [句例] 두터운 ～층 厚い読者層 / ～의 비판 読者の批判. [語例] ～란 読者欄.

독자-적 【獨自的】〈名・冠〉独自的. [句例] ～인 행동을 취하다 独自の行動を取る / ～인 필치 独特の筆致.

독장수-셈 〈名〉かめ売りの算用. 皮算用.

독장-치다 【獨場―】〈自〉独り舞台〔一人舞台〕だ. 独壇場だ.

*__독재__ 【獨裁】〈名・하自他〉独裁. [語例] ～자 独裁者 / ～ 정치 独裁政治 / ～주의 独裁主義.

독전 【督戰】〈名・하自〉督戦. [語例] ～대 督戦隊.

독점 【獨占】〈名・하他〉独占. ＝독차지. [句例] 이익을 ～하다 利益を独占する / 국내 시장을 ～하다 国内市場を独占する. [語例] ～권 独占権 / ～ 사업 独占事業 / ～ 기업 独占企業 / ～ 자본 独占資本.

독종 【毒種】〈名〉あくどい人.

독주 【毒酒】〈名〉❶非常に強い酒. ❷毒酒. 毒の入った酒.

독주 【獨走】〈名・하自〉独走. [句例] 선두에 서서 ～하다 先頭を独走する. [文例] 그의 ～를 허용해서는 안 된다 彼の独走を許してはならない.

독주 【獨奏】〈名・하他〉〔樂〕独奏. ソロ. [語例] 피아노 ～ ピアノ独奏.

독지 【篤志】〈名〉篤志. [語例] ～가 篤志家.

독직 【瀆職】〈名・하自〉瀆職. 汚職. [語例] ～ 사건 瀆職事件.

*__독-차지__ 【獨―】〈名・하他〉独り〔一人〕占め. ＝독점(獨占). [句例] 이익을 ～하다 利益を丸取りする〔独占する〕/ 인기를 ～하다 人気を独り占めする.

*__독창__ 【獨唱】〈名・하自他〉〔樂〕独唱. [語例] ～곡 独唱曲 / ～회 独唱会.

독창 【獨創】〈名〉独創. [語例] ～성 独創性 / ～력 独創力.

독창-적 【獨創的】〈名・冠〉独創的. [句例] ～인 작품 独創的な作品.

독-채 【獨―】〈名〉一戸建て. [語例] ～집 一軒家.

독천-장 【獨擅場】〈名〉独擅場. 独り〔一人〕舞台. ㊊독무대(獨舞臺).

독초 【毒草】〈名〉❶毒草. ❷きついタバコ(煙草).

*__독촉__ 【督促】〈名・하他〉督促. [句例] 성화 같은 ～을 받다 矢のような催促を受ける. [語例] ～장 督促状.

독충 【毒蟲】〈名〉❶毒虫. ＝독벌레. [句例] ～에 쐬다 毒虫に刺される. ❷〔動〕まむし(蝮).

독침 【毒針】〈名〉毒針. ＝독바늘.

독탕 【獨湯】〈名・하自〉独り風呂.

*__독특-하다__ 【獨特―】[tokt'ŭk'ada] (→하다)〈形〉独特だ. [句例] 독특한 맛 独特な味 / 독특하게 独特に.

독파 【讀破】〈名・하他〉読破. 読了. [句例] 단숨에 ～하다 一息に読み終える. [文例] 하루〔하룻밤〕에 ～했다 一日〔一晩〕で読破した.

독판-치다 【獨―】〈他〉独り〔一人〕舞台を演じる. 勝手気ままに振る舞う. ＝독장치다.

독-풀 【毒―】〈名〉毒草. ＝독초(毒草).

독필 【毒筆】〈名〉毒筆. [句例] ～을 휘두르다 毒筆を振るう.

*__독-하다__ 【毒―】[tok'ada] (→하다)〈形〉❶有毒だ. 毒がある. [句例] 독한 약 毒性のある薬. (舌触りの)きつい薬. ❷(味・においなどの)度が強い. [句例] 독한 술 きつい酒. 度の強い酒 / 독한 담배 きついタバコ / 독한 냄새 ひどいにおい. ❸毒毒しい. 残忍で悪らつだ. [句例] 독한 계집 悪らつな女. ❹我慢強い. [句例] 독하게 마음을 도스르다 堅く心を引き締める. ❺はなはだしい. [句例] 독한 감기 ひどい風邪.

*__독학__ 【獨學】[tok'ak]〈名・하自他〉独学. [句例] ～으로 영어를 배우다 独学で英語を習う. [語例] ～자 独学者.

독해 【讀解】[tok'ae]〈名・하他〉読解. [語例] ～력 読解力.

독해-지다 【毒―】[tok'aejida]〈自〉きつくなる. 強くなる. あくどくなる.

독회 【讀會】[tok'oe]〈名〉読会. [語例] 제삼 ～ 第三読会.

독후-감 【讀後感】[tok'ugam]〈名〉読後感.

**__돈__ [to:n] ━〈名〉❶お金. 銭. 金子. 金円. [句例] ～을 내다 金を出す / ～을 낭비하다 お金を浪費する. 無駄遣いする / ～을 놀리다 お金を寝かす〔遊ばす〕/ ～을 굴리다 お金を回す / ～을 모으다 お金をためる / ～을 벌다 お金をもうける〔稼ぐ〕/ ～을 마련하다 お金を工面する〔都合する〕/ ～을 빌리다〔꾸다〕金を借りる / ～을 꾸어 주다 お金を貸す / ～을 쥐어 주다 金を握らせる / ～을 아끼지 않고 쓰다 金に飽かす. 金に糸目をかけない / ～이 있다〔없다〕お金がある〔ない〕/ ～이 생기다 お金ができる / ～을 치르다 お金を支払う〔払う〕/ ～을 갚다 金を返す / ～을 손에 쥐다 金を手に入れる / ～을 돌려 주다 お金を回して〔融通して〕やる / ～을 뿌리다 お金を無駄遣いする / ～을 예금하다 金を(銀行に)預金する / ～이 들다 お金がかかる / ～이 모자라다 お金が足りない / ～이 필요하다 お金が必要だ / ～이 떨어지다 金が切れる / ～에 눈이 어두워지다 金に目がくらむ / ～에 궁하다 金に困っている / ～이 모이다 金がたまる / ～으로 낚다 金で釣る / ～이 많은 사람 金持ち / ～의 힘 金の力 / ～으로 쳐서 お金にして. [語例] ～가치 金の値打ち. 貨幣の価値 / ～걱정 お金の心配.

❷値段. 価格. 代金. [文例] 이게 ～이 얼만데 함부로 다루느냐 これがいくらだと思ってぞんざいに扱うのか.

━〈依名〉❶昔の銭十枚をまとめて称する単位. ❷匁. ＝돈쭝. [句例] 한 ～ 짜리 금반지 一匁の金の指輪.

돈만 있으면 귀신도 부릴 수 있다 地獄の沙汰も金次第.

돈 〔漢字項目〕

【**敦**】[高校] 돈トン. ❶도탑다 てあつい. ▮敦厚 돈후 とんこう. ❷힘쓰다 つとめる. ▮教學 돈학 とんがく.

【**豚**】[高校] 돈 トン. ❶돼지 ぶた. ▮豚肉 돈육 とんにく. ▮養豚 양돈 ようとん. ❷자기 아들의 겸칭 自分の子の謙称. ▮豚兒 돈아 とんじ.

돈-값 [to:nkkap] 〈名〉 お金の値打ち. [句例] ~이 오르다〔떨어지다〕 お金の値打ちが上がる〔下がる〕.
[参考] '돈값을 お金の値打ちを'は[to:nkkapsŭl]と読む.

돈-궤 【一櫃】[to:nkkwe] 〈名〉 金箱. 銭箱. 金櫃. ＝금고(金庫).

돈-꿰미 [to:nkkwemi] 〈名〉 銭差し. ぜになわ. 銭つら. 青緡. 差し.

돈-내기 [to:nnaegi] 〈名・하自〉 ❶かけ事. ❷賭博.

돈-냥 【一兩】[to:nnyang] 〈名〉 少少のお金. いくぶんかのお金.

돈-놀이 [to:nnori] 〈名・하自〉 金貸し. [語例] ~꾼 金貸し.

돈-독 【一毒】[to:nttok] 〈名〉 金の味を覚えて執着する傾向. 金に夢中になること. [句例] ~이 오르다 お金に目がくらむ. 金に夢中になる.

돈독-하다 【敦篤一】[tondok'ada] 〈形〉 (→하다) ⇨ 돈후(敦厚)하다. **돈독히** [tondok'i] 〈副〉 ⇨ 돈후히. [句例] 우정을 돈독히 하다 友情を厚くする.

돈-맛 [to:nmat] 〈名〉 お金の味. [句例] ~을 알다 お金の味を知る / ~을 들이다 お金の味を占める. お金の味を覚える.

돈-머리 [to:nmŏri] 〈名〉 金高. 金額. [句例] ~가 크다 金額が大きい.

돈-반 【一半】[to:nban] 〈名〉 (重さの)一匁半. [句例] ~짜리 금반지 一匁半の金の指輪.

돈-백 【一百】[to:nppaek] 〈名〉 百単位で数える程のお金.

돈-벌이 [to:nppŏri] 〈名・하自〉 金もうけ. [句例] ~가 시원찮다 金もうけがうまくいかない / 좋은 ~ いい金もうけ / 큰 ~ 大きな金もうけ.

돈벼락-맞다 [to:nppyŏrangmatta] 〈自〉 急に多くの金をもうける. 成金になる.

돈-복 【一福】[to:nppok] 〈名〉 金運. [句例] ~이 있는 사람 金に恵まれた人.

돈사 【豚舍】〈名〉 豚舎. 豚小屋.

돈수 【頓首】〈名〉 頓首. [語例] ~ 재배 頓首再拝.
[表現] 手紙の末尾に書き添えて相手に敬意を表わすことば.

돈-주머니 [to:ntchumŏni] 〈名〉 銭入れ. 財布.

돈-줄 [to:ntchul] 〈名〉 金づる. [句例] 좋은 ~을 잡다 いい金づるをつかむ / ~을 찾다 金づるをたどる.

***돈-지갑** 【一紙匣】[to:ntchigap] 〈名〉 財布. 金入れ. がま口. [句例] ~을 소매치기당하다 財布をすられる / ~을 털어 주다 財布をはたいてくれてやる.

돈-짝 [to:ntchak] 〈名〉 昔の銭ほどの大きさ. [句例] ~만한 크기의 무늬 銭大の模様.

돈-쭝 [to:ntchung] 〈依名〉 韓方薬や金・銀などの重さを計る単位: 匁. [句例] 백금 두 ~ 白金二匁.

돈-천 【一千】[to:nch'ŏn] 〈名〉 千の単位で数える程のお金. [句例] ~만 원 千万ウォンほど.

돈-치기 [to:nch'igi] 〈名・하自〉 銭打ち. 穴一.

돈-타령 【一打令】[to:nt'aryŏng] 〈名・하自〉 お金のことで愚痴をこぼしたり小言を言ったりすること.

돈-표 【一票】[to:np'yo] 〈名〉 (小切手・手形など)現金と換えられる証券. 金券.

돈-푼 [to:np'un] 〈名〉 少しのお金. 小金. [句例] ~이나 있다고 金が少しばかりあるからといって.

돈피 【豚皮】〈名〉 豚の皮. ＝돼지 가죽.

돈후-하다 【敦厚一】(→하다) 〈形〉 敦厚だ. 篤実だ. 人情が厚い. [句例] 돈후한 성격 篤実な性格. **돈후히** 〈副〉 敦厚に.

***돋구다** 〈他〉 高める. 盛り上げる. (眼鏡の度数を)強める. [句例] 식욕을 ~ 食欲をそそる. [語例] 돋구어지다 高められる.

돋다 〈自〉 ❶昇る. [句例] 해가 ~ 日が昇る〔出る〕. ❷生える. 芽生える. [句例] 새싹이 ~ 芽が生える / 날개가 ~ 羽が生える / 풀이〔뿌리가〕 ~ 草〔根〕が生える. ❸吹き出る. できる. [句例] 땀띠가 ~ あせもがでる / 여드름이 ~ にきびができる / 땀이 ~ 汗がでる. [文例] 얼굴에 좁쌀알 같은 것이 돋았다 顔にぶつぶつができた.

***돋-보기** 〈名〉 ❶老眼鏡. [句例] ~를 쓴 사람 老眼鏡を掛けた人. ❷虫眼鏡. ルーペ. ＝확대경.

***돋-보이다** 〈自〉 ['도두보이다'の略] 目立つ. ひき立って見える. 見栄えがする. 略して'돋뵈다'ともいう. [文例] 빨강 바탕에 물방울 무늬가 돋보인다 赤地に水玉がひき立って見える / 이 옷을 입으면 한층 돋보일 걸 この服を着たら一層見栄えがするだろう.

돋아-나다 [todanada] 〈自〉 ❶芽生える. 芽ぐむ. [句例] 초목이 ~ 草木が芽生える. ❷吹き出る. できる. [句例] 얼굴에 여드름이 ~ 顔ににきびが吹き出る.

돋우다 [toduda] 〈他〉 ❶(灯心などを)かき上げる. かき立てる. [句例] 심지를 ~ 灯心を上げる. [絵] ❷(挑発して)怒らせる. (感情を)かき立てる. 刺激する. (興味などを)そそる. 添える. [句例] 한결 더 흥을 ~ ひとしお興を添える / 용기를 ~ 勇気を奮い立たせる. [絵] / 남의 신경을 ~ 人の神経をいらだたせる / 화를 ~ 怒らせる. ❸(下を支えて)高める. [句例] 발을 ~ 背伸びをする. [絵] ❹(食欲を)そそる. 付ける. [句例] 입맛을 돋우는 요리 食欲をそそる料理. ❺(元気を)つける. 励ます. 鼓舞する. [句例] 사기를 ~ 士気を鼓舞する. ❻唆す. [句例] 싸움을 ~ けんか

を唆す〔仕掛ける〕.

(남포에)
심지를 돋우다 용기를 돋우다 발을 돋우다
〈돋우다〉

돋을-새김 [todŭlsaegim]〈名〉浮き彫り．陽刻．＝부각(浮刻)．

***돋치다**〈自〉❶(生えて)突き出る．句例 뿔이 ～ 角が生える / 가시 돋친 말 とげ(刺)のある〔針を含んだ〕言葉 / 날개 돋친 듯이 팔리다 羽が生えて飛ぶように売れる．❷(値段が)上がる．句例 값이 곱절로 ～ 値段が倍に上がる．

****돌**¹ ■〈名〉❶'첫돌'·'돌날'の略：満一歳の誕生日．初誕生日．文例 우리 아기가 벌써 ～이 된대요 うちの赤ん坊がもう一歳ですよ．語例 ⇨ 돌떡．❷ある時点よりまる一日または一年になる日．一周期．文例 돌아가신 지 어언 ～이 된다 亡くなられてからいつの間にか一周年になる．
■〈依名〉周年．句例 개교 열 ～ 맞이 기념 행사 開校十周年の記念行事．
表現 固有語の数詞にだけ付く語．

****돌**² [to:l]〈名〉石．❶小石．句例 ～을 던지다 石を投げる / ～을 차다 石をける / ～을 베개 삼다 石をまくらにする / 모난 ～이 정 맞는다 出るくい(杭)は打たれる / 큰〔작은〕 ～ 大石〔小石〕/ 단단한 ～ 硬い石．文例 ～처럼 움직이지 않는다 石のように動かない．❷石材．句例 ～을 갈다 石を磨く / ～을 깔다 石を敷く / ～에 새기다 石に刻む / ～로 지은 집 石造りの〔石で建てた〕家 / ～문 石の門．❸['바둑돌'の略] 碁石．語例 흰～ 白石．❹火打ち石．語例 라이터～ ライターの石．❺固いもの．冷たいものなどのたとえ．語例 ～대가리 石頭．

돌 〔漢字項目〕

【突(突)】 高校 돌 トツ．❶부딪치다 つきあたる．■突撃 돌격 とつげき．■衝突 충돌 しょうとつ．❷쑥 나오다 突き出る．■突出 돌출 とっしゅつ．❸구멍을 파서 뚫다 穴をあける．■突破 돌파 とっぱ．突貫 돌관 とっかん．❹갑작스럽다 たしぬけだ．■突然 돌연 とつぜん．

돌개-바람 [to:lgaebaram]〈名〉〔氣〕颶風．

***돌격**【突撃】〈名·하自〉突撃．語例 ～대 突撃隊．

돌-고드름 [to:lgodŭrŭm]〈名〉〔鑛〕岩垂氷．鍾乳石．氷柱石．石の花．＝석종유(石鍾乳)．

돌-고래 [to:lgorae]〈名〉〔動〕まいるか(真海豚)．

돌-공이 [to:lgong-i]〈名〉石のきね(杵)．絵

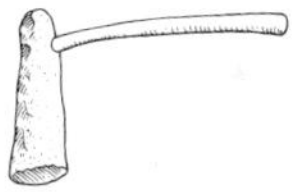

〈돌공이〉

돌관【突貫】〈名·하他〉突貫．語例 ～ 공사 突貫工事．

돌-구멍 [to:lkkumŏng]〈名〉石や岩にあいた穴．岩穴．

돌기【突起】〈名·하自〉突起．語例 충양 ～ 虫様突起．

돌-기둥 [to:lgidung]〈名〉石柱．＝석주．

돌-기와 [to:lgiwa]〈名〉石瓦．語例 ～집 石瓦でふ(葺)いた家．

돌-길 [to:lkkil]〈名〉❶砂利道．石道．❷石を敷きつめた道．

돌-김 [to:lgim]〈名〉海中の石に生えるのり(海苔)．

돌-나물 [tollamul]〈名〉〔植〕つるまんねんぐさ．若芽は食用になる．

돌-날 [tollal]〈名〉初誕生日．

****돌다** [to:lda] (도니, 돌아서) ■〈自〉❶回る．㉠回転する．句例 팽이가 ～ こまが回る / 빙글빙글 ～ ぐるぐる回る / 물레방아가 ～ 水車が回る．
㉡めまい(目眩)がする．句例 눈이 ～ 目が回る．文例 바빠서 눈이 돌 지경이다 忙しくて目まいがする程だ．
㉢順次に巡る．句例 술잔이 차례로 ～ 杯が順に回る / 인사차 ～ あいさつに回る / 당번이 돌아오다 当番が回ってくる．
㉣(酒·薬などが)効く．句例 독이 ～ 毒が回る / 술기운이 ～ 酒が回る．
㉤流通する．句例 돈이 잘 안 ～ 金回りが悪い / 위조 지폐가 ～ 偽造紙幣が出回る．
㉥(機械·工場などが)動く．働く．文例 기계가 쉴 새 없이 돌고 있다 機械が少しも止まらずに回っている / 쉬고 있던 공장이 다시 돈다 休んでいた工場が再び動きだす．
㉦頭がよく動く．句例 머리가 잘 ～ 知恵が回る．文例 머리가 빨리 돌지 않는다 頭が早く回らない．
㉧向きを変える．転向する．句例 반대당으로 ～ 反対党に回る〔移る〕．
❷(うわさ(噂)が)立つ．広がる．句例 소문이 ～ うわさが広がる〔立つ〕/ 마을에 홍역이 ～ 村中にはしかがはやる．
❸気が触れる．頭が変になる．文例 저녀석은 좀 돌았다 あいつは頭が少し変だ．あいつは少少左巻きだ．
❹(表面に)表れる．浮かぶ．句例 얼굴에 웃음이 ～ 顔にほほえみが浮かぶ / 생기가 ～ 生気がよみがえる / 눈물이 핑 ～ 目頭が熱くなる / 입에 군침이 ～ 口に生つばがたまる / 붉은 빛이 ～ 赤い色を帯びてくる．
表現 ③は俗っぽい言いかた．
■〈他〉回る．❶(周囲を)巡る．句例 달이 지구를 ～ 月が地球を回る / 운동장을 한 바퀴 ～ 運動場を一回りする．
❷(用事などのため)巡回する．句例 담당

구역을 ～ 受け持ち区域を見回る / 주문을 받으러 지방을 ～ 注文取りに地方を回る / 순찰을 ～ 巡察をする.
❸遠回りする. 回り道をする. 迂回する. 句例 돌아서 가다 回り道をする / 배가 갑을 ～ 船が岬を回る / 미국을 돌아서 유럽으로 가다 アメリカ経由でヨーロッパに行く.
❹(角を)曲がる. 句例 모퉁이를 ～ 曲がり角を曲がる. 文例 오른쪽으로 돌아가세요 右に曲って行きなさい.

돌-다리 [to:ldari] 〈名〉 石橋.
돌다리도 두드려 보고 건너라 石橋もたたいて見て渡れ.

돌-담 [to:ldam] 〈名〉 石塀. 石垣.

돌-대가리 [to:ldaegari] 〈名〉 石頭. とんま(頓馬). 頭の回転がよくない人の俗っぽい言いかた.

돌-덩이 [to:lttŏng-i] 〈名〉 大きめの石の塊. 石塊.

돌-도끼 [to:ldokki] 〈名〉〔史〕石斧. いしおの.

돌돌 〈副〉 ❶幾重にも巻くさま: くるくる. 句例 ～ 말리다 くるくる巻きつく. ❷まるい物が軽やかに転ぶさま: ころころ. 句例 ～ 구르다 ころころ転がる.

돌돌-하다 (→하다) 〈形〉 '똘똘하다'の語勢の弱い語.

돌-떡 〈名〉 初誕生日の祝いもち(餅).

돌라방-치다 〈他〉 すり替える. 替え玉でごまかす. 略して'돌라치다'とも言う.

돌라-앉다 [tollaantta] 〈自〉 (大勢の人が)輪になって座る. 車座になる. →앉다 参考

돌라-주다 〈他〉 (分けて)配る. 句例 선물을 ～ おみやげを配る.

돌라-치다 〈他〉 '돌라방치다'の略.

돌려-나기 〈名〉〔植〕(葉序の)輪生. ＝윤생.

돌려-놓다 [tollyŏnot'a] 〈他〉 ❶向きを変えて置く. ＝돌라놓다. 句例 의자를 ～ 椅子の向きを変えておく. ❷孤立させる. 度外視する.

돌려-드리다 〈他〉 返してあげる.

돌려-보내다 〈他〉 ❶(持って来た物を)戻す. 送り返す. 句例 선물을 ～ 贈り物を戻す. ❷(訪ねて来た人を会わずにそのまま)帰す. 帰らせる. 句例 심부름꾼을 ～ 使いを帰す / 며느리를 친정으로 ～ 嫁を里に帰す.

돌려-보다 〈他〉 (順順に)回して見る. 回覧する.

돌려-쓰다 (—쓰니, —써서) 〈他〉 ❶(金品を)都合〔やりくり〕して使う. 句例 돈을 ～ 金を都合〔やりくり〕して使う. ❷流用する. 転用する.

돌려-주다 〈他〉 ❶返す. 句例 빌린 책을 ～ 借りた本を返す. 文例 원금만이라도 돌려주었으면 싶다 元金だけでも返してほしい. ❷都合してやる. 句例 돈을 ～ 金を都合してやる.

돌려-짓기 〈名・하他〉〔農〕輪作. ＝윤작. 對이어짓기.

돌려-차기 〈名〉 ('태권도(跆拳道)'で)半円を描くように, からだを回しながら相手を足でける技.

돌리다[1] 〈自他〉 ❶(病気が)峠〔危機〕を越す. ❷ほっとする. 句例 한숨 ～ ほっと一息つく. ❸(怒りが)和らぐ. 和らげる. 鎮まる. ❹都合がつく. 都合をつける. 句例 돈을 ～ 金を融通する.

****돌리다**[2] 〈他〉 ❶回す. ㉠回まるようにする. 句例 팽이를 ～ こまを回す / 다이얼을 ～ ダイヤルを回す. 絵
㉡次次に渡す. 句例 다음으로 ～ 次へ回す / 잔을 ～ 杯を回す / 서류를 담당계로 ～ 書類を係りへ回す.
❷(向きを)変える. 向ける. 転じる. 句例 화제를 ～ 話題を変える / 시선을 ～ 視線をそ(逸)らす / 기수를 서쪽으로 ～ 機首を西に向ける / 발길을 ～ きびすを巡らす.
❸配る. 句例 신문을 ～ 新聞を配る / 격문을 ～ 檄を飛ばす / 돌떡을 ～ 初誕生日の祝いもちを配る.
❹思い直す. 句例 마음을 ～ 思い直す. 気を転じる. 絵 / 마음을 돌려 부지런히 일하다 心を入れ替えてまじめに働く.
❺営む. 経営する. 句例 공장을 ～ 工場を動かす / 기계를 ～ 機械を動かす〔回す〕.
❻(責任・手柄などを)…に帰する. 譲る. 句例 죄를 남에게 ～ 罪を人にかぶせる. 絵 / 승리의 영광을 그에게 ～ 勝利の栄光を彼に譲る.
❼後回しにする. 文例 이것은 뒤로 돌리자 これは後回しにしよう.
❽転用する. 振り向ける. 句例 예산을 …에 ～ 予算を…に振り向ける / 공업용으로 ～ 工業用に回す.
❾遠回しに言う. 婉曲に言う. 文例 그렇게 돌려서 말하지 말고 솔직하게 말해라 そう遠回しに言わないで率直に言ってくれ.
❿みなす. 受け取る. 文例 이제, 결말이 났으니 모든 걸 백지로 돌립시다 もう, けりがついたからすべてのことを白紙とみなしましょう. みんなご破算にしましょう.

〈돌리다〉

돌림 〈名〉 ❶順順に回すこと. 句例 ～으로 한 턱씩 내다 たらい(盥)回しでおごる. ❷'돌림병'の略. ❸⇨ 항렬(行列)

돌림-감기【—感氣】[tollimkkamgi] 〈名〉 はやり風邪. インフルエンザ.

***돌림-노래** 〈名〉〔樂〕輪唱. ＝윤창.

돌림-병【—病】[tollimppyŏng] 〈名〉 はやり病. はやりやみ. 略して'돌림'ともいう. ＝유행병(流行病).

돌림-자【一字】[tollimtcha]〈名〉⇨ 항렬자(行列字)

돌마낫-적〈名〉満一歳になるかならないかのころ.

돌-맞이 [tolmaji]〈名〉初誕生日を迎えること.

＊＊돌-멩이 [to:lmeng-i]〈名〉石ころ. 石くれ. 句例 ～를 던지다 石ころを投げる.

돌멩이-질〈名・하自〉石投げ. つぶて打ち. 略して'돌질'ともいう.

돌-무더기 [to:lmudŏgi]〈名〉石の小山.

돌-미륵【一彌勒】[to:lmirŭk]〈名〉石作りの弥勒仏像.

돌-반지기 [to:lbanjigi]〈名〉砂や小石混じりの米.

돌발【突發】〈名・하自〉突発. 句例 전쟁이 ～하다 戦争が突発する. 語例 ～ 사고 突発事故 / ～ 사건 突発事件.

돌발-적【突發的】[tolbaltchŏk]〈名・冠〉突発的. 句例 ～인 증상 突発的な症状 / ～인 사고 突発的な事故.

돌-방【一房】[to:lbang]〈名〉〔史〕石室. 石を積み上げたり土を掘ったりして造った部屋. 朝鮮朝以前までは王陵に用いられた. ＝석실(石室).

돌-방죽【一防一】[to:lbangjuk]〈名〉石で築いた堤防. 石堤.

돌-배〈名〉〔植〕やまなし(山梨).

돌변【突變】〈名・하自〉急変. 句例 태도가 ～하다 態度が急変する / 형세의 ～에 놀라다 形勢の急変に驚く / 승객이 강도로 ～하다 乗客が強盗に急変する.

＊돌-보다 [to:lboda]〈他〉❶助ける. 助力する. ❷世話をする. 面倒を見る. 句例 돌보아 주는 사람이 없는 아이 構い手のない子 / 내 일처럼 ～ 自分のことのように助力する / 살림을 ～ 暮らしの面倒を見る.

돌-부리 [to:lppuri]〈名〉(路面に突き出た)石のとが(尖)った部分.

돌부리를 차면 발부리만 아프다 突き出た石をけると足のつま先だけが痛い. やたらにかんしゃく(癇癪)を起こすのは自分の損になるばかりだとの意.

＊돌-부처 [to:lbuch'ŏ]〈名〉石仏.

돌-비늘 [to:lppinŭl]〈名〉⇨ 운모(雲母)

돌-비알 [to:lppial]〈名〉切り立った岩山.

돌-사닥다리 [to:lsadaktari]〈名〉石坂の険しい山道.

돌-산【一山】[to:lssan]〈名〉岩山. 石山.

돌-상【一床】[tolssang]〈名〉初誕生日祝いのお膳.

돌-소금 [to:lsogŭm]〈名〉山塩. 岩塩.

돌-솜 [to:lsom]〈名〉〔鑛〕石綿・. アスベスト. ＝석면(石綿).

돌-솥 [to:lsot]〈名〉(飯炊き用の)石釜.

돌-싸움 [to:lssaum]〈名・하自〉〔民〕石合戦. 略して'돌쌈'とも言う. ＝석전(石戰).

＊＊돌아-가다

[toragada] (돌아가거라) ━〈自〉❶(もとに)帰〔返〕る. 句例 집으로 ～ 家に帰る / 동심〔제정신〕으로 ～ 童心〔我〕に返る.
❷回る. 回転する. 句例 풍차가 ～ 風車が回転する.
❸遠回りをする. 句例 먼 길로 ～ 回り道をする.
❹順番になる. 巡って行く. 句例 차례가 ～ 順番が回って行く.
❺(分け前などが)配分される. 句例 인쇄물이 전원에게 ～ 印刷物が全員に渡る.
❻…に帰する. 句例 일이 수포로 ～ 事が水泡に帰する / 승리는 적의 손에 ～ 勝利は敵の手に入る.
❼…に終わる. 句例 헛수고로 ～ 無駄骨に終わる.
❽(ある状態に)なっていく. 変わっていく. 句例 시국이 돌아가는 것을 지켜보다 時局の推移を注視する.
❾(一方に)ゆがむ. 曲がる. 句例 중풍으로 입이 ～ 中風で口がゆがむ.
❿(金品などが)回る. 句例 자금이 순조롭게 ～ 資金が順調に回転する.
⓫(機能が)正常に働く. 動く. 句例 공장이 잘 ～ 工場がよく稼動する.
⓬'죽다 死ぬ'を敬って言う語: お隠れになる. お亡くなりになる. 文例 할아버지는 작년에 돌아가셨습니다 祖父は昨年亡くなりました.
━〈他〉曲がって行く. 回って行く. 句例 모퉁이를 ～ 角を曲がって行く.

＊돌아-눕다 [toranupta] (―누우니, ―누워서)〈自〉寝返る. (寝床で)背を向ける. 句例 자꾸 몸을 뒤치며 ～ しきりに寝返りをうつ.

＊＊돌아-다니다 [toradanida]〈自他〉❶歩き回る. 句例 끌고 ～ 引き回す / 나라 안을 ～ 国中を歩き回る / 친구 집을 ～ 知人の家を巡る / 세계를 두루 ～ 世界をまた(股)にかける / 정처없이 ～ あてもなく歩き回る. ❷(病気が)はやる. 句例 독감이 ～ インフルエンザがはやる.

돌아-들다 [toradŭlda] (―드니, ―들어서)〈自〉❶回り回って元にかえる. ❷(流れ水などが)入り海を曲がって流れ込む.

＊돌아-보다 [toraboda]〈他〉❶振り返って見る. 見返る. 句例 무심코 ～ 思わず振り返る / 돌아보지도 않다 見向きもしない. ❷顧〔省〕みる. 句例 나 자신을 ～ わが身を顧みる. ❸見回る. 句例 공장을 ～ 工場を見回る / 관내를 ～ 管内を巡視する / 명승지를 ～ 名所や景勝地を見回る. ❹⇨ 돌보다. 句例 버리고 돌아보지 않다 見離す. 文例 늙은 부모는 돌아보지 않고 저 좋은 일만 하고 있다 年老いた親を顧みもせずに自分の好きなことばかりしている.

＊돌아-서다 [torasŏda]〈自〉❶後ろ向きになる. 背を向ける. ❷仲たがいする. 背く. 背反する. 文例 싹 돌아서서 말도 안 한다 さっと背を向けて口もきかない. ❸(病勢が)快方に向かう. 回復する. 句例 병이 조금 ～ 病気が治りかける.

돌아-앉다 [toraantta]〈自〉❶後ろ向きに座る. 背を向けて座る. 句例 돌아앉아서 울다 後ろ向きた座って泣く. ❷後ろ向きになっている.

背を向けている. [文例] 도표(道標)가 돌아앉아 있다 道しるべが後ろ向きになっている. ❸仲たがいする. 反目する. ▷略して'돌앉다'ともいう. →앉다[參考]

****돌아-오다** [toraoda] (돌아오너라) [一]〈自〉❶帰〔返〕(って来)る. 戻る. [句例] 돌아오는 길 帰りがけ. 帰りしな. 帰り道 / 부자가 되어 고향에 ～ 金持ちになって国へ帰って来る / 제정신으로 ～ 我に返る / 잃었던 물건이 ～ 忘れ物が戻って来る.
❷(順が)回って来る. 巡(って来)る. [句例] 책임이 내게 ～ 責任がわたしに回って来る / 차례가 ～ 順番が回って来る / 운이 ～ 付きが回って来る.
❸回り道をする. 遠回りする. [文例] 볼일이 있어 돌아왔다 用があって回り道をした.
[二]〈他〉遠回りをして来る. 曲がって来る. [句例] 길모퉁이를 ～ 街角を曲って来る.

돌-알 [to:ral]〈名〉水晶でできた眼鏡のレンズ.

돌연【突然】 [toryŏn] [一]〈名〉突然. だしぬけ. **～하다**〈形〉突然だ. だしぬけだ. [句例] ～한 비보 突然の悲報 / ～한 사고 突然の事故. 突発事故. **～히**〈副〉突然(に). にわかに. 不意に. いきなり. 突如.
[二]〈副〉突然. ＝돌연히. [文例] 차가 ～ 멈추었다 車が突然止まった.

돌이켜-보다 [torik'yŏboda]〈他〉❶(反省しながら)省みる. [句例] 자기 자신을 ～ 自分自身を省みる. ❷(過ぎ去ったことを)顧みる. [句例] 역사를 ～ 歴史を顧みる.

돌이키다 [torik'ida]〈他〉❶振り返る. ㉠(首を回して)振り向く. 顧みる. [句例] 돌이켜 보다 振り返って見る. 振り向いて見る. ㉡省みる. 反省する. [句例] 과거를 돌이켜 보다 過去を振り返って見る. ❷心を入れ替える. 思い直す. [文例] 마음을 돌이켜라 心を改めなさい. ❸取り戻す. 挽回する. [文例] 돌이킬 수 없는 실수를 저질렀다 取り返しのつかないミスをしてしまった.

돌입【突入】 [torip]〈名・하自〉突入. [句例] 적진에 ～하다 敵陣に突入する / 대기권에 ～하다 大気圏に突入する.

돌-잔치〈名〉初誕生日のお祝い.

돌-잡이 [toljabi]〈名〉初誕生日のお祝いの膳に色色な物を並べ幼児に自由に取らせて将来を占うこと.
[參考] 取ったものが金なら財運, 糸や麵なら長寿に恵まれ, 本・筆なら学問, 弓なら武芸に秀でると占う.

돌-잡히다 [toljap'ida]〈他〉初誕生日のお祝いにいろいろの物を並べて幼児に自由に取らせる.

돌-장이【―匠―】 [to:ljang-i]〈名〉石屋. 石切り. 石工. ＝석수(石手).

돌-쟁이〈名〉初誕生を迎えるくらいの子供.

돌-절구 [to:ljŏlgu]〈名〉ふねうす(船臼).

돌-조개 [to:ljogae]〈名〉〔貝〕いしがい(石貝).

돌진【突進】 [toltchin]〈名・하自〉突進. [句例] 적을 향해 ～하다 敵に向かって突進する.

돌-집 [to:ltchip]〈名〉石造りの家.

돌쩌귀 [to:ltchŏgwi]〈名〉(戸の)ひじつぼ(肘壺)とひじがね(肘金).
돌쩌귀에 녹이 슬지 않는다 ひじがねとひじつぼはさびがつかない. 常に活動している人は健全であるとの意.

돌출【突出】〈名〉突出. **～하다**〈自〉突出する. 突き出る. [句例] ～한 간판 突き出た看板.

돌-층계【―層階】 [to:lch'ŭnggye]〈名〉石段. 石階. 石で造った階段.

돌-칼 [to:lk'al]〈名〉(石器時代の)石の刀.

돌-탑【―塔】 [to:lt'ap]〈名〉石塔. ＝석탑(石塔).

돌파【突破】〈名〉突破. **～하다**〈他〉突破する. 突き破る. 突っ切る. [句例] 난관을 ～하다 難関を突破する / 적진을 ～하다 敵陣を突破する / 적의 포위를 ～하다 敵の包囲を突き破る / 목표를 ～하다 目標を突破する.

돌파-구【突破口】〈名〉突破口. [句例] ～를 만들다 突破口を作る / ～를 찾다〔열다〕突破口をさがす〔開く〕.

돌-팔매 [to:lp'almae]〈名〉つぶて(飛礫). [句例] ～를 던지다 つぶてを投げる〔打つ〕. [語例] ～질 つぶて打ち.

돌-팔이 [to:lp'ari]〈名〉❶いかがわしい占い・技術・物などを売り歩くこと. また, その人. 旅稼ぎ. ❷資格がなかったり, またはつたない実力で専門職にたずさわっている人を俗っぽく言う語.

돌팔이 의사【―醫師】 [to:lp'ari ―]〈名〉やぶ医者.

돌풍【突風】〈名〉突風.

***돌-하르방** [to:lharŭbang]〈名〉〔民〕済州島の住民たちが安寧と秩序を守護すると信じる石神. また, その石神像. [絵]
[參考] もとは, '石で作ったおじいさん'の意.

〈돌하르방〉

돌-합【―盒】 [to:lhap]〈名〉ふた付きの石鉢.

돌-확 [to:lhwak]〈名〉小さないしうす(石臼).

****돕다** [to:pta] (도우니, 도와서)〈他〉助ける. ❶手伝う. 助力する. [句例] 일을 ～ 仕事を手伝う〔助ける〕/ 서로 ～ 助け合う / 어머니를 도와 빨래를 하다 母を手伝って洗濯をする. [文例] 하늘은 스스로 돕는 자를 돕는다 天は自ら助くる者を助く. ❷救済する. [句例] 가난한 사람을 ～ 貧者を助ける / 이재민을 ～ 被災者を救済する. ❸促す. 助長する. [句例] 소화를 ～ 消化を助ける / 신체의 발육을 ～ からだの発育を促す.

돗-바늘〈名〉(ござ(蓙)などを縫う)大針. かがり針.

돗-자리〈名〉ござ(蓙). むしろ.

동[1] [一]〈名〉かりうち(樗蒲)で, こま(駒)が盤面を一巡りして上がりになること. また, そのこま. [文例] 두 ～ 났다 こまが二つ上がった.
[二]〈依名〉束.
[參考] 墨は十個, 筆は十本, 反物は五十匹, 白紙は二十枚を一束にした物で百束, さかなは二千匹, 干し

がきは万個が'한 동'.

동² 〈名〉❶(物事の)つながり, 筋(道). つじつま. 句例 ~이 닿다 つじつまが合う / ~이 닿지 않는 말 つじつまの合わない話. 語例 ~떨어지다 懸け離れる. ❷間・ま. 句例 ~을 대다 後を続かせる. つじつまを合わせる / ~이 뜨다 間が長い. 間の隔たりがある. ❸チョゴリのそで(袖)の継ぎ合わせ用の切れ. 語例 색~저고리 そでを色とりどりの布で縫い合わせたチョゴリ. ❹(物事の)終わり. 底. 句例 ~이 나다 品切れになる. 底をつく. 払底する.

***동**【東】〈名〉東・とう. =동쪽. 語例 ⇨ 동트다

동에 번쩍 서에 번쩍 東にちらっと西にちらっと. 動きが非常に機敏なさま.

***동**【洞】[to:ng]〈名〉洞・とう. 地方行政区域の末端. 語例 ~사무소 洞事務所. 参考 日本の'町・まち'に当たる.

동【銅】〈名〉〔鑛〕銅. あかがね. =구리. 語例 ~메달 銅メダル.

동【棟】〈依名〉棟・むね. 軒. 句例 가옥 2 ~ 家屋二棟・ふたむね. 類채.

동 〔漢字項目〕

【冬(冬)】中學 동 トウ. 겨울 ふゆ. ◧冬季 동계 とうき. ◧越冬 월동 えっとう.

【凍】高校 동 トウ. ❶얼다 凍る. ◧凍結 동결 とうけつ. ◧冷凍 냉동 れいとう. ❷추위로 감각을 잃다 こごえる. ◧凍傷 동상 とうしょう. 凍死 동사 とうし.

【動】中學 동 ドウ. ❶움직이다 動く. ◧動畫 동화 どうが. ◧移動 이동 いどう. ❷흔들리가 ゆれる. ◧動搖 동요 どうよう. ◧震動 진동 しんどう. ❸느끼다 感じる. ◧感動 감동 かんどう. ❹기거 동작을 하다 身を動かす. ◧動作 동작 どうさ. ◧擧動 거동 きょどう. ❺일을 하다 はたらきをする. ◧動力 동력 どうりょく. ◧活動 활동 かつどう. ❻시작하다 始める. ◧動機 동기 どうき. ◧發動 발동 はつどう. ❼변하다 変わる. ◧變動 변동 へんどう. ❽나타나다 表われる. ◧蠢動 준동 しゅんどう. ❾어지럽다 乱れる. ◧動亂 동란 どうらん. ◧暴動 폭동 ぼうどう.

【同】中學 동 ドウ. ❶같다 おなじだ. ◧同一 동일 どういつ. ◧不同 부동 ふどう. ❷함께 하다 共にする. ◧同伴 동반 どうはん. ◧協同 협동 きょうどう. ❸합치다 一つにまとまる. ◧同心 동심 どうしん. 同棲 동서 どうせい. ❹모이다 集まる. ◧會同 회동 かいどう. 合同 합동 ごうどう. ❺전술한 바와 같은 前に挙げたものとおなじの. ◧同校 동교 どうこう. 同社 동사 どうしゃ.

【東】中校 동 トウ. ❶동녘 東. ◧東西 동서 とうざい. ◧正東 정동 せいとう. ❷(오행설에서) 봄 五行説で, 春. ◧東郊 동교 とうこう.

【桐】高校 동 トウ. ❶오동나무 きり. ◧桐油 동유 とうゆ. ◧梧桐 오동 ごとう. ❷거문고 琴. ◧絃桐 현동 げんとう.

【洞】中學 동 ドウ. 통 ドウ. トウ. ❶〔동〕깊은 구멍. 洞穴. ◧洞窟 동굴 どうくつ. ◧空洞 공동 くうどう. ❷〔통〕궤뚫다 つらぬき通す. ◧洞察 통찰 どうさつ. 洞徹 통철 どうてつ.

【童】中學 동 ドウ. ❶아이 子供. ◧童子 동자 どうし. ◧兒童 아동 じどう. ❷종 しもべ. ◧童僕 동복 どうぼく.

【銅】高校 동 ドウ. ❶동 あかがね. ◧銅鑛 동광 どうこう. ◧精銅 정동 せいどう. ❷구리로 만든 것 銅でつくったもの. ◧銅像 동상 どうぞう. 銅貨 동화 どうか.

동가식-서가숙【東家食西家宿】〈名・하自〉一定の住居がなく足の赴くままにあちこち居候して回る生活〔人〕.

동가-홍상【同價紅裳】[tongkka—]〈名〉同じ値段なら紅色のチマ. 同じことなら分のよい方を選ぶことのたとえ. 参考 '같은 값이면 다홍치마'の意.

동감【同感】〈名・하自他〉同感. 文例 네 의견에 나도 ~이다 君の考えに僕も同感だ.

동감【動感】[to:nggam]〈名〉動感. 句例 ~이 넘치는 그림 動感のあふれる絵.

동갑【同甲】〈名〉同い年. 文例 그와는 ~이라서 아주 사이가 좋아요 彼とは同い年なんでとても仲がいいです.

동강〈名〉切れ. 切れっ端. かけら. 断片. 語例 두 ~ 二切れ / 나무 ~ 木こっ端. 木片.

동강(이) 나다 (長い物が)折れる. 切れる. 切断される.

동강(을) 내다 (長い物を)折る. 切る. 切断する.

동강(을) 치다 (いくつかの断片に)切る.

동강-동강 〈副〉切れ切れに. ずたずたに. 句例 ~ 토막난 시체 ずたずたに切れた死体. バラバラ死体.

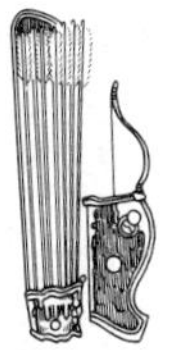

〈동개〉

동강-이〈名〉⇨ 동강

동개〈名〉(弓の)えびら(箙). 絵

동거【同居】〈名・하自〉同居. 同棲. 句例 삼대가 ~하다 三代が同居する. 語例 ~인 同居人 / ~ 생활 同居生活.

동검【銅劍】〈名〉銅剣.

동격【同格】[tongkkyŏk]〈名〉同格. 句例 ~으로 대우하다 同格に待遇する.

동결【凍結】[to:nggyŏl]〈名・하自他〉凍結. 句例 ~을 풀다 凍結を解く / 자금〔공공 요금〕의 ~ 資金〔公共料金〕の凍結.

동경【東經】〈名〉〔地〕東経. 對서경(西經).

동경【銅鏡】〈名〉銅鏡.

***동경**【憧憬】[to:nggyŏng]〈名・하他〉憧憬. あこがれ. **~하다** 憧憬する. あこがれる. 句例 ~의 대상 あこがれ〔憧憬〕の的.

동계【冬季】[to:nggye]〈名〉冬季. 語例 ~ 올림픽 冬季オリンピック.

동고-동락【同苦同樂】[—dongnak]〈名・하自〉苦楽を共にすること.

동-고비〈名〉〔鳥〕ごじゅうから(五十雀).

동고-서저【東高西低】〔氣〕〈名〉東高西低. 對서고동저(西高東低). 参考 韓国付近の気圧配置の型の一つ. 典型的な夏の気圧系.

ㄷ

동곳 〈名〉(男の)まげ(髷)挿し.

동곳을 빼다 まげ挿しを取る. (あやまちを認めて)屈服する. かぶとを脱ぐ.

동공【瞳孔】[to:nggong]〈名〉〔生〕瞳孔. ひとみ(瞳). =눈동자. 語例 ～ 반사 瞳孔反射.

동관【同官】〈名〉(同じ役所の)同僚. 同役.

동광【銅鑛】〈名〉銅山. 銅鉱. 句例 ～의 채굴 銅鉱の採掘 / ～의 제련 銅鉱の製錬.

동구【洞口】[to:nggu]〈名〉❶村の入り口. 語例 ～밖 村はずれ. ❷〔佛〕(寺の)山門の入り口.

동국【東國】〈名〉東国. ❶中国に対する韓国の自称. ❷東方の国.

동굴【洞窟】[to:nggul]〈名〉洞窟. 洞穴. 語例 ～ 미술 洞窟美術 / ～ 유적 洞窟遺跡.

동궁【東宮】〈名〉〔史〕皇太子. 王世子. また, 皇太子〔王世子〕の宮殿. 東宮.

동권【同權】[tongkkwon]〈名〉同権. 語例 남녀 ～ 男女同權.

****동그라미** 〈名〉❶円. =원(圓). 句例 ～를 그리다 円を描く. ❷丸. 文例 맞는 글에 ～를 쳐라 正しい文に丸をつけよ. ❸'돈 お金'の俗っぽい言いかた: おあし. 銭. 文例 ～가 없다 お金がない.

동그라미-표【一標】〈名〉丸印. =공표. 對가위표.

동그라-지다 〈自〉転ぶ. つっ転ぶ. ひっくり返る. 類나가동그라지다.

동그랑-땡 〈名〉'돈저냐'の俗っぽい言いかた: 肉・魚・豆腐・ねぎなどのみじん切りを混ぜて丸い銭形にしたものに小麦粉をまぶし, 溶き卵の衣をつけた後, 鉄板の上で油で焼いた食べ物.

****동그랗다** [tonggŭrat'a] (동그라니, 동그라오)〈形〉丸い. まん丸い. 句例 동그랗게 원을 그리다 まんまるく円を描く / 얼굴이 ～ 顔がまん丸い / 달이 ～ 月が(まん)まるい.

***동그래-지다** 〈自〉(まん)丸くなる. 句例 깜짝 놀라 눈이 ～ びっくりして目が丸くなる.
表現 語感の大きい語は'둥그레지다'.

동그마니 〈副〉❶身軽に. ❷ぽっちり. ぽつねんと. 文例 ～ 생각에 잠겨 있다 ぽつねんと物思いにふけている.

동그스름-하다 (→하다)〈形〉丸みを帯びている. 丸っこい《俗》. 句例 동그스름한 얼굴 丸っこい顔.

동극【童劇】[to:nggŭk]〈名〉'아동극(兒童劇)の略'.

동글납작-하다 [tonggŭllapchak'ada] (→하다)〈形〉丸くて平べったい. 句例 동글납작한 얼굴 丸ぽちゃで平たい顔.

동글다 (동그니, 동그오)〈形〉丸〔円〕い. 句例 동근 얼굴 丸い顔 / 달은 ～ 月は丸い.

동글-동글 〈副・하形〉❶円を描きながらしきりに回るさま: くるくる. 句例 ～ 돌다 くるくる回る. ❷多くの物が一様に丸いさま: まんまる. くりくり. 句例 ～한 눈 くりくりした目 / ～한 사탕 まんまるいあめ玉.

동글리다 〈他〉丸くする. 丸める. 句例 모서리를 ～ 角を丸くする

동급【同級】〈名〉同級. ❶同じ等級. 句例 품질이 ～이다 品質が同等だ. ❷同じ学級. 語例 ～생 同級生.

동기【冬期】[to:nggi]〈名〉冬期. =동계(冬季). 對하기(夏期).

동기【同氣】〈名〉兄弟姉妹. 語例 ～간(間) 兄弟姉妹の間柄.

동기【同期】〈名〉同期. 句例 작년 ～에 비하면 昨年の同期に比べると. 語例 대학 ～ 大学の同期 / ～생 同期生.

동기【動機】[to:nggi]〈名〉動機. 句例 불순한 ～ 不純な動機 / …의 ～가 되다 …の動機になる. 語例 범행 ～ 犯行の動機.

동기【銅器】〈名〉銅器.

동-나다 〈自〉品切れになる. 払底する. 句例 설탕이 ～ 砂糖が品切れになる / 인물이 ～ 人物が払底する.

***동남**【東南】〈名〉東南. 語例 ～아 東南アジア / ～풍 東南の風.

동남【童男】[to:ngnam]〈名〉童男. 男の子. 語例 ～동녀 童男童女.

동내【洞內】[to:ngnae]〈名〉(自分の住む)町の中. 町内.

동냥 [to:ngnyang]〈名・하自他〉❶〔佛〕托鉢. ❷物ごい. そでご(袖乞)い. 句例 ～을 얻다 物ごいをする. 語例 귀～ 耳学問 / 젖～ もらい乳 / ～질 物ごい / ～아치 物もらい.

동냥은 안 주고 쪽박만 깬다 恵んではやらずにふくべだけ壊す. 人の哀願は聞き入れず損害だけ与えることのたとえ.

****동네**【洞―】[to:ngne]〈名〉村. 町内. 隣近所. 文例 우리 ～에는 그런 사람이 없다 この町内にはそんな人はいない / ～에서 제일 부자다 この辺りで一番金持ちだ / 이 ～에서만 십년 살았다 この界隈でばかり十年住んだ / 온 ～에 소문이 났다 村中にうわさが立った. 語例 ～ 사람 同じ村〔町〕に住む人 / 우리 ～ 私たちの村.

동네 북인가 多くの人たちがむやみにいじめるときに言うことば.

동네 색시 믿고 장가 못 간다 村の娘をあてにして嫁をもらわない. 漠然と自分の考えだけをあてにしていたら不覚をとるものだとの意.

동네-방네【洞―坊―】[to:ngnebangne]〈名〉村中. あの村この村. 句例 ～ 쏘다니다 あちこちの村を忙しく歩き回る / ～ 소문을 내고 다니다 村中にうわさを振りまいて回る.

동넷-집【洞―】[to:ngnetchip]〈名〉同じ村の家. 近所. 隣.

동년-배【同年輩】〈名〉⇨ 동연배

동-녘【東―】〈名〉東. 東方. 語例 ～하늘 東の空.

동-달이 [tongdari]〈名〉〔史〕軍服の一つ.
参考 赤い裏地を当てた黒いツルマギで, 背は長く裂いてある. そで(袖)口に赤い布で階級を示す線を継ぎ当てたのにちな(因)んでこの名が付けられた.

동-대구【凍大口】[to:ngdaegu]〈名〉(冬に)凍らしたたら.

동-대다〈自〉❶(絶やさず)引き続かせる. ❷(初物が出るまで)持たせる. 持ち続かせる. ❸つじつまを合わす.(話の)前後が合うようにする.

동댕이-치다〈他〉ほう(放・抛)る. ❶投げつける. なげう(抛・擲)つ. 句例 책가방을 ~ かばんをほうり出す〔投げつける〕/ 편지를 책상 위에 ~ 手紙を机の上になげうつ. ❷(中途で)なげうつ. ほうり出す. や(止)める. 投げ捨てる. 句例 하던 일을 ~ やりかけた仕事をほうり出す.

동도【同道】〈名〉❶(行政区画の)同じ道. ❷同じ道. その道. ❸同道. 同行. ~**하다**〈自〉同道する. 同行する.

동동[1]〈副〉小鼓を続けざまに打ち鳴らす音: とんとん. どんどん.

*__동동__[2]〈副〉じだんだを踏むさま: ばたばた. 句例 발을 ~ 구르며 울다 足をばたつかせながら泣く. **~거리다**〈自他〉❶しきりにとんとんと音がする〔音をたてる〕. ❷(寒さ・くやしさ・焦りのために)足をばたつかせる. じだんだを踏む.

동동-걸음 [—gŏrŭm]〈名〉(急いだり寒さなどのために)そそくさと小股で歩くこと. 小走り.

동동-주【—酒】〈名〉飯粒の浮いている濁り酒.

동등【同等】〈名〉同等. **~하다**〈形〉同等だ. 句例 ~한 자격〔실력〕同等の資格〔実力〕. 文例 양쪽의 실력이 ~하다 両者の実力が同等だ. 語例 ~권 同等の権利. **~히**〈副〉同等に. 句例 ~히 취급하다 同等に扱う.

*__동-떨어지다__ [tongttŏrŏjida]〈自〉懸け離れる. 隔たる. 句例 액수가 ~ 額が飛び違う. 文例 그 구상은 너무 현실과 동떨어져 있다 その構想はあまりにも現実と懸け離れている.
동떨어진 소리 ❶つじつまの合わない話. 筋の通らない話. ❷(敬語でも目下に言う言葉でもない)どっちつかずの言葉遣い.

동-뜨다(동뜨니, 동떠서)〈形〉❶抜きんでている. ずば抜けている. ❷間〔間隔〕が空く.

동락【同樂】[tongnak]〈名・하自〉共に楽しむこと. 句例 동고 ~하다 苦楽を共にする / 노소 ~하다 老若共に楽しむ.

동란【動亂】[toːngnan]〈名〉動乱. 句例 ~에서 살아남은 가족 動乱で生き残った家族. 語例 한국 ~ 韓国動乱.

동량【棟梁】[tongnyang]〈名〉棟梁. 語例 ~지재 棟梁(の器). 一国・一家を支える人.

*__동력__【動力】[toːngnyŏk]〈名〉動力. 語例 ~삽 動力シャベル. パワーシャベル / ~선 動力線 / ~ 자원 動力資源 / ~차 動力車 / ~원 動力源.

동록【銅綠】[tongnok]〈名〉緑青. 銅青.
동록(이) 슬다 緑青が吹く.

*__동료__【同僚】[tongnyo]〈名〉同僚. 仲間. 語例 ~ 의식 仲間意識 / 직장 ~ 職場の同僚.

동류【同類】[tongnyu]〈名〉同類. ＝동종(同種). 語例 ~항〔數〕同類項.

동률【同率】[tongnyul]〈名〉同率. 語例 ~ 우승 同率優勝.

동리【洞里】[toːngni]〈名〉❶⇨ 마을. 句例 살기 좋은 ~ 住みよい村. ❷(行政区画の)洞と里.

동맥【動脈】[toːngmaek]〈名〉動脈. 語例 ~ 주사 動脈注射 / ~ 경화증 動脈硬化症. 對정맥(靜脈).

동맹【同盟】〈名・하自他〉同盟. 句例 ~을 맺다 同盟を結ぶ. 語例 ~국 同盟国 / ~ 파업 同盟罷業. ストライキ / ~ 휴교〔휴학〕同盟休校〔休学〕.

*__동-메달__【銅medal】〈名〉銅メダル.

동면【冬眠】[toːngmyŏn]〈名・하自〉冬眠. 冬

ㄷ

《古歌 3》

동동 動動

高麗歌謡の一つ. 十三首からなる. 月令形式の俗謡で, 正月から十二月までの風物によせて, 男女の愛情を歌ったもの.

歌詞

〈古文〉	〈現代文〉	
덕(德)으란 곰비예 받줍고,	덕일랑 뒤쪽에 바치옵고,	徳をば後にささ(捧)げ,
복(福)으란 림비예 받줍고,	복일랑 앞쪽에 바칩니다.	福をば前にささげます.
덕(德)이여 복(福)이라	덕이며 복이며 하는 것을	徳やら福やらをば
호놀 나수라 오소이다.	바치러 오십시오.	ささげにお出でなさいませ.
아으 동동(動動)다리		
정월(正月)ㅅ 나릿 므른	정월의 냇물은	正月の川の水は
아으 어져 녹져 ᄒᆞ논디,	아아 얼고 녹고 하는데,	ああ 凍ったり解けたりする,
누릿 가온ᄃᆡ 나곤 몸하	세상 가운데 이 몸은,	その世の中に
ᄒᆞ올로 녈셔	홀로 살아가네.	この身一人支えられ暮らし行く.
아으 동동(動動)다리		

'아으 動動다리'は 折り返し. また, '動動'は太鼓の擬声語という説もある.

ふゆごもり. =겨울잠. 句例 개구리의 ~ 蛙の冬眠. 對하면(夏眠).

동명【同名】〈名〉同名. 語例 동성 ~ 同姓同名 / ~ 이인 同名異人.

동명【洞名】[to:ngmyŏng]〈名〉洞・との名. 洞名.

동모【同母】〈名〉同母. =동복(同腹).

동무〈名〉❶友達. 友. =친구. 벗. 句例 나쁜 ~와 어울리다 悪友と交わる / ~들과 즐겁게 하루를 지내다 友達と楽しく一日を過ごす. ❷相棒. 仲間. 語例 길~ 道連れ.

동무 따라 강남 간다 友に従って江南へ行く. 行きたくないが友に連れられて行く. '牛に引かれて善光寺参り'の意.

동문【同文】〈名〉同文. 語例 이하 ~ 以下同文.

동문【同門】〈名〉❶同門. 相弟子. 句例 ~에서 배운 사이 同門に学んだ間柄. 語例 ~ 수학 師を同じくして学ぶこと. ❷同じ宗派. また, その人.

동문-서답【東問西答】〈名・하自他〉的はずれな答え. ピントはずれの答え. 見当違いの答え. とんちんかんな答え.

***동물**【動物】[to:ngmul]〈名〉動物. 句例 사나운 ~ 気の荒い動物 / ~을 우리에 가두다 動物をおり(檻)に入れる / ~의 세계 動物の世界. 語例 포유 ~ 哺乳動物 / 애완 ~ 愛玩動物 / ~성 動物性 / ~ 애호가 動物愛好家 / ~ 병원 動物病院 / ~성 섬유 動物性繊維 / ~학 動物学.

****동물-원**【動物園】[to:ngmulwon]〈名〉動物園. 句例 ~에 데리고 가다 動物園に連れて行く.

동물-적【動物的】[to:ngmultchŏk]〈名・冠〉動物的. 句例 ~인 본능 動物的な本能.

동민【洞民】[to:ngmin]〈名〉洞民. 町民. 村民.

동반【同伴】〈名〉同伴. **~하다**〈他〉同伴する. 伴う. 句例 부부 ~으로 참석하다 夫婦同伴で出席する / 위험을 ~하다 危険を伴う. 語例 ~ 작가 同伴作家 / ~자 관계 同伴者関係 / 부인 ~ 夫人同伴 / ~ 자살 (無理)心中.

동반【東班】〈名〉〔史〕(朝鮮朝の)文官の別称. 對서반(西班).

동-반구【東半球】〈名〉東半球. 對서반구.

동반-성【同伴星】〈名〉〔天〕伴星. =반성. 對주성(主星).

***동방**【東方】〈名〉東方. =동쪽. 語例 ~ 문화 東方文化.

동방【東邦】〈名〉❶東方の国. ❷韓国の別称.

동방-예의지국【東方禮儀之國】〈名〉礼儀をよく守る東方の国. 昔, 中国で韓国を指して言った言葉.

동배【同輩】〈名〉同輩. 語例 ~간 同輩の間柄.

동백【冬柏】〈名〉〔植〕つばき(椿). 語例 ~꽃 つばきの花 / ~기름 つばき油.

동병-상련【同病相憐】[—sangnyŏn]〈名・하自〉同病相憐れむこと.

동복【冬服】[to:ngbok]〈名〉冬着. 冬服.

동복【同腹】〈名〉同腹. 同母. 句例 ~의 오누이 同腹の兄と妹. 語例 ~ 형제 同腹の兄弟 / ~형〔동생〕同腹の兄〔弟〕/ ~ 누이 同腹の姉〔妹〕.

동봉【同封】〈名・하他〉同封. 句例 ~한 사진 同封した写真 / 서류를 ~하다 書類を同封する.

동부〈名〉〔植〕ささげ(豇豆).

동부【東部】〈名〉東部.

동부【胴部】〈名〉胴部. 胴体. =몸통.

동-부인【同夫人】〈名〉夫婦連れ. 夫人同伴. **~하다**〈自〉夫人を同伴する. 文例 ~해서 와 주십시오 夫人同伴でお出でましください.

동북【東北】〈名〉東北. 語例 ~ 아시아 東北アジア / ~풍 北東の風 / ~간(間) 東と北との間 / ~쪽 東北の方.

동분-서주【東奔西走】〈名・하自〉東奔西走. 文例 취직 자리를 찾아보려고 ~하다 就職口を見つけるために東奔西走した.

동사【同事】〈名・하自〉共同経営. 営業をともにすること.

동사【凍死】[to:ngsa]〈名・하自〉凍死. 凍え死に. 句例 혹독한 추위로 ~하다 ひどい寒さで凍死する. 語例 ~자 凍死者.

동사【動詞】[to:ngsa]〈名〉動詞.

***동-사무소**【洞事務所】[to:ngsamuso]〈名〉洞・との役所.

동산〈名〉❶村の近所や家の裏にある小山. 句例 어릴 적 마을 ~에서 놀던 추억 幼いころ村の小山で遊んだ思い出. 語例 뒷~ 裏山 / 무궁화 ~ むくげの丘. 韓国を指す美称. ❷園. 語例 꽃~ 花園 / 에덴 ~ エデンの園.

동산【動産】[to:ngsan]〈名〉動産. 對부동산.

동산【銅山】〈名〉銅山.

동상【同上】〈名〉同上. 上と同じ.

***동상**【凍傷】[to:ngsang]〈名〉凍傷. 霜焼け. 句例 ~에 걸리다 凍傷にかかる.

동상【銅像】〈名〉銅像.

동-상【銅賞】〈名〉銅賞.

동상-이몽【同床異夢】[—i:mong]〈名〉同床異夢.

동색【同色】〈名〉同色. 同じ色.

****동생**【同生】〈名〉年下の兄弟. 弟. 妹. 語例 남~ 弟 / 여~ 妹 / 막내 ~ 末の弟〔妹〕/ 사촌 ~ 年下のいとこ.

동서【同壻】〈名〉❶相婿. 義兄弟. 姉妹の夫同士. ❷相嫁. 兄弟の妻同士.

동서【東西】〈名〉東西. 語例 ~고금 古今東西 / ~남북 東西南北 / ~양 東洋と西洋.

동서를 모르다 東西も区別できない程無知だ. 基本的な事さえ知らない.

동서【同棲】〈名・하自〉同棲.

동석【同席】〈名・하自〉同席.

동선【銅線】〈名〉⇨ 구리 철사

동성【同性】〈名〉同性. 對이성(異性).

동성【同姓】〈名〉同姓. 語例 ~ 동명 同姓同名 / ~ 동본 同姓同本. 姓も本貫も同じであること.

동성-불혼【同姓不婚】〈名〉同姓不婚.
參考 同じ父系親族間の結婚を避ける

こと.

동성-아주머니【同姓―】〈名〉'고모(姑母)' 父の姉妹. 伯母. 叔母'の俗っぽい言いかた.

동성아주머니 술도 싸야 사 먹지 おばさんの酒も安いからこそ買って飲む. 親しい間柄でも自分の利益をまず図ることのたとえ.

동수【同數】〈名〉同数. 語例 찬반 ～ 賛否同数.

동숙【同宿】〈名・하自〉同宿.

동승【同乘】〈名・하自〉同乗. 句例 버스에 ～하다 バスに同乗する.

*__동시__【同時】〈名〉同時. 句例 …과 ～에 …と同時に / …함과 ～에 …すると同時に / …하는 ～에 …すると同時に. 語例 ～ 녹음(녹화) 同時録音〔録画〕/ ～ 통역 同時通訳.

동시【童詩】[to:ngshi]〈名〉児童詩.

동-식물【動植物】[to:ngshingmul]〈名〉動植物.

동신-제【洞神祭】[to:ngshinje]〈名〉〔民〕村の守護神に安寧と豊年を祈る祭り.

동실【同室】〈名〉同室.

동실-동실〈副〉小さい物が浮かんで軽やかに動くさま: ふわふわ. 文例 종이배가 ～ 떠 내려간다 紙の船がぷかぷかと浮んで流れて行く.

동심【童心】[to:ngshim]〈名〉童心. 幼心. 子供心. 句例 ～으로 돌아가서 놀다 童心に返って遊ぶ / ～에 상처를 주다 童心を傷つける.

동심-원【同心圓】[tongshimwon]〈名〉〔數〕同心円.

동아 [to:ng-a]〈名〉〔植〕とうがん. とうが. かもうり.

동아【東亞】[tong-a]〈名〉東亜.

동아리[1]〈名〉(長い物の)一部分. 語例 윗～ 上の部分 / 아랫～ 下の部分 / 기둥의 가운뎃～ 柱の中間部分.

동아리[2]〈名〉やから(族・輩). 仲間. 手合い. 連中. 相棒. 句例 그 ～에는 조심하는 것이 좋아 あの連中には気をつけた方がいい / 한 솥의 밥을 먹은 ～ 同じかま(釜)の飯を食った仲間.

동-아시아【東Asia】〈名〉東アジア. 東亜. 略して'동아(東亞)'ともいう.

동아-줄〈名〉太綱. 句例 ～을 드리다 太綱をよ(縒)る / ～을 둘러치다 太綱を張りめぐらす.

*__동안__〈名〉(時間的の)間・ま. うち. 中. 句例 오랫～ 長い間 / 살아 있는 ～에 生きている間〔うち〕に. 類사이.

동안(이) 뜨다 間遠い. ❶時間が隔たっている. 間隔が間遠になる. ❷距離が隔たっている. 間が空いている. ▷略して'동뜨다'ともいう.

동안【童顔】[to:ng-an]〈名〉童顔. 文例 웃는 얼굴이 ～ 그대로다 笑顔が童顔そのものだ.

*__동양__【東洋】〈名〉東洋. 句例 ～적인 미 東洋的な美. 語例 ～인 東洋人 / ～화 東洋画. 對서양(西洋).

동업【同業】〈名・하自〉同業. ＝동사(同事). 語例 ～자 同業者.

동여-매다〈他〉縛り付ける. 縛る. 句例 기둥에다 단단히 ～ 柱にしっかり縛りつける / 상처를 ～ きずぐちを縛る.

동-역학【動力學】[tongnyŏk'ak]〈名〉〔物〕動力学.

동-연배【同年輩】[tongnyŏnbae]〈名〉同年輩. ＝동년배(同年輩).

동요【動搖】[to:ng-yo]〈名〉動揺. 揺るぎ. ＝흔들림. **～하다**〈自〉動揺する. 動じる. 句例 인심의 ～ 人心の動揺. 文例 차체의 ～가 심하다 車体の動揺がはげしい / 내심의 ～를 숨기다 内心の動揺を隠す / 그렇게 ～하지 말게 そんなに動揺するなよ.

*__동요__【童謠】[to:ng-yo]〈名〉童謡. わらべ歌. 語例 ～ 작가 童謡作家.

동원【動員】[to:ng-won]〈名・하自他〉動員. 文例 사원을 ～하여 회사의 이사를 거들게 하였다 社員を動員して会社のひっ越しを手伝わせた.

동위-각【同位角】〈名〉〔數〕同位角.

동위 개념【同位概念】[―gae:nyŏm]〈名〉〔論〕同位概念.

동위 원소【同位元素】〈名〉〔化〕同位元素. 同位体. アイソトープ. ＝아이소토프.

동-유럽【東Europe】〈名〉東ヨーロッパ. 東欧. ＝동구(東歐).

동음【同音】〈名〉同音. 語例 ～어 同音語 / ～이의어 同音異義語 / ～이자 同音異字.

동의【同義】〈名〉同義. 語例 ⇨ 동의어

동의【同意】〈名〉❶同意. **～하다**〈自他〉同意する. 賛成する. 句例 ～를 구하다 同意を求める / ～를 얻다 同意を得る / 결혼에 ～하다 結婚に同意する. ❷同義. ＝동의(同義). 語例 ～어 同意語. 同義語.

동의【動議】[to:ng-ŭi]〈名・하自他〉動議. 句例 ～에 대한 이의 動議に対する異議 / ～를 가결하다 動議を可決する. 語例 긴급 ～ 緊急動議.

동의-어【同義語・同意語】〈名〉同義語. 同意語. シノニム. 對반의어(反義語・反意語).

동이〈名〉(両側に取っ手のある)かめ(甕). 句例 물～에 물을 퍼담다 水がめに水をく(汲)み入れる.

동이다〈他〉くくる. 縛る. 句例 새끼로 ～ なわでくくる / 단단히 ～ しっかり縛る / 상처를 붕대로 ～ 傷口を包帯で縛る. 類묶다. 매다.

동인【同人】〈名〉同人. ❶同好の人. 同志. 仲間. 語例 ～ 잡지〔지(誌)〕同人雑誌. ❷同人. その人. 同じ人. ❸同門の人.

동인【東人】〈名〉〔史〕朝鮮朝の党派の一つ《後日'남인(南人)'と'북인(北人)'とに分派した》. →사색(四色)

동-인도【東印度】〈名〉〔地〕東印度.

동일【同一】〈名〉同一. **～하다**〈形〉同一である. 句例 ～한 목적 同一の目的 / ～한 체험 同一な体験 / ～하게 취급하다 同一に扱う. 語例 ～ 인물 同一人物 / ～성 同一性 / ～ 개념〔論〕同一概念.

동일-시【同一視】[tong-ilssi]〈名・하他〉同一視. 文例 그를 그의 동료와 ～했다 彼を彼の仲間と同一視した.

동자【童子】[to:ngja]〈名〉童子. 男の子供. 童. ＝사내아이. 語例 ~중〔佛〕幼い僧. 對동녀(童女).

동자【瞳子】[to:ngja]〈名〉⇨ 눈동자

***동작**【動作】[to:ngjak]〈名・하自〉動作. 所作. モーション. 句例 ~이 빠르다 動作がすばやい / ~을 바꾸다 動作をかえる / 발랄한 ~ きびきびした動作 / ~이 굼뜨다 動作が鈍い. 語例 투구 ~ 投球動作 / 기본 ~ 基本動作.

동장【洞長】[to:ngjang]〈名〉洞長. 洞役所の長.

동-장군【冬將軍】〈名〉冬将軍. 文例 마침내 ~이 내도하였다 いよいよ冬将軍が到来した.

參考 ロシアのモスクワに攻め込んだナポレオンが厳寒に悩まされて敗れた史実から由来した語で, 冬の厳しさを人格化した言いかた.

동저고릿-바람〈名〉着流しの身なり. くだけた身なり. 句例 ~에 샌들을 꿰어 신다 着流しにサンダルつっかける / ~으로 출타하다 着流しのままで出かける.

동적【動的】[to:ngtchŏk]〈名・冠〉動的. 句例 ~인 표현 動的な表現 / ~인 리듬 動的なリズム / ~인 그림 動的な絵. 對정적(靜的).

⁑동전【銅錢】〈名〉コイン. 銅銭. 銅貨.

동절【冬節】〈名〉冬季. ＝겨울철.

***동점**【同點】[tongtchŏm]〈名〉同点. 文例 경기는 ~으로 비겼다 試合は同点で引き分けになった / 2대2 ~으로 끝나다 二対二の同点に終わる.

동점【東漸】〈名・하自〉東漸. 句例 서양 문화의 ~ 西洋文化の東漸.

동정〈名〉掛襟. 襟.

***동정**【同情】〈名〉同情. 哀れみ. 思いやり. **~하다**〈他〉同情する. 思いやる. 哀れむ. 句例 ~하는 마음 同情の念 / ~을 사다 同情をかう / ~을 보내다 同情をよせる / 진심으로 ~하다 心から同情する. 語例 ~표 同情票 / ~심 同情心 / ~적 同情的 / ~ 파업 同情スト.

동정【動靜】[to:ngjŏng]〈名〉動静. ようす. ありさま. 句例 적의 ~을 살피다 敵の動静をさぐる / 정계의 ~ 政界の動静. 類동향(動向).

동정【童貞】[to:ngjŏng]〈名〉童貞. 對처녀(處女).

동조【同調】〈名・하自〉同調. 句例 친구의 의견에 ~하다 友達の意見に同調する. 語例 ~자 同調者.

동족【同族】〈名〉同族. 語例 ~ 의식 同族意識 / ~애 同族愛.

동족-방뇨【凍足放尿】[to:ngjok—]〈名〉凍った足に放尿する. 一時的な効力しかないこと.

동족 상잔【同族相殘】〈名〉同族どうし争い殺し合うこと.

동종【同種】〈名〉同種. 句例 ~의 꽃을 재배하다 同種の花を栽培する. 語例 ~동문 同種同文. 對이종(異種).

***동지**【冬至】〈名〉冬至. 語例 ~ 팥죽(粥) 冬至の日に食べる赤小豆の粥. 對하지(夏至).

***동지**【同志】〈名〉同志〔同士〕. 句例 혁명 운동의 ~ 革命運動の同志 / ~를 모으다 同志を集める〔募る〕. 語例 ~애 同志愛.

동진【東進】〈名・하自〉東進. 語例 ~ 정책 東進政策.

동질【同質】〈名〉同質. 句例 ~의 소재 同質の素材. 對이질(異質).

동짓-날【冬至一】[tongjinnal]〈名〉冬至(の日).

동짓-달【冬至一】〈名〉陰暦の十一月. 霜月.

⁑동-쪽【東一】〈名〉東(の方). 文例 태양은 ~에서 뜬다 太陽は東から昇る / ~에서 부는 바람 東から吹く風. 對서쪽.

동차【動車】[to:ngch'a]〈名〉動力車.

參考 動力機関を備えた鉄道車両. 機関車, 電動車, 気動車をいう.

동참【同參】〈名・하自〉共に参加すること. 文例 봉사 활동에 학생이 ~하다 奉仕活動に学生が共共参加する.

參考 もともと, 仏教での同参《参学を共にすること》から出たことば.

***동창**【同窓】〈名〉['동창생'の略] 同窓. 句例 ~인 선배 同窓の先輩. 語例 ~생 同窓生 / ~회 同窓会.

동체【胴體】〈名〉胴体. ＝몸통. 語例 ~ 착륙 胴体着陸.

동치다〈他〉包むようにしてくるくる縛る〔くくる〕.

동치미[to:ngch'imi]〈名〉大根を薄い塩水に漬けたキムチの一種《食べるとき大根を食べよいように切る》. 語例 동치밋국 '동치미'の汁.

동태【凍太】[to:ngt'ae]〈名〉['동명태(凍明太)'の略] 冷凍明太. 冷凍スケトウダラ. →북어(北魚).

參考 冷凍していないのは'생태(生太)'と言う.

동태【動態】[to:ngt'ae]〈名〉動態. 句例 적의 ~를 살피다 敵の動態を探る. 語例 인구 ~ 人口動態.

동토【凍土】[to:ngt'o]〈名〉凍土. 句例 ~ 지대 凍土地帯. ツンドラ.

동통【疼痛】[to:ngt'ong]〈名〉疼痛. 句例 ~을 느끼다 疼痛をおぼえる. 類격통(激痛).

동-트다【東一】〈自〉東の空が白む. 夜が明ける.

동티[to:ngt'i]〈名〉[もとの語形は'동토(動土)'] ❶〔民〕怨霊の怒りによるたた(祟)り. ❷いたずらに神聖な物事に手を出していらぬ心配事や災いを招くことのたとえ.

동티(가) 나다 たた(祟)る. 地神や怨霊の怒りを買って災いをこうむる.

동티(를) 내다 たたらせる. 地神や怨霊の怒りを買って災いを招く.

동파【凍破】[to:ngp'a]〈名・하自〉凍破. 句例 수도관이 ~하다 水道パイプが凍破する.

동판【銅版】〈名〉〔印〕銅版. 語例 ~인쇄 銅版印刷.

***동포**【同胞】〈名〉同胞. はらから. ＝겨레. 句例 ~의 활약에 성원을 보내다 同胞の活躍に声援を送る. 語例 재일〔재미〕~ 在日〔在米〕

同胞 / 해외 ~ 海外同胞.

동풍【東風】〈名〉東風. こち. [語例] 마이 ~ 馬耳東風. ㊊서풍(西風).

동-하다【動―】[to:nghada] (→하다) 〈自〉 ❶動じる. 心が動揺する. 動く. そそられる. [句例] 구미가 ~ 食指が動く. 食指がきざす. 食欲が起こる. [文例] 아무리 몰려도 동하는 기색조차 없다 いくら追われても動じる気配すらない. ❷(病気などが)ぶり返す. =도지다. [句例] 고뿔이 ~ 風邪がぶり返す.

동학【同學】〈名・하自〉同学. 同門. =동창(同窓). 동접(同接). [句例] ~한 사람 同学の士 / ~의 정의 同学のよしみ.

*__동학__【東學】〈名〉〔宗〕東学. 朝鮮朝末期, 伝統的民族信仰に儒・仏・道を取り入れ, '서학(西學) カトリック'に反対した民族的宗教. 教主は崔済愚. '동학 농민 운동'の基となった後, '천도교(天道教)'と改称された.

동학 농민 운동【東學農民運動】[tonghangnong-minu:ndong] 〈名〉〔史〕東学農民運動. 1894年地方官の悪政に抗して, 全琫準が率いる'동학'教徒と農民軍が引き起こした革命運動. 対外的には'청일 전쟁(清日戰爭)'の導火線になった. =동학 혁명. 동학 운동.

*__동해__【東海】〈名〉❶東海. ❷〔地〕東海. 韓国の東の海.

동해【凍害】[to:nghae] 〈名〉凍害. 寒害. ㊫냉해(冷害).

*__동-해안__【東海岸】〈名〉❶東海岸. ❷〔地〕東海の沿岸.

동행【同行】〈名・하自〉❶同行. 同伴. [句例] 경찰관이 ~을 요구하다 警官が同行を求める. ❷同行者. 道連れ. [文例] 대전까지는 ~이 있다 大田までは同行(者)がある.

동행-인【同行人】〈名〉同行者. 道連れ. =동행자(者). 동행(同行). [句例] 도중에 ~을 만나다 途中で道連れにであう.

동향【同鄕】〈名〉同郷. [句例] ~의 정리 同郷のよしみ. [語例] ~인 同郷人.

동향【東向】〈名・하自〉東向き. [語例] ~판 東向きの敷地. ㊊서향(西向).

동향【動向】[to:nghyang] 〈名〉動向. 動き. [句例] 여론의 ~ 世論の動向 / 정국의 ~ 政局の動き / ~을 파악하다 動向をつかむ / 경제 ~을 주시하다 経済の動向を注視する. ㊫추세(趨勢).

동혈【洞穴】〈名〉洞穴. ほらあな.

동형【同形・同型】〈名〉同形〔同型〕.

동호【同好】〈名・하自他〉同好. [語例] ~인 同好者. 同好の士. 同人 / ~회 同好会.

*__동화__【同化】〈名・하自〉同化. [句例] 원주민과 ~된 생활 原住民と同化した生活 / 외국 문화에 ~되다 外国の文化に同化する. [語例] 자음 ~ 子音同化 / ~ 녹말 同化澱粉 / ~ 정책 同化政策 / ⇨동화 작용

동화【動畫】[to:nghwa] 〈名〉動画. アニメーション. =애니메이션.

*__동화__【童話】[to:nghwa] 〈名〉童話. メルヘン. おとぎばなし. [語例] ~극 童話劇 / ~책 童話の本.

동화 작용【同化作用】[―jagyong] 〈名〉〔生〕同化作用. [語例] 탄산 ~ 炭酸同化作用.

동회【洞會】[to:nghoe] 〈名〉'동사무소(洞事務所) 洞の役所'の古い言いかた.

돛〈名〉帆. [句例] ~을 올리다 帆をあげる / ~이 바람을 안다 帆が風をはらむ / 순풍에 ~을 올리다 追い風に帆を揚げる. →囲み記事 26

돛단-배〈名〉帆船. 帆掛け船. 帆前船. =돛배. [絵]

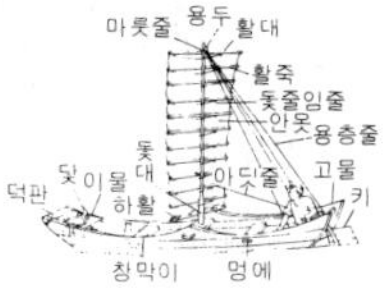

〈돛단배〉

돛-대〈名〉帆柱. マスト. [句例] ~를 세우다 帆柱を立てる.

**__돼지__ [twae:ji] 〈名〉❶豚. [句例] ~를 치다〔기르다〕豚を飼う / ~처럼 먹다 豚のように食う. [語例] 새끼 ~ 小豚 / ~ 가죽 豚皮 / ~고기 豚肉 / ~ 우리 豚小屋 / ~기름 豚脂. ラード. ❷欲張りで愚かな人. [表現] ②は俗っぽい言いかた.

돼지꿈을 꾸다 夢に豚を見たこと. 好運をつかんだ時に言うことば.

돼지 멱따는 소리 豚の首を突き刺す時のわめき声の意. 'やかましくわめき散らす声'のたとえ.

돼지에 진주 豚に真珠. 猫に小判. ㊫개발에 편자.

되 ㊀〈名〉升〔枡〕. [句例] 한 말 들이 ~ 一斗升. ㊁〈依名〉升. [文例] 열 ~가 한 말이다 十升が一斗である / 한 ~는 약 1.8리터이다 一升は約1.8リットルだ.

되-〈頭〉'도리어 かえって', '다시 さらに', '도로 逆に'の意を表す語. [語例] ~사다 買い戻す / ~튀다 跳ね返る / ~던지다 投げ返す / ~살아나다 生き返る.

되-가웃〈名〉一升と約半升の量. 約一升半. →말아웃

[表現] 一升ますで量った後に約半升が残ったのを先の一升と併せて言う語. '가웃'は約半分の分量を表す. '두 되 가웃 二升半', '서 되가웃 三升半'のようにいう.

되-걸리다〈自〉病気が再発する. ぶり返す.

되게 [toe:ge] 〈副〉'몹시 非常に'のやや俗っぽい言いかた. [句例] ~ 재미있다 非常におもしろい / ~ 멀다 すごく遠い / ~ 춥다 ばかに〔非常に〕寒い / ~ 비싸다 べらぼうに〔ばかばかしく〕高い / ~ 얻어맞다 きつくぶたれる. ㊫매우. 대단히. 아주.

[表現] 子供や若い人たちによく使われる語である.

되-넘기다〈自〉転売する.

되-놈〈名〉'中国人'をさげすんで言った語.

되-뇌다〈他〉(言ったことを)繰り返して言う. (同じことばを)重ねて言う. [文例] 전에 한 말을 뇌고 또 되뇌고 한다 前に言ったことを繰

り返し繰り返し言う.

되는-대로 〈副〉適当に. でたらめに. いいかげんに. どうでもいいように. 句例 ～ 대답하다 いいかげんに答える／일을 ～ 하다 仕事をでたらめにする. 類함부로. 마구.

****되다**[1] 一〈自〉❶できる. ㋐出来上がる. 仕上がる. 句例 작품이 다 ～ 作品が仕上がる〔出来上がる〕. 文例 맞춘 옷이 다 되었다 あつらえ(た)服が出来上がった.

㋑('잘 ～'の形で, 全体で)よくとれる. よく生育する. 文例 이 고장에서는 차가 잘 된다 当地ではお茶がよくできる／벼가 잘 되었다 稲がよくできた.

㋒可能だ. 文例 그런 어려운 일이 나에게 될 수 있을까요? そんなむずかしいことが私にできるでしょうか／될 수 있는 한 빨리 오세요 できる限り〔できるだけ〕早く来なさい／되도록 많이 주세요 なるたけ〔できるだけ・なるべく〕たくさんください／가도 됩니까 行ってもいいんですか.

㋓人柄などが円満で立派である. 人格がすぐれている. 句例 된 사람 できた人. 文例 저 사람은 인간이 되어 있다 あの人は人となりができている.

❷(…に〔と〕)なる. ㋐あるものから他のものに変化する. 文例 전화로 가옥이 재가 되었다 戦火で家屋が灰になった／밭이 택지가 되었다 畑が宅地になった.

㋑ある状態から他の状態に移り変わる. 文例 다 큰 처녀가 되었다 一人前の娘になった.

㋒ある時刻や時期になる. その時に至る. 句例 봄이 ～ 春になる. 文例 아침이 되면 닭이 운다 朝になると鶏が鳴く.

㋓ある数量に達する. 句例 15세가 ～ 十五歳になる／도합 2만 원이 ～ 合わせて二万ウォンになる／떠난 지 10년이 ～ 離れて十年になる.

㋔ある地位や身分にいたる. 句例 회장이 ～ 会長になる／비행사가 ～ 飛行士になる.

㋕将棋で王手になる. 句例 장군이 ～ 王手になる.

㋖…で成り立つ. 句例 10장으로 된 책 十章から成る本. 文例 일본 헌법은 103조로 되어 있다 日本の憲法は一〇三条から成る.

㋗あることや状態が結果として生じる. 句例 하면 된다 な(為)せば成る.

㋘(ある結果を)もたらす. 句例 도움이 ～ ためになる／약이 ～ くすりになる／독약이 ～ 毒になる／거짓말이 ～ うそになる／돈이 ～ 金になる／연극에서 기사가 ～ 芝居で騎士になる／양국의 가교가 ～ 両国の架け橋になる.

㋙うまく行く. 句例 일이 제대로 ～ 物事がうまく行く／수습이 잘 ～ うまく収拾がつく.

▷對안되다.

二〈補動〉('-게 ～'の形で)'そのような状態になる', '可能な状況になる'の意を表わす. 句例 사랑하게 ～ 愛するようになる／쓸모가 있게 ～ 使いものになる. 文例 마침내 졸업할 수 있게 되었다 ついに卒業できるようになった／여섯시에 출발하게 되었다 六時に出発することになった.

되지도 않는 소리 理不尽な言いかた.

되다[2] 〈他〉(升まで)量る. 句例 쌀을 말로 ～ 米を一斗升で量る.

되다[3] [toe:da] 〈形〉❶かたい. こわ(強)い. 濃い. 句例 된 밥 こわい御飯／풀이 ～ 糊がごわごわしている. ❷きつい. ㋐張りすぎている. 句例 밧줄을 되게 드리다 綱を密によ(撚〔縒〕)る／붕대를 되게 동여매다 包帯をきつくしばる. ㋑力に余まる. 句例 일이 너무 되서 좀 쉬었다가 해야겠다 仕事が余りきつくて少し休んでからやらねばならない.

-되다 〈尾〉❶おのずとそうなることを表わす: …になる. 語例 근심～ 心配になる／이용～ 利用される／주목～ 注目される. ❷形容詞をつくる語: …だ. …である. 句例 참～ 真である／진실～ 真実である／숫～ うぶだ／헛된 꿈 空しい夢.

表現 ①は動詞的名詞《'하다'がつくと動詞になる名詞》につく. ②は形容詞的名詞や副詞的語根につく. 참, 헛, 망령, 막, 숫 などにつく.

되도록 〈副〉できるだけ. できることなら. なるたけ. なるべく. 文例 ～ 일찍 와 주기 바란다 なるたけ早く来て欲しい／～ 보지 않으려 한다 できるだけ見ないようにする.

되-돌아가다 [toedoragada] (되돌아가거라) 〈自〉引き返す. 戻って行く. 折り返す. (立ち)戻る. (立ち)帰る. 句例 출발점으로 ～ 出発点に引き返す／도중에 ～ 途中で折り返す／처음 마음으로 ～ 初心に立ち戻る〔帰る〕／자리에 ～ 席に戻る.

되-돌아보다 [toedoraboda] 〈自他〉振り返(って見)る. 返り見る.

되-돌아서다 [toedorasŏda] 〈自〉元の方向に立ち戻る.

되-돌아오다 [toedoraoda] (되돌아오너라) 〈自〉(舞い)戻る. 戻って来る. 引き返す. 帰る. 句例 고향으로 ～ 故郷に戻る. 文例 어린이 시절로 되돌아온 것 같다 子供の頃に戻ったようだ／분실한 물건이 ～ 紛失した物が返って〔戻って〕来る／근무하던 회사로 되돌아왔다 勤めていた会社に舞い戻って来た.

되디-되다 [toe:didoeda] 〈形〉(かゆなどが)非常に粘っこい. (飯などが)ひどくこわい. 文例 밥이 되디되게 지어졌다 飯が非常にこわくたかれた.

되레 [toe:re] 〈副〉'도리어'の略. 文例 고맙기는 커녕 ～ 방해가 된다 ありがたいどころかかえって迷惑だ.

되록-거리다 〈自他〉❶ぱっちりとした目玉がくるくる動く. ❷からだが太っていて鈍く動く. ❸怒りを行動に表わす. ぷりぷりする.

되록되록 〈副・하自他〉❶目玉がくるくる動くさま. ❷からだが鈍く動くさま. ❸ぷりぷりするさま.

되롱-거리다 〈自〉(軽い物がぶらさがって)ぶらぶらする.

되롱되롱 〈副・하自〉ぶらりぶらり.

***되-묻다** (되물으니, 되물어서) 〈他〉聞き返す.

問い返す. ❶聞き直す. 問い直す. 文例 두번이나 되물었다 二度も問い返した. ❷反問する. 文例 당신이야말로 어떠십니까, 하고 되물었다 あなたこそどうなんです, と問い返した / 누가 그렇게 말했습니까, 하고 되물었다 だれがそう言いましたか, と聞き返した.

되-바라지다 〈形〉 ❶浅はかで奥床しい所がない. 深味がなく慎みがない. 奥行きがなく浅はかだ. ❷包容性がなく偏っている. ❸こざか(小賢)しくてあざとい. さしでがましく小利口だ. 句例 되바라진 계집아이 こざかしい小娘. 文例 말하는 것이 ～ こざかしい〔こましゃくれた〕ことを言う.

되-박다 〈他〉 再び打ち込む. 再び差し込む.

되-받다 〈他〉 ❶返してもらう. 受け返す. 句例 되받아 치다 受けとめて打ち返す. ❷言い返す. 口答えする. 文例 지지 않고 말을 ～ 負けずに言い返す.

되-살다 (되사니, 되살아서) 〈自〉 ❶(食べた物が消化されずに)胃の中でもたれる. ❷よみがえ(蘇)る. 生き返る. ＝소생하다. 句例 기억이 되살아나다 記憶がよみがえる. 文例 오랜만의 비로 작물이 되살아났다 ひさしぶりの雨で作物が生き返った.

되-새기다 〈他〉 反芻する. にれかむ. ❶一度のみこんだ食物をもどしてふたたびかみくだく. 句例 소가 여물을 ～ 牛がまぐさを反芻する. ❷くり返してよく味わう〔考える〕. 句例 가르침을 ～ 教えを反芻する. 文例 친구의 충고를 머릿속에서 되새겨 보다 友人の忠告を頭の中で反芻してみる.

되새김-질 〈名・하自他〉 反芻すること.

되-쏘다 〈他〉 ❶射返す. 応射する. ❷反射する. 照り返す. 文例 거울은 빛을 되쏜다 鏡は光を照り返す.

되-씌우다 [toessiuda] 〈他〉 (罪・責任などを)人に覆いかぶせる.

되-씹다 〈他〉 ❶同じことを繰り返して言う. ❷⇨ 되새기다

되알-지다 〈形〉 ❶押しが強い. 無理にもやり通そうとする傾向が強い. ❷力が及ばない. 力に余る.

되어-가다 〈自〉 ❶(事が)できて〔なって〕いく. 進む. 進行する. 成りつつある. 句例 일이 척척 ～ 仕事がとんとん拍子に進む / 공사가 ～ 工事がはかどる. ❷ある時が近付く. 時日がせまる. 句例 입시일이 ～ 入試日が近付く. ▷略して'돼가다'とも言う.

되우 〈副〉 ⇨ 되게 句例 ～ 춥다 ひどく寒い / ～ 멀다 すごく遠い.

되지-못하다 [—mo:t'ada] (→하다) 〈形〉 出来が悪い. なっていない. ❶不完全で問題にならない. 文例 그것으로는 책이 되지못한다 それでは本にならない. ❷(人柄・行動が)ふとどきだ. 不埒だ. 句例 되지못한 녀석 なっていないやつ.

되직-이 [toejigi] 〈副〉 やや粘っこく. ややこわめに.

되직-하다 [toejik'ada] (→하다) 〈形〉 (御飯・かゆ・汁などが)やや粘っこい. こわい. 文例 풀〔죽〕을 되직하게 쑤다 のり(糊)〔かゆ〕をややこわめに炊く.

되-질 〈名・하自他〉 穀物を一升ますで量ること.

되-짚어 [toejip'ŏ] 〈副〉 引き返して(すぐ). すぐその場で. 折り返し.

되짚어-가다 [toejip'ŏ—] (—가거라) 〈自〉 来た道をすぐ立ち戻る〔すぐ帰って行く〕.

되짚어-오다 [toejip'ŏ—] (—오너라) 〈自〉 (ある所まで行ってから)すぐ〔直ちに〕戻って来る. 引き返す. 文例 버스가 종점에서 이내 되짚어왔다 バスが終点ですぐ引き返して来た. 類되돌아오다.

*되-찾다 〈他〉 探し戻す. 取り戻す〔返す〕. 句例 도둑맞은 물건을 ～ 盗品を取り返す / 잃어버린 명예를 ～ 失った名誉を取り戻す.

되통-스럽다 (→스럽다) 〈形〉 軽はずみで, よくへまなことをしたりする. せっかちで間が抜けている. 早合点してよくしくじりをしでかす.

되-팔다 (되파니, 되팔아서) 〈他〉 又売りする. 転売する. いったん買ったものを元の人, または他人に売り渡す.

되-풀이 [toep'uri] 〈名〉 繰り返し. 反復. ～하다 〈他〉 繰り返す. 反復する. 句例 ～해서 연습하다 繰り返し練習する / 잘못을 ～하다 あやまちを繰り返す.

된-밥 [toe:nbap] 〈名〉 ❶こわめし(強飯). 強飯. ❷汁や水を掛けていない飯.

된-비알 [toe:nbial] 〈名〉 急な〔けわしい〕坂. 句例 ～을 달려 올라가다 急な坂を駆け上がる. 参考 '비알'は'비탈 坂'の方言だが, 全体的には標準語とされている.

된-서리 [toe:nsŏri] 〈名〉 大霜. 対무서리.

된서리 때리다 大霜が降りる.

된서리(를) 맞다 ❶ひどい霜に当たる. ❷ひどい打撃を受ける. 文例 깡패들이 집중 단속으로 된서리를 맞았다 ごろつきたちが集中取り締まりでひどい打撃を受けた.

된-서방【—書房】 [toe:nsŏbang] 〈名〉 気むずかしくて横暴な夫.

된서방(을) 맞다 ❶きつい夫を迎える. ❷ひどい難儀に出会う. ややこしくてむずかしいことにぶつかる.

된-소리 [toe:nsori] 〈名〉 'ㄲ・ㄸ・ㅃ・ㅆ・ㅉ'など, 強く発音される単子音. 硬音. 濃音.

된소리-되기 [toe:nsori—] 〈名〉〔言〕 ⇨ 경음화

**된-장【—醬】 [toe:njang] 〈名〉 みそ(味噌). ＝토장(土醬). 文例 파를 ～으로 무치다 ねぎ(葱)をみそあ(味噌和)えにする.

된장-국【—醬—】 [toe:njangkkuk] 〈名〉 みそ汁. おみおつけ. おつけ.

*된장-찌개【—醬—】 [toe:njang—] 〈名〉 (野菜や肉などの)みそ煮込み.

된-풀 [toe:np'ul] 〈名〉 水で割ってない炊いたままののり(糊).

될 성부르다 [toelssŏngburŭda] 見込みがある. 将来性〔可能性〕がある. できそうだ.

될 성부른 나무는 떡잎부터 알아본다 せんだん(栴檀)は二葉より芳し.

됨됨-이 [toemdoemi] 〈名〉 人となり. でき. 出来

映え．出来具合．[句例] ～가 정직하다 人となりが正直である／～가 훌륭하다 出来上がりが立派だ．[文例] 말씨로 사람의 ～를 알 수 있다 ことばづかいで人となりがわかる．

됨직-하다 [toemjik'ada] (→하다) 〈形〉 ⇨ 될 성부르다

***됫-박** 〈名〉 ❶一升升代用に使うふくべ(瓠)．❷'되 升'の俗っぽい言いかた．

두¹【頭】 〈名〉 '골치 頭'の俗っぽい言いかた．[文例] 아이구 ～야 ああ頭が痛い．

두【斗】 〈依名〉 斗．＝말⁴．

두²【頭】 〈依名〉 頭．＝마리·필(匹)．[句例] 소 5 ～ 牛五頭．

⁑두 [tu:] 〈冠〉 '둘'の意：二つ．[句例] ～ 손으로 쓰다듬다 両手でなでる／금년에 ～ 살이 되는 아이 今年二つ〔二歳〕になる子．[文例] ～ 번 다시 잘못은 저지르지 않겠습니다 誤ちは二度といたしません／～ 번 다시 돌아오지는 않겠다 二度と再び帰ることはない．[語例] ～ 개 二個〔箇〕，二つ／～ 사람 二人／～ 시 二時／～ 마음 二心／～ 번 二度／～ 갈래 二筋／～(가지) 방식 二通り．両様．

두 다리 쭉 뻗다 両足をのびのびと伸ばす．緊張することなく安らかに休む．

두 손(을) 들다 '손(을) 들다 手を上げる．降参する'を強めていう言いかた．

두 손뼉이 맞아야 소리가 난다 二つのてのひらをたた(叩)いてこそ音が出る． ❶なんでも一人ではなしえない． ❷互いに逆らわないと言い争いやけんかにならない．❸ことをなすには両方の歩調が合わなければならない．

두 주머니(를) 차다 二つの巾着を持つ．'へそくりをする'の意．

두 〔漢字項目〕

【斗】 中學 두 ト トウ．❶용량의 단위 容量の単位．▮斗酒 두주 としゅ．❷되 ます．▮斗量 두량 とりょう．❸성수(星宿)의 이름 一群の星の名．▮北斗七星 북두칠성 ほくとしちせい．

【豆】 中學 두 トウ．ズ．❶콩 まめ．▮豆腐 두부 とうふ．▮豌豆 완두 えんどう．▮大豆 대두 たいず．❷제기의 하나 祭器の一つ．▮俎豆 조두 そとう．

【頭】 中學 두 トウ．ズ．ト．❶머리 あたま．▮頭髮 두발 とうはつ．頭腦 두뇌 ずのう．❷우두머리 かしら．▮頭目 두목 とうもく．❸첫머리 物のはじめ．▮年頭 연두 ねんとう．冒頭 모두 ぼうとう．❹꼭대기 いただき．▮頭書 두서 とうしょ．▮山頭 산두 さんとう．❺끝 さき．▮舌頭 설두 ぜっとう．陣頭 진두 じんとう．❻가へり．옆 よこ．근처 あたり．▮店頭 점두 てんとう．❼사람·마·소 등을 세는 수사 人·馬·牛などを数える数詞．▮頭數 두수 とうすう．

두각【頭角】 〈名〉 頭角．

두각을 나타내다 頭角を現す．[句例] 과학자로서 ～ 科学者として頭角を現す．

두개-골【頭蓋骨】 〈名〉 頭蓋骨．＝머리뼈．

***두건【頭巾】** 〈名〉 ❶喪中の男がかぶる頭巾．略して '건(巾)'とも言う．❷頭巾．

두겁 〈名〉 (筆・鉛筆などの)さや(鞘)．かさ．キャップ．[語例] 붓～ 筆さや／연필 ～ 鉛筆のキャップ．

두견-이【杜鵑―】 [tugyŏni] 〈名〉〔鳥〕 ほととぎす．＝두견새．소쩍새．

두견-화【杜鵑花】 〈名〉 つつじの花．＝진달래꽃．

두고-두고 〈副〉 いつまでも．いついつまでも．末長く．久しく．長らく．永久に．[句例] ～ 잊을 수가 없다 いつまでも忘れられない／～ 분하게 여기다 返す返す残念に思う．

두근-거리다 〈自〉 興奮やはげしい運動などで動悸がはげしく打ち続く．どきどきする．わくわくする．[句例] 가슴이 ～ 胸がどきどきする．動悸がする〔打つ〕．胸が騒ぐ．

두근두근 〈副・하自〉 どきどき．わくわく．

⁑두꺼비 〈名〉〔動〕 ひきがえる．がま．がまがえる．いぼがえる．[語例] ～기름 がまの脂．

두꺼비 파리 잡아 먹듯 がまがはえを捕って食べるように． 手当たり次第何でもぺろりぺろりと食べてしまうことのたとえ．

두꺼비-집 〈名〉 '안전 개폐기 (電気の)安全器'の俗っぽい言いかた．

⁑두껍다 (두꺼우니, 두꺼워서) 〈形〉 厚い．分厚い．厚味がある．[句例] 두꺼운 고기 厚味のある肉／두꺼운 책 分厚い本／두껍게 자른 빵 分厚く切ったパン／낯가죽이 ～ 面の皮が厚い／두꺼운 종이 厚紙．(對)얇다．→囲み記事 28

두껍-다랗다 [tukkŏptarat'a] (―다라니, ―다라서) 〈形〉 思ったより大分厚い．[句例] 고기를 두껍다랗게 썰다 肉を分厚く切る．(對)얄따랗다．

두껍디-두껍다 (―두꺼우니, ―두꺼워서) 〈形〉 非常に〔大変〕厚い．

***두께** 〈名〉 厚さ．厚み．[句例] 알맞은 ～ ちょうど良い厚さ／1 밀리미터 ～의 철판 一ミリメートル厚さの鉄板／이불의 ～가 얇다 掛け布団の分が薄い．

두남-두다 〈他〉 ❶肩を持つ．＝편들다．❷(哀れに思って)助けてやる．

두뇌【頭腦】 〈名〉 頭脳．脳髄．[句例] 우수한 ～ 優秀な頭脳／～가 명석한 사람 頭脳明晰な人．[語例] ～ 집단 頭脳集団．(類)머리．

⁑두다 ━〈他〉 ❶置く．㉠(ある位置に)とどめる．[句例] 책을 집에 ～ 本を家に置く．㉡(一定の時間に)わたる．[文例] 사흘을 두고 배웠다 三日間も習った．㉢(人を)雇う．[句例] 제자를 ～ 弟子を取る／비서를 ～ 秘書を雇う．㉣間が空くようにする．[文例] 개울을 사이에 두고 그의 집이 있다 小川を隔てて彼の家がある．

囲み記事 28

■ '두껍다'と'두텁다' ■

두껍다 (厚みが)厚い ―― 종이가 두껍다 紙が厚い．두꺼운 유리를 끼다 厚いガラスをはめる．

두텁다 (人情が)厚い ―― 우정이 두텁다 友情が深い．우리 마을은 인정이 두터운 고장이다 私たちの村は人情の厚い里である．

ⓜ設置する. 句例 학교에 씨름부를 ~ 学校に相撲部を置く.
ⓗ見捨てる. 句例 아이를 두고 가출하다 子供を置いて家出する.
❷(心に)とど(留)める. 句例 마음에 ~ 心にとどめる. 文例 남 몰래 그녀에게 정을 두었다 ひそかに彼女に心を寄せた.
❸(碁を)打つ. (将棋を)さす. 句例 외통장기를 ~ 詰め将棋をさす.
❹混ぜる. 句例 콩을 둔 밥 豆入りの御飯. 文例 팥을 두어 밥을 지었다 小豆を混ぜて御飯を炊いた. 赤飯を炊いた.
❺綿入れをする. 句例 이불에 솜을 ~ ふとんに綿を入れる.
❻残す. 文例 오늘은 이 정도로 끝내고 두었다가 내일 또 하세 今日はこれくらいにして後は明日またやりましょう.
❼見逃しにしておく. 文例 두고 보자 覚えていろ《捨てぜりふ》/ 까불면 가만 안 둔다 ふざけたまねをしたらただでおかないぞ.
□〈補動〉('-아 ~', '-어 ~'の形で, 全体で)その動作の結果を持続させることを表す語: …(して)おく. 句例 잘 보아 ~ よく見ておく / 창문을 열어 ~ 窓を開けておく. 文例 남겨 두었다가 나중에 먹어라 残してから後で食べなさい.
参考 '-아, -어'は他動詞の語尾.

두대-박이 [tu:daebagi]〈名〉二本帆柱の船.

⁑두더지〈名〉〔動〕もぐら.

두덩〈名〉くぼみの回りの隆起したところ. 畝. 語例 눈~ 目縁.
두덩에 누운 소 畝に寝転ぶ牛《この上なく結構な身の上のたとえ》.

두도막 형식【一形式】[tu:domak'yŏngshik]〈名〉〔楽〕二部形式.

두두룩-이 [tudurugi]〈副〉ふっくらと. もりもりと.

두두룩-하다 [tuduruk'ada] (→하다)〈形〉小高く盛り上がっている. (盛ったように)ふっくらとしている. 略して'두둑하다'とも言う. 句例 두 빰이 ~ 両ほほ(頬)がふっくらとしている / 두두룩하게 솟아오른 근육 もりもりと盛り上がった筋肉.
두두룩두두룩〈副・하形〉勢いよく盛り上がったりふくらんだりしているさま: もりもり. ふっくら. 略して'두둑두둑'とも言う.

두둑〈名〉❶あぜ(畦・畔). ❷畝.

두둑-이 [tudugi]〈副〉分厚〔部厚〕く. 豊かに.

두둑-하다 [tuduk'ada] (→하다)〈形〉❶分〔部〕厚い. 非常に厚い. 句例 두둑하게 빵을 썰다 分厚くパンを切る / 두둑하게 살이 붙은 턱 肉付きのよいふっくらしたあご. ❷豊かだ. 豊富だ. 句例 주머니가 ~ 懐が暖かい. ❸'두두룩하다'の略.

두둔〈名・하他〉[もとの語形は'두돈(斗頓)'] 味方してかばうこと. かばい立て. 肩を持つこと. 文例 언제나 동생만을 ~한다 いつも弟の肩ばかり持つ.

두-둥실〈副〉水面や空に軽軽と浮かんでいるさま: ふわりと. ふわっと. ぽっかり. 句例 구름이 ~ 떠 있다 雲がぽっかりと浮かんでいる / ~ 떠 있는 구름 ふんわり浮かんだ雲.

두드러기〈名〉じんましん(蕁麻疹).

두드러-지다 □〈形〉目立つ. 際立って見える. 著しい. 表立つ. 顕著だ. 句例 두드러지게 증가하다 著しく増加する / 두드러진 특색이 있다 際立った〔顕著な〕特色がある / 능력이 ~ 能力が際立っている. 文例 약효가 두드러지게 나타났다 薬効が顕著に現われた / 두드러지게 반대할 필요는 없었다 表立って反対することはなかった.
□〈自〉盛り上がって突き出る〔出す〕. 張り出る. 句例 유난히 두드러져 나온 배 並外れて張り出した〔突き出た〕腹.

⁑두드리다〈他〉たたく. 打つ. ぶつ. 句例 문을 ~ 戸をたたく / 타자기를 ~ タイプライターをたたく / 친구의 어깨를 툭 ~ 友人の肩をポンとたたく.

두들기다〈他〉殴る. ぶ(打)つ. たたく. ぶったたく《俗》. ぶん殴る《俗》. 句例 주먹으로 냅다 ~ げんこつで思い切り殴る / 머리를 두들겨 맞다 頭をぶたれる.

두랄루민〈名〉〔化〕ジュラルミン. ◇Duralumin

두런-거리다〈自〉(人人が)低い声でむつ(睦)まじく話し合う. ぼそぼそと話す.
두런두런〈副・하自〉ひそひそ. ぼそぼそ. 文例 두 노인이 ~ 이야기를 나누고 있었다 二人の老人がぼそぼそと話し合っていた.

두렁〈名〉あぜ(畦・畔). 語例 논~길 田のあぜ道 / 밭~ 畑のあぜ

＊두레〈名〉農繁期の農民の協同労働のための集い. 語例 ~꾼 '두레'に集まった農民 / ~ 농사(農事), 두렛일 農繁期の協同農作 / 두렛날 '두레'のための協同作業日 / 두렛논 '두레'で作業する田.

＊두레-박〈名〉つるべ(釣瓶). つるべ桶.

두레-상【一床】〈名〉大勢の人が囲んで座ることができる脚付きの食膳. →두리반

두려-빠지다〈自〉く(刳)り抜かれる. えぐ(抉・刳)り抜かれる〔取られる〕. 句例 대나무 마디가 ~ 竹の節がくりぬかれる.

두려움〈名〉恐れ. 恐怖. 怖さ. 心配. 句例 ~을 느끼다 不安をおぼえる. 恐れを抱く / ~을 모르다 怖さを知らない. 類 무서움.

＊두려워-하다 (→하다)〈他〉❶恐れる. 怖がる. おっかながる. 恐ろしがる. =겁을 내다. 句例 어두움을 ~ 暗闇を怖がる. 文例 밤길에 혼자 걷기를 ~ 夜道の一人歩きを恐ろしがる / 짐승은 불을 두려워한다 獣は火を恐れる. ❷いけい(畏敬)する. おそ(畏)れる. =어려워하다. 句例 신〔하늘〕을 두려워하지 않는 행위 神〔天〕をおそれぬしわざ.

⁑두렵다 (두려우니, 두려워서)〈形〉❶恐ろしい. 怖い. =겁이 나다. 句例 밤길을 걷는 것이 ~ 夜道を歩くのが恐ろしい / 천둥 소리가 ~ 雷が怖い. ❷心配だ. 不安である. =염려스럽다. 文例 그 애의 장래가 ~ その子の将来が心配である. ❸(威厳などに対し)恐れ入る. =어렵다. 文例 두려워서 고개를 못 들었다 恐れ入って頭が上げられなかった.

두령【頭領】〈名〉頭領. 頭. 首領. =두목. 句例 의적단의 홍길동 ~ 義賊団の洪吉

童頭領.

두루 〈副〉 あまねく. まんべんなく. 一般に. すべてにわたって広く. 漏れなく. 全部. 全体的に. 句例 ~ 알려지다 あまねく知れ渡る / 전원에게 ~ 주의를 주다 全員にまんべんなく注意を与える / 전원에게 ~ 돌아가다 全員にもれなくいき渡る / 모두에게 ~ 웃는 낯을 보이다 まんべんなく笑顔をふりまく.

두루두루 〈副〉 あまねく. まんべんなく. すべてにわたって広く.

두루-마기 〈名〉 ツルマギ. コートのような韓国固有の着物. =주의(周衣). 絵

〈두루마기〉

두루-마리 〈名〉 巻き物. 巻き紙.

두루-뭉수리 〈名〉 ❶(形が定まっていない)乱雑に仕上げられた〔でたらめな〕物事. 略して'뭉수리'とも言う. ❷下らない人をあざけて言う語. ろくでなし.

두루뭉실-하다 (→하다) 〈形〉 ❶角張らずに丸みを帯びている. ❷(言動や態度が)どっちつかずではっきりしない. 句例 두루뭉실하게 얼버무리다 あいまいに茶化す.

두루미 〈名〉〔鳥〕 つる(鶴). たんちょうづる(丹頂鶴). =학(鶴).

두르다 (두르니, 둘러서) 〈他〉 ❶覆い隠す. 囲む. 囲う. 句例 모닥불을 둘러싸다 焚き火を囲む / 번호를 동그라미로 ~ 番号を丸で囲む / 섬은 바다에 둘러싸여 있다 島は海に囲まれている / 어깨띠를 ~ たすき(襷)を掛ける / 앞치마를 ~ 前掛けをする / 마당에 담을 ~ 庭に塀を巡らす / 완장을 ~ 腕章を巻く. ❷(輪を描くように)丸く回す. 回転させる. 句例 수기를 빙빙 ~ 手旗をぐるぐる回す / 횃불을 휘휘 ~ たいまつ(松明)をぐるぐる回す. ❸融通する. (金を)借りる. 句例 돈을 둘러 오다 金を借りて来る.

두르르 〈副〉 '도르르'の語感の大きい語.

두름 [一]〈名〉 干し魚や山菜などをわら(藁)で編みつないだもの.
[二]〈依名〉 ❶いしもちなどの干し魚20匹を二列に長く編みつないだものを数えることば. 語例 굴비 한 ~ 干しいしもち一つなぎ. ❷山菜10把くらいの量を束ねたのを数えることば: 束.

두름-성【一性】[turŭmssŏng] 〈名〉 融通性. やりくり性. =주변성.

두릅 〈名〉 (ゆでてあえ物にする)たらのきの若葉・芽. たら穂. たらっぽ《口》.

두리-둥실 〈副〉 ⇨ 두둥실

두리-반【一盤】〈名〉 大きくて丸い, 台付きの食膳《もとは子供や婦人たちが使ったもの》. 對모반. →두레상

두리번-거리다 〈自他〉 きょろきょろ見回す. 句例 신기한 듯이 ~ もの珍しそうにきょろきょろする.

두리번두리번 〈副自他〉 落ち着かないであたりを見回すさま: きょろきょろ. 句例 둘레를 ~ 둘러보다 あたりをきょろきょろと見回す.

두-말 [tu:mal] 〈名・하自〉 とやかく言うこと. 二言. 文例 ~하면 잔소리다 ごく当たり前の話だ.

두말 말고 文句をつけないで. とやかく言わないで. 文例 ~ 따라와 文句言わずに付いてこい.

두말 말다 文句をつけない. とやかく言わない. 文例 다시는 두말 마라 二度と文句などは言うな.

두말 없이 とやかく言わずに. 文句なしに. 句例 ~ 응낙하다 二つ返事で受け入れる.

두말할 것 없다 もちろんのことである. 言うまでもないことである.

두말할 나위 없다 言うまでもない. 言を待たない.

두메 〈名〉 片田舎. 片辺土. =벽지(僻地). 산촌(山村).

두메 산골【一山一】[—sankkol] 〈名〉 遠山里. 山奥. 片辺土. 僻村. 句例 ~에 들어박히다 僻村に引きこもる.

두멧-사람 〈名〉 片田舎〔片辺土〕の住民〔に住む人〕.

두목【頭目】〈名〉 頭目. 頭. 首領. 大将. 親分. 句例 깡패들의 ~ 愚連隊の親玉.

두발【頭髮】〈名〉 頭髪. =머리털.

두발-당성 [tu:bal—] 〈名〉 両足でする足げ(蹴).

두-벌 [tu:bŏl] 〈名〉 二度目. 二回目.

두벌-갈이 [tu:bŏlgari] 〈名・하他〉 二度目に耕すこと.

두벌-솎음 [tu:bŏlsokkŭm] 〈名・하他〉 二度目の間引き. また, その青物.

두부【豆腐】〈名〉 豆腐. 語例 지진 ~ 焼き豆腐 / ~ 찌개 豆腐を入れた'찌개'.

두부【頭部】〈名〉 ❶頭部. ❷物の上部.

두부-살【豆腐一】〈名〉 白くて柔らかい肌. また, そのような体質の人.

두상【頭上】〈名〉 ❶'머리 頭'の尊称. ❷頭上. 頭の上.

두상【頭狀】〈名〉 頭状. 語例 ~화〔植〕 頭状花. 頭花 / ~꽃차례〔植〕 頭状花序.

두서【頭書】〈名〉 頭書. 序文. 前書き. はしがき. 序. 句例 일정은 ~와 같다 日程は頭書のとおり.

두-서너 〈冠〉 二つまたは三つ四つの.

두-서넛 〈數〉 二つまたは三つ四つ.

두서-없다【頭序一】[—ŏpta] 〈形〉 (話の)筋が通っていない. (話しの)つじつまが合わない. 句例 두서없는 이야기 とりとめのない話.

두서없이 [—ŏpssi] 〈副〉 とりとめなく.

두-세 〈冠〉 二つ三つの. 句例 ~ 개의 사과 二三個のりんご / ~ 사람 二三人.

두-셋 〈數〉 二つ三つ. 両三. 文例 귤을 ~씩 나누어 주다 みかんを二 三個ずつ分けてやる.

두수【頭數】〈名〉 頭数. 句例 소의 사육 ~ 牛の飼育頭数. 類마릿수.

두어 〈冠〉 二つほどの. 文例 ~ 개 먹었다 二個くらい食べた. 語例 ~ 사람 二人くらい.

두어-두다 〈他〉 捨てておく. 見捨てる. そのままほうっておく. ほったらかす. うっちゃってお

く. うっちゃらかす. 略して'둬두다'とも言う. 句例 부상자를 두어두고 길을 서두르다 けが人を見捨てて先を急ぐ / 일을 두어두고 놀러 다니다 仕事をほったらかして遊びまわる.

*두엄〈名〉積み肥. 堆肥. 語例 ~간(間) 堆肥〔積み肥〕小屋 / ~ 더미 積み肥の山.

두엇〈數〉二つほど. 句例 머슴을 ~ 두다 作男を二人ほど雇う.

두유【豆乳】〈名〉豆乳.

두음 법칙【頭音法則】〈名〉〔言〕頭音すなわち, 単語の初声が外の音に発音される法則. 初声'ㄹ'と, 重母音の前の'ㄴ'がそれぞれ'ㄴ'と'ㅇ'になって発音されること. '래일(來日)'が'내일 あした', '녀자'が'여자 女子'になるなど.

두-이레〈名〉出産後十四日目〔二週間目〕の日.

두절【杜絶】〈名〉途絶. **~하다**〈自〉途絶する. とだえる. 句例 교통이 ~되다 交通が途絶する / 연락이 ~되다 連絡が途絶する.

두짝-열개 [tu:tchangnyŏ:lgae]〈名〉〔建〕両開き(の戸).

두-째 [tu:tchae]〈數〉二番目. 二つ目. 語例 열~ 十二番目 / 스물~ 二十二番目. →둘째 参考 十から九十までの固有語の数詞につく. ただの二番目は'둘째'と言う.

두터-이〈副〉(人情などを)厚く. 句例 우정을 ~ 하다 友情を厚〔深〕くする.

*두텁다 (두터우니, 두터워서)〈形〉厚い. 人情深い. とんこう(敦厚)だ. 句例 우정이 두터운 사람 友情に厚い人 / 신심이 ~ 信心が厚〔深〕い. →囲み記事 28

두톨-박이 [tu:t'olbagi]〈名〉二子ぐり(栗).

두통【頭痛】〈名〉頭痛. 句例 ~이 나다 頭痛がする. 語例 ~거리 頭痛のたね.

두툴-두툴〈副〉凸凹しているさま: でこぼこ. =우툴두툴. 도톨도톨. **~하다**〈形〉でこぼこだ〔している〕.

두툼-하다 (→하다)〈形〉やや厚い. 厚っぽい. 厚みがある. 句例 두툼한 입술 厚っぽい唇 / 서류가 ~ 書類が分厚い. **두툼히**〈副〉やや厚く.

두해살이-풀 [tu:haesarip'ul]〈名〉二年生草本. =이년생 초본.

*둑〈名〉❶堤. 土手. 堤防. =제방(堤防). 句例 ~이 무너지다 堤防が切れる / ~을 쌓다 土手を築く. ❷道路を敷くために築き上げた土手.

둑-길〈名〉土手路.

둔 〔漢字項目〕

【鈍】高校 둔 ドン. ❶무디다 鈍い. ■鈍器 둔기 どんき. 鈍才 둔재 どんさい. ❷꿈뜨다 のろい. ■遲鈍 지둔 ちどん. ❸미련하다 愚かだ. ■愚鈍 우둔 ぐどん.

둔감【鈍感】[tu:n-gam]〈名〉鈍感. 鈍重. **~하다**〈形〉鈍感だ. 句例 만사에 ~한 사나이 万事に鈍感な男.

둔갑【遁甲】[tu:n-gap]〈名〉とんこう(遁甲). **~하다**〈自〉化ける. 句例 흰 여우로 ~하다 白狐に化ける. 語例 ~술 忍法. 忍術.

둔기【鈍器】[tu:n-gi]〈名〉鈍器. 句例 ~로 치다 鈍器で打つ.

둔덕〈名〉丘. 塚. 句例 ~에 올라가 읍내를 바라다보다 丘に登って町を望む.

둔덕-지다〈形〉(地面が)丘のように小高くなっている. 低い台地になっている.

둔부【臀部】〈名〉でんぶ(臀部). 句例 ~가 튀어나오다 でんぶが突き出る〔突出する〕.

둔재【鈍才】[tu:njae]〈名〉鈍才. 對수재.

둔중-하다【鈍重—】[tu:njunghada] (→하다)〈形〉鈍重だ. 鈍い.

둔치〈名〉❶水際. 水際の丘〔土手〕. ❷(河川敷の)高水敷.

둔탁-하다【鈍濁—】[tu:nt'ak'ada] (→하다)〈形〉❶鈍くてのろい. 鈍重だ. 句例 둔탁한 남자 鈍くてのろい男. ❷(音などが)鈍く濁っている. 文例 둔탁한 종소리가 울려 퍼졌다 鈍重な鐘の音が響き渡った.

둔팍-하다【鈍—】[tu:np'ak'ada] (→하다)〈形〉愚鈍だ. 愚かで鈍い. 句例 둔팍한 사나이 愚鈍な男.

둔-하다【鈍—】[tu:nhada] (→하다)〈形〉❶鈍い. 頭の働きが遅い. 句例 머리가 ~ 頭が悪い〔鈍い〕. ❷のろい. 句例 지쳐서 동작이 ~ くたびれて動作が鈍い / 감각이 ~ 勘が鈍い / 신경이 ~ 神経が鈍い. 文例 나이를 먹으면 움직임이 둔하여진다 年をとると動きが鈍くなる.

**둘 [tu:l]〈數〉二. 二つ. 句例 하나 ~ 셋 넷 ひ(一)ふ(二)み(三)よ(四) / ~로 가르다 二つに分ける. 文例 ~을 다 가지고 있다 二つをみんな持っている.

둘도 없다 二つとない. ❶またとない. この上(も)ない. 句例 세상에 둘도 없는 천재 この上もない天才 / 둘도 없는 즐거움 またとない楽しみ. ❷掛け替えのない. 句例 둘도 없는 친구 掛け替えのない友達. 無二の親友.

둘이 먹다 하나가 죽어도 모르겠다 二人が一緒に食べているうちに, 一人が死んでも気づかない. あご〔おとがい〕が落ちる.

둘둘〈副〉❶幾重にも巻くさま: くるくる. ぐるぐる. 句例 실을 물레에 ~ 감다 糸を糸繰り車にくるくると巻き付ける / 붕대를 ~ 감다 包帯をぐるぐる巻く. ❷物がつづいて回るさま: ころころ. くるくる. ぐるぐる.

둘러-대다〈他〉❶(金品を)やり繰りする. やり繰る. 融通する. 句例 자금의 일부를 ~ 資金の一部をやり繰りする. ❷言い繕う. 言い逃れる. 言い抜ける. 句例 임시 방편으로 ~ その場を言い繕う. 文例 어떻게든 둘러대려고 안간힘을 쓰다 なんとか言い逃れようと躍起になる.

둘러-막다〈他〉囲いをする. (塀などを)巡らして遮る.

둘러-맞추다〈他〉なんとか言い繕う〔言い逃れる〕. 句例 둘러맞추기를 잘 하는 사나이 言い逃れのうまい男 / 이유를 적당히 ~ 理由をなんとか言い繕う.

둘러-메다〈他〉(肩に)担ぐ. 背負う. しょう. 句例 밀가루 부대를 ~ メリケン粉の袋をしょう.

*둘러-보다 〈他〉見回す. 眺め回す. 句例 주위를 ～ 周囲を見回す.

*둘러-서다 〈自〉取り巻いて立つ. 取り囲んで立ち並ぶ. 文例 빙 둘러서서 구경을 하다 丸く取り囲んで見物をする.

둘러-싸다 〈他〉❶取り囲む. 取り巻く. 囲む. 巡らす. 句例 제자들이 선생을 ～ 弟子たちが先生を取り囲む / 생울타리로 마당을 ～ 生け垣で庭を取り囲む / 장기판을 ～ 将棋盤を取り巻く. 文例 모닥불을 둘러싸고 노래했다 かがり火を囲んで歌った. ❷('둘러싸고'の形で)そのことに関連しての意: 巡って. 文例 찬부를 둘러싸고 격론을 벌였다 賛否を巡って激論を繰り広げた.

*둘러-싸이다 〈自〉'둘러싸다'の受け身: 取り巻かれる. 取り囲まれる. 囲まれる. 句例 팬에게 ～ ファンに取り囲まれる / 산으로 둘러싸인 도시 山に囲まれた都市.

둘러-쌓다 [tullŏssat'a] 〈他〉(周囲を)積み巡らす. 句例 성벽을 ～ 城壁を巡らす.

둘러-쓰다 (―쓰니, ―써서) 〈他〉❶ひっかぶる. ひっ掛ける. 句例 이불을 둘러쓰고 심통스럽게 자다 布団をひっかぶってふて寝する. ❷やり繰りする. 工面する.

*둘러-앉다 [tullŏantta] 〈自〉囲んで座る. 円座する. 車座になる. 句例 둘러앉아서 이야기를 나누다 車座になって話し合う / 모닥불 주위에 ～ かがり火の周りに円座する〔車座になる〕. →앉다 參考

둘러-엎다 〈他〉ぶち壊してひっくり返す. 句例 장난감 상자를 둘러엎은 것 같다 おもちゃ箱をひっくり返したようだ.

둘러-치다 〈他〉❶振り回して投げる. ほう(放)り投げる. ❷(棍棒などで)振りたたく. ❸(屏風・網などを)張りまわす. 引き巡らす. 引き回す. 句例 벽에 휘장을 ～ 壁にカーテンを張り巡らす.

둘러치나 메어치나 일반 振り回すのも, 振り投げるのも同じだ. どっちみち同じ結果だとのたとえ.

*둘레 〈名〉❶縁. へり. ❷周囲. 周辺. 周り. ぐるり. 句例 집의 ～ 家の周囲 / ～를 에워싸다 周囲を取り巻く / 연못 ～를 걷다 池のぐるりを歩く / 눈 ～가 빨개지다 目の周りが赤くなる. 語例 가슴 ～ 胸囲.

둘레-둘레 〈副〉❶周りを見回すさま: きょろきょろ(と). ❷多くの人が円座しているさま: ぐるりと.

둘리다 〈自〉'두르다'の受け身. ❶囲み塞がれる. ❷取り巻かれる〔囲まれる〕. 囲まれる. 句例 산으로 둘리어 있다 山に(取り)囲まれている. ❸振り回される.

*둘-째 [tu:ltchae] 〈數〉 二番目. 二つ目. 句例 위에서 ～ 서랍 上から二番目の引き出し / 이기고 지는 것은 ～다 勝ち負けは二の次だ / 재능은 ～다 器量は後回しだ / 첫째도 공부 ～도 공부다 一にも勉強, 二にも勉強だ / 둘째로 크다 二番目に大きい. 語例 ～형 二番目の兄. →두째 參考

둘째 가라면 섧다 二番目と言われたら悔しい. 自他が共に許す第一人者である.

둥¹ 〈依名〉❶するような, しないようなことを表わす語: …やら. だの. 句例 이야기를 듣는 ～ 마는 ～ 하고 話を聞くやら聞かぬやらで. 文例 식사도 드는 ～ 마는 ～ 하고 나가다 食事もそこそこに出かける. ❷なんのかのと理屈の多いことを表わす語. 文例 딱딱하다는 ～ 맛이 없다는 ～ 하고 투정을 한다 固いとかまずいとかと不平を並べ立てる / 좋다는 ～ 싫다는 ～ 말이 많다 よいとか嫌とかとやかましい. →둥하다 參考

둥² 〈副〉太鼓・琴などの音: どん.

둥개-둥개 〈感〉'둥둥³'をおもしろく言うあやし言葉.

둥그러-지다 〈自〉倒れる. 転ぶ. 転がる. 転倒する.
表現 語感の小さい語は'동그라지다'.

둥그렇다 [tunggŭrŏt'a] (둥그러니, 둥그러오) 〈形〉丸〔円〕い. まろやかだ. 句例 둥그런 얼굴에 둥근 눈을 가진 귀여운 소녀 まろやかな顔に丸い目をしたかわいい(可愛)い少女.

둥그레-지다 〈名〉丸くなる. 句例 놀라서 눈이 ～ 驚いて目が丸くなる.

둥그스레-하다 (→하다) 〈形〉⇨ 둥그스름하다

둥그스름-하다 (→하다) 〈形〉やや丸い. まろやかだ. 丸っこい. 略して'둥긋하다'とも言う. 句例 둥그스름한 달이 뜨다 丸っこい月が出る〔のぼる〕. 둥그스름히 〈副〉やや丸く. 丸っこく. 丸めに.

둥근-톱 〈名〉丸のこ(鋸).

둥글넓적-하다 [tunggŭllŏpchŏk'ada] (→하다) 〈形〉丸〔円〕くて平(っ)たい. 句例 둥글넓적한 얼굴 丸くて平(べっ)たい顔. 文例 가루를 반죽하여 둥글넓적하게 밀었다 粉をねって円くて平たく伸ばした. 둥글넓적히 [―k'i] 〈副〉丸くて平(っ)たく.

**둥글다 (둥그니, 둥글어서) 〈形〉丸〔円〕い. ❶円形〔球形〕である. 句例 둥근 머리 丸いあたま / 둥근 공 丸いボール / 등이 ～ 背中が丸い / 쟁반같이 둥근 달 お盆のように真ん丸い月. ❷円満だ. 句例 성격이 ～ 人柄が円満だ.

**둥글-둥글 〈副・하形〉❶一様に丸いさま: まるまる. 文例 무를 ～하게 썰었다 大根を輪切りにした. ❷しきりに回るさま: くるくる. ぐるぐる. ❸(性格が)角がなく円満なさま. 句例 성격이 ～하다 性格が円満〔まろやか〕だ.

*둥글리다 〈他〉丸〔円〕くする. 丸める. 句例 눈덩이를 ～ 雪の玉を丸める.

둥긋-이 [tunggŭshi] 〈副〉やや丸く.

둥긋-하다 [tunggŭt'ada] (→하다) 〈形〉'둥그스름하다'の略.

둥덩-거리다 〈他〉 太鼓をどんどん打ち鳴らす.

둥덩둥덩 〈副・하他〉どんどん.

둥둥¹ 〈副〉太鼓を打ち鳴らす音: どんどん.

둥둥² 〈副〉'둥실둥실'の略. 文例 풍선 하나가 ～ 지붕 너머로 날아갔다 風船玉が一つふわふわと屋根ごしに飛んで行った.

둥둥³ 〈感〉幼児をだっこしたりおんぶしてあやす語. →둥개둥개

*둥실 〈副〉 物が軽く浮かび上がるさま: ふわり. ふんわり. ふわっと. 句例 산 위에 ～ 떠 있

는 구름 山の上にふんわりと浮かんでいる白雲.

둥실둥실 〈副〉ふわふわ．ふわりふわり．ふんわりと．ぽっかり．

둥실둥실-하다 (→하다) 〈形〉ふっくらとしている．ぽってり〔ぼってり〕している．ふくよかに肥えている．句例 둥실둥실하게 살이 찌다 ぽってりと太っている / 둥실둥실한 어린이의 귀여운 손 ふっくらした子供の少さい手．

둥싯-거리다 〈自〉❶(舟などが)緩く揺れながら浮かんで行く．❷からだがのろく動く．

둥싯둥싯 〈副・하自〉のろのろと．ゆるゆると．

〈둥우리〉

**둥우리 〈名〉草・わらなどで編んだかご(籠)．絵

-둥이 〈尾〉(名詞の下について)そのような性質を持った人であることを表わす語．語例 바람~ 浮気者 / ⇨ 막내둥이

둥주리 〈名〉わらで粗く編んだ‘둥우리’．

둥지 〈名〉(鳥の)巣．ねぐら．＝보금자리．

둥지(를) 치다 巣をくう．＝둥지(를) 틀다．

둥치 〈名〉大きな木の根元．句例 벚나무의 ~에 앉아 쉬다 桜の根元に座って休む．

둥-하다 (→하다) 〈補形〉するようでもあり，しないようでもあるの意．文例 비가 올 둥 말 ~ 雨が降りそうでもあり降りそうでもない / 너무 서둘러서 먹은 둥 만 ~ あまり急いだので，食べたような食べなかったような感じだ / 잠을 자는 둥 마는 둥하는 사이에 날이 샜다 眠るか眠らないうちに夜が明けた．

参考 ‘말다 中断する．やめる’の語幹‘말’や過去形‘만’または進行形‘마는’などだけにつく．

둬-두다 [two:duda] 〈他〉‘두어두다’の略．

뒈-쓰다 [twe:ssŭda] (뒈쓰니, 뒈써서) 〈他〉‘뒤어쓰다’の略．

**뒤 [twi:] 〈名〉❶後．後ろ．㉠後方．背後．句例 ~를 돌아 보다 振り返る / 남의 ~에 숨다 人の後ろに隠れる / ~를 쫓다 あとを追う / ~로 돌리다 あとに回す / 두세 발짝 ~로 물러서다 二，三歩あとへ下がる / 고향을 ~로 하다 故郷を後にする．文例 ~에 처졌다 앞으로 나섰다 하며 따라오다 あとになり先になりついてくる．

㉡背．背中．句例 적에게 ~를 보이다 敵に背を見せる．

㉢ある物にへだてられて見えない所．物陰．句例 ~에서 조종하다 後ろで操る．文例 책장 ~에 책이 떨어졌다 本棚の後ろに本が落ちた / 그의 ~에는 유력자가 있다 彼の後ろには有力者がついている．

㉣後部．句例 오토바이 ~에 타다 オートバイの後ろに乗る / 전동차의 ~ 차량은 비어 있다 電動車のあとの車両はすいている．

㉤後．後日．句例 이십년 ~에 二十年ののちに / 저녁 식사 ~에 산책을 하다 夕食ののちに散歩をする / ~가 걱정된다 のちが思いやられる．文例 그것은 ~에 가서 안 일이다 それはのちになって分かったことだ．類후(後)．

㉥跡継ぎ．跡．跡取り．句例 ~를 잇다 あとを継ぐ / ~를 이어받다 あとを襲う / ~가 끊어지다 跡継ぎが絶え果てる / 퇴임한 회장의 ~를 찾다 退任した会長の跡継ぎを探す．

㉦あとの事．残り．文例 이 ~로는 어떻게 될 것인가 このあとはどうなるんだろう / ~는 너에게 맡긴다 あとのことは君に任せる / ~는 상상에 맡긴다 あとは想像に任せる．

㉧死後．将来．句例 ~에 남은 식구 あとに残った家族 / ~를 부탁하다 あとを頼む．▷ 對앞．

❷‘똥 大便’を婉曲に言い表わした語．句例 ~가 마렵다 便意を催す．

❸‘뒷밭’の略．

表現 ‘뒤’は‘後ろ・後・後の’を意味するが，また，‘大便’の丁寧語として使われるので，料理家などは‘…을 한 뒤에 …をしたあとに’の‘뒤’を忌み言葉として避け，‘…을 한 후(後)에’と言う．

뒤가 구리다 後ろ暗い．後ろめたい．

뒤가 꿀리다 気が引ける．気後れがする．

뒤가 딸리다 後押しする力がなくなる．

뒤가 없다 (人柄などが)あっさりしている．

뒤가 켕기다 気がひるむ．気後れがする．

뒤(를) 대다 ❶後援する．❷後ろ盾になって資金を出してやる．

뒤를 돌보다 後ろ盾をする．後押しをしてやる．

뒤를 캐다 人の粗を探す．粗探がしする．粗をほじくる．

뒤(를) 밟다 跡を付ける．跡を追う．

뒤(를) 보다 ‘똥(을) 누다 大便をする’の婉曲な言いかた：はばかりに行く．用を足す．

뒤에 난 뿔이 우뚝하다 後に生えた角がより立派だ．若者が年寄りよりも優れている．後生畏るべし．

뒤-구르다 [twigurŭda] (뒤구르니, 뒤굴러서) 〈他〉(事が後腐れがないように)しっかり締めくくる．

뒤-까불다 (—까부니, —까불어서) 〈他〉からだを振りながら軽薄に振る舞う．

뒤곁 [twi:kkyŏt] 〈名〉裏庭．後庭．

뒤-꿈치 [twi:kkumch'i] 〈名〉‘발뒤꿈치’の略．

뒤-끓다 [twikkŭlt'a] 〈自〉❶勢いよく沸く．煮立つ．句例 냄비의 된장국이 ~ なべ(鍋)のみそ汁が沸き返る．❷ごった返す．句例 귀성객으로 ~ 帰省客でごった返す．→끓다 参考

뒤-끝 [twi:kkŭt] 〈名〉終わり．結び．しまい．文例 비가 온 ~이라 춥다 雨が降った後なので寒い / ~이 좋으면 다 좋다 終わりがよければすべてがよい．

뒤끝(을) 보다 しまいの結果を見る．成り行きを見守る．

뒤끝이 없다 人柄があっさりしている．

뒤넘기-치다 [twi:nŏmgich'ida] 〈他〉❶後ろに倒す．❷ひっくり返す．覆す．

뒤-넘다 [twi:nŏmtta] 〈自〉ひっくり返って倒れる．あおむ(仰向)きに倒れる．

뒤-놀다 (뒤노니, 뒤놀아서) 〈自〉❶ぐらつく．ぐらぐら揺れ動く．激しく揺れ動く．句例 책상 다리가 ~ 机の脚がぐらつく．❷思いのま

まに歩き回る.

뒤-늦다 [twi:nŭtta] 〈形〉 遅い. 定刻よりもずっと遅れている. 句例 두 시간이나 뒤늦게 도착하다 二時間も遅れて到着する.

뒤다 〈名〉 反(り返)る. たわ(撓)む.

뒤-대다 [twi:daeda] ⇨ '뒤'の小項目

뒤-덮다 〈他〉 覆い包む. すっかり覆う. 句例 눈이 산을 ~ 雪が山をすっかり覆う / 먹구름이 하늘을 ~ 黒雲が空を覆い隠す.

뒤-덮이다 [twidŏp'ida] 〈自〉 '뒤덮다'の受け身: 覆われる. 覆いかぶされる. 句例 눈에 뒤덮인 산 雪に覆われた山.

뒤-돌아보다 [twi:doraboda] 〈自他〉 振り返る. 振り向く. 顧みる. 回顧する. 句例 지난 일년을 ~ 過ぎし一年を振り返る / 반생을 ~ 半生を顧みる. 類되돌아보다.

表現 上の意味から転じて'その方に注意を向ける, 関心を寄せる'の意にも使う. 그 살인귀가 죽어도 누구 한 사람 뒤돌아보지 않을 것이다 その殺人鬼が死んでもだれ(誰)一人振り向かないだろう.

뒤-둥그러지다 〈自〉 ❶(形が)ねじ(捩・捻)れ曲がる. ゆが(歪)む. ひずむ. 句例 지진으로 집이 ~ 地震で家がゆがむ / 습기로 판자가 ~ 湿気で板がひずむ. ❷ひが(僻)む. ひねくれる. いびつになる. 句例 뒤둥그러진 사회 いびつな社会 / 근성이 뒤둥그러진 사람 根性がねじれた人. 文例 꾸짖으면 금세 뒤둥그러진다 しか(叱)られるとすぐにひねくれる.

***뒤-따라가다** [twi:ttaragada] (뒤따라가거라) 〈他〉 後から付いて行く. 句例 선생님을 ~ 先生の後から付いて行く.

***뒤-따라오다** [twi:ttaraoda] (뒤따라오너라) 〈他〉 後から付いて[後を付けて]来る.

***뒤-따르다** [twi:ttarŭda] (뒤따르니, 뒤따라서) 〈自他〉 ❶後に従う. 後を追う. 後を付ける. お供をする. 句例 리더를 ~ リーダーに従う / 어머니를 ~ 母親について行く. ❷遺志や事業などを受け継ぐ.

뒤-떠들다 (—떠드니, —떠들어서) 〈自〉 やかましく[わいわい]騒ぐ. 騒ぎ立てる. 句例 관객이 ~ 観客が騒ぎ立てる / 아이들이 ~ 子供たちが騒騒しく騒ぐ.

뒤-떨다 (뒤떠니, 뒤떨어서) 〈他〉 激しく身を震わす. ひどく震わす. 句例 오른손을 ~ 右手をひどく震わす.

***뒤-떨어지다** [twi:ttŏrŏjida] 〈自〉 ❶(たち)後[遅]れる. 後になる. 文例 뒤떨어졌다 앞섰다 하며 따라오다 後になったり先になったりして付いて来る / 복지 정책이 뒤떨어져 있다 福祉政策がたち遅れている. ❷後に残る. ❸劣る. 引けを取る. 遅れを取る. =못하다. 句例 전자 공학 분야에서 ~ エレクトロニクスの分野で遅れを取る. 文例 늙으면 기린도 노마에 뒤떨어진다 老いては騏驎も駑馬に劣る. ❹(時代に)後[遅]れる. 時代後れになる. 句例 유행[시류]에 ~ 流行[時流]に遅れる. 文例 이 형식은 이미 시대에 뒤떨어졌다 このスタイルはもう時代後れだ. 對앞서다.

뒤뚝-거리다 〈自〉 よろける. ふらつく. よろよろ[ふらふら]する. ぐらつく. 句例 책상이 ~ 机がぐらつく. 文例 골 앞에서 발이 뒤뚝거렸다 ゴール前で足がふらついた.

뒤뚝뒤뚝 〈副〉 よろよろ. ふらふら. ぐらぐら. よたよた. **~하다** 〈自〉 ふらふらする. ふらふら揺れ動く. ぐらぐらする. ぐらぐら揺れ動く. よろよろする. よろめく. よろける. 句例 무거운 짐을 안고 ~하다 重荷を抱えてよろめく.

뒤뚱-거리다 〈自〉 (物・人などが)よろめく. ぐらつく. ふらふらする.

뒤뚱뒤뚱 〈副〉 よろよろ. ぐらぐら. ふらふら. **~하다** 〈自〉 よろよろする. ぐらぐらする. ぐらぐら揺れ動く. ふらふらする. ふらふら揺れ動く. 句例 탁구대가 ~하다 ピンポン台がぐらぐらする.

뒤뚱-발이 [—bari] 〈名〉 ふらふら[よろよろ]と歩く人.

뒤-뜰 [twi:ttŭl] 〈名〉 裏庭. 後庭.

뒤룩-거리다 〈自他〉 ❶(目玉が)ぎょろぎょろする. ぎょろつく. (目玉を)ぎょろつかせる. ❷太ったからだをのろく動かす. 太ったからだがのろく動く. ❸怒ってぷりぷりする.

뒤룩뒤룩 〈副〉 ぶくぶく. ぎょろぎょろ. ぎょろりぎょろり. ぷりぷり. **~하다** 〈自他〉 ぶくぶくする[させる]. ぎょろぎょろする[させる]. ぷりぷりする[させる]. 句例 ~한 눈 ぎょろ目 / 눈을 ~ 굴리다 目をぎょろぎょろさせる.

뒤룽-거리다 〈自〉 ぶら下がって揺れ動く. ぶらつく. 句例 그네가 미풍에 ~ ぶらんこがそよ風にぶらぶら揺れる.

뒤룽뒤룽 〈副〉 ぶらぶら. 句例 감이 바람에 ~ 흔들리고 있다 姉の実が風に吹かれてぶらぶら揺れている. **~하다** 〈自〉 ぶらぶらする. ぶらぶら揺れ動く.

뒤-미처 [twi:michʰŏ] 〈副〉 追いかけて. 追っかけて. 追って. 付け加えて. 相次いで. 句例 ~ 일어나는 사건 相次ぐ事件. 文例 그도 ~ 그만두었다 彼も後を追ってすぐやめた.

뒤-바꾸다 〈他〉 裏返す. ひっくり返す. 後先[あべこべ]にする. 取り違える. 文例 이제까지의 주장을 뒤바꾸어 갑자기 반대하기 시작했다 今までの主張をひっくり返して急に反対しだした / 신발의 좌우 짝을 뒤바꾸어 신다 靴の左右をあべこべに履く.

뒤-바뀌다 〈自〉 後先[逆さま・反対]になる. 順番が狂う. ひっくり返る. (ほかの物と)取り間違えられる. 句例 이야기가 ~ 話が後先になる / 상품이 ~ 商品が取り違えられる / 차례가 ~ 順序が狂う. 文例 방침이 어떻게 뒤바뀔지 알 수 없는 노릇이다 方針がどうひっくり返るのか, 分かるすべがない.

뒤-바르다 (뒤바르니, 뒤발라서) 〈他〉 塗りたくる. 塗りつぶす. ごてごてと塗る. やたらに張り付ける. 句例 접착제로 ~ 接着剤でごてごてと張り付ける / 그림 물감으로 ~ 絵の具で塗りたくる / 얼굴에 분을 ~ 顔におしろいをごてごてと塗りたくる.

뒤발-하다 (→하다) 〈他〉 泥などをひっかぶる. 泥まみれになる.

뒤-밟다 [twi:bapta] ⇨ '뒤'の小項目

뒤-버무리다 〈他〉 混ぜ合わせる. 混ぜ返す.

句例 볶음 음식을 잘 ～ いため物をよく混ぜ返す〔混ぜっ返す〕/ 나물을 ～ 青菜を混ぜ合わせる.

***뒤-범벅** 〈名〉ごたまぜ. ごちゃまぜ. ごちゃごちゃな状態. 句例 ～으로 반침에 쑤셔 넣다 ごたまぜに押し入れに突っ込む. 文例 여러 가지 연장이 ～으로 놓여 있다 いろいろな道具がごちゃごちゃに置かれている / 스웨터며 내의며를 ～으로 빨다 セーターも下着もごちゃ混ぜに洗う.

뒤-보다 [twi:boda] ⇨ '뒤'の小項目

뒤-섞다 [twisŏkta] 〈他〉混ぜ返す. (幾度も)かき〔こき〕混ぜる. ごちゃまぜにする. 句例 밥에 날계란을 ～ 飯に生卵をかき混ぜる.

***뒤-섞이다** [twisŏkkida] 〈自〉入り交じる. ❶交じり合う. 入り乱れる. かき〔取り〕混ぜられる. 文例 노소(老少)가 뒤섞이어 춤을 추다 老若入り交じって踊りを踊る / 양군이 뒤섞이어 싸우다 両軍が入り乱れて戦う. ❷みな一様になる. 一緒になる. 文例 기쁨과 슬픔이 뒤섞인 복잡한 기분이었다 喜びと悲しみの入り交じった複雑な気持ちだった.

뒤숭숭-하다 (→하다) 〈形〉 ❶取り乱されている. ㉠(心が)乱されている. 心が平静を失っている. ざわついている. 落ち着かない. そわそわしている. 文例 기분이 뒤숭숭하니 진정이 되지 않는다 気持ちがそわそわ(と)落ち着かない. ㉡(物が)取り散ら(か)されている. 散らかっている. 文例 방 안이 뒤숭숭하게 어질러져 있다 部屋の中が乱雑に散らかっている. ❷慌ただしい. ㉠(雰囲気などが)取り込んでいる. ㉡(世の中が)騒がしい. 物騒だ. 句例 세상이 뒤숭숭해지다 世の中が騒がしくなってくる.

뒤어-쓰다 (—쓰니, —써서) 〈他〉(布団などを)ひっかぶ(被)る. ＝들쓰다. 略して'뒈쓰다'とも言う. 句例 심통이 나서 이불을 뒤어쓰고 눕다 布団をひっかぶってふて寝する.

***뒤-엉키다** 〈自〉ひどく絡まる〔絡む〕. 句例 담쟁이덩굴이 뒤엉킨 교사 つたの絡まった校舎.

뒤-엎다 〈他〉❶ひっくり返す. 覆す. 転覆させる. 句例 배를 ～ 船を覆す / 정설을 ～ 定説を覆す. ❷滅ぼす. 既成のものを倒す. 句例 독재 정권을 ～ 独裁政権を倒す.

뒤웅-박 〈名〉(割らずに中身だけを取り去って乾かした)ひさご. ふくべ(瓠).

***뒤-잇다** [twi:itta] (뒤이으니, 뒤이어서) 〈他〉引き続く. 相次ぐ. 続いて起こる. 句例 식에 뒤이어 파티가 있다 式に引き続いてパーティーがある / 뒤이어 일어나는 사건 相次ぐ事件. 文例 금년에는 애처로운 사고가 뒤이었다 今年は痛ましい事故が引き続いた.

***뒤적-이다** [twijŏgida] 〈他〉 ❶(手・棒などを物の中に入れて)円を描くように回す. かき回す. あちこちいじくりまわす. 句例 주걱으로 죽을 ～ 杓子で粥をかき回す. ❷かき回して探す. 手探りする. 句例 서랍 속을 뒤져서 열쇠를 찾다 引き出しの中をかき回して鍵を探す.

뒤적-거리다 〈他〉 しきりにかき回す〔かき混ぜながら探す〕.

뒤적뒤적 〈副〉 かき回したり手探りするさま. **～하다** 〈他〉かき回す. かき回しながら探す.

뒤져-내다 〈他〉 かき回して探し出す. 探り出す. 文例 핸드백 속에서 반지를 ～ ハンドバックの中から指輪を探り出す.

⁑**뒤져-보다** 〈他〉 くまなくかき回して探してみる. 文例 주머니를 뒤져보았지만 없었다 懐をくまなく探してみたがなかった.

뒤-조지다 [twi:jojida] 〈他〉(物事の)まとまりをつける. 物事が済んだあとしめくくりをしっかりする. 後始末〔後片付け〕をきれいにする.

뒤좇아-가다 [twi:joch'agada] (뒤좇아가거라) 〈他〉❶(人の)後を追って行く. 追いかける. 後から追う. 句例 유행을 ～ 流行を追いかける / 범인을 ～ 犯人を追いかける. ❷人の意に従ってする.

뒤주 〈名〉米びつ(櫃). 句例 ～가 바닥이 나다 米びつが底をつく.

뒤죽-박죽 〈副〉 ごっちゃごっちゃ. ごっちゃ. ごった. めちゃくちゃ. めちゃめちゃ. 句例 분위기가 ～이 되다 雰囲気がめちゃめちゃになる / 두 개념을 ～으로 만들다 二つの概念をごっちゃにする.

뒤-지【—紙】[twi:ji] 〈名〉落とし紙. ちり紙.

⁑**뒤-지다**[1] [twi:jida] 〈自〉(立ち)後〔遅〕れる. 引けを取る. ＝뒤떨어지다. 句例 유행에 ～ 流行に遅れる / 근대화가 ～ 近代化が立ち後れる.

***뒤지다**[2] 〈他〉(くまなく)探す. あさ(漁)る. 句例 샅샅이 ～ くまなく探す. しらみつぶしに探す / 주머니를 ～ ポケットを探る / 쓰레기통을 ～ ごみ箱をあさる.

⁑**뒤-집다** 〈他〉❶ひっくり返す. 裏返す. 覆す. 句例 양말을 뒤집어 신다 靴下を裏返して履く / 셔츠를 ～ シャツを裏返す / 뒤집어 말하면… 裏返して言えば… / 보트를 ～ ボートを覆す / 정권을 ～ 政権を覆す / 학설을 ～ 学説を覆す. 文例 지금까지의 주장을 뒤집고 반대했다 今までの主張をひっくり返して反対した. ㊀뒤엎다. ❷(事の)順序を変える. 後先にする. 句例 차례를 ～ 順序を狂わせる. ❸(静けさを破って)騒然とさせる. 混乱に陥らせる.

뒤집어-쓰다 [twijibŏ—] (—쓰니, —써서) 〈他〉❶頭からかぶる. (帽子・夜具・かぶりものなどを)ひっかぶる. 勢いよくかぶる. 句例 맥고모자를 뒤집어쓰고 나가다 麦わら帽子をひっかぶって出て行く. ❷責任・負担などを自分で負う〔しょい込む〕. 句例 혼자서 책임을 ～ 一人で責任をひっかぶる. ❸(水・粉などを)かぶる. 上から浴びる. 句例 먼지를 뒤집어쓴 차 ほこりをかぶった車 / 머리로부터 물을 ～ 頭から水を(ひっ)かぶる.

***뒤집어-씌우다** [twijibŏssiuda] 〈他〉'뒤집어쓰다'の使役形: かぶ(被)せる. 着せる. ❶覆いかぶせる. かぶらせる. おっかぶせる. ❷(罪・責任などを)かぶせる. 人に負わせる. 句例 죄를 남에게 ～ 罪を人に(おっ)かぶせる / 책임을 ～ 責任を(おっ)かぶせる〔着せる〕 ❸(水や粉などを)上から浴びせかける. かぶらせる.

뒤집어-엎다 [twijibŏ—] 〈他〉 覆す. ❶ひっくり返す. 句例 너머지면서 밥상을 ~ 倒れながらお膳をひっくり返す / 연장 그릇을 ~ 道具箱をひっくり返す. ❷(国家・権力など既成のものを)倒す. 滅ぼす. 根本から変える. 句例 기존 사회를 ~ 既存の社会を覆す / 역사의 영구 발전설을 ~ 歴史の永久発展説を覆す.

***뒤-집히다** [twijip'ida] 〈自〉 '뒤집다'の受け身: ひっくり返る. ❶覆る. 反対になる. 文例 그림의 위 아래가 뒤집혀 있다 絵の上下がひっくり返っている / 두 사람의 성적이 뒤집혔다 二人の成績が反対になった. ❷倒れる. 句例 꽃병이 ~ 花瓶がひっくり返る. 文例 트럭이 뒤집혀서 논에 처박혔다 トラックがひっくり返ってたんぼに突っ込んだ. ❸(気持ち・考え・態度などが)急に変わる. 句例 방침이 ~ 方針がひっくり返る.

***뒤-쪽** [twi:tchok] 〈名〉 後方. 後面. 背面. 後ろがわ. 後部. 句例 줄의 ~에 붙다 列の後方につく. 對앞쪽.

뒤-쫓다 [twi:tchotta] 〈他〉 追い掛ける. 跡を追う. 跡をつける. 後から追う. 句例 사냥감을 바짝 ~ 獲物を追い詰める / 도둑을 ~ 泥棒を追いかける / 적을 멀리까지 ~ 敵を長追いする.

뒤-차 【一車】 [twi:ch'a] 〈名〉 次〔後〕の車. 後車. 對앞차.

뒤-창 [twi:ch'ang] 〈名〉 靴のかかと(踵). ＝뒤축. 類앞창.

뒤-채 [twi:ch'ae] 〈名〉 (母屋の後ろにある)離れ(家). 後ろの棟. 對앞채.

뒤-처리 【一處理】 [twi:ch'ŏri] 〈名・하他〉 後始末. 後片付け. ＝뒷갈망. 句例 일의 ~를 도맡아 하다 事の後始末を一手に引き受けてする.

뒤척-거리다 〈他〉 しきりにかき回しながら探す.

뒤척뒤척 〈副・하他〉 盛んにかき回しながら探すさま: ごそごそ.

뒤척-이다 [twich'ŏgida] 〈他〉 ひっかき回しながら探す.

뒤-축 [twi:ch'uk] 〈名〉 (靴・足袋などの)かかと(踵). 句例 ~이 해진 짚신 しり切れわらじ(草鞋) / 발 ~에 티눈이 생기다 足のかかとに魚の目ができる.

뒤치다 〈他〉 ひっくり返しておく. 返す. 句例 잘 마르도록 나무를 뒤치어 놓다 よく乾くように薪を返して置く / 잠결에 몸을 ~ 寝返りを打つ.

뒤-치다꺼리 [twi:chidakkŏri] 〈名・하自〉 ❶後ろ見. 後ろ盾. 力添え. 世話. ❷後始末. 尻拭い. ＝뒷수쇄. 文例 자식이 일으킨 골치아픈 일의 ~를 하다 息子の起こした面倒な後始末をする.

뒤치락-거리다 〈他〉 しきりにひっくり返す. 句例 걱정이 되어 잠을 못 이루고 몸을 ~ 思い悩んで眠れずに輾転反側する.

뒤-탈 【一頉】 [twi:t'al] 〈名〉 たた(祟)り. 後腐れ. 句例 ~이 없도록 매조지하다 後腐れのないようにかたをつける / ~을 겁내다 あとのたたりを恐れる / 과로의 ~로 건강을 잃다 過労がたたって健康を失う.

***뒤-통수** [twi:t'ongsu] 〈名〉 後頭部. ＝뒷골. 뒷머리.

뒤통수(를) 치다 ❶後頭部を殴る. ❷なそうとしていたことが失敗し非常に落胆する.

뒤퉁-스럽다 (→스럽다) 〈形〉 そそっかしくてよくへまをする. 軽はずみで不器用だ.

뒤-틀다 (뒤트니, 뒤틀어서) 〈他〉 ❶ね(捩)じる. よじる. ひね(捻)る. 句例 너무 아파서 몸을 ~ あまりの痛さに身をよじる. ❷(事を)妨げる. くじ(挫)く. つまずかせる.

뒤-틀리다 〈自〉 '뒤틀다'の受け身. ❶ねじれる. よじれる. 句例 성격이 뒤틀린 사람 性格がねじれた人 / 너무 웃어서 뱃가죽이 ~ 笑いすぎて腹の皮がよじれる. ❷理に反する.

뒤틀어-지다 [twit'ŭrŏjida] 〈自〉 (事が)こじれる. 句例 혼담이 ~ 縁談がこじれる / 우정이 ~ 友情にひびが入る.

뒤틈-바리 〈名〉 そこつ(粗忽)者.

뒤-편 【一便】 [twi:p'yŏn] 〈名〉 後ろがわ. 後ろの方. 文例 마을 ~에 산이 솟아 있다 村の後ろの方に山がそびえている. 對앞편.

뒤-품 [twi:p'um] 〈名〉 後ろ身ごろの幅. 對앞품.

뒤-흔들다 (뒤흔드니, 뒤흔들어서) 〈他〉 揺るがす. 揺り動かす. 揺すぶる. 揺さぶる. 句例 나뭇가지를 ~ 木の枝を揺さぶる / 자지 말라고 옆사람의 몸을 ~ 眠るなとそばの人のからだを揺すぶる / 사람의 마음을 뒤흔드는 연설 人の心を揺り動かす演説 / 주위를 뒤흔드는 대음향 あたりを揺さぶる大音響 / 정계 전체를 뒤흔든 독직 사건 政界全体を揺るがした汚職事件.

뒨장-질 〈名〉 くまなく〔隅隅まで〕探すこと. **～하다** 〈他〉 くまなく〔隅隅まで〕探す.

뒨장-하다 (→하다) 〈他〉 くまなく探す. しらみつぶ(虱潰)しに探す.

뒷-간 【一間】 [twi:tkan] 〈名〉 便所. かわや(厠). 雪隠. はばかり. ＝변소. 측간(厠間).

뒷간에 갈 적 마음 다르고 올 적 마음 다르다 用あるときの地蔵顔, 用なきときの閻魔顔の意.

뒷-갈망 [twi:tkalmang] 〈名〉 後始末. 後片付け. 尻ぬぐい. ＝뒤처리. **～하다** 〈他〉 後始末〔後片付け〕をする. 尻ぬぐいをする. 文例 부하가 저지른 실수의 ~을 내가 했다 部下が犯した失敗の尻ぬぐいを私がした.

뒷-갈이 [twi:tkari] 〈名・하他〉 ❶裏作. 後作. ＝이작. 후작(後作). 對앞갈이. ❷収穫後の耕し.

뒷-거래 【一去來】 [twi:tkŏrae] 〈名・하他〉 やみ取り引き. やみ(闇). 句例 밀수품을 ~하다 密輸品のやみ取り引きをする.

뒷-거름 [twi:tkŏrŭm] 〈名〉 追い肥. 追肥. 句例 ~을 주다 追い肥を施す. 對밑거름. 기비(基肥).

뒷-거리 [twi:tkŏri] 〈名〉 裏町. 裏通り. 裏道. 句例 명동의 ~ 明洞の裏通り. 對앞거리.

****뒷-걸음** [twi:tkŏrŭm] 〈名〉 後ずさり〔後じさ

り〕. 句例 ~으로 물러나다 後ずさりに引っ込む.

뒷걸음(을) 치다 後ずさり〔後じさり〕する.

뒷걸음-질 [twi:tkŏrŭmjil]〈名〉後ずさり〔後じさり〕(すること).

뒷-골 [twi:tkol]〈名〉⇨ 뒤통수

***뒷-골목** [twi:tkolmok]〈名〉裏通り. 裏道. 横町. 句例 ~의 노인 横町の老人. ㊮뒷길².

뒷-공론【一公論】 [twi:tkongnon]〈名・하自〉❶事後の批評〔議論〕. 後のとりざた. ❷壁訴訟. 陰口. 句例 이러쿵저러쿵 ~하다 ああのこうのと陰口をきく.

뒷-구멍 [twi:tkumŏng]〈名〉❶後ろの穴. ❷陰のやり取り. 裏口. 語例 ~ 입학 裏口入学. ㊮뒷문.

뒷구멍으로 호박씨 깐다 陰でカボチャの種をむく. 見掛けによらず案外悪賢いことをするの意.

뒷-길¹ [twi:tkil]〈名〉(後日の)見込み. 将来性. ㊟앞길.

뒷-길² [twi:tkil]〈名〉❶裏道. 裏街道. 句例 인생의 ~ 人生の裏道. ㊟앞길. ❷抜け道. 間道. 正当でない道.

뒷-날 [twi:nnal]〈名〉後日. 他日. いつか別の日. =후일(後日). 句例 ~로 돌리다 後日に回す / ~을 기약하다 他日を期する. 文例 ~ 찾아 뵙겠습니다 後日おうかがいいたします.

***뒷-다리** [twi:ttari]〈名〉あと足. 後ろ足. 句例 개가 ~로 일어서다 犬が後ろ足で立ち上がる. ㊟앞다리.

뒷다리(를) 잡다 揚げあしを取る. 弱みを握る.

뒷다리(를) 잡히다 揚げあしを取られる. 弱みを握られる.

뒷-담 [twi:ttam]〈名〉後ろの塀.

뒷-담당【一擔當】 [twi:ttamdang]〈名〉後始末. 後片付け. 事後の引き受け. =뒷갈망. **~하다**〈他〉後始末〔後片付け〕をする. 句例 운동회의 ~을 맡다 運動会の後始末を引き受ける.

뒷-대문【一大門】 [twi:ttaemun]〈名〉裏門. 後門. ㊟앞대문.

뒷-덜미 [twi:ttŏlmi]〈名〉襟首. うなじ(項). 首筋. 襟足. 略して'덜미'とも言う. 句例 ~를 잡고 찍어 누르다 襟首をつかんで押さえつける.

뒷-돈 [twi:tton]〈名〉❶後を絶たず続けて出す元手. ❷商売・博打に貢ぐ金.

뒷-동산 [twi:ttongsan]〈名〉(家・村などの)裏山. ㊟앞동산.

뒷-들 [twi:ttŭl]〈名〉(家・村などの)裏手の野原. 句例 넓디넓은 ~ 広広とした裏手の野原. ㊟앞들.

뒷-마감 [twi:nmagam]〈名・하他〉後片付け. 後始末. =뒷막이.

뒷-마당 [twi:nmadang]〈名〉裏庭.

뒷-마무리 [twi:nmamuri]〈名・하他〉後始末. 後片付け. 事後の締めくく(括)り. 句例 ~를 깨끗이 하다 後始末をきれいにする.

뒷-막이 [twi:nmagi]〈名〉❶(家具などの)裏側に当てる板. ❷⇨ 뒷마감

뒷-말 [twi:nmal]〈名・하自〉❶陰口. 句例 ~을 듣다 陰口を聞かれる. ❷後のとりざた. 後のうわさ. 句例 ~이 돌다 事後にうわさが立つ.

뒷-맛 [twi:nmat]〈名〉後味. 後口. 句例 ~이 좋다〔나쁘다〕後味〔後口〕が良い〔悪い〕/ ~이 개운치 않다 寝覚めが悪い. 文例 내 책임은 아니지만, 암만 해도 ~이 개운치 않다 わたしの責任ではないが, どうも寝覚めが悪い.

뒷맛이 쓰다 後味が悪い. 寝覚めが悪い.

뒷-면【一面】 [twi:nmyŏn]〈名〉後面. 裏面. 後ろがわ. 裏側. 後部. 句例 광고지의 ~을 메모 용지로 쓰다 広告紙の裏面をメモ用紙に使う. ㊟앞면.

뒷-모습 [twi:nmosŭp]〈名〉後ろ姿. 後ろ影. 後ろつき. 後ろ手. 句例 ~을 바라보다 後ろ姿を見送る / 눈에 익은 ~ 見覚えのある後ろ姿. ㊟앞모습.

뒷-모양【一貌様】 [twi:nmoyang]〈名〉後ろ姿. =뒷모습.

뒷-몸 [twi:nmom]〈名〉からだの後ろの部分. ㊟앞몸.

⁑뒷-문【一門】 [twi:nmun]〈名〉❶裏門. 勝手口. 背戸. =후문(後門). 文例 ~으로 돌아가 주시오 裏門の方に回ってください. ❷裏口. ㊮뒷구멍.

뒷-물 [twi:nmul]〈名〉腰湯. 座浴. **~하다**〈自〉座浴する. 腰湯を使う.

뒷-바닥 [twi:tpadak]〈名〉靴底のかかと(踵)の部分. ㊟앞바닥.

뒷-바라지 [twi:tparaji]〈名・하他〉(他人の)面倒を見ること. (人のため)尽力すること. 世話. 面倒見. 句例 병자의 ~를 하다 病人の世話をする. 文例 그는 부하의 ~를 잘 한다 彼は部下の面倒を良く見る.

⁑뒷-바퀴 [twi:tpak'wi]〈名〉後輪. =후륜(後輪). ㊟앞바퀴.

***뒷-받침** [twi:tpatch'im]〈名〉❶後押し. 後ろ盾. 尻押し. 後ろ見. 力添え. 援助. **~하다**〈自〉後押しする. 尻押しをする. 力添えをする. ❷裏付け. 裏書き. 保証. **~하다**〈他〉裏付ける. 裏書きする. 句例 이론의 ~이 없다 理論の裏付けがない. 文例 사실이 그의 주장을 ~한다 事実が彼の主張を裏付ける.

⁑뒷-발 [twi:tpal]〈名〉後ろ足. あと足. 句例 말이 ~부터 일어서다 馬が後ろ足から立ち上がる. ㊟앞발.

뒷-발길 [twi:tpalkkil]〈名〉後足でけ(蹴)る力.

뒷발-질 [twi:tpaljil]〈名・하自〉後足でけ(蹴)ること. 句例 말이 ~하다 馬が後足でける.

뒷-방【一房】 [twi:tpang]〈名〉〔建〕(居間の)裏部屋.

뒷-밭 [twi:tpat]〈名〉(家や村などの)裏の畑. 裏畑.

뒷배 [twi:tpae]〈名〉後ろ見. 後ろ盾. 尻押し. 後押し.

뒷배(를) 보다 後ろ見をする. 後ろ盾を務める. 後見をする. 文例 숙부에게 뒷배를 보아 달라고 당부하다 叔父に後ろ盾を頼む.

⁑뒷-벽【一壁】[twi:tpyŏk]〈名〉後ろの壁.

뒷-보증【一保證】[twi:tpojŭng]〈名・하自〉❶⇨배서(背書). ❷主たる保証人の代わりにその義務を履行すること.

뒷북-치다 [twi:tpuk—]〈自〉手遅れて騒ぎ立てる. 事が済んだ後に働き出す.

뒷-사람 [twi:tsaram]〈名〉❶後の〔後ろの〕人. ❷後生. 後進.

*뒷-산【一山】[twi:tsan]〈名〉(家や村などの)裏手の山. 裏山.

뒷-생각 [twi:tsaenggak]〈名〉❶後の事に対する思わく. ❷後知恵.

뒷-설거지 [twi:tsŏlgŏji]〈名・하自〉❶⇨설거지. ❷後始末. 後片付け.

뒷-세상【一世上】[twi:tsesang]〈名〉〔佛〕後世. 未来世. =후세.

뒷-셈 [twi:tsem]〈名〉事が済んだ後にする計算.

뒷-소문【一所聞】[twi:tsomun]〈名〉後聞. あとのうわさ. 後日のうわさ.

뒷-손 [twi:tson]〈名〉後始末の手数.

뒷손(이) 가다 後始末の手数がかかる.

뒷손(을) 보다 裏で後始末の策を講じる.

뒷손(을) 쓰다 後始末のため, 陰で手を打つ.

뒷손가락-질 [twi:tsonkkarakjil]〈名〉後ろ指. ～하다〈自〉後ろ指を指す. 後ろから指を指す. 文例 남에게서 ～을 당할 짓은 하지 마라 人に後ろ指をさされるようなことはするな.

뒷손-없다 [twi:tsonŏpta]〈形〉後始末ができていない. 締まりがない. だらしがない. (仕事の)まとまりや結末のつけ方がゆるい. 뒷손없이 [—sŏpshi]〈副〉締まりがなく. 後始末ができずに.

뒷-수쇄【一收刷】[twi:tsuswae]〈名・하自〉⇨뒤치다꺼리

뒷-수습【一收拾】[twi:tsusŭp]〈名・하自〉後始末. (事後の)収拾. 文例 난국의 ～을 훌륭히 해냈다 難局の後始末を見事になしとげた.

뒷-심 [twi:tshim]〈名〉❶(他人の)後ろ見. 後ろ盾. 背後の力添え. ❷底力. がんば(頑張)り通す力. 句例 막판에 ～을 써서 역전시키다 土壇場で底力を出して逆転させる.

뒷-이야기 [twi:nniyagi]〈名〉❶話の後ろの部分. ❷後日談.

뒷-일 [twi:nnil]〈名〉後事. 後(の事). =후사(後事). 句例 ～을 부탁하다 後事を託する.

뒷-자락 [twi:tcharak]〈名〉後ろのすそ(裾). 句例 옷의 ～ 着物の後ろすそ. 對앞자락.

뒷-자손【一子孫】[twi:tchason]〈名〉子孫. 後裔. 後. =후손(後孫). 文例 저 집은 ～이 없다 あの家はあとが絶えた.

*뒷-전 [twi:tchŏn]〈名〉❶後ろ. 後部. 句例 ～으로 물러나다 後ろ(の方)に引き下がる. ❷陰. 裏面. 背後. 句例 ～에서 공론하다 陰でとりざたする / ～에서 이러쿵저러쿵하다 陰でああのこうの言う. ❸後回し. なおざり. 句例 복지를 ～으로 하다 福祉をなおざりにする / 일을 ～으로 돌리다 仕事を後回しにする / 공부는 ～이고 놀기만 하다 勉強はそっちのけで遊びほうける. ❹船べりの後部.

뒷전(을) 놀다 (事の)後片付けをする.

뒷전(을) 보다 ❶陰でこっそり他のことをする. ❷'뒷전(을) 놀다'のこと.

뒷-정리【一整理】[twi:tchŏngni]〈名・하他〉後の整理. 後始末. 後片付け.

뒷-조사【一調査】[twi:tchosa]〈名・하他〉内密に調べること. 内偵. =내사(內査).

뒷-줄 [twi:tchul]〈名〉後列. 句例 ～ 왼쪽에서 세 번째 사람 後列左から三番目の人. 對앞줄.

뒷-지느러미 [twi:tchinŭrŏmi]〈名〉〔魚〕しりびれ(尻鰭).

뒷-질 [twi:tchil]〈名・하自〉(船の)縦揺れ. ピッチング.

뒷-짐 [twi:tchim]〈名〉後ろ手.

뒷짐(을) 지다 後ろ手に組む.

뒷짐(을) 지우다 ❶後ろ手に組ませる. ❷後ろ手に縛る.

뒷-집 [twi:tchip]〈名〉後ろの家.

⁑뒹굴다 (뒹구니, 뒹굴어서)〈自〉❶寝転ぶ. 寝転がる. 寝っころがる. 転がる. 句例 잔디밭에 ～ 芝生に寝転がる. 文例 자동차가 언덕 위에서 뒹굴었다 自動車が丘の上で横転した. ❷ごろつく. 働かないでぶらぶら遊ぶ. ごろごろして怠ける. 文例 일은 하지 않고 집에서 뒹굴기만 한다 仕事はせずに家でごろついてばかりいる.

듀스 [tyu:sŭ]〈名〉ジュース. 語例 ～ 어게인 ジュースアゲーン. ◇deuce

듀엣〈名〉〔樂〕デュエット. ◇duet

*드나-들다 (드나드니, 드나들어서)〈自〉❶頻繁に出入りする. 出入る. 通う. 句例 사람이 많이 ～ 人の出入りが多い / 자주 외국에 ～ よく外国に出入りする. 文例 그는 한때 이 집에 드나들었다 彼は一時この家に通った. ❷頻繁に入れかわる. ❸突き出たり入り込んだりする.

드난〈名〉(主に女性の)通い奉公.

드난 살다 通い奉公しながら暮らす.

*드-날리다¹〈他〉取り上げて〔持ち上げて〕飛ばす.

드-날리다²〈自他〉⇨들날리다

드-넓다 [tŭnŏltta]〈形〉(相当に)広い. 広広としている. 句例 드넓은 광야 広広とした広野. →넓다 參考

드-높다〈形〉非常に高い. 高高だ. (音や声が)高らかだ. 句例 깃발을 드높이 게양하다 旗を高高と掲げる. 文例 드높은 목소리로 선언하다 声高らかに宣言する / 드높이 읊다 高高と詠み上げる.

*드디어〈副〉ついに. とうとう. いよいよ. ようやく. 文例 ～ 그도 결혼했다 ついに彼も結婚した / 참지 못하고 ～ 울음을 터뜨렸다 こらえ切れずとうとう泣き出した / 내일은 ～ 결승이다 明日はいよいよ決勝だ.

드라마〈名〉ドラマ. 文例 마치 한 편의 ～다 さながら, 一編のドラマだ. 語例 홈 ～ ホームドラマ / 텔레비전 ～ テレビドラマ. ◇drama

드라이〈名〉ドライ. 語例 ～ 클리닝 ドライクリーニング / ～ 플라워 ドライフラワー. 對웨트. ◇

dry

드라이버 〈名〉ドライバー. ◇driver

드라이브 〈名·하自他〉ドライブ. 句例 ~를 걸다 ドライブをかける / 형과 ~하다 兄とドライブする. 語例 ~인 ドライブイン. ◇drive

드라이브-웨이 〈名〉ドライブウェー. ◇driveway

드라이 아이스 〈名〉ドライアイス. ◇dry ice

드라이어 〈名〉ドライヤー. ◇drier

***드러-나다** 〈自〉 現〔表〕れる. ❶表に露出する. 句例 표면에 못이 ~ 表面にくぎ(釘)が現れる〔突き出る〕/ 놀란 기색이 얼굴에 ~ 驚きの色が顔に現れる. ❷(隠れていた物や事柄が)露見する. 割れる. ばれる. 句例 마각이 ~ 化けの皮がはがれる / 비밀이 ~ 秘密がばれる〔露見する〕/ 못된 짓이 ~ 悪事がばれる.

드러-내다 〈他〉'드러나다'의 使役形: 現す. あらわにする. むき出す. 目立たせる. さらけ出す. 露見させる. 表明する. 句例 악인이 그 정체를 ~ 悪人がその正体を現す / 두각을 ~ 頭角を現す / 마각을 ~ 馬脚を現す / 약점을 ~ 弱点をさらけ出す. 文例 이 꼴로 남의 눈에 드러내어지기는 싫다 この格好で人目にさらされるのはいやだ.

表現 (1) '나타내다'は中に入っている物事と, 今まで隠されて見えなかった物事などが, その形·ようすを外部から見えるようにすることを意味する. また, 考えていること·結果·効果などが人目につくようにすることを表わす. '드러내다'は他の物といっしょになっていてよく見えなかった物事がはっきり見えるように, また隠れていた物事が表面に表われるようにすることを意味する.

(2) '드러내다'は, 人に関して言うとき, 隠していた人の意図が'よくない·悪い'などの意を表わすことが多い. '모습을 나타내다〔드러내다〕 姿を現わす'は両方とも言える. '마음 속을 시로 나타내다 心の内を詩で表わす'を'마음 속을 시로 드러내다'とは言わない. '금니를 드러내고 웃다 金歯をむき出して笑う'を'금니를 나타내고 웃다'とは言わない.

****드러-눕다** (드러누우니, 드러누워서)〈自〉横たわる. 横になる. 寝そべる. 寝る. 句例 위를 보고 ~ あおむけに寝る / 마루에 ~ 板の間に寝そべる / 큰 댓자로 ~ 大の字に寝そべる. 文例 잠시 드러눕고 싶다 少し横になりたい.

드러머 〈名〉ドラマー. 鼓手. ◇drummer

드러-쌓이다 [—ssaida]〈自〉積み重なる. 山積する. どっさりと積もる. =드러쌔다. 文例 눈이 50 센티미터나 드러쌓였다 雪が五十センチメートルも積もった.

드럼 〈名〉❶〔樂〕ドラム. ❷⇨ 드럼통 ◇drum

드럼-통【drum桶】〈名〉❶ドラム缶. ❷背が低く太った人をからかって言う語.

드레-드레 〈副〉垂れ下がった物が揺れ動くさま: ぶらぶら.

드레스 〈名〉ドレス. ◇dress

드레싱 〈名〉ドレッシング. ◇dressing

드레-지다 〈形〉❶威厳がある. 大らかで重重しい. ゆったりとして落ち着いている. 句例 드레진 인품〔태도〕 貫目の人品〔態度〕. ❷(物が)軽くない. 重い.

드롭 〈名〉ドロップ. 語例 ~ 커브〔野〕ドロップカーブ / ~ 킥 ドロップキック. ◇drop

드롭스 〈名〉ドロップス. ◇drops

드르렁 〈副·하自他〉 いびき(鼾)をかく音: ぐうぐう. **~거리다** 〈自他〉ぐうぐういびきをかく.

드르렁드르렁 〈副·하自他〉ぐうぐう.

드르르[1] 〈副〉❶㉠大きな物が滑らかに転がるさま. また, その音: ごろごろ. がらがら. ㉡戸などを勢いよく開閉するさま. また, その音: ごろごろ. がたがた. からり. 句例 미닫이를 ~ 열다 引き戸をがらりと開ける / 앞문을 ~ 열다 表戸をがらりと開ける. ❷大きな音が物を細かく震動させて響くさま. また, その音: びりびり. 句例 유리문이 ~ 울리다 ガラス戸がびりびり鳴る.

드르르[2] 〈副〉 (物事が)よど(淀)みなく進行するさま: すらすら. 句例 막힘없이 ~ 읽다 滞りなくすらすらと読む.

드르륵 〈副〉 ❶鼻が詰まったときのいびきの音. ❷⇨ 드르르[1]②. ❸銃などを続けて撃つさま. また, その音: だだだっ.

드르륵드르륵 〈副·하自他〉❶ぐうぐう. ❷だだだっ. 文例 ~하는 기관총의 발사음이 들려 왔다 だだだっという機関銃の発射音が聞こえてきた.

드릉-거리다 〈自他〉❶しきりに大きな音を出す. ぶんぶんと鳴る. 句例 자동차의 엔진 소리가 ~ 車のエンジンの音がぶんぶんと鳴る. ❷しきりにいびきをかく. ぐうぐういう.

드릉드릉 〈副·하自他〉ぶんぶん. ぐうぐう.

드리다[1] 〈他〉'드리우다'の略.

****드리다**[2] 〈他〉 ❶'やる·与える'の丁寧な言いかた: (差し)上げる. ささ(捧)げる. 句例 할머니께 간식을 ~ おばあさんにおやつを上げる / …에게 자기 저서를 ~ …に自分の著書を差し上げる. ❷(神仏に真心を)ささげる. 句例 기도를 ~ 祈りをささげる. ❸目上の人に何かを)して上げる. 句例 말씀 ~ 申し上げる. ▷→囲み記事 29

드리다[3] 〈他〉(部屋·板の間などを)設ける〔造る〕. 継ぎ足す. 句例 방을 따로 ~ 部屋を

囲み記事 29

■ '드리다'と'들이다' ■

드리다 (1) (差し)上げる —— 선생님께 선물을 드리다 先生におみやげを上げる.

(2) …して上げる —— 어머니에게 오빠의 편지를 읽어 드렸다 お母さんに兄さんの手紙を読んで上げた.

들이다 (1) (中へ)入れる —— 방으로 들이다 部屋に入れる. 책장을 방에 들여놓다 本棚を部屋に持ち込む.

(2) (念を)入れる. (費用を)かける —— 공을 들여 세운 탑 念をこめて〔こらして〕築いた塔. 많은 비용을 들인 잔치 多くの費用をかけた宴会.

別に設ける.

드리다[4] 〈他〉店仕舞いをする. 句例 아이의 병 때문에 가게를 일찌감치 ~ 子供の病気で店を早仕舞にする / 가게를 ~ 店をしまう.

드리다[5] 〈補動〉動詞の語尾'-아〔어〕'について, '드리다[2]'の意を表わす語: …して上げる. 句例 집어 ~ 取って上げる / 사 ~ 買って上げる / 소개해 ~ 紹介いたして上げる. →囲み記事 29

드리블 〈名〉ドリブル. ◇dribble

드리우다 〈他〉垂れる. 略して'드리다'ともいう. ❶垂れ下げる. 垂らす. 句例 낚싯줄을 ~ 釣糸を垂らす / '축 우승'이라고 쓴 막을 ~ '祝優勝'と書いた幕を垂らす / 꼬리가 아래로 드리워지다 しっぽが垂れ下がる. ❷(範を)垂れる. 示す. 句例 모범을 ~ 範を垂れる. ❸(名を後世に)残す. 句例 공적을 죽백에 ~ 功績を竹帛に垂らす.

드릴 〈名〉ドリル. ◇drill

드림 〈名〉 ❶垂れ下げた物《吹き流しなど》. ❷'贈呈・寄贈'の意で書くことば. 句例 지은이 ~ 著者進呈.

드링크 〈名〉ドリンク. 語例 ~제 ドリンク剤. ◇drink

드-맑다 [tŭmakta] 〈形〉澄み切る. すっかり澄む. さ(冴)え切る. 句例 드맑은 가을 하늘 澄み切った秋空. →맑다 参考

드문-드문 〈副〉 ❶たまに(は). 時たま. たまたま. 時折. 時時. 文例 이런 일도 ~ 있다 こういうこともたまたまある / 그녀는 ~ 결석을 한다 彼女はたまたま欠席する / 시원한 바람이 ~ 불어 왔다 涼しい風が時折吹いて来た. ❷まば(疎)らに. ちらほら. ぽつりぽつり. ぽつぽつ. ちらりほらり. **~하다** 〈形〉まばらだ. 句例 귀성객의 모습이 ~ 보이다 帰省客の姿がちらほら見える / 튤립을 ~ 심다 チューリップをまばらに植える / ~ 집이 있다 ぽつぽつ家がある.

***드물다** (드무니, 드물어서) 〈形〉まれ(稀)だ. ❶頻繁でない. 句例 드문 기회 たまの機会 / 근래에 드문 불상사 近来まれな不祥事 / 인가가 드문 산길 人家のまばらな山道. ❷めったにない. 珍しい. 句例 드물게 보는 수재 まれにみる秀才.

드-새다 〈自〉宿る. 宿を取る. 宿する. 泊まる. 句例 여인숙에서 하룻밤을 ~ はたご屋で一夜泊まる.

드세다 〈形〉 ❶手ごわい. なかなか強い. 手に余る. 強情だ. 句例 드센 상대 手ごわい相手. ❷(敷地の地相が)縁起が悪い.

***드시다** 〈他〉'음식을 들다 食べ物を食べる'の尊敬語: 召し上がる. 文例 많이 드십시오 たくさん召し上がってください.

드잡이 [tŭjabi] 〈名〉つかみ合い. 取っ組み合い. けんか. **~하다** 〈他〉つかみ合う. 取っ組み合う. 格闘する. 語例 ~ 싸움 つかみ合いのけんか.

드티다 〈自他〉(物・時間などを)ずらす. ずれる. 句例 일정을 ~ 日程をずらす / 의자를 뒤로 ~ 椅子を後ろにずらす.

득 【得】〈名〉'소득'の略: 得. 句例 ~을 얻다 得を取る / ~을 보다 得をする / ~이 되다 得になる. →득하다

득 [tŭ:k] 〈副〉 ❶力を入れて線を引くさま. また, その音. ❷にわかに水かさが増すさま. ❸勢いよく(ひっ)かくさま. 表現 語感の小さい語は'닥'.

득 〔漢字項目〕

【得】 中學 득トク. 덕トク. ━〔득〕❶얻다 得る. ▮得點 득점 とくてん. ▮拾得 습득 しゅうとく. ❷알다 さとる. ▮得道 득도 とくどう. ▮體得 체득 たいとく. ❸이를 얻다 もうける. ▮得失 득실 とくしつ. ▮利得 이득 りとく. ❹만족하다 満足する. ▮自得 자득 じとく. ━〔덕〕 덕으로 여기다 徳とする.

득남 【得男】 [tŭngnam] 〈名・하自〉男の子をもうけること. =생남(生男).

득녀 【得女】 [tŭngnyŏ] 〈名・하自〉女の子をもうけること. =생녀(生女).

득달-같다 〈形〉寸時の遅滞もない. 一刻の猶予もない. **득달같이** [—gach'i] 〈副〉寸時の遅滞もなく. 間を置かず. すぐさま. 時を移さず. 直ちに. 間髪を入れず. 句例 득달같이 공세로 돌아서다 間髪を入れずに攻勢に転じる. 文例 신호가 있으면 득달같이 떠난다 合図があれば直ちに出発する.

득달-하다 【得達—】 (→하다) 〈自〉目的地に到着する. 目的を達する.

득도 【得道】 〈名〉得道. 悟り. **~하다** 〈自〉悟りを得る. 道を得る. 成道〔悟道〕する.

득-득 [tŭ:ktŭk] 〈副〉しきりにひっかくさま. また, その音: がりがり. ぱりぱり. ばりばり. 句例 막대기로 담벼락을 ~ 긁다 棒切れで塀をぱりぱりとひっかく / 종이를 ~ 잡아찢다 紙をばりばりと引き裂く / 숟가락으로 솥의 누룽지를 ~ 긁다 さじでかまのお焦げをがりがりとかく.
表現 語感の小さい語は'닥닥'.

득세 【得勢】 〈名〉勢力を得ること. 権勢を取ること. **~하다** 〈自〉勢力を得る. 権勢を取る.

득시글-거리다 〈自〉うようよする. うじゃうじゃ〔うざうざ・うじょうじょ〕する. 略して'득실거리다'とも言う. 文例 구더기가 득시글거린다 うじ虫がうじゃうじゃたかっている / 졸병이 득시글거린다 雑兵がうじゃうじゃしている.
득시글득시글 〈副・하形〉うじゃうじゃ. うようよ. うじょうじょ. うざうざ. 略して'득실득실'とも言う. 文例 털벌레가 ~ 기어다니고 있다 毛虫がうようよとはい回っている.

득실 【得失】 〈名〉得失. 句例 ~이 반반씩이다 得失が五分五分である. 語例 이해 ~ 利害得失.

득실-거리다 〈自〉'득시글거리다'の略.

득의 【得意】 [tŭgŭi] 〈名〉得意. 句例 ~에 찬 얼굴 得意な顔 / ~의 절정 得意の絶頂. 語例 ~ 만면 得意満面 / ~ 양양 得意〔意気〕揚揚.

***득점** 【得點】 〈名・하自〉得点. 句例 대량 ~하다 大量に得点する. 語例 ~차 得点差. 對실점(失點).

득점-타 【得點打】 〈名〉〔野〕得点打.

득표【得票】〈名・하自〉得票. 文例 그가 훨씬 많이 ~했다 彼がずっと多く得票した. 語例 ~율 得票率.

득-하다【得―】[tŭk'ada] (→하다)〈他〉得る. 得をする.

든〈助〉'든지'の略 : …でも. 文例 개~ 소~ 마찬가지다 犬でも牛でもみな同じだ.

***든든-하다** (→하다)〈形〉❶強い. がっしりしている. 頑丈だ. 句例 든든한 신체 頑丈なからだ.
❷堅〔固〕い. 堅固だ. 丈夫だ. 句例 든든하게 만들다 堅固に作る.
❸心〔気〕強い. 気丈だ. 頼もしい. 文例 당신이 함께라면 마음이 든든해진다 あなたが一緒だと心強くなる / 든든한 우군을 얻었다 心強い味方を得た / 그의 태도가 든든해 보였다 彼の態度が頼もしく見えた / 그가 같이 가 준다면 마음이 든든해질 거다 彼が一緒に行ってくれれば気強くなるだろう.
❹腹が満ちて飽き足りる. ひもじくない. 文例 도중에 시장해지지 않도록 든든하게 배를 채워 두자 途中でひもじくならないように十分な腹ごしらえをしておこう.
든든히〈副〉丈夫に. 心強く. 腹いっぱい. 堅固に.

든지〈助〉なんでも構わないとの意を表わす補助詞 : …でも. …なりと. 略して'든'とも言う. 文例 사과 ~ 배~ 아무것이나 좋다 リンゴでもなしでも構わない.
表現 終声のない体言につく. 終声がある時は'이든지'となる.

든직-하다 [tŭnjik'ada] (→하다)〈形〉(人となりが)重みがある. どっしりと落ち着いている. 重重しい. 句例 든직한 어조로 선언하다 重重しい口調で宣言する. **든직히** [tŭnjik'i]〈副〉どっしり. 重重しく.

듣건대〈副〉聞くところによると. 聞くならく《古》. =듣자하니. 文例 ~ 내일 길을 떠난단다 聞くところによると, あした旅に立つそうだ.

듣다¹ (들으니, 들어서)〈自〉❶滴る. 垂れ落ちる. 句例 빗방울이 듣는 소리 雨滴の音. ❷(涙が)こぼれ落ちる.

듣다² (들으니, 들어서)〈自〉利〔効〕く. 効き目がある. 句例 오른손이 안 듣게 되다 右手がきかなくなる / 약이 잘 ~ 薬がよく効く.

****듣다**³ (들으니, 들어서)〈他〉❶聞〔聴〕く. ㉠耳で感じる. 句例 귀가 닳도록 들은 이야기 聞き古した話 / 잘 주의해서 ~ よく注意して聞く / 귀를 기울여 ~ 聞き澄ます. 聞き耳をたてる / 듣기 거북하다 聞き苦しい. 聞きづらい / 빠뜨리고 ~ 聞き落とす〔もらす〕. 聞き外す / 강연을 ~ 講演を聴く / 음악을 ~ 音楽を聴く / 얻어 ~ 聞き込む / 잘못 ~ 聞き違える. 聞き損なう. 文例 잘못 듣는 일이 없도록 해라 聞き誤りのないようにしなさい.
㉡伝聞する. 句例 자주 듣는 이름 よく聞く名前 / 들은 바에 의하면 聞く所によれば / 풍문으로〔귓결에〕 ~ 風のたよりに聞く. うわさ(噂)を耳にはさむ.
㉢言いつけに従う. 文例 부모의 말을 잘 듣는다 親の言いつけをよく守る / 남의 말을 듣지 않는다 人の言うことを聞かない.
㉣聞き入れる. 聞き届ける. 句例 부탁을 들어주다 頼みを聞いてやる / 소원을 들어주다 願いを聞き入れる.
❷(小言・ほめ言などを)言われる. 句例 꾸지람을 ~ 小言を食う / 욕을 듣고 격분하다 悪口を言われて激憤する.
듣잘 것 없다 聞く価値がない. 聞くに及ばない.
들으면 병이요 안 들으면 약이다 聞けば病, 聞かなければ薬. '知らぬが仏'の意.

듣다-못해 [tŭttamo:t'ae]〈副〉聞きかねて. 文例 그녀는 ~ 한 마디 했다 彼女は聞きかねて一言言ってやった.

듣자-하니〈副〉⇨ 듣건대

****들**¹ [tŭ:l]〈名〉野原. 野. 野良. 句例 넓은 ~ 広い野原 / ~ 가운데 있는 외딴집 野中の一軒家 / ~에 나가 일하다 野良に出て働く. 語例 ⇨ 들일

들²〈依名〉など. ら(等). ども(共). =등(等). 句例 잡지나 신문 ~에 실리다 雑誌や新聞などに載る. 語例 전차・버스・배~ 電車・バス・船など.
表現 '들²・등(等)²'・'-들①'・'따위'は'など・ら'のようにほぼ同じ意味に使われることが多い. しかし言いかたは違う.
(1) '들²・등(等)²'は二つ以上の物事を並べて言うとき, それらの語について, それら全部を指示するかそれらの外に類似した物事があることを示す依存名詞. '등(等)'は'들'の漢字語 : 소・말들〔등〕은 가축이다 牛・馬などは家畜である. 많은 사람과 차량들이 좁은 길에서 혼잡을 이루고 있다 大勢の人と車が狭い道で込み合っている.
(2) '-들①'は名詞・代名詞について, 単にその語を複数にする接尾語 : 사람들 人たち. 학생들 学生たち. 자네들 君たち. 너희들 お前ら. 나무들 木木.
(3) '따위'は'들²'と同じ意で使われる固有語であるが, 他に人・物事などを低く評価することを表わす依存名詞 : 쌀・보리 따위는 곡식이다 米・麦などは穀物である. 이 따위 것 こんなもの. 너 따위는 저리 가라 お前なんかはあっちへ行け.

***-들**〈尾〉❶…など. …ら(等). …ども(共). 語例 이것~ これら / 그~ 彼ら / 아이~ 子供ら / 남자~ 男ども / 녀석~ 野郎ども / 우리~ わたしたち / 저희~ 手前ども. ❷'여럿 皆' '여럿이 제각기 みんなおのおの'の意を表わす語. 文例 다~ 준비는 되었는가 みんな用意はいいかい / 어서~ 그만 가세 さあ, みんなもう行こうぜ. →들² 表現

들-개 [tŭ:lkkae]〈名〉野良犬. 野犬.

들-것 [tŭlkkŏt]〈名〉担架. =담가(擔架). 句例 ~으로 나르다 担架で運ぶ / ~에 실리다 担架に載せられる.

들고-나가다〈他〉(たこ揚げで, 糸巻きの糸が全部解けたとき)空の糸巻きを手にして付いて行く.

들고-뛰다〈自〉'달아나다 逃げる'の俗っぽい言いかた.

들고-빼다 〈自〉'달아나다 逃げる'の俗っぽい言いかた.

들고-일어나다 [—irŏnada] 〈自〉 ❶(ぺったりくっついていた物が)浮き上がる. 遊離する. 句例 벽지가 ～ 壁紙が浮き上がる. ❷勢いよく立ち上がる. 反抗して立ち上がる. 句例 독재 정권 타도를 위해서 ～ 独裁政権を打倒するために立ち上がる.

들고-튀다 〈自〉'달아나다 逃げる'の俗っぽい言いかた.

들-국화【—菊花】 [tŭ:lguk'wa] 〈名〉 野菊.

들-기름 〈名〉 え(荏)の油. えごまから取る油.

들-길 [tŭ:lkkil] 〈名〉 野道. 野路.

들-까부르다 (들까부르니, 들까불러서) 〈他〉 ❶(み(箕)で)激しくひ(簸)る. ❷激しく上下に揺らす. 動かす. 略して'들까불다'とも言う.

들-까불다 (들까부니, 들까불어서) 〈他〉'들까부르다'の略.

들-까불리다 〈自〉'들까부르다'の受け身. ❶激しくひ(簸)られる. ❷激しく上下に揺られる.

들-깨 〈名〉〔植〕 えごま(荏胡麻). 語例 들깻잎 えごまの葉.

***들-끓다** [tŭlkkŭlt'a] 〈自〉 (多くの人が)ごった返す. 沸き立つ. 沸き返る. 文例 해수욕장은 피서객으로 들끓고 있다 海水浴場は避暑客でごった返すように込んでいる. →끓다 参考

들-날리다 [tŭllallida] 〈自他〉 名を挙げる. 名声が広まる. 有名になる. 名が世に響き渡る. ＝드날리다. 句例 세계에 이름을 ～ 世界に名をは(馳)せる / 스포츠로 명성을 ～ スポーツで名声を博する / 나라 안에 이름이 ～ 国内に名が響き渡る.

***들녘** [tŭ:llyŏk] 〈名〉 野辺. 野原. 句例 널따란 ～ 広広とした野原.

들-놀이 [tŭ:llori] 〈名・하自〉 行楽. 野掛〔野駆〕け. 野遊び. 遊山. 句例 ～하기에 알맞은 날씨 行楽日和.

****들다**[1] (드니, 들어서) ■〈自〉 ❶(家などに)入居する. 落ち着く. 句例 새 집에 ～ 新居に落ち着く / 여관에 ～ 宿を取る. 宿屋に落ち着く.
❷入る. ㉠外から中へ移る. 句例 방 안에 ～ 部屋に入る / 도둑이 ～ 泥棒が入る / 잠자리에 ～ 床に就く〔入る〕/ 문틈에서 바람이 ～ すきま風が入る.
㉡(ある特別な時が)回ってくる. 始まる. 句例 장마철에 ～ 梅雨に入る / 구월에 들어 九月に入って.
㉢(中に)入っている. ある. 文例 지갑에 삼만 원이 들어 있다 財布に三万ウォン入っている.
㉣(組織などに)加入する. 入門する. 句例 클럽에 ～ クラブに入る / 보험에 들어 있다 保険に入っている. 保険がつけてある.
㉤(ある範囲の中に)置かれる. 句例 …범주에 ～ …の範疇に入る.
㉥含まれる. 文例 계산에 들어 있다 計算に入っている.
❸(日が)差す. 当たる. 句例 볕이 잘 ～ 日当たりがよい. 日がよく差す
❹(色が)染まる. 文例 서쪽 하늘이 빨갛게 물이 들었다 西の空が赤く染まった.
❺(金・物などが)いる. かかる. 句例 막대한 비용이 ～ 莫大な費用がかかる / 밑천이 드는 장사 元がかかる商売.
❻(作柄が)豊作〔凶作〕となる. 句例 흉년이 ～ 凶作にあう. 文例 올해는 풍년이 들 것 같다 今年は豊年になりそうだ.
❼(気に)入る. 心にかなう. 句例 눈에 ～ 目に入る / 마음에 드시거든 お気に召したら. 文例 아파트는 마음에 들지 않는다 アパートは気に入らない〔食わない〕.
❽味が付く. 句例 감칠맛이 ～ うま味が付く.
❾癖がつく. 癖になる. 慣れる. 句例 길이 든 만년필 使い慣れた万年筆 / 못된 버릇이 ～ 悪い癖がつく.
❿正気付く. 道理をわきまえるようになる. 句例 (제) 정신이 ～ 正気に戻る / 철이 ～ 物心が付く.
⓫(病に)かか(罹)る. 病気になる. 句例 감기가 ～ かぜをひく. 文例 노인은 병이 들기 쉽다 年寄りは病気になりやすい.
参考 ②㉠の'들다 入る'には, '들어가다 入って行く'と'들어오다 入って来る'の意味がある.
■〈他〉 名詞について, その名詞が表わす物事や行動などをする. 句例 장가를 ～ 結婚して妻をめと(娶)る / 중매를 ～ 縁談の仲立ちをする / 편을 ～ 肩を持つ.
드는 줄은 몰라도 나는 줄은 안다 入るのはあまり感づかないが出て行くのは感じやすい. 財物や家族の増えるのはよく分からないが減るのはよく分かるものだとの意.

들다[2] (드니, 들어서) 〈自〉 ❶晴れる. 雨が上がる. 文例 날이 들면 산에 올라가자 雨が上がったら山に登ろう. ❷にじむ汗が乾き止まる.

들다[3] (드니, 들어서) 〈自〉 (刃物などが)よく切れる. 利く. 文例 칼이 아주 잘 든다 刀がとてもよく切れる.

들다[4] (드니, 들어서) 〈自〉 年を取る. 年がいく. 年を食う. 年寄る. 老いる. 文例 나이가 들어서 몸이 잘 움직이지 않는다 年を取ったのでからだがよく動かない / 이제 꽤 나이가 들었다 もう大分年輩だ.

****들다**[5] (드니, 들어서) 〈他〉 ❶手に持つ. 手に取る. 句例 오른손에 가방을 ～ 右手にかばん(鞄)を持つ / 젓가락을 들고 식사를 시작하다 はし(箸)を取り食事を始める / 짐을 두 손으로 들어 나르다 荷物を両手で持ち運ぶ / 붓을 ～ 筆〔ペン〕を取る. 対놓다. ❷上げる. ㉠(上の方に)持ち上げる. 句例 손〔얼굴〕을 ～ 手〔顔〕を上げる / 축배를 ～ 祝杯をあげる. ㉡とり出して示す. 句例 증거를 ～ 証拠を示す / 예를 ～ 例をあげる / 후보자의 이름을 ～ 候補者の名前をあげる. ❸(食べ物・飲み物を)取る. 食う. 食べる. 飲む. 上がる. 召し上がる《존대말》. 句例 술을 ～ 酒を飲む. 文例 점심으로는 무엇을 드시고 계십니까 昼食には何を召し上がりになっていますか / 술은 안 드시나요 お酒はあが

らないの / 약주를 들고 계시다 お酒を飲んでいらっしゃる.

[表現] ③の尊敬語には'드시다' '잡수시다'などがある.

들들 〈副〉 ❶豆などをかき回しながらいり(炒)るか, ひ(碾)くさま. また, その音. ❷さんざんいびるさま.

들들-볶다 〈他〉 ❶豆などをかき回しながらいり(炒)る. ❷いびる. こづき回す. しきりにさいなむ. [句例] 며느리를 ～ 嫁をひどくいびる.

들-뜨다 (들뜨니, 들떠서) 〈自〉 ❶(張り付けられた壁紙などが透き間ができて)ぴったり付かず浮き上がる. 浮く. [句例] 벽보가 ～ 張り紙が浮き上がる / 풍치로 이가 ～ 歯周炎で歯が浮く. 歯痛で歯の根がゆるむ. ❷(心が)そわつく. 浮き浮きする. 落ち着かない様子をする. 浮かされる. [句例] 기분이 ～ 気持ちが浮つく / 들뜬 언설 浮ついた言説. ❸(皮膚が)黄ばんでむく(浮腫)む. [句例] 얼굴이 누렇게 ～ 顔が黄色くむくむ.

들락-거리다 〈自〉 ⇨ 들랑거리다

들락날락-하다 [tŭllangnallak'ada] (→하다) 〈自〉しきりに出たり入ったりする. しきりに出入りする. ＝들랑날랑하다. [句例] 사람이 많이 ～ 人の出入りが多い. [文例] 배탈이 나서 화장실에 들락날락하다 おなかをこわして, しょっちゅうトイレに出入りする.

들랑-거리다 〈自〉 しきりに出たり入ったりする. しげく出入りする.

들러-가다 (들러가거라) 〈自他〉 (立ち)寄って行く. [句例] 가는 길에 동생한테 ～ 行き道に弟の所に立ち寄って行く / 연필을 사기 위해 문방구점에 ～ 鉛筆を買うために文房具屋に寄って行く.

들러리 〈名〉 (花婿・花嫁の)付添人.

들러리(를) 서다 ❶花婿・花嫁に付き添う. ❷人のわき役を勤める.

들러-붙다 〈自〉 [もとの語形は '들어붙다'] くっつく. 粘り着く. 粘着〔付着〕する. [文例] 들러붙어서 뗄 수 없다 くっついて取れない / 껌이 구둣바닥에 들러붙었다 ガムが靴底に粘り着いた.

[表現] 語感の小さい語は'달라붙다'.

⁂들려-주다 〈他〉 聞かせる. 聞かせてやる. [句例] 어린이에게 옛이야기를 ～ 子供に昔話を聞かせる. [文例] 디스코 음악을 들려줄께 ディスコ音楽を聞かせてやろう.

***들르다** (들르니, 들러서) 〈自〉 (立ち)寄る. [句例] 책방에 ～ 本屋に立ち寄る / 하교 길에 도서관에 ～ 学校の帰りに図書館に寄る / 가는 길에 ～ 寄り道をする.

***들리다**[1] [一]〈自〉 ❶聞こえる. [句例] 새소리가 ～ 小鳥のさえずり声が聞こえる. [文例] 말소리가 작아서 잘 들리지 않는다 話し声が小さくてよく聞こえない. ❷うわさ(噂)がたって一般に知れる. [句例] 들리는 바에 의하면 聞くところによると. 聞くならく《古》.

[二]〈他〉 '듣다'の使役形: 聞かせる. 聞くようにしむける. [句例] 학생에게 음악을 ～ 生徒に音楽を聞かせる.

들리다[2] 〈自〉 ❶(病気に)かか(罹)る〔なる〕. [句例] 병에 ～ 病気にかかる〔なる〕. ❷(神仏・物の怪などが)乗り移る. 取り付く. [句例] 귀신이 ～ 物の怪に取り付かれる.

들리다[3] [一]〈自〉 '들다'の受け身: 持ち上げられる. [句例] 가볍게 ～ やすやすと持ち上げられる.

[二]〈他〉 '들다'の使役形: 持たせる. 持たす. 持って行かせる. [文例] 아이에게 짐을 들려 보내다 子供に荷物を持たせて行く / 서류를 들려서 보내겠습니다 書類を持たせて, さしむけます.

들먹-거리다 〈自他〉 ⇨ 들먹이다

들먹들먹 〈副・하自他〉ぐらぐら. そわそわ. むずむず.

들먹-이다 [tŭlmŏgida] [一]〈自〉 ❶(重い物が)続けて上下に動く. 振動する. 揺れる. ぐらつく. [句例] 지진으로 집이 ～ 地震で家が揺らぐ〔揺れる〕/ 이가 ～ 歯がぐらつく. ❷精神的に動揺する. 心がひかれる. そわつく. そわそわする. (…したくて)むずむずする. むずつく. [文例] 야구를 보고 있노라니 팔이 들먹인다 野球を見ていたら腕がむずむずしてくる. ❸(肩や尻などが)前後上下に揺り動く.

[二]〈他〉 ❶(重いものを)続けて上下に動かす. 揺り動かす. 振動〔震動〕させる. ❷おだてる. あお(り立て)る. 唆す. けしかける. つつく. むずむずさせる. [句例] 한번 해 보라고 ～ いっぺんやってみろとけしかける / 민중을 들먹여서 시위운동을 일으키다 民衆をあおって示威運動を起こす. ❸(肩や尻などを)上下に揺り動かす. [句例] 어깨를 들먹이며 웃다 肩をふるわせて笑う. ❹持ち出す. 言い出す. 話題にする. [文例] 이제 와서 그런 이야기를 들먹이면 곤란하다 今更そんな話を持ち出されては困る / 그는 무슨 말을 들먹일지 모르는 남자이다 彼は何を言い出すかわからない男だ.

들-바람 [tŭ:lpparam] 〈名〉 野風.

들-배지기 〈名〉 (相撲の)寄り倒し.

들-보 [tŭlppo] 〈名〉〔建〕 はり(梁).

***들-볶다** 〈他〉 さいな(嘖・苛)む. いじめる. しつこく苦しめる. いびる. [句例] 의붓자식을 ～ まま子をいじめる.

들-새 [tŭ:lssae] 〈名〉 野鳥. 野禽. 野生の鳥. [句例] ～의 보금자리 野鳥の巣.

들-소 [tŭ:lsso] 〈名〉〔動〕 野牛. バイソン. バッファロー.

들-숨 [tŭlssum] 〈名〉 吸気. 吸い込んだ息. (對)날숨. 호기(呼氣).

들썩-거리다 〈自他〉 ⇨ 들썩이다

들썩들썩 〈副・하自他〉 ❶軽いものなどがしきりに動くさま. また, 動かすさま. ❷心がしきりに揺れるさま.

들썩-이다 [tŭlssŏgida] [一]〈自〉 ❶(軽いものが)宙に浮いたり元に戻ったりする. [文例] 물이 끓어서 주전자 뚜껑이 들썩인다 湯が沸いてやかんのふたが, がたがた動く. ❷(心が)揺らぐ. ❸(尻・肩が)軽く上下に動く.

[二]〈他〉 ❶(軽いものを)持ち上げたり下ろしたりする. ❷人の心を揺さぶる. ❸(尻・肩を)軽く上下に揺り動かす. [句例] 엉덩이를 ～ しきりに尻を動かす. 立ったり座ったりする.

ㄷ

들-쑤시다 〈自他〉 '들이쑤시다'の略.

들-쓰다 (들쓰니, 들써서) 〈他〉 ひっかぶる. ❶(布団・帽子などを)深深とかぶる. 句例 이불을 들쓰고 자다 布団をひっかぶって寝る / 등산모를 들쓰고 나가다 登山帽子をひっかぶって出かける. ❷(水などを)浴びる. 句例 먼지를 ~ ほこりをかぶる / 위에서 물을 ~ 上から水をひっかぶる. ❸(罪などを)着せる. (ぬれぎぬを)着せられる. 句例 누명을 ~ 汚名を着せられる.

들-씌우다 [tŭlssiuda] 〈他〉 '들쓰다'の使役形: (ひっ)かぶ(被)せる. おっかぶせる. =덮어씌우다. 句例 책임을 부하에게 ~ 責任を部下におっかぶせる.

****들어-가다** [tŭrŏgada] (들어가거라) 〈自〉 ❶入る. ㉠外から内に移る. 句例 방에 ~ 部屋に入る / 욕실에 ~ ふろに入る / 적진에 숨어 ~ 敵陣に入り込む.
㉡団体・組織に新しく加わる. 句例 대학에 ~ 大学に入る / 회사에 ~ 会社に入る.
㉢なかに収められる. 収容される. 句例 가방에 들어가는 크기 かばんに入る大きさ / 5만명은 들어가는 구장 五万人は入る球場.
㉣話などをよく理解する. 句例 머리에 잘 ~ 頭によく入る.
㉤ある時期や状態などが始まる. 移る. 句例 겨울 방학에 ~ 冬休みに入る / 표결로 ~ 票決に移る. →들다[1] 參考
❷(経費・材料などが)ある用途に使われる. いる. かかる. 句例 여러 가지 양념이 들어간 김치 いろいろの香辛料が入っているキムチ. 文例 실험에 비용이 많이 들어갔다 実験に費用がたくさんかかった.

들어-내다 [tŭrŏ—] 〈他〉 ❶持ち出す. 運び出す. 句例 짐을 밖으로 ~ 荷物を外へ持ち出す. ❷追い出す. つつき出す. つまみ出す. 句例 깡패들을 ~ やくざどもを追い出す.

들어-맞다 [tŭrŏ—] 〈自〉 ❶ぴったり合う. あてはまる. しっくり合う. 句例 발에 딱 들어맞는 구두 足にぴったり合う靴. 文例 계산이 들어맞지 않는다 計算がぴったり合わない. ❷(予想などが)当たる. 句例 예상 대로 ~ 予想通り当たる.

들어-맞추다 [tŭrŏ—] 〈他〉 ぴったり合わせる. 句例 장부 숫자를 ~ 帳じりを合わせる / 두 장의 그림을 붙여서 ~ 二枚の絵を張ってぴったり合わせる.

들어-먹다 [tŭrŏ—] 〈他〉 身代・元手などを(食い)つぶ(潰)す. 句例 재산을 ~ 身代〔身上〕をつぶす / 부모의 유산을 다 ~ 親の遺産を食いつぶす.

들어-박히다 [tŭrŏbak'ida] 〈自〉 '들어박다'の受け身. ❶(家などが)ぎっしり立ち並ぶ. たて込む. 句例 집이 빽빽이 들어박힌 골목 家がぎっしりたて込んだ路地. ❷た(立)てこ(籠)もる. 閉じこもる. 句例 집에 ~ 家に閉じこもる. 文例 온종일 방에 들어박혀 공부했다 一日中部屋にたてこもって勉強した.

들어-붓다 [tŭrŏbutta] (—부으니, —부어서) ❶〈自〉どしゃ降りに降る. 文例 비가 동이로 들어붓듯이 온다 雨がバケツで注ぐようよう降りしきる.
❷〈他〉 ❶(酒を)底無しに飲む. がぶがぶ飲む. 鯨飲する. 句例 술을 ~ 酒を底無しに飲む. ❷注ぎ込む.

***들어-서다** [tŭrŏ—] 〈自〉 ❶立ち入る. 中へ入る. 句例 절 경내에 ~ 寺の境内に立ち入る / 처마 밑으로 ~ 軒下に立ち寄る. ❷(系統・地位を)継ぐ. 継承する. 就く. 句例 의장의 후임으로 ~ 議長の後がま(釜)にすわる. ❸(家などが)たて込む. 句例 개발지역에 아파트가 ~ 開発地域にアパートがたて込む / 마을이 ~ 村ができる.

들어-앉다 [tŭrŏantta] 〈自〉 ❶内側に近寄って座る. 内側に詰める. 文例 조금만 들어앉으시지요 少しばかり詰めてください. ❷居座る. 座る. 納まる. 句例 국장 자리에 ~ 局長のポストに居座る / 남의 뒷자리에 ~ 人の後がま(釜)に座り込む. ❸(職をやめて)家に閉じこ(籠)もる. 文例 나는 은퇴하여 집에 들어앉아 있다 わたしは引退して家に閉じこもっている. ▷→앉다 參考

****들어-오다** [tŭrŏ—] (들어오너라) 〈自〉 入る. 略して'들오다'とも言う. ❶入って来る. 句例 방에 ~ 部屋に入る / 배가 항구에 ~ 船が港に入(って来)る / 귀에 ~ 耳に入る. 耳に止まる / 시야에 ~ 視野に入る / 강도가 ~ 強盗が入る. 文例 한 달에 2백만 원씩 들어온다 月に二百万ウォンずつ入って来る / 내달부터 가스와 수도가 들어온다 来月からガスと水道が入る. ❷ある環境・組織の一員になる. 加わる. 句例 대학에 ~ 大学に入る / 야구팀에 ~ 野球チームに入る. →들다[1] 參考

****들어-주다** [tŭrŏ—] 〈他〉 聞き入れる. 聞いてやる. 聞き届ける. 句例 청을 ~ 頼みを聞き入れる. 文例 아무리 부탁해도 들어주지 않는다 いくら頼んでも聞き入れてくれない.

***들어-차다** [tŭrŏ—] 〈自〉 たて込む. いっぱいになる. 句例 집이 들어찬 골목 家がたて込んだ路地. 文例 회장은 사람으로 꽉 들어차 있었다 会場は人でいっぱいだった.

들여-가다 [tŭryŏ—] (들여가거라) 〈他〉 ❶持ち込む. 運び入れる. 運び込む. 句例 가재 도구를 새집으로 ~ 家財道具を新居に運び込む. 文例 음식물을 들여가서는 안 된다 飲食物を持ち込んではいけない. ❷買い入れる. 仕入れる. 仕込む. 句例 김장할 채소를 ~ キムチ漬けにする野菜を買い入れる / 겨울옷을 ~ 冬着を買入する.

들여-놓다 [tŭryŏnot'a] 〈他〉 ❶(中に)入れる. 入れて置く. 句例 전기 난로를 온실에 ~ 電気ストーブを温室に入れて置く. ❷買い入れる. 仕入れる. 仕込む. 句例 채소를 ~ 野菜を仕入れる. ❸足を入れる. 入り込む. 踏み入れる. 踏み出す. 進出する. 句例 신생활의 첫발을 ~ 新生活の第一歩を踏み出す / 정계에 발을 ~ 政界に足を踏み入れる. 文例 두번 다시 이 곳에 발을 들여놓지 마라 二度とここに足を踏み入れるな.

****들여다-보다** [tŭryŏda—] 〈他〉 ❶のぞ(覗)く. ㉠(中を)のぞ(覗・覘)き見る. うかが(窺)う.

句例 카메라의 파인더를 ~ カメラのファインダーをのぞく. (對)내다보다. ㉡ちょっと見る. ちょっと立ち寄って見る. 句例 입원중인 친구를 ~ 入院中の友をちょっとのぞいて見る. ❷見入る. 見つめる. 読む. 文例 그녀의 잠든 얼굴을 빤히 ~ 彼女の寝顔をじっと見入る / 남편의 얼굴〔안색〕을 ~ 夫の顔色をうかがう / 책〔신문〕을 ~ 本〔新聞〕を読む. ❸(下心などを)見透かす. 見破る. 見抜く. 句例 상대방의 속셈을 ~ 相手の腹を見透かす.

들여다-보이다 [tūryŏda—] 〈自〉 '들여다보다'の受け身: 透く. 透ける. 見え透く. 見透かされる. 中まで透いて見える. 句例 속살이 들여다보이는 드레스 肌が透けて見えるドレス / 속이 들여다보이는 거짓말 見え透いたうそ. (對)내다보이다.

들여다-뵈다 [tūryŏda—] 〈自〉 '들여다보이다'の略. 句例 정맥이 들여다뵈는 하얀 손 静脈が透いて見える白い手.

들여-보내다 [tūryŏ—] 〈自他〉 ❶(中へ)入れる. 通す. 句例 방에 바람을 ~ 部屋に風を入れる / 학교에 ~ 学校に入れる / 병원에 ~ 病院に入れる. ❷(人を)中へやる. 句例 손님을 객실로 ~ 客を座敷へ通す / 사람을 뒷문으로 ~ 人を裏口から入れる. ▷(對)내보내다.

들여-오다 [tūryŏ—] (들여오너라) 〈他〉 持ち込む. 運び入れる. 句例 회장에 전시품을 ~ 会場に展示品を運び込む〔搬入する〕 / 외국에서 사치품을 ~ 外国からぜいたく品を持ち込む. 文例 술을 들여와서는 안 된다 酒を持ち込んではいけない. (對)내가다.

들은-풍월【一風月】 [tūrŭn—] 〈名〉 耳学問. 聞きかじ(齧)り. 文例 ~입니다만 … ちょっと聞きかじった話なんですが… / ~로 시를 지었다 聞き覚えで詩をつくった.

들은풍월 얻은문자 聞いた風月, もらった文字. 聞きかじり. 耳学問. '半可通'をあざけって言う語.

들이 [tūri] 〈副〉 '들입다'の略.

*__-들이__ [tūri] 〈尾〉 入れ物の容量を表す語: …入り. …詰め. 語例 닷 되~ 병 五升入り瓶.

들이-긋다 [tūri—] (—그으니, —그어서) 〈他〉 (線を)内側に引く. 文例 줄을 조금 안으로 들이그어라 線を少し内側に寄せて引きなさい.

들이-끌다 [tūri—] (—끄니, —끌어서) 〈他〉 内側に引き寄せる. 句例 의자를 들이끌어서 앉다 いすを引き寄せて座る.

들이-끼우다 [tūri—] 〈他〉 (穴・透き間などに)差し込む. は(塡)め込む. 入れる. 句例 틀에 ~ 型にはめ込む / 저고리의 단추를 ~ 上着のボタンをはめる.

__들이다 [tūrida] 〈他〉 ❶入れる. ㉠(中へ)入らせる. 通す. 句例 사람을 객실에 ~ 人を座敷に通す / 방에 신선한 공기를 ~ 部屋に新鮮な空気を入れる. ㉡(勉強などに力・心などを)込める. つぎ込む. 集中する. 句例 정성을 ~ 身〔念〕を入れる / 힘을 ~ 力を入れる. ㉢(時間・費用などを)かける. つぎ込む. 句例 자본을 ~ 資本を入れる / 엄청난 돈을 들여서 이룬 사업 膨大な金をつぎ込んで成し遂げた事業. ㉣(人を)雇う. 句例 새로 가정부를 ~ 新しくお手伝いさんを雇う / 경호원을 ~ 用心棒を雇う. →囲み記事 29. ❷味を占める〔せしめる・覚える〕. 文例 한번 맛을 들이면 끊지 못한다 一度味を占めたらやめられない. ❸染める. 句例 쪽빛으로 물을 ~ あい色に染める. ❹馴らす. 懐ける. 手なずける. 句例 길을 들여 놓은 개 飼い馴らした〔手なずけた〕犬.

*__들이-닥치다__ [tūri—] 〈自〉 ❶差し迫る. 押し迫る. 切迫する. 句例 눈앞에 들이닥친 입시 目前に差し迫った入試 / 기일이 ~ 期日が押し迫る〔切迫する〕 / 연말이 ~ 年の暮れが押し迫る. ❷不意に訪れる. 押し寄せる. 襲う. 句例 해일이 ~ 津波が押し寄せる. 文例 군중이 야구장으로 일시에 우르르 들이닥쳤다 群衆が一時に野球場にどっとなだれこんだ.

들이-대다 [tūri—] ■〈自〉 たて突く. 手向かう. 素直に従わずに反抗する.
■〈他〉 ❶差し付ける. 突き付ける. 押し当てる〔付ける〕. 句例 권총을 ~ ピストルを押し当てる / 증거를 ~ 証拠を突き付ける / 칼붙이를 ~ 刃物を突き付ける. 文例 그녀는 내 코앞에 담뱃불을 들이대었다 彼女はわたしの鼻先へタバコの火を突き付けた. ❷(金や品物を)続けて供給する.

들이-덤비다 [tūri—] 〈自〉 やたら(矢鱈)に〔むやみ(無闇)に〕手向かう〔食ってかかる〕. やたらに〔むやみに〕飛びかかる. 句例 죽자살자〔필사적으로〕 ~ 死にもの狂いで食ってかかる.

**__들이-마시다__ [tūri—] 〈他〉 (液体や気体などを)吸い込む. 中へ吸い入れる. 飲み込む. 句例 담배 연기를 ~ タバコの煙を吸い込む / 신선한 공기를 ~ 新鮮な空気を吸い込む. 文例 그는 잔에 가득 찬 술을 단숨에 들이마셨다 彼はグラスいっぱいの酒を一気に飲み込んだ.

들이-맞추다 [tūri—] 〈他〉 当ては(嵌)める. (ぴったりと)差し込む. ぴったり合わせる. 据え付ける. 文例 자신의 처지에 들이맞추어 생각해 보았다 自分の身に当てはめて考えてみた / 쐐기를 구멍에 들이맞추어 보았다 くさびを穴に差し込んでみた.

들이-몰다 [tūri—] (—모니, —몰아서) 〈他〉 ❶(中の方に・内側に)追い立てる. 追い込む. 句例 말을〔소를〕 울짱 안으로 ~ 馬〔牛〕を柵の中に追い込む / 범인을 막다른 골목으로 ~ 犯人を袋小路に追い込む. ❷(車・馬などを)駆り立てる. せきたてて早く行かせる. 飛ばす. 句例 박차를 가하며 말을 ~ 拍車をかけながら馬を飛ばす / 시간에 들이몰리는 나날 時間に追い立てられる日日. ▷(對)내몰다.

들이-밀다 [tūri—] (—미니, —밀어서) 〈他〉 ❶(中または片方へ)押す. 押し込む. 押し入れる. 突っ込む. 句例 두 발을 이불 속에 ~ 両足をふとんの中に突っ込む / 구멍 속에 막대기를 ~ 穴の中に棒を突き入れる. 文例 참피언은 도전자를 코너로 들이밀었다 チャンピオ

ンは挑戦者をコーナーに押し込んだ. ❷強く押す. やたらに押す. ▷略して'디밀다'とも言う.

들이-밀리다 [tŭrimillida] 〈自〉 '들이밀다'の受け身: (一方に)押しやられる. 強く押される. むやみ(無闇)に突き押される.

들이-박다 [tŭri—] 〈他〉 ❶内側に寄せて打ち込む. 句例 못을 안쪽으로 ~ くぎ(釘)を内側に寄せて打ち込む. ❷深く打ち込む. やたらに打ちつける〔打ち込む〕.

들이-받다 [tŭri—] ❶(頭・角で)突く. 句例 이마로 상대방의 얼굴을 ~ おでこで相手の顔を突く. ❷突き当てる. ぶつける. 突き飛ばす.

들이-부수다 [tŭri—] 〈他〉 めちゃくちゃ〔めったやたら〕にぶ(打)ち壊す. 略して'들부수다'とも言う. 句例 가재 도구를 ~ 家財道具をめったやたらにぶち壊す.

들이-불다 [tŭri—] (—부니, —불어서) 〈自〉 ❶(風が)吹き込む. 吹いて入ってくる. また, 風のために, 雨や雪などが内に入ってくる. 文例 낮에, 해상으로부터 육지로 들이부는 바람이 해풍이다 昼間, 海上から陸地に吹き込む風が海風である. ❷(風が)激しく〔しきりに〕吹く. 吹きまくる. 吹きすさむ〔荒れる〕. 句例 세찬 바람이 옆으로 ~ 横なぐりの風が吹きまくる.

들이-붓다 [tŭri—] (—부으니, —부어서) 〈他〉 容器に注ぎ込む. つ(注)ぎ込む〔入れる〕. 略して'들붓다'とも言う. 句例 납을 녹여서 거푸집에 ~ 鉛を溶かして型につぎ込む / 항아리에 물을 ~ かめに水をつぎ込む.

들이-쉬다 [tŭri—] 〈他〉 (息を)吸い込む〔入れる〕. 句例 숨을 깊이 ~ 息を深く吸い込む.

들이-쌓이다 [tŭrissaida] 〈自〉 一所に〔一か所に〕たくさん積もる〔積み重なる〕. 句例 눈이 골짜기에 ~ 雪が谷間にたくさん降り積もる.

들이-쑤시다 [tŭri—] ❶〈自〉 はげしくうず(疼)く. ずきずき痛む. 句例 충치가 몹시 ~ 虫歯がひどくうずく.
❷〈他〉 ❶(人を)しきりにつつく. しげくそそのかす. 文例 들이쑤셔 싸움을 붙이다 そそのかしてけんかをしかける / 남의 가정을 들이쑤셔 놓다 他人の家庭をひっかき回しておく. ❷(物を探すために)ひっかき回す. 句例 서랍 속을 ~ 引き出しの中をひっかき回す. ▷略して'들쑤시다'とも言う.

들이-치다[1] [tŭri—] 〈自〉 (風などが内に)吹き込む. 吹き入る. (雨・雪などが)降り込む. 文例 창틈으로부터 비가 들이친다 窓のすきまから雨が吹き込む.

들이-치다[2] [tŭri—] 〈他〉 近づいて突然攻撃を加える. 襲い掛かって強く打つ. 句例 적의 진지를 ~ 敵の陣地を強襲する.

들이-켜다 [tŭri—] 〈他〉 (酒・水などを)ぐいと一息に飲む. ひっ掛ける. あおる. 飲み干す. 句例 맥주를 한 잔 ~ ビールを一杯ひっ掛ける / 막걸리를 벌컥벌컥 ~ どぶろくをぐいぐいあおる.

들이-키다 [tŭri—] 〈他〉 ひっ込める. ひっ込ます. 中の方へ寄せる. 句例 내민 발을 조금 ~ 差し出した足を少しひっ込める. 對내키다[2].

들-일 [tŭ:llil] 〈名〉 野良仕事. 農事. 句例 ~을 하러 나가다 野良仕事に出る. 對집일.

들입다 [tŭripta] 〈副〉 やたらに. むやみ(無闇)に. むやみやたらに〔と〕. しきりに. やたらめたら. 略して'딥다・들이'とも言う. 句例 ~ 화를 내다 むやみやたらと腹を立てる / ~ 뛰어돌아다니다 やたらに走りまわる / ~ 밀어붙이다 無理やり押しつける.

들-장미 【—薔薇】 [tŭ:ltchangmi] 〈名〉〔植〕 野ばら. のいばら(野茨).

**들-쥐 [tŭ:ltchwi] 〈名〉〔動〕 ❶のねずみ(野鼠). はたねずみ. ❷かやねずみ(萱鼠).

들-짐승 [tŭ:ltchimsŭng] 〈名〉 野獣. 野生のけだもの.

들쩍지근-하다 (→하다) 〈形〉 少し甘い. やや甘気がある. 甘ったるい. 略して'들치근하다'とも言う. 句例 들쩍지근한 커피 やや甘いコーヒー. 表現 語感の小さい語は'달짝지근하다'.

들쭉-날쭉 [tŭltchungnaltchuk] 〈副〉 出入りがあって一様でないさま: ぎざぎざ. **~하다** 〈形〉 出入りが多い. ぎざぎざだ. 句例 ~한 해안선 出入りの多い海岸線.

들-창 【—窓】 〈名〉 明かり取り窓.

들창-코 【—窓—】 〈名〉 しし(獅子)鼻. 雨受け鼻.

들척지근-하다 〈形〉 '들쩍지근하다'の語感の激しい語.

들추다 〈他〉 ❶(他人の悪事や秘密を)暴く. 暴露する. さら(曝)け出す. 句例 과거를 ~ 過去をあばく / 부정을 ~ 不正をあばく. ❷(捜すために)かき回す. 捜す. 句例 구석구석〔샅샅이〕 ~ 隅隅まで〔くまなく〕捜す.

들추어-내다 〈他〉 ❶捜〔探〕し出す. 捜し当てる. 句例 서랍에서 서류를 ~ 引き出しから書類を探し出す. ❷暴き出す. 暴き立てる. すっぱぬく《俗》. 略して'추어내다'とも言う. 句例 신원을 ~ 身元を洗い立てる.

들추어-보다 〈他〉 ❶捜〔探〕してみる. 文例 아무리 들추어보아도 없다 いくら捜してみても見当たらない. ❷取り出してみる. ❸試しに暴き立てる.

들-치기 〈名〉 置き引き. とんび. **~하다** 〈他〉 置き引きする. 文例 대합실에서 가방을 ~당했다 待合室でかばんを置き引きされた. 表現 '들치기'は俗っぽい言いかた.

들큼-하다 (→하다) 〈形〉 やや甘い. **들큼히** 〈副〉 やや甘く.

들키다 〈自〉 見つかる. 見つけられる. 句例 커닝하다가 선생님에게 ~ カンニングを先生に見つかる / 악행의 현장을 ~ 悪事の現場を見つけられる.

들-타작 【—打作】 [tŭ:lt'ajak] 〈名・하自〉 野良での脱穀.

들통 〈名〉 どん詰まりになってごたついた形勢.

들통(이) 나다 (隠しごとが)見つかる. ばれる. 句例 거짓말이 들통나다 うそがばれる.

들통(을) 내다 (隠しごとを)暴く. あばき出

す．すっぱぬく．ばらす．

들-통【一桶】〈名〉取っ手の付いたおけ(桶)．

*__들-판__ [tŭ:lp'an]〈名〉野原．野っ原．原っぱ．野辺．句例 드넓은 ～ 広広とした野原．

듬뿍〈副〉['듬뿍이'の略] たっぷり．どっさり．どっぷり．たんまり．わんさ．句例 버터를 ～ 바른 빵 バターをたっぷりぬったパン．文例 먹을 것은 ～ 있다 食べ物はどっさりある / ～ 사례를 했다 謝礼をたんまりはずんだ．

듬뿍듬뿍〈副〉すべて〔どれも〕たっぷり．続けてどっぷり(と)．句例 밥그릇에 밥을 ～ 담다 どんぶり鉢にそれぞれ飯をたっぷり盛る．

듬성-듬성〈副〉まばらに．ちらほら．ぽつりぽつり．点点と．**～하다**〈形〉まばらだ．句例 나무를 ～ 심다 木をまばらに植える / ～난 수염 まばらなひげ．

듬쑥〈副〉どっさり〔しっかり〕握る〔つかむ・抱え込む〕さま．句例 양손을 ～ 잡고 악수를 하다 両手をひしと握って握手する．
表現 語感の小さい語は'담쏙'．

듬쑥듬쑥〈副〉続けざまにどっさり，またはしっかり握る〔抱え込む〕さま．

듭시다〈自〉'들어가다 入る'の敬語．

__듯__[1]〈依名〉(語尾'-ㄴ・-은・-는・-ㄹ・-을'などに付き)そうであるようでもあり，そうでないようでもある，あいまいな状態を抽象的に表わすことば：…するかしないか．…したかしなかったか．文例 올 ～ 말 ～ 하다 来そうでもあり来なそうでもある．来るか来ないかはっきりしない / 먹은 ～ 만 ～ 하다 食べたようでもあり食べなかったようでもある．(少ししか食べなかったので) 食べたのか食べなかったのか分からないほどだ / 있는 ～ 만 ～ 하다 あるようでもありないようでもある．あるのかないのか分からないほどだ．
表現 '만 듯《過去》・마는 듯《現在》・말 듯《未来》'などのように使う．

듯[2]〈副〉'듯이'の略．文例 슬픈 ～ 울고 있다 悲しそうに泣いている / 기쁜 ～ 큰 소리로 웃고 있다 うれしそうに大きな声で笑っている．

듯-싶다〈補形〉語尾'-ㄴ・-은・-는・-ㄹ・-을'などの後について，主観的推量の意を表わすことば：…のようだ．…らしい．…そうだ．…らしく思われる．文例 눈이 내릴 ～ 雪が降りそうだ / 사장인 ～ 社長らしい．

듯이 [tŭshi]〈副〉ように．ごとく．そうに．略して'듯[2]'とも言う．句例 잘난 ～ 뽐내다 偉そうにいばる / 나는 ～ 달려오다 飛ぶように走って来る．文例 분한 ～ 울고 있다 くやしそうに泣いている．

*__듯-하다__ [tŭt'ada] (→하다)〈補形〉語尾'-ㄴ・-은・-는・-ㄹ・-을'などについて客観的推量を表わすことば：…のようだ．…のように思われる．…そうだ．…らしい．文例 네게는 클 ～ 君には大きいように思われる / 비가 올 ～ 雨が降りそうだ．㊫듯싶다．

__등__〈名〉背．背中．句例 ～을 보이다 背を見せる，逃げる / ～을 펴다 背を伸ばす / 의자의 ～ 椅子の背．

등(이) 달다 気がせく．気が気でない．やきもきする．焦る．文例 등만 달지 제대로 되어가지 않는다 気ばかりせいてうまくはかどらない．

등(이) 닿다 ❶(牛馬の背中が荷ぐらのために)また(股)擦れする．❷後押しがある．後ろ盾がある．

등(을) 대다 …に頼る．当てにする．頼みとする．かさに着る．＝등에 업다．

등(을) 돌리다 無関心な態度をとる．また，同意しない．そむく．句例 세상에 ～ 世間に背を向ける．

등에 업다 ❶(子供などを)背に負おう．❷'등(을) 대다'のこと．

등에 찬물을 끼얹는 것 같다 背中に冷や水を浴びたようだ．突然，知覚を失うような緊張に捕らわれひき締まる．

등을 벗겨 먹다 不正な方法で人の財物を奪う．

등(을) 타다 尾根伝いに行く．

등[1]【等】[tŭ:ng]〈名〉⇨ 등급(等級)．語例 1～ 一等．

등【燈】〈名〉灯．ランプ．明かり．ちょうちん．行灯．句例 ～을 켜다〔끄다〕明かりをともす〔消す〕．

등【藤】〈名〉❶'등나무'の略．❷ふじ(藤)の茎．

등【籐】〈名〉〔植〕とう(籐)．語例 ～공예 とう工芸．

*__등__[2]【等】[tŭ:ng]〈依名〉など．ら．等．＝들[2]．文例 가축이란 소・말・개 ～을 말한다 家畜とは牛・馬・犬などをいう．→들[2] 表現

등 〔漢字項目〕

【燈(灯)】中學 등 トウ．❶등불 あかり．▮燈火 등화 とうか．▮電燈 전등 でんとう．❷불법 仏法．▮法燈 법등 ほうとう．

【登】中學 등 トウ．ト．❶오르다 のぼる．▮登山 등산 とざん．登板 등판 とうばん．登極 등극 とうきょく．❷수레 같은 것에 타다 車などに乗る．▮登船 등선 とうせん．❸장부에 실리다 載せる．▮登錄 등록 とうろく．登記 등기 とうき．❹사람을 끌어올려 쓰다 人を引き上げて用いる．▮登用 등용 とうよう．❺공적(公的)인 장소에 다니다 公の場所へ通う．▮登校 등교 とうこう．

【等】中學 등 トウ．❶순위 順位．계급 階級．▮等外 등외 とうがい．▮上等 상등 じょうとう．❷무리 なかま．▮等輩 등배 とうはい．❸같다 ひとしい．▮等式 등식 とうしき．▮同等 동등 どうとう．❹따위 など．▮等等 등등 とうとう．▮吾等 오등 われら．

등-가구【籐家具】〈名〉とう(籐)家具．

등-가죽 [tŭngkkajuk]〈名〉背中の皮．

등-갓【燈一】〈名〉(電灯・ランプなどの)かさ(笠)．

등-거리〈名〉(春・夏に着る)そで(袖)無しひとえ(単衣)．

등-걸〈名〉根株．切り株．句例 ～에 걸려 넘어지다 根株につまずいてころぶ / 썩은 ～ 腐った切り株．

등겨〈名〉ぬか(糠)．語例 쌀～ 米ぬか．

등고-선【等高線】[tŭ:nggosŏn]〈名〉等高線．

등-골[1] [tŭngkkol]〈名〉〔生〕❶⇨ 등골뼈．❷脊髄．

등골(이) 빠지다 体力にあまる苦労をして気力が尽きる. 耐えがたいほど苦労する. 句例 등골이 빠지게 일하다 骨身を削って働く.

등-골² [tŭngkkol] 〈名〉 背筋.

등골이 서늘해지다 恐怖感で一瞬ひやりとする.

등골이 오싹해지다 背筋が寒くなる. ぞっとする.

등골-뼈 [tŭngkkolppyŏ] 〈名〉 ⇨ 등뼈. =척추골.

등과【登科】〈名・하自〉〔史〕登科. 科挙に及第すること.

등교【登校】〈名・하自〉登校. 句例 ~하는 학생들 登校する学生たち. 語例 ~ 시간 登校時間. 對하교(下校).

등귀【騰貴】〈名・하自〉騰貴. 句例 지가의 ~ 地価の騰貴 / 쌀값이 ~하다 米価が騰貴する. 語例 물가 ~ 物価騰貴. 對하락(下落).

등극【登極】〈名・하自〉登極. 登祚. 即位.

등-긁이 [tŭnggŭlgi] 〈名〉 孫の手. まこ(麻姑).

등급【等級】[tŭ:nggŭp] 〈名〉 等級. 略して'등(等)'とも言う. 句例 ~을 매기다 等級をつける / ~이 떨어지다 等級が下がる.

등기【登記】〈名〉 ❶登記. **~하다** 〈他〉 登記する. 語例 ~료 登記料 / ~소 登記所. ❷'등기 우편'の略.

등기 우편【登記郵便】〈名〉 書留郵便. 書留《略語》. 略して'등기'とも言う. 文例 편지를 ~으로 부쳤다 手紙を書留で送った.

등-꽃【藤―】〈名〉 ふじ(藤)の花.

등-나무【藤―】〈名〉 ふじ(藤). 略して'등'とも言う. 語例 ~덩굴 ふじかずら(藤葛). ふじづら.

등-널 〈名〉 (椅子の)背板. 句例 ~에 기대다 背板にもたれる.

등단【登壇】〈名・하自〉登壇. 句例 연설을 하기 위해 ~하다 演説のために登壇する. 對하단(下壇).

등-달다 ⇨ '등'の小項目

***등대**【燈臺】〈名〉 灯台.

등-대다 ⇨ '등'의 小項目

등대-지기【燈臺―】〈名〉 灯台守.

등-덜미 [tŭngttŏlmi] 〈名〉 背中の上部. → 목덜미

등-뒤 〈名〉 背後. 後ろ. 句例 ~에서 덮치다 背後から襲う / 앞사람 ~에 숨다 前の人の後ろに隠れる.

등등【等等】[tŭ:ngdŭng] 〈依名〉 等等. などなど. しかじか. うんぬん. 文例 A・B・C・D ~ 열거하면 끝이 없다 A, B, C, D 等等, 数えあげたらきりがない.

등등-하다【騰騰―】(→하다) 〈形〉 (ひどく)いきり立っている. 気炎を上げる. 息巻く. 気炎万丈だ. 文例 노기가 등등하여 달랠 길이 없다 いきり立っていてなだめようがない.

등-때기 〈名〉 '등 背中'の下品な言いかた.

등락【騰落】[tŭngnak] 〈名・하自〉 騰落. 値段の上がり下がり. 文例 물가의 ~이 심하다 物価の騰落が激しい.

등록【登錄】[tŭngnok] 〈名・하他〉 登録. 句例 신학기 ~을 마치다 新学期登録を終える. 語例 주민 ~ 住民登録 / ~ 상표 登録商標.

***등록-금**【登錄金】[tŭngnok―] 〈名〉 (学期はじめに納める)大学の授業料.

등롱【燈籠】[tŭngnong] 〈名〉 灯籠. とうろう. ちょうちん(提灯). 万灯. 絵 語例 ~꾼 灯籠持ち. ちょうちん持ち.

〈등롱〉

등-마루 〈名〉 背筋.

등반【登攀】〈名・하自〉登攀. 句例 산중턱부터 ~하다 山腹から登攀する / 겨울산 ~에 성공하다 冬山の登攀に成功する. 語例 ~자 登攀者 / ~대 登攀隊.

등-받이 [tŭngbaji] 〈名〉 椅子の背. うら.

등변【等邊】[tŭ:ngbyŏn] 〈名〉〔數〕等辺. 語例 이~ 삼각형 二等辺三角形.

등본【謄本】〈名〉 謄本. 語例 호적 ~ 戸籍謄本. 對초본(抄本).

등분【等分】[tŭ:ngbun] 〈名・하他〉 等分. 句例 재산을 ~하다 財産を等分する. 語例 이~ 二等分.

****등-불**【燈―】[tŭngppul] 〈名〉 ともしび(灯火・灯燭). ともし(灯). 明かり. 灯火. 火. 句例 ~을 밝히다〔켜다〕 あかりをともす〔つける〕/ ~을 끄다 あかりを消す / 산막의 ~ 山小屋のともしび.

등비 급수【等比級數】[tŭ:ngbi―] 〈名〉〔數〕等比級数.

등-뼈 〈名〉 背骨. 脊柱. 脊椎. 脊椎骨. =척추골. 등골뼈.

등사【謄寫】〈名・하他〉 謄写. 句例 ~ 원지 謄写版原紙.

등사-기【謄寫機】〈名〉 謄写版. がり版. =등사판.

등산【登山】〈名〉 登山. 山登り. **~하다** 〈自〉 登山する. 山登りする. 山に登る. 語例 ~가 登山家 / ~대 登山隊 / ~로 登山路 / ~복 登山服 / ~ 장비 登山用(の)装備 / ~모 登山帽.

등성이 〈名〉 ❶脊梁の上部. ❷'산등성이'の略.

등-세공【籐細工】〈名〉 とう(籐)細工. =등공예(籐工藝).

등속【等屬】[tŭ:ngsok] 〈依名〉 …など. …類. 句例 잡지며 신문 ~에 실리다 雑誌や新聞などに載る.

등-솔기 [tŭngssolgi] 〈名〉 背縫い(の縫い目). 略して'등솔'とも言う.

등수【等數】[tŭ:ngssu] 〈名〉 順位. 等級. 句例 ~를 매기다 等級を付ける / 도착 ~를 발표하다 到着順位を発表する.

***등식**【等式】[tŭ:ngshik] 〈名〉〔數〕等式.

등신【等神】[tŭ:ngshin] 〈名〉 ばか. うすのろ. まぬけ. あほ(う). あんぽんたん. でくの坊. おろか. たわけ. 文例 ~ 같은 소리를 한다 あほうなことを言う / ~ 같은 놈 たわけ者.

등심【一心】〈名〉 (牛の)背肉. くら(鞍)下. ヒレ肉. =등심살. 필레.

등심-선【等深線】[tŭ:ngshimsŏn] 〈名〉〔地〕等深線. 同深線.

등쌀 〈名〉 うるさ(煩)がらせること. 困らせること. 悩ますこと.
등쌀(을) 대다 しつこく困らせる〔悩ます〕. 文例 아이들이 등쌀을 대는 통에 책도 못 읽겠다 子供らがあまりにもうるさくまつわりついて本も読めない.
등온-선【等温線】[tŭ:ng-onsŏn]〈名〉〔気・物〕等温線.
등외【等外】[tŭ:ng-oe]〈名〉等外. 句例 ~로 떨어지다 等外に落ちる. 語例 ~품 等外品.
등용【登用】〈名・하他〉登用. 句例 인재를 ~하다 人材を登用する. 類기용(起用). 발탁.
등-용문【登龍門】〈名〉 登竜門・. 句例 문단의 ~ 文壇の登竜門.
등원【登院】〈名・하自〉登院. 句例 의원이 ~하다 議員が登院する.
등유【燈油】〈名〉灯油.
등-의자【籐椅子】〈名〉とう(籐)椅子.
등자【鐙子】〈名〉あぶみ(鐙).
***등잔**【燈盞】〈名〉とうさん(灯盞). 油皿.
등잔 밑이 어둡다 灯台下暗し. ＝등하불명(燈下不明).
등잔-걸이【燈盞―】[―gŏri]〈名〉灯架.
등잔-불【燈盞―】[―ppul]〈名〉とうさん(灯盞)の明かり. 灯火. ＝등불.
등장【登場】〈名・하自〉 登場. 句例 무대에 ~하다 ステージ〔舞台〕に登場する / 신형차의 ~ 新型の車の登場 / ~ 인물 登場人物.
등적-색【橙赤色】〈名〉だいだいを帯びた赤.
등-줄기 [tŭngtchulgi]〈名〉〔生〕背筋.
***등지**【等地】[tŭ:ngji]〈依名〉地名について'などの地'の意を表わす語. 文例 이 광물은 인도・파키스탄 ~에서 생산된다 この鉱物は印度・パキスタンなどの地で生産される.
등-지느러미〈名〉背びれ(鰭).
등-지다 ■〈自〉 仲たがいをする. 仲が悪くなる. 文例 그와는 등전 듯하다 彼とは仲たがいしたようだ.
■〈他〉 ❶背く. 背を向ける. 捨てる. 句例 조국을 ~ 祖国に背く. 祖国を捨てる / 세상을 ~ 世間に背を向ける. 世を捨てる. ❷背にする. 句例 산〔벽〕을 등지고 서다 山〔壁〕を背にして立つ.
등-짐 [tŭngtchim]〈名〉負い荷. 背負い荷. 語例 ~ 장수 背負い行商. 担ぎ.
등차 급수 [tŭ:ngch'a―]〈名〉〔數〕等差級数. 對등비(等比) 급수.
등-창【―瘡】〈名〉背中にできるは(腫)れ物.
등청【登廳】〈名・하自〉登庁. 對퇴청(退廳).
등-치다〈自他〉❶(いたわるために)背中をなでる〔たた(叩)く〕. ❷ゆする. いたぶる. たかる. 句例 뚤마니에게 등침을 당하다 ちんぴらにたかられる / 하급생을 ~ 下級生をいたぶる.
등쳐 먹다 脅して金品を巻き上げる. いたぶる.
등치고 간 내먹다 人の背をたたいて飛び出た肝を食う《いたわるように見せかけて人に害を与える》.
등판【登板】〈名・하自〉〔野〕登板. 句例 투수가 ~하다 投手が登板する.
등피【燈皮】〈名〉火屋. 句例 남포등의 ~ ランプの火屋.
등하-불명【燈下不明】〈名〉'등잔 밑이 어둡다'の意(→'등잔'の小項目).
등한-시【等閑視】[tŭ:nghanshi]〈名〉等閑視. なおざりにすること. **~하다**〈他〉等閑視〔なおざりに〕する. 等閑に付す. 句例 긴급 사태를 ~하다 緊急事態を等閑視する.
등한-하다【等閑―】[tŭ:nghan―](→하다)〈形〉なおざり(等閑)だ. 等閑だ. いいかげんにする. おろそ(疎)かだ. **등한히**〈副〉なおざりに. 等閑に. おろそかに. いいかげんに. 句例 복지를 등한히 하다 福祉をなおざりにする.
⁑**등-허리**〈名〉❶背と腰. ❷背の方の腰.
등-헤엄〈名〉背泳ぎ. 背泳.
등호【等號】[tŭ:ngho]〈名〉〔數〕等号. 對부등호(不等號).
등화【燈火】〈名〉灯火. ともし火. 明かり. 灯. 語例 ~ 관제 灯火管制.
등화 가친(可親) 灯火親しむべし.
등화 가친지절(可親之節) 灯火親しむべき季節. 秋をいう.
등황-색【橙黃色】〈名〉橙黄色. だいだい色.
디기탈리스〈名〉〔植〕ジギタリス. きつねのてぶくろ. ◇digitalis
디너〈名〉ディナー. 語例 ~ 파티 ディナーパーティー. ◇dinner
디-데이 [ti:dei]〈名〉ディーデー. ◇D-day
⁑**디디다**〈他〉踏む. 略して'딛다'とも言う. 句例 대지를 힘주어 ~ 大地を踏み締める / 계단을 헛~ 階段を踏み外す. 文例 발을 디딜 곳도 없을 만큼 책이 흩어져 있다 足の踏み場もないほど本が散らかっている.
디딜-방아 [―ppang-a]〈名〉からうす(唐臼). 踏みうす(臼). 絵

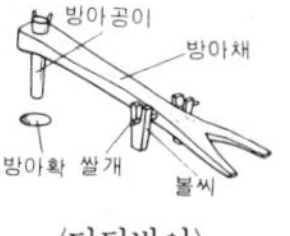

〈디딜방아〉

디딜-풀무〈名〉 足で踏んで風を送るふいご(鞴). (踏み)ふいご.
디딤-널〈名〉歩み板. 踏み板.
***디딤-돌** [tidimttol]〈名〉(庭などの)飛び石. 踏み石.
디룽-거리다〈自〉(垂れ下がっているものが)軽く揺れる.
表現 語感の小さい語は'대롱거리다'.
디룽디룽〈副〉ぶらぶら. **~하다**〈自〉ぶらぶら揺れる. 文例 종루의 종이 바람에 ~ 흔들리며 경쾌한 소리를 내고 있다 鐘楼の釣り鐘が風に吹かれてぶらぶら揺れながら快い音を出している.
디스-카운트〈名・하自他〉ディスカウント. 安売り. ＝할인(割引). ◇discount
디스코테크 [tisŭk'ot'e:k'ŭ]〈名〉ディスコテーク. 略して'디스코'とも言う. ◇프 discothèque
디스크〈名〉ディスク. ❶円盤. 円板. ❷レコード. 語例 콤팩트 ~ コンパクトディスク / ~ 자키 ディスクジョッキー. ◇disk, disc, 프 disque
디스토마〈名〉〔動〕ジストマ. 語例 간(肝)~ 肝臓ジストマ. ◇라 distoma
디스플레이〈名〉ディスプレー. ◇display

ㄷ

ㄷ

디-엠-지【DMZ】[tiːemjiː]〈名〉ディーエムゼット．非武装地帯．◇Demilitarized zoneの略．

디자이너〈名〉デザイナー．語例 복식 ～ 服飾デザイナー．◇designer

디자인〈名・하他〉デザイン．句例 대담한 ～ 大胆なデザイン／스포츠웨어를 ～하다 スポーツウェアをデザインする．◇design

디저트[tijǒːt'ŭ]〈名〉デザート．語例 ～ 코스 デザートコース．◇dessert

디-제이【DJ】[tiːjei]〈名〉ディージェー．＝디스크 자키．◇disk jockeyの略．

디젤[tiːjel]〈名〉ディーゼル．語例 ～ 기관 ディーゼル機関／～ 기관차 ディーゼル機関車／～ 엔진 ディーゼルエンジン．◇diesel

디지털 시계【digital 時計】〈名〉ディジタル時計．

디프테리아〈名〉〔醫〕ジフテリア．◇diphteria

디-피-이【DPE】[tiːp'iːiː]〈名〉ディーピーイー．◇developing, printing and enlargingの略．

딛다〈自〉'디디다'の略．

딜레마〈名〉ジレンマ．句例 ～에 빠지다 ジレンマに陥る．◇dilemma

딥다〈副〉'들입다'の略．

딩딩-하다（→하다）〈形〉❶力が強い．❷ぴんと張っている．句例 젖이 딩딩하게 분다 乳が膨らんで張る／딩딩하게 불은 배 ぽんぽんに膨れた腹．❸(生活・地盤などが)しっかりしている．文例 이 근방의 지반은 ～ この辺の地盤はしっかりしている．

ㄸ［쌍디귿 ssangdigŭt］'ㄷ'の硬音．

따갑다（따가우니，따가워서）〈形〉❶(ひりつくように)熱い．文例 아직도 저녁 햇살이 몹시 ～ まだ夕日の日差しが熱い．❷(刺すように)ひりつく．ひりひりする．ちくちくする．文例 살갗 벗겨진 곳이 ～ 擦りむいたところがひりつく．

따개〈名〉(栓・缶などの)抜き．＝오프너．語例 병～ 栓抜き／깡통～ 缶切り．

따개비〈名〉〔動〕ふじつぼ．えぼしがい．＝굴등．

따귀[ttaːkwi]〈名〉'빰따귀'の略：ほっぺた．横っ面．びんた．句例 ～를 때리다 横っ面を張る．ほっぺたを殴る．

***따끈-하다**（→하다）〈形〉あたたかい．ほかほかする．句例 지금 막 지은 따끈한 밥 炊き立てのほかほかな御飯．**따끈히**〈副〉あたたかく．あったかく．ほかほかと．句例 따끈히 데운 술을 한 잔 하다 熱かんで一杯やる／술을 따끈히 데우다 燗をつける．

表現 語感の大きい語は'뜨끈하다'．

따끈따끈〈副・하形〉ほかほか．熱熱．句例 ～한 군고구마 熱熱の焼き芋．

따끔-거리다〈自〉ひりひり〔ちくちく〕する．

따끔따끔〈副〉ひりひり．ちくちく．**～하다**〈自〉ひりひりする．ひりつく．ちくちくする．文例 살갗이 벗겨진 데가 ～하다 擦りむいたところがひりひりする．

따끔-하다（→하다）〈形〉❶(刺すように)痛い．ひりひり〔ちくちく〕する．ひりつく《動詞的》．文例 벌 쏘인 데가 ～ はちに刺されたところがひりつく．❷きびしい．苦しい．句例 따끔한 맛을 보여주다 こらしめる．目に物(を)見せる／따끔하게 혼을 내다 手ひどく痛い目に合わせる．**따끔히**〈副〉びりっと．手ひどく．

따낸-돌〈名〉(碁の)上げ石．はま．あげはま．

따님〈名〉他人の娘を丁寧に言う語：お嬢様．お嬢さん．お息女．句例 댁의 ～ お宅のお嬢さん．

***따다**[1]〈他〉❶取る．㋐摘む．摘み取る．句例 어린 잎을 ～ 若葉を摘む／버섯을 ～ きのこ(茸)を取〔採〕る．語例 버섯 따기 きのこ狩り．

㋑(賭けで)金を取る．

㋒(点数・資格などを)得る．もらう．句例 학위를 ～ 学位をとる／허가를 ～ 許可をとる／학점을 ～ 単位をとる．

❷(できものなどを)(突き)つぶす．切開する．句例 곪은 부위를 ～ 化膿部位を切開する．

❸(掛けたり，封じたりしたものを)開ける．抜く．句例 병마개를 ～ 栓を抜く．口を切る／깡통을 ～ 缶詰を開ける．

❹(人の言葉・文章などを)引く．引用する．句例 성서에서 따오다 聖書から引用する．

❺(将棋や碁で)相手のこま(駒)や石を奪う．句例 상변의 돌을 ～ 上べの石をとる／졸(卒)을 ～ 歩をとる．

따다[2]〈他〉❶(客や電話に)居留守を使う．(家にいながら)不在をよそおう．句例 찾아온 손님을 ～ 来客に居留守を使う．❷のけ者にする．除外する．

따다닥〈副〉機関銃の発射音：だだだっ．

***따-돌리다**〈他〉のけ者〔仲間はずれ〕にする．はじき〔締め〕出す．句例 모두에게서 따돌림을 당하다 皆からのけ者にされる／친구를 ～ 仲間をはじき出す．

따듯-이[ttadŭshi]〈副〉⇨ 따뜻이 「다

따듯-하다[ttadŭt'ada]（→하다）〈形〉⇨ 따뜻하

따따부따〈副・하自〉ああのこうのと文句をつけるさま．文例 잘 알지도 못하면서 ～할 것 없잖아 よく知りもしないくせにああのこうのと文句をつけることはないだろう．

***따뜻-이**[ttattŭshi]〈副〉暖〔温〕かく．

***따뜻-하다**[ttattŭt'ada]（→하다）〈形〉暖〔温〕かい．❶温度がほどよく高い．句例 기후가 ～ 気候が暖かい／따뜻한 지방 暖かい地方／따뜻한 밥 温かい御飯／몸이 따뜻해지다 からだが温かくなる．文例 겨우 따뜻해지기 시작했다 やっと暖かくなってきた．❷思いやりや理解がこもっている．句例 따뜻한 손을 뻗치다 温かい手を差し伸べる／따뜻한 환영 温かい歓迎／따뜻하게 지켜보다 温かく見守る．▷㊥차갑다．

***따라-가다**（따라가거라）〈他〉❶付いて行く．㋐付き従う．供をする．伴う．追う．＝좇아가다．句例 오솔길을 ～ 小道について行く／그림자가 떨어지지 않고 ～ 影が離れず付き従う／선생님을 ～ 先生に伴って行く／형을 ～ 兄について行く．㋑追いつく．＝좇아가다．句例 선발대를 ～ 先発隊に追いつく／선진국을 ～ 先進国に追いつく．文例 지금부터 가면 따라갈 수 있다 今から行けば追いつける／간신히 동점으로 따라갔다 やっと同点に追いつ

いた. ❷倣う. 従う. [句例] 선배를 ~ 先輩に倣う / 학교 방침에 ~ 学校の方針に従う.

따라-다니다 〈他〉 ❶付き従う. 後を追う. 後をつける. 付け〔追い〕回す. 付きまとう. [句例] 강아지가 자꾸만 ~ 小犬がしきりに付きまとう / 인기 가수를 ~ 人気歌手を追い回す / 수상한 사람이 ~ 怪しい人につきまとわれる. ❷相伴う. [文例] 권리와 의무는 서로 따라다닌다 権利と義務は相伴う.

따라-붙다 〈他〉 追いつく. [句例] 선두 주자를 ~ 先頭の走者に追いつく.
[參考] '따라붙다'は後ろから進んですぐそばに近付くの意. '따라잡다'は後ろから近付いて, 並ぶ位置まで来るの意.

*__따라서__ 〈副〉 したがって. (それ)ゆえに. (それ)だから. =그러므로. [文例] 그는 남을 잘 돌봐 준다. ~ 친구가 많다 彼は面倒見がいい. したがって友達が多い.

**__따라-오다__ (따라오너라) 〈他〉 ついて来る. ❶後をつける. [文例] 누군가 따라오는 것 같은 느낌이 들었다 だれかがついて来るように思われた. ❷倣う. [文例] 많은 사람들이 그를 존경하며 따라왔다 大勢の人人が彼を敬ってついて来た. 對따라가다.

따라-잡다 〈他〉 追いつく. [文例] 그를 다리 앞에서 따라잡았다 橋の手前で彼に追いついた / 앞에서 달리는 사람을 따라잡아 앞질렀다 前を走っていた人を追いついて追い越した / 이런 제품을 따라잡을 나라는 없다 こんな製品に追いつく国はない. →따라붙다 [參考]

**__따로__ 〈副〉 ❶別に. 離して. 別れて. 離れて. 別別に. [句例] ~ 살다 離れて暮らす. 別居する. 別れて住む / 부모와 ~ 살다 両親と別居する / ~ 떼어 놓다 別にとって置く / ~ 간수해 두다 別にしまって置く. ❷ほかに. 別途に. [文例] ~ 수입이 있다 別途の収入がある / 자세한 것은 그때마다 ~ 설명하겠습니다 詳細はそのつど別途に説明します / 교통비는 ~ 지급한다 交通費は別途に支給する.

따로-나다 〈自〉 分家する. 別に一家を立てる.

따로-내다 〈他〉 分家させる. [文例] 이번에 막내아우네 살림을 따로냈다 今度末弟を分家させた.

**__따로-따로__ 〈副〉 別別に. 別れて. 別れ別れに. 離れて. [文例] 함께 갔지만 돌아올 때는 ~였다 一緒に行ったが帰りは別別だった / 지불은 ~ 하자 支払いは別別にしよう.

따로-서다 〈自〉 ❶(子供などが)一人で立つ. 一人立ちする. ❷離れて立つ. 一本立ちする. 自分ひとりでやって行く. [句例] 가게를 차리고 ~ 店を持って一人立ちする.

**__따르다__[1] (따르니, 따라서) 〈自他〉 ❶従う. ㉠(あとに)ついて行く. お供をする. [句例] 리더를 ~ リーダーに従う. [語例] 뒤~ つき従う. ㉡服従する. いいなりになる. [句例] 이견에 ~ 意見に従う / 지시에 ~ 指示に従う. ㉢(きまりや習慣などを)よりどころにして行動する. [句例] 명령에 ~ 命令に従う / 관례에 ~ 慣例に従う. ㉣(道・川などに)沿って進む. たどる. 沿う. [句例] 강을 따라서 내려가다 川に沿って下る.
❷懐く. なじむ. [句例] 아이가 잘 ~ 子供がよく懐く.
❸伴う. [文例] 성공에는 고생이 따른다 成功には苦労が伴う / 여흥에는 노래가 따르게 마련이다 余興には歌が付き物だ.
❹よる. [句例] 사정에 따라서는 事情によっては. [文例] 갈지 안 갈지는 앞으로의 계획에 따른다 行くかどうかは今後の計画による.
❺(…'따라(서)'の形で)…に従って. …に応じて. …につれて. [文例] 시합 경험을 쌓음에 따라 성적도 좋아진다 試合経験を積むにつれて成績もよくなる.

따르다[2] (따르니, 따라서) 〈他〉 つ(注)ぐ. 注ぐ. 注す. [句例] 차를 ~ お茶をつぐ / 컵에 ~ コップにつぐ / 잔에 술을 ~ 杯に酒を注す.

따르르 〈副〉 ❶小さいものが転ぶときに鳴らす音: ころころ. ❷小さい物が強く震動するさま. また, その音: ちりりん. [句例] 초인종이 ~ 울리다 呼び鈴がちりりんと鳴る.

따름 〈依名〉 ('-ㄹ〔-을〕 ~'の形で)'ばかり・だけ・のみ'の意を表わす語. [文例] 남은 것은 결과를 기다릴 ~이다 あとは結果を待つだけだ / 이제는 전진만이 있을 ~이다 今は前進だけあるのみだ.

따리 [tta:ri] 〈名〉 おべっか. こび. へつらい. おべんちゃら. 追従.

따리(를) 붙이다 おべんちゃらを言う. おべっかを使う. [句例] 상사에게 ~ 上司におべっかを使う.

**__따-먹다__ 〈他〉 ❶(果実などを)摘み取って食べる. ❷(碁や将棋で相手の駒や石を)取る. [句例] 졸(卒)을 ~ 歩をとる / 돌을 ~ 石をとる.

따발-총 【一銃】 〈名〉 旧ソ連製の機関短銃の俗っぽい言いかた. =다발총(多發銃).

*__따분-하다__ (→하다) 〈形〉 ❶退屈だ. 味気ない. 変哲もない. [句例] 따분한 나날 退屈な毎日 / 따분함을 달래다 退屈を紛らす / 따분한 일 退屈な仕事. ❷しがない. つまらない. とるにたりない. [句例] 이야기 줄거리가 ~ 話の筋がつまらない / 따분한 생활 しがない暮らし.

따분히 〈副〉 退屈に. つまらなく. 味気なく.

따사-하다 (→하다) 〈形〉 ⇨ 따스하다

따스-하다 (→하다) 〈形〉 (やや) 暖〔温〕かい. [句例] 따스한 느낌 温かい感じ / 손이 따스해지다 手が温かくなる / 햇살이 ~ 日差しが暖かい.

따습다 (따스우니, 따스워서) 〈形〉 ほどよく暖〔温〕かい. [句例] 따스운 물을 마시다 温かいお湯を飲む.

따오기 〈名〉〔鳥〕 とき(鴇・朱鷺).

따옥-따옥 〈副〉 とき(鴇)の鳴き声.

따옴-표 【一標】 〈名〉〔言〕 引用符.

*__따위__ 〈依名〉 ❶人や物事をさげすんで言う語: なんか. 風情. なぞ. [文例] 너 ~는 알 수 없다 お前なんかはわからない. ❷⇨ 등(等)[2]

*__따지다__ 〈他〉 ❶計算する. 勘定する. [句例] 손익을 ~ 損益を計算する / 이자를 ~ 利息を計算する. ❷なじ(詰)る. 問い詰める. (問い)ただす. [句例] 잘잘못을 ~ 是非をただす /

이유를 ～ 理由を問い詰める.

딱[1] 〈副・하自〉固い物などがぶつかって立てる音. または, 折れる音: ごつん. ぽきん. ぽきり. ぽかっと. ぷっつり. 句例 한 방 ～ 먹이다 ごつんと一発食らわす / 막대기가 ～ 부러지다 棒がぽきりと折れる.

딱[2] 〈副〉 ❶断固として決するさま: ずばり. きっぱり. すぱり. すっぱり. 句例 ～ 잘라 말하다 きっぱり言い切る / ～ 잡아떼다 あくまで白を切る / 담배를 ～ 끊다 タバコをすっぱりやめる. ❷⇨ 뚝[2]①

딱[3] 〈副〉 ❶いっぱい開いたさま: ぽっかり. あんぐり. がっしり. 句例 입을 ～ 벌리다 口をあんぐり開ける / ～ 바라진 체격 がっしりとした体格. ❷うまく合ったり的中するさま: ぴったり. かっちり. きっちり. きっかり. かっきり. 句例 예상이 ～ 들어맞다 予想がぴったり当たる./ 눈과 눈이 ～ 마주치다 目と目がぴったり合う / 너에게 ～ 맞는 양복 君にぴったりな洋服 / ～ 열두 시에 전화하다 十二時かっきりに電話する. ❸力強くがんば(頑張)るさま: しっかり(と). 句例 ～ 버티고 서다 しっかりと相対して立つ. 立ちはだかる.

딱따구리 〈名〉〔鳥〕きつつき(啄木鳥). けら. けらつつき.

딱-딱 〈副〉 ❶固い物がぶつかって立てる音: かちかち. がちがち. ぽかぽか. 句例 딱딱이를 ～ 치다 拍子木をかちかち打つ / 머리를 ～ 때리다 頭をぽかぽかとたたく / 추워서 이가 ～ 마치다 寒くて歯ががちがちと鳴る. ❷棒・枝などが次次に折れる音: ぽき(ん)ぽき(ん). ぽきりぽきり. 句例 가는 가지를 ～ 꺾다 小枝をぽきぽき折る.

딱딱-거리다 〈自〉 (脅すような)きびしい言い方をする. がみがみ言う. 句例 아이들에게 ～ 子供らにがみがみ言う.

딱딱-이 [ttakttagi] 〈名〉拍子木(を打ち鳴らす夜回り・夜番).

** 딱딱-하다 [ttakttak'ada] (→하다)〈形〉堅〔固・硬〕い. ❶こちこちである. 句例 딱딱하게 굳은 떡 こちこちになったもち(餅). 文例 생선이 딱딱하게 얼었다 魚がこちこちに凍った / 도로가 딱딱하게 얼어 있다 道路がこちこちに凍っている. ❷ぎこちない. 堅苦しい. いかつい. 句例 딱딱한 문장 堅苦しい文章 / 딱딱한 규칙 堅苦しい規則 / 딱딱한 표정 いかつ(厳)い表情. 文例 딱딱한 이야기는 그만두자 角張った話はやめよう.

딱부리 〈名〉'눈딱부리'の略.

딱정-벌레 〈名〉〔蟲〕❶あおおさむし. ❷かぶとむし(甲虫). ＝갑충.

딱지[1] 〈名〉❶かさぶた(痂・瘡蓋). 句例 ～가 떨어지다 かさぶたが取れる / ～가 앉다 かさぶたができる. ❷(紙の製造過程で入ったパルプや古紙などの)染み. 傷. ❸甲. 甲羅. ❹(懐中時計などの)ふた(蓋). 語例 금～시계 金側時計.

딱지[2] 〈名〉❶'거절 拒絶'の俗っぽい言いかた. はねつけ. ひじ鉄砲. ❷⇨ 퇴짜

딱지(를) 놓다 ひじ鉄砲を食らわす. はねつける. 退ける. ＝퇴짜(를) 놓다.

딱지(를) 맞다 はねつけられる. ひじ鉄砲を食う. 退けられる. けられる. ＝퇴짜(를) 맞다. 句例 한 마디로 딱지를 맞다 一言のもとにはねつけられる.

** 딱지 【一紙】〈名〉❶切手・証紙などの俗っぽい言いかた. 札・レッテルなど. ❷['놀이딱지'の略] めんこ(面子). ぱっち. ❸['빨간 딱지'の略] 赤い札. '交通反則金の納付通告書'のこと.

딱지(를) 떼다 'ラベルをはがす'の意. ❶(使い)始める. ❷交通警察が'赤い札'に罰則事項を記して渡すことの俗っぽい言いかた.

딱지(가) 붙다 レッテルを張る. 烙印を押される. 句例 배반자라는 딱지가 붙다 裏切り者の烙印をおされる.

딱지(를) 치다 めんこ遊びをする.

딱지-치기 【一紙一】〈名・하自〉めんこ(面子)遊び.

딱-총 【一銃】〈名〉 (おもちゃの)かんしゃくだま(癇癪玉).

딱-하다 [ttak'ada] (→하다)〈形〉❶気の毒だ. 痛痛しい. かわいそう(可哀相)だ. いたわしい. 文例 딱해서 보고 있을 수가 없다 痛痛しくて見ていられない / 사고로 부모를 잃은 아이가 딱해서 못 견디겠다 事故で親を亡くした子がかわいそうでならない / 홀로 남겨진 아이가 딱해서 견딜 수 없다 一人残された子が哀れでたま(堪)らない. ❷苦しい. 困る. ＝난처하다. 句例 딱한 처지가 되다 困った立場になる.

딴[1] 〈依名〉(自分としてはできるだけよくやっている)つもり. …なり. …考え. 句例 제 ～에는 잘 한다는 것이 自分の考えではよくやろうとしたのが / 내 ～은 わたしのつもりでは. わたくしなりには〔としては〕.

** 딴[2] 〈冠〉別の. 外の. 句例 ～ 가게에서 사다 外の店で買う. 語例 ～ 사람 外の人 / ～ 의견 別な意見 / ～ 기회 別の機会.

딴-것 〈名〉別の〔外の〕物. 句例 ～은 없어도 外の物は差し置いても. 格別の物はなくても. 文例 ～을 주세요 別の物をください.

딴딴-하다 (→하다)〈形〉'단단하다'の語勢の強い語.

딴-마음 〈名〉❶外の〔別の〕考え. ❷相手を裏切ろうとする心. 二心. 二心. 異心. 句例 ～을 품다 二心をいだ(抱)く. 異心を挟む.

딴-말 〈名〉とんでもない言い分. 外の話. 関係のない話. 文例 ～을 하지 마라 とんでもないことを言うな.

딴-생각 〈名・하自〉❶とんでもない考え. 文例 ～을 해서는 안된다 とんでもないことを考えてはだめだよ. ❷外の考え. 文例 ～하느라 상대방의 말을 못 들었다 外のことを考えていたので相手の話を聞き損なった.

딴-소리 〈名・하自〉'딴말'のやや下品な言いかた.

딴은 [ttanŭn] 〈副〉そう言えば. 言うなれば. なるほど. 言われてみれば. 文例 ～ 그렇군 なるほど, そうだね / ～ 그것도 일리가 있군 なるほど, それも一理あるね.

딴-전 〈名〉とぼけ．そらとぼ(空惚)け．白とぼけ．＝딴청．

딴전(을) 부리다 しらを切る．そらとぼ(空惚)ける．しらばくれる．空を使う．[文例] 딴전을 부리고 일은 잘 하지 않는다 空を使ってよく働かない / 딴전 부리지 마라 そらとぼけるな．

딴-죽 〈名〉(相撲・'태껸'での)足払い．または，足がらみ．

딴죽(을) 걸다 足をすく(掬)う．足払い〔足がらみ〕をかける．

딴-판 ■〈名〉❶全然違うさま．全く変わったさま．[文例] 보기와는 아주 ～이다 見目とは全く違う．❷全然違う局面．一変〔一転〕した情勢．[文例] 정세는 ～이 되었다 情勢は一転した / 사태가 ～으로 변했다 事態が一変した．

■〈副〉互いに全く異なっているさま：全然．全く．てんで．[文例] 두 사람은 성격이 ～ 다르다 二人は性格が全然違う．

**딸 〈名〉娘．[語例] 우리 ～ うちの娘 / 외～ 一人娘．(對)아들．

[参考] 他人の娘に対する尊敬語としては'따님'を用いる．

딸 없는 사위 娘なき婿．❶縁切りして疎遠になる．❷無用のもの．

[参考] ②は'불 없는 화로, 딸 없는 사위'ともいう．

딸가닥 〈副・하自他〉'달가닥'の語勢の強い語．

딸각 〈副・하自他〉'딸가닥'の略．

딸그락 〈副・하自他〉'달그락'の語勢の強い語．

**딸기 [tta:lgi]〈名〉〔植〕いちご(苺)．[句例] ～를 따다 いちごを摘む．[語例] ～잼 いちごジャム / ～술 いちご酒．

딸기-코 [tta:lgik'o]〈名〉赤鼻．ざくろばな．あかっぱな．

딸꾹 〈副〉しゃっくりの音．**～거리다**〈自〉続けさまにしゃっくりをする．

**딸꾹-질 〈名・하自〉しゃっくり．[句例] ～이 그치지〔멎지〕 않다 しゃっくりが止まらない / ～이 나다 しゃっくりが出る / 자꾸만 ～하다 しきりにしゃっくりする．

딸딸 〈副〉固い地面に車輪などが転がりながら出す音：ごろごろ．かたかた．

딸랑 〈副〉鈴・ベルなどの鳴る音：りんりん．ちりん．**～거리다**〈自他〉しきりにりんりん〔ちりんちりん〕と鳴る．また，鳴らす．[文例] 풍경이 산들바람에 ～거린다 風鈴がそよ風に吹かれてりんりんと鳴る．

딸랑딸랑 〈副・하自他〉りんりん．ちりんちりん．

*__딸리다__ ■〈自〉付く．❶(主となるものに)添えられる．付属する．付いている．[句例] 호위가 ～ 護衛が付く / 부록이 딸린 잡지 付録付きの雑誌．❷(人が)付き添う．[句例] 사장에 딸린 비서 社長に付き添っている秘書 / 유모가 ～ 乳母が付く．

■〈他〉付ける．添える．[句例] 유모를 ～ 乳母を付ける / 호위를 ～ 護衛を付ける．

딸림-화음【一和音】〈名〉〔樂〕属和音．ドミナント．

**땀[1] 〈名〉汗．[句例] 땀을 흘리다(→小項目) / ～이 가시다 汗がひく / 손에 ～을 쥐다 手に汗をにぎる / ～투성이가 되다 汗だく〔汗まみれ・汗みどろ〕になる / ～을 닦다 汗をぬぐう / 땀이 배다 汗ばむ．汗じみる / 피와 ～의 결정 血と汗の結晶．[語例] 식은～ 冷や汗．

땀(이) 나다 ❶汗が出る．❷汗をかく．とても骨が折れる．

땀(을) 내다 汗する．汗を流す．汗ばむ．

땀(을) 들이다 汗を入れる．

땀(이) 빠지다 ❶冷や汗を流す．❷非常に苦労する．ひどく苦しい思いをする．

땀(을) 빼다 汗水を垂らす．

땀(을) 흘리다 ❶汗を流す．❷汗水を流す．苦労もいとわないで励む．[句例] 땀흘려 번 돈 汗水を垂らして稼いだお金．

땀[2] 〈名〉(縫い目の)一針．一かがり．

*__땀-구멍__ [ttamkkumŏng]〈名〉汗口．汗の穴．

땀-나다 ⇨'땀[1]'の小項目

땀-내 〈名〉汗のにおい．[句例] ～나는 속옷 汗臭い下着．

땀-내다 ⇨'땀[1]'の小項目

땀땀-이 [ttamttami]〈副〉一針一針ごとに．一縫いごとに．一かがりごとに．

땀-띠 〈名〉〔醫〕あせも(汗疹)．あせぼ．[文例] 갓난아기에게 ～가 났다 赤ん坊にあせもができた．

땀띠-약【一藥】〈名〉汗知らず．[句例] ～을 바르다 汗知らずをつける．

**땀-방울 [ttamppang-ul]〈名〉汗しずく(雫)．[句例] ～이 솟다 汗しずくになる / ～이 떨어지다 汗しずくが落ちる．

땀-빠지다 ⇨'땀[1]'の小項目

땀-빼다 ⇨'땀[1]'の小項目

*__땀-샘__ 〈名〉〔生〕汗腺．＝한선(汗腺)．

**땅[1] 〈名〉土地．❶土．大地．地．陸．[句例] ～이 넓다 土地が広い / 고국 ～을 밟다 故国の土を踏む．[文例] ～이 단단해서 파기 힘들다 土が固いので掘りにくい．[語例] ～고르기 地ならし．

❷田畑．[句例] 메마른 ～ やせ地 / 비옥한 ～ 沃土．肥沃な土地 / ～을 갈다 土地を耕す．

❸領地．領土．領分．[句例] 타국의 ～을 침범하다 他国の領地を侵す．

❹地所．敷地．[句例] ～을 사다 土地を買う / ～을 팔아 넘기다 土地を手ばなす．

❺地方．所．[語例] 전라도 ～ 全羅道地方．

땅에 떨어지다 地に落ちる．[文例] 그의 명성이 땅에 떨어졌다 彼の名声が土地に落ちた．

땅 짚고 헤엄치기 地に手をついて泳ぐ．朝飯前．[文例] 이런 일은 ～다 こんなことはほんの朝飯前だ．

땅[2] 〈副・하自〉銃砲などを撃ち放つ音：ずどん．どすん．[句例] ～하고 한 방 날리다 ずどんと一発撃ち放つ．

땅-강아지 [ttangkkang-aji]〈名〉〔蟲〕けら(螻蛄)．おけら．

*__땅-거미__ [ttangkkŏmi]〈名〉夕暮れ．暮れ方．たそがれ(黄昏)．夕やみ．夕方．日暮れ時．火ともしごろ．＝박모(薄暮)．[句例] ～가 지다 夕暮れが迫る．たそがれる / ～진 거리를 걷다 たそがれの街を歩く．

*__땅-굴__【一窟】[ttangkkul]〈名〉❶地下通路．

❷土窟.
*땅기다 〈自〉引きつ(攣)る. つる. 句例 장딴지가 ~ ふくらはぎが引きつる.
땅-꾼 〈名〉蛇を捕って売る人.
**땅-덩이 [ttangttŏng-i] 〈名〉国土・地球などをさすことば. =땅덩어리. 文例 미국은 워낙 ~가 크다 米国はもともと国土が大きい.
땅딸막-하다 [ttangttalmak'ada] (→하다) 〈形〉ずんぐりしている. ずんぐりむっくりしている. 句例 땅딸막하고 다부진 체격 ずんぐりして頑丈な体格.
땅딸-보 〈名〉ちんちくりん. ずんぐりした人.
땅-땅 〈副〉銃砲を続けて撃ち放つ音: ずどんずどん. どすんどすん.
땅-뙈기 〈名〉尺寸・せきすんの土地. 尺地. 寸地. 寸土.
땅-마지기 〈名〉いくらかの〔ちょっとした〕田畑. 文例 시골에 ~나 가지고 있다 田舎にちょっとした田畑を持っている.
**땅-바닥 [ttangppadak] 〈名〉地面. 地べた. 句例 ~에 털썩 주저앉다 地べたにぺたんと座りこむ.
땅-볼 [ttangppo:l] 〈名〉❶〔野〕ゴロ. 句例 삼유간을 ~로 뚫다 三遊間をゴロで抜く. 語例 내야 ~ 内野ゴロ. ❷〔蹴球〕地面をかすめて飛ぶボール. ◇ball から
땅-뺏기 〈名〉交互にこま(駒)を弾いて定められた地面を取り合う子供の遊び.
**땅-속 [ttangssok] 〈名〉地下. 地中. 土の中. 句例 보물을 ~에 묻다 宝を地中に埋める / ~ 깊이 뿌리를 내리다 地中深く根を下ろす. 語例 ~줄기〔植〕地下茎.
땅-울림 〈名〉地鳴り. 地響き. 鳴動. **~하다** 〈自〉地鳴りがする. 地響きがする.
땅-재주 【—才—】 [ttangtchaeju] 〈名〉('광대'が演じる)とんぼ返りなどの地面での軽業.
**땅-콩 〈名〉〔植〕落花生. なんきんまめ(南京豆). ピーナッツ. 語例 ~ 기름 落花生油 / ~ 버터 ピーナッツバター.
땅파-먹다 〈自〉農夫や鉱夫の暮らしをする. 句例 땅파먹고 살다 農夫〔鉱夫〕を業とする.
땋다 [tta:t'a] 〈他〉(髪を)編む. 結う. (ひもなどを)な(綯)う. よ(縒)る. 句例 머리를 ~ 髪を結う.
**때[1] 〈名〉時. ❶時間. 時刻. =광음(光陰). 句例 ~를 알리는 종소리 時を告げる鐘の音 / ~가 지남에 따라서 時がたつにつれて.
❷時期. 機会. 好機. 適期. 句例 ~를 기다리다 時を待つ / ~를 얻다 時を得る. 時めく / ~를 만나다 時に会う. 好機に巡り会う / ~를 놓치지 않다 好機を逃さない / ~를 엿보다 時分をうかがう. 時をねらう / ~를 잃다 時を失う.
❸三度の御飯どき. 句例 두 ~를 거르다 二食を抜く.
❹場合. 句例 ~에 따라서는 場合によっては / 무슨 일이 있을 ~에는 事のある時には. いざという場合には / 성공한 그 ~에는 成功した暁には. 文例 지금은 꾸물거릴 ~가 아니다 今はぐずぐずする時でない.
❺時代. 年代. 時分. その当時. ころ. 句例 어렸을 ~ 幼い時. 語例 신라 ~ 新羅時代 / 학생 ~ 学生時代.
때[2] 〈名〉❶あか(垢). 汚れ. 句例 ~가 끼다 あかがたまる. あかが付く / ~를 벗기다 あかをおとす / ~를 씻어내다 あかを流す / ~가 찌들다 あかじみる / ~투성이가 된 속옷 あかにまみれた下着. ❷汚名. ぬ(濡)れぎぬ(衣). 句例 때(를) 벗다(→小項目). ❸やぼな所. 幼げ. 句例 때(를) 벗다(→小項目).
때(를) 벗다 ❶あか抜けする. あか抜ける. 句例 때를 벗은 여자 あか抜けした女性. ❷汚名をそそぐ. 疑いがはれる. 句例 도둑의 때를 벗다 どろぼうの汚名をそそぐ.
때구루루 [ttaegurufor] 〈副〉小さくて固いものが床などに落ちて転がるさま. また, その音: ころころ. 句例 구슬이 ~ 굴러가다 玉がころころ転がって行く.
때굴-때굴 〈副〉小さくて固いものが転がって行くさま. また, その音: ころころ(と). 文例 솔방울 하나가 비탈길을 ~ 굴러가다 まつかさ一つが坂道をころころと転がって行く.
때-까치 〈名〉〔鳥〕もず(百舌・鵙).
때깍 〈副〉固いものなどがぶつかり合って出す音: かちん. **~거리다** 〈自他〉かちんかちんと鳴る.
때깍때깍 〈副・하自他〉かちんかちん. かちかち.
때깔 〈名〉(布地などの)あや(綾). 彩り. 色合い. 句例 ~이 좋다 彩りがいい.
때꾼-하다 [ttae:kkun—] (→하다) 〈形〉目が落ち込んでげっそりとやつれている.
때-늦다 〈形〉時間に遅れる. 時おそし. 間に合わない. 文例 때늦게나마 축하를 드립니다 遅ればせながらお祝い申し上げます / 때늦은 감이 있다 時おそしの感がある.
**때다 [ttae:da] 〈他〉た(焚)く. 火を燃やす. 火にくべて燃やす. くべる. 句例 장작을 ~ 薪をたく〔くべる〕/ 난로에 불을 ~ ストーブに火をたく / 석탄을 ~ 石炭をたく.
때때 〈名〉《兒》'때때옷'の略.
때때-로 〈副〉時時. 時折. 時たま. たまに(は). 折折. 間間. ちょいちょい. =가끔. 시시(時時)로. 이따금. 句例 ~ 결석하다 ときどき欠席する / ~ 점검하다 ときどき点検する / ~ 얼굴을 나타낸다 時たま顔を見せる. 文例 ~ 분화하는 산이 있다 時たま噴火する山がある / 그는 ~ 놀러 온다 彼はちょいちょい遊びに来る / ~ 시원한 바람이 분다 折折涼しい風が吹く.
**때때-옷 〈名〉《兒》色とりどりの布で仕立てた子供服. 略して'때때'とも言う. =꼬까옷.
**때려-부수다 〈他〉たたき壊す. たたきつぶ(潰)す. ぶち壊す. 句例 오두막을 ~ 小屋をぶち壊す.
때려-치우다 〈他〉ほう(放)り出す. 投げ出す. 止〔辞〕める. (店などを)畳む. 句例 공부를 ~ 学業をほうり出す / 일을 도중에서 ~ 仕事を途中で投げ出す / 회사를 ~ 会社を辞めてしまう.
*때-로 〈副〉時に. 時とすると. 時として. たまに. 時たま. 時折. ひょっとすると. 文例 봄이면,

～ 이 근방에도 휘파람새가 온다 春には，このあたりにもときおりうぐいすがやって来る / ～ 사람의 이름을 잊어버리는 수가 있다 ときに人の名まえを忘れてしまうことがある. 類가끔. 더러는.

때로-는 〈副〉 '때로'を強めた言いかた：時には，たまには.

**때리다 〈他〉 ❶たた(叩)く. ㉠殴る. 打つ. ぶ(打)つ. 張る. 句例 주먹으로 냅다 ～ げんこつで思い切り殴る / 머리를 ～ 頭をぶつ / 뺨을 ～ 横っ面を張る. びんたを食わす / 때려 눕히다 たたきのめす. ㉡人の過ちを非難する. 文例 매스컴이 공무원의 부정을 호되게 ～ マスコミが公務員の不正をこっぴどくたたく. ❷(ボールなどを)打つ. 正確に当てる. 句例 잘 때리는 선수 よく打つ選手 / 공을 정확하게 ～ ボールを正確に当てる.

때-마침 〈副〉 ちょうどその時. 都合よく. 折りよく. 折も折. 折しも. たまたま. 時あたかも. 文例 ～ 비가 오기 시작했다 折しも雨が降りだした / ～ 친구가 찾아왔다 折よく友達がたずねて来た / ～ 현장에 같이 있었다 たまたま現場に居合わせた.

때-맞다 〈形〉 ほどよい. 折がよい. 好都合だ. 都合がよい. 時を得ている. 文例 때맞게 역에 닿았다 折よく駅に着いた / 때맞게 비가 내리기 시작했다 ほどよく雨が降りだした.

**때문 〈依名〉 ため. 故. …(の)せい. …で. 句例 무엇 ～에 なぜ. なんのため(に). 文例 모두 나 ～입니다 みんなわたしのせいです / 병 ～에 결석했다 病気のために欠席した / 태풍 ～에 배는 결항합니다 台風のため，船は欠航します / 바람 ～에 나무가 쓰러지다 風で木が倒れる / 그는 병 ～에 누워 있습니다 彼は病気で寝ています / 비 ～에 경기는 중단되었다 雨のため 試合は中断された.
表現 ふつう，副詞形'때문에 ために'の形で使う.

때-묻다 〈自〉 ❶あか(垢)づく. あか(垢)染みる. 句例 때묻은 깃 あかじみた襟. ❷(心が)汚れる. (人が)す(擦)れる. 句例 속세에 때묻지 않은 아이 世間ずれしていない子 / 때묻지 않은 순진한 눈매 汚れのない清い目つき.

때-아닌 〈冠〉 時ならぬ. 句例 ～ 폭설 時ならぬ大雪.

때-없이 [ttaeǒpshi] 〈副〉 時構わず. 時ともなしに. 時となく. 句例 ～ 내리는 비 時となく降る雨. 文例 산에는 ～ 눈이 쌓여 있다 山には時ともなしに雪が積もっている.

때우다 〈他〉 ❶継ぎ合わせる. つ(継)ぐ. 鋳掛けをする. 句例 납땜으로 ～ はんだづけで継ぎ合わせる. 文例 타이어의 펑크를 때웠다 タイヤのパンクを直した. ❷済ます. 間に合わせる. 句例 돈으로 ～ 金で済ます. 文例 빵으로 끼니를 때웠다 食事はパンで済ました.

*땔-감 [ttae:lkkam] 〈名〉 燃料. た(焚)き物. ＝땔거리. 文例 ～으로 석탄을 쓴다 燃料として石炭を使う / 수수깡을 ～으로 해서 밥을 지었다 きびがらをたき物にして飯をたいた.

땔-나무 [ttae:llamu] 〈名〉 燃料としてのたきぎ. しば(柴). しばき. 句例 ～를 하러 가다 薪を取りに行く / ～를 쌓아 두다 薪を積んでおく.

땜[1] [ttae:m] 〈名・하他〉 '땜질'の略.

땜[2] [ttae:m] 〈名〉 [もとの語形は'때움'] 厄運を免れたり，または厄難から逃れること. 語例 팔자(八字) ～ 厄難逃れ. 厄逃れ.

땜-납 [ttae:mnap] 〈名〉 はんだ(半田). しろめ(白鑞・白目).

땜-인두 [ttae:mindu] 〈名〉 ['납땜 인두'の略] はんだごて.

땜-일 [ttae:mnil] 〈名・하他〉 はんだづ(付)け. 鋳掛け.

땜-질 [ttae:mjil] 〈名・하他〉 ❶はんだづけ(の仕事). ❷継ぎはぎ(の仕事). 継ぎ当て. ❸一部分だけの繕い. 一時の間に合わせ.

땟-국 〈名〉 あかじ(垢染)みた水気. 句例 ～이 흐르는 옷 あかだらけの服.

땡[1] 〈名〉 こぼれ幸い. もっけの幸い. 大当たり.

땡(을) 잡다 大当たりを取る. もっけの幸いをつかむ.

땡[2] 〈副〉 薄くて小さい金属類がぶつかって出す音：がん. があん. ちん. 句例 종이 ～ 울리다 鐘ががあんと鳴る.

땡-감 〈名〉 渋がき(柿). 生がき.

땡강 〈副・하自他〉 '땡그랑'の略.

땡그랑 〈副・하自他〉 鈴・風鈴などが強く鳴る音：ちりん. りんりん. **～거리다** 〈自他〉 しきりにりんりん〔ちりんちりん〕と鳴る〔音がする〕.

땡그랑땡그랑 〈副・하自他〉 りんりん. ちりんちりん.

땡-땡 〈副〉 小鐘・柱時計などが続けざまに鳴る音：かんかん. ちんちん. 句例 종을 ～ 치다 鐘をかんかんと鳴らす.

땡땡이 〈名〉 '게으름 怠惰'. ずる休み'の俗っぽい言いかた.

땡땡이(를) 부리다 怠ける. ずるける. サボる. 句例 학교에 안 가고 ～ 学校をサボる.

땡땡이(를) 치다 '땡땡이(를) 부리다'のこと.

땡땡-하다 (→하다) 〈形〉 ❶張(り切)っている. ひき締まっている. 句例 근육이 ～ 筋肉がひき締まっている. ❷(中が)満ちている. 句例 땡땡하게 부푼 풍선 はちきれそうに膨らんだ風船.

*떠-가다 (떠가거라) 〈自〉 (液体の表面・空に)浮いて〔浮かんで〕行く. 漂う. 流れる. 句例 흰 구름이 떠가는 가을 하늘 白い雲の漂う秋空 / 구름이 ～ 雲が流れる.

*떠나-가다 (떠나가거라) 〈自〉 去り〔移り〕行く. 立ち去る. 立つ. 句例 잠자코 ～ 黙って立ち去る / 정처없이 ～ 当てどもなくたち去る / 한국을 ～ 韓国を去る.

**떠나다 〈自他〉 去る. ❶離れて行く. 立つ. 出る. 句例 그 자리를 ～ その場を去る / 배가 ～ 船が出る / 여행을 ～ 旅に出る. 文例 내일은 열시 특급으로 떠날 예정입니다 あすは十時の特急で立つ予定です. 類출발하다. ❷(ある関係を)断つ. やめる. 辞する. 句例 부모슬하를 ～ 親もとを離れる / 직장을 ～ 職を去る. ❸死ぬ. 句例 이 세상을 ～ この世を去る. ❹(ある状態が)終わりになる. 薄くな

る. 消える. 文例 우환이 떠날 날이 없다 憂いごとが尽きる日がない.

떠-내다 〈他〉 ❶く(汲)み出す. くみ取る. すく(掬)う. しゃくる. 句例 물을 ～ 水をすくい出す / 국물을 ～ しるをしゃくる. 類퍼내다. ❷(芝・石などを)切り出す. 切り取る. 句例 뗏장을 ～ 芝土を切り取る / 돌산에서 석재를 ～ 石山から石材を切り出す.

***떠-내려가다** 〈自〉 流(さ)れる. 流失する. 文例 강이 범람하여 다리가 떠내려갔다 川があふれて橋が流された / 홍수로 많은 가옥이 떠내려갔다 出水のため多くの家屋が流失した.

***떠-내려보내다** 〈他〉 流す. 句例 뗏목을 ～ いかだを流す.

떠-놓다 [ttŏnot'a] 〈他〉 (水などを)く(汲)み〔すく(掬)い〕取っておく. (神仏に)供える. 供えおく. 文例 정한수를 떠놓고 신령께 빌었다 清水を供えて神霊に祈った.

***떠-다니다** 〈自他〉 ❶漂う. 漂流する. 句例 물결에 떠다니는 조각배 波に漂う小舟 / 흰 구름이 떠다니는 가을 하늘 白い雲の漂う秋空. ❷⇨ 떠돌다

떠다-밀다 (―미니, ―밀어서) 〈他〉 ❶強く押す. 突く. 句例 남의 등을 ～ 人の背中を押す. ❷(自分の事・責任などを人に)押し付ける. 句例 일을 ～ 仕事を押し付ける. ▷略して'떠밀다'とも言う.

떠다-박지르다 (―박지르니, ―박질러서) 〈他〉 押し倒す. 句例 달려들어서 ～ おどりかかって押し倒す.

떠-돌다 (떠도니, 떠돌아서) 〈自他〉 ❶'떠돌아다니다'の略. ❷(うわさが)流れている. 立っている. 言いふらされている. 句例 이상한 소문이 ～ 変なうわさが流れる. 文例 좋지 않은 소문이 떠돌고 있다 良からぬうわさが立っている.

떠돌아-다니다 [ttŏdora―] 〈自他〉 さすらう. さ迷う. 流浪する. 渡り歩く. 漂い歩く. 略して'떠돌다'ともいう. 句例 여기 저기를 ～ 方方を渡り歩く / 눈보라 속을 ～ 吹雪の中をさ迷う / 지향없이 ～ あてもなくさすらう / 호남 지방을 ～ 湖南地方を流れ歩く / 떠돌아다니며 고용살이를 하다 渡り奉公をする.

떠돌-이 [ttŏdori] 〈名〉 渡り者. 流れ者. さすらい人. 風来坊. 語例 ～ 신세 さすらいの身 / ～ 생활 さすらいの生活.

떠돌이-별 [ttŏdori―] 〈名〉〔天〕 ⇨ 행성(行星). 對붙박이별.

떠돌이-새 [ttŏdori―] 〈名〉〔鳥〕 漂鳥.

****떠들다**[1] [ttŏ:dŭlda] (떠드니, 떠들어서) 〈自〉 騒ぐ. ❶騒騒しくする. たち騒ぐ. 句例 시끄럽게 ～ やかましく騒ぐ / 아이들이 ～ 子供らが騒ぐ / 술을 마시고 ～ 酒を飲んで騒ぐ.

❷大きく騒ぐ. 騒ぎ立てる. 文例 신문이 떠드는 바람에 알게 되었다 新聞が騒ぎ立てたため知るようになった.

❸激しくどよめく. 文例 장내의 떠드는 소리가 들렸다 場内のどよめきが聞こえてきた.

떠-들다[2] (떠드니, 떠들어서) 〈他〉 まく(捲)り上げる. すこし持ち上げる. 文例 덮개를 떠들고 속을 들여다보았다 カバーをすこし持ち上げて中をのぞいた.

떠들썩-거리다 〈自〉 しきりに騒ぎ立てる. 句例 떠들썩거리는 군중 しきりに騒ぎたてる群衆.

떠들썩-하다[1] [ttŏdŭlssŏk'ada] (→하다) 〈形〉 (かぶせた物などが)少し持ち上がって中がのぞかせている. 捲まれている. 文例 이불이 ～ 掛け布団が膨らんで少し持ち上がっている.

떠들썩-하다[2] [ttŏdŭlssŏk'ada] (→하다) 〈形〉 騒がしい. やかましい. ぶっそうだ. 騒騒しい. うるさい. 句例 세상(世上)을 떠들썩하게 하다 世間を騒がす / 떠들썩한 한길 騒がしい通り / 언론계를 떠들썩하게 했던 사건 言論界をにぎわした事件. 文例 세상이 어쩐지 ～ 世の中がなんとなく騒騒しい.

****떠들어-대다** [ttŏ:dŭrŏ―] 〈自〉 騒ぎ立てる. 騒騒しくする. ざわつく. やかましく騒ぐ. 句例 시시한 일로 ～ くだらないことで騒ぎ立てる.

떠듬-거리다 〈自他〉 ❶ども(吃)る. 言いよどむ. 口ごもる. ❷たどたどしく読む.

떠듬떠듬 〈副・하自他〉 どもりながら. たどたどしく. 句例 ～ 말하다 どもりながら言う.

떠름-하다 (→하다) 〈形〉 ❶(味が)やや渋い. 句例 감이 ～ 柿がちょっと渋い. ❷気乗りがしない. 乗り気にならない. 渋い. 句例 떠름한 대답〔얼굴〕 しぶい返事〔顔〕. ❸(心が)すっとしない. 気がかりだ. もやもやしている. 句例 떠름한 기분 もやもやした気分 / 떠름한 일 気がかりなこと.

떠-맡기다 〈他〉 '떠맡다'の使役形: 押しつける. 任せる. 句例 일을 ～ 仕事を押しつける / 가짜를 억지로 ～ にせものを押しつける.

떠-맡다 〈他〉 引き受ける. 受け持つ. 背負い込む. 引き取る. 句例 손해를 ～ 損害を引き受ける / 임원(任員)을 ～ 役員を引き受ける / 성가신 역할을 ～ 面倒な役をしょいこむ / 대신 ～ 肩代わりする.

떠-먹다 〈他〉 すく(掬)って食べる〔飲む〕.

떠-메다 〈他〉 担う. 背負う. 担ぐ. 負う. 句例 상자를 ～ 箱を肩でかつぐ.

떠-받다 〈他〉 (角や頭で)突く. 突き上げる. 文例 소가 뿔로 사람을 떠받았다 牛が角で人を突いた.

***떠-받들다** (떠받드니, 떠받들어서) 〈他〉 ❶押し上げる. 持ち上げる. 支える. ❷尊ぶ・たっとぶ. 尊重する. あが(崇)める. 担ぐ. 祭り上げる. 句例 손윗사람을 ～ 目の上の人を尊ぶ / 은사를 시의회 의원으로 ～ 恩師を市会議員に担ぐ〔まつりあげる〕/ 건국의 영웅으로 떠받들어 올리다 建国の英雄とあがめたてまつる.

떠-받치다 〈他〉 支える. 倒れたり落ちたりしないようにつっかう. 句例 지팡이로 몸을 ～ つえでからだを支える / 담을 통나무로 ～ 塀を丸太で支える.

떠-받히다 [―bach'ida] 〈自〉 '떠받다'の受け身: (角などに)突かれる.

떠버리 〈名〉 おしゃべり(な人). 口数の多い人. 多弁な人. 類수다쟁이.

***떠-벌리다** 〈他〉 ❶大げさに言いまくる. 大言を吐く. ほらを吹く. おおぶろしきを広げる. 文例 그는 제가 큰 부자라고 떠벌리고 다녔다 彼は自分が大金持ちだとほらを吹いて

まわった. ❷大げさに設ける. 句例 잔치를 ～ 宴会を大掛かりに開く.

떠-보다 〈他〉❶人柄を推し量る. ❷意向や腹の中を探る. 句例 의향을 ～ 意向をただ(質)す / 마음 속을 ～ 腹を探る. かまをかける.

떠-오르다 (떠오르니, 떠올라서) 〈自〉浮かぶ. 浮かび上がる. ❶浮き上がる. 句例 잠수함이 ～ 潜水艦が浮き上がる / 물고기가 ～ 魚が浮き上がる. ❷外面に現われる. 句例 용의자가 ～ 容疑者が浮かび上がる / 사건의 윤곽이 ～ 事件の輪郭が浮かび上がる. 文例 달빛에 산의 모습이 뚜렷이 떠올랐다 月明かりに山の姿が浮かび上がった / 일약 우승 후보로 떠올랐다 一躍優勝候補に浮かび上がった. ❸思いつく. 句例 명안이 ～ 名案が浮かぶ. ❹(日・月が)昇る. 文例 해는 또 다시 떠오른다 太陽はまた昇る.

떠오르는 달이라 人のようすが見目麗しい.

떠오르는 별 明星. その分野で光彩を放っている人.

떡[1] 〈名〉もち(餅). 句例 ～을 치다 もちをつ(搗)く.

떡 먹듯 平気で. すこしも気にかけず. 文例 거짓말을 ～ 한다 平気でうそをつく.

떡 본 김에 제사 지낸다 もちを見たついでに, 祭祀を行なう. もののついでに, やってしまうことのたとえ.

떡 주무르듯 하다 自分勝手にとり扱う.

떡 줄 사람은 꿈도 안 꾸는데 김칫국부터 마신다 もちをくれる人は考えだにしないのに, あらかじめキムチの汁を飲む. 相手の気も考えず前もって当て込むことのたとえ.

떡[2] 〈副〉❶大きく開いているさま: ぽっかり. あんぐり. 文例 입을 ～ 벌리고 낮잠을 자다 口をあんぐり開けて昼寝をする. ❷物がよく合うさま: ぴったり. きっちり. 句例 ～ 들어 맞다 ぴったりはまる. ❸断固として譲らないさま: 頑として. 句例 ～ 버티고 서다 きっと立ちはだかる. ❹態度が堂堂としているさま: 大様に. 堂堂と. 句例 가슴이 ～ 벌어진 사나이 胸のがっしりと張った男 / ～ 앉다 大様に座わる.

떡-가래 〈名〉'가래떡 細長く棒状につくったもち(餅)'の一切れ.

떡-가루 〈名〉もちを作るための穀物の粉.

떡갈-나무 [ttŏkkallamu] 〈名〉〔植〕かしわ(柏).

떡갈-잎 [ttŏkkallip] 〈名〉かしわ(柏)の葉.

떡-고물 〈名〉(黄な粉・小豆粉など)もちのまぶし粉.

떡-국 〈名〉'흰떡'を薄短く切ったものを入れてつくった雑煮. 語例 ～ 차례 雑煮を供える新年の祭祀.

떡-떡 〈副〉❶水がすぐ凍り付くさま. ❷堅い物がぶつかったり折れたりするときの音: ぽき(ん)ぽき(ん). ごつんごつん. かちかち.

떡-메 [ttŏngme] 〈名〉もち(餅)をつくきね(杵). 絵

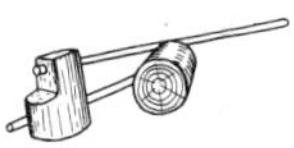

〈떡메〉

떡-밥 〈名〉練りえ(餌). こぬか(小糠)に黄な粉・さなぎ粉などを混ぜてもちのようにこねた釣りえ.

떡-방아 〈名〉もち(餅)用の米をつくうす(臼).

떡-벌어지다 [ttŏkpŏrŏjida] 〈自〉❶(幅広く)広がる. 張っている. 句例 떡벌어진 어깨 がっしりした肩. ❷大きく間〔口〕が開く. 広い割れ目〔裂け目〕ができる. 句例 떡벌어진 밤송이 はじけたいがぐり. ❸(宴が)盛大に催される. 句例 잔치를 떡벌어지게 차리다 宴会を豪勢に催す.

떡-보 〈名〉もちをとても好む人.

떡-볶이 [ttŏkpokki] 〈名〉小切れのもち(餅)に肉と薬味を加えていためた食べ物.

떡-소 〈名〉もち(餅)のあん(餡).

떡-심 〈名〉❶強靭な筋. ❷頑固でしぶとい人のたとえ.

떡-쌀 〈名〉もち(餅)用の米. 句例 ～을 빻다 もち用の米をつ(搗)く / ～을 담그다 もち用の米を浸す.

떡-잎 [ttŏngnip] 〈名〉子葉. 双葉〔二葉〕. 文例 될성부른 나무는 ～부터 알아본다 (→'될성부르다'の小項目).

떡-집 〈名〉もち(餅)屋.

떨거덕 〈副〉'덜거덕'の強勢語.

떨거지 〈名〉親類・ゆか(縁)りの者などを見下げて言うことば.

떨걱 〈副〉'떨거덕'の略.

떨구다 〈他〉'떨어뜨리다'の俗っぽい言いかた. 頭を垂れる. 目を伏せる. 句例 고개를 ～ 頭を垂れる. うなだれる.

떨그럭 〈副・하自他〉大きくて堅い物が触れ合って出る音: ことり. かたっと. がたり. 句例 의자를 난폭하게 ～ 당기다 がたりと乱暴に椅子を引く. **～거리다** 〈自他〉かたかた〔ことりことり〕する. また, そのようにさせる.

떨그럭떨그럭 〈副・하自他〉かたかた. ことりことり.

떨기 〈名〉(草木などの)株. また, それを数えることば: 株. 房. かたまり. 句例 한 ～ 장미꽃 一株のばら.

***떨다**[1] [ttŏ:lda] (떠니, 떨어서) 【一】〈自〉❶震える. 小刻みに揺れる. そよぐ. 文例 바람에 풀잎이 가늘게 ～ 草の葉が風に軽く震える. ❷おののく. おびえる. 句例 불안에 ～ 不安におびえる. 文例 무서운 나머지 부르르 ～ 恐怖のあまり, おののく. ❸お金などを使い惜しむ. 出し渋る. 文例 단돈 100원에 발발 떤다 たった百ウォンのお金でけちけちする.

【二】〈他〉寒さ・恐ろしさで, からだなどを震わせる. 句例 몸을 ～ 身震いする / 손을 ～ 手を震わせる.

***떨다**[2] [ttŏ:lda] (떠니, 떨어서) 〈他〉❶落とす. ㉠(打ち)払う. はたく. 句例 먼지를 ～ ちり(塵)を払う〔はたく〕/ 대추나무에서 대추를 ～ なつめ(棗)の木からなつめをたたき〔ふり〕落とす / 떨고 놓기를 (そろばんで)払って願いましては. 御破算で願いましては.

㉡(中から一部を)取り除く. ふるい落とす. 上前をはねる. 文例 응시생(應試生)의 절반을 떨어 버렸다 受験生の半分を落としてしまった.

❷差し引く. 天引きする. 句例 급료에서 세

ㄷ

금을 ～ 給与から税金を差し引く.
❸(売れ残りを)売り払う. すっかり買い取る.
❹(気性・行動を)表に表わす. [句例] 애교를 ～ あいきょう(愛嬌)を振りまく / 풍을 ～ ほらを吹く / 궁상을 ～ しきりに貧相に振る舞う. 貧相なことを言う / 방정을 ～ 軽はずみに, そそっかしくふるまう.

떨떠름-하다 (→하다)〈形〉渋い. ❶(味が)やや渋い. [文例] 감이 덜 우러나서 ～ かき(柿)の渋が抜けきらなくてやや渋い. ❷(気持ちが)すっきり〔すっと〕しない. さっぱりしない. 気乗りがしない. 気にかかる. [句例] 떨떠름한 얼굴 渋い顔 / 떨떠름한 기분 もやもやした気分. [文例] 그 일이 아무래도 마음에 ～ そのことがどうも気にかかる. **떨떠름히**〈副〉渋く. 不機嫌に.

떨떨〈副〉'덜덜②'の強勢語.

떨떨-하다 (→하다)〈形〉❶不格好だ. 無様だ. ❷少しもの足りない. 気乗りしない. 気乗り薄だ. [文例] 마음이 좀 떨떨하여 그만두었다 もの足りないような感じがしてやめた.

떨렁〈副・하自他〉'덜렁'の強勢語.

떨렁-하다 (→하다)〈自〉'덜렁하다'の強勢語.

*__떨리다__[1]〈自〉震える. わななく. おののく. [句例] 목소리가 ～ 声が震える / 다리가 ～ 足が震える / (경련으로) 왼손이 ～ (けいれんで)左手がふるえる / 유리창이 ～ 窓ガラスが振動する / 덜덜 ～ がたがた震える / 떨림이 멎지 않다 震えが止まらない.

떨리다[2]〈自〉❶(付いていた物が)払いのけられる. (打ち)払われる. 取り除かれる. 落とされる. [文例] 먼지가 잘 떨리지 않는다 ほこりがなかなか払われない. ❷(団体などから)排除される. や(止)めさせられる. お払い箱になる. (試験などで)は(撥)ねられる. [文例] 인원 정리인가로 떨리어 났다 人員整理とかでお払い箱になった〔首になった〕.

떨어-내다 [ttŏrŏnaeda]〈他〉打ち払う. 払い〔振るい〕落とす. はたく. 払いの(除)ける. 振り払う. [句例] 먼지를 ～ ごみを払い落とす / 잡념을 ～ 雑念を払いのける.

**__떨어-뜨리다__ [ttŏrŏ—]〈他〉落とす. ❶㉠落下させる. [句例] 다리 위에서 돌을 ～ 橋の上で石を落とす / 눈물을 ～ 涙を落とす / 폭탄을 ～ 爆弾を落とす. ㉡取り落とす. 取り損なう. [句例] 공을 ～ ボールを落とす / 붓을 ～ 筆を取り落とす / 유리잔을 떨어뜨려서 깨다 グラスを落として割る. ㉢失う. 無くす. [句例] 지갑을 ～ 財布を落とす. ❷落第させる. 不合格にする. [文例] 50점 이하는 떨어뜨린다 五十点以下は落とす. ❸下落させる. 下げる. [句例] 질을 ～ 質を落とす / 속도를 ～ 速度を落とす / 값을 ～ 値段を下げる / 가치를〔신용을〕 ～ 価値〔信用〕を落とす. ❹攻め取る. 陥とす. [句例] 적의 진지를 ～ 敵の陣地を落とす. ❺(金などを)ばらまく. [句例] 관광객이 떨어뜨리고 간 돈 観光客が落として行ったお金.

**__떨어-지다__ [ttŏrŏ—]〈自〉❶落ちる. ㉠落下する. [句例] 갑자기 ～ にわかに落ちる / 벼락이 ～ 雷が落ちる / 벼랑에서 ～ がけ(崖)から落ちる / 낙숫물이 ～ 雨だれが落ちる. [文例] 배에서 바닷속으로 떨어졌다 船から海中に落ちた.
㉡取れる. 散る. [句例] 나뭇잎이 ～ 木の葉が散る / 단추〔손잡이〕가 ～ ボタン〔とって〕が取れる.
㉢(月・日が)沈む. 没する. [句例] 해가 ～ 日が落ちる.
㉣(持ち物が)離れ落ちる. [句例] 땅에 떨어진 돈 地に落ちたお金.
㉤(値段・温度などが)下がる. [句例] 물가가〔열이〕 ～ 物価〔熱〕が落ちる.
㉥(以前に比べて)下がる. (…より)劣る. [句例] 성적이〔인기가〕 ～ 成績〔人気〕が落ちる〔下がる〕/ 속도가 ～ 速度が落ちる / 품질이 ～ 品質が落ちる〔劣る〕/ 손님이 ～ 客が落ちる. 客足が減る〔遠のく〕. [文例] 작년의 작황은 평년보다 떨어졌다 昨年の作は平年より落ちた.
㉦(試験・選挙などに)落第〔落選〕する. 失敗する. [句例] 입학 시험에 ～ 入学試験に落ちる / 선거에 ～ 落選する.
㉧攻め落とされる. 陥ちる. [句例] 성이 ～ 城が陥る.
㉨(命令などが)下る. [文例] 명령이 떨어지면 즉시 시작한다 命令が下ったらすぐとり掛かる.
❷隔てる. 離れる. [文例] 부모와 떨어져 살고 있다 親と離れて暮らしている / 두 형제는 멀리 떨어져 있다 二人の兄弟は遠く離れている.
❸(利益として)残る. もう(儲)かる. [文例] 본전을 빼고 오십만 원 떨어진다 元を取って五十万ウォン残る.
❹(服などが)着古される. 破れる. (はきものなどが)すり切れる. [句例] 양말이 ～ 靴下が破れる / 구두가 ～ 靴がすり切れる
❺(癖・病気などが)直る. 取れる. 抜ける. 治る. [句例] 학질이 ～ おこり(瘧)が治る.
❻(金品などが)切れる. 尽きる. [句例] 돈이 ～ 金が尽きる / 물건이 ～ 品が切れる.
❼(たくらみなどに)かかる. 陥る. [句例] 계략에 ～ 計略にかかる / 책략에 ～ 策略に陥る.
❽なくなる. 尽きる. [句例] 정나미가 ～ 愛想が尽きる.

떨이 [ttŏri]〈名〉売れ残り. 投げ物. 棚ざらえ. [句例] ～로 팔다 投げ売りする.

*__떨치다__[1] ㊀〈自〉(名声などが)鳴る. 鳴り響く. とどろ(轟)く. [句例] 사기가 크게 ～ 士気が大いに振るう / 용명이 ～ 勇名がとどろく. ㊁〈他〉鳴らす. とどろ(轟)かす. は(馳)せる. 振るう. [句例] 인플루엔자가 맹위를 ～ インフルエンザが猛威を振るう / 용기를 ～ 勇気を奮う / 명성을 ～ 名声をとどろかす〔博する〕/ 세계에 이름을 ～ 世界に名をはせる.

*__떨치다__[2]〈他〉振るい落とす. 振り放す. 振り切る. [句例] 잡념을 ～ 雑念を振るい落とす. [文例] 유혹을 떨쳐 버리고 돌아왔다 誘惑を振り切って帰った.

떫다 [ttŏ:ltta]〈形〉渋い. [句例] 떫은 감 渋がき / 떫은 맛 渋い味 / 감의 떫은 맛을 빼다 かき(柿)

の渋を抜く．かきをさわす．
参考 '떫은 渋い' '떫고 渋くて'は[ttŏ:lbŭn], [ttŏ:lkko]と読む．

떫디-떫다 [ttŏ:lttittŏltta]〈形〉非常に渋い．

떳떳-이 [ttŏttŏshi]〈副〉潔く．やましいところなく．晴れて．まともに．句例 ～ 살아가다 臆するところなく暮らしていく．

*__떳떳-하다__ [ttŏttŏt'ada] (→하다)〈形〉潔い．後ろめたさがない．後ろ暗くない．正当だ．句例 떳떳한 권리 正当な権利 / 떳떳하지 못한 행위 後ろ暗い行い / 떳떳하게 여기지 않다 潔しとしない．

떵떵-거리다〈自〉豪勢に暮らす．威勢高高に暮らす．文例 그들은 부자답게 떵떵거리며 살고 있다 彼らはお金持ちだけあって威勢高高に暮らしている．

*__떼__[1]〈名〉群れ．束．語例 새～ 鳥の群れ / 양～ 羊の群れ．

떼(를) 짓다 群れをなす．群をなす．句例 떼를 지어 돌아다니다 群れをなして歩き回る．

떼[2]〈名〉(根ごと掘り出した)芝．句例 무덤에 ～를 입히다 墓に芝を植える．

떼[3]〈名〉いかだ(筏)．句例 강에 ～를 띄우다 河にいかだを浮かべる / ～를 떠내려 보내다 いかだを流す．

떼[4]〈名〉だだ(駄駄)．やんちゃ．わがまま．

떼(를) 쓰다 我を張る．ねだる．だだをこねる．やんちゃを言う．文例 떼를 쓰는 버릇이 있다 よくだだをこねる癖がある．

떼구루루〈副〉やや大きくて堅いものが転がる音：ころり．ころころ．ごろごろ．文例 진주 한 알이 ～ 굴러 나왔다 真珠が一粒ころりと転がり出た．

떼굴-떼굴〈副〉やや大きく堅いものが続けさまに転がるさま：ころころ．ころりころり．文例 공이 ～ 굴러갔다 ボールがころころ転がって行った．

떼그럭-거리다〈自他〉堅い物がぶつかり合ってがちゃんがちゃん〔かちかち〕と鳴る〔鳴らす〕．句例 열쇠 꾸러미가 ～ 鍵束ががちゃがちゃ鳴る．

떼그럭떼그럭〈副・하自他〉がちゃがちゃ．かちかち．

떼꺽〈副〉'데꺽'の語勢の強い語．

떼-꾸러기〈名〉だだ(駄駄)っ子．

**__떼다__[1] [tte:da]〈他〉離す．❶㉠取り離す．取り外す．は(剝)がす．句例 핸들에서 손을 ～ ハンドルから手を放す / 간판을 ～ 看板を(取り)はずす / 눈을 ～ 目を離す / 우표[포스터]를 ～ 切手〔ポスター〕をはがす / (아이가) 발을 ～ (子供が)歩き出す．文例 몸에서 잠시도 떼지 않고 지니고 있다 肌身離さず持っている．
㉡間を空ける．間合いを取る．引き裂く．引き離す．句例 책상 사이를 ～ 机と机との間を取る / 1미터 떼어서 심다 一メートル離して植える / 부부 사이를 ～ 夫婦の仲を引き離す．
㉢母乳を飲むのをやめさせる．句例 젖을 ～ 乳離れさせる．
❷下ろす．体内から外へ出す．句例 아이를 ～ 胎児を下ろす．堕胎する / 회충을 ～ 回虫を下ろす．
❸(封じたものを)切る．(ふたを)取る．抜く．＝뜯다．句例 겉봉을 ～ 封を切る．
❹取る．㉠(差し)引く．天引きする．句例 인건비를 뗀 잔액 人件費を取った残額 / 급료에서 세금을 ～ 給料から税金を天引きする．
㉡取って置く．句例 씨앗을 떼어 두다 種を取って置く．
㉢もぎる．ちぎる．もぐ．句例 나무 열매를 잡아 ～ 木の実をもぎ取る．
❺(手を)切る〔引く〕．身を引く．句例 일에서 손을 ～ 仕事から手を引く．
❻(病気・癖などを)落とす．除く．無くす．直す．句例 학질을 ～ おこりを直す．
❼(口を)開く．切る．句例 입을 ～ 話し出す．
❽学び終える．句例 독본을 ～ 読本を学び終える．
❾(手形などを)振り出す．＝끊다．句例 수표를 ～ 小切手を振り出す．

떼다[2] [tte:da]〈他〉しら(白)をきる．しらばくれる．文例 언제까지 시치미를 뗄 생각이냐 いつまでしらばくれるつもりか．

떼-돈〈名〉にわかにもう(儲)けた大金．句例 ～을 벌다 にわかに大金をもうける．㊥푼돈．

떼-먹다 [tte:mŏkta]〈他〉'떼어먹다'の略．

떼-밀다 [tte:milda] (떼미니, 떼밀어서)〈他〉[もとの語形は '떠밀다'] (からだを当てて，または，後ろから)押す．突く．句例 앞사람의 등을 ～ 前の人の背中を突き押す．

떼-버리다 [tte:bŏrida]〈他〉'떼어버리다'の略．

**__떼-쓰다__ ⇨ '떼[4]'の小項目

떼어논 당상【一堂上】 絶対間違いないこと．請け合い．略して'떼논 당상'とも言う．文例 합격은 ～이다 合格は請け合いだ．→당상

떼어-놓다 [tteŏnot'a]〈他〉❶取り残す．㉠後に残す．句例 아내를 친정에 ～ 妻を里に取り残す．㉡(…に備えて)取って置く．句例 만일을 위해 재물을 ～ 万一のために財物を取って置く．❷引き離す．切り離す．句例 아이를 부모로부터 ～ 子供を両親から引き離す / 2등을 5미터나 ～ 二位を5メートルも引き離す / 둘 사이를 ～ 二人のなかを引き裂く．文例 열차의 뒤쪽 3량을 떼어놓았다 列車の後ろ三両を切り離した．

떼어-먹다〈他〉❶ちぎって食べる．もぎ取って食べる．句例 빵을 ～ パンをもぎって食べる．❷(代金や借金などを)踏み倒す．倒す．句例 빚을 ～ 借金を踏み倒す．借り倒す / 술값을 ～ 飲み倒す / 밥값[음식값]을 ～ 食い倒す．文例 저 녀석에게 10만엔 정도 떼어먹혔다 あいつに十万円ばかり倒された．❸横領〔横奪〕する．着服する．ピン(を)は(撥)ねる．ピンはねをする 句例 [illegible] 公金を着服する / 남의 돈을 ～ 人の金を横領する．

떼어-버리다〈他〉取り除く．(ついているものを)取り去る．取り捨てる．は(剝)がす．(端数を)切り捨てる．句例 우수리를 ～ 端数を切

ㄷ

り捨てる / 썩은 부분을 ~ 腐った部分を取り捨てる / 환부를 잘라서 ~ 患部を切って取り除く.

떼이다 〈他〉(貸し金などが)貸し倒れになる. 踏み倒される. 句例 돈을 ~ 貸し倒れになる / 술값을 ~ 飲み倒される.

떼-쟁이 〈名〉 ⇨ 떼꾸러기

떼-짓다 ⇨'떼[1]'の小項目

떼-치다 〈他〉 突っ放す. 振り捨てる. 振り切る. 句例 미련을 떼쳐 버리다 未練を振り捨てる / 꾐을 떼치고 돌아오다 誘いを振り切って帰る / 요구를 ~ 要求を突っぱ(撥)ねる.

떼-판 〈名〉〔植〕 ⇨ 군락(群落)

떽-데구루루 〈副〉 ❶やや大きくて堅い物がぶつかり合いながら転ぶ音: ころころ. ころりころり. 句例 돌이 ~ 굴러가다 石がころころ転がって行く. ❷遠雷の鳴る音: ごろごろ.

뗏-목【一木】[ttenmok] 〈名〉 いかだ(筏). 句例 ~을 엮다 いかだを組む / ~을 띄우다 いかだを流す. 語例 ~꾼 いかだ乗り. いかだ師.

뗏-장 〈名〉 切り取った根ごとの芝の一切れ. 句例 ~을 입히다 芝でおおう.

뗑 〈副〉 やや大きい金属の器を打つ音: かん. がん. 句例 종을 ~ 치다 鐘をかんとたたく.

뗑겅 〈副・하自他〉 ❶'뗑그렁'の略. ❷一滴の液体がしたたり落ちる音: ぽたり. ぽとり.
~거리다 〈自他〉 ❶'뗑그렁거리다'の略. ❷ぽとりぽとり〔ぽたりぽたり〕と落ちる〔落とす〕.
뗑겅뗑겅 〈副・하自他〉 ❶'뗑그렁뗑그렁'の略. ❷ぽたりぽたり. ぽとりぽとり.

뗑그렁 〈副・하自他〉 鈴や風鈴などが一度鳴る音. また, 鳴らす音: ちりん. からん. かん.
~거리다 〈自他〉 ちりんちりん〔からんからん〕と鳴る〔鳴らす〕.
뗑그렁뗑그렁 〈副・하自他〉 ちりんちりん. からんからん. かんかん.

뗑-뗑 〈副〉 '땡땡'の語感の大きい語.

⁑또 〈副〉 また. ❶同じことをくりかえして. 文例 ~ 눈이 왔다 また雪が降った / ~ 불이 났다 また火事が起こった / 왜 ~ 그런 짓을 했지 どうしてまたそんなことをしたのかね / ~ 언제나처럼 그 핑계냐 また例の言いわけか. ❷"…ばかりでなくもっと外に"の意: かつ(また). 文例 슬기도 있고 ~ 용기도 있는 사람이다 知恵もありまた勇気もある人だ / 이유는 ~ 있다 理由はまたある. ❸(…면 ~ ・…으면 ~ の形で)'그래도 それでも. そうでも'の意を表わす語. 文例 아이의 짓이라면 ~ 모르겠지만 子供のことならいざ知らず.

또깡-또깡 〈副〉 動作がてきぱきして機敏なさま: はきはき. きびきび. ~하다 〈形〉 てきぱき〔はきはき〕している. 句例 ~한 동작 きびきびした動作 / 응답하는 것이 ~한 아가씨 受け答えのてきぱきした娘.

*또는 〈副〉 '그렇지 않으면 そうでなければ' '혹은 あるいは'の意を表わすことば: また(又)は. あるいは. もしくは. 文例 검정 ~ 푸른 색 잉크로 써 주십시오 黒または青色のインクで書いてください.

⁑또-다시 〈副〉 再び. 再度. またまた. またしても. またもや. 文例 이제 ~ 만나는 일이란 없을 것이다 もう再び会うことはあるまい / 작년에 이어 ~ 결승에서 패배했다 昨年についでまたもや決勝で負けた / ~ 참사가 일어났다 またしても惨事が起こった.

또닥-거리다 〈自他〉 小さくて堅いものを続けざまにとんとんと打って音を出す. また, その音がする. 文例 연필을 가지고 책상을 또닥거렸다 鉛筆を持って机をとんとんと打った.
또닥또닥 〈副・하自他〉 とんとん. こつこつ.

또드락-거리다 〈自他〉 つち(槌)などで続けざまに軽く打つ. また, その音が鳴る.
또드락또드락 〈副・하自他〉 とんとん. こつこつ.

*또랑또랑-하다 (→하다) 〈形〉 はきはきしている. 明るく澄んで〔冴えて〕いる. すっきりしている. 文例 또랑또랑한 목소리로 쾌활하게 대답했다 朗朗とした声で快活に答えた.

*또래 〈名〉 同じ年ごろ(頃)の人たち. 性質・大きさがほぼ同じ物ら. 句例 같은 나이 ~의 소녀들 同じ年ごろの少女たち.

또렷-이 [ttoryŏshi] 〈副〉 くっきりと. はっきりと. あざやかに. 文例 수평선이 ~ 보인다 水平線がはっきりと見える.

또렷-하다 [ttoryŏt'ada] (→하다) 〈形〉 はっきりしている. あざやかだ. 鮮明だ. くっきりしている. 句例 또렷하지 않다 はっきりしない / 또렷한 색채 あざやかな色彩. 文例 한라산이 또렷하게 보인다 漢拏山がくっきりと見える.
또렷또렷 〈副・하形〉 はっきりと. くっきりと. あざやかに.

또르르 〈副〉 巻かれたものがほどかれたあと弾力によってまた巻かれるさま: くるくる. くるっと. 句例 종이가 ~ 말리다 紙がくるくると巻かれる.

또바기 〈副〉 きちんと. いつも同じように. 文例 인사를 ~ 잘 한다 あいさつを抜かりなくきちんとする.

또박-또박 〈副〉 きちんきちんと. ❶(あいまいなところがなく)はっきりと. 正確に. 句例 글씨를 ~ 쓰다 字をきちんきちんと書く. ❷日限や順序などをたがえないさま: きちんと. きちょうめんで抜かりなく. 規則正しく. 文例 집세를 매달 ~ 낸다 家賃を毎月きちんきちんと納める / ~ 말대답을 한다 いちいち口答えをする / 푼돈까지 ~ 헤아렸다 小銭まできちんと数えた / 규칙을 ~ 지켰다 規則をきちんきちんと守った.

*또한 〈副〉 同じように. 同じく. (やはり)…もまた. 文例 그도 ~ 실패했다 彼もまた失敗した / 나 ~ 돌아갈 작정이다 私もやはり帰るつもりでいる / 그녀도 ~ 인간이었다 彼女もまた人間であった.

똑[1] 〈副・하自〉 ❶小さいものが落ちる音: ぽとりと. ぽろり. ぽたり. 文例 물방울이 ~ 떨어졌다 しずくがぽたりと落ちた / 단추가 ~ 떨어졌다 ボタンがぽろりと落ちた. ❷小さいものが折れる音: ぽきっ. ぽっきり. ぽきん. 文例 나뭇가지가 ~ 부러졌다 枝がぽきっと折れた. ❸固い物を軽くたた(叩)いた時に出る音: とん. ことり. 句例 문을 ~하고 두드렸다 門をとんとたたいた.

똑² 〈副〉 間違いなく. 少しもたが(違)わず. かっきり. すっかり. そっくり. 句例 언니를 ~ 닮은 여동생 姉にそっくりな妹. 文例 쌀이 ~ 떨어졌다 米がすっかりなくなった.

똑-같다 〈形〉 全く同じだ. そっくりだ. ちょうど同じだ. 句例 똑같은 면적 等しい面積. 文例 내 기분은 이전과 ~ 私の気持ちは以前と同じだ / 두 변의 길이가 ~ 二辺の長さが等しい / 옆얼굴이 아버지와 ~ 横顔が父にそっくりだ. **똑같이 [ttokkach'i] 〈副〉 同じく. 等しく. 一様に.

똑딱-거리다 〈自他〉 堅い物がぶつかり合ってかちかち〔がちがち〕と音が出る. また, 鳴らしてその音を出す.
똑딱똑딱 〈副・하自他〉 かちかち. がちがち.

똑딱-단추 〈名〉 スナップ. 留め金具の一種. 句例 ~를 채우다 スナップをとめる.

똑딱-선 【一船】〈名〉 小型発動機船. ぽんぽん蒸気(船). =통통배.

*똑-똑 〈副・하自〉 ❶軽い物やしずくなどが続けて落ちるさま. また, その音: ぽとりぽとり. ぽつりぽつり. ぽろぽろ. ぽた(り)ぽた(り). 句例 빗방울이 ~ 떨어지다 雨のしずくがぽつりぽつり落ちる / 눈물이 ~ 떨어지다 涙がぽたぽたと落ちる.
❷細長い物が続けざまにもろく折れるか切れる音: ぽきりぽきり. ぽきんぽきん. 句例 연필이 ~ 부러지다 鉛筆がぽきりぽきり折れる / 잔 가지를 ~ 꺾다 小枝をぽきりぽきり折る.
❸堅い物がぶつかりあってたてる音: こつこつ. ことこと. とんとん(と). 句例 문을 ~ 두드리다 戸をこつこつたたく / ~하고 노크하다 とんとんとノックする.

똑똑-하다 [ttokttok'ada] (→하다) 〈形〉 ❶はっきり〔くっきり〕している. 明らかだ. 明瞭だ. 文例 발음이 똑똑하지 않다 発音がはっきりしない. ❷賢い. 利口だ. 利発だ. 抜け目がない. 句例 똑똑하게 굴다 利口に〔賢く〕立ち回る / 똑똑한 아이 利発な子 / 매우 ~ 非常に賢い. **똑똑히 [ttokttok'i] 〈副〉 ❶はっきり(と). くっきり(と). 明瞭に. ❷賢く. 利口に.

**똑-바로 〈副〉 真っすぐ(に). ❶一直線に. 垂直に. 直立して. 句例 ~ 나아가다 真っすぐに進む / ~ 서다〔앉다〕 まっすぐに立つ〔座る〕/ ~ 상대방의 얼굴을 보다 まともに相手の顔を見る. ❷寄り道しないで. 横にそれず. 句例 ~ 귀가(歸家)하다 まっすぐに帰宅する. ❸偽りなく. ごまかしなく. 正直に. 句例 ~ 말하다〔불다〕 正直にいう〔白状する〕.

똑-바르다 (一바르니, 一발라서) 〈形〉 まっすぐだ. ❶少しも曲がっていない. 句例 똑바른 길 まっすぐな道. ❷正しい. 正直だ. 句例 똑바르게 살아가다 正しく生きていく.

똘똘 〈副〉 ❶幾重にも巻きつけるさま: ぐるぐる. くるくる. 句例 실을 ~ 감다 糸をくるくると巻く. ❷一塊に固まるさま. 句例 뭉쳐 외적을 물리치다 一丸となって外敵を退ける. ❸まるい物が転がって行くさま. また, その音: ころころ. 句例 구슬이 ~ 구르다 玉がころころと転がる.

똘똘-이 [ttolttori] 〈名〉 利発な子. お利口さん.

똘똘-하다 (→하다) 〈形〉 賢い. 利口だ. はきはきしている. 句例 똘똘한 아이 賢い子供. **똘똘히** 〈副〉 賢く. 利口に. はきはき(と). 句例 똘똘히 굴다 賢く立ち回る.

똘마니 〈名〉 子分. ちんぴら. 下っ端. 句例 ~에게 시비가 걸리다 ちんぴらに絡まれる.
表現 '똘마니'は俗っぽい言いかた.

**똥 〈名〉 ❶(大)便. 糞. くそ. 句例 새가 ~을 싸다 鳥が糞をする / ~이 나오다 便が出る. 語例 개~ 犬の糞. ❷㉠すずり(硯)に残った墨汁のかす(滓). ㉡よい所を取り去ってあとに残ったもの: くず. かす. 鉱滓. 語例 이~ 歯くそ / 납~ 鑞のかす / 쇠~ 鉱滓.
똥(을) 누다 大便をする. 糞をする.
똥누러 갈 적 마음 다르고 올 적 마음 다르다 のど元過ぎれば熱さを忘れる.
똥(이) 마렵다 大便をしたい. 便意を催す.
똥(을) 싸다 ❶大便を漏らす〔垂らす〕. 便をする. ❷ひどく苦労する. ほとほと閉口する. てこずる. 文例 익숙지 않아서 똥쌌다 慣れなくてひどくてこずった.
表現 ②は俗っぽい言いかた.

똥-값 [ttongkkap] 〈名〉 捨て値. 二束三文. 句例 ~으로 팔다 捨て値で売る.

똥-개 [ttongkkae] 〈名〉 駄犬. 雑犬.

똥겨-주다 〈他〉 ⇨ 똥기다

똥-구멍 [ttongkkumŏng] 〈名〉 肛門. 尻の穴.
똥구멍이 찢어지게 가난하다 赤貧洗うがごとし. 非常に貧乏であることの意.

똥그래-지다 〈自〉 '동그래지다'の語勢の強い語.

똥기다 〈他〉 それとなくヒントを与える. ほのめかす. にお(臭)わせる. 暗示する.

똥똥-하다 (→하다) 〈形〉 ❶ずんぐりしている. ❷太っている. ぽってりしている. 句例 똥똥하게 살이 찐 여성 ぽってりと太った女性. **똥똥히** 〈副〉 ずんぐりと. ぽってりと.
表現 語感の大きい語は'뚱뚱하다'.

똥-배 [ttongppae] 〈名〉 ほてい腹. 太鼓腹. 太っ腹. 句例 ~가 나오다 太っ腹がつき出る.
表現 '똥배'は俗っぽい言いかた.

똥-싸개 〈名〉 くそ垂れ. くそったれ. 文例 이 ~ 놈아 このくそ垂れめ.

똥-싸다 ⇨ '똥'の小項目

**똥-오줌 〈名〉 大小便. 句例 ~을 가리다 大小便をわきまえる.

똥-집 [ttongtchip] 〈名〉 ❶大腸. ❷体重. ❸胃袋. 語例 닭~ 鶏の胃袋.
表現 '똥집'は俗っぽい言いかた.

**똥-차 【一車】〈名〉 ❶糞尿車. ❷ぽんこつ車. ぼろ車. おんぼろの自動車.
表現 ②は俗っぽい言いかた.

똥-통 【一桶】〈名〉 ❶た(溜)めおけ(桶). ❷肥たご. 句例 ~을 메다 肥たごを担ぐ. ❸全くつまらない物. おんぼろ. ぽんこつ.
表現 ③は俗っぽい言いかた.

똬르르 〈副〉 水などの液体が盛んに流れ出る音: ざあっと. とくとく.

똬리 [ttwa:ri] 〈名〉 頭に物を載せて運ぶときに用いるわらや布などで作った敷物.

뙈기 [ttwae:gi]〈名〉❶田畑の一区画. 文例 논 한 ~ 없다 田一枚〔一筆〕も持たない. ❷一片. 一切れ.

뙤약-볕〈名〉かんかん〔じりじり〕照りつける日差し. =폭양(曝陽). 句例 내리쬐는 여름의 ~ じりじり照りつける夏の日差し.

뚜〈副〉汽笛・ラッパなどの鳴る音: ぶう. ぴい.

뚜껑〈名〉❶ふた(蓋). 句例 ~을 닫다 ふたをする. 語例 냄비 ~ なべぶた. ❷帽子. キャップ. 語例 만년필 ~ 万年筆のキャップ. 類덮개. 表現 ②は俗っぽい言いかた.

뚜껑(을) 덮다 ❶ふたをする. ❷真相を隠す.

뚜껑(을) 열다 ❶ふたを開ける. ❷事の実情や結果などを見る. 文例 성공 여부는 뚜껑을 열 때까지 알 수 없다 成否はふたを開けるまでわからない.

뚜-뚜〈副〉汽笛・ラッパなどが続けて鳴る音: ぶうぶう. ぴいぴい.

뚜렷-이 [tturyŏshi]〈副〉はっきり〔くっきり〕と. 明らかに. 句例 ~ 눈에 띄다 はっきりと目立つ. 文例 남산이 ~ 보인다 南山がくっきりと見える / 불만의 기색이 ~ 보였다 不満の気色がありありと見えた.

*__뚜렷-하다__ [tturyŏt'ada] (→하다)〈形〉はっきり〔くっきり〕している. 明瞭〔明白〕だ. 明らかだ. 著しい. 目立〔際立〕っている. 句例 뚜렷하게 보이다 はっきり(と)見える / 뚜렷한 증거 明白な証拠 / 뚜렷한 특색이 있다 際立った特色がある / 윤곽이 뚜렷한 얼굴 彫りの深い顔. 輪郭のはっきりした顔. 文例 약의 효험이 ~ 薬の効き目が明らかだ.

뚜렷뚜렷〈副・하形〉すべてが明らかなさま: はっきり〔くっきり〕しているさま. 著しいさま. 表現 語感の小さい語は'또렷하다'.

뚜벅-거리다〈自〉気取って大またに歩く. こつこつと音を立てて歩く.

뚜벅뚜벅〈副・하自〉気取って大またに歩くさま. また, その足音: こつこつ. 文例 ~ 그의 구두 소리가 들려 왔다 こつこつと彼の靴音が聞こえてきた.

뚝[1]〈副〉❶物事が急に落ちたり悪い方に変わったりするさま. また, その音: がたん. かたん. がたっと. がたり. どかっと. どかり. 句例 성적이 ~ 떨어지다 成績ががたっとさがる / 생산고가 ~ 떨어지다 生産高ががたんと落ちる / 인기가 ~ 떨어지다 人気ががた落ちになる. 文例 큰 바위가 ~ 떨어졌다 大きな岩がどかりと落ちた. ❷大きな物がもろく折れる音や切れる音: ぽきり. ぽっきり. ぽきん. ぽきっと. 句例 뼈가 ~ 부러지다 骨がぽきりと折れる / 연필이 ~ 부러지다 鉛筆がぽきっと折れる.

뚝[2]〈副〉❶(声・音・たよりなどが)急にとだえるさま: ぷっつり. ひたと. ぱったり. ぱたりと. 句例 바람이 ~ 그치다 ぱたりと風がやむ / 전화가 ~ 끊어지다 電話がぷつりと切れる / 소식이 ~ 끊어지다 便りがぷっつりとだえる. 文例 울음 소리가 ~ 그쳤다 泣き声がひたとやんだ. ❷(物が)急に切れるさま: ぷっつり. 文例 낚싯줄이 ~ 끊어졌다 釣り糸がぷっつり切れた.

뚝-딱〈副〉物事を手ぎわよくやってのけるさま: てきぱきと. さっさと. あっさり. 句例 일을 ~ 해치우다 仕事をさっさとやってしまう. 文例 밥 한 그릇을 ~ 먹어 치웠다 飯(一椀)をさっさと平らげてしまった.

뚝딱-거리다〈自他〉❶固いものをしきりに打ち鳴らして音を出す. かちかち〔とんとん〕と音がする. ❷胸がどきどきする.

뚝딱뚝딱〈副・하自他〉かちかち. とんとん. どきどき.

뚝-뚝[1]〈副・하自〉❶物が続けて落ちるさま. また, その音: ぽたりぽたり. ぽつりぽつり. ぽたぽた. はらはら. 句例 눈물을 ~ 흘리다 涙をはらはらと流す / 피가 ~ 떨어지다 血がぽたぽたと落ちる / 물방울이 ~ 떨어지다 滴がぽたりぽたりと滴り落ちる. ❷太くて大きい物が続けざまに折れる音: ぽきんぽきん. ぽきっぽきっ. ぽきりぽきり. 句例 나뭇가지가 ~ 부러지다 木の枝がぽきりぽきりと折れる.

뚝-뚝[2]〈副・하自〉固いものを続けざまにたたいて出す音: とんとん. かちかち.

뚝뚝-하다 [ttukttuk'ada] (→하다)〈形〉無愛想だ. あいきょうがない. ぶっきらぼうだ. そっけない. 句例 뚝뚝한 대답 無愛想な〔ぶっきらぼうな〕返事. 類무뚝뚝하다.

뚝배기〈名〉(みそ汁などを煮る)土焼・き.

뚝배기보다 장맛이 좋다 器よりみそ味がよい. 見かけよりは中身がよいとのたとえ.

뚝-심〈名〉❶がんばる〔ねばる〕力. 底力. 句例 ~이 세다 根気が強い / ~이 없는 사내 ねばりのない男. ❷くそ力. ばか力. 句例 ~을 쓰다 くそ力を出す.

뚤뚤〈副〉紙や反物などを幾重にも巻くさま: くるくる. ぐるぐる. 句例 붕대를 ~ 감다 包帯をぐるぐると巻く / 돗자리를 ~ 말다 むしろをくるくると巻く.

**__뚫다__ [ttult'a]〈他〉❶(穴を)空ける. 突き抜く. うが(穿)つ《雅》. 句例 판자에 구멍을 ~ 板に穴を空ける / 총알이 벽을 ~ 弾丸が壁を突き抜く〔貫く〕. ❷(道・つまりなどを)通じる. 通す. (切り)開く. 貫通する. 句例 터널을 ~ トンネルを掘り抜く / 산길을 ~ 山道を切り開く / 홈통이 막힌 것을 ~ 雨どいのつまりを通す. ❸(困難などを)切り抜ける. くぐる. 突破する. 句例 온갖 난관을 뚫고 あらゆる難関を切り抜けて / 적의 포위를 뚫고 탈출하다 敵の囲みを切り破って脱出する / 법망을 ~ 法網をくぐる / 혈로를 ~ 血路を切り開く.
参考 '뚫으면 (穴を)空けると' '뚫고 空けて'は [tturŭmyŏn], [ttulk'o]と読む.

*__뚫리다__ [ttullida]〈自〉'뚫다'の受け身. ❶(穴などが)空く. 空けられる. 句例 바지에 구멍이 ~ ズボンに穴が空く / 막혔던 코가 ~ 詰まっていた鼻が通る. ❷(道などが)通じる. 貫かれる. 切り開かれる. 句例 터널이 ~ トンネルが通じる〔掘り抜かれる〕.

뚫어-새기다 [tturŏ—]〈他〉(彫刻で)透かし彫りにする.

**__뚫어-지다__ [tturŏjida]〈自〉❶(穴や透き間が)

空く. 空けられる. 句例 양말에 구멍이 ~ 靴下に穴が空く. ❷(道などが)通じる. (つまったものが)通る.

뚫어지게 보다 (穴の空くほど)見つめる. 凝視する. 食い入るように見つめる.

뚱기다 〈他〉 はじ(弾)く. つま弾く. 句例 거문고를 ~ 琴をはじく.

뚱-딴지 〈名〉 ❶愚鈍でぶっきらぼうな人. ❷碍子. ＝애자.

뚱딴지 같다 突拍子もない. とんでもない. 突飛だ. ＝엉뚱하다. 句例 뚱딴지 같은 생각을 하다 突拍子もない事を考える / 뚱딴지 같은 녀석 変てこなやつ(奴).

뚱땅-거리다 〈自他〉 いろいろな楽器を鳴らしながらはやしたてる. どんちゃん騒ぎをする.

뚱땅뚱땅 〈副・하自他〉 鼓などを打ち鳴らす音: どんどん. どんちゃん.

⁑뚱뚱-보 〈名〉 ⇨ 뚱뚱이. 略して'뚱보'とも言う.

⁑뚱뚱-이 〈名〉 でぶ. 太っちょ《俗》. ＝뚱뚱보. 句例 과식하여 ~가 되다 食べすぎてでぶになる. 對홀쭉이.

⁑뚱뚱-하다 (→하다) 〈形〉 太っている. でっぷりしている. 句例 뚱뚱하게 살이 찌다 でっぷりと太る. でぶでぶに太る. 文例 그는 요즘 몸이 뚱뚱해졌다 彼はこのごろからだが太ってきた.

뚱-보 〈名〉 ❶むっつり屋. ❷'뚱뚱보'の略: でぶ.

뚱-하다 [ttu:ng—] (→하다) 〈形〉 ❶無口である. むっつりしている. 句例 (성격이) 뚱한 남자 しんねりむっつりの男. ❷機嫌が悪い. むっつり膨れっ面をしている.

뛰 〈副〉 汽笛の音: ぶう.

⁑뛰-놀다 (뛰노니, 뛰놀아서) 〈自〉 ❶跳ね回る. 遊び回る. はしゃぎ回る. 文例 개가 뜰에서 뛰놀고 있다 犬が庭で跳ね回っている. ❷脈打つ. 高鳴る.

뛰다[1] 〈自〉 ❶(しぶき・泥水などが)飛び散る. 跳ね(上が)る. 句例 옷에 잉크가 ~ 服にインキが飛び散る. ❷(胸が)躍る. ときめく. 句例 (기뻐서) 가슴이 ~ 胸がときめく〔はずむ〕/ 뛰는 가슴을 누르지 못하다 はずむ心を押さえ切れない. ❸脈打つ.

⁑뛰다[2] 〈自他〉 ❶走る. 駆ける. 句例 말이 ~ 馬が駆ける / 전속력으로 ~ 全速力で走る / ~ 걷다 하다 走ったり歩いたりする / 100m를 10초에 ~ 百メートルを十秒で走る.
❷飛〔跳〕ぶ. ㉠跳び越える. 跳び越す. 句例 뜀틀을 ~ とび箱を跳ぶ / 담〔도랑〕을 뛰어넘다 塀〔溝〕を飛び越える. ㉡(値段などが)跳ね上がる. 句例 주가가〔땅값이〕 ~ 株価が〔地価が〕跳ね上がる. ㉢(間を)抜かす. (順序を)飛ばす. 句例 시시한 데는 건너뛰어 읽다 つまらない所は飛ばして読む / 2계급 뛰어서 승진하다 二階級飛び越して昇進する. ㉣'달아나다 逃げる'の俗っぽい言いかた: 走る. 高飛びする. ずらかる《俗》 風を食らう. 句例 범인이 일본으로 ~ 犯人が日本に飛ぶ.
❸(魚などが)ぴんぴん跳ねる. 句例 펄떡펄떡 뛰는 도미 ぴちぴちはねるたい(鯛).

뛰는 놈 위에 나는 놈이 있다 上には上がある.

⁑뛰어-가다 (—가거라) 〈自他〉 走って〔駆けて〕行く. 駆ける. 走る. 句例 학교까지 ~ 学校まで走って行く.

⁑뛰어-나가다 (—나가거라) 〈自他〉 飛び出す. 駆け出す. 走り出る. 句例 운동장으로 ~ 運動場に走り出る.

***뛰어-나다** 〈形〉 優れる. 秀でる. 抜きんでる. 卓越する. ずば抜ける《俗》. 句例 뛰어난 성적 ずば抜けた成績 / 뛰어난 작품〔연기〕すぐれた作品〔演技〕/ 문필에 ~ 文筆に秀でる / 뛰어난 묘사력 卓越した描写力.

⁑뛰어-나오다 (—나오너라) 〈自他〉 飛び出す〔出る〕. 走り出る. 駆け出す. 句例 방에서 ~ 部屋から飛び出る / 무슨 일인가 하고 밖으로 ~ 何事かと外へ飛び出す.

⁑뛰어-내리다 〈自他〉 飛び降〔下〕りる. 句例 나무에서 ~ 木から飛び下りる / 말에서 훌쩍 ~ 馬からひらりと飛び下りる / 달리는 열차에서 ~ 走る列車から飛び降りる.

⁑뛰어-넘다 [ttwiŏnŏmtta] 〈他〉 ❶跳び越える. 跳び越す. 句例 장애물을 ~ 障害物を跳び越える / 웅덩이를 ~ 水たまりを飛び越す. ❷(順序などを)飛ばす. 抜かす. 句例 한 줄 뛰어넘어서 읽다 一行抜かして読む.

⁑뛰어-다니다 〈自他〉 飛び回る. 駆け(ずり)回る. 走り回る. 飛び歩く. 句例 드넓은 초원을 ~ 広広とした草原を走り回る / 돈을 마련하려고 ~ 金策に飛び〔駆けずり〕回る / 바쁜 듯이 ~ 忙しそうに飛び歩く.

⁑뛰어-들다 (—드니, —들어서) 〈自〉 飛び込む. ❶(身を躍らせて)飛び入る. 躍り込む. 句例 풀에 ~ プールに飛び込む / 적진에 ~ 敵陣に躍り込む. ❷(突然または急いで)駆け込む. 走り込む. 句例 허둥지둥 파출소에 ~ あたふたと交番に駆け込む / 가게 안으로 ~ 店の中に走りこむ. ❸(事件・事業などに) 立ち入る. 身を投じる. 句例 정치 세계에 ~ 政治の世界に飛び込む.

⁑뛰어-들어오다 [ttwiŏdŭrŏoda] (—들어오너라) 〈自〉 駆け込んで来る. 飛び込む. 句例 숨을 헐레벌떡이며 ~ 息せき切って駆けこんで来る. 文例 시간이 임박해서 뛰어들어왔다 時間まぎわに走り込んで来た.

***뛰어-오다** (—오너라) 〈自他〉 駆け足で〔駆けて〕来る. 走って来る. 飛んで来る. 句例 멀리서부터 ~ 遠くから走って来る / 급보를 받고 ~ 急報を受けて飛んでくる.

⁑뛰어-오르다 (—오르니, —올라서) 〈自他〉 ❶飛〔跳〕び上がる. ㉠跳ね(上が)る. 躍(り上が)る. 句例 단상으로 ~ 壇上に飛び上がる / 잉어가 물 위로 ~ こい(鯉)が水の上に飛び上がる / 말이 ~ 馬が躍る. ㉡(地位・成績などが)ぐっと昇る. のし上がる. 躍り出る. 句例 중역으로 ~ 重役にのし上がる / 수위타자로 ~ 首位打者に躍り出る.
❷飛び乗る. 跳ね上がる. 句例 말에 ~ 馬に飛び乗る / 문이 닫히기 직전에 ~ ドアがしまる寸前に飛び乗る. 文例 막 떠나려는 열차에 뛰어올랐다 発車しかけている列車に飛び乗った.

ㄷ

❸(値段・相場などが)跳ね上がる．急激に上がる．句例 물가가 ～ 物価が跳ね上がる / 환율이 ～ 為替レートが跳ね上がる．

뜀-뛰기 〈名・하自〉❶走り．❷跳躍．跳び(上がり)．飛び越え．語例 ～ 운동 跳躍運動．

뜀-뛰다 〈自〉(両足をそろえて)飛〔跳〕ぶ．高飛びをする．幅跳びをする．

뜀박-질 〈名〉❶飛〔跳〕ぶこと．❷駆けっこ．＝달음박질．**～하다**〈自〉走る．駆けっこをする．駆け足する．

ㄷ

*__뜀-틀__ 〈名〉飛び〔跳び〕箱．跳馬．語例 ～ 운동 飛び箱運動．

뜨개-것 〈名〉編み物．ニット．＝편물．

뜨개-바늘 〈名〉['뜨개질 바늘'の略] 編み針．編み棒．棒針．かぎ針．

뜨개-질 〈名〉編み物．編むこと．**～하다**〈自〉編み物をする．

뜨거워-지다 〈自〉熱くなる．熱する．句例 주전자 물이 차츰 ～ やかんの水がだんだん熱くなる / 쉽게 뜨거워지고 쉽게 식는 성격 熱しやすく冷めやすい性格．

뜨거워-하다 (→하다)〈他〉熱がる．熱く感じる．

**__뜨겁다__ (뜨거우니, 뜨거워서)〈形〉❶熱い．㉠温度が高い．句例 뜨거운 국 熱いスープ / 뜨거운 눈물 熱い涙．文例 열이 나서 몸이 ～ 熱が出てからだが熱い．㉡(男女が愛しあって)夢中である．熱烈だ．句例 뜨거운 시선 熱い視線 / 뜨거운 사이 お熱い仲．あつあつの仲．㊢차갑다．❷(恥などで顔が)ほてる．句例 낯이 ～ 顔がほてる．❸(言行が)激しい．激烈だ．句例 뜨거운 논쟁을 벌이다 激しい論争を交わす．

뜨거운 맛을 보다 ひどい苦痛を伴う試練をうける．

-뜨기 〈尾〉名詞について，人を嘲るときに用いる語．語例 촌〔시골〕～ 田舎っぺい / 사팔～ やぶにらみ．文例 이 얼～ 놈아, 나가버려 この出来損ないめ，出ていけ．

뜨끈-하다 (→하다)〈形〉非常に熱い．句例 뜨끈한 국물 熱い汁．**뜨끈히**〈副〉熱く．表現 語感の小さい語は'따끈하다'．

뜨끈뜨끈 〈副・하形〉ほかほか．ぽかぽか．あつあつ(熱熱)．句例 ～한 된장국〔군고구마〕あつあつのみそ汁〔焼き芋〕/ ～한 밥 ほかほかのごはん．

뜨끔-거리다 〈自〉ひりつく．ひりひりする．ちくちく痛む．句例 목구멍이 ～ のどがひりつく．

뜨끔뜨끔 〈副・하自〉ひりひり．ちくちく．句例 상처가 ～ 아프다 傷口がちくちく痛む．

*__뜨끔-하다__ (→하다)〈形〉❶⇨ 따끔하다．❷(良心の呵責や痛いところを刺されて)ぎくり〔ちくり〕とする．句例 가슴이 ～ ぎくりと胸にこたえる．文例 거짓말이 탄로난 줄 알고 속이 뜨끔했다 うそがばれたかと思ってぎくりとした．

뜨내기 〈名〉❶旅がらす．流れ者．渡り者．❷時たまにすること．また，その仕事．語例 ～ 손님 流れ客 / ～ 장사 時たまにする商売．

**__뜨다__[1] (뜨니, 떠서)〈自〉❶浮く．(水・空に)浮かぶ．句例 꽃잎이 수면에 ～ 花びらが水面に浮かぶ / 배가 바다에 ～ 船が海に浮かぶ / 하늘에 떠 있는 애드벌룬 空に浮かんでいるアドバルーン / 하늘에 뜬 구름 空に浮かぶ雲 / 비행기가 ～ 飛行機が飛ぶ〔離陸する〕/ 몸이 물에 ～ からだが水に浮く．

❷(月・日などが)昇る．出る．かかる．句例 달이 ～ 月が出る / 무지개가 ～ 虹が出る〔かかる〕．文例 태양은 또 다시 뜬다 太陽はまた昇る．

❸(糸が切れて)たこ(凧)が吹き流される．

❹しっかり固定できなくなる．㉠(歯などが)ぐらぐらする．句例 이가 ～ 歯が浮く．㉡(間柄が)密で〔親しく〕ない．しっくりしない．遊離する．句例 부부 사이가 ～ 夫婦の間がしっくり行かない．㉢(間が)透く．句例 잇새가 ～ 歯並みが透く．

❺(時間的・空間的に)隔たりがある．かけ離れている．句例 사이가 뜨게 하다 間を置く．間をあける．

❻(お金などが)貸し倒れになる．文例 집세 백 만원이 떴다 家賃百万ウォンが踏み倒された．

뜨다[2] (뜨니, 떠서)〈自〉❶発酵する．寝る．句例 누룩이 ～ こうじ(麹)が寝る．❷(病気・飢えなどのため)むくむ．黄ばむ．青膨れする．文例 굶주림 때문에 얼굴이 누렇게 떴다 飢えのため顔が黄色くむくんだ．

뜨다[3] (뜨니, 떠서)〈他〉灸をすえる．句例 등에 뜸을 ～ 背中に灸をすえる．

뜨다[4] (뜨니, 떠서)〈他〉❶(席を)立つ．外す．空ける．句例 자리를 ～ 席を立つ〔外す〕．文例 그가 자리를 뜬 사이에 전화가 걸려 왔다 彼が席を立っている間に電話がかかってきた．❷(いた所を)引き払う．離れる．去る．退去する．句例 고향을 ～ 故郷を離れる〔去る〕/ 직장을 ～ 職場をやめる．❸亡くなる．句例 이 세상을 ～ この世を去る．

뜨다[5] (뜨니, 떠서)〈他〉❶(一部分を)切り出す．切り取る．句例 뗏장을 ～ 土のついた芝を切り取る / 석재를 떠내다 石材を切り出す．❷すく(掬)う．しゃくる．すくい取る．く(汲)む．句例 국자로 국을 ～ ひしゃくでスープをすくう / 물을 떠서 마시다 水をしゃくって飲む．❸す(簀)のこ(子)にかけて)す(漉)く．句例 종이를 ～ 紙をすく / 김을 ～ のり(海苔)をすく / 손으로 뜬 종이 手ですいた紙．

❹(屠殺した獣の身を)部分別にばらす．ばらばらに切り裂く．句例 소의 각을 ～ 牛を部分別にばらす．

❺(肉を)薄切りにする．句例 육회를 ～ 生肉を細切りにして肉のなます(膾)を作る．

❻(切り売りする反物を)買う．句例 옷감을 ～ 服地を買う / 두루마기 한 벌 감을 ～ ツルマギ一着分の布を買う．

❼(食事を)少し取る〔食べる〕．句例 저녁밥을 한 술 ～ 夕飯を少し取る．

*__뜨다__[6] (뜨니, 떠서)〈他〉❶(目を)開ける．句例 눈을 ～ 目を開ける〔開く〕/ 눈을 가늘게 ～ 目を細くする〔細める〕/ 성에 눈을 ～ 性に目覚

めざめる．㊫감다．❷耳が聞こえるようになる．(聞いて)分かるようになる．

***뜨다**[7] (뜨니, 떠서)〈他〉❶(網などを)す(結)く．編む．句例 스웨터를 ～ セーターを編む／실로 그물을 ～ 糸で網をすく．❷(一針一針)縫う．句例 터진 데를 한두 바늘 ～ ほころ(綻)びた所を一針二針縫う．

뜨다[8] (뜨니, 떠서)〈他〉模して作る．写す．型をとる．模する．句例 어금니의 본을 ～ 奥歯の型をとる／버선 본을 ～ たびの型をとる／지형을 ～ 紙型を取る．→본(本)뜨다

뜨다[9] (뜨니, 떠서)〈形〉❶鈍い．㉠(動作が)のろい．句例 소걸음처럼 ～ 牛の歩みのようにのろい／졸려서 동작이 ～ 眠くて動作が鈍い．㉡(感受性が)鈍い．のろい．句例 눈치가 ～ 勘〔センス〕が鈍い．㉢(刃が)鈍い．
❷口が重い〔堅い〕．無口だ．句例 말수가 ～ 口数が少ない／입이 뜬 사람 無口な人．
❸(金属が)容易に熱しない．
❹(勾配が)緩い．句例 지붕의 물매가 ～ 屋根の勾配が緩い．

뜨덤-뜨덤〈副〉(文章の意味がよく飲み込めず)かろうじて拾い読みするさま：たどたどしく．とぎれとぎれ．もたもたと《俗》．句例 편지를 ～ 읽다 手紙をたどたどしく読む．

뜨뜻미지근-하다 [ttŭttŭnmijigŭn—] (→하다)〈形〉生ぬるい．❶なま暖かい．句例 뜨뜻미지근한 바람 なま暖かい風／목욕물이 ～ ふろの湯が生ぬるい．❷(態度・やり方などが)断固としない．手ぬるい．きびしくない．句例 뜨뜻미지근한 조치 手ぬるい処置．文例 그렇게 뜨뜻미지근하게 야단쳐서는 소용없다 そんな手ぬるいしかり方ではだめだ．

뜨뜻-이 [ttŭttŭshi]〈副〉暖〔温〕かく．

***뜨뜻-하다** [ttŭttŭt'ada] (→하다)〈形〉ほどよく暖〔温〕かい．句例 뜨뜻한 밥 温かいごはん／방이 ～ 部屋が温かい／몸이 뜨뜻해지다 からだが温かくなる．
表現 語感の小さい語は'따뜻하다'．

뜨물〈名〉研ぎ水．とぎ汁．白水．語例 보리쌀 ～ 麦の研ぎ水．

뜨스-하다 (→하다)〈形〉少し温〔暖〕かい．ぬく(温)い《方》．文例 이 담요는 ～ この毛布はぬくい．
表現 語感の小さい語は'따스하다'．

뜨습다 (뜨스우니, 뜨스워서)〈形〉ほどよく暖〔温〕かい．
表現 語感の小さい語は'따습다'．

뜨악-하다 [ttŭak'ada] (→하다)〈形〉気乗りがしない．気が進まない〔向かない〕．文例 못된 짓에 가담하는 것 같아 기분이 뜨악했다 悪事に加担するようで気乗りがしなかった．

뜨음-하다 (→하다)〈形〉(頻繁または激しかった物事が)とだえている．収まる．やむ．略して'뜸하다'とも言う．句例 매상이 ～ 売れ行きが鈍る／손님의 발길이 ～ 客足が引く〔遠のく〕．

뜨이다〈自〉❶(目が)覚める〔開く〕．目覚める．(今まで眠っていた)感情・本能などが働き始める．句例 눈이 ～ 目が覚める／성에 눈이 ～ 性に目覚める／귀가 번쩍 뜨이는 이야기 はっとするような耳寄りな話／양심의 눈이 ～ 良心に目覚める．
❷目につく〔入る〕．目にとまる〔触れる〕．略して'띄다'とも言う．句例 남의 눈에 ～ 人の目につく．文例 눈에 뜨이는 곳에 광고를 붙인다 目につく所に広告を張る．

뜬-구름〈名〉❶浮き雲．句例 ～ 같은 신세 浮き雲のような身の上／～ 같은 생활을 하다 浮き雲のような生活を送る．❷浮〔憂〕き世．はかない世の中．

뜬-눈〈名〉眠らぬ目．夜明かしの目．句例 ～으로 밤을 새우다 まんじりともせずに夜を明かす．

뜬-소문【―所聞】〈名〉根拠のないうわさ．根も葉もないうわさ．流言．デマ．句例 ～에 현혹되다 流言に惑わされる．

뜬-숯〈名〉消し炭．

뜯기다 ━〈自〉'뜯다'の受け身．❶(蚊などに)かまれる．(のみ(蚤)などに)食われる．㊒물리다．❷取られる．㉠(お金などを)奪われる．(せびり)取られる．ゆす(強請)られる．句例 깡패에게 돈을 ～ やくざにお金をゆすられる／아우에게 돈을 ～ 弟にお金をせびられる．㉡(ばくちで)金を失う．❸(家屋・施設などを)取り壊される．取り払われる．
━〈他〉'뜯다'の使役形：(牛馬に)草をは(食)ませる．句例 염소에게 풀을 ～ やぎ(山羊)に草をはませる．

****뜯다**〈他〉❶力ずくで取り離す．㉠(付いているものを)取る．摘む．むしり取る．むしる．は(剝)がす．句例 어린 잎을 ～ 若葉を摘む／풀을 ～ 草をむしる／우표〔포스터〕를 ～ 切手〔ポスター〕をはがす／머리털을 쥐어 ～ 髪をかきむしる／돼지털을 잡아 ～ 豚の毛をむしり取る．㉡(封じたものを)あける．切る．句例 편지 봉투를 ～ 手紙の封を切る．㉢(機械・施設などを)ばらす．分解する．(着物などを)ほど(解)く．ほころ(綻)ばす．句例 옷의 꿰맨 자리를 ～ 衣服の縫い目をほころばす／기계를 뜯어서 수리하다 器械をばらして修理する／라디오를 ～ ラジオを分解する．
❷(金品などを)ねだる．ゆする．巻き上げる．せびる．句例 협박해서 돈을 ～ 脅して金をゆする／통행인에게서 돈을 ～ 通行人から金をせびる／자릿세를 ～ 場所代を取る．
❸(弦楽器を)弾く．つまびく．奏でる．句例 거문고를 ～ 琴を弾く／하프를 ～ ハープを奏でる．
❹(歯で)かみ切って食う．かじる．は(食)む．句例 갈비를 ～ あばらの焼き肉〔カルビ〕をかじる／소가 풀을 ～ 牛が草をは(食)む．

뜯어-고치다 [ttŭdŏ—]〈他〉改め直す．(ほどいて)作り直す．やり直す．句例 집을 ～ 家を建て直す／제도를 ～ 制度を改める／못된 버릇을 ～ 悪い癖を直す／저고리를 ～ 上着をほどいて作り直す．

뜯어-내다 [ttŭdŏ—]〈他〉❶取る．は(剝)ぎ〔ちぎり〕取る．むしり取る．句例 붙인 종이를 ～ 張り紙をはぎ取る／삐라를 ～ びらをはがす／(옷의) 안찝을 ～ (着物の)裏をはぎ取る．❷

取り外す．ばらばらにする．ばらす．ほど(解)く．句例 기계를 ～ 器械をばらして取り出す / 궤맨 자리를 ～ 縫い目をほころばす / 지붕을 ～ 屋根をめく(捲)る〔はがす〕．❸(金品を)ねだり〔せびり〕取る．巻き上げる．ゆする．句例 형한테 용돈을 ～ 兄から小遣いをせびり取る / 시비를 걸어서 돈을 ～ 言い掛かりをつけて金をゆする．

뜯어-말리다 [ttŭdŏ—]〈他〉(けんかなどを)引き分ける．引き離す．句例 싸움을 ～ けんかを引き分ける．

ㄷ

뜯어-먹다 [ttŭdŏ—]〈他〉❶(牛馬などが)草をは(食)む．句例 한가로이 풀을 뜯어먹는 양떼 のんびりと草をはむ羊の群れ．❷(歯で)かじる．ちぎって食べる．句例 빵을 ～ パンをちぎって食べる / 닭고기를 ～ とりにくをかじる．❸(金品などを)せびり取る．ゆすり取る．

뜯어-보다 [ttŭdŏ—]〈他〉❶開けて〔開いて・切って・解いて〕見る．句例 편지를 ～ 手紙の封を切って読む / 소포를 ～ 小包を解いて中を見る．❷子細に調べる．じっくりと見る．句例 남의 얼굴을 자세히 ～ 人の顔を子細に観察する．

*__뜰__〈名〉庭．句例 손바닥만한 ～ 猫の額ほどの庭．語例 뒤～ 裏庭 / 안～ 中庭．類마당．정원．

뜰아래-채 [ttŭrarae—]〈名〉離れ屋．

뜰아랫-방【—房】[ttŭraraetpang]〈名〉庭を隔てた部屋．

뜸[1]〈名〉〔韓醫〕灸．

뜸(을) 놓다 '뜸(을) 뜨다'のこと．

뜸(을) 뜨다 灸を据える．句例 등에 ～ 背中に灸を据える．

뜸[2]〈名〉(ご飯などを)蒸らすこと．蒸れること．

뜸(이) 들다 (十分に)蒸れる．ふ(蒸)ける．句例 밥이 ～ ご飯が蒸れる．句例 뜸이 푹 든 밥 よく蒸れたご飯．

뜸(을) 들이다 ❶(ご飯などを)蒸らす．句例 불을 끄고 밥을 ～ 火を消してご飯を蒸らす．❷(仕事の途中に)ちょっと間を置く．息抜きをする．

뜸-들다 (—드니，—들어서) ⇨'뜸²'の小項目

囲み記事 30

▩ '띄다'と'띠다' ▩

띄다 (1) '뜨이다 目に付く'の縮まった語 —— 우연히 지나가는 김군이 눈에 띄었다 たまたま通りかかった金君が目に付いた．눈에 띄게 키가 크다 際立って背が高い．

(2) '띄우다 浮かべる'の縮まった語 —— 그녀는 생긋 미소를 띄고 그를 바라보았다 彼女はにっこり微笑を浮かべて彼を眺めた．

띠다 (1) (帯を)締める —— 허리띠를 띠다 ベルトを締める．

(2) 使命・任務を引き受ける —— 중대한 임무를 띠다 重大な任務を帯びる．

(3) (その)気味がある．呈する．漂わす —— 붉은 빛을 띠다 赤みを帯びる．주기를 띤 얼굴 酒気を帯びた顔．

뜸-들이다 [ttŭmdŭrida] ⇨'뜸²'の小項目

뜸-뜨다 (—뜨니，—떠서) ⇨'뜸¹'の小項目

뜸부기〈名〉〔鳥〕ひくいな(緋秧鶏)．

뜸-하다 [ttŭ:m—] (→하다)〈形〉'뜨음하다'の略．

**__뜻__〈名〉意．❶志．意志．旨．考え．句例 청운의 ～ 青雲の志 / ～을 굽히다 志を曲げる / 감사의 ～을 표하다 感謝の意を表す / 부모의 ～에 따르다〔거역하다〕親の意に従う〔逆らう〕/ ～을 정하다〔굳히다〕意を決める / 주인의 ～을 전하다 主人の旨を伝える．

❷意味．訳．句例 ～도 없이 웃다 意味もなく笑う / 말의 ～을 사전에서 찾아보다 単語の意味を辞書で調べる．文例 왜 웃는지 ～을 모르겠다 どうして笑うのか訳が分からない / 다음 어구의 ～을 쓰시오 次の語句の意味を書きなさい．→뜻하다

뜻(이) 깊다 意味が深い．句例 뜻깊은 강연 意味深い講演．

뜻(이) 맞다 ❶気が合う．意気投合する．句例 뜻맞는 사이〔콤비〕気が合う仲〔コンビ〕．文例 그하고라면 뜻이 맞는다 彼とならば気が合う．❷気に入る．意にかなう．句例 뜻맞는 일 気に入る仕事．

뜻을 두다 志す．志をいだ(抱)く．句例 학문에 ～ 学問に志す．

뜻을 받들다 意〔旨〕を受ける．句例 회장의 뜻을 받들어 会長の意を受けて．

뜻을 세우다 志す．志を立てる．

뜻을 이루다 志を遂げる．

뜻을 잇다 志を(受け)継ぐ．

뜻을 헤아리다 気持ちを酌む．

뜻-글자【—字】[—kŭltcha]〈名〉意字．表意文字《漢字など》．対소리 글자．

*__뜻-대로__〈副〉思った通り(に)．思いどおり．意のまま(に)．句例 남을 ～ 부리다 人を意のままに操る / 제 ～ 하다 自分勝手にする / ～ 되다 意〔思い〕のままになる．文例 세상은 ～ 되지 않는다 世の中は意のままにならない．

뜻-맞다 [ttŭnmatta] ⇨'뜻'の小項目

*__뜻-밖__ [ttŭtpak]〈名〉意外．予想外．思いの外．案外．句例 ～의 결과 意外の結果 / ～의 사건 思いの外の〔思いがけない〕出来事 / ～의 결말 案外の結末．文例 사건은 ～의 방향으로 발전되었다 事件は意外な方向に発展された．

뜻밖-에 [ttŭtpakke]〈副〉意外に．案外にも．思いの外(に)．不意に．句例 ～ 시간이 걸리다 意外に時間がかかる．文例 ～도 의견이 일치했다 図らずも意見が一致した / ～ 옛 친구를 만났다 思いがけず旧友に出会った．

*__뜻-하다__ [ttŭt'ada] (→하다)〈他〉❶志す．もくろむ．計画する．句例 의사가 될 것을 ～ 医師になることを志す / 뜻하지 않은 予期しない．思いがけない．思いもよらない．不慮の．文例 두 사람이 뜻하는 바는 다르다 二人の志すところは違う / 뜻한 바 있어 고향을 떠났다 思う所あって故郷を去った．

❷意味する．文例 이 현상은 무엇을 뜻하는가 この現象は何を意味するのか．

*__띄다__ [tti:da] ■〈自〉'뜨이다'の略．句例 눈에 ～

目に留まる〔付く・触れる・入る〕/ 눈에 띄는 대로 見当たり次第 / 눈에 잘 띄지 않는 부분 あまり目につかない部分. 文例 그는 어디에 있어도 눈에 띄는 미남자다 彼はどこにいても目立つ美男子だ.
❸〈他〉'띄우다'の略. 句例 만면에 웃음을 ~ 満面に笑みを浮かべる〔たたえる〕. ▷→囲み記事 30

띄어-쓰기 [ttiŏssŭgi]〈名〉〔言〕分かち書き《文章を書く時, 読みやすいように単語と単語の間を開けて書くこと》.

띄어-쓰다 [ttiŏssŭda] (—쓰니, —써서)〈他〉分かち書きをする.

띄엄-띄엄 [ttiŏmttiŏm]〈副〉❶まばらに. 点点と. ちらほら. ぽつりぽつり. 句例 달리아를 ~ 심다 ダリアをまばらに植える. 文例 들 가운데에 농가가 ~ 서 있다 野中に農家がぽつりぽつりと立っている. ❷とぎれとぎれ. ぽつりぽつり. とびとび. 絶え絶え. 句例 말소리가 ~ 들리다 話し声がとぎれとぎれに聞こえる / ~ 끊어서 읽다 ぽつりぽつりと〔とびとびに〕区切って読む.

***띄우다** [ttiuda]〈他〉❶浮かべる. ㉠(水面や空中に)浮かす. 句例 호수에 배를 ~ 湖水に舟を浮かべる〔浮かす〕/ 술잔에 꽃을 ~ 杯に花を浮かべる / 연을 ~ たこを揚げる / 종이 비행기를 ~ 紙飛行機を飛ばす. ㉡外面に表わす. たた(湛)える. 漂わす. 句例 입가에 미소를 ~ 口元にほほ笑みを浮かべる / 만면에 웃음을 ~ 満面に笑みをたたえる.
❷(こうじ(麴)などを)発酵させる. 寝かす. 句例 메주를 ~ みそこうじを寝かす / 지하실에서 10년이나 띄운 술 地下室で十年も寝かした酒.
❸(時間的・空間的に)間を置く. 文例 석 자 사이를 띄우고 나무를 심다 三尺間を置いて木を植える.
❹(手紙を)出す. 送る. 人づてに頼む. 句例 격문을 ~ げき(檄)を飛ばす / 급보를 ~ 急報を飛ばす.

띠[1]〈名〉❶帯. ベルト. バンド. 句例 ~를 매다〔죄다〕帯を結ぶ〔締める〕/ ~를 풀다 帯を解く. 語例 허리~ 腰ひも. 腰帯《老》. ベルト / 머리~ 鉢巻き. ヘアバンド. ❷①に似た細長い形のもののたとえ. 句例 기름(의) ~ 油の帯 / 책 ~의 광고 帯の広告.

띠[2]〈名〉人の生年を十二支に当てて言う語. 句例 말 ~ 여자 うま(午)年の女 / 범 ~ 태생 とら(寅)年生まれ. 文例 그녀는 돼지 ~다 彼女はい(亥)の年の生まれだ.
띠가 세다 生まれ年のえと(干支)が悪い. 生涯が平坦でない.

***띠-그래프**〈名〉帯グラフ. ◇graphから.

***띠다**〈他〉❶(帯を)結ぶ. 締める. 句例 허리띠를 ~ ベルト〔帯〕を締める〔結ぶ〕.
❷帯びる. ㉠身につける. 携える. ㉡(用務・使命などを)委任される. 引き受ける. 句例 특명을 ~ 特命を帯びる / 중대한 임무를 ~ 重い任務を帯びる. ㉢(…の)気味がある. 漂わす. 含む. 呈する. 句例 애조〔주기〕를 ~ 哀調〔酒気〕を帯びる / 붉은 빛을 ~ 赤みを帯びる / 근심 띤 얼굴 憂いを帯びた顔 / 노기를 띤 얼굴 怒気を含んだ顔 / 시장이 활기를 ~ 市場が活気を呈する. 文例 그 사건은 정치적 색채를 띠고 있다 その事件は政治的な色彩を帯びている. ▷→囲み記事 30

띠-톱〈名〉帯のこ(鋸).

띵띵〈副〉ぴんと張って膨れているさま: ぴんぴん. 文例 벌에 쏘인 팔이 ~ 붓다 はち(蜂)に刺された腕がぴんとは(腫)れあがる.

띵-하다 (→하다)〈形〉❶頭が重い. がんがんする. ❷(頭が痛くて)ぼうっとする. 文例 숙취로 머리가 ~ 二日酔いで頭がぽかんとする / 간밤에 잠을 못 자서 머리가 ~ 昨晩眠れなかったので頭がぼやっとする.

ㄹ

ㄹ [리을 riŭl] ハングル字母の第四番目の字.

ㄹ [-l] 〈助〉'를'の略. 句例 돼지~ 치다 豚を飼う / 자리~ 잡다 席を取る / 노래~ 부르다 歌を歌う. 文例 나~ 따라와 おれについて来い / 너~ 사랑해 お前を愛するよ.

ㄹ랑 〈助〉終声のない語について, '는 は'のようにある対象を指定する補助詞: …こそは. …だけは. …は. 文例 너~ 오지 않더라도 아이~ 꼭 보내라 お前はこなくとも子供だけはきっとよこすのだよ / 너~ 꽃처럼 곱게 자라라 お前は花のように美しく成長せよな.
表現 終声のある語につく場合には'을랑'となる. 이런 책을랑 읽지 마라 こんな本は読むな.

ㄹ랑은 〈助〉'ㄹ랑'の強調語.
表現 終声のある語につく場合には'을랑은'となる.

라 〈助〉❶'라고'の略. 文例 그는 '내가 이겼다'~ 하더라 彼は'私が勝った'といっていたよ. ❷'라서'の略.

라고 〈助〉❶直接引用を表わす副詞格助詞: …と. …だと. 略して'라'とも言う. 文例 '언제 왔소'~ 물어 보았다 'いつ来たか'と聞いて見た. ❷終声のない語について, その物事を指定して示す補助詞: …と. …だとて. …とか. 文例 이러한 정치 제도를 민주주의~ 한다 このような政治制度を民主主義という / 무어~ 한 마디 하게 何とか一言言いたまえ.
表現 終声のある語につく場合は'이라고'になる.

라 〔漢字項目〕

【羅】 高校 라 ラ. ❶그물 網. 그물로 잡다 網で取る. ◧羅網 나망 らもう. 羅雀 나작 らじゃく. ❷(새를)그물로 잡듯이 휘몰아들이다 (鳥を)網で取るように残らずさらい入れる. ◨網羅 망라 もうら. ❸얇은 비단 薄い絹織物. ◨綾羅 능라 りょうら. ❹늘어서다 連なる. 벌이어 놓다 連ねる. ◧羅列 나열 られつ. ❺'羅甸(나전)'의 생략 '羅甸(ラテン)'の略. ❻범어나 외래어의 음역 梵語や外来語の音訳. ◧羅漢 나한 らかん. 羅紗 나사 ラシャ.

라【剌】 ⇨ 자【剌】

라도 〈助〉終声のない語について, 強調または不十分であるが容認することを表わす補助詞: …でも. …だって. であっても. 文例 커피~ 마실까 コーヒーでも飲もうか / 지금부터~ 늦지 않다 今からでも遅くない / 초심자~ 금방 할 수 있다 初めての人でもすぐできる / 그런 것은 어린애~ 알 수 있다 そんなことは子供だって分かる.

라돈 〈名〉〔化〕ラドン《記号 Rn》. 語例 ~계〔物〕ラドン計. ◇radon

라듐 〈名〉〔化〕ラジウム(記号 Ra). 語例 ~천(泉) ラジウム鉱泉. ◇radium

라드 [ra:dŭ] 〈名〉ラード. ◇lard

라든지 〈助〉終声のない語について, いろいろな物事を並べ立てて言うときに使う語: …とか. 句例 지위~ 명예~ 地位とか名誉とか.
表現 終声のある語につく場合は'이라든지'になる.

라디에이터 〈名〉ラジエーター. ◇radiator

⁑**라디오** 〈名〉ラジオ. 句例 ~를 켜다〔틀다〕ラジオをつける〔かける〕/ ~를 듣다 ラジオを聞く / ~를 끄다 ラジオを消す〔止める〕. 文例 어제 카세트 ~를 샀다 昨日ラジカセを買った. 語例 ~ 드라마 ラジオドラマ. 放送劇 / ~ 체조 ラジオ体操 / ~ 방송 ラジオ放送. ◇radio

라마 〈名〉〔佛〕ラマ. 語例 달라이 ~ ダライラマ. ◇Lama

라면 〈名〉ラーメン(中華そばの一種). 文例 ~ 하나 끓여 주세요 ラーメン一つ作ってください. 語例 즉석 ~ インスタントラーメン. ◇중拉麵・老麵.

라서 〈助〉終声のない語について, 主格助詞'가 が'の意で'감히 あ(敢)えて' '능히 よ(能)く'の意を含む主格助詞. 略して'라'とも言う. 文例 뉘~ 나를 탓하리오 たれ(誰)ぞ(あえて)我をとが(咎)めん.
表現 終声のある語につく場合は'이라서'になる.

라스트 〈名〉ラスト. 句例 대회의 ~를 장식하다 大会のラストを飾る. 語例 ~ 스퍼트 ラストスパート / ~ 찬스 ラストチャンス. ◇last

라스트 신 [—shi:n] 〈名〉ラストシーン. 文例 그 영화의 ~이 눈에 선하다 その映画のラストシーンがまぶたにありありと浮かぶ. ◇last scene

라야 〈助〉終声のない語について, 事物を指定したりそうであるべきだとの意を表わす語: …でなければ(…ない). …こそ. 文例 봄에~ 눈이 녹는다 春でなければ雪は溶けない / 너~ 그 문제를 해결할 수 있다 君こそその問題を解決できる.
表現 (1)終声のある語につく場合は'이라야'になる. (2)強調する場合は'라야만'と言う.

라운드 〈名〉ラウンド. 語例 마지막 ~ 最終ラウンド. ◇round

라운지 〈名〉(ホテルなどの) ラウンジ. ◇lounge

라이벌 〈名〉ライバル. 句例 숙명의 ~ 宿命のライバル. 語例 ~ 의식 ライバル意識. ◇rival

라이선스 〈名〉ライセンス. 句例 ~를 따다 ライセンスをとる. 語例 ~ 생산 ライセンス生産. ◇license

라이스 〈名〉ライス. 語例 치킨 ~ チキンライス / 카레 ~ カレーライス. ◇rice

라이온 〈名〉〔動〕ライオン. 獅子. ◇lion

⁑**라이터**[1] 〈名〉ライター. 句例 ~를 켜다 ライターをつ(点)ける. 語例 가스 ~ ガスライター / ~돌 ラ

イターの石. ◇lighter

라이터² 〈名〉 ライター. 作家. 執筆者. 語例 르포 ～ ルポライター / 시나리오 ～ シナリオライター / 카피～ コピーライター. ◇writer

***라이트¹** 〈名〉 ライト. 光. 照明. 句例 ～를 비추다 ライトを照らす / (자동차의) ～를 끄다〔켜다〕 (車の)ライトを消す〔つける〕. 語例 헤드 ～ ヘッドライト. ◇light

라이트² 〈名〉 ライト. 語例 ～급 ライト級. ライトウェート / ～ 밴 ライトバン / ～ 헤비급 ライトヘビー級. ◇light

***라이트³** 〈名〉 ライト. ❶右. 右側. 句例 턱에 강한 ～를 넣다 あごに強いライトを見舞う / ～의 에러 ライトのエラー. 語例 ～ 플라이〔野〕 ライトフライ / ～ 스트레이트 ライトストレート / ～ 윙〔蹴球〕 ライトウィング / ～ 필더〔野〕 ライトフィールダー. ライト《略》. ❷右翼. 右派. ▷(對)레프트(left). ❸正義. 正当. ◇right

라인 〈名〉 ライン. 線. 列. 句例 월산 2천 대의 ～ 月産二千台のライン. 語例 ～ 댄스 ラインダンス / 언더 ～ アンダーライン / 스타트 ～ スタートライン. 出発線 / 생산 ～ 生産ライン. ◇line

라인-업 [rainŏp] 〈名〉〔野・蹴球〕 ラインアップ. 句例 신경영진의 ～ 新経営陣のラインアップ / ～이 갖춰지다 ラインアップがそろう / ～을 발표하다 ラインアップを発表する. ◇line-up

라일락 〈名〉〔植〕 ライラック. リラ. むらさきはしどい. ◇lilac

라켓 〈名〉 ラケット. ◇racket

라틴 〈名・冠〉 ラテン. 語例 ～어 ラテン語 / ～ 아메리카 ラテンアメリカ. ◇라 Latin

락 〔漢字項目〕

【洛】 高校 락 ラク. ❶중국의 강 이름 中国の河の名. ◨洛水 낙수 らくすい. ❷도읍지 都. ◨洛陽 낙양 らくよう. ◨入洛 입락 にゅうらく.

【落】 中學 락 ラク. ❶떨어지다 落ちる. ◨落下 낙하 らっか. 落花 낙화 らっか. ◨墜落 추락 ついらく. ❷(기운을) 잃다 (元気を)失う. ◨落膽 낙담 らくたん. 落魄 낙백 らくはく. ❸함락하다 攻め落とされる. ◨落城 낙성 らくじょう. ◨陷落 함락 かんらく. ❹쇠하다 衰える. ◨沒落 몰락 ぼつらく. 零落 영락 れいらく. ❺뒤떨어지다 とり残される. ◨落後 낙후 らくご. 落伍 낙오 らくご. ❻빠지다 外れる. ◨脫落 탈락 だつらく. ❼떨어뜨리다 落とす. ◨落淚 낙루 らくるい. ❽이루다 出来上がる. ◨落成 낙성 らくせい. ❾마을 村里. ◨村落 촌락 そんらく. 聚落 취락 しゅうらく. ❿울타리 囲い. ◨離落 이락 りらく.

【絡】 高校 락 ラク. ❶싸다 絡める. 포괄하다 ひっくるめる. ◨籠絡 농락 ろうらく. ❷잇다 つなぐ. 연하다 つながる. ◨絡繹 낙역 らくえき. ◨連絡 연락 れんらく. 脈絡 맥락 みゃくらく. ❸근 筋. 인체의 맥락 人体の脈絡. ◨經絡 경락 けいらく.

락【樂】 ⇨ 악【樂】

-란【欄】 〈尾〉 …欄. 語例 광고～ 広告欄 / 공～ 空欄. →囲み記事 20

란 〔漢字項目〕

【亂(乱)】 高校 란 ラン. ❶어지럽다 乱れる. ㉠흐트러지다 散り散りになる. ◨亂視 난시 らんし. ◨散亂 산란 さんらん. ㉡뒤섞이다 入り乱れる. 무질서하다 無秩序だ. ◨亂立 난립 らんりつ. 亂舞 난무 らんぶ. ㉢어수선하다 あわただしい. 시끄럽다 騒騒しい. ◨亂世 난세 らんせい. ◨騷亂 소란 そうらん. ㉣행실이 난잡하다 身持ちが乱雑である. ふしだらだ. ◨亂暴 난폭 らんぼう. 亂行 난행 らんぎょう. らんこう. ❷어지럽히다 乱す. ◨亂民 난민 らんみん. ❸난리 乱. 変乱. ◨兵亂 병란 へいらん. 內亂 내란 ないらん.

【卵】 中學 란 ラン. 알 たまご. ◨卵生 난생 らんせい. 卵子 난자 らんし. ◨産卵 산란 さんらん. 排卵 배란 はいらん.

【欄(欄)】 高校 란 ラン. ❶난간 手すり. ◨欄干 난간 らんかん. ❷난. 지면에 설정한 부분의 경계선. 또, 그 경계선의 안 欄. 紙面に設けた部分の境界線. また, その境界線の内. ◨欄外 난외 らんがい. ◨空欄 공란 くうらん. 投稿欄 투고란 とうこうらん.

【爛】 高校 란 ラン. ❶문드러지다 ただれる. ◨腐爛 부란 ふらん. 糜爛 미란 びらん. ❷한창(때) たけなわ. 真っ盛り. 무르녹다 熟しすぎる. ◨爛熟 난숙 らんじゅく. 爛慢 난만 らんまん. ❸빛나다 きらめく. 찬란한 모양 鮮やかに輝くさま. ◨燦爛 찬란 さんらん. 絢爛 현란 けんらん.

【蘭(蘭)】 高校 란 ラン. ❶난초 蘭. ◨蘭科 난과 らんか. ◨春蘭 춘란 しゅんらん. ❷목련 木蓮. ◨木蘭 목란 もくらん. ❸'화란(和蘭)'의 약칭 '和蘭'の略.

람 〔漢字項目〕

【濫】 高校 람 ラン. ❶물이 넘치다 水があふれる. ◨氾濫 범람 はんらん. ❷뜨다 浮かぶ. 띄우다 浮かべる. ◨濫觴 남상 らんしょう. ❸함부로 みだりに. 마구 하다 むやみやたらにする. ◨濫用 남용 らんよう. 濫伐 남벌 らんばつ.

【藍】 高校 람 ラン. ❶쪽 あい. ◨甘藍 감람 かんらん. ❷남빛 あい色. ◨藍碧 남벽 らんぺき. ◨出藍 출람 しゅつらん. ❸누더기 ぼろ. ◨藍縷 남루 らんる.

【覽(覧)】 高校 람 ラン. ❶(두루) 보다 (広く, あまねく)見る. ◨博覽 박람 はくらん. 遊覽 유람 ゆうらん. ❷'보다'의 뜻의 존경어 '見る'の意の尊敬語. ◨高覽 고람 こうらん. 照覽 조람 しょうらん.

랑 〈助〉 終声のない語について. '…と(か)・…や(ら)'の意を表わす語. 文例 너～ 나～ 함께 가자 君と僕と一緒に行こう.
表現 終声のある語につく場合は 이랑 になる.

랑 〔漢字項目〕

【廊(廊)】 高校 랑 ロウ. ❶익랑 翼廊. ◨東廊 동랑 とうろう. 西廊 서

랑 せいろう. ❷복도 廊下. ■廊下 낭하 ろうか. ■回廊 회랑 かいろう.

【浪】中學 랑 ロウ. ❶물결 波. 큰 파도 大波. ■波浪 파랑 はろう. 激浪 격랑 げきろう. ❷유랑하다 さすらう. ■浪人 낭인 ろうにん. ■流浪 유랑 るろう. 放浪 방랑 ほうろう. ❸함부로 むやみに. 마구 やたらに. ■浪費 낭비 ろうひ.

【朗(朗)】高校 랑 ロウ. 밝다 明るい. 명랑하다 朗らかだ. ■朗報 낭보 ろうほう. 朗朗 낭랑 ろうろう. ■明朗 명랑 めいろう. 清朗 청랑 せいろう.

【郎(郎)】中學 랑 ロウ. ❶벼슬 이름 官名. ■尚書郎 상서랑 しょうしょろう. ❷사내 男. 아들 息子. ■郎子 낭자 ろうし. ■令郎 영랑 れいろう. ❸아내가 남편을 부르는 호칭 妻が夫を呼ぶことば. ■郎君 낭군 ろうくん. ■新郎 신랑 しんろう.

랑데-부 〈名・하自〉 ランデブー. あいびき. 密会. 句例 심야의 ～ 深夜のランデブー. 文例 두 우주선이 ～에 성공했다 二つの宇宙船がランデブーに成功した. ◇프 rendez-vous

래 〔漢字項目〕

【來(来)】中學 래 ライ. ❶오다 来る. ■來賓 내빈 らいひん. 來襲 내습 らいしゅう. ■往來 왕래 おうらい. 外來 외래 がいらい. ❷전도 前途. 이제부터 일어남 これから起こる. ■來日 내일 らいじつ. 來世 내세 らいせい. ■未來 미래 みらい. 將來 장래 しょうらい. ❸이래 以来. 그 이후 その以後. ■來歷 내력 らいれき. ■本來 본래 ほんらい.

래커 〈名〉 ラッカー. ＝라카(lacca). 句例 ～를 칠하다 ラッカーを塗る. ◇lacquer

***램프**[1] 〈名〉 ランプ. 句例 ～를 켜다 ランプをともす. 語例 석유 ～ 石油ランプ / 가스 ～ ガスランプ. ◇lamp

램프[2] 〈名〉 ランプ. 語例 ～ 웨이 ランプウェー. ◇ramp

랩 타임 〈名〉 ラップタイム. 句例 반환점까지의 ～ 折り返し点までのラップタイム. ◇lap time

랭 〔漢字項目〕

【冷】中學 랭 レイ. ❶차다 冷たい. ㉠춥다 寒い. ■冷水 냉수 れいすい. 冷氣 냉기 れいき. ■寒冷 한랭 かんれい. ㉡마음이 차다 心が冷たい. 박정하다 思いやりがない. ■冷酷 냉혹 れいこく. 冷淡 냉담 れいたん. ❷감정에 의해 이성이 흐트러지지 않다 感情によって理性が乱されない. ■冷靜 냉정 れいせい. 冷嚴 냉엄 れいげん. ❸식히다 冷やす. ■冷却 냉각 れいきゃく.

랭킹 〈名〉 ランキング. 順位づけ. 語例 세계 ～ 제3위 世界のランキング第三位. ◇ranking.

략 〔漢字項目〕

【掠】高校 략 リャク. ❶노략질하다 かすめる. 탈취하다 奪いとる. ■掠奪 약탈 りゃくだつ. ■侵掠 침략 しんりゃく. ❷매질하다 むち打つ. ■掠笞 약태 りゃくち.

【略】高校 략 リャク. ❶다스리다 治める. ■經略 경략 けいりゃく. ❷간략하다 簡略である. 약하다 略する. ■略字 약자 りゃくじ. 略式 약식 りゃくしき. ■省略 생략 しょうりゃく. ❸약탈하다 奪いとる. ■略奪 약탈 りゃくだつ. 略取 약취 りゃくしゅ. ■侵略 침략 しんりゃく. 攻略 공략 こうりゃく. ❹꾀 はかりごと. 모계(謀計) たくらみ. ■謀略 모략 ぼうりゃく. 知略 지략 ちりゃく. ❺대강 おおよそ. 대략 あらまし. ■略述 약술 りゃくじゅつ. 略說 약설 りゃくせつ.

량 〔漢字項目〕

【兩(両)】中學 량 リョウ. ❶둘 二つ. ■兩人 양인 りょうにん. 兩分 양분 りょうぶん. ❷짝이 되는 둘 対になる二つ. ■兩親 양친 りょうしん. 兩眼 양안 りょうがん. ❸옛날의 무게 또는 화폐의 단위의 하나 昔の重さまたは貨幣の単位の一つ. ■百兩 백량 ひゃくりょう.

【涼】中學 량 リョウ. ❶서늘하다 涼しい. ■涼秋 양추 りょうしゅう. 涼風 양풍 りょうふう. ■清涼 청량 せいりょう. ❷슬퍼하다 悲しむ. 쓸쓸하다 さびしい. ■荒涼 황량 こうりょう. 凄涼 처량 せいりょう. ❸시원한 바람을 쐬다 涼しい風に当たる. ■納涼 납량 のうりょう.

【梁】高校 량 リョウ. ❶들보 はり. ■棟梁 동량 とうりょう. 柱梁 주량 ちゅうりょう. ❷다리 橋. ■橋梁 교량 きょうりょう. 津梁 진량 しんりょう.

【糧】高校 량 リョウ. ロウ. 양식 糧. ■糧食 양식 りょうしょく. 糧米 양미 りょうまい. ■食糧 식량 しょくりょう. 兵糧 병량 ひょうろう.

【良】中學 량 リョウ. ❶어질다. 착하다 善良だ. 온순하다 素直だ. ■良民 양민 りょうみん. 良妻 양처 りょうさい. ■善良 선량 ぜんりょう. 忠良 충량 ちゅうりょう. ❷좋다 よい. 훌륭하다 立派だ. ■良計 양계 りょうけい. 良藥 양약 りょうやく. ■優良 우량 ゆうりょう. 改良 개량 かいりょう.

【諒】高校 량 リョウ. ❶참 まこと. 신실하다 信実だ. ■諒闇 양암 りょうあん. ■忠諒 충량 ちゅうりょう. ❷(사정을) 살펴 알다 承知する. 納得する. ■諒解 양해 りょうかい. 諒察 양찰 りょうさつ.

【量】中學 량 リョウ. ❶양 量. 분량 分量. ■量器 양기 りょうき. ■容量 용량 ようりょう. 重量 중량 じゅうりょう. 少量 소량 しょうりょう. ❷인격이나 재능의 크기 人格や才能の大きさ. ■雅量 아량 がりょう. 度量 도량 どりょう. 力量 역량 りきりょう. ❸달다. 재다. 되다 計る. 또, 양을 재는 것 また, (量を)計るもの. ■計量 계량 けいりょう. 測量 측량 そくりょう. 度量衡 도량형 どりょうこう. ❹헤아리다. 추측하다 推し量る. ■推量 추량 すいりょう. 裁量 재량 さいりょう.

러너 〈名〉 ランナー. 走者. 句例 ～를 견제하다 ランナーを牽制する. 語例 핀치 ～ ピンチラ

ㄹ

ンナー. ◇runner

러닝 〈名〉ランニング. 文例 ~ 슛이 멋있게 골인하였다 ランニングシュートが見事にゴールインした. 語例 ~ 캐치〔野〕ランニングキャッチ / ~ 호머〔野〕ランニングホーマー. ◇running

러닝 셔츠 〈名〉ランニングシャツ. ランニング《略語》. ◇running shirt

러브 〈名〉ラブ. 語例 플라토닉 ~ プラトニックラブ / ~ 신 ラブシーン / ~ 레터 ラブレター. 恋文. ◇love

러시 〈名・하自〉ラッシュ. 語例 골드 ~ ゴールドラッシュ / 통근 ~ 通勤ラッシュ. ◇rush

러시 아워 〈名〉ラッシュアワー. 句例 ~를 피해 외출했다 ラッシュアワーを避けて外出した. ◇rush hour

러키 〈名〉ラッキー. 幸運. 語例 ~ 펀치 ラッキーパンチ / ~ 세븐 ラッキーセブン / ~ 존〔野〕ラッキーゾーン. ◇lucky

*__럭비__ 〈名〉ラグビー. ◇Rugby

럭스 〈依名〉〔物〕ルクス. ルックス《記号 lx》. ◇lux

런 〈名〉ラン. 語例 롱 ~ ロングラン / 투 ~ 호머 ツーランホーマー. ◇run

런치 〈名〉ランチ. 昼食. 語例 ~ 타임 ランチタイム. ◇lunch

레더 〈名〉レザー. 語例 ~ 코트 レザーコート. ◇leather

레디 〈感〉レディー. スポーツなどで, スタートの際'用意せよ'の意で用いる語. ◇ready

⁑**레몬** 〈名〉〔植〕レモン. 語例 ~ 스쿼시 レモンスカッシュ / ~수 レモン水 / ~ 주스 レモンジュース / ~차(茶) レモンティー. ◇lemon

레미콘 〈名〉レミコン. ◇remicon

레버 〈名〉レバー. てこ. ◇lever

레벨 〈名〉レベル. 水準. 句例 ~이 낮다〔높다〕レベルが低い〔高い〕/ ~이 높아지다 レベルが上がる. 語例 톱 ~ トップレベル. ◇level

레스토랑 〈名〉レストラン. 句例 시내의 ~ 町のレストラン. ◇프 restaurant

레슨 〈名〉レッスン. 句例 피아노 ~을 받다 ピアノのレッスンを受ける. ◇lesson

⁑**레슬링** 〈名〉レスリング. ◇wrestling

레이 〈名〉レイ. 句例 ~를 목에 걸다 レイを首にかける. ◇하와이 lei

레이더 〈名〉 レーダー. 電波探知機. 句例 ~로 비행기를 찾아내다 レーダーで飛行機を捜し出す. 語例 ~망 レーダー網 / ~ 기지 レーダー基地 / ~ 기상 관측 レーダー気象観測. ◇radar

레이디 〈名〉レディー. 貴婦人. 淑女. 語例 퍼스트 ~ ファーストレディー / 오피스 ~ オフィスレディー. オーエル《略語》. ◇lady

레이디 퍼스트 [—p'ŏ:sŭt'ŭ] 〈名〉レディーファースト. 女性優先. ◇lady first

레이스[1] 〈名〉レース. 句例 소매 끝에 ~를 달다 そで口にレースをつける. 語例 ~ 뜨기 レース編み. ◇lace

레이스[2] 〈名〉レース. 語例 오토바이〔보트〕~ オート〔ボート〕レース. ◇race

레이-아웃 〈名〉レイアウト. ◇layout

레이저 〈名〉〔物〕レーザー. 語例 ~ 광선〔통신〕レーザー光線〔通信〕/ ~ 디스크 レーザーディスク. エルディー《略語》/ ~ 커터 レーザーカッター. ◇laser

레인-코트 [—ko:t'ŭ] 〈名〉レーンコート. =비옷. ◇rain-coat

레인지 〈名〉レンジ. 語例 가스 ~ ガスレンジ. ◇range

레일 〈名〉レール. 軌道. 句例 ~을 깔다 レールを敷く. 語例 모노 ~ モノレール / 커튼 ~ カーテンレール. ◇rail

레저 〈名〉レジャー. 語例 ~ 붐 レジャーブーム / ~ 산업 レジャー産業 / ~ 용품 レジャー用品. ◇leisure

레지스탕스 〈名〉レジスタンス. 語例 ~ 문학 レジスタンス文学. ◇프 résistance

레커-차 【wrecker車】〈名〉レッカー車.

레코드 [rek'o:dŭ] 〈名〉レコード. ❶(スポーツなどの)記録. 語例 ~ 홀더 レコードホルダー. 記録保持者. ❷音盤. 語例 ~ 음악 レコード音楽 / ~ 콘서트 レコードコンサート. ❸録音. 語例 ~ 플레이어 レコードプレーヤー. ◇record

레크리에이션 〈名〉レクリエーション. ◇recreation

레테르 〈名〉レッテル. ラベル. =라벨. 句例 ~를 붙이다 レッテルを張る. 文例 어용 신문이라는 ~가 붙었다 御用新聞というレッテルが張られた. ◇네 letter

레토르트 〈名〉〔化〕レトルト. 語例 ~ 식품 レトルト食品. ◇retort

레퍼리 〈名〉 レフェリー. レフリー. =심판원. 句例 ~를 맡아보다 レフェリーを勤める. 語例 ~ 스톱 レフェリーストップ / ~ 타임 レフェリータイム. ◇referee

레퍼토리 〈名〉レパートリー. 句例 ~를 늘리다 レパートリーを増やす / ~가 다양하다 レパートリーが広い. ◇repertory

레프트 〈名〉レフト. ❶左. 左側. 語例 ~ 사이드 レフトサイド / ~ 훅〔拳闘〕レフトフック. ❷左翼(手). 語例 ~ 필더〔野〕レフトフィールダー. レフト《略語》/ ~ 윙 (サッカーの)レフトウイング / ~ 플라이〔野〕レフトフライ. ❸左派. 語例 뉴 ~ ニューレフト. ▷㊟라이트(right). ◇left

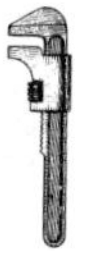

렌즈 〈名〉〔物〕レンズ. 語例 볼록 ~ 凸レンズ / 오목 ~ 凹レンズ / 망원 ~ 望遠レンズ. ◇lens

렌치 〈名〉(工具の)レンチ. 絵 ◇wrench〈렌치〉

렌터-카 [—k'a:] 〈名〉 レンタカー. 貸し自動車. =렌털 카(rental car) ◇rent-a-car

려 〔漢字項目〕

【勵(励)】 高校 려 レイ. ❶힘쓰다 励む. ◧勵行 여행 れいこう. ◨奮勵 분려 ふんれい. ❷권장하다 勧める. ◨奬勵 장려 しょうれい. 激勵 격려 げきれい.

【慮】 高校 려 リョ. ❶생각하다 思いめぐらす. ◨考慮 고려 こうりょ. 熟慮 숙려 じゅくりょ. ❷걱정하다 心配する. おもんぱかる. ◨念慮 염려 ねんりょ. 憂慮 우려 ゆうりょ.

【旅(旅)】[中學] 려 リョ. ❶나그네 旅人(たびびと). 객지에 기류하는 일 客地(かくち)に寄留(きりゅう)すること. ◧旅客 여객 りょかく. 旅館 여관 りょかん. ❷여행하다 旅行(りょこう)する. 멀리 가다 遠(とお)くにいく. ◧旅費 여비 りょひ. 旅程 여정 りょてい. ❸주나라의 군제로, 병사 오백병의 군대 周(しゅう)の軍制(ぐんせい)で, 兵士(へいし)五百人(ごひゃくにん)の軍隊(ぐんたい). 전하여, 군대 転(てん)じて, 軍隊(ぐんたい). ◧旅團 여단 りょだん. ◧軍旅 군려 ぐんりょ.

【麗】[高校] 려 レイ. ❶곱다 麗(うるわ)しい. 아름답다 美(うつく)しい. ◧麗人 여인 れいじん. ◧秀麗 수려 しゅうれい. 華麗 화려 かれい. ❷나라 이름 国(くに)の名(な). ◧高麗 고려 こうらい. ◧麗末 여말 高麗(こうらい)の末(すえ).

력 〔漢字項目〕

【力】[中學] 력 リョク. リキ. ❶힘 力(ちから). ◧力士 역사 りきし. 力學 역학 りきがく. ◧體力 체력 たいりょく. 國力 국력 こくりょく. ❷힘쓰다 努(つと)める. 애쓰다 骨折(ほねお)る. ◧力作 역작 りきさく. 力走 역주 りきそう. ◧努力 노력 どりょく. 盡力 진력 じんりょく.

【曆(曆)】[高校] 력 レキ. ❶책력 曆(こよみ). ◧曆法 역법 れきほう. 曆年 역년 れきねん. ◧新曆 신력 しんれき. 舊曆 구력 きゅうれき. ❷전하여, 연대·수명·운명 등의 뜻 転(てん)じて, 年代(ねんだい)·寿命(じゅみょう)·運命(うんめい)などの意(い). ◧曆數 역수 れきすう.

【歷(歷)】[中學] 력 レキ. ❶지내다 過(す)ごす. 겪다 経験(けいけん)する. ◧歷程 역정 れきてい. 歷史 역사 れきし. ◧經歷 경력 けいれき. 來歷 내력 らいれき. ❷다니다 して回(まわ)る. 가다 行(い)く. ◧歷訪 역방 れきほう. 歷任 역임 れきにん. ◧遍歷 편력 へんれき. 巡歷 순력 じゅんれき. ❸분명함 はっきりしていること. ◧歷歷 역력 れきれき. 歷然 역연 れきぜん.

련 〔漢字項目〕

【憐】[高校] 련 レン. ❶어여삐 여기다 いじらしく思(おも)う. 귀애하다 かわいがる. ◧愛憐 애련 あいれん. 可憐 가련 かれん. ❷불쌍히 여기다 哀(あわ)れむ. ◧憐憫 연민 れんびん. ◧同病相憐 동병 상련 どうびょう相憐(あいあわ)れむ.

【戀(恋)】[高校] 련 レン. ❶그리워하다. 사모하다 思(おも)いこがれる. ◧戀戀 연연 れんれん. 戀愛 연애 れんあい. ◧愛戀 애련 あいれん. ❷그리움. 사랑 恋(こい). ◧哀戀 애련 あいれん. 悲戀 비련 ひれん.

【蓮(蓮)】[高校] 련 レン. 연 はす. ◧蓮華 연화 れんげ. 蓮根 연근 れんこん. ◧水蓮 수련 すいれん.

【練(練)】[中學] 련 レン. ❶누이다 練(ね)る. ◧練絲 연사 れんし. ❷익히다 習熟(しゅうじゅく)する. ◧練習 연습 れんしゅう. 練兵 연병 れんぺい. ◧訓練 훈련 くんれん. 教練 교련 きょうれん.

【聯】[高校] 련 レン. ❶연하다 連(つら)なる. 이어지다 続(つづ)く. 연결하다 連ねる. ◧聯立 연립 れんりつ. 聯合 연합 れんごう. ◧關聯 관련 かんれん. ❷율시의 짝을 이루는 두 구 律詩(りっし)の対(つい)をなす二句(にく). ◧對聯 대련 ついれん. 柱聯 주련 ちゅうれん. ❸'聯盟'·'聯合會'·'聯邦' 등의 약어 '連盟'·'連合会'·'連邦'などの略. ◧國聯 국련 こくれん(国連). 全經聯 전경련 ぜんけいれん(全経連). 世界勞聯 세계 노련 せかいろうれん(労連).

【連(連)】[中學] 련 レン. ❶잇다 連(つら)ねる. 이어지다 連なる. ◧連山 연산 れんざん. 連名 연명 れんめい. ❷연하여 引(ひ)き続(つづ)き. ◧連戰連勝 연전연승 れんせんれんしょう. ❸관련시키다 関連(かんれん)させる. ◧連坐 연좌 れんざ.

【鍊(鍊)】[高校] 련 レン. ❶쇠붙이를 불에 달구다 金属(きんぞく)を鍛(きた)える. ◧鍊金術 연금술 れんきんじゅつ. 鍊鐵 연철 れんてつ. ◧鍛鍊 단련 たんれん. 精鍊 정련 せいれん. ❷(약을)이기다 (薬(くすり)を)練(ね)る. ◧鍊藥 연약 れんやく. 鍊丹 연단 れんたん. ❸익히다 上達(じょうたつ)をはかる. ◧鍊磨 연마 れんま. ◧修鍊 수련 しゅうれん.

렬 〔漢字項目〕

【列】[中學] 렬 レツ. ❶석차 席次(せきじ). 순서 順序(じゅんじょ). ◧列次 열차 れつじ. ◧序列 じょれつ. ❷(늘어선)줄 (並(なら)んだ)列(れつ). ◧隊列 대열 たいれつ. 整列 정렬 せいれつ. ❸줄을 지어 늘어서다 列(れつ)をつくって並ぶ. ◧列車 열차 れっしゃ. 列傳 열전 れつでん. ❹자리에 끼다 席(せき)に参加(さんか)する. ◧列席 열석 れっせき. ◧參列 참렬 さんれつ.

【劣】[高校] 렬 レツ. ❶못하다 劣(おと)る. ◧劣勢 열세 れっせい. 劣才 열재 れっさい. ◧優劣 우열 ゆうれつ. 庸劣 용렬 ようれつ. ❷졸렬하다 つたない. ◧劣惡 열악 れつあく. 劣情 열정 れつじょう. ◧拙劣 졸렬 せつれつ. 卑劣 비열 ひれつ.

【烈】[中學] 렬 レツ. ❶세차다 激(はげ)しい. 화세가 강하다 火勢(かせい)が強(つよ)い. ◧烈火 열화 れっか. 烈日 열일 れつじつ. ◧熱烈 열렬 ねつれつ. ❷사납다 荒荒(あらあら)しい. ◧烈風 열풍 れっぷう. ◧猛烈 맹렬 もうれつ. ❸마음이 다부지고 지조가 굳다 気性(きしょう)が激しく, 操(みさお)がかたい. ◧烈士 열사 れっし. 烈女 열녀 れつじょ. ◧壯烈 장렬 そうれつ. ❹큰 사업 大(おお)きな事業(じぎょう). 공적 手柄(てがら). ◧遺烈 유열 いれつ.

【裂】[高校] 렬 レツ. ❶찢다 裂(さ)く. 찢어지다 裂ける. ◧裂傷 열상 れっしょう. ◧결렬 けつれつ. 破裂 파열 はれつ. 龜裂 균열 きれつ.

렴 〔漢字項目〕

【廉(廉)】[高校] 렴 レン. ❶청렴하다 潔(いさぎよ)い. ◧廉潔 염결 れんけつ. 廉恥 염치 れんち. ◧清廉 청렴 せいれん. ❷값이 싸다 値段(ねだん)が安(やす)い. ◧廉價 염가 れんか. ◧低廉 저렴 ていれん. ❸모 角(かど). 모서리 隅(すみ). ◧廉隅 염우 れんぐう.

령 〔漢字項目〕

【令】[中學] 령 レイ. リョウ. ❶시키다 言(い)いつける. ◧令狀 영장 れいじょう. ◧辭令 사령 じれい. ❷법령 おきて. ◧法令 법령 ほ

うれい. ❸명령하다 命じる. ◨號令 호령 ごうれい. 軍令 군령 ぐんれい. ❹관아의 장 官衙の長. ◨縣令 현령 けんれい. ❺좋다 よい. ◨令名 영명 れいめい. ❻남의 가족에 대한 경칭 他人の家族に対する敬称. ◨令夫人 영부인 れいふじん. 令嬢 영양 れいじょう.

【嶺】高校 령 レイ. ❶재 峠. ◨山嶺 산령 さんれい. ❷산봉우리 山のいただき. ◨雪嶺 설령 せつれい.

【零】高校 령 レイ. ❶비가 오다 雨が降る. ◨零雨 영우 れいう. ❷떨어지다 すたれる. ◨零落 영락 れいらく. ❸영 ゼロ. ◨零點 영점 れいてん. 零度 영도 れいど.

【靈(霊)】高校 령 レイ. リョウ. ❶신령 神かみのみたま. ◨靈域 영역 れいいき. ◨神靈 신령 しんれい. ❷인지(人智)로써 알 수 없다 人智でははかり知れない. ◨靈妙 영묘 れいみょう. 靈驗 영험 れいげん. ❸넋 魂. ◨靈魂 영혼 れいこん.

【領】中學 령 リョウ.·レイ. ❶목 首. ◨頸領 경령 けいりょう. ❷옷깃 えりくび. 중요한 곳 大切なところ. ◨領袖 영수 りょうしゅう. ◨要領 요령 ようりょう. 綱領 강령 こうりょう. ❸다스리다 治める. 거느리다 ひきいる. ◨領導 영도 りょうどう. ◨首領 수령 しゅりょう. 統領 통령 とうりょう. ❹차지하다 占める. ◨領有 영유 りょうゆう. ◨占領 점령 せんりょう. ❺깨닫다 さとる. ◨領解 영해 りょうかい. ❻받다 受ける. ◨領收 영수 りょうしゅう.

례 〔漢字項目〕

【例】中學 례 レイ. ❶규정 規定. ◨例規 예규 れいき. ◨法例 법례 ほうれい. ❷전부터 있던 사례 前からあった事例. ◨前例 전례 ぜんれい. 慣例 관례 かんれい. ❸본보기 手本. ◨凡例 범례 はんれい. 用例 용례 ようれい. ❹인용하는 증거 引用する証拠. ◨例示 예시 れいじ. ◨引例 인례 いんれい. ❺같은 종류 同じ種類. ◨例外 예외 れいがい. ◨類例 유례 るいれい.

【禮(礼)】中學 례 レイ. ライ. ❶예도 生活規範の総称. ◨禮儀 예의 れいぎ. ◨無禮 무례 ぶれい. ❷의식 儀式. ◨禮拜 예배 らいはい. ◨婚禮 혼례 こんれい. ❸절 おじぎ. ◨禮讚 예찬 らいさん. ◨敬禮 경례 けいれい. ❹예우하다 敬意をもってもてなす. ◨禮遇 예우 れいぐう. ❺예물 謝意を表する品物. ◨謝禮 사례 しゃれい.

로〈助〉終声のない体言や'ㄹ'終声の体言につく副詞格助詞. ❶手段·方法·材料を表わす: …で. …から. 句例 차～ 가다 車で行く / 전화～ 연락하다 電話で連絡する / 나무～ 상자를 만들다 木で箱を作る / 물～ 씻다 水で洗う. 文例 술은 쌀～ 빚는다 酒は米で醸す / 치즈는 우유～ 만든다 チーズは牛乳から作る.
❷原因·理由·根拠を表わす: …で. …から…. …と. 句例 더위～ 고생하다 暑さで苦しむ. 文例 감기～ 누워 있다 風邪で寝ている / 폭우～ 나무가 쓰러졌다 暴雨で木が倒れた.
❸動作対象の資格, 役割, 位置を表わす: …に. …として. 句例 사위～ 삼다 婿にする / 아내～ 맞이하다 妻に迎える / 법률을 방패～ 싸우다 法律を盾に争う. 文例 교기를 선두～ 입장했다 校旗を先頭に入場した / 백부를 연줄～ 상경했다 伯父をたよりに上京した.
❹変化の対象を表わす: …に. …と. 句例 영어를 일본어～ 옮기다 英語を日本語に訳する / 산이 바다～ 변하더라도 山が海に変わろうとも.
❺('-기～'の形で)…(すること)に. 文例 외국에 가기～ 했다 外国に行くことにした / 일찍 일어나기～ 하자 早く起きることにしよう.
❻動作の目標·方向を表わす: …へ. 句例 위～ 위～ 올라가다 上へ上へと上る / 위아래～ 흔들리다 上下に揺れる. 文例 바다～ 가니 海に行くの.
❼結果を表わす: …と. …に. 句例 무죄～ 결정하다 無罪と決定する / 헛수고～ 끝나다 無駄骨折りに終わる / 청신호～ 바뀌다 青信号に変わる. 文例 얼음이 녹아서 물～ 되었다 氷が溶けて水になった.
❽時間·経過を表わす: …に. 文例 시합은 닷새 뒤～ 연기되었다 試合は五日後に延期された.
❾'로서'の略. 文例 밤의 명산지～ 알려져 있다 栗の名産地として知られている.
❿'로써'の略. 句例 손수 만든 요리～ 대접하다 手料理でもてなす.
表現 終声のある語につく場合は'으로'になる.

-로【路】〈尾〉…路. ❶…ルート. 語例 정기 항공～ 定期航空路 / 교차～ 交差路. ❷通り.
語例 세종～ 世宗通り / 을지～ 乙支通り.

로 〔漢字項目〕

【勞(労)】中學 로 ロウ. ❶수고하다 苦労する. ◨勞作 노작 ろうさく. ◨徒勞 도로 とろう. ❷고달프다 疲れる. 근심하다 心配する. ◨勞心 노심 ろうしん. ◨疲勞 피로 ひろう. ❸힘써 일하다 骨おり働く. ◨勞動 노동 ろうどう. ◨勤勞 근로 きんろう. ❹공적 手柄. ◨功勞 공로 こうろう. ❺위로하다 ねぎらう. ◨慰勞 위로 いろう.

【爐(炉)】高校 로 ロ. 화로 火鉢. ◨爐邊 노변 ろへん. ◨香爐 향로 こうろ. 鎔鑛爐 용광로 ようこうろ.

【老】中學 로 ロウ. ❶늙다 年をとる. ◨老朽 노후 ろうきゅう. 老鋪 노포 ろうほ〔しにせ〕. ❷노인 年をとった人. ◨老人 노인 ろうじん. ◨古老 고로 ころう. ❸어른 頭だった人. ◨父老 부로 ふろう. 長老 장로 ちょうろう. ❹경로(敬老)하다 老人を敬う. ◨老先生 노선생 ろうせんせい. ❺이수하다 物になれている. 上手だ. ◨老鍊 노련 ろうれん. 老成 노성 ろうせい. ❻노자(老子)의 학설 老子の説. ◨老莊學派 노장학파 ろうそうがくは. ◨佛老 불로 ぶつろう.

【路】中學 로 ロ. ❶길 道. ▮路傍 노방 ろぼう. ▮道路 도로 どうろ. ❷사람이 마땅히 행하여야 할 길. 人の行うべき正しい道. ▮正路 정로 せいろ. ❸사물의 조리 事のすじみち. ▮理路 이로 りろ. ❹중요한 자리 重要な所. ▮要路 요로 ようろ. 活路 활로 かつろ.

【露】中學 로 ロ. ロウ. ❶이슬 露. ▮露花 노화 ろか. ▮雨露 우로 うろ. ❷덧없음의 비유 はかないもののたとえ. ▮露命 노명 ろめい. ▮朝露 조로 ちょうろ. ❸한데 屋根のないところ. ▮露天 노천 ろてん. 露宿 노숙 ろしゅく. ❹드러나다 あらわれる. 드러내다 あらわす. ▮露顕 노현 ろけん. 露出 노출 ろしゅつ. ▮暴露 폭로 ばくろ.

로드 [ro:dŭ] 〈名〉 ロード. 道路. 語例 실크 ~ シルクロード / ~ 쇼〔劇〕 ロードショー / ~ 워크 ロードワーク. ◇road

*__로마__ [ro:ma] 〈名〉 ローマ. 文例 모든 길은 ~로 통(通)한다《속담》 すべての道はローマに通じる. 語例 ~ 교황 ローマ教皇〔法王〕/ ~ 교황청 ローマ教皇庁 / ~ 숫자 ローマ数字.

囲み記事 31

▨ 로마자 표기법 ローマ字のつづりかた ▨

韓国語の発音は普通ローマ字で書き表わす. この辞典では, 文教部で制定公布した '국어의 로마자 표기법 韓国語のローマ字表記法〔つづりかた〕'によって書き表わすことにした. その原則は次のとおりである.

母音

ㅏ	ㅓ	ㅗ	ㅜ	ㅡ	ㅣ	ㅐ	ㅔ	ㅚ
a	ŏ	o	u	ŭ	i	ae	e	oe
ㅑ	ㅕ	ㅛ	ㅠ	ㅒ	ㅖ	ㅢ		
ya	yŏ	yo	yu	yae	ye	ŭi		
ㅘ	ㅝ	ㅙ	ㅞ	ㅟ				
wa	wo	wae	we	wi				

子音

ㄱ	ㄲ	ㅋ
k, g	kk	k'
ㄷ	ㄸ	ㅌ
t, d	tt	t'
ㅂ	ㅃ	ㅍ
p, b	pp	p'
ㅈ	ㅉ	ㅊ
ch, j	tch	ch'
ㅅ	ㅆ	ㅎ
s, sh	ss	h
ㅁ	ㄴ	ㅇ
m	n	ng
ㄹ		
r, l		

表記上の留意点

(1) 母音＋ㄱ, ㄷ, ㅂ, ㅈ＋母音
ㄴ, ㄹ, ㅁ, ㅇ＋ㄱ, ㄷ, ㅂ, ㅈ＋母音 }→g, d, b, j 가구 家具 [kagu], 바둑 碁 [paduk]

その他の場合は k, t, p, chで表わす. 각자 各自 [kakcha]

(2) 'ㅅ'の表記 ― '시'は sh, そのほかはsで表わす. 시 時 [shi], 씨 たね[ssi]

(3) 'ㄹ'の表記

ㄹ＋母音→r 사랑[sarang]

ㄹ＋子音, 語末のㄹ→l 물건[mulgŏn], 썰물[ssŏlmul]

ㄹㄹはll 진달래[chindallae]

(4) '子音の同化' '口蓋音化' '격음 帯気音'などは変化した発音で表わす.

냇물 [naenmul], 심리 [shimni], 독립 [tongnip], 낮일 [nannil], 굳이 [kuji], 국화 [kuk'wa]

(5) 発音するとき混同するうれいがあるとか, 語中で分節を示す必要があるときなどではハイフン'-'をさし入れる.

용이 容易 [yong-i], 거제도 巨済島 [kŏje-do]

注. (1)-(3)は 型にはまったつづりかたなので 本辞典ではその表記を省略した.

長音と硬音

同音異義語の場合, その意味の違いが区別できるように, この辞典では特に'장음 長音'と'된소리 硬音'を添えて表わした.

(1) 長音 ― 母音につづいて':'を添える.

이월 二月 [i:wol], 이월(移越) 繰り越し [iwol], 말 馬 [mal], 말 言葉 [ma:l]

(2) 硬音 ― 子音＋子音の場合のようにおのずから硬音が自然に発音されのは別に表わさないが, そのほかの場合は表わすことにした.

잠자리 とんぼ [chamjari]《表記しない》, 잠자리 寝床 [chamtchari]《表記する》, 장기 長技 [changkki]《表記する》, 장기 長期 [changgi]《表記しない》

로마는 하루 아침에 이루어지지 않았다 ローマは一日にして成らず. 何事にも努力なしに成し遂げることはできないというたとえ.

로마-자【Roma 字】 [ro:ma—]〈名〉ローマ字.

로마자 표기【Roma 字表記】 [ro:ma—]〈名〉ローマ字のつづり(かた). ローマナイズ. 文例 한글의 ～는 꾀까다롭다 ハングルのローマ字つづりはややこしい. →囲み記事 31

로맨스〈名〉ロマンス. 恋物語. 句例 ～를 주제로 한 영화 ロマンスを主題とした映画. ◇romance

로맨티시스트〈名〉ロマンチスト. ロマンチシスト. ロマン主義者. ◇romanticist

로맨티시즘〈名〉ロマンチシズム. ロマン主義. ◇romanticism

로맨틱-하다 [ramaent'ik'ada] (→ 하다)〈形〉ロマンチックだ. 句例 로맨틱한 사랑〔이야기〕ロマンチックな恋〔物語〕. ◇romanticから.

***로봇**〈名〉ロボット. 句例 ～을 조종하다 ロボットを操縦する. 文例 명색은 사장이나 실은 ～이다 名は社長ではあるが実はロボットである. 語例 산업용 ～ 産業用ロボット. ◇robot

로-부터〈助〉終声のない語または'ㄹ'終声のある語につく副詞格助詞: …から. …より. 句例 대구～ 서울까지 大邱からソウルまで / 아버지～ 딸에게 父より娘へ / 친구～ 빌린 책 友より借りた本 / 예～의 전설 昔からの言い伝え.
表現 'ㄹ'以外の終声のある語につく場合は'으로부터'になる.

로서〈助〉終声のない語または'ㄹ'終声のある語について, 身分・資格を表わす: …として. 句例 취미～ 우표를 모으다 趣味として切手を集める / 대표～ 출석하다 代表として出席する / 그는 작가～ 유명하다 彼は作家として有名だ. 文例 부모～ 책임을 진다 親として責任を負う. →囲み記事 32

로션 [ro:syŏn]〈名〉ローション. 語例 스킨 ～ スキンローション. ◇lotion

로스[1]〈名〉ロス. 損失. 句例 ～가 생기다 ロスが出る / 작업상의 ～를 적게 하다 作業上のロスを少なくする. 語例 ～ 타임 ロスタイム / 송전 ～ 送電ロス. ◇loss

로스〈名〉ロース. 語例 ～ 햄 ロースハム. ◇roastから.

로스트 [ro:sŭt'ŭ]〈名〉ロースト. 語例 ～ 비프 ローストビーフ. ロースト《略語》/ ～ 치킨 ローストチキン. ◇roast

로써〈助〉終声のない語または'ㄹ'終声のある語のあとについて)…で. …をもって. …(すること)によって. 句例 신념과 용기～ 시련을 이겨낸 사람 信念と勇気をもって試練に堪えぬいた人. 文例 오늘～ 만 20세가 되었습니다 今日で満二十歳になりました. →囲み記事 32

로열 [ro:yŏl]〈名〉ロイヤル. ローヤル. 語例 ～ 박스 ロイヤルボックス. 貴賓席 / ～ 젤리 ローヤルゼリー. ◇royal

로열티 [ro:yŏlt'i]〈名〉ロイヤルティー. =특허〔저작〕권 사용료. 句例 ～를 지불하다 ロイヤルティーを支払う. ◇royalty

-로이〈尾〉'-롭다'がつく形容詞を副詞形につくる語: に. 句例 평화～ 平和に.

로진 백〈名〉〔野〕ロージンバッグ. ◇rosin bag

로케〈名・하自〉〔映〕'로케이션'の略: ロケ. 語例 해외 ～ 海外ロケ.

로케이션〈名・하自〉〔映〕ロケーション. ロケ. 略して'로케'ともいう. ◇location

⁑로켓〈名〉ロケット. 句例 ～을 발사하다 ロケットを打ち上げる. 語例 우주〔달〕～ 宇宙〔月〕ロケット / ～포 ロケット砲. ◇rocket

로코코〈名〉ロココ. 美術・建築・音楽などの様式の一つ. 語例 ～풍 ロココ風 / ～음악 ロココ音楽. ◇프 rococo

로터리 [ro:t'ŏri]〈名〉ロータリー. 交差点. 十字路. ◇rotary

로프 [ro:p'ŭ]〈名〉ロープ. 綱. 語例 ⇨ 로프웨이 / 와이어 ～ ワイヤロープ. ◇rope

로프-웨이 [ro:p'ŭwei]〈名〉ロープウェー. =공중 케이블 카. ◇ropeway

록〈名〉〔樂〕['로큰롤 ロックンロール'の略] ロック. ◇rock

록 〔漢字項目〕

【祿(禄)】 高校 록 ロク. ❶복 幸い. ◨福祿 복록 ふくろく. ❷관리의 봉급 役人の給与. ◨祿米 녹미 ろくまい. ◨俸祿 봉록 ほうろく.

【綠(緑)】 中學 록 リョク. ロク. ❶초록색 緑. ◨綠陰 녹음 りょくいん. ◨新綠 신록 しんろく. ❷검고 아름답다. 黒くきれいだ. ◨綠髮 녹발 りょくはつ.

【錄(録)】 高校 록 ロク. 적다 書き記す. ◨錄音 녹음 ろくおん. ◨記錄 기록 きろく. 登錄 등록 とうろく.

【鹿】 高校 록 ロク. 사슴 鹿. ◨鹿皮 녹피 ろくひ. 馴鹿 순록 じゅんろく.

론〈助〉'로는'の略. 句例 내 견해～ 私の見解では. 文例 50세～ 안 보인다 五十歳には見えない.

-론【論】〈尾〉…論. 語例 교육～ 教育論 / 인생～ 人生論.

囲み記事 32

■ '로서'と'로써' ■

終声のない語または'ㄹ'終声のある語につく助詞で, 'ㄹ'以外の終声のある語には'으로서' '으로써'になる.

로서 として (1) …になって —— 학자로서 그런 일은 할 수 없다 学者としてそんな事はやれない.
(2) …の立場に立って —— 선배로서 말하는 것이다 先輩として言うのである.
(3) …の資格で —— 교사로서 한마디 하겠다 教師として一言言う.
(4) …と認めて —— 그를 친구로서 대하였다 彼を友として応対した.

로써 …をもって. …によって —— 가위로써 종이를 자른다 はさみでもって紙を切る 동지애로써 뭉치다 同志の愛によって団結する.

론 〔漢字項目〕

【論】 中學 론 ロン. ❶말하다 述べる. ◨論議 논의 ろんぎ. ◨本論 본론 ほんろん. ❷논하다 論じる. ◨論客 논객 ろんかく. ろんきゃく. ◨評論 평론 ひょうろん. ❸견해 見解. 의견 意見. ◨持論 지론 じろん. 異論 이론 いろん. ❹한문의 한 문체 漢文文体の一つ. ◨論贊 논찬 ろんさん.

***롤러** [ro:llŏ] 〈名〉ローラー. 句例 ~로 땅을 고르다 ローラーを転がして地ならしをする. 語例 ~ 스케이트 ローラースケート. ◇roller

-롭다 (-로우니, -로워서) 〈尾〉一部名詞, または語幹について形容詞をつくる語: …らしい. …そうだ. 句例 평화로운 마을 平和な村 / 생명이 위태~ 命が危ない. 語例 새~ 新しい / 날카~ 鋭い / 다채~ 多彩だ / 자유~ 自由だ. →-로이

롱 〈名〉ロング. ❶(長さが)長いこと. 語例 ~ 스커트 ロングスカート / ~ 사이즈 ロングサイズ. ❷(距離や時間が)長いこと. 語例 ~ 슛 ロングシュート / ~ 패스 ロングパス / ~ 타임 ロングタイム. ▷(對)쇼트. ◇long

롱 〔漢字項目〕

【弄】 高校 롱 ロウ. ❶희롱하다 もてあそぶ. ◨戲弄 희롱 ぎろう. ❷놀다 遊ぶ. ◨玩弄物 완롱물 がんろうぶつ. ❸업신여기다 あなどる. ◨愚弄 우롱 ぐろう. 嘲弄 조롱 ちょうろう.

뢰 〔漢字項目〕

【賴(頼)】 高校 뢰 ライ. 의뢰하다 頼る. 頼む. ◨依賴 의뢰 いらい. 信賴 신뢰 しんらい.

【雷】 高校 뢰 ライ. ❶천둥 雷. ◨雷雨 뇌우 らいう. ◨落雷 らくらい. ❷큰 소리를 내며 폭발하는 병기 大きな音をたてながら暴発する兵器. ◨地雷 지뢰 じらい. 暴雷 폭뢰 ばくらい.

뢴트겐 〈名〉〔物〕レントゲン. X線. 句例 ~을 찍다 レントゲンを撮る. 語例 ~ 사진〔검사〕 レントゲン写真〔検査〕. ◇도 Röntgen

-료【料】 〈尾〉…料. 語例 입장~ 入場料 / 사용~ 使用料.

료 〔漢字項目〕

【了】 高校 료 リョウ. ❶깨닫다 わかる, さとる. ◨了解 요해 りょうかい. 了得 요득 りょうとく. ❷똑똑하다. 분명하다 明らかだ. ◨了然 요연 りょうぜん. ❸끝나다 終わる. ◨完了 완료 かんりょう. 未了 미료 みりょう.

【料】 中學 료 リョウ. ❶되질하다 量る ◨料量 요량 りょうりょう. ❷헤아리다 推し量る. ◨思料 사료 しりょう. ❸거리. 감 代. ◨材料 재료 ざいりょう. 原料 원료 げんりょう. ❹급여 給与. 대금 代金. ◨料金 요금 りょうきん. ◨給料 급료 きゅうりょう.

룡 〔漢字項目〕

【龍(竜)】 高校 룡 リュウ. リョウ. ❶용 りゅう. ◨龍虎 용호 りゅうこ. ◨飛龍 비룡 ひりょう. ❷뛰어난 인물 すぐれた人物. ◨伏龍鳳雛 복룡봉추 ふくりょうほうすう. ❸천자에 관한 사물의 관형사 天子に関する物事に冠して用いる語. ◨龍顔 용안 りゅうがん. ◨袞龍 곤룡 こんりょう.

루 〔漢字項目〕

【屢】 高校 루 ル. 여러번. 자주 しばしば. ◨屢次 누차 るじ.

【樓(楼)】 高校 루 ロウ. ❶다락집 高殿. ◨樓閣 누각 ろうかく. ◨摩天樓 마천루 まてんろう. ❷망루 物見櫓. ◨望樓 망루 ぼうろう.

【淚(涙)】 高校 루 ルイ. 눈물 涙. ◨淚腺 누선 るいせん. ◨落淚 낙루 らくるい.

【漏】 高校 루 ロウ. ロ. ❶새다 漏れる. ◨漏水 누수 ろうすい. 漏泄 누설 ろうえい. ◨脫漏 탈루 だつろう. ❷빠뜨리다 漏らす. ◨遺漏 유루 いろう. 疎漏 소루 そろう. ❸물시계 水時計. ◨漏刻 누각 ろうこく.

【累】 高校 루 ルイ. ❶포개다 重ねる. ◨累計 누계 るいけい. 累積 누적 るいせき. ❷관련 掛かり合い. ◨連累 연루 れんるい. 係累 계루 けいるい. ❸계속하여 続けて. ◨累進 누진 るいしん.

루머 [ru:mŏ] 〈名〉うわさ(噂). 風説. 流言. ◇rumor

루블 [ru:bŭl] 〈依名〉ルーブル(貨). ◇rouble

루비 [ru:bi] 〈名〉❶〔鑛〕ルビー. 紅玉. 語例 ~색 ルビー色. ❷〔印〕ルビ. 句例 ~를 달다 ルビ〔ふりがな〕を振る. ◇ruby

루주 [ru:ju] 〈名〉ルージュ. 口紅. =입술 연지. 句例 새빨갛게 ~를 바른 입술 真っ赤にルージュを塗った唇. ◇프 rouge

루트[1] [ru:t'ŭ] 〈名〉❶ルーツ(roots). 根. 根源. ❷〔數〕ルート. 根. 平方根. ◇root

루트[2] [ru:t'ŭ] 〈名〉ルート. ❶路線. 語例 메인 ~ メインルート. ❷経路. 句例 판매 ~를 개척하다 販売のルートを開拓する. 語例 자금 ~ 資金のルート / 밀수 ~ 密輸ルート. ◇route

루프 [ru:p'ŭ] 〈名〉ループ. 輪. 環状のもの. 語例 ~ 안테나 ループアンテナ. フレームアンテナ. ◇loop

룰 [ru:l] 〈名〉ルール. 規則. 句例 ~을 지키다〔정하다〕 ルールを守る〔決める〕/ ~대로 하다 ルールどおりにやる / ~에 어긋나다 ルールに反する. 語例 ~ 위반 ルール違反 / 야구 ~ 野球のルール. ◇rule

룸 [ru:m] 〈名〉ルーム. 部屋. 句例 선~ サンルーム / ~쿨러 ルームクーラー / ~ 메이트 ルームメート. ◇room

룸바 〈名〉〔樂〕ルンバ. 句例 ~를 추다 ルンバを踊る. ◇스 rumba

룸펜 〈名〉ルンペン. 浮浪者. 失業者. 語例 ~ 생활 ルンペン生活. ◇도 Lumpen

-류【流】 〈尾〉…流. 語例 수필~ 隨筆流 / 제일~ 第一流.

-류【類】 〈尾〉…類. 語例 귀금속~ 貴金属類 / 곤충~ 昆虫類.

류 〔漢字項目〕

【柳】[中學] 류 リュウ. 버드나무 柳. ◧柳眉 유미 りゅうび. ◧細柳 세류 さいりゅう.

【流】[中學] 류 リュウ. ル ❶흐르다 流れる. ◧流水 유수 りゅうすい. 流失 유실 りゅうしつ. ❷세월이 가다 年が去り行く. ◧流年 유년 りゅうねん. ❸날아 지나가다 飛び去る. ◧流彈 유탄 りゅうだん. ❹번져 퍼지다 広まる. ◧流布 유포 るふ. 流通 유통 りゅうつう. ❺방랑하다 漂泊する. ◧流浪 유랑 るろう. ◧漂流 표류 ひょうりゅう. ❻흘리다 流す. ◧流出 유출 りゅうしゅつ. 流血 유혈 りゅうけつ. ❼흐름 流れ. ◧潮流 조류 ちょうりゅう. 支流 지류 しりゅう. ❽귀양보내다 辺地に流す. ◧流刑 유형 るけい. ❾사회 계층 社会の階層. ◧上流 상류 じょうりゅう. 一流 일류 いちりゅう. ❿분파 分派. ◧流派 유파 りゅうは. ◧自己流 자기류 じこりゅう. ⓫물 흐르듯 거침없다. すらすらとよどみがない. ◧流暢 유창 りゅうちょう.

【留】[中學] 류 リュウ. 머무르다 とどまる. ◧留任 유임 りゅうにん. ◧寄留 기류 きりゅう.

【類(類)】[高校] 류 ルイ. ❶무리 仲間. ◧類別 유별 るいべつ. ◧同類 동류 どうるい. ❷비슷하다 似ている. ◧類似 유사 るいじ. 類語 유어 るいご.

류머티즘 [ryu:mŏt'ijŭm] 〈名〉〔醫〕 リューマチ. [句例] ~으로 고생하다 リューマチで悩む. [語例] ~열 リューマチ熱. ◇rheumatism

륙 〔漢字項目〕

【六】[中學] 륙 ロク. リク. 여섯 六. むっつ. ◧六法 육법 ろくほう. 六禮 육례 りくれい.

【陸】[中學] 륙 リク. ロク. 뭍 おか. ◧陸地 육지 りくち. ◧水陸 すいりく. 大陸 대륙 たいりく.

륙색 〈名〉 リュックサック. ルックサック. リュック《略》. [句例] ~에 처넣다 リュックサックに詰め込む / ~을 메다 リュックサックを背負う. ◇rucksack

륜 〔漢字項目〕

【倫】[中學] 륜 リン. ❶사람으로서 지켜야 할 도리 人として守るべき道. ◧倫理 윤리 りんり. ◧不倫 불륜 ふりん. ❷무리 仲間. たぐい. ◧絶倫 절륜 ぜつりん.

【輪】[高校] 륜 リン. ❶바퀴 車の輪. ◧輪禍 윤화 りんか. ◧車輪 차륜 しゃりん. ❷원형의 것 輪状のもの. ◧日輪 일륜 にちりん. 五輪 오륜 ごりん. ❸둘레 まわり. ◧輪郭 윤곽 りんかく. ❹돌다 回る. ◧輪轉機 윤전기 りんてんき. ❺차례로 돌다 めぐる. ◧輪番 윤번 りんばん.

-률 【律】〈尾〉 …律. [語例] 황금~ 黄金律 / 도덕~ 道德律.
[参考] 'ㄴ'以外の終声のある語につく.

-률 【率】〈尾〉 …率. [語例] 합격~ 合格率.
→-율
[参考] 'ㄴ'以外の終声のある語につく.

률 〔漢字項目〕

【律】[中學] 률 リツ. リチ. ❶규칙 おきて. 決まり. ◧律法 율법 りっぽう. ◧法律 법률 ほうりつ. ❷학문상의 법칙 学問上の法則. ◧因果律 인과율 いんがりつ. ❸가락 音の高さ. 調子. ◧音律 음률 おんりつ. 旋律 선률 せんりつ. ❹한시(漢詩)의 한 체 漢詩の一体. ◧律詩 율시 りっし.

【栗】[高校] 률 リツ. 밤 くりの木. ◧栗果 율과 りっか.

률【率】⇨ 솔【率】

륭 〔漢字項目〕

【隆(隆)】[高校] 륭 リュウ. ❶성하다 盛んだ. ◧隆盛 융성 りゅうせい. ◧興隆 흥륭 こうりゅう. ❷높다 高い. 높이다 高くする. ◧隆起 융기 りゅうき.

르네상스 [rŭnesa:ngsŭ] 〈名〉 ルネサンス. 文芸復興. ◇프 Renaissance

르포 〈名〉 '르포르타주'の略: ルポ. [語例] 현지 ~ 現地ルポ / ~ 라이터 ルポライター.

르포르타주 [rŭp'orŭt'a:ju] 〈名〉 ルポルタージュ. ルポ《略》. ◇프 reportage

를 〈助〉 終声のない体言に付く目的格助詞. 略して'ㄹ'とも言う. ❶…を. [句例] 학교~ 세우다 学校を建てる / 노래~ 부르다 歌を歌う / 면회~ 요구하다 面会を求める / 트럼프~ 하다 トランプをする / 종이~ 자르다 紙を切る / 학교~ 나오다 学校を卒業する. [文例] 주스~ 마시고 있다 ジュースを飲んでいる. ❷…が. [句例] 영어~ 할 줄 알다 英語ができる. [文例] 그 이유~ 알 수 없다 その理由が分からない / 나는 영화~ 좋아한다 私は映画が好きだ〔映画を好む〕. ❸…に. [句例] 차~ 타다 車に乗る / 친구~ 만나다 友達に会う.
[表現] 終声のある体言につく場合は'을'になる.

릉 〔漢字項目〕

【陵】[高校] 릉 リョウ. ❶큰 언덕 大きな丘. ◧丘陵 구릉 きゅうりょう. ❷임금의 무덤 王の墓. 陵. ◧陵墓 능묘 りょうぼ. ◧王陵 왕릉 おうりょう. ❸가벼이 여기다 軽んじる. ◧陵侮 능모 りょうぶ. 陵辱 능욕 りょうじょく. ❹점차로 쇠하여 가다 次第に衰える. ◧陵夷 능이 りょうい.

***리** 【理】 [ri:] 〈依名〉 'わけ・理由・はず'などの意を表わす語. 後に'ない', または否定の語が付く. [文例] 그럴 ~가 없다 そんなはずがない / 이 정도의 일을 못할 ~가 없다 これしきのことができないはずがない / 그가 거기 있을 ~가 없다 彼がそこにいる理由がない / 갑자기 없어질 ~가 있나 突然無くなるわけがあろうか

***리** 【里】 〈依名〉 距離の単位: …里. [語例] 십 ~ 一里.
[参考] 韓国の'리(里)'は日本の里の約10分の1に当たる.

ㄹ

-리- 〈尾〉語幹の終声が'ㄹ・ㅀ'または'르'である動詞を使役または受け身の形にする接尾語. 얼다 凍る→얼리다 凍らせる. 팔다 売る→팔리다 売れる. 물다 かむ→물리다 かます. かまれる. 뚫다 (穴を)開ける→뚫리다 (穴が)開けられる. 자르다 切る→잘리다 切られる. 断たれるになることなど. →-기-, -이-, -히-

-리【裡】〈尾〉…裏. …のうち. 句例 비밀~에 秘密裏に. 秘密のうちに.

리 〔漢字項目〕

【利】中學 리 り. ❶날카롭다. 鋭い. 잘 들다 よく切れる. ◧利器 이기 りき. ◧鋭利 예리 えいり. ❷이롭다 役に立つ. ◧利害 이해 りがい. ◧便利 편리 べんり. ❸이롭게 하다 有利にする. ◧利用 이용 りよう. 利他 이타 りた. ❹이익 もうけ. ◧利得 이득 りとく. ◧私利 사리 しり. ❺변리 利子. ◧利息 이식 りそく. ◧複利 복리 ふくり.

【吏】高校 리 り. 벼슬아치 役人. ◧吏道 이도 りどう. ◧官吏 관리 かんり.

【履】高校 리 り. ❶신 履物. ◧弊履 폐리 へいり. ❷밟다 踏む. 실행 行う. ◧履行 이행 りこう.

【李】高校 리 り. 자두나무. 자두 すもも. ◧李花 이화 りか. 李下不整冠 이하부정관 りかにかんむりをただきず.

【梨】高校 리 り. 배. 배나무 なし. ◧梨花 이화 りか. 梨園 이원 りえん.

【理】中學 리 り. ❶일을 처리하다 取りさばく. ◧理財 이재 りざい. ◧處理 처리 しょり. ❷깁다 繕う. ◧修理 수리 しゅうり. ❸도리 ことわり. ◧倫理 윤리 りんり. ❹사리 物事のすじみち. ◧理論 이론 りろん. ◧哲理 철리 てつり. ❺표면의 잔금 物の表面の細かいあや. ◧木理 목리 もくり. ❻자연과학계 학문의 약칭 自然科学系の学問の略称. ◧理科 이과 りか.

【裏】高校 리 り. ❶안쪽 裏側. ◧裏面 이면 りめん. ◧表裏 표리 ひょうり. ❷속 うち. なか. ◧腦裏 뇌리 のうり. 胸裏 흉리 きょうり.

【里】中學 리 り. ❶촌락 村. ◧里俗 이속 りぞく. ◧鄕里 향리 きょうり. ❷노정(路程)의 단위 距離をはかる単位. ◧里程表 이정표 りていひょう.

【離】高校 리 り. ❶떠나다 離れる. ◧離陸 이륙 りりく. 離水 이수 りすい. ❷갈라지다 別れる. ◧離婚 이혼 りこん. ◧分離 분리 ぶんり. ❸배반하다 背く. ◧離反 이반 りはん. ❹벗어나다 抜け出る. ◧離脱 이탈 りだつ. ❺흩어지다 散らばる. ◧離散 이산 りさん. ◧支離滅裂 지리멸렬 しりめつれつ. ❻가르다 裂く. ◧離間 이간 りかん.

리그 [ri:gŭ] 〈名〉 リーグ. 語例 ⇨ 리그전 / 내셔널 ~ ナショナルリーグ. ◇league

리그-전 【league戰】 [ri:gŭjŏn] 〈名〉 リーグ戦. 對토너먼트.

리더 [ri:dŏ] 〈名〉 リーダー. 指導者. 句例 클럽 활동의 ~ クラブ活動のリーダー. ◇leader

리더-십 [ri:dŏ—] 〈名〉 リーダーシップ. 統率力. 句例 ~이 없다 リーダーシップに欠ける / ~을 발휘하다 リーダーシップを発揮する. ◇leadership

리드 [ri:dŭ] 〈名・하自他〉 リード. 句例 부하〔업계〕를 ~하다 部下が〔業界〕をリードする / 크게〔많이〕 ~하다 大きくリードする / 일점 ~당하다 一点リードされる. ◇lead

리드미컬-하다 (→하다) 〈形〉 リズミカルだ. 句例 리드미컬한 음악 リズミカルな音楽 / 리드미컬하게 몸을 움직이다 リズミカルにからだを動かす. ◇rhythmicalから.

*__리듬__ 〈名〉 リズム. 律動. 句例 경쾌한 ~에 맞추다 軽快なリズムに合わせる / ~을 취하다〔잡다〕 リズムをとる / ~을 타다 リズムに乗る / 생활의 ~이 어그러지다 生活のリズムが狂う / 시의 ~ 詩のリズム. 語例 ~ 체조 リズム体操. ◇rhythm

리모트 컨트롤 [rimo:t'ŭ—] 〈名・하他〉 リモートコントロール. 遠隔制御〔操作〕. リモコン《略語》. 略して'리모컨'とも言う. ◇remote control

리바운드 〈名〉 リバウンド. 語例 ~ 볼 リバウンドボール. ◇rebound

리바이벌 〈名・하他〉 リバイバル. 復古. 句例 ~한 노래 リバイバルした歌. 語例 ~ 붐 リバイバルブーム. ◇revival

**__리본__ 〈名〉 リボン. 句例 상자에 ~을 달다 箱にリボンをつける. ◇ribbon

리사이틀 〈名〉〔樂〕 リサイタル. 独奏会. 独唱会. 句例 ~을 열다 リサイタルを催す. 語例 피아노 ~ ピアノリサイタル. ◇recital

리스크 〈名〉 リスク. =위험(危險). 句例 ~가 크다 リスクが大きい. ◇risk

리스트 〈名〉 リスト. 一覧表. 句例 블랙 ~에 오르다 ブラックリストに載る. 語例 수입 품목 ~ 輸入品目のリスト. ◇list

리시버 [rishi:bŏ] 〈名〉 レシーバー. 受信器. イヤホーン. ◇receiver

리시브 [rishi:bŭ] 〈名・하他〉 レシーブ. 句例 ~가 좋은 선수 レシーブのいい選手. ◇receive

리아스식 해안 【Rias式海岸】 [—hae:an] 〈名〉〔地〕 リアス式海岸.

**__리어-카__ [—k'a:] 〈名〉 リヤカー. ◇rear-car

리얼리스트 〈名〉 リアリスト. 現実主義者. ◇realist

리얼리스틱-하다 [riŏllisŭt'ik'ada] (→하다) 〈形〉 リアリスティックだ. 句例 대상을 리얼리스틱하게 보다 対象をリアリスティックに見る / 리얼리스틱한 그림〔묘사〕 リアリスティックな絵〔描写〕. ◇realisticから.

리얼리즘 〈名〉 リアリズム. 現実主義. ◇realism

리얼리티 〈名〉 リアリティー. 現実性. 句例 ~가 없는 드라마 リアリティーのないドラマ. ◇reality

리얼-하다 (→하다) 〈形〉 リアルだ. 句例 인간의 심리를 리얼하게 그리다 人間の心理をリアルに描く / 리얼한 영화 リアルな映画 / 리얼한 묘사 リアルな描写. ◇realから.

리치 [ri:ch'i]〈名〉〔拳闘〕リーチ. 句例 ~가 길다 リーチが長い. ◇reach

***리코더** [rik'o:dŏ]〈名〉レコーダー. 語例 테이프 ~ テープレコーダー / 타임 ~ タイムレコーダー. ◇recorder

리코딩 [rik'o:ding]〈名〉レコーディング. 録音. ◇recording

리터〈依名〉リットル《記号 *l*》. ◇liter

리턴 매치 [rit'ŏ:n—]〈名〉〔拳闘〕リターンマッチ. ＝설욕전(雪辱戰). ◇return match

리트머스 시험지【litmus 試驗紙】〈名〉⇨ 리트머스 종이

리트머스 종이〈名〉〔化〕リトマス紙. リトマス試験紙. ◇litmusから.

리포터 [rip'o:t'ŏ]〈名〉レポーター. ＝보도자(報道者). 語例 뉴스 ~ ニュースレポーター. ◇reporter

리포트 [rip'o:t'ŭ]〈名〉リポート. レポート. ＝보고(서). 句例 ~를 작성하다 リポートを作成する. 語例 현지 ~ 現地リポート. ◇report

리프트〈名〉リフト. 語例 스키 ~ スキーリフト. ◇lift

리허설 [rihŏ:sŏl]〈名〉リハーサル. 下げいこ. 試演. 句例 ~에 많은 시간을 들이다 リハーサルに多くの時間をかける. 語例 드레스 ~ ドレスリハーサル / 카메라 ~ カメラリハーサル. ◇rehearsal

린 〔漢字項目〕

【隣】高校 린 リン. ❶이웃 隣. ▮隣國 인국 りんこく. ▮善隣 선린 ぜんりん. 近隣 근린 きんりん. ❷이웃하다 隣あう. ▮隣接 인접 りんせつ.

린스〈名〉リンス. 語例 헤어 ~ ヘアリンス. ◇rinse

릴-낚시 [ri:llakshi]〈名〉リール釣り. ◇reelから.

릴레이〈名〉リレー. ❶交替. 中継. 語例 ~ 방송 リレー放送 / (올림픽의) 성화 ~ (オリンピックの)聖火リレー.
❷'릴레이 경주'の略. 語例 400미터 ~ 四百メートルリレー. ◇relay

릴레이 경주【relay 競走】[—gyŏ:ngju]〈名〉リレーレース. リレー《略語》. 継走. 継泳. 略して'릴레이'ともいう.

-림【林】〈尾〉…林. 語例 방풍~ 防風林 / 사유~ 私有林.

림 〔漢字項目〕

【林】中學 림 リン. ❶수풀 林. ▮林野 임야 りんや. ▮原始林 원시림 げんしりん. ❷많다 多い. 사물이 많이 모이는 곳 事物の多く集まるところ. ▮林立 임립 りんりつ. ▮書林 서림 しょりん.

【臨】高校 림 リン. ❶높은 곳에서 내려다보다 高いところから見おろす. ▮臨瞰 임감 りんかん. ❷높은 사람이 낮은 사람을 대하다 身分の高い者が低い者に向かう. 군주가 신하를 대하다 君主が臣下に臨む. ▮臨幸 임행 りんこう. ▮君臨 군림 くんりん. ❸어떤 장소에 나오다 ある所に臨む. ▮臨席 임석 りんせき. ❸그 때에 당하다 その時にぶつかる. ▮臨戰 임전 りんせん. 臨終 임종 りんじゅう. ❹본을 보고 쓰거나 그리다 手本を見て書いたりえがく. ▮臨寫 임사 りんしゃ.

림프〈名〉〔生〕リンパ. ＝임파(淋巴). 語例 ~선 リンパ腺 / ~구 リンパ球. ◇lymph

립 〔漢字項目〕

【立】中學 립 リツ. リュウ. ❶정지하다 止まる. ▮佇立 저립 ちょりつ. ❷일어서다 立つ. 서 있다 立っている. ▮立像 입상 りつぞう. ▮起立 기립 きりつ. ❸확고한 위치로써 존재하다 たしかな位置を占め存在する. ▮成立 성립 せいりつ. 對立 대립 たいりつ. ❹설치・설정하다 設ける. ▮設立 설립 せつりつ. ❺세우다 建てる. ▮建立 건립 けんりつ. こんりゅう. ❻성립・확정시키다 成り立たせる. ▮立案 입안 りつあん. ▮樹立 수립 じゅりつ.

립-스틱〈名〉リップスティック. 口紅. 句例 ~을 바르다 口紅をつける. ◇lipstick

링〈名〉リング. ❶輪. ＝고리. 語例 이어~ イヤリング. 耳輪. ❷指輪. ＝반지. 語例 인게이지 ~ エンゲージリング. ❸(ボクシングなどの)試合場. 句例 ~의 중앙에서 リングの中央で / ~에 오르다 リングに上がる. 語例 ⇨ 링사이드. ❹(体操の)つり輪. ◇ring

링거〈名〉〔藥〕['링거액'の略] リンゲル. リンガー. ＝링게르. 句例 ~를 맞다 リンゲルを打つ. 語例 ~액 リンゲル液. リンガー液. リンゲル《略語》/ ~ 주사 リンゲル注射. ◇Ringer

링-사이드〈名〉リングサイド. 句例 ~에서 구경하다 リングサイドで見物する. ◇ringside

링크〈名〉リンク. アイスリンク. 語例 스케이트 ~ スケートリンク. ◇rink

ㄹ

ㅁ

ㅁ [미음 miŭm] ハングル字母の第五番目の字.

마 [ma:]〈名〉〔植〕ながいも(長芋).

마【魔】〈名〉魔. 句例 ～의 건널목 魔の踏み切り / ～의 10분대 魔の十分台.

마(가) 들다 魔が差す. ＝마가 끼다. 文例 마가 들어서 남의 물건에 손을 댔다 魔が差して他人の物に手を出した.

마【碼】〈依名〉織物の長さの単位: ヤード. 語例 삼십 ～ 三十ヤード.

마 〔漢字項目〕

【磨(磨)】高校 마 マ. ❶갈다 みがく. ◧磨礪 마려 まれい. ◨研磨 연마 けんま. 琢磨 탁마 たくま. ❷닳다 すり減る. ◧磨滅 마멸 まめつ. 磨耗 마모 まもう. ◨消磨 소마 しょうま.

【馬】中學 마 バ. メ. ❶말 うま. ◧馬脚 마각 ばきゃく. 馬力 마력 ばりき. 馬術 마술 ばじゅつ. ◨乗馬 승마 じょうば. 騎馬 기마 きば. 驛馬 역마 えきば. ❷자신을 낮추어 말하는 말 自身をへりくだっていうのにつける語. ◧馬齢 마령 ばれい. 馬歯 마치 ばし.

【痲(麻)】高校 마 マ. ❶삼 あさ. ◧痲布 마포 まふ. あさぬの. ◨大痲 대마 たいま. 亞痲 아마 あま. ❷마비하다 しびれる. ◧痲酔 마취 ますい. 痲痺 마비 まひ. 痲薬 마약 まやく. ❸참깨 ごま. ◨胡痲 호마 ごま.

마가린 [ma:garin]〈名〉マーガリン. ◇margarine

마각【馬脚】[ma:gak]〈名〉馬脚.

마각을 드러내다 馬脚を現わす. 化けの皮がはがれる. しっぽを出す.

마감〈名〉締め切り. ～하다〈他〉締め切る. 句例 원고의 ～ 原稿の締め切り. 語例 ～일 締め切り日. 文例 신청은 다섯 시에 ～한다 申し込みは五時に締め切る.

**마개〈名〉栓. 句例 ～를 막다 栓をする / 맥주병 ～를 따다 ビールの栓を抜く. 語例 병～ 瓶の栓.

마개-뽑이 [—ppobi]〈名〉栓抜き. 口抜き.

*마고자〈名〉'チョゴリ'の上に重ねて着る襟のない防寒用上着. 絵

〈마고자〉

*마구〈副〉❶むやみに. やたらに. やみくもに. むこう見ずに. むやみやたらに. 前後のみさかいなく. 句例 소식을 듣고 ～ 달려나가다 知らせを聞いてやみくもに走り出す / ～ 화를 내다 むやみやたらに腹を立てる / ～ 내던지다 手当たり次第投げつける. ❷ぞんざいに. でたらめに. いいかげんに. 文例 옷가지를 보스턴백에 ～ 처넣다 衣類をボストンバックにいいかげんに押し入れる. ❸しきりに. さんざん. じゃんじゃん. 句例 ～ 헐뜯다 さんざんけなす / ～ 팔리다 じゃんじゃん売れる. ▷略して'막'とも言う.

마구-간【馬廐間】[ma:gukkan]〈名〉馬屋. 馬小屋. 略して'마구(馬廐)'とも言う.

마구리〈名〉物の左右, または上下両端の面. 両端. 両わき(脇). 文例 가마니의 윗～를 짚으로 덮다 かます(叺)の上口をわら(藁)で覆う.

마구-잡이 [—jabi]〈名〉❶('～로'の形で)むこう見ずの振る舞い. 無鉄砲な振る舞い. 句例 ～로 지껄여대다 むやみにしゃべりまくる. ❷粗悪品.

마굴【魔窟】〈名〉まくつ(魔窟).

**마귀【魔鬼】〈名〉魔神・魔神. 悪魔. サタン.

마그나 카르타〈名〉〔史〕マグナカルタ. ＝대헌장. ◇라 Magna Charta

마그네슘〈名〉〔化〕マグネシウム《記号 Mg》. 語例 산화 ～ 酸化マグネシウム. ◇magnesium

마그넷〈名〉〔物〕マグネット. ＝자석. ◇magnet

마그마〈名〉〔地〕マグマ. ＝암장(岩漿). ◇magma

마나-님 [ma:nanim]〈名〉'나이 많은 부인 老婦人'への尊称.

마냥〈副〉❶ひたすら. もっぱら. 全く. 句例 일에 ～ 몰두하다 仕事にひたすら没頭する / ～ 생각하다 いちず(一途)に思い詰める. 文例 ～ 그립다 ただ恋しいばかりだ. ❷思いきり. 十分〔充分〕. 思う存分に. 十二分に. 文例 ～ 즐겼다 思う存分に楽しんだ / ～ 울었다 思いきり泣いた / ～ 먹었다 たらふく食べた.

마네킹〈名〉マネキン. 語例 ～걸 マネキンガール. マネキンさん. ◇mannequin

*마녀【魔女】〈名〉魔女. 妖女. 鬼女.

마노【瑪瑙】〈名〉〔鑛〕めのう(瑪瑙).

마누라 [ma:nura]〈名〉❶'아내 妻'の俗っぽい言いかた: 家内. 女房. 細君. かかあ(嚊・嬶)《俗》. 山の神. 語例 우리 ～ うちの女房. ❷'늙은 여자 老女'の俗っぽい言いかた: 年老いたおかみ. 語例 주인 ～ 家主のおかみ(さん).

마는〈助〉…けれども. …けど(も). …けれど. …が. 略して'만'とも言う. 文例 가고 싶지～ 돈이 없다 行きたいけれども, お金がない / 부탁했지～ 거절당했다 頼んだが, 断られた / 가난하지～ 행복하다 貧しいけれども幸せだ.

**마늘〈名〉〔植〕にんにく. ガーリック.

마늘-종 [—tchong]〈名〉にんにくの花茎. '장아찌'の材料になる.

마니아〈名〉マニア. …狂. 語例 재즈 ～ ジャズマニア / 우표 ～ 切手マニア. ◇mania

마닐라 로프 [—ro:p'ŭ]〈名〉マニラロープ. ◇Manila rope

마닐라-삼〈名〉〔植〕マニラ麻. ◇Manilaから.

마님 [ma:nim]〈名〉〔史〕貴人の妻への尊称: 奥様.

-마님 [ma:nim]〈尾〉〔史〕身分の高い'귀인 貴人'に対する尊称. 語例 대감～ 御前 / 영감～ だんな(旦那)さま.

마다〈助〉ごと(毎)に. 度に. 都度. 句例 날

ㅁ

～ 日ごと(に) / 집집～ 家ごと(に). 文例 저 ～ 한 마디씩 했다 おのおの一言ずつ話した / 할 때～ 실패했다 やる度に失敗した / 그 때～ 타일렀다 その都度言い聞かせた.

마다-하다 [ma:da—] (→하다)〈他〉嫌う. いと(厭)う. 嫌がる. 拒む. 文例 고생을 마다하지 않다 苦労をいとわない / 네가 과자를 마다할 때도 있구나 お前がお菓子を嫌がる時もあるね / 오는 자를 마다하지 않다 来る者を拒まない.

마담〈名〉マダム. ❶夫人. 語例 유한 ～ 有閑マダム. ❷(料理屋・バー・喫茶店などの)女主人. ママ. おかみ. 對마스터. ◇프 madame

*__마당__ ━〈名〉❶庭. 広場. 句例 ～이 넓다 庭が広い. 語例 안～ 中庭. ❷事が起こる場〔所・時機〕. また, その場合. 文例 이왕 이렇게 된 ～에는 하는 수 없다 どうせこうなったからには, いたしかたがない / 예술의 성과를 과시하는 ～이 되었다 芸術の成果を示す場になった.

━〈依名〉'판소리'を数える単位: 場面. 場. 文例 판소리 세 ～을 완창하다 パンソリ三場を完唱する.

마당-발〈名〉扁平足. 對채발.

마당-질〈名・하自〉脱穀. ＝타작(打作).

마대【麻袋】〈名〉麻袋.

마돈나〈名〉マドンナ. ＝성모 마리아. ◇이 Madonna

마-들다【魔—】 ⇨ '마(魔)'の小項目

*__마디__〈名〉節. ❶枝や葉の付け根. ❷(竹やあし(葦)の)茎のくぎり. ❸関節. つがい目. 語例 손～ 指の節 / ⇨ 뼈마디. ❹(言葉・歌などの)一くだり. 一言. 一節. ＝구절(句節). 句例 한 ～ 두 ～ 一言二言. 文例 한 ～ 말씀드리겠습니다 一言申し上げます / 한 ～로 딱 거절했다 一言の下にはねつけた / 한 ～ 한 ～ 음미하며 읽다 一言一句かみしめて読む / 노래나 한 ～ 합시다 歌でも一節歌いましょう. ❺〔言〕⇨ 절(節). ❻〔樂〕小節.

마디다〈形〉❶持ちがいい. 長持ちする. 句例 마딘 비누 長持ちするせっけん / 살림이 ～ 所帯持ちがいい. 對헤프다. ❷成長が遅い. 句例 마디게 자라는 아이 成長の遅い子.

마디-마디〈名・副〉節節. 節ごとに. 文例 온몸의 ～가 안 아픈 데가 없다 からだの節節が痛くないところがない.

마디-지다 ━〈形〉節がある.

━〈自〉節くれ立つ. 節ができる. 句例 마디진 솔뿌리 節くれ立った松の根っこ / 마디진 손가락 節くれ立った指. 文例 그의 손가락은 거칠게 마디져 있었다 彼の指はたくましく節くれ立っていた.

마따나〈助〉…(言う)ように. 話したように. 文例 그의 말～ 인생이란 덧없는 것이다 彼が言うように人生とはむなしいものだ.

表現 말 言うこと. 話の後にだけつく.

마땅-찮다 [—ch'ant'a]〈形〉['마땅하지 아니하다'の略] 適当でない. 不当だ. 気にくわない. 気に障る. 文例 그 사고 방식이 ～ その考え方が気にくわない / 마땅찮은 소리를 하는 녀석 気に障ることを言うやつ(奴).

마땅-찮이 [—ch'ani]〈副〉不当に. 不快に. 句例 ～ 굴다 嫌らしく振る舞う.

마땅-하다 (→하다)〈形〉❶適当だ. ふさわしい. 似つかわしい. 適切だ. 句例 마땅한 물건 ふさわしい品 / 마땅한 집 適当な家 / 마땅한 일자리 それ相応の勤め口. 適当な職. ❷当然だ. 当たり前だ. …に値する. (当然)…すべきだ. 文例 벌받아 ～ 罰せられるのは当然だ / 그렇게 하는 것이 ～ そうするのが当然だ.

마땅히〈副〉当然. まさに. すべからく. 句例 자식으로서 마땅히 지켜야 할 일 子として当然守るべきこと. 文例 마땅히 그렇게 해야 한다 当然そうすべきだ / 학생은 마땅히 공부해야 한다 学生はすべからく勉強すべし.

마뜩-이 [mattŭgi]〈副〉満足に. 満足げに. 文例 ～ 여기지 않는다 満足に思わない.

마뜩-찮다 [—ch'ant'a]〈形〉['마뜩하지 아니하다'の略] 不服だ. 不満だ. 不満足だ. 気に入らない. 句例 마뜩찮은 듯한 얼굴 不服そうな顔 / 마뜩찮은 태도 不満げな態度 / 마뜩찮아 하다 不服〔不満〕がる.

마뜩-찮이 [—ch'ani]〈副〉不満(げ)に. 不服(げ)に.

마뜩-하다 [mattŭk'ada] (→하다)〈形〉満足だ. 気に入る. 文例 지금의 삶을 마뜩하게 여기고 있다 今の暮らしに満足している.

마라톤〈名〉['마라톤 경주'の略] マラソン. ◇ marathon

마력【魔力】〈名〉魔力. 文例 등산에는 사람을 열중케 하는 ～이 있다 山登りには, 人を熱中させる魔力がある.

마력【馬力】 [ma:ryŏk]〈依名〉馬力. 句例 50 ～의 모터 五十馬力のモーター.

*__마련__〈名〉❶準備. 用意. 工面. 都合. 支度. 設け. 算段. **～하다**〈他〉用意〔準備・都合・工面・支度〕する. 設ける. 句例 돈이 ～되지 않다 金の工面がつかない / 여비를 ～하다 旅費を工面する / 돈이 ～되다 お金の工面がつく / 점심 식사를 ～하다 昼食を用意する / 선물을 ～하다 贈り物を準備する. 文例 무슨 ～이 있을 게다 何かやり繰り算段があるだろう. ❷(-게 ～이다. -기 ～이다 の形で, 全体で) '当然…である' '…なるのが当たり前だ'の意を表わすことば. 文例 여름은 덥게 ～이다 夏は暑いのが当たり前だ / 그만큼 노력했으니 성공하게 ～이다 あれだけ努力したのだから成功するのが当然だ / 술을 마시면 취하게 ～이다 酒を飲めば当然酔うものである.

****마렵다** (마려우니, 마려워서)〈形〉便意を催す. 大小便がしたい. 句例 뒤가 ～ 大便がしたい.

마로니에〈名〉〔植〕マロニエ. ◇프 marronnier

****마루**[1]〈名〉〔建〕床. 縁側. フロア. 句例 ～를 놓다 床を張る / ～를 닦다 床をぬぐう〔ふく〕. 語例 뒷～ ぬれ縁 / [illegible] 밑 床下. 縁側の下 / ⇨ 쪽마루

마루[2]〈名〉❶山の背. 尾根. また, 屋根の棟. 語例 산～ 山の端. 山の尾根. ❷'용마루'の略.

****마루-방【一房】**〈名〉板の間. 板間.

⁑**마루 운동【一運動】**[—u:ndong]〈名〉(体操で)床運動.

⁑**마룻-바닥**〈名〉(板の間や縁側などの)床.

⁑**마르다**[1] (마르니, 말라서)〈自〉❶乾く. [句例] 빨래가 ~ せんたく物が乾く / 페인트가 ~ ペンキが乾く / 눈물이 ~ なみだが乾く / 식빵이 말라 비틀어지다 食パンが干からびてしまう.
❷(川・池などが)か(涸)れる. 干上がる. [句例] 우물이 ~ 井戸がかれる / 논의 물이 말라붙다 たんぼの水が干上がる〔干からびる〕/ 냇물이 ~ 川の水がかれる. ▷(類)건조(乾燥)하다.
❸(のどや口が)渇く. 干る. [句例] 목이 ~ のどが渇く.
❹や(痩)せる. [句例] 몸이 ~ からだがやせる. [文例] 병으로 몸이 말랐다 病気でやせた / 말라 비틀어진 몸을 드러내다 やせさらばえたからだをさらす.
❺'돈이 없다 お金が切れる'の俗っぽい言いかた. [句例] 주머니가 ~ 懐が寒い.
❻無くなる. 尽きる. 絶える. [句例] 씨가 ~ 絶滅する.

***마르다**[2] (마르니, 말라서)〈他〉裁つ. 裁断する. [文例] 종이본에 맞추어 천을 ~ 型紙に合わせて布を裁つ. (類)재단하다.

마르크〈依名〉ドイツの貨幣単位: マルク. ◇도 Mark

마르크스-주의【Marx主義】〈名〉マルクス主義. マルキシズム.

마른-갈이 [—gari]〈名・하他〉乾田を耕すこと. (對)진갈이.

마른-걸레〈名〉干し雑巾. [語例] ~질 干し雑巾がけ. (對)진걸레.

마른-과자【一菓子】〈名〉干菓子. (對)진과자.

마른-기침〈名・하自〉から(空)せき.

마른-나무〈名〉枯れ木. 乾いた木. (對)생나무.

마른-날〈名〉晴れた日. (對)진날.

마른날에 벼락 맞는다 '마른하늘에 벼락 맞는다'の意(→'마른하늘'の小項目).

마른-논〈名〉水の乾きやすい田. 乾田. =건답(乾畓).

마른논에 물대기라 乾田に水を引く. ❶'焼け石に水'の意. ❷骨の折れることのたとえ.

마른-반찬【一飯饌】〈名〉干し魚・ほしじし(乾肉)など水けのないおかず.

마른-버짐〈名〉かんせん(乾癬). はたけ. はたけがさ. (對)진버짐.

마른-번개〈名〉晴天の稲妻〔稲光〕.

마른-오징어 [marŭnojing-ŏ]〈名〉するめ.

마른-일 [marŭnnil]〈名・하自〉(針仕事や機織りなど)水仕事以外の仕事. (對)진일.

마른-침〈名〉かたず(固唾).

마른침을 삼키다 かたずをのむ.

마른-풀〈名〉干し草. 乾草. 枯れ草. =건초(乾草).

마른-하늘〈名〉青天.

마른하늘에 벼락 맞는다 青天の霹靂. 寝耳に水. 突然の災い.

마른-행주〈名〉干し布巾. [語例] ~질 干し布巾がけ. (對)진행주.

마름[1]〈名〉〔植〕ひし(菱).

마름[2]〈名〉〔史〕小作管理人. 地頭. =사음(舍音).

마름모-꼴〈名〉ひし形. =능형(菱形).

마름-질〈名・하自他〉裁断. 布を型紙などに合わせて裁つこと. [語例] ~판 裁ち台. 裁ち物の板.

⁑**마리**〈依名〉動物・昆虫・魚などを数える単位: 匹. 羽. 頭. [句例] 새 한 ~ 鳥一羽 / 닭 열 ~ 鶏十羽 / 말 세 ~ 馬三頭 / 청어 열 ~ にしん十匹. [文例] 고양이새끼 한 ~ 없다 猫の子一匹もいない.

마리아〈名〉〔宗〕マリア. =성모(聖母). ◇ユ Maria

⁑**마마**[1]【媽媽】[ma:ma]〈名〉'천연두 天然痘'の俗っぽい言いかた. **~하다**〈自〉天然痘を患う.

마마[2]【媽媽】[ma:ma]〈名〉〔史〕王・王族への尊称. [語例] 상감(上監) ~ 陛下. 王様 / 동궁 ~ 東宮殿下. 太子殿下.

마맛-자국【媽媽一】[ma:matchaguk]〈名〉とうこん(痘痕). あばた.

마멋 [ma:mŏt]〈名〉〔動〕マーモット. =마르모트. ◇marmot

마멸【摩滅・磨滅】〈名・하自〉摩滅〔磨滅〕. [句例] 비문이 ~되다 碑文が磨滅する. [文例] 메달 표면이 ~되어 있다 メダルの表面が摩滅している.

마모【摩耗・磨耗】〈名・하自〉摩耗〔磨耗〕. [文例] 타이어의 ~가 심하다 タイヤの摩耗が激しい.

마무르다 (마무르니, 마물러서)〈他〉❶へり(縁)をつける. へり取り(を)する. 縁取る. [文例] 손수건에 레이스의 가선을 둘러서 ~ ハンカチをレースで縁取りして仕上げる. ❷(物事を)締めくくる. まとめる. [句例] 이야기를 재치있게 ~ 話を手際よく締めくくる.

마무리〈名〉締めくくり. 仕上げ. 後始末. **~하다**〈他〉仕上げる. 締めくくる. [句例] 깨끗이 ~되다 きれいに仕上がる / 정성들여 ~하다 念入りに仕上げる / ~를 짓다 締めくくりをつける / ~를 깨끗이 하다 後始末をきれいにする. [語例] 끝~ 締めくくり. 最後の仕上げ.

마법【魔法】〈名〉魔法. 魔術. [句例] ~을 걸다 魔法をかける. [語例] ~사 魔法使い.

마부【馬夫】[ma:bu]〈名〉御者. 馬子. 馬方. 馬引き. 馬丁.

마분-지【馬糞紙】[ma:bunji]〈名〉馬糞紙.

***마비【痲痺・麻痺】**〈名〉麻痺. しび(痺)れ. **~하다**〈自〉麻痺する. しびれる. [句例] 감각이 ~되다 感覚が麻痺する / 도시의 기능이 ~되다 都市の機能が麻痺する / 양심이 ~되다 良心が麻痺する. [語例] 심장 ~ 心臓麻痺 / 소아 ~ 小児麻痺.

마사지 [masa:ji]〈名・하他〉マッサージ. あんま. [句例] 어깨를 ~하다 肩をマッサージする. ◇massage

마상이〈名〉❶(伝馬船のような)小舟. ❷丸木舟. =통나무배. 독목주(獨木舟).

마소〈名〉牛馬. [句例] ~의 먹이 牛馬の飼料〔えさ〕.

마수〈名・하自他〉❶(最初に売れる商品からみた)その日の商売の成り行きや運.

文例 ~가 좋다 商売のさい先がよい / ~부터 장사가 잘된다 口開けから繁盛する. ❷'마수걸이'の略. 句例 ~도 못 하다 まだ口開けも(し)ない.

마수(를) 걸다 開店早早, またはその日初めて商品を売る.

마수【魔手】〈名〉魔手. 爪牙. 句例 ~에 걸리다 魔手にかかる / ~가 뻗치다 魔手がのびる.

마수-걸이 [masugŏri]〈名・하自他〉(その日)初めて物を売ること. 口開け. 略して'마수'とも言う. 語例 ~ 손님 口開けの客.

마술【馬術】 [ma:sul]〈名〉['승마술(乗馬術)'の略] 馬術. 語例 ~ 경기 馬術競技.

***마술【魔術】**〈名〉魔術. 魔法. 妖術. 手品. =요술. 句例 ~을 걸다 魔術をかける / 숫자의 ~ 数字の魔術 / ~을 부리다 魔術を使う / ~에 걸리다 魔術にかかる. 語例 ~사 魔術師. 手品師. 手品使い.

마스코트〈名〉マスコット. ◇mascot

****마스크**〈名〉マスク. 句例 ~를 쓰다〔하다〕マスクをかける / ~가 좋다 マスクがよい. 顔だちがよい. 語例 가스 ~ ガスマスク. ◇mask

마스터〈名・하他〉マスター. 習得すること. 句例 영어를 ~하다 英語をマスターする. ◇master

参考 もともと, 店の(男)主人または大学院の修士などをさすことば.

마스트〈名〉マスト. 帆柱. =돛대. 語例 메인 ~ メーンマスト. ◇mast

****마시다**〈他〉❶(水などを)飲む. (汁などを)吸う. 句例 차를 ~ お茶を飲む〔喫する〕/ 술을 ~ 酒を飲む / 국물을 ~ 汁を吸う / 단숨에 ~ 一息に飲み干す. 文例 마실 것 좀 드릴까요 飲み物でも差し上げましょうか. ❷(空気・においなどを)吸う. 吸い込む. 句例 신선한 공기를 ~ 新鮮な空気を吸う. 文例 연탄 가스를 마셨다 練炭のガスを吸い込んだ.

表現 '술을 마시다'を '술을 먹다 酒を飲む'と表し, '담배를 피우다 タバコを吸う'も '담배를 먹다'と表すことができる. また, 薬の場合も, '감기약을 먹다 風邪薬をのむ'と表す.

마약【痲藥・麻藥】〈名〉麻薬. 語例 ~ 중독 麻「薬中毒」.

마왕【魔王】〈名〉魔王. サタン.

***마요네즈** [mayone:jŭ]〈名〉マヨネーズ. 語例 ~ 소스 マヨネーズソース. ◇프 mayonnaise

마우스-피스 [—p'i:sŭ]〈名〉(管楽器やボクシングなどで用いる)マウスピース. ◇mouthpiece

마운드〈名〉〔野〕マウンド. ピッチャーズマウンド. 句例 ~에 서다 マウンドに立つ. ◇mound

***마을**〈名〉❶村. 村落. 里. 村里. =동리(洞里). 句例 작은 ~ 小さい村 / ~에서 떨어진 곳 村から離れた所. 語例 ~ 사람 村人 / 고향 ~ ふるさとの村 / ~ 풍속 里の習わし / 이웃 ~ 隣村. ❷隣に遊びに行くこと. ▷略して'맡'とも言う.

마을(을) 가다 隣へ遊びに行く.

参考 もとは, 官衙・役所の意味で使ったことば.

마을 버스〈名〉定期路線バスのない町や村に住む住民のために, 近距離を運行するバス. ◇busから.

****마음**〈名〉心. ❶精神. 気. 句例 ~의 양식 心の糧 / ~이 흐트러지다 気が散る / ~에 새기다 心に銘じる / ~이 움직이다 心が動く / ~을 고쳐먹다 心を入れかえる / ~ 든든하다 心強い. 気〔心〕丈夫だ. 文例 몸과 ~을 깨끗이 하다 からだと心を清める / ~이 아프다 心が痛む / ~에서 떠나지 않는다 念頭から離れない.

❷気持ち. 考え. 感じ. 思い. 句例 쓸쓸한 ~ わび(侘)しい気持ち〔思い〕/ ~에 맞다〔들다〕心にかなう. 気に入る / ~에 거슬리다 気にさわる. 文例 ~에 들지 않는다 気に入らない. 気に食わない.

❸思いやり. 情け. 句例 ~이 두터운 사람 情け深い人.

❹気. 意. 句例 ~을 합하여 心を合わせて / ~이 변하다 心が変わる / ~이 맞는 친구 気の合う友 / ~을 정하다 心〔意〕を決する. 文例 할 ~이 없다 やる気がない / ~에도 없는 말을 하고 있다 心にもないことを言っている / 노는 데에만 ~이 있다 遊ぶことばかりに心を傾ける.

❺真心. 句例 ~을 다하다 (真)心を尽くす / ~을 다한 선물 心尽くしの贈り物.

❻胸. 腹. 気心. 句例 ~을 털어놓다 胸を打ち明ける / ~을 떠보다 腹を探る. かま(鎌)をかける. 文例 ~이 엉큼하다 腹が黒い / 네 ~을 모르겠다 お前の気心が知れない.

❼度量. 句例 ~이 넓은 사람 度量の大きい〔広い〕人. ▷略して'맘'とも言う.

마음(이) 끌리다 心が引かれる.

마음(이) 내키다 気が向く〔進む〕. 気乗りがする. 文例 마음이 내킬 때 오시오 気が向いたら来なさい.

마음(을) 놓다 ❶安心する. 文例 마음 놓고 하게나 気楽にやれよ / 마음 놓고 갈 수 있다 心おきなく行ける. ❷油断する. 気を許す. 句例 마음 놓을 수 없는 사람 気の置けない人.

마음(이) 들뜨다 心がそわつく. 心がはずむ.

마음(을) 먹다 しようと思う. 思い立つ. 思い込む. 心に決める. 句例 마음을 독하게 먹다 心を鬼にする. 文例 마음 먹기에 달렸다 気の持ちようによる / 마음 먹었으면 곧 실행하라 思い立ったらすぐ実行しろ.

마음(을) 쓰다 ❶気を使う. 研究する. 考える. ❷気にする〔かける〕. 気遣う. 気を配る. ❸同情する. 配慮する.

마음에 걸리다 気になる. 気にかかる.

마음에 두다 心に留める. 気にかける.

마음은 굴뚝 같다 やりたい気持ちは山山だ.

마음(을) 잡다 心を入れかえる.

마음(을) 졸이다 気をも(揉)む. 気(がかり)になる. 心配する. 文例 어찌 될 것인가 하고 마음을 졸였다 どうなることかと気をもんだ / 판결의 날을 마음 졸이며 기다리고 있었다 判決の日をはらはらしながら待っていた.

마음(이) 좋다 ❶心がよい. 情け深い. 思いやりがある. ❷良心的だ. 正しい. ❸寛大だ. 大様だ.

마음(이) 죄이다 気がもめる．気(がかり)になる．心配になる．

***마음-가짐** 〈名〉 ❶心得．心掛け．心構え．[句例] ～이 좋지 않다 心掛けがよくない / ～이 다르다 気組みが違う / ～이 확고하다 性根がすわっている．[文例] 평소의 ～이 중요하다 ふだんの心掛けが大切である． ❷心意気．意気込み．決心．[文例] 그러한 ～을 분명히 밝혔다 そのような心意気を明らかに示した．▷略して'맘가짐'とも言う．

마음-결 [―kkyŏl] 〈名〉 気立て．心立て．気質．略して'맘결'とも言う．[句例] ～이 곱다 気立てがやさしい．

마음-고생 【―苦生】 [―kkosaeng] 〈名〉 気苦労．心の悩み．略して'맘고생'とも言う．[句例] ～이 많다 気苦労が多い．

***마음-껏** 〈副〉 ❶心を尽くして．精一杯．[句例] ～ 돕다 心を尽くして助ける． ❷思い切り．心行くまで．思う存分．[句例] ～ 낚시를 즐기다 心行くまで釣りを楽しむ．▷略して'맘껏'とも言う．

***마음-대로** 〈副〉 思い通りに．勝手に．勝手気ままに．気ままに．略して'맘대로'とも言う．[文例] 만사가 ～ 되지 않는다 万事思いどおりに行かない / 가든지 말든지 네 ～ 해라 行こうと行くまいと君の勝手にしろ．

마음-보 [―ppo] 〈名〉 底意地．根性．心根．性根．気心．略して'맘보'とも言う．＝심보．[句例] ～가 비뚤어진 사나이 根性の曲がった男．[文例] ～가 고약하다 根性が悪い．

[表現] けなした感じがこもったことば．

마음-속 [―ssok] 〈名〉 しんそこ(心底)．心底．心のうち．心中．胸のなか．略して'맘속'とも言う．[句例] ～에 간직하다 腹に収める．胸に秘める．[文例] ～이 편치 않다 心中穏やかでない．

⁑마음-씨 〈名〉 気立て．心立て．心遣い．心根．心がら．気．心ばえ．略して'맘씨'とも言う．[句例] ～가 착한 아이 気立ての良い子 / ～가 상냥한 사람 心ばえのやさしい人．[文例] 그녀의 너그러운 ～에 감동했다 彼女のおおらかな心根に感心した．

마이너스 〈名・하他〉 マイナス．[文例] 그런 짓을 하면 도리어 ～가 된다 そんなことをすればかえってマイナスになる / 도합 20만 원의 ～다 しめて二十万ウォンのマイナスだ．◇minus

마이-동풍 【馬耳東風】 [ma:i―] 〈名〉 馬耳東風．馬の耳に念仏．どこ吹く風．[文例] 부모의 잔소리 따위는 ～이다 親の小言などはどこ吹く風だ．

마이 카 [maik'a:] 〈名〉 マイカー．＝자가용차．[語例] ～ 시대 マイカーの時代．◇일 my car

⁑마이크 〈名〉 '마이크로폰'の略：マイク．[句例] ～ 앞에서 이야기하다 マイクの前で話す．[文例] ～를 잡고 노래하기를 좋아한다 マイクを取って歌うのを好む．◇mike

마이크로- 〈頭〉 マイクロ…．[語例] ～버스 マイクロバス / ～컴퓨터 マイクロコンピューター．マイコン《略語》．◇micro-

마이크로-웨이브 〈名〉 マイクロウェーブ．＝마이크로파(波)．◇microwave

마이크로-폰 〈名〉 マイクロフォン．略して'마이크'とも言う．◇microphone

마이크로-필름 〈名〉 マイクロフィルム．◇microfilm

마일 〈依名〉 マイル．◇mile

마장 〈依名〉 一里未満の距離をさすことば．

마저 ㊀〈副〉 (残さずに)全部．(ついでに)みんな．すっかり．残らず．[文例] 이것도 ～ 가져가거라 これもついでに皆持って行きなさい / 남은 일도 내가 ～ 해치웠다 残った仕事も僕がついでにすっかりやってしまった / 이것도 ～ 먹어라 これもみんな食べろよ．

㊁〈助〉 …まで(も)．…をも．…さえ．…すら．[文例] 너～ 의심하는가 君まで(も)疑うのか / 물～ 목을 넘어가지 않는다 水すらのどを通らない / 비뿐만 아니라 바람～ 불기 시작했다 雨ばかりか風さえ吹き出した．

마전 〈名・하他〉 漂白．さら(晒)し．＝표백．

마조히즘 〈名〉 マゾヒズム．◇masochism

***마주** 〈副〉 向き合って．向かい合って．[句例] ～ 대하다 (面と)向き合う．向かい合う．相対する．[文例] 무릎을 ～ 대고 이야기했다 膝を突き合わせて語った．

마주 놓다 (物を)向かい〔向き〕合わせに置く．＝맞놓다．

마주 보다 向き合う．向かい合う．相対する．差し向かう．面する．＝맞보다．[句例] 마주 보고 앉다 向かい合って座る / 얼굴을 ～ 顔を見合わせる / 마주 보고 이야기를 나누다 相対して話し合う．

마주 서다 向かい合って立つ．面と向かって立つ．立ち向かう．＝맞서다．

마주 앉다 向かい合って〔相対して〕座る．差し向かいに座る．[句例] 마주 앉아서 식사하다 差し向かいで食事をする．

마주 잡다 ❶手を取り合う．[文例] 손을 마주 잡고 기뻐했다 手を取り合って喜んだ． ❷物を一緒に持つ〔つかむ〕．[文例] 책상을 마주 잡고 날랐다 机を一緒に持ち合って運んだ． ❸互いに協力する．相携える．[文例] 손을 마주잡고 일했다 力を合わせて働いた．＝맞잡다．

마주-치다 〈自〉 ❶まともにぶつかる．衝突する．突き当たる． ❷行き当たる．出くわす．遭遇する．[句例] 어려움에 ～ 困難にぶつかる / 눈길이 ～ 視線が合う．[文例] 길에서 빚쟁이와 딱 마주쳤다 道で債鬼にばったり出くわした．

마중 〈名〉 出迎え．迎え．＝출영(出迎)．**～하다** 〈他〉 出迎える．迎える．[文例] 공항까지 ～을 나가다 空港まで迎えに行く / 숙부를 ～하러 나가다 叔父を出迎えに行く．(對)배웅．

마중-물 〈名〉 誘い水．呼び水．迎え水．[句例] ～을 붓다 誘い水を入れる．呼び水を入れる．

마-지기 〈依名〉 田畑の面積を表わす慣行の単位．一斗分の種がまかれるぐらいの広さ．田は百五十ないし三百坪，畑は百坪内外．＝두락(斗落)．[語例] 논 서 ～ 田六百坪．

⁑마지막 〈名〉 最後．終わり．しま(終)い．最終

末. 句例 ～판에 しまいぎわに / ～까지 終わりまで. 最後まで / ～이 가까워지다 終わりに近づく / ～을 장식하다 最後を飾る. 文例 바빠서 ～에는 밤샘까지 했다 忙しくなって, しまいには夜明かしまでした / 그 때를 ～으로 못 만났다 その時を最後にそれきり会っていない. 語例 ～ 열차 最終の列車 / (경기의) ～회 (競技の)最終回 / ～ 공연 最終公演 / 대회 ～날 大会の終わりの日.

마지-못하다 [ma:jimot'ada] (→하다) 〈形〉 やむを得ない. しかたがない. どうしようもない. よんどころない. 句例 마지못하여 승낙하다 やむを得ず承知する / 마지못해 인정하다 しかたなく認める.

表現 気が進まなく, しかたがないと言う感じのこもったことば.

마지-아니하다 [ma:ji—] (→하다) 〈補動〉 …してや(止)まない. …に堪えない. 略して'마지않다'とも言う. 句例 그의 활약을 기대하여〔바라・빌어〕 ～ 彼の活躍を期待して〔願って・祈って〕やまない.

마진 [ma:jin] 〈名〉 マージン. ＝이익금. 수수료. 句例 ～을 먹다 マージンをとる / ～을 받다 マージンをもらう / ～을 붙이다 マージンをつける. ◇margin

마-질 〈名・하他〉 (穀物などを)升で量ること.

**마차 【馬車】 [ma:ch'a] 〈名〉 馬車. 語例 ～말 馬車馬 / 짐～ 荷馬車 / 쌍두 ～ 二頭立ての馬車.

*마찬가지 〈名〉 [もとの語形は'마치 한가지'] 同じ(な)こと. 同様. 同然. 等しいこと. ＝매한가지. 매일반. 文例 먹은 거나 ～다 食べたも同様だ / 겉보기는 다르지만 속은 전과 ～다 外見は違うが, 中身は前と同じだ / 이리 가나 저리 가나 돌아가기는 ～다 こっちに行こうが, あっちに行こうが回り道をするのは同じだ / 성과는 제로나 ～다 成果はゼロに等しい.

마찰 【摩擦】 〈名・하自〉 摩擦. ❶こすり合わせること. 句例 돌과 돌을 ～하다 石と石を摩擦する. 語例 냉수 ～ 冷水摩擦 / ～열 摩擦熱 / ～력 摩擦力 / ～ 전기 摩擦電気. ❷軋轢. いざこざ. 句例 서로 ～을 피하다 互いに摩擦を避ける. 文例 국제간에 ～이 생겼다 国際間に摩擦が生じた / 저 두 사람 사이에는 언제나 ～이 끊이지 않는다 あの二人の間には, いつもいざこざが絶えない.

마찰-음 【摩擦音】 [mach'arŭm] 〈名〉 〔言〕摩擦音. ハングルでは'ㅅ・ㅆ・ㅎ'がある.

마천-루 【摩天樓】 [machŏllu] 〈名〉 摩天楼.

마취 【痲醉】 〈名〉 麻酔. ～하다 〈他〉 麻酔させる. 麻酔をかける. 句例 ～에서 깨어나다 麻酔から覚める / ～되다 麻酔がかかる. 麻酔が効く / 수술 환자를 마취시키다 手術患者を麻酔させる. 語例 ～의 麻酔医 / ～약, ～제 麻酔薬 / 전신 ～ 全身麻酔.

마치[1] 〈名〉 つち(槌). かなづち. (小)ハンマー. →망치

*마치[2] 〈副〉 あたかも. まるで. さながら. ちょうど. 文例 할아버지는 ～ 어린애 같다 祖父はまるで子供のようだ / 도시 전체가 ～ 공원 같다 町全体があたかも公園のようだ / 그 공원의 아름다움은 ～ 한 폭의 그림과 같다 その公園の美しさはまるで一枚の絵のようだ / 두 사람의 거동은 ～ 부부와 같다 二人の振る舞いはちょうど夫婦のようだ.

마치다[1] 〈自〉 ❶(くぎ(釘)などを打つとき先が何かに)突き当たる. ❷ずきずき痛む. うず(疼)く. (くつなどが)当たる. 食う. 文例 이 구두는 발가락이 마친다 この靴は足の指に当たる / 옆구리가 딱딱 마친다 横腹がずきずき痛む.

*마치다[2] ㊀〈自〉 終わる. 済む. 文例 수업은 다섯 시에 마치게 됩니다 授業は五時に終わることになります. ㊁〈他〉 終える. 済ます. 句例 일을 ～ 仕事を済ます / 짧은 일생을 ～ 短い一生を終える / 학교를 ～ 学校を終える / 볼일을 ～ 用を足す. ▷→囲み記事 33

마치-질 〈名・하他〉 つち打ち仕事.

**마침 〈副〉 ❶折しも. 折〔程〕よく. いいあんばいに〔具合に〕. 具合よく. ちょうど(よく). うってつけに. 句例 ～ 그 자리에 오다 折よく来合わせる. 文例 ～ 좋은 때에 왔다 ちょうどいい時に来た / 문을 닫으려는데 ～ 뛰어들어오는 사람이 있었다 ドアを閉めようとしたとき, 折しも駆け込んで来た人があった / ～ 전차가 왔다 具合よく〔折よく〕電車が来た. ❷折あしく. あいにく. たまたま. 都合悪く. 文例 ～ 비가 내리기 시작했다 折あしく雨が降り出した / ～ 손님이 와 있었다 あいにく来客があった / ～ 그와는 안면이 있었다 たまたま彼とは顔見知りだった.

*마침-내 〈副〉 つい(終・遂)に. とうとう. 最後に. 結局. あげくの果て. とどのつまり. しまいに. 文例 ～ 완성했다 ついに完成した / ～ 그도 결혼했다 ついに彼も結婚した / 배는 차츰 작아지더니, ～ 보이지 않게 되었다 船はだんだん小さくなって, とうとう見えなくなってしまった.

마침-표 【一標】 〈名〉 ❶〔言〕終止符. ピリオド. ❷〔樂〕終止記号.

마카로니 〈名〉 マカロニ. ◇이 maccaroni

囲み記事 33

■ '마치다[2]'と'맞히다' ■

二語とも[mach'ida]と同じく発音されるので, 注意を要する.

마치다[2] (1) 終わる. 済む —— 축제는 곧 마치게 될 것이다 祭りはすぐ終わることになるだろう.

(2) 終える. 済ます —— 의식을 마치다 儀式を済ます. 학업을 마치다 学業を終える.

맞히다 (1) 的を当てる. 的中させる —— 과녁을 맞히다 的を射当てる

(2) 言い当てる —— 퀴즈의 답을 맞히다 クイズの答を当てる.

(3) (雨や風に)さらす —— 새옷을 비를 맞히어 엉망이 되게 했다 新しい着物を雨にさらしてだいなしにしてしまった.

(4) (注射などを)打たせる —— 예방 주사를 맞히다 予防注射を打たせる.

마켓 [ma:k'et] 〈名〉 マーケット. 市場. 語例 슈퍼 ~ スーパーマーケット / ~ 리서치 マーケットリサーチ. ◇market

마크 [ma:k'ŭ] 〈名・하自他〉 マーク. しるし. 商標. 句例 가슴에 학교 ~를 달다 胸に学校のマークをつける / (축구 등에서) 앞에서 ~하다 (サッカーなどで)前までマークする / 3명에게 ~당하다 三人にマークされる / 신기록을 ~하다 新記録をマークする. 語例 심벌 ~ シンボルマーク / 노~ ノーマーク / 트레이드 ~ トレードマーク. ◇mark

마-파람 〈名〉 はえ. 南風. ＝마풍(麻風)・앞바람.

마파람에 게눈 감추듯 南風にかに(蟹)が目を隠すよう. 食べ物を瞬く間に平らげることのたとえ.

마패【馬牌】[ma:p'ae] 〈名〉〔史〕 朝鮮時代, 役人が地方出張のとき, 駅馬を徴発するために用いた銅札. 馬の像が刻まれている. 絵

参考 '암행 어사'が, 公事処理のため, 地方官庁についた時'역졸(驛卒) 駅子'が마패を見せながら'암행 어사 출또'とどなった.

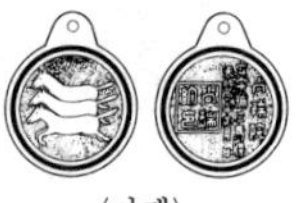

〈마패〉

마포【麻布】〈名〉 ⇨ 삼베

마필【馬匹】[ma:p'il] 〈名〉 馬匹. 馬. ＝말¹.

마하 〈名〉 マッハ《記号 M》. ＝마하수(數). ◇도 Mach

마호가니 〈名〉〔植〕 マホガニー. ◇mahoganyから

마호메트-교【Mahomet教】〈名〉〔宗〕 マホメット教. ＝이슬람교. ◇Mahomet

*__마흔__ 〈數・冠〉 四十・しじゅう. ¶ ~ 명 정도 四十人〔名〕ほど.

*__막__【幕】 幕. ㊀〈名〉 ❶假小屋. 句例 파수 ~을 짓다 番人小屋を立てる. ❷仕切る布. 仕切り. とばり. 句例 ~을 늘어뜨리다 幕を垂らす. ❸(物事の)始まり, または終わり. ㊁〈依名〉〔劇〕 幕から幕までの場面・段落. 語例 3～5장 三幕五場.

막을 내리다 幕を閉じる. 幕を引く. 幕を下ろす. 行事などを終える.

막을 열다 幕を開ける. 物事を始める.

막을 올리다 幕を上げる. 物事・行事などを始める. 句例 대회의 ~ 大会の幕を上げる.

막이 오르다 幕が上がる. 幕が開く. 行事などが始まる.

막【膜】〈名〉 膜. 句例 ~을 벗기다 膜をはぐ / ~이 생기다 膜が生じる / ~이 덮이다 膜が張る. 語例 고무 ~ ゴムの膜 / 세포~ 細胞膜.

*__막__¹ 〈副〉 ❶たった今. いま(今)しがた(方). ついいましがた. 今しも. 文例 ~ 돌아왔습니다 たった今帰りました / ~ 해가 지려 하고 있었다 今しも日が沈もうとしていた / 공사는 이제 ~ 착수했을 따름이다 工事はたった今着手したばかりだ. ❷ちょうど(その時). まさに. 今すぐ. 文例 ~ 전화를 걸려던 참이다 ちょうど電話を掛けようとしていたところだ.

막² 〈副〉 '마구'の略. 句例 ~ 달리다 むちゃくちゃに走る. 突っ走る / ~ 짓밟다 やたらに踏みにじる. 文例 그렇게 ~ 먹지 마라 そうやたらに食べるなよ.

막 〔漢字項目〕

【幕】 高校 막 マク. バク. ❶막 まく. 칸막이로 쓰는 천 へだてにする布. ▮幕營 막영 ばくえい. 帷幕 유막 いばく. 天幕 천막 てんまく. ❷장군의 진영 将軍の陣営. ▮幕下 막하 ばくか. 幕僚 막료 ばくりょう.

【漠】 高校 막 バク. ❶사막 すなはら. ▮沙漠 사막 さばく. ❷넓고 아득하다 広く果てしない. ▮漠然 막연 ばくぜん. 漠漠 막막 ばくばく. ▮廣漠 광막 こうばく. 荒漠 황막 こうばく.

【莫】 中學 막 マク. バク. 모 モ, ボ. ㊀〔막〕 ❶없다 ない. ▮莫大 막대 ばくだい. 莫逆 막역 ばくぎゃく. ❷아득하게 넓다 果てしなく広い. ▮廣莫 광막 こうばく. ❸어둡다 暗い. ▮闇莫 암막 あんまく.
㊁〔모〕 저물다 暮れる ▮莫夜 모야 ぼや. 莫春 모춘 ぼしゅん.

막간【幕間】〈名〉 ❶〔劇〕 幕合い. 句例 ~을 이용한 선전 幕合いを利用した宣伝. ❷物事の合間. 文例 휴회하는 ~을 이용하여 한 말씀 드리겠습니다 休会の合間に一言申し上げます.

막간-극【幕間劇】〈名〉 幕合い劇.

막강-하다【莫強―】(→하다) 〈形〉 屈強である. 強固だ. 句例 국력이 ~ 国力が強固だ.

**__막-걸리__ 〈名〉 ['粗くこしたもの'の意] どぶろく. 濁酒. 濁り酒. もろみざけ. ＝탁주(濁酒). 語例 찹쌀 ~ もち米のどぶろく.

参考 もろみをふるいで粗くこした酒. 昔から伝統的に伝わってきた庶民用の酒で, '농주(農酒)'としても使われた.

막-국수 〈名〉 やや粗いそば(蕎麦)粉でつくった麵に, キムチの汁や肉の煮出し汁をかけて薬味をのせた食べもの. 江原道の郷土食品. '막-'は'粗'の意.

막-깎다 〈他〉 丸刈りにする. 句例 막깎은 머리 丸刈りの頭.

막내 [mangnae] 〈名〉 末っ子. 末子・末. 語例 ~딸 末娘. 末女 / ~ 아들 末息子. 末男. 末子 / ~ 아우 末弟 / 막냇동생(同生) 末の弟, または末の妹.

막내-둥이 〈名〉 '막내'の愛称. 句例 응석받이 ~ 甘ったれの末っ子.

막-노동【―勞動】[mangnodong] 〈名〉 ⇨ 막일

**__막다__ 〈他〉 ❶仕切る. 隔てる. 区画する. 句例 칸을 ~ 仕切る / 커튼으로 막아 놓은 방 カーテンで仕切れられた部屋. ❷止める. 阻む. 食い止める. 防ぐ. 守る. 句例 물가의 상승을 ~ 物価の上昇を食い止める / 가스밸브를 ~ ガス弁を止める / 밤의 외출을 ~ 夜の外出を止める / 남의 말을 ~ 人の話を遮る / 연소를 ~ 延焼を食い止める / 적의 침입을 ~ 敵の侵入を防ぐ / 병의 전염을 ~ 病気の伝染を防ぐ. ❸(道などを)遮る. 閉ざす. 阻む. 句例 길을 ~ 道を遮

る / 가는 길을 ～ 行く手を阻む / 통행을 ～ 通行を遮る / 양국의 교류를 ～ 両国の交流を妨げる. ❹(流れを)せき止める. 句例 강물을 ～ 川の水をせき止める / 사건의 파급을 ～ 事件の波及をせき止める. ❺(穴などを)ふさ(塞)ぐ. 閉ざす. 句例 수문을 ～ 水門を閉ざす / 벽의 틈을 ～ 壁のすきまをふさぐ / 소음에 귀를 ～ 騒音に耳をふさぐ. ❻(周囲を)囲う. 巡らす. 句例 집을 산울타리로 ～ 家を生け垣で囲う / 뜰을 담으로 ～ 庭を塀で囲う.

막-다르다 〈形〉('막다른'の形で)突き当たりの. 行き詰まりの. 行き止まりの. 袋小路の. 句例 막다른 데서 오른쪽으로 꺾이다 突き当たりを右に折れる. 語例 ⇨ 막다른집

막다른-골목 [—go:lmok]〈名〉袋小路. ＝막다른골. 句例 ～에 들어가다 袋小路に入り込む. 文例 골목길의 ～에서 오른쪽으로 구부러져 가세요 路地の突き当たりで右に折れて行きなさい. ❷のっぴきならない破目. 行き詰まり. 行き止まり. どん詰まり. 句例 ～에 빠지다 どん詰まりに陥る / 교섭이 ～에 몰리다 交渉が行き詰まりになる.

막다른-집 〈名〉突き当たりの家. どん詰まりの家.

막대 〈名〉['막대기'の略] 棒.

*__막대-그래프__ 〈名〉〔數〕棒グラフ. ◇graphから.

막대기 〈名〉棒. 棒切れ. 略して'막대'とも言う. 句例 ～로 때리다 棒で殴る.

막대 자석【—磁石】〈名〉棒磁石.

막대-하다【莫大—】(→하다)〈形〉莫大だ. 句例 막대한 손실 莫大な損失 / 막대한 영향 莫大な影響. 類방대하다. **막대히**〈副〉莫大に.

막-되다〈形〉無作法だ. 粗暴だ. 無法だ. 句例 막되게 굴다 粗暴なふるまいをする / 막된 사람 無礼者. 無法者. ならず者 / 막된 말씨 ぞんざいな〔乱暴な〕言葉遣い.

막-둥이〈名〉'막내 아들 末息子'の俗っぽい言いかた. 句例 ～로 태어나다 末っ子に生まれる.

막론-하다【莫論—】[mangnon—] (→하다)〈他〉('막론하고'の形で)'論じる余地もなく. 言うまでもなく'の意: …を問わず. …にかかわらず. …に限らず. 句例 옳고 그름을 막론하고 是非を論外にして. 文例 신분의 고하를 막론하고 면회를 사절한다 身分の上下を問わず面会を謝絶する.

막료【幕僚】[mangnyo]〈名〉幕僚. 類참모(参謀).

막막-대해【漠漠大海】[mangmaktaehae]〈名〉漠漠たる大海原. 類망망(茫茫)대해.

*__막막-하다__【寞寞—】[mangmak'ada] (→하다)〈形〉❶寞寞としている. ひっそりして寂しい. 類적막(寂寞)하다. ❷頼るところがなくて弧独である. 頼りなくて途方に暮れる. 文例 실직하여 살길이 ～ 失職して生計の道が絶望的だ. **막막히** [mangmak'i]〈副〉寞寞と. 途方に暮れて.

막막-하다【漠漠—】[mangmak'ada] (→하다)〈形〉漠漠としている. 遠くはるかだ. 句例 막막한 광야 漠漠たる広野 / 막막한 천공을 돌고 있는 인공위성 漠漠たる天空を回っている人工衛星. **막막히** [mangmak'i]〈副〉漠漠と.

막-말 [mangmal]〈名・하自〉❶(みだりに)言い切る言葉. 断言. ❷(出任せに言う)ぞんざいな, または下品な言葉. 暴言. 句例 어른에게 ～을 내뱉다 目上の人に暴言を言い放つ.

막무가내【莫無可奈】[mangmuganae]〈名〉どうしようもないこと. 手のつけようがないこと. なすべきすべのないこと. 頑として動じないこと. 句例 ～로 고집을 부리다 かたくなに片意地を張る. 文例 아무리 말려도 ～다 いくら止めても頑として動じない.

表現 副詞形'막무가내로 頑として'の形でよく使われる.

막-바지〈名〉どん詰まり. 土壇場. 大詰め. 終わり. 最後. 句例 ～에 역전되다 土壇場で逆転する. 文例 교섭은 ～에 접어들었다 交渉は大詰めに入った.

막-벌이 [makpŏri]〈名・하自〉日雇いで稼ぐこと. 力仕事で稼ぐこと. 語例 ～꾼 日雇いの人夫.

막사【幕舍】〈名〉❶仮屋. 小屋. バラック. ❷(軍隊の)兵舎.

막상〈副〉いざ. まさに. 実際に. 本当に. いよいよ. 現に. ＝정작. 文例 ～ 해보니까 별 것 아니더구나 実際にやって見た所, 大したものでなかったよ / ～ 해보면 생각보다 쉽다 実際にやってみれば思ったより易いよ / ～ 하려고 들면 할 기분이 사라진다 さてとなると気がう(失)せる.

막상-막하【莫上莫下】[—mak'a]〈名〉伯仲. 五分五分. おっつかっつ. 互角. 句例 ～의 대결 互角の対決. 文例 형세는 ～다 形勢は五分五分だ / 영어 실력은 둘 다 ～다 英語の実力は二人ともおっつかっつだ.

막심-하다【莫甚—】(→하다)〈形〉はなは(甚)だしい. あまりひどい. 句例 막심한 손해 はなはだしい損害. **막심히**〈副〉はなはだしく.

表現 好ましくないことに使う.

막아-내다 [maga—]〈他〉防ぎ止める. 支える. 食い止める. 受け止める. 句例 공격을 ～ 攻撃を受け止める / 적을 ～ 敵を支える / 강가에서 적의 상륙을 ～ 水際で敵の上陸を食い止める / 사고를 ～ 事故を防ぐ.

막역-하다【莫逆—】[magyŏk'ada] (→하다)〈形〉莫逆である. きわめて親密だ. 句例 막역한 친구〔사이〕 莫逆の友〔間柄〕. **막역히** [magyŏk'i]〈副〉きわめて親しく.

막연-하다【漠然—】[magyŏn—] (→하다)〈形〉漠然としている. 句例 막연한 동기 漠然とした動機 / 장래에 대한 막연한 불안 将来に対する漠然とした不安. **막연히** [magyŏnhi]〈副〉漠然と. 句例 막연히 그런 생각이 들다 漠然とそんな気になる / 막연히 생각하다 漠然と考える.

막이 [magi]〈名〉❶遮って閉ざすこと. 止め. 語例 보～ せき止め / 미끄럼～ 滑り止め. ❷(災いなどを)防ぐこと. よ(除)け. 語例 액～ 魔よけ. 厄よけ. 厄払い. 厄落とし.

막-일 [mangnil]〈名・하自〉荒仕事. 手当たり次第にする力仕事. ＝막노동. 句例 ～을 해서 돈을 벌다 荒仕事〔力仕事〕をして稼ぐ. 語例 ～꾼 荒稼ぎ労働者. 雑役夫.

막자〈名〉連木. 乳棒. すりこぎ.

막자-사발【—沙鉢】〈名〉すり鉢. 乳鉢. ＝유발(乳鉢).

막장〈名・하自〉〔鑛〕❶坑道の突き当たりの面. 切り羽. 切り場. ❷採掘作業. 語例 ～일 切り羽での作業.

막-장【—醬】〈名〉速成みそ(味噌)の一つ. 中部以南と江原道地方で作る. 忠清道では, 麦飯にみそだまこうじの粉や, とうがらし粉を混ぜ, 塩をかけて仕込み, 慶尚道では, 豆ともち米の混じったみそだまこうじで仕込む.

막중-하다【莫重—】(→하다)〈形〉(責任などが)ごく重い. はなはだ重大である. 句例 막중한 임무 ごく重大な任務 / 책임이 ～ 責任が重い. **막중히**〈副〉重大に.

막-차【—車】〈名〉終車. 終列車. 最終列車. 終発. 句例 ～로 떠나다 終車で立つ / ～를 놓치다 終車に乗り遅れる.

막-치〈名〉粗製品.

막-판〈名〉❶['마지막판'の略] 終局. どん詰まり. 土壇場. 末尾. 句例 ～의 대역전 土壇場の大逆転. 文例 교섭은 ～에서 결렬되었다 交渉はどん詰まりに来て決裂した. ❷(事の成り行きが)めちゃくちゃな状態.

막후【幕後】[mak'u]〈名〉(政治などにおける)裏面. 裏側. 舞台裏. 句例 정계의 ～ 인물 政界の黒幕. 語例 ～ 공작 裏面工作 / ～ 교섭 裏面交渉.

막히다 [mak'ida]〈自〉'막다'の受け身: ふさ(塞)がる. つか(支)える. 詰まる. 手詰まる. 滞る. 句例 길이 ～ 道がつかえる / 코가 ～ 鼻が詰まる / 대답이 ～ 返事が詰まる / 홈통이 ～ 雨どいが詰まる / 기가 ～ あき(呆)れ返る. あきれは(果)てる / 말이 ～ 言葉がつかえる / 숨이 ～ 息が詰まる.

*__만__【滿】〈名・冠〉満. 句例 ～으로 스무 살 満で二十歳 / ～ 이틀 동안 굶다 丸二日間食を断つ. 語例 ～ 두 살 満二歳 / ～탱크 満タンク.

만【灣】〈名〉湾. 入り江. 語例 영일～ 迎日湾 / 걸프～ ガルフ湾.

만[1]〈依名〉…目. …ぶ(振)り. 句例 사흘 ～에 외다 三日目に覚える / 3년 ～에 귀국하다 三年ぶりに帰国する / 10년 ～에 재회하다 十年ぶりに再会する.

만[2]〈依名〉❶(体言～・-ㄹ ～・-을 ～の形で) …くらい. …程度. …程. 句例 눈에 보이지 않을 ～한 크기 目に見えないぐらいの大きさ. ❷(이～・그～・저～ などの形で) (わずかそれ)くらい(位). …しき. 句例 뭘 요～ 상처를 가지고 なんのこれしきの傷で. 文例 그～ 돈이야 누구나 가지고 있다 それくらいの金はだれでも持っている.

**__만__【萬】[maːn]〈數・冠〉万. 一万. よろず(万). ばん(万). 句例 ～에 하나라도 万に一つでも. 語例 ～ 개 一万個.

만[3]〈助〉❶…だけ. …ばかり. …のみ. 句例 돈～ 있으면 お金だけあれば. 文例 놀기～ 하고 있다 遊んでばかりいる / 한 번～이라도 만나고 싶다 一目だけでも会いたい / 사람은 빵～으로 사는 것이 아니다 人はパンのみで生くるにあらず / 너에게～ 얘기해 주겠다 お前にだけ話してあげる / 학문～으로는 성공할 수 없다 学問ばかりでは成功できない.

만[4]〈助〉'마는'の略. 文例 부탁했지～ 거절당했다 頼んだが断られた / 가난하지～ 행복하다 貧しいが幸せだ.

만 〔漢字項目〕

【慢】 高校 만 マン. ❶게으름 피우다 怠ける. ◨怠慢 태만 たいまん. ❷거만하다 おごる. 뽐내다 いばる. ◨慢心 만심 まんしん. 慢言 만언 まんげん. ◨傲慢 오만 ごうまん. 自慢 자만 じまん. ❸느리다 遅い. 길게 끌다 長引く. ◨慢性 만성 まんせい. ◨緩慢 완만 かんまん.

【晩】 中學 만 バン. ❶해가 짐 日暮れ. 밤 夜. ◨晩景 만경 ばんけい. 晩照 만조 ばんしょう. 晩餐 만찬 ばんさん. ◨昨晩 작만 さくばん. ❷(시기가) 늦다 遅い. ◨晩年 만년 ばんねん. 晩秋 만추 ばんしゅう. 晩學 만학 ばんがく. ◨早晩 조만 そうばん.

【滿(満)】 中學 만 マン. ❶채우다 みたす. 차다 みちる. ◨滿開 만개 まんかい. 滿期 만기 まんき. 滿員 만원 まんいん. 滿場 만장 まんじょう. 滿天下 만천하 まんてんか. ◨干滿 간만 かんまん. 肥滿 비만 ひまん. 飽滿 포만 ほうまん. ❷성을 내다 怒る. ◨憂滿 우만 ゆうまん. ❸만주(滿州)의 준말 満州の略. ◨滿人 만인 まんじん. 滿文 만문 まんぶん.

【漫】 高校 만 マン. ❶넓다 広い. 질펀하다 広広としている. ◨漫延 만연 まんえん. ◨渺漫 묘만 びょうまん. ❷멀다 遠い. ◨悠漫 유만 ゆうまん. ❸흩어지다 散らばる. ◨散漫 산만 さんまん. 混漫 혼만 こんまん. ❹종잡을 수 없음 とりとめのないさま. ◨漫談 만담 まんだん. 漫評 만평 まんぴょう. 漫畫 만화 まんが. ◨放漫 방만 ほうまん.

【萬(万)】 中學 만 マン. バン. ❶천의 10배의 수 千の十倍の数. 많은 것 多くのもの. ◨萬國 만국 ばんこく. 萬金 만금 まんきん. 萬民 만민 ばんみん. 萬感 만감 ばんかん. ◨億萬 억만 おくまん. 千軍萬馬 천군만마 せんぐんばんば. 巨萬 거만 きょまん. ❷만의 하나라도 万に一つでも. ◨萬一 만일 まんいち. ❸완전하다 完全だ. ◨萬全 만전 ばんぜん. 萬般 만반 ばんぱん.

【蠻(蛮)】 高校 만 バン. ❶미개 종족 未開の種族. ◨蠻人 만인 ばんじん. 蠻風 만풍 まんぷう. ◨野蠻 야만 やばん. ❷거칠다 あらあらしい. ◨蠻習 만습 ばんしゅう. 蠻勇 만용 ばんゆう. 蠻行 만행 ばんこう.

만가【挽歌・輓歌】〈名〉挽歌.

만감【萬感】[maːn-gam]〈名〉万感. 句例 ～이 교차하다 万感こもごも胸に至る.

만개【滿開】[maːn-gae]〈名・하自〉満開. ＝만

ㅁ

발(滿發).
만경 창파【萬頃蒼波】[maːn-gyŏng—]〈名〉果てしなく広広とした青海原.
만고【萬古】[maːn-go]〈名〉万古. 永久. 句例 ～ 불변의 진리 万古不易の真理 / ～에 유례가 없는 사건 万古に類のない出来事.
만고 강산【萬古江山】[maːn-go—]〈名〉万古不易この山河.
만곡【彎曲】〈名・하形〉湾曲. 句例 ～한 해안선 湾曲した海岸線.
만-공산【滿空山】[maːn—]〈名・하自〉空山に満ちること. 句例 명월이 ～하다 明月空山に満ちる.
만국【萬國】[maːn-guk]〈名〉万国. =만방(萬邦). 語例 ～ 박람회 万国博覧会.
만국-기【萬國旗】[maːn-guk—]〈名〉万国旗.
만기【滿期】〈名・하自〉満期. 句例 정기 예금이 ～가 되다 定期預金が満期になる. 語例 ～일 満期日.
만끽-하다【滿喫—】[mankkik'ada] (→하다)〈他〉満喫する. 句例 산해 진미를 ～ 山海の珍味を満喫する / 고도의 가을을 ～ 古都の秋色を満喫する.
****만나다**〈自他〉会う. 遭う. ❶顔が会う. 顔を会わせる. 対面する. 出会う. 出くわす. 巡り会う. 句例 친구를 ～ 友達に会う / 형과 ～ 兄と会う / 길에서 ～ 道で会う / 만나러 가다 会いに行く. ❷(災い・運などに)出合〔出会〕う. 行きあう. 遭遇する. 被る. 句例 길에서 눈을 ～ 途中で雪に遭う / 행운을 ～ 幸運に巡り会う / 화재를 ～ 火事に遭う / 재난을 ～ 災難に見舞われる / 위기를 ～ 危機を迎える. ❸(時を)得る. 句例 호걸이 때를 ～ 豪傑が時を得る. ❹(因縁などで)結ばれる. 知り合うようになる. 句例 묘한 인연으로 ～ 妙な因縁で結ばれる.
만나자 이별 会うのもつかのま. すぐ別れることのたとえ.
만난【萬難】[maːnnan]〈名〉万難. 句例 ～을 무릅쓰고 万難を冒して. 文例 ～을 물리치고 실행했다 万難を冒して実行した.
만-날〈副〉いつ(何時)も. 常に. 絶えず. しょっちゅう. 文例 ～ 놀고만 있다 いつも遊んでばかりいる / 선생님에게 ～ 꾸중을 듣는다 先生にしょっちゅうしかられる.
만년【晩年】[maːnnyŏn]〈名〉晩年. =노년(老年). 句例 쓸쓸한 ～을 보내다 寂しい晩年を送る. 對초년(初年).
만년【萬年】[maːnnyŏn]〈名〉万年. 万万年《強調語》. 語例 ～ 소녀 万年娘 / ～(평)사원 万年(平)社員.
만년-설【萬年雪】[maːnnyŏnsŏl]〈名〉万年雪. =만년빙(氷).
****만년-필**【萬年筆】[maːnnyŏnp'il]〈名〉万年筆.
만능【萬能】[maːnnŭng]〈名・하形〉万能. =전능(全能). 文例 그는 스포츠라면 만능에 가깝다 彼はスポーツなら万能に近い. 語例 ～ 선수 万能選手 / 과학 ～ 시대 科学万能の時代.
만단【萬端】[maːndan]〈名〉万端. 句例 그는 ～의 준비를 갖추었다 彼は万端の準備を整えた. 類만반(萬般).
만담【漫談】[maːndam]〈名〉漫談. 語例 ～가 漫談家 / 가요 ～ 歌謡漫談.
만당【滿堂】[maːndang]〈名・하自〉満堂. 満場. 句例 ～의 박수를 받다 満堂のかっさい(喝采)を博する.
만돌린〈名〉〔樂〕マンドリン. 絵 ◇mandoline

〈만돌린〉

만두【饅頭】〈名〉ギョーザ. 語例 찐～ シューマイ / 군～ 焼きギョーザ / 물～ 水ギョーザ / 만둣국 ギョーザ入りのお汁.
만두-소【饅頭—】〈名〉'만두'の中身. 肉類・豆腐・白菜・キムチ・緑豆のもやしなどを細かく切り刻んで, 薬味を入れ混ぜてつくる.
만두-피【饅頭皮】〈名〉小麦粉をねってつくった薄い皮. '만두'の中身を包むもの.
****만들다** (만드니, 만들어서) ㊀〈他〉❶作る. 造る. こしらえる. ㉠製造する. 作り出す. 仕立てる. 句例 옷을 ～ 着物を仕立てる / 보리로 맥주를 ～ 麦でビールを造る / 요리를 ～ 料理を作る / 배를 ～ 船を造る / 상자를 ～ 箱をこしらえる / 새가 보금자리를 ～ 鳥が巣をかける. 類짓다.
㉡新造する. 句例 규칙을 ～ 規則を作る / 신어를 ～ 新語を作る〔作り出す〕/ 적을 ～ 敵を作る.
㉢作成する. 句例 초고를 ～ 草稿を作る / 책을 ～ 本を作る / 계약서를 ～ 契約書を作成する. 類꾸미다.
㉣(人物を)育てる. 句例 인간을 ～ 人間を造る.
㉤(ないことなどを)でっちあげる. 作り上げる. 句例 없는 말을 ～ 根拠のない話を作る / 구실을 ～ 口実を作る. 類꾸며내다.
㉥(暇・時間を)作る. 句例 기회를 ～ 機会を作る. 類짜내다.
❷('…(으)로 ～'の形で, 全体で)…の状態にならせる：…にする. 句例 과장(課長)으로 ～ 課長にする / 제것으로 ～ 自分のものにする / 황무지를 옥토로 ～ 荒れ地を美田に化する.
❸(傷などを)生じさせる. でかす. 句例 부스럼을 ～ はれものをでかす.
❹(金などを)工面する. 句例 여비를 ～ 旅費を工面する / 자금을 ～ 資金を作る. 類마련하다.
❺(事・問題などを)(引き)起こす. 文例 어리석은 짓을 일부러 만들지 마라 ばかげたことをわざと引き起こすなよ.
㊁〈補動〉('…도록 ～''…(하)게 ～'の形で, 全体で)…ようにする. 句例 공부를 하도록 ～ 勉強するように仕向ける / 마음에 들도록 ～ 気に入るようにする / 일을 잘 되게 ～ 事がよくはかどるようにする.
만듦-새 [mandŭmsae]〈名〉出来栄〔出来映〕え. 出来具合. 仕上がり. 作り. 造り. 句例 훌륭한 ～ 立派な出来映え / ～가 꼼꼼한 의자 作りが丁寧な椅子.

ㅁ

만료【滿了】[mallyo]〈名・하自〉満了. 句例 계약 기간이 ~되다 契約期間が満了する. 語例 임기 ~ 任期満了.

만루【滿壘】[ma:llu]〈名〉〔野〕満塁. フルベース. 語例 ~ 홈런 満塁ホームラン / 무사 ~ 無死満塁.

만류【挽留】[mallyu]〈名・하他〉引き止めること. 句例 사임을 ~하다 辞任を慰留する / 입후보를 ~하다 立候補を思いとどまらせる. 文例 친구의 ~로 하루를 쉬었다 友達が引き止めたので一日休んだ.

만리【萬里】[ma:lli]〈名〉❶千里. ❷万里. 非常に遠い道のり. 句例 ~길을 멀다 않고 万里の道を遠しとせず. 語例 ~ 타향 はるかに遠い異郷.

만릿길도 한 걸음으로 시작된다 万里の道のりも第一歩から始まる. 千里の道も一歩より起こる. 千里の行も一歩より起こる. '천릿길도 한 걸음부터'とも言う

ㅁ

만리-장성【萬里長城】[ma:lli—]〈名〉万里の長城.

만리장성을 써보내다 手紙を非常に長ったらしく書き送ることのたとえ.

만만-찮다 [—ch'ant'a]〈形〉['만만하지 않다'の略] 見くびられない. 侮りがたい. 手ごわい. したたかだ. 句例 만만찮은 상대 手ごわい相手. 文例 자잘한 지출도 결코 ~ 細かい出費も決してばかにならない.

*__만만-하다__ (→하다)〈形〉❶柔らかくてしなやかだ. か(嚙)みごたえが柔らかだ. ❷くみ(与)しやす(易)い. 手ごわくない. 甘い. 句例 ~고 깔보다 くみしやすいと侮る / 말뚝을 박기에 만만한 땅 杭を打ち込むのによい柔らかい土 / 사람을 만만하게 보다 人を甘く見る. **만만히**〈副〉くみしやすく. 甘く. 手ごわくないと. 句例 만만히 볼 수 없는 사람 したたか者. 手ごわい人.

만면【滿面】[ma:nmyŏn]〈名〉満面. 顔中. 句例 ~에 웃음을 띄우다 満面に笑みをたたえる.

만무-하다【萬無—】[ma:nmu—] (→하다)〈形〉ぜんぜん無い. 絶対にあり得ない. 文例 그럴 리가 ~ そんなはずがない / 그는 죽었을 리가 ~ 絶対彼は死んだはずがない.

만물【萬物】[ma:nmul]〈名〉万物. 句例 ~의 영장 万物の霊長 / ~이 소생하는 봄 万物のよみがえる春. 語例 천지 ~ 天地万物 / ~ 박사 生き字引き / ~상 万物相《金剛山にある岩山》.

만민【萬民】[ma:nmin]〈名〉万民.

만반【萬般】[ma:nban]〈名〉万般. 句例 ~의 준비를 갖추다 万般の準備を整える.

만발【滿發】[ma:nbal]〈名〉満開. 花盛り. **~하다**〈自〉満開する. 咲きこぼれる. 咲き乱れる. 句例 등나무꽃이 ~하다 ふじの花が咲きこぼれる.

*__만방__【萬邦】[ma:nbang]〈名〉万邦. 万国.

만방【萬放】[ma:nbang]〈名〉(碁で)九十一地以上で勝ったことをさすことば.

만-백성【萬百姓】[ma:nbaeksŏng]〈名〉万民. 万姓.

만병【萬病】[ma:nbyŏng]〈名〉万病. 句例 감기는 ~의 근원 風邪は万病の元.

만병 통치【萬病通治】[ma:nbyŏng—]〈名〉万病にきくこと. 語例 ~약 万能薬. 万病の薬.

만복【萬福】[ma:nbok]〈名〉万福. 文例 귀댁의 ~을 빌겠습니다 貴家〔お宅〕の万福をお祈りいたします.

만부당-하다【萬不當—】[ma:nbudang—] (→하다)〈形〉不当千万だ. 不当窮まる. 句例 만부당한 처사 不当千万な仕打ち. 文例 천부당 ~ 途方もない. とんでもない.

만-부득이【萬不得已】[ma:nbudŭgi]〈副〉万やむを得ず. よっぽど. よくよく. **~하다**〈形〉やむにやまれない. やむを得ない. どうしようもない. しかたがない. 文例 ~ 도중에 돌아왔다 やむを得ず途中で引き返した.

만사【萬事】[ma:nsa]〈名〉万事. 百事. 諸事. 文例 ~가 이런 식이다 万事この調子だ / ~ 그에게 맡겨 두면 안심이다 万事彼に任せておけば安心だ / ~는 잘 되어갔다 万事うまく行った.

만사는 불여(不如) **튼튼** 万事は堅実たるにし(如)くものはない. 転ばぬ先のつえ(杖).

만사 태평【萬事太平】[ma:nsa—]〈名〉❶万事安心なこと. 万事が太平であること. ❷こせこせしないでのんきに構えること. 文例 그는 항상 ~이다 彼はいつも天下太平だ.

만사 형통【萬事亨通】[ma:nsa—]〈名〉万事がよく運ぶこと.

만삭【滿朔】〈名・하自〉産み月〔臨月〕になること. またはその月.

만생-종【晩生種】[ma:nsaeng—]〈名〉晩生種. おくて. 略して'만종(晩種)'とも言う. 對조생종(早生種).

만선【滿船】[ma:nsŏn]〈名・하自〉満船.

만성【晩成】[ma:nsŏng]〈名・하自他〉晩成. 語例 대기 ~ 大器晩成. 對속성(速成).

만성【慢性】〈名〉慢性. 句例 ~이 되다 慢性になる. 文例 이젠 ~이 되어서 아무렇지도 않습니다 もう慢性になって平気ですよ. 語例 ~ 간염 慢性肝炎 / ~ 비염 慢性の鼻炎 / ~병 慢性病. 慢性疾患. 對급성(急性).

**__만세__【萬歲】[ma:nse] 一〈名〉万歳. 万年. よろずよ.

二〈感〉万歳. フラー. ブラボー. 句例 ~를 부르다 万歳を唱える / ~를 외치다 万歳を叫ぶ / ~ 삼창을 하다 万歳を三唱する. 文例 야, 합격이다, ~ わあ, 合格だ, 万歳.

만수-무강【萬壽無疆】[ma:nsu—]〈名・하形〉寿命の限りなく長いこと. ご安泰. 句例 ~을 빌다 ご安泰を祈る.

만수-향【萬壽香】[ma:nsu—]〈名〉線香の一つ.

만시지-탄【晩時之歎】[ma:nshijit'an]〈名〉時機を逸した嘆き.

만신【滿身】[ma:nshin]〈名〉満身. ＝온몸.

만신-창이【滿身瘡痍】[ma:nshin—]〈名〉満身創痍.

만약【萬若】[ma:nyak]〈名・副〉⇨ 만일(萬一). 句例 ~의 경우의 준비 万一のときの用意 / ~에 대비하다 万一に備える. 文例 ~ 내가 자네라면 그런 짓은 하지 않네 もしも僕が君なら,

そんなことはしない / ~ 자네가 내 입장이라면 어쩌겠나 仮に，君が僕の立場だったらどうかね．

만연【蔓延】[manyŏn]〈名・하自〉蔓延．句例 콜레라가 ~하다 コレラが蔓延する．

만-연령【滿年齡】[mannyŏllyŏng]〈名〉満年齢．＝만나이．

만용【蠻勇】[manyong]〈名〉蛮勇．句例 ~을 부리다 蛮勇をふるう．

만우-절【萬愚節】[ma:nujŏl]〈名〉四月ばか．エープリルフール．万愚節．

***만원**【滿員】[ma:nwon]〈名〉満員．句例 회장이 ~이 되다 会場が満員になる．語例 ~ 사례 満員御礼 / ~ 전차 満員電車．

만월【滿月】[ma:nwol]〈名〉❶満月．望．もちづき．＝보름달．❷ ⇨ 만삭(滿朔)

만유 인력【萬有引力】[ma:nyuillyŏk]〈名〉〔物〕万有引力．句例 ~의 법칙 万有引力の法則．

만일【萬一】[ma:nil] ㊀〈副〉万一．もし(も)．万が一．文例 ~ 비가 오면 중지하자 万一雨が降ったら中止しよう / ~ 그렇다면 야단입니다 もしもそうだったら大変です / ~ 틀렸더라도 내년이 있다 万が一駄目でも来年がある / ~ 실패하면 어떻게 할까 万一失敗したらどうしよう．
㊁〈名〉万一．万が一．万分の一．句例 ~의 경우 万一の場合．もしもの場合 / ~의 사태 万一の事態．文例 나에게 ~의 일이 생기거든 뒤를 잘 부탁하네 わたしに万一のことがあったら，後をよろしく頼む．▷'만약(萬若)'とも言う．

만장【滿場】[ma:njang]〈名・하自〉満場．文例 그의 연기는 ~의 박수 갈채를 받았다 彼の演技は満場の拍手喝采を浴びた．

만장【輓章・挽章】〈名〉挽詩．弔辞．また，それを書いたのぼり(幟)．葬式の時，ひつぎ(柩)の後に従わせる．

만장 일치【滿場一致】[ma:njang—]〈名〉満場一致．句例 ~로 가결하다 満場一致で可決する．

만적-거리다〈他〉しきりにいじくる．句例 단추를 ~ ボタンをいじくりまわす．
만적만적 [manjŏngmanjŏk]〈副・하他〉しきりにいじくりまわすさま：ごそごそ．ごちゃごちゃ．

만전【萬全】[ma:njŏn]〈名・하形〉万全．句例 ~을 기하다 万全を期する / ~의 조치(措置) 万全の処置．

만점【滿點】[mantchŏm]〈名〉満点．文例 수학 시험에서 ~을 받았다 数学の試験で満点を取った．語例 영양 ~ 栄養満点 / 효과 ~ 効果満点．

만조【滿潮】〈名〉満潮．満ち潮．差し潮．上げ潮．文例 ~까지 앞으로 한 시간 있다 満潮まであと一時間ある．㊥간조(干潮)．

만족【滿足】〈名〉満足．**~하다**〈形・自〉満足だ．満足する．句例 ~한 결과 満足な結果 / 현상에 ~하다 現状に満足する / 호기심을 ~시키는 구경거리 好奇心を満足させる見物 / 방정식을 ~시키는 *x*의 값 方程式を満足させる*x*の値．文例 이만하면 ~합니다 これなら結構です / ~하게 결말을 지었다 満足にけりをつけた．語例 ~감 満足感 / 자기 ~ 自己満足．**~히**[manjok'i]〈副〉満足に．句例 ~히 여기다 満足に思う．**~스럽다** (→스럽다)〈形〉満足そうだ．満足だ．結構だ．句例 ~스러운 답 満足な答え．**~스레**〈副〉満足そうに．満足げに．句例 ~스레 미소짓다 満足げにほほえ(微笑)む．

만종【晩鐘】[ma:njong]〈名〉晩鐘．句例 ~ 소리가 들리다 晩鐘が聞こえる．

만좌【滿座】[ma:njwa]〈名〉満座．一座．句例 ~의 시선을 받다 満座の視線を浴びる．文例 ~중에서 창피를 당했다 満座の人人の前で恥をかかされた．

***만주**【滿洲】〈名〉〔地〕満州．参考 今は，中国の東北・トンペイを指す．

***만지다**〈他〉触る．(手で)触れる．いじ(弄)る．さする．句例 손을 ~ 手を触れる / 손으로 ~ 手で触る / 머리를 ~ 髪をいじる．文例 기타를 조금 만집니다 ギターを少少いじります / 코를 만지는 버릇이 있다 鼻をいじるくせがある．

***만지작-거리다**〈他〉いじくりまわす．まさぐる．ひねり回す．ひねくる．句例 손수건을 ~ ハンカチをまさぐる．文例 염주를 만지작거리며 기도하고 있다 数珠をまさぐりながら祈っている．
만지작만지작〈副・하他〉しきりにいじくる〔ひねくる〕さま．しきりにまさぐるさま．

만질만질-하다 (→하다)〈形〉すべすべして滑らかだ．手ざわりがなめらかだ．つるつるしている．句例 만질만질한 손 すべすべする手．文例 복도는 기름칠을 한 것처럼 ~ 廊下は油を引いたようにつるつるしている．

만찬【晩餐】[ma:nch'an]〈名〉晩餐．＝디너．語例 ~회 晩餐会．

만-천하【滿天下】[ma:nch'ŏnha]〈名〉満天下．文例 명성을 ~에 떨쳤다 名声を満天下にとどろ(轟)かした．

만취【滿醉・漫醉】[ma:nch'wi]〈名・하自〉泥酔．大酔．酩酊．句例 잔뜩 마시어 ~하다 深酒して泥酔する．文例 완전히 ~되었다 すっかり酩酊した．

***만큼** ㊀〈依名〉('-ㄹ ~・-을 ~'・または，'-ㄴ ~・-은 ~'の形で)その語とほとんど同じ数量や程度，あるいは'充分に・うんと'の意を表わすことば：…程．…くらい(位)．文例 그 자리에 있을 수 없을 ~ 부끄럽다 その場にいられないほど恥ずかしい / 놀랄 ~ 빠르다 驚くほど速い / 눈에 보이지 않을 ~ 작다 目に見えないぐらい小さい．
㊁〈助〉その語とほぼ同じ限度や数量を表わす副詞格助詞：…程．…くらい．…ばかり．句例 전쟁~ 잔인한 것은 없다 戦争ほど残酷なものはない / 봄은 여름~ 덥지 않다 春は夏ほど暑くない / 화재~ 무서운 것은 없다 火事くらい怖いものはない / 비용은 얼마~ 드나 費用はどのくらいい(要)るか．

만-탱크【滿tank】[ma:nt'aengk'ŭ]〈名〉満タン．文例 휘발유를 ~로 채워서 출발했다 ガソリンを満タンにして出発した．

만판〈副〉❶心行くまで．思う存分．思うまま．十分に．句例 ~ 놀다 思う存分遊ぶ．文例 낚시질을 ~ 즐겼다 心行くまで釣りを楽しんだ．❷もっぱら．しょっちゅう．＝마냥．

ㅁ

文例 ～ 놀기만 한다 しょっちゅう遊んでばかりいる.

***만-하다** (→하다)〈補形〉('-ㄹ ～, -을 ～'の形で) ❶動作・状態の程度を表わす：…に適する. ほどよい. 十分に…できる. 句例 시집갈 만한 나이 嫁入りしてもよさそうな年ごろ／철든 만한 나이 物心がつく年ごろ. ❷物事の値打ちや力の程度を表わす語：…する価値がある. …するに値する. …し得る. 句例 존경할 만한 인물 尊敬に値する人物／들을 만한 강의 聞く価値のある講義. 文例 그의 노래는 꽤 들을 만한데 彼の歌はなかなか聞かせるね.

-만하다 (→하다)〈尾〉❶他の物と比べて, その程度に及ぶことを表わすことば：…くらいだ. 句例 그만한 높이 それぐらいの高さ. 文例 그의 키는 꼭 너～ 彼の背はちょうど君ぐらいだ／너만한 인물이면 할 수 있다 君ほどの人物ならやれる. ❷ある程度を越さないことを表わす語：…どまりだ. 句例 그만그만한 성적이다 まあまあの成績だ.

만행【蠻行】〈名〉蛮行. 句例 가증스러운 ～ 憎むべき蛮行.

만혼【晩婚】[ma:nhon]〈名・하自〉晩婚. 句例 ～의 부부 晩婚の夫婦. 對조혼(早婚).

****만화【漫畫】**[ma:nhwa]〈名〉漫画. 語例 시사 ～ 時事漫画／4 커트 ～ 四こま漫画／～ 영화 漫画映画／소녀 ～ 少女漫画／～가 漫画家.

***만화-경【萬華鏡】**[ma:nhwagyŏng]〈名〉万華鏡.

만회【挽回】〈名・하他〉挽回. 取り返し. 取り戻し. 句例 형세를 ～하다 形勢を盛り返す／인기를 ～하다 人気を挽回する. 語例 ～책 挽回策.

****많다** [ma:nt'a]〈形〉多い. たくさん(沢山)だ. 句例 많은 책 たくさんの本／많은 사람 大勢の人. 文例 인정이 ～ 情け深い／보고 싶은 영화가 ～ 見たい映画がたくさんある／금년 겨울은 눈이 많이 왔다 今年の冬は雪が多く降った／많은 사람이 이 절에 온다 大勢の人がこの寺に来る. 對적다.

参考 '많으면 多いなら' '많고 多くて'は [ma:nŭmyŏn], [ma:nk'o] と読む.

****많이** [ma:ni]〈副〉たくさん(沢山). うんと. 多く. 文例 ～는 기대할 수 없다 多くは期待できない／해결해야 할 문제가 ～ 있다 解決すべき問題がたくさんある／작년에는 ～ 벌었다 昨年はしこたま稼いだ／사례는 ～ 받았다 お礼はたくさん頂いた.

맏-〈頭〉生まれ順での第一番目. 語例 ～자식 長子／～형 長兄.

맏-딸〈名〉長女. 総領娘. 對막내딸.

맏-며느리 [manmyŏnŭri]〈名〉総領嫁.

맏-물 [manmul]〈名〉(その季節の)初物. 走り. 初なり. お初. 句例 ～ 참외 初なりのまくわうり(真桑瓜)／～ 고추 とうがらし(唐辛子)の初物. 對끝물. 類햇것.

맏-아들 [madadŭl]〈名〉長男. 長子. 総領(息子). 對막내아들.

맏-이 [maji]〈名〉長子. 総領. 對막내.

맏-형【一兄】[mat'yŏng]〈名〉長兄.

****말¹**〈名〉〔動〕馬. こま(駒). 句例 ～에 올라타다 馬にまたがる／～을 몰다 馬を駆る／～을 타다 馬に乗る／～에게 풀을 뜯기다 馬に草をはます／～에서 떨어지다 馬から落ちる.

말 타면 경마 잡히고 싶다 馬に乗ると馬子が欲しくなる. 隴を得て蜀を望む. 一つの望みがかなうと, さらにその上を望むことのたとえ.

말²〈名〉〔植〕❶藻. 藻草. ❷'바닷말 海藻'の略.

말³〈名〉❶(将棋などの)こま(駒). ❷将棋のこまの一つ. 桂馬に当たる. ＝마(馬).

말⁴ ㊀〈名〉(一斗)升. 句例 ～로 되다 升で量る／～을 속이다 升目をごまかす.
㊁〈依名〉斗. 句例 닷～들이 가마니 五斗入りかます(叺)／서 ～ 서 되 三斗三升.

****말⁵** [ma:l]〈名〉❶言葉. ㉠話. 口. 句例 건방진 ～을 하다 生意気な口をきく. 文例 아무쪼록 ～을 조심해라 くれぐれも口を慎みなさい／～로 다할 수 없다 言葉に尽くせない／자네에게 할 ～이 있네 君に言いたい話があるよ／그는 ～을 잘 한다 彼は口がうまい〔達者だ〕／～만으로는 안 된다 口だけではだめだ. ㉡語. 句例 쉬운 ～로 바꿔 말하다 やさしい語に換えて話す. ㉢言語. 句例 우리～과 중국～ 韓国の言葉と中国の言葉. 韓国語と中国語. ㉣言語で表わされたもの. 句例 추천의 ～ 推薦のことば.
❷文句. 文例 할 ～ 있나 文句があるのか.
❸言い分. 話. 文例 상대방의 ～을 들어보자 相手の言い分を聞いて見よう／양쪽 ～에 일리가 있다 両方の話に一理はある.
❹うわさ(噂). 風説. 句例 들리는 ～에 의하면 うわさによると. 聞くところによると. ▷→말하다

参考 尊敬語は'말씀'と言う.

말 같지 않다 話にもならない. 話が道理にかなわない. 話が常識を外れている.

말(을) 건네다 話しかける.

말 그대로 話のとおり.

말(을) 꺼내다 話し始める. 語り始める. 言い出す.

말(이) 나다 ❶話が出る. 話題に上る. ❷秘密がばれる. 漏れる. 文例 말나면 곤란해 漏れたら困るよ.

말(을) 내다 ❶口にする. 話を持ち出す. ❷秘密などを漏らす. さらけ出す. 文例 말내지 마라 漏らすなよ.

말(을) 놓다 尊敬語を使わずに, 目下に対する言葉遣いをする. ぞんざいな言いかたをする.

말(을) 더듬다 どもる. 口ごもる.

말(이) 되다 話が理屈にかなう. 文例 말도 되지 않는 소리를 하고 있다 話にもならないことを言っている.

말(을) 듣다 ❶おとなしく従う. 句例 말을 잘 듣다 言うことをよく聞く. ❷しかられる. 文例 아버지한테 말을 들었다 父から小言を言われた. ❸道具・機械などが思いどおりに作動

きどうする.
말(이) 떨어지다 承諾・命令などの言葉が出る. 許可が下りる.
말(을) 떼다 話し始める. 言い出す.
말(이) 뜨다 言いよどむ. 言いかたがとぎれがちでのろい.
말(을) 막다 人の言葉を遮る.
말만 앞세우다 口先だけで実行が伴わない.
말(이) 많다 ❶口数が多い. おしゃべりだ. ❷口うるさい. いざこざが絶えない. 句例 말많은 집 いざこざの絶えない家. 文例 그 집에는 말 많은 사람이 있어서 가기가 싫다 その家には口うるさい人がいて, 行きたくないよ.
말(도) 말아라 口にもするな. …たら言ったものじゃない. 文例 그 이야기는 ～ その話ったら言ったものじゃないよ.
말(을) 못하다 口で言えない. 言い表わせない. 句例 말못할 사정 言うに言われない事情.
말(을) 붙이다 話しかける.
말(을) 비치다 (…の意を)ほのめかす.
말(이) 새다 秘密が漏れる.
말(이) 아니다 ❶話が理に合わない. 話にならない. ❷非常に惨めだ. ひどい. 文例 처우가 ～ 待遇があまりにもひどい.
말(이) 안되다 話にならない. 言うことが理に合わない. 文例 말도 안되는 소리를 하지 마라 とんでもないことを言うな.
말(이) 없다 とても口数が少ない. とても口が重い. 句例 말이 없는 사람 無口な人.
말(을) 옮기다 口外する. 他言する.
말은 해야 맛이고 고기는 씹어야 맛이다 話はしてこそ味があり, 肉はかんでこそ味が出る. 言うべきことは当然言わなければならない.
말(을) 주고 받다 言葉を交わす.
말(이) 통하다 言葉が通じる. 話が合う.
말 한 마디에 천 냥 빚을 갚는다 一言の言葉で千金の借金も返す. 口がうまいと難しいことでも切り抜けられることのたとえ.
말【末】〈依名〉末. 末. 終わり. 文例 출발은 오월 ～이다 出発は五月末だ. 語例 연도 ～ 年度末 / 팔월 ～ 경 八月の末ごろ.
-말【末】〈尾〉'細かい粉'を表わす語: …末. 語例 분～ 粉末 / 세～ 細末.

말 〔漢字項目〕

【末】 中學 말 マツ. バツ. ❶끝 すえ. 보잘 것 없는 것 つまらないもの. ▮末端 말단 まったん. 末席 말석 まっせき〔ばっせき〕. ▮葉末 엽말 はずえ. 端末 단말 たんまつ. ❷끝머리 後の方. 끝 終わり. ▮末期 말기 まっき〔まつご〕. 末尾 말미 まつび. 末葉 말엽 まつよう〔ばつよう〕. ▮年末 연말 ねんまつ. 週末 주말 しゅうまつ. ❸가루 こな. ▮粉末 분말 ふんまつ.

말-갈기〈名〉馬のたてがみ.
말갛다 [ma:lgat'a] (말가니, 말가오)〈形〉❶澄んでいる. 清い. 澄み渡っている. 句例 말간 가을 하늘 澄み渡った秋の空 / 말간 눈동자 澄み切ったひとみ(瞳). 文例 호수가 한없이 ～ 湖が限りなく澄み渡っている. ❷(汁などが)水っぽい. 薄い. 淡い.
말개-지다 [ma:lgaejida]〈自〉❶(水などが)澄む. 清くなる. さ(冴)える. 澄み渡る. 澄み切る. 句例 연못 물이 ～ 池の水が澄む / 말개진 하늘 さえた空 / 머리가 ～ 頭がさえる. ❷(汁などが)水っぽくなる. 淡くなる.
말-결 [ma:lkkyŏl]〈名〉話のついで. 話の弾み. 文例 어떤 ～에 그 말이 불쑥 튀어 나오고 말았다 ある話のついでに突然その話が飛び出してしまった.
말고 [ma:lgo]〈助〉'아니고'の意の補助詞: …でなく(て). 文例 그것～ 이것을 다오 それじゃなくこれをくれ.
말-고삐〈名〉手綱. 端綱. 句例 ～를 잡다 (馬の)手綱を取る.
말-공대【―恭待】[ma:lgongdae]〈名・하自〉敬語を使うこと.
말-괄량이〈名〉お転婆(娘). 跳ねっ返り. おきゃん. フラッパー.
말-구유〈名〉馬の飼い葉桶. まぐさおけ. うまぶね.
말-굽〈名〉馬のひづめ(蹄). 馬蹄. 語例 ～ 소리 馬蹄の音. 馬の足音 / ～ 자석 馬蹄形磁石.
말-귀 [ma:lkkwi]〈名〉❶言葉の意味. 句例 ～를 알아들을 만한 나이 言葉を聞き分ける年. ❷ものを聞き分ける勘. 飲み込み. 理解. 句例 ～를 알아듣다 耳ざとい / ～가 어둡다 飲み込みが遅い. 話の勘が鈍い.
말기【末期】〈名〉末期. 末葉. 句例 ～적인 증상 末期的な症状. 語例 근세 ～ 近世末期 / 고려 ～ 高麗末期.
말-꼬리 [ma:lkkori]〈名〉言葉じり.
말꼬리(를) 물고 늘어지다 人の言い損ないに付け込んで食い下がる.
말꼬리(를) 잡다 言葉じりをとらえる. 揚げ足を取る. 文例 남의 말꼬리를 잡는 말만을 하다 人の揚げ足取りの発言に始終する.
말-꼬투리 [ma:l―]〈名〉⇨ 말꼬리
말끄러미〈副〉⇨ 물끄러미
말끔-하다 (→하다)〈形〉(汚れがなく)きれい(奇麗)だ. すっきり〔さっぱり・こざっぱり〕している. 句例 말끔한 옷차림 さっぱりした身なり / 말끔하게 치우다 きれいに片付ける. **말끔히**〈副〉きれいに. さっぱりと. すっきり(と). すっかり. 句例 말끔히 잊어 버리다 きれいに〔さっぱり〕忘れる / 병이 말끔히 낫다 病気がきれいに〔さっぱりと〕治る.
말-끝 [ma:lkkŭt]〈名〉言葉(の終わり). 語尾. 文例 ～마다 욕이군 言う度ごとに悪口が出るね.
말끝(을) 흐리다 言葉〔語尾〕を濁す.
말-나다 [ma:llada] ⇨'말[5]'の小項目
말-내다 [ma:llaeda] ⇨'말[5]'の小項目
말년【末年】[mallyŏn]〈名〉末年. 晩年. 句例 철종 ～에 일어난 민란 哲宗末年に起こった民乱.
말놀음-질 [mallorŭmjil]〈名・하自〉馬に乗った時のように人の背中や木の棒にまたがって遊ぶ子供たちの遊びの一つ. 馬乗り. 馬遊び. 馬事. ＝말놀이. 말놀음. 말타기.
말-놀이[1] [mallori]〈名・하自〉⇨ 말놀음질

ㅁ

말-놀이² [ma:llori]〈名・하自〉言葉遊び. ‘끝말 잇기 しり取り’ ‘말짓기 語呂合わせ’ ‘어려운 말 외기 早口言葉’などがある.

말-놓다 [ma:llot'a] ⇨ ‘말⁵’の小項目

말-눈치 [ma:llunch'i]〈名〉ものの言いざま. 口振り. 口つき. 口裏. 句例 ～로 살피다 口裏から察する.

***말다¹** (마니, 말아서)〈他〉(湯・汁などに)ご飯・麵などを入れて溶き混ぜる. 句例 장국에 국수를 ～ すまし汁に麵を溶き混ぜる / 냉면을 ～ 冷麵に汁をかける.

***말다²** (마니, 말아서)〈他〉(紙・布などを)巻く. 句例 실을 ～ 糸を巻く / 멍석을 ～ むしろを巻く / 굵게 만 김초밥 太巻きののり巻きずし / 가늘게 만 담배 細巻きのタバコ.

****말다³** [ma:lda] (마니, 말아서)〈他〉❶中断する. や(止)める. よす. 句例 읽다 만 책 読みさしの本. 読みかけの本 / 먹다 만 배 食い掛けのなし(梨).

❷重複的な言いかたで‘아니하다 …(し)ない’の意を表わす. ㉠(‘-거나 말거나’の形で)…しようがしまいが. 文例 믿거나 말거나 이건 사실이야 本当とは思えないかも知れないが, これは事実だよ / 남이야 보거나 말거나 열심히 일해라 人が見ようが見まいが一生懸命働きなさい.

㉡(‘-나 마나’の形で) …してもしなくても同じだ. …であってもでなくても同じだ. …たって. …であっても. 文例 빨리 오나 마나 차는 이미 떠났다 早く来たって車はもう立ってしまった / 부자나 마나 건강이 제일이야 たとえ, 金持ちであっても健康が第一だ.

㉢(‘-든지 말든지’の形で) …してもしなくても. 文例 오든지 말든지 네 마음대로 해라 来るか来ないかはお前の勝手にしろ.

㉣(‘-ㄹ지 말지’の形で) … するかしないか. 文例 갈지 말지 아직 미정이다 行くか行かないかはまだ未定だ.

㉤(‘-ㄹ락 말락’ ‘-을락 말락’の形で)いまにも…しそうだ. 句例 필락 말락 하는 장미꽃 咲き初めようとするバラの花.

❸(一部の名詞に伴い, ‘마라’の形で)…しないでくれ. 文例 염려 마세요 気にかけないでください / 걱정 마라 心配するな. 大丈夫だよ.

❹(‘말고’の形で)うち消しの意を表わす. ㉠…でなくて. 文例 빵말고도 먹을 것이 많다 パン以外にも食べ物はたくさんある.

㉡(‘더도 말고’の形で)これより勝ることもなく. なにより. 文例 더도 말고 이것만은 지키자 なによりもこれだけは守ろう.

表現 ②㉢の‘-든지 말든지’は‘-든 말든’とも言う.

***말다⁴** [ma:lda] (마니, 말아서) ━〈補動〉❶(‘-지 ～’の形で)その動作の禁止を表わす語. 文例 함부로 약속하지 마라 みだりに約束をするな / 여기선 떠들지 말래 ここでは騒ぐなって.

❷(‘-다 ～・-다가 ～’の形で)‘그만두다 やめる. よす’の意を表わす語. 文例 일하다(가) 말고 어디 가느냐 仕事の途中でどこへ行くのかね.

❸(-고 ～・-고야 ～の形で) その動作が必ず実現するか, または終わったことを表わす語. 文例 꿈은 실현되고(야) 말았다 夢はついに実現された / 보석을 도둑맞고 말았다 宝石を盗まれてしまった.

❹(‘-고 말고・-다 마다’の形で)動作の意味を強めることば. 文例 가고 말고 きっと行くさ〔行くとも〕/ 오다 마다 きっと来るさ〔来るとも〕.

❺(‘-자 마자’の形で)動作が間をおかず続く意を表わす語: …やいなや. 文例 종이 치자 마자 밖으로 뛰어나갔다 鐘が鳴るやいなや外に飛び出した.

━〈補形〉❶‘그만두다 やめる’の意を表わす語. 文例 너무 슬퍼 마라 あまり悲しむなよ.

❷(‘-고 말고・-다 마다’の形で)前の語を強めることば. 文例 좋고 말고 もちろんいいとも / 크다 마다 もちろん大きいとも.

말-다툼 [ma:ldat'um]〈名・하自〉口げんか. 口争い. 言い争い. 言い合い. 口論. いさか(諍)い. 文例 누가 일등인가로 ～이 벌어졌다 だれが一番かで言い争いになった / 만나기만 하면 이내 ～을 한다 会うとすぐ言い合いになる / 사소한 일로 ～한다 ささいなことで口争いをする.

말단【末端】 [malttan]〈名〉末端. 下っ端. 末. 文例 명령이 ～까지 두루 미치지 않는다 命令が末端まで伝われない. 語例 ～ 관리 下っ端の役人 / ～ 행정 末端行政.

말-대꾸 [ma:ldaekku]〈名〉言い返し. 口答え. 略して‘대꾸’とも言う. **～하다**〈自〉言い返す. 口答えする. 句例 부모에게 ～하다 親に口答えする.

말-대답【一對答】 [ma:ldaedap]〈名〉口答え. **～하다**〈自〉口答えする. 文例 부모에게 ～을 하다니 무슨 짓이냐 親に口答えをするとは何事だ / 지지 않고 꼬치꼬치 ～을 했다 負けずに一一口答えをした.

말-더듬다 [ma:ldŏdŭmtta] ⇨ ‘말⁵’の小項目

말더듬-이 [ma:ldŏdŭmi]〈名〉どもり.

***말-동무** [ma:lttongmu]〈名・하自〉話相手. 句例 ～가 되다 話相手になる. 文例 외톨이 여행이어서 ～도 없다 たった一人の旅なので話相手もいない.

말-되다 [ma:ldoeda] ⇨ ‘말⁵’の小項目

말-듣다 [ma:ldŭtta] ⇨ ‘말⁵’の小項目

말-떨어지다 [ma:lttŏrŏjida] ⇨ ‘말⁵’の小項目

말-똥〈名〉馬糞. まぐそ.

말똥-말똥〈副・하形〉❶目ばたきもしないでじっと相手を見るさま: まじまじ(と). じろじろ(と). 句例 남의 얼굴을 ～ 쳐다보다 人の顔をじろじろと見る. ❷目がさえて目もとなどがはっきりしているさま: ぱっちりぱっちり.

***말뚝**〈名〉棒ぐい(杭). くい(杭). 句例 ～에 말을 매다 くいに馬をつなぐ / ～을 세우다 くいを立てる.

말뚝(을) 박다 ❶くいを打つ. ❷垣根を囲う. 境をする. ❸ある地位に長く居座わる. ❹固定させる.

말-뜨다 [ma:lttŭda] (말뜨니, 말떠서) ⇨ ‘말⁵’の小項目

말-뜻 [ma:lttŭt]〈名〉言葉の意味. 語意. 語義. =어의(語意). 文例 ～이 분명치 않다 語意

がはっきりしない.

말라-깽이 〈名〉'여윈 사람 やせた人'の俗っぽい言いかた: やせ. やせっぽち. 語例 ~ 여자 やせっぽちの女.

말라리아 〈名〉〔醫〕マラリア. =학질. 語例 ~모기(=학질모기) マラリア蚊. ◇malaria

말라-붙다 〈自〉(液体が)干上がる. か(涸)れる. 干からびる. 句例 계속된 가뭄으로 말라붙은 저수지 続いた日照りで干上がった貯水池 / 논의 물이 ~ たんぼの水が干上がる / 냇물이 ~ 川の水がかれる.

말라-빠지다 〈自〉やせこける. やせ細る. 句例 말라빠진 몸 やせ細ったからだ / 말라빠진 사람 やせこけた人.

말랑-말랑 〈副・하形〉柔らかいさま. 句例 갓 찧은 찰떡은 ~하다 つきたてのもちは柔らかい.

말랑-하다 (→하다)〈形〉❶(熟したかき(柿)やトマトのように)柔らかい. 句例 열로 비닐이 말랑해지다 熱のためビニールが柔らかくなる. ❷(人の性質が)もろい. ふにゃふにゃだ. 軟弱だ.

말려-들다 (—드니, —들어서)〈自〉巻き込まれる. ❶巻かれて入る. 文例 높은 파도에 말려들었다 高波に巻き込まれた / 기계에 말려들었다 機械に巻き込まれた. ❷巻き添えを食う. 掛かり合う. そばづえ(側杖)を食う. 句例 분쟁〔사건〕에 ~ 紛争〔事件〕に巻き込まれる.

말로【末路】〈名〉末路. 句例 비참한 ~로 끝나다 悲惨な末路に終わる / 영웅의 ~ 英雄の末路.

말리다[1] ■〈自〉(広げたものなどが)巻かれる. 句例 천이 ~ 布が巻かれる.
■〈他〉'말다[2]'の受け身: 巻き込まれる. 文例 소용돌이 속에 말렸다 渦の中に巻き込まれた.

말리다[2] 〈他〉や(止)めさせる. 止〔留〕める. 止〔留〕め立てる. 制止する. 仲裁する. 句例 싸움을 ~ けんかを止める / 경관이 통행을 ~ 警官が通行を制止する.

***말리다**[3] 〈他〉❶乾かす. 干す. 句例 젖은 옷을 모닥불에 ~ ぬれた服をたき火で乾かす / 젖은 머리를 ~ ぬれた髪を乾かす / 빨래를 ~ 洗濯物を乾かす〔干す〕. ❷枯らす. か(涸)らす. 句例 묘목을 ~ 苗木を枯らす / 우물을 ~ 井戸をか(涸)らす.

말-마디 [ma:lmadi]〈名〉言葉の節. 一区切りの言葉〔話〕. 句例 ~나 하는 사람 筋道を立てて話すことのできる人. 話せる人.

말-많다 [ma:lmant'a] ⇨ '말[5]'の小項目

말-머리[1] 〈名〉馬の首. 馬首. 句例 ~를 돌리다 馬首を巡らす.

말-머리[2] [ma:lmŏri]〈名〉話頭. 話の糸口. 句例 ~를 돌리다 話頭を転じる. 話題を他に移す.

말-먹이 [—mŏgi]〈名〉馬糧. 馬草. 飼い葉.

말-몰이 [—mori] 〈名・하自〉 馬を駆ること. 語例 ~꾼 馬丁. 御者.

말-못하다 [ma:lmot'ada] ⇨ '말[5]'の小項目

말-문【一門】[ma:lmun]〈名〉話の出ばな. 話の糸口.

말문(을) 막다 口を封じる.

말문(을) 열다 口を切る. 口を割る.

말문이 막히다 (言いたいことが)言えなくなる. (あきれて)口がきけなくなる.

말미 〈名〉休暇. 暇. いとま. 文例 2, 3일 ~를 냈다 二, 三日いとまをとった.

말미(를) 받다 休暇をとる.

말미【末尾】〈名〉末尾. 末. 終わり. 文例 글의 ~에 주를 달았다 文の末尾に注をつけた.

말미암다 [malmiamtta]〈自〉('(으)로 말미암아' '(으)로 말미암은'の形で, 全体で)よって. よった. 由来する. 由来した. 句例 태풍으로 말미암은 피해 台風による被害. 文例 누전으로 말미암아 불이 났다 漏電によって火事が起こった. (類)기인(起因)하다.

말미잘 〈名〉〔動〕いそぎんちゃく(磯巾着). いしぼたん(石牡丹).

말-발 [ma:lppal]〈名〉話の効き目. 話した効果. 言いがい.

말발(이) 서다 話の効き目がある. 話した効果が現れる. 言いがいがある. 文例 그에게는 무슨 말을 해봤자 말발이 안 선다 彼には何を言っても言いがいがない.

말-방울 〈名〉馬の首につける鈴.

***말-버릇** [ma:lppŏrŭt]〈名〉口癖. きまり文句. 話し方. 言葉つき. 句例 ~이 되다 口癖になる. 文例 그는 평소에도 ~이 나쁘다 彼は平素も言葉遣いが悪い.

말-벗 [ma:lppŏt]〈名〉⇨ 말동무

말-본 [ma:lbon]〈名〉文法.

말-붙이다 [ma:lbuch'ida] ⇨ '말[5]'の小項目

말살【抹殺】[malssal]〈名・하他〉抹殺. 文例 그는 사회적으로 ~되었다 彼は社会的に抹殺された.

말석【末席】[malssŏk]〈名〉末席. 末座. 下座. 句例 ~을 더럽히다 末席を汚す / ~에 앉다 末座に座る. (對)상석(上席). 수석(首席).

말세【末世】[malsse]〈名〉末世. 末の世. 末法の世. 文例 세상은 ~다 世も末世だ. 世も末だ.

말소【抹消】[malsso]〈名・하他〉抹消. 句例 등록을 ~하다 登録を抹消する.

***말-소리** [ma:lssori]〈名〉話し声. 声. 語声. 句例 새된 ~ 甲高い話し声 / ~를 낮추다 声を低める. 文例 옆방의 ~가 막바로 들렸다 隣室の話し声が筒抜けに聞こえた.

말-솜씨 [ma:lssomssi]〈名〉弁才. 口才. 話術. 句例 유창한 ~ 流れるような弁舌 / 타고난 ~ 持って生まれた〔先天的な〕話術. 文例 그는 유창한 ~로 지껄여댔다 彼は弁舌さわやかにまくし立てた.

말-수【一數】[ma:lssu]〈名〉口数. 言葉数. 句例 ~가 적은 아이 口数の少ない子.

말-시비【一是非】[ma:lshibi]〈名〉言い合い. 言い争い. 口げんか. =말다툼. **~하다**〈自〉言い合う. 言い争う. 口げんかする.

말-실수【一失手】[ma:lshilssu]〈名〉言い誤り. 言い間違い. 言い損ない. **~하다**〈自〉言い誤る. 言い間違う. 言い損なう.

말썽 [ma:lssŏng]〈名〉悶着. もめ事. トラブル. いざこざ. ごたごた. 句例 ~ 많은 아이 厄介

な子供. 文例 가는 곳마다 ~을 일으킨다 行く先先トラブルを起こす.

말썽(을) 부리다 言い掛かりをつける. 悶着を起こす.

말썽(을) 피우다 '말썽(을) 부리다'のこと.

말썽-거리 [ma:lssŏngkkŏri] 〈名〉 ❶悶着の種. 頭痛〔悩み〕の種. ❷'말썽꾼 厄介者'の俗っぽい言いかた. 悶着〔トラブル〕を起こす人. 困り者. =말썽꾸러기.

말쑥-이 [malssugi] 〈副〉 こぎれいに. スマートに. すっきりと.

말쑥-하다 [malssuk'ada] (→하다) 〈形〉 こぎれいだ. こざっぱり〔すっきり〕している. スマートだ. 句例 말쑥한 옷차림〔머리〕 こざっぱりした身なり〔頭〕/ 말쑥한 제복 スマートな制服.

***말씀** [ma:lssŭm] 〈名〉 ❶目上の言葉. お話. お言葉. 仰せ. **~하다** 〈自他〉 おっしゃる. 仰せられる. 句例 선생님이 ~하시기로는 先生のおっしゃることには. 文例 예, ~대로입니다 はい, 仰せの通りです. ❷目上に対する自分の言葉. **~하다** 〈自他〉 申し上げる. 申す. 句例 드릴 ~은 申し上げたいお話は / ~을 올리다〔드리다〕 …を申し上げる. …を申し述べる. 文例 제가 ~드리겠습니다 自分が申し上げましょう.

表現 ①の말씀하다の場合は'말씀하시다 おっしゃる'が尊敬語になり, ②の말씀하다の場合は'말씀드리다 申し上げる'が謙譲語になる.

***말-씨** [ma:lssi] 〈名〉 言葉遣い. 言葉つき. 句例 공손한 ~ 丁寧な言葉遣い / 전라도 ~ 全羅道弁 / 거치른 ~ 乱暴な言葉遣い. 文例 ~가 고약했다 言葉遣いが悪かった.

말-아니다 [ma:ranida] ⇨ '말⁵'の小項目

말-아웃 [maraut] 〈名〉 一斗半.

말-안되다 [ma:randoeda] ⇨ '말⁵'の小項目

말-없이 [ma:rŏpshi] 〈副〉 ❶黙って. 何も言わずに. 黙然・もくねんと. 黙黙と. 句例 ~ 서 있다 黙然とたたず(佇)む / ~ 연습에 힘쓰다 黙黙と練習に励む / 남의 물건을 ~ 쓰다 他人の物を黙って使う. 類잠자코. ❷つつがなく. 無事に. 文例 일이 ~ 잘 되어간다 事が無事にはかどって行く.

말엽 【末葉】 [maryŏp] 〈名〉 末葉. 末期. 句例 조선조 ~ 朝鮮朝末期. 対초엽(初葉).

***말-이다** [marida] ━慣用句. ❶('-(으)라는 ~・-(다)는 ~・-ㄴ ~'の形で)事実の確認や強調を表わす語. 文例 누가 이 일을 해낸단 말인가 だれがこのことをなしとげると言うのだ.

❷('-기에 ~・-ㄴ ~'の形で)'…だからよかったものの, さもなければ'の意を表わす語. 文例 준비를 했기에 말이지 하마터면 낭패를 볼뻔했다 準備があったからよかったものの, そうでなければ不覚をとるところだった.

❸('-어야 ~'の形で)意のままにならないのを嘆くことば. 文例 잘 되어야 말이지 うまく行かないのをどうしよう.

━〈助〉 体言または助詞に付いて語調を整えたり, 強調・説得や念を押すとき語末に添える語. 文例 오늘 말이야, 거기 갔단다 今日ね. そこに行っていたよ / 글쎄 ~ 어떻게 하면 좋을까 そうだね, どうしたらいいんだろう.

말-익히기 [ma:rik'igi] 〈名〉 (特に赤子の)言葉の習い始め.

말-재간 【—才幹】 [ma:ltchaegan] 〈名〉 ⇨ 말재주

말-재주 【—才—】 [ma:ltchaeju] 〈名〉 弁才. 口才. 話術. =말재간. 文例 저 사람은 ~가 대단하다 あの人は弁舌がうまい. 類말솜씨.

말-조심 【—操心】 [ma:l—] 〈名・하自〉 言葉を慎むこと.

말-주변 [ma:ltchubyŏn] 〈名〉 言い回し. 話しぶり. 話術. 弁才. 文例 젊지만 ~이 대단하다 若いながらも話しぶりがなかなかうまい / 저는 원래 ~이 없습니다 わたしはもともと口下手です.

말짜 【末—】 〈名〉 [もとの語形は'말자(末者)'] 最も低級な人または物を指す語. 語例 인간 ~ 人間のくず.

말짱-하다 (→하다) 〈形〉 ❶無欠だ. 損なわれていない. 句例 말짱한 옷 汚されていない服. 損なわれていない服. 文例 이 차는 아직 ~ この車はまだ大丈夫だ. ❷きれいだ. 清潔だ. 句例 말짱하게 치우다 きれいに片付ける. ❸(気が)しっかりしている. 文例 아무리 취해도 정신만은 ~ いくら酔っても気だけはしっかりしている. 対몽롱하다. ❹とんでもない. 句例 말짱한 거짓말 真っ赤なうそ. **말짱히** 〈副〉 ❶損なわれずに. ❷きれいに.

말-참견 【—參見】 [ma:l—] 〈名・하自〉 口出し. 口入れ. 差し出口. 句例 남의 집안 일에 ~하다 他人の家庭のことに口入れする / 곁에서 ~하다 傍から横やりを入れる. 横から口を出す.

말-채찍 〈名〉 (馬に用いる)むち. 略して'말채'とも言う.

말초 【末梢】 〈名〉 末梢. 語例 ~ 신경 末梢神経.

말초-적 【末梢的】 〈名・冠〉 末梢的. 句例 ~인 문제에 부닥치다 末梢的な問題に突き当たる.

말-총 〈名〉 馬す. す(馬尾).

말-치레 [ma:l—] 〈名・하自〉 うわべだけの言いぐさ. 口先. 口車. 句例 ~로 구워 삶다 口車に乗せる / ~만 번드르르하다 口先ばかりうまい.

말-타기 〈名〉 (子供らの)馬乗りごっこ.

말-투 【—套】 [ma:lt'u] 〈名〉 口振り. 口つき. ことばつき. =말버릇. 句例 마땅치 않은 ~ 不満そうな口つき. 文例 그의 ~가 못마땅하다 彼の口振りが気にくわない.

말-판 〈名〉 ('윷놀이'・すごろく(双六)などの)盤.

말판(을) 쓰다 こま(駒)を動かす.

****말-하다** [ma:l—] (→하다) 〈自他〉 ❶(ものを)言う. 話す. 語る. 述べる. 句例 말할 수 없는 감격 言うにいわれぬ感激 / 넌지시 ~ それとなく言う / 의견을 ~ 意見を述べる / 불어로 ~ フランス語で話す / 비꼬아 ~ 皮肉に言い回す / …은 말할 것도 없다 …は言うまでもない.

❷(幼子が)片言を言い出す.

❸小言を言う．たしなめる．[文例] 아무리 말해도 안 듣는다 いくら言い聞かせても聞きいれない．
❹頼む．依頼する．[文例] 그에게 말하면 무엇이나 들어준다 彼に話すとなんでも聞いてくれる．

말할 것도 없다 言うまでもない．言うに及ばない．[文例] 우리가 이기는 것은 ～ われらが勝つのは言うまでもない．

말할 것도 없이 言うまでもなく．[文例] 수영은 ～ 테니스도 잘 한다 水泳は言うまでもなくテニスもよくできる．

말할 수 없이 この上なく．なんとも言えないほど．[文例] ～ 행복하다 この上なく幸福だ．

말-하자면 [maːl—]〈副〉たとえて言えば．言い換えれば．言わば．[文例] ～ 자네의 행동이 나쁘다는 것이다 言い換えれば君の行いが悪いということさ．

***맑다** [makta]〈形〉❶清い．㉠澄んでいる．さ(冴)えている．[句例] 물이 ～ 水が清い / 맑은 음색 さえた音色 / 맑고 상쾌한 산촌의 공기 澄んでさわやかな山村の空気 / 눈이 ～ 目が清い / 목소리가 ～ 声がさえている / 야심할수록 머리가 맑아지다 夜が更ければ更けるほど頭がさえてくる / 마음이 맑아지다 心が清らかになる．
㉡(物事が)きちんとしている．[句例] 뒤가 ～ 後を濁さない．
㉢(暮らしが)貧しい．役得がない．[句例] 맑은 직장 役得のない職場．
❷(天気が)晴れている．[句例] 하늘이 ～ 空が晴れ渡っている．
[参考] '맑으니 清いから' '맑게 清く'は[malgŭni], [malkke]と読む．

맑디-맑다 [maktimakta]〈形〉非常に清らかだ．あくまで澄み切っている．[句例] 맑디맑은 가을 하늘 あくまで澄み切った秋空．

맘 [maːm]〈名〉'마음'の略．

맘보〈名〉〔樂〕マンボ．[文例] 한때 ～ 바지가 유행하였다 一時マンボズボンがはやったものだ．◇ス mambo

****맛**〈名〉味．❶(食べ物の)味わい．[句例] ～ 좋은 음식 おいしい食べもの / 산뜻한 ～ さっぱりした味 / 매운 ～ 辛味 / ～을 살리다 味を生かす．❷うまみ．良さ．おもしろみ．持ち味．[句例] 학문의 ～ 学問の味 / 살림 ～을 알다 暮らしのおもしろみを知る / 원문의 ～을 내다 原文の持ち味を出す．❸体験を通じて知った感じ．[句例] 가난의 ～을 모른다 貧乏の味を知らない．

맛(이) 나다 ❶味がうまい．おいしい．[句例] 맛난 음식 おいしい食べ物．❷味が出る．おいしくなる．[文例] 오징어는 씹을수록 맛이 난다 するめはかめばかむ程味が出る．

맛(을) 내다 味つけをする．うまみを出す．[句例] 여러 가지 조미료로 맛을 내다 いろいろな調味料でうまみを出す．

맛(이) 들다 (持ち)味がつく．おいしくなる．[文例] 김치가 맛들었다 キムチの持ち味がついた．

맛(을) 들이다 ❶味をつける．[句例] 술을 맛들이다 酒をねかせる．❷味を占める．興味を覚える．[句例] 술에 ～ 酒に味を占める．㊫재미(를) 붙이다．

맛(을) 보다 味わう．❶味見をする．[句例] 김치 맛을 보다 キムチの味をみる．❷体験する．[句例] 인생의 비애를 맛보다 人生の悲哀を味わう / 쓴맛 단맛을 다 맛보다 酸いも甘いもかみ分ける．つぶさに辛酸をなめつくす / 참패를 맛보다 惨敗を喫する．❸ひどい目にあう．殴られる．[文例] 따끔한 맛을 보여 주마 こっぴどい目にあわせてやるよ．

맛없는 국이 뜨겁기만 하다 まずい汁がひどく熱い．役に立たない人こそ高慢ちきで気むずかしいことのたとえ．

맛(이) 없다 ❶まずい．おいしくない．[句例] 맛없는 음식 まずい食べ物．❷おもしろくない．味気ない．❸やぼくさい．無粋だ．

맛있는 음식도 늘 먹으면 싫다 おいしい物でもしょっちゅう食べるとうんざりする．

맛(이) 있다 ❶うまい．おいしい．❷おもしろい．

맛-깔〈名〉(食べ物の)持ち味．**～스럽다**(→스럽다)〈形〉❶味が口に合う．おいしそうだ．[文例] 아주 ～스러워 보인다 大変うまそうにみえる．❷気に入る．

맛-대가리〈名〉'맛 味'の俗っぽい言いかた．[文例] ～가 왜 이러냐 これは何たる味じゃ．

맛-소금〈名〉味付け塩．

망【望】[maːng]〈名〉見張り．物見．[語例] ⇨ 망꾼

망(을) 보다 見張りをする．番をする．

망(을) 서다 見張りに立つ．[句例] 두 시간마다 교대로 ～ 2時間ごとに交代して番をする．

***망**【網】〈名〉網．[句例] ～에 걸리다 網にかかる．

-망【網】〈尾〉…網．[語例] 정보～ 情報網 / 통신～ 通信網．

망　〔漢字項目〕

【亡(亡)】[中學] 망 ボウ．モウ．❶없어지다 なくなる．망하다 滅びる．◧亡失 망실 ぼうしつ．◨滅亡 멸망 めつぼう．❷죽다 死ぬ．◧亡父 망부 ぼうふ．亡人 망인 ぼうじん．◨死亡 사망 しぼう．未亡人 미망인 みぼうじん．❸도망치다 逃げる．◧亡命 망명 ぼうめい．

【妄(妄)】[高校] 망 モウ．ボウ．❶도리에 어긋나다 道理にはずれている．◧妄擧 망거 ぼうきょ．妄動 망동 もうどう〔ぼうどう〕．妄言 망언 ぼうげん〔もうげん〕．妄想 망상 もうそう．❷거짓 偽り．◨虛妄 허망 きょもう．僞妄 위망 ぎもう．詐妄 사망 さぼう．

【忘(忘)】[中學] 망 ボウ．잊다 わすれる．◧忘却 망각 ぼうきゃく．忘年 망년 ぼうねん．忘我 망아 ぼうが．◨備忘 비망 びぼう．健忘症 건망증 けんぼうしょう．

【忙(忙)】[中學] 망 ボウ．바쁘다 いそがしい．◧忙中閑 망중한 ぼうちゅうかん．忙殺 망쇄 ぼうさつ．忙然 망연 ぼうぜん．◨多忙 다망 たぼう．奔忙 분망 ほんぼう．

【望(望)】[中學] 망 ボウ．モウ．❶멀리 바라보다 遠くを見る．◧望氣 망기 ぼうき．望鄕 망향 ぼうきょう．◨觀望 관망 かんぼう．展望 전망 てんぼう．❷바라다 のぞむ．원

하다 願う. ◨望外 망외 ぼうがい. ◨大望 대망 たいもう〔たいぼう〕. 所望 소망 しょもう. 野望 야망 やぼう. 希望 희망 きぼう. ❸남이 우러러 보다 人から仰がれる. ◨信望 신망 しんぼう. 徳望 덕망 とくぼう. 人望 인망 じんぼう. ❹보름달 もちづき. ◨望月 망월 ぼうげつ〔もちづき〕. 望日 망일 ぼうじつ.

【罔】 高校 망 モウ. ボウ. ❶그물 網. ◨罔罟 망고 もうこ. ❷속이다 あざむく. ◨欺罔 기망 きもう. 誣罔 무망 ぶもう. ❸어둡다 暗い. 멍하다 ぼうっとする. ❹끝이 없음 限りない. ◨罔極 망극 もうきょく.

【茫】 高校 망 ボウ. 황 ボウ. ⊟〔망〕❶아득하다 果てしない. ◨茫茫 망망 ぼうぼう. 茫漠 망막 ぼうばく. ❷멍하다 ぼうっとする. ◨茫然自失 망연자실 ぼうぜんじしつ.
⊟〔황〕황홀하다 うっとりする. ◨茫惚 황홀 ぼうこつ.

망가-뜨리다 〈他〉(ぶち)壊す. 句例 장난감을 ～ おもちゃを壊す.

***망가-지다** 〈自〉壊れる. だめになる. ＝망그러지다. 文例 전기 스탠드가 망가졌다 電気スタンドが壊れた.

망각【忘却】〈名〉忘却. **～하다**〈他〉忘却する. 忘れる. 句例 책임을 ～하다 責任を忘れる.

망간〈名〉〔化〕マンガン《記号 Mn》. 語例 ～강 マンガン鋼. ◇도 Mangan

망건【網巾】〈名〉'상투'を結いあげるとき, ひたいにまとう馬すなどでつくった帯状の頭巾.

***망국**【亡國】〈名・하自〉亡国. ❶滅びた国. 句例 ～의 백성 亡国の民. ❷国を滅ぼすこと. 句例 ～적인 행동 亡国的な行動. 語例 사치～론 奢侈亡国論 / ～지탄 亡国の嘆き.

망-꾼【望―】[ma:ngkkun]〈名〉見張り(番). 物見の番. 句例 ～을 두다 見張りを置く.

망나니〈名〉❶〔史〕犯罪人の首を切ることに従事した人. ❷あぶれ者. ならず者. ごろつき.

망년-회【忘年會】〈名〉忘年会.

망대【望臺】[ma:ngdae]〈名〉見張り台. 物見のやぐら. 望楼. ＝망루(望樓).

망둥어 [ma:ngdung-ŏ]〈名〉〔魚〕はぜ(沙魚). 文例 장마다 ～ 날까《속담》市が立つごとにはぜが出ようか《いつも自分に好都合なことばかりあるのではない》.

망라【網羅】[mangna]〈名・하他〉網羅. 文例 여기 회원은 교육계를 거의 ～하고 있다 この会の会員は教育界をほとんど網羅している.

망령【亡靈】[mangnyŏng]〈名〉亡霊. 亡魂.

***망령**【妄靈】[ma:ngnyŏng]〈名〉耄碌. **～스럽다** (→스럽다)〈形〉耄碌がかっている. ぼけたようだ.

망령(이) 들다 耄碌してばかげたことをする. 句例 망령든 노인 耄碌じいさん.

망령(을) 부리다 耄碌して途方もないことをする. 常軌を逸した行いをする. 句例 나이 탓으로 ～ 年のせいで耄碌する.

망령-되다【妄靈―】[ma:ngnyŏngttoeda]〈形〉(おいぼれたり精神がぼうっとなって) 耄碌している. ぼけている. **망령되이** [―ttoei]〈副〉ぼけて. ばかげて.

망루【望樓】[ma:ngnu]〈名〉望楼. ＝망대(望臺).

***망막**【網膜】〈名〉〔生〕網膜. 語例 ～ 세포 網膜細胞.

망망【茫茫】〈名・하形〉茫茫. 句例 ～한 시계 茫茫たる視界. 語例 ～ 대해 茫茫たる大海. **～히**〈副〉茫茫と.

***망명**【亡命】〈名・하自〉亡命. 句例 ～길에 오르다 亡命の途につく. 語例 ～객 亡命客 / ～ 생활 亡命生活 / ～ 정부 亡命政府 / ～자 亡命者 / ～ 정권 亡命政権.

망발【妄發】[ma:ngbal]〈名〉❶でたらめな言葉を吐くこと. ❷妄言・もうげん. 放言. **～하다**〈自〉妄言を吐く. 文例 그가 그런 ～을 하다니 彼がそんな放言を吐くとは.

망-보다【望―】[ma:ng―] ⇨ '망(望)'の小項目

망상【妄想】[ma:ngsang]〈名〉妄想. 句例 ～에 빠지다 妄想にふける. 語例 과대 ～ 誇大妄想.

***망설-이다** [mangsŏrida]〈自他〉ためらう. 躊躇する. 二の足を踏む. 句例 털어놓기를 ～ 打ち明けるのをためらう / 가야할지 어떨지 ～ 行くべきかどうかをためらう.

망신【亡身】〈名・하自〉恥さらし. 赤恥. (名誉などを)汚すこと. 句例 ～(을) 당하다 恥をかく. 恥さらしになる. 文例 그것은 집안 ～이다 それは一家の恥である.

망신살(이) 뻗치다 さんざん恥をかく.

망신(을) 시키다 恥をかかせる. 句例 집안 ～ 家族に恥をかかせる. 文例 그런 행동은 우리 나라를 망신시키는 거다 そんな行動は我が国に恥をかかせるものだ.

***망아지**〈名〉小馬.

망언【妄言】[ma:ng-ŏn]〈名・하自〉妄言・もうげん. 放言.

망연【茫然】〈名・하形〉❶茫然. とりとめのないさま. ❷呆然. 句例 ～한 표정 呆然たるおもち. 語例 ～자실 茫然自失. **～히**〈副〉❶茫然と. ❷呆然と. 文例 ～히 서 있었다 呆然と立ち尽くしていた.

망외【望外】[ma:ng-oe]〈名〉望外. 思いのほか. 句例 ～의 기쁨 望外の喜び.

망울〈名〉❶小さくて丸い塊. しこり. ❷'꽃망울'の略: つぼみ(蕾).

망울이 서다 しこりができる. ＝망울지다.

망울-망울[1]〈副〉粒ごと. つぼみごと.

망울-망울[2]〈副・하形〉(牛乳・のり(糊)などが)小さく凝結したさま.

***망원-경**【望遠鏡】[ma:ng-won-gyŏng]〈名〉望遠鏡.

망원 렌즈【望遠lens】[ma:ng-won―]〈名〉望遠レンズ.

***망정**〈依名〉('-니・-기에 ～'の形で)'…だったから良かったものの(さもなければ)'の意を表わす語. 文例 일이 잘 되었으니 ～이지 큰일날 뻔했다 事がうまく運んだからよかったもののさもなければ大変なことになるところだった / 차표를 미리 사 두었기에 ～이지 못 탈 뻔했다 乗車券をあらかじめ買っておいたからよかったもののさもなければ乗り損なうところ

だった.

망조【亡兆】[mangtcho]〈名〉[‘망징 패조(亡徵敗兆)’の略] 滅びる兆し. 句例 ~가 보이다 滅びる兆しが見える.

망측-하다【罔測—】[mangch'ŭ k'ada] (→하다)〈形〉えげつない. 口にするのも嫌らしい. 言語道断である. 文例 아이, 망측해 まあ, いやらしい / 늙은 주제에 짙은 화장이라니 참으로 망측하군 年寄りのくせに厚化粧とはほんとうにいやらしいね.

〈망치〉

***망치**〈名〉つち(槌). ハンマー. 絵 語例 쇠~ 金づち / ~질 つち打ち.

망치다〈他〉台無しにする. 滅ぼす. だめにする. 句例 일생을 ~ 一生を棒に振る / 신세를 ~ 身上を台無しにする / 나라를 ~ 国を滅ぼす. 文例 술이 사람을 망친다 酒が人をだめにする.

〈망태기〉

망태【網—】〈名〉‘망태기’の略.

망태기【網—】〈名〉細縄や細引きで編んだ網袋. 絵

망토〈名〉マント. 回しガッパ. ◇프 manteau

***망-하다**【亡—】(→하다) 一〈自〉つぶ(潰)れる. 滅びる. 句例 나라가 ~ 国が滅びる / 회사가 ~ 会社が倒れる〔つぶれる〕/ 집안이 ~ 家が落ちぶれる. (對)흥(興)하다.
二〈形〉❶非常に悪い. 句例 보기가 ~ 見るからにみっともない / 망할 자식 けしからんやつ. ❷やりにくい. 文例 이 연장은 쓰기가 아주 ~ この道具はとても使いにくい. (類)고약하다.
表現 二は俗っぽい言いかた.

망향【望郷】[maːnghyang]〈名・하自〉望郷. 思郷. 句例 ~의 정 望郷の情. 語例 ~가 望郷の歌.

맞-고소【—告訴】〈名・하自他〉〔法〕反訴. = 대소(對訴). 句例 ~를 제기하다 反訴を起こす〔提起する〕.

****맞다**[1] 〈自〉❶合う. ㉠合う. 正しい. 句例 맞는 답안 正しい答案 / 이치에 ~ 理屈に合う / 도리에 ~ 道理にかな(適)う. 文例 네 말이 ~ お前のいうことが正しい.
㉡似合う. ふさわしい. かな(適)う. 句例 분수에 맞는 생활 身にかなう暮らし / 신분에 안 맞는 소지품 身分不相応な所持品 / 몸에 맞는 옷 からだに合う服.
㉢気に入る. 口に合う. 句例 마음에 맞는 친구 気が合う友達 / 입에 맞는 음식 口に合う食べ物.
㉣(からだや穴などに)ぴったり合う. 句例 크기가 꼭 ~ 大きさがぴったり合う / 발에 맞는 구두 足にぴったり合う靴.
㉤一致する. 句例 발이〔보조가〕~ 足並みがそろう / 의견〔장단〕이 ~ 意見〔拍子〕が合う / 말의 앞뒤가 안 ~ 話のつじつま(辻褄)が合わない.
㉥(取り引きなどが)引き合う. 句例 새산이 ~ 採算が取れる. 文例 그것으로는 수지가 안 맞는다 それでは差し引きが合わない.
㉦相通じる. 句例 마음이 ~ 心が合う / 눈이 ~ 目が合う / 눈이 맞아 달아나다 目が合って駆け落ちをする.
❷当たる. ㉠(ある物が)ぶつかる. 句例 정통으로 ~ まともに当たる. 文例 화살이 과녁에 맞았다 矢が的に当たった.
㉡的中する. 句例 예상이 들어 ~ 予想が的中する. 文例 내 짐작이 맞았다 ぼくの勘が当たった.

***맞다**[2] 〈他〉❶迎える. ㉠人の来るのを待つ. 句例 손님을 ~ 客を迎える. ㉡時が来るのを待つ. 句例 설을 ~ お正月を迎える / 봄을 ~ 春を迎える. ㉢(妻・養子などを)迎え入れる. もらう. 句例 며느리를 ~ 嫁をとる〔もらう〕/ 양자를 ~ 養子を迎える.
❷受ける. ㉠(風雨などに)当たる. 句例 비를 ~ 雨にぬれる / 벼락을 ~ 雷に触れる. ㉡(むちや弾丸などに)当たる. 句例 유탄에 맞아 죽다 流れ弾に当たって死ぬ / 따귀를 ~ びんたを食らう. ㉢(ある物事に)当面する. 遭う. …される. 句例 도둑을 ~ 盗難に遭う. 盗まれる / 야단을 ~ しか(叱)られる.
❸もらう. ㉠(注射などを)打ってもらう. 句例 침을〔예방 주사를〕~ はり(鍼)〔予防注射〕を打ってもらう. ㉡(点数などを)つけてもらう. 句例 수학에서 만점을 ~ 数学で満点をもらう.

-맞다〈尾〉ある語に付いて形容詞をつくる接尾語: …くさい. …しい. 句例 궁상~ 貧乏くさい / 능글~ ずうずうしい.

맞-당기다 一〈自〉両方から引っ張られる. 文例 밧줄이 맞당겨져 끊어졌다 綱が両方から引っ張られて切れた.
二〈他〉引っ張り合う. 句例 양쪽에서 줄을 ~ 両側で綱を引っ張り合う.

맞-닿다 [mattat'a]〈自〉相接する. 触れ合う. 句例 어깨와 어깨가 ~ 肩と肩が触れ合う / 하늘과 땅이 ~ 天と地が相接する.

맞-대다〈他〉❶突き合わせる. くっつける. 文例 얼굴을 맞대고 상의하다 顔を寄せて相談する / 무릎을 맞대고 이야기하다 ひざを交えて〔突き合わせて〕話し合う. ❷面と向かう. 対面する. 文例 맞대놓고는 얘기하기가 어렵다 面と向かってはとても言いにくい.

맞-대하다【—對—】(→하다)〈自〉差し向かう. 相対する.

맞-돈〈名〉現金. 即金. 現なま《俗》. =현금(現金). 句例 ~으로 사다〔팔다〕現金で買う〔売る〕. 文例 ~으로 부탁합니다 即金でお願いします. (對)외상.

맞-두다〈他〉相碁を打つ. (将棋を)平手で差す.

맞-들다 (맞드니, 맞들어서)〈他〉❶両方で持ち上げる. 句例 책상을 ~ 机を一緒に持ち上げる. ❷協力する. 文例 백지장도 맞들면 가볍다《속담》⇨ 백지장(白紙張)の小項目.

맞-먹다 [manmŏkta]〈自〉(数量・程度などが)五分五分である. 匹敵する. 釣り合う. 文例 두 사람의 실력은 거의 맞먹는다 二人の実力はほぼ五分五分である.

맞-물리다 [manmulida]〈自〉かみ合う. 食い合う. 句例 톱니바퀴가 ~ 歯車がかみ合う.

맞-바꾸다 〈他〉 価にかかわらず品物を交換する. 句例 시계와 카메라를 ~ 時計とカメラを交換する.

맞-바둑 〈名〉 相碁. 互い先. ＝호선(互先). 對접바둑.

맞-바람 〈名〉 ❶両側から吹き込む風. ❷向かい風. 句例 ~을 피해 가다 向かい風を避けて進む.

맞-벌이 [matpŏri] 〈名・하自〉 共稼ぎ. 共働き. 語例 ~ 부부〔내외〕 共稼ぎ夫婦.

맞-보다 〈他〉 '마주 보다'の意(→'마주'の小項目).

맞-부딪치다 〈自他〉 ぶつかり合う. 互いに突き当たる〔突き当てる〕. 句例 자동차가 ~ 自動車が正面衝突する.

맞-불 〈名〉 向かい火.

맞불(을) 놓다 向かい火を放つ. 文例 맞불을 놓아 산불을 껐다 向かい火を放って山火事を消した.

*__맞-붙다__ 〈自〉 とり組む. 競り合う. 句例 맞붙어 싸우다 とり組んでけんかをする. 文例 그는 강한 상대와 맞붙게 되었다 彼は強い相手ととり組むことになった.

맞-붙잡다 〈他〉 互いに取り合う. つかみ合う. 句例 손을 ~ 手を取り合う.

맞-상대 【一相對】 〈名・하自〉 相手になること. 対決. 文例 그에게 ~할 만한 사람이 누구인가 彼と対決ができる人はだれか / 바둑을 두고 싶지만 ~가 없다 碁を打ちたいのだが相手になる人がいない.

*__맞-서다__ 〈自〉 ❶向かい合って立つ. ❷対立する. 立ち向かう. 句例 의견이 ~ 意見が対立する / 적에 ~ 敵に立ち向かう. ❸(ある状況に)直面する. 句例 고난과 맞서 이겨내다 苦難に直面して耐え抜く.

맞-선 〈名〉 見合い.

맞선(을) 보다 見合いをする. 句例 맞선(을) 보고 나서 결혼하다 見合いをしてから結婚する.

맞-수 【一手】 〈名〉 ['맞적수(敵手)'の略] 好敵手. ライバル.

맞아-들이다 [majadŭrida] 〈他〉 迎え入れる. 招じ入れる. 句例 손님을 정중히 ~ お客を丁重に迎え入れる〔招じ入れる〕.

맞아-떨어지다 [—ttŏrŏ—] 〈自〉 (計算などが)かっきり合う. 的中する.

맞은-쪽 [majŭntchok] 〈名〉 向かい側. ＝맞은편.

맞은-편 【一便】 [majŭnp'yŏn] 〈名〉 ❶⇨ 맞은쪽. 句例 ~에 앉은 사람 向かい側に座っている人. ❷相手方.

-맞이 [maji] 〈尾〉 ある名詞の後に付いて'迎え'の意を表わす語. 句例 달~ 가다 月見に行く. 語例 봄~ 迎春 / 손님~ 준비 お迎えの準備.

*__맞이-하다__ [maji—] (→하다) 〈他〉 ❶(来るのを)迎える. 句例 생일을 ~ 誕生日を迎える / 새해를 ~ 新年を迎える / 손님을 ~ 客を迎える. ❷(妻・嫁などを)迎え入れる. 句例 사위로 ~ 婿に迎え入れる / 아내로 ~ 妻にめと(娶)る.

맞-잡다 〈自〉 '마주 잡다'の意. ❶手を取り合う. つかみ合う. 文例 그들은 손을 맞잡고 울었다 彼らは手を取り合って泣いた / 맞잡고 싸우다 つかみ合ってけんかをする. ❷協力し合う. 句例 손을 맞잡고 일하다 力を合わせて働く.

맞-장구 〈名〉 相づち.

맞장구(를) 치다 相づちを打つ. 調子を合わせる. 句例 친구의 말에 ~ 友達の話に相づちを打つ.

맞-절 〈名・하自〉 (対等な立場で)互いにお辞儀をすること. 句例 신랑 신부의 ~ 新郎新婦が向かい合ってするお辞儀.

**__맞추다__ 〈他〉 ❶合わせる. ㉠一致させる. 句例 보조를 ~ 歩調を合わせる. 足並みをそろえる / 박자를 ~ 拍子を合わせる. 絵 / 줄을 ~ 列をそろえる / 렌즈의 초점을 ~ レンズの焦点を合わせる. 文例 옷에 맞추어 구두를 신는다 服に合わせて靴を履く.
㉡(程度・調子などを)整える. 句例 능력에 ~ 能力に合わせる / 시계를 8시에 ~ 時計を八時に合わせる / 음식의 간을 ~ 食べ物の味かげんをする. 絵 / 사장의 비위를〔기분을〕 ~ 社長の機嫌をとる.
㉢(二つのものを)ぴったり合わせる. 句例 입을 ~ 接吻する. 口づけをする.
❷(機械などを)組み合わせる. 句例 분해한〔뜯었던〕 기계를 다시 ~ ばらした機械を再び組み合わせる.
❸あつら(誂)える. 注文する. オーダーする. 句例 옷을 ~ 服をあつらえる. 絵 / 새로 맞춘 양복 新調の洋服 / 구두를 ~ 靴を注文する.

박자를 맞추다　음식의 간을 맞추다　옷을 맞추다

〈맞추다〉

맞춤 〈名〉 あつらえ. 仕立て. 語例 ~복 あつらえ服.

*__맞춤-법__ 【一法】 [—ppŏp] 〈名〉〔言〕(ハングルの)つづりの規則. 正書法. 綴字法. 語例 한글 ~ ハングル正書法.

맞히다[1] [mach'ida] 〈他〉 言い当てる. 句例 답을 알아 ~ 答えを言い当てる / 퀴즈를 ~ クイズを当てる / 제비를 뽑아 ~ くじを引き当てる. →囲み記事 33

맞히다[2] [mach'ida] 〈他〉 '맞다'の使役形. ❶当てる. 的中させる. 命中させる. 句例 화살을 과녁에 ~ 矢を的に当てる. ❷(むち・はり(鍼)などを)打たせる. 句例 아기에게 주사를 ~ 赤子に注射を打たせる. ❸(雨・風などに)当たらす. さら(晒)す. 文例 빨래를 이틀 동안이나 비를 맞혔다 洗濯物を二日間も雨にさらした. ▷→囲み記事 33

**__맡기다__ 〈他〉 任せる. ❶ゆだ(委)ねる. 委託する. 句例 뒷일을 (…에게) ~ 後事を(…に)託

たくする. [文例] 일은 남에게 맡기고 놀기만 한다 仕事を人任せにして遊びふける. ❷預ける. [句例] 돈을 은행에 ～ お金を銀行に預ける / 자동차 키를 관리실에 ～ 車のキーを受付に預ける / 가방을 프론트에 ～ カバンをフロントに預ける. ❸放任する. [句例] 운을 하늘에 ～ 運を天に任せる. [文例] 그 내용에 관해서는 자네 상상에 맡긴다 その内容については君の想像に任せる.

맡다 〈他〉❶引き受ける. 受け持つ. [句例] 직책을 ～ 職責を引き受ける / 공사를 ～ 工事を引き受ける〔請け負う〕/ 1학년 A반을 ～ 一年生のAクラスを受け持つ.
❷預かる. 保管する. [句例] 짐을 ～ 荷物を預かる. [文例] 이 돈을 맡아 주세요 この金を預かってください.
❸(許可・注文などを)取る. [句例] 허락을 ～ 許可を受ける / 주문을 ～ 注文を取る.
❹か(嗅)ぐ. [句例] 킁킁대며 냄새를 ～ くんくんとにおいをかぐ.
❺(気配などに)気づく. [句例] 돈 냄새를 맡고 金のある気配に感づいて. [文例] 사건의 냄새를 맡고 기자들이 몰려들었다 事件の気配を感じ取って記者たちがたかって来た.
❻(座席などを)取る. 予約する. [文例] 그 자리는 내가 맡아 놓은 거요 その席はわたしが取っておいたのですよ.

매[1] 〈名〉むち(鞭・笞). むち打ち.
매도 먼저 맞는 놈이 낫다 むちも先に打たれるのが得だ. どうせ免れないことなら早く済ませる方がましだ.
매로 키운 자식이 효성 있다 むちで育てられた子が孝行者になる. 類매에서 효자난다.
매(를) 맞다 (むちなどで)打たれる. 殴られる. [文例] 너 또 매 맞고 싶으냐 お前また打たれたいのか.
매[2] [mae:] 〈名〉〔鳥〕たか(鷹). [語例] ～사냥 たか狩り.
매【枚】〈依名〉枚. ＝장(張). [句例] 아트지 300～ アート紙三百枚.
매【每】〈冠〉"ごと(毎)(に)・度(に)・おのおの(各各)"の意: 毎. [語例] ～일인당 一人当たり.

매 〔漢字項目〕

【埋】[高校] 매 マイ. ❶묻다 うずめる. ◧埋葬 매장 まいそう. 埋沒 매몰 まいぼつ. ◨暗埋 암매 あんまい. ❷숨기다 かくす. ◧埋藏 매장 まいぞう. 埋伏 매복 まいふく.

【妹】[中學] 매 マイ. ❶여동생 いもうと. ◧妹弟 매제 ぎてい(義弟). ◨姉妹 자매 しまい. 令妹 영매 れいまい. ❷연하의 여성에 대한 애칭 年下の女性に対する愛称.

【媒】[高校] 매 バイ. ❶중매인 なこうど. ◧媒婦 매부 ばいふ. 媒妁 매작 ばいしゃく. ❷중개 하는 것 なかだちすること. ◧媒質 매질 ばいしつ. 媒介 매개 ばいかい. 媒染 매염 ばいせん. 媒體 매체 ばいたい. ◨觸媒 촉매 しょくばい.

【梅(梅)】[高校] 매 バイ. ❶매화나무 うめ. ◧梅實 매실 ばいし(梅子). 梅花 매화 ばいか. ◨松竹梅 송죽매 しょうちくばい. 寒梅 한매 かんばい. ❷(6-7월에 내리는)장마 つゆ. ◧梅雨 매우 ばいう. つゆ. 梅霖 매림 ばいりん. 梅天 매천 ばいてん.

【每(每)】[中學] 매 マイ. ❶항상 つねに. ◧每每 매매 まいまい. 每常 매상 まいじょう. ❷그때그때마다 たびごとに. ◧每日 매일 まいにち. 每年 매년 まいねん. まいとし. 每時間 매시간 まいじかん.

【買】[中學] 매 バイ. 사다 買う. ◧買收 매수 ばいしゅう. 買入 매입 ばいにゅう. ◨購買 구매 こうばい. 先買 선매 せんばい. 賣買 매매 ばいばい.

【賣(売)】[中學] 매 バイ. 팔다 売る. ◧賣却 매각 ばいきゃく. 賣藥 매약 ばいやく. 賣名 매명 ばいめい. 賣店 매점 ばいてん. ◨競賣 경매 きょうばい. 發賣 발매 はつばい. 販賣 판매 はんばい.

매각【賣却】[mae:gak]〈名・하他〉売り払うこと. 売却. [語例] ～ 처분 売却処分.
매개【媒介】〈名・하他〉媒介. ❶仲立ち. [語例] ～자 媒介者. ❷伝播すること. [文例] 쥐는 페스트균을 ～한다 ねずみはペスト菌を媒介する. [語例] ～물 媒介物 / ～체 媒体.
매관-매직【賣官賣職】[mae:gwanmae:jik]〈名・하自〉売官売職. 略して'매관(賣官)'ともいう.
매국【賣國】[mae:guk]〈名・하自〉売国. [語例] ～노 売国奴 / ～ 행위 売国行為.
매기【買氣】[mae:gi]〈名〉買い気. [句例] ～가 없다〔있다〕買い気がない〔ある〕/ ～가 떨어지다 買い気が鈍る.
***매기다** 〈他〉(値段・等級などを)付ける. [句例] 값을〔정가를〕～ 値〔定価〕をつける / 세금을 ～ 税金をかける / 번호를 ～ 番号をつける / 시험 점수를 ～ 試験の点数をつける.
매끄럽다 (매끄러우니, 매끄러워서)〈形〉滑らかだ. すべすべしている. 滑っこい. [句例] 매끄러운 살결 滑らかな肌 / 길이 ～ 道が滑っこい.
매끈-거리다 〈自〉'미끈거리다'の語感の小さい語.
매끈-하다 (→하다)〈形〉'미끈하다'の語感の小さい語.
매-끼【每一】[mae:kki]〈名・副〉毎食. [句例] ～를 라면으로 때우다 毎食をラーメンで済ませる.
매너 〈名〉マナー. [句例] ～가 좋다〔나쁘다〕マナーがいい〔悪い〕. [語例] 그라운드 ～ グラウンドマナー / 테이블 ～ テーブルマナー. ◇manner
매-년【每年】[mae:nyŏn]〈名・副〉毎年. 年ごと.
매니저 〈名〉マネージャー. [句例] 호텔의 ～ ホテルのマネージャー. ◇manager
매니큐어 〈名〉マニキュア. ◇manicure
****매다**[1] [mae:da]〈他〉❶縛る. ㉠結ぶ. くく(括)る. [句例] 넥타이를 ～ ネクタイを結ぶ / 끈으로 ～ ひもでくくる / 구두 끈을 단단히 ～ 靴ひもをしっかり結ぶ. ㉡つなぐ. [句例] 말을 말뚝에 ～ 馬をくいにつなぐ. ❷つづ(綴)る. と(綴)じる. [句例] 책을 ～ 本をとじる. ▷→囲み記事34
***매다**[2] [mae:da]〈他〉草取りをする. [句例] 뒷밭의 김을 ～ 裏畑の草取りをする. →囲み記事34

ㅁ

매-달【每一】[mae:dal]〈名・副〉毎月・まいつき. 月月. 句例 ~ 백만 원의 수입 月月百万ウォンの収入.

****매-달다** [mae:dalda] (매다니, 매달아서)〈他〉つ(吊)る. 掛ける. ぶら下げる. つるす. 句例 고양이 목에 방울을 ~ 猫の首に鈴を掛ける / 목을 매달아 죽다 首をつって死ぬ / 나무에 ~ 木につるす.

****매-달리다** [mae:dallida]〈自〉❶'매달다'の受け身: つ(吊)られる. ぶら下げられる. 句例 나뭇가지에 ~ 木の枝にぶら下げられる.
❷ぶら下がる. 取りすがる. 句例 애가 팔에 ~ 子供が腕にぶら下がる / 울며 매달리는 것을 떼어 버리다 泣いて取りすがるのを突き放す.
❸すがる. くっつく. 文例 스무살이 넘도록 부모에게 매달려 산다 二十を越してからも親にすがって過ごす.
❹(仕事・職位などに)しがみつく. へばりつく. 掛かり切りになる. 句例 과장 자리에 ~ 課長の椅子にしがみつく. 文例 그렇게 책상에만 매달려 있지 말고, 운동도 좀 해라 そう机にばかりへばりついていないで少し運動もせよ / 아침부터 대청소에만 매달려 있다 朝から大掃除に掛かり切りだ.

매도【罵倒】[mae:do]〈名〉罵倒. **~하다**〈他〉罵倒する. ののしる. 句例 입정 사납게 ~하다 口汚くののしる.

매도【賣渡】[mae:do]〈名〉売り渡し. **~하다**〈他〉売り渡す. 語例 ~인 売り渡し人 / ~ 증서 売り渡し証書.

매듭〈名〉結び目. 句例 ~이 풀리다 結び目が解ける.
매듭(을) **짓다** ❶結び目をつくる. ❷(仕事の)けりをつける. 始末をつける. 事を終える. けじめをつける. 文例 그 문제에 관해 매듭을 짓자 その問題のけりをつけよう.

매력【魅力】〈名〉魅力. 句例 ~적인 남성 魅力的な男性 / ~을 잃다 魅力を失う.

매료【魅了】〈名・하自他〉魅了. 文例 청중은 그녀의 노래에 ~되었다 聴衆は彼女の歌に魅了された.

囲み記事 34

■ '매다'と'메다' ■

매다 (1) 結ぶ. しばる —— 넥타이를 매다 ネクタイを結ぶ.
(2) (本に)と(綴)じる —— 스크랩한 것을 모아서 책으로 매었다 スクラップしたのを合わせて本にとじた.
(3) (田・畑の)草取りをする —— 김을 매어 주니 작물이 잘 자란다 草取りをしたら作物がよく成長する.

메다 (1) かつぐ. になう —— 총을 메다 銃をになう. 가마를 메다 かごをかつぐ.
(2) (責任・任務などを)負う. 引き受ける —— 중책을 두 어깨에 메다 重い責任を両肩に負う.
(3) (穴が)ふさぐ. 詰まる —— 총구멍이 메다 銃口が詰まる. 코가 메다 鼻が詰まる.

매립【埋立】〈名〉埋め立て. **~하다**〈他〉埋め立てる. 語例 ~ 공사 埋め立て工事 / ~지(地) 埋め立て地. 築地《雅》.

***매-만지다**〈他〉きれいに手入れをする. 句例 머리를 ~ 髪をなでつける〔手入れする〕.

****매-맞다** ⇨'매¹'の小項目

***매매**【賣買】〈名・하他〉売買. 売り買い. 句例 토지를 ~하다 土地を売買する. 語例 ~ 원장(元帳) 大福帳 / ~ 계약 売買契約.

매머드〈名〉マンモス. ❶〔動〕マンモス象. ❷巨大なこと. 語例 ~ 도시 マンモス都市 / ~ 빌딩 マンモスビル. ◇mammoth

매몰【埋沒】〈名・하自他〉埋没. うずもれること. 句例 땅속에 ~된 문화재 地中にうずもれた文化財. 文例 산사태로 집이 ~되었다 土砂崩れで, 家が埋没した. 語例 ~ 가옥 埋没家屋.

매몰-차다〈形〉ひどく冷酷だ. 句例 매몰찬 성격 ひどく冷酷な性格.

***매무새**〈名〉身なり. 着こなし. 句例 옷~가 고운 여자 身なりのきれいな女性 / 멋진 옷~ すてきな着こなし.

매무시〈名・하自〉身繕い. 着こなし. 装い. 句例 (옷)~를 다듬다 装いを凝らす. 文例 그녀는 급히 옷~를 고쳤다 彼女は急いで身繕いをした.

매물【賣物】[mae:mul]〈名〉売り物. 句例 ~로 내놓다 売り物に出す.

***매미** [mae:mi]〈名〉〔蟲〕せみ(蟬). 句例 ~가 맴맴 울다 せみがミンミンと鳴く. 語例 ~ 소리 せみの鳴き声 / ~채 捕虫網.

매-번【每番】[mae:bŏn]〈副〉毎度. =번번이.

매복【埋伏】〈名・하自〉埋伏. 待ち伏せ.

매부【妹夫】〈名〉妹の夫. 義弟.

매-부리¹ [mae:—]〈名〉たか匠. たか飼い. たか師.

매-부리² [mae:—] たか(鷹)のくちばし. 語例 ~코 かぎ鼻. わし鼻.

매-분【每分】[mae:bun]〈名・副〉毎分.

매사【每事】[mae:sa]〈名・副〉毎事. 事ごと(に).
매사는 **불여(不如) 튼튼** 万事は堅固なるにし(如)かず.

매-사냥 [mae:—]〈名〉たか(鷹)狩り. **~하다**〈自〉たか狩りをする. 語例 ~꾼 たか匠.

매상【買上】[mae:sang]〈名〉(政府での) 買い上げ. **~하다**〈他〉買い上げる. 語例 ~ 가격 買い上げ価格. 對불하(拂下). 類수매(收買).

매상【賣上】[mae:sang]〈名〉❶売り上げ. 売れ行き. **~하다**〈他〉売り上げる. 句例 ~이 뜸하다 売れ行きが思わしくない. 売れ行きが渋る. ❷['매상고'の略]売上高. 句例 ~이 늘다 売り上げが伸びる. 文例 오늘 ~은 얼마요 今日の売り上げはいくらですか. 語例 ~금 売上金.

매설【埋設】〈名・하他〉埋設. 句例 지뢰를 ~하다 地雷を埋設する. 語例 ~물 埋設物.

매섭다 (매서우니, 매서워서)〈形〉(気性と顔つきが)険しい. 手ひどい. 手厳しい. 句例 매서운 눈초리 険しい目つき / 매서운 공격 手ひどい攻撃 / 매섭게 꾸짖다 手厳しくしかり飛

ばす / 매서운 추위 厳しい寒さ.
[表現] '무섭다'の語感の小さい語.

매수【買收】[mae:su]〈名・하他〉買収. ❶買い取ること. [句例] 용지를 ~하다 用地を買収する. ❷賄賂を使うこと. [句例] 뇌물로 ~하다 賄賂で買収する / 유권자를 ~하다 有権者を買収する. [語例] ~ 공작 買収工作.

매수【買受】[mae:su]〈名・하他〉買い受け. [語例] ~인 買い受け人. 對매도(賣渡).

매스 게임〈名〉マスゲーム. ◇mass game

매스껍다(매스꺼우니, 매스꺼워서)〈形〉'메스껍다'の語感の小さい語.

매스 미디어[—mi:diŏ]〈名〉マスメディア. =대중 매체(大衆媒體). ◇mass media

매스 커뮤니케이션〈名〉マスコミュニケーション. 略して'매스컴'ともいう. ◇mass communication

매스-컴〈名〉'매스 커뮤니케이션'の略: マスコミ.

매슥-거리다〈自〉'메슥거리다'の語感の小さい語.

매-시【每時】[mae:shi]〈名・副〉'매시간'の略: 毎時.

매-시간【每時間】[mae:—]〈名・副〉毎時. 一時間ごと. 略して'매시(每時)'ともいう.

매식【買食】[mae:shik]〈名・하自〉外食.

매실【梅實】〈名〉梅の実. [語例] ~ 장아찌 梅干し / ~주(酒) 梅酒.

매씨【妹氏】〈名〉❶他人の妹を指す尊敬語. 妹さん. ❷男の人が自分の姉を指す語.

매암〈名〉(一定の場所に立ってからだを)くるくる回すこと. 略して'맴'ともいう.

매암(을) 돌다 ❶㉠(立った場所でからだを)くるくる回す. ㉡(円を描いて)ぐるぐる回る. [文例] 헬리콥터가 서울 상공을 매암 돌고 있다 ヘリコプターがソウルの上空を旋回している. ❷㉠(同じ位置で)もたもたしている. [文例] 그는 십년 내내 말단에서 매암 돌고 있다 彼は十年以来下積みでくすぶっている. ㉡(議論などが)堂堂巡りする. ▷略して'맴(을) 돌다'ともいう.

매암(을) 돌리다 ❶立った場所で, くるくる回す. ❷人を方方回らせる. ▷略して'맴(을) 돌리다'ともいう.

***매암-매암**〈副〉せみの鳴き声: みんみん. 略して'맴맴'ともいう.

매양【每—】[mae:yang]〈副〉いつも(のように). 常に. [文例] ~ 놀고만 있다 いつもぶらぶらするばかりだ.

***매연**【煤煙】〈名〉煤煙. [句例] ~을 내뿜다 煤煙を吐き出す / ~에 그을린 건물 煤煙ですすけた建物. [語例] 자동차 ~ 自動車の煤煙.

****매우**〈副〉とても. 非常に. 大変. 至って. [句例] ~ 춥다 とても寒い / ~ 중대한 일 非常に重大なこと. [文例] 할아버지께서는 ~ 건강하십니다 お祖父さんは至って健康です. 類몹시・아주.
[表現] '매우', '몹시', '아주'は共に形容詞, 冠形詞, 副詞, 一部の限られた動詞の前まで, ほとんど同じ意味で使われるが, '아주'が'매우', '몹시'よりやや強いニュアンスがある. 매우 높은 산 非常に高い山. 아주 높은 산 きわめて〔この上なく〕高い山. 그 여자를 매우〔몹시〕 사랑하고 있다 彼女をたいへん愛している. 그 여자를 아주 사랑하고 있다 彼女をこの上なく愛している.

매운-바람〈名〉身を切るような冷たい風.

매운-탕【—湯】〈名〉辛味を利かせた汁.

매-월【每月】[mae:wol]〈名・副〉毎月・月月.

매이다〈自〉'매다'の受け身: 縛り付けられる. ❶(柱や杭などに)つながれる. [句例] 말뚝에 매인 소 杭につながれた牛. ❷(人や仕事などに)縛られる. 束縛される. 隷属する. [句例] 일에 ~ 仕事に縛られる / 은애의 굴레에 ~ 恩愛のきずなにつながる. [文例] 가족에 매여서 꼼짝도 못할 처지다 家族に縛られてちっとも動けないありさまだ.

매인-목숨〈名〉(人または仕事につながられて)意のままにならぬ身の上. [句例] 회사에 ~ 会社仕えの身.

***매-일**【每日】[mae:il]〈名・副〉毎日. 日日. 日ごと. =날마다. [句例] ~ 하는 운동 毎日の運動 / ~같이 毎日のように. 毎日毎日. [語例] ~ 아침 毎朝 / ~밤 毎晩. 毎夜.

매-일반【—一般】〈名〉(結局は)同じ. 同一. =마찬가지. [文例] 앞으로 가나 뒤로 가나 움직이는 것은 ~이다 前に行こうが後ろに行こうが動くのは同じだ.

매입【買入】[mae:ip]〈名〉買い入れ. 仕入れ. **~하다**〈他〉買い入れる. 仕入れる. [語例] ~ 원가 買入れ原価. 類매수(買收).

매장【埋葬】〈名〉埋葬. **~하다**〈他〉埋葬する. 葬る. [句例] 사회〔학계〕에서 ~되다 社会〔学界〕から葬り去られる. [語例] ~지 埋葬地.

매장【埋藏】〈名・하自他〉埋蔵. [語例] ~물 埋蔵物 / ~량 埋蔵量.

매장【賣場】[mae:jang]〈名〉売り場.

매점【買占】[mae:jŏm]〈名〉買い占め. 買いだめ. **~하다**〈他〉買い占める. [語例] ~ 매석(賣惜) 買い占めて売り惜しむこと.

매점【賣店】[mae:jŏm]〈名〉売店. [句例] ~에서 사다 売店で買う. [語例] 역 구내 ~ 駅の売店 / 교내 ~ 校内売店.

매정-스럽다(→스럽다)〈形〉非人情だ. 思いやりがない. 薄情だ. [句例] 매정스러운 말을 하다 薄情なことを言う.

매정-하다(→하다)〈形〉非人情だ. 薄情だ. すげない. そっけない. 冷たい. 冷酷だ. [句例] 매정하게 거절하다 そっけなく〔冷たく〕断る.
[表現] '무정하다'の語感の小さい語.

매제【妹弟】〈名〉妹の夫. 義弟. 類매형(妹兄)・자형(姉兄).

매-주【每週】[mae:ju]〈名・副〉毎週. [句例] ~ 한 번 毎週一回. [文例] 그는 ~ 산에 간다 彼は毎週山に登る.

매진【賣盡】[mae:jin]〈名・하自〉売り切れ. [文例] 그 책은 모두 ~되었다 その本は全部売り切れた. [語例] ~되다 売り切れる / 금일 ~ 本日は売り切れ.

매진【邁進】[mae:jin]〈名・하自〉邁進. [句例] 일로 ~하다 一路邁進する.

매-질〈名〉むち打ち. **～하다**〈他〉むち打つ. むちを加える.

매-초【毎秒】[mae:ch'o]〈副〉毎秒.

매출【賣出】[mae:ch'ul]〈名〉売り出し. **～하다**〈他〉売り出す. 語例 연말 대 ～ 歳末大売り出し / ～액(額) 売上高.

매치〈名・하自〉マッチ. ❶ ⇨ 경기(競技). 시합(試合). 語例 타이틀 ～ タイトルマッチ. ❷よく似合うこと. 句例 양복에 ～되는 넥타이 洋服にマッチするネクタイ. ◇match

매콤-하다 (→하다)〈形〉やや辛い. ひりひりした感じがする. 句例 매콤하게 양념을 하다 やや辛めに味付けする.

매큼-하다 (→하다)〈形〉やや辛みがある.

***매트**〈名〉マット. 語例 ～ 운동 マット運動. ◇mat

매트리스〈名〉マットレス. ◇mattress

매-파【一派】[mae:p'a]〈名〉たか派. 強硬派. 對비둘기파.

매판【買辦】[mae:p'an]〈名〉買弁. 語例 ～ 자본 買弁資本.

매표【賣票】[mae:p'yo]〈名・하自〉切符を売ること. 語例 ～구(口) 切符売り口. 出札口.

매-한가지〈名〉同じであること. 同一であること. ＝매일반.

매-해【毎一】[mae:hae]〈名・副〉毎年(まいねん・まいとし).

매형【妹兄】〈名〉姉の夫. 義兄. ＝자형(姉兄). 對매제(妹弟).

매혹【魅惑】〈名〉魅惑. **～하다**〈他〉魅惑する. 魅する. 引きつける. 句例 남자를 ～하다 男を魅惑する / 클래식〔아름다운 목소리〕에 ～되다 クラシック〔美声〕に魅せられる.

매혹-적【魅惑的】〈名・冠〉魅惑的. こわく(蠱惑)的. 句例 ～인 눈〔여자〕魅惑的な目〔女性〕.

***매화**【梅花】〈名〉梅. 梅の花. 語例 ～나무 梅.「梅の木」.

매-회【毎回】[mae:hoe]〈名・副〉毎回. 文例 ～ 만원이다 毎回満員だ.

***맥**【脈】〈名〉脈. ❶〔生〕'맥박'の略. 句例 ～을 짚다 脈をとる / ～이 느리다〔빠르다〕脈が遅い〔速い〕. ❷'혈맥(血脈)'の略. ❸'맥락'の略: 脈絡. 文例 문장의 ～이 안 통한다 文章の脈絡が通じない. ❹〔民〕(風水説で)地勢・山勢に精気が流れる筋. 句例 ～이 끊기다 精気の流れが切れる. ❺元気. 力. 気力. 句例 …에게 ～도 못쓰고 지다 …にひとたまりもなく負ける.

맥(을) 놓다 (気が抜けて)ぽかんとする. ぼうっとする. 句例 맥을 놓고 먼 산을 바라보다 ぼんやりと遠くの山を眺める.

맥(도) 모르다 いきさつも知らない. 句例 맥도 모르고 덤벼들다 訳も知らずに飛び入る.

맥(을) 못추다 ❶すっかり参る. 句例 심한 무더위에 ～ ひどい蒸し暑さにすっかり参る. 文例 그 사건 이래 맥을 못추고 있다 あの事件以来すっかり参っている. ❷(惑わされて)理性を失う. とても好む. 句例 술이라면 맥 못추는 녀석 酒といえば目がないやつ.

맥(을) 보다 脈を見る. 句例 환자의 맥을 보다 患者の脈を見る.

맥(이) 빠지다 気が抜ける. がっかりする. 句例 맥빠진 표정 気の抜けた〔がっかりした〕表情. 文例 바캉스가 취소되다니 정말 맥이 빠지네 バカンスの取り消しとは, ほんとうにがっかりするな.

맥(이) 풀리다 緊張がほぐれる. 気〔力〕が抜ける. 拍子抜けする. 文例 맥이 풀려서 꼼짝도 못하겠다 気が抜けてちっとも動けない.

맥 〔漢字項目〕

【脈(脈)】高校 맥 ミャク. ❶혈관 血管. ◧脈管 맥관 みゃくかん. みゃっかん. 脈絡 맥락 みゃくらく. ◨動脈 동맥 どうみゃく. ❷맥 みゃく. 심장의 고동 心臓の鼓動. ◧脈動 맥동 みゃくどう. 脈搏 맥박 みゃくはく. ❸줄기를 이룬 것. 또, 조리 筋を成しているもの. また, すじみち. ◧脈絡 맥락 みゃくらく. 脈理 맥리 みゃくり. ◨鑛脈 광맥 こうみゃく. 山脈 산맥 さんみゃく.

【麥(麦)】高校 맥 バク. 보리 麦. ◧麥飯 맥반 ばくはん. むぎめし. 麥芽 맥아 ばくが. 麥酒 맥주 ばくしゅ. ビール. ◨燕麥 연맥 えんばく. 大麥 대맥 おおむぎ. 小麥 소맥 こむぎ.

맥락【脈絡】[maengnak]〈名〉脈絡. 句例 ～이 안 통하는 이야기 脈絡〔すじみち〕のない話.

***맥박**【脈搏】〈名〉脈拍. 脈《略語》. 略して'맥'とも言う. 句例 ～을 재다 脈拍を測る. 語例 ～계 脈拍計.

맥박(이) 치다 脈打つ.

맥-빠지다【脈一】⇨'맥'の小項目

맥-없다【脈一】[maegŏpta]〈形〉元気がない. へとへとだ. 文例 피곤해서 맥이 없다 くたびれて元気がない. **맥없이** [maegŏpshi]〈副〉❶しおれて. しおしおと. 句例 맥없이 돌아가다 しおれて〔すごすごと〕帰る / 맥없이 지다 ころりと負ける. ❷何の理由もなく. 訳もなく. ＝공연히. 句例 맥없이 화를 내다 訳もなく腹を立てる.

***맥주**【麥酒】〈名〉ビール. ビヤ. 麦酒. 語例 ～홀 ビヤホール / 생～ 生ビール.

맥주-병【麥酒瓶】[—ppyŏng]〈名〉❶ビール瓶. ❷泳げない人を嘲て言う語: かなづち(金槌).

맥진【驀進】〈名・하自〉驀進. 句例 승리를 향하여 ～하다 勝利に向かって驀進する.

맥-쩍다〈形〉❶張り合いがない. 退屈だ. 文例 할 일 없이 맥쩍게 앉아 있다 することもなく退屈に座っている. 類무료하다. ❷気恥ずかしい. 文例 거듭 부탁하기에는 ～ 重ねての頼みは気恥ずかしいことである. 類멋쩍다.

맥-풀리다【脈一】⇨'맥'の小項目

맨〈名〉マン. 語例 스포츠～ スポーツマン / ～투맨 マンツーマン. 一対一 / 카메라～ カメラマン. ◇man

***맨**[1]〈冠〉'みな…ばかりである'の意を表わす語: すべて. 全部. ことごとく. 文例 그곳은 ～ 장사꾼뿐이었다 そこはみんなあきんどばかりであった / 그 방은 ～ 책이란다 その部屋はことごとく本ばかりだよ.

*맨² [mae:n] 〈冠〉 '一番・最も'の意を表わす語. 句例 ~ 먼저 달려가다 真っ先に駆けつける / ~ 처음 온 사람 一番初めに来た人. 文例 ~ 마지막에 뛰어내렸다 一番最後に飛び降りた.

맨- 〈頭〉 'ありのまま'の意を表わす語: 素…. 句例 ~주먹으로 싸우다 素手で闘う. 語例 ~발 素足 / ~살 素肌.

맨 꼭대기 [mae:n—] 〈名〉 てっぺん. 頂上. 頂. 句例 ~에 올라 가서 아래를 굽어 보다 てっぺんに登って下を見下ろす. 文例 저 산 ~에 올라가자 あの山の頂に登ろう.

맨 꼴찌 [mae:n—] 〈名〉 一番終わり(の人). びりっこ. 文例 ~로 도착하다 一番終わりに着いた.

맨 끝 [mae:n—] 〈名〉 一番端. 末端. 最後. 句例 ~ 페이지를 펴다 一番最後のページを開く / 철봉의 ~을 잡다 金棒の端っこをつかむ.

맨 나중 [mae:n—] 〈名・副〉 一番終わり. 最後. 最終. 句例 ~에 도착한 자동차 一番最後に着いた車. 對맨 먼저.

맨-눈 〈名〉 肉眼. 裸眼. =육안. 句例 ~으로는 보이지 않는다 肉眼では見えない.

맨 뒤 [mae:ndwi] 〈名〉 最後. 最終. びり《俗》. 語例 맨 뒷줄 一番最後の列. 對맨 앞.

맨드라미 〈名〉〔植〕 けいとう(鶏頭).

맨-땅 〈名〉 ❶何も敷かない地面. 地べた《口》. 句例 ~에 앉다 地面に座る / ~에서 뒹굴다 地べたで転げ回る. ❷肥料をやっていない土地. 荒れ地.

맨 먼저 [mae:n—] 〈名・副〉 真っ先. いの一番. 文例 그가 ~ 왔다 彼がいの一番にやって来た / ~ 술에 곯아떨어졌다 真っ先に飲みつぶれた. 對맨 나중.

맨-몸 〈名〉 ❶裸. すっ裸. 句例 ~으로 자다 裸で寝る. ❷空身. 手ぶら. 句例 ~으로 훌쩍 떠나다 空身でふらりと出かける.

맨-몸뚱이 〈名〉 '맨몸'の俗っぽい言いかた. =알몸뚱이.

맨 밑 [mae:nmit] 〈名〉 一番下. 最低. 對맨 위.

맨-바닥 〈名〉 何も敷いていない床. 句例 ~에서 자다 敷物なしに寝る.

*맨-발 〈名〉 はだし(裸足). 素足. 句例 ~로 걷다 素足で歩く / ~로 도망치다 はだしで逃げる / ~에 구두를 신다 素足に靴をはく.

맨발 벗고 나서다 (ある事に対して)積極的に乗り出す. =발벗고 나서다.

맨발(을) 벗다 はだしになる. 一生懸命になる. 句例 맨발 벗고 뛰다 はだしになって走る.

맨-밥 〈名〉 おかずなしのご飯. 句例 (반찬없이) ~을 먹다 おかずなしにご飯を食べる.

맨-살 〈名〉 素肌. 句例 ~에 와이셔츠를 입다 素肌のままワイシャツを着る.

맨션 〈名〉 マンション. 句例 ~에 살다 マンションに住む. ◇mansion

*맨-손 〈名〉 素手. 手ぶら. 徒手. 無手. 句例 ~으로 방문하다 手ぶらで訪問する / ~으로 풀을 뽑다 素手で草むしりする. 文例 ~으로 적을 사로잡았다 素手で敵を捕まえた. 語例 ~체조 徒手体操. 類빈손.

맨송맨송-하다 (→하다) 〈形〉 ❶(からだに毛がなく)すべすべしている. 句例 턱이 ~ あごがすべすべしている. ❷(山に草木がなく)は(禿)げている. ❸酔いが回っていない. 酒の飲みごたえがない. しらふ(素面)だ. 文例 아무리 술을 마셔도 ~ 酒をいくら飲んでもいっこう酔わない. **맨송맨송히** 〈副〉 ❶すべすべと. ❷酒気を帯びずに.

表現 語感の大きい語は'맨숭맨숭하다'.

맨 아래 [mae:narae] 〈名〉 一番下. 最低. 末. 文例 아파트의 ~층에 살고 있다 アパートの一番下に住んでいる. 語例 ~ 남동생 末の弟. 末弟.

맨 앞 [mae:nap] 〈名〉 一番前. 最前. 句例 시위 행렬의 ~에 서다 デモ行進の一番前に立つ. 語例 ~줄 一番前の列. 最前列.

맨 위 [mae:nwi] 〈名〉 一番上. 語例 맨 윗집 一番上の家.

맨-입 [maennip] 〈名〉 何も食べていない口. 空腹. 文例 ~으로는 못 하겠다 何も食べずにはできない.

*맨-주먹 〈名〉 素手. 空拳. 無一物. 句例 ~으로 싸우다 素手で闘う / ~으로 장사를 시작하다 無一物〔素手〕で商売を始める.

맨 처음 [mae:n—] 〈名〉 一番始め. 最初. 略して'맨첨'ともいう. 文例 ~에 할 일은 이것이다 最初にすべきことはこれである.

맨홀 〈名〉 マンホール. ◇manhole

맴¹ [mae:m] 〈名〉 '매암'の略.

맴(을) 돌다 '매암(을) 돌다'の略(→'매암'の小項目).

*맴² 〈副〉 せみ(蟬)が鳴きやむときに出す声.

맴-맴 [mae:mmaem] 〈副〉 ❶《児》 子供たちが'매암'をしながら遊ぶとき唱える声. ❷'매암 매암'の略: みんみん.

*맵다 (매우니, 매워서) 〈形〉 ❶ぴりりと辛い. 句例 매운 음식을 즐겨 먹다 辛い食べ物を好んで食べる / 맵디 ~ とても辛い / 고추는 얼얼하게 ~ とうがらし(唐辛子)はぴりりと辛い / 이 김치는 너무 ~ このキムチは辛すぎる. ❷きびしい. ㉠(性格などが)きつい. ㉡(寒さが)ひどい. 激しい. 句例 추위가 몹시 ~ 寒さがきびしい.

맵시 〈名〉 着こなし. 身だしなみ. 格好. 句例 옷을 ~있게 입다 着こなしがよい.

맵시(를) 내다 格好をつける. しゃれ(洒落)る.

맵싸-하다 (→하다) 〈形〉 えがら(っぽ)い. やや辛い. 句例 먼지로 목이 ~ ほこりでのどがえがらっぽい.

맷-돌 〈名〉 ひ(碾)きうす(臼). 略して'매'ともいう. 絵 句例 ~을 돌리다 ひきうすを回す / ~로 팥을 갈다 ひきうすで小豆をひく. 語例 ~질 ひ(碾)き仕事.

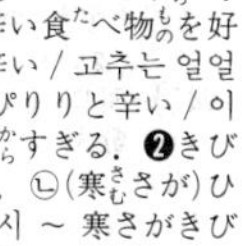

〈맷돌〉

맷-방석 【一方席】 〈名〉 (わらで円形に作った)ひきうすの下敷き. 絵

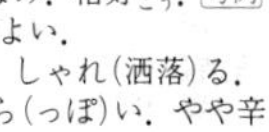
〈맷방석〉

맹- 【猛】 [mae:ng] 〈頭〉 猛…. 語例 ~연습 猛練習 / ~공격 猛攻撃. 猛攻. 猛撃.

맹 〔漢字項目〕

【孟】高校 맹 モウ. ❶우두머리 かしら. ◨孟候 맹후 もうこう. 孟仲季 맹중계 もうちゅうき. ❷사계절의 첫째 四季のはじめ. ◨孟秋 맹추 もうしゅう. 孟冬 맹동 もうとう. ❸성의 하나 姓の一つ. ◨孟嘗君 맹상군 もうしょうくん.

【猛】高校 맹 モウ. ❶날쌔고 사납다 すばしっこくたけだけしい. ◨猛禽 맹금 もうきん. 猛獸 맹수 もうじゅう. 猛虎 맹호 もうこ. ❷용감하다 勇敢だ. ◨猛將 맹장 もうしょう. 猛卒 맹졸 もうそつ. ❸맹렬하다 猛烈だ. ◨猛威 맹위 もうい. 猛爆 맹폭 もうばく.

【盟】高校 맹 メイ. 맹세하다 誓う. 약속하다 約束する. ◨盟誓 맹세 めいせい. 盟友 맹우 めいゆう. 盟約 맹약 めいやく. 盟主 맹주 めいしゅ. ◨同盟 동맹 どうめい. 加盟 가맹 かめい. 聯盟 연맹 れんめい(連盟).

【盲(盲)】高校 맹 モウ. ❶눈이 보이지 않다 目が見えない. ◨盲人 맹인 もうじん. 盲目 맹목 もうもく. 盲點 맹점 もうてん. ◨色盲 색맹 しきもう. ❷도리를 모르다 道理がわからない. ◨盲信 맹신 もうしん. 盲從 맹종 もうじゅう. 盲動 맹동 もうどう. ❸한쪽 끝이 막히다 一端がふさがっている. ◨盲腸 맹장 もうちょう. 盲慣銃創 맹관총창 もうかんじゅうそう.

맹격【猛擊】[maeːnggyŏk]〈名・하他〉['맹공격'の略]猛擊. 句例 적군에게 ~을 가하다 敵軍に猛擊を加える.

맹견【猛犬】[maeːnggyŏn]〈名〉猛犬.

맹공【猛攻】[maeːnggong]〈名・하他〉['맹공격'の略]猛攻.

맹꽁이 [maeːng—]〈名〉❶〔動〕じむぐりがえる(地潜蛙). ❷分からず屋. とんま. また背が低く腹の突き出た人を嘲る語.
表現 ②は俗っぽい言いかた.

맹랑-하다【孟浪—】[maeːngnang—] (→하다)〈形〉❶思いもよらない. とんでもない. 句例 맹랑한 소문이 떠돌다 とんでもないうわさが広まる. 文例 맹랑한 애기로구나 全くでたらめな話だね. ❷ばかにできない. 油断がならない. 隅に置けない. 文例 어린 녀석이 아주 ~ 子供のくせにとても抜け目がない.

맹렬-하다【猛烈—】[maeːngnyŏl—] (→하다)〈形〉猛烈だ. 激しい. 句例 맹렬한 스피드 猛烈なスピード / 맹렬한 반대에 부딪치다 猛烈な反対に出会う. 文例 맹렬한 기세로 침공해 왔다 猛烈な勢いで侵攻して来た. **맹렬히**〈副〉猛烈に. 激しく. 盛んに. 句例 정부를 맹렬히 비난하다 政府を猛烈に非難する.

맹모 삼천지교【孟母三遷之教】[maeːngmo—]〈名〉孟母三遷の教え. 略して'맹모 삼천'ともいう.

맹목【盲目】〈名〉盲目.

***맹목-적**【盲目的】〈名・冠〉盲目的. 句例 ~인 사랑 盲目的な恋〔愛〕/ ~인 애국 盲目的な愛国.

맹문〈名〉(物事の)あらまし. いきさつ. 是非.
맹문(을) 모르다 (物事の)是非やいきさつを知らない.

맹문이 [maengmuni]〈名〉物事の道理を知らない人. 分からず屋.

맹-물〈名〉❶真水. 生水. 句例 ~같이 멀건 수프 (ただの)水のように薄いスープ. ❷無粋で野暮な人を嘲っていうことば.
맹물에 조약돌 삶은 맛이다 水で砂利を煮た味だ. 全くおもしろみもなくつまらないことのたとえ.

맹방【盟邦】〈名〉盟邦. 同盟国.

***맹세**〈名〉[もとの語形は'맹서(盟誓)'] 誓い. 誓約. 宣誓. **~하다**〈自他〉誓う. 誓いを立てる. 句例 ~를 저버리다〔깨다〕誓いを破る / 천지 신명께 ~하다 天地神明に誓う.

맹세-코〈副〉['맹세하고'の略] 誓って. 断じて. 文例 이것만은 ~ 해내겠습니다 これだけは誓ってやり遂げます.

맹수【猛獸】[maeːngsu]〈名〉猛獸. 句例 ~를 길들이다 猛獸を慣らす. 語例 ~ 사냥 猛獸狩り.

맹아【盲啞】〈名〉盲啞. 目の見えない人と口の利けない人. 語例 ~ 학교 盲啞学校 / ~ 시설 盲啞施設.

맹아【盲兒】〈名〉目の見えない子供. 視覚障害児.

맹-연습【猛練習】[maeːngnyŏnsŭp]〈名・하他〉猛練習.

맹위【猛威】[maeːng-wi]〈名〉猛威. 句例 ~를 더하다 猛威を加える / 태풍이 ~를 떨치다 台風が猛威をふるう.

***맹인**【盲人】〈名〉盲人. 視覚障害者. =장님. 語例 ~ 교육 盲人教育.

맹장【盲腸】〈名〉盲腸. =막창자. 語例 ~염 盲腸炎. 虫垂炎.

맹장【猛將】[maeːngjang]〈名〉猛将.

맹점【盲點】[maengtchŏm]〈名〉盲点. 句例 법의 ~ 法の盲点 / ~을 찌르다 盲点をつく.

맹종【盲從】〈名・하自他〉盲従. 句例 권력에 ~하다 権力に盲従する. 語例 ~자 盲従者.

맹추〈名〉間抜け. とんま. ぼんくら《俗》. 薄のろ. 文例 이 ~야 このぼんくらめ.

맹탕〈名〉❶塩気の足りない汁. ❷無粋で味気ない人. やぼてん(野暮天).

맹탕-으로〈副〉わけもなく. むやみに. やたらに. =건으로.

맹호【猛虎】[maeːngho]〈名〉猛虎.

맹-활약【猛活躍】[maeːnghwaryak]〈名・하自〉猛活躍.

맹-훈련【猛訓練】[maeːnghullyŏn]〈名・하自〉猛訓練.

***맺다**〈他〉結ぶ. ❶結わえる. 句例 양쪽 끝을 ~ 両方の端を結ぶ.
❷結着をつける. 句例 논문〔이야기〕의 끝을 ~ 論文〔話〕を結ぶ / 일을 끝~ 仕事を終える.
❸契る. 句例 우정으로 맺어지다 友情で結ばれる / 부부의 인연을 ~ 夫婦の契りを結ぶ.
❹結実する. 句例 열매를 ~ 実を結ぶ.
❺約束する. 句例 동맹을 ~ 同盟を結ぶ / 계약을 ~ 契約を結ぶ / 국교를 ~ 国交を結ぶ.

❻持つ．いだ(抱)く．[句例] 원한을 ～ 恨みをいだく．

맺고 끊은 듯이 はっきりと．明らかに．瞭然と．

맺고 끊은 듯하다 事理がはっきりしている．(する事の前後が)はっきりしている．

맺음-말 [maejŭmmal]〈名〉結びのことば．

맺히다 [maech'ida]〈自〉❶'맺다'の受け身：(実・つぼみなどが)結ばれる．[句例] 꽃망울이 ～ 花がつぼむ．❷(忘れられずに)胸に残る．心にいだく．しこりが残る．[句例] 원한이 ～ 恨みが胸に残っている / 맺힌 연정을 고백하다 いだいていた恋情をうち明ける．[文例] 지난날의 감정이 아직 맺혀 있다 過去の感情がまだ残っている / 싸운 감정이 아직 맺혀 있다 けんかのあとがまだくすぶっている．❸(涙などが)滴になる．にじむ．[句例] 풀 잎에 이슬이 ～ 草の葉に露が宿る / 눈물이 ～ 涙ぐむ．❹(血が)こご(凝)る．[句例] 피가 ～ 血が固まる．

맺힌-데 [maech'inde]〈名〉❶血のこご(凝)った部分．❷わだかまり．こだわり．しこり．[句例] ～가 없는 성격 こだわりのない性格．

머금다 [mŏgŭmtta]〈他〉含む．❶(口の中に)入れる．[句例] 물을 입에 ～ 水を口に含む．❷(感情・考えなどを)いだく．(心に)収める．[句例] 원한을 ～ 恨みをいだく．[類]품다．❸(涙や笑いなどを)帯びる．浮かべる．[句例] 미소를 ～ 微笑を浮かべる．[文例] 눈물을 머금고 가족과 헤어졌다 涙をのんで家族と別れた．❹(水気を)含む．吸い込む．[句例] 봄비를 머금은 버드나무 春雨を含んだ柳 / 이슬을 머금은 나팔꽃 露を含んだ朝顔 / 비를 머금은 구름 雨を帯びた雲．

*__머나-멀다__ [mŏna—] (—머니, —멀어서)〈形〉はるかに遠い．ひどく遠い．[句例] 머나먼 고향 하늘 はるかに遠い故郷の空 / 머나먼 옛날 はるかな昔．

머니〈名〉マネー．お金．[語例] ～ 론〔經〕マネーローン．◇money

머루〈名〉〔植〕やまぶとう．

__머리__〈名〉頭．❶頭部．かしら．こうべ(首)《老》．つむり《老》．[句例] ～를 긁적이다 頭をかく / ～를 싸쥐다 頭をかかえる．/ ～를 끄덕이다 頭をたてに振る．[文例] 어린이의 ～를 쓰다듬어 주다 子供の頭をな(撫)でてやる．

❷(物の)さき．先端．[句例] 뱃～를 돌리다 へさきの向きを変える．

❸(物事の)始まり．最初．[句例] 첫～부터 잡치다 始めからしくじる．

❹(組織などの)かしら．頭領．親分．＝우두머리．

❺頭脳．精神．思考力．[句例] ～가 잘 돌아가다 頭がよく回る．頭がよく働く / ～가 둔하다 血の巡りが悪い / ～가 좋다 頭がよい / ～가 이상하다 頭が変だ．

❻'머리털'の略：髪．頭髪．[句例] ～를 검게 염색하다 髪を黒く染める / ～를 기르다 髪を伸ばす．

❼(ある時期の)初め頃．[語例] 해질 ～ 日暮れごろ / 새벽 ～ 明け方．

머리가 가볍다 頭が軽い．気分がさわやかだ．[對]머리가 무겁다．

머리가 굳다 ❶(考え方などが)頑固だ．❷頭が鈍い．

머리가 깨다 物分かりがよい，さばけている．

머리가 돌다 気が狂う．頭が狂う．

머리가 무겁다 頭が重い．気分がすぐれない．[對]머리가 가볍다．

머리가 수그러지다 頭が下がる．敬服する．

머리가 젖다 (ある思想・因習などに)染まる．[文例] 그는 전통적인 인습에 머리가 젖어 있다 彼は伝統的な因習に染まっている．

머리(를) 감다 髪を洗う．洗髪する．

머리(를) 굽히다 頭を下げる．屈服する．

머리(를) 깎다 ❶髪〔頭〕を刈る．＝이발(理髪)하다．❷頭を丸める．出家する．髪を下ろす．❸服役する．

머리(를) 들다 頭をもた(擡)げる．頭を上げる．

머리를 내밀다 ある場所に顔を出す．[句例] 동창회 모임에 ～ 同窓会の集まりに顔を出す．

머리를 모으다 額を集める．[句例] 머리를 모아 의논하다 額を集めて相談する．

머리를 쥐어짜다 ⇨ 머리를 짜다

머리를 짜다 頭をしぼる〔ひねる〕．知恵をしぼる．＝머리를 쥐어짜다．

머리(를) 숙이다 ❶うつむく．[句例] 부끄러운 듯이 ～ 恥ずかしそうにうつむく．❷頭を下げる〔垂れる〕．＝머리(를) 굽히다．[句例] 머리를 숙여 부탁하다 頭を下げて頼む．❸感服する．敬意を表わす．

머리(를) 식히다 頭を冷やす．冷静にする．

머리(를) 싸매고 ❶鉢巻きをして．❷全力を尽くして．一生懸命(に)．[句例] ～ 공부하다 一生懸命に勉強する．

머리(가) 썩다 (頭が腐るの意で)頭が働かなくなる．

머리(를) 썩이다 (難しいことや心配のために)頭を痛める．頭を悩ます．

머리(를) 쓰다 頭を使う，知恵をしぼる．

머리(가) 아프다 頭が痛い．頭痛がする．(心配事などで)悩む．＝골치(가) 아프다．[句例] 성가신 일로 ～ めんどうな仕事で頭が痛い．

머리(를) 얹다 ❶髪を二本に結って頭の上に巻き上げる．❷半玉やはした女が成人になって髪を結い上げる．❸お嫁に行く．嫁ぐ．

머리에 들어오다 頭に入る．理解する．記憶する．

머리에 피도 안 마르다 まだ青二才だ．ほんの子供だ．

머리(가) 크다 大人になる．成長する．

머리(를) 흔들다 首を(横に)振る．否認する．拒絶する．

머릿발이 서다 (ひどい怒りのため)髪の毛が逆立つ．

머리-끄덩이〈名〉束ね髪の端．[句例] ～를 잡아 끌어 넘어뜨리다 髪の端をつかんで引き倒す．

머리-끝〈名〉毛先．[句例] 화가 ～까지 오르다〔치밀다〕怒髪天を突く．

머리끝에서 발끝까지 頭のてっぺんから足のつ

ㅁ

ま先まで.

머리-말 〈名〉 序文. 端書き. 前書き.

머리-맡 〈名〉 枕元. 句例 ～에서 간병하다 枕元で看病する. 對발치.

머리악-쓰다 (―쓰니, ―써서) 〈自〉 '기(를) 쓰다'の俗っぽい言いかた(→'기(氣)'の小項目).

머리-채 〈名〉 長く垂らした髪. 句例 ～를 잡아 끌다 髪をつかんで引きずる.

**머리-카락 〈名〉 髪の毛. 略して'머리칼'ともいう.

*__머리-털__ 〈名〉 髪の毛. 頭髪. 略して'머리'ともいう.

**머리-통 〈名〉 ❶頭のまわり. 句例 ～이 크다 頭が大きい. ❷'머리 頭'の俗っぽい言いかた.

**머리 핀 〈名〉 ヘアピン ◇pinから.

머릿-기름 〈名〉 髪油.

머릿-돌 〈名〉 礎石. ＝귓돌. 정초(定礎).

머릿-살 〈名〉 頭の中の神経の筋.

머릿살(이) 아프다 '골치아프다'の俗っぽい言いかた'. (物事などがこじれて)頭が痛い.

머릿-수 【―數】 〈名〉 ❶頭数. ❷金高.

*__머무르다__ (머무르니, 머물러서) 〈自〉 留まる. 略して'머물다'ともいう. ❶動きをやめる. 句例 기차가 역에서 잠시 ～ 汽車が駅でしばらくとどまる. ❷その場にとどまる. 居残る. 句例 한 곳에 오래 ～ 尻を据える / 현직에 ～ 現職にとどまる. ❸泊まる. 滞留する. 句例 여관에 ～ 旅館に泊まる. ❹停泊する. 駐車する. 句例 배가 항구에 ～ 船が港に停泊する. ❺(ある範囲・限度に)とどまる. 文例 그는 계획에만 머무르지 않고 곧 실천에 옮겼다 彼は計画だけにとどまらずすぐ実践に移した.

머무적-거리다 〈自〉 (しきりに)ためらう. 渋る. 略して'머뭇거리다'ともいう. 句例 결행에 앞서서 ～ 決行を前にしてためらう.

머무적머무적 [mŏmujŏngmŏmujŏk] 〈副・하自〉 もじもじ. 句例 수줍어서 ～하다 はにかんでもじもじ(と)する.

*__머물다__ (머무니, 머물어서) 〈自〉 '머무르다'の略.

머뭇-거리다 〈自〉 '머무적거리다'の略.

머뭇머뭇 [mŏmunmŏmut] 〈副・하自〉 もじもじ. 語例 ～대다 もじもじする.

머슴 〈名〉 作男. 語例 ⇨ 머슴살이 / ⇨ 머슴애.

머슴(을) 살다 作男になる. 作男として雇われる.

머슴-살이 [―sari] 〈名・하自〉 作男暮らし.

머슴-애 [mŏsŭmae] 〈名〉 ❶子供の作男. ❷'사내아이 男の子'のなまり.

머쓱-하다 [mŏssŭk'ada] (→하다) 〈形〉 ❶(いやに背丈が高く)ひょろひょろして頼りがない. ❷鼻白む. しょげる. **머쓱히** [mŏssŭk'i] 〈副〉 ひょろ長く. しょげて.

머플러 〈名〉 マフラー. ◇muffler

*__먹__ 〈名〉 ❶墨. 句例 ～을 갈다 墨をする. ❷'먹물'の略: 墨汁.

먹(을) 놓다 (寸法に合わせて墨糸や鉛筆などで)材木に線を引く.

먹-구름 〈名〉 黒雲・こくうん. 文例 ～이 하늘을 덮고 있다 黒雲が空を覆っている.

**__먹다__[1] 〈自〉 ❶(耳が)遠くなる. 文例 가는 귀가 먹었다 耳がやや遠い. ❷利く. ㉠効き目がある. 句例 말이 잘 먹어 들어가다 話の効き目がある. ㉡(よく)切れる. 文例 대패가 잘 안 먹는다 かんながうまく利かない. ㉢(のり(糊)・染料などが)よくし(染)みる. 句例 풀이 잘 ～ のりがよく利く / 물감이 잘 ～ 染料がうまく染まる. ❸(ひ(碾)きうす(臼)が)うまくひ(碾)ける. ❹(綿繰り車が)よく繰る. ❺金がかかる. 句例 재료가 많이 ～ 材料が多く要る. 類들다. ❻(おしろいなどが)よく乗る. 伸びる. 句例 잘 먹는 니스 伸びがよいニス / 분이 잘 먹는 얼굴 おしろいの乗りがよい顔.

**__먹다__[2] 〈他〉 ❶食べる. 食う. 句例 배불리 ～ 腹一杯食べる / 하루 세 끼 ～ 日に三食を取る / 놀고 ～ 無駄飯を食う. 文例 먹느냐 먹히느냐의 싸움이었다 食うか食われるかの戦いであった. ❷(酒などを)飲む. ＝마시다. 文例 술을 너무 먹는다 酒をひどく飲む〔飲み過ぎる〕. ❸着服する. 句例 공금을 ～ 公金を着服する. ❹(口銭などを)もらう. 句例 이익의 2할을 ～ 利益の二割をもらう / 구전을 ～ 口銭をもらう. ❺(小言などを)聞く. 句例 욕을 되게 ～ 悪口をさんざん言われる. ❻(気持ちを)いだ(抱)く. 感じる. 句例 나쁜 마음을 ～ 悪心をいだく / 마음을 고쳐 ～ 心を入れ替える / 겁을 ～ 恐れる. 怖がる. ❼(年を)取る. 句例 나이를 먹은 사람 年をとった人. ❽(暑気などに)当たる. 文例 더위를 먹고 쓰러졌다 暑気あたりして倒れた. ❾(液体などが)し(染)み入る. 句例 물 먹은 옷감 水気がしみた織物. ❿(禄を)取る. は(食)む. 句例 나라의 녹을 ～ 国の禄をはむ. ⓫打たれる. 文例 한 방 먹고 쓰러졌다 一発食らって倒れた. ⓬(球技などで点数を)取られる. 文例 우리 팀이 세 골 먹었다 我がチームが三点取られた.

먹는 개도 아니 때린다 犬でも食べる時はたたかない《食べ物をとる時だけは殴ったりしかったりしてはいけないとの意》.

먹은 죄는 없단다 食べたことは罪ではない《腹がへって犯したことは大目に見てやるべきだとの意》.

먹다[3] 〈補動〉 …してしまう. 文例 까맣게〔깜박〕잊어 먹었다 すっかり〔うっかり〕忘れてしまった. 句例 팔아 ～ 売り払う.

먹먹-하다 [mŏngmŏk'ada] (→하다) 〈形〉 耳が詰まったような感じだ. (耳が)よく聞こえない. 文例 귀가 먹먹해질 정도의 폭음이 들렸다 耳をつんざくばかりの爆音が聞こえた.

먹-물 [mŏngmul] 〈名〉 ❶墨汁. 略して'먹'ともいう. ❷(墨のように)真っ黒い水. 句例 문어의 ～ たこ(蛸)の墨.

먹-보 〈名〉 食いしん坊.

먹성 〈名〉 食べ物の好き嫌い. 食い分量.

食いっぷり. 文例 대단한 ~이다 ものすごい大食である / 덩치에 비해서는 ~이 적다 大きいずうたい(図体)に比べて割りに少食だ. 類 식성(食性).

먹어-대다 [mŏgŏ—] 〈他〉 むやみに食べる. 食べまくる. 句例 토할 정도로 ~ 吐き気がするほどに食べまくる.

먹어-치우다 [mŏgŏ—] 〈自〉 食ってしまう. 食い尽くす. 平らげる. 文例 세 식구가 한 냄비의 밥을 먹어치웠다 三人の家族がひとなべの御飯を平らげた.

먹음직-스럽다 [mŏgŭmjik—] (→스럽다) 〈形〉 おいしそうに見える. うまそうだ. 文例 갓 구운 빵이 아주 먹음직스럽군 焼きたてのパンがとてもうまそうだな.

먹음직-하다 [mŏgŭmjik'ada] (→하다) 〈形〉 (食べ物が)うまそうだ. 食欲をそそる. 句例 먹음직한 비빔밥 うまそうな混ぜ御飯.

***먹이** [mŏgi] 〈名〉 ❶食糧. ❷えさ(餌). 飼料. 句例 닭에게 ~를 주다 鶏にえさをやる / ~를 찾아 다니다 えさをあさ(漁)る. 語例 ⇨ 먹이통 / ~ 다툼 えさ争い. ❸えじき(餌食). 犠牲. 句例 호랑이의 ~가 되다 虎のえじきになる.

****먹이다** [mŏgida] 〈他〉 ❶食べさせる. 食わす. 飲ます. 句例 아침밥을 ~ 朝飯を食わす / 아기에게 우유를 ~ 赤子にミルクを飲ます. 絵

❷(家畜などを)飼う. 養う. 句例 돼지를 ~ 豚を飼う.

❸賄賂をやる. そで(袖)の下を使う. 文例 돈을 먹이고 성사시켰다 賄賂を使って事を成した. 絵

❹怖がらせる. おびえさせる. 文例 아이에게 겁을 먹이지 마라 子供を怖がらせるな.

❺(のり(糊)・染料・油などを)しみこませる. 句例 풀을 ~ のりを利かせる / 마룻바닥에 밀을 ~ 床にろう(蠟)を引く / 옷에 검정물을 ~ 服を黒くに染める.

❻(げんこつなどで)打つ. 句例 주먹을 (한 대) ~ パンチを(一発)食わす. 絵

(아이에게) 우유를 먹이다　　돈을 먹이다　　주먹을 한 대 먹이다

〈먹이다〉

먹이 사슬 [mŏgi—] 〈名〉〔生〕 食物連鎖. ＝먹이 연쇄.

먹이 연쇄 【—連鎖】 [mŏgi—] 〈名〉〔生〕 ⇨ 먹이 사슬

먹이-통 【—桶】 [mŏgi—] 〈名〉 飼い葉おけ.

먹자-판 〈名〉 ❶まずは食えやという者がいた. 文例 그 공사는 업자들의 ~이 되고 말았다 その工事は業者の食い物になってしまった. ❷食えや飲めやのどんちゃん騒ぎ.

먹장-구름 〈名〉 黒雲.

먹-지 【—紙】 〈名〉 ⇨ 복사지(複寫紙)

먹통 〈名〉 '멍청이 ぼんくら'の俗っぽい言い方: あほう. とんま.

***먹히다** [mŏk'ida] 〈自〉 ❶'먹다 食う'の受け身. ㉠食われる. のまれる. えじきになる. 句例 먹느냐 먹히느냐의 싸움 食うか食われるかの戦い / (술을 마시는 게 아니라) 술에 ~ (酒を飲むのでなく)酒にのまれる / 개구리가 뱀에게 ~ 蛙が蛇にのまれる. ㉡(お金などが)かかる. 句例 노임이 비싸게 ~ 労賃が高くつく. 文例 생각보다 싸게 먹혔다 思ったより安上がりだった. ㉢(金を)取られる. 奪われる. 句例 사기꾼에게 돈을 ~ ぺてん師に金を取られる.

❷(飯などが)食べられる. 食欲が盛んになる. 文例 배고픈 탓인지 밥이 잘 먹힌다 おなかがすいたせいか食がよく進む.

먼-길 [mŏ:n—] 〈名〉 遠路. 文例 ~에 수고했습니다 遠路ご苦労でした.

먼-나라 [mŏ:n—] 〈名〉 遠国. 遠くの国.

먼-눈 [mŏ:n—] 〈名〉 遠目. 遠くを眺める目. 句例 ~이 밝다 遠目がきく.

먼눈(을) 팔다 ぼんやりと遠見をする.

먼-데 [mŏ:n—] 〈名〉 遠方. 遠い所. 句例 ~서 오신 손님 遠方から来られた客.

먼-동 [mŏ:n—] 〈名〉 夜明けごろの東の空. 夜明け. 暁.

먼동(이) 트다 東の空が白む. 夜が明ける.

먼-발치 [mŏ:n—] 〈名〉 やや離れた所. 句例 ~에서 선을 보다 遠目で見合いをする.

먼-산 【—山】 [mŏ:n—] 〈名〉 遠山・遠山. 遠い山. 句例 ~의 경치 遠山の景色.

****먼저** 〈副〉 先に. まず. 前もって. 句例 ~ 꾸어 간 돈 先程借りて行ったお金. 文例 ~ 갑니다〔실례합니다〕 お先に失礼します / 그가 제일 ~ 왔다 彼が真っ先にやって来た / ~ 드시죠 お先にどうぞ.

먼젓-번 【—番】 〈名〉 先程. この間. 先般. ＝지난번. 文例 ~에 갔을 때 그 이야기를 했다 この間行った時にその話をした.

****먼지** 〈名〉 ほこり(埃). ごみ. ちり(塵). 句例 ~를 뒤집어쓰다 ほこりをかぶる / ~가 쌓이다 ちりがたまる / ~투성이가 되다 ほこりだらけになる.

먼지-떨이 [—ttŏri] 〈名〉 はたき. 句例 ~로 먼지를 떨다 はたきでほこりを払う.

멀거니 〈副〉 ぼんやり. ぼうぜん(茫然)と. ＝망연히. 句例 ~ 먼산을 바라보다 ぼんやりと遠い山を眺める.

멀겋다 [mŏ:lgŏt'a] (멀거니, 멀거오) 〈形〉 ❶濁り気味だ. 句例 물이 ~ 水が濁り気味だ. ❷(おつゆなどが)薄い. 水っぽい. 句例 국이 ~ おつゆが薄い / 멀건 고깃국물 水臭い肉汁 / 멀건 우유 水っぽい牛乳.

멀게-지다 [mŏ:lgejida] 〈自〉 ❶澄む. ❷(濃度が)薄くなる.

表現 語感の小さい語は'말개지다'.

멀고-멀다 [mŏ:lgo—] (—머니, —멀어서) 〈形〉 はるかに遠い.

****멀다**[1] [mŏ:lda] (머니, 멀어서) 〈自〉 目が見えなくなる. 句例 왼쪽 눈이 ~ 左の目が見えなくなる / 돈에 눈이 ~ 金に目がくら(眩)む / 양 눈

이 ～ 両目が見えなくなる.

멀다² [mŏ:lda] (머니, 멀어서)〈形〉遠い. ❶距離が大分ある. 句例 그리 멀지 않은 곳 あまり遠くない所 / 머나먼 남쪽 나라 はるかに遠い南の国. 文例 천리 길을 머다 않고 달려왔다 千里《非常に遠い距離》の道を遠しとせず駆けつけた.
❷(時間的に)隔たりが大きい. 句例 먼 옛날 遠い昔. 文例 그것은 먼 장래의 일이다 それは遠い将来のことである / 머지 않아 봄이 온다 遠からず春が来る.
❸(血縁などが)近くない. 句例 먼 친척 遠い親類 / 가깝고도 먼 나라 近くて遠い国. 文例 멀고도 가까운 것이 남녀 사이다 遠くて近きが男女の仲である / 그와는 먼 친척간이다 彼とは遠縁の間柄である.
❹('아직 멀었다'の形で)(程度などが)及ばない. ほど遠い. 文例 그곳까지는 아직 멀었다 そこまでにはまだまだである / 대가라고 하기엔 아직 멀었다 大家と呼ぶにはほど遠い.
❺(音などが小さくて)聞こえにくい. 句例 전화(소리)가 ～ 電話が遠い.

*__멀리__ [mŏ:lli]〈副〉遠く. はるか(に). 句例 저 ～ 보이는 산 はるか向こうの山. 文例 ～서 나마 성공을 빕니다 よそながらご成功を祈ります. 語例 ～뛰기 幅飛び. 對가까이.

멀리-하다 [mŏ:lli—] (→하다)〈他〉遠ざける. 退ける. 句例 사람을 멀리하고 수군대다 人を遠ざけて〔人払いして〕ひそひそ話す / 여자를〔술을〕～ 女色〔酒〕を遠ざける.

멀미〈名・하自〉❶(乗り物の)酔い. 吐き気. 文例 뱃～로 구역질이 난다 船酔いでむかつく. 語例 차～ 車酔い / ～약 乗り物の酔いの薬. ❷嫌気.

멀미(가) 나다 ❶乗り物に酔う. 吐き気を催す. ❷嫌気がさす. 文例 이제 그의 잔소리엔 멀미가 난다 もう彼の小言には嫌気がさす.

멀미(를) 내다 嫌気を起こす. うんざりする.

멀쩡-하다 (→하다)〈形〉❶無欠だ. 欠けていない. 句例 사지(四肢)가 멀쩡한 동안은 足腰が立つうちは. 文例 그의 정신은 ～ 彼の気は確かだ. ❷(見掛けとは違って)ずうずうしい. 厚かましい. 句例 멀쩡한 놈 厚かましいやつ. **멀쩡히**〈副〉❶欠けるところなく. ❷厚かましく. ずうずうしく.

멀쩡한 거짓말 見え透いたうそ. 分かり切ったうそ.

멀찌-이 [mŏltchigi]〈副〉やや遠く. 遠めに. =멀찌감치. 句例 공을 ～ 던지다 ボールを遠めに投げる. 對가직이.

멀찍-하다 [mŏltchik'ada] (→하다)〈形〉やや遠い. 少し離れている. 對가직하다.

멀찍멀찍 [mŏltching—]〈副・하形〉それぞれがちょっと離れているさま.

*__멈추다__ ㊀〈自〉❶止まる. やむ. 句例 가게 앞에 멈춰서다 店先に立ち止まる / 울음 소리가 ～ 泣き声がやむ. ❷(雨などが)やむ. =멎다. 句例 비가 멈춘 사이에 雨の晴れ間に. 文例 비가 멈추면 가자 雨がやんだら行こうよ.
㊁〈他〉(動きなどを)一時中止する. 句例 발걸음을 ～ 足を止める. 文例 차를 멈추고 신호를 기다리고 있었다 車を止めて信号を待っていた / 일손을 멈추고 한 대 피우자 仕事の手を休めて一服しよう.

멈칫〈副・하自他〉(驚いたりして動作を)はたと中止するさま: ぴたっと. ぎょっと. 文例 그를 보자 ～하였다 彼を見るなりぴたっと足を止めた. **～거리다**〈自他〉もじもじする. たじろぐ.

__멋__〈名〉❶いき(粋). しゃれ(洒落). シック. すてきなこと. 句例 ～이 있다(→小項目) / ～으로 쓰는 안경 だての眼鏡 / ～을 내다 (→小項目). 語例 ⇨멋쟁이. 類맵시. ❷風流. 風情. 趣. 類아취(雅趣). 정취(情趣). ❸物事の真味. 味. 味わい. 句例 시의 ～을 알다 詩の妙味を知る.

멋(을) 내다〔부리다〕 しゃれる. めかしこむ. 句例 멋을 내고〔부리고〕외출하다 おしゃれをして外出する.

멋(이) 들다 しゃれが身に付く. 洗練される.

멋(도) 모르다 なんの訳かを知らない. 何も知っていない. 当てずっぽうだ. 文例 멋도 모르고 거기 들어갔다가 혼이 났다 何も知らずにそこに入っていってひどい目に会った.

멋(이) 없다 無粋だ. やぼ(野暮)だ. 味気ない. 句例 멋없는 남자 無粋な男. 文例 정말 멋없는 이야기군 ほんとにやぼな話だね.

멋(이) 있다 ❶いき(粋)だ. しゃれている. すてきだ. いかす. 句例 멋있는 무늬 しゃれた柄 / 멋있는 스타일 いきな〔いかす〕スタイル. 文例 양복이 아주 멋있네요 洋服がとてもすてきですね. ❷味がある. 風雅だ. 趣がある. 句例 멋있는 정원 趣のある庭. 文例 꽤 멋있는 말을 한다 なかなか味なことを言う.

멋-대가리〈名〉'멋 しゃれ'の俗っぽい言いかた. 句例 ～ 없이 키만 큰 녀석 いやに背ばかり伸びたやつ / ～ 없다 味もそっけもない.

멋-대로〈副〉気ままに. 勝手に. 句例 ～ 지껄여대다 勝手にしゃべりまくる / ～ 자란 놈 野育ち者. 文例 ～ 해라 勝手にしろ / 제 ～다 自分勝手だ.

멋-들어지다 [mŏttŭrŏjida]〈形〉しゃれている. いかす. =멋지다. 文例 저 드레스는 아주 멋들어진데 あのドレスはほんとにいかすね / 정말 멋들어진데 なかなかいかすじゃないか.

멋-없다 [mŏdŏpta] ⇨'멋'の小項目

멋-없이 [mŏdŏpshi]〈副〉いやに. 格好もなく. やぼったく. 句例 멋없이 길다 いやに長い. 文例 저 녀석은 멋없이 키만 크군 あいつは無格好に背ばかり高いね.

__멋-쟁이__〈名〉おしゃれな人. しゃれ者. めかし屋. 句例 당대의 ～ 当代のしゃれ者. 文例 그 친구 꽤 ～로군 あの男なかなかのおしゃれ屋だな.

멋-지다〈形〉❶⇨멋들어지다. 句例 멋진 옷차림 シックな装い. 文例 이 모자 아주 멋진데 この帽子なかなかいかすね. ❷すばらしい. すてきだ. 見事だ. 句例 멋진 연기〔플레이〕見事な演技〔プレー〕/ 멋진 솜씨 鮮やかな腕前. 文例 지휘 솜씨가 ～ 指揮ぶりが見事だ. 語例 멋지게 すてきに. いきに. 見事に.

멋-쩍다〈形〉❶ぎこちない. 照れ臭い. 決まり

が悪い．鼻白む．文例 혼자 가기는 좀 ～ 独りで行くのはちょっとばつが悪い．類어색하다． ❷(することや身なりが)格に合わない．やぼったい．

멍〈名〉❶あざ(痣)． ❷(内部の)故障または異常．精神的打撃．

멍(이) 들다 ❶あざができる．文例 눈에 멍이 들었다 目の周りにあざができた． ❷損ねる．痛む．むしば(蝕)む．句例 마음이 멍들다 心がむしばまれる／동심을 멍들게 하다 童心をむしばむ．文例 오늘 계획은 비가 와서 완전히 멍들었다 今日のプランは雨が降って台無しになってしまった．

멍게〈名〉〔動〕ほや(海鞘)． ＝우렁쉥이．

멍-멍〈副〉犬のほえる声：わんわん．語例 ～개《児》わんわんとほえる犬．**～거리다**〈自〉(犬が)わんわんほえる．

멍멍-이〈名〉'개 犬'の俗っぽい言いかた：わんわん《児》．

멍멍-하다 (→하다)〈形〉頭がぼうっとする．句例 정신이 ～ 気がぼうっとする．**멍멍히**〈副〉ぽかんと．ぼうっと．

멍석〈名〉むしろ(蓆)．わらむしろ．わらごも．

멍에〈名〉❶くびき(頸木)． ❷転じて，人の自由を束縛するもの．重荷．句例 ～를 짊어지다 重荷を負う《自由を束縛される》／가난의 ～를 벗어나다 貧困のくびきから逃れる．類굴레．

멍에(를) 메다〔쓰다〕 ❶くびきをかけられる． ❷自由を束縛される．

멍울〈名〉❶(牛乳やのりなどの)こご(凝)り． ❷〔醫〕リンパ節の腫．ぐりぐり．

멍울(이) 서다 ぐりぐりができる．

멍청-이〈名〉ばか．あほう(阿呆)．間抜け．三太郎(さん)． ＝멍텅구리．

***멍청-하다** (→하다)〈形〉ばかげている．ぼやっとしている．間抜けている．句例 멍청한 얼굴 とぼけた顔／멍청한 짓을 하다 間抜けた事をする．文例 멍청한 얼굴로 하늘만 쳐다보고 있었다 ぼやっとした顔で空を見上げているばかりだった．**멍청히**〈副〉ぼやっと．ぽかんと．ぼんやりと．文例 왜 그렇게 멍청히 앉아 있는 게야 なんでそんなにぽかんと座っているのかね．

멍텅구리〈名〉とんま．ばか者．ぼんくら．でくの坊． ＝멍청이．文例 나를 ～로 아는가 おれをでくの坊とでも思うのかね．

멍-하니 [mŏ:ng—]〈副〉ぽかんと．ぼんやりと．ぼうぜん(茫然)と．文例 하도 기가 막혀서 ～ 서 있었다 あまりにもあきれてただぽかんと立っていた．類멍청히．

멍-하다 [mŏ:ng—] (→하다)〈形〉ぼんやりしている．ぼやっとしている．句例 멍하게 허공만 바라보다 ぼんやりと空ばかり眺めている．文例 처음 겪는 일이라 머리가 ～ 始めてのことなので頭がぼうっとする／멍하게 있으면 남에게 속는다 うかうかすると人にだまされるぞ．

멎다〈自〉❶(雨・雪などが)やむ．句例 바람이 ～ 風がやむ． ❷(動いていたものが)止まる．句例 맥박이 ～ 脈拍が止まる／여진이 ～ 余震が収まる．

메[1]〈名〉おおづち(大槌)．絵 語例 떡～ もち(餅)つき用の大きな木づち．

메[2]〈名〉'산 山'の古めかしい言いかた．文例 태산이 높다하되 하늘 아래 ～이로다 泰山高しといえども天が下の山なり．

〈메〉

메가-〈頭〉メガ…．語例 ～사이클〔物〕メガサイクル／～톤 メガトン／～헤르츠〔物〕メガヘルツ．◇mega-

메가폰〈名〉メガホン．◇megaphone

메가폰을 잡다 メガホンを取る〔握る〕《映画などの監督をする》．

메기 [me:gi]〈名〉〔魚〕なまず(鯰)．

메기다〈他〉矢を弓につがえる．

메-꽃〈名〉〔植〕昼顔(の花)．

메뉴〈名〉メニュー．献立て． ＝차림표．◇menu

***메다**[1] [me:da] ■〈自〉ふさ(塞)がる．詰まる．句例 코멘 소리를 하다 鼻にかかった声を出す／목이 ～ 息が詰まる／구멍이 ～ 穴がふさがる．→囲み記事 34

■〈他〉'메우다'の略．

***메다**[2] [me:da]〈他〉❶担ぐ．担なう．か(舁)く．句例 낚싯대를〔총을〕～ 釣りざお(銃)を担ぐ／가마를 ～ かご(駕籠)をかく／멜대로 ～ てんびんぼう(天秤棒)で担う． ❷(責任・任務を)負う〔担なう〕．▷→囲み記事 34

메달〈名〉メダル．語例 금～ 金メダル／동～ 銅メダル．◇medal

메달리스트〈名〉メダリスト．◇medalist

메들리〈名〉❶'메들리 릴레이 メドレーリレー'の略． ❷〔樂〕メドレー． ＝접속곡(接續曲)．語例 샹송 ～ シャンソンメドレー．◇medley

메-떡〈名〉うるちもち(粳餅)．對찰떡．

***메뚜기**〈名〉〔蟲〕いなご(蝗)．ばった．

메뚜기도 유월이 한철이라 ばったも六月が盛り． ❶今を時めくようにのさばる人を皮肉ることば． ❷盛りは短かくはかないものであるとの意．

메리야스〈名〉メリヤス．◇스 medias

메리 크리스마스〈感〉メリークリスマス．◇Merry Christmas

***메-마르다** (메마르니，메말라서)〈形〉❶(土地が)干からびている．(地味が)やせている．句例 메마른 땅 やせ地．不毛の地．對걸다． ❷(人情に)潤いがない．句例 메마른 세상 潤いのない世情／인심이 ～ 人情が廃れはてている．

메모〈名・하他〉メモ．控え．句例 ～를 하다 メモをとる．メモる．語例 ～용지 メモ用紙／～장 メモ帳／～판 メモ板．◇memo

메밀〈名〉〔植〕そば(蕎麦)．語例 ～가루 そば粉／～국수 そば切り．そば．

메스〈名〉メス．◇네 mes

메스(를) 가하다 メスを入れる．

메스껍다 (메스꺼우니，메스꺼워서)〈形〉❶吐き気を催す．むかつく．むかむかする．句例 속이 ～ 胸がむかつく． ❷しゃくに障る．文例 자네가 하는 꼴〔짓〕이 죄다 ～ 君のする事なす事みんながしゃくに障るばかりだ．

메스 실린더〈名〉メスシリンダー．ガラス製円筒状体積計．◇measuring cylinder

메슥-거리다 〈自〉むかつく. 句例 속이 ~ 胸がむかつく.

메슥메슥 [mesŭng—] 〈副・하自〉むかつくさま: むかむか. 文例 말만 들어도 ~하다 聞いただけでもむかむかする.

메시아 〈名〉〔基〕メシア. イエスキリスト. =구세주(救世主). ◇Messiah

메시지 〈名〉メッセージ. 句例 ~를 보내다 メッセージを送る. ◇message

***메아리** 〈名〉山びこ. こだま. エコー. 句例 ~가 울리다 山びこが響く.

메아리 치다 こだまする. 文例 총성이 골짜기에 메아리 쳤다 銃声が谷間にこだました.

메어-꽂다 〈他〉背負い投げにする. 強く地面にたたき付ける. ほうり投げる. 略して'메꽂다'ともいう. 句例 (상대 선수를) 매트에 ~ (相手の選手を)マットにほうり投げる.

메어-치다 〈他〉肩越しに(振って)地面にたたき付ける. 略して'메치다'ともいう. 文例 달려드는 도둑을 땅바닥에 메어쳤다 飛び掛かる泥棒を地面にたたき付けた.

ㅁ

메우다[1] 〈他〉(穴または不足分などを)埋める. うず(埋)める. 補う. ふさ(塞)ぐ. 句例 구멍을 ~ 穴を埋める〔ふさぐ〕/ 적자를 ~ 赤字を埋める / 시간을 메우기 위하여 時間つなぎに. 文例 사람들이 하나씩 둘씩 빈자리를 메우기 시작했다 人人がひとりふたりと席を埋めはじめた.

메우다[2] 〈他〉 ❶(桶などの)たがをはめる. 句例 통에 테를 ~ 桶にたがをはめる. ❷(弓に)つるを張る. ❸(牛馬に)くびきをかける.

메이 데이 〈名〉メーデー. =노동절(勞動節). ◇May Day

메이드 인 〈冠〉メードイン. 語例 ~ 코리아 メードインコリア. ◇made in

메이커 〈名〉メーカー. 語例 ~품(品) メーカー物 / 일류 ~ 一流メーカー. ◇maker

메이크-업 〈名〉メーキャップ. ◇make-up

메인 〈名〉メーン. 主要. 語例 ~ 이벤트 メーンエベント. メインイベント / ~ 스탠드 メーンスタンド. ◇main

메조 〈名〉〔樂〕メゾ. 語例 ~ 소프라노 メゾソプラノ. ◇이 mezzo

메조 포르테 〈名〉〔樂〕メゾフォルテ. やや強く《略号 mf.》. ◇이 mezzo forte

메조 피아노 〈名〉〔樂〕メゾピアノ. やや弱く《略号 mp.》. ◇이 mezzo piano

메주 〈名〉みそ玉こうじ(麴). 語例 ~콩 みそ豆.

메추라기 〈名〉〔鳥〕うずら(鶉). 略して'메추리'ともいう.

메추리 〈名〉〔鳥〕'메추라기'の略.

메-치다 [me:ch'ida] 〈他〉'메어치다'の略.

메카 〈名〉メッカ. ❶〔地〕マホメットの生地. ❷ある分野の中心地. または, その起源地. 文例 파리는 패션의 ~이다 パリはファッションのメッカだ. ◇Mecca

메케-하다 (→하다) 〈形〉❶煙い. ❷かび臭い. 表現 語感の小さい語は'매캐하다'.

메탄 〈名〉〔化〕メタン. 語例 ~ 가스 メタンガス. ◇methane

메트로놈 [met'ŭrono:m] 〈名〉〔樂〕メトロノーム. =박절기(拍節器). ◇metronome

멘델 법칙 【Mendel法則】 〈名〉〔生〕メンデルの法則. メンデリズム.

멘탈 테스트 〈名〉メンタルテスト. =지능 검사(知能檢査). ◇mental test

멜-대 [me:lttae] 〈名〉てんびんぼう(天秤棒). 句例 ~를 메다 てんびんぼうを担ぐ.

멜로드라마 〈名〉メロドラマ. ◇melodrama

멜로디 〈名〉メロディー. =선율(旋律). ◇melody

***멜로디언** 〈名〉〔樂〕メロディオン. ◇melodion

멜론 〈名〉〔植〕メロン. ◇melon

멜빵 〈名〉❶(荷物を背負う)背負いバンド. ❷(小銃などの)肩ひも. ズボンつり. サスペンダー.

멤버 〈名〉メンバー. 文例 ~가 다 모였다 (メンバーの)顔触れがそろった. 語例 ~십 メンバーシップ / 구성 ~ 構成メンバー / 베스트 ~ ベストメンバー. ◇member

멥쌀 〈名〉うるち(粳). うるち米. 對찹쌀.

***멧-돼지** 〈名〉〔動〕いのしし(猪). =산돼지.

멧-부리 〈名〉山の頂. 山頂さん. 類산봉우리.

며 〈助〉…や. …やら. …で. …にして. 文例 과자 ~ 주스를 샀다 菓子やジュースを買った / 배~ 사과~ 많이 먹었다 なしやらりんごやらたくさん食べた / 그는 화가~ 시인이다 彼は画家にして詩人である.

表現 二つ以上のものを列挙するとき, 終声のない体言に付く接続助詞. 終声のある体言に付くときには'이며'になる. 선생이며 학생이며 모두 한 마음 先生も学生もみな同じ心.

며느-님 〈名〉よその息子の嫁をやや高めて指す語: お嫁さん. 文例 댁의 ~께서는 효성이 대단하십니다 お宅のお嫁さんは立派な孝行者ですね.

며느리 〈名〉息子の妻. =자부(子婦). 句例 ~를 맞아들이다 嫁を迎える〔もらう〕/ ~를 구박해서 내쫓다 嫁をいびり出す. 文例 며느릿감이 없다 息子の嫁になり手がない / 작년에 ~를 보았습니다 昨年息子の嫁をもらいました. 語例 손자 ~ 孫の妻 / 조카 ~ おい(甥)の妻. 對사위.

며느리가 미우면 손자까지 밉다 嫁が憎いと孫まで憎い. 坊主憎けりゃけさ(袈裟)まで憎い.

며칟-날 [myŏch'innal] 〈名〉何日. いつ. 略して'며칠'ともいう. 文例 오늘이 ~이지 今日は何日かね.

***며칠** 〈名〉❶'며칟날'の略. 文例 입학식은 ~이냐 入学式はいつかね. ❷幾日. 数日. 文例 ~ 안 있으면 겨울 방학이다 間もなく冬休みだよ.

멱-감다 [myŏ:kkamtta] '미역 감다'の略.

멱-따다 〈自他〉のどくびを刺す. 殺す. 句例 돼지 멱따는 소리 (→'돼지'の小項目).

멱-살 〈名〉❶のどくび辺りの肉. ❷胸ぐら.

멱살(을) 잡다 胸ぐらをつかむ. 句例 멱살을 잡고 싸우다 胸ぐらを取り合ってけんかする.

***면**[1] 【面】 [myŏ:n] 〈名〉面. ❶つら. ㉠顔. =안면(顔面). 句例 ~을 가리다 顔をかくす. ㉡['체면(體面)'の略] メンツ(面子).

❷(剣道の)面ぼお.
❸表. 表面. [句例] 달의 앞~과 뒷~ 月の表側と裏側.
❹〔數〕面. [句例] 선과 ~ 線と面 / 마주 대하는 두 개의 ~ 相対する二つの面.
❺(新聞の)紙面. [語例] 정치~ 政治面.
❻分野. 方面. 部分. [句例] 경제적인 ~에서 経済的な面で / 사회의 어두운 ~ 社会の暗い面. [文例] 그것은 여러 ~으로 소중한 것이다 それは多面にわたって緊要なものである.

*면² 【面】 [myŏ:n] 〈名〉 面ミョン・めん《行政区画の下級単位. 村に当たる》. [語例] ⇨ 면장 / ⇨ 면사무소.

면 【綿】 〈名〉 綿. 木綿. =무명. [語例] ~셔츠 綿のシャツ.

면 【麪】 〈名〉 めん(麵). =국수.

면　〔漢字項目〕

【免(免)】 [中學] 면 メン. ❶피하다 逃れる. 면하다 免れる. ◧免急 면급 めんきゅう. 免辱 면욕 めんじょく. 免責 면책 めんせき. ❷허락하다 許す. 방면하다 自由にしてやる. ◧免状 면장 めんじょう. 免税 면세 めんぜい. 免罪 면죄 めんざい. ◨放免 방면 ほうめん. 赦免 사면 しゃめん. ❸내치다 やめさせる. 해고하다 解雇させる. ◧免官 면관 めんかん. 免職 면직 めんしょく.

【勉】 [中學] 면 べん. 힘쓰다 努める. 노력하다 努力する. ◧勉學 면학 べんがく. 勉勵 면려 べんれい. ◨勤勉 근면 きんべん. 勸勉 권면 かんべん.

【眠】 [中學] 면 ミン. ❶자다 ねむる. ◧眠食 면식 みんしょく. ◨假眠 가면 かみん. 熟眠 숙면 じゅくみん. 不眠 불면 ふみん. ❷잠 ねむり. ◨睡眠 수면 すいみん. 冬眠 동면 とうみん.

【綿】 [高校] 면 メン. ❶솜 わた. 풀솜 まわた. ◧綿絲 면사 めんし. 綿布 면포 めんぷ. 棉花 면화 めんか. ◨純綿 순면 じゅんめん. 石綿 석면 せきめん. いしわた. 海綿 해면 かいめん. ❷이어지다 つらなる. ◧綿延 면연 めんえん. 綿連 면련 めんれん. 綿綿 면면 めんめん. ❸자잘하다 細かい. 연약하다 かよわい. ◧綿弱 면약 めんじゃく. 綿密 면밀 めんみつ. 綿力 면력 めんりょく.

【面】 [中學] 면 メン. ❶낯 つら. 얼굴 かお. おも. おもて. ◧面相 면상 めんそう. 面目 면목 めんぼく. めんもく. 面貌 면모 めんぼう. 面識 면식 めんしき. ◨假面 가면 かめん. 顔面 안면 がんめん. ❷대면하다 むきあう. ◧面會 면회 めんかい. 面談 면담 めんだん. 面前 면전 めんぜん. ◨對面 대면 たいめん. 直面 직면 ちょくめん. ❸(사물의) 표면 うわつら. ◨平面 평면 へいめん. 曲面 곡면 きょくめん. 壁面 벽면 へきめん. 前面 전면 ぜんめん. ❹글자나 그림으로 만들어지는 면 文字や図形で作られる面. ◨圖面 도면 ずめん. 畫面 화면 がめん.

면담 【面談】 [myŏ:ndam] 〈名・하自〉 面談. [語例] ~ 금지 面談禁止. ㊫면회(面會).

면도 【面刀】 [myŏ:ndo] 〈名・하自他〉 ❶ひげをそること. シェービング. [語例] ~날 かみそりの刃 / ~질 ひげそり / ~ 자국 そり跡. ❷'면도칼 かみそり'の略.

면-면 【面面】 [myŏ:nmyŏn] 〈名〉 ❶面面. ㉠諸方面. ㉡めいめい(銘銘). 各自. [文例] 중역의 ~이 다 모였다 重役の顔触れがそろった. ❷多くの面ミョン. **~이** [myŏnmyŏni] 〈副〉 ❶各各おのが. ❷(行政区画の)面ミョンごとに.

면면-하다 【綿綿―】 (→하다) 〈形〉 綿綿としている. 長く続いて絶えない. **면면히** 〈副〉 綿綿と. [句例] 면면히 끊이지 않다 綿綿として絶えない / 면면히 이어지는 학교의 찬란한 전통 綿綿と続くさんらんたる学校の伝統.

면모 【面貌】 [myŏ:nmo] 〈名〉 ❶面貌. 容貌. 顔立ち. ❷外観. 様相. 姿. [句例] 서울의 ~를 일신하다 ソウルの姿を一新する.

면목 【面目】 [myŏ:nmok] 〈名〉 面目. 体面. =체면. [句例] ~을 잃다 面目を失う / ~이 서지 않는다 面目が立たない. **~없다** [myŏ:nmogŏpta] 〈形〉 面目ない. (人に)会わせる顔がない. (人に)顔向けができない. **~없이** [myŏ:nmogŏpshi] 〈副〉 面目なく. 不面目に.

면밀-하다 【綿密―】 (→하다) 〈形〉 綿密だ. [句例] 면밀한 계획을 세우다 綿密な計画を立てる. **면밀히** 〈副〉 綿密に. [句例] 면밀히 조사하다 綿密に調べる.

면박 【面駁】 [myŏ:nbak] 〈名・하他〉 面と向かって非難すること. [句例] 호되게 ~을 주다 面と向かってひどく攻撃する.

면-방적 【綿紡績】 〈名〉 綿糸紡績. 略して'면방(綿紡)'ともいう.

면사 【綿絲】 〈名〉 綿糸. =무명실.

면-사무소 【面事務所】 [myŏ:n―] 〈名〉 面ミョン事務所《村役場に当たる》. 略して'면소(面所)'ともいう.

면사-포 【面紗布】 [myŏ:nsap'o] 〈名〉 ❶(花嫁の)ベール. [句例] ~를 쓰다 (花嫁が)ベールをかける. 結婚式を挙げる. ❷花嫁が新郎の家に始めて入るときに, 全身をおおう黒いベール. =면사보(面紗褓).

면상 【面上】 [myŏ:nsang] 〈名〉 顔面. [句例] ~을 후려갈기다 面を張り飛ばす.

면-서기 【面書記】 [myŏ:nssŏgi] 〈名〉 面ミョン書記. 面ミョンに勤める役人.

면-섬유 【綿纖維】 [―sŏmyu] 〈名〉 綿の繊維.

면세 【免稅】 [myŏ:nse] 〈名・하他〉 免税. [語例] ~점 免税店 / ~ 조치 免税措置 / ~ 수입품 免税輸入品.

면세-점 【免稅點】 [myŏ:nsetchŏm] 〈名〉 免税点. [句例] ~을 인상하다 免税点を引き上げる.

면양 【緬羊・綿羊】 [myŏnyang] 〈名〉〔動〕 綿羊. =양(羊).

면역 【免疫】 [myŏ:nyŏk] 〈名・하他〉 免疫. [文例] 아버지 잔소리에는 이제 ~이 되었다 おやじの小言にはもう免疫になった. [語例] ~성 免疫性 / ~체 免疫体.

면장 【面長】 [myŏ:njang] 〈名〉 面ミョンの長《村長に当たる》.

*면적 【面積】 [myŏ:njŏk] 〈名〉〔數〕 面積. =넓이. [句例] ~이 넓다 面積が広い / ~을 내다 面

積を出す. 語例 바닥 ~ 床面積.

면전【面前】[myŏ:njŏn]〈名〉面前. 句例 남의 ~에서 욕을 하다 人の面前で悪口を言う.

면접【面接】[myŏ:njŏp]〈名・하自他〉❶面接. 対面. =면대(面對). ❷'면접 시험 面接試験'の略. 文例 ~(시험)만 치르면 됩니다 面接試験さえ受ければよいのです.

면제【免除】[myŏ:nje]〈名・하他〉免除. 句例 채무를 ~하다 債務を免除する / 병역을 ~ 받다 兵役を免除される.

면-제품【綿製品】〈名〉綿製品.

면직【免職】[myŏ:njik]〈名・하他〉免職. 句例 직무 태만으로 ~되다 職務怠慢で免職になる. 語例 ~ 처분 免職処分.

면직-물【綿織物】[myŏnjingmul]〈名〉綿織物. 略して'면직(綿織)'ともいう.

면책【免責】[myŏnch'aek]〈名・하自〉免責. 語例 ~ 특권 免責特権 / ~ 행위 免責行為.

면포【綿布】〈名〉綿布. =무명.

면-하다【免―】[myŏ:n―](→하다)〈他〉免れる. ❶許される. 免除される. 句例 책임을 ~ 責任を免れる / 세금을 면해 주다 税金を許す. ❷逃れる. 句例 체포를 ~ 逮捕を免れる. ❸被らないで済む. 句例 수해를 ~ 水害を免れる. 文例 간신히 죽음은 면했다 辛うじて死は免れた.

면-하다【面―】[myŏ:n―](→하다)〈自他〉面する. 向く. 臨む. 句例 바다에 면한 방 海を向いている部屋 / 위기에 ~ 危機に直面する. 文例 그 호텔은 항구에 면해 있다 そのホテルは港に面している.

면학【勉學】[myŏ:nhak]〈名・하自〉勉学. 句例 ~에 힘쓰다 勉学にいそしむ〔励む〕. 語例 ~열 勉学熱.

면허【免許】[myŏ:nhŏ]〈名・하他〉免許. 句例 운전 ~를 따다 運転免許を取る. 語例 ~세 免許税 / ~증 免許証 / ~장 免許状.

*__면화__【綿花・棉花】〈名〉綿花. =목화(木花). 語例 ~씨 綿種.

면회【面會】[myŏ:nhoe]〈名・하自他〉面会. 句例 ~를 신청하다 面会を申し込む. 語例 ~일 面会日 / ~ 사절 面会謝絶.

멸	〔漢字項目〕

【滅】高校 멸 メツ. ❶멸망하다 滅びる. 멸망케 하다 滅ぼす. ■滅却 멸각 めっきゃく. 滅菌 멸균 めっきん. 滅裂 멸렬 めっれつ. ■撃滅 격멸 げきめつ. 自滅 자멸 じめつ. 破滅 파멸 はめつ. ❷불빛을 끄다 明かりをけす. ■明滅 명멸 めいめつ. 點滅 점멸 てんめつ. ❸불타의 죽음 仏陀の死. ■滅度 멸도 めつど. 滅後 멸후 めつご.

멸공【滅共】〈名・하自〉共産主義(者)を滅ぼすこと.

멸구〈名〉〔蟲〕うんか.

멸균【滅菌】〈名・하自他〉滅菌. =살균(殺菌). 句例 ~된 식품 滅菌された食品.

멸망【滅亡】〈名〉滅亡. **~하다**〈自〉滅亡する. 滅びる. 句例 나라를 ~으로 이끌다 国を滅亡に導く.

*__멸시__【蔑視】[myŏlssi]〈名〉蔑視. **~하다**〈他〉蔑視する. さげすむ. 見下す. 見下げる.

멸종【滅種】[myŏltchong]〈名・하自他〉種を絶やすこと. 句例 ~이 되다 種が絶滅する.

**멸치〈名〉〔魚〕かたくちいわし(片口鰯). かたくち《略》. ひしこ(鯷). 語例 ~조림〔料理〕かたくちいわしの煮付け.

멸-하다【滅―】(→하다)〈他〉滅する. 滅ぼす. 絶やす. 亡くす. 句例 적을 ~ 敵を滅ぼす.

명【命】[myŏ:ng]〈名〉命. ❶命. 寿命. =목숨. 句例 ~이 길다 命が長い. ❷'운명'の略. 文例 생사에는 ~이 있다 死生命あり. ❸'명령'の略. 句例 ~을 받들다 命を奉じる / 대장의 ~을 기다리다 隊長の命を待つ.

명-【名】〈頭〉名…. 語例 ~투수 名投手 / ~가수 名歌手 / ~배우 名優.

명	〔漢字項目〕

【冥】高校 명 メイ. ❶어둡다 くらい. 무식하다 無学だ. ■冥蒙 명몽 めいもう. 冥晦 명회 めいかい. 冥冥 명명 めいめい. 冥昏 명혼 めいこん. ■晦冥 회명 かいめい. ❷어리석다 愚かだ. ■冥頑 명완 めいがん. 冥煩 명번 めいはん. ❸깊은 마음 心の奥. ■冥想 명상 めいそう. ❹신불의 작용 神仏の働き. ■冥加 명가 めいか. 冥感 명감 めいかん. ❺죽은 사람의 세계 死者の世界. ■冥界 명계 めいかい. 冥府 명부 めいふ. 冥福 명복 めいふく.

【名】中學 명 メイ. ミョウ. ❶이름 なまえ. ■名家 명가 めいか. 名目 명목 めいもく. みょうもく. 名詞 명사 めいし. 名稱 명칭 めいしょう. ■改名 개명 かいめい. 姓名 성명 せいめい. 筆名 필명 ひつめい. ❷이름을 짓다 なづける. ■命名 명명 めいめい. 作名 작명 さくめい. ❸이름이 나다 名高い. ■名曲 명곡 めいきょく. 名作 명작 めいさく. 名山 명산 めいざん. 名士 명사 めいし. 名筆 명필 めいひつ. 名畫 명화 めいが. ■功名 공명 こうみょう. 有名 유명 ゆうめい. ❹사람의 수를 세는 말 人を数える語. ■數名 수명 すうめい. 五名 오명 ごめい.

【命】中學 명 メイ. ミョウ. ❶목숨 いのち. ■命脈 명맥 めいみゃく. 命日 명일 めいにち. ■救命 구명 きゅうめい. 生命 생명 せいめい. 壽命 수명 じゅみょう. ❷분부하다 言いつける. ■命令 명령 めいれい. ■官命 관명 かんめい. 社命 사명 しゃめい. 王命 왕명 おうめい. ❸이름을 짓다 名づける. ■命名 명명 めいめい. 命題 명제 めいだい. ❹운수 運勢. ■命數 명수 めいすう. ■運命 운명 うんめい. 宿命 숙명 しゅくめい. 天命 천명 てんめい.

【明(明)】中學 명 メイ. ミョウ. ❶밝다 明るい. ■明鏡 명경 めいきょう. 明星 명성 みょうじょう. 明月 명월 めいげつ. ■光明 광명 こうみょう. 淸明 청명 せいめい. ❷밝히다 明らかにする. ■明記 명기 めいき. 明示 명시 めいじ. ■究明 구명 きゅうめい. 證明 증명 しょうめい. ❸총명하다 さとい. 현명하다 賢い. ■明哲 명철 めいてつ. 明敏 명민 めいびん. ■英明 영명 えいめい. 聰明 총명 そうめい. ❹날이 밝다 夜が明ける. ■明朝 명조 みょうちょう. 明日 명일 みょうにち. あす. ❺신성한 것 神聖なもの. ■明器 명기 めいき. 明神 명신

みょうじん. 明衣 명의 めいい.

【銘】[高校] 명 メイ. ❶새기다 刻みこむ. ◧銘刀 명도 めいとう. 銘文 명문 めいぶん. 銘刻 명각 めいこく. 銘旌 명정 めいせい. ◧碑銘 비명 ひめい. ❷마음에 새기다 心に刻み付ける. ◧銘戒 명계 めいかい. 銘記 명기 めいき. 銘心 명심 めいしん. ❸이름이 난 상등품 名の通った上等品. ◧銘菓 명과 めいか. 銘茶 명차 めいちゃ.

【鳴】[中學] 명 メイ. ミョウ. ❶(새가)울다 鳴く. ◧鳴禽 명금 めいきん. 鳴吠 명폐 めいはい. ◧悲鳴 비명 ひめい. 哀鳴 애명 あいめい. ❷(소리가) 울리다 鳴る. ◧鳴琴 명금 めいきん. 鳴絃 명현 めいげん. 鳴動 명동 めいどう.

명견【名犬】〈名〉名犬.

명구【名句】〈名〉名句. [句例] 고금의 ~ 古今の名句.

명궁【名弓】〈名〉❶弓の名手. ❷有名な弓. 由緒ぶかい弓.

명기【名妓】〈名〉名妓.

명기【明記】〈名・하他〉明記. [句例] 양도를 ~하다 譲渡を明記する.

명-나방【螟―】〈名〉〔蟲〕めいが(螟蛾).

명년【明年】〈名〉明年. 来年. =내년.

명단【名單】〈名〉名簿. リスト. [句例] ~에 오르다 名簿にのる. [語例] 회원 ~ 会員名簿.

명답【名答】〈名〉名答. すぐれた答え. [文例] ~이십니다 ご名答です.

명당【明堂】〈名〉❶⇨ 명당 자리. ❷墓の前の平地. ❸明堂. 王の謁見の間またはその宮殿.

명당 자리【明堂―】[―tchari]〈名〉〔民〕❶(風水説で)墓地として使うのに非常によいとされる所. =명당. ❷非常に立派な場所または地位のたとえ.

명란【明卵】[myŏngnan]〈名〉たら子. スケソウダラ〔明太〕の腹子(はらご・はらこ). [語例] ~젓 たら子. 明太子.

***명랑-하다**【明朗―】[myŏngnang―] (→하다)〈形〉明朗だ. 朗らかだ. [句例] 명랑한 성격 明朗な性格 / 명랑한 사회 明るい社会.

***명령**【命令】[myŏ:ngnyŏng]〈名・하他〉命令. 命. 言いつけ. 略して'명(命)'ともいう. [句例] ~받다 命令される / ~을 내리다 命令を下す / 말투가 ~적이다 言い方が命令的だ. [語例] ~권 命令権 / ~어 命令語 / ~문 命令文 / ~조 命令調.

명료【明瞭】[myŏngnyo]〈名〉明瞭. **~하다**〈形〉明瞭だ. [語例] 간단 ~ 簡単明瞭.

명마【名馬】〈名〉名馬.

명망【名望】〈名〉名望. [句例] ~이 높다 名望が高い. [語例] ~가 名望家.

명맥【命脈】[myŏ:ngmaek]〈名〉命脈. [句例] 적의 ~을 끊다 敵の命脈を絶つ / 겨우 ~을 유지하다 かろうじて命脈を保つ.

명명【命名】[myŏ:ngmyŏng]〈名・하自〉命名. 名づけ. [語例] ~식 命名式.

명목【名目】〈名〉名目. [文例] 그는 ~상의 사장일 뿐이다 彼は名目上の社長にすぎない. [語例] ~ 임금 名目賃金.

명문【名文】〈名〉名文. [文例] 고금의 ~으로 일컬어진다 古今の名文と称される.

명문【名門】〈名〉名門. 名族. [語例] ~ 거족(巨族) 優れた家柄と誉れ高い氏族 / ~ 출신 名門の出 / ~ 학교 名門校.

명문【明文】〈名〉明文. [文例] 법률에 ~이 없다 法律に明文がない. [語例] ~화 明文化.

명물【名物】〈名〉名物. [文例] 그는 이 동네의 ~이다 彼はこの町の名物男である / 대구의 ~은 사과다 大邱の名物はりんごである.

명-배우【名俳優】〈名〉名優. 略して'명우(名優)'ともいう.

명백-하다【明白―】[myŏngbaek'ada] (→하다)〈形〉明白だ. 明らかだ. [句例] 명백한 사실 明白な事実. [文例] 허위임이 명백해졌다 うそであることが明らかになった. **명백히** [myŏngbaek'i]〈副〉明白に. 明らかに. はっきりと. [文例] 사건의 진상이 명백히 밝혀졌다 事件の真相が明らかにされた.

***명복**【冥福】〈名〉冥福. [句例] 고인의 ~을 빌다 故人〔亡き人〕の冥福を祈る.

명부【名簿】〈名〉名簿. [句例] ~에 오르다 名簿にのる. [語例] 학생회 ~ 生徒会名簿. ㊮명단(名單).

명분【名分】〈名〉名分. [文例] 그것만으로는 ~이 안 선다 それだけでは名分が立たない / 뚜렷한 ~이 있다 はっきりした名分がある. [語例] 대의 ~ 大義名分.

명사【名士】〈名〉名士. [句例] 그 고장의 ~ 土地の名士.

명사【名詞】〈名〉名詞. [語例] ~구 名詞句 / ~절 名詞節 / 고유 ~ 固有名詞.

명사-형【名詞形】〈名〉〔言〕名詞形. 用言の語幹に'-ㅁ''-음''-기'が付いて, 名詞のはたらきをする活用形. たとえば'배움・배우기 学び', '놂・놀기 遊び', '젊음 若さ'など.

명산【名山】〈名〉名山. [語例] ~ 대찰 名山と大刹 / ~ 영봉 名山霊峰.

명산【名産】〈名〉名産. 名物. [語例] ~지 名産地 / ~물 名産物 / ~물 전시회 名産展.

명상【瞑想・冥想】〈名・하自〉瞑想. [句例] ~에 잠기다 瞑想にふける. [語例] ~곡 瞑想曲.

명색【名色】〈名〉(実質が伴わない)肩書き. 名. 名目. [句例] ~만의 답례 形ばかりのお返し / ~뿐인 임금 申し訳ばかりの賃金. 形ばかりの賃金. [文例] 이래 봬도 난 ~이 사장이야 こう見えてもわしは一応は社長なんだ.

명색이 좋다 肩書きだけが目立つ.

명석【明晳】〈名〉明晰. **~하다**〈形〉明晰である. [句例] ~한 논리〔두뇌〕 明晰な論理〔頭脳〕. [語例] 두뇌 ~ 頭脳明晰.

***명성**【名聲】〈名〉名声. [句例] ~을 얻다〔잃다〕 名声を得る〔失う〕. [文例] 세계 음악계에 ~을 떨치다 世界の音楽界に名声を博する.

명세【明細】〈名・하形〉明細. [語例] ~서 明細書. **~히**〈副〉明細に. 詳細に.

***명소**【名所】〈名〉名所. [句例] ~를 찾다 名所を訪ねる. [語例] ~ 순례 名所巡り.

명수【名手】〈名〉名手. =명인(名人). [句例] 사격의 ~ 射撃の名手.

ㅁ

명승【名勝】〈名〉名勝. 語例 ~ 고적 名勝旧跡. 名勝古跡 / ~지 名勝地.

명시【名詩】〈名〉名詩. 語例 ~선 名詩選.

명시【明示】〈名・하他〉明示. 句例 내용을 ~하다 内容を明示する.

명실【名實】〈名〉名実. 語例 ~ 상부(相符) 名実相伴うこと.

명실 공(共)히 名実ともに. 文例 그는 ~ 대학자이다 彼は名実ともに大学者である.

명심【銘心】〈名〉銘記. 銘肝. **~하다**〈他〉(肝に)銘じる. 銘記する. 文例 선생님의 말씀은 ~해야 한다 先生のおことばを肝に銘じなければならない.

*__명아주__〈名〉〔植〕あかざ(藜).

명암【明暗】〈名〉明暗. 文例 인생에는 ~이 있게 마련이다 人生には明暗がつきものだ.

명약관화-하다【明若觀火—】(→하다)〈形〉火を見るよりも明らかだ. 句例 명약관화한 사실 火を見るよりも明らかな事実.

ㅁ

명언【名言】〈名〉名言.

명-연기【名演技】[—nyŏn-gi]〈名〉名演技.

명예【名譽】〈名〉名誉. 栄誉. 誉れ. 句例 ~를 걸고 名誉にかけて / ~를 더럽히다 名誉を汚す / ~를 훼손하다 名誉をきずつける. 語例 ~ 교수 名誉教授 / ~ 시민 名誉市民 / ~ 회복 名誉回復 / ~직 名誉職. **~스럽다**(→스럽다)〈形〉⇨ ~롭다. 文例 참으로 ~스러운 일이다 実に名誉なことだ. **~롭다**(→롭다)〈形〉名誉である. 誉れ高い. 句例 ~로운 은퇴 名誉ある引退 / ~로운 우승을 차지하다 名誉ある優勝を占める. **~로이**〈副〉名誉に. 句例 ~로이 여기다 名誉に思う.

명예 훼손【名譽毀損】[—hwe:son]〈名〉〔法〕名誉棄損. 句例 ~으로 제소하다 名誉棄損で訴える.

명왕-성【冥王星】〈名〉〔天〕冥王星.

명월【明月】〈名〉明月. 語例 ~ 청풍 明月と清風.

명의【名義】〈名〉名義. 語例 ~인 名義人 / ~ 변경 名義変更 / 타인 ~ 他人名義.

명의【名醫】〈名〉名医. 句例 ~의 진찰을 받다 名医にかかる.

명인【名人】〈名〉名人. 達人. 句例 ~의 솜씨 名人芸. 語例 ~ 기질(氣質) 名人かたぎ.

명일【名日】〈名〉'명절(名節) 民俗的な祝祭日'と'국경일(國慶日) 国民の祝日'の通称.

명일【明日】〈名〉明日・あす. あした. =내일(來日).

*__명작__【名作】〈名〉名作. 句例 불후의 ~ 不朽の名作. 語例 ~ 소설〔동화〕 名作小説〔童話〕. 類걸작(傑作).

*__명절__【名節】〈名〉(陰暦の元旦・仲秋などの)民俗的な祝祭日. 節句. 語例 ~날 祝祭日 / ~맞이 祝祭日の準備 / ~빔 祝祭日の晴れ着 / 추석(秋夕)~ 仲秋節《陰暦8月15日》.

명주【明紬】〈名〉絹. 絹織物. つむぎ(紬). 語例 ~실 絹糸. つむぎ糸 / ~실 꾸리 絹糸の玉.

명주옷은 사촌까지 덥다 絹物を着ればいとこまで暖かい. 身内が出世すれば一族の者までも恩恵をこうむるとのたとえ.

명중【命中】[myŏ:ngjung]〈名〉命中. 的中. **~하다**〈自他〉命中する. 命中させる. 当たる. 当てる. 句例 과녁에 ~하다 的に命中する. 語例 ~률 命中率.

명찰【名札】〈名〉名札. =명패(名牌). 이름표.

명찰【名刹】〈名〉名刹. 名高い寺.

명창【名唱】〈名〉歌の名人.

명치 [myŏ:ngch'i]〈名〉〔生〕みずおち. みぞおち. 語例 ~끝 みずおちの下の部分 / ~뼈 胸骨の下の突起.

*__명칭__【名稱】〈名〉名称. 名. =호칭. 句例 ~을 고치다 名称を改める.

명-콤비【名—】〈名〉名コンビ. 句例 오랜만에 무대에 선 옛날의 ~ 久しぶりに舞台に立った昔の名コンビ.

명쾌-하다【明快—】(→하다)〈形〉明快だ. 句例 명쾌한 답변 明快な答え. **명쾌히**〈副〉明快に.

명태【明太】〈名〉〔魚〕めんたい(明太). スケソウダラ.

명품【名品】〈名〉名品.

명필【名筆】〈名〉名筆. 語例 ~가 名筆家.

명-하다【命—】[myŏ:ng—](→하다)〈他〉❶命じる. 命令する. 句例 퇴장을 ~ 退場を命じる / 양심이 명하는 바에 따라서 良心の命じるところに従って. ❷任命する. 句例 과장에 ~ 課長に任命する. ❸命名する.

명함【名銜・名啣】〈名〉名刺. 句例 ~을 교환하다〔내놓다〕 名刺を交換する〔差し出す〕 / ~을 다 쓰다 名刺を切らす. 語例 ~판 名刺判.

명함도 못 들이다 名刺すらあげられない. 比べものにならないほど, 程度の差がはなはだしい.

명화【名畫】〈名〉名画. ❶有名な絵. 語例 ~ 모나리자 名画モナリザ. ❷優れた映画. 語例 ~ 감상 名画鑑賞.

명확-하다【明確—】[myŏnghwak'ada](→하다)〈形〉明確だ. 明らかだ. 句例 명확한 사실 明確な事実. **명확히** [myŏnghwak'i]〈副〉明確に. はっきりと. 明らかに. 文例 법률에 명확히 규정되어 있다 法律にはっきりと規定されている.

*__*몇__ ■〈冠〉体言の前に付いて, 数量のはっきりしないことを表わす語: どれくらいかの. 幾…. 何…. 語例 ~ 사람 幾人. いくたり / ~ 년 幾年. 幾とせ / ~ 시간 何時間 / ~ 번 何回. 何度.

■〈數〉不定の数量を表わす語: いくら. いくつ. 文例 모두 ~이냐 みなでいくつかね.

몇-몇 [myŏnmyŏt] ■〈名〉数量の少ないことを漠然という語: いくら. いくつ. 若干. 文例 그 중 ~은 아주 작다 そのうちのいくつかは〔幾人かは〕ひどく小さい.

■〈冠〉体言の前に付いて, 少ない数量を漠然という語: 幾. 若干. 語例 ~ 사람 若干名.

*__모__[1]〈名〉苗《特に稲の苗》.

모(를) 내다 ❶田植えをする. ❷苗木を移植する.

모(를) 심다 田植えをする.
*__모²__ 〈名〉 ❶角. ㉠物のとがって突き出た部分. 句例 ~가 난 돌 とがっている石. ㉡(性格などが)大らかでないこと. 文例 그는 ~가 없는 성격이다 彼は角がない(温厚な)性格だ. ❷〔數〕'모서리'の略: 角. 語例 세~꼴 三角形. ❸(物事を見る)角度. 側面. 句例 여러 ~로 생각하다 いろいろな角度から考える.
모(를) 내다 角ばらせる. 角を立てる. 句例 기둥을 ~ 柱を角ばらせる.
모(가) 서다 ❶角が立つ. ❷性質が気難しい.
모(가) 지다 角ばっている. 角がある. 文例 모가 지게 말을 하지 마라 角のある話し方をするな.
모【母】母. =어머니. 語例 ~회사 親会社.
*__모__【某】[mo:] ━〈名〉 なにがし(某). =아무개. 句例 박~의 집 朴なにがしの家. 語例 김~ 金なにがし.
━〈冠〉某. (と)ある. 句例 ~회사의 ~사장 ある会社の某社長. 語例 ~씨 某氏 / ~처 某所.

모 〔漢字項目〕

【募】高校 모 ボ. ❶뽑다 募る. 모집하다 募集する. ◧募兵 모병 ぼへい. ◧公募 공모 こうぼ. ❷부르다 招く. 불러 모으다 招き集める. ◧招募 초모 しょうぼ. 應募 응모 おうぼ.

【慕】高校 모 ボ. 사모하다 慕う. 그리워하다 恋しく思う. ◧戀慕 연모 れんぼ. 追慕 추모 ついぼ. 思慕 사모 しぼ.

【暮】中學 모 ボ. ❶저물다 暮れる. 해가 지다 日が暮れる. ◧暮色 모색 ぼしょく. 薄暮 박모 はくぼ. ❷늦다 遅い. ㉠계절의 끝 四季の終わり. ◧暮春 모춘 ぼしゅん. 暮秋 모추 ぼしゅう. ㉡나이 먹다 年をとる. ◧暮年 모년 ぼねん. ❸밤 夜. ◧暮夜 모야 ぼや.

【某】高校 모 ボウ. ❶아무 なにがし. 성명을 알 수 없는 사람 名前が分からない人. ◧某氏 모씨 ぼうし. 某教師 모교사 ぼうきょうし. ❷어떠한 일·물건·장소 ある事·物·場所. ◧某種 모종 ぼうしゅ. 某處 모처 ぼうしょ.

【模】高校 모 モ. ボ. ❶법 法. 법식 法式. 규범 規範. ◧軌模 궤모 きぼ. ❷본 かた. 본보기 手本. ◧模範 모범 もはん. ❸무늬 模様. ◧模樣 모양 もよう. ❹본뜨다 まねる. ◧模寫 모사 もしゃ. 模倣 모방 もほう.

【母】中學 모 ボ. ❶어머니 母. 또, 어머니뻘의 여자 また, 母ぐらいの年の女. ◧母后 모후 ぼこう. 母堂 모당 ぼどう. ◧父母 부모 ふぼ. 繼母 계모 けいぼ. ❷출신지 出身地. ◧母校 모교 ぼこう. 母國 모국 ぼこく. ❸할미. 나이 먹은 여자 年をとった女. ◧漂母 표모 ひょうぼ.

【毛】中學 모 モウ. ❶털 毛. ㉠사람 또는 짐승의 털 人間または獣や鳥の毛. ◧毛筆 모필 もうひつ. ◧羽毛 우모 うもう. ㉡수염 또는 머리카락 ひげや髪の毛. ◧毛髮 모발 もうはつ. ❷지극히 가벼운 것 至極軽いもの. ◧鴻毛 홍모 こうもう. ❸풀이나 작물이 자라다 草や作物が育つ. ◧不毛地 불모지 ふもうのち. 二毛作 이모작 にもうさく. ❹근소 わずか. 가는 것 細いもの. ◧毛細管 모세관 もうさいかん. ◧毫毛 호모 ごうもう.

【矛】高校 모 ム. ボウ. 창 矛(끝이 두 가닥으로 된 것은 '과(戈)'라고 함 先が二またになっているのは'か(戈)'と言う). ◧矛盾 모순 むじゅん. 矛戟 모극 ぼうげき.

【謀】高校 모 ボウ. ム. ❶꾀하다 謀る. ㉠책략을 세우다 策略を立てる. ◧謀議 모의 ぼうぎ. ◧陰謀 음모 いんぼう. ㉡마음을 쓰다 気遣う. ◧無謀 무모 むぼう. 遠謀 원모 えんぼう. ❷계략 計略. ◧謀計 모계 ぼうけい. 謀反 모반 むほん.

【貌】高校 모 ボウ. 모양 かたち. 외모 外見のようす. ◧外貌 외모 がいぼう. 風貌 풍모 ふうぼう. 面貌 면모 めんぼう. 美貌 미모 びぼう.

ㅁ

**__모가지__ 〈名〉 ❶'목 首'の俗っぽい言いかた: 首っ玉. 首ねっこ. 句例 ~에 매달리다 首っ玉にかじりつく. ❷'해고 解雇'の俗っぽい言いかた: 首. 句例 ~가 잘리다 解雇される. 首になる. 文例 넌 당장 ~다 お前は即刻首だ.
모가지를 자르다 ❶首を切る. ❷解雇する.
모가치 〈名〉 分け前. 取り分. 文例 네 ~가 많다 お前の分け前が多いぞ.
모개-로 〈副〉 ひっくるめて. まとめて. 一括して. 文例 ~ 사면 싸게 해드리겠소 ひっくるめてお買いになれば勉強します.
모갯-돈 〈名〉 まとまった金. かなりの金. =목돈. 文例 푼돈 모아 ~ 만들다 はした金をためてまとまった金をつくる. 反 푼돈.
모계【母系】[mo:gye]〈名〉母系. 女系. 語例 ~ 사회 母系社会. 反 부계(父系).
모골【毛骨】〈名〉 毛と骨.
모골이 송연(竦然)하다 身の毛がよだつ.
모교【母校】[mo:gyo]〈名〉 母校. 句例 그리운 ~ 懐かしい母校.
*__모국__【母國】[mo:guk]〈名〉母国. 祖国. 語例 ~어 母国語 / ~ 방문 祖国訪問.
모금【募金】〈名·하自〉募金. 語例 가두 ~ 街頭募金 / ~원 募金員. 集金員.
모금〈依名〉❶(水·酒などの)一口の分量. 句例 한 ~의 물 一口の水. 文例 겨우 한 ~의 술을 마셨다 ほんの一口のお酒を飲んだ. ❷(タバコの)一服. 句例 담배를 한 ~ 빨다 タバコを一服吸う.
**__모기__ [mo:gi]〈名〉〔蟲〕蚊. 句例 ~가 물다 蚊が刺す / ~에게 물리다 蚊にかまれる / ~가 왱왱거리다 蚊がぶんぶん飛ぶ. 語例 ~떼 蚊の群れ / ~향(香) 蚊取りせんこう / 모깃불 蚊やり火.
모기 보고 칼 빼기 蚊を見て剣を抜く. ささいなことに度を越して怒ることのたとえ.
모기-장【一帳】[mo:gi—]〈名〉 蚊帳〔蚊屋〕. 句例 ~을 치고 자다 蚊帳をつって寝る.
모깃-소리 [mo:git—]〈名〉❶蚊の羽音. ❷蚊の鳴くような声. かすかな声.
모깃소리만 하다 蚊が鳴くようだ. 声がかすかで

ある.

모-나다 ■〈自〉角立つ. 角ばる. 句例 모난 얼굴 角ばった顔.
■〈形〉❶角が立っている. 文例 바위가 모나 있다 岩の角が突き出ている. ❷円滑でない. 句例 말이 ~ 話が角立つ. ❸ずぬけている. 句例 모난 행동 並外れの行動.
모난 돌이 정 맞는다 角ばった石がのみで打たれる. 出るくい(杭)は打たれる.

모-나무 〈名〉苗木. =묘목.

***모-내기** 〈名・하自〉田植え. (苗の)植え付け. =모심기. 이앙(移秧). 句例 ~부터 추수(秋收)까지 植え付けから取り入れまで. 語例 ~노래 田植えの歌.

모-내다 ⇨'모¹'の小項目

모녀【母女】 [mo:nyŏ] 〈名〉母と娘. 對부자(父子).

모노-드라마 〈名〉〔劇〕モノドラマ. ◇monodrama

모노-레일 〈名〉モノレール. =단궤(單軌) 철도. ◇monorail

***모눈-종이** 〈名〉方眼紙.

모니터 〈名〉モニター. ◇monitor

모닝 [mo:ning] 〈名〉モーニング. 語例 ~ 코트 モーニング(コート). ◇morning

모닥-불 〈名〉た(焚)き火. 句例 ~을 쬐다 たき火にあたる / 마른 나뭇가지를 모아 ~을 피우다 枯れ枝を集めてたき火を燃やす.

모던 〈名〉モダン. =현대적. 현대. 語例 ~ 아트 モダンアート / ~ 댄스 モダンダンス / ~ 재즈 モダンジャズ. ◇modern

모데라토 〈名〉〔樂〕モデラート. ◇이 moderato

모델 〈名〉モデル. 語例 ~ 소설 モデル小説 / ~ 카 モデルカー / ~ 케이스 モデルケース / 패션 ~ (ファッション)モデル. ◇model

모독【冒瀆】 [mo:dok] 〈名〉冒瀆. **~하다** 〈他〉冒瀆する. 汚す. 句例 신을 ~하다 神を冒瀆する.

※모두 〈名・副〉皆. みんな. すべて. 全部. 文例 ~ 내 탓이다 みなわたしのせいだ / ~ 털어놓았다 すべてを洗いざらいうち明けた / ~ 반대했다 みんな反対した.

모드 [mo:dŭ] 〈名〉モード. 語例 뉴 ~ ニューモード / 톱 ~ トップモード. ◇mode

※모든 [mo:dŭn] 〈冠〉すべての. あらゆる. あるかぎりの. 句例 ~ 사람이 찬성하다 すべての人が賛成する / ~ 방법을 쓰다 あらゆる手を打つ.

***모락-모락** [morangmorak] 〈副〉❶すくすく. ぐんぐん. 句例 ~ 자라다 すくすく伸びる. ❷ゆらゆら. 句例 김이 ~ 오르다 湯気がゆらゆら立ちのぼる.

모란【牡丹】 〈名〉〔植〕ぼたん(牧丹). 語例 ~꽃 ぼたん(の花).

※모래 〈名〉砂. 語例 ~주머니 砂袋 / ~밭 砂原 / ~시계 砂時計 / ~찜 砂風呂 / ~흙 砂土.
모래 위에 쌓은 성(城) 砂の上の城. 砂上の楼閣.

모래-무지 〈名〉〔魚〕すなもぐり.

모략【謀略】 〈名・하他〉謀略. たくらみ. 句例 ~에 걸리다 謀略にかかる / ~을 꾸미다 謀略をめぐらす. 語例 중상 ~ 中傷謀略.

모럴 〈名〉モラル. 文例 ~이 결여되어 있다 モラルに欠けている. ◇moral

※모레 [mo:re] 〈名〉あさって. 明後日.

모로 [mo:ro] 〈副〉❶斜めに. はすかいに. 句例 두부를 ~ 자르다 豆腐を斜めに切る. ❷横に. 横向きに. 文例 게는 ~ 긴다 かには横ばいをする.
모로 가도 서울만 가면 된다 どう行こうが都に行きつけばいい. どういう手を打とうが目的さえ達すればいいとの意.

모롱이 〈名〉山の曲がりかど.

모루 [mo:ru] 〈名〉〔工〕金敷き. 金床. =철침(鐵砧).

※모르다 (모르니, 몰라서)〈他〉知らない. ❶分からない. 感づかない. 句例 모르는 사이에 知らず知らず(のうち)に / 어찌 해야 할지 ~ 途方に暮れる. 文例 그런 줄은 전혀 몰랐다 そんなこととは全く知らなかった / 설마 모를 테지 よもや知るまい. ❷わきまえない. 悟らない. 句例 분수를 ~ 身のほどを知らない / 예의를 ~ 礼儀をわきまえない. ❸覚えがない. 記憶にない. 文例 전혀 모르겠습니다 全く覚えがありません. ❹経験がない. 句例 전쟁을 모르는 세대 戦争を知らない世代. ❺理解できない. 句例 말의 뜻을 ~ 言葉の意味が分からない. 文例 무어가 무엇인지 모르겠다 何が何やらさっぱり分からない. ❻係わりがない. 文例 나는 모르는 일이다 わたしの知ったことでない / 앞으로 어떻게 되든 모른다 これからどうなろうとも構わない. ▷對알다.
모르면 모르되 (はっきりとは言えないが)恐らく. 多分. 文例 ~ 그는 거절할거다 恐らく彼は断るだろう / ~ 허탕칠 게다 多分無駄なことだろう.
모르면 약이요 아는 것이 병 知らなければ薬, 知れば病. 知らぬが仏.

모르타르 〈名〉モルタル. 語例 시멘트 ~ セメントモルタル. ◇mortar

모르핀 〈名〉〔化・藥〕モルヒネ. モルフィン. ◇morphine

모른-체 〈名・하他〉そしらぬ顔. 知らんぷり. 句例 알면서도 ~하다 1)知らんぷりをする. 2)しら(白)を切る.

모름지기 〈副〉すべからく. 当然. =마땅히. 文例 학생은 ~ 학업에 힘써야 한다 学生はすべからく学業に励むべきだ. 類응당(應當).

모리-배【謀利輩】 〈名〉不当な利益をはかるやから(輩).

모멘트 [mo:ment'ŭ] 〈名〉モーメント. =순간. 계기(契機). ◇moment

모면【謀免】 〈名・하他〉(知恵をはたらかして)免れること. 句例 책임을 ~하다 責任を免れる. 語例 ~책(策) 免れようとする策略.

모모【某某】 [mo:mo] 某某. ■〈代〉だれそれ. =아무아무. 아무개아무개. 句例 ~의 신세를 지다 だれそれのお世話になる. 語例 ~인(人) だれだれ. だれがし.
■〈冠〉だれそれの. とある. 語例 ~ 인사(人士) なにがしさん. だれ氏 / ~ 회사 あれこれの会社.

모모-한【某某―】[mo:mohan]〈冠〉名のある. 有名な. 有力な. 文例 ~ 인사가 다 모였다 知名の士が皆集まった.

모반【謀反】〈名・하自他〉謀反. 句例 ~을 꾀하다 謀反をたくらむ.

모발【毛髮】〈名〉毛髮. =머리털. 몸털. 語例 ~ 습도계 毛髪湿度計.

모방【模倣】〈名〉模倣. **~하다**〈他〉倣う. まねる. 模倣する. 句例 남의 나라를 ~하다 よその国に倣う / 남의 것을 ~하다 人のものをまねる. 語例 ~자 模倣者. 對창조(創造).

모범【模範】〈名〉模範. 手本. 句例 ~을 보이다 模範を示す / ~적인 청년 模範的な青年. 語例 ~생 模範生.

모빌 [mo:bil]〈名〉モビール. ❶〔美〕動く彫刻. ❷モビール油. モーターオイル. ◇mobile

모사【模寫】〈名・하他〉模写. 句例 고화를 ~하다 古画を模写する. 語例 성대 ~ 声帯模写.

모사【謀士】〈名〉策士. 謀士.

모색【摸索】〈名・하他〉摸索. 句例 해결책을 ~하다 解決策を模索する. 語例 암중 ~ 暗中模索.

*모서리〈名〉❶角. 端. 語例 책상 ~ 机の角 / 기둥 ~ 柱の角. ❷〔數〕稜. 語例 ~각 稜角.

모선【母船】[mo:sŏn]〈名〉母船. 本船. 親船. 語例 ~식 어업 母船式漁業.

모성【母性】[mo:sŏng]〈名〉母性. 語例 ~애 母性愛 / ~ 본능 母性本能. 對부성(父性).

모세-관【毛細管】〈名〉毛細管. ❶〔生〕'모세혈관'の略. ❷極めて細い管. 略して'모관(毛管)'とも言う. 語例 ~ 현상 毛細管現象.

모세 혈관【毛細血管】〈名〉〔生〕毛細血管.

모션 [mo:syŏn]〈名〉モーション. =동작(動作). 행위. 句例 ~을 걸다 モーションをかける. 語例 슬로 ~ スローモーション. ◇motion

모순【矛盾】〈名〉矛盾. 句例 ~된 이야기 矛盾した話. 文例 ~투성이다 矛盾だらけだ. 語例 ~되다 矛盾する.

모스 부호【Morse符號】〈名〉モールス符号.

모스크〈名〉〔宗〕モスク. ◇mosque

**모습〈名〉姿. 面影. 容貌. 句例 ~을 감추다 姿をくらます. 文例 어머니의 ~이 눈에 선하다 母の面影が目に浮かぶ.

모시〈名〉からむし(苧). また, その繊維で織った織物. =저포(苧布). 參考 からむしの織物は昔から忠清南道舒川郡韓山地方の産が'한산 모시"한산 세(細)모시'といって名高い.

**모시다 [mo:shida]〈他〉❶仕える. 句例 스승으로 ~ 師として仕える. 師事する / 부모를 ~ 親に仕える. ❷推戴する. 奉る. 句例 회장으로 ~ 会長に奉る. ❸(祭祀・葬儀などを)挙げる. 祭る. 句例 조상의 신주를 ~ 祖先の位牌を祭る. ❹案内する. 句例 손님을 집으로 ~ お客を家に案内する / 모시고 가다 お供をして行く.

모시-조개〈名〉〔貝〕あさり(浅蜊).

모식-도【模式圖】〈名〉模式図.

*모-심기 [moshimkki]〈名・하自〉田植え. 植えつけ.

모-심다 [moshimtta] ⇨'모¹'の小項目

모씨【某氏】[mo:ssi]〈代〉某氏. 何某. なにがし(某).

모양【模樣】〈名〉❶様子. ㉠形. かた. 格好. なり. さま. よう. 句例 손 ~의 물건 手みたいなもの / 여러 가지 ~ いろいろな形 / 머리 ~을 고치다 髪のかたを直す / 송구스러운 ~ 恐惶の体. 文例 생긴 ~이 괴상하다 格好が変だ / ~이 좋다 格好がいい.
㉡成り行き. ありさま. 事情. 文例 사는 ~이 말 아니다 暮らし向きが目に忍びないほど惨めだ / 이 ~으로 나가다가는 안된다 こんな様で行けばだめだよ / 일이 되어가는 ~을 보다 事の成り行きを見る.
㉢('-ㄴ〔-는〕 ~' '-ㄹ〔-을〕 ~'の形で)…のように見えること. …するようであること:模様. 文例 회사를 그만둘 ~이군 会社を辞めるらしいね / 비가 오는 ~이다 雨らしいね / 도착이 늦을 ~입니다 到着が遅れる模様です. ❷体面. 面目. 文例 ~이 아닐세 面目ないね.

모양(을) 내다 めかす. しゃれる. 格好をつける.

모양(이) 사납다 ❶不格好だ. 体裁が悪い. ❷目に余る.

모양(이) 아니다 みっともない. 見るに忍びない.

모양(이) 있다 形がいい. 格好いい. しゃれている.

모양-새【模樣―】〈名〉❶形. 格好. 容姿. ❷体面.

*모여-들다 (―드니, ―들어서)〈自〉寄り集まる. 集まってくる. 文例 모여든 사람들이 많았다 寄り集まった人人が多かった.

모욕【侮辱】[mo:yok]〈名・하他〉侮辱. 句例 ~을 당하다 侮辱を受ける / ~적인 말 侮辱的な言葉. 語例 ~감 侮辱感.

모유【母乳】[mo:yu]〈名〉母乳. 句例 ~로 자란 아이 母乳で育った子.

**모으다 (모으니, 모아서)〈他〉❶集める. 募る. まとめる. 集中する. 収集する. 句例 널리 인재를 ~ 広く人材を集める / 눈길을 ~ 視線を集める / 두 손을 ~ 両手を合わせる. 手をこまね(拱)く / 지원병을 ~ 志願兵

囲み記事35

■ '모으다'と'모이다' ■

모으다 (1) 集める. 募る. 集中する. 収集する —— 휴지를 모아 불태우다 紙くずを集めて燃やす. 기부금을 모으다 寄附金をつのる. 정신을 모아 답안을 쓰다 精神を集中して答案を書く. 고전을 모으다 古銭を収集する.
(2) 蓄える. た(溜)める —— 잔돈을 모으다 小銭をたくわえる

모이다 (1) 集まる —— 사람들이 모여들었다 人人が集まって来た. 회원들이 모여서 사업을 논의하였다 会員たちが集まって事業を論議した.
(2) た(溜)まる —— 자금이 꽤 모였다 資金がよほどたまった.

ㅁ

を募る / 중지를 ～ 衆知を集める / 국론을 하나로 ～ 国論をまとめる. ❷(財産などを)蓄える. ためる. ▷略して'모다'とも言う. 句例 돈을 ～ 金をためる / 재산을 ～ 財産を築く. ▷→囲み記事 35

모음【母音】[mo:ŭm]〈名〉〔言〕母音. ＝홀소리. 對자음. →囲み記事 36
参考 現代ハングルではㅏ・ㅐ・ㅑ・ㅒ・ㅓ・ㅔ・ㅕ・ㅖ・ㅗ・ㅘ・ㅙ・ㅚ・ㅛ・ㅜ・ㅝ・ㅞ・ㅟ・ㅠ・ㅡ・ㅢ・ㅣの二十一個がある.

모음-곡【―曲】〈名〉〔樂〕組曲. ＝조곡. 語例 관현악 ～ 管弦楽組曲.

모음 조화【母音調和】[mo:ŭm―]〈名〉〔言〕母音調和.
参考 ハングルで, 陽性母音《ㅏ・ㅗ》はそれらどうしに調和し, 陰性母音《ㅓ・ㅡ・ㅜなど》はそれらどうしに調和する. '달랑달랑' '울긋불긋' '가마' '더러'など.

모의【模擬】〈名・하他〉模擬. 語例 ～ 국회 模擬国会 / ～ 선거 模擬選挙 / ～ 재판 模擬裁判.

모의【謀議】〈名〉謀議. **～하다**〈他〉謀る. 句例 ～에 가담하다 謀議に加わる.

모의 시험【模擬試驗】〈名〉模擬試験. ＝모의고사(考査).

모이〈名〉え. えさ. 語例 ～주머니〔鳥〕嗉嚢 / ～통 えさおけ(桶).

모이다〈自〉❶集まる. つどう. 句例 일 주에 한 번 ～ 一週に一度集まる. 文例 모였다 하면 그 이야기다 寄ればその話で持ち切りだ. ❷たまる. 句例 돈이 ～ 金がたまる. ▷略して'뫼다'とも言う. ▷→囲み記事 35

*__모임__〈名〉集まり. つどい. 集合. 会合. 句例 젊은이의 ～ 若人のつどい / ～을 가지다 会を催す / ～에 나가다 会合に出る.

모자【母子】[mo:ja]〈名〉母子. 母と子. 母と息子. 文例 ～가 모두 건강하다 母子ともに健康だ. 語例 ～ 가정 母子家庭 / ～간 母と息子の間. 母と子の間.

모자【帽子】〈名〉帽子. 句例 ～를 벗다 帽子をぬぐ. 帽子をとる / ～를 씌우다 帽子をかぶせる. 語例 ～걸이 帽子掛け / ～챙 帽子のひさし.

*__모자라다__ [mo:jarada]〈自・形〉足りない. ❶乏しい. 不足する. 句例 손이 ～ 人手が足りない / 양식이 ～ 食糧が乏しい / 삼천 원이 ～ 三千ウォンが足りない. 文例 키가 모자라서 불합격되었다 背丈が足りなくて不合格になった. 對자라다. ❷知能が低い. 文例 저 사람은 좀 모자라는 데가 있다 あの人は少し足りないところがある.

모자이크〈名〉モザイク. 語例 ～ 글라스 モザイクグラス. ◇mosaic

모작【模作】〈名・하他〉模作. 句例 외국 것을 ～하다 外国のものを模作する.

모정【母情】[mo:jŏng]〈名〉子に対する母の情.

모조【模造】〈名・하他〉模造. 語例 ～품 模造品 / ～ 다이아 模造ダイヤモンド.

*__모조리__〈副〉すっかり. 皆. 全部. ことごと(悉)く. 句例 ～ 털어놓다 すっかりうち明ける. 一切を白状する. 文例 ～ 불탔다 ことごとく焼かれた / 계획이 ～ 틀어졌다 プランがすっかり狂った.

모조-지【模造紙】〈名〉模造紙. ＝백상지(白上紙).

*__모종__〈名・하他〉苗. 苗木. 語例 ～비 移植に頃合う雨 / ～삽 移植ごて / ～순 苗木の芽 / ～판 苗床.

모종(을) 내다 苗を植える. 苗を移植する.

모종【某種】[mo:jong]〈名〉某種. 句例 ～의 사건 某種の事件.

모주 [mo:ju]〈名〉['모주망태'の略] のんだくれ. のんべえ. (底抜け)上戸. ＝모주꾼.

모-지다 ⇨ '모²'の小項目

모직【毛織】〈名〉毛織り. 語例 ～물 毛織り物.

모진-목숨 [mo:jin―]〈名〉死に切れず生き長らえている苦難に満ちた命.

모질다 [mo:jilda] (모지니, 모질어서)〈形〉❶残忍だ. むごい. 句例 모진 말을 하다 酷なことを言う / 모진 사람 無慈悲な人 / 모질게 굴다 むごく当たる. ❷がまん強い. 根気がある. よく耐える. 句例 마음을 모질게 먹다 心を鬼にする. ❸激しい. 厳しい. 句例 모진 폭풍 激しい暴風 / 모진 추위 ひどい寒さ.

모진 놈 옆에 있다가 벼락 맞는다 残酷者のそばにいて落雷にあう. 悪人のそばにいてそばづえをくうことのたとえ.

모집【募集】〈名〉募集. **～하다**〈他〉募る. 募集する. 句例 사람을 ～하다 人を募る. 語例 ～인원 募集人員 / 현상 ～ 懸賞募集. 對응모(應募).

모쪼록〈副〉⇨ 아무쪼록

모처【某處】[mo:ch'ŏ]〈名〉某所. ある所. 句例 ～에서 만나다 某所で会う.

모처럼〈副〉❶せっかく. わざわざ. 文例 ～ 찾아갔다 わざわざ尋ねて行った / ～의 호기를 놓쳤다 あたら好機を逸した. ❷久し振り(に). 句例 ～의 좋은 날씨 久し振りのすてきな天気.

*__모체__【母體】[mo:ch'e]〈名〉母体. 句例 유엔을 ～로 하는 조직 国連を母体とする組織 / ～의 안전을 도모하다 母体の安全を図る.

모친【母親】[mo:ch'in]〈名〉母. 母親. おふくろ. ＝어머니.

모친-상【母親喪】[mo:chin―]〈名〉母の喪. 略して'모상(母喪)'ともいう.

모터 [mo:t'ŏ]〈名〉モーター. 語例 ～보트 モーターボート / ～ 사이클 モーターサイクル / ～ 카 モーターカー / ～ 쇼 モーターショー. ◇motor

---

囲み記事 36

■ 모음의 읽기와 차례 母音の読みかたと順序 ■

ㅏ[a] ㅑ[ya] ㅓ[ŏ] ㅕ[yŏ] ㅗ[o] ㅛ[yo] ㅜ[u] ㅠ[yu] ㅡ[ŭ] ㅣ[i]

その外の母音

ㅐ[ae] ㅒ[yae] ㅔ[e] ㅖ[ye] ㅘ[wa] ㅙ[wae] ㅚ[oe] ㅝ[wo] ㅞ[we] ㅟ[wi] ㅢ[ŭi]

辞典での順序

ㅏ ㅐ ㅑ ㅒ ㅓ ㅔ ㅕ ㅖ ㅗ ㅘ ㅙ ㅚ ㅛ ㅜ ㅝ ㅞ ㅟ ㅠ ㅡ ㅢ ㅣ

ㅁ

모텔 [mo:t'el] 〈名〉 モーテル. ◇motel
모토 〈名〉 モットー. 標語. 合い言葉. 句例 건강을 ~로 삼다 健康をモットーにする / 개혁을 ~로 내세우다 改革をモットーに掲げる. ◇motto
모퉁이 〈名〉 曲がり角. 隅. 語例 길 ~ 町角. 曲がり角.
모티프 〈名〉 モチーフ. ◇도 Motiv
*__모-판__ 【一板】〈名〉 苗床. 苗代.
모포 【毛布】〈名〉 ⇨ 담요
모표 【帽標】〈名〉 ['모자표'の略] 帽章.
모피 【毛皮】〈名〉 毛皮. 語例 ~ 코트 毛皮のコート.
모필 【毛筆】〈名〉 毛筆. =털붓. 붓.
모하메드-교 【Mohammed教】〈名〉〔宗〕マホメット教. =이슬람교.
모함 【謀陷】〈名・하他〉 (策略で人を苦境に)陥れること. 句例 ~에 빠지다 計略にはまる〔陥る〕.
모험 【冒險】[mo:hŏm] 〈名・하自〉 冒険. 句例 ~을 무릅쓰다 冒険をおかす / ~을 즐기는 사람 冒険好きの人. 語例 ~가 冒険家 / ~심 冒険心 / ~담 冒険談.
모형 【模型】〈名〉 模型. ひな型. 句例 실물 크기의 ~ 実物大の模型. 語例 ~도 模型図 / ~ 비행기 模型飛行機.
모호-하다 【模糊一】(→하다) 〈形〉 あいまい(曖昧)だ. はっきりしない. 句例 대답이 ~ 返事がはっきりしない. 文例 회답은 애매 모호하여 요점을 파악할 수 없다 回答はあいまい模糊として要点をつかまえにくい.
모-회사 【母會社】[mo:hoesa] 〈名〉 親会社. 對자(子)회사.

**목 〈名〉 ❶首. 句例 ~이 짧다 首が短い / ~에 매달리다 首にしがみつく. ❷'목구멍 のど'の略. 句例 ~이 아프다 のどが痛い / ~에 가시가 걸리다 のどに骨を立てる. ❸物の首. 語例 손~ 手首 / 병~ 瓶の首. ❹通路の要所. 文例 짐승이 다니는 ~을 지켰다 獣が通る道の要所を守った / 적의 수송로의 ~을 장악하였다 敵の輸送路ののどを押さえた. 語例 ⇨ 길목 / ⇨ 다릿목. ❺'목소리 声'の略.
목(이) 날아가다 首が飛ぶ. 首になる. =목(이) 달아나다.
목(을) 놓다 大声で泣く. 泣き続ける. 句例 목놓아 울다 声を張り上げて泣く.
목(이) 마르다 ❶のどが渇く. 渇する. ❷切に望む. 句例 목마르게 기다리다 待ち焦がれる. 待ちわびる.
목마른 자가 우물 판다 渇して井をうがつ.
목(을) 매달다 ❶首をつる. 首つりする. 句例 목매달아 죽다 首をつって死ぬ. ❷命をつなぐ. ▷略して'목(을) 매다'とも言う.
목(이) 메다 ❶のどにつかえる. ❷悲しみなどで, のどが詰まる. むせぶ. 句例 목메어 울다 むせび泣く. 涙にむせぶ.
목(이) 빠지다 首を長くする. 句例 목이 빠지게 기다리다 首を長くして待つ. =학수고대.
목(이) 쉬다 (のどが)しわがれる. かれる. 句例 목쉰 소리 しわがれ声.
목에 거미줄 치다 口が干上がる. のどを干す. =입에 거미줄 치다.
목에 핏대를 세우다 首に青筋を立てる. 感情が激しく高まっている.
목을 걸다 ❶命をかける. 命懸けで事に当たる. ❷あることに束縛される.
목이 떨어지다 首になる.
목(을) 자르다 ❶首を切る. ❷首にする.
목(이) 잘리다 ❶首を切られる. ❷首になる.
목(이) 잠기다 のどがかれる. のどがしわがれて声が出ない.
목(을) 찌르다 刀でのどを刺す.
목(을) 축이다 のどを潤す.
목(이) 타다 のどが非常に渇く.

목 〔漢字項目〕

【木】中學 목 ボク. モク. ❶나무 木. ㉠수목 樹木. ◧灌木 관목 かんぼく. 草木 초목 そうもく. ㉡벤 나무 伐った木. ◧木材 목재 もくざい. ◧材木 재목 ざいもく. ㉢나무를 재료 삼아 제작한 것 木を材料にして作ったもの. ◧木器 목기 もっき. 木造 목조 もくぞう. ❷무명 木綿. ◧木綿 목면 もめん. ❸칠요의 하나 七曜の一つ. 목요일의 준말 木曜日の略. ◧木曜日 목요일 もくようび.

【沐】高校 목 モク. ❶머리를 감다 髪を洗う. ◧沐浴 목욕 もくよく. ❷다스리다 治める.

【牧】高校 목 ボク. ❶목장 まきば. ◧牧場 목장 ぼくじょう. まきば. ❷마소를 치는 사람 牛馬の世話をする人. ◧牧童 목동 ぼくどう. 牧者 목자 ぼくしゃ. 牧歌 목가 ぼっか. ❸가축을 방사하다. 家畜を放し飼いにする. ◧牧畜 목축 ぼくちく. ◧放牧 방목 ほうぼく. ❹다스리다 治める. ◧牧師 목사 ぼくし. 牧民官 목민관 ぼくみんかん. ❺벼슬 이름 官職の名. 지방관 地方官. ◧牧使 목사 ぼくし.

【目】中學 목 モク. ❶눈 目. 눈동자 まなこ. ◧目禮 목례 もくれい. ◧耳目 이목 じもく. 眼目 안목 がんもく. ❷눈여겨 보다 注視する. ◧目擊 목격 もくげき. ◧注目 주목 ちゅうもく. ❸목차 目次. ◧目錄 목록 もくろく. ◧題目 제목 だいもく. ❹조・항 등 세별 条・項などの細別. ◧科目 과목 かもく. 項目 항목 こうもく. ❺우두머리 頭. ◧頭目 두목 とうもく. ❻바둑에서 집이나 돌을 세는 말 碁で目や石を数える語. ◧白五目半勝 백 오목 반승 しろごもくはんかち.

【睦】高校 목 ボク. 화목하다 むつまじい. 친하다 親しい. ◧親睦 친목 しんぼく. 和睦 화목 わぼく.

목가 【牧歌】〈名〉 牧歌. 句例 ~조의 노래 牧歌調の歌 / ~적인 풍경 牧歌的な風景.
목각 【木刻】〈名・하他〉 木彫り. 木彫. 語例 ~ 인형 木偶. こけし / ~ 장식 木彫りの装飾品.
목간 【沐間】〈名〉 ❶['목욕간(間) 風呂場'の略] 浴場. ❷沐浴. **~하다** 〈自〉 風呂をつかう. 入浴する. 語例 ~통 湯船.
**__목-걸이__ [mokkŏri] 〈名〉 首飾り. ネックレース. 語例 진주 ~ 真珠の首飾り.
목격 【目擊】〈名・하他〉 目撃. 句例 범행을 ~하

ㅁ

다 犯行を目撃する. 語例 ～자 目撃者.

*목공【木工】〈名〉木工. 語例 ～구 木工具／～기계 木工機械／～ 선반 木工旋盤／～소 木工所／～일 木工仕事／～품 木工品.

목관 악기【木管樂器】[mokkwanakki]〈名〉〔樂〕木管楽器.

**목-구멍〈名〉のど(喉). 略して'목'とも言う.

목구멍 때도 못 씻었다 のどのあかも洗えなかった. ほんの少ししか食べられなかったことのたとえ.

목구멍에 풀칠한다 口をのり(糊)する. やっと暮らしていく. =입에 풀칠하다.

목구멍의 때를 벗긴다 のどのあかをとる. 久し振りにごちそうをたらふく食べることのたとえ.

목구멍이 포도청 のどが捕盗庁. 食べていくためには不正なことさえせざるをえないことのたとえ.

목기【木器】〈名〉木器. =나무 그릇.

목-놓다 [mongnot'a] ⇨'목'の小項目

목-덜미〈名〉襟首. 首筋. 略して'덜미'とも言う. 句例 ～를 잡다 襟首をつかむ.

**목-도리〈名〉襟巻. 首巻. マフラー.

목-도장【木圖章】〈名〉木印.

목독【目讀】〈名・하他〉⇨ 묵독(默讀)

목-돈〈名〉まとまった金. 句例 오백만 원을 ～으로 치르다 五百万ウォンの耳をそろ(揃)えて払う. 対 푼돈.

*목동【牧童】〈名〉牧童.

*목련【木蓮】[mongnyŏn]〈名〉〔植〕もくれん(木蓮).

목례【目禮】[mongnye]〈名・하自〉目礼. =눈인사(人事). 句例 서로 ～를 나누다 互いに目礼を交わす.

목록【目錄】[mongnok]〈名〉目録. 目次. リスト. 語例 도서 ～ 図書目録.

목마【木馬】[mongma]〈名〉木馬.

목-마르다 [mongmarŭda] ⇨'목'の小項目

*목-말 [mongmal]〈名〉肩車.

목말(을) 타다 肩車に乗る.

목말(을) 태우다 肩車に乗せる.

목-매달다 [mongmaedalda] (—매다니, —매달아서) ⇨'목'の小項目

목-메다 [mongmeda] ⇨'목'の小項目

목-물 [mongmul]〈名〉❶首が漬かる程の深さの水. ❷背中を流すこと. ～하다〈自〉背中を流す. 句例 ～을 끼얹다 背中を流す.

목민【牧民】[mongmin]〈名・하自〉牧民. 民を治めること. 語例 ～관 牧民官.

목-발【木—】〈名〉'목다리'の俗っぽい言いかた: まつばづえ(松葉杖). 句例 ～을 짚다 まつばづえをつく.

목-불인견【目不忍見】[mokpurin-gyŏn]〈名〉(あまりにも気の毒で)見るに忍びないこと. 句例 ～의 참상 目も当てられない惨状.

**목사【牧師】〈名〉〔基〕牧師. 語例 ～관 牧師館.

목석【木石】〈名〉木石. 句例 ～ 같은 사람 木石に等しい人間.

목선【木船】〈名〉木船・きぶね. =나무배.

목성【木星】〈名〉〔天〕木星.

**목-소리〈名〉声. 声色. 略して'목'とも言う. =말소리. 음성. 句例 타고난 ～ 地声／작은 ～로 속삭이다 小声でささやく／～를 가다듬다〔죽이다〕声をつくろう〔潜める〕／～가 잠기다 声がつぶれる.

목수【木手】〈名〉大工. =목공(木工). 語例 엉터리 ～ たたき大工.

목수가 많으면 집을 무너뜨린다 大工が多いと家を壊す. 船頭多くして船山へ登る.

*목숨〈名〉命. 生命. 寿命. 句例 ～이 길다 寿命が長い／～을 빼앗다 命を奪う／～을 이어가다 生き延びる／～을 내던지다 命を投げ出す／～을 건지다 命を拾う. 命拾いをする／～이 붙어 있다 命がある.

목숨(을) 걸다 命をかける.

목숨(을) 끊다 命をたつ. 自殺する. 殺す.

목숨(을) 바치다 命をささげる.

목숨을 거두다 息を引き取る. 死ぬ.

목숨을 버리다 命を捨てる. 死ぬ.

목숨을 아끼다 命を惜しむ.

목숨을 잃다 命を失う. 落命する.

목-쉬다 ⇨'목'の小項目

목-안 [mogan]〈名〉のどの中. 句例 ～의 염증 のどの炎症.

목-양말【木洋襪】[mongnyangmal]〈名〉木綿の靴下.

*목요-일【木曜日】[mogyoil]〈名〉木曜日.

**목욕【沐浴】[mogyok]〈名〉風呂. 沐浴. 湯あみ. ～하다〈自〉風呂に入る. 湯あみする. 沐浴する. 入浴する. 句例 ～탕에 가다 風呂に行く. 語例 ～물 お湯／～탕 風呂場. 風呂屋／～통 浴槽. 湯船／공중 ～탕 銭湯／～값 風呂代. 湯銭.

목욕-재계【沐浴齋戒】[mogyok—]〈名・하自〉斎戒沐浴. 潔斎. 物忌み.

목-운동【—運動】[mogundong]〈名・하自〉(徒手体操で)首の運動.

목자【牧者】〈名〉❶牧者. ❷〔基〕牧師. 聖職者.

목-자르다 ⇨'목'の小項目

목-잠기다 ⇨'목'の小項目

*목장【牧場】〈名〉牧場・まきば. 句例 푸른 ～ 緑の牧場.

*목재【木材】〈名〉木材. 材木. 語例 ～상 材木商／～ 펄프 木材パルプ.

*목적【目的】〈名・하他〉目的. 目当て. 句例 ～을 달성하다 目的を果たす／궁극의 ～ 究極の目的／본래의 ～ 本来の目的／～에 부합하다 目的に沿う／친목을 ～으로 하다 親睦を目的とする. 文例 ～ 없이 방황했다 当てど(も)なくさまよった／～과 수단을 혼동하고 있다 目的と手段を取り違えている. 語例 ～어 目的語／～지 目的地.

목적격 조사【目的格助詞】[—cho:sa]〈名〉〔言〕目的格助詞. 格助詞の一つ. 体言のあとにつけて, その体言を主語の動作・作用の目的物にする助詞. 'ㄹ''를''을'がある.

목전【目前】〈名〉目前. 目の前. 目先. 句例 ～의 이익 目先の利益／위험이 ～에 닥치다 危険が目前に迫る.

목-젖〈名〉のどびこ(喉彦). 口がい垂.

목조【木造】〈名・하他〉木造. 文例 역사적인 ~ 건물이다 歴史的な木造建物だ. 語例 ~ 건축 木造建築. 類목제(木製).

목조【木彫】〈名〉木彫. 木彫り. 語例 ~ 인형 木彫りの人形.

목질【木質】〈名〉木質. 語例 ~부 木質部.

목-찌르다 ⇨'목'の小項目

목차【目次】〈名〉目次. 目録.

목청〈名〉❶のどの声帯. ❷声. 声音. 句例 ~이 좋다 のどがいい / ~껏 외치다 あらん限りの声で叫ぶ.

목청(을) 돋우다 声を高める. 大きな声を出す.

목초【牧草】〈名〉牧草. 句例 넓은 ~지 広い牧草地.

*목축【牧畜】〈名・하自〉牧畜. 語例 ~농 牧畜農 / ~업 牧畜業.

목-축이다 [mokch'ugida] ⇨'목'の小項目

목측【目測】〈名・하他〉目測. 句例 거리를 ~하다 距離を目測する.

목침【木枕】〈名〉木まくら. 箱まくら.

목탁【木鐸】〈名〉❶(お寺の)木魚. 絵 ❷木鐸. 文例 신문은 사회의 ~이다 新聞は社会の木鐸だ.

〈목탁〉

목탄【木炭】〈名〉木炭・すみ. =숯. 語例 ~화 木炭画.

목판【木版】〈名〉木版. 語例 ~본 木版本 / ~인쇄 木版印刷 / ~화 木版画.

*목표【目標】〈名〉目標. 目当て. めど. ねらい. **~하다**〈他〉目標にする. ねらう. 目指す. 句例 ~를 내세우다 目標を掲げる / 북극성을 ~로 하여 나아가다 北極星を目当てにして進む / ~를 세우다 目標を立てる / ~가 서다 めどがつく. 語例 ~액 目標額 / 공격 ~ 攻撃目標.

목하【目下】[mok'a]〈名・副〉目下. ただいま. 今のところ. 文例 ~ 고려중이다 目下考慮中だ.

*목화【木花】[mok'wa]〈名〉〔植〕綿. =면화(綿花). 語例 ~송이 綿の房 / ~씨 綿の実. 綿種.

*몫 [mok] ■〈名〉❶分. 分け前. 割り前. 句例 너의 ~ お前の分け前 / 일에 한 ~ 끼다 仕事に一口乗る / ~이 적다 取り分が少ない. 文例 남의 ~까지 먹었다 人の分まで食べた / 이건 내 ~이다 これはわたしの分だ / 나도 한 ~ 끼워 줘 わたしも一口加えてくれ. ❷役割. 文例 내 ~은 다했다 わたしの役割はすっかり果たした.

■〈依名〉分. 句例 세 사람 ~ 三人分 / 한 ~에 오천 원 一口に五千ウォン.

參考 '몫은 分け前は' '몫과 分け前と'は [mok-sŭn], [mokkwa]と読む.

몫몫-이 [mongmokshi]〈副〉分け前ごとに. 一人分ずつ. 句例 ~ 차지하다 一人分ずつ取る.

몬순 [monsu:n]〈名〉〔氣〕モンスーン. =계절풍. 語例 ~ 기후 モンスーン気候. ◇monsoon

몰-【沒】〈頭〉沒…. 全く無いこと. 語例 ~취미 沒趣味.

몰 〔漢字項目〕

【沒(沒)】高校 몰 ボツ. ❶빠지다 はまりこむ. ㉠가라앉다 沈む. ▮沈沒 침몰 ちんぼつ. ㉡몰입하다 沒入する. ▮沒頭 몰두 ぼっとう. 沒我 몰아 ぼつが. ❷숨다 隠れる. ▮出沒 출몰 しゅつぼつ. 神出鬼沒 신출귀몰 しんしゅつきぼつ. ❸죽다 死ぬ. ▮沒年 몰년 ぼつねん. ▮病沒 병몰 びょうぼつ. ❹없다 無い. ▮沒常識 몰상식 ぼつじょうしき. ❺빼앗다 取りあげる. ▮沒收 몰수 ぼっしゅう. ❻영락하다 落ちぶれる. ▮沒落 몰락 ぼつらく.

몰골〈名〉みすぼらしい格好. 体たらく. 句例 ~이 사납다 格好がぶざまだ / ~이 흉하다 身なりが見苦しい. 文例 이 ~이 무엇이냐 何という体たらくか.

*몰다 [mo:lda] (모니, 몰아서)〈他〉❶追う. 追いやる. 句例 소를 ~ 牛を追う / 말을 ~ 馬を駆る. ❷窮地に追い込む. あお(煽)る. 句例 국민을 전쟁으로 몰아가다 国民を戦争に駆り立てる / 여세를 몰아서 공략하다 余勢を駆って攻略する. ❸(車を)運転する. 句例 자동차를 냅다 ~ 自動車をぶっ飛ばす / 자동차를 몰아 현장으로 가다 自動車を駆って現場に行く.

몰두【沒頭】[molttu]〈名〉沒頭. **~하다**〈自〉沒頭する. うち込む. ふける. 句例 연구에 ~하다 研究に沒頭する / 독서에 ~하다 読書にふける / 일에 ~하다 仕事にうち込む.

**몰라-보다 [mo:llaboda]〈他〉❶見忘れる. 文例 몰라볼 만큼 변했다 見忘れるほど変わった. ❷見違える. 見それる. 文例 몰라보게 컸다 見違えるほど大きくなった. ▷對알아보다.

몰라-주다 [mo:llajuda]〈他〉知ってくれない. 文例 남의 속을 통 몰라주는군 人の気持ちを全然知ってくれないね.

몰락【沒落】〈名〉沒落. **~하다**〈自〉沒落する. 落ちぶれる. 句例 로마 제국의 ~ ローマ帝国の沒落. 文例 ~할 운명에 있다 沒落の運命にある.

**몰래 [mo:llae]〈副〉こっそり. ひそかに. 内緒で. 句例 ~ 들어가다 こっそり入る / ~ 엿듣다 こっそり聞き込む / ~ 알려주다 ひそかに知らせる / 남 ~ 고민하다 人知れずに悩む.

몰려-가다 (—가거라)〈自〉大勢押しかける. 押しかけて行く. 文例 군중은 광장으로 몰려갔다 群衆は広場に押しかけて行った.

몰려-나오다 (—나오너라)〈自〉❶群がって出て来る. 句例 관중이 우르르 ~ 観衆がどっと出て来る. ❷追い出される.

*몰려-다니다〈自〉群れをなして歩き回る. 句例 아이들끼리 ~ 子供ら同士で歩き回る.

몰려-들다 (—드니, —들어서)〈自〉寄ってたかる. 寄り集まる. 押し寄せる. 詰め掛ける. 句例 여럿이 우르르 ~ 大勢でどやどや押し寄せる / 아이들이 ~ 子供らが寄りたかる / 사람이 떼지어 ~ 人がわんさと詰め掛ける.

*몰려-오다 (—오너라)〈自〉群れをなして来る. 句例 적군이 ~ 敵軍が押し寄せる / 잇달아 ~ 続続と押しかけて来る.

*몰리다〈自〉❶(片寄って)集中する. 句例

ㅁ

인구가 도시로 ～ 人口が都市に集中する. ❷仕事に追われる. 文例 매일 일에 몰리어 쉴 틈이 없다 毎日仕事に追われて休む暇もない. ❸(借金などに)追い込まれる. (罪などに)問われる. 句例 사기죄로 ～ 詐欺罪に問われる.

몰매〈名〉⇨ 뭇매

몰살【沒殺】[molssal]〈名〉皆殺し. **～하다**〈他〉皆殺しにする. 句例 일족을 ～하다 一族を皆殺しにする.

몰-상식【沒常識】[molssangshik]〈名〉没常識. 非常識. **～하다**〈形〉没常識だ. 語例 ～한 사람 非常識な人.

몰수【沒收】[molssu]〈名・하他〉没収. 句例 재산을 ～하다 財産を没収する / 영지를 ～하다 領地を取り上げる. 語例 ～ 경기 没収試合.

몰아【沒我】[mora]〈名〉没我. ＝무아(無我). 句例 ～의 경지(에 이르다) 没我の境地(に達する).

몰아 [mora]〈副〉ひっくるめて. まとめて. 一概に. 句例 ～ 받다 まとめて受け取る / ～ 주다 まとめて一度に与える. 文例 십만원에 ～ 샀다 ひっくるめて十万ウォンで買った.

몰아-내다 [mora—]〈他〉追い出す. 追い払う. 句例 침략자를 ～ 侵略者を追い払う.

*__몰아-넣다__ [moranŏt'a]〈他〉追い込む. 句例 궁지로 ～ 窮地に追い込む / 고기떼를 어망으로 ～ 魚群を網に追い込む.

몰아-대다 [mora—]〈他〉駆り立てる. 追い立てる. 責め立てる. 詰め寄る. 句例 몰이꾼이 토끼를 ～ せこ(勢子)がうさぎを駆り立てる / 날카롭게 ～ 鋭く詰め寄る. 文例 아무말도 못하게 몰아댔다 ぐうの音も出ないように責め立てた.

몰아-붙이다 [morabuch'ida]〈他〉一方に押しやる. 句例 구석으로 ～ 隅に押しつける. 文例 적군을 일방적으로 몰아붙였다 敵軍を一方的に追いまくった.

몰아-세우다 [mora—]〈他〉激しく責め立てる. 略して'몰아세다'とも言う. 句例 무서운 기세로 ～ えらいけんまく(剣幕)で責め立てる.

몰아-치다 [mora—] ㊀〈自〉一所に追い立てられる. 吹き付ける. 吹きまくる. 句例 폭풍이 세차게 ～ 暴風が激しく吹きまくる. ㊁〈他〉(仕事などを) 一気に片付ける. 文例 이틀 걸리는 일을 몰아쳐서 하루에 끝냈다 二日かかる仕事を急がせて一日に片付けた.

몰-염치【沒廉恥】[moryŏmch'i]〈名・하形〉恥知らず. 厚かましいこと. 略して '몰렴(沒廉)' とも言う. 句例 ～한 사람 恥知らずな人.

몰이 [mori]〈名・하他〉(獣・魚などを)追い立てること.

몰이-꾼 [morikkun]〈名〉せこ(勢子). 狩り子.

몰-이해【沒理解】[mollihae]〈名・하形〉無理解.

몰-인정【沒人情】[morinjŏng]〈名・하形〉不人情. 薄情. 情け知らず. 句例 ～한 사람 不人情な人. 情け知らずな人.

몰-지각【沒知覺】〈名・하形〉知覚がないこと. 句例 ～한 행위 知覚のない行為.

ㅁ

**__몸__〈名〉❶身. ㉠からだ. 身体. 句例 의지할 곳 없는 ～ 寄るべのない身 / 임신한 ～ 身重のからだ / ～을 뒤틀다 からだをひねる / ～이 튼튼하다 からだが丈夫だ / ～이 약하다 からだが弱い / ～이 호리호리하다 からだがほっそりしている / ～을 단련하다 からだを鍛える / ～이 편찮다 からだの具合が悪い. ㉡身分. 立場. 句例 젊은 ～으로서 若い身空で / 학생의 ～으로서 学生の身で / ～을 망치다 身を滅ぼす / 귀하신 ～ 貴い御身. ❷ ⇨ 몸통. 句例 ～과 다리 からだと足.

몸(이) **나다** からだが太る. からだが肥える.

몸(이) **달다** じれる. いらだつ. 躍起になる.

몸(을) **던지다** ❶身を投げる. 自殺する. ❷(仕事に)身を投じる. 熱中する. 身を入れる.

몸(을) **바치다** 命をささげる. 身を投げ出す. 句例 몸과 마음을 다 바쳐서 心魂をなげうって.

몸(을) **쓰다** ❶からだを動かす. ❷からだで技をこなす. からだで芸をする.

몸에 **배다** 身につく. 慣れる. 板につく.

몸을 **사리다** 骨惜しみする. 身を入れない. 類몸을 아끼다.

몸(을) **풀다** ❶分娩する. ❷疲れをいやす. ❸軽い運動などでからだの緊張をほぐす.

몸-가짐〈名〉身持ち. 身のこなし. 身だしなみ. 物腰. 行儀. 態度. ＝거동. 태도. 句例 ～이 얌전한 처녀 物腰のしとやかな乙女 / ～이 단정하다 身だしなみがいい.

몸-값 [momkkap]〈名〉身の代金. →값 参考

몸-길이 [—giri]〈名〉(動物の)体長.

몸-나다 ⇨ '몸'の小項目

몸-단장【—丹粧】〈名・하自〉身繕い. 身ごしらえ. 身支度. ＝몸치장. 文例 ～에 시간이 걸렸다 身ごしらえに時間がかかった.

몸-달다 (—다니, —달아서) ⇨ '몸'の小項目

몸-담다 [—damtta]〈自〉❶勤める. 携わる. 句例 정치에 ～ 政治に携わる / 몸담고 있는 회사 勤めている会社. ❷身を寄せる. 住みついている. 文例 친척 집에 몸담고 있다 親戚の家に身を寄せている.

몸-두다〈自〉身を寄せる. 勤める.

몸둘 바를 모르다 寄るべがない. 身の置き所もない. ＝몸둘 곳을 모르다. 몸둘 곳이 없다.

몸-뚱이〈名〉からだ. 身体.

몸-매〈名〉からだつき. 身なり. スタイル. 句例 늘씬 한 ～ すんなりしたからだつき / 균형잡힌 ～ 釣り合いの取れたからだ.

*__몸-무게__〈名〉体重. ＝체중. 句例 ～가 늘다〔줄다〕体重が増える〔減る〕.

몸-부림〈名・하自〉身もだえ. もがき. あがき.

몸부림(을) 치다 もがく. 身もだえする. のたうつ. 句例 괴로움으로 ～ 苦しさに身もだえする / 살아가려고 ～ 暮らしを立てようとしてあがく.

몸살〈名〉疲れから来る病気.

몸살(이) 나다 ❶過労で病気になる. ❷ある事がしたくて, たまらなくなる.

몸-서리〈名〉身震い.

몸서리(가) 나다 ぞっとする. 身の毛がよだつ.

몸서리(를) 치다 ぞっとする. おじけ立つ. 身震いがするほど嫌気がさす.

몸소 〈副〉 自ら. 親しく. じきじきに. 文例 ~ 만드셨다 じきじきにお造りなさった / ~ 지도해 주셨다 親しくご指導くださった.

몸-수색【一搜索】〈名・하他〉からだの検索.

몸져-눕다 (一누우니, 一누워서)〈自〉病気で寝付く〔倒れる〕. 寝込む. 句例 과로로 ~ 過労で倒れる.

몸-조리【一調理】〈名・하自〉 養生. 摂生. 保養. 文例 병에는 그저 ~가 제일이다 病気にはひとえに保養が大切だ.

몸-조심【一操心】〈名・하自〉❶からだを大事にすること. 文例 추운 날씨에 ~하십시오 寒い折りから, おからだを大切にしてください. ❷言行を慎むこと.

몸-종 [momtchong]〈名〉小間使い.

몸-집 [momtchip]〈名〉体軀. 体格. 柄. からだつき. 句例 ~이 큰 청년 柄の大きい青年.

몸-짓 [momtchit]〈名・하自〉身振り. 句例 과장된 ~ 大げさな身振り / ~ 손짓으로 나타내다 身振り手振りで示す.

***몸-차림**〈名・하自〉⇨ 몸치장. 句例 ~에 무관심하다 身なりに無頓着だ.

몸-채〈名〉母屋. 本館.

몸-치장【一治粧】〈名・하自〉 装い. 身繕い. 身なり. 身じまい. ＝몸단장. 몸차림. 句例 ~하고 손님을 맞다 身繕いをしてお客をむかえる / ~하고 외출하다 身支度をして出かける.

몸-통〈名〉胴体. ＝동부(胴部). 語例 ~ 운동 胴体運動.

몸-풀다 ⇨ '몸'の小項目

⁑**몹시** [mo:pshi]〈副〉ひどく. 大変. たいそう. 非常に. 文例 ~ 추운 날이다 ひどく寒い日だ / ~ 덥다 大変暑い / ~ 화가 났다 ひどく腹が立った / ~ 재미있다 大変おもしろい. 類매우. 아주. →매우 表現

몹쓸 [mo:pssŭl]〈冠〉よくない. 悪い. たちの悪い. 句例 ~ 녀석들 悪いやつら. たちが悪いやつら / ~ 짓 悪行. 悪事 / ~ 병 たちの悪い病気.

⁑**못**[1]〈名〉くぎ(釘). 句例 ~을 뽑다 くぎを抜く / ~에 찔리다 くぎに刺される.

못(을) 박다 ❶くぎを打つ. ❷心を傷つける. 句例 부모 가슴에 ~ 親の心を痛める. ❸念を押す. くぎを刺す. 文例 딴말 안하도록 못 박아 놨다 他言しないようにくぎを刺しておいた / 꼭 오도록 단단히 못을 박았다 必ず来るようにと堅く念を押した.

못(이) 박히다 ❶くぎが打たれる. 文例 못 박힌 듯 멈춰 섰다 くぎ付けにされたようにたたずんだ. ❷心が恨みなどで痛めつけられる.

못(을) 주다 緩んだ所をくぎ付けにする.

못[2]〈名〉たこ(胼胝).

못(이) 박이다 たこができる. 文例 귀에 못이 박이게 들어 왔다 耳にたこができるほど聞いていた.

못[3]〈名〉池. ふち(淵). 文例 ~에서 고기떼가 논다 池で魚の群れが泳ぐ. 語例 ~가 池のほとり.

⁑**못**[4] [mo:t]〈副〉'不可能・制止・よくできない'などの意を表わす語. 句例 ~ 그린 그림 うまく描かれていない絵 / ~ 한다 出来ない. なし得ない / ~ 쓰게 되었다 使えられないようになった. →못하다

못 먹는 감 찔러나 본다 食えないかき(柿), つっついて傷でもつける. 自分の得にならない時, 意地悪をすることのたとえ.

못 오를 나무는 쳐다보지도 말아라 登れない木は仰ぎ見るな. ＝오를 수 없는 나무는 쳐다보지도 마라.

못갖춘-마디 [mo:t—]〈名〉〔樂〕不完全小節.

못-걸이 [motkŏri]〈名〉折れくぎ. 掛けくぎ.

못-나다 [mo:nnada]〈形〉醜い. 不器量だ. 不出来だ. 愚かだ. 句例 못난 얼굴 不器量な顔 / 못난 녀석 愚か者め(奴). 文例 못난 소리 하지 마라 ばかなことを言うな. 對잘나다.

⁑**못난-이** [mo:nnani]〈名〉愚か者. ぼんやり. 出来損ない.

***못내** [mo:nnae]〈副〉忘れずにいつまでも. 句例 ~ 그리워하다 いまもなお恋しがる / ~ 아쉬워하다 いつまでも名残を惜しむ.

못-대가리〈名〉くぎ(釘)の頭.

못-되다 [mo:toeda]〈形〉❶たち(質)が悪い. なっていない. 文例 못된 녀석이로군 なっていないやつだね. ❷出来が悪い. 足りない. 文例 일 년도 못되었다 一年にも足りない〔なっていない〕/ 한 말이 ~ 一斗に満ちない / 웃을 일이 ~ 笑い事でない.

못된 송아지 엉덩이에서 뿔이 난다 出来損ないの子牛, お尻から角が生える. 人間らしくない者がかえって傲慢ぶることのたとえ.

못마땅-하다 [mo:nmattang—] (→하다)〈形〉気にくわない. 不満だ. 句例 몹시 못마땅한 표정 苦苦しい表情. 文例 그의 말투가 ~ 彼の言葉つきが気に入らない. **못마땅히** [mo:nmattanghi]〈副〉不満に. 句例 못마땅히 여기다 不満に思う.

못-박다 ⇨ '못[1]'の小項目

못-박히다 [—pak'ida] ⇨ '못[1]'の小項目

못-뽑이 [motppobi]〈名〉くぎ抜き.

못-살다 [mo:t—] (못사니, 못살아서)〈自〉❶貧しく暮らす. 句例 못사는 집 貧しい家. 對잘살다. ❷我慢できない. やり切れない. 文例 강아지를 못살게 굴지 마라 子犬をいじめるな / 속이 상해서 못살겠다 しゃくにさわってやりきれない.

⁑**못-생기다** [mo:t—]〈形〉醜い. 不器量だ. 不細工だ. ＝못나다. 句例 못생긴 여자 醜い女性 / 못생긴 얼굴 不細工な顔.

못생긴 며느리 제삿날 병난다 醜い嫁, 祭祀の日に病みつく. 憎い者が, なす事ごとに憎いことばかり, しでかすことのたとえ.

못-쓰다 [mo:t—] (못쓰니, 못써서)〈自〉(使えないの意)よくない. だめだ. いけない. ＝안되다. 句例 얼굴빛이 못쓰게 되다 顔色がよくない. 文例 울면 못써 泣いてはいけないよ.

***못-자리**〈名・하自〉❶苗代. ＝묘판. 語例 ~철 苗代どき. ❷苗代に種もみをまくこと.

ㅁ

ㅁ

못-주다 ⇨ '못¹'の小項目

***못지-않다** [mo:tchiant'a] 〈形〉 [‘못하지 아니하다’の略] 劣らない. 見劣りがしない. 遜色がない. 句例 남 못지않은 성적 人に劣らない成績.

못-질 〈名・하自〉 くぎ(釘)を打つこと. くぎ打ち. 句例 벽에 ~하다 壁にくぎを打つ.

****못-하다¹** [mo:t'ada] (→하다) ■〈形〉 ❶(‘…보다 ~’ ‘…만 ~’の形で)…より劣る.…に及ばない. 文例 아들보다 ~ 息子より劣る / 형만 ~ 兄に及ばない. ❷(‘못해도’の形で) 少なくとも. 文例 못해도 백 명은 된다 少なくとも百人はある.

■〈補形〉 ❶(‘-지 ~’の形で)…くない. …でない. 句例 맑지 ~ 清くない / 좋지 ~ よくない. 立派でない. ❷(‘-다 못하여’ ‘-다 못해서’の形で)…のあげく. …のあまり. …あまり…くて. 文例 춥다 못하여 얼 정도다 あまり寒くて凍るほどだ.

****못-하다²** [mo:t'ada] (→하다) 〈補動〉 ❶(‘-지 ~’ ‘…하지 ~’の形で)…ができない. …をすることができない. 句例 가지 ~ 行けない. 行くことができない / 뛰지 ~ 走れない / 노래를 (하지) ~ 正しく歌えない. よく歌えない. 文例 인사 하나 제대로 (하지) 못한다 あいさつひとつもろくにできない / 말도 (하지) 못하겠다 口も利けないほどだ. ❷(‘-다 못하여’ ‘-다 못해서’の形で)…しきれず. …するにしかねて. 文例 참다 못하여 뛰어나갔다 たまりかねて飛び出した.

못하는 소리가 없다 ❶出任せを言う. 出任せにしゃべる. 文例 윗사람 앞에서 ~ 目上の前で出任せにしゃべっている. ❷(幼子の)言うのがうまい.

몽 〔漢字項目〕

【夢】高校 몽 ム. ❶꿈 夢. ■夢想 몽상 むそう. ■白日夢 백일몽 はくじつむ. 吉夢 길몽 きちむ. ❷덧없다 はかない. ■一場春夢 일장춘몽 いちじょうのゆめ.

【蒙】高校 몽 モウ. ❶옷을 입다 衣を着る. 은혜를 입다 恩を受ける. ■蒙恩 몽은 もうおん. 蒙被 몽피 もうひ. ❷뒤집어 쓰다 被る. ■蒙塵 몽진 もうじん. ❸우매하다 愚かしい. 愚かだ. ■蒙昧 몽매 もうまい. ■啓蒙 계몽 けいもう. ❹어리다 幼い. ■蒙稚 몽치 もうち. ❺몽고의 약칭 蒙古の略称. ■満蒙 만몽 まんもう.

***몽고**【蒙古】〈名〉〔地〕 蒙古. 語例 ~말 蒙古馬 / ~어 蒙古語 / ~ 인종 蒙古人種.

몽당-붓 〈名〉 ちび筆. 禿筆.

몽당-연필【一鉛筆】[—nyŏnp'il] 〈名〉 ちびた鉛筆.

***몽둥이** 〈名〉 棒. 棍棒. 語例 ~ 세례(洗禮)〔찜질〕 棍棒でさんざん打つこと.

몽땅 〈副〉 ❶すっかり. 全部. すべて. ねこそぎ. 句例 ~ 먹어치우다 すべて食べ尽くす / 지닌 것을 ~ 털리다 身ぐるみはがれる. 文例 그녀의 귀중품이 ~ 불에 타버렸다 彼女の貴重品がすっかり焼けてしまった. ❷一気に切るさま: ずばり. ばっさり.

***몽롱-하다**【朦朧—】[mongnonghada] (→하다) 〈形〉 朦朧としている. 句例 몽롱한 의식 朦朧たる意識. 文例 기억이 ~ 記憶が朦朧としている.

몽상【夢想】[mo:ngsang] 〈名・하他〉 夢想. 語例 ~가 夢想家.

몽실-몽실 〈副・하形〉 まるまる肥えて柔らかい感じのするさま: まるまる. ぽっちゃり. ぽってり. 句例 아기의 ~한 빰 赤ちゃんのふっくらとしたほお.

몽유-병【夢遊病】[mo:ng-yuppyŏng] 〈名〉〔醫〕 夢遊病. 語例 ~자 夢遊病者.

몽타주 [mongt'a:ju] 〈名〉 モンタージュ. 語例 ~ 사진 モンタージュ写真. ◇프 montage

***뫼** [moe:] 〈名〉 墓. =묘(墓).

뫼(를) 쓰다 墓地を定めて葬る. 墓場を設ける.

묏-자리 [moe:t—] 〈名〉 墓をつくるべき所. 墓の適地.

묘【妙】[myo:] 〈名〉 妙. 句例 조화의 ~ 造化の妙 / 운용의 ~ 運用の妙 / 용병의 ~를 터득하다 用兵の妙を得る. →묘하다

묘【墓】[myo:] 〈名〉 ⇨ 뫼. 語例 ⇨ 묘지기

묘 〔漢字項目〕

【卯】中學 묘 ボウ. ウ. ❶넷째 지지(地支). 十二支の四番目. ❷방위는 동쪽, 시간으로는 오전 여섯시. 띠는 토끼, 달로는 음력 이월 方位は東, 時刻は午前六時. うさぎの年, 月は旧暦二月. ■卯月 묘월 うづき.

【墓】高校 묘 ボ. 무덤. 뫼 墓. ■墓地 묘지 ぼち. 墓所 묘소 ぼしょ. ■墳墓 분묘 ふんぼ.

【妙】中學 묘 ミョウ. ❶묘하다 妙だ. ㉠불가사의하다 不思議だ. ■靈妙 영묘 れいみょう. ㉡아주 잘되다 きわめてよい. 정묘하다 精妙だ. ■妙技 묘기 みょうぎ. ■微妙 미묘 びみょう. ❷젊고 예쁘다 年若く美しい. ■妙齢 묘령 みょうれい. 妙年 묘년 みょうねん. 妙麗 묘려 みょうれい.

【廟】高校 묘 ビョウ. ❶사당 たまや. ㉠조상의 신주를 모신 곳 祖先の位牌を安置するところ. ■宗廟 종묘 そうびょう. 家廟 가묘 かびょう. ㉡신을 제사 지내는 곳 霊を祭るところ. ■廟宇 묘우 びょうう. 廟室 묘실 びょうしつ. ❷묘당 廟堂. 나라의 정무를 보는 정전 国の政務をとる正殿. ■廟議 묘의 びょうぎ. ■堂廟 당묘 どうびょう.

【苗】高校 묘 ビョウ. ❶모 苗. 곡초(穀草) 등의 싹 稲・麦などの芽. ■禾苗 화묘 かびょう. 稲苗 도묘 とうびょう. ❷뭇 백성 民. ■苗民 묘민 びょうみん. ❸중국 윈난・구이저우 지방의 민족 中国の雲南・貴州地方の民族. ■苗族 묘족 びょうぞく.

묘기【妙技】[myo:gi] 〈名〉 妙技. 句例 ~를 보이다 妙技を見せる / ~를 부리다 妙技をふるう. 語例 공중 ~ 空中の妙技.

묘령【妙齢】[myo:ryŏng] 〈名〉 妙齢. 句例 ~의 여성 妙齢の女性.

***묘목**【苗木】[myo:mok] 〈名〉 苗. 苗木. =나무모. 句例 ~을 심다 苗木を植える / 소나무의

～ 松の苗木.

*묘미【妙味】[myo:mi]〈名〉妙味. 句例 ～를 맛보다 妙味を味わう. 文例 그 시에는 뭐라고 말할 수 없는 ～가 있다 その詩には何とも言えない妙味がある.

묘비【墓碑】[myo:bi]〈名〉墓碑. ＝묘석. 句例 ～를 세우다 墓碑を建てる. 墓を建てる. 語例 ～명 墓碑銘. 墓誌銘.

묘사【描寫】[myo:sa]〈名〉描写. ～하다〈他〉描写する. 描く. 句例 풍경을 ～하다 風景を描写する／생생한 ～ 生生しい描写. 語例 심리 ～ 心理描写.

묘석【墓石】[myo:sŏk]〈名〉⇨ 묘비

묘소【墓所】[myo:so]〈名〉墓所. ＝산소(山所).

묘수【妙手】[myo:su]〈名〉妙手. 句例 바둑에서 ～를 두다 碁で妙手を打つ.

묘안【妙案】[myo:an]〈名〉妙案. 句例 ～이 떠오르다 妙案が浮かぶ／～이 생각나다 妙案を思いつく／～을 생각해 내다 妙案を考え出す. 類명안(名案).

묘약【妙藥】[myo:yak]〈名〉妙薬. 句例 두통의 ～ 頭痛の妙薬.

묘역【墓域】[myo:yŏk]〈名〉墓域.

묘연-하다【杳然―】[myo:yŏn―]（→하다）〈形〉❶杳然としている. はるかに遠い. ❷記憶が薄れてはっきりしない. ❸行方が知れない. 文例 오랫동안 행방이 ～ 長い間行方がはっきりしない.

*묘지【墓地】[myo:ji]〈名〉墓地. 墓場. 句例 ～에 매장하다 墓場に埋葬する. 語例 공동 ～ 共同墓地.

묘-지기【墓―】[myo:jigi]〈名〉墓守り. ＝묘직(墓直).

묘책【妙策】[myo:ch'aek]〈名〉妙策. 妙計. 句例 ～을 짜내다 妙策をひねり出す／인플레 방지의 ～ インフレ防止の妙策.

묘판【苗板】[myo:p'an]〈名〉❶苗代. ＝못자리. ❷苗床. ＝모판(板).

묘포【苗圃】[myo:p'o]〈名〉苗木を育てる畑. ＝모밭.

*묘표【墓標】[myo:p'yo]〈名〉墓じるし. 墓標. ＝표석(表石).

묘-하다【妙―】[myo:―]（→하다）〈形〉妙だ. ❶巧みだ. ❷おかしい. 変だ. 腑に落ちない. 句例 묘한 사나이 奇妙な男／묘한 인연 妙な縁. 文例 묘한 일도 있구나 妙なこともあるものだ／묘한 사이가 되었다 へんな仲になった／묘하게도 일이 그렇게 됐어 あいにく事がそんなふうになった.

묘혈【墓穴】[myo:hyŏl]〈名〉墓穴.

묘혈(을) 파다 墓穴を掘る. 句例 스스로 ～ 自ら墓穴を掘る.

**무 [mu:]〈名〉〔植〕大根. 句例 ～를 채치다 大根を千切りにする／～를 잘게 썰다 大根を細かく刻む.

무【無】〈名・하形〉無. 句例 ～에서 유를 낳다 無から有を生じる／～로 돌아가다 無に帰する. 對유(有).

무-【無】〈頭〉無…. 語例 ～관심 無関心／～일푼 無一文／～관계 無関係／～국적 無国籍.

무	〔漢字項目〕

【務】中學 무 ム. ❶힘쓰다 務める. ▮務勸 무권 むかん. ❷일 仕事. ㉠힘써하는 일 力を尽くしてする仕事. ▮事務 사무 じむ. 國務 국무 こくむ. 職務 직무 しょくむ. ㉡직책 役. ▮任務 임무 にんむ. 主務 주무 しゅむ. 庶務 서무 しょむ.

【戊】中學 무 ボ. ❶천간(天干)의 다섯째 十干の五番目. 방위는 중앙, 시각은 오전 세시부터 다섯시 方位は中央, 時刻は三時から五時まで. ▮戊申 무신 ぼしん.

【武】中學 무 ブ. ム. ❶굳세다 強い. 무용이 있다 勇ましい. ▮武威 무위 ぶい. ▮勇武 용무 ようぶ. ❷병법 兵法. 전술 戦術. ▮武略 무략 ぶりゃく. ▮講武 강무 こうぶ. ❸병기 兵器. 무기 武器. ▮武庫 무고 ぶこ. 武具 무구 ぶぐ. ❹무인 武士. 武者. ▮武官 무관 ぶかん. 武名 무명 ぶめい. 武德 무덕 ぶとく.

【無】中學 무 ム. ブ. ❶없다 無い. 있지 아니하다 いない. ▮無敵 무적 むてき. 無言 무언 むごん. 無禮 무례 ぶれい. ▮有無 유무 うむ. ❷공허하다 空しい. 공허 空虚. ▮虛無 허무 きょむ.

【舞】中學 무 ブ. ❶춤 舞. 무용 舞踊. ▮舞樂 무악 ぶがく. ▮歌舞 가무 かぶ. ❷춤추다 おどる. 무용하다 舞をまう. ▮舞蹈 무도 ぶとう. ▮劍舞 검무 けんぶ.

【茂】中學 무 モ. ❶우거지다 茂る. ▮茂林 무림 もりん. ▮繁茂 번무 はんも. ❷뛰어나다 優れている. ▮茂才 무재 もさい.

【貿】高校 무 ボウ. ❶장사하다 商売する. 교역하다 交易する. ▮貿易 무역 ぼうえき. ▮販貿 판무 はんぼう. ❷바꾸다 換える. 교환하다 交換する. ▮貿市 무시 ぼうし.

【霧】高校 무 ム. ❶안개 霧. ▮霧笛 무적 むてき. ▮雲霧 운무 うんむ. 五里霧中 오리무중 ごりむちゅう. 噴霧器 분무기 ふんむき. ❷안개와 같이 밀집 또는 비산하는 것 霧のように密集または飛散すること. ▮霧散 무산 むさん.

무가【武家】[mu:ga]〈名〉武家. 武門.

무간-하다【無間―】（→하다）〈形〉隔てがなく親しい. 文例 송군은 나와는 무간한 사이다 宋君はわたしとはとても親しい間柄だ.

무-감각【無感覺】〈名・하形〉無感覚. 句例 ～한 사람 無感覚な人. 文例 고통에 ～하다 苦痛に無感覚だ.

무감 지진【無感地震】〈名〉〔地〕無感地震. 對유감(有感) 지진.

무개 화차【無蓋貨車】[―hwa:ch'a]〈名〉無蓋貨車. 對유개(有蓋) 화차.

**무겁다（무거우니, 무거워서）〈形〉重い. ❶目方が多い. 句例 무거운 짐 重荷. 文例 쇠는 물보다 ～ 鉄は水より重い. ❷言行が慎重だ. 句例 입이 무거운 사람 口の重い人. ❸責任などが重大だ. 文例 책임이 ～ 責任が重い. ❹(病・罪などが)はなはだしい. 句例

ㅁ

무거운 죄 重い罪. [文例] 몸이 ~ からだがだるい. ❺晴れ晴れしない. 浮かない. [句例] 무거운 발걸음 重い足取り. [文例] 마음이 ~ 心が重い. 気が重い. ❻動きが鈍い. [文例] 궁둥이가 ~ 尻が重い. ▷對가볍다.

무겁디-무겁다 (—무거우니, —무거워서)〈形〉とても重い. 重重しい.

***무게**〈名〉重み. 重さ. ❶目方. 重量. [句例] ~를 달다 目方を計る. [文例] 엄청난 ~다 大変な重さだ. ❷言行の沈着性. [句例] ~있는 말 重みのある言葉. [文例] 언행에 ~가 있다 言行に重みがある. ❸(作品などの)価値. 重み. [句例] ~ 있는 논문 重みのある論文.

무게가 천근이나 된다 重さが千斤もある. 重みのある人のたとえ.

무게-중심【—重心】〈名〉〔物〕重心.

무-계획【無計劃】〈名〉無計画. **~하다**〈形〉無計画だ. [文例] ~한 지출이다 無計画な支出だ.

무고【誣告】[mu:go]〈名・하他〉誣告. [語例] ~죄 誣告罪.

무고-하다【無故—】(→하다)〈形〉❶なんの理由もない. ❷無事で安らかだ. =무사(無事)하다. [文例] 그간 무고하셨습니까 その間お変わりございませんか. **무고히**〈副〉無事に.

무고-하다【無辜—】(→하다)〈形〉なんの罪も無い. 無辜である. [句例] 무고한 백성(을 죽이다) 無辜の民(を殺す).

무골-호인【無骨好人】[—ho:in]〈名〉底抜けのお人よし. おめでたい人.

무공【武功】[mu:gong]〈名〉武功. =무훈(武勳). [句例] ~을 세우다 武功をたてる. [語例] ~훈장 武功勲章.

무관【武官】[mu:gwan]〈名〉武官. [語例] 시종~ 侍従武官. 對문관(文官).

무관【無冠】〈名〉無冠. 位冠のないこと.

무관의 제왕 無冠の帝王. 言論界の人.

***무-관심**【無關心】〈名・하形〉無関心. 無頓着. [句例] ~을 가장하다 無関心を装う / 예술에 ~한 사람 芸術に無関心な人. [文例] 옷차림에 ~하다 身なりにむとんじゃくだ.

무관-하다【無關—】(→하다)〈形〉[‘무관계하다’の略] かかわ(係)りがない. 無関係だ. [文例] 그것과는 하등 무관한 일이다 それとはなんら無関係なことだ.

무-국적【無國籍】〈名〉無国籍. [語例] ~자 無国籍者.

***무궁무진-하다**【無窮無盡—】(→하다)〈形〉限りがなく尽きない. 無尽蔵だ. [文例] 이야깃거리가 ~ 話題が限りなくある.

***무궁-하다**【無窮—】(→하다)〈形〉窮まりない. 無限だ. 限りない. [文例] 무궁한 번영을 빕니다 限りないご繁栄を祈ります. [語例] 천양~ 天壌無窮. **무궁히**〈副〉無限に. [句例] 무궁히 전해지다 無限に伝わる.

무궁-화【無窮花】〈名〉〔植〕むくげ(木槿). 韓国の国花.

무궁화 동산【無窮花—】〈名〉(むくげの園の意で)韓国の美称.

무궁화-호【無窮花號】〈名〉韓国最初の放送通信衛星. その第一号‘무궁화 1호’が1995年8月5日に, その第二号‘무궁화 2호’が1996年1月14日に打ちあげられた. =무궁화호 위성. 무궁화 위성.

무-궤도【無軌道】〈名〉無軌道. 無軌条. **~하다**〈形〉無軌道だ. 常軌を逸している. [句例] ~한 생활 無軌道な生活.

***무기**【武器】[mu:gi]〈名〉武器. 兵器. [句例] ~를 들다〔버리다〕武器を取る〔捨てる〕/ ~없이 싸우다 丸腰で戦う. [語例] ~고 武器庫 / 핵~ 核兵器.

무기【無期】〈名〉[‘무기한(無期限)’の略] 無期. [句例] ~ 연기가 되다 無期延期になる. [語例] ~휴회 無期休会 / ~형 無期刑. 對유기(有期).

무기【無機】〈名〉無機. ❶生活力を持っていないこと. ❷〔化〕‘무기 화합물 無機化合物’の略. [語例] ~물 無機物. 對유기(有機).

무-기력【無氣力】〈名〉無気力. **~하다**〈形〉無気力だ. [句例] ~해지다 無気力になる / ~한 사람 無気力な人 / ~에 빠지다 無気力におちいる. [語例] ~ 상태 無気力状態.

무-기명【無記名】〈名〉無記名. [語例] ~ 예금 無記名預金 / ~ 투표 無記名投票. 對기명(記名).

무기-물【無機物】〈名〉無機物. 對유기물.

무-기한【無期限】〈名〉無期限. 略して‘무기(無期)’とも言う. [句例] ~으로 연장하다 無期限に延ばす. [語例] ~ 파업 無期限スト.

무-나물 [mu:—]〈名〉千切りにした大根のお浸し.

무난-하다【無難—】(→하다)〈形〉❶無難だ. 当たり障りがない. [句例] 무난한 인선 無難な人選. [文例] 이것이면 ~ これなら無難だ. ❷たやすい. なんの困難もない. [句例] 무난하게 결말짓다 難なくけりをつける. **무난히**〈副〉無難に. 難なく. 楽に. [文例] 무난히 시험에 합격했다 試験に難なく合格した.

무남-독녀【無男獨女】[—dongnyŏ]〈名〉息子のない家のひとり娘.

무너-뜨리다〈他〉❶(取り)崩す. 取り壊す. [句例] 적진을 ~ 敵陣を崩す. ❷倒す. [句例] 조직을 ~ 組織を倒す.

***무너-지다**〈自〉崩れる. ❶壊れる. [句例] 벽이 ~ 壁が崩れる / 방죽이 ~ 堤が切れる / 구체제가 ~ 旧体制が崩れる. ❷つぶれる. [句例] 집이 ~ 家がつぶれる.

무녀【巫女】[mu:nyŏ]〈名〉⇨무당

무-논〈名〉水田・みずた.

무능【無能】〈名・하形〉無能. [句例] ~한 자 無能な者 / 정부의 ~을 공격하다 政府の無能を攻撃する. 對유능(有能).

무-능력【無能力】[munŭngnyŏk]〈名・하形〉無能力. [句例] ~한 자 無能力な者.

***무늬** [muni]〈名〉模様. 文様〔紋様〕. 柄. 図柄. あや(綾). しま(縞). [句例] ~가 좋다 柄がいい / 흰 바탕에 붉은 장미 ~ 白地に赤いバラの文様. [文例] 화려한 ~구나 はでな柄だね. [語例] 꽃~ 花模様 / 줄~ しま柄.

무늬(를) 놓다 紋様を入れる. または刺繡を施す. 模様をつける. 形を置く.

무단【無斷】〈名・하形〉無断. 句例 ~으로 사용하다 無断で使う. 語例 ~ 외출 無断外出 / ~ 출입 無断出入り. **~히**〈副〉無断で. 句例 무단히 결석하다 無断で欠席する.

무단 정치【武斷政治】[mu:dan—]〈名〉武断政治. =무단 통치.

무당 [mu:dang]〈名〉〔民〕みこ(巫女・巫子). 口寄せ. 市子. =무녀(巫女). 文例 신령이 ~에게 지폈다 神霊がみこに乗り移った. 参考 吉凶を占い'굿'をつかさどる. 男が巫子になった場合は'박수'と言う.

***무대**【舞臺】[mu:dae]〈名〉舞台. 句例 첫~에 서다 初舞台に立つ / 외교 ~에서 활약하다 外交舞台で活躍する. 語例 ~ 감독 舞台監督 / ~ 예술 舞台芸術 / ~ 장치 舞台装置 / ~ 조명 舞台照明.

무더기 ■〈名〉積み重ねたものの山. 堆積. 句例 시체의 ~ しかばね(屍)の山 / ~로 돈을 벌다 山と金をもうける. 文例 희망자는 ~로 있다 希望者はわんさといる.
■〈依名〉積まれた山を数えることば: 山. 盛り. 句例 한 ~ 삼천원 一山三千ウォン / 사과 한 ~ りんごひと山.

***무-더위**〈名〉蒸し暑さ. 暑気. 句例 장마 후의 ~ 長雨後の蒸し暑さ. 文例 ~도 이제는 고비를 넘겼다 蒸し暑さも今は峠をこした.

무던-하다 (→하다)〈形〉無難だ. ❶程度などがひとまず適当だ. =어지간하다. 文例 학생으로서는 무던한 사람이다 学生としては無難な人だ. ❷人柄が寛容である. 心が広い. 句例 무던한 성격 無難な性格. 文例 사람됨이 무던한 편이다 人柄が寛大な方だ. **무던히**〈副〉❶無難に. ❷かなり. よほど. 文例 무던히도 애를 먹였다 よほどてこずらせた.

****무덤**〈名〉墓. 塚. =분묘(墳墓). 句例 스스로 ~을 파다 自ら墓穴を掘る.

***무덥다** (무더우니, 무더워서)〈形〉蒸し暑い. 蒸す. 句例 무더운 날 蒸し暑い日. 文例 오늘 밤은 몹시 무덥군요 今夜はひどく蒸し暑いですね〔蒸しますね〕.

무도【武道】[mu:do]〈名〉武道. 句例 ~에 정진하다 武道に精進する. 語例 ~장(場) 武道の道場.

무도【舞蹈】[mu:do]〈名・하自〉舞踏. ダンス. 語例 ~장 舞踏場 / ~회 舞踏会.

무두-질 [mu:dujil]〈名・하自他〉❶皮をなめ(鞣)すこと. 皮なめし. ❷(空腹などで)腹がきりきり(と)痛むこと. 文例 뱃속에서 ~하다 おなかがきりきり痛む.

무드 [mu:dŭ]〈名〉ムード. 句例 ~를 돋우다 ムードを盛りあげる / ~를 즐기다 ムードを楽しむ. 語例 ~ 음악 ムード音楽 / 태평 ~ 太平ムード. ◇mood

무-득점【無得點】〈名〉無得点. 文例 경기는 ~으로 끝났다 試合は無得点に終わった.

무디다〈形〉❶(刀の刃などが)鈍い. 切れ味が甘い. 句例 무딘 톱 鈍いのこぎり / 무딘 식칼 なまくらな包丁. ❷(勘などが)鈍い. のろい. 句例 무딘 사람 鈍感な人 / 솜씨가 무디어지다 腕が鈍る / 동작이 ~ 動作が鈍い. ❸(言葉などが)つっけんどんだ. 句例 무디게 하는 말 ぶっきらぼうな言葉.

무뚝뚝-하다 [muttukttuk'ada] (→하다)〈形〉無愛想だ. つっけんどんだ. ぶっきらぼうだ. むっつりしている. 句例 무뚝뚝한 대답〔점원〕無愛想な返事〔店員〕.

***무럭-무럭** [murŏngmurŏk]〈副〉❶勢いよく育つさま: すくすく. めきめき. のびのび. 句例 ~ 자라다 すくすく(と)育つ. ❷湯気・煙りなどがたち上るさま: もくもく. むくむく. 句例 ~ 김이 오르다 ゆらゆらと湯気がたちのぼる. ❸においが鼻をつくさま: ぷんぷん. 文例 맛있는 냄새가 ~ 나다 おいしいにおいがぷんぷんする.

***무려**【無慮】〈副〉無慮. おおよそ. ざっと. 大体. 文例 군중은 ~ 20 만을 넘었다 群衆はざっと二十万を越した.

무력【武力】[mu:ryŏk]〈名〉武力. 兵力. 句例 ~을 행사하다 武力を行使する / ~에 호소하다 武力に訴える. 語例 ~전 武力戦.

***무력**【無力】〈名・하形〉無力. 句例 ~한 사나이 無力な男. 文例 적의 공격에 대해서 ~하다 敵の攻撃に対して無力である. 語例 ~감 無力感.

무력-화【無力化】[muryŏk'wa]〈名・하自他〉無力化. 句例 적의 화력을 ~시키다 敵の火力を無力化させる / 오랜 노력이 ~되다 長い間の努力が無力化する.

***무렵**〈依名〉時分. ころ(頃). …時. 句例 해뜰 ~ 明けがた. 未明 / 늘 이 ~이면 いつもこのごろには / 내일 이 ~ あすの今ごろ.

무례【無禮】〈名・하形〉無礼. ぶしつけ. 無作法. 句例 ~한 자 無礼者 / ~한 질문을 하다 ぶしつけな質問をする / ~한 말〔짓〕을 하다 無礼なことを言う〔する〕. 文例 ~를 용서해 주십시오 無礼をお許しください.

무뢰-한【無賴漢】〈名〉無頼漢. ならず者.

무료【無料】〈名〉無料. 語例 ~ 입장 無料入場 / ~ 봉사 無料奉仕. 対 유료(有料).

무료-하다【無聊—】(→하다)〈形〉❶無聊だ. 退屈だ. 手持ち無沙汰だ. 句例 무료한 나머지 退屈のあまりに / 무료함을 달래다 無聊を慰める. ❷きまりが悪いさま. 句例 무료한 얼굴 きまりの悪い顔. 照れ臭い顔. **무료히**〈副〉❶無聊で. つくねんと. ❷照れ臭く.

무르녹다〈自〉❶爛熟する. 句例 무르녹은 복숭아 熟し切った桃. ❷(事柄・機会などが)熟す. 句例 시기가 ~ 時機〔機〕が熟す. ❸(青葉・木など)緑が濃い. 句例 신록이 무르녹는 오월 新緑したたる五月.

무르다[1] (무르니, 물러서)〈自〉熟し切って柔らかくなる. 煮えて柔らかくなる. 句例 익어서 무른 감 熟し切って柔らかくなったかき(柿).

무르다[2] (무르니, 물러서)〈他〉❶(買い物を)返品して代金を戻してもらう. 文例 사온 물건에 흠이 있어서 도로 물렀다 買って来たものに傷があって返品してもらった. ❷帳消しにする. とり消す. 文例 주고 받은 것을 물렀다 やり取りしたのを帳消しにした. ❸(碁や将棋で)打ち直す. '待った'をする. 文例 이번에는 무르는 일 없기로 하자 今度は'待った'なしで行こう.

무르다[3] (무르니, 물러서)〈形〉❶柔らかい. ❷も

ㅁ

ろ(脆)い. ❸(心などが)甘い. [句例] 여성에게 무른 남자 女性に甘い男.

물러도 준치 썩어도 생치(生雉) 傷んでもひら(鰣), 腐ってもきじ(雉)の生肉. 苦境に陥っても操や持ち前は変わらないことのたとえ.

***무르-익다** 〈自〉 ❶よく実る〔熟れる〕. うまく熟す. [句例] 무르익은 수박 うまく熟れたすいか(西瓜). ❷(事・時が)熟す. [文例] 시기는 바야흐로 무르익었다 時機はまさに熟した.

무릅쓰다 (무릅쓰니, 무릅써서) 〈他〉 押し切る. 冒す. [句例] 반대를 무릅쓰고 강행하다 反対を押し切って強行する / 병을 무릅쓰고 참석하다 病を押して参会する / 폭풍우를 무릅쓰고 나아가다 暴風雨を冒して進む.

무릇 〈副〉 およそ. あらまし. 総じて. そもそも. [文例] ~ 부모를 생각지 않는 자는 없다 およそ親を思わぬ者はいない.

ㅁ

****무릎** 〈名〉 ひざ(膝). 小ひざ. ひざ頭. [句例] ~을 맞대고 의논하다 ひざをつき合わせて相談する / 한쪽 ~을 세우고 앉다 立てひざをする. [語例] ~장단(長短)(을 치다) ひざ拍子(を取る).

무릎(을) 꿇다 ひざを折る. ひざを屈する. [句例] 힘이 다하여 ~ 力が尽きてひざを折る.

무릎(을) 치다 ひざを打つ. [句例] 무릎을 치며 탄복하다 ひざを打って感心する.

무릎-걸음 [—kŏrŭm] 〈名〉 すりひざ. おひざ送り. [句例] ~을 치다 小ひざを進める.

무릎-맞춤 〈名・하自〉 対質. =면질(面質).

***무리** 〈名〉 群れ. 群. やから(輩). 連中. [句例] 부랑자의 ~ 浮浪者の群れ / ~를 짓다 群れをなす. [文例] 그런 ~와는 가까이하지 마라 そんなやからは相手にするな.

****무리** 【無理】 〈名〉 無理. **~하다** 〈形〉 無理だ. [句例] ~한 부탁 無理なお願い / ~한 주문 無理な注文 / ~하게 강행하다 無理に強行する. [文例] ~가 없게 해라 無理のないようにせよ / 그가 화내는 것도 ~는 아니다 彼が怒るのも無理ではない / 너무 ~하지 마세요 あまり無理しないでください.

무리-수 【無理數】 〈名〉〔數〕 無理数. ㊀유리수(有理數).

무마-하다 【撫摩—】 [mu:ma—] (→하다) 〈他〉 ❶撫でさする. ❷なだめる. いたわりなぐさめる. [句例] 흥분한 군중을 ~ 興奮した群衆をなだめて鎮める.

무-말랭이 [mu:—] 〈名〉 大根を細かく切って干したもの.

무-면허 【無免許】 〈名〉 無免許. [語例] ~ 의사 潜り医者 / ~ 운전 無免許運転.

***무명** 〈名〉 木綿. 略して '명'とも言う. =면포(綿布). [語例] ~베 綿布 / ~실 木綿糸 / ~옷 木綿の服.

***무명** 【無名】 〈名・하形〉 無名. [句例] ~의 신인〔독지가〕 無名の新人〔篤志家〕. [語例] ~ 용사 無名勇士 / ~ 작가 無名作家 / ~지사 無名の士. ㊀유명(有名).

무모-하다 【無謀—】 (→하다) 〈形〉 無謀だ. 無鉄砲だ. [句例] 무모한 계획 無謀な計画 / 무모한 용기 向こう見ずの勇気. **무모히** 〈副〉 無謀に. 無鉄砲に.

무미 【無味】 〈名・하形〉 無味. ❶味のないこと. ❷おもしろみのないこと. 味気ないこと. [句例] ~한 생활 味気ない生活. →무미건조하다. ❸没趣味なこと. [句例] ~한 사람 没趣味な人. ❹'무의미(無意味)'の略.

무미건조-하다 【無味乾燥—】 (→하다) 〈形〉 無味乾燥だ. [句例] 무미건조한 이야기 無味乾燥な話.

무-방비 【無防備】 〈名〉 無防備. [語例] ~ 상태 無防備状態.

무방-하다 【無妨—】 (→하다) 〈形〉 差し支えない. 差し障りがない. 構わない. …して(も)いい. [文例] 바쁜 사람은 일찍 가도 ~ 忙しい人は先に帰ってもいい.

무법 【無法】 〈名・하形〉 無法. [句例] ~한 짓을 하다 無法なことをする. [語例] ~자 無法者 / ~지대 無法地帯.

무병 【無病】 〈名・하形〉 無病. [語例] ~장수 無病長寿. 病気にかからないで長生きすること.

무-보수 【無報酬】 〈名〉 無報酬. 無給. [句例] ~로 일하다 無給で働く.

무분별-하다 【無分別—】 (→하다) 〈形〉 無分別だ. [句例] 무분별하기 짝이 없다 無分別極まる / 무분별한 짓을 하다 無分別なことをする.

무비 [mu:bi] 〈名〉 ムービー. [語例] ~ 카메라 ムービーカメラ. ◇movie

***무사** 【武士】 [mu:sa] 〈名〉 武士. 侍. =무부(武夫). [語例] ~도 武士道.

무사 【無死】 〈名〉〔野〕 無死. ノーダウン. [語例] ~ 만루 無死満塁.

무사 【無事】 〈名〉 無事. =무고(無故). **~하다** 〈形〉 無事だ. [句例] ~한 나날을 보내다 無事な日日を過ごす / ~하기를 빌다 無事を祈る. [文例] ~해서 무엇보다도 다행입니다 無事でなによりです. **~히** 〈副〉 無事に. つつがなく. [句例] ~히 끝나다 無事に終わる / ~히 도착하다 無事に着く. [文例] ~히 지내고 있다 無事に過ごしている / 오늘도 ~히 끝났다 今日も無事に済んだ.

무-사고 【無事故】 〈名〉 無事故. [語例] ~ 운전 無事故運転.

무사-태평 【無事泰平】 〈名・하形〉 ❶平穏無事であること. [句例] ~하게 살다 平穏無事に暮らす. ❷のんきなこと. [句例] ~하게 굴다 のんきに構える. [文例] 세상이야 어찌 되었건 ~이군 世の中はどうなろうとのんきだね.

무산 【無産】 〈名〉 無産. [語例] ~ 계급 無産階級 / ~자 無産者. ㊀유산(有産).

무산 【霧散】 [mu:san] 〈名・하自〉 霧散. [句例] 노력의 결과가 ~되다 努力の結果が無に帰する.

무상 【無常】 〈名・하形〉 無常. [句例] ~한 세상 定めなき世. [文例] 인생은 ~하다 人生は無常である. 人生ははかないものである. [語例] ~ 출입 いつでも自由に出入りすること.

무상 【無償】 〈名〉 無償. ただ. [句例] ~으로 주다 無償で与える. [語例] ~ 배급 無償配給 / ~ 원조 無償援助. ㊀유상(有償).

무색 【無色】 〈名・하形〉 ❶無色. 色のないこ

と. [句例] ～ 투명하다 無色透明だ. ❷恥じ入って顔向けができないこと. ＝무안(無顔). [句例] ～게 하다 顔色なしにする / 꽃이 ～할 정도의 미인 花を欺く美人. [文例] 어른도 ～할 지경이다 大人も顔負けする程だ. 大人も顔色なしだ.

무생-물【無生物】〈名〉無生物. ㊖생물.

무서움〈名〉おじ気. 怖さ. 恐ろしさ. 略して'무섬'とも言う. [文例] 저애는 ～을 잘 탄다 あの子はよく怖がる.

**무서워-하다 (→하다)〈他〉おびえる. 怖がる. 恐れる. [文例] 어린애는 어둠을 무서워한다 幼い子は暗がりを怖がる.

*무선【無線】〈名〉無線. [語例] ～ 전화 無線電話 / ～ 통신 無線通信 / ～국 無線局.

무선 전신【無線電信】[—jŏ:nshin]〈名〉無線電信. 略して '무선・무전(無電)'とも言う.

무선 호출기【無線呼出機】〈名〉ポケットベル. ポケベル《商標名》. 俗に'삐삐'とも言う.

무섬〈名〉'무서움'の略: 怖さ. おじけ. [文例] 전혀 ～을 모른다 全然怖さを知らない. [語例] ～증 恐怖症.

무섬(을) 타다 怖がる.

**무섭다 (무서우니, 무서워서)〈形〉恐ろしい. おっかない. ❶怖い. [句例] 무서운 얼굴 怖い顔 / 무서운 선생 怖い先生 / 뒤가 ～ 後(のたたり)が怖い / 무서워서 떨다 怖くて震える. ❷すご(凄)い. すさまじい. ㉠驚くべきだ. [句例] 무서운 괴력 すごい怪力 / 무서운 속도로 すごいスピードで. ㉡ひどい. [句例] 무서운 광경 すごい光景 / 무섭게 달리다 怖いほどスピードを出す / 무섭게 인색하다 すごくけちだ.

무성【無聲】〈名〉無声. [語例] ～ 영화 無声映画. サイレント(映画). ㊖유성(有聲).

무성 생식【無性生殖】〈名〉無性生殖. ㊖유성 생식.

무성-음【無聲音】〈名〉〔言〕⇨ 안울림소리. ㊖유성음(有聲音).

무-성의【無誠意】〈名・하形〉誠意がないこと. [句例] ～한 태도 誠意のない態度.

*무성-하다【茂盛—】[mu:sŏng—] (→하다)〈形〉(草木が)生い茂っている. [句例] 잡초가 ～ 雑草が生い茂っている〔繁茂する〕/ 나무가 무성한 산야 木が生い茂っている山野. **무성히**〈副〉生い茂って. 繁茂して. ぼうぼうと.

무소〈名〉〔動〕⇨ 코뿔소

무-소속【無所屬】〈名〉無所属. [語例] ～ 의원 無所属議員.

무-소식【無消息】〈名・하形〉無消息. 無沙汰.

무소식이 희소식 便りのないのはよい便り.

무쇠〈名〉〔鑛〕鋳鉄. 銑鉄. [句例] ～ 같은 의지 鉄のような意志.

무쇠도 갈면 바늘된다 銑鉄も研げば針になる. 石の上にも三年.

무수-하다【無數—】(→하다)〈形〉無数だ. [句例] 무수한 세균 無数の細菌 / 무수한 예를 들다 無数の例を挙げる. **무수히**〈副〉無数に. [句例] 무수히 있다 無数にある / 무수히 많은 별 限りなく多い星. [文例] 그런 사람이 무수히 있다 そういう人が無数にいる.

무순【無順】〈名〉無順. 順序のないこと. [文例] 지명은 ～으로 했다 指名は無順で行なった.

*무술【武術】[mu:sul]〈名〉武術. [句例] ～을 연마하다 武術を練磨する.

*무슨〈冠〉何…. なんの…. どの…. どんな…. [句例] ～ 이유로 なんの理由で / ～ 일이 있어도 どんなことがあっても. 是非. [文例] ～ 일인가 なんのことかね / ～ 새 소식이라도 있습니까 何か耳新しいことでもありますか.

무슨 바람이 불어서 どういう風の吹き回しで. どんな風が吹いて. どうしたわけで. なんのつもりで. [文例] ～ 여기까지 왔나 どういう風の吹き回しでここまで来たのだい.

무슨 뾰족한 수 있나 何か妙案でもあるのか. これといった方策がないことのたとえ.

무슨-짝〈名〉なんの用. なんというざま. [文例] 그게 ～이냐 なんてざまだ, それは! / 그걸 ～에 쓰겠니 それを何に使えるんだい. それはなんの役にも立たないよ.

무-승부【無勝負】〈名〉引き分け. あいこ. 勝負なし. [文例] 경기는 ～로 끝났다 試合は引き分けに終わった.

무시무시-하다 (→하다)〈形〉いやに怖い. ぞっとするほど恐ろしい. すさまじい. [句例] 무시무시한 이야기 ぞっとする話 / 무시무시한 광경 鬼気迫る光景.

*무시-하다【無視—】(→하다)〈他〉無視する. [句例] …의 존재를 ～ …の存在を無視する / 무시할 수 없다 無視できない / 사람을 무시한 처사 人を食った仕打ち. [文例] 내 의견은 무시되었다 わたしの意見は無視された.

무-시험【無試驗】〈名〉無試験. [語例] ～ 검정 無試験検定 / ～ 진학 無試験進学.

무식【無識】〈名・하形〉無識. 無学. [語例] 일자(一字) ～ 無筆. 一文不知 / ～쟁이 無筆者. ㊖유식(有識).

무신경-하다【無神經—】(→하다)〈形〉無神経だ. [句例] 무신경한 사나이 無神経な男.

무-신고【無申告】〈名〉無届け. [語例] ～ 집회 無届け集会.

무신-론【無神論】[—non]〈名〉無神論. [語例] ～자 無神論者. ㊖유신론(有神論).

무심-결【無心—】[—kkyŏl]〈名〉思わず. うっかり. なにげなく. [文例] ～에 한 말이 화근이 되었다 なにげなく漏らした言葉が災いのもとになった.

무심-코【無心—】〈副〉なにげなく. 思わず. うっかりと. [句例] ～ 뒤를 돌아보다 なにげなく振りむく.

무심-하다【無心—】(→하다)〈形〉無心だ. ❶考えも感情も持たない心だ. [句例] 무심한 표정 なにげないような顔つき / 무심하게 놀고 있는 아이들 無心に遊んでいる子供ら. ❷無頓着だ. 無情だ. 思いやりがない. [句例] 무심한 사람 無情な人. [文例] 사소한 일에는 ～ 細かいことには無頓着だ. **무심히**〈副〉無心に. なにげなく. [句例] 무심히 한 말 なにげなく言った言葉.

무쌍【無雙】〈名・하形〉無双. 無二. [句例] 천하 ～의 명수 天下無双の名人 / 대담 ～한 태

ㅁ

도 大胆不敵な態度.

무아【無我】〈名〉無我. 語例 ～경 無我の境.

무안【無顔】〈名・하形〉顔向けができないこと. 合わす顔がないこと. 恥. ＝무색(無色). **～스럽다** (→스럽다)〈形〉顔向けができない. 照れくさい. きまりが悪い. 文例 실언하여 무안스러웠다 失言して, きまりが悪かった.

무안을 당하다 恥をかく.

무안(을) 주다 恥をかかせる.

무어 ㊀〈代〉'무엇'の略. 文例 이게 대체 ～냐 これは一体何かね / 저 소동은 ～냐 あの騒ぎはなんだ / ～가 무언지 모르겠다 何が何やら分からない.

㊁〈感〉❶驚きを表わす語: 何だって. 何(っ). 文例 ～, 죽었다고 何, (もう)亡くなったって.

❷同輩や目下に問い返す語: なんだ(い). 文例 ～라고 なんだって.

❸多言を要しないとの意: まあ. 文例 ～ 세상은 (다) 그런거야 まあ世のなかとはそういうものさ.

❹子供や女が甘えてねだる時の語: ねえ(…してよ). 文例 구두 사 줘야지 ～ 靴, 買ってくれてよ, ねえ.

▷略して'머' '뭐'とも言う.

무어니 무어니 해도 なんと言っても. なんだかんだ言っても. 文例 ～ 사람은 건강이 제일이야 なんといったって人は健康が一番だよ.

무언【無言】〈名・하形〉無言. 句例 ～의 항의〔저항〕無言の抗議〔抵抗〕. 語例 ～극 無言劇. パントマイム.

무언-중【無言中】〈名・副〉無言のうち(に). 言わず語らずのうち(に). 文例 ～에 양해가 되어 있었다 無言のうちに了解がついた.

*__무얼__ '무엇을 何を'の略. 文例 ～ 주더냐 何をくれたのか.

무엄-하다【無嚴―】(→하다)〈形〉無礼だ. 不届きだ. 不作法だ. 文例 무엄한 놈이군 無礼者だな. けしからんやつだな. **무엄히**〈副〉無礼に. 不作法に.

__무엇__〈代〉何. なん. 略して'무어・뭐'とも言う. 句例 ～하러 何しに / ～ 때문에 なんのために. なぜ. 何故に / ～보다(도) 우선 何よりもまず / ～이 ～인지 何が何やら / ～인가를 何かを. 文例 그게 ～이냐 それは何か / ～보다 중요하다 何より(も)重要だ / ～ 하나 불편한 것이 없다 何ひとつ不自由はない / ～이든 얘기해 주세요 なんでも話してください / ～이든지 분부만 내리십시오 なんなりとお申しつけください / 크면 ～이 되지 大きくなったら何になる.

무엇-하다 [muŏt'ada] (→하다)〈形〉具合の悪いことを言いよどむときの表現: その何だね. 何だったけ. なんだ. 略して'뭣하다・멋하다'とも言う. 文例 무엇하면 제가 가겠습니다 なんならわたしが行きます / 이렇게 말하면 무엇하지만 こう言っちゃなんだけど.

*__무역__【貿易】[mu:yŏk]〈名・하他〉貿易. ＝통상(通商). 句例 여러 나라와 ～하다 多くの国と貿易する. 語例 ～량 貿易量 / ～업 貿易業 / ～항 貿易港 / ～풍 貿易風 / 대일 ～ 対日貿易 / 중계 ～ 中継貿易.

무연-탄【無煙炭】〈名〉無煙炭. 對유연탄.

무예【武藝】[mu:ye]〈名〉武芸. 句例 ～를 닦다 武芸を修める.

무용【武勇】[mu:yong]〈名〉武勇. 語例 ～담 武勇談.

무용【無用】〈名・하形〉無用. ＝무요(無要). 語例 ～자 출입 금지 無用の者立ち入り禁止 / ～지물(之物) 無用の長物. 對유용(有用).

__무용__【舞踊】[mu:yong]〈名・하自〉踊り. 舞踊. ダンス. 句例 ～을 배우다 舞踊を習う. 語例 ～단 舞踊団 / ～가 舞踊家 / 민족 ～ 民族舞踊.

무운【武運】[mu:un]〈名〉武運. 句例 ～이 다하다 武運が尽きる.

무위-도식【無爲徒食】〈名・하自〉無為徒食. 無駄食い. 句例 ～하는 생활 無為徒食〔無駄食い〕の生活.

무-의미【無意味】〈名・하形〉無意味. 句例 ～한 일〔말〕無意味な仕事〔ことば〕/ ～한 논쟁 無意味な論争 / ～하게 되다 無意味になる.

무-의식【無意識】〈名〉無意識. 句例 ～적인 동작 無意識な動作 / ～적으로 머리를 긁적이다 無意識に頭をかく / ～중에 눈물을 흘리다 不覚にも涙を流す. 語例 ～ 상태 無意識状態.

무의-촌【無醫村】〈名〉無医村.

무-이자【無利子】〈名〉無利息. 無利子. 句例 ～로 돈을 빌리다 無利息で金を借りる.

무익-하다【無益―】[muik'ada] (→하다)〈形〉無益だ. 句例 무익한 논쟁〔살생〕無益な論争〔殺生〕/ 백해 ～하다 百害あって一利なし. 文例 그것은 반드시 무익하지 만은 않을 것이다 それはあながち無益ではあるまい. 對유익(有益)하다.

무인【武人】[mu:in]〈名〉武人. 對문인(文人).

무인【無人】〈名〉無人. 語例 ～도 無人島 / ～지경(之境) 無人の境 / ～ 판매대 無人スタンド.

무-일푼【無一―】〈名〉無一文. 文無し. 句例 ～이 되다 文無しになる.

무임【無賃】〈名〉無賃. 語例 ～ 승차 無賃乗車 / ～ 승차권 無賃乗車券.

무-자격【無資格】〈名・하形〉無資格. 語例 ～자 無資格者.

무자맥-질〈名・하自〉潜り. 水中で浮き沈みしながら動くこと. 略して'자맥질'とも言う.

무자비-하다【無慈悲―】(→하다)〈形〉無慈悲だ. むごい. 句例 무자비한 사나이 無慈悲な男 / 무자비한 처사 むごい仕打ち.

무-자식【無子息】〈名・하形〉後が絶えていること. 子のないこと. 子なし. 略して'무자(無子)'とも言う.

무자식 상팔자(上八字) 子のないのが最高の幸運. 子を持てば七十五度泣く. 子のないのが安楽であるとの意.

무-자위〈名〉踏み車. 揚水機.

무-작위【無作爲】[―jagwi]〈名〉無作為. 句例 ～로 추출하다〔골라 내다〕無作為に抽出する〔えらび出す〕. 對작위(作爲).

무-작정【無酌定】㊀〈名・하形〉('~하고' '~으로'の形で) ❶もくろみや見通しもなく．無計画に．[句例] ~으로 시작하다 見通しもつけずに始める / ~하고 떠나다 後先も考えずに出かける．❷善しあしの区別もせずに．やたら．[句例] ~하고 꾸짖다 やたらしかりとばす．㊁〈副〉見通しもなく．がむしゃら(に)．やみくも(に)．やたら．[句例] ~ 상경하다 (これといった)当てもなく上京する．

*무장【武裝】[mu:jang]〈名・하自他〉武装．[句例] 권총으로 ~하다 ピストルで武装する / ~한 병사 武装した兵 / ~을 풀다 武装をとく．[語例] ~ 간첩 武装スパイ / ~ 봉기 武装蜂起 / ~ 해제 武装解除 / 정신 ~ 精神武装．

무-저항【無抵抗】〈名・하自〉無抵抗．[語例] ~주의 無抵抗主義．

무적【無敵】〈名・하形〉無敵．[語例] ~ 함대 無敵艦隊 / 천하 ~ 天下無敵．

무적【霧笛】[mu:jŏk]〈名〉霧笛．[語例] ~ 신호 霧笛信号．

*무전【無電】〈名〉['무선 전신・무선 전화'の略] 無電．[句例] ~을 치다 無電をうつ / ~이 들어오다 無電が入る．[語例] ~기 無電機 / ~실 無電室．

무전【無錢】〈名〉無銭．[語例] ~ 여행 無銭旅行 / ~ 취식(取食) 無銭飲食．

무-절제【無節制】[―jŏltche]〈名・하形〉無節制．不節制．節制していないこと．[句例] ~한 생활 節制のない生活．[文例] 그는 요즘 ~해졌다 彼はこのごろすさみ出した．

무정【無情】〈名〉無情．**~하다**〈形〉無情だ．つれない．[句例] ~한 사람 無情な人 / ~한 말을 하다 つれないことを言う．[文例] ~하게도 붙잡는 것을 뿌리쳤다 無情にも引き止めるのを振り切った．[語例] ~ 세월 はかない歳月．**~히**〈副〉無情に．つれなく．

무-정견【無定見】〈名・하形〉無定見．[句例] ~한 사람 無定見な人 / ~을 드러내다 無定見をさらけ出す．

무-정부【無政府】〈名〉無政府．[語例] ~ 상태 無政府状態 / ~주의 無政府主義．

무제【無題】〈名〉無題．[語例] ~시 無題詩．

무-제한【無制限】〈名〉無制限．**~하다**〈形〉無制限だ．[句例] ~ 입장시키다〔허가하다〕無制限に入場させる〔許可する〕．

*무-조건【無條件】[―jokkŏn] ㊀〈名・하形〉無条件．[語例] ~ 항복 無条件降伏．㊁〈副〉無条件に．無条件で．頭ごなしに．[句例] ~ 용서하다 無条件で許す / ~ 받아들이다 無条件に受け入れる / ~ 야단만 치다 頭ごなしにしかりつける / ~ 찬성이다 文句なしに賛成する．

무좀〈名〉〔醫〕水虫．[句例] ~이 생기다 水虫ができる / ~으로 고생하다 水虫で悩む．

무죄【無罪】〈名・하形〉無罪．[句例] ~를 주장하다 無罪を主張する．[語例] ~ 방면 無罪放免 / ~ 판결 無罪判決．(反)유죄

무-중력【無重力】[―jungnyŏk]〈名〉重力がないこと．無重力．[語例] ~ 상태 無重力状態．

무지【無知】〈名〉無知．何も知らないこと．**~하다**〈形〉❶無知である．[句例] ~를 드러내다 無知をさらけだす / ~한 사람 無知な〔愚かな〕人．❷(言行が)荒荒しく粗暴だ，❸ものすごい．~하게 굴다 粗暴に振る舞う．[文例] 홀은 ~하게 넓더라 ホールはものすごく広かったよ / ~하게 덥구나 ばかに暑いなあ．[語例] ~ 몽매 無知蒙昧．**~스럽다** (→스럽다)〈形〉❶無知である．❷粗暴だ．**~스레**〈副〉無知に．粗暴に．

⁑무지개〈名〉虹．[句例] ~가 나타나다〔사라지다〕虹が出る〔消える〕/ ~가 서다 虹がかかる．虹が立つ / ~빛으로 빛나다 虹色に輝く．

무지근-하다 (→하다)〈形〉❶便通が悪くて気持ちがさっぱりしない．略して'무직하다'とも言う．[文例] 아랫배가 ~ (胃にもたれて)下腹がきつい．❷気分や頭が重い．重苦しい．**무지근히**〈副〉重く．重苦しく．

무지렁이〈名〉❶古びて不用になった物．❷愚か者．無学な粗野者．[句例] 시골 ~ 武骨な田舎者．

무지막지-하다【無知莫知―】(→하다)〈形〉全く無知で粗暴だ．[句例] 무지막지한 사람 愚かな乱暴者．

무지무지-하다【無知無知―】(→하다)〈形〉ものすごい．どえらい．えらい．[句例] 무지무지하게 많은 돈 どえらいお金．[文例] 무지무지하게 덥다 えらい暑さだ / 사람들이 무지무지하게 많이 모였군 人人がものすごく大勢集まったな．(類)엄청나다．

무직【無職】〈名〉無職．[文例] 그는 ~이며 독신이다 彼は無職で独り身である．[語例] ~자 無職の人．

무진-장【無盡藏】〈名〉無尽蔵．限りなくたくさん．**~하다**〈形〉無尽蔵だ．[句例] ~한 자원 無尽蔵な資源．

무-질서【無秩序】[mujilssŏ]〈名〉無秩序．**~하다**〈形〉無秩序だ．[句例] 교통의 ~ 交通の無秩序．

무쭉-같다 [mu:tchok―]〈形〉'못나다 醜い'の俗っぽい言いかた：ぶすだ．不器量だ．不細工だ．ふできだ．**무쭉같이** [mu:tchok-kach'i]〈副〉不器量に．へんてこに．
[表現] もっぱら女性の顔だちだけに用いる言葉．

*무-찌르다 (무찌르니, 무찔러서)〈他〉討ち滅ぼす．打ち破る．[句例] 강적을 ~ 強敵を破る / 적진을 ~ 敵陣を崩す / 단번에 ~ 一気に打ち破る．

*무-차별【無差別】〈名〉無差別．**~하다**〈形〉無差別だ．[文例] 앙케이트를 남녀 구별 없이 ~로 실시했다 アンケートを男女の区別なく無差別に行なった．[語例] ~ 폭격 無差別爆撃．

무-착륙【無着陸】[much'angnyuk]〈名・하自〉無着陸．ノンストップ．[語例] ~ 횡단 비행 無着陸横断飛行．

무참-하다【無慘―】(→하다)〈形〉無残〔無惨〕だ．むごたらしい．[句例] 무참한 죽음 無残な死 / 무참한 최후를 마치다 無残な最期をとげる．[文例] 보기에도 ~ 見るも無残だ．**무참히**〈副〉無残に．むごたらしく．

무-채 [mu:ch'ae]〈名〉大根の千切り．千六本．

ㅁ

무-채색【無彩色】〈名〉無彩色. 色合いのない, 白・灰及び黒色.

무-책임【無責任】[—ch'aegim]〈名〉無責任. **～하다**〈形〉無責任だ. いいかげん(加減)だ. 句例 ～한 답변〔사람〕無責任な答弁〔人〕.

*__무척__〈副〉たいそう. ひどく. 非常に. はなは(甚)だしく. とても. 文例 ～ 기뻤다 非常にうれしかった / ～ 기다렸다 ひどく待ちあぐんだ.

무척-이나 [much'ŏgina]〈副〉'무척'の強調語.

무척추-동물【無脊椎動物】〈名〉〔動〕無脊椎動物. 對척추동물.

무-청 [mu:ch'ŏng]〈名〉大根の葉とその茎.

무-취미【無趣味】〈名・하形〉無趣味. 風流のないこと. 没趣味. 句例 ～한 사람 無趣味な人.

무치다〈他〉(青菜を)調味してあ(和)える. 文例 시금치를 초와 간장으로 ～ ほうれんそうを酢と醤油であえる.

무턱-대고〈副〉むやみに. むちゃに. しゃにむに(遮二無二). やたらに. 向こう見ずに. 無鉄砲に. 句例 ～ 때리다 むやみになぐる / ～ 돈을 쓰다 むちゃに金を使う / ～ 대들다 しゃにむに突っかかる.

무-투표【無投票】〈名〉無投票. 語例 ～ 당선 無投票当選.

무패【無敗】〈名〉無敗. 句例 ～의 전적 無敗の戦績 / ～를 자랑하다 無敗を誇る / ～로 이겨 나아가다 無敗で勝ち進む.

무-표정【無表情】〈名〉無表情. **～하다**〈形〉無表情だ. 句例 ～한 얼굴 無表情な顔. ポーカーフェース.

무학【無學】〈名〉無学.

무한【無限】〈名〉無限. **～하다**〈形〉無限だ. 限りない. 句例 ～한 가능성 無限の可能性 / ～한 기쁨 無限の〔限りない〕喜び. 語例 ～ 소수 無限小数 / ～ 궤도 無限軌道. **～히**〈副〉限りなく. 無限に. 句例 ～히 계속되다 無限に続く. 對유한.

무한-대【無限大】〈名・하形〉無限大. 句例 ～로 펼쳐지다 無限大に広がる. 文例 우주의 크기는 ～하다 宇宙の大きさは無限大だ.

> 囲み記事 37
>
> ■ '묵다'と'묶다'と'묽다' ■
>
> **묵다** (1) 古びる. ひねる —— 묵은 무 ひねた大根. 묵은쌀 古米.
> (2) 泊まる —— 하룻밤 묵고 가다 一晩泊まって行く.
>
> **묶다** (1) くくる. 束ねる —— 짐을 묶다 荷物をくくる. 새끼로 장작을 묶다 なわでまきをくくる.
> (2) (からだを)くくる. 捕縛する —— 죄수를 묶고 가다 囚人をくくって行く.
> (3) (一つに)合わす —— 괄호로 묶다 かっこでくくる. 관련 서적을 총서로 ～ 関連書籍をシリーズにまとめる.
>
> **묽다** (1) (溶液が)薄い. 緩い —— 묽은 죽 ゆるいかゆ.
> (2) (人が)しまりがない.

*__무-한정__【無限定】㊀〈名・하形〉無限. 限定のないこと. 文例 ～으로 기다리고 있을 수는 없다 当てもなくいつまで待つわけにはいかない. ㊁〈副〉限りなく. きりがなく. 文例 마감을 ～ 끌 수는 없다 締め切りを無期限に延ばすことはできない.

무해【無害】〈名・하形〉無害. 句例 인축에 ～한 약품 人畜に無害の薬品. 文例 이 약은 인체에는 ～하다 この薬は人体には無害だ.

무-허가【無許可】〈名〉不許可. 許可のないこと. 語例 ～ 업자 潜り業者 / ～ 건축물 許可を取っていない建物.

무혈【無血】〈名〉無血. 語例 ～ 점령 無血占領 / ～ 쿠데타 無血クーデター / ～ 혁명 無血革命.

무형【無形】〈名・하形〉無形. 句例 지식은 ～의 재산이다 知識は無形の財産だ. 語例 ～물 無形物.

무형 문화재【無形文化財】〈名〉無形文化財. 對유형 문화재.
參考 代表的には, '꼭두각시놀음 民俗人形劇''판소리 パンソリ''범패 梵唄''강강술래''나전칠기 공예 螺鈿漆器工芸'などがある.

무화-과【無花果】〈名〉❶いちじくの実. ❷いちじくの木. =무화과나무.

무효【無效】〈名・하形〉無効. 句例 당선을 ～로 하다 当選を無効にする. 語例 ～ 투표 無効投票 / ～화 無効化.

무훈【武勳】[mu:hun]〈名〉武勲. =무공(武功). 句例 혁혁한 ～을 세우다 赫赫たる武勲を立てる.

무휴【無休】〈名〉無休. 語例 연중 ～ 年中無休.

묵〈名〉そば・文豆・どんぐりなどの粉を煮固めたゼリー状の食品.

묵 〔漢字項目〕

【墨(墨)】 中學 묵 ボク. ❶먹 墨. 글씨・그림・눈썹을 그리는 먹 文・絵・まゆをえがく墨. ▌墨汁 묵즙 ぼくじゅう. ▌筆墨 필묵 ひつぼく. ❷먹줄 すみなわ. ▌縄墨 승묵 じょうぼく. ❸자자(刺字) 入れ墨. ▌墨刑 묵형 ぼっけい.

【默(默)】 高校 묵 モク. ❶말을 하지 않다 黙る. 소리를 내지 않다 声を出さない. ▌默讀 묵독 もくどく. 默坐 묵좌 もくざ. ▌沈默 침묵 ちんもく. 寡默 과묵 かもく. ❷입을 다물다 口を閉ざす. ▌默默 묵묵 もくもく.

묵계【默契】〈名・하自〉黙契. =묵약(默約). 句例 ～가 성립되다 黙契がなる / ～하에 黙契のもとに.

묵과【默過】〈名・하他〉黙過. 句例 ～할 수 없는 망언 黙過できない妄言. 文例 부정을 ～할 수는 없다 不正を黙過するわけにはいかない.

묵념【默念】[mungnyŏm]〈名・하自〉❶黙念. ❷⇨ 묵도(默禱). 句例 고인에 대한 ～을 올리다 故人に対する黙禱をささげる.

묵다〈自〉❶(宿などに)泊まる. 句例 호텔에 ～ ホテルに泊まる. 文例 지금 어디에 묵고 계십니까

今どこにお泊まりですか. ❷古くなる. 古びる. ひねる. 句例 묵은 생각 古くさい考え. 語例 ⇨ 묵은쌀. ❸(元もの位置・地位などに)とどまる. (学生が)浪人する. 文例 대학 입시에 떨어져 1년 묵었다 大学入試に落ちて1年遊んだ〔浪人した〕. ❹㉠(田畑が利用されずに)放置される. ほうって置かれる. 文例 여러 해 묵은 논을 일구다 数年放置された田を耕す. ㉡(お金などが)寝る. 文例 돈이 묵고 있다 金が寝ている. ▷→囲み記事 37

묵도【默禱】〈名・하自〉黙禱. 句例 ~를 올리다 黙禱をささげる.

묵독【默讀】〈名・하他〉黙読. 句例 책을 ~하다 本を黙読する. 對음독(音讀).

묵묵【默默】[mungmuk]〈名・하形〉黙黙. 語例 ~부답(不答) 黙りこんで答えないこと. **~히** [mungmuk'i]〈副〉黙黙と. 黙って. 句例 ~히 일하다 黙黙と(して)働く / ~히 책을 읽다 黙黙と本を読む.

묵비-권【默秘權】[―kkwon]〈名〉〔法〕黙秘権. 句例 ~을 행사하다 黙秘権を行使する.

묵-사발【―沙鉢】〈名〉❶'묵'を盛ったお鉢. ❷(物事などが)おじゃんになること. くちゃくちゃになること.
表現 ②は俗っぽい言いかた.

묵사발(이) 되다 こてんこてんにやられる. こっぴどく打たれる. 句例 얻어맞아 묵사발이 되다 くたばるほど打たれる.

묵살【默殺】〈名・하他〉黙殺. 句例 발언을 ~하다 発言を黙殺する / 요구를 ~하다 要求を握りつぶす.

묵상【默想】〈名・하自〉黙想. 句例 잠시 ~에 잠기다 しばし黙想にふける.

묵은-쌀 [mugŭnssal]〈名〉古米・古米. ひねたお米.

묵은-해 [mugŭnhae]〈名〉ふる年.

묵인【默認】[mugin]〈名〉黙認. **~하다**〈他〉黙認する. 見逃がす. 句例 ~하기 어려운 黙認しがたい / …의 ~하에 행해지다 …の黙認の下に行われる. 文例 실수를 ~해 줬다 過ちを見逃してやった.

묵직-이 [mukchigi]〈副〉やや重く. 重めに. ずっしり(と). 句例 ~ 놓인 자루 どっしりと置かれた袋.

묵직-하다 [mukchik'ada](→하다)〈形〉❶重たい. ずっしり重い. 句例 묵직한 가방 重たいカバン. ❷(人となり・ことばづかいなどが)重みがある. 重重しい. 句例 묵직한 태도 重重しい態度.

묵화【墨畫】[muk'wa]〈名〉墨画. 墨絵.

묵화(를) 치다 墨絵を描く.

*__묵히다__ [muk'ida]〈他〉'묵다'の使役形. ❶ほうって置く. (畑などを)休める. (金などを)寝かす. 句例 밭을 ~ 畑を休耕する / 물건을 묵혀두다 物を寝かせておく. ❷(宿屋に)泊める. 宿らせる. 句例 나그네를 ~ 旅人を宿らせる.

⁑**묶다** [mukta]〈他〉縛る. ❶(ものを)くくる. 束ねる. 結わえる. 句例 짐을 ~ 荷をくくる / 보릿짚을 다발로 ~ 麦わらを束にする. ❷(動けないように)縛りつける. 句例 도둑을 기둥에 묶어 놓다 どろぼうを柱に縛りつける. ❸一つにまとめる. 句例 수식을 괄호로 ~ 数式をかっこでくくる / 몇 개의 작품을 전집으로 ~ いくつかの作品を全集としてまとめる. ▷→囲み記事 37

*__묶음__ [mukkŭm] ❶〈名〉束ねたもの. 束. くくり. 語例 편지 ~ 手紙の束 / 원고 ~ 原稿の束.
❷〈依名〉束を数えあげる語: 束. 束. 語例 무 한 ~ 大根ひと束 / 서류 한 ~ 書類一つづり / 장작 한 ~ まき一束・一束 / 짚 두 ~ わら二束.

묶이다 [mukkida]〈自〉'묶다'の受け身: 縛られる. ❶くくられる. 句例 손발이 ~ 手足が縛られる. 絵 ❷(人情などに)ほだされる. (行動の)自由を制限される. 句例 일에 ~ 仕事に縛られる. 文例 규약에 묶이어 꼼짝 못한다 規約に縛られて動きが取れない / 우리 일행은 폭설로 발이 묶였다 われわれ一行は大雪のために足止めを食った. 絵

손발이 묶이다　　폭설로 발이 묶였다

〈묶이다〉

⁑**문【門】**〈名〉門. ❶戸. 扉. ドア. 句例 ~이 열리다 門〔戸〕が開く / ~밖에서 기다리다 門の外で待つ. 文例 ~이 닫혀 있다 戸が閉まっている / ~에 문패가 달려 있다 戸口に表札がある / ~이 반쯤 열려 있다 戸が半開きになっている. ❷経るべき通路. 句例 출세의 ~ 出世の門口. 登竜門. 語例 좁은 ~ 狭き門.

문(을) 닫다 ❶戸を閉める. ❷店仕舞いをする. 看板を下ろす. ❸事業などをやめる. 廃業する.

문(을) 열다 ❶戸を開ける. 文例 문 열어라 門〔戸〕を開けろ. ❷店開きをする. ❸門戸を開放する.

문 〔漢字項目〕

【問】 中學 문 モン. ❶묻다 問う. 질문하다 質問する. ◧問答 문답 もんどう. ◨疑問 의문 ぎもん. ❷문초하다 取り調べる. ◧問罪 문죄 もんざい. ◨拷問 고문 ごうもん. ❸방문하다 訪れる. ◧問候 문후 もんこう. ◨訪問 방문 ほうもん.

【文】 中學 문 ブン. モン. ❶글월 文. ㉠문장 文章. ◧文筆 문필 ぶんぴつ. ◨名文 명문 めいぶん ㉡산문 散文. ◧文學 문학 ぶんがく. ㉢학문・예술 学問・芸術. ◧文藝 문예 ぶんげい. ㉣서책 書籍. 기록 記録

きろく. ◧文庫 문고 ぶんこ. 文獻 문헌 ぶんけん. ❷글자 文字. もじ. ◧古文 고문 こぶん. 金石文 금석문 きんせきぶん. ❸문채 文彩. ◧文繡 문수 ぶんしゅう. 文飾 문식 ぶんしょく. ❹세상이 개화되다 世の中が開化する. ◧文明 문명 ぶんめい. 文化 문화 ぶんか. ❺옛날 돈의 단위 昔の銭の単位. ◧三文 삼문 さんもん. ❻자자(刺字)하다 入れ墨をする. ◧文身 문신 ぶんしん.

【聞】中學 문 モン. ブン. ❶듣다 聞く. 들어서 알다 聞いて知る. ◧見聞 견문 けんぶん. けんもん. 前代未聞 전대미문 ぜんだいみもん. ❷소문 うわさ. ◧風聞 풍문 ふうぶん. 醜聞 추문 しゅうぶん. 新聞 신문 しんぶん.

【門】中學 문 モン. ❶문 門. ◧門戶 문호 もんこ. 門牌 문패 もんぱい. ❷사물이 출입하는 곳 物事の出入口. ◧入門 입문 にゅうもん. 關門 관문 かんもん. ❸분류상의 구별 分類上の区別. ◧部門 부문 ぶもん. ❹학술의 한 종류 学術の一種類. ◧門外漢 문외한 もんがいかん. ◧專門 전문 せんもん. ❺대포를 세는 말 大砲を数える語. ◧砲五門 포오문 ほうごもん. ❻지체 家柄. ◧門閥 문벌 もんばつ. ◧名門 명문 めいもん.

**문간【門間】[munkkan]〈名〉門口. 玄関のたたき. 語例 ~방(房) 玄関わきの部屋/~채 門口の棟.

문갑【文匣】〈名〉ふばこ(文箱). 手文庫.

*문고【文庫】〈名〉文庫. 語例 ~본 文庫本/~판 文庫判.

문-고리【門―】[munkkori]〈名〉(扉などの)取っ手. 絵

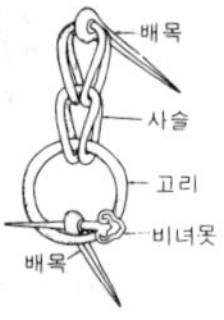

〈문고리〉

*문과【文科】[munkkwa]〈名〉文科. 語例 ~계 文科系/~대학 (大学の)文学部. 對이과(理科).

*문-관【文官】〈名〉文官. 對무관(武官).

*문교-부【文敎部】〈名〉'교육부(敎育部)'の旧名称.

문구【文句】[munkku]〈名〉文句. 語句. =글귀. 句例 평범한 ~ 月並な文句/멋진 ~ しゃれた文句/~상으로는 文句上では.

문구【文具】〈名〉['문방제구(文房諸具)'の略] 文具. 文房具.

**문-구멍【門―】[―kkumŏng]〈名〉障子紙などの破れ穴.

문단【文段】〈名〉文段. 段落. 句例 몇개의 ~으로 나누다 いくつかの文段に分ける.

*문단【文壇】〈名〉文壇. =문학계(文學界). 句例 ~의 등용문 文壇の登竜門/~에 등장하다〔나서다〕文壇に出る〔乗り出す〕. 語例 ~평론 文壇評論.

문-단속【門團束】〈名・하自〉戸締まり. 句例 ~을 단단히 하다 戸締まりをしっかりする.

*문답【問答】[mu:ndap]〈名・하自〉問答. 語例 ~식 수업 問答式授業/교리 ~〔宗〕教理問答.

문대다〈他〉す(擦)る. こする. 文例 소가 나무줄기에 몸을 문대고 있다 牛が樹木の幹にからだをこすっている. 類문지르다.

**문둥-병【―病】[―ppyŏng]〈名〉らい(癩)病. ハンセン病. レプラ.

문둥-이〈名〉らい(癩)病患者.

문드러-지다〈自〉❶腐って崩れる. 句例 썩어 문드러진 시체 腐乱した死体. ❷熟れ過ぎてぐにゃぐにゃになる.

*문득〈副〉ある考えが突然浮かぶさま: ふいと. ふと. はっと. つい. ひょいと. 句例 ~ 용건을 생각해 내다 ふいと用件を思い出す. 文例 좋은 아이디어가 ~ 머리에 떠올랐다 いいアイデアがふっと頭に浮かんだ/책을 읽다가 ~ 고향 생각이 났다 本を読んでいてふと故郷が思い出された.

문득문득 [mundŭng―]〈副〉しきりにある考えが起こるさま: ひょいひょいと.

문뜩〈副〉'문득'の強調語.

문란【紊亂】[mu:llan]〈名〉乱れること. 紊乱. ~하다〈形〉乱れている. 句例 풍기를 ~케 하다 風紀を乱す/생활이〔사회 질서가〕~해지다 生活〔社会秩序〕が乱れる.

문루【門樓】[mullu]〈名〉門楼. (城門などの)望楼. 句例 ~에 올라 사방을 바라보다 望楼に登って四方を眺める.

문맥【文脈】〈名〉文脈. 句例 ~으로 뜻을 추정하다 文脈から意味を推定する/~이 통하지 않는 글 文脈が通じない文章.

문맥이 닿다 文脈が通じる. 文章の筋道が立つ.

문맹【文盲】〈名〉文盲. 無筆. 語例 ~퇴치 文盲退治/~자(者) 文盲の人. 無筆者/~타파 文盲打破.

문명【文名】〈名〉文名. 句例 ~을 크게 떨치다 文名を大いにはせる.

*문명【文明】〈名・하形〉文明. 句例 ~의 이기 文明の利器/~이 진보하다 文明がすすむ. 語例 ~국 文明国/~ 사회 文明社会. 對미개(未開). 야만.

*문무【文武】〈名〉文武. 句例 ~를 겸비하다 文武を兼備する. 語例 ~ 백관 文武百官.

*문물【文物】〈名〉文物. 語例 서양 ~ 西洋の文物/~ 제도 文物制度.

문-바람【門―】[―pparam]〈名〉透き間風. =문풍(門風).

**문-밖【門―】[munbak]〈名〉❶門外. 門の外. 句例 ~에서 기다리다 門外で待つ. 語例 ~ 출입 外に出歩くこと. ❷都城の外. 郊外. 町外れ. 句例 ~에 살다 郊外に住む. ▷對문(門)안.

문방-구【文房具】〈名〉文具. 文房具. 略して'문방(文房)'とも言う. 語例 ~점 文房具屋. 文具店.

문방-사우【文房四友】〈名〉文房四宝. 紙・筆・墨・すずりを指す.

*문벌【門閥】〈名〉門閥. 門地. 家柄. 句例 ~이 좋다 門閥がよい/~ 싸움이 심하다 門地争いが激しい.

*문법【文法】[munppŏp]〈名〉文法. 文例 ~상으로는 틀렸다 文法上では間違った. 語例 ~론 文法論.

문병【問病】[mu:nbyŏng]〈名・하自他〉病気見舞い. 句例 ~(을) 가다 病気見舞いに行く/

환자를 ～하다 病人を見舞う. 語例 ～객 病気見舞い人.

문사【文士】〈名〉文士. 語例 삼류 ～ 三文文士. 對무사(武士).

문상【問喪】[mu:nsang]〈名・하他〉弔問. お悔やみ. ＝조상(弔喪). 句例 ～(을) 받다 弔問を受ける / ～하러 가다 お悔やみに行く. 語例 ～객 弔問客. 弔客.

문서【文書】〈名〉文書. 書き物. 書き付け. 語例 공～ 公文書 / 고～ 古文書 / ～ 위조 文書偽造.

문선【文選】〈名・하自〉〔印〕文選. ＝채자(採字). 語例 ～공 文選工.

문신【文臣】〈名〉文臣. 文官. 對무신(武臣).

***문신**【文身】〈名・하自〉文身. 入れ墨. 彫り物. 句例 ～을 넣다 彫り物をする / 가슴에 ～을 새기다 胸に入れ墨を彫りつける.

문안【文案】[munan]〈名〉文案. 文書の下書き. 句例 ～을 작성하다〔꾸미다〕文案を作る.

문-안【門―】[munan]〈名〉❶門内. 門のうち. ❷都城内. 句例 ～에 살다 都城内に住む. ▷對문(門)밖.

문안【問安】[mu:nan]〈名・하自〉ご機嫌うかがい. (お)見舞い. 安否を問うこと. 句例 ～편지를 보내다 お見舞い状を出す. 語例 복중(伏中) ～ 暑中見舞い / 병(病)～ 病気見舞い.

문안(을) 드리다 ご機嫌をうかがう.

⁑**문어**【文魚】[munŏ]〈名〉〔動〕みずだこ.

문어【文語】[munŏ]〈名〉文語. 書きことば. ＝문장어(文章語). 語例 ～체 文語体. 對구어(口語).

문예【文藝】[munye]〈名〉文芸. 語例 ～란 文芸欄 / ～ 부흥 文芸復興 / ～ 작품 文芸作品 / ～ 활동 文芸活動.

문외【門外】[munoe]〈名〉❶門外. ㉠⇨문밖. 文例 들개는 ～로 쫓겨났다 野良犬は門外に追い出された. ㉡専門の外. 非専門. 語例 ～한 門外漢. アウトサイダー. ❷一族でない人.

문의【問議】[mu:nŭi]〈名・하他〉問い合わせ. 句例 전화로 ～하다 電話で問い合わせる / 접수 날짜를 ～하다 受付日を問い合わせる. 語例 ～처 問い合わせ先.

***문인**【文人】[munin]〈名〉文人. 語例 ～극 文人劇 / ～화(畫) 文人画 / ～묵객 文人墨客. 對무인(武人).

문자¹【文字】〈名〉漢字による熟語・成句などの難しい語句.

문자(를) 쓰다 難しい語句を使って話す.

문자²【文字】[muntcha]〈名〉文字・文字. ＝글자. 句例 ～의 발명 文字の発明. 語例 표음 ～ 表音文字 / 상형 ～ 象形文字.

문자 그대로 文字通り. 文例 ～ 훌륭했다 文字どおり立派だった / ～ 발디딜 곳도 없다 文字どおり足のふみ場もない.

***문장**【文章】〈名〉❶文章. 文. ＝글. 글월. 句例 ～의 뼈대 文章の骨組み / ～ 솜씨가 뛰어나다 文章がうまい / ～이 서투르다 文章が下手だ / 좀더 ～을 다듬다 もう少し文章を整える. 語例 ～ 부호 文章符号 / ～체 文章体. ❷[‘문장가’の略] 文章家. 文例 그는 당대의 ～이었다 彼は当代の文章家であった.

문재【文才】〈名〉文才. 句例 뛰어난 ～ すぐれた文才 / ～가 있는 사람 文才のある人.

***문전**【門前】〈名〉門前. 語例 ～ 걸식(乞食) 家家こじきをして生き延びること / ～ 성시(成市) 門前市をなすこと / ～ 옥토(沃土) 家近くにある肥沃な田地 / ～ 축객(逐客) 門前払い.

⁑**문제**【問題】[mu:nje]〈名〉問題. 句例 ～의 인물 問題の人物 / ～를 내다 問題を出す / 수학 ～를 풀다 数学の問題を解く / ～로 삼지 않다 問題視しない. 文例 용모는〔돈은〕둘째 ～다 容貌〔お金〕は二の次だ / 귀찮은 ～가 생겼다 やっかいな問題が起こった. 語例 ～ 아동 問題児童 / ～작 問題作 / ～점 問題点 / ～화 問題化. **～없다** [―ŏpta]〈形〉造作ない. わけない. 文例 이기는 것은 ～없다 勝てるのは造作ないことである. **～없이** [―ŏpshi]〈副〉造作なく. たやすく.

문젯-거리【問題―】[mu:njet―]〈名〉❶問題の種. ❷面倒な事柄. 煩わしいこと. 文例 ～가 생겼다 面倒なことが起こった.

***문중**【門中】〈名〉門中. 一族の者.

문-지기【門―】〈名〉門番. 門衛.

⁑**문지르다** (문지르니, 문질러서)〈他〉する. こする. 句例 수건으로 얼굴〔등〕을 ～ タオルで顔〔背中〕をこする / 아픈 데를 문질러 주다 痛い所をもんでやる.

문-지방【門地枋】[―tchibang]〈名〉〔建〕敷居. 戸じきみ. 句例 ～ 너머로 敷居越しに / ～이 높다 敷居が高い / ～을 넘다 敷居をまたぐ.

문지방이 닳도록 드나들다 敷居がすりへるほど出入りする. 足しげく通う.

문진【文鎭】〈名〉文鎮. ＝서진(書鎭). 句例 종이 위에 ～을 올려 놓다 紙に文鎮をのせる.

문진【問診】[mu:njin]〈名・하他〉〔醫〕問診.

문집【文集】〈名〉文集. 語例 동인 ～ 同人文集 / 학급 ～ クラス文集.

⁑**문-짝**【門―】〈名〉❶戸または扉の片割れ. ❷戸. 扉. 門扉. 句例 ～이 삐걱거리다 戸がぎしぎし(と)きしむ.

***문책**【問責】[mu:nch'aek]〈名〉問責. 問い責めること. とが(咎)め. **～하다**〈他〉問責する. 問い責める. とがめる. 句例 ～받다〔당하다〕責任を問われる. 文例 대통령은 장관의 실책을 ～하였다 大統領は長官の失策を問責した.

문체【文體】〈名〉文体. 書きぶり. 句例 독특한 ～ 独特な文体 / 세련된 ～ 洗練された文体.

문체-부【文體部】〈名〉‘문화 체육부’の略.

문-턱【門―】〈名〉敷居. 上がりかまち(框). 句例 ～을 넘다 敷居をまたぐ.

문턱이 높다 敷居が高い. (制約や規制があって)中に入りにくい. なかなか会いにくい.

문턱이 닳도록 드나들다 足しげく通う. ＝문지방이 닳도록 드나들다.

문-틈【門―】〈名〉閉ざされた戸〔門〕の透き間. 句例 ～의 바람이 차다 透き間風が冷めた

ㅁ

い / ～으로 비가 스며들다 透き間から雨がしみこむ.

***문패**【門牌】〈名〉表札. 門札. 句例 ～를 달다 表札を出す. 門札をかける.

문-풍지【門風紙】〈名〉障子などの透き間風を防ぐための張り紙.

문필【文筆】〈名〉文筆. 文士稼ぎ. 句例 ～에 종사하다 文筆にたずさわる. 語例 ～가 文筆家 / ～ 생활 文筆生活.

문하-생【門下生】〈名〉門下生. 弟子. 門人. 略して'문생(門生)'ともいう.

***문학**【文學】〈名・하自〉文学. 句例 ～을 연구하다 文学を研究する / ～에 뜻을 둔 청년 文学を志す青年 / 해외 ～을 소개하다 外国の文学を紹介する. 語例 ～가 文学家 / ～ 작품 文学作品 / ～ 소녀 文学少女 / ～ 잡지 文学雑誌 / 아동 ～ 児童文学.

문학-적【文學的】〈名・冠〉文学的. 文例 그야말로 ～ 표현이다 それこそ文学的表現である. 語例 ～ 재능 文学的才能.

문호【文豪】〈名〉文豪. 句例 러시아가 낳은 세계적 ～ ロシアが生んだ世界的文豪.

문호【門戶】〈名〉門戸. ❶出入り口. 句例 ～를 닫다 出入り口を閉ざす / ～를 개방하다 門戸を開放する〔開く〕. ❷出入りの要所. 文例 서울역은 서울의 ～이다 ソウル駅はソウルの門戸だ.

⁑**문화**【文化】〈名〉文化. 句例 찬란한 ～ 輝かしい文化 / ～가 발달하다 文化が発達する / ～인의 긍지 文化人のほこり. 語例 ～ 국민 文化国民 / ～ 단체 文化団体 / ～ 생활 文化生活 / ～ 시설 文化施設 / ～ 유산 文化遺産 / 무형 ～재 無形文化財 / ～ 대혁명 文化大革命. 文革《略語》.

***문화-적**【文化的】〈名・冠〉文化的. 句例 ～인 생활 文化的な生活.

문화 체육부【文化體育部】〈名〉文化体育部. 中央官庁の一つ. 文化・芸術, 国民体育などに関する仕事をつかさどる. 略して'문체부'とも言う. 語例 ～ 장관 文化体育部長官.

⁑**묻다**[1]〈自〉(粉・水・あかなどが他のものに)つく. くっつく. 句例 때가 ～ あかがつく / 잉크가 손에 ～ インキが手につく / 구두에 진흙이 ～ 靴に泥がくっつく. 文例 옷에 기름이 묻어서 잘 빠지지 않는다 衣服に油がついてよく取れない.

⁑**묻다**[2]〈他〉❶(ものを)埋める. うずめる. 句例 쓰레기를 땅 속에 ～ 廃物を土に埋める / 화로의 불을 재에 ～ 火鉢の火をい(埋)ける / 무덤에 ～ 墓に葬る. ❷(事を)隠す. 葬る. 句例 사건을 비밀로 묻어 두다 事件をやみに葬る.

⁑**묻다**[3] [mut:ta] (물으니, 물어서)〈他〉❶問う. 聞く. 尋ねる. ただす. 句例 책임을 ～ 責任を問う / 길을 ～ 道を尋ねる〔聞く〕/ 죄상을 캐어 ～ 罪状を聞きただす / 환자의 병력을 ～ 患者の病歴を聞く / 용건을 ～ 用件を尋ねる. 文例 말씀 좀 묻겠습니다만 ちょっとお伺いしますが. ❷見舞う. うかがう. 句例 안부를 ～ 安否を問う〔尋ねる〕.

***묻히다** [much'ida] ━〈他〉'묻다¹'の使役形: (粉・水などを)付ける. くっつける. まぶす. 句例 손에 먹물을 ～ 手に墨を付ける. 絵 / 떡에 콩고물을 ～ もちにきな粉をまぶす.
━〈自〉'묻다²'の受け身: 埋められる. うずまる. 葬られる. 句例 고향 땅에 ～ 故郷の土に葬られる. 絵 / 지하에 묻힌 자원 地下にうずもれた資源 / 묻혀 있는 인재〔재능〕 うずもれた人材〔才能〕. 文例 화로에 숯불이 묻혀 있다 火鉢に炭火がい(埋)かっている.

손에 먹물을 묻히다　　고향땅에 묻히다

〈묻히다〉

⁑**물**[1]〈名〉❶水. 飲み水. 句例 ～을 긷다 水をくむ / ～이 마르다 水がかれる / ～을 타다 水で薄める〔割る〕/ 통에 ～을 채우다 おけに水を張る / (길에) ～을 뿌리다 (道路に)水をまく / ～을 빼다 水を抜く. 文例 ～을 마시고 싶다 水が飲みたい. 水が欲しい. 語例 찬～ 冷たい水 / 더운～ お湯 / 바닷～ 海の水 / ～뿌리개 じょうろ. 水スプレー / ～탱크 水タンク.
❷水分. 水気. 水. 句例 종기의 ～을 빼다 はれ物の水を取る. 文例 이 배는 ～이 많다 このなしは水分が多い / 무릎 관절에 ～이 찼다 ひざの関節に水がたまった.
❸洪水. 句例 ～이 빠지다 水が引く / 큰～이 지다 大水が出る. 文例 논이 ～에 잠겼다 田が水につかった.
❹川・湖・海などの総称. 句例 산을 넘고 ～을 건너서… 山を越え, 川を渡って… / ～을 건너온 상품 海を渡ってきた商品. 語例 ～가 水べ.
❺満ち潮・引き潮の総称. ＝조수(潮水). 句例 ～이 들어오다 潮が満ちる / ～이 빠지다 潮が引く.

물과 불 水と油. 文例 저 두 사람 사이는 ～이다 あの二人のあいだがらは, 水と油だ.

물 끓듯하다 ❶水が沸きたつようである. ❷わいわい騒ぎたてるさま. 文例 여론이 물 끓듯했다 世論がごうごうと沸きたった.

물(을) 먹다 ❶水を飲む. ❷(植物が)水を吸い上げる. ❸(紙や布などに)水が染みる. 水にぬれる. 句例 물먹은 종이 湿った紙. ❹経験する. 体験する. 句例 관청 물을 좀 먹다 少しは役所仕事の経験がある. ❺損をする. 一杯食う.

물 밖에 난 고기 水を離れた魚. まな板の魚.

물 쓰듯 한다 湯水のように使う. 浪費する. 文例 그녀는 돈을 ～ 彼女はお金を湯水のごとく使う.

물에 빠지면 지푸라기라도 움켜쥔다 おぼれる者

ものはわらをもつかむ.
물에 빠진 생쥐 ぬれねずみ.
물을 끼얹은 듯 水を打ったよう. [文例] 순간 회의장은 ~ 조용해졌다 一瞬, 会場は水を打ったようにしずかになった. (類)쥐죽은듯이.
물이 맑으면 고기가 안 논다 水清ければ魚住まず.

물² 〈名〉 (染まったり染みついたりするときの)色. 染め. よごれ. 染み. [句例] ~이 빠지다〔날다〕 色があせる. [文例] 이 염색은 ~이 곱게 들었다 この染めは色あがりがいい.
물(이) 들다 染まる. ❶色づく. [句例] 피로 물든 손수건 血に染まったハンカチ. [文例] 산은 단풍으로 붉게 물들었다. 山は紅葉で赤く染まった / 나뭇잎이 물들기 시작했다 木の葉が色づきはじめた.
❷かぶれる. 傾向を帯びる. [句例] 악에 물들다 悪に染まる / 서양 물이 들다 西洋かぶれをする / 공산주의에 물들다 共産主義にかぶれる.
물(을) 들이다 (色を)染める. [句例] 머리를 검게 물들이다 髪を黒く染める / 피로 물들인 지난날의 역사 血で染めた過去の歴史.

물³ 〈名〉 (魚の)鮮度. 生き.
물(이) 가다 鮮度が落ちる.
물(이) 좋다 生きがいい. [文例] 이 생선은 물이 좋다〔좋지 않다〕 この魚は生きがいい〔よくない〕.

-물 【物】〈尾〉 品物の意: …物・ぶつ. [語例] 공유~ 共有物 / 독점~ 独占物 / 청과~ 青果物 / 역사~ 時代物.

물 〔漢字項目〕

【勿】 中學 물 ブツ. ❶없다, 부정사 ない, 否定をあらわす言葉. ❷말다, 금지사 なかれ, 禁止をあらわす言葉. ❸바쁘다 忙しい.

【物】 中學 물 ブツ. モツ. ❶물건 物. 만물 さまざまなあらゆる物. ▮物品 물품 ぶっぴん. ▮生物 생물 せいぶつ. 萬物 ばんぶつ. ❷일. 사실 事柄. ▮事物 사물 じぶつ. 禁物 금물 きんもつ. ❸인상・자세 등을 살펴보아 판단함 人相・地勢などを見てはんだんする. ▮物色 물색 ぶっしょく.

물-가 [mulkka] 〈名〉 水べ. 水際. 岸べ. [句例] ~를 따라 걷다 岸沿いに歩く / ~에서 놀다 水べであそぶ.

***물가** 【物價】 [mulkka] 〈名〉 物価. [句例] ~가 오르다〔내리다〕 物価が上がる〔下がる〕 / ~고에 허덕이다 物価高〔高物価〕にあえぐ. [文例] ~상승으로 생활이 쪼들린다 物の値上がりで暮らしがきつくなった. [語例] ~ 동향 物価の動向 / ~ 지수 物価指数 / ~ 수준 物価水準.

물-갈이 [mulgari] 〈名・하自他〉 ❶〔農〕田に水を入れること. ❷(金魚鉢・プールなどの)水をとり替えること. ❸メンバーを入れ替えること.

물-갈퀴 〈名〉〔動〕 水かき. =오리발. [句例] ~로 헤엄치다 水かきで泳ぐ.

***물-감** [mulkkam] 〈名〉 ❶染料. 染め粉. =염료. ❷絵の具. =그림물감.

물-개 [mulkkae] 〈名〉〔動〕 おっとせい. =해구(海狗).

물-거름 〈名〉 水肥. 液肥.

***물-거품** 〈名〉 水の泡. ❶水泡. あぶく. =수포(水泡). [文例] 파도가 안벽에 부딪쳐 ~이 사방으로 흩어졌다 波が岸壁に押し寄せて泡沫が四方に散った. ❷はかないことのたとえ. [文例] 모처럼의 노력이 ~이 되고 말았다 せっかくの努力が水の泡となってしまった / 인생은 ~같다 人生はまるであぶくみたいなものだ.

⁑**물건** 【物件】〈名〉 品物. 物件. 物. 品. [句例] 틀림없는 ~ 確かな品物 / 아주 싼 ~ 極めて安い品物 / 조상 전래의 ~ 祖先伝来の物 / 까닭이 있는 ~ いわく付きの代物. [語例] 과세 ~ 課税物件.

물-걸레 〈名〉 ぬれ雑巾. [語例] ~질 ぬれ雑巾でふく〔ぬぐう〕こと. ぬれ雑巾がけ. (對)마른걸레.

⁑**물-결** [mulkkyŏl] 〈名〉 波. 波浪. 流れ. [句例] 자동차의 ~ 車の流れ / 사람의 ~ 人の波〔流れ〕 / 밀려왔다 밀려가는 ~ 寄せては返す波 / ~이 일다 波がたつ. [文例] 시대의 ~은 어쩔 수 없다 時代の波はいかんともし難い. [語例] 잔~ さざ波 / ~무늬 波模様.
물결을 타다 波に乗る. [句例] 호경기〔유행〕의 ~ 好景気〔流行〕の波に乗る.
물결(이) 치다 波打つ. 波立つ. [句例] 물결치는 바다 波立つ海 / 물결치는 황금빛(의) 벼이삭 波打つこがねの稲穂 / 쪽배가 물결치는대로 떠돌다 小船が流れのままにただよう.

물결-표 【一標】 [mulkkyŏl—] 〈名〉〔言〕 波形記号. 波形ダッシュ. '내지 内至'の意味またはその語のかわりに使う記号.

물경 【勿驚】〈副〉 驚くなかれ. なんと. [文例] ~, 오백억 원의 손실을 보았다 驚くなかれ, 五百億ウォンの損失を被った.

⁑**물-고기** [mulkkogi] 〈名〉 魚. うお. 略して'고기'ともいう. [文例] 작은 ~만 잡힌다 小魚しかとれない.
물고기는 물을 떠나 살 수 없다 魚は水を離れては生きられない. 水魚の交わり.
물고기(의) 밥이 되다 水におぼれて死ぬ. 魚腹に葬られる.

물고-늘어지다 [—nŭrŏjida] 〈他〉 食い下がる. 食いついて放さない. [句例] 개가 바지 자락을 ~ 犬がズボンのすそに食いついて離れない / 끝까지 ~ 最後まで食い下がる.

물-관 【一管】〈名〉〔植〕 導管. [語例] 헛~ 仮導管. →체관

***물구나무-서다** 〈自〉 逆立ちする. 倒立する. [語例] 물구나무서기 逆立ち.

물-구덩이 [—kkudŏng-i] 〈名〉 水たまり.

물-굽이 [—kkubi] 〈名〉 川の曲がり角.

물-귀신 【一鬼神】 [—kkwishin] 〈名〉〔民〕 水鬼. 船幽霊. 水神. 水伯. [句例] 바다 밑의 ~으로 사라지다 海底の藻くずと消える.
물귀신(이) 되다 おぼれ死にする.

***물-기** 【一氣】 [—kki] 〈名〉 水気. 汁気. 水分. =수분. [句例] ~를 말리다〔빼다・없애다〕 水気を取る〔切る〕 / ~가 많다 水っぽい.

물-기둥 [—kkidung] 〈名〉 水柱. [句例] ~이 솟

ㅁ

다 水柱が立つ〔上がる〕.

물-긷다 (물길으니, 물길어서) 〈自〉 水をく(汲)む. 水くみをする.

물-길 [—kkil] 〈名〉 水路. 船路. →뱃길. ㊍육로(陸路).

물-꼬 〈名〉 ❶(田の用水の)はけ口. ❷解決の糸口. 句例 타협의 ~가 트이다 妥協の糸口が見える.

물끄러미 〈副〉 ぼんやりと眺めるさま：ぼかんと. じっと. なにげなく. 句例 먼 산을 ~ 바라보다 遠くの山をぼんやりと眺める. 文例 그녀는 남편의 얼굴을 ~ 바라보고 있었다 彼女は夫の顔をじっと見入っていた.

물-난리【—亂離】 [mullalli] 〈名〉 ❶洪水騒ぎ. ❷水飢饉による騒動. 文例 가뭄으로 ~가 대단하다 日照りで水飢饉が大変である.

물-놀이 [mullori] 〈名・하自〉 ❶水遊び. ❷さざ波が立つこと.

물다[1] (무니, 물어서) 〈他〉 払う. 支払う. (お金を)納める. 弁償する. 句例 세금을 ~ 税金を納める／세(貰)를 ~ 借料を支払う／수수료를 ~ 手数料を払う. 文例 벌금까지 물었다 罰金まで取られた.

****물다**[2] (무니, 물어서) 〈他〉 ❶かむ. かみつく. 食いつく. 句例 개가 ~ 犬がかみつく／물어 죽이다 かみ殺す. 文例 오늘은 고기가 전혀 물지 않는다 今日は魚がさっぱり食わない.
❷刺す. 句例 모기가 ~ 蚊が刺す. 文例 벌레에 물려 가렵다 虫にさされてかゆい.
❸ありつく. 手に入れる. 文例 오늘은 봉을 물었다 今日はかもにありついた.
❹(口に)くわえる. 句例 담배를 물고 다니다 タバコをくわえて歩く.
❺かみ合う. 句例 톱니바퀴가 맞~ 歯車がかみ合う.
表現 ③は俗っぽい言いかた.

물덤벙-술덤벙 〈副・하自〉 でしゃばるさま：やたらに. むやみに. 句例 ~ 나대다 むやみやたらに出しゃばる／~ 아무 데나 참견하다 むやみやたらにどこにでも首を突っこむ.

****물-동이** [—ttong-i] 〈名〉 (水くみ用の)小さいかめ.

***물-들다** (물드니, 물들어서) ⇨'물²'の小項目

물-들이다 [—dŭrida] ⇨'물²'の小項目

물-때 〈名〉 水あか. 湯あか. 句例 배의 ~를 긁어내다 舟の水あかをかき落とす／욕조에 ~가 끼다 浴槽に水あかが付く.

물-떼새 〈名〉〔鳥〕 川千鳥. 千鳥.

물량【物量】 〈名〉 物量. 句例 ~의 힘을 빌리다〔발휘하다〕 物量にものを言わせる／~으로 적을 압도하다 物量で敵を圧倒する. 語例 ~ 공세 物量攻勢.

***물러-가다** 〈自〉 去る. 退く. ❶立ち去る. 遠のく. 後退する. 句例 적이 후방으로 ~ 敵が後方に退く. 文例 위기는 일단 물러갔다 危機は一応退いた／점령군은 물러가라 占領軍は立ち去れ. ❷引き下がる. 引き取る. 句例 어전에서 ~ ご前から引き下がる／침실로 ~ 寝間に引き下がる. 文例 그만 물러 가겠습니다 もうおいとまいたします. ❸(ある現象などが)なくなる. 句例 더위가 ~ 暑気が去る／불경기가 ~ 不景気が去る.

***물러-나다** (—나거라) 〈自〉 ❶退く. ㉠引く. 後退する. 句例 적이 성에서 ~ 敵が城から後退する. 文例 이제는 물러날래야 물러날 수가 없다 今になっては引くに引かれない. ㉡引退する. 句例 현직에서 ~ 現職を去る／정계에서 ~ 政界から退く／그 사건에서 ~ その事件から手を引く. ❷引き下がる. 句例 할아버지 앞에서 조용히 ~ おじいさんの前から静かに引き下がる.

***물러-서다** 〈自〉 あとへ引く. 退く. 引っ込む. 句例 한 발 ~ 一歩退く／놀라서 홱 ~ 驚いて飛びのく／제일선에서 ~ 第一線から身を引く. 文例 말을 꺼낸 바에야 물러서지 않겠다 言い出したからには後に引けない／억지가 통하면 도리가 물러선다 無理が通れば道理が引っ込む.

물러-앉다 [—antta] 〈自〉 ❶後に引き込む. ❷(地位や仕事を)やめて退く. 引退する. →앉다 参考

물렁-거리다 〈自〉 ぶよぶよする.

물렁물렁 〈副・하形〉 ぶよぶよ. どろりどろり.

물렁-뼈 〈名〉〔生〕 軟骨.

물렁-하다 (→하다) 〈形〉 ❶柔らかくしなやかだ. 熟れ切っている. ぶよぶよしている. ❷(人となりが)腰が弱く優柔不断である. ▷㊍딱딱하다.

물레 〈名〉 糸車. 糸繰り車. 糸より車. 絵 句例 ~를 돌리다 糸車を回す. 語例 ~질 糸車を回して糸を紡ぐこと.

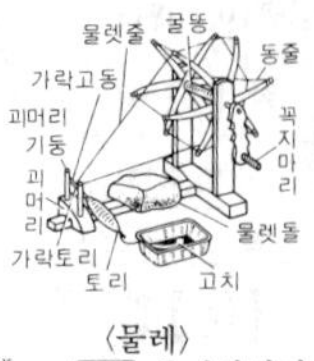

〈물레〉

***물레-방아** 〈名〉 水車. 語例 물레방앗간(間) 水車小屋.

***물려-받다** 〈他〉 受け継ぐ. 引き継ぐ. 譲り受ける. 句例 재산〔전통〕을 ~ 財産〔伝統〕を譲り受ける／삼대째의 가업을 ~ 三代目の家業を引き継ぐ／부모로부터 물려받은 재능 親譲りの才能. 文例 이 양복은 아버지한테 물려받은 것이다 この洋服はおやじのお下がりだ. ㊍물려주다.

***물려-주다** 〈他〉 譲る. 伝える. 譲り渡す. 句例 조상 전래의 가보를 ~ 祖先伝来の家宝を譲り渡す／자식에게 가업을 ~ 息子に家業を譲る. ㊍물려받다.

****물론【勿論】** 〈名・副〉 もちろん(勿論). もとより. 無論. 文例 ~ 가고말고 もちろん行くとも／그건 ~이다 それはもちろんのことだ. 言うまでもないことだ／공부는 ~이고 농구도 잘 한다 勉強はもちろんのことバスケットボールもうまい.

물리【物理】 〈名〉 物理. 語例 ~ 요법 物理療法／~ 치료사 物理治療士／~학자 物理学者.

물리다[1] 〈自〉 飽きる. 嫌になる. あきあきする. 句例 물리도록 먹다 飽きるほど食べる. 文例 그의 농담에도 이제는 물렸다 彼の冗談にはもう飽きたよ.

물리다[2] 〈他〉 ❶延期する. ずらす. 延ばす.

句例 기일을 하루 ~ 期日を一日延ばす. 對 당기다. 類 미루다. ❷(ものを)移して置く. 引く. 句例 책상을 뒤로 ~ つくえを後の方へ引っこます / 군사를 남쪽으로 ~ 兵を南の方へ引く. 類 옮기다.

물리다[3] 〈他〉(お膳・供え物などを)下げる. 片づける. 下ろす. 句例 밥상을 ~ お膳を下げる. 文例 부처님께 올렸던 음식을 ~ 仏様にあげた供え物を下ろす.

물리다[4] ■〈自〉'물다[2]'の受け身: かまれる. 挟まれる. 句例 뱀에게 ~ へびにかまれる.
■〈他〉'물다'の使役形: かませる. 挟ませる. 句例 수건으로 재갈을 ~ タオルでさるぐつわをかませる.

물리다[5] 〈他〉'물다[1]'の使役形: 弁償させる. 句例 손해 본 물건값을 ~ 損した品物代を弁償させる.

물리-적【物理的】〈名・冠〉物理的. 句例 ~으로 불가능한 일 物理的に不可能な仕事. 文例 그 일은 부득이 ~으로 처리했다 その件はやむなく物理的に処理した. 語例 ~ 변화 物理的変化. 對 화학적.

***물리-치다** 〈他〉❶退ける. 拒む. はねつける. 句例 (그의) 의견을 ~ (彼の)意見を退ける / 선물을 완강히 ~ 贈り物を固く拒む / 요구를 ~ 要求をはねつける. ❷(敵を)撃退する. 討ち払う. 排する. ぶっぱらう《俗》. 句例 적의 공격을 ~ 敵の攻撃を退ける / 만난을 물리치고 완성하다 万難を排して完成する / 침략자를 ~ 侵略者を撃退する〔討ち払う〕. ❸(人を)遠ざける. 句例 사람을〔주위를〕 물리치고 밀담하다 人を遠ざけて密談する.

물리-학【物理學】〈名〉物理学. 略して'물리'ともいう. 語例 ~자 物理学者.

물-만두【一饅頭】〈名〉水ギョーザ. =물교자(餃子).

물-맛 〈名〉水の味.

물망【物望】〈名〉嘱望. 人望.
물망에 오르다 (人選などで)嘱望される. 句例 사장(의) ~ 社長として嘱望される. 社長に取り沙汰される.

물망-초【勿忘草】〈名〉〔植〕忘れな草.

물맞이-게 [mulmajige] 〈名〉〔動〕いそがに.

물-매[1] 〈名〉ひどく打たれること. 句例 깡패에게 ~를 맞다 ごろつきにひどく打たれる.

물매[2] 〈名〉勾配. 傾斜. (屋根の)流れ. 句例 거의 ~가 없는 지붕 ほとんど流れのない屋根. 陸屋根 / 지붕의 ~가 뜨다〔싸다〕 屋根の流れが緩い〔きつい〕.

물-먹다 ⇨'물[1]'の小項目

물목【物目】〈名〉品物のリスト. 品目.

물-무늬 [—muni] 〈名〉水紋. 句例 시원한 ~옷 さわやかな水紋の着物.

물물 교환【物物交換】〈名〉物物交換. バーター.

물-밀듯이 [—mildŭshi] 〈副〉(波が押し寄せるように)どっと. ひたひたと. 句例 적군이 ~ 밀어닥치다 敵軍がどっと押し寄せる.

물-바가지 [—ppagaji] 〈名〉(水くみ用の)ひょうたん. 略して'물박'ともいう.

물-바다 〈名〉(洪水などによる)一面の水浸し. 文例 큰비로 온 마을이 ~가 되었다 大雨で村じゅうが水浸しになった.

물-방개 〈名〉〔蟲〕げんごろうむし(源五郎虫). げんごろう《略語》.

물-방아 〈名〉❶'물레방아'など水力で穀物をつ(搗)く水車の総称. ❷そうず(添水). そうずからうす(添水唐臼). ぼっとり. 流れ落ちる水をきね(杵)の片方から受け, その力できねが上下し穀物をつくうす. 絵

〈물방아〉

물방앗-간【一間】〈名〉水車小屋.

***물-방울** [mulppang-ul] 〈名〉水玉. 水の滴. 句例 ~이 튀다 水玉が飛ぶ / 병에 ~이 서리다 瓶に滴ができる. 瓶が汗をかく / ~이 똑똑 떨어지다 水の滴がぽとりぽとりとしたたる. 語例 ~ 무늬 水玉模様.

물-베개 〈名〉水枕.

물-벼락 〈名〉水のどしゃ浴び. =물세례.
물벼락(을) 맞다 どしゃ浴びにあう.

***물-병**【一瓶】[mulppyŏng] 〈名〉水差し.

물-보라 〈名〉水煙. (水)しぶき. 句例 ~를 일으키면서 뛰어들다 しぶきをあげて飛びこむ.
물보라(가) 치다 しぶきをあげる.

물-불 〈名〉水火. 水と火.
물불을 가리지 않다 水火も辞せず.

물-비누 〈名〉水せっけん.

물-빨래 〈名・하他〉水洗い.

물-빼다[1] 〈他〉水を抜く. 脱水する.

물-빼다[2] 〈他〉脱色する. 色抜きをする.

물-뿌리개 〈名〉じょうろ. =조로.

물산【物産】[mulssan] 〈名〉物産.

물-살 [mulssal] 〈名〉水の流れ. 水勢. 句例 ~이 빠르다 流れが速い.

물-새 [mulssae] 〈名〉水鳥.

물색【物色】[mulssaek] 〈名・하他〉物色. 句例 후임자를 ~하다 後任者を物色する.

물색-없다 [mulssaegŏpta] 〈形〉言行が条理に合わない. **물색없이** [—ssaegŏpshi] 〈副〉無分別に.

물샐틈-없다 [mulsaelt'ŭmŏpta] 〈形〉❶すっかりふさ(塞)がっている. 水が漏れるすきまもない. ❷厳重である. すきがない. 句例 물샐틈없는 경계 태세 水も漏らさぬ警戒ぶり. ❸抜け目がない. **물샐틈없이** [—ŏpshi] 〈副〉水も漏らさぬほどに. 用意周到に.

물성【物性】[mulssŏng] 〈名〉〔物〕物性.

물-세례【一洗禮】〈名〉⇨ 물벼락

물-소 [—sso] 〈名〉〔動〕水牛.

물-소리 [—ssori] 〈名〉水音.

물-수건【一手巾】[—ssugŏn] 〈名〉お絞り.

물-수레 〈名〉❶散水車. =살수차(撒水車). ❷水を運ぶ手押し車.

물-시계【一時計】[—ssigye] 〈名〉水時計.

물실-호기【勿失好機】[mulssil—] 〈名〉好機を逃しないこと.

물-심【物心】[mulssim] 〈名〉物心. 物質と精神. 句例 ~ 양면으로 돕다 物心両面に助ける.

물쓰듯-하다 [mulssŭdŭt'ada] (→하다) 〈他〉湯

ㅁ

水のように使う．物づかいが荒い．惜しみなく使う．句例 돈을 ～ お金を湯水のように使う．金遣いが荒い．

물씬〈副〉においが鼻を突くさま：ぷんと．句例 향수 냄새를 ～ 풍기다 香水をぷんとにお(匂)わす．

물-안경【一眼鏡】[muran-gyŏng]〈名〉水眼鏡．＝수중 안경．

물-약【一藥】[mullyak]〈名〉水薬．液剤．對가루약．

물어-내다 [murŏ—]〈他〉(損害などを)償う．弁償する．

물어-뜯다 [murŏ—]〈他〉かみちぎる．かじりつく．句例 개가 서로 물어뜯고 싸우다 犬が食いつき合って戦う．

물어-물어 [murŏmurŏ]〈副〉方方に問い尋ねて．絶えず聞いて見てやっと．文例 먼 길을 ～ 찾아 왔다 遠路をあっちこっち問い尋ねてようやくやってきた．

물어-주다 [murŏ—]〈他〉弁償してやる．

물-엿 [mullyŏt]〈名〉水あめ(飴)．

물-오리 [murori]〈名〉〔鳥〕まがも．＝청둥오리．

물욕【物慾】[muryok]〈名〉物欲．句例 ～을 억누르다 物欲を押さえる／～에 눈이 멀다 物欲に目がくらむ．

물-위 [murwi]〈名〉水の表面．水面．文例 ～에 자기 모습을 비쳐보았다 水面に自分の姿を映して見た．對물밑．

물위의 기름 水に油．他人と交わらず独りのけ者にされることのたとえ．

*__물음__ [murŭm]〈名〉問い．文例 다음 ～에 답하라 次の問いに答えよ．

물음-표【一標】[murŭm—]〈名〉疑問符．＝의문부．의문표．퀘스천 마크．

물의【物議】[murŭi]〈名〉物議．句例 ～를 빚다〔일으키다〕物議をかもす．類말썽．

*__물자__【物資】[multcha]〈名〉物資．句例 ～를 징발하다 物資を徴発する．語例 원조 ～ 援助物資．

물-자동차【一自動車】〈名〉❶散水車．＝살수차(撒水車)．❷給水車．＝물차(車)．

물-장구〈名〉(水泳で)ばた足．語例 ～질 ばた足の動作．

물장구(를) 치다 ばた足をつかう．

물-장난〈名・하自〉水遊び．

물-장사〈名〉❶水売り．❷'술장사 水商売'の俗っぽい言いかた．

물적【物的】[multchŏk]〈名・冠〉物的．語例 ～ 증거 物的証拠／～ 자원 物的資源．

물정【物情】[multchŏng]〈名〉物情．世事．世情．物心．句例 세상 ～에 어둡다 世事〔世情〕にうとい／～에 밝다 世事に通じている．世故にたける／～을 아는 사람 物の分かった人／세상 ～을 모르는 사람 世に暗い人．

물주【物主】[multchu]〈名〉❶資本主．金穴．❷(ばくちで)親．胴元．胴取り．

물-줄기 [multchulgi]〈名〉❶(川などの)水の流れ．水流．❷小さい穴から吹き出す水の筋．句例 분수가 내뿜는 ～ 噴水が噴き上げる水の筋．

물증【物證】[multchŭng]〈名〉['물적 증거 物的証拠'の略] 物証．句例 ～이 갖추어지다 物証がそろう／범죄의 ～을 잡다 犯罪の物証をつかむ．

물-지게 [multchige]〈名〉水運び用のしょいこ．

*__물질__【物質】[multchil]〈名〉物質．語例 ～주의 物質主義／～ 문명 物質文明／발암 ～ 発がん(癌)物質．對정신(精神)．

물질 대사【物質代謝】[multchildae:sa]〈名〉〔生〕物質代謝．＝신진 대사(新陳代謝)．

물질-적【物質的】[multchiljŏk]〈名・冠〉物質的．句例 ～인 욕망 物質的な欲望／～ 번영 物質的繁栄．對정신적．

물-짐승 [multchimsŭng]〈名〉水にすむ獣．かわうそ・水牛など．

물-집¹ [multchip]〈名〉水ぶくれ．水疱．まめ(肉刺)．＝수포(水疱)．句例 ～을 터뜨리다 水ぶくれをつぶす／발에 ～이 생기다 足にまめができる．文例 불에 데어서 ～이 생겼다 やけどして火ぶくれができた

물-집² [multchip]〈名〉染め屋．染め物屋．紺屋．＝염색집．

물찌-똥〈名〉液便．下痢便．

*__물체__【物體】〈名〉物体．物．文例 사람도 죽으면 하나의 ～에 지나지 않는다 人も死ねば一個の物体にすぎない．語例 비행 ～ 飛行物体．

⁑__물-총__【一銃】〈名〉['물딱총'の略]：水鉄砲．

물컹-이〈名〉❶ふにゃふにゃした物．❷虚弱で意志の弱い人．弱虫．意気地なし．

물컹-하다 (→하다)〈形〉(熟れ過ぎたり腐ったりして)ぐにゃぐにゃする．

⁑__물-통__【一桶】〈名〉水おけ．水槽．

물-퍼붓듯〈副・하自〉立て板に水を流すように．

물표【物標】〈名〉荷札．合符．合い札．句例 ～를 받다 合符を受ける．

물-풀〈名〉⇨ 수초(水草)

*__물품__【物品】〈名〉物品．品物．品．句例 불필요한 ～ 不必要な品物／귀중한 ～ 貴重な品物／품질 미상의 ～ 品質の知れない品物．文例 ～ 종류가 적다 品数が少ない／～ 목록을 만들어 상대방에게 보냈다 品書きを作って先方に送った．語例 ～세 物品税／～ 대금 物品代金．

*__묽다__ [mukta]〈形〉❶薄い．水っぽい．緩い．句例 묽은 수프 薄いスープ／국이 ～ お汁が水っぽい／변이 ～ 便が緩い／묽은 죽 緩いかゆ／물에 타서 묽게 하다 水で伸ばす〔緩める〕．對되다．❷(人が)締まりがなくもろい．▷→囲み記事 37

参考 '묽으니 水っぽいから' '묽고 水っぽくて'は [mulgŭni], [mulkko]と読む．

묽디-묽다 [muktimukta]〈形〉❶ひどく水っぽい．對되디되다．❷(人が)大変締まり気がない．→묽다参考

뭇〈冠〉多くの．あらゆる．語例 ～ 짐승 多くの獣／～ 신(神)들 よろずの神／～ 시선 大勢の視線．

뭇-매 [munmae]〈名〉袋だたき．句例 ～를 맞다 袋だたきにあう／～를 때리다 袋だたきにする．語例 ～질 袋だたきにすること．

뭇-사람〈名〉多くの人．大勢(の人)．衆人

しゅうじん. 句例 ～ 앞에서 창피를 당하다 大勢の前で恥をかく / ～의 입에 오르다 衆人の口に乗る.

뭉개다 〈他〉 ❶すりつぶす. にじる. 句例 짓밟아 ～ 踏みにじる. ❷まごつく. ぐずぐずする. しり足を踏む. 文例 빨리 끝내지 않고 뭘 그리 뭉개느냐 早く済ませないで何をそうぐずぐずしているんだ.

***뭉게-구름** 〈名〉〔氣〕積雲. 入道雲.

***뭉게-뭉게** 〈副〉 雲や煙が盛んに出るさま: むくむく(と). もくもく(と). 句例 뭉게구름이 ～ 피어 오르다 入道雲がむくむくと盛りあがる / 연기가 ～ 솟다 煙がもくもくあがる.

뭉근-하다 (→하다) 〈形〉 弱火がくすぶりながら燃え続ける. ぬるい. とろい. 句例 뭉근한 불에 조리다 とろ火で煮詰める. **뭉근히** 〈副〉 ぬるく. とろとろ(と).

뭉기다 〈他〉 ❶揺さぶり下ろす. ❷つぶす. こわす. 句例 깔고 ～ 尻に敷く.

***뭉치** 〈名〉 ❶まとめてくくったもの. 塊. 束. 巻き. 句例 서류 한 ～ 書類一束. 語例 돈〔지폐〕 ～ 札束 / 종이 ～ 紙束 / 쇠〔솜〕 ～ 鉄〔綿〕の塊. ❷牛のもも肉.

***뭉치다** ━〈自〉ひと塊になる. 一まとめになる. 団結する. 句例 서너명씩 ～ 三四人ずつかたまる. 文例 뭉치면 살고 흩어지면 죽는다 団結すれば生きられるが, ばらばらになれば死ぬ. ━〈他〉一固めにする. 句例 종이를 (구겨) 둥글게 ～ 紙を丸める. 文例 눈을 뭉쳐서 눈사람을 만들었다 雪を固めて雪だるまを作った.

뭉칫-돈 〈名〉 ❶束ねた多額のお金. ❷まとまった金額. ＝목돈.

뭉클-하다 (→하다) 〈形〉 ❶腹がもたれ気味である. ❷(悲しみや深い感動などで)胸にじんと来る. 句例 가슴이 뭉클해지는 따뜻한 말 胸にじんと来るあたたかい言葉.

뭉텅이 〈名〉 塊. 束. 語例 돈 ～ 札束 / 한 ～ 一かたまり. 一束・一くそく.

뭉툭 〈副・하形〉 先がち(禿)びてずんぐりしているさま. 語例 ～한 연필 ちびた鉛筆.

뭍 〈名〉 ❶陸. おか(陸). ＝육지. 句例 ～에 오르다 おかにあがる. ❷島の人が'本土'の陸地'を指す語. 句例 ～으로 시집가다 陸地の人に嫁ぐ.

뭍-사람 〈名〉 陸地に住む人. 㓀섬사람.

뭍-짐승 〈名〉 陸地にすむ獣. 陸の動物.

뭐 [mwo:] 〈代・感〉 '무어'の略: 何. なん. なんだって. なんと. 文例 그것이 ～냐 それはなんかね / 사랑이란 ～냐 愛とはなんか / ～가 뭔지 모르겠다 何がなにやら分からんなあ / ～, 그게 정말이냐 なにっ, それが本当か / ～, 그놈이 죽었다고? なんだって, あいつが死んだと / ～야 또 비야 なんだ, また雨か / ～, 뉴욕에 간다고 なに, ニューヨークに行くって.

뭐니 뭐니 해도 なんとかかんとか言っても.

뭐-하다 [mwo:—] (→하다) 〈形〉 '무엇하다'の略. ⇨뭣하다. 文例 혼자 가기가 좀 뭐한데 独りで行くのがちょっとなんだかねえ.

뭘 [mwo:l] ['무엇을'の略] 何を. 文例 그는 ～ 하는 사람인가요 彼は何をする人ですか / ～ 그까짓 것 なんのそれしきのこと / ～ 주랴 何をやろうかね.

뭣 [mwo:t] 〈代〉 '무엇'の略: 何. なん. 文例 철학이 ～인가를 알았다 哲学がなんであるか分かった / ～에 쓰려느냐 何に使うつもりかね.

뭣-하다 [mwo:t'ada] (→하다) 〈形〉 '무엇하다'の略: なんだ. どうかと. 文例 뭣하면 제가 갔다 오지오 なんならわたしが行って参りましょう.

뮤지컬 [myu:jik'ŏl] 〈名〉 ミュージカル. 語例 ～쇼 ミュージカルショー / ～ 코미디 ミュージカルコメディー. ◇musical

뮤직 [myu:jik] 〈名〉 ミュージック. 語例 ～ 홀 ミュージックホール. ◇music

미【美】 [mi:] 〈名〉 ❶美. 美しさ. ビューティ. 句例 ～의 여신 美の女神. ビーナス / 유종의 ～ 有終の美. ❷〔地〕 '미국(美國)'の略: 米. 語例 ～해군 アメリカの海軍. ❸成績評点の第三番目.

미-【未】 [mi:] 〈頭〉 未…. 語例 ～성년자 未成年者 / ～결제 未決済.

미	〔漢字項目〕

【味】 中學 미 ミ. ❶맛 味. ▮味覺 미각 みかく. ▮珍味 진미 ちんみ. ❷사물의 내용의 맛 味わい. ▮妙味 묘미 みょうみ. 興味 흥미 きょうみ. ❸뜻 訳. ▮意味 의미 いみ. ❹맛보다 味わう. ▮吟味 음미 ぎんみ.

【尾】 中學 미 ビ. ❶꼬리 尾. しっぽ. ▮尾骨 미골 びこつ. ▮徹頭徹尾 철두철미 てっとうてつび. ❷뒤 うしろ. あと. ▮尾行 미행 びこう. ❸흘레하다 つるむ. つがう. ▮交尾 교미 こうび.

【微(微)】 高校 미 ビ. ❶작다 小さい. ▮微小 미소 びしょう. ▮輕微 경미 けいび. ❷정묘하다 優れて巧みだ. ▮微妙 미묘 びみょう. ❸천하다 身分が低く卑しい. ▮微賤 미천 びせん. ❹은밀하다 ひそかだ. ▮微行 미행 びこう. ❺쇠하다 衰える. ▮衰微 쇠미 すいび.

【未】 中學 미 ミ. ビ. ❶지지(地支)의 여덟째 十二支の第八. ▮己未 기미 きび. 癸未 계미 きび. ❷아직 …하지 아니 하다 まだ事が終わっていない. ▮未完 미완 みかん. 未熟 미숙 みじゅく.

【眉】 高校 미 ビ. ミ. 눈썹 まゆ毛. ▮眉間 미간 みけん. ▮柳眉 유미 りゅうび. 愁眉 수미 しゅうび.

【米】 中學 미 ベイ. マイ. ❶쌀 こめ. ▮米穀 미곡 べいこく. ▮玄米 현미 げんまい. ❷미터의 취음 メートルの当て字. ▮百米 백미 ひゃくメートル.

【美】 中學 미 ビ. ミ. ❶아름답다 美しい. ▮美人 미인 びじん. ▮優美 우미 ゆうび. ❷옳다 よい. 좋다 立派だ. ▮美點 미점 びてん. ▮善美 선미 ぜんび. ❸맛나다 味がよい. ▮美味 미미 びみ. ▮甘美 감미 かんび. ❹칭찬하다 ほめる. ▮讚美 찬미 さんび. ❺감성(感性)과 이성(理性)이 조화 통일에 대한 순수한 감정을 일으키는 것 感性と理性との調和統一に対する純粋な感情を引き起こすこと. ▮美學 미학 びがく. ▮眞善美 진선미 しんぜんび. ❻미국의 약칭 アメリカの略称.

【迷(迷)】 [高校] 미 メイ. ❶갈 곳을 몰라하다 道が分からない. ▮迷路 미로 めいろ. 迷宮 미궁 めいきゅう. ❷정신이 혼란하다 ぼんやりしてまぎらわしい. ▮迷夢 미몽 めいむ. ▮昏迷 혼미 こんめい. ❸헤매게 하다 迷わす. ▮迷惑 미혹 めいわく.

미가【米價】[mikka]〈名〉米価. [語例] ~ 조절 米価調節.

미각【味覺】〈名〉味覚. 味感. [句例] ~의 가을 味覚の秋 / ~을 돋우다 味覚をそそる.

미간【未刊】[mi:gan]〈名〉未刊. [語例] ~본 未刊本. (對)기간(既刊).

미간【眉間】〈名〉['양미간'の略] 眉間. [句例] ~에 상처를 입다 眉間を割られる / ~을 찌푸리다 まゆ根をひそめる.

미간-지【未墾地】[mi:gan—]〈名〉'미개간지'の略.

미감【未感】[mi:gam]〈名・하自〉未感染. まだ感染されていないこと. [語例] ~ 아동 未感染の子供.

미개【未開】[mi:gae]〈名・하形〉未開. [句例] ~한 땅 未開の土地. [語例] ~국 未開の国 / ~민족 未開民族 / ~ 사회 未開社会 / ~인 未開人.

미개간-지【未開墾地】[mi:gaegan—]〈名〉未墾地. まだ開墾されていない土地. 略して'미간지'ともいう. (對)기(既)개간지.

미-개발【未開發】[mi:—]〈名〉未開発. [語例] ~ 지역 未開発の地域 / ~ 분야 未開発の分野.

미-개척【未開拓】[mi:—]〈名〉未開拓. [句例] ~의 황야 未開拓の荒野 / 과학의 ~ 분야 科学の未開拓の分野. [語例] ~지 未開拓地.

미거-하다【未擧—】[mi:gŏ—](→하다)〈形〉ふつつかだ. 蒙昧だ. [文例] 미거한 사람입니다만 잘 부탁합니다 ふつつかな者ですが, よろしくお願いします / 미거한 자식입니다 足りない子であります.

미결【未決】[mi:gyŏl]〈名・하他〉未決. [文例] 판결은 아직 ~이다 判決はまだ未決だ. [語例] ~ 서류 未決の書類 / ~ 사건 未済(未決)事件 / ~수 未決囚. (對)기결(既決).

미-경험【未經驗】[mi:—]〈名・하他〉未経験. [句例] 이 일에는 ~이어서 この仕事は未経験なものですから. [語例] ~자 未経験者.

미곡【米穀】〈名〉米穀. ❶米. ❷穀物. [語例] ~ 산지 米産地 / ~상 米穀商. 米屋 / ~ 창고 米蔵・よねぐら.

미관【美觀】[mi:gwan]〈名〉美観. [句例] ~상 좋지 않다 美観上よくない / ~을 더하다 美観を添える / 도시의 ~을 해치다 都市の美観を損なう.

미관【微官】〈名〉微官. [語例] ~ 말직(末職) いたって地位の低い官職.

*__미국__【美國】〈名〉〔地〕米国. アメリカ(合衆国). [文例] 생활 양식이 ~화되었다 生活様式がアメリカナイズされた. [語例] ~ 사람 アメリカ人. 米人 / ~ 생활 アメリカ生活 / ~ 스타일 アメリカンスタイル.

미군【美軍】〈名〉米軍. アメリカ軍.

미궁【迷宮】[mi:gung]〈名〉迷宮. [句例] ~에 빠지다 迷宮に陥る. [文例] 그 사건은 ~에 빠졌다 その事件は迷宮入りになった.

미그 전투기【MIG戰鬪機】[—jŏ:nt'ugi]〈名〉ミグ戦闘機.

미급-하다【未及—】[mi:gŭp'ada](→하다)〈自〉まだ及ばない. 足りない.

미기【美技】[mi:gi]〈名〉美技. ファインプレー. [句例] ~를 겨루다 美技を競う. [語例] ~상 美技賞.

**__미꾸라지__〈名〉〔魚〕どじょう. =추어(鰍魚). 略して'미꾸리'ともいう.

미꾸라지 같다 ずるくて抜け目がない人のたとえ.

미꾸라지 용 되었다 どじょうが竜となった. 卑しい者が大物になったことのたとえ.

미꾸라지 한 마리가 온 웅덩이를 흐려 놓는다 どじょう一匹が水たまりを皆濁にしてしまう. 一人の悪者が家庭や社会に大害を与えることのたとえ.

미꾸리〈名〉〔魚〕'미꾸라지'の略.

**__미끄러-지다__〈自〉滑る. ❶転がる. [句例] 찍 ~ つるりと滑る / 미끄러져 넘어지다 滑って転がる. [文例] 발이 미끄러져 다쳤다 足が滑ってけがをした. ❷'틀어지다 だめになる'の俗っぽい言いかた: しくじる. 落第する. [句例] 입사 시험에 ~ 入社試験に滑る.

**__미끄럼__〈名〉滑り. [句例] (빙판에서) ~ 지치다 氷滑りをする / ~ 타다 滑り台をすべる. [語例] ~대[틀] 滑り台.

**__미끄럽다__ (미끄러우니, 미끄러워서)〈形〉滑らかだ. 滑りやすい. つるつるしている. [句例] 마루가 ~ 床がよく滑る / 미끄러운 눈길 滑りやすい雪道. [文例] 미꾸라지는 미끄러워서 잡기가 힘든다 どじょうはぬめって捕らえにくい / 눈이 얼어서 길이 ~ 雪が氷りついて道がつるつるしている.
[表現] 語感の小さい語は'매끄럽다'.

미끈-거리다〈自〉ぬらぬらする. つるつるする. [句例] 접시가 기름으로 ~ 皿が油でぬらぬらする.

미끈미끈〈副・하形〉つるつる. ぬらぬら. ぬるぬる. [文例] 기름이 묻어 ~하다 油がついてぬるぬるする.
[表現] 語感の小さい語は'매끈거리다'.

미끈둥-하다 (→하다)〈形〉つるつるしている. ぬるぬるしている.

미끈-하다 (→하다)〈形〉すらりとしている. すんなりしている. 滑らかだ. [句例] 미끈한 다리 すらりとした脚 / 미끈한 몸매 すんなりとした体つき. **미끈히**〈副〉すんなり(と). すらり(と). 滑らかに.
[表現] 語感の小さい語は'매끈하다'.

미끼〈名〉えさ(餌). おとり(囮). ❶釣りえさ. =낚싯밥. [句例] ~를 뿌려 고기를 잡다 えさをまいて魚をとる / 낚싯바늘에 ~를 꿰다 釣り針にえさをつける. [語例] 산 ~ 生きえ. ❷(人を)おびき寄せる手. 出し. 玉. [句例] 여자를 ~로 하여 속이다 女を出しにしてだます / ~에 걸려들다 おとりにかかる / 경품을 ~로 쓰다 景品をおとり〔えさ〕にする.

미끼(를) 삼다 出しに使う. えさにする. [句例] 취

직을 미끼 삼아 금품을 사취하다 就職をえさにして金品をだまし取る.

**미나리 〈名〉〔植〕せり(芹).

미나마타-병【みなまた病】〈名〉〔醫〕みなまた(水俣)病.

미남【美男】[mi:nam]〈名〉'미남자'の略.

미-남자【美男子】[mi:namja]〈名〉美男子. 美男. ハンサム. 色男. 二枚目. 略して'미남'ともいう. 句例 여자로 착각할 만한 ~ 女まがいの美男子. 文例 야, ~가 왔구나 やあ, 二枚目が来たね.

미납【未納】[mi:nap]〈名・하他〉未納. 句例 세금의 ~ 税金の未納.

미네랄〈名〉ミネラル. 語例 ~ 워터 ミネラルウォーター / ~ 함유 비타민제 ミネラル入りビタミン剤. ◇mineral

미녀【美女】[mi:nyŏ]〈名〉美女. 美人. 小町. 色女. 文例 제법 ~인데 なかなかの美人だね.

미농-지【美濃紙】〈名〉美濃紙. 句例 ~로 장지를 바르다 美濃紙で障子を張る.

미뉴에트〈名〉〔樂〕メヌエット. ミニュエット. ◇minuet

미늘〈名〉(矢じり・釣り針などの)あご. かかり. 戻り.

미니〈名〉ミニ. 語例 ~ 카 ミニカー / ~ 카메라 ミニカメラ / ~ 스커트 ミニスカート. ◇mini

미니멈〈名〉ミニマム. 對맥시멈. ◇minimum

미니어처〈名〉ミニアチュア. ミニアチュール. =미니아튀르. ◇miniature

미-닫이 [mi:daji]〈名〉障子. 引き戸. やり戸. 句例 ~를 닫다 障子を閉める / ~를 홱 열다 障子をぱっと開ける.

미달【未達】[mi:dal]〈名・하自〉まだ達していないこと. 未満. 文例 체중이 60kg ~이다 体重が六十キロ切れる. 語例 정원 ~ 定員割れ.

미담【美談】[mi:dam]〈名〉美談. 佳話. 句例 흐뭇한 ~ 心暖まる美談 / ~으로 전해지다 美談として伝えられる.

미답【未踏】[mi:dap]〈名・하他〉未踏. 句例 인적 ~의 땅〔비경〕人跡未踏の地〔秘境〕/ 전인 ~의 정글에 이르다 前人未踏のジャングルに至る.

미더덕〈名〉〔動〕えぼや(柄海鞘).

미덕【美德】[mi:dŏk]〈名〉美徳. 句例 겸양의 ~을 발휘하다 謙譲の美徳を発揮する.

미덥다 (미더우니, 미더워서)〈形〉頼もしい. 信頼できる. 頼りになる. 句例 미더운 청년 頼もしい若者 / 미덥지 못한 사람 頼りない人. 文例 미덥지 못한 기대다 おぼつかない期待だ.

미동【微動】〈名・하自〉微動. 句例 ~도 않는다 微動だにしない. 小揺るぎもしない.

미들〈名〉ミドル. 語例 ~급 ミドル級 / ~웨이트 ミドルウェート. ◇middle

미등【尾燈】〈名〉尾灯. テールライト. =테일라이트.

미디어〈名〉メディア. 語例 매스 ~ マスメディア. ◇media

미라〈名〉ミイラ. ◇포 mirra

미래【未來】[mi:rae]〈名〉未来. ❶将来. 句例 ~의 아내로 점찍다 未来の妻として心にとめる / ~를 꿈꾸다 未来を夢みる. 語例 ~사(事) 未来の事 / ~상 未来像. ビジョン / ~ 지향 未来志向. ❷〔言〕未来を表わす時制. 語例 ~ 완료〔言〕未来完了. ❸〔佛〕来世. =미래세(世).

미량【微量】〈名〉微量. 句例 ~의 염분 微量の塩分.

미러〈名〉ミラー. 鏡. 語例 백~ バックミラー. ◇mirror

미려-하다【美麗—】[mi:ryŏ—] (→하다)〈形〉美麗だ. 文例 그녀는 미려한 드레스를 입고 있다 彼女は美麗なドレスをまとっている.

미력【微力】〈名・하形〉微力. 句例 ~을 다하다 微力を尽くす. 文例 ~하나마 도와드리죠 微力ながら力添えしましょう.

미련〈名〉愚鈍. **~하다**〈形〉愚かだ. 愚鈍だ. 文例 그는 곰같이 ~한 사람이다 彼はくま(熊)のように愚かな人間だ. 語例 ~쟁이 愚鈍な者 / ~퉁이 きわめて愚鈍な者. **~스럽다** (→스럽다)〈形〉愚鈍だ.

미련하기는 곰일세 愚鈍なことまるでくまのようだ. 愚鈍な人のたとえ.

미련【未練】[mi:ryŏn]〈名〉未練. 執心. 名残. 句例 ~을 끊다 未練を断ち切る / ~을 남기다 未練を残す / ~없이 떠나다 名残なくたち去る. 文例 돈에 대한 ~이 남아 있다 金に執心が残る / ~은 조금도 없다 思い残すことはさらさらない / 그 지위에 아무런 ~도 없다 その地位になんの未練もない.

미로【迷路】[mi:ro]〈名〉迷路. 句例 ~에 빠지다 迷路に陥る〔入り込む〕.

미루-나무〈名〉〔植〕ポプラ. 西洋はこやなぎ.

*__미루다__〈他〉❶延期する. 延ばす. 持ち越す. 後に回す. 句例 내일로 ~ 明日に延期する / 작년부터 미루어 온 일 昨年から持ち越して来た事 / 일을 뒷전으로 ~ 仕事を後回しにする. 對당기다. ❷(仕事などを他人に)押しつける. 転嫁する. 句例 책임을 남에게 ~ 責任を他人に押しつける. 文例 자기 일을 남에게 미루지 마라 自分の仕事を他人に押しつけるな. ❸推す. 推し量る. 推測する. 句例 미루어 생각하건대 推して考えるに. 文例 그의 인격으로 미루어 그런 짓을 할 사람 같지가 않다 彼の人格から推して, そんなまねをする人間にはみえない.

미루적-거리다〈他〉ずるずる(と)長びかせる. 延び延びにする. 略して'미적거리다'ともいう.

미루적미루적 [mirujŏngmirujŏk]〈副・하他〉のびのび. ずるずる. しぶしぶ.

미륵【彌勒】〈名〉〔佛〕❶['미륵 보살'の略] 弥勒. 語例 ~ 보살 弥勒菩薩 / ~불 弥勒仏. ❷石仏. =돌부처.

**미리〈副〉あらかじめ. 前もって. かねて. かねがね. 句例 ~ 의논〔준비〕하다 あらかじめ相談〔用意〕する / ~ 경고해 두다 あらかじめ警告しておく / ~ 알리다 前もって知らせる. 文例 ~ 말해 두지만 그건 안돼 断っておくがそれはいけないよ.

*__미리-미리__〈副〉'미리'の強調語: あらかじめ. 前もって. 前前から. 句例 ~ 준비하다 前前から

ㅁ

準備する.

미-립자【微粒子】〈名〉〔物〕微粒子.

***미만**【未満】[mi:man]〈名〉未満. [語例] 일억 원 ～ 一億ウォン未満 / 십팔 세 ～ (입장 불가) 十八才未満(入場不可).

미망-인【未亡人】[mi:mang-in]〈名〉未亡人. やもめ, 後家. ＝과부(寡婦). [文例] 전쟁으로 많은 ～이 생겼다 戦争で多くのやもめが生じた. [語例] 전쟁 ～ 戦争未亡人.

미명【未明】[mi:myŏng]〈名〉未明. 夜明け. 明け方. 暁. [文例] 십일 ～에 출발했다 十日未明に出発した.

미명【美名】[mi:myŏng]〈名〉美名. [句例] 사회사업이라는 ～하에 社会事業という美名の下に. [文例] 학문이란 ～을 내세워 사욕을 꾀하고 있다 学問の美名に隠れて私欲を計っている.

미모【美貌】[mi:mo]〈名〉美貌. [句例] ～의 여인 美貌の女〔女性〕/ ～를 자랑하다 美貌を誇る.

ㅁ

미묘-하다【微妙—】(→하다)〈形〉微妙だ. デリケートだ. [句例] 미묘한 차이 微妙な違い / 남녀간의 미묘한 관계 男女間の微妙な〔デリケートな〕関係. **미묘히**〈副〉微妙に.

미미-하다【微微—】(→하다)〈形〉微微たり. かすかだ. 取るに足りない. [句例] 미미한 존재〔수입〕微微たる存在〔収入〕/ 미미한 재산 かすかな財産. [文例] 손해는 미미하였다 損害はかすかだった.

미복【微服】〈名・하自〉微服. お忍びのときの普段着. [語例] ～ 잠행(潜行) お忍び.

미봉-책【彌縫策】〈名〉弥縫策. [句例] ～을 쓰다 弥縫策を施す.

미분【微分】〈名・하他〉〔数〕微分. [語例] ～학 微分学.

미불【未拂】[mi:bul]〈名・하他〉未払い. 不払い. ＝미지급(未支給). [文例] 대금이 ～로 되어 있다 代金が未払いになっている.

미불【美弗】〈名〉米貨. ドル. ＝달러(dollar). [句例] ～로 청산하다 ドルで清算する.

미비【未備】[mi:bi]〈名〉不備. **～하다**〈形〉不備だ. 不完全だ. [文例] 인사제도에는 아직 ～한 점이 많은 것 같습니다 人事制度にはまだ不備な点が多いようです. 對완비(完備).

미사〈名〉〔宗〕ミサ. [語例] ～곡 ミサ曲. ◇라 Missa

미사-여구【美辭麗句】[mi:sa—]〈名〉美辞麗句. [句例] ～를 늘어놓다 美辞麗句を連ねる〔並べ立てる〕.

미사일〈名〉ミサイル. ＝유도탄. [語例] 대공 ～ 기지 対空ミサイル基地 / 지대지〔공대공〕～ 地対地〔空対空〕ミサイル / ～ 요격 ～ ミサイル迎撃ミサイル. ◇missile

미삼【尾蔘】〈名〉ちょうせんにんじん(朝鮮人参)の細かい根.

미상【未詳】[mi:sang]〈名・하形〉未詳. 不明. 不詳. [句例] 작자 ～의 작품 作者未詳の作品. [語例] 성명 ～ 氏名不詳.

미상-불【未嘗不】[mi:sangbul]〈副〉果たして. はたせるかな. なるほど. さすがに. やっぱり. ＝과연. [文例] 미스 코리아는 ～ 아름답군 ミスコリアはなるほど美しいね.

미색【米色】〈名〉❶米の色. ❷薄黄色.

미-생물【微生物】〈名〉微生物.

미성【美聲】[mi:sŏng]〈名〉美声. [句例] ～의 소유자 美声の持ち主.

미-성년【未成年】[mi:—]〈名〉未成年. [語例] ～자 출입 금지 未成年者出入り禁止. 對성년(成年).

미세-하다【微細—】(→하다)〈形〉微細だ. 細微だ. [句例] 미세한 입자 細微な粒子 / 미세한 차이 微細な違い.

미션 스쿨 [—sŭk'u:l]〈名〉ミッションスクール. 略して'미션'ともいう. ◇mission school

미-소【美蘇】〈名〉米ソ. アメリカと旧ソ連.

***미소**【微笑】〈名〉微笑. 笑み. ほほえみ. **～하다**〈自〉微笑する. ほほえむ. [句例] 입가에 ～를 띠다 口元に微笑を浮かべる / 방긋이 ～ 짓다 にっこりとほほえむ. [文例] ～ 지으면서 손님을 맞이했다 ほほえみながら客を迎えた. [語例] ～ 작전 微笑作戦.

미-소년【美少年】[mi:sonyŏn]〈名〉美少年. 美童. [句例] 홍안의 ～ 紅顔の美少年.

미소-하다【微小—】(→하다)〈形〉微小だ. [句例] 미소한 생물 微小な生物.

미소-하다【微少—】(→하다)〈形〉微少だ. [句例] 미소한 금액 微少の金額 / 미소한 차이 わずかな差異.

미송【美松】〈名〉アメリカ松. 米松.

미수【未收】[mi:su]〈名・하他〉未収. [語例] ～금 未収金 / ～ 요금 未収料金.

미수【未遂】[mi:su]〈名・하他〉未遂. [句例] ～에 그치다 未遂に終わる / 방화 ～로 체포되다 放火未遂で捕らえられる. [語例] 살인〔사기〕～ 殺人〔詐欺〕未遂.

미숙-하다【未熟—】[mi:suk'ada](→하다)〈形〉未熟だ. 青臭い. [句例] 미숙한 솜씨 未熟な腕前 / 미숙한 글 未熟な文章 / 표현〔기량〕이 ～ 表現〔腕〕が青臭い.

***미술**【美術】[mi:sul]〈名〉美術. [語例] ～가 美術家 / ～관 美術館 / 현대 ～ 現代美術 / ～도구 美術用具 / ～품 美術品.

미숫-가루〈名〉焦がし(粉). はったい. はったい粉《方》. [語例] 보리 ～ 麦こがし.

미스[1]〈名〉['미스테이크'の略] ミス. [句例] 교정의 ～ 校正のミス / ～를 범하다〔저지르다〕ミスを犯す. [語例] ～ 프린트〔印〕ミスプリント. ◇miss

미스[2]〈名〉ミス. …嬢. 娘. [語例] ～ 고 ミス高 / ～ 코리아 ミスコリア / ～ 유니버스 ミスユニバース. ◇Miss

미스터〈名〉ミスター. …氏. …様. [語例] ～ 김 ミスター 金 / ～ 자이언트 ミスタージャイアント. ◇mister, Mr.

미스터리〈名〉ミステリー. 不可思議. [語例] ～ 스토리〔소설〕ミステリーストーリー〔小説〕. ◇mystery

미시-적【微視的】〈名・冠〉微視的. [語例] ～ 세계 微視的世界. 對거시적(巨視的).

미시즈〈名〉ミセス. ＝여사(女史). 부인(夫人). [語例] ～ 고 ミセス高. ◇Mrs., mistress.

미식【美式】〈名〉アメリカ式. 米式. [語例] ～ 발음 アメリカ式発音.

미식【美食】[mi:shik]〈名・하自〉美食. 句例 ～에 싫증이 나다 美食〔美味〕に飽きる. 語例 ～가 美食家. グルメ.

미식 축구【美式蹴球】〈名〉アメリカンフットボール. 米式蹴球. アメフト《略語》.

*__미신__【迷信】[mi:shin]〈名〉迷信. 句例 ～에 빠지다 迷信におぼれる〔陥ちる〕. 文例 ～을 철저히 타파하자 迷信を徹底的に打破しよう. 語例 ～가 迷信家. 担ぎ屋.

미심-쩍다【未審一】[mi:shim—]〈形〉不審だ. いぶかしい. 疑わしい. 句例 미심쩍은 생각이 들다 不審の念が起こる.

미심-하다【未審一】[mi:shim—]（→하다）〈形〉不審だ. 不確かだ. 釈然としない. 疑わしい. 句例 미심하게 생각하다 不審に思う. 文例 미심한 데가 좀 있다 釈然としない所が少しある.

미싱〈名〉ミシン. ＝재봉틀. 句例 밤 늦게까지 ～을 밟다 夜遅くまでミシンを踏む. 語例 ～자수 ミシン刺繡／전동 ～ 電動ミシン. ◇sewing machineから.

미아【迷兒】〈名〉迷子. 句例 ～를 보호하다 迷子を保護する.

미안-스럽다【未安一】（→스럽다）〈形〉⇨ 미안하다

미안-쩍다【未安一】〈形〉済まない気がする. 文例 미안쩍게 생각지 마라 済まないと思うことはないよ.

**__미안-하다__【未安一】（→하다）〈形〉済まない. (お)気の毒だ. 文例 대단히 미안합니다(만) まことにすみません(が)／정말 미안하게 됐다 ほんとうにすまないことをした／수고를 끼쳐 미안하네 厄介をかけてすまんね／왠지 미안한 느낌이 든다 なぜかすまない気持ちがする／오랫동안 기다리시게 해 미안합니다 長らくお待たせしてすみません.

미약-하다【微弱一】[miyak'ada]（→하다）〈形〉微弱だ. 句例 미약한 반응〔지진〕微弱な反応〔地震〕.

미어-뜨리다〈他〉(障子などに)穴をあける. 突き破る. 句例 손가락으로 창호지를 ～ 指で障子の張り紙を突き破る.

미어-지다〈自〉❶(張りきった紙や革などが)古びて裂ける〔破れる〕. 穴があく. 句例 장지가 ～ 障子の張り紙が破れる. ❷ぎっしり詰まって裂けんばかりだ. あふれんばかりだ. 文例 집이 미어질 정도로 손님들이 많이 왔다 家があふれんばかりにお客がたくさん来た／많은 사람들로 버스가 미어질듯하다 おおぜいの人でバスがあふれんばかりだ. 絵 ❸(胸が張り裂けるほどに)つらさ・痛み・悲しみを感じる. 略して'미이다'ともいう. 文例 슬픔으로 가슴이 미어질듯하다 悲しみで胸が裂けんばかりだ. 絵

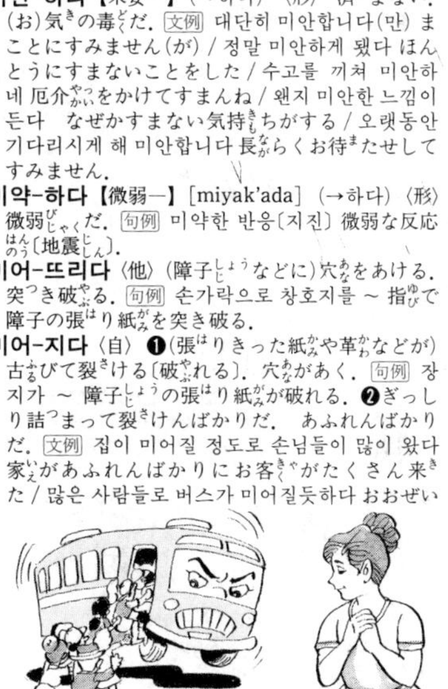

(많은) 사람들로 버스가 미어질 듯하다　슬픔으로 가슴이 미어질 듯하다
〈미어지다〉

미역¹〈名〉水浴び. 水浴. 略して'멱'ともいう.

미역(을) 감다 水浴びする. 水浴する. 句例 찬물로 ～ 冷水浴をする.

**__미역__²〈名〉〔植〕わかめ.

미역-국〈名〉わかめの澄まし汁. 略して'멱국'ともいう.
参考 '미역국'は特に, わかめの成分にカルシウムの含有量がたいへん多いので産婦の食べ物として重宝がられる.

미역국(을) 먹다 ❶試験などに落ちる. ❷解雇される. 首になる. ❸ひじ鉄砲を食らう. ＝퇴짜맞다.

미역국(을) 먹이다 ❶(試験で)落とす. ❷首にする. ❸ひじ鉄砲を食らわす.
表現 上の二つの慣用句は皆, 俗っぽい言いかた.

미연【未然】[mi:yŏn]〈名〉未然. まだそうなっていない状態. 句例 재해를 ～에 방지하다 災害を未然に防ぐ／사고를 ～에 방지하다 事故を前もって防ぐ.

미열【微熱】〈名〉微熱. 句例 ～이 있다 微熱がある／～이 계속되다 微熱がつづく.

미온-적【微温的】〈名・冠〉微温的. 手ぬるいこと. ＝소극적. 句例 ～ 태도 微温的態度／～인 조치 微温的な処置. 對열정적.

미완【未完】[mi:wan]〈名・하他〉未完. ＝미완성. 句例 ～의 대기 未完の大器／～의 작품을 남기다 未完の作品を残す.

미-완성【未完成】[mi:wansŏng]〈名・하他〉未完成. ＝미완. 語例 ～ 교향악〔樂〕未完成交響楽.

미용【美容】[mi:yong]〈名〉美容. 語例 ～사 美容師／～원 美容院／～ 체조 美容体操.

미욱-스럽다（→스럽다）〈形〉愚かしい. 句例 미욱스러운 행동 愚かしい振る舞い.

미욱-하다 [miuk'ada]（→하다）〈形〉愚かだ. 愚鈍だ. 類어리석다.

미움〈名〉憎さ. 憎しみ. 憎悪. 句例 남의 ～을 사다 人の憎しみを買う／～을 살 소리를 하다 憎まれ口をたたく／～을 받을 짓을 자진해서 하다 憎まれ役を買って出る.

미워-지다〈自〉いやになる. 憎くなる.

**__미워-하다__（→하다）〈他〉憎む. 憎悪する. 憎がる. 句例 미워할 수 없는 놈 憎めないやつ. 文例 죄를 미워하되 사람을 미워하지 않는다 罪を憎んで人を憎まず.

미음【米飮】〈名〉重湯. おま(混)じり. 略して'밈'ともいう. 句例 ～을 쑤다 重湯を炊く. 文例 환자에게 ～을 떠먹이다 病人に重湯を飲ましてやる.

미인¹【美人】[mi:in]〈名〉美人. 美女. 麗人. 句例 호리호리한 ～ ほっそりした美人／얼굴이 갸름한 ～ 細面の美人／굉장한 ～ すごい美人. 語例 ～ 박명 美人薄命／～ 대회 美人コンテスト. ビューティコンテスト／～도(圖) 美人画／절세 ～ 絶世の美人.

미인² 【美人】〈名〉米国人．アメリカ人．

미인-계 【美人計】[mi:ingye]〈名〉色仕掛け．句例 ～로 큰돈을 우려내다 色仕掛けで大金をまきあげる．

미작 【米作】〈名・하自〉米作．稲作．＝벼농사(農事)．語例 ～ 지대 米作地帯／～ 농가 米作農家．

미장-원 【美粧院】[mi:jang-won]〈名〉美容院．ビューティパーラ．＝미용실．

미-장이 【—匠—】〈名〉左官・しゃかん．左官屋．＝토공(土工)．句例 ～에게 담 수리를 부탁하다 左官屋に塀の修理をたのむ．

미적-거리다 〈他〉'미루적거리다'の略．

미적미적 [mijŏng—]〈副・하他〉ぐずぐずと延ばすさま．

미적-분 【微積分】〈名〉〔數〕微積分．

미적지근-하다 (→하다)〈形〉生ぬるい．❶(湯などが)ぬる(温)い．句例 미적지근한 물 生ぬるい水．文例 차가 ～ お茶がぬるい．❷(態度・性格などが)微温的だ．煮え切らない．句例 미적지근한 방법 煮え切らないやり方．類미지근하다．**미적지근히**〈副〉生ぬるく．

미정 【未定】[mi:jŏng]〈名・하他〉未定．文例 아직 행선지는 ～이다 今の所行く先は未定だ／그것은 ～ 사항이다 それは未定事項だ．

미제 【美製】〈名〉米国製．アメリカ製．

미주 【美洲】〈名〉〔地〕アメリカ州．

미주알-고주알 〈副〉根掘り葉掘り．あれやこれや．句例 ～ 캐다 根掘り葉掘りせんさくする．

미-증유 【未曾有】[mi:jŭng-yu]〈名・하形〉未曾有．いまだかつてなかったこと．句例 ～의 대지진 未曾有の大地震／고금 ～의 대사건 古今未曾有の大事件．類전대 미문(前代未聞)．

***미지** 【未知】[mi:ji]〈名・하他〉未知．文例 은하계는 아직 ～의 세계다 銀河界はまだ未知の世界である．語例 ⇨ 미지수

미지근-하다 (→하다)〈形〉生ぬるい．❶ぬる(温)い．句例 차가 ～ お茶がぬるい／목욕물이 ～ お湯が生ぬるい．語例 미지근해지다 ぬるくなる．❷手ぬるい．微温的だ．句例 미지근한 태도 生ぬるい態度／미지근한 대답 生ぬるい返事．文例 그렇게 미지근하게 꾸짖어서는 소용없다 そんな手ぬるいしかり方ではだめだ．類미적지근하다．**미지근히**〈副〉生ぬるく．

미지-수 【未知數】[mi:jisu]〈名〉未知数．文例 그의 실력은 아직 ～다 彼の実力はまだ未知数である／잘 될지 어떨지 ～다 うまくいくかどうか未知数だ．

미진 【微震】〈名〉微震．

미진-하다 【未盡—】[mi:jin—] (→하다)〈形〉いまだに尽きない．もの足りない．不十分だ．句例 미진한 꿈 見果てぬ夢．

***미처** 〈副〉いまだ．まだ．かつて．そこまでは．句例 ～ 상상도 못했던 일 かつて想像もつかなかったこと．文例 그것은 ～ 생각 못했다 それはまだ考えつかなかった／화재를 ～ 못 피해 타 죽었다 火事に逃げ遅れて焼死した．

미천-하다 【微賤—】(→하다)〈形〉微賤だ．卑賤だ．句例 미천한 몸 微賤の身．文例 미천한 출신이다 卑賤の出である．

***미치-광이** 〈名〉狂人．気違い．句例 ～같은 짓 狂気のさた．語例 ～ 취급 気違い扱い．

****미치다**¹ 〈自〉狂う．❶気が狂う．気が触れる．句例 미쳐서 집을 나가다 気が触れて家出する．文例 아파서 미칠 지경이다 痛くて気が狂いそうだ．❷(人や物事に)夢中になる．度を越す．句例 포커에 ～ ポーカーに夢中になる／여배우에게 ～ 女優に首ったけだ／경마에 ～ 競馬に凝る．

미치다² ■〈自〉及ぶ．❶(ある範囲に)達する．わたる．届く．句例 힘이 미치는 한 力の及ぶ限り／손이 못 ～ 手が回らない／생각이 거기에 ～ そこに気がつく．❷(災難などが)身にふりかかる．句例 해가 몸에 ～ 害が身に及ぶ／화가 가족에게 ～ 災いが家族に及ぶ．❸匹敵する．文例 영어는 그에게 못 미친다 英語は彼に及ばない．

■〈他〉及ぼす．行き渡らせる．文例 운임 인상은 물가에 영향을 미친다 運賃の値上げは物価に影響を及ぼす．

미친-개 〈名〉❶狂犬．句例 ～에 물리다 狂犬にかまれる／～를 잡아들이다 狂犬狩りをする．❷常軌を逸した振る舞いをする者を卑しめていう語．文例 술 취한 ～라니 酔いつぶれば正常な人とは言えないの意．

미크론 〈依名〉ミクロン《記号 μ》．◇micron

***미터** [mi:t'ŏ] ■〈依名〉長さの単位：メートル《記号 m》．語例 100 ～ 경주 百メートル競走．

■〈名〉(ガス・タクシーなどの) メーター．メートル．句例 ～가 올라가다 メーターがあがる／(수도) ～를 검침하다 (水道の)メーターを検針する／～를 속이다 メートルをごまかす．語例 ～법 メートル法／～제 メートル制．◇meter

미트 〈名〉❶〔野〕ミット．❷ミトン．指なし手袋．＝벙어리 장갑．◇mitt

미팅 [mi:t'ing]〈名〉❶ミーティング．会合．集まり．❷(大学生などの)合同コンパ《男女学生が集団で行なうデート》．◇meeting

미풍 【美風】[mi:p'ung]〈名〉美風．語例 ～ 양속 美風良俗．

미풍 【微風】〈名〉微風．そよ風．句例 ～이 볼을 스치다 そよ風がほおをなでる．

미필 【未畢】[mi:p'il]〈名・하他〉まだ終えていないこと．未了．語例 병역 ～자 兵役をまだ終えていない者．兵役未了者／등기 ～ 登記未了．

미-해결 【未解決】[mi:—]〈名〉未解決．語例 ～ 사건 未解決の事件．

미행 【尾行】〈名・하他〉尾行．句例 형사가 ～하다 刑事が尾行する／～을 따돌리다 尾行をまく．

미혼 【未婚】[mi:hon]〈名〉未婚．語例 ～ 여성 未婚の女性／～모 未婚の母．對기혼(既婚)．

미화 【美化】[mi:hwa]〈名・하他〉美化．句例 시가지의 ～를 도모하다 市街地の美化を図る／현실을 ～해서 보다 現実を美化して見る．語例 ～ 운동 美化運動．

미화 【美貨】〈名〉米貨．ドル．文例 이것은 ～로 얼마입니까 これはドルでいくらですか．

ㅁ

미-확인【未確認】[miːhwagin]〈名〉未確認. 語例 ～ 보도 未確認報道 / ～ 비행 물체 未確認飛行物体. ユーエフオー(UFO).

미흡-하다【未洽―】[miːhŭp'ada]（→하다）〈形〉まだ十分でない. まだ及ばない〔至らない〕. 文例 미흡한 사람입니다만… 至らぬ者ですが… / 미흡하나마 도와드리겠습니다 及ばずながら, おてつだいさせていただきます.

믹서〈名〉ミキサー. 語例 콘크리트 ～ コンクリートミキサー. ◇mixer

믹스〈名・하他〉ミックス. ◇mix

민-〈頭〉❶'ありのまま'の意を表わす語：素…. 真…. 語例 ～물 淡水. 真水. ❷'でこぼこがない・なめらか'の意を表わす語. 語例 ～머리（つるつるの）はげ頭.

민〔漢字項目〕

【憫】 高校 민 ビン. ❶불쌍히 여기다 哀れむ. ■憫察 민찰 びんさつ. ■憐憫 연민 れんびん. ❷근심하다 憂える. ■憂憫 우민 ゆうびん.

【敏(敏)】 高校 민 ビン. 민첩하다 敏捷だ. 재빠르다 素早い. ■敏速 민속 びんそく. ■鋭敏 예민 えいびん.

【民】 中學 민 ミン. ❶백성 民. ■民權 민권 みんけん. ■國民 국민 こくみん. ❷평민 一般の人. ■民間 민간 みんかん.

민가【民家】〈名〉民家. 句例 ～를 숙사로 삼다 民家を宿舎にする / ～에 불을 지르다 民家に火を放つ. 對관가(官家).

민간【民間】〈名〉民間. 句例 ～에 퍼지다〔전해지다〕民間に広まる〔伝わる〕/ ～에게 불하하다 民間に払い下げる. 語例 ～ 단체 民間団体 / ～ 방송 民間放送. 民放《略語》/ ～ 사절 民間使節 / ～ 신앙 民間信仰 / ～ 설화〔요법〕民間説話〔療法〕/ ～인 民間人.

민감-하다【敏感―】（→하다）〈形〉敏感だ. 句例 냄새에 민감한 코 においに敏感な鼻 / 추위에 민감한 사람 寒さに敏感な人. 對둔감(鈍感)하다.

***민국**【民國】〈名〉民国. ❶民主共和国. 對군국(君國). ❷'대한 민국'の略.

민권【民權】[minkkwon]〈名〉民権. 語例 ～ 운동 民権運動 / 자유 ～ 自由民権 / ～주의 民権主義.

민단【民團】〈名〉'거류민단 居留民団'の略：民団.

민도【民度】〈名〉民度. 句例 ～가 높다〔낮다〕民度が高い〔低い〕.

민둥민둥-하다（→하다）〈形〉山がはげていて滑らかだ. つるつるしている.

민둥-산【―山】〈名〉はげ山. 裸山. ＝벌거숭이산.

***민들레**〈名〉〔植〕たんぽぽ. 句例 ～의 솜털 たんぽぽの綿毛.

민란【民亂】[millan]〈名〉民乱. 一揆. ＝민요(民擾). 對군라(軍亂).

민망-스럽다【憫惘―】（→스럽다）〈形〉心苦しく思う. きまり悪い. 不憫に思う. ＝면구(面灸)스럽다. 文例 옷이 시원찮아 민망스러웠다 服が粗末できまり悪かった.

민망-하다【憫惘―】（→하다）〈形〉きまり悪い. 心苦しい. 不憫だ. 忍びない. 文例 차마 보기가 민망하여 얼굴을 돌렸다 見るに忍びず顔をそむけた / 물건이 시원치 않아 민망했다 物が粗末で心苦しかった.

민-물〈名〉真水. 淡水. ＝담수(淡水). 語例 ～고기 淡水魚. 川魚. 對바닷물.

민박【民泊】〈名・하自〉民泊. 民宿. 句例 외국 선수를 ～시키다 外国選手を民泊させる. 語例 ～식 호텔 ペンション.

민방【民放】〈名〉[민간 방송'の略] 民放.

민-방위【民防衛】〈名〉民間防衛. 語例 ～대 民間防衛隊 / ～ 훈련 民間防衛訓練.

민법【民法】[minppŏp]〈名〉民法. 語例 ～ 총칙 民法総則.

민병【民兵】〈名〉民兵. ＝민군(民軍). 句例 ～을 조직하다 民兵を組織する. 語例 ～대 民兵隊.

민사【民事】〈名〉民事. 語例 ～ 사건 民事事件 / ～ 소송 民事訴訟 / ～ 재판〔책임〕民事裁判〔責任〕. 對형사(刑事).

민생【民生】〈名〉民生. 句例 ～이 안정되다 民生が安定する. 語例 ～ 문제 民生問題 / ～고(苦) 国民の生活苦.

민선【民選】〈名・하他〉民選. 語例 ～ 의원 民選議員. 對관선(官選).

***민속**【民俗】〈名〉民俗. 語例 ～ 공예품 民俗工芸品 / ～ 농악 民俗農楽 / ～ 무용 民俗舞踊 / ～ 신앙 民俗信仰 / ～촌 民俗村《むかしの民俗を保存して一般に観覧させる村》.

민숭민숭-하다（→하다）〈形〉❶（頭や山がはげて）つるつるしている. すべすべしている. ❷（酒を飲んでも）酔わずにけろりとしている.

민심【民心】〈名〉民心. 人心. 句例 ～이 떠나다 民心がはなれる / ～을 파악하다 民心をつかむ / ～을 얻다〔잃다〕民心を得る〔失う〕.

민어【民魚】[minŏ]〈名〉〔魚〕にべ.

민영【民營】[minyŏng]〈名〉民営. 句例 국영 기업을 ～으로 바꾸다 国営企業を民営に切り替える. 語例 ～ 철도 民営鉄道. 對관영(官營). 국영(國營).

민예【民藝】[minye]〈名〉民芸. 語例 ～품 民芸品.

민완【敏腕】[minwan]〈名〉敏腕. 腕利き. 句例 ～을 발휘하다 敏腕をふるう. 語例 ～ 기자 敏腕記者 / ～ 형사 敏腕刑事. 腕利きの刑事 / ～가 敏腕家. やり手.

***민요**【民謠】[minyo]〈名〉民謡. 句例 ～를 부르다 民謡を歌う. 語例 ～곡〔조〕民謡曲〔調〕/ 한국 ～ 韓国民謡 / ～ 잔치 民謡祭り. →囲み記事 38

민원【民願】[minwon]〈名〉国民の望みや請願. 語例 ～ 서류 国民の請願書類.

민의【民意】[minŭi]〈名〉民意. 句例 ～를 존중하다 民意を尊重する / 투표로써 ～를 묻다 投票で民意を問う.

민정【民政】〈名〉民政. 句例 ～으로 이관되다 民政に移管される. 對군정(軍政).

***민족**【民族】〈名〉民族. 句例 ～의 얼 民族の魂. 語例 ～ 문화 民族文化 / ～성 民族性 /

ㅁ

소수 ～ 少数民族 / ～ 의식 民族意識.

*민족-적【民族的】〈名・冠〉民族的. 語例 ～ 행사 民族的行事 / ～ 긍지 民族的な誇り.

*민족-주의【民族主義】〈名〉民族主義. ナショナリズム.

**민주【民主】〈名〉民主. 語例 ～ 공화국 民主共和国 / ～ 교육 民主教育 / ～ 정치 民主政治.

*민주-적【民主的】〈名・冠〉民主的. デモクラチック. 句例 ～으로 운영하다 民主的に運営する. 語例 ～ 합의 民主的な合意.

*민주-주의【民主主義】〈名〉民主主義. デモクラシー.

민주-화【民主化】〈名・하自他〉民主化. 句例 ～된 제도 民主化された制度. 語例 ～ 운동 民主化運動.

민중【民衆】〈名〉民衆. 句例 ～을 선동하다 民衆を扇動する. 語例 ～ 운동 民衆運動.

민-짜〈名〉'민패'の俗っぽい言いかた.

민첩-하다【敏捷―】[minch'ŏp'ada] (→하다)〈形〉敏捷だ. 手早い. 素早い. 句例 민첩한 행동 敏捷な行動 / 민첩하게 처리하다 手早くかたづける. **민첩히** [minch'ŏp'i]〈副〉敏捷に. 手早く. 素早く. てきぱき(と).

> 囲み記事 38
>
> ■ 민요 民謡 ■
>
> 民謡の中で労働謡が重要な位置を占めている. 代表的労働謡には, '보리타작소리 麦の脱穀の歌' '모내기소리 田植えの歌' '논매기소리 田の草取りの歌'などがある. '보리타작소리'と'논매기소리'は, 一人が音頭を取り, 多人数がリフレーンのような後取りを歌う.
>
> 民謡は, 地域の特性によっていろいろと異なった様相を呈する. とくに目立つのは, '경기(京畿キョンギ)민요'と'남도(南道ナムド)민요'である.
>
> '경기민요'は, 京畿道ドと忠清チュンチョン道の一部で歌われており, 清く軽快でしかもソフトなのがその特徴である. 歌い手たちが興行物として発展させたものに, '산타령 山の節' '방아타령 杵つき節' '한강수타령 漢江水ハンガンスい節' '경복궁타령 景福宮キョンボクグン節'などがある. また 一般に広く歌われている'아리랑 アリラン' '노랫가락' '창부타령'などがある.
>
> '남도민요'は, 主に全羅道チョルラドを中心として発達した独特なもので, その発声法も, 劇的な太声をのどを圧してそぎながら出すもので, 後に'판소리'に影響をあたえたようである. 남도민요の'농부가 農夫歌' '새타령 鳥節'などは'판소리'に差し込まれている. また '진도(珍島チンド)아리랑'は, '경기민요'のアリランに次ぐ位置にある.
>
> その他に, 黄海道ファンヘドと平安道ピョンアンドで歌われる'서도(西道ソド)민요'があり, '수심가(愁心歌)'をその代表とする.
>
> また, '어랑타령'を主とする'함경도(咸鏡道ハムギョンド)민요', '정선(旌善ジョンソン)아리랑'を代表的とする '강원도(江原道カンウォンド)민요', その他 '제주도(済州道チェジュド)민요'などがある.

민통-선【民統線】〈名〉['민간인(民間人) 출입 통제선(出入統制線)'の略] (韓国の休戦ライン以南の)民間人の出入りを統制するライン.

민틋-이 [mint'ŭshi]〈副〉なだらかに. のっぺりと.

민틋-하다 [mint'ŭt'ada] (→하다)〈形〉凸凹がなくなだらかだ. のっぺりしている.

민-패〈名〉全く飾りのない素朴な物. ＝민짜.

민폐【民弊】〈名〉(役人の)国民に及ぼす弊害.

민-하다 (→하다)〈形〉やや愚かだ. 愚かしい.

민화【民話】〈名〉民話. 民間説話.

민활-하다【敏活―】(→하다)〈形〉敏活だ. 句例 민활한 동작 敏活な動作. **민활히**〈副〉敏活に. すばしっこく.

**믿다〈他〉信じる. ❶疑わない. 信用する. 句例 굳게 믿어버리다 信じ込む / 믿을 만한 보도에 의하면 信ずべき報道によれば / 믿어 의심치 않는다 信じて疑わない. 文例 그 말은 믿기 어렵다 その話は信じがたい / 가능할 것으로 믿고 있다 できるものと信じている / 틀림없이 그럴 것이라고 믿어버렸다 てっきり, そうだと思い込んだ.
❷頼る. 頼む. 信頼する. 句例 요행을 ～ 僥倖を頼む / 남을 ～ 人を信じる. 文例 사나이라고 믿고 부탁한다 男と見込んで頼む / 그것은 믿을 수가 없다 それは当てにならない.
❸信仰する. 句例 신을 ～ 神を信じる / 불교를 ～ 仏教を信じる. 文例 유령 같은 것은 믿지 않는다 幽霊などは信じない.

믿는 나무에 곰이 핀다 信じた木にかびが生える. 頼む木のもとに雨が漏る. 当てのつち(槌)が違う.

믿는 도끼에 발등 찍힌다 信じる斧に足の甲を切られる. 飼い犬に足をかまれる.

믿음 [midŭm]〈名〉❶信じる心. ❷〔宗〕信心. 信仰. 句例 ～이 깊다 信心深い / ～을 불러일으키다 信心を催す.

믿음-성【―性】[midŭmssŏng]〈名〉信頼性. 句例 ～이 적다 信頼性が少ない. 頼りない.
～스럽다 (→스럽다)〈形〉頼もしく見える. 頼もしい.

믿음직-스럽다 [midŭmjik―] (→스럽다)〈形〉⇨ 믿음직하다

믿음직-하다 [midŭmjik'ada] (→하다)〈形〉頼もしい. 句例 믿음직한 청년 頼もしい若者 / 믿음직한 활약 頼もしい活躍.

*밀[1]〈名〉〔植〕['참밀'の略] 小麦.

밀[2] [mi:l]〈名〉蜜蠟. 蠟.

밀 〔漢字項目〕

【密】中學 밀 ミツ. ❶빽빽하다 透き間がない. ▮密林 밀림 みつりん. 密集 밀집 みっしゅう. ❷꼼꼼하다 きめが細かい. ▮綿密 면밀 めんみつ. 細密 세밀 さいみつ. ❸빈틈없이 붙다 ぴったりと付着する. ▮密着 밀착 みっちゃく. 密接 밀접 みっせつ. ❹은밀하다 ひ

そかだ. ▮密談 밀담 みつだん. ▮秘密 비밀 ひみつ. ❺친근하다 親しい. ▮親密 친밀 しんみつ.

【蜜】[高校] 밀 ミツ. ❶꿀 蜜. ▮蜜蜂 밀봉 みつばち. ▮蜂蜜 봉밀 はちみつ. ❷달다 甘い. ▮蜜語 밀어 みつご. 蜜月 밀월 みつげつ.

⁑밀-가루 [milkkaru]〈名〉小麦粉. うどん粉. メリケン粉. =소맥분.

밀가루 장사하면 바람이 불고 소금 장사하면 비가 온다 小麦粉の商売をすれば風が吹き, 塩の商いをすると雨が降る. 運が悪ければ都合の悪いことばかり起こることのたとえ.

밀가루 반죽 [milkkaru—]〈名〉小麦粉をこねること. また, 小麦粉をこねたもの. 小麦粉の練り粉. 略して'밀반죽'とも言う.

밀감【蜜柑】〈名〉〔植〕みかん(蜜柑). =귤. 귤나무. [語例] ~밭 みかん畑.

밀고【密告】〈名・하他〉密告. 告げ口. [句例] 탈세를 ~하다 脱税を密告する. [語例] ~자 密告者.

밀-국수〈名〉小麦粉でつくった麵類. '칼국수'・うどんなど.

밀-기울 [milkkiul]〈名〉ふすま. [句例] 닭에게 ~을 주다 鶏にふすまをやる.

⁑밀다 [mi:lda] (미니, 밀어서)〈他〉❶押す. 進ませる. [句例] 수레를 ~ 車を押す / 밀어 넣다 押しこむ. 詰めこむ / 방침을 밀고 나가다 方針を押し通す. ❷滑らかにする. 平らにならす. [句例] 대패로 ~ かんなをかける / 산허리를 밀어 길을 내다 山すそを切りくずして道をつくる. ❸平らに伸ばす. [句例] 밀반죽을 ~ 小麦の練り粉を伸ばす. ❹推す. 推薦する. [句例] 회장으로 ~ 会長に推す. ❺'미루다'の略: 延ばす. なすりつける. [句例] 일을 내일로 ~ 仕事を明日に延ばす / 책임을 ~ 責任を転嫁する.

밀담【密談】[milttam]〈名・하自〉密談. 内緒話. =밀화(密話). [句例] ~을 나누다 密談をかわす / 별실에서 ~하다 別室で密談する.

밀도【密度】[miltto]〈名〉密度. [句例] ~가 크다 密度が大きい / ~가 높다 密度が高い / ~있는 이야기를 나누다 密度ある話を交わす. [語例] 인구 ~ 人口密度.

밀랍【蜜蠟】〈名〉蜜蠟. =밀. 황랍. [句例] 마루에 ~을 먹이다 床に蠟を引く.

밀려-나다〈自〉押し出される. 追い出される. [句例] 회장직에서 ~ 会長の職から押し出される / 뒷전으로 ~ 後ろの方に回される.

밀려-나오다〈自〉❶後ろから押し出される. ❷追い出される. [句例] 직장에서 ~ 職場からくびになる. ❸どっと出てくる. [句例] 극장에서 관중이 ~ 劇場から観客がどっと出てくる.

밀려-다니다〈自〉❶後ろから押されて歩く. ❷群れをなして出歩く. [句例] 동네 친구들과 ~ 町の友人らと群れをなして出歩く.

밀려-들다 (-드니, -들어서)〈自〉押し寄せる. なだれ込む. 殺到する. [文例] 지원자가 천 명이나 밀려들었다 志願者が一千人も押し寄せた / 사람들이 우루루 밀려들었다 人人がわんさと押し寄せた.

***밀려-오다**〈自〉(押し)寄せる. 寄る. [句例] 조수가 ~ 潮が差す / 파도가 ~ 波が寄る / 대군이 ~ 大軍が押し寄せる.

밀렵【密獵】〈名・하自他〉密猟. [語例] ~자 密猟者.

밀리〈依名〉'밀리미터'の略: ミリ. [語例] 십육 ~ 영사기 十六ミリ映写機. ◇milli

밀리-〈頭〉ミリ…. 千分の一. [語例] ⇨ 밀리그램 / ⇨ 밀리미터. ◇milli

밀리-그램〈依名〉ミリグラム. 略して'밀리'とも言う《記号 mg》. ◇milligram

***밀리다**〈自〉❶たまる. 渋滞する. つか(支)える. [句例] 자동차가 ~ 車がつかえる / 집세가 ~ 家賃が滞る. [文例] 일이 밀려 있다 仕事がつかえている. ❷押される. [句例] 인파에 ~ 人波に押される / 시대의 조류에 밀려나다 時代の波に押し流される. [文例] 만원으로 승객의 일부가 밀려났다 満員で乗客の一部がはみ出された.

밀리-리터〈依名〉ミリリットル《記号 ml》. ◇milliliter

***밀리-미터** [—mi:t'ŏ]〈依名〉ミリメートル《記号 mm》略して'밀리'ともいう. ◇millimeter

밀리-바 [—ba:]〈依名〉〔物〕ミリバール《記号 mb》. ◇millibar
[参考] 気象では'헥토파스칼 ヘクトパスカル'と言う.

밀리언〈數〉ミリオン. 百万. ◇million

***밀림**【密林】〈名〉密林. ジャングル. [句例] ~의 왕자 密林の王者. [語例] ~ 지대 密林地帯.

밀매【密賣】〈名・하他〉密売. [句例] 마약을 ~하다 麻薬を密売する. [語例] ~품 密売品.

밀-문【一門】[mi:lmun]〈名〉押し戸.

***밀-물** [mi:lmul]〈名〉上げ潮. 満ち潮. 差し潮. 潮. [句例] ~이 들어오다 潮が上がる. 潮がさす / ~이 되다 満ち潮になる. 潮が満ちる. [對] 썰물.

밀-반죽〈名・하自〉'밀가루 반죽'の略.

밀-방망이 [mi:l—]〈名〉麵棒. [句例] ~로 밀다 麵棒で平らに伸ばす.

밀-범벅〈名〉小麦粉にカボチャ・豆などを混ぜてのり(糊)状に煮あげた食べ物.

밀-보리〈名〉❶小麦と大麦. ❷〔植〕⇨ 쌀보리

밀봉【密封】〈名・하他〉密封. [句例] ~한 편지 密封した手紙 / 병을 ~하다 瓶を密封する. [語例] ~ 교육(スパイなどを養成する)隔離教育.

밀사【密使】[milssa]〈名〉密使. [句例] ~를 보내다 密使を立てる / ~로 보내다 密使として送る.

밀생【密生】[milssaeng]〈名・하自〉密生. [句例] 이끼가 ~하다 こけが密生する.

밀서【密書】[milssŏ]〈名〉密書. [句例] ~를 지니다 密書を携える.

밀수【密輸】[milssu]〈名・하他〉密輸. [句例] 금제품을 ~하다 禁制品を密輸する. [語例] ~품 密輸品 / ~선 密輸船.

밀-수입【密輸入】[milssuip]〈名・하他〉密輸入. [句例] 금을 ~하다 金を密輸入する / 마약

의 ~ 麻薬の密輸入. (對)밀수출.

밀-수제비 〈名〉 小麦粉をねって薄く伸ばし, 煮え立つ澄まし汁にちぎって入れた汁物.

밀-수출 【密輸出】 [milssuch'ul] 〈名・하他〉 密輸出. 句例 무기를 ~하다 武器を密輸出する. (對)밀수입.

밀식 【密植】 [milssik] 〈名・하他〉 ❶密植. 語例 ~ 재배 密植栽培. ❷(けし(芥子)などを)ひそかに植えること.

밀실 【密室】 [milssil] 〈名〉 密室. 句例 ~에 가두다〔감금하다〕 密室に閉じ込める〔監禁する〕. 語例 지하 ~ 地下の密室.

밀약 【密約】 [miryak] 〈名・하他〉 密約. =짬짜미. 句例 (외국과) ~을 맺다 (外国と)密約を結ぶ / ~으로 정해진 일 密約できまった事.

밀어 【密漁】 [mirŏ] 〈名・하自他〉 密漁. 語例 ~선 密漁船.

밀어-내기 [mirŏ—] 〈名〉〔野〕 押し出し. 句例 ~로 딴 1점 押し出しの一点.

밀어-내다 [mirŏ—] 〈他〉 ❶押し出す. 句例 밖으로 ~ 外に押し出す. ❷追い出す. 退ける. 句例 경쟁자를 ~ 競争者を退ける.

밀어-닥치다 [mirŏ—] 〈自〉 押しかける. 押し寄せる. 文例 손님이 많이 밀어닥쳤다 客が大勢押しかけた.

밀어-붙이기 [mirŏbuch'igi] 〈名〉 無理押し. ごり押し.

밀어-붙이다 [mirŏbuch'ida] 〈他〉 ❶隅に追いやる. 押しやる. 文例 침대를 밀어붙이고 책장을 놓았다 ベッドを隅っこに追いやって本棚を置いた. ❷押しつける. 文例 도망가지 못하게 벽에 밀어붙였다 逃れないように壁に押しつけた. ❸引き続き追い込む. 文例 일방적으로 몰아붙여 이겼다 一方的に追い込んでうち勝った.

밀어-젖히다 [mirŏjŏch'ida] 〈他〉 ❶押しのける. 押しやる. 文例 군중을 밀어젖히고 앞으로 나아갔다 群衆を押しのけて前に進んだ. ❷押し開く. 句例 문을 ~ 戸を押し開く.

밀월 【蜜月】 [mirwol] 〈名〉 蜜月. 語例 ~ 여행 蜜月旅行. ハネムーン.

밀-입국 【密入國】 [miripkuk] 〈名・하自〉 密入国. 句例 제삼국으로 ~하다 第三国へ密入国する. 語例 ~자 密入国者.

밀-전병 【一煎餅】 〈名〉 小麦粉の煎餅.

***밀접-하다** 【密接—】 [miltchŏp'ada] (→하다) ㊀ 〈自〉 密接している. 句例 담에 밀접한 집 塀に密接した家.
㊁〈形〉 密接だ. 句例 밀접하게 관계되다 密接にかかわる. 文例 그와는 밀접한 관계에 있다 彼とは密接な関係にある. **밀접히** [miltchŏp'i] 〈副〉 密接に. 句例 밀접히 결부되다 密接に結びつく.

밀정 【密偵】 [miltchŏng] 〈名〉 密偵. 句例 ~을 보내다 密偵を放つ. 密偵を送り込む / ~ 노릇을 하다 密偵を働く.

밀조 【密造】 [miltcho] 〈名・하他〉 密造. 句例 술을 ~하다 酒を密造する.

밀주 【密酒】 [miltchu] 〈名〉 密造酒. 語例 ~ 단속 密造酒の取り締まり.

밀집 【密集】 [miltchip] 〈名・하自〉 密集. 句例 인가가 ~된 도시 人家の密集した都会 / 공장의 ~ 지대 工場の密集地帯.

밀-짚 [miltchip] 〈名〉 麦わら. ストロー. 語例 ~모자 麦わら帽子. 麦わら帽.

밀착 【密着】 〈名・하自〉 密着. 句例 종이를 ~시키다 紙を密着させる / 사회에 ~된 교육 社会に密着した教育. 語例 ~ 인화〔寫〕 密着印画. べた焼き / ~ 취재 密着取材.

밀치다 [mi:lch'ida] 〈他〉 力いっぱい押す. 押しつける. 押しのける. 句例 사람을 밀치고 나아가다 人を押し分けて進む.

밀치락-달치락 [mi:lch'irak—] 〈副〉 押し合いへし合い. 押しつ押されつ. **~하다** 〈自〉 押し合う. ひしめく. もみ合う. 句例 출입구에서 ~하다 出入り口で押し合いへし合いする.

밀크 〈名〉 ミルク. 語例 ~ 캐러멜 ミルクキャラメル. ◇milk

밀탐 【密探】 〈名・하他〉 ひそかに探ること. 句例 적정을 ~하다 敵情をひそかに探る.

밀파 【密派】 〈名・하他〉 ひそかに(使いを)派遣すること. 句例 특사를 ~하다 特使をひそかに派遣する.

밀-펌프 【—pump】 [mi:l—] 〈名〉 押し上げポンプ. (對)빨펌프.

밀폐 【密閉】 〈名・하他〉 密閉. 句例 상자 뚜껑을 ~하다 箱のふたを密閉する / ~한 용기 密閉した容器.

밀항 【密航】 〈名・하自〉 密航. 句例 ~을 기도하다 密航を企てる / 이웃 나라로 ~하다 隣国に密航する / 해외로 부터의 ~자 海外からの密航者. 語例 ~선 密航船.

밀회 【密會】 〈名・하自〉 密会. 句例 ~를 거듭하다〔즐기다〕 密会を重ねる〔楽しむ〕 / 으슥한 곳에서 ~하다 奥まった所で密会する.

밉광-스럽다 (→스럽다) 〈形〉 ひどく憎らしい. 文例 하는 짓이 너무나 ~ 仕業が余りにも憎らしい.

****밉다** (미우니, 미워서) 〈形〉 憎い. 醜い. 句例 미운 얼굴 醜い顔 / 밉게 굴다 憎らしく振る舞う / 밉지 않게 여기다 憎からず思う. 文例 웬지 모르게 주는 것 없이 ~ なんとなく虫が好かない / 그놈이 미워 죽겠다 あいつが憎くてたまらない. (對)곱다.

미운 놈 떡 하나 더 주고 우는 놈 한 번 더 때려라 憎いやつにはもち一つを余計にやり, 泣くやつはもう一遍殴ってやれ. 憎いやつよりも泣くやつがもっとうるさいことのたとえ.

미운 아이 떡 하나 더 준다 憎い子にもちをもう一つやる. うわべだけかわいがるふりをすることのたとえ. '미운 자식 밥 많이 먹인다'ともいう.

미운 일곱살 子供は七歳になるころには憎いことをするとの意.

미운 정 고운 정 憎む感情に優しい感情. 長い間いっしょに暮らしたり付き合ったりして深まった情.

미운 털이 박혔나 憎い毛が生えたのか. とても憎んでいじめるのをあざけることば.

밉디-밉다 (—미우니, —미워서) 〈形〉 非常に憎らしい. 憎憎しい.

밉살-맞다 〈形〉 ⇨ 밉살스럽다

밉살머리-스럽다 (→스럽다) 〈形〉 '밉살스럽다'の

俗っぽい言いかた.

밉살-스럽다 (→스럽다) 〈形〉 憎たらしい. 憎憎しい. 憎ていだ. 句例 밉살스러운 언동 憎たらしい言動 / 밉살스러운 말투 憎憎しい言いかた / 밉살스럽게 말하다 憎らしげにものをいう.

밉-상 【一相】〈名〉 ❶憎らしい面. ❷憎らしい振る舞い.

밋밋-이 [minmishi] 〈副〉 ❶のっぺり(と). ❷すんなり(と). すっきり(と).

밋밋-하다 [minmit'ada] (→하다) 〈形〉 ❶のっぺりしている. のっぺらぼうだ. 句例 밋밋한 얼굴 のっぺり(と)した顔 / 밋밋한 가슴 ふくらみのない胸. ❷足などがすんなりしている.

밍근-하다 (→하다) 〈形〉 やや生ぬるい. 句例 밍근한 국 生ぬるいおつゆ. **밍근히** 〈副〉 生ぬるく. 句例 밍근히 끓이다 弱火で長く煮る.

밍밍-하다 (→하다) 〈形〉 ❶塩気が薄い. 水っぽい. 句例 밍밍한 된장국 甘いみそ汁. ❷酒・タバコなどの味が薄い. 水臭い.

밍크 〈名〉〔動〕ミンク. 語例 ~ 코트 ミンクコート. ◇mink

*__및__ 〈副〉 及び. 並びに. 句例 연필・공책 ~ 지우개 鉛筆・ノート並びに消しゴム. 文例 문학에는 시・소설 ~ 희곡 등이 있다 文学には詩・小説及び戯曲などがある.

**밑 〈名〉 ❶下・もと. ㉠上に対する下. 句例 책상 ~ 机の下. 文例 발 ~을 조심하시오 足もとに気をつけなさい / 형보다 세 살 ~이다 兄より三つ下である / 용장 ~에 약졸 없다 勇将の下に弱卒なし / 귀~까지 빨개졌다 耳の根元まで赤くなった. ㉡中. 底. 句例 ~에 속옷을 입다 下に肌着をつける. 語例 바다 ~ 海の底. ㉢下ごしらえ. 語例 ~그림 下絵 / ~칠 下塗り. ❷(事の)もと. ❸'밑바닥'の略. 文例 ~ 빠진 독에 물붓기(→小項目). ❹'밑동'の略. 句例 나무 ~이 썩다 木の根元が腐る. ❺〔数〕(対数の)底. 参考 '밑에 下に' '밑이 下が'は [mit'ae], [mich'i] と読む.

밑(이) 가볍다 尻が軽い.

밑(이) 구리다 何か臭いところがある. 後ろめたい.

밑(이) 더럽다 品行がよくない.

밑도 끝도 없다 出し抜けに訳の分からないことを言い出して面くらうの意. 文例 밑도 끝도 없이 함부로 지껄이지 마 やぶから棒にかってなことをぬかすな.

밑 빠진 독에 물붓기 底の抜けたかめに水を注ぐ. 焼け石に水. '밑 빠진 가마에 물붓기' '밑 없는 독에 물붓기'とも言う.

밑 빠진 시루 ❶底抜けのおけ(桶). ❷大酒飲み.

밑(이) 질기다 尻が長い. 尻が重い.

밑-각 【一角】〈名〉〔数〕底角.

*__밑-거름__ 〈名〉 ❶基肥・元肥. 原肥. 句例 ~을 주다 基肥を施す. ❷捨て石. 土台. 句例 조국 발전의 ~이 되다 祖国発展の捨て石となる.

밑-그림 〈名〉 下絵. 下図. ＝원화(原畫). 句例 ~을 그리다 下絵を描く / ~에 따라 수를 놓다 下絵のうえに刺繡をする.

*__밑-넓이__ [minnŏlbi] 〈名〉〔数〕底面積. ＝밑면적.

밑도 끝도 없다 [—ŏ:pta] ⇨'밑'の小項目

밑-돌다 (밑도니, 밑돌아서) 〈自〉 下回る. ＝하회(下廻)하다. 句例 평균치를 훨씬 ~ 平均値をずっと下回る. 對웃돌다.

밑-동 〈名〉 根元. ❶物の下の部分. 底. 語例 기둥 ~ 柱の根元. ❷(木・野菜の)根. 句例 나무를 ~에서 자르다 木を根元から切る. 語例 ~ 부리 切り出した木の根元. ▷略して'밑'とも言う.

*__밑-면__ 【一面】[minmyŏn] 〈名〉 底面. 句例 원뿔의 ~ 円錐体の底面.

**__밑-바닥__ 〈名〉 底. ❶物の底面. 下. 略して'밑'とも言う. 句例 ~이 넓은 냄비 底の平たいなべ. 文例 배가 강 ~에 가라앉았다 船が川底に沈んだ. 語例 ~ 생활 どん底の暮らし. ❷心の底. 底意. 句例 ~이 보이는 수작 見え透いたしぐさ.

밑-바탕 〈名〉 下地. 素地. 生まれつき. 本質. 文例 법랑의 ~은 금속이다 琺瑯の下地は金属だ / ~은 되어 있다 素地は出来上がっている.

밑-반찬 【一飯饌】〈名〉 保ちがよく手軽に取り出して食べられるおかず. '장아찌' '塩引き''塩辛'など.

밑-받침 〈名〉 ❶支えもの. 下張りのもの. ❷下敷き.

*__밑-변__ 【一邊】〈名〉〔数〕底辺.

밑-불 〈名〉 火種.

밑빠진 시루 ⇨'밑'の小項目

밑-씻개 〈名〉 落とし紙.

*__밑-줄__ 〈名〉 下線. アンダーライン. 句例 ~을 긋다 アンダーラインを引く.

밑-지다 〈自他〉 損する. へこむ. 句例 오백 만원 ~ 五百万ウォン損する / 밑지고 팔다 元を切って〔割って〕売る.

밑져야 본전 損をしても元金は残る. 失敗しても損がない.

밑지는 장사 損をする商売. 損なことになるしわざ.

밑-창 〈名〉 ❶靴の底. 句例 ~을 갈다 靴の底を替える / ~이 닳다 靴の底がすりへる. ❷どん底.

밑-천 〈名〉 元. ❶元金. 元手. ＝자본. 句例 ~이 드는 장사 元がいる商売 / 한 ~ 잡다 身上を築く / ~이 떨어지다 元が切れる. ❷原価. 元値. ＝본전(本錢). 句例 ~까지 날리다 元も子もなくす. 文例 ~이 빠지지 않는다 元値がとれない. ❸男性の性器の隠語: 一物.

밑천이 드러나다 ❶ぼろが出る. ばけの皮がはがれる. ❷元金がなくなる.

밑천이 짧다 元手が足りない. 学問などの基礎知識が足りない.

밑-층 【一層】〈名〉 下の階. 下層.

밑-판 【一板】〈名〉 底に当てる板. 底板.

ㅂ

ㅂ [비읍 piŭp] ハングル字母の第六番目の字.

바 [ba:]〈名〉バー. ❶横木. 棒. ❷カウンターのある酒場. ◇bar

*바〈依名〉方法または事柄の意に使う語. 句例 전술(前述)한 ～와 같이 前述のとおり / 내가 아는 ～로는 わたしの知ったところでは / 듣고 본 ～를 말하다 見聞したところを述べる. 文例 자네가 알 ～가 아니다 君の知った事ではない / 돌연 깨달은 ～가 있었다 突然悟ったところがあった.

**바가지 [一]〈名〉ふくべを真二つに割り中身をくりぬいて干して作った器. バカジ. 略して'박'とも言う.
[二]〈依名〉水や穀物の量を量るとき数えることば. 語例 물 한 ～ バカジ一つ分の水. 参考 今は, プラスチック製のバカジが多く使われている.

바가지(를) 긁다 ❶責める. なじる. ❷(主に生活の問題で妻が夫に対して)ぐちをこぼす. がみがみ言う.

바가지(를) 쓰다 ぶったくられる. ぼられる. かもにされる.

바가지(를) 씌우다 ぶったくる. ぼる. かも(鴨)にする.

바가지(를) 차다 こじきになる. =쪽박(을) 차다.

바각〈副・하自他〉小さくて固いものがこすれ合う音: きしきし. 句例 ～하는 소리가 나다 きしきしと音がする. ～거리다〈自他〉きしきし音がする. きしきし音を立てる.

바각바각〈副・하自他〉きしきし.

*바겐 세일 [ba:gen—]〈名〉バーゲンセール. 大安売り. =특매. 염가 판매. ◇bargain sale

**바구니〈名〉かご(籠). ざる. 語例 꽃～ 花かご / 장～ 買い物かご.

바구미 [pa:gumi]〈名〉〔蟲〕こくぞうむし(穀象虫). こめ(くい)むし.

바그르르〈副・하自〉湯が泡を立てながら沸き立つさま. また, その音: ぐらぐら. ぶくぶく. ふつふつ. 文例 국이 ～ 끓고 있다 おつゆがふつふつ沸いている.

바글-거리다〈自〉❶ぐらぐら沸く. ぶくぶく(と)泡立つ. ❷(人などが)うじゃうじゃする. 句例 아이들이 ～ 子供たちがうじゃうじゃする. ❸(虫などが)うようよする. 句例 구더기가 ～ うじ(蛆)がうようよする.

바글바글〈副・하自〉❶ぐらぐら. ふつふつ. ❷うようよ.

**바깥〈名〉外. 表. 屋外. 句例 ～으로 나오다 外へ出る. 語例 ～ 치수 外のり / ～문 表門 / ～ 소문 世間のうわさ / ～ 소식 世間のニュース. 外部の消息 / ～ 울타리 外囲い / ～쪽 表の方 / ～채 外棟 / ～ 출입(出入) 外出.

바깥-바람〈名〉外気. 外で当たる風. 句例 ～을 쐬다 外気に当たる.

바깥-양반【—兩班】[pakkannyangban]〈名〉男の主人. 夫. (ご)主人. だんな(さま). =바깥주인.

바깥-일 [pakkannil]〈名〉屋外の仕事. 家事以外の仕事. 主に男が受け持つ仕事. 外部での出来事.

바께쓰〈名〉バケツ. =양동이. ◇bucket

**바꾸다〈他〉❶替える. 換える. 交換する. 取り替える. 句例 원화를 엔으로 ～ ウォン貨を円に換える. ❷変える. 変更する. 句例 계획을 ～ 計画を変える / 머리 모양을 ～ 髪形を変える / 직업을 ～ 職業を換える. 文例 친절은 돈으로 바꿀 수 없다 親切は金でかえられない / 목숨은 무엇과도 바꿀 수 없다 命は何物にも換えられない.

바꿈-질〈名・하自他〉物と物とを交換すること. 替え事.

바꿔 말하다 [—ma:lhada] ('바꿔 말하면' '바꿔 말해서'の形で)言い換えれば. 言い換えると. 換言すれば. 換言すると. 文例 쉽게 바꿔 말하면 이렇게 되는 것이다 易しく言い換えればこうなるのだ.

바꿔-치다〈他〉すり替える. 句例 다른 물건과 슬쩍 ～ 他の物とそっとすり替える.

*바뀌다〈自〉['바꾸이다'の略] とり替えられる. 代〔替〕わる. 句例 해가 ～ 年が改まる / 담당자가 ～ 受け持ちが替わる / 마음이 ～ 気が変わる / 대(代)가 ～ 代が替わる.

**바나나〈名〉バナナ. ◇banana

**바느-질〈名〉針仕事. お針. ～하다〈自他〉縫い物をする. 裁縫をする. 針を運ぶ. 句例 ～을 잘 하다 お針がうまい. 語例 ～삯 針仕事賃 / 삯～ 賃針仕事.

**바늘〈名〉針. 句例 ～에 실을 꿰다 針に糸を通す. 語例 시계 ～ 時計の針 / ～겨레 針刺し. 針立て / 시침 ～ まち針 / 낚싯～ 釣り針.

바늘 가는 데 실 간다 針が行く所に糸もついて行く. 影の形に添うよう. 虚無僧に尺八.

바늘도둑이 소도둑 된다 針盗みが牛泥棒になる. 針とる者, 車をとる.

바늘로 찔러도 피 한 방울 안 나다 針で刺しても血一滴も出ない. 非常にけちなことのたとえ. ちゃっかりして抜け目がないことのたとえ.

바늘-구멍 [—kkumŏng]〈名〉❶針で開けた穴. ❷針の耳くらいの小さい穴. 語例 ～ 사진기 針穴写真機.

바늘-귀 [—kkwi]〈名〉針の耳. めど.

바늘-방석【—方席】〈名〉❶針刺し. 針山. 針坊主. =바늘겨레. ❷針のむしろ.

바늘방석에 앉은 것 같다 針のむしろに座ったようだ.

바닐라〈名〉〔植〕バニラ. ◇vanilla

**바다〈名〉海. ❶〔地〕海洋. 句例 푸른 ～ 青海 / ～낚시 하러 가다 海釣りに行く / 바닷속 깊이 잠수하다 海中深く潜る / ～로 나가다

海に乗り出す / ~를 건너다 海を渡る. 語例 ~표범〔動〕あざらし / 앞~ 沖 / 바닷길 船路. 水路. 對뭍. ❷広大なこと. 句例 ~같이 넓은 마음 海のように広い心. 語例 불~ 火の海 / 피~ 血の海.

***바닥** 〈名〉❶平面. 語例 ~칠 下塗り / 마룻~ 床の上 / 손~ てのひら. ❷底. 語例 구두 ~ 靴底. ❸使い果たすこと. 払底. 句例 바닥(이) 나다(→小項目). ❹(布などの)織り目. 文例 이 천은 ~이 곱다 この布は織り目が細かい. ❺ちまた(巷). 雑踏している所. 語例 서울 ~ ソウルの町. ソウルのちまた / 장~ 市場.

바닥(을) 긁는다 ❶暮らしが苦しい. 暮らしに困る. ❷大勢の中で最下等を免れない.

바닥(이) 나다 払底する. 品切れになる. 種切れになる. 底が見える. 底をつく. 句例 식량이 ~ 食糧が払底している. 文例 창고의 쌀도 바닥이 났다 倉庫の米も底をついた.

바닥(을) 내다 使い果たす.

바닥(이) 드러나다 ❶正体が現われる. しりが割れる. ❷'바닥(이) 나다'のこと.

***바닷-가** 〈名〉浜べ. 海べ. =해변. 해안.

바닷-말 [padanmal] 〈名〉〔植〕海藻. 略して'말'とも言う.

****바닷-물** [padanmul] 〈名〉海水. 語例 ~고기 海の魚. 海魚.

바닷-바람 〈名〉潮風. 海風. 句例 ~을 쐬다 潮風に当たる.

바대 〈名〉継ぎ(切れ). 句例 ~를 대다 継ぎを当てる.

****바둑** 〈名〉❶碁. 語例 ~ 무늬 まだら文様 / 줄~ ざる碁. ❷'바둑돌'の略.

바둑(을) 두다 碁を打つ.

바둑-돌 〈名〉❶碁石. 略して'바둑·돌'とも言う. ❷角のない丸くなめらかな石.

****바둑-이** [padugi] 〈名〉白と黒のぶちの犬.

바둑-판 【一板】〈名〉碁盤. 語例 ~무늬 碁盤じま. 市松模様.

바둥-거리다 〈自他〉もがく. ばたつく. じたばたする. 句例 바둥거리며 떼쓰다 じたばたしながらだだをこねる.

表現 語感の大きい語は'버둥거리다'.

바둥바둥 〈副·하自他〉じたばた.

바드득 〈副·하自他〉堅い物などがこすり合うときに出る音: きしきし. 句例 분해서 ~ 이를 갈다 悔しさのあまりきしきし歯ぎしりをする.

~거리다 〈自他〉きしきし鳴る. きしきし音を立てる.

表現 語感の大きい語は'부드득'.

바드득바드득 〈副·하自他〉きしきし(と).

바득-바득 〈副〉❶しきりに強情を張るさま: 頑として. しつこく. 句例 아니라고 ~ 우기다 そうでないとしつこく強情を張る. ❷しつこくねだるさま: くどくど. ねちねち. 句例 ~ 졸라대다 ねちねちとねだる.

表現 語感の大きい語は'부득부득'.

바들-바들 〈副〉震えるさま: ぶるぶる. わなわな. がたがた. 句例 추위로 ~ 떨다 寒さでぶるぶる震える.

表現 語感の大きい語は'부들부들'.

바라 【哱囉】[pa:ra] 〈名〉❶〔樂〕⇨ 소라②. ❷〔佛〕'자바라'の略: 鐃鈸. 語例 ~춤 法事を営む時, 鐃鈸を打ちながら踊る踊り.

바라-건대 〈副〉願わくは. どうか. =원컨대. 文例 ~ 제 부탁만은 들어주세요 どうかわたしの頼みだけは聞き入れてください.

***바라다** 〈他〉願う. 請う. 欲する. 望む. 句例 합격을 ~ 合格を願う / 행복을 ~ しあわせを願う / 용서를 ~ 許しを請う / 명예를 ~ 名誉を欲する / 출세를 ~ 出世を望む / 바라던 대로 되다 望みがかなうようになる. 文例 발밑을 조심하시기 바랍니다 足もとにご注意お願いします.

바라다-보다 〈他〉⇨ 바라보다①. 句例 유심히 ~ つくづく(と)眺める.

***바라-보다** 〈他〉❶眺める. 見晴らす. 見渡す. 望む. 句例 흘러가는 구름을 ~ 流れ行く雲を眺める. ❷傍観する. 文例 옆에서 바라보고만 있다 そばでただ傍観している. ❸(ひそかに)欲しがる. 願う. 句例 부장 자리를 ~ 部長の椅子をねらう. ❹…に手が届く. 差しかかる. 句例 고희를 ~ 古希に手が届く.

바라-보이다 〈自〉'바라보다'の受け身: 目に入る. 眺められる. 文例 저 멀리 남산이 바라보인다 はるか遠くに南山が目に入る.

바라-지다[1] [pa:ra—] 〈自〉'벌어지다'の語感の小さい語.

바라-지다[2] [pa:ra—] 〈形〉❶ずんぐりしている. ずんぐりむっくりしている. 句例 딱 바라진 사나이 ずんぐりした男 / 딱 바라진 어깨 がっしりした肩. ❷(器などが)底が浅くて縁が広い. ❸悪擦れしている. こましゃくれている. =되바라지다. 句例 건방지고 바라진 아이 生意気でこましゃくれた子.

바라크 〈名〉バラック. ◇프 baraque

바락-바락 〈副〉ひどく腹を立てるさま: かっと. かっかっ(と). 句例 ~악을 쓰다 かっとなってどなりつける.

表現 語感の大きい語は'버럭버럭'.

**바람[1]

〈名〉❶風. 句例 ~이 불다 風が吹く / ~이 일다 風が出る / ~에 나부끼다 風に翻る / 시원한 ~ 涼しい風 / 타이어의 ~이 빠지다 タイヤの空気が抜ける. 語例 산들~ そよ風. ❷浮ついた行為. 浮気. 句例 ~기가 있다 浮気がある / ~기 있는 남자 浮気な男. 語例 ~둥이 浮気者. ❸'풍병 中風'の俗っぽい言いかた. 句例 ~이 도지다 中風がぶり返す / 바람(을) 맞다(→小項目). ❹大げさに言うこと. ほら(法螺). =허풍. 文例 그는 어찌나 ~이 센지 믿지 못하겠다 彼は途方もないほら吹きなので信じられない.

바람(이) 나가다 ❶(タイヤから)空気が抜ける. ❷勢いがくじける.

바람(이) 나다 ❶心が浮つく. 浮気をする. ❷(仕事の)調子が出る.

바람(을) 내다 ❶(仕事の)能率を上げる. 調子を出す. ❷浮つかせる. うきうきさせる.

바람(을) 넣다 唆して浮き立たせる.

바람(이) 들다 ❶大根などにす(鬆)が通る. 句例 바람 든 무 すが立った大根. ❷浮つく. ❸

ㅂ

邪魔が入る.
바람(을) 등지다 風下に向かう. 句例 바람을 등지고 서다 風下に向かって立つ.
바람(을) 맞다 ❶中風にかかる. ❷だまされる. すかを食う. 待ちぼうけを食う.
바람(을) 맞히다 ❶だます. ❷待ちぼうけを食わす. 無駄骨折りをさせる.
바람 부는 대로 물결 치는 대로 風の吹くままに, 波の打つままに. なるがままに任せるの意.
바람(을) 쐬다 ❶風に当たる. ❷気晴らしに外出する.
바람(을) 안다 風上に向かう. 句例 바람을 안고 가다 風上に向かって行く.
바람(이) 자다 ❶風がやむ. 風が静まる. 風が収まる. ❷浮ついた心が落ち着く. ❸心配ごとなどがなくなる. 文例 가지 많은 나무가 바람 잘 날이 없다(→'가지¹'の小項目).
바람(을) 잡다 ❶浮気をしたり浮ついてさすらう. ❷途方もないことをたくらむ.
바람(을) 피우다 ❶浮気をする. ❷途方もないことをする.
바람² 〈名〉望み. 希望. 文例 우리의 ~은 무엇보다도 통일이다 我らの望みは何よりも統一だ.
*바람³ 〈依名〉❶('…는〔은〕 ~에'の形で)…する弾みに. …する拍子に. …するので. 文例 넘어지는 ~에 다리를 삐었다 倒れた弾みに足をくじいた. ❷身なりをつくろわないままの姿: …掛け. 文例 속옷 ~으로 뛰어나갔다 肌着掛けで飛び出した.
바람-결 [—kkyŏl] 〈名〉風の便り. 句例 ~에 들으니 風の便りに聞けば. うわさによると.
바람-구멍 [—kkumŏng] 〈名〉❶風穴. 風が入る透き間. ❷風通しの穴.
바람-받이 [—baji] 〈名〉風当たり.
바랑 [pa:rang] 〈名〉❶〔佛〕旅僧の背負い袋. ❷⇨ 배낭
*바래다¹ [pa:raeda] [一]〈自〉あ(褪)せる. 褪める. 句例 사진이 ~ 写真が白ける / 빛이 바랜 옷 色のあせた服.
[二]〈他〉さら(晒)す. さわす. 句例 포목을 ~ 布をさらす.
바래다² 〈他〉見送る. 句例 역까지 ~ 주다 駅まで見送る. 文例 댁까지 ~ 드려라 お宅まで見送ってあげなさい.
⁑바로 [一]〈副〉❶正しく. 句例 ~ 맞히다 正しく当てる / ~ 말하면 正しく言えば. ❷間違いなく. 正確に. まさしく. 句例 ~ 그때에 まさしくその時. 文例 그가 ~ 내가 찾고 있는 사람이다 彼こそまさにわたしが探している人だ. ❸直ちに. すぐに. 早速. 文例 지금 ~ 시작해라 今すぐに始めなさい. ❹まっすぐ(に). ㉠横に外れずに. 道草を食わずに. 文例 학교에서 파하면 ~ 집으로 오너라 学校が引けたらまっすぐに帰って来なさい. ㉡垂直に. 一直線に. 句例 ~ 맞은편 真向かい / ~ 옆자리 すぐそばの席 / 막대를 ~ 세우다 棒をまっすぐに立てる.
[二]〈冠〉外ならない. まさにそのもの. 間違いなく. 文例 그의 언행은 성실 ~ 그것이다 彼の言行は誠実そのものだ.
[三]〈感〉(号令で)もとえ. 直れ. 文例 우(右)로 봐, ~! 頭右, 直れ!
바로미터 〈名〉バロメーター. 文例 몸무게는 건강의 ~다 体重は健康のバロメーターだ. ◇barometer
*바로-잡다 〈他〉❶直す. 矯める. 句例 비뚤어진 것을 ~ ゆがみを直す. ❷正す. 句例 잘못을 ~ 誤りを正す.
바로크 〈名〉バロック. 語例 ~ 건축 バロック建築. ◇프 baroque
*바르다¹ (바르니, 발라서) 〈他〉❶張る. 句例 벽지를 ~ 壁紙を張る. ❷塗る. (塗り)付ける. 句例 분을 진하게 ~ おしろいを厚く塗る / 약을 ~ 薬をすりつける.
바르다² (바르니, 발라서) 〈他〉む(剝)く. はぐ. 句例 밤송이를 ~ いがをむく.
⁑바르다³ (바르니, 발라서) 〈形〉正しい. ❶(道理またはやり方に)かなっている. 句例 바른 언행 正しい言行. ❷まっすぐだ. 文例 늘 자세가 ~ いつも姿勢が正しい.
*바르르 〈副・하自〉❶水が急に煮え立つさま. また, その音: ぐつぐつ. 文例 냄비의 국이 ~ 끓는다 なべのおつゆがぐつぐつ沸く. ❷かっと怒るさま. 文例 사소한 일에도 ~ 화를 낸다 何でもないことにもかっと怒りだす. ❸小さなものが震えるさま: ぶるぶる. 文例 추위로 ~ 떨고 있다 寒さでぶるぶる震えている.
바르작-거리다 〈自他〉もがく. 文例 아이가 바르작거리며 울고 있다 子供がもがきながら泣いている.
表現 語感の大きい語は'버르적거리다'.
바르작바르작 〈副・하自他〉もがくさま: じたばた. ばたばた.
바른-길 〈名〉❶まっすぐな道. ❷正道.
바른-말 〈名〉正当な言葉. 道理にかなった話.
바른-쪽 〈名〉⇨ 오른쪽
바리 〈名・依名〉❶牛馬に積んだ荷. またはその積荷を数える単位: 駄. 句例 장작 여섯 ~ 六駄の薪. ❷韓国固有の遊び'ユンノリ 윷놀이'のこま(駒).
바리캉 〈名〉バリカン. ◇프 bariquant
바리케이드 〈名〉バリケード. 句例 ~를 치다 バリケードを築く. ◇barricade
바리톤 〈名〉〔樂〕バリトン. ◇baritone
바림 〈名〉ぼかし. くまどり. 語例 ~수(繡) ぼかし縫い.
바바리 코트 [pa:barik'o:t'ŭ] 〈名〉バーバリコート. 略して'바바리'とも言う. ◇Burberry coat
바벨 [pa:bel] 〈名〉バーベル. バベル. ◇barbell
⁑바보 [pa:bo] 〈名〉あほう. ばか者. とんま. ぼんくら.
바비큐 [pa:bik'yu] 〈名〉バーベキュー. ◇barbecue
⁑바쁘다 (바쁘니, 바빠서) 〈形〉❶忙しい. せわしい. 句例 바쁘게 일하다 せわしくたち働く / 아주 ~ 目がまわるほど忙しい. 文例 일이 바빠서 하루 종일 눈코 뜰 새 없이 설쳤다 仕事で一日中きりきり舞いをした. ❷急だ. 切迫している. 句例 바쁜 볼일 急ぎの用件. 文例 집에 돌아오기가 바쁘게 책상 앞에 앉았다

家に帰るやいなや机に向かった.

바삐 〈副〉❶忙しく. せわしく. 句例 ~ 떠나다 早早に立ち去る. ❷早く. 素早く. 文例 한시 ~ 병원에 가야 한다 一刻も早く病院に行かなければならない.

바삐 굴다 せ(急)く. せき立てる.

바삭-거리다 〈自他〉 ❶(枯れ葉などが触れ合って)かさかさする. ばさばさする. 文例 바삭거리는 소리가 신경에 거슬린다 ばさつく音が神経に障る. ❷ばりばりかむ.

바삭바삭 〈副・하自他〉 ❶ばさばさ. かさかさ. 文例 낙엽이 ~ 소리를 내며 굴러간다 落ち葉がかさかさ音をたてながら転ぶ / 너무 말라서 ~하고 부서진다 あまり乾き過ぎてかさかさと砕ける. ❷ばりばり.

바셀린 〈名〉ワセリン. ◇vaseline

바수다 〈他〉(細かく)砕く. 句例 굳은 흙덩이를 ~ 固い土の塊を砕く.

表現 語感の大きい語は'부수다'.

바순 [pasu:n] 〈名〉〔樂〕 バスーン. =파곳. ◇bassoon

바스락-거리다 〈自他〉 かさかさ音をたてる. かさこそする. 文例 어디선가 바스락거리는 소리가 난다 どこかでかさこそ(と)音がする.

바스락바스락 〈副・하自他〉かさこそ. かさかさ. がさがさ.

바스러-뜨리다 〈他〉 '부스러뜨리다'の語感の小さい語.

바스러-지다 〈自〉'부스러지다'の語感の小さい語.

바스켓 〈名〉バスケット. かご(籠). 語例 ~ 볼 バスケットボール. ◇basket

바심 〈名・하他〉 ❶〔建〕林木を削って仕上げること. ❷太いものを細かく仕上げること.

바싹 〈副〉 ❶乾ききった, または焼き尽くされたさま: からから(に). からり(と). かさかさ(と). ばさばさ(と). 句例 입술이 ~ 마르다 唇がかさかさ乾く. ❷間近に詰め寄るかくっつくさま: ぴったり(と). ぴたっ(と). 句例 ~ 다가앉다 ぴったり詰め寄って座る. ❸締め付けるさま: しっかり(と). ぎゅっ(と). 句例 ~ 조이다 ぎゅっと締め付ける. ❹にわかにふえたりへったりするか, または急によくなるさま: めっきり. ぐっと. 目に見えて. 文例 무게가 ~ 줄었다 目方がぐっと減った / ~ 야위었는데 웬 일이냐 めっきりやせたがどうしたんだい.

바야흐로 〈副〉今や. 今こそ. まさに. 文例 ~ 승리는 눈 앞에 있다 今や勝利は目の前にある.

****바위** 〈名〉岩. 語例 ~산 岩山 / ~틈 岩の裂け目 / ~섬 岩の島.

바이러스 〈名〉ウイルス. ビールス. バイラス. ◇virus

바이-바이 〈名・感〉バイバイ. ◇bye-bye

바이블 〈名〉〔基〕バイブル. =성서(聖書). ◇Bible

바이스 〈名〉〔機〕 バイス. 絵 ◇vice, vise

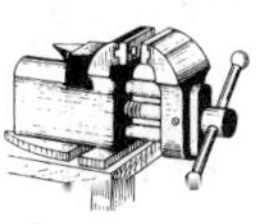

〈바이스〉

바이어스 〈名〉バイアス. 句例 스커트를 ~로 재단하다 スカートをバイアスに取る. ◇bias

바이오-리듬 〈名〉バイオリズム. ◇biorhythm

***바이올린** 〈名〉〔樂〕 バイオリン. 絵 ◇violin

바이킹 〈名〉 バイキング. ❶昔のノルマン族の別称. ❷バイキング料理. ◇Viking

바이-패스 〈名〉 バイパス. =우회(迂廻) 도로. 句例 ~를 개통하다 バイパスを通す.

바인더 〈名〉バインダー. ◇binder

바자[1] 〈名〉まがき. 語例 ~울 しば 〈바이올린〉 垣. まがき.

바자[2] 〈名〉バザー. =자선시(慈善市). ◇bazaar

바작-바작 〈副〉❶乾ききったものが燃える音: ぱちぱち. 句例 장작이 ~ 타다 まきがぱちぱちと燃える. ❷気をもむさま: ばさばさ. 文例 근심으로 입술이 ~ 타다 心配で唇がばさばさと乾く.

바주카-포 【bazooka砲】[paju:k'ap'o] 〈名〉〔軍〕バズーカ砲. 略して'바주카'とも言う. 絵

〈바주카포〉

****바지** 〈名〉❶下半身にはく韓国の民族服. バチ. パジ. 句例 ~를 입다 バチをはく. (對)저고리. ❷'양복바지'の略.

바지라기 〈名〉 ⇨ 바지락

바지락 〈名〉〔貝〕 あさり. =바지락조개.

바지랑-대 [—ttae] 〈名〉 干しざお(竿).

바지런-하다 (→하다) 〈形〉'부지런하다'の語感の小さい語.

바지-저고리 〈名〉 ❶バチとチョゴリ. ❷でくの坊. 能力や実権のない人. ❸'촌사람 田舎者'の俗っぽい言いかた. 田舎っぺ.

바지-춤 〈名〉 バチの胴まわりを折り合わせた合わせ目.

바짓-가랑이 〈名〉 バチのまた下.

바짝 〈副〉 ⇨ 바싹. 句例 허리띠를 ~ 졸라 매다 帯をぎゅっと引き締める / ~ 마른 사람 やせこけた人. 文例 빨래가 ~ 말랐다 洗い物がすっかり乾いた.

****바치다**[1] ━〈他〉 ❶(神や目上の人などに)差し上げる. ささ(捧)げる. 供える. 句例 신전에 햇곡식을 ~ 神殿に初穂をささげる. ❷心身をなげうつ. 文例 목숨을 바쳐 나라를 구했다 命をささげて国を救った. ❸納める. 文例 국민은 세금을 바쳐야 한다 国民は税金を納めなければならない. ▷→囲み記事 39

━〈補動〉('-어〔-아〕 ~'の形で)目上の人に差し上げるの意. 句例 아버지께 일러 ~ 父に告げ口をする.

바치다[2] 〈他〉(度を越して)好む. ふける. 句例 단것을 너무 ~ 甘いものをあまり好む / 색을 ~ いやに色を好む.

바캉스 〈名〉バカンス. =휴가 ◇프 vacance

바코드 [pa:k o:dŭ] 〈名〉バーコード. ◇bar code

***바퀴**[1] ━〈名〉 輪. 車輪. 語例 수레~ 車の輪 / ~살 (車輪の)や(輻). スポーク.

━〈依名〉(ものの)回り. 句例 운동장을 한 ~ 뛰다 運動場をひと回り走る.

ㅂ

바퀴² 〈名〉〔蟲〕油虫．ごきぶり．

***바탕**¹ 〈名〉❶質．素質．[句例] ～이 좋은 사람 質のいい人．❷ものの材料．また，その品質．[句例] ～이 거친 옷감 材質の粗い生地．❸布・紙などで，模様のない部分．[句例] 흰 ～에 빨간 무늬 白地に赤い模様．[語例] ～색 地色．

바탕² 〈依名〉ひとしきり．[文例] 비가 한 ～ 왔다 雨がひとしきり降った．

바탕-음【一音】〈名〉〔樂〕基音．

바테리 〈名〉〔物〕⇨ 배터리．◇도 Batterie

바통 〈名〉バトン．[句例] ～을 넘기다 バトンを渡す．→배턴．◇프 bâton

바투 〈副〉❶間近に詰め寄って．近付いて．[文例] 모두 ～ 앉아라 みんな詰め寄って座りなさい．❷短く．[文例] 너무 ～ 깎지 마시오 あまり短く刈らないでください．

바특-이 [pat'ŭgi]〈副〉❶やや間近に．[句例] 손톱을 ～ 깎다 つめ(爪)をやや短く切る．❷煮詰まるように．少な目に．[文例] 물을 ～ 붓고 푸성귀를 삶았다 水をひたひたにして野菜を煮た．

바특-하다 [pat'ŭk'ada] (→하다)〈形〉(おつゆなどが)煮詰まってやや濃い．汁が少な目だ．[文例] 국물이 바특하게 끓었다 汁が煮詰まるまで煮た．

***박** 〈名〉〔植〕❶夕顔．ふくべ．[語例] ～꽃 夕顔の花．❷'바가지'の略．

박(을) 타다 ❶ふくべを二つに割る．❷望んだことがおじゃんになる．失敗する．

박 〔漢字項目〕

【博(博)】[高校] 박 ハク．バク．❶너르다 ひろい．■博愛 박애 はくあい．博大 박대 はくだい．❷(학문・견식 등이) 넓다 ひろい．■博識 박식 はくしき．博士 박사 はくし．はかせ．■該博 해박 がいはく．❸노름 とばく．■博徒 박도 ばくと．■賭博 도박 とばく．

囲み記事 39

■ '바치다¹'と'받치다'と'받히다' ■

바치다¹ (1) ささ(捧)げる．供える —— 제물을 바치다 供え物を供える．신전에 햇곡을 바치다 神殿に新穀をささげる．
(2) (心とからだを)ささげる —— 교육에 일생을 바치신 선생님 教育に一生をささげた先生．
(3) (税金などを)納める —— 나라에 세금을 꼬박꼬박 바치다 お国に税金をきちんきちんと納める．

받치다 (1) '(傘などを)差す'の強勢語 —— 우산을 받치다 傘をさす．
(2) 母音の下に子音を付ける —— '도' 아래 'ㄴ'을 받쳐서 '돈'이라고 쓴다 '도'の下に'ㄴ'を付けて'돈'と書く．
(3) 支える —— 기둥 밑을 돌로 받치다 柱の下を石で支える．

받히다 '받다 (角・頭で)突く'の受け身の動詞 —— 소에게 받히다 牛に突かれる．

【拍】[高校] 박 ハク．ヒョウ．❶손뼉을 치다 手をうつ．■拍手 박수 はくしゅ．❷박자 ひょうし．■拍子 박자 ひょうし．

【朴】[高校] 박 ボク．순박하다 すなおだ．■醇朴 순박 じゅんぼく．素朴 소박 そぼく．

【泊】[高校] 박 ハク．❶배를 대다 舟をとめる．■泊地 박지 はくち．■停泊 정박 ていはく．❷묵다 とまる．■外泊 외박 がいはく．宿泊 숙박 しゅくはく．❸욕심이 없다 欲がない．さっぱりしている．■淡泊 담박 たんぱく．

【薄(薄)】 박 ハク．❶얇다 うすい．■薄氷 박빙 はくひょう．■厚薄 후박 こうはく．❷적다 すくない．■薄利 박리 はくり．薄祿 박록 はくろく．❸겸손의 뜻 謙譲の意．■薄謝 박사 はくしゃ．薄志 박지 はくし．❹가볍다 軽い．경박하다 かるがるしい．■輕薄 경박 けいはく．浮薄 부박 ふはく．❺인정이 없다 つれない．■薄情 박정 はくじょう．■刻薄 각박 こくはく．❻박하 はっか．■薄荷 박하 はっか．❼가까이 오다 ちかよる．■薄明 박명 はくめい．■肉薄 육박 にくはく．❽복이 적다 ふしあわせだ．■薄命 박명 はくめい．薄運 박운 はくうん．

【迫(迫)】[高校] 박 ハク．❶닥치다 せまる．■切迫 절박 せっぱく．急迫 급박 きゅうはく．❷궁하다 窮する．고생하다 苦労する．■窮迫 궁박 きゅうはく．窘迫 군박 きんぱく．❸괴롭히다 いじめる．■迫害 박해 はくがい．■脅迫 협박 きょうはく．

박격-포【迫擊砲】〈名〉迫擊砲．

***박다** 〈他〉❶(くぎなどを)打ち込む．差し込む．[句例] 벽에 못을 ～ 壁にくぎを打ち込む / 온통 보석을 박은 장식품 宝石をちりばめた装飾品．(對)빼다．❷(まんじゅうなどに)あん(餡)を入れる．❸印刷する．刷る．[句例] 삼백 장의 명함을 ～ 三百枚の名刺を刷る．❹写真をとる．＝찍다．[文例] 사진을 박자 写真をとろう．❺型を押す．[文例] 판에 박은 듯이 같은 말을 한다 判で押したように同じことを言う．❻縫う．[句例] 재봉틀로 천을 ～ ミシンで切れ地を縫い合わせる．

박달-나무 [paktallamu]〈名〉〔植〕おのおれ．略して'박달'とも言う．

박대【薄待】〈名・하他〉冷たく扱うこと．冷遇．[句例] 문전 ～를 하다 門前払いをくわせる．

박덕【薄德】〈名・하形〉徳の少ないこと．薄徳．(對)후덕(厚德)．

박동【拍動】〈名・하自〉(臟器の)拍動．[語例] 심장 ～ 心臟拍動．

박동【搏動】〈名・하自〉搏動．脈動．脈打つこと．

박두-하다【迫頭―】(→하다)〈自〉差し迫る．切迫する．[句例] 시험 기일이 ～ 試験の期日が差し迫る．

박람-회【博覽會】[pangnam―]〈名〉博覧会．[語例] 만국 ～ 万国博覧会．

박력【迫力】[pangnyŏk]〈名〉迫力．[句例] ～ 있는 연기 迫力ある演技．

박리【薄利】[pangni]〈名〉薄利．(對)폭리(暴利)．

박리 다매【薄利多賣】[pangni―]〈名〉薄利多売

語例 ～주의 薄利多売主義.

박멸【撲滅】[pangmyŏl]〈名・하他〉撲滅. 語例 결핵 ～ 운동 結核撲滅運動.

박명【薄命】[pangmyŏng]〈名・하形〉薄命. 不幸せ. 語例 가인 ～ 佳人薄命.

***박물-관**【博物館】[pangmul—]〈名〉博物館. 語例 민속 ～ 民俗博物館.

박-박¹〈副〉紙などを引き裂く音：ばりばり. 句例 종이를 ～ 찢어버리다 紙をばりばりと引き裂いてしまう.

表現 語感の大きい語は'벅벅'. また, 語勢の強い語は'빡빡'.

박박²〈副〉❶ひどくあばたになったさま：ぶつぶつ. 句例 ～ 얽은 얼굴 ひどいあばた面. ❷髪を短く刈りこんださま. 句例 머리를 ～ 깎다〔밀다〕髪をくりくりに刈りこむ.

表現 語勢の強い語は'빡빡'.

박복【薄福】〈名・하形〉不幸せ. 薄幸. 句例 ～한 신세 不幸せな身の上／～을 한탄하다 不幸せを嘆く.

박봉【薄俸】〈名〉安月給. 安サラ(リー). 句例 ～에 견디다 安サラに耐える.

***박사**【博士】〈名〉博士. 語例 문학 ～ 文学博士／만물 ～ もの知り博士.

박살〈名〉壊れてこなごなになること.

박살(이) 나다 こなごなに壊れる. めちゃめちゃになる.

박살(을) 내다 こなごなに壊してしまう. めちゃめちゃにしてしまう.

박살【撲殺】〈名・하他〉撲殺.

박색【薄色】〈名〉醜い顔. また, そのような人. ぶす《主に女性に対して言う》.

박-속〈名〉ふくべの中身.

박수〈名〉〔民〕男性のみこ(巫女). おかんなぎ.

****박수**【拍手】〈名・하自〉拍手. 句例 ～를 보내다 拍手を送る／～로 맞이하다 拍手で迎える／～를 받다 拍手をもらう／～하여 찬성하다 拍手して賛成する／우레와 같은 ～ 万雷の拍手／회장이 떠나갈 듯한 ～ 갈채 会場が割れるような拍手喝采.

박식【博識】〈名〉博識. **～하다**〈形〉博識である. 句例 ～을 자랑하다 博識を誇る.

박아-내다 [paganaeda]〈他〉刷りこむ. 句例 여백에 삽화를 ～ 本文の余白に挿絵を刷りこむ.

박애【博愛】[pagae]〈名・하他〉博愛. 語例 ～ 정신 博愛精神／～주의 博愛主義.

박약【薄弱】[pagyak]〈名・하形〉薄弱. 句例 심신이 모두 ～하다 身心ともに薄弱だ. 語例 의지 ～ 意志薄弱／정신 ～아 精神薄弱児.

박은-이 [pagŭni]〈名〉印刷者.

박음-질 [pagŭm—]〈名・하自〉返し縫い.

박이다¹ [pagida]〈自〉❶くっつく. はまりこむ. 立つ. 文例 엄지에 가시가 박이었다 親指にとげが立った. ❷心やからだにしみ入る. こびりつく. 句例 담배에 인이 ～ タバコのくせがこびりつく.

박이다² [pagida]〈他〉❶刷らせる. ❷写真を撮らせる.

***박자**【拍子】〈名〉〔樂〕拍子. タクト. 句例 ～를 맞추다 拍子〔タクト〕をとる／삼～ 의 노래 三拍子の歌. 語例 ～표 拍子符号.

박장-대소【拍掌大笑】[pakchangdae:so]〈名・하自〉手をたたいて大笑いすること.

박절-하다【迫切—】(→하다)〈形〉不人情だ. 冷淡だ. 句例 박절하게 거절당하다 冷淡に断られる. **박절히**〈副〉不人情に. 冷淡に.

박정-하다【薄情—】(→하다)〈形〉薄情だ. 情けない. つれない. 句例 박정한 말을 하다 つれないことを言う. 對다정하다.

박제【剝製】〈名〉剝製. **～하다**〈他〉剝製にする. 句例 ～한 새〔꿩〕剝製の鳥〔きじ〕.

박쥐 [pa:kchwi]〈名〉〔動〕こうもり(蝙蝠). 蚊食い鳥.

박쥐의 두 마음 こうもりの二心. 優勢な側に味方するずるい心.

박쥐-우산【—雨傘】〈名〉こうもり傘.

박진【迫眞】〈名・하形〉迫真. ビビッド. 句例 ～력 있는 연기 迫真力のある演技.

박차【拍車】〈名〉拍車.

박차를 가하다 拍車をかける.

박-차다〈他〉❶けとばす. け立てる. 文例 자리를 박차고 퇴장했다 席をけ立てて退場した. ❷はね返す. 退ける. 句例 유혹을 ～ 誘惑を退ける.

박치기〈名・하自〉(人やボールなどを)頭で突くこと. ヘ(ッ)ディング.

박-타다 ⇨'박'の小項目

박탈【剝奪】〈名・하他〉剝奪. 句例 자유를 ～당하다 自由を奪われる.

박테리아〈名〉バクテリア. 細菌. ◇bacteria

박토【薄土】〈名〉やせ地. 對옥토(沃土).

박하【薄荷】[pak'a]〈名〉〔植〕薄荷. ペパーミント. 語例 ～사탕 薄荷糖／～껌 ペパーミントガム.

박-하다【薄—】[pak'ada] (→하다)〈形〉(情が)薄い. 薄情だ. けちだ. 辛い. 句例 인정이 ～ 人情が薄い／이문이 ～ 利が薄い／점수를 박하게 주다 点数を辛くつける. 文例 세상은 점점 인심이 박해져 간다 世の中はますます世知辛くなっていく. 對후(厚)하다.

박학【博學】[pak'ak]〈名・하形〉博学. 博識. 句例 ～ 다재한 사람 博学多才な人. 語例 ～ 다식 博学多識. 對천학(淺學).

박해【迫害】[pak'ae]〈名・하他〉迫害. 句例 ～를 가하다 迫害を加える. 文例 여러가지 ～를 받아왔다 さまざまな迫害を受けてきた.

박히다 [pak'ida]〈自〉'박다'の受け身. ❶さし込まれる. 打ちこまれる. 刺さる. 句例 가시가 손끝에 ～ 指先にとげが刺さる／등에 화살이 ～ 背に矢が突き刺さる. ❷刷られる. 印刷される. (写真を)撮られる. ❸ほくろ(黒子)・そばかすなどがある.

****밖**〈名〉❶(塀・壁などの)外. 外側. 外部. 句例 ～에서 기다리다 外で待つ／사무실 ～으로 나가다 事務室の外に出る.

❷表. 外面. 句例 불만을 ～으로 나타내다 不満を表に表わす. ▷對안.

❸(思いの)ほか. 外. 以外. 句例 그 ～의 문제 そのほかの問題. 文例 전혀 상상 ～의 일이었다 全く想像外のことであった.

❹'바깥'の略：戸外. 屋外. 句例 ～에서 저녁을 먹다 外で夕御飯を食べる.

밖-에 [pakke] 〈助〉 (後に必ず否定をともなって) …しか. …ほか. …きり. ＝뿐. 句例 하나～ 없는 딸 たった独りの娘. 独りきりの娘. 文例 단 하나～ 없다 たった一つしかない / 조금～ 없다 少ししかない / 기다리는 수～ 없다 待つよりほかはない.

****반** 【半】 [pa:n] 〈名〉 半. ❶半分. 句例 ～사람 몫의 일 半人前の仕事 / ～을 차지하다 半分を占める. ❷半ば. 中程. 文例 시작이 ～이다 始める事が半分だ《何でも始めることが肝心である》 / 벌써 ～쯤 왔다 もはや半分ほど来た.

***반** 【班】 〈名〉 班. ❶ある共通点によって組織された集団：グループ. 語例 연극～ 演劇班.
❷クラス. 組. 学級. 句例 신입생 ～을 맡다 新入生の組を受け持つ. 語例 ～ 대표 クラスの代表.
❸'통(統)'をさら(更)に分けた国民組織の最小単位. 語例 ～장 班長.
❹兵営内における日常生活上の一単位. 語例 내무～ 内務班.

반 〔漢字項目〕

【半(半)】 中學 반 ハン. ❶반 半分. ▐半年 반년 はんねん. ▐過半 과반 かはん. ❷가운데. 중간 半ば. ▐半途 반도 はんと. ▐夜半 야반 やはん.

【反】 中學 반 ハン. ホン. タン. ❶돌이키다 省みる. 返す. ▐反射 반사 はんしゃ. 反省 반성 はんせい. ❷되풀이하다 くりかえす. ▐反復 반복 はんぷく. 反芻 반추 はんすう. ❸거스르다 逆らう. 背く. ▐反對 반대 はんたい. 反抗 반항 はんこう. ▐謀反 모반 むほん.

【叛】 高校 반 ハン. 배반하다 背く. ▐叛徒 반도 はんと. ▐背叛 배반 はいはん.

【班】 高校 반 ハン. ❶나누다 分ける. ▐班田收授 반전수수 はんでんしゅうじゅ. ❷조직으로 나눈 것 組織の単位. ▐班長 반장 はんちょう. ▐第一班 제일반 だいいちはん. ❸자리 席次. 지위 地位. 위계 位. ▐班位 반위 はんい. 班次 반차 はんじ. ❹줄 列. ▐班列 반열 はんれつ.

【盤】 高校 반 バン. ❶소반 膳. 쟁반 盆. 접시 皿. ▐杯盤 배반 はいばん. 玉盤 옥반 ぎょくばん. ❷대 台. ▐羅針盤 나침반 らしんばん. 配電盤 배전반 はいでんばん. ❸돌다 回る. 돌리다 回す. ▐盤回 반회 ばんかい. ▐旋盤 선반 せんばん. ❹서리다 とぐろを巻く. ▐盤距 반거 ばんきょ. ❺큰 돌 いわお. ▐盤石 반석 ばんじゃく. ばんせき. ▐岩盤 암반 がんばん.

【般】 高校 반 ハン. ❶즐기다 楽しむ. ▐般樂 반락 はんらく. ❷일반 ごく当たり前のこと. ▐一般 일반 いっぱん. 諸般 제반 しょはん.

【返(返)】 高校 반 ヘン. ❶돌아오다 帰る. 戻る. ▐往返 왕반 おうへん. ❷갚다 返す. 돌려보내다 戻す. ▐返還 반환 へんかん. 返償 반상 へんしょう.

【飯(飯)】 반 ハン. 밥 飯. ▐飯盒 반합 はんごう. 飯店 반점 はんてん.

반가워-하다 (→하다) 〈自他〉 喜ぶ. うれしがる. 懐かしがる. ＝반겨하다. 반기다. 文例 내가 가니까 아주 반가워하더라 わたしが行ったら大変喜んでいたよ.

***반가이** 〈副〉 喜んで. うれしく. 句例 ～ 인사를 하다 うれしそうにあいさつをする / ～ 맞이하다 喜んで迎える.

반감 【反感】 [pa:n-gam] 〈名〉 反感. 句例 ～을 사다〔품다〕 反感を買う〔いだく〕.

반감 【半減】 [pa:n-gam] 〈名・하自他〉 半減. 句例 생산이 ～되다 生産が半減する.

****반갑다** (반가우니, 반가워서) 〈形〉 懐かしい. うれしい. 喜ばしい. 句例 반가운 손님 懐かしい客. 文例 자네가 와 줘서 정말 반갑네 君が来てくれてほんとうにうれしいよ / 선생님 편지를 반갑게 받아 보았습니다 先生のお手紙をうれしく拝見いたしました.

반-값 【半―】 [pa:nkkap] 〈名〉 半値. 半価. 句例 ～으로 사다 半値〔半価〕で買う.

반개 【半個】 [pa:n-gae] 〈名〉 半個. 一個の半分.

반격 【反擊】 [pa:n-gyŏk] 〈名・하他〉 反撃. 反攻. 逆寄せ. ロールバック. 句例 ～을 당하다 反撃にあう. 語例 ～ 정책 巻き返し〔ロールバック〕政策.

반경 【半徑】 [pa:n-gyŏng] 〈名〉 半径. ❶'반지름'の古い言いかた. ❷活動の範囲. 句例 행동 ～이 넓다 行動半径が広い.

반고리-관 【半―管】 [pa:n―] 〈名〉〔生〕 三半規管.

***반공** 【反共】 [pa:n-gong] 〈名・하自〉 反共. 句例 ～을 부르짖다 反共を叫ぶ 語例 ～ 정신 反共精神 / ～ 세력 反共勢力. 對용공(容共).

반-공일 【半空日】 [pa:n―] 〈名〉 土曜日. 半休. 半ドン. 文例 토요일은 ～이다 土曜は半休だ.

반관-반민 【半官半民】 [pa:n-gwanba:nmin] 〈名〉 半官半民. 句例 ～의 회사 半官半民の会社.

***반구** 【半球】 [pa:n-gu] 〈名〉 半球. 語例 북～ 北半球 / 동～ 東半球.

반군 【叛軍】 [pa:n-gun] 〈名〉 反軍. 反乱軍. ＝반란군.

반기 【反旗・叛旗】 [pa:n-gi] 〈名〉 反旗. 叛旗.

반기(를) 들다 反旗を翻す. 謀反を起こす.

반기 【半旗】 [pa:n-gi] 〈名〉 半旗. ＝조기(弔旗). 句例 ～를 게양하고 조의를 표하다 半旗を揚げて弔意を表わす. 絵

〈반기〉

***반기다** 〈自他〉 喜ぶ. うれしがる. ＝반가워하다. 句例 사람을 ～ 人を喜んで迎える. 人を懐かしむ.

***반-나절** 【半―】 [pa:n―] 〈名〉 小半日. 半日の半分. 三四時間.

반납 【返納】 [pa:nnap] 〈名・하他〉 返納. 句例 빌린 책을 ～하다 借りた本を返納する.

***반-년** 【半年】 [pa:nnyŏn] 〈名〉 半年・半年. 句例

～의 고용살이 半年の奉公. [語例] ～분 半年分 / ～간 半年間.

반-닫이【半—】[pa:ndaji]〈名〉上部だけに扉があるたんす.

반-달[1]【半—】[pa:ndal]〈名〉❶半月. 弓はり月. 片割れ月. [句例] ～ 모양의 半月形の. [文例] ～이 공중에 쓸쓸히 걸려있다 半月が空にさびしくかかっている. ❷小づめ. ＝속손톱.

반-달[2]【半—】[pa:ndal]〈名〉半月. ひと月の半分.

****반대**【反對】[pa:ndae]〈名〉反対. ❶(位置・方向などが)他の物と逆の関係にあること: あべこべ. 逆さま. [句例] 길의 ～ 쪽 道の反対側 / 전혀 ～ 방향 全くあべこべの方向. [文例] 흑의 ～는 백이다 黒の反対は白だ. [語例] ～ 개념 反対概念 / ～색 反対色 / ～말〔어〕反対語. ❷ある意見などに対して逆らうこと. **～하다**〈他〉反対する. [句例] ～를 위한 ～ 反対のための反対 / 정면으로 ～하다 真っ向から反対する. [語例] ～파 反対派 / ～ 토론 反対討論. ㊎찬성(贊成). **～로**〈副〉反対に. うらはらに. かえって. [文例] 그와 ～로 넓다 それとは反対に広い / 형과는 ～로 동생은 일을 잘 한다 兄とは反対に弟はよく働く.

반도【半島】[pa:ndo]〈名〉〔地〕半島. [語例] ～국 半島国 / 발칸 ～ バルカン半島.

반도【叛徒】[pa:ndo]〈名〉反徒. [句例] ～를 진압하다 反徒を鎮める. [語例] ～ 토벌 反徒討伐.

반-도체【半導體】[pa:n—]〈名〉〔物〕半導体. [語例] ～ 소자 半導体素子.

***반동**【反動】[pa:ndong]〈名・하自〉反動. [句例] ～이 오다 反動が来る. [文例] 급브레이크의 ～으로 넘어졌다 急ブレーキの反動で倒れた. [語例] ～ 사상 反動思想.

반동-적【反動的】[pa:ndong—]〈名・冠〉反動的. [句例] ～ 경향이 강한 단체 反動的傾向の強い団体.

반드럽다（반드러우니, 반드러워서）〈形〉❶つややかで滑らかだ. [句例] 반드러운 대리석 바닥 滑らかな大理石の床. ❷ちゃっかりして抜け目がない.

반드르르〈副・하形〉つやがあって滑らかなさま: つるつる. [文例] 마룻바닥이 ～하게 될 때까지 닦다 床がつるつるになるまで磨く.

[表現] 語感の大きい語は'번드르르'.

****반드시**〈副〉きっと. 必ず. 必ずしも. 決まって. [文例] 인간은 ～ 죽는다 人間は必ず死ぬ / 돈이 있다고 해서 ～ 행복하다고는 할 수 없다 金があるからとて必ずしも幸福とは言えない / ～ 성공해 보이겠다 きっと成功して見せる / 그것은 ～ 실패하게 되어 있다 それは失敗するに決まっている. →囲み記事 40

반들-거리다〈自〉❶つるつるする. つやめく. [文例] 마룻바닥이 반들거릴 때까지 닦아라 床がつるつるになるまで磨きなさい. ❷ちゃっかりしている. ずるける.

반들반들〈副・하形〉つるつる. つやつや. [句例] ～ 빛나다 つやつやと光る.

반듯-이[pandŭshi]〈副〉まっすぐに. しゃんと. [句例] 상체를 ～ 펴다 上体をしゃんと伸ばす. →囲み記事 40

***반듯-하다**[pandŭt'ada]（→하다）〈形〉❶まっすぐだ. [句例] 네모 반듯한 유리 正方形のガラス. ❷全く欠点がない. ❸出来具合がよい. 見掛けがよい. [句例] 이목구비가 반듯한 얼굴 目鼻だちの整った顔.

반딧-불〈名〉蛍の光. 蛍火・けい.

반딧불-이[panditpuri]〈名〉蛍. ＝개똥벌레.

반뜻-하다[panttŭt'ada]（→하다）〈形〉'반듯하다'の語勢の強い語.

반뜻반뜻〈副・하形〉すべてがきちんとしているさま.

***반란**【叛亂・反亂】[pa:llan]〈名・하自〉反乱. [文例] 군의 일부가 ～을 일으켰다 軍の一部が反乱を起こした. [語例] ～군 反乱軍. 賊軍.

반려【伴侶】[pa:llyŏ]〈名〉伴侶. 供. [句例] 인생의 ～ 人生の伴侶. [語例] ～자 伴侶者. 道連れ.

반려【返戾】[pa:llyŏ]〈名〉返還. 返上. 返戻. ＝반환. **～하다**〈他〉返上する. 差し戻す. [句例] 신청 서류를 ～하다 申請書類を差し戻す.

반론【反論】[pa:llon]〈名・하自〉反論. [句例] ～을 시도하다 反論を試みる / 강력하게 ～을 제기하다 強力に反論を提起する.

***반-만년**【半萬年】[pa:n—]〈名〉五千年. [句例] ～의 역사를 지닌 우리 나라 五千年の歴史を有する我が国.

***반-말**【半—】[pa:nmal]〈名・하自〉ぞんざいな言葉遣い. [語例] ～지거리 ぞんざいな言葉遣いでしゃべりたてること.

***반면**【反面】[pa:nmyŏn]〈名〉反面. [文例] 즐거운 ～에 돈이 꽤 든다 楽しい反面お金がよほど要る.

반-면【半面】[pa:nmyŏn]〈名〉半面. ❶一面の半分. ❷両面のうちの一方. [句例] 달의 ～ 月の半面. ❸顔の半分. 片面. [語例] ～ 신경통 半面神経痛.

반면【盤面】〈名〉盤面. 局面.

반-면식【半面識】[pa:n—]〈名〉半面識. [文例] 그와는 ～도 없는 사이다 彼とは半面識もない間柄である.

반목【反目】[pa:nmok]〈名・하自〉反目. [句例] 서로 ～하다 互いに反目する. [語例] ～ 질시 反目嫉視.

반문【反問】[pa:nmun]〈名〉反問. **～하다**〈他〉反問する. 問い返す. [句例] 질문한 뜻을 ～하다

ㅂ

> **囲み記事 40**
>
> ■ '반드시'と'반듯이' ■
>
> 반드시　必ず. きっと. 決まって —— 약속을 하였으면 반드시 지켜야 한다 約束をしたら, 必ず守らなければならない. 이번 경기는 반드시 이기고야 말겠다 今度の試合はきっと勝って見せる.
>
> 반듯이　まっすぐに. しゃんと —— 숨을 반듯이 하고 심호흡을 하다 からだをまっすぐにして深呼吸をする. 선을 반듯이 그어라 線をまっすぐに引け.

質問の意味を反問する．
반문【斑文・斑紋】〈名〉斑紋．まだらの模様．
반미【反美】[pa:nmi]〈名〉反米．
반-민주【反民主】[pa:n—]〈名〉反民主．
*__반-바지__【半—】[pa:n—]〈名〉半ズボン．
반박【反駁】[pa:nbak]〈名〉反駁．**～하다**〈他〉反駁する．やり返す．句例 심한 ～을 당하다 激しい反駁にあう / 의견을 ～하다 意見を反駁する．
반박【半拍】[pa:nbak]〈名〉〔樂〕半拍．一拍子の半分．＝반(半)박자．
반-반【半半】[pa:n—] 半半．〈名〉❶等しく分けた半分と半分．五分五分．句例 ～으로 나누다 半半に分ける．❷(副詞的に)半分ずつ．句例 소금과 설탕을 ～씩 넣다 塩と砂糖を半半に入れる．
반반-하다 (→하다)〈形〉❶なだらかだ．平坦だ．❷顔立ちがかなりよい．ととのっている．句例 반반하게 생긴 얼굴 ととのった顔立ち．❸(家柄などが)かなり立派だ．句例 반반한 집안이다 相当な家柄である．
반발【反撥】[pa:nbal]〈名・하自〉反発．句例 ～을 느끼다 反発を感じる．語例 ～력 反発力 / ～심 反発心．
반백【半白】[pa:nbaek]〈名〉半白．ごま塩頭．文例 어언(於焉) ～이 되었다 いつしかごま塩頭になった．
반-보【半步】[pa:n—]〈名〉半歩．＝반(半) 걸음．文例 ～ 뒤로〔앞으로〕 半歩後〔前〕へ．
*__반복__【反復】[pa:nbok]〈名〉反復．**～하다**〈他〉反復する．繰り返す．語例 ～ 기호〔樂〕反復記号 / ～ 연습 反復練習 / ～되다 反復される．
반분【半分】[pa:nbun]〈名・하他〉❶半分．二分の一．❷折半すること．句例 경비를 ～하다 経費を折半する．文例 이익은 ～하기로 하자 利益は折半で行こう．
반-비례【反比例】[pa:n—]〈名・하自〉反比例．㊒정(正)비례．
*__반사__【反射】[pa:nsa]〈名・하自他〉〔物・生〕反射．句例 빛이 거울에 ～하다 光が鏡に反射する．語例 ～각 反射角 / ～경 反射鏡 / ～등 反射灯 / ～열 反射熱 / ～ 작용 反射作用．
반사-적【反射的】[pa:nsa—]〈名・冠〉反射的．句例 ～으로 벌떡 일어나다 反射的に飛び起きる．
반-사회적【反社會的】[pa:n—]〈名・冠〉反社会的．語例 ～ 행동〔집단〕 反社会的行動〔集団〕．
반상【飯床】〈名〉'반상기(飯床器)'の略．
반상-기【飯床器】〈名〉膳立て用の一そろいの食器．略して'반상(飯床)'ともいう．
반-상회【班常會】〈名〉隣常会．
반색-하다 [pansaek'ada] (→하다)〈自〉とてもうれしがる．懐かしさに小躍りする．文例 귀향한 아들을 반색하며 맞아들였다 帰郷した息子を大よろこびで迎え入れた．
반생【半生】[pa:nsaeng]〈名〉半生．句例 (지난) ～을 돌이켜보다 半生をふりかえる / 교육에 ～을 바치다 教育に半生をささ(捧)げる．
반석【盤石・磐石】〈名〉盤石．いわお(巖)．句例 ～ 같은 무게 盤石の重み / ～ 같은 의지 盤石の意志．
*__반성__【反省】[pa:nsŏng]〈名・하他〉反省．句例 ～을 촉구하다 反省を促す / 거듭 ～하다 返す返す反省する．
반-세기【半世紀】[pa:n—]〈名〉半世紀．五十年．
반소【半燒】[pa:nso]〈名・하自〉半焼．半焼け．句例 가옥이 ～되다 家屋が半焼する．㊒전소(全燒)．
반-소매【半—】[pa:n—]〈名〉半そで．語例 ～ 셔츠 半そでのシャツ．
반송【搬送】〈名・하他〉搬送．運び送ること．句例 화물을 ～하다 貨物を搬送する．語例 ～파〔物〕搬送波．
반수【半數】[pa:nsu]〈名〉半数．文例 ～ 이상이 찬성이다 全体の半分以上が賛成だ．語例 ～ 교대 半数交替．
반숙【半熟】[pa:nsuk]〈名・하自他〉半熟．生煮え．文例 ～으로 해주시오 半熟にしてください．語例 ～ 달걀 半熟の卵．
반-시간【半時間】[pa:n—]〈名〉半時間．三十分．
반신【半身】[pa:nshin]〈名〉半身．語例 ～상 半身像 / 하～ 下半身 / 좌～ 左半身．㊒전신(全身)．
반신-반의【半信半疑】[pa:nshinba:nŭi]〈名・하他〉半信半疑．文例 지금도 ～하고 있다 いまだに半信半疑の体である．
반신-불수【半身不隨・半身不遂】[pa:nshinbul-ssu]〈名〉半身不随．句例 ～가 되다 半身不随になる．
반액【半額】[pa:naek]〈名〉半額．半値．語例 ～ 할인 半額割引．
반어【反語】[pa:nŏ]〈名〉反語．逆さ言葉．句例 즐겨 ～를 쓰다 好んで反語を使う．語例 ～법 反語法．
반역【反逆・叛逆】[pa:nyŏk]〈名・하他〉反逆．句例 일부 군인이 ～을 일으키다 一部の軍人が反逆を起こす．語例 ～자 反逆者 / ～죄 反逆罪．
반영【反映】[pa:nyŏng]〈名・하自他〉反映．投影．句例 여론의 ～ 世論の反映．
반영구-적【半永久的】[pa:nnyŏnggu—]〈名・冠〉半永久的．文例 ～으로 쓸 수 있다 半永久的に使うことができる．
*__반-올림__【半—】[pa:nollim]〈名・하他〉〔數〕四捨五入．
반원【半圓】[pa:nwon]〈名〉〔數〕半円．
반원【班員】[panwon]〈名〉班員．
반원-형【半圓形】[pa:nwonhyŏng]〈名〉半円形．
반월【半月】[pa:nwol]〈名〉半月．❶弓張り月．＝반(半)달．❷半月．
반음【半音】[pa:nŭm]〈名〉〔樂〕半音．句例 ～ 올리다〔내리다〕 半音上げる〔下げる〕．語例 ～ 음계 半音音階．
반-음계【半音階】[pa:nŭmgye]〈名〉〔樂〕半音階．
반응【反應】[pa:nŭng]〈名〉反応．手答え．句例 ～을 보이다 反応を示す / 전혀 ～이 없다

ㅂ

全然反応がない / 약간의 ~이 있다 若干の手答えがある. 語例 투베르쿨린 ~ ツベルクリン反応 / 화학 ~ 化学反応.
반의-반【半一半】[pa:nŭi—]〈名〉半分の半分. 四分の一.
반의-어【反義語・反意語】[pa:nŭi—]〈名〉反意語. 反義語. =반대말. 對동의어(同義語・同意語).
반일【反日】[pa:nil]〈名〉反日. 排日. 語例 ~감정 反日感情. 對친일(親日).
반입【搬入】[panip]〈名・하他〉搬入. 句例 회화의 ~ 絵画の搬入. 對반출(搬出).
반자〈名〉〔建〕天井板. 語例 ~지(紙) 天井板に張る紙.
반-작용【反作用】[pa:njagyong]〈名〉〔物〕反作用. 句例 ~의 원리 反作用の原理.
반-잔【半盞】[pa:n—]〈名〉杯で半分の量.
반장【班長】〈名〉❶学級委員. 級長. ❷(韓国の行政区画で最も小さい単位である)'반 班'の長. 語例 ~님 班長さま.
반-장화【半長靴】[pa:n—]〈名〉半長靴. 半長《略語》.
반전【反戰】[pa:njŏn]〈名・하自〉反戦. 句例 ~ 사상 反戦思想 / ~ 운동 反戦運動.
반전【反轉】[pa:njŏn]〈名・하自〉反転. 句例 상황이 ~되다 状況が反転する.
반절【半切・半截】[pa:njŏl]〈名・하他〉半切. 半切り. 句例 엽서 ~ 크기의 카드 葉書半切大のカード. 語例 ~지 半切りの紙.
반점【斑點】[pantchŏm]〈名〉斑点. まだら. ぶち. 句例 얼굴에 붉은 ~이 생기다 顔に赤い斑点ができる / 피부의 ~ (肌の)あざ.
반정【反正】[pa:njŏng]〈名・하自他〉反正. 暴君を廃して新しい王を立てること.
반제-품【半製品】[pa:n—]〈名〉半製品.
반주【伴奏】[pa:nju]〈名・하自〉〔樂〕伴奏. 句例 …의 피아노 ~에 맞추어 …のピアノ伴奏に合わせて. 語例 ~ 악기 伴奏楽器.
반주【飯酒】〈名・하自〉食事のとき飲む二三杯の酒. 句例 저녁 ~로 한잔하다 晩酌に一杯やる.
***반죽**〈名〉(メリケン粉などを)こねること. また, そのこねたもの. **~하다**〈他〉こねる. 練る. 句例 ~이 덜 되다 練りが足りない. 語例 된 ~ 固練り.
반-죽음【半一】[pa:njugŭm]〈名・하自〉半殺し. 半死. 句例 ~(을) 당하다 半殺しの目にあう.
반죽-좋다 [—cho:t'a]〈形〉臆面がない. ふてぶてしい.
반증【反證】[pa:njŭng]〈名・하他〉反証. 句例 ~을 들어 반박하다 反証をあげて反駁する.
반지【半紙】[pa:nji]〈名〉半紙.
⁑**반지**【斑指】〈名〉指輪. リング. 句例 ~를 끼다〔빼다〕指輪をはめる〔はずす〕. 語例 금~ 金の指輪 / 약혼 ~ 婚約指輪. エンゲージリング.
반지르르〈副〉なめらかなさま: つるつる. つやつや. **~하다**〈形〉つやつやしている.
***반-지름**【半一】[pa:n—]〈名〉〔數〕半径. =반경(半徑).
반짇-고리〈名〉[もとの語形は'바느질고리'] 針箱. 裁縫箱.
반질-거리다〈自〉❶つるつるする. すべすべする. ❷ずるける.
반질반질〈副・하自形〉つるつる. すべすべ.
반-집【半一】[pa:n—]〈名〉(碁で, 込みのある場合の)半目. =반호(半戶).
⁑**반짝**〈副〉輝くさま. また, ひらめくさま: きらっと. ぴかっと. ちらりと.
반짝-거리다〈自他〉きらきらする. また, きらめかす. 句例 불빛이 ~ 明かりがきらめく.
반짝반짝〈副・하自他〉ぴかぴか. きらきら. ちらちら. 句例 ~ 빛나다 きらきら〔ぴかぴか〕ひかる〔輝く〕.
***반짝-이다** [pantchagida]〈自他〉⇨ 반짝거리다. 句例 반짝이는 보석 きらきらする宝石 / 밤하늘에 별이 ~ 夜空に星がきらめく.
⁑**반-쪽**【半一】[pa:ntchok]〈名〉❶半分. 片方. 句例 사과 ~ リンゴの半分. ❷ひどくやせ衰えたことのたとえ. 文例 병으로 얼굴이 ~이 되었다 病でげっそりとほおがこけた.
⁑**반찬**【飯饌】〈名〉おかず. お菜. 略して'찬(饌)'ともいう. 句例 ~이 짜다 おかずが塩辛い. 語例 ~ 가게 おかずまたはその材料を売る店 / ~거리 おかずの材料.
⁑**반창-고**【絆瘡膏】〈名〉絆創膏. 句例 ~를 떼다 絆創膏をは(剝)がす / 상처에 ~를 붙이다 傷口に絆創膏を張る.
반추【反芻】[pa:nch'u]〈名・하自他〉反芻. =(되)새김질. 語例 ~ 동물 反芻動物.
반출【搬出】〈名〉搬出. 持ち出し. **~하다**〈他〉搬出する. 持ち出す. 句例 짐의 ~ 荷物の搬出. 對반입(搬入).
***반칙**【反則】[pa:nch'ik]〈名・하自〉反則. ファウル. 句例 자주 ~을 범하다 しきりに反則を犯す.
반-코트【半 coat】[pa:nk'o:t'ŭ]〈名〉半コート. =하프 코트(half coat).
반탁【反託】[pa:nt'ak]〈名・하自〉信託統治に反対すること.
반-투명【半透明】[pa:n—]〈名・하形〉半透明. 語例 ~체 半透明体.
반편【半偏】[pa:np'yŏn]〈名〉❶半分. ❷['반편이'の略] やや知能の足りない人. 薄ばか. 薄のろ.
반포【頒布】〈名・하他〉頒布. 句例 헌법을 ~하다 憲法を頒布する.
반-폭【半幅】[pa:np'ok]〈名〉半幅. 句例 ~띠를 매다 半幅の帯をしめる.
반-푼【半一】[pa:n—]〈名〉[もとの語形は'반분(半分)'] 半文. 一文の半分. ごくわずかのお金. 句例 ~어치의 값어치도 없다 半文の値打ちもない.
반품【返品】[pa:np'um]〈名・하他〉返品. 句例 팔다 남은 물건을 ~하다 売れ残りの品を返品する.
반-하다 [pa:n—] (→하다)〈自〉ほ(惚)れる. ほれ込む. 句例 홀딱 반해 버리다 ぞっこんほれ込む. 文例 그는 옆집 아가씨에게 홀딱 반했다 彼はとなりの家の娘に首ったけになった.

ㅂ

반-하다【反―】[pa:n―]（→하다）〈自〉反する．反対する．句例 기대에 ～ 期待に反する．文例 우리 의사에 반하는 일은 하지 마세요 我我の意思に反することはしないでください．

반합【飯盒】〈名〉飯盒．

반항【反抗】[pa:nhang]〈名〉反抗．**～하다**〈自〉反抗する．手向かう．逆らう．句例 늘 부모에게 ～하다 しょっちゅう親に逆らう．語例 ～기 反抗期．

반항-적【反抗的】[pa:nhang―]〈名・冠〉反抗的．句例 ～인 태도를 취하다 反抗的な態度を取る．

반향【反響】[pa:nhyang]〈名〉反響．句例 예상 외의 ～을 불러 일으키다 予想外の反響を呼び起こす．

반환【返還】[pa:nhwan]〈名〉返還．**～하다**〈自他〉返還する．返す．戻す．句例 점령지를 ～하다 占領地を返還する／차액을 ～하다 差額を返す．語例 ～점 折り返し点．

반회【班會】〈名〉'반 班'の会合．クラス会．

⁑받다 ■〈他〉❶受ける．㉠(くれる物や渡された物を)(受け)取る．頂く．もらう．授かる．句例 선물을 ～ おみやげを頂く／편지를 ～ 手紙を受けとる／주문을 ～ 注文〔オーダー〕を受ける．注文を取る／팁을 ～ チップをもらう／명령을 ～ 命令を受ける．

㉡(ある作用が)加わる．被る．浴びる．句例 타격을 ～ 打撃を被る／벌을 ～ 罰を受ける．罰が当たる．絵／치료를 ～ 治療を受ける／혐의를 ～ 嫌疑を受ける．疑いがかけられる．

㉢(許可・恵みなどを)得る．与えられる．句例 허가를 ～ 許可をとる／혜택을 ～ 恵みを与えられる．

㉣(手に)受け止める．句例 공을 잘못 ～ ボールを受け損なう．

㉤(容器などに)く(汲)みとる．句例 물통에 물을 받아 두다 水おけに水をくんでおく．

㉥(しかけられたことに)応じる．句例 질문을 ～ 質問を受ける／경례를 ～ 敬礼を受ける．

❷(お金などを)受けとる．句例 월급을 ～ 月給をとる〔もらう〕．

❸(商品などを)仕入れる．句例 물건을 받아다 팔다 品物の受け売りをする．

❹(傘などを)差す．差しかざす．句例 양산을 ～ 日傘を差す．

❺(角で)突く．句例 소가 뿔로 ～ 牛が角で突く．絵

〈받다〉

❻(客などを)迎える．もてなす．句例 손님을 받기에 바쁘다 お客を迎えるのに忙しい．

❼(申し込みなどを)受け付ける．文例 신청은 내일까지 받는다 申し込みは明日まで受け付ける．絵

❽助産をする．取り上げる．句例 산파가 아이를 ～ 産婆が子を取り上げる．

■〈自〉❶(食べ物が)口に合う．句例 입에 잘 받는 술 口によく合う酒．

❷(色合いや格好などが)似合う．文例 이 색깔이 잘 받는다 この色がよく似合う．

-받다〈尾〉…される．語例 주목～ 注目される．注目を受ける／인정～ 認められる／지적～ 指摘される．

***받-들다**（받드니，받들어서）〈他〉❶仰ぐ．㉠敬う．あが(崇)める．かしずく．句例 부모를 ～ 親にかしずく／스승으로 ～ 師とあがめる．㉡推戴する．頂く．担ぐ．祭り上げる．句例 총재로 ～ 総裁に仰ぐ／…를 회장으로 ～ …を会長に頂く．

❷奉じる．㉠(命令などを)つつしんで承る．…に従う．句例 분부를 ～ 命を奉じる．㉡ささ(捧)げ持つ．句例 교기를 ～ 校旗を奉じる．

***받아-넘기다** [pada―]〈他〉❶(攻撃などを)受け流す．軽くかわす．句例 질문을 가볍게 ～ 質問を軽く受け流す〔いなす〕．❷うまく答え返す．

***받아-들이다** [padadŭrida]〈他〉受け入れる．❶取り入れる．句例 선진 기술을 ～ 先進技術を取り入れる．❷承諾する．受け付ける．句例 요구를〔의견을〕～ 要求〔意見〕を入れる／사표를 ～ 辞表を受け入れる．語例 받아들여지다 受け入れられる．取り入れられる．

받아-쓰기 [pada―]〈名・하他〉書き取り．語例 ～ 시험 書き取りのテスト．

받아-쓰다 [pada―]（―쓰니，―써서）〈他〉書き取る．

***받치다** ■〈他〉❶'받다④'の強勢語：差す．句例 우산을 ～ 雨傘を差し持つ．

❷(つっかい棒などで)支える．(まくらなどを)当てる．▷→囲み記事39

■〈自〉❶(座席・寝床などが)かたい．❷(激情が)こみあげる．

***받침**〈名〉❶支え(物)．下敷き．台．まくら．語例 ～대 添え木．突っ張り／꽃병 ～ 花瓶の下敷き．❷〔言〕(ハングルの)終声になる子音．→囲み記事41

받히다 [pach'ida]〈自〉'받다⑤(角で)突く'の受け身：突かれる．句例 소에게 ～ 牛に突かれる／자동차에 ～ 自動車にはねられる．→囲み記事39

⁑발[1]〈名〉❶〔生〕足．句例 ～을 삐다 足をくじく／～을 뻗다 足を伸ばす／～에 꼭 맞는 구두 足にぴったりの靴／～ 내키는 대로 걷다 足まかせに歩く．語例 ～등 足の甲／～바닥 足の裏．❷(机などの)脚．

발(을) 구르다 じだんだ(地団駄)を踏む．句例 발을 (동동) 구르며 떼를 쓰다 じだんだを踏んでだだをこねる．

발(을) 끊다 絶交する．関係を断つ．文例

그와는 발 끊은 지가 오래다 彼とは絶交してから久しくなる.
발(이) 맞다 歩調が合う. 足並みがそろう.
발(을) 맞추다 足並みをそろえる. 歩調を合わせる. [句例] 군대가 발 맞춰 행진하다 軍隊が足並みをそろえて行進する.
발(이) 묶이다 足を奪われる. 足止めを食う.
발 벗고 나서다 積極的に乗り出す. 一肌脱ぐ.
발(을) 벗다 ❶素足になる. ❷全力を尽くして事にあたる.
발(을) 붙이다 取り付く. 寄り掛かる. [句例] 발 붙일 데도 없다 取り付く島もない.
발(을) 빼다 身〔手〕を引く. 足を抜く. [文例] 겨우 그 일에서 발을 뺐다 やっとその事から足を抜いた.
발(을) 뻗고 자다 まくらを高くして寝る.
발(을) 씻다 足を洗う. 堅気になる.
발 없는 말이 천리 간다 足のないことばが千里を行く. ささやき千里.
발에 채이다 どこにでも転がっている. どこにでもざらにある.
발이 내키지 않다 気乗りがしない.
발이 넓다 顔が広い. 知り合いが多い. [句例] 발이 넓은 사람 顔の広い人.
발이 닳게 (靴底がすり切れるほど)足しげく. [句例] ～ 다니다 足しげく通う.
발이 손이 되도록 빌다 熱心にあやまるさま. または祈るさま.
발(이) 짧다 ひと足遅れたためにごちそうにありつけない.
발[2] [pa:l] 〈名〉すだれ. す. [句例] ～을 치다 すだれを掛ける / ～을 걷어 올리다 すだれを巻き上げる. [語例] 구슬～ じゅずのれん(暖簾).
발[3] [pa:l] 〈依名〉ひろ(尋). [文例] 수심이 열 ～은 되겠다 水の深さが十ひろはあるだろう.
발【發】〈依名〉 (弾丸などの)発射数をかぞえる語: …発. [句例] 한 ～의 총알 一発の銃弾.
-발【發】〈尾〉…発. ❶出発の意. [句例] 서울～ 도쿄행 비행기 ソウル発東京行きの飛行機. ❷発信の意. [句例] 서울～ CNN방송 ソウル発CNN放送.

발 〔漢字項目〕

【拔(拔)】 [高校] 발 バツ. ❶뽑다 ぬく. ◧拔刀 발도 ばっとう. 拔本塞源 발본 색원 ばっぽんそくげん. ❷가려뽑다 ひきぬきえらぶ. ◧拔擢 ばってき. ◨選拔 선발 せんばつ. ❸빼어나다 ぬきんでる. ◧拔群 발군 ばつぐん. ◨奇拔 기발 きばつ.

【發(発)】 [中學] 발 ハツ. ホツ. ❶쏘다 撃つ. 射る. ◧發射 발사 はっしゃ. ◨連發 연발 れんぱつ. ❷떠나다 発つ. ◧發着 발착 はっちゃく. ◨先發 선발 せんぱつ. ❸일어나다 起こる. 生じる. ◧發生 발생 はっせい. ◨蒸發 증발 じょうはつ. ❹일으키다 起こす. ◧發端 발단 ほったん. 發電 발전 はつでん. ❺밝히다 明かす. ◨啓發 계발 けいはつ. ❻나타나다 現われる. 드러나다 ばれる. ◧發現 발현 はつげん. 發露 발로 はつろ. ❼공표하다 おもてむきに知らせる. ◧發表 발표 はっぴょう. ❽파내다 掘りだす. ◧發掘 발굴 はっくつ. ❾들추다 あばく. ◨摘發 적발 てきはつ.

【髮(髪)】 [高校] 발 ハツ. 머리털 かみのけ. ◨頭髮 두발 とうはつ. 理髮 이발 りはつ.

***발-가락** [—kkarak] 〈名〉足指.
발가-벗기다 〈他〉❶丸裸にする. ❷他人の財産などを奪い取ったりして文無しにさせる.
발가-벗다 〈自〉裸になる. [句例] 발가벗은 아이 丸裸の子供.
발각【發覺】〈名・하自他〉発覚. ばれること. [句例] 부정이 ～되다 不正が発覚する / 음모

囲み記事 41

■ 받침(終声)の発音 ■

1. 홑받침 —— ㄱ, ㄴ, ㄷ, ㄹ, ㅁ……ㅎなどの子音.
 (1) ㅅ, ㅈ, ㅊはㄷに発音される.
  옷(着物)[ot], 젖(乳)[chŏt], 낯(顔)[nat]
 (2) ㅋはㄱに発音される.
  부엌(台所)[puŏk], 북녘(北の方)[pung-nyŏk]
 (3) ㅌはㄷに発音される. 밭(畑)[pat]
 (4) ㅍはㅂに発音される. 무릎 ひざ(膝)[murŭp]
 (5) ただし, '이, 에, 을'などの母音があとにつづくときは, おのおのの固有の音価どおりに発音される.
  갓이 [kashi], 낮에 [naje], 앞을 [ap'ŭl]
2. 쌍(雙)받침(二重の終声) —— ㄲとㅆがある. あとに子音がつづくときは, ㄱ, ㅅのように発音されるが, 母音がつづくときは'kk, ss'と発音される.
  깎다(削る)[kkakta], 깎으면(削れば)[kkakkŭmyŏn], 있다(ある)[itta], 있으면(あれば)[issŭmyŏn]
3. 겹받침(複終声) —— ㄳ, ㄵ, ㄼ, ㄽ, ㅄ, ㄺ, ㄻ, ㄿなど.
 (1) 片方だけ発音され, もう一つの方はサイレントする.
  값(価)[kap], 넋(魂)[nŏk], 외곬(いちず(一途))[oegol], 맑다(清い)[makta]
 (2) '-이, -아, -어, -을'などの母音があとにつづくときは, 右側の終声だけが発音される.
  넋이(魂が)[nŏkshi], 앉아(座って)[anja], 젊어서(若くて)[chŏlmŏsŏ], 읊어(吟じて)[ŭlp'ŏ], 값을(値を)[kapsŭl]
4. ㅎ받침(ㅎの終声) —— ㅎのあとに ㄱ, ㄷ, ㅈがつづけば, 合わせて격음화(激音化)する.
  쌓다(積む)[ssa:t'a], 놓고(置いて)[nok'o], 좋지(よろしい)[cho:ch'i]

가 ~되다 陰謀が発覚される〔ばれる〕.

발간【發刊】〈名・하他〉発刊. 発行. 句例 도서를 ~하다 図書を発刊する. 對폐간(廢刊).

발갛다 [palgat'a] (발가니, 발가오)〈形〉ほんのりと赤い. 薄赤い.

발개-지다〈自〉赤くなる. 句例 술 한잔에 얼굴이 ~ 一杯のお酒で顔が赤くなる.

*__발-걸음__ [—kkŏrŭm]〈名〉足取り. 歩み. 句例 ~이 빠르다 足が早い / ~을 늦추다 足をゆるめる / ~을 멈추다 足を止める.

발걸음(을) 끊다 一切行き来をしない.

발걸음을 재촉하다 足を早める. 急いで行く.

발견【發見】〈名〉発見. **~하다**〈他〉発見する. 見いだす. 見つける. 句例 무인도를 ~하다 無人島を発見する / 재능을 ~하다 才能を見いだす.

발광【發光】〈名・하自〉発光. 語例 ~ 도료 発光塗料 / ~체 発光体 / ~충 発光虫.

발광【發狂】〈名〉発狂. **~하다**〈自〉発狂する. 気が狂う. 文例 너무나 큰 충격으로 ~했다 あまりのショックに発狂した.

*__발-구르다__ (발구르니, 발굴러서) ⇨'발¹'の小項目

발군【拔群】〈名・하自他〉抜群. 句例 ~의 성적을 올리다 抜群の成績を上げる.

발굴【發掘】〈名〉発掘. **~하다**〈他〉発掘する. 掘り出す. 句例 고분을 ~하다 古墳を発掘する / 인재를 ~하다 人材を発掘する.

발-굽 [—kkup]〈名〉ひづめ(蹄). 文例 ~ 자국이 여기저기 있다 ひづめの跡があちこちにある.

발그레-하다 (→하다)〈形〉ほんのりと赤い. 小ぎれいに赤い. 文例 발그레한 얼굴이 참 예쁘다 小ぎれいに赤い顔がほんとに美しい.

발-그림자 [—kkŭrimja]〈名〉人影. 人の気配. 足. 文例 요즘 ~도 비추지 않는다 このごろさっぱり顔を見せない.

*__발그스름-하다__ (→하다)〈形〉薄赤みがかっている. 文例 술을 마셨는지 눈자위가 ~ 酒を飲んだのか目もとがほんのりと赤い.

발급【發給】〈名・하他〉発給. 句例 여권의 ~ 旅券の発給 / 증명서를 ~하다 証明書を発給する.

발긋-발긋〈副・하形〉点点と赤く. まだらに赤く.

발기다 [pa:lgida]〈他〉切り開く. 切り裂く.

발기-발기〈副〉切れ切れ(に). ずたずた(に). 句例 편지를 ~ 찢어버리다 手紙をずたずたに裂き捨てる.

발기-인【發起人】〈名〉発起人. 語例 ~ 대표 発起人代表.

*__발-길__ [—kkil]〈名〉❶足. 句例 ~로 차다 足でけ(蹴)る / ~ 닿는 대로 걷다 足に任せて歩く / ~을 돌리다 きびすを返す. 語例 ~질 足げ(蹴). ❷行き来. 往来. 句例 손님의 ~이 끊어지다 客足がとだえる.

발길에 채이다 足でけ(蹴)られる. 足げにされる.

발길이 내키지 않다 足が進まない. 行く気になれない.

발길이 뜸해지다〔멀어지다〕 足が遠のく.

발길이 무겁다 ❶行く気になれない. ❷足取りが重い.

발깍〈副〉❶急に腹を立てるさま: かっと. 句例 ~ 화를 내다 かっと怒る. ❷急に騒ぎ立てるさま. 文例 온 동네가 ~ 뒤집혔다 町じゅうがてんやわんやの大騒ぎになった.

*__발-꿈치__〈名〉かかと(踵). きびす.

발꿈치를 물리다 かかとをかまれる. 飼い犬に手をかまれる.

발끈〈副・하自〉(ちょっとしたことで)急に怒るさま: かっと. ぷんぷん. 句例 ~ 화를 내다 かっと腹を立てる.

*__발-끝__〈名〉つま(爪)先. 足先. 句例 머리에서 ~까지 頭からつま先まで.

발단【發端】[palttan]〈名・하自〉発端. (事の)始まり. 起こり. 句例 사건의 ~ 事件の発端. 文例 싸움의 ~은 이러했다 けんかの起こりはこうだった.

⁑__발달__【發達】[palttal]〈名・하自〉発達. 句例 심신의 ~ 心身の発達 / 태풍이 급속히 ~하다 台風が急速に発達する. 文例 멀티미디어 기술이 크게 ~했다 マルチメディアの技術が大いに発達した.

*__발-돋움__ [—dodŭm]〈名・하自〉背伸び. つま立ち. 文例 ~해서 겨우 보였다 背伸びしてようやく見えた / 선반의 책은 ~해도 손이 닿지 않았다 棚の本はつま立っても手が届かなかった.

발동【發動】[palttong]〈名・하自他〉発動. 句例 강권을 ~하다 強権を発動する / 엔진에 ~이 걸리다 エンジンがかかる. 語例 ~기 発動機. モーター.

*__발-뒤꿈치__ [—ttwikkumch'i]〈名〉かかと(踵). きびす. くびす《雅》. 略して'뒤꿈치'ともいう. 文例 너 같은 건 그 사람 ~에도 못 따라간다 お前なんか彼の足もとにも及ばないよ.

발뒤꿈치도 따를 수 없다 足もとにも及ばない.

발-뒤축 [—ttwich'uk]〈名〉かかと(踵)(の隆起した所). 略して'뒤축'ともいう.

발뒤축을 물다 陰で人のじゃまをする.

발-들여놓다 [—dŭryŏnot'a]〈自〉足を入れる. 句例 늙어서 정계에 ~ 老いて政界に足を入れる.

*__발-등__ [—ttŭng]〈名〉足の甲. 對발바닥.

발등(을) 밟히다 先を越される.

발등에 불이 떨어지다〔붙다〕 足もとに火がつく.

발등의 불을 끄다 急場を逃れる. 目前の急なことを先に処理する.

발등(을) 찍히다 背かれる.

발딱〈副〉❶急に立ちあがるさま: がばと. かっぱと. すっと. 句例 잠자리에서 ~ 일어나다 寝床からかっぱと起き上がる. ❷あおむ(仰向)け〔大の字〕に倒れるさま: ばったり(と).

발딱-거리다〈自〉❶どきんどきんと脈打つ. ❷(胸が)どきどきする.

발딱발딱〈副・하自〉どきんどきん. どきどき.

발라-내다〈他〉❶殻を取り去る. さやをむく. いがをむく. 句例 수박 씨를 ~ すいかの種を取り出す. ❷選び出す. えり分ける. 句例 생선의 살을 ~ 魚の身をえり分ける.

발라드〈名〉〔樂〕バラード. =담시곡(譚詩曲). ◇ballad

발라-맞추다〈自〉甘言でだます. うまく言い

くるめる．おべっかを使う．

발라-먹다〈他〉(皮や骨を取り除いて)中味だけを食べる．

발랄【潑剌】〈名·하形〉はつらつ(潑剌)．[句例] ～한 소녀 はつらつとした乙女 / ～한 젊은이 はつらつたる若人．

발랑〈副〉あおむけに倒れるさま：ぱたっと．

발레〈名〉バレー．◇프 ballet

발레리나〈名〉バレリーナ．◇이 ballerina

발령【發令】〈名·하自他〉発令．[句例] 3월 1일자로 ～되다 三月一日づけで発令される．

발로【發露】〈名·하自〉発露．表われ．[句例] 애정의 ～ 愛情の発露〔表われ〕．

발리다 [pa:llida]〈他〉中味をより出す．[句例] 생선을 발려서 회를 치다 魚を割いて刺身にする．

발리-볼 [—bo:l]〈名〉バレーボール．バレー《略語》．＝배구(排球)．◇volleyball

발림〈名〉へつらい．おべっか．[句例] 안 하느니만 못한 ～말 あらずもがなのお世辞 / ～말을 하다 お上手をいう．[語例] ～ 수작(酬酌) おべっか．お世辞．

발-맞다 ⇨'발¹'の小項目

발-맞추다 ⇨'발¹'の小項目

발매【發賣】〈名〉発売．～하다〈他〉発売する．売り出す．[句例] ～를 금하다 発売を禁じる．[語例] ～중 発売中 / ～ 금지 発売禁止．発禁《略語》．

발명【發明】〈名·하他〉発明．[句例] 새로운 기계를 ～하다 新しい機械を発明する / 필요는 ～의 어머니 必要は発明の母．[語例] ～가 発明家 / ～품 発明品．

발-모가지〈名〉'발 足' '발목 足首'の俗っぽい言いかた．[句例] ～를 차다 足首をけ(蹴)る．

*발-목〈名〉足首．[句例] ～을 삐다 足首をくじく / ～이 부러지다 足首の骨が折れる / ～을 잡다 足首をつかむ．(對)손목．

발목(을) 잡히다 ❶足かせをかけられる．苦しい羽目に陥る．❷(他人に)端緒·弱点などをつかまれる．

발-밑〈名〉足もと．[句例] ～에도 미치지 못하다 足もとにも及ばない〔寄りつけない〕．[文例] ～을 조심하시오 足もとに気をつけなさい．

⁑발-바닥 [—ppadak]〈名〉足裏．[句例] ～에 물집이 생기다 底まめができる．

발바리〈名〉❶〔動〕ちん(狆)《愛玩犬の一種》．❷おっちょこちょい．
[表現] ②は俗っぽい言いかた．

발발【勃發】〈名·하自〉勃発．[句例] 전쟁이 ～하다 戦争が勃発する．

발발 [pa:lbal]〈副〉❶震えるさま：ぶるぶる．[句例] 무서워서 ～ 떨다 怖くてぶるぶる震える．❷けちけち．こせこせ．[文例] 그는 이천 원짜리 점심에도 ～ 떤다 彼はたった二千ウォンの昼飯にもけちけちする．

*발버둥이-치다〈自〉❶じだんだを踏む．足ずりする．[句例] 발버둥이치며 분해하다 足ずりして悔しがる．❷あがく．もがく．(類)발버둥치다．[句例] 파산을 면하려고 ～ 破産を免れようとあがく．[文例] 이제 와서 발버둥이쳐도 소용없다 今さらじたばたしても仕様がないさ〔はじまらない〕．(類)몸부림치다．

발버둥-질〈名〉あがき．足ずり．～하다〈自〉あがく．足ずりする．

*발-벗다 ⇨'발¹'の小項目

발-병【—病】[—ppyŏng]〈名〉足の病〔痛み〕．

발병【發病】〈名·하自〉発病．[句例] ～ 후 사흘 만에 죽다 発病後三日めに亡くなる．

발본-색원【拔本塞源】[—saegwon]〈名·하他〉抜本塞源．[句例] ～적인 개혁 抜本塞源的な改革．

발부【發付】〈名·하他〉発付．命令などの文書を発行すること．[句例] 소집 영장을 ～하다 召集令状を発付する．

발-부리 [—ppuri]〈名〉つま先．足先．[句例] ～가 채여서 비슬거리며 넘어지다 つまずいてよろよろと倒れる．

발-붙이다 [—buch'ida] ⇨'발¹'の小項目

발-빼다 ⇨'발¹'の小項目

발-뺌〈名〉逃げ口上〔ことば〕．言い抜け．～하다〈自〉言い逃れる．[句例] ～하려고 하다 逃げ腰になる / 교묘하게 ～하다 巧みに言い逃れる．

발사【發射】[palssa]〈名·하他〉発射．[句例] 권총을 ～하다 ピストルを発射する / 우주선을 ～하다 宇宙船を打ち上げる．

발산【發散】[palssan]〈名·하自他〉発散．[句例] 빛의 ～ 光の発散 / 정열〔불만〕을 ～시키다 情熱〔不満〕を発散させる．[文例] 정력을 ～할 데가 없다 精力の発散しようがない．

발상【發想】[palssang]〈名〉発想．アイデア．[文例] 좋은 ～이다 いい発想だ．

발상-지【發祥地】[palssangji]〈名〉発祥地．メッカ．[句例] 문명의 ～ 文明の発祥地．

발-샅 [palssat]〈名〉足指のまた．＝발새．

발샅의 때꼽재기 足指のまたのあか．ごく無価値できたないもののたとえ．

발-새 [palssae]〈名〉⇨ 발샅

발생【發生】[palssaeng]〈名·하自〉発生．[句例] 콜레라가 ～하다 コレラが発生する / 교통 사고가 ～하다 交通事故が発生する．[語例] 대량 ～ 大量発生．

발설【發說】[palssŏl]〈名·하自他〉口に出すこと．口外すること．[句例] 비밀을 ～하다 秘密を口外する．[文例] 회의 내용은 그가 ～했다 会議の内容は彼が口外した．

발성【發聲】[palssŏng]〈名·하自〉発声．[句例] ～이 나쁘다 発声が悪い．[語例] ～법 発声法 / ～ 연습 発声練習．

⁑발-소리 [palssori]〈名〉足音．[句例] ～를 죽이고 걷다 足音をしのばせて歩く．

발송【發送】[palssong]〈名·하他〉発送．[句例] 화물을 ～하다 荷物を発送する．[語例] ～인 発送人．送り手 / ～지(地) 仕向け先〔地〕．

발신【發信】[palssin]〈名·하他〉発信．[語例] ～국 発信局 / ～인 発信人．(對)수신(受信)．

발-씨름〈名〉足相撲．

발아【發芽】[para]〈名·하自〉〔植〕発芽．芽生え．[句例] ～가 늦어지다 発芽が遅れる．[語例] ～기 発芽期．

발악【發惡】[parak]〈名·하自〉前後をわきま

えず悪態をついたり暴れたりすること. 句例 최후의 ～을 하다 最後のあがきをする.

발암【發癌】[param]〈名・하自〉発癌. 句例 ～성분이 들어 있다 発癌成分が入っている. 語例 ～물질 発癌物質.

발언【發言】[parŏn]〈名・하自他〉発言. 句例 중대한 ～ 重大な発言 / ～할 기회를 놓치다〔주다〕 発言の機会を失う〔与える〕. 語例 ～권 発言権.

발열【發熱】[paryŏl]〈名・하自〉発熱. 語例 ～량 発熱量 / ～체 発熱体.

*__발육__【發育】[paryuk]〈名・하自〉発育. 句例 한창 ～할 때〔무렵〕 発育ざかり / ～이 좋다〔더디다〕 発育がいい〔おそい〕. 語例 ～기 発育期 / ～부전〔醫〕発育不全.

발음【發音】[parŭm]〈名・하自他〉発音. 句例 ～이 똑똑하지 않다 発音がはっきりしない. 語例 ～기관 発音器官 / ～기호 発音記号.

발의【發議】[parŭi]〈名・하他〉発議. 句例 ～권이 없다 発議権を持たない.

발인【發靷】[parin]〈名・하自〉発引. 出棺. 語例 ～제(祭) 出棺の際に行なう祭祀.

ㅂ

**__발-자국__ [—tchaguk]〈名〉足跡. 踏み跡. ＝족적(足跡). 句例 소의 ～ 牛の踏み跡 / ～을 남기다 足跡を残す / ～을 따라가다 足跡をつけて行く. 語例 ～소리 足音.

발-자취 [—tchach'wi]〈名〉足跡・足跡. 句例 위대한 ～를 남기다 偉大な足跡を残す / ～를 더듬어 가다 足跡をたどって行く.

*__발작__【發作】[paltchak]〈名・하自〉発作. 句例 천식의 ～ ぜんそくの発作 / ～적인 행동 発作的な行動 / ～을 일으키다 発作を起こす.

발-장구〈名〉ばた足.

발장구(를) 치다 足をばたつかせる. 句例 물가에서 발장구 치며 노는 어린이들 水べで足をばたつかせて遊ぶ子供たち.

발-장단【—長短】[—tchangdan]〈名〉足拍子. 句例 노랫가락에 맞추어 ～을 치다 歌の調子に合わせて足拍子を取る.

발-재봉틀【—裁縫—】〈名〉足踏み(式)ミシン. 略して'발틀'ともいう.

**__발전__【發展】[paltchŏn]〈名・하自〉発展. 句例 ～을 이루다 発展をとげる / 해외로 ～하다 海外へ発展する. 語例 ～도상국 発展途上国 / ～성 発展性.

발전【發電】[paltchŏn]〈名・하自〉発電. 語例 조력 ～ 潮力発電 / ～기 発電機. ダイナモ / ～량 発電量 / ～소 発電所.

발족【發足】[paltchok]〈名・하自〉発足・発足. 句例 새로이 ～하다 新たに発足する.

발주【發注】[paltchu]〈名・하自〉発注. 句例 부품을 ～하다 部品を発注する. 對수주(受注).

발진【發疹】[paltchin]〈名・하自〉発疹・発疹. 句例 ～이 생기다 発疹が出る. 語例 ～티푸스〔醫〕発疹チフス.

발진【發進】[paltchin]〈名・하自〉発進. 句例 기지에서 ～하다 基地から発進する. 語例 긴급 ～ 緊急発進.

*__발-짓__ [paltchit]〈名・하自〉足を動かす動作. 句例 손짓 ～으로 의사 전달을 꾀하다 身振り手振りで意思の伝達を図る.

발짝〈依名〉歩. 歩数. 文例 한 ～ 앞으로! 一歩前に!

발-짧다 [—tchaltta] ⇨'발1'の小項目

발차【發車】〈名・하自〉発車. 文例 ～5분 전에 간신히 도착했다 発車五分前にやっと着いた. 語例 ～신호 発車信号. 對정차(停車).

발착【發着】〈名・하自〉発着. 文例 열차의 ～시간이 정확하지 않다 列車の発着時間が正確でない.

발췌【拔萃】〈名・하自他〉抜粋. 抜き書き. 句例 요점만을 ～하다 要点だけを抜粋する. 語例 ～안 抜粋案.

발치〈名〉(寝るときの)足もと. 語例 발칫잠 人の足もとにうずくまって寝ること. 對머리맡.

발칙-하다 [palch'ik'ada] (→하다)〈形〉❶け(怪)しからぬ. 不埒だ. 文例 발칙한 놈이로군 けしからんやつだな. ❷ぶしつけだ. 不作法だ.

*__발칵__〈副〉❶急に元気わくさま：ぱっと. ❷急に怒りだすさま：かっと. 句例 갑자기 ～ 화를 내다 いきなりかっと怒りだす. ❸事態が急にひっくりかえるさま. 句例 세상이 ～ 뒤집히다 世の中がてんやわんやの大騒ぎになる.

발코니〈名〉バルコニー. ＝노대(露臺). ◇balcony

발탁【拔擢】〈名〉抜擢. 取り立て. **～하다**〈他〉抜擢する. 取り立てる. 句例 신인을 ～하다 新人を抜擢する.

**__발-톱__〈名〉足指のつめ(爪).

발파【發破】〈名〉発破. **～하다**〈他〉発破をかける. 語例 ～작업 発破作業.

*__발-판__【—板】〈名〉❶足場. 足掛かり. 句例 ～을 놓다 足場をかける / ～을 마련〔구축〕하다 足場を作る〔築く〕. ❷踏み台. 足継ぎ. ❸出世の手立て. 句例 정치가로서의 ～을 굳히다 政治家としての足場を固める. 文例 친구를 ～으로 삼아서 출세했다 友人を踏み台にして出世した.

발포【發布】〈名・하他〉発布.

발포【發泡】〈名・하自〉発泡. 語例 ～제 発泡剤 / ～스티롤 発泡スチロール.

발포【發砲】〈名・하自〉発砲. 句例 ～명령을 내리다 発砲命令をくだす.

*__발표__【發表】〈名・하自他〉発表. 句例 의견을 ～하다 意見を発表する / ～회가 열리다 発表会が催される / 성명을 ～하다 声明を発する. 語例 신곡 ～ 新曲発表 / ～되다 発表される.

발-하다【發—】(→하다) ㊀〈自〉❶咲く. ❷生じる. 句例 열이 ～ 熱が発する. ❸発する. 出発する. ＝떠나다. ❹(源が)発する. 始まる. 起こる. 文例 빛은 태양으로부터 발한다 光は太陽より発する.

㊁〈他〉❶(光・音・声などを)出す. 発する. 句例 빛을 ～ 光を発する〔放つ〕. ❷公にする. 布く. 句例 법령을 ～ 法令を布く. ❸下す. ＝내리다. 句例 경고를 ～ 警告を発する / 명령을 ～ 命令を下す.

발행【發行】〈名・하自他〉発行. 句例 도서〔신문〕의 ～ 図書〔新聞〕の発行. 語例 ～가격 発行価格 / ～고 発行高 / ～인 発行人.

발-헤엄〈名・하自〉立ち泳ぎ.

발호【跋扈】〈名・하自〉跋扈. 句例 군벌의 ~ 軍閥の跋扈 / 도적이 ~하다 盗賊が跋扈する.

발화【發火】〈名・하自他〉発火. 文例 ~ 지점이 어디냐 発火地点はどこかね. 語例 ~성 물질 発火性物質 / 자연 ~ 自然発火 / ~ 장치 発火装置 / ~점 発火点.

발효【發效】〈名・하自〉発効. 文例 오늘로써 조약이 ~된다 今日をもって条約が発効する.

발효【醱酵】〈名・하自〉発酵. 語例 ~ 작용 発酵作用 / ~유 発酵乳 / ~시키다 発酵させる.

발휘【發揮】〈名・하他〉発揮. 句例 실력을 ~하지 못하다 実力を発揮できない / 솜씨를〔수완을〕~하다 腕を振るう.

밝기 [palkki]〈名〉明るさ. ＝광도(光度).

***밝다** [pakta] ■〈形〉❶明るい. ㉠(光などが)明らかである. 句例 달〔등불〕이 ~ 月〔ともしび〕が明るい. 絵 / 방이 ~ 部屋が明るい.
㉡(性格などが)明朗だ. 色が澄んでいる. 句例 밝은 성격〔표정〕明るい性格〔表情〕/ 밝은 색의 옷감 明るい色の服地.
㉢(ある物事に)詳しい. 句例 계수(計數)에 밝은 사람 数字に明るい人 / 법률에 ~ 法律に詳しい / 이재에 ~ 理財にたける. 絵
㉣希望などがもてる. 句例 전망이 ~ 見通しが明るい. 文例 밝은 미래를 향해서 노력합시다 明るい未来に向かって努力しましょう.
㉤公明だ. 句例 밝은 사회 明るい社会 / 밝은 정치를 하다 明るい政治をする. ❷(聴力・視力が)非常によい. 句例 귀가 ~ 耳がよい〔さとい〕. ▷㉯어둡다.
■〈自〉(夜が)明ける. 句例 날이 밝아오다 夜がしらしらと明ける. 絵
参考 '밝고 明るくて' '밝으니 明るいから'は [palkko], [palgŭni]と読む.

이재에 밝다

날이 밝아오다

〈밝다〉

밝을-녘 [palgŭllyŏk]〈名〉夜明け方.

***밟다** [pa:pta]〈他〉踏む. ❶地の上に立つ. 句例 조국의 땅을 ~ 祖国の土を踏む.
❷(物の上を足で)押さえる. 句例 재봉틀을 ~ ミシンを踏む / 보리를 ~ 麦を踏む.
❸(人の)足跡を追う. 跡をつける. 句例 범인의 뒤를 ~ 犯人の跡をつける.
❹先人に倣う. 踏襲する. 句例 전철을 ~ 前轍を踏む.
❺順序に従って行なう. 句例 대학 과정을 ~ 大学の課程を踏む.
❻経験する. 句例 무대를 ~ 舞台に立つ. 場を踏む.
参考 '밟고 踏んで' '밟는 踏む…' '밟지(않다) 踏ま(ない)'は [pa:pko] [pa:mnŭn…] [pa:pchi…] と読む.

밟히다 [palp'ida] ■〈自他〉'밟다'の受け身: 踏まれる. 句例 말에 ~ 馬に踏まれる. 文例 만원 버스 안에서 발을 밟혔다 満員のバスの中で足を踏まれた.
■〈他〉'밟다'の使役形: 踏ませる. 句例 마을 사람에게 보리를 ~ 村人に麦を踏ませる.

***밤**[1]〈名〉夜・よ. 晩. 句例 ~늦도록 夜遅くまで / ~이 깊어가다 夜がふける / ~마다 夜ごと. 語例 매일~ 毎晩 / 하룻~ 一晩. 一夜 / 달~ 月夜 / 내일~ あすの晩. 明晩 / 오늘~ 今夜. 今晩 / 어젯~ きのうの晩. 昨晩. 昨夜.
밤말은 쥐가 듣고 낮말은 새가 듣는다 壁に耳あり, 障子に目あり.

***밤**[2] [pa:m]〈名〉くり(栗)(の実). 句例 ~송이가 벌어지다 くりのいがが笑む / ~을 까다 くりをむく. 語例 ~나무 くり(の木) / ~밥 くり飯 / ~색 くり色.

밤-거리 [—kkŏri]〈名〉夜の街. 句例 고요한 ~ 静かな夜の街.

밤-공부【—工夫】[—kkongbu]〈名・하自〉夜の勉強.

밤-길 [pamkkil]〈名〉夜道. 句例 ~을 가다 夜道を行く. 文例 ~은 위험하다 夜道は物騒だ.

밤-낚시 [pamnakshi]〈名〉夜釣り. 句例 ~를 하다 夜釣りをする.

***밤-낮** 日夜. ■〈名〉昼夜. 句例 ~을 가리지 않고 노력하다 昼夜を分かたず努力をする.
■〈副〉朝夕. 文例 ~ 일만 한다 朝夕仕事ばかりする. **~없이** [—ŏpshi]〈副〉日夜. いつも.
밤낮을 가리지 않다 昼夜を分かたぬ. 休まずに続ける. 句例 밤낮을 가리지 않고 일하다 昼夜を分かたず働く. 昼夜の別なく働く.

밤-눈[1]〈名〉夜目. 文例 ~에도 분명히 보인다 夜目にもはっきり見える.
밤눈(이) 어둡다 夜目が暗い.

밤-눈[2]〈名〉夜降る雪. 夜雪.

밤-도와〈副〉夜明かしで. 徹夜で. 句例 ~ 일하다 夜明かしで働く.

밤-마다〈名・副〉毎晩. 毎夜. 夜ごと(毎). 文例 ~ 같은 꿈을 꾼다 夜ごと同じ夢を見る.

***밤-바람** [—pparam]〈名〉夜風. 句例 ~을 쐬며 걷다 夜風に当たりながら歩く.

밤-벌레 [pa:mppŏlle]〈名〉〔蟲〕くりしぎぞうむしの幼虫.
밤벌레 같다 (くりしぎぞうむしが乳色の丸丸と太ったからだつきをしているので)子供の肌がやんわりとして丸丸太っていることのたとえ.

밤-비 [pamppi]〈名〉夜の雨. 夜雨・.

***밤-새** [pamssae]〈名・副〉['밤사이'の略] 夜の間. 夜来. 句例 ~ 내린 비 夜来の雨. 文例 ~ 한잠도 못 잤다 一晩中一睡もできなかった.

ㅂ

밤새-껏 〈副〉 夜通し. 句例 ～ 울다 夜通し泣く.

*__밤-새다__ 〈自〉 '밤새우다'の略.

밤-새도록 〈副〉 夜通し. 一晩中. 句例 ～ 병구완하다 夜通し看病する / ～ 놀러 다니다 夜っぴて遊び回る.

밤-새우다 〈自〉 夜明かしする. 夜を明かす. 夜を徹する. 略して'밤새다'とも言う. 句例 밤새워 일을 마무리하다 夜を徹して仕事を仕上げる.

밤-샘 〈名・하自〉 ['밤새움'の略] 夜明かし. 徹夜. 句例 책을 읽으며 ～하다 本を読みながら夜明かしをする / 상가(喪家)에서 ～하다 喪家でお通夜をする.

*__밤-송이__ [pa:m—] 〈名〉 いが(毬)ぐり.

밤-안개 [pamangae] 〈名〉 夜霧. 句例 ～ 속을 걷다 夜霧につつまれて歩く.

밤-알 [pa:mal] 〈名〉 くりの実. =밤톨.

밤-이슬 [pamnisŭl] 〈名〉 夜露. 句例 ～에 젖다 夜露にぬれる.

밤-일 [pamnil] 〈名・하自〉 夜業. 夜なべ.

밤-자갈 [pa:m—] 〈名〉 くり石.

**__밤-잠__ [pamtcham] 〈名〉 夜の睡眠. 文例 ～도 못 자고 걱정하였다 夜の寝にも就かずに心配した. 対낮잠.

밤-중 【—中】 [pamtchung] 〈名〉 夜中・夜中. 夜更け. 句例 ～까지 돌아다니다 夜更けまで出歩く.

밤-차 【—車】 〈名〉 夜間列車.

밤-참 【—站】 〈名〉 夜食. 文例 ～을 들고 일을 계속하세 夜食を取ってから仕事を続けよう.

*__밤-톨__ [pa:mt'ol] 〈名〉 ❶くりの実. =밤알. ❷くりほどの大きさのもの. 句例 ～만하다 くりぐらいの大きさである.

밤-하늘 〈名〉 夜空. 句例 ～에 별이 반짝이다 夜空に星がまたたく.

**__밥__[1] 〈名〉 ❶御飯. 飯. 句例 ～이 설다 御飯が生にえだ / ～이 질다 御飯が水っぽい / ～이 다 되다 御飯が炊きあがる / ～이 뜸들다 御飯が蒸れる / ～을 푸다 御飯を盛る. 語例 비빔～ 混ぜ御飯. ❷食事. 語例 저녁～ 夕食. 夕御飯. ❸動物の飼料. えじき(餌食). =먹이. ❹'미끼 えさ'の俗っぽい言いかた. ❺いけにえ. かも. 食い物. えじき. 句例 깡패의 ～이 되다 やくざの食い物〔えじき〕になる.

밥 먹듯 하다 (日常茶飯事のように)平気でする. 文例 거짓말을 밥 먹듯 한다 平気でうそをつく.

밥 먹을 때는 개도 안 때린다 食事の時には犬も殴らない. 食事をとる人を殴ったりしかったりしてはいけないとの意.

밥 아니 먹어도 배부르다 御飯を食わなくても腹がふくれる. 喜ばしいことがあって満足だとの意.

밥(을) 주다 時計のぜんまいを巻く.

밥(을) 짓다 御飯を炊く.

밥(을) 하다 '밥(을) 짓다'のこと.

밥[2] 〈依名〉 かんな・のこぎり(鋸)などのくず(屑). 語例 톱～ のこぎりくず / 대팻～ かんなくず.

밥-값 [papkap] 〈名〉 食代. =식비. →값 参考

밥-공기 〈名〉 飯茶碗. お碗. 句例 ～에 밥을 담다 お碗に御飯を盛る.

**__밥-그릇__ 〈名〉 食器.

밥-맛 [pammat] 〈名〉 ❶御飯の味. 具合. ❷食欲. 句例 ～이 나다 食欲が出る / ～을 잃다 食欲を失う.

밥맛(이) 없어지다 言行がきざで憎たらしい. =밥맛(이) 떨어지다. 밥맛(이) 없다.

밥-물 [pammul] 〈名〉 飯炊き用の水.

밥-벌레 〈名〉 ごくつぶ(穀潰)し. 文例 이 ～야, 썩 없어져라 このごくつぶしめ, さっさと消え失せろ.

밥-벌이 [—pŏri] 〈名・하自〉 ❶食べていけるほどの稼ぎ. 文例 ～는 된다 どうにか食えるよ. ❷口過ぎ. 食べて暮らすための稼ぎ. 句例 ～를 하다 暮らしを立てる.

**__밥-상__ 【—床】 〈名〉 食膳. お膳. 句例 ～에 올리다 食膳に供える / ～을 푸짐하게 하다 食膳をにぎわす.

밥상-머리 【—床—】 〈名〉 お膳を挟んで食事をとるときその向かい側.

밥-솥 〈名〉 飯炊きがま(釜). 飯がま.

밥-술 〈名〉 ❶幾さじかのご飯. ❷さじ(匙).

밥술(을) 놓다 ❶食事を終える. ❷死ぬ.

밥술이나 먹게 생겼다 食っていくには困らないような顔だちだ. 生活にいくらかゆとりがありそうな顔だちだ.

밥-알 [pabal] 〈名〉 飯粒. 句例 ～을 흘리다 飯粒をこぼ(零)す. 語例 ～크기 飯粒大.

밥알을 세다 飯粒を数える. 食欲を失っていやいやながら食べる.

밥알이 곤두서다 おなかの飯粒が逆立つ. 気に食わなくてむかつく.

밥-주걱 〈名〉 飯杓子. 略して'주걱'ともいう.

밥-줄 〈名〉 '직업 職業'の俗っぽい言いかた: 生業. なりわい.

밥줄이 끊어지다 飯の食い上げになる.

밥-집 〈名〉 飯屋.

*__밥-통__ 【—桶】 〈名〉 ❶飯びつ. お鉢. お櫃. ❷〔生〕 胃袋. =위(胃). ❸間抜け. 能なし.

밥-투정 〈名・하自〉 御飯を食べながら食事に対して不平を鳴らすこと.

**__밥-풀__ 〈名〉 飯粒を練ってつくったのり(糊). そくい(続飯).

밧-줄 〈名〉 綱. 荒なわ. ロープ. 句例 ～을 치다 綱を張る / ～을 당기다 綱を手繰る / ～을 풀다 綱を解く.

**__방__ 【房】 〈名〉 部屋. ルーム. 句例 같은 ～을 쓰다 相部屋を使う. 文例 맨 끝～으로 가시오 いちばん奥の部屋に行きなさい. 語例 작은～ 小間 / 큰～ 大部屋.

방(을) 놓다 オンドルをつくる.

방 【榜】 [pa:ng] 〈名〉 '방문(榜文)'の略.

*__방__ 【放】 〈依名〉 ❶(銃などの)発射を数える語: …発. 句例 한 ～ 쏘아 주다 一発お見舞いする. ❷へ(屁)の回数を数える語. 句例 방귀를 한 ～ 뀌다 へを一発ひる.

-방 【方】 〈尾〉 ❶…方・方. 方位. 句例 동남～으로 가다 東南の方に行く. ❷気付. 句例 박일규 선생～ 김태일 씨 朴一圭先生

気付の金泰逸氏.

방 〔漢字項目〕

【倣】 高校 방 ホウ. 본뜨다 まねならう. ■模倣 모방 もほう.

【傍】 高校 방 ボウ. 곁. 옆 かたわら. ■傍觀 방관 ぼうかん. 傍若無人 방약무인 ぼうじゃくぶじん.

【妨】 高校 방 ボウ. 헤살놓다 さまたげる. ■妨害 방해 ぼうがい.

【房(房)】 中學 방 ボウ. ❶㉠일반으로 방 部屋. ■房室 방실 ぼうしつ. ■獨房 독방 どくぼう. ㉡침실 寝室. ■閨房 규방 けいぼう. ❷집 家. ■山房 산방 さんぼう.

【放】 中學 방 ホウ. ❶내치다 追い出す. ■放逐 방축 ほうちく. ■追放 추방 ついほう. ❷놓아 주다 解きはなつ. ■放免 방면 ほうめん. ■釋放 석방 しゃくほう. ❸불을 놓다 火をつける. ■放火 방화 ほうか. ❹버리다 すておく. ■放置 방치 ほうち. ❺방자하다 気ままだ. ■放縱 방종 ほうじゅう. ■豪放 호방 ごうほう. ❻멋대로 하다 思うままにする. ■放言 방언 ほうげん.

【方】 中學 방 ホウ. ❶모 四角. 품행이 단정하다 おこないがきちんと正しい. ■方圓 방원 ほうえん. 方正 방정 ほうせい. ❷땅 土地. ■方言 방언 ほうげん. ■地方 지방 ちほう. ❸방향 むき. ■方向 방향 ほうこう. ■東方 동방 とうほう. ❹지금 ただ今. ■方今 방금 ほうこん. ❺길 道. 방법 てだて. ■方途 방도 ほうと. ❻신선술 神仙の術. ■方術 방술 ほうじゅつ.

【芳】 高校 방 ホウ. ❶향내나다 芳しい. ■芳醇 방순 ほうじゅん. ❷꽃답다 はなばなしい. ■芳名 방명 ほうめい. 芳志 방지 ほうし. ❸향기 香り. ■芳香 방향 ほうこう.

【訪】 中學 방 ホウ. 찾다 訪れる. 尋ねる. ■訪問 방문 ほうもん. ■往訪 왕방 おうほう. 探訪 탐방 たんぼう.

【邦(邦)】 高校 방 ホウ. ❶나라 国. 국토 国土. ■邦國 방국 ほうこく. ■友邦 우방 ゆうほう. ❷자기 나라. 우리 나라 わがくに. ■邦樂 방악 ほうがく.

【防】 中學 방 ボウ. ❶둑 つつみ. どて. ■堤防 제방 ていぼう. ❷막다 ふせぐ. さえぎる. ■防備 방비 ぼうび. ■國防 국방 こくぼう.

방갈로 〈名〉バンガロー. ◇bungalow

방개 〈名〉〔蟲〕'물방개'の略.

방-게 [pa:ngge]〈名〉〔動〕あしわらがに.

방계【傍系】〈名〉傍系. 語例 ～ 혈족 傍系血族 / ～ 회사 傍系会社.

방-고래【房—】[—kkorae]〈名〉オンドル(温突)の下に設けた火気の通路. オンドルの坑道. 略して'고래'ともいう.

방공【防共】〈名・하自〉防共. 語例 ～ 정책 防共政策.

방공【防空】〈名・하自〉防空. 語例 ～ 연습 防空演習 / ～호 防空壕 / ～ 훈련 防空訓練.

방과【放課】[pa:nggwa]〈名・하自〉放課. 文例 ～후의 특별 활동은 교육상 유익하다 放課後の特別活動は教育上有益だ.

방관【傍觀】〈名・하他〉傍観. 句例 친구의 싸움을 수수 ～하다 友達のげんか(喧嘩)を袖手傍観する / ～적 태도를 취하다 傍観的な態度をとる. 語例 ～자 傍観者.

방광【膀胱】〈名〉〔生〕膀胱.

방-구들【房—】[—kkudŭl]〈名〉オンドル(温突). 略して'구들'ともいう.

방-구석【房—】[—kkusŏk]〈名〉❶部屋の隅. ❷'방(안)' 部屋(の中)'の下品な言いかた.

방귀 [pa:nggwi]〈名〉へ(屁). おなら. 文例 그의 존재를 ～만큼도 여기지 않는다 彼の存在をへほども思わない.

방귀(를) 뀌다 へをひる. おならを出す.

방귀 뀐 놈이 성낸다 へをひったやつが腹を立てる. 盗人たけだけしい.

방그레〈副〉にっこり(と). 文例 ～ 웃기만 한다 ただにっこり(と)笑うだけだ.

방글-거리다〈自〉にこにこ笑う.

방글방글〈副・하自〉にこにこ.

*__방금__【方今】〈副〉今. ただ今. 今しがた. 句例 ～ 여기 있던 물건 今しがたここにあった物. 文例 이제 ～ 돌아왔다 ちょうど今帰って来た.

방긋〈副・하自〉にこやか(に). にっこり(と). 句例 ～ 웃다 にっこり笑う. 文例 ～ 미소짓고 있더라 にっこりとほほえんでいたよ. **～거리다**〈自〉にこにこ笑う.

방긋방긋〈副・하自〉にこにこ(と).

방긋-이 [panggŭshi]〈副〉にっこり(と).

방끗〈副・하自〉'방긋'の強調語.

방-나다【榜—】[pa:ng—]〈自〉合格者の姓名が発表される.

방-놓다【房—】[—not'a] ⇨ '방(房)'の小項目

방뇨【放尿】[pa:ngnyo]〈名・하自〉放尿.

방담【放談】[pa:ngdam]〈名・하自〉放談. 語例 신춘 ～ 프로그램 新春放談プロ.

방대-하다【厖大—・尨大—】[pa:ngdae—] (→하다)〈形〉膨大だ. 句例 방대한 자료 膨大な資料 / 방대한 예산 膨大な予算. **방대히**〈副〉膨大に.

*__방도__【方道・方途】〈名〉方途. 方法. 仕方. 句例 ～를 모색하다 方途を模索する / 승리의 ～는 오직 한가지 勝利の道はただ一つ. 文例 이제 어찌할 ～가 없다 今やなすすべ(術)がない.

방독【防毒】〈名・하自〉防毒. 語例 ～ 마스크 防毒マスク / ～면 防毒面.

방랑【放浪】[pa:ngnang]〈名〉放浪. さすらい. 浮浪. **～하다**〈自〉さすらう. 放浪する. 流れ歩く. 句例 ～벽이 있는 사람 放浪癖のある人 / ～의 길을 떠나다 さすらいの旅に出る / ～ 생활을 하다 放浪生活をする. 語例 ～자 流れ者. さすらい人. 放浪者.

방류【放流】[pa:ngnyu]〈名・하他〉放流. 句例 치어를 강에 ～하다 稚魚を川に放流する / 저수지의 물을 ～하다 貯水池の水を放流する.

방만-하다【放漫—】[pa:ngman—] (→하다)〈形〉放漫だ. 句例 방만한 생활 放漫な生活 / 방만한 재정 放漫(な)財政. **방만히**〈副〉気ままに. でたらめに.

ㅂ

⁑**방망이**〈名〉棒. 棍棒. 語例 다듬잇~ きぬたの棒 / 빨랫~ 洗濯用のたたき棒.

방망이(를) 들다 人事を邪魔立てする.

방망이-질〈名・하自〉❶棒で打つこと. また, きぬたの棒で打つこと. ❷胸がどきどきすること. 文例 흥분으로 가슴이 ~하는 것 같다 興奮で胸が早鐘を打つようだ.

방매【放賣】[pa:ngmae]〈名・하他〉物を売り出すこと. =매출(賣出).

방면【方面】〈名〉方面. ❶向き. 方向. 句例 미국 ~으로의 수출 アメリカ向きの輸出 / 여러 ~으로 손을 쓰다 百方手をつくす. ❷ある分野. 筋. 道. 句例 이 ~의 권위자 この筋の権威者.

방면【放免】[pa:ngmyŏn]〈名・하他〉放免. =석방. 句例 무혐의로 ~되다 無嫌疑で放免される.

방명-록【芳名錄】[—nok]〈名〉芳名録.

방목【放牧】[pa:ngmok]〈名・하他〉放牧. =방사(放飼). 句例 말을 ~하다 馬を放牧する.

***방문**【房門】〈名〉部屋の戸.

***방문**【訪問】[pa:ngmun]〈名〉訪問. **~하다**〈他〉尋ねる. 訪れる. 訪問する. 伺う. 文例 아저씨께서 ~해 주신다기에 기다리고 있는 중이다 叔父が訪れるというので待っているところだ. 語例 ~객 訪問客 / ~기 訪問記.

방문【榜文】[pa:ngmun]〈名〉公示文. 略して'방(榜)'ともいう.

방물〈名〉小間物. 語例 ~ 가게 小間物屋 / ~장사 小間物売り.

⁑**방-바닥**【房—】[—ppadak]〈名〉部屋の床.

***방방-곡곡**【坊坊曲曲】〈名〉津津浦浦. 略して'곡곡(曲曲)'ともいう. 句例 ~에 알려지다 津津浦浦に知れ渡る.

방방-이【房房—】〈副〉部屋ごとに. 文例 ~ 책으로 꽉 차 있더라 部屋という部屋はみな本でいっぱいだったよ.

방백【傍白】〈名〉傍白. 傍ぜりふ.

방범【防犯】〈名・하自〉防犯. 語例 ~벨 防犯ベル / ~ 주간 防犯週間.

⁑**방법**【方法】〈名〉方法. 仕方. やり方. 手. 句例 ~을 찾아내다 方法を見いだす / ~을 바꾸다 やり方を変える. 文例 고칠 ~이 없다 直しようがない / 미적지근한 ~으로는 안 된다 煮え切らない仕方ではだめだ.

방벽【防壁】〈名〉防壁. 句例 ~을 쌓다 防壁を築く.

방부-제【防腐劑】〈名〉〔化〕防腐剤.

방불-하다【彷彿—・髣髴—】[pa:ngbul—](→하다)〈形〉彷彿としている. 似ている. 文例 지난 날의 일을 방불케 한다 過ぎし日のことを彷彿させる / 고인의 모습을 방불하게 한다 故人の面影を彷彿させる.

방비【防備】〈名・하他〉防備. 固め. 守り. 備え. 句例 ~를 굳게 하다 防備を固める / 성의 ~ 城の固め / ~를 튼튼히 하다 備えを厳重にする. 語例 무~ 상태 無防備状態.

방사【放射】[pa:ngsa]〈名・하自他〉❶放射. ❷〔物〕輻射. 語例 ~상 도로 放射状道路.

방사【放飼】[pa:ngsa]〈名・하他〉放し飼い.

방사-능【放射能】[pa:ngsa—]〈名〉〔物〕放射能. 句例 ~에 오염되다 放射能に汚染される.

방사-림【防沙林】〈名〉防砂林.

방사-선【放射線】[pa:ngsa—]〈名〉〔物〕放射線. 語例 ~ 요법 放射線療法.

방사성 원소【放射性元素】[pa:ngsassŏng—]〈名〉〔物・化〕放射性元素.

방산【防産】〈名〉'방위 산업'の略.

방생【放生】[pa:ngsaeng]〈名・하他〉〔佛〕放生. 語例 ~회 放生会.

⁑**방석**【方席】〈名〉座布団. 句例 ~을 깔다 座布団を敷く / ~을 깔고 앉다 座布団を当てる.

방성-통곡【放聲痛哭】[pa:ngsŏngt'o:nggok]〈名・하自〉号泣. 慟哭. =방성 대곡(大哭).

방-세【房貰】[pangsse]〈名〉部屋代. 家賃. 間代. 句例 ~가 밀리다 間代がたまる.

방-세간【房—】[—ssegan]〈名〉室内に備えて使う家財道具.

***방송**【放送】[pa:ngsong]〈名・하他〉放送. 句例 뉴스를 ~하다 ニュースを放送する. 語例 ~국 放送局 / ~ 위성 放送衛星 / ~망 放送網 / 생~ 生放送 / ~실 放送室.

방송-극【放送劇】[pa:ngsong—]〈名〉放送劇.

방수【防水】〈名・하自〉防水. 語例 ~ 가공 防水加工 / ~복 防水服 / ~제 防水剤 / ~포 防水布.

방수【防銹】〈名・하自〉さび(銹)止め. =방청(防錆). 語例 ~제 防銹剤 / ~ 도료 防銹塗料.

방수-로【放水路】[pa:ngsu—]〈名〉放水路.

방습【防濕】〈名・하自〉防湿. 語例 ~제 防湿剤 / ~재 防湿材.

방시레〈副〉ほほえむさま: にこやかに. にこっと. 句例 ~ 웃다 ほほえみを浮かべる.

방식【方式】〈名〉方式. 仕方. やり方. …振り. …方. 句例 일정한 ~ 一定の方式. 文例 설명서의 ~대로 만들어라 説明書の方式通り作れ. 語例 영업 ~ 営業振り / 요리 ~ 料理の仕方.

***방실-거리다**〈自〉にこやかに笑う.

방실방실〈副・하自〉にこやかに. にこにこと.

방심【放心】[pa:ngshim]〈名・하自〉放心. 油断. 文例 ~하여 의외로 실패했다 油断して意外に失敗した.

***방아**〈名〉うす(臼). 句例 ~를 찧다 うすでつく. 語例 디딜~ からうす. ふみうす / 물레~ 水車 / ⇨ 방앗간

방아-쇠〈名〉(鉄砲の)引き金. 句例 ~를 당기다 引き金をひく.

방안【方案】〈名〉方案. もくろみ. 句例 공격에 관한 대체적인 ~을 세우다 攻撃に関する大体の方案を立てる.

방-안【房—】〈名〉部屋のなか. 室内. 句例 ~이 후덥지근하다 部屋がむんむんする. 對방밖.

⁑**방앗-간**【—間】〈名〉❶精米所. ❷製粉所.

방앗-공이〈名〉きね(杵).

방어【防禦】〈名・하他〉防御. 句例 공격은 최대의 ~ 攻撃は最大の防御 / ~태세를 취하다

ㅂ

防御のかまえをとる. 語例 ~망 防御網 / ~선 防御線 / ~율 防御率 / ~ 진지 防御陣地.

방어【魴魚】〈名〉〔魚〕ぶり(鰤).

방언【方言】〈名〉方言. なまりことば. =사투리. 對표준어.

방역【防疫】〈名・하他〉防疫. 句例 ~에 만전을 기하다 防疫に万全を期する.

방열【放熱】[pa:ngnyŏl]〈名・하自〉放熱. 語例 ~기 放熱器. ラジエーター. ヒーター.

방영【放映】[pa:ng-yŏng]〈名・하自他〉放映. 句例 명화를 ~하다 名画を放映する.

⁑**방울** [一]〈名〉❶鈴. 鈴. ベル. 句例 ~을 울리다 鈴を鳴らす. ❷水や露の玉. 滴. 句例 처마밑에서 빗 ~이 떨어지다 軒下から雨の滴が落ちる. 語例 ~뱀 からがら蛇.
[二]〈依名〉滴を数える語: 滴・. 句例 눈물 한 ~ 一滴・の涙.

***방울-방울**〈副〉水・液体などが次次としたたるさま. または露などが木の葉に点点と結ばれているさま: 粒粒と. 文例 이슬이 나뭇잎에 ~ 맺혀 있다 露が木の葉に点点と結ばれている.

방위【方位】〈名〉方位. 方角. 句例 ~를 조사하다 方角を調べる / ~를 보다 方角を見る / ~가 나쁘다 方角が悪い. 語例 ~각 方位角 / ~판 方位標.

***방위**【防衛】〈名・하他〉防衛. 句例 국토를 ~하다 国土を防衛する. 語例 ⇨방위 산업 / ~선 防衛線 / 정당 ~ 正当防衛.

방위 산업【防衛産業】[―sa:nŏp]〈名〉防衛産業. 略して'방산(防産)'ともいう.

방음【防音】〈名・하自〉防音. 語例 ~실 防音室 / ~ 장치 防音装置 / ~벽 防音壁.

방임【放任】[pa:ng-im]〈名・하他〉放任. 語例 자유 ~ 自由放任.

방자-스럽다【放恣―】[pa:ngja―] (→스럽다)〈形〉⇨방자하다

방자-하다【放恣―】[pa:ngja―] (→하다)〈形〉放恣だ. 横柄だ. 気ままだ. ほしいままだ. 句例 생활이 방자해지다 生活が放恣に流れる / 방자한 녀석 横柄なやつ(奴).

방재【防災】〈名・하自他〉防災. 語例 ~ 설비 防災設備 / ~ 훈련 防災訓練.

방적【紡績】〈名・하自〉紡績. 語例 ~ 공장 紡績工場 / ~ 공업 紡績工業 / ~ 기계 紡績機械 / ~사 紡績糸 / ~ 회사 紡績会社.

방전【放電】[pa:ngjŏn]〈名・하自〉〔物〕放電. 語例 공중 ~ 空中放電 / ~관 放電管.

방정〈名〉そそっかしく軽はずみな言行. 語例 ~꾸러기. ~꾼 軽率者. おっちょこちょい.

방정(을) 떨다 そそっかしく軽はずみに振る舞う.

방정맞다 軽率だ. そそっかしい. 落ち着きがない.

***방정-식**【方程式】〈名〉〔數〕方程式. 句例 ~을 풀다 方程式を解く. 語例 화학 ~ 化学方程式.

방정-하다【方正―】(→하다)〈形〉方正だ. 句例 품행이 ~ 品行方正だ.

방제【防除】〈名・하他〉防除. 句例 병충해를 ~하다 病虫害を防除する.

방제【方劑】〈名・하自〉調剤.

방조-제【防潮堤】〈名〉防潮堤.

방종【放縱】[pa:ngjong]〈名〉放縦. 放恣. **~하다**〈形〉放縦だ. 自堕落だ. 放恣だ. ふしだらだ. 句例 ~한 생활 放縦な生活.

방주【方舟】〈名〉❶箱船. ❷〔基〕ノアの箱船.

방죽【防―】〈名〉[もとの語形は'방축(防築)'] 土手. 堤防. 堤.

방증【傍證】〈名・하他〉〔法〕傍証. 句例 범죄의 ~을 굳히다 犯罪の傍証を固める.

방지【防止】〈名・하他〉防止. 句例 교통 사고의 ~ 交通事故の防止. 語例 공해 ~ 公害防止.

방직【紡織】〈名・하他〉紡織. 語例 ~공 紡織工 / ~ 공업 紡織工業 / ~ 기계 紡織機械 / ~업 紡織業.

방진【防塵】〈名〉防塵. 語例 ~ 마스크 防塵マスク / ~ 장치 防塵装置.

방짜 [pa:ngtcha]〈名〉質のよい真鍮を精錬してつくった器.

방책【方策】〈名〉方策. 方略. 策. 句例 ~을 세우다 方策を立てる / ~을 강구하다 方策〔方略〕を講じる.

방책【防柵】〈名〉防備するための柵. 防柵.

방첩【防諜】〈名〉防諜. 句例 ~에 만전을 기하다 防諜に万全を期する.

방청【傍聽】〈名・하他〉傍聴. 句例 국회를 ~하다 国会を傍聴する. 語例 ~객 傍聴客 / ~권 傍聴券 / ~석 傍聴席.

방촌【方寸】〈名〉❶一寸四方の広さ. ❷胸底. 心.

방축【防縮】〈名・하他〉防縮. 語例 ~ 가공 防縮加工.

방출【放出】[pa:ngch'ul]〈名・하他〉放出. 句例 정부 보유미의 ~ 政府保有米の放出 / 에너지의 ~ エネルギーの放出.

방충【防蟲】〈名・하他〉防虫. 語例 ~제 防虫剤.

방취【防臭】〈名・하他〉防臭. 語例 ~ 가공 防臭加工 / ~제 防臭剤.

방치【放置】[pa:ngch'i]〈名〉放置. **~하다**〈他〉放置する. 見捨てる. 捨て置く. ほったらかす. 句例 환자를 ~하다 病人を放置する / 하던 일을 ~하다 していた仕事をほったらかす.

방침【方針】〈名〉方針. 句例 ~에 따르다 方針に従う / 시정 ~을 듣다 施政方針を聴く / ~을 세우다 方針を立てる / ~을 취하다 方針を取る. 語例 기정 ~ 既定方針.

방탄【防彈】〈名・하自〉防弾. 弾よけ. 語例 ~ 유리 防弾ガラス / ~ 조끼 防弾チョッキ.

방탕【放蕩】[pa:ngt'ang]〈名・하形〉放蕩. 遊蕩. 道楽. 句例 ~한 생활로 세월을 보내다 遊蕩にうつつを抜かす / ~으로 신세를 망치다 放蕩で身を持ちくずす.

방파-제【防波堤】〈名〉防波堤. 句例 ~를 구축하다 防波堤を築く.

방패【防牌】〈名〉盾. 句例 ~로 화살을 막다 盾で矢を防ぐ.

방패-막이【防牌―】[―magi]〈名・하他〉盾に取ること. 隠れみの. 句例 ~ 삼다 隠れみのにする. 盾に取る.

방편【方便】〈名〉方便. 一時の手段. 手立て. [文例] 해결의 ~이 없다 解決の手立てがない / 거짓말도 하나의 ~이지 うそをつくのも一つの方便だ.
방풍【防風】〈名・하自〉防風. [語例] ~림 防風林 / ~ 유리 防風ガラス.
***방학**【放學】〈名・하自〉学校の休み. [語例] 겨울 ~ 冬休み / 여름 ~ 夏休み.
방한【防寒】〈名〉防寒. [句例] ~ 준비를 하다 防寒の用意をする. [語例] ~구 防寒具 / ~모 防寒帽 / ~복 防寒服.
***방해**【妨害】〈名〉妨害. 邪魔. 妨げ. **~하다**〈他〉妨害する. 邪魔する. 妨げる. [句例] ~가 생기다 邪魔が入る / 진행을 ~하다 進行を妨げる. [文例] 쓸데 없이 ~말아라 いらぬ邪魔立てはよせよ. [語例] ~물 邪魔物 / 안면 ~ 安眠妨害.
방해(를) 놓다 妨げる. 妨害する.
***방향**【方向】〈名〉方向. 向き. ＝방위(方位). [句例] 바람 부는 ~ 風向き / ~을 바꾸다 向きを変える. [語例] ~ 전환 方向転換 / ~ 지시기 方向指示器 / ~타 方向舵.
방향【芳香】〈名〉芳香. [句例] ~을 (내)뿜다 芳香を放つ. [語例] ~제 芳香剤.
방호【防護】〈名・하他〉防護. [句例] 몸을 ~하다 からだを防護する. [語例] ~벽 防護壁.
방화【防火】〈名・하自〉防火. [語例] ~벽 防火壁 / ~사 防火砂 / ~ 용수 防火用水.
방화【邦畫】〈名〉邦画. ㊍외화(外畫).
방화【放火】[paːnghwa]〈名〉放火. 火付け. 付け火. **~하다**〈自〉放火する. 火を放つ. [語例] ~범 放火犯.
방황【彷徨】〈名〉彷徨. **~하다**〈自〉彷徨する. うろつく. さ迷う. [句例] 거리를 ~하다 街を彷徨する / 빗속을 ~하다 雨のなかをさ迷う / 좌절과 ~을 그린 장편 소설 挫折と彷徨を描いた長編小説.
⁑**밭**〈名〉❶畑. [句例] ~을 갈다 畑を耕す. [語例] 논~ 田畑 / 배추~ 白菜畑. ❷自生地. [語例] 솔~ 松原 / 풀~ 草原. ❸物がたくさんある所. [語例] 모래~ 砂原 / 자갈~ 砂利場. ❹(将棋などの)こま(駒)の置き場.
[参考] '밭이 畑が' '밭에 畑に'は[pach'i], [pat'e]と読む.
밭-갈이 [—kari]〈名・하自〉畑を耕すこと.
밭-걷이 [—kŏji]〈名・하自〉畑物の取り入れ.
밭-고랑〈名〉畝間. 畝合い. 略して'밭골'ともいう.
밭-고르기〈名・하自〉畑を平らにならすこと.
밭-곡식【—穀—】〈名〉畑で出る穀物. 略して'밭곡'ともいう.
***밭-농사**【—農事】[pannongsa]〈名・하自〉畑作.
밭다[1]〈自〉煮詰まる.
밭다[2]〈他〉濾過する. こ(漉)す. ＝거르다. [句例] 간장을 ~ しょうゆをこす.
밭다[3]〈形〉❶物惜しみをする. [句例] 재물에 밭은 사람 物惜しみをする人. ❷せっぱつまる. 切迫する. [句例] 날짜가 ~ 日にちが差し迫っている.
밭-도랑〈名〉畑の周りの溝.
밭-두둑〈名〉畑の畝.
밭-둑〈名〉畑の周りの堤.
밭-뙈기〈名〉わずかな畑を見下げていう語. ほんのちょっとだけの畑.
밭-머리 [panmŏri]〈名〉畑の畝の両端.
밭-벼〈名〉陸稲. おかぼ.
밭은-기침 [pat'ŭn—]〈名〉軽い空咳.
밭이다 [pach'ida]〈自〉'밭다[2]'の受け身: こ(漉)される.
밭-이랑 [pannirang]〈名〉畑の畝.
밭-일 [pannil]〈名・하自〉畑仕事. 野良仕事.
밭장-다리〈名〉外わにの人. ㊍안짱다리.
⁑**배**[1] ㊀〈名〉腹. ❶おなか. ＝복부(腹部). [句例] ~를 채우다 腹を満たす / ~가 나오다 腹が出る / ~가 불룩해지다 腹が膨らむ. [語例] ~앓이 腹痛・はらいた / 아랫~ 下腹. ❷物の中央部のふくらんだ所. [句例] ~가 불룩한 항아리 腹のふくらんだつぼ(壺). ❸母体の子が宿る所. [句例] ⇨ 배다르다. ❹心. 心底. [句例] 배를 앓다(→小項目)
㊁〈依名〉(動物が)子を産んだ回数: 回. [句例] 일년에 두 ~를 낳다 年二回産む.
배(가) 고프다 腹がへる. 腹がすく. ひもじい. ひだるい. [句例] 배가 몹시 고프다 おなかがぺこぺこだ.
배(를) 곯다 腹をすかす. 飢える. [文例] 배곯아 죽다 飢え死にする.
배(를) 내밀다 腹を出す. 高慢な態度を取りながら要求に応じない.
배(를) 따다 魚などの腹を裂く.
배(가) 맞다 ❶不倫な関係を結ぶ. ❷腹を合わせる. ぐるになる. 共謀する. [句例] 배가 맞아서 한 일 ぐるになってやった仕業.
배보다 배꼽이 크다 腹よりもへそが大きい. 主な物よりもそれに従属した物が大きい. 本末転倒.
배(가) 부르다 腹が膨らんでいる. ❶腹いっぱいだ. ❷満ち足りている.
배부른 흥정 あせらず高飛車な態度で取り引きをする.
배(를) 불리다 ❶腹いっぱい食べさせる. ❷腹を肥やす. 欲を満足させる.
배(가) 아프다 腹が痛む. 転じて, ねたましい.
배(를) 앓다 腹痛を起こす. 転じて, ねたむ. そねむ.
배에 기름이 오르다 腹に油が乗る. ❶暮らし向きが豊かになる. ❷居丈高になる.
배(를) 퉁기다 おごりたかぶって強情を張る. ごうまんに振る舞う.
⁑**배**[2]〈名〉船・舟. ＝선박. [句例] ~를 타다 船に乗る / ~를 젓다 舟をこ(漕)ぐ / ~를 띄우다 船を浮かべる / ~가 빠르다 船足が早い.
⁑**배**[3]〈名〉なし(梨).
배 주고 속 빌어 먹는다 なしを与えて芯をこ(乞)う. 多くの利益は他人に与えて, 自分はその中からわずかな利益だけを得るとの意.
배【胚】〈名〉〔生〕胚.
⁑**배**【倍】[paeː]〈名〉倍. ❶二倍. ❷⇨ 곱절

배　〔漢字項目〕

【倍】高校 배 バイ. 곱하다 数倍に増ます. ■倍加 배가 ばいか. 倍數 배수 ばいすう.

【培】高校 배 バイ. 초목의 뿌리를 흙으로 싸서 가꾸다 つちかう. ■培養 배양 ばいよう. ■栽培 재배 さいばい.

【拜(拝)】中學 배 ハイ. 절하다 おじぎする. ■拜謁 배알 はいえつ. ■禮拜 예배 れいはい.

【杯】中學 배 ハイ. 잔. 술잔 さかずき. ■杯酒 배주 はいしゅ. ■祝杯 축배 しゅくはい.

【排】高校 배 ハイ. ❶물리치다 しりぞける. ■排擊 배격 はいげき. 排斥 배척 はいせき. ❷늘어서다 ならぶ. ■排列 배열 はいれつ. ■按排 안배 あんばい.

【背】高校 배 ハイ. ❶등 せ. せなか. ■背甲 배갑 はいこう. ■腹背 복배 ふくはい. ❷뒤 うしろ. ■背後 배후 はいご. 背景 배경 はいけい. ■光背 광배 こうはい. ❸등지다 そむく. ■背反 배반 はいはん. ■違背 위배 いはい.

【輩】高校 배 ハイ. ❶무리. 동아리 仲間. ■同輩 동배 どうはい. ❷수레의 행렬 車の行列. ■輩出 배출 はいしゅつ.

【配】高校 배 ハイ. ❶짝짓다 組みあわせる. ■配合 배합 はいごう. ❷부부 ふうふ. ■配偶 배우 はいぐう. ■交配 교배 こうはい. ❸나누다 くばる. ■配當 배당 はいとう. ■分配 분배 ぶんぱい. ❹귀양 보내다 島ながしにする. ■配所 배소 はいしょ.

배가【倍加】[pae:ga]〈名・하自他〉倍加. 句例 부담이 ~되다 負担が倍加する.

배갈〈名〉コーリャン酒. ＝빼주. 고량주(高粱酒).

배겨-나다〈自〉耐える. 文例 몸이 배겨나지 못한다 からだが持てない.

배겨-내다〈他〉耐え忍ぶ. 耐え抜く. 句例 곤란을 ~ 困難を耐え抜く / 더 이상 배겨낼 수 없는 기분 これ以上耐え難い気持ち. いたたまれない気持ち.

배격【排擊】〈名・하他〉排擊. 句例 단호히 제안을 ~하다 断固として提案を排擊する.

***배경**【背景】[paegyŏng]〈名〉背景. バック. 句例 판화의 ~ 版画の背景 / 사건의 ~ 事件の背景 / ~을 알아보다 背景をさぐる / 정치적인 ~ 政治的な背景. 文例 산을 ~으로 하여 사진을 찍었다 山を背景にして写真をとった. 語例 ~ 음악 背景音楽.

⁑**배-고프다** (배고프니, 배고파서) ⇨ '배¹'の小項目

배-곯다 [—golt'a] ⇨ '배¹'の小項目

배관【配管】[pae:gwan]〈名・하自他〉配管. 句例 수도관을 ~하다 水道管を配管する / 상수도의 ~ 공사 上水道の配管工事.

***배구**【排球】〈名〉バレーボール. 排球.

***배급**【配給】[pae:gŭp]〈名・하他〉配給. 句例 급식 아동에게 우유를 ~하다 給食児童にミルクを配給する 語例 ~소 配給所 / ~제 配給制 / ~품 配給品.

배기【排氣】〈名・하自他〉排気. 語例 ~관 排気管 / ~량 排気量.

-배기〈尾〉❶'年とっている' '…歳の子'の意いを表わす語. 語例 나이~ 見かけより年をとった人 / 세살~ 三つ(の子). ❷'中身のある' '中にいっぱいある'の意. 語例 알~ 생선 卵もちの魚. ❸特定の物や場所を表わす語. 語例 공짜~ ただ(の物) / 귀퉁~ 隅(っこ).

배기 가스【排氣gas】〈名〉排気ガス. 排気. 排ガス《略語》. 句例 자동차의 ~ 自動車の排気ガス.

배기다¹〈自〉(床などの固さが)身にこたえる. 句例 궁둥이가 ~ 尻にこたえる. 文例 배겨서 못 자겠다 床が固くて眠れない.

배기다²〈自他〉耐え忍ぶ. こらえる. 句例 배기기 힘든 고통 耐え難い苦痛.

⁑**배-꼽**〈名〉❶〔生〕へそ(臍). ❷〔植〕へた(蔕).

배꼽(을) 빼다 (へそを抜くの意で非常におかしいことを俗っぽく表わして)へそで茶を沸かす. 腹の皮がよじれる.

배꼽(이) 웃다 笑止千万である. ちゃんちゃらおかしい.

배꼽(을) 쥐다 腹をかかえて大笑いする.

배-나무〈名〉〔植〕なし(梨)の木.

***배낭**【背囊】[pae:nang]〈名〉背囊. リュックサック.

배내- [pae:nae]〈頭〉生来の. 語例 ~옷 産着.

배-내밀다 (배내미니, 배내밀어서) ⇨ '배¹'の小項目

배냇-짓 [pae:naet—]〈名・하自〉赤ん坊が眠りながら笑ったり顔をしかめたりすること.

배다¹ [pae:da]〈自〉❶しみこむ. 浸る. にじむ. 染みる. 句例 땀이 ~ 汗ばむ / 피가 배어나오다 血がにじみ出る. ❷身につく. 慣れる. なじむ. 句例 습관이 몸에 ~ 習慣が身につく.

배다² [pae:da]〈他〉はらむ. みごもる. 宿す. 句例 아이를 ~ 子をはらむ.

배다³〈形〉きめが細かい. 密だ. 句例 그물 눈이 ~ 網の目が細かい.

배-다르다 (배다르니, 배달라서)〈形〉腹違いである. 腹が違う. 句例 배다른 형제 腹違いの兄弟.

배-다리〈名〉❶舟橋. ＝주교(舟橋). ❷浮き橋. ＝부교(浮橋).

배달【配達】[pae:dal]〈名・하他〉配達. 語例 신문 ~ 新聞配達 / ~원(員) 配達人 / 우편 ~ 郵便配達.

배달 민족【倍達民族】[pae:dal—]〈名〉韓民族の別称. ＝배달 겨레. 参考 '배달'は '배달 나라'の略. 上古時代の韓国の呼び名.

배당【配當】[pae:dang]〈名〉配当. **~하다**〈他〉配当する. 割り当てる. 割り振る. 句例 이익을 ~하다 利益を配当する / 머릿수대로 ~하다 頭割りに配る. 語例 ~금 配当金

배-돌다 (배도니, 배돌아서)〈自〉仲間外れになる. 一匹おおかみになる. 表現 語感の大きい語は'베돌다'.

배-두렁이〈名〉腹当て. 腹掛け. 腹巻き. 句例 아이에게 ~를 두르다〔입히다〕子供に腹

当てを着ける.

배드민턴〈名〉バドミントン[絵] ◇badminton

〈배드민턴〉

배-때기〈名〉'배 腹'の俗っぽい言いかた: どてっ腹.

배럴〈依名〉体積の単位: バレル. ◇barrel

배려【配慮】[pae:ryŏ]〈名〉配慮. 心遣い. 気配り. 取り計らい. **~하다**〈自他〉配慮する. 気を配る. 取り計らう. [句例] 이것저것 ~해 주다 あれこれと気を配ってくれる / 세심한 ~ 細かい心遣い / 특별히 ~하다 特別に取り計らう. [文例] ~해 주셔서 감사합니다 御配慮に預かってありがとうございます.

배면【背面】[pae:myŏn]〈名〉背面. =등 쪽. (對) 복면(腹面).

배-밀이 [—miri]〈名・하自他〉❶(赤ん坊の)腹ばい. [句例] 애기가 ~를 하다 赤ん坊が腹ばいで進む. ❷相手を腹で押し出しながら倒す相撲の技.

배반【背反・背叛】[pae:ban]〈名〉裏切り. 背反. 返り忠. **~하다**〈他〉裏切る. 背反する. 背く. 背を向ける. [句例] 친구에게 ~당하다 友から裏切られる. [語例] ~자 裏切り者 / 이율 ~ 二律背反.

배변【排便】〈名・하自〉排便.

배본【配本】[pae:bon]〈名・하他〉配本.

배부【配付】[pae:bu]〈名・하他〉配付. [句例] 신청서를 ~하다 申し込み書を配付する.

****배-부르다** (배부르니, 배불러서) ⇨'배[1]'の小項目

배분【配分】[pae:bun]〈名〉配分. **~하다**〈他〉配分する. 振り分ける. [句例] 이익을 ~하다 利益を配分する. [語例] 비례 ~ 比例配分.

배-불뚝이 [—bulttugi]〈名〉太鼓腹の人.

배-불리〈副〉腹いっぱいに. たらふく. [句例] ~ 먹다 腹いっぱいに〔たらふく〕食べる.

배-불리다 ⇨'배[1]'の小項目

배상【賠償】〈名・하他〉賠償. [句例] 피해자에게 ~하다 被害者に賠償する. [語例] ~금 賠償金 / ~액 賠償額 / 손해 ~ 損害賠償.

배색【配色】[pae:saek]〈名・하自他〉配色. [句例] ~이 잘 된 복장 配色のいい服装.

배서【背書】[pae:sŏ]〈名・하自〉裏書き. [句例] 수표에 ~하다 小切手に裏書きをする.

배석【陪席】[pae:sŏk]〈名・하他〉陪席. [句例] 회장과 ~하다 会長と陪席する.

배선【配線】[pae:sŏn]〈名・하他〉配線. [句例] 전선을 ~하다 電線を配線する. [語例] ~ 공사 配線工事 / ~도 配線図.

배설【排泄】〈名・하他〉排泄. 排出. [句例] 몸밖으로 ~하다 体外に排泄する. [語例] ~물 排泄物.

배속【配屬】[pae:sok]〈名・하他〉配属. [句例] ~을 정하다 配属を決める. [語例] ~되다 配属される.

배송【配送】[pae:song]〈名・하他〉配送.

배수【拜受】[pae:su]〈名・하他〉拝受. [句例] 주문을 ~하다 注文を拝受する.

배수【配水】[pae:su]〈名・하自〉配水. [語例] ~관 配水管 / ~지 配水池 / ~탑 配水塔.

***배수**【倍數】[pae:su]〈名〉〔數〕倍数. [語例] ~체〔生〕倍数体.

배수【排水】〈名・하自〉排水. 水はけ. [句例] ~가 잘 안 되는 땅 水はけの悪い土地. [語例] ~관 排水管 / ~구 排水口 / ~로 排水路 / ~펌프 排水ポンプ.

***배수-진**【背水陣】[pae:su—]〈名〉背水の陣. [句例] ~을 치다 背水の陣を敷く.

배신【背信】[pae:shin]〈名〉裏切り. 背信. **~하다**〈自〉裏切る. 背信する. [語例] ~자 背信者. 裏切り者 / ~ 행위 背信〔裏切り〕行為.

배심【陪審】[pae:shim]〈名・하自〉陪審. [語例] ~원(員) 陪審員 / ~ 제도 陪審制度.

배아【胚芽】〈名〉〔植〕胚芽. =배(胚). [語例] ~미 胚芽米.

배알〈名〉❶'창자 はらわた'の俗っぽい言いかた. [句例] 생선의 ~을 발라내다 魚のはらわたを抜き取る. ❷'마음 心' '마음속 内心'の俗っぽい言いかた. 略して'밸'ともいう.

배알이 꼴리다 腹の虫がおさまらない.

배알이 뒤집히다 はらわたが煮え返る.

배알【拜謁】[pae:al]〈名〉お目通り. 拝謁. **~하다**〈他〉まみえる. 拝謁する. [文例] 왕께서는 ~을 허락하셨다 王におかれては拝謁を許された.

배-앓다 [—alt'a] ⇨'배[1]'の小項目

배-앓이 [—ari]〈名〉腹痛・.

배액【倍額】[pae:aek]〈名〉倍額. [文例] ~을 치르고 구했다 倍額を払って買い求めた.

배양【培養】[pae:yang]〈名・하他〉培養. [句例] 박테리아를 ~하다 バクテリアを培養する. [語例] ~ 검사 培養検査 / ~토 培養土.

배역【配役】[pae:yŏk]〈名・하他〉配役. 役. キャスト. [句例] ~을 정하다 配役を決める.

***배열**【配列・排列】[pae:yŏl]〈名〉配列. アレンジ. **~하다**〈他〉配する. 配列する. [句例] 연도별로 ~하다 年度別に配列する / ~을 바꾸다 配列を換える / 단어를 알파벳순(順)으로 ~하다 単語をアルファベット順に配列する.

배영【背泳】[pae:yŏng]〈名〉背泳ぎ. 背泳.

배우【俳優】〈名〉❶俳優. 役者. [句例] ~의 연기 俳優の演技. [語例] 영화 ~ 映画俳優. ❷⇨광대

배우는-이 [paeunŭni]〈名〉学ぶ人. ❶学生. ❷〔佛〕学人. 仏道を修行する人.

****배우다**〈他〉習う. 学ぶ. 教わる. [句例] 영어를 ~ 英語を学ぶ / 피아노를 ~ ピアノを習う / 선생님에게 ~ 先生に学ぶ〔習う〕.

배우-자【配偶者】[pae:u—]〈名〉配偶者. つれあい.

배움-터〈名〉学びの場. 学校.

배웅〈名〉見送り. **~하다**〈他〉見送る. [句例] 선생님을 공항까지 ~하다 先生を空港まで見送る.

배율【倍率】[pae:yul]〈名〉倍率. [句例] ~이 높은 현미경 倍率の高い顕微鏡.

배은-망덕【背恩忘德】[pae:ŭn—]〈名・하自〉恩知らず. [句例] ~도 유분수다 恩知らずにも程がある.

배전【倍前】[pae:jŏn]〈名〉倍前. 倍旧. [文例] ~의 성원을 부탁합니다 倍前のお引き立てを願います.

배전【配電】[pae:jŏn]〈名・하他〉配電. 語例 ~반 配電盤 / ~선 配電線 / ~소 配電所.

배점【配點】[pae:tchŏm]〈名・하自〉配点. 文例 이 문제의 ~은 30점입니다 この問題の配点は三十点です.

배정【配定】[pae:jŏng]〈名・하他〉割り当てること. 割り当てを決めること. 句例 학습 시간을 ~하다 学習時間を割り当てる. 語例 우선 ~ 優先的割り当て.

배-젖【胚一】〈名〉〔植〕胚乳.

배제【排除】〈名〉排除. **~하다**〈他〉排除する. 取り除く. 句例 폭력을 ~하다 暴力を排除する. 語例 ~되다 排除される.

배증【倍增】[pae:jŭng]〈名・하自他〉倍増. 句例 소득을 ~시키다 所得を倍増させる.

배지〈名〉バッジ. 印し. =휘장(徽章). 句例 회원 ~를 달다 会員のバッジをつける. ◇badge

배-지기〈名〉(相撲で)腰投げ.

배-지느러미〈名〉〔魚〕腹びれ.

배-질〈名・하自〉❶船を漕ぐこと. ❷こくりこくり居眠りすることを嘲る語.

배-짱〈名〉❶腹の中. 胸中. 心積もり. 句例 검은 ~ 黒い腹. 文例 빚을 안 갚을 ~이군 借金を踏み倒すつもりだね. ❷肝っ玉. 度胸. 心臓. 太っ腹. 句例 ~이 없는 사나이 心臓の弱い男 / ~이 세다 腹が太(強)い / ~이 없다 腰弱だ. 腹がない.

 배짱(을) 내밀다 図太く振る舞う.
 배짱(이) 맞다 気が合う.
 배짱(을) 부리다 横着にふるまう. 図太く振る舞う.
 배짱(이) 좋다 度胸がいい.
 배짱(을) 퉁기다 高慢に振る舞う. つっぱねる.
 배짱(을) 튀기다 高飛車に出る.

배차【配車】[pae:ch'a]〈名・하自〉配車. 語例 ~계 配車係.

배척【排斥】〈名〉排斥. つまはじ(爪弾)き. **~하다**〈他〉排斥する. 退ける. 句例 ~ 운동이 치열하다 排斥運動が激しい / 악덕 업자를 ~하다 悪徳業者を排斥する.

**배추 [pae:ch'u]〈名〉〔植〕白菜. 句例 시든 ~ 萎びた白菜. 語例 ~꼬랑이 白菜の根.

*__배추-김치__ [pae:ch'u—]〈名〉白菜のキムチ.

배출【排出】〈名・하他〉排出. 句例 오수를 ~하다 汚水を排出する. 語例 ~구 排出口. はけ場.

배출【輩出】[pae:ch'ul]〈名・하自他〉輩出. 句例 인재의 ~ 人材の輩出 / 작가가 ~되다 作家が輩出する.

배치【背馳】[pae:ch'i]〈名・하自〉背馳. 句例 이론에 ~되다 理論に背馳する.

*__배치__【配置】[pae:ch'i]〈名〉配置. **~하다**〈他〉配置する. 配する. 句例 책상의 ~ 机の配置 / 감시원을 ~하다 監視員を配置する. 語例 ~도 配置図 / 기압 ~ 気圧配置.

배타【排他】〈名・하自〉排他. 語例 ~심 排他心 / ~적 경향 排他的傾向.

**배탈【-頉】〈名〉腹痛・ふくつう.

 배탈(이) 나다 腹をこわす. 腹痛を起こす.

배터〈名〉バッター. =타자(打者). 語例 ~박스 バッターボックス. ◇batter

배터리〈名〉バッテリー. ❶〔物〕蓄電池. 電池. =바테리. ❷〔野〕投手と捕手. ◇battery

*__배턴__〈名〉バトン. 語例 ~ 터치 バトンタッチ. ◇baton

表現 新しい人に引き渡す地位や仕事は'바통'と表わす. '바통을 넘기다 バトンを渡す'.

배-퉁기다 ⇨'배[1]'の小項目

배트〈名〉バット. 句例 ~를 휘두르다 バットを振り回す. ◇bat

배팅〈名〉〔野〕バッティング. =타격(打擊). 語例 ~ 오더 バッティングオーダー. ◇batting

*__배-편__【一便】〈名〉 船便・せんびん. =선편(船便). 句例 ~으로 보내다 船便で送る.

배포【配布】[pae:p'o]〈名・하他〉配布. 句例 선언문을 ~하다 宣言文を配布する. 語例 ~되다 配布される.

배포【排布・排鋪】〈名〉肝っ玉. 度胸.

 배포(가) 유하다 図太くてゆったりしている.
 배포(가) 크다 太っ腹だ.

배-표【一票】〈名〉船の切符. =선표.

배필【配匹】[pae:p'il]〈名〉配偶. 句例 좋은 ~을 만나다 好配にめぐり合う.

배합【配合】[pae:hap]〈名〉配合. とり合わせ. **~하다**〈他〉配合する. とり合わせる. 句例 여러 가지 약을 ~하다 いろいろな薬を配合する. 語例 ~ 비료 配合肥料.

배회【徘徊】〈名〉徘徊. **~하다**〈自〉徘徊する. うろつく. ぶらつく. 句例 거리를 ~하다 街を徘徊する.

배후【背後】[pae:hu]〈名〉背後. 後ろ. 句例 ~에서 기습하다 背後から奇襲する / 사건의 ~ 事件の背後 / ~ 관계를 조사하다 背後関係を洗う.

백【白】〈名〉白. ❶'백색(白色)'の略. 句例 ~과 흑의 조화 白と黒の調和. 對흑(黑). ❷'백지'の略. 句例 ~을 잡다 白をとる. 白でうつ. 對흑. ❸'백군(白軍)'の略. 對청(青). 홍(紅).

백[1]〈名〉バック. 語例 ⇨백넘버 / ⇨백미러. ◇back

백[2]〈名〉バッグ. 語例 숄더 ~ ショルダーバッグ / 핸드 ~ ハンドバッグ. ◇bag

**백【百】〈數・冠〉百. もも(百)《雅》. 句例 ~ 가지 약초 ももぐさ(百種)の薬草 / ~ 와트의 전구 百ワットの電球.

백 〔漢字項目〕

【伯】 高校 백 ハク. ❶맏. 맏형 兄弟のなかの年長者. ▮伯仲 백중 はくちゅう. 伯叔 백숙 はくしゅく. ❷큰아버지 또는 큰아버지의 아내 父の兄またはその妻. ▮伯父 백부 はくふ. 伯母 백모 はくぼ. ❸오등작의 셋째 五等爵の第三位. ▮伯爵 백작 はくしゃく.

【柏】 高校 백 ハク. 측백나무 このてがしわ. ▮扁柏 편백 へんぱく.

【白】 中學 백 ハク. ビャク. ❶흰빛 自色. 희다 白い. ▮白衣 백의 はくい. ▮黒白 흑백 こくびゃく. 純白 순백 じゅんぱく. ❷없다 ない. ▮白紙 백지 はくし. ▮空白 공백 く

うはく. ❸희어지다 白くなる. 희게 하다 白くする. ■精白 정백 せいはく. 漂白 표백 ひょうはく. ❹밝다 明らかだ. ■明白 명백 めいはく ❺날이 밝다 明ける. ■白日 백일 はくじつ. 白晝 백주 はくちゅう. ❻깨끗하다 汚れがない. ■潔白 결백 けっぱく. 清白 청백 せいはく. ❼흘겨보다 横目でみる. ■白眼 백안 はくがん. ❽사뢰다 申す. ■建白 건백 けんぱく. 告白 고백 こくはく.

【百】 [中學] 백 ヒャク. ❶일백. 열의 열 배 10の10倍. ■百年 백년 ひゃくねん. ■數百 수백 すうひゃく. ❷모든 것 あらゆるもの. 多くのもの. ■百科 백과 ひゃっか. 百花 백화 ひゃっか. ■凡百 범백 ぼんぴゃく.

백골【白骨】〈名〉❶白骨. [句例] ～이 되다 白骨と化す. ❷白木造り.

백골-난망【白骨難忘】[paekkollanmang]〈名〉死んで白骨と化しても恩は忘れ難いとの意.

*****백-곰**【白―】〈名〉白くま. ＝흰곰.

백과 사전【百科辭典】[―sa:jŏn]〈名〉百科辞典. エンサイクロペディア.

백구【白鷗】〈名〉⇨ 갈매기

백구【白球】〈名〉白球.

백구의 향연 白球の饗宴. 野球試合やゴルフ競技のにぎ(賑)わうことのたとえ.

백군【白軍】〈名〉白軍. 白組. 略して'백(白)'ともいう. ㊊청군(青軍). 홍군(紅軍).

백금【白金】〈名〉〔化〕白金. プラチナ. [語例] ～반지 白金の指輪.

백기【白旗】〈名〉白旗・しら・しろはた.

백기를 들다 白旗を掲げる. 降伏する. 屈伏する.

백-날【百―】[paengnal]〈名〉❶子供が産まれて百日目の日. ＝백일(百日). ❷多くの日.

백-내장【白内障】[paengnaejang]〈名〉〔醫〕白内障. しろそこひ.

백-넘버 [paengnŏmbŏ]〈名〉バックナンバー. ＝배번(背番). ◇일 back number

백-네트 [paengnet'ŭ]〈名〉〔野〕バックネット. ◇일 back net

백년【百年】[paengnyŏn]〈名〉百年. ❶百の年. [句例] 건국 후 ～째 建国後百年目. ❷多くの年月・ねんげつ. ❸一生. [語例] ～가약(佳約) 夫婦の一生の契り.

백년지-계【百年之計】[paengnyŏnji―]〈名〉百年の計.

백년-하청【百年河清】[paengnyŏn―]〈名〉百年河清. いくら待っても無駄だと言うこと.

백년-해로【百年偕老】[paengnyŏn―]〈名・하自〉百年偕老. 共白髪. 夫婦むつまじく共に老いること.

*****백로**【白鷺】[paengno]〈名〉〔鳥〕しらさぎ.

백마【白馬】[paengma]〈名〉白馬・はくば.

*****백만**【百萬】[paengman]〈數・冠〉百万. [句例] 인구 ～의 도시 人口百万の都市. [語例] ～장자 百万長者 / ～ 대군 百万の大軍.

백모【伯母】[paengmo]〈名〉伯母・おば. 父の兄嫁. ＝큰어머니.

백묵【白墨】[paengmuk]〈名〉白墨. チョーク. ＝분필(粉筆).

백문【百聞】[paengmun]〈名〉百聞.

백문이 불여일견(不如一見) 百聞は一見に如かず.

백미【白米】[paengmi]〈名〉白米.

백미【白眉】[paengmi]〈名〉白眉. [句例] 현대 회화의 ～ 現代絵画の白眉.

백-미러 [paeng―]〈名〉バックミラー. ◇일 back mirror

백반【白飯】〈名〉❶白飯・はくはん. ❷飯屋でごはんに汁・おかずを添えて出す定食.

*****백반**【白礬】〈名〉〔化〕焼き明礬.

백발【白髮】〈名〉白髪・はくはつ. [句例] ～의 노신사 白髪の老紳士 / ～이 성성하다 白髪がかなり混じっている. [語例] ～ 노인 白髪の老人.

백발-백중【百發百中】〈名・하自〉百発百中. [句例] ～의 명사수 百発百中の名射手.

백방【百方】〈名〉百方. [句例] ～으로 손을 쓰다 百方手を尽くす / ～으로 찾아다니다 方方くま(隈)なく捜し歩く.

백배【百拜】〈名・하自〉百拝. [語例] ～ 사례 幾度もお礼を述べること / ～ 사죄 幾度も腰を曲げてあやまること.

백병-전【白兵戰】〈名・하自〉白兵戦. [句例] ～에서 전사하다 白兵戦の華と散る.

백부【伯父】〈名〉父の長兄. 伯父・おじ. ＝큰아버지.

백분-비【百分比】〈名〉⇨ 백분율

*****백분-율**【百分率】[paekpunnyul]〈名〉百分率. パーセンテージ.

백-사기【白沙器】〈名〉白磁.

백-사장【白沙場】〈名〉白い砂原.

백삼【白蔘】〈名〉生のまま細い根を取り去って干したちょうせんにんじん.

백색【白色】〈名〉白色・しろいろ. 略して'백(白)'ともいう. ㊊흑색(黑色).

백색 인종【白色人種】[paeksaeginjong]〈名〉白色人種. 略して'백인종・백인'ともいう. ㊊유색(有色) 인종.

백서【白書】〈名〉白書. [語例] 교육 ～ 教育白書 / 경제 ～ 経済白書.

*****백설**【白雪】〈名〉白雪・しらゆき. [語例] ～ 공주 白雪姫.

백-설기【白―】〈名〉うるち(粳)の粉をせいろで蒸したもち(餅). 略して'설기'とも言う.

백-설탕【白雪糖】〈名〉白砂糖.

*****백성**【百姓】〈名〉'일반 국민 一般国民'の古めかしい言いかた: 民. 人民. 蒼生. [句例] 무고한 ～ (無辜)の民 / ～을 무마하다 民をな(撫)でる / ～의 소리를 듣다 民草の声を聴く.

백수【百獸】〈名〉百獣. [句例] ～의 왕인 사자 百獣の王ライオン.

*****백수-건달**【白手乾達】〈名〉文無しののらくら者. よた者.

백숙【白熟】〈名・하他〉(肉類の)水煮. [語例] 영계 ～ 水炊き. 若鶏の水煮.

백-스트로크 [―sŭt'ŭro:k'ŭ]〈名〉バックストローク. 背泳. ◇backstroke

백신〈名〉〔醫〕ワクチン. ◇vaccine

백씨【伯氏】〈名〉他人の長兄を指す語.

백악【白堊】[paegak]〈名〉白亜. 句例 ～의 전당 白亜の殿堂. 語例 ～관 白亜館 / ～ 기〔地〕白亜紀.

백안-시【白眼視】[paeganshi]〈名・하他〉白眼視. 句例 세인으로부터 ～당하다 世人から白眼視される.

백야【白夜】[paegya]〈名〉白夜・白夜.

백약【百藥】[paegyak]〈名〉百薬. 語例 ～이 무효하다 あらゆる薬も効き目がない / ～지장(之長) 百薬の長. 酒の異称.

백양【白楊】[paegyang]〈名〉〔植〕❶どろのき. どろやなぎ. ＝황철나무. ❷やまならし. ＝사시나무.

백-업 [paegŏp]〈名・하他〉バックアップ. ◇backup

백열【白熱】[paengnyŏl]〈名〉白熱. 句例 토론이 ～화하다 討論が白熱してくる. 語例 ～등 白熱灯 / ～ 전구 白熱電球.

백엽-상【百葉箱】[paegyŏp—]〈名〉〔氣〕百葉箱.

백옥【白玉】[paegok]〈名〉白玉・白玉.

백옥이 진토에 묻힌다 白玉が塵土に埋まる. 泥中の玉. 泥中の蓮.

백의【白衣】[paegŭi]〈名〉白衣・白衣. 語例 ～ 천사 白衣の天使 / ～ 종군 平民の身分で従軍すること.

*__백의-민족__【白衣民族】[paegŭi—]〈名〉'한국 민족 韓国民族'を指す語.
参考 韓国人は古くから白色の着物を好んで着たので それにちなんで出た言葉.

백인【白人】[paegin]〈名〉❶'백색 인종'の略. ❷白人. 西洋人. 語例 ～ 사회 白人の社会.

백-인종【白人種】[paeginjong]〈名〉'백색 인종'の略: 白人種.

백일【白日】[paegil]〈名〉白日. 昼間. ＝대낮. 文例 사건의 전모가 ～하에 드러났다 事件の全貌が白日のもとにさらされた.

백일【百日】[paegil]〈名〉百日. 語例 ～재(齋)〔佛〕百箇日 / ～ 기도 百日参り.

백일-몽【白日夢】[paegil—]〈名〉白日夢. 白昼夢.

백일-장【白日場】[paegiltchang]〈名〉朝鮮朝時代に儒生の学業を奨励するため各地方で, 科挙の形式にならって行なった詩文の競作行事. 現在は主に一般団体などが'글짓기 대회 詩文競作大会'の形で催している.

백일-해【百日咳】[paegil—]〈名〉〔醫〕百日ぜき(咳). ＝백일 기침.

백일-홍【百日紅】[paegil—]〈名〉〔植〕さるすべり. 百日紅.

백자【白瓷・白磁】〈名〉白磁. ＝백사기.

백작【伯爵】〈名〉伯爵, 略して'백(伯)'ともいう

백전-노장【百戰老將】〈名〉百戦老将. 古つわもの.

백전-백승【百戰百勝】〈名〉百戦百勝.

백절-불굴【百折不屈】〈名〉百折不撓. ＝백절불요(不撓). 句例 ～의 정신 百折不撓の精神.

백조【白鳥】〈名〉〔鳥〕白鳥・白鳥. ＝고니.

백주【白晝】〈名〉白昼. 真昼. ＝대낮. 句例 ～의 참극 白昼の惨劇.

백주-에【白晝—】〈副〉やたらに. むやみに. わけもなく. 略して'백줴'ともいう.

*__백중__【伯仲】〈名〉伯仲. ❶長兄と次兄. ❷優劣のないこと. **～하다**〈形〉伯仲している. 文例 양군의 세력은 ～하다 両軍の勢力は伯仲している. 語例 ～지세(之勢) 勢力などが伯仲している状態.

백중-날【百中—】〈名〉〔佛〕盂蘭盆. お盆《略語》. 陰暦の七月十五日. 略して'백중'ともいう. ＝중원(中元). 語例 ～맞이 盂蘭盆会.

*__백지__【白紙】〈名〉白紙・白紙. 句例 ～로 돌리다 白紙に戻す. 白紙に返す / ～에 낙서하다 白紙に落書きをする / ～ 상태로 임하다 白紙の状態でのぞむ. 白紙でのぞむ / 시험지를 ～로 내다 白紙の答案を出す.

백-지도【白地圖】〈名〉白地図. 白図.

백지-장【白紙張】[—tchang]〈名〉白紙の一枚. 類종잇장.

백지장 같다 (顔が)青白い. 蒼白である. 文例 놀라서 얼굴이 백지장같이 되었다 驚いて顔が青白くなった. 驚いて顔面が蒼白になった.

백지장도 맞들면 낫다 紙一枚も一緒に持ち上げれば軽い. 何事にも協力すればしやすくなるとの意. ＝백지 한 장도 맞들면 낫다.

백차【白車】〈名〉(警察などの白塗りの)パトロールカー. パトカー《略語》.

백출【百出】〈名・하自〉百出. 句例 이론이 ～하다 異論が百出する.

백치【白痴・白癡】〈名〉白痴. 痴呆.

백토【白土】〈名〉白土. ＝백악(白堊).

백통【白—】〈名〉[もとの語形は'백동(白銅)'] 白銅. 語例 ～돈〔전〕白銅銭. 白銅貨.

백-파이프〈名〉〔樂〕バッグパイプ. 絵 ◇bagpipe

〈백파이프〉

백 퍼센트【百percent】〈名〉百パーセント. 語例 효과 ～ 効果百パーセント.

*__백합__【白蛤】[paek'ap]〈名〉〔貝〕かがみかい.

백합【百合】[paek'ap]〈名〉〔植〕ゆり(百合). リリー. 語例 ～화 ゆりの花.

백해-무익【百害無益】[paek'ae—]〈名・하形〉百害無益. 句例 ～하다 百害あって一利もない.

백-핸드 [paek'aendŭ]〈名〉(テニスなどの) バックハンド. ◇backhand

백-혈구【白血球】[paek'yŏlgu]〈名〉〔生〕白血球.

백혈-병【白血病】[paek'yŏlppyŏng]〈名〉〔醫〕白血病.

백형【伯兄】[paek'yŏng]〈名〉伯兄. 長兄. ＝맏형. 백씨(伯氏).

백화-난만【百花爛漫】[paek'wana:nman]〈名・하形〉百花爛漫. 百花繚乱.

ㅂ

*백화-점【百貨店】[paek'wa—]〈名〉百貨店. デパート(メント).
밴댕이〈名〉〔魚〕さっぱ(鰶). つなし.
밴댕이 소갈머리 非常に狭い了見.
밴드〈名〉バンド. ❶帯. ベルト. 語例 헤어 ～ ヘアバンド. ❷〔樂〕楽団. 語例 ～ 마스터 バンドマスター / 브라스 ～ ブラスバンド. ◇band
밴조 [paenjo:]〈名〉〔樂〕バンジョー. 絵 ◇banjo

〈밴조〉

밴텀-급【bantam級】[—kkŭp]〈名〉バンタム級.
밸 [pae:l]〈名〉'배알'の略.
밸이 꼴리다 '배알이 꼴리다'の略(→'배알'の小項目).
밸런스〈名〉バランス. 句例 ～를 잡다 バランスをとる. 対언밸런스. ◇balance
밸브〈名〉バルブ. 弁. =판(瓣). 句例 ～를 잠그다 バルブを閉める / ～를 열다 バルブを開く. 語例 안전 ～ 安全バルブ. 安全弁. ◇valve
*뱀 [pae:m]〈名〉〔動〕[もとの語形は'배암'] 蛇. 句例 ～이 목을 쳐들다 蛇がかまくび(鎌首)をもたげる.
뱀(을) 잡다 期待を外れてとんでもない結果になり, 失敗するとの意. ひどいめに合う. だめになる.
뱀-띠 [pae:m—]〈名〉巳の年の生まれ.
뱀-뱀이 [pae:mbaemi]〈名〉しつけ. 文例 ～가 없다 しつけがない. ぶしつけだ.
*뱀-장어【—長魚】[pae:m—]〈名〉〔魚〕うなぎ(鰻). 略して'장어'ともいう.
뱀-해 [pae:mhae]〈名〉'사년(巳年)'の俗っぽい言いかた. 巳の年.
뱁-새 [pae:psae]〈名〉〔鳥〕たるまえなが.
뱁새가 황새를 따라가면 다리가 찢어진다 う(鵜)のまねするからす(烏)(水におぼれる).
뱁새-눈 [pae:psae—]〈名〉細く裂けた目. 語例 ～이 細く裂けた目の人.
뱃-가죽〈名〉'뱃살 腹の皮'の俗っぽい言いかた.
뱃-고동〈名〉船の汽笛.
뱃-길〈名〉船路. 波路. 海路. 句例 사흘 걸리는 ～ 三日の船路 / ～ 안내를 부탁하다 水先案内を頼む.
*뱃-노래 [paennorae]〈名〉舟歌. 句例 볼가 강의 ～ ボルガの舟歌.
뱃-놀이 [paennori]〈名〉船遊び. 遊船. ～하다〈自〉船遊びをする. 句例 ～하러 가다 船遊びに行く.
뱃-머리 [paenmŏri]〈名〉船首. みよし. へさき. =이물. 句例 ～를 남쪽으로 돌려라 へさきを南に回わせ.
뱃-멀미 [paenmŏlmi]〈名・하自〉船酔い. 句例 ～를 해서 혼났다 船酔いしてひどいめに会った / ～를 잘한다 船に弱い.
뱃-바닥〈名〉❶獣の腹肉. ❷船底.
뱃-바람〈名〉船風.
*뱃-사공【—沙工】〈名〉船頭. 船方. 略して'사공'ともいう.
*뱃-사람〈名〉船乗り. 船員.
뱃-삯 [paetsak]〈名〉船賃. 句例 ～을 내다 船賃を払う. →삯 参考
뱃-살〈名〉腹筋. 腹の皮. 句例 ～을 잡고 웃다 腹筋をよる. 腹を抱かえて笑う.
뱃-속〈名〉❶腹のなか. 句例 ～이 좋지 않다 腹のぐあいが悪い. ❷'속생각 胸中'の俗っぽい言いかた. 句例 ～을 떠보다 腹を探る. 気を引いて見る. ▷略して'속'とも言う.
뱃속에 능구렁이가 들어 있다 (腹のなかにあかまだらが入っているとの意で)陰険な人のたとえ. いけずうずうしい.
뱃속이 검다 腹黒い. 腹が黒い.
뱃-심〈名〉度胸. 図太さ. 心臓.
뱃심(을) 부리다 図太く振る舞う.
뱃심(이) 좋다 ずうずうしい. 心臓が強い. 句例 뱃심 좋게 대들다 ずうずうしくくってかかる.
뱃-전〈名〉船べり. 船端. 船側. 句例 ～에서 그물을 던지다 船べりで網を投げる.
뱃-짐〈名〉船荷. 句例 ～을 싣다 船荷を積む / ～을 풀다 船荷を上げる. 陸揚げする.
뱅〈副〉'빙'の語感の小さい語.
뱅그르르〈副〉'빙그르르'の語感の小さい語.
뱅글-뱅글〈副〉小さいものが滑らかに回り続けるさま: くるくる(と). 句例 ～ 돌면서 떨어지다 くるくる回りながら落ちる.
表現 語感の大きい語は'빙글빙글', 語勢の強い語は'뺑글뺑글'. 語勢の激しい語は'팽글팽글'.
뱅-뱅〈副〉小さいものがしきりに回るさま: くるくる(と). 句例 한군데서만 ～ 돌다 ひとところだけをくるくる回る.
表現 語感の大きい語は'빙빙', 語勢の強い語は'뺑뺑', 語勢の激しい語は'팽팽'.
뱅어【—魚】[pae:ng-ŏ]〈名〉〔魚〕しらうお. 語例 ～포(脯) しらす(白子)干し.
-뱅이〈尾〉人の持っている習慣・性質などで人をさげすむとき用いる語. 語例 주정～ 酔いどれ / 게으름～ 怠け者.
뱅충-맞다 [paenːch'ung—]〈形〉薄のろではきはきしない. 愚かではにかみやだ.
表現 語感の大きい語は'빙충맞다'.
뱉다 [pae:tta]〈他〉❶吐く. 句例 침을 ～ つばを吐く. ❷むやみに言う. 句例 말을 함부로 ～ 言葉を軽軽しく吐き出す. ❸(横領物などを)吐き出す. 句例 착복한 돈을 ～ 着服した金を吐き出す.
뱉-듯이 [pae:ttŭshi]〈副〉吐き出すように. 文例 ～ 말했다 吐き出すように言った.
버걱〈副・하自〉大きくて堅いものがきし(軋)る音: きいっ. ～거리다〈自他〉しきりにきしる.
表現 語感の小さい語は'바각'.
버걱버걱〈副・하自他〉きいっきいっ.
버겁다 (버거우니, 버거워서)〈形〉❶手に余る. 句例 버거운 일 手に余る仕事. ❷手ごわい. 句例 버거운 상대 手ごわい相手.
버그러-지다〈自〉ひずみが生じる. 透き間ができる.
表現 語感の強い語は'뻐그러지다'.
버그르르〈副・하自〉'바그르르'の語感の大きい語.
버금〈名〉次ぎ. =다음.
버금 가다 次ぐ. 句例 회장에 버금 가는 실력자 会長に次ぐ実力者.

버금딸림-화음【一和音】〈名〉〔樂〕下属和音.
버꾸〈名〉〔樂〕［もとの語形は'법고(法鼓)'］農楽用の小鼓. 語例 ～잡이 '버꾸'をたたく人.
버너 [bǒ:nǒ]〈名〉バーナ. 語例 석유 ～ 石油バーナ. ◇burner
⁑**버둥-거리다**〈自他〉もがく. じたばたする.
表現 語感の小さい語は'바둥거리다'.
버둥버둥〈副・하自他〉ばたばた. じたばた.
버둥-질〈名・하自〉'발버둥질'の略.
버둥질-치다〈自〉'발버둥질치다'の略.
버드-나무〈名〉〔植〕❶こうらいやなぎ. ❷柳.
버드러-지다〈自〉❶出張る. ❷かたくなになる.
表現 語勢の強い語は'뻐드러지다'.
버들〈名〉〔植〕⇨ 버드나무②. 句例 ～ 같은 허리 柳腰.
버들-개지〈名〉こうらいやなぎの実. 略して'개지'ともいう. ＝버들강아지.
버들-잎 [pǒdŭllip]〈名〉柳の葉.
버들-치〈名〉〔魚〕たかはや.
버들-피리〈名〉❶柳の枝でつくった笛. ❷柳の葉を折って口で吹きながら笛の音を出すもの.
버럭〈副〉いきなり腹を立てるさま. いきり立つさま：かっ(と). 文例 그 말을 듣자 ～ 화를 냈다 その話を聞くやかっと怒った.
表現 語感の小さい語は'바락'.
버럭버럭〈副〉盛んにいきり立つさま：かっかっ(と). 句例 ～ 화를 내다 向かっ腹を立てる / ～ 우기다 しゃにむに我を張る.
버르장-머리〈名〉'버릇 癖'の俗っぽい言いかた. 行儀. しつけ. **～없다** [—ŏpta]〈形〉'버릇없다'の俗っぽい言いかた. **～없이** [—ŏpshi]〈副〉'버릇없이'の俗っぽい言いかた.
버르적-거리다〈自他〉もがく. ばたつく. じたばたする.
表現 語感の小さい語は'바르작거리다'.
*__버릇__〈名〉❶癖. 句例 나쁜 ～을 고치다 悪い癖を直す. 語例 게으른 ～ 怠け癖 / 입～ 口癖. ❷行儀. しつけ. 作法. ❸凝り性. 語例 술～ 酒癖.
버릇(을) 가르치다 しつける.
버릇(이) 되다 癖になる. 習慣になる.
버릇(이) 들다 癖がつく. 習慣がつく.
버릇(을) 들이다 癖をつける. 習慣をつける.
버릇-없다 [pŏrŭdŏpta]〈形〉ぶしつけだ. 無作法だ. 行儀が悪い. 句例 버릇없는 언동 無作法な振る舞い. **버릇없이** [pŏrŭdŏpshi]〈副〉ぶしつけに. 無作法に. 行儀悪く. 句例 ～ 군다 わがままに振る舞う.
버릇-하다 [pŏrŭt'ada] (→하다)〈補動〉('-아〔-어, -여〕～の形で)…し慣れる. …する癖がある. …しつける. 句例 먹어 ～ 食べ慣れる. 文例 옷을 얇게 입어 버릇해서 그다지 추위를 타지 않는다 薄着の習慣がついてあまり寒がらない.
⁑**버리다** ㊀〈他〉❶捨てる. ㉠投げ出す. 句例 쓰레기를 ～ ごみを捨てる. ㊥줍다. ㉡見捨てる. 見限る. 句例 가정을 ～ 家を捨てる / 자식을 ～ 子を捨てる. ㉢離れる. 去る. 句例 고향을 ～ 故郷を捨てる. ㉣あきらめる. 放棄する. 句例 희망을 ～ 希望を捨てる / 조국을 ～ 祖国を捨てる. ❷損なう. 壊す. 文例 과음하면 몸을 버린다 飲みすぎるとからだを壊すよ.
㊁〈補動〉(-아〔-어, -여〕～の形で)…してしまう. 句例 가 ～ 行ってしまう / 믿어 ～ 信じ込む / 잊어 ～ 忘れてしまう / 뽑아 ～ 抜き捨てる / 죽어 ～ 死んでしまう.
버림〈名〉〔數〕切り捨て. ㊥올림.
버림-받다〈自〉捨てられる. 句例 애인에게서 ～ 恋人から振られる.
버무리다〈他〉混ぜ合わす. あ(和)える. 句例 간장으로 ～ 醬油であえる.
⁑**버선**〈名〉ボソン. 韓国固有の足袋. 絵

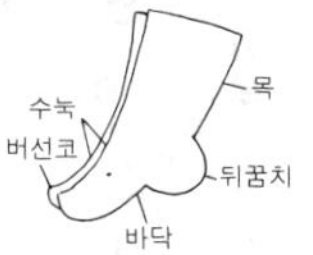

〈버선〉

버선-발〈名〉(靴を履いていない)ボソンの(ままの)足. 足袋はだし.
⁑**버섯**〈名〉〔植〕きのこ. 句例 ～ 따러 가다 たけ狩りに行く. 語例 독 ～ 毒たけ. 毒きのこ / 식용 ～ 食用きのこ / 송이 ～ 松たけ.
버-성기다〈形〉❶透きがある. ❷仲が疎い. 疎遠である. ❸気まずい.
⁑**버스**〈名〉バス. 句例 ～를 놓치다 バスに乗り遅れる / 붐비는 ～ 混み合うバス. 語例 관광 ～ 観光バス. ◇bus
버스트〈名〉バスト. ◇bust
버저〈名〉ブザー. 句例 ～를 울리다 ブザーを鳴らす. ◇buzzer
버적-버적〈副〉❶よく乾いたものをつき砕く音：ばりばり. 文例 얇은 얼음이 ～ 깨지다 薄い氷がばりばり砕ける. ❷よく乾いたものが燃える音：ぱちぱち. 文例 바짝 마른 장작이 ～ 탄다 乾ききったまきがぱちぱち燃える. ❸気をもむさま：じりじり. はらはら. 文例 근심으로 속을 ～ 태우다 心配でじりじり気をもむ.
表現 語感の小さい語は'바작바작'.
버젓-이 [pŏjŏshi]〈副〉れっきと. 堂堂と. 文例 누구 앞에서나 ～ 말하다 だれの前でも堂堂と話す.
버젓-하다 [pŏjŏt'ada] (→하다)〈形〉臆するところがない. れっきとしている. 堂堂としている. 句例 버젓한 회사 れっきとした会社 / 버젓한 남편이 있는 여자 れっきとした夫を持つ女.
버짐〈名〉はたけ(疥). 句例 ～이 생기다 はたけができる.
버짐(이) 먹다 はたけができる.
버찌〈名〉さくらんぼう. 略して'벚'とも言う.
버캐〈名〉(液体の)塩分のかす(滓).
버클〈名〉バックル. ◇buckle
⁑**버터**〈名〉バター. 語例 ～ 볼 バターボール / ～ 나이프 バターナイフ. ◇butter
버터플라이〈名〉バタフライ. ◇butterfly
버튼〈名〉ボタン. ＝단추. ◇button
*__버티다__〈自他〉❶堪える. もちこたえる. 句例 탄압에 ～ 弾圧に堪える. ❷がんばる. 対抗する. 句例 떡 버티고 서다 立ちはだかる / 안 들어가겠다고 ～ 入らないとがんばる. ❸支える. 句例 버팀목으로 ～ 心張り棒で支える.

버팀-목【一木】〈名〉つっかい棒. 心張り(棒). 文例 쓰러져가는 담에 ～을 괴다 倒れかかる塀に心張りをする.
벅적-거리다〈自〉群がる. うじゃうじゃする.
벅적벅적〈副・하自〉うようよ. ざわざわ.
벅차다〈形〉❶手にあまる. 手ごわい. 手に負えない. 句例 일이 ～ 仕事が手にあまる. ❷あふれんばかりだ. 文例 감격한 나머지 가슴이 ～ 感激のあまり胸がいっぱいだ.
***번**【番】一〈名〉❶順番に入れ代わること. ❷順番に宿直すること.
二〈依名〉❶順序・等級などを表わす語: 番. 語例 일～ 第一番. ❷回数を表わす語: 度・たび. 回. 遍. 句例 여러 ～의 방문을 받다 幾度かの訪問を受けた.
번(을) 나다 宿直が非番になる. 對번(을) 들다.
번(을) 들다 当番になる. 当直の番になる.
번(을) 서다 当直する. 番をする.

번 〔漢字項目〕

【煩】高校 번 ハン. ボン. ❶신열이 나고 가슴이 답답하다 熱が出て胸がむかむかする. ■煩熱 번열 はんねつ. ❷번민하다. 번뇌하다 心に思い悩む. ■煩悶 번민 はんもん. 煩惱 번뇌 ぼんのう. ❸번거롭다. 귀찮다 煩わしい. ■煩雜 번잡 はんざつ. 煩務 번무 はんむ.

【番】中學 번 バン. ❶순서 順序. 차례 順番. ■番號 번호 ばんごう. ■地番 지번 ちばん. ❷차례로 임무를 맡는 일 順にしたがい入れ替わって役目につくこと. ■當番 당번 とうばん. 交番 교번 こうばん.

【繁(緐)】高校 번 ハン. ❶많다 多い. ■繁多 번다 はんた. ❷성하다 盛んだ. ■繁昌 번창 はんじょう. 繁榮 번영 はんえい. ❸번거롭다 煩わしい. ■繁雜 번잡 はんざつ. ❹바쁘다 忙しい. ■繁忙 번망 はんぼう. ❺잦다 しきりである. ■頻繁 빈번 ひんぱん. ❻무성하다 生いしげる. ■繁茂 번무 はんも.

【飜(翻)】高校 번 ホン. ❶뒤집히다 ひるがえる. 뒤집다 ひるがえす. ■飜意 번의 ほんい. ❷번역하다 他の言語になおす. ■飜譯 번역 ほんやく.

번-갈아【番―】[―gara]〈副〉交替に. 代わる代わる. 変わり番こに.
***번개**〈名〉稲光. 稲妻. 句例 ～가 번쩍이다 稲妻が走る. 稲妻が光る / ～가 치다 稲光がする.
번개가 잦으면 천둥을 친다 稲妻が続くと雷が鳴る. ❶しきりに前触れがあれば結局実現するとの意. ❷悪事が重なればしまいにはひどいめにあうとの意.
번개 같다 稲妻のように早い. 句例 번개같이 달려가다 稲妻のように早く走る.
번갯-불〈名〉稲光. ＝전광(電光).
번갯불에 콩 볶아 먹겠다 稲光に豆を炒って食べる. 行動がきわめて敏捷であることのたとえ.
번거-롭다 (→롭다)〈形〉❶煩わしい. 厄介だ. 回りくどい. 複雑だ. 句例 번거로운 절차 煩わしい手続き / 절차가 ～ 手続きが複雑だ. ❷ごたごたしている. 騒騒しい. **번거로이**〈副〉煩わしく. 厄介にも.
번뇌【煩惱】〈名・하自〉煩悩. 塵労. 句例 ～에 시달리다 煩悩に悩まされる / ～를 떨쳐 버리다 煩悩を払う. 語例 백팔 ～ 百八煩悩.
****번데기**〈名〉〔蟲〕さなぎ(蛹). 略して'번데'ともいう.
번드럽다 (번드러우니, 번드러워서)〈形〉❶つやつやしていて滑らかだ. ❷抜け目がない.
번드레-하다 (→하다)〈形〉つややかだ. 文例 속은 텅 비어 있어도 겉만 ～ 中味は空っぽでも, うわべだけはつややかである.
表現 語勢の強い語は'뻔드레하다'.
번드르르〈副・하形〉つやつやして滑らかなさま: つやつや. つるつる. てらてら.
表現 語感の小さい語は'반드르르', 語勢の強い語は'뻔드르르'.
번득〈副・하自他〉ひらめくさま: ぴかっ(と). ぴかり(と). 句例 ～ 스치고 지나가는 불빛 ぴかっとひらめく火影.
表現 語勢の強い語は'번뜩・뻔득'.
번득-거리다〈自他〉ぴかぴかする. ぴかぴかさせる. 句例 반사광이 ～ 反射光線がぴかぴかする.
번득번득〈副・하自他〉ぴかぴか.
***번득-이다** [pǒndǔgida]〈自他〉ひらめく. ひらめかす. 光る. 光らせる. ぴかぴかする. ぴかぴかさせる. 句例 칼날이 햇빛에 ～ やいばが日にひらめく / 눈을 ～ 目を光らせる.
表現 語勢の強い語は'번뜩이다・뻔득이다'.
번들-거리다〈自〉❶つやつやする. 句例 방바닥이 ～ 部屋の床がつやつやしている / 대머리가 ～ はげ頭がつるつるしている. ❷抜け目なく振る舞う.
表現 語感の小さい語は'반들거리다', 語勢の強い語は'뻔들거리다'.
번들번들〈副・하形〉つるつる. てらてら. 句例 ～한 대머리 つるつるのはげ頭.
번듯-하다 [pǒndǔt'ada] (→하다)〈形〉❶大きめの物がよじれず偏らず整っているさま: むらのない. 平らだ. 整っている. 句例 외양이 ～ 外貌が整っている. ❷人後に落ちない. 句例 이목구비가 ～ 顔立ちが端正だ.
表現 語感の小さい語は'반듯하다', 語勢の強い語は'번뜻하다'.
번민【煩悶】〈名〉煩悶. 悩み. **～하다**〈自〉もだえる. 煩悶する. 句例 사랑에 ～하다 恋にもだえる / 밤낮으로 ～하다 日夜煩悶する.
번번-이【番番―】[pǒnbǒni]〈副〉毎度. いつも. 句例 ～ 패하다 いつも負ける. 文例 사고가 ～ 일어난다 事故がしょっちゅう起こる / ～ 폐를 끼쳐 미안합니다 毎度厄介になってあいすみません.
번번-하다 (→하다)〈形〉❶平らだ. ❷(外見が)立派だ. 文例 외모는 ～ 見掛けは立派だ. ❸(身分などが)相当高い. かなり高い. 句例 번번한 집안의 자손이다 れっきとした家柄の子孫だ. **번번히**〈副〉❶平らに. ❷きれいに. ❸立派に.
表現 語感の小さい語は'반반하다'.
번복【飜覆】〈名・하他〉翻すこと. 覆すこと.

ㅂ

[句例] 증언을 ～하다 証言を翻す / 앞서 한 말을 ～하다 前に言ったことを翻す.

번성【蕃盛】〈名・하自〉❶子孫が栄えること. ❷草木が生い茂ること.

번성【繁盛】〈名〉繁盛. **～하다**〈自〉繁盛する. にぎわう. [句例] 사업이 ～ 事業が栄える.

***번식【繁殖】**〈名・하自〉繁殖. [語例] ～기 繁殖期 / ～력 繁殖力.

번안【飜案】[pŏnan]〈名・하他〉翻案. [句例] 고전을 번안한 소설 古典を翻案した小説. [語例] ～ 소설 翻案小説.

***번역【飜譯】**[pŏnyŏk]〈名〉翻訳. **～하다**〈他〉翻訳する. 訳する. [句例] 한국어를 일본어로 ～하다 韓国語を日本語に訳する. [語例] ～가 翻訳家 / ～극 翻訳劇.

***번영【繁榮】**[pŏnyŏng]〈名〉繁栄. 栄え. **～하다**〈自・形〉繁栄する. 栄える. [句例] ～을 가져오다 繁栄をもたらす / 크게 ～하다 大いに栄える.

번의【飜意】[pŏnŭi]〈名・하自〉翻意. [句例] ～를 재촉하다 翻意を促す.

번잡【煩雜】〈名〉煩雑. **～하다**〈形〉煩雑だ. 煩わしい. [句例] ～을 피하다 煩雑をさける / ～한 절차 煩雑な手続き. **～스럽다**(→스럽다)〈形〉煩雑だ. 煩わしい.

번지【番地】〈名〉番地. ❶所番地. [文例] 댁은 몇 ～입니까 お宅はなん番地ですか. ❷〔컴〕アドレス.

****번지다** [pŏ:njida]〈自〉❶にじ(滲)む. 散る. 染みる. [句例] 잉크가 종이에 ～ インキが紙に染みる. ❷広まる. 広がる. [文例] 산불은 삽시간에 번져나갔다 山火事は見る間に広がって行った. ❸(小さなことが)拡大する. 広まる. [文例] 일이 크게 번지기 전에 빨리 해결했다 事が拡大しないうちに早く解決した.

번지르르〈副・하形〉つやつやと脂ぎったさま: つるつる. つやつや. てらてら. [句例] ～하게 기름을 바르다 つやつやと油を塗る.
[表現] 語感の小さい語は'반지르르'.

번지-수【番地數】[—ssu]〈名〉番地の号数.
번지수가 틀리다 (番地の号数が違う意で)見当違いである.
번지수를 잘못 찾다 見当違いの所を訪れる. 見当違いなことをする.

번지 점프〈名〉(橋などの上から飛びおりる)バンジージャンプ. ◇bungee jump

번질-거리다〈自〉❶つやつやする. つるつるする. ❷すばしこく振る舞う.
번질번질〈副・하自形〉つやつや. つるつる. てかてか. [句例] 포마드로 ～한 머리 ポマードでてかてかする髪.
[表現] 語感の小さい語は'반질거리다', 語勢の強い語は'뻔질거리다'.

번-째【番—】〈依名〉順番, または回数を表わす語: 番目. [句例] 세 ～ 三番目.

번쩍[1]〈副〉軽軽と持ち上げるさま: さっと. ひょいと. [句例] 쌀가마니를 ～ 들어올리다 米俵をさっと〔ひょいと〕持ち上げる.
번쩍번쩍[1]〈副〉軽軽(と). ひょいひょい. さっさっ.

번쩍[2]〈副〉ひらめくさま: ぴかり(と). ぴかっ(と). ちらっ(と). **～하다**〈自他〉ぴかっとする. ぴかっとさせる. [句例] 번개가 ～ 빛나다 稲妻がぴかりと光る.
번쩍번쩍[2]〈副・하自他〉ぴかっぴかっ. ぎらぎら.
[表現] 語感の小さい語は'반짝', 語勢の強い語は'뻔쩍'.

***번쩍-거리다**〈自他〉ぴかぴか光る. きらめく. きらめかす. [句例] 번쩍거리는 옷차림으로 남의 이목을 끌다 きらびやかな身なりで人目を引く.

번쩍-이다 [pŏntchŏgida]〈自他〉きらめく. きらめかす. 光る. 光らせる. [文例] 가슴에 훈장을 번쩍이며 나타났다 胸に勲章をきらめかしながらやって来た.

번창【繁昌】繁盛. **～하다**〈自〉繁盛する. 栄える. [句例] 가게가 ～하다 店が繁盛する / 공업도시로 ～하다 工業都市として栄える / 장사가 크게 ～하다 商売が大いに繁盛する.

번철【燔鐵】〈名〉鉄製の大型フライパン. ＝전철(煎鐵). [絵]

〈번철〉

번트〈名・하自〉〔野〕バント. [句例] 주자(走者)를 ～로 보내다 ランナーをバントで送る. [語例] 보내기 ～ 送りバント. ◇bunt

***번호【番號】**〈名・하自〉番号. [句例] ～를 붙이다 番号をつける. [文例] 전화 ～가 바뀌었다 電話番号が変わった. [語例] ～패(牌)〔표(票)〕番号札〔票〕.

***번화【繁華】**〈名〉繁華. **～하다**〈形〉にぎやかだ. [句例] ～한 시가 繁華な市街 / 거리가 매우 ～하다 町がとてもにぎやかだ. [語例] ～가 繁華街. 盛り場.

벋-가다〈自〉(常道から)外れる. そ(逸)れる. ぐれる《俗》. [文例] 젊은이는 자칫 벋가기가 쉽다 若者はとかく横道にそれやすい.

벋-니 [pŏnni]〈名〉反っ歯. 出っ歯. ＝뻐드렁니. ㉾옥니.

벋다[1]〈自〉❶(枝やつるなどが)伸びる. 根を張る. ❷(力などが)及ぶ. ▷→囲み記事 42

벋다[2]〈形〉(先が) 反っている. 突き出ている. [句例] 앞니가 ～ 前歯が反っている. ㉾옥다.

囲み記事 42

■ '벋다[1]'と'벗다[2]' ■

벋다[1] (1) (枝などが)伸びる —— 담밖으로 가지가 벋어나갔다 垣の外に枝が伸び出た.
(2) (力・影響が)及ぶ —— 그의 세력은 이웃 마을에까지 벋어 있다 彼の勢力は, 隣の村にまで及んでいる

벗다[2] (1) (着物などを)脱ぐ —— 모자를 벗다 帽子を脱ぐ.
(2) (責任などを)免れる —— 누명을 벗다 ぬれ衣を晴らす.
(3) (担った)荷を下ろす —— 지게를 벗다 チゲを下ろす.
(4) (借金を)払う —— 빚을 벗다 借金を払いすます.
(5) (虫などが)皮をぬぐ —— 뱀이 허물을 벗다 蛇が脱皮する.

번정-다리 〈名〉❶屈伸のできない脚. ❷固くなって曲げられない物.

벌[1] 〈名〉原. 野原.

*__벌__[2] ━〈名〉(衣服や器物などの)そろ(揃)い. 句例 한 ~로 된 옷 対の着物.

━〈依名〉(衣服や器物などの)そろいを数える語: …着. …具. 語例 양복 한 ~ 洋服一着 / 갑옷 세 ~ よろい三具.

⁑**벌**[3] [pŏ:l] 〈名〉〔蟲〕❶はち(蜂). 句例 ~이 윙윙거리다 はちがぶんぶん飛び回る. 語例 여왕~ 女王ばち. ❷'꿀벌'の略: みつばち(蜜蜂). 句例 ~을 치다 みつばちを飼う.

벌(에) 쐬다 はちに刺される.

⁑**벌【罰】** 〈名〉罰・ばち. **~하다** 〈他〉罰する. 句例 ~을 면하다 罰を免れる.

벌(을) 받다 罰を受ける. 文例 너는 벌 받아 마땅하다 君は罰せられるのが当然だ.

벌(을) 서다 罰で立たされる.

벌(을) 쓰다 罰せられる.

벌(을) 씌우다 罰する.

벌(을) 주다 罰する. 罰を与える.

벌 〔漢字項目〕

【伐】 벌 バツ. ❶치다 討つ. ▌討伐 토벌 とうばつ. 征伐 정벌 せいばつ. ❷베다 きる. ▌伐採 벌채 ばっさい. ▌濫伐 남벌 らんばつ. 殺伐 살벌 さつばつ. ❸공 てがら. ▌功伐 공벌 こうばつ.

【罰】 벌 バツ バチ. ❶벌 ばつ. ▌懲罰 징벌 ちょうばつ. 天罰 천벌 てんばつ. ❷벌주다 ばつを科する. ▌罰金 벌금 ばっきん. ▌賞罰 상벌 しょうばつ.

벌거-벗기다 〈他〉裸にする.

⁑**벌거-벗다** 〈自〉裸になる. 句例 벌거벗은 산 はげ山.

벌거벗고 환도(環刀) 차기 裸に軍刀. 身不相応でぎこちないことのたとえ.

벌거-숭이 〈名〉裸. 裸ん坊. 語例 ~산 はげ山.

벌건 [pŏ:lgŏn] 〈冠〉'すっかり. まったく'の意. 句例 ~ 거짓말 真っ赤なうそ.

*__벌겋다__ [pŏ:lgŏt'a] (벌거니, 벌거오) 〈形〉薄赤い.

벌게-지다 〈自〉赤くなる. 句例 창피하여 얼굴이 ~ はずかしくて顔が赤くなる.

벌과-금【罰科金】 〈名〉罰金.

벌그스름-하다 (→하다) 〈形〉やや赤い. **벌그스름히** 〈副〉やや赤く.

*__벌금【罰金】__ 〈名〉罰金. 文例 십만원 이하의 ~에 처한다 十万ウォン以下の罰金に処す る. 語例 ~형〔法〕罰金刑.

벌긋-벌긋 〈副・하形〉赤い点がまだらにあるさま.

벌꺽 〈副〉❶急に力を出すさま: むくっと. かっと. 句例 ~ 화를 내다 かっと怒る. ❷いきなりひっくり返るさま. 句例 ~ 나자빠지다 いきなりひっくり返る.

벌끈 〈副・하自〉すぐ怒るさま: かっと. **~거리다** 〈自〉かっと腹を立てる.

벌끈벌끈 〈副・하自〉しきりにかっと激するさま: かっかと.

벌다[1] [pŏ:lda] (버니, 벌어서) 〈自〉透き間ができる. 間がひらく.

*__벌다__[2] [pŏ:lda] (버니, 벌어서) 〈他〉❶もうける. 稼ぐ. 句例 돈을 크게 ~ 大いに金をもうける / 한 밑천 ~ ひと山当てる. 文例 그는 서울로 돈(을) 벌러 갔다 彼はソウルへお金を稼ぎに行った. ❷(悪いことをして)罰を自ら招く. 句例 욕을 ~ 非難を招く. ❸利益を得る. 句例 점수를 ~ 点数を稼ぐ / 차일피일하면서 시간을 ~ ずるずる日にちを延ばして時間を稼ぐ.

*__벌떡__ 〈副〉いきなり立ち上がるさま: すっくと. がば(っ)と. むっくと. 句例 놀라서 ~ 일어서다 驚いてがばと跳ね起きる.

벌떡-거리다 〈自〉❶力強く脈打つ. ❷胸がどきどきする. 句例 놀라서 가슴이 ~ 驚いて胸がどきどきする. ❸がぶがぶ飲む.

벌떡벌떡 〈副・하自〉どきどき. がぶがぶ.

*__벌-떼__ [pŏ:ltte] 〈名〉はち(蜂)の群れ.

벌떼같이 ❶はちの群れのごとく. 雲のごとく. ❷寄ってたかって.

벌렁 〈副〉にわかにあおむけに倒れるさま: ばたっと. ごろり(と). ばたりと. 句例 뒤로 ~ 자빠지다 ごろりとあおむけに倒れる.

*__벌렁-거리다__ 〈自〉浮ついて動く.

벌렁벌렁 〈副・하自〉ひょこひょこ.

⁑**벌레** 〈名〉虫. ❶虫けら. 昆虫. 句例 ~에 쐬다 虫にさされる / ~가 꾀다〔꾫다〕虫がわ(湧)く. 文例 저런 ~ 같은 것들의 상대를 하지 마라 あんな虫けらどもの相手になるな. 語例 ~ 소리 虫の音. ❷(ある物事に)熱中する人. 語例 책~ 本の虫 / 일~ 仕事の虫.

벌레잡이 식물【―植物】 [―jabishingmul] 〈名〉〔植〕食虫植物. =식충 식물.

벌룩-거리다 〈自他〉(ものが)開いたりすぼんだりする. また, そうさせる.

벌름-거리다 〈自他〉しきりにひくひくする. ひくひくさせる. 句例 코를 ~ 鼻をうごめかす. 鼻をひくひくさせる.

벌름벌름 〈副・하自他〉ひくひく.

벌리다[1] [pŏ:llida] 〈自〉もうかる. 句例 잘 벌리는 장사 よくもうかる商売.

*__벌리다__[2] [pŏ:llida] 〈他〉❶(口などを)開ける. 句例 자루를 ~ 袋を開ける / 입을 벌리고 자다 口を開けて寝る. ❷(間隔を)開ける. 広くする. 句例 책상 사이를 ~ 机の間を広くする. ❸ひらいて中身をとり出す. ❹(すぼんだものを)開く. 広げる. 句例 양손을 ~ 両手を広げる. →벌이다

벌린-춤 [pŏ:llin―] 〈名〉やりかけたこと. 既に手をつけてやめられないこと. 乗りかかった船. =기장지무(旣張之舞). 文例 이렇게 되면 ~이라 뒤로 물러설 수 없다 こうなったからには乗りかかった船で後へは引かれない.

벌목【伐木】 〈名・하自〉伐木. 語例 ~부 伐木夫.

벌-받다【罰―】 ⇨'벌(罰)'の小項目

*__벌벌__ [pŏ:lbŏl] 〈副・하自〉❶ぶるぶる. びくびく. おどおど. 句例 무서워서 ~ 떨다 怖くてぶるぶる(と)震える. 文例 그는 해고당하지나 않을까 하고 ~ 떨고 있다 彼は首になりはしないかと

びくびくしている. ❷けちけち. 文例 그는 단돈 천 원에도 ~ 떤다 彼はたったの1000ウォンにもけちけちする. ❸地面をはうさま：ずるずる.

**벌써 〈副〉❶既に. もう. とうに. 文例 ~ 준비가 되어 있다 既に準備ができている / 범인은 ~ 사라진 뒤였다 犯人はとうに姿をくらました後だった. ❷もはや. 早や. 文例 ~ 10년의 세월이 흘렀다 もはや十年の歳月が流れた / ~ 아이가 둘이나 된다 早子供が二人にもなっている / ~ 눈치 채였다 早くも気取られた.

벌-씌다 [pŏ:l—] ⇨'벌³'の小項目

벌-쓰다【罰—】(벌쓰니, 벌써서) ⇨'벌(罰)'の小項目

벌-씌우다【罰—】[—ssiuda] ⇨'벌(罰)'の小項目

*__벌어-들이다__ [pŏ:rŏdŭrida]〈自〉稼いで持ってくる.

벌어-먹다 [pŏ:rŏ—]〈自〉稼いで暮らす.

*__벌어-지다__ [pŏ:rŏ—]〈自〉❶透き間ができる. 句例 벽에 틈이 ~ 壁に透き間ができる.絵 / 옷자락이 벌어져 보기 흉하다 すそがはだかってみっともない.

❷仲たがいになる. 句例 사이가 ~ 仲が疎くなる. 文例 그들은 언젠가부터 사이가 벌어졌다 彼からはいつからか仲たがいになった.

❸(実などが熟して)開く. 句例 꽃봉오리가 ~ つぼみが開く.絵

❹(からだが)横に張る. がっちりする. 句例 딱 벌어진 어깨 がっしり(と)した肩.

❺(事が)起こる. 繰り広げられる. 文例 갑자기 싸움이 벌어졌다 突然けんかが起こった. 絵

벽에 틈이 벌어지다 꽃봉오리가 벌어지다 싸움이 벌어지다

〈벌어지다〉

벌이 [pŏ:ri]〈名〉もうけ. 稼ぎ. **~하다**〈自〉稼ぐ. 句例 ~할 곳 稼ぎ口 / ~가 잘 안 되다 うまくもうからない / ~하러 나가다 稼ぎに出る.

*__벌이다__ [pŏ:rida]〈他〉❶仕事を始める. 着手する. 句例 교섭을 ~ 渡りをつける / 일전을 ~ 一戦を交える / 퍼레이드를 ~ パレードをくりひろげる. ❷店を開く〔張る〕. 句例 생선 가게를 ~ 魚屋を開く. ❸陳列する. 並べる. 文例 물건을 너무 벌여놓지 마라 品物をあまり並べたてるなよ.

벌-주다【罰—】⇨'벌(罰)'の小項目

*__벌-집__ [pŏ:ltchip]〈名〉はちの巣. =봉소(蜂巣).

벌집(을) 쑤신 것 같다 はちの巣をつついたようだ.

벌집을 건드렸다 はちの巣をつつく. やぶをつついて蛇を出す.

벌창〈名・하自〉氾濫.

벌채【伐採】〈名・하他〉伐採. 語例 ~ 작업 伐採作業.

벌초【伐草】〈名・하自〉お墓の雑草を刈り取ること.

벌충〈名〉補充. **~하다**〈他〉埋め合わせる. 補充する. 文例 결손을 어떻게든 ~해야 한다 欠損を何とか埋め合わせねばならない.

*__벌칙__【罰則】〈名〉罰則. ペナルティー. 句例 ~을 마련하다 罰則を設ける.

벌컥〈副〉❶急に激するさま：かっと. 句例 ~ 성을 내다 いきなりかっと怒る. ❷急にひっくり返るさま：ばたっと.

*__벌-통__【—桶】[pŏ:lt'ong]〈名〉みつばちの巣箱.

*__벌판__〈名〉野原. 原. 原っぱ. 句例 온통 눈에 덮인 ~ 一面雪の原 / 황량한 ~ 荒涼たる原野.

**__범__ [pŏ:m]〈名〉〔動〕とら(虎). =호랑이.

범 같은 장수 勇猛で威厳のある将帥.

범굴에 들어가야 범을 잡는다 虎穴に入らずんば虎児を得ず.

범도 제 소리하면 오고, 사람도 제 말하면 온다 うわさをすれば影がさす.

범 없는 골에는 토끼가 스승이라 虎なき里のこうもり.

범에게 물려가도 정신을 차려라 虎にか(噛)み付かれても気をしっかり持てば助かる.

범에 날개 鬼に金棒.

범의 아가리 虎口. きわめて危険な状況.

범 〔漢字項目〕

【凡】中學 범 ボン. ハン. ❶대강. 대략 おおよそ. あらまし. ▮凡例 범례 はんれい. ❷범상함. 보통임 なみ. 普通. ▮凡常 범상 ぼんじょう. ▮平凡 평범 へいぼん. ❸보통 사람 ふつうの人. ▮凡人 범인 ぼんじん. 凡夫 범부 ぼんぷ. ❹여러 가지 いろいろ. ▮凡百 범백 ぼんぴゃく.

【汎】高校 범 ハン. 넓다 広い. 널리 미치다 ひろくゆきわたる. ▮汎論 범론 はんろん. 汎用 범용 はんよう.

【犯】高校 범 ハン ボン. ❶범하다 犯す. ▮犯罪 범죄 はんざい. 犯行 범행 はんこう. 犯則 범칙 はんそく. ❷침범하다 侵す. ▮侵犯 침범 しんぱん. ❸죄를 지음 罪をおかすこと. 범한 죄 おかした罪. ▮犯罪 범죄 はんざい. ❹범인 はんにん. ▮共犯 공범 きょうはん.

【範】高校 범 ハン. ❶법식 法式. ▮範例 범례 はんれい. ▮模範 모범 もはん. ❷한계 かぎり. ▮範圍 범위 はんい. 範疇 범주 はんちゅう.

범-띠 [pŏ:mtti]〈名〉とら(寅)年生まれ.

범람【氾濫】[pŏ:mnam]〈名・하自〉氾濫. 文例 큰 비로 하천이 ~했다 大雨で川が氾濫した / 외래어의 ~으로 국어가 오염되어 간다 外来語の氾濫で国語が汚染されていく.

범례【凡例】[pŏmnye]〈名〉凡例. =일러두기.

*__범벅__〈名〉ごたまぜ. ごちゃ混ぜ.

범벅이 되다 まぜこぜになる. 句例 범벅이 되어 싸우다 入り乱れて戦う. 文例 온통 범벅이 되어 버렸다 まったくごっちゃ返しになってし

ㅂ

まった.

범법【犯法】[pŏ:mppŏp]〈名・하自〉法を犯すこと. 語例 ～자 法を犯した者.

범선【帆船】[pŏ:msŏn]〈名〉帆船. ＝돛단배.

범속【凡俗】〈名〉凡俗. **～하다**〈形〉俗っぽい. 句例 ～한 인물 凡俗な人物.

범어【梵語】[pŏ:mŏ]〈名〉梵語. サンスクリット.

범위【範圍】[pŏ:mwi]〈名〉範囲. ＝테두리. 語例 세력 ～ 勢力の範囲.

범인【凡人】[pŏmin]〈名〉凡人. ＝범부(凡夫).

범인【犯人】[pŏ:min]〈名〉犯人. 星. ＝범죄자. 句例 ～의 지문 犯人の指紋 / ～이 잡히다 犯人がつかまる.

***범죄**【犯罪】[pŏ:mjoe]〈名・하自〉犯罪. 句例 소년 ～를 예방하다 少年犯罪を予防する / ～를 저지르다 犯罪を犯す. 語例 ～인(인도) 犯罪人(引き渡し) / ～자 犯罪者.

범주【範疇】[pŏ:mju]〈名〉範疇. カテゴリー. 句例 …의 ～에 들다 …の範疇にはいる. 文例 그것은 핵물리학의 ～에 속한다 それは核物理学の範疇に属する.

범타【凡打】〈名・하自〉〔野〕凡打.

범퇴【凡退】〈名・하自〉〔野〕凡退. 語例 삼자 ～ 三者凡退.

범퍼〈名〉バンパー. ◇bumper

***범-하다**【犯―】[pŏ:m―](→하다)〈他〉犯す. 句例 죄〔미스〕를 ～ 罪〔ミス〕を犯す / 치한이 여자를 ～ 痴漢が女性を犯す.

범-해 [pŏ:mhae]〈名〉'とら(寅)年'の俗称.

범행【犯行】[pŏ:mhaeng]〈名・하自〉犯行. 句例 ～을 인정하다 犯行を認める. 語例 ～ 동기 犯行の動機.

***법**【法】法. ■〈名〉❶法律. 句例 ～의 맹점을 악용하다 法律の盲点を悪用する / ～을 어기다 法にそむく.

❷道理. 文例 그런 말을 하는 ～이 있는가 そういう口のきき方があるものか.

❸様式と方法. 仕方. 語例 표기～ 表記法 / 요리～ 料理の仕方.

❹〔數〕除数.

■〈依名〉❶('-는 ～'の形で)必然の意を表わす語: …するものだ. …すべきだ. 文例 독신 생활은 돈이 더 드는 ～이다 独り暮らしはお金が余計にかかるものだ / 침략자는 결국 망하고야 마는 ～ 侵略者は結局滅びてしまうのが世の定め.

❷('-는 ～은 없다〔있다〕, -는 ～이 없다〔있다〕'の形で)態度や習慣を表わす語: …することはない. …することがある. 文例 그는 아무리 야단 맞아도 얼굴을 찌푸리는 ～이 없다 彼はいくらしかられてもしかめっ面をするようなことがない / 독차지해도 된다는 ～이라도 있단 말이오 独り占めをしてもいいと言うおきてでもあるものですか.

❸('-는 ～'の形で)方法・方式を表わす語: …方. 仕方. 句例 읽는 ～ 読み方 / 쓰는 ～ 書き方.

❹('-ㄹ〔-을〕(도) ～の形で)推測や可能性を表わす語: …しそうでもある. …しそうだ. できそうである. 文例 날이 저물었으니 돌아올 ～도 하다 日が暮れたので帰ってきそうだ.

表現 ①, ②で 終声のある語には '-는'の代わりに'-ㄴ'がつく.

법 없이 살다 法なしに暮らす. 善良な人は法の規制がなくても悪いことをしない.

법은 멀고 주먹은 가깝다 法は遠く暴力は近い. 理非をあきらかにする前に, 腕力をふるうことのたとえ.

법 〔漢字項目〕

【法】 中學 법 ホウ. ハッ. ホッ. ❶형벌 刑罰. ▮法律 법률 ほうりつ. ▮司法 사법 しほう. ❷제도 制度. ▮法度 법도 はっと. ❸예의 礼儀. ▮禮法 예법 れいほう. ❹본보기 手本. ▮法帖 법첩 ほうじょう. 法書 법서 ほうしょ. ❺준칙 準則. ▮準法 준법 じゅんぽう. ❻방법 方法. ▮戰法 전법 せんぽう. 療法 요법 りょうほう. ❼가르침 教え. 종교 宗教. ▮法門 법문 ほうもん. ▮律法 율법 りっぽう. ❽불교 仏教. ▮法師 법사 ほうし. 法悅 법열 ほうえつ. ❾불교에서 물(物)・심(心)・선악 등의 일체의 사상(事象). 仏教の説く一切の事象. ▮法界 법계 ほうかい. ▮色法 색법 しきほう. ❿언어학에서 문법 범주의 하나. 言語学の文法範疇の一つ. ▮直說法 직설법 ちょくせつほう. ⓫본받다 ならう. のっとる. ▮法言 법언 ほうげん.

법관【法官】〈名〉〔法〕法官. 裁判官.

법규【法規】〈名〉法規. 句例 나라의 ～ 国の定め / ～에 비추어 처벌하다 法規に照らして処罰する. 語例 교통 ～ 交通法規.

법당【法堂】〈名〉〔佛〕法堂. 仏堂.

법도【法度】〈名〉法度. 法律と制度.

법도【法道】〈名〉❶法を守るべき道理. ❷⇨불도(佛道)

법랑【琺瑯】[pŏmnang]〈名〉琺瑯. ＝에나멜. 語例 ～질 琺瑯質. エナメル質.

법령【法令】[pŏmnyŏng]〈名〉〔法〕法令. 略して'영(令)'ともいう. 句例 ～에 따라서 法令によって.

***법률**【法律】[pŏmnyul]〈名〉法律. 文例 ～은 사람을 가리지 않는다〔만인에 평등하다〕 法律は人を論じない. 語例 ～가 法律家 / ～ 사무소 法律事務所.

법망【法網】[pŏmmang]〈名〉法網. 句例 ～에 걸리다 法網にかかる / ～을 뚫고 못된 짓을 하다 法網をくぐって悪事を働く.

법무【法務】[pŏmmu]〈名〉法務. 語例 ～ 행정 法務行政.

법무-부【法務部】[pŏmmubu]〈名〉法務部. 法務省に当たる. 語例 ～ 장관 法務部長官. 法務大臣.

법복【法服】〈名〉❶法服. ❷僧衣. 法衣.

***법석**〈名・하自〉わいわい〔がやがや〕と騒ぎ立てるさま.

법석(을) 떨다 一騒ぎする. 文例 교통 사고로 그 일대가 법석을 떨었다 交通事故でその一帯が大騒ぎであった.

법석-거리다〈自〉がやがや騒ぎ立てる. ＝법석이다.

법석-이다 [pŏpsŏgida]〈自〉⇨ 법석거리다

법안【法案】[pŏban]〈名〉法案. 句例 ~이 통과되다 法案が通る.

***법원**【法院】[pŏbwon]〈名〉裁判所. 語例 지방 ~ 地方裁判所 / ~장 裁判所長.

법인【法人】[pŏbin]〈名〉〔法〕法人. 語例 재단 ~ 財団法人 / 학교 ~ 学校法人.

법적【法的】〈名・冠〉法的. 句例 ~ 제재를 가하다 法的な制裁を加える. 文例 ~ 근거가 없는 일이다 法的根拠のないことである.

***법정**【法廷】〈名〉法廷. 句例 ~에 서다 法廷に立つ / ~에서 싸우다 法廷で争う.

법정【法定】〈名・하他〉法定. 語例 ~ 가격 法定価格 / ~ 전염병 法定伝染病.

법제【法制】〈名〉法制. 語例 ~사(史) 法制史.

법제-처【法制處】〈名〉法制処. 中央官庁の一つ. 内閣の法制局に当たる. 長官は'법제처장(長)'と言う.

법조【法曹】〈名〉法曹. 語例 ~계 法曹界.

법주【法酒】〈名〉❶一定の法式にしたがって醸した酒. ❷法酒. (韓国の)慶州地方の特産である純穀の清酒.

법-질서【法秩序】[—chilssŏ]〈名〉法秩序.

법치【法治】〈名〉法治. 語例 ~ 국가 法治国 / ~주의 法治主義.

법칙【法則】〈名〉法則. 句例 만유 인력의 ~ 万有引力の法則.

법-하다【法—】[pŏp'ada] (→하다)〈補形〉('-ㄹ〔-을〕 ~'の形で) 推量の意を表わす: …(し)そうだ. …らしい. あり得る. 文例 그럴 법한 일이다 さもありそうなことである.

参考 '-ㄹ〔-을〕 법하다'は[—ppŏp'ada]と読む.

법회【法會】[pŏp'oe]〈名〉〔佛〕法会.

벗 [pŏ:t]〈名・하自〉友. 友達. 友人. =친구. 句例 마음의 ~ 心の友 / 막역한 ~ 莫逆の友. →벗하다

벗 따라 강남 간다 友づれで江南へ行く. 友づれならどこにでも行くとの意.

벗(을) 삼다 友とする. 句例 풍월을 벗삼다 風月を友とする.

벗-가다〈自〉'벗나가다'の略.

***벗겨-지다**〈自〉'벗기어지다'の略. ❶(帽子などが)脱げる. 句例 구두가 ~ くつが脱げる. 絵 ❷(表皮などが)む(剝)ける. 句例 껍질이 ~ 皮がむける. ❸(顔料などが)はげる. 句例 도금한 것이 ~ メッキがはげる / 칠이 ~ 塗りがはげる. 絵 ❹は(禿)げる. 句例 머리가 ~ 頭がはげる. 絵 ❺(掛けられたものが)外れる. 句例 기계의 벨트가 ~ 機械のベルトが外れる. ❻(汚名・恥などが)そそがれる. 句例 누명이 ~ えん罪がそそがれる.

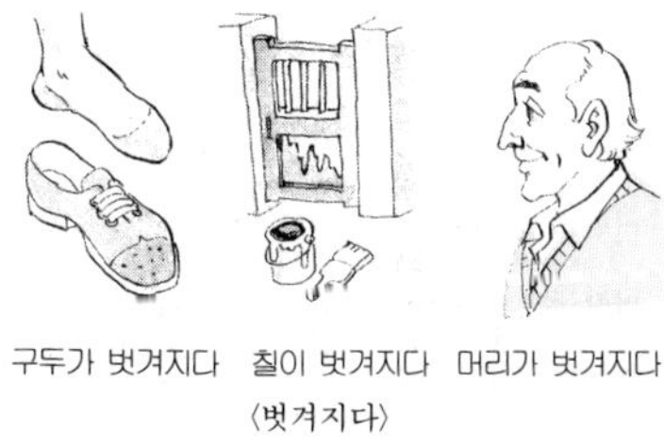

구두가 벗겨지다 칠이 벗겨지다 머리가 벗겨지다

〈벗겨지다〉

***벗기다**〈他〉は(剝)ぐ. ❶脱がせる. 句例 신을 ~ 靴を脱がせる. ❷むく. はがす. 句例 나무 껍질을 ~ 木の皮をはぐ / 귤 껍질을 ~ みかんの皮をむく / 때를 ~ あかを落とす. ❸外す. 開ける. 句例 빗장을 ~ かんぬきを外す / 가면을 ~ 仮面をはぐ.

벗기어-지다〈自〉'벗기다'の受け身: むける. は(剝)げる. 脱げる. 外れる. 略して'벗겨지다'ともいう.

벗-나가다 [pŏn—]〈自〉(規則・常道などから)そ(逸)れる〔逸する〕. (…から)外れる. 略して'벗가다'ともいう.

벗다[1]〈自〉やぼったさがなくなる. あか抜けする. 句例 때가 벗은 여자 あか抜けした女.

****벗다**[2]〈他〉❶(身に着けたものを)脱ぐ. 取る. 句例 겨울 옷을 ~ 冬着を脱ぐ / 모자를 ~ 帽子を取る / 안경을 ~ 眼鏡を外す〔取る〕. ❷(責任などを)免れる. 晴れる. 句例 혐의를 ~ 疑いが晴れる / 누명을 ~ 晴れの身となる. ❸荷を下ろす. 句例 무거운 짐을 ~ 重荷を下ろす. ❹(虫などが)皮を脱ぐ. 句例 뱀이 허물을 ~ へびが皮を脱ぐ. ▷→囲み記事 42

벗-삼다 [pŏ:tsamtta] ⇨ '벗'の小項目

***벗어-나다** [pŏsŏ—]〈自他〉❶(困難などを)切り抜ける. 逃れる. 免れる. 句例 도시를 ~ 都会を逃れる / 난관을 ~ 難関を切り抜ける. ❷脱する. 自由になる. 句例 속박〔질곡〕에서 ~ 束縛〔桎梏〕から脱する / 궁지를 ~ 窮地を脱する. ❸(人に)あいそをつかされる. 疎まれる. 句例 상사의 눈에 ~ 上役に疎まれる. ❹(道理に)外れる. そ(逸)れる. 句例 사리에 ~ 道理に外れる / 상식에 벗어난 일을 하다 常識に外れた事をする / 인륜에 ~ 人倫にもと(悖)る.

벗어-버리다 [pŏsŏ—]〈他〉❶(身に着けたものを)脱ぎ捨てる. 句例 장갑을〔오버를〕 ~ 手袋〔オーバーコート〕を脱ぎ捨てる. ❷(担っていた荷を)下ろす. ❸免れる. あか(証)しを立てる. 句例 오명을 ~ 汚名をすすぐ.

벗어-부치다 [pŏsŏ—]〈自他〉威勢よく脱ぎ捨てる. 句例 옷을 벗어부치고 거들다 上着を脱ぎ捨てて手助けをする.

***벗어-지다** [pŏsŏ—]〈自〉❶(身に着けたものが)脱げる. 文例 신발이 좀처럼 벗어지지 않는다 靴がなかなか脱げない. ❷は(剝)げる. はがれる. 取れる. 外れる. 句例 칠이 ~ 塗りがはげる. ❸(頭が)は(禿)げる. 句例 번들번들하게 홀떡 벗어진 머리 つるつるにはげあがった頭.

벗-하다 [pŏ:t'ada] (→하다)〈自〉❶友とする. 句例 책〔자연〕을 ~ 書物〔自然〕を友とする. ❷気安く交わる. 文例 그와는 벗하고 지내는 사이이다 彼とは君僕の仲である.

***벙글-거리다**〈自〉にこにこする.

벙글벙글〈副・하自〉にこにこ.

벙긋〈副〉にっこり(と). にこっと. **～거리다**〈自〉にこにこする. にこっと笑う.
벙긋벙긋〈副・하自〉にこにこ.
벙벙-하다 (→하다)〈形〉呆然としている. [句例] 어안이 ～ あっけにとられる. あきれてものが言えない.
****벙어리**¹〈名〉口のきけない人. 言語障害者. [文例] 그 사람은 어려서부터 ～였다 その人はおさない時から口がきけなかった. [語例] ～ 장갑(掌甲) ふたまた手袋. ミトン.
벙어리 냉가슴 앓듯 人に訴えることもできず独りでもだえ苦しむの意.
벙어리²〈名〉(子供用の)貯金箱.
벙커시-유【bunkerC油】[—shi:yu]〈名〉バンカー重油.
벚꽃 [pŏ:tkkot]〈名〉桜花. 桜.
벚-나무 [pŏn—]〈名〉〔植〕桜(の木).
베〈名〉❶麻糸・木綿・絹糸で織った布地. [句例] ～를 짜다 機を織る. ❷'삼베'の略: 麻布.
****베개**〈名〉まくら(枕). [句例] ～를 베다 まくらをする. [語例] 베갯머리 まくら元 / 베갯잇 まくらのカバー.
베개를 높이 베다 まくらを高くして寝る.
베고니아〈名〉〔植〕ベゴニア. ◇begonia
***베끼다**〈他〉書き写す. 引き写す. [句例] 고서를 ～ 古書を書き写す / 참고서를 그대로 베껴 쓴 답안 参考書を引き写しにした答案.
베니션 블라인드〈名〉ベネシャンブラインド. 板すだれ. ◇venetian blind
***베니어**〈名〉ベニヤ. [語例] ～ 합판 ベニヤ板. ◇veneer
베다¹ [pe:da]〈他〉まくら(枕)にする. [句例] 무릎을 베고 자다 ひざをまくらにして眠る.
****베다**² [pe:da]〈他〉❶切る. 刈る. 斬る. 伐る. [句例] 목을 ～ 首を切る〔斬る〕/ 벤 자리에서 피가 흐르다 切り口から血が流れる / 나무를 베어 넘기다 立ち木を切り〔伐り〕倒す / 벼를〔풀을〕 ～ 稲〔草〕を刈る. ❷('목을 ～'の形で) 首にする. 解雇する.
베-돌다 (베도니, 베돌아서)〈自〉お高くとまる. 仲間はずれになる.
베드〈名〉ベッド. ＝침대. [語例] ～룸 ベッドルーム. ◇bed
베란다〈名〉ベランダ. ◇이 veranda
베레〈名〉ベレー. ベレー帽. ◇프 béret
베스트〈名〉ベスト. [句例] ～를 다하다 ベストを尽くす. [語例] ～ 멤버 ベストメンバー / ～ 셀러 ベストセラー / ～ 텐 ベストテン. ◇best
베슬-거리다〈自〉気乗りのしないようすをする. まじめに取りかからない. ずるけて避けてばかりいる.
베-실〈名〉麻糸. ＝마사(麻絲).
베어-내다〈他〉切り取る. 切り出す. 刈り取る. [句例] 원목을 ～ 原木を切り出す.
베어링〈名〉ベアリング. ◇bearing
베어-먹다〈他〉❶切り取って食べる. かじりとる. [句例] 사과를 ～ りんごをかじる. ❷す(擦)り切らす. 略して'베먹다'ともいう.
베어-버리다〈他〉切り取ってしまう. 切り払う. 刈り捨てる.

베-옷〈名〉麻布の服.
베이다〈自他〉'베다²'の受け身: 切られる. 刈られる. [句例] 손가락이 ～ 指が切られる.
베이비〈名〉ベビー. ❶赤ん坊. ❷小型のもののたとえ. [語例] ～ 골프 ベビーゴルフ. ◇baby [表現] ②は俗っぽい言いかた.
베이스¹〈名〉ベース. [句例] ～를 올리다 ベースを上げる / ～를 밟다 ベースを踏む. [語例] 임금 ～ 賃金ベース / ～ 러너〔野〕ベースランナー / ～볼 ベースボール / ～ 캠프 ベースキャンプ. ◇base
베이스²〈名〉〔樂〕ベース. バス. [語例] ～ 드럼(＝큰북) バスドラム. ◇bass
베이스(를) 넣다 ❶〔樂〕低音で伴奏を入れる. ❷口添えする.
베이지〈名〉ベージュ. ラクダ色. ◇beige
베이컨〈名〉ベーコン. ◇bacon
베이클라이트〈名〉ベークライト. ◇bakelite
베이킹 파우더〈名〉ベーキングパウダー. ◇baking powder
베일〈名〉ベール. [句例] ～을 쓰다 ベールをかぶる / ～을 벗기다 ベールをはぐ / 신비의 ～에 싸이다 神秘のベールにつつまれる. ◇veil
***베짱이**〈名〉〔蟲〕うまおい虫.
베테랑〈名〉ベテラン. ◇프 vétéran
베-틀〈名〉機. 機織り機. [語例] ～가(歌)〔樂〕機織り歌.
***베풀다** (베푸니, 베풀어서)〈他〉❶(宴会などを)設ける. 張る. 催す. [句例] 잔치를〔주연을〕 ～ 宴〔酒宴〕を張る. ❷(恵みなどを)施す. 恵む. (政治を)敷く. [句例] 자비를 ～ 慈悲を施す / 선정을 ～ 善政を敷く / 빈민에게 쌀을 ～ 貧民に米を恵む.
벡터〈名〉〔物〕ベクトル. ◇vector
***벤젠**〈名〉〔化〕ベンゼン. ベンゾール. ＝벤졸. [語例] ～ 중독 ベンゼン中毒. ◇benzene
벤졸〈名〉〔化〕ベンゾール. ベンゼン. ◇benzol
벤치〈名〉ベンチ. ◇bench
벨〈名〉ベル. [句例] 요란한 ～소리 けたたましいベルの音 / ～을 울리다 ベルを鳴らす / ～이 울리다 ベルが鳴る. [語例] 비상 ～ 非常ベル. ◇bell
벨벳〈名〉ベルベット. ビロード. ＝비로드. ◇velvet
***벨트**〈名〉ベルト. [句例] ～를 매다 ベルトをしめる. [語例] 그린 ～ グリーンベルト / ～ 컨베이어 ベルトコンベヤー. ◇belt
***벼**〈名〉〔植〕稲. [句例] ～가 익다 稲が実る. [語例] ～ 이삭 稲穂 / ～베기 稲刈り.
***벼-농사**【—農事】〈名・하自〉稲作.
벼락〈名〉雷. 落雷. [語例] ～ 감투 にわかに得た役職 / ～ 공부(工夫) にわか勉強. 一夜漬けの勉強 / ～ 부자(富者) 成金. にわか分限 / ～ 출세 にわか出世. 出来星《俗》.
벼락(이) 떨어지다〔내리다〕 雷が落ちる. ❶異変が起こる. ❷お目玉をくう.
벼락(을) 맞다 ❶雷に打たれる. ❷天罰を受ける. [句例] 벼락 맞을 짓 罰当たりな行い. [文例] 그 놈은 나쁜 짓을 많이 했으니까 벼락을 맞은 것이다 あいつは悪い事をたくさんしたから

天罰が当たった訳だ.
벼락 맞을 소리 罰当たりな発言.
벼락(이) 치다 雷が落ちる.
벼락-같이 [—kach'i]〈副〉(いなずまのように)素早く. 句例 ~ 해치우다 素早くやり遂げる.
***벼랑**〈名〉がけ(崖). 断崖. 句例 깎아지른 듯한 ~ 切り立ったがけ. 語例 ~길 がけ道.
***벼루**〈名〉すずり(硯). 語例 벼룻돌 すずり石 / 벼룻집 すずり箱.
벼룩〈名〉〔蟲〕のみ. 句例 ~을 잡다 のみを取る / ~에 물리다 のみに食われる. 語例 ~ 시장(市場) のみの市.
벼룩도 낯짝이 있다 のみにもメンツがある. ひどくずうずうしい者のたとえ.
벼룩의 간을 내어 먹는다 のみの肝を取り出して食う. 浅ましい貪欲なことのたとえ.
벼르다[1] (벼르니, 별러서)〈他〉意気込む. (…しようと)決心する. もくろむ. 句例 기회를 ~ 好機をねらう.
벼르다[2] (벼르니, 별러서)〈他〉分配する. 取り分ける. 句例 정한 몫대로 ~ 決めた分け前通りに割る / 과일을 접시에 ~ 果物を皿に取り分ける.
벼름〈名・하他〉配分. 分配.
벼리다〈他〉(鈍くなった刃物などを)焼きを入れて刃を立てる. 焼き直して研ぐ. 練る. 鍛える. 句例 칼을 ~ 刀を練る〔鍛える〕.
***벼슬**〈名〉官職. 官位. **~하다**〈自〉出仕する. 官職に就く. 句例 ~이 오르다 官位が上がる. 語例 ~살이 役人生活 / ~아치 役人.
벼슬(을) 살다 官吏として奉職する. 官職についている.
벼슬-길 [—kkil]〈名〉仕官の道. 官途.
벼슬길(에) 오르다 官途につく.
벼-쭉정이〈名〉しいな(粃). 中身のないもみ.
벼-훑이 [—hulch'i]〈名〉稲こき器. 稲こき箸. = 도급기(稻扱機). 絵

〈벼훑이〉

⁑**벽**【壁】〈名〉❶['바람벽'の略] 壁. 句例 ~에 금이 가다 壁にひびが入る / 몸을 ~에 기대다 からだを壁に寄せかける. 語例 흰 ~ 白壁 / ~면 壁の表面. ❷障壁. 障害物. 句例 ~을 뚫다 壁を貫く / 연구가 ~에 부닥치다 研究が壁に突き当たる〔ぶつかる〕/ 법률의 ~은 두텁다 法律の壁は厚い.
벽(을) 쌓다 ❶壁を積み上げる. 壁を築く. ❷交わりを絶つ. 関係を絶つ.

벽 〔漢字項目〕

【壁】高校 벽 へキ. ❶벽. 바람벽 かべ. ▮壁畫 벽화 へきが. ▮土壁 토벽 つちかべ. ❷진 とりで. ▮金城鐵壁 금성철벽 きんじょうてっぺき. 城壁 성벽 じょうへき. ❸낭떠러지 がけ. ▮絶壁 절벽 ぜっぺき.
【碧】高校 벽 へキ. ❶옥돌 玉. ▮碧玉 벽옥 へきぎょく. ❷푸르다 あおい. 짙은 푸른 빛 みどりいろ. ▮碧海 벽해 へきかい. 碧天 벽천 へきてん.

벽-난로【壁煖爐】[pyŏngnallo]〈名〉壁付き暖炉. シュミネ. 略して'벽로(壁爐)'ともいう.
⁑**벽-돌**【甓—】〈名〉煉瓦. 句例 ~을 쌓아 올리다 煉瓦を積みあげる. 語例 ~담 煉瓦塀 / ~집 煉瓦造りの家 / ~공(工) 煉瓦工.
벽두【劈頭】〈名〉劈頭. 最初. 語例 신년 ~ 新年早早.
벽력【霹靂】[pyŏngnyŏk]〈名〉霹靂. 雷. = 벼락. 語例 청천 ~ 青天のへきれき.
벽력-같다【霹靂—】[pyŏngnyŏk—]〈形〉まるで雷のようだ. 耳をつんざくばかりだ. 句例 벽력같은 소리를 내지르다 雷のような声を張り上げる.
벽보【壁報】〈名〉壁新聞. 大字報. 張り紙. 句例 ~를 내붙이다 張り紙を出す. 語例 ~판(板) 張り紙掲示板.
벽-스위치【壁switch】〈名〉 壁に設けたスイッチ.
⁑**벽-시계**【壁時計】〈名〉柱時計. 掛け時計.
벽-신문【壁新聞】〈名〉壁新聞. 大字報.
벽-오동【碧梧桐】[pyŏgodong]〈名〉〔植〕あおぎり(青桐). へきご(碧梧).
벽자【僻字】〈名〉 僻字. あまり使われない文字.
⁑**벽-장**【壁欌】〈名〉はめ込みの押し入れ. 語例 ~문(門) はめ込み押し入れの戸.
벽장-코〈名〉しし鼻. 鼻ぺちゃ. =납작코.
***벽지**【僻地】〈名〉僻地. 辺地. 語例 ~ 교육 僻地教育 / 산간 ~ 山間僻地 / ~ 촌락 奥地の村.
벽지【壁紙】〈名〉壁紙.
벽창-호【碧昌—】〈名〉 [もとの語形は'벽창우(碧昌牛)'] 朴念仁. わからず屋. とうへんぼく(唐変木). いっこく者. 文例 이 ~야! このとうへんぼく!
벽촌【僻村】〈名〉僻村. 片田舎.
벽토【壁土】〈名〉壁土. 語例 ~칠 壁塗り.
벽화【壁畫】[pyŏk'wa]〈名〉壁画.
변〈名〉隠語. 隠しことば. 語例 판수 ~ 盲人の易者が使う隠語.
변(을) 쓰다 隠語で話す. 隠語を使う.
변【便】〈名〉大小便. 特に, 大便. 句例 ~을 보다 大便をする.
***변**[1]【邊】〈名〉❶縁. へり. 端・はた. ❷〔數〕辺. 語例 밑~ 底辺. ❸(碁で)盤面の中央と四隅を除いた四方の線. 辺. 語例 좌~ 左辺. ❹漢字の偏. 語例 삼수 ~ 三水偏《氵》.
변[2]【邊】〈名〉'변리(邊利)'の略.
변【變】[pyŏ:n]〈名〉❶(時ならぬ)異変. 変事. 災い. 句例 불의의 ~을 당하다 思いがけない変事にあう. 文例 ~이 생겼다 変事が起こった / 이건 또 무슨 ~인가 これはまた何たる異変ぞ. ❷大変なこと.

변 〔漢字項目〕

【變(変)】中學 변 へン ❶변하다 かわる. 변화 へんか. ▮變遷 변천 へんせん. ▮不變 불변 ふへん. ❷움직이다 動く. ▮變動 변동 へんどう. ❸고치다 あらためる. ▮變更 변경 へんこう. 變造 변조 へんぞう. ❹변고 非常のことがら. ▮變亂 변란 へんらん. ▮事變

사변 じへん. ❺재앙. 재난 わざわい. ◧變死 변사 へんし. ◧天變地異 천변지이 てんぺんちい. ❻임시 변통의 수단 臨時応変のてだて. ◧變通 변통 へんつう. ◧權變 권변 けんぺん.

【辨(弁)】 高校 변 ベン. 판 ベン. ㊀〔변〕❶나누다 分ける. 식별하다 みわける. ◧辨析 변석 べんせき. 辨識 변식 べんしき. 辨別 변별 べんべつ. ❷밝히다 あきらかにする. ◧辨明 변명 べんめい. 辨解 변해 べんかい. ❸말다툼하다 言いあらそう. ◧辨駁 변박 べんばく.
㊁〔판〕갖추다 備える(‘판(辦)’と通用する).

【辯(弁)】 高校 변 ベン. ❶말을 잘하다 うまくしゃべる. ◧辯舌 변설 べんぜつ. ◧能辯 능변 のうべん. ❷논쟁하다 いいあらそう. ◧辯難 변난 べんなん.

【邊(辺)】 高校 변 ヘン. ベ. ❶가. 가장자리 へ. へり. はた. ◧海邊 해변 かいへん. 川邊 천변 かわべ. ❷국경 지대 国ざかい. ◧邊境 변경 へんきょう. 邊界 변계 へんかい. ❸두메. 벽지 かたいなか. ◧邊鄙 변비 へんぴ. 邊邑 변읍 へんゆう. ❹곁. 근처 ほとり. あたり. ◧近邊 근변 きんぺん. ❺끝 きり. はて. ◧無邊 무변 むへん. ❻다각형을 둘러싼 선. 多角形をつくっている線分. ◧等邊 등변 とうへん. 底邊 저변 ていへん.

변【便】⇨ 편

변격【變格】[pyŏ:nkkyŏk]〈名〉変格. 変則.

변경【邊境】〈名〉辺境.

변경【變更】[pyŏ:n-gyŏng]〈名〉変更. **～하다**〈他〉変更する. 変える. 改める. 変じる. 句例 날짜를 ～하다 日にちを変更する. 語例 명의 ～ 名義変更 / 예산 ～ 予算の変更 / ～되다 変更される. 変わる.

변고【變故】[pyŏ:n-go]〈名〉変故. 変事. 異変. 句例 이번의 큰 ～는 このたびの大変事は.

변괴【變怪】[pyŏ:n-goe]〈名〉異変. 怪異な災変.

변기【便器】〈名〉便器. おまる. 句例 ～를 대다 便器を当てる.

변덕【變德】[pyŏ:ndŏk]〈名〉むら気. 移り気. 気まぐれ. 気変わり. 句例 ～이 심한 사람 非常に気まぐれな人. 語例 ～꾸러기〔쟁이〕 移り気の人. 気まぐれ者. お天気屋. **～스럽다**(→스럽다)〈形〉気まぐれだ. 句例 ～스러운 날씨 気まぐれなお天気 / ～스러운 사나이 むら気の〔な〕男.

변덕(을) 부리다 気まぐれな言動をとる.

변덕(이) 죽 끓듯 하다 気まぐれがお粥が煮えるようだ. げらげら笑いのどん腹立て. 気の変わり方が激しいことのたとえ.

변덕-맞다 [pyŏndŏng—]〈形〉気まぐれだ.

***변동**【變動】[pyŏ:ndong]〈名·하自〉変動. 文例 시세의 ～이 대단하다 相場の変動が大きい. 語例 시세 ～표 足取り表 / 경기 ～ 景気変動.

***변-두리**【邊—】〈名〉❶場末. 町はずれ. 句例 서울 ～에 살다 ソウルの町はずれに住む. ❷(物態の)縁. へり. はし.

변란【變亂】[pyŏ:llan]〈名〉変乱. 句例 ～이 종종 일어나다 しばしば変乱が起こる.

변론【辯論】[pyŏ:llon]〈名·하他〉弁論. 句例 법정에서 ～하다 法廷で弁論する. 語例 ～가 弁論家.

변리【邊利】[pyŏlli]〈名〉金利. 利子. 略して‘변(邊)’ともいう. 句例 ～가 비싸다 金利が高い.

변-말〈名〉隠語. 隠しことば.

***변명**【辨明】[pyŏ:nmyŏng]〈名·하他〉弁明. 弁解. 言い訳. 句例 그럴듯한 ～ もっともらしい言い訳 / 구차한 ～을 하다 お粗末な弁明をする. 文例 ～의 여지가 없다 弁解の余地がない.

변모【變貌】[pyŏ:nmo]〈名·하自〉変貌. 変容. 句例 ～를 이루다 変貌をとげる. 文例 근대 도시로 ～했다 近代都市に変貌した.

변모-없다 [pyŏ:nmoŏpta]〈形〉❶無遠慮だ. ❷融通が利かない. **변모없이** [pyŏ:nmoŏpshi]〈副〉❶無遠慮に. 文例 남 앞에서 변모없이 군다 人の前で無遠慮に振る舞う. ❷愚直に.

변방【邊方】〈名〉辺境.

변변-찮다 [—ch'anta]〈形〉❶出来具合がぱっとしない. ❷(身分·能力などが)人に劣る. ろくでない. 句例 변변찮은 녀석 ろくでないやつ(奴). ❸つまらない. 粗末だ. ささやかだ. 句例 변변찮은 대접 お粗末なもてなし / 변변찮은 요리 ささやかな料理. 文例 변변찮은 겁니다만 받아 주십시오 つまらない〔ささやかな〕物ですが, お受け取りください.

***변변-하다** (→하다)〈形〉かなりよい. ❶出来映えがよい. ❷(身分·能力などが)人に劣らない. 句例 변변한 옷차림 まあまあの身なり / 변변한 대접 十分なもてなし. ❸物にきずがない. 文例 변변한 물건이 하나도 없다 ろくな物がひとつもない. **변변히**〈副〉ろくろく. ろくに. 文例 변변히 잠도 못 잤다 ろくに眠れなかった / 영어도 변변히 못한다 英語もろくにしゃべられない.

변별【辨別】[pyŏ:nbyŏl]〈名·하他〉弁別. 句例 시비 선악을 ～하는 힘 是非善悪を弁別する力. 語例 ～력 弁別力.

변비【便祕】[pyŏ:nbi]〈名〉〔醫〕[‘변비증’の略] 便秘. 句例 ～로 고생하다 便秘になやむ. 文例 ～가 이제야 나았다 便秘が今になって直った. 語例 ～증 便秘症.

변사【辯士】[pyŏ:nsa]〈名〉弁士.

변사【變死】[pyŏ:nsa]〈名·하自〉変死. 語例 ～체 変死体.

변상【辨償】[pyŏ:nsang]〈名·하他〉❶返済. ❷弁償. 句例 손해를 ～하다 損害を弁償する.

변색【變色】[pyŏ:nsaek]〈名·하自他〉変色. 語例 ～제 変色剤.

변설【辯舌】[pyŏ:nsŏl]〈名〉弁舌. 句例 명쾌한 ～로 さわやかな弁舌で / 유명한 ～가 名だたる弁舌家.

변성【變聲】[pyŏ:nsŏng]〈名·하自〉変声. ❶わざと声色を変えること. ❷声変わり. 文例 저 애는 ～할 나이다 あの子は声変わりする年頃である. 語例 ～기 変声期.

변-성명【變姓名】[pyŏ:n—]〈名・하自〉姓名〔氏名〕を変えること. 文例 전력 때문에 ~하고 행세하다 前歴のため氏名を変えて世渡りをしている.

**변소*【便所】〈名〉便所. 手洗い. トイレ(ット). 語例 수세식 ~ 水洗〔用水〕便所 / 공동 ~ 共同〔公衆〕便所.
表現 今はより丁寧な語 '화장실(化粧室)' のほうを多く用いている.

변속【變速】[pyŏ:nsok]〈名・하自他〉変速. 語例 ~ 장치 変速装置.

변수【變數】[pyŏ:nsu]〈名〉〔數〕変数. 對 상수(常數).

변-스럽다【變—】[pyŏ:n—](→스럽다)〈形〉変だ. おかしい. 句例 언동이 좀 ~ 言動が少少おかしい.

변신【變身】[pyŏ:nshin]〈名・하自〉変身.

변심【變心】[pyŏ:nshim]〈名・하自〉変心. 心変わり. 句例 ~한 애인 心変わりした恋人 / 남자의 ~을 원망하다 男の心変わりを根に持つ.

변압【變壓】[pyŏ:nap]〈名・하自〉変圧. 語例 ~기〔電〕変圧器. トランス.

변온 동물【變溫動物】[pyŏ:nondo:ngmul]〈名〉〔動〕変温動物. 冷血動物.

변이【變移】[pyŏ:ni]〈名・하自〉変移.

변이【變異】[pyŏ:ni]〈名〉変異. 文例 그것은 희귀한 돌연 ~이다 それはまれな突然変異である.

변장【變裝】[pyŏ:njang]〈名・하自〉変装. 句例 ~을 재빨리 알아채다 変装をす早く見破る. 語例 ~술 変装術.

변전【變轉】[pyŏ:njŏn]〈名・하自〉変転. 句例 ~ 무쌍하다 変転きわまりない.

변전-소【變電所】[pyŏ:njŏn—]〈名〉変電所.

변절【變節】[pyŏ:njŏl]〈名・하自〉変節. 語例 ~자 変節漢〔者〕.

변제【辨濟】[pyŏ:nje]〈名・하他〉弁済. 返済.

변조【變造】[pyŏ:njo]〈名・하他〉変造. 語例 ~ 수표 変造小切手.

변종【變種】[pyŏ:njong]〈名・하自〉変種. 句例 ~의 나팔꽃 種変わりのあさがお.

변주【變奏】[pyŏ:nju]〈名・하自他〉〔樂〕変奏. 語例 ~곡 変奏曲. バリエーション.

변죽【邊—】〈名〉器物のふち. 語例 ~울림 暗示. ほのめかし. 思わせ振り.

변죽(을) 울리다 遠回しに言う. それとなくほのめかす.

변증-법【辨證法】[pyŏ:njŭngppŏp]〈名〉弁証法. 語例 ~적 유물론〔哲〕弁証法的唯物論.

변질【變質】[pyŏ:njil]〈名・하自〉変質. 句例 쌀이 묵어서 ~되다 米が古くなって変質する / 약이 ~되다 薬が変質する. 語例 ~미(米) 腐化米.

변천*【變遷】[pyŏ:nch'ŏn]〈名〉変遷. 移り変わり. **하다〈自〉変遷する. 移り変わる. 句例 시대의 ~ 時代の変遷 / ~하는 세상 移り変わる世の中.

변칙【變則】[pyŏ:nch'ik]〈名・하自〉変則. 句例 ~적인 운영 変則的な運営. 對 정칙(正則).

변태【變態】[pyŏ:nt'ae]〈名〉変態. 句例 ~적 행동을 취하다 変態的な行動を取る / 곤충의 완전 ~와 불완전 변태 昆虫の完全変態と不完全変態. 語例 ~ 심리 変態心理.

변통【變通】[pyŏ:nt'ong]〈名〉都合. 工面. やりくり. **~하다**〈他〉都合をつける. やりくりする. 句例 임시 ~의 답변 その場逃れ〔一時しのぎ〕の答弁 / 어떻게든 ~하다 何とか都合をつける / ~을 잘하다 やりくりがうまい. 文例 돈을 ~할 수 없다 お金が工面できない. 語例 ~성 融通性. やりくり(算段).

***변-하다**【變—】[pyŏ:n—](→하다) ━〈自〉変わる. ❶(物事が)前と異なる状態になる. 変化する. 句例 아주 변해 버린 모습 変わり果てた姿 / 목소리가〔마음이〕~ 声〔気〕が変わる. ❷(人の心・性質などが)変じる. 句例 변하기 쉬운 세상 인심 変わりやすい世間の人情. ❸(年月が)改まる. 句例 시대가 ~ 時代が変わる. 文例 세상이 변한 것을 어찌하랴 世が変わったのをどうしようか.
━〈他〉変える. 変化させる. 句例 얼굴빛을 ~ 顔色を変える.

변함-없다【變—】[pyŏ:nhamŏpta]〈形〉変わりない. 変化がない. 句例 전과 ~ 前と変わらない. 文例 내 마음은 변함없습니다 私の心は変わりません. **변함없이** [pyŏ:nhamŏpshi]〈副〉相変わらず.

변혁【變革】[pyŏ:nhyŏk]〈名・하自他〉変革. 句例 일대 ~을 가져오다 一大変革をもたらす / ~을 꾀하다 変革をくわだてる. 語例 ~기 変革期.

변형【變形】[pyŏ:nhyŏng]〈名・하自他〉変形. 句例 상자를 ~하다 箱を変形する. 語例 ~ 자재 変形自在 / ~력〔物〕応力.

변호【辯護】[pyŏ:nho]〈名・하他〉弁護. 句例 피고를 ~하다 被告の弁護に立つ / …의 ~를 (떠)맡다 …の弁護を引き受ける. 語例 ~사 弁護士 / ~사회 弁護士会 / ~인 弁護人 / 자기 ~ 自己弁護.

***변화**【變化】[pyŏ:nhwa]〈名〉変化. **~하다**〈自〉変化する. 変わる. 句例 심경의 ~ 心境の変化 / ~가 없다 変化がない. 文例 만물은 끊임없이 ~한다 万物は絶えず変化する / 시대의 ~에 대응하다 時代の変化に応じる. 語例 ~구 変化球 / ~ 무상 変化無常.

변환【變換】[pyŏ:nhwan]〈名・하自他〉変換.

**별*[pyŏ:l]〈名〉❶星. 句例 중천에 깜박이는 ~들 中天にまたたく星星 / 하늘의 ~따기《속담》空の星取り. 語例 ~들의 전쟁〔軍〕スターウォーズ《SDIの俗称》. ❷星型のもの. 語例 ~사탕 コンペイトウ. コンペートー. ❸将官の階級章. 句例 ~을 달다 将官になる.

별-【別】〈頭〉'並とは違う・変わっている'などの意: 別…. 文例 생명에 ~이상은 없다 命に別状はない / 그것은 ~문제다 それは別問題だ.

-별【別】〈尾〉…別. 文例 학교~로 모이다 学校別に集まる. 語例 능력~ 能力別 / 연도~ 年度別.

ㅂ

별 〔漢字項目〕

【別】 中學 별 ベツ. ❶다르다 ちがう. 같지 아니하다 同じでない. ◨別個 별개 べっこ. 別途 별도 べっと. ❷특별하다 とくべつだ. ◨別天地 별천지 べってんち. ◨各別 각별 かくべつ(格別). ❸구별하다 区別する. ◨性別 성별 せいべつ. 類別 유별 るいべつ. ❹갈라지다 わかれる. ◨別離 별리 べつり. ◨告別 고별 こくべつ. ❺따로 別に. ◨別居 별거 べっきょ. 別記 별기 べっき.

별개【別個】〈名〉別個. 別物. 句例 ～로 취급하다 別個に扱う. 文例 그것과 이것과는 전혀 ～의 문제다 それとこれとは全く別個の問題である / 학문과 상식은 ～의 것이다 学問と常識とは別物だ.

별거【別居】〈名・하自〉別居. 文例 그들은 ～중이다 彼らは別居中である.

별-걱정【別―】〈名〉いらぬ心配. つまらない気苦労.

별-것【別―】〈名〉❶変わった物. たいしたもの〔こと〕. 文例 그의 영어는 ～ 아니다 彼の英語はたいしたものでない. ❷別のもの. 他のもの. ▷略して'별거'ともいう.

별고【別故】〈名〉別条. 変わった事. 句例 ～없이 지내다 変わり〔別条〕なく過ごす. 文例 ～없이 건강하시죠 お変わりなくお元気でしょうね.

별관【別館】〈名〉別館.

별-꼴【別―】〈名〉ぶざまなようす. 目障りなこと. 文例 (정말) ～이야! (ほんとに)見ちゃいられない / ～ 다 보겠다 なんというぶざまだ.

*__별-나다__【別―】[pyŏllada]〈形〉変わっている. 変だ. 風変わりだ. 妙だ. 句例 별난 취미 げてもの(下手物)趣味 / 별난 놈 変わったやつ / 별난 소리를 하다 変なことをいう / 맛이 ～ 味が変わっている. 妙な味だ.

**__별-나라__ [pyŏ:llara]〈名〉《児》星の世界.

별납【別納】[pyŏllap]〈名・하他〉別納. 語例 요금 ～ 우편 料金別納郵便.

별-놈【別―】[pyŏllom]〈名〉変わったやつ. へんてこなやつ. 類 괴짜.

*__별-다르다__【別―】(별다르니, 별달라서)〈形〉一風変わっている. 並外れている. 句例 별다른 생각도 없이 何の気もなしに. 文例 그는 성격이 좀 ～ 彼は性格がちょっと変わっている.

별-달리【別―】〈副〉取り立てて. 別に. ほかに. 文例 ～ 보고할 것은 없습니다 取り立てて報告することはありません.

별당【別堂】[pyŏlttang]〈名〉離れ屋. 離れ座敷.

별도【別途】[pyŏltto]〈名〉別途. 句例 예외는 ～로 하고 例外は別として / ～의 해결책을 강구하다 別途の解決策を講じる.

별-도리【別道理】〈名〉別段の方法. これといった手段. 文例 이제는 ～ 없다 今となってはこれといった方法がない.

별-똥 [pyŏ:l―]〈名〉'운성(隕星)'の俗っぽい言いかた.

별똥-별 [pyŏ:l―]〈名〉'유성(流星)'の俗っぽい言いかた: 流れ星.

*__별-로__【別―】〈副〉別に. さほど. たいして. あまり. 文例 ～ 멀지 않다 たいして遠くない / ～ 달라진 일도 없다 格別変わったこともない / ～ 어렵지 않다 さほどむずかしくない / ～ 이렇다 할 이유도 없다 別にこれといった理由もない / ～야 大した事もない.
表現 おもに'없다・않다・못하다'などと共に事柄の否定を表現するときに用いられる.

별-말【別―】〈名〉❶意外〔心外〕な話. とんでもない話. ＝별소리. 文例 ～을 다 하는군 とんでもない話をするもんだな / ～ 다 듣겠네 意外な話を聞かされるね. ❷特別な話. 文例 ～ 없었다 取り立てた話はなかった. ❸いろいろな話. 文例 ～이 많더라 いろいろなうわさが多かったよ.

별-말씀【別―】〈名〉'별말'の丁寧語. 文例 ～ 다 하십니다 とんでもないことでございます / 선생님께서 ～ 없으셨니 先生から特別なお話はなかったのかい.

*__별명__【別名】〈名〉❶別名. 異名. ❷あだ名. ニックネーム. 句例 ～을 붙이다 あだ名をつける. 文例 목이 길어서 '기린'이라는 ～이 붙었다 首が長いので'キリン'というあだ名がついた.

별명【別命】〈名〉別命. 文例 ～이 있을 때까지 움직이지 마라 別命があるまで動くな.

별-무늬 [pyŏ:lmuni]〈名〉星の模様.

별-무신통【別無神通】〈名・하形〉別にこれといった効き目がないこと. 神妙なことがないこと. 文例 백방으로 손을 썼으나 ～이었다 百方手を尽くしたが別に効き目がなかった.

별-문제【別問題】〈名〉❶別問題. 文例 그것은 이것과 ～다 それはこれとは別問題だ. ❷特別な問題. 文例 ～ 없이 무사히 끝났다 これといった問題もなく無事に終わった. ❸ありとあらゆる問題.

별미【別味】〈名〉格別うまい味. 特別な味. 珍味. 文例 구워 먹으면 ～에요 焼いて食べると珍味です.

별반【別般】〈副〉別段. とりわけ. さして. 文例 ～ 달라진 것도 없다 別段変わったこともない / ～ 고생도 없다 さして苦労もない.
表現 '없다・않다・못하다'などうち消しのことばをあとにともなう.

별별【別別】〈冠〉いろいろな. さまざまな. ありとあらゆる(種類の). 文例 ～ 음식이 다 있더라 変わった食べ物がいろいろあったよ / ～ 사람이 다 모였다 いろいろな〔あらゆる〕人が皆集まった.

별-빛 [pyŏ:lppit]〈名〉星の光. 星明かり. 星影《雅》. 句例 ～이 밝은 밤 星明かりの夜 / 반짝이는 ～ またたく星の光.

별-사람【別―】〈名〉へんてこな〔おかしい〕人. 変わった人.

별세【別世】[pyŏlsse]〈名・하自〉この世に別れを告げること. 死亡. 死去. 亡くなること. 文例 사장님이 오늘 아침 ～하셨다 社長さんが今朝お亡くなりになった.

별-세계【別世界】〈名〉別世界. 別天地. 句例 ～의 인간 別世界の人間.

별-소리【別―】〈名〉⇨ 별말①

별-수【別數】〈名〉❶特別によい運. ❷特別の方法.

별수없다 仕方がない. せん方ない. 文例 이제 와서 후회해야 ～ 今さら悔んでもしかたがない.

별수없이 仕方〔せん方〕なく. 句例 ～ 참다 しかたなくこらえる.

별-수단【別手段】〈名〉特別な手段. いろいろな方法. 句例 ～을 다 동원하다 いろいろな手段を総動員する.

별-스럽다【別―】(→스럽다)〈形〉おかしい. 変わっている. 変だ. =별나다. 句例 별스러운 사람 変わった人/별스럽게 굴다 変わった風に振る舞う.

별시【別試】[pyŏlssi]〈名〉〔史〕朝鮮朝時代, 国に祝い事があるとき, または丙の年ごとに実施された科挙.

별식【別食】[pyŏlssik]〈名〉(ふだんは食べない)特別な食べ物〔料理〕.

별신-굿【別神―】[pyŏlssinkkut]〈名〉❶おもに南部地方の漁民たちの間で, 厄払いの儀式として行なわれている'굿'. ❷ソウル近郊で行なわれているみこ(巫女)の'굿'.

별실【別室】[pyŏlssil]〈名〉別室. 別の間. 句例 ～에 안내하다 別室に通す. 別の間に案内する.

***별안-간**【瞥眼間】[pyŏran―]〈副〉突然. だしぬけに. にわかに. いきなり. 文例 ～ 일어나서 나갔다 いきなり立ち上がって出て行った/～ 총소리가 울렸다 突然銃声がひびいた.

별의-별【別―別】[pyŏrŭi―]〈冠〉ありとあらゆる. もろもろの. 文例 ～ 고생을 다했다 あらゆる苦労をなめ尽くした/～ 생각이 다 떠오르다 もろもろの考えが思い浮かぶ.

별-일【別―】[pyŏllil]〈名〉別事. 変わった事. 変な事. 句例 ～없이 지내다 別事なく〔なんの変わりもなく〕過ごす. 文例 ～ 다 보겠다 変なこともあるものだね/꾸중을 들을 줄 알았는데 ～ 없었다 しかられると思ったが, 何事も無かった.

별-자리 [pyŏ:ljari]〈名〉〔天〕星座.

별장【別莊】[pyŏltchang]〈名〉別荘. 語例 ～지기 別荘の管理人.

별종【別種】[pyŏltchong]〈名〉❶別種. ❷風変わりな人. 変人. へんてこな人.

별지【別紙】[pyŏltchi]〈名〉別紙. 句例 ～ 기재와 같이 別紙記載のごとく/～에 쓰다 別紙に書く.

별-지장【別支障】〈名〉(これといった)支障. (これという)差し支え. 文例 ～은 없습니다 これという差し支えはありません.

별-짜리 [pyŏ:l―]〈名〉'장성급(將星級) 将官級の軍人'の俗っぽい言いかた.

별쭝-나다〈形〉風変わりだ. 句例 별쭝나게 행동하다 風変わりな行動をする.

별쭝 맞다〈形〉突飛だ. 風変わりだ.

별차【別差】〈名〉特別な差異. ひどい差. 大差. 句例 ～ 없다 大差ない.

表現 '없다·않다·못하다'などうち消しのことばをあとにともなう.

***별-채**【別―】〈名〉別棟. 離れ(座敷). 句例 ～에서 공부하다 離れ座敷で勉強する.

별책【別册】〈名〉別冊. 語例 ～ 부록 別冊付録.

별-천지【別天地】〈名〉 別天地. =별세계. 句例 경치 좋은 ～에서 살다 景色の麗しい別天地に住む.

별칭【別稱】〈名〉別称.

별-표【一標】[pyŏ:lp'yo]〈名〉星印.

별표【別表】〈名〉別表. 語例 ～ 참조 別表参照.

별행【別行】〈名〉別行.

별호【別號】〈名〉❶別号. =호(號). ❷別名. あだ名.

볍-쌀〈名〉(雑穀に対して)うるちと, もち米

***볍-씨**〈名〉たねもみ(種籾).

볏〈名〉とさか(鶏冠). 句例 닭의 ～ 鶏のとさか.

볏-가리〈名〉稲むら.

***볏-단**〈名〉稲束・いなづか.

볏-모 [pyŏnmo]〈名〉稲の苗. 苗. 早苗.

볏-섬〈名〉米俵.

볏-짚〈名〉稲わら. 略して'짚'ともいう.

****병**【病】[pyŏ:ng]〈名〉❶病気. 病. 患い《雅》. 句例 ～을 고치다 病をいや(癒)す. 病気をなおす/～에 걸리다 病気にかかる/～이 낫다 病気が治る/～이 옮다 病気が移る/～으로 죽다 病気で死ぬ/불치의 ～으로 고생하다 不治の病で苦しむ/중한 ～ おもい病気. 語例 전염～ 伝染病/고산～ 高山病. ❷悪いくせ. 欠点. 文例 술을 너무 좋아하는 게 ～이다 酒に目がないのが欠点だ. ❸故障.

병(이) 나다 ❶病にかかる. 病気になる. ❷故障する.

병(을) 내다 ❶病を起こす. 病気にかからせる. ❷故障を起こす. 故障させる.

병(이) 들다 病気になる. 患う. 句例 병든 몸 病んだからだ/병든 사회 病んだ社会.

병 자랑은 하여라 病は誉れ. かさ(瘡)としらみは隠すとふえる.

병 주고 약 준다 病気を与えて薬を与える. 人をあげたりさげたりすることのたとえ.

****병**【甁】〈名〉瓶. 句例 ～에 넣어서 팔다 瓶詰めで売る/～이 깨지다 瓶が割れる. 語例 맥주～ ビール瓶/꽃～ 花瓶.

병 〔漢字項目〕

【丙】中學 병 ヘイ. ❶천간 중의 제삼위 十干の第三. ◧丙午 병오 へいご. ❷셋째. 第三位. ◧丙種 병종 へいしゅ.

【兵】中學 병 ヘイ. ヒョウ. ❶군사 軍士. 군인 軍人. ◧兵卒 병졸 へいそつ. ◨軍兵 군병 ぐんびょう. ❷무기 武器. ◧兵器 병기 へいき. 兵馬 병마 へいば. ❸전투 たたかい. ◧兵火 병화 へいか. 兵法 병법 へいほう.

【屛】高校 병 ヘイ. ビョウ. ❶병풍 屛風. ◨畫屛 화병 がへい. ❷물러나다 退く. ◧屛居 병거 へいきょ. ❸두려워하다 おそれる. ◧屛息 병식 へいそく.

【病】中學 병 ビョウ. ヘイ. ❶질환 病気. ◧病患 병환 びょうかん. ◨疾病 질

병 しっぺい. ❷성벽 癖. ▮病癖 병벽 びょうへき. ❸앓다 わずらう. ▮病者 병자 びょうしゃ. 病弱 병약 びょうじゃく.

【竝(並)】高校 병 ヘイ. ❶나란히 하다 並ならべる. ▮竝立 병립 へいりつ. 竝列 병렬 へいれつ. 竝行 병행 へいこう. ❷아우르다 一緒にする. ▮竝稱 병칭 へいしょう. 竝存 병존 へいそん.

병가【病暇】[pyŏ:ngga]〈名〉病暇. 病気休暇.

병가-상사【兵家常事】〈名〉❶勝敗は兵家の常. ❷失敗はありうるから気を落とすことまではないとの意.

병-간호【病看護】[pyŏ:ng—]〈名・하自他〉看病. 略して'병간(病看)'とも言う.

병결【病缺】[pyŏ:nggyŏl]〈名・하自〉病欠.

병고【病苦】[pyŏ:nggo]〈名〉病苦. 患い《雅》. 句例 오랜 ～ 長の患い / ～에 시달리다 病苦に苦しめられる / ～를 견뎌〔이겨〕내다 病苦に耐える〔打ち勝つ〕.

병-구완【病—】[pyŏ:ng—]〈名・하自他〉[もとの語形は'병구원(病救援)'] 看病. みとり(看取り). 介抱. 看護. 句例 밤새워 ～하다 夜通しで看病する.

ㅂ

병균【病菌】[pyŏ:nggyun]〈名〉病菌. ばいきん.

병기【兵器】〈名〉兵器. 語例 ～고 兵器庫. 類 무기(武器).

병기【併記】[pyŏ:nggi]〈名・하他〉併記.

병-나다【病—】[pyŏ:ng—] ⇨'병(病)'の小項目

병-나발【瓶—】〈名〉[もとの語形は'병나팔'] らっぱ飲み.

병나발(을) 불다 らっぱ飲みをする.
表現 '병나발'は俗っぽい言いかた.

병-내다【病—】[pyŏ:ng—] ⇨'병(病)'の小項目

병동【病棟】[pyŏ:ngdong]〈名〉病棟. 病舎. 語例 격리 ～ 隔離病棟.

병-들다【病—】[pyŏ:ng—] (—드니, —들어서) ⇨'병(病)'の小項目

병-따개【瓶—】〈名〉栓抜き.

병란【兵亂】[pyŏngnan]〈名〉兵乱. 戦乱. =병변(兵變). 句例 ～의 거리로 화하다 兵乱のちまた(巷)と化する.

병력【兵力】[pyŏngnyŏk]〈名〉兵力. 句例 적의 잔존 ～ 敵の残存兵力. 語例 ～ 증강 兵力増強.

병력【病歷】[pyŏ:ngnyŏk]〈名〉病歴. 句例 환자의 ～을 묻다 患者の病歴を聞く.

***병렬**【竝列】[pyŏ:ngnyŏl]〈名・하自他〉並列. 語例 ～ 회로〔電〕並列回路. 對 직렬(直列).

병리-학【病理學】[pyŏ:ngni—]〈名〉〔醫〕病理学.

병립【竝立】[pyŏ:ngnip]〈名〉並立. **～하다**〈自〉並立する. 並び立つ. 語例 ～되다 並立する.

병마【兵馬】〈名〉兵馬. 句例 십년을 ～ 속에서 지내다 十年を兵馬の間に過ごす.

병마【病魔】[pyŏ:ngma]〈名〉病魔. 句例 ～에 시달리다 病魔に苦しめられる / ～에 걸리다 病魔にとりつかれる.

****병-마개**【瓶—】〈名〉瓶のふた〔栓〕. 王冠. 句例 ～를 따다 栓を抜く.

병마 절도사【兵馬節度使】[—jŏlttosa]〈名〉〔史〕兵馬節度使. 朝鮮朝時代, 各道の兵馬を統率した従二品の武官.

병명【病名】[pyŏ:ngmyŏng]〈名〉病名.

병-목【瓶—】〈名〉❶瓶の首. ❷ボトルネック. ネック《略語》. 語例 ～ 현상 交通のボトルネック現象.

병-문안【病問安】[pyŏ:ngmunan]〈名・하自〉病気見舞い. 句例 친구와 ～을 가다 友人と病気見舞いに行く.

병발【竝發・併發】[pyŏ:ngbal]〈名・하自他〉併発. 句例 감기에 걸려 폐렴이 ～되다 風邪をひいて肺炎を併発する.

병법【兵法】[pyŏngppŏp]〈名〉兵法. 句例 ～의 대가 兵法の大家. 語例 손자 ～ 孫子の兵法.

***병사**【兵士】〈名〉兵士. 兵.

병사【病死】[pyŏ:ngsa]〈名・하自〉病死. 病没.

병살【併殺】[pyŏ:ngsal]〈名・하他〉〔野〕併殺. 重殺. ダブルプレー. ゲッツー. 語例 ～타 併殺打.

병상【病床】[pyŏ:ngsang]〈名〉病床. 句例 ～에 눕다 病床に伏す / ～의 어머니를 시중들다 病床の母に仕える. 語例 ～ 일지 病床日誌.

병상【病狀】[pyŏ:ngsang]〈名〉病状. 病態. 句例 ～이 악화되다 病状が悪化する.

병색【病色】[pyŏ:ngsaek]〈名〉病者の気色〔顔色〕. 病人のような顔色.

병석【病席】[pyŏ:ngsŏk]〈名〉病席. 病床. 句例 ～에 누워 있다 病床に伏している.

병설【併設】[pyŏ:ngsŏl]〈名・하他〉併設. 句例 대학에 유치원을 ～하다 大学に幼稚園を併設する. 語例 ～ 중학교 併設中学校.

병세【病勢】[pyŏ:ngse]〈名〉病勢. 容体〔容態〕. 句例 ～의 악화 病勢の悪化 / ～가 호전되다 病勢が好転する / ～가 급변하다 病勢が急変する.

병소【病巢】[pyŏ:ngso]〈名〉〔醫〕病巣. 句例 ～의 절제 病巣の切除.

병-술【瓶—】[pyŏngssul]〈名〉瓶詰めの酒. 語例 ～집 瓶詰めの酒を売る店.

병-시중【病—】[pyŏ:ng—]〈名・하自他〉病人の介添え〔世話〕. 看病. =병구완. 句例 ～을 들다 看病をする.

병신【病身】[pyŏ:ngshin]〈名〉❶身体障害者. 不具者. 文例 교통 사고로 ～이 되다 交通事故で身体障害者になる. ❷ばか. 間抜け. あほう. 文例 이 ～ 같은 놈 このろくでなしめ. 語例 ～ 구실 ばかなまね. ばかげた行為. ❸病める人〔身〕. 病気の身. ❹傷物. 半端.

병신(이) 육갑(六甲) **하다** 愚かな人が柄にないことをすることをひにくる語.

병실【病室】[pyŏ:ngshil]〈名〉病室.

****병아리**〈名〉ひよこ. ❶ひな(雛). ひなどり(雛鳥). 句例 닭이 ～를 까다 鶏がひよこをかえ(孵)す. ❷新米. 語例 ～ 의사 新米の医者.

병약-하다【病弱—】[pyŏ:ng-yak'ada] (→하다)〈形〉病弱だ. 文例 병약한 몸에 채찍질하여 공부했다 病弱の体にむち打って勉強した.

병어〈名〉〔魚〕まながつお(真魚鰹).
병역【兵役】〈名〉兵役. 句例 ～에 복무하다 兵役に服する. 語例 ～ 면제 兵役免除 / ～ 의무 兵役の義務.
병영【兵營】〈名〉兵営. 軍営. 語例 ～ 생활 兵営生活.
병용【竝用・併用】[pyŏ:ng-yong]〈名・하他〉併用. 句例 주사와 내복약을 ～하다 注射と飲み薬を併用する.
＊병원【病院】[pyŏ:ng-won]〈名〉病院. 句例 치료를 받으러 ～에 다니다 治療を受けるため病院に通う / ～에 입원하다 病院に入院する / ～에 데리고 가다 病院へ連れて行く / ～에 실려 가다 病院に担ぎ込まれる. 語例 ～선 病院船 / 종합 ～ 総合病院.
병원-균【病原菌】[pyŏ:ng-won—]〈名〉病原菌.
병원-체【病原體】[pyŏ:ng-won—]〈名〉病原体.
＊병자【病者】[pyŏ:ngja]〈名〉病者. 病人. ＝환자. 句例 ～를 위로하다 病人を慰める.
병자-호란【丙子胡亂】[pyŏ:ngja—]〈名〉〔史〕丙子の乱.
參考 朝鮮朝仁祖14年, 丙子の年(1637年)に清が朝鮮に侵入して来た戦乱.
병장【兵長】〈名〉〔軍〕兵長. 下士の下, 上等兵の上の階級.
병적【兵籍】〈名〉兵籍. 語例 ～부 兵籍簿.
병적【病的】[pyŏ:ngtchŏk]〈名・冠〉病的. 句例 ～으로 좋아하다 病的に好む / ～인 심리 病的な心理.
＊병정【兵丁】〈名〉兵. 兵隊. 句例 ～놀이를 하다 兵隊ごっこをする.
병조【兵曹】〈名〉〔史〕朝鮮朝時代の'육조 六曹'の一つで, 軍務をつかさどり都の警備に当たった国務機関. 語例 ～ 판서(判書) '병조'の最高官.
병-조림【甁—】〈名〉瓶詰め.
병존【竝存】[pyŏ:ngjon]〈名・하自〉併存〔並存〕.
병졸【兵卒】〈名〉兵卒.
병-줄【病—】[pyŏ:ngtchul]〈名〉長患い.
병줄(을) 놓다 長患いから回復する.
병중【病中】[pyŏ:ngjung]〈名〉病中.
병-집【病—】[pyŏ:ngtchip]〈名〉病. よくない癖. 欠点. 略して'병(病)'ともいう.
병참【兵站】〈名〉〔軍〕兵站. 語例 ～ 기지 兵站基地 / ～선 兵站線.
병창【竝唱】[pyŏ:ngch'ang]〈名・하他〉〔樂〕楽器を演奏しながら自分でそれに合わせて歌うこと.
＊병충-해【病蟲害】[pyŏ:ngch'ung—]〈名〉病虫害. 句例 농작물이 ～를 입다 作物が病虫害にやられる.
병-치레【病—】[pyŏ:ng—]〈名・하自〉病気と闘うこと. 闘病.
병칭【竝稱】[pyŏ:ng—]〈名・하他〉併称〔並称〕.
병통【病—】[pyŏ:ngt'ong]〈名〉欠点. 略して'병(病)'ともいう. 文例 고집을 부리는 게 너의 ～이다 我を張るのが君の欠点だ.
병폐【病弊】[pyŏ:ngp'ye]〈名〉病弊. 句例 ～가 심하다 病弊がはなはだしい / ～가 되다 病弊となる.
병풍【屛風】〈名〉屛風. 句例 ～을 치다 屛風を立てる. 語例 머릿～ まくら(枕)屛風 / ～바위 屛風のように切り立った絶壁.
병풍에 그린 닭이 홰를 치거든 屛風に描かれた鶏が羽ばたいたら. 烏の頭が白くなるまで. 馬に角が生えるまで.
병합【倂合】[pyŏ:nghap]〈名・하他〉併合. ＝합병(合併).
병해【病害】[pyŏ:nghae]〈名〉〔農〕病害. 文例 ～가 적어서 풍작이 기대된다 病害が少ないので豊作が期待される.
병행【竝行】[pyŏ:nghaeng]〈名・하自他〉並行. 句例 접수와 발송을 ～해서 하다 受け付けと発送を並行して行なう.
병환【病患】[pyŏ:nghwan]〈名〉患い. ご病気. 文例 어머님 ～은 어떠십니까 お母さんのご病気はいかがですか.
表現 目上の人の病気を言うときに用いる語.
병후【病後】[pyŏ:nghu]〈名〉病後. 病み上がり. 句例 ～의 보양 病後の保養. 文例 ～에 무리하지 마라 病み上がりに無理をするなよ.
볕〈名〉['햇볕'の略] 日差し. 日. 照り. 句例 ～에 타다 日に焼ける. 文例 여름 ～은 따갑다 夏の照りは強い / 봄～이 좋다 春の日差しが柔らかだ.
參考 '볕이 日差しが'は[pyŏch'i]と読む.
볕(이) 들다 日がさす. 日が当たる.
보【保】〈名〉❶保証. ❷保証人.
보(를) 서다 保証人になる.
보【洑】〈名〉〔農〕❶せき(堰). いせき. 句例 ～를 쌓다 せきを築く. ❷'봇물'の略.
보【褓】〈名〉❶ふろしき. ❷(じゃんけんの)紙. パー.
-보〈尾〉あることを楽しむ人や夢中になっている人. また, その程度がはなはだしい人の意を表わす語: …狂. …好き. 語例 떡～ 餅を特に好む人 / 울～ 泣き虫.

보 〔漢字項目〕

【保】 中學 보 ホ. ホウ. ❶보서다 請け合う. ◧保證 보증 ほしょう. ◧擔保 담보 たんぽ. ❷보전하다 保つ. ◧保安 보안 ほあん. 保障 보장 ほしょう. ❸돕다 助ける. ◧保佐 보좌 ほさ. ❹기르다 養う. ◧保育 보육 ほいく. ◧保養 보양 ほよう. ❺지키다 守る. ◧保衛 보위 ほえい. 保守 보수 ほしゅ. ❻맡다 預かる. ◧保管 보관 ほかん.

【報】 中學 보 ホウ. ❶갚다 報いる. ◧報恩 보은 ほうおん. 報答 보답 ほうとう. ❷알리다 知らせる. ◧報告 보고 ほうこく. ◨通報 통보 つうほう. 情報 정보 じょうほう.

【寶(宝)】 高校 보 ホウ. ❶보배. 보물 宝. ◧寶石 보석 ほうせき. ◨財寶 재보 ざいほう. ❷소중히 여기다 尊ぶ. ◧寶典 보전 ほうてん. ❸옥새 帝王の印璽. 寶璽 보새 ほうじ. ❹천자에 관한 말 天子に

関したこと. ◧寶算 보산 ほうさん. 寶駕 보가 ほうが. ❺부처에 관하여 이름 仏に関する称. ◧寶戒 보계 ほうかい. 寶座 보좌 ほうざ.

【普】高校 보 フ. 두루 넓다 広い. ◧普及 보급 ふきゅう. 普遍 보편 ふへん.

【歩(步)】中學 보 ホ. ブ. フ. ❶걸음 歩み. 발걸음 足取り. ◧初步 초보 しょほ. ❷걷다 歩く. ◧步行 보행 ほこう. ◧漫步 만보 まんぽ. ❸운 運. ◧天步 천보 てんぽ. 國步 국보 こくほ. ❹거리의 단위 長さの単位. ◧三步 삼보 さんぽ.

【補】高校 보 ホ. フ. ❶깁다 繕う. ◧補綴 보철 ほてい. ❷광구하다 匡救する. ◧補導 보도 ほどう. ❸고치다 直す. ◧補修 보수 ほしゅう. ❹돕다 助ける. ◧補佐 보좌 ほさ. 補助 보조 ほじょ. ❺보충하다 補う. ◧補完 보완 ほかん. ◧增補 증보 ぞうほ. ❻관직에 임명하다 官職に任命する. ◧補任 보임 ほにん. 補職 보직 ほしょく. ❼정식으로 임명되기 전의 자격 正式の職につく前の資格. ◧候補 후보 こうほ. 試補 시보 しほ.

【譜(譜)】高校 보 フ. ❶계통도 系図. ◧家譜 가보 かふ. 年譜 연보 ねんぷ. ❷악보 楽譜. ◧譜面 보면 ふめん. ◧音譜 음보 おんぷ.

보각【補角】[po:gak]〈名〉〔數〉補角.

보강【補強】[po:gang]〈名・하他〉補強. 句例 팀을 ～하다 チームを補強する. 語例 ～제 補強剤.

보건【保健】[po:gŏn]〈名〉保健. 語例 ～위생 保健衛生.

보건 복지부【保健福祉部】[po:gŏn—]〈名〉保健福祉部. 日本の厚生省に当たる中央官庁. 略して'복지부'ともいう. 語例 ～장관 保健福祉部長官. 厚生大臣.

보건-소【保健所】[po:gŏn—]〈名〉保健所.

보검【寶劍】[po:gŏm]〈名〉宝剣. 宝刀.

보격 조사【補格助詞】[po:kkyŏkcho:sa]〈名〉〔言〉補格助詞. 体言のあとにつけて, その体言が補語であることを示す助詞. '이'と'가'がある.

보결【補缺】[po:gyŏl]〈名〉補欠. 語例 ～선수 補欠選手.

*보고【報告】[po:go]〈名・하他〉報告. レポート. 句例 경과〔결과〕를 ～하다 経過〔結果〕を報告する／～를 받다 報告を受ける. 語例 ～서 報告書／～자 報告者. レポーター／중간 ～ 中間報告.

보고【寶庫】[po:go]〈名〉宝庫. 句例 지식의 ～ 知識の宝庫／자원의 ～ 資源の宝庫.

보고〈助〉'더러'の意の副詞格助詞：…に. 文例 나～ 하라고요 わたしにやれというのですか／누구～ 하는 말이요 だれに言う話ですか.

보관【保管】[po:gwan]〈名〉保管. ～하다〈他〉保管する. 預かる. 句例 귀중품을 ～하다 貴重品を預かる／기록을 잘 ～하다 記録をしっかり保管する. 語例 ～인〔자〕預かり人〔主〕／～료 保管料／～증 保管証／～ 창고 保管倉庫／～되다 保管される.

보국【報國】[po:guk]〈名・하自〉報国. 語例 진충～ 尽忠報國.

보궐【補闕】[po:gwol]〈名〉補欠. 語例 ～선거 補欠選挙.

보균【保菌】[po:gyun]〈名・하自〉保菌. 語例 ～자 保菌者.

보그르르〈副〉液体が盛んに沸きあがるさま. また, その音：ぐらぐら. ぶくぶく. ～하다〈自〉ぐらぐらする. ぶくぶくする.

보글-거리다〈自〉(液体などが)ぐらぐら沸く. (泡が)ぶくぶく立つ.

보글보글〈副・하自〉ぐらぐら. ぶくぶく.

보금-자리〈名〉巣. ❶ねぐら. 句例 ～에 돌아가다 ねぐらに帰る／～를 치다 ねぐらを作ってその中に入る. 巣をつくる. ❷安息の場所. 句例 사랑의 ～ 愛の巣.

*보급【普及】[po:gŭp]〈名〉普及. ～하다〈他〉普及する. 広める. 句例 컴퓨터를 ～하다 コンピューターを普及する／학문을 널리 ～시키다 学問を広める. 語例 ～되다 普及する／～판 普及版.

*보급【補給】[po:gŭp]〈名・하他〉補給. 句例 군수품의 ～ 軍需品の補給／연료를 ～하다 燃料を補給する. 語例 ～기지 補給基地／～로 補給路／～소 補給所／～선 補給船／～품 補給品／～망 補給網.

*보기〈名〉'본보기'の略：見本. 例. 手本.

보깨다〈自〉(消化不良で)苦しむ. もたれる. 句例 속이 ～ おなかがもたれる.

보나-마나〈副〉見るまでもなく. 文例 ～ 결과는 뻔하다 見るまでもなく結果は明らかだ.

보내기 번트〈名〉〔野〕送りバント. ◇buntから.

**보내다〈他〉❶送る. ㉠(物を)届ける. 句例 짐을 ～ 荷物を送る／답장을 ～ 返事を出す.
㉡見送る. 句例 친구를 ～ 友を見送る／행렬을 ～ 行列を見送る.
㉢時を過ごす. 句例 평온하게 여생을 ～ 平穏に余生を送る／하루하루를 탄식으로 ～ 日日を嘆き暮らす.
㉣(人に物を)あげる. 贈る. 句例 축하 선물을 ～ 祝いの品を贈る.
㉤(人を)遣わす. 行かせる. 句例 심부름을 ～ 使いに出す／사절을 ～ 使節を遣わす／간첩을 ～ スパイを送る.
㉥先方に届くようにする. 句例 신호를 ～ 信号を送る／뜨거운 성원을 ～ 熱い声援を送る／추파를 ～ 色目をつかう.
❷結婚させる. 句例 딸을 시집 ～ 娘を嫁がせる. 文例 아직 장가를 못보내고 있다 (息子を)いまだ結婚させていない.

보너스 [po:nŏsŭ]〈名〉ボーナス. 賞与. ◇bonus

보늬 [poni]〈名〉渋皮.

**보다[1]〈他〉❶見る. ㉠(目で)見る. 眺める. 句例 영화를 보러 가다 映画を見に行く／꽃을〔경치를〕～ 花を〔景色を〕見る／신문〔책〕을 ～ 新聞〔本〕を見る／눈뜨고 볼 수 없는 참상 目を覆う惨状. 文例 보는 것과 듣는 것은 다르다 見るのと聞くのとは別である／보면 볼수록 아름답다 見れば見るほど美しく

しい / 자식을 잃은 어머니의 슬픔은 차마 볼 수 없다 子どもを亡くした母の悲しみは見るにしのびない.

㉡(感覚で)とらえる. また, それについて判断・評価する. 句例 맛을 ~ 味を見る / 형편을 ~ 都合を見る / 남의 눈치를 ~ 人の顔色をうかがう / 기회를 ~ 機会を見る / 반응을 ~ 反応を見る.

㉢世話をする. 句例 집을 ~ 留守番をする / 아이를 ~ 子守をする. 文例 잠깐 아기를 봐 다오 ちょっと子守をしてちょうだいね.

㉣取り扱う. 行なう. 句例 사무를 보다 事務を執る. 文例 회계를 보고 있습니다 会計を見ています.

㉤占いをする. 占う. 句例 운수를 ~ 運勢を見る / 손금〔관상〕을 ~ 手相〔人相〕を見る / 점을 ~ 占いをする.

㉥しらべる. 診察する. 句例 환자를 ~ 患者を診る / 병을 ~ 病気を診る / 의사에게 보아 달라다 医者に診てもらう. 文例 어디가 고장났나 잘 봐 주세요 どこに故障があるのかよく調べてください.

㉦向かう. 句例 거울을 ~ 鏡を見る. 鏡に向かう / 하늘을 보고 침을 뱉다 天に向かってつばを吐く.

㉧思う. 文例 날 몇 살로 보느냐 わたし(私)を幾つと見るかね / 인생을 팔십으로 보면 내게는 아직 20년은 더 남았다 人生を八十と見ればわたしにはまだ二十年が残っている / 아무도 합법적으로는 보지 않을 걸 だれも合法的だとは見ないだろう.

❷得る. 受ける. …する. 句例 장사해서 손해를 ~ 商売で損する / 혜택을 ~ 恩恵をこうむる. 文例 득을 본 건 저 녀석뿐이다 得をしたのはあいつだけだ.

❸(試験を)受ける. 句例 입학 시험을 ~ 入学試験を受ける.

❹買い物をする. 句例 아침 일찍 장 보러 가다 朝早く市場へ買い物に行く.

❺値を踏む. 見積もる. 句例 반값도 안 ~ 半値も踏まない〔つけない〕.

❻大小便をする. =누다. 句例 뒤를 ~ 用便をする / 소변〔대변〕을 ~ 小便〔大便〕をする.

❼被る. 体験する. 句例 따끔한 맛을 보게 하다 痛い目に合わせる / 낭패를 ~ 不覚を取る / 피해를 ~ 被害を被る.

❽(忍んで)待ってみる. 文例 어디 두고 보자 今に見ろ.

❾(婿・嫁・子孫などを)得る. 迎える. 句例 사위를 ~ 婿を取る〔迎える〕/ 아들을 ~ 男の子を得る. 文例 손자를 빨리 보고 싶은걸 孫を早く得たいものだ.

❿膳立てをする. 句例 아침상을 ~ 朝の膳立てをする.

⓫会う. 出会う. 文例 어머니가 자꾸만 보고 싶어진다 しきりに母に会いたくなる / 나좀 보고 가라 わたし(私)に会って行きなさい.

⓬(結果を)得る. 句例 합의를 ~ 合意に達する / 완성을 ~ 完成をみる / 끝장을 ~ 結末を見る.

보기 싫다 みっともない.

보기에도 見るからに. 句例 ~ 건강해 보이다 見るからに元気そうだ.

보기 좋다 見かけがよい. 見た目がよい.

보기 좋은 떡이 먹기도 좋다 見かけのよいもちが食べるのにもいい. 見かけのよいものは内容もよいものだとの意.

보다 못해 見兼ねて. 見るにしのびず. 文例 ~ 충고해 주었다 見兼ねて忠告してやった.

볼 낯(이) 없다 合わせる顔がない.

볼 장(을) 다 보다 ❶事が意のままにならない. 思わしくならない. ❷万事休す. おしまいだ.

***보다**² 〈補動〉 ❶('-어 ~·-아 ~·-여 ~'の形で)'試しにやってみる'の意を表わす語: してみる. 句例 먹어 ~ 食べてみる / 가 ~ 行ってみる / 해 ~ やってみる.

❷('보았자・보았댔자'の形で)'별 수 없다 しかたがない'の意を表わす語: …してみても. …したところで. …したって. 文例 아무리 말해 보았자 알아 듣지 못한다 いくら言ったってわかりゃしない / 울어 보았댔자 소용없다 泣いたってむだだ.

***보다**³ 〈補形〉 ('-ㄴ가 ~·-는가 ~·-ㄹ까 ~·-를까 ~·-나 ~'の形で)推測や漠然とした意志を表わす語. 文例 비가 오는가 ~ 雨が降るようだ / 차라리 그만둘까 ~ いっそのことやめておこうかしら / 벌써 저녁인가 ~ もう夕方のようだ / 아직 교실에 있나 봐요 まだ教室にいるらしいですよ / 무척 바빴던가 보군요 とても忙しかったようですね.

***보다**⁴ ㊀〈助〉 比較する際に使われる副詞格助詞: …より. 文例 그~ 못하다 彼より〔に〕劣る / 소문~ 낫다 聞きしに勝る. 語例 ~는 …よりは / ~도 …よりも / ~야 …よりは.

㊁〈副〉 より. もっと. いっそう. 句例 ~ 나은 생활 よりよい暮らし.

보답【報答】[po:dap]〈名〉 報い. 恩返し. 償い. **~하다**〈自〉 報いる. 報じる. 償う. 句例 ~받지 못한 일생 報われぬ一生 / 노고에 ~하다 労苦に報いる / 은혜에 ~하다 恩に報いる.

보도【歩道】[po:do]〈名〉 歩道. 人道. 語例 횡단 ~ 横断歩道.

보도【報道】[po:do]〈名〉 報道. **~하다**〈他〉 報道する. 報じる. 句例 현지에서 보낸 ~에 따르면 現地からの報道によれば / 믿을 만한 ~ 信じられる報道 / 잘못된 ~ 誤った報道. 語例 ~ 기관 報道機関 / ~진 報道陣 / ~ 사진 報道写真 / ~되다 報道される.

보도【寶刀】[po:do]〈名〉 宝刀. 宝剣. 句例 전가의 ~ 伝家の宝刀.

보동-보동〈副〉 ふっくら. むっちり. **~하다**〈形〉 ふっくらとしている. ふくよかだ.

表現 語勢の激しい語は'포동포동'.

보드득〈副〉 ❶堅い物や強靭な物が触れ合う音: きりきり. 句例 이를 ~ 갈다 きりきりと歯ぎしりする. ❷軟らかい便を力を入れてするときに出る音: ぴりぴり. ぴちぴち. **~거리다**〈自他〉 きりきりと音がする. また, そのような音をたてる. ぴりぴりする.

보드득보드득〈副・하自他〉 きりきりと. ぴりぴ

り．ぴちぴち．
[表現] 語感の大きい語は'부드득'，語勢の強い語は'뽀드득'.

보드랍다 (보드라우니, 보드라워서)〈形〉❶やわらかい．なよやかだ．[句例] 보드라운 가죽 やわらかい皮．❷(粉・砂などの)目が細かい．[句例] 보드라운 흙 目の細かい土．❸(気立てが)やさしい．しなやかだ．
[表現] 語感の大きい語は'부드럽다'.

보들보들-하다 (→하다)〈形〉なめらかだ．やわらかだ．しなやかだ．[句例] 보들보들한 옷감 なめらかな生地 / 보들보들한 손 しなやかな手．
[表現] 語感の大きい語は'부들부들하다'.

보디〈名〉ボディー．[語例] ～가드 ボディーガード / ～빌딩 ボディービル．◇body

보-따리【褓—】〈名〉包み．風呂敷包み．くるみ．[語例] 옷～ 服の包み / ～장수 1)担ぎ屋．(風呂敷に商品を包んで売り歩く)行商人．2)小規模の商いをする人．
보따리(를) 싸다 風呂敷にくるむ．関係した事や勤めをやめることのたとえ．
보따리(를) 풀다 包みを解く〔広げる〕．❶隠し事を暴く．❷計画していた事を実行に移す．

보라〈名〉['보랏빛 紫色'の略] 紫．

보라-매〈名〉〔鳥〕かえして一年足らずの狩猟用のわかたか(若鷹).

***보람**〈名〉かい(甲斐)．張り合い．利き目．効．[句例] 산 ～을 느끼다 生きがいを感じる / 애쓴 ～이 있어서 骨折ったかいがあって / 일에 ～을 느끼다 仕事にやりがいを感じる．[文例] 꾸짖은 ～이 있었다 しかった利き目があった．
보람(이) 되다 利き目が見え始める．
보람(이) 없다 やりがいがない．[文例] 충고해 준 보람도 없었다 忠告してやったしるしもなかった / 진력한 보람도 없다 尽力のかいもない．

***보람-차다**〈形〉やりがいがある．張り合いがある．[句例] 보람찬 일 やりがい〔張り合い〕のある仕事．

보령【寶齡】[po:—]〈名〉宝齢．宝算．聖寿．

보로통-하다 (→하다)〈形〉'부루퉁하다'の語感の小さい語．

보료 [po:ryo]〈名〉詰め物を分厚く入れた敷物．

보루【堡壘】[po:ru]〈名〉堡塁．とりで．

보류【保留】[po:ryu]〈名〉保留．留保．お預け．リザーブ．**～하다**〈他〉保留する．留保する．リザーブする．[句例] 발표를 ～하다 発表を保留する / 채용을 ～하다 採用を留保する．[語例] ～되다 保留される．保留になる．

보르도-액【Bordeaux液】〈名〉〔農〕ボルドー液．

보름〈名〉❶15日間．❷['보름날'の略] 陰暦の15日．望の日《雅》．＝망일(望日).

보름-달 [—ttal]〈名〉満月．もちづき(望月)．十五夜の月．[文例] ～이 떴다 十五夜の月が出た．

보름-치〈名〉十五日分．[句例] ～만 주세요 十五日分だけください．

보리〈名〉〔植〕麦．大麦．[句例] 뾰족뾰족 뻗어 나온 ～ 이삭 つんつん伸びた麦の穂 / ～씨를 뿌리다 麦まき(蒔)をする / ～를 타작하다 麦を打つ / ～를 밟다 麦を踏む．[語例] ～바람 麦秋に吹く風 / ～밭 麦畑 / ～농사 麦作 / ～밟기 麦踏み / ～쌀 精麦．精白した麦 / ～차 麦茶．麦湯 / ～ 타작 麦落とし．麦打ち / ～피리 麦笛 / 보릿가루 麦粉 / 보릿가을 麦秋 / 보릿고개 春の端境期 / 보릿자루 麦を入れた袋．

보리【菩提】〈名〉〔佛〕菩提．[語例] ～심 菩提心．善心．

보리-바둑〈名〉でたらめに打つ碁．まずい碁．

보리-밥〈名〉麦飯．麦御飯．
보리밥에는 고추장이 제격이다 麦飯にはとうがらしみそが似合う．何事も分相応にするのがよいことのたとえ．

보리-새우〈名〉〔動〕ぬかえび．あみ．

보리-수【菩提樹】〈名〉〔植〕菩提樹．

보릿-짚〈名〉麦わら．ストロー．[語例] ～ 모자 麦わら帽子．

보링 [po:ring]〈名〉ボーリング．[語例] ～ 머신 ボーリングマシン．◇boring

보-막이【洑—】[—magi]〈名・하自〉せき(堰)を築くこと．

보매〈副〉[po:mae] 見たところ．外見．一見．[文例] ～ 탐탁지 않다 一見芳しくない．

보모【保姆】[po:mo]〈名〉❶幼稚園の女性教諭の旧称．❷保母．

보무당당-하다【步武堂堂—】[po:mu—] (→하다)〈形〉歩武堂堂としている．[句例] 보무당당한 행진 歩武堂堂の行進 / 보무당당하게 행진하다 歩武堂堂と行進する．

보무라지〈名〉(紙・糸などの)端切れ．紙くず．布くず．略して'보물'ともいう．

****보물**【寶物】[po:mul]〈名〉❶宝．宝物．宝財．[句例] 둘도 없는 ～ 無二の宝 / 집안의 ～ 家の宝．[語例] ～섬 宝島 / ～단지 宝箱．❷国宝に次ぐ重要有形文化財として指定したもの．

보물-찾기【寶物—】[po:mul—]〈名〉宝さがし．

보발【步撥】[po:bal]〈名〉〔史〕朝鮮朝時代，急ぎの公文を送り届ける職務を受け持った兵士．＝보발꾼.

보배 [po:bae]〈名〉[もとの語形は'보패(寶貝)'] 宝．貴重品．財宝．[句例] 회사의 ～ 会社の宝．[文例] 어린이는 나라의 ～다 子供は国の宝だ．

보배-롭다 [po:bae—] (→롭다)〈形〉極めて貴重だ．**보배로이**〈副〉極めて大切に．

보병【步兵】[po:byŏng]〈名〉歩兵．[語例] ～ 중대 歩兵中隊．

보복【報復】[po:bok]〈名〉報復．仕返し．返報．しっぺ返し．**～하다**〈他〉報復する．仕返しをする．返報する．しっぺ返しをする．[語例] ～수단 報復手段 / ～ 관세 報復関税 / ～당하다 報復される．

보부-상【褓負商】[po:bu—]〈名〉〔史〕担ぎ行商人と背負い商い．＝부보상(負褓商).
[参考] 古代社会に始まり朝鮮朝の初期から官の保護と統制を受けながら勢力を拡張して中央と地方の組織

素地を持つようになった.

보살【菩薩】〈名〉❶〔佛〕菩薩. 語例 지장 ~ 地蔵菩薩. ❷〔佛〕老いた信女を高めていう語. ❸高僧の尊称.

***보-살피다**〈他〉世話する. 面倒を見る. 見守る. 後見する. 句例 노약자를 ~ 老弱者の面倒を見る / 환자를〔노인을〕 ~ 病人〔老人〕の世話をする.

보상【報償】[po:sang]〈名・하他〉報償. 償い. 句例 손실을 ~하다 損失を償う. 語例 ~금 報償金.

보색【補色】[po:saek]〈名〉補色. 余色. 語例 ~ 대비 補色対比.

보-서다【保一】⇨'보(保)'の小項目

보석【保釋】[po:sŏk]〈名・하他〉保釈. 語例 ~금 保釈金.

보석【寶石】[po:sŏk]〈名〉宝石. 宝玉. 玉. 句例 ~이 박힌 목걸이 宝玉のはいった首飾り / 반지에 ~을 박다 指輪に宝石を入れる〔はめる〕. 語例 ~ 반지 宝石の指輪 / ~상 宝石商.

보선【保線】[po:sŏn]〈名・하自〉保線. 語例 ~ 작업 保線作業 / ~공 保線工.

보선【補選】[po:sŏn]〈名・하他〉❶補選. ❷['보궐 선거'の略] 補欠選挙.

보세【保稅】[po:se]〈名〉保税. 語例 ~ 가공 保税加工 / ~ 공장 保税工場 / ~ 창고 保税倉庫 / ~품 保税状態にある品物. 保税工場の製品.

보송-보송〈副・하形〉❶乾ききって水気のないさま: かさかさ. ぱさぱさ. 句例 말라서 ~하다 乾いてかさかさする. ❷やわらかくてなめらかなさま: すべすべ. 句例 피부가 ~하다 肌がすべすべしている.
表現 語感の大きい語は'부숭부숭'.

보수【步數】[po:ssu]〈名〉歩数. 語例 ~계 歩数計. 測歩器.

보수【保手】〈名〉〔經〕'보증 수표'の略.

보수【保守】[po:su]〈名〉保守. 語例 ~당 保守党 / ~ 정당 保守政党 / ~주의 保守主義 / ~파 保守派. 對혁신(革新).

보수【補修】[po:su]〈名・하他〉補修. 句例 댐을 ~하다 ダムを補修する. 語例 ~되다 補修される.

보수【報酬】[po:su]〈名・하自〉❶報酬. ペイ. 句例 ~를 일당으로 받다 報酬を日割りでもらう / ~를 현금으로 지불하다 報酬を現金で支払う. ❷報い. お礼.

***보수-적**【保守的】[po:su—]〈名・冠〉保守的. 句例 ~인 사고 방식 保守的な考え方.

보스〈名〉ボス. 親分. ◇boss

보스락-거리다〈自他〉がさつく. ばさつく. ばさばさする.
表現 語感の大きい語は'부스럭거리다'.

보스락보스락〈副・하自他〉かさかさ. ばさばさ.

***보슬-보슬**〈副〉雨や雪などが細かく静かに降るさま・しとしと. しょぼしょぼ. さらさら. 句例 봄비가 ~ 내리다 春雨がしとしとと降る.
表現 語感の大きい語は'부슬부슬'.

보슬-비〈名〉小雨. 霧雨. ぬか雨.

보습〈名〉すき(鋤)さき. すきのへら. 句例 경운기의 ~ 耕運機のつめ(爪).

보습【補習】[po:sŭp]〈名・하他〉補習.

보시【布施】[po:shi]〈名〉〔佛〕布施. 語例 보싯돈 布施(金).

보시기〈名〉(キムチなどを盛る)瀬戸物の小鉢.

보신【保身】[po:shin]〈名・하自〉保身. 語例 ~용 保身用 / ~책 保身の策.

보신【補身】[po:shin]〈名・하自〉強壮剤などを服用してからだを強健にすること. 文例 한약은 ~하는 데 좋다 韓方薬はからだを強健にするのにいい.

보-쌈【褓一】〈名〉❶不意にだれかにさらわれること. ❷むかし, 生涯二人の夫を持つ運命にあるといわれた良家の娘が厄よけのため男を袋包みにして誘拐し, 関係を持ったあと殺したこと.

보쌈-김치【褓一】〈名〉塩漬けにした白菜にいろいろな薬味を入れて白菜の葉でくるんだキムチ.

보아란-듯이 [—dŭshi]〈副〉これ見よがしに. 自慢たっぷりに. 誇らしげに.

보아-주다〈他〉❶世話する. 面倒を見る. 句例 집을 ~ 留守番をする / 숙제를 ~ 宿題を手伝ってやる. ❷大目に見てやる. (まずい事などを)ないしょにしてやる. 見逃してやる. 目をつぶる. 文例 이번만 보아주십쇼 今度だけ大目に見てください. ▷略して'봐주다'ともいう.

***보아-하니**〈副〉見た所. 察するに. 見かけによると. 略して'봐하니'ともいう. 文例 ~ 돈푼이나 있겠군 見た所懐もあたたかいらしい.

보안【保安】[po:an]〈名〉保安. 語例 ~관 保安官 / ~등(燈) 保安灯 / ~림 保安林.

보약【補藥】[po:yak]〈名〉補薬. 強壮剤.

***보얗다** [poyat'a] (보야니, 보야오)〈形〉かすんでいる. うすぼんやりしている. ぼやけている. 句例 안개가 보얗게 끼다 霧がうす白く立ち込みぼやけている.

보얘-지다〈自〉かすむ. ぼやける.

보어【補語】[po:ŏ]〈名〉〔言〕補語.

보온【保溫】[po:on]〈名・하自〉保温. 語例 ~병 魔法瓶 / ~ 단열재 保温断熱材.

보완【補完】[po:wan]〈名・하他〉補完. 語例 ~책 補完策 / ~되다 補完される.

보우【保佑】[po:u]〈名・하自他〉(天・神が)加護してたすけること.

보위【保衛】[po:wi]〈名・하他〉保衛. 句例 국가를 ~하다 国家を保衛する.

보위【寶位】[po:wi]〈名〉宝位. 王位. 句例 ~에 오르다 王位につく / ~를 계승하다 王位を継ぐ.

보유【保有】[po:yu]〈名・하他〉保有. 句例 핵을 ~하다 核を保有する. 語例 정부 ~미 政府保有米 / 외화 ~고 外貨保有高 / 선수권 ~자 選手権保持者. チャンピオン / ~량 保有量.

보유스름-하다 (→하다)〈形〉薄白い. 乳色がかっている. かすんでいる.

보육【保育】[po:yuk]〈名・하他〉保育.

ㅂ

보육-원【保育院】[po:yugwon]〈名〉保育所. 養護施設.
参考 '고아원(孤兒院)'の改称.

보은【報恩】[po:ŭn]〈名〉報恩. 恩返し. **~하다**〈自〉恩返しをする.

보이〈名〉ボーイ. 語例 ~ 프렌드 ボーイフレンド / ~ 소프라노 ボーイソプラノ / ~ 스카우트 ボーイスカウト. 少年団. 對걸(girl). ◇boy

보이다 [一]〈自〉❶'보다'の受け身: 見える. 目にとまる〔つく〕. 句例 산이 ~ 山が見える / 눈이 보이지 않다 目が見えなくなる〔見えない〕/ 간혹 ~ 時たま目につく.
❷('…처럼 ~' '…게 ~' '…아 ~'の形で)…のように思われる. …らしい. 句例 유부녀처럼 보이는 여자 人妻らしい女 / 젊어 ~ 若く見える. 文例 그녀는 참하게 보인다 彼女はしとやかに見える.
[二]〈他〉'보다'の使役形: 見せる. 示す. 句例 뛰어난 솜씨를 ~ さえた腕前を見せる / 신분증을 ~ 身分証明書を見せる / 모범을 ~ 模範を示す / 관심을 ~ 関心を示す / 의사에게 ~ 医者にかける. 文例 보여 드려라 お目に掛けなさい.
[三]〈補動〉('-아〔-어〕 ~の形で)…して見せる. 句例 글씨를 써 ~ 字を書いて見せる. 文例 꼭 해 보이겠다 きっとやりとげて見せる.

보이콧〈名〉ボイコット. ◇boycott

보일러〈名〉ボイラー. 汽缶. 語例 기름〔가스〕 ~ 石油〔ガス〕ボイラー. ◇boiler

보임【補任】[po:im]〈名・하他〉補任. 句例 과장에 ~하다 課長に補任する. 語例 ~되다 補任される.

보자기〈名〉海女. ＝해인(海人).

보자기【褓—】〈名〉風呂敷. 句例 옷가지를 ~에 싸다 衣類を風呂敷に包む / ~를 펴다 風呂敷を広げる.

보잘것-없다 [pojalkkŏdŏpta]〈形〉❶見る値打ちがない. 見るにたりない. つまらない. 文例 보잘것없는 책이다 つまらない本だ. ❷けち臭い. しがない. ささやかだ. つまらない. 句例 보잘것없는 사내 けち臭い男 / 보잘것없는 음식이지만 ほんのお口汚しですが. ❸醜い. みっともない. まずい. 句例 인물이 ~ 顔がまずい. **보잘것없이** [pojalkkŏdŏpshi]〈副〉つまらなく. 取るに足りなく. けち臭く.

***보장**【保障】[po:jang]〈名・하他〉保障. 句例 언론의 자유를 ~하다 言論の自由を保障する / 최저 한도의 생활 ~ 最低限度の生活保障 / 나라의 안전이 ~되다 国の安全が保障される. 語例 사회 ~ 社会保障.

***보전**【保全】[po:jŏn]〈名〉保全. **~하다**〈他〉保全する. 保つ. 持する. 句例 국토의 ~ 国土の保全 / 몸을 ~하다 身を保つ / 원형이 ~되어 있지 않다 原形をとどめていない. 語例 환경 ~ 環境保全.

보전【補塡】[po:jŏn]〈名・하他〉補塡.

보전【寶典】[po:jŏn]〈名〉宝典. 語例 육아 ~ 育児宝典.

보정【補正】[po:jŏng]〈名・하他〉補正. 句例 실험의 오차를 ~하다 実験の誤差を補正する. 語例 ~ 예산 補正予算. 追加修正予算.
参考 '보정 예산'は [po:jŏngnye:san] と読む.

보조【步調】[po:jo]〈名〉歩調. 足並み. 句例 ~를 맞추다 足並み〔歩み〕をそろえる. 歩調を合わせる / ~를 빨리하다 歩調を早める / ~가 흐트러지다 足並みが乱れる.

***보조**【補助】[po:jo]〈名・하他〉補助. 句例 ~를 받다 補助を受ける. 語例 ~금 補助金 / ~ 가방 補助かばん / ~ 화폐 補助貨幣 / 학비 ~ 学資の補助 / ~ 단위 補助単位.

보조개〈名〉えくぼ. 文例 웃으면 ~가 생긴다 笑うとえくぼができる.

보조 동사【補助動詞】[po:jodo:ngsa]〈名〉〔言〕補助動詞. 助動詞. 独立して使われず, '본동사(本動詞)'についてそのはたらきを補助する動詞. '이야기를 들어 두다 話を聞いておく'の'두다'など. 對본동사. →부록 용언 활용표

보-조사【補助詞】[po:—]〈名〉〔言〕体言の外に, 副詞や活用語尾などについて特定の意味を付け加える助詞. 決まった格がなくて, 目的語や補語などのあとにつく. 도, 은〔는〕, 만, 까지, 마저, 조차, 부터, 든지, 마다, 커녕 など.

보조 형용사【補助形容詞】[po:johyŏng-yongsa]〈名〉〔言〕補助形容詞. 前の用言について, そのはたらきを補助する形容詞. '먹고 싶다 食べたい' '꽃이 피어 있다 花が咲いている'の'싶다' '있다'など. →부록 용언 활용표

***보존**【保存】[po:jon]〈名〉保存. **~하다**〈他〉保存する. 持ちこたえる. 句例 영구히 ~하다 永久に保存する / ~이 안 되다 保存がきかない / ~ 상태가 좋다〔나쁘다〕 保存状態がよい〔悪い〕. 語例 ~ 등기 保存登記 / ~되다 保存される.

보좌【補佐】[po:jwa]〈名・하他〉補佐. 語例 ~관 補佐官.

보좌【寶座】[po:jwa]〈名〉❶玉座. 王位. ❷〔佛〕宝座. 仏座. 蓮座.

보증【保證】〈名〉❶保証. **~하다**〈他〉保証する. 請け合う. 句例 신원을 ~하다 身元を保証する / 확실한 ~ 確かな保証. 語例 ~서 保証書 / ~인 保証人 / ~ 보험 保証保険. ❷担保.

보증(을) 서다 保証する. 保証人になる. 請けに立つ. 略して'보(保)서다'ともいう.

보증-금【保證金】〈名〉保証金. 語例 부동산 임대 ~ 敷金. しき《略語》.

보증 수표【保證手票】〈名〉〔經〕保証小切手. 預金小切手. 預手《俗》. 略して'보수(保手)'ともいう.

보지 [po:ji]〈名〉女陰. 女性の性器.

보지【保持】[po:ji]〈名・하他〉保持. ＝보유(保有).

보직【補職】[po:jik]〈名・하他〉補職. 語例 ~ 수당 役職手当て.

보채다 [一]〈自〉むずかる. 句例 보채는 젖먹이를 달래다 むずかる赤ん坊をあやす.
[二]〈他〉ねだる. せがむ. 句例 먹을 것을 달라고 끈덕지게 ~ しつこく食べ物をねだる.

보청-기【補聽器】[po:ch'ŏnggi]〈名〉補聴器

ほちょうき. 句例 ~를 귀에 끼다 補聴器を耳にはさむ.

***보초**【步哨】[po:ch'o]〈名〉歩哨. 句例 ~를 서다 歩哨に立つ / ~를 세우다 歩哨を立てる. 語例 ~병 歩哨兵 / ~선 歩哨線.

보충【補充】[po:ch'ung]〈名・하他〉補充. 補い. 句例 인원〔결원〕을 ~하다 人員〔欠員〕を補充する / 영양을 ~하다 栄養を補充する / 손실을 ~하다 損失の穴埋めをする. 語例 ~대〔軍〕補充隊 / ~병 補充兵 / ~ 설명 補充説明 / ~ 수업 補習授業.

보크사이트 [bo:k'ŭsait'ŭ]〈名〉〔鑛〕ボーキサイト. ◇bauxite

보탑【寶塔】[po:t'ap]〈名〉宝塔.

보태다〈他〉❶加える. 足す. プラスする. 句例 둘에 둘을 ~ 二に二を加える〔足す〕. ❷補う. 付け加える. 増す. 文例 아무 보탬도 안 된다 何の足しにもならない / 등록금에 보태 써라 授業料の足しにしなさい.

****보통**【普通】[po:t'ong] ━〈名〉普通. 並. 句例 ~이 아닌 고생 並並ならぬ苦労 / ~ 일이 아니다 並たいていの事ではない. 文例 솜씨는 ~이다 出来は普通だ. 語例 ~ 사람 並の人間. 普通の人 / ~ 성적 並の成績 / ~ 선거 普通選挙. 普選《略語》/ ~ 예금 普通預金. ━〈副〉[‘보통으로’の略] 普通. 一般に. 文例 집값은 ~ 얼마나 합니까 家の値段は普通いくらくらいしますか.

보통-내기【普通一】[po:t'ong—]〈名〉ただ(只)の人. 当たり前の人. ただ人. 普通人. =행내기. 文例 그는 ~가 아니다 彼はただ者ではない.
参考 普通, 後に打ち消しの表現を伴う.

보퉁이【褓一】〈名〉包み. ふろしき包み. 句例 ~를 풀다 包みを解く. 語例 이불 ~ 布団の包み.

보트 [po:t'ŭ]〈名〉ボート. 句例 ~를 젓다 ボートをこぐ. 語例 ~ 레이스〔경기〕ボートレース. ◇boat

보편【普遍】[po:p'yŏn]〈名〉普遍. 語例 ~성 普遍性 / ~ 타당성 普遍妥当性 / ~ 개념 普遍概念 / ~화 普遍化. 一般化.

***보편-적**【普遍的】[po:p'yŏnjŏk]〈名・冠〉普遍的. 句例 ~으로 존재하다 普遍的に存在する / ~으로 인정되는 진리 普遍的に認められる真理.

보폭【步幅】[po:p'ok]〈名〉歩幅. コンパス. 句例 ~이 크다 コンパスが大きい.

보표【譜表】[po:p'yo]〈名〉〔樂〕譜表. 五線譜.

보푸라기〈名〉毛羽の一つ一つ. 句例 ~가 일다 毛羽が立つ.

보풀〈名〉毛羽. けばけば. 句例 천이 닳아서 ~이 일다 生地がすれて毛羽が立つ.

보필【輔弼】[po:p'il]〈名・하他〉輔弼.

보-하다【補一】[po:—](→하다)〈自他〉❶(強壮剤や栄養価の高い食品を食べて)健康を増進させる. 句例 보약을 먹고 몸을 ~ 強壮剤を服用して体力を養う. ❷(職に)補する. 任じる. 句例 회계 과장에 ~ 会計課長に補する.

보학【譜學】[po:hak]〈名〉系譜学.
参考 数多くの家門の族譜を研究する学問で, 韓国は高麗朝に始まり朝鮮朝時代に大いに発達した.

보합【保合】[po:hap]〈名〉〔經〕持ち合い. 横ばい. 語例 ~세(勢) 持ち合い相場.

보행【步行】[po:haeng]〈名〉歩行. ~**하다**〈自〉歩く. 歩行する. 語例 ~자 歩行者 / ~기 歩行器 / ~ 곤란 歩行困難.

***보험**【保險】[po:hŏm]〈名〉保険. 句例 ~에 들다〔가입하다〕保険に入る〔加入する〕. 語例 ~금 保険金 / ~료 保険料 / ~ 회사 保険会社 / 생명 ~ 生命保険.

보혈【補血】[po:hyŏl]〈名・하自〉〔韓醫〕補血. 韓方薬を服用して体内の血液を補充すること. 語例 ~ 강장제 補血強壮剤.

***보호**【保護】[po:ho]〈名・하他〉保護. 句例 경찰의 ~를 받다 警察の保護を受ける / 미아를 ~하다 迷子を保護する. 語例 ~국 保護国 / ~ 무역 保護貿易 / ~색 保護色 / ~ 수역 保護水域 / ~자 保護者 / ~조〔새〕保護鳥. 禁鳥 / ~되다 保護される.

보화【寶貨】[po:hwa]〈名〉⇨ 보물(寶物). 語例 금은 ~ 金銀や宝物.

복〈名〉〔魚〕ふぐ(河豚). =복어. 복생선. 語例 ~요리 ふぐ料理.

복【服】〈名〉❶‘복제(服制)’の略. ❷⇨ 상복(喪服)
복(을) **벗다** 喪が明ける.
복(을) **입다** 喪に服する.

복【福】〈名〉福. 幸せ. さいわい. 句例 ~을 받다 福を受ける / ~이 많은〔없는〕사람 福が多い〔ない〕人. 幸せな〔不幸な〕人 / ~을 타고 나다 幸運を授けられて生まれる. 文例 새해 ~ 많이 받으세요 新年おめでとうございます. 對 화(禍).

복 〔漢字項目〕

【伏】中學 복 フク. ❶엎드리다 伏す. ▮伏拜 복배 ふくはい. ▮起伏 기복 きふく. ❷숨다 隠れる. ▮伏兵 복병 ふくへい. ▮潜伏 잠복 せんぷく. ❸복종하다 服従する. ▮伏罪 복죄 ふくざい. ▮降伏 항복 こうふく. ❹시령(時令) 이름으로 삼복 夏の極暑の三伏. ▮伏日 복일 ふくじつ. ▮初伏 초복 しょふく.

【卜】高校 복 ボク. ❶점 占い. 점치다 占う. ▮卜占 복점 ぼくせん. 卜定 복정 ぼくじょう. ▮龜卜 귀복 きぼく. ❷점쟁이 占い師. ▮卜者 복자 ぼくしゃ. 卜人 복인 ぼくじん.

【服】中學 복 フク. ❶옷 着物. ▮服裝 복장 ふくそう. ▮冬服 동복 ふゆふく. 洋服 양복 ようふく. ❷옷을 입다 着る. ▮服飾 복식 ふくしょく. ❸좇다. 따르다 つき従う. ▮服從 복종 ふくじゅう. ▮不服 불복 ふふく. ❹약 같은 것을 먹다 薬などをのむ. ▮服藥 복약 ふくやく. ▮內服 내복 ないふく. ❺남의 것을 제것으로 하다 他人のものを自分のものとする. ▮着服 착복 ちゃくふく.

【福(福)】中學 복 フク. 복 さいわい. ▮福祉 복지 ふくし. ▮幸福 행복 こ

うふく. ◧禍福 화복 かふく.

【腹】 高校 복 フク. ❶배 腹. ◧腹部 복부 ふくぶ. ◧満腹 만복 まんぷく. ❷태어난 곳 子を宿すところ. ◧同腹 동복 どうふく. 異腹 이복 いふく. ❸마음 心の中. ◧腹案 복안 ふくあん. 腹心 복심 ふくしん. ❹물건의 배에 상당한 부분 物のはらにあたる部分. ◧中腹 중복 ちゅうふく. 山腹 산복 さんぷく.

【複】 高校 복 フク. ❶겹치다 重なる. ◧複寫 복사 ふくしゃ. ◧重複 중복 ちょうふく. ❷하나가 아니다 単一でない. ◧複數 복수 ふくすう. 複線 복선 ふくせん.

복【復】⇨ 부【復】

복강【腹腔】〈名〉〔生〕腹こう・ふっこう. 語例 ~경 腹こう鏡.

복개【覆蓋】〈名・하他〉覆蓋. 覆いかぶせること.

복건【幞巾・幅巾】〈名〉〔民〕男の子が初誕生の祝いや節日などにかぶる頭巾. 絵

〈복건〉

복고【復古】〈名・하他〉復古. 句例 ~조(調)의 노래 復古調の歌. 語例 ~주의 復古主義.

복구【復舊】〈名・하他〉復旧. 句例 철도를 ~하다 鉄道を復旧する. 語例 ~ 공사〔작업〕復旧工事〔作業〕/ ~시키다 復旧させる / ~되다 復旧される. 類복원(復元. 復原).

복권【復權】〈名・하自〉〔法〕復権. 語例 ~되다 復権する.

복권【福券】〈名〉宝くじ. 富くじ. 富札. 句例 ~에 당첨되다 宝くじが当たる / ~을 사다 宝くじを買う.

복귀【復歸】〈名・하自〉復帰. 句例 원대에 ~하다 原隊に復帰する. 文例 원래의 임무에 ~하였다 もとの任務に復帰した. 語例 사회 ~ 社会復帰.

복-날【伏—】[pongnal]〈名〉伏日. 夏の土用. 三伏の日.

복날 개 패듯 伏日に犬を殺すためなぐるよう. 激しく人をなぐることのたとえ.

복닥-거리다〈自〉ごった返す. もみ合う. 雑踏する.

복닥복닥〈副・하自〉ごった返すさま: ごたごた.

복대기〈名〉〔鑛〕鉱石から金をとったあとのかす(滓).

복대기다〈自〉(多くの人が)込み合う. ざわめく. ごった返す. 句例 복대기는 장터 ごった返している市場.

복대기-치다〈自〉ひどく込み合う. 騒ぎ立てる.

복덕-방【福德房】〈名〉土地・家屋などの, 不動産の売買や賃貸借を仲介する所.

복도【複道】〈名〉廊下. 句例 ~를 따라 욕실에 가다 廊下伝いに浴室へ行く.

복-되다【福—】〈形〉❶(顔立ちが)福福しい. ❷幸福で楽しい. 句例 복된 가정 楽しい家庭 / 복된 생활 幸福な生活.

복리【福利】[pongni]〈名〉福利. 句例 국민의 ~ 증진 国民の福利増進. 語例 ~ 후생 福利厚生.

복리【複利】[pongni]〈名〉複利. 対단리(單利).

복마-전【伏魔殿】[pongmajŏn]〈名〉伏魔殿.

복막【腹膜】[pongmak]〈名〉〔生〕腹膜. 語例 ~염 腹膜炎.

복면【覆面】[pongmyŏn]〈名・하自〉覆面. 句例 검은 ~ 黒い覆面 / ~한 강도 覆面の強盗 / ~을 벗기다〔벗다〕覆面をはぐ〔脱ぐ〕.

복명【復命】[pongmyŏng]〈名・하他〉復命. 句例 조사 결과를 ~하다 調査の結果を復命する. 語例 ~서 復命書.

복-모음【複母音】[pongmoŭm]〈名〉二重母音. 重母音. =중모음. 이중 모음. 対단(單)모음.

参考 'ㅑ, ㅕ, ㅛ, ㅠ, ㅒ, ㅖ, ㅘ, ㅝ, ㅙ, ㅞ, ㅟ, ㅢ'の12種類がある.

복무【服務】[pongmu]〈名〉服務. **~하다**〈自〉服務する. 服する. 句例 병역에 ~하다 兵役に服する / ~ 규정이 엄하다 服務規程がきびしい. 語例 ~ 기간 服務期間 / ~ 연한 服務年限 / ~중 服務中. 類근무(勤務).

복문【複文】[pongmun]〈名〉複文.

*__복-받치다__〈自〉(感情が)込み上げる. 句例 복받쳐 오르는 슬픔 込み上げてくる悲しみ. 文例 이를 악물고 복받쳐 오르는 오열을 참았다 歯を食いしばり込み上げてくるおえつ(嗚咽)を押さえた.

복병【伏兵】〈名〉伏兵. 伏せ勢. 句例 ~을 두다 伏兵を置く. 兵を伏せる / ~을 만나다 伏兵に会う.

복-복선【複複線】〈名〉複複線.

복부【腹部】〈名〉腹部. 語例 ~ 운동 腹部運動.

복사【複寫】〈名〉複写. コピー. **~하다**〈他〉複写する. コピーをとる. 句例 서류를 ~하다 書類をコピーする. 語例 ~기 複写機. コピー機 / ~지 複写紙. コピー紙.

복사【輻射】〈名・하自他〉〔物〕輻射. 放射. 語例 ~열 輻射熱. 放射熱 / ~ 에너지 輻射エネルギー. 類방사(放射).

복사-뼈〈名〉〔生〕くるぶし(踝).

복색【服色】〈名〉❶身分・職業などにふさわしい身なり. ❷服色. 服装の色.

복선【伏線】〈名〉伏線. 句例 ~을 치다 伏線を張る / ~을 깔다 伏線を敷く. 文例 그의 말에는 ~이 깔려 있다 彼の話には伏線が敷かれている.

복선【複線】〈名〉複線. 句例 ~으로 하다 複線にする / ~ 공사를 서두르다 複線工事を急ぐ / ~화하다 複線化する.

복성【複姓】〈名〉複姓.

参考 '南宮・鮮于'など二字からなる姓をいう.

복성-스럽다 (→스럽다)〈形〉(顔つきが)福福しい. 句例 복성스럽게 생긴 처녀 福福しい顔立ちの娘.

복속【服屬】〈名〉服属. **~하다**〈自〉服属する. 従いつく. 句例 적국을 ~시키다 敵国を服属させる.

복수【復讐】〈名〉復讐. あだ討ち. 仕返し. 敵討ち. **~하다**〈自〉復讐する. あだを討

つ. [句例] ～의 화신(化身) 復讐の鬼 / ～를 결심하다 復讐を決心する. [文例] 그놈한테 꼭 ～하고야 말겠다 あいつにきっと復讐してやるぞ. [語例] ～전 復讐戦. 弔合戦.

복수【腹水】〈名〉〔醫〕腹水. [句例] ～가 괴다 腹水がたまる.

복수【複數】〈名〉複数. ㊍단수(單數).

복수-심【復讐心】〈名〉復讐心. [句例] ～에 불타다 復讐心〔復讐の念〕に燃える.

****복숭아**〈名〉桃. 略して'복사'とも言う. [語例] ～꽃 桃の花 / ～나무 桃(の木) / ～씨 桃の種.

***복-스럽다**【福―】(→스럽다)〈形〉福福しい. ふくよかだ. [句例] 복스러운 얼굴 ふくよかな顔つき. **복스레**〈副〉福福しく. ふくよかに.

복슬-복슬〈副・하形〉(犬などが)丸丸まると太って毛深いさま：ふくふく.

***복습**【復習】〈名・하他〉復習. [句例] 학교서 배운 데를 ～하다 学校で習ったところを復習する. ㊍예습(豫習).

복식【服飾】〈名〉服飾. [語例] ～디자이너 服飾デザイナー / ～품 服飾品.

복식【複式】〈名〉複式. [語例] ～경기 複試合. ダブルス / ～부기 複式簿記 / ～학급 複式学級.

복식 호흡【腹式呼吸】[pokshik'ohŭp]〈名〉腹式呼吸. ㊍흉식(胸式) 호흡.

***복싱**〈名〉ボクシング. ＝권투. [語例] ～선수 ボクシング選手. ◇boxing

복안【腹案】[pogan]〈名〉腹案. [句例] ～을 짜다〔세우다〕腹案を練る〔立てる〕. [文例] 다 ～이 서 있다 ちゃんと腹案ができている.

복안【複眼】[pogan]〈名〉〔動〕⇨ 겹눈. ㊍단안(單眼).

복어【―魚】[pogŏ]〈名〉〔魚〕ふぐ.

복역【服役】[pogyŏk]〈名・하自〉服役. [句例] 삼년의 ～을 마치다 三年の服役を終える. [語例] ～기간 服役期間 / ～수 服役囚.

복엽【複葉】[pogyŏp]〈名〉〔植〕⇨ 겹잎. [語例] 우상 ～ 羽状複葉.

복엽-기【複葉機】[pogyŏpki]〈名〉複葉機. 複葉飛行機.

복용【服用】[pogyong]〈名〉服用. **～하다**〈他〉服用する. 飲む. [句例] 약을 하루에 세 번 ～하다 薬を一日〔日に〕三回服用する.

복원【復元・復原】[pogwon]〈名〉復元〔復原〕. **～하다**〈自他〉復原する. もとにかえる〔かえす〕. もとにもどす. [句例] 황폐한 절을 ～하다 すたれたお寺を復元する / 옛 왕궁을 ～하다 昔の王宮を元の状態に復旧する〔復元する〕. [語例] ～력 復元力 / ～되다 復元される.

복위【復位】[pogwi]〈名・하自〉復位.

복음【福音】[pogŭm]〈名〉〔基〕❶福音. [句例] ～을 전도하다 福音を伝道する. ❷福音書.

복인【服人】[pogin]〈名〉喪に服している人. [参考] 特に, 満一年以下の服喪に対して言う. 喪主をはじめ直系の服喪者は'사제(齋制)'という.

복자【覆字・伏字】〈名〉〔印〕伏せ字.

복잡-스럽다【複雜―】(→스럽다)〈形〉いかにも複雑だ.

***복잡-하다**【複雜―】[pokchap'ada] (→하다)〈形〉❶複雑だ. [句例] 복잡한 사건 複雑な事件 / 복잡한 일 手の込む仕事 / 복잡하게 얽힌 사정 込み入った事情 / 복잡한 구조〔규정〕複雑な構造〔規定〕.
❷混雑している. 込んでいる. [文例] 이곳은 늘 복잡합니다 ここはいつも込みます / 주말의 백화점 안은 매우 복잡했었다 週末のデパートの中はたいへん込み合っていた.
❸(頭の中が)混乱している. [文例] 지금 머리가 ～ 今頭の中が混乱している.

***복잡해-지다**【複雜―】[pokchap'aejida]〈自〉❶複雑になる. ❷混雑してくる. 込んでくる. [文例] 아침부터 길이 복잡해진다 朝から道がこみ始める.

복장〈名〉❶胸の底. ＝흉중(胸中). [文例] ～이 터질 것 같다 胸がはち切れそうだ. ❷腹の中. 心の奥底. 胸中. 腹. [句例] ～이 검다 腹が黒い.

복장(이) 타다 胸が焦がれる. はらわたがちぎれる. ＝애간장이 타다.

***복장**【服裝】〈名〉服装. ＝옷차림. [句例] 훌륭한 ～ 立派な服装 / 가벼운 ～ 身軽な服装 / 어울리지 않는 ～ 不釣り合いな服装 / ～을 단정히 하다 服装を整える.

복적【復籍】〈名・하自〉〔法〕復籍. [句例] ～절차를 밟다 復籍の手続きを取る.

복제【服制】〈名〉喪服に関する制度. 略して'복(服)'ともいう.

복제【複製】〈名・하他〉複製. [句例] 명화를 ～하다 名画を複製する. [語例] ～물 複製物.

복-조리【福笊籬】〈名〉〔民〕一年の福をもたらすといわれる'조리'.
[参考] 元旦の夜明けに売り歩く.

복종【服從】〈名〉服従. **～하다**〈自〉服従する. 従う. [句例] 명령에 ～하다 命令に服従する〔服する〕/ 절대 ～을 강요하다 絶対服従を迫る. [語例] ～시키다 服従させる.

복중【伏中】〈名〉三伏. 真夏. 盛夏. [語例] ～문안(問安) 暑中見舞い.

복지【服地】〈名〉['양복지(洋服地)'の略] 服地. 生地. [語例] 순모 ～ 純毛生地 / ～상 生地商.

***복지**【福祉】〈名〉福祉. [句例] 사회 ～의 증진 社会福祉の増進. [語例] ～국가 福祉国家 / ～사회 福祉社会 / ～시설 福祉施設.

복지-부【福祉部】〈名〉'보건 복지부'の略.

복직【復職】〈名・하自〉復職. [句例] 회사에 ～하다 会社に復職する.

복찻-다리〈名〉大道を横切って流れる小川にかかった橋.

복창【復唱】〈名・하他〉復唱. [句例] 명령을 ～하다 命令を復唱する.

복채【卜債】〈名〉占い料. ぼくせん(卜銭). 見料. [句例] ～를 두둑히 내다 見料をはずむ.

복통【腹痛】〈名・하自〉❶腹痛・はらいた. [句例] ～을 일으키다 腹痛を起こす / 심한 ～을 느끼다 ひどい腹痛をおぼえる / ～을 호소하다 腹痛を訴える. ❷ひどく悔しいときにつかう語. [文例] ～할 노릇이다 実に悔しい〔腹だたしい〕ことだ.

ㅂ

복판〈名〉真ん中. [句例] 표적의 ~에 맞다 標的の真ん中にあたる / 길 ~을 걷다 道の真ん中を歩く.

복학【復學】[pok'ak]〈名・하自〉復学. 復校. [句例] ~을 허가하다 復学を許可する. [語例] ~생 復学生 / ~시키다 復学させる / ~되다 復学する.

복합【複合】[pok'ap]〈名・하自他〉複合. [語例] ~ 비타민 複合ビタミン / ~체 複合体 / ~ 비료 複合肥料 / ~어 複合語 / ~되다 複合する.

볶다 [pokta]〈他〉❶い(煎)る. [句例] 콩을 ~ 豆をいる / 볶은 참깨 煎った胡麻 / 볶은 콩 いり豆. ❷(油で)いためる. [句例] 낙지를 ~ たこをいためる. ❸(人を)いびる. いじめる. [句例] 계모가 전실(前室) 자식을 ~ ままはは(継母)が前妻の子をいびる. ㊞들볶다. ❹(しつこく)ねだる. [句例] 동물원에 가자고 ~ 動物園に行こうとしつこくねだる.

볶아-내다 [pokka—]〈他〉い(煎)つめて〔いためて〕作る.

볶아-대다 [pokka—]〈他〉いじめとおす. しきりに悩ます. 責め立てる. [句例] 새 옷을 사 달라고 ~ 新しい服を買ってくれとせがむ.

볶아-치다 [pokka—]〈自〉ひどくせき立てる. [句例] 시간에 늦겠다고 ~ 時間に遅れるとせきたてる.

볶음 [pokkŭm]〈名〉薬味を入れた材料を油でいためた食べ物. いため物. [語例] 닭 ~ 鶏のいため物 / ~밥 焼き飯.

볶음-밥 [pokkŭm—]〈名〉チャーハン. 焼き飯.

볶이다 [pokkida]〈自〉'볶다'の受け身. ❶い(煎〔炒〕)られる. [文例] 콩이 덜 볶였다 豆がよくいられていない. ❷いじめられる. いびられる. 苦しめられる. [句例] 빚쟁이에게 ~ 借金取りに苦しめられる.

*__본__【本】〈名〉❶手本. 模範. [句例] ~을 보이다 手本を示す / ~을 따르다 手本とする. 見習う. ❷見本. ひな型. 例. →본보기. [句例] ~으로 삼다 ひな型にする. ❸型紙. 鋳型. [句例] ~대로 마르다 型紙どおりに裁つ. ❹'본관(本貫)'の略. [文例] ~이 어디시오 本貫はどちらですか / ~은 전주입니다 本貫は全州です. ❺'본전(本錢)'の略: 元金. 元手. [文例] ~까지 날렸다 元手までなくした.

본(을) 뜨다 ❶模範としてまねる. 見習う. ❷型をとる. かたどる. 写す. [句例] 종이로 ~ 紙で型をとる.

본(을) 받다 手本とする. 模範とする. [文例] 좋은 점은 본받아야 한다 よい点は見習わなければならない.

본 〔漢字項目〕

【本】[中學] 본 ホン. ❶나무의 밑둥 木の下の部分. もと. ▮根本 근본 こんぽん. ❷근원 源. ▮本源 본원 ほんげん. 本末 본말 ほんまつ. ❸바탕 もとからあるもの. ▮本質 본질 ほんしつ. 本性 본성 ほんしょう. ❹고향 故郷. ▮本籍 본적 ほんせき. ❺본전 元手. ▮本利 본리 ほんり. ▮資本 자본 しほん. ❻책 本. ▮刊本 간본 かんぽん. 寫本 사본 しゃほん. ❼본디 もとから. ▮本來 본래 ほんらい. 本然 본연 ほんぜん. ❽바르다 正しい. 정식의 正式の. ▮本妻 본처 ほんさい. 本名 본명 ほんみょう. ❾이 (接頭語的に用いて)この. ▮本書 본서 ほんしょ. 本年 본년 ほんねん.

본가【本家】〈名〉❶本家. ❷里. 実家. [句例] ~에 다니러 가다 里帰りする.

본-값【本—】[pon-gap]〈名〉元値. 仕入れ価格. [文例] 그렇게 팔면 ~도 안 됩니다 そんな値段で売ったら元値にもなりません.
[參考] '본값은 元値は'は[pon-gapsŭn] と読む.

본거-지【本據地】〈名〉本拠地. 根拠地. [句例] 활동의 ~로 삼다 活動の本拠地とする.

본건【本件】[ponkkŏn]〈名〉本件. この件. [句例] ~에 대하여 本件に対して.

본격-적【本格的】[ponkkyŏkchŏk]〈名・冠〉本格的. [句例] ~으로 일을 시작하다 本格的に仕事を始める / ~인 조사 本格的な調査 / ~인 추위 本格的な寒さ.

본격-화【本格化】[ponkkyŏk'wa]〈名・하自他〉本格化. [句例] 전쟁이 ~하다 戦争が本格化する / 공사가 ~하다 工事が本格化する.

본견【本絹】〈名〉本絹. 純絹. [語例] ~ 양말 純絹靴下 / ~ 넥타이 正絹ネクタイ.

본-고장【本—】〈名〉❶⇨ 본고향. ❷本場. =본바닥. [句例] ~의 귤 本場のみかん / 프로 야구의 ~ プロ野球の本場 / ~에서 익힌 영어 本場仕込みの英語.

본-고향【本故鄕】〈名〉生まれ育った故郷.

본과【本科】[ponkkwa]〈名〉本科. [句例] 예과를 수료하고 ~에 들어가다 予科を修了して本科に入る〔上がる〕.

본관【本官】〈代〉本官. 本職. [句例] ~의 견해로는 本官の見解では.
[表現] 高位の官吏が自分を指す語.

본관【本貫】〈名〉本貫. ほんがん. 略して '본(本)' ともいう. =관향(貫鄕).
[參考] 姓と組み合わせ, '김해 김씨(金海金氏)' '안동 김씨(安東金氏)' '문화 유씨(文化柳氏)'などと表記する.

본관【本館】〈名〉本館. [句例] ~과 별관 本館と別館.

본교【本校】〈名〉本校. [句例] ~와 분교 本校と分校. [語例] ~생 本校生.

본국【本國】〈名〉本国. [句例] ~에 송환되다 本国に送還される / ~으로 돌아가다 本国に帰る. [語例] ~어 本国語 / ~법 本国法.

본-궤도【本軌道】〈名〉(物事の)本格的な段階. [句例] 공사가 ~에 올라서다 工事が本調子に乗る.

본-그림자【本—】〈名〉〔天〕本影.

본-남편【本男便】〈名〉❶正式の夫. 本夫. ❷再婚する前の夫. 前夫.

본능【本能】〈名〉本能. [句例] 자기 보존의 ~ 自己保存の本能 / ~대로 행동하다 本能のままにふるまう. [語例] 모성 ~ 母性本能 / ~주의 本能主義.

본능-적【本能的】〈名・冠〉本能的. [句例] ~으로 위기를 느끼다 本能的に危機を察する.

본당【本堂】〈名〉〔天主教〕主任神父の常住する教会堂.

본대【本隊】〈名〉本隊. [句例] ~로 복귀하다 本

ㅂ

隊に復帰(ふっき)する.

본댁【本一】〈名〉本宅(ほんたく). 本邸(ほんてい). 語例 ~네 '正室(せいしつ)・本妻(ほんさい)'の俗(ぞく)っぽい言(い)いかた.

본데-없다 [—ŏpta]〈形〉ぶしつけだ. 無作法(ぶさほう)だ. ぶざまだ. 句例 본데없는 아이 しつけの悪(わる)い子(こ). **본데없이** [—ŏpshi]〈副〉ぶしつけに. 無作法に. ぶざまに. やぼに. 句例 본데없이 자라다 しつけが悪く育(そだ)つ / 본데없이 굴다 ぶしつけに振(ふ)る舞(ま)う.

본-듯이 [pondŭshi]〈副〉(あたかも)見(み)たごとく. 見(み)たように. 句例 마치 ~ 말하다 あたかも見たように話(はな)す.

본-등기【本登記】〈名〉〔法〕本登記(ほんとうき).

본디【本一】[一]〈名〉根(ね). 根源(こんげん). =본시(本是). 文例 ~는 착한 사람이다 根はいい人(ひと)である. [二]〈副〉元元(もともと). 元来(がんらい). 本来(ほんらい). 句例 ~ 아는 사람 元元知(し)り合(あ)っている人.

본때〈名〉手本(てほん)になるようなこと. 見(み)せしめ. 見栄(みば)え.

본때(를) 보이다 (見(み)るに見(み)かねて)範(はん)を垂(た)れる. 見せしめに懲(こ)らしめる.

본때(가) 있다 ❶ならうべき〔見せしめにすべき〕所(ところ)がある. 句例 본때 있는 사람 手本(てほん)になるような人(ひと). 手並(てな)みの鮮(あざ)やかな人. ❷見事(みごと)だ. すばらしい. 見栄えがする. 句例 본때 있게 해치우다 見事にやってのける.

*__본-뜨다__【本一】⇨'본'の小項目

본-뜻【本一】〈名〉本意(ほんい). 真意(しんい). 本義(ほんぎ). 句例 ~이 변한 말 原義(げんぎ)が転(てん)じた語(ご). 文例 ~은 그렇지 않았다 本意はそうでなかった.

본래【本來】[pollae]〈名・副〉本来(ほんらい). もともと. 元来(がんらい). =본디. 句例 ~의 사명 本来の使命(しめい) / 인간 ~의 모습 人間(にんげん)本来の姿(すがた). 文例 ~ 착한 사람이다 もともといい人(ひと)だ.

본론【本論】[pollon]〈名〉本論(ほんろん). 句例 ~으로 들어가다 本論に入(はい)る / ~으로 돌아가서 本論にたち返(かえ)って / 서론과 ~ 序論(じょろん)と本論 / ~에서 벗어나다 本論からそ(逸)れる.

*__본루__【本壘】[pollu]〈名〉〔野〕本塁(ほんるい). ホームベース.

본류【本流】[pollyu]〈名〉本流(ほんりゅう). 句例 문학의 ~ 文学(ぶんがく)の本流. 對지류(支流). 아류(亞流).

본-마누라【本一】〈名〉本妻(ほんさい).

본-마음【本一】〈名〉本心(ほんしん). 略して'본맘'ともいう. 句例 ~으로 돌아가다 本心にたち返(かえ)る / ~을 털어놓다 本心をさらけ出(だ)す.

본-말【本一】〈名〉もとの語(ご). 對준말.

본말【本末】〈名〉本末(ほんまつ). 句例 ~을 그르치다 本末を誤(あやま)る. 語例 ~ 전도 本末転倒(てんとう).

본명【本名】〈名〉❶本名(ほんみょう). 実名(じつみょう・じつめい). =본이름. 句例 ~을 밝히다 本名を明(あ)かす. 對가명(假名). 별명(別名). ❷〔天主教〕洗礼名(せんれいめい).

*__본문__【本文】〈名〉本文(ほんもん・ほんぶん). 句例 조약의 ~ 条約(じょうやく)の本文.

본-밑천【本一】〈名〉元(もと). 元手(もとで). 元金(もときん).

본-바닥【本一】〈名〉❶元(もと)から住(す)んでいる所(ところ). 語例 ~ 사람 その土地(とち)の人(ひと)〔生(う)まれ〕. ❷本場(ほんば). =본고장. 語例 ~ 물건 本場のもの / ~ 영어 本場の英語(えいご).

본-바탕【本一】〈名〉本性(ほんしょう). 生地(きじ). 本元(ほんもと). 本質(ほんしつ). 文例 ~은 좋은 사람이다 根(ね)はいい人(ひと)だ / 다급해지면 사람됨의 ~이 드러난다 せっぱつまったら人(ひと)となりの本性があらわれる.

*__본-받다__【本一】⇨'본(本)'の小項目

본-보기【本一】〈名〉❶見本(みほん). 標本(ひょうほん). ひな型(がた). 例(れい). 句例 ~로 삼다 手本(てほん)にする. ❷見(み)せしめ. 句例 ~로 엄벌에 처하다 見せしめのために厳罰(げんばつ)に処(しょ)する. ❸手本(てほん). 模範(もはん). 亀鑑(きかん).

본봉【本俸】〈名〉本俸(ほんぽう). 本給(ほんきゅう). 句例 ~과 수당 本俸と手当(てあて).

*__본부__【本部】〈名〉本部(ほんぶ). 句例 수사 ~를 두다 捜査(そうさ)本部を置(お)く. 語例 중대 ~ 中隊(ちゅうたい)本部. 對지부(支部).

본분【本分】〈名〉本分(ほんぶん). 句例 학생의 ~ 学生(がくせい)の本分 / ~을 다하다〔게을리하다〕本分をつくす〔怠(おこた)る〕.

*__본사__【本社】〈名〉本社(ほんしゃ). 句例 ~에 근무하다 本社に勤(つと)める / ~ 근무가 되다 本社詰(づ)めとなる. 本社で仕事(しごと)をすることになる. 對지사(支社).

본색【本色】〈名〉本色(ほんしょく). 本性(ほんしょう). 句例 ~을 드러내다 本性をあらわす. 馬脚(ばきゃく)をあらわす. 地(じ)を出(だ)す.

본서【本署】〈名〉本署(ほんしょ). 句例 ~까지 연행하다 本署まで連行(れんこう)する. 對지서(支署).

본선【本線】〈名〉本線(ほんせん). 幹線(かんせん). 對자선(支線).

본선【本選】〈名〉本選(ほんせん). 句例 ~에 오르다〔진출하다〕本選に進(すす)む. 對예선(豫選).

본성【本姓】〈名〉本姓(ほんせい). →본명(本名)

*__본성__【本性】〈名〉本性(ほんしょう・ほんせい). 天性(てんせい). 句例 ~이 드러나다 本性が現(あらわ)れる / ~을 드러내다 地(じ)を出(だ)す / ~은 어질다 心根(こころね)は善良(ぜんりょう)だ.

본숭-만숭〈副・하他〉いいかげん(加減)にあしらうさま. 見(み)て見(み)ぬ振(ふ)りをするさま. 素知(そし)らぬ振りをするさま. 文例 ~ 인사도 안 한다 見て見ぬ振りであいさつもしない / 사람을 보고도 ~한다 人(ひと)を見ても知(し)らん顔(かお)をする.

본시【本是】〈名・副〉もともと. もとより. 本来(ほんらい). 元来(がんらい). 文例 ~ 나쁜 놈은 아니었는데 もともと悪(わる)いやつではなかったのに.

본-시험【本試驗】〈名〉本試験(ほんしけん). 句例 ~에 합격하다 本試験に合格(ごうかく)する.

본실【本室】〈名〉正室(せいしつ). 嫡室(ちゃくしつ). 本妻(ほんさい). 句例 ~ 자식 正妻(せいさい)の子(こ). 嫡子(ちゃくし).

본심【本心】〈名〉本心(ほんしん). 心底(しんてい). =본마음. 句例 ~을 밝히다 本心を明(あ)かす. 心底を打(う)ち明かす / ~으로 말하다 本心から話(はな)す / ~으로 충고하다 真心(まごころ)から忠告(ちゅうこく)する.

본안【本案】[ponan]〈名〉本案(ほんあん). 語例 ~ 판결〔法〕本案判決(はんけつ).

본업【本業】[ponŏp]〈名〉本業(ほんぎょう). =본직(本職). 文例 변호사가 그의 ~이다 弁護士(べんごし)が彼(かれ)の本業である. 對부업(副業).

본연【本然】[ponyŏn]〈名〉本然(ほんぜん・ほんねん). 句例 ~의 모습 本然の姿(すがた) / 학자 ~의 자세 学者(がくしゃ)本然の姿勢(しせい).

본영【本營】[ponyŏng]〈名〉本営(ほんえい). =본진(本陣).

본원【本源】[ponwon]〈名〉本源(ほんげん). 根源(こんげん). 語例 ~적 本源的(てき).

본위【本位】[ponwi]〈名〉本位(ほんい). 句例 자기

ㅂ

～의 생각 自己本位の考え. 語例 품질〔흥미〕～ 品質〔興味〕本位 / 금～ 제도 金本位制度 / ～ 화폐 本位貨幣.

본의【本意】[ponŭi]〈名〉本意. 本心. 真心. 文例 ～는 아니지만 할 수 없다 不本意ながらいたし方がない.

본의【本義】[ponŭi]〈名〉本義. 句例 헌정의 ～ 憲政の本義.

본-이름【本―】[ponnirŭm]〈名〉本名・実名. ＝본명(本名).

***본인**【本人】[ponin] ㊀〈名〉本人. 当人. 句例 ～의 고백 本人の告白. 文例 ～은 잘 모르는 것 같더라 本人はよく知らないようだ / ～에게 물어 봐 当人に聞いてみろ.

㊁〈代〉わたくし. 句例 ～의 생각으로는 わたくし自身の考えでは. 文例 ～은 일신상의 이유로 사표를 제출합니다 わたくしは一身上の理由で辞表を提出します.

表現 ㊁は, 公式の文書に, また演説などで用いられる.

본-잎【本―】[ponnip]〈名〉〔植〕本葉.

본적【本籍】〈名〉本籍. 原籍. 語例 ～지 本籍地.

본전【本錢】〈名〉❶(貸した金の)元金. 本金. ＝원금(元金). ❷元金. 元手. 元. ＝본밑천. 句例 ～을 밑지다 元を割る. 文例 ～까지 날렸다 元手までなくした / 밑져야 ～이다 損はするが元は残る. ❸元値. 原価. ＝본값. 句例 ～에 팔다 元値で売る.

본전도 못 찾다 元も取れない. 元も子もなくなる.

***본점**【本店】〈名〉本店. 本舗. 語例 ～ 근무 本店勤務〔詰め〕. 對지점(支店).

본-정신【本精神】〈名〉正気. 句例 ～으로 돌아오다 正気に返る. 文例 하는 짓을 보니 ～이 아니다 ふるまいを見ていると正気じゃない.

본제【本題】〈名〉本題. 句例 ～로 들어가다 本題に入る.

본존【本尊】〈名〉〔佛〕本尊.

본-줄기【本―】〈名〉本筋. 本脈. 句例 이야기가 ～에서 벗어나다 話が本筋からそれる.

본지【本紙】〈名〉本紙. 句例 ～의 애독자 本紙の愛読者.

본지【本誌】〈名〉本誌. 句例 ～의 구독자 本誌の購読者.

본질【本質】〈名〉本質. ＝본바탕. 句例 미의 ～을 탐구하다 美の本質を探求する / 문제의 ～에 언급하다 問題の本質に触れる.

본질-적【本質的】[―tchŏk]〈名・冠〉本質的. 句例 ～인 차이 本質的な差異 / ～으로 다르다 本質的に違う.

본-집【本―】〈名〉本家. ＝본가(本家).

본-채【本―】〈名〉母屋.

본처【本妻】〈名〉本妻. ＝정실(正室). 句例 ～ 소생의 자식 本妻の子.

본청【本廳】〈名〉本庁. 對지청(支廳).

본체【本體】〈名〉本体. 句例 꿈의 ～ 夢の本体 / 로켓〔엔진〕의 ～ ロケット〔エンジン〕の本体.

본체-만체〈副・하他〉見て見ぬ振りをするさま. 知らん顔をするさま. ＝본척만척. 文例 남이 고생하는 것을 보고 ～한다 人の苦労を見て知らん顔をする.

본초【本初】〈名〉本初. はじめ. 語例 ～ 자오선〔地〕本初子午線.

본토【本土】〈名〉本土. 語例 영국 ～ 英国本土 / ～불(弗) 米国の正貨. 類본국(本國).

본토-박이【本土―】[―bagi]〈名〉はえ抜き. 土地っ子. 語例 ～ 서울 사람 はえ抜きのソウル人.

본-회의【本會議】〈名〉本会議. 句例 ～에 상정하다 本会議に上程する. 語例 국회 ～ 国会の本会議.

****볼**¹〈名〉❶ほお(頰). ほっぺた《俗》. 句例 ～을 붉히다 ほおを赤める〔染める〕. 語例 ～연지(臙脂) ほお紅 / ～우물 えくぼ. ❷(足袋などの)幅. 句例 ～이 좁은 구두 幅の狭い靴 / 발의 ～이 좁다 足の腹がせまい. ❸(ボソンの底に当てる)つぎ. 句例 버선에 ～을 대다 ボソンにつぎ〔布切れ〕を当てる.

***볼**² [po:l]〈名〉ボール. 句例 ～을 차다 ボールをけ(蹴)る. ◇ball

볼-가심〈名・하自〉口しのぎ.

볼-거리〈名〉〔韓醫〕お多福風邪.

볼기 [po:lgi]〈名〉尻. 臀部. 語例 ～짝 尻っぺた. 尻べた. 類엉덩이.

볼기(를) 맞다 尻をたたかれる. 尻たたきの刑を受ける.

볼기(를) 치다〔때리다〕 尻をたたく. 尻たたきの刑罰を加える.

볼-꼴〈名〉見様. 外観. 見た目. 世間体.

볼꼴(이) 사납다 ぶざまだ. みっともない. 句例 볼꼴 사나운 옷차림 ぶざまな身なり.

볼낯 없다 [polladŏpta] ⇨'보다¹'の小項目

볼-따구니〈名〉'볼 ほお'の俗っぽい言いかた: ほっぺた.

볼-때기〈名〉⇨볼따구니

볼락〈名〉〔魚〕めばる.

***볼록**〈副〉ふっくら. 句例 ～ 솟은 혹 ふっくらと突き出たこぶ(瘤).

볼록-거울〈名〉〔物〕凸面鏡. 對오목거울.

볼록-렌즈 [pollongnenchŭ]〈名〉凸レンズ. 對오목렌즈. ◇lensから.

볼록-판【―版】〈名〉〔印〕凸版. 對오목판(版).

***볼록-하다** [pollok'ada] (→하다)〈形〉ふくらんでいる. ふくれている. 盛り上がっている. 句例 볼록한 볼 ふっくらとしたほお(頰). 文例 항아리의 배가 ～ 壺の中央部がふくらんでいる.

볼륨〈名〉ボリューム. 句例 ～이 있는 목소리 ボリュームのある声 / 라디오의 ～을 올리다〔줄이다〕ラジオのボリュームを上げる〔小さくする〕. ◇volume

볼링 [po:lling]〈名〉ボーリング. ◇bowling

볼만-하다 (→하다)〈形〉見るに足る. 見ごたえがある. 見る値打ちがある. 文例 볼만한 것이〔프로가〕없다 見る値打ちがあるもの〔番組〕がない.

볼-메다〈形〉ふくれている. ふくれっ面をする. 不機嫌だ. 文例 꾸지람을 들으면 이내 볼멘 얼굴을 한다 しかられるとすぐふくれっ面をする.

볼멘-소리〈名〉つっけんどんな口ぶり. 句例

～로 말하다 つっけんどんな口ぶりで話す / ～로 대꾸하다〔쏘아붙이다〕つっけんどんに言い返す〔当たり散らす〕.

볼모〈名〉❶質草. 抵当. 担保. 句例 집을 ～로 돈을 빌리다 家を担保に金を借りる. ❷人質.

볼모(를) 잡다 人質をとる.

볼모(로) 잡히다 人質にとられる.

볼-썽〈名〉(他人に見せる)格好. 外観. 体裁. なり.

볼썽(이) 사납다 見苦しい. みっともない. ぶざまだ. 不作法だ. 下品だ. 不体裁だ.

볼-일 [po:llil]〈名〉所用. 用事. 用件. 用. 句例 ～을 마치다 用事を済ませる. 用を足す. 文例 별 ～은 없다 別に用はない / ～이 있어서 못 간다 用事があって行けない.

볼-작시면 [poltchakshimyŏn]〈副〉見た所. 見てとると. 一見するに. 思うに. 句例 그 자리의 분위기를 ～ その場のようすを見てとると / 이 내용을 ～ この内容を察するに.

볼장 다 보다 [poltchangda:—] ⇨'보다¹'の小項目

볼트¹〈名〉ボルト. 句例 ～로 죄다 ボルトで締める / ～와 너트 ボルトとナット. ◇bolt

볼트²〈依名〉〔物〕電圧の単位: ボルト. ◇volt

⁑**볼-펜** [po:l—]〈名〉ボールペン. 句例 ～으로 쓰다 ボールペンで書く. ◇ballpen

볼-품〈名〉見様. 格好. 体裁. 句例 ～이 없다 見た目が悪い. みすぼらしい / ～이 있다 見栄えがする.

⁑**봄**〈名〉春. 句例 ～이 다가오다 春が近づく / ～을 맞다 春を迎える / 화창한 ～ うららかな春. 語例 ～소식 春の事触れ / 이른 ～ 早春.

봄(을) 타다 春に食欲がなくからだが弱る.

봄-가물 [—kkamul]〈名〉春の日照り.

봄-가을〈名〉春と秋. 春秋. 語例 ～로 春秋に.

봄-갈이 [—gari]〈名・하他〉春耕. 田打ち. 春の耕作.

봄-날〈名〉春の日. 春日.

봄-내〈副〉春じゅう. 春の間ずっと. 句例 ～ 가물다 春じゅう日照りが続く.

봄-눈〈名〉春雪. 春の雪.

봄눈 슬듯 春の雪が溶けるよう. 物事が長く続かない. 食べたものの消化が早い.

봄-맞이 [—maji]〈名・하自〉春を迎えること.

*__봄-바람__ [—pparam]〈名〉春風・春風. 東風. こち《雅》. 句例 ～이 살랑살랑 불다 春風がそよそよと吹く.

봄-방학【—放學】[—ppanghak]〈名〉春休み.

*__봄-볕__ [—ppyŏt]〈名〉春の日差し. 句例 따사로운 ～ 暖かい春の日差し.

봄-보리 [—ppori]〈名〉〔植〕春まきの麦. ＝춘맥(春麥).

*__봄-비__ [—ppi]〈名〉〔植〕春雨. 句例 ～가 부슬부슬 내리다 春雨がしとしと(と)降る.

봄-빛 [—ppit]〈名〉春色. 春光. 春の景色. 句例 ～이 무르익은 산과 들 春たけなわの山野.

봄-소식【—消息】[—ssoshik]〈名〉春信. 春のおとずれ. 春の便り.

봄-여름 [—nyŏrŭm]〈名〉春と夏.

*__봄-철__〈名〉春の季節. 春季.

봄-추위〈名〉春先の寒さ. 春寒.

봇-논【洑—】[ponnon]〈名〉いせき(堰)の水で耕す田.

봇-도랑【洑—】〈名〉灌漑用の水路.

봇-둑【洑—】〈名〉せき(堰). 土手. 堤. 句例 ～을 쌓다 せきを築く / ～이 무너지다〔터지다〕堤が崩れる〔切れる〕.

봇-물【洑—】[ponmul]〈名〉いせき(井堰)の水. 句例 ～ 터지듯이 쏟아지는 인파 せき(堰)が切れたようにどっとなだれこむ人の波.

봇-짐【褓—】〈名〉風呂敷包み. 包み(物). 語例 ～ 장수 背負いあきんど(商人). 行商人.

봉〈名〉詰め物. ふさぎ物. 当て物.

봉(을) 박다 あてがう. はめ込む. 句例 충치에 봉을 박다 虫歯に詰めものをする.

봉【棒】[po:ng]〈名〉棒. ＝막대기. 句例 ～을 휘두르다 棒を振り回す.

봉【鳳】[po:ng]〈名〉❶鳳. 鳳凰の雄. ❷だまされやすい人. かも. 句例 ～으로 삼다 かもにする.

봉 〔漢字項目〕

【奉】中學 봉 ホウ. ❶받들다 うやうやしくたてまつる. ■奉戴 봉대 ほうたい. ❷하명(下命) 받다 命をうける. ■奉命 봉명 ほうめい. 奉行 봉행 ほうこう. ❸섬기다 つかえる. ■奉仕 봉사 ほうし. 奉公 봉공 ほうこう. ❹바치다 ささげる. ■奉獻 봉헌 ほうけん. 奉呈 봉정 ほうてい. ❺봉급 俸給. ■奉祿 봉록 ほうろく.

【封】高校 봉 フウ. ホウ. ❶토지를 주어 제후로 삼다 領地をあたえて諸侯とする. ■封爵 봉작 ほうしゃく. 封建 봉건 ほうけん. ❷제후의 땅 諸侯の領地. ■封地 봉지 ほうち. 封疆 봉강 ほうきょう. ❸봉하다 ふうをする. ■封緘 봉함 ふうかん. ■密封 밀봉 みっぷう. ❹흙더미를 쌓다 土を盛る. ■封土 봉토 ほうど. ❺지경 さかい. ■封境 봉경 ほうきょう. ❻봉한 편지 封をしたてがみ. ■封書 봉서 ふうしょ.

【峯(峰)】高校 봉 ホウ. ❶산봉우리 みね. ■峯頭 봉두 ほうとう. ❷산 山. ■高峯 고봉 こうほう.

【蜂】高校 봉 ホウ. 벌 はち. ■蜂起 봉기 ほうき. ■蜜蜂 밀봉 みつばち. 女王蜂 여왕봉 じょおうばち.

【逢】中學 봉 ホウ. ❶만나다 出あう. ■逢着 봉착 ほうちゃく. ❷맞다 むかえる. ■逢迎 봉영 ほうげい.

【鳳】高校 봉 ホウ. 봉황새 古来,中国で尊ばれた想像上の瑞鳥. ■鳳凰 봉황 ほうおう. 鳳輦 봉련 ほうれん.

봉건【封建】〈名〉封建. 語例 ～ 시대〔제도・사상〕封建時代〔制度・思想〕/ ～주의 封建主義.

봉건-적【封建的】〈名・冠〉封建的. 句例 ～인 사고 방식 封建的な考え方.

ㅂ

봉고-차【一車】〈名〉ワゴン.
参考 '봉고'は商品の名称.

봉급【俸給】[po:nggŭp]〈名〉俸給. サラリー. 句例 ~을 타다 俸給をもらう / ~을 올리다〔내리다〕 俸給を上げる〔引き下げる〕. 語例 ~날 俸給日. 月給日 / ~ 생활자 俸給生活者. サラリーマン / ~쟁이 俸給取り.

봉기【蜂起】〈名・하自〉蜂起. 句例 민중의 ~ 民衆の蜂起.

봉당【封堂】〈名〉〔建〕土間.
봉당을 빌려 주니 안방까지 달란다 ひさしを貸して母屋までとられる.

봉-돌 [pongttol]〈名〉(釣り糸の)重り.

봉두-난발【蓬頭亂髮】〈名〉蓬頭乱髪. 蓬髪. 乱れ髪.

봉변【逢變】〈名・하自〉❶人から辱めをうけること. 文例 이 무슨 ~이냐 これまた何たる恥ぞ. ❷不意の災難にあうこと. 文例 오늘 크게 ~했다 今日ひどい災難に見舞われた.
봉변(을) 당하다 ❶侮辱される. ❷思いがけない災難にあう.

봉분【封墳】〈名・하自〉土を盛り上げて墓をつくること. また, その盛り上げた部分.

ㅂ

*__봉사__【奉仕】[po:ngsa]〈名・하自〉奉仕. サービス. 句例 사회에 ~하다 社会に奉仕する. 語例 ~자〔단〕奉仕者〔団〕/ ~ 활동 奉仕活動 / ~ 가격 奉仕価格 / ~료 奉仕料. サービス料.

봉사【奉事】[po:ngsa]〈名〉盲人. 失明者.
봉사 안경 쓰나마나 めくらに眼鏡.

봉산 탈춤【鳳山一】[po:ngsant'a:lch'um]〈名〉〔民〕 黄海道鳳山地方に伝わる仮面舞踊劇.

봉선-화【鳳仙花】[po:ngsŏnhwa]〈名〉〔植〕ほうせんか(鳳仙花). =봉숭아. 句例 ~로 손톱을 물들이다 ほうせんかでつめ(爪)を(赤く)染める.

봉송【奉送】[po:ngsong]〈名・하他〉❶奉送. ❷英霊・遺骨などを丁重に運ぶこと.

봉쇄【封鎖】〈名・하他〉封鎖. 句例 ~를 풀다 封鎖を解く / ~를 뚫다 封鎖をくぐる〔破る〕. 語例 해상 ~ 海上封鎖 / 경제 ~ 経済封鎖.

봉수-대【烽燧臺】〈名〉〔史〕のろしをあげる高台. =봉홧(烽火)둑.

*__봉숭아__ [po:ngsung-a]〈名〉〔植〕⇨ 봉선화

봉양【奉養】[po:ng-yang]〈名・하他〉奉養. 句例 부모를 ~하다 父母を奉養する.

봉오리〈名〉'꽃봉오리'の略: つぼみ.

봉욕【逢辱】〈名・하自〉侮辱を受けること.

봉우리〈名〉'산봉우리'の略: 峰.

봉인【封印】〈名・하自〉封印. 句例 ~을 뜯다 封印を破る.

봉정【奉呈】[po:ngjŏng]〈名・하他〉奉呈. 句例 신임장을 ~하다 信任状を奉呈する.

봉제【縫製】〈名・하他〉縫製. 語例 ~ 공장 縫製工場 / ~품 縫製品 / ~업 縫製業.

봉-제사【奉祭祀】[po:ng—]〈名・하自〉祖先の祭祀を奉ること. =봉사(奉祀).

봉죽 [po:ngjuk]〈名・하他〉[もとの語形は'봉족(奉足)'] 手伝い.
봉죽(을) 들다 仕事の手伝いをする.

*__봉지__【封紙】㊀〈名〉紙袋. 袋. 句例 ~에 담다 袋につめる〔入れる〕. 語例 비닐 ~ ビニール袋.
㊁〈依名〉袋. 句例 설탕 한 ~ 砂糖一袋.

봉직【奉職】[po:ngjik]〈名・하自〉奉職. 文例 학교에 ~하고 있다 学校に奉職している.

봉착【逢着】〈名〉逢着. **~하다**〈自〉逢着する. 出会う. 出くわす. 句例 어려움에 ~하다 難関に逢着する / 위기에 ~하다 危機に出くわす.

봉창【奉唱】[po:ngch'ang]〈名・하他〉奉唱. 語例 애국가 ~ 愛国歌奉唱.

봉창-질〈名・하他〉 物をひそかに集めて隠しておくこと.

봉창-하다 (→하다)〈他〉❶物をひそかに隠しておく. ❷(損害を)埋め合わせる. 補充する. 文例 봉창하고도 남는다 埋め合わせても余る.

봉축【奉祝】[po:ngch'uk]〈名・하他〉奉祝. 語例 ~ 행사 奉祝行事.

봉치【封一】〈名〉[もとの語形は'봉채(封采)']〔民〕結納. 句例 ~를 보내다 結納を送る.

봉치-함【封一函】〈名〉〔民〕⇨ 예장함

*__*봉투__【封套】〈名〉封筒. 句例 ~를 뜯다〔봉하다〕封筒の封を切る〔する〕. 語例 편지 ~ 手紙の封筒 / 월급 ~ 月給袋.

봉-하다【封一】(→하다)〈他〉❶封じる. 封じこめる. 句例 단단히 ~ 固く封じこめる / 창문을 ~ 窓を閉鎖する / 봉하지 않은 편지 封のしていない手紙. ❷口をとじる. 口をとじて語らない. 文例 입을 봉하고 진상을 말하려 하지 않는다 口をつぐんで真相を語ろうとしない. ❸〔史〕領地を与えて爵を封じる.

봉함【封函】〈名〉封書.

봉함【封緘】〈名・하他〉封緘. 句例 편지를 ~하다 手紙を封緘する. 語例 ~ 엽서 封緘葉書.

봉합【縫合】〈名・하他〉縫合. 縫い合わせること. 句例 환부를 ~하다 患部を縫い合わせる.

봉화【烽火】〈名〉のろし. 句例 ~를 올리다 のろしを上げる / ~를 들다 のろしを上げる. 語例 ~대(臺) のろし台 / ~지기 のろし守り / 봉홧대 つつじの枝に油を塗り火をつけたのろし.

봉황【鳳凰】[po:nghwang]〈名〉鳳凰. =봉황새.

봐란-듯이 [pwa:randŭshi]〈副〉'보아란듯이'の略: これ見よがしに. 誇らかに. 句例 ~ 최신 유행의 옷을 입다 これ見よがしに最新流行のドレス〔服〕を着こむ.

봐-하니 [pwa:hani]〈副〉'보아하니'の略: 見た所. 見るに. 一見. 見るからに. 文例 ~ 신사인데 見たところ紳士だが.

뵈다[1] [poe:da]〈他〉(目上の人に)お目見えする. 伺う. お目にかかる. 句例 아버지를 만나 ~ 父上にお目にかかる. 文例 기꺼이 뵈러 가겠습니다 喜んでお伺いいた(致)します.
参考 '할아버지께 뵈다 祖父にお目にかかる'のように, 副詞格助詞'에게' '께'の次に用いられる時は自動詞になる.

뵈다² [poeːda] '보이다'の略. ━〈自〉見える. 句例 산봉우리가 아득히 ~ 峰がはるかに見える.
━〈他〉見せる. 句例 성적표를 ~ 成績表を見せる / 의사에게 ~ 医者に見せる.

**뵙다 [poeːpta] ['뵈옵다'の略] 伺う. お目にかかる. 句例 만나 ~ お会いする / 찾아 ~ お尋ねする. 文例 처음 뵙겠습니다 初めまして / 뵙게 돼서 반갑습니다 お目にかかられてうれしく思います.
表現 '뵈다¹'の謙譲語.

*부【否】[puː]〈名・하形〉否. いな. 文例 가(可)냐 ~냐 良しかいなか. 對가(可).

부【部】━〈名〉部. ❶部分. 語例 제2~ 第二部. ❷部署. 語例 총무~ 総務部. ❸中央行政機関の名. 語例 외무~ 外務部.
━〈依名〉印刷物を数える単位. 句例 잡지 다섯 ~ 雑誌五部.

*부【富】[puː]〈名〉富. 句例 ~를 축적하다 富を積む / ~의 분배 富の分配.

부-【不】〈頭〉不…. 語例 ~도덕 不道徳 / ~자유 不自由 / ~정확 不正確.
表現 打ち消し・否定の意で, 'ㄷ・ㅈ'で始まる語の前につく.

부-【副】[puː]〈頭〉副…. 語例 ~사장 副社長.

-부【附】〈尾〉…附(付). …付け. …付き. ❶…日付け. 語例 3월 10일~ 三月十日付け. ❷…所属. 語例 대사관~ 무관 大使館付武官.

부 〔漢字項目〕

【付】高校 부 フ. ❶주다 さずける. わたす. ◧付與 부여 ふよ. ◧交付 교부 こうふ. ❷부탁하다 たのむ. ◧付託 부탁 ふたく. ❸붙다 つく. ◧添付 첨부 てんぷ. 貼付 첩부 ちょうふ.

【副】高校 부 フク. ❶버금 主なものにつきそって, その助けとなること. ◧副官 부관 ふくかん. ◧正副 정부 せいふく. ❷덧붙다 重なり付く. ◧副産物 부산물 ふくさんぶつ. 副作用 부작용 ふくさよう.

【否】中學 부 ヒ. ❶아니다 打ちけすこと. 反対のことば. ◧否認 부인 ひにん. 否決 부결 ひけつ. ◧可否 가부 かひ. ❷의문사 疑問をあらわすことば. ◧安否 안부 あんぴ. 存否 존부 そんぴ.

【夫】中學 부 フ. フウ. ❶지아비 おっと. ◧夫婦 부부 ふうふ. 夫妻 부처 ふさい. ◧亡夫 망부 ぼうふ. ❷어른 남자 成人の男子. ◧丈夫 장부 じょうふ. 人夫 인부 にんぷ.

【婦(婦)】中學 부 フ. ❶지어미 つま. ◧婦人 부인 ふじん. ◧主婦 주부 しゅふ. ❷여자 おんな. ◧婦女 부녀 ふじょ. ◧妊婦 임부 にんぷ.

【富】中學 부 フ. フウ. ❶넉넉하다 とむ. ◧富裕 부유 ふゆう. ◧豊富 풍부 ほうふ. ❷부자 富んでいる人. ◧富者 부자 ふしゃ. 富豪 부호 ふごう.

【府】高校 부 フ. ❶곳집 倉. ◧府庫 부고 ふこ. ❷관청 役所. ◧府中 부중 ふちゅう. ◧政府 정부 せいふ. ❸도읍 みやこ. ◧都府 도부 とふ. 城府 성부 じょうふ. ❹행정 구획의 하나 行政区画の一つ. ◧州府郡縣 주부군현 しゅうふぐんけん. ❺창자 はらわた. ◧臟府 장부 ぞうふ.

【復】中學 부 フク. 복 フク. ━〔부〕다시 また. ふたたび. ◧復活 부활 ふっかつ. 復興 부흥 ふっこう.
━〔복〕❶회복하다 とりもどす. ◧復位 복위 ふくい. ◧恢復 회복 かいふく. ❷돌아가다 かえる. ◧復職 복직 ふくしょく. 復古 복고 ふっこ. ◧收復 수복 しゅうふく. ❸되풀이하다 くりかえす. ◧復習 복습 ふくしゅう. ◧反復 반복 はんぷく. ❹대답하다 こたえる. 사뢰다 申しあげる. ◧復命 복명 ふくめい. ◧拜復 배복 はいふく. ❺보복하다 しかえしをする. ◧復讐 복수 ふくしゅう. ◧報復 보복 ほうふく.

【扶】中學 부 フ. ❶돕다 たすける. ◧扶助 부조 ふじょ. 扶養 부양 ふよう. ❷붙들다 たすけささえる. ◧扶侍 부시 ふじ. 扶腋 부액 ふえき.

【浮(浮)】中學 부 フ. ❶뜨다 うく. 뜨게 하다 うかす. ◧浮沈 부침 ふちん. 浮游 부유 ふゆう. 浮雲 부운 ふうん. うきぐも. 浮舟 부주 ふしゅう. うきふね. ❷근거가 없다 よりどころがない. ◧浮浪 부랑 ふろう. ❸경솔하다 かるがるしい. ◧浮薄 부박 ふはく. ❹덧없다 はかない. ◧浮世 부세 ふせい. うきよ.

【父】中學 부 フ. ❶아버지 ちち. ◧父母 부모 ふぼ. ◧嚴父 엄부 げんぷ. ❷연로한 남성 年老いた男. ◧父老 부로 ふろう.

【符】高校 부 フ. ❶부신(符信) ふ. ◧符節 부절 ふせつ. 符合 부합 ふごう. ❷증거 しるし. ◧符號 부호 ふごう. ◧詳符 상부 しょうふ. ❸부적 お守り. ◧護符 호부 ごふ. 神符 신부 しんぷ.

【簿(簿)】高校 부 ボ. 장부 帳面. ◧簿記 부기 ぼき. ◧帳簿 장부 ちょうぼ.

【腐】高校 부 フ. ❶썩다 くさる. 썩히다 くさらせる. ◧腐爛 부란 ふらん. 腐敗 부패 ふはい. ❷쓸모없다 役に立たない. ◧腐儒 부유 ふじゅ. ◧陳腐 진부 ちんぷ. ❸불알을 발라내는 형 男子の去勢の刑. ◧腐刑 부형 ふけい.

【膚】高校 부 フ. ❶피부 はだ. ◧皮膚 피부 ひふ. 完膚 완부 かんぷ. ❷천박하다 あさはかだ. ◧膚淺 부천 ふせん.

【負(負)】高校 부 フ. ❶지다 おう. になう. ◧負荷 부하 ふか. 負擔 부담 ふたん. ❷빚을 지다 おい目をもつ. ◧負債 부채 ふさい. ❸지다 まける. ◧勝負 승부 しょうぶ. ❹입다 うける. ◧負傷 부상 ふしょう. ❺믿다 信じる. 의뢰하다 たよる. 자신하다 ほこりをもつ. ◧自負 자부 じふ.

【賦】高校 부 フ. ❶구실 租税. ◧賦役 부역 ふえき. ❷매기다 わりあてる. ◧賦課 부과 ふか. 賦金 부금 ふきん. ❸주다 与える. ◧賦與 부여 ふよ. ◧天賦 천부 てんぷ. ❹읊다 うたう. ◧賦詠 부영 ふえい. ❺고대시의 한 체. 육의(六義)의 하나 漢詩の六義の一つ.

◧詩賦 시부 しふ. ❻한문 운문의 하나 漢文の韻文の一つ. ◧赤壁賦 적벽부 せきへきのふ. ❼시가(詩歌) 詩文. ◧早春賦 조춘부 そうしゅんのふ.

【赴】高校 부 フ. 가다 おもむく. ◧赴任 부임 ふにん.

【部】中學 부 ブ. ❶거느리다 ひきいる. ◧部下 부하 ぶか. ❷관청 役所. ◧内務部 내무부 ないむぶ. ❸떼 むらがり. ◧部隊 부대 ぶたい. ❹구분 分けた一区分. ◧部門 부문 ぶもん. ◧野球部 야구부 やきゅうぶ. ❺책 本. ◧限定百部 한정 백부 げんていひゃくぶ. ❻질(帙) 一そろえの書籍. ◧一部三冊 일부 삼책 いちぶさんさつ. ❼책의 분량 書物の分量. ◧三部作 삼부작 さんぶさく.

【附】高校 부 フ. ❶붙다 つく. ◧附着 부착 ふちゃく. ❷종속하다 つきしたがう. ◧附屬 부속 ふぞく. ◧阿附 아부 あふ. ❸의지하다 たよる. ◧附託 부탁 ふたく. ❹가까이 대다 近づける. ◧附近 부근 ふきん. ❺첨가하다 添加する. ◧附加 부가 ふか. 附錄 부록 ふろく. ◧添附 첨부 てんぷ. ❻주다 与える. ◧附與 부여 ふよ.

부가【附加】[pu:ga]〈名・하他〉付加. 語例 ~가치 付加価値.

부각〈名〉昆布にもち米ののりを塗りつけて乾かしたのち, 油で揚げた食品.

부각【浮刻】〈名〉浮き彫り. **~하다**〈他〉浮き彫りにする. 句例 국민의 생활고가 ~되다 国民の生活苦が浮き彫りにされる.

부강【富強】[pu:gang]〈名〉富強. **~하다**〈形〉富んでいて強い. 富強だ. 句例 ~한 나라 富強な国/나라의 ~을 도모하다 国の富強を図る.

부걱-거리다〈自〉ぶくぶくする. ぼこぼこする.

부걱부걱〈副・하自〉ぶくぶく.

부검【剖檢】[pu:gŏm]〈名・하他〉剖検. 解剖して調べること. 句例 시체 ~을 의뢰하다 死体の剖検を依頼する.

부결【否決】[pu:gyŏl]〈名・하他〉否決. 句例 증세안이 ~되다 増税案が否決される/법안을 ~시키다 法案を否決させる〔する〕. 語例 ~권 否決権. ㊇가결(可決).

부계【父系】〈名〉父系. 語例 ~ 제도〔사회〕父系制度〔社会〕. ㊇모계(母系).

부고【訃告】[pu:go]〈名・하自〉訃告. 訃報. 訃音. 句例 ~를 받다 訃報を受ける/~에 접하다 訃報に接する.

부과【賦課】[pu:gwa]〈名・하他〉賦課. 句例 조세의 ~ 租税の賦課/많은 세금을 ~하다 多くの税金を課する/임무가 ~되다 任務が課せられる. 語例 ~금 賦課金. 賦金/~액 賦課額.

부관【釜關】〈名〉〔地〕釜山と(日本の)下関. 関釜. 語例 ~ 페리 関釜フェリー.

부관【副官】[pu:gwan]〈名〉〔軍〕副官. 語例 ~ 참모(參謀) 高級副官/전속 ~ 専属副官.

부교【浮橋】〈名〉浮き橋. 船橋. 浮桟橋.

부교감 신경【副交感神經】[pu:gyogam—]〈名〉〔生〕副交感神経.

부-교수【副教授】[pu:—]〈名〉副教授.

부국【富國】[pu:guk]〈名〉富国. 語例 ~ 강병 富国強兵.

부군【父君】〈名〉父君・ちちぎみ.
表現 他人の父の敬称.

부군【夫君】〈名〉夫君. ご主人. ご亭主.
表現 他人の夫の敬称.

부권【父權】[pukkwon]〈名〉〔法〕父権. ㊇모권(母權).

부귀【富貴】[pu:gwi]〈名・하形〉富貴. 句例 ~ 영화를 누리다 富貴栄華を享受する. 語例 ~ 공명 富貴功名.

***부근**【附近】[pu:gŭn]〈名〉付近. 近所. あたり. 句例 이 ~ この付近. 文例 ~에서 모르는 사람이 없다 近所で知らぬ者がない.

***부글-거리다**〈自〉❶ぐらぐら沸きたつ. ❷ぶくぶく泡だつ.

부글부글〈副・하自〉ぶくぶく. ぐつぐつ. ふつふつ. 句例 ~ 끓어 오르다 ふつふつと煮えたぎる/물이 ~ 끓다 水が煮え返る.

부금【賦金】[pu:gŭm]〈名〉賦金. ❶賦課金. ❷掛け金. 句例 보험(의) ~을 붓다 保険の掛け金を払う/다달이 5만 원의 ~을 물다 月月〔毎月〕五万ウォンの掛け金を払う.

부기【浮氣】〈名〉は(腫)れ. ふくれ. 句例 ~가 있다 はれがある/~가 내리다〔빠지다〕はれが引く.

부기【簿記】〈名〉簿記. 句例 ~를 배우다 簿記を習う. 語例 상업〔공업〕~ 商業〔工業〕簿記/단식〔복식〕~ 単式〔複式〕簿記.

부꾸미〈名〉もち米・小麦・きびなどの粉をこねて薄平たい円形にし, 熱した鉄板に油を引いて焼いた餅. =전병(煎餅).

부끄러움〈名〉恥. 恥じらい. はにかみ. 恥ずかしさ. 略して'부끄럼'ともいう. 句例 ~을 무릅쓰고 말하다 恥をしのんで話す.

부끄러워-하다(→하다)〈自他〉恥ずかしがる. 恥じらう. きまり悪がる. はにかむ. 照れる《俗》. 句例 무식을 ~ 無知を恥じる/몸을 비비 꼬면서 ~ からだをねじって恥ずかしがる/새색씨처럼 ~ 花嫁のように恥ずかしがる.

부끄러-이〈副〉恥ずかしく. きまり悪く. 句例 ~ 여기다 恥ずかしく思う.

부끄럼〈名〉'부끄러움'の略: 恥. 恥じらい. はにかみ. 句例 ~을 잘타는 사람 恥ずかしがり屋.

부끄럼(을) 타다 恥ずかしがる. はにかむ.

****부끄럽다**(부끄러우니, 부끄러워서)〈形〉恥ずかしい. きまりが悪い. 面映ゆい. 照れくさい. 気恥ずかしい《雅》. 句例 얼굴 내놓기가 ~ 面出しが恥ずかしい/얼굴을 바로 보기가 ~ まともに顔を見るのが恥ずかしい. 文例 그런 부끄러운 행동을 하지 마세요 そんな恥ずかしい行動をしないでください/이런 말씀 드리기가 부끄럽습니다 こう申しあげるのが恥ずかしいです. 語例 부끄럽게 恥ずかしく/부끄러워지다 恥ずかしくなる.

부녀【父女】〈名〉父と娘.

부녀【婦女】〈名〉婦女. 語例 ~자 婦女子/~회 婦人会.

부농【富農】[pu:nong]〈名〉富農. 句例 ~의 집에 태어나다 富農の家に生まれる / 마을에서 제일가는 ~ 村きっての富農. 語例 ~가 富農家.

부닐다 (부니니, 부닐어서)〈自〉ひとなつこく振る舞う. 愛想よく振る舞う.

부닥-뜨리다〈自〉突き当たる. ぶつかる.

부닥치다〈自〉ぶつかる. 突き当たる. 句例 뜻밖의 곤란에 ~ 思いがけない困難にぶつかる / 배가 바위에 ~ 船が岩にぶつかる〔突き当たる〕/ 상대방과 부닥쳐 보다 先方に当たってみる / 실제로 부닥쳐 보다 実際に当たってみる.

부단【不斷】〈名〉不断. **~하다**〈形〉絶え間ない. 絶えない. 句例 ~한 노력 不断の努力. 語例 우유 ~ 優柔不断. **~히**〈副〉絶え間なく. いつも. 不断に.

***부담**【負擔】[pu:dam]〈名・하他〉負担. 負い目. 句例 ~이 크다〔많다〕負担が大きい〔多い〕/ ~을 주다 負担を与える / 실비를 ~하다 実費を負担する / ~을 덜어주다 負担を減らす. 語例 ~되다 負担になる / ~금 負担金 / 각자 ~ 割り勘. 兵隊勘定《俗》. ダッチペイ. **~스럽다** (→스럽다)〈形〉負担だ. 負担感がある.

부당【不當】〈名〉不当. **~하다**〈形〉不当だ. 句例 ~한 요구〔처분〕不当な要求〔処分〕/ ~한 대우를 받다 不当な待遇を受ける. 語例 ~성 不当性 / ~ 노동 행위 不当労働行為 / ~ 이득 不当利得.

부대【附帶】[pu:dae]〈名・하他〉付帯. 語例 ~ 조건〔사업・설비〕付帯条件〔事業・設備〕.

***부대**【負袋】[pu:dae]〈名〉袋. =포대(包袋). 句例 ~에 담다 袋に入れる. 語例 시멘트 ~ セメントの袋 / 밀가루 ~ 小麦粉袋.

***부대**【部隊】〈名〉部隊. 語例 전투 ~ 戦闘部隊 / 정예 ~ 精鋭部隊 / 응원 ~ 応援部隊 / ~장 部隊長.

부대끼다〈自〉もまれる. さいなまれる. 悩まされる. 句例 사회에 나가 ~ 世間に出てもまれる / 만원 버스에 ~ 満員バスにもまれる.

부대-하다【富大―】[pu:dae―] (→하다)〈形〉からだが太って大きい. でっぷりしている. 句例 몸집이 부대한 중년 남자 でっぷりした中年の男.

부덕【不德】〈名・하形〉不徳. 句例 자신의 ~함을 부끄러워하다 わが身の不徳を恥じる. 文例 이 일은 모두 제 ~의 소치입니다 これは皆わたしの不徳のせいであります.

부덕【婦德】〈名〉婦徳. 句例 ~을 쌓다〔닦다〕婦徳を積む〔みがく〕/ ~이 있는 여자 婦徳のある女.

부도【不渡】〈名〉〔經〕不渡り. 語例 ~ 어음 不渡り手形.

부도(가) 나다 不渡りになる.

부도(를) 내다 不渡りを出す.

***부도**【附圖】[pu:do]〈名〉付図. 語例 지리 ~ 地理付図.

부도【婦道】〈名〉婦道. 句例 ~를 닦다 婦道をみがく.

부-도덕【不道德】〈名〉不道徳. =부덕의(不德義). **~하다**〈形〉不道徳だ. 句例 ~한 사람〔일〕不道徳な人〔こと〕.

부도 수표【不渡手票】〈名〉不渡り小切手. =공(空)수표. 句例 ~를 발행하다 不渡り小切手を振り出す.

부-도심【副都心】[pu:―]〈名〉副都心.

부-도체【不導體】〈名〉〔物〕不導体. 不良導体. 句例 열〔전기〕의 ~ 熱〔電気〕の不導体.

부동【浮動】〈名〉浮動. 語例 ~ 인구 浮動人口 / ~층 浮動層 / ~표 浮動票.

부동-산【不動産】〈名〉不動産. 語例 ~ 등기 不動産登記 / ~ 취득세 不動産取得税 / ~ 중개업 不動産仲介業 / ~업 不動産業. 對동산(動産).

부동-액【不凍液】〈名〉不凍液.

***부두**【埠頭】〈名〉埠頭. 波止場. 船着き場. =선창(船艙). 句例 화물선을 ~에 대다 貨物船を埠頭へ横付けにする. 語例 부둣가 波止場のほとり.

부둥켜-안다 [―antta]〈他〉抱き締める. 抱きこむ. 句例 아이를 ~ 子供を抱き締める. 文例 부둥켜안고 이내 울음을 터뜨렸다 抱き締めるや泣きだした.

부둥키다〈他〉(しかと)抱く. (両手で)かいつかむ. 句例 목을 ~ 首に抱きつく / 소매를 ~ そで(袖)をかいつかむ.

부드득〈副・하自〉❶固い物を強くこする音: がりがり. ぎりぎり. ごりごり. 句例 이를 ~ 갈다 歯をぎりぎり鳴らす. ぎりぎり歯ぎしりする. ❷もろい糞を力んで下す音: びりびり. びちびち.

表現 語感の小さい語は'바드득', 語勢の強い語は'뿌드득'.

부드득부드득〈副・하自〉がりがり. びりびり.

부드러-이〈副〉柔らかく. 和やかに. 穏やかに.

****부드럽다** (부드러우니, 부드러워서)〈形〉柔らかい. ❶触りがよい. 滑らかだ. ソフトだ. 句例 부드러운 감촉 柔らかいタッチ / 살결이 부드러운 여자 柔肌の女 / 부드러운 색조 柔らかい色調. ❷(振る舞いなどが)和やかだ. しなやかだ. 穏やかだ. 句例 부드러운 행동거지 おだやかな身ごなし / 부드러운 마음〔목소리〕やさしい心〔声〕/ 부드러운 분위기 なごやかな雰囲気 / 부드러운 태도로 대하다 おだやかな〔柔らかい〕物腰で人に接する.

부득-부득〈副〉❶意地を張るさま: しつこく. 頑として. 句例 ~ 우기다 しつこく我を張る. ❷うるさくせがむさま: やいやい. 句例 ~ 조르다 やいやいせがむ.

表現 語感の小さい語は'바득바득'.

부득-불【不得不】〈副〉⇨ 부득이(不得已)

***부득-이**【不得已】[pudŭgi]〈副〉仕方なく. やむなく. 余儀無く. せんなく. **~하다**〈形〉仕方がない. 余儀無い. せんかたない. よんどころない. やむを得ない. 句例 ~한 경우에는 やむを得ない場合には / ~한 볼일로 よんどころない用事で / ~한 사정 余儀無い〔やむを得ない〕事情 / ~ 단념하다 やむなくあきらめる / ~ 중지하다 やむを得ず中止する / ~ 회사를

ㅂ

그만두다 やむを得ず会社を辞める / ～ 퇴진하게 되다 退陣を余儀無くされる.

부들 〈名〉〔植〕 がま(蒲). 語例 ～자리 がまの葉や茎を編んでつくったござ.

부들-부들 〈副〉 身震いをするさま：ぶるぶる. わなわな. がくがく. 句例 추워서 ～ 떨다 寒くてがくがく〔ぶるぶる〕震える / 무서워서 ～ 떨다 恐ろしくてがくがく震える.

부들부들-하다 (→하다) 〈形〉 (肌触りが)柔らかい. 滑らかだ. すべすべだ. 句例 부들부들한 살결 柔らかい肌. 文例 천이 아주 ～ 布がとても柔らかい.
表現 語感の小さい語は'보들보들하다'.

부등-변 【不等邊】〈名〉〔數〕 不等辺. 語例 ～ 삼각형 不等辺三角形.

***부등-식** 【不等式】〈名〉〔數〕 不等式. 對등식(等式).

부등-호 【不等號】〈名〉〔數〕 不等号.

부디 [pu:di] 〈副〉 なにとぞ. どうか. どうぞ. 是非(とも). なにぶん(何分). 曲げて. 平に《老》. 文例 ～ 잘 부탁합니다 なにぶんともよろしく(お願いします) / ～ 몸 조심하십시오 くれぐれもおからだを大事に.

부디-부디 [pu:dibudi] 〈副〉 くれぐれも. 是非とも. 文例 ～ 내 말을 잊지 마라 くれぐれもわたしの言ったことを忘れるな.
表現 念を入れて相手に頼みこむとき用いることば.

부딪다 〈自他〉 ぶつかる. ぶつける. 句例 비가 창문에 부딪는 소리 雨が窓にぶつける音.

***부딪-치다** 〈自他〉 ぶつかる. ぶつける. 突き当たる. 打ち付ける. 句例 벽에 ～ 壁に突き当たる / 난관에 ～ 難関にぶつかる. 文例 철문에 머리를 부딪치고 쓰러졌다 鉄門に頭をぶつけて倒れた / 물결이 바위에 부딪쳐 산산이 부서졌다 波が岩に当たってこなごなに砕けた. →囲み記事 43
表現 '부딪다'の強勢語. '-치-'は, 動詞の語幹についてその動作を強調する語幹形成接尾語である.

부딪-히다 [pudich'ida] 〈自〉 '부딪다'の受け身：ぶつけられる. ぶつかる. 句例 차에 부딪혀 허리를 다치다 車にぶつかって腰にけがをする. →囲み記事 43

부뚜막 〈名〉 かまど(竈).
부뚜막엣 소금도 집어넣어야 짜다 かまどの塩もつまんでかま(釜)に入れてこそ塩味がつく.

부라리다 〈他〉 (目玉を)怒らす. ぎょろぎょろさせる. 目をむく. 句例 눈을 부라리고 호통을 치다 目を怒らしてどなりつける.

부라-부라 〈感〉 赤ん坊の両わき, または両手をつかんで, 両足を左右に踏ませながら運動をさせるあやし言葉.

부라-질 〈名・하自〉 赤ん坊の両わきを抱えて両足を左右に踏ませながら運動をさせること.

부락 【部落】〈名〉 部落. 村. ＝촌락(村落). 語例 산간 ～ 山間の部落.

부랑 【浮浪】〈名〉 浮浪. **～하다** 〈自〉 浮浪する. さすらう. さまよう. 語例 ～배(輩) 浮浪のやから(輩) / ～자 浮浪者. 宿無し. ごろつき. ならず者 / ～아 浮浪児.

부랴-부랴 〈副〉 早早に. あたふたと. とりあえず. 句例 ～ 연락을 취하다 とりあえず連絡を取る.

부랴-사랴 〈副〉 ⇨ 부랴부랴

부러 〈副〉 わざと. 故意に. ＝일부러. 文例 ～ 그렇게 말했다 わざとそういうふうに言った.

부러-뜨리다 〈他〉 折る. 折ってしまう. 句例 연필 심을 ～ 鉛筆の芯を折る / 다리〔뼈〕를 ～ 足〔骨〕を折る.

***부러워-하다** (→하다) 〈他〉 うらや(羨)む. 羨望する. うらやましがる. 句例 남의 것을 ～ 人の物をうらやむ / 부러워하는 눈빛으로 보다 うらやましそうな目つきで見る.

***부러-지다** 〈自〉 折れる. 句例 바늘이 ～ 針が折れる / 부러진 연필 折れた鉛筆 / 바람에 나뭇가지가 ～ 風で枝が折れる / 말에서 떨어져 다리가 ～ 馬から落ちて脚が折れる.

부럼 [pu:rŏm] 〈名〉〔民〕 陰暦の正月十五日に, かみ砕いて食べるくり(栗)・くるみ・落下生・ちょうせんまつの実など.
參考 陰暦正月十五日の早朝, くりなど'부럼'をかむと, 一年中皮膚にできものやはれものができないという風習がある.

부럽다 (부러우니, 부러워서) 〈形〉 うらや(羨)ましい. 文例 부럽기 짝이 없다 うらやましき至りだ. この上なくうらやましい / 부러워 죽겠다 うらやましくてたまらない. 語例 부럽게 うらやましく.

부레 〈名〉 ❶ふえ(鰾). 浮き袋. ❷['부레풀'の略] にかわ(膠). ふえにべ(鰾膠).

부려-먹다 〈他〉 こき使う. 酷使する. 句例 머슴처럼 ～ 下男のようにこき使う / 싼 월급으로 마구 ～ 安月給でこき使う / 실컷 ～ さんざん酷使する.

부력 【浮力】〈名〉〔物〕 浮力. 句例 ～이 작용하다 浮力が作用する.

부령 【部令】〈名〉〔法〕 部令.
參考 日本の省令に当たる.

부록 【附錄】[pu:rok] 〈名〉 付録. 句例 ～을 달다〔붙이다〕 付録をつける. 語例 별책 ～ 別冊付録.

부루퉁-하다 (→하다) 〈形〉 膨れている. ❶張れあがっている. 盛りあがっている. ❷膨れっ面をしている. ぷんとしている. 不機嫌そうだ. お冠だ. 文例 부루퉁해서 입술을 삐죽 내밀고 있다 膨れて唇をつき出している. 語例 부루퉁해지다 冠を曲げる.

囲み記事 43

■ '부딪치다'と'부딪히다' ■

부딪치다 '부딪다 ぶつかる. ぶつける'の強勢語 —— 자동차가 벽에 부딪치다 自動車が壁に突き当たる. 몸과 몸을 부딪치며 다투다 からだをぶつけあいながら争う.

부딪히다 '부딪다'の受け身の動詞 —— 자전거에 부딪혔다 自転車に突き当てられた. 뚱뚱한 사내에게 부딪혀 그녀는 휘청거렸다 太った男にぶつかって彼女はふらついた.

부류【部類】〈名〉部類. 句例 같은 ~에 속하다〔넣다〕同じ部類に属する〔入れる〕.

⁑부르다[1] (부르니, 불러서)〈他〉❶(声を大きくして)呼ぶ. 句例 길가는 사람을 ~ 道行く人に呼び掛ける. 文例 누군가가 부르고 있다 だれかが呼んでいる.
❷呼ぶ. 招く. 迎える. 召す. 句例 의사를 ~ 医者を呼ぶ〔招く〕/ 구급차를 ~ 救急車を呼ぶ / 과장이 불러서 가다 課長に呼ばれて行く / 기생을 ~ 芸者を買う / 생일날에 친구를 집에 ~ 誕生日に友達を家に呼ぶ〔招く〕. 文例 차를 불렀으니까 곧 올 겁니다 車を呼びましたから程なく参りましょう.
❸(名前などを)呼ぶ. 句例 출석을 ~ 出席を取る. 文例 이름을 부를 때까지 자리에 앉아 있어 自分の名前が呼ばれるまで, そのまま座っていてくれ.
❹呼ぶ. 値をつける. 句例 부르는 값 呼び値 / 터무니없이 비싼 값을 ~ 途方もない高値を呼ぶ.
❺呼ぶ. 名づける. 称する. 句例 누님이라고 ~ 姉さんと呼ぶ. 文例 저를 '숙이'라고 불러 주세요 わたしを'スギ'と呼んでください.
❻叫ぶ. 唱える. 句例 만세를 ~ 万歳を唱える〔叫ぶ〕/ 쾌재를 ~ 快哉を叫ぶ.
❼歌う. 句例 교가를 ~ 校歌を歌う.

⁑부르다[2] (부르니, 불러서)〈形〉❶おなかが張る. 腹いっぱいである. 句例 보기만 해도 배가 ~ 見ただけでもおなかが張る / 배 부르게 먹다 腹いっぱいに食べる.
❷張っている. 句例 배가 부른 단지 胴のふくらんでいるつぼ.
❸(腹が)大きい. 句例 배가 부른 여자 おなかの大きい女性. 文例 만삭이라 배가 불러 남산 같다 産み月で腹がふくれて南山みたいだ.

부르르〈副〉(恐れや寒さで)震えるさま: わなわな. おどおど. ぶるぶる. 句例 입술을 ~ 떨다 唇をわなわなさせる / 추워서 ~ 떨다 寒くてぶるぶるふるえる.

부르릉〈副・하自他〉飛行機や自動車のエンジンのかかる音: ぶるん. ぶるるん. ぶうん. 句例 ~ 발동이 걸리다 ぶるんと音がしてエンジンがかかる.

부르-쥐다〈他〉(こぶしを)握りしめる. 句例 두 주먹을 부르쥐고 덤벼들다 両方のこぶしを握りしめて飛びかかる.

부르-짖다〈自〉❶叫ぶ. わめく. 唱える. 句例 독립을 ~ 独立を叫ぶ. ❷泣き叫ぶ. 泣きわめく.

부르트다 (부르트니, 부르터서)〈自〉❶水ぶくれになる. 豆ができる. 句例 피곤하여 입술이 ~ 疲れて唇に水ぶくれができる. ❷は(腫)れあがる. 句例 모기에 물린 자리가 ~ 蚊にかまれたところがはれる.

부름〈名〉呼びかけ. お召し. 句例 ~을 받다 お召しをうける.

부릅-뜨다 (—뜨니, —떠서)〈他〉(目を)怒らす. (目を)むく. 句例 부릅뜬 눈 かっと見開いた目 / 눈을 부릅뜨고 야단치다 目をむいて怒る.

부리〈名〉❶くちばし. 句例 ~가 짧다〔길다〕くちばしが短い〔長い〕. 語例 ~망(網) (牛の)くつこ(口籠). ❷物のとがった部分. 端し. ❸(瓶などの)口の先. 語例 소맷~ 袖口 / 총~ 銃口.

부리-나케〈副〉急いで. 大急ぎで. 句例 ~ 떠나다 大急ぎで立つ / ~ 돌아오다 急いで帰って来る / ~ 달려가다 大急ぎで駆けつける.

***부리다**[1]〈他〉❶使う. ㉠働かせる. 仕事をさせる. 句例 하인을〔소를〕~ 下男〔牛〕を使う. 文例 사람을 부리는 것이 거칠다 人使いが荒い / 사람을 부릴 줄 모른다 人の使い方を知らない / 사람을 개나 소처럼 마구 부려서는 안 된다 人を犬や牛のようにむやみにこき使ってはいけない. ㉡(機械などを)操る. 動かす. 句例 인형을 ~ 人形を操る / 요술을 ~ 手品を使う.
❷行使する. 振るう. 張る. 句例 허세를 ~ 見えを張る / 행패를 ~ 乱暴を働く / 권세를 마음껏 ~ 権勢を思うままに振るう / 고집을 ~ 我〔意地〕を張る / 만용을 ~ 蛮勇を振るう / 응석을 ~ 鼻を鳴らす / 욕심을 ~ 欲張る.
❸弄する. 演じる. 句例 재간을 ~ 小才を弄する / 꾀병을 ~ 仮病を使う / 술책을 ~ 策を弄する / 애교를 ~ 愛嬌をふりまく / 추태를 ~ 醜態を演じる.

***부리다**[2]〈他〉(荷を)下ろす. 荷下ろしをする.

***부리부리-하다** (→하다)〈形〉目がきらつく. 句例 부리부리한 눈 きらつくひとみ(瞳).

부마【駙馬】[pu:ma]〈名〉〔史〕['부마 도위(都尉)'の略] 駙馬(都尉). 王の婿.

***부모**【父母】〈名〉父母. 親. 両親. 句例 ~에 효도하다 親孝行をする / ~를 봉양하다 父母を扶養する / ~의 슬하를 떠나다 親のひざ元を離れる / ~를 소홀히하다 親をないがしろにする / ~의 은혜 父母〔親〕の恩. 語例 ~형제 父母兄弟 / ~님 御両親.

부목【副木】[pu:mok]〈名〉副木. 添え木. 句例 부러진 팔에 ~을 대다 折れた腕に添え木をあてる.

부문【部門】〈名〉部門. 句例 ~별로 나누다 部門別にわける / 각 ~에 걸쳐 밝다 各部門にわたって明るい.

부-반장【副班長】[pu:—]〈名〉副班長. 副組長. (学級の)副級長.

부보【訃報】[pu:bo]〈名〉訃報. =부고(訃告). 句例 ~에 접하다 訃報に接する.

부복【俯伏】[pu:bok]〈名〉俯伏. 平伏. **~하다**〈自〉俯伏〔平伏〕する. ひれ伏す. ぬかずく. 句例 불전에 ~하다 仏前にぬかずく.

부본【副本】[pu:bon]〈名〉副本. 副書. 句例 ~을 뜨다 副本をとる〔つくる〕/ ~을 보관하다 副書を保管する.

***부부**【夫婦】〈名〉夫婦. 夫妻. =내외(内外). 句例 ~가 되다 夫婦になる. 連れそう / 신혼의(애된) ~ 新婚のほやほや / ~의 인연을 맺다 夫婦の契りを結ぶ / 원만한 ~ 생활 円満な夫婦生活 / ~ 싸움을 하다 夫婦げんかをする / ~간의 금실이 좋다 夫婦の仲がいい. 語例 ~애 夫婦愛.

부부 싸움은 칼로 물 베기 夫婦げんかは刀で水

ㅂ

みを切るようなもの《夫婦げんかは犬も食わぬ》.

***부분**【部分】〈名〉部分. 句例 ～으로 나누다 部分にわける / 네 ～으로 되다 四つの部分から成る. 文例 불필요한 ～은 제거하세요 不要な部分なとりさりなさい. 語例 ～ 일식〔월식〕部分日食〔月食〕/ ～ 집합〔數〕部分集合. 對전체(全體).

***부분-적**【部分的】〈名・冠〉部分的. 句例 ～인 문제 部分的な問題.

부분-품【部分品】〈名〉部分品. 部品. 句例 라디오의 ～을 사다 ラジオの部品を買う.

***부사**【府使】[pu:sa]〈名〉〔史〕朝鮮朝時代, '도호부사(都護府使)'および'대도호부사(大都護府使)'の総称.

부사【副使】[pu:sa]〈名〉〔史〕副使. 對정사(正使).

부사【副詞】[pu:sa]〈名〉〔言〕副詞. =어찌씨. 參考 '꼭' '정확히' '과연' '깨끗이'などがある.

부-사령관【副司令官】[pu:—]〈名〉副司令官.

부-사장【副社長】[pu:—]〈名〉副社長.

부산〈名〉せわしげにふるまうこと. 騒騒しいこと. **～하다**〈形〉気ぜわしい. 騒騒しい. **～히**〈副〉せわしく. やかましく.

부산(을) 떨다 せわしく騒ぐ. せわしく立ち回る. 騒騒しくふるまう.

부산(을) 피우다 せわしく騒ぎ立てる.

부-산물【副産物】[pu:—]〈名〉副産物.

****부삽**【—鍤】〈名〉十能. 火かき.

부상【負傷】[pu:sang]〈名〉負傷. けが. **～하다**〈他〉負傷する. けがをする. 傷つく. 手おう. 句例 머리에 ～을 입다 頭を負傷する / ～을 면하다 負傷を免れる / 경미한 ～ 軽い負傷. 語例 ～자 負傷者. けが人 / ～병 負傷兵.

부상【浮上】〈名〉浮上. **～하다**〈自〉浮上する. 浮かび上がる. 浮きあがる. 句例 톱클래스로 ～하다 トップクラスに浮上する / 잠수함이 ～하다 潜水艦が浮きあがる. 文例 그 팀은 작년의 5위에서 올해에는 수위로 재～하였다 そのチームは, 昨年の五位から今年は首位に再浮上した.

부상【副賞】[pu:sang]〈名〉副賞. 文例 상금은 100만 원, ～으로는 시계가 수여되었다 賞金は百万ウォン, 副賞としては時計が与えられた.

부서【部署】〈名〉部署. 持ち場. 句例 ～를 지키다 持ち場を守る. 語例 ～마다 部署ごとに.

부서-뜨리다〈他〉取り壊す. 破壊する. 破損させる. 句例 장난감을 ～ おもちゃを壊す.

****부서-지다**〈自〉❶壊れる. 砕ける. 句例 책상다리가 ～ 机の脚が壊れる. ❷'부스러지다'の略.

부석-부석〈副〉(肌が)ややはれあがった〔むくんだ〕さま: ぶよぶよ. **～하다**〈形〉むくんでいる. はれぼったい. 句例 ～한 얼굴 はれぼったい顔. ぶよぶよした顔 / 얼굴이 ～하다 顔がむくんでいる.

부설【附設】[pu:sŏl]〈名・하他〉付設. 語例 ～ 유치원 付設幼稚園.

부설【敷設】[pu:sŏl]〈名〉敷設〔布設〕. **～하다**〈他〉敷設する. 敷く. 句例 철도를 ～하다 鉄道を敷設する. 語例 ～권 敷設権.

부성-애【父性愛】〈名〉父性愛.

***부속**【附屬】[pu:sok]〈名・하自〉付属. 句例 ～물에 지나지 않다 付属物〔付き物〕にすぎない. 語例 ～ 건물〔병원〕付属建築物〔病院〕/ ～ 초등 학교 付属小学校.

부속-품【附屬品】[pu:sok—]〈名〉付属品. 句例 카메라의 ～ カメラのアクセサリー / 스테레오의 ～ ステレオ付属の部品.

부수【附隨】[pu:su]〈名・하自他〉付随. 句例 ～된 문제 付随した問題 / ～적인 현상 付随的な現象.

부수【部首】〈名〉(漢字の)部首. →囲み記事 45

부-수【部數】[pussu]〈名〉部数. 句例 신문의 발행 ～ 新聞の発行部数.

****부수다**〈他〉壊す. つぶ(潰)す. 砕く. 句例 집을 ～ 家を壊す / 망치로 바위를 ～ ハンマーで岩を砕く / 문을 부수고 들어가다 ドアを破って入る. →囲み記事 44

부수수-하다 (→하다)〈形〉ばさばさしている. 句例 부수수한 머리 ばさばさした髪.

부-수입【副收入】[pu:—]〈名〉副収入. 役得. 余得. 句例 ～이 많은 직업 役得の多い職業 / ～이 적다 副収入が少ない.

부스러기〈名〉くず(屑). 残りかす. 端くれ. 語例 빵 ～ パンくず / 과자 ～ お菓子の切れ端.

***부스러-뜨리다**〈他〉ぶち壊す. 押しつぶす. 略して'부서뜨리다'ともいう. 句例 납작하게 ～ ぺしゃんこに押しつぶす.

부스러-지다〈自〉砕ける. こなごなになる. つぶれる. 壊れる. 略して'부서지다'ともいう. 句例 산산이 ～ こなごなに砕ける.

부스럭〈副・하自他〉(落ち葉などを)踏んだりかき回す音: ばさっと. がさっと. 句例 ～ 소리가 나다 がさっと音がする. **～거리다**〈自他〉がさつく. ばさつく. 句例 ～거리는 소리가 들리다 ごそごそする音が聞こえる.

부스럭부스럭〈副・하自他〉しきりにがさつくさま: かさかさ. ばさばさ.

부스럼〈名〉お出来. できもの. はれ物. 句例 ～이 나다 できものができる / ～에 고약을 바르다 できものに膏薬を張る. 文例 긁어 ～을 만들다《속담》やぶをつついて蛇を出す.

부스스〈副・하形〉❶やおら〔おもむろに〕起き上

囲み記事 44

■ '부수다'と'부시다' ■

부수다 壊す. つぶ(潰)す —— 상자를 밟아 부수다 箱を踏みつぶす. 집을 부수다 家を壊す.

부시다 (1) まぶしい —— 동굴에서 나오니 눈이 부셔서 한동안 눈을 뜨지 못하였다 洞窟から出たらまぶしくて, しばらくは目が明かなかった.

(2) (器などを)ゆすぐ —— 접시를 부시다 皿をゆすぐ.

がるさま. [句例] 잠자리에서 ~ 일어나다 寝床からやおら起き上がる. ❷髪の毛などが乱れたさま：ぼうぼう. もじゃもじゃ. [句例] ~한 머리 もじゃもじゃした髪.

부슬-부슬 〈副〉 雪や雨がまばらに降るさま：さらさら. しとしと. しょぼしょぼ. [句例] 비가 ~ 내리다 雨がしとしと(と)降る / ~ 내리는 비를 맞으며 걷다 しょぼつく雨にぬれながら歩く.

부슬-비 〈名〉 小雨. 小ぬか雨. 微雨. [句例] ~가 부슬부슬 내리다 小雨がしょぼしょぼと降る.

부시 〈名〉 火打ち金. [語例] 부싯돌 火打ち石 / ~ 쌈지 火打ち袋.

부시를 치다 切り火を打つ.

부시다[1] 〈他〉 (器などを)ゆす(濯)ぐ. [句例] 식기를 ~ 食器をゆすぐ. →囲み記事 44

부시다[2] 〈形〉 まぶ(眩)しい. まばゆい. [句例] 눈이 ~ 目がまぶしい. [文例] 눈이 부시도록 희다 まばゆいほど真っ白い. →囲み記事 44

부식 【扶植】 〈名〉 扶植. **~하다** 〈他〉 扶植する. 植え付ける. [句例] 세력을 ~하다 勢力を扶植する.

부식 【副食】 [pu:shik] 〈名〉 副食. 副食物. おかず. [語例] ~비 副食費. おかず代.

부식 【腐食・腐蝕】 [pu:shik] 〈名・하自他〉 腐食. [語例] ~ 작용 腐食作用 / ~되다 腐食する.

부식-토 【腐植土】 [pu:shikt'o] 〈名〉 腐植土.

부신 【副腎】 [pu:shin] 〈名〉 〔生〕 副腎. [語例] ~ 피질 호르몬 副腎皮質ホルモン.

부실 【不實】 〈名〉 ❶からだが丈夫でないこと. ❷内容が充実していないこと. 不十分〔不充分〕なこと. 貧弱なこと. **~하다** 〈形〉 からだが弱い. 不十分だ. 貧弱だ. [語例] ~ 기업 経営が放漫で, 財政状態が不安定な企業. 不堅実な企業.

[表現] '불실(不實)'は漢字では同じであるが, 意味は違って'不誠実'のこと.

부심 【腐心】 [pu:shim] 〈名〉 腐心. 苦心. **~하다** 〈自〉 腐心する. 心をいためる. [句例] 대책을 모색하기에 ~하다 対策の模索に腐心する / 불황 타개에 ~하다 不況打開に腐心する.

부아 〈名〉 かんしゃく(癇癪). しゃく(癪). [語例] 부앗김 腹立ちまぎれ.

부아(가) 나다〔치밀다〕 しゃくに障る. 腹が立つ.

부아-통 〈名〉 '부아'の強調語.

부아통(이) 터지다 かんしゃく玉が破裂する.

부양 【扶養】 〈名〉 扶養. **~하다** 〈他〉 扶養する. 養う. [句例] 가족을 ~하다 家族を養う. [語例] ~ 가족〔의무〕 扶養家族〔義務〕.

부양 【浮揚】 〈名・하他〉 浮揚. [語例] ~력 浮揚力. 揚力 / 경기 ~책 景気浮揚策.

***부어-오르다** (부어오르니, 부어올라서) 〈自〉 は(腫)れ上がる.

ㅂ

囲み記事 45

■ 부수의 여러 가지 部首のいろいろ ■

部首はその位置によって, つぎのように分けられる.

- 변 へん(偏)：左右の二つの部分にわけられる字の, 左がわの部分.
  - 亻 사람인변(にんべん 人偏)：仁・代・他
  - 氵 삼수변(さんずいへん 三水偏)：汎・決・洪
  - 女 계집녀변(おんなへん 女偏)：好・妨・妹
  - 禾 벼화변(のぎへん ノ木偏)：私・秋・税
  - 車 수레거변(くるまへん 車偏)：軒・軸・輕
- 방 つくり(旁)：左右の二つの部分にわけられる字の, 右がわの部分.
  - 阝 우부방(おおざと 邑)：邦・邱・郊
  - 彡 터럭삼・삐친석삼(さんづくり 彡旁)：形・彫・影
  - 隹 새추(ふるとり 隹)：隻・雀・集
- 머리 かんむり(冠)：字のくみたてのなかで, 上の部分に位置するもの.
  - 宀 갓머리(うかんむり ウ冠)：定・家・富
  - 艹 초두(くさかんむり 草冠)：芝・花・草
  - 竹 대죽머리(たけかんむり 竹冠)：笑・笛・笠
- 발 あし(脚)：字のくみたてのなかで, 下の部分に位置するもの.
  - 灬 불화(れっか 列火. れんが 連火)：烈・照・熱
  - 皿 그릇명받침(さら 皿)：盆・盛・盟
- 몸 かまえ(構)：まわりをとりまいているもの.
  - 囗 에운담몸(くにがまえ 国構)：回・固・国
  - 門 문문(もんがまえ 門構)：開・間・闇
  - 行 다닐행(ゆきがまえ. ぎょうがまえ 行構)：衒・術・街
- 밑 たれ(垂)：右上から左下にたれさがっているもの
  - 厂 민엄호밑(がんだれ 雁垂)：厚・厓・原
  - 广 엄호밑(まだれ 麻垂)：序・府・座
  - 疒 병질안(やまいだれ 病垂)：疫・疲・病
- 받침 にょう(繞)：左上から右下に, へんとあしを合わせたもの
  - 廴 민책받침(えんにょう 延繞. いんにょう 廴繞)：延・廷・建
  - 辶 책받침(しんにょう 之繞)：近・迫・進
  - 走 달아날주변(そうにょう 走繞)：起・超・趣

부언【附言】[pu:ŏn]〈名〉付言. **～하다**〈他〉付言する. 付け加えて言う. 句例 한 마디 ～하건대 一言付け加えるが.

부업【副業】[pu:ŏp]〈名〉副業. 内職. 句例 ～으로 양계를 하다 副業として養鶏をする / 생활비에 보태기 위해 ～을 하다 生活費の足しに内職をする. 對본업(本業).

부엉-부엉〈副〉ふくろう・みみずくの鳴き声: ほうほう.

*__부엉-새__〈名〉〔鳥〕⇨ 부엉이

*__부엉-이__〈名〉〔鳥〕みみずく. このはずく.

**__부엌__〈名〉台所. 勝手. 炊事場. 語例 ～문 勝手口 / ～ 바닥 台所の床 / ～ 심부름 炊事場の手伝い / ～칼 包丁 / ～간 台所. 炊事場.

부엌-데기〈名〉飯炊き. 下女中. おさんどん. ＝식모(食母).

부엌-일 [puŏngnil]〈名〉台所仕事. 水仕事. 句例 ～로 손이 거칠어지다 水仕事で手が荒れる.

부여【附與】[pu:yŏ]〈名〉付与. **～하다**〈他〉付与する. (さずけ)与える. 句例 권능을 ～하다 権能を与える / 중대한 임무를 ～ 받다 重大な任務を申し受ける / 큰 책무가 ～되다 大役をおおせつかる.

부여【賦與】[pu:yŏ]〈名・하他〉賦与. 句例 재능을 ～받다 才能を賦与される.

부여-잡다〈他〉ひっつかむ. 握りしめる.

부연【敷衍】[pu:yŏn]〈名・하他〉敷衍. 句例 설명을 ～하다 説明を敷衍する.

부엽-토【腐葉土】[pu:yŏp—]〈名〉〔農〕腐葉土.

부옇다 [pu:yŏt'a] (부여니, 부여오)〈形〉ぼやけている. 鮮やかでない. 煙った色だ.

부예-지다 [pu:ye—]〈自〉薄くぼやける. ぼける. 句例 사진이 ～ 写真がぼやける / 먼지로 신발이 ～ 履物がごみだらけになる.

부왕【父王】〈名〉父王.

부외-비【部外祕】〈名〉部外秘.

부용【芙蓉】〈名〉〔植〕ふよう(芙蓉).

부원【部員】〈名〉部員. 語例 야구～ 野球部員.

부원-군【府院君】[pu:won—]〈名〉朝鮮朝時代, 王妃の実父, 正一品の功臣などに授けた爵号.

부위【部位】〈名〉部位. 語例 고장 ～ 故障部位.

부유【浮遊・浮游】〈名・하自〉浮遊. 句例 수면에 ～하다 水面に浮遊する. 語例 ～ 생물 浮遊生物.

부유【富裕】[pu:yu]〈名〉富裕. **～하다**〈形〉富裕だ. 句例 ～한 가정 富裕な〔富んでいる〕家庭 / ～하게 살다 豊かに暮らす. 語例 ～층 富裕な階層.

부유스름-하다 (→하다)〈形〉白みがかっている. かすんでいる. '부유스레하다'ともいう. **부유스름히**〈副〉かすんで. 白みがかって. ほの白く.

부음【訃音】[pu:ŭm]〈名〉訃音. 訃報. 句例 ～에 접하다 訃音に接する.

부응【副應】[pu:ŭng]〈名・하自〉付き従って応じること. 句例 기대에 ～하도록 노력하다 期待に添うよう努力する.

부의【附議】[pu:ŭi]〈名・하他〉付議. 句例 의안을 위원회에 ～하다 議案を委員会に付議する. 語例 ～ 안건 付議案件.

부의【賻儀】〈名〉香典. 香料.

부의-금【賻儀金】〈名〉お香典. 弔慰金. ＝조의금(弔意金). 조위금(弔慰金).

부-의장【副議長】[pu:—]〈名〉副議長.

부익-부【富益富】[pu:ikpu]〈名〉富めばますます富むこと. 對빈익빈(貧益貧).

부인【夫人】〈名〉夫人. 奥様. 奥さん. 文例 ～을 동반하고 참석하십시오 御夫人を御同伴のうえ御参席ください. 語例 영～ 令夫人 / 사장 ～ 社長夫人.
表現 他人の妻を敬っていうことば. 口語では'사모님'の方がより多く使われる.

*__부인__【否認】[pu:in]〈名・하他〉否認. 對시인(是認). 句例 범행 사실을 ～하다 犯行の事実を否認する.

*__부인__【婦人】〈名〉婦人. 語例 ～과 婦人科 / ～병 婦人病 / ～회 婦人会 / ～네들 既婚夫人たち.
表現 結婚した女性を敬っていう語.

부임【赴任】[pu:im]〈名〉赴任. **～하다**〈自〉赴任する. 赴く. 句例 임지에 ～하다 任地に赴く / 새로 ～해 온 선생님 新しく赴任して来た先生. 語例 ～지 赴任地.

*__부자__【父子】〈名〉父子. 語例 ～지간 父子の間. 對모녀(母女).

**__부자__【富者】[pu:ja]〈名〉金持ち. 長者. 物持ち. 句例 큰 ～ 大金持ち. 語例 벼락 ～ 成金.

부자가 망해도 삼 년 먹을 것이 있다 金持ちは滅んでも三年は食べられる. 長者の跡は三年のみそ(味噌).

부-자연【不自然】〈名〉不自然. **～하다**〈形〉不自然だ. わざとらしい. 句例 ～한 자세 不自然な姿勢 / ～한 연기〔웃음〕 不自然な演技〔笑い〕. **～스럽다** (→스럽다)〈形〉不自然だ. ＝부자연하다.

부-자유【不自由】〈名〉不自由. **～하다**〈形〉不自由だ. **～스럽다** (→스럽다)〈形〉不自由だ. ＝부자유하다. 句例 행동이 ～스럽다 行動〔動き〕が不自由だ.

부자-유친【父子有親】〈名・하形〉父子親あり.

부-자재【副資材】[pu:—]〈名〉副資材.

부-작용【副作用】[pu:jagyong]〈名〉副作用. 句例 ～이 있다〔없다〕 副作用がある〔ない〕/ ～을 일으키다 副作用を起こす / 주사약의 ～ 注射薬の副作用.

부잣-집【富者—】[pu:jatchip]〈名〉金持ち(の家). 文例 ～에서 태어나 고생을 모른다 金持ちの家に生まれ苦労を知らない. 語例 ～ 외동딸 金持ちの一人娘.

부잣집 맏며느리 金持ちの総領嫁. 顔が福福しい円満な女性のたとえ.

부잣집이 망해도 삼년은 간다 '부자가 망해도 삼 년 먹을 것이 있다'の意(→'부자'の小項目)

부장【部長】〈名〉部長. 文例 ～님은 지금 자리에 안계십니다 部長はただいま席をはずしております. 語例 영업～ 営業部長.

부장【副長】[pu:jang]〈名〉副長. 語例 참모

~ 参謀副長.

부장【副葬】[pu:jang]〈名・하他〉副葬. 語例 ~품 副葬品.

부재【不在】〈名〉不在. 留守. 語例 ~자 투표 不在者投票 / ~중 不在中. 留守 / ~ 증명 現場不在証明. アリバイ / ~ 지주 不在地主.

부재【部材】〈名〉部材.

부적【符籍】[pu:jŏk]〈名〉呪符. お札. 護符. お守り. 肌守り. 句例 ~을 몸에 지니다 お守りを身につける / ~을 태우다 呪符をた(焚)く.

***부적당-하다**【不適當―】(→하다)〈形〉不適当だ. 略して'부적(不適)하다'ともいう. 句例 부적당한 인물〔표현〕不適当な人物〔表現〕.

부전【不全】〈名〉不全. 語例 발육 ~ 発育不全.

부전【不戰】〈名〉不戦. 語例 ~ 조약 不戦条約 / ~승 不戦勝 / ~패 不戦敗.

부전【附箋】[pu:jŏn]〈名〉付箋. 張り紙.

부전-자전【父傳子傳】〈名〉父子相伝.

부접〈名〉❶ひとなつこい性質〔態度〕. ❷人に頼ること.

부접(을) 못 하다 ❶近寄れない. なつけない. 文例 성질이 까다로워 아무도 부접을 못 한다 性格が気難しくてだれも親しくできない. ❷落ち着いていられない. 落ち着かない. 浮き腰である. じっとしていられない.

부-젓가락〈名〉火ばし. 略して'부저'ともいう.

부정【不正】〈名〉不正. いんちき《俗》. ごまかし《俗》. **~하다**〈形〉不正だ. よこしまだ. 句例 ~한 짓을 하다 不正を働く. いんちきをする / ~하게 축재하다 不正に蓄財する / ~한 생각 よこしまな考え. 語例 ~ 행위 不正行為 / ~ 투표〔선거〕不正投票〔選挙〕.

부정【不貞】〈名〉不貞. **~하다**〈形〉不貞である. 句例 ~한 아내를 내쫓다 不貞の妻を追い出す / ~한 짓을 하다 不貞を働く.

부정【不淨】〈名〉❶不浄. 汚れ. **~하다**〈形〉不浄である. けがらわしい. 句例 ~한 돈 不浄なお金. ❷物忌みのときに人が死んだり出産すること.

부정(을) 타다 不浄にふれてたたる.

부정【否定】[pu:jŏng]〈名〉否定. **~하다**〈他〉否定する. 否む. 句例 일언지하에 ~하다 言下に否定する / ~할 수 없는 사실 否めない〔争われぬ〕事実 / 소문을 ~하다 うわさを否定する. 對 긍정(肯定).

부-정기【不定期】〈名〉不定期. 句例 ~적으로 운항하다 不定期的に運航する. 語例 ~선 不定期船.

부정-맥【不整脈】〈名〉〔醫〕不整脈.

부정-적【否定的】[pu:jŏng―]〈名・冠〉否定的. 句例 ~인 견해 否定的〔ネガチブ〕な見解.

부-정확【不正確】〈名〉不正確. **~하다**〈形〉不正確だ. 句例 ~한 정보 不正確な情報.

부제【副題】[pu:je]〈名〉副題. サブタイトル. =부제목(副題目). 句例 논문에 ~를 붙이다 論文に副題をつける.

부제【部制】〈名〉部制. 句例 승용차의 십~ 운행 乗用車の十部制間引き運行.

***부조**【扶助】〈名・하他〉❶(慶弔事の)祝儀や香典. 句例 친척 결혼에 ~하다 親戚の結婚に祝儀を出す. ❷扶助. 語例 상호 ~ 相互扶助.

부조는 않더라도 제상이나 치지 마라 香典はないまでも祭壇はこわしてくれるな. 助けてくれなくてもいいから, じゃまはしないでくれの意.

부조【浮彫】〈名〉浮き彫り. リリーフ. =돋을새김. 양각(陽刻).

부조-금【扶助金】〈名〉祝儀(のお金). 御花料. 御香料. =부좃돈.

부-조리【不條理】〈名〉不条理. 背理. **~하다**〈形〉不条理だ. 句例 사회의 ~ 社会の不条理.

부-조정실【副調整室】[pu:―]〈名〉副調整室.

***부족**【不足】〈名〉不足. **~하다**〈形〉不足だ. 足りない. 句例 자원이 ~한 나라 資源に乏しい国 / ~한 실력을 보충하다 不足している実力を補う / ~한 살림 不満足な生活 / 아무 ~도 없는 생활 何の不足もない生活 / ~한 느낌을 가지다 もの足りない感じを持つ / ~분을 채우다 不足分を満たす. 語例 수면 ~ 睡眠不足 / 식량 ~ 食糧不足 / ~감 不足感.

부족【部族】〈名〉部族. 語例 ~ 국가〔사회〕部族国家〔社会〕.

부족-증【不足症】〈名〉〔韓醫〕陰虚・肺結核などで心身が衰弱する症状.

부존【賦存】[pu:jon]〈名・하自〉天然的に存在すること. 語例 ~ 자원 天然資源.

부주〈名〉遺伝による素質. 親譲りの気性.

부주【父主】〈名〉父上. 語例 ~전(前) 父上殿. 參考 漢文調の手紙に書かれたことば.

부-주의【不注意】〈名〉不注意. **~하다**〈形〉不注意だ. 句例 ~로 인한 사고 不注意による事故 / ~ 탓으로 생긴 일 不注意のせいで起こった事柄.

부지【扶持】〈名・하他〉苦労をしのいで長く持ちこたえること. 句例 목숨만을 겨우 ~하다 命だけをようやく持ちこたえる / 정권을 근근이 ~하다 政権をかろうじて持ちこたえる.

부지【敷地】〈名〉敷地. 語例 하천 ~ 河川敷 / ~ 면적 敷地面積 / 건축 ~ 建築敷地.

부지-기수【不知其數】〈名〉数えられぬほど多いこと. 無数. 文例 틀린 데가 ~다 間違ったところが数えきれないほどだ.

부지깽이〈名〉火かき棒.

***부지런**〈名〉勤勉. 手まめ. **~하다**〈形〉勤勉だ. 手まめだ. 句例 ~한 사람 勤勉な人. **~히**〈副〉勤勉に. 語例 ~히 일하다 手まめに働く / ~히 돈을 모으다 せっせとお金をためる / ~히 논문을 쓰다 筆まめに論文を書く.

부지런(을) 떨다〔피우다〕 せっせと働く.

부지불식-간【不知不識間】〈名〉知らず知らずの間. 句例 ~에 악의 구렁텅이에 빠지다 知らず知らずの間に悪の深みに陥る.

부지-하세월【不知何歲月】〈名〉いつになったら成るやらその時をさっぱり知らないこと.

ㅂ

文例 언제 완성될지 ～이다 いつになったら完成するやら知れない.

부진【不振】〈名〉不振. 振るわないこと. **～하다**〈形〉不振だ. 振るわない. はかばかしくない. 文例 장사가 ～하다 商売が振るわない / 성적이 ～하다 成績が振るわない. 語例 식욕 ～ 食欲不振.

부질-없다 [pujirŏpta]〈形〉つまらない. しがない. ためにならない. 余計だ. 句例 부질없는 걱정 余計な〔いらぬ〕心配 / 부질없는 일에 구애되다 しがない事にかかずらう. **부질없이** [pujirŏpshi]〈副〉つまらなく. 句例 부질없이 허송 세월을 하다 無為に年月を重ねる.

부집게〈名〉火ばし. 火かき棒.

***부쩍**〈副〉❶片意地を張ったり我を押し通すさま: かたくなに. 句例 돌아가겠다고 ～ 우기다 帰ると言って退かない. ❷にわかに増えたり減ったりするさま: うんと. ぐっと. とみ(頓)に. 句例 시세가 ～ 오르다 相場がとみに上がる / 강물이 ～ 분다 川の水がぐっと増える / 몸무게가 ～ 줄다 体重がぐっと減る.

부쩍-부쩍〈副〉ぐんぐん. どんどん. 句例 ～ 살이 찌다 ぐんぐんと肉付く〔肥える〕/ ～ 실력이 붙다 もりもり(と)実力がつく.

부쩝〈名〉'부접'の強勢語.

부차-적【副次的】[pu:ch'a―]〈名・冠〉副次的. ＝이차적(二次的). 句例 ～인 문제 副次的な問題 / ～인 것은 뒤로 돌리다 副次的なことはあとまわしにする.

부착【附着】[pu:ch'ak]〈名・하自他〉付着. 句例 이름표를 ～하다 名札を付着する / ～물을 씻어 내다 付着物を洗い落とす. 語例 ～시키다 付着させる. 張りつける / ～력 付着力.

부창-부수【夫唱婦随】〈名〉夫唱婦随. 句例 ～의 가풍 夫唱婦随の家風.

⁑부채〈名〉扇. うちわ(団扇). 扇子. 句例 ～를 펴다 扇を開く / ～로 부치다 扇であおぐ. 語例 쥘～ 扇. 扇子. 末広(がり) / 부챗살 扇の骨 / ～춤 扇の舞.

부채【負債】[pu:ch'ae]〈名〉負債. 句例 ～를 지다 負債を負う / ～를 상환하다 負債を返す / ～를 청산하다 負債を清算する / ～를 안다 負債をかかえる / ～가 늘다 負債がかさむ. 文例 ～로 꼼짝 못했다 負債で動きがとれなかった. 語例 ～ 계정 負債勘定.

***부채-꼴**〈名〉❶扇形. ＝선상(扇状). ❷〔數〕扇形.

***부채-질**〈名〉❶〈하自〉(扇で)あおぐこと. 句例 ～로 파리를 쫓다 あおいではえを追う. ❷〈하他〉扇動すること. 唆すこと. 句例 경쟁심을 ～하다 競争心をあおる / 싸움을 ～하다 けんかをた(焚)きつける.

부처〈名〉仏.

부처【夫妻】〈名〉夫妻. 夫婦.

부처【部處】〈名〉政府の'部'と'処'.
参考 日本の'省'と'庁'に当たる.

부처-님〈名〉仏様. お釈迦様. 句例 ～의 가르침 仏陀の教え / ～ 오신 날 お釈迦様の誕生日. 仏生日. 陰暦の四月八日 / ～께 기원하다 仏様に信心する.
부처님 가운데 토막 仏のような人. お人好し.
부처님한테 설법 釈迦に説法.

부쳐-지내다〈自〉居候をする. 寄食する.

부촌【富村】[pu:ch'on]〈名〉暮らしの豊かな村. 金持ちの多い村. 對빈촌(貧村).

부-총리【副總理】[pu:ch'ongni]〈名〉副総理.

부-총장【副總長】[pu:―]〈名〉副総長.

부-총재【副總裁】[pu:―]〈名〉副総裁.

부추 [pu:ch'u]〈名〉〔植〕にら(韮).

***부추기다** [pu:ch'ugida]〈他〉唆す. けしかける. あおる. 句例 개를 ～ 犬をけしかける / 싸우라고 ～ けんかをけしかける / 부추겨서 죄를 짓게 하다 唆して罪を犯させる / 남을 ～ 人を唆す.

부추김 [pu:ch'ugim]〈名〉唆すこと. けしかけること. おだて. 句例 남의 ～을 받다 人から唆される.

부축 [pu:ch'uk]〈名・하他〉扶掖. わき(脇)をかかえて歩くのを助ける行動.

부츠 [pu:ch'ŭ]〈名〉ブーツ. 深靴. ◇boots

부치다[1]〈自〉手〔力〕に余る. 手に負えない. 句例 힘에 부치는 일 手に余る仕事. →囲み記事 48
表現 おもに'힘에 부치다'の形で使われる.

⁑부치다[2]〈他〉❶送る. 届ける. 出す. 句例 편지를〔돈을〕～ 手紙〔お金〕を送る / 소포를 ～ 小包みを出す. 文例 댁으로 부쳐 드릴까요 お宅にお届けいたしましょうか. ❷付する. 回す. 句例 공판에 ～ 裁判に付する〔回す〕. 文例 이번 일은 불문에 부치겠다 今度のことは不問に付する. ❸(身・食事などを)頼る. 寄せる. 世話になる. 句例 몸 부칠 곳도 없는 노인 寄る辺のない老人. ▷→囲み記事 48

부치다[3]〈他〉耕す. 培う. 句例 밭을 ～ 畑を耕す. →囲み記事 48

부치다[4]〈他〉(フライパンなどに油を引いて)焼く. 句例 달걀을 풀어서 ～ 卵をときほぐして(フライパンで)焼く. →囲み記事 48

부치다[5]〈他〉あおぐ. あおる. 句例 부채로 ～ 扇であおぐ / 숯불을 ～ 炭火をあおる. →囲み記事 48

부칙【附則】[pu:ch'ik]〈名〉付則.

부친【父親】〈名〉父親. ＝아버지. 語例 ～상 父親の喪.

부침【浮沈】〈名〉浮沈. 浮き沈み. 句例 ～이 심한 세상 浮き沈みの激しい世の中.

부침-개〈名〉フライパンなどに油を引いて焼いた食べ物. 油焼き. 語例 ～질 油焼きを焼くこと.

부케 [pu:k'e]〈名〉ブーケ. ◇프 bouquet

⁑부탁【附託】[pu:t'ak]〈名〉付託. 頼み. 依頼. (お)願い. **～하다**〈他〉頼む. 依頼する. 願う. 言付ける. 託する. 請う. 句例 ～을 퇴짜놓다 願いをつっぱねる〔はねつける〕/ 뒷일을 ～하다 後事を託する / ～을 받다 頼まれる / ～드리다 お願い申し上げる. 文例 잘 ～합니다 どうぞよろしく(願います).

부탄 가스〈名〉ブタンガス. ◇butane gas

***부터**〈助〉初めを表わす補助詞: …から. …より. 句例 처음～ 끝까지 ピンからキリまで / 아

침~ 저녁까지 朝から夕方まで. 文例 퇴학은 처음~ 각오한 바다 退学処分はもと(固)より覚悟の上だ.

부터가 …からが. …からして. 文例 너~ 문제야 お前からして問題だ.

부터는 …からは. 文例 다음~ 신중하게 하십시오 次からは慎重におやりください.

부터도 …からも. …からしてさえ. 文例 새 학기~ 또 해야지 新学期からもまたやらなきゃ / 너~ 규칙을 어기는데 누가 지키겠느냐 お前からして規則をたがえるのにだれが守るもんか.

부터라도 …からでも. 文例 내일~ 시작하자 明日からでも始めよう.

부터야 …からは. 文例 다음~ 물론 그렇게 하겠지 次からはもちろんそうするだろう.

부터의 …からの. 文例 이제~ 일이 걱정이다 これからのことが心配だ.

부턴 ['부터는'の略] …からは. 文例 이제~ 내가 맡을게 これからは僕がやるよ.

부-통령 【副統領】 [pu:t'ongnyŏng] 〈名〉 副大統領.

부패 【腐敗】 [pu:p'ae] 〈名〉 腐敗. **~하다** 〈自〉 腐敗する. 腐る. 句例 ~하기 쉬운 물건 腐敗しやすい物 / ~를 막다 腐敗を防ぐ / ~하여 악취를 풍기다 腐敗して悪臭を放つ. 語例 ~물 腐敗物 / ~되다 腐敗する.

부평-초 【浮萍草】 〈名〉 〔植〕 ⇨ 개구리밥

부표 【否票】 [pu:p'yo] 〈名〉 反対票. 句例 ~를 던지다 反対票を投じる / ~가 많이 나오다 反対票がたくさん出る. 對가표(可票).

***부풀다** (부푸니, 부풀어서) 〈自〉 ❶毛羽立つ. ❷は(腫)れあがる. 膨れあがる. 句例 살갗이 ~ 皮膚がはれる / 물집이 ~ 水疱ができる. ❸(物体が)膨れる. 膨らむ. 句例 풍선이 ~ 風船が膨れる / 빵이 ~ パンが膨らむ. ❹(期待などが)膨れる. 膨らむ. 大きくなる. 句例 희망에 부푼 가슴 希望に満ちた胸 / 부푼 꿈을 안다 大きな夢をいだ(抱)く.

부풀리다 〈他〉 膨らます. 膨らめる. 句例 빵을 ~ パンを膨らます.

부풀어-오르다 [pup'urŏ—] (—오르니, —올라서) 〈自〉 膨れあがる. 膨らむ. 盛り上がる. 句例 풍선이 ~ 風船が膨らむ / 벌에 쏘인 데가 ~ はち(蜂)にさされた所がはれあがる.

***부품** 【部品】 〈名〉 '부분품(部分品)'の略: 部品. 句例 ~을 갈아 끼우다 部品をとりかえる / 자동차의 ~ 自動車の部品.

***부피** 〈名〉 ❶かさ(嵩). 句例 짐의 ~가 크다 荷物のかさが大きい / ~가 큰 물건 かさばる品. ❷〔數〕 体積. 句例 넓이와 ~ 面積と体積. 語例 ~ 팽창 계수 〔物〕 体膨張係数.

부하 【負荷】 [pu:ha] 〈名〉 負荷. 語例 ~율 負荷率.

***부하** 【部下】 〈名〉 部下. 手下. 手先. 子分. 家来. 句例 ~를 통솔하다 部下を統率する〔率いる〕 / ~를 거느리다 部下を引き連れる / ~들을 불러 모으다 子分たちを呼び集める / ~를 이끌고 나타나다 手勢を率いて現れる / ~가 되어 일하다 手先になって働く. 語例 심복 ~ 腹心の部下 / ~ 직원 部下の職員.

부-하다 【富—】 [pu:—] (→하다) 〈形〉 ❶肥えている. 太っている. 句例 몸이 ~ からだが太っている. ❷お金持ちである.

부합 【附合】 [pu:hap] 〈名・하自他〉 付合.

부합 【符合】 〈名〉 符合. **~하다** 〈自〉 符合する. かなう. 句例 말과 행동이 ~하다 言葉と行動が一致する / 현실과 ~되지 않는 이론 現実と符合しない理論. 語例 ~시키다 符合させる.

부형 【父兄】 〈名〉 父兄. 語例 학~ (生徒や学生の)父兄.

***부호** 【符號】 〈名〉 符号. しるし. 句例 ~가 빠져 있다 符号が落ちている. 語例 모스 ~ モールス符号 / 보조 ~ 補助符号.

부호 【富豪】 [pu:ho] 〈名〉 富豪. 長者. 大金持ち.

부화 【孵化】 〈名〉 孵化. **~하다** 〈自他〉 孵化する. かえ(孵)る. 句例 병아리를 ~시키다 ひよこを孵化させる / 병아리가 ~하다 ひよこがかえる. 語例 ~기〔장・실〕 孵化器〔場・室〕 / 인공 ~ 人工孵化.

부화-뇌동 【附和雷同】 [pu:hwa—] 〈名・하自〉 付和雷同. 文例 ~하지 말고 자기 주장을 견지해야 한다 付和雷同せずに自分の主張を堅持しなければならない.

부활 【復活】 [pu:hwal] 〈名〉 復活. **~하다** 〈自他〉 復活する. よみがえる. 句例 그리스도의 ~ キリストの復活 / 고대 올림픽의 ~ 古代オリンピックの復活. 語例 패자 ~전 敗者復活戦.

부활-절 【復活節】 [pu:hwaltchŏl] 〈名〉 復活祭. イースター.

부황 【浮黃】 〈名〉 飢えて肌が黄色くむくむ病気.

부황(이) 나다 長らく飢えて肌がむくんで黄色くなる.

부-회장 【副會長】 [pu:—] 〈名〉 副会長.

부흥 【復興】 [pu:hŭng] 〈名・하自他〉 復興. 句例 경제가 급속도로 ~하다 経済が急速に復興する. 語例 문예 ~ 文芸復興 / ~기 復興期 / ~ 운동 復興運動 / ~회 〔基〕 信仰復興伝道集会. リバイバル伝道集会 / ~되다 復興する.

〈북〉

북[1] 〈名〉 ❶ひ(杼). シャットル. =방추(紡錘). 絵 ❷ミシンのボビン.

***북**[2] 〈名〉 〔樂〕 太鼓. 鼓. ドラム. 句例 ~을 치다 太鼓を打つ / 작은 ~과 큰 ~ 小太鼓と大太鼓 / ~을 메우다 鼓をつくる.

북[3] 〈名〉 草木の根元を盛っている土.

북(을) 주다 草木の根元の土寄せをする.

***북** 【北】 〈名〉 北. ほく. =북쪽. 語例 ~유럽 北欧 / ~풍 北風.

북[4] [pu:k] 〈副〉 ❶柔らかい物の表面を強くこすったりか(搔)く音: がりっと. 句例 손톱으로 ~ 긁다 つめ(爪)でがりっとひっかく. ❷厚くてもろい物を一気に裂く音: ぱりっと. 句例 종이를 ~ 찢다 紙をぱりっと引き裂く.

북 〔漢字項目〕

【北】 中學 북 ホク. 배 ホク. ━〔북〕 방향의 하나. 북 きた. ▮北方 북방 ほっぽう.

▮南北 남북 なんぼく.
▮〔배〕배반하다 背をむける. 도망하다 にげる.
▮敗北 패배 はいぼく.

북구【北歐】〈名〉〔'북구라파'の略〕北欧. 北ヨーロッパ. 語例 ～ 신화 北欧神話.

북국【北國】〈名〉北国.

***북극**【北極】〈名〉北極. 句例 ～의 빙원 北極の氷原. 語例 ～곰〔動〕北極熊. 白熊 / ～권 北極圈 / ～ 지방 北極地方 / ～해 北極海.

북극-성【北極星】〈名〉〔天〕北極星.

북-녘【北－】[pungnyŏk]〈名〉北方. 北の方. 語例 ～땅 北方の地 / ～ 하늘 北の空.

북단【北端】〈名〉北端. 句例 휴전선의 최～ 休戦ラインの最北端.

북-대서양【北大西洋】〈名〉北大西洋. 語例 ～ 조약 기구 北大西洋条約機構. ナトー《NATO》.

북데기〈名〉(草・わらなどの)もつれた塊.

북-돋다〈他〉❶植物の根元に土寄せをする. 培う. ❷励ます. 鼓舞する. 句例 용기를 ～ 勇気を奮い立たせる / 사기를 ～ 士気を鼓舞する / 기운을 ～ 気を引き立てる.

ㅂ

***북-돋우다** [—toduda]〈他〉⇨ 북돋다. 語例 북돋움 培う〔励ます〕こと.

북동【北東】〈名〉北東. 語例 ～풍 北東の風. 北東風.

북두-칠성【北斗七星】[—ch'ilssŏng]〈名〉〔天〕北斗七星.

북망-산【北邙山】[pungmang—]〈名〉北邙. 墓場.
参考 もと, 中国河南省洛陽の北にある山の名. 漢以来の墓場であったからいう.

북문【北門】[pungmun]〈名〉北の門.

북미【北美】[pungmi]〈名〉〔地〕北米. 北アメリカ.

북-반구【北半球】〈名〉北半球.

북-받치다〈自〉❶底〔下〕から突き上がる. 沸き上がる. ❷(感情などが)込み上げる. 句例 북받치는 증오〔슬픔〕込み上げる憎悪〔悲しみ〕/ 분노가 ～ 憤り〔怒り〕が込み上げる / 눈물이 ～ 涙が込み上げる.

북방【北方】〈名〉北方. 語例 ～ 외교 北方外交 / ～ 정책 北方政策.
参考 いまは, 中国・ロシア・東欧など社会主義圏であった地域の特称としても使われる.

북벌【北伐】〈名・하自〉北伐.
参考 朝鮮朝孝宗の時, 清を討って'병자호란(丙子胡亂) 丙子の乱'の国恥をそそごうとした'북벌 계획(北伐計劃) 北伐の計画'があった.

***북부**【北部】〈名〉北部. 語例 ～ 지방 北部地方.

북-북 [pu:k—]〈副〉❶強くこすったりひっかく音: ごしごし. 句例 마룻바닥을 ～ 문질러 닦다 床をごしごし洗う / 엉덩이를 ～ 긁다 お尻をごしごしかく / 무를 ～ 씻다 大根をごしごし洗う. ❷分厚い紙や布を引き裂く音: ばりばり. 句例 종이를 ～ 찢다 紙をばりばりと裂く.

북-북동【北北東】〈名〉北北東.

북-북서【北北西】〈名〉北北西.

북빙-양【北氷洋】〈名〉北氷洋. ＝북극해(北極海).

북상【北上】〈名・하自〉北上. 句例 ～하는 태풍 北上する台風.

북새-통〈名〉大騒ぎ. もみ合いの最中. どさくさまぎれ.

북서【北西】〈名〉北西. 語例 ～풍 北西の風. 北西風.

북슬-개〈名〉むく毛の犬.

북슬-북슬〈副・하形〉動物が太って毛むくじゃらなさま: もじゃもじゃ.

북-아메리카주【北America洲】[pugameri-k'aju]〈名〉〔地〕北アメリカ州.

북안【北岸】[pugan]〈名〉北岸.

북양【北洋】[pugyang]〈名〉北洋. 語例 ～ 어업 北洋漁業.

북어【北魚】[pugŏ]〈名〉干し明太. 句例 ～를 구워먹다 干し明太を焼いて食べる. 語例 ～국 干し明太のスープ.

북위【北緯】[pugwi]〈名〉北緯. 語例 ～ 38도 北緯三十八度.

북-유럽【北Europe】[pugyurŏp]〈名〉北ヨーロッパ. 略して'북구(北歐)'ともいう.

북-장구〈名〉太鼓と鼓.

북적-거리다〈自〉❶(大勢が寄り集まって)ごった返す. わいわい騒ぐ. 込み合っている. ❷(酒などが)発酵してぶくぶく泡が立つ.
북적북적〈副・하自〉わいわい. ごたごた. ぶくぶく.

북-조선【北朝鮮】〈名〉北朝鮮. 北韓. 略して'북선(北鮮)'ともいう.

북-주다〈自〉根元を培う. 差し土をする.

북진【北進】〈名・하自〉北進.

****북-쪽**【北—】〈名〉北(の方).

북-채〈名〉太鼓のばち.

북촌【北村】〈名〉❶北の村. ❷ソウルの北寄りにある町.

북-춤〈名〉太鼓踊り.

북-측【北側】〈名〉北側. 對남측.

북-통【一筒】〈名〉太鼓の胴.
북통 같다 太鼓腹だ.

북-틀〈名〉太鼓の台.

북풍【北風】〈名〉北風. 朔風.

***북한**【北韓】[puk'an]〈名〉北韓. 北朝鮮.

북행【北行】[puk'aeng]〈名・하自〉北へ行くこと.

북향【北向】[puk'yang]〈名〉北向き. **～하다**〈自〉北を向く. 語例 ～집 北向きの家 / ～판 北向きの敷地.

북-회귀선【北回歸線】[puk'oegwisŏn]〈名〉北回帰線.

분[1]【分】〈名〉'분수(分數)'の略: 分. 句例 ～에 넘치는 영광 分〔身〕に余る栄光 / ～에 맞는 처신〔생활〕分に応じたふるまい〔生活〕/ ～에 만족하다 分に安んじる / ～에 넘치는 사치 分を超えたぜいたく.

***분**【忿・憤】[pu:n]〈名〉〔'분심(忿心)'の略〕腹立ち. 憤り. 句例 ～에 못 이겨서 腹立ちまぎ

れに.
분(이) 나다 腹が立つ. しゃくにさわる.
분(을) 내다 怒る・おこる. 憤る. 腹を立てる.
분(을) 삭이다 怒りをしずめる. ＝분(을) 풀다.
분【盆】〈名〉盆. 鉢. 植木鉢. 句例 ～에 심다 鉢に植える.
분【粉】〈名〉❶['백분(白粉)'の略] おしろい(白粉). 句例 ～이 잘 먹다 おしろいが乗る. ❷粉. 粉末.
분(을) 바르다 おしろいをつける.
**분〈依名〉❶人を敬っていう語: 方. お方. …さん. …様. 文例 다른 ～에게도 안부 전해 주십시오 他の方にもよろしくお願いします / 어느 ～이십니까 どなた様ですか / 내일 가실 ～이 계십니까 あしたお出かけの方がいらっしゃいますか. 語例 여자～ 女の方 / 여러～ 皆さん / 이 ～ こなた(此方). この方. こちら(様) / 저쪽～ 向こうさま. あちらさま / 이웃～ お隣さん. ❷(固有語の数詞について) 人数を数える尊敬語: …人. …人様. …名様. 文例 여덟 ～이 오셨습니다 8人様がお見えになりました / 몇 ～ 계십니까 何人いらっしゃいますか. 何名様ですか.
**분[2]【分】〈依名〉❶時間の単位: 分. 句例 한 시 오 ～ 전 一時五分前. ❷(角度などの)分. 句例 37도 2～ 三十七度二分. ❸分. 一割の十分の一. 句例 3할 5～ 三割五分.
表現 漢字語の数詞の後につく.
**-분【分】〈尾〉…分. ❶全体をいくつかに分けた部分. 句例 삼～의 일 三分の一 / 십등～한 것 十等分したもの. ❷分け前の分量. 句例 5인～의 식사 五人前の食事 / 일년～의 수입 一年分の収入. ❸物質の成分. 語例 알코올～ アルコール分 / 지방～ 脂肪分.

분 〔漢字項目〕

【分(分)】中學 분 ブン フン ブ. ❶나누다 わける. 나누이다 わけられる. ■分割 분할 ぶんかつ. 分裂 분열 ぶんれつ. ■細分 세분 さいぶん. ❷분별하다 区別する. ■分別 분별 ぶんべつ. ❸분명하다 明らかだ. ■分明 분명 ぶんめい. ❹나누어 주다 分けて与える. ■分譲 분양 ぶんじょう. ❺분수 身のほど. ■分限 분한 ぶんげん. ■身分 신분 みぶん. 職分 직분 しょくぶん.

【墳】高校 분 フン. 무덤 墓. ■墳墓 분묘 ふんぼ. ■古墳 고분 こふん.

【奔】高校 분 ホン. ❶달리다 はしる. ■奔流 분류 ほんりゅう. ■狂奔 광분 きょうほん. ❷달아나다 逃げる. ■出奔 출분 しゅっぽん.

【奮】高校 분 フン. 떨치다 ふるいたつ. 분발하다 はげむ. ■奮闘 분투 ふんとう. ■興奮 흥분 こうふん.

【憤】高校 분 フン. 분노하다 いきどおる. ■憤怒 분노 ふんぬ. ■鬱憤 울분 うっぷん.

【粉】高校 분 フン. ❶가루 こな. ■粉食 분식 ふんしょく. ■花粉 화분 かふん. ❷빻다 くだく. ■粉砕 분쇄 ふんさい. 粉骨砕身 분골 쇄신 ふんこつさいしん. ❸분 おしろい. ■粉飾 분식 ふんしょく. ■白粉 백분 おしろい.

【紛】高校 분 フン. ❶어지럽다 入りみだれる. ■紛糾 분규 ふんきゅう. ■諸説紛紛 제설 분분 しょせつふんぷん. ❷엉클어지다 もつれる. ■紛争 분쟁 ふんそう. ■内紛 내분 ないふん. ❸번잡하다 こみいる. ■紛雑 분잡 ふんざつ.

분가【分家】〈名〉分家・新家・別家. **～하다**〈自〉分家する. かまど(竈)を分ける. 句例 ～하신 숙부 分家の叔父.
분-가루【粉—】[—kkaru]〈名〉おしろい. ＝분(粉).
분간【分揀】〈名〉見分け. 見境. 分別. **～하다**〈他〉見分ける. 句例 ～이 되다 見分けがつく. 文例 좋은지 나쁜지 ～을 못 하겠다 善しあしの見分けがつかない.
분-갈이【盆—】[—gari]〈名・하他〉鉢植えで, 植込んだ植物をほかの鉢に移植すること.
분-갑【粉匣】[—kkap]〈名〉おしろい入れ.
분개【憤慨】[pu:n-gae]〈名〉憤慨. **～하다**〈自他〉憤慨する. 憤る《雅》. 句例 ～하여 마지 않다 憤慨にたえない / 연인의 변심에 ～하다 恋人の心変わりに憤る / ～한 나머지 憤慨のあまり.
분결-같다【粉—】[punkkyŏl—]〈形〉(肌が)白くてなめらかだ. 色白だ. 雪のように白い.
분결같이 [—gach'i]〈副〉雪のように白く.
분계-선【分界線】〈名〉分界線. 語例 군사～ 軍事分界線.
분골-쇄신【粉骨砕身】〈名〉粉骨砕身. 句例 목적을 달성하기 위하여 ～하다 目的を達成するため粉骨砕身する. 文例 ～ 노력할 생각입니다 粉骨砕身努力いたす所存であります.
분과【分科】[punkkwa]〈名〉分科. 語例 ～위원회 分科委員会.
분교【分校】〈名〉分校. 句例 벽지의 ～ 僻地の分校. 對본교(本校).
분권【分権】[punkkwon]〈名・하自〉分権. 語例 지방 ～ 地方分権 / ～주의 分権主義. 對집권(集權).
분규【紛糾】〈名〉紛糾. もつれ. ごたごた. もめ事. 句例 ～가 일다 もつれが生じる. ごたごたが起こる / ～를 거듭하다 紛糾を重ねる / ～가 끊이지 않다 ごたごたが絶えない. 語例 노사～ 労使間の紛争.
분기【分期】〈名〉四半期. 語例 일사(一四) ～ 第一四半期.
분기【奮起】[pu:n-gi]〈名〉奮起. **～하다**〈自〉奮起する. 奮い立つ. 文例 시합을 앞두고 전원이 ～하였다 試合を前に全員が奮い立った.
분기-점【分岐點】[—tchŏm]〈名〉分岐点. 句例 인생의 ～ 人生の分岐点〔分かれ目〕.
분-꽃【粉—】〈名〉〔植〕おしろいばな(白粉花).
분납【分納】〈名・하他〉分納. 句例 세금을 ～하다 税金を分納する.
분-내【粉—】〈名〉おしろいの香り.
분노【憤怒】[pu:nno]〈名・하自〉憤怒・怒り. 句例 ～가 폭발하다 憤怒が破裂する / ～가 치

ㅂ

밀다 怒りが燃え立つ / ~를 터뜨리다 怒りをぶちまける. 文例 그의 눈은 ~로 불타고 있었다 彼の目は怒りに燃えていた〔ぎらついていた〕.

분뇨【糞尿】〈名〉糞尿. 語例 ~ 처리장 糞尿処理場.

***분단**【分團】〈名〉分団. グループ. 語例 ~장〔원〕分団長〔員〕/ ~ 학습 グループ学習.

분단【分斷】〈名・하他〉分断. 寸断. 句例 ~ 국가의 비극 分断国家の悲劇. 語例 ~되다 分断される.

분-단장【粉丹粧】〈名〉化粧. 句例 ~을 하고 옷을 차려 입다 化粧をし衣服を着飾る.

분담【分擔】〈名・하他〉分担. 手分け. 句例 비용〔책임〕을 ~ 하다 費用〔責任〕を分担する / ~해서 일을 처리하다 手分けして仕事を片づける. 語例 ~금 分担金.

분당【分黨】〈名・하自他〉分党. 對합당(合黨).

분대【分隊】〈名〉〔軍〕分隊. 語例 ~장〔원〕分隊長〔員〕.

분도-기【分度器】〈名〉〔數〕'각도기'の旧称.

분동【分銅】〈名〉分銅. 句例 저울에 ~을 얹다 はかり(秤)に分銅を載せる.

분란【紛亂】[pullan]〈名〉紛乱. 句例 ~을 일으키다 紛乱をおこす. ごたごたを引き起こす.

***분량**【分量】[pu:llyang]〈名〉分量. 略して'양(量)'ともいう. 句例 많은 ~ たくさんの分量 / 아주 적은 ~ あるか無きかの分量 / ~을 줄이다〔늘리다〕分量を減らす〔増やす〕/ ~을 달다 分量を量る.

***분류**【分類】[pullyu]〈名・하他〉分類. 部分け. =유별(類別). 句例 종류별로 ~하다 種類別に分類する / 같은 것끼리 ~하다 同じ物どうしに色分けする / 크기에 따라 ~하다 大きさによって分ける / 카드를 ~하다 カードを分類する. 語例 ~되다 分類される.

***분리**【分離】[pulli]〈名・하自他〉分離. 文例 물과 기름은 섞어도 ~된다 水と油は混ぜても分離する. 語例 ~ 과세 分離課税 / 중앙~대 中央分離帯.

분립【分立】[pullip]〈名・하自他〉分立. 語例 삼권 ~ 三権分立 / ~되다 分立する.

분만【分娩】〈名・하自〉分娩. 出産. =해산(解産). 句例 여아를 ~하다 女児を出産する. 語例 ~실 分娩室.

분말【粉末】〈名〉粉末. 粉. 語例 ~ 주스 粉末ジュース.

분망-하다【奔忙—】(→하다)〈形〉忙しい. せわしい. **분망히**〈副〉せわしく.

***분명**【分明】〈副〉明らかに. 確かに. 間違いなく. 文例 그것은 ~ 당신이 한 말이다 それは確かにあなたが言った話だ.

***분명-하다**【分明—】(→하다)〈形〉分明だ. 明らかだ. 句例 분명한 사실 分明な事実 / 분명하게 대답하다 はっきり返事をする / 분명하게 말하다 はっきりと言う. 文例 뜻이 분명하지 않다 意味がはっきりしない / 사정은 ~ 事情は明らかだ. 語例 분명해지다 はっきりする. 明らかになる. **분명히**〈副〉確かに. 分明に. はっきりと. あきらかに. しかと. 句例 분명히 말하지만 はっきり言うが〔言っておくが〕/ 분명히 말씀드릴 수는 없지만 はっきりと申し兼ねますが / 분명히 밝히다 はっきりさせる.

***분모**【分母】〈名〉分母. 句例 ~를 없애다〔떨다〕分母を払う. 對분자(分子).

분묘【墳墓】〈名〉墳墓. 墓. =무덤.

분무【噴霧】[pu:nmu]〈名・하自〉噴霧. 語例 ~기 噴霧器. 霧吹き.

분발【奮發】[pu:nbal]〈名〉奮発. **~하다**〈自〉奮発する. がんばる. 気張る. 奮い立つ. 勇み立つ. 句例 더욱 ~하다 いっそう奮発する.

분방-하다【奔放—】(→하다)〈形〉奔放だ. 句例 자유 분방한 생활 自由奔放な生活.

분배【分配】〈名〉分配. =배분(配分). **~하다**〈他〉分配する. 分ける. 句例 이익의 ~ 利益の分配 / ~를 받다 分配にあず(与)かる / 전원에게 평등하게 ~하다 全員に平等に分配する / 빈민에게 식량을 ~하다 貧民に食糧を分配する. 語例 ~되다 分配される.

분별【分別】〈名〉分別. 見境. 見分け. **~하다**〈他〉分別する. 見分ける. わきまえる. 句例 ~있는 처신 分別あるふるまい / 선악을 ~하다 善悪をわきまえる / ~이 되다 分別がつく / ~을 잃다 分別を失う. 語例 ~력 分別力.

분별-없다【分別—】[punbyŏrŏpta]〈形〉分別がない. 事を見分ける能力がない. 句例 ~없는 사나이 無分別な男 / 분별없는 행동 分別のないふるまい. **분별없이** [—ŏpshi]〈副〉分別なく. 見境もなく. 句例 분별없이 굴다 分別もなくふるまう.

분봉【分蜂】〈名・하自他〉(はち(蜂)の)分封.

분부【吩咐】〈名〉仰せ. 御用命. ご沙汰. 言いつけ. 命令. **~하다**〈他〉言いつける. 命令する. 仰せつける. 句例 ~대로 仰せの通り. 言いつけ通り / 지당하신 ~ ごもっともな仰せ / ~를 받들다 命を奉じる / 선생님의 ~ 先生の言いつけ. 文例 무엇이든지 ~만 내리십시오 なんなりとお申し付けください.

분분-하다【紛紛—】(→하다)〈形〉❶物騒で騒がしい. 句例 세상이 ~ 世情が騒然としている. ❷多くの事が入りまじって乱雑だ. ❸意見がまちまちだ. 句例 이설이 ~ 異説が紛紛としている / 의론이 ~ 議論がまちまちだ. ❹もめ事が多い. **분분히**〈副〉紛紛として.

분비【分泌】〈名・하他〉〔生〕分泌・ぶんぴ. 句例 위액의 ~ 胃液の分泌. 語例 ~물 分泌物 / ~선〔액〕分泌腺〔液〕.

분사【分詞】〈名〉〔言〕分詞. 語例 과거 ~ 過去分詞.

분사【憤死】[pu:nsa]〈名・하自〉憤死.

분사【噴射】[pu:nsa]〈名・하他〉噴射. 語例 ~ 추진식 비행기 噴射推進式飛行機.

분산【分散】〈名・하自〉分散. 句例 프리즘에 의해서 빛이 ~하다 プリズムによって光が分散する. 語例 ~시키다 分散させる. 散らす / ~되다 分散する. 散り散りばらばらになる.

분석【分析】〈名・하他〉分析. 句例 원인〔상황〕을 ~하다 原因〔状況〕を分析する. 語例 정세 ~ 情勢分析 / 약물〔정량〕~ 薬物〔定量〕分析.

분쇄【粉碎】〈名・하他〉粉砕. 句例 적을 ~하다 敵を粉砕する. 語例 ~기 粉砕機.

분수[1] 【分數】[pu:nsu]〈名〉❶わきまえ. 程. 分別. 分際. 句例 ~도 없이 날뛰다 わきまえもなく出でしゃばる. 文例 농담에도 ~가 있다 冗談にも程がある. ❷分. 分限. 分際. 身分. 身の程. 句例 ~를 모르는 놈 身の程を知らぬ者〔やつ〕/ ~에 맞게 살다 分に応じて暮らす / ~를 지키다〔알다〕身の程を知る.
~없다 [—ōpta]〈形〉程〔分〕をわきまえない. 分別がない. 句例 ~없는 여자 分別のない女性.
~없이 〔—ōpshi〕〈副〉程も知らず. わきまえもなく. 無分別に. 句例 ~없이 말하다 分別なく話す. わきまえもなくしゃべる. 文例 ~없이 까불지 마 身の程もわきまえず大きな口をたたくな.

***분수**[2] 【分數】[punssu]〈名〉〔數〕分数. 語例 ~방정식 分数方程式 / ~식 分数式.

분수 【噴水】[pu:nsu]〈名〉噴水. 語例 ~ 장치 噴水装置 / ~탑 噴水塔.

분수-령 【分水嶺】〈名〉〔地〕分水嶺.

분승 【分乘】〈名・하自〉分乗. 句例 두 대의 차에 ~하다 二台の車に分乗する.

분식 【粉食】〈名・하自〉粉食. 句例 ~을 장려하다 粉食を奨励する. 語例 ~ 센터 粉食センター.

분신 【分身】〈名〉分身. 文例 작품은 작자의 ~이다 作品は作者の分身である.

분신 【焚身】〈名・하自〉焚身. 焼身. 語例 ~ 자살 焼身自殺.

분실 【分室】〈名〉分室. 語例 ~장 分室長.

분실 【紛失】〈名・하他〉紛失. 句例 지갑을 ~하다 財布を紛失する. 語例 ~물 紛失物. 落とし物 / ~ 신고 紛失届 / ~되다 紛失する. なくなる.

***분야** 【分野】[punya]〈名〉分野. 領域. 句例 새로운 ~를 개척하다 新分野を開く / ~가 다르다 フィールドが違う. 語例 연구 ~ 研究分野.

분양 【分讓】[punyang]〈名・하他〉分譲. 句例 주택을 ~하다 住宅を分譲する. 語例 ~ 주택 分譲住宅.

***분업** 【分業】[punŏp]〈名・하他〉分業. 句例 ~으로 능률을 올리다 分業によって能率をあげる. 語例 의약 ~ 医薬分業.

분업-화 【分業化】[punŏp'wa]〈名・하自〉分業化. 句例 ~된 현대 사회 分業化された現代社会.

분연-히 【奮然―】[pu:nyŏnhi]〈副〉奮然と. 句例 ~ 일어나 싸우다 奮然と立ちあがって戦う.

분열 【分列】[punyol]〈名〉分列. 語例 ~ 행진 分列行進 / ~식 分列式.

분열 【分裂】[punyol]〈名・하自〉分裂. 句例 당이 ~되다 党が割れる / 국론이 ~되다 国論が分裂する. 語例 세포 ~ 細胞分裂 / 핵~ 核分裂 / 정신 ~ 精神分裂.

분외 【分外】[pu:noe]〈名〉分外. 文例 ~의 영광입니다 分外の光栄でございます.

분원 【分院】[punwon]〈名〉分院. 句例 대학 병원의 ~ 大学病院の分院.

***분위-기** 【雰圍氣】[punwigi]〈名〉雰囲気. 句例 ~가 마음에 들지 않다 雰囲気が気に入らない / 부드러운 ~가 감돌다 和やかな雰囲気がただよ(漂)う / ~를 깨다 雰囲気を壊す / 좋은 ~ いい雰囲気 / ~ 있는 사람 ムードのある人.

분유 【粉乳】[punyu]〈名〉粉乳. 粉ミルク. 語例 탈지 ~ 脱脂粉乳.

***분자** 【分子】〈名〉分子. 句例 분모와 ~를 약분하다 分母と分子を約分する / 물질 구성 단위로서의 ~ 物質構成単位としての分子. 語例 반동〔악질〕~ 反動〔悪質〕分子 / ~식 分子式 / ~량 分子量.

분잡-하다 【紛雜―】[punjap'ada] (→하다)〈形〉ごたごたと込み入っている. **분잡히** [punjap'i]〈副〉ごたごたと.

분장 【扮裝】〈名〉扮装. 装い. **~하다**〈自〉扮装する. 装う. 句例 공주로 ~하다 王女に扮装する. 語例 ~실 楽屋.

분재 【盆栽】〈名〉盆栽. 句例 ~를 만들다 盆栽を作る.

분쟁 【紛爭】〈名・하自〉紛争. 句例 국제간의 ~ 国際間の紛争 / ~이 종결되다 紛争が治まる / 노사의 ~ 労使の紛争 / 유산을 둘러싸고 ~이 일어나다 遺産をめぐって小競り合いが起こる / ~이 끊이지 않다 もめごとが絶えない / ~을 중재하다 紛争を仲裁する. 語例 국경 ~ 国境紛争.

분전 【奮戰】[pu:njŏn]〈名・하自〉奮戦. 句例 ~ 끝에 대승을 거두다 奮戦のすえ大勝を博する.

분점 【分店】〈名〉分店. 支店. 出店. 句例 각지에 ~을 차리다 各地に支店を張る.

분주 【奔走】〈名〉忙しいこと. 慌ただしいこと. **~하다**〈形〉忙しい. 慌ただしい. 句例 ~한 나날을 보내다 忙しい毎日を送る / ~하게 돌아다니다 忙しく歩き回る. 文例 ~해서 틈이 없다 忙しくて暇がない. 語例 ~ 다사(多事) 仕事が多くて忙しいこと. **~히**〈副〉忙しく.

분지 【盆地】〈名〉〔地〕盆地. 語例 단층 ~ 断層盆地.

-분지 【分之】〈尾〉…分の. =…분의. 語例 십~ 칠 十分の七.

분책 【分冊】〈名・하他〉分冊.

분첩 【粉貼】〈名〉おしろいたたき. パフ. 句例 ~으로 분을 바르다 パフでたたきながらおしろいをつける.

분청 사기 【粉靑沙器】〈名〉高麗青磁の後を継いだ, 朝鮮朝初期の磁器. 青磁に白土を塗って焼きなおしたもので, 表面は黄色あるいは青色を帯びた灰色になっている. 青磁よりは量感があり実用性に富んでいる.
参考 正式には'분장 청회 사기(粉粧青灰沙器)'という. また, この磁器の次には朝鮮白磁がつくられるようになった.

분-초 【分秒】〈名〉分秒. 句例 ~를 아끼다 分秒を惜しむ.
분초를 다투다 分秒〔一刻〕を争う.

분출 【噴出】[pu:nch'ul]〈名・하自他〉噴出. 句例 석유가 ~하다 石油が噴出する. 語例 ~물 噴出物 / ~구 噴出口.

분침 【分針】〈名〉(時計の)分針.

분탄 【粉炭】〈名〉粉炭.

ㅂ

분탕【焚蕩】〈名〉財産を使い果たすこと．語例 ～질 財産を使い果たす行為．

분통【粉桶】〈名〉おしろい箱．

분통 같다 新しく紙張りをして部屋がきれいだ．

분통【憤痛】[pu:nt'ong]〈名〉悔しさの余り胸が痛むこと．

분통(이) 터지다 憤りが爆発する．

분투【奮鬪】[pu:nt'u]〈名・하自〉奮闘．句例 ～ 노력하다 奮闘努力する／고군 ～하다 孤軍奮闘する．

분파【分派】〈名〉分派．語例 ～적 행동 分派的行動．

분패【憤敗】[pu:np'ae]〈名・하自〉憤敗．

분포【分布】〈名・하自他〉分布．句例 식물의 ～ 상태 植物の分布状態．文例 대나무는 열대에서 온대에 걸쳐 ～한다 竹は熱帯から温帯にかけて分布する．語例 ～도 分布図／～율 分布率／～되다 分布する．

분-풀이【憤—】[pu:np'uri]〈名〉うっぷん晴らし．腹いせ．**～하다**〈自〉腹いせをする．うっぷんを晴らす．句例 ～로 개를 때리다 腹いせに犬をうつ．

분필【粉筆】〈名〉白墨．チョーク．句例 ～로 칠판에 이름을 적다 黒板に白墨で名前を書く．

분-하다【憤—】[pu:n—](→하다)〈形〉悔しい．惜しい．残念だ．忌ま忌ましい．文例 잘못을 저지르지 않았는데도 꾸지람을 들어서 몹시 분했다 間違いを犯さないのにもかかわらずしかられて，とても悔しかった．語例 분해하다 悔しがる／분하게 悔しく．

囲み記事 46

■ '붇다'と'붓다'と'붙다' ■

붇다 (1) 水膨れする．ふやける —— 목욕을 오래 하여서 손이 불었다 長湯したため手がふやけた．
(2) 増す．ふえる —— 재산이 꽤나 불었다 財産がすこぶるふえた．

붓다 (1) は(腫)れる．むくむ —— 병을 앓아 부운 얼굴 病を患ってはれた顔．
(2) (怒って)ふて(くされ)る —— 무슨 일로 또 부어 있느냐 なんの事でまたふてくされているの？

붙다 (1) 付く —— 볼에 밥알이 붙어 있다 ほお(頰)に飯粒が付いている．
(2) (人に)頼る —— 친구에게 붙어 산다 友人に頼って暮らす．
(3) (試験などに)合格する．受かる —— 대학입시에 붙었다 大学入試に受かった．
(4) (火が)燃え移る —— 옆집에 불이 옮아 붙었다 隣の家に火が燃え移った．
(5) 付き添う —— 요인의 옆에는 늘 호위가 붙어 있었다 要人の側にはいつもボディガードが付き添っていた．
(6) 付く．増す —— 국어 실력이 충분히 붙었다 国語の実力が充分に付いた．
(7) (税金などが)かかる —— 사치품에는 높은 세금이 붙는다 ぜいたく品には高い税金がかかる．

분한【分限】[pu:nhan]〈名〉分限．

분한(이) 없다 ❶たくさんある物でも使い方が荒ければすぐになくなる．❷見掛けは多くても使おうとすれば取るに足りない．

분한(이) 있다 ❶限りがある．❷大して多くはないけれどもいろいろなところに分けて有用に使える．

분할【分割】〈名・하他〉分割．句例 토지를 ～하여 팔다 土地を分割して売る．語例 ～ 상속 分割相続／～ 지도 分割地図／～ 통치〔지배〕分割統治〔支配〕／토지 ～ 土地の分割．

분해【分解】〈名〉分解．**～하다**〈他〉分解する．ばらばらにする．ばらす．句例 시계를 ～하다 時計を分解する．語例 공중 ～ 空中分解．

분향【焚香】〈名・하自〉焼香．語例 ～ 재배 香をた(焚)いて二度礼をすること．

분홍【粉紅】[pu:nhong]〈名〉['분홍색'の略] 桃色．薄紅．ピンク．語例 ～ 치마 桃色のチマ〔スカート〕．

분화【分化】〈名・하自〉分化．句例 공정의 ～ 工程の分化／사회 계급의 ～ 社会階級の分化／기관이 ～하다 器官が分化する．語例 ～되다 分化する．

분화【噴火】[pu:nhwa]〈名・하自〉噴火．語例 ～구 噴火口．

분회【分會】〈名〉分会．語例 ～장 分会長．

붇다 [pu:tta] (불으니, 불어서)〈自〉❶水膨れする．ふやける．ほと(潤)びる．句例 물에 젖어서 손이 ～ 水につかって手がふやける／콩이 물에 ～ 豆が水にふくれる／국수가 ～ そばが伸びる．❷増加する．ふえる．増す．句例 재산이 ～ 財産がふえる〔増す〕／인구가 ～ 人口が増す／몸무게가 ～ 体重がふえる／강물이 ～ 川の水が増す．▷→囲み記事 46

** 불 〈名〉❶火．句例 ～이 타오르다 火が燃えあがる／～에 던지다 火の中に投げる／～이 붙다 火がつく／～이 오래 가다 火持ちがいい／～같은 정열 火のような情熱．語例 성냥～ マッチの火／숯～ 炭火／～장난 火遊び／～조심 火の用心．
❷火災．火事．句例 ～이 나다 火事になる．火事が起こる／～을 내다 火を出す／～이 번지다 火事が広がる．文例 ～이야 火事だあ．
❸灯．ともしび(灯)．明かり．ライト．句例 ～이 나가다 停電になる．語例 촛～ ろうそくの火／전깃～ 電灯．
❹火のように光るもの．光り．語例 반딧～ 蛍の光／번갯～ 稲妻／도깨비～ 鬼火．きつね火．

불(을) 끄다 ❶火を消す．❷明かりを消す．

불(을) 놓다 物に火をつける．火を放つ．

불(을) 때다 たき口に火をくべる〔たく〕．

불 안 땐 굴뚝에 연기날까 火のない所に煙は立たぬ．物がなければ影ささず．

불 없는 화로, 딸 없는 사위 火のない火鉢，娘なき婿．無用な物のたとえ．

불(을) 잡다 火を鎮める．

불(을) 지르다 火を放つ．

불(을) 지피다 ストーブ・たき口に火をつける．

た(焚)く. くべる. 句例 난로에 ~ ストーブに火をたく.

불(을) 쬐다 火に当たる.

불(을) 켜다 明かりをつける. 灯をともす.

불(을) 피우다 火を起こす.

불【弗】〈依名〉'달러 ドル'の当て字. 語例 십만 ~ 十万ドル.

表現 漢字語の数詞にだけ用いられる.

불-【不】〈頭〉不…《打ち消しの意で用いる語》. →囲み記事 47

불 〔漢字項目〕

【不】中學 불 フ. ブ. 부 フ. ブ. ■〔불〕❶아니다 …でない. ▮不可 불가 ふか. 不利 불리 ふり. ❷아니하다 …しない. ▮不屈 불굴 ふくつ. 不合格 불합격 ふごうかく. →囲み記事 47

■〔부〕아닌가 そうではないのか. 疑問の未定辞.

【佛(仏)】中學 불 ブツ フツ. 부처 仏. ▮佛陀 불타 ぶつだ. ▮成佛 성불 じょうぶつ.

【拂(払)】高校 불 フツ. ❶털다 払う. ▮拂拭 불식 ふっしょく. ❷먼지떨이 はた(叩)き. ▮佛子 불자 ほっす.

불가【不可】〈名〉不可. **~하다**〈形〉不可だ. いけない. よくない. 句例 가도 없고 ~도 없다 可も(なく)不可もない. 語例 절대 ~ 絶対にいけないこと.

불가【佛家】〈名〉❶仏家. =불문(佛門). ❷⇨절[1]

불가-결【不可缺】〈名〉不可欠. **~하다**〈形〉不可欠だ. 句例 ~의 조건 不可欠の条件 / 필요 ~한 요소 必要不可欠な要素.

불-가능【不可能】〈名〉不可能. **~하다**〈形〉不可能だ. 句例 실현 ~한 계획 実現不可能な計画 / ~을 가능으로 만들다 不可能を可能にする. 文例 그런 일은 도저히 ~하다 そんなことはとうてい不可能だ. 語例 ~성 不可能性. 對가능. 類불능(不能).

불-가물〈名〉ひどい日照り.

불가-분【不可分】〈名〉不可分. 句例 ~의 관계 不可分の関係.

불가-불【不可不】〈副〉やむを得ず. 仕方なく. 句例 ~ 안할 수 없다 やむなくしなければならない. やむなく…せざるを得ない / ~ 중지하다 やむを得ず中止する. 類부득불(不得不).

불가사리[1]〈名〉鉄を食い悪夢と邪気をはらうという奇怪な形相をした想像上の動物. 句例 ~ 같은 사람 得体の知れない恐ろしい人.

불가사리[2]〈名〉〔動〕ひとで(海星).

불가-사의【不可思議】〈名〉不可思議. 不思議. なぞ(謎). **~하다**〈形〉不可思議だ. 不思議だ. 句例 우주의 ~ 宇宙の不可思議 / ~한 사건〔이야기〕不思議な事件〔話〕.

불가시 광선【不可視光線】〈名〉〔物〕不可視光線. 對가시(可視) 광선.

불가침 조약【不可侵條約】〈名〉不可侵条約.

불가피-하다【不可避―】(→하다)〈形〉不可避である. 避けられない. 必至だ. 文例 개각은 ~ 内閣改造は必至だ / 이대로 가면 충돌은 ~ このまま行けば衝突は不可避である / 불가피한 사정이 있어 못 갔다 避けられない事情があって行けなかった.

불가항-력【不可抗力】[―nyŏk]〈名〉不可抗力. 文例 이 참사를 ~이라고 말하고 있다 この惨事を不可抗力と言っている.

불가해-하다【不可解―】(→하다)〈形〉不可解だ. 句例 불가해한 행동 不可解な行動.

불-간섭【不干涉】〈名〉不干渉. 語例 ~주의 不干渉主義 / 내정 ~ 内政不干渉.

불감-생심【不敢生心】〈名〉恐れ入って, または力が足りないため敢えてやる気が起こらないこと. 文例 ~ 엄두가 안 난다 とてもやる気が起こらない.

불감-청【不敢請】〈名〉(切に願ってはいるが)あえて請うことができないこと.

불감청이언정 고소원(固所願)**이라** あえて請わざるといえどももとより願うところなり. 願ってもないことだの意.

불-개미〈名〉〔蟲〕あかあり.

불-개입【不介入】〈名・하自〉不介入. 語例 ~ 방침 不介入方針.

불거-지다〈自〉❶はみ出る. 出っ張る. 突き出る. 句例 무릎이 ~ ひざ(膝)がはみ出る / 돌이 불거진 길 石で凸凹この道. ❷膨れ上がる. 膨らむ. 句例 힘줄이 불거진 손 血筋が盛りあがった手.

불-건전【不健全】〈名〉不健全. **~하다**〈形〉不健全だ. 句例 ~한 사람〔사상〕不健全な人〔思想〕.

불결【不潔】〈名〉不潔. **~하다**〈形〉不潔だ. 句例 ~한 주위 환경 不潔な周囲環境 / ~한 몸 不潔なからだ. 對청결.

불경【不敬】〈名〉不敬. **~하다**〈形〉不敬だ. 無礼だ. 語例 ~죄 不敬罪. **~스럽다**(→스럽다)〈形〉いかにも不敬だ. 不届きだ.

불경【佛經】〈名〉仏経. お経. 句例 ~을 외다 お経を唱える〔そらんじる〕.

불-경기【不景氣】〈名〉不景気. 文例 ~ 때문에 물건이 잘 팔리지 않는다 不景気のために物がよく売れない. 對호(好)경기.

불계【不計】〈名〉(碁で勝負がきまり)目数を数える必要がないこと. 中押しで勝つこと. 語例 ~승 中押し勝ち.

불고【不顧】〈名・하他〉顧みないこと. 句例 체면 ~하고 体面を顧みず.

> 囲み記事 47
>
> ▩ 不(불)の読み方 ▩
>
> 漢字'不'は一般に'불'と読むが, 'ㄷ''ㅈ'で始まる語句の前に接頭詞として'不'が置かれる場合は, '부'と読まれる.
>
> 不加算 불가산, 不明 불명, 不親切 불친절.
>
> 不當 부당. 不同 부동. 不渡り 부도. 不條理 부조리. 不注意 부주의. 不在 부재.

ㅂ

*불-고기 〈名〉 焼き肉. ブルゴギ.

불공【不恭】〈名〉不恭. 不遜. ～하다〈形〉不遜だ. [句例] ～한 태도 不遜な態度.

불공【佛供】〈名〉〔佛〕供養.

불공(을) 드리다 供養する.

불-공정【不公正】〈名〉不公正. ～하다〈形〉不公正だ. [語例] ～ 거래 不公正取り引き.

불-공평【不公平】〈名〉不公平. ～하다〈形〉不公平だ. [句例] ～한 처우 不公平なあつかい.

불과【不過】〈副〉ほんの. わずか. ものの. [句例] ～ 하루 차이 ほんの一日の差異. [文例] ～ 한 시간 만에 일을 끝내다 わずか一時間で仕事を全部終える.

불과-하다【不過—】(→하다)〈形〉…に過ぎない. [文例] 소문〔변명〕에 ～ うわさ〔弁明〕に過ぎない / 쌀 한 말은 하루 양식에 ～ 米一斗は一日分の食糧に過ぎない.

*불교【佛教】〈名〉仏教. [語例] ～ 미술 仏教美術 / ～도 仏教信者. 仏弟子. 仏徒.

불구【不具】〈名〉不具. [語例] ～자 障害者.

불구【佛具】〈名〉〔佛〕仏具.

불구대천지-수【不俱戴天之讎】[—tae:chŏnjisu]〈名〉不俱戴天の敵.

불구-하다【不拘—】(→하다)〈自〉('불구하고'の形で)かかわらず. [句例] 우천임에도 불구하고 외출하다 雨天にもかかわらず外出する / 몸이 불편한데도 불구하고 출근하다 からだの調子が悪いのにもかかわらず出勤する. [文例] 참가한 사람이 많은데도 불구하고 돈은 그다지 모이지 않았다 参加した人が多いのにもかかわらずお金はそれほど集まらなかった.
[表現] 副詞形'불구하고'の形だけで使われる. また, '-에도 …にも' '-ㄴ〔-는〕데도 …するにも' '-은 데도 …なのにも'などがつく.

불굴【不屈】〈名・하自〉不屈. [句例] ～의 정신 不屈の精神 / ～의 의지 不屈の意志.

불귀【不歸】〈名〉不帰.

불귀의 객 不帰の客. [句例] ～이 되다 不帰の客になる. 故人となる.

불-규칙【不規則】〈名〉不規則. ～하다〈形〉不規則だ. [句例] ～한 생활 不規則な生活.

불규칙 용언【不規則用言】[pulgyuch'ingnyo:ng-ŏn]〈名〉〔言〕不規則用言. 語尾が不規則的に活用する用言. 불규칙 동사と불규칙 형용사がある. =벗어난풀이씨. 변칙(變則) 용언. ㊟규칙 용언.

불규칙 활용【不規則活用】[pulgyuch'ik'wa-ryong]〈名〉〔言〕不規則活用. 用言が不規則的に活用すること. =벗어난끝바꿈. 변칙(變則) 활용. ㊟규칙 활용. →附錄 用言活用表
[參考] ㄹ語尾と'一'語尾の用言は '불규칙 활용'をしないが, 本辞典では見出し語の次に ( )でその活用形を示した.

불-균등【不均等】〈名〉不均等. ～하다〈形〉不均等だ.

불-균형【不均衡】〈名〉不均衡. 不釣り合い. アンバランス. ～하다〈形〉不釣り合いだ. [句例] 무역 ～ 貿易の不均衡 / ～을 시정하다 不均衡をただす.

불그레-하다 (→하다)〈形〉ほどよく赤みがかっている.

불그스름-하다 (→하다)〈形〉やや赤い. 薄赤い. [句例] 불그스름한 두 뺨 ほんのりと赤みがかった両ほお.

불급【不急】〈名〉不急. ～하다〈形〉不急だ. 急を要しない. [句例] 불요 ～한 공사에 예산을 쓰다 不要不急の工事に予算を使う.

불긋-하다 [pulgŭt'ada] (→하다)〈形〉やや赤い. 赤みがかっている.

불긋불긋〈副・하形〉点点と〔ところどころが〕やや赤いさま.

불-기【—氣】[pulkki]〈名〉火の気. 火気. [句例] ～ 가신 방 火の気のう(失)せた部屋.

불기【佛紀】〈名〉〔佛〕仏紀.
[參考] 釈迦牟尼が降誕した年を紀元元年とする, 年数の数えかた. 西暦1996年は仏紀2560年.

불-기둥 [—kkidung]〈名〉火柱. [句例] ～이 솟구치다 火柱が噴き上がる.

불-기소【不起訴】〈名〉〔法〕不起訴. [語例] ～ 처분 不起訴処分.

불-기운 [—kkiun]〈名〉火の気. 火の勢い. [文例] ～이 약하다 火力が弱い / ～이 전혀 없다 火の気が少しもない.

*불-길 [pulkkil]〈名〉炎. 火の手. 火脚. 火. [句例] ～이 오르다〔세어지다〕火の手があがる〔強くなる〕/ 분노의 ～ 憤怒の炎 / 요원의 ～ 燎原の火 / ～에 싸이다 炎につつまれる.
[表現] '분노의 불길' '질투의 불길'などは, 比喩的に心のなかで燃え上がっておさえようにもどうしてもおさえられない強い感情をいう.

불길-하다【不吉—】(→하다)〈形〉不吉だ. 縁起が悪い. [句例] 불길한 꿈〔예감〕不吉な夢〔予感〕. [文例] 여우의 울음소리는 ～ きつねの鳴き声は不吉だ.

*불-꽃〈名〉❶火花. =스파크. [句例] ～이 튀다 火花が散る / ～을 튀기다 火花を散らす. [語例] ～ 방전 火花放電. ❷炎. 火炎. [句例] ～이 타오르다 炎が燃え上がる / ～이 치솟다 火炎が噴き上がる. [語例] ～심(心) 炎心.

*불꽃-놀이 [pulkkonnori]〈名〉花火遊び. 打ち上げ花火.

불끈〈副〉❶急に上がる〔浮かぶ・のぼる〕さま: ぱっと. ぽっと. ぬっと. [句例] 아침 해가 바다 위로 ～ 솟아 오르다 朝日が海上にぬっと浮かび出る. ❷高くそびえたつさま. [句例] 하늘 높이 ～ 솟은 고층 빌딩 空高くそびえた高層ビル. ❸こぶし(拳)をつよく握るさま: ぐっと. ぎゅっと. [句例] 주먹을 ～ 쥐고 こぶしをぐっと握りしめて. ❹急に怒るさま: かっと. むかっと. [文例] 툭하면 ～ 성을 낸다 ややもすればかっと怒る. ～거리다〈自〉しきりにかんしゃく(癇癪)を起こす.

불끈불끈〈副・하自〉かっかっと. むっむっと.

불-나다 [pullada]〈自〉火事が起こる〔出る〕.

불난 집에 부채질한다 火事の起こった家を扇であおぐ. 火に油を注ぐ.

불-나방 [pullabang]〈名〉〔蟲〕火取りが(蛾). 火取り虫.

불-난리【—亂離】[pullalli]〈名〉火事場騒ぎ.

불납【不納】[pullap]〈名・하他〉不納. [句例] 세

금을 ~하다 税金を納めない.
불-놀이 [pullori]〈名〉提灯に火をともしたり花火やおもちゃの鉄砲を撃ったりしてにぎやかに祝う遊び.
불-놓다 [pullot'a] ⇨'불'の小項目
불능【不能】[pullŭng]〈名〉不能. ❶能力のないこと. 語例 지불 ~ 支払い不能. ❷'불가능'の略. 句例 고장으로 주행 ~이 되다 故障で走行不能になる. 語例 재기 ~ 再起不能. ㊐가능(可能).
****불다**[1] [pu:lda] (부니, 불어서)〈自〉(風が)吹く. 起こる. 句例 바람이 세차게 ~ 風が強く吹く.
****불다**[2] [pu:lda] (부니, 불어서)〈他〉❶吹く. 句例 불어서 불을 피우다 火を吹いて起こす / 더운 물을 불어서 식히다 湯を吹いてさます. ❷(笛などを)吹く. 演奏する. 吹き鳴らす. 句例 피리를〔나팔을〕~ 笛〔ラッパ〕を吹く. 絵 / 휘파람을 ~ 口笛を吹く / 호각을 ~ 呼び子を鳴らす. ❸白状する. 泥を吐く. 句例 지은 죄를 모두 ~ 犯した罪をつぶさに吐く. 絵 / 순순히 ~ 隠さずに白状する.
불면 꺼질까 쥐면 터질까 吹けば消えやしないか, 握ればつぶれやしないかと. ちょうよ花よ. 子供を大切に育てることのたとえ.

피리를 불다　　죄를 모두 불다
〈불다〉

불단【佛壇】[pulttan]〈名〉仏壇.
불당【佛堂】[pulttang]〈名〉仏堂. 仏殿. = 불전(佛殿).
불-더위〈名〉酷暑. 炎熱. ㊫불볕더위.
불-덩어리 [—ttŏng-ŏri]〈名〉火の玉. 文例 몸이 ~같이 뜨겁다 からだが火の玉のようにあつい.
불-덩이 [—ttŏng-i]〈名〉火の塊. 火だるま. 句例 온 몸이 ~가 되어서 全身火だるまになって.
불도【佛徒】[pultto]〈名〉['불교도'の略] 仏徒.
불도【佛道】[pultto]〈名〉仏道. 句例 ~에 정진하다 仏道に精進する / ~에 귀의하다 仏道に帰依する.
불도저〈名〉ブルドーザー. 絵 ◇bulldozer

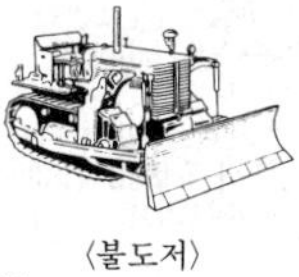

〈불도저〉

불독〈名〉ブルドッグ. ◇bulldog
불-돌 [—ttol]〈名〉火を長持ちさせるために火鉢の中の火の上に置く石.
불-두덩 [—ttudŏng]〈名〉恥丘.
불-등걸 [—ttŭnggŏl]〈名〉激しく燃える炭火.
불-땀〈名〉火力の強弱の程度. 句例 ~이 세다〔약하다〕火力が強い〔弱い〕.
***불-때다** ⇨'불'の小項目
***불-똥**〈名〉❶燃えさしの灯心. ❷火の粉. 火花. 句例 ~이 떨어지다 火の粉が落ちる.
불똥(이) 앉다 ちょうじ(丁子)頭ができる.
불똥(이) 튀다 ❶火花が飛び散る. ❷飛び火する. とばっちりを食う.
불뚱-이〈名〉かんしゃく(癇癪)持ち.
***불량**【不良】〈名〉不良. **~하다**〈形〉不良だ. 文例 ~한 짓을 해서 골치가 아프다 不良を働くので頭が痛い. 語例 ~품 不良品 / 성적 ~ 成績不良 / ~ 식품 不良食品 / ~ 도체 不良導体.
불량-배【不良輩】〈名〉不良輩. ならず者. ごろつき. 与太者. やくざ. ぐれん隊《俗》. 兄ちゃん《俗》. 句例 ~처럼 되어가다 不良輩じみてくる / ~에게 시달리다 不良輩にいじめられる.
불러-내다〈他〉呼び出す. 召し出す. 句例 친구를 ~ 友達を呼び出す / 전화로 ~ 電話で呼び出す.
***불러-들이다** [—dŭrida]〈他〉呼び入れる. 呼びつける. 句例 애들을 집안에 ~ 子供たちを家の中に呼び入れる / 특파원을 본사로 ~ 特派員を本社に呼び寄せる.
불러-오다 (불러오너라)〈他〉呼んで来る. 句例 의사를 ~ 医師を招く / 전보로 ~ 電報で呼び寄せる.
***불러-일으키다** [—irŭk'ida]〈他〉呼び起こす. 句例 여론을 ~ 世論を呼び起こす / 호기심을 ~ 好奇心を呼び起こす.
불려-가다〈自〉呼ばれて行く. 召される. 句例 선생님에게 ~ 先生に呼ばれて行く.
불로【不老】〈名〉不老. 文例 신로(身老) 심 ~ 身は老えども心は老いぬ. 語例 ~ 불사 不老不死 / ~ 장생 不老長生 / ~초 不老草.
불로 소득【不労所得】[—so:dŭk]〈名〉不労所得.
불룩-이 [pullugi]〈副〉膨れて. 膨らんで. ふっくらと.
***불룩-하다** [pulluk'ada] (→하다)〈形〉膨らんでいる. 膨れている. 盛り上がっている. 句例 배가 ~ 腹が膨れている.
불륜【不倫】〈名〉不倫. **~하다**〈形〉不倫だ. 句例 ~의 사랑 不倫の恋 / ~한 관계 不倫な関係.
불리다[1]〈他〉(腹を)満たす. 句例 술로 배를 ~ 酒で腹を満たす / 뇌물로 배를 ~ 賄賂で腹を肥やす.
불리다[2]〈他〉(金属を)練る. 焼き鍛える. 句例 쇠를 ~ 鉄を鍛える.
불리다[3]〈他〉❶(水にひたして)ふやかす. 句例 콩을 ~ 豆をふやかす. ❷殖やす. 句例 재산을 ~ 財産を殖やす.
***불리다**〈自〉부르다の受け身: 呼ばれる. 称される. 句例 선생이라 ~ 先生と呼ばれる / 의학계의 태두로 ~ 医学界の泰斗と称される / 상사에게 불리어 가다 上役に呼ばれて行く / 파티에 불리어 가다 パーティーに呼ばれて

ㅂ

行く.

불리다[5] ㊀〈自〉'불다[1]'の受け身：吹かれる. 句例 낙엽이 바람에 불리어 날아가다 落ち葉が風に吹かれて飛んで行く.
㊁〈他〉'불다[2]'の使役形：吹かせる. 句例 나팔을 ~ ラッパを吹かせる.

불리-하다【不利―】(→하다)〈形〉不利だ. 句例 불리한 처지〔조건〕不利な立場〔条件〕/ …에게 ~ …に不利である / …에게 불리한 짓을 하다 …に不利なことをする / 전세(戰勢)가 ~ 戦勢が不利だ.

*__불만__【不滿】〈名〉不満. 句例 마음속에 품은 ~ 心にいだ(抱)く不満 / ~을 호소하다 不満を訴える / ~이 쌓이다 不満がかさなる / ~을 품다 不満をいだく / ~을 토로하다 不満をこぼす. **~스럽다** (→스럽다)〈形〉不満そうだ. 不満げである. 句例 ~스러운 표정 不満げな〔不満そうな〕表情. **~스레**〈副〉不満に. 不満げに.

불-만족【不滿足】〈名〉不満足. **~하다**〈形〉不満足だ. **~스럽다** (→스럽다)〈形〉⇨ 불만스럽다

불망【不忘】〈名〉忘れないこと. 語例 ~기(記) 後日忘れないために記しておく書き物.

불매【不買】〈名〉不買. **~하다**〈他〉不買する. 買わない. 語例 ~ 운동 不買運動.

불면【不眠】〈名〉不眠. 句例 ~ 불휴의 피나는 노력 不眠不休の血のにじむ努力. 語例 ~증 不眠症.

불멸【不滅】〈名〉不滅. **~하다**〈自〉滅びない. 句例 물질 ~의 법칙 物質不滅の法則 / ~의 위업 不滅の偉業 / ~의 이름을 남기다 不滅の名を残す. 語例 영구 ~ 永久不滅.

불명【不明】〈名〉不明. **~하다**〈形〉不明だ. 句例 원인 ~의 사망 原因不明の死亡 / 발신인 ~의 편지 差し出し人不明の手紙. 語例 생사 ~ 生死不明 / 출처 ~ 出所不明.

불-명예【不名譽】〈名・하形〉不名誉. 名折れ. **~스럽다** (→스럽다)〈形〉不名誉だ. 句例 ~스러운 사건 不名誉な事件. 語例 ~ 제대 不名誉除隊.

불모【不毛】〈名〉不毛. 語例 ~지 不毛の地. 荒れ地.

불-목〈名〉オンドル部屋のいちばん暖かい所.

불목-하니 [pulmok'ani]〈名〉寺男.

불무-하다【不無―】(→하다)〈形〉なきにしもあらず. ないわけではない.

불문【不問】〈名〉不問. 問わないこと. **~하다**〈他〉不問にする. 問わない. 句例 연령을〔노소를〕~하다 年齢〔老少〕を問わぬ / 허물을 ~에 부치다 過ちを不問に付する. 前罪を問わぬ / …을 ~하고 …を問わず. …にかかわらず / 직종을〔남녀를〕~하고 職種〔男女〕を問わず.

불문【佛門】〈名〉仏門. 句例 ~에 들어가다 仏門に入る. 僧になる.

불문-가지【不問可知】〈名〉問わなくとも知り得ること. 句例 ~의 사실 聞かなくても当然なこと. 分かりきったこと.

불문-곡직【不問曲直】〈名・하他〉理非曲直を問わぬこと. 語例 ~하고 正否を問わず. 遠慮会釈もなく.

불미-스럽다【不美―】(→스럽다)〈形〉恥さらしだ. はしたない. 句例 불미스러운 소문 恥さらしなうわさ.

불미-하다【不美―】(→하다)〈形〉恥さらしだ. よくない. はしたない.

불민-하다【不敏―】(→하다)〈形〉不敏だ. ふつつか(不束)だ. 文例 불민합니다만 할 수 있는 한 해 보겠습니다 不敏〔ふつつか〕ではあるができるだけやってみます.

불-바다〈名〉火の海. 大火. 文例 삽시간에 사방이 ~가 되었다 たちまち一面が火の海と化した.

불발【不發】〈名・하自〉不発. 句例 (일이) ~로 끝나다 不発に終わる. 語例 ~탄 不発弾 / ~되다 不発する. 不発になる.
表現 '불발로 끝나다'は, やろうとしたことが実現しないままに終わることをいう.

*__불법__【不法】〈名〉不法. **~하다**〈形〉不法である. 法にそむいている. 句例 총기를 ~ 소지한 혐의로 기소되다 銃器を不法所持したかどで起訴される. 語例 ~ 감금 不法監禁 / ~ 점유 不法占有 / ~ 행위 不法行為 / ~화 不法化.

불법【佛法】〈名〉仏法.

불법-적【不法的】〈名・冠〉不法的. 句例 직권을 이용하여 ~으로 빼앗다 職権を利用して不法に奪う.

불-벼락〈名〉烈火のごとき怒り. 大目玉. 雷. 句例 ~을 맞다 大目玉をくう / ~이 내리다〔떨어지다〕雷が落ちる.

불변【不變】〈名〉不変. **~하다**〈自他〉不変である. 変わらない. 句例 영구 ~이다 永久不変である. 語例 ~색 不変色 / ~성 不変性.

불-볕〈名〉かんかんに照りつける日差し. 語例 ~더위 真夏の暑さ. 猛暑 / 오뉴월 ~ (陰暦)五六月の暑い日差し.

불볕(이) 나다 日差しがかんかん照りつける.

불-보살【佛菩薩】〈名〉仏菩薩.

불복【不服】〈名・하自他〉不服. 句例 명령에 ~하다 命令に不服する.

불-복종【不服從】〈名・하自〉不服従.

불-분명【不分明】〈名〉不分明. **~하다**〈形〉不分明だ. 不明瞭だ.

불-붙다〈自〉火が付く. 句例 논쟁이 다시 ~ 論争に再び火が付く.

불-붙이다 [—buch'ida]〈自〉火を付ける.

불비【不備】〈名〉備わっていないこと. 不備. 不具.
表現 主に手紙の末尾に書く語.

**__불-빛__ [pulppit]〈名〉火の光・火影. 句例 창문으로 ~이 새다 窓から明かりが漏れる / 멀리 ~이 보이다 遠くに火影が見える.

불사【不死】[pulssa]〈名〉不死. 語例 불로 ~ 不老不死 / ~약 不死の薬〔仙薬〕/ ~신 不死身.

불사【不辭】[pulssa]〈名・하他〉辞さないこと. 句例 탈퇴도 ~하다 脱退をも辞さない. 文例 경우에 따라서는 죽음도 ~하겠다 場合によっては死をも辞さない.

불사【佛寺】[pulssa]〈名〉仏寺. ＝절.

불사【佛事】[pulssa]〈名〉仏事. 法事. 法会.

불-사르다（불사르니, 불살라서）〈他〉燃やす. 句例 옛 편지를 ~ 昔の手紙を燃やす.

불-사리【佛舍利】〈名〉仏舍利.

***불상**【佛像】[pulssang]〈名〉仏像. 句例 ~을 안치하다 仏像を安置する.

불상-사【不祥事】[pulssang—]〈名〉不祥事. 句例 근래 보기 드문 ~ 近来まれに見る不祥事 / ~가 일어나다 不祥事が起こる / ~를 일으키다 不祥事をおこす.

불서【佛書】[pulssŏ]〈名〉仏書.

불성【佛性】[pulssŏng]〈名〉〔佛〕仏性.

불-성실【不誠實】[—ssŏngshil]〈名〉不誠実. ふまじめ. **~하다**〈形〉不誠実だ. ふまじめだ. 句例 ~한 태도 ふまじめな態度.

불-세출【不世出】[pulssech'ul]〈名・하形〉めったに世に現われないほど優れていること. 不世出. 句例 ~의 영웅 不世出の英雄.

불-속 [pulssok]〈名〉火の中. 火中. 句例 ~에 뛰어들다 火の中に飛び込む.

불손-하다【不遜—】[pulsson—]（→하다）〈形〉不遜だ. 句例 불손한 말을 하다 不遜な言葉を言う / 불손한 태도 不遜な態度.

불순【不純】[pulssun]〈名〉不純. **~하다**〈形〉不純だ. 句例 ~한 동기 不純な動機. 語例 ~물 不純物.

불순【不順】[pulssun]〈名〉不順. **~하다**〈形〉不順だ. 句例 ~한 날씨 不順な天候. 語例 일기 ~ 天候不順.

불시【不時】[pulssi]〈名〉不時. 不意. 句例 ~의 방문객 不意の訪問客. 語例 ~착 不時着. 不時着陸 / ~ 검사 抜き打ち検査.

불시-에【不時—】[pulssie]〈副〉出し抜けに. 不意に. 抜き打ちに. 句例 ~ 공격하다 不意に攻撃する.

불식【佛式】[pulssik]〈名〉仏式.

불식【拂拭】[pulssik]〈名・하他〉払拭. 句例 구폐를〔불안을〕~하다 旧弊〔不安〕を払拭する.

불신【不信】[pulssin]〈名〉不信. **~하다**〈他〉信じない. 句例 ~을 부르다〔초래하다〕不信をまねく / ~을 사다 不信を買う. 語例 ~감 不信感.

불-신임【不信任】[—ssinim]〈名・하他〉不信任. 語例 ~안 不信任案 / ~ 결의 不信任決議.

불실【不實】[pulssil]〈名〉不実. =불성실(不誠實). **~하다**〈形〉不実だ. 語例 ~ 기재 不実の記載.
参考 '부실(不實)'と読めば別の意味になる.

불심【佛心】[pulssim]〈名〉仏心・ほとけごころ.

불심 검문【不審檢問】[pulssimgŏ:mmun]〈名〉職務質問. 句例 경관에게 ~을 당하다 警官に見とがめられる.

불심 상관【不甚相關】[pulssim —]〈名〉あまり関係がないこと. さほど影響がないこと. 大事ないこと. 文例 그만 실수야 ~이다 それくらいの過ちは大事ないことだ.

****불쌍-하다**（→하다）〈形〉かわいそうだ. 気の毒だ. 哀れだ. 句例 부모를 잃은 불쌍한 어린 아이 父母を失ったかわいそうな子. **불쌍히**〈副〉かわいそうに. 気の毒に. 哀れに. 句例 불쌍히 여기다 気の毒に思う. 哀れむ.

불-쏘시개〈名〉たきつけ. 付け木. 燃えくさ(種). 略して'쏘시개'ともいう. 句例 대팻밥을 ~로 하다 かんなくず(屑)をたきつけにする.

불쑥〈副〉❶出し抜けにつき出したり現われるさま: 突然. ぬ(う)っと. にゅっと. 句例 어둠 속에서 ~ 나타나다 暗やみの中からぬっと現れる / ~ 손을 내밀다 突然手をつき出す. ❷前後のわきまえもなくしゃべるさま: いきなり. 出放題に. 句例 ~ 결혼 이야기를 꺼내다 いきなり結婚の話を言い出す.
불쑥불쑥〈副・하自〉❶にゅっにゅっと. 句例 여기저기서 ~ 나타나다 あちこちからにゅっにゅっと現れる. ❷しきりに出放題にしゃべるさま.

불-씨〈名〉❶火種. 種火. 句例 ~를 잘 간수하다 火種をよく保つ / ~를 얻어 오다 もらい火をする. ❷種. きっかけ. 句例 분쟁〔싸움〕의 ~ 紛争〔けんか〕の種.

불안【不安】[puran]〈名〉不安. **~하다**〈形〉不安だ. 心細い. 句例 ~한 마음 不安な気持ち / ~한 지위 不安な地位 / ~을 느끼다 不安を感じる / ~을 떨쳐 버리다 不安を払いのける / ~해서 못 견디다 不安でたまらない. 語例 ~감 不安感 / ~하게 不安げに / ~해하다 不安がる / ~해지다 不安になる. **~스럽다**（→스럽다）〈形〉不安げだ.

불-안전【不安全】[puranjŏn]〈名〉不安全. **~하다**〈形〉不安全だ. 句例 ~한 상태 不安全な状態.

불-안정【不安定】[puranjŏng]〈名〉不安定. **~하다**〈形〉不安定だ. 句例 ~한 정신 상태 不安定な精神状態.

불야-성【不夜城】[purya—]〈名〉不夜城. 句例 ~을 이룬 서울의 밤거리 不夜城をなしたソウルの夜の街.

***불어-나다** [purŏ—]〈自〉増す. ふえる. 句例 물이 ~ 水かさが増す / 인구가 해마다 ~ 人口が年年〔毎年〕ふえる.

불어-넣다 [purŏnŏt'a]〈他〉吹き入れる. 吹き込む. 句例 정계에 새 바람을 ~ 政界に清風を吹き込む / 고무 풍선에 바람을 ~ ゴム風船に空気を吹き込む.

불어-오다 [purŏ—]〈自〉(風が)吹いて来る. 句例 산들바람이 ~ そよかぜが吹いて来る.

불어-터지다 [purŏ—]〈自〉(そばなどが食べられないほど)伸びる. ふやける.

불-여우 [pullyŏu]〈名〉❶〔動〕きよまさぎつね. ❷妖婦. 悪賢い女.
表現 ②は俗っぽい言いかた.

불온【不穩】[puron]〈名〉不穏. **~하다**〈形〉不穏だ. 穏やかでない. 句例 ~한 태도 不穏な態度. 語例 ~ 사상〔문서〕 不穏思想〔文書〕.

불-완전【不完全】[purwanjŏn]〈名〉不完全. **~하다**〈形〉不完全だ. 句例 ~한 답안 不完全な答案. 語例 ~ 연소 不完全燃焼.

불요-불굴【不撓不屈】[puryo—]〈名〉不撓不屈. 句例 ~의 정신 不撓不屈の精神.

ㅂ

불요-불급【不要不急】[puryo—]〈名〉不要不急. 句例 ~의 시설〔산업〕不要不急の施設〔産業〕.

불우-하다【不遇—】[puru—](→하다)〈形〉不遇だ. 句例 불우한 생애 不遇な生涯.

불운【不運】[purun]〈名〉不運. **~하다**〈形〉不運だ. 句例 ~한 신세 不運な身の上 / ~의 나락에 빠지다 不運のどん底におちいる. 語例 ~아 不運児.

불원-간【不遠間】[purwon—]〈副〉遠からず. 近いうちに. 文例 ~ 사건이 해결될 것이다 遠からず事件が解決されるだろう / ~ 상경할 예정이다 近いうちに上京する予定だ.

불원-천리【不遠千里】[purwonch'ŏlli]〈名・하自他〉千里の道も遠いと思わぬこと. 句例 ~하고 달려오다 千里を遠くと思わずかけてくる.

불유쾌-하다【不愉快—】[puryuk'wae—](→하다)〈形〉不愉快だ. 不快だ.

불응【不應】[purŭng]〈名・하自〉応じないこと. 句例 이에 ~할 경우에는 これに応じない場合には.

불의【不意】[purŭi]〈名〉不意. 句例 ~의 사고 不意の事故 / ~의 습격을 받다 不意討ちをくう. やみ打ちをくう.

불의【不義】[purŭi]〈名〉不義. 句例 ~의 씨 不義の子〔種〕/ ~에 항거하다 不義に抵抗する / 사욕에 눈이 어두워 ~에 빠지다 邪欲に目がくらみ不義におちいる.

불의-에【不意—】[purŭie]〈副〉不意に. 思いがけなく. 句例 ~ 생긴 일 不意の出来事 / ~ 찾아온 재난 不意にやってきた災難.

불-이야 [puriya]〈感〉火事だ. 火だ. 文例 ~ 소리에 모두 뛰어나왔다 火事だとの叫びに皆飛び出して来た.

불-이익【不利益】[pulliik]〈名〉不利益. 句例 ~을 당하다 不利益をうける / ~을 각오하고 不利益を覚悟して.

불-이행【不履行】[pullihaeng]〈名〉不履行. 語例 계약 ~ 契約不履行.

불일-간【不日間】[puril—]〈名・副〉不日. 数日内に. 文例 ~ 뵈러 갈 작정입니다 数日内にお伺いするつもりです.

불일-내【不日內】[purillae] [一]〈名〉不日. 数日内. 語例 ~로〔에〕数日内に.
[二]〈副〉⇨ 불일간(不日間)

불일-듯이 [pullildŭshi]〈副〉(燃え立つように)盛んに.

불일-듯하다 [pullildŭt'ada](→하다)〈形〉(火が燃え立つように)盛んだ.

불-일치【不一致】[purilch'i]〈名〉不一致. 語例 언행 ~ 言行不一致.

불임【不姙】[purim]〈名・하自〉不妊. 句例 ~ 수술을 받다 不妊手術を受ける. 語例 ~증 不妊症.

불입【拂入】[purip]〈名・하他〉払い込むこと. '납입 納入'の旧称. 句例 적금을 ~하다 積み金を払い込む. 語例 ~금 払い込み金.

불-잉걸 [pullinggŏl]〈名〉(燃え盛りの)真っ赤な炭火.

불자【佛子】[pultcha]〈名〉〔佛〕仏子.

불-자동차【—自動車】〈名〉'소방차 消防自動車'の俗っぽい言いかた. =불차(車).

불-잡다 ⇨ '불'の小項目

불-장난〈名・하自〉火遊び. 句例 아이들의 ~ 子供たちの火遊び / (남녀간의) 한 때의 ~ (男女間の)一時の火遊び.

불전【佛前】[pultchŏn]〈名〉仏前. 句例 ~에 엎드리다 仏前にぬかずく.

불전【佛錢】[pultchŏn]〈名〉仏前に供えるお金. 賽銭.

불-제자【佛弟子】〈名〉仏弟子. 仏子. 句例 ~로서의 수도에 힘쓰다 仏弟子としての修行に励む.

불-조심【—操心】〈名〉火の用心. **~하다**〈自〉火の用心をする. 句例 자나 깨나 ~ 寝ても覚めても火の用心.

불-지르다 ⇨ '불'の小項目

불-지피다 ⇨ '불'の小項目

불-집 [pultchip]〈名〉危険の多い所.
불집(을) 건드리다 火の元をつつく.

불-찌다 ⇨ '불'の小項目

불-찬성【不贊成】〈名・하他〉賛成しないこと. 不賛成.

불찰【不察】〈名〉手落ち. 不覚. 文例 제 ~입니다 わたしの手落ちです / 네 ~이다 君の不覚である.

불찰【佛刹】〈名〉仏刹. =절.

불참【不參】〈名・하自〉不参. 句例 ~의 뜻을 전하다 不参の旨を伝える / 동창 모임에 ~하다 同窓会に出席しない. 語例 ~자 不参者.

불철-주야【不撤晝夜】〈名・副〉昼夜を分かたずこと. 句例 ~ 공부하다 昼夜の別なく〔昼もなく夜もなく〕勉強する / ~로 일하다 夜昼なく働く.

불청-객【不請客】〈名〉招かざる客.

불초【不肖】〈名〉不肖. 文例 ~ 소생이 하겠습니다 不肖わたしがいたします. 語例 ~ 자식 不肖の子.

불-출마【不出馬】〈名・하自〉不出馬. 出馬しないこと. 句例 ~를 선언하다 不出馬を宣言する.

불충【不忠】〈名〉不忠. **~하다**〈形〉不忠だ. 句例 ~한 신이 나라를 어지럽히다 不忠の臣, 国を乱す. 語例 ~ 불효 不忠不孝.

불-충분【不充分】〈名〉不十分〔不充分〕. **~하다**〈形〉不十分〔不充分〕だ. 句例 설명이 ~하다 説明が不十分である.

불-충실【不忠實】〈名・하形〉忠実でないこと.

불측-하다【不測—】[pulch'ŭk'ada](→하다)〈形〉❶予測できない. 計り知れない. 句例 불측한 사태 予測できない事態. ❷陰険だ. よこしまだ. 腹黒い. 句例 불측한 음모를 꾸미다 腹黒い陰謀をめぐらす.

불치【不治】〈名〉不治. (病気が)治らないこと. 句例 ~의 병 不治の病.

불-친절【不親切】〈名〉不親切. **~하다**〈形〉不親切だ. 文例 손님에게 ~한 가게는 망한다 客に不親切な店はつぶ(潰)れる.

불-침【—鍼】〈名〉眠っている人の肌にマッチの燃えさしを据えて驚かすいたずら.
불침(을) 놓다 いたずらにマッチの燃えさしを寝

ねている人の肌に据える.
불침-번【不寝番】〈名〉不寝番. 寝ずの番. [句例] ~을 서다 不寝番に立つ.
불콰-하다 (→하다)〈形〉(血色がよいとか, または酒がまわるなどで)顔が赤らんでいる. ほんのりと赤い.
불쾌【不快】〈名〉不快. **~하다**〈形〉不快だ. [句例] ~한 일 不快な事 / ~한 빛을 나타내다 不快な色をあらわす. [語例] ~감 不快感 / ~ 지수 不快指数 / ~하게 不快に / ~해하다 不快な顔をする. 不愉快がる.
불타【佛陀】〈名〉仏陀. ＝부처.
*__불-타다__〈自〉燃える. [句例] 집이 ~ 家が燃える. [絵] / 향학심에 ~ 向学心に燃える. [絵]

집이 불타다　　향학심에 불타다

〈불타다〉

불-탄일【佛誕日】[—t'anil]〈名〉〔佛〕仏生日《陰暦四月八日》. ＝부처님 오신 날.
불탑【佛塔】〈名〉仏塔.
불통【不通】〈名・하自他〉不通. ❶通じないこと. [句例] 철도가 ~이 되다 鉄道が不通になる / 전화 ~으로 연락을 못 하다 電話が不通で連絡ができない. ❷世事にうといこと. 気の利かないこと. [句例] 소식 ~이다 世事にうとい. 気が利かない. ❸話が通じないこと. [句例] 고집 ~이다 頑固一徹だ.
불-투명【不透明】〈名〉不透明. **~하다**〈形〉不透明だ. 見通しがつかない. [句例] ~한 태도 はっきりしない態度.
불퉁그러-지다〈自〉節目が突き出ている. ふしこぶ(節瘤)ができている.
불-특정【不特定】〈名〉不特定. [語例] ~ 다수 不特定多数.
불-티〈名〉火の粉. 小さい火花.
불티 같다 (火の粉のようだの意で物の売れ行きが)火の粉がとび散るように盛んだ.
불티(가) 나게 火の粉がとび散るように(物が売れるさま).
불패【不敗】〈名・하自〉不敗. [句例] ~의 기록을 남기다 不敗の記録を残す / ~를 자랑하다 不敗を誇る.
불 펜〈名〉ブルペン. ◇bull pen
*__불편__【不便】〈名〉❶不便. 不便利. **~하다**〈形〉不便だ. [句例] 교통이 ~한 곳 交通の不便な所 / (쓰기에) ~한 방[집] 勝手の悪い部屋〔家〕/ 휴대하기에 ~하다 携帯に不便である. 對편리(便利). ❷からだの具合が悪いさま. **~하다**〈形〉からだの具合が悪い. 健康が優れない. [文例] 어디 ~한 데라도 있습니까 どこかお悪い所でもあるのですか.
불편-부당【不偏不黨】〈名・하自〉不偏不党.
불평【不平】〈名〉不平. **~하다**〈他〉不平を言う. ぶつぶつ言う. ぼやく. [句例] ~을 늘어놓다 不平を鳴らす〔並べ立てる〕/ ~을 호소하다 不平を訴える. [語例] ~거리 不平の種 / ~가〔객(客)〕不平家 / ~ 분자 不平分子 / ~ 불만 不平不満. **~스럽다** (→스럽다)〈形〉不平がましい. 不満げだ.
불-평등【不平等】〈名〉不平等. **~하다**〈形〉不平等だ. [句例] ~한 처우 不平等な待遇. [語例] ~ 조약 不平等条約.
불-필요【不必要】[—p'iryo]〈名〉不必要. 不要. **~하다**〈形〉不必要〔不要〕だ. いらない. [句例] ~한 물건 不必要な〔いらない〕品物 / 설명이 ~하다 説明が不要だ.
불하【拂下】〈名・하他〉払い下げ. [語例] ~품 払い下げ品. お払い物.
불학 무식【不學無識】[pulhang—]〈名〉不学無識. 無学文盲.
불한-당【不汗黨】〈名〉盗賊の群れ. 無頼漢の群れ. ならず者のグループ.
불-합격【不合格】〈名〉不合格. 落第. **~하다**〈自〉不合格になる. 落第する. [文例] 시험은 보기좋게 ~이다 試験は見事に落第である. [語例] ~품 不合格品 / ~되다 不合格になる.
불-합리【不合理】[—hamni]〈名〉不合理. **~하다**〈形〉不合理だ. 理不尽だ. [句例] ~한 제도〔가격〕不合理な制度〔価格〕/ ~한 요구를 하다 理不尽な要求をする.
*__불행__【不幸】〈名〉不幸. 不幸せ. **~하다**〈形〉不幸だ. [句例] 자신의 ~을 한탄하다 我が身の不幸をかこつ〔嘆く〕/ ~하게 되다 不幸〔不幸せ〕になる / ~을 당하다 不幸に会う / ~을 초래하다 不幸を招く / ~한 세월을 보내다 不幸な歳月を送る / 행인지 ~인지 幸か不幸か / 뜻밖의 ~ 思いがけない不幸 / ~의 연속 不幸の連続. [語例] ~하게(도) 不幸に(も). **~히**〈副〉不幸に. 不幸せに.
불행 중 다행(多幸) 不幸中の幸い.
불허【不許】〈名〉不許. **~하다**〈他〉許さない. [句例] 낙관〔예측〕을 ~하다 楽観〔予測〕を許さない / 타의 추종을 ~하다 他の追随を許さない. [語例] ~ 복제 不許複製.
불현-듯〈副〉'불현듯이'の略.
불현-듯이 [—dŭshi]〈副〉にわ(俄)かに. いきなり. 出し抜けに. 突然. 略して'불현듯'ともいう. [句例] ~ 집에 가고 싶어지다 にわかに家に帰りたくなる / ~ 못된 마음을 일으키다 出し抜けに悪心を起こす.
불-협화음【不協和音】[pulhyŏp'waŭm]〈名〉〔樂〕不協和音.
불-호령【一號令】〈名〉大声でする叱責. 厳しくしかること. [句例] 아버지의 ~이 떨어지다 おやじの雷が落ちる.
불혹【不惑】〈名〉不惑. 四十歳. [句例] ~의 나이 不惑の年 / ~의 나이를 지나다 不惑の年〔四十歳〕を過ぎる.
[參考] 論語の'四十而不惑'からできたことば.
*__불화__【不和】〈名〉不和. 仲たがい. **~하다**〈形〉不和だ. 仲が悪い. [句例] 가정의 ~ 家庭の

不和 / ~의 씨를 뿌리다 不和の種をまく.
불화【佛畫】〈名〉仏画.
불-화살〈名〉火矢.
불-확실【不確實】〈名〉不確実. **~하다**〈形〉不確実だ. あやふやだ. 句例 ~성의 시대 不確実性の時代 / ~한 정보 不確実な情報.
불-확정【不確定】〈名〉不確定. 語例 ~ 요소 不確定要素 / ~성 원리〔物〕不確定性原理.
불환 지폐【不換紙幣】〈名〉〔經〕不換紙幣. 對 태환(兌換) 지폐.
불황【不況】〈名〉不況. ＝불경기(不景氣). 句例 ~이 닥치다 不況が迫る / ~을 타개하다 不況を打開する. 文例 ~이 회복되어 가고 있다 不況が回復しつつある.
불효【不孝】〈名〉不孝. 親不孝. **~하다** ━〈自〉不孝をする.
━〈形〉不孝だ. 句例 ~한 짓을 하다 不孝を働く / ~ 막심하다 不孝のきわまりだ.
불효-자【不孝者】〈名〉❶不孝者. ❷親あての手紙に自分を指す語.
불후【不朽】〈名・하自〉不朽. 句例 ~의 명작을 남기다 不朽の名作を残す.
ㅂ
**붉다 [pukta] ━〈形〉赤い. 句例 붉게 물들이다 赤く染める / 얼굴이 ~ 顔が赤い / 붉은 장미꽃 赤いばらの花. 文例 붉어서 눈에 띄기 쉽다 赤いので目につきやすい.
━〈自〉赤くなる.
參考 '붉은 赤い' '붉게 赤く'は[pulgŭn], [pulkke]と発音する.
붉디-붉다 [puktibukta]〈形〉真っ赤だ.
붉어-지다 [pulgŏ—]〈自〉赤くなる. 赤らむ. 赤ばむ. 句例 부끄러워서 얼굴이 ~ 恥ずかしくて顔が赤くなる / 아련히 ~ ほんのり(と)赤らむ.
붉으락-푸르락 [pulgŭrak—]〈副・하形〉興奮で顔色が赤くなったり青くなったりするさま.
붉은-팥 [pulgŭnp'at]〈名〉赤小豆. 語例 ~밥 赤飯.
붉히다 [pulk'ida]〈他〉赤くする. 赤らめる. 句例 얼굴을 ~ 顔を赤らめる / 뺨을 ~ ほお(頰)を染める. ほおを紅潮させる.
붐 [puːm]〈名〉ブーム. 句例 ~을 타다 ブームに乗る / ~이 일어나다 ブームが起こる. 語例 건축 ~ 建築ブーム. ◇boom
*****붐비다**〈形〉込む. 雑踏する. 込み合う. たて込む. 句例 붐비는 기차 込み合う汽車 / 버스가 ~ バスが込む. 文例 장내가 붐비고 있다 場内がたて込んでいる.
*****붓**〈名〉筆. 句例 ~을 들다〔잡다〕筆をとる / ~으로 먹고 살다 文筆で生活する. 語例 ~글씨 筆の字. 書道.
붓(을) 꺾다 筆を折る.
붓(이) 나가다 筆がさえる. 文章がよく書ける.
붓(을) 놓다 ❶筆をおく. 書き終える. ❷筆を断つ.
붓(을) 던지다 筆を投げる. 筆を断つ. 文筆生活をやめる.
붓-꽃〈名〉〔植〕はなあやめ(花菖蒲).
붓-끝〈名〉筆先. 筆勢. 句例 ~이 무디다 筆が鈍る.
*****붓다**[1] [puːtta]（부으니, 부어서）〈自〉❶腫れる. むくむ. 句例 울어서 퉁퉁 부은 눈 泣きはらしたまぶた(瞼) / 림프선이 ~ リンパ腺がはれる. 文例 얼굴이 조금 부어 있다 顔が少しむくんでいる / 각기로 다리가 부어 있다 脚気で脚がむくんでいる. ❷ふくれる. むくれる. ふて(くさ)る. 文例 아침부터 잔뜩 부어 있다 朝からいやにふくれている. ▷→囲み記事 46
參考 '붓게' '붓는'は[puːtke], [puːnnŭn]と発音されるが, '부어' '부은'は[puŏ], [puŭn]のように短く発音される.
表現 ②は俗っぽい言いかた.
붓다[2] [puːtta]（부으니, 부어서）〈他〉❶注ぐ. つ(注)ぐ. 差す. 句例 꽃병에 물을 ~ 花瓶に水を注ぐ. ❷掛け金を払い込む. 句例 상품 값을 월부로 ~ 商品の代金を月払いで払い込む. ▷→'붓다[1]' 參考.
붓-대〈名〉筆軸. 筆づか(柄).
붓-두껍〈名〉筆のさや.
붓-방아〈名〉(文を書くとき何を書くか筆が進まないので)筆をもてあそぶしぐさ. 語例 ~질 筆をもてあそぶしぐさ.
붓방아(를) 찧다 (筆が進まないので)筆をもてあそぶ.
붓-셈〈名・하他〉'필산(筆算)'のくだけた言いかた: 筆算.
붕〈副〉❶飛行機・はち(蜂)などが飛ぶときに出す音: ぶうん. ぶん. 句例 벌이 ~ 날아다니다 はちがぶんぶん飛びまわる. ❷自動車の警笛の音: ぶう. ❸へ(屁)をひる音: ぶう.

붕　〔漢字項目〕

【崩(崩)】 高校 붕 ホウ. ❶무너지다 くずれる. ▮崩壞 붕괴 ほうかい. 崩落 붕락 ほうらく. ▮雪崩 설붕 なだれ. ❷천자가 죽다 天子が死ぬ. ▮崩御 붕어 ほうぎょ. 崩殂 붕조 ほうそ.
【朋(朋)】 中學 붕 ホウ. 벗 とも. ▮朋友 붕우 ほうゆう. 朋黨 붕당 ほうとう. ▮同朋 동붕 どうほう. 良朋 양붕 りょうほう.

붕괴【崩壞】〈名〉崩壊. **~하다**〈自〉崩壊する. 崩れる. 句例 원자핵의 ~ 原子核の崩壊 / 로마 제국의 ~ ローマ帝国の崩壊 / ~에 직면한 조직을 재건하다 崩壊に直面した組織を立て直す. 語例 ~되다 崩壊する. 崩れる.
붕긋-이 [punggŭshi]〈副〉小高く. ふくれて.
붕긋-하다 [punggŭt'ada]（→하다）〈形〉❶小高い. 盛り上がっている. ❷腹が張っている. ❸(張り物などが)ぴったり付かずに浮いている.
붕긋붕긋〈副・하形〉こぞって小高く〔ふくれて〕.
붕당【朋黨】〈名〉朋党. 党. 句例 ~을 꾸미다 朋党〔党〕を組む. 語例 ~ 정치〔史〕朋党政治.
參考 '붕당 정치'は, 朝鮮朝中期の政治運営の形態. いくつかの朋党が共存して政治を担当した. 17世紀以降, 戚臣による'벌열 정치 閥閲政治'に移行

考した.

붕대【繃帶】〈名〉包帯. 句例 ~를 감다〔풀다〕包帯を巻く〔解く〕.

붕-붕〈副〉ぶんぶん. ぶうぶう.

붕사【硼砂】〈名〉〔化〕硼砂.

붕산【硼酸】〈名〉〔化〕硼酸.

붕어 [pu:ng-ŏ]〈名〉〔魚〕ふな(鮒). 語例 ~ 낚시 ふな釣り / ~빵 たい焼き / ~마름〔植〕金魚藻.

붕우【朋友】〈名〉朋友. 語例 ~ 유신(有信) 朋友信有り.

붕정【鵬程】〈名〉鵬程. 語例 ~ 만리 鵬程万里.

붙다 ━〈自〉❶付く. 句例 달라붙어서 떨어지지 않다 くっついて離れない. 文例 머리카락이 붙어 있다 髪の毛がくっついている / 기념 우표가 붙어 있다 記念切手がはってある.
❷従う. 付き従う. 句例 비서가 붙어 다니다 秘書が従う / 바싹 붙어 앉다 ぴったり寄り添って座る / 호위가 ~ 護衛が付く.
❸(火が)燃える. 燃え移る. 句例 불이 ~ 火が付く / 옆집에서 불이 옮겨 ~ 隣の家から飛び火する.
❹合格する. 受かる. 句例 입학 시험에 ~ 入学試験に受かる.
❺付く. 増す. 句例 영어 회화의 실력이 ~ 英語会話の実力が付く / 나쁜 습관이 ~ 悪い習慣がつく / 별명이 ~ あだ名がつく / 살이 ~ 肉がつく.
❻(税金などが)かかる. 句例 세금이 ~ 税金がかかる.
❼(怨霊などに)取りつかれる. 句例 귀신이 ~ 物の怪に取りつかれる / 재수가 ~ 運がつく.
❽(くじに)当たる. 句例 추첨에 ~ くじに当たる.
❾対戦する. 文例 어디 한번 붙어 볼래 よし, 一勝負やろうか. ▷→囲み記事 46
━〈自他〉つが(番)う. つるむ. かかる. 交尾する.

붙-들다 (붙드니, 붙들어서)〈他〉❶つかむ. 句例 손목을 ~ 手首をつかむ / 꽉 붙들고 놓지 않다 しっかりつかんで離さない. ❷捕らえる. つかまえる. 句例 달아나는 도둑을 ~ 逃げる泥棒を捕らえる / 범인을 ~ 犯人をつかまえる. ❸引き止める. 句例 소매에 매달려 ~ そで(袖)にすがって引き止める. ❹わきから助ける. (倒れないように)支える.

붙들-리다〈自〉'붙들다'の受け身. ❶つかまる. 捕らわれる. 取り押さえられる. 句例 관헌의 손에 ~ 官憲の手に捕らわれる. ❷引き止められる.

붙들어-매다 [puttŭrŏ—]〈他〉縛りつける.

붙박아-놓다 [putpaganot'a]〈他〉据え付ける. 固定させる.

붙-박이 [putpagi]〈名〉くぎ付け. 据え付け. 作り付け. 語例 ~장(欌) 作り付けのたんす(箪笥) / ~창 はめ込みの窓.

붙박이-별 [putpagi—]〈名〉〔天〕'항성 恒星'のくだけた言いかた. 對떠돌이별.

붙-박이다 [putpagida]〈自〉くぎ付けになる.

붙-안다 [pudantta]〈他〉抱きしめる. 句例 꼭 ~ しかと抱きしめる.

-붙이 [puch'i]〈尾〉同族・同系の意. 語例 일가~ 親類 / 쇠~ 金属. 鉄類.

붙이다 [puch'ida]〈他〉❶(くっ)つける. 張る. 張り付ける. 句例 우표를 ~ 切手を張る〔張り付ける〕/ 반창고를 ~ ばんそうこうを張る / 이름표를 ~ 名札を付ける.
❷くっつける. 寄せる. 句例 책상을 벽에 ~ 机を壁に寄せる / 배를 ~ 舟を寄せる.
❸仲立ちをする. 引き合わせる. 取り持つ. くっつける. 句例 흥정을 ~ 取り引きの仲立ちをする. (売買を)取り持つ. 口を利く / 싫어하는 두 사람을 억지로 붙여 주다 いやがる二人を無理にくっつける.
❹交尾させる. 掛け合わせる. つがわせる. 句例 수말과 암말을 ~ 雄馬と雌馬を掛け合わせる.
❺(火を)移らせる. つ(点)ける. 句例 불을 ~ 火をつける / 담뱃불을 ~ タバコに火をつける.
❻人をそばにおく. 付ける. 句例 경호원을 ~ 護衛を付ける.
❼(ある事に)自分の意見をはさむ. 付ける. 添え加える. 句例 단서를 ~ 但し書きを付ける / 조건을 ~ 条件を付する / 해설을 ~ 解説を加える.
❽心を引き付ける. 寄せる. 句例 외아들에게 정을 ~ 独り子に愛情を寄せる.
❾名を付ける. 句例 별명을 ~ あだ名を付ける.
❿(びんたを)食わせる. はる. 句例 한 대 올려 ~ びんたを一発はる.
⓫(言葉を)かける. 句例 말을 ~ 話しかける.
⓬(習慣などを)身につける. 句例 취미를 ~ 趣味とする. ▷→囲み記事 48

붙임-성【一性】[puch'imssŏng]〈名〉愛想. つ

囲み記事 48

'붙이다'と'부치다'

'붙이다'は'붙다 くっつく'の使役形で, 二つの物を'くっつける'と言う意味である. '부치다'は案件などを討議に'付する'の意. また, 新聞の社説などで意見を述べたり, 自分の心境の一端を披瀝することやだれかに頼って身をたく(托)するのが'부치다 寄せる'である. さらに, 扇を'あおる'のも'부치다'と言い, 田畑を耕して農業を営むことなども'부치다'と言う.

벽에 그림을 붙였다 壁に絵を張りつけた.
편지를 부치다 手紙を出す〔送る〕.
어린이날에 부쳐서 (新聞などで)子どもの日に寄せて.
수정안을 본회의에 부쳤다 修正案を本会議に付した.
그 일은 내 힘에 부친다 その仕事はわたしの力に及ばない.
밭을 부치다 畑を耕す.
삼촌댁에 몸을 부치고 있다 叔父のところに身を寄せている.

ㅂ

き. 人付き. 人当たり. 当たり. 句例 ～이 좋은 사람 愛想のいい人 / ～이 있다 人当たりがいい.

붙임-줄 [puch'imtchul] 〈名〉〔樂〕タイ.

붙임-표 【—標】[puch'im—] 〈名〉〔言〕ハイフン.

⁑**붙-잡다** 〈他〉❶つか(摑)む. 捕まえる. 句例 양손으로 ～ 両手でつかむ / 로프를〔밧줄을〕～ ロープ〔綱〕をつかむ. 文例 꼭 붙잡고 있어라 しっかりつかまっておれ.
❷捕らえる. 引っ捕える. 句例 범인을 ～ 犯人を(引っ)捕える〔押さえる〕/ 도망가는 놈을 ～ 逃げるやつ(奴)を取り押さえる.
❸引き止める. ＝붙들다. 句例 가지 못하게 ～ 行かないように引き止める. 文例 붙잡아 두기 위한 방책으로 급료를 올리다 引き止める方策として給料を上げる.
❹(職に)ありつく. 句例 좋은 일자리를 ～ いい仕事にありつく.
❺つかむ. 得る. 句例 좋은 기회를 ～ いい機会をつかむ / 택시를 ～ タクシーを拾う.

붙잡아-매다 [putchaba—] 〈他〉縛りつける.

붙잡아-주다 [putchaba—] 〈他〉倒れないように支えてやる. 助ける. 力を貸してやる.

***붙-잡히다** [putchap'ida] 〈自〉'붙잡다'の受け身: 捕まる. 捕らわれる. 捕まえられる. 句例 용의자가 ～ 容疑者がつかまる. 文例 그에게 붙잡히면 얘기가 길어진다 彼につかまると話が長びく.

뷔페 〈名〉ビュッフェ. ◇프 buffet

브라스 밴드 〈名〉ブラスバンド. ◇brass band

브라운-관 【Braun管】〈名〉ブラウン管.

브레이크 〈名〉ブレーキ. 句例 지나친 행동에 ～를 걸다 行き過ぎにブレーキをかける / ～가 안 듣다 ブレーキが効かない. ◇brake

브로치 [pŭro:ch'i] 〈名〉ブローチ. ◇brooch

블라우스 〈名〉ブラウス. ◇blouse

블록[1] 〈名〉ブロック. 語例 ～ 경제 ブロック経済. ◇bloc

블록[2] 〈名〉ブロック. 語例 ～담 ブロック塀 / 콘크리트 ～ コンクリートブロック. ◇block

⁑**비**[1] 〈名〉雨. 句例 ～오는 날 雨の日 / ～가 오다 雨が降る / ～가 개다 雨が上がる〔晴れる〕/ ～가 그치다〔멎다〕雨がやむ / ～에 젖다 雨にぬれる / ～를 만나다 雨にあう / ～가 새다 雨が漏る / ～가 억수처럼 쏟아지다 雨がどしゃ降りに降る / ～를 무릅쓰고 경기를 계속하다 雨を突いて試合を続ける / ～가 새는 곳을 고치다 雨漏りを直す / ～를 맞으며 걷다 雨に打たれながら歩く. 文例 드디어 ～가 오기 시작했다 とうとう雨になった / ～가 한 차례 올 것 같다 一雨降りそうだ. →囲み記事 49

비 온 뒤에 땅이 굳어진다 雨降って地固まる.

⁑**비**[2] 〈名〉ほうき(箒). 句例 ～로 마당을 쓸다 ほうきで庭を掃く.

***비** 【比】[pi:] 〈名〉〔數〕❶比. 文例 A와 B의 ～를 구하라 AとBの比を求めよ. ❷'비례(比例)'の略.

비 【碑】〈名〉碑. 句例 ～를 세우다 碑を立てる.

비- 【非】[pi:] 〈頭〉非…. 語例 ～과학적 非科学的 / ～논리적 非論理的 / ～전투원 非戦闘員.

-비 【費】〈尾〉費用の意: …費. 語例 교통～ 交通費 / 하숙～ 下宿費.

> 囲み記事 49
>
> ■ 비 雨(の種類) ■
>
> **장대비** 豪雨 —— 雨脚が太く絶えまなしに勢いよく降る雨(棒雨の意).
> **소나기** にわか雨. 夕立 —— にわかに勢いよく降る雨.
> **가랑비** 小雨. 細雨 —— 細かく, また雨脚の見える雨.
> **이슬비** 霧雨 —— '는개'より太く, '가랑비'より細かい雨.
> **는개** ぬか(糠)雨 —— 霧よりは少し太く, '이슬비'よりは少し細い雨.
> **보슬비** こぬか(小糠)雨 —— 風もなく, しとしとと降る'가랑비'.

비 〔漢字項目〕

【備】 中學 비 ビ. ❶갖추다 備える. ■備品 비품 びひん. 備忘 비망 びぼう. ■常備 상비 じょうび. 具備 구비 ぐび. ❷예비 予備. 준비 準備. 備え. ■有備無患 유비무환 備えあれば患いなし. ❸예방 予防. ■軍備 군비 ぐんび.

【卑(卑)】 高校 비 ヒ. ❶지위가 낮다 地位が低い. 천하다 卑しい. ■卑官 비관 ひかん. 卑賤 비천 ひせん. ■尊卑 존비 そんぴ. ❷하등이다 下等だ. 저열하고 품위가 없다 下劣で品がない. ■卑語 비어 ひご. 卑劣 비열 ひれつ. ■野卑 야비 やひ. ❸낮추다 へりくだる. 천하게 여기다 卑しめる. ■卑下 비하 ひげ. ■男尊女卑 남존여비 だんそんじょひ.

【妃】 高校 비 ヒ. ❶황제의 으뜸가는 첩 皇帝のいちばん上の後宮. ■妃嬪 비빈 ひひん. ❷왕・황태자・황족의 정실 王・皇太子・皇族の妻. ■妃殿下 비전하 ひでんか. ■王妃 왕비 おうひ. 后妃 후비 こうひ.

【婢】 高校 비 ヒ. ❶계집 종 女の奴隷. 하녀 はした女. ■婢僕 비복 ひぼく. ■奴婢 노비 どひ. ❷여자가 자기를 낮추어 이르는 말 女が自分を卑しめていう語. ■婢子 비자 ひし.

【悲】 中學 비 ヒ. ❶슬프다 悲しい. 슬퍼하다 悲しむ. ■悲歌 비가 ひか. 悲劇 비극 ひげき. 悲涙 비루 ひるい. ❷슬픔 悲しみ. 비애 哀れみ. ■悲願 비원 ひがん. ■慈悲 자비 じひ.

【批】 高校 비 ヒ. ❶시비・선악을 가리다 是非・善悪をわきまえる. ■批評 비평 ひひょう. 批判 비판 ひはん. ❷서류 등을 결재하다 書類などを決裁する. ■批准 비준 ひじゅん.

【比】 中學 비 ヒ. ❶견주다 比べる. ■比較 비교 ひかく. ■對比 대비 たいひ. ❷동류(同類) 仲間. ■比類 비류 ひるい. ■無比 무비 むひ. ❸근래 このごろ. ■比來 비래 ひらい. 比年 비년 ひねん. ❹나란히 하다 並べる. 늘어서다 並ぶ. ■比肩 비견 ひけん. ■櫛比 즐비 しっ

ぴ. ❺'比律賓'의 약칭 比律賓の略. ◨比國 비국 ひこく. ◨美比親善 미비 친선 べいひ(米比)しんぜん.

【碑(碑)】高校 비 ヒ. 비碑. 석비 石ぶみ. ◨碑文 비문 ひぶん. 碑銘 비명 ひめい. ◨紀念碑 기념비 きねんひ. 墓碑 묘비 ぼひ.

【祕(秘)】高校 비 ヒ. ❶숨기다 隠す. 비밀히 하다 人に知らせない. ◨秘密 비밀 ひみつ. 秘藏 비장 ひぞう. ◨極秘 극비 ごくひ. ❷신비하다 奥深くて知ることができない. ◨神秘 신비 しんぴ.

【肥】高校 비 ヒ. ❶살지다 太る. ◨肥滿 비만 ひまん. 肥大 비대 ひだい. ❷걸다 肥える. ◨肥沃 비옥 ひよく. 肥土 비토 ひど. ❸거름 肥やし. ◨肥料 비료 ひりょう. ◨施肥 시비 せひ. 堆肥 퇴비 たいひ.

【費】高校 비 ヒ. ❶쓰다 費やす. ◨消費 소비 しょうひ. 浪費 낭비 ろうひ. ❷비용 費用. ◨學費 학비 がくひ. 旅費 여비 りょひ. 經費 경비 けいひ.

【非】中學 비 ヒ. ❶아니다 …でない. …하지 않다 …しない. ◨非常 비상 ひじょう. 非科學的 비과학적 ひかがくてき. ❷그르다 正しくない. 도리에 어긋나다 道理に背く. ◨非行 비행 ひこう. 非違 비위 ひい. ◨前非 전비 ぜんぴ. ❸헐뜯다 そしる. 나무라다 責める. ◨非難 비난 ひなん. 非謗 비방 ひぼう.

【飛】中學 비 ヒ. ❶하늘을 날다 空を飛ぶ. ◨飛行 비행 ひこう. 飛翔 비상 ひしょう. ❷나는 듯이 빠르다 飛ぶように速い. ◨飛報 비보 ひほう. 飛馬 비마 ひば. ❸튀기다 飛び散る. ◨飛散 비산 ひさん. 飛沫 비말 ひまつ. ❹무근한 말이 전하다 根拠のないうわさが伝わる. ◨飛語 비어 ひご. ❺높다 高い. ◨飛瀑 비폭 ひばく.

【鼻(鼻)】中學 비 ビ. ❶코 鼻. ◨鼻孔 비공 びこう. 鼻音 비음 びおん. ◨耳鼻科 이비과 じびか. ❷시초 初め. ◨鼻祖 비조 びそ.

비가【悲歌】[pi:ga]〈名〉悲歌. エレジー.

비각〈名〉互いに相いれないこと. 文例 물과 불은 서로 ~이다 水と火は互いに相いれない.

비각【碑閣】〈名〉碑閣.

비감【悲感】[pi:gam]〈名〉悲感. **~하다**〈形〉たいへん悲しい. 文例 ~에 잠겨 있다 悲感にくれている.

비걱-거리다〈自他〉ぎいっときし(軋)る〔きしらせる〕.

비걱비걱〈副・하自他〉ぎいっぎいっ. きいきい. 表現 語勢の強い語は'삐걱거리다'.

비겁-하다【卑怯—】[pi:gŏp'ada] (→하다)〈形〉卑怯だ. 句例 비겁한 놈〔수단〕卑怯なやつ〔手段〕. 文例 도망을 치다니 비겁하구나 逃げるとは卑怯だな.

비격-진천뢰【飛擊震天雷】[—chinch'ŏlloe]〈名〉〔史〕飛擊震天雷. 参考 朝鮮朝宣祖の時, 李長孫が発明した長距離砲の一つ.

비견【比肩】[pi:gyŏn]〈名〉比肩. **~하다**〈自〉比肩する. (立ち)並ぶ. 肩を並べる. 文例 그에게 ~할 만한 사람이 없다 彼に肩を並べる人がいない.

비결【秘訣】[pi:gyŏl]〈名〉秘訣. 句例 장수〔성공〕의 ~ 長寿〔成功〕の秘訣.

비경【秘境】[pi:gyŏng]〈名〉秘境. 句例 ~을 탐사하다 秘境を探査する.

비계[1]〈名〉脂身.

비계[2]〈名〉〔建〕足場. 語例 ~목(木) 足場を組む丸太.

비고【備考】[pi:go]〈名〉備考. 語例 ~란 備考欄.

비-공개【非公開】[pi:—]〈名〉非公開. 語例 ~ 회의 非公開会議.

비-공식【非公式】[pi—]〈名〉非公式. 語例 ~ 회담 非公式会談.

비관【悲観】[pi:gwan]〈名・하他〉悲観. 句例 세상을 ~하다 世を悲観する〔はかなむ〕. 語例 ~주의 悲観主義. 對낙관(樂觀).

비관-론【悲觀論】[pi:gwannon]〈名〉悲観論. 句例 ~을 펴다 悲観論を述べる. 語例 ~자 悲観論者. 對낙관론.

비관-적【悲觀的】[pi:gwanjŏk]〈名・冠〉悲観的. 句例 ~인 견해 悲観的な見方 / ~으로 생각하다 悲観的に考える. 對낙관적.

*****비교**【比較】[pi:gyo]〈名〉比較. **~하다**〈他〉比較する. 比べる. 句例 ~가 안 되다 比べ物にならない. 語例 ~ 문학 比較文学 / ~되다 比較される.

*****비교-적**【比較的】[pi:gyo—]〈名・冠〉比較的. 割合(に). 文例 ~ 쉬운 문제가 나왔다 比較的やさしい問題が出た / ~ 싸다 割合安い.

비구【比丘】[pi:gu]〈名〉〔佛〕比丘. 語例 ~승(僧) 比丘.

비구-니【比丘尼】[pi:gu—]〈名〉〔佛〕比丘尼. 尼. 對비구(比丘).

비-구름〈名〉❶雨と雲. ❷雨雲.

비-국민【非國民】[pi:gungmin]〈名〉非国民. 句例 ~으로 지탄받다 非国民とつまはじ(爪弾)きされる.

비굴【卑屈】[pi:gul]〈名〉卑屈. **~하다**〈形〉卑屈だ. 句例 ~한 태도 卑屈な態度 / ~한 근성 卑屈な根性 / ~하게 굴다 卑屈にふるまう. 語例 ~하게 卑屈に. **~스럽다** (→스럽다)〈形〉卑屈に見える. **~스레**〈副〉卑屈に.

*****비극**【悲劇】[pi:gŭk]〈名〉悲劇. 句例 전쟁의 ~ 戦争の悲劇 / 인생의 ~ 人生の悲劇. 對희극(喜劇).

비극-적【悲劇的】[pi:gŭkchŏk]〈名・冠〉悲劇的. 句例 ~인 광경 悲劇的な光景 / 매우 ~이다 非常に悲劇的だ. 語例 ~ 종말 悲劇的終末.

비근【卑近】[pi:gŭn]〈名〉卑近. **~하다**〈形〉卑近だ. 句例 ~한 예 卑近な〔身近な〕例.

비금비금-하다 (→하다)〈形〉似たり寄ったりだ. ほとんど同じだ.

비-금속【非金屬】[pi:—]〈名〉非金属. 語例 ~ 원소 非金属元素.

비-금속【卑金屬】[pi:—]〈名〉卑金属. 對귀금속(貴金屬).

비기다[1]〈自他〉❶引き分ける. 引き分けになる.

[文例] 경기가 서로 비겼다 試合が引き分けになった / 이것으로 서로 비겼다 これであいこ(相子)になった. ❷相殺する.

비기다[2] 〈自〉❶例える. なぞらえる. [句例] 부모의 은혜를 바다에 ~ 親の恩を海に例える / 나뭇가지의 눈을 꽃에 ~ 枝の雪を花に見たてる. [文例] 무엇에도 비길 수가 없다 何にもたとえようがない. ㊝비유하다. ❷比べる. 比肩する. [句例] 비길 데 없는 호인 無類のお人好し.

비김-수 【—手】[—ssu]〈名〉❶将棋の千日手. ❷囲碁の持. 略して'빅수'ともいう.

*__비-꼬다__ [pi:—]〈他〉ひねる. ❶よ(縒)る. よじ(捩)る. ねじる. [句例] 수염을 ~ ひげをひねる. [文例] 실을 비꼬아 노끈을 만들었다 糸を縒って ひもを作った / 몸을 비꼬면서 웃는다 からだを捩って笑う / 팔다리를 비꼬며 지루해하다 腕と脚をよじりながら退屈がる. ❷皮肉る. あてこする. [句例] 비꼬는 말투 ひねった〔皮肉った〕言いかた / 사람을 비꼬아대다 人を皮肉る / 비꼬아 말하다 皮肉を言う.

비-꼬이다 [pi:—]〈自〉'비꼬다'の受け身. ❶よ(縒)れる. よじ(捩)れる. ねじれる. [句例] 실이 ~ 糸が縒よ〔捩じ〕れる / 넥타이가 ~ ネクタイが縒れる. ❷ひねくれる. す(拗)ねる. こじ(拗)れる. [句例] 마음이 비꼬인 아이 ひねくれた〔拗けた〕子供. [文例] 비꼬여서 말을 듣지 않는다 拗れて〔ひねくれて〕言うことをきかない. ❸事が絡まってうまくはかどらない. ▷略して'비꾀다'とも言う.

비끄러-매다 〈他〉縛りつける.

비끼다 〈自〉❶(光が)横から斜めにさす. ❷斜めに置かれている〔垂れている〕.

비나리-치다 〈自〉へつら(諂)う. ごま(胡麻)をする.

비난 【非難】[pi:nan]〈名・하他〉非難. [句例] ~의 대상이 되다 非難の的になる / ~을 퍼붓다 非難を浴びせる / ~을 받다 非難を浴びる〔受ける〕/ 비행을 ~하다 非行を責める〔なじる〕/ 세상의 ~을 면치 못하다 世の非難を免れない. [語例] ~조(調) 非難調.

*__비너스__ [pi:nŏsŭ]〈名〉ビーナス. ◇Venus

*__비녀__ 〈名〉かんざし(簪). [句例] 머리에 ~를 꽂다 髪にかんざしをさす.

비뇨-기 【泌尿器】[pi:nyogi]〈名〉〔生〕泌尿器. [語例] ~과 泌尿器科.

⁑__비누__ 〈名〉石鹼. [句例] ~로 손을 씻다 石鹼で手を洗う. [語例] ~ 방울 シャボン玉 / ~ 거품 石鹼の泡 / 비눗갑 石鹼箱 / 세탁〔빨랫〕~ 洗濯石鹼 / 가루 ~ 粉石鹼 / 세숫〔화장〕~ 洗顔〔化粧〕石鹼 / ~질 石鹼で洗うこと / 비눗물 石鹼水.

⁑__비늘__ 〈名〉うろこ(鱗). [語例] ~ 무늬 うろこ模様. うろこ形.

비-능률적 【非能率的】[pi:nŭngnyultchŏk]〈名・冠〉非能率的. [句例] ~인 작업 방식 非能率的な作業方式. ㊊능률적.

⁑__비닐__ 〈名〉〔化〕ビニール. [語例] ~ 봉지 ビニール袋 / ~ 우산 ビニール傘 / ~ 하우스 ビニールハウス. ◇vinyl

비닐론 〈名〉ビニロン. ◇vinylon

비다[1] [pi:da]〈他〉'비우다'の略.

[參考] '비고 空けて'は[pi:go]と長音になるが, '비어라 空けろ'は[piŏra]のように短音になる.

*__비다__[2] [pi:da] ㊀〈形〉❶空である. すいている. 明〔空〕いている. [句例] 뱃속이 ~ おなかがすく. [文例] 빈 손으로 돌려보냈다 手ぶらで帰した / 방이 비어 있다 部屋が空いている / 호주머니가 비었다 懐が空である. [語例] 빈 차 空き車 / 빈 자리 空席. ❷空虚だ. うつ(空・虚)ろだ. 空っぽだ. [句例] 빈 말만 늘어놓다 空虚な言葉ばかり並べる / 골이 ~ 頭が空っぽだ.

㊁〈自〉❶空く. [句例] 손이 ~ 手が空く. [文例] 방이 비는 대로 도배를 하기로 했다 部屋が空き次第上張りすることにした. ❷足りない. 不足する. 欠ける. [句例] 정원에서 두 사람이 ~ 定員より二人が足りない / 이천 원이 ~ 二千ウォンが欠ける. ▷→비다[1] [參考]

빈 수레가 요란하다 空の車がさわがしい. 中身のない人ほど知ったかぶりをしたり, 虚勢をはったりするとの意.

*__비단__ 【緋緞】[pi:dan]〈名〉絹織物. 絹. 錦. [句例] ~과 같은 촉감 絹のような肌ざわり. [語例] ~ 양말 純絹の靴下 / ~ 장수 絹物商 / ~ 이불 絹の布団 / ~실 絹糸 / ~신 絹の靴.

비단 【非但】〈副〉ただ(啻)に. 単に. [句例] ~ 개인의 문제일 뿐만 아니라 ただに個人の問題であるのみならず / ~ 그 사람뿐 아니라 単にその人だけでなく.

비단-결 【緋緞—】[pi:dankkyŏl]〈名〉絹の織り目.

비단결 같다 ❶物の表面が滑らかだ. ❷おとなしくてやさしい. [句例] 마음씨가 ~ 心がやさしくて温かい.

비단-옷 【緋緞—】[pi:danot]〈名〉絹物. [句例] 명절에 입을 ~ 名節の時に着る絹の服.

비단옷 입고 밤길 걷기 錦を着て夜行くが如し.

비대 【肥大】[pi:dae]〈名・하形〉肥大. [句例] 몸집이 ~하다 からだつきが太って大きい / ~해진 산업 肥大した産業. [語例] 심장 ~ 心臓肥大 / ~증 肥大症.

비-도덕적 【非道德的】[pi:dodŏkchŏk]〈名・冠〉非道徳的. [句例] ~인 처사 非道徳的な仕打ち.

비-동맹국 【非同盟國】[pi:dongmaengguk]〈名〉非同盟国. [語例] ~ 회의 非同盟国会議.

⁑__비둘기__ 〈名〉〔鳥〕はと(鳩). [文例] ~는 평화의 상징이다 鳩は平和の象徴だ. [語例] ~파 はと派 / ~장(欌) はと小屋. 鳩舍.

비듬 〈名〉ふけ. [句例] ~ 투성이의 머리 ふけだらけの頭.

비등 【沸騰】[pi:dŭng]〈名・하自〉沸騰. [句例] 여론이 ~하다 世論が沸騰する. [語例] ~점 ⇨끓는점

비등비등-하다 【比等比等—】[pi:dŭngbidŭng—]〈→하다〉〈形〉似たり寄ったりだ. 大同小異だ. [文例] 그들은 나이가 모두 ~ 彼らは年齢がみな似たり寄ったりだ.

비등-하다【比等―】[pi:dŭng―] (→하다)〈形〉似通っている. ほぼ等しい. 文例 두 사람의 성적은 ~ 二人の成績はほぼ同じくらいである.

비디오〈名〉ビデオ. 語例 ~ 게임 ビデオゲーム / ~ 카메라 ビデオカメラ / ~ 테이프 ビデオテープ / ~ 테이프 리코더 ビデオテープレコーダー. ◇video

비뚜로〈副〉少し傾いて. やや斜めに. 對바로.

비뚜름-하다 (→하다)〈形〉やや傾いている. 句例 줄이 ~ 列が少し曲がっている. **비뚜름히**〈副〉やや傾いて.

비뚤다 (비뚜니, 비뚤어서)〈形〉曲がっている. ゆが(歪)んでいる. 句例 사물을 비뚤게 보다 物事をゆがめて見る.

비뚤-비뚤〈副・하自他〉曲がりくねっているさま: くねくねと. 文例 줄이 ~하다 列がくねくねと曲がっている.

비뚤어-지다 [pitturŏ―]〈自〉曲がる. ゆがむ. ねじれる. ❶一方に傾く. 句例 얼굴이 비뚤어지게 비치는 거울 顔がゆがんで映る鏡 / 목이 ~ 首が曲がる. ❷ひねくれる. ひがむ. ねじ(拗)ける. 句例 비뚤어진 성격 ひねくれた性格 / 이상하게 비뚤어진 아이 妙にねじけた子供 / 비뚤어진 견해를 갖다 ゆがんだ見方をする. ❸すねる. へそが曲がる. 文例 아침부터 기분이 비뚤어져 있다 朝からへそを曲げている.

비라리-치다 [pi:rari―]〈自〉けちくさく物ごいをする.

비럭-질〈名・하他〉物ごい.

비렁-뱅이〈名〉'거지 乞食, 物もらい'の俗っぽい言いかた. 句例 ~ 근성 乞食根性.

비련【悲戀】[pi:ryŏn]〈名〉悲恋. 句例 ~에 울다 悲恋に泣く.

비례【比例】[pi:rye]〈名・하自他〉比例. 語例 정~ 正比例 / 반~ 反比例 / ~ 배분 比例配分 / ~ 상수〔數〕比例定数 / ~ 대표제〔政〕比例代表制 / ~식 比例式.

비례【非禮】[pi:rye]〈名〉非礼. 無礼. 失礼. 句例 ~를 사과하다 非礼をわびる.

비로드 [piro:dŭ]〈名〉ビロード. ベルベット. =우단(羽緞). ◇포 veludo

***비로소**〈副〉初めて. 文例 편지를 보고 ~ 알았다 手紙を見て初めて知った / 집을 떠나 ~ 부모의 고마움을 알았다 家を離れて初めて親のありがたさを知った.

****비록**【祕錄】[pi:rok]〈名〉秘録. 句例 ~을 공개하다 秘録を公開する.

****비록**〈副〉たとえ. よしんば. 仮に. 文例 ~ 지더라도 화내지 마 たとえ負けても怒らないでね.

비롯-되다〈自〉始まる. 句例 전설에서 비롯된 풍속 伝説から始まった風俗.

***비롯-하다** [pirot'ada] (→하다) ■〈他〉❶('…을 비롯한'の形で)…をはじめとする. 句例 한국말이나 중국말을 비롯한 아시아의 언어 韓国語, 中国語をはじめとするアジアの言語. ❷('…을 비롯하여'の形で)…をはじめとして. 句例 아버지를 비롯하여 가족 전원 お父さんをはじめとして家族全員.
■〈自〉始まる. 文例 문제는 직장을 그만두면서부터 비롯했다 問題は職場〔勤め先〕をやめてから始まった.

***비료**【肥料】[pi:ryo]〈名〉肥料. 肥やし. =거름. 句例 ~를 주다 肥料を施す. 語例 화학 ~ 化学肥料 / 인분 ~ 下肥 / 배합 ~ 配合肥料 / ~ 작물 肥料作物.

비루-먹다〈自〉(犬・馬などが)皮膚病にかかる. 句例 비루먹은 개 皮膚病にかかった犬.

비루-하다【鄙陋―】[pi:ru―] (→하다)〈形〉卑しい. 卑陋だ. 下劣だ.

비류【比類】[pi:ryu]〈名〉比類. たぐい. 句例 ~가 없는 명작 比類のない名作.

비름〈名〉〔植〕ひゆ(莧).

비릊다 [pirŭtta]〈自〉産気づく.

비리【非理】[pi:ri]〈名〉非理. 句例 ~를 폭로하다 非理を暴く / ~를 저지르다 道理にはずれたことをする.

비리다〈形〉❶生臭い. 文例 이 생선은 유난히 ~ この魚はいやに生臭い. ❷みみっちい. けち臭い. しみったれている. 句例 비린 사내 みみっちい男. ❸(ふるまいが)目ざわりになる. しゃくにさわる.

비리-비리〈副・하形〉やせこけているさま. 句例 ~한 아이 やせこけている子供.
表現 語感の小さい語は'배리배리'.

비린-내〈名〉生臭いにおい. 語例 피~ 血生臭いにおい.
비린내(가) 나다 ❶生臭いにおいがする. ❷(言葉や行動が)幼稚だ. 乳臭い.

비릿-하다 [pirit'ada] (→하다)〈形〉やや生臭い.

비만【肥滿】[pi:man]〈名〉肥満. **~하다**〈形〉肥え太っている. 語例 ~아 肥満児 / ~증 肥満症 / ~형 肥満型.

비망【備忘】[pi:mang]〈名〉備忘. 語例 ~록 備忘録. 手びかえ. メモ.

비매-품【非賣品】[pi:mae―]〈名〉非売品.

비명【非命】[pi:myŏng]〈名〉非命. 非業. 句例 ~의 죽음 非業の死 / ~에 가다 横死を遂げる. 語例 ~ 횡사 変死. 非業〔非命〕の死.

비명【悲鳴】〈名〉悲鳴. 句例 즐거운 ~ 嬉しい悲鳴 / ~을 지르다 悲鳴をあげる. 文例 여자의 ~을 듣고 밖으로 나가 보았다 女の悲鳴を聞いて外に出てみた. 語例 ~ 소리 悲鳴の声.
表現 '연일 계속되는 더위에 비명을 올리다 連日の暑さに悲鳴をあげる'は, もうこれ以上がまんできないと思うことをさす.

비명【碑銘】〈名〉碑銘. 句例 ~을 새기다 碑銘を刻む.

비몽-사몽【非夢似夢】[pi:mongsamong]〈名〉夢うつつ. 語例 ~간에 夢うつつに.

비-무장【非武裝】[pi:―]〈名〉非武装. 語例 ~ 지대 非武装地帯.
参考 韓国では, いま軍事境界線から南北におのおの2キロメートル幅の地帯に'非武装地帯'を設けている.

비문【碑文】〈名〉碑文. 句例 ~을 판독하다 碑文を判読する.

비-문화적【非文化的】[pi:―]〈名・冠〉非文化的. 語例 ~ 요인 非文化的要因.

***비밀**【祕密】[pi:mil]〈名〉秘密. 句例 공연한 ~

公然の秘密 / ～로 하다 秘する. 内緒にする / ～을 지키다 秘密を守る / ～이 새다 秘密が漏れる. [語例] ～ 이야기 内緒話. ひそひそ話 / ～ 결사 秘密結社 / ～ 경찰 秘密警察 / ～ 문서 秘密文書 / ～ 정보 秘密情報. **～히** 〈副〉 秘密に. 内緒に. 秘かに. こっそりと. **～스럽다** (→스럽다) 〈形〉 秘密らしく見える.

비밀-리 【秘密裡】 [pi:milli] 〈名〉 秘密裏. [語例] ～에 秘密裏に.

비-바람 〈名〉 雨風. あらし(嵐). [句例] ～이 몰아치다 あらしが吹きつける / ～이 심하다 あらしがひどい.

비바리 〈名〉 (娘の)海女.
[参考] もと, 済州島の方言.

비방 【秘方】 [pi:bang] 〈名〉 ❶秘法. 切り札. きめ手. ＝비법(秘法). [句例] 최후의 ～을 쓰다 最後の切り札を出す. ❷秘方. [語例] ～약 秘方薬.

비방 【誹謗】 〈名〉 誹謗. そし(謗)り. **～하다** 〈他〉 誹謗する. そしる. けなす. [句例] 남을 ～하다 人を誹謗する〔そしる〕 / 까닭없는 ～을 받다 訳のないそしりを受ける.

비번 【非番】 [pi:bŏn] 〈名〉 非番. [語例] ～날 非番の日. 對 당번(當番).

*__비범-하다__ 【非凡―】 [pi:bŏm―] (→하다) 〈形〉 非凡だ. [句例] 비범한 솜씨다 非凡な腕前だ. [文例] 비범한 재능을 가지고 있다 非凡な才能を抱いている.

비법 【秘法】 [pi:ppŏp] 〈名〉 秘法. 極意. 秘伝. 奥の手. ＝비방(秘方). [句例] ～을 전수받다 秘伝を授かる.

비보 【悲報】 [pi:bo] 〈名〉 悲報. [句例] ～에 접하다 悲報に接する.

비분 【悲憤】 [pi:bun] 〈名・하形〉 悲憤. [語例] ～강개 悲憤慷慨.

비비 [pi:bi] 〈副〉 何度もよれたりねじれたりするさま: よれよれ.
비비 꼬다 ❶(ひもなどを)よじる. よる. ❷(からだを)くねらせる. ねじり回す. 身をよじる. ❸皮肉る. [句例] 비비 꼬아서 말하다 皮肉を言う.
비비 꼬이다 ❶何度もねじれてよれる. ねじれてからむ. [文例] 그넷줄이 비비 꼬여 있다 ブランコの綱がからんでいる. ❷事がからんでうまくいかない. ▷略して'비비 꾀다'とも言う.

__비비다 〈他〉 ❶こす(擦)る. す(擦)る. も(揉)む. [句例] 두 손을 ～ 両手をもむ〔する〕 / 비벼 빨다 もみ洗う / 담뱃불을 비벼 끄다 タバコをもみ消す. ❷(きりなどで)もむ. [句例] 송곳으로 비벼 구멍을 뚫다 きり(錐)でもんで穴を空ける. ❸(両のてのひら(掌)に挟んで)もみ固める. [句例] 경단을 ～ 団子を丸める. ❹(ご飯に菜などを)混ぜ合わせる. [文例] 밥에 고추장과 기름을 넣고 숟가락으로 잘 비벼라 ご飯にとうがらし(唐辛子)みそとごま油を入れてスプーンでよく混ぜなさい. ❺⇨ 비집다. [句例] 군중 속을 비비고 들어가다 群衆の中をわけ入る.

비비대기-치다 〈自〉 ❶押し合いへし合う. 込み合う. もみ合う. [句例] 버스 안에서 ～ バスの中でもみ合う. ❷忙しく動き回る. きりきり舞いをする. [句例] 많은 사람이 ～ 多くの人が忙しく動き回る.

비비-대다 〈他〉 しきりにこす(擦)りつける. [句例] 고양이가 코를 ～ 猫が鼻をこすりつける / 두 손을 ～ 両手をもみ続ける.

비비-배배 〈副〉 ひばりなどの鳴き声: ピイチクピイチク. ピイピイ.

비비적-거리다 〈他〉 す(擦)り〔もみ〕続ける.
비비적비비적 〈副・하他〉 ごしごし(と).
[表現] 語感の小さい語は'바비작거리다'.

비빔-국수 〈名〉 肉・菜・とうがらし(唐辛子)みそなどを混ぜ合わせた麺.

비빔-밥 [―ppap] 〈名〉 まぜご飯. 肉・菜などを混ぜ合わせたご飯.

비사 【秘史】 [pi:sa] 〈名〉 秘史. [句例] 외교 ～ 外交秘史 / 궁중 ～ 宮廷秘史.

비사-증 【鼻皶症】 [pi:satchŭng] 〈名〉〔韓醫〕 ざくろ鼻.

비사-치기 〈名〉 石遊びの一つ. 手のひらぐらいの石や瓦を地面に立て, 少し離れた所から石を投げ当てたり, け(蹴)って当ててこれを倒す子供の遊び.

비상 【非常】 [pi:sang] 〈名〉 非常. **～하다** 〈形〉 非常だ. ずば抜けている. 平凡でない. 非凡である. [句例] ～한 머리 非凡な頭 / 정치에 ～한 관심을 갖다 政治に非常な関心を持つ. [語例] ～ 경계 非常警戒 / ～ 경보 非常警報 / ～구 非常口 / ～금 非常用のお金 / ～ 전화 非常電話 / ～ 사태 非常事態 / ～ 수단 非常手段 / ～ 계단 非常階段 / ～ 조치 非常措置 / ～ 소집 非常召集.

비-상근 【非常勤】 [pi:―] 〈名〉 非常勤. [語例] ～ 이사 非常勤理事.

비상-시 【非常時】 [pi:sang―] 〈名〉 非常時. [句例] ～에 대비하다 非常時に備える.

비-상식적 【非常識的】 [pi:―] 〈名・冠〉 非常識的. [句例] ～인 행동 非常識的な行い.

비상임 이사국 【非常任理事國】 [pi:sang-imi:saguk] 〈名〉 (国連安全保障理事会の)非常任理事国.

비색 【否塞】 [pi:saek] 〈名・하自〉 運がふさがること. [句例] 운수가 ～하다 運勢が八方ふさがりだ.

비-생산적 【非生産的】 [pi:―] 〈名・冠〉 非生産的. [語例] ～ 사업 非生産的.

비서 【秘書】 [pi:sŏ] 〈名〉 秘書. [語例] ～실 秘書室 / 사장 ～ 社長秘書.

*__비석__ 【碑石】 〈名〉 碑石. 石碑. 碑. [句例] ～을 세우다 碑を立てる.

비속 【卑俗】 [pi:sok] 〈名〉 卑俗. 下品. 低俗. **～하다** 〈形〉 卑俗だ. いやしい.

비속 【卑屬】 [pi:sok] 〈名〉 卑属. [語例] 직계 ～ 直系卑属.

비수 【匕首】 [pi:su] 〈名〉 合い口. 匕首. [句例] ～를 들이대다 合い口を突き付ける.

비수 【悲愁】 [pi:su] 〈名〉 悲愁. [句例] ～에 잠기다 悲愁にふける.

비스듬-하다 (→하다) 〈形〉 やや傾いている. 斜めだ. [文例] 그림이 비스듬하게 걸려 있다 絵がやや斜めにかけてある. **비스듬히** 〈副〉 斜めに. はすかいに.

비스름-하다 (→하다) 〈形〉 やや似ている. **비스**

름히 〈副〉似たように. 似せて.

비스코스 〈名〉〔化〕ビスコース. 語例 ~ 인조 견사 ビスコース人造絹糸. ◇viscose

**비스킷 〈名〉ビスケット. ◇biscuit

비슬-거리다 〈自〉よろめく. よろける. ふらつく.

비슬비슬 〈副・하自〉よろよろ. ひょろひょろ. 句例 ~ 걸어가다 ひょろひょろ歩く.

비슷비슷-하다 [pisŭtpisŭt'ada] (→하다)〈形〉似たり寄ったりだ. 似通っている. 句例 비슷비슷한 물건〔실력〕似たり寄ったりの物〔実力〕.

비슷-이¹ [pisŭshi]〈副〉一方にやや傾いて. 句例 ~ 앉다 からだを傾けて座る.

비슷-이² [pisŭshi]〈副〉似て, 似通って. 句例 형 ~ 생긴 동생 兄に似通っている弟.

비슷-하다¹ [pisŭt'ada] (→하다)〈形〉一方にやや傾いている.

비슷-하다² [pisŭt'ada] (→하다)〈形〉❶似ている. 似通っている. 文例 이것과 비슷한 걸 주세요 これと似た物をください. ❷(体言に付いて)…のようだ. …みたいだ. 句例 행동이 서양 사람 ~ 動作が西洋人みたいだ.

비-시【BC】[pi:shi:]〈名〉ビーシー. ◇Before Christの略.

비-시-지【BCG】[pi:shi:ji:]〈名〉ビーシージー. 語例 ~ 접종 ビーシージーの接種. ◇프 Bacille de Calmette-Guérinの略.

비-신사적【非紳士的】[pi:—]〈名・冠〉非紳士的.

비실-비실 〈副・하自〉元気がなくよろよろするさま: よろよろと. ふらふらと.

비-실용적【非實用的】[pi:shiryong—]〈名・冠〉非実用的.

**비싸다 〈形〉❶(値が)高い. 値が張る. 句例 값이 ~ 値段が高い / 비싸게 치이다 高く付く / 비싸게 사다 高く買う. 語例 비싸지다 (値段が)高くなる. ㊊싸다. ❷'거만하다 傲慢だ'の俗っぽい言いかた. →小項目

비싸게 굴다 お高くとまる. 尊大ぶる. '비싸게 놀다'ともいう. 文例 비싸게 굴지 마 尊大ぶるな.

비쌔다 [pi:ssaeda]〈自〉❶(心の中で思っていても)そうでない振りをする. そしらぬ振りをする. 文例 비쌔지 말고 말해라 そしらぬ振りをせずに話せ. ❷かかわり〔仲間入り〕を避ける. 打ち解けない. 文例 그는 비쌔는 것이 결점이다 彼は打ち解けないのが欠点だ.

비아냥-거리다 〈自〉(他人をいやみっぽく)当てつける. 皮肉を言う.

비애【悲哀】[pi:ae]〈名〉悲哀. 句例 인생의 ~를 느끼다〔맛보다〕人生の悲哀を感じる〔味わう〕. 語例 ~감 悲哀感.

비약【飛躍】〈名・하自〉飛躍. 句例 논리의 ~ 論理の飛躍 / 대~을 이루다 大飛躍を遂げる.

비약-적【飛躍的】〈名・冠〉飛躍的. 文例 ~인 발전을 이루다 飛躍的な発展を遂げる.

비어【卑語・鄙語】[pi:ŏ]〈名〉卑語.

비어【蜚語・飛語】〈名〉飛語. 語例 유언 ~ 流言飛語.

비어-지다 〈自〉❶はみ出す. 句例 솜이 비어진 이불 綿のはみ出したふとん. ❷ばれる. あらわになる. 露出する.

비열-하다【卑劣—】[pi:yŏl—] (→하다)〈形〉卑劣だ. 下劣だ. 浅ましい. さもしい. 汚い. 句例 비열한 근성 卑劣な根性 / 비열한 수단 卑劣な手段 / 비열한 짓 卑劣なふるまい / 품성이 ~ 品性が下劣だ.

비염【鼻炎】[pi:yŏm]〈名〉鼻炎. 鼻カタル.

비-오리 〈名〉〔鳥〕かわあいさ.

비옥【肥沃】[pi:ok]〈名〉肥沃. **~하다**〈形〉肥沃だ. 句例 ~한 땅 肥沃な〔肥えた〕土地. 語例 ~토 肥沃土.

비올라 〈名〉〔樂〕ビオラ. ◇이 viola

**비-옷 〈名〉雨着. 雨ガッパ. レーンコート. = 우의(雨衣).

*__비용__【費用】[pi:yong]〈名〉費用. 句例 ~의 분담 費用の分担 / ~을 염출하다 費用を捻出する / ~이 늘다〔많이 들다〕費用がかさむ / ~이 싸게〔비싸게〕먹히다 費用が安く〔高く〕かかる / ~이 들다 費用がかかる. 語例 여행〔입원〕~ 旅行〔入院〕の費用.

비우다 〈他〉空ける. 略して'비다'ともいう. ❶(中味を)空にする. 句例 술잔을 ~ 杯を干す. ❷(家を)空ける. 留守にする. 句例 집을 (잠깐) ~ 家を(しばらく)留守にする. ❸(占めていた所を)空ける. 譲る. 明け渡す. 句例 방을 ~ 部屋を空ける / 집을 기한까지 ~ 家を期限までに明け渡す.

비운【非運】[pi:un]〈名〉非運. 不運.

비운【悲運】[pi:un]〈名〉悲運. 句例 ~을 한탄하다 悲運を嘆く.

비웃 〈名〉(食品としての)にしん(鰊). 語例 ~구이 焼きにしん.

参考 魚類としての一般的な名称は '청어(青魚)'.

*__비웃다__ 〈他〉あざ笑う. あざけ(嘲)る. 嘲笑する. 句例 남의 실패를 ~ 人の失敗をあざ笑う. 文例 남을 비웃지 마라 人をあざけるな.

*__비웃음__ [piusŭm]〈名〉あざ笑い. 嘲笑. 句例 ~을 사다 嘲笑を買う. 笑いを招く / 입가에 ~을 띄우다 口もとに嘲笑を浮かべる.

비원【祕苑】[pi:won]〈名〉❶禁苑. ❷〔地〕秘苑.

参考 ②はソウルの昌徳宮内にある宮苑の特称.

비원【悲願】[pi:—]〈名〉悲願. 文例 통일은 민족의 ~이다 統一は民族の悲願である.

비위【非違】[pi:wi]〈名〉非違. 不正. 句例 ~를 감추다 非を隠す / ~를 들추어 내다 不正をあばき出す. 語例 ~ 공무원 不正公務員.

비위【脾胃】[pi:wi]〈名〉❶脾胃. 脾臓と胃. ❷食物の味, または事柄の是非をわきまえる気持ち. 好み. 機嫌. 句例 남의 ~를 건드리다 人の機嫌を損ねる / 비위(를) 맞추다 (→小項目). ❸嫌なことまたは目ざわりなことに耐える腹. 句例 비위(가) 좋다(→小項目)

비위(에) 거슬리다 気にくわない. 虫が好かない. 句例 어쩐지 비위에 거슬리는 사람 どうも気にくわない人. なぜか虫の好かない人.

비위(를) 건드리다 機嫌を損なう. 句例 윗사람의 비위를 건드리다 目上の不興を買う〔機嫌を損なう〕.

비위(에) 당기다 興味がそそられる. 食欲がわく.

비위(가) 동(動)하다 食指が動く. 心がひかれる.

비위(를) 맞추다 機嫌をとる. 調子を合わす.

비위(가) 사납다 胸がむかつく. 気にさわる. かんにさわる. 気がおさまらない.

비위(가) 상하다 むかつく. しゃくにさわる.

비위(에) 안 맞다 口に合わない. 気に入らない. 句例 비위에 안 맞는 음식 口に合わない食べ物.

비위(가) 좋다 神経が太い. 太っ腹だ. 文例 창피한 줄도 모르고 비위 좋게 앉아 있다 恥知らずよくもおさまっている.

비위(가) 틀리다 胸くそが悪くなる. 機嫌が悪くなる. 不愉快になる.

비-위생적【非衛生的】[pi:—]〈名・冠〉非衛生的. 句例 ~인 생활 환경 非衛生的な生活環境.

비유【比喩・譬喩】[pi:yu]〈名〉比喩. たと(譬)え. アレゴリー. **~하다**〈他〉比喩する. たとえる. なぞら(準)える. 句例 미인을 꽃에 ~하다 美人を花にたとえる / ~를 들어 설명하다 なぞらえて説明する / ~해서 말하다 たとえていう / 적절한 ~ 適切な比喩. 語例 ~법〔言〕比喩法 / ~ 표현 比喩表現 / ~되다 なぞらえられる.

비유-적【比喩的】[pi:yu—]〈名・冠〉比喩的. 句例 ~으로 말하다 比喩的に〔たとえて〕言う.

*__비율__【比率】[pi:yul]〈名〉比率. 句例 ~이 높다〔낮다〕比率が高い〔低い〕.

비음【鼻音】[pi:ŭm]〈名〉〔言〕鼻音. =콧소리. 参考 'ㅁ・ㄴ・ㅇ'など.

비-인간【非人間】[pi:—]〈名〉人非人. 人で無し. 句例 ~적인 사람 非人間的な人.

*__비-인도적__【非人道的】[pi:—]〈名・冠〉非人道的. 句例 ~인 처사 非人道的な処置.

비일-비재【非一非再】[pi:ilbi:jae]〈名〉一度や二度でないこと. たくさんあること. 数多くあること. 文例 그런 일은 ~다 そんなことは一度や二度ではない〔たくさんある〕.

비자〈名〉ビザ. 査証. 句例 ~가 나오다 ビザが出る. 語例 관광 ~ 観光ビザ / 입국 ~ 入国ビザ. ◇visa

비-자금【秘資金】[pi:—]〈名〉裏金. 秘密資金. 句例 ~을 조달하다 裏金を調達する.

비장【秘藏】[pi:jang]〈名・하他〉秘蔵. 句例 ~의 서화〔물건〕秘蔵の書画〔品〕. 語例 ~본 秘蔵本.

비장【悲壯】[pi:jang]〈名〉悲壮. **~하다**〈形〉悲壮だ. 句例 ~한 각오〔결의〕悲壮な覚悟〔決意〕. 語例 ~미 悲壮美.

비장【脾臟】[pi:jang]〈名〉〔生〕脾臓. =지라.

비장【裨將】〈名〉〔史〕朝鮮朝時代, 監司・兵使などに随行した幕僚格の武官.

비재【菲才】〈名〉非才. 語例 천학 ~ 浅学非才 / ~ 불민 非才不敏.

비적【匪賊】〈名〉匪賊.

비전【秘傳】[pi:jŏn]〈名・하他〉秘伝. 句例 ~의 묘약 秘伝の妙薬.

비전〈名〉ビジョン. 句例 장래에 대한 ~ 将来に対するビジョン / ~이 있다 ビジョンがある. ◇vision

비접 [pi:jŏp]〈名〉[もとの語形は'피접(避接)'] 転地療養.

비접(을) 나가다 転地療養をする.

비정【非情】[pi:jŏng]〈名〉非情. **~하다**〈形〉非情だ. 句例 ~한 사람 非情な人 / ~한 처사 非情な仕打ち.

비-정규군【非正規軍】[pi:—]〈名〉非正規軍. ゲリラ.

비-정상【非正常】[pi:—]〈名〉非正常. 句例 ~적으로 행동하다 非正常的に行動する. 文例 심리 상태가 ~이다 心理状態が正常でない.

비-좁다 [pi:—]〈形〉狭苦しい. 手狭だ. 窮屈だ. 句例 비좁은 방 狭苦しい部屋.

비죽-거리다〈自他〉(あざ笑うか泣こうとするとき)唇がびくびくする. 唇をびくびくさせる.

비죽비죽[1]〈副・하自他〉びくびく.

비죽-비죽[2]〈副・하形〉['비주룩비주룩'の略] にょきにょき. 文例 바위 모서리가 ~ 나와 있다 岩角がにょきにょきつき出ている.

비준【批准】[pi:jun]〈名・하他〉批准. 句例 조약을 ~하다 条約を批准する.

비중【比重】[pi:jung]〈名〉比重. 句例 …에 ~을 두다 …に比重をおく / ~이 크다 比重が大きい. 語例 ~계〔物〕比重計. 類 중점(重點).

비즈니스〈名〉ビジネス. 語例 ~맨 ビジネスマン. ◇business

비지〈名〉おから. う(卯)の花. きらず(雪花菜). 豆腐殻.

비지-땀〈名〉脂汗. 句例 ~을 흘리며 괴로워하다 脂汗を流して苦しむ / ~을 흘리며 고된 일을 하다 脂汗を流してつらい仕事をする.

비-질〈名・하自他〉掃き掃除. 句例 마루를 ~하다 床を掃く.

비집다 [pi:jipta]〈他〉❶こじ開ける. ねじ開ける. 句例 문을 비집어 열다 門をこじ開ける. ❷かき分けて入る. 割り込む. 句例 군중 속을 비집고 들어가다 群衆をかき分けて入る / 만원 버스에 비집고 들어가다 満員バスに割り込む. ❸(目を)こすって開ける. 句例 눈을 비집어 뜨다 目をこすって開ける.

비쭉〈副・하自他〉❶怒ったり不平がましいとき下唇をつんと突き出してゆがめるさま. 句例 입을 ~하다 口をゆがめる. ❷姿が現われてすぐ消えるさま: ひょっこり. 句例 얼굴만 ~ 내밀다 顔だけちょっとのぞかせる. ❸物の先がぴょこんと突き出るさま.

비참-하다【悲慘—】[pi:ch'am—] (→하다)〈形〉悲惨だ. 惨めだ. 句例 비참한 최후 悲惨な最期 / 너무나도 비참한 광경 あまりに悲惨な光景. 語例 비참해지다 悲惨になる. 惨めになる.

비참히〈副〉悲惨に. 惨めに.

비창【悲愴】[pi:ch'ang]〈名〉悲愴.

비책【秘策】[pi:ch'aek]〈名〉秘策. 句例 ~을 전수(傳授)하다 秘策を授ける.

비척-걸음 [—kŏrŭm]〈名〉千鳥足.

비천【卑賤】[pi:ch'ŏn]〈名〉卑賤. **~하다**〈形〉卑賤だ. 句例 ~한 몸 卑賤の身.

비-철【非—】[pi:ch'ŏl]〈名〉季節外れ.

***비추다**〈他〉❶照らす. 句例 전등이 방안을 ~ 電灯が室内を照らす / 호수 위를 비추는 달 湖を照らす月. 絵 ❷映す. 句例 거울에 모습을 ~ 鏡に姿を映す. 絵 ❸照らす. かんが(鑑)みる. 文例 그의 무죄는 사실에 비추어 명백하다 彼の無実は事実に照らして明らかだ. ❹ほの(仄)めかす. にお(匂)わせる. 句例 사의를 ~ 辞意をほのめかす.

호수 위를 비추는 달　　거울에 모습을 비추다

〈비추다〉

비축【備蓄】[pi:ch'uk]〈名・하他〉備蓄. 語例 정부 ~미 政府備蓄米.

비취【翡翠】[pi:ch'wi]〈名〉〔鑛〕翡翠.

비치【備置】[pi:ch'i]〈名・하他〉備えて置くこと. 備えつけること. 句例 책을 ~하다 本を備えておく / 홀에 테이블을 ~하다 ホールにテーブルを備えつける.

***비치다**〈自〉❶照る. (光が)差す. 射す. 句例 햇빛이 ~ 日が差す. 文例 동쪽 하늘에 서광이 비치기 시작하였다 東の空に曙光が差し始めた. ❷映る. 映じる. 句例 장지에 비친 그림자 障子に映る影 / 외국인의 눈에 비친 한국 外人の目に映じた韓国. ❸透ける. 句例 살이 비치는 옷 肌が透ける服.

비치 파라솔 [pi:ch'i—]〈名〉ビーチパラソル. ◇beach parasol

비커 [pi:k'ŏ]〈名〉ビーカー. ◇beaker

비켜-서다 [pi:k'yŏ—]〈自〉ど(退)く. 文例 차가 갑자기 달려들어 재빨리 길 오른쪽으로 비켜섰다 車が急に走り寄ったので素早く道の右側にどいた.

비키니〈名〉ビキニ. ◇bikini

****비키다** [pi:k'ida] ㊀〈自〉(身を)避ける. かわす. の(退)く. 句例 한 쪽으로 ~ 一方に寄る / 옆으로 ~ 横にのく.
㊁〈他〉よける. 取り除く. (位置を)移す. 句例 앞에서 오는 차를 ~ 前から来る車をさける / 물구덩이를 비켜서 지나가다 水たまりをさけて通る / 잠자코 자리를 ~ 黙って席を外す. 文例 의자를 조금만 비켜 주세요 椅子を少しだけよけてください.

***비타민**〈名〉ビタミン. 語例 ~ 비 복합체 ビタミンB複合体 / ~제 ビタミン剤 / ~ 결핍증 ビタミン欠乏症. ◇vitamin

비탄【悲嘆】[pi:t'an]〈名・하自他〉悲嘆. 嘆き. 句例 ~에 잠기다 悲嘆にくれる. 嘆きに沈む / ~한 나머지 嘆きのあまり.

***비탈**〈名〉斜面. 勾配. 傾斜. 句例 완만한 ~ ゆるやかな斜面 / ~이 가파르다 傾斜が急だ. 語例 ~길 坂. 坂道 / 산 ~ 山の斜面 / ~밭 傾斜地の畑.

비탈(이) 지다 斜面〔勾配〕になっている. (急に)傾斜している. 句例 비탈진 언덕길 急な坂道.

비통-하다【悲痛—】[pi:t'ong—] (→하다)〈形〉悲痛だ. 句例 비통한 표정 悲痛な表情. 語例 비통하게 悲痛に.

***비틀-거리다**〈自〉よろめきながら歩く. よろける. たじろぐ. よろめく. ふらつく. ひょろつく. 句例 발걸음이 ~ 足元がふらつく.

비틀비틀〈副・하自〉よろよろ. ふらふら. ひょろひょろ.

비틀-걸음 [—gŏrŭm]〈名〉千鳥足.

비틀걸음(을) 치다 ふらふら歩く.

비틀다 [pi:t'ŭlda] (비트니, 비틀어서)〈他〉ひね(捻)る. よじ(捩)る. ねじ(捩)る. 句例 철사를 비틀어 끊다 針金をねじり切る / 팔을 ~ 腕をひねる / 자물쇠를 비틀어 열다 錠をこじ〔ねじ〕あける / 손목을 ~ 手首をねじる.

비틀리다 [pi:t'ŭllida]〈自〉'비틀다'の受け身：ねじ(捩)れる. よ(縒)れる. ねじくれる. 句例 손목을 ~ 手首をねじられる.

비틀어-지다 [pi:t'ŭrŏ—]〈自〉❶よじれる. ねじくれる. ねじける. ❷(間柄が)こじれる. もつれる. 句例 두 사람 사이가 ~ 二人の仲がもつれる. 文例 뭣에 비틀어졌는지 말도 안 한다 なんでこじれたのか口もきかない.

비파【琵琶】〈名〉〔樂〕琵琶.

***비판**【批判】[pi:p'an]〈名・하他〉批判. 句例 ~하는 사람의 의견을 듣다 批判する人の意見を聞く / ~을 가하다〔받다〕批判を加える〔受ける〕/ ~을 감수하다 批判に甘んじる. 語例 자기 ~ 自己批判.

비판-적【批判的】[pi:p'an—]〈名・冠〉批判的. 句例 ~인 태도 批判的な態度.

비평【批評】[pi:p'yŏng]〈名・하他〉批評. 文例 남의 ~은 하기 쉽다 他人の批評はしやすい. 語例 ~가 批評家. 類 평론(評論).

비-표준어【非標準語】[pi:p'yojunŏ]〈名〉〔言〕非標準語.

비품【備品】[pi:p'um]〈名〉備品. 語例 ~ 대장 備品台帳.

비하【卑下】[pi:ha]〈名〉卑下. **~하다**〈自他〉卑下する. へりくだる.

***비-하다**【比—】[pi:—] (→하다)〈他〉❶比べる. 比する. 句例 비할 데 없는 재능 比する所のない才能 / 비할 바 없이 많이 발전하다 比べようもないほど大変発展する. ❷('…에 비하면'の形で)…に比べると. …に比べれば. 文例 이것은 그것에 비하면 좋은 편이다 これはそれに比べればいいほうだ. ❸('…에 비하여' '…에 비해서'の形で)…に比べて. 文例 나이에 비해서 몸이 크다 年の割にからだが大きい / 몸에 비해서 강하다 からだに比べて強い / 초식 동물은 육식 동물에 비하여 번식력이 크다 草食動物は肉食動物に比べて繁殖力が大きい.

비-합리【非合理】[pi:hamni]〈名〉〔哲〕非合理. 語例 ~적 非合理的.

비-합법【非合法】[pi:—]〈名〉非合法. 語例 ~적 非合法的.

비핵-화【非核化】[pi:haek'wa]〈名・하他〉非核化. 非核地帯に化すること. 語例 ~

공동 선언 非核化共同宣言.

비행【非行】[pi:haeng]〈名〉非行. 句例 ～을 저지르다 非行をやらかす〔仕出かす〕/ ～이 드러나다 非行がばれる. 語例 ～ 소년 非行少年 / ～ 소녀 非行少女.

비행【飛行】〈名・하自〉飛行. 語例 ～사 飛行士. パイロット / ～선 飛行船 / ～장 飛行場 / ～정 飛行艇 / ～ 거리 飛行距離 / ～ 접시 空飛ぶ円盤. UFO.

**비행-기【飛行機】〈名〉飛行機. 句例 ～를 타다 飛行機に乗る / ～에서 내리다 飛行機から降りる / ～가 날다 飛行機が飛ぶ / ～가 이륙〔착륙〕하다 飛行機が離陸〔着陸〕する / ～가 추락하다 飛行機が墜落する. 文例 ～로 두 시간 걸렸다 飛行機で2時間かかった. 語例 ～편 航空便 / ～표(票) 航空チケット. 飛行機の切符 / ～ 사고 飛行機事故.

비행기(를) 태우다 おだてる. 持ち上げる. おべっかを言う. 文例 그렇게 비행기 태우지 마라 そんなにおだてるなよ.

비-현실적【非現實的】[pi:hyŏnshiltchŏk]〈名・冠〉非現実的. 句例 ～인 생각 非現実的な考え.

비형 간염【B型肝炎】[pi:hyŏngga:nyŏm]〈名〉B型肝炎.

비호【庇護】[pi:ho]〈名・하他〉庇護. かばうこと. 句例 ～를 받다 庇護を受ける / 죄인을 ～하다 罪人を庇護する.

비호【飛虎】〈名〉❶飛ぶように走る虎. ❷動作が素早く勇ましいこと.

비호(와) 같다 動作が非常に素早い. 機敏で勇猛だ. 句例 비호 같이 달려오다 飛ぶように速く走ってくる.

비화【飛火】〈名・하自〉飛び火. 句例 ～를 막다 飛び火を防ぐ. 文例 독직 사건은 국회에까지 ～했다 汚職事件は国会にまで飛び火した. 語例 ～되다 飛び火する.

비화【祕話】[pi:hwa]〈名〉秘話. 語例 외교 ～ 外交秘話.

빅-수【一手】〈名〉'비김수(手)'の略.

빈 〔漢字項目〕

【貧】中學 빈 ヒン. ビン. ❶가난하다 まずしい. ▌貧困 빈곤 ひんこん. 貧富 빈부 ひんぷ. ▌極貧 극빈 ごくひん. 清貧 청빈 せいひん. ❷모자라다 足りない. ▌貧血 빈혈 ひんけつ. 貧弱 빈약 ひんじゃく.

【賓(賔)】高校 빈 ヒン. ❶귀한 손 大事な客. ▌賓客 빈객 ひんきゃく. ▌來賓 내빈 らいひん. 貴賓 귀빈 きひん. ❷주된 것에 대립되는 것 主たるものに対立するもの. ▌賓格 빈격 ひんかく. 賓辭 빈사 ひんじ. 賓概念 빈개념 ひんがいねん.

【頻(頻)】高校 빈 ヒン. 자주 しばしば. 여러 번 たびたび. ▌頻發 빈발 ひんぱつ. 頻度 빈도 ひんど. 頻繁 빈번 ひんぱん.

빈객【賓客】〈名〉賓客.

***빈곤**【貧困】〈名〉貧困. **～하다**〈形〉貧困だ. 句例 ～한 생활 貧困な生活 / 화제가 ～하다 話題が乏しい / 정치의 ～ 政治の貧困.

빈궁【貧窮】〈名〉貧窮. **～하다**〈形〉貧窮だ. 句例 ～에 허덕이다 貧窮〔貧苦〕にあえぐ.

빈농【貧農】〈名〉貧農. 對부농(富農).

빈대〈名〉〔蟲〕なんきんむし(南京虫). とこじらみ(床虱).

빈대 미워 집에 불 놓는다 ねずみ(鼠)を治めて里閭を破る.

빈대 붙다 (なんきんむしのように他に付いて)働かずに甘い汁を吸う. ただで分け前にあずかる.

빈대-떡〈名〉水にふやかした緑豆をうす(臼)でひき, 豚肉・ねぎ・もやし・キムチなどを入れ平たく油で焼きあげたお好み焼きのような食べ物.

빈도【頻度】〈名〉頻度. 句例 ～가 높다 頻度が高い / ～를 조사하다 頻度を調べる.

***빈둥-거리다**〈自〉ぶらぶらする. ごろつく. 文例 일꾼이 빈둥거리며 게으름만 피운다 人夫がぶらぶら怠けてばかりいる.

빈둥빈둥〈副・하自〉ぶらぶら. のらくら. のんべんだらり. ごろごろ. 文例 ～ 놀고만 있다 ぶらぶら遊んでばかりいる.

빈들-거리다〈自〉(何もせずに)厚かましくも遊んでばかりいる.

빈들빈들〈副・하自〉ぶらぶら. のらりくらり.

빈-말 [pi:nmal]〈名・하自〉空世辞. 実のない言葉. 口先だけの言葉. 句例 ～로 약속하다 口先だけで約束する / ～만 늘어놓는 사람 おべんちゃらばかり並べ立てる人.

빈민【貧民】〈名〉貧民. 語例 ～가 貧民街 / ～굴 貧民窟 / ～ 구제 貧民救済.

빈-방【一房】[pi:nbang]〈名〉空き部屋. 空き間.

***빈번-하다**【頻繁一】(→하다)〈形〉頻繁だ. 句例 빈번한 사람 출입 頻繁な人出入り / 빈번한 가뭄 度重なる日照り. **빈번히**〈副〉頻繁に. しき(頻)りに. 句例 빈번히 왕래하다 盛んに往来する / 사고가 빈번히 일어나다 事故が頻繁に起こる.

***빈부**【貧富】〈名〉貧富. 句例 ～의 차가 심하다 貧富の差がはなはだしい / ～의 차를 없애다 貧富の差をなくす.

빈사【瀕死】〈名〉瀕死. 句例 ～ 상태에 빠지다 瀕死の状態に陥る.

빈소【殯所】〈名〉かりもがりの部屋. 喪屋.

빈-속 [pi:nsok]〈名〉❶すき腹. ＝공복(空腹). ❷浅はかな心.

***빈-손** [pi:nson]〈名〉手ぶら. 徒手. 句例 ～으로 사업을 시작하다 素手で事業を始める / ～으로 돌아오다 手ぶらで帰って来る / ～으로 방문하다 手ぶらで訪問する. 類맨손.

빈손(을) 털다 ❶従労に終わる. ❷すっからかんになる.

빈약-하다【貧弱一】[pinyak'ada](→하다)〈形〉貧弱だ. 句例 빈약한 체격 貧弱な体格 / 빈약한 지식 貧弱な知識. 文例 저 책은 내용이 ～ あの本は内容が貧弱だ.

빈-익빈【貧益貧】[pinikpin]〈名〉貧しい者がますます貧しくなること. 對부익부(富益富).

빈자【貧者】〈名〉貧者. 貧乏人. 句例 ～의 일등 貧者の一灯.

빈-자리 [pi:n—]〈名〉空席. 空き. 句例 ～를

메우다 空席をうめる / ~가 생기다 欠員が生じる. [文例] 열차가 붐벼서 ~가 없다 列車が込んで空席がない.

***빈정-거리다** 〈自〉皮肉る. あてこする. [句例] 빈정거리고 대들다 皮肉を言ってさからう. [文例] 걸핏하면 빈정거린다 ともすれば皮肉る. ㊫ 비아냥거리다.

빈-주먹 [pi:n—] 〈名〉素手. 徒手. [句例] ~으로 장사를 시작하다 裸一貫で商売を始める.

빈지 〈名〉〔建〕['널빈지'の略] 繰り戸. 雨戸.

빈-집 [pi:njip] 〈名〉 空き家. =공가(空家). [句例] ~에 도둑이 들다 空き家に泥棒が入る. [語例] ~털이 空き巣ねらい.

빈-차 【一車】[pi:nch'a] 〈名〉 空車. =공차(空車).

빈천 【貧賤】〈名・하形〉 貧賤. [句例] ~한 몸 貧賤の身. ㊊부귀(富貴).

빈촌 【貧村】〈名〉 貧村. ㊊부촌(富村).

빈축 【嚬蹙・顰蹙】〈名〉 顰蹙. [句例] 세인의 ~을 사다 世人の顰蹙を買う.

빈-탕 [pi:nt'ang] 〈名〉 ❶(くるみ(胡桃)・落花生などの)中身が空っぽなもの. ❷中身のない物事のたとえ.

빈-터 [pi:nt'ŏ] 〈名〉空き地. 空地. =공(空)터. 빈땅. [句例] ~에서 놀다 空き地で遊ぶ.

***빈-털터리** [pi:n—] 〈名〉 文無し. すっからかん. 略して'털터리'とも言う. [句例] 화재로 ~가 되다 火事ですっからかんになる.

빈-틈 [pi:nt'ŭm] 〈名〉 透き. ❶透き間. [文例] ~에 끼어들어 걸터 앉았다 透き間に割り込んで腰をかけた. ❷油断. 気のゆるみ. [文例] 감시의 ~을 타서 탈주하였다 監視の透きをねらって脱走した. ❸抜け目. [句例] ~이 많은 사람 透きの多い人.

빈틈(이) 없다 透き(間)がない. [句例] 빈틈없이 들어찬 관중 透き間もなく詰めかけた観衆 / 빈틈없는 사람 抜け目〔透き〕のない人. [語例] 빈틈없이 透き間なく. 抜け目なく.

빈한 【貧寒】〈名〉 貧寒. **~하다** 〈形〉 貧寒だ. 貧しい.

***빈혈** 【貧血】〈名〉 貧血. [句例] ~을 일으키다 貧血をおこす / ~로 쓰러지다 貧血で倒れる. [語例] ~증 貧血症 / 뇌~ 脳の貧血. ㊊다혈(多血).

***빌다** [pi:lda] (비니, 빌어서) 〈他〉 ❶物ごいをする. [句例] 빌어 먹다 こじき(乞食)をする. ❷祈る. [句例] 부처님께 ~ 仏様に祈る / 성공〔행운・건강〕을 ~ 成功〔幸運・健康〕を祈る. ❸謝る. わびる. 許しを請う. [句例] 손이 닳도록 ~ 平謝りに謝る. [文例] 그는 용서해 달라고 울며 빌었다 彼は許してくれと泣きながら謝った / 목숨만은 살려 달라고 빌었다 命だけは助けてくれと拝んだ.
[参考] '빌어라 謝れ' '빌어서 祈って'は [pirŏra], [pirŏsŏ] のように子音の次には短音で発音される.

빌딩 〈名〉ビルディング. ビル《略語》. [語例] ~가 ビル街 / 고층 ~ 高層ビル. ◇building

빌라 〈名〉ビラ. 別荘. ◇villa

***빌리다** 〈他〉❶借りる. [句例] 무이자로 돈을 ~ 無利子でお金を借りる / 남의 손을 ~ 人手を借りる / 도서관에서 책을 ~ 図書館で本を借りる / 빌려 오다 借りてくる. ❷貸す. [句例] 책을 빌려 주다 本を貸してやる / 집을 빌려 주다 家を貸してやる.

빌미 〈名〉たた(祟)り. のろ(呪)い. [句例] ~가 되다 (不幸の)原因になる. 災いする. たた(祟)る.

빌미(가) 붙다 たたる. (…に)のろわれる. [句例] 죽은 사람의 원령이 ~ 亡者の怨霊がたたる.

빌미 잡다 病気・災いなどをたたりのせいにする. かこつける.

빌-붙다 [pi:l—] 〈自〉 おもねる. へつらう. 取り入る. [句例] 권력에 ~ 権力におもねる.

빌어-먹다 [pirŏ—] 〈自他〉 こじき(乞食)をする. 物ごいで口過ぎをする. [句例] 빌어먹을 놈 こん畜生. くそ垂れめ. [文例] 빌어먹을, 또 비야 畜生, また雨か.

빔 [pi:m] 〈名・하自〉 晴れ着. [語例] 설~ 元旦の晴れ着(姿).

****빗** 〈名〉くし(櫛). [句例] ~으로 머리를 빗다 くしで髪をとかす.

빗- 〈頭〉 'まっすぐでなく・斜めに・傾いて'の意味を表わす語. [語例] ~나가다 そ(逸)れる. やりそこなう / ~맞다 それて当たる.

빗-금 〈名〉 斜線.

***빗기다** 〈他〉 人の髪をす(梳)いてやる. [句例] 딸의 머리를 빗겨 주다 娘の髪をすいてやる.

빗-나가다 [pinnagada] 〈自〉 ❶外れる. そ(逸)れる. 狂う. [句例] 빗나간 화살 それ矢 / 빗나간 대답 とんちんかんな答え / 예측이 ~ 予測が外れる〔それる〕/ 이야기가 ~ 話がそれる. ❷ぐれる. 堕落する. 脱線する. [句例] 학업 중도에 ~ 学業半ばにぐれだす.

****빗다** 〈他〉 (髪に)くし(櫛)を入れる. くしけず(梳)る. す(梳)く. [句例] 머리를 ~ 髪をすく〔とかす〕. →囲み記事 50

***빗-대다** 〈他〉 ❶あてこする. 遠回しに言う. 当てつける. [句例] 들으라는듯이 ~ 聞こえよがしに当てつける / 남을 빗대서 나무라다 他人をあてこすってとがめる. ❷事実と異なる告白をする.

빗더-서다 〈自〉 向きをかえて立つ. わきによける.

빗-돌 【碑一】〈名〉 石碑. =비석(碑石).

빗-맞다 [pinmatta] 〈自〉 ❶そ(逸)れて他の所に当たる. [句例] 화살이 ~ 矢がはずれる. ❷(予想・当てが)外れる. [句例] 예상이 ~ 予想がそれる.

***빗-면** 【一面】[pinmyŏn] 〈名〉 斜面.

囲み記事 50

■ '빗다'と'빚다' ■

빗다 す(梳)く. けず(梳)る —— 머리를 빗다 髪の毛をすく.

빚다 (1) (粉をこねてもちなどを)こしらえる —— 만두를 빚다 まんじゅう(饅頭)を練りこしらえる.
(2) 造成する. 醸し出す —— 물의를 빚다 物議を醸し出す.

ㅂ

⁑**빗-물** [pinmul]〈名〉雨水. 句例 ~이 떨어지다 雨水が落ちる.

빗-발〈名〉雨脚〔雨足〕. 句例 굵은 ~ 太い雨脚 / ~이 세다 雨足が激しい.

빗발 치다 ❶雨が激しく降る. ❷(弾丸などが)激しく降り注ぐ. ❸(催促·非難などが)非常にきびしい. 句例 빗발치는 항의 전화 雨あられのような抗議の電話.

빗발 치듯 雨あられのように. 句例 ~ 날아오는 탄환 雨あられと降る弾丸 / 빗쟁이의 ~한 독촉 債権者の矢のような催促.

⁑**빗-방울**〈名〉雨粒. 雨のしずく. 文例 굵은 ~이 후두둑 떨어지기 시작했다 大粒の雨がぱらぱらと降り出した.

빗방울(이) 듣다 雨のしずくが滴る.

빗-보다〈他〉見誤る. 見間違える. 句例 사람을 ~ 人を見誤る.

빗-살〈名〉くし(櫛)の歯.

빗살-무늬 [—muni]〈名〉〔史〕くし目文. 語例 ~ 토기 くし目文土器.

빗살-창【—窓】〈名〉〔建〕桟をひし形〔はすかい〕に組んだ窓.

빗-소리〈名〉雨の音.

빗-속〈名〉雨中. 雨の中.

빗장〈名〉['문(門)빗장'の略] 掛けがね. かんぬき(閂). 句例 대문에 ~을 지르다 門にかんぬきを渡す.

빗장-뼈〈名〉〔生〕鎖骨. =쇄골(鎖骨).

빗-접〈名〉くしげ(櫛笥). くし箱.

빗-줄기〈名〉❶雨脚. ❷にわか雨の一降り.

빗-질〈名〉(髪を)くしけずること. **~하다**〈自他〉(髪を)くしけずる. す(梳)く. 句例 머리를 곱게 ~하다 髪をきれいになでつける.

빗-치개〈名〉けすじ立て. けすじぼう.

빙〈副〉❶一回りするさま: ぐるりと. 句例 한 바퀴 ~ 돌다 ぐるりと一回りする. ❷周りを取り囲むさま: ぐるりと. 句例 ~ 둘러 앉다 ぐるりと輪になって座る. ❸めまいがするさま: くらくら. くらっと. 文例 한 대 맞았더니 정신이 ~ 돌더군 一撃食ったところ気が遠くなったよ.

빙　〔漢字項目〕

【氷】 中學 빙 ヒョウ. ❶얼음 こおり. ◧氷河 빙하 ひょうが. 氷山 빙산 ひょうざん. ◨結氷 결빙 けっぴょう. 薄氷 박빙 はくひょう.

【聘】 高校 빙 ヘイ. ❶찾다 たずねる. 방문하여 안부를 묻다 訪問して安否をきく. ◧聘問 빙문 へいもん. ❷예의를 갖추어 부르다 礼をつくしてまねく. ◨招聘 초빙 しょうへい. ❸예의를 갖추어 장가를 들다 礼をそなえて妻をめとる. ◧聘禮 빙례 こんれい(婚礼). 聘丈 빙장 がくふ(岳父). しゅうと.

빙과【氷菓】〈名〉氷菓. 氷菓子.

*__빙그레__〈副〉にっこり. にこりと. 句例 ~ 웃다 にっこり笑う.

*__빙그르르__〈副〉滑らかに一回りするさま: くるっと. 句例 ~ 한 바퀴 돌다 くるっと軽く一回りする.

빙글-빙글¹〈副〉続けて滑らかに回るさま: くるくる. きりきり. 句例 회전 목마가 ~ 돌다 回転木馬がくるくると回る.

빙글-빙글²〈副〉にこにこ. 句例 ~ 웃다 にこにこ笑う.

빙긋〈副〉にんまり. **~거리다**〈自〉にやにや笑う.

빙긋빙긋〈副·하自〉にやにや. にたにた.

빙긋-이 [pinggŭshi]〈副〉にっこり. 句例 ~ 웃다 にっこり笑う.

빙낭【氷囊】〈名〉氷嚢. =얼음 주머니.

빙벽【氷壁】〈名〉氷壁.

빙-빙〈副〉❶しきりに回る〔回す〕さま: ぐるぐる. くるくる. 句例 핸들을 ~ 돌리다 ぐるぐるとハンドルを回す. 文例 자전거를 타고 광장을 ~ 돌았다 自転車で広場をぐるぐる回った. ❷することがなくぶらつくさま: ぶらぶら.

빙산【氷山】〈名〉〔地〕氷山. =얼음산(山).

빙산의 일각 氷山の一角. 文例 이 사건은 ~에 지나지 않는다 この事件は氷山の一角にすぎない.

빙상【氷上】〈名〉氷上. 語例 ~ 경기 氷上競技.

빙설【氷雪】〈名〉氷雪. 句例 ~에 갇히다 氷雪に閉ざされる.

빙수【氷水】〈名〉氷水. かき氷. 語例 팥~ 氷あずき.

빙어〈名〉〔魚〕わかさぎ(公魚).

빙원【氷原】〈名〉氷原. 句例 남극의 ~ 南極の氷原.

빙자【憑藉】〈名〉事寄せること. かこつけること. **~하다**〈自他〉事寄せる. かこつける. かこつ. 句例 병을 ~하여 결석하다 病気にかこつけて欠席する.

빙점【氷點】[pingtchŏm]〈名〉氷点. 語例 ~하 氷点下. 零下.
参考 物理学では'어는점(點)'という.

빙질【氷質】〈名〉氷質.

빙-초산【氷醋酸】〈名〉〔化〕氷酢酸.
参考 化学では'아세트산(酸)'という.

빙충-맞다 [piːngch'ung—]〈形〉愚かではにかみ屋だ. 臆病だ.

빙충-이 [piːngch'ung-i]〈名〉臆病者. 愚か者.

빙퉁그러-지다〈自〉❶(する事が)ねじれる. ❷(性格が)ひねくれている. 句例 빙퉁그러진 녀석 つむじ曲がりなやつ.

빙판【氷板】〈名〉凍りついた路面. 句例 ~에 넘어지다 凍りついた路面で転ぶ.

*__빙하__【氷河】〈名〉氷河. 語例 ~기 氷河期 / ~ 시대 氷河時代.

빚〈名〉借金. 負い目. 借財. =부채(負債). 句例 ~을 얻다 金を借りる. 借金する / ~을 갚다 借金を返す / ~을 돌려 받다 借金を返してもらう. 文例 갚아야 할 ~이 많다 返さなければならない借金がたくさんある.

빚(을) 내다 金を借りる. 借金する.

빚(을) 놓다 (利子を取る約束で)金を貸す.

빚(을) 물다 借金を肩代わりして返す.

빚 주고 뺨 맞기 金を貸してやってほお(頬)を打たれる. 恩をあだ(仇)で返すことのたとえ.

빚(을) 주다 (利子付きで)金を貸す.

*__빚다__〈他〉❶(酒を)醸す. 句例 술을 ~ 酒を醸

す. ❷(粉・土などをこねて, だんご・まんじゅう・陶磁器などを)こしらえる. 句例 만두를 ~ まんじゅうをこしらえる / 도자기를 빚는 곳 陶磁器をつくる所. ❸造成する. ある結果をもたらす. 醸す. 句例 가난이 빚은 비극 貧困のもたらした悲劇 / 물의를 ~ 物議を醸す. ▷→囲み記事 50

빚-돈 〈名〉 ❶借金. 句例 ~을 내다 借金をする / ~이 많다 借金が多い. ❷貸し金.

빚-쟁이 〈名〉 '채권자 債権者'の俗っぽい言いかた: 借金取り. 句例 ~에게 시달리다 債鬼に責められる / ~의 성화같은 독촉 借金取りの矢の催促.

빚-지다 〈自〉 ❶借金する. 負債を負う. ❷他人の世話になる. 人の恩を被る.

빚진 죄인 負債を負った罪人. 借金をした者は貸し主の前では頭が上がらないことのたとえ.

****빛** 〈名〉 ❶光. ㉠〔物〕光線. 句例 ~이 투과하다 光が透過する. 語例 ~ 에너지 光エネルギー / 햇~ 日の光. 日光. ㉡希望. 光明. 句例 ~은 동방으로부터 光は東から / 희망의 ~ 希望の光 / 세상의 ~ 世の光.
❷色. ㉠色彩. 句例 장밋~ 인생 ばら色の人生 / ~ 좋은 옷감 色のきれいな服地.
㉡顔色. 句例 근심의 ~ 憂いの色 / 불쾌한 ~ 不快の色 / 눈~이 날카롭다 眼光が鋭い. 文例 그 말을 듣고 놀라움의 ~을 나타내었다 そのことばを聞いて驚きの色を表わした / 피로한 ~이 완연하다 疲れ切った顔色がありありと見える.
❸栄光. 名誉. 句例 ~나는 훈장 栄えある勲章.
❹きらめき. 閃光.
❺明かり.

빛(을) 보다 人に知られる. 世に公開される.

빛(이) 없다 面目ない. 合わせる顔がない.

빛을 잃다 光を失う. 自分の役目を果たすことができなくて勢いや価値を失う.

빛 좋은 개살구 見掛け倒し. 食わせ物.

***빛-깔** 〈名〉 色彩. 色. 彩り. ＝색(色)깔. 句例 산뜻한 ~ あざやかな色 / 흰 ~ 白色 / ~이 너무 짙다 色があまり濃い.

***빛-나다** [pinnada] 〈自〉 輝く. 輝かしい. ❶光る. きらめく. 句例 별이 빛나는 밤 星が輝く夜. 文例 그의 눈이 이상하게 빛났다 彼の目が異様に輝いた. ❷公明正大で立派だ. 句例 빛나는 업적 輝かしい業績.

***빛-내다** [pinnaeda] 〈他〉 輝かす. 句例 국위를 ~ 国威を輝かす / 눈을 ~ 目を輝かせる. 文例 자리를 빛내 주셔서 감사합니다 ご光臨賜わりありがとうございます.

빛-바래다 〈自〉 色があせる. 色がさめる.

빛-살 〈名〉 光線. ＝광선(光線).

ㅃ [쌍비읍 ssangbiŭp] 'ㅂ'の硬音.

빠개다 〈他〉 ❶(小さくて堅い物を二つに)割る. 裂く. 句例 장작을 ~ まき(薪)を割る. ❷(仕事を)台無しにする. 文例 다 된 일을 빠개 놓았다 ほとんどできあがった仕事を台無しにした.

빠드득 〈副〉 固いものを強くもむときに出る音. 歯ぎしりするときの音: ぎしぎし. 句例 이를 ~ 갈다 ぎりぎりと歯ぎしりする.

빠드득빠드득 〈副・하自他〉 ぎしぎし.

빠듯-이 [ppadŭshi] 〈副〉 ぎりぎりで〔と〕. きちきちで〔と〕. 句例 ~ 시간에 대다 時間ぎりぎりに間に合う.

빠듯-하다 [ppadŭt'ada] (→하다) 〈形〉 ❶ぎりぎりだ. きゅうきゅうだ. 句例 빠듯한 살림 ぎりぎりの生活 / 예산이 ~ 予算がきゅうきゅうだ. ❷透き間がない. ぴったり当てはまる. ぴっちりだ.

***빠-뜨리다** [ppa:—] 〈他〉 ❶陥れる. 句例 계략에 ~ 計略に陥れる / 함정〔죄〕에 ~ わな〔罪〕に落とす / 남을 함정에 ~ 人を落とし穴にはまらす. ❷漏らす. 見落とす. 見逃す. 抜かす. 取り落とす. 句例 빠뜨리고 말하다 言い漏らす / 명단에서 ~ 名簿から取り落とす / 한 사람도 빠뜨리지 않고 체포하다 一人残らず捕らえる. ❸落とす. 失う. 句例 지갑을 ~ 財布を落とす.

****빠르다** (빠르니, 빨라서) 〈形〉 ❶速い. 句例 물살이 ~ 流れが速い / 빠른 성장 速い成長 / 빠른 걸음 はや足. 文例 시계가 2분쯤 ~ 時計が二分ほど進む. 對느리다.
❷(期間が)短い. 句例 빠른 시일내에 끝내다 短時間で終える.
❸(時が)早い. ＝이르다. 文例 꽃철이기엔 아직 ~ 花時にはまだ早い. 對늦다.
❹敏速だ. 素早い. 句例 이해가 ~ 分かりが速い / 눈치가 ~ 目端がきく. 文例 말이 빨라서 잘 알아들을 수가 없다 早口でよく聞き取れない.
❺(順序が)早い. 先だ. 前だ. 文例 입학은 내가 일년 ~ 入学はわたしが一年早い. 對늦다.
❻楽だ. 容易だ. 近道だ. 句例 출세의 빠른 길 出世への近道. 文例 직접 애기하는 게 ~ じかに話すのが早い.

빠이-빠이 〈感〉《兒》 バイバイ. さよなら. ◇bye-byeから.

****빠지다**[1] [ppa:jida] 〈自〉 ❶陥る. はまる. ㉠(穴などに)落ち込む. 句例 도랑에 ~ 溝にはまる / 수렁에 ~ 泥沼にはまりこむ / 구덩이에 ~ くぼみに落ちる.
㉡計略にかかる. だまされる. 句例 못된 계략에 ~ 悪るだくらみに陥る. 文例 나쁜 친구의 꾐에 빠져 못된 길로 빠졌다 悪友に誘われてわき道にそれた.
㉢よくない状態になる. 句例 혼란〔절망・재정난〕에 ~ 混乱〔絶望・財政難〕に陥る / 딜레마에 ~ ジレンマに陥る / 죄악의 구렁에 ~ 罪悪の奈落に陥る.
❷おぼ(溺)れる. ㉠(水に)沈む. 句例 바다에 ~ 海におぼれる. 文例 그는 물에 빠져 죽었다 彼はおぼれ死にした.
㉡ふけ(耽)る. 耽溺する. 句例 주색에 ~ 酒色におぼれる〔ふける〕 / 인기 탤런트에 ~ 人気タレントにのぼせる.
❸抜ける. ㉠外れる. 句例 단추가 ~ ボタンが外れる / 못이 ~ くぎ(釘)が抜ける / (펌프의) 손

ㅂ

잡이가 ～ (ポンプの)取っ手が取れる / 틀니가 ～ 入れ歯が抜ける / 칼의 이가 ～ 刃こぼれする / 밑이 ～ 底が抜ける.
㉡落ちる. 欠ける. 句例 명부에서 ～ 名簿から落ちる / 필요한 조문이 ～ 必要な条文が欠ける.
㉢なくなる. 消えうせる. 句例 뼈빠지게 번 돈 骨折って稼いだ金 / 힘이 ～ 力が抜ける. へこたれる《俗》/ 맥이 ～ 気が抜ける / 김 빠진 맥주 気の抜けたビール / 때가 ～ あか抜けする / 얼룩이 ～ し(染)みが落ちる. 文例 아무리 빨아도 때가 잘 빠지지 않는다 いくら洗ってもあかがよく落ちない.
㉣(仲間から)離れる. 離脱する. 句例 조합〔단체〕에서 ～ 組合〔団体〕から抜ける.
㉤抜け出る. すり抜ける. 句例 뒤로 ～ 裏へ抜ける / 포위에서 빠져 나오다 包囲から抜け出る / 울타리 밖으로 빠져 나가다 垣根をくぐる / 샛길로 빠져 앞지르다 わき道を通って先回りをする.
❹漏れる. 句例 선발에서 ～ 選に漏れる. 選から外れる.
❺(他のものより)劣る. 引けを取る. 句例 남보다 빠지는 느낌이 들다 引け目を感じる. 文例 재주는〔성적은〕 남에게 빠지지 않는다 才能〔成績〕は人に劣らない.
❻やせる. 引く. 減る. (顔が)やつれる. 句例 몸무게가 ～ 体重が減る / 부기(浮氣)가 ～ は(腫)れが引く / 군살이 ～ ぜい肉が取れる.
❼(たまった水が)流れ出る. 引く. 句例 물이 잘 ～ 水はけがよい. 水の切れがいい / 조수가 ～ 潮が引く.
❽('잘 ～'の形で)よくできる. 立派になる. 句例 몸이 잘 빠진 청년 すらっとした青年. 文例 제품이 잘 빠졌다 製品がよくできた.
❾(くじを)引き当てる. 句例 계알이 ～ くじを引き当てる.
表現 '⑧'は俗っぽい言いかた.

*빠지다² [ppa:jida] 〈補動〉 ('-아〔-어〕 ～ の形で) …(して)しまう. …し切る. 句例 늙어 ～ 老いぼれる / 썩어 ～ 腐りはてる. 腐り切る / 낡아 빠진 집 古ぼけた家.

빠짐-없이 [ppa:jimŏpshi] 〈副〉 漏れなく. 手落ちなく. 句例 ～ 기입하다 漏れなく書き入れる / ～ 구비하다 つぶさに取りそろえる.

빡빡¹ 〈副〉 ❶ひどいあばたになったさま: ぼこぼこ. ❷頭を坊主刈りにしたさま: くりくり. 句例 머리를 ～ 밀다 髪を坊主頭にそる.

빡빡² [ppakppak] 〈副〉 タバコをしきりに吸い込むさま: ぱっぱと. すぱすぱ.

빡빡-하다 [ppakppak'ada] (→하다) 〈形〉 ❶(水分が少なく)かさかさだ. こわ(強)い. 句例 밥이 ～ ご飯がぼそぼそだ. ❷ぴったりとくっついて窮屈だ. ❸融通がきかない. ゆとりがない. 句例 빡빡하지 않은 사람 融通のきく人. 文例 너무 빡빡하게 굴지 마 そんなにつっけんどんにふるまうなよ.

빤지르르 〈副〉 (油や水気がついて)なめらかに滑るさま: つるつる.

빤질-거리다 〈自〉 ❶すべすべしてつやがある. すべすべする. つるつるする. ❷悪賢くふるまう. ❸(仕事を)ずるける.

빤질빤질 〈副・하形〉 ❶すべすべ. つるつる. 句例 ～한 마룻바닥 すべすべした床. ❷悪賢いさま.

빤짝 〈副〉 輝くさま: ちらっと. きらっ. ぴかっ.
～거리다 〈自他〉 きらきらきらめく.
빤짝빤짝 〈副・하自他〉 きらきら. ちらちら.

빤-하다 [ppa:n—] (→하다) 〈形〉 ❶一筋の光が差して少し明るい. ❷見え透いている. 分かりきっている. 句例 빤한 거짓말 見え透いたうそ. 文例 네가 실패할 것은 ～ 君が失敗することは分かりきっている. ❸(忙しいうちに)少し暇がある. 文例 요즘은 조금 ～ このごろはちょっと暇がある. ❹(病気が)少しよくなる. 句例 병세가 ～ 病勢がややよくなる.

*빤-히 [ppa:nhi] 〈副〉 ❶みすみす. 句例 ～ 알고도 손해보다 みすみす損をする / ～ 보고도 도둑을 놓치다 泥棒をみすみす逃す. ❷はっきりと. 句例 ～ 들여다보이는 거짓말 すぐばれる見えすいたうそ / 속셈이 ～ 들여다보이다 意図がはっきり見える. ❸じろじろ. 句例 남의 얼굴을 ～ 쳐다보다 人の顔をじろじろと見る.

빨가-벗기다 〈他〉 ❶丸裸〔真っ裸・素裸〕にする. ❷(他人の財産などをすっかり奪い取って)一文無しにする.

빨가-벗다 〈自〉 丸裸〔真っ裸・素裸〕になる.

빨가-숭이 〈名〉 真っ裸. すっ裸. 裸体.
句例 ～가 되다 真っ裸になる.
表現 語感の大きい語は'뻘거숭이'.

*빨간 〈冠〉 ❶全くの. ❷真っ赤な. 句例 ～ 거짓말 真っ赤なうそ.

빨간-딱지 〈名〉 ❶売約済みの赤札. ❷赤紙. 差し押さえ品にはる赤い札. ❸⇨딱지③
表現 '①-③'は俗っぽい言いかた.

⁑빨강 〈名〉 赤. 赤色.

⁑빨갛다 [ppalgat'a] (빨가니, 빨가오) 〈形〉 赤い. 句例 빨간 꽃〔사과〕 赤い花〔りんご〕 / 빨간 입술 赤い唇 / 빨갛게 물든 저녁놀 真っ赤に染まった夕焼け.

빨개-지다 〈自〉 赤む. 赤らむ. 赤くなる. 句例 얼굴이 ～ 顔が赤らむ / 저녁 하늘이 ～ 夕方の空が焼ける.

빨갱이 〈名〉 共産主義者をさげずんで言う語. 赤.

빨다¹ (빠니, 빨아서) 〈他〉 ❶吸う. しゃぶる. ねぶ(舐)る. なめる. 句例 젖을 ～ 乳を吸う / 모기가 피를 ～ 蚊が血を吸う / 눈깔 사탕을 ～ あめ玉をしゃぶる / 손가락을 ～ 指をしゃぶる. ❷(水などを)吸い上げる. ❸吸収する. 吸い込む.

⁑빨다² (빠니, 빨아서) 〈他〉 洗濯する. 洗う. 句例 옷을 ～ 衣類を洗う / 비벼 ～ もみ洗いをする.

빨다³ (빠니, 빨아서) 〈形〉 先細だ. 句例 끝이 빤 막대기 先細の棒.

*빨-대 [—ttae] 〈名〉 ストロー. ＝스트로.
빨대(를) 대다 ❶ストローを挿す. ❷人を食い物にする.

⁑빨래 〈名〉 洗い物. ❶洗濯. 洗い. ～하다 〈自〉

洗濯する．洗う．洗い物をする．語例 물～ 水洗い / 애벌 ～ 下洗い / ～터 洗濯場 / ～판(板) 洗濯板．もみ板 / 빨랫줄 洗い物を干すひも．❷洗濯物．句例 ～가 밀리다 洗い物がたまる．

*__빨랫-감__ 〈名〉洗濯物．洗い物．＝세탁물．빨래．

__빨랫-방망이__ 〈名〉洗濯棒．

**__빨랫-비누__ 〈名〉洗濯石鹸．＝세탁비누．

**__빨리__ 〈副〉速く．速やかに．早い事．早い所〔とこ〕．素早く．句例 ～ 도망가다 速く逃げる / ～ 듣는 약 速く効く薬 / ～ 해산하다 速やかに解散する．文例 ～ 치우고 떠나가자 早いこと片付けて出かけよう / ～ 알려 놓자 早いこと知らせておこう / 성가신 일은 ～ 처리해 버리자 面倒な仕事は早いとこ片付けてしまおう．__～하다__〈他〉早める．速くする．句例 속도를 ～하다 速度を早める / 걸음을 ～하다 足を早める．

__빨리빨리__ 〈副〉速く速く．さっさと．とくとく．文例 ～ 준비해라 さっさとしたくしなさい．

__빨리다__ 一〈自〉‘빨다¹’の受け身：吸われる．句例 피를 ～ 血を吸われる．
二〈他〉‘빨다¹’の使役形：吸わせる．(乳を)飲ませる．句例 어미소가 송아지에게 젖을 ～ 親牛が子牛に乳を飲ませる．

__빨-병__【一甁】[—ppyŏng]〈名〉水筒．

__빨아-내다__ [ppara—]〈他〉吸い出す．句例 고름을 ～ うみ(膿)を吸い出す．

__빨아-들이다__ [pparadŭrida]〈他〉吸い込む．吸い入れる．吸引する．句例 신선한 공기를 ～ 新鮮な空気を吸い込む / 습기를 ～ 湿気を吸い込む．

**__빨아-먹다__ [ppara—]〈他〉❶吸う．すする．❷しゃぶる．なめる．❸絞り上げる．句例 고혈을 ～ 膏血を絞る〔吸い取る〕．

__빨아-올리다__ [ppara—]〈他〉吸い上げる．句例 지하 3천 미터에서 ～ 地下三千メートルから吸い上げる．

__빨치산__ 〈名〉パルチザン．遊撃隊．◇러 partizan

__빨-판__ 〈名〉〔動〕吸盤．

__빳빳-이__ [ppatppashi]〈副〉❶硬直して．こちこちと．ぱりっと．句例 고개를 ～ 세우다 首をまっすぐに立てる．❷こわく．ぴんと．句例 ～ 풀먹인 셔츠 ぴんとのり付けしたシャツ．

__빳빳-하다__ [ppatppat'ada]（→하다）〈形〉❶こわ張っている．硬直している．こちこちだ．文例 새 지폐여서 모두 ～ 新しい紙幣なので皆ぱりっとしている．❷のりがこわ(強)い．句例 빳빳하게 와이셔츠에 풀을 먹이다 ワイシャツにぴんとこわくのり付けをする．

**__빵__ 〈名〉パン．句例 ～을 만들다 パンを作る / ～을 굽다 パンを焼く．文例 사람은 ～만으로 사는 것이 아니다 人はパンだけで生きられるものではない．語例 ～ 조각 パン切れ / ～ 문제 パンの問題．◇포 pão

__빵긋__ 〈副・하自〉声を出さないでほほえむさま．にこり．にっこり．にこにこと．にこやかに．句例 ～ 웃다 にっこりとほほえむ / 저도 모르게 ～하다 思わずににっこりする．__～거리다__〈自〉しきりににこにこする．

__빵긋빵긋__ 〈副・하自〉にこにこ．

__빵꾸__ 〈名〉⇨ 펑크 ◇punctureから．

__빵꾸(가) 나다__ ⇨ 펑크(가) 나다(→‘펑크’の小項目)

__빵-빵__ 〈副〉❶続けざまに破裂する音：ぱんぱん．ぽんぽん．句例 권총을 ～ 쏘다 ピストルをぽんぽんと撃つ．❷続けざまに鳴る警笛の音：ぱんぱん．❸穴が方方あいているさま：ぼこぼこ．

__빵-점__【一點】[—tchŏm]〈名〉‘영점 零点’の俗っぽい言いかた．句例 ～을 맞다 零点をとる．

**__빵-집__ [—tchip]〈名〉パン屋．ベーカリー．

*__빻다__ [ppa:t'a]〈他〉砕く．つ(搗・舂)く．文例 밀을 빻아 가루를 내다 小麦をついて粉にする．表現 ‘빻다’と‘찧다’：‘빻다’は穀物をきねなどでついて粉にすることを表わし，‘찧다’は穀物の実みを包んでいる殻などをついて除いたり，または米を精白したりすることを表わす．

__빼기__ [ppae:gi]〈名〉〔數〕減法．引き算．＝뺄셈．㊇더하기．보태기．

*__빼-내다__ [ppae:—]〈他〉[もとの語形は‘빼어내다’] ❶抜き取る．抜き出す．㉠抜く．句例 가시를 ～ とげを抜き取る / 제품을 빼내어 검사하다 製品を抜き取って検査する．㉡選び出す．取り出す．句例 책장에서 사전을 ～ 本棚から辞典を抜き出す．㉢ちょろまかす．荷物などの中身を盗み取る．句例 차의 휘발유를 ～ 車のガソリンを抜き取る．❷誘っておびき寄せる．引き抜く．句例 다른 팀 선수를 ～ よその選手を引き抜く．❸拘束された身を放してやる．請け出す．

__빼-놓다__ [ppae:not'a]〈他〉[もとの語形は‘빼어 놓다’] ❶漏らす．飛ばす．落とす．句例 요점을 ～ 要点を漏らす / 빼놓고 쓰다 書き漏らす / 빼놓지 않고 죄다 보고하다 細大漏らさず報告する / 중간을 빼놓고 읽다 飛ばして読む．❷抜いて置く．句例 서류를 ～ 書類を抜いて置く．❸選び出す．

**__빼다__ [ppae:da] 一〈他〉❶抜く．句例 못을 ～ くぎ(釘)を抜く / 공기를 ～ 空気を抜く / 목욕탕물을 ～ ふろの水を抜く / 얼룩을 ～ しみを抜く / 힘을 ～ 力を抜く．
❷引く．差し引く．除く．句例 급료에서 식비를 ～ 給料から食費を引く．文例 각종 세금을 빼고서 급여를 지급한다 各種の税金を差し引いて給与を支給する / 6세 이하는 뺀다 六歳以下は除く．
❸(余計なものを)なくす．落とす．取る．句例 얼룩을 ～ しみを抜く / 때를 ～ 垢を落とす / 사마귀를 ～ ほくろを取る．
❹装う．ふりをする．句例 점잔을 ～ 尊大ぶる．威厳を装う．
❺(これまでしてきたことから)身を引く．関係を断つ．句例 제일선에서 몸을 ～ 第一線から身を引く / 꽁무니를 빼고 달아나다 しっぽを巻いて逃げる．
二〈自〉❶‘내빼다’の略．文例 빼려고만 한다 逃げようとばかりしている．
❷‘차려 입다’の俗っぽい言いかた：めかし立てる．句例 쪽 빼고 나가다 めかし込んで出か

ける.

빼도 박도 못 하다 にっちもさっちもいかない. 抜き差しならない.

빼-돌리다 [ppae:—]〈他〉こっそり引き抜いて隠す. おびき出してよそ(余所)に回す. 句例 그를 인사과로 ～ 彼を引き抜いて人事課に回す.

빼-먹다 [ppae:—]〈他〉❶抜き取って〔抜き出して〕食べる. ❷漏らす. 抜かす. 落とす. 文例 한 줄 빼먹고 읽다 一行抜かして読む. ❸ちょろまかす. くすねる. こそ泥をする. ❹サボる. ずる休みをする. 句例 수업을 ～ 授業をサボる.

빼빼 ㊀〈副〉ひどくやせたさま: がりがり. 句例 ～ 마른 사나이 がりがりにやせた男.
㊁〈名〉や(痩)せさらばえた人. や(痩)せっぽち.

빼-쏘다 〈他〉とてもよく似る. そっくりだ. うり(瓜)二つだ. 生き写しだ. 文例 어머니를 빼쏘았구나 母の生き写しだね.

*__빼-앗기다__ 〈他〉'빼앗다'の受け身: 奪われる. 取られる. 略して'뺏기다'ともいう. 句例 지갑을 ～ 財布を奪われる / 목숨을 ～ 命を取られる.

**__빼-앗다__ 〈他〉❶奪う. ㉠取り上げる. 句例 자유를 ～ 自由を奪う / 생명을 ～ 生命を奪う / 재산을 ～ 財産を奪う / 책을 ～ 本を取り上げる. ㉡(人の心などを)引きつける. 捕らえる. 魅了する. 句例 그녀의 마음을 ～ 彼女の心を奪う. ❷乗っ取る. 分捕る. 巻き上げる. かすめ取る. 句例 적의 무기를 ～ 敵の武器を分捕る / 자산을 ～ 資産を乗っ取る / 큰돈을 ～ 大金を巻き上げる. ❸(操などを)踏みにじる. ▷略して'뺏다''앗다'ともいう.

*__빼어-나다__ 〈形〉秀いで(てい)る. 抜きんでる. ずば抜ける. 略して'빼나다'ともいう. 句例 빼어난 공적 ずば抜けた功績 / 빼어난 인물 抜群の人物 / 재주가 ～ 才能に秀でる / 성적이 ～ 成績がずば抜けている.

빼쭉 〈副・하自他〉❶不機嫌などで口をとがらすさま: つんと. ❷軽軽しく怒りをあらわすさま. ❸先がそっと現われているさま. **～거리다**〈自他〉口を突き出してつんつん〔ひくひく〕する.

빼쭉빼쭉 〈副・하自他〉つんつん. ひくひく.

빽 〈名〉❶後ろ盾. コネ. バック. ＝백 그라운드. 句例 부모의 ～으로 입사하다 親のコネで入社する. ❷⇨ 백(back). ◇back
表現 '빽'は俗っぽい言いかた.

빽(을) 쓰다 コネをつける. 賄賂をつかう.

*__빽빽-이__ [ppaekppaegi]〈副〉ぎっしり. びっしり. きちきち. こんもり. 句例 집이 ～ 들어서다 家がびっしり建ち並ぶ / 나무가 ～ 들어찬 숲 こんもり茂った林. 文例 잔 글씨로 ～ 적혀 있다 細かい字でびっしり(と)書いてある.

빽빽-하다 [ppaekppaek'ada] (→하다)〈形〉❶稠密である. ぎっしりだ. びっしりだ. 句例 집이 빽빽하게 늘어서다 家がぎっしり並ぶ. ❷心がせまい. 融通性がない. ❸詰まりそうで窮屈だ.

뺀들-거리다 〈自〉のらくらして怠ける.

뺀들뺀들 〈副・하自〉のらくら(と). 文例 ～ 놀며 통 일을 하려 하지 않는다 のらくらして一向働こうとしない.

*__뺄-셈__ [ppae:l—]〈名〉引き算. 減法. 減算. ＝빼기. 語例 ～표 減号. 對덧셈.

뺏기다 [ppae:tkida]〈他〉'빼앗기다'の略.

뺏다 [ppae:tta]〈他〉'빼앗다'の略.

뺑 〈副〉 一回回る〔取り囲む〕さま: ぐるっと. くるり(と). ぐるり(と). 句例 집 주위를 ～ 둘러싸다 家の周囲をくるりと取り囲む / 솔개가 ～ 원을 그리다 とんびがくるりと輪をかく / 둘레를 ～ 둘러보다 あたりをぐるりと見まわす.

뺑글-뺑글 〈副〉 物が軽やかにつづいて回るさま: くるくる. 句例 ～ 도는 팔랑개비 くるくる回る風車.

뺑소니 〈名〉逃走. 高飛び. とんずら. (車の)ひ(轢)き逃げ. 語例 ～차 ひき逃げ自動車 / ～ 운전수 ひき逃げ運転手.

뺑소니(를) 치다 逃げ去る. ずらかる. ひき逃げする.

**__뺨__ 〈名〉ほお・ほほ(頰). ほっぺた. 句例 ～을 붉히다 ほおを赤らめる / ～이 홀쭉해지다 ほおがこける.

뺨-따귀 〈名〉'뺨'の俗っぽい言いかた: ほっぺた. 略して'따귀'ともいう.

뺨-때리다 〈自〉びんたを食わす. ＝뺨치다.

뺨-맞다 〈自〉 びんたを食う. ほっぺたをぶたれる.

뺨-치다 〈自他〉❶びんたを食わす. ❷劣らない. しの(凌)ぐ. 勝まる. 句例 스승을 뺨칠 일솜씨 師に立ち勝る腕前 / 숙수 뺨칠 만한 칼질 솜씨 板前そっちのけの包丁さばき.

뻐개다 〈他〉❶割る. 裂く. 断ち割る. 句例 장작을 ～ まきを割る. ❷台無しにする. ❸喜びで口がほころばす.

뻐근-하다 (→하다)〈形〉 気だるい〔うずくような〕感じがする. 重苦しい. きつすぎる. 句例 어깨가 ～ 肩が凝る〔張る〕/ 가슴이 ～ 胸が重苦しい. **뻐근히**〈副〉じいんと. 句例 등이 뻐근히 아프다 背中がじいんと痛む.

*__뻐기다__ 〈自〉威張る. 高ぶる. 句例 거만하게 ～ おごり高ぶる / 마구 ～ 威張りちらす. 文例 너무 뻐기지 마라 あまり威張るな.

*__뻐꾸기__ 〈名〉〔鳥〕郭公. よぶこどり. 閑古鳥. ＝뻐꾹새.

뻐꾹 〈副〉郭公の鳴く声: かっこう.

뻐꾹-새 〈名〉⇨ 뻐꾸기

뻐꾹 시계 【一時計】〈名〉はと(鳩)時計. 郭公時計. ＝뻐꾹종(鐘).

뻐끔-거리다 〈自〉 ❶(タバコを)すぱすぱ〔ぷかぷか〕吸う. ❷(魚などが)ぱくぱくする. 文例 금붕어가 입을 뻐끔거린다 金魚が口をぱくぱくする.

뻐끔뻐끔 〈副・하自〉❶すぱすぱ. ぷかぷか. 句例 파이프 담배를 ～ 피우다 パイプをぷかぷか吹かす. ❷ぱくぱく.

뻐드렁-니 〈名〉反っ歯. 出っ歯.

뻑-뻑 [ppŏ:kppŏk]〈副〉タバコなどをさかんに吸うさま: すぱすぱ. ぷかぷか. 句例 담배를 ～ 피우다 タバコをすぱすぱ〔ぷかぷか〕吸う.

뻑뻑-하다 [ppŏkppŏk'ada] (→하다)〈形〉❶(水気が足りなくて)かさかさしている. こってりしている. ❷ゆとりがなくきつい. はまりにくい. ❸こせこせしている. ぎこちない. ❹強情で融通がきかない. **뻑뻑히** [ppŏkppŏk'i]〈副〉❶こってり. ❷きつく. ❸こせこせ. ぎこちなく.

뻑적지근-하다 (→하다)〈形〉肩などが凝って痛い. ずきずき痛い. うずく. **뻑적지근히**〈副〉ずきずき(と).

***뻔뻔-스럽다** (→스럽다)〈形〉厚かましい. ずうずうしい. ふてぶてしい. 横着だ. 厚顔である. 句例 뻔뻔스러운 태도 ふてぶてしい態度 / 뻔뻔스러운 사내 横着な男. ずうずうしい男. 厚かましい男 / 뻔뻔스런 얼굴 표정 ふてぶてしい顔つき. 文例 멋대로 남의 집에 들어오다니 뻔뻔스런 놈이다 勝手に人の家に上がり込むなんて, ずうずうしいやつだ / 뻔뻔스럽게도 돈을 꾸러 왔다 厚かましくも金を借りにきた. **뻔뻔스레**〈副〉厚かましく. ずうずうしく. ふてぶてしく.

뻔뻔-하다 (→하다)〈形〉厚かましい. ずうずうしい. ふてぶてしい. 横着だ. 句例 뻔뻔한 놈 横着なやつ. ずうずうしいやつ. 文例 뻔뻔하게 끼어 들어 왔다 ずうずうしく割り込んできた / 뻔뻔하게 굴지 마라 あこぎなまねをするな. **뻔뻔히**〈副〉ずうずう〔ふてぶて〕しく. 厚かましく. ぬけぬけ(と). ぬくぬく(と).

뻔지르르〈副〉つやがあって滑らかなさま: つやつや. つややか. てらてら. **~하다**〈形〉つややかだ. つやつや〔てらてら〕する.

뻔질-나게 [ppŏnjillage]〈副〉しげしげ(と). 頻繁に. 足しげく. 句例 ~ 다니다 しげしげと足を運ぶ / 두 집 사이를 ~ 내왕하다 両家の間をしげく往来する.

뻔쩍〈副・하自他〉'번쩍²'の語勢の強い語.

***뻔-하다**¹ [ppŏ:n—] (→하다)〈形〉確かだ. 判然としている. 知れた事だ. 句例 뻔한 일이다 高が知れている. 文例 벌이라고 했자 ~ 稼ぐといったって高が知れている / 그에게 돈이 없다는 것은 ~ 彼に金が無いことは確かだ. **뻔히**〈副〉確かに. 判然と.

뻔-하다² 〈補動〉('-ㄹ〔-을〕 뻔하였다'の形で)'ひょっとしたら…したかも知れない'の意を表わす語. 文例 까딱하면 큰일 날 뻔했다 ひょっとしたら大変なことになるところだった / 하마터면 델 뻔했다 すんでの事にやけどするところだった.

***뻗다** ■〈自〉❶伸びる. ㉠延びる. 長くなる. 張る. 句例 가지가 ~ 枝が伸びる / 뿌리가 ~ 根が張る / 덩굴이 ~ つる(蔓)がはう〔張る〕. 文例 이 철도는 국경까지 뻗어 있다 この鉄道は国境まで延びている. ㉡(勢力が)及ぶ. 広がる. 文例 그들의 세력은 이웃 나라까지 뻗어 있다 彼らの勢力は隣国まで伸びている. ❷'죽다 死ぬ'の俗っぽい言いかた: くたばる.

■〈他〉❶(手足などを)伸ばす. 句例 팔을 ~ 腕を伸ばす. ❷差し伸べる. 差し出す. 句例 구원의 손길을 ~ 救いの手を差し伸べる. →뻗치다

뻗-대다〈自〉❶抵抗する. 意地を張る. がんばる. 文例 그렇게 고집부리고 뻗대지 않아도 좋으련만 そんなにがんばってつっぱらなくてもいいのに. ❷対抗する. 手向かう. ＝뻗서다. 句例 두려워하지 않고 ~ 恐れることなく立ち向かう.

뻗-서다〈自〉⇨ 뻗대다②

뻗정-다리〈名〉屈伸できない足. また, そのような人.

뻗치다〈自他〉'뻗다'を強めた言いかた. 句例 세력을 ~ 勢力を伸ばす.

뻘〈依名〉親族などの間柄. 続き柄. 筋. 分. 句例 스승 ~ 되는 사람 師匠筋の人. 文例 동생 ~이 된다 弟に当たる. 語例 형 ~ 兄貴分.

뻘거-벗다〈自〉'벌거벗다'の語勢の強い語.

뻘거-숭이〈名〉'벌거숭이'の語勢の強い語.

뻘겋다 [ppŏlgŏt'a] (뻘거니, 뻘거오)〈形〉濃くて赤い.

뻘게-지다〈自〉濃い紅になる.

***뻘뻘**〈副〉❶忙しく歩き回るさま: せかせか(と). あたふた(と). ❷汗が続けざまにしたたり落ちるさま: たらたら. だくだく. 句例 땀을 ~ 흘리다 汗をたらたらとながす. **~거리다**〈自〉忙しく歩き回る. 句例 ~거리고 돌아다니다 せかせかと歩き回る.

뻣뻣-이 [ppŏtppŏshi]〈副〉❶こわく. こわばって. ❷頑固に. 句例 ~ 대들다 頑固につっかかる.

뻣뻣-하다 [ppŏtppŏt'ada] (→하다)〈形〉❶(紙やのり(糊)目などが)こわ(強)い. ごわつく. こわ張っている. 句例 뻣뻣한 천 こわごわの布 / 감이 두툼해서 ~ 厚手の生地でごわつく / 풀기가 많아서 ~ のりけ(糊気)が多いのでこわい. ❷柔順でない. 押しが強い.

뻥¹〈名〉'거짓(말) うそ(嘘)'の俗っぽい言いかた.

뻥²〈副〉❶穴があいているさま: ぽっかり. ぽかっと. 句例 구멍이 ~ 뚫리다 穴がぽっかりあく. 文例 큰 구멍이 ~ 뚫렸다 大きな穴がぽっかりあいた. ❷急に裂ける音: ぱん(と). ぽん(と). 文例 풍선이 ~ 터졌다 風船玉がぱんと張り裂けた. ❸ボールを強くけるさま: ぽん(と).

뻥긋〈副・하自〉'빵긋'の語感の大きい語.

뻥-까다〈自〉'거짓말하다 うそをつく''허풍(을) 떨다 ほらをふく'の俗っぽい言いかた.

***뼈**〈名〉❶骨. 句例 다리~를 부러뜨리다 足の骨を折る / 생선 ~를 발라내다 魚の骨を抜く〔取る〕/ 이국 땅에 ~를 묻다 異国の土に骨をうずめる. ❷物の骨組み. 骨子. 句例 불에 타서 ~만 남은 가옥 焼けて骨組みだけ残った家屋. ❸物事の中心. 核心. 句例 ~가 되는 인재 骨となる人材. ❹底意. 下心. 句例 ~ 있는 말 底意のある話 / ~ 없이 좋은 사람 底抜けのお人好し. ❺気骨. 意志力. 句例 ~(가) 있는 사람 骨のある人.

뼈(를) 갈다 骨身を削る. ＝뼈(를) 깎다.

뼈도 못 추리다 死んだ後, 骨もかき集められないの意. さんざんな目にあう. なにも残っ

た物がない.

뼈(가) 빠지게 骨身を惜しまずに. ＝뼈가 휘도록.

뼈에 사무치다 骨身にこたえる. 骨(身)に徹する. 骨(身)にしみる.

뼈-다귀 〈名〉(個個の)骨.

*__뼈-대__ ❶(からだの)骨格. 骨組み. 句例 ～가 튼튼한 몸 がっしりした骨組みのからだ. ❷基本構造. 句例 ～만 지어진 체육관 骨組みだけできた体育館. ❸(全体を支える)構造. 仕組み. 筋. 句例 작품〔문장〕의 ～ 作品〔文章〕の骨組み.

뼈대(가) 있다 ❶家柄がいい. 句例 뼈대 있는 가문 由緒ある家柄. ❷気骨がある. 句例 뼈대가 있는 사람 気骨のある人.

*__뼈-마디__ 〈名〉❶骨っ節. 句例 ～가 굵다 骨っ節が太い / ～가 쿡쿡 쑤시다 骨っ節がちくちくうずく. ❷(個個の)骨.

뼈-아프다 (뼈아프니, 뼈아파서)〈形〉骨身にしみる〔徹する〕. 手痛い. 句例 뼈아픈 손실 骨身にしみる損失 / 뼈아픈 실패 手痛い失敗.

*__뼈-저리다__ 〈自〉骨髄にしみる. 痛切に感じる. 句例 뼈저리게 느끼다 痛く身にしみる. 文例 세상살이의 어려움을 뼈저리게 느꼈다 世渡りのつらさを骨身に感じた.

ㅂ

*__뼘__ [ppyŏ:m]〈名〉親指と他の指を広げた長さ: 指幅. 指尺. 句例 책상 길이를 ～으로 재다 机の長さを指尺ではかる.

表現 親指と人差し指の間を'새끼뼘', 親指と中指の間を'장(長)뼘', 親指と小指の間を'작은뼘'と俗に言う.

뼛-골 〈名〉〔生〕骨髄.

뼛골(이) 빠지다 骨髄を砕く. 句例 뼛골 빠지게 일하다 骨身を惜しまず働く.

뼛골(에) 사무치다 骨髄に徹する. 骨身にしみる. 句例 원한이 뼛골에 사무치다 恨み骨髄に徹する.

뽀얗다 [ppo:yat'a] (뽀야니, 뽀야오)〈形〉(煙・霧などが立ちこめたように)かすんでいる. うっすらと白い. (ほこりなどで)白っぽい. 句例 뽀얀 살결 白っぽい肌 / 책상에 먼지가 뽀얗게 쌓이다 机の上にほこりが白っぽくつもる.

뽀얘-지다 [ppo:yaejida]〈自〉ぼうっと白くなる. 白くかすむ. 白っぽくなる. 句例 분을 발라서 얼굴이 ～ おしろいを塗って顔が(真っ)白くなる.

**__뽐-내다__ 〈自〉❶威張る. 偉ぶる. もったいぶる. 句例 뽐내며 걷다 もったいぶって歩く / 부하에게 마구 ～ 部下に威張りちらす. 文例 너무 뽐내지 마라 あまり威張るなよ. ❷誇る. 自慢する. てら(衒)う. 句例 승리를 ～ 勝利を誇る / 요리 솜씨를 ～ 料理の腕前を自慢する / 자기의 재능을 ～ 自分の才能を誇る.

**__뽑다__ 〈他〉❶抜く. 引き抜く. 抜き取る. 句例 칼을 ～ 刀を抜く / 코털을 ～ 鼻毛を抜く / 못을 ～ くぎを抜く / 무를 ～ 大根を引き抜く / 제비를 ～ くじを引く / 잡초를 ～ 雑草を抜く〔取る〕/ 이를 ～ 歯を抜く.

❷え(選)る. 選ぶ. 選抜する. 句例 대표를〔로〕～ 代表を〔に〕選ぶ / 우수한 사람을 ～ 優秀な人を選び出す. 文例 후보자 중에서 가장 알맞은 사람을 뽑았다 候補者の中から最適な人を選んだ.

❸長くする. 伸ばす. 句例 목을 길게 뽑고 회답을 기다리다 首を長くして返事を待つ.

❹取り返す. 取り戻す. 取る. 句例 밑천을 ～ 元を取る.

❺募集する. 採る. 採用する. 句例 사원을 ～ 社員を採る / 새 졸업자를 ～ 新卒を採る.

❻自動販売機にコインを投入してタバコ・飲料などを取り出す.

❼歌う. 歌い上げる. 句例 민요 한 가락을 멋지게 ～ 民謡一曲をみごとに歌い上げる.

*__뽑히다__ [ppop'ida]〈自〉'뽑다'の受け身. ❶抜かれる. 抜ける. 句例 가시가 ～ とげが抜ける / 못이 쉽게 ～ くぎ(釘)がたやすく抜ける. ❷選ばれる. 選び出される. 句例 국회 의원으로 ～ 国会議員に選ばれる / 회장으로 ～ 会長に選び出される.

뽕[1] 〈名〉'뽕잎・뽕나무'の略: 桑の葉〔木〕. 句例 ～을 따다 桑の葉を摘む / ～을 심다 桑の木を植える.

뽕도 따고 임도 보고 桑の葉も摘み恋人も会う. 一石二鳥のたとえ.

뽕[2] 〈副〉へ(屁)をひる〔おならをする〕音: ぽん.

뽕-나무 〈名〉〔植〕桑の木. 桑. 略して'뽕'とも言う.

뽕-밭 〈名〉桑畑. 桑田. 桑原. ＝뽕나무밭.

뽕-빠지다 〈自〉すっからかんになる. 一文無し〔無一文〕になる.

뽕-잎 [ppongnip]〈名〉桑の葉. 略して'뽕'ともいう. 句例 ～을 따다 桑の葉を摘む.

뾰로통-하다 (→하다)〈形〉つんと〔つんつんと〕している. 膨れっ面をしている. 口をとがらせている. 句例 금방 뾰로통하여 새침해지다 すぐつんつんと取りすます. 文例 화를 내고 뾰로통해 있다 腹を立ててつんけんしている.

뾰루지 〈名〉吹き出物. 出来物. おでき. ＝뾰두라지.

뾰족 〈副・하形〉先がとが(尖)っているさま. 句例 끝이 ～한 연필 先のとがった鉛筆.

뾰족뾰족 〈副・하形〉いくつも鋭くつき出ているさま: つんつん. 句例 ～ 뻗어 나온 보리 이삭 つんつん伸びた麦の穂.

뾰족-구두 〈名〉ハイヒール.

뾰족-이 [ppyojogi]〈副〉とがって.

뾰족-집 〈名〉❶屋根の頂上がとがっている洋館. ❷'성당(聖堂)'の俗っぽい言いかた.

뾰족-탑 〈名〉尖塔.

뿌듯-하다 [ppudŭt'ada] (→하다)〈形〉❶ぎっしり詰まっている. ❷(胸が)いっぱいだ. (気分が)満ち足りる. 文例 자식의 효도를 받고 가슴이 뿌듯해졌다 子供の孝行に胸がいっぱいになった.

**__뿌리__ 〈名〉❶〔植〕根. 句例 ～를 내리다 根を下ろす / 깊이 ～를 뻗은 나무 深く根を張った木 / ～를 자르다 根を切る. ❷根元. 句例 이의 ～ 歯の根 / 기둥 ～가 썩다 柱の根元が腐る. 文例 이가 썩어 ～만 남았다 歯

が腐って根だけ残った. ❸(物事の)根本. 本. [句例] 가문의 ~ 家門の由緒 / ~를 뽑다(→小項目).

뿌리(가) 깊다 根深い. 根強い. [句例] 뿌리 깊은 원한 根深い恨み / 뿌리 깊은 인습 根強い因習. [文例] 양가의 대립은 뿌리가 깊다 両家の対立は根深い.

뿌리(를) 박다 ❶根付く. 根差す. [句例] 볏모가 뿌리를 박다 稲の苗が根付く / 민주주의가 뿌리를 박다 民主主義が根付く. ❷定着する. [句例] 농촌에 뿌리 박고 살다 農村に定着して暮らす.

뿌리(를) 뽑다 根を絶やす. [句例] 악의 뿌리를 뽑다 悪の根を断つ.

**뿌리다 [一]〈自〉(雨や雪などが)ぱらつく. [句例] 때때로 가랑비가 ~ ときどき小雨がぱらつく. [二]〈他〉❶(水や種などを)まく. 振りまく. (調味料などを)振りかける. [句例] 뜰에 물을 ~ 庭に水をまく / 소금을〔후추를〕 ~ 塩〔こしょう〕を振りかける / 먼지가 나서 물을 ~ ほこりが立って打ち水をする. ❷(お金などを)ばらまく. まき散らす. [句例] 팁을 ~ チップをばらまく / 선거에서 돈을 ~ 選挙で金をばらまく / 선전 삐라를 ~ 宣伝ビラをばらまく. [文例] 그는 물 쓰듯이 돈을 뿌렸다 彼は湯水のように金をまき散らした.

뿌리-치다 〈他〉振り切る. ❶振り放す. 払いのける. [句例] 손을 뿌리치고 달아나다 手を振り切って逃げる / 매달리는 어린아이의 손을 ~ すがりつく子供の手を振り放す. ❷拒む. 拒絶する. はねつける. [句例] 유혹의 손길을 ~ 誘いの手を振り切る / 충고를 ~ 忠告を退ける. [文例] 부모의 반대를 뿌리치고 결혼했다 親の反対を押し切って結婚した / 만류하는 걸 뿌리치고 집을 나왔다 引き止めるのを振り切って, 家を出た.

뿌리-혹 〈名〉〔植〕根粒. [語例] ~ 박테리아 根粒バクテリア. 根粒菌.

뿌옇다 [ppu:yŏt'a] (뿌여니, 뿌여서) 〈形〉白っぽい. 白みがかっている. ぼうっとかすんでいる. (水などが)やや濁っている. [句例] 안개가 온통 뿌옇게 끼다 一面に霧が白っぽく立ち込める.

뿌예-지다 [ppu:ye—] 〈自〉白っぽくなる. 白ばんでくる. ぼうっとなる. うす明るくなる. 白くかすむ. [句例] 김이 서려 거울이 ~ 湯気で鏡ががかすむ / 눈물로 글자가 ~ 涙で文字がかすむ.

뿌유스름-하다 (→하다) 〈形〉白ばんでいる. 白っぽい. 濁ったようにかすんでいる. **뿌유스름히** 〈副〉白っぽく. 白ばんで. 濁ったようにかすんで.

*__뿐__[1] 〈依名〉('-ㄹ〔-을〕 ~이다'の形で)'だけ・のみ'の意を表わす語: …だけ. …のみ. …ばかり. …まで. [句例] 그저 명령에 따를 ~(이다) ただ命令に従うのみ. [文例] 오직 결과를 기다릴 ~이다 ただ結果を待つだけだ / 이제 전진이 있을 ~이나 今は前進あるのみだ.

*__뿐__[2] 〈助〉'それのみ'の意を表わす語: …だけ. …のみ(だ). …それきり. [文例] 가진 돈은 그것 ~이었다 有り金はそれきりだった / 소문 ~이지 실제는 다르다 うわさだけで実際は違う / 나에게 남은 건 너~이다 私に残ったのは君だけだ.

*__뿐만-아니라__ [ppunmananira] 〈副〉…だけでなく. …のみならず. …ばかりでなく. [句例] 아이들 ~ 어른까지 子供ばかりか大人まで. [文例] 아버지 ~ 어머니도 병으로 쓰러졌다 父のみか母も病に倒れた / 돈 ~ 옷도 빼앗겼다 金ばかりか服もとられた / 비가 세차졌다. ~ 벼락까지 쳤다 雨がひどくなった. のみならず, 雷まで落ちた.

**__뿔__ 〈名〉角. [句例] ~로 받다 角で突く / 쇠~에 받히다 牛の角に突かれる. [文例] ~을 바로잡으려다 소를 죽인다 角を矯めて牛を殺す. [語例] 사슴 ~ しか(鹿)の角 / 도깨비 ~ 鬼の角.

뿔-나다 [ppullada] 〈自〉'화나다'の俗っぽい言いかた: 腹が立つ. しゃく(癪)にさわる. 怒る. =뿔다귀(가) 나다.

뿔-다귀 [—ttagwi] 〈名〉'뿔 角'の俗っぽい言いかた.

뿔다귀(가) 나다 '화나다'の俗っぽい言いかた: 腹が立つ. しゃくにさわる. =뿔나다.

*__뿔뿔이__ [ppulppuri] 〈副〉ばらばら. てんでんばらばら. 散り散り. 散り散りばらばら. 離れ離れ. [句例] 한 집안이 ~ 흩어지다 一家が離れ離れになる / ~ 제멋대로 행동하다 てんでんばらばらに勝手な行動をとる. [文例] 적군은 ~ 흩어져 달아났다 敵軍は散り散りになって逃げた / 몰락한 일족은 ~ 헤어졌다 没落した一族は散り散りばらばらになった.

뿜다 [ppu:mtta] 〈他〉❶噴き出す. 噴く. 吐く. [句例] 연기를 뿜는 굴뚝 煙を吐き出す煙突 / 분화구에서 불을 ~ 噴火口から火を噴く. [文例] 연못 한가운데서 분수가 물을 뿜고 있다 池の真ん中で噴水が水を噴き出している. ❷(水を)吹きかける. 霧吹きする. [句例] 물을 뿜어 다림질을 하다 霧吹きしてアイロンをかける.

뿜어-내다 [ppumŏ—] 〈他〉噴き出す. 噴出する. 吐き出す. [句例] 자동차가 매연을 ~ 自動車が煤煙を吐き出す / 가스를 ~ ガスを噴出する / 굴뚝에서 연기를 ~ 煙突から煙を吐き出す.

삐걱 〈副・하自他〉固いものがきしむ音: きいっ. [句例] 문이 ~ 열리다 戸がきいっと開く. **~거리다** 〈自他〉きいきい鳴る〔音を出す〕. きいっきいっときしむ. [句例] 문이 ~거리다 戸がきいきいきしむ.

삐걱삐걱 〈副・하自他〉きいきい. きいっきいっ. みしみし. きしきし.

삐끗 〈副・하自〉❶(はまった物が)食い違うさま: ずるり. [句例] 이음새가 ~ 어긋나다 つなぎ目がずるりと食い違う. ❷物事の手はずが狂うさま. [文例] 자칫 ~하는 날엔 큰일난다 万が一にも事に狂いが生じたら大変なことになる.

*__삐다__ [ppi:da] [一]〈他〉くじ(挫)く. 捻挫する. [句例] 손목을 ~ 手首をくじく / 발을 ~ 足をくじく.
[二]〈自〉くじ(挫)ける. 捻挫する. (関節が)外れる. [句例] 발이 ~ 足がくじける.

삐딱-이 [ppittagi] 〈副〉 傾きかげんに. 傾きぎみに.

삐딱-하다 [ppittak'ada] (→하다) 〈形〉 傾いている. 句例 모자를 삐딱하게 쓰다 帽子を横っちょにかぶる.

삐뚜로 〈副〉 ゆがめて. 斜めに. 曲がって.

삐뚜름-하다 (→하다) 〈形〉 やや傾きかげんだ.

삐뚤-삐뚤 〈副・하自形〉 ❶よろよろ(と). ❷曲がりくねっているさま: くねくね. 文例 학생들의 줄이 ~하다 生徒たちの列がくねくねしている.

삐뚤어-지다 [ppitturŏ—] 〈自〉 ❶(一方に)傾く. ❷曲がる. 句例 자세가 ~ 姿勢が曲がる / 넥타이가 ~ ネクタイが曲がる. ❸ひねくれる. ねじける. すねる. 句例 삐뚤어진 성격 ひねくれた性格 / 마음이 ~ 心がねじける. 文例 야단을 치면 금세 삐뚤어진다 しかるとすぐにひねくれる. ❹(怒って)むっとする.

삐라 〈名〉 ビラ. ◇billから.

삐-삐 〈名〉 '무선 호출기'の俗っぽい言いかた.

삐악 〈副〉 ひよこの鳴き声: ぴよ.

삐악삐악 〈副〉 ぴよぴよ. 句例 병아리가 ~ 울다 ひよこがぴよぴよなく.

ㅂ

삐죽-거리다 〈自他〉 ❶嘲って皮肉る. ❷泣き出そうと口をぴくぴくさせる〔する〕.

삐죽삐죽 〈副・하自他〉 ❶しきりに嘲る〔皮肉る〕さま. ❷(泣き出しそうに)しきりに口をぴくぴくさせる〔する〕さま.

삐죽-이 [ppijugi] 〈副〉 (ものの先が)少し突き出ているさま: にょきっと.

삐죽-하다 [ppijuk'ada] (→하다) 〈形〉 (ものの先が)少し突き出ている.

삐죽삐죽 〈副・하形〉 (ものの一部が)あちこちにはみ出ているさま: つんつん.

삐쭉 〈副・하自他〉 ❶(怒って)下唇をとがらすさま: つんと. 句例 화가 나서 입을 ~ 내밀다 怒って口をつんととがらす. ❷ちょっと顔を出すか現れるさま: ひょっこり. ひょいと. 句例 잠시 얼굴만 ~ 내밀고 가다 しばらく顔だけひょっこり見せて行く. **~거리다** 〈自他〉 口をとがらせる.

삐쭉삐쭉 〈副・하自他〉 ❶つんつん. ❷ひょいひょい.

삥 [ppi:ng] 〈副〉 ❶(円を描いて)取り囲んださま: ぐるりと. くるりと. ぐるっと. 句例 모닥불을 ~ 둘러싸고 앉다 たき火をぐるりと囲んで座る. ❷一回りするさま: ぐるりと. ぐるっと. 句例 한바퀴 ~ 돌다 ぐるりと一回りする. ❸頭がくらくらするさま. めまいがするさま: くらっと. 句例 술 석 잔에 머리가 ~ 돌다 三杯の酒で頭がくらくらする. ❹急に涙ぐむさま: じいんと.
表現 ③④の語勢の激しい語は'핑'.

삥긋 〈副・하自〉 にっこり笑うさま: にこり. にこっと. 句例 갓난아기가 ~ 웃다 赤ん坊がにっこりほほえむ.

人

ㅅ [시옷 shiot] ハングル字母(じぼ)の第七番(だいしちばん)目(め)の字(じ).

*사【私】〈名〉❶私(し). わた(く)し. 文例 공과 ~의 구별을 분명히 하자 公(こう)と私の区別(くべつ)をはっきりしよう. ❷私心(ししん). 私欲(しよく). 句例 ~가 없는 사람 私心のない人(ひと). ▷㉿공(公).

**사【四】[sa:]〈數〉四(し)·よん. 四(よ)っつ. =넷. 語例 ~계절 四季(しき).

-사【師】〈尾〉…師(し). 語例 정원~ 庭師(にわし)/미용~ 美容師(びようし)/이발~ 理髮師(りはつし).

사 〔漢字項目〕

【事】中學 사 ジ. ズ. ❶일 こと. ㉠일(거리) 仕事(しごと). ◨事物 사물 じぶつ. ◨萬事 만사 ばんじ. 好事家 호사가 こうずか. ㉡생업 生業(せいぎょう). ◨事業 사업 じぎょう. ◨農事 농사 のうじ. ㉢임무 任務(にんむ). つとめ. ◨事務 사무 じむ. ◨公事 공사 こうじ. ㉣사고 事故(じこ). ◨事變 사변 じへん. ◨無事 무사 ぶじ. ㉤반역 反逆(はんぎゃく). ◨擧事 거사 はたあ(旗揚)げ. ❷사람의 행위 人(ひと)の行為(こうい). ◨人事 인사 じんじ. 工事 공사 こうじ. ❸직명 職名(しょくめい). ◨檢事 검사 けんじ. 知事 지사 ちじ. ❹섬기다 仕(つか)える. ◨事大 사대 じだい. ◨師事 사사 しじ.

【仕】中學 사 シ. ジ. ❶벼슬 官職(かんしょく). ◨仕官 사관 しかん. ◨致仕 치사 ちし. ❷섬기다 仕(つか)える. ◨奉仕 봉사 ほうし. 給仕 급사 きゅうじ.

【似】高校 사 ジ. 비슷하다 似(に)る. ◨類似 유사 るいじ. 相似 상사 そうじ.

【使】中學 사 シ. ❶부리다 働(はたら)かせる. 일을 시키다 仕事(しごと)をさせる. 쓰다 使(つか)う. ◨使役 사역 しえき. 使用 사용 しよう. ◨酷使 혹사 こくし. ❷심부름 보내다 使(つか)いに出(だ)す. 사신(을 보내다) 使臣(ししん)(を送(おく)る). ◨使者 사자 ししゃ. ◨大使 대사 たいし.

【史】中學 사 シ. ❶사관 史官(しかん). ◨史臣 사신 ししん. ◨侍史 시사 じし. ❷사기 史記(しき). ◨史實 사실 しじつ. ◨歷史 역사 れきし.

【司】高校 사 シ. ❶맡다 つかさどる. ◨司法 사법 しほう. 司會 사회 しかい. ❷관리 官吏(かんり). ◨上司 상사 じょうし. 有司 유사 ゆうし.

【四】中學 사 シ. ヨ. ヨン. ヨッ. ❶넷 四(し). よっつ. ◨四季 사계 しき. 四年 사년 よねん. よんねん. ❷네 번 四回(よんかい). 네 번째 四回目(よんかいめ). ◨四月 사월 しがつ. ◨再三再四 재삼재사 さいさんさいし. ❸사방 四方(しほう). ◨四面 사면 しめん. 四海 사해 しかい.

【士】中學 사 シ. ❶선비 士人(しじん). 士(し). ㉠대부의 아래 서인의 위 大夫(たいふ)の下(した), 庶人(しょじん)の上(うえ). ◨士大夫 사대부 したいふ. ◨進士 진사 しんし. ㉡뛰어난 인물 立派(りっぱ)な人物(じんぶつ). ◨紳士 신사 しんし. 名士 명사 めいし. ㉢남아 男児(だんじ). ◨壯士 장사 そうし. 力士 역사 りきし. ❷어떤 자격을 가진 사람 ある資格(しかく)を持(も)っている人(ひと). ◨技士 기사 ぎし. 辯護士 변호사 べんごし. ❸무사 武士(ぶし). 무인 武人(ぶじん). ◨士官 사관 しかん. 士兵 사병 へいし(兵士). ◨勇士 용사 ゆうし.

【寫(写)】高校 사 シャ. ❶베끼다 書(か)き写(うつ)す. ◨寫本 사본 しゃほん. ◨筆寫 필사 ひっしゃ. ❷그리다 えがく. ◨寫生 사생 しゃせい. ◨描寫 묘사 びょうしゃ. ❸본뜨다 倣(なら)う. 模(も)する. ◨模寫 모사 もしゃ. 轉寫 전사 てんしゃ. ❹찍다 写(うつ)す. 비치다 映(うつ)る. ◨映写 영사 えいしゃ. 投射 투사 とうしゃ.

【寺】中學 사 ジ. 절 寺(てら). ◨寺院 사원 じいん. 寺刹 사찰 じさつ. ◨末寺 말사 まつじ. 本寺 본사 ほんじ.

【射】中學 사 シャ. ❶쏘다 射(い)る. 擊(う)つ. ◨射擊 사격 しゃげき. 射手 사수 しゃしゅ. ◨發射 발사 はっしゃ. ❷광선·액체 따위가 쏜살같이 나가는 뜻 光線(こうせん)·液体(えきたい)などが矢(や)のように出(で)るの意(い). ◨射出 사출 しゃしゅつ. ◨注射 주사 ちゅうしゃ. 噴射 분사 ふんしゃ.

【巳】中學 사 シ. 지지(地支)의 제 6 위 十二支(じゅうにし)の第六(だいろく). ◨巳時 사시 み(巳)のとき(時). ◨辰巳 진사 しんし. たつみ. 上巳 상사 じょうし.

【師】中學 사 シ. ❶스승 師(し). 선생 先生(せんせい). ◨師弟 사제 してい. ◨教師 교사 きょうし. ❷전문가 専門家(せんもんか). ◨醫師 의사 いし. 技師 기사 ぎし. ❸종교에서 법상(法上)의 지도자 宗教(しゅうきょう)で, 法上(ほうじょう)の指導者(しどうしゃ). ◨禪師 선사 ぜんし. 牧師 목사 ぼくし. ❹군대 軍隊(ぐんたい). ◨師團 사단 しだん. ◨水師 수사 すいし.

【思】中學 사 シ. ❶생각하다 思(おも)う. 考(かんが)える. ◨思考 사고 しこう. ◨意思 의사 いし. ❷사모하다 慕(した)う. ◨思慕 사모 しぼ. ◨相思 상사 そうし. ❸느끼다 感(かん)ずる. 감정 感情(かんじょう). ◨思春期 사춘기 ししゅんき. ◨客思 객사 かくし.

【捨(捨)】高校 사 シャ. ❶버리다 捨(す)てる. ◨捨身 사신 しゃしん. ◨取捨 취사 しゅしゃ. ❷베풀다 施(ほどこ)す. ◨喜捨 희사 きしゃ.

【斜(斜)】高校 사 シャ. ❶비스듬하다 斜(なな)めだ. ◨斜面 사면 しゃめん. ◨傾斜 경사 けいしゃ. ❷기울다 傾(かたむ)く. ◨斜月 사월 しゃげつ. 斜陽 사양 しゃよう.

【斯】高校 사 シ. ❶이것 これ. 이것의 この. ◨斯界 사계 しかい. 斯道 사도 しどう. 斯學 사학 しがく. ❷아무 뜻도 없는 어조사 何(なん)の意味(いみ)もない助詞(じょし).

【査】高校 사 サ. 조사하다 調査(ちょうさ)する. ◨査察 사찰 ささつ. ◨檢査 검사 けんさ. 踏査 답사 とうさ.

【死】中學 사 シ. ❶죽다 死(し)ぬ. ㉠생명이 없어지다 生命(せいめい)がなくなる. ◨死亡 사망 しぼう. ◨急死 급사 きゅうし. ㉡효력이 없다 効力(こうりょく)がない. 활동하지 않다 活動(かつどう)しない. ◨死法 사법 しほう. 死藏 사장 しぞう. 死語 사어 しご. 死火山 사화산 しかざん. ❷야구에서, 아웃 野球(やきゅう)で, アウト. ◨二死滿壘 이사 만루

にしまんるい. ❸생사에 관계되는 위험 生死に かかわる危険. 위험을 무릅쓰다 危険を冒す. ◧死線 사선 しせん. 死守 사수 ししゅ.

【沙】高校 사 サ. シャ. ❶모래 砂. ◧沙丘 사구 さきゅう(砂丘). ◧土沙 토사 どしゃ(土砂). ❷일다 よな(淘)げる. ◧沙汰 사태 さた.

【社(社)】高校 사 シャ. ❶땅귀신 土地の神. ◧社稷 사직 しゃしょく. 社祠 사사 しゃし. ❷단체 団体. ㉠어떤 목적을 위해 결합한 단체 ある目的のために結合した団体. ◧社團 사단 しゃだん. ◧結社 결사 けっしゃ. ㉡회사・신문사의 준말 会社・新聞社の略. ◧社說 사설 しゃせつ. ◧本社 본사 ほんしゃ. 入社 입사 にゅうしゃ. ❸세상 世間. ◧社交 사교 しゃこう. 社會 사회 しゃかい.

【祀】高校 사 シ. ❶제사 지내다 まつる. ◧奉祀 봉사 ほうし. ❷제사 祭り. ◧祀典 사전 してん. ◧祭祀 제사 さいし.

【私】中學 사 シ. ❶사 わたくし. ㉠공적이 아니고, 개인・일신에 관한 일 公でなくて, 個人・一身にかかわること. ◧私的 사적 してき. 私邸 사저 してい. ◧公私 공사 こうし. ㉡자기 自己. ◧私心 사심 ししん. ❷공익에 반하여 개인적임 公益に反して個人的なこと. ◧私益 사익 しえき. 私情 사정 しじょう. ❸혼자 마음속으로 自分ひとりの心の中で. 몰래 ひそかに. ◧私語 사어 しご. 私通 사통 しつう.

【絲(糸)】中學 사 シ. ❶실 糸. ◧絹絲 견사 きぬいと. 製絲 제사 せいし. ❷실처럼 가는 것 糸のように細いもの. ◧遊絲 유사 ゆうし. 柳絲 유사 りゅうし. ❸현악기 弦楽器. ◧絲竹 사죽 しちく. 絲管 사관 しかん. ❹미세한 것 微細なもの. ◧絲毫 사호 しごう.

【舍(舎)】中學 사 シャ. ❶집 家. 건물 建物. ◧舍宅 사택 しゃたく. ◧校舍 교사 こうしゃ. ❷임시 머무는 거처 一時泊まる場所. 宿. ◧旅舍 여사 りょしゃ. 客舍 객사 きゃくしゃ. かくしゃ. ❸자기의 겸칭 自分の謙称. ◧舍兄 사형 しゃけい. 舍弟 사제 しゃてい. ❹기숙사의 준말 寄宿舎の略. ◧舍監 사감 しゃかん.

【蛇】高校 사 ジャ. ダ. 뱀 蛇. ◧蛇蝎 사갈 だかつ. 蛇足 사족 だそく. ◧毒蛇 독사 どくじゃ. 大蛇 대사 だいじゃ.

【詐】高校 사 サ. 속이다 だます. 기만하다 偽る. 사기 詐欺. ◧詐稱 사칭 さしょう. 詐術 사술 さじゅつ. ◧奸詐 간사 かんさ.

【詞】高校 사 シ. ❶말 言葉. 언어 또는 문장 言語または文章. ◧文詞 문사 ぶんし. 祝詞 축사 しゅくし. ❷문법상의 어류 文法上の語類. ◧名詞 명사 めいし. 動詞 동사 どうし. 品詞 품사 ひんし.

【謝】中學 사 シャ. ❶거절하다 断る. ◧謝絕 사절 しゃぜつ. ❷교대하다 いれかわる. ◧新陳代謝 신진 대사 しんちんたいしゃ. ❸사죄하다 謝る. ◧謝罪 사죄 しゃざい. ◧陳謝 진사 ちんしゃ. ❹사례하다 お礼をする. 고맙게 여기다 ありがたく思う. ◧謝禮 사례 しゃれい. 謝恩 사은 しゃおん. ◧感謝 감사 かんしゃ.

【賜】高校 사 シ. ❶내려주시다 賜る. ◧賜田 사전 しでん. ◧恩賜 은사 おんし. 下賜 하사 かし. ❷들어 주다 聞き入れる. ◧賜暇 사가 しか.

【辭(辞)】高校 사 ジ. ❶말. 또, 문장 言葉. また, 文章. ◧辭書 사서 じしょ. ◧美辭 미사 びじ. ❷사양하다 えんりょする. 양보하다 譲歩する. ◧辭讓 사양 じじょう. ❸사퇴하다 辞退する. 그만두다 止める. ◧辭任 사임 じにん. 辭表 사표 じひょう.

【邪(邪)】高校 사 ジャ. ❶간사하다 よこしまだ. 정직하지 못하다 心がねじけている. ◧邪惡 사악 じゃあく. 邪曲 사곡 じゃきょく. ◧正邪 정사 せいじゃ. ❷사람을 미혹하다 人を惑わす. ◧邪教 사교 じゃきょう. 邪道 사도 じゃどう.

사가【史家】[sa:ga]〈名〉史家. 歴史家.

사각【四角】[sa:gak]〈名〉四角. 四角形. ＝네모. 句例 ~의 정글 四角のジャングル. 語例 ~기둥 四角柱 / ~ 모자(帽子) 角帽.

사각【死角】[sa:gak]〈名〉死角. 文例 운전석에서는 ~을 이루고 있어서 보행자가 보이지 않는다 運転席からは死角をなしているので, 歩行者が見えない. 語例 ~ 지대 死角地帯.

***사각-거리다**〈自他〉(果物や菓子などを)さくさくかむ音がする〔を立てる〕.
表現 語感の大きい語は'서걱거리다'.
사각사각〈副・하自他〉さくさく. かさかさ. ぱさぱさ. 句例 ~ 배추를 썰다 ざくざくと白菜を刻む.

***사각-형**【四角形】[sa:gak'yŏng]〈名〉〔數〕四角形・しかっけい. 四辺形. ＝사변형. 네모꼴. 語例 정~ 正四角形 / 직~ 直角四角形.

사감【舍監】〈名〉舎監. 寮長.

사개 [sa:gae]〈名〉〔建〕(材木をつないだり, 箱などの隅をはめこんだりするときに互いにぴったりあうようにするための)ありざ(蟻差)し. ほぞ(枘)とほぞ穴.

사-거리【四—】[sa:—]〈名〉⇨ 네거리

***사건**【事件】[sa:kkŏn]〈名〉❶事件. もめごと. 出来事. 句例 ~이 발생하다 事件が発生する / ~이 백일하에 드러나다 事件が明るみに出る / ~을 일으키다 事件をおこす. 語例 부정 ~ 不正事件 / 살인 ~ 殺人事件. ❷'소송사건 訴訟事件'の略. 語例 형사 ~ 刑事事件 / 민사 ~ 民事事件.

사격【射擊】〈名・하他〉射撃. 句例 ~의 명수 射撃の名人〔名手〕. 文例 그의 ~ 솜씨는 서내(署內) 제일이다 彼の射撃の腕は署内一だ. 語例 일제 ~ 一斉射撃.

사견【私見】〈名〉私見. 句例 ~을 말하자면 私見を述べれば / ~에 불과하다 私見にすぎない.

사경【死境】[sa:gyŏng]〈名〉死境. 死の境地. 句例 ~을 헤매다 死境をさまよう.

사-경제【私經濟】〈名〉〔經〕私経済.

사계【四季】[sa:gye]〈名〉四季. 句例 ~ 철마다의 풍물 四季折折の風物 / ~의 변천 四季の移り変わり / ~를 통하여 四季を通じて. 語例 ~도(圖) 四季(の)絵. ㊓사시(四時).

사계【斯界】〈名〉斯界. 句例 ～의 권위〔대가〕斯界の権威〔大家〕.

***사-계절**【四季節】[sa:—]〈名〉⇨ 사철

사고【社告】〈名〉社告. 句例 신문에 ～를 내다 新聞に社告を出す.

***사고**【事故】[sa:go]〈名〉事故. 句例 ～를 내다〔일으키다〕事故を起こす / ～가 나다 事故がおこる / ～를 만나다〔당하다〕事故にあう. 文例 출연자에게 ～가 생겨서 공연이 중지되었다 出演者に事故があって, 公演が中止になった. 語例 ～ 처리 事故処理 / ～사 事故死 / 교통 ～ 交通事故. 類 사건(事件).

사고【思考】〈名・하他〉思考. 句例 ～력의 저하 思考力の低下.

사고-무친【四顧無親】[sa:go—]〈名・하形〉頼るべき人, または親しい人が全くいないこと.

사고 방식【思考方式】〈名〉考え方. 句例 낡은 ～을 바꾸다 古くさい考え方を変える.

사고 팔고【四苦八苦】[sa:go—]〈名〉〔佛〕四苦八苦.

사공【沙工】〈名〉'뱃사공'の略: 船頭.

사공이 많으면 배가 산으로 올라간다 船頭が多ければ舟が山に登る.

***사과**【沙果】〈名〉りんご(林檎). アップル. 句例 ～ 껍질을 깎다 りんごの皮をむく. 文例 지금은 ～가 한창 나올 때다 今はりんごの出盛るときだ. 語例 ～나무 りんごの木 / ～주(酒) りんご酒 / ～즙(汁) りんごの汁.

****사과**【謝過】[sa:gwa]〈名〉謝り. おわび. 謝罪. **～하다**〈他〉謝る. わびる. 謝罪する. 句例 ～를 드리다 わびを入れる / 양무릎을 꿇고 ～하다 両ひざをついて謝る / 실례를 ～하다 失礼をわびる / 손발이 닳도록 ～하다 平謝りに謝る. 文例 ～해서 넘어갈 문제가 아니다 謝ってすむ問題ではない. 語例 ～ 편지〔전화〕謝りの手紙〔電話〕.

사관【士官】[sa:gwan]〈名〉士官. 将校. 語例 하～ 下士官 / ⇨ 사관 학교 / ～ 후보생 士官候補生.

사관【史官】[sa:gwan]〈名〉〔史〕史官《史書の記録などをつかさどった官吏》.

사관【史觀】[sa:gwan]〈名〉史観. 歴史観. 句例 ～을 달리하다 史観を異にする. 語例 유물 ～ 唯物史観.

사관 학교【士官學校】[sa:gwan—]〈名〉士官学校. 語例 육군 ～ 陸軍士官学校.

사교【邪教】〈名〉邪教. 邪宗. 語例 ～도 邪教徒.

사교【社交】〈名・하自〉社交. 句例 ～상의 의례 社交上の儀礼. 語例 ～춤〔댄스〕社交ダンス / ～가 社交家.

사교-계【社交界】〈名〉社交界. 句例 ～에 데뷔하다 社交界にデビューする / ～의 스타 社交界のスター〔花形〕.

사교-성【社交性】[—ssŏng]〈名〉社交性. 句例 ～이 있다〔풍부하다〕社交性がある〔に富む〕.

사교-적【社交的】〈名・冠〉社交的. 句例 ～인 사람 社交的な人.

사구【四球】[sa:gu]〈名〉〔野〕四球. フォアボール. ＝포 볼(four ball).

사구【死球】[sa:gu]〈名〉〔野〕死球. デッドボール. ＝히트 바이 피치(hit by pitch).

사-군자【四君子】[sa:—]〈名〉四君子《東洋画の画題として好まれる梅・菊・蘭・竹の総称》.

사권【私權】[sakkwon]〈名〉〔法〕私権.

***사귀다**〈自他〉付き合う. 交わる. 交際する. 親しむ. 句例 여러 해 동안 ～ 長年つきあう / 사귀기 어려운 사람 親しみにくい人 / 명사와 가까이 ～ 名士と親しく交わる.

사귐〈名〉付き合い. 交際. 交わり. 人づきあい. 句例 이웃과의 ～ 隣との付き合い. 文例 그와의 ～은 영원하다 彼との交わりは永遠なものだ. 語例 ⇨ 사귐성(性)

사귐-성【一性】[—ssŏng]〈名〉人づきあい. 人当たり. 社交性. 句例 ～이 좋다〔없다〕人づきあいがいい〔へただ〕.

사그라-뜨리다〈他〉❶さび(錆)たり腐ったりして形を崩す. ❷(怒り・はれ物などを)なだめる. 散らす. 句例 종기를 ～ はれ物を散らす / 노여움을 ～ 怒りをなだめる.

사그라-지다〈自〉❶さび(錆)たり腐ったりして崩れる. 朽ち果てる. ❷(怒りやはれ物などが)鎮まる. おさまる.

사극【史劇】[sa:gŭk]〈名〉〔演〕'역사극(歷史劇)'の略: 史劇.

사근사근-하다 (→하다)〈形〉優しい. 人当たりがよい. 愛想がいい. 句例 사근사근한 여자 愛想のいい女性 / 사근사근하게 굴다 愛想よく振る舞う. 優しく振る舞う. **사근사근히**〈副〉心やさしく. 愛想よく. 柔らかく. 柔順に.

사글-세【一貰】[—sse]〈名〉[もとの語形は'삭월세(朔月貰)'] (借り家の)月払いの家賃. ＝월세(月貰). 文例 집세는 ～로 한다 家賃は月払いにする. 語例 사글셋방 月払いの間借り.

사금【砂金】〈名〉〔鑛〕砂金.

사금-파리〈名〉瀬戸物〔陶器〕の欠けら.

사기【士氣】[sa:gi]〈名〉士気. 意気ごみ. 句例 ～를 북돋우다 士気を鼓舞する / ～에 영향을 주다 士気に影響を与える / ～가 (크게) 오르다 士気が(大いに)あがる / ～를 꺾다 士気をくじく / ～를 높이다 士気を高める. 語例 ～ 왕성 士気旺盛.

사기【史記】[sa:gi]〈名〉史記. ＝사서(史書).

***사기**【沙器・砂器】〈名〉⇨ 사기 그릇

사기【社旗】〈名〉社旗.

사기【詐欺】〈名〉詐欺. **～하다**〈他〉詐欺を働く. 句例 ～를 당하다 詐欺にかかる. 語例 ～꾼 詐欺師. 山師. ぺてん師《俗》/ ～죄〔法〕詐欺罪.

사기(를) 치다 詐欺を働く. 句例 사기 치고 달아나다 詐欺を働いて逃げる.

사기 그릇【沙器—・砂器—】〈名〉陶器. 瀬戸物. 石焼き. ＝사기(沙器). 略して'사(沙)그릇'とも言う.

사나-나달〈名〉三・四日, または〔ないし(乃至)〕四・五日.

***사나이**〈名〉男. 男児. 略して'사내'ともいう. 句例 미덥지 못한 ～ 頼りない男 / ～중의 ～ 男

の中の男 / 낯선 ~ 見知らぬ男 / ~로 믿고 부탁하다 男と見込んで頼む. [文例] 덩치 큰 ~가 울다니 꼴불견이다 大の男が泣くなんてみっともない. [語例] 산~ 山男 / ~ 마음 男心. ㊜계집.

사나이-답다 (―다우니, ―다워서) 〈形〉 男らしい. 雄雄しい. 略して'사내답다'とも言う. [句例] 사나이다운 풍채 男ぶり / 태도가 ~ 態度が男らしい / 사나이답게 굴다 男らしく振る舞う. [文例] 그는 사나이다운 사나이다 彼は男らしい男だ.

사날 〈名〉 三・四日.

사납다 [sa:napta] (사나우니, 사나워서) 〈形〉 ❶荒荒しい. たけだけ(猛猛)しい. 荒っぽい. (手)荒い. 乱暴だ. [句例] 사나운 짐승 たけだけしい獣 / 사나운 얼굴 険しい顔つき / 눈초리가 ~ 目つきが険しい / 성질이 사나운 말 荒い気性の馬.
❷悪い. ㉠(運・縁起などが)よくない. [句例] 운수가 ~ 運勢が悪い. [文例] 오늘은 일진이 ~ 今日は日柄が悪い. ㉡(人情などが)きびしい. きつい. [句例] 인정 사나운 세상 きびしい〔世知辛い〕世の中. ㉢(日和・波などが)荒れている. [句例] 사나운 파도 荒れ狂う波 / 날씨가 사나워지다 天気が荒れてくる.
❸みっともない. [句例] 볼썽 ~ 体裁が悪い / 꼴 ~ みっともない / 잠버릇이 ~ 寝相が悪い.

*__사내__ 〈名〉 ❶'사나이'の略: 男. ❷'남편・정부'の俗っぽい言いかた: 夫. 情夫. 間男. [句例] 딴 ~를 보다 間男をこしらえる / ~가 생기다 情夫ができる. ❸'사내아이'の略. [文例] 태어난 아이는 ~다 生まれたのは男の子だ.

사내【社内】〈名〉 社内. [語例] ~ 결혼 社内結婚 / ~보 社内報. 社報.

사내-대장부【―大丈夫】[―dae:jangbu] 〈名〉 '대장부 大丈夫'の強調語: ますらお. 男一匹. [文例] 나도 ~다. 이만 일에 꺾일 것 같은가 おれも男一匹だ. これくらいのことにへこたれるものか.

사내-아이 〈名〉 男の子. 略して'사내'ともいう. ㊜계집아이.

*__사냥__ 〈名〉 狩り. 狩猟. ＝수렵. **~하다** 〈他〉 狩る. 狩りをする. [句例] ~(을) 가다 狩りに行く / ~감을 놓치다 獲物を逃がす. [語例] 맹수 ~ 猛獣狩り / 매~ たか狩り / 토끼 ~ うさぎ狩り.

사냥-개 [―kkae] 〈名〉 ❶猟犬. ＝엽견. ❷'염탐꾼'の俗っぽい言いかた: 回し者. スパイ. いぬ.

사냥-꾼 〈名〉 かりゅうど(狩人). 猟師. ハンター.

사냥-질 〈名・하自〉 狩りをすること.

사냥-철 〈名〉 猟期. ＝수렵기.

사냥-총 〈名〉 猟銃. ＝엽총.

*__사냥-터__ 〈名〉 狩り場. 猟場.

사-농-공-상【士農工商】[sa:nong―] 〈名〉 士農工商.

사늘-하다 (→하다) 〈形〉 ❶やや寒い. 冷え冷えする. ひやっこい. [句例] 사늘한 공기 冷え冷えした空気. ❷(驚いて)ぞっとする. ひやっとする. [句例] 간담이 ~ 肝がひやっとする. ❸(性格・態度などが)冷たい. 冷ややかだ. [句例] 사늘한 표정〔눈초리〕 冷ややかな表情〔まなざし〕.
[表現] 語感の大きい語は'서늘하다'.

**__사다__ 〈他〉 ❶(品物を)買う. あがな(購)う. 購入する. [句例] 외상으로 사오다 付けで買って来る / 반값으로 ~ 半値で買う / 월부로 양복을 ~ 月払いで洋服を買う / 살 사람이 없다 買い手がない. [文例] 주식을 사기도 하고 팔기도 한다 株を買いもし, 売りもする / 그녀는 백화점에 물건을 사러 갔다 彼女はデパートへ買い物に行った.
❷(恨み・反感などを)買う. 招く. [句例] 상사의 노여움을 ~ 上司の怒りを買う / 윗사람의 역정을 ~ 目上の不興を買う〔機嫌を損ねる〕/ 오해를 ~ 誤解を招く / 세인의 빈축을 ~ 世人の顰蹙を買う / 환심을 ~ 歓心を買う.
❸(物事や人を)高く評価する. 買う. [文例] 그의 재능은 높이 사지만 성격이 마음에 안 든다 彼の才能は高く買うが, 性格が気に入らない.
❹(人を)雇う. [句例] 품삯을 주고 사람을 ~ 賃金を払って人を雇う / 인부(人夫)를 ~ 人足を雇う.
❺(穀物を売って)金に替える. [句例] 쌀을 ~ 米を売る.

**__사다리__ 〈名〉 '사닥다리'の略: はしご(梯子). [句例] ~를 걸치다〔오르다〕 はしごをかける〔のぼる〕. [語例] 줄~ 縄ばしご / ~뽑기 阿弥陀くじのようなかけの一つ.

*__사다리-꼴__ 〈名〉〔數〕 梯形.

사다리-차【―車】〈名〉 はしご車.

사닥-다리 〈名〉 はしご(梯子). 略して'사다리'ともいう. [文例] ~를 놓고 지붕에 올라갔다 はしごをかけて屋根にのぼった.

사단【事端】[sa:dan] 〈名〉 事端. 事のいとぐち. 事件の端緒.

사단【師團】〈名〉〔軍〕 師団. [語例] 기계화 ~ 機械化師団 / ~ 사령부 師団司令部 / ~장 師団長.

사단 법인【社團法人】[―bŏbin] 〈名〉 社団法人. [語例] 공익 ~ 公益社団法人.

사담【私談】〈名〉 個人的な話.

사당 [sa:dang] 〈名〉〔民〕 群れをなして各地方を巡回して歌や踊りを売りながら卑しく行動する女. ＝사당패. ㊜남사당.
[參考] '寺黨・社堂'と書くのは当て字.

사당【祠堂】〈名〉 祠堂. お霊屋. 位牌堂. ほこら(祠). ＝가묘(家廟). [句例] ~을 짓다 ほこらを建てる.

사대【私大】〈名〉 '사립 대학'の略: 私大.

사대【事大】[sa:dae] 〈名・하自〉 事大. [語例] ~사상 事大思想 / ~주의자 事大主義者.

사대【師大】〈名〉 '사범(師範) 대학'の略.

사-대문【四大門】[sa:―] 〈名〉〔史〕 朝鮮時代, ソウルにあった四つの城門《東の興仁之門, 西の敦義門, 南の崇禮門, 北の肅靖門》.

사도【士道】[sa:do] 〈名〉 士道. 士たる者の道義.

사도【使徒】[sa:do]〈名〉使徒. 句例 평화의 ~ 平和の使徒. 語例 십이 ~ 十二使徒.

사도【師道】〈名〉師道. 句例 ~가 땅에 떨어지다 師道がすたれて地に落ちる.

사돈【査頓】〈名〉結婚によって結ばれた両家の姻戚関係. あいやけ(相舅).

사돈의 팔촌(八寸) ❶他人同様の遠い姻戚. ❷余り近くない他人.

사돈-댁【査頓宅】[—ttaek]〈名〉'사돈집'の尊称.

사돈-집【査頓—】[—tchip]〈名〉あいやけ(相舅)の家. 縁家. =사가(査家).

사-들이다[sadŭrida]〈他〉仕込む. 仕入れる. 買い入れる. 買い込む. 買い受ける. 句例 싼 물건을 ~ 安物を買い込む / 토지를 ~ 土地を買い入れる. 文例 가격 상승을 내다보고 대량으로 ~ 値上げを見越して大量に買い込む. (對)팔아넘기다.

사또[sa:tto]〈名〉[もとの語形は'사도(使道)'] 〔史〕❶部下将卒がその主将を高めて呼んだ尊称. ❷庶民や下役たちが地方官に対して用いた尊称.

사또 덕분에 나팔 분다 他人のおかげで自分の仕事をたやすく成すこと.

사또 떠난 뒤에 나팔 분다 事を成すべき時にせず, その時期を逃したあとにするのを嘲るたとえ.

*__사라지다__〈自〉消える. 消えうせる. 句例 거품같이〔연기처럼〕 ~ 泡〔煙〕と消える / 시계에서 ~ 視界から消える / 꿈이 ~ 夢が消える / 모습〔소문〕이 ~ すがた〔うわさ〕が消える / 아픔이 ~ 痛みが去る / 형장의 이슬로 ~ 刑場の露と消える. 文例 희망은 모두 사라졌다 希望はすべて消え去った / 어젯밤 금고 속의 돈이 모조리 사라졌다 昨夜金庫の中の金がすっかり消えうせた.

**사람 [sa:ram]〈名〉人. ❶人間. 人類. 句例 ~의 역사 人間の歴史 / 분수를 모르는 ~ 身の程を知らぬ人 / ~의 존엄성 人間〔人〕の尊厳性 / ~이 새까맣게 모여들다 黒山のように人がたかる. 文例 개는 ~을 잘 따른다 犬は人によくなつく / ~은 원숭이로부터 진화했다고 한다 人間は猿から進化したと言う / ~은 만물의 영장이다 人は万物の霊長である.

❷人材. 句例 ~을 얻다 人を得る / ~을 만들다 人をつくる. 文例 정계에 ~이 없다 政界に人がない.

❸人柄. 人となり. 句例 ~이 좋다(→小項目). 文例 ~이야 그만이지 人柄は申し分ない.

❹他人. 句例 모르는 ~ 知らない人 / ~을 얕잡아 보다 人を甘く見る. 文例 왜 ~을 치느냐 なぜ人を殴るのか.

❺(だれそれと決まっている)人. 句例 의중에 있는 ~ 意中の人 / 찾는 ~ たずね人 / 기다리는 ~ まち人. 文例 오후엔 ~(을) 만날 약속이 있다 午後には人に合う約束がある.

❻自分の妻の謙譲語. 語例 (우리) 집 ~ うちの家内〔女房〕.

사람(을) 버리다 人間らしさを損なう. 人間が悪くなる. 文例 못된 친구와 사귀어 사람 버렸다 悪い友達と交わって人間が悪くなった.

사람은 죽으면 이름을 남기고 범은 죽으면 가죽을 남긴다 人は死して名を残し, とら(虎)は死して皮を残す.

사람 위에 사람 없고 사람 밑에 사람 없다 人の上に人なく, 人の下に人なし.

사람의 마음은 하루에도 열 두 번 변한다 人の心は一日に十二度変わる. 変わりやすきは人心.

사람(을) 잡다 ❶人を殺す. ❷人を窮地に追い込む.

사람(이) 좋다 気だてがよい. お人よしだ. 文例 그 분은 사람이 참 좋습니다 あの方はとても気だてがよいんです.

사람 죽이다 ❶とんでもないことを仕出かして人を窮地に追い込む. ❷こっけいな笑い話やまねをして人を笑わせる.

사람-답다[sa:ram—](—다우니, —다워서)〈形〉人がましい. 人間らしい. 句例 사람다운 생활 人がましい〔人間らしい〕生活.

사람-됨[sa:ram—]〈名〉人となり. 人柄. 人物. =위인(爲人). 句例 ~이 영특하다 人となりが英明だ / 그의 ~에 끌리다 彼の人柄にひかれる. 文例 그의 ~은 잘 알고 있다 彼の人となりはよく知っている.

사랑〈名〉愛. ❶(一般的な)愛情. かわいがり. 慈しみ. **~하다〈他〉愛する. かわいがる. 慈しむ. 句例 어머니의 ~ 母の愛 / ~하는 내 아들 愛する我が子 / 자식에게 쏟는 ~ 子に注ぐ愛 / 부모의 ~을 받고 자라다 親の愛を受けて育つ.

❷(男女間の)恋. 愛情. 情け. **~하다**〈他〉愛する. 恋する. 句例 ~의 고백 愛の告白 / ~과 미움 愛と憎しみ / ~은 맹목적인 것 恋は盲目 / ~하는 사람 恋する人 / 열렬히 ~하는 사이 熱烈に愛する〔あつあつ(熱熱)の〕仲 / ~으로 맺어지다 愛で結ばれる / ~을 속삭이다 愛をささやく / ~의 보금자리 愛の巣 / 서로 ~하는 두 사람 愛しあう二人. 語例 첫~ 初恋 / 짝~ 片思い. 片恋.

❸同情して親切にもてなす心. **~하다**〈他〉愛する. 句例 ~의 손길을 뻗치다 愛の手を差し伸べる / 이웃을 ~하다 隣を愛する.

❹(物事を)大切にすること. 好むこと. **~하다**〈他〉愛する. 愛好する. 句例 꽃〔산〕을 ~하다 花〔山〕を愛する / 음악을 ~하다 音楽を好む.

❺(宗教的な)博愛. **~하다**〈他〉愛する. 慈しむ. 句例 인류에 대한 ~ 人類への愛. ▷(對)미움.

사랑【舍廊】〈名〉(主人が寝起きし, 客間として用いる)居間. 句例 손님을 ~으로 안내하다 お客を居間に案内する. (對)내실(內室).

사랑-니〈名〉[もとの語形は'사랑이'] 親知らず(歯). 知恵歯. 知歯.

*__사랑-스럽다__ (→스럽다)〈形〉愛らしい. かわいらしい. いと(愛)しい. 句例 사랑스러운 소녀 愛らしい乙女 / 사랑스럽게 미소짓다 かわいらしくほほえむ.

사랑-싸움〈名·하自〉(夫婦の)愛によって起こるけんか. 愛のいさかい. 痴話げんか. 略して

‘사랑쌈’ともいう.

사랑-채【舍廊—】〈名〉‘사랑(舍廊)’として使用している別棟.

사레 [sa:re]〈名〉食べ物などがのどにつかえて息が詰まりそうになること. むせること.

사레(가) 들리다 むせる. むせぶ. 文例 급히 마시니까 사레가 들리는 것이다 急いで飲むからむせるのだ.

사려【思慮】〈名・하他〉思慮. おもんぱかり. 句例 ~가 깊다 思慮が深い / ~있는 행동 思慮のある行動. 語例 ~ 분별 思慮分別.

사력【死力】[sa:ryŏk]〈名〉死力. 句例 ~을 다해서 싸우다 死力を尽くして戦う.

사련【邪戀】〈名〉邪恋.

사령【使令】[sa:ryŏng]〈名〉〔史〕使令.

사령【辭令】〈名〉辞令. 語例 외교 ~ 外交辞令 / ~장(狀) 辞令書.

사령-관【司令官】〈名〉〔軍〕司令官. 語例 군 ~ 軍司令官.

사령-부【司令部】〈名〉〔軍〕司令部. 語例 사단 ~ 師団司令部.

사령-탑【司令塔】〈名〉司令塔.

사례【四禮】[sa:rye]〈名〉冠婚葬祭の四つの儀礼.

*__사례__【事例】[sa:rye]〈名〉事例. ケース. 句例 많은 ~를 모으다 多くの事例を集める / 과거의 ~ 過去の事例. 語例 ~ 연구 事例研究. ケーススタディー.

사례【謝禮】[sa:rye]〈名〉謝礼. お礼. **~하다**〈自〉謝礼する. 謝する. お礼を述べる. 句例 ~의 말 お礼のことば / ~의 인사를 하다 お礼を申し上げる. 語例 ~금 謝礼金 / 만원 ~ 満員御礼.

사로-잡다〈他〉❶生け捕る. 生け捕りにする. 句例 멧돼지를 ~ いのししを生け捕る / 적을 ~ 敵を生け捕りにする. ❷とりこにする. 捕らえる. (心を)奪う. 句例 젊은이의 마음을 사로잡는 음악 若者の心をとらえる音楽. 文例 그 여인의 매력이 나를 사로잡았다 その女性の魅力がわたしをとりこにした.

*__사로-잡히다__ [—jap'ida]〈自〉‘사로잡다’の受け身. ❶生け捕られる. 句例 적에게 ~ 敵に生け捕られる / 사로잡힌 멧돼지 生け捕りにされたいのしし. ❷魅了される. とりこになる. 句例 미모에 ~ 美貌のとりこになる. ❸(因習・感情などに)とらわれる. 駆られる. 縛られる. 句例 망집〔물욕〕에 ~ 妄執〔物欲〕にとらわれる / 충동에 ~ 衝動に駆られる / 선입관에 ~ 先入観にとらわれる / 강박 관념에 ~ 強迫観念に縛られる.

사론【私論】〈名〉私論. 個人の議論〔論説〕.

사료【飼料】〈名〉飼料. 飼い葉. えさ(餌). 句例 ~를 주다 飼料〔えさ〕をやる. 語例 ~ 작물 飼料作物.

사륙-판【四六判】[sa:ryuk—]〈名〉〔印〕四六判. 句例 ~으로 낸 시집 四六判で出した詩集.

사륜【四輪】[sa:ryun]〈名〉四輪. 語例 ~차 四輪車 / ~ 구동 四輪駆動.

사르다 (사르니, 살라서)〈他〉❶焼却する. 燃やす. 燃やしつける. 句例 묵은 서류를 불에 살라 버리다 古い書類を燃やしてしまう. ❷(たき口などに)火を付ける. 火を起こす. =불사르다. 句例 아궁이에 불을 ~ たき口に火を付ける.

사르르〈副〉❶ひも(紐)の結びなどがひとりでに解けるさま: はらりと. そろりと. 句例 옷고름이 ~ 풀어지다 チョゴリの結びひもがそろりと解ける. ❷氷や雪が自然に溶けるさま: そろりと. ❸目を静かに閉じたり開けたりするさま: そろりと. 句例 눈을 ~ 감다 目をそろりとつぶる. ❹船などが滑るように進むさま: するする.

사리〈名・依名〉めんるい(麵類)・縄・糸などをうず巻き状に巻いた一巻き. また, それを数える単位: 束. 球〔玉〕. 句例 국수 두 ~ うどんの玉二つ / 새끼 한 ~ なわ一巻き.

사리【私利】〈名〉私利. 我利. 私益. 句例 ~를 꾀하다 私利をはかる / ~를 탐하다 我利をむさぼる / ~에 눈이 멀다 私利に目がくらむ. 語例 ⇨ 사리사욕. 對공리(公利).

사리【舍利】〈名〉〔佛〕舎利. 仏舎利. 語例 ~탑 舎利塔.

사리다〈他〉❶(麵類・縄など長いものをもつれないように)とぐろ巻きにする. 玉にする. ぐるぐる巻く. 句例 새끼를 ~ なわをとぐろに巻く.
❷(仕事に積極的に取り組まず)骨を惜しむ. 心をこめない. 身を入れない. 類아끼다.
❸注意する. 気をくばる. 手控える. 文例 불황으로 사원 모집을 ~ 不況のため社員の募集を手控える.
❹(蛇が)とぐろを巻く.
❺(おじ気づいた獣が縮みあがって しっぽを後足の間に)巻き入れる. 文例 꼬리를 사리고 도망쳤다 しっぽを巻いて逃げた.

사리-사욕【私利私慾】〈名〉私利私欲. =사리사복(私利私腹). 句例 ~에 사로잡히다〔빠지다〕私利私欲に駆られる〔走る〕.

*__사립__【私立】〈名・하他〉私立. 句例 아이를 ~에 넣다 子供を私立に入れる. 語例 ~ 대학 私立大学. 私大《略語》/ ~ 탐정 私立探偵 / ~ 학교 私立学校. 對공립(公立)・국립(國立).

사립-문【—門】[sarimmun]〈名〉柴門. しお(枝折)り戸. しば(柴)の戸.

사마귀¹ [sa:magwi]〈名〉いぼ(疣). ほくろ. 句例 손에 ~가 생기다 手にいぼができる.

사마귀² [sa:magwi]〈名〉〔蟲〕かまきり. 蟷螂. =버마재비. 당랑(螳螂).

*__사막__【砂漠・沙漠】〈名〉〔地〕砂漠. 語例 사하라 ~ 〔地〕サハラ砂漠 / 모래 ~ 砂砂漠 / ~ 지대 砂漠地帯 / ~화 砂漠化.

사막-하다 [sa:mak'ada] (→하다)〈形〉非常に苛酷だ. 非常にむごい.

사망【死亡】[sa:mang]〈名〉死亡. **~하다**〈自〉死亡する. 死ぬ. 句例 교통 사고로 ~하다 交通事故で死亡する. 語例 ~자 死亡者 / ~률 死亡率 / ~ 신고 死亡届け. 對출생(出生).

*__사면__【四面】[sa:myŏn]〈名〉四面. 句例 ~이 바다에 둘러싸이다 四面が海に囲まれる. 語例

～체 四面体.

사면【赦免】[sa:myŏn]〈名・하他〉赦免. 語例 ～장 赦免状. 赦状.

사면【斜面】〈名〉斜面. 傾斜面. 語例 급～ 急斜面. 類비탈.

사면-초가【四面楚歌】[sa:myŏn—]〈名〉四面楚歌. 類고립무원(孤立無援).

사멸【死滅】[sa:myŏl]〈名・하自〉死滅. 句例 전세기〔빙하기〕에 ～한 동물 前世紀〔氷河期〕に死滅した動物.

***사명**【使命】[sa:myŏng]〈名〉使命. 句例 ～을 띠다 使命を帯びる / 의사로서의 ～을 다하다 医者としての使命を果たす / ～감에 불타다 使命感に燃える.

사모【思慕】〈名〉思慕. **～하다**〈他〉思慕する. 慕う. 思う. 句例 ～하는 마음 思慕の念 / 돌아가신 어머니에 대한 ～의 정 亡き母に対する思慕の情 / 애틋하게 ～하다 切切と思い慕う. 文例 그녀는 언제부터인가 그를 ～하게 되었다 彼女はいつからか彼を思い慕うようになった.

사모【紗帽】[sa:mo]〈名〉〔史〕黒い紗類で作った冠. 紗帽. 絵 語例 ～ 관대 紗帽と冠帯. 紗帽と冠帯で身繕いをすること. すなわち正式の礼装をすること.

〈사모〉

사모-님【師母—】〈名〉奥様. ❶'사모(師母) 師匠・先生の夫人'の尊称. ❷一般に目上の人の夫人に対する尊称. 文例 ～도 별일 없으십니까 奥様もお変わりございませんか.
表現 ②は俗っぽい言いかた.

사무【私務】〈名〉私務. 個人の事務. 對공무(公務).

***사무**【事務】[sa:mu]〈名〉事務. 句例 ～를 총괄하다 事務を総括する / ～를 분장하다 事務を分掌する. 語例 ～국 事務局 / ～소 事務所 / ～원 事務員 / 선거 ～장 選挙事務長.

사무(를) 보다 事務をとる.

사무-실【事務室】[sa:mu—]〈名〉事務室. 語例 변호사 ～ 弁護士事務室.

사무-인계【事務引繼】[sa:mu—]〈名〉事務引き継ぎ. 句例 전임자로부터 ～를 받다 前任者から事務を引き継ぎ受ける.

사무 자동화【事務自動化】[sa:mu—]〈名〉オフィスオートメーション. オーエー(OA)《略語》. ＝오에이.

사무-적【事務的】[sa:mu—]〈名・冠〉事務的. ビジネスライク. 句例 ～인 인사〔대답〕事務的なあいさつ〔返答〕/ ～으로 처리하다〔말하다〕事務的に処理する〔話す〕.

사무치다〈自〉(身に)し(染)みる. しみ通る. こた(応)える. 骨身に徹する. 句例 마음 속 깊이 ～ 深く身にしみる / 원한이 골수〔뼈〕에 ～ 恨みが骨髄〔骨〕に徹する / 추위가 몸에 ～ 寒さが身にしみる. 文例 그의 말이 뼈에 사무쳤다 彼の言葉が骨身にしみた.

사문【死文】[sa:mun]〈名〉死文. 空文. ＝공문. 語例 ～화 空文化.

사물【私物】〈名〉私物. 私財物. ＝사유물(私有物). 句例 공공 시설을 ～화하다 公共の施設を私物化する. 文例 그것은 내 ～이다 それはぼくの私物だ. 語例 ～함(函) 私物箱.

사물【事物】[sa:mul]〈名〉事物. 物事. 句例 개개〔하나하나〕의 ～에 관하여 조사하다 個個の事物について調べる / 실제의 ～에 대해서 연구하다 実際の物事について研究する.

사물-놀이【四物—】[sa:mullori]〈名〉〔樂〕サムルノリ. '꽹과리 どら・징 しょう(鉦)・장구 鼓・북 太鼓'の四種の打楽器で合奏, いろいろなリズムを聴かせる民俗音楽.

사뭇〈副〉❶いちずに. おかまい無く. もっぱら. 思いきり. ひたむきに. 句例 흥에 겨워 ～ 떠들어대다 興に乗って思いきり騒ぎ立てる. ❷すっかり. 全く. いかにも. 文例 ～ 놀란 표정을 보이다 いかにも驚いた表情を見せる / 기대했던 바와는 ～ 다르다 当てにした期待とは全く違う. ❸続けて. ずっと. ひたす

《古歌 4》

사모곡(思母曲) 母思いの曲

高麗歌謡の一つ. 作者・年代は未詳. 農具にたとえて, 母の愛が父の愛よりまさるとの内容を歌ったもの.

歌詞

〈古文〉	〈現代文〉	
호미도 ᄂᆞᆯ히언마ᄅᆞᄂᆞᆫ	호미도 날이지마는	ホミも刃ではあるが
낟ᄀᆞ티 들리도 업스니이다.	낫같이 들 리도 없습니다.	かま(鎌)のごとく切れるはずも無し.
아바님도 어이어신 마ᄅᆞᄂᆞᆫ	아버님도 어버이시지마는	父親も親ではあるが
위 덩더둥셩	위 덩더둥셩	ウイ ドンドドゥンション
어마님ᄀᆞ티 괴시리 업세라.	어머님같이 사랑하실 이 없습니다.	母親のごとく慈しみたまわじ.
아소님하	아소님하	アソニマハ
어마님ᄀᆞ티 괴시리 업세라.	어머님같이 사랑하실 이 없습니다.	母親のごとく慈しみたまわじ.

'호미'は草取り用のかまの一種.
'위 덩더둥셩'は 折り返し.
'아소님하'は 上の歌の部分を収斂して, 総合的な転換をもたらす余韻の句.

ら. =줄곧. [文例] 일년 동안 ~ 연구에만 힘써 왔다 一年間ずっと研究にのみ努めてきた.

사미【沙彌】〈名〉〔佛〕沙弥. [語例] ~니 沙弥尼/~승 沙弥僧.

사바【娑婆】〈名〉〔佛〕娑婆. 現世. 人間世界. 俗世間.

사바 세계【娑婆世界】[—se:gye]〈名〉〔佛〕娑婆世界. =사바(娑婆).

사박-거리다〈自〉りんごなどの果物をかじったり, 砂や雪の上を歩くとき出る音がする: さくさくする.

[表現] 語感の大きい語は'서벅거리다'.

사박사박〈副・하自〉さくさく. ざくざく. [句例] 모래밭을 ~ 걷다 砂場をさくさく歩く/눈을 ~ 밟다 雪をさくさくと踏む.

사-박자【四拍子】[sa:—]〈名〉〔樂〕四拍子・よんびょうし.

사발【沙鉢】〈名〉(陶器の)鉢. どんぶり(鉢). [句例] ~에 밥을 담다 どんぶりに飯を盛る/밥을 두 ~이나 먹다 飯を二どんぶりも食べる.

사발-시계【沙鉢時計】〈名〉(鉢状の)置き時計.

***사방**【四方】[sa:bang]〈名〉四方. ❶四つの方角. [句例] ~이 산으로 둘러싸인 마을 四方が山に囲まれた村. [語例] ~ 십 마일 十マイル四方. ❷周囲. 方方. [句例] ~을 둘러보다 四方を見渡す/~을 찾아다니다 方方を探し回る.

사방【砂防】〈名〉砂防. [語例] ~ 공사 砂防工事/~림 砂防林.

사방-팔방【四方八方】[sa:bang—]〈名〉四方八方. あちらこちら. 百方. [句例] ~으로 연락하다 四方八方に連絡する/~으로 손을 써서 찾아다니다 四方八方に手を尽くして探し回る.

사범【事犯】[sa:bŏm]〈名〉〔法〕事犯. [語例] 폭력 ~ 暴力事犯/경제 ~ 経済事犯.

사범【師範】〈名〉師範. ❶模範. てほん. ❷師匠. [語例] 유도 ~ 柔道の師範.

사범 대학【師範大學】〈名〉師範大学. 略して'사대(師大)'ともいう.

사범 학교【師範學校】〈名〉師範学校《教育大学の前身》.

사법【司法】〈名〉〔法〕司法. [語例] ~ 경찰 司法警察/~부 司法府/~ 연수생(研修生) 司法修習生/~ 제도 司法制度/~ 기관 司法機関/~ 시험 司法試験.

사법-권【司法權】〈名〉司法権.

사변【四邊】[sa:byŏn]〈名〉四辺. [語例] (평행)~형〔數〕(平行)四辺形.

사변【事變】[sa:byŏn]〈名〉事変. ❶天災などの変事. 事件. [句例] 일대 ~이 발발하다 一大事変が勃発する. ❷国際間の武力行為. [語例] 만주 ~〔史〕満州事変.

사별【死別】[sa:byŏl]〈名〉死別. 死に別れ. **~하다**〈自他〉死別する. 死に別れる. [句例] 젊어서 남편을 ~하다 若くして夫に死に別れる. [文例] 양친과 ~했다 両親と死別した. (對)생별(生別).

사병【士兵】[sa:byŏng]〈名〉兵卒. 兵士. 兵い. [語例] 일개 ~ 一兵卒. (對)장교(將校).

사병【私兵】〈名〉私兵.

사보타주 [sabot'a:ju]〈名・하自他〉サボタージュ. 怠業. =태업. [句例] 수업을 ~하다 授業をサボタージュする. [語例] ~ 전술 サボタージュ戦術. ◇프 sabotage

사복【私服】〈名〉私服. 個人の平服. [文例] 귀가하여 (제복을) ~으로 갈아입고 외출했다 帰宅して(制服を)私服に着替えて外出した. [語例] ~ 차림 私服の身なり/~ 형사 私服刑事. (對)제복(制服).

사복【私腹】〈名〉私腹.

사복(을) 채우다 私腹を肥やす.

사본【寫本】〈名・하他〉写本. [句例] 원본과 ~ 原本と写本.

사부【師父】〈名〉師父. ❶師と父. ❷'스승'の尊称.

사분【四分】[sa:bun]〈名・하他〉四分・よんぶん. [句例] 천하를 ~하다 天下を四分する/~의 삼 四分の三. [語例] ~기(期) 四半期/~ 음표〔樂〕四分音符.

사분-오열【四分五裂】[sa:bunoyŏl]〈名・하自〉四分五裂. [句例] 정당이 ~하다 政党が四分五裂する.

사비【私費】〈名〉私費. 自費. [句例] ~로 유학하다 私費で留学する. (對)공비(公費).

사뿐〈副〉足音を立てないで軽く踏み出すさま. また, その音: ふ(ん)わりと. ひらりと. そっと. 軽軽しく. [句例] 담에서 ~ 뛰어내리다 塀からひらりと飛び下りる. **~히**〈副〉身軽に. そっと. ふ(ん)わりと. ひらりと.

사뿐사뿐〈副〉身軽に. しずしずと. そっと. 軽軽と. [句例] ~ 걷다 しずしずと歩く.

***사뿐-하다** (→하다)〈形〉(心身が)さわやかだ. 快い. さっぱりする.

사사【私事】〈名〉私事. =사삿일. (對)공사(公事).

사사-건건【事事件件】[sa:sakkŏnkkŏn] ㊀〈名〉すべての事. ことごと. あらゆること. ㊁〈副〉ことごとに. 事あるごとに. [句例] ~ 간섭하다〔싸우다〕ことごとに干渉する〔争う〕. [文例] ~ 트집만 잡는다 事ごとに難癖ばかりつける.

사사-롭다【私私—】(→롭다)〈形〉私的だ. 個人的だ. [句例] 사사로운 전화 私用の電話/사사로운 감정은 제쳐놓고 私的な感情はさておき/사사로운 일에 참견하다 私的なことに口を出す. [文例] 사사로운 일이라 말씀드리기 뭣합니다만… 私事にかかわることで申しあげにくいのですが…. **사사로이**〈副〉私的に. 個人的に.

사사-오입【四捨五入】[sa:sa—]〈名・하他〉〔數〕'반(半)올림'の旧称: 四捨五入.

사살【射殺】〈名・하他〉射殺. [句例] 미친개가 ~되다 狂犬が射殺される.

사삿-일【私私—】[sasannil]〈名〉私事. わたくしごと. =사사(私事). [句例] ~을 들추어내다 私事をあばく. [文例] 남의 ~에 간섭하지 마라 人の私事に口を入れるな.

사상【史上】[sa:sang]〈名〉史上. 歴史上. [句例] ~ 처음으로 史上はじめて/~ 보기 드문 사고 歴史上まれな事故/~ 공전의 대사업 史上空

前の大事業. 語例 ~ 최대〔최고〕 史上最大〔最高〕.

사상【思想】[sa:sang]〈名〉思想. 句例 봉건적인 ~ 封建的な思想 / ~이 불순하다 思想が穏やかでない〔不穏だ〕/ 반사회적인 ~을 불어넣다 反社会的思想を吹きこむ. 語例 ~가 思想家 / ~전 思想戦 / ~범 思想犯.

사상 누각【砂上樓閣】〈名〉砂上の楼閣.

사상-자【死傷者】[sa:sang—]〈名〉死傷者. 句例 백여 명의 ~를 내다 百余人の死傷者を出す.

사색【四色】[sa:saek]〈名〉〔史〉朝鮮朝中期以降の'노론(老論)', '소론(少論)', '남인(南人)', '북인(北人)'の四つの党派. 最初は宣祖時代に'동인(東人)'と'서인(西人)'の二つの党派がいたが'동인'は'남인', '북인'に, '서인'は'노론', '소론'など四つに分かれて対立した. '사색 당파'ともいう.

사색【思索】〈名・하自〉思索. 思惟. 句例 ~의 계절 思索の季節 / ~에 잠기다 思索にふける. 文例 사는 의미에 대하여 ~하다 生きる意味について思索する.

사생【死生】[sa:saeng]〈名〉死生・しょう. 句例 한국인의 ~관 韓国人の死生観.

***사생【寫生】**〈名・하他〉写生. スケッチ. 語例 ~화 写生画.

사생-결단【死生決斷】[sa:saenggyŏlttan]〈名・하自他〉死生をかけて決断を下すこと. 文例 ~하고 적진에 뛰어들었다 死にもの狂いで敵陣に躍りこんだ / 누가 죽든지 ~을 내자 だれが死のうと死生の決断を下そう.

사-생활【私生活】〈名〉私生活. プライバシー. 文例 ~에까지 간섭하지 마라 私生活にまで干渉するな.

사서【史書】[sa:sŏ]〈名〉史書. 歴史書. 句例 ~를 (펴서) 읽다 史書を(開いて)読む.

사서【司書】〈名〉司書. 句例 도서관의 ~ 図書館の司書.

사서【四書】[sa:sŏ]〈名〉四書. 語例 ~삼경 四書三経.

사서【辭書】〈名〉辞書. =사전(辭典).

사서-함【私書函】〈名〉['우편 사서함'の略] 私書箱.

사석【私席】〈名〉私的な席〔場所〕. ㊐공석(公席).

사석【捨石】[sa:sŏk]〈名〉(囲碁で)捨て石. 句例 ~을 이용하다 捨て石を利用する.

사선【死線】[sa:sŏn]〈名〉死線. 句例 ~을 넘다 死線を越える / ~을 헤매다 死線をさまよう.

사선【斜線】〈名〉斜線. =빗금. 句例 ~을 긋다 斜線を引く.

사설【私設】〈名・하他〉私設. 語例 ~ 철도 私設鉄道. 私鉄《略語》/ ~ 탐정 私設探偵. ㊐공설(公設).

사설【社說】〈名〉社説. 句例 신문의 ~ 新聞の社説. 語例 ~란 社説欄.

사설 시조【辭說時調】〈名〉〔文〕'시조(時調)'の一つ. [illegible]から, 二つの句以上が'평시조'より字数が多い'시조'. 朝鮮朝の中ばから庶民の間で大いにはやった. 内容は散文的で対話体や物語の形をとっているものが多い. =장형(長形) 시조.

사세-부득이【事勢不得已】[sa:sebudŭgi]〈副・하形〉情勢〔事の成り行きが〕やむなく(して). しかたなく. 略して'세(勢)부득이'ともいう. 文例 ~하여 포기하였다 情勢やむなくして放棄した.

사소-하다【些少—】(→하다)〈形〉些少だ. 些細だ. わず(僅)かだ. つまらない. 句例 사소한 일로 다투다 些少な〔わずかな〕ことで争う / 사소한 일로 화를 내다 わずかなことで腹を立てる. 文例 사소한 일에 신경 쓰지 마라 些細なことに気を使うな.

사수【死守】[sa:su]〈名・하他〉死守. 命がけで守ること. 文例 진지를 ~하라 陣地を死守せよ.

***사수【射手】**〈名〉射手・しゃ. 打ち手. 句例 ~와 조수가 교대하다 射手と助手が交替する. 語例 기관총 ~ 機関銃の射手.

사숙【私淑】〈名・하自他〉私淑. 句例 전부터 ~하던 선생님 かねて私淑していた先生.

***사슬**〈名〉'쇠사슬'の略: 鎖.

⁑사슴〈名〉〔動〕しか(鹿). 語例 ~뿔 しかの角.

사시【四時】[sa:shi] ■〈名〉四時・しい・春・夏・秋・冬の四つの季節. 四季. =사(四)철. 語例 ~사철 1)四季. 2)四季を通じていつも. つねに.
■〈副〉いつも. 年中. =늘. 句例 ~ 바쁜 사람 いつも忙しい人.

사시【斜視】〈名・하自他〉〔醫〕斜視. 斜眼. =사팔눈.

사시-나무〈名〉〔植〕やまならし(山鳴).

사시나무 떨듯 (やまならしが震えるように)非常に恐れおののくさま.

사신【私信】〈名〉私信. 句例 ~을 보내서 부탁하다 私信を送って頼む.

사신【使臣】[sa:shin]〈名〉使臣. 使者. 句例 ~을 맞이하다 使臣を迎える / ~을 보내다〔파견하다〕使臣を遣わす〔派遣する〕.

사실【史實】[sa:shil]〈名〉史実. 句例 ~에 의거한 드라마 史実に基づいたドラマ.

⁑사실【事實】

[sa:shil] ■〈名〉事実. 句例 ~을 숨기다 事実をかくす / ~을 왜곡해서 말하다 事実を曲げて話す / ~상의 부부 事実上の夫婦 / ~을 밝히다 事実を明らかにする / ~에 입각해서 쓰다 事実にのっとって書く / ~에 비추어서 말하자면 事実に照らして言えば. 文例 그게 ~이냐 それは本当か / 신문은 ~을 보도하는 것이 사명이다 新聞は事実を報道するのが使命だ. 語例 기정 ~ 既定事実 / ~ 무근 事実無根 / ~ 심리〔法〕事実審理 / ~혼〔法〕事実婚.
■〈副〉事実. 本当に. まことに. 実際に. 文例 ~ 그렇다 本当にそうだ / ~ 그는 오지 않았다 事実彼は来なかった.

사실은 소설보다 진기(珍奇)하다 事実は小説より奇なり《バイロンの言葉》.

사실인즉 [illegible]実. 実の所. 実は. =실(實)은. 文例 쉬워 보이지만 ~ 어려운 장사다 やさしそうに見えるが, 実の所むずかしい商売だ / ~ 나도 잘 모릅니다 実のところわたしもよく知らないんです.

ㅅ

ㅅ

사실-적 【寫實的】 [—tchŏk] 〈名・冠〉 写実的. 句例 ～인 묘사 写実的〔リアリスティック〕な描写.

사실-주의 【寫實主義】〈名〉〔文〕写実主義. リアリズム.

사심 【私心】〈名〉私心. 句例 ～을 버리다 私心を捨てる / ～이 없는 사람 私心のない人. 類이기심(利己心).

사십 【四十】[sa:ship] 一〈數・冠〉四十・よんじゅう. =마흔. 語例 ～명 四十名.
二〈名〉四十歳(の年齢). 句例 ～대의 사람 四十代の人.

사십에 불혹(不惑)이라 四十にして惑わず《'論語'から》.

사악 【邪惡】〈名・하形〉邪悪. 句例 온갖 ～을 물리치다 あらゆる邪悪を排する / ～한 마음 邪悪な心 / ～한 생각을 품다 邪悪な考えをいだく.

사안 【私案】〈名〉私案. 句例 ～에 불과하다 私案にすぎない.

사암 【砂岩】〈名〉〔鑛〕砂岩・しゃがん. サンドストーン.

사약 【賜藥】[sa:yak]〈名・하自〉〔史〕死罪の臣下に王が毒薬を賜うこと. また, その毒薬. 句例 ～을 내리다 (王が)毒薬を賜う.

사양 【辭讓】〈名〉遠慮. 辞譲. 謙譲. **～하다**〈他〉遠慮する. 気兼ねする. 句例 사례품(謝禮品)을 굳이 ～하다 お礼の品を固辞する / 너무 ～하다 あまり遠慮する. 文例 ～ 말고 써주세요 遠慮なくお使いください / ～ 않고 먹겠습니다 遠慮なくいただきます / ～ 말고 많이 드세요 遠慮なさらずたくさん召し上がってください.

***사업** 【事業】[sa:ŏp]〈名〉事業. 実業. **～하다**〈自〉事業をする. 句例 ～에 성공하다 事業に成功する. 文例 규모가 크게 ～을 하고 있다 手広く事業をやっている. 語例 ～가 事業家 / 자선〔공공〕 ～ 慈善〔公共〕事業 / 사회 ～ 社会事業 / ～장 事業場.

사연 【事緣】[sa:yŏn]〈名〉事由. 前後の事情. 訳. 句例 깊은 ～이 있다 ふかい訳がある / ～을 설명하다 訳を説明する. 文例 무슨 ～이 있는 모양이군 何か事情があるようだね.

사열 【査閱】〈名・하他〉査閲. 閲兵. 句例 군대를 ～하다 軍隊を査閲する. 語例 ～대 査閲台 / ～식 査閲式. 閲兵式.

사-오십 【四五十】[sa:—] 一〈數〉四五十. 語例 ～억 원 四五十億ウォン.
二〈名〉四五十歳の年齢. 句例 ～대의 중년 남자 四五十代の中年男子.

사옥 【社屋】〈名〉社屋. 句例 ～을 신축하다 社屋を新築する. 語例 신～ 新社屋.

사욕 【私慾】〈名〉私欲. 句例 사리 ～에 빠지다 私利私欲に走る / ～에 눈이 어두워지다 私欲に目がくらむ.

****사용** 【使用】[sa:yong]〈名〉使用. **～하다**〈他〉使用する. 使う. 用いる. 句例 ～을 금하다 使用を禁じる. 文例 기입시에는 펜을 ～할 것 記入のときはペンを使用するよう. 語例 ～권 使用権 / ～자 使用者 / ～중 使用中 / ～법 使用法. 使い道 / ～필(畢) 使用ずみ.

사용-료 【使用料】[sa:yongnyo]〈名〉使用料. 句例 ～를 내다 使用料を払う. 語例 전기〔수도〕 ～ 電気〔水道〕の使用料.

사우나 〈名〉サウナ. 蒸しぶろ. 語例 ～탕(湯) サウナぶろ. ◇sauna

사운 【社運】〈名〉社運. 句例 ～을 건 사업 社運をか(賭)けた事業.

사운드 〈名〉サウンド. 音. 音響. 句例 젊은이 취향의 ～ 若者向けのサウンド. 語例 ～트랙(track)〔映〕サウンドトラック. ◇sound

사원 【寺院】〈名〉寺院. 語例 ～ 건축 寺院建築.

사원 【社員】〈名〉社員. 会社員. 句例 ～ 연수를 실시하다 社員の研修を実施する. 語例 평～ 平社員 / 중견 ～ 中堅社員.

***사월** 【四月】[sa:wol]〈名〉四月.

사월 파일 【四月八日】[sa:wolp'a:il]〈名〉〔佛〕釈迦誕生日である陰暦の四月八日. =초파일(初八日). →파일(八日)參考

***사위** 〈名〉婿. 女婿. 娘婿. 句例 ～를 보다 婿を取る / ～를 얻다 婿をもらう / 회장의 ～가 되다 会長の女婿となる. 語例 사윗감 婿がね / 데릴～ 婿養子. 入り婿. 對며느리.
表現 韓国では, '사위'といえば娘の夫のみを意味する.

사위는 백년 손님 婿は百年の客. 婿はいつまでも他人であって家族ではないとの意.

사위 사랑은 장모 婿をかわいがるのはしゅうと(舅)よりしゅうとめ(姑)であるとの意.

사유 【私有】〈名・하他〉私有. 句例 산림을 ～하다 山林を私有する. 語例 ～권 私有権 / ～ 재산 私有財産 / ～지 私有地. 對공유(公有). 국유(國有).

사유 【事由】[sa:yu]〈名〉事由. 理由. 事訳. 句例 특별한 ～ 特別な事由 / ～ 여하를 불문하고 事由のいかんを問わず / 어떤 ～가 있더라도 どんな理由があっても.

***사육** 【飼育】〈名〉飼育. **～하다**〈他〉飼育する. 飼う. 句例 가축을〔판다를〕 ～하다 家畜〔パンダ〕を飼育する. 語例 비둘기 ～법 はと(鳩)の飼育法.

사육-제 【謝肉祭】〈名〉〔基〕謝肉祭. カーニバル.

사은 【謝恩】[sa:ŭn]〈名・하自〉謝恩. 語例 ～세일 謝恩セール / ～회 謝恩会.

사의 【謝意】[sa:ŭi]〈名〉謝意. 句例 심심한 ～를 표하다 深甚なる謝意を表する.

사의 【辭意】〈名〉辞意. 句例 ～를 비추다〔표명하다〕 辞意をもらす〔表明する〕.

****사이** 〈名〉❶(空間的な)間. 間隔. 隔たり. 間. 句例 하늘과 땅 ～ 天地の間 / 책상과 책상 ～ 机と机の間 / 서울과 부산 ～ ソウルと釜山の間 / 육지와 섬과의 ～ 陸地と島との間 / 1미터씩 ～를 두다 一メートルずつ間を置く.
❷(時間的な)間. 期間. 暇. 句例 눈 깜짝할 ～에 瞬く間に / 점심 시간 ～에 전화하다 昼休みの間に電話をする. 文例 한 시에서 세 시 ～에 만나자 一時から三時までの間に会おう / 낮잠 잘 ～도 없다 昼寝をする間〔暇〕もない.

❸(物事の)関係. 範囲. 句例 우리들 ~의 문제 我我の間の問題 / 이상과 현실 ~ 理想と現実の間. 文例 학생들 ~에 인기가 있다 生徒の間に人気がある / 우리들 ~에서는 유명한 이야기다 我我の間では有名な話だ.
❹互いの関係. 間柄. 仲. 句例 너나들이하는 ~ 君僕の間柄 / 스승과 제자 ~ 師弟の間 / ~가 나쁘다 仲が悪い. 文例 그와는 친한 ~다 彼とは親しい仲である. 語例 부부 ~ 夫婦の間柄.

사이(가) 뜨다 ❶(距離が)離れている. ❷(親しい仲が)疎くなる. ❸(時間的に)久しい.

사이(가) 좋다 親しい. 仲がよい. むつ(睦)まじい. 句例 사이 좋은 형제 仲のいい兄弟. 文例 그 내외는 사이가 좋다 あの夫婦はむつまじい.

***사이다**〈名〉サイダー. ◇cider

사이드〈名〉サイド. 語例 풀 ~ プールサイド / ~ 비즈니스 サイドビジネス / ~ 라인 サイドライン. ◇side

사이렌〈名〉サイレン. 句例 구급차의 ~ 소리 救急車のサイレンの音 / ~을 울리다 サイレンを鳴らす. ◇siren

사-이비【似而非】[sa:ibi]〈名・하形〉似てはいるが本物ではないこと. えせ(似非・似而非). 偽(の). 語例 ~ 학자 えせ学者 / ~ 기자 偽記者.

***사이-사이** ㊀〈名〉(空間的に)間間. すきますきま. 句例 옷 ~에 좀약을 넣다 着物の間間にナフタリンを入れる.
㊁〈副〉暇ひまに. すきすきに. 合間合間に. =틈틈이. 句例 일하는 ~(에) 차를 마시다 仕事の暇にお茶を飲む.

사이즈〈名〉サイズ. 大きさ. 句例 ~가 맞다〔크다〕サイズが合う〔大きい〕/ ~를 맞추다 サイズを合わせる. 語例 킹 ~ キングサイズ. ◇size

사이클〈名〉サイクル. 文例 유행에는 30년 주기의 ~이 있다 流行には三十年周期のサイクルがある. 語例 ~ 히트〔野〕サイクルヒット. ◇cycle

사인【死因】[sa:in]〈名〉死因. 句例 ~이 판명되다 死因が判明する. 文例 ~은 질식이다 死因は窒息だ.

사인〈名・하自〉サイン. 署名. 信号. 句例 ~을 하다 サインをする / ~을 받다 サインをもらう / ~을 보내다 サインを送る / 스퀴즈 ~을 내다 スクィズのサインを出す. 語例 네온 ~ ネオンサイン / ~펜 サインペン. ◇sign

사일로〈名〉サイロ. 語例 시멘트 ~ セメントサイロ / 사료 ~ 飼料サイロ. ◇silo

사임【辭任】〈名〉辞任. 辞職. **~하다**〈他〉辞任する. 辞する. 句例 사무장을 ~하다 事務長を辞任する / 책임을 지고 ~하다 責任を負って辞任する. 對취임(就任).

***사자**【使者】[sa:ja]〈名〉❶使者. 使い. メッセンジャー. 句例 ~로 나서다 使者に立つ / ~를 보내다 使者を送る〔立てる〕. ❷〔佛〕死者の魂をあの世につれて行くという幽界の鬼. 死の使者.

***사자**【獅子】〈名〉〔動〕獅子. ライオン. =라이온. 語例 ~자리〔天〕獅子座 / ~탈 獅子の仮面 / ~후 獅子吼.

사장【社長】〈名〉社長. 句例 우리 회사 ~님은 我が社の社長は. 語例 부~ 副社長 / ~님 社長さん.

사재【私財】〈名〉私財. 私有財産. 私産. 句例 ~를 투입하다 私財を投入する / ~를 내던지다〔털어넣다〕私財をなげうつ.

사-재기〈名・하他〉買いだめ. 句例 통조림의 ~ かんづめの買いだめ / 석유를 ~하다 石油を買いだめする. 類매점(買占).

사-재다〈他〉買いだめする.

사적【史的】[sa:tchŏk]〈名・冠〉史的. 歴史的. 語例 ~ 고찰 史的考察.

***사적**【史蹟】[sa:jŏk]〈名〉史跡〔史蹟〕. 句例 ~을 보존하다 史跡を保存する. 語例 ~ 순례 史跡めぐり.

사적【私的】[satchŏk]〈名・冠〉私的. プライベート. 句例 ~인 발언 私的な発言 / ~인 감정은 차치하고 私的な感情はさておき. 對공적(公的).

사전【事典】[sa:jŏn]〈名〉事典. 語例 세계 대백과 ~ 世界大百科事典.

사전【事前】[sa:jŏn]〈名〉事前. 句例 ~에 알다 事前に知る / ~에 준비하다 事前に〔あらかじめ〕準備する / ~에 의논하다 まえもって〔事前に〕相談する. 語例 ~ 통고 事前の通告 / ~ 운동 事前運動. 對사후(事後).

사전【辭典】〈名〉辞典. 辞書. 句例 ~을 찾다 辞書を引く. 文例 모르는 말이 있으면 ~에서 찾아 보세요 分からない言葉があれば辞典を引きなさい.

사절【使節】[sa:jŏl]〈名〉使節. 語例 문화 ~ 文化使節 / ~단 使節団. ミッション / 친선 ~ 親善使節.

사절【謝絶】[sa:jŏl]〈名〉謝絶. **~하다**〈他〉謝絶する. 断る. 文例 ××일보 ~ ××日報お断り. 語例 면회 ~ 面会謝絶. 類거절(拒絶).

***사정**【事情】[sa:jŏng]〈名〉❶事情. 理由. 訳. 句例 ~을 털어놓다 事情をうちあける. 文例 ~이 있어서 못 간다 事情があって行けない / 무슨 ~이 있겠지 何か事情があるだろう.
❷情況. 様子. 都合. 句例 ~에 따라서는 都合によっては / 내부 ~에 밝다 内部の事情に詳しい. 文例 요즘 주머니 ~이 좋지 않다 このごろ懐の具合がよくない. 語例 현지 ~ 現地の事情 / 식량 ~ 食糧の事情.
❸思いやり. 頼み. **~하다**〈自他〉頼む. 事情を訴える. 句例 돈을 꾸어 달라고 ~하다 金を貸してくれと切に頼む. 文例 아무리 그 사람한테 ~해도 소용이 없다 あの人にいくら頼みこんでもどうしようもない.

사정【査定】〈名・하他〉査定. 句例 부동산 가격을 ~하다 不動産の価格を査定する.

사정-없다【事情一】[sa:jŏng-ŏpta]〈形〉❶思いやりがない. 無情である. 情け知らずだ. ❷容赦がない. 句例 인정 ~ 情け容赦ない. **사정없이** [—ŏpshi]〈副〉思いやりなく. 無情に. 容赦なく. 句例 사정없이 후려 갈기다 容赦なくぶん殴る.

사제【私製】〈名・하他〉私製. 句例 ~ 엽서 私

ㅅ

製はがき / ~ 폭탄 私製爆弾. (對)관제(官製).

사제【師弟】〈名〉師弟. [句例] ~ 관계를 맺다 師弟関係を結ぶ.

사조【思潮】〈名〉思潮. [句例] 근대 예술 ~의 변천 近代芸術思潮の変遷. [語例] 시대 ~ 時代の思潮 / 문예 ~ 文芸思潮.

사족【四足】[sa:jok]〈名〉四足. ❶獣の四本の足. ❷四肢. 手足. =사지(四肢). [表現] ②は俗っぽい言いかた.

사족(을) 못 쓰다 ❶手足がきかない. ❷(何かに心を奪われるほど)魅せられる. ほれる. 夢中になる. 目がない. [文例] 술이라면 사족을 못 쓴다 酒となると目がない.

사족【蛇足】〈名〉['화사첨족(畫蛇添足)'の略] 蛇足. [句例] ~을 달다〔붙이다〕 蛇足を加える. [文例] 이것은 ~이긴 합니다만 これは蛇足ではありますが.

사죄【謝罪】[sa:joe]〈名〉謝罪. わ(詫)び. 謝り. **~하다**〈自他〉謝罪する. 謝る. わびる. 謝する. [句例] ~를 요구하다 謝罪を要求する / ~의 말 おわびのことば / ~의 뜻을 표하다 謝罪の意を表する. [語例] ~문 謝罪文 / ~광고 謝罪広告.

사주【四柱】[sa:ju]〈名〉〔民〕(結婚や運勢などを占う資料になる)生まれた年・月・日・時の四つのえと(干支). →팔자(八字)

사주(를) 보다 運勢を占う. [文例] 사주를 봤더니 명(命)이 짧다고 한다 運を見てもらったところ, 寿命が短いという.

사주【使嗾】[sa:ju]〈名〉指嗾〔使嗾〕. けしかけ. **~하다**〈他〉指嗾する. けしかける. 唆す. [文例] 그들은 젊은이를 ~하여 소동을 일으켰다 彼らは若者を指嗾して騒動を起こした.

사주-쟁이【四柱—】[sa:ju—]〈名〉'사주(四柱)'によって人の運勢を占う人. 占い師. 易者.

사주-팔자【四柱八字】[sa:jup'altcha]〈名〉❶生年月日時のえと(干支)の八つの字. ❷持って生まれた運命. 星回り. [句例] 기구한 ~ 数奇な運命.

사중-주【四重奏】[sa:jungju]〈名〉〔樂〕四重奏. カルテット. [語例] 현악〔피아노〕 ~ 弦楽〔ピアノ〕四重奏.

사-중창【四重唱】[sa:—]〈名〉〔樂〕四重唱. カルテット. [語例] 남성〔혼성〕 ~ 男声〔混声〕四重唱.

사증【査證】[satchŭng]〈名・하他〉査証. ビザ. [句例] ~이 나오다 ビザがおりる / ~을 받다 ビザをとる. [語例] 입국 ~ 入国ビザ〔査証〕.

사지【四肢】[sa:ji]〈名〉四肢. 両手両足. [句例] ~가 경직〔마비〕되다 四肢が硬直〔麻痺〕する.

사지【死地】[sa:ji]〈名〉死地. [句例] ~를 벗어나다 死地を脱する / ~로 향하다 死地に赴く / ~로 몰아넣다 死地に追いこむ.

사직【辭職】〈名・하自他〉辞職. [句例] 책임을 지고 ~하다 責任を取って辞職する. [語例] ~원〔서〕 辞職願い / 총~ 総辞職. (類)사임(辭任). (對)취직(就職).

**사진【寫眞】〈名〉写真. [句例] ~을 찍다 写真をとる〔写す〕/ ~을 확대하다 写真を引き伸ばす / ~이 잘 받는〔안 받는〕 얼굴 写真うつりのよい〔よくない〕顔. [語例] ~술 写真術 / 속성(速成) ~ スピード写真 / ~ 제판 写真製版 / ~첩 写真帖. アルバム / ~틀 額縁.

사진-관【寫眞館】〈名〉写真屋. 写真館.

**사진-기【寫眞機】〈名〉写真機. カメラ. =카메라.

사진 식자【寫眞植字】〈名〉〔印〕写真植字. 写植《略語》. [語例] ~기 写真植字機. 写植機《略語》.

사찰【寺刹】〈名〉寺刹. 寺. 仏寺. =절.

사찰【査察】〈名・하他〉査察. [句例] 핵 ~에 응하다 核査察に応じる / 공중에서 ~하다 空中から査察する. [語例] ~원 査察員.

사-철【四—】[sa:ch'ŏl] ㊀〈名〉四季. 春夏秋冬の四時. =사계절(四季節). 사시(四時). [句例] ~ 피는 꽃 四季咲きの花 / ~ 열리는 딸기 四季なりのいちご.

㊁〈副〉常に. いつも. 常常. 時なしに. [文例] 그는 (사시) ~ 똑같은 옷을 입고 있다 彼は年中同じ服を着ている / 산에는 ~ 눈이 쌓여 있다 山には時なしの雪が積もっている.

사철-나무 [sa:ch'ŏllamu]〈名〉〔植〕正木.

사체【死體】[sa:ch'e]〈名〉死体. なきがら. 死骸. [句例] ~를 인양하다 死体を引き揚げる. [語例] ~ 해부 死体解剖 / ~ 유기죄 死体遺棄罪. (對)생체(生體).

*__사촌__【四寸】[sa:ch'on]〈名〉いとこ(従兄弟・従姉妹). [語例] ~ 누이 いとこ(従姉) / ~ 동생 年下のいとこ / ~ 형제 いとこ(従兄弟) / 외(外)~ 母方のいとこ / 친(親)~ 父方のいとこ.

사촌이 땅을 사면 배가 아프다 いとこが土地を買えば腹が痛い. 他人が自分よりよくなるのを見るといい気持ちがしない.

사춘-기【思春期】〈名〉思春期. [句例] ~의 소녀〔고민〕 思春期の少女〔悩み〕.

사치【奢侈】〈名〉奢侈. ぜいたく(贅沢). おご(奢)り. **~하다** ❶〈自〉おごる. ぜいたくをする. ❷〈形〉ぜいたくだ. [句例] 생활이 ~에 흐르다 生活が奢侈に流れる / ~에 빠져 가게를 들어먹다 奢侈にふけて店をつぶす / 극도로 ~하다 ぜいたくを極める. [語例] ~품 ぜいたく品. 奢侈品. **~스럽다** (→스럽다)〈形〉ぜいたくだ. おごっている. [句例] ~스럽게 자라다 ぜいたくに育つ / ~스럽기 이를 데 없는 생활 この上ないぜいたくな生活 / ~스런 생활 ぜいたくな暮らし. **~스레**〈副〉ぜいたくに.

사친-회【師親會】〈名〉ピーティーエー(P.T.A.). 父母と先生の会.

사칭【詐稱】〈名〉詐称. **~하다**〈他〉詐称する. かた(騙)る. [句例] 관명을 ~하다 官名を詐称する.

사카린〈名〉〔化〕サッカリン. ◇saccharine

사타구니〈名〉'샅'の俗っぽい言いかた: またぐら(股座). [句例] ~에 화로를 놓다 またぐらに火鉢を置く.

**사탕【砂糖】〈名〉❶〔化〕砂糖. ❷あめ玉・ドロップ・キャンデーなど砂糖を煮つめて作った菓子. [語例] 눈깔 ~ あめ玉.

사탕-발림【砂糖—】〈名・하自他〉おだて. へつら

い. 甘言. お世辞. 句例 ～에 넘어가다 お世辞に乗る.

*사탕-수수【砂糖—】〈名〉〔植〕砂糖きび. 甘蔗.

사태【沙汰】〈名〉❶地滑り. 山崩れ. 雪崩. 土砂くずれ. 句例 눈～가 일어나다 雪崩がおこる / 눈～를 만나다 雪崩にあう. 文例 산～로 기차가 불통이 되었다 山崩れで汽車が不通になった. 語例 산～ 山崩れ. 山津波. ❷(多くの人や物が)一度にどっとなだれ込むこと. 句例 ～를 이루다 なだれを打つ. 語例 사람～ 人のなだれ.

사태【事態】[sa:t'ae]〈名〉事態. 句例 ～가 호전〔악화〕되다 事態が好転〔悪化〕する / ～를 지켜보다 事態を見きわめる / ～ 수습에 나서다 事態収拾に乗り出す. 語例 긴급 ～ 緊急事態 / 비상 ～ 非常事態.

사퇴【辭退】〈名〉辞退. **～하다**〈自他〉辞退する. 辞する. 句例 의원직을 ～하다 議員職を辞退する / 입후보를 ～하다 立候補を辞退する / 위원을 ～하다 委員を辞する.

사투【死鬪】[sa:t'u]〈名・하自〉死闘. 句例 ～를 벌이다 死闘を繰り広げる / ～를 거듭하다 死闘をくりかえす.

사투리 [sa:t'uri]〈名〉方言. なま(訛)り. お国ことば. 句例 반가운 시골 ～ なつかしい田舎なまり / ～는 고향의 증명서 なまりは国の手形 / 순 시골 ～로 말하다 田舎なまり丸出しで話す. 語例 고향 ～ お国なまり. 對표준말.

사팔-눈 [sa:p'allun]〈名〉斜視. 斜眼. やぶにらみ. 寄り目《俗》. ＝사시안(斜視眼).

사팔-뜨기 [sa:p'al—]〈名〉斜視〔斜眼〕である人.

사포【砂布】〈名〉紙やすり. やすり紙. サンドペーパー. 句例 ～로 닦다 紙やすりで磨く.

사포-질【砂布—】〈名・하他〉紙やすり〔やすり紙・サンドペーパー〕で磨くこと.

사표【師表】〈名〉師表. 師範. 手本. 句例 ～로서 우러르다 師表として仰ぐ / 후세의 ～가 되다 後世の師表となる.

*사표【辭表】〈名〉辞表. 辞職願い. 句例 ～를 내다〔제출하다〕 辞表を出す〔提出する〕/ ～를 수리하다 辞表を受理する.

사학【史學】[sa:hak]〈名〉['역사학'の略] 史学. 歴史学. 語例 한국 ～ 韓国史学 / ～자〔가〕 史学者〔家〕.

*사항【事項】[sa:hang]〈名〉事項. 事柄. 句例 중요한 ～ 重要な事柄 / 필요한 ～을 조목별로 적다 必要な事項を箇条書きにする / 수험상의 주의 ～을 듣다 受験の心得を聞く. 語例 주의 ～ 注意事項 / 현안 ～ 懸案事項 / ～별 분류 事項別の分類.

사해【四海】[sa:hae]〈名〉四海. 語例 ～ 동포〔형제〕 四海同胞〔兄弟〕.

사행【射倖】〈名〉射幸. 句例 대중의 ～심을 부추기다 大衆の射幸心をあおる. 語例 ～ 행위 射幸行為.

*사형【死刑】[sa:hyŏng]〈名・하他〉死刑. 死罪. 極刑. 句例 ～에 처하다 死刑〔極刑〕に処する / ～을 집행하다 死刑を執行する. 語例 ～수 死刑囚 / ～당하다 死刑にされる.

사화【士禍】[sa:hwa]〈名〉〔史〕士禍. 朝鮮王朝時代に奸悪な者のため儒林の学者が被った一連の災難.

사환【使喚】[sa:hwan]〈名〉用務員. 召し使い. ＝급사(給仕).

사활【死活】[sa:hwal]〈名〉死活. 生死. 句例 ～에 관계되다 死活にかかわる. 語例 ～ 문제 死活問題. 類생사(生死).

*사회【司會】〈名・하自〉司会. 句例 결혼식의 ～를 맡아보다 結婚式の司会をつとめる. 語例 ～자 司会者.

*사회【社會】〈名〉社会. ❶人間が共同生活を営む集団. 世の中. 世間. 句例 ～에 나가다〔진출하다〕 社会に出る / ～를 형성하다 社会を形成する / ～의 일원 社会の一員 / ～에 해를 끼치다 社会に害を及ぼす / ～의 이면 社会の裏. 文例 신문은 ～의 목탁이다 新聞は社会の木鐸である. 語例 ～면 社会面 / 실～ 実社会 / 민주 ～ 民主社会 / 지역 ～ 地域社会. ❷同類の仲間. 句例 개미〔꿀벌〕의 ～ あり〔みつばち〕の社会 / 아이들의 ～ 子供の社会 / 예술가의 ～ 芸術家の社会. 語例 귀족 ～ 貴族社会.

사회-과【社會科】[—kkwa]〈名〉社会科. 学校教科の一つ. 語例 ～ 부도 社会科付図.

사회 과학【社會科學】〈名〉社会科学. 對자연 과학.

사회 교육【社會敎育】[—gyo:yuk]〈名〉社会教育. 語例 ～ 활동 社教活動.

사회 문제【社會問題】[—mu:nje]〈名〉社会問題. 句例 ～가 되다 社会問題になる.

사회 보장【社會保障】[—bo:jang]〈名〉社会保障. 語例 ～ 제도 社会保障制度.

사회 보험【社會保險】[—bo:hŏm]〈名〉社会保険.

사회 복지【社會福祉】〈名〉社会福祉. 語例 ～ 사업 社会福祉事業.

사회 사업【社會事業】[—sa:ŏp]〈名〉社会事業. 社会福祉事業. 句例 전재산을 ～에 기부하다 全財産を社会事業に寄付する.

사회-성【社會性】[—ssŏng]〈名〉社会性. 句例 ～을 몸에 익히다 社会性を身につける.

사회 운동【社會運動】[—u:ndong]〈名〉社会運動. 語例 ～가 社会運動家.

사회-인【社會人】〈名〉社会人. 句例 ～으로서의 자각 社会人としての自覚. 文例 학교를 졸업하고 ～이 되다 学校を卒業して社会人となる.

사회-적【社會的】〈名・冠〉社会的. 句例 ～인 대사건 社会的な大事件 / ～으로 인정을 받다 社会的に認められる. 文例 인간은 ～ 동물이다 人間は社会的動物である. 語例 ～ 책임 社会的責任 / ～ 지위 社会的地位.

사회-주의【社會主義】〈名〉社会主義. ソシアリズム. 語例 ～ 경제 社会主義経済. 對자본주의(資本主義). →공산주의

사회 질서【社會秩序】[—jilssŏ]〈名〉社会秩序. 句例 ～를 지키다 社会秩序を守る / ～가 문란해지다 社会秩序が乱される.

사후【死後】[sa:hu]〈名〉死後. 没後. 句例

ㅅ

~의 세계 死後の世界／아버지의 ~ 父の死後／~ 여덟 시간 死後八時間. 對생전(生前).

사후 약방문(藥方文) 死後の処方箋. 後の祭り. 手おくれ. ＝행차(行次) 뒤에 나팔.

사후【事後】[sa:hu]〈名〉事後. 語例 ~ 처리 事後処理／~ 승낙 事後承諾. 對사전(事前).

***사흘**〈名〉❶三日(間). 句例 ~에 한 번 만나다 三日に一度会う／태어난 지 ~되다 生まれてから三日になる. ❷'초(初)사흗날·초사흘'の略：三日. 初三. 文例 내달 ~에 간다 来月三日に行く.

사흘이 멀다 하고 三日にあげず. しばしば. 句例 ~ 찾아 오다 三日にあげずたずねてくる.

사흘을 멀다 하고 '사흘이 멀다 하고'のこと.

삭 〔漢字項目〕

【削(削)】高校 삭 サク. ❶깎다 けずる. ■削除 삭제 さくじょ. ■添削 첨삭 てんさく. ❷깎이다 けずられる. ■削減 삭감 さくげん.

【朔】高校 삭 サク. ❶초하루 ついたち. ■朔望 삭망 さくぼう. ■月朔 월삭 げっさく. ❷북녘 北. 북방 北の方角. ■朔風 삭풍 さくふう. 朔北 삭북 さくほく.

【索】高校 삭 サク. 색 サク. ㊀〔삭〕❶노·밧줄·새끼 따위 ひも·つな·なわなど. ■索條 삭조 さくじょう. 索道 삭도 さくどう. ■鋼索 강삭 こうさく. ❷헤어지다 わかれる. 쓸쓸하다 さびしい. ■索居 삭거 さっきょ. 索漠 삭막 さくばく.

㊁〔색〕찾다 さがす. ■索引 색인 さくいん. ■思索 사색 しさく. 捜索 수색 そうさく.

삭감【削減】〈名〉削減. **~하다**〈他〉削減する. 削る. 句例 경비를〔예산을〕~하다 経費〔予算〕を削減する.

삭다〈自〉❶(古びて)すり切れる. すり減る. 腐る. 朽ちる. 句例 옷이 삭아서 너덜너덜해지다 服が古びてぼろぼろになる／비에 젖어서 삭은 나뭇기지 雨にぬれて朽ちた枝／기둥이 ~ 柱が朽ちる.

❷(食べた物が)消化される. こなれる.

❸(恨みや怒りが)ほぐれる. 和らぐ. 静まる. 句例 분노가 ~ 怒りがほぐれる. 類가라앉다.

❹(キムチ·塩辛などが)味がつく. 漬かる.

삭막-하다【索莫—·索漠—】[sangmak'ada](→

> 囲み記事 51
>
> **▩ '삭이다'と'새기다' ▩**
>
> **삭이다** (1) 消化させる. こなす —— 음식을 잘 삭이다 食べ物をよくこなす.
> (2) (心を)静める. 和らげる —— 분노를 삭이지 못하여 벌벌 떨다 憤怒を押さえきれずぶるぶる震える.
>
> **새기다** (1) 刻む. 彫る —— 도장을 새기다 判こを彫る.
> (2) (心に)刻む —— 마음에 새기다 心に刻みつける.
> (3) 訳する —— 영어를 우리말로 새기다 英語を国語に訳する.

하다)〈形〉索漠としている. 句例 삭막한 겨울 풍경 索漠とした冬景色／삭막한 생활 索漠とした生活／삭막한 인생〔풍경〕索漠たる人生〔風景〕.

삭발【削髮】〈名·하自他〉削髪. 剃髪. 落髪. 頭を丸く刈ること. 髪をそること. 句例 ~한 중머리 丸刈りの坊主頭／~한 운동 선수 坊主頭の運動選手／~하고 중이 되다 剃髪して僧になる.

삭신〈名〉(からだの)筋肉と骨節. 全身. 句例 ~이 쑤시고 아프다 全身の節節がずきんずきんと痛む.

삭이다 [sagida]〈他〉❶(食べた物を)消化させる. こなす. 句例 먹은 것을 ~ 食べた物をこなす. ❷(怒りや悔しみを)静める. 和らげる. 句例 노여움을 ~ 怒りを和らげる. ▷→囲み記事 51

삭정-이〈名〉(生木の)枯れ枝. かれえ. 句例 ~를 잘라내다 枯れ枝を切り落とす.

삭제【削除】〈名〉削除. **~하다**〈他〉削除する. 削る. 落とす. 句例 이하 삼행 ~ 以下三行削除. 文例 계약서에서 제1항 전문을 ~한다 契約書から第一項の全文を削除する.

삭풍【朔風】〈名〉朔風. 北風.

삯 [sak]〈名〉❶賃金. 労賃. 報酬. 句例 ~을 받고 일하다 賃金をもらって仕事をする. 語例 품~ 労賃. 手間賃／심부름~ (お)駄賃／바느질~ 仕立て賃. ❷料金. 代. 賃. 句例 빌린 ~을 내다 借り賃を支払う. 語例 찻(車)~ 車代／기찻~ 汽車賃／뱃~ 船賃／나룻~ 渡し賃〔銭〕.

参考 '삯이 賃が' '삯도 賃も'は[sakshi], [sakto]と発音する.

삯-바느질 [sak—]〈名·하自〉賃金をもらってする針仕事. 賃針仕事.

삯-일 [sangnil]〈名·하自〉賃仕事. 手間仕事. 句例 ~을 해서 살아가다 賃仕事をして暮らす. 對공(空)일.

⁂**산【山】**〈名〉❶山. 山岳. 句例 ~에 오르다 山に登る／~을 내려오다 山を下りる／~이 있고 골짜기도 있는 경치 山があり谷もある景色／험한 ~ 険しい山／~에 틀어박히다 山にこもる. 語例 ~속 山奥／~기슭 山すそ. 山のふもと／벌거숭이 ~ はげ山／겨울 ~ 冬の山. ❷'산소(山所)'の略.

산 넘어 산이다 山また山だ. 一難去ってまた一難.

산에 가야 범을 잡는다 山に行って初めて虎を得る. 虎穴に入らずんば虎児を得ず.

산이 높아야 골이 깊다 山が高くてこそ谷が深い.

***산【酸】**〈名〉〔化〕酸. 語例 강한~ 強酸.

산 〔漢字項目〕

【山】中學 산 サン. ❶메 やま. ■山脈 산맥 さんみゃく. ■登山 등산 とざん. ❷사찰 寺院. ■山門 산문 さんもん. ■開山 개산 かいさん.

【散】中學 산 サン. ❶흩어지다 ちる. ■散會 산회 さんかい. ■離散 이산 りさん.

ㅅ

解散 해산 かいさん. ❷한산하다 閑散だ. ▐散歩 산보 さんぽ. ▌閑散 한산 かんさん. ❸가루약 こなぐすり. ▐散藥 산약 さんやく. ▌胃散 위산 いさん.

【産(產)】 中學 산 サン. ❶낳다 うむ. 내다 出す. ▐産婦 산부 さんぷ. ▌出産 출산 しゅっさん. 生産 생산 せいさん. ❷나다 出る. ▐産地 산지 さんち. ▌아프리카産 アフリカ産. ❸산물 産物. ▌國産 국산 こくさん. ❹자산 資産. ▌家產 가산 かさん. 財産 재산 ざいさん.

【算】 中學 산 サン. ❶수를 세다 数をかぞえる. 셈 計算. ▐算術 산술 さんじゅつ. ▌暗算 암산 あんざん. ❷꾀 はかりごと. 계략 計略. ▌心算 심산 しんさん. 成算 성산 せいさん.

【酸】 高校 산 サン. ❶초 酢. 시다 すっぱい. ▐酸味 산미 さんみ. ▌甘酸 감산 かんさん. ❷괴롭다. 고되다 つらい. 가슴 아프다 いたましい. ▐酸楚 산초 さんそ. 酸鼻 산비 さんび. ▌辛酸 신산 しんさん. ❸산성을 나타내는 화합물 酸性を示す化合物. ▐酸度 산도 さんど. ▌塩酸 염산 えんさん.

*산간【山間】〈名〉山間. 山合い. ＝산골. 語例 ～ 벽지 山間僻地 / ～ 마을 山合いの村.

산개【散開】[saːn-gae]〈名・하自他〉散開. 文例 인가가 평야에 ～되어 있다 人家が平野に散開している. 語例 ～ 대형〔軍〕散開隊形.

*산-골【山―】[―kkol]〈名〉山奥. 山里. 山合い. 句例 ～의 작은 마을 山奥の小さな村. 語例 ～ 마을 山里 / ～ 사람 山里の人.

*산-골짜기【山―】[―kkoltchagi]〈名〉谷. 谷間. 谷あい. 山合い. 山峡. 略して'산골짝'ともいう. 句例 ～의 작은 마을 谷あい〔谷間〕の小さな村.

산-골짝 [―kkoltchak]〈名〉'산골짜기'の略.

산기【産氣】[saːnkki]〈名〉産気. 産の気. 虫気《雅》. 句例 ～가 들다〔돌다〕産気づく. 虫気づく.

산-기슭【山―】[―kkisŭk]〈名〉山のふもと(麓). 山すそ. 山麓. ＝산록(山麓). 句例 ～에 있는 집 山のふもとにある家 / ～에 있는 별장 山すそにある別荘. 文例 ～에서 산꼭대기를 올려다보았다 山のふもとから頂を仰ぎ見た. →기슭 參考

*산-길【山―】[―kkil]〈名〉山道. 山路《雅》. 句例 ～을 걷다 山道を歩く / 가파른 ～에 접어들다 急な山道にさしかかる / ～을 더듬어 가다 山路をたどる.

산-꼭대기【山―】〈名〉山の頂〔てっぺん〕. 山頂. 頂上. ＝산정(山頂). 句例 ～까지 오르다 山のてっぺんまで登る. 山頂に登り詰める / ～에서 해돋이를 맞다 山頂で日の出を迎える. 文例 ～는 눈에 덮여 있다 頂は雪におおわれている.

산-나물【山―】〈名〉山菜. ＝산채(山菜). 句例 ～을 뜯다 山菜を摘む. 語例 ～ 무침 山菜のあえもの / ～ 요리 山菜料理.

산-너머【山―】〈名〉山の向こう. 語例 ～ 동네 山むこうの村.

산대【山臺】〈名〉〔民〕大通りの道端や空き地に高く台を設けて芝居〔仮面劇〕などを演じること. また, その舞台.

산대-놀음【山臺―】[―norŭm]〈名・하自〉〔民〕高麗・朝鮮朝にはやった代表的な仮面劇. ＝산대극(山臺劇). 산대도감극(山臺都監劇).

산대-도감【山臺都監】〈名〉〔民〕'산대놀음'を演じる人の集団.

산대-탈【山臺―】〈名〉〔民〕'산대놀음'に用いる面〔仮面〕.

산대-판【山臺―】〈名〉'산대놀음'を演じる場.

산-더미【山―】[―ttŏmi]〈名〉物事が山のようにたくさんあること. 山. 句例 ～같은 파도 山なす波. 山のような波 / ～를 이루다 山をなす / 책을 ～만큼 쌓다 本を山と積む. 文例 물건이 ～처럼 쌓여 있다 品物が山のように積まれている / 일이 ～처럼 있다 仕事が山のようにある.

*산-돼지【山―】[―ttwaeji]〈名〉〔動〕⇨ 멧돼지

*산들-거리다〈自〉 ❶(微風が)そよそよと吹く. そよぐ. そよ吹く. 句例 봄바람이 산들거리는 둑을 걷다 春風がそよ吹く土手を歩く. ❷気性がさわやかで柔らかい.

산들산들〈副・하自形〉そよそよ. さわさわ. 句例 봄바람이 ～ 불다 春風がそよそよと吹く.

*산들-바람〈名〉そよ風. 微風. そよ吹く風. 涼風. 句例 ～이 창으로 들어오다 そよ風が窓から入ってくる / 기분 좋은 ～ 心地よいそよ風 / ～이 볼을 스치다 そよ風がほおをなでる. 表現 語感の大きい語は'선들바람'.

산-등【山―】[―ttŭng]〈名〉'산등성이'の略.

산-등성【山―】[―ttŭngsŏng]〈名〉'산등성이'の略.

산-등성마루【山―】[―ttŭngsŏngmaru]〈名〉山の尾根. 山の背. 略して'산마루'ともいう.

산-등성이【山―】[―ttŭngsŏng-i]〈名〉尾根(すじ). 山の背. 稜線. 略して'산(山)등・산등성'ともいう. 句例 ～를 타고 가다 尾根伝いに進む〔歩く〕. 語例 ～ 걷기 尾根歩き.

산디〈名〉〔民〕'산대(山臺)'の転訛.

산뜻-이 [santtŭshi]〈副〉こざっぱりと. あっさりと. すかっと. すっきりと. 鮮やかに. さわやかに.

산뜻-하다 [santtŭt'ada] (→하다)〈形〉こざっぱり〔さっぱり〕している. あっさりしている. すかっとしている. さわやかだ. 句例 산뜻한 옷차림 こざっぱり〔さっぱり〕(と)した身なり / 산뜻한 맛 さっぱり〔あっさり〕(と)した味 / 산뜻한 빛깔 あざやかな色 / 기분이 ～ 気がせいせい(清清)する.

산란【産卵】[saːllan]〈名・하自〉産卵. 語例 ～기 産卵期 / ～관〔蟲〕産卵管.

산란【散亂】[saːllan]〈名〉散乱. **～하다**〈形〉(気が)乱れる〔散る〕. 取り乱す. 句例 마음이 ～해지다 気が散る. 気持ちが乱れる / ～해진 마음을 가라앉히다 取り乱した心を落ち着ける.

산록【山麓】[sallok]〈名〉山麓. 山のふもと. ＝산기슭.

*산림【山林】[sallim]〈名〉山林. 山と林. 句例 ～을 헤치고 들어가다 山林に分け入る / ～을 벌채하다 山林を伐採する. 語例 ～ 녹화

운동 山林緑化運動 / ~ 보호 山林保護 / ~ 조합 山林組合 / ~ 지대 山林地帯.

산림-청【山林廳】[sallim—]〈名〉山林庁. 林野庁に当たる. 長官は 산림청장(長).

산-마루【山—】〈名〉'산등성마루'の略.

산-마루터기【山—】〈名〉山の背の高く盛りあがった所. 山の鼻.

산만【散漫】[saːnman]〈名〉散漫. とりとめのないこと. **~하다**〈形〉散漫だ. 句例 주의력이 ~하다 注意力が散漫だ / ~한 글 散漫な文章.

***산맥**【山脈】〈名〉〔地〕山脈. 山地. 山並み. 文例 ~이 남북으로 뻗어 있다 山脈が南北に走って〔連なって〕いる. 語例 ~ 지대 山脈地帯 / 알프스 ~ アルプス山脈. 類산줄기.

산명-수려【山明水麗】〈名・하形〉山明水麗. 山水の景色が清らかで美しいこと.

산모【産母】[saːnmo]〈名〉産婦. 句例 ~를 문안하다 産婦を見舞う.

산-모롱이【山—】〈名〉山すその曲がり角. 句例 ~를 돌다 山すその角を曲がる.

산-모퉁이【山—】〈名〉山すその突出した角. =산곡(山曲).

산-목숨 [saːn—]〈名〉生ける生命. 句例 ~을 굶겨 죽이다 生ける生命を飢え死にさせる. 對죽은 목숨.

산문【散文】[saːnmun]〈名〉散文. =줄글. 語例 ~시 散文詩 / ~체 散文体. 對운문(韻文).

산문-적【散文的】[saːnmun—]〈名・冠〉散文的. 句例 ~인 필치 散文的な筆致. 對시적(詩的).

산물【産物】[saːnmul]〈名〉産物. 産出物. 句例 시대의 ~ 時代の産物 / 타협의 ~ 妥協の産物.

산-바람【山—】[—pparam]〈名〉山風. 山おろし. 對바닷바람.

산발【散髮】[saːnbal]〈名・하自〉散らし髪. 乱れ髪. ざんばら髪. 散髪. 句例 ~한 여인 乱れ髪の女 / 머리를 ~한 채 외출하다 髪を散らしたまま外出する.

参考 日本語でさす'調髪・理髪'の意味とは全く異なる点に注意.

***산병-호**【散兵壕】[saːnbyŏngho]〈名〉〔軍〕散兵壕.

산보【散步】[saːnppo]〈名・하自〉散歩. 散策. そぞろ歩き. =산책(散策). 句例 공원을 ~하다 公園を散歩する.

***산-봉우리**【山—】[—ppong-uri]〈名〉(山の)峰. 高嶺. 山嶺. 略して'봉우리'ともいう. 句例 눈 덮인 ~를 그리다 雪の山嶺を描く / 높이 솟아오른 ~ 高くそびえた峰 / ~에 걸린 달 高嶺にかかっている月.

***산-부인과**【産婦人科】[saːnbuinkkwa]〈名〉〔醫〕産婦人科.

***산-불**【山—】[—ppul]〈名〉山火事. 山火. 山び. =산화(山火). 語例 ~ 방지 주간 山火事防止週間.

산-비둘기【山—】[—ppidulgi]〈名〉〔鳥〕やまばと(山鳩). きじばと(雉鳩). 對집비둘기.

***산-비탈**【山—】[—ppit'al]〈名〉山すその急斜面. 山坂. 句例 가파른 ~ 険しい山坂.

산사【山寺】〈名〉山寺. 句例 ~의 종소리 山寺の鐘の音.

산-사태【山沙汰】〈名〉山崩れ. 山津波. 句例 ~로 기차가 불통이 되다 山崩れで汽車が不通になる.

산산-이【散散—】[saːnsani]〈副〉ばらばらに〔と〕. ちりぢりに〔と〕. こっぱみじんに. こなごなに. 句例 ~ 흩어지다 こなごなに散る / 희망이 ~ 부서지다 希望がこなごなに砕ける / 유리잔이 ~ 깨지다 グラスがこっぱみじんになる.

산산-조각【散散—】[saːnsan—]〈名〉こっぱみじん. こなごな. こなみじん(粉微塵). ちりぢりばらばら. 句例 ~이 나다 ちりぢりばらばらになる. こなごなに砕ける / 유리가 ~이 나다 ガラスがこっぱみじんになる. 文例 차(의) 앞유리가 ~으로 깨졌다 車のフロントガラスがこなごなに割れた.

***산삼**【山蔘】〈名〉〔植〕深い山に自然に生えて育ったちょうせんにんじん(朝鮮人参). 栽培種より薬効が著しい. =신초(神草). 對가삼(家蔘). 포삼(圃蔘).

***산-새**【山—】[—ssae]〈名〉山にすむ鳥の総称. 山鳥. 對바다새.

산성【山城】〈名〉山城. 語例 남한 ~ 南漢山城.

***산성**【酸性】〈名〉〔化〕酸性. 語例 ~비 酸性雨 / ~ 식품 酸性食品 / ~ 체질 酸性体質. 對알칼리성(性).

산세【山勢】〈名〉山勢. 山のすがた. 句例 ~가 험하다 山勢が険しい.

***산소**【山所】〈名〉'뫼 墓'の丁寧語: お墓. 句例 ~에 성묘를 가다 お墓参りに行く.

***산소**【酸素】〈名〉〔化〕酸素. 語例 ~땜 酸素溶接 / ~ 마스크 酸素マスク.

산-속【山—】[—ssok]〈名〉山中. 山の中. 山奥. 山間. =산중(山中). 句例 ~의 절 山中の寺 / ~의 조그만 마을 山間の小さな村.

산-송장 [saːn—]〈名〉生けるしかばね(屍).

***산수**【山水】〈名〉山水. 山と水. 句例 ~가 아름답다 山水が美しい / 사계절의 ~를 그리다 四季の山水を描く. 語例 ~화 山水画.

***산수**【算數】[saːnsu]〈名〉算数. =산술(算術). 文例 동생은 ~는 잘 하지만 국어는 잘 못한다 弟は算数はよくできるが, 国語は苦手だ.

산술【算術】[saːnsul]〈名〉算術. 算法. =산수(算數). 語例 ⇨ 산술 평균

산술 평균【算術平均】[saːnsul—]〈名〉〔數〕相加平均. 算術平均. 文例 1과 2와 3의 ~은 2다 1と2と3の相加平均は2である.

산아【産兒】[saːna]〈名〉産児. 語例 ~ 제한 産児制限. 産制《略語》. バースコントロール.

산악【山岳・山嶽】[sanak]〈名〉山岳. 語例 ~인(人) 登山家 / ~전 山岳戦 / ~ 지대 山岳地帯 / ~회 山岳会.

***산업**【産業】[saːnŏp]〈名〉産業. 句例 그 지방 고유의 ~ 地場産業 / ~이 발달하다 産業が発達する. 語例 기간 ~ 基幹産業 / 제1차 ~ 第一次産業 / ~ 공해 産業公害 / ~ 스파이 産業スパイ / ~용(用) 로봇 産業用ロボット / ~

폐기물 産業廃棄物.

산업 박람회【産業博覽會】[saːnŏppangnamhoe]〈名〉産業博覧会.

산업 혁명【産業革命】[saːnŏp'yŏngmyŏng]〈名〉産業革命.

산업-화【産業化】[saːnŏp'wa]〈名・하自他〉産業化. 語例 근대 ～ 近代産業化.

산-울림【山—】[sanullim]〈名〉山鳴り. 山びこ. こだま. →메아리

산-울타리 [saːnult'ari]〈名〉生け垣. ＝생(生)울타리.

산월【産月】[saːnwol]〈名〉産み月. 臨月. ＝산(産)달. 해산(解産)달. 句例 ～이 다가오다 臨月が近づいてくる.

산입【算入】[saːnip]〈名・하他〉算入. 句例 예산에 ～하다 予算に算入する.

산자-수명【山紫水明】〈名・하形〉山紫水明. 句例 ～한 고향 땅 山紫水明のふるさとの地.

산장【山莊】〈名〉山荘.

산재【散在】[saːnjae]〈名・하自〉散在. 点在. 文例 넓은 초원에 인가가 ～해 있다 広い草原・くさはらに人家が散在している.

산적【山賊】〈名〉山賊. 句例 ～에게 습격당하다 山賊に襲われる / ～질을 하다 山賊を働く. 語例 ～떼 山賊の群れ. 對해적(海賊).

산적【山積】〈名・하自〉山積. 山積み. 句例 ～한 화물 山積みの荷物 / ～한 과제 山積みになった課題. 文例 일이〔어려운 문제가〕～해 있다 仕事〔難しい問題〕が山積している.

산전-수전【山戰水戰】〈名〉つぶさに辛酸をなめたことのたとえ. 海千山千. 海千河千. 句例 ～ 다 겪은 사람 海千山千(の人). 老練な人.

산정【山頂】〈名〉山頂. さんてん(山巓). 頂. 句例 ～에서 해돋이를 맞다 山頂で日の出を迎える.

산-줄기【山—】[—tchulgi]〈名〉山の連なり. 山並み. 山脈. 山の線. 句例 국경의 ～ 国ざかいの山並み.

산중【山中】〈名〉山の中. 山中. 山間. 山合い. 山奥. ＝산속. 文例 ～에서 길을 잃어 고생했다 山の中で道に迷って苦しんだ.

산-중턱【山中—】〈名〉山腹. 山の中ほど. 句例 ～에 있는 산막 山腹にある山小屋.

*__산지__【山地】〈名〉山地. 語例 ～대 山地帯. 對평지(平地).

산지【産地】[saːnji]〈名〉産地. 句例 사과의 ～ りんごの産地. 語例 ～ 직송 産地直送.

산-지식【—知識】[saːn—]〈名〉生きた知識. 実用的な知識. 句例 ～을 얻다 生きた知識を得る.

산-짐승【山—】[—tchimsŭng]〈名〉山の中にすむ獣. 野獣.

산채【山菜】〈名〉⇨ 산나물

산책【散策】[saːnch'aek]〈名・하自〉散策. 散歩. そぞろ歩き. 逍遥. 遊歩. 句例 공원을 ～하다 公園を散歩〔散策〕する / 강변을 ～하다 川べりを散歩する. 語例 ～로 遊歩道.

산천【山川】〈名〉山と川. 山川・山河. 語例 ～ 초목 山川草木 / 고향 ～ 故郷の山河.

*__산촌__【山村】〈名〉山村. 山里. 山間の村. ＝두메. 句例 ～에서 살다 山村で暮らす / 눈이 많이 쌓인 ～ 雪深い山里.

산출【産出】[saːnch'ul]〈名〉産出. **～하다**〈自他〉産出する. 産する. 句例 철광석을 ～하다 鉄鉱石を産出する. 語例 ～고 産出高 / ～량 産出量.

산출【算出】[saːnch'ul]〈名〉算出. 割り出し. **～하다**〈他〉算出する. 割り出す. 句例 2점 간의 거리를 ～하다 二点間の距離を算出する / 단가를 ～하다 単価を割り出す. 語例 ～되다 算出される.

**산타 클로스 〈名〉サンタクロース. サンタ《略語》. 語例 ～ 할아버지 サンタ(クロース)のおじいさん. ◇Santa Claus

**__산-토끼__【山—】〈名〉〔動〕野うさぎ. やと(野兎). ＝산토(山兎). 對집토끼.

산통【算筒】[saːnt'ong]〈名〉盲人が占いに用いる算木を入れる筒.

산통(을) 깨다 ある事が成功しないように妨げる. 台無し〔だめ〕にする. ふい〔おじゃん〕にする.

산파【産婆】[saːnp'a]〈名〉産婆. '조산사(助産師) 助産婦'の通称. 語例 ～역 産婆役.

산해-진미【山海珍味】〈名〉山海の珍味. 山幸海幸. ＝산진 해미. 句例 ～로 대접하다 山海の珍味をもって〔で〕もてなす.

산행【山行】〈名・하自〉山行. ❶山歩き. ❷山遊び. ❸登山. 山登り.

*__산-허리__【山—】〈名〉❶山腹. 中腹. ＝산복(山腹). 산중턱. ❷尾根のくぼんだ所. 鞍部.

산호【珊瑚】〈名〉さんご(珊瑚).

산호-초【珊瑚礁】〈名〉〔地〕さんご礁.

산호-충【珊瑚蟲】〈名〉〔動〕さんご虫.

산화【酸化】〈名・하自〉〔化〕酸化. 句例 쇠가 ～하다 鉄が酸化する. 語例 ～ 작용 酸化作用. 對환원(還元).

산화-칼슘【酸化calcium】〈名〉〔化〕酸化カルシウム. 生石灰. ＝생석회(生石灰).

산회【散會】[saːnhoe]〈名・하自〉散会. 句例 오후 두 시에 ～하다 午後二時に散会する. 類폐회(閉會).

**__살__[1] 〈名〉❶肉. ㉠動物の筋肉の部分. 句例 ～이 찌다 肉がつく / 살이 빠지다(→小項目) / ～이 찐 소 肉付きのいい牛. 語例 군～ ぜいにく. 對뼈. ㉡果肉. 句例 ～이 많은 과일 果肉の多い果物. ❷(かにや貝などの)むき身. 中身. 語例 조갯～ 貝のむき身 / 새우～ むき身のえび.

살(이) 깊다 肉が厚い.

살(이) 내리다 肉が落ちる.

살로 가다 食べ物が肉になる. 栄養分になる. 身になる.

살(이) 붙다 '살(이) 오르다'のこと.

살(을) 붙이다 (文章などの骨組に)肉付けをする. 補足する. 尾ひれをつける. 誇張する.

살(이) 빠지다 肉が落ちる. やせる.

살(이) 오르다 肉がつく. 肥える.

살을 깎고 뼈를 갈다 肉〔骨身〕をけずる.

살을 에다 寒さやつらさなどが身をえぐる. 句例 살을 에는 듯한 추위 身をえぐるような寒さ.

살이라도 베어 먹이다 骨身を惜しまずに世話をする.

살² 〈名〉 ❶(戸・障子などの)桟. 格子. (うちわ・たこ・傘などの)骨. 句例 장지의 ～ 障子の桟. 語例 ～문 格子戸 / 우산〔부챗〕～ 傘〔扇〕の骨. ❷(車輪などの)や(輻). やぼね. スポーク. 語例 바큇～ 車輪のや. ❸くし(櫛)の歯. 句例 ～이 빠진 빗 歯の欠けたくし. 語例 빗～ くし目. ❹'화살'の略. 句例 시위를 떠난 ～ 弦を離れた矢. ❺(日・流れなどの)勢い. 句例 햇～이 세다 日差しが強い / 물～이 세다 流れが速い.

⁑살³ 〈依名〉 年齢を数える語: 歳. 句例 두 ～ 二歳. 二つ / 세 ～ 三歳. 三つ / 다섯 ～ 五歳. 五つ.

表現 固有語の数詞(한, 두, 세, 네, …스무, 쉰)と一緒に用いて表わす語. '살'を略して用いることもあるが, このときには'스물하나 二十一, 서른 둘 三十二, 예순 셋 六十三, 마흔 넷 四十四'と数詞だけで表わす. 漢字読みの数詞では'세(歳)'を用いて表わす.

살　〔漢字項目〕

【殺(殺)】 中學 살 サツ. セツ. 쇄 サイ. サツ. ㊀〔살〕 ❶죽이다 殺す. ▮殺人 살인 さつじん. 殺生 살생 せっしょう. ▮銃殺 총살 じゅうさつ. ❷지우다 消す. 없애다 なくす. ▮殺風景 살풍경 さっぷうけい. ▮抹殺 말살 まっさつ.
㊁〔쇄〕 ❶덜다 減らす. ▮相殺 상쇄 そうさい. 減殺 감쇄 げんさい. ❷대단히 非常に. ▮殺到 쇄도 さっとう.

살-가죽 [salkkajuk] 〈名〉 皮膚.

***살갗** [salkkat] 〈名〉 肌. 皮膚. 句例 ～이 거칠어지다 肌があれる / ～이 트다 ひびがきれる.

살-같이 [salgach'i] 〈副〉 矢のごとく〔ように〕. 句例 ～ 빠르다 矢のようにはやい / ～ 흐르는 세월 矢のごとく流れる年月〔歳月〕.

살-결 [salkkyŏl] 〈名〉 木目. 肌. 地. 句例 ～이 곱다 きめがこまかい / ～이 거칠다 きめがあらい / ～이 보드라운 여자 柔肌の女.

⁑살구 〈名〉 あんず(杏子・杏)・まんしゅうあんずなどの実. アプリコット. 語例 ～씨 杏仁 / ～꽃 あんずの花.

살구-나무 〈名〉〔植〕あんず(杏子・杏)(の木).

살균【殺菌】〈名・하自〉殺菌. 句例 뜨거운 물로 ～하다 熱湯で殺菌する / ～력이 강하다 殺菌力が強い. 語例 ～ 작용 殺菌作用 / ～ 처리 殺菌処理 / ～제 殺菌剤. 類 멸균(滅菌).

살그머니 〈副〉 ひそ(密)かに. こっそり. 忍びやかに. そっと. 句例 ～ 빠져나가다 こっそり〔ひそかに・忍びやかに・そっと〕抜け出す / ～ 만지다〔건드리다〕 そっと触れる / ～ 집을 나가다 ひそかに家を出る.

表現 語感の大きい語は'슬그머니'.

살금-살금 〈副〉 様子をさぐりながら気づかれないようにするさま: ひそかに. こっそり. そっと. こそこそ(と). 略して'살살'ともいう. 句例 ～ 다가서다 そっと近付く / ～ 도망치다 こそこそ逃げ出す.

表現 語感の大きい語は'슬금슬금'.

***살기【殺氣】**〈名〉殺気. 句例 ～를 느끼다 殺気を感じる.

살기(를) 띠다 殺気立つ. 殺気を帯びる. 句例 살기띤 얼굴로 다가서다 殺気立った顔で詰め寄る / 살기를 띤 눈 殺気を帯びた目.

살기(가) 있다 殺気立っている.

살기(가) 차다 殺気がみなぎる. 殺気が満ちる.

살기등등-하다【殺氣騰騰—】(→하다)〈形〉殺気がみなぎっている. 殺気立っている. 文例 살기등등해진 군중이 돌을 던졌다 殺気立った群衆が石をなげうった.

表現 '살기가 등등하다'ともいう.

살-날 [sa:llal] 〈名〉 ❶余命. 残りの命. 文例 ～이 얼마 남지 않았다 余命がいくばくもない. ❷裕福に暮らせる日. 文例 나에게도 ～이 있을 것이다 おれにも豊かに暮らせる日があるだろう.

⁑살다 [sa:lda] (사니, 살아서) ㊀〈自〉生きる. ❶命を保つ. 生存する. 句例 백 살까지 ～ 百歳まで生きる / 희망에 ～ 希望に生きる / 미래에 ～ 未来に生きる. 文例 사느냐 죽느냐의 갈림길이다 生きるか死ぬかの瀬戸際だ / 살아서 돌아갈 수 있을지 어떨지 모른다 生きて帰れるかどうかわからない / 금붕어는 얼음 밑에서 살아 있었다 金魚は氷の下で生きていた. 對 죽다.
❷生活する. 暮らす. 句例 산속에서 혼자 ～ 一人で山奥に住む / 살 집을 구하다 住む家をさがす. 文例 뒷산에는 너구리가 살고 있다 裏山にはたぬきがすんでいる / 인간은 혼자서는 살아가지 못한다 人間は一人では生きられない / 복잡한 현대 사회를 ～ 複雑な現代社会を生きる / 물가고로 적은 월급으로는 살 수 없다 物価高で安い月給では暮らせない.
❸住む. 文例 그는 서울에 살고 있다 彼はソウルに住んでいる.
❹生き生きとする. 生きている. 文例 화면이 살아 있다 画面が生きている / 그 한 단어로 문장이 산다 その一語で文章が生きる.
❺はたらきや効力がある. 役に立つ. 句例 산 교훈 生きた教訓. 文例 이 법률은 아직 살아 있다 この法律はまだ生きている.
❻(野球や碁で)死をまぬかれる. セーフになる. 石が目を二つ以上もつ. 句例 (바둑에서) 돌이 ～ 石が生きる. 文例 주자는 일루에서 살았다 ランナーは一塁に生きた.
㊁〈他〉官職・職務を勤める. 従事する. 句例 벼슬을 ～ 仕官する. (官職について)役人をつとめる / 머슴을 ～ 作男として働く.

산 (사람) 입에 거미줄 치랴 生きた(人の)口にくもの巣がかかるだろうか. 生き身にえじき(餌食). 生き虫にえさがある.

살-덩어리 [salttŏng-ŏri] 〈名〉 肉塊. 肉のかたまり. 略して'살덩이'ともいう.

살뜰-하다 (→하다) 〈形〉 ❶つま(倹)しい. ❷(心が)あたたかい. 愛情深い. 句例 살뜰한

아내의 사랑 心暖まる妻の愛. **살뜰히**〈副〉つましく．心あたたかく．句例 살뜰히 살아가다 つましく暮らしていく．

살랑-거리다〈自〉❶やや寒けが〔涼しい感じの〕するほど風がそよそよと吹く．そよ吹く．❷両手を軽く振って歩く．

살랑살랑〈副・하自〉❶そよそよ．句例 바람이 ～ 불다 風がそよそよと吹く．→산들산들．❷軽く風を切って歩くさま．

살래-살래〈副〉からだの一部分を続けて軽く振るさま．略して'살살'ともいう．句例 머리를 ～ 젓다 頭〔かしら〕を軽く横に振る．表現 語感の大きい語は'설레설레'．

살롱〈名〉サロン．サルーン．◇프 salon

***살리다**〈他〉❶生かす．㉠生きている状態にしておく．(校正で)生きにする．句例 본 맛을 ～ 持ち味を生かす / 지운 글자를 ～ 消した字を生かす．㉡活用する．句例 경험을 ～ 経験を生かす / 재능을 ～ 才能を生かす．㉢生き返らせる．句例 살려 두다(→小項目)．㉣助ける．救う．句例 살려 주다(→小項目)．❷生活していけるようにする．養う．食わせる．句例 식구들을 먹여 ～ 家族を食わせる．参考 ①の㉢と②は'살다 生きる'の使役形．

살려 내다 ❶救い出す．助ける．句例 물에 빠진 사람을 ～ 水におぼれた人を救い出す．❷生き返らせる．よみがえらせる．句例 죽은 사람을 ～ 死者をよみがえらせる．

살려 두다 生かす．生かしておく．文例 살려 둘 수 없다 生かしておけない．

살려 주다 助けてやる．救ってやる．句例 목숨을 ～ 命を助けてやる．文例 살려 줘요 助けて(くれ)！

***살림**〈名〉(日日の)生活．暮らし(向き)．所帯．家事．**～하다**〈自〉暮らす．生活する．家事をする．句例 ～을 차리다 所帯を持つ〔構える・張る〕．かまどを持つ / ～에 찌들다 所帯やつれする / ～을 꾸려나가다 暮らし〔生計〕を立てていく．(女性が)家事を切り回す．

살림(을) 나다 新たに所帯を持つ〔構える〕．

살림(을) 맡다 所帯を受け持つ．暮らしを背負う．句例 집안 살림을 맡다 一家を背負う．

살림에는 눈이 보배라 所帯の切り回しには目が宝だ．家庭生活にはあらゆることに行き届いた注意がかんじんだとの意．

살림이 꿀리다 暮らしに窮する．

살림-꾼〈名〉❶所帯を受け持つ人．❷家事の切り盛りがうまい人．所帯持ち〔家持ち〕のいい人．

***살림-살이** [—sari]〈名・하自〉❶生活(すること)．暮らし(向き)．句例 ～가 나아지다 暮らし向きが良くなる．❷所帯道具．句例 ～를 장만하다 所帯道具を買い入れる．文例 그 가정은 ～가 짭짤하다 その家庭は所帯道具がよくそろっている．

살림-집 [—tchip]〈名〉住む家．住居．住まい．文例 근교에 ～을 정했다 近郊に住まい〔住居〕を定めた．

살-맛 [sa:lmat]〈名〉生きがい(甲斐)．生きていく楽しみ．生きていく張り合い．文例 이젠 아무런 ～도 없다 もう，なんの生きがいもない．

살맛(이) 나다 生きがいと楽しみを感じる．

살며시〈副〉そっと．こっそり(と)．ひそかに．こそこそと．句例 ～ 건드리다 そっと触れる / 등뒤로부터 ～ 다가오다 背後からひそかに忍び寄る / 집을 ～ 빠져 나가다 家をこっそり(と)抜け出す．

살벌-하다【殺伐—】(→하다)〈形〉殺伐としている．殺伐である．句例 살벌한 광경 殺伐な光景 / 살벌한 분위기 殺伐とした雰囲気．

살-별〈名〉⇨ 혜성(彗星)①

살-붙이 [salbuch'i]〈名〉❶主に血縁関係にある人．親類．肉親．身内．❷骨を除いた動物の肉類．

살살[1]〈副〉❶(湯やオンドルなどが)一様に沸いたり暖まったりするさま：ふつふつ．文例 솥의 물이 ～ 끓는다 かまの水がふつふつと沸く / 방바닥이 ～ 끓는다 オンドルの床が熱熱と暖まる．❷小またで軽く歩くさま：そろそろ．ちょろちょろ．うろちょろ．句例 ～ 걸어가다 そろそろ(と)歩く．❸'살래살래'の略．句例 고개를 ～ 젓다 静かにかぶりをふる．表現 語感の大きい語は'슬슬'．

살살 기다 お(怖)じける．びくびくする．しりごみする．たじたじする．たじろぐ．句例 상대방의 서슬에 ～ 相手の剣幕にたじたじになる〔びくびくする〕．

살살[2]〈副〉❶足音を忍ばせて歩くさま，または人目を忍ぶさま：こっそりと．こそこそ(と)．人目を忍ばせて．ひそかに．しずしず(と)．句例 ～ 도망 다니다 こそこそと逃げ回る．❷(雪・蜜・砂糖などが)少しずつ溶けるさま．❸人を巧みになだ(宥)めるか，だましこむさま：巧みに．うまく．ずる賢く．手際よく．句例 ～ 꾀다 うまく誘い掛ける．うまく口車に乗せる / ～ 구슬리다 巧みに丸め込む．❹軽くさすったりこす(擦)るさま．句例 머리를 ～ 쓰다듬다 頭を軽くさする．❺風が軽く吹くさま：そよそよ．さやさや．句例 바람이 ～ 불다 風がそよそよと吹く．❻'살금살금'の略．表現 語感の大きい語は'슬슬'．

살살-이 [salsari]〈名〉おべっかをよく使う人．おべんちゃら(の人)．お調子者．おっちょこちょい．

살상【殺傷】[salssang]〈名・하他〉殺傷．句例 민간인을 ～하다 民間人を殺傷する．語例 ～되다 殺傷される．

살생【殺生】[salssaeng]〈名・하自〉殺生．句例 무익한 ～을 하다 無益な殺生をする / ～을 금하다 殺生を禁じる．

살수【撒水】[salssu]〈名・하自〉散水．句例 운동장에 ～하다 グラウンド〔運動場〕に散水する．語例 ～차 散水車．

살신-성인【殺身成仁】[salssin—]〈名・하自〉身を殺して仁を成すこと．

***살아-가다** [sara—] (살아가거라)〈自〉❶生きていく．生きる．生き抜く．生き続く．句例 즐겁게 ～ 楽しく生きていく．❷暮らしていく．暮らす．世を渡る．世渡りをする．生活する．句例 사람으로서 살아가는 길 人として生きていく道．文例 이런 돈으로는 살아갈 수 없

다 このような金では暮らしていけない / 혼자 살아가기란 몹시 힘이 든다 一人で暮らしていくのはたいへんつらい.

살아-나다 [sara—]〈自〉❶生き返る. よみがえ(蘇・甦)る. 蘇生する. [句例] 죽은 사람이 ～ 死者がよみがえる〔生き返る〕/ 인공 호흡으로 ～ 人工呼吸で生き返る. ❷助かる. 苦境を切り抜ける. [句例] 기적적으로 ～ 奇跡的に助かる / 간신히 ～ 辛うじて助かる. ❸(消えかけた火が)再び燃え上がる. [句例] 바람을 받아서 불길이 ～ 風を受けて炎が再び燃え上がる. ❹(勢いなどが)盛り返す. 再び盛んになる. ❺へこんだ部分が再び盛り上がる.

살아-생전【—生前】[sara—]〈名・副〉死ぬ前. 生きている間. 存命中. [文例] 아버님 ～에는 신세가 많았습니다 父の存命中にはお世話になりました.
[表現] '생전 生前'を強めたことば.

***살-얼음** [sarŏrŭm]〈名〉薄氷・うすごおり.
살얼음을 밟듯이 薄氷をふむように.
살얼음(이) 잡히다 薄氷が張る.

살얼음-판 [sarŏrŭm—]〈名〉❶薄氷の張った所. ❷今にも災難が起こりそうな危険な局面.

살의【殺意】[sarŭi]〈名〉殺意. [句例] ～를 품다 殺意をいだく. [文例] 처음부터 ～는 없었다 はじめから殺意はなかった.

-살이 [sari]〈尾〉何に従事するか, またはどこでどんなに暮らしているかを表わす語: …暮らし. …住まい. [語例] 셋방～ 間借り住まい / 머슴～ 作男暮らし.

***살인**【殺人】[sarin]〈名〉殺人. 人殺し. **～하다**〈自〉人殺しをする. [句例] ～을 저지르다 殺人を犯す / ～적인 더위 殺人的な暑さ. [文例] ～혐의로 지명 수배되었다 殺人の疑いで指名手配された. [語例] ～ 사건 殺人事件 / ～죄 殺人罪.
살인(이) 나다 殺人事件が起こる.
살인(을) 내다 殺人を犯す.

살-점【—點】[—tchŏm]〈名〉肉塊から切りとった小さい肉片.
살점을 베어 주고 싶다 肉片を切りとって与えたい. なんでも惜しみなく与えたいことのたとえ.

살-지다〈形〉肥えている. ❶からだが太っている. ❷土地が肥沃である. [句例] 살진 땅 肥えた土地.

살-집 [—tchip]〈名〉肉付き. [句例] ～이 좋다 肉付きがいい.

***살짝**〈副〉❶そっと. こっそり(と). ひそかに. [句例] ～ 자리에서 떠나다 そっと席を立つ / ～ 귀엣말을 하다 そっと耳打ちする / ～ 만지다 そっと触る / ～ 빠져나가다 こっそり抜け出す / ～ 다가오다. そっと忍び寄る. ❷軽軽と. 楽楽と. やすやすと. たやすく. [句例] ～ 들어 올리다 楽楽と持ち上げる / ～ 뛰어 내리다 軽軽と〔ふわりと〕飛びおりる. ❸程度がわずかなさま: ちょっと. ちらっと. さっと. うっすら. [句例] ～ 눈을 뜨다 うっすらと目を開ける / ～ 데치다 さっとゆがく.

살-찌다〈自〉太る. 肉がつく. 肥える. =살오르다. [句例] 통통하게 살찐 갓난아기 まるまると太った赤ん坊.

살-찌우다〈他〉'살찌다'の使役形: 肥やす. 太らす. [句例] 돼지를 ～ 豚を肥やす.

살충【殺蟲】〈名・하自〉殺虫. [語例] ～제 殺虫剤.

살-코기〈名〉精肉. (牛や豚などの)赤身.

살-쾡이〈名〉〔動〕山猫. =삵.

살판-나다 [sa:lp'an—]〈自〉❶(運よく急に)暮らし向きがよくなる. ❷気楽に暮らせるようになる. [文例] 그는 부잣집 딸과 결혼하여 살판났다 彼は金持ちの家の娘と結婚して気楽に暮らせるようになった.

***살펴-보다**〈他〉注意して見る. よく見る. 探る. 調べる. [句例] 반응을 ～ 反応を調べる / 둘레를 ～ 周囲を見回す.

살포【撒布】〈名・하他〉散布. [句例] 약제를 ～하다 薬剤を散布する.

살-풍경【殺風景】〈名〉殺風景. **～하다**〈形〉殺風景だ. [句例] ～한 경치 殺風景な景色.

⁑**살피다**〈他〉❶見る. 調べる. (ようすなどを)探る. [句例] 의향을 ～ 意向を探る / 적정을 ～ 敵情を探る / 사태의 추이를 ～ 事態のなりゆきを見る / 발밑을 ～ 足もとを見る. ❷察する. うかが(窺)う. [句例] 기색을 ～ 気配を察する / 안색을 ～ 顔色をうかがう / 열쇠구멍을 통해 안을 ～ かぎ(鍵)穴から中をうかがう / 반격의 기회를 ～ 反撃の機会をうかがう.

살해【殺害】〈名・하他〉殺害. [句例] 경관을 ～한 범인 警官を殺害した犯人. [語例] ～되다 殺害される.

***삶** [sa:m]〈名〉生. 生きること. 命. =생(生). [句例] ～을 즐기다 生を楽しむ / ～을 영위하다 生を営む. ㊊죽음.
[參考] '삶은 生は' '삶과 生と'は[sa:lmŭn] [sa:m-gwa]と読む.

***삶다** [sa:mtta]〈他〉❶煮る. ゆ(茹)でる. う(茹)でる. [句例] 감자를 ～ ジャガいもをゆでる / 삶은 달걀 ゆで卵. ❷説き伏せる. 言い含める. 説きつける. 口説く. たら(誑)す. 丸め込む. 取り込む. 言いなす. =구워 삶다. [句例] 누나를 삶아서 용돈을 타다 姉を口説いて小遣いをもらう.
[參考] 1)'삶으니 煮ると' '삶고 煮て'は[salmŭni] [sa:mkko]と読む.
2)'삶다'の外に調理法としては'찌다' '데치다'などがある.

삼〈名〉〔植〕麻. =대마(大麻). [語例] ～실 麻糸 / ～베 麻布.

삼【蔘】〈名〉〔植〕❶'인삼(人蔘)'と'산삼(山蔘)'の総称. ❷'인삼(人蔘)'の略.

***삼**【三】㊀〈數〉三. [句例] ～ 곱하기 육 三掛け六. ㊁〈冠〉三. 漢字語の上につける語. [語例] ～등분 三等分 / ～중창 三重唱.

삼 〔漢字項目〕

【三】 中學 삼 サン. ❶셋 三つ. ▣三角 삼각 さんかく. 三等 삼등 さんとう. ❷세 번 みたび. ▣三拜 삼배 さんぱい. 三顧 삼고 さんこ. ❸자주 たびたび. ▣再三 재삼 さいさん.

【森】[高校] 삼 シン. ❶나무가 빽빽하다 樹木が茂る ▮森林 삼림 しんりん. 森羅 삼라 しんら. ❷으슥하다 静かだ. 厳かだ. ▮森厳 삼엄 しんげん.

삼【參】⇨ 참【參】

삼가 〈副〉[もとの語形は'삼가아'] 慎(謹)んで. [文例] ～ 사과 말씀드립니다 謹んでおわび申し上げます / ～ 명복을 빕니다 謹んで御冥福をお祈りいたします.

*삼가다 〈自他〉慎(謹)む. 遠慮(謹慎)する. (差し)控える. 手控える. [句例] 말을 ～ 言葉を慎む / 술을 ～ 酒を慎む. [文例] 차내에서 흡연은 삼가 주십시오 車内で喫煙はご遠慮してください.
[參考] '삼가하다'は 正しい言いかたではない.

*삼각【三角】〈名〉三角. [語例] ～ 측량 三角測量.

삼각【三脚】〈名〉三脚. ❶'삼각가(架) 三脚架'の略. ❷'삼각 의자 三脚椅子'の略.

*삼각-자【三角—】〈名〉三角定規.

삼각-점【三角點】〈名〉〔地〕三角点. 三角測量の基準点.

삼각-주【三角洲】〈名〉三角州. デルタ.

삼각 함수【三角函數】[samgak'a:mssu]〈名〉〔數〕三角関数.

*삼각-형【三角形】[samgak'yŏng]〈名〉〔數〕三角形. 略して'삼각'ともいう.

삼강【三綱】〈名〉儒教の三綱. [語例] ～ 오륜 三綱五倫.

삼-거리【三—】〈名〉三差路. 丁字路. T字路. 三つまた. =세거리.

삼겹-살【三—】〈名〉豚のあばら(肋)肉で, 脂肪と肉が層をなしている部分. 三枚肉. ばら(肋)肉. ばら.

삼계-탕【蔘鷄湯】〈名〉若鶏の内臓をとりだしてちょうせんにんじん·なつめ·にんにく·もち米などをつめて煮込んだ食べ物.
[參考] 韓方では'계삼탕(鷄蔘湯)'と言い, 強壮剤として用いられる.

삼국 시대【三國時代】〈名〉〔史〕三国時代. ❶新羅·百済·高句麗の三国が鼎立していた時代. ❷中国で, 後漢のあと魏·呉·蜀の三国が鼎立していた時代.

삼군【三軍】〈名〉三軍. 陸軍·海軍·空軍の総称.

삼권 분립【三權分立】[samkkwonbullip]〈名〉三権分立.

삼남【三南】〈名〉忠清道·全羅道·慶尚道の三道.

삼년-상【三年喪】〈名〉父母に対する三年の喪(忌服·服忌). 略して'삼상(三喪)'ともいう.

*삼다¹ [sa:mtta]〈他〉…にする. ❶(関係を)結ぶ(持つ). 迎える. ㉠(縁を)組む. [句例] 며느리로 ～ 嫁に迎える / 조카를 양자로 ～ おい(甥)を養子にする / 친구로 ～ 友にする. ㉡…を…になるようにする. [句例] 목축을 업으로 ～ 牧畜を業とする / 모범으로 ～ 手本にする / 낚시를 낙으로 ～ 魚釣りを楽しみにする. ❷みなす. 取る. [句例] 반 농담삼아 한 말 冗談半分に言ったことば / 대발전의 기회로 ～ 大発展の機会とみなす / 전혀 문제로 삼지도 않는다 取り立てて問題にもしない(歯牙にもかけない).

삼다² [sa:mtta]〈他〉❶(わらじ·草履などを)編む(つくる·こしらえる). ❷麻やからむし(苧麻(苧))などの繊維をよ(縒)りあざなう.

삼다-도【三多島】〈名〉済州島の異称. 風·女性·石の多いことにちなんだ語.

삼-단 [samttan]〈名〉麻の束.
삼단 같은 머리 ふさふさして長い女性の髪.

삼단 논법【三段論法】[—nonppŏp]〈名〉三段論法.

삼단-뛰기【三段—】〈名〉⇨ 세단뛰기

삼대【三代】〈名〉三代. ❶父·子·孫の三つの世代. [句例] ～가 한 집에 살다 三代が一家で暮らす. ❷第三世の世代.

삼대 독자【三代獨子】〈名〉三代つづきの独り(一人)息子.

삼-대양【三大洋】〈名〉三大洋.

삼-등분【三等分】〈名·하他〉三等分.

삼라-만상【森羅萬象】[samnamansang]〈名〉森羅万象.

삼루【三壘】[samnu]〈名〉三塁. サードベース. 「サード.

삼루-수【三壘手】[samnu—]〈名〉三塁手. サード.

삼루-타【三壘打】[samnu—]〈名〉三塁打. スリーベースヒット.

삼류【三流】[samnyu]〈名〉三流. [語例] ～ 작가 三流作家 / ～ 시인 三流の詩人.

삼륜-차【三輪車】[samnyunch'a]〈名〉三輪車. オート三輪.

삼림【森林】[samnim]〈名〉森林. [語例] ～공원 森林公園 / ～ 지대 森林地帯 / ～ 자원 森林資源.

삼림-욕【森林浴】[samnimnyok]〈名〉森林浴. =산림욕(山林浴).

삼매【三昧】〈名〉〔佛〕三昧. =삼매경(三昧境). [語例] 독서 ～ 読書三昧.

삼면-경【三面鏡】〈名〉三面鏡.
[絵]

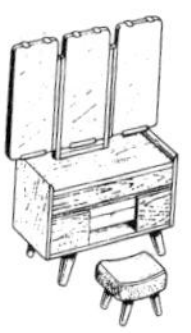

〈삼면경〉

삼면 기사【三面記事】〈名〉(新聞の) 三面記事.

삼무-도【三無島】〈名〉(盗人·乞食·門がない島という意味で)済州島の異称.

삼민-주의【三民主義】〈名〉〔史〕(中国の孫文の)三民主義.

삼-반규관【三半規管】〈名〉〔生〕⇨ 반(半)고리관

삼발-이 [sambari]〈名〉❶五徳. ❷三脚. 三脚台. 三脚架. [句例] 카메라를 ～에 설치하다 カメラを三脚にすえつける.

삼백예순-날【三百—】[sambaengnyesunnal]〈名·副〉一年中(毎日).

*삼-베〈名〉麻布. 麻. 麻織り. 略して'베'ともいう. [文例] ～ 바지 麻のズボン.

삼복【三伏】〈名〉三伏. ❶初伏·中伏·末伏の総称. =삼경(三庚). ❷(夏の)極暑.

삼복 더위【三伏—】〈名〉三伏の暑さ. 略して'복더위'ともいう.

삼사-월【三四月】〈名〉三四月. 三月と四月.

삼삼-오오【三三五五】[—samoo]〈副〉三三五五. 句例 ~ 떼지어 가다 三三五五連れ立つ.

삼삼-하다 (→하다)〈形〉❶(食べ物が)塩気が薄くておいしい. ❷(物事の状態が)まるで目の前にあるように見える. 忘れられず目の前にちらつく. まぶたにありあり浮かぶ. 句例 지금도 눈에 ~ 今もありありと目に浮かぶ. **삼삼히**〈副〉ありありと.

삼성【三省】〈名・하他〉三省. 一日に三度反省すること. 語例 일일 ~ 一日三省.

삼시【三時】〈名〉朝・昼・夕の三食.

삼신【三神】〈名〉〔民〕❶上古に韓国の国土を創造したと言う三神. すなわち, 桓因・桓雄・桓倹. ❷子宝を授けるという三柱の神. =삼신령.

삼신-할머니【三神—】〈名〉〔民〕'삼신(三神)❷'の俗っぽい言いかた.

삼심 제도【三審制度】[—je:do]〈名〉三審制度.

삼십【三十】〈數・冠〉三十. =서른. 語例 ~명 三十名/~이립(而立) 三十にして立つ.

삼십육-계【三十六計】[samshimnyukkye]〈名〉❶三十六計. 三十六種の計略. ❷⇨ 뺑소니

삼십육계(를) 놓다 逃げる. 逃げ出す.

삼십육계 줄행랑이 제일 三十六計逃げるにしかず.

삼십육계(를) 치다 '삼십육계(를) 놓다'のこと.

삼십팔도-선【三十八度線】[samshipp'alttosŏn]〈名〉〔地〕三十八度線. 特に, 韓半島の中央部を横断する北緯三十八度の緯線. 太平洋戦争が終わり, 日本軍の武装を解除するため韓国に進駐した米・ソの占領軍が北緯38度線に設けた軍事分割線. 略して'삼팔선(三八線)'ともいう.

삼엄-하다【森嚴—】[samŏm—](→하다)〈形〉森厳だ. ものものしい. いかめしい. おもおもしい. 句例 삼엄한 경계 ものものしい警戒. **삼엄히**〈副〉森厳に. ものものしく. いかめしく. おもおもしく.

삼우【三虞】[samu]〈名〉三虞. 葬式をすましてから三回目の祭祀. =삼우제(祭).

삼-원색【三原色】[samwonsaek]〈名〉三原色.

삼월【三月】[samwol]〈名〉三月. 語例 ~ 혁명 三月革命/춘(春)~ 春たけなわの(陰暦)三月.

삼월 삼질【三月三—】[samwol—]〈名〉⇨ 삼짇날

삼위 일체【三位一體】[samwi—]〈名〉三位一体. 句例 진선미의 ~ 真善美の三位一体/~가 되다 三位一体となる.

삼인-칭【三人稱】[saminch'ing]〈名〉三人称. 對 일인칭(一人稱). 이인칭(二人稱).

삼일 운동【三一運動】[samiru:ndong]〈名〉〔史〕三一独立運動. 1919年3月1日, 33人の指導者を中心として全国で起こした韓国民族の反日独立運動. =기미(己未) 운동.

삼일-절【三一節】[samiltchŏl]〈名〉三一独立運動を記念する国民の祝日〔三月一日〕.

***삼일 정신**【三一精神】[samil—]〈名〉三一精神. 三一独立運動を起こした韓国民の自主的で, かつ自由と平和を愛する民族精神.

삼일-천하【三日天下】[samil—]〈名〉三日天下. 文例 그 내각은 ~로 끝났다 その内閣は三日天下に終わった.

삼자【三者】〈名〉三者. ❶三人の人. =세 사람. 語例 ~ 회담 三者会談/~ 범퇴〔野〕三者凡退. ❷第三者.

삼-정승【三政丞】〈名〉〔史〕三丞相. 朝鮮朝時代の '영의정(領議政) 太政大臣' '좌(左)의정 左大臣' '우(右)의정 右大臣'など三大臣の総称. =삼공(三公).

삼족【三族】〈名〉三族. 句例 ~을 멸하다 三族を平らぐ. 三族を滅ぼす.

삼중-고【三重苦】〈名〉三重苦. 句例 ~의 헬렌 켈러 三重苦のヘレン ケラー.

삼중-주【三重奏】〈名〉〔樂〕三重奏. =트리오.

삼중-창【三重唱】〈名〉〔樂〕三重唱. =트리오.

삼지-사방【—四方】〈名〉四方八方. 句例 ~으로 찾아 헤매다 四方八方に探し回る/~으로 뛰어 돌아다니다 四方八方に駆けずり回る.

삼진【三振】〈名・하自〉〔野〕三振. =스트럭 아웃. 句例 삼구 ~ 三球三振/세 타자를 ~으로 아웃시키다 三打者を三振でアウトさせる.

삼짇-날 [samjinnal]〈名〉上巳. すなわち, 陰暦の三月三日. 略して'삼질'ともいう. =삼월 삼질. 중삼(重三).
參考 この日には野に出て花遊びをしながら春の一日を楽しむ.

삼차【三次】〈名〉三次. 三番〔三度〕目. 句例 ~에 걸친 선거 三次にわたる選挙.

삼차 산업【三次産業】[—sa:nŏp]〈名〉'제삼차 산업 第三次産業'の略.

삼-차원【三次元】〈名〉三次元. 語例 ~ 세계 三次元の世界.

삼척-동자【三尺童子】〈名〉三尺の童子. 幼子. 文例 이것은 ~도 알고 있다 これは三尺の童子も知っている.

***삼천-리**【三千里】[samch'ŏlli]〈名〉❶三百里. ❷南北の長さが三百里あることから, 韓半島の意. 語例 ~ 금수 강산 三百里の錦の山河. 韓国をさす語/~ 강토(疆土) 韓国の国土.

삼천리 강산【三千里江山】[samch'ŏlli—]〈名〉三百里にわたる山河の意で, 韓国の国土をさす語.

***삼촌**【三寸】〈名〉叔父〔伯父〕. 父の男の兄弟. 語例 ⇨ 외(外)삼촌
參考 '삼촌(三寸)'は三親等の意で普通おい(甥)と叔父の続き柄を表わす. 呼称の場合, 父の未婚の弟に対して呼ぶ語. '아저씨'とも呼ぶ. また, 既婚の叔父には'숙부(叔父)님', '작은아버지'と呼ぶ.

삼촌-댁【三寸宅】[—ttaek]〈名〉❶'숙모 叔母'の

俗っぽい言いかた. ❷叔父の家.

삼치 〈名〉〔魚〕さわら(鰆).

⁑삼키다 〈他〉❶飲む. 飲み下す. 飲み込む. 句例 약을 ～ 薬を飲み下す / 침을 ～ つば(唾)を飲み込む / 마른침을 ～ かたず(固唾)を飲む / 통째로 ～ まるのみにする / 눈물을 ～ 涙をのむ. ❷横領する. 着服する. ＝집어삼키다. 句例 공금을 ～ 公金を横領する.

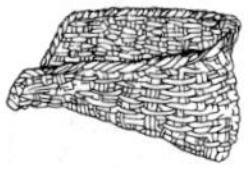

〈삼태기〉

삼태기 〈名〉あじか(簣). 絵

삼투 【滲透】〈名・하自〉浸透. 句例 용매가 ～하다 溶媒が浸透する.

삼투-압 【滲透壓】〈名〉〔物〕浸透圧.

삼파-전 【三巴戰】〈名〉 三つどもえ(巴)の戦い.

삼판 양승 【三一兩勝】 [samp'annya:ngsŭng] 〈名〉三番勝負で勝つこと. 文例 ～으로 이기다 三番勝負で勝つ.

***삼팔-선** 【三八線】[—ssŏn]〈名〉'삼십팔도선(三十八度線)'の略.

삼포 【蔘圃】〈名〉'인삼(人蔘)'の畑. ＝삼장(蔘場).

삼-하다 [sa:m—] (→하다)〈形〉子供の質が荒い. 荒っぽい. おとなしくない. 句例 삼한 아이 荒っぽい子.

삼한 【三韓】〈名〉〔史〕三韓. 古代朝鮮の南方にあった馬韓・辰韓. 弁韓の三国. 語例 ～ 시대 三韓時代.

삼한-사온 【三寒四溫】 [—sa:on]〈名〉 三寒四温.

삼-화음 【三和音】〈名〉〔樂〕三和音.

⁑삽 【鍤】〈名〉シャベル. ショベル. スコップ. 句例 ～으로 석탄을 푸다 シャベルで石炭をすくい出す. →가래[1]

삽사리 〈名〉❶むく犬. ❷〔蟲〕なきいなご.

삽살-개 〈名〉⇨ 삽사리①

삽시 【插匙】〈名・하自〉祭祀で, お供えの御飯にさじを挿す儀式.

삽시-간 【霎時間】〈名〉 瞬く間. つか(束)の間. 瞬時. 一瞬間. 略して'삽시'ともいう. 句例 ～에 음식이 없어지다 またたく間に料理がなくなる / ～에 해치우다 瞬時にやってのける / ～에 불길에 휩싸이다 一瞬間のうちに炎に包まれる.

삽입 【挿入】[sabip] 〈名・하他〉挿入. 句例 신문에 광고를 ～하다 新聞に広告を挿入する. 語例 ～되다 挿入される.

삽-질 【鍤—】〈名・하自〉シャベルですくうこと.

삽화 【挿話】[sap'wa]〈名〉挿話. エピソード. 逸話.

삽화 【挿畫】[sap'wa]〈名〉挿絵. 挿画. イラスト. 句例 ～를 그리다 挿絵を描く. 語例 ～가 挿絵画家.

삿-갓 〈名〉 ❶(竹やあしで粗く編んだ)かさ(笠). かぶりがさ. 絵 句例 ～을 짜다〔엮다〕 かさを編む. 語例 사초 ～ すげがさ. ❷〔植〕菌傘. 傘.

〈삿갓〉

삿갓-구름 〈名〉かさ雲.

삿대 [sa:ttae]〈名〉'상앗대'の略. 舟のさお(棹).

삿대-질 [sa:ttae—]〈名・하自〉❶'상앗대질'の略. (舟で)さおをさすこと. ❷(口げんかで)こぶし・指などを相手の顔に突き付けること.

삿-자리 〈名〉あし(葦)で編んだ敷物. 略して'삿'ともいう.

⁑상 【床】〈名〉膳・机などの総称. 句例 ～앞에 앉다 膳に付く / ～을 (차려)내다 お膳を出す / ～을 물리다 膳をさげる / 차려 놓은 (상)～ すえ膳.

상(을) 보다 膳立てをする. お膳の支度をする. ＝상(을) 차리다.

상 【相】〈名〉相. ❶人相. 面相. 句例 장수할 ～ 長生きの相 / 귀인의 ～ 貴人の相. 語例 말～ 馬面. ❷姿. 形. 外見. 語例 사회～ 社会相 / 단면～ 断面相. ❸その時その時に表われる表情. 句例 죽을 ～을 짓다 死相をする / 우는 ～을 하다 泣きっ面をする.

상(을) 보다 相する. 占う.

상(을) 보이다 人相見などに相を見せる. 略して'상(을) 뵈다'ともいう.

***상** 【喪】〈名〉喪. ❶'거상(居喪)' 忌服'の略. ❷親族の死を哀悼する礼. 句例 ～을 입다 喪に服する.

상 【想】〈名〉想. 作品製作者の考え. 構想. 句例 좋은 ～이 떠오르다 いい構想が浮かぶ / ～을 다지기 10여년 想を練ること十余年.

***상** 【像】〈名〉像. 句例 성모마리아～ 聖母マリアの像 / 기대되는 교사～ 期待される教師像 / ～이 비치다 像がうつる. 語例 이상～ 理想像.

⁑상 【賞】〈名〉賞. 褒美. 句例 ～을 받다 賞をうける / ～을 주다 賞を与える. 語例 노벨～ ノーベル賞. 對 벌(罰).

상(을) 타다 褒美をもらう. 受賞する.

-상 【商】〈尾〉商い. また, 商人. 語例 미곡～ 米穀商 / 잡화～ 雑貨商.

상　〔漢字項目〕

【上】 中學 상 ジョウ. ショウ. ❶위 うえ. ㉠높은 데 高い所. ◧上層 상층 じょうそう. ◨天上 천상 てんじょう. ㉡높은 계급 上の階級. ◧上位 상위 じょうい. 上官 상관 じょうかん. ㉢표면 表面. ◨海上 해상 かいじょう. 地上 지상 ちじょう. ㉣손윗사람 目上の人. ◨長上 장상 ちょうじょう. ㉤군주 君主. ◧上意 상의 じょうい. ◨主上 주상 しゅじょう. ㉥처음 初め. 앞 前. ◧上篇 상편 じょうへん. 上記 상기 じょうき. ㉦옛 昔. 이전 以前. ◧上古 상고 じょうこ. 上代 상대 じょうだい. ㉧보다 나은 쪽 よりよい方. ◧上等 상등 じょうとう. 上策 상책 じょうさく. ❷가. 곁 端. そば. ◨江上 강상 こうじょう. 路上 노상 ろじょう. ❸오르다 あがる. ◧上昇 상승 じょうしょう. ❹탈것을 타다 乗り物に乗る. ◧上船 상선 じょうせん. ❺지방에서 서울로 가다 地方から都に行く. ◧上京 상경 じょうきょう. ❻진헌하다 さしあげる. ◧上訴 상소 じょうそ. 上告 상고 じょうこく. ❼무대 등에 올리다 舞台などに上げる. ◧上演 상연 じょうえん. 上映

ㅅ

상영 じょうえい.

【傷】中學 상 ショウ. ❶다치다 けがをする. 몸에 상처를 내다 きずつける. ◧死傷 사상 ししょう. ❷남을 해치다 人を害する. ◧中傷 중상 ちゅうしょう. ❸근심하다 心配する. 애태우다 心を痛める. ◧傷心 상심 しょうしん. ◧悲傷 비상 ひしょう.

【像】高校 상 ゾウ. ❶모양 形. 모습 姿. ◧實像 실상 じつぞう. 影像 영상 えいぞう. ❷상 像. 부처・사람・짐승 같은 것의 형체를 만들거나 그린 것. 仏・人・動物などの形を模して造ったり描いたもの. ◧佛像 불상 ぶつぞう. 肖像 초상 しょうぞう. 木像 목상 もくぞう.

【償】高校 상 ショウ. ❶갚다 償う. ㉠돌려주다 返す. ◧償還 상환 しょうかん. 償金 상금 しょうきん. ㉡보답하다 報いる. ◧報償 보상 ほうしょう. ❷배상 ばいしょう. 대가 代価. ◧賠償 배상 ばいしょう. 代償 대상 だいしょう.

【商】中學 상 ショウ. ❶헤아리다 量る. 생각하여 분간하다 量り考える. ◧商量 상량 しょうりょう. 商議 상의 しょうぎ. ❷장사 商い. 장사하다 商う. ◧商魂 상혼 しょうこん. ◧通商 통상 つうしょう. ❸장수 あきんど. 상인 商人. ◧行商 행상 ぎょうしょう. 隊商 대상 たいしょう. ❹오음의 하나 五音の一つ. ◧宮商 궁상 きゅうしょう.

【喪】中學 상 ソウ. ❶복을 입다 喪に服す る. ◧喪禮 상례 そうれい. ◧國喪 국상 こくそう. ❷복 服. 상복 もぎぬ(喪衣). ◧喪中 상중 もちゅう. 喪服 상복 もふく. ◧除喪 제상 じょそう. ❸잃다 失う. 상실하다 なくす. ◧喪失 상실 そうしつ. 喪心 상심 そうしん.

【嘗】高校 상 ショウ. ジョウ. ❶맛보다 味わう. なめる. ◧嘗膽 상담 しょうたん. ❷시험하다 試みる. ◧嘗試 상시 しょうし. ❸가을에 신곡을 올려 지내는 제사 秋に新穀を神に供えて行うお祭り. ◧新嘗 신상 しんじょう.

【尙(尚)】中學 상 しょう. ❶오히려 なお. 아직 まだ. ◧尙早 상조 しょうそう. ❷숭상하다 尊ぶ. ◧尙武 상무 しょうぶ. ◧好尙 호상 こうしょう. ❸높이다 高くする. ◧高尙 고상 こうしょう.

【常】中學 상 ジョウ. ❶항상 つね. ㉠항구 恒久. 불변 不変. ◧常綠 상록 じょうりょく. ◧恒常 항상 こうじょう. ㉡불변의 도덕 不変の道徳. ◧五常 오상 ごじょう. 綱常 강상 こうじょう. ㉢보통의 상태 普通の状態. ◧平常 평상 へいじょう. 非常 비상 ひじょう. ㉣ 평상시 ふだん. 늘 いつも. ◧常用 상용 じょうよう. 常設 상설 じょうせつ. ❷범용하다 凡庸だ. ◧常識 상식 じょうしき. ◧尋常 심상 じんじょう.

【床】高校 상 ショウ. ❶걸상을 겸한 침상 腰掛けを兼ねた寝床. ◧床几 상궤 しょうぎ. ◧病床 병상 びょうしょう. 溫床 온상 おんしょう. ❷받치는 대 支える台. ◧銃床 총상 じゅうしょう. ❸지반 地盤. ◧河床 하상 かしょう. 鑛床 광상 こうしょう.

【想】中學 상 ソウ. ソ. ❶생각하다 思う. 추억하다 思い浮かべる. ◧想像 상상 そうぞう. ◧聯想 연상 れんそう(連想). 追想 추상 ついそう. ❷생각 思い. ◧思想 사상 しそう. 感想 감상 かんそう.

【桑】高校 상 ソウ. 뽕나무 くわのき. ◧桑田 상전 そうでん. 桑園 상원 そうえん. ◧扶桑 부상 ふそう.

【狀(状)】高校 상 ジョウ. 장 ジョウ. ━〔상〕❶모양 形. ◧形狀 형상 けいじょう. 球狀 구상 きゅうじょう. 液狀 액상 えきじょう. ❷일의 상황 事のようす. ◧狀況 상황 じょうきょう. ◧實狀 실상 じつじょう.
━〔장〕❶문서 文書. ◧訴狀 소장 そじょう. 信任狀 신임장 しんにんじょう. ❷편지 手紙. ◧書狀 서장 しょじょう. 公開狀 공개장 こうかいじょう.

【相】中學 상 ソウ. ショウ. ❶서로 互いに. 같이 共に. ◧相互 상호 そうご. 相違 상위 そうい. ❷보다 見る. 점을 보다 占う. ◧相法 상법 そうほう. ◧觀相 관상 かんそう. ❸용모 姿. 사물의 상태・형세 事の状態・形勢. ◧人相 인상 にんそう. 眞相 진상 しんそう. ❹정승 大臣. ◧外相 외상 がいしょう. 首相 수상 しゅしょう.

【祥(祥)】高校 상 ショウ. ❶복 福. 행복 幸い. ◧嘉祥 가상 かしょう. ❷조짐 兆し. 전조 前ぶれ. ◧祥瑞 상서 しょうずい. ◧吉祥 길상 きっしょう. ❸제사 祭祀. ◧小祥 소상 しょうしょう. 大祥 대상 たいしょう.

【裳】高校 상 ショウ. 아랫도리에 입는 것. 下半身に着るもの. ◧衣裳 의상 いしょう.

【詳】高校 상 ショウ. 자세하다 詳しい. 세밀하다 つまびらかだ. 상세한 내용 詳しい内容. ◧詳細 상세 しょうさい. 詳報 상보 しょうほう. ◧未詳 미상 みしょう. 不詳 불상 ふしょう.

【象】高校 상 ショウ. ゾウ. ❶코끼리 ぞう. ◧象牙 상아 ぞうげ. ◧巨象 거상 きょぞう. ❷모양 形. 모습 姿. ◧形象 형상 けいしょう. 現象 현상 げんしょう. 印象 인상 いんしょう. ❸본뜨다 かたどる. 비슷하게 만들다 似せてつくる. ◧象形文字 상형문자 しょうけいもじ. 象徵 상징 しょうちょう. ❹징후 しるし. ◧氣象 기상 きしょう.

【賞】中學 상 ショウ. ❶칭찬하다 褒める. ◧賞美 상미 しょうび. ◧嘉賞 가상 かしょう. ❷상 주다 賞を与える. ◧賞品 상품 しょうひん. ◧懸賞 현상 けんしょう. ❸아름다운 것을 보고 마음으로 즐기다 美しいものを見て心から楽しむ. ◧賞玩 상완 しょうがん. ◧鑑賞 감상 かんしょう.

【霜】中學 상 ソウ. ❶서리 霜. ◧霜害 상해 そうがい. ◧風霜 풍상 ふうそう. ❷세월 年月. ◧星霜 성상 せいそう. ❸엄하다 厳しい. ◧秋霜烈日 추상열일 しゅうそうれつじつ.

상가【商街】〈名〉商店街. アーケード. 語例 ~ 아파트 げた履き住宅.

상가【喪家】〈名〉喪家. ❶喪中の家. ＝초상집. ❷喪主の家.

상감【上監】[sa:nggam]〈名〉'임금 王'の尊称. 上. お上.
[表現] 宮中語では 상감마마という.

상감【象嵌】〈名〉象眼. [語例] ～ 청자(青瓷)貝殻の内殻で象眼細工をほどこした青磁.

*__상-거래__【商去來】〈名〉商取引. [句例] ～가 성립하다 商取引が成立する.

상견-례【相見禮】[―nye]〈名〉相見の礼. ❶公式的に対面する礼. ❷相向かって礼を交わすこと. [句例] 신랑 신부의 ～ 新郎新婦の相見の礼.

상경【上京】[sa:nggyŏng]〈名・하自〉上京. [句例] 출장으로 ～하다 出張で上京する / 학생이 지방에서 ～하다 学生が地方から上京する / 아버지의 ～을 기다리다 父の上京を待つ.

상계【相計】〈名・하他〉〔法〕相殺. '상쇄'を改めた語. [句例] 채권과 채무를 ～하다 債権と債務を相殺する.

상고【上古】[sa:nggo]〈名〉上古. ❶大昔. 上代. ＝상세(上世). ❷〔史〕韓国史の時代区分の一つ. 中古・近古に対しての文献上の最古の時代. [語例] ～ 시대 上古時代.

상고【上告】[sa:nggo]〈名・하他〉〔法〕上告. [句例] 대법원에 ～하다 最高裁判所に上告する.

상고【商高】〈名〉'상업 고등 학교(商業高等學校)'の略: 商高.

상고-머리〈名〉男子の髪型の一つ. 短い角刈り. [句例] ～로 깎다 角刈りに刈る.

상공【上空】[sa:nggong]〈名〉上空. [句例] ～을 날다 上空を飛ぶ. [語例] 서울 ～ ソウルの上空.

상공【相公】〈名〉相公. '재상 宰相'の敬称.

상공-업【商工業】〈名〉商工業. 略して'상공'ともいう. [語例] ～ 지대 商工業地帯.

상관【上官】[sanggwan]〈名〉上官. 上役. [句例] ～의 명령에 거역하다 上官の命令に背く / ～의 비위를 맞추다 上役のご機嫌を取る / ～의 눈밖에 나다 上役ににらまれる. ㊟부하(部下). ㊫상사(上司).

상관【相關】〈名〉❶相関. かかわり. 相互に関係を持つこと. **～하다**〈自〉相関する. 関係する. かかわり合う. [句例] ～되는 두 가지 현상 相関する二つの現象. [文例] 그것이 나와 무슨 ～이 있느냐 それが僕となんのかかわりがあるのか. [語例] ～ 관계 相関関係. ❷人のことに干渉すること. **～하다**〈自他〉干渉する. 構う. [文例] 남의 일에 ～하지 마라 他人の事に干渉するな / 자네가 ～할 일이 아닐세 君が構うことではない.

상관-없다【相關―】[sanggwanŏpta]〈形〉❶互いにかかわり〔関係〕がない. [文例] 나와는 아무 상관없는 일이다 わたしとはなんのかかわりもないことだ. ❷心配無用だ. 差し支えない. 構わない. [句例] 그것쯤은 ～ それくらいは差し支えない / 어떻든 ～ どうでも構わない / 가도 ～ 行っても構わない. **상관없이** [―ŏpshi]〈副〉❶互いに関係〔かかわり〕なく. ❷構わずに. お構いなしに. 差し支えなく. [文例] 예산과는 거의 상관없이 돈을 썼다 予算とはほとんどお構いなしにお金を使った.

상궁【尙宮】〈名〉〔史〕朝鮮朝時代, 正五品の女官.

상권【商圈】[sangkkwon]〈名〉商圈. [句例] ～이 형성되다 商圈が形成される.

상권【商權】[sangkkwon]〈名〉商権. [句例] ～을 장악하다 商権を掌握する.

상궤【常軌】〈名〉常軌. [句例] ～를 벗어나다 常軌を逸する.

상규【常規】〈名〉常規. ❶常例. 通常の規則. ❷常に変わらない規則.

상극【相剋】〈名〉相克. [句例] 이상과 현실의 ～ 理想と現実(と)の相克 / 부모 자식간의 ～ 親子の相克.

상근【常勤】〈名・하自〉常勤. [語例] ～자 常勤者 / ～ 임원 常勤の役員. ㊟비(非)상근.

*__상금__【賞金】〈名〉賞金. [句例] ～을 노리고 참가하다 賞金を目当てに参加する / ～을 걸다 賞金をかける / ～을 주다 賞金を与える.

*__상급__【上級】[sa:nggŭp]〈名〉上級. [語例] ～ 법원 上級裁判所 / ～자 上級者. ㊟하급(下級).

상급-생【上級生】[sa:nggŭp―]〈名〉['상급 학생'の略] 上級生. ㊟하급생.

*__상급 학교__【上級學校】[sa:nggŭp'akkyo]〈名〉上級学校. [句例] ～에 진학하다 上級学校に進む.

상기【上記】[sa:nggi]〈名・하他〉上記. [句例] ～한 사람들 上記の人人 / ～한 바와 같이 上記のとおりに〔ごとく〕. ㊟하기(下記). ㊫상술(上述).

*__상기__【上氣】[sa:nggi]〈名・하自〉上気. のぼ(逆上)せること. [句例] ～된 얼굴 上気した顔 / 목욕으로 얼굴이 ～되다 ふろで顔がのぼせる / 몹시 ～되다 のぼせあがる.

*__상기__【想起】[sa:nggi]〈名〉想起. **～하다**〈他〉想起する. 思い起こす. (思い)浮かべる. 思い出す. [句例] 20년 전의 일을 ～하다 二十年前のことを思い起こす / 조국의 산하를 ～하다 祖国の山河を思い浮かべる / 과거를 ～하다 過去を思い出す.

상납【上納】[sa:ngnap]〈名・하他〉上納. ❶物や金を官府に納めること. ❷上司に金品をあげること.

상냥-스럽다（→스럽다）〈形〉⇨ 상냥하다

*__상냥-하다__（→하다）〈形〉優しい. にこやかだ. しとやかだ. 柔和だ. [句例] 상냥한 사람 優しい人 / 상냥하게 말하다 やさしく話す. **상냥히**〈副〉やさしく. にこやかに. [句例] 손님에게 상냥히 응대하다 客ににこやかに応対する.

상-다리【床―】[―ttari]〈名〉食膳の脚.
상다리가 휘어지다 食膳の脚が曲がるの意で, ごちそうをたくさん並べる〔のせる〕.

상단【上段】[sa:ngdan]〈名〉上段. 上の段. [句例] 침대차의 ～ 寝台車の上段. ㊟하단(下段).

상달【上―】[sa:ngttal]〈名〉'시월(十月) 상달'の

ㅅ

略.

상달【上達】[sa:ngdal]〈名・하自〉上達. 句例 하의 ~ 下意上達.

상담【相談】〈名・하自他〉相談. 句例 ~에 응하다 相談に乗る. 語例 법률 ~ 法律相談 / 인생 ~ 人生相談 / ~역 相談役.

상담-소【相談所】〈名〉相談所. 語例 법률 ~ 法律相談所 / 결혼 ~ 結婚相談所.

상당【相當】〈名〉相当. 句例 ⇨ 상당하다. 語例 ⇨ 상당수 / ⇨ 상당액 / ~량 それに相当する量. また, 相当な量.

상당-수【相當數】〈名〉相当数. ❶それにふさわしい数. ❷かなりの数. 文例 반대표도 ~ 있다 反対票も相当数ある.

상당-액【相當額】〈名〉相当額. ❶それに相当する金額. 文例 손해에 대하여 ~을 보상했다 損害に対して相当額を補償した. ❷かなりの金額.

상당-하다【相當—】(→하다) ■〈自〉相当する. 当たる. 句例 5만원에 상당하는 시계 五万ウォン相当の時計 / 월급에 상당하는 돈 月給に相当するお金. 文例 그의 죄는 죽음에 상당한다 彼の罪は死に相当する.

■〈形〉相当だ. かなりだ. 句例 상당한 가정〔재산〕相当な家庭〔身代〕/ 상당한 인물 一角の人物. 文例 그 방면에서는 상당한 권위자다 その筋ではなかなかのつわもの(強者)だ / 저 사람 배짱도 상당하구나 あの人の心臓も相当なものだ. **상당히**〈副〉相当. かなり. よほど. 文例 상당히 멀다 かなり遠い / 피해는 상당히 컸다 被害は相当にひどいものだった.

***상대**【相對】〈名〉❶相対. 相対すること. ~**하다**〈自〉相対する. 句例 ~적인 관계 相対的な関係. 文例 서로 ~되는 관계에 있다 互いに相対の関係にある. 語例 ~성 相対性. 對절대(絶對). ❷相手. ㉠競い合うこと. ㉡'상대자'の略: 相手方. 相棒. 敵手. ~**하다**〈自他〉相手にする. 相手をする. 句例 ~하지 않다 相手にしない / 하찮은 ~ もろい相手 / 벅찬 ~ 手ごわい相手〔敵手〕/ 아이들을 ~하다 子供たちの相手をする. 文例 ~가 안 된다 相手にならない / ~조차 안 한다 鼻にも引っかけない / 웃고 ~하지 않는다 笑ってとりあわない / 신예를 ~하여 싸웠다 新鋭を向こうに回して戦った / 덤벼라. ~해 주마 かかってこい. 相手になろう. 語例 말 ~ 話相手 / 결혼 ~ 結婚の相手.

상대 높임법【相對—法】[—nop'imppŏp]〈名〉〔言〕'높임법'の一つ. 聞き手に敬意を表わす敬語法. 一定の終結語尾をつけて表わす. 表現の形式により, 격식체(格式體)と 비(非)격식체がある. 격식체には 해라체(體)・하게체・하오체・합쇼체があり, 비격식체には 해체と 해요체がある. →附録 어미 일람표

***상대-방**【相對方】〈名〉相手方. 向こう側. お先. 先方. 句例 ~의 의향을 알아보다 先方の意向を確かめる / ~의 약점을 잡다 先方の弱点を握る / ~을 납작하게 만들다 相手をへこませる / ~의 페이스에 말려들다 相手のペースに巻き込まれる. 文例 작전이 ~에게 고스란히 새나가는 모양이다 作戦が向こう側に筒抜けになるらしい / ~의 형편을 물어봐 주시오 先方の都合を聞いてください.

상대-역【相對役】〈名〉(映画や演劇などで)主役の相手の役. わき(脇)役.

상대 오차【相對誤差】[—o:ch'a]〈名〉相対誤差.

상대-자【相對者】〈名〉相対者. 相手(方). 相棒. 相方. 敵手. ライバル. 略して'상대(相對)'ともいう. 句例 결혼 ~를 찾다 結婚の相手を探す.

***상대-편**【相對便】〈名〉⇨ 상대방(相對方)

상도【常道】〈名〉常道. 句例 민주 정치의 ~ 民主政治の常道 / ~를 벗어나다 常道を踏み外す〔はずれる〕.

상도【商道】〈名〉商道. 商業道徳. 文例 ~가 땅에 떨어졌다 商道が地に落ちた.

상-돌【牀—】〈名〉⇨ 상석(牀石)

상-되다【常—】[—ttoeda]〈形〉下品だ. 野卑だ.

表現 語勢の強い語は'쌍되다'.

상등-병【上等兵】[sa:ngdŭngbyŏng]〈名〉〔軍〕上等兵. 略して'상병(上兵)'ともいう.

상량-식【上樑式】[sa:ngnyang—]〈名〉上棟式. 建て前. 棟上げ.

상례【常例】[sangnye]〈名〉常例. =항례(恒例). 定例. 句例 ~에 따르다 常例に従う / ~에 구애되다 常例に拘泥する.

상례【喪禮】[sangnye]〈名〉葬礼. 喪中の儀式. =흉례(凶禮).

상록-수【常綠樹】[sangnok—]〈名〉常緑樹. ときわぎ(常磐木). 青木. =늘푸른나무. 對낙엽수(落葉樹).

상류【上流】[sa:ngnyu]〈名〉上流. ❶川上. みなかみ(水上). 上手. 句例 ~로 거슬러 올라가다 上流にさかのぼ(遡)る / ~로부터 배가 내려오다 川上から舟が下ってくる / 강의 ~로부터 흘러오다 川の上手から流れてくる. ❷社会的地位・経済力などが高い階層. 語例 ~ 생활 上流の生活 / ~ 계급 上流階級 / ~ 가정 上流家庭. ▷對하류(下流). 중류(中流).

상륙【上陸】[sa:ngnyuk]〈名・하自〉上陸. 文例 항해를 마치고 섬에 ~했다 航海を終えて島に上陸した / 태풍이 제주도에 ~했다 台風が済州島に上陸した. 語例 ~ 작전 上陸作戦.

상륜-탑【相輪塔】[sangnyun—]〈名〉〔佛〕相輪樘. 略して'상륜(相輪)'ともいう.

상-머리【牀—】〈名〉お膳のわきや前. 句例 ~에 앉다 お膳の前に座る.

상모【象毛】〈名〉農楽の舞踊で, '벙거지 毛類でつくった陣笠'のような帽子'のてっぺんにつける飾り. 真竹や玉の端にしらさぎの毛や白紙の長いリボンをつけたもの. 絵

〈상모〉

상모-돌리기【象毛—】〈名〉〔民〕農楽で'전복(戰服) そでのない昔の戦闘服'をまとい'상모'を振り回しながら踊る踊り. 絵

〈상모돌리기〉

상무【常務】〈名〉[‘상무 이사(理事) 常務取締役’の略] 常務.

***상민**【常民】〈名〉平民. 庶民. ＝상(常)사람. ㉷양반(兩班).

***상반**【相反】〈名・하自〉 相反すること. 句例 ～되는 생각〔입장〕相反する考え〔立場〕/ 이해가 ～되다 利害が相反〔矛盾〕する.

상반【相半】〈名・하自〉相半ばすること. 句例 공과(功過)가 ～하다 功罪相半ばする.

상-반기【上半期】[sa:ng—]〈名〉上半期. 上期. 句例 ～의 예산 上半期の予算 / ～의 결산 上期の決算. ㉷하반기(下半期).

상-반신【上半身】[sa:ng—]〈名〉上半身. ㉷하(下)반신.

상밥【床—】[sangppap]〈名〉一膳飯. 膳立てして売る飯. ＝상반(床飯).

상배【賞盃・賞杯】〈名〉 賞杯. カップ. 句例 우승자에게 ～가 수여되다 優勝者に賞杯が贈られる.

상벌【賞罰】〈名〉賞罰. 句例 ～ 없음 賞罰なし. 文例 이력서에 ～의 유무를 기입했다 履歴書に賞罰の有無を記入した.

상법【商法】[sangppŏp]〈名〉〔法〕商法.

상병【上兵】[sa:ngbyŏng]〈名〉〔軍〕‘상등병(上等兵)’の略.

상병【傷兵】〈名〉傷兵. 負傷兵.

상병【傷病】〈名〉傷病. 語例 ～병 傷病兵 / ～자 傷病者.

상-보【床褓】[sangppo]〈名〉 お膳かけ. 卓布. テーブルクロス.

상보【詳報】〈名・하他〉詳報. 細報. 句例 ～를 기다리다 詳報を待つ / ～가 들어오다 詳報〔細報〕が入る.

상-보다【床—】 ⇨‘상(床)’の小項目

〈상 복〉

상복【常服】〈名〉常服. ふだん着. ＝평복(平服). 평상복(平常服).

상복【喪服】〈名〉喪服. 粗い麻布でつくった服. ＝복(服). 絵 句例 ～을 입다 喪服を着る.

상봉【上峰】[sa:ngbong]〈名〉最も高い峰.

상봉【相逢】〈名・하自他〉互いに会うこと. 句例 극적인 ～ 劇的な対面 / 30년만의 ～ 三十年ぶりの再会.

상부【上部】[sa:ngbu]〈名〉上部. ❶上の方. 語例 탑 ～ 塔の上部. ❷地位の上位. 上層部. 句例 ～의 의향 上部の意向 / ～의 지시 上部の指示. ▷㉷하부(下部).

***상부-상조**【相扶相助】〈名・하自〉 互いに助けあうこと. 相互扶助.

상비【常備】〈名・하他〉常備. 句例 소화기를 ～하다 消火器を常備する. 語例 ～군 常備軍 / ～약 常備薬.

상사【上士】[sa:ngsa]〈名〉〔軍〕陸・海・空軍の下士官の階級の一つ. ‘중사(中士)’の上, ‘원사(元士)’の下. 一曹にあたる.

상사【上司】[sa:ngsa]〈名〉上司. 上役. 上官. 句例 ～의 허가를 얻다 上司の許可を得る / ～의 비위를 맞추다 上役のご機嫌をとる / ～의 명령을 어기다 上官の命令に背く.

상사【商社】〈名〉商社. 句例 외국 ～ 外国商社.

상사-병【相思病】[—ppyŏng]〈名〉 恋煩い. 恋病. 句例 ～으로 여위다 恋煩いでやつれる〔やせる〕.

상사-형【相似形】〈名〉〔數〕‘닮은 꼴’の旧称.

***상상**【想像】[sa:ngsang]〈名・하自他〉 想像. 句例 마음껏 ～하다 想像をたくましくする / ～도 못하다 想像もつかない / ～을 초월하다 想像を超える / ～도 할 수 없다 想像を絶する. 想像もできない / ～에 맡기다 想像に任せる. 語例 ～력 想像力 / ～화 想像画.

상상-봉【上上峰】[sa:ngsang—]〈名〉最高峰. 句例 백두산 ～ 白頭山の最高峰.

상상-외【想像外】[sa:ngsang—]〈名〉 想像外. 予想外. ＝생각 밖. 句例 ～의 성과 予想外のでき / ～의 결과 予想外のなりゆき.

상서【上書】[sa:ngsŏ]〈名・하自〉上書. 目上に書状を差し上げること. また, その書状. 句例 아버님전〔부주전(父主前)〕～ 父上に申し上げます. 語例 일자(一字) ～ 一筆啓上. ㉷하서(下書).

상서-롭다【祥瑞—】(→롭다)〈形〉縁起がよさそうだ. めでたそうだ. さいさき(幸先)がよさそうだ. **상서로이**〈副〉めでたく. さいさきよく.

상석【上席】[sa:ngsŏk]〈名〉上席. 上座. 上座. 句例 ～을 서로 양보하다 上席を譲り合う / ～에 앉다 上座に座る. ㉷말석(末席).

상석【床石】〈名〉 墓前に供え物を並べる台石.

상석【象石】〈名〉陵園に立てる石像.

상선【商船】〈名〉商船..

***상설**【常設】〈名・하他〉常設. 句例 위원회를 ～하다 委員会を常設する.

***상세-하다**【詳細—】(→하다)〈形〉 詳細だ. 詳しい. 句例 상세하게 조사하다 詳細に調べる / 상세한 설명 詳細な説明 / 매우 ～ 詳細を極める / 상세한 기록 詳しい記録. 文例 상세한 것은 아직 모른다 詳細はまだわからない. **상세히**〈副〉詳細に. 詳しく. 句例 상세히 보고하다 詳しく報告する.

상소【上疏】[sa:ngso]〈名・하自〉上疏. 奏疏. 上書. 上表. 語例 ～문 上疏. 上表文. 奏状.

상소【上訴】[sa:ngso]〈名・하自〉〔法〕上訴. 句例 상급 법원에 ～하다 上級裁判所に上訴する.

상-소리【常—】[—ssori]〈名〉卑語. 表現 語勢の激しい語は‘쌍소리’.

상속【相續】〈名・하他〉相続. 句例 아버지의 재산을 ～하다 父の遺産を相続する. 語例 ～권 相続権 / ～세 相続税 / ～인 相続人. 跡継ぎ / 유산 ～ 遺産相続.

상쇄【相殺】〈名・하他〉相殺. ❶帳消しにすること. 語例 ～되다 相殺される. 帳消しになる. ❷〔法〕'상계(相計)'の旧称.

상-쇠【上—】[sa:ngsoe]〈名〉〔民〕(農楽隊などで)'꽹과리 かね(鉦)'を鳴らしながら音頭を取り, その楽隊を指揮する人.

상수【上手】[sa:ngsu]〈名〉上手・うわて. 句例 ～이다 うわてを行く. 對하수(下手).

상수【常數】〈名〉〔數・物〕定数. 語例 ～항 定数項. 對변수(變數).

상수-도【上水道】[sa:ngsu—]〈名〉上水道. 略して'상수・수도'ともいう. 對하수도.

상수리 [sa:ngsuri]〈名〉どんぐり(団栗).

상수리-나무 [sa:ngsuri—]〈名〉〔植〕くぬぎ(櫟).

상수-원【上水源】[sa:ngsu—]〈名〉上水に送られる水の源.

상순【上旬】[sa:ngsun]〈名〉上旬. ＝초순(初旬). 句例 내월 ～ 来月の上旬 / 이달 ～께〔쯤〕今月の上旬ごろ. 對중순(中旬). 하순(下旬).

상술【上述】[sa:ngsul]〈名・하自他〉上述. 句例 ～한 바와 같이 上述のごとく.

상술【商術】〈名〉商術. 句例 ～이 능하다 商術にた(長)けている. 商売が上手だ.

상술【詳述】〈名・하自他〉詳述. 句例 원인을 ～하다 原因を詳述する.

상-스럽다【常—】[—ssŭrŏpta]〈→스럽다〉〈形〉げび(下卑)ている. 下品だ. はしたない. 卑しい. 句例 말투가 ～ 言葉づかいが下品だ / 상스러운 이야기 下がかった話 / 상스러운 짓거리 はしたないふるまい. **상스레** [—ssŭre]〈副〉下品に. 卑しく.
表現 語勢の激しい語は'쌍스럽다'.

상습【常習】〈名〉常習. 句例 범죄가 ～화하다 犯罪が常習化する. 語例 ～적 범죄 常習的犯罪 / ～자 常習者.

상습-범【常習犯】〈名〉常習犯. 語例 사기 ～ 詐欺の常習犯 / 소매치기 ～ すりの常習犯.

상승【上昇】[sa:ngsŭng]〈名・하自〉上昇. 句例 물가가 ～하다 物価が上昇する. 語例 ～기류 上昇気流 / ～ 속도 上昇速度 / 급～ 急上昇. 對하강(下降).

상승【相乘】〈名・하他〉相乗. 語例 ～ 효과 相乗効果 / ～ 작용 相乗作用 / ～곱 相乗積.

상승【常勝】〈名・하自〉常勝. 語例 ～군 常勝軍. 對연패(連敗).

상승 가도를 달리다 常勝街道を走る. 勝ち続けた勢いに乗ってひたむきに進む.

상승 평균【相乘平均】〈名〉〔數〕相乗平均. ＝기하(幾何) 평균. 對상가(相加) 평균.

상승 효과【相乘效果】[—hyo:gwa]〈名〉相乗効果.

상시【常時】〈名〉常時. 日ごろ. ふだん. 平時.

상시에 먹은 마음 취중에 나타난다 酔って本性を現すの意.

상식【上食】[sa:ngshik]〈名〉喪が明けるまで霊前に供える朝夕の食事. 句例 아침〔저녁〕～을 올리다 霊前に朝〔夕〕の食事を供える.

상식【常食】〈名・하他〉常食. 句例 쌀을 ～으로 하다 米を常食とする.

*__상식__【常識】〈名〉常識. 句例 ～이 없다 常識がない / ～이 부족하다 常識に欠ける. 常識を欠く / ～에서 벗어나다 常識にはずれる / ～으로는 생각할 수 없는 범죄 常識では考えられない犯罪. 文例 오직 ～만을 앞세운다 常識一点ばりだ. 語例 법률 ～ 法律の常識 / ～화되다 常識化する.

상식-적【常識的】〈名・冠〉常識的. 句例 ～인 문제 常識的な問題 / ～인 판단 常識的な判断.

상신【上申】[sa:ngshin]〈名・하他〉上申. 上告. 句例 장관에게 ～하다 長官に上申する.

상실【喪失】〈名・하他〉喪失. 句例 전의를 ～하다 戦意を喪失する / 주체성의 ～ 主体性の喪失. 語例 기억 ～ 記憶喪失 / 자격 ～ 資格喪失.

상심【傷心】〈名・하自〉傷心. 心を痛めること. また, そのような心. 句例 ～을 달래다 傷心をなぐさめる / ～의 나날을 보내다 傷心の日日を送る / 부모의 병으로 ～하다 親の病で心を痛める.

상아【象牙】〈名〉象牙. 語例 ～질 象牙質.

상아-탑【象牙塔】〈名〉象牙の塔.

상앗-대〈名〉'삿대'のもとの語形.

*__상어__〈名〉〔魚〕さめ(鮫). ふか(鱶). ＝사어(沙魚).

*__상업__【商業】〈名〉商業. 商い. 商売. ～**하다**〈自〉商業をする. 商う. 句例 ～이 번창한 도시 商業が盛んな町 / ～에 종사하다 商業に従事する. 語例 ～ 도시 商業都市 / ～화되다 商業化する.

상업 고등 학교【商業高等學校】〈名〉商業高等学校. 略して'상업 학교・상고 商高'ともいう.

상여【喪輿】〈名〉ひつぎをのせるこし(輿). 喪輿. 句例 ～가 나가다 ひつぎのこしが墓場に送られて行く. 語例 ～꾼 ひつぎのこしをかつぐ人.

상여-금【賞與金】〈名〉賞与(金). ＝보너스. 句例 ～이 나오다 賞与が出る.

상연【上演】[sa:ng-yŏn]〈名・하他〉上演. 句例 햄릿을 ～하다 ハムレットを上演する. 語例 ～ 시간 上演時間.

상영【上映】[sa:ng-yŏng]〈名・하他〉上映. 句例 신작을 ～하다 新作を上映する / 화제작이 ～되다 話題作が上映される. 語例 ～ 시간 上映時間 / 근일 ～ 近日上映.

상오【上午】[sa:ng-o]〈名〉上午. 午前. 語例 ～ 11시 午前十一時. 對하오(下午).

상온【常溫】〈名〉常温. ＝항온(恒溫). 句例 ～에서 보관하다 常温で保管する.

상용【常用】〈名・하他〉常用. 句例 ～하고 있는 약 常用している薬. 語例 ～ 한자 常用漢字.

상용 로그【常用log】〈名〉〔數〕常用対数.

상원【上院】[sa:ng-won]〈名〉上院. 語例 ～의원 上院議員. 對하원(下院).

상위【上位】[sa:ng-wi]〈名〉上位. [句例] ~에 들어가다 上位に入る / ~에 서다 上位に立つ / ~를 차지하다 上位を占める. [語例] ~권 上位の圏内 / ~ 그룹 上位のグループ. (對)하위(下位).

상위【常委】〈名〉❶'상임 위원 常任委員'の略. ❷'상임 위원회'の略.

상응【相應】〈名・하自〉相応. 釣り合うこと. [句例] 수입에 ~한 생활 収入相応の生活 / 그에 ~하는 가치를 인정하다 それ相応の価値をみとめる.

상의【上衣】[sa:ng-ŭi]〈名〉上衣. 上着. ＝웃옷. ▷(對)하의(下衣).

상의【相議・商議】〈名・하他〉相談. 商議. [句例] 졸업 후의 진로에 대해 ~하다 卒業後の進路について相談する / ~에 응하다 相談に乗る. 相談に応じる.

상의 하달【上意下達】[sa:ng-ŭiha:dal]〈名〉上意下達. (對)하의 상달(下意上達).

상이【相異】〈名・하形〉相異〔相違〕. 異なっていること. [句例] 사고 방식이 ~하다 考え方が異なっている. [語例] ~점 相違点.

상이 군인【傷痍軍人】[sang-igunin]〈名〉傷痍軍人.

***상인**【商人】〈名〉商人. 商売人. あきんど. [句例] ~ 기질 商人かたぎ(気質) / 노점 ~ 露店商人.

상임【常任】〈名・하他〉常任. [語例] ~ 위원 常任委員 / ~ 이사 常任理事 / ~ 이사국 常任理事国 / ~ 지휘자 常任指揮者.

****상자**【箱子】〈名〉箱. ボックス. ケース. [句例] ~를 열다 箱をあける / ~에 넣다〔간수하다〕箱にしまう / 빈 ~ 空箱.

상장【喪章】〈名〉喪章. [句例] ~을 달다 喪章をつける.

[參考] 普通, 麻布のちょう(蝶)結びを衣服の胸につけるが, 時には黒いリボンを用いることもある.

***상장**【賞狀】[sangtchang]〈名〉賞状. [句例] ~을 수여하다 賞状を授与する / ~을 받다 賞状をもらう. [語例] 우등 ~ 優等賞状.

상전【上典】[sa:ngjŏn]〈名〉奴婢に対してその主人の称.

상전-벽해【桑田碧海】[—byŏk'ae]〈名〉桑田変じて滄海となる(桑田変成海). 時勢がひどく変わることのたとえ. 略して'상해(桑海)'ともいう.

***상점**【商店】〈名〉商店. 店. 店屋. (類)가게. 점포(店鋪).

상정【上程】[sa:ngjŏng]〈名・하他〉上程. [句例] 의안을 ~하다 議案を上程する.

상제【喪制】〈名〉父母や祖父母の喪に服する人.

상제보다 복재기가 더 설워한다 喪主よりも親戚の者が悲しんでいる. 当事者よりも第三者がもっと心配することのたとえ.

상조【相助】〈名・하自〉互助. [語例] ~회 互助会 / ⇨ 상부상조

상존【尙存】[sa:ngjon]〈名・하自〉なお存在していること. 今もなお存在していること. [文例] 타파된 악폐가 ~하고 있다 打破された悪弊が今もなお残っている.

상종【相從】〈名・하自〉相従. 親しく交わること. [句例] 친하게 ~하다 親しく行き来する. [文例] 그 사람하고 ~한지 얼마 안 된다 その人と付き合ってからまだ日が浅い / 저런 사람과는 ~하지 마라 あんな人とは付き合うな. [語例] 유유~ 類は友を呼ぶ.

상좌【上座】[sa:ngjwa]〈名〉❶上座・上席. ＝윗자리. [句例] 주빈이 ~에 앉다 主客が上座に着く / 손님을 ~에 앉히다 客を上座に据える. ❷〔佛〕住持・禅師・長老などが座る席.

상주【常住】〈名・하自〉常住. 定住. [語例] ~자 定住者.

상주【常駐】〈名・하自〉常駐. [句例] 특파원을 ~시키다 特派員を常駐させる.

상주【喪主】〈名〉喪主.

상주 인구【常住人口】〈名〉常住人口.

상중【喪中】〈名〉喪中. 忌中.

상-중-하【上中下】[sa:ngjung—]〈名〉上中下. [句例] ~ 3등급으로 나누다 上中下三等級に分ける.

상징【象徵】〈名・하他〉象徴. シンボル. [句例] 미래를 ~적으로 그린 작품 未来を象徴的に描いた作品. [文例] 비둘기는 평화를 ~한다 はと(鳩)は平和を象徴する. [語例] ~시 象徴詩 / ~파 象徴派.

상징-주의【象徵主義】〈名〉〔文〕象徴主義. シンボリズム

[參考] 韓国には1918年ごろ, 詩人 김억(金億)によってその理論が紹介された.

상책【上策】[sa:ngch'aek]〈名〉上策. ＝상계(上計). [文例] 이 참에 손을 떼는 것이 ~이다 この際手を引くのが上策だ.

상처【喪妻】[sa:ngch'ŏ]〈名・하自〉妻に死なれること.

****상처**【傷處】〈名〉傷. 傷口. 痛手. 手傷. けが(怪我). [句例] ~를 내다 傷つける / ~를 입다 傷つく. けがをする. 痛手を負う / 마음의 ~ 心の傷跡 / ~에 반창고를 붙이다 傷口に絆創膏をはる / 옛 ~를 건드리다 古傷にふれる.

상체【上體】[sa:ngch'e]〈名〉上体. ＝윗몸. [句例] ~를 일으키다 上体を起こす. [語例] ~ 운동 上体の運動.

****상추**〈名〉〔植〕ちしゃ(萵苣).

상추-쌈〈名〉御飯に'고추장'や'된장'などをつけてちしゃの葉で包んだ食べもの. また, その葉.

상춘-객【賞春客】〈名〉春の行楽客. 花見客.

상충【相衝】〈名・하自〉相反すること. 相いれないこと. [句例] 의견이 ~되다 意見が相反する.

상층【上層】[sa:ngch'ŭng]〈名〉上層. [語例] ~ 기류 上層気流 / ~ 계급 上層階級 / ~부 上層部 / ~운 上層雲. (對)하층(下層).

상치【上一】[sa:ngch'i]〈名〉上等品. 上質〔良質〕のもの. (對)하(下)치.

상치【相馳】〈名・하自〉(事柄や志などが)相反すること. 相いれないこと. 食い違うこと. [句例] 의견이 ~하다 意見が食い違う.

*상쾌-하다【爽快―】[sa:ngk'wae―] (→하다)〈形〉爽快だ. さわやかだ. すがすがしい. 快よい. 心地よい. 句例 상쾌한 기분 爽快な気分/고원의 상쾌한 아침 高原のすがすがしい朝/상쾌한 기분으로 아침을 맞다 すがすがしい気分で朝を迎える. 상쾌히〈副〉さわやかに. すがすがしく. 快く. 爽快に. 心地よく.

상큼〈副〉'성큼'の語感の小さい語.

상큼-하다 (→하다)〈形〉(味やにおいなどが)芳しくてさわやかだ. 句例 상큼한 봄나물 芳しい春菜.

상-타다【賞―】⇨'상(賞)'の小項目

*상태【狀態】〈名〉狀態. ありさま. 様子. 具合. 句例 위험한 ～ 危険な狀態/～가 악화되다 狀態が悪化する. 文例 지금 ～로는 우승은 하기 어렵다 今のありさまでは優勝はむずかしい. 語例 건강 ～ 健康狀態/무중력 ～ 無重力狀態/생활 ～ 生活狀態/심리 ～ 心理狀態/혼란 ～ 混乱狀態. 類상황(狀況).

상통【相―】〈名〉'얼굴 顔'の俗っぽい言いかた: 面. 面構え. 句例 찌푸린 ～ しかめっ面. 類상판.

상통【相通】〈名・하自〉相通じること. 句例 일맥 ～하다 一脈(相)通じる.

상투〈名〉昔, 既婚男子の結い上げたまげ(髷). もとどり. '망건(網巾)'をまとい'동곳'を挿す. 絵

〈상투〉

상투 위에 올라 앉다 相手を甘く見て付け上がる.

상투(를) 틀다 まげを結うの意で, 結婚して成人になる.

상투【常套】〈名〉常套. お決まり. 句例 ～적인 말 お決まりの文句. 決まり文句/～적인 방식 常套的なやりかた. 語例 ～ 수단 常套手段. お決まりの手.

상-팔자【上八字】[sa:ngp'altcha]〈名〉非常にいい運勢. 幸運. 句例 무자식 ～《속담》(→'무자식'の小項目)

*상패【賞牌】〈名〉賞牌. 句例 ～를 받다 賞牌を受ける.

상편【上篇】[sa:ngp'yŏn]〈名〉上編. 句例 ～과 하편의 두 권의 책 上編と下編の二冊の本.

상표【商標】〈名〉商標. ブランド. 銘柄. = 트레이드 마크. 語例 등록 ～ 登録商標/유명 ～ 有名ブランド/～권 商標権.

*상품【上品】[sa:ngp'um]〈名〉上品. 上質の品. 句例 ～의 쌀 한 말 上質の米一斗. 對하품(下品).

*상품【商品】〈名〉商品. 品. 句例 ～을 구입하다 商品を購入する. 語例 ～ 가치 商品価値/인기 ～ 目玉商品/～권 商品券/～ 부족 品不足.

상품【賞品】〈名〉賞品. 句例 ～을 타다〔받다〕賞品をもらう/～을 수여하다 賞品を授与する.

상-하【上下】[sa:ngha]〈名〉上下・上. =위아래. 아래위. 句例 ～로 흔들리다 上下に揺れる/～ 두권 上下二巻. 文例 ～의 구별 없이 마음을 하나로 하여 일에 대처한다 上下の別なく, 心を一つにしてことに当たる/사고로 ～선 모두가 불통이 되고 있다 事故で上下線とも不通になっている. 語例 미국의 ～ 양원 アメリカの上下両院/～동 上下動/피스톤의 ～ 운동 ピストンの上下運動.

상하【常夏】〈名〉常夏. 句例 ～의 나라 하와이 常夏の国ハワイ.

*상-하다【傷―】(→하다)〈自他〉❶傷つく. ㉠傷む. こわれる. 破れる. 朽ちる. 腐る. 句例 상한 사과 傷んだりんご/상하기 쉬운 음식 腐りやすい食べ物. ㉡(心が)痛む. 句例 마음이 ～ 心が痛む. 心を痛める. 心が傷つく/아버지의 마음을 상하게 하다 父の機嫌を損じる〔損なう・損ねる〕/기분〔감정〕을 상하게 하다 気に触れる〔障る〕/자존심을 상하게 하다 自尊心を傷つける. ❷⇨ 여위다. 文例 고생하여 얼굴이 상했다 苦労で顔がやせこけた.

*상-하수도【上下水道】[sa:ng―]〈名〉上下水道. 上水道と下水道.

상한【上限】[sa:nghan]〈名〉上限. 句例 ～을 정하다 上限を設ける/가격의 ～ 値段の上限. 對하한(下限).

상항【商港】〈名〉商港. =무역항.

상해【桑海】〈名〉'상전벽해(桑田碧海)'の略: 桑海.

상해【傷害】〈名・하他〉傷害. 句例 ～를 입히다 傷害を与える. 語例 ～ 보상 傷害補償/～ 보험 傷害保険/～죄 傷害罪.

상해【霜害】〈名〉霜害. 句例 ～를 입다 霜害を被る.

상행【上行】[sa:nghaeng]〈名・하自〉上り. ❶上京. ❷'상행 열차'の略. ❸'상행차 上りの車'の略. ▷對하행(下行).

상행 열차【上行列車】[sa:nghaengnyŏlch'a]〈名〉上りの列車. 對하행(下行) 열차.

상향【上向】[sa:nghyang]〈名・하自〉上向き. ❶上に向くこと. ❷(相場・物価などが)上がる傾向. 文例 경기는 ～세에 있다 景気は上向きだ. 對하향(下向).

상현【上弦】[sa:nghyŏn]〈名〉〔天〕上弦. 對하현(下弦).

상현-달【上弦―】[sa:nghyŏnttal]〈名〉上弦の月. 對하현(下弦)달.

상형 문자【象形文字】[―muntcha]〈名〉〔言〕象形文字. 略して'상형(象形)'ともいう. = 형상(形狀)문자.

상호【相互】〈名・副〉相互. 交互. =서로. 호상(互相). 句例 ～ 협력하다 相互に協力する/회원 ～간의 친목을 도모하다 会員相互の親睦を図る. 語例 ～ 관계 相互関係/～부조 相互扶助/～ 작용 相互作用/～ 방위 조약 相互防衛条約.

상호【商號】〈名〉商号. 類옥호(屋號).

상혼【商魂】〈名〉商魂. 句例 억척스러운 ～ 粘り強い商魂.

상환【相換】〈名・하他〉引き換え. 句例 대금과 ～하여 물건을 내주다 代金と引き換えで品物を出してくれる. 語例 ～권 引き換え券.

상환【償還】〈名・하他〉償還. 句例 부채를

～하다 負債を償還する.

상황【狀況】〈名〉状況〔情況〕. [句例] 현장의 ～ 現場の状況 / 어려운 ～ 苦しい状況. [語例] ～ 보고 状況報告 / ～ 판단(을 그르치다) 状況判断(を誤る) / 극한 ～ 極限状況.

상회【上廻】[sa:nghoe]〈名・하自〉上回ること. [句例] 수확이 예상을 ～하다 収穫が予想を上回る. 對하회(下廻).

상회【商會】〈名〉商会.
[表現] 普通, '한양 상회 漢陽商会'のように商号のあとにつけて用いる語.

상후-하박【上厚下薄】[sa:nghuha:bak]〈名〉上の者には手厚く, 下の者には出し惜しむこと. 主に, 給与に対して言う語. 對하후상박(下厚上薄).

상훈【賞勳】〈名〉賞勲. 賞と勲章. 勲功に対して賞を授けること.

상흔【傷痕】〈名〉傷痕. 傷跡. [句例] ～이 생생하다 傷痕生生なましい.

샅〈名〉❶また(股). またぐら(股座). 胯間. ＝고간(股間). ❷二つの物の間〔すき〕.
[參考] '샅이 またが''샅에 またに'は [sach'i] [sat'ae]と読む.

***샅-바**〈名〉韓国固有の相撲で, 腰から片方の太ももにかけて結び, 相手のつかみどころとする木綿製の帯. 回し. 締め込み. [句例] ～를 다시 졸라 매고 덤비다 回しを締め直して挑む / ～를 질끈 조르다 回しをぎゅっと締める.

샅바 씨름〈名〉太ももに'샅바'をかけてする相撲. 今日はこの種の相撲が一般的なものになった.

샅샅-이 [satsach'i]〈副〉❶透き間ごとに. ❷くまなく. 隅隅まで全部. まんべんなく. [句例] ～ 뒤지다 くまなくさがす. 隅隅までさがす / ～ 둘러 보다 まんべんなく見回す / 신원을 ～ 밝혀 내다 根掘り葉掘り身元を洗う.

***새**[1] [sae:]〈名〉'사이'の略 : 間. [句例] 눈깜짝할 ～에 생긴 일 あっと言う間の出来事. [文例] 자리에 붙어 있을 ～가 없다 席についている間もない.

＊새[2] [sae:]〈名〉❶鳥類の総称 : 鳥. 小鳥. [句例] ～를 기르다 鳥を飼う / ～가 울다〔지저귀다〕鳥が鳴く〔さえずる〕/ ～가 모이를 쪼아 먹다 鳥がえさをつつく. [語例] ～집 鳥の巣 / 들～ 野鳥 / ～장 鳥かご / 물～ 水鳥 / 철～ 渡り鳥. ❷'참새'の略.

새도 가지를 가려서 앉는다 鳥も木の枝を選んで止まる. 友人と交わったり, 職を持つときは初めからよく選ぶべきだとの意.

새발의 피 蚊の涙. すずめ(雀)の涙. ＝조족지혈(鳥足之血).

＊새[3]〈冠〉新しいの意を表わす語 : 新. 新. 新. ニュー. [語例] ～ 양복 新しい洋服 / ～ 교과서 新しい教科書 / ～ 사람 新人 / ～ 기술 新しい技術 / ～ 살림 新所帯.

새-〈頭〉色彩が非常に鮮やかで濃いことを表わす語 : 真っ…. 真…. [句例] ～빨간 거짓말을 하다 真っ赤なうそをつく. [語例] ～까맣다 真っ黒だ / ～하얗다 真っ白だ.
[表現] (1) 硬音・激音・ㅎの前につく語. また, 'ㄴ'の前では'샛-'がつく. '샛노랗다 真っ黄色だ'など.
(2) 語感の大きい語は'시-'.

-새〈尾〉名詞形の後について'状態''様子'などの意を表わす語 : …ざま. …ぶり. [語例] 모양～ 形. 格好 / 짜임～ 仕組み. 体裁. 結構.

새 〔漢字項目〕

【塞】 高校 새 サイ. 색 ソク. 一〔새〕❶변경 辺境. ■塞翁 새옹 さいおう. ■邊塞 변새 へんさい. ❷요새 とりで. 요해처 要害の地. ■要塞 요새 ようさい. 防塞 방새 ぼうさい.
二〔색〕막다 ふさぐ. 틀어막다 詰める. ■塞源 색원 そくげん. ■閉塞 폐색 へいそく.

새-가슴 [sae:—]〈名〉はとむね(鳩胸).

새-것〈名〉新しいもの. 新品. 對헌것.

새겨-듣다(—들으니, —들어서)〈他〉['새기어 듣다'の略] ❶言葉の意味をかみこなす. [句例] 선생님의 훈계를 ～ 先生の戒めをかみこなして聴く. ❷忘れないように注意を傾ける. 心に刻みつける. [文例] 그 이야기는 오해하기 쉬우니까 새겨 듣도록 하시오 その話は誤解しやすいから, よく聞き分けなさい.

새-고기 [sae:—]〈名〉❶鳥肉. ❷すずめの肉. ＝참새고기.

새-그물 [sae:—]〈名〉鳥網.

새근-거리다〈自〉❶(食い過ぎて腹一杯のとき, または, 腹立たしさで)息がはずむ. あえ(喘)ぐ. 息切れがする. 息づく. 息せく. ❷(幼児などが)気持ちよく寝入ってすやすやと息をする.
[表現] 語感の大きい語は '시근거리다'. 語勢の強い語は '쌔근거리다'.

새근새근〈副・하自〉すやすや. [文例] 갓난아기가 ～ 자고 있다 赤ちゃんがすやすやと眠っている.

***새기다**[1]〈他〉刻む. ❶(模様などを)刻み込む. 刻み付ける. 彫る. 彫り込む. 彫り付ける. 印する. 切り付ける. [句例] 불상을 ～ 仏像を刻む / 벽에 이름을 새기어 넣다 壁に名前を刻み込む / 기둥에 문자를 ～ 柱に文字を刻みつける / 돌에 불상을 ～ 石に仏像を彫る. ❷(心に)深く記憶する. しっかり覚える. 銘じる. 刻み付ける. [句例] 아버지의 유언을 마음에 ～ 父の遺言を心に刻む / 스승의 말씀을 가슴에 새기어 넣다 師の言葉を胸に刻み込む / 마음에 새겨 잊지 않도록 하다 肝に銘じる. ▷→囲み記事 51

새기다[2]〈他〉❶(言葉や文を)分かりやすく解釈する. [句例] 어려운 구절을 쉬운 말로 ～ 難しい句を分かりやすく解釈する. ❷翻訳する. [句例] 한문을 ～ 漢文を訳する. ▷→囲み記事 51

새김-질〈名・하自他〉❶(木・石などに文字や模様などを)刻み込むこと. ❷(牛などの)反芻. ＝되새김. 반추(反芻).

＊새-까맣다 [saekkamat'a](새까마니, 새까마오)〈形〉❶真っ黒だ. 真っ黒い. [句例] 새까만 연기를 내뿜다 真っ黒い煙をはき出す / 새까맣게

모여든 군중 黒山のような人だかり. [文例] 수영장에 다녀서 새까맣게 탔다 プール通いで真っ黒になった. ❷将来に希望がまったくない. [句例] 앞날이 ~ お先が真っ暗だ. ❸全然分からない. 一つも記憶に残っていない. [句例] 새까맣게 잊어버리다 すっかり忘れてしまう.

[表現] ①で, 語感の大きい語は'시꺼멓다', また語勢の激しい語は'새카맣다'.

새까매-지다 〈自〉真っ黒になる. 真っ暗になる. [句例] 불이 꺼져서 ~ 明かりが消えて真っ暗やみになる / 햇볕에 타서 ~ 日に焼けて真っ黒になる.

[表現] 語感の大きい語は'시꺼매지다', 語勢の激しい語は'새카매지다'.

새끼¹ 〈名〉縄. [句例] ~를 꼬다 縄をな(綯)う. あざな(糾)う / ~(줄)로 묶다 縄でしばる.

⁑**새끼**² 〈名〉❶動物の子. ひな(雛). [句例] ~를 낳다 子を産む / ~를 키우다 子を育てる / ~를 배다 子をはらむ. [語例] 메추리 ~ うずらのひな鳥. →囲み記事 52 ❷'자식(子息) 子・子供'の俗っぽい言いかた: せがれ. [語例] 우리 ~ うちのせがれ. ❸男をののしる語: 野郎. やつ(奴). [句例] 이 개놈의 ~ この犬ころめ. こん畜生 / 이놈의 ~ この野郎.

새끼(를) 치다 ❶動物が子・卵を産んで繁殖する. ❷あるものが, その数量を増やす. (植物などが)株分けをする.

새끼-가락 〈名〉(手足の)小指.

새끼-발가락 [—balkkarak] 〈名〉足の小指. 略して'새끼발'ともいう.

새끼-발톱 〈名〉(足の)小指のつめ(爪).

새끼-손가락 [—sonkkarak] 〈名〉手の小指. 略して'새끼손'ともいう. [句例] ~을 마주 걸고 약속하다 指切りをして〔げんまんをして〕約束をする.

⁑**새끼-손톱** 〈名〉手の小指のつめ(爪).

⁑**새끼-줄** 〈名〉縄. 縄手. [句例] ~을 치다 縄を張る.

새-나다 [sae:—] 〈自〉秘密が漏れる. [句例] 말이 ~ (秘密の)話が漏れる / 입시 문제가 ~ 入試問題が漏れる.

새-날 〈名〉新しい日. 新しい時代. 新時代. 未来の日. [句例] ~이 밝다 夜が明けてくる / ~이 다가오다 新しい時代が訪れる.

새너토리엄 〈名〉サナトリウム. =사나토리움. ◇sanatorium

⁑**새다**¹ [sae:da] 〈自〉❶明ける. 白む. 明らむ. [句例] 날이 ~ 夜が明ける / 날이 훤히 ~ 明け放たれる. 明け渡る / 날이 새기를 기다리다 夜明けを待つ. ❷漏れる. [句例] 물이 ~ 水が漏れる / 불빛이 ~ 明かりが漏れる / 가스가 ~ ガスが漏れる / 천장에서 비가 ~ 天井から雨が漏る. [絵] ❸⇨ 새나다. [句例] 비밀이 ~ 秘密が漏れる. [絵] ❹(ある所から)そっと抜け出る. 抜け出す. はなれる. [句例] 교실에서 ~ 教室を抜け出す / 회합에서 슬쩍 새어 나가다 会合から抜け出す.

(천장에서) 비가 새다　　비밀이 새다

〈새다〉

囲み記事 52

■ 동물의 새끼 動物の子・ひな ■

犬の子	강아지(子犬)
くま(熊)の子	능소니(子ぐま)
馬の子	망아지(子馬)
牛の子	송아지(子牛)
鶏の子	병아리(ひよこ)

새다² [sae:da] 〈他〉'새우다'の略. [句例] 밤을 새어 이야기하다 語り明かす / 밤 새어 술을 마시다 飲み明かす.

새-달 〈名〉来月. 翌月. 明くる月. =내달. [句例] ~ 그믐께 来月の末ごろ.

새-댁 【—宅】〈名〉❶'새 집 新宅'の敬称. ❷'새색시'の敬称. [句例] 이웃 집(의) ~ 隣のお嫁さん.

새-되다 〈形〉声が甲高い. [句例] 새된 목소리 甲高い声.

새-둥주리 [sae:—] 〈名〉わらなどで編んだ鳥の巣. =보금자리.

⁑**새로** 〈副〉'새로이'の略: 新しく. 新たに. [句例] ~ 추가된 예산 新たに追加された予算 / ~ 애인이 생기다 新しい恋人ができる. [文例] ~ 들어온 주제에 건방지다 新入りのくせに生意気だ.

새로-이 〈副〉新しく. 新たに. 改めて. さらに. [句例] 기분을 ~ 하다 気を取り直す / 결의를 ~ 하다 決意を新たにする / 옛정을 ~ 하다 旧情を温める / ~ 생각해 내다 新たに思いつく.

*__새롭다__ (→롭다) 〈形〉新しい. ❶過去の思い出が新ただ. 生新しい. [句例] 기억에 ~ 記憶に生生しい. [文例] 그 사건은 아직도 기억에 ~ その事件はまだ記憶に新しい.

❷前に見たものが今更のようだ. [句例] 볼수록 눈에 새로운 풍경 見るほどに目新しい風景.

❸いつも新しい状態にある. [文例] 이것은 언제 보아도 ~ これはいつ見ても新しい.

❹今までに存在しない. [句例] 새로운 형 新しい型 / 새로운 시도 新しい試み. [文例] 그 말은 내 귀에 ~ その話は僕には耳新しい / 이건 좀 새로운 도안이다 これはちょっと目新しい図案だ / 그에게서 새로운 자극을 받았다 彼から新たな刺激を受けた.

❺切実に必要である. 非常に大切だ. [文例] 단 하루가 ~ ただの一日でも惜しい.

*__새마을 운동__ 【—運動】[saemaŭru:ndong] 〈名〉セマウル運動. 勤勉・自助・協同精神

せいを基とする地域社会開発の運動.
[参考] 'セマウル'は'新しい村'の意.

새-말 〈名〉新語. 新造語.

새-매 [sae:—]〈名〉〔鳥〕はいたか.
[参考] '송골매 たか'と共に'매사냥 たか狩り'に用いた鳥. 雄を'난추니', 雌を'익더귀'という.

새-바람 〈名〉新風. [句例] 문학계에 ~을 불어 넣다 文学界に新風を吹き込む / ~을 일으키다 新風を巻き起こす.

***새벽** 〈名〉暁. 未明. 明け方. 夜明け. 曙. 早暁. 有り明け. しののめ《雅》. [句例] 아직 어슴푸레한 ~ まだほの暗い明け方 / ~에 목적지에 당도하다 明け方に目的地に着く / ~부터 내리는 비 明け方から降る雨. [語例] ~ 하늘 夜明けの空. しののめの空.

새벽-같이 [—kach'i]〈副〉朝早く. 朝っぱらから. 明け方早く. [句例] ~ 일어나서 산에 오르다 明け方早く起きて山にのぼる. [文例] ~ 웬 일인가 朝っぱらからどうしたんだい.

새벽-녘 [saebyŏngnyŏk]〈名〉夜明けごろ. 夜明け方. 明け方. [文例] ~에야 잠이 들었다 夜明けごろに寝入った.

새벽-달 〈名〉有り明けの月. 有り明け月. 残月. [文例] ~이 서쪽 하늘에 떠 있다 残月が西の空にかかっている.

새벽-잠 〈名〉夜明けごろの深い眠り.

***새-봄** 〈名〉新春. 初春. =신춘(新春).

새-빨갛다 [—ppalgat'a] (새빨가니, 새빨가오)〈形〉真っ赤だ. [句例] 그 새빨간 사과 その真っ赤なりんご.
[表現] 語感の大きい語は'시뻘겋다'.
새빨간 거짓말 真っ赤なうそ.

***새빨개-지다** 〈自〉真っ赤になる. [文例] 그녀는 부끄러워서 얼굴이 새빨개졌다 彼女は恥ずかしくて顔が真っ赤になった.
[表現] 語感の大きい語は'시뻘게지다'.

새-사람 〈名〉❶新人. 新進. [句例] ~을 발굴하다 新人を発掘する / ~을 기용하다 新人を起用する. ❷目上の人が嫁入りしたばかりの嫁などを指していう語. ❸重病から回復した人. ❹生活態度を改めた〔一新した〕人. [句例] ~이 되다 人が生まれ変わる.

새-살림 〈名〉新所帯. [句例] ~을 차리다 新所帯を持つ. 新しく一家を構える.

***새삼-스럽다** (→스럽다)〈形〉今更のようだ. こと新しい. 今更らしい. [文例] 새삼스럽게 강조할 만한 일도 아니다 ことさらに言い立てるほどのことでもない / 이제 와서 새삼스럽게 말할 것까지도 없다 いまさら事新しく言うまでもない. **새삼스레**〈副〉今更のように. ことさら(に). こと新しく. [文例] 새삼스레 그런 이야기는 듣고 싶지 않다 今更そんな話は聞きたくない / 아버지의 말씀이 새삼스레 되살아난다 お父さんのお話が今更のようによみがえる.

새-색시 〈名〉花嫁. 新婦. お嫁さん. 略して'색시'ともいう. (對)새신랑.

새-소리 [sae:—]〈名〉鳥の鳴き声. [文例] ~에 잠이 깼다 小鳥のさえずりで目が覚めた.

새-소식 【—消息】〈名〉新しい知らせ. ニュース.

새-순 【—筍】〈名〉若芽. 新芽. [句例] ~이 (돋아)나다 新芽が出る. (類)새싹.

새시 〈名〉サッシ. サッシュ. [語例] 알루미늄 ~ アルミサッシ. ◇sash

새-신랑 【—新郎】[—shillang]〈名〉新郎. 花婿. お婿さん. (對)새색시.

새실-거리다 〈自〉にこにこ笑いながらおもしろくしゃべる.

***새-싹** 〈名〉❶新芽. 若芽. [句例] ~이 트다 若芽がもえ出る / 차의 ~을 따다 茶の若芽を摘む / ~이 움트는 계절 新芽の季節. 木の芽どき. ❷事柄のもととなる始まり. 基. 土台. 基礎. [文例] 어린이는 나라의 ~이다 子供は国の基だ.

새-아기 〈名〉しゅうとが新婚の嫁を指して呼ぶ語.

새-알 [sae:al]〈名〉❶鳥の卵. 鳥卵. ❷すずめ(雀)の卵.

새앙 〈名〉〔植〕⇨ 생강

새옹지-마 【塞翁之馬】〈名〉塞翁が馬. 略して'새옹마'ともいう. [句例] 인간 만사 ~ 人間万事塞翁が馬.

****새우** 〈名〉〔動〕えび(蝦・海老). [語例] ~ 튀김 えびてんぷら.
새우(미끼)로 잉어를 낚는다 えびでたいを釣る.
새우 싸움에 고래 등 터진다 えびのけんか(喧嘩)に鯨の背が裂ける. 目下の過ちが我が身に及ぶことのたとえ.

***새우다** 〈他〉(夜を)明かす. 夜明かしする. 徹夜する. 略して'새다'ともいう. [句例] 뜬 눈으로 하룻밤을 ~ まんじりともしないで〔一睡もしないで〕一夜を明かす. →囲み記事 53

새우-등 〈名〉❶えびの背中. ❷えび腰. 猫背. [句例] ~(이) 지다 猫背になる.

새우-잠 〈名〉丸くなって寝る眠り.
새우잠(을) 자다 丸く猫背になって眠る.

새우-젓 〈名〉小えびの塩辛. 略して'새젓'ともいう.

새-장 【—欌】[sae:—]〈名〉鳥かご(籠). 鳥の巣箱.

새-집[1] 〈名〉新しい家. 新築した家. 新築家屋. 新宅. 新居.

***새-집**[2] [sae:—]〈名〉鳥の巣.

새-참 【—站】[sae:—]〈名〉['사이참'の略] 仕事の合間にとる食事. 間食. 間食. 仕事の合間の休み. [句例] ~을 먹다 間食をする.

囲み記事 53

■ '새우다'と'세우다' ■

새우다 更かす —— 밤을 새우다 夜を更かす.
세우다 (1)立てる. まっすぐに起こす —— 무릎을 세우다 ひざ(膝)を立てる. 기둥을 세우다 柱を立てる.
(2)止める —— 차를 세우다 車を止める.
(3)心を決める —— 뜻을 세우다 志を立てる.

ㅅ

새-총【一銃】[sae:—]〈名〉❶鳥打ち用の空気銃. ❷ぱちんこ《おもちゃ》.
새치 [sae:ch'i]〈名〉若白髪. 福白髪.
새-치기 [sae:—]〈名〉横取り. 割り込み. ～**하다**〈自〉横取りする. 割り込む. 文例 ～하지 마라 横取りするな.
새치름-하다 (→하다)〈形〉(主に女性が)つんととり澄ましている. すねる. 何食わぬ顔をしている. 略して'새침하다'ともいう. 句例 새치름한 태도 何食わぬ態度.
새침-데기 [—ttegi]〈名〉澄まし屋. お澄まし. かまとと. 語例 ～ 아가씨 かまとと令嬢.
새침데기 골로 빠진다 すまし屋, 谷に落ちる. まじめそうな人ほど一度道を誤ればとり返しのつかないようになるものだとの意.
새침-하다 (→하다)〈形〉'새치름하다'の略. 句例 새침한 여자 つんととり澄ました女.
새-카맣다 [—k'amat'a] (새카마니, 새카마오)〈形〉'새까맣다'の語勢の激しい語.
새-털 [sae:—]〈名〉鳥の羽. 羽毛. 語例 ～이불 はねぶとん.
새털-구름 [sae:t'ŏl—]〈名〉〔氣〕'권운 巻雲'の俗っぽい言いかた.
새-파랗다 [—p'arat'a] (새파라니, 새파라오)〈形〉❶真っ青だ. 句例 (구름 한 점 없는) 새파란 가을 하늘 (雲一つない)真っ青な秋の空. ❷若若しい. 非常に若い. 表現 語感の大きい語は'시퍼렇다'.
새파랗게 젊다 とても若い. まだ青二才だ. 文例 새파랗게 젊은 것이 건방지게 굴지 마라 まだ青二才のくせに生意気なことをするな.
새파랗게 질리다 (恐ろしさなどで) 顔が真っ青になる.
새파래-지다〈自〉真っ青になる. 文例 두려운 나머지 얼굴이 새파래졌다 恐ろしさのあまり顔が真っ青になった. 表現 語感の大きい語は'시퍼레지다'.
새-하얗다 [—hayat'a] (새하야니, 새하야오)〈形〉真っ白い. 真っ白だ. 句例 새하얀 눈〔이〕真っ白な雪〔歯〕.
새하얘-지다〈自〉真っ白に〔白く〕なる.
*__새-해__〈名〉新年. 新しい年. 句例 ～를 맞다 新年を〔新しい年を〕迎える / ～가 밝다〔되다〕年が明ける / ～ 들어 20세가 되다 明けて二十歳になる. 文例 ～ 복(福) 많이 받으십시오 新年おめでとうございます.
새해 문안【一問安】[—mu:nan]〈名〉目上の人にする新年のあいさつ. 語例 ～ 차례(茶禮) 元旦の祭礼. →설날. 세배(歳拜)
⁑**색**【色】〈名〉色. ❶色彩. =빛. 빛깔. 句例 밝은 ～ 明るい色 / 빨아도 바래지 않는 ～ 洗っても褪めない色 / 선명한 ～ 鮮やかな色 / ～이 짙다〔엷다〕色が濃い〔浅い〕/ ～이 곱게 물들다 色がきれいに染まる. 語例 하늘 ～ 空色. うすあお色 / ～연필 色鉛筆 / ～안경 色眼鏡. ❷欲情. 男女の仲. 句例 ～을 좋아하다 色を好む.

색	〔漢字項目〕

【色】中學 색 ショク. シキ. ❶빛 いろ. ㉠색채 色彩. ◨色盲 색맹 しきもう. ◨保護色 보호색 ほごしょく. ㉡안색 顔色. ◨氣色 기색 きしょく. ㉢윤 いろつや. ◨色澤 색택 しきたく. ㉣경치 けしき. ◨景色 경색 けしき. ◨秋色 추색 しゅうしょく. ❷낯 顔. 용모 容貌. ◨容色 용색 ようしょく. 才色兼備 재색겸비 さいしょくけんび. ❸여색 女色. ◨色情 색정 しきじょう. ◨好色 호색 こうしょく.

색【索】⇨ 삭【索】
색【塞】⇨ 새【塞】
색감【色感】〈名〉色感.
⁑**색깔**【色—】〈名〉色. 色彩. =빛깔. 句例 ～이 곱다 色がきれいだ.
색-다르다【色—】(색다르니, 색달라서)〈形〉風変わりである. 異様だ. 目新しい. 句例 색다른 복장 風変わりな服装. 異様な服装 / 색다른 사람 風変わりな人. 毛色の変わった人 / 색다른 도안 目新しい図案.
색동【色—】〈名〉五色のしま(縞)を入れた子供服のそで布地. 主にお正月の晴れ着に用いるが, 若い女性の服や, 包み紙, 巾着の模様にも用いる.
색동-옷【色—】〈名〉'색동'の布地のそでがついた衣服. '색동 저고리' '색동 마고자'など.
⁑**색동-저고리**【色—】〈名〉そでを'색동'の布地でつくったチョゴリ.
*__색맹__【色盲】[saengmaeng]〈名〉〔生〕色盲. 語例 전～ 全色盲 / 부분 ～ 部分色盲. 參考 '색맹(色盲)'の程度の軽いものを'색약 色弱'という.
색상【色相】〈名〉色相. 色調. 色合い. 句例 화려한 ～ 華やかな色合い.
*__색색__【色色】〈名〉いろいろ(色色). さまざま. 句例 형형 ～의 물건을 사다 いろいろな物を買う / ～으로 물들이다 色とりどりに染めあげる.
색색〈副・하自〉安らかに眠るさま. または音: すうすう. すやすや(と). 文例 어린애가 ～ 자고 있다 子供がすやすや(と)寝ている. ～**거리다**〈自〉すうすうする. 細い息をする. 表現 語感の大きい語は '식식'. 語勢の強い語は ≡'쌕쌕'.
색색-이【色色—】[saeksaegi]〈副〉色とりどりに. 色色に〔と〕. 句例 ～ 물들이다 色とりどりに染める.
색소【色素】〈名〉色素. 語例 ～체 色素体 / 유독 ～ 有毒色素.
색소폰〈名〉〔樂〕サクソフォン. サキソホン. サックス《略語》. ◇saxophone
색시 [sae:kshi]〈名〉❶未婚の処女. 娘. おとめ(少女・乙女). 句例 참한 ～ 気立てのよい娘. ❷(酒場などの)ホステス. ❸'새색시'の略: 花嫁. 新婦.
색-안경【色眼鏡】[saegan-gyŏng]〈名〉色眼鏡. =선글라스.
색안경으로 보다 色眼鏡で見る.
색약【色弱】[saegyak]〈名〉〔生〕色弱. →색맹(色盲)
⁑**색-연필**【色鉛筆】[saengnyŏnp'il]〈名〉色鉛筆. カラーペンシル.
색-유리【色瑠璃】[saengnyuri]〈名〉色ガラス.
색인【索引】[saegin]〈名〉索引. インデックス. 句例 사전의 ～ 辞典の索引 / 권말의 ～을 찾다

巻末の索引〔インデックス〕をひく / ～을 달다〔붙이다. 매기다〕索引〔インデックス〕をつける. 語例 총～ 総索引.

색조【色調】〈名〉色調. 色合い. 色相. トーン. 句例 엷은 ～ 淡い色調 / 차분한 ～ おちついた色調.

‡색-종이【色―】〈名〉色紙. =색지(色紙).

색채【色彩】〈名〉色彩. ❶いろど(色取・彩)り. 色. =빛깔. 句例 요란스러운 ～ けばけばしい色彩 / ～ 감각이 풍부하다 色彩感覚が豊かだ / ～를 띠다 色彩を帯びる / 정치적인 ～ 政治的な色彩.

색출【索出】〈名・하他〉捜し出すこと. くまなく探すこと. 摘出すること. 探ること. 句例 범인을 ～하다 犯人を捜し出す / 비밀 기지를 ～하다 秘密基地を探り出す / 탈세를 ～하다 脱税を摘出する.

‡색-칠【色漆】〈名・하自〉色を塗ること. また, その塗り. 句例 빨갛게 ～한 스포츠카 真っ赤に塗り立てたスポーツカー / 벽에 ～을 하다 壁に色を塗る. 文例 판장을 페인트로 하얗게 ～하다 板塀をペンキで白く塗る.

샌-님 [sae:nnim]〈名〉❶['생원님'の略] 平民が官職のない儒生を呼んだ語. ❷おとなしい人の別称. ❸保守的で頑固な人.

샌드〈名〉サンド. 砂. =모래. 語例 ～백 サンドバッグ / ～스키 サンドスキー. 砂スキー. ◇sand

***샌드위치**〈名〉サンドイッチ. 語例 햄 ～ ハムサンド. ◇sandwich
表現 '위와 아래로부터 ～ 꼴을 당하다 上と下からサンドイッチにされる'のように, 物事の間にはさまれることを比喩的に, '～가 되다 サンドイッチになる'という.

샌드위치 맨〈名〉サンドイッチマン. 広め屋. ◇sandwich man

샌드-페이퍼〈名〉サンドペーパー. 紙やすり. =사포(砂布). 略して'페이퍼'ともいう. ◇sandpaper

샐-녘 [sae:llyŏk]〈名〉夜明けごろ. 明け方.

샐러드〈名〉サラダ. 語例 야채〔햄〕～ 野菜〔ハム〕サラダ / ～ 드레싱 サラダドレッシング / ～유 サラダ油. サラダオイル. ◇salad

샐러리 맨〈名〉サラリーマン. 勤め人. 月給取り. =봉급(俸給) 생활자. 월급쟁이. ◇salary man

샐비어〈名〉〔植〕サルビア. ◇salvia

샐쭉-거리다〈自他〉(口を)ゆがめる〔とが(尖)らす〕. ふくれっ面をする. 句例 입을 샐쭉거리며 말대꾸하다 口をとがらして口答えをする.
表現 語感の大きい語は'실쭉거리다'.
샐쭉샐쭉〈副・하自他〉口をしきりにゆがめるさま: ぴくぴく(と). きゅっきゅっ(と).

샘¹ [sae:m]〈名〉❶泉. ㉠わき水. 句例 사막 속의 ～ 砂漠の中の泉 / ～이 솟다(→小項目). ㉡源泉. 句例 지혜의 ～ 知恵の泉 / 지식의 ～ 知識の泉. ❷'샘터'の略. ❸〔生〕腺. 語例 림프～ リンパ腺 / 땀～ 汗腺.

샘(이) 솟다 ❶泉がわ(湧)く. 文例 숲 속에 샘이 솟는 데가 있다 林の中に泉がわく所がある. ❷(力・情熱などが)あふれ出る. わき上がる. 句例 새로운 힘이 샘솟다 新しい力がわき上がる / 정열이 샘솟다 情熱がほとばしる.

샘² [sae:m]〈名〉ねた(妬)み. そね(嫉)み. 嫉妬. 焼きもち. ジェラシー. うらや(羨)み. =시기(猜忌). 질투. **～하다**〈他〉ねたむ. そねむ. うらやむ. 句例 ～이 많은 여자 嫉妬深い女 / ～을 부리다 焼きもちを焼く / 남의 성공을 ～내다 人の成功をねたむ.

샘(이) 나다 ねた(妬)ましい. や(妬)ける. うらやましく憎らしい. 文例 저 친구가 너무 인기가 있어 샘이 난다 あいつが余りもてるのでやける / 사이가 좋은 두 사람을 보고 있으면 샘이 나서 못 견디겠다 仲のよい二人を見ているとやけてたまらない / 친구의 출세가 샘이 난다 友人の出世がねたましい.

샘(을) 내다 ねたむ. そねむ. 焼きもちをやく. うらやむ. や(妬)く. 句例 친구의 승진을 샘내다 友の昇進をねたむ / 남의 성공을 샘내어 욕하다 人の成功をそねんで悪口をいう.

샘이 불 같다 ねたみが火のようだ. たいへん嫉妬深い.

***샘-물** [sae:m―]〈名〉泉の水. 泉水. わき水. =천수(泉水). 句例 ～을 긷다 泉の水をくむ.

‡샘-솟다 [sae:m―] ⇨'샘¹'の小項目

샘-터 [sae:mt'ŏ]〈名〉泉のある所. 泉のほとり. 略して'샘¹'ともいう. 句例 ～에서 빨래를 하다 泉のほとりで洗濯をする.

샘플〈名〉サンプル. 見本. =견본(見本). 句例 여러 가지 ～을 견주어 보다 いろいろのサンプルを見くらべる. ◇sample

샛-〈頭〉色彩がきわめて鮮やかで濃いことを表わす語: 真っ…. 語例 ～노랗다 真っ黄色い / ～노래지다 真っ黄色くなる. →새-

샛-강【―江】[sae:t―]〈名〉川の支流. 枝川. 句例 한강의 ～ 漢江の支流 / ～을 살리다 枝川を生かす.

샛-길 [sae:t―]〈名〉横道. わき道. 間道. 抜け道. 枝道. 句例 숲속의 ～ やぶの抜け道 / 헤어져 혼자 ～로 들어서다 別れてから一人で横道に入る / ～을 빠져나가다 間道を抜ける / ～로 빠져 앞지르다 わき道を通って先回りする / 마을로 가는 ～을 서둘러 가다 村への抜け道を急いで行く.

샛-노랗다 [saennorat'a] (샛노라니, 샛노라오)〈形〉非常に黄色い. 真っ黄色い.
表現 語感の大きい語は'싯누렇다'.

샛-눈 [saen―]〈名〉うす目. 細目. 句例 ～을 뜨고 보다 うす目をあけて見る / ～을 뜨고 낌새를 엿보다 細目をあけて様子をうかがう.

샛-바람〈名〉こち(東風)《船乗りのことば》.

샛-별 [sae:t―]〈名〉明けの明星. 金星. 明星. =명성(明星). 句例 ～같은 눈 明けの明星のような目.

생 [sae:ng]〈名〉'새앙'の略.

생【生】〈名〉生. ❶命. 句例 ～을 받다 生をうける. ❷生存. 生きること. =삶. 句例 ～과 사 生と死. 對사(死).

생-【生】〈頭〉❶生…. ㉠まだ熟していないものや乾いていないものを表わす語. 句例 ～나무를 때다 生木をた(焚)く. 語例 ～쌀 生米 / ～감 生柿 / ～밤 生ぐり / ～가지 生木

の枝.
㉡加工していないのを表わす語. 語例 ～가죽 生皮/～맥주 生ビール/～굴 生がき/～방송 生放送. ライブ.
❷生…. さら(晒)したり練ったりしていない布. 語例 ～모시 生平/～명주 生絹.
❸'無理・あいまい(曖昧)・無駄なこと'を表わす語. 語例 ～고생(苦生) よけいな苦労/～트집 無理な言いがかり.
❹直接生んだことを表わす語: 生みの…. 語例 ～모(母) 生母. 生みの母/～부모(父母) 生みの親. 對 양(養)-.

-생【生】〈尾〉干支・年数などの後に付けて生まれ年などを表わす語: …生まれ. 文例 1975년～입니다 一九七五年生まれです. 語例 5월～ 五月生まれ/갑자～ 甲子生まれ.

생 〔漢字項目〕

【生】 中學 생 セイ. ショウ. ❶출생하다 うまれる. 낳다 うむ. ◧生母 생모 せいぼ. ◧誕生 탄생 たんじょう. ❷살다 生きる. ◧生存 생존 せいぞん. ◧一生 일생 いっしょう. ❸살리다 生かす. ◧生殺 생살 せいさつ. ❹산 것 生き物. ◧生物 생물 せいぶつ. 生類 생류 しょうるい. ❺산 사람 生きている人. ◧衆生 중생 しゅじょう. ❻목숨 命. ◧生命 생명 せいめい. ◧殺生 살생 せっしょう. ❼생계 暮らし. 생업 生業. ◧生産 생산 せいさん. ◧民生 민생 みんせい. ❽생기다 できる. 일어나다 起こる. ◧發生 발생 はっせい. 野生 야생 やせい. ❾설다 う(熟)れない. 未熟だ. ◧生硬 생경 せいこう. 生疎 생소 せいそ. ❿날 なま. ◧生食 생식 せいしょく. 生肉 생육 せいにく. ⓫인민 人民. ◧蒼生 창생 そうせい. ⓬서생 書生. 배우는 사람 学習する人. ◧生徒 생도 せいと. ◧儒生 유생 じゅせい. ⓭자기의 겸칭 自分の謙称. ◧小生 소생 しょうせい. 老生 노생 ろうせい.

생【省】 ⇨ 성【省】

생가【生家】〈名〉❶生家. 実家. 親里. 句例 ～를 떠나다 生家を離れる. ❷養子の生家.

생-가슴【生—】〈名〉よけい〔むだ〕な心配. 取り越し苦労. 句例 ～을 태우다 よけいな心配をする.
생가슴(을) 앓다 取り越し苦労をする.

생-가죽【生—】〈名〉生皮. 粗皮.

****생각** 〈名〉考え. **～하다**〈自他〉考える. 思う. ❶思い. 思考. 句例 좋은 ～ よい考え/～이 안이하다 考えが甘い/장래를 ～하다 将来を考える/시대에 뒤떨어진 ～ 時代遅れの考え/～을 품다 考えをいだく/～에 잠기다 考えにふける. 考え込む. 文例 네가 싫다면 내게도 ～이 있다 お前がいやだというならぼくにも考えがある/그건 좀 ～해 볼 일이다 それはちょっと考え物だ/이 대답은 옳다고 ～한다 この答えは正しいと思う.
❷分別. 思慮. 句例 ～이 깊다〔얕다〕 考えが深い〔浅い〕/앞뒤 ～ 없이 한 말 前後の見境もなくいったことば.
❸(…したい)気持ち. 気. 願い. 句例 별로 ～이 없다 別に欲しくない. 別にしたくない./할 ～이 없다 やる気がない. 文例 술 ～이 있소?—별로 ～이 없군요 お酒欲しいですか?—別に欲しくないですねえ.
❹意図. つもり. 意向. 文例 다음달엔 떠날 ～이다 来月には出発するつもりだ/회사를 그만둘 ～이다 会社をやめるつもりだ.
❺感じ. 気持ち. 思い. 句例 측은한 ～ あわれな気持ち/부끄러운 ～이 들다 恥ずかしい思いがする.
❻回想. 思い出. 追憶. 句例 청춘을 회상하고 ～에 잠기다 青春を回想し, 思いにふける. 語例 옛날 ～ 昔の思い出/고향 ～ 故郷をしのぶ心.
❼想像. 予想. 句例 ～한 대로 思ったとおり/～지 않은 수입 思いがけない収入/전혀 ～지도 못한 사건 思いも寄らないできごと. 文例 ～지도 않은 곳에서, 뜻하지 않은 사람을 만났다 思いがけない所で, 思いがけない人に会った/이렇게 되리라고는 ～도 못 하였다 こんなことになるとは思ってもみなかった.
생각(이) 나다 ❶(心に)浮かぶ. 考え付く. 思いつく. 句例 좋은 아이디어가 생각나다 いいアイデアを思いつく/생각나는 대로 수첩에 적어두다 思いつくままに手帳に書きつけておく. ❷思い出す. 思い出される. 文例 이걸 보면 고향 생각이 난다 これを見ると故郷のことが思い出される/그가 누구인지 잘 생각나지 않는다 彼がだれだかよく思い出せない. ❸何かをしたい気持ちになる. 文例 맥주 생각이 난다 ビールが飲みたい気がする.
생각이 꿀떡 같다 思い〔欲望・願い〕が抑えられないほど強烈だ.
생각하는 갈대 考えるあし(葦). 文例 인간은 ～다 人間は考えるあしである.

생각-건대〈副〉['생각하건대'の略] 思うに. 考えるに. 考えてみるに. 文例 ～, 이것은 그의 병 같은 것이다 思うに, これは彼の病気みたいなものだ.

생각-다〈他〉['생각하다'の略] 考える. 思う.
생각다 못해 ['생각다 못하여'の略] 思いあぐんで. 思い余って. 句例 ～ 죽음을 택하다 思い余って死を選ぶ/～ 부모에게 고백하다 思い余って親にうち明ける.

***생각-되다**〈自〉思える. 考えられる. 思われる. (そう)感じられる. 句例 대학생으로 생각되는 청년 大学生と思われる青年/범인으로 생각되는 사나이 犯人とおぼしい〔思われる〕男. 文例 그건 그렇게도 생각된다 それはそうも考えられる/싫다고 생각되면 그만두면 된다 いやだと思ったら, やめればよい/그런 몰인정한 짓을 할 걸로는 생각되지 않는다 そんな不人情な事をしそうには思えない.

생각해 내다 [saenggak'ae—]〈他〉思い出す. 思い起こす. 考え出す. ひねり出す. 句例 옛일을 ～ 昔のことを思い出す/한 시간 걸려서 해답을 (겨우) ～ 一時間かかって解答をひねり出す. 文例 이건 누가 생각해 낸 것입니까? これはだれが考え出したのですか.

생강【生薑】〈名〉〔植〕しょうが(生姜・生薑). ジ

ンジャー. ＝새앙. 語例 ~차 しょうが茶.

생계【生計】〈名〉生計. 暮らし. 家計. なりわい. 句例 ~를 세우다〔꾸리다〕生計を立てる / ~를 유지하다 生計を保つ / ~가 어렵다 生計が苦しい. 暮らしに困る / 붓 한 자루로 ~를 세우다 筆一本でなりわいを立てる. 文例 그의 수입이 ~에 보탬〔도움〕이 된다 彼の収入が生計の足しになる. 語例 ~비 (지수) 生計費(指数).

생-고무【生—】〈名〉生ゴム. ＝천연 고무.

생글-거리다〈自〉にこにこする〔笑う〕. にこやかに笑う. 句例 생글거리는 얼굴 にこやかな顔 / 생글거리며 단상에서 손을 흔들다 にこにこしながら壇上で手を振る.

表現 語感の大きい語は'싱글거리다'. 語勢の強い語は'쌩글거리다'.

생글생글〈副・하自〉にこにこ. にこやかに. 文例 늘 ~ 웃고 있다 いつもにこにこ笑っている.

생긋〈副・하自〉声を出さずにちょっと愛想よく目で笑うさま: にこっと. にっこり(と). 句例 ~ 미소짓다 にっこりとほほえむ. ~거리다〈自〉にこにこ笑う.

表現 語感の大きい語は'싱긋'. 語勢の強い語は'생끗・쌩끗'.

생긋생긋〈副・하自〉にこにこ.

생긋-이 [saenggŭshi]〈副〉にこっと. にっこり〔にこり〕と. 句例 ~ 웃다 にっこりと笑う.

*생기【生氣】〈名〉生気. 生色. 活気. 活力. 句例 ~가 없는 얼굴 生気のない顔 / ~를 잃다 生色を失う. 文例 이 그림에는 ~가 없다 この絵には生気がない / 그는 겨우 ~를 되찾았다 彼はやっと生気を取り戻した. 語例 ~ 발랄 生気溌剌.

**생기다 ━〈自〉❶(なかったものが)生じる. できる. 生まれる. 句例 아이가 ~ 子供ができる / 여드름이 ~ にきびができる / 빌딩이 ~ ビルができる / 지하철이〔철도가〕~ 地下鉄〔鉄道〕ができる / 발에 물집이 ~ 足にまめができる / 빵에 곰팡이가 ~ パンにかびが生じる / 새 회사가 ~ 新しい会社が生まれる / 이상한 버릇이 ~ 変な癖がつく. 文例 딸에게 애인이 생겼다 娘に恋人ができた.

❷(物事が)起こる. 発生する. 句例 문제가 ~ 問題が生じる / 사건이 ~ 事件が発生する〔起こる〕/ 호기심이 ~ 好奇心が起こる / 고장이 ~ 故障が生じる. 文例 무슨 일이 생겼는가 何事が起こったのか / 갑자기 볼일이 생겼다 急に用事ができた / 실은 곤란한 일이 생겼습니다 実は困ったことが起きたのです. 類일어나다.

❸手にはいる. 得る. できる. 句例 돈이 ~ 金ができる〔はいる〕/ 집이 ~ 家が手にはいる. 文例 돈이 생겼으니 마시러 갈까 金ができたから飲みに行こうか.

━〈補形〉('-게 ~'の形で)'…ように見える'の意を表わす語. 句例 우습게 ~ 顔つきがおかしい / 맛있게 생긴 케이크 おいしそうなケーキ / 귀엽게 ~ かわいらしく見える.

*생김-새〈名〉顔つき. 顔立ち. 容貌. 見掛け. 格好. 文例 ~와는 달리 마음이 옹졸하다 見掛けと異なり気が小さい / ~는 시원찮지만 맛은 좋다 見かけは悪いが味はいい.

생김-생김〈名〉⇨ 생김새

생-나무【生—】〈名〉生木. 句例 ~를 때다 生木を焚く.

생-년월일【生年月日】[saengnyŏnworil]〈名〉生年月日.

생-니【生—】〈名〉(痛くない)丈夫な歯.

생-담배【生—】〈名〉(吸いさしのまま)燃え続けるタバコ.

생도【生徒】〈名〉生徒. 語例 사관 ~ 士官生徒. 類학생(學生).

생동【生動】〈名〉生動. 句例 ~감이 넘치는 그림 生彩にあふれる絵.

생때-같다【生—】〈形〉丈夫だ. 元気だ. 達者だ. 文例 생때같던 사람이 죽었다 あたら元気な人がぽっくり(と)死んでしまった.

생-떼【生—】〈名〉['생떼거리'の略] 横車. 無い物ねだり. 句例 ~같은 억지 へ理屈.

생떼(를) 쓰다 無理を言う. 横車を押す. 無い物ねだりをする.

생략【省略】[saengnyak]〈名〉省略. ~하다〈他〉省略する. 略する. 省く. 句例 ~하지 않고 省略せずに / ~할 수 있다 省略し得る / 군말〔설명〕을 ~하다 冗語〔説明〕を省く. 語例 이하 ~ 以下省略 / 경칭 ~ 敬称略.

생력【省力】[saengnyŏk]〈名〉省力. 機械化などによって人手を省くこと. 語例 ~화(化) 省力化.

생-로-병-사【生老病死】[saengnobyŏ:ngsa]〈名〉〔佛〕生・老・病・死の四苦.

생률【生栗】[saengnyul]〈名〉生ぐり. ＝날밤.

생리【生理】[saengni]〈名〉生理. ❶生物の生きていく原理. 語例 ~적 식염수 生理的食塩水 / ~ 현상 生理現象. ❷月経. 月のもの. 語例 ~대(帶) 生理帯 / ~ 휴가 生理休暇.

생리-학【生理學】[saengnihak]〈名〉生理学.

생-매장【生埋葬】〈名〉生き埋め. ~하다〈他〉生き埋めにする. (世間・友人などが)見捨てる. 文例 사회에서 ~되다 社会から葬り去られる.

생-맥주【生麥酒】〈名〉生ビール. 生《略語》.

생면-부지【生面不知】〈名〉一度も会ったことのない人. まったく見知らぬ人.

*생명【生命】〈名〉生命. 命. 句例 ~의 은인 命の親 / ~을 바치다 命を捧げる / ~을 헛되이 버리다 命を棒にふる / ~이 위태롭다 命が危ない. 文例 시계의 ~은 정확성에 있다 時計の生命は正確さにある / 상인의 ~은 신용에 있다 商人の生命は信用にある. 語例 ~감 生命感 / ~력 生命力 / ~수 命の水.

*생명 보험【生命保險】[—bo:hŏm]〈名〉生命保険. 略して'생보(生保)'ともいう. 文例 ~에 들어 있다 生命保険に加入している. 語例 ~ 회사 生命保険会社 / ~ 계약 生命保険契約.

생명-선【生命線】〈名〉生命線. 句例 ~을 위협하다 生命線を脅やかす / ~을 지키다 生命線を守る.

생모【生母】〈名〉生母. 生みの母. 実母. 對양모(養母). 계모(繼母).

생-모시【生—】〈名〉生平. 練っていないから

むし(苧麻)の布.

생목【生一】〈名〉溜飲の気味で口にこみあげて来る消化されない食物. 虫ず.

생-목숨【生一】〈名〉❶(生ける)命. ❷無実の人の命.

생-무지【生一】〈名〉ずぶの素人. ＝생수(生手). 생꾼.

*__생물__【生物】〈名〉生物. 生き物. 生類. 語例 ～계 生物界/～체 生物体. 生体/～화학 生物化学. 生化学.

생물-학【生物學】〈名〉生物学. 語例 ～자 生物学者/～적 산소 요구량 生物学的酸素要求量. ビーオーディー(BOD).

*__생-방송__【生放送】〈名〉生放送. 生番組. ライブ.

생-벼락【生一】〈名〉青天のへきれき. ＝날벼락. ❶落雷にうたれること. ❷思いがけない災難. 思いも寄らぬ災い.

생벼락(을) 맞다 思いがけない災難にあう.

생병【生病】〈名〉無理や過労または心労などによる病気.

생부【生父】〈名〉実父. 生みの父. 對양부(養父). 계부(繼父).

생-부모【生父母】〈名〉['본생부모(本生父母)'の略](養子の)実父母. 生みの親.

생불【生佛】〈名〉生仏. 生き仏. ❶高徳の僧侶. ❷'幾日も何も食べていない人'の俗っぽい言いかた.

생사【生死】〈名〉生死. 生き死に. 死活. 句例 ～에 관한 문제 生死にかかわる問題/～를 같이하다 生死をともにする/～지경(之境)을 헤매다 生死の境をさまよう/～의 관두(關頭) 生きるか死ぬかのせとぎわ. 語例 ～ 불명 生死不明.

생사【生絲】〈名〉生糸. 蚕糸. ＝생명주실. 對연사(練絲).

생-사람【生一】〈名〉むこ(無辜)の人. 無実の人. 何のかかわりもない人.

생사람(을) 잡다 むこの人を責める. 無実の罪に陥れる.

*__생산__【生産】〈名〉生産. **～하다**〈他〉生産する. 産する. 作〔造〕り出す. 句例 ～을 줄이다 生産を切り詰める/～을 높이다 生産を高める. 文例 ～이 실수요를 따르지 못한다 生産が実需に追いつかない. 語例 ～가 生産価/～가격 生産価格/～량 生産量. 生産高. 出来高/～ 목표 生産目標/～비 生産費/～실적 生産の実績/～액 生産額. 生産高/～요소 生産要素/～자 生産者/～지 生産地. 對소비(消費).

생산-성【生産性】[—ssŏng]〈名〉生産性. 句例 높은〔낮은〕 ～ 高い〔低い〕生産性/～을 높이다 生産性を高める/～이 극히 높다 生産性が極めて高い. 語例 ～ 향상 운동 生産性向上運動.

생산-적【生産的】〈名・冠〉生産的. 語例 ～ 노동 生産的労働/～ 사고 生産的な思考.

생-살【生一】〈名〉❶肉芽. ❷(傷・おできなどのない)健康な皮膚.

생살-여탈【生殺與奪】[saengsallyŏ:t'al]〈名〉生殺与奪. 文例 ～권(權)을 쥐고 있다 生殺与奪の権を握っている.

생색【生色】〈名〉面目〔顔〕を立てること. 恩に着せること. 手柄顔.

생색(이) 나다 顔〔面目〕が立つ. 体面が保たれる.

생색(을) 내다 恩に着せる. 顔を立てる. 手柄顔をする.

생색(을) 쓰다 何かを与えたり力を貸してやったりして恩着せがましくふるまう.

*__생생-하다__【生生一】(→하다)〈形〉生き生きしている. 生生しい. 句例 생생한 기억 生生しい記憶/생생한 표현 生き生きした表現/기억이 ～ 記憶が生生しい/생생하게 그리다 目のあたり見るように描く. 如実に描写する. **생생히**〈副〉生き生きと. 生生しく. ありあり(と). 句例 생생히 꿈에 보다 ありありと夢に見る/생생히 눈에 보이듯이 설명하다 ありありと目に見えるように説明する. 文例 그 참사를 생생히 보았다 その惨事を目のあたり見た.

생-석회【生石灰】[saengsŏk'oe]〈名〉〔化〕生石灰. 酸化カルシウム. いしばい.

**__생선__【生鮮】〈名〉(食べ物としての)魚. 鮮魚. 句例 싱싱한 ～ 生きのよい魚/～을 굽다 魚を焼く. 語例 ～ 가게 魚屋/～구이 焼き魚/～저냐 メリケン粉を着せた魚を油つけのフライパンなどでからからになるまでい(煎)ったもの/～조림 煮魚/～ 토막 魚の切り身/～회(膾) 刺し身. なます(膾).

생선-젓【生鮮一】〈名〉魚の塩辛. ぶつ切りにした魚に塩・飯またはあわ(粟)飯・大根・とうがらし粉などをまぜた発酵食品. 魚はすけとうたら・かれいなどが主に用いられる. ＝식해(食醢).

생성 과정【生成過程】〈名〉生成過程. 句例 지구의 ～ 地球の生成過程.

생소-하다【生疎一】(→하다)〈形〉❶疎い. 見知らない. 見慣れない. 句例 생소한 얼굴〔사람〕 見慣れない顔〔人〕/생소한 사이 疎遠な間柄. ❷不慣れだ. 不案内だ. 句例 생소한 고장 不案内の土地/생소한 목소리 聞きなれない声. 文例 이 지방 사정에 ～ 当地の事情に疎い.

생-손【生一】〈名〉'생인손'の略.

생수【生水】〈名〉❶泉からわ(湧)き出る水. ❷生命の水. 命を保つための水. ＝생명수(生命水).

생시【生時】〈名〉❶生時. 生まれた時. ❷生時. 生きている間. 在りし日. 句例 ～의 모습 在りし日のおもかげ. ❸寝ていない間. 句例 꿈인지 ～인지 夢かうつつ(現)か.

생식【生食】〈名・하他〉生食. 生で食べること. 文例 ～은 몸에 좋다 生食はからだにいい. 對화식(火食).

생식【生殖】〈名・하他〉生殖. 語例 ～ 기관 生殖器官/～기 生殖器/～ 기능 生殖機能/～ 본능 生殖本能.

*__생신__【生辰】〈名〉'생일(生日)'の丁寧語: お誕生日. 句例 할아버지의 ～ 축하연 おじいさまのお誕生日の祝宴.

생-쌀【生一】〈名〉生米.

생애【生涯】〈名〉❶生涯. 一生(の間). 句例 ~를 마치다 生涯〔一生〕を終える / ~를 보내다 生涯を送る. ❷生計.

생-야단【生一】[saengnyadan]〈名・하自〉❶やたらに騒ぎたてること. 何でもないことに大騒ぎすること. ❷いたずらに怒り散らしたり大目玉をくわすこと. ❸たいへん困った状況(になること).

생약【生藥】〈名〉生薬・きぐすり.

생-억지【生一】〈名〉無理押し. 片意地. 横車. 無理難題.

생억지(를) 쓰다〔부리다〕 横車を押す. 無理押しをする. 無理難題をふっかける.

*__생업__【生業】〈名〉生業. なりわい. 身過ぎ. 句例 ~에 힘쓰다 生業〔稼業〕に精を出す.

생-우유【生牛乳】〈名〉生牛乳. 生乳・.

생육【生育】〈名・하自他〉生育. 生まれ育つこと. 生み育てること. 語例 ~ 상태 生育状態 / ~ 기간 生育期間.

생-으로【生一】〈副〉❶生で. 生のままで. 句例 ~ 먹다 生のままで食べる. ❷無理やりに. 訳もなく. 句例 ~ 사람을 잡다 人に無実の罪を着せる. かかわりもない人をしかりつける. 人を陥れる / 고생을 ~ 사서 하다 いたずらに苦労を買って出る.

생-이별【生離別】[saengnibyŏl]〈名〉(夫婦の)生き別れ. 生別. **~하다**〈自他〉生き別れする. 生き別れになる.

생인-발〈名〉足の指先にできるはれ物.

생인-손〈名〉手の指先にできるはれ物. ひょうそ(瘭疽).

⁑**생일**【生日】〈名〉誕生日. 生まれ日. 句例 ~을 축하하다 誕生日を祝う. 語例 ~날 誕生日 / ~잔치 誕生日の祝宴.

생자-필멸【生者必滅】〈名〉〔佛〕生者必滅. 句例 ~, 회자정리(會者定離) 生者必滅, 会者定離.

생장【生長】〈名・하自〉生長. =성장(成長). 句例 ~이 빠르다 生長が速い.

생전【生前】[一]〈名〉生前. 在りし日. 没前. 句例 (살아) ~의 모습 在りし日の面影 / 어머님 ~에 母の生前に.
[二]〈副〉いくらやって見ても. どうしても. とうてい. 文例 그것은 ~ 해봐도 안 될걸 それはどうやってみてもだめだろう.

생전 부귀(富貴)요 사후 문장(死後文章)이라 生きては富貴, 死しては文章《富貴は死んで終わるが, 文章は永らく輝くものだ》.

*__생존__【生存】〈名〉生存. 生残. **~하다**〈自〉生存する. 生残する. 生き残る. 生き長らえる. 語例 ~ 경쟁 生存競争 / ~자 生存者 / 적자 ~ 適者生存.

생존-권【生存權】[—kkwon]〈名〉生存権. 句例 ~을 위협하다 生存権を脅かす.

생-죽음【生一】[saengjugŭm]〈名〉非命〔非業〕の死. 変死. **~하다**〈自〉非命の死を遂げる. 変死する.

생-쥐 [sae:ngjwi]〈名〉〔動〕はつかねずみ(二十日鼠).

생즙【生汁】〈名〉果物や野菜などをす(擂)りつぶして搾り出した汁.

생-지옥【生地獄】〈名〉生き地獄.

생질【甥姪】〈名〉(男から見て)姉妹のむすこ. おい(甥). 語例 ~녀(女) (男から見て)姉妹の娘.

생-짜【生一】〈名〉生のもの.

생채【生菜】〈名〉生の野菜. 青菜のあえもの.

생-채기〈名〉か(掻)き傷. す(擦)り傷. 文例 굴러서 ~가 났다 転んですり傷をこしらえた.

생철【一鐵】[sae:ngch'ŏl]〈名〉[もとの語形は'서양철(西洋鐵)'] ブリキ. =양철. 語例 ~통(桶) ブリキ缶.

생체【生體】〈名〉生体. 語例 ~ 공학 生体工学 / ~ 반응 生体反応 / ~ 해부 生体解剖.

생태【生態】〈名〉生態. 句例 현대 여성의 ~ 現代女性の生態 / 곤충의 ~ 昆虫の生態. 語例 ~계 生態系. エコシステム / ~ 변화 生態の変化 / ~학 生態学.

생-트집【生一】〈名〉(むりな)言い掛かり. 無理難題. むちゃな難癖.

생트집(을) 잡다 (むちゃな)言い掛かり〔難癖〕をつける. 無理難題をふっかける. いわれのない因縁をつける. 句例 불량배에게 생트집을 잡히다 不良にぐずられる.

생판【生板】〈副〉まったく(の). 途方もなく. 句例 ~ 다르다 まったく違う / ~ 남이다 赤の他人である.

생포【生捕】〈名〉生け捕り. **~하다**〈他〉生け捕る. 生け捕りにする. =사로잡다. 句例 적(敵)을 ~하다 敵を生け捕りにする.

생-피【生一】〈名〉生血. 生き血.

생-핀잔【生一】〈名〉いわれのない叱責. 訳のない面責.

생핀잔(을) 주다 訳のないけんつくを食わす.

생필-품【生必品】〈名〉'생활 필수품 生活必需品'の略.

생화【生花】〈名〉生花・. 對조화(造花).

생환【生還】〈名・하自〉生還. 句例 무사히 ~하다 無事に生還する / 싸움터로부터 ~하다 戦地から生還する. 文例 ~은 기대할 수 없다 生還は期待できない. 語例 ~자 生還者.

⁑**생활**【生活】〈名〉生活. 暮らし. **~하다**〈自〉生活する. 暮らす. 句例 ~의 간소화 生活の簡素化 / ~의 안정 生活の安定 / 풍요로운 ~ 豊かな生活 / 검소한 ~ 質素な暮らし / ~을 즐기다 生活を楽しむ / ~을 같이하다 寝起きを共にする / ~에 여유가 있다 生活にゆとりがある / ~이 되다 生活がなりたつ / ~이 안 되다 暮らしが立たない / ~이 어렵다 生活に困る. 生活が苦しい / 자취 ~을 하다 自炊生活をする / 월급으로 ~하다 月給で生活する〔食べる〕/ 수입에 따라 ~하다 収入に応じて暮らす. 文例 그럭저럭 ~해 나갈 수 있다 何とか食える / 그는 지금 실직(失職)으로 ~이 어렵다 彼は今失業して食いかねている / 물가 인상으로 ~이 궁해졌다 値上がりで暮らしがつまってきた. 語例 ~ 계획표 生活計画表 / ~권 生活圏 / ~급 生活賃金. 生活給 / ~ 방식 生活方式 / ~상(相) 生活相. 生活ぶり. 生活状態 / 시골 ~

ㅅ

いなか暮らし／⇨ 생활 수준／～ 용수 生活用水／～용품 生活用品／～사 生活史／～ 정보 生活情報／～ 체험 生活体験／～ 풍습 生活風習／～ 필수품 生活必需品／～ 환경 生活環境.

생활-비【生活費】〈名〉生活費. ＝생계비(生計費). 句例 ～가 비싸다 生活費が高い.

생활 수준【生活水準】〈名〉生活水準. 句例 ～을 높이다 生活水準を高める.

생활 양식【生活様式】[saenghwallyangshik]〈名〉生活様式.

생활 통지표【生活通知表】〈名〉通知表. 通信簿. 略して'통지표'ともいう.

생후【生後】〈名〉生後. 句例 ～ 5개월의 아이 生後五か月の幼児／～ 1주일만에 죽다 生後一週間で死ぬ.

샤워〈名〉シャワー. 句例 ～를 하다 シャワーを浴びる／～를 틀다〔잠그다〕 シャワーをひねって出す〔とめる〕. ◇shower

샤프 [sya:p'ū]〈名〉シャープ. ❶鋭いさま. **～하다**〈形〉シャープだ. 句例 ～한 사람 シャープな人／머리가 ～하다 頭が切れる. 語例 ～펜슬 シャープペンシル. シャープ《略語》. ❷〔樂〕⇨ 올림표. ◇sharp

***샬레**〈名〉(実験用の)シャレー. ◇도 Schale

샴페인〈名〉シャンパン. シャンペン(酒). 句例 ～을 터뜨리다 シャンパンを抜く. ◇프 champagne

샴푸 [syamp'u:]〈名・하他〉シャンプー. 句例 ～로 머리를 감다 シャンプーで髪を洗う. ◇shampoo

샷〈名〉❶ウィスキーなど強い酒の一口. ❷〔映〕ショット. カット. 語例 롱 ～ ロングショット. ◇shot

表現 ①は俗っぽい言いかた.

샹들리에〈名〉シャンデリア. ◇프 chandelier

샹송〈名〉〔樂〕シャンソン. ◇프 chanson

***서**【西】〈名〉'서쪽'の略.

서【序】[sŏ:]〈名〉序. ❶文章形態の一つ. 事跡の要旨を書いたもの. ❷'서문(序文)'の略.

서【署】[sŏ:]〈名〉❶官署. 役所. ❷'경찰서(警察署)'の略. ❸'세무서(税務署)・소방서(消防署)'の略.

서[1]〈冠〉'ㄷ・ㅁ・ㅂ・ㅍ'などを初声に持つ語の前に用いられる'세(＝三つ. 三)'の特別用法. 語例 ～ 돈 三匁／～ 말 三斗／～ 발 三尋／～ 푼 三文. →囲み記事 65

서[2]〈助〉❶'에서'の略. 句例 서울～ 부산까지 ソウルから〔より〕釜山まで. 文例 그것은 어디～ 살 수 있나요 それはどこで買えますか. ❷'-고・-아・-어'などの語尾について語意を明らかにすると同時に余裕を与え, または理由・状態などを表わす補助詞: …(し)て. …(し)てから. …ので. 句例 먹고～ 食べてから／속아～ だまされて. 文例 돈이 없어～ 못간다 お金がなくて行けない.

서 〔漢字項目〕

【序】中學 서 ジョ. ❶차례 順. 순서를 정하다 順を定める. ▮序次 서차 じょじ. 序列 서열 じょれつ. ▮順序 순서 じゅんじょ. 秩序 질서 ちつじょ. ❷실마리 糸口. 머리말 端書き. ▮序論 서론 じょろん. 序曲 서곡 じょきょく. ▮自序 자서 じじょ.

【庶】高校 서 ショ. ❶많다 数多い. 여러가지 雑多な. ▮庶務 서무 しょむ. ❷많은 백성 民衆. ▮庶人 서인 しょにん. 庶民 서민 しょみん. ❸바라다 こいねがう. 가까워지다 近づく. 거의 되려고 하다 おおかた目標に近づく. ▮庶幾 서기 しょき. ❹첩의 소생 妾腹. ▮庶子 서자 しょし. 庶出 서출 しょしゅつ.

【徐】高校 서 ジョ. ❶천천히 おもむろに. 느리다 のろい. ▮徐行 서행 じょこう. 徐徐 서서 じょじょ. ▮緩徐 완서 かんじょ.

【恕】高校 서 ジョ. ❶어질다 思いやる. ▮忠恕 충서 ちゅうじょ. 仁恕 인서 じんじょ. ❷용서하다 許す. 관대히 보아 주다 寛大にみてやる. ▮宥恕 유서 ゆうじょ.

【敍(叙)】高校 서 ジョ. ❶차례 順序. ▮敍次 서차 じょじ. ❷관작을 주다 官爵を与える. ▮敍爵 서작 じょしゃく. 敍任 서임 じょにん. ▮追敍 추서 ついじょ. ❸진술하다 述べる. ▮敍述 서술 じょじゅつ. 敍情 서정 じょじょう. ▮自敍 자서 じじょ.

【暑(暑)】中學 서 ショ. ❶덥다 暑い. ▮暑氣 서기 しょき. ▮酷暑 혹서 こくしょ. 避暑 피서 ひしょ. ❷여름 夏. ▮暑中 서중 しょちゅう.

【書】中學 서 ショ. ❶문장 文章. 기록 記録. ▮書記 서기 しょき. 書風 서풍 しょふう. ❷책 本. ▮書架 서가 しょか. 書籍 서적 しょせき. ▮辭書 사서 じしょ. ❸편지 手紙. ▮書翰 서한 しょかん. ❹글자 文字. 글씨 字. 書. 글씨를 쓰다 字を書く. ▮書畫 서화 しょが. 書道 서도 しょどう. ▮草書 초서 そうしょ. 行書 행서 ぎょうしょ.

【緒(緖)】高校 서 ショ. チョ. 실마리 いとぐち. 사물의 발단 事の発端. ▮緖言 서언 しょげん. 緖戰 서전 しょ〔ちょ〕せん. ▮端緖 단서 たんしょ〔ちょ〕.

【署(署)】高校 서 ショ. ❶마을 役所. ▮署長 서장 しょちょう. ▮官署 관서 かんしょ. 本署 본서 ほんしょ. ❷임무를 할당하다 任務を割り当てる. ▮部署 부서 ぶしょ. ❸이름을 쓰다 名前をしるす. ▮署名 서명 しょめい. ▮連署 연서 れんしょ.

【西】中學 서 セイ. サイ. ❶서녘 西. ▮西方 서방 せいほう. さいほう. 西部 서부 せいぶ. ❷서양의 약칭 西洋の略. ▮西紀 서기 せいき. 西曆 서력 せいれき. ❸서반아(西班牙)의 약칭 西班牙の略. ▮西韓辭典 서한 사전 せいかんじてん. ▮美西戰爭 미서 전쟁 べいせい(米西)せんそう.

서가【書架】〈名〉書架. 書棚. 本棚. 文例 책을 ～에 꽂아 두다 本を書棚にさしておく.

서간【書簡】〈名〉書簡. 手紙. 手簡. ＝편지. 語例 ～문 書簡文／～집 書簡集／～체 書簡体.

서거【逝去】[sŏ:gŏ]〈名・하自〉逝去.

서걱〈副〉❶りんごや菓子などをか(嚙)む時の

音: ざくっと. かりかり. ❷す(擦)れあう音. きぬ擦れのする音: さらさら. ざわざわ. ❸手触りのやわらかくないさま: ごつごつ. ざらざら.

서걱-거리다 〈自他〉 ❶りんごや菓子などをかじる音がする. さくさくいう. かりかりいう. ❷手触りが柔らかくない. ごつごつする. ざらざらする. ❸す(擦)れあう音がする. ざわざわする. さらさらする.
[表現] 語感の小さい語は'사각거리다'.
서걱서걱 〈副・하自他〉さくさく. かりかり. さらさら. ざわざわ.

서경【西經】〈名〉西経. 對동경(東經).

서경【書經】〈名〉書経. 三経または五経の一つ.

서경-문【敍景文】[sŏ:gyŏngmun]〈名〉〔文〕叙景文. 對서사문(敍事文).

서경-시【敍景詩】[sŏ:gyŏngshi]〈名〉〔文〕叙景詩. 對서사시(敍事詩).

서고【書庫】〈名〉書庫. 文庫. 書物ぐら.

***서곡**【序曲】[sŏ:gok]〈名〉❶〔樂〕序曲. プレリュード. 序奏. ❷(比喩的に)前触れ.

서광【曙光】[sŏ:gwang]〈名〉曙光. [句例] 사건 해결의 ～ 事件解決の曙光. [文例] 남북통일의 ～이 비친다 南北統一の曙光がさす / 아직도 평화의 ～은 보이지 않는다 いまだ平和の曙光を見るに至らない.

서구【西歐】〈名〉['서(西)구라파'の略] 西欧. ＝서유럽. [句例] ～화하다 西欧化する. [語例] ～권 西欧圏 / ～ 문화 西欧文化 / ～ 사상 西欧思想. 對동구(東歐).

서근서근-하다 (→하다) 〈形〉 ❶(りんごやなし(梨)をかじる時のように)さくさくする. ❷優しくあいそがよい. 柔和で人当たりがよい.
[表現] 語感の小さい語は'사근사근하다'.

서글서글-하다 (→하다) 〈形〉 おおらかで優しい. 穏やかで情味がある. 優しくてこだわりがない. [句例] 서글서글한 눈 優しくて人好きのする目 / 서글서글한 성격 おおらかでこだわりのない性格.

서글프다 (서글프니, 서글퍼서) 〈形〉 もの悲しい. うら悲しい. 切ない. やるせない. [句例] 서글픈 심경 うら悲しい〔寂しい〕気持ち / 서글픈 표정을 짓다 もの悲しい顔をする / 어쩐지 ～ 何となくもの悲しい. [語例] 서글퍼지다 うら悲しくなる.

서기【西紀】〈名〉['서력 기원'の略] 西紀.

서기【書記】〈名〉書記. ❶(会議などの)記録を担当する人. ❷八級の公務員.

서기【瑞氣】[sŏ:gi]〈名〉瑞気. めでたいきざし.

서까래 〈名〉〔建〕たるき(垂木). ＝연목(椽木).

서남【西南】〈名〉西南. にしみなみ. [語例] ～방 西南方 / ～서 西南西 / ～ 아시아〔地〕西南アジア / ～쪽 西南側 / ～풍 南西風 / ～향(向) 西南向き.

서낭 〈名〉〔民〕「もとの語形は'성황(城隍)'」❶'서낭신 村の守護神'が宿っているという木. ❷'서낭신'の略. [語例] ～당(堂) '서낭'を祭ってあるほこら(祠). 村の守護神を祭るために石を積み上げた所.

서낭-신【一神】〈名〉〔民〕村の守護神として祭る氏神.

서너 〈冠〉三つか四つの意. 三四. [語例] ～너덧 三四または四五 / ～ 되 三四升.

서넛 〈數〉三つか四つ. 三四. [文例] 사람이 ～ 모여 있다 人が三四人集まっている.

서-녘【西一】〈名〉西の方. 西方. 對동(東)녘.

서느렇다 [sŏnŭrŏt'a] (서느런, 서느래서) 〈形〉 ❶(温度・気候が)やや冷たい. こころ持ち寒い. [句例] 서느런 공기 やや冷たい空気. ❷(驚いて)寒気を感じる. ひやりとする. ぞっとする.

***서늘-하다** (→하다) 〈形〉 ❶やや冷たい. 冷ややかだ. 冷え冷えする. 涼しい. [句例] 서늘한 바람 涼しい風 / 서늘한 곳에 두다 涼しい所に置く. 日陰に置く / 조석으로 서늘해지다 朝夕に冷えてくる. ❷(驚きや恐怖などで)ひやりとする. ぞっとする. [句例] 간담을 서늘케 하다 心胆を寒からしめる. 荒肝をひしぐ / 간담이 서늘해지다 きもを冷やす. ひやりとする. ぞっとする.

****서다** [一]〈自〉❶立つ. ㉠(足で身を)まっすぐに支えている. [句例] 산상에 ～ 山上に立つ / 일렬로 (늘어)～ 一列に立ち並ぶ / 거울 앞에 ～ 鏡に向かいあう / 똑바로 ～ まっすぐに立つ / 서서 연설하다 立って演説する / 내내 서 있다 立ちつくす / 서서 먹다 立ち食いする. [文例] 순서대로 서 주십시오 ご順に願います.
㉡(物・草木が)生えている. (柱・棒などが)地にさしこまれている. [文例] 전봇대가 서 있다 電柱が立っている / 나무가 늘어서 있다 木が立ち並んでいる.
㉢(高く)そび(聳)える. [文例] 산이 우뚝 서 있다 山がそび(聳)え立っている.
㉣(座ったり横になったりしていたものが)立ち〔起き〕あがる. [句例] 불쑥 일어～ つっと立ちあがる.
㉤(ある場所に)建立される. 建つ. [句例] 학교가 ～ 学校が立つ / 빌딩이 ～ ビルが建つ / 기념비가 ～ 記念碑が建つ.
㉥(上方に)伸びる. [文例] 머리털이 곤두 섰다 髪の毛が逆立った / 개의 귀가 쫑긋 서 있다 犬の耳がぴんと立っている.
㉦('…에 서다'の形で, …の位置・立場に)置かれる. [句例] 우위에 ～ 優位に立つ / 수세에 ～ 守勢に立つ / 중간에 ～ 中に立つ / 교단에 ～ 教壇に立つ / 미국편에 ～ アメリカ側に立つ〔つく〕.
㉧(青筋が)立つ. 血走る. [句例] 핏발이 선 눈 血走った目. 充血した目. [文例] 관자놀이에 핏대가 섰다 こめかみに青筋が立った.
㉨(市が)開かれる. [句例] 장이 ～ 市が立つ.
㉩(政府・国が)樹立される. [文例] 민주 정권이 서다 民主主義政権が樹立された.
㉪(義理・顔が)損なわれずに保たれる. [句例] 면목〔체면〕이 ～ 顔〔面目〕が立つ.
㉫(名分が)立つ. 筋道が通る. [句例] 조리가 서지 않는 이야기 筋の立たない話. つじつ

ま(辻褄)の合わない話. [文例] 대의명분이 서지 않는다 大義名分が立たない.
❷(動いていたものが)止まる. ただず(佇)む. 立ち止まる. [句例] 시계가 ~ 時計が止まる / 행렬이 ~ 行列が止まる / 열차가 갑자기 ~ 列車が不意に止まる / 가게 앞에 멈춰 ~ 店先に立ち止まる〔ただずむ〕. 類멈추다.
❸(虹が)かかる. 立つ. 出る. [句例] 일곱 색깔의 무지개가 ~ 七色の虹がかかる〔立つ〕. [文例] 남쪽 하늘에 무지개가 섰다 南の空に虹が出た.
❹妊娠する. [句例] 아이(가) ~ 身ごもる. はら(孕)む.
❺(命令・秩序・規律が)よく守られている. (威厳・権威が)保たれる. [句例] 명령이 ~ 命令がよく守られる〔行われる〕. [文例] 질서가 서 있지 않다 秩序が保たれていない.
❻(値段・決心などが)つく. 決まる. (計画・方針が)立つ. [句例] 결심이 ~ 決心がつく / 계획이 ~ 計画が立つ / 분간이 ~ 見分けがつく / 판단이 서지 않다 判断がつかない. [文例] 죽을 각오가 서 있다 死ぬ覚悟ができている / 작자가 없어서 금이 서지 않는다 買い手がなくて値が決まらない.
❼(刃が)つく. とが(尖)る. [句例] 날이 ~ 刃がつく. 刃が鋭い.
❽(衣の)のり(糊)付けがきき過ぎる〔こわ(強)い〕.
㊁〈他〉 ❶(任務などを)勤める. (役割などを)する. [句例] 보초를 ~ 歩哨に立つ / 중매를 ~ 中に立つ. 仲立ちをする / 신부의 들러리를 ~ 花嫁の付き添いをつとめる.
❷(他人の事に責任を)負う. [句例] 보증을 ~ 保証に立つ. 保証する.

*서당【書堂】〈名〉 書堂. 近世朝鮮時代に漢文などを教えた村の私塾. 寺子屋. =글방. [句例] ~의 훈장(訓長) 書堂の先生. [語例] ~식 교육 書堂〔寺子屋〕式(の)教育.
서당 개 삼년에 풍월한다 門前の小僧習わぬ経を読む.
서-대문【西大門】〈名〉 ソウルの'돈의문(敦義門)'の通称《今は無い》.
서도【書道】〈名〉 書道. =서예(書藝).
서두【序頭】[sŏ:du]〈名〉 冒頭. 前口上. 書き出し. 前置き. [句例] ~에 말했듯이 冒頭で述べたように / 소설의 ~ 小説の書き出し / ~가 길다 前口上が長い. [文例] 연설 ~에 논어의 한 구절을 인용하다 演説の冒頭に論語の一句を引く.
**서두르다 (서두르니, 서둘러서)〈他〉 急ぐ. せ(急)く. せき立てる. 焦る. 略して'서둘다'ともいう. [句例] 길을 ~ 道を急ぐ / 완성을 ~ 完成を急ぐ / 무턱대고 ~ むやみに急ぐ / 서둘러 쓰다 急いで書く / 서둘러 손을 쓰다 急いで手を打つ〔施す〕. [文例] 승리를 서둘러 자멸했다 勝ちを焦って自滅した / 너무 서두를 필요는 없다 あまり急ぐ必要はない.
서둘다 (서두니, 서둘러)〈他〉 '서두르다'の略.
서드 베이스 [sŏ:dŭ—]〈名〉〔野〕サードベース. 三塁. ◇third base

**서랍〈名〉[もとの語形は'설합(舌盒)'] 引き出し. [句例] ~을 열다〔닫다〕 引き出しを開ける〔閉める〕/ ~을 빼다 引き出しを抜く.
*서러움 [sŏ:rŏum]〈名〉 悲しみ. =설움.
서러워-하다 [sŏ:rŏwo—] (→하다)〈自他〉[もとの語形は'설워하다'] 悲しむ. 嘆く. [句例] 자신의 가난함을 ~ わが身の貧乏を嘆く.
서럽다 [sŏ:rŏpta] (서러우니, 서러워서)〈形〉[もとの語形は'섧다'] 恨めしく悲しい. 悲痛だ. つらい. [句例] 서러운 표정 悲しげな顔.
서력【西暦】〈名〉 西暦. 西紀. [語例] ~ 기원 西暦紀元.
**서로 ㊀〈副〉 (お)互いに. 相互いに. 相互に. 共に. [句例] ~ 마주보다 互いに顔を見合わせる / ~ 기뻐하다 互いに喜び合う / ~ 마주 보고 앉다 互いに向かい合って座る / ~ 돕다 互いに助け合う / ~ 몹시 다투다 互いにしのぎを削る / ~ 상의한 뒤에 互いに話し合いの上で. [文例] 그들은 ~ 힘이 되었다 彼らは互いに力になり合った / ~ 편리하도록 정합시다 お互いに都合のいいように取り決めましょう.
㊁〈名〉 互い. 双方. [句例] ~의 마음을 털어놓다 お互いの心を打ち明ける / ~의 이익을 꾀하다 お互いの利益を図る.
**서로-서로〈副〉 相互いに. 互いに. 共共(に). [句例] ~ 격려하다 互いに励まし合う.
서론【序論】[sŏ:ron]〈名〉 序論. 序説. 前置き. 緒言. [句例] ~이 길다 前置きが長い.
서류【書類】〈名〉 書類. 文書. 書き付け. [句例] ~ 한 묶음 書類一つづ(綴)り / ~를 철하다 書類をつづ(綴)る. 文件をファイルする / ~를 대충 훑어 보다 書類に目を通す / ~를 작성하다 書類を作成する. [語例] ~철 書類つづり / 비밀 ~ 秘密書類 / 중요 ~ 重要書類.
서른〈数・冠〉 三十. =삼십(三十). [句例] (나이) ~에 죽다 三十で死ぬ. [文例] 밤을 ~ 개 정도 먹었다 くり(栗)を三十個ほど食べた.
서름서름-하다 (→하다)〈形〉 ひどく疎遠だ. 大変不慣れである.
서름-하다 (→하다)〈形〉 疎い. ❶(関係などが)親しくない. 水臭い. よそよそしい. 気まずい. [句例] 서름한 사이 疎い仲 / 서름한 태도를 취하다 よそよそしい態度を取る / 서름한 생각이 들다 気まずい思いをする. ❷(物事に)不慣れだ. 不案内だ.
서리[1]〈名〉 ❶霜. [句例] ~가 내리다 霜が降りる / ~ 피해를 입다 霜害を被る / ~를 맞지 않게 짚을 덮어〔감아〕 주다 霜囲い〔霜よけ〕をする. [語例] 첫~ 初霜 / 늦~ 遅霜. ❷(比喩的に)大きな打撃. 損害. 被害. [句例] ~를 맞다(→小項目).
서리를 이다 霜をおく. 白髪になる. [句例] 머리에 ~ 頭に霜をおく.
서리(를) 맞다[1] ❶霜にあたる. 霜枯れる. [句例] 서리 맞은 꽃 霜枯れの花. 霜焼けした花. ❷しおれて気力を失う. ❸(権力や暴力によって)大きな打撃をうける. 損害〔被害〕を被る.
서리 맞은 구렁이 霜に打たれた青大将.

❶動作がのろく気力のない者. ❷気力が衰えあらゆる希望を失った者.

서리[2] 〈名・하他〉 群れをなして人の鶏・うり(瓜)などを盗んで食べるいたずら. 語例 ~꾼 '서리'をするいたずら者.

서리(를) 맞다[2] 鶏を盗まれまたは瓜畑を荒らされたりして被害を被る.

서리【署理】[sǒ:ri]〈名・하他〉代理. 職務を代理すること. また, その人. 語例 학장 ~ 学長代理.

***서리다**[1] 〈自〉 ❶気がくじける. ❷(胸・心の中に)た(溜)まり潜む. 秘められる. わだかまる. 句例 가슴에 서린 한 胸中に秘められた恨み(つらみ). ❸(水蒸気・湯気が)立ちこめる. 曇る. 文例 유리창에 김이 서려 있다 窓ガラスが湯気で曇っている.

서리다[2] 〈他〉(渦状に)巻く. 句例 새끼를 ~ 縄をコイル状に巻く. 文例 구렁이가 몸을 서리고 있다 青大将がとぐろを巻いている. 表現 語感の小さい語は'사리다'.

서릿-발 〈名〉 ❶霜柱. 句例 ~이 서다 霜柱がたつ. ❷(権威・刑罰などが)厳しい.

서릿발 같다 (権威・刑罰などが)非常に厳しい. 秋霜(烈日)のようだ. 句例 서릿발 같은 명령 秋霜(烈日)のごとき命令.

서릿발(이) 치다 ❶霜柱がたつ. ❷厳しい.

서막【序幕】[sǒ:mak]〈名〉序幕. ❶(演劇などで)最初の幕. 句例 오페라의 ~ オペラの序幕. ❷(物事の)始まり. 幕あき. 文例 이것이 대동란의 ~이 되었다 これが大動乱の序幕となった / 성화의 입장이 올림픽의 ~을 장식했다 聖火の入場がオリンピックの幕あきを飾った. ▷對종막(終幕).

서먹서먹-하다 [sǒmǒksǒmǒk'ada] (→하다)〈形〉気まずい. 疎い. よそよそしい. 隔てがましい. 不慣れだ. 句例 서먹서먹한 태도 よそよそしい態度 / (사이가) 서먹서먹해지다 (仲が)気まずくなる. 疎くなる / 서먹서먹한 생각이 들다 気まずい思いをする. 文例 둘 사이가 서먹서먹해졌다 二人の間に隔たりができた.

서먹-하다 [sǒmǒk'ada] (→하다)〈形〉気まずい. 疎い. 水臭い. 不慣れだ. 文例 인사하기가 어쩐지 ~ あいさつするのが何だか気まずい.

서면【書面】〈名〉書面. 句例 ~으로 통지하다 書面で知らせる.

서명【書名】〈名〉書名. 語例 ~ 목록 書名目録

서명【署名】[sǒ:mỹong]〈名・하自〉署名. サイン. 句例 ~을 청하다 署名を請う / 계약서에 ~하다 契約書に署名する. 語例 ~ 날인 署名捺印 / ~ 운동 署名運動 / ~자 署名者.

서모【庶母】[sǒ:mo]〈名〉庶母. 父のめかけ(妾).

서모스탯 [sǒ:mosǔt'aet]〈名〉〔物〕サーモスタット. =온도 조절기(溫度調節器). ◇thermostat

서무【庶務】[sǒ:mu]〈名〉庶務. 語例 ~과 庶務課 / ~실 庶務室.

서문【序文】[sǒ:mun]〈名〉序文. 序. 前書き. 端書き. 句例 ~을 쓰다 序文を書く. 同머리말.

서민【庶民】[sǒ:min]〈名〉庶民. 句例 ~적인 취미 庶民的な趣味. 語例 ~ 계급 庶民階級 / ~층(層) 庶民層.

서반【西班】〈名〉〔史〕武官. =호반(虎班). 對동반(東班).
参考 高麗朝・朝鮮朝時代, 宮中の朝会で, 文官は東側, 武官は西側に列したことに由来する. '동반(東班)' '서반(西班)'を併せて'양반 両班'と称せられた.

서-반구【西半球】〈名〉西半球. 對동반구.

서방【西方】〈名〉西方・西の方. 語例 ~ 진영 西側陣営 / ~측 西側.

서방【書房】 ━〈名〉'남편 夫・亭主'の俗っぽい言いかた. 句例 폭군(暴君) 같은 ~ 亭主関白 / ~을 얻다 夫を迎える. 嫁ぐ / ~과 일찍 사별(死別)하다 夫に早く死なれる.
━〈依名〉 ❶昔, 官職のない人の名字の下につけて呼んだ語. 語例 김 ~ 金さん. ❷名字につけて, 婿や, 妻の弟などを呼ぶ語.
表現 '서방'は呼び捨て気味のぞんざいな語としても使われる.

서방-님【書房—】〈名〉 ❶'서방'の敬称: だんな様. ❷結婚した夫の弟に対する呼称. ❸常民が官職のない若い儒生を呼んだ語.

서벅-거리다 〈自〉さくさくする. ❶りんご・なし(梨)などをか(嚙)むときのような音がする. また, つづけざまにその音を出す. ❷砂地を歩くときのような音がする. また, つづけざまにその音を出す.

서법【書法】[sǒppǒp]〈名〉書法.

***서부【西部】**〈名〉西部. 語例 ~ 개척 시대 西部開拓時代 / ~극 西部劇. ウェスタン. 對동부(東部).

서부렁-하다 (→하다)〈形〉くく(括)ったり積み重なった物が締まらず緩んでいるさま: 締まりがない. 緩い. ぎっしりしない.

***서북【西北】**〈名〉西北. 北西. ❶西側と北側. ❷'서북간(西北間)'の略. 語例 ~풍 西北風 / ~향 西北向き.

서분서분-하다 (→하다)〈形〉-心がやさしく親切だ. 物腰やわらかくてあいそがいい.

서붓 〈副〉軽くすみやかに踏み出すさま. また, その音: さっと. そっと. すっと. 軽く.

서붓-서붓 〈副〉 つづけざまに軽く早い足取りで歩くさま. また, その音: さっさっと. すっすっと. 軽軽しく.

***서브** [sǒ:bǔ]〈名・하自〉サーブ. =서비스. 句例 ~권을 얻다 サーブ権を取る / ~를 받다 サーブを受ける. 語例 ~ 라인 サーブライン. ◇serve

서브(를) 들이다 サーブをやる.

***서비스** [sǒ:bisǔ]〈名・하自〉(奉仕・競技の)サービス. 句例 ~료를 포함시키다 サービス料を含める. 文例 ~로 드립니다 サービスに差し上げます / 저 가게는 ~가 좋다 あの店はサービスがいい〔満点だ〕/ 이건 ~입니다 これはサービスです. 語例 ~ 공장(工場) 自動車の修理所. 自動車屋 / ~ 라인 サービスライン / ~ 산업 サービス産業. 三次産

業/～업 サービス業/～ 에어리어 サービスエリア/～ 코트 サービスコート/애프터 ～ アフターサービス/모닝 ～ モーニングサービス. ◇service

서사【敍事】[sŏ:sa]〈名・하自他〉叙事. 語例 ～문 叙事文/～시 叙事詩. 對서정(敍情).

서산-낙일【西山落日】[—nagil]〈名〉❶西の山に暮れ沈む日. ❷権勢などが傾き没落するさま.

서생【書生】〈名〉書生. ❶儒学を勉強する人. ❷人の家に世話になって家事を助けながら勉強をする人. ❸勉強ばかりして世事に疎い人. 語例 백면 ～ 白面の書生.

서생【庶生】[sŏ:saeng]〈名〉庶生. めかけ腹・しょうふく. ＝서출(庶出).

서-생원【鼠生員】[sŏ:—]〈名〉'쥐 ねずみ(鼠)'を擬人化した語.

***서서-히**【徐徐—】[sŏsŏhi]〈副〉徐徐に. おもむろに. ゆっくり. やおら. ＝천천히. 句例 ～ 일어서다 おもむろに立ち上がる/물이 ～ 불어나다 徐徐に水かさが増す/～ 입을 열다 おもむろに口をひらく/더운물에 ～ 몸을 담그다 熱い湯にゆっくりと身を沈める. 文例 ～ 일어서서 기지개를 켰다 やおら起き上がってせのびをした.

서설【瑞雪】[sŏsŏl]〈名〉瑞雪. めでたい兆しとされる雪.

서성-거리다〈自〉ぶらつく. うろつく. ぶらぶらする. 歩き回る. 句例 침착을 잃고 방안을 ～ 落ち着かない気持ちで部屋の中を歩き回る.

서성서성〈副・하自〉落ち着かない気持ちで歩き回ったりぶらつくようす.

囲み記事 54

■ 서수사 序数詞 ■

順序を示す数詞には, 固有語の数詞と漢字語の数詞との二通りがある.

1. 固有語の序数詞

첫째一番(目), 둘째, 셋째, 넷째, 다섯째, 여섯째, 일곱째, 여덟째, 아홉째, 열째, 열한째, 열두째, 열셋째, 스무째, 서른째, 마흔째, 쉰째, 예순째, 이른째, 여든째, 아흔째… ただし, 둘째は二番(目)のみにもちい, 열十より아흔九十までの二けたのあとでは'-두째'となる.

열두째十二番(目), 스물두째二十二番(目), 서른두째三十二番(目), 마흔두째四十二番(目).

2. 漢字語の序数詞

제일第一 제일보第一歩, 제이第二 제이차 세계대전第二次世界大戦, 제삼第三 제삼 세력第三勢力, 제사第四 제사 계급第四階級, 제오第五 제오열第五列, 제육第六 제육 의식第六意識, 제칠第七 제칠 함대第七艦隊, 제팔第八 제팔 예술第八芸術, 제구第九 제구 예술第九芸術, 제십 第十 제십차 모집第十次募集, 제백第百 제백일第百日.

서성-이다〈自〉(ためらいまたは落ち着きのないようすで)行きつもどりつする. 歩き回る. ぶらつく. 類서성거리다.

서수【序數】[sŏ:su]〈名〉〔數〕序数. ＝순서수(順序數). 對기수(基數).

서수-사【序數詞】[sŏ:su—]〈名〉〔言〕序数詞. →囲み記事 54

서술【敍述】[sŏ:sul]〈名・하他〉叙述. 句例 자세히 ～하다 細かく叙述する. 語例 ～어 叙述語. 述語.

서술격 조사【敍述格助詞】[sŏ:sulkkyŏkcho:sa]〈名〉〔言〕叙述格助詞. 体言または用言の名詞形についてその語を述語につくる助詞. '이다' 一つだけある. ほかの助詞とは違い'이고…で''이나…か''이니…で, …なので'のように活用し, 話し言葉では母音の下では'이'が略されることもある.

서술-법【敍述法】[sŏ:sulppŏp]〈名〉〔言〕叙法.

서술-부【敍述部】[sŏ:sul—]〈名〉〔言〕述部. 對주어부(主語部).

서술-형【敍述型】[sŏ:sul—]〈名〉〔言〕⇨ 평서형(平敍型)

서스펜스〈名〉サスペンス. 句例 스릴과 ～ スリルとサスペンス. 語例 ～ 드라마 サスペンスドラマ. ◇suspense

서슬〈名〉❶(刃物などの)鋭い刃先. ❷(勢いなどの)鋭さ. 気勢. 剣幕.

서슬이 시퍼렇다 ❶刃物などが鋭い. ぞっとするほど鋭く光る. ❷(勢いなどが)鋭く激しい. すごい剣幕である. 句例 서슬이 시퍼런 얼굴로 노려보다 恐ろしい剣幕でにらむ/서슬이 시퍼래서 호통을 치다 たいへんな剣幕でどなりつける.

서슴-거리다〈自他〉(言行を)躊躇する. ためらう. もじもじする. 句例 서슴거리며 말하다 もじもじしながら話す/부탁의 말을 꺼내지 못하고 ～ 頼みを言いだしかねてもじもじする. 類망설이다.

서슴서슴〈副・하自他〉ためらいながら. もじもじ.

서슴다 [sŏsŭmtta]〈自他〉躊躇する. ためらう. もじもじする. 句例 서슴지 않고 부탁하다 ためらわずに頼む/서슴지 않고 대답하다 躊躇なく答える.

서슴-없다 [sŏsŭmŏpta]〈形〉躊躇しない. ためらわない. **서슴없이** [sŏsŭmŏpshi]〈副〉躊躇せずに〔しないで〕. ためらわずに. ずけずけと.

서식【書式】〈名〉書式. 句例 ～대로 쓰다 書式どおりに書く/결석 신고서의 ～ 欠席届の書式.

서식【棲息】〈名・하自〉生息. 句例 물 속에 ～하다 水中に生息する. 語例 ～지 生息地.

서신【書信】〈名〉書信. 手紙. ＝편지. 句例 ～을 받다 書信〔手紙〕を受け取る/～으로 연락하다 書信で連絡する/～을 주고받다 手紙のやり取りをする. 文例 그와는 자주 ～ 왕래가 있다 彼とはたびたび文通がある.

서안【書案】〈名〉書案. ❶机. ❷文書の草案.

서약【誓約】[sŏ:yak]〈名〉誓約. 誓い. **～하다**〈他〉誓約する. 誓う. 誓いを立てる. 文例 비밀

ㅅ

을 지키겠다고 ～하다 秘密を守ると誓約する. 語例 ～문(文) 誓文 / ～서 誓約書. 誓書. 類확약(確約).

*서양【西洋】〈名〉西洋. 語例 ～ 문명 西洋文明 / ～사 西洋史 / ～ 요리 西洋料理 / ～인 西洋人. 洋人 / ～ 장기 西洋将棋. チェス / ～풍 西洋風. 洋風 / ～화(畫) 西洋画. 洋画.

서-양자【壻養子】[sŏ:—]〈名・하自他〉婿養子をとること. また, その養子.

서언【序言】[sŏ:ŏn]〈名〉序言. 緒言. 前書き. はしがき. ＝머리말.

서얼【庶孼】[sŏ:ŏl]〈名〉庶子とその子孫.

서역【西域】〈名〉〔史〕西域. 語例 ～국 西域国.

서열【序列】[sŏ:yŏl]〈名〉序列. ❶順番に並ぶこと. また, その列. ❷順序. 句例 ～이 위다 序列が上である / ～을 매기다 序列をつける. 語例 연공 ～ 年功序列.

*서예【書藝】〈名〉書芸. 書道. 文例 ～의 소양이 있다 書道のたしなみがある. 語例 ～가(家) 書芸家. 書道の大家 / ～ 전시회 書芸展示会 / ～ 학원 書道塾.

서운-하다 (→하다)〈形〉(なんとなく)寂しい. もの足りない. 名残惜しい. 残念だ. 句例 한없이 ～ 名残が尽きない. 文例 뵐 수가 없어서 서운했습니다 お目にかかれないで残念でした / 자네가 오지 않아 서운했다 君が来ないのでもの足りなかった〔寂しかった〕. **서운히**〈副〉残念に. 寂しく. もの足りなく. 名残惜しく.

**서울〈名〉〔地〕❶ソウル. 韓国の首都. 句例 ～발(發) AP통신 ソウル発AP通信 / ～ 나고야간 정기 항로 ソウル名古屋間の定期航路. 語例 ～내기 ソウル生まれの人 / ～뜨기 ソウル生まれの人をあざける語 / ～ 토박이 生っ粋のソウルっ子. ❷首都. 都. 京師. 句例 ～로 올라가다 都に上る. 上京する / ～을 떠나 산촌에 묻혀 살다 都を去って山里に隠棲する. 對시골.

서울 가서 김서방 찾기 ソウルに行って金さんをさがすよう. 浅はかな知識でいたずらに無鉄砲なことを試みる愚かさのたとえ.

서울-까투리〈名〉しゃあしゃあとした人.

서울-깍쟁이〈名〉ソウルの人のがめついさまをいう語: 世知辛いソウル野郎.

서원【書院】〈名〉〔史〕書院.
参考 '서원(書院)'は近世朝鮮時代に'양반 両班'の子弟たちが集まって学問を講論し, 亡き碩学または忠節の士を祭った学校であった.

서원【署員】[sŏ:won]〈名〉署員. ❶署に勤める人. 語例 세무 ～ 税務署員. ❷警察署員をちぢめて言う語.

서원【誓願】[sŏ:won]〈名〉誓願. **～하다**〈他〉誓いを立てる. 誓う. 句例 미타(彌陀)의 ～ みだ(弥陀)の誓願. 語例 ～서(書) 誓紙.

서이 [sŏ:i] 一〈名〉三人. ＝세 사람.
二〈副〉三人で.

서자【庶子】[sŏ:ja]〈名〉庶子. 妾腹の子. 對적자(嫡子).

서장【署長】[sŏ:jang]〈名〉署長. 語例 경찰 ～ 警察署長 / 세무 ～ 税務署長 / 소방 ～ 消防署長.

*서재【書齋】〈名〉❶書斎. 句例 ～에 틀어박히다 書斎にこもる. ❷⇨글방

*서적【書籍】〈名〉書籍. 書物. 本. 句例 고금 동서의 ～을 섭렵하다 古今東西の書籍を渉猟する. 語例 ～상 書籍商.

서전【緒戰】[sŏ:jŏn]〈名〉緒戦. 初戦. 句例 ～을 장식하다 緒戦を飾る.

서점【書店】〈名〉書店. 本屋. 書肆. 類책방. 책사.

서정【抒情・敍情】[sŏ:jŏng]〈名〉叙情. 語例 ～문 叙情文 / ～시 叙情詩. リリック. 對서사(敍事).

서정-적【抒情的・敍情的】[sŏ:jŏng—]〈名・冠〉叙情的. リリカル. 句例 ～인 문장 叙情的な文章. 對서사적(敍事的).

서조【瑞兆】[sŏ:jo]〈名〉瑞兆. めでたい兆し.

서주【序奏】[sŏ:ju]〈名〉〔樂〕序奏. 導入部. 前奏.

서지 [sŏ:ji]〈名〉サージ. 語例 ～복(服) サージの服 / 감색 ～ 紺サージ. ◇serge

서진【西進】〈名・하自〉西進.

서진【書鎭】〈名〉文鎮. 句例 ～으로 서류를 누르다 文鎮で書類を押さえる.

**서-쪽【西—】〈名〉西. 西方. 句例 ～으로 가다 西に行く / 시(市)의 ～에 市の西〔西方〕に / 해가 ～으로 기울다 日が西にかたむく / 기수를 ～으로 돌리다 機首を西に向ける. 文例 해는 동쪽에서 떠서 ～으로 진다 日は東より出て西に沈む. 對동(東)쪽.

서쪽에서 해가 뜨다 日が西から出る. とうていあり得ないこと. または非常に珍しいことのたとえ.

서찰【書札】〈名〉書札. 手紙. ＝편지.

서창【西窓】〈名〉西の窓. 對동창(東窓).

서책【書冊】〈名〉書冊. 書物. 本. 書籍.

서천【西天】〈名〉西天. ❶西の空. 對동천(東天). ❷〔佛〕'서천 서역국(西天西域國) 印度の古称'の略.

서첩【書帖】〈名〉 著名な人や名筆の書いた字を集めた本.

*서체【書體】〈名〉書体. ＝글씨체. →자체(字體)

서출【庶出】[sŏ:ch'ul]〈名〉庶出. 妾腹. めかけ腹. 對적출(嫡出).

서캐〈名〉〔蟲〕しらみ(虱・蝨)の卵.

서캐 훑듯 한다 しらみの卵を梳き取るようにする. しらみつぶ(潰)しにしらべる.

*서커스 [sŏ:k'ŏsŭ]〈名〉サーカス. 句例 ～의 공중 곡예 サーカスの空中曲芸 / 광장에 ～장이 가설되다 広場にサーカスがかかる. 語例 ～ 단원 サーカス芸人. ◇circus

서클 [sŏ:k'ŭl]〈名〉サークル. 語例 ～ 활동 サークル活動 / 문학 ～ 文学サークル. ◇circle

서킷 [sŏ:k'it]〈名〉サーキット. 語例 ～ 트레이닝 サーキットトレーニング. ◇circuit

서투르다 [sŏ:t'urŭda] (서투르니, 서툴러서)〈形〉下手だ. 不〔無〕器用だ. まずい. 不得手だ. 不案内だ. 不慣れだ. ぎこちない. つ

たな(拙)い. 句例 서투른 그림 下手な絵/서투른 솜씨 下手な腕/서투른 손놀림 不器用な手つき/서투른 연극 猿芝居/글씨가 ～ 字が下手だ〔まずい〕/계산이 ～ 計算が下手である/서투른 영어로 이야기하다 下手な英語で話す. 文例 남 앞에서 말하는 것은 ～ 人のまえで話すのは不得手だ/나는 이런 일에는 서투릅니다 私はこうした仕事には不慣れです. 對익숙하다.

서투른 무당이 장구만 나무란다 下手な'무당'に限って自分の仕損じは棚に上げて, その未熟さを鼓のせいにする. 下手の道具調べ.

서편【西便】〈名〉西側. 西の方. 對동편(東便).

서표【書標】〈名〉しお(枝折)り. 挟み紙. 句例 책에 ～를 끼우다 本にしおりを挟む.

서-푼【一分】[sŏ:p'un]〈名〉三文. ❶一文の三倍. ❷値打ちのないもの. 取るに足りないもの. 句例 ～의 값어치도 없다 三文の値打ちもない.

서품-식【敍品式】[sŏ:p'umshik]〈名〉〔基〕叙階式.

서풍【西風】〈名〉西風・西風. 句例 ～이 불다 西風が吹く. 對동풍(東風).

서풍【書風】〈名〉書風. 書体.

서핑 [sŏ:p'ing]〈名〉サーフィン. 波乗り. ＝파도타기. 句例 ～을 하다 波乗りをやる. ◇surfing

서한【書翰】〈名〉書簡. 手紙. 書状. 句例 ～을 보내다 書簡を送る. 手紙を出す〔書く〕. 語例 ～문 書簡文/～집 書簡集/～체 書簡体.

***서해**【西海】〈名〉❶西海. 西の海. ❷〔地〕黄海を指す語.

서행【徐行】[sŏ:haeng]〈名・하自〉徐行. 句例 건널목 앞에서 ～하다 踏み切りの前で徐行する. 語例 ～ 속도 徐行速度/제차 ～ 諸車徐行.

서향【西向】〈名〉西向き. **～하다**〈自〉西に向く. 西向きである. 語例 ～집 西向きの家/～판 西に面した敷地.

서-화【書畫】〈名〉書画. 書と絵画. 語例 ～가 書画家(書画にすぐれた人. また, それを業とする人)/～ 감정인 書画鑑定人. 書画通/～상(商) 書画商(書画の売買など書画をとり扱う人)/～전(展) 書画展覧会.

석【石】〈依名〉石. ＝섬1. 語例 쌀 백(百) ～ 米100石.

석 [sŏ:k]〈冠〉数冠形詞'세'の特別用法: 三. 語例 ～달 三月. 三か月/～냥 三両/～장 三枚. →서. 세 表現 'ㄴ・ㄷ・ㅅ・ㅈ'などを初声とする語に用いられる.

석 〔漢字項目〕

【夕】 中學 석 セキ. 저녁 ゆうべ. 해질녘 日の暮れ方. ◧夕陽 석양 せきよう. 夕日 석일 せきじつ. ゆうひ. ◧朝夕 조석 ちょうせき. 一朝一夕 일조 일석 いっちょういっせき.

【席】 中學 석 セキ. ❶자리 席. 앉는 자리 座る場所. ◧席順 석순 せきじゅん. 席次 석차 せきじ. ◧坐席 좌석 ざせき. 指定席 지정석 していせき. ❷깔다 敷く. 까는 자리 敷布団. ◧枕席 침석 ちんせき. ❸많은 좌석을 마련한 장소 多くの座席を設けた場所. ◧會席 회석 かいせき. 宴席 연석 えんせき. 客席 객석 きゃくせき.

【惜】 中學 석 セキ. シャク. ❶아끼다 物惜しみする. 소중히 여기다 大事にする. ◧惜陰 석음 せきいん. ◧愛惜 애석 あいせき. あいじゃく. 吝惜 인석 りんしゃく. ❷애석하게 여기다 惜しむ. 서운하게 생각하다 残り惜しく思う. ◧惜敗 석패 せきはい. 惜別 석별 せきべつ. ◧哀惜 애석 あいせき.

【昔】 中學 석 セキ. シャク. 옛날 昔. ◧昔日 석일 せきじつ. 昔年 석년 せきねん. ◧今昔 금석 こんじゃく.

【析】 高校 석 セキ. 가르다 裂く. 分ける. 쪼개다 割る. ◧析出 석출 せきしゅつ. ◧分析 분석 ぶんせき. 解析 해석 かいせき.

【石】 中學 석 セキ. シャク. コク. ❶돌 石. ◧石材 석재 せきざい. 石器 석기 せっき. ◧礎石 초석 そせき. 木石 목석 もくせき. ❷굳다 かたい. ◧鐵石 철석 てっせき. ❸소용이 없는 것 つまらない物. ◧石女 석녀 せきじょ. ◧玉石混交 옥석 혼교 ぎょくせきこんこう. ❹용량의 단위 容量の単位. 섬 こく(石). ◧千石 천석 せんこく.

【釋(釈)】 高校 석 シャク. セキ. ❶설명하다 説明する. ◧釋義 석의 しゃくぎ. ◧注釋 주석 ちゅうしゃく. 解釋 해석 かいしゃく. ❷변명하다 言い訳する. ◧釋言 석언 しゃくげん. 釋明 석명 しゃくめい. ❸풀다 解かす. ◧稀釋 희석 きしゃく. ❹의심 따위가 사라지다 疑いなどが消え去る. 풀리다 解ける. ◧釋然 석연 しゃくぜん. ❺풀어주다 放す. ◧釋放 석방 しゃくほう. ◧保釋 보석 ほしゃく. ❻석가 釈迦. ◧釋尊 석존 しゃくそん. 釋教 석교 しゃっきょう.

석가【釋迦】〈名〉〔佛〕釈迦. 語例 ～ 세존(世尊) 釈迦牟尼の尊称/～ 여래 釈迦如来/～탑 釈迦塔.

석가-모니【釋迦牟尼】〈名〉〔佛〕釈迦牟泥. 略して'석가(釋迦)'ともいう.

석가 탄신일【釋迦誕辰日】[―t'a:nshinil]〈名〉〔佛〕仏生日・仏生日. ＝불탄일(佛誕日). 부처님 오신 날.

석간【夕刊】〈名〉['석간 신문'の略] 夕刊. 句例 그 신문은 ～뿐이다 その新聞は夕刊だけだ. 語例 ～ 신문 夕刊新聞. 對조간(朝刊).

석간-수【石間水】〈名〉石清水.

석고【石膏】〈名〉〔鑛〕石膏. 語例 ～ 붕대(繃帶) ギプス/～상 石膏像.

석고-대죄【席藁待罪】〈名・하自〉むしろの上に伏して罪に対する処分を待つこと.

석공【石工】〈名〉石工・石工. 石大工. 石屋. ＝석수(石手).

석교【石橋】〈名〉石橋. ＝돌다리.

석굴【石窟】〈名〉石窟. 岩窟. 岩屋.

***석굴-암**【石窟庵】[sŏkkuram]〈名〉〔佛〕ソック

ㅅ

ラム(石窟庵). 慶州仏国寺付近の吐含山の東にある花崗岩で造成した石窟仏庵.
[参考] 新羅景徳王の時代の人金大成の築造によるもので, 中に安置されてある仏像のかんたんにして調和美にあふれる霊妙さはほかにたぐいのないものとされている. 国宝第24号. 世界遺産に推薦されている.

석권【席卷·席捲】〈名·하他〉席巻〔席捲〕. [句例] 유럽 전토를 ~하다 欧州全土を席巻する.

석기【石器】〈名〉石器. [語例] ~ 시대 石器時代.

석녀【石女】[sŏngnyŏ]〈名〉産まず女. 石女. =돌계집.

석다〈自〉❶積もった雪が溶ける. 雪解けする. ❷醸した酒や'식혜'などが発酵のときの泡が消え失せる.

석둑〈副〉柔らかい物を(包丁·はさみなどで)断ち切るさま. また, その音: ちょっきり. ばっさり. ずばっと. ずばり(と). [句例] 가위로 ~ 자르다 はさみでちょっきり切る / 잔가지를 ~ 잘라내다 小枝をばっさり(と)切り落とす.

석등【石燈】〈名〉⇨ 석등롱(石燈籠)

석-등롱【石燈籠】[sŏktŭngnong]〈名〉いしどうろう. =장명등(長明燈).

석류【石榴】[sŏngnyu]〈名〉❶ざくろ(石榴)の実. [語例] ~꽃 ざくろの花 / ~석 ざくろ石. ❷〔韓醫〕石榴皮. ❸飾りもちの一種.

석류-나무【石榴—】[sŏngnyu—]〈名〉〔植〕ざくろ(石榴)(の木).

석면【石綿】[sŏngmyŏn]〈名〉〔鑛〕石綿·いしわた. =돌솜. 석융(石絨).

석물【石物】[sŏngmul]〈名〉墳墓の前に立てる石造物《石人·石獣など》.

석방【釋放】〈名〉釈放. =방면(放免). **~하다**〈他〉釈放する. 放免する. [句例] 용의자를 ~하다 容疑者を釈放する / 교도소에서 ~되다 刑務所から釈放される. ㊥체포(逮捕).

석벽【石壁】〈名〉石壁. ❶積み上げた石の壁. 石垣. ❷岩壁. 切り岸.

*__석별__【惜別】〈名〉惜別. 名残. **~하다**〈自他〉惜別する. 名残惜しく別れる. [句例] ~의 정 惜別の情. [語例] ~연 惜別の宴. 名残の酒宴.

석불【石佛】〈名〉石仏·いしぼとけ. =돌부처.

석-불상【石佛像】〈名〉石仏像. 石仏. =석불(石佛).

석-빙고【石氷庫】〈名〉新羅時代につくった慶州の氷室.

석사【碩士】〈名〉(大学院の)修士. [語例] ~ 과정 修士課程 / 문학 ~ 文学修士.

석상【石像】〈名〉石像. [句例] ~을 세우다 石像を立てる.

석상【席上】〈名〉席上. 席. 座上. [句例] 공개 ~에서 公開の席で / 회의 ~에서 会議の席上で / 연회 ~에 나아가다 宴会の席へ出る.

석-석〈副〉❶軽くもんだり掃いたりするさま. また, その音: さっさっと. [句例] 비로 ~ 깨끗하게 쓸다 ほうきでさっさっときれいに掃く. ❷(紙や布などを)つづけざまに切るさま. また, その音: すぱすぱ. ちょきちょき.

석석-거리다〈自他〉(紙や布などを)つづけざまに切る(音がする). すぱすぱ〔ちょきちょき〕と切りつづける(音がする).

*__석쇠__〈名〉[もとの語形は'적쇠'] 焼き網.

석수【石手】〈名〉石工. 石屋.
[参考] '석수'をさげすんで言う語は'석수장이'.

석수【石獸】〈名〉石獣. 墳墓の前に立てる獣をかたどった石像.

석순【石筍】〈名〉〔鑛〕石筍.

석실【石室】〈名〉〔史〕石室·いしむろ. [語例] ~분(墳) 石室古墳.

석양【夕陽】[sŏgyang]〈名〉夕陽. ❶斜陽. 夕日〔夕陽〕. 入り日. [句例] 호수에 비치는 ~ 湖に映じる夕日 / ~이 들다 夕日〔西日〕がさす. ❷夕暮れ. 夕方. 夕刻. [語例] ~녘 夕暮れ(時). 日暮れ(時). 夕方.

석연-하다【釋然—】[sŏgyŏn—](→하다)〈形〉釈然とする. 割り切れる. [句例] 석연치 않다 釈然としない / 석연치 않은 얼굴을 하다 割り切れない顔をする / 석연치 않은 점이 남다 割り切れぬものが残る. **석연히**〈副〉釈然と. すっきり(と).
[表現] ふつう否定の形で用いられる.

석영【石英】[sŏgyŏng]〈名〉〔鑛〕石英. =차돌. [語例] ~사(砂) 石英砂. 珪砂 / ~ 유리 石英ガラス.

*__석유__【石油】[sŏgyu]〈名〉〔鑛〕石油. オイル. [句例] ~를 찾아내다 石油を掘り当てる. [語例] ~ 가스 石油ガス / ~ 난로(煖爐) 石油ストーブ / ~통(桶) 石油缶 / ~ 풍로 石油コンロ / ~ 탱크 石油槽. オイルタンク / 액화 ~ 液化石油.

석유 자원【石油資源】[sŏgyujawon]〈名〉石油資源. [句例] ~을 개발하다 石油資源を開発する.

석유 화학【石油化學】[sŏgyu—]〈名〉石油化学. [語例] ~ 공업 石油化学工業 / ~제품 石油化学製品.

석이다[sŏgida]〈他〉'석다'の使役形. ❶(あたたかい天気が)雪を解かせる. 雪解けさせる. ❷(酒·'식혜'などを)発酵させる.

석인【石人】[sŏgin]〈名〉石人. 人をかたどった石像. [語例] ~ 석수 石人石獣.

석재【石材】〈名〉石材. [句例] 건축에 쓰는 ~ 建築用の石材.

*__석조__【石造】〈名〉石造. 石造り. [文例] 저 집은 ~이다 あの家は石造りだ. [語例] ~ 가옥 石造家屋. 石造りの家 / ~ 건축 石造建築 / ~ 미술 石造美術.

석차【席次】〈名〉席次. ❶席の順. [句例] ~를 정하다 席次を決める. ❷成績の順位. [句例] ~가 쑥 오르다〔내리다〕席次がずっと上がる〔下がる〕.

석천【石泉】〈名〉岩清水. =석간수(石間水).

석청【石淸】〈名〉深山の木や岩間で採れるはちみつ(蜂蜜). =석청꿀. 석밀(石蜜).

*__석탄__【石炭】〈名〉石炭. [句例] ~을 캐다 石炭を掘る / ~을 때다 石炭をたく / ~을 지피다 石炭をくべる / ~을 싣다 石炭を積み込む. [語例] ~ 가스 石炭ガス / ~광(鑛) 炭鉱 / ~ 액화 石炭

液化 / ~층 石炭層.

***석탑**【石塔】〈名〉石塔. =돌탑.

석패【惜敗】〈名・하自〉惜敗. =분패(憤敗). 對 참패(慘敗). 대패(大敗).

석편【石片】〈名〉石片. 石のかけら.

석학【碩學】[sŏk'ak]〈名〉碩学.

석회【石灰】[sŏk'oe]〈名〉〔化〕石灰・石灰. カルキ. =칼크. 회. 句例 ~화하다 石灰化する. 石灰になる / ~를 뿌리다 石灰をまく. 語例 ~분(分) 石灰の成分 / ~ 비료 石灰肥料 / ~질 石灰質.

석회-수【石灰水】[sŏk'oe—]〈名〉〔鑛〕石灰水.

석회-암【石灰岩】[sŏk'oe—]〈名〉〔鑛〕石灰岩. 石灰石. =횟돌.

섞-갈리다 [sŏkkallida]〈自〉こんがらかる. 紛れる. 入り乱れる. 句例 이야기가 ~ 話がこんがらかる. 文例 이 둘은 어쩐지 섞갈리기 쉽다 この二つはどうも紛らわしい / 어느 것이 어느 것인지 섞갈린다 どれがどれだか紛れてしまう.

***섞다** [sŏkta]〈他〉混〔交〕ぜる. 混ぜ合わせる. 句例 술에 물을 ~ 酒に水を混ぜる / 초에 간장을 ~ 酢に醤油を合わせる / 색(色)을 ~ 色を交ぜる / 영어를 섞어 말하다 英語を混ぜて話す / 야채를 이것저것 섞어 만들다 野菜をとり合わせて作る / 파랑에 빨강을 ~ 青に赤をか(掛)ける.

섞-바꾸다 [sŏkpakkuda]〈他〉❶(順序などを)交互に替える. 句例 남녀를 섞바꾸어 앉히다 男女を交互に座らせる. ❷(ほかのものと)とり替える.

섞-바뀌다 [sŏkpakkwida]〈自〉'섞바꾸다'の受け身. ❶(順序などが)交互に替わる. ❷(ほかのものと)とり替わる.

***섞이다** [sŏkkida]〈自〉'섞다'の受け身: 混〔交〕ざる. 混〔交〕じ(られ)る. 句例 자신과 불안이 섞인 기분 自信と不安の交ざった気持ち / 피가 섞인 사람 血が交ざった人 / 붐비는 인파에 ~ 人ごみに紛れ込む. 文例 물과 기름은 섞이지 않는다 水と油は混じらない.

선 [sŏ:n]〈名〉(結婚のための)見合い. 顔見せ. (新製品などの)初公開. デビュー.

선(을) 보다 見合いをする. →맞선

선(을) 보이다 ❶顔見せをする. 初公開する. 句例 신형차를 선보이다 新型の自動車を初公開する. 文例 새 임원이 첫 선을 보였다 新役員が顔見せをした. ❷見合いをさせる. ▷略して'선(을) 뵈다'ともいう.

선【先】〈名〉❶(順番の)先. 先番. 前. ❷(囲碁・将棋などの)先. 先手. 句例 ~을 잡다 先を取る. ❸(花札などの)親. 句例 카드놀이의 ~ トランプの親 / ~이 되다 親になる. 文例 누가 ~인가 だれが親か.

선【善】[sŏ:n]〈名〉善. 句例 ~을 행하다 善をなす / ~과 악(惡)을 구별하다 善悪を区別する. 文例 이것이 곧 ~의 악에 대한 승리이다 これがすなわち善の悪に対する勝利である. 對악(惡). →선하다

***선**【線】〈名〉線. ❶(表面にペン・筆などで引いた)線. 句例 ~을 긋다 線を引く / ~으로 잇다 線で結ぶ / ~이 끊어지다 線が切れる. 語例 평행~ 平行線 / 절취~ 切りとり線. ❷(交通機関の)路線. ライン. 語例 경부~ 京釜線 / 국내~ 国内線 / 2번~ 2番線. ❸(電線などの)細長いもの. 語例 전화~ 電話線 / 니크롬~ ニクロム線. ❹大体の方針〔方向〕. 文例 회의에서 정한 ~에 따라 실행한다 会議できまった線に従って実行する. ❺限度. 程度. 水準. 句例 ~을 넘다 線を越す. 文例 실업률은 3퍼센트 ~에서 억제하고 싶다 失業率は三パーセントの線におさえたい. ❻人から受ける印象. 句例 ~이 굵은 정치가 線の太い政治家. ❼境界. 境. 句例 ~을 넘다 (男女がついに)身を許し合うにいたる.

선(이) 닿다 コネがつく.

선을 대다 コネをつける.

선 〔漢字項目〕

【仙】中學 선 セン. ❶신선 神仙. ■仙人 선인 せんにん. 仙女 선녀 せんにょ. せんじょ. ■神仙 신선 しんせん. ❷속세를 초월한 사람 世俗を超越した人. 걸출한 예술가 傑出した芸術家. ■詩仙 시선 しせん. 畫仙 화선 がせん.

【先】中學 선 セン. ❶공간적으로 앞서다 先に立つ. ■先頭 선두 せんとう. 先導 선도 せんどう. ❷시간적으로 앞서다 時間的に先立つ. ㉠둘 중 빠른 쪽 二つのうち早い方. ■先任 선임 せんにん. 先約 선약 せんやく. ㉡하나 앞의 것 一つ前のもの. ■先王 선왕 せんおう. 先代 선대 せんだい. ❸최초 最初. 가장 먼저다 いちばん先だ. ■先唱 선창 せんしょう. ■優先 우선 ゆうせん. ❹그것보다 먼저 それより先に. 앞서다 先駆けする. ■先入 선입 せんにゅう. 先天 선천 せんてん.

【善】中學 선 ゼン. ❶착하다 善い. 좋은 점 良い点. 좋은 행실 良い行い. ■善惡 선악 ぜんあく. 善男善女 선남선녀 ぜんなんぜんにょ. ■積善 적선 せきぜん. ❷사이가 좋다 仲良い. ■善隣 선린 ぜんりん. ■親善 친선 しんぜん. ❸잘 하다 うまくやる. 훌륭하다 立派だ. ■善用 선용 ぜんよう. 善戰 선전 ぜんせん.

【宣】高校 선 セン. ❶펴다 ひろめる. 널리 알리다 広く知らせる. ■宣布 선포 せんぷ. 宣教 선교 せんきょう. ❷밝히다 明らかにする. ■宣言 선언 せんげん. 宣誓 선서 せんせい. ❸조칙 みことのり. ■宣旨 선지 せんじ. ■託宣 탁선 たくせん.

【旋】高校 선 セン. ❶돌리다 回す. ■旋盤 선반 せんばん. ■周旋 주선 しゅうせん. ❷돌다 回る. 회전하다 回転する. ■旋回 선회 せんかい. 旋風 선풍 せんぷう. ❸돌아오다 帰る. ■凱旋 개선 がいせん.

【禪(禅)】高校 선 ゼン. ❶임금이 신에게 제사지내다 天子が神を祭る. ■封禪 봉선 ほうぜん. ❷선위하다 天子が

ㅅ

位を譲る. ◧禪讓 선양 ぜんじょう. ❸불교에서, 마음을 조용히 하여 진리를 깨닫는 일 仏教で, 雑念をはらい心を統一し真理を悟ること. ◧禪僧 선승 ぜんそう. ◧參禪 참선 さんぜん. ❹좌선(坐禪)의 준말 座禅の略.

【線】中學 선 セン. ❶줄 すじ. ◧線路 선로 せんろ. ◧電線 전선 でんせん. ❷(수학에서의) 선 (数学での)線. ◧直線 직선 ちょくせん. 曲線 곡선 きょくせん. ❸상접하는 두 면의 경계선 相接する二つの面の境界線. ◧水平線 수평선 すいへいせん. 前線 전선 ぜんせん. ❹한 방향으로 나가는 것 一つの方向に進むもの. ◧光線 광선 こうせん. 視線 시선 しせん. ❺교통 기관의 경로 交通機関の経路. ◧路線 노선 ろせん. 複線 복선 ふくせん.

【船(船)】中學 선 セン. 배 ふね. ◧船室 선실 せんしつ. 船長 선장 せんちょう. ◧商船 상선 しょうせん. 連絡船 연락선 れんらくせん.

【選(選)】中學 선 セン. ❶가리다 選ぶ. 뽑아내다 より抜く. ◧選擧 선거 せんきょ. 選出 선출 せんしゅつ. ◧豫選 예선 よせん. 決選 결선 けっせん. ❷선택 選択. ◧入選 입선 にゅうせん.

【鮮】中學 선 セン. ❶선명하다 鮮やかだ. ◧鮮明 선명 せんめい. 鮮紅 선홍 せんこう. ❷새롭다 新しい. ◧鮮度 선도 せんど. ◧新鮮 신선 しんせん. ❸날것 生. 생선 生魚. ◧鮮魚 선어 せんぎょ. ❹적다 少ない. ◧鮮少 선소 せんしょう.

선각【先覺】〈名・하自他〉 先覚. 句例 시대의 ~자 時代の先覚者 / ~의 가르침 先覚の教え.

선객【船客】〈名〉船客. 語例 2등 ~ 二等船客.

선거【船渠】〈名〉船渠. ドック. ＝독(dock).

***선거**【選擧】[sŏ:n-gŏ]〈名・하他〉選挙. 句例 ~의 전망 選挙の見通し / ~에 이기다〔지다〕 選挙に勝つ〔負ける〕/ ~에 출마하다 選挙にでる / ~로 민의(民意)를 묻다 選挙で民意を問う / ~를 하다 選挙を行なう / ~를 참관하다 選挙に立ち会う. 語例 ~ 관리 위원회 選挙管理委員会. 選管委《略語》/ ~권 選挙権 / ~일 選挙日 / ~전 選挙戦.

선-걸음 [sŏn-gŏrŭm]〈名〉いま歩いて行くその歩み. 行き掛かり. 出〔行き〕かけたついで(に). 文例 ~에 누님집에 들러 왔다 出かけたついでに姉の家に寄って来た.

선견지-명【先見之明】〈名〉先見の明. 句例 ~이 있는 사람 先見の明がある人. 読みが深い人 / ~이 있다 先見の明がある.

선결【先決】〈名・하他〉先決. 句例 돈 마련이 ~ 문제이다 金の工面が先決問題だ. 語例 ~ 문제 先決問題.

선경【仙境】〈名〉仙境〔仙郷〕. ＝선계(仙界). 선향(仙鄕).

선고【先考】〈名〉先考. 亡父. ＝선친(先親). (對)선비(先妣).

선고【宣告】〈名〉宣告. **~하다**〈他〉宣告する. 言い渡す. 句例 무죄를 ~하다 無罪を宣告する / 유죄를 ~받다 有罪を宣告される / 사형 ~를 내리다 死刑の宣告を下す / 불치의 병(病)임을 ~받다 不治を宣告される. 語例 ~유예〔法〕宣告猶予.

선곡-집【選曲集】[sŏ:n-gokchip]〈名〉選曲集.

선공【先攻】〈名・하自〉(野球などの)先攻. 文例 경기는 A팀의 ~으로 시작하였다 試合はAチームの先攻で開始した. (對)선수(先守). 후공(後攻).

선광【選鑛】[sŏ:n-gwang]〈名・하自〉〔鑛〕選鉱. 語例 ~기 選鉱機.

선교【宣教】〈名・하自〉宣教. 布教. 語例 ~사 宣教師. 布教師.

선구【先驅】〈名〉'선구자'の略: 先駆. 先駆け.

선구-안【選球眼】[sŏ:n-guan]〈名〉〔野〕選球眼. 句例 ~이 있다 選球眼がある.

***선구-자**【先驅者】〈名〉先駆者. パイオニア. 句例 전자 공학의 ~ 電子工学の先駆者. 文例 ~적인 역할을 완수했다 先駆者的な役割を果たした.

선-글라스〈名〉サングラス. ＝색안경. 文例 ~를 쓰고 있다 サングラスをかけている. ◇sunglass

선금【先金】〈名〉前金(まえきん・ぜんきん). 句例 ~을 받고 일하다 前金をもらって働く / ~을 주고 사다 前金で買う.

선남-선녀【善男善女】[sŏ:nnamsŏ:nnyŏ]〈名〉善男善女.

선납【先納】〈名・하他〉前納. 予納. 語例 ~금 前納金. (對)후납(後納).

***선녀**【仙女】〈名〉仙女(せんにょ・せんじょ). 天女. ＝선아(仙娥).

선다-형【選多型】[sŏ:ndahyŏng]〈名〉〔教〕多肢選択法. 客観テストの一つ. マルチプルチョイス. 語例 ~ 시험 マルチョイ.

선단【先端】〈名〉先端. 先. 端. ＝끝. 表現 技術を意味する先端は'첨단(尖端)'ともいう.

선단【船團】〈名〉船団. 語例 수송 ~ 輸送船団 / 포경 ~ 捕鯨船団.

선달【先達】〈名〉〔史〕'과거(科擧)'の文武科に合格してまだ官職についていない人.

선대【先代】〈名〉先代. 前代.

선대【船隊】〈名〉船隊. 語例 수송 ~ 輸送船隊.

***선-대칭**【線對稱】〈名〉線対称.

선도【先導】〈名〉先導. **~하다**〈他〉先導する. リードする. 句例 ~적인 역할 先導的な役割. 語例 ~견 先導犬 / ~차 先導車.

선도【善導】[sŏ:ndo]〈名・하他〉善導. 語例 사상 ~ 思想善導.

선도【鮮度】〈名〉鮮度. 生き. 句例 ~가 높은 생선 鮮度の高い魚. 生きのいい魚 / ~가 좋다 生きがいい / ~가 떨어지다 鮮度が落ちる.

선-돌〈名〉〔史〕立て石. メンヒル ＝멘히르.

선동【煽動】〈名〉扇動. 後押し. **~하다**〈他〉扇動する. あおる. おだてる. つつく. そそのかす. 句例 ~적인 연설 扇動的な演説 / 민중을 ~하다 民衆をあおる / 쟁의를 뒤에서 ~하다 争議の後押しをする. 語例 ~자 扇動者. ア

ジテーター.

선두【先頭】〈名〉先頭. 句例 ～에 서다 先頭に立つ. 先頭を切る／국기를 ～로 입장하다 国旗を先頭に入場する／～를 다투다 先を争う／남의 ～에 서서 일하다 人に先立って働く. 語例 ～ 타자 先頭打者. 對후미(後尾).

선-둥이【先—】〈名〉双子のうちで先に生まれた子. 類후(後)둥이.

선드러-지다〈形〉(身ごなしなどが)軽快でさわやかだ. さっそうとしている. 物腰がやわらかで洗練されている.

선들-바람〈名〉そよ風. 涼風・すずかぜ.
表現 語感の小さい語は'산들바람'.

선뜩〈副・하形〉(急に寒くなったり恐怖のために)冷気を感じるさま：ひやっと. ひやりと. ぞっと. 文例 생각만 해도 ～하다 考えただけでもぞっとする.

선뜻〈副〉気軽に. 快く. 句例 ～ 응하다 快く応じる. 文例 무엇이나 ～ 떠맡는다 何でも気軽に引き受ける.

선뜻-이 [sŏnttŭshi]〈副〉さらりと. すっきりと.

선뜻-하다 [sŏnttŭt'ada] (→하다)〈形〉すっきり〔こざっぱり〕している.
表現 語感の小さい語は'산뜻하다'.

선량【選良】[sŏ:llyang]〈名〉選良. 国会議員. 代議士.

선량-하다【善良—】[sŏ:llyang—] (→하다)〈形〉善良だ. 句例 선량한 시민 善良な市民. 對불량(不良)하다.

선례【先例】[sŏllye]〈名〉先例. ため(例)し. ＝전례(前例). 句例 ～가 없다 先例がない／～를 만들다 先例をつくる〔ひらく〕／～에 따르다 先例に倣う／～에 어긋나다 先例に背く／～를 깨뜨리다 先例を破る.

선로【船路】[sŏllo]〈名〉船路・ふなじ. 航路. ＝뱃길.

*__선로__【線路】[sŏllo]〈名〉線路. 軌条. レール. ＝철길. 철로(鐵路). 句例 ～를 깔다 線路を敷く／～ 위를 달리다 線路の上を走る／～에 드러눕다 線路に横たわる. 語例 ～공(工) 線路工員. 線路工手／～ 공사 線路工事.

선망【羨望】[sŏ:nmang]〈名〉羨望. **～하다**〈他〉羨望する. うらや(羨)む. うらや(羨)ましがる. 句例 ～의 대상 羨望の的.

선-머슴 [sŏ:n—]〈名〉腕白. いたずらっ子. 悪たれ小僧.

선명【鮮明】〈名〉鮮明. **～하다**〈形〉鮮明だ. 鮮やかだ. さ(冴)えている. 句例 ～한 빛깔 さえた色／～한 색채 鮮やかな色彩／～한 기억 鮮明な記憶／～하게 비치다 鮮明にうつる. **～히**〈副〉鮮明に. 鮮やかに. くっきり(と). 文例 푸른 하늘에 ～히 보인다 青空にくっきりと浮かんで見える／잊었던 기억이 ～히 떠올랐다 忘れていた記憶がはっきりとしてきた.

선-무당【—巫—】[sŏ:n—]〈名〉へぼみこ(巫子).
선무당이 사람 죽인다〔잡는다〕 へぼみこが人を殺す. 生兵法の大けが.

__선물【膳物】[sŏ:nmul]〈名・하自〉贈り物. (お)土産. プレゼント. (感謝の)お礼. 句例 ～을 하다〔주다〕贈り物をする. プレゼントをする／～을 받다 贈り物をもらう〔受ける・頂く〕／시계를 ～하다 時計を贈り物にする／감사의 ～을 드리다 お礼をさし上げる／～을 들려 보내다 土産を持たして帰す. 文例 좋은 ～을 주셔서 대단히 감사합니다 けっこうなお土産をいただきどうもありがとうございます. 類선사.

선미【船尾】〈名〉船尾. とも(艫). ＝고물. 語例 ～등(燈) 船尾灯. 對선두(船頭). 이물.

선민【選民】[sŏ:nmin]〈名〉選民. 語例 ～의식 選民意識／～사상 選民思想.

선-바람〈名〉着の身着のまま(で).

선박【船舶】〈名〉船舶. 船. ＝배. 句例 ～의 출입을 감시하다 船舶の出入りを監視する. 語例 ～ 검사 船舶検査／～ 회사 船舶会社／～ 톤수 船舶トン数.

선반【一盤】〈名〉[もとの語形は'현반(懸盤)'] 棚. 句例 벽에 ～을 달다 壁に棚をつる／～에 얹다 棚に上げる. 語例 ～턱 (棚に上げたものが落ちないように)縁に取りつけた板.

선반【旋盤】〈名〉〔工〕旋盤. 語例 ～공 旋盤工.

선발【先發】〈名・하自〉先発. 先行き. 語例 ～대 先発隊／～ 투수 先発投手. 對후발(後發).

선발【選拔】[sŏ:nbal]〈名〉選抜. え(選)り抜き. よりぬき. **～하다**〈他〉選抜する. (えり)抜く. すぐ(選)る. 句例 ～된 정예 より抜きの精鋭／유학생 ～에서 빠지다 留学生の選抜に漏れる. 語例 ～ 시험 選抜試験／～팀 選抜チーム／미스월드 ～ 대회 ミスウォールド選抜大会.

선방【善防】[sŏ:nbang]〈名・하他〉よく防ぐ〔守る〕こと.

선배【先輩】〈名〉先輩. 先達. 句例 대학 ～ 大学の先輩／～를 능가하다 先輩をしのぐ／～를 모시다 先輩をたてる／～티를 내(며 으스대)다 先輩風を吹かす. 文例 ～에 힘입은 바가 많다 先輩に負うところが多い. 對후배.

선별【選別】[sŏ:nbyŏl]〈名〉選別. えり分け. **～하다**〈他〉選別する. えり分ける. 句例 종자의 ～ 種の選別／석탄을 ～하다 石炭を選別する. 語例 ～기 選別機.

선병【腺病】〈名〉〔醫〕腺病. 語例 ～질 腺病質.

선-보다 [sŏ:n—] ⇨'선'の小項目

선-보이다 [sŏ:n—] ⇨'선'の小項目

선복【船腹】〈名〉船腹. 文例 ～에 구멍이 났다 船腹に穴があいた.

선봉【先鋒】〈名〉先鋒. 先手. 先陣. 句例 ～이 되다 先鋒となる／～에 서서 先鋒に立って. 文例 반대파의 ～이다 反対派の先鋒である. 語例 ～군(軍) 先手に立つ部隊. 先陣／～ 대장 先頭に立つ大将.

*__선분__【線分】〈名〉〔數〕線分.

선-불 [sŏ:nbul]〈名〉的〔急所〕はずれの弾. それ弾. 語例 ～질 へたな射撃ぶり. 對된불.
선불(을) 걸다 ❶なまじ要らぬ手出しをする. ❷関係のないことに手を出して損をする.
선불(을) 놓다 '선불(을) 걸다'のこと.
선불(을) 맞다 それ弾に当たる.

선불 맞은 노루 모양 それ弾に当たったノロ鹿のよう《火のように怒って荒れ狂うようすのたとえ》. =선불 맞은 호랑이 뛰듯.

선불【先拂】〈名〉先払い. 前払い. 前勘定. 先き〔前〕渡し. **~하다**〈他〉前払〔先払〕いする. 先渡〔前渡〕しする. [句例] ~로 사다 前勘定で買う. [語例] 반액(半額) ~ 半金前払い. ㊉후불(後拂).

***선비**〈名〉士人. 士. ❶仕官していない学者. ❷学徳を兼ねた人の敬称. ❸学者. 学問を修める人. [句例] 글을 좋아하는 ~ 好学の士 / 세상 물정에 어두운 ~ 世事にうとい学者. 学者ばか.

[参考] '선비'は近世朝鮮時代に'양반(兩班)'の血を引いた人で, 学識が高く礼儀正しくて義理・原則を重んじ, しかも官職・財産をむさぼらない人格高潔な人を称した.

선사【先史】〈名〉先史. [語例] ~ 시대 先史時代 / ~ 인류학 先史人類学.

선사 [sŏ:nsa]〈名〉贈り物をすること. **~하다**〈他〉贈り物をする. 贈る. [句例] 금반지를 ~하다 金の指輪を贈る. ㊫선물.

선산【先山】〈名〉祖先の墓地. =선영(先塋). [語例] ~밑 祖先の墓地の下の方 / ~발치 祖先の墓地のふもと.

****선생**【先生】〈名〉先生. ❶教師の尊称. [句例] ~에게 배우다 先生に就いて習う〔学ぶ〕. [語例] 중학교 ~ 中学校の先生 / 수학 ~ 数学の先生. ❷師範. 師匠. [語例] 꽃꽂이 ~ 生け花の師匠. ❸学識の高い人・尊敬すべき人に対する敬称. ❹目下または対等の相手を呼びかけたり話題にしたりする時に用いる語: さん《名字の後につける》. [語例] 김 ~ 金さん.

****선생-님**【先生—】〈名〉'선생(先生)'の尊敬語: 先生. …さん. …さま. [語例] 의사 ~ 医者先生. お医者さん / 교장 ~ 校長先生.

[表現] 名字または肩書きの後につけて用いるが時には呼びかけの語として単独に使用される.

선서【宣誓】〈名〉宣誓. **~하다**〈他〉宣誓する. 誓う. [句例] 복종할 것을 ~하다 服従を宣誓する / ~를 깨다〔어기다〕 宣誓を破る / 취임 ~를 하다 就任の宣誓をする / ~를 하고 증언하다 宣誓をして証言する. [語例] ~ 증언 宣誓証言.

***선선-하다** (→하다)〈形〉❶(天気が)ほどよく涼しい. さわやかだ. [句例] 선선한 아침 さわやかな朝. [文例] 조석으로 꽤 선선해졌습니다 朝夕にだいぶ涼しくなってきました. ❷(性格・態度が)快活であっさりしている. **선선히**〈副〉快く. 一も二もなく. 気持ちよく. あっさりと. [句例] 선선히 응하다 快く応じる / 선선히 승낙하다 一も二もなく承知する / 청을 선선히 들어 주다 願いを快く聞き入れる / 남의 충고를 선선히 받아들이다 人の忠告を快く入れる.

선-손【先—】〈名〉⇨ 선수(先手)

선수【先手】〈名〉先手. ❶人に先立って手を打つこと. (相手より)先に攻撃して機先を制すること. [句例] ~를 치다 先手を打つ〔とる〕. 機先を制する / ~를 빼앗기다 先手を打たれる. 後手にまわる. ❷(囲碁・将棋の)先. 先番. [句例] ~를 두다 先〔先手〕で打つ / ~로 이기다 先手で勝つ. ㊉후수(後手).

선수(를) 걸다 先手を打つ. 先に手出しをする.

선수(를) 쓰다 先手を打つ. 先に手を打つ〔まわす〕.

선수【船首】〈名〉船首. へさき(舳). みよし. =이물. 뱃머리. [句例] ~를 북으로 돌리다 船首を北に転じる. ㊉선미(船尾). 고물.

***선수**【選手】[sŏ:nsu]〈名〉選手. [文例] 국가 대표 ~로 뽑혔다 国家代表選手に選ばれた. [語例] 만능 ~ 万能選手 / 올림픽 ~ オリンピック選手 / 현역 ~ 現役の選手 / 보결 ~ 補欠選手 / ~단 選手団 / ~촌 選手村.

선수-권【選手權】[sŏ:nsukkwon]〈名〉選手権. [句例] ~을 따다 選手権を獲得する / ~을 보유하다 選手権を保持する / ~을 지키다 選手権を防衛する / ~을 빼앗다 選手権を奪う / ~을 잃다 選手権を失う. [語例] ~ 보유자 選手権保持者 / 세계 ~ 世界選手権.

선술-집 [—tchip]〈名〉立ち飲み屋. 居酒屋. 縄のれん.

선승【先勝】〈名・하自〉先勝.

선심【線審】〈名〉'선심판(線審判)'の略.

선심【善心】[sŏ:nshim]〈名〉善心. ❶善良な心. ❷善を行なおうとする心. 人を助けようとする心. ❸金品などで人の歓心を買うこと. 気前を見せること. [句例] ~ 공세를 펴다 (選挙人などの)歓心を買うために金品をばらまく.

선심(이) 내키다 善を行なおうとする気になる.

선심(을) 쓰다 人に善を施す. 気前を見せる.

선-심판【線審判】〈名〉線審. ラインズマン. 略して'선심(線審)'ともいう.

선악【善惡】[sŏ:nak]〈名〉善悪. [句例] ~을 분별하다 善悪をわきまえる.

선약【先約】[sŏnyak]〈名・하他〉先約. 先口. [文例] 내일은 ~이 있어 못 갑니다 あすは先約があるので行けません / ~이 있어서 사절했다〔응할 수 없습니다〕 先約があるので断った〔応じ兼ねます〕.

선양【宣揚】[sŏnyang]〈名・하他〉宣揚. [句例] 국위를 ~하다 国威を宣揚する.

선어【鮮魚】[sŏnŏ]〈名〉鮮魚. =생선. [語例] ~ 수출 鮮魚輸出.

선어말 어미【先語末語尾】[sŏnŏmarŏ:mi]〈名〉〔言〕語尾の一つ. '어말 어미(語末語尾)'の前に付く活用語尾. 敬語や時制を表わす語. '옷을 입으시다, 옷을 입었다 着物をお召しになる, 着物を着た'の '-(으)시-, -었-などがある.

선언【宣言】[sŏnŏn]〈名・하自〉宣言. [句例] 개회를 ~하다 開会を宣する / 독립을 ~하다 独立を宣言する. [語例] ~문〔서〕 宣言文〔書〕.

***선열**【先烈】[sŏnyŏl]〈名〉先烈. 祖国または義のため殉じた烈士.

선영【先塋】[sŏnyŏng]〈名〉せんえい(先塋). 先祖の墓地. =선산(先山).

人

선왕【先王】[sŏnwang]〈名〉先王. 先代の王. ㊎선제(先帝).
선외【選外】[sŏ:noe]〈名〉選外. 句例 ～가 되다 選外となる. 語例 ～ 가작 選外佳作.
선용【善用】[sŏ:nyong]〈名・하他〉善用. 語例 여가 ～ 余暇の善用. ㊌악용(惡用).
선-웃음 [sŏ:nusŭm]〈名〉つくり笑い. お世辞笑い. 句例 ～(을) 치다 つくり笑いをする.
*__선원__【船員】[sŏnwon]〈名〉船員. 船乗り. 船方. 句例 ～이 되다 船員〔海員〕になる. 語例 ～ 수첩 船員手帳 / ～실 船員室. ㊎뱃사람.
선율【旋律】[sŏnyul]〈名〉〔樂〕旋律. メロディー. 節. ＝멜로디.
선의【善意】[sŏ:nŭi]〈名〉善意. ＝호의(好意). 句例 ～로 해석하다 善意に解釈する. ㊌악의(惡意).
선-이자【先利子】[sŏnnija]〈名〉天引きの利子. 天利. ＝선변(先邊). 句例 ～를 떼고 주다 利子を天引きして貸す.
선인【仙人】[sŏnin]〈名〉❶仙人. 神仙. ❷道士.
선인【先人】[sŏnin]〈名〉先人. ❶亡父. 先君. ＝선친(先親). ❷先代の人. 昔の人. 句例 ～의 발자취를 더듬다 先人の跡をたどる. ㊌후인(後人). 금인(今人).
선인【善人】[sŏ:nin]〈名〉善人. ㊌악인(惡人).
**__선인-장__【仙人掌】[sŏninjang]〈名〉〔植〕サボテン.
선-일 [sŏnnil]〈名〉立ち仕事. ㊌앉은일.
선임【先任】[sŏnim]〈名〉先任. 句例 ～순으로 서다 先任順に並ぶ. 語例 ～자 先任者 / ～하사관 先任下士官. ㊌신임(新任). 후임(後任). ㊎전임(前任).
선임【選任】[sŏ:nim]〈名・하他〉選任.
선입-감【先入感】[sŏnipkam]〈名〉⇨ 선입관
선입-견【先入見】[sŏnipkyŏn]〈名〉先入見. ＝선입관.
선입-관【先入觀】[sŏnipkwan]〈名〉先入観. 先入見. 句例 ～에 사로잡히다 先入観にとらわれる / ～을 떠나다〔버리다〕先入見を去る〔捨てる〕/ ～을 품다 先入観をいだく / ～을 가지고 사람을 대하다 成心をもって人に臨む. ㊎편견(偏見).
선자【選者】[sŏ:nja]〈名〉選者. えらび手.
선-잠 [sŏ:njam]〈名〉うたた寝. 仮寝.
선잠(을) 깨다 うたた寝から覚める.
선장【船長】〈名〉船長. 語例 ～실 船長室.
선재【船材】〈名〉船材.
선적【船積】〈名・하他〉船積み. 句例 ～하여 발송하다 船積みで発送する. 語例 ～(화)물 船積み荷物. 船荷 / ～ 안내장 船積み案内状 / ～항 船積み港.
*__선전__【宣傳】〈名〉宣伝. プロ(パガンダ). ピーアール. **～하다**〈他〉宣伝する. 触れ込む. 句例 요란한 ～ 鳴り物入りの宣伝 / ～에 넘어가다 宣伝に乗る / ～에 이용되다 宣伝に利用される / 재미있는 구경거리라고 ～하다 おもしろい見物であると触れ込む. 文例 ～이 잘 돼 있다 ピーアールが行き届いている. 大いに宣伝されている. 語例 ～ 방송 宣伝放送 / ～ 삐라 宣伝ビラ / ～ 영화 宣伝映画 / ～ 효과 宣伝効果 / ～문 宣伝文.
선전【宣戰】〈名・하自〉宣戦. 句例 ～ 포고 없는 전쟁 宣戦の布告なき戦争.
선전【善戰】[sŏ:njŏn]〈名・하自〉善戦. 文例 ～도 헛되이 패하였다 善戦もむなしく敗れた. ㊌악전(惡戰)・졸전(拙戰).
선점【先占】〈名・하他〉先占. 語例 ～권자 先占権者 / ～ 취득 先占取得.
선정【善政】[sŏ:njŏng]〈名〉善政. **～하다**〈自〉善政をしく. 句例 ～을 펴다〔베풀다〕善政を施す〔しく〕. ㊌악정(惡政).
선정【煽情】〈名〉扇情. 句例 ～적인 扇情的な. 語例 ～ 소설 扇情小説.
선정【選定】[sŏ:njŏng]〈名・하他〉選定. 句例 부지를 ～하다 敷地を選定する / 우량 업체로 ～되다 優良企業に選定される. 語例 ～ 도서 選定図書.
선제【先制】〈名・하自〉先制. 句例 ～점(點)을 올리다 先制点をあげる. 語例 ～ 공격 先制攻撃.
선조【先祖】〈名〉先祖. 祖先. 先人. ＝조상.
선종【腺腫】〈名〉〔醫〕腺腫.
선종【禪宗】〈名〉〔佛〕禅宗.
선주【船主】〈名〉船主・船主. 句例 어선의 ～ 網元.
선지〈名〉(獣を屠殺するときの)鮮血. 生き血《特に牛の凝血は食品とする》. 語例 선짓국 牛の凝り固まった血を材料にしたあつもの.
선지-자【先知者】〈名〉〔基〕予言者.
선지-피〈名〉❶⇨ 선지. ❷傷口からほとばしり出る鮮血.
선진【先進】〈名〉先進. 語例 ～국 先進国 / ～사회 先進社会. ㊌후진(後進).
선집【選集】[sŏ:njip]〈名〉選集.
선착【先着】〈名・하自〉先着. ❶先に到着すること. ❷'선착순'の略.
선착-순【先着順】〈名〉先着順. 句例 ～으로 줄을 서다 先着順に並ぶ.
*__선착-장__【船着場】〈名〉船着き場. ㊎나루.
선창【先唱】〈名・하他〉先唱. ❶(新説などを)先に唱えること. 唱道すること. ❷音頭を取ること. 文例 교장 선생님의 ～으로 만세를 불렀다 校長先生が音頭を取って万歳を唱えた.
선창【船窓】〈名〉船窓.
선창【船艙】〈名〉❶埠頭. 波止場. 船着き場. 桟橋. 句例 배를 ～에 갖다 대다 桟橋に船を横付け(に)する. ❷⇨ 배다리
선처【善處】[sŏ:nch'ŏ]〈名・하自〉善処. よろしく〔しかるべく〕とり計らうこと. 句例 회사측에 ～를 바라다 会社側に善処を願う. 文例 잘 ～해 드리죠 しかるべくとり計らいましょう.
선천【先天】〈名〉先天. 生まれつき身に備わっていること. 語例 ～ 면역〔醫〕先天免疫 / ～병 先天病. ㊌후천(後天).
선천-성【先天性】[―ssŏng]〈名〉先天性. 語例 ～ 질환 先天性疾患. ㊌후천성(後天性).
선천-적【先天的】〈名・冠〉先天的. アプリオリ. 句例 ～으로 先天的に / ～인 재능 先天的な

才能 / ~인 불구이다 先天的に不具である. [文例] 그가 거짓말을 하는 것은 ~이다 彼がうそをつくのは先天的だ. [對]후천적(後天的).

선체【船體】〈名〉船体.

선출【選出】[sŏ:nch'ul]〈名・하他〉選出. [句例] 의장을 ~하다 議長を選出する. [文例] 많은 후보자 중에서 ~되었다 多数の候補者の中から選ばれた.

선취【先取】〈名・하他〉先取. 先取り. [句例] 2점을 ~하다 2点を先取する. [語例] ~권 先取権 / ~점 先取点.

선친【先親】〈名〉亡父. 先父. 亡くなった父. ＝선고(先考). [對]선비(先妣).

선-키〈名〉立ったときの背丈. [對]앉은키.

선태【蘚苔】〈名〉〔植〕せんたい(蘚苔). こけ(苔). ＝이끼. [語例] ~류 せんたい類.

*__선택__【選擇】[sŏ:nt'aek]〈名〉選択. ❶選ぶこと. **~하다**〈他〉選択する. 選ぶ. よ(選)る. [句例] 배우자를 ~하다 配偶者を選択する / ~을 잘하다〔이 잘 되다〕選択よろしきを得る / ~을 그르치다 選択を誤る / ~에 맡기다 選択にまかせる / (어느 것으로 해야 할 지) ~을 망설이다 選択に迷う. [語例] ~권 選択権 / ~ 과목 選択科目. ❷〔生〕淘汰. [語例] 인위〔자연〕~ 人為〔自然〕選択.

선편【船便】〈名〉船便・せんびん. ＝배편. [句例] ~으로 부치다〔보내다〕船便で送る / ~이 닿는 대로 보내다 船便のあり次第送る / 다음 ~을 기다리다 次の船便を待つ. [文例] 그 섬으로 가는 ~이 있습니까 その島へは船便がありますか.

선포【宣布】〈名・하他〉宣布. [句例] 금령을 ~하다 禁令を宣布する.

선풍【旋風】〈名〉旋風. ❶つむじかぜ. ＝회오리바람. ❷センセーション. [句例] ~적인 인기 旋風的な人気 / ~을 일으키다 旋風〔センセーション〕をまき起こす. [文例] 학계에 일대 ~을 일으켰다 学界に一大旋風をまき起こした. [語例] 검거 ~ 検挙の旋風.

****선풍-기**【扇風機】〈名〉扇風機. ファン. [句例] ~를 틀다 扇風機をかける / ~를 끄다 扇風機を止める.

선-하다 [sŏn—] (→하다)〈形〉ありありと目に浮かぶ. 目の前にちらちらする. はっきりと思い出される. [文例] 어린 시절의 모습이 눈에 ~ 子供の頃の面影がまぶた(瞼)に浮かぶ / 고향 산천이 눈에 ~ ふるさと(故郷)の山河が目に浮かぶ / 죽은 아이의 모습이 아직도 눈앞에 ~ 死んだ子の姿がまだ目の前にちらついている. **선히**[sŏ:nhi]〈副〉ありありと. 目の前に見るように.

*__선-하다__【善—】[sŏ:n—] (→하다)〈形〉善良だ. よい. ＝착하다.

선하 증권【船荷證券】[—jŭngkkwon]〈名〉〔法〕船荷証券.

선-하품 [sŏn—]〈名〉生あくび. [句例] ~을 하다 生あくびをする / ~을 (억지로) 참다 生あくびをかみ殺す.

선행【先行】〈名〉先行. **~하다**〈自他〉先行する. 先立つ. 先んじる. [句例] ~하는 것 先立つもの / 시대에 ~하다 時代に先行する. [文例] A문제보다 B의 문제가 ~된다 Aの問題よりBの問題が先行する. [語例] ~사 先行詞 / ~ 조건 先行条件.

선행【善行】[sŏ:nhaeng]〈名〉善行. [句例] ~을 쌓다 善行を積む / ~을 표창하다 善行を表彰する. [語例] ~상 善行賞. [對]악행(惡行).

선향【線香】〈名〉線香. [句例] ~을 피우다 線香をたく. [類]말향(抹香).

선-헤엄〈名〉立ち泳ぎ.

선현【先賢】〈名〉先賢. [句例] ~에게 배우다 先賢にまなぶ. [類]선철(先哲).

선혈【鮮血】〈名〉鮮血. [句例] ~이 쏟아지다 鮮血がほとばしる.

선형【扇形】〈名〉⇨ 부채꼴

선호【選好】[sŏ:nho]〈名・하他〉選好. えり〔より〕好み. [語例] 남아 ~ 사상 男児を好む思想.

선홍-색【鮮紅色】〈名〉鮮紅色.

선화【船貨】〈名〉船荷.

선회【旋回】〈名・하自〉旋回. [文例] 비행기가 상공을 ~하다 飛行機が上空を旋回する.

선후【先後】〈名・하他〉先後. 後先. 前後. [文例] ~가 거꾸로 되어 있다 後先〔前後〕が転倒している / 일에는 ~가 있는 법이다 物事には順序があるものだ.

선-후배【先後輩】〈名〉先輩と後輩.

선후-책【善後策】[sŏ:nhu—]〈名〉善後策. ＝선후지책(善後之策). [句例] ~을 강구하다 善後策を講じる.

선후-평【選後評】[sŏ:nhu—]〈名〉選評.

섣달 [sŏ:ttal]〈名〉陰暦の十二月. 師走・しはす. ろうげつ(臘月). [語例] ~ 그믐 おおみそか. おおつごもり.

섣달이 둘이라도 시원치 않다 陰暦の十二月が二つあってもなお足りない. 時日をいくら延ばしても事の成功は望めそうもないことのたとえ.

섣-부르다 [sŏ:t—] (섣부르니, 섣불러서)〈形〉(腕が)未熟だ. まずい. おぼつかない. 軽率だ. [句例] 섣부른 지식 生はんかな知識. [文例] 섣부른 짓을 하지 마라 まずい事をやるな. 早まった〔うかつな〕ことをするな.

섣-불리 [sŏ:tpulli]〈副〉下手に. なまじっか. なまじいに. 生はんかに. うかつに. うっかり. [文例] ~ 승낙을 하고 말았다 うかつにも承諾を与えてしまった / ~ 손을 대어서는 안 된다 へたに手出しをしてはいけない / ~ 하지 말았어야 할 것을 なまじっかしなければよかった.

****설** [sŏ:l]〈名〉❶'설날'の略: お正月. 元旦. 元日. [語例] ~ 휴가 正月休み. ❷年の始め. 年始. 年頭.

설(을) 쇠다 新年を迎える. 正月〔元日〕を過ごす.

설 〔漢字項目〕

【舌】高校 설 ゼツ. ❶혀 した. ▮舌端 설단 ぜったん. 舌下腺 설하선 ぜっかせん. ❷말 ことば. はなし. ▮舌禍 설화 ぜっか. 舌戰 설전 ぜっせん. ▮筆舌 필설 ひつぜつ. 辯舌 변설 べんぜつ.

【設】中學 설 セツ. ❶베풀다 もうける. ▮設立 설립 せつりつ. 設計 설계 せっけい.

◧既設 기설 きせつ. 新設 신설 しんせつ. ❷갖추어 두다 そなえつける. ◧設備 설비 せつび.

【說(説)】 中學 설 セツ. 세 ゼイ. ㊀〔설〕❶말 はなし. 의견 意見. ◧說話 설화 せつわ. ◧異說 이설 いせつ. ❷말하다 とく. 밝혀 말하다 ときあかす. ◧說明 설명 せつめい. 說教 설교 せっきょう. ◧解說 해설 かいせつ. 力說 역설 りきせつ. ❸한문의 한 체 漢文の一体. ◧師說 사설 しせつ.
㊁〔세〕달래다 なだめる. 달래어 자기 의견에 따르게 하다 説いて自分の意見にしたがわせる. ◧遊說 유세 ゆうぜい.

【雪(雪)】 中學 설 セツ. ❶눈 雪. 눈이 내리다 雪が降る. ◧雪原 설원 せつげん. 雪景 설경 せっけい. ❷눈처럼 희다 雪のように白い. ◧雪白 설백 せっぱく. 雪眉 설미 せつび. ❸씻다 洗い清める. ◧雪辱 설욕 せつじょく. 雪冤 설원 せつえん.

⁑**설거지** 〈名・하自〉(食後の)後片付け. 皿洗い. 句例 부엌에서 ~를 하다 台所で皿洗いをする / ~를 시키다 (食後の)後片付けをさせる. 皿洗いをさせる. 語例 ~대〔싱크대〕流し(台).

설경【雪景】〈名〉雪景. 雪景色.

설계【設計】〈名・하他〉設計. デザイン. 句例 다리의 ~를 하다 橋の設計をする. 語例 ~ 변경 設計変更 / 건축 ~ 建築設計 / 생활 ~ 生活の設計.

ㅅ

*__설계-도__【設計圖】〈名〉設計図. 句例 ~를 그리다 設計図を描く.

설교【說教】〈名・하自〉説教. 説法. 談義. 句例 목사의 ~ 牧師の説教 / ~를 듣다 説教を聞く. 説教を聞かされる.

설-구이 〈名・하他〉素焼き.

⁑**설-날** [sŏ:llal]〈名〉元旦. 元日. さいたん(歳旦). 略して'설'ともいう.

설다 [sŏ:lda] (서니, 설어서) ㊀〈自〉❶じゅうぶん煮えて〔熟して〕いない. 生煮えである. 句例 밥이 ~ 飯が半生だ〔じゅうぶん煮えていない〕. ❷(眠りなどが)足りない. 句例 잠이 ~ 眠りが浅い / 선 잠에서 깨다 うたた寝から覚める.
㊁〈形〉下手だ. 不慣れだ. 未熟だ. 句例 귀(에) ~ 聞き慣れていない / 낯(이) 선 얼굴 見慣れない〔見知らぬ〕顔. 語例 ⇨ 선무당.

설득【說得】[sŏlttŭk]〈名〉説得. **~하다**〈他〉説得する. 説き伏せる. 言い聞かす. 句例 ~하여 결심을 번복시키다 説き伏せて決心を翻させる / ~하여 그만두게 하다 説得してやめさせる / 단념하도록 ~하다 あきらめるように言い聞かせる / 반대파 사람을 ~하다 反対派の人を説得する. 語例 ~력 説得力.

설-듣다 (설들으니, 설들어서)〈他〉聞きかじる. 生聞きする.

설렁 〈名〉[もとの語形は'현령(懸鈴)'] 軒先につっておいて人を呼びよせる時引き鳴らす鈴. 語例 ~줄 '설렁'を引き鳴らす綱.

설렁-거리다 〈自〉(季節の変わり目などに)やや冷え冷えした風が吹く. 冷え気味の風が吹きそよぐ.

설렁-탕【一湯】〈名〉牛の頭・足・ひじ肉や内臓を入れて煮たあつもの《御飯にその汁をかけて食べる》.

설렁-하다 (→하다)〈形〉❶(季節・天気などが)冷え冷えした感じがする. ❷(急に驚いて)ひやりとする. ぞっとする.
表現 語勢の強い語は'썰렁하다'.

*__설레다__ 〈自〉ときめく. そわつく. ❶(落ち着かず)胸が騒ぐ. 高鳴る. 句例 가슴〔마음〕이 ~ 胸騒ぎする. 胸が高鳴る. 心がときめく / 설레는 마음을 가라앉히다 はやる心を押し静める. ❷ちっともじっとしていられずしきりに動く. そわそわして落ち着かない. 文例 설레지 말고 앉아 있어라 そわそわしないで座っていなさい.

*__설레-설레__ 〈副〉かぶり(頭)を軽く振るさま. 句例 고개를 ~ 흔들다 かぶりを振る.

설령【設令】〈副〉'それはそうだとしても'の意を表わす接続副詞: たとえ. かりに. よしんば. 句例 ~ 내가 잘못했다손 치더라도 たとえわたしが誤ったとしても / ~ 그가 사과를 한다 하더라도 よしんば彼が謝るとしても.

설립【設立】〈名・하他〉設立. 句例 회사를 ~하다 会社を設立する. 語例 ~ 취지서 設立の趣意書.

설마 〈副〉まさか. よもや. 文例 ~ 거짓말은 아닐 테지 よもやうそではあるまい / ~ 그런 일은 없을 게다 まさかそんなことはあるまい / ~ 그 일을 말하지는 않았을 테지 まさか, あのことをしゃべったんじゃないだろうね / ~ 그에게 지리라고는 생각지 못했다 よもや彼に敗れようとは思わなかった.

설마가 사람 죽인다 まさかと思うことが人を殺す. いかなる場合にも油断は禁物であることのたとえ.

설-마르다 (설마르니, 설말라서)〈自〉乾ききらない. 生乾きである.

설-맞이 [sŏ:lmaji]〈名・하自〉正月を迎えること. 句例 10년만에 고향에서 ~하다 十年ぶりに故郷で正月を迎える.

⁑**설명**【說明】〈名〉説明. **~하다**〈他〉説明する. 説く. 説き明かす. 句例 말의 뜻을 ~하다 ことばの意味を説く / 자세히 ~하다 くわしく説明する / 내용을 ~하다 内容を説き明かす / ~을 요하지 않다 説明を要しない / 누누이 ~하다 重ね重ね説明する. 文例 어떻게 ~해야 좋을지 모르겠다 どう説明してよいか分からない. 語例 ~문 説明文 / ~서 説明書 / ~어 説明語.

설문【設問】〈名・하他〉設問. 句例 ~에 답하다 設問に答える.

설미지근-하다 (→하다)〈形〉❶(食べ物が)生煮えだ. ❷(態度などが)生ぬるい. 煮え切らない. 手ぬるい. 句例 설미지근한 조치 手ぬるい処置 / 설미지근한 태도를 취하다 生ぬるい〔煮え切らない〕態度をとる. 類미지근하다.

설법【說法】〈名〉説法. 法話. 談義. **~하다**〈自〉説法する. 談義する.

설-보다 〈他〉いいかげんに見る. 気をつけて見ない. 見間違える. 見損なう.

설복【説伏・説服】〈名〉説伏. 説得. **～하다**〈他〉説伏〔説得〕する. 説き伏せる. 言い伏せる. 言い負かす.

설비【設備】〈名〉設備. ❶備え付け. **～하다**〈他〉設備する. 取り付ける. 句例 기계를 ～하다 機械を取り付ける / ～를 갖추다 設備をととのえる. 語例 ～ 자금 設備資金 / ～ 투자 設備投資. ❷建築物の付帯物. 句例 ～가 좋은 학교 設備のよい学校.

설-빔 [sŏ:lbim]〈名・하自〉お正月の晴れ着. 正月の晴れ装束. 句例 ～을 입은 소녀 晴れ着を着た少女. 語例 ～ 차림 初姿.

설사【泄瀉】[sŏlssa]〈名〉下痢. 腹下り. **～하다〈自〉下痢(を)する. 腹がくだる. 句例 심한 ～ はげしい下痢 / ～가 나다 腹下りがする / 계속해서 ～하다 続けざまに下痢する / ～를 멈추게 하다 下痢を止める. 文例 냉수를 너무 마셔서 ～를 했다 生水を飲み過ぎて下痢をした. 語例 ～약 下痢止め. 下し薬. 下剤.

설사【設使】[sŏlssa]〈副〉たとえ. かり(仮)に. よしんば. よしや. =설령(設令). 句例 ～ 어떤 일이 있더라도 たとえどんな事があっても / ～ 그렇다 치더라도 たとえそうであろうとも / ～ 실패한다 하더라도 よしんば失敗したとて. 文例 ～ 반대하더라도 그대로 밀고 나가겠다 たとえ〔たとい〕反対されてもおしとおすさ / ～ 자네의 말이 사실이라 하더라도 변명은 되지 않네 かりに君の言う事が事実としても弁解にはならない.

설-삶다 [sŏlsamtta]〈他〉生煮えにする. 参考 '설삶은 生煮えにした' '설삶아 生煮えにして'は[sŏlsalmŭn], [sŏlsalma]と読む.

설상-가상【雪上加霜】[sŏlssang—]〈名〉'かてて加えて'の意: 弱り目にたたり目. 泣き面にはち(蜂).

설상-차【雪上車】[sŏlssangch'a]〈名〉雪上車.

*__설설__〈副〉❶水が沸くさま: ことこと. しゅんしゅん(と). ❷オンドルがまんべんなく暖かいさま: ぬくぬく. ほかほか. 文例 군불을 때었더니 방바닥이 ～ 끓는다 火をたいたらオンドルがほかほかと暖まってきた. ❸頭をゆっくりと横に振るさま. ❹おびえておどおどするさま: たじたじ(と). こわごわ(と). おそるおそる. ❺(昆虫などが)長い脚でゆっくりは(這)うさま.
表現 語感の小さい語は '살살'. 語勢の強い語は ≣ '썰썰'.

설설-기다〈自〉(人前で)頭が上がらない. は(這)いつくばう. おずおずする.

설-쇠다 [sŏ:l—] ⇨'설'の小項目

설왕-설래【説往説來】[sŏrwang—]〈名・하自〉言葉のやり取り. 言い争い.

설욕【雪辱】[sŏryok]〈名・하自〉雪辱. =설치(雪恥). 句例 ～을 하다 雪辱をはたす. 文例 A교에 ～하였다 A校に雪辱した. 語例 ～전 雪辱戦.

설움 [sŏ:rum]〈名〉悲しさ. 悲しみ. 句例 복받치는 ～ こみ上げる悲しみ.

설워-하다 [sŏrwo—] (→하다)〈自〉'서러워하다'の略: 悲しむ. 悲しがる.

설-음식【一飲食】[sŏ:rŭmshik]〈名〉(正月の)お節料理.

설-익다 [sŏllikta]〈自〉生煮えに〔半煮えに〕なる. 句例 설익은 감자 生煮え〔半煮え〕のいも.

설-자리 [sŏltchari]〈名〉❶立つ瀬. 立場. 句例 …의 ～가 없다 …の立場がない. 文例 그러면 나의 ～가 없지 않은가 それじゃ私の立つ瀬がないじゃないか. ❷(矢場で)弓を射るときに立つ場所.

설전【舌戰】[sŏltchŏn]〈名〉舌戦. 口論. 言い争い. =말다툼. **～하다**〈自〉舌戦する. 口論する. 言い争う. 句例 ～을 벌이다 舌戦を交える / 격심한 ～을 벌이다 舌戦の火花をちらす.

설정【設定】[sŏltchŏng]〈名・하他〉設定. 句例 목표를 ～하다 目標を設定する / 문제를 ～하다 問題を設定する.

설주【一柱】[sŏltchu]〈名〉〔建〕'문설주'の略.

설-취하다【一醉一】(→하다)〈自〉生酔いになる. 句例 설취한 사람 生酔いの人.

설치【設置】〈名〉設置. 据え付け. 取り付け. **～하다**〈他〉設置する. 設ける. 備え〔据え〕付ける. 句例 심의회를 ～하다 審議会を設置する / 도서관을 ～하다 図書館を設ける. 語例 대학 ～ 기준 大学設置基準.

설-치다¹〈自〉暴れる. はびこる. のさばる. 横行する. 句例 해적이 설치는 바다 海賊が横行する海 / 깡패가 ～ 不良がのさばる〔横行する〕 / 악(惡)이 ～ 悪がはびこる / 제 세상인양 ～ 世にのさばる / 술에 취해 설치고 다니다 酒に酔って暴れまわる.

설-치다²〈他〉じゅうぶん …しない. …し足りない. …しそびれる〔はぐれる・そこねる〕. 句例 잠을 ～ 寝そびれる. 文例 아침밥을 설쳤더니 기운이 없다 朝飯を食いはぐれたので元気がない.

설컹-거리다〈自〉半煮えのくり(栗)・いもなどをかむ時の音〔感じ〕がする. ごりごり〔がりがり〕する.
설컹설컹〈副・하自〉がりがり.

**설탕【雪糖】〈名〉[もとの語形は'설당(雪糖)'] 砂糖. ❶粉砂糖. ❷白砂糖. 句例 차숟가락 두 개분의 ～ 茶さじ二杯分の砂糖 / ～으로 달게 한 砂糖で甘くした / ～을 넣다 砂糖を入れる / ～을 입히다 砂糖をかぶせる. 文例 ～을 두 숟가락 더 넣어 주시오 砂糖をもう二さじ入れてください.

설파【説破】〈名〉❶(真理・事物の内容を)説き明かすこと. **～하다**〈他〉説き明かす. ❷説破. 論破. **～하다**〈他〉説破する. 言い負かす.

설피다〈形〉(織り目が)粗い. 細かでない. 句例 설핀 천〔옷감〕目の粗い生地〔布地〕.

설핏-하다 [sŏlp'it'ada] (→하다)〈形〉(織り目が)心持ち粗い.

설-하다【説一】(→하다)〈他〉説く. 説明する.

설해【雪害】〈名〉雪害.

설형 문자【楔形文字】[—muntcha]〈名〉楔形文字. けつじょうもじ(楔状文字). くさびがたもじ(楔形文字).

ㅅ

설혹【設或】〈副〉⇨ 설령(設令)

***설화**【説話】〈名〉説話. 物語. 語例 ~ 문학 説話文学.

섬[1] ■〈名〉俵・ひょう・ぴょう. 語例 쌀~ 米俵 / 너 말들이 ~ 四斗俵 / 쌀 한 ~ 米一俵. ■〈依名〉(穀量の)石《一斗の十倍》. =석(石).

‡섬[2] [sŏ:m]〈名〉島. 語例 ~나라 島国 / 외딴 ~ 離れ島. 孤島 / ~사람 島人.

섬광【閃光】〈名〉閃光. 句例 ~이 번쩍이다 閃光がはしる / ~을 발하다 閃光を放つ / 어둠을 뚫고 번쩍이는 ~ やみ(闇)をつらぬいてひらめく閃光. 語例 ~등 閃光灯 / ~ 신호 閃光信号.

***섬기다**〈他〉仕える. 句例 신을 ~ 神に仕える / 남편을 잘 ~ 夫によく仕える. 文例 충신은 두 임금을 섬기지 않는다 忠臣は二君にまみ(見)えず. ㊫모시다.

섬-돌 [sŏmttol]〈名〉踏み石. くつぬぎ石.

섬뜩-하다 [sŏmttŭk'ada](→하다)〈形〉ひやっと〔ひやりと・ぎょっと〕する. ぞっとする. 句例 생각만 해도 ~ 考えただけでもぞっとする. 文例 밤길에 갑자기 부르는 바람에 섬뜩했다 夜道で不意に呼びかけられてぎょっとした.

섬멸【殲滅】〈名・하他〉殲滅. 句例 적군을 ~하다 敵軍を殲滅する. 語例 ~전 殲滅戦. ㊫소탕(掃蕩).

섬세-하다【纖細―】(→하다)〈形〉纖細だ. デリケートだ. 句例 섬세한 감정〔신경〕 纖細な感情〔神経〕/ 섬세한 손가락 デリケートな指 / 섬세한 공예품 纖細な工芸品. **섬세히**〈副〉纖細に.

섬약-하다【纖弱―】[sŏmyak'ada](→하다)〈形〉纖弱だ. か弱い. 句例 섬약한 여성 纖弱な女性 / 섬약한 체질 か〔ひ〕弱い体質.

***섬유**【纖維】[sŏmyu]〈名〉纖維. ファイバー. 語例 ~ 공업 纖維工業 / ~소 纖維素. セルロース / ~질 纖維質 / 인조 ~ 人造纖維 / 합성 ~ 合成纖維.

섭 〔漢字項目〕

【渉(涉)】高校 섭 ショウ. ❶도보로 물을 건너다 歩いて水をわたる. ▌渉水 섭수 しょうすい. ▌徒渉 도섭 としょう. 跋渉 발섭 ばっしょう. ❷돌아다니다 めぐり歩く. ▌渉猟 섭렵 しょうりょう. ❸관계하다 かかわる. ▌渉外 섭외 しょうがい. ▌交渉 교섭 こうしょう. 干渉 간섭 かんしょう.

섭리【攝理】[sŏmni]〈名〉摂理. 句例 자연의 ~ 自然の摂理. 文例 누구도 신의 ~에 거역할 수는 없다 何びとも神の摂理に逆らうことはできない.

섭생【攝生】〈名・하自〉摂生. 養生. 句例 병후의 ~ 病後の養生 / ~에 힘쓰다 摂生に努める / ~에 주의하다 摂生を心掛ける. 文例 ~하면 장수한다 養生すれば長生きする.

***섭섭-하다** [sŏpsŏp'ada](→하다)〈形〉名残惜しい. 寂しい. 残念だ. 恨めしい. 残り多い〔惜しい〕. 文例 섭섭하지만 이것으로 작별하겠습니다 名残惜しいことですがこれでお別れいたします / 이대로 헤어지는 건 정말이지 ~ このまま, 別れてしまうのはいかにも残り惜しい / 뵐 수가 없어서 섭섭했습니다 お目にかかれないで残念でした / 자네가 가면 다들 섭섭해할 걸세 君がいなくなったらみんなさびしがるだろう. **섭섭히** [sŏpsŏp'i]〈副〉名残惜しく. 残念に. 惜しく. 恨めしく. 句例 ~ 여기다 残念に思う. 名残惜しがる.

섭씨【攝氏】〈名〉摂氏. セ氏. 語例 ~ 이십도 セ氏二十度 / ~ 온도계 摂氏〔セ氏〕温度計〔寒暖計〕.

섭외【涉外】[sŏboe]〈名〉渉外. 語例 ~ 담당 渉外係 / ~부 渉外部 / ~ 활동 渉外活動.

섭정【攝政】〈名・하自他〉摂政. 句例 ~에 임명되다 摂政に任じられる.

섭취【攝取】〈名〉摂取. **~하다**〈他〉摂取する. 取る. 取り入れる. 句例 외국 문화를 ~하다 外国文化を摂取する. 語例 영양 ~ 栄養の摂取 / 칼로리 ~량 カロリーの摂取量.

섰다 ■〈名〉分け持った二枚の花札で勝敗を決める賭博の一種. ■['서 있다'の略] 立っている.

성 [sŏ:ng]〈名〉怒り. 憤り. かんしゃく(癇癪). 立腹. 句例 ~을 가라앉히다 怒りをしずめる / ~이 풀리다 怒りが解ける.

성(이) 나다 ❶腹が立つ. 怒る. 文例 성이 나서 얼굴이 시뻘게졌다 かんかんおこって顔が真っ赤になった / 대단히 성이 나 있다 大変おこっている. 大変なお冠だ. ❷興奮して荒荒しくなる. ❸か(掻)いたりいじくったりしてはれ物がこじれる.

성나 바위 차기 腹立ちまぎれに岩をけ(蹴)る. 愚かな腹いせをしたところで自分だけ損をすることのたとえ.

성(을) 내다 怒・いる. 腹を立てる. かんしゃくを起こす. 憤る. 句例 몹시 ~ かんかんに怒る / 불같이 ~ 火のように怒る / 사소한 일로 ~ ささいなことで腹を立てる.

성이 머리끝까지 나다 怒り心頭に発する. かんかんになって怒る.

성【姓】[sŏ:ng]〈名〉姓. 名字. 句例 딴 ~으로 행세하다 姓を冒す.

성을 갈겠다 さもなければ姓を変えよう《神かけて断言したり誓ったりする時に言う語》. 参考 韓国では女性が結婚しても姓は変わらない.

성【性】[sŏ:ng]〈名〉性. ❶性質. 本質. ❷男女・雌雄の別. 語例 ~전환 수술 性転換手術. ❸〔言〕西洋文法における名詞・代名詞などの性質の一つ. 男性・中性・女性に分ける. ❹'성욕(性慾)'の略. セックス. 句例 ~에 눈뜨다 性にめざめる.

성에 차다 十分に満足する. 飽き足りる. 句例 성에 차지 않다 飽き足りない.

***성**【城】〈名〉城. 城郭. 城塞. 句例 ~을 쌓다 城を築く. 語例 ~ 안 城内 / 견고한 ~ 堅固な城 / 옛 ~터 古い城の跡.

-성【性】〈尾〉…性. 語例 사회~ 社会性 / 인간~ 人間性 / 적극~ 積極性.

성 〔漢字項目〕

【城(城)】中學 성 ジョウ. 성 しろ. 성채 とりで. ▌城郭 성곽 じょうか

く. 城門 성문 じょうもん. ◨山城 산성 やまじろ. 牙城 아성 がじょう.

【姓】 中學 성 セイ. ショウ. ❶성 名字. ◨姓名 성명 せいめい. ◨同姓 동성 どうせい. ❷씨족 氏族. ◨姓族 성족 せいぞく.

【性】 中學 성 セイ. ショウ. ❶성품 さが. ◨性格 성격 せいかく. 性向 성향 せいこう. ◨天性 천성 てんせい. ❷(사물의) 성질 (事物の)性質. ◨惡性 악성 あくせい. 酸性 산성 さんせい. ❸자웅의 구별 雌雄の区別. ◨性別 성별 せいべつ. ◨男性 남성 だんせい. 女性 여성 じょせい.

【成(成)】 中學 성 セイ. ジョウ. ❶성취하다 なしとげる. ◨成就 성취 じょうじゅ. ◨達成 달성 たっせい. ❷되다 なる. 생기다 できる. ◨成否 성부 せいひ. ◨生成 생성 せいせい. ❸이루다 なす. ◨成功 성공 せいこう. ◨速成 속성 そくせい.

【星】 中學 성 セイ. ショウ. ❶별 ほし. ◨星辰 성진 せいしん. ◨恒星 항성 こうせい. ❷세월 としつき. ◨星霜 성상 せいそう. ❸중요한 인물 重要な人物. ◨將星 장성 しょうせい. 巨星 거성 きょせい.

【盛(盛)】 中學 성 セイ. ジョウ. 성하다 盛んだ. 번성하다 さかえる. ◨盛世 성세 せいせい. 盛衰 성쇠 せいすい. ◨全盛 전성 ぜんせい. 隆盛 융성 りゅうせい.

【省】 中學 성 セイ. ショウ. 생 ショウ. ■〔성〕 ❶살피다 かえりみる. ◨省察 성찰 せいさつ. ◨反省 반성 はんせい. 三省 삼성 さんせい. ❷관아의 이름 役所のなまえ. ◨外務省 외무성 がいむしょう. 中書省 중서성 ちゅうしょしょう. ❸중국의 지방 행정상의 구획 中国の地方行政上の区画. ◨山東省 산동성 さんとうしょう.
■〔생〕 덜다 省く. ◨省略 생략 しょうりゃく.

【聖(聖)】 中學 성 セイ. ショウ. ❶성스럽다 聖なり. ◨聖書 성서 せいしょ. 聖地 성지 せいち. ◨神聖 신성 しんせい. ❷지덕이 뛰어나고 도리에 통한 사람 知徳にすぐれ道理をきわめた人. ◨聖人 성인 せいじん. 聖賢 성현 せいけん. ❸어떤 방면에 더없이 뛰어난 사람 その道をきわめた人. ◨詩聖 시성 しせい. 樂聖 악성 がくせい. ❹천자 天子. ◨聖上 성상 せいじょう. 聖德 성덕 せいとく.

【聲(声)】 中學 성 セイ. ❶소리 声. 음향 音響. ◨聲量 성량 せいりょう. 聲樂 성악 せいがく. ◨音聲 음성 おんせい. 奇聲 기성 きせい. ❷소리내다 声に表わす. ◨聲明 성명 せいめい. 聲淚 성루 せいるい. ❸가락 曲. 음계 音階. ◨聲曲 성곡 せいきょく. ◨四聲 사성 しせい. ❹소문 うわさ. ◨聲望 성망 せいぼう. ◨名聲 명성 めいせい.

【誠(誠)】 中學 성 セイ. 정성 せい. 진심 まごころ. 성실하다 誠実だ. ◧誠意 성의 せいい. 誠心 성심 せいしん. ◨至誠 지성 しせい. 丹誠 단성 たんせい.

성가 【聖歌】 [sŏ:ngga] 〈名〉 聖歌. =찬송가. 語例 ~대 聖歌隊 / ~집 聖歌集 / 그레고리오 ~ グレゴリオ聖歌.

성가 【聲價】 [sŏngkka] 〈名〉 声価. 句例 ~를 높이다 声価を高める / ~가 높아지다〔오르다〕 声価が高まる / ~를 떨어뜨리다 声価を失墜する. 類명성(名聲). 평가(評價).

성가시다 〈形〉 面倒だ. 厄介だ. 煩わしい. 面倒臭い. うるさい. おっくう(億劫)だ. 迷惑だ. やかましい. 句例 성가신 문제 めんどうな問題 / 성가신 일 やっかいな仕事 / 성가신 듯이 うるさそうに / 성가시게 여기다 めんどうがる / 성가시게 질문〔요구〕하다 うるさく質問〔要求〕する / 성가시게 조르다 うるさくねだる / 성가시게 되다 面倒になる. 文例 성가신 녀석이다 うるさいやつ(奴)だ / 일이 성가시게 되었다 やっかいな事になった / 우산 같은 것을 들고 다니는 건 ~ かさなどを持って歩くのはやっかいだ. 類귀찮다.

성-가퀴 【城—】 〈名〉 (城の)胸壁. やざま(矢狭間). =여장(女墻).

성-게 [sŏ:ngge] 〈名〉〔動〕 うに(海胆).

*__성격__ 【性格】 [sŏ:ngkkyŏk] 〈名〉 性格. 性. たち(質). 句例 ~상의 결점 性格上の欠点 / ~이 다른 단체 性格の異なる団体 / 미지근한 ~ 生温い性格 / 밝은 ~ 明るい性格 / 비뚤어진 ~ ひねくれた性格 / 야무지지 못한 ~ ふにゃふにゃした性格 / 조용한 ~ もの静かな性格 / ~에 맞다 性に合う / ~이 맞다〔맞지 않다〕 性格が合う〔合わない〕. 文例 사치는 그의 ~에 맞지 않는다 ぜいたくは彼の性に合わない / ~이므로 어쩔 수가 없다 性格だからどうもしかたがない / 그것과 이것과는 문제의 ~이 다르다 それとこれとは問題の性格がちがう. 語例 ~ 묘사 性格描写 / ~ 배우 性格俳優. 類성품(性品).

성-결 【性—】 [sŏ:ngkkyŏl] 〈名〉 気立て. 句例 ~이 곱다 気立てがやさしい.

성경 【聖經】 [sŏ:nggyŏng] 〈名〉 ❶聖書. バイブル. ❷〔佛〕 '불경 仏経'の異称.

*__성공__ 【成功】 〈名・하自〉 成功. 当たり. 句例 ~을 거두다 成功をおさめる / ~을 기하다 成功を期する / ~을 기대하다 成功を期待する / ~을 보증〔보장〕하다 成功を保証する / ~을 빌다 成功を祈る / ~을 축하하다 成功を祝う / ~을 걱정하다 成功を危ぶむ / ~을 서두르다 成功をあせる / 영화가 크게 ~하다 映画が大当たりを取る / ~한 축에 들다 成功の部類に入る / 실패는 ~의 어머니 失敗は成功のもと. 文例 ~은 기대하기 어렵다 成功は期待しにくい / ~할 가망이 없다 成功の見込みがない / ~할 가능성이 충분하다 成功の見込みがじゅうぶんある / 약간의 ~으로 우쭐해 있다 少少の成功で得意になっている / 기대하지 않았던 ~이었다 望外の成功であった / 그의 ~은 틀림없습니다 彼の成功は請け合いです. 語例 ~적 成功的. 對실패(失敗).

*__성과__ 【成果】 [sŏngkkwa] 〈名〉 成果. 実り. 句例 ~가 오르다 成果が上がる / ~를 올리다 成果を上げる / ~가 많은 연구 분야 実りの多い研究分野. 文例 기대했던 대로의 ~를 얻었다 期待したとおりの成果をえた. 語例 ~급(給) 出来高払い(の賃金).

성곽 【城郭】 〈名〉 城郭. 語例 ~ 도시 城郭都市.

성-교육 【性敎育】 [sŏ:nggyoyuk] 〈名〉 性教育

せいきょういく. 句例 ～을 하다 性教育をほどこす.

성구【成句】〈名〉成句. プレーズ. 慣用句. 語例 고사 ～ 故事成句.

성금【誠金】〈名〉進んで出す献金. 寄付金.

성급-하다【性急―】[sŏ:nggŭp'ada] (→하다)〈形〉性急だ. 気早だ. せっかちだ. 気ぜわしい. 気短だ. 句例 성급한 사람 気早な〔せっかちな・気短な・性急な〕人／성급한 독촉 性急な催促／성급하게 걷다 せかせかと歩く. 文例 자네는 성급한 사람이다 君は気ぜわしい人だ. **성급히** [so:nggŭp'i]〈副〉性急に. 気早に. せっかちに. 気ぜわしく. 句例 성급히 굴다 性急に事をする. 早まったことをする. せ(急)き立てる. 文例 일을 너무 성급히 서두르면 제대로 되는 일이 없다 性急に事を運び過ぎると, ろくなことはない.

성급한 놈 술값 먼저 낸다 気短な者ほど人より先に酒の勘定を払うものだ《短気は損気》.

성기【性器】[sŏ:nggi]〈名〉〔生〕性器. 生殖器.

성기다〈形〉きめが粗い. (間が)透いている. まば(疎)らだ. 句例 성긴 베 目の粗い布／머리카락이 ～ 髪の毛が薄い／가지가 ～ 枝が透いている. 文例 풀이 성기게 나 있다 草がまばらに生えている. 對배다.
表現 語感の小さい語は'상기다'.

성깃-하다 [sŏnggit'ada] (→하다)〈形〉やや粗い. ややまばらだ. 句例 성깃하게 짜다 編み目をやや粗く編む.

성-깔【性―】[sŏ:ngkkal]〈名〉きつく激しい気性. 鋭く険しい気質. 句例 ～이 있다 気性が激しい. 一癖も二癖もある／～깨나 있어 보이는 사람 一癖ありそうな人.

성깔-머리【性―】[sŏ:ngkkal―]〈名〉'성깔'の俗っぽい言いかた.

성-나다 [sŏ:ng―] ⇨'성'の小項目

성-내다 [sŏ:ng―] ⇨'성'の小項目

***성냥**〈名〉マッチ(燐寸). 句例 불이 잘 붙지 않는 ～ 付きの悪いマッチ／～을 긋다〔켜다〕マッチをする／～갑 같은 집 マッチ箱のような家. 語例 ～갑 マッチ箱／～개비 マッチ棒. 軸木.

성년【成年】〈名〉〔法〕成年. 句例 ～이 되다 成年に達する. 語例 ～식 成年式. 類성인(成人). 어른.

성능【性能】[sŏ:ngnŭng]〈名〉性能. 句例 ～이 뛰어나다 性能がすぐれる／～이 좋은 기계 性能のいい機械. 語例 ～ 시험 性能試験／고～ 高性能.

***성당**【聖堂】[sŏ:ngdang]〈名〉聖堂. ❶(カトリックの)教会堂. ❷孔子の廟. 文廟.

성대【聲帶】〈名〉〔生〕声帯. ＝목청.

성대 모사【聲帶模寫】〈名〉声帯模写.

***성대-하다**【盛大―】[sŏ:ngdae―] (→하다)〈形〉盛大だ. 盛んだ. 句例 성대한 환영 盛大な歓迎／성대하게 거행하다 盛大に行なう／성대하게 축하〔배웅〕하다 盛大に祝う〔見送る〕／성대한 축전을 올리다 盛大な祝典を挙げる／기념식을 성대하게 거행하다 記念式を盛大に挙行する. **성대히**〈副〉盛大に.

성량【聲量】[sŏngnyang]〈名〉声量. 句例 ～이 좋다〔풍부하다〕声量がある〔豊かである〕／～이 부족하다 声量が乏しい.
参考 '성량(聲量)[sŏngnyang]'のように'성'の終声'ㅇ'が次に来る'ㄹ'と結びつくと連音作用で'[-nyang]'のごとく発音される.

성례【成禮】[sŏngnye]〈名・하自〉婚礼を挙げること.

성루【城樓】[sŏngnu]〈名〉城楼. やぐら(櫓).

성리-학【性理學】[sŏ:ngnihak]〈名〉〔哲〕性理学. 略して'이학(理學)'ともいう.

성립【成立】[sŏngnip]〈名〉成立. **～하다**〈自〉成立する. 成り立つ. 成る. まと(纏)まる. 句例 계약이 ～하다 契約が成立する／혼담〔상담〕이 ～되다 縁談〔商談〕がまとまる／회의가 ～되다 会議が成立する／알리바이가 ～되다 アリバイが成立する. 文例 부자니까 행복하다는 논리는 ～될 수 없다 金持ちだから幸福だという理屈は成り立たない.

성-마르다【性―】[sŏ:ng―] (성마르니, 성말라서)〈形〉気短だ. 短気だ. 性急だ. せっかちだ. 気ぜわしい. 語例 성마른 사람 気短な人. 怒りっぽい人.

성명【姓名】[sŏ:ngmyŏng]〈名〉姓名. 氏名. 名前. 名. 句例 ～을 …라고 하다 …だと名乗る／～을 밝히다 名を明かす／～ 부지(不知)의 남자 氏名不詳の男. 名が知られていない男.

성명(이) 없다 名がない. 社会的にあまり知られていない. みすぼらしい.

성명【聲明】〈名・하他〉声明. 句例 탈퇴 ～을 신문에 내다 脱退声明を新聞に出す. 語例 ～서 声明書. コミュニケ.

성모【聖母】[sŏ:ngmo]〈名〉❶国母・王妃の尊敬語. ❷聖母. ㉠〔基〕マリア. ㉡聖人の母.

***성묘**【省墓】〈名・하自〉墓参り. 墓参. 墓もう(詣)で. ＝간산(看山). 句例 ～하러 고향에 내려가다 墓参りのため国へ帰る.

성문【成文】〈名・하自他〉成文. 句例 ～화를 서두르다 成文化を急ぐ. 語例 ～법 成文法.

***성문**【城門】〈名〉城門.

성미【性味】[sŏ:ngmi]〈名〉性分. 性. 性格. 句例 타고난 ～ 持って生まれた性分／까다로운 ～ 難しい性格／대쪽같이 곧은 ～ 竹を割ったような気性／～에 맞다 性に合う／～에 맞지 않다 性(分)に合わない／～가 고약하다 性が悪い. 文例 사치는 그의 ～에 맞지 않는다 ぜいたくは彼の性に合わない.

성미(가) 가시다 いきり立っていた気持ちが和らぐ.

성미(가) 나다 怒りが込み上がる. かん(癇)〔気〕にさわる. かんしゃく玉が破裂する.

성미(를) 부리다 八つ当たりに当たり散らす. やたらに怒りをぶちまける.

성벽【性癖】[sŏ:ngbyŏk]〈名〉性癖. 癖. 文例 그에게는 괴상한 ～이 있다 彼には変な性癖がある.

***성벽**【城壁】〈名〉城壁. 句例 ～에 기어오르다 城壁によじ登る.

성별【性別】[sŏ:ngbyŏl]〈名〉性別. 句例 ～에

관계없이 性別に関係なく.

성부【聲部】〈名〉〔樂〕声部. パート.

***성분**【成分】〈名〉❶成分. 成り立ち. エレメント. 句例 물의 ~ 水の成分 / 유해 ~이 검출되다 有害成分が検出される. 語例 주〔주요〕 ~ 主〔主要〕成分 / ~ 시험 成分試験. ❷(思想や出身階級によって区分される)社会的階層. 句例 출신 ~을 확인하다 出身階層を確認する.

성불【成佛】〈名・하自〉成仏.

성-불성【成不成】[sōngbulssŏng]〈名〉成否. 成敗. 句例 일의 ~에 관계없이 事の成敗いかんにかかわらず. 文例 ~은 그 때의 운이다 成否は時の運である.

성사【成事】〈名・하自〉事を成すこと. 事が成ること. 句例 계획을 ~시키다 計画を成り立たせる. 語例 ~후 事の成った後. 成功して後.

성산【成算】〈名〉成算. 事の成る見込み. 句例 ~이 있다 成算がある. 文例 전혀 ~이 없는 사업에는 찬성할 수 없다 成算のまったくない事業には賛成できない.

성서【聖書】[sŏ:ngsŏ]〈名〉聖書. バイブル. ＝성경(聖經). 句例 ~의 문구 聖書の文句. 語例 구약 ~ 旧約聖書.

성선-설【性善說】[sŏ:ngsŏnsŏl]〈名〉〔倫〕性善説. ㉑성악설(性惡說).

성성-이【猩猩—】〈名〉〔動〕しょうじょう. オランウタン.

성성-하다【星星—】(→하다)〈形〉ごま塩頭である. 白髪まじりである. 句例 백발이 ~ 頭に霜をおく. 白髪がまじっている.

성쇠【盛衰】[sŏ:ngsoe]〈名〉盛衰. 消長. 句例 국가의 ~ 国家の盛衰 / 인생의 ~ 人生の盛衰 / ~를 되풀이하다 盛衰をくりかえす. 文例 영고 ~는 세상의 이치 栄枯盛衰は世の習い. 語例 흥망 ~ 興亡盛衰. ㉠흥망(興亡).

성수【星宿】〈名〉〔天〕星宿. 星のやどり.

성수-기【盛需期】[sŏ:ngsugi]〈名〉需要の最も盛んな〔多い〕時期. ㉑비수기(非需期).

성수-반【聖水盤】[sŏ:ngsuban]〈名〉〔基〕聖水盤.

성숙【成熟】〈名〉成熟. **~하다**〈自〉成熟する. 熟する. 句例 ~한 처녀 成熟した娘 / 때가 ~되기를 기다리다 機の熟するのを待つ. 語例 ~기 成熟期.

성-스럽다【聖—】[sŏ:ng—] (→스럽다)〈形〉神神しい. 神聖だ. 句例 성스러운 땅 聖なる土地 / 성스러운 분위기 神神しいふんいき / 성스러울 만큼 아름다운 얼굴 神神しいほど美しい顔.

성실【誠實】〈名〉誠実. まじめ(真面目). まめ. **~하다**〈形〉誠実である. まじめだ. まめだ. 句例 ~한 사람 ま(じ)めな人 / ~한 생활 まともな生活 / ~한 인품 誠実な人柄 / ~한 태도 まじめな態度 / ~성이 없다 誠実を欠く / ~하게 살다 まともに暮らす / ~하게 일하다 まじめに働く. **~히**〈副〉誠実に. まじめに. まめに. まともに.

성심【誠心】〈名〉誠心. 真心. 丹念. 句例 ~을 다하다 真心をつくす.

성심-껏【誠心—】〈副〉誠心誠意. 真心をつくして. 句例 ~ 남을 위해 봉사하다 誠心誠意人につくす / ~ 일에 임하다 誠心誠意〔至心をもって〕事に当たる.

성-싶다〈補形〉用言の語尾'-ㄴ・-은・-는・-ㄹ・-을'の後に用いて主観的・推理的推測を表わす語: …のようだ. …(し)そうだ. …のような気がする. 文例 어디서 한 번 본 ~ どこかで一度見たような気がする / 비가 올 ~ 雨になりそうだ / 이 계획은 잘 될 ~ この計画はうまく行きそうだ / 그는 올 성싶지도 않다 彼は来そうもない / 그가 있을 성싶은 곳은 전부 찾았다 彼のいそうな所は全部尋ねた.

성씨【姓氏】[sŏ:ngssi]〈名〉姓氏. 名字.

성악【聲樂】〈名〉〔樂〕声楽. 語例 ~가 声楽家. ㉑기악(器樂).

성악-설【性惡說】[sŏ:ng-aksŏl]〈名〉〔哲〕性悪説. ㉑성선설(性善說).

성안【成案】〈名・하他〉成案. 句例 ~을 마련하다 成案を得る. ㉑초안(草案). 시안(試案).

성-안【城—】〈名〉城内. ㉑성밖.

성어-기【盛漁期】[sŏ:ng-ŏgi]〈名〉漁獲の多い時期. 魚類の盛んに捕れる時. ㉑어한기(漁閑期).

성업【盛業】[sŏ:ng-ŏp]〈名〉盛業. 事業・商売などの大繁盛. 句例 ~중인 사업 大繁盛の事業.

성에〈名〉❶冬の窓ガラスや冷蔵庫内部に凍りついた霜. 霜紋. ❷'성엣장'の略.

성엣-장〈名〉流氷. 略して'성에'ともいう.

성역【聖域】[sŏ:ng-yŏk]〈名〉聖域. 句例 ~을 침범하다 聖域を侵す / ~ 안으로 도피하다 聖域に逃げこむ. 文例 ~을 더럽히는 짓은 용서되지 않는다 聖域をけがすまねは許されない.

성역【聲域】〈名〉〔樂〕声域. ＝소리넓이. 句例 ~이 넓다 声域が広い.

성욕【性慾】[sŏ:ng-yok]〈名〉性欲. 肉欲.

성우【聲優】〈名〉声優.

성운【星雲】〈名〉〔天〕星雲. 語例 안드로메다 ~ アンドロメダ星雲.

성운【盛運】[sŏ:ng-un]〈名〉盛運. 盛んに栄える運勢.

성웅【聖雄】[sŏ:ng-ung]〈名〉偉大な英雄.

성원【成員】〈名〉成員. 句例 ~ 미달로 유회가 되다 成員不足で流会となる.

성원【聲援】〈名・하他〉声援. 句例 ~을 보내다 声援を送る. 文例 자네의 ~을 기대하고 있네 君の声援を頼りにしている.

성육【成育】〈名・하自〉成育〔生育〕. 文例 ~ 기간이 길다 成育期間が長い. ㉠성장(成長).

성은【聖恩】[sŏ:ng-ŭn]〈名〉聖恩. 句例 ~에 감읍하다 聖恩に感泣する.

성음【聲音】〈名〉声音. 声. ＝목소리. 語例 ~문자 声音文字 / ~학 声音学.

성의【誠意】〈名〉誠意. 誠. 真心. 心尽くし. 句例 ~있는 誠意のある / ~를 다한 선물 心尽くしの贈り物 / 자그마한 ~ ささやかな心尽くし / ~를 다하다 誠〔真心〕をつくす / ~를 보이다 誠意を示す / ~를 의심하다 誠意を疑う. 文例 그는 ~가 없다 彼は誠意がない. 語例 성심 ~ 誠心誠意.

*성의-껏【誠意―】〈副〉誠意をつくして．誠意の限り．誠心誠意．＝정성껏．

성인【成人】〈名〉成人．大人．＝어른．句例 ～이 되다 成人に達する．大人になる．語例 ～교육 成人教育/～병 成人病/～식 成人式．㊊미성년(未成年)．類성년(成年)．

参考 韓国では二十歳以上をいう．

성인【成因】〈名〉成因．句例 신기루의 ～ 蜃気楼の成因．

성인【聖人】[sŏ:ng-in]〈名〉❶聖人．聖者．ひじり(聖)．句例 ～ 같은 생활을 하다 聖人のような生活をする．語例 ～ 군자 聖人君子/～품(品)〔天主教〕聖列．❷〔佛〕聖人．

성인도 시속(時俗)을 따른다 聖人も時に従う．人はすべからく臨機応変すべきであるとのたとえ．

성자【姓字】[sŏ:ngtcha]〈名〉姓を表わす文字．

*성자【聖者】[sŏ:ngja]〈名〉❶聖者．❷〔佛〕しょうじゃ(聖者)．聖人．

*성장【成長】〈名〉成長〔生長〕．生い育ち．育ち．～하다〈自〉成長する．(生い)育つ．長じる．句例 ～함에 따라 長じるに従って/～이 멈추다 成長がとまる/～을 촉진하다 成長〔生長〕をうながす/아이의 ～을 지켜보다 こどもの生長を見守る/～이 빠르다 成長がはやい/～이 더디다 育ちが悪い．文例 비가 와서 볏모의 ～이 좋다 雨で苗の育ちがいい．語例 ～기 成長期/～ 산업 成長産業/경제 ～ 経済成長．経済の伸び/～주 成長株．類생육(生育)．발육(發育)．

성장【盛粧】[sŏ:ngjang]〈名・하自〉厚化粧．

성장【盛裝】[sŏ:ngjang]〈名〉盛装．～하다〈自〉盛装する．着飾る．句例 ～한 여자들 盛装した女たち/～하고 외출하다 盛装で出かける．

*성적【成績】〈名〉成績．出来．出来栄〔出来映〕え．句例 ～이 나쁘다 成績が悪い．星が悪い/～을 올리다 成績を上げる/훌륭한 ～을 거두다 りっぱな成績を収める/～이 나쁜 학생 不成績の〔できの悪い〕生徒/～이 좋다 成績がよい/한심한〔형편없는〕～ 情けない成績．文例 판매 ～은 썩 좋다 販売成績は上上だ．語例 ～표 成績表．類성과(成果)．

성적【性的】[sŏ:ngtchŏk]〈名・冠〉性的．セクシュアル．句例 ～ 매력이 있다 性的〔セクシュアルな〕魅力がある．セックスアピールする．あだっぽい．色気がある/～ 충동에 이끌리다 性的衝動に駆られる．語例 ～ 관계 性的関係/～ 도착 性的倒錯．

*성전【聖典】[sŏ:ngjŏn]〈名〉聖典．＝성경(聖經)．語例 불교 ～ 仏教聖典．

성조-기【星條旗】〈名〉星条旗．

성좌【星座】〈名〉〔天〕星座．星宿．＝별자리．語例 ～도 星座図．

성주〈名〉〔民〕家の守護神．

성주(를) 받다 '성주받이'をする．

성주【城主】〈名〉城主．

성-주기【性週期】[sŏ:ngjugi]〈名〉性周期．発情周期．

성주-받이 [―baji]〈名・하自〉〔民〕家屋の新築や引っ越しの後，家の守り神を迎え入れるために行なうみこ(巫女)のシャーマニズム儀式．＝성줏굿．성주받이굿．

성주-풀이 [―p'uri]〈名・하自〉〔民〕みこ(巫女)が'성주받이'をするとき歌う歌．また，そのシャーマニズム儀式．

성줏-굿〈名〉〔民〕⇨ 성주받이

성지【城址】〈名〉城址．城跡．

성지【聖地】[sŏ:ngji]〈名〉聖地．句例 ～ 팔레스타인 聖地パレスチナ．語例 ～ 순례 聖地巡礼．

성직【聖職】[sŏ:ngjik]〈名〉聖職．句例 ～에 취임하다 聖職につく．語例 ～자 聖職者．

*성질【性質】[sŏ:ngjil]〈名〉性質．❶生まれつき．性格．気性．性分．たち(質)．句例 잊기 잘 하는 ～ 忘れっぽいたち/성을 잘 내는 ～ 怒りっぽい性質/끈기 있는 ～ ねばり強い性質/～이 좋다 性質がいい/～이 사납다〔과격하다〕気性が荒い〔はげしい〕．文例 그가 게으른 것은 타고난 ～이다 彼の怠惰は持って生まれた性質だ．❷(物の)性状．素質．句例 석탄의 ～ 石炭の性質．文例 비누에는 때를 없애는 ～이 있다 石鹸にはよごれをとる性質がある/설탕에는 물에 잘 녹는 ～이 있다 砂糖には水によくとける性質がある．❸(事物の)特性．傾向．句例 일의 ～ 仕事の性質/그 문제의 ～상 その問題の性質上．文例 그런 ～의 돈은 받을 수 없다 そういう性質の金は受け取れない．

성질(을) 내다 かん(癇)〔かんしゃく(癇癪)〕を起こす．かん(癇)が高ぶる．ひどく怒る．やたらに当たり散らす．

성질(을) 부리다 '성질(을) 내다'のこと．

성징【性徵】[sŏ:ngjing]〈名〉性徴．

성찬【盛饌】[sŏ:ngch'an]〈名〉すばらしいごちそう(御馳走)．

성찬【聖餐】[sŏ:ngch'an]〈名〉❶〔基〕聖餐．語例 ～식 聖餐式．類미사．❷〔佛〕仏前に供える食べ物．

성채【城砦】〈名〉じょうさい(城砦)．とりで(砦)．句例 산정(山頂)에 ～를 쌓다 山の上にとりでを築く．

성충【成蟲】〈名〉〔蟲〕成虫．㊊유충(幼蟲)．

*성취【成就】〈名・하他〉成就．句例 큰 소원의 ～ 大願の成就．文例 오랫동안의 염원을 마침내 ～하였다 長いあいだの念願をやっと成就した/저 사람은 무엇 하나 ～하지 못한다 あの人は何一つ成就できない．類달성(達成)．

성층-권【成層圈】[―kkwon]〈名〉成層圏．

*성큼〈副〉❶足どりが大またなさま．句例 발을 ～ 내디디다 足を大またに踏み出す．❷(距離・時間的に)急に近づくさま．句例 ～ 다가서다〔다가오다〕急に近寄る．間近に迫る．❸ためらわないさま．遠慮のないさま．句例 맨발로 ～ 들어오다 遠慮なくはだしで上がる．

表現 語感の小さい語は'상큼'．

성큼성큼〈副〉大またに歩き続けるさま．

성큼-하다 (→하다)〈形〉(上体に比べて)足が不釣り合いに長い．

表現 語感の小さい語は'상큼하다'．

성탄【聖誕】[sŏ:ngt'an]〈名〉❶聖誕．❷〔基〕'성탄절'の略．語例 ～목(木) クリスマスツリー/

～일(日) 1)聖人の誕生日. 2)クリスマス / ～절(節) 聖誕祭. クリスマス.

성-터【城―】〈名〉城址. 城跡.

성토【聲討】〈名・하他〉多くの人たちが集まって誤ちを討論しあって糾弾すること.

성패【成敗】〈名〉成敗. 成否. [句例] ～ 여하에 관계없이 成敗いかんにかかわらず. [文例] ～는 그때의 운(運)이다 成敗は時の運である.

성패-간【成敗間】〈副〉成敗いかんにかかわらず. [文例] ～에 해보자 のるか反るか〔一か八か〕やってみよう.

성-풀이 [sŏ:ngp'uri]〈名・하自〉怒りを晴らすこと. 腹いせ.

[表現] '-풀이[p'uri]'のように終声'ㄹ'の次に母音'아,어,이'などが来ると連音作用で'-푸리[p'uri]'のように発音される.

성품【性品】[sŏ:ngp'um]〈名〉性格と品格. 品性. 気性. 性分. 根. [句例] 타고난 ～ 持って生まれた性分 / ～이 온화하다 性質温和である / ～이 착하다 根が善良だ / ～이 고약하다 性根が曲がっている / ～이 천하다 品性がいやしい / ～이 우락부락하다 気性が荒荒しい.

***성-하다** (→하다)〈形〉❶損なわれて〔傷んで〕いない. きず(疵)がない. (傷んだところがなく)まだ使える. [句例] 성한 사과 傷まないりんご / 성한 옷 傷んでいない服 / 성한 접시 きずのない皿. ❷(健康・状態などが)よい. 丈夫だ. 元気〔健やか〕だ. [句例] 성한 몸 健康な身〔からだ〕/ 몸이 성하지 않다 からだの具合が悪い. 不健康である / 발이 성하지 않다 足が不自由である. [文例] 교통 사고를 당하고 나서는 몸이 성하지 못하다 交通事故にあってからはからだがあまりよくない. **성히**〈副〉元気に. 達者に. 健やかに. [句例] 몸 성히 지내다 達者に暮らす. 元気でいる.

***성-하다**【盛―】[sŏ:ng―] (→하다)〈形〉❶(勢い・気などが)盛んだ. 盛んに行なわれる. [句例] 나라가 ～ 国が栄えている. 国が隆盛におもむく. [文例] 이 나라는 불교가 ～ この国には仏教が盛んである / 그 지방에서는 농업이 ～ その地方では農業が盛んに行なわれている. ❷(草木が)生い茂っている. (類)무성(茂盛)하다. 우거지다. **성히**〈副〉盛んに.

성함【姓銜】[sŏ:ngham]〈名〉'성명(姓名)'の敬称. お名前. ＝존함. 함자(銜字).

성행【性行】[sŏ:nghaeng]〈名〉性行. [句例] ～을 조사하다 性行を調べる.

성행-하다【盛行―】[sŏ:nghaeng―] (→하다)〈自〉盛んだ. 盛んに行なわれる. はやる.

성향【性向】[sŏ:nghyang]〈名〉性向. 気質. たち(質). [文例] 그녀는 새로운 유행에 금방 따르는 ～이 있다 彼女は新しい流行にすぐとびつく性向がある.

성현【聖賢】[sŏ:nghyŏn]〈名〉聖賢. 聖人と賢人. [句例] ～의 가르침 聖賢の教え.

성형【成形】〈名・하他〉成形〔成型〕. [語例] ～ 수술 成形手術.

성호【聖號】[sŏ:ngho]〈名〉〔天主教〕胸もとで十字を切ること. また, そのしるし. [句例] ～를 긋다 十字を切る.

성홍-열【猩紅熱】[sŏnghongnyŏl]〈名〉〔醫〕猩紅熱.

성화【成火】〈名・하自〉❶ひどく気をも(揉)むこと. ひじょうにもだ(悶)えること. いらいら〔じりじり〕すること. [句例] ～가 나다 ひどく気をもむ. ❷煩わしい気持ちにさせること.

성화(를) 대다 うるさくしてさんざん煩わす.

성화(를) 바치다 うるさく迫ったりねだったりしてしきりに悩ます.

성화【聖火】[sŏ:nghwa]〈名〉聖火. [語例] ～대(臺) 聖火台 / ～ 릴레이 聖火リレー. トーチリレー / ～ 주자 聖火走者.

성화-같다【星火―】〈形〉矢のように急いでいる. 緊迫している. [句例] 성화같은 독촉 矢のような催促. **성화같이** [―gach'i]〈副〉きわめて急に. 矢のように.

***성황**【盛況】[sŏ:nghwang]〈名〉盛況. [句例] 만원을 이루는 ～ 満員の盛況 / ～을 이루다 盛況を呈する / ～리(裡)에 끝나다 盛況裏に終わる. [文例] 대단한 ～이다 大変なにぎ(賑)わいである.

섶[1]〈名〉(草木の)添え木. ささえ. 手. [文例] 나팔꽃에 ～을 대어 주다 あさがおに手を与える.

섶[2]〈名〉チョゴリのおくみ(衽). [句例] ～을 대다 おくみ(衽)をつける.

섶[3]〈名〉'섶나무'の略.

섶을 지고 불로 들어가려 한다 枯れ葉を背負って火に入ろうとする. 飛んで火に入る夏の虫.

섶[4]〈名〉❶(蚕の)まぶし(簇). ❷魚が集まりやすいように水中に仕掛けた木の枝など.

섶-나무 [sŏmnamu]〈名〉しば(柴)・枯れ草などの通称.

⁑**세**【貰】[se:]〈名〉❶借り賃. 貸し賃〔料〕. 借料. [句例] ～를 물다 借り賃〔借料〕を払う. ❷賃貸し. 賃借り.

세(를) 내다 賃借りする. 雇う. [句例] 배를 ～ 船を雇う / 점포를 ～ 店舗を賃借りする. (對)세(를) 놓다.

세(를) 놓다 賃貸しする. [句例] 방을 ～ 部屋を賃貸しする. 間貸しをする. (對)세(를) 내다.

세(를) 들다 賃借り〔間借り〕する.

세(를) 주다 '세(를) 놓다'のこと.

세【税】[se:]〈名〉税. ❶〔史〕私田の収穫物を一定の比率で国家に納めた年貢. ❷'조세(租税)'の略.

세【勢】〈名〉'세력(勢力)'の略.

***세**【歳】〈依名〉歳《漢字の数詞の後に付いて年齢を表わす語》. ＝살. [句例] 방년 십팔 ～ 芳年十八歳.

***세** [se:]〈冠〉三(の意). [句例] ～ 가지 나쁜 버릇 三つの悪い癖. [語例] ～ 사람 三人 / ～ 개 三個 / ～ 권 三冊. (類)서. 석.

세 살 적 버릇 여든까지 간다 三歳の時の癖は八十にいたるまで続くものだ《三つ子の魂百まで, すずめ百まで踊り忘れず》.

세 〔漢字項目〕

【世】中學 세 セイ. セ. ❶세상 よのなか. ■世間 세간 せけん. 世人 세인 せじん. ❷㉠때 時. 시대 時代. ■近世 근세 きんせい.

㉡지질학적 구분 地質学的の区分. ◨洪積世 홍적세 こうせきせい. ❸세대 世代. ◨世紀 세기 せいき. ◧隔世 격세 かくせい. ❹대 代. ◨世系 세계 せいけい. ◨一世 일세 いっせ. ❺시간의 단락 時間のくぎり. ◧來世 내세 らいせい. 末世 말세 まっせ. ❻대대로 하는 상속 代代の相続. ◨世襲 세습 せしゅう.

【勢】中學 세 セイ. ❶기세 いきおい. ◨勢力 세력 せいりょく. ◧權勢 권세 けんせい. 威勢 위세 いせい. ❷형세 なりゆき. ◧病勢 병세 びょうせい. 弱勢 약세 じゃくせい. ◧情勢 정세 じょうせい. ❸모여 있는 많은 사람 集まった多くの人. ◧軍勢 군세 ぐんぜい. 加勢 가세 かせい.

【歲(歳)】中學 세 サイ. セイ. ❶한 해. 一か年. ◨歲末 세말 さいまつ. 歲暮 세모 せいぼ. ❷재정상의 1년 財政上の一年. ◨歲入 세입 さいにゅう. 歲出 세출 さいしゅつ. ❸나이 年. ◧五歲 오세 ごさい.

【洗】中學 세 セン. 씻다. 닦다 洗う. ◨洗面 세면 せんめん. 洗濯 세탁 せんたく. ◧水洗 수세 すいせん.

【稅(税)】中學 세 ゼイ. 공물(貢物) みつぎ. 세금 税金. ◨稅收 세수 ぜいしゅう. 稅關 세관 ぜいかん. ◧課稅 과세 かぜい. 關稅 관세 かんぜい. 租稅 조세 そぜい. 徵稅 징세 ちょうぜい.

【細】中學 세 サイ. ❶가늘다 ほそい. ◨細流 세류 さいりゅう. 細小 세소 さいしょう. ❷잘다 こまかい. ◨細心 세심 さいしん. ◧微細 미세 びさい. ❸자세하다 くわしい. ◨細目 세목 さいもく. ◧詳細 상세 しょうさい. 仔細 자세 しさい(子細). ❹천하다 卑しい. ◨細民 세민 さいみん. ◧零細 영세 れいさい.

세가【勢家】[se:ga]〈名〉❶勢家. 權勢のある家柄. 語例 권문 ~ 権門勢家. ❷'세력가(勢力家)'の略.

세간 [se:gan]〈名〉所帯道具. 調度. 句例 ~이 많다 所帯道具が多い.

세간(을) 나다 分家する. 独立して別に所帯を構える.

세간(을) 내다 分家させる. 所帯を構えさせる.

세간【世間】[se:gan]〈名〉世間. 世の中. =세상(世上). 句例 ~의 비난을 받다 世の非難を浴びる.

세거【世居】[se:gŏ]〈名・하自〉ある土地に代代住むこと. 語例 ~지지(之地) 先祖代代住んでいる所.

세-거리 [se:gŏri]〈名〉三差路. 三つまた(叉). 三つつじ(辻). =삼(三)거리.

⁑세계【世界】[se:gye]〈名〉世界. 句例 문학〔동물〕의 ~ 文学〔動物〕の世界 / ~ 곳곳 全世界至る所. 世界じゅう / 예술의 ~ 芸術の世界 / 젊은이의 ~ 若者の世界 / ~에 유례가 없는 世界に類のない / ~의 이목이 집중되다 世界の耳目が集中する / ~ 신기록을 세우다 世界新記録を作る. 語例 ~관 世界観 / ~ 기상 기구(機構) 世界気象機関 / ~ 대전 世界大戦 / ~ 문학 世界文学 / ~ 보건 기구(機構) 世界保健機関. WHO / ~ 인권 선언 世界人権宣言 / ~ 정세 世界情勢 / ~ 지도 世界地図 / ~ 평화 世界平和 / ~사 世界史.

***세계-적**【世界的】[se:gyejŏk]〈名・冠〉世界的. 句例 ~ 불경기 世界的不景気 / ~으로 유명한 世界的に有名な. 文例 ~으로 알려져 있다 世界的に知られている.

세공【細工】[se:gong]〈名〉細工. 句例 ~을 하다 細工をほどこす. 語例 ~품 細工品〔物〕/ 죽 ~ 竹細工 / 상감(象嵌) ~ 象眼細工.

세관【稅關】[se:gwan]〈名〉税関. 句例 ~이 까다롭다 税関がやかましい.

세균【細菌】[se:gyun]〈名〉細菌. =박테리아. 略して'균(菌)'ともいう. 句例 ~을 배양하다 細菌を培養する〔植える〕/ ~ 검사를 하다 細菌検査を行なう. 語例 ~전 細菌戦. 細菌戦争 / ~학 細菌学.

***세금**【稅金】[se:gŭm]〈名〉税金. 句例 ~을 내다〔납부하다〕税金を納める〔払う〕/ ~을 거두다〔징수하다〕税金を取り立てる / ~을 부과하다 税金を課する / ~을 속이다 税金をごまかす / ~을 체납하다 税金を滞納する / ~이 붙다 税金がかかる / ~을 되돌려 주다 税金を払い戻す / ~을 공제하고 백만원의 수입 税を差し引いて百万ウォンの収入.

세기【世紀】[se:gi]〈名〉世紀. 句例 ~의 대결 世紀の対決 / ~의 제전 世紀の祭典 / ~말적 대사건 世紀末的大事件. 語例 21 ~ 二十一世紀 / ~적 世紀的.

세-끼 [se:kki]〈名〉三度の食事. 句例 ~의 식사 (一日)三食. 文例 ~분을 가지고 갈 것 三食携行のこと.

세-나다 [se:—]〈自〉物が飛ぶように売れる. (あちらこちらで)引っ張りだこである.

세-나절 [se:—]〈名〉簡単に済ませる事をわざと長引かす手間をあざけっていう語. 句例 ~이나 걸리다 ぐずついてひどく手間どる.

세-내다【貰—】[se:—] ⇨ '세(貰)'の小項目

세-놓다【貰—】[se:not'a] ⇨ '세(貰)'の小項目

세뇌【洗腦】[se:noe]〈名・하他〉洗脳. 語例 ~ 공작 洗脳工作.

세다[1] [se:da]〈自〉❶髪が白くなる. 句例 머리가 ~ 白髪になる / 머리가 희끗희끗 센 노인 ごま塩頭の老人. ❷(顔が)青白くなる. 血の気が失せる.

⁑세다[2] [se:da]〈他〉数える. 句例 수를 ~ 数を数える / 1에서 100까지 ~ 一から百まで数える / 빠짐없이 ~ 漏れなく数える / 대충 세어 … 이 되다 ざっと数えて …となる. 文例 멋진 솜씨로 지폐를 ~ あざやかな手さばきで札を数える.

⁑세다[3] [se:da]〈形〉❶(力・勢いが)強い. (度・技が)強い. 句例 힘이 ~ 力が強い / 바람이 ~ 風が強い / 화력이 ~ 火力が強い / 불길이 세어지다 火の手が強くなる / 물살이 ~ 流れが速い〔激しい〕/ 세게 맞다 強く〔したたか・激しく〕打たれる. ❷(酒に)強い. 句例 술이 ~ 酒が〔に〕強い. 大酒飲みだ. ❸(気・我が)強い. 頑固だ. 句例 고집이 ~ 強情だ / 배짱이 ~ 心臓が

強い．度胸がある．❹(のり付けが)こわ(強)い．(毛などが)かたい．文例 이 셔츠는 풀기가 너무 ～ このシャツののりはこわ過ぎる．❺(水が)硬質だ．塩類を含んでいる．語例 센물 硬水．❻(運勢・星回りが)悪い．不運だ．不吉だ．句例 팔자가 ～ 星回りが悪い / 집터가 ～ 家相が悪い．

表現 '세다'と '강(強)하다'は使いかたに違いがある．'세다'は他のものに及ぶ力が普通以上に大きい場合に使う．'바람이 세다 風が強い' '허풍이 센 사람 大ほら吹き' '고집이 세다 強情だ'などと言う．また，'강하다'は自体の中から作用する力が普通以上に大きいと言うことを意味する．それで，'의지가 강하다 意志が強い' '추위에 강하다 寒さに強い' '책임감이 강하다 責任感が強い'のように使われる．'바람이 세다'は'바람이 강하다'とも言う．

세단-뛰기【一段一】[se:dan—]〈名〉三段跳び．＝삼단뛰기．

세대【世代】[se:dae]〈名〉世代．❶親・子・孫と続くときのおのおのの代．❷約三十年を一くぎりとした年齢層．句例 한 ～ 뒤진 사람들 一世代おくれた人たち．語例 ～차 世代のずれ〔差〕．❸同じ時代に生まれた人人．ある年齢層．ゼネレーション．句例 젊은 ～ 若い世代．

세대【世帯】[se:dae]〈名〉所帯．世帯．＝가구(家口)．語例 ～주(主)(＝가구주(家口主)) 所帯〔世帯〕主．

세대 교체【世代交替】[se:dae—]〈名・하自他〉世代交代．❶〔生〕世代交番．❷若い人が年寄りに代わって事をうけ持つこと．句例 ～가 진행되다 世代交代がすすむ．

세대-박이 [se:daebagi]〈名〉三本マストの大船．

세도【勢道】[se:do]〈名・하自〉政治上の権力を握ること．また，その勢力．権勢．語例 ～가(家) 政治上の権力を握った人．また，その家柄 / ～ 재상(宰相) 政権を握って政治を左右する宰相 / ～ 정치〔史〕朝鮮朝の正祖以降，権臣またはその集団によって独占された政治．

参考 特に正祖以来，数代にわたって，王妃側の戚臣による権力の専横が続いた．

세도가 빨랫줄이다 (権勢をほしいままにすること，あたかも物干しひものようだとの意から) 揺るぎない政治権力が長くいつまでも続くことのたとえ．

세도(를) 부리다 権力を振るう．権勢を振り回す．

세레나데 [serena:de]〈名〉〔樂〕セレナーデ．小夜曲．◇도 Serenade

***세력**【勢力】[se:ryŏk]〈名〉勢力．勢い．略して'세(勢)'ともいう．句例 ～을 펴다 勢力を張る / ～을 떨치다 勢いを振るう / ～을 뻗치다 勢力をのばす / ～을 꺾다 勢力をくじく / ～를 만회하다 勢力を挽回する〔盛り返す〕/ ～을 확대하다 勢力を拡大する / ～을 잃다 勢力を失う / ～이 꺾이다 勢いをくじかれる / ～이 증대하다〔커지다〕勢力が増す / 점차 ～을 증대하다 漸次勢力を増す．語例 ～가 勢力家 / ～권 勢力圏．縄張り / ～권 다툼 縄張争い / ⇨ 세력 범위 / ～ 다툼 勢力争い / ～ 균형 勢力の均衡．

세력 범위【勢力範圍】[se:ryŏkpŏ:mwi]〈名〉勢力範囲．縄張り．句例 ～를 침범하다 縄張を荒らす / ～를 넓히다 縄張〔勢力範囲〕を広げる / ～내에 있다 勢力範囲内にある．

세련【洗練】[se:ryŏn]〈名・하他〉洗練．リファイン．句例 ～된 사람 洗練された人．あか抜けした人 / ～되지 않은 洗練されない．あか抜けのしない / ～된 문장 洗練された文章 / ～된 몸가짐〔취미〕洗練された身持ち〔趣味〕/ ～되지 않은 옷차림 やぼったい服装．

세례【洗禮】[se:rye]〈名〉洗礼．❶〔基〕キリスト教で信者になるための儀式．句例 ～를 받다 洗礼を受ける / ～를 주다 洗礼を授ける〔施す〕．語例 ～명 洗礼名 / ～자 洗礼者．❷はげしく浴びせられる攻撃・非難など．句例 포화의 ～를 받다 砲火の洗礼を受ける．砲火を浴びる / 주먹 ～를 받다 げんこつの洗礼を浴びる．

****세로** [se:ro]〈名・副〉縦(に)．句例 ～ 3미터 가로 1미터 縦三メートル横一メートル / ～ 보나 가로 보나 縦から見ても横から見ても / ～ 쓰다 縦に書く / ～ 갈라지다 縦に裂ける / ～ 자르다 縦に切る / ～ 줄지어 세우다 縦に並べる / ～ 금을 긋다 縦に線を引く．語例 ～ 글씨 縦書きに書く字 / ～금 縦に引いた線．縦の筋．縦線 / ～ 좌표 縦座標 / ～줄 縦の線．垂線 / ～축 縦軸．

세론【世論】[se:ron]〈名〉⇨ 여론(輿論)

세리【稅吏】[se:ri]〈名〉税吏．

세말【歲末】[se:mal]〈名〉歳末．年末．歳暮．＝세밑．

세면【洗面】[se:myŏn]〈名〉洗面．＝세수．～하다〈自〉顔を洗う．洗面する．語例 ～구 洗面具 / ～기 洗面器 / ～대(臺) 洗面台 / ～ 도구 洗面道具 / ～실 洗面室．

***세-모** [se:mo]〈名〉三角．語例 ～ 기둥 三角柱 / ～꼴(＝삼각형) 三角形 / ～끌 三角のみ / ～뿔 三角錐 / ～ 송곳 三つ目ぎり(錐) / ～줄 三角のやすり(鑢)．

세모【歲暮】[se:mo]〈名〉歳暮・．年末．年の瀬〔暮れ〕．＝세밑．세말(歲末)．句例 어수선한 ～ 풍경 あわただしい歳末風景 / ～를 넘기다 年の瀬を越す．

세-모시【細一】[se:moshi]〈名〉織り目が細かくて薄いからむし(苧)．

***세모-지다** [se:mo—]〈形〉三角になっている．三角にとがっている．

세목【細木】[se:mok]〈名〉織り目の細かい木綿．

세목【細目】[se:mok]〈名〉細目．細かな項目．句例 ～에 걸치다 細目にわたる / ～을 정하다 細目をきめる / ～으로 나누다 細目に分ける．

세목【稅目】[se:mok]〈名〉税目．租税の種目．

세무【稅務】[se:mu]〈名〉税務．語例 ～ 관리

ㅅ

税務官吏 / ～사(士) 税理士 / ～서 税務署 / ～ 행정 税務行政.

세문【勢門】[se:mun]〈名〉勢門. 権勢のある家柄.

세미-〈頭〉セミ…. 語例 ～다큐멘터리 セミドキュメンタリー / ～콜론 セミコロン / ～파이널 セミファイナル / ～프로 セミプロ / ～ 프로페셔널 セミプロフェッショナル. セミプロ. ◇semi-

세미나〈名〉セミナー. ゼミナール. ゼミ. 語例 경영 ～ 経営セミナー. ◇seminar

세밀【細密】[se:mil]〈名〉細密. 精密. 綿密. 細かく詳しいこと. **～하다**〈形〉細密だ. 句例 ～한 주의 細密な注意 / ～한 지도 詳しい地図. 語例 ～화 細密画. **～히**〈副〉細密に. 細かく. 詳しく. 句例 ～히 조사하다 細密に調査する.

세-밑【歲一】[se:mit]〈名〉年の暮れ. 歳末. 年末. ＝세모(歲暮).

세발【洗髮】[se:bal]〈名・하自〉洗髪. 髪洗い. 語例 ～료 洗髪料.

세발 자전거【一自轉車】[se:bal—]〈名〉(子供用の)三輪車.

세배【歲拜】[se:bae]〈名・하自〉年始回り. 新年のあいさつ. 句例 ～ 드리다 新年のあいさつを申し上げる / ～하러 다니다 年始に回る. 年始回りをする. 語例 ～꾼 年始回りの人 / ～상(床) 年始回りに来た人をもてなす食膳.

세뱃-값【歲拜一】[se:baetkap]〈名〉⇨ 세뱃돈. →값 参考

세뱃-돈【歲拜一】[se:baet—]〈名〉お年玉.

세보【世譜】[se:bo]〈名〉世譜. 世系. 系譜.

세부【細部】[se:bu]〈名〉細部. 句例 ～에 걸쳐 설명〔검토〕하다 細部にわたって説明〔検討〕する. 語例 ～ 사항 細部事項.

세-부득이【勢不得已】[se:budŭgi] [‘사세(事勢) 부득이’の略]〈名・副・하形〉(事)やむを得ず. 文例 ～하여 퇴각했다 やむを得ず〔やむなく〕退却した.

세분【細分】[se:bun]〈名・하他〉細分. 語例 ～화(化)하다 細分化する. 對대별(大別).

세사【世事】[se:sa]〈名〉世事. 句例 ～에 밝다〔어둡다〕 世事にたける〔うとい〕. 語例 ～난측(難測) 世の中の事はとかく変化が多くてあらかじめ推し量られないとのこと.

세살-창【細一窓】[se:sal—]〈名〉桟の細かい障子窓.

**세상【世上】

[se:sang]〈名〉❶世. ㉠世間. 世の中. 世界. 社会. 句例 이 ～ この世 / ～의 소문 世間のさた(沙汰). 世のうわさ(噂) / 어수선한〔뒤숭숭한〕 ～ 物騒がしい〔物騒な〕世のなか / 각박한 ～ きびしい世のなか / 황금 만능의 ～ 黄金万能の世のなか / ～을 떠들썩하게 하다 世間を騒がす / ～을 버리다 世を捨てる / ～을 살아가다 世を渡る / 이 ～을 하직하다〔떠나다〕 この世を辞する / ～과 인연을 끊다 世間と縁を断つ / ～에서 잊혀지다 世間から忘れられる / ～을 깜짝 놀라게 하다 世を驚かす. 世間をあっと言わせる / ～에 알려지다〔알려지지 않다〕 世に知られる〔知られない〕 / ～의 주목을 끌게 되다 世間の注目を引くようになる / ～을 꺼리다 世〔世間〕をはばか(憚)る. 文例 ～에 얼굴을 들 수가 없다 世間に顔向けができない. ㉡一生. 生涯. 文例 이렇게 한 ～을 보내다 このように一生を送る. ㉢世情. 物情. 世故. 句例 차가운 ～ 冷たい世の中 / 살아가기 힘든 ～ 世知辛い世の中 / ～ 물정에 밝다 世故にたける / ～을 모르다 世〔世間〕を知らない. ㉣時代. 句例 실력이 존중되는 ～ 実力が物を言う世の中 / 기술자가 우대 받는 ～ 技術者が優遇される時代 / ～에 뒤지다 世に遅れる. 文例 이제 ～은 변했다 もう世の中は変わった. ㉤(思いのままにふるまえる)独り舞台. 天下. 文例 이제부터는 우리들 ～이다 これからはおれ(俺)たちの天下だ.

❷(刑務所・寺院など)制約された社会から見た外の世界. 俗世. 俗世間.

세상(을) 떠나다 この世を去る. 亡くなる. ＝세상을 하직하다.
表現 ‘죽다 死ぬ’の婉曲な言いかた.

세상(을) 뜨다 ‘세상(을) 떠나다’のこと.

세상(을) 모르다 ㉠世間を知らない. 世情にうと(疎)い. ㉡前後不覚にねむりこける.

세상(이) 바뀌다 (制度・政権などの変革で)社会〔世〕が変わる.

세상(을) 버리다 世を捨てる. 類세상(을) 떠나다.
表現 ‘죽다 死ぬ’の婉曲な言いかた.

세상 없어도 何事があっても. 何が何でも. きっと. 必ず. 是非とも. 文例 ～ 가겠다 どんな事があっても行く / ～ 이기겠다 きっと勝って見せる / ～ (끝까지) 해내다 何が何でもやり通す.

세상 없이 (世に)またとなく. この上もなく. 句例 ～ 좋은 사람 またとなくいい人. 文例 ～ 훌륭한 인물을 잃었다 か(掛)けが(替)えのない人物を失った.

세상에 何とまあ. 全く. 実に. 本当に. 一体. 文例 원 ～, 이런 일이 있을 수 있을까 何とまあ〔一体〕, こんな事があり得るだろうか.

세상에 물들다 浮き世のあか(垢)にまみれる. 世間ず(擦)れする. 句例 세상에 물들지 않은 여자 世間ずれのしていない女.

세상 천지(天地)에 ‘세상에’のこと.

세상(을) 하직(下直)하다 世を辞する. ＝세상(을) 떠나다.
表現 ‘죽다 死ぬ’の婉曲な言いかた.

세상 만사【世上萬事】[se:sangma:nsa]〈名〉世の中でおこるよろずのこと.

세상-맛【世上一】[se:sang—]〈名〉世間のおもしろみ. 世の楽しみや辛酸. 句例 ～을 보다 世の楽しみや辛酸をなめる.

세상 물정【世上物情】[se:sangmultchŏng]〈名〉世情. 物情. 世故. 句例 ～에 밝다 世情に通じている. 世故にたける / ～에 어둡다 世情にうと(疎)い〔暗い〕.

세상-사【世上事】[se:sangsa]〈名〉世事. 世間の物事〔事柄〕. ＝세상일.

세상-살이【世上一】[se:sangsari]〈名・하自〉世渡り. 処世. 世過ぎ. 句例 ～의 괴로움을 맛보다 身過ぎ世過ぎの苦しさを味わう.

세세【歲歲】[se:se]〈副〉歲歲. 年年. 語例 ～연년(年年) 年年歲歲. 毎年.

세세-하다【細細―】[se:se―](→하다)〈形〉細細しい. ❶きわめて詳しい. 句例 세세한 점에 이르기까지 細かい点に至るまで / 세세한 것은 생략하다 細細しい〔詳しい〕ことは略する. ❷あまり細かくて取るに足りない. 句例 세세한 잡일 細細(と)した雑用. **세세히**〈副〉細細と. 細細しく. 詳しく. 句例 세세히 주의를 주다 細細と注意を与える. 文例 사건의 추이를 세세히 설명했다 事件の推移をこまごまと説明した.

세속【世俗】[se:sok]〈名〉世俗. 句例 ～에 영합하다 世俗におもねる〔媚びる〕/ ～에 따르다 流俗に従う / ～에 때묻다 黄塵にまみれる / ～을 초월하다 世俗を超越する.

세속-적【世俗的】[se:sokchŏk]〈名・冠〉世俗的. 世間的. 句例 너무나 ～인 사람 あまりにも世間的な人 / ～인 사고 방식 世俗的な考え方.

****세수**【洗手】[se:su]〈名〉洗面. 洗顔. **～하다**〈自〉洗面する. 顔を洗う. 語例 ～간(間) 洗面所 / ～ 수건 洗面タオル / 세숫대야 洗面器. ちょうず鉢 / 세숫물 手水. ちょうず. 洗面用の水 / 세숫비누 化粧せっけん.

세습【世習】[se:sŭp]〈名〉世の風習. 世の習い.

세습【世襲】[se:sŭp]〈名・하他〉世襲. 語例 ～ 군주 世襲君主 / ～적 世襲的 / ～제 世襲制.

세시【歲時】[se:shi]〈名〉❶歲時. 語例 ～기 歲時記. 年中行事を記した本. ❷元旦. 年始.

세심-하다【細心―】[se:shim―](→하다)〈形〉細心だ. 注意深い. 句例 세심한 사람〔주의〕細心な人〔注意〕. **세심히**〈副〉細心に. 注意深く.

세-안【歲―】[se:an]〈名〉年内. 年が明ける以前. ＝세전(歲前).

세액【稅額】[se:aek]〈名〉稅額.

****세어-보다**[se:ŏ―]〈他〉数えてみる. 略して'세보다'ともいう.

세우【細雨】[se:u]〈名〉細雨. 小雨. 小ぬか雨. ＝가랑비.

****세우다**〈他〉❶立てる. ㉠(まっすぐに)起こす. 句例 무릎을 ～ ひざを立てる / 기둥을 ～ 柱を立てる. 絵
㉡(刃を)つける. 鋭くする. 句例 톱니의 날을 ～ のこぎりの目を立てる / 식칼의 날을 ～ 包丁の刃を立てる.
㉢(心を)起こす. 目標をきめる. 句例 뜻을 ～ 志を立てる.
㉣(建造物などを)建てる. 句例 비석〔동상〕을 ～ 石碑〔銅像〕を建てる / 학교를 ～ 学校を建てる.
㉤(ある地位・位置などに)つかせる. 句例 후보자를〔증인을〕～ 候補者〔証人〕を立てる. 絵
㉥(人・国・所属集団のために)つくす. (働きを)目だたせる. 句例 공(功)을 ～ 手柄を立てる.
㉦(説・法則・規則・計画などを)つくりだす. 定める. 決める. 句例 새 학설〔이론〕을 ～ 新学説〔理論〕を立てる / 계획〔대책〕을 ～ 計画〔対策〕を立てる / 기준〔원칙〕을 ～ 基準〔原則〕を立てる.
㉧成り立たせる. 句例 생계를 ～ 生計〔暮らし〕を立てる.
㉨(体面が)損なわれないように保つ. 面目をほどこす. 句例 체면을 ～ 顔を立てる.
㉩樹立する. 作る. 句例 나라를 ～ 国を建てる / 전통을 ～ 伝統をうち立てる.
㉪青筋を立てる. 句例 핏대를 세우고 성내다 青筋を立てておこる.
❷止める. 句例 불러 ～ 呼び止める / 차를 ～ 車を止める. 絵
❸(意志・我を)通す. 我を張る. 句例 고집을 ～ 強情を張る. ▷→囲み記事 53

〈세우다〉

***세월**【歲月】[se:wol]〈名〉歲月. 年月. 月日. 光陰. ＝성상(星霜). 句例 ～의 흐름 年月の流れ / 긴 ～을 함께 한 부부 長年連れそった夫婦 / 긴 ～ 동안 長い年月のあいだ / ～이 지남에 따라 月日のたつに連れて. 歲月を経るに従って / ～이 가다〔지나다〕年月がたつ. 歲月をへる / ～이 흐르다 歲月が流れる / 빈둥빈둥 ～을 보내다 のらくらして〔便便と〕日を送る / 헛되이 ～을 보내다 いたずらに月日を送る. 文例 ～이 유수〔화살〕같다 歲月流るるがごとし. 光陰矢のごとし / ～은 사람을 기다리지 않는다 歲月人を待たず.

세월(이) 없다 ❶(商いが)うまくいかない. 不景気だ. ❷時に会えず, 世にもてはやされない〔用いられない〕. ❸(仕事などが)のろのろとしてはかどらず, いつ成るやら見当がつかない.

세월을 만나다 時に会う. 時を得て, 世にもてはやされる〔幅を利かせる〕ようになる. 世に時めいている. 句例 세월을 못 만난 천재 時を得ない天才.

세월이 나다 時に会って大金をかせぐ.

세월이 약 歲月が薬. つらいことや恨みなど悲しい思いも, 月日のたつにつれて薄らぎ消えるものだとの意.

세월이 좀먹다 歲月がしみ(紙魚)に食われる《時が止まったように年月のたたないこと》.

세율【稅率】[se:yul]〈名〉稅率. 句例 ～을 올리다〔낮추다〕稅率を引き上げる〔下げる〕. 語例 누진 ～ 累進稅率.

세-이레[se:―]〈名〉〔民〕出産後三七日

さんしちにちの祝い.

세이프 〈名〉(野球·テニスなどで)セーフ. [句例] ~가 되다 セーフになる / 심판이 ~를 선언하다 審判がセーフを宣言する. (對)아웃. ◇safe

세인【世人】[se:in]〈名〉世人. [句例] ~의 관심을〔주의를〕 끌다 世人の関心〔注意〕を引く / ~의 주목을 피하다 世人の注目を避ける / ~의 주목의 대상이 되다 世人の注目の的となる.

세일 〈名〉セール. 売り出し. [語例] 바겐 ~ バーゲンセール. (類)특매(特賣). ◇sale

세일러-복【sailor服】〈名〉セーラー服.
[參考] '세일러'は水兵. その軍服に似せたことに由来する.

세일즈-맨 〈名〉セールスマン. ◇salesman

세입【歲入】[se:ip]〈名〉〔經〕歳入. [句例] ~의 증가를 꾀하다 歳入の増加をはかる. [語例] ~ 예산액 歳入予算額 / 임시〔경상〕 ~ 臨時〔経常〕歳入. (對)세출(歲出).

세자【世子】[se:ja]〈名〉'왕세자'の略: 世子. (皇)太子. [語例] ~궁(宮)〔史〕東宮 / ~빈(嬪) (王)世子嬪. (皇)太子妃.

세정【洗淨】[se:jŏng]〈名·하他〉⇨ 세척(洗滌)

*__세제__【洗劑】[se:je]〈名〉洗剤. [語例] 중성 ~ 中性洗剤.

세제【稅制】[se:je]〈名〉税制. [語例] ~ 개혁 税制改革.

세-제곱 [se:─]〈名〉〔數〕❶三乗. ❷立方.

세-주다【貰─】[se:─]〈他〉賃貸しする. [句例] 방을 ~ 間貸しをする.

세차【洗車】[se:ch'a]〈名·하自〉洗車. [語例] ~장 洗車場. 洗車屋.

세-차다 [se:─]〈形〉強い. 激しい. 強烈だ. [句例] 물살이 ~ 水の流れがはやい / 적을 세차게 공격하다 敵を激しく攻めたてる / 비가 세차게 쏟아지다 雨が激しく降りそそぐ / 바람이 세차게 불어 치다 風が激しく吹きつける / 세찬 반대에도 불구하고 強列な反対にもかかわらず.

세찬【歲饌】[se:ch'an]〈名·하自〉正月の贈り物.

세책【貰冊】[se:ch'aek]〈名〉貸し本. [語例] ~집 貸し本屋.

*__세척__【洗滌】[se:ch'ŏk]〈名·하他〉洗浄. [句例] 위를 ~하다 胃を洗浄する. [語例] ~기 洗浄器 / ~제 洗浄剤.

세출【歲出】[se:ch'ul]〈名〉歳出. [語例] ~ 예산액 歳出予算額. (對)세입(歲入).

세칙【細則】[se:ch'ik]〈名〉細則. [文例] ~에 따를 것 細則に従うこと. [語例] 시행 ~ 施行細則. (對)총칙(總則).

세칭【世稱】[se:ch'ing]〈名〉いわゆる(所謂). 世〔俗〕にいう. [句例] ~ 일류교(校) いわゆる一流の学校.

세컨드 〈名〉セカンド. [語例] ~ 베이스〔野〕セカンドベース. 二塁. ◇second

*__세탁__【洗濯】[se:t'ak]〈名〉洗濯. 洗い. クリーニング. =빨래. **~하다**〈他〉洗濯する. 洗う. [句例] ~해도 줄어들지 않다 洗濯をしても縮まない / ~을 (잘못)해서 상하다 洗濯をして傷む. [文例] 잉크 얼룩이 ~을 해도 (빠)지지 않는다 インクのしみが洗濯しても落ちない. [語例] ~물 洗い物. 洗濯物 / ~비누(=빨랫비누) 洗濯せっけん / ⇨ 세탁소 / 물 ~ 水洗い / 전기 ~기 電気洗濯機.

**__세탁-소__【洗濯所】[se:t'akso]〈名〉洗濯屋. クリーニング屋. ランドリー. [句例] ~에 보내다 洗いに出す.

세태【世態】[se:t'ae]〈名〉世態. 世相. 世柄. [句例] 어두운 ~ 暗い世相 / ~ 인정의 변화 世態人情の変化 / ~를 반영하다 世相を反映する.

세트 〈名·하自〉セット. [句例] ~한 머리 セットした髪 / 삼 ~의 경기 三セットの試合 / ~에서 촬영하다 セットで撮影する. [文例] 세 개(가) 한 ~로 되어 있다 三つでセットになっている. [語例] ~ 올 セットオール / ~ 포인트 セットポイント / ~ 포지션 セットポジション / 오픈 ~ オープンセット / 커피 ~ コーヒーセット / 텔레비전 ~ テレビ〔TV〕セット. ◇set

세파【世波】[se:p'a]〈名〉世の荒波. [句例] ~와 싸우다 世の荒波と闘う / ~에 시달리다 世の荒波にも(揉)まれる.

세평【世評】[se:p'yŏng]〈名〉世評. 世間の評判〔うわさ〕. [句例] ~에 신경을 쓰다 世評を気にする / ~이 좋다 世評がよい. 気受けがいい / ~에 의하면 世評によれば / ~에 오르다 世評にのぼる.

*__세포__【細胞】[se:p'o]〈名〉細胞・さいほう. [句例] ~의 증식 細胞の増殖 / 신경 ~의 괴멸 神経細胞の壊滅. [語例] ~ 분열 細胞分裂 / ~ 조직 細胞組織 / ~질 細胞質 / ~핵 細胞核.

세-피리【細─】[se:─]〈名〉〔樂〕'향피리' '당피리'と共に伝統音楽の演奏に用いられる縦笛の一つ. '향피리'よりやや細いだけで, 音域などはみな同じくできている.

세필【細筆】[se:p'il]〈名·하他〉細筆. ❶細書. ❷細かい字を書くための筆.

섹스 〈名〉セックス. [語例] ~ 어필 セックスアピール. ◇sex

센-말 [se:nmal]〈名〉〔言〕強勢語. 同じ意味の語で語感の強い語. →거센말
[參考] 例えば'굼틀'に対する'꿈틀', '검다'に対する'껌다'など.

센-머리 [se:n─]〈名〉白髪. =백발(白髮).

센-물 [se:nmul]〈名〉〔化〕硬水. (對)단물.

센-박【─拍】[se:nbak]〈名〉〔樂〕強拍. (對)여린박(拍).

센서스 〈名〉センサス. [語例] 농업 ~ 農業センサス. ◇census

센세이셔널 〈名·하形〉センセーショナル. [句例] ~한 사건〔기사〕 センセーショナルな事件〔記事〕. ◇sensational

센세이션 〈名〉センセーション. 旋風. [句例] ~을 일으키다 センセーションを巻き起こす. ◇sensation

센스 〈名〉センス. [句例] ~가 있다 センスがある / ~가 좋다 センスがいい / …의 ~가 있는〔없는〕 사람 …のセンスのある〔ない〕人. ◇sense

센치-하다 (→하다)〈形〉センチだ. [句例] ~한 이야기 センチ(メンタル)な話. [語例] 센치해지다 センチになる. ◇sentimentalから.

센터 〈名〉 センター. ❶活動の中心となる所. 語例 의료 ~ 医療センター / 무역 ~ 貿易センター / 비지니스 ~ ビジネスセンター / 암 ~ 癌センター. ❷野球で, 中堅(手). 語例 ~ 플라이 センターフライ. ❸(バスケットボールなどで)中央の守備の役割, またはその守備選手. ◇center

센터링 〈名·하自他〉 センタリング. センターリング. ◇centering

센-털 [se:nt'ŏl] 〈名〉 白くなった毛.

센텐스 〈名〉〔言〕 センテンス. =문장(文章). 句例 세 개의 ~로 이루어진 구문 三つのセンテンスからなる構文. ◇sentence

센트 〈名〉 セント《米貨の単位》. ◇cent

센티- 〈頭〉 センチ…. 語例 ~미터 センチメートル. センチ《略語》. ◇centi-

센티멘털 〈名〉 センチメンタル. 感傷的. 略して'센치'ともいう. **~하다** 〈形〉 センチメンタルだ. 感傷的だ. ◇sentimental

셀로판 〈名〉〔化〕 セロハン. セロファン. 句例 ~지(紙)로 싸다 セロハン紙で包む. 語例 ~ 테이프 セロハンテープ. ◇프 cellophane

셀프 〈名〉 セルフ. 語例 ~서비스 セルフサービス / ~타이머 セルフタイマー. ◇self

셈 [se:m] 〈名〉 ❶計算. 数え. 算数. **~하다 〈他〉 数える. 計算する. 句例 ~에 넣다 計算に入れる / ~에 넣지 않다 計算に入れない / ~을 틀리다 数〔計算〕を間違える. 計算違いをする / 주판으로 ~을 하다 そろばん(算盤)で計算する. そろばんをおく / ~에 약하다 数字に弱い / ~에 어둡다 計算に暗い / ~이 빠르다 計算が早い. 文例 ~이 맞지 않는다 計算が合わない.

❷勘定. 支払い. 算用. **~하다** 〈他〉 勘定(を)する. 支払う. 算用する. 句例 ~을 치르다 勘定を払う / ~을 끝내다 勘定をすます / ~에 넣다 勘定に入れる / 월말에 ~을 끊다 月末で仕切る / 여관 비용은 ~에 넣지 않고 旅館の費用は勘定に入れずに.

❸'셈판'の略: (物事の)事情. 訳. 句例 어찌된 ~인지 どうしたわけか.

❹'속셈'の略: つもり. 心積もり. 下心. 心算. 考え. 句例 떼어먹을 ~으로 돈을 꾸다 踏み倒すつもり〔気〕で金を借りる. 文例 어찌할 ~이냐 どうするつもりなのか.

❺物心. 分別. 判断力. 句例 셈(이) 나다(→小項目) / 셈(이) 들다(→小項目).

❻('-ㄴ〔은〕 ~이다' '-ㄹ〔을〕 ~이다'の形で)…わけだ. …わけです. 文例 결국 내가 이긴 ~이지 結局わたしが勝ったわけさ / 이걸로 그럭저럭 일단락 지은 ~입니다 これでどうやら一段落というわけです / 앞으로 어떻게 할 ~이냐 これからどうするつもりなのか.

셈(이) 나다 分別〔物心〕がつく.

셈(이) 들다 '셈(이) 나다'のこと.

셈(이) 질기다 (掛け金などを)出し渋る. なかなか払わない.

셈-속 [se:mssok] 〈名〉 ❶(物事の)内幕. 内容. ❷心〔腹〕づもり. 胸算用. 文例 무슨 ~인지 도무지 모르겠다 どうした腹なのかとんと分からない.

셈-자 [se:mja] 〈名〉 計算尺.

셈-질기다 [se:mjilgida] ⇨'셈'の小項目

셈-치다 [se:m—] ■〈他〉 計算する. 文例 6개월분의 임금을 셈쳐 주었다 六か月分の賃金を計算して支給した.

■〈補動〉 (主に'-ㄴ〔은〕 ~' '-ㄹ〔을〕 ~'の形で) 動作・事実などを既定のことと仮定していう語: …したつもりになる〔つもりでいる〕. …したことにする. 句例 그런 일은 없었던 셈치고 そんなことはなかったことにして / 먹은 셈치고 자다 食べたつもりで寝る / 죽은 셈치고 일하다 死ぬ思いで働く.

셈-판 [se:mp'an] 〈名〉 物事の事情や理由. 訳. 訳合い. 略して'셈'ともいう. 文例 어찌된 ~인지 통 알 수가 없다 どうしたことなのかさっぱりわけがわからない.

셈-펴이다 [se:m—] 〈自〉 '셈평 펴이다'の略(→'셈평'の小項目).

셈-평 [se:mp'yŏng] 〈名〉 ❶打算的な内容. ❷暮らし向き.

셈평 펴이다 ふところが暖まる. 暮らし向きがよくなる. 略して'셈펴이다'ともいう. 文例 셈평 펴일 날이 없다 浮かぶ瀬がない.

**셋 [se:t] 〈數〉 三〔参〕. 三つ. 三.

셋-갖춤 [se:t—] 〈名〉 三つぞろ(揃)い. スリーピース. =셋붙이.

셋-돈【貰—】 [se:tton] 〈名〉 借り賃. 貸し賃. =세전(貰錢). 句例 ~을 내다 借り賃を払う.

셋-방【貰房】 [se:tpang] 〈名〉 貸間. 借間. 句例 ~을 들다 間借りをする. 語例 ~살이 間借り暮らし. 間借り生活.

셋-잇단음표【—音標】 [se:dittanŭmp'yo] 〈名〉〔樂〕 三連音符.

셋-집【貰—】 [se:tchip] 〈名〉 貸家. 借家. =세가(貰家). 句例 가스, 수도가 있는 ~ ガス, 水道付きの貸家 / ~에서 쫓겨나다 たな(店)立てを食う.

셋-째 [se:ttchae] 〈數〉 三つ目. 三番目. 語例 ~ 아들 三番目のむすこ. 三男 / ~ 딸 三番目の娘. 三女.

셔벗 [syŏ:bŏt] 〈名〉 シャーベット. ◇sherbet

셔츠 〈名〉 シャツ. 句例 ~만 걸친 알몸이 되다, ~바람이 되다 シャツ一枚になる. 語例 속~ アンダーシャツ. 肌着. ◇shirts

셔터 〈名〉 シャッター. 句例 (문의) ~를 내리다 シャッターをおろす / (카메라의) ~를 누르다 シャッターを切る(押す). ◇shutter

셔틀 버스 〈名〉 シャトルバス. ◇shuttle bus

셧-아웃 [syŏdaut] 〈名·하他〉〔野〕 シャットアウト. 句例 ~당하다 シャットアウトを食う. ◇shutout

셰르파 〈名〉 シェルパ. ◇Sherpa

셰퍼드 [syep'ŏ:dŭ] 〈名〉〔動〕 セパード. シェパード. ◇shepherd

**소[1] 〈名〉〔動〕 牛. 句例 ~를 기르다 牛を飼う / ~에 여물을 주다 牛にまぐさをやる / ~를 잡다 牛をほふ(屠)る. 語例 수~ (=황소) 雄牛 / 암~ 雌牛.

소같이 먹다 とてもたくさん食べる.

소같이 벌어서 쥐같이 먹어라 牛のようにあくせく稼いで, ねずみ(鼠)のように食べろ. 苦労

くろうして稼いだものはなるべく節約して使うべきだとの意.

소 닭 보듯 닭 소 보듯 牛が鶏を見るごとく, 鶏の牛を見るごとく. お互いにまったく関心のないことのたとえ.

소도 언덕이 있어야 비빈다 牛も身を寄せる小坂があってこそかゆ(痒)い部分がこすれるものだ. 頼れる身寄りがあってこそ事の成功を期することができるとの意.

소 뒷걸음질 치다 쥐 잡기 後ずさりの牛が思いがけなくねずみを踏みつけて捕らえる. けがの功名.

소 잃고 외양간 고친다 牛を失って牛小屋を直す. 盗人を見てなわ(縄)をな(綯)う.

소(가) 푸주에 들어가듯 牛が肉屋へ入るよう. 非常に嫌がることのたとえ.

소² 〈名〉❶あん(餡). あんこ《俗》. 句例 으깬 (팥) ~ つぶしあん. 語例 팥~ 떡 あんこもち / 만두 ~ 饅頭〔ギョーザ(餃子)〕のあん. ❷キムチの丸漬けに入れるいろいろの薬味.

소【小】[so:] ━〈名〉小. (大・中・小に分けるとき)いちばん小さいもの. 文例 대(大)는 ~를 겸(兼)한다 大は小をかねる.
━〈頭〉 小・こ…. 語例 ~규모 小規模 / ~문자 小文字. 對 대(大).

소【沼】〈名〉⇨ 늪

소 〔漢字項目〕

【召】高校 소 ショウ. 부르다 めす. ◧召集 소집 しょうしゅう. 召喚 소환 しょうかん. ◨應召 응소 おうしょう.

【小】中學 소 ショウ. ❶작다 ちいさい. 짧다 短い. ◧小國 소국 しょうこく. 小計 소계 しょうけい. ◨極小 극소 きょくしょう. ❷적다 少ない. ◧小康 소강 しょうこう. 小寒 소한 しょうかん. ❸젊다 年わかい. 어리다 幼い. ◧小兒 소아 しょうに. しょうじ. 小婦 소부 しょうふ. ❹자기를 겸손하게 나타낼 때 앞에 붙이는 말 自身をけんそんに表わすとき前につける語. ◧小官 소관 しょうかん. 小生 소생 しょうせい. 小著 소저 しょうちょ.

【少】中學 소 ショウ. ❶적다 少ない. 조금 すこし. ◧少量 소량 しょうりょう. 少額 소액 しょうがく. ❷젊다 わかい. 어리다 おさない. ◧少女 소녀 しょうじょ. 少壯 소장 しょうそう. ❸적어지다 へる. ◨減少 감소 げんしょう. ❹잠시 쉬다 しばらく休む. ◧少憩 소게 しょうけい. ❺보좌하는 역할 補佐する役. ◧少尉 소위 しょうい. 少師 소사 しょうし.

【所(所)】中學 소 ショ. ❶장소. 곳 ところ. ◨居所 거소 きょしょ. 名所 명소 めいしょ. 住所 주소 じゅうしょ. ❷특정한 것을 취급하는 시설 特定のことを扱う施設. ◨裁判所 재판소 さいばんしょ. 刑務所 형무소 けいむしょ. 事務所 사무소 じむしょ. ❸…하는 일 …すること. …하는 사람 …する人. ◧所感 소감 しょかん. 所見 소견 しょけん. 所信 소신 しょしん. 所有 소유 しょゆう.

【掃(掃)】高校 소 ソウ. ❶(비로) 쓸다 (ほうきで)はく. ◧掃除 소제 そうじ. ◨淸掃 청소 せいそう. ❷제거하다 取り除く. ◧掃滅 소멸 そうめつ. 掃蕩 소탕 そうとう(掃討).

【昭】高校 소 ショウ. ❶밝고 빛나다 明るくかがやかしい. ◧昭光 소광 しょうこう. 昭明 소명 しょうめい. 昭代 소대 しょうだい. ❷밝히다 明るくする. ◧昭示 소시 しょうじ. ◨顯昭 현소 けんしょう.

【消(消)】中學 소 ショウ. ❶사라지다 消える. 없어지다 なくなる. ◧消滅 소멸 しょうめつ. 消失 소실 しょうしつ. 消沈 소침 しょうちん. ❷끄다 消す. 없애다 なくす. ◧消毒 소독 しょうどく. 消防 소방 しょうぼう. 消音 소음 しょうおん. ❸삼가며 조심함 控え目. ◧消極 소극 しょうきょく.

【燒(焼)】高校 소 ショウ. ❶태우다 やく. ◧燒却 소각 しょうきゃく. 燒失 소실 しょうしつ. ❷타다 やける. ◧燒盡 소진 しょうじん. ◨燃燒 연소 ねんしょう.

【疏】高校 소 ソ. ❶트다 とおす. ◧疏通 소통 そつう. 疏水 소수 そすい. ❷멀다 遠い. ◧疏族 소족 そぞく. ◨親疏 친소 しんそ. ❸멀리하다 とおざける. ◧疏外 소외 そがい. ❹드물다 まれだ. ◧疏密 소밀 そみつ. 疏食 소사 そし. ❺상소하다 上疏する. ◧疏狀 소장 そじょう. ◨奏疏 주소 そうそ.

【笑】中學 소 ショウ. ❶웃다 わらう. ◧笑顔 소안 しょうがん. 笑話 소화 しょうわ. ◨微笑 미소 びしょう. ❷남의 처분을 바랄 때의 겸손한 말 他人の処分を請うときの謙譲語. ◧笑納 소납 しょうのう. 笑覽 소람 しょうらん.

【素】中學 소 ソ. ス. ❶희다 白い. ◧素服 소복 そふく. 素衣 소의 そい. ❷꾸밈이 없다 飾りがない. ◧素朴 소박 そぼく. 素顔 소안 すがお. ❸본바탕이 되는 것 もとになるもの. ◧素材 소재 そざい. 素因 소인 そいん. 素性 소성 すじょう. ❹평상시 つねづね. ◧素行 소행 そこう. ◨平素 평소 へいそ. ❺〔化〕 원소 이름에 붙이는 말 元素の名につける語. ◨酸素 산소 さんそ. 水素 수소 すいそ.

【蔬】高校 소 ソ. ❶푸성귀 青物. 채소의 총칭 野菜の総称. ◧蔬菜 소채 そさい. ❷곡식의 알 穀物の粒. ❸성기다 まばらである.

【蘇】高校 소 ソ. ❶되살아나다 よみがえる. ◧蘇生 소생 そせい. 蘇活 소활 そかつ. ❷차조기 しそ. ◨紫蘇 자소 しそ. ❸새꼬리나 실로 만든 술장식 鳥の尾または糸で作ったふさ飾り. ◨流蘇 유소 りゅうそ. ❹'소비에트'의 음역의 준말 'ソビエト'の音訳の略. ◧蘇聯 소련 ソれん. ◨美蘇 미소 べいソ(米ソ).

【訴】高校 소 ソ. ❶하소연하다 うったえる. ◨哀訴 애소 あいそ. 泣訴 읍소 きゅうそ. ❷고소하다 さばきを求める. ◧訴權 소권 そけん. 訴訟 소송 そしょう. 訴追 소추 そつい. ◨勝訴 승소 しょうそ.

【騷(騒)】高校 소 ソウ. ❶떠들다 さわぐ. ◧騷動 소동 そうどう. 騷亂 소란 そうらん. 騷音 소음 そうおん. 騷然 소연 そうぜん. ❷시가·풍류의 뜻 詩歌・風流の意. ◧騷客 소객 そうかく. 騷人 소인 そうじん.

騷體 소체 そうたい.

소-가족【小家族】[so:—]〈名〉❶小家族. ❷核家族. ▷對대(大)가족.

소가지 [so:gaji]〈名〉'심지(心志) 性根'の俗っぽい言いかた: 根性. 心根. 気立て. しんそこ(心底).

소각【燒却】〈名・하他〉 焼却. 句例 서류를 ~하다 書類を焼却する / 쓰레기를 ~하다 ごみを焼却する. 語例 ~로(爐) 焼却炉 / ~ 소독 焼却消毒 / ~장(場) 焼き場.

소갈-딱지 [so:gal—]〈名〉⇨ 소갈머리

소갈-머리 [so:gal—]〈名〉'심지(心志) 性根'の俗っぽい言いかた: 心. 考え. 句例 ~ 없다 考え〔思慮〕が足りない. 愚かだ.

***소감**【所感】[so:gam]〈名〉所感. 句例 ~을 피력하다 所感を述べる. 文例 한마디 ~을 말하고자 합니다 一言所感を述べさせていただきます. 類감상(感想).

소강【小康】[so:gang]〈名・하形〉小康. 句例 ~을 유지하다 小康をたもつ / 휴전으로 ~을 얻다 休戦によって小康を得る. 語例 ~ 상태 小康状態.

소개【紹介】〈名〉紹介. 引き合わせ. **~하다**〈他〉紹介する. 引き合わせる. 句例 …이라고 자기 ~를 하다 …だと自己紹介をする / 아저씨의 ~로 입사하다 おじの手引きで入社する. 文例 친구 A씨를 ~합니다 友人のA氏をご紹介申し上げます / 방금 ~받은 K입니다 ただいまご紹介にあずかりましたKでございます / 저 분께 ~해 드리죠 あの方にお引き合わせいたしましょう / 이집트의 현상을 ~하다 エジプトの現状を紹介する. 語例 ⇨ 소개장

소개【疏開】〈名・하自他〉疎開. 句例 지방으로 ~하다〔시키다〕 地方に疎開する〔させる〕. 語例 ~령 疎開令 / 강제 ~ 強制疎開 / 집단 ~ 集団疎開.

소개-말【紹介—】〈名〉紹介のことば. 前置き. 端書き.

소개-업【紹介業】〈名〉紹介業.

소개-장【紹介狀】[—tchang]〈名〉紹介状. 添書. 句例 ~을 써 주다 紹介状を書いてやる. 文例 ~을 한 줄 써 주시기 바랍니다 紹介状を一筆お願いします.

소거【消去】〈名・하自他〉 消去. 語例 ~법〔數〕消去法. 類소각(消却).

소-걸음 [sogŏrŭm]〈名〉牛の歩み. 牛歩.

소견【所見】[so:gyŏn]〈名〉❶所見. 考え. 句例 제 ~으로는 わたしの考えでは / 의사의 ~ 医師の所見 / ~을 말하다 所見をのべる / ~을 묻다 所見をうかがう / 얕은 ~ 浅い考え. 語例 ~표 所見表. 学業などに対する意見書. →소견머리. ❷思慮.

소견-머리【所見—】[so:gyŏn—]〈名〉'소견(所見)'の俗っぽい言いかた. 句例 ~ 없는 사람 思慮〔考え〕の足りない人.

소경 [so:gyŏng]〈名〉❶盲人. 盲者. =장님. 맹인. 판수. 봉사(奉事). 句例 ~이 되다 盲人になる. 文例 나면서부터 ~이다 生まれつきの盲人である. ❷明きめくら. 字の読めない人. 文盲. =눈뜬 장님.

소경 개천 나무란다 盲者どぶ(溝)をとが(咎)む. 自分の過ちは棚上げにして不運を人のせいにすることのたとえ.

소경 단청 구경 盲人の丹青見物. めくらの垣のぞき.

소경더러 눈멀었다 하면 노여워한다 盲者に向かって盲者と言えば怒る. 欠点を指されると, とかくいやがるのは人の常であるとの意.

소경 등불 드나 마나 盲者にあかり(灯)を持たせてもむだだ. めくらにちょうちん(提灯).

소경 잠 자나 마나 盲者が眠ったって眠らないのと同じだ. なんの成果もないことのたとえ.

소계【小計】[so:gye]〈名〉小計. 對총계(總計).

소고【小鼓】[so:go]〈名〉〔樂〕❶小鼓・こつづみ. 小太鼓. =작은북. ❷農楽器の一種《小さい鼓に柄がついている》. 絵 語例 ~잡이(農楽で)小鼓の打ち手 / ~춤, ~무(舞) 農楽の小鼓を持って踊る踊り.

〈소고〉

소곡【小曲】[so:gok]〈名〉〔樂〕['소품곡(小品曲)'の略] 小曲.

***소곤-거리다**〈自他〉ささや(囁)く. ささめく. ひそひそと話す. 句例 소곤거리는 소리 ひそひそ話す声 / 작은 소리로 ~ 小声でささやく / 귓전에 대고 ~ 耳もとでささやく. 類속삭이다. 表現 語感の大きい語は'수군거리다'.

소곤소곤〈副・하自他〉ひそひそ. ぼそぼそ. 句例 ~ 비밀 이야기를 하다 ひそひそ(と)ないしょ話をする.

소곳-이 [sogoshi]〈副〉うつむきかげんに. おとなしく. 従順に.

소곳-하다 [sogot'ada](→하다)〈形〉❶ややうつ向きかげんだ. ❷興奮がちょっと静まったようだ.

소관【所管】[so:gwan]〈名〉所管. 所轄. 語例 ~ 업무 所管〔所轄〕業務 / ~청 所管庁.

소관【所關】[so:gwan]〈名〉関するところ. 関係するところ. 句例 팔자(八字) ~이다 運命のいた(致)す〔しからしめる〕ところだ.

소-괄호【小括弧】[so:—]〈名〉〔數〕小かっこ(括弧). 句例 ~로 묶다 小かっこでくくる.

소구 [so:gu]〈名〉[もとの語形は'소고(小鼓)']〔樂〕⇨ 소고②

소-구분【小區分】[so:—]〈名・하他〉小さく区分すること. また, その区分. 小区分.

소국【小國】[so:guk]〈名〉小国. 對대국.

소굴【巢窟】〈名〉巣窟. 巣. 根城. =소혈(巢穴). 句例 도둑의 ~ 盗賊の巣窟 / 악〔범죄〕의 ~ 悪〔犯罪〕の巣窟 / 밀수단의 ~을 급습하다 密輸団の巣窟を急襲する.

소-규모【小規模】[so:—]〈名〉小規模. 語例 ~ 농업 小規模農業. 對대규모(大規模).

소극【消極】〈名〉消極. 語例 ~성 消極性 / ⇨ 소극적 / ~책 消極策. 對적극(積極).

소극【笑劇】[so:gŭk]〈名〉〔劇〕笑劇. =파스(farce).

소극-적【消極的】〈名・冠〉消極的. 句例

ㅅ

~인 태도 消極的〔控え目〕な態度 / ~인 성격 消極的な性格 / ~인 저항 消極的な抵抗. 對적극적(積極的).

****소금** 〈名〉塩. 食塩. 句例 한 줌의 ~ 一つまみの塩 / ~에 절이다〔절여 두다〕塩に漬ける〔漬けておく〕/ ~에 절인 대구 塩だら / 요리에 ~을 치다 料理に塩を振る / ~을 훌훌 뿌리다 ばらっと〔ぱらぱらと〕塩をまく / (생선 따위에) ~을 뿌려 두다 塩をする. 語例 ~ 가마 しおがま(釜) / ~ 구이 塩焼き / ⇨ 소금기 / ⇨ 소금물 / ~밭 塩田 / ~버캐 塩のかたまり / ~절이 塩漬け.

소금 먹은 놈이 물을 켠다 塩を口にした者にかぎってしたたか水を飲む. 罪を犯した者が罰を受けるにきまっているとのたとえ.

소금에 아니 전 놈이 장에 절까 塩漬けもきかなかったものが醬油漬けがきくだろうか. 大きい試練も乗り切った者にとって, より小さな困難にへたばるはずがないとのたとえ.

소금이 쉰다 塩がす(饐)える. とうてい有り得ないことのたとえ.

소금이 쉴 때까지 해 보자 塩がす(饐)えるまでやってみよう. とことんまでやり抜く覚悟のたとえ.

소금-기【一氣】[—kki]〈名〉塩気. 塩味. 句例 ~가 많다 塩気が強い / ~가 적다(=싱겁다) 塩があまい. 塩気が足りない.

****소금-물**〈名〉塩水・塩水. 句例 ~로 담그다 塩水に漬ける / ~로 양치질하다 塩水でうがいする. 語例 ~가림〔農〕塩水選.

소금-쟁이〈名〉〔蟲〕あめんぼ(水馬). みずすまし(水澄し).

소급【遡及】〈名〉遡及. **~하다**〈他〉遡及する. さかのぼる. 句例 ~하여 시행하다 遡及して施行する / ~해서 지급되는 급여 遡及して支払われる給与. 文例 이 법률은 1992년 5월 1일로 ~한다 この法律は1992年5月1日に遡及する. 語例 ~력〔法〕遡及力 / ~성 遡及性. 對불(不)소급.

소기【所期】[so:gi]〈名〉所期. 句例 ~의 목적을 달하다 所期の目的を達する / ~의 성과를 올리다 所期の成果をあげる.
表現 '~의'の形で'目標と目指した' '予期した通りの'という意を表わす.

****소꿉**〈名〉まま事の道具. 語例 ⇨ 소꿉놀이 / ⇨ 소꿉동무 / ⇨ 소꿉질

****소꿉-놀이** [sokkumnori]〈名・하自〉まま事(遊び). 句例 ~하고 놀다 まま事をして遊ぶ.

소꿉-동무〈名〉幼友達. 幼なじみ. 文例 그녀는 내 ~다 彼女はわたしの幼なじみだ.

****소꿉-장난**〈名・하自〉⇨ 소꿉놀이

****소꿉-질**〈名・하自〉⇨ 소꿉놀이

소나기〈名〉夕立. にわか雨. とおり雨. 驟雨. =소낙비. 句例 ~를 만나다 にわか雨にあう. 文例 그저 ~일 뿐이야, 걱정할 것 없다 ほんのとおり雨だ, 心配しない / ~가 내릴 것 같다 夕立が降りそうだ / ~가 좍좍 내린다 にわか雨がざあざあと降る. 語例 ~ 구름 入道雲. 積乱雲.

소나기 삼형제 夕立は三人兄弟. にわか雨はすぐや(止)んだかと思うと, しばらく間をおいて, 二・三回また降るものだとの意.

****소-나무**〈名〉松. 松の木. 句例 어린 ~ 若松 / 작은 ~ 小松. 姫松. 語例 소나뭇가지 松の枝. 松が枝.

소나타〈名〉〔樂〕ソナタ. 奏鳴曲. 語例 ~ 형식〔樂〕ソナタ形式 / 피아노 ~ ピアノソナタ. ◇sonata

소낙비〈名〉⇨ 소나기

소낭【嗉囊】[so:nang]〈名〉〔鳥〕嗉嚢. =멀떠구니.

소녀【小女】[so:nyŏ] ■〈名〉小女. 小娘. ■〈代〉目上に対する女性の謙称: わたくし.

***소녀**【少女】[so:nyŏ]〈名〉少女. 乙女. 娘. 語例 ~ 시절 少女時代 / ~ 취미 少女趣味 / ~단(團) 少女団. ガールスカウト. 對소년(少年).

***소년**【少年】[so:nyŏn]〈名〉少年. 句例 홍안의 미~ 紅顔の美少年. 語例 ~ 범죄 少年犯罪 / ~ 시절 少年時代 / ~단 少年団. ボーイスカウト / 비행 ~ 非行少年. 對소녀(少女). 성년(成年).

소년 고생은 사서 하랬다 若い時の苦労は買ってでもせよ. 若い時に多くの苦労をなめ経験を積んでおくと, 将来身のためになるものだとの意.

소뇌【小腦】[so:noe]〈名〉〔生〕小脳. =작은골. 對대뇌(大腦).

소다 [so:da]〈名〉〔化〕ソーダ. ❶'가성 소다 苛性ソーダ'の略. ❷炭酸ソーダ. 語例 ~수 ソーダ水 / 크림 ~ クリームソーダ. ◇soda

소-달구지〈名〉牛車・牛車. 牛に引かせた荷車.

소담-스럽다 (→스럽다)〈形〉ほどよくふっくらとして風雅に見える. ふくよかで見栄えがする. 心の引かれるほど見事だ.

소담-하다 (→하다)〈形〉❶食べ物がたっぷりあっておいしそうだ. ❷ふくよかで見栄えがする. 心持ちふっくらしている. ほどよく風雅で見事だ. 句例 소담한 꽃송이 ふっくらとして目を引く花房. **소담히**〈副〉風雅に. ふくよかに. ふっくらと.

소대【小隊】[so:dae]〈名〉〔軍〕小隊. 語例 ~장 小隊長.

소댕〈名〉かま(釜)のふた(蓋). =솥뚜껑.

소댕-꼭지〈名〉かま(釜)のふた(蓋)のつまみ.

소-도구【小道具】[so:—]〈名〉⇨ 소품(小品)②

소독【消毒】〈名・하他〉消毒. 句例 소각(일광) ~을 하다 焼却〔日光〕消毒をする. 語例 ~기 消毒器 / ~수 消毒水 / ~약 消毒薬 / ~저 割りばし(箸) / ~제 消毒剤 / 열탕 ~ 熱湯消毒. 類살균(殺菌). 멸균(滅菌).

소동【騷動】〈名・하自〉騒動・騒ぎ. 句例 ~이 일어나다 騒動が起こる〔持ち上がる〕/ ~을 일으키다 騒動〔騒ぎ〕を起こす / ~이 가라앉다 騒動〔騒ぎ〕が静まる / ~을 가라앉히다 騒動を静める / ~의 열기가 식다 騒動のほとぼりがさめる / 임금 인상 문제로 ~을 벌이다 賃金の値上げで騒ぐ. 語例 쌀 ~ 米騒動 / 이혼 ~ 離婚騒ぎ. 類소란(騷亂).

소두【小斗】[so:du]〈名〉五升入りの升ます.

*__소득__【所得】[so:dŭk]〈名〉所得. 得えるもの. 得るところ. 句例 ~이 많다 実入りが多い / 1인당 국민 ~ 一人当たりの国民所得 / ~이 늘다〔줄다〕所得が増える〔減る〕. 文例 그는 연(年) 5천만원의 ~이 있다 彼は年五千万ウォンの所得がある. 語例 ~ 공제 所得控除 / ~세 所得税 / ~액 所得額 / 근로〔불로〕~ 勤労〔不労〕所得 / 급여 ~ 給与所得 / 종합〔개인〕~ 総合〔個人〕所得.

소등【消燈】〈名・하自〉消灯. 句例 ~을 명령하다 消灯を命じる. 語例 ~ 시간 消灯時間. 對점등(點燈).

소등 나팔【消燈喇叭】〈名〉〔軍〕消灯ラッパ. 句例 ~을 불다 消灯ラッパを吹く.

소라 [so:ra]〈名〉❶〔貝〕さざえ(栄螺). 語例 ~딱지〔껍데기〕さざえの貝殻. ❷〔樂〕ほら貝. 陣貝. 句例 ~를 불다 ほら貝を吹く.

소라-게 [so:rage]〈名〉〔動〕やどか(宿借)り. やどかり(寄居虫).

소라-고둥 [so:ra—]〈名〉〔貝〕ほら貝.

소란【騷亂】〈名〉騒乱. 騒ぎ. 人騒がせ. ~**하다**〈形〉騒がしい. 騒騒しい. 句例 ~을 일으키다 騒ぎを起こす / ~을 피우다 騒ぎ立てる. 立ち騒ぐ / ~을 가라앉히다 騒ぎを鎮める. 文例 뜻하지 않은〔공연한〕~을 피워서 죄송합니다 とんだ人騒がせをしてすみません. ~**스럽다**(→스럽다)〈形〉騒がしい. 物騒がしい. 騒騒しい. ~**스레**〈副〉騒がしく. 騒騒しく.

소량【小量】[so:ryang]〈名〉小量. 挟量.

소량【少量】[so:ryang]〈名〉少量. (取引での)小口. 句例 ~의 거래〔주문〕小口の取引〔注文〕/ ~의 설탕을 넣다 少量の砂糖を加える. 文例 그것은 극약이지만 ~이면 무해하다 それは劇薬だが, 少量なら無害である. 對다량(多量). 대량(大量).

소령【少領】[so:ryŏng]〈名〉〔軍〕少佐《中領の下で大尉の上. 三佐に当たる》.

소로【小路】[so:ro]〈名〉小路. 小道. 對대로(大路).

소록-소록〈副・하自〉❶赤ん坊が安らかに寝入るさま: すやすや(と). ❷小雨がしめやかに降るさま: しとしと. しょぼしょぼ.

소루-쟁이〈名〉⇨ 소리쟁이

*__소르르__〈副〉❶もつれたり, かたく締めつけられたものがほどけるさま: するする(と). 句例 허리띠가 ~ 풀리다 帯がするするとほどける. ❷柔らかい風が静かに軽く吹くさま: そよそよ(と). 句例 미풍이 ~ 불어오다 そよ風がそよそよと吹いてくる. ❸粉状のものや水などが漏れたり流れたり, またはくず(崩)れたりするさま: さらさら(と). ❹眠気がさすさま: うとうと. とろとろ. 句例 ~ 잠이 오다 うとうとと眠気を催す. うとうとっとする. とろとろっとする.

소름 [so:rŭm]〈名〉鳥肌. 寒さや恐怖のためにあわ立つこと.

소름(이) 끼치다 総毛立つ. 身の毛がよだつ. ぞっとさせる〔する〕. 句例 소름 끼치는 身の毛のよだつような / 소름이 끼칠 정도의 무서움 身の毛もよだつおそろしさ. 文例 생각만 해도 소름이 끼친다 考えただけでもぞっとする.

⁂소리〈名・하自〉❶音. 物音. 句例 ~가 나다 音がする / ~를 내다 音を出す〔立てる〕/ ~가 잘 들리다 音がよく〔はっきり〕聞こえる. 文例 다락에서 이상한 ~가 난다 屋根うらで変な音がする / 무슨 ~일까 何の音だろうか. 語例 바람 ~ 風の音 / 발~ 足音 / 천둥 ~ 雷の音 / 총~ 銃声.

❷人の声. (動物の)鳴き声. ほ(吠・吼)える声. 句例 새~가 들리다 鳥の鳴き声が聞こえる / 사람을 부르는 ~ 人を呼ぶ声 / 울부짖는 ~ 泣きわめく声 / 큰 ~로 외치다〔울다〕大声で叫ぶ〔泣く〕/ ~지르다(→ 小項目). 文例 만장이 쥐죽은 듯 ~ 하나 없다 満場寂として声もなし. 語例 독경 ~ 読経の声 / 매미 ~ セミの声.

❸話. 言葉. 声. 句例 큰 ~ 치다 大きなことを言う. 文例 그게 무슨 ~냐 それはどういう話なのか. 何を言っているのか / 흥깨는 소릴랑 하지 마라 つやけしなことは言うなよ.

❹(ちまたの)うわさ(噂). 世論. 声. 句例 독자의 ~ 読者の声 / 민중의 ~ 民衆の声 / 비난의 ~가 높다 非難の声が高い / 백성의 ~에 귀를 기울이다 民の声に耳を傾ける. 文例 항간(巷間)에는 이런 ~도 있다 ちまた(巷)にはこういううわさもある.

❺(民謡・'잡가(雜歌)'などの)歌. また'판소리'. 句例 ~하고 춤추다 歌いかつ踊る. 語例 ~꾼 歌のうまい人 / ~쟁이 歌い手.

소리 소문도 없이 ひそかに. こっそり.

소리 없는 고양이 쥐 잡듯 声のない猫がねずみ(鼠)を捕るよう. 能あるたか(鷹)はつめ(爪)をかくす.

소리 없는 총이 있으면 놓겠다 音のしない銃でもあれば射ってしまいたい. この上なく憎いときに言うことば.

소리(를) 지르다 大声を出す. 大声で呼ぶ. 叫ぶ. 文例 함부로 소리 지르지 마세요 やたらに大声を出さないでください.

소리(를) 치다 ❶声を張り上げる. 大声で叫ぶ. どなり付ける. ❷気勢をあげる.

소리 굽쇠〈名〉〔物〕音叉.

*__소리 글자__【―字】[―gŭltcha]〈名〉〔言〕表音文字. 略して'소리글'ともいう. 對뜻글자.

소리-마디〈名〉〔言〕'음절(音節)'の韓国固有の言いかた.

*__소리-소리__〈副〉激昂して続けざまに大声でどなり立てるさま. 句例 ~ 지르며 꾸짖다 (続けざまに)大声でどなり付ける.

소리-쟁이 [so:ri—]〈名〉〔植〕ぎしぎし(羊蹄). 略して'솔쟁이'ともいう.

소립【小粒】[so:rip]〈名〉小粒.

소-립자【素粒子】〈名〉〔物〕素粒子.

소-만두【素饅頭】[so:—]〈名〉肉抜きのまんじゅう(饅頭).

소망【所望】[so:mang]〈名〉所望. 本望. 望み. 句例 오랜 ~ 長年の望み / ~이 이루어지다 望みがかなう / ~을 이루다 本望〔思い〕を遂げる. 文例 ~이라면 드리겠습니다 所望とあれば差しあげます. ~**스럽다**(→스럽다)〈形〉望ましい.

***소매** 〈名〉 そで(袖). 句例 ~를 걷어붙이다〔올리다〕 そでをまくり上《あ》げる / ~를 끌(어 당기)다 そでを引《ひ》く / ~가 길다 そでが長《なが》い / ~를 접다 そでを折《お》り返《かえ》す / ~끝이 해(어)지다 そで口《くち》がほつれる. 語例 ~ 길이 そで丈《たけ》 / 반 ~ 半《はん》そで / ~통 そでの幅《はば》.

소매가 길면 춤을 잘 추고 돈이 많으면 장사를 잘 한다 長袖《ちょうしゅう》よく舞《ま》い, 多銭《たせん》よく買《か》う.

소매를 걷다 そでをまくり上《あ》げる. 万事《ばんじ》をさしおいて, 積極的《せっきょくてき》に出《で》たり取《と》りかかることのたとえ.

소매 【小賣】 [so:mae] 〈名・하他〉 小売《こう》り. ＝산매(散賣). 語例 ~ 가격 小売り価格《かかく》 / ~업 小売り(営《えい》)業《ぎょう》 / ~점 小売り店《てん》. 對도매(都賣).

소매-상 【小賣商】 [so:mae—] 〈名〉 小売《こう》り商《しょう》. 句例 ~을 하다 小売り商を営《いとな》む. 對도매상(都賣商).

***소매-치기** 〈名〉 すり(掏摸). 巾着切《きんちゃくき》り. **~하다** 〈他〉 す(掏)る. すりを働《はたら》く. 句例 시계를 ~당하다 すりに時計《とけい》をやられる. 文例 버스 속에서 지갑을 ~ 당했다 バスの中《なか》で財布《さいふ》をすられた / 남의 주머니 속엣것을 ~하려고 하다 人《ひと》の懐中《かいちゅう》をすろうとする. 語例 ~ 조심 すりにご用心《ようじん》.

소맥 【小麥】 [so:maek] 〈名〉 小麦《こむぎ》. ＝(참)밀.

소맷-동 〈名〉 そで付《つ》け.

소맷-부리 〈名〉 そで口《くち》.

소맷-자락 〈名〉 そで(袖). たもと(袂).

소멸 【消滅】 〈名・하自〉 消滅《しょうめつ》. 句例 권리의 ~ 権利《けんり》の消滅 / 자연 ~하다 自然《しぜん》消滅する / 효력이 ~되다 効力《こうりょく》が消滅する. 文例 본조약은 오는 8월 15일로 ~된다 本条約《ほんじょうやく》は来《きた》る八月《はちがつ》十五日《じゅうごにち》に消滅する. 語例 ~ 시효〔法〕 消滅時効《じこう》 / ~시키다 消滅させる.

소멸 【燒滅】 〈名・하自他〉 焼滅《しょうめつ》. 焼失《しょうしつ》.

소모 【消耗】 〈名・하自他〉 消耗《しょうもう》. 句例 체력〔정력〕을 ~하다 体力《たいりょく》〔精力《せいりょく》〕を消耗する / 기계의 ~가 적다 機械《きかい》の消耗が少《すく》ない. 語例 ~전 消耗戦《せん》.

소모-사 【梳毛絲】 〈名〉 梳毛糸《そもうし》.

소모-품 【消耗品】 〈名〉 消耗品《しょうもうひん》.

소목 【小木】 [so:mok] 〈名〉 '소목장이'の略. 對대목(大木).

소목-장이 【小木匠—】 [so:mok—] 〈名〉 指物師《さしものし》. 家具師《かぐし》. ＝소목장(小木匠).

소-몰이 [somori] 〈名〉 牛追《うしお》い. 牛方《うしかた》.

소묘 【素描】 [so:myo] 〈名〉 素描《そびょう》. 素描《すがき》. デッサン.

***소문** 【所聞】 [so:mun] 〈名〉 うわさ(噂). 世評《せひょう》. 風説《ふうせつ》. 評判《ひょうばん》. 句例 ~에 의하면 うわさに聞《き》けば〔よれば〕 / ~에 듣다 うわさに聞《き》く / ~을 듣다 うわさを耳《みみ》にする / ~이 퍼지다 うわさが広《ひろ》まる〔流《なが》れる〕 / ~을 퍼뜨리다 うわさを言《い》いふらす. 文例 전쟁이 끝났다는 ~이 퍼지고 있다 戦争《せんそう》が終《お》わったといううわさが流《なが》れている / 항간의 ~이 좋지 않다 世評《せひょう》がよくない / 마을은 온통 그 ~으로 자자하다 町《まち》はそのうわさで持《も》ちきっている / (장안에) ~이 파다하다 (満都《まんと》に)うわさが広まっている.

소문(이) 나다 うわさが立《た》つ. 文例 구두쇠라는 소문이 나 있다 けちんぼだといううわさが立《た》っている.

소문난 잔치에 먹을 것 없다 さかんにとりざたされていたうたげ(宴)に, 期待《きたい》しただけのごちそう(御馳走)はない. 名物《めいぶつ》にうまいものなし. 世間《せけん》の評判と実際《じっさい》とはとかく一致《いっち》しないことが多《おお》いとのたとえ.

소문(을) 내다 うわさを立《た》てる.

소-문자 【小文字】 [so:muntcha] 〈名〉 (ローマ字《じ》などの)小文字《こもじ》. 對대문자(大文字).

소-바리 〈名〉 牛《うし》の背《せ》にのせて荷物《にもつ》を運《はこ》ぶこと. また, その荷《に》. 對마(馬)바리.

소박 【素朴】 〈名〉 素朴《そぼく》. **~하다** 〈形〉 素朴だ. 句例 ~한 마음 素朴な心《こころ》 / ~한 발상 素朴な発想《はっそう》. 語例 ~미 素朴美《び》. 飾《かざ》り気《け》のない純粋《じゅんすい》な美《び》.

소박 【疏薄】 〈名・하他〉 妻妾《さいしょう》を冷遇《れいぐう》すること. 語例 ⇨ 소박데기

소박(을) 맞다 夫《おっと》に疎《うと》んじられる. 夫に疎《うと》まれる.

소박-데기 〈名〉 夫《おっと》に疎《うと》んじられている女《おんな》. 出戻《でもど》り.

소-박이 [sobagi] 〈名〉 ❶'오이소박이(김치)'の略. ❷薬味《やくみ》のあん入《い》りの食《た》べ物《もの》の総称《そうしょう》.

소반 【小盤】 〈名〉 お膳《ぜん》.

소방 【消防】 〈名・하他〉 消防《しょうぼう》. 語例 ~관 消防官《かん》 / ~대 消防隊《たい》 / ~사 消防士《し》 / ~서 消防署《しょ》 / ~ 연습 消防演習《えんしゅう》 / ~ (자동)차(＝불자동차) 消防(自動《じどう》)車《しゃ》 / ~ 펌프 消防ポンプ. 類소화(消火).

***소변** 【小便】 [so:byŏn] 〈名〉 小便《しょうべん》. 尿《にょう》. ゆばり《雅》. 小用《こよう》《老》. (お)しっこ《兒》. ＝오줌. 句例 ~을 참다 小便を我慢《がまん》する / ~이 잦다 小便が近《ちか》い. 語例 한뎃~ 立《た》ち小便 / ~ 금지《게시》 小便無用《むよう》. 對대변(大便).

소변(을) 보다 小便をする. 小用をたす. ＝오줌(을) 누다. 소피(를) 보다. 句例 소변(을) 보러 가다 小用《こよう》に立《た》つ.

소복 【素服】 [so:bok] 〈名〉 素服《そふく》. ❶白地《しろじ》の衣服《いふく》. ＝흰옷. 對화복(華服). ❷白《しろ》い喪服《もふく》. ＝상복(喪服). **~하다** 〈自〉 素服を着《き》る. 句例 ~한 여인 素服の女性《じょせい》.

소복-담장 【素服淡粧】 [so:bok—] 〈名・하自〉 白《しろ》い衣装《いしょう》を着《つ》け薄化粧《うすげしょう》をすること. また, その身《み》なり.

소복-이 [sobogi] 〈副〉 うずたかく. どっさり(と). 山盛《やまも》りに. むくんで. むっちり(と). 句例 눈이 ~ 쌓이다 雪《ゆき》がどっさり積《つ》もる.

소복-하다 [sobok'ada] (→하다) 〈形〉 ❶こんもりしている. (盛《も》ったものなどが)うずたかい. 山盛《やまも》りだ. 句例 밥을 소복하게 담다 ご飯《はん》を山盛りによそ(装)う / 되에 소복하게 담다 ます(升)に山盛りに盛《も》る. ❷むっちり(と)肉《にく》づいている. むくんでいる. はれ上《あ》がっている. 句例 눈두덩이가 부어 ~ は(腫)れぼったい目《め》をしている. 表現 語感の大きい語は'수북하다'.

소복소복 〈副・하形〉 ❶(どれもこれも)みなうずたかく. こんもり(と). 山盛《やまも》りに. どっさり. ❷むっちり(と). むくんで.

***소비** 【消費】 〈名〉 消費《しょうひ》. **~하다** 〈他〉 消費する. 費《つい》やす. 句例 시간을 헛되이 ~하다 時《とき》を無駄《むだ》に費やす. 語例 ~량 消費量《りょう》 / ~ 생활 消費生

活 / ～세 消費税 / ～액 消費額 / ～자 가격 消費者価格 / ～자 보호 운동 消費者保護運動 / ～재 消費財 / ～ 절약 消費節約 / ～지 消費地. ㉗생산(生産).

소사【掃射】[so:sa]〈名・하他〉掃射. 語例 기총 ～ 機銃掃射.

소사【燒死】〈名・하自〉焼死. 句例 아슬아슬하게 ～를 면하다 危うく焼死を免れる. 文例 불을 미처 피하지 못해 ～하였다 火事に逃げ後れて焼死した.

소산【所産】[so:san]〈名〉所産. ❶産みまたは作り出したもの. ❷'소산물'の略. 句例 연구의 ～ 研究の所産 / 다년간에 걸친 노력의 ～ 多年の努力の所産. 語例 ～지 産地.

소산-물【所産物】[so:san—]〈名〉所産. 産物. 略して'소산'とも言う.

소상【小祥】[so:sang]〈名〉小祥. 一周忌. ＝소기(小朞). 文例 그날은 돌아가신 아버지의 ～이다 その日は亡父の一周忌に当たる.

参考 二周忌は'대상(大祥)'と言う.

소상-하다【昭詳—】(→하다)〈形〉詳しい. つまび(詳)らかだ. 句例 소상하게 밝히다 つまびらかにする. **소상히**〈副〉つまびらかに. 詳しく. 文例 사건의 경위를 소상히 이야기했다 事件のいきさつをつまびらかに話した.

소생【所生】[so:saeng]〈名〉所生. 生みの子. 実子. 句例 첩의 ～ わき腹の子. 妾腹の子. 文例 ～이 없어서 양자를 들였다 実子がないので養子を取った. 語例 본처(本妻) ～ 嫡出の子 / 전처(前妻) ～ 先妻の子.

소생【蘇生・甦生】〈名〉蘇生. よみがえ(蘇・甦)り. **～하다**〈自〉蘇生する. よみがえ(蘇・甦)る. 生き返る. 句例 실신 상태에서 ～하다 失神状態からよみがえる. 文例 오랜만의 비로 초목이 ～한 것 같다 久し振りの雨で, 草木が生き返ったようだ / 그 의사는 다 죽어가는 사람을 ～시켰다 その医者は死にかかった人を蘇生させた.

소생【小生】[so:saeng]〈代〉小生. わたくし. やつがれ《雅》.

소-석고【燒石膏】〈名〉〔化〕'구운석고 焼せっこう'の旧称.

소-석회【消石灰】[sosŏk'oe]〈名〉〔化〕消石灰. 水酸化カルシウム.

소-선거구【小選擧區】[so:—]〈名〉〔政〕小選挙区. ㉗대(大)선거구.

****소설【小說】**[so:sŏl]〈名〉❶小説. 物語. 句例 재미있는 ～ おもしろい小説 / ～을 좋아하다 小説が好きだ. 文例 사실은 ～보다 기이하다 事実は小説よりも奇なり. 語例 ～가 小説家. 作家 / 역사 ～ 歴史小説(物語). 時代小説 / 연애 ～ 恋愛小説 / 장편〔단편〕～ 長編〔短編〕小説 / 추리 ～ 推理小説. ❷['소설책'の略] 小説本. 小説の本. 句例 ～을 읽다 小説を読む.

소설-화【小說化】[so:sŏl—]〈名〉小説化. **～하다**〈他〉小説化する. 小説にする.

소성【塑性】[so:sŏng]〈名〉〔物〕塑性. 可塑性. 語例 ～ 가공 塑性加工.

소소-하다【小小—】[so:so—](→하다)〈形〉こまごましい. ささいだ. ＝자질구레하다. 句例 소소한 잡일 こまごま(と)した雑用 / 소소한 문제로 다투다 ささいな問題で争う. **소소히**〈副〉こまごましく.

소속【所屬】[so:sok]〈名〉所属. **～하다**〈自〉所属する. 属する. 句例 대학에 ～된 건물 大学所属の建物. 文例 그는 정당에 ～되어 있다 彼は政党に属している / 네 ～ 부대는 어디냐 君の所属部隊はどこだ. 語例 무～ 無所属.

소송【訴訟】〈名・하他〉訴訟. 訴え. 句例 ～을 일으키다 訴訟をおこす / ～에 이기다〔지다〕訴訟に勝つ〔負ける〕. 語例 ～ 비용 訴訟費用 / ～ 사건 訴訟事件 / ～ 절차 訴訟手続き / 민사〔형사〕～ 民事〔刑事〕訴訟.

***소수【小數】**[so:su]〈名〉小数. ❶小さい数. ❷〔數〕一より小さい数. 語例 ⇨ 소수점(點). ㉗대수(大數).

소수【少數】[so:su]〈名〉少数. 数の少ないこと. 句例 ～의 사람들 少数の人人 / ～의 정치가 少数の政治家 / ～ 의견을 존중하다 少数の意見を尊重する / ～ 정예주의를 채택하다 少数精鋭主義を採る. 語例 ～당 少数党 / ～ 민족 少数民族 / ～ 의견 少数意見 / ～ 집단 少数集団 / ～파 少数派. ㉗다수(多數).

소수【素數】[sossu]〈名〉〔數〕素数.

***소수-점【小數點】**[so:sutchŏm]〈名〉〔數〕小数点.

소스 [so:sŭ]〈名〉ソース. 句例 ～를 치다 ソースをかける. ◇sauce

소스라-치다〈自〉びっくり(仰天)する. 胆をつぶす. 腰を抜かす. 文例 소스라치게 놀라 말도 못 했다 びっくりして口もきけなかった.

소슬-바람【蕭瑟—】[—pparam]〈名〉肌寒くもの寂しい秋風.

소승【小僧】[so:sŭng]〈代〉僧侶の謙称. 拙僧. 貧道.

소승【小乘】[so:sŭng]〈名〉〔佛〕小乗. 語例 ～ 불교 小乗仏教. ㉗대승(大乘).

소시【少時】[so:shi]〈名〉少時. 年若い時. 語例 ⇨ 소싯적

소시지〈名〉ソーセージ. 腸詰め. ◇sausage

소식【小食】[so:shik]〈名・하他〉少〔小〕食. 文例 자네는 꽤나 ～이군 君はずいぶん少食だね. 語例 ～가 少食家. 小食の人. ㉗대식(大食). 다식(多食).

***소식【消息】**〈名〉消息. ❶便り. 知らせ. 手紙. 音信. 音さた(沙汰). ニュース. 句例 봄〔꽃〕～ 春〔花〕の便り / ～이 있다〔없다〕便りがある〔ない〕/ ～을 끊다 消息を絶つ / ～을 전하다 消息を伝える. 文例 그 후 ～이 뚝 끊기고 없다 その後ぷっつり音さたがない.
❷動静. 事情. 動き. 句例 정계 ～에 훤하다 政界の消息に通じる. 語例 ～란 消息欄 / ⇨ 소식통

소식이 깡통 'まったく知らないでいること'の俗っぽい言いかた.

소식 불통【消息不通】〈名〉音信〔消息〕不通. ❶消息が通じないこと. 絶えて便りのないこと. ❷(ある事柄に)まったく疎いこと. まるっきり知らないでいること. 文例 이미

ㅅ

알고들 있는 일을 자네만 ~이군 すでに知れ渡っているのに君だけ何も感づいていないんだね.

소식-통【消息通】〈名〉消息通. (消息)筋. 句例 외교계의 ~ 外交界の消息通 / 관계 ~의 말에 의하면 その筋のことばによれば. 文例 확실한 ~으로부터 들었다 確かな筋から聞いた.

***소신**【所信】[so:shin]〈名〉所信. 所思. 句例 ~을 말하다〔피력하다〕所信を述べる〔披瀝する〕/ ~을 밝히다 所信を表明する / ~을 굽히지 않다 所信を曲げない.

소실【小室】[so:shil]〈名〉めかけ(妾). そばめ(側女). =작은집. 句例 ~을 두다 めかけを囲う. 對정실(正室). 본실(本室).

소실【消失】〈名〉消失. **~하다**〈自他〉消失する. 消滅する. 消えう(失)せる.

소실【燒失】〈名・하他〉焼失. 句例 가재 도구를 ~하다 家財道具を焼失する / ~을 모면하다 焼失を免れる.

소심-자【小心者】[so:shimja]〈名〉小心者. 憶病者. 気の弱い人.

소심-증【小心症】[so:shim-tchŭng]〈名〉憶病風. 句例 ~에 걸리다 憶病風に吹かれる.

소심-하다【小心―】[so:shim―] (→하다)〈形〉小心だ. ❶憶病だ. 気が弱い. 句例 소심해지다 憶病になる. 気が弱くなる / 소심한 사람 小心者. 気の弱い人. 憶病者. ❷(きわめて)用心深い. 細心だ. **소심히**〈副〉小心に. 用心深く. **소심스럽다** (→스럽다)〈形〉小心なところがある.

소싯-적【少時―】[so:shitchŏk]〈名〉(年)若い時. 幼い時分. 文例 그것은 ~의 꿈이었다 それは幼い時分の夢だった.

***소아**【小兒】[so:a]〈名〉小児. 子供. 語例 ~과 小児科 / ~ 마비 小児麻痺. ポリオ / ~병 小児病 / ~병적 小児病的 / ~복 子供服. 類소인(小人).

소액【少額】[so:aek]〈名〉少〔小〕額. 小口. 句例 ~의 돈 小額の金 / ~의 기부금 小口の寄付金. 語例 ~ 지폐 小〔少〕額紙幣. 對다액(多額). 고액(高額).

소야-곡【小夜曲】[so:yagok]〈名〉〔樂〕小夜曲. セレナーデ.

***소양**【素養】〈名〉素養. たしな(嗜)み. 心得. 句例 음악의 ~ 音楽の素養〔たしなみ〕/ ~이 없다 素養に欠ける / 서예(書藝)에 대한 ~이 있다 書道のたしなみ〔素養〕がある / 무예에 ~이 있는 사람 武芸のたしなみのある人.

소연【小宴】[so:yŏn]〈名〉小宴. ささやかな宴. 句例 ~을 베풀다 小宴を張る.

소연-하다【騷然―】(→하다)〈形〉騒然としている. 騒がしい. 句例 소연한 거리 騒然たる街 / 소연해지다 騒然となる. **소연히**〈副〉騒然と.

소염-제【消炎劑】〈名〉消炎剤.

소외【疏外・疎外】〈名・하他〉疎外. 句例 동료로부터 ~되다 仲間から疎外される / ~감을 느끼다 疎外感を感じる. 文例 남을 ~시키는 일이 있어서는 안 된다 他人を疎外することがあってはならない. 語例 인간 ~ 人間疎外. →소원(疏遠)

소요【所要】[so:yo]〈名・하自〉所要. 語例 ~되다 所要する. 要する / ~ 경비 所要の経費 / ~ 시간 所要時間.

소요【逍遙】〈名・하自〉逍遥. そぞろ歩き. 散歩. =산책(散策).

소요【騷擾】〈名・하自〉騒擾. 騒ぎ乱れること. 語例 ~죄 騒擾罪 / ~ 사건 騒擾事件.

소용【小勇】[so:yong]〈名〉小勇.

***소용**【所用】[so:yong]〈名・하自〉所用. 入用. ❶使いみち. 文例 아무런 ~도 없다 なんの役にも立たない. ❷使われるもの. 必要なもの. 句例 ~되는 물건 入用な物. 文例 지금 ~되는 것은 돈이다 今入用なのはお金だ / 그것이라도 충분히 ~에 닿는다 それでもけっこう(結構)役に立つ. 語例 ~되다 役に立つ. 入用になる. 入り用になる. **~없다** [―ŏpta]〈形〉役に立たない. 要らない. だめだ. 無駄だ. 句例 이제와서 말해 본들 ~없는 일이지만 いまさら言ったって始まらないことだが. 文例 그런 건 ~없다 そんなものは要らない. そんなのは役に立たない / 물어보았자 ~없다 聞いて見てもだめだ / 네가 아무리 발버둥쳐도 ~없을 거다 お前がいくらあがいてもだめ〔無駄〕だろう. **~없이** [―ŏpshi]〈副〉無駄に.

소용-돌이 [soyongdori]〈名〉渦. 渦巻き. 句例 혁명의 ~ 革命の渦巻き / ~에 휘말리다〔휩쓸리다〕渦巻きに巻き込まれる / 분쟁의 ~ 속에 말려들다 紛争の渦中に巻き込まれる. 語例 ~무늬 渦巻き紋様.

소용돌이-치다 [soyongdorich'ida]〈自〉渦を巻く. 渦巻く. たぎ(滾)る. 逆巻く. 句例 소용돌이치는 급류 渦巻く急流 / 성난 파도가 ~ 怒濤が逆巻く.

소-우주【小宇宙】[so:uju]〈名〉〔哲・物〕小宇宙.

***소원**【所願】[so:won]〈名・하他〉所願. 念願. 所望. 願い. 句例 간절한 ~ 切なる願い / ~이 이루어지다 願いがかな(叶)う / ~을 들어주다 望みをかな(叶)えてやる. 文例 ~이 이루어지도록 하느님께 빌었다 願いがかなうように神に祈った / ~이시라면 드리죠 ご所望とあらばさし上げましょう. 語例 ⇨ 소원 성취

소원(을) 풀다 願いがかなう.

소원【疏遠・疎遠】[sowon]〈名〉疎遠. **~하다**〈形〉疎遠だ. 句例 두 사람의 사이가 ~해지다 二人の仲が疎遠になる. 對친밀(親密). →소외(疏外).

소원【訴願】〈名・하他〉訴願. 句例 ~을 내다 願いを出す. 文例 부당한 행정 처분의 취소를 ~하다 不当な行政処分の取り消しを訴願する.

소원 성취【所願成就】[so:won―]〈名〉念願成就.

소위【少尉】[so:wi]〈名〉〔軍〕少尉. 語例 육군 ~ 陸軍少尉.

***소위**【所爲】[so:wi]〈名〉所為. 仕業. ふるまい. 文例 사람의 ~라고는 생각되지 않는다 人のなせるわざとは思えない. 類짓. 소행(所行).

***소위**【所謂】[so:wi]〈副〉いわゆる(所謂). 世に言う. =이른바. 句例 ~ 학자라는 사람들이 いわゆる学者と言う〔呼ばれている〕人たち

が. 文例 이것이 ~ 민주주의다 これがいわゆるデモクラシーである.

*소유【所有】[so:yu]〈名・하他〉所有. 句例 A씨 ~의 A氏所有の/…의 ~가 되다 …の所有と〔ものに〕なる/그의 ~로 돌아가다 彼の所有に帰する/토지를 ~하다 土地を所有する. 語例 ~권 所有権/~물 所有物/⇨ 소유자(所有者)/⇨ 소유주(主)/~지(地) 所有地.

소유-자【所有者】[so:yuja]〈名〉所有者. ❶持ち主. 主. 句例 토지의 ~ 土地の所有者/미모의 ~ びぼう(美貌)の主. 文例 그는 뛰어난 시재의 ~다 彼はすぐれた詩才の持ち主である. ❷〔法〕⇨ 소유주

소유-주【所有主】[so:yuju]〈名〉所有主. 所有権の持ち主. =소유자.

소음【消音】〈名・하自〉消音. 語例 ~ 장치 消音装置/~기 消音器. マフラー. サイレンサー.

소음【騷音】〈名〉騒音. 句例 거리의 ~에 짜증이 나다 町の騒音にいらいらする. 語例 ~계 騒音計/~ 공해 騒音公害.

소이【所以】[so:i]〈名〉ゆえん(所以). いわれ. わけ. =까닭. 句例 사람이 사람다운 ~는 人の人たるゆえんは/학문의 학문다운 ~는 学問の学問たるいわれは. 文例 제군에게 기대하는 ~는 여기에 있다 諸君に期待するゆえんはここにある.

소인【小人】[so:in] ㊀〈名〉❶小人・小人. 子供. 小児. 文例 어른 2천 원, ~ 천 원 大人2,000ウォン, 小人1,000ウォン. 對어른. 대인(大人). ❷小人. 器量が狭く品性の卑しい人. 小人物. 文例 ~은 성을 잘 낸다 小人は怒りやすい. 語例 ~배(輩) 小人のやから(輩). 對군자(君子). ❸小人. 背丈の低い人. しゅじゅ(侏儒). =난쟁이.
㊁〈代〉(男子の)身分の高い人に対する自分の謙称. 小生. 手前.

소인【消印】〈名〉消印. 句例 엽서에 ~을 찍다 葉書に消印を押す. 文例 편지에는 3월 1일자 ~이 찍혀 있었다 手紙には三月一日の消印が押してあった.

소-인수【素因數】[soinssu]〈名〉〔數〕素因数. 語例 ~ 분해 素因数分解.

소일【消日】〈名・하自〉消日. 日を暮らす〔過ごす〕こと. 句例 독서로 ~하다 読書で日を過ごす. 語例 ⇨ 소일거리

소일-거리【消日—】[—kkŏri]〈名〉暇つぶしにする仕事. 句例 ~로 바둑을 두다 暇つぶしに碁をうつ/노후의 ~로 그림을 그리다 老後の手慰み〔手すさび〕に絵をかく.

소임【所任】[so:im]〈名〉任. 役目. 任務. 職責. 句例 ~을 다하다 任を全うする.

소자【小子】[so:ja]〈代〉小子. 親に対する自称.

소-자본【小資本】[so:jabon]〈名〉小資本.

소작【小作】[so:jak]〈名・하他〉小作. 語例 ~권 小作権/~농 小作農/~료 小作料/~인 小作人. 小前/~ 쟁의 小作争議/~지 小作地. 對자작(自作).

소작(을) 주다 小作料を取って土地を貸してやる.

소장【小腸】[so:jang]〈名〉〔生〕小腸. =작은창자. 對대장(大腸).

소장【少壯】[so:jang]〈名〉少壮. 年若く元気なこと. 句例 ~ 기예의 少壮気鋭の. 語例 ~파 少壮派/~ 학자 少壮の学者.

소장【少將】[so:jang]〈名〉〔軍〕少将.

소장【所長】[so:jang]〈名〉所長.

소장【所藏】[so:jang]〈名・하他〉所蔵. 句例 왕실의 ~품 王室の所蔵品. 御物/이씨 ~의 골동품 李氏所蔵の骨董品. 語例 ~본 所蔵本.

소장【消長】〈名・하自〉消長. 句例 세력의 ~ 勢力の消長. 類성쇠(盛衰).

소장【訴狀】[sotchang]〈名〉訴状. 句例 ~을 제출하다 訴状を提出する.

소재【所在】[so:jae]〈名〉所在. あ(在)りか(処). 句例 ~를 감추다 所在をくらます/~를 알아내다 所在をつきとめる/책임의 ~를 분명히 하다 責任の所在を明らかにする/돈의 ~를 묻다 金のありかを尋ねる. 文例 그의 ~를 모른다 彼の所在がわからない. 語例 ~지 所在地. 所番地.

*소재【素材】〈名〉素材. 句例 소설의 ~ 小説の素材. 語例 신~ 新素材.

소-전제【小前提】[so:jŏnje]〈名〉〔論〕小前提. 對대전제(大前提).

소정【所定】[so:jŏng]〈名〉所定. 句例 ~의 양식 所定の様式.

소제【掃除】[so:je]〈名・하他〉掃除. =청소. 參考 ふつう'소제(掃除)'のかわりに'청소(淸掃)'が使われる.

소조【塑造】[so:jo]〈名・하他〉塑造.

소주【燒酒】〈名〉焼酎. 酎《略語》. 語例 밀조 ~ 密造焼酎. 爆弾《俗》.

소주(를) 내리다 醸した酒を蒸留する'소주고리 陶製の蒸留器'にた(溜)まった焼酎をくみ取る.

*소중-하다【所重—】[so:jung—](→하다)〈形〉きわめて大切〔貴重〕だ. 大事だ. 重要だ. 貴〔尊〕い《老》. 句例 소중한 체험 貴い体験/소중한 내 자식 か(掛)けが(替)えのないわが子/어느 누구보다도 소중한 사람 だれ(誰)よりも大切な人. 文例 다시없이 소중한 인물을 잃었다 またとない重要な人物を失った. **소중히**〈副〉大切に. 大事に. 貴重に. 句例 몸을 소중히 하다 からだを大切〔大事〕にする. わが身をいとおしむ. 文例 이것은 소중히 해야 하는 거다 これは大切にせにゃいかんよ.

소-증【素症】[so:tchŭng]〈名〉菜食ばかりして肉類が食べたくなる症状.

소증-사납다 [so:jŭngsanapta] (—사나우니, —사나운, —사나워서)〈形〉行為の動機ややり口が汚くて憎らしい.

소지【所持】[so:ji]〈名〉所持. **~하다**〈他〉所持する. 持つ. 携える. 句例 ~한 돈 手元金. てもと《略語》/거금(巨金)을 ~하다 大枚の金銭を所持する/(수중에) ~한 돈이 없다 持ち合わせがない/흉기를 ~하고 있지 않다 凶器を持っていない. 文例 그는 큰 돈을 ~하고 있었다 彼は大金を携えていた/몸수색을 해 보니 이 단도를 ~하고 있었다 からだを

調べたらこの短刀を所持していた. 語例 ～금 所持金. 持ち金. ポケットマネー / ～인 所持人 / ～품 所持品. 持ち物. 御物.

소지【素地】〈名〉素地・下地. 文例 예술가가 될 ～가 있다 芸術家になる下地がある / 이야기를 나눌 ～가 마련되어 있지 않다 話し合いの素地ができあがっていない.

소진【消盡】〈名・하自他〉消尽. 句例 정력을 ～하다 精力を消尽する〔使い果たす〕. 精力が尽きる.

소진【燒盡】〈名・하自〉焼尽.

*__소질__【素質】〈名〉素質. 下地. 筋. 句例 ～이 있다 素質がある. 筋がいい / ～을 타고나다 素質にめぐまれる / ～을 지니고 있다 素質を持っている / 그림에 ～이 있다 絵の下地がある / 문학적 ～이 있는 사람 文学的素質のある人 / 암에 걸리기 쉬운 ～ 癌にかかりやすい素質. 類자질(資質).

소집【召集】〈名〉召集. 招集. **～하다**〈他〉句例 ～을 하다 召集〔招集〕する. 招集をかける / ～이 내리다 招集がかかる / 임시 국회를 ～하다 臨時国会を召集する / 군대에 ～되다 軍隊に召集される. 語例 ～ 날짜 召集〔招集〕日 / ～ 영장 召集令状. 赤紙《俗》.
参考 日本では，地方議会がその議員を召集するときや，株主総会が株主を招き集めるときは'招集'と言い'召集'とは言わない.

ㅅ

소쩍-새〈名〉〔鳥〕❶このはずく. =부엉이. ❷ほととぎす(杜鵑). =두견이.

소찬【素饌】[so:ch'an]〈名〉粗膳. ❶おかずに肉・魚のない粗末な食事. ❷他人に食事を進める時の謙譲語. 文例 ～이나마 많이 드십시오 粗末なものですがたくさんお上がりください.

소채【蔬菜】〈名〉そさい(蔬菜). 青物. 語例 ～류 そさい類. 野菜類.

소-책자【小冊子】[so:—]〈名〉小冊子. 小冊. パンフレット.

소철【蘇鐵】〈名〉〔植〕蘇鉄.

소청【所請】[so:ch'ŏng]〈名〉願い(事). 頼み(事). 句例 ～을 들어주다 願いを聞き入れる〔聞きとどける〕. 頼み事をかなえる.

소청【訴請】〈名・하他〉訴願. 請願.

소총【小銃】[so:ch'ong]〈名〉小銃. 鉄砲. 句例 ～으로 쏘다 小銃で撃つ / ～을 쏘다 鉄砲を撃つ / ～을 메다 鉄砲をかつぐ / ～의 사정내(內)에 있다 小銃の射程内にある. 語例 ～ 사격 小銃射撃 / ～ 소리 小銃の音 / ～탄 小銃弾 / 자동 ～ 自動小銃. 類총(銃).

소출【所出】[so:ch'ul]〈名〉(田畑からの)農作物の上がり高〔収穫量〕. 産出.

소치【所致】[so:ch'i]〈名〉(…の)致すところ. 至り. せい. 句例 젊은 혈기의 ～ 若気の至り / 부덕의 ～ 不徳の致すところ.

소침【消沈】〈名〉消沈. **～하다**〈自〉消沈する. 打ちしお(萎)れる. しょげ返る. 句例 의기 ～하다 意気消沈する.

*__소켓__〈名〉ソケット. 語例 쌍(雙)～ ふたまた(二股)ソケット. ◇socket

소쿠리〈名〉ざる(笊). 竹かご(籠). 絵

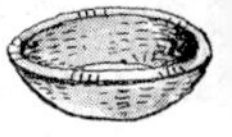
〈소쿠리〉

소탈-하다【疏脫―】(→하다)〈形〉疏達である. 気さくだ, 小事にこだわらない. 磊落だ. 句例 소탈한 사람 磊落な人. 砕けた人 / 소탈한 인품 無造作な人柄 / 소탈한 성격 磊落な性格.

소탐-대실【小貪大失】[so:t'amdae:shil]〈名・自〉小をむさぼ(貪)って大を失うこと.

소탕【掃蕩】〈名・하他〉掃討. 句例 잔적(殘敵)을 ～하다 残敵を掃討する / 완전히 ～하다 完全に掃討する. 語例 ～(작)전 掃討(作)戦.

소태-같다〈形〉ひどく苦い.

소택【沼澤】〈名〉沼沢. 語例 ～지 沼沢地.

소통【疏通】〈名・하自他〉疎通. ❶(意思が相手に)よく通じること. 句例 의사가 ～되다 意思が疎通する / 의사를 ～시키다 意思を疎通させる. ❷(交通が)渋滞せず円滑なこと. 文例 교통의 ～이 잘 된다 交通が円滑だ.

소파〈名〉ソファー. 長椅子. ◇sofa

소포【小包】[so:p'o]〈名〉小包. ❶小さい包. ❸'소포 우편'・'소포 우편물'の略. 句例 ～를 부치다 小包を出す / ～로 부치다 小包で送る.

소포 우편【小包郵便】[so:p'o—]〈名〉小包郵便. 語例 ～물(物) 小包郵便(物).

소품【小品】[so:p'um]〈名〉❶小品. ㉠'소품문'の略: 小品文. 小文. ㉡ちょっとした制作品. ㉢粗品. ㉣'소품물'の略. ❷(舞台用の)小道具.

소품-물【小品物】[so:p'um—]〈名〉小品. ちょっとした絵や彫刻品など.

*__소풍__【逍風】〈名・하自〉❶遠足. ハイキング. ピクニック. 句例 학교의 ～ 学校の遠足 / ～을 떠나다 ピクニックに出かける / 당일치기 ～을 가다 日帰りの遠足〔ハイキング〕に行く. 文例 오늘은 ～가기 퍽 좋은 날씨다 今日はピクニックには上天気である. ❷散策. 散歩. そぞろ歩き.

*__소프라노__〈名〉〔樂〕ソプラノ. ◇이 soprano

소프트〈名・하形〉ソフト. 語例 ～볼 ソフトボール / ～웨어 ソフトウェア. ◇soft

소피【所避】[so:p'i]〈名・하自〉小便. 小用.
소피(를) 보다 小便する. 小用を足す.

소한【小寒】[so:han]〈名〉小寒. 寒の入り.

소할【所轄】[so:hal]〈名〉所轄. 管轄.

소항【溯航】〈名・하自〉そこう(溯航). 水流をさかのぼ(溯)って航行すること.

소-해〈名〉〔民〕うしどし(丑年). =축년(丑年).

소해【掃海】[so:hae]〈名〉掃海. 語例 ～ 작업 掃海作業 / ～정 掃海艇.

소행【所行】[so:haeng]〈名〉所行. 所業《老》. 所作. 仕業. おこない. ふるまい. 句例 발칙한 ～ けしからぬ所業. 文例 그의 ～에 틀림없다 彼の仕業に違いない. 類짓.

소행【素行】〈名〉素行. 品行. 句例 ～이 나쁘다〔좋지 않다〕素行がわるい. 素行が修まらない / ～을 조사하다 素行を調べる.

소행【溯行】〈名・하自〉そこう(溯行・遡行). 流れをさかのぼ(溯)って行くこと. 句例 강을

～하다 川をさかのぼる.
소형【小形】[so:hyŏng]〈名〉小形・こがた.
소형【小型】[so:hyŏng]〈名〉小型. ベビー. ミニアチュア. [語例] ～ 비행기 小型飛行機 / ～ 자동차 小型自動車. 豆〔軽〕自動車. ㊖대형(大型).
소홀-하다【疏忽—】(→하다)〈形〉粗忽だ. おろそ(疎)かだ. 粗略だ. [句例] 소홀한 관리 ずさんな管理 / 소홀하게 다루다 粗略にあつかう. **소홀히**〈副〉粗忽に. おろそ(疎)かに. ゆるがせ〔なおざり〕に. ずさんに. [句例] 소홀히 하다 おろそ(疎)かにする. なおざり〔ゆるがせ〕にする / 소홀히 할 수 없다 なおざり〔ゆるがせ〕にできない / 일을〔근무를〕 소홀히 하다 仕事〔勤め〕をゆるがせ〔なおざり〕にする. [文例] 조금도 소홀히 하지 않는다 みじん(微塵)もゆるがせにしない / 공부를 소홀히 하고 놀러 갔다 勉強をよそ〔そで〕にして遊びに行った / 연구에 매달려 가족을 소홀히 한 것 같다 研究にかまけて家族のことをなおざりにしたようだ.
소화【消火】〈名・하自〉消火. [句例] ～ 작업을 하다 消火にあたる. [語例] ～기 消火器 / ～전 消火栓 / ～용수 消火用水. ㊖진화(鎮火).
*__소화__【消化】〈名・하自他〉消化. ❶(食べたものを)吸収可能な状態にこなす過程. [句例] ～가 잘 되다 消化がいい / ～를 돕다 消化を助ける / ～가 빠르다〔더디다〕 消化が速い〔遅い〕/ ～가 잘 되지 않는 음식 消化しにくい〔食もたれする〕食べ物 / ～되기 쉽다〔어렵다〕 消化しやすい〔しにくい〕. [語例] ⇨소화 불량 / ～기 消化器 / ～액 消化液 / ～제 消化剤. ❷十分に理解して自分の知識とすること. [句例] ～되지 않은 지식 不消化な知識. [文例] 주입식 교육으로는 학생이 충분히 ～할 수 없다 つめこみ主義の教育では, 生徒が十分に消化できない. ❸与えられた仕事, または量を完全にやりこなすこと. [文例] 국내만으로는 이 제품들을 도저히 다 ～시킬 수가 없다 国内だけではこれらの製品をとても消化し切れない.
소-화물【小貨物】[so:hwamul]〈名〉小荷物.
소화 불량【消化不良】〈名〉消化不良. 不消化. [句例] ～이 되다 消化不良になる / ～을 일으키다 消化不良を起こす.
소환【召喚】〈名・하他〉〔法〕召喚. [句例] 법정에 ～되다 法廷に召喚される / ～에 응하다 召喚に応じる / 증인의 ～ 証人の召喚.
소환【召還】〈名・하他〉召還. リコール. [句例] 본국으로 ～되다 本国へ召還される.
**속 [so:k]〈名〉❶中. ㉠内・内. 内部. [句例] 산 ～ 山の中 / 서랍 ～에서 꺼내다 引き出しの中から取り出す / 상자 ～에 넣다 箱の中へ入れる.
㉡込み合う中. [句例] 붐비는 사람들 ～으로 사라지다 人込みの中に消える.
㉢中身〔中味〕を成す有形・無形の事物. なかみ. 内容. 芯. 詰め物. (抽象的な)中 内. (事柄の)裏. 内幕. [句例] 사과 ～ りんごの芯 / 배추의 ～ 白菜の芯 / 만두 ～ まんじゅう(饅頭)のあん(餡) / 이불 ～ ふとんの詰め物 / 우레와 같은 박수 ～에 あらしの〔割れる〕ような拍手のうちに / ～을 도려내다 芯を取り去る / ～내를 파헤쳐 폭로하다 内幕をあばく / 말의 ～뜻을 간파하다 ことばの裏を読み取る / 말 ～에 가시가 돋치다 ことばの中にとげ(刺)がある / 꿈～에 나타나다 夢枕に立つ / …을 꿈～에 보다 …を夢に見る. [文例] 겉보기는 그럴 듯하나 ～은 보잘 것 없다 見かけはもっともらしいが中味は取るに足りない / 이 수박은 ～이 텅 비었다 このすいか(西瓜)は中が空っぽだ / 가난 ～에도 즐거움은 있다 貧しい中にも楽しみはある.
㉣…の最中. ただ中. [句例] 쏟아져 내리는 눈 ～을 降りしきる雪の中を / 비바람 ～을 마구 달리다 あらしの中を突っ走る.
㉤奥. 奥底. 底. [句例] 땅 ～ 地の底. 地中 / 마음 ～ 心の奥底 / 장농의 깊숙한 ～ たんすの底 / ～을 헤아릴〔알〕 수 없다 底が知れない / 물 ～에 알을 낳다 水の中に卵を産む.
❷['뱃속'の略語] 腹. 腹ぐあい. おなか(腹). [句例] ～이 좋지 않다 腹ぐあい〔腹の調子〕が悪い. 腹をこわしている / ～을 버리다 慢性胃病をわずらう. 胃をこわしている / ～이 울컥거리다 胸がむかつく / ～이 비다 腹がすいている. すき腹である / 빈 ～에 술을 마시다 すき腹に酒を飲む / 빈 ～으로는 일을 할 수 없다 空腹では働けない. [文例] 진수성찬을 먹기 위해 ～을 비워 두다 ごちそうを食べるために腹をすかしておく.
❸心中. 腹. 胸. [句例] ～이 빤히 들여다 뵈는 거짓말 見え透いたうそ(嘘) / ～으로 人知れず. ひそかに / ～으로 울다 忍び泣く / ～으로 웃다 腹の中で笑う. 心中ひそかに笑う. 忍び笑いする / ～을 털어놓다 心中を打ち明ける / ～이 편치 않다 心中平らでない / ～을 터놓고 이야기하다 底〔腹〕を割って話す / 마음 ～에 간직하다 胸に秘める / 마음 ～에 묻어 두다 胸に納めておく. 胸に畳む / 마음 ～에 떠오르다 胸に浮かぶ / ～을 떠보다 腹を探る. 探りを入れる. かま(鎌)をかける / 남의 ～을 읽다 人の腹を読む. [文例] ～이 시커먼 녀석이다 腹黒いやつだ / ～이 뒤틀리는 것 같다 腹の中が煮え返るようだ. ▷→囲み記事 55
속 각각 말 각각 口と腹が違う.
속(을) 끓이다 気をも(揉)む. 心〔頭〕を悩ます. 気に病む.
속(이) 달다 気をもむ. やきもきする. (もどかしくて)いらいらする. じ(焦)れる.

囲み記事 55

■ 속(中)と안(中) ■

속　物の中・内部や心や胸の中を表わす ―― 물 속 水の中. 빗 속을 걷다 雨の中を歩く. 속이 좋지 않다 おなかのぐあいが悪い. 속이 편찮다 心中おだやかでない.

안　ある範囲. 境界・枠などの中・内側や以内を表わす ―― 이틀 안에 끝내다 二日以内にすます. 문을 열고 안으로 들어가다 門をあけて中にはいる. 옷에 안을 대다 衣服に裏地をつける. 안 주인 奥さん.

속(이) 보이다 腹の中が透けて見える. 腹の中を見透かされる. 略して'속(이) 뵈다'とも言う. 文例 속(이) 보이는 짓을 한다 見え透いたことをする.

속(이) 뵈다 '속(이) 보이다'の略.

속 빈 강정 見掛け倒し. 看板倒れ.

속(이) 상하다 ❶なかみ〔しん(芯)〕が腐る. ❷いらいらする. いまいましい. しゃく(癪)〔気〕にさわる. むしゃくしゃする. 腹がたつ. 句例 속 상해서 기분이 언짢다 しゃくにさわってむしゃくしゃ(と)する. 文例 속았다고 생각하니 정말 속이 상해 だまされたと思うと実にいまいましい.

속(이) 시원하다 気がせいせい(と)する. 胸がすく〔すっとする〕. 小気味がよい. 句例 속마음을 속 시원히 털어놓다 心の奥底を包み隠さず打ち明ける. 文例 할 말을 다하고 나니 속이 시원했다 言うだけのことを言ったら気がせいせいした / 냉수를 마셨더니 속이 시원해졌다 冷たい水を飲んだら胸がすっとした.

속(이) 썩다 気がくさる. 気がふさぐ. がっかりする. 句例 실직으로 ～ 失職で気がくさる.

속(을) 썩이다 気に病む. 心を痛める. (心配をかけて)ひどく悩ます. 泣かせる. 文例 불효 자식이 부모의 속을 썩인다 不孝者が親を泣かせる.

속(이) 없다 ❶定見がない. 骨なしである. ❷悪意がない.

속(을) 주다 心を許す. 文例 여자에게 속을 주지 않다 女に心を許さない.

속(을) 차리다 ❶おの(己)が分限をよくわきまえる. 分別のある行動をする. ❷実益を取る. (どんな場合にも)自分の実利だけは決して逃さない. 転んでもただは起きない.

속(이) 타다 気がもめる. じ(焦)れる. いらいらする. 胸をこ(焦)がす. (もどかしくて)気が気でない.

속(을) 태우다 じ(焦)らす. いらだたせる. 気をもむ.

속(이) 트이다 さば(捌)ける. さばさばする. 句例 속이 트인 사람 さばけた人.

속 〔漢字項目〕

【俗】 中學 속 ゾク. ❶풍속 風俗. 습관 習わし. ◧習俗 습속 しゅうぞく. 良俗 양속 りょうぞく. ❷속되어 천하다 ありふれて低級である. ◧俗界 속계 ぞくがい. ぞっかい. 俗惡 속악 ぞくあく. 俗語 속어 ぞくご. 俗人 속인 ぞくじん. ❸출가하기 전의 세상 出家する前の世間. ◧俗世 속세 ぞくせ. ぞくせい.

【屬(属)】 高校 속 ゾク. 촉 ショク. [一]〔속〕 ❶붙다 つく. 따르다 付き従う. ◧屬國 속국 ぞっこく. 屬地 속지 ぞくち. ◧歸屬 귀속 きぞく. 所屬 소속 しょぞく. ❷부하 部下. ◧屬官 속관 ぞくかん. 屬吏 속리 ぞくり.

[二]〔촉〕 의탁하다 任せる. ◧屬望 촉망 しょくぼう. 屬託 촉탁 しょくたく.

【束】 高校 속 ソク. ❶(묶음으로) 묶다 束ねる. ◧束髮 속발 そくはつ. 束縛 속박 そくばく. ◧結束 결속 けっそく. 拘束 구속 こうそく. 約束 약속 やくそく. ❷묶음을 세는 말. たばを数える語. ◧(窓戶紙)五束 (창호지) 오속 (障子紙)ごそく.

【粟】 高校 속 ゾク. ❶조·좁쌀 あわ. ◧粟粒 속립 ぞくりゅう. ❷곡물 穀物. ◧粟帛 속백 ぞくはく. ❸(껍질을 벗기지 않은) 벼. 뉘. もみ. ◧粟米 속미 ぞくべい.

【續(続)】 中學 속 ゾク. 계속하다 続く. ◧續出 속출 ぞくしゅつ. ◧繼續 계속 けいぞく. 勤續 근속 きんぞく. 連續 연속 れんぞく.

【速】 中學 속 ソク. ❶빠르다 速い. ◧速達 속달 そくたつ. 速報 속보 そくほう. ◧急速 급속 きゅうそく. 敏速 민속 びんそく. ❷빠르기 はやさ. ◧速度 속도 そくど. ◧高速 고속 こうそく.

속간【續刊】〈名·하他〉続刊. 句例 잡지를 ～하다 雑誌を続刊する.

속개【續開】〈名·하他〉続開. 句例 경기를 ～하다 競技を続開する.

속-겨 [so:kkyŏ]〈名〉こぬか(小糠). しらぬか(白糠).

속결【速決】〈名·하他〉速決〔即決〕. 句例 ～을 요하다 速決を要する. 語例 속전 ～ 速戦即決.

속계【俗界】〈名〉俗界. 俗世. 句例 ～의 중생 俗界の衆生.

속-고갱이 [so:k—]〈名〉(白菜などの)柔らかい芯部〔髄〕.

속-고의【—袴衣】[so:kkoŭi]〈名〉'고의'の下に重ねて着る下ばき.

속곳 [so:kkot]〈名〉女性の'チマ'の下にはく'속속곳'と'단속곳'の総称. 語例 ～ 바람 下着を着けたきりの姿.

속공【速攻】〈名·하他〉速攻. 句例 ～을 펴다 速攻をかける.

속구【速球】〈名〉〔野〕速球. 句例 ～를 던지다 速球を投げる.

속국【屬國】〈名〉属国. 属邦.

속기【俗氣】〈名〉俗気. 俗臭. 句例 ～가 가시지 않다 俗気の抜けない.

속기【速記】〈名〉速記. **～하다**〈他〉速記する. 速記を取る. 句例 ～로 速記で / ～를 배우다 速記を習う. 語例 ～록 速記録 / ～사(士) 速記者 / ～술 速記術.

속-껍질 [so:k—]〈名〉内皮. 渋皮. 甘皮. 句例 귤의 ～ みかんの袋 / ～이 벗겨지다 渋皮がむける.

속-끓이다 [so:kkŭrida] ⇨'속'の小項目

속-눈 [so:ngnun]〈名〉つぶったふりをしてちょっと開けて見る目. 薄目. 細目. 句例 ～을 뜨다 薄目をあける / ～을 뜨고 슬쩍 보다 薄目をあけてそっと見る.

속-눈썹 [so:ngnunssŏp]〈名〉まつげ(睫·睫毛).

***속다**〈自〉だま(騙)される. あざむ(欺)かれる. 乗る. かつ(担)がれる. いっぱい食わされる. 句例 감언에 ～ 口車に乗る / 계략에 ～ 計略に乗る / 사기꾼에게 ～ 詐欺師にだまされる. 文例 감쪽같이 속았다 一杯食わされた. うまく〔まんまと〕かつがれた.

속닥-거리다〈自〉ひそひそ話をする.

속닥속닥 〈副・하自〉 ひそひそ.

속닥-이다 [soktagida] 〈自〉 ひそひそと話す.

속단【速斷】〈名・하地〉 速断〔即断〕. 早のみ込み. 早合点. 句例 혼자 ～하다 独り合点する. 文例 ～하고 뛰쳐나갔다 早のみ込みして飛び出した. 語例 ～ 불허 速断は禁物.

속달【速達】〈名〉 ❶速達. ❷'속달 우편'の略. 語例 ～ 우편 速達(郵)便.

속-달다 [so:k—] (속다니, 속달아서) ⇨ '속'の小項目

속달-뱅이 〈名〉 小規模.

***속담**【俗談】〈名〉 ❶ことわざ(諺). 俗諺. 俚諺. ❷俗説. 俗な話.

속-대중 [so:k—] 〈名〉 (心の中での) 推量. 見積もり. 見当.

***속도**【速度】〈名〉 速度. 速さ. 速力. スピード. 句例 ～를 올리다 速度を増す / ～를 줄이다〔떨어뜨리다〕 速度を減じる〔おとす〕. 減速する / ～를 조절하다 速度を調節する / 배의 ～가 빠르다 船足が速い / 배의 ～가 떨어지다 船の足がにぶる. 語例 ～계 速度計. タコメーター. タコグラフ / ⇨ 속도 위반 / 제한 ～ 制限速度.

속도 위반【速度違反】〈名〉 速度〔スピード〕違反. 句例 ～으로 잡히다 速度〔スピード〕違反でつかまる.

속독【速讀】〈名・하他〉 速読. 語例 ～술 速読術. 對정독(精讀). 숙독(熟讀).

속-돌 [so:k—] 〈名〉〔鑛〕 軽石. 浮き石.

속-되다【俗—】〈形〉 俗っぽい. 俗だ. 通俗だ. 句例 속된 유행가 俗っぽい流行歌 / 속된 취미 俗な趣味 / 속된 표현을 하다 俗な〔俗っぽい〕言いかたをする / 속되게 말하면 俗に言えば.

속된-말【俗—】〈名〉 俗っぽい言いかた. 世俗的な言葉.

속등【續騰】〈名・하自〉 続騰. 句例 물가가 ～하다 物価が続騰する. 對속락(續落).

속-뜻 [so:k—] 〈名〉 ❶(秘められた) 底意. ❷文の底に流れている真の意味.

속락【續落】[songnak] 〈名・하自〉 続落. 続落ち. 句例 시세가 ～하다 相場が続落する. 對속등(續騰).

***속력**【速力】[songnyŏk] 〈名〉 速力. スピード. 句例 ～을 내다 速力を出す / ～이 빠르다〔느리다〕 速力が速い〔おそい〕 / ～이 붙다 速力が増す / ～이 떨어지다〔줄다〕 速力がおちる〔減じる〕 / ～을 더하다 速力を速める〔増す. 加える〕 / ～을 줄이다〔늦추다〕 速力を減じる〔ゆるめる〕 / ～을 올리다 速力をあげる / 최대 ～ …에 달하다 最大速力…に達する / 전～으로 全速力で. 文例 이 자동차는 최대 시속 150마일까지 ～이 난다 この自動車は最大時速百五十マイルまで速力が出る.

속령【屬領】[songnyŏng] 〈名〉 属領.

속-마음 [so:ngmaŭm] 〈名〉 内心・本心. 腹. 心中・気心・下心. 略して'속맘'ともいう. 句例 ～을 털어놓다 腹〔心底〕をうち明ける / ～을 읽다 腹を読む / ～을 밝히다 胸中をあかす / ～이 편치 않다 心中おだやかでない / ～을 떠보다 腹を探る / ～을 알 수 없다 気心が知れない / ～을 잘 아는 사이 気心の知れたあいだがら〔よく分かった仲〕. 文例 저 사람의 ～은 알 수가 없다 あの人の心は底が知れない / 그의 ～을 간파했다 彼の下心を見抜いた.

속-말 [so:ngmal] 〈名〉 本心から出るほんとうのことば. 本音.

속-맘 [so:ngmam] 〈名〉 '속마음'の略.

속명【俗名】[songmyŏng] 〈名〉 俗名・ぞくめい.

속물【俗物】[songmul] 〈名〉 俗物. 文例 그는 보기와는 달리 ～이다 彼は見かけによらない俗物だ. 語例 ～ 근성 俗物根性.

속-바지 [so:k—] 〈名〉 ⇨ 속고의

속박【束縛】〈名〉 束縛. ほだし. **～하다** 〈他〉 束縛する. 拘束する. 縛る. ほだ(絆)す. 句例 자유를 ～당한 생활 自由を縛られた生活 / ～에서 벗어나다 束縛から脱する / ～을 받다 束縛をうける / 행동을 ～하다 行動を束縛する / 시간에 ～당하다 時間に束縛される〔縛られる〕. 對해방(解放). 類구속(拘束).

속-배포【—排布】[so:kpaep'o] 〈名〉 心算. 心積もり. 腹案.

속-병【—病】[so:kpyŏng] 〈名〉 長患い. 持病《胸焼け・胃腸病など》.

속보【速步】〈名〉 速歩. 速足.

속보【速報】〈名・하他〉 速報. 語例 선거 ～ 選挙速報 / 뉴스 ～ ニュース速報 / ～판 速報板. 類급보(急報).

속보【續報】〈名・하他〉 続報. 文例 ～가 현지에서 들어왔다 続報が現地から到着した.

속-보이다 [so:k—] ⇨ '속'の小項目

속-빈다 [so:k—] ⇨ '속'の小項目

속사【速射】〈名・하他〉 速射. 語例 ⇨ 속사포

속사-포【速射砲】〈名〉 ❶速射砲. ❷機関銃の俗称.

속삭-거리다 〈名〉 ひそひそとささや(囁)く.

속삭속삭 〈副・하自〉 ひそひそ(と).

속삭-이다 [soksagida] 〈自〉 ささや(囁)く. ささめく. ひそひそ話す. 句例 귀〔귓전〕에 대고 ～ 耳に〔耳もとで〕ささやく / 귀에 한두 마디 ～ 耳に一言二言ささやく. 文例 거의 속삭이는 듯한 소리로 대답하였다 ほとんどささやくような調子で答えた / 사람들은 서로 속삭이고 있었다 人人はささやき合っていた.

속산【速算】〈名・하他〉 速算. 語例 ～표 速算表.

속-살 [so:k—] 〈名〉 ❶衣服に包まれている肌. 句例 ～이 비치는 블라우스 肌が透けて見えるブラウス. ❷見掛けより充実した中身.

속살(이) 찌다 ❶思いのほか肉付きがいい. 着やせする. ❷見掛かけによらず中身が充実している.

속-상하다【—傷—】[so:k—] (→하다) ⇨ '속'の小項目

속-생각 [so:k—] 〈名・하自〉 ❶心の中で考えを巡らすこと. 心中の思い. 思案. ❷腹案. 考え.

속설【俗說】〈名〉 俗説. 句例 ～에 의하면 俗説によると.

속성【速成】〈名・하自他〉 速成. 句例 영어 회화 ～ 英会話早わかり / 실력 양성 ～ 코스 実力養成速成コース. 語例 ～과 速成科.

속성【屬性】〈名〉属性. 句例 전쟁의 ～ 戦争の属性. 文例 물은 여러가지 ～을 지니고 있다 水はいろいろの属性を持っている.

속세【俗世】〈名〉俗世・ぞく. (俗ぞ)世間. 浮き世. 句例 ～를 등진 생활 とんひ(遁避)の生活/출가하여 ～를 등진 몸 出家とんせい(遁世)の身/～를 떠난 사람 世捨て人/～를 살아가다 俗世を渡る.

속-셈 [so:ksem]〈名〉❶懐勘定. 胸算用. 心積もり. 下心. 手の内. **～하다**〈自〉胸算用をする. 句例 ～이 있다 下心〔魂胆〕がある/～을 꿰뚫어 보다 魂胆を見抜く. 手の内を見すかす/～이 어긋나다 懐勘定がはずれる/～을 간파당하다 手の内を見すかされる. 文例 별로 ～이 있는 것은 아니나다 別に下心があるわけではない/그의 ～을 알았다 彼の下心が分かった/～이 있어서 아첨을 하는 거다 下心かあってお世辞をいうのだ/무슨 ～인지 도무지 모르겠다 どういうつもりなのかさっぱり分からない. ❷暗算. **～하다**〈自〉暗算する.

속-셔츠 [so:k—]〈名〉肌着. 下着. シャツ. ◇shirtsから.

속속【續續】〈副〉続続(と). 陸続(と). 文例 ～ 사람들이 모여든다 続続と人が集まる.

속속-들이 [so:ksoktŭri]〈副〉奥の奥〔奥底〕まで. 隅隅まで. すっかり. 句例 ～ 아는 사람 知り尽くしている人/～ 잘 아는 사이 気心の知れたあいだがら/～ 젖다 ずぶ〔びしょ〕ぬれになる. 文例 학교 경영의 이면을 ～ 알고 있다 学校経営のからくりを知り抜いている.

속-손톱 [so:k—]〈名〉こづめ(小爪).

속수-무책【束手無策】〈名〉手をつか(束)ねているだけでなすべきすべ(術)を知らないこと. お手上げ. 文例 이렇게 된 이상 ～이다 こうなったからにはどうしようもない/이제는 ～이다 もうお手上げだ.

속-썩다 [so:k—] ⇨'속'の小項目

속-썩이다 [so:kssŏgida] ⇨'속'の小項目

속씨-식물【—植物】[so:kssishingmul]〈名〉〔植〕被子植物. ＝피자식물.

속아-넘어가다 [soganŏmŏgada]〈自〉まんまとだま(騙)される. 一杯食わされる. (うまく)担がれる. 文例 이번에는 그한테 감쪽같이 속아 넘어갔다 今度は彼にしてやられた/계략에 속아넘어갔다 いっぱいは(嵌)められた/나는 그런 말에는 속아넘어가지 않는다 僕はそんな言葉ではだまされない.

속어【俗語】[sogŏ]〈名〉俗語. 俗言. 對아어(雅語). 類슬랭.

속-없다 [so:gŏpta] ⇨'속'の小項目

속여-넘기다 [sogyŏ—]〈他〉まんまとだま(騙)す. 一杯食わせる. たぶらかす.

속여-먹다 [sogyŏ—]〈他〉人をうまくだま(騙)して利を取る. たぶらかす. 欺く.

***속-옷** [so:got]〈名〉肌着. 下着. シャツ. ＝내복. 내의. 句例 감촉이 부드러운 ～ さわりのいい肌着/새 ～으로 갈아입다 新しい肌着〔シャツ〕に着替える.

속음【俗音】[sogŭm]〈名〉慣用音.

***속이다** [sogida]〈他〉だま(騙)す. 欺く. 偽る. ごまかす. ちょろまかす《俗》. たぶらかす《俗》. 句例 돈을 ～ 金をごまかす/남의 눈을 ～ 人の目をごまかす/숫자를 ～ 数字をごまかす/본심을 ～ 本心を偽る/사실〔신분〕을 ～ 事実〔身分〕を偽る/무게를〔저울눈을〕～ 目方をごまかす〔盗む〕/대학생이라고 ～ 大学生と偽る/감쪽같이 ～ 一杯食わす. うまくだまし込む/남의 눈을 속여 도망치다 人の目をくら(晦)まして〔ごまかして〕逃げる/좋은 물건인 것처럼 ～ よい品のようにごまかす/달콤한 말로 ～ 口車に乗せる.

***속임-수**【—數】[sogimssu]〈名〉詭計. 手管. 手練. ごまかし. トリック. まやかし《俗》. 句例 ～를 쓰다 手管に乗せる. 計略〔ぺてん〕にかける. 術策を弄する. トリックを用いる/～에 걸리다 トリック〔計略〕にかかる/그럴 듯한 ～로 남을 구슬리다 手練手管で人を丸め込む. 文例 그런 ～에는 넘어가지 않을걸 そんな計略には乗らないぞ/저 녀석에게는 ～가 통하지 않는다 あいつにはごまかしが利かない.

속-잎 [so:ngnip]〈名〉(草や木の)若葉.

속자【俗字】〈名〉俗字.

속-장 [so:k—]〈名〉(本の)扉. タイトルページ. ＝간지(間紙). 對겉장.

속-저고리 [so:k—]〈名〉(女性の)チョゴリの下に着るチョゴリ.

속-적삼 [so:k—]〈名〉チョゴリの下に着るひとえ(単衣). ＝한삼(汗衫).

속전【贖錢】〈名〉昔, 罪をあがなうために出したお金.

속전-속결【速戰速決】〈名・하自〉速戦即決. 語例 ～주의 速戦即決主義.

속절-없다 [sokchŏrŏpta]〈形〉どうしようもない. はかない. あきらめざるを得ない. やるせない. いたし方ない. 文例 속절없는 세월을 보내다 やるせない月日を送る. **속절없이** [sokchŏrŏpshi]〈副〉どうしようもなく. 致し方なく. 余儀無く.

속죄【贖罪】〈名〉贖罪. 罪滅ぼし. **～하다**〈自〉贖罪する. 罪をあがなう〔償う〕. 句例 ～의 기도 贖罪の祈り/죽음으로써 ～하다 死をもって罪をあがなう.

속-주다 [so:k—] ⇨'속'の小項目

속-짐작 [so:k—]〈名〉当て推量. 心あて. 推測. 見当.

속-차리다 [so:k—] ⇨'속'の小項目

속-창 [so:k—]〈名〉靴の底革.

속출【續出】〈名・하自〉続出. 句例 사고의 ～ 事故の続出. 文例 사상자가 ～했다 死傷者が続出した.

속-치마 [so:k—]〈名〉下着のチマ. 對겉치마.

속-치장【—治裝】[so:k—]〈名・하自〉内部の装い〔飾り〕.

속칭【俗稱】〈名・하他〉俗称. 句例 ～ …라고 하다 俗称 …という. 文例 경찰관을 ～'순경'이라고 한다 警察官のことを俗称'おまわり'という.

속-타다 [so:k—] ⇨'속'の小項目

속-탈【—頉】[so:k—]〈名〉消化不良. 句例 ～이 나다 消化不良になる.

속-태우다 [so:k—] ⇨ '속'の小項目

속-트이다 [so:k—] ⇨ '속'の小項目

속편【續編・續篇】〈名〉続編.

속-표지【—表紙】[so:k—]〈名〉(本の)扉. ＝안겉장. 語例 ～ 그림 扉絵.

속필【速筆】〈名〉速筆. 早書き.

***속-하다**【屬—】[sok'ada] (→하다)〈自〉属する. 句例 축구부에 속해 있는 학생 サッカー部に属している学生. 文例 토마토는 가짓과에 속한다 トマトはなす科に属する / 그는 민주당에 속해 있다 彼は民主党に属している / 그건 이례적인 일에 속한다 それは異例の事に属する.

속항【續航】[sok'ang]〈名・하自〉続航. 語例 ～ 불능 続航不能.

속-하다【速—】[sok'ada] (→하다)〈形〉速〔早〕い. 早急だ. 文例 속한 연락을 바라네 早急に連絡してもらいたい. **속히** [sok'i]〈副〉速〔早〕く. 速やかに. 句例 속히 회답하다 速やかに返答する / 하루 속히 一日も早く. 文例 매진(賣盡)되기 전에 속히 구입하시기 바랍니다 売り切れないうちに早くお求め願います / 이런 환자는 속히 치료를 하여야 한다 こういう病人は早く手当てをしなければならない.

속히 더운 방(房) 쉬 식는다 熱しやすいものは冷めやすい.

속행【續行】[sok'aeng]〈名・하他〉続行. 句例 경기를 ～하다 競技を続行する.

속회【續會】[sok'oe]〈名・하自〉続会.

속효【速效】[sok'yo]〈名〉速効. 句例 ～가 있다 速効がある. 語例 ～성 비료 速効性肥料.

솎다 [sokta]〈他〉間引く. うろ(疎)抜く. 句例 무를 솎아내다 大根をうろ抜く〔間引く〕/ 솎아낸 채소 間引き菜.

솎아-베기 [sokkabegi]〈名・하他〉間伐.

솎음 [sokkŭm]〈名〉間引き. うろ抜き. **～하다**〈他〉間引く. うろ抜く. 語例 ～무 うろ抜き大根 / ～질 間引きすること.

****손**[1] 〈名〉手. ❶(人の)手. 句例 ～을 내밀다 手をさし出す / ～을 올리다〔들다〕手をあげる / ～을 흔들다 手を振る / ～을 잡다〔쥐다〕手を取る〔握る〕/ ～을 깨끗이 씻다 手をきれいにする / ～을 넣다 手を入れる / 호주머니에 ～을 찔러 넣다 ポケットに手を突っ込む / 불에 ～을 쬐다(手を)火にかざす / ～이 곱다(→小項目) / ～을 뻗다 手を伸ばす / 두 ～을 비비다 両手をも(揉)む / 두 ～ 모아 빌다 手を合わせて拝む / ～으로 만져 보다 手で触ってみる.

❷手と腕の通称. 上肢.

❸仕事の手. 句例 ～을 비울 수 없다 手があけられない / 일이 ～에 잡히지 않다 仕事が手につかない.

❹人手. 働き手. ＝일손. 句例 (일)～이 모자라다 手〔人手〕が足りない. 手が不足である / …의 ～을 거치다 …の手を経る.

❺手間. 手数. 手入れ. 句例 ～(이) 가다(→小項目) / ～(을) 보다(→小項目) / ～을 보아 고치다 手を入れて物にする.

❻関係. 付き合い. 干渉. 句例 ～(을) 떼다(→小項目) / ～(을) 대다(→小項目).

❼所有. 手中. 句例 ～에 넣다 手に入れる. 手中におさめる. 手にする / ～에 들어오다 手に入る / 남의 ～에 넘어가다 人の手に渡る / 이 ～에서 저 ～으로 넘어가다 手から手へと渡る.

❽手段. 手立て. 句例 ～을 쓰다(→小項目) / ～을 쓸 수가 없다 手の施しようも〔打ちようが〕ない.

❾助力. 世話. 力. 句例 형의 ～을 빌리다 兄の手を借りる. 文例 우리의 ～으로 이루어냈다 我らの手で成し遂げた.

손(이) 가다 手が〔手間が〕かかる. 手が込む. 句例 손이 가는 일 手のかかる仕事.

손(이) 거칠다 手癖がわるい. 手が長い. 盗癖がある.

손(이) 곱다 手がかじかむ〔凍える〕. 文例 추워서 ～ 寒さで手がかじかんでいる.

손(을) 끊다 手を切る〔引く〕. (…との)関係を断つ.

손(이) 나다 手があく〔すく〕. 句例 (바빠서) 손이 나지 않다 手がふさがっている.

손(을) 내밀다 ❶手を差し出す. ❷手を出して物〔金品〕を請〔乞〕う.

손(이) 놀다 手があく〔すく〕.

손(을) 놓다 ❶手を放す. ❷していたことをや(止)める. 仕事の手を止める. 手を休める. 文例 그는 (일)손을 놓고 쳐다 보았다 彼は手を休めて見上げた.

손(을) 늦추다 (手を)緩める. 句例 경계의 손을 늦추다 警戒を緩める / 감시의 손을 늦추다 監視の手を緩める.

손(이) 달리다 手〔人手〕が足りない. 手不足である. 文例 농번기에는 (일)손이 달린다 農繁期には人手が足りない.

손(이) 닿다〔미치다〕 ❶手が届く. 句例 아이들 손이 닿지 않는 곳에 두다 こどもの手の届かない所に置く. ❷力が及ぶ. 句例 손이 미치는 한 力の及ぶかぎり.

손(을) 대다 ❶手をつける. ㉠手で触る. 手を触れる. 句例 서류에 ～ 書類に手をつける / 어깨에 ～ 肩に触る. 文例 손 대지 마시오《掲示》触るべからず. 手を触れるな.

㉡(仕事などを)始める. (…に)手を出す. 手を染める. 関係する. 句例 두 가지 일에 ～ 二つの仕事に手をつける / 운수업에 ～ 運送業に手をつける / 정치〔주식〕에 ～ 政治〔株式〕に手を出す / 위험한 일에 ～ 危険なことに手を出す / 아직 아무도 손을 대지 않은 분야 まだだれも手をつけていない分野.

㉢使い込む. 句例 주인의 돈에 ～ 主人の金に手をつける / 저금에 손을 대지 않다 貯金に手をつけない.

㉣(けんかで)手を出す. 手出しをする. なぐる. 句例 먼저 ～ 先に手を出す.

❷手を入れる. 手を加える. 句例 손을 대어 쓸만한 것이 되게 하다 手を入れて物にする.

손(을) 떠나다 (…の)手を離れる. 句例 의사의 손을 떠나다 医師の手を離れる.

손(을) 떼다 ❶関係を断つ. 手を引く. 句例 논쟁〔계약〕에서 ～ 論争〔契約〕から手を引く. 文例 그 사건에서 손을 떼라 その事件から

身を引け / 너무 깊이 관여하여 이제 와서 손을 뗄 수가 없었다 深入りしすぎて今更手が引けなかった. ❷手を放す. ❸(仕事を)し終える. 仕上げる.

손(이) 맞다 (おたがいに)息〔呼吸〕が合う. 文例 그 두 사람은 손이 잘 맞는다 その二人はぴったり息が合っている.

손(을) 멈추다 (していた仕事の)手を止める. しばらく手を休める.

손(을) 벌리다 手を差し出して金品を要求する.

손(을) 보다 手を入れる. 手入れ(を)する. 手を加える. 句例 손을 보아두다 手入れをしておく / 원고를 ～ 原稿に手を加える. 文例 집을 손보아야겠다 家を手入れしなければならない.

손(을) 봐 주다 人の仕事を手伝う.

손(이) 부끄럽다 (すげなく断られて)もらおうと差し出した手が恥ずかしい〔恥をかく〕.

손(이) 비다 ❶(なすべき仕事がなくて)手すきである. 手があく〔すく〕. 文例 한 시간이면 손이 비게 된다 一時間すると手すきになる / 손이 빌 때 읽어 주세요 お手すきのとき, お読みください. ❷手持ちの金がない. 持ち合わせがない.

손(을) 빌리다 手〔力〕を借りる. 手伝ってもらう. 文例 내일은 자네 손을 빌리지 않아도 된다 あすは君の手を借りなくてもよい.

손(을) 빼다 (あることから) 手を引く. 句例 계약에서 ～ 契約から手を引く.

손(이) 싸다 (手の動きが)早い. 仕事が早い.

손(을) 쓰다 手を打つ. 手を回す. 句例 손을 쓸 수가 없다 手の打ちよう〔施しよう〕がない. 手も足も出ない.

손(을) 씻다 ❶手を洗う. 手をきれいにする. ❷(…から)手を引く. 足を洗う. 堅気になる. 句例 깡패 생활에서 ～ やくざの生活から足を洗う.

손에 걸리다 手にかかる. 句例 …의 손에 걸려 죽다 …の手にかかって死ぬ / 사채업자(私債業者)의 ～ 高利貸しの手にかかる.

손에 넣다 手に入れる〔落ちる〕. 手中におさめる. 手にする. 句例 상품을 ～ 賞品を手に入れる.

손에 달리다 気〔考え・努力〕のいかんにかかっている. 腕〔決心・決定〕次第だ. …の権限に属する. 文例 이제부터 앞으로의 일은 자네 손에 달렸다 これから先は君の腕次第だ.

손에 들어가다 (…の)手に入る〔渡る〕.

손에 땀을 쥐다 手に汗(を)握る.

손에 떨어지다 手に落ちる. 手に入る. 句例 남의 ～ 人の手に落ちる.

손에 설다 手慣れない. 手になじまない. 不慣れだ. 句例 손에 선 일 手慣れない仕事.

손에 손을 잡다 手に手を取る. 句例 손에 손을 잡고 걷다 手に手を取って歩く.

손에 익다 手慣れる. 堂に入る. 句例 손에 익은 솜씨 手慣れた手つき.

손에 잡히다 落ち着いた気持ちで仕事をする気になれる. 文例 기분이 언짢아서 일이 손에 잡히지 않는다 気分が悪くて仕事が手に付かない. 参考 主に否定の語を伴う場合が多い.

손에 잡힐 듯이 手を伸ばせば届くような所に. 呼べば聞こえるような距離に.

손에 쥐다 手〔手中〕に入れる. 手に握る.

손으로 넘어가다 …の手に渡る.

손이 발이 되도록 빌다 平謝りにあやまる. 平身低頭してしきりに許しを請う.

손이야 발이야 빌다 '손이 발이 되도록 빌다'のこと.

손(이) 자라다 手が届く. 力が及ぶ.

손(이) 잠기다 手が抜けられないほど忙しい.

손(을) 잡다 ❶手を取る. 手を握る. ❷力を合わせる. 協力〔提携〕する.

손(을) 적시다 (よくないことに)手を染める.

손(을) 젓다 手を振る. 手を振って拒む〔否定する〕.

손(이) 크다 ❶気前がいい. けちけちしない. ❷いろいろな手段を心得ている. 手段に富む.

손(을) 타다 物の一部がなくなる. 少し盗まれる.

손(을) 털다 (かけごとなどで)金をす(擦)る. 元手をはたく.

손[2] 〈名〉客. ❶来客. ❷(店の)顧客. =손님.

손(을) 겪다 客をもてなす.

손은 갈수록 좋고 비는 올수록 좋다 客は早く帰るほどよく雨は(多く)降るほどよい.

손(을) 치르다 多くの客をもてなす.

손【孫】 [so:n] 〈名〉'후손(後孫) 後裔'の略. 句例 ～이 끊기다 代が尽きる. 子孫が絶える.

손[3] 〈依名〉 品物の一つかみの数量を表わす語. '조기 いしもち' '굴비 干しにべ' '배추 白菜'などは大小一つずつの組み合わせを, '미나리 せり'などは一つかみを指す.

손[4] 〈助〉('-다～ 치더라도〔치자〕'の形で)譲歩の意を表わす補助詞: …とみなしても. …とみなそう. 句例 많다～ 치더라도 多いといっても.

손 〔漢字項目〕

【孫】 中學 손 ソン. ❶손자 孫. ▣王孫 왕손 おうそん. 外孫 외손 がいそん. 曾孫 증손 そうそん. ❷대를 이어감 跡継ぎ. ▣子孫 자손 しそん.

【損】 高校 손 ソン. ❶상하다 損なう. ▣損壞 손괴 そんかい. 損傷 손상 そんしょう. ❷잃다 失う. ▣損失 손실 そんしつ. 損害 손해 そんがい. ❸줄다 へる. 줄이다 へらす. ▣減損 감손 げんそん.

손-가다 ⇨'손[1]'の小項目

****손-가락** [sonkkarak] 〈名〉 (手の)指. 句例 ～으로 가리키다 指をさす / ～으로 딱딱 소리내다 指を鳴らす / ～을 빨다 指をしゃぶる / ～에 끼우다 指にはめる / ～으로 세다 指で数える / (어린애가) ～을 입에 물다 (こどもが) 指をくわえる / ～으로 튀기다 指ではじく / ～을 깍지 끼다 指を組み合わせる. 語例 엄지～ 親指 / 새끼

～ 子指 / 집게～ 人差〔人指〕し指. 食指/ 약～ 薬指. 名ざし指 / ⇨ 손가락질

손가락-질 [sonkkarak—] 〈名〉 指差し. ❶指で示すこと. ❷後ろ指. **～하다** 〈他〉 指をさす. 後ろ指をさす.

손가락질(을) 받다 後ろ指をさされる. 文例 나는 결코 손가락질을 받을 짓은 안 합니다 わたしは決して人に後ろ指をさされるようなことはいたしません.

손-가마 [sonkkama] 〈名〉 手車. 二人が両手を組み合わせてその上に他の一人をまた(跨)がらせて歩く遊び. 句例 ～에 태우다 手車に乗せる.

손-가방 [sonkkabang] 〈名〉 手提げかばん.

손-거스러미 [sonkkŏsŭrŏmi] 〈名〉 (指の)逆むけ. ささくれ. 句例 ～가 일다 ささくれができる. ささくれる.

손-거울 [sonkkŏul] 〈名〉 手鏡.

손-겪다 ⇨ '손²'の小項目

손-결 [sonkkyŏl] 〈名〉 手の肌触り. 手の肌のきめ.

손-궤【—櫃】 [sonkkwe] 〈名〉 手箱. 手文庫. 句例 ～에 넣다 手箱にしまう.

손-금 [sonkkŭm] 〈名〉 てのひらの線. 手筋. 手相. 語例 ～쟁이 手相見.

손금(을) 보다 手相を見る〔見てもらう〕.

손금 보듯 하다 手に取って見るようによく知っている. たなごころ(掌)を指す.

손-기계【—機械】 [sonkkigye] 〈名〉 手動の機械.

손-길 [sonkkil] 〈名〉 (さしのべる)手. 句例 ～이 닿지 않는 곳에 두다 手の届かない所に置く / 구원의 ～을 뻗치다 救援の手をさしのべる.

손길(을) 잡다 手を取り合う.

손-꼽다 〈自〉 ❶指折り数える. 指を折る. 句例 약속의 날을 손꼽아 기다리다 約束の日を指折り数えて待つ. ❷(多数の中で)特に数え立てられるほどに優れている. 句例 손꼽을 만한 연주가 指折りの演奏家 / 손꼽는 산업 도시 屈指の産業都市.

손-꼽히다 [sonkkop'ida] 〈自〉 '손꼽다'の受け身: 指折り数えられる.

손-끊다 [sonkkŭnt'a] ⇨ '손¹'の小項目

손-끝 〈名〉 手先. ❶指先. 句例 ～이 떨리다 手先がふるえる / ～으로 건드리다 手先で触れる〔触る〕/ ～을 가시에 찔리다 指先にとげが刺さる / ～에 가시가 박히다 指先にとげが立つ〔とげを立てる〕. ❷手でいじくったため〔手をつけたばかり〕に生じる悪い結果. 句例 ～이 맵다(→小項目). ❸腕前. 手際. 手並み. 句例 ～이 무디다 手先が不器用だ / ～이 여물다(→小項目).

손끝(이) 맵다 手で触れた〔触った〕だけでひどい結果になる. 手をつけたばかりでなすことやすることが不結果に終わる.

손끝에 물도 튀긴다 横のものを縦にもしない.

손끝(이) 여물다 手先が器用だ. 手際〔手並み〕に抜け目がない.

손-나다 ⇨ '손¹'の小項目

손-내밀다 ⇨ '손¹'の小項目

손녀【孫女】 〈名〉 孫娘. 語例 ～딸 孫娘の愛称.

손-놓다 [sonnot'a] ⇨ '손¹'の小項目

＊＊손-님 〈名〉 '손²'の尊敬語: 客. 来客. お客さん. 句例 환영 못 받는 ～ 持てない客 / ～을 방으로 안내하다 客をへやに通す / ～을 맞다 客を迎える / ～이 끊이지 않다 来客が絶えない / (가게의) ～의 수가 떨어지다 客足がにぶる / (가게의) ～의 발길이 뜸해지다 客足が遠のく / ～을 대접하다 客をもてなす / (가게의) ～이 늘다〔줄다〕 客足がつく〔落ちる〕. 語例 단골 ～ なじみの客. 常連(の客). 得意先.

손-닿다 [sondat'a] ⇨ '손¹'の小項目

손-대 [sonttae] 〈名〉 '무당(巫子)'が降神に用いる竿.

손대(가) 내리다 降神で, '무당'の唱える呪法によって死霊が'손대'に乗り移る.

손-대다 ⇨ '손¹'の小項目

손-대중 [sonttaejung] 〈名・하他〉 手加減. 手心. 句例 ～을 잘하다 手加減がうまい.

손-도끼 [sonttokki] 〈名〉 手おの(斧). なた(鉈).

손-도장【—圖章】 [sonttojang] 〈名〉 拇印. つめ印. つめ判. 句例 ～을 찍다 つめ印を押す.

손-독【—毒】 [sonttok] 〈名〉 (かゆいところなどを) いじったりしてこじ(拗)らせた毒気.

손독(이) 오르다 (かゆいところやはれものなどを)いじってこじ(拗)れる.

손독(을) 올리다 (かゆいところやはれものなどを)いじったりしてこじ(拗)らせる.

손-들다 (손드니, 손들어서) 〈自〉 手をあげる. 閉口する. 降参する. 参る. 句例 더위에 ～ 暑さに閉口する. 文例 저 바보에는 손들었다 あのばか(馬鹿)には参った / 저 고집통이에겐 정말 손들었다 あの頑固屋には全く閉口した.

＊＊손-등 [sonttŭng] 〈名〉 手の甲.

손-때 〈名〉 手あか. 使い古されてできるつや. 手沢. 句例 ～ 묻은 책 手あかのついた本. 手沢本 / ～가 묻다 手あかがつく / ～를 묻히다 手あかをつける.

손때(가) 먹다 (器具・家具などが)使い慣らされてつやがつく.

손때(를) 먹이다 ❶つやが出るようにする. ❷使い慣らす. ❸手塩にかける.

손-떼다 ⇨ '손¹'の小項目

손-맞다 ⇨ '손¹'の小項目

손-맵다 (손매우니, 손매워서) '손끝(이) 맵다'の意(→'손끝'の小項目).

손-멈추다 ⇨ '손¹'の小項目

＊손-목 〈名〉 手首. 腕首. 句例 ～을 삐다 手首をくじく / ～을 비틀다 手首をね(捩)じる / ～(힘)이 강하다 手首が強い / ～을 (붙)잡다 手首を捕らえる / ～을 쥐다 手首を握る. 語例 ～뼈 腕骨.

손목-시계【—時計】 〈名〉 腕時計.

손-바구니 [sonppaguni] 〈名〉 手かご.

손-바꿈 〈名・하他〉 ❶手を替えて仕事をすること. ❷人手の交換.

손-바느질 [sonppanŭjil] 〈名・하自他〉 手縫い.

＊＊손-바닥 [sonppadak] 〈名〉 てのひら. 手の裏. 手の内. たなごころ(掌). 平手. ＝수장(手

掌). 句例 ～만한 마당 猫の額ほどの庭/～을 뒤집다 たなごころを返す. てのひらをひるがえ(翻)す/～으로 때리다 平手で打つ. 平手を食わす.

손바닥을 뒤집듯 하다 てのひら〔手の裏〕をかえすよう. 態度・心の急変するようすのたとえ.

손-바람 [sonpparam]〈名〉(仕事をする手の動きが)調子づくこと. 句例 ～이 나다 仕事が調子づく/～이 나기 시작하다 手並みがさ(冴)え始める.

손-발〈名〉手と足. 手足. ＝수족(手足). 句例 ～을 쓰지 못 하게 된다 手足がきかなくなる/～을 묶다 手足を縛る.

손발(이) 맞다 (いっしょに何かをするときに)息〔呼吸〕が合う. 歩調が合う.

손발이 닳도록 빌다 '손이 발이 되도록 빌다'の意('손1'の小項目).

손발이 되다 手足となる. 句例 남의 손발이 되어 일하다 人の手足となって〔手足のように〕働く.

손-버릇 [sonppŏrŭt]〈名〉手癖.

손버릇(이) 사납다〔나쁘다〕 手癖が悪い. むやみに人を殴ったり人の物を盗んだり壊したりする好ましくない癖がある.

손-벌리다 ⇨'손1'の小項目

손-보기〈名〉手入れ. ＝손질. 句例 기계의 ～ 機械の手入れ.

손-보다 ⇨'손1'の小項目

손봐 주다 ⇨'손1'の小項目

손-비다 ⇨'손1'の小項目

손-빌리다 ⇨'손1'の小項目

손-빼다 ⇨'손1'の小項目

손뼉〈名〉手首から先の手. 手のひら. たなごころ.

손뼉(을) 치다 手を打つ. 手をたたく. 拍手する. 句例 손뼉을 치며 기뻐하다 手をたたきながら喜ぶ/손뼉을 치며 감탄하다 横手を打って感心する.

*__손상__【損傷】[so:nsang]〈名〉損傷. 損ない傷つくこと. **～하다**〈自他〉損傷する. 損なう. 傷つく. 傷つける. 句例 ～을 입히다 損傷を与える/체면을 ～하다 体面を損なう〔つぶ(潰)す. 傷つける〕/인격을 ～하다 人格を傷つける/미관을 ～하다 美観を損ねる.

손색【遜色】[so:nsaek]〈名〉遜色. 見おとり. 句例 ～이 있다 遜色がある. 見おとりがする.

손색(이) 없다 遜色がない. 見おとりがない. 文例 외국 제품과 비교하여 조금도 손색이 없다 外国製品と比べて少しも遜色がない.

손색-없이【遜色―】[so:nsaegŏpshi]〈副〉遜色なく. 劣るところなく.

*__손수__〈副〉手ずから. 自ら. 句例 ～ 소나무 묘목을 심다 手ずから松の苗木を植える/～ 쓴 편지 親しく書いた手紙.

**__손-수건__【―手巾】[sonssugŏn]〈名〉ハンカチ. ハンケチ. 句例 코를 풀기 위한 ～ 鼻をかむためのハンカチ/～으로 얼굴을 가리다 ハンカチで顔を覆う〔覆い隠す〕/～을 눈에 대다 ハンカチを目に押し当てる.

손-수레〈名〉手車. 手押し車.

*__손-쉽다__ (손쉬우니, 손쉬워서)〈形〉たやすい. 容易だ. 手っ取り早い. 句例 손쉽게 할 수 있다 たやすく〔手もなく・楽に〕できる/손쉽게 풀 수 있는 문제 楽楽とこなせる〔解ける〕問題/손쉽게 이기다 楽に〔手もなく〕勝つ. 文例 큰 돌을 손쉽게 들어 올렸다 大きな石をやすやす(と)持ち上げた.

손-시늉 [sonssinyung]〈名〉手まね. 手ぶり. 句例 ～으로 나타내다 手まねで示す.

손실【損失】[so:nshil]〈名・하自他〉損失. 句例 큰 ～ 大きな損失/～을 주다 損失を与える/～을 입다〔보다〕損失を被る/～을 만회하다 損失を取り返す/～을 메우다 損失を埋め合わせる〔償う〕. 損失の穴埋めをする.

손-아귀 [sonagwi]〈名〉手の内. 手中. 掌中. 句例 ～에 있다 手の内〔手中〕にある/～에 넣다 手の内に入れる〔納める〕. 完全に自分のものにする/적의 ～에 떨어지다 敵の掌中に陥る. 文例 제해권을 ～에 넣었다 制海権を掌握した/성공은 이제 ～에 있다 成功はもはや手の内にある.

손-아래 [sonarae]〈名〉目下. 年下. 語例 손아랫사람 目下の者. 年下の人. 對손위.

손아래-뻘 [sonarae―]〈名〉(おもに傍系親族の間で)世代数の低い人. 目下にあたる間柄の者. 對손위뻘.

손-어림 [sonŏrim]〈名・하他〉手の感じで量りや程度を知ること. 手加減. 手ばかり.

손-위 [sonwi]〈名〉目上. 語例 손윗사람 目上(の人). 上長. 年上. 長上. 對손아래.

손익【損益】[so:nik]〈名〉損益. 損得. 句例 ～을 도외시하고 하는 일 損得抜きでする仕事/～을 생각하지 않다 損得を考えない/～을 떠나다 損得をはなれる/～을 계산하다 損得を計算する. 語例 ～ 계산 損益計算/～ 계정 損益勘定.

**__손자__【孫子】〈名〉孫. 句例 ～를 보다 孫ができる. 文例 ～는 아들보다 귀엽다 孫は息子よりかわいい. 對손녀(孫女).

손-자귀 [sontchagwi]〈名〉小さいちょうな(手斧).

손-잡다 ⇨'손1'の小項目

*__손-잡이__ [sonjabi]〈名〉取っ手. つ(摘)まみ. 柄. ハンドル. 句例 문의 ～ ドアの取っ手〔ノブ〕/뚜껑의 ～ ふたのつまみ/국자의 ～ ひしゃくの柄/～를 달다 取っ手を付ける. 柄をすげる〔付ける〕. 文例 ～가 떨어져 있다 取っ手が取れている.

손-장난 [sontchangnan]〈名〉手でするつまらないいたずら. 手遊び. 手慰み.

손-장단【―長短】[sontchangdan]〈名〉手拍子. 句例 ～을 치다 手拍子をうつ/～을 맞추다 手拍子をとる.

손-재봉틀【―裁縫―】〈名〉手回しミシン. 略して'손틀'ともいう.

손-재주【―才―】[sontchaeju]〈名〉手先の器用なこと. 手のわざ. 小手先. 手性. 句例 ～가 있다 小手先が器用だ. 小手先が利く. 手性がいい. 文例 ～가 없어서 바느질은 못한다 手性が悪いので針仕事はできない.

손-저울 [sontchŏul]〈名〉てばかり(手秤).

*__손-전등__【―電燈】[sontchŏndŭng]〈名〉懐中電灯

かいちゅうでんとう. フラッシュライト.

*손-질〈名〉手入れ. 手を入れる〔加える〕こと. ～하다〈他〉手入れをする. 句例 ～이 잘 된 정원 手入れの(行き)届いた庭 / ～을 해 두다 手入れをしておく / 원고에 ～을 하다 原稿に手を加える / 피부를 ～하다 皮膚の手入れをする. はだを磨く.

손-짐작 [sontchimjak]〈名・하他〉⇨ 손어림

손-짓 [sontchit]〈名・하他〉手まね. 手振り. 句例 몸짓 ～ 身振り手振り / ～해서 사람을 부르다 手まねで人を招く / ～으로 가리키다 手まねで示す / 앉으라고 ～하다 座れと手まねをする / ～으로 가라고 하다 手まねで行けと言う / ～하여 사람을 불러들이다 人を手招きして呼び入れる / ～을 섞어가며 이야기하다 手振りをまじえて話す.

손-찌검〈名・하他〉手出し. 手で殴ること. 句例 먼저 ～한 쪽이 나쁘다 先に手出しをした方が悪い.

손-치르다 (손치르니, 손치러서) ⇨ '손²'の小項目

손-크다 (손크니, 손커서) ⇨ '손¹'の小項目

손-털다 (손터니, 손털어서) ⇨ '손¹'の小項目

**손-톱〈名〉つめ(爪). 句例 ～을 깎다 つめを切る / ～을 바짝 깎다 つめを深く切る / ～을 기르다 つめをのばす / ～으로 할퀴다 つめでひっかく / ～에 때가 끼다 つめのあか(垢)をためる / ～손질을 하다 つめの手入れをする. 語例 ～깎이 つめ切り / ⇨ 손톱 자국

손톱만큼도 つめ(爪)のあか(垢)ほども. 少しも. 文例 그에겐 성의란 ～ 없다 彼には誠意の欠けらもない / ～ 슬프지 않다 少しも〔ちっとも〕悲しくない.

손톱 밑에 가시 드는 줄은 알아도 염통 밑에 쉬 스는 줄은 모르는 つめ(爪)の下にとげが刺さるのは分かっているが心臓にうじ(蛆)がわくのは気づかないでいる. ささいな利益にはさといが大きな利害には暗いことのたとえ.

손톱 자국〈名〉つめあと(爪痕). 文例 팔에 ～을 내다 腕につめあとをつける.

손-틀〈名〉❶手動機械. ＝손기계. ❷'손재봉틀'の略. 手回しミシン.

손-풍금【─風琴】〈名〉手風琴. アコーディオン.

*손해【損害】[so:nhae]〈名〉損害. 損. 句例 ～를 보다 損害をうける / ～을 입다 損害を被る / ～를 보상하다 損害を補償する / ～를 대신 변상하다 損害を代弁する / 십만 원 ～보다 十万ウォン損する. 文例 시간을 소비할수록 ～다 時間を費やすだけ損である. 語例 ～ 배상 損害賠償 / ～ 보험 損害保険.

*솔¹〈名〉松. ＝소나무. 語例 ～뿌리 松の根.

*솔² [so:l]〈名〉はけ(刷毛). ブラシ. 句例 ～로 털다 はけで払う / ⇨ 솔질. 語例 칫～ 歯ブラシ / 양복～ 洋服ブラシ.

솔³〈名〉〔樂〕ソ. 七音音階の五番目の音. ◇이 sol

솔　〔漢字項目〕

【率(率)】 高校 솔 ソツ. 률 リツ. 一〔솔〕❶거느리다 率いる. ▮率先 솔선 そっせん. ▮統率 통솔 とうそつ. ❷따르다 従う. ▮率服 솔복 そっぷく. 率性 솔성 そっせい. ❸갑자기 突然. ▮率然 솔연 そつぜん. ❹있는 그대로 ありのまま. ▮率直 솔직 そっちょく.

二〔률〕비율 割合. ▮能率 능률 のうりつ. 同率 동률 どうりつ. 確率 확율 かくりつ. 視聴率 시청률 しちょうりつ.

솔-가지 [solkkaji]〈名〉薪用の松枝.

솔개〈名〉〔鳥〕とび(鳶). とんび.

솔기〈名〉縫い目. 縫い山. 句例 옷의 ～를 뜯어서 빨다 着物の縫い目をほどいて洗う / ～가 터지다 縫い目がほころびる.

솔깃-이 [solgishi]〈副〉気が向いて. 乗り気になって.

*솔깃-하다 [solgit'ada] (→하다)〈形〉気が向く. 心が引かれる. 句例 솔깃한 이야기 耳寄りな話.

솔다 [so:lda] (소니, 솔아서)〈自〉(騒音や小言などを聞いたりして)耳が痛い. 耳にたこができる.

솔라 하우스 [so:lla─]〈名〉ソーラーハウス. ＝태양열 주택. ◇solar house

솔로〈名〉〔樂〕ソロ. ❶独唱. ❷独奏. 語例 피아노 ～ ピアノソロ. ❸独りですること. ◇이 solo

솔리스트〈名〉〔樂〕ソリスト. ◇프 soliste

솔-바람〈名〉松風. ＝송풍.

솔-방울 [solppang-ul]〈名〉松かさ. 松ぼっくり.

솔-밭〈名〉松林. 松原.

솔-부엉이〈名〉〔鳥〕あおばずく(青葉木菟).

솔-뿌리〈名〉松の根.

솔선【率先】[solssŏn]〈名・하自〉率先. 句例 ～해서 …하다 率先して …する. 語例 ～ 수범 率先垂範.

*솔솔 [so:lsol]〈副〉❶(水・粉末などが)つづけざまに漏れ出るさま: ちょろちょろ. ❷ぬか雨が音もなく降るさま: しとしと. ❸(糸やひも(紐)などのもつれが)たやすくほどけるさま: するする. ❹話などがよどみのないさま: すらすら(と). ❺風がさわやかに吹くさま: そよそよ. すうすう. 句例 틈새 바람이 ～ 들어오다 すきま風がすうすう(と)吹き込む / ～ 부는 바람 そよそよ吹く風. そそ吹く風. 語例 ～바람 そよ風.

솔솔-이 [so:lsori]〈副〉縫い目ごとに.

솔-숲〈名〉松林.

*솔-이끼 [sollikki]〈名〉〔植〕すぎごけ(杉蘚).

솔-잎 [sollip]〈名〉松葉.

솔직-하다【率直─】[soltchik'ada] (→하다)〈形〉率直だ. 句例 솔직한 대답〔사람〕率直な答え〔人〕. 솔직히 [soltchik'i]〈副〉率直に. 正直に. 句例 솔직히 말하다 率直に言う. 歯に衣着せぬ / 솔직히 말하면 率直に言えば / 솔직히 말하여 正直のところ. 文例 솔직히 의견을 말씀해 주십시오 率直に意見を述べてください / 솔직히 말해서 나 좀 놀랐다 正直のところわたしはちょっと驚いた.

솔-질 [so:ljil]〈名・하自〉ブラシをかけること.

**솜 [so:m]〈名〉綿. 木綿. 句例 ～을 두다〔넣다〕綿を入れる / 이부자리에 ～을 두다 布団の綿入れをする / ～을 타다 綿を打つ. 綿

打ちをする / ～으로 귀를 막다 耳に綿を詰める.

솜-몽둥이 [so:m—] 〈名〉 つや出しやペンキ塗りに用いる綿棒.

솜-방망이 [so:m—] 〈名〉 綿を棒状に丸めて金ぐし(串)の先に付けたもの《油につけてたいまつ(松明)にする》.

솜-버선 [so:m—] 〈名〉 綿入れの'버선'.

⁑**솜-사탕** 【—砂糖】 [so:m—] 〈名〉 綿菓子. 綿あめ. 電気あめ.

⁑**솜씨** 〈名〉 手際. 手並み. 手の内. 腕前. 腕. 句例 훌륭한〔멋진〕 ～ あざやかな〔みごとな・あっぱれな〕手際 / ～가 좋다 手際がいい / ～를 보이다 手並み〔手際〕を見せる / ～좋게 처리하다 手際よくかたづける / ～를 발휘하다 腕前を発揮する. 腕を振るう / ～를 겨루다 腕を競う / ～를 연마하다 腕を磨く / ～가 있다 手性がいい / ～가 나쁘다 手際が悪い. 不手際だ.

솜-옷 [so:mot] 〈名〉 綿入れ(服).

솜-채 [so:m—] 〈名〉 綿打ち弓. 綿弓.

솜-털 [so:m—] 〈名〉 綿毛. うぶげ. にこ毛. 句例 민들레의 ～ たんぽぽの綿毛.

솜-틀 [so:m—] 〈名〉 打綿機.

*__솟구-치다__ 〈自〉 (勢いよく)跳ね〔飛び〕上がる. わき上がる. ほとばしる(迸る). 句例 불길이 솟구쳐 오르다 どっと火の手が上がる / 불이 솟구치며 타오르다 火を噴いて燃えあがる.

⁑**솟다** 〈自〉 ❶(下から上に, または中から外に)わ(湧)き出る. 突き出る. 噴き出る〔出す〕. 句例 샘물이 ～ 泉がわき出る / 땀이 ～ 汗が噴き出す. 汗が出る. 絵 / 용기가 ～ 勇気が出る / 새로운 희망이 ～ 新たな希望がわく / 못이 ～ くぎが突き出る / 흥미가 ～ 興味がわく. ❷そび(聳)える. そばだ(峙)つ. そびえ〔そそり〕立つ. 句例 우뚝 솟은 산 高くそばだつ山. 絵 / 하늘 높이 솟은 고층 빌딩 天にそびえる高層ビル. 文例 서울 북쪽에 북한산의 고봉이 솟아 있다 ソウル北方に北漢山の高峰がそびえている.

参考 '솟고 있다'は進行を表わすが'솟아 있다'は状態を表わす.

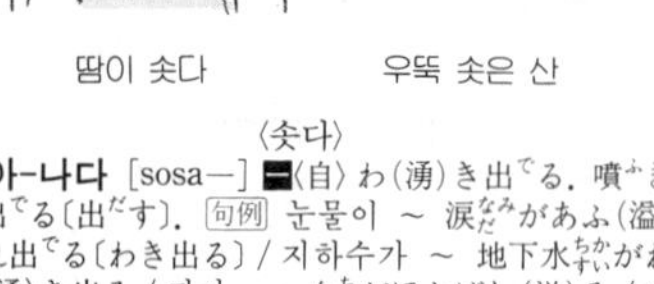

땀이 솟다　　　　우뚝 솟은 산

〈솟다〉

솟아-나다 [sosa—] ■〈自〉 わ(湧)き出る. 噴き出る〔出す〕. 句例 눈물이 ～ 涙があふ(溢)れ出る〔わき出る〕 / 지하수가 ～ 地下水がわ(湧)き出る / 피가 ～ 血がほとばし(迸)る / 석유가 ～ 石油が噴き出す〔出る〕 / 흥미가 ～ 興味がわく.

■〈形〉 (多くのものの中で)抜きんでている. すぐれて〔秀いでて〕いる.

*__솟아-오르다__ [sosa—] (—오르니, —올라서) 〈自〉 (内から外に. 下から上に)勢いよく出る〔上がる〕. 浮かび上がる. わ(湧)き上がる. ほとばし(迸)る. 盛り上がる. 燃え上がる. 突き出る. 句例 불길이 ～ 火の手が上がる / 샘이 ～ 泉がわき出る / 용기가 ～ 勇気がわき上がる.

솟을-대문 【—大門】 [sosŭlttaemun] 〈名〉 両脇の屋根より門柱を高くした正門.

솟을-무늬 [sosŭlmuni] 〈名〉 (布地の)浮き織り地紋.

송 〈名〉 ソング. 歌. 語例 시엠 ～ シーエムソング / 히트 ～ ヒットソング. ◇song

송 〔漢字項目〕

【松】 中學 송 ショウ. 소나무 松. ▮松林 송림 しょうりん. まつばやし. ▮落葉松 낙엽송 らくようしょう. からまつ. 老松 노송 ろうしょう. 青松 청송 せいしょう.

【訟】 高校 송 ショウ. 소송하다 訴える. ▮訟廷 송정 しょうてい. ▮訴訟 소송 そしょう. 爭訟 쟁송 そうしょう.

【誦】 高校 송 ショウ. ❶소리내어 읽다 声を出して読む. ▮誦經 송경 しょうけい. ▮朗誦 낭송 ろうしょう. 吟誦 음송 ぎんしょう. ❷외다 そらんじる. ▮暗誦 암송 あんしょう. 傳誦 전송 でんしょう.

【送(送)】 中學 송 ソウ. ❶보내다 送る. ▮送金 송금 そうきん. 送料 송료 そうりょう. ▮輸送 수송 ゆそう. ❷전송하다 見おくる. ▮送別 송별 そうべつ. 送辭 송사 そうじ. ▮葬送 장송 そうそう.

【頌】 高校 송 ショウ. ❶칭송하다 褒める. 기리다 たたえる. ▮頌歌 송가 しょうか. 頌德 송덕 しょうとく. 頌詩 송시 しょうし. ❷시경(詩經)의 육의(六義)의 하나 詩経の六義の一つ. ▮周頌 주송 しゅうしょう. 魯頌 노송 ろしょう. ❸문체의 하나로 덕을 칭송하는 글 文体の一つで徳をたたえる文. ▮伯夷頌 백이송 はくいしょう.

송가 【頌歌】 [so:ngga] 〈名〉 頌歌. 語例 성덕 ～ 聖徳頌歌.

송고 【送稿】 [so:nggo] 〈名・하自〉 送稿.

송골 【松鶻】 〈名〉 〔鳥〕 ⇨ 송골매

송골-매 【松鶻—】 〈名〉 〔鳥〕 はやぶさ(隼). ＝매.

송골-송골 〈副〉 あわ立ちや汗などが一面に現われるさま.

*__송곳__ [so:nggot] 〈名〉 きり(錐). 句例 ～을 비벼 뚫다 きりをも(揉)む. 語例 네모꼴 ～ 四目ぎり / ～끝 きりの(穂)先.

송곳 박을 땅도 없다 立錐の余地もない.

송곳-눈 [so:nggonnun] 〈名〉 (にらみつける)鋭い目つき.

송곳-니 [so:nggonni] 〈名〉 〔生〕 犬歯. 糸切り歯.

*__송구-스럽다__ 【悚懼—】 [so:nggu—] (→스럽다) 〈形〉 恐れ多い. 恐縮している. 句例 송구스러워하는 모양 恐惶の体 / 송구스럽습니다만 恐れ入りますが / 입밖에 내기도 ～ 口に

出すのも恐れ多い. 文例 송구스럽기 그지없습니다 恐縮の至りです / 사례의 말씀을 하시면 도리어 송구스럽습니다 お礼など仰せられてはかえって恐れ入ります / 여러 가지 배려, 송구스럽습니다 かずかずのご配慮, 痛み入ります.

송구-영신【送舊迎新】[so:nggu—]〈名〉旧年を送り新年を迎えること. 略して'송영(送迎)'ともいう.

송구-하다【悚懼—】[so:nggu—]（→하다）〈形〉恐縮して〔恐れ入って〕いる. 痛み入っている.

송금【送金】[so:nggŭm]〈名〉送金. 仕送り. **～하다**〈自他〉送金する. 仕送り(を)する. 句例 자녀에게의 (학비) ～ 子どもへの仕送り / 다달이 백만 원의 ～으로 생활하다 月月100万ウォンの仕送りで生活する / 유학중인 아들에게 ～하다 留学中の息子に送金する / ～을 끊다 仕送りを断つ. 文例 화물이 도착하는 대로 ～하겠습니다 荷が着き次第, 送金いたします.

송년【送年】[so:ngnyŏn]〈名〉年を送ること. 語例 ～사(辭) 年を送るにあたってのあいさつ(のことば) / ～호 (新聞・雑誌の)年末号.

송달【送達】[so:ngdal]〈名・하他〉送達. 文例 결정 사항은 후에 ～한다 決定事項は追って送達する. 語例 공시 ～ 公示送達 / ～리 送達吏.

송당-송당〈副〉❶(白菜や大根などを)ややあら目にぶつ切りにするさま: さくさく(と). ❷針目をあらく縫い続けるさま: とびとび.

송두리-째〈副〉根こそぎ. 全部. すっかり. 丸ごと. ことごと(悉)く. 句例 생선을 ～ 먹다 魚を丸ごと食べる / 재산을 ～ 날리다 身代を根こそぎ無くす.

송료【送料】[so:ngnyo]〈名〉送料. 句例 소화물의 ～ 小荷物の送料.

송림【松林】[songnim]〈名〉松林.

송배【送配】[so:ngbae]〈名・하他〉送配. 句例 전력 ～가 시원치 않다 電力送配が思わしくない.

송별【送別】[so:ngbyŏl]〈名・하他〉送別. 語例 ～사 送別の辞〔ことば〕/ ～연 送別の宴. 別宴 / ～ 잔치 立ち振る舞い / ～회 送別会.

송부【送付】[so:ngbu]〈名・하他〉送付. 句例 서류를 ～하다 書類を送付する.

송사【訟事】[so:ngsa]〈名・하自他〉訟事. ❶〔史〕訴え事. ❷'소송 訴訟'の俗っぽい言いかた.

송사【頌辭】[so:ngsa]〈名〉頌辞. 頌詞. 人の功徳をたたえることば. 句例 ～를 올리다 頌詞を呈(上)する.

송사리 [so:ngsari]〈名〉❶〔魚〕めだか(目高). ❷つまらないやから(輩). ちんぴら. 雑魚. 小物. 文例 체포된 것은 ～뿐이었다 逮捕されたのは雑魚ばかりだった / 단속에 ～만 걸려들었다 取り締まりにちんぴら〔小物〕ばかりかかった.

송송〈副〉❶(野菜などを)細かく切るさま. さくさく(と). ❷小さな穴が一面に空いているさま: ぽつぽつ. ぶつぶつ. 文例 구멍이 ～ 뚫려 있다 穴がぽつぽつ空いている.

송수【送水】[so:ngsu]〈名・하自〉送水. 語例 ～관 送水管.

송수【送受】[so:ngsu]〈名〉送受. ❶送ることと受けること. ❷送信と受信.

송시【頌詩】[so:ngshi]〈名〉頌詩. 句例 ～를 바치다 頌詩をささげる.

송신【送信】[so:ngshin]〈名・하自〉送信. 発信. 語例 ～기 送信機 / ～소 送信所 / ～탑 送信塔.

****송아지**〈名〉子牛. 句例 ～를 낳다 子牛を産む. 語例 수～ 雄の子牛.

송아지 못된 것은 엉덩이에 뿔이 난다 ならずものの子牛は尻に角を生じる. 出来損ないの者ほどよくとんだ事をしでかすものだとのたとえ.

송알-송알〈副〉❶酒・醤油などが発酵するさま: ぶくぶく(と). ❷汗・しずくなどが玉をなして(にじみ出て)いるさま: 玉をなして. 文例 이마에서 구슬 같은 땀방울이 ～ 내배었다 額から玉の汗が吹き出でた.

송어【松魚】〈名〉〔魚〕ます(鱒).

송영【送迎】[so:ng-yŏng]〈名・하自〉❶送迎. 送り迎え. 語例 ～대(臺) 送迎デッキ. フィンガー / ～용 버스 送迎用バス. ❷'송구영신(送舊迎新)'の略.

송유-관【送油管】[so:ng-yu—]〈名〉送油管.

***송이**〈名・依名〉房. 輪. (くり(栗)などの)いが(毬). 語例 꽃～ 花房 / 눈～ 雪のひら. 雪片 / 매화 한 ～ 梅一輪 / 포도 ～ ぶどうの房 / 밤～ いがぐり(毬栗) / ～밤 いが(毬)のままのくり(栗). いがぐり.

송이【松栮】〈名〉〔植〕⇨ 송이버섯

***송이-버섯**【松栮—】〈名〉〔植〕松たけ. 語例 ～따기 松たけ狩り.

***송이-송이** [song-i-song-i]〈副〉房ごとに. ふさふさと. 鈴なりに.

송장 [so:ngjang]〈名〉死体. しかばね(屍). 死骸. なきがら(亡骸). 句例 산 ～ 生けるしかばね. 語例 ～헤엄 背泳. バックストローク.

송장【送狀】[so:ngtchang]〈名〉送り状. インボイス. 句例 ～을 만들다 送り状を作る.

송장-개구리 [so:ngjanggaeguri]〈名〉〔動〕あかがえる(赤蛙).

송전【送電】[so:ngjŏn]〈名・하自〉送電. 句例 ～을 끊다 送電を断つ. 語例 ～소〔탑〕送電所〔塔〕/ ～선 送電線 / 무제한 ～ 無制限送電.

송진【松津】〈名〉松やに.

송청【送廳】[so:ngch'ŏng]〈名・하他〉〔法〕送検. 句例 범인을 ～하다 犯人を送検する.

송충【松蟲】〈名〉〔蟲〕⇨ 송충이. 語例 ～나방〔蟲〕まつかれは(松枯葉).

송충-이【松蟲—】〈名〉〔蟲〕まつけむし(松毛虫). まつかれはの幼虫. ＝송충.

송충이가 갈잎을 먹으면 떨어진다 まつけむし(松毛虫)がかしわ(柏)の葉を食えば木から落ちる. 身のほどをわきまえないことをしたらえらい目にあうものだとの意.

송치【送致】[so:ngch'i]〈名・하他〉送致.

송판【松板】〈名〉松の板.

송편【松—】〈名〉米の粉を湯で練りあん(餡)を入れて松葉を敷いたこしき(甑)の中で

ㅅ

蒸したもち(餅). ソンピョン.

송풍-관【送風管】[so:ngp'unggwan]〈名〉送風管.

송풍-기【送風機】[so:ngp'unggi]〈名〉送風機. ブロワー.

송화【送話】[so:nghwa]〈名・하自〉送話. 語例 ~기 送話機.

송환【送還】[so:nghwan]〈名・하他〉送還. 句例 본국에 ~하다〔되다〕 本国に送還する〔される〕. 語例 포로 ~ 捕虜送還.

⁑**솥**〈名〉かま(釜). 句例 ~을 걸다 かま(釜)をかまどにかける / 밥짓는 ~ 御飯を炊くかま / 한 ~의 밥을 먹다 同じかまの御飯を食べる. 語例 증기~ 蒸気かま / ~뚜껑 かまのふた.

솥-귀〈名〉かま(釜)の取っ手.

솨 [swa:]〈副〉❶木の間や物の透き間から風が吹きつける音: ひゅう(っと). ぴゅう(と). すう(すう). 文例 틈새바람이 ~ 하고 들어온다 すき間風がすうすう吹き込む. ❷雨が勢いよく降る音: ざあっ(と). 文例 ~ 하고 비가 내리기 시작했다 ざあっと雨が降り出した. ❸水などの勢いよく流れたり噴き出したりする音: ざあ. しゃあ. じゃあ. 文例 수돗물이 ~ 쏟아져 나온다 水道の水がざあとほとばしり出る / 골짜기의 급류가 ~ 하고 세차게 흘렀다 谷間の急流がざあっと音を立てて勢いよく流れた.

쇄 〔漢字項目〕

【刷】高校 쇄 サツ. ❶깨끗하게 하다 きれいにする. ■刷新 쇄신 さっしん. ❷글씨를 박다 文字を刷る. ■印刷 인쇄 いんさつ. 縮刷 축쇄 しゅくさつ. 增刷 증쇄 ぞうさつ.

【鎖(鎖)】高校 쇄 サ. ❶쇠사슬 鎖. ■鐵鎖 철쇄 てっさ. ❷자물쇠 錠. ■鎖鑰 쇄약 さやく. ❸닫다 しめる. 잠그다 (じょうを)かける. ■鎖國 쇄국 さこく. ■封鎖 봉쇄 ふうさ.

쇄【殺】⇨ 살【殺】

쇄골【鎖骨】[swae:gol]〈名〉〔生〕鎖骨. =빗장뼈.

쇄국【鎖國】[swae:guk]〈名・하自〉鎖国. 語例 ~정책〔주의〕 鎖国政策〔主義〕.

쇄도【殺到】[swae:do]〈名・하自〉殺到. 句例 주문〔신청〕이 ~하다 注文〔申し込み〕が殺到する.

쇄빙【碎氷】[swae:bing]〈名・하自〉砕氷. 語例 ~선 砕氷船.

쇄신【刷新】[swae:shin]〈名・하他〉刷新. 句例 정계의 ~ 政界の刷新 / 생활 양식의 ~ 生活様式の刷新. 語例 관기 ~ 官紀刷新 / 인사 ~ 人事の刷新.

쇄신【碎身】[swae:shin]〈名・하自〉'분골쇄신'の略.

⁑**쇠**〈名〉❶鉄. 真金. =철(鐵). ❷金属の総称. 語例 죔~ 締め金 / ~갈퀴 くまで(熊手) / ~녹물 金渋 / ~부스러기 くず鉄. ❸'열쇠'の略: かぎ(鍵). キー. ❹'자물쇠'の略: 錠(前). 句例 ~를 채우다 錠を下ろす〔かける〕. ❺'돈 お金'の俗っぽい言いかた.

쇠- [soe:]〈頭〉牛の意. 語例 ~가죽 牛皮 / ~고기 牛肉.

쇠 〔漢字項目〕

【衰(衰)】高校 쇠 スイ. 쇠하다 衰える. ■衰困 쇠곤 すいこん. 衰弱 쇠약 すいじゃく. 衰殘 쇠잔 すいざん. 衰退 쇠퇴 すいたい. 衰朽 쇠후 すいきゅう.

쇠-가죽 [soe:—]〈名〉牛皮. 牛の皮.

쇠-간【—肝】[soe:—]〈名〉牛の肝臓.

쇠-갈고리〈名〉鉄のかぎ(鉤). 手かぎ.

⁑**쇠-고기** [soe:—]〈名〉牛肉. 語例 ~ 전골 牛肉のすきやき. 牛なべ / ~ 통조림 牛缶.

쇠-고랑〈名〉'수갑(手匣)手錠'の俗っぽい言いかた. 略して'고랑'とも言う. 句例 ~을 채우다 手錠をかける / ~을 찬 죄수 手錠をかけられた囚人.

***쇠-고리**〈名〉鉄輪. 金輪.

쇠-골 [soe:—]〈名〉牛の脳髄.

쇠-공이〈名〉鉄製のきね(杵).

쇠-귀 [soe:—]〈名〉牛耳. 牛の耳.

쇠귀에 경(經) 읽기 牛の耳に経を読んで聞かすようなものだ. 牛に経文. 馬の耳に念仏. =우이독경(牛耳讀經).

쇠금-변【—金邊】〈名〉金偏. 漢字の偏の一つ(《'銀'・'銅'などの'金'の称》).

***쇠-기름** [soe:—]〈名〉牛脂. ヘット(vet).

쇠-꼬리 [soe:—]〈名〉牛の尾. 牛後.

쇠꼬리보다는 닭 대가리가 낫다 鶏口となるも牛後となるなかれ.

쇠-꼬챙이〈名〉金ぐし.

쇠-나다〈自〉金気が生じる. 御飯などの食べ物にかま(釜)底の金気がしみ込んで金臭いにおいがする. 表現 '쇠'の次に助詞'가'がついて分離した形でも用いられる.

쇠다[1]〈自〉❶(野菜などが)盛りが過ぎて柔らかみがなくなる. (葉や茎が)硬くなる. ❷度を越してますますひどくなる. ❸病気がこじれる. 句例 감기가 ~ 風邪が悪化する.

***쇠다**[2] [soe:da]〈他〉節日や祝日などを迎え過ごす. 祝う. 句例 설을 ~ 正月を祝う.

쇠-다리 [soe:—]〈名〉牛の脚.

쇠-달구〈名〉鉄製の胴突き.

쇠-등 [soe:—]〈名〉牛の背中.

쇠-똥[1]〈名〉(鉄を焼き鍛える時に生じる)くず鉄. 鉄粉. =철설(鐵屑). 철소(鐵梢).

***쇠-똥**[2] [soe:—]〈名〉牛糞. 牛の糞.

쇠-막대기〈名〉鉄の棒.

쇠망【衰亡】〈名・하自〉衰亡. 句例 로마 제국의 ~ ローマ帝国の衰亡 / ~의 길을 향해 가다 衰亡に向かう.

쇠-망치〈名〉かなづち(金槌). ハンマー.

쇠-머리 [soe:—]〈名〉牛の頭.

쇠-먹이 [soe:mŏgi]〈名〉牛の飼料.

쇠-메〈名〉鉄製のおおづち(大槌). 玄翁.

쇠멸【衰滅】〈名・하自〉衰滅. =쇠망(衰亡).

쇠-못〈名〉かなくぎ(金釘).

쇠-몽둥이〈名〉金棒. 鉄の棒.

쇠-몽치〈名〉鉄の塊.

쇠미【衰微】〈名・하形〉衰微. 句例 국력의 ~ 国力の衰微.
쇠-발 [soe:—]〈名〉牛の足.
쇠-버짐 [soe:—]〈名〉はたけ(疥). ＝우선(牛癬).
쇠-붙이 [soebuch'i]〈名〉❶金属. ❷金物. 鉄類.
쇠-비름 [soe:—]〈名〉〔植〕すべりひゆ(滑莧).
쇠-뿔 [soe:—]〈名〉牛の角.
쇠뿔도 단김에 빼랬다 牛の角も一気に抜き取れというのである. あることを思いたったらためらわず一気に行動せよとの意.
쇠뿔 잡다가 소 죽인다 角を矯めて牛を殺す.
쇠-사슬〈名〉金鎖. 鉄鎖. 鎖. 略して'사슬'ともいう. 句例 ~에 매다 鎖に〔で〕つなぐ / ~로 묶여 있는 포로 鎖でしばられている捕虜 / ~을 풀다〔벗기다〕鎖をはずす.
쇠-살창【一窓】〈名〉鉄の格子窓.
쇠-스랑〈名〉鉄製のくまでくわ(熊手鍬). 絵

〈쇠스랑〉

쇠약【衰弱】〈名・하形〉衰弱. 句例 몸이 ~해지다 体が弱る〔衰える. 萎える〕/ 병으로 ~해지다 病気で衰弱する / 시력이 ~해지다 視力が衰える. 語例 신경 ~ 神経衰弱 / 전신 ~ 全身衰弱.
쇠-여물 [soe:—]〈名〉牛の(煮た)まぐさ(秣)〔飼料〕.
쇠잔【衰殘】〈名・하自〉衰残. 句例 ~한 몸 衰残の身 / ~한 몸으로 衰残の身をもって.
쇠-잡이 [soejabi]〈名〉〔樂〕農楽でどら(銅鑼)やかね(鉦)を鳴らす人.
쇠-죽【一粥】 [soe:juk]〈名〉刻みわら(藁)に大豆をまぜて煮込んだ牛の飼料. 語例 ~가마 牛の飼料を煮るかま(釜).
쇠-줄〈名〉鉄線. 針金.
쇠-지레〈名〉かなてこ(鉄梃).
쇠진【衰盡】〈名・하自〉衰えてなくなること.
쇠-창살【一窓一】 [soech'angssal]〈名〉鉄格子.
쇠-코 [soe:k'o]〈名〉牛の鼻.
쇠-코뚜레 [soe:—]〈名〉鼻木. 鼻輪. はながい. 略して'코뚜레'とも言う.
쇠-털 [soe:t'ŏl]〈名〉牛の毛.
쇠-테〈名〉鉄製の枠〔縁〕. 鉄製のたが(箍).
쇠-톱〈名〉鉄物用のこぎり(鋸).
쇠-통【一桶】〈名〉鉄製のおけ(桶). ＝철통(鐵桶).
쇠퇴【衰退・衰頹】〈名〉衰退. 退潮. 廃り. **~하다**〈自〉衰退する. 衰える. 退潮する. 廃れる. 句例 ~의 조짐 退潮のきざし / 나라가 ~하다 国が衰える / 유행이 ~하다 流行が廃れる / 환락의 거리가 ~하다 歓楽街が寂される / ~ 일로를 걷다 衰退の一途をたどる.
쇠-파리 [soe:—]〈名〉〔蟲〕うしばえ.
쇠-푼〈名〉わずかなお金. びた銭. 小銭. 句例 ~ 한 닢도 없다 びた一文もない. 文例 ~이나〔깨나〕벌었다 ちょっとばかりもうけた.
쇠-하다【衰一】(→하다)〈自〉衰える. 句例 건강이 ~ 健康が衰える / 기운이 ~ 勢い〔元気〕が衰える / 쇠해 가고 있다 衰えかけている / 운세가 ~ 運勢が衰える.

쇤-네 [soe:nne]〈名〉[もとの語形は'소인(小人)네'] 昔, 主人に対して使った召し使いなどの自称: 手前. 私.
쇳-가루〈名〉鉄粉.
쇳-내 [soennae]〈名〉金臭いにおい. 句例 ~(가) 나다 金臭い.
쇳-덩이〈名〉鉄の塊.
쇳-물 [soenmul]〈名〉金渋. 金気.
쇳-소리〈名〉❶金属の音. ❷金切り声.
쇳-조각〈名〉❶鉄片. ❷冷淡でおっちょこちょいな人を指す語.
쇼 [syo:]〈名〉ショー. 語例 뮤지컬 ~ ミュージカルショー / 패션 ~ ファッションショー. ◇show
쇼맨-십 [syo:maen—]〈名〉ショーマンシップ. ◇showmanship
쇼 윈도 [syo:windo:]〈名〉ショーウィンドー. ＝진열창(陳列窓). ◇show window
쇼크〈名〉ショック. 句例 ~를 받다 ショックを受ける / ~를 주다 ショックを与える / ~를 느끼다 ショックを感じる / 페니실린 주사의 ~로 죽다 ペニシリン注射のショックで死ぬ / 심한 ~를 받았다 ひどいショックをうけた. 語例 ~사 ショック死 / ~ 요법 ショック療法. 類충격(衝擊). ◇shock
쇼킹〈名〉ショッキング. **~하다**〈形〉ショッキングである. 衝撃的だ. 句例 ~한 뉴스 ショッキングなニュース. ◇shocking
쇼트 [syo:t'ŭ]〈名〉ショート. ❶短いこと. 語例 ~ 패스 (サッカーなどでの)ショートパス. ❷'쇼트 컷'の略. ◇short
쇼트닝 [syo:t'ŭning]〈名〉ショートニング. ◇shortening
쇼트 컷 [syo:t'ŭ—]〈名〉ショートカット. 句例 머리를 ~하다 髪をショートカットにする. ◇short cut
쇼핑〈名・하自〉ショッピング. 買い物. 句例 ~하러 가다 買い物にいく. 語例 ~백 ショッピングバッグ / ~ 센터 ショッピングセンター. ◇shopping
숄 [syo:l]〈名〉ショール. 肩掛け. ◇shawl
숍〈名〉ショップ. 商店. 小売店. 語例 커피~ コーヒーショップ. ◇shop
수[1]〈名・頭〉雄・お. 句例 암과 ~ 雌と雄. 語例

囲み記事 56

■ '수 雄'を表す接頭辞 ■

雄を表す語には'수'と'숫'がある. 一般的には'수'で表す.
수꿩 きじの雄, 수나사 雄ねじ, 수놈 雄, 수소 雄牛, 수사돈 婿方の相舅.
(1) 次のように, 一部'ㄱ・ㄷ・ㅂ'の初声がつく語は破裂音に変わる. また, 雌を表わす'암'の場合も同じく使われる.
수캉아지 雄の小犬, 수캐 雄の犬, 수컷 (動物の)雄, 수키와 おがわら(男瓦), 수탉 雄どり, 수탕나귀 ロバの雄, 수톨쩌귀 ひじ金, 수퇘지 豚の雄, 수평아리 ひよこの雄.
(2) また, 次の言葉に限り'숫-'になる.
숫양 牡羊, 숫염소 ヤギの雄, 숫쥐 鼠の雄.

～놈. ～컷 雄/～소 雄牛/～고양이 雄猫/～개미 雄のあり(蟻)/～당나귀 雄のろば(驢馬). 對암. →囲み記事 56

**수【手】〈名〉❶(碁・将棋・すもうなどの)手. 技. 句例 ～를 걸다 技をかける/～를 겨루다 技を競う/상대방의 ～를 읽다 相手の手を読む/한 ～ 늦다 一手遅れる/한 ～ 지도를 바라다 一手教えをこう. 文例 그보다 한 ～ 위다 彼より一枚上手だ/그것이 결정적인 ～였다 それが決め手だった. ❷手段. 手. 計略. 手練手管. 文例 그 ～에는 안 넘어갈걸 その手には乗らないぞ. その手は食わないぞ/무슨 ～가 있을 텐데 何か妙案がありそうだが.

수【秀】〈名〉 秀《成績評点の最高》. 文例 영어의 듣기 시험 성적은 ～다 英語の聞き取り試験の成績は秀だ.

수¹【數】[su:]〈名〉❶'운수(運數)'の略：運. 運勢. ❷幸運. つき《俗》.

수(가) 나다 運が向く〔開ける〕. つきが回ってくる.

수(를) 피우다 厄逃れをする.

수(가) 사납다 運が悪い.

*수²【數】[su:]〈名〉❶数・かず. 句例 ～의 관념 数の観念/～를 세다 数をかぞえる/～가 많다 数が多い/～많은 작품 数ある作品/출석자(의) ～를 조사하다 出席者の数を調べる. 文例 적은 ～에 있어 우세하다. 따라서 우리에게 승산은 없다 敵は数においてまさる. したがって我らに勝ち目はない. 語例 세 자릿～ 三けたの数. ❷'숫자(數字)'の略：数字. 句例 ～에 밝은 사람 数字に明るい人. ❸'수학(數學)'の略. ▷→囲み記事 57

*수【繡】[su:]〈名〉刺繡. 縫い取り.

수(를) 놓다 刺繡する. 縫い取りする. 縫い取る. 句例 꽃을 수놓은 손수건 花の縫い取りをしたハンカチ/손수건에 이니셜을 수놓다 ハンカチにイニシャルを刺繡する.

囲み記事 57

■ 수 세기 数え方 ■

固有語の数詞

日常生活においてものの数を数えるときは, 固有語の数詞をもちいる. すなわち, 品物をばらで買うときは, '하나 一つ' '둘 二つ'…と数え, '일 一', '이 二'…などと漢字語の数詞は用いない. ただし, 百(백), 千(천), 万(만)…などは漢字語の数詞を用いる —— 백 열 하나. しかし, 計算をするときや, 数学問題を解くときなどでは, '다섯 더하기 일곱 五つプラス七つ'とは言わず, '오 더하기 칠 五プラス七'のように言うのがならわしである. 固有語の数詞は下記の通りである.

하나, 둘, 셋, 넷, 다섯, 여섯, 일곱, 여덟, 아홉, 열.

스물, 서른, 마흔, 쉰, 예순, 일흔, 여든, 아흔上の数詞をもとに, これらを組み合わせていく. もちろん百, 千なども'온' '즈믄'などと古くは固有語の数詞があったが, 現在は全然使われなくなっている.

また, 一二, あるいは一つか二つなどと不定の数の名称もあるが, これらは数詞と冠形詞の二通りにもちいる.

한둘(數詞) 一二. 한두(冠形詞) 一つか二つ.
두셋(數詞) 二三. 두세(冠形詞) 二つか三つ.
서넛(數詞) 三四. 서너(冠形詞) 三つか四つ.
너덧(共用) 四つぐらい.
댓(共用) 五つぐらい.
너더댓, 너댓(共用) 四五. 四つか五つ.
대여섯(共用) 五六. 五つか六つ.
예닐곱(共用) 六七. 六つか七つ.
일고여덟(共用) 七つか八つ.
스물(數詞). 스무(冠形詞) 二十.
여럿(數詞). 여러(冠形詞) 多数.
몇(共用) 幾(つ・ら)(の).

なお, 人数を数えるときは, 次のような表現がある.

한 사람, 혼자 一人(で). { 숙직자는 한 사람이었다 宿直者は一人であった. / 그는 방 안에 혼자 앉아 있었다 彼は部屋の中に独りで座っていた.

두 사람, 둘이 二人(で). { 그 두 사람이 해내었다 その二人がなし遂げた. / 너희 둘이 해보아라 君ら二人でやってみよ.

세 사람, 셋이 三人(で).
네 사람, 넷이 四人(で).
여럿이, 여러 사람이 多人が.
몇이, 몇 사람이 幾人が.

漢字語の数詞

백 百を越えると, 천 千・만 万・억 億・조 兆と漢字語の数詞で言う. もちろん百以下の数詞でも 영 零・공(空) まる・일 一・이 二・삼 三・사 四・오 五・육(륙) 六・칠 七・팔 八・구 九・십 十・…일이 一二・이삼 二三・삼사 三四などもある.

特に, お金を数えるときや, 年月日などでは漢字語の数詞を用いる.

삼십원 오십전 三十ウォン五十銭.
천구백십구년 삼월 일일 一九一九年三月一日.

また, 暦での月で, 慣用読みが使われるのがある. 六月は 육월と言わないで 유월と言い, 十月は 십월でなくて 시월 と言う. したがって 五六月は 오륙월とは言わず 오뉴월, 九十月は 구십월とは言わず 구시월と言う.

*수² 〈依名〉❶'方法·仕方·仕様'の意. [句例] 어떻게 해 볼 ~ 없는 게으름뱅이 どうにもしようがないなまけもの / 하는 ~ 없이 도중에 되돌아오다 やむを得ず途中で引き返す. [文例] 그렇게 할 ~ 밖에 도리가 없다 そうするより外に仕方がない / 잃어버린 것은 어쩔 ~ 없다 なくしてしまったものは仕方がない / 집에 없다면 하는 ~ 없지 留守じゃしようがない / 할 ~ 없군. 단념해 버릴까? しようがない. あきらめるか / 만들 ~가 없군 作りようがないな.

❷'場合'の意. [文例] 눈 내린 다음날에는 개는 ~가 많다 雪の降った翌日は晴れることが多い / 그럴 ~도 그렇지 않을 ~도 있다 そんなことも, そうでないこともありうる.

❸'能力·可能'の意. [句例] 있을 ~ 없는 일 ありえないこと / 참을 ~ 없다 耐えられない / 웃지 않을 ~ 없다 笑わざるを得ない. [文例] 누구라도 할 ~ 있다 だれにでもできる / 분해서 그냥 이대로 눈을 감을 ~ 없다 くやしくてこのまま目を閉じることができない / 침도 삼킬 ~ 없다 つばも飲み込めない.

*수【首】〈依名〉❶漢詩·時調などを数える語: 首. [句例] 시조 한 ~를 남기다 時調一首を残す. ❷匹. [句例] 돼지 10두에 닭 1백 ~ 豚十頭に鶏百羽.

수-【數】[su:]〈頭〉数…. いくつかの. [語例] ~백만 数百万 / ~차례 数次. 数回.

수 〔漢字項目〕

【修】中學 수 シュウ. シュ. ❶모양을 내다 飾る. ◧修飾 수식 しゅうしょく. 修正 수정 しゅうせい. ❷학문을 닦다 学問を修める. ◧修養 수양 しゅうよう. 修學 수학 しゅうがく. 修行 수행 しゅぎょう. 修業 수업 しゅぎょう. ❸수리하다 直す. ◧修理 수리 しゅうり. ◨改修 개수 かいしゅう. ❹책을 편찬하다 本を編纂する. ◧修史 수사 しゅうし. ◨監修 감수 かんしゅう.

【受(受)】中學 수 ジュ. ズ. ❶받다 受ける. ◧受賞 수상 じゅしょう. 受信 수신 じゅしん. 受驗 수험 じゅけん. ◨享受 향수 きょうじゅ. ❷받아들이다 受け入れる. ◧受諾 수락 じゅだく. 受容 수용 じゅよう.

【囚】中學 수 シュウ. 가두다 捕らえる. 갇히다 捕らわれる. ◧囚人 수인 しゅうじん. ◨虜囚 노수 りょしゅう. 死刑囚 사형수 しけいしゅう. 罪囚 죄수 ざいしゅう.

【壽(寿)】中學 수 ジュ. ❶장수하다 長寿する. ◧壽命 수명 じゅみょう. ❷장수의 축하 長寿の祝賀. ◨米壽 미수 べいじゅ. 白壽 백수 はくじゅ.

【守】中學 수 シュ. ス. ❶지키다 守る. ◧守衛 수위 しゅえい. 守備 수비 しゅび. ◨死守 사수 ししゅ. ❷벼슬 이름 官位の名称. ◨郡守 군수 ぐんしゅ. 太守 태수 たいしゅ.

【帥】高校 수 スイ. 솔 ソツ. 一〔수〕 장수 軍隊を引率・指揮する者. ◨將帥 장수 しょうすい. 元帥 원수 げんすい. 統帥 통수 とうすい.
二〔솔〕 거느리다 率いる. ◧帥先 솔선 そっせん (率先).

【愁】中學 수 シュウ. 근심하다 愁える. 슬퍼하다 悲しむ. 쓸쓸하다 寂しい. ◧愁眉 수미 しゅうび. ◨哀愁 애수 あいしゅう. 鄕愁 향수 きょうしゅう.

【手】中學 수 シュ. ❶손 手. ◧手足 수족 てあし. しゅそく. 手腕 수완 しゅわん. ◨握手 악수 あくしゅ. ❷손으로 하다 手でする. ◧手術 수술 しゅじゅつ. 手藝 수예 しゅげい. ❸몸소 하다. 自らする. ◧手記 수기 しゅき. ❹일을 하다 仕事をする. ◨着手 착수 ちゃくしゅ. ❺어떤 일을 맡고 있는 사람 ある仕事を受け持っている人. ◨歌手 가수 かしゅ. 騎手 기수 きしゅ. 選手 선수 せんしゅ.

【授(授)】中學 수 ジュ. 윗사람이 주다 目上の人が授ける. ◧授與 수여 じゅよ. 授業 수업 じゅぎょう. ◨教授 교수 きょうじゅ. 傳授 전수 でんじゅ.

【收(収)】中學 수 シュウ. ❶거둬들이다 収める. ◧收入 수입 しゅうにゅう. 收穫 수확 しゅうかく. 收納 しゅうのう. ◨回收 회수 かいしゅう. 吸收 흡수 きゅうしゅう. ❷체포하다 捕らえる. ◧收監 수감 しゅうかん.

【數(数)】中學 수 スウ. 삭 ス. 一〔수〕 ❶수효 数. ◧數學 수학 すうがく. 數字 숫자 すうじ. ◨偶數 우수 ぐうすう. 整數 정수 せいすう. ❷몇의 いくらかの. ◧數千 수천 すうせん. 數百 수백 すうひゃく. ❸계략 計略. ◨術數 술수 じゅっすう.
二〔삭〕 자주 しばしば. ◧數尿症 삭뇨증 ひんにょうしょう(頻尿症). ◨頻數 빈삭 ひんすう.

【樹】中學 수 ジュ. ❶서 있는 나무 立ち木. ◧樹木 수목 じゅもく. ◨果樹 과수 かじゅ. 街路樹 가로수 がいろじゅ. ❷세우다 立てる. ◧樹立 수립 じゅりつ. ❸식물을 심다 植物を植える. ◨植樹 식수 しょくじゅ.

【殊】高校 수 シュ. 특별하다 特別だ. ◧殊勳 수훈 しゅくん. 殊勝 수승 しゅしょう. ◨特殊 특수 とくしゅ.

【水】中學 수 スイ. ❶물 水. ◧水分 수분 すいぶん. 水力 수력 すいりょく. ◨海水 해수 かいすい. ❷강·호수 또는 바다 같이 물이 있는 곳 河·湖水または海のように水がある所. ◧水陸 수륙 すいりく. ◨山水 산수 さんすい. 一衣帶水 일의대수 いちいたいすい. ❸액 液. ◨香水 향수 こうすい. 炭酸水 탄산수 たんさんすい. ❹수소를 가리킴 水素を指す. ◧水爆 수폭 すいばく. 水酸化物 수산화물 すいさんかぶつ. ❺칠요일의 하나 七曜の一つ. ◧水曜日 수요일 すいようび.

【獸(獣)】高校 수 ジュウ. 짐승 けもの. ◧獸醫 수의 じゅうい. 獸類 수류 じゅうるい. ◨猛獸 맹수 もうじゅう. 野獸 야수 やじゅう.

【睡】高校 수 スイ. 잠자다 眠る. ◧睡眠 수면 すいみん. 睡魔 수마 すいま. ◨午睡 오수 ごすい. 熟睡 숙수 じゅくすい. 昏睡 혼수 こんすい.

【秀】中學 수 シュウ. ❶빼어나다 秀でる. 뛰어나다 優れる. ◧秀才 수재 しゅうさい. 秀作 수작 しゅうさく. 秀麗 수려 しゅう

人

れい. ▣優秀 우수 ゆうしゅう.

【誰】[中學] 수 スイ. 누구 誰. ▣誰何 수하 すいか.

【輸(輸)】[高校] 수 ユ. 운반하다 運ぶ. ▣輸出 수출 ゆしゅつ. 輸血 수혈 ゆけつ. ▣運輸 운수 うんゆ. 空輸 공수 くうゆ. 密輸 밀수 みつゆ.

【遂(遂)】[高校] 수 スイ. 이루다 遂げる. ▣遂行 수행 すいこう. ▣完遂 완수 かんすい.

【隨(随)】[高校] 수 ズイ. ❶따르다 従う. ▣隨行 수행 ずいこう. 隨伴 수반 ずいはん. 隨行員 수행원 ずいいん(随員). ❷생각한 대로의 思ったとおりの. ▣隨筆 수필 ずいひつ. 隨時 수시 ずいじ.

【雖】[中學] 수 スイ. ❶비록 よしんば. 아무리 …하여도 いくら…であっても. ❷밀다 推す.

【需】[高校] 수 ジュ. 필요해서 구하다 必要なので求める. ▣需要 수요 じゅよう. ▣特需 특수 とくじゅ. 必需品 필수품 ひつじゅひん. 軍需品 군수품 ぐんじゅひん.

【須】[中學] 수 シュ. ス. ❶사용하다 使う. ▣須要 수요 しゅよう. ▣必須 필수 ひっす. ❷잠깐 瞬時. ▣須臾 수유 しゅゆ. ❸범어의 음역자 梵語の音訳字. ▣須彌山 수미산 しゅみせん. すみせん.

【首】[中學] 수 シュ. ❶목 首. 머리 頭. ▣首級 수급 しゅきゅう. ▣機首 기수 きしゅ. 船首 선수 せんしゅ. ❷첫번째. 一番目. 가장 중심이 되는 사람〔것〕最も中心になる人〔もの〕. ▣首席 수석 しゅせき. 首相 수상 しゅしょう. 首都 수도 しゅと. ▣元首 원수 げんしゅ. ❸자수하다 自首する. ▣自首 자수 じしゅ. ❹시가를 세는 말 詩歌を数える語. ▣詩三百首 시삼백수 しさんびゃくしゅ.

수-간호사【首看護師】〈名〉看護婦長. 婦長(略語).

수감【收監】〈名・하他〉収監.

수갑【手匣】〈名〉手錠. ＝쇠고랑. [句例] ～을 채우다 手錠をかける / ～을 풀다〔벗기다〕手錠を外す.

수강【受講】〈名・하自〉受講. [句例] 경제학사를 ～하다 経済学史を受講する. [語例] ～자 受講者 / ～료 受講料.

수 개-월【數個月】[su:gae—]〈名〉数か月. [句例] ～의 여유가 있다 数か月の余裕がある.

수거【收去】〈名・하他〉収去. 集めて取り去ること. [句例] 분뇨를 ～하다 糞尿を収去する.

****수건**【手巾】[su:gŏn]〈名〉手ぬぐい. タオル. 手ふき. [句例] ～을 짜다 手ぬぐいをしぼる. [語例] 손～ ハンカチ. ハンケチ.

수경【水耕】〈名〉水耕. 水栽培. ＝물재배. [句例] 토마토의 ～ 재배 トマトの水耕栽培. [語例] ～ 농장 水耕農場 / ～법〔農〕水耕法.

수계【水系】〈名〉〔地〕水系. [語例] 한강 ～ 漢江水系.

***수고** [su:go]〈名・하自〉苦労. 労苦. 骨折り. [句例] ～를 마다〔아끼지〕않다 労をいとわない〔惜しまない〕/ 남을 위해 얼마간 ～하다 人のためにひと骨折る / ～를 덜다 手間を省く. [文例] 그분이 ～해 주셔서 취직이 되었습니다 あの方のお骨折りで就職ができました / ～를 끼쳐드려 미안합니다 ご苦労をおかけしましてすみません / 여러분, 정말 ～가 많았습니다 皆さん, ほんとうにご苦労さまでした.

수고-롭다 [su:go—] (→롭다)〈形〉ご苦労だ. 大儀だ.

수고-스럽다 [su:go—] (→스럽다)〈形〉手数がかかって厄介だ. [文例] 수고스럽지만 이 편지를 부쳐 주시지 않겠습니까 お手数ながらこの手紙を出してくださいませんか.

수-고양이〈名〉猫の雄. 雄猫. ㉺암고양이.

수-곰〈名〉くま(熊)の雄. ㉺암곰.

수공【手工】〈名〉手工. [語例] ～업 手工業.

수교【修交】〈名・하自〉修交〔修好〕. [語例] ～훈장 修交勲章.

수구【水球】〈名〉水球. ウォーターポロ.

수구【守舊】〈名・하自〉守旧. 保守. [語例] ～당(黨)〔史〕朝鮮朝末期の保守派.

수구-문【水口門】〈名〉城内の水口にある門.

수국【水菊】〈名〉〔植〕あじさい(紫陽花).

***수군**【水軍】〈名〉水軍. ❶〔史〕朝鮮朝の海上守備隊. ❷海軍.

***수군-거리다**〈自他〉ささや(囁)く. ささめく. ひそひそと話す. [句例] 귓전에서 ～ 耳もとでささやく.

[表現] 語感の小さい語は'소곤거리다', 語感の強い語は'쑤군거리다'.

수군수군〈副・하自他〉ひそひそ. [句例] 남의 소문을 ～ 얘기하다 ひそひそと他人のうわさ話をする.

수굿-하다 [sugut'ada] (→하다)〈形〉❶下がり〔下げ〕気味だ. ❷興奮が少しおさまったようだ.

수궁【水宮】〈名〉竜宮. 竜宮城.

***수그러-지다**〈自〉下がる. 垂れ下がる. 鎮まる. [句例] 머리가 ～ 頭が下がる / 불길이 ～ 火の手がさがる. 下火になる.

***수그리다**〈他〉下げる. 垂れる. [句例] 머리를 ～ 頭を下げる / 고개를 ～ 首を垂れる.

수금【收金】〈名・하自〉集金〔収金〕. [句例] ～하러 돌아다니다 集金にまわる / 신문 대금을 ～하다 新聞代を集金する. [語例] ～원(員) 集金人 / ～용(用) 자루 集金ぶくろ.

수급【需給】〈名〉需給. 需供. [句例] ～의 균형을 잡다 需給のバランスをとる. [語例] ～ 계획 需給計画.

수긍【首肯】〈名・하自他〉首肯. うなずくこと. 納得. [文例] 그 설명으로는 ～할 수 없다 その説明では首肯しかねる / 내가 하는 말에 그는 일일이 ～했다 わたしの言うことに彼はいちいちうなずいた.

수긍이 가다 うなずける. [文例] 그의 얘기에는 어딘가 수긍이 가지 않는 데가 있다 彼の話にはどこかうなずけないところがある.

수기【手記】〈名〉手記. [句例] ～를 정리하다 手記をまとめる / ～를 쓰다 手記をつける. [語例] 체험 ～ 体験手記.

수기【手旗】〈名〉手旗. 語例 ～ 신호 手旗信号.

***수-꽃** 〈名〉〔植〕雄花. ＝웅화(雄花). 對암꽃.

수-꽃술 〈名〉〔植〕おしべ(雄蕊). ＝수술. 웅예(雄蕊). 對암꽃술.

수-꿩 〈名〉きじ(雉)の雄. 對암꿩.

수-나다【數―】⇨'수(數)¹'の小項目

수-나사【―螺絲】〈名〉雄ねじ. 對암나사.

수난【受難】〈名・하自〉受難. 句例 ～의 해 受難の年 / ～의 역사 受難の歴史. 語例 ～극〔劇〕受難劇 / ～ 시대 受難時代.

수납【收納】〈名・하他〉収納. 語例 ～고 収納庫 / ～ 전표 収納伝票.

수납【受納】〈名・하他〉受納. (金品を)受け納めること. 句例 의연금을 ～하다 義援金を受納する.

수녀【修女】〈名〉〔天主教〕修道女. 修女. 語例 ～원 修道院. 對수사(修士).

수년【數年】[su:nyŏn]〈名〉数年. 語例 ～래 数年来.

수-노루 〈名〉〔動〕ノロの雄. 對암노루.

수-놈 〈名〉'수컷 雄'の愛称. 對암놈.

수-놓다【繡―】[su:not'a] ⇨'수(繡)'の小項目

수뇌【首腦】〈名〉首脳〔主脳〕. 語例 정부 ～ 政府首脳 / ～부 首脳部 / ～ 회의 首脳会議.

수다 [su:da]〈名〉口数の多いこと. おしゃべり. 無駄口.

수다(를) 떨다 おしゃべりをする. 文例 씩둑씩둑 수다만 떨고 있다 べちゃくちゃとおしゃべりばかりしている.

수다(를) 부리다 しゃべりたてる. 無駄口をたたく.

수다-스럽다 [su:da―] (→스럽다)〈形〉おしゃべりだ. 口まめだ. 口数が多い. 句例 수다스러운 여자〔사람〕おしゃべりな女〔人〕. 文例 사내라고 하는 게 수다스러워서 못 쓰겠다 男のくせにおしゃべりで困る. **수다스레**〈副〉口数多く. 口まめに.

수다-쟁이 [su:da―]〈名〉おしゃべり(屋). 文例 저 사람은 ～다 あれはおしゃべりだ.

***수단**【手段】〈名〉手段. 手立て. 句例 최후의 ～으로서 最後の手段として / ～을 다하다 手をつくす / 유효한 ～ 有効な手段 / 비열한 ～을 쓰다 卑劣な手段を取る. 文例 이기기 위해서는 ～을 가리지 않는다 勝つためには手段を選ばない. 語例 비상 ～ 非常手段.

수달【水獺・水撻】〈名〉〔動〕かわうそ(川獺・獺). 語例 ～피(皮) かわうその皮.

수당【手當】〈名〉手当. 句例 ～이 붙다 手当がつく. 語例 가족 ～ 家族手当 / 직무 ～ 職務手当.

수더분-하다 (→하다)〈形〉(性格が)純朴でおとなしい.

수도【水都】〈名〉水都. 水の都. 句例 ～ 베니스 水の都ベニス.

****수도**【水道】〈名〉水道. 句例 ～를 끌다〔놓다〕水道をひく / ～를 틀다 蛇口をひねる. 語例 꼭지 水道の栓. 蛇口 / 수돗물 水道の水 / ～ 요금 水道料.

수도【水稻】〈名〉水稲. ＝논벼. 對육도(陸稻).

****수도**【首都】〈名〉首都. 首府. 都. ＝서울. 文例 서울은 한국의 ～다 ソウルは韓国の首都である. 語例 ～권 首都圏.

수도【修道】〈名・하自〉修道. 句例 입산 ～하다 入山修道する. 語例 ～승 修道僧.

수도-원【修道院】〈名〉〔天主教〕修道院.

수동【手動】〈名〉手動. 手回し. 語例 ～식 펌프 手動式ポンプ / ～식 믹서 手回しミキサー. 對자동(自動).

수동【受動】〈名〉受動. 受け身. 語例 ～태〔言〕受動態. 受け身. 對능동(能動).

수동-적【受動的】〈名・冠〉受動的. 句例 ～인 처지 受動的な立場 / ～인 자세가 되다 受け身になる. 受動的になる. 文例 그런 ～인 태도〔자세〕로는 안 된다 そんな受け身の態度〔姿勢〕ではだめだ. 對능동적(能動的).

수두【水痘】〈名〉〔醫〕水痘. みずぼうそう(水疱瘡). ＝작은마마.

수두룩-이 [sudurugi]〈副〉ふんだんに. ざらに. 有り余るほど. いくらでも. たくさん. 句例 ～ 있다 ふんだんに〔たくさん〕ある.

***수두룩-하다** [suduruk'ada] (→하다)〈形〉ありふれるほどある. ざらにある. たくさんある. 文例 그런 전설쯤은 어디에고 ～ そんな伝説ぐらいはどこにでもありふれるほどある.

수득【收得】〈名・하他〉取得. 語例 ～세 取得税.

수-때우다【數―】⇨'수(數)¹'の小項目

수-땜【數―】〈名・하自〉厄逃れ.

수라-장【修羅場】〈名〉修羅場. 句例 ～으로 변하다 修羅場と化す.

수락【受諾】〈名・하他〉受諾. 承諾. 句例 제의를 ～하다 申し出を受諾する / 포츠담 선언의 ～ ポツダム宣言の受諾. 對거절(拒絶).

수란【水卵】〈名〉沸き湯に卵を割り落として半熟させた料理.

수란(을) 뜨다 半熟の卵料理をこしらえる.

수랭-식【水冷式】〈名〉水冷式. 語例 ～ 엔진 水冷式エンジン. 對공랭식(空冷式).

수량【水量】〈名〉水量. 水かさ. 句例 큰비로 하천의 ～이 늘다 大雨で川の水かさが増す / 댐의 ～을 조절하다 ダムの水量を調節する. 語例 ～계 水量計.

수량【數量】[su:ryang]〈名〉数量. 句例 엄청난 ～ おびただしい数量 / ～이 줄다 数量が減る. 語例 ～ 경기 数量景気.

수런-거리다〈自〉(大勢の人が)ざわめく. ざわつく. 句例 회장 안이 웬지 모르게 ～ 会場内がなんとなくざわめく. 文例 밖이 수런거리고 있다 外の方がざわついている.

수런수런〈副・하自〉ざわざわ. 句例 ～ 말소리가 나다 ざわざわと話し声がする.

수렁〈名〉泥沼. 句例 ～에서 빠져나오다 泥沼から抜け出す / 분쟁이 ～으로 빠져들다 紛争が泥沼に陥る. 語例 ～길 泥道.

수렁-논〈名〉泥田. 句例 ～에 빠져 들어가다 泥田にはまりこむ.

***수레**〈名〉車. 語例 짐～ 荷車.

수레-바퀴〈名〉車輪. 句例 ～의 굴대 車輪〔車〕の軸.

수려【秀麗】〈名・하形〉秀麗. 句例 ～한 용모 秀麗な容貌. 語例 미목 ～ 眉目秀麗.

*수력【水力】〈名〉水力. 句例 ~을 이용해서 돌리는 물레방아 水力を利用して回す水車. 語例 ~ 터빈 水力タービン / ~ 발전(소) 水力発電(所).

수련【修鍊·修練】〈名·하他〉修練〔修錬〕. 句例 ~을 쌓다 修練をつむ / ~이 모자라다 修練が足りない. 類 단련(鍛鍊). 수양(修養).

수렴【收斂】〈名·하他〉収斂. ❶収縮する〔させる〕こと. 句例 혈관의 ~이 일어나다 血管の収斂が起こる. 語例 ~ 작용 収斂作用 / ~제 収斂剤. ❷(考え·意見などを)取りまとめること. 句例 각계의 의견을 ~한 결과 各界の意見を収斂した結果.

수렴-청정【垂簾聽政】〈名〉〔史〕垂簾の政. 略して'수렴(垂簾)'ともいう.

*수렵【狩獵】〈名〉狩猟. 狩り. =사냥. **~하다**〈自〉狩猟する. 狩りをする. 句例 ~이 해금되다 狩猟が解禁になる. 語例 ~기 狩猟期 / ~민족 狩猟民族.

수령【守令】〈名〉〔史〕朝鮮朝の地方官《観察使·牧使·府使·郡守など》.

수령【受領】〈名·하他〉受領. 領収. 句例 대금을 ~하다 代金を受領する. 語例 ~자 受領者 / ~증 受領証.

수령【首領】〈名〉首領. 頭. ボス. =우두머리. 句例 도적의 ~ 盗賊の首領.

수령【樹齡】〈名〉樹齢. 句例 ~ 5백 년의 거목 樹齢五百年の大木〔巨木〕.

수로【水路】〈名〉水路. ❶水の流れる道. =물길. ❷船が通る道. 航路. 船路〔舟路〕. =뱃길. 句例 ~를 이용하다 水路を利用する. ▷對 육로(陸路). ❸送水路. 語例 ~ 측량 水路測量.

수록【收錄】〈名·하他〉収録. 句例 초기의 작품을 전집에 ~하다 初期の作品を全集に収録する〔収める〕.

수뢰【水雷】〈名〉〔軍〕水雷. 句例 ~에 걸리다 水雷にかかる. 語例 ~정 水雷艇. 對 지뢰(地雷).

수뢰【收賂】〈名·하自〉収賄. =수회(收賄). 語例 ~죄 収賄罪. 對 증뢰(贈賂).

수료【修了】〈名·하他〉修了. 句例 박사 과정을 ~하다 博士課程を修了する. 語例 ~ 증서 修了証書.

수류【水流】〈名〉水流. 句例 ~를 거슬러 올라가다 水流をさかのぼる.

*수-류탄【手榴彈】〈名〉〔軍〕手投げ弾. 手榴弾(しゅりゅうだん・てりゅうだん).

수륙【水陸】〈名〉水陸. 語例 ~ 양용기 水陸両用機 / ~ 만리 水陸万里.

수리〈名〉〔鳥〕わし(鷲).

*수리【水利】〈名〉水利. 語例 ~권〔法〕水利権 / ~ 사업 水利事業 / ~ 조합 水利組合.

수리【受理】〈名·하他〉受理. 句例 사표를 ~하다 辞表を受理する.

수리【修理】〈名·하他〉修理. 修繕. 句例 집을 ~하다 家を修理する / 차를 ~하도록 맡기다 車を修理に出す.

수리【數理】[su:ri]〈名〉数理. 句例 ~에 밝은 사람 数理に明るい人 / 정보를 ~적으로 처리하다 情報を数理的に処理する. 語例 ~ 경제학 数理経済学.

수림【樹林】〈名〉樹林. 語例 침엽~ 針葉樹林 / ~ 지대 樹林帯.

수립【樹立】〈名·하他〉樹立. 句例 계획을 ~하다 計画を樹立する〔立てる〕/ 혁명 정권이 ~되다 革命政権が樹立される / 신기록의 ~ 新記録の樹立.

수마【水魔】〈名〉水魔. 句例 ~에 숱한 인명을 빼앗기다 水魔に多数の人命を奪われる / ~에 할퀴우다 水魔にひっかかれる.

수마【睡魔】〈名〉睡魔. ねむけ. 句例 ~와 싸우다 睡魔とたたかう / ~에 사로잡히다 睡魔に襲われる.

수마-석【水磨石】〈名〉波に磨かれて丸くなった石.

수만【數萬】[su:man]〈數·冠〉数万. ひじょうに多い数. 句例 ~ 명의 인파 数万にのぼる人の群れ.

*수-많다【数—】[su:mant'a]〈形〉数多い. おびただしい. 句例 수많은 군중 おびただしい群衆 / 수많은 성과를 거두다 数多い成果を収める / 수많은 시련을 극복하다 幾多の試練を乗り越える.

수-말〈名〉おうま(牡馬). 雄の馬. 對 암말.

수매【收買】〈名〉収買. **~하다**〈他〉収買する. 買い収める. 句例 벼를 ~하다 稲を収買する.

수맥【水脈】〈名〉水脈. 水筋. 句例 ~이 마르다 水脈が涸れる.

*수면【水面】〈名〉水面. 句例 ~에 떠오르다 水面に浮かび上がる / ~을 스칠 듯이 날다 水面すれすれに飛ぶ. 類 수상(水上).

수면【睡眠】〈名·하自〉睡眠. 眠り. 句例 충분히 ~을 취하다 十分に睡眠をとる. 文例 ~ 부족으로 머리가 멍하다 睡眠不足で頭がぼやっとしている. 語例 ~ 시간 睡眠時間 / ~제 睡眠薬〔剤〕. 催眠剤. 眠り薬.

수명【壽命】〈名〉寿命. ❶生命. 命の長さ. 句例 ~이 길다 寿命が長い / ~이 다하다 寿命が尽きる / ~이 다 되다 寿命がくる / ~이 늘어나다 寿命がのびる. 語例 평균 ~ 平均寿命. ❷(物の)使用に耐える期間. 句例 전구의 ~ 電球の寿命 / ~이 짧은 구두 寿命の短い靴. 文例 이 텔레비전도 이제 ~이 다 됐다 このテレビももう寿命だ.

수명 장수【壽命長壽】〈名〉寿命の長久であること《幼子の長寿を祈るときに使う語》.

수모【受侮】〈名·하自〉侮辱されること. 侮られること. さげす(蔑)まれること. 句例 ~를 겪다 侮辱を受ける. 文例 공중의 면전에서 ~를 당했다 公衆の面前で侮辱された.

수목【樹木】〈名〉樹木. 立ち木. 語例 ~원 樹木園.

수몰【水沒】〈名·하自他〉水没. 句例 댐 건설로 ~된 마을 ダム建設で水没した村. 語例 ~ 지구 水没地区.

*수묵-화【水墨畫】[sumuk'wa]〈名〉〔美〕水墨画. 墨絵. 墨画.

수문【水門】〈名〉水門. 句例 댐의 ~을 열다 ダムの水門を開ける.

ㅅ

수문-장【守門將】〈名〉〔史〕宮殿の門や城門を守る武官.

수미【愁眉】〈名〉愁眉. 句例 ~를 펴다 愁眉を開く. 安心する.

수-바늘【繡—】[su:—]〈名〉刺繡針.

**수박 [su:bak]〈名〉すいか(西瓜・水瓜). ウォーターメロン. 句例 잘 익은 ~ よく熟したすいか.

수박 겉핥기 すいかの皮をなめること. こしょう(胡椒)まるのみ. 生かじり.

수반【首班】〈名〉首班. 句例 ~으로 지명하다 首班に指命する. 語例 내각 ~ 内閣の首班.

수반【隨伴】〈名・하自他〉随伴. 句例 특사를 ~하다 特使に随伴する / 산업화에 ~하여 생기는 현상 産業化に随伴して生じる現象 / 위험을 ~하다 危険を伴う.

수발〈名・하他〉付き添って世話をすること. 句例 환자의 ~을 들다 病人に付きそって面倒をみる.

수방【水防】〈名〉水防. 語例 ~ 공사〔대책〕水防工事〔対策〕/ ~림 水防林.

수-방석【繡方席】[su:—]〈名〉刺繡を施した座布団.

수배【手配】〈名・하他〉手配. ❶(仕事などの)手配り. 句例 차량 ~를 부탁하다 車の手配を頼む / 미리 ~를 해 두다 あらかじめ手配をしておく / 사방으로 ~하여 찾다 八方に手配して捜す. ❷犯人を捕まえるための指令. 句例 전국에 ~되다 全国に手配される. 文例 범인은 ~중이다 犯人は手配中である. 語例 지명 ~ 指名手配.

수범【垂範】〈名・하自他〉垂範. 語例 솔선 ~ 率先垂範.

수법【手法】[suppŏp]〈名〉❶やり方. 手口. 仕方. 句例 악랄한 ~ あくどい手口 / 같은 ~ 同じ手口 / 교묘한 ~ 巧妙な手口 / ~이 야비하다 やり口がきたない. 文例 범죄 ~이 비슷하다 犯罪の手口が似ている. ❷(主に芸術的な)手法. 技法. 句例 사실적인 ~ 写実的な手法.

*__수병__【水兵】〈名〉〔軍〕水兵. 語例 ~복 水兵服. セーラー服.

수복【收復】〈名・하他〉収復. 失った土地をとり戻すこと.

수복【壽福】〈名〉寿福. 長寿と幸福. 句例 ~강녕을 빌다 寿福康寧を祈る.

*__수북-이__ [subugi]〈副〉うずたかく. 山盛りに. 句例 ~ 쌓인 먼지 うずたかいごみの山 / 밥을 ~ 담다 ごはんを山盛りに盛る.

수북-하다 [subuk'ada](→하다)〈形〉うずたかい. 積み重なって高い. 句例 수북하게 쌓아 올린 짐 うずたかく積み上げられた荷物. 文例 수북한 서류 더미에 둘러싸여서 일을 하다 うずたかい書類の山に囲まれて仕事をする.

*__수분__【水分】〈名〉水分. 水気. =물기(氣). 句例 ~을 섭취하다 水分を取る / ~이 많은 과일 水気(水分)の多い果物.

수분【受粉】〈名・하自〉〔植〕受粉. =가루받이. 語例 인공 ~ 人工受粉.

수분【授粉】〈名・하自〉〔植〕授粉. 雄しべの花粉を雌しべに付けること. 語例 인공 ~ 人工授粉.

수비【水肥】〈名〉水肥・水肥え. 液肥. =물거름. 句例 ~를 주다 水肥をほどこす.

*__수비__【守備】〈名・하他〉守備. 守り. 句例 ~를 굳건히 하다 守備を固める / ~에 임하다 守備につく / ~가 단단하다 守りが固い. 語例 ~대 守備隊. 對공격(攻擊). 類방어(防禦).

수사【修士】〈名〉〔天主教〕修道士. 對수녀(修女).

수사【修辭】〈名・하自〉修辞. レトリック. 句例 ~적인 기교 修辞的な技巧. 語例 ~법 修辞法 / ~학 修辞学. 美辞学.

수사【搜査】〈名・하他〉捜査. 句例 범인의 행방을 ~하다 犯人の行方を捜査する / ~선상에 떠오르다 捜査線上に浮かぶ / ~의 손길이 뻗치다 捜査の手がのびる. 語例 함정 ~ おとり捜査 / ~ 본부 捜査本部 / ⇨ 수사망 / ~진 捜査陣.

수사【數詞】[su:sa]〈名〉〔言〕数詞. →囲み記事 57

수-사납다【數—】(수사나우니, 수사나워서) ⇨ '수(數)1'の小項目

수사-망【搜査網】〈名〉捜査網. 句例 ~에 걸리다 捜査網にひっかかる / ~을 뚫다〔펴다〕捜査網を破る〔敷く〕.

*__수산__【水産】〈名〉水産. 語例 ~ 가공업 水産加工業 / ~업 협동 조합 水産業協同組合 / ~ 자원 水産資源 / ~학 水産学. 類해산(海産).

*__수산-물__【水產物】〈名〉水産物. 類해산물(海産物).

수산-화【水酸化】〈名〉〔化〕水酸化. 語例 ~나트륨 水酸化ナトリウム / ~물 水酸化物 / ~칼슘 水酸化カルシウム. 消石灰.

수삼【水蔘】〈名〉掘り出してまだ乾かさない朝鮮人参. =생삼(生蔘). 對건삼(乾蔘).

수-삼차【數三次】[su:—]〈名〉再三. 二三回. 再再. 数次. 句例 ~의 권유를 내리 거절하다 再再の勧誘を断り続ける.

수상【手上】目上. ↔ 수하(手下).

수상【手相】①手筋. ②手相.

수상【水上】〈名〉水上. 水の上. 語例 ~ 경기 水上競技 / ~ 스키 水上スキー / ~ 생활 水上生活. 對육상(陸上).

*__수상__【受賞】〈名・하自他〉受賞. 句例 금상을 ~하다 金賞を受賞する. 語例 ~자 受賞者. 對수상(授賞).

수상【首相】〈名〉首相. 内閣総理大臣. 国務総理. 句例 영국 ~이 내한하다 英国の首相が来韓する. 語例 ~ 관저 首相官邸.

수상【授賞】〈名・하自他〉授賞. 語例 ~식 授賞式. 對수상(受賞).

수상【樹上】〈名〉樹上. 木の上. 語例 ~ 생활 樹上生活.

수상【隨想】〈名〉随想. 語例 ~록 随想録.

수상-기【受像機】〈名〉受像機. 語例 텔레비전 ~ テレビ受像機.

수상-쩍다【殊常—】〈形〉どうも怪しい. 怪しいところがある. うさん臭い. 句例 수상쩍은 인물

いかがわしい人物／수상쩍은 이야기 うさん臭い話／수상쩍게 생각하다 不審に思う. [文例] 언동에 수상쩍은 점이 있다 言動に不審な点がある.

수상-하다【殊常—】(→하다)〈形〉怪しい. いかがわしい. うさん臭い. 疑わしい. いぶかしい. [句例] 수상하게 여기다 怪しく思う／날씨가 ～ 雲行きが怪しい／거동이 수상한 남자 挙動不審の男. [文例] 아무래도 수상한 놈이다 どうも怪しいやつだ／수상한 사람은 신고하자 怪しい者は届け出よう. 수상히〈副〉いかがわしく. 怪しく. いぶかしく. 不審に. [句例] 수상히 여기다 怪しく〔不審に, いぶかしく〕思う.

수-새〈名〉おんどり(雄鳥). 鳥の雄. (對)암새.

수색【捜索】〈名・하他〉捜索. [句例] 조난자의 ～에 임하다 遭難者の捜索にあたる. [語例] 가택 ～ 家宅捜索／～대 捜索隊／～ 영장〔法〕捜索令状／간첩 ～ 작전 スパイ捜索作戦.

수생【水生】〈名・하自〉水生. [語例] ～ 식물〔동물〕水生植物〔動物〕.

*수석【首席】〈名〉首席. 首位. [句例] ～으로 졸업하다 首席で卒業する／～을 차지하다 首席をしめる. [語例] ～ 대표 首席代表／～ 합격 首席合格.

수석【壽石】〈名〉水石. 盆石. 観賞用の自然石. ＝수석(水石).

수선〈名〉けんそう(喧噪). 騒がしいこと. 気ぜわしいこと. ～스럽다 (→스럽다)〈形〉けんそうだ. 騒がしい. 気ぜわしい. ざわざわする. [句例] ～스러운 소리 騒がしい物音／～스럽게 떠들다 気ぜわしく騒ぎたてる. ～거리다〈自〉ざわつく. ざわめく. 騒ぎ立つ. [句例] 갑자기 객석이 ～거리다 急に客席がざわざわする.

수선(을) 떨다 しきりに騒がしくふるまう. 騒ぎたてる. [文例] 수선 떨지 말고 얌전히 있어라 騒ぎたてずにおとなしくしなさい.

수선(을) 피우다 '수선(을) 떨다'のこと.

*수선【垂線】〈名〉〔數〕垂線. 垂直線. ＝수직선.

수선【修繕】〈名・하他〉修繕. 直し. 修理. [句例] ～하러 보내다 修繕に出す／구두를 ～하다 靴を修繕してもらう. [語例] 구두 ～(공(工)) くつ直し／～비 修繕費.

수선-화【水仙花】〈名〉〔植〕水仙.

수성【水性】〈名〉水性. 水質. [語例] ～ 도료 水性塗料／～ 볼펜 水性ボールペン／～ 페인트 水性ペイント.

*수성【水星】〈名〉〔天〕水星. マーキュリー.

수성-암【水成岩】〈名〉水成岩. たいせきがん(堆積岩).

수세【水洗】〈名・하他〉水洗. ❶水洗い. ❷'수세식(式)'の略.

수세【守勢】〈名〉守勢. 受け身. [句例] ～에 서다 守勢に立つ／～로 돌아서다 守勢に回る／～에 몰리다 守勢に立たされる. 受け太刀になる. (對)공세(攻勢).

수세미〈名〉たわし(束子).

수세미-외〈名〉〔植〕へちま(糸瓜).

수세-식【水洗式】〈名〉水洗式. [語例] ～ 변소 水洗(式)便所. 水洗のトイレ.

수-소〈名〉雄牛. ＝황소. (對)암소.

수소【水素】〈名〉〔化〕水素. [句例] ～와 산소가 화합하다 水素と酸素が化合する. [語例] 중～ 重水素／～ 폭탄 水素爆弾. 水爆《略語》.

수-소문【捜所聞】〈名・하他〉世間の風説をつきとめること.

수속【手續】〈名・하他〉⇨ 절차(節次)

수송【輸送】〈名・하他〉輸送. [句例] 상품을 ～하다 商品を輸送する／식량을 배로 ～하다 食糧を船で輸送する. [語例] ～ 기관 輸送機関／～기 輸送機／～선 輸送船. (類)운송(運送).

**수수〈名〉〔植〕もろこし(きび). きび(黍). とうきび. コーリャン. [語例] ～ 경단 きび団子／～깡 きびの茎／～떡 きびで作ったもち／～밭 きび畑.

수수【授受】〈名・하他〉授受. 受け渡し. やりとり. [句例] 상품의 ～ 商品の受け渡し. [文例] 금전 ～의 유무가 쟁점이 되었다 金銭の授受の有無が争点になった.

**수수께끼〈名〉なぞ(謎). ❶なぞなぞ(謎謎). 当て物. パズル. [句例] ～를 내다 なぞを掛ける／～를 풀다 なぞを解く／～를 풀지 못하다 パズルが解けない. [語例] ～ 놀이 なぞなぞ遊び. ❷不思議. 不可解. [句例] ～ 같은 이야기 なぞのような話／우주의 ～ 宇宙のなぞ／사건의 ～를 풀다 事件のなぞを解く／～의 사나이 なぞの男. [文例] 사건은 ～로 싸여 있다 事件はなぞにつつまれている.

수수-료【手數料】〈名〉手数料. 歩合. 口銭. コミッション. [句例] ～를 받다 口銭をとる／1할의 ～를 물다 一割の歩合を払う. [語例] 판매 ～ 販売手数料. 売り上げの歩合.

수수-방관【袖手傍観】〈名・하他〉袖手傍観. 拱手傍観. [文例] 어린이의 불장난을 ～하면 안 된다 子供の火遊びを袖手傍観してはいけない.

수수-하다 (→하다)〈形〉❶(装い・態度・性格などが)普通である. 地味だ. [句例] 수수하게 살다 地味に暮らす／수수한 옷차림 地味な身なり／수수한 성격 地味な性格／수수한 색깔의 의상 地味な色の着物／인물이 ～ 器量がまあまあである. (對)화려하다. 야하다. ❷(品質が)特に良くも悪くもない. まあまあだ. [文例] 이 정도면 ～ この程度ならまあまあだ.

수-술〈名〉〔植〕'수꽃술'の略：雄しべ. (對)암술.

*수술【手術】〈名〉〔醫〕手術. ～하다〈他〉手術する. メスを入れる. [句例] 위를 ～하다 胃を手術する／～을 받다 手術を受ける. [文例] 회사 재건을 위해 일대 ～을 감행하였다 会社再建のため一大手術を敢行した. [語例] ～실 手術室／맹장 ～ 盲腸の手術.

수습【收拾】〈名・하他〉収拾. [句例] ～이 되다〔안 되다〕収拾がつく〔つかない〕／～할 길 없는 사태 収拾しようのない事態／난국을 훌륭히 ～하다 難局を見事に収拾する. [語例] ～책 収拾策.

수습【修習】〈名・하他〉修習. 見習い. [語例] ～ 기간 見習い期間／～ 기자 見習い記者／～ 사원 見習い社員.

수시【隨時】隨時. ■〈名〉時にしたがうこと. ■〈副〉いつでも. その時その時. =수시로. 〔文例〕 필요할 때는 ~ 소집한다 必要な場合, いつでも招集する. 〔語例〕 ~ 입원 随時入院 / ~ 상환 随時償還.

***수시-로**【隨時―】〈副〉⇨ 수시(隨時)■. 〔句例〕 ~ 질문을 하다 その時その時質問をする. 〔文例〕 입학은 ~ 접수합니다 入学は随時に受け付けます.

수식【修飾】〈名・하他〉修飾. 〔句例〕 그의 말에는 ~이 많다 彼の話には修飾が多い. 〔語例〕 ⇨ 수식어

수식【數式】[su:shik]〈名〉〔數〕数式. 〔句例〕 ~으로 나타내다 数式であらわす.

수식-어【修飾語】[sushigŏ] ⇨ 수식언

수식-언【修飾言】[sushigŏn]〈名〉〔言〕修飾語. =꾸밈말. 수식사(詞).
〔參考〕 体言や用言を修飾する語. 活用しない. 관형사(冠形詞)と副詞がこれに属する. 韓国語では, 修飾語は被修飾語に先行するのを原則とする. たとえば, '그 차는 매우 빠르다 その車は非常に速い'で'그'と'매우'など.

***수신**【受信】〈名・하自〉受信. 〔句例〕 방송을 ~하다 放送を受信する. 〔語例〕 ~기 受信機〔器〕/ ~료 受信料 / ⇨ 수신인 / ~ 장치 受信装置. ㊐발신(發信). 송신(送信). ㊕착신(着信).

수신【修身】〈名・하自〉修身.

수신 제가 치국 평천하 修身斉家治国平天下. まず自分の行ないを正し, 家庭をととのえてから, 国家を治め, のちに天下を平らげる. 儒教で, もっとも基本的な実践倫理となっており, 男子一生の目的とされた.

수신-사【修信使】〈名〉〔史〕朝鮮朝末期に日本に遣わした外交使節. その以前は'통신사 通信使'と言った.

수신-인【受信人】[sushinin]〈名〉受信人. あて名. あて先. 名あて人. 〔語例〕 ~ 주소 불명 あて先不明. =수신자(受信者). ㊐발신인(發信人).

수-신호【手信號】〈名〉(列車や車両の円滑な往来のためにする)手信号.

수심【水心】〈名〉水心. 水面の中心.

수심【水深】〈名〉水深. 〔句例〕 ~ 약 5미터 水深約五メートル. 〔語例〕 ~ 측정 水深測定.

수심【愁心】〈名・하自〉物案じ. 物思い. 愁い. 〔句例〕 ~에 잠기다 愁いに沈む. 物思いにふける.

***수압**【水壓】〈名〉水圧. 〔句例〕 ~이 낮다 水圧が低い / ~을 높이다 水圧をあげる.

수액【樹液】〈名〉樹液. 〔句例〕 ~을 채취하다 樹液をとる.

수양【修養】〈名・하自〉修養. 〔句例〕 ~을 쌓다 修養を積む / ~이 부족하다 修養がたりない / 정신 ~에 힘쓰다 精神修養にはげむ.

수양-딸【收養―】〈名〉養女. 他人から引き取って育てる女の子. =수양녀(收養女).

수양-아들【收養―】〈名〉養子. 他人から引き取って育てる男の子.

수양-버들【垂楊―】〈名〉〔植〕しだれやなぎ. いとやなぎ(糸柳). 略して'수양'ともいう.

수어지-교【水魚之交】〈名〉水魚の交わり.

수업【受業】〈名・하他〉受業.

***수업**【修業】〈名・하自他〉修業. 〔句例〕 의학을 ~하다 医学を修業する. 〔語例〕 신부 ~ 花嫁修業 / ~ 연한 修業年限.

***수업**【授業】〈名・하自〉授業. 〔句例〕 ~을 받다 授業を受ける. 〔語例〕 ~ 시간 授業時間 / ~료 授業料.

수-없다【數―】[su:ŏpta]〈形〉数限りなく多い. 数え切れないほど多い. **수없이** [su:ŏpshi]〈副〉数限りなく. 数え切れないほど. 〔句例〕 수없이 많은 별 数え切れないほど多い星.

수여【授與】〈名・하他〉授与. 〔句例〕 졸업 증서를 ~하다 卒業証書を授与する. 〔語例〕 ~식 授与式 / ~되다 授与される.

수역【水域】〈名〉水域. 〔語例〕 경계 ~ 警戒水域 / 위험 ~ 危険水域. ㊕해역(海域).

수연【壽宴】〈名〉寿宴. 長寿祝いの宴. 普通, 還暦祝いや古希の祝宴をさす.
〔參考〕 祝儀袋の表には'축수연(祝壽宴)'と書く.

수열【數列】[su:yŏl]〈名〉〔數〕数列. 〔語例〕 등차 ~ 等差数列.

⁑**수염**【鬚髯】〈名〉ひげ(髭・鬚・髯). 〔句例〕 ~을 깎다 ひげをそる / ~을 기르다 ひげをはやす. ひげをたくわえる / ~이 짙다 ひげが濃い / ~을 쓰다듬다 ひげをなでる. 〔語例〕 콧~ 口ひげ / 턱~ あごひげ(顎鬚) / 카이저 ~ カイゼルひげ(髭).

수염이 대 자라도 먹어야 양반이다 ひげが五尺でも食べてこそ両班だ. 衣食足りて礼節を知るの意. 「(鬚根).

수염-뿌리【鬚髯―】〈名〉〔植〕ひげ根. =수근

⁑**수영**【水泳】〈名〉水泳. 水泳ぎ. 泳ぎ. =헤엄. **~하다**〈自〉水泳する. 水泳ぎする. 泳ぐ. 〔句例〕 건강을 위해서 ~을 하다 健康のために水泳をする / ~을 잘하다 泳ぎがうまい. 〔語例〕 ~ 교실 水泳教室 / ~모 水泳帽.

***수영-장**【水泳場】〈名〉水泳場. プール.

수예【手藝】〈名〉手芸. 〔語例〕 ~품 手芸品.

***수온**【水溫】〈名〉水温. 〔句例〕 ~이 높다 水温が高い.

수완【手腕】〈名〉手腕. 腕前. 手並み. 腕. 〔句例〕 ~이 있다 手腕〔腕〕がある / ~을 발휘하다 手腕〔腕前〕を発揮する / 정치적인 ~ 政治的な手腕. 〔語例〕 ~가 手腕家. 腕利き. 利き手.

수요【需要】〈名〉需要. 〔句例〕 ~를 충족시키다 需要を満たす / ~가 늘다 需要が増える / ~와 공급 需要と供給. 〔語例〕 ~자 需要者. ㊐공급(供給).

수요-일【水曜日】〈名〉水曜日.

수용【收容】〈名・하他〉収容. 〔文例〕 부상자 전원을 병원에 ~했다 負傷者の全員を病院に収容した. 〔語例〕 ~ 인원 収容人員.

수용-소【收容所】〈名〉収容所. 〔語例〕 난민 ~ 難民収容所 / 포로 ~ 捕虜収容所.

***수용-액**【水溶液】〈名〉水溶液.

수운【水運】〈名・하他〉水運. 〔句例〕 ~의 편의 水運の便 / ~을 이용하다 水運を利用する.

수원【水源】〈名〉水源. 〔句例〕 금강을 ~으로 하

다 錦江を水源とする.

***수원-지**【水源池】〈名〉水源池.

수월-찮다 [—ch'ant'a]〈形〉['수월하지 아니하다'の略] たやすくない. ないがしろにできない. 扱いにくい. むずかしい. 文例 그것은 보기보다 ~ それは見掛けによらずたやすくない. **수월찮이** [—ch'ani]〈副〉むずかしく.

***수월-하다** (→하다)〈形〉やす(易)い. 易しい. たやすい. 容易だ. 楽だ. 句例 수월한 문제 たやすい問題 / 수월하게 해치우다 手軽にやってのける / 어려운 일을 수월하게 해내다 難事をたやすくやってのける. **수월히**〈副〉たやすく. 易く. 容易に. 楽に. 手軽に.

수위【水位】〈名〉水位. みずかさ(水嵩). 句例 ~가 내려가다 水位が下がる. 文例 호우로 강의 ~가 올라갔다 豪雨で川の水位が上がった. 語例 ~계 水位計.

수위【守衛】〈名・하他〉守衛. 句例 ~에게 말하고 들어가다 守衛に断って入る. 語例 ~실 守衛室 / ~장 守衛長.

수위【首位】〈名〉首位. 句例 ~가 되다 首位に立つ / ~를 빼앗다 首位を奪う / ~를 차지하다 首位を占める.

수유【授乳】〈名・하自〉授乳. 語例 ~ 시간 授乳時間 / ~기 授乳期.

수육〈名〉[もとの語形は'숙육(熟肉)'] 煮た牛肉. →편육(片肉)

수은【水銀】〈名〉〔化〕水銀. 語例 ~주 水銀柱 / ~ 중독 水銀中毒.

수은 기압계【水銀氣壓計】〈名〉〔物〕水銀気圧計.

수은-등【水銀燈】〈名〉水銀灯.

수의【壽衣・襚衣】〈名〉経かたびら. 寿衣.

수의【獸醫】〈名〉'수의사(獸醫師)'の略.

수의-근【隨意筋】〈名〉〔醫〕随意筋. 對불(不)수의근.

수의-사【獸醫師】〈名〉獣医.

***수익**【收益】〈名〉収益. 句例 ~을 올리다 収益をあげる / 콘서트의 ~을 기부하다 コンサートの収益を寄付する. 語例 ~금 収益金 / ~성 収益性.

수익-권【受益權】〈名〉 国家に対して特定な利益を要求し得る国民の権利. 教育権や労働権など.

수인사-대천명【修人事待天命】[—dae:ch'ŏnmyŏng]〈名・하自〉人事を尽くして天命を待つこと.

수임【受任】〈名・하自他〉受任. 語例 ~자 受任者.

***수입**【收入】〈名・하他〉収入. 句例 ~에 알맞은 생활을 하다 収入に見合う生活をする. 語例 현금 ~ 現金収入 / 총~ 総収入. 對지출(支出).

***수입**【輸入】〈名・하他〉 輸入. 句例 석유를 ~하다 石油を輸入する. 語例 ~품 輸入品. 對수출(輸出).

수입 인지【收入印紙】[suibinji]〈名〉収入印紙.

수-자원【水資源】〈名〉水資源. 語例 ~ 개발 水資源開発.

수작【秀作】〈名〉秀作. 文例 근래에 보기 드문 ~이다 近来まれに見る秀作だ.

***수작**【酬酌】〈名・하自〉❶言葉のやりとり. 句例 엉뚱한 ~을 걸다 とんでもないことを話しかける. ❷ばかげた言動〔動作・まね(真似)〕. 文例 허튼 ~ 마라 ばか(げたこと)をいうな. ばかげたまねをするな.
参考 もとは酬酢. すなわち, 酒をくみかわすことの意.

수장【水葬】〈名・하他〉水葬. 語例 ~되다 水葬される.

수장【首長】〈名〉首長. 主宰者. かしら. =우두머리. 句例 부족의 ~ 部族の首長.

수재【水災】〈名〉水災. 水害. 句例 ~를 당하다 水害に遭う.

수재【秀才】〈名〉秀才. 句例 ~로 이름이 높다 秀才として名高い. 對둔재(鈍才).

수재-민【水災民】〈名〉水害罹災民.

수저〈名〉❶'숟가락'の丁寧語. ❷さじ(匙)とはし(箸). 語例 수젓집 さじとはしを入れておく袋.

***수적**【數的】[su:tchŏk]〈名・冠〉数的. 数に関するさま. 句例 ~으로 밀어붙이다 数で押し切る. 文例 그 팀은 ~으로 우세하다 そのチームは数的に勝っている / ~으로나 양적으로나 단연 우세했다 数的にも量的にも断然優勢だった.

수전-노【守錢奴】〈名〉守銭奴. しみったれ.

수절【守節】〈名・하自〉守節. 節義を守ること. 婦人が操を守ること. 語例 ~ 과수(寡守) 操を守りとおしたやもめ.

수정【水晶】〈名〉〔鑛〕水晶. クリスタル. 語例 ~ 시계 水晶時計. クォーツ時計.

수정【受精】〈名・하自〉〔生〕受精. =정(精)받이. 語例 ⇨ 수정란 / 인공 ~ 人工受精. 對수정(授精).

수정【修正】〈名・하他〉修正. 句例 ~을 가하다 修正を加える / 자구를 ~하다 字句を修正する / 궤도를 ~하다 軌道を修正する. 語例 ~안 修正案 / ~되다 修正される.

수정【修整】〈名・하他〉修整.

수정【授精】〈名・하自〉〔生〕授精.

수-정과【水正果】〈名〉しょうが(生姜)を煮た汁に砂糖やはちみつを入れ, 干しがき(柿)・肉桂・松の実を加えた飲み物.

수정-란【受精卵】[—nan]〈名〉受精卵. 對무정란(無精卵).

***수정-체**【水晶體】〈名〉〔生〕水晶体.

수제【手製】〈名・하他〉手製. 手作り. 語例 ~품 手製品.

수제비〈名〉小麦粉を水でこね, 程よい大きさにちぎり取り, すまし汁に入れて煮た食べ物. すいとん.

수제비(를) 뜨다 ❶小麦粉の練り粉をちぎり取ってすまし汁に入れる. ❷['물수제비(를) 뜨다'の略] 水切りの遊びをする.

수-제자【首弟子】〈名〉一番弟子.

***수조**【水槽】〈名〉水槽. 語例 방화용 ~ 防火用水槽.

수조【水藻】〈名〉水藻. 藻.

수족【手足】〈名〉手足. ❶手と足. =손발. 句例 ~이 차다 手足が冷たい. ❷配下

はいの者. 部下. 句例 ～이 되어 일하다 手足となって働く.
수족(을) 놀리다 (手足を動かして)活動する.

*수족-관【水族館】〈名〉水族館・すいぞっかん.

수주【受注】〈名・하自他〉受注. 文例 굵직한 ～가 있었다 大口の受注があった. 語例 ～액 受注額. 對발주(發注).

*수준【水準】〈名〉❶水準. 句例 ～이 높다 水準が高い / 높은 기술 ～ 高い技術水準. 語例 생활 ～ 生活水準. ❷'수준기'の略.

수준-기【水準器】〈名〉水準器. レベル. ＝수평기(水平器). 略して'수준'ともいう.

수줍다〈形〉内気だ. 恥ずかしがり〔はにかみ〕屋だ. つつ(慎)ましい. 句例 수줍은 기색 恥じらいの色 / 수줍은 듯 고개를 숙이다 恥ずかしげにうつむく / 수줍어서 머뭇거리다 はにかんでもじもじする.

수줍어-하다 [sujubŏ—] (→하다)〈自〉はにかむ. 恥じらう. 照れる. 恥ずかしがる. 句例 칭찬을 받고 ～ 褒められて恥ずかしがる.

*수줍음 [sujubŭm]〈名〉恥じらい. はにかみ. 内気. 含羞.

수중【水中】〈名〉水中. 語例 ～ 안경 水中眼鏡. みずめがね / ～익선 水中翼船 / ～ 카메라 水中カメラ / ～ 촬영 水中撮影 / ～ 발레 水中バレエ.

수중【手中】〈名〉手中. 掌中. 手の中. 手の内. 手の裏. ＝손안. 손아귀. 句例 ～에 넣다 手に入れる. 手にする. 手中におさめる / ～에 들어오다 手に入る / ～에 있는 현금 手持ちの現金.

수중 식물【水中植物】[—shingmul]〈名〉〔植〕水生植物.

*수-증기【水蒸氣】〈名〉水蒸気. 句例 ～가 나다 水蒸気が出る / ～가 뿜어 나오다 水蒸気が噴き出す.

수지【收支】〈名〉収支. 出入り. 文例 가계는 겨우 ～가 균형을 이루고 있다 店はようやく収支とんとんだ.
수지(가) 맞다 引き合う. 収支が償う. 割りがいい. 文例 수지가 맞지 않는다 収支が償わない. 出入りが合わない. そろばんが合わない / 이렇게 재고가 나면 수지가 맞지 않는다 こんなに売れ残ったのでは, 引き合わない.

*수지【樹脂】〈名〉樹脂. 語例 합성 ～ 合成樹脂 / ～ 공업 樹脂工業.

수지-침【手指鍼】〈名〉〔韓醫〕手指・手のひら・手の甲に施す針術. 正式名は'고려(高麗) 수지침'.

*수직【垂直】〈名〉垂直. 句例 ～으로 낙하하다 垂直に落下する / ～으로 깎아지른 듯한 벼랑 垂直に切り立ったがけ / ～으로 늘어뜨리다 垂直に垂らす. 語例 ～ 이등분선 垂直二等分線.

*수직-선【垂直線】〈名〉垂直線. 參考 数学では'수선 垂線'という.

수질【水質】〈名〉水質. 語例 ～ 검사 水質検査 / ～ 오염 水質汚濁.

수집【收集】〈名・하他〉収集. 取り集めること. 語例 폐품 ～ 廃品収集. 廃品回収.

*수집【蒐集】〈名・하他〉収集. 資料などをいろいろと集めること. 語例 우표 ～ 切手の収集 / ～가 収集家 / ～벽 収集癖 / ～광 収集狂. コレクトマニア.

수차【水車】〈名〉❶⇨ 물레방아. ❷⇨ 무자위

수차【收差】〈名〉〔物〕収差. 語例 색～ 色収差.

수차【數次】[su:ch'a]〈名〉数次. 数回. 数度. 句例 ～ 시도하다 数回試みる. 文例 ～에 걸친 교섭 끝에 타결되었다 数次にわたる交渉の末妥結した.

수채〈名〉下水道. 溝. どぶ. 流し. 句例 ～가 막히다 どぶが詰まる. 下水がつかえる / ～를 치다 どぶをさらう. 下水を掃除する.

수채-통【一筒】〈名〉下水管.

수채-화【水彩畫】〈名〉水彩画. 語例 ～구(具) 水彩絵の具 / ～가 水彩画家.

수챗-구멍〈名〉下水の出口.

수척-하다【瘦瘠一】[such'ŏk'ada] (→하다)〈形〉やせている. やつれている. やせ細っている. 句例 병으로 얼굴이 수척해 보이다 病気で(面)やつれが見える / 병후라서 ～ 病後なのでやつれている.

*수첩【手帖】〈名〉手帳. 句例 ～에 메모하다 手帳にメモをする / ～에 적다 手帳に付ける / ～에 써 넣다 手帳に書き込む.

수초【水草】〈名〉水草・すいそう.

수축【收縮】〈名・하自〉収縮. 句例 근육이 ～하다 筋肉が収縮する. 對팽창(膨脹).

수축【修築】〈名・하他〉修築. 修造. 句例 본당의 ～을 위한 기부금을 모으다 本堂の修築のための寄付金を集める.

*수출【輸出】〈名・하他〉輸出. 句例 신제품을 ～하다 新製品を輸出する. 語例 ～ 자유 지역 輸出自由地域 / ～되다 輸出される / ～품 輸出品. 對수입(輸入).

수-출입【輸出入】[such'urip]〈名・하他〉輸出入. 語例 ～ 은행 輸出入銀行.

수취-인【受取人】〈名〉受け取り人. 受取人. 對발송인. 발신인.

*수치【羞恥】〈名〉羞恥. 恥. 辱め. 恥辱. 句例 ～를 당하다 恥をかく. 辱めを受ける. 語例 ～심 羞恥心. ～스럽다 (→스럽다)〈形〉恥ずかしい.

수치【數値】[su:ch'i]〈名〉〔數〕数値. 句例 ～를 구하다 数値を求める / 실험해서 얻은 ～ 実験して得られた数値 / 도표에 표시된 ～ 図表に示された数値.

수칙【守則】〈名〉守るべき規則. 心得.

수-캉아지〈名〉小犬の雄. 對암캉아지.

수-캐〈名〉雄の犬. 對암캐.

수-컷〈名〉動物の雄. 對암컷.

수-키와〈名〉おがわら(男瓦・牡瓦). 筒がわら(瓦). 對암키와 繪

〈수키와〉

수탁【受託】〈名・하他〉受託. 語例 ～물 受託物 / ～ 판매 受託販売.

수탈【收奪】〈名・하他〉収奪. 文例 영주는 농민의 토지를 ～했다 領主は農民の土地を収奪した.

ㅅ

수-탉 [sut'ak] 〈名〉 おんどり(雄鶏). 句例 ~이 (울어서) 새벽을 알리다 おんどりがときを作る. 對암탉.

수태【受胎】〈名・하自〉受胎. 語例 ~시키다 受胎させる / 인공 ~ 人工受胎.

수-톨쩌귀 〈名〉 ひじ(肘)金. 對암톨쩌귀.

수통【水筒】〈名〉 水筒.

수-퇘지 〈名〉 豚の雄. 對암퇘지.

수-틀【繡一】[su:—] 〈名〉 刺繡台. 刺繡枠.

수-틀리다 〈自〉 ('수틀리면'の形で) うまくいかなかった場合には. 気にくわない場合には. 文例 수틀리면 집어치우겠다 うまくいかなかった場合にはやめてしまうよ.

***수판**【數板】[su:p'an] 〈名〉 そろばん(算盤). =주판(籌板).

수판(을) 놓다 ❶そろばんをおく. そろばんを入れる. ❷利害を計算する. ▷=주판(을) 놓다.

***수판-셈**【數板一】[su:p'an—] 〈名〉 ⇨ 주산(珠算)

수판-알【數板一】[su:p'anal] 〈名〉 そろばん玉. =주산알.

수판알을 튀기다 ❶そろばん玉をはじく. ❷利害を計算する. ▷=주판알을 튀기다.

수판-질【數板一】[su:p'an—] 〈名・하自他〉 ❶そろばんをはじくこと. ❷損得の計算をすること. ▷=주판질.

***수평**【水平】〈名〉 水平. 句例 ~하게 고르다 水平にならす / ~을 유지하다 水平を保つ / ~으로 유지하다 水平に保つ / ~으로 놓다 水平に置く. 語例 ~면 水平面. 對수직(垂直).

***수평-선**【水平線】〈名〉 水平線. 對지평선(地平線).

수-평아리 〈名〉 ひよこの雄. 略して'수평'ともいう. 對암평아리.

***수포**【水泡】〈名〉 水泡. 水の泡. =물거품. 句例 ~로 돌아가다 水泡に帰する. 文例 그의 노력도 ~로 돌아갔다 彼の努力も水の泡となった.

수포【水疱】〈名〉〔醫〕 水疱. 水ぶくれ. 語例 ~진 水疱疹.

수폭【水爆】〈名〉 ['수소 폭탄(水素爆彈)'の略] 水爆.

수표【手票】〈名〉 小切手. 句例 ~를 떼다 小切手を切る / ~를 발행하다 小切手を振り出す. 語例 부도 ~ 不渡り小切手.

수표【數表】[su:p'yo] 〈名〉〔數〕 数表. '로그표 対数表'や'함수표 関数表'など.

***수풀** 〈名〉 ❶森. 林. 木立ち. 略して '숲'ともいう. ❷茂み. やぶ(藪). 句例 ~에 숨다 茂みに隠れる. 類덤불.

수프 [su:p'ŭ] 〈名〉 スープ. 語例 야채 ~ 野菜スープ / 라면 ~ ラーメンのスープ. ◇soup

수필【隨筆】〈名〉 随筆. エッセー. 語例 ~집 随筆集.

수필-가【隨筆家】〈名〉 随筆家. エッセイスト.

수하【誰何】 ━〈代〉 だれ(誰). =누구. 句例 ~를 막론하고 だれに限らず. だれかれを問わず. ━〈名・하自他〉〔軍〕 誰何. 歩哨などが'だれか'と声をかけて問いただすこと. 文例 보초가 '정지' '누구냐'라고 ~했다 歩哨が'止まれ' 'だれか'と誰何した.

수학【修學】〈名・하他〉 修学. 句例 ~하기 위해 상경하다 修学のため上京する.

***수학**【數學】[su:hak] 〈名〉 数学. 句例 ~ 문제를 풀다 数学の問題を解く.

***수학 여행**【修學旅行】[suhangnyŏhaeng] 〈名〉 修学旅行.

수해【水害】〈名〉 水害. 句例 태풍의 ~는 台風による水害は / ~를 입다 水害を被る. 類수재(水災).

수해【樹海】〈名〉 樹海. 生い茂った森林の広大さを海にたとえた語.

수행【修行】〈名・하自〉 修行. 句例 ~을 쌓다 修行を積む / ~이 부족하다 修行が足りない. 語例 ~자 修行者.

수행【遂行】〈名〉 遂行. **~하다** 〈他〉 遂行する. 成し遂げる. 句例 직무를 ~하다 職務を遂行する. 語例 임무 ~ 任務の遂行.

수행【隨行】〈名・하他〉 随行. お供. お付き. 句例 사장을 ~하다 社長に随行する. 語例 ~원 随行員.

수험【受驗】〈名・하自〉 受験. 語例 ~ 준비 受験の準備 / ~생 受験生 / ~료 受験料 / ~표 受験票.

수혈【輸血】〈名・하自〉 輸血. 句例 환자에게 ~하다 患者に輸血する.

수혜-자【受惠者】〈名〉 (国家などからの)恩恵を受ける人.

수호【守護】〈名・하他〉 守護. 守り. 句例 나라를 ~하다 国を守る.

수호【修好】〈名・하自〉 修好〔修交〕. 句例 ~를 유지하다 修好を保つ. 語例 ~ 조약 修好条約.

***수호-신**【守護神】〈名〉 守護神. 守り神.

***수화**【手話】〈名・하自〉 手話. 語例 ~법 手話法. 對구화(口話).

***수화-기**【受話器】〈名〉 受話器. 句例 ~를 들다 受話器をとる. 對송화기(送話器).

수-화물【手貨物】〈名〉 手荷物.

수확【收穫】〈名・하他〉 収穫. 取り入れ. 刈り入れ. 句例 ~이 많다 収穫が多い / 가을의 ~ 秋の収穫 / 밀의 ~고 小麦の収穫高. 文例 처음으로 혼자 여행을 하여 여러가지 좋은 ~이 있었다 初めてひとり旅をしてみて, いろいろ収穫があった. 語例 ~기 収穫期.

수회【收賄】〈名・하自〉 収賄. 語例 ~ 사건 収賄事件. 對증회(贈賄).

수효【數爻】[su:hyo] 〈名〉 物事の数. 句例 ~가 많다 数が多い.

수훈【殊勳】〈名〉 殊勲. 句例 ~을 세우다 殊勲を立てる.

숙 〔漢字項目〕

【叔】 中學 숙 シュク. 부모의 동생 父母の弟. ▮叔父 숙부 しゅくふ. 叔母 숙모 しゅくぼ. ▮伯叔 백숙 はくしゅく.

【孰】 高校 숙 ジュク. ❶누구 だれ. ▮孰誰 숙수 じゅくすい. ❷어느것 どちら. いずれ. ❸익다 実る. ▮五穀時孰 오곡시숙 ごこくじじゅく.

【宿】 中學 숙 シュク. 수 シュク. ■〔숙〕❶묵다 宿る. ◧宿直 숙직 しゅくちょく. 宿泊 숙박 しゅくはく. ◨合宿 합숙 がっしゅく. ❷이전부터 가지고 있음 前から持っている. ◧宿怨 숙원 しゅくえん. 宿願 숙원 しゅくがん.
■〔수〕온갖 성좌의 별들 あらゆる星座の星. ◨星宿 성수 せいしゅく.

【淑】 中學 숙 シュク. ❶정숙하고 느낌이 좋다 貞淑で感じがいい. ◧淑女 숙녀 しゅくじょ. ❷존경하여 따르다 尊敬して従う. ◨私淑 사숙 ししゅく.

【熟】 高校 숙 ジュク. ❶익다 熟れる. ◧熟成 숙성 じゅくせい. ◨成熟 성숙 せいじゅく. ❷익숙하다 熟練している. ◨圓熟 원숙 えんじゅく. 未熟 미숙 みじゅく. ❸충분히 充分に. ◧熟眠 숙면 じゅくみん. 熟考 숙고 じゅっこう.

【肅(粛)】 高校 숙 シュク. ❶엄숙하다 厳かだ. ◨嚴肅 엄숙 げんしゅく. ❷삼가다 慎む. ◨靜肅 정숙 せいしゅく. 自肅 자숙 じしゅく. ❸엄하다 厳しい. ◧肅正 숙정 しゅくせい. 肅清 숙청 しゅくせい. 肅黨 숙당 しゅくとう.

숙고【熟考】〈名〉熟考. 熟慮. **~하다**〈他〉熟考する. 熟慮する. おもんぱかる. 句例 ~한 후에 대답하다 熟考の上返答する / ~하여 결정하다 熟慮して決める. 文例 이 문제는 잠시 ~할 필요가 있다 この問題はしばらく熟考を要する. 語例 심사(深思) ~ 沈思熟考〔黙考〕.

숙녀【淑女】[sungnyŏ]〈名〉淑女. 句例 ~답지 못한 말씨 淑女らしくない言いかた. 語例 신사 ~ 紳士淑女. 對신사(紳士).

숙달【熟達】〈名・하自〉熟達. 上達. 句例 영어에 ~하다 英語に熟達する / 상당히 ~하다 相当上達する.

숙덕-거리다〈自他〉続けざまにひそひそと話す. 句例 남의 소문 이야기를 ~ ひそひそと他人のうわさ話をする.
表現 語感の小さい語は'속닥거리다'. 語勢の強い語は'쑥덕거리다'.
숙덕숙덕〈副・하自他〉ひそひそ. 句例 ~ 이야기하는 소리가 들리다 ひそひそと話す声がする / ~ 귓속말을 하다 ひそひそ(と)内緒話をする.

숙덕-공론【一公論】[—kongnon]〈名・하自他〉巷説. ひそひそ〔内緒〕話. ひそかに話し合う議論.

숙덕-이다 [suktŏgida]〈自〉ひそひそと話す. ひそかに相談する.

숙독【熟讀】〈名・하他〉熟読. 味読. 句例 조문을 ~하다 条文を熟読する / ~ 완미하다 熟読玩味する / 명작을 ~하다 名作をじっくり味読する.

숙련【熟練】[sungnyŏn]〈名・하自〉熟練. 練達. 熟達. 句例 ~을 요하는 일 熟練を要する仕事 / 일에 ~되다 仕事に熟練する. 語例 ~공 熟練工.

숙망【宿望】[sungmang]〈名〉宿望. 句例 ~을 이루다 宿望を遂げる.

숙맥【菽麥】[sungmaek]〈名〉菽麦. ❶豆と麦. ❷['숙맥불변(不辨)'の略] 豆と麦の区別ができないの意で, 愚かな人のたとえ.

숙면【熟眠】[sungmyŏn]〈名・하自〉熟眠. 熟睡. 文例 ~하여 기분이 좋아졌다 熟眠して気分がよくなった.

숙명【宿命】[sungmyŏng]〈名〉宿命. 句例 ~적인 라이벌(관계) 宿命のライバル / ~이라고 체념하다 宿命とあきらめる / ~적인 대결 宿命的な対決.

숙모【叔母】[sungmo]〈名〉叔母. 叔父の妻. ＝작은어머니. 語例 외(外)~ 母方の叔母. 對숙부(叔父). →고모(姑母). 이모(姨母)

숙박【宿泊】〈名・하自〉宿泊. 寝泊まり. 宿り. **~하다**〈自〉宿泊する. 泊まる. 寝泊まりする. 宿る. 句例 호텔에 ~하다 ホテルに宿泊する〔泊まる・寝泊まりする〕/ 온천 여관에 ~하다 温泉宿に泊まる. 語例 ~비 宿泊費 / ~지 宿泊地. 宿元.

숙박-료【宿泊料】[sukpangnyo]〈名〉宿泊料. 宿賃. 宿代.

숙박-부【宿泊簿】〈名〉宿帳. 句例 ~를 기입하다 宿帳をつける.

숙부【叔父】〈名〉叔父. 父の弟. ＝작은아버지. 句例 ~댁에 기숙하다 叔父の家に寄宿する. 語例 외~ 母方の叔父 / 친~ 父方の叔父. 對숙모(叔母).

숙사【宿舍】〈名〉宿舎.

***숙성-하다**【夙成—】(→하다)〈形〉おとなびている. 早熟だ. ませている. 文例 그녀는 나이에 비해 숙성한 편이다 彼女は年の割にませた方だ / 그 아이는 다른 아이보다 숙성해 보인다 その子はほかの子に比べるとおとなびて見える. 類조숙(早熟)하다.

숙소【宿所】〈名〉宿所. 宿. 宿舎. 句例 ~를 정하다 宿所をきめる / ~에 돌아가다 宿所に帰る.

숙식【宿食】〈名・하自〉寝泊まりして食べること. 寝食. 句例 ~을 무료로 제공하다 寝食を無料で提供する.

숙어【熟語】[sugŏ]〈名〉〔言〕熟語. ❶複合語. 合成語. ❷慣用句. 句例 영어 ~를 익히다 英語の熟語を覚える. 語例 단어와 ~의 연구 単語と熟語の研究.

숙어-지다 [sugŏjida]〈自〉❶前に傾く. うつむく. 前に垂れる. 下がる. 句例 저절로 머리가 ~ 自然と頭が下がる. ❷力がなくなる. 気が弱る. 元気がなくなる. 衰える. 句例 불기운이 ~ 火勢が衰える.

숙연-하다【肅然—】[sugyŏn—](→하다)〈形〉粛然としている. 厳かで静かだ. 句例 숙연한 자세로 묵념을 올리다 粛然たる姿で黙禱をささげる. **숙연히** [sugyŏnhi]〈副〉粛然として. 句例 숙연히 옷깃을 여미다 粛然として襟を正す.

숙영【宿營】[sugyŏng]〈名・하自〉宿営. 句例 들판에서 ~하다 野原で宿営する. 語例 ~지 宿営地.

***숙원**【宿願】[sugwon]〈名〉宿願. 宿望. 本懐. 句例 ~을 이루다 宿願を果たす. 本懐を遂げる.

숙의【熟議】[sugŭi]〈名・하他〉熟議. 凝議

ぎょう. 句例 ~한 후에 결정하다 熟議の上決定する.

***숙이다** [sugida]〈他〉伏せる. うつむく. 下げる. うなだれる. うつむける. 傾ける. 句例 얼굴을 숙이고 서다 顔をうつむけて立つ / 고개를 숙이고 대답하다 うつむいて返事をする / 얼굴을 ~ 顔を伏せる / 머리를 ~ 頭を下げる. 文例 그는 부끄러워서 고개를 숙였다 彼は恥じてうつむいた. 類수그리다.

숙적【宿敵】〈名〉宿敵. 句例 ~을 쓰러뜨리다 宿敵を倒す.

숙정【肅正】〈名・하他〉肅正. 句例 기강을 ~하다 綱紀を肅正する.

***숙제**【宿題】〈名〉宿題. 句例 겨울 방학의 ~ 冬休みの宿題 / ~를 끝내다 宿題を済ませる. 文例 이 문제는 ~로 해 두자 この問題は宿題にしておこう.

숙주〈名〉'숙주나물'の略.

숙주【宿主】〈名〉宿主. 語例 중간 ~ 中間宿主.

숙주-나물〈名〉ぶんどう(文豆)もやし. また, そのあえ物.

숙지【熟知】〈名・하他〉熟知. 句例 작업 방법을 ~하다 作業方法を熟知する.

숙직【宿直】〈名・하自〉宿直. 句例 한달에 한 번 ~하다 月一回宿直をする. 語例 ~ 일지 宿直の日誌 / ~실 宿直室 / ~원 宿直員. 對 일직(日直).

숙질【叔姪】〈名〉おじ(伯父・叔父)とおい(甥)または, めい(姪).

숙청【肅清】〈名・하他〉肅清. 句例 반대 세력을 철저히 ~하다 反対勢力を徹底的に肅清する. 語例 ~되다 肅清される.

숙환【宿患】[suk'wan]〈名〉宿痾. 長患い. 句例 ~으로 돌아가다 長患いで亡くなる.

순【旬】〈名〉旬. ❶一か月を三分した十日の称. 句例 팔월 상~ 八月上旬. ❷十年を一期とした称. 句例 나이 팔~이 넘다 よわい(齢)八旬に余る.

***순**【筍】〈名〉植物の長く伸びた芽. 句例 ⇨순치다 語例 죽~ 竹の子.

***순**【純】■〈冠〉純な. 全くの. 純粋の. 語例 ~ 거짓말 全くのうそ. ■〈頭〉純…. 語例 ~이익 純利益. 純益.

-순【順】〈尾〉…順. 順番を表わす語. 語例 번호~ 番号順 / 선착~ 先着順 / 에이비시~ ABC順.

순 〔漢字項目〕

【巡(巡)】高校 순 ジュン. ❶시찰 또는 경계를 위하여 돌다 視察や警戒のために回る. ■巡視 순시 じゅんし. 巡察 순찰 じゅんさつ. 巡回 순회 じゅんかい. ❷각지를 돌아다니다 各地を巡りまわる. ■巡禮 순례 じゅんれい. 巡歴 순력 じゅんれき.

【循】高校 순 ジュン. ❶따라 가다 ついて行く. ■因循 인순 いんじゅん. ❷빙빙 돌다 ぐるぐる回る. ■循環 순환 じゅんかん. 循行 순행 じゅんこう.

【旬】高校 순 ジュン. ❶한달 중의 십일간 一月の内で十日間. ■旬刊 순간 じゅんかん. ■上旬 상순 じょうじゅん. 初旬 초순 しょじゅん.

【殉】高校 순 ジュン. ❶따라서 죽다 ついて死ぬ. ■殉死 순사 じゅんし. ❷목숨을 바치다 命をささげる. ■殉國 순국 じゅんこく. 殉教 순교 じゅんきょう. 殉職 순직 じゅんしょく.

【盾】高校 순 ジュン. 방패 盾. ■矛盾 모순 むじゅん.

【瞬】高校 순 シュン. 눈을 깜빡이다 目を瞬く. ■瞬間 순간 しゅんかん. 瞬時 순시 しゅんじ. ■一瞬 일순 いっしゅん.

【純】中學 순 ジュン. 순수하다 純粋だ. ■純潔 순결 じゅんけつ. 純金 순금 じゅんきん. 純白 순백 じゅんぱく. 純情 순정 じゅんじょう. ■清純 청순 せいじゅん. 單純 단순 たんじゅん.

【脣】高校 순 シン. 입술 くちびる. ■脣齒 순치 しんし. ■丹脣 단순 たんしん. 口脣 구순 こうしん.

【順】中學 순 ジュン. ❶순순히 따르다 柔順にしたがう. ■順應 순응 じゅんのう. 順從 순종 じゅんじゅう. ■歸順 귀순 きじゅん. ❷차례로 늘어서다 順序に並ぶ. ■順位 순위 じゅんい. 順番 순번 じゅんばん. ■打順 타순 だじゅん. 手順 수순 てじゅん. ❸순조롭다 順調だ. ■順風 순풍 じゅんぷう.

***순간**【瞬間】〈名〉瞬間. 瞬時. とっさ. 句例 ~에 일어난 일 瞬間のできごと / 결정적인 ~ 決定的瞬間. 文例 수화기를 든 ~ 전화가 끊어졌다 受話器をとった瞬間, 電話が切れた / ~적으로 몸을 피했다 とっさに身をかわした. 語例 ~ 최대 풍속 瞬間最大風速 / ~ 온수기 瞬間湯沸かし器.

순결【純潔】〈名〉純潔. **~하다**〈形〉純潔だ. 句例 ~한 마음 純潔な心 / ~을 지키다 純潔を守る.

***순경**【巡警】〈名〉巡査. 語例 교통 ~ 交通巡査 / 기마 ~ 騎馬巡査.

순교【殉教】〈名・하自〉殉教. 語例 ~자 殉教者.

순국【殉國】〈名・하自〉殉国. 語例 ~ 정신 殉国精神 / ~ 선열(先烈) 殉国した烈士.

순금【純金】〈名〉純金. 語例 ~ 목걸이 純金の首飾り.

순대〈名〉豚の腸に御飯・豚の血・文豆もやしなどを詰めて蒸した腸詰め.

순도【純度】〈名〉純度. 句例 ~가 높다 純度が高い.

순-두부【一豆腐】〈名〉固まる前の水気の多い豆腐. =수(水)두부.

순례【巡禮】[sullye]〈名・하他〉巡礼〔順礼〕. 語例 ~자 巡礼者 / 성지 ~ 聖地巡礼.

순리【順理】[su:lli]〈名〉順理. 道理に従う〔かなう〕こと. 順当な道理. 句例 ~대로 살아가다 道理にかなった生き方をする.

순면【純綿】〈名〉純綿. 語例 ~ 셔츠 純綿シャツ.

순모【純毛】〈名〉純毛. 語例 ~ 스웨터 純毛のセーター.

순-무〈名〉〔植〕かぶ(蕪). かぶら.

ㅅ

순-문학【純文學】〈名〉純文学. 語例 ～ 잡지 純文学雑誌. 對대중 문학(大衆文學).

순박-하다【淳朴—·醇朴—】[sunbak'ada]（→하다）〈形〉純朴だ. 句例 순박한 사람들 純朴な人人.

***순발-력**【瞬發力】〈名〉瞬発力. 句例 ～ 있는 러너 瞬発力のあるランナー.

순방【巡訪】〈名·하他〉歴訪. 順順に訪問すること. 句例 아시아 여러 나라를 ～하다 アジア諸国を歴訪する.

순백【純白】〈名〉純白. 句例 ～의 의상 純白の衣装.

순번【順番】[su:nbŏn]〈名〉順番. 句例 ～이 되다 順番になる / ～을 기다리다 順番を待つ / ～으로 쉬다 順番に休む / ～이 돌아오다 順番が回ってくる. 類차례.

순보【旬報】〈名〉旬報. 語例 기상 ～ 気象旬報.

순산【順產】[su:nsan]〈名·하他〉安産. 對난산(難產).

순색【純色】〈名〉純色.

***순서**【順序】[su:nsŏ]〈名〉順序. 順. 手順. 句例 ～있게 줄을 서다 順序よく並ぶ / ～가 어긋나다 順序が狂う. 文例 설명서의 ～를 따라서 만들었다 説明書の順序に従って作った. 類차례.

순수【純粹】〈名〉純粋. 純. **～하다**〈形〉純粋だ. 純だ. 句例 ～한 알코올 純粋のアルコール / ～한 사랑 純粋な愛 / ～한 기분 純粋な気持ち / ～한 마음을 가진 사람 純粋な心の持ち主. 對불순(不純).

순수-비【巡狩碑】〈名〉〔史〕巡狩碑. 王が巡狩した所を記念して建てた碑. 絵

〈순수비〉

순순-하다【順順—】[su:nsun—]（→하다）〈形〉素直だ. 神妙だ. おとなしい. 温順だ. 従順〔柔順〕だ. **순순히** [su:nsunhi]〈副〉素直に. 神妙に. おとなしく. 従順に. 句例 순순히 자백하다 素直に白状する / 순순히 듣다 神妙に〔おとなしく〕聞く / 명령에 순순히 따르다 命令に従順に従う.

순시【巡視】〈名·하他〉巡視. 巡察. 句例 교내를 ～하다 校内を巡視する.

순식-간【瞬息間】〈名〉瞬く間. 瞬間. つかのま. 一瞬の間. 瞬時. 句例 ～에 화염에 휩싸이다 一瞬の間に炎に包まれる / ～에 해치우다 瞬時にやってのける / ～의 일 瞬く間の出来事 / ～에 매진되다 たちまち売り切れる.

순애【純愛】[sunae]〈名〉純愛. 句例 ～를 바치다 純愛をささげる.

순양-함【巡洋艦】[sunyangham]〈名〉巡洋艦.

순연【順延】[su:nyŏn]〈名〉順延. 繰り延べ. **～하다**〈他〉順延する. 繰り延べる. 語例 우천 ～ 雨天順延 / ～되다 順延される.

순열【順列】[su:nyŏl]〈名〉〔數〕順列. 句例 ～과 조합 順列と組み合わせ.

***순위**【順位】[su:nwi]〈名〉順位. 順. 句例 ～를 다투다 順位をあらそう / ～를 매기다 順位をつける / 도착 ～를 발표하다 到着順位を発表する. 語例 ～ (결정)전 順位(決定)戦.

순응【順應】[su:nŭng]〈名·하自〉順応. 句例 새로운 환경에 ～하다 新しい環境に順応する. 語例 ～성 順応性.

순-이익【純利益】[sunniik]〈名〉純利益. 純利. 略して'순익(純益)'ともいう. 對순손실(純損失).

순익【純益】[sunik]〈名〉'순이익'の略: 純益. 語例 ～금 純益金.

순전-하다【純全—】(→하다)〈形〉純粋で完全だ. 文例 순전한 취미로 그림을 그리고 있다 純然たる趣味で絵をかいている. **순전히**〈副〉純然と.

순접【順接】[su:njŏp]〈名〉〔言〕順接. 順態接続. '그리고 そうして' '그래서 それで' '그러니 だから' '그러므로 だから'などが使われる前後の文章の関係. 對역접(逆接).

순정【純正】〈名·하形〉純正. 語例 ～ 부품 純正部品 / ～ 수학 純正数学.

순정【純情】〈名〉純情. 句例 ～적인 소년 純情な少年.

순조-롭다【順調—】[su:njo—]（→롭다）〈形〉順調だ. 句例 순조롭게 회복하다 順調に回復する / 일이 순조롭게 되어가다 仕事がとんとん拍子に運んでいる. 文例 공부가 순조롭게 진척되지 않는다 勉強がはかばかしく進まない. **순조로이** [su:njoroi]〈副〉順調に. 文例 회담이 순조로이 진행되었다 会談が滑らかに進んだ.

순종【順從】[su:njong]〈名·하自〉順従. 随順. 句例 부모의 가르침에 ～하다 親の教えに随順する / 정부의 지시에 ～하다 政府の指示に随順する.

순종【純種】〈名〉純血種. 對잡종(雜種).

순직【殉職】〈名·하自〉殉職. 句例 과로로 ～하다 過労のため殉職する / ～한 경관 殉職した警官 / ～자의 가족 殉職者の家族.

순진【純眞】〈名·하形〉純真. 純. 無邪気. 句例 ～한 아이들 純真な子供だち / ～한 마음에 상처를 입히다 純真な心に傷をつける. 語例 ～ 무구 純真無垢.

순차【順次】[su:nch'a]〈名〉順次. 順. 句例 ～적으로 보고하다 順次報告する. 語例 ～적으로 順次. 逐次.

순찰【巡察】〈名〉巡察. 巡警. 見回り. **～하다**〈他〉巡察する. 見回る. 句例 관내를 ～하다 管内を巡察する / 경비원이 ～을 돌다 警備員が見回る. 語例 ～대 巡察隊. 見回り組 / ～차 パトロールカー / ～함 巡察箱.

순-치다【筍—】〈自〉摘芽する.

순탄-하다【順坦—】[su:nt'an—]（→하다）〈形〉たんたんとしている. ❶道が平坦である. 句例 순탄한 길 平坦な道. ❷物事が平穏だ. 順調だ. 句例 순탄한 생애 たんたんたる生涯. **순탄히**〈副〉たんたんと. 平坦に.

순풍【順風】[su:np'ung]〈名〉❶和風. おだやかな風. ❷順風. 追い風. おいて(追風). 句例 ～을 받고 항해하다 順風を受けて航海

ㅅ

する / ~을 타고 追い風に乗って / ~에 돛을 달다 順風に帆を上〔揚〕げる.

순-하다【順―】[su:n―] (→하다)〈形〉❶おとなしい. 素直だ. 従順〔柔順〕だ. (性格が)おだやかだ. 句例 순한 아이 おとなしい子. ❷淡白だ. まろやかだ. 味がきつくない. 句例 순한 맛 まろやかな味. ❸(物事が)やさしい. たやすい.

순항【巡航】〈名・하自〉巡航. 句例 서해안을 ~하다 西海岸を巡航する. 語例 ~ 미사일 巡航ミサイル / ~선 巡航船 / ~ 속도 巡航速度.

순화【純化】〈名・하自他〉純化. 句例 ~된 사상 純化された思想.

순화【醇化】〈名・하他〉醇化. 純化. 句例 언어의 ~ 言語の醇化〔純化〕.

***순환**【循環】〈名・하自他〉循環. 句例 몸 안을 ~하는 혈액 体内を循環する血液. 語例 ~선 循環線 / 악~ 悪循環 / ~ 계통 循環系統.

***순환-기**【循環器】〈名〉〔生〕循環器. 語例 ~ 장애 循環器の障害.

순환 소수【循環小數】[―so:su]〈名〉〔數〕循環小数.

순회【巡廻】〈名・하他〉巡回. 句例 지방을 ~하다 地方を巡回する. 語例 ~ 도서관 巡回図書館 / ~ 공연 巡回公演 / ~ 병원 巡回病院.

ㅅ

⁑숟-가락〈名〉さじ(匙). 略して'숟갈'ともいう. 句例 큰 ~ 大さじ. 語例 ~총 さじの柄 / 찻~ 茶さじ.

숟가락(을) 놓다 '죽다 死ぬ'を遠回しに言う語.

숟가락-질〈名・하自〉さじ(匙)を使うこと. さじの使い方. 句例 아기가 ~을 배우다 子供がさじの使い方をならう.

⁑숟-갈〈名〉'숟가락'の略.

⁑술[1]〈名〉酒. 句例 ~을 마시다 酒を飲む / ~에 취하다 酒に酔う / ~에 취해 정신을 잃다 酒にのまれる / 독한 ~ 強い酒 / 그 고장 ~ 地酒. いなか酒 / 데운 ~ かん酒 / 찬 ~ 冷や酒 / ~에 젖다 酒浸りになる / ~을 따끈하게 데우다 酒の燗をする. 燗をつける / ~을 따르다 酒をつ(注)ぐ. お酌をする / ~에 약하다 酒に弱い / ~을 과음하다 酒をやり過ごす〔飲み過ぎる〕. 語例 ⇨ 술안주 / ⇨ 술기운 / ~꾼 酒飲み / 단 ~ 白酒 / ⇨ 술자리

表現 目上の人には'약주(藥酒) お酒'と言う.

술 덤벙 물 덤벙 酒にどぶん, 水にどぶん. なにごとにつけ軽はずみでそそっかしく振る舞うことのたとえ.

술에 술 탄 듯, 물에 물 탄 듯 酒に酒を入れたよう, 水に水を入れたよう. ❶物事が味気ない. あいまいである. ❷いくら手を加えても変わらない.

술[2]〈依名〉一さじ(匙)の量. 句例 한 ~ 떠 먹다 一さじすくって食べる.

술[3] [su:l]〈名〉房. 語例 ~모양 房状 / ~장식 房飾り.

-술【術】〈尾〉…術. 語例 처세~ 処世(の)術 / 최면~ 催眠術 / 봉~ 棒術.

술 〔漢字項目〕

【戌】 中學 술 ジュツ. 지지(地支)의 열한째 十二支の十一番目. いぬ. ▮甲戌 갑술 こうじゅつ. きのえいぬ. 丙戌 병술 へいじゅつ. ひのえいぬ.

【術(術)】 高校 술 ジュツ. ❶계략 計略. 꾀 はかりごと. ▮術策 술책 じゅっさく. 術數 술수 じゅっすう. ❷학문 学問. 기예 技芸. ▮學術 학술 がくじゅつ. 藝術 예술 げいじゅつ. 兵術 병술 へいじゅつ.

【述(述)】 高校 술 ジュツ. ❶말하다 のべる. 설명하다 説明する. ▮述懷 술회 じゅっかい. ▮陳述 진술 ちんじゅつ. ❷짓다 つくる. 저작하다 著作する. ▮述作 술작 じゅっさく. ▮著述 저술 ちょじゅつ.

술-기운 [―kkiun]〈名〉酒の勢い. 句例 ~이 돌다 酒が回る.

술-김 [―kkim]〈名〉酒に酔ったついで. 酔いまぎれ. 酒の上(で). 句例 ~에 욕설을 하다 酔ったまぎれに悪口をいう.

⁑술래〈名〉[もとの語形は'순라(巡邏)'] (隠れん坊で)鬼. 文例 ~야 여깄다 鬼さんこちら.

⁑술래-잡기〈名・하自〉鬼ごっこ.

술렁-거리다〈自〉ざわめく. ざわつく. どよめく. 句例 관중이 ~ 観衆がどよめく.

술렁술렁〈副・하自〉ざわざわ. 句例 ~ 말소리가 나다 ざわざわ話し声がする.

술렁-이다〈自〉⇨ 술렁거리다

술-밥 [―ppap]〈名〉酒強飯.

술-병【―病】[―ppyŏng]〈名〉酒病.

술-병【―瓶】[―ppyŏng]〈名〉酒つぼ. とっくり(徳利). 銚子.

술부【述部】〈名〉⇨ 서술부. 對주부(主部).

술-상【―床】[―ssang]〈名〉酒肴のお膳. = 주안상(酒案床).

술수【術數】[sulssu]〈名〉術数. はかりごと. 計略. 術策. = 술책. 句例 권모 ~에 능하다 権謀術数にたける.

술술 [su:lsul]〈副〉❶液体・粉などが続けざまに漏れるさま: さらさら. 句例 모래가 ~ 새어 나오다 砂がさらさらこぼれる. ❷問題や糸などがやすやすとほど(解)けるさま: するする. すらすら. 句例 답이 ~ 나오다 答えがすらすら出る / 일이 ~ 진행되다 事がすらすらと運ぶ〔進行する〕. ❸言葉がよど(淀)みなく出てくるさま: すらすら. べらべら. 句例 ~ 읽어 내려가다 すらすら読み下す / ~ 써나가다 すらすらと書き下す.

술-안주【―按酒】[suranju]〈名〉⇨ 안주(按酒)

술어【述語】[surŏ]〈名〉述語. = 서술어. 對주어(主語).

술어【術語】[surŏ]〈名〉['학술어(學術語)'の略] 術語.

술-자리 [―tchari]〈名〉酒席. 句例 ~를 마련하다 酒席を設ける.

***술-잔**【―盞】[―tchan]〈名〉杯. 酒杯. 略して'잔'ともいう. 句例 ~을 비우다 杯を干す / ~을 기울이다 杯を傾ける.

술-장사〈名・하自〉酒を売る商売.

술-집 [―tchip]〈名〉酒屋. 酒場. 飲み屋.

=주점(酒店). 語例 선~ 居酒屋.

*술책【術策】〈名〉術策. はかりごと. 謀計. 策謀. たくら(企)み. =술수(術數). 句例 ~을 꾸미다 術策をめぐらす / 상대방의 ~에 빠지다 相手の術策にはまる.

술-타령【一打令】〈名・하自〉酒浸り. 文例 노상 ~만 한다 いつも酒浸りでいる.

술-통【一桶】〈名〉酒だる(樽).

술회【述懷】〈名・하自〉述懐. 句例 과거를 ~하다 過去を述懐する.

**숨 [su:m]〈名〉❶息. 息吹. 句例 ~을 내쉬다 息を吐く / ~을 들이쉬다 息を吸う / ~이 멎다 息が止まる / ~이 갑갑하다 息が苦しい / ~이 끊어질 듯이 息も絶え絶え(に). 気息えんえん(奄奄)として. ❷(野菜の)生き生きした勢い. 句例 숨을 죽이다(→小項目).

숨(이) 가쁘다 ❶息切れする. =숨(이) 차다. ❷状況が非常に緊迫している. 句例 숨 가쁘게 돌아가는 사태 息詰まるように変わっていく事態.

숨(을) 거두다 息を引き取る. =숨지다.

숨(을) 끊다 ❶息が絶える. 息を絶つ. ❷息を引き取る. =목숨(을) 끊다.

숨(이) 끊어지다 '죽다 死ぬ'をたとえた語. 息が絶える.

숨(이) 넘어가다 息が絶える. 息を引き取る.

숨(을) 돌리다 息をつく. ❶息切れを鎮める. ❷息を抜く. 息抜きをする. 文例 바빠서 숨돌릴 사이도 없다 忙しくて息を入れる暇もない.

숨(이) 막히다 息詰まる. むせぶ. むせる. 句例 숨 막히는 장면 息詰まるような場面. 文例 숨 막힐 듯이 덥다 息詰まるように暑い.

숨이 턱에 닿다 ひどく息切れがする.

숨(이) 죽다 ❶しお(萎)れる. しな(萎)びる. ❷塩漬けにした野菜がごわごわとした勢いを失う.

숨(을) 죽이다 ❶息を詰める. 息を殺す. 息を凝らす. 息を飲む. ❷塩などで野菜をしおらせる. 句例 소금을 뿌려서 배추의 숨을 죽이다 塩をふりかけて白菜をしお(萎)らせる.

숨(이) 차다 息切れがする. 息が切れる〔せく〕. 息苦しい. =숨(이) 가쁘다. 文例 숨이 차서 더는 못 달리겠다 息切れがしてもう走れない.

숨-결 [su:mkkyŏl]〈名〉息づかい. 息吹. 句例 ~이 거칠다 息づかいがはげしい〔荒い〕/ 봄의 ~을 느끼다 春の息吹を感じる.

숨-골 [su:mkkol]〈名〉〔生〕⇨ 연수(延髓)

숨-관【一管】[su:m—]〈名〉〔生〕⇨ 기관(氣管)

숨-구멍 [su:mkkumŏng]〈名〉気管. 気孔.

*숨기다〈他〉隠す. 押し隠す. 隠し立てする. かくま(匿)う. 潜める. 秘める. 秘する. 覆う. 句例 몸을 ~ 身を隠す〔潜める〕/ 숨겨진 사실 隠された事実 / 모습을 ~ かげを潜める / 가슴(속)에 ~ 胸に秘める / 이름을 ~ 名を秘する〔伏せる〕/ 범인을 숨겨두다 犯人をかくまう(よ). 文例 조금도 숨길 생각은 없다 少しも隠し立てをするつもりはない / 숨길 수 없는 기쁨이 얼굴에 나타나 있다 包みきれない喜びが顔にあらわれている. 類감추다.

숨김-없다 [sumgimŏpta]〈形〉隠し立てがない. 包み隠さない. 句例 숨김없는 사실 ありのままの事実. 숨김없이 [sumgimŏpshi]〈副〉隠し立てせず(に). 隠さず(に). ありのままに. 文例 숨김없이 털어놓았다 (包み)隠さずうち明けた.

숨김-표【一標】〈名〉〔言〕伏せ字. '××''○○'などのしるし.

숨-넘어가다 [su:mnŏmŏgada] ⇨ '숨'の小項目

**숨다 [su:mtta]〈自〉隠れる. 潜る. 潜む. 忍ぶ. 句例 숨은 인재 隠れた逸材 / 숨은 뜻 隠れた意味 / 인파 속에 ~ 人込みに隠れる / 풀숲에 ~ 草かげに潜む / 마루 밑에 ~ 縁の下に忍ぶ. 文例 화석에는 고대의 수수께끼가 숨어 있다 化石には古代のなぞが隠れている.

숨-돌리다 [su:m—] ⇨ '숨'の小項目

숨-막히다 [su:mmak'ida] ⇨ '숨'の小項目

**숨바꼭-질〈名・하自〉隠れんぼう. かくれんぼ. 句例 ~을 하고 놀다 隠れんぼうをして遊ぶ.

**숨-소리 [su:mssori]〈名〉息(をする音). (寝ているときの)寝息. 句例 ~를 죽이다 息を殺す. 息を凝らす. 息をつめる / 자면서 ~를 내다 寝息を立てる.

숨-쉬다 [su:m—]〈自〉息をする. 句例 숨쉬기가 답답해지다 息が苦しくなる.

숨쉴 사이 없다 息をつく暇がない.

숨-죽다 [su:m—] ⇨ '숨'の小項目

숨-지다 [su:m—]〈自〉事切れる. 息を引き取る. 死ぬ. =운명(殞命)하다. 句例 조용히 ~ 静かに息を引き取る.

숨-차다 [su:m—] ⇨ '숨'の小項目

숨-통【一筒】[su:mt'ong]〈名〉〔生〕息の根〔緒〕. のど笛. =기관(氣管).

숨통을 끊다 息の根を止める. のど笛をかき切る.

숨-표【一標】[su:mp'yo]〈名〉〔樂〕休止符のない所で息をつ(吐)く符号《記号 ','または '∨'》.

숫-〈頭〉混じり気または, 汚れなどがない 'きっすいの'の意: 生. 語例 ~처녀 生娘 / ~보기 うぶな人.

숫-기【一氣】〈名〉(活発で)はにかまないこと. ひとなつこいこと.

숫기(가) 좋다 はにかまず快活だ. 少しも恥じらわない.

숫기-없다【一氣一】[—ŏpta]〈形〉はにかみがちだ. よく恥ずかしがる. 句例 숫기없는 사람 恥ずかしがり屋. 숫기없이 [—ŏpshi]〈副〉はにかんで. もじもじして.

숫-돌〈名〉といし(砥石). 句例 ~에 식칼을 갈다 といしで包丁を研ぐ. 語例 다듬질 ~ 仕上砥.

숫-되다〈形〉初初しい. うぶ(初)だ. おぼこだ. 句例 숫된 처녀 うぶな生娘 / 숫된 새색시의 모습 初初しい花嫁すがた.

숫-양【一羊】[sunnyang]〈名〉〔動〕雄の羊. 雄羊. 對암양.

숫-염소 [sunnyŏmso]〈名〉〔動〕雄のやぎ(山羊). 對암염소.

*숫자【數字】[su:tcha]〈名〉数字. 句例 ~를 써서 설명하다 数字を使って説明する / ~에 밝

ㅅ

다 数字に明るい / ～에 강하다〔약하다〕 数字に強い〔弱い〕. 語例 아라비아 ～ アラビア数字 / 한～ 漢数字 / 천문학적 ～ 天文学的数字.

숫제 〈副〉 ❶いっそ(の事). むしろ. かえって. 文例 앓느니 ～ 죽지 病むよりはいっそのこと死ぬがましだ / 질질 끌며 만나기 보다는 ～ 헤어지자 ずるずるつき会うよりは, いっそのこと別れよう. ❷(うそでなく)本当に. 全く. 文例 ～ 죽겠단다 本当に死にたいそうだ / 그에게는 ～ 질렸다 彼には全く(のこと)あきれたよ.

숫-처녀 【一處女】〈名〉 生娘. 処女. おぼこ娘. バージン. ＝숫색시. 句例 ～다운 수줍음 生娘らしいはじらい. 對숫총각.

숫-총각 【一總角】〈名〉 生息子. ＝동정남(童貞男). 對숫처녀.

숭 〔漢字項目〕

【崇】 中學 숭 スウ. ❶높다 高い. 고귀하다 とうとい. ▮崇高 숭고 すうこう. ❷숭배하다 とうとぶ. ▮崇拜 숭배 すうはい. 崇尚 숭상 すうしょう. ▮尊崇 존숭 そんすう.

***숭고** 【崇高】〈名・하形〉 崇高. 句例 ～한 정신의 소유자 崇高な精神の持ち主 / ～한 이상을 내걸다 崇高な理想をかかげる.

숭늉 〈名〉 飯がまのお焦げ湯.

숭덩-숭덩 〈副〉 ❶(大根などを)ぶつ切りにするさま. 句例 무를 ～ 썰어 말리다 大根をぶつ切りにして干す. ❷(針仕事で)粗く縫うさま.

숭배 【崇拜】〈名・하他〉 崇拝. 句例 신을 ～하다 神を崇拝する. 語例 자연 ～ 自然崇拝 / 우상 ～ 偶像崇拝.

***숭상** 【崇尚】〈名・하他〉 あが(崇)め尊〔貴〕ぶこと. 句例 무예를 ～하다 武芸をあがめ尊ぶ.

숭숭 〈副〉 ❶物を手早く大きいめに切るさま: ざくざく. 句例 무를 ～ 썰어 넣다 大根をざくざく切って入れる. ❷やや大きい穴がたくさん空いているさま: すかすか. 句例 수분이 적고 구멍이 ～ 뚫린 수박 水分が少ない, すかすかのすいか.

숭앙 【崇仰】〈名・하他〉 崇敬. あがめ敬うこと. 句例 세인이 ～하는 인물 世人の崇敬する人物.

***숭어** [su:ng-ŏ] 〈名〉〔魚〕 ぼら(鯔).
숭어가 뛰니까 망둥이도 뛴다 ぼらが跳ねればはぜも跳ねる. こい(鯉)が躍れば, どじょうも躍る. 劣った者が, いたずらにすぐれた者のまねをすることをあざけっていう語.

숯 〈名〉 炭. 木炭. 句例 ～을 굽다 炭を焼く / 불이 오래 가지 않는 ～ 火持ちの悪い炭. 語例 뜬 ～ 消し炭 / ～장이 炭焼き(人) / ～장수 炭屋.

숯-가마 〈名〉 炭窯. 炭焼き窯.

숯-내 [sunnae] 〈名〉 炭火のにおい.

숯-막 【一幕】 [sunmak] 〈名〉 炭焼き小屋.

***숯-불** 〈名〉 炭火. 句例 ～을 피우다 炭火をおこす. 語例 ～구이 갈비 炭火焼きのカルビ.

숱 〈名〉 物のかさ(嵩)や分量. 句例 머리 ～이 많다 髪の毛が多い.

***숱-하다** [sut'ada] (→하다) 〈形〉 (物のかさ(嵩)や分量が)多い. たくさんだ. 句例 숱한 우여곡절을 겪다 多くの紆余曲折を経る / 숱한 사람이 모이다 たくさんの人が集まる. 文例 해결해야 할 문제가 숱하게 있다 解決すべき問題がたくさんある.

***숲** 〈名〉 '수풀'の略: 林. 森. 茂み. 句例 ～속의 산책길〔좁은 길〕 林の中の散歩道〔小道〕 / 울창한 ～ こんもり(と)した森 / 굴뚝의 ～ 煙突の林. 文例 풀 ～에서 벌레 소리가 들린다 草むらから虫の音が聞こえる. 語例 대(나무) ～ 竹やぶ / 소나무 ～ 松林 / 장미 ～ バラの茂み.

숴 [swo:] 〈感〉 鶏やすずめ(雀)を追い払う声. ＝숴이.

숴이 [swo:i] 〈感〉 ⇨ 숴

쉬^{1} [swi:] 〈副〉 '쉬이'の略.

쉬^{2} [swi:] 一〈名〉《兒》 おしっこ. ＝소변. **～하다** 〈自〉 おしっこする. 句例 ～가 나오다 おしっこが出る.
二〈感〉《兒》 幼い子にしっこをさせる時などに発する語: しいしい. おしっこ. 文例 엄마, ～ お母さん, おしっこ.

***쉬**^{3} [swi:] 〈感〉 相手の言葉などを制する時や, 騒ぎをしずめる時などに発する語: しっ. 文例 ～, 조용히 しっ, 静かに! / ～, 누가 온 것 같다 しっ, だれか来たらしい.

쉬다^{1} [swi:da] 〈自〉 す(饐)える. 句例 쉰 듯한 역한 냄새 すえたようないやなにおい / 밥이 ～ 御飯がすえる.

***쉬다**^{2} [swi:da] 〈自〉 (声が)か(嗄)れる. しわがれる. しゃがれる. かす(掠)れる. 句例 쉰 목소리 しわがれ声. しゃがれ声 / 쉰 목소리를 내다 しわがれた〔かすれた〕声を出す / 목이 쉬도록 응원하다 声をか(嗄)らして応援する. 文例 나이가 들어 목소리가 쉬었다 年をとって声がしわがれてきた.

****쉬다**^{3} [swi:da] 〈自他〉 休む. ❶休める. くつろぐ. 憩う. 休息する. 句例 쉬는 날 休みの日 / 쉬는 시간 休み時間 / 나무 그늘에서 ～ 木陰に憩う / 잠시 ～ ひと休みする / 점심 시간에 공원에서 쉬는 샐러리맨 昼休みに公園で憩うサラリーマン. 文例 내일은 휴일이니 푹 쉬십시오 明日はお休みですから, ゆっくりしていらっしゃい / 일이 밀려 쉴 틈이 없다 仕事がたまって休む暇がない. 語例 쉬어! 休め《号令》.
❷止める. 止まる. 句例 일〔작업〕을 ～ 仕事〔作業〕を休む. 文例 일손을 좀 쉬고 한 대 피울까 肩休めに一服しようか.
❸寝る. ねむる. 文例 편히 쉬세요 お休みなさい.
❹欠勤する. 欠席する. 句例 회사를 쉬고 골프치러 가다 会社を休んでゴルフに行く. 文例 감기로 학교를 하루 쉬었다 風邪で学校を一日休んだ.
❺泊まる. とど(留)まる. 文例 하루쯤 쉬었다가 가게나 一日くらい泊まって行けよ.

쉬다^{4} [swi:da] 〈他〉 息をする. 呼吸する. 息をつ(吐)く. 句例 한숨을 ～ ため息をつく / 숨을 ～ 息をする. 呼吸する / 숨을 깊이 ～ 呼吸を深くする.

ㅅ

쉬쉬-하다 [swi:swi—] (→하다) 〈他〉(物事を)内密〔内緒・内聞〕にする. もみ消す. 口止めをする. 句例 사건을 쉬쉬하며 얼버무려 버리다 事件を内内にもみ消してしまう. 文例 쉬쉬한다고 될 일이 아니다 隠してすむことじゃない.

쉬엄-쉬엄 〈副〉 休みながらゆっくりするさま：休み休み. 句例 ～ 오르다〔걷다〕 休み休み登る〔歩く〕. 文例 서둘지 말고 ～하시오 せ(急)かずに休み休みしなさい.

쉬이 〈副〉たやすく. ❶簡単に. 容易に. 造作なく. 訳なく. 句例 일을 ～ 해치우다 仕事を造作なくやってのける. 文例 ～ 될까 たやすくできるかな. ❷遠からず. 近いうちに. 間もなく. そのうち. 文例 ～ 또 찾아뵙겠습니다 そのうちまたお伺いいたします.

쉬이 보다 たやすいと見る〔思う〕.

쉬이 여기다 たやすく思う. 簡単なことだと思う.

쉬-파리 〈名〉〔蟲〕 あおばえ(青蠅). きんばえ. 句例 ～가 쉬를 슬다 あおばえが卵を産みつける.

쉬-하다 [swi:—] (→하다) 〈自〉《兒》おしっこする.

***쉰** [swi:n] 〈數・冠〉五十. ＝오십. 語例 ～여섯 五十六/～ 번째 五十番目/～ 개 五十個. 文例 ～ 살 치고는 젊게 보인다 五十歳にしては若く見える.

쉰-내 [swi:nnae] 〈名〉 (す(饐)えた食べ物の)すっぱいにお(臭)い.

쉼-표【―標】 [swi:mp'yo] 〈名〉〔樂〕休止符.

****쉽다** [swi:pta] (쉬우니, 쉬워서) 〈形〉やす(易)い. ❶易しい. たやすい. 容易である. 造作ない. 句例 쉬운 문제 易しい〔たやすい〕問題/쉽게 해설하다 易しく解説する/취급법이 ～ 扱い方が易しい/문제를 쉽게 풀다 問題をたやすく解く/쉬운 일은 아니다 容易なことではない/쉽게 이길 수 있는 상대 楽に勝てる相手/쉽게 손에 들어오다 楽に手に入る. 文例 그렇게 하면 일이 쉬워진다 そうすれば仕事がたやすくなる/말하기는 쉽고 행하기는 어렵다 言うのはやすく行なうのは難し. 反어렵다. ❷…しやすい. 可能性が多い. 句例 틀리기 ～ まちがいやすい/먹기 쉬운 약 飲みやすい薬/읽기 쉬운 책 読みやすい本/쓰기 ～ 書きやすい/눈에 띄기 ～ 目につきやすい. 文例 유리는 깨지기 ～ ガラスはこわれやすい.

쉽게 여기다 甘く見る. 見くびる. 軽んじる. 侮る. 文例 쉽게 여기다가 혼났다 見くびってひどい目にあった/결코 쉽게 여겨서는 안 될 상대다 決して侮れない相手だ.

쉽-사리 [swi:psari] 〈副〉楽楽(と). たやすく. 難なく. おいそれと. 句例 사건이 ～ 해결되다 事件がたやすく解決される/～ 풀 수 있는 문제 楽楽(と)解ける問題/～ 돌파하다 難なく突破する. 文例 아무리 부탁해도 돈은 그렇게 ～ 못 내겠다 いくら頼んでも, 金はそうおいそれと(は)出せない. 反어렵사리.

슈퍼 [syu:p'ŏ] 〈名〉❶スーパー. 語例 ～스타 スーパースター/～컴퓨터 スーパーコンピューター. ❷'슈퍼마켓'の略. ◇super

***슈퍼-마켓** [syu:p'ŏma:k'et] 〈名〉 スーパーマーケット. スーパー《略語》. ◇supermarket

슈퍼-맨 [syu:p'ŏmaen] 〈名〉 スーパーマン. ◇superman

슛 〈名・하自他〉(サッカー・バスケットボールなどの)シュート. 句例 골을 향해 ～하다 ゴールを目掛けてシュートする. ◇shoot

스냅 사진【snap寫眞】 〈名〉 スナップ写真. スナップ《略語》.

스님 〈名〉〔佛〕和尚. ❶僧がその師を呼ぶ語：師僧. ❷僧の敬称：お坊さん. お寺さま.

스라소니 〈名〉〔動〕 おおやまねこ(大山猫).

스러지다 〈自〉消えうせる. 消え入る. (雲・はれ物などが)散りうせる. 句例 몸과 마음이 스러지는 듯한 슬픔 身も魂も消え入る思い. 表現 語感の小さい語は'사라지다'.

-스럽다 (-스러우니, -스러워서) 〈尾〉名詞の後について形容詞をつくる語：…らしい. …気味だ. …がわしい. …のようだ. 語例 자랑～ 誇らしい/불안～ どうも不安だ/복(福)～ 福福しい/추잡～ わいざつ(猥雑)だ. みだりがわしい/자연스러운 동작 自然な動作.

-스레 〈尾〉'스럽게'の意：…らしく. …そうに. …(し)げに. 語例 자랑～ 誇らしげに. 自慢そうに/난잡～ みだりがわしく.

스르르 〈副〉❶結ばれたものが, ひとりでにほどけるさま：するりと. ずるりと. するする(と). 句例 가죽띠가 ～ 풀리다 革帯がするする(と)ほどける. ❷氷や雪が解けて消え去るさま. ❸眠気がさして目が自然に閉ざされるさま：とろりと. うつらうつら. とろとろ. 句例 ～ 잠이 오다 とろりと眠気がさす.

-스름-하다 (→하다) 〈尾〉色や形を表す語に付いて, そのような状態を帯びている意を表す語：…っぽい. …がかっている. …を帯びている. 語例 불그～ 赤っぽい. 赤みがかっている/거무～ 浅黒い. やや黒みがかっている/누르～ うす黄色い. 黄みがかっている/둥그～ 丸みを帯びている. 丸っぽい.

스리 런 [sŭri:—] 〈名〉〔野〕['스리런 호머'の略] スリーラン. 二人の走者がいるとき打ったホームラン. ◇three-run homerから.

스릴 〈名〉スリル. 戦慄. 句例 ～과 서스펜스 スリルとサスペンス/～이 있다 スリルがある/～을 맛보다 スリルを味わう. 語例 ～ 만점 スリル満点. ◇thrill

스마일 〈名〉 スマイル. 微笑. ほほえみ. ◇smile

스마트 [sŭma:t'ŭ] 〈名〉 スマート. **～하다** 〈形〉スマートだ. 句例 ～한 제복 スマートな制服/～한 옷맵시 スマートな〔りゅうとした〕着こなし/～하게 행동하다〔처리하다〕 スマートに振る舞う〔処理する〕. ◇smart

스멀-거리다 〈自〉肌に虫などがはい回るような感じだ. むずむずする. もぞもぞする. むずがゆい. 句例 온몸이 ～ からだじゅうがもぞもぞ〔むずむず〕する.

스멀스멀 〈副・하自〉むずむず. もぞもぞ.

***스며-들다** (―드니, ―들어서) 〈自〉['스미어 들다'の略] ❶(液体・気体などが)し(染)みる. しみこむ. 浸透する. 句例 추위가 몸에 ～ 寒さ

ㅅ

が身にしみる / 뼛속까지 스며드는 추위 骨にしみる寒さ / 약이 상처에 ～ 薬が傷口にしみる / 빗물이 땅에 ～ 雨が地面にしみこむ. ❷(ある感情が)しみ入る. しみ渡る. 句例 마음 속에 스며드는 외로움〔쓸쓸함〕心にしみ渡るわびしさ / 가슴에 스며드는 감동 胸にしみ入る感動.

스모그〈名〉スモッグ. 煙霧. 文例 도회지의 하늘은 ～로 오염되어 있다 都会の空はスモッグで汚されている. 語例 ～ 공해 スモッグ公害 / 광화학 ～ 光化学スモッグ. ◇smog

스무〈冠〉二十を表す語. 語例 ～ 개 二十個 / ～ 살 二十歳. はたち / ～ 채 二十軒 / ～ 고개 二十の扉.

⁑**스물** [一]〈數〉二十. 語例 ～여섯 二十六. [二]〈名〉二十歳. はたち. 文例 그는 아직 ～ 안짝이다 彼はまだはたち前だ.

***스미다**〈自〉し(染)みる. にじ(滲)む. 浸透する. 句例 빗물이 속옷에까지 ～ 雨水が下着までしみる / 잉크가 스며 나오다 インクがにじみ出る / 품속으로 스미는 찬 바람 ふところの中にしみこむ寒風.

스산-하다 (→하다)〈形〉❶荒涼としてもの寂しい. うら寂しい. 句例 거리가 ～ 街がうら寂しい / 마음이 ～ どうもうら寂しい. ❷(風が)冷たく荒荒しい. 句例 스산하게 부는 초겨울 바람 冷たく吹きすさぶ木枯らし.

스스럼-없다 [sŭsŭrŏmŏpta]〈形〉気安い. 心安い. へだたりがない. 気兼ねをしない. 句例 스스럼없는 친구 気安い友達 / 스스럼없는 상대 心安い相手. 気兼ねのいらない相手.
스스럼없이 [sŭsŭrŏmŏpshi]〈副〉気兼ねなく. 気安く. 心安く. 文例 그녀는 누구에게나 스스럼없이 말을 건다 彼女はだれにでも気安く話しかける / 그와는 스스럼없이 지내고 있다 彼とは気兼ねなく付き合っている.

***스스로** [一]〈副〉❶おのずから. ひとりでに. 自然に. 文例 문이 ～ 열렸다 ドアがひとりでに開いた. ❷進んで. 自ら. 句例 ～ 좋아서 선택한 길 自ら好んで選択した道 / ～ 자진해서 공부하다 自ら進んで勉強する. 文例 그것은 제 ～ 초래한 재난이다 それは彼が自ら招いた災いだ. ❸自分の力で. 自分で. 文例 자기 일은 ～ 해야 한다 自分の事は自分でやらなければならない.
[二]〈名〉自分. (自分)自身. 自ら. =자기 자신. 句例 ～가 ～를 반성하다 自らが自らを反省する. 文例 ～도 이상하다고 생각했다 自分でもおかしいと思った / ～의 판단으로 한 일이다 自身の判断でしたことだ.

***스승**〈名〉師. 師匠. 師範. =선생(先生). 句例 ～의 은혜 師の恩 / ～으로 받들다 師とあおぐ / ～의 가르침을 가슴에 새기다 師の教えを肝に銘じる. 語例 ～님 お師匠さま / ～의 날 師の日.

***스웨터**〈名〉セーター. 句例 ～를 뜨다〔짜다〕セーターを編む. ◇sweater

***스위치**〈名〉スイッチ. 句例 ～를 넣다 スイッチを入れる / ～를 끄다 スイッチをきる. ◇switch

스윙〈名〉スイング. 語例 ～ 아웃〔野〕スイングアウト. ◇swing

스치다〈自〉かす(掠)める. す(擦)れる. かす(擦)る. 句例 나뭇잎이 스치는 소리 木の葉がすれる音 / 배트에 공이 ～ バットに球がかする / 차체가 서로 ～ 車体がすれ合う / 총탄이 머리를 ～ 銃弾が頭をかすめる / 열차가 스쳐 지나가다 列車がすれちがう. 文例 제비가 처마 밑을 스치고 날아갔다 つばめが軒下をかすめて飛んでいった / 그리운 생각이 일순간 마음을 스쳐 갔다 懐かしい気持ちが一瞬心をかすめた / 수면을 스칠 듯이 새가 날았다 水面すれすれに鳥が飛んだ.

스카우트〈名·하他〉スカウト. 句例 타회사에서 ～하다 他社からスカウトする / 프로 야구의 ～ プロ野球のスカウト. ◇scout

스카이〈名〉スカイ. 語例 ～웨이 スカイウェー / ～다이빙 スカイダイビング / ～ 블루 スカイブルー / ～라인 スカイライン. ◇sky

스카치 테이프〈名〉スコッチテープ. ◇Scotch tape

스카프 [sŭk'a:p'ŭ]〈名〉スカーフ. ◇scarf

스캔들〈名〉スキャンダル. 醜聞. 句例 정계의 ～ 政界のスキャンダル / ～이 퍼지다 スキャンダルが広がる. ◇scandal

스커트 [sŭk'ŏ:t'ŭ]〈名〉スカート. 句例 ～를 입다 スカートをはく. 語例 미니 ～ ミニスカート / 타이트 ～ タイトスカート. ◇skirt

***스케이트**〈名〉スケート. 句例 ～를 잘 타다 スケートが上手だ. 語例 ～화(靴) スケート靴 / 롤러 ～ ローラースケート / ～장 スケート場. スケートリンク. ◇skate

스케이팅〈名·하自〉スケーティング. ◇skating

스케일〈名〉スケール. =규모(規模). 句例 ～이 큰 사람〔계획〕スケールの大きい人〔計画〕. ◇scale

스케줄 [sŭk'eju:l]〈名〉スケジュール. 日程(表). 句例 ～을 짜다 スケジュールを組む / ～이 맞지 않다 スケジュールが合わない / 빡빡한 ～ ハードスケジュール. ◇schedule

스케치〈名·하他〉スケッチ. 写生(画). 句例 옆얼굴의 ～ 横顔のスケッチ / 가을 풍경을 ～하다 秋の風景をスケッチする. 語例 ～북 スケッチブック. 類데생. ◇sketch

스코어〈名〉スコア. 得点. 句例 큰 ～차 大きなスコアの差 / ～를 매기다 スコアを付ける. 語例 ～보드〔판(板)〕スコアボード / 타이 ～ タイスコア. ◇score

스콜 [sŭk'o:l]〈名〉〔氣〕スコール. ◇squall

스쿠버 [sŭk'u:bŏ]〈名〉スキューバ. 水中肺. 語例 ～ 다이빙 スキューバダイビング. ◇scuba 參考 '애퀴렁(aqualung) アクアラング'はこの商標名.

스쿠터 [sŭk'u:t'ŏ]〈名〉スクーター. 句例 ～를 타다 スクーターに乗る. ◇scooter

스크랩〈名〉スクラップ. 切り抜き. 句例 칼럼을 매호 ～하다 コラムを毎号スクラップ(に)する. ◇scrap

스크랩-북〈名〉スクラップブック. 切り抜き帳. ◇scrapbook

스크럼〈名〉スクラム. 句例 ～을 짜고 행진하다 スクラムを組んで行進する. ◇scrum

스크린 [sŭk'ŭri:n]〈名〉スクリーン. 映写幕

. 語例 와이드 ~ ワイドスクリーン. ◇screen

스키 [sŭk'i:] 〈名・하自〉 スキー. 句例 ~를 하다 スキーをする / ~를 신다 スキーをはく / ~를 타러 가다 スキーに行く. ◇ski

스킨 다이빙 〈名〉 スキンダイビング. ◇skin diving

스킵 〈名〉 スキップ. ◇skip

스타 [sŭt'a:] 〈名〉 スター. 語例 올~ オールスター / 대~ 大スター / ~ 플레이어 スタープレイヤー. 花形選手. ◇star

스타디움 〈名〉 スタジアム. =운동 경기장. ◇라 stadium

***스타일** 〈名〉 スタイル. =모양. 자태. 語例 최신 ~ 最新のスタイル / 헤어 ~ ヘアスタイル / ~북 スタイルブック. ◇style

스타카토 [sŭt'ak'a:t'o] 〈名〉〔樂〕 スタッカート. ◇이 staccato

스타킹 〈名〉 ストッキング. 語例 팬티 ~ パンティーストッキング. ◇stocking

스타트 [sŭt'a:t'ŭ] 〈名・하自〉 スタート. =출발. 출발점. 句例 ~를 끊다 スタートを切る. 語例 ~ 라인 スタートライン. ◇start

스태프 〈名〉 スタッフ. 句例 사전 편집의 ~ 辞書編集のスタッフ. ◇staff

스탠더드 [sŭt'aendŏ:dŭ] 〈名〉 スタンダード. =표준. 모범. 語例 ~ 넘버 スタンダードナンバー. ◇standard

***스탠드** 〈名〉 スタンド. 語例 잉크 ~ インクスタンド / 전기 ~ 電気スタンド / 외야 ~ 外野スタンド. ◇stand

스탬프 〈名〉 スタンプ. 句例 ~를 찍다 スタンプを押す. 語例 ~ 잉크 スタンプインク / 기념 ~ 記念スタンプ. ◇stamp

스턴트 맨 〈名〉 スタントマン. ◇stunt man

스테레오 〈名〉 ステレオ. 語例 ~레코드 ステレオレコード / ~ 방송 ステレオ放送. ◇stereo

스테이크 〈名〉 ステーキ. 語例 비프~ ビーフステーキ. ◇steak

스테인드 글라스 〈名〉 ステンドグラス. ◇stained glass

스테인리스 스틸 [—sŭt'i:l] 〈名〉 ステンレススチール. =스테인리스 강. ◇stainless steel

***스텝** 〈名〉 ステップ. 句例 경쾌한 ~ 軽快なステップ / ~을 밟다 ステップを踏む. ◇step

스토리 [sŭt'o:ri] 〈名〉 ストーリー. 句例 영화의 ~ 映画のストーリー. ◇story

스톱 〈名・하自他〉 ストップ. =정지(停止). 중지. ◇stop

스톱 워치 [sŭt'obwoch'i] 〈名〉 ストップウオッチ. タイマー. ◇stop watch

***스튜디오** 〈名〉 スタジオ. ◇studio

스튜어디스 〈名〉 スチュワーデス. エアホステス. 對스튜어드. ◇stewardess

스트라이커 〈名〉 (サッカーの)ストライカー. ◇striker

스트라이크 〈名〉 ❶ストライキ. スト《略語》. 句例 ~를 불사하나 ストライキを辞せす. ❷(野球・ボーリングの)ストライク. 語例 ~ 존 ストライクゾーン. ◇strike

스트레스 〈名〉〔醫〕 ストレス. 句例 ~가 쌓이다 ストレスがたまる / ~를 풀다〔해소시키다〕 ストレスを解消する. ◇stress

스트레이트 〈名〉 (野球・ボクシングの)ストレート. 連続的. 句例 ~로 이기다 ストレートで勝つ. 語例 ~ 펀치 ストレートパンチ / 오른쪽 ~ 右ストレート. ◇straight

스트로 [sŭt'ŭro:] 〈名〉 ストロー. =빨대. ◇straw

***스티로폼** 〈名〉 スタイロフォーム. スチロフォーム. 発泡ポリスチレンの商標名. ◇Styrofoam

參考 同じ商標名で, '스티로폴(Styrofor)'ともいう.

스티롤 〈名〉〔化〕 スチロール. スチレン. 語例 발포 ~ 発泡スチロール. ◇styrol

스티커 〈名〉 ステッカー. 句例 ~를 붙이다 ステッカーをは(貼)る. ◇sticker

스틸 〈名〉 スチール. 語例 ~ 사진 スチール写真. ◇still

스팀 [sŭt'i:m] 〈名〉 スチーム. 句例 ~을 넣다 スチームを入れる. 語例 ~ 아이론 スチームアイロン / ~ 난방 スチーム暖房. ◇steam

스파게티 〈名〉 スパゲッティ. ◇이 spaghetti

스파르타 교육 【Sparta教育】 [—gyo:yuk] 〈名〉 スパルタ教育.

스파링 [sŭp'a:ring] 〈名〉 スパーリング. 語例 ~ 파트너 スパーリングパートナー. ◇sparring

스파이 〈名〉 スパイ. =간첩. 밀정(密偵). 句例 ~짓을 하다 スパイをはたらく. 語例 산업 ~ 産業スパイ. ◇spy

스파이크 〈名〉 (バレーボールやスポーツシューズの)スパイク. ◇spike

스파크 [sŭp'a:k'ŭ] 〈名〉 スパーク. =불꽃. ◇spark

스패너 〈名〉 スパナ. 語例 멍키 ~ モンキースパナ. ◇spanner

***스펀지** 〈名〉 スポンジ. =해면(海綿). 語例 ~볼 スポンジボール / ~ 케이크 スポンジケーキ. ◇sponge

스페어 〈名〉 スペア. =예비품. 語例 ~ 타이어 スペア(の)タイア / ~ 키 スペアキー. ◇spare

스페이스 〈名〉 スペース. =공간(空間). 語例 ~바 (コンピューターなどの)スペースバー. ◇space

스펙트럼 〈名〉〔物〕 スペクトル. ◇spectrum

스펠 〈名〉 スペル. =스펠링. ◇spell

스펠링 〈名〉 スペリング. =철자(綴字). 句例 영어의 ~ 英語のスペリング. ◇spelling

***스포이트** 〈名〉 スポイト. ◇네 spuit

***스포츠** [sŭp'o:ch'ŭ] 〈名〉 スポーツ. 語例 ~ 뉴스 スポーツニュース / ~형 머리 角刈り / ~카 スポーツカー. ◇sports

스포츠-맨 [sŭp'o:ch'ŭ—] 〈名〉 スポーツマン. =운동가. 語例 ~십 スポーツマンシップ. ◇sportsman

스푼 [sŭp'u:n] 〈名〉 スプーン. 語例 티~ ティースプーン. ◇spoon

스프링 〈名〉 スプリング. 語例 ~ 코트 スプリングコート. ◇spring

스피드 [sŭp'i:dŭ] 〈名〉 スピード. =속력. 속도. 句例 ~를 올리다 スピードをあげる / ~를 낮추다 スピードをおとす. 語例 ~ 스케이팅 スピードスケート競技. ◇speed

스피츠 〈名〉 スピッツ. ◇spitz

ㅅ

스피커 [sŭp'i:kŏ]〈名〉スピーカー. =확성기. ◇speaker
스핑크스〈名〉スフィンクス. ◇sphinx
슬그머니〈副〉そっと. ひそかに. こっそり(と). 句例 ~ 집을 빠져나가다 こっそり家を抜け出す / ~ 자리를 뜨다 そっと席を立つ.
슬근-슬근〈副・하自〉物と物が軽く擦れ合うさま. 句例 ~ 톱질하다 力を入れず軽くのこぎりをひく.
슬금-슬금〈副〉こそこそ. こっそり. ひそかに. 略して'슬슬'ともいう. 句例 ~ 도망가다 こそこそ逃げ出す.
表現 語感の小さい語は'살금살금'.
***슬기**〈名〉知恵. 句例 ~가 있다 知恵がある / 자랑스러운 조상의 ~ 誇らしい祖先の知恵.
***슬기-롭다** (→롭다)〈形〉賢い. 聡明だ. 賢明だ. 句例 슬기로운 사람 聡明な人 / 슬기롭게 행동하다 賢く振る舞う. **슬기로이**〈副〉賢く. 聡明に. 賢明に.
슬다 (스니, 슬어서) 一〈他〉(魚・虫などが)卵を産み付ける. 文例 나방이 나뭇잎에 알을 슬었다 が(蛾)が木の葉に卵を産み付けた.
二〈自〉さび(錆)が生じる. さびる. さびつく. 句例 빨간 녹이 ~ 赤いさびがつく.
슬라이더〈名〉〔野〕スライダー. ◇slider
슬라이드〈名〉(映写用の)スライド. ◇slide
슬라이딩〈名〉スライディング. 語例 ~ 캐치 スライディングキャッチ. ◇sliding
슬래브〈名〉スラブ. 語例 ~ 구조 スラブの構造. ◇slab
슬랙스〈名〉スラックス. ◇slacks
슬러 [sŭllŏ:]〈名〉〔樂〕⇨ 이음줄 ◇slur
슬럼〈名〉スラム. =빈민가(貧民街). 語例 ~가 スラム街. ◇slum
슬럼프〈名〉スランプ. =부진(不振). 句例 ~에 빠지다 スランプにおちいる / ~에서 벗어나다 スランプを脱する. ◇slump
슬레이트〈名〉スレート. 語例 ~ 지붕 スレートの屋根. ◇slate
슬로건 [sŭllo:gŏn]〈名〉スローガン. =표어. 강령. 句例 ~을 내걸다 スローガンをかかげる. ◇slogan
슬로-모션 [sŭllo:mo:syŏn]〈名〉スローモーション. ◇slow-motion
슬리퍼〈名〉スリッパ. 句例 ~를 신다 スリッパをはく. ◇slipper
슬리핑 백 [sŭlli:p'ing—]〈名〉スリーピングバッグ. シュラーフザック. =침낭(寢囊). ◇sleeping bag
슬며시〈副〉そっと. ひそかに. こっそりと. それとなく. なにげなく. 句例 ~ 만지다 そっと触る / ~ 빠져나가다 こっそり抜け出す / ~ 떠나다 ひそかに立つ.
슬슬 [sŭ:lsŭl]〈副〉❶ゆっくり動くさま: ゆっくり(と). そろそろ. ぼつぼつ. のろのろ. ゆるゆる. 句例 ~ 걷다 のろのろ(と)歩く. 文例 자, ~ 갈까 さあ, ぼつぼつ帰ろうか. ❷雪・氷・砂糖などが溶けるさま. ❸人をうまくだまし込んだり言いくるめたり, または, すかすさま: うまうまと. うまく. 言葉たくみに. 句例 ~ 구슬리다 うまくおだてあげる. ❹静かに風が吹くさま: かすかに. そよそよ. 句例 봄바람이 ~ 불다 春風が吹きそよぐ. ❺'슬금슬금'の略.
表現 語感の小さい語は'살살'.
슬쩍〈副〉❶(人が気づかぬ間に)素早く. こっそり. ちょろり. するり(と). 句例 방을 ~ 빠져나가다 部屋をこっそり(と)抜け出す / 매출금을 ~하다 売上金をちょろまかす. ❷たやすくやってのけるさま: すっと. さっと. 句例 ~ 지나가다 すっと通り過ぎる. ❸たやすく手なれて.
表現 語感の小さい語は'살짝'.
슬쩍-슬쩍〈副〉(続けて)素早く. こっそり. そっと. 軽く. 句例 남의 돈을 ~ 집어가다 人の金をちょいちょいとかすめ取る.
슬퍼-하다 (→하다)〈他〉悲しむ. 悲しがる. 嘆く. 句例 죽음을 ~ 死を悲しむ / 친구의 죽음을 ~ 友の死を嘆く. 對기뻐하다.
****슬프다** (슬프니, 슬퍼서)〈形〉悲しい. 句例 슬픈 이별〔이야기〕悲しい別れ〔話〕/ 어머니를 슬프게 하다 母を悲しませる / 야단을 맞고 슬퍼지다 しか(叱)られて悲しくなる / 슬픈 듯이 바라보다 悲しげに見つめる. 文例 슬프게도 그는 죽었다 悲しいことに, 彼は死んだ. 對기쁘다.
***슬픔**〈名〉悲しみ. 句例 ~에 잠기다 悲しみに沈む / ~으로 가슴이 찢어질 것 같은 느낌 悲しみで胸が張り裂けるような思い. 對기쁨.
슬피〈副〉悲しく. 句例 ~ 울다 悲しく泣く.
슬하【膝下】〈名〉膝下. ひざ元. 句例 부모의 ~를 떠나다 親のひざ元〔膝下〕を離れる / 조부님 ~에서 자라다 祖父のひざ元で育つ.
슴벅-거리다〈自他〉(目にごみなどが入って)しきりにまばたく〔ぱちぱちする〕. しょぼつく.
슴벅슴벅〈副・하自他〉ぱちぱち. しょぼしょぼ.
슴벅-이다 [sŭmbŏgida]〈自他〉まばたきする. 目がしょぼつく. しょぼしょぼさせる.

습 〔漢字項目〕

【拾】 中學 습 シュウ. 십 ジュウ. 一〔습〕줍다 拾う. ▌拾得 습득 しゅうとく. ▌收拾 수습 しゅうしゅう.
二〔십〕열 じゅう. '십'의 갖은자 十の大字. ▌拾萬 십만 じゅうまん.
【濕(湿)】 高校 습 シツ. 축축하다 湿る. 습기가 있다 湿り気がある. ▌濕氣 습기 しっけ. 濕度 습도 しつど. ▌多濕 다습 たしつ.
【習(習)】 中學 습 シュウ. ❶익히다 習う. ▌習得 습득 しゅうとく. 習字 습자 しゅうじ. ▌學習 학습 がくしゅう. 練習 연습 れんしゅう. ❷버릇 癖. 습관 習わし. ▌習慣 습관 しゅうかん. 習性 습성 しゅうせい. 習俗 습속 しゅうぞく. ▌風習 풍습 ふうしゅう. 常習 상습 じょうしゅう.
【襲】 高校 습 シュウ. ❶덮치다 襲う. ▌襲擊 습격 しゅうげき. 襲來 습래 しゅうらい. ▌空襲 공습 くうしゅう. 奇襲 기습 きしゅう. ❷물려받다 後を受け継ぐ. ▌襲爵 습작 しゅうしゃく. ▌世襲 세습 せしゅう.
습격【襲擊】〈名・하他〉襲撃. 句例 적의 ~을 받다 敵の襲撃にあう.

ㅅ

*습관【習慣】〈名〉習慣. 習わし. しきたり. 句例 ~이 되다 習慣になる / ~을 붙이다 習慣をつける / 일찍 일어나는 ~ 早起きの習慣 / 그 고장의 ~ その土地の習わし〔慣習〕/ 우리집의 ~ 我が家の習わし / ~을 지키다 習慣を守る.

*습기【濕氣】〈名〉湿気・しっけ. 湿り気. 句例 ~가 많다 湿気が多い / ~를 띠다 湿気を帯びる / ~가 차다 湿る. しけ(湿気)る. じめつく / ~찬 공기 湿った空気.

습도【濕度】〈名〉〔物〕湿度. 句例 ~가 높다 湿度が高い / ~ 40퍼센트 湿度四十パーセント.

습도-계【濕度計】〈名〉湿度計. 語例 모발 ~ 毛髪湿度計.

습득【拾得】〈名・하他〉拾得. 語例 ~물 拾得物 / ~자 拾得人. →줍다

습득【習得】〈名・하他〉習得. 句例 운전 기술을 ~하다 運転技術を習得する.

*습성【習性】〈名〉習性. 句例 밤새하는 ~ 夜ふかしの習性 / 동물의 ~을 조사하다 動物の習性を調べる.

습자【習字】〈名・하自〉習字. 手習い. 語例 펜~ ペン習字 / ~지 習字紙.

습작【習作】〈名・하自〉習作. エチュード. 句例 ~을 출품하다 習作を出品する.

습지【濕地】〈名〉湿地. 語例 ~ 식물 湿地植物.

습진【濕疹】〈名〉〔醫〕湿疹.

습-하다【濕—】[sŭp'ada]〈→하다〉〈形〉じめじめする. 湿っている. 湿っぽい. 句例 공기가 ~ 空気が湿っぽい.

승【乘】〈名・하他〉〔數〕乗. ❶['승법(乘法)'の略] 乗法. ❷'곱하기'の旧称.
表現 승법(乘法)は'곱하기''곱셈'の旧称.

승【僧】〈名〉〔佛〕❶僧. 僧侶. 坊主. ❷尼. 比丘尼.

승【升】〈依名〉⇨ 되

승 〔漢字項目〕

【乘(乗)】中學 승 ジョウ. ❶타다 乗る. 태우다 乗せる. ◨乘車 승차 じょうしゃ. 乘馬 승마 じょうば. ◨搭乘 탑승 とうじょう. ❷탈것 乗り物. ◨乘輿 승여 じょうよ. ❸사기 史記. 역사 책 歴史の書物. ◨史乘 사승 しじょう. 野乘 야승 やじょう. ❹불교의 법 仏教の法. ◨小乘 소승 しょうじょう. 大乘 대승 だいじょう. ❺곱하다 かける. 곱셈 掛け算. ◨乘法 승법 じょうほう. 乘除 승제 じょうじょ.

【僧(僧)】高校 승 ソウ. 중 僧. ◨僧尼 승니 そうに. 僧房 승방 そうぼう. ◨高僧 고승 こうそう. 破戒僧 파계승 はかいそう.

【勝(勝)】中學 승 ショウ. ❶이기다 勝つ. 적과 싸워 이기다 敵をまかす. ◨勝利 승리 しょうり. 勝敗 승패 しょうはい. ◨連勝 연승 れんしょう. 必勝 필승 ひっしょう ❷나다 勝る. 뛰어나다 優れている. ◨勝劣 승렬 しょうれつ. ◨殊勝 수승 しゅしょう. ❸경치가 좋다 景色がよい. ◨名勝 명승 めいしょう. 景勝 경승 けいしょう.

【升】高校 승 ショウ. ❶되 升. 용량의 단위 容量の単位. ◨一升 일승 いっしょう. ❷오르다 のぼる. ◨升堂 승당 しょうどう.

【承】中學 승 ショウ. ❶받들다 承る. ◨承服 승복 しょうふく. 承諾 승낙 しょうだく. ◨拜承 배승 はいしょう. ❷잇다 継ぐ. 계승하다 受け継ぐ. ◨繼承 계승 けいしょう. 傳承 전승 でんしょう.

【昇】高校 승 ショウ. ❶오르다 昇る. 上がる. ◨昇降 승강 しょうこう. 昇進 승진 しょうしん. ◨上昇 상승 じょうしょう. ❷올리다 上げる. ◨昇級 승급 しょうきゅう.

승강-구【昇降口】〈名〉昇降口. 句例 배의 ~ 船の昇降口.

승강-기【昇降機】〈名〉⇨ 엘리베이터

승강-이【昇降—】〈名・하自〉いざこざ. いさかい. 押し問答. もめ事. 文例 들어간다 못 들어온다로 ~를 계속했다 入れろ, 入れないで押し問答を続けた.

*승객【乘客】〈名〉乗客. 乗り手. 語例 버스 ~ バスの乗客.

승격【昇格】[sŭngkkyŏk]〈名・하自〉昇格. 格上げ. 句例 과로 ~하다 課に昇格する. 類 승진(昇進).

승계【承繼】〈名・하他〉承継. 継承.

승공【勝共】〈名・하自〉共産主義に打ち勝つこと.

승급【昇級】〈名・하自〉昇級. 語例 ~ 시험 昇級試験.

승급【昇給】〈名・하自〉昇給.

승기【勝機】〈名〉勝機. 句例 ~를 잡다 勝機をつかむ / ~를 놓치다 勝機を逸する.

승낙【承諾】〈名・하他〉承諾. 承知. 了承. 句例 ~을 얻다 承諾を得る. 語例 사후 ~ 事後承諾.

승냥이〈名〉〔動〕山犬.

승단【昇段】〈名・하自〉昇段. 句例 3단까지 ~하다 三段まで昇段する.

*승려【僧侶】[sŭngnyŏ]〈名〉僧侶. 僧. 句例 발심하여 ~가 되다 発心して僧侶になる.

승률【勝率】[sŭngnyul]〈名〉勝率. 句例 ~이 높다 勝率が高い.

*승리【勝利】[sŭngni]〈名・하自〉勝利. 句例 ~의 영관 勝利の栄冠 / ~를 얻다〔거두다〕勝利をえる〔収める〕/ ~를 결정짓다 勝利を決定づける. 語例 ~자 勝利者 / ~ 투수 勝利投手 / 대~ 大勝利. 對 패배(敗北).

*승마【乘馬】〈名・하自〉乗馬. 語例 ~복 乗馬服.

승무-원【乘務員】〈名〉乗務員. 乗組員.

승병【僧兵】〈名〉僧兵. =승군(僧軍).

승복【承服】〈名・하自〉承服. 文例 그 조건으로는 ~할 수 없다 そんな条件では承服しかねる. 對 불복(不服).

승복【僧服】〈名〉僧服. 僧衣・そうえ. 衣.

*승부【勝負】〈名・하自〉勝負. =승패(勝敗). 句例 ~가 나다 勝負がつく / ~를 내다 勝負をつける.

승부-차기【勝負—】〈名〉(サッカーの)PK戦.

승산【勝算】〈名〉勝算. 勝ち目. 勝ち味.

句例 ～이 있다 勝算がある / ～이 없다 勝ち目〔勝ち味〕がない.

승선【乘船】〈名・하自〉乗船. 語例 ～시키다 乗船させる. 對하선(下船).

승세【勝勢】〈名〉勝勢. 勝ち色. 句例 ～를 타서 추격하다 勝勢に乗じて追撃する. 對패세(敗勢).

승소【勝訴】〈名・하自〉勝訴. 句例 피고가 ～하다 被告が勝訴する. 對패소(敗訴).

승수【乘數】[sŭngssu]〈名〉〔數〕乗数. ＝곱수. 對피승수(被乘數).

승승-장구【乘勝長驅】〈名・하自〉戦勝の余勢を駆って一気に追い込むこと.

승용-차【乘用車】〈名〉乗用車.

승인【承認】〈名・하他〉承認. 句例 ～을 얻다 承認を得る / 신생 국가를 ～하다 新生国家を承認する. 語例 사후 ～ 事後承認. 類승낙(承諾).

승인【勝因】〈名〉勝因. 對패인(敗因).

***승자**【勝者】〈名〉勝者. ＝승리자. 句例 ～를 칭찬하다 勝者をたたえる / ～가 되다 勝者となる. 對패자(敗者).

***승전**【勝戰】〈名・하自〉戦勝. 勝ち戦. 語例 ～비 戦勝碑. 對패전(敗戰).

승전-고【勝戰鼓】〈名〉勝ち鼓. 句例 ～를 울리다 勝ち鼓を打ち鳴らす.

승제【乘除】〈名〉〔數〕乗除. 掛け算と割り算. 語例 가감 ～ 加減乗除.

***승진**【昇進】〈名・하自〉昇進. 句例 과장으로 ～하다 課長に昇進する. 對좌천(左遷).

승차【乘車】〈名・하自〉乗車. 語例 무임 ～ 無賃乗車. 對하차(下車).

승차-권【乘車券】[—kkwon]〈名〉乗車券.

***승패**【勝敗】〈名〉勝敗. 勝ち負け. 句例 ～를 다투다 勝敗を争う / ～를 내다 勝敗を決する. 類승부(勝負).

승화【昇華】〈名・하自〉昇華. 句例 정신의 ～ 精神の昇華 / 고전미로 ～되다 古典美に昇華される.

***시**【市】[shiː]〈名〉市. ❶地方自治体の一つ. 人口五万以上の都市形態となっている地域. 道の管轄下にある. ❷'특별시 特別市''광역시 広域市'の略. ❸'시청 市役所. 市庁'の略.
参考 自治体の道と同格で中央が直轄する 서울특별시 と釜山・大邱・大田・光州・仁川などの광역시がある. 市の管轄下に'구 区'を置き, 議決機関として各地方議会がある.

***시**【時】〈名〉❶時. ㉠時間の単位. ㉡時. 刻. 一昼夜の区分. 語例 오～ うま(午)の刻. ❷人の生まれた時刻. '오시(午時)'などと表す. 句例 오～에 태어나다 うま(午)の刻に生まれる.

***시**【詩】〈名〉❶詩. 句例 ～를 낭독하다 詩を朗読する. ❷⇨ 한시(漢詩)

시 [shiː]〈名〉〔樂〕シ. 長音階の第七音. ◇이 si

시〈感〉不満やとるに足りないという意を表わすとき出す語: ちぇ. なんだ. 文例 ～ 그까짓걸 가지고 ちぇ, それしきの事で.

시 〔漢字項目〕

【侍】 高校 시 ジ. シ. 높은 사람의 옆에서 시중들다 貴人のそばに仕える. 또, 그 사람 また, その人. ■侍從 시종 じじゅう. ■近侍 근시 きんじ. 內侍 내시 ないし.

【始】 中學 시 シ. ❶처음 始め. 시초 始まり. ■始祖 시조 しそ. 始終 시종 しじゅう. ■原始 원시 げんし. ❷시작하다 始める. ■始業 시업 しぎょう. ■創始 창시 そうし.

【市】 中學 시 シ. ❶장 市. ■市場 시장 しじょう. いちば. 市況 시황 しきょう. ❷시가 市街. ■市井 시정 しせい. 市街地 시가지 しがいち. ■都市 도시 とし. 城市 성시 じょうし. ❸지방 행정 구역의 하나 地方行政区域の一つ. ■市長 시장 しちょう. 市內 시내 しない. ■春川市 춘천시 チュンチョンし(市).

【施】 中學 시 シ. セ. ❶베풀다 施す. ■施療 시료 しりょう. 施主 시주 せしゅ. ■布施 보시 ふせ. ❷실제로 행하다 実際に行う. ■施工 시공 しこう. せこう. 施政 시정 しせい. 施行 시행 しこう.

【是】 中學 시 ぜ. ❶이 これ. この. ■是日 시일 この日. ■如是我聞 여시아문 にょぜがもん. ❷옳다 正しい. ■是非 시비 ぜひ. 是是非非 시시비비 ぜぜひひ. ❸바로잡다 正す. ■是正 시정 ぜせい. ❹옳게 여기다 正しいとする. 옳다고 여겨 온 것. 正しいと認めてきたこと. ■是認 시인 ぜにん. ■國是 국시 こくぜ. 社是 사시 しゃぜ.

【時】 中學 시 ジ. ❶때 時. ■時間 시간 じかん. 時日 시일 じじつ. ■同時 동시 どうじ. ❷당시 当時. 그 때 その時. ■時運 시운 じうん. 時勢 시세 じせい. ■往時 왕시 おうじ. ❸때때로 時時. 가끔 時折. ■時時 시시 じじ. ときどき. 時習 시습 じしゅう.

【矢】 高校 시 シ. 화살 矢. ■矢石 시석 しせき. ■弓矢 궁시 きゅうし. 嚆矢 효시 こうし.

【示】 中學 시 ジ. シ. ❶보이다 示す. 보게 하다 見せる. ■示威 시위 じい. ■明示 명시 めいじ. ❷지시하다 指図する. 알리다 知らせる. ■指示 지시 しじ. 默示 묵시 もくし. もくじ.

【視(視)】 中學 시 シ. ❶보다 見る. ■視覺 시각 しかく. 視野 시야 しや. ■遠視 원시 えんし. 近視 근시 きんし. ❷자세히 보아 살피다 注意して見る. ■視察 시찰 しさつ. ■監視 감시 かんし. 注視 주시 ちゅうし. ❸간주하다 …とみなす. ■敵視 적시 てきし. 重大視 중대시 じゅうだいし.

【試】 中學 시 シ. 시험 試験. 시험하다 試す. 해보다 やってみる. ■試驗 시험 しけん. 試射 시사 ししゃ. ■入試 입시 にゅうし. 追試 추시 ついし.

【詩】 中學 시 シ. ❶시 詩. ■詩歌 시가 しいか. しか. 詩人 시인 しじん. ■唐詩 당시 とうし. 敍事詩 서사시 じょじし. ❷오경의 하나 五経の一つ. 시경 詩経. ■詩書 시서 ししょ. ■毛詩 모시 もうし.

시가【市街】[shi:ga]〈名〉市街. 町. 通り. ストリート. 語例 ～지 市街地 / ～전 市街戦 / ～행진 市街行進.

***시가**【市價】[shi:kka]〈名〉市価. =시장 가격(市場價格). 句例 ～보다 3할 싸다 市価より三割安い / ～가 내려가다 市価が下がる.

***시가**【時價】[shikka]〈名〉時価. 句例 ～ 이상으로 팔리다 時価以上に売れる.

시가【詩歌】〈名〉詩歌. 文例 명월은 ～로 읊어지고 있다 明月は詩歌に詠まれている.

***시각**【時刻】〈名〉時刻. 時. タイム. 句例 ～을 알리다 時刻を知らせる / ～을 묻다 時刻をたずねる / 정확한 ～ 正確な時刻. 語例 예정 ～ 予定の時刻 / 도착 ～ 到着時刻.

시각【視角】[shi:gak]〈名〉視角. 句例 ～이 좁아지다 視角が狭くなる / ～을 바꾸어서 보다 視角を変えて見る. 類시점(視點).

시각【視覺】[shi:gak]〈名〉〔生〕視覚. 句例 ～을 잃다 視覚を失う. 語例 ～화 視覚化.

‡시간【時間】〈名〉■時間. ❶(ある長さを持つ)時. タイム. 句例 ～을 아끼다 時間を惜しむ / ～이 걸리다〔지나다〕時間がかかる〔すぎる〕/ ～이 없다 時間がない / 즐거운 ～을 지내다 楽しい時間をすごす. 文例 ～은 돈이다 時は金なり.

❷ある特定の時. 句例 돌아갈 ～ 帰る時間. 語例 식사 ～ 食事の時間 / 수학 ～ 数学の時間 / 근무 ～ 勤務時間.

❸時刻. 句例 약속 ～에 늦다 約束の時間におくれる. 文例 지금 ～을 알려 주시오 いまの時間を教えてください. 語例 ～ 엄수 時間厳守 / 기상〔취침〕～ 起床〔就寝〕時間.

■〈依名〉…時間. 六十分間. 句例 세 ～을 상영하는 대작 영화 三時間を上映する大作映画. 文例 하루에 여덟 ～ 일한다 一日に八時間働く. ▷→囲み記事 58

시간 강사【時間講師】[—ga:ngsa]〈名〉時間講師

시간-대【時間帶】〈名〉時間帯. 句例 통근 러시의 ～를 피하다 通勤ラッシュの時間帯を避ける.

***시간-표**【時間表】〈名〉時間表. ❶時間割り. ❷時刻表. 語例 열차 ～ 列車の時間表.

시객【詩客】〈名〉詩客. 詩人. =시인(詩人).

시-건방지다〈形〉小生意気だ. こしゃく(小癪)だ. 差し出がましい. しゃらくさい《俗》. 句例 시건방진 태도 こしゃくな態度 / 시건방진 녀석 小生意気なやつ.

‡시계【時計】〈名〉時計. 句例 ～를 맞추다 時計を合わせる / ～가 죽다〔서다・자다〕時計が止まる. 文例 네 ～는 2분쯤 빠르다〔덜 간다〕君の時計は二分ほど進んで〔遅れて〕いる. 語例 손목 ～ うで時計 / 탁상(卓上) ～ 置き時計 / ～ 바늘 時計の針 / 벽(壁)～ 柱時計 / ～ 불알《俗》. ～추(錘) 時計の振り子 / ～탑(塔) 時計台 / ～포(鋪) 時計屋 / 해～ 日時計.

시계【視界】[shi:gye]〈名〉視界. 視野. 句例 ～가 좁다 視界が狭い / ～가 트이다 視界がひらける / ～에 들어오다 視界に入る.

‡시골〈名〉田舎. ❶村. ひな(鄙). 句例 ～에는 드문 미인 田舎〔ひな〕にはまれな美人 / ～의 전원 풍경 田舎の田園風景. 文例 서울이라고 해도 여기는 ～입니다 ソウルといってもここは田舎です. 語例 ～길 いなか道 / ～ 사람 田舎者. 田舎の人 / ～말 田舎ことば / ～ 구석 片田舎. 對도시(都市). ❷故郷. 句例 ～의 양친 田舎の両親 / ～에 돌아가다 田舎〔国〕へ帰る. 語例 ～집 田舎家. 故郷の家.

시골-내기 [shigollaegi]〈名〉田舎育ち. 田舎者. 對서울내기.

시골-뜨기〈名〉田舎っぺ(え). お上りさん. たごさく(田吾作). いなかっぽ. =촌뜨기.

시골-티〈名〉田舎風. 山出し風情. =촌(村)티. 句例 ～가 나다 田舎びる. 田舎じみる. 田舎めく.

시공【施工】[shi:gong]〈名・하他〉施工. 語例 ～법 施工法.

시구【詩句】[shikku]〈名〉詩句. =싯귀(詩句). 句例 ～를 암송하다 詩句を暗誦する.

시구-식【始球式】[shi:gu—]〈名〉始球式.

시국【市國】[shi:guk]〈名〉市国. 都市国家. 語例 바티칸 ～ バチカン市国.

> 囲み記事 58
>
> ■ 시간 時間 ■
>
> **一般的な場合**
>
> 一日24時間を午前と午後に分け, おのおの午前1時, 午後1時というふうに12時間で表わす.
>
> 時の読み方 —— 固有語の数詞に時がつく.
>
> 1時 한시. 2時 두시. 3時 세시. 4時 네시. 5時 다섯시. 6時 여섯시. 7時 일곱시. 8時 여덟시. 9時 아홉시. 10時 열시. 11時 열한시. 12時 열두시.
>
> 分と秒の読み方 —— 漢字語の数詞に分と秒がつく.
>
> 1分 일분. 2分 이분. 3分 삼분. 4分 사분. 5分 오분. 6分 육분. 7分 칠분. 8分 팔분. 9分 구분. 10分 십분.
>
> 15分前 십오분 전. 17分 5秒 십칠분 오초.
>
> 午後9時20分 오후 아홉시 이십분.
>
> **二十四時間制で読む場合**
>
> 普通軍や官公庁では, 24時間制で読むのをならわしとしている. この場合, 時の読みかたが12時までは固有語の数詞で読むが, 13時からは漢字語の数詞で読むのが普通である.
>
> 2時45分 두시 사십오분. 6時7分 여섯시 칠분. 12時半 열두시 반. 14時20分 십사시 이십분. 23時45分 이십삼시 사십오분.
>
> **時間のいろいろな言いかた**
>
> 普通, 1時間より12時間までは固有語の数詞で表わすが, 13時間を越えては固有語の数詞と漢字語の数詞とが併用されている —— 학교까지 한 시간 반 걸렸다 学校まで1時間半かかった. 한 주간의 수업 시간은 삼십이〔서른 두〕시간이다 1週間の授業時間は32時間である.

ㅅ

시국【時局】〈名〉時局. 句例 중대한 ~에 대응하다 重大な時局に対応する. 語例 ~ 강연회 時局講演会 / ~ 불안 時局の不安.

시굴【試掘】[shi:gul]〈名・하他〉〔鑛〕試掘. 語例 ~권〔法〕試掘権.

시궁-창〈名〉下水のたまり. どぶ(溝). 句例 ~ 냄새가 나다 下水がにおう. どぶのにおいがする.

시그널〈名〉シグナル. ❶信号. 句例 ~을 보내다 シグナルを送る. 語例 ~ 뮤직 シグナルミュージック. ❷信号機. ◇signal

시극【詩劇】〈名〉詩劇.

시근-거리다〈自〉(満腹またはくやしさで)息をせ(急)かせる. あえ(喘)ぐ. 息をはずませる. 息を切らす.

시근시근〈副・하自〉しきりに息をはずませるさま: はあはあ. ふうふう.

시근-벌떡〈副・하自〉ひどくあえ(喘)ぐさま: あえぎあえぎ. 句例 ~ 뛰어오다 あえぎあえぎ駆けつける. **~거리다**〈自〉ひどくあえぐ.

시금-석【試金石】[shi:gŭmsŏk]〈名〉試金石. 句例 성패를 점치는 ~ 成否を占う試金石.

⁑**시금치**〈名〉〔植〕ほうれんそう.

시금털털-하다 (→하다)〈形〉酸っぱくて渋い.

시급【時急】〈名〉急. **~하다**〈形〉急だ. 急を要する. 緊急だ. 句例 시급한 조치 緊急な措置. 文例 ~을 요하는 문제다 急を要する事柄である. **~히** [shigŭp'i]〈副〉急に. 緊急に.

*__시기__【時期】〈名〉時期. 時. 句例 ~가 이르다 時期が早い / 중대한 ~ 重大な時期. 語例 ~ 상조 時期尚早.

시기【時機】〈名〉時機. タイミング. チャンス. ころあ(頃合)い. 句例 ~를 놓치다 時機を逸〔失〕する / ~를 엿보다 時機〔ころあい〕をうかがう. 文例 아직 그 ~가 아니다 まだその時機でない. 語例 ~ 도래 時機到来.

시기【猜忌】〈名・하他〉猜忌. そね(嫉)み. ねた(妬)み. =샘. 句例 재능 있는 사람을 ~하다 才能のある人をねたむ. 語例 ~심(心) 猜忌の念. 類질투.

*__시-꺼멓다__ [shikkŏmŏt'a] (시꺼머니, 시꺼머오)〈形〉真っ黒い. 真っ黒だ. 句例 시꺼먼 손 真っ黒な手 / 시꺼멓게 볕에 타다 真っ黒に日焼けする.
表現 語感の小さい語は'새까맣다', 語勢の激しい語は'시커멓다'.

시-꺼메지다〈自〉真っ黒くなる.
表現 語感の小さい語は'새까매지다'.

⁑**시끄럽다** (시끄러우니, 시끄러워서)〈形〉❶(音が)やかましい. 騒騒しい. うるさい. 騒がしい. かしま(姦)しい. 句例 시끄러운 소동 やかましい騒ぎ / 시끄럽게 짖어대는 개 うるさくほえたてる犬 / 텔레비전이 ~ テレビがやかましい / 마이크가 ~ マイクがうるさい / 세상이 ~ 世間が騒騒しい. 文例 ~, 조용히 해라 やかましい, 静かにしろ / 여기는 자동차 소리가 ~ ここは自動車の音がうるさい / 여자 셋이 모이면 ~ 女(が)三人寄ればやかましい. 語例 시끄러워지다 うるさくなる. やかましくなる.
❷面倒だ. 厄介だ. 句例 여론이 시끄러워지다 世論がうるさくなる. 文例 문제가 점점 시끄럽게 되어 간다 問題がますます面倒になっていく.

시끌시끌-하다 (→하다)〈形〉(気が乱れる程)騒騒しい. 騒がしい. やかましい. ごたごたしている. 句例 시끌시끌한 아이들 騒騒しい子供たち. 文例 세상이 왠지 모르게 ~ 世間がなんとなく騒騒しい / 여러 가지 문제로 회사가 ~ いろんな問題で会社がごたごたしている.

시나리오〈名〉シナリオ. 台本. =각본(脚本). 語例 ~ 작가 シナリオライター. ◇scenario

*__시내__ [shi:nae]〈名〉小川. せせらぎ. 流れ.

*__시내__【市内】[shi:nae]〈名〉市内. 句例 ~에 살고 있다 市内に住んでいる. 語例 ~ 전화 市内電話 / ~ 버스 市内バス. 對시외(市外).

시냇-가 [shi:naetka]〈名〉小川のほとり.

*__시냇-물__ [shi:naenmul]〈名〉小川の水. 渓流.

시너〈名〉〔化〕シンナー. ◇thinner

시네라리아〈名〉〔植〕シネラリア. サイネリア. ふうきぎく(富貴菊). ◇cineraria

시네라마〈名〉〔映〕シネラマ. ◇Cinerama

시네마〈名〉〔映〕シネマ. キネマ. ❶映画. ❷映画館. ◇cinema

시누【媤―】〈名〉'시누이'の略.

시-누이【媤―】〈名〉こじゅうとめ(小姑). 夫の姉妹. 略して'시(媤)누'ともいう. 語例 ~ 올케 こじゅうとめと兄嫁(または弟の妻).

시늉〈名〉まね(真似). 振り. しぐさ. そぶり. **~하다**〈自〉まねる. 振りをする. 句例 우는 ~을 하다 泣く振りをする. 泣きまねをする / 죽는 ~을 하다 死ぬ振りをする.

시니어〈名〉シニア. ❶年長者. 先輩. ❷上級生. ▷對주니어(junior). ◇senior

⁑**시다**〈形〉❶(味が)酸い. すっぱい. 句例 신맛이 나다 すっぱい味がする. 酸味がある. 文例 김치가 몹시 ~ キムチがとてもすっぱい.
❷(目が)まぶしい. まばゆい. 句例 헤드라이트가 눈에 ~ ヘッドライトがまばゆい.
❸(骨っ節がくじけて)ずきずきと痛む. ずきずきする. ずきんずきんする. 文例 발목이 시어서 제대로 걷지도 못한다 足首がずきずき痛んで, ろくに歩くこともできない.
❹(言行が)気にくわない. 気にさわる. 目に余る. 文例 눈꼴이 시어서 볼 수가 없다 目に余ってとても見てはいられない.

시달【示達】[shi:dal]〈名・하他〉示達. 達し. 句例 당국의 ~에 따라 そのすじのお達しにより.

*__시달리다__ ㊀〈自〉悩まされる. も(揉)まれる. さいな(苛)まれる. 苦しめられる. いじ(苛)められる. 句例 악몽에 ~ 悪夢にさいなまれる / 빚쟁이에게 ~ 債鬼に責められる / 양심의 가책에 ~ 良心の呵責にさいなまれる / 더위에 ~ 暑さに苦しめられる / 세상 풍파에 ~ 世の波風にもまれる / 골목 대장에게 ~ 餓鬼大将にいじめられる.
㊁〈他〉悩ます. 苦しめる. 文例 남을 시달리게 하는 것은 좋지 않다 人を苦しめるのはよくないことだ.

시답-잖다 [―chant'a]〈形〉['시답지 않다'の略] みすぼらしくて気にいらない. つまらない. もの足りない. 文例 그런 시답잖은 소리 작작 해라 そんなくだらないことぬかすな.

*시대【時代】〈名〉時代. 時世. 世の中. 世〔代〕. 句例 ～의 변천 時代の移り変わり / ～에 뒤떨어진 생각 時代おくれの考え / ～의 첨단을 가다 時代の先端を行く / 한 ～를 구획짓다 時代を画する / ～를 반영하다 時代を反映する. 語例 공룡 ～ 恐竜の時代 / 조선 ～ 朝鮮時代 / ～ 감각 時代感覚 / ～ 착오 時代錯誤. アナクロニズム / 황금 만능 ～ 黄金万能の時代.

*시댁【媤宅】〈名〉'시가(媤家)嫁ぎ先'の敬称.

시도【試圖】[shi:do]〈名〉試図. 試し. 試み. **～하다**〈他〉試図する. 試す. 試みる. 句例 등정을 ～해보다 登頂を試みる.

시동【始動】[shi:dong]〈名・하自他〉始動. 句例 ～을 걸다 始動をかける. 語例 엔진 ～ エンジン始動.

시-동생【媤同生】〈名〉夫の弟. 義弟.

시들다 (시드니, 시들어서)〈自〉❶(草木などが)しお(萎)れる. しぼ(萎)む. しな(萎)びる. 枯れる. 句例 꽃이 ～ 花がしおれる〔しぼむ〕/ 시든 배추 しなびた白菜 / 초목이 시든 겨울의 산 草木の枯れた冬山. ❷元気がなくなる. (気力などが)衰える. 弱る. (流行が)廃れる. 句例 권세가 ～ 権勢が衰える / 인기가 ～ 人気が廃れる.

*시들-시들〈副・하形〉ややしお(萎)れて生気のないさま: しおしお. くなくな.

*시들-하다 (→하다)〈形〉もの足りなくて気乗りがしない. 乗り気がしない. 気が進まない. 興味がない. 句例 시들한 얼굴 もの足りないといったような顔 / 시들한 표정 気乗り薄な表情. **시들히**〈副〉興味がなさそうに. もの足りなげに. つまらなさそうに.

시-디【CD】[shi:di:]〈名〉シーディー. コンパクトディスク. ◇compact diskの略.

시뜻-하다 [shittŭt'ada] (→하다)〈形〉❶けち臭くて気にくわない. ❷うんざりして嫌気がさす.

시래기〈名〉干葉. 懸け〔干し〕菜. ほした大根の茎と葉. 語例 ～죽으로 연명하다 干葉のかゆで生き延びる.

시럽〈名〉シロップ. 語例 과실(果實) ～ フルーツシロップ. ◇syrup

시렁〈名〉部屋の壁の上方に二本の棒を横たえて設置した物置き棚. 句例 ～에 얹다 棚に載せる.

*시력【視力】[shi:ryŏk]〈名〉視力. 句例 ～을 잃다 視力を失う / ～이 떨어지다〔약해지다〕視力が落ちる〔衰える〕. 語例 나안〔교정〕～ 裸眼〔矯正〕視力 / ～표 視力表.

*시련【試練】[shi:ryŏn]〈名・하他〉試練. 句例 인생의 온갖 ～에 견디다 人生のあらゆる試練にたえる / 호된 ～을 겪다 きびしい試練をへる.

시론【時論】〈名〉時論. その時代の世論.

시론【詩論】〈名〉詩論.

시료【試料】[shi:ryo]〈名〉〔化〕試料. サンプル.

시루〈名〉甑. 蒸し器. せいろ(う)(蒸籠). 絵 語例 ～떡 甑で蒸したもち. 蒸しもち.

〈시루〉

*시름〈名・하他〉心配. 憂い. 悩み. 句例 ～에 잠기다 憂いにしずむ / ～을 잊기〔달래기〕위해 술을 마시다 憂さ晴らしに酒を飲む. 類걱정.

시름-시름〈副〉病気が良くも悪くもならず長びくさま. 文例 ～ 앓다가 죽었다 長く患った末死んだ.

시름-없이 [shirŭmŏpshi]〈副〉ぼんやりと. 句例 ～ 생각에 잠기다 ぼんやりと物思いにふける.

**시리다〈形〉しびれるほど冷たい. 冷たく感じる. 句例 발이 시릴 만큼 차가운 물 足がしびれるほど冷たい水. 文例 얼음을 입에 넣으면 이가 ～ 氷を口に入れると歯にしみる.

시리즈 [shiri:jŭ]〈名〉シリーズ. 語例 명화 ～ 名画シリーズ / 월드 ～〔野〕ワールドシリーズ. ◇series

시립【市立】[shi:rip]〈名〉市立. 語例 ～ 병원 市立病院.

시말-서【始末書】[shi:malssŏ]〈名〉始末書. =전말서(顚末書). 句例 ～를 쓰다 始末書を書く.

*시멘트〈名〉セメント. セメン. 洋灰. =양회(洋灰). 句例 ～를 바르다 セメントを塗る. 語例 ～ 기와 セメントがわら(瓦) / ～ 콘크리트 セメン(ト)コンクリート. ◇cement

시무룩-하다 [shimuruk'ada] (→하다)〈形〉不満そうに無口でいる. 膨れている. むっつりしている. 仏頂面をしている. 句例 시무룩한 얼굴 むっつり(と)した顔. 文例 시무룩해져서 대답도 하지 않는다 膨れっ面をして返事もしない.

시무-식【始務式】[shi:mu—]〈名〉御用始め式. 對종무식(終務式).

시문【詩文】〈名〉詩文. 句例 ～에 뛰어나다 詩文にた(長)ける. 語例 ～ 서화 詩文書画.

시-문학【詩文學】〈名〉詩文学.

*시민【市民】[shi:min]〈名〉市民. 語例 ～권 市民権 / 서울 ～ ソウル市民 / ～ 대회 市民大会 / ～ 운동 市民運動 / ～ 혁명 市民革命.

시발【始發】[shi:bal]〈名・하自〉始発. 文例 ～은 여섯시다 始発は六時だ. 語例 ～역 始発駅 / ～ 열차 始発列車.

시방【時方】〈名・副〉(たった)今. 現在. 今しかた. =지금. 句例 ～으로서는 現在のところ. 文例 ～ 간다 今行くよ / 자네 ～ 뭐라고 했나? 君, 今なんと言ったんだい.

시방-서【示方書】[shi:bangsŏ]〈名〉仕様書.

시범【示範】[shi:bŏm]〈名・하他〉示範. 範を示すこと. 句例 남에게 ～을 보이다 他に範をたれる〔示す〕. 語例 ～ 경기 示範試合.

시보【時報】〈名〉時報. 句例 정오의 ～ 正午の時報.

시보【試補】[shi:bo]〈名〉試補. 語例 사법관 ～ 司法官試補.

시부렁-거리다〈自〉(くだらないことを)べちゃべちゃしゃべる. 無駄口をたたく. 句例 줄곧 ～ ひっきりなしにしゃべりたてる.
表現 語勢の強い語は'씨부렁거리다'.
시부렁시부렁〈副・하自〉べちゃべちゃ.

시-부모【媤父母】〈名〉 夫の父母. しゅうと(舅)としゅうとめ(姑).

*시비【是非】[shi:bi]〈名〉❶是非. 理非. よしあ

ㅅ

し. ＝잘잘못. 句例 ~를 가리다 是非を正す〔判断する〕/ ~를 논하다 是非を論じる. 文例 이런 일은 ~를 가리기가 참 어렵다 このような事は是非の判断がほんとうに難しい. 語例 ~곡직 是非〔理非〕曲直. ❷言い争い. いさかい《老》. **~하다**〈自〉言い争う.

시비(를) 걸다 文句をつける. けんかをふきかける.

시비【施肥】[shi:bi]〈名・하自〉施肥・しひ. ＝거름주기.

시비【詩碑】〈名〉詩碑.

시비-조【是非調】[shi:bitcho]〈名〉けんか腰. けちをつけてけんかをかけるような調子. 句例 ~로 말하다 けんか腰でいう / ~로 말을 걸다 けんか腰で言いかける.

***시-뻘겋다** [shippŏlgŏt'a]（시뻘거니, 시뻘거오）〈形〉真っ赤だ. 句例 시뻘건 핏자국 真っ赤な血のあと(痕).
表現 語感の小さい語は'새빨갛다'.

시-뻘게지다〈自〉真っ赤になる. 句例 얼굴이 ~ 顔が真っ赤になる.

시쁘다（시쁘니, 시뻐서）〈形〉もの足りない. 気にくわない. 不満だ. ＝시틋하다.

시사【示唆】[shi:sa]〈名〉示唆・じさ. ほのめかし. **~하다**〈他〉示唆する. ほのめかす. 句例 해결의 실마리를 ~하다 解決の糸口を示唆する / ~하는 바가 크다〔많다〕示唆に富む. 語例 ~적 示唆的.

시사【時事】〈名〉時事. 句例 ~를 논하다 時事を論じる. 語例 ~ 문제 時事問題 / ~ 만평 時事漫評.

시사【試寫】[shi:sa]〈名・하他〉試写. 語例 ~회 試写会.

시상【施賞】[shi:sang]〈名・하他〉授賞. 語例 ~식 授賞式.

시상【詩想】〈名〉詩想. 句例 ~이 떠오르다〔솟다〕詩想が浮かぶ〔わく〕/ ~을 가다듬다 詩想を整える.

시새다 [shisae:da]〈他〉'시새우다'の略.

시새우다〈他〉❶ねた(妬)む. そね(嫉)む. やく. 句例 공연스레 ~ なんでもないことでねたむ. ❷競う. 張り合う. 句例 시새워 공부하다 競って勉強する. ▷略して'시새다'ともいう.

시생-대【始生代】[shi:saeng—]〈名〉〔地〕始生代.

시서【詩書】〈名〉詩書. 詩集.

***시선【視線】**[shi:sŏn]〈名〉視線. まなざし《雅》. ＝눈길. 句例 차가운 ~ 冷たい視線 / ~이 마주치다 視線が合う / ~을 돌리다〔피하다〕視線をそらす〔避ける〕/ 남의 ~을 느끼다 人の視線を感じる.

시선【詩選】〈名〉詩選.

***시설【施設】**[shi:sŏl]〈名・하他〉施設. 句例 ~이 완비되다 施設が完備する. 語例 공공 ~ 公共施設 / 스포츠 ~ スポーツ施設 / 복지 ~ 福祉施設.

시성【詩聖】〈名〉詩聖. 語例 ~ 타고르 詩聖タゴール.

시세【時勢】〈名〉❶時勢. 時の勢い. 世のなりゆき. 句例 ~를 거스르다 時勢にさからう / ~에 따르다 時勢にながされる / ~에 뒤떨어지다 時勢に遅れる. ❷相場. 市価. 時価. 句例 ~의 오르내림 相場の上がり下がり / ~가 조금 내리다 相場が少し下がる. 語例 쌀 ~ 米相場 / 달러 ~ ドル相場.

시세(가) 닿다 値が時価に合う.

***시소** [shi:so:]〈名〉シーソー. ぎったんばっこん. 絵 語例 ~ 게임 シーソーゲーム. ◇seesaw

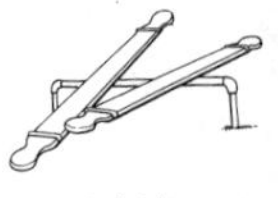
〈시소〉

***시속【時速】**〈名〉時速. 句例 ~ 80킬로미터로 달리다 時速八十キロで走る.

시술【施術】[shi:sul]〈名・하自他〉施術・せじゅつ.

시스템〈名〉システム. 句例 회사의 ~ 会社のシステム. 語例 온라인 ~ オンラインシステム. ◇system

시-시【CC, cc】[shi:shi:]〈名〉シーシー. 立方センチメートル. 句例 배기량이 2000 ~인 자동차 排気量が2000ccの自動車. ◇cubic centimeterの略.

시시-각각【時時刻刻】〈名・副〉時時刻刻. 刻一刻. 刻刻. 句例 ~ 변화하는 정세 時時刻刻変化する情勢 / ~으로 위험이 닥쳐오다 時時刻刻と危険が迫ってくる.

시시덕-거리다〈自〉はしゃぐ. 浮かれてしゃべりたてる.

시시-비비【是是非非】[shi:shi—]〈名・하自〉是是非非. 句例 ~의 입장을 관철하다 是是非非の立場を貫く. 語例 ~주의 是是非非主義.

시시-콜콜〈副・'하形〉深く穿鑿するさま: 根掘り葉掘り. 句例 ~ 캐묻다 根掘り葉掘り聞きただす. 類미주알고주알. **~히**〈副〉根掘り葉掘り.

시시-하다（→하다）〈形〉つまらない. くだらない. とるに足りない. ばからしい. 句例 시시한 영화〔배우〕つまらない映画〔俳優〕/ 시시한 질문 くだらない質問 / 평범하고 시시한 나날 平凡でつまらない毎日 / 듣기보다 ~ 聞いたよりもつまらない. 文例 정말 시시한 이야기다 実にばかげた話だ / 시시한 소리 마라 つまらないことを言うな.

시식【試食】[shi:shik]〈名・하他〉試食. 句例 요리를 ~해 보다 料理を試食して見る. 語例 ~회 試食会.

시-신경【視神經】[shi:—]〈名〉視神経.

시심【詩心】〈名〉詩心. 詩情. 詩興. 句例 ~이 일다 詩心が起こる.

시-아버지【媤—】〈名〉夫の父. しゅうと(舅).

시안【試案】[shi:an]〈名〉試案. 句例 ~으로서 발표하다 試案として発表する.

***시야【視野】**[shi:ya]〈名〉視野. 視界. 句例 ~가 트이다 視野がひらける / ~가 좁다 視野が狭い / ~를 가리다 視野をさえぎる / ~를 넓히다 視野を広める.

시약【試藥】[shi:yak]〈名〉〔化〕試薬.

***시-어머니【媤—】**〈名〉夫の母. しゅうとめ(姑).

시업【始業】[shi:ŏp]〈名・하自〉始業. 語例

～식 始業式．(對)종업(終業)．

시-에프【CF】[shi:ep'ŭ]〈名〉シーエフ．◇commercial filmの略．

시-엠【CM】[shi:em]〈名〉シーエム．[語例] ～송 シーエムソング．◇commercial messageの略．

시영【市營】[shi:yŏng]〈名〉市営．[語例] ～ 버스 市営バス／～ 주택 市営住宅．

시오-리【十五里】〈名〉一里半．[句例] 시오릿길을 걸어서 오다 一里半の道のりを歩いてくる．

[參考] '시오리'は'십오리(十五里)'の慣用音．

*시외【市外】[shi:oe]〈名〉市外．[語例] ～ 통화 市外通話．(對)시내(市內)．

시용【試用】[shi:yong]〈名・하他〉試用．[文例] 이것을 ～해 보자 これを使ってみよう．[語例] ～기간 試用期間／～품 試用品．

시운【時運】〈名〉時運．時の運．[句例] ～을 만나다 時運に遭う／～에 맡기다 時運にまかせる．[文例] ～을 잘 타고나서 성공하였다 時運に恵まれて成功した．

시-운전【試運轉】[shi:—]〈名・하他〉試運転．[句例] 새 차의 ～ 新車の試運転．

시원섭섭-하다 [—sŏpsŏp'ada] (→하다)〈形〉ほっとしながらも名残惜しい．せいせいしながらも心残りがする．[文例] 원고를 다 쓰고나니 ～ 原稿を書き終えたらせいせいしつつも名残惜しい気がする．

시원-스럽다 (→스럽다)〈形〉(言行が)さっぱり〔あっさり〕している．はきはきしている．(気分が)さわ(爽)やかだ．せいせいする．[句例] 옷차림이 ～ 身なりがさっぱりしている／시원스럽게 대답하다 はきはきと答える／눈매가 ～ 目もとがすずしい．[文例] 일하는 폼이 ～ 仕事ぶりがてきぱきしている．시원스레〈副〉さっぱりと．はきはきと．あっさりと．[句例] 시원스레 승낙하다 あっさりと承諾する．

시원시원-하다 (→하다)〈形〉はきはきして活発だ．てきぱきしている．さっぱりしている．[句例] 시원시원한 성격 あっさりした性格／시원시원한 태도 はきはき〔きびきび〕した態度．[文例] 일하는 동작이 ～ 働く動作がてきぱきしている．시원시원히〈副〉はきはきと．さっぱりと．てきぱきと．

시원-찮다 [—ch'ant'a]〈形〉かんばしくない．はかばか(捗捗)しくない．思わしくない．さ(冴)えない．すっきりしない．[句例] 시원찮은 성적 かんばしくない成績／병세가 ～ 病勢がはかばかしくない〔すっきりしない〕．[文例] 불경기로 팔림새가〔매상이〕～ 不景気で売れゆきが思わしくない．

[參考] '시원찮은 かんばしくない''시원찮고 かんばしくなくて'は[—ch'anŭn]，[—ch'ank'o]と読む．

＊＊시원-하다 (→하다)〈形〉❶(気候が)さわ(爽)やかだ．㉠すがすがしい．爽快だ．[句例] 새벽녘의 시원한 공기 朝明けのすがすがしい空気．㉡涼しい．涼やかだ．[句例] 시원한 가을 바람 涼しい秋の風．[文例] 요즘은 한결 시원해졌다 このごろはめっきり涼しくなった．
❷(気持ちが)すっきりする．さっぱりする．せいせい(清清)する．(痛みが去って)すっとする．[句例] 기분이 ～ 気分がせいせい〔すっきり〕する／두통이 나아서 ～ 頭痛が去ってすっとする．
❸(汁の味が)冷たくさわやかだ．あっさりしている．[句例] 시원한 음료 さわやかな飲み物／시원한 조개 국물 あっさりとした貝汁．
❹(言行が)明快だ．はきはきしている．[句例] 사람됨이 ～ 人となりがさわやかである．[文例] 시원한 대답을 못 얻었다 明快な答えが得られなかった．
❺(さえぎるものがなく)見晴らしがよい．[句例] 앞이 시원하게 탁 트인 전망대 前方がぱあっと開けた眺望のいい展望台．
시원히〈副〉すがすがしく．さわやかに．涼しく．あっさり(と)．はきはき．

시월【十月】〈名〉十月．[語例] ～ 혁명〔史〕十月革命．

[參考] '시월'は'십월(十月)'の慣用音．

시월 상달【十月上一】[—sa:ngttal]〈名〉〔民〕新穀を神に供えるのに一番いい月，すなわち陰暦の十月のこと．略して'상(上)달'ともいう．

[參考] '시월 상달'は'십월(十月) 상달'の慣用音．

시위【示威】[shi:wi]〈名・하自〉示威．デモ(ンストレーション)．[句例] ～ 행동으로 나오다 示威行動に出る／～ 행렬에 끼다 デモの行列に加わる．[語例] ～ 운동 示威運動．デモ(ンストレーション)／학생 ～ 学生のデモ．

시유【市有】[shi:yu]〈名〉市有．[語例] ～지 市有地．

시음【試飮】[shi:ŭm]〈名〉試飲．利き酒．～하다〈他〉試飲する．利き酒をする．[句例] 와인을 ～하다 ワインを試飲する／～한 술에 취하다 利き酒に酔う．

시-읍-면【市邑面】[shi:ŭmmyŏn]〈名〉市と邑と面《日本の市町村に当たる》．

시-의회【市議會】[shi:—]〈名〉市議会．[語例] ～ 의원 市議会議員．

시인【是認】[shi:in]〈名〉是認．～하다〈他〉是認する．認める．[句例] 자기의 잘못을 ～하다 自分のあやまちを是認する．(對)부인(否認)．(類)용인(容認)．

*시인【詩人】〈名〉詩人．[句例] ～들의 모임 詩人の集まり．

시일【時日】〈名〉時日．月日．日時．日どり．＝날짜．[句例] ～과 장소 日時と場所／～이 걸리다 日にちがかかる／많은 ～이 지나다〔흐르다〕多くの月日がたつ．[文例] ～은 추후에 알리기로 한다 時日は後に知らせることにする．[語例] 단～ 短時日．

＊＊시작【始作】[shi:jak]〈名〉始〔初〕め．始まり．手始め．序の口．～하다〈他〉始める．…し始める．…し出す．[句例] ～이 중요하다 始めが肝心だ／수업 ～을 알리는 벨소리 授業の始まりを知らせるベルの音／장사〔가게〕를 ～하다 商売〔店〕を始める／걷기 ～하다 歩き始める．歩き出す／비가 오기 ～하다 雨が降り出す／처음부터 다시 ～하다 初めからやりなおす．[文例] ～이 좋으면 끝도 좋다 始めよければ終わりよし／만남은 헤어짐의 ～이다 会うは

別れの始めなり / 무엇부터 ~할까요 何から始めましょうか / 이 정도의 더위는 아직 ~에 불과하다　これぐらいの暑さはまだ序の口にすぎない. [語例] ~되다 始まる. (對)종료(終了). 완료(完了).

시작이 반이다 始まりが半ばだ. 始まりがよければ半分終わった〔成功した〕も同然である.

시작【詩作】〈名・하自〉詩作. [句例] ~에 골몰하다 詩作にふける.

시작【試作】[shi:jak]〈名・하他〉試作. [句例] 신제품을 ~하다 新製品を試作する. [語例] ~품 試作品.

시장〈名〉空腹. ひもじさ. **~하다**〈形〉ひもじい. ひだるい. 腹がすいている. [句例] ~한 생각이 들다 ひもじい思いをする. [文例] ~해서 죽을 지경이다　おなかがすいて死にそうだ / ~하실 텐데 어서 잡수세요 おなかがすきましたんでしょう, どうぞ召し上がってください.

[表現] '시장하다'は'배가 고프다 腹がすいている' ≣ の上品な表現.

시장이 반찬 すき腹にまずいものなし. ひだるい時にまずいものなし.

시장【市長】[shi:jang]〈名〉市長. [語例] ~ 선거 市長選挙.

시장【市場】[shi:jang]〈名〉❶市場. 市. =저자. 장(場). [句例] ~에 가다 市場に行く / ~에 물건을 사러 가다 市場へ買い出しに行く. [語例] 야채 ~ 青物市場 / 어~ 魚市場 / 아침 ~ 朝市 / 벼룩 ~ のみの市. ❷〔經〕市場. [句例] 새로운 ~을 개척하다 新たな市場を開拓する. [語例] 금융 ~ 金融市場 / ~ 점유율 市場占有率. (マーケット)シェア / ~ 조사 市場調査. マーケットリサーチ.

시장(을) 보다 市場で買い物をする.

시장-기【一氣】[—kki]〈名〉空腹感. ひもじさ. [句例] ~를 느끼다 空腹をおぼえる〔感じる〕.

시재【時在】〈名〉持ち合わせの〔手持ちの〕金銭や穀物. [語例] 시잿돈 有り金. 手持ちの金. 手元金.

시재【詩才】〈名〉詩才. [句例] ~가 없다 詩才に乏しい.

시재【詩材】〈名〉詩材. =시료(詩料).

시적【詩的】[shitchŏk]〈名・冠〉詩的. [句例] ~인 아름다움〔표현〕 詩的な美しさ〔表現〕. (對)산문적(散文的).

***시절【時節】**〈名〉❶時節. 季節. 時候. =철. [句例] 꽃피는 ~ 花咲く季節. ❷時代. 時期. [句例] 학창 ~의 꿈 学生時代の夢 / 아직 냉장고가 없었던 ~ まだ冷蔵庫がなかった時代. [語例] 청년 ~ 青年時代 / 개구쟁이 ~ 腕白時代.

시점【時點】[shitchŏm]〈名〉時点. [句例] 현~에서의 최선책 現時点における最善策.

시점【視點】[shi:tchŏm]〈名〉視点. [句例] ~을 바꾸다 視点をかえる / ~이 다르다 視点が異なる. (類)관점(觀點).

***시접** [shi:jŏp]〈名〉縫い代. 縫い込み. [句例] ~을 많이 넣다 縫い代を深くする.

시정【市井】[shi:jŏng]〈名〉市井. ちまた(巷). 街. [句例] ~의 소문 ちまた〔世間〕のうわさ. [語例] ~배(輩). ~아치 市井の商人. (類)항간(巷間).

시정【市政】[shi:jŏng]〈名〉市政. [句例] ~을 담당하다 市政を担当する. [語例] ~ 개선 市政改善.

시정【是正】[shi:jŏng]〈名・하他〉是正. [句例] 불균형〔잘못〕을 ~하다 不均衡〔誤り〕を是正する.

시정【施政】[shi:jŏng]〈名・하自〉施政. [語例] ~ 방침 施政方針 / ~ 연설 施政演説.

시정【詩情】〈名〉詩情. 詩心. [句例] ~이 넘치는 편지 詩情にあふれる手紙 / ~을 돋우다

囲み記事 59

■ 시조(時調) ■

韓国固有の定型詩. 3장 三章で構成されているが, その基本型は, 초장 初章 3, 4, 4, 4, 중장 中章 3, 4, 4, 4, 종장 終章 3, 5, 4, 3になっている.
その種類としては, 평시조(平時調) 3章45字内外のもっとも基本的で代表的な시조型式のもの, 엇시조 終章の第一句を除いた句節の中の一つが基本型よりも長いもの, 사설(辭說)시조 二つの句節以上が長いものに分けられる.
また, 時代的区分によっては고시조(古時調), 신시조(新時調)などとも区別される.
この시조を歌詞にして시조창(唱), 단가(短歌)などとして吟じられている.

[歌 詞]

	〈古 文〉	〈現 代 文〉	
초장	동창(東窓)이 볽앗ᄂᆞ냐 노고지리 우지진다.	동창이 밝았느냐 노고지리 우지진다.	東の窓が白んだか ひばりさえずり鳴く
중장	소치ᄂᆞᆫ 아희들은 상긔 아니 니럿ᄂᆞ냐.	소치는 아희놈은 상기 아니 일었느냐.	牛飼いの童は いまだ起きざるか.
종장	재너머 ᄉᆞ래긴 바틀 언제 갈려 ᄒᆞᄂᆞ냐.	재넘어 사래긴 밭을 언제 갈려 하느니.	峠越えの畝の長い畑を いつ耕さんとするや.

《南九万(朝鮮朝中期の文臣)の古時調》

詩情をそそる.

시제【詩題】〈名〉詩題.

시제【試製】[shi:je]〈名・하他〉試製. 語例 ~품 試製品.

***시조**【始祖】[shi:jo]〈名〉始祖. 元祖. 句例 인류의 ~ 人類の始祖. 語例 ~새 始祖鳥.

시조【時調】〈名〉〔文〕時調. 高麗末から発達した韓国固有の定型詩. 句例 ~를 짓다 時調を作る / ~를 읊다 時調を詠じる. →囲み記事 59

시종【始終】[shi:jong] 始終. 終始. ■〈名・하自〉始めと終わり. 句例 고자세로 ~하다 高姿勢で終始する. 文例 활발한 토론으로 ~되었다 活発な討論に終始した.

■〈副〉始めから終わりまで. 句例 ~ 침묵을 지키다 終始沈黙を守る. 文例 회담은 ~ 평행선을 달렸다 会談は終始平行線をたどった.

시종【侍從】[shi:jong]〈名〉〔史〕侍従. 語例 ~장 侍従長.

시종-일관【始終一貫】[shi:jong—] 終始一貫. 首尾一貫. ■〈名・하他〉始めから終わりまで変わらないこと. 文例 경기중 ~하여 적극적인 전법을 썼다 ゲーム中, 終始一貫して積極的な戦法をとった.

■〈副〉始めから終わりまで変わらずに. 句例 ~ 태도를 바꾸지 않다 終始一貫, 態度を変えない.

시주【施主】[shi:ju]〈名・하他〉〔佛〕❶施主. 檀那. 檀越. ❷布施. 句例 절에 ~하다 寺にお布施をする.

***시중**〈名・하他〉[もとの語形は'수종(隨從)'] そば(側)でかしずく〔付き添う〕こと. 面倒〔厄介〕を見ること. 世話.

시중(을) 들다 かしずく. 付き添う. 面倒〔厄介〕を見る. 世話をする. 句例 환자의 시중을 들다 病人に付き添う. 病人の世話をする.

시중【市中】[shi:jung]〈名〉市中. 文例 수박이 일년 내내 ~에 나돌고 있다 すいかが一年中市中に出回っている. 語例 ~ 은행 市中銀行. 都市銀行 / ~ 판매 市中販売. 市販(略語).

시즌 [shi:jŭn]〈名〉シーズン. 句例 스키 ~ スキーシーズン / ~ 오프 シーズンオフ. ◇season

***시집**【媤—】〈名〉女性の婚家. 嫁入り先. 夫の家. =시가(媤家). 對친정.
表現 敬称は'시댁'.

시집(을) 가다 嫁ぐ. 嫁入りする. 嫁に行く. 句例 이웃 마을로 ~ 隣村に嫁ぐ.

시집(을) 보내다 嫁がせる. 嫁入りさせる. 片付ける. 句例 딸을 도시로 ~ 娘を都会に嫁入りさせる.

시집(을) 오다 嫁入りして婚家に入る.

시집【詩集】〈名〉詩集. 句例 ~을 내다 詩集を出す. 語例 하이네 ~ ハイネ詩集.

시집-살이【媤—】[—sari]〈名・하自〉❶嫁入り暮らし. ❷人の監督・干渉を受ける不自由な生活のたとえ.

시차【時差】〈名〉時差. 語例 ~제 출근 時差出勤.

시찰【視察】[shi:ch'al]〈名・하他〉視察. 句例 현지를 ~하다 現地を視察する. 語例 ~단 視察団.

시책【施策】[shi:ch'aek]〈名・하他〉施策. 句例 ~을 강구하다 施策を講じる / ~을 시행하다 施策を行なう. 語例 경제 ~ 経済施策.

***시청**【市廳】[shi:ch'ŏng]〈名〉市役所. 市庁. 略して'시'ともいう.

***시청**【視聽】[shi:ch'ŏng]〈名・하他〉視聴. 語例 ~료 視聴料.

시청각 교육【視聽覺教育】[shi:ch'ŏnggakkyo:yuk]〈名〉視聴覚教育.

시청-률【視聽率】[shi:ch'ŏngnyul]〈名〉視聴率. 句例 ~이 높다 視聴率が高い.

시청-자【視聽者】[shi:ch'ŏng—]〈名〉視聴者. 語例 ~ 참가 프로 視聴者参加番組.

시체【屍體】[shi:ch'e]〈名〉死体. 死骸. しかばね. =송장. 시신. 文例 조난자는 ~가 되어 발견되었다 遭難者は死体となって発見された.

시초【始初】[shi:ch'o]〈名〉初め. 始まり. 起こり. 出だし. 句例 싸움의 ~ けんかの始まり. けんかの起こり. 文例 그이도 ~에는 교사였다 彼も初めは教師だった.

시추【試錐】[shi:ch'u]〈名〉〔鑛〕試錐. ボーリング. 語例 ~기 試錐機.

시축【始蹴】[shi:ch'uk]〈名・하他〉(サッカーの)キックオフ.

시치다〈他〉仮縫いする. 仕付けをかける. ぐし縫いをする.

시치미〈名〉しら. とぼ(惚)け. そらとぼ(空惚)け. すっとぼけ. かまとと. ほおかぶ(頰被)り. 知らんぷり.

시치미(를) 떼다 とぼける. しらを切る. しらばくれる. そらとぼける. 猫をかぶる. ほおかぶりを決め込む. 文例 시치미를 떼도 증거는 나왔다 しらばくれても証拠はあがっている / 형편이 불리해지면 언제나 시치미를 뗀다 都合が悪くなるといつもほおかぶりを決め込む.

***시침**〈名〉❶'시치미'の略. ❷'시침질'の略. 語例 ~실 仕付け糸 / ~ 바늘 留め針. まち針 / ~ 바느질 仕付け. 仮縫い.

시침【時針】〈名〉時針. 短針.

시침-질〈名・하他〉仕付け. 仮縫い. 下縫い.

시-커멓다 [shik'ŏmŏt'a] (시커머니, 시커머오)〈形〉真っ黒だ. 真っ黒い. 句例 시커멓게 그을다 真っ黒けに日焼けする.
表現 語感の小さい語は'새카맣다'.

시-커메지다〈自〉真っ黒く〔に〕なる.

시큰-거리다〈自〉ずきずきうずく.

시큰시큰〈副・하形〉ずきずき. ずきんずきん.

시큰둥-하다 (→하다)〈形〉小生意気だ. こしゃく(小癪)だ. 目障りだ. 差し出がましい. 句例 시큰둥한 소리를 하다 生意気な口をきく / 시큰둥한 녀석 小生意気なやつ.

시큰-하다 (→하다)〈形〉骨節がしびれてじいんと〔ずきずき(と)〕痛む.
表現 語感の小さい語は'새큰하다'.

***시큼-하다** (→하다)〈形〉いやに酸っぱい.
表現 語感の小さい語は'새큼하다'.

시큼시큼〈副・하形〉とても酸っぱいさま.

****시키다**〈他〉させる. やらす. 行なわせる. 句例

공부를 ～ 勉強をさせる. [文例] 그일을 하나 시켜 볼까 その仕事を一つやらしてみようかな. ▷→囲み記事 60

-시키다 〈尾〉 名詞に付いて '…するようにする'の意を表わす: …せる. …させる. …さす. [語例] 입학〔퇴학〕～ 入学〔退学〕させる / 고생 ～ 苦労させる. 苦労をかける / 적을 항복～ 敵を降伏させる.

시트 [shi:t'ŭ] 〈名〉 (切手やベッドの)シート. [句例] ～를 씌우다 シートをかける. [語例] 우표 ～ 切手シート. ◇sheet

시판【市販】[shi:p'an]〈名・하他〉 市販. ＝시중(市中) 판매. [句例] ～하고 있는 제품 市販の製品 / ～되고있는 상품 市販されている商品.

시-퍼렇다 [ship'ŏrŏt'a] (시퍼러니, 시퍼러오) 〈形〉 ❶真っ青だ. [句例] 시퍼런 바다 真っ青な海. ❷(やいば(刃)が) 研ぎ澄まされて曇りがない. [句例] 시퍼렇게 날이 선 칼 研ぎ澄まされた刀. ❸(威勢などが)すごい. [句例] 서슬이 ～ ものすごい剣幕だ.

시-퍼레지다 〈自〉 真っ青になる.

시평【時評】〈名〉 時評. [句例] ～에 오르다 時評にのぼる. [語例] 사회 ～ 社会時評 / 문예 ～ 文芸時評.

시풍【詩風】〈名〉 詩風. [句例] 서정적인 ～ 叙情的な詩風.

시프트 〈名〉 (コンピューターの)シフト. けた送り. ◇shift
[参考] もとは移動・転換の意.

-시피 〈尾〉 '-다시피'を成す接尾語: …のごとく. …のように. [句例] 보시다～ 御覧のとおり〔ように〕. [文例] 애원하다～ 해서 빚을 냈다 泣きつくようにして借金をした.

시한【時限】〈名〉 時限. [句例] 정해진 ～까지 끝마치다 決められた時限までに済ます. [語例] ～ 폭탄 時限爆弾.

시합【試合】〈名・하自〉 試合. ＝경기(競技).

시해【弑害】[shi:hae]〈名・하他〉 弑逆. ＝시살(弑殺).

시행【施行】[shi:haeng]〈名・하他〉 施行. [語例] ～ 규칙 施行規則 / ～령 施行令 / ～되다 施行される.

시행 착오【試行錯誤】[shi:haengch'ago]〈名〉 試行錯誤. [句例] ～를 거듭하다 施行錯誤をくり返す.

***시험**【試験】〈名〉 試験. 試み. **～하다** 〈他〉 試験する. 試みる. [句例] ～을 보다〔치르다〕 試験を受ける / ～에 합격하다〔통과하다〕 試験にとおる / 품질을 ～하다 品質を試験する / ～삼아 해보다 試みにやってみる / ～에 합격되다 試験に受かる. [語例] 기말 ～ 期末試験 / 입사 ～ 入社試験 / ～ 공부 試験勉強.

> **囲み記事 60**
>
> ■ '시키다'と'식히다' ■
>
> 発音上ではともに[shikida]と発音されるが, 文の前後からはっきりと区別がつく.
>
> **시키다** させる —— 공부를 시키다 勉強をさせる. 청소만 시킨다 掃除だけさせる.
>
> **식히다** 冷やす —— 뜨거운 물을 식혀서 마시다 熱い湯を冷やして飲む.

***시험-관**【試験管】〈名〉 試験管.

시험-지【試験紙】〈名〉 ❶(試験の)答案用紙. ❷〔化〕 試験紙.

시화【詩畫】〈名〉 ❶詩と絵. ❷詩を書き入れた絵.

시황【市況】[shi:hwang]〈名〉 市況. [語例] 주식 ～ 株式市況.

시효【時效】〈名〉〔法〕 時効. [句例] ～가 성립하다 時効が成立する / ～에 걸리다 時効にかかる. [語例] ～ 소멸 時効の消滅.

***식**【式】〈名〉 式. ❶仕方. やり方. 風. 流. [文例] 그리는 ～이 다르다 描き方が違う / 이런 ～으로 해라 こんな風にやれ / 저이는 자기～으로 한다 あの人は自己流にする. ❷'의식(儀式)'の略. [句例] ～을 올리다 式を挙げる. [語例] 기념～ 記念式. ❸'산식(算式)'の略. [句例] ～을 세우다 式を立てる. [語例] 분자～ 分子式 / 방정～ 方程式.

-식【式】〈尾〉 …式. 方式を表わす語. [語例] 서양～ 西洋式 / 일본～ 日本式.

식 〔漢字項目〕

【式】 [中學] 식 シキ. ❶일정한 방식 一定のやり方. 꼴 形. ▮法式 법식 ほうしき. 格式 격식 かくしき. 新式 신식 しんしき. 舊式 구식 きゅうしき. ❷의식 儀式. ▮式辭 식사 しきじ. 式典 식전 しきてん. ▮卒業式 졸업식 そつぎょうしき. 結婚式 결혼식 けっこんしき. ❸산식 算式. ▮公式 공식 こうしき. 方程式 방정식 ほうていしき.

【息】 [高校] 식 ソク. ❶숨 息. 호흡 呼吸. ▮歎息 탄식 たんそく. 窒息 질식 ちっそく. ❷쉬다 休む. 휴식하다 憩う. ▮休息 휴식 きゅうそく. 安息 안식 あんそく. ❸그치다 やむ. 그만두다 やめる. ▮終息 종식 しゅうそく. ❹살다 生きる. 생존하다 生き続ける. ▮棲息 서식 せいそく. 消息 소식 しょうそく. ❺아이 子供. 아들 息子. ▮子息 자식 しそく. 令息 영식 れいそく. ❻이자 利子. ▮利息 이식 りそく.

【植】 [中學] 식 ショク. ❶심다 植える. ㉠초목을 심다 草木を植える. ▮植樹 식수 しょくじゅ. ▮移植 이식 いしょく. ㉡활자를 박아 짜다 活字を組む. ▮植字 식자 しょくじ. ▮誤植 오식 ごしょく. ㉢정착시키다 定着させる. ▮植民 식민 しょくみん. ▮入植 입식 にゅうしょく. ❷초목의 총칭 草木の総称. ▮植物 식물 しょくぶつ.

【識】 [中學] 식 シキ. 지 シ. シキ. ㊀〔식〕 ❶알다 知る. 분별하다 見分ける. 기억하다 覚える. ▮識字 식자 しきじ. 識別 식별 しきべつ. ▮博識 박식 はくしき. 意識 의식 いしき. ❷지식 知識. ▮識見 식견 しきけん. しっけん. ▮有識 유식 ゆうしき. 常識 상식 じょうしき.

㊁〔지〕 ❶표하다 しるす. 표 しるし. ▮標識 표지 ひょうしき. ❷금석 등에 음각한 문자 金石などに陰刻した文字. ▮款識 관지 かんし. かんしき.

【食(食)】 中學 식 ショク. ジキ. ❶먹다 食べる. ㉠음식물을 먹다 食べ物を食べる. ▮食用 식용 しょくよう. ▮肉食 육식 にくしょく. 斷食 단식 だんじき. ㉡거짓말하다 うそをつく. ▮食言 식언 しょくげん. ❷먹이 食べ物. ▮糧食 양식 りょうしょく. 主食 주식 しゅしょく. ❸녹 禄. 녹봉 禄俸. ▮食祿 식록 しょくろく. 食封 식봉 しょくほう. じきふ.

【飾(飾)】 高校 식 ショク. 꾸미다 飾る. 꾸밈 飾り. ▮飾言 식언 しょくげん. ▮服飾 복식 ふくしょく. 裝飾 장식 そうしょく. 虛飾 허식 きょしょく.

식객【食客】〈名〉食客・食客. 居候. 句例 친척 집에 ~으로 있다 親類の家に居候する.

식견【識見】〈名〉識見・識見. ＝견식(見識). 句例 높은 ~ 高い識見 / ~이 높은 사람 識見の高い人.

식곤-증【食困症】[—tchŭng]〈名〉食後, 気だるくなって眠気がさす症状.

⁑식구【食口】〈名〉 家族. ＝식솔(食率). 句例 ~를 부양하다 家族を養う / 다섯 ~ 五人家族.

식권【食券】〈名〉食券. 句例 ~을 사다 食券を求める.

식기【食器】〈名〉食器. 語例 ~장(欌) 食器戸棚.

⁑식다〈自〉冷める. 冷える. 句例 차가 ~ お茶が冷める / 열의가 ~ 熱意が冷える / 몸이 ~ からだが冷える / 애정이 ~ 愛情が冷える / 밥이 ~ 御飯が冷える.

***식단**【食單】〈名〉 献立. メニュー. ＝차림표. 句例 ~을 짜다 献立をつくる. 語例 ~표 献立表 / 저녁 ~ 夕食の献立.

⁑식당【食堂】〈名〉 食堂. 語例 대중 ~ 大衆食堂 / ~차 食堂車 / 구내 ~ 構内食堂.

식대【食代】〈名〉 食事代. 飯代. ＝식비(食費). 밥값.

식도【食道】〈名〉〔生〕食道. ＝밥줄.

식-도락【食道樂】〈名〉 食い道楽. 文例 그는 ~가(家)다 彼は食い道楽だ.

***식량**【食糧】[shingnyang] 〈名〉 食糧. 語例 ~난 食糧難 / ~ 부족 食糧不足 / 휴대 ~ 携帯食糧.

식료【食料】[shingnyo]〈名〉食料. 句例 ~로 이용되는 식물 食料に供せられる植物.

식료-품【食料品】[shingnyo—] 〈名〉 食料品. 語例 ~상 食料品商.

⁑식모【食母】[shingmo] 〈名〉 女中. 下女. 飯炊き.
参考 '가정부(家政婦)'のもとの呼び名.

식목【植木】[shingmok]〈名・하自〉植樹. 對 벌목(伐木).

식목-일【植木日】[shingmogil]〈名〉(韓国の)植樹の日. 植樹祭. すなわち, 四月五日.

***식물**【植物】[shingmul]〈名〉植物. 語例 귀화 ~ 帰化植物 / 약용 ~ 薬用植物 / ~유 植物油 / ~성 植物性 / ~ 인간 植物人間. 對 동물(動物).

식물-원【植物園】 [shingmurwon] 〈名〉 植物園.

식민-지【植民地】[shingminji]〈名〉植民地. 語例 ~ 정책 植民地政策. 植民政策 / ~화 植民地化.

식별【識別】〈名・하他〉識別. 句例 진위를 ~하다 真偽を識別する. 文例 어두워서 ~할 수 없다 暗くて識別できない.

식비【食費】〈名〉食費. 句例 ~를 줄이다 食費をきりつめる.

식빵【食—】〈名〉食パン.

식사【式辭】〈名〉 式辞. **~하다**〈自〉式辞を述べる.

⁑식사【食事】〈名〉 食事. **~하다**〈自〉食事する. 食事をとる. 句例 맛있는 ~ うまい食事. 語例 ~때 食事どき.
表現 目上には'식사'よりも'진지 お食事'が丁寧な言いかた.

***식-생활**【食生活】〈名〉食生活. 句例 ~을 개선하다 食生活を改善する.

식성【食性】〈名〉 ❶(食物にたいする)好み. 嗜好. 好き嫌い. 句例 ~이 까다롭다 好き嫌いがはげしい. ❷〔動〕食性. 動物のえさ(餌)に対する習性.

식솔【食率】〈名〉 家族. ＝식구(食口).

***식수**【食水】〈名〉 飲料水. 飲用水.

식수【植樹】〈名・하自〉 植樹. ＝식목(植木). 語例 기념 ~ 記念植樹.

식수-난【食水難】〈名〉水不足〔水飢饉〕による困難.

식순【式順】〈名〉 式次. 式次第. 句例 ~대로 진행되다 式次通りに進行する.

식식 [shi:kshik]〈副・하自〉息せくさま: はあはあ. **~거리다**〈自〉はあはああえぐ. 句例 ~거리며 달려오다 はあはああえぎながら走って来る.
表現 語勢の激しい語は'씩씩'.

식언【食言】[shigŏn]〈名・하自〉 食言. 文例 ~을 일삼다 食言を常とする.

식염【食塩】[shigyŏm] 〈名〉 食塩. ＝소금. 語例 ~수 食塩水.

식욕【食慾】[shigyok]〈名〉食欲. 食い気. 句例 왕성한 ~ 旺盛な食欲 / ~이 없다 食欲がない / ~을 돋우다 食欲をそそる. 語例 ~ 부진 食欲不振.

***식용**【食用】[shigyong]〈名・하他〉食用. 句例 ~이 되다 食用になる / ~으로 이용하게 하다 食用に供する. 語例 ~ 작물 食用作物 / ~ 버섯 食用菌.

식용-유 【食用油】 [shigyongnyu] 〈名〉 食用油. 略して'식유(食油)'ともいう.

***식은-땀** [shigŭn—]〈名〉❶からだが衰弱して病的に出る汗. ❷冷や汗. 句例 ~을 흘리다 冷や汗をかく.

식은-죽【—粥】[shigŭn—]〈名〉冷めて食べやすくなったかゆ(粥).
식은죽 먹기 (冷めたかゆを食べるような)たやすいこと. 朝飯前.
식은죽 먹듯 いたってたやすく. 平気で.

식음【食飮】[shigŭm]〈名・하他〉飲み食い. 飲食.
식음을 전폐(全廢)하다 飲み食いを全然しない. 全く食を断つ. 文例 식음을 전폐하고 누웠

다 食を断って〔一切のものを口にせず〕寝込んだ.

식이【食餌】[shigi]〈名〉食餌. 語例 ～ 요법 食餌療法. 食事療法.

식인-종【食人種】[shigin—]〈名〉食人種.

식자【植字】〈名・하他〉〔印〕植字. 語例 ～공 植字工.

식자【識者】〈名〉識者. 句例 ～에게 의견을 묻다 識者に意見をきく.

식자 우환【識字憂患】[—u:hwan]〈名〉文字を知っていることがかえって憂いをもたらすと言うことば.

식장【式場】〈名〉式場. 句例 ～에 가다 式場に行く. 語例 결혼 ～ 結婚式場.

식전【式典】〈名〉式典. =의식(儀式). 句例 ～을 거행하다 式典を挙行する. 語例 기념 ～ 記念の式典.

식전【食前】〈名〉❶朝食(の)前. 朝っぱら. 朝方. 文例 ～부터 어디에 가느냐 朝っぱらからどこへ出かけるんだ. ❷食前. 句例 ～에 약을 먹다 食前に薬を飲む. 對식후(食後).

식-중독【食中毒】〈名〉〔醫〕食中毒. 食あたり.

식지【食指】〈名〉⇨ 집게손가락

식체【食滯】〈名〉〔韓醫〕食滞. 食もたれ.

***식초**【食醋】〈名〉食酢. 酢. =초. 句例 사과 ～ りんご酢 / 쌀～ 米酢.

参考 '양초 ろうそく'と区別していうことば.

식충 식물【食蟲植物】[—shingmul]〈名〉〔植〕⇨ 벌레잡이 식물

식충-이【食蟲—】〈名〉ごくつぶし. 能無し. = 밥벌레. 文例 이 ～야 このごくつぶし.

식-칼【食—】〈名〉包丁. 出刃包丁. でば《略語》.

식탁【食卓】〈名〉食卓. ちゃぶ台. 飯台. 句例 ～에 둘러 앉다 食卓をかこむ. 語例 ～보 テーブルクロス.

***식품**【食品】〈名〉食品. 食料品. 句例 영양가가 높은 ～ 栄養価の高い食品. 語例 ～ 위생 食品衛生 / ～ 첨가물 食品添加物 / 냉동 ～ 冷凍食品 / ～ 매장 食品売り場.

식품-점【食品店】〈名〉食料品店.

식해【食醢】[shik'ae]〈名〉⇨ 생선젓

식혜【食醯】[shik'ye]〈名〉もち米やうるち(粳)で飯を炊き, 麦芽粉を浸してこ(漉)した水を注いで甘っぽく醸した食べ物. 甘酒. =감주(甘酒).

식후【食後】[shik'u]〈名〉食後. 句例 ～에 가볍게 산책하다 食後に軽く散歩する. 對식전(食前).

***식히다** [shik'ida]〈他〉冷やす. 冷ます. 句例 더운 물을 ～ お湯を冷ます / 머리를 ～ 頭を冷やす / 열을 ～ 熱を冷ます. ▷→囲み記事 60

***신**[1]〈名〉履物の総称. =신발. 句例 ～을 신다 履物を履く / ～을 벗다 履物を脱ぐ / ～을 닦다 靴を磨く. 語例 가죽～ 革靴 / 고무～ ゴム靴 / 짚～ わらじ(草鞋). わらぐつ(藁沓).

신 신고 발바닥 긁기 履物をはいて足の裏をかく. 隔靴掻痒の感.

신을 거꾸로 신고 나가다 履物をかかとの方につっ掛けて出る. 懐かしい人がきてうれしさのあまり急いであたふたと出迎えることのたとえ.

신[2]〈名〉得意〔意気揚揚〕になること. 浮き浮きすること. 調子に乗ること.

신(이) 나다 得意になる. 浮かれる. 調子に乗る. うれしくなる. 句例 신나는 일 うれしいこと. すてきなこと / 신이 나서 이야기하다 得意になって話す / 경기에 이겨서 신이 나다 試合に勝って浮かれる.

신에 붙잖다 気に入らない. 気にくわない.

***신**【神】〈名〉❶神. 句例 ～의 섭리 神の摂理 / 전지 전능한 ～ 全知全能の神 / ～에게 빌다 神に祈る. ❷'귀신'の略. ❸〔宗〕⇨ 하느님

신(이) 내리다 みこ(巫女)に神霊が乗り移る. 神懸かりになる.

신(이) 들리다 神懸かりになる. 霊的存在につかれる.

表現 凝り性や技量が並外れた場合に使う. 피아노를 치는 모양이 신 들린 것 같이 보였다 ピアノを弾いているのがものにつかれたように見えた.

신 [shi:n]〈名〉シーン. =장면. 語例 러브 ～ ラブシーン / 라스트 ～ ラストシーン. ◇scene

신-【新】〈頭〉'新しい・新たな'の意: 新…. 語例 ～세계 新世界 / ～사상 新思想 / ～대륙 新大陸. 對구-(舊).

신 〔漢字項目〕

【伸】 高校 신 シン. ❶펴다 伸ばす. 펴지다 伸びる. ■伸縮 신축 しんしゅく. 伸張 신장 しんちょう. ■屈伸 굴신 くっしん. 延伸 연신 えんしん. ❷진술하다 述べる. ■追伸 추신 ついしん.

【信】 中學 신 シン. ❶미쁘다 信頼するに足りる. ■信實 신실 しんじつ. 信義 신의 しんぎ. ■背信 배신 はいしん. ❷믿다 信じる. 의심하지 않다 疑わない. ■信任 신임 しんにん. 信念 신념 しんねん. ■確信 확신 かくしん. 篤信 독신 とくしん. ❸소식 便り. 편지 手紙. ■信號 신호 しんごう. 信書 신서 しんしょ. ■電信 전신 でんしん. 通信 통신 つうしん.

【愼(慎)】 高校 신 シン. 삼가다 慎む. 과오가 없도록 조심하다 間違いのないように用心する. ■愼重 신중 しんちょう. ■謹愼 근신 きんしん. 戒愼 계신 かいしん.

【新】 中學 신 シン. ❶새롭다 新しい. 새것 新しいもの. ■新刊 신간 しんかん. 新舊 신구 しんきゅう. ■斬新 참신 ざんしん. 溫故知新 온고지신 おんこちしん. ❷새롭게 하다 新しくする. 改める. ■一新 일신 いっしん. 革新 혁신 かくしん.

【晨】 高校 신 シン. 새벽 暁. 샐 녘 明けがた. ■晨明 신명 しんめい. 晨星 신성 しんせい. ■早晨 조신 そうしん. 清晨 청신 せいしん.

【申】 中學 신 シン. ❶지지(地支)의 아홉째 十二支の第九. ■庚申 경신 こうしん. かのえさる. ❷진술하다 述べる. 아뢰다 申し上げる. ■申告 신고 しんこく. 申請

신청 しんせい. ◧上申 상신 じょうしん. 内申 내신 ないしん.

【神(神)】中學 신 シン. ジン. ❶신 神. ◧神佛 신불 しんぶつ. 神學 신학 しんがく. ◧鬼神 귀신 きしん. きじん. 敬神 경신 けいしん. ❷혼 魂. 마음 心. ◧神氣 신기 しんき. 神經 신경 しんけい. ◧精神 정신 せいしん. 失神 실신 しっしん. ❸영묘하다 霊妙だ. 신비스럽다 人知で計り知れない. ◧神祕 신비 しんぴ. 神通力 신통력 じんずうりき. じんつうりき.

【臣】中學 신 シン. ジン. 임금을 섬겨 벼슬하는 사람 主君に仕える人. ◧臣下 신하 しんか. 臣民 신민 しんみん. ◧君臣 군신 くんしん. 忠臣 충신 ちゅうしん. 大臣 대신 だいじん. 文臣 문신 ぶんしん.

【身】中學 신 シン. ❶몸 身. 신체 からだ. ◧身體 신체 しんたい. 身長 신장 しんちょう. ◧全身 전신 ぜんしん. 裸身 나신 らしん. ❷몸소 自ら. 자신 自分. ◧身上 신상 しんじょう. ◧獻身 헌신 けんしん. 修身 수신 しゅうしん.

【辛】中學 신 シン. ❶맵다 辛い. ◧香辛料 향신료 こうしんりょう. ❷고되다 つらい. 괴롭다 苦しい. ◧辛苦 신고 しんく. 辛酸 신산 しんさん. ❸십간의 제팔위 十干の第八. ◧辛酉 신유 しんゆう. かのととり.

신【辰】⇨ 진【辰】

신간【新刊】〈名・하他〉新刊. 語例 ～ 서적 新刊書 / ～ 안내 新刊案内.

신검【身檢】〈名〉'신체 검사 身体検査'の略.

신격-화【神格化】[shinkkyŏk'wa]〈名・하他〉神格化. 神化. 句例 사람을 ～하다 人を神格化する. 語例 ～되다 神格化される.

*__신경__【神經】〈名〉〔生〕神経. 句例 ～이 날카롭다 神経がするどい / ～을 건드리다 神経にさわる / ～을 곤두세우다 神経をとがらす. 語例 운동 ～ 運動神経 / 무～ 無神経 / ～ 과민 神経過敏 / ～전 神経戦 / ～ 안정제(安定劑) 神経鎮静剤.

신경(을) 쓰다 神経を使う. 気にする. 句例 남의 일에 ～ 他人のことに神経を使う.

신경 쇠약【神經衰弱】〈名〉〔醫〕神経衰弱.

신경-질【神經質】〈名〉神経質. 句例 ～을 부리다 神経を高ぶらせる / ～적인 아이 神経質な子供.

신경-통【神經痛】〈名〉〔醫〕神経痛. 句例 ～을 앓다 神経痛を病む.

*__신고__【申告】〈名〉申告. 届け. **～하다**〈他〉申告する. 届ける. 届け出る. 申し出る. 句例 경찰에 ～하다 警察に届ける / 세관에 ～하다 税関に申告する. 語例 ～ 납세 申告納税 / 녹색(綠色) ～ 青色申告 / ～서 申告書 / 출생 ～ 出生届け.

신고【辛苦】〈名〉辛苦. 辛労. 難儀. **～하다**〈自〉辛苦する. 骨折る. 句例 ～를 맛보다〔겪다〕辛苦をなめる. 語例 간난 ～ 艱難辛苦.

신곡【新曲】〈名〉新曲. 句例 ～을 발표하다 新曲を発表する.

신곡【新穀】〈名〉新穀. 新米. ＝햇곡식.

신-골 [shinkkol]〈名〉靴型. 足型. 履物を作るのに用いる型.

신관【新館】〈名〉新館. 句例 ～ 2층의 연회장 新館二階の宴会場. 對구관(舊館).

신교【新教】〈名〉〔基〕新教. プロテスタント. ＝개신교(改新教). 프로테스탄트. 語例 ～도 新教徒. 對구교(舊教).

신-구【新舊】〈名〉新旧. 句例 ～ 세대의 교체 新旧世代の交替.

신규【新規】〈名〉新規. 句例 ～로 가입하다 新規に加入する. 語例 ～ 채용 新規採用.

신극【新劇】〈名〉新劇. 語例 ～ 운동 新劇運動.

신기【神技】〈名〉神技. 神業. 句例 ～에 가까운 솜씨 神業に近い腕前.

⁑__신기다__〈他〉'신다 履く'の使役形: 履かせる. 句例 신을 ～ 履物を履かせる. 對벗기다.

*__신-기록__【新記錄】〈名〉新記録. 句例 ～을 수립하다 新記録を樹立する. 語例 세계 ～ 世界新記録.

신기-롭다【新奇―】(→롭다)〈形〉⇨ 신기하다

신기-루【蜃氣樓】[shiːn-giru]〈名〉蜃気楼. 句例 ～가 나타나다 蜃気楼が現れる.

신기-스럽다【新奇―】(→스럽다)〈形〉⇨ 신기하다

*__신기-하다__【新奇―】(→하다)〈形〉新奇だ. 目新しい. もの珍しい. 句例 신기하게도 新奇にも / 신기한 듯이 보다 もの珍しそうに見る / 신기한 것을 좋아하다 新奇なものを好む.

⁑__신-나다__ ⇨'신²'の小項目

신년【新年】〈名〉新年. 新春. ＝새해. 語例 근하 ～ 謹賀新年. 對구년(舊年).

*__신념__【信念】[shiːnnyŏm]〈名〉信念. 句例 ～이 있다 信念がある / ～을 가지다 信念を持つ / 필승의 ～ 必勝の信念.

⁑__신다__ [shintta]〈他〉履く. 句例 구두를 ～ 靴を履く. 對벗다.

신-대륙【新大陸】〈名〉新大陸. 新世界. 對구대륙(舊大陸).

신데렐라〈名〉シンデレラ. 句例 ～의 유리 구두 シンデレラのガラスの靴. ◇Cinderella

신도【信徒】[shiːndo]〈名〉信徒. 信者. 宗徒. ＝신자(信者).

신동【神童】〈名〉神童.

신랄-하다【辛辣―】[shillal―](→하다)〈形〉辛辣だ. 句例 신랄한 비평 辛辣な批評. **신랄히**〈副〉辛辣に.

신랑【新郎】[shillang]〈名〉新郎. 花婿. 語例 ～감 婿がね / ～ 신부 新郎新婦. 對신부(新婦).

*__신령__【神靈】[shillyŏng]〈名・하形〉❶〔民〕神霊. 神. 略して'영(靈)'ともいう. 語例 ～님 神様 / 산～ 山神・やまつみ. ❷いとも霊妙なこと. 句例 ～한 하느님의 조화 霊妙な天〔神〕の造化.

신로-심불로【身老心不老】[shillo―]〈名〉身は老いても心はまだ老いていないこと.

신록【新綠】[shillok]〈名〉新緑. 句例 ～의 계절 新緑の季節 / ～이 무르녹는 초여름 新緑したたる初夏.

表現 '～지절(之節) 新緑の候'などの表現で ≣ 手紙を書くとき, 時候のあいさつとして

≣ も使われる.

신뢰【信賴】[shi:lloe]〈名・하他〉信頼. 句例 ～를 배반하다 信頼を裏切る / ～하기에 충분하다 信頼するに足りる / ～할 수 있다 信頼できる / ～에 답하다 信頼にこたえる. 語例 ～성 信頼性 / ～감 信頼感. 類신용(信用).

신-맛〈名〉酸味. 句例 ～이 나는 음식 酸味のある食べもの.

신망【信望】[shi:nmang]〈名〉信望. 句例 ～이 두텁다 信望が厚い / ～을 얻다 信望を得る.

신명〈名〉わ(湧)き起こる興. 興趣. 上機嫌.

신명(이) 나다 興がわく. 興に乗じる〔乗る〕. 上機嫌になる.

신명(을) 내다 興をわかす.

신명【身命】〈名〉身命. 句例 ～을 바치다 身命をなげうつ / ～을 걸고 수행하다 身命をと(賭)して遂行する.

신명【神明】〈名〉神明. 神. 略して'신(神)'ともいう. 句例 천지 ～에게 맹세하다 天地神明に誓う.

신문【訊問】[shi:nmun]〈名・하他〉尋問. 句例 용의자를 ～하다 容疑者を尋問する.

****신문**【新聞】〈名〉新聞. 句例 ～에 나다 新聞に出る / ～에 실리다 新聞に載る / ～을 구독하다 新聞をとる. 語例 ～ 기자 新聞記者 / ～사 新聞社 / ～ 대금 新聞代 / ～ 배달 新聞配達.

신문-고【申聞鼓】〈名〉〔史〕朝鮮朝に, 王宮の門楼につ(吊)るして, 民が直訴するときにたたかせた太鼓.

****신문-지**【新聞紙】〈名〉新聞紙. 略して'신문'ともいう. 句例 헌 ～ 古新聞紙 / ～로 싸다 新聞紙にくるむ. 新聞紙で包む.

신-문학【新文學】〈名〉〔文〕新文学. 1894年の甲午更張以後に開化思想の影響を受けて起こった新しい形式の文学. 古代文学と現代文学の過渡期の文学に当たる. →신소설

신-물〈名〉❶〔生〕虫ず. 句例 ～이 올라오다 虫ずが走る. ❷こりごりして嫌気がさすこと. 句例 ～이 나다(→小項目)

신물(이) 나다 虫ずが走る. こりごりする. うんざりする. 文例 생각만 해도 신물이 난다 考えただけでも虫ずが走る.

신-민요【新民謠】[—minyo]〈名〉〔樂〕朝鮮朝の末期以後に新しくうたわれた民謡. '아리랑' '태평가(太平歌)' '노들강변'など. =근대요(近代謠).

신-바닥 [—ppadak]〈名〉履物の底. 靴底.

신-바람 [—pparam]〈名〉⇨ 어깻바람

****신발**〈名〉'신 履物'のこと. 句例 ～을 신다 履物を履く.

신변【身邊】〈名〉身辺. 身のまわり. 身近. 句例 ～을 정리하다 身辺を整理する. 文例 그의 ～에는 항상 경호원이 붙어 있다 彼の身辺にはいつも護衛の人がついている. 語例 ～ 잡기 身辺雑記.

신병【身柄】〈名〉身柄. 句例 ～을 인수하다 身柄を引きとる / ～을 맡다 身柄を預かる.

신병【身病】〈名〉 身の病. 病気. 句例 ～을 핑계삼아 결석하다 病気にかこつけて欠席する.

신병【新兵】〈名〉新兵. 句例 ～을 모집하다 新兵を募集する. 對고참병.

신봉【信奉】[shi:nbong]〈名・하他〉信奉. 句例 자유주의를 ～하다 自由主義を信奉する. 語例 ～자 信奉者.

신부【神父】〈名〉 (カトリックの)神父. 句例 ～가 되다 神父となる.

신부【新婦】〈名〉新婦. 花嫁. 語例 신붓감 嫁がね / 신랑 ～ 新郎新婦. 對신랑(新郎).

신분【身分】〈名〉身分. 句例 ～이 높다 身分が高い / ～에 걸맞는 대우 身分相応の待遇 / ～을 밝히다 身分を明かす / ～을 감추다 身分を隠す. 語例 ～법 身分法 / ～증. ～ 증명서 身分証明書.

신불【神佛】[shi:nbul]〈名〉神仏. 神と仏. 句例 ～에 참배하다 神仏に参詣する.

***신비**【神秘】〈名・하形〉神秘. 句例 ～의 베일 神秘のベール / 대자연의 ～ 大自然の神秘. 語例 ～적 神秘的 / ～경 神秘境 / ～에 싸여 있다 神秘に包まれている. **～스럽다** (→스럽다)〈形〉神秘的だ. =신비롭다. 句例 ～스러운 우주 神秘的な宇宙.

신빙【信憑】[shi:nbing]〈名・하他〉信憑. 文例 이 데이터는 ～할 만하다 このデータは信憑するに足りる.

신빙-성【信憑性】[shi:nbingssŏng]〈名〉信憑性. 句例 ～이 있다〔없다〕信憑性がある〔ない〕/ ～이 결여되다〔없다〕信憑性に欠く.

신사【紳士】[shi:nsa]〈名〉紳士. ジェントルマン. 語例 ～복 紳士服. 背広 / ～ 협정 紳士協定 / ～도 紳士道. 對숙녀(淑女).

신사-적【紳士的】[shi:nsa—]〈名・冠〉紳士的. 句例 ～인 태도 紳士的な態度. 對비(非)신사적.

신산【辛酸】〈名・하形〉辛酸. 句例 온갖 ～을 맛보다〔겪다〕あらゆる辛酸を(つぶさに)なめる.

신상【身上】〈名〉身上. 身の上. 句例 ～을 밝히다 身の上を明かす / ～을 걱정하다 身の上を案じる. 語例 ～(에 관한) 이야기 身の上話 / ～ 조사 身上調査 / ～ 명세서 身上明細書 / ～ 상담 身の上相談.

신상-필벌【信賞必罰】[shi:nsang—]〈名〉信賞必罰. 句例 ～의 마음 가짐으로 임하다 信賞必罰の心構えで臨む.

신생【新生】〈名・하自〉新生. 語例 ～ 국가 新しく独立した国家.

신생-대【新生代】〈名〉〔地〉新生代.

신생-아【新生兒】〈名〉新生児. =갓난아기.

신서【信書】[shi:nsŏ]〈名〉信書. =편지. 서신. 句例 ～의 비밀 信書の秘密.

신서【新書】〈名〉新書. 語例 ～판 新書判.

신석기 시대【新石器時代】〈名〉新石器時代.

***신선**【神仙】〈名〉神仙.

신선 놀음에 도낏자루 썩는 줄 모른다 神仙の遊びに斧の柄が腐るのも気づかない. 斧の柄朽つ.

신선-도【新鮮度】〈名〉鮮度. 句例 ～가 떨어지다 鮮度が落ちる.

신선-로【神仙爐】[shinsŏllo]〈名〉魚・肉・

野菜などの煮物を食卓の上で煮て食べられるように仕掛けた器. 中央に炭火を入れる筒のあるなべ. また, それで煮た食べもの(＝열구자탕)を指すこともある. 絵

〈신선로〉

신선-미【新鮮味】〈名〉新鮮味. 句例 ～가 없다 新鮮味がない.

*__신선-하다__【新鮮—】(→하다)〈形〉新鮮だ. 句例 신선한 야채 新鮮な野菜/신선한 공기를 마시다 新鮮な空気を吸い込む/신선한 아이디어 新鮮なアイデア.

신설【新設】〈名・하他〉新設. 句例 학교를 ～하다 学校を新設する. 語例 ～ 대학 新設の大学.

신성【神聖】〈名〉神聖. **～하다**〈形〉神聖だ. 句例 ～한 장소 神聖な場所/～을 더럽히다 神聖を汚す. 語例 ～시하다 神聖視する/～ 불가침 神聖不可侵.

신성【新星】〈名〉新星. 句例 은막의 ～ 銀幕の新星.

신세〈名〉世話. 厄介. 面倒.

신세(를) 지다 世話〔厄介〕になる. 面倒をかける. 文例 여러가지로 신세 많이 졌습니다 いろいろとお世話になりました.

신세【身世】〈名〉身の上. 身. 一身の境涯. 句例 ～를 망치다 一生を台無しにする/불쌍한 ～ 哀れな身の上/불행한 ～ 不幸な境涯.

신-세계【新世界】〈名〉新世界. 對구세계(舊世界).

신-세대【新世代】〈名〉新世代. 新しい世代.

신세-타령【身世打令】[—t'a:ryŏng]〈名・하自〉自分の身の上を愚痴がましく嘆くこと. また, その嘆き話.

신-소리〈名〉地口. 語呂合わせ. 掛けことば. しゃれ. '감사합니다 ありがとうございます'をもじった'감만 사지 말고 사과도 사시오 かきだけ買わずにりんごも買いなさい'のたぐ(類)い.

신-소설【新小說】〈名〉新小説. ❶〔文〕1894年の甲午更張以後の開化期を背景とした小說. 代表作家には李人稙・李海朝・張志淵などがある. →신문학 ❷主題・形式などが新しい小說. また, 新時代の小說.

*__신속-하다__【迅速—】[shi:nsok'ada](→하다)〈形〉迅速だ. 速やかだ. 句例 신속한 처리 迅速な処理. **신속히** [shinsok'i]〈副〉迅速に. 速やかに. 句例 신속히 행동하다 迅速に行動する.

신수【身手】〈名〉容貌と風采. 恰幅. 句例 ～가 좋다 恰幅がいい.

신수가 훤하다 風采が立派だ.

신수【身數】〈名〉星回り. 運. 一身の運勢. 句例 ～를 보다 運勢を占う. 運勢を占ってみる/～가 사납다 運が悪い.

신승【辛勝】〈名・하自〉辛勝. 句例 1점차로 ～하다 一点差で辛勝する. 對낙승(樂勝).

신-시【新詩】〈名〉新詩. ❶新作の詩. ❷〔文〕⇨ 신체시(新體詩)

신-시조【新時調】〈名〉〔文〕1894年の甲午更張以後西洋の新詩の技法と精神を取り入れた'시조(時調)'. 崔南善と李光洙からはじまり, 朱耀翰・卞榮魯・鄭寅普・李殷相などに継がれた. 對고(古)시조.

신식【新式】〈名〉新式. 語例 ～ 자동차 新式の自動車/최～ 最新式. 對구식(舊式).

신신-당부【申申當付】〈名・하他〉⇨ 신신부탁

신신-부탁【申申付託】[—bu:t'ak]〈名・하他〉重ね重ね懇ろに頼むこと.

신심【信心】[shi:nshim]〈名〉❶正しいと信じる心. ❷信心. 信仰心. 句例 ～이 두터운 사람 信心深い人/～이 두텁다 信心が厚い. ▷類믿음.

신안【新案】[shinan]〈名〉新案. 語例 ～ 특허 新案特許.

*__신앙__【信仰】[shi:nang]〈名・하他〉信仰. 句例 ～을 가지다 信仰を持つ. 語例 ～심 信仰心. 信心/～ 생활(을 하다) 信仰生活(をする). 類믿음.

신앙의 자유【信仰—自由】[shi:nang-ŭi—]〈名〉信教の自由.
参考 憲法では'종교(宗教)의 자유'という.

신약【新約】[shinyak]〈名〉〔宗〕'신약 성서'の略: 新約. 對구약(舊約).

신약 성서【新約聖書】[shinyaksŏ:ngsŏ]〈名〉〔宗〕新約聖書. 略して'신약'ともいう.

신어【新語】[shinŏ]〈名〉新語. 語例 ～ 사전 新語辞典.

신역【新譯】[shinyŏk]〈名・하他〉新訳. 對구역(舊譯).

신열【身熱】[shinyŏl]〈名〉熱. 病による熱. 略して'열'ともいう. 句例 감기로 ～이 있다 風邪で熱がある.

신예【新銳】[shinye]〈名〉新鋭. 句例 프로 골프계의 ～ プロゴルフ界の新鋭. 語例 ～기 新鋭機.

신용【信用】[shi:nyong]〈名・하他〉信用. 句例 사람을 ～하다 人を信用する/～이 있다〔없다〕信用がある〔ない〕/～을 떨어뜨리다 信用を落とす/～을 얻다〔잃다〕信用を得る〔失う〕/남에게 ～을 받다 人に信用される/～에 관계되는 문제 信用にかかわる問題/점포의 ～ 店の信用. 語例 ～ 거래 信用取引/～ 조사 信用調査. 類신뢰(信賴).

신용 카드【信用card】[shi:nyongk'a:dŭ]〈名〉クレジットカード.

신원【身元】[shinwon]〈名〉身元. 句例 ～을 알아보다 身元を調べる/～ 불명의 시체 身元不明の死体/～을 보증하다 身元を保証する/～이 밝혀지다〔드러나다〕身元が割れる. 語例 ～ 보증인 身元保証人.

신월【新月】[shinwol]〈名〉新月. ❶⇨ 초승달 ❷〔天〕陰暦の一日に出る月.

신음【呻吟】[shi:nŭm]〈名〉呻吟. うめき. **～하다**〈自〉呻吟する. うめく. 句例 병상에서 ～하다 病床で呻吟する/중상을 입고 ～하다 重傷を負ってうめく. 語例 ～ 소리 うめき声.

*__신의__【信義】[shi:nŭi]〈名〉信義. 句例 ～를 존

중하다 信義を重んじる / ~를 지키다 信義を守る.

신인【新人】[shinin]〈名〉新人. 新顔. 新米. 新入り. 句例 ~을 기용하다 新人を起用する. 語例 ~ 가수 新人歌手 / ~왕 新人王. 類신진(新進).

신임【信任】[shiːnim]〈名・하他〉信任. 句例 ~을 얻다 信任を得る. 語例 ~장 信任状 / ~투표 信任投票 / ~받다 信任される. 對불신임(不信任). 類신용(信用).

신임【新任】[shinim]〈名・하自〉新任. 語例 ~ 교사 新任の教師 / ~ 인사 新任のあいさつ.

신입-생【新入生】[shinip—]〈名〉新入生. 語例 ~ 환영회 新入生の歓迎会.

신자【信者】[shiːnja]〈名〉信者. 信徒. 語例 기독교 ~ キリスト教信者.

신작【新作】〈名・하他〉新作. 句例 ~을 발표하다 新作を発表する. 語例 ~ 발표회 新作発表会. 對구작(舊作).

신작-로【新作路】[shinjangno]〈名〉昔の狭い道に対し, 新しく造った広い道. 新道. 新路. 對구로(舊路). 구도(舊道).

신-장【一欌】[shintchang]〈名〉げた箱. 下足箱.

*__신장__【身長】〈名〉身長. 身の丈. 背丈. =키. 句例 ~을 재다 身長を測る.

*__신장__【伸張】〈名・하自他〉伸張. 句例 국력이 ~하다 国力が伸張する.

신장【新裝】〈名・하他〉新装. 語例 ~ 개업 新装開店.

신장【腎臟】[shiːnjang]〈名〉〔生〕腎臓. =콩팥. 語例 ~병 腎臓病 / ~염 腎臓炎 / ~ 이식 腎臓の移植.

신전【神殿】〈名〉神殿. 語例 파르테논 ~ パルテノン神殿.

신접-살이【新接—】[—sari]〈名・하自〉新所帯. 初めて構えた所帯. また, その生活. =신접살림.

신정【新正】〈名〉❶新年の初め. ❷元旦. お正月. =양력설. 對구정(舊正).

신조【信條】[shiːnjo]〈名〉信条. 文例 나는 성실・근면을 삶의 ~로 삼고 있다 わたしは, 誠実・勤勉を生の信条としている. 語例 생활 ~ 生活信条.

신종【新種】〈名〉新種. 語例 ~ 벼 新種の稲.

신주【神主】〈名〉神主. 位牌. 霊牌. 絵

신주 모시듯 注意深く大切にとり扱うさま.

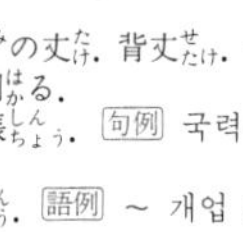

〈신주〉

신중【愼重】[shiːnjung]〈名〉慎重. **~하다**〈形〉慎重だ. 句例 ~한 태도 慎重な態度 / ~을 기하다 慎重を期する. **~히**〈副〉慎重に. 句例 ~히 생각하다 慎重に考える. 對경솔(輕率).

신중-절〈名〉〔佛〕尼寺. =여승방(女僧房). 여승당(女僧堂).

參考 '신중'は '여승 女僧'の俗っぽい言いかた.

신진【新進】〈名〉新進. 語例 ~ 작가 新進作家. 類신인(新人).

신진 대사【新陳代謝】[—dae:sa]〈名〉❶新陳代謝. 文例 조직이 발전하려면 중심 멤버의 ~가 필요하다 組織が発展するには, 中心メンバーの新陳代謝が必要だ. ❷〔生〕⇨물질 대사

신짝〈名〉履物の片方.

신차【新車】〈名〉新車. =새차. 句例 ~의 발표회 新車の発表会. 對중고차(中古車).

신참【新參】〈名〉新参. 新入り. 新米. 新顔. 語例 ~ 단원 新参の団員 / ~자 新参者. 對고참(古參).

신-천지【新天地】〈名〉新天地. 文例 ~를 찾아서 이주했다 新天地を求めて移住した.

신청【申請】〈名〉申請. 出願. 申し込み. 申し出. **~하다**〈他〉申請する. 申し込む. 申し出る. 句例 면허증의 교부를 ~하다 免許証の交付を申請する / 서면으로 ~하다 書面で申し込む. 語例 ~서 申込書 / ~자 申請者. 出願者 / 경기 참가 ~ 競技参加の申し出.

*__신체__【身體】〈名〉身体. 人のからだ(体). 句例 건전한 ~ 健全な身体 / ~의 결함 からだの欠陥.

신체 검사【身體檢查】[—gŏːmsa]〈名〉身体検査. 学校などで行う検査の場合は略して'신검(身檢)'ともいう.

신체발부 수지부모【身體髮膚受之父母】身体髪膚これを父母に受く.

신체-시【新體詩】〈名〉〔文〕新体詩. 1894年の甲午更張以後の新しい形式の詩. 三四調または四四調の形式で, 崔南善・李光洙などによって発展された.

신체 장애자【身體障礙者】〈名〉身体障害者. 身障者《略語》.

신축【伸縮】〈名・하自他〉伸縮. 句例 ~성이 있다〔없다〕 伸縮性がある〔ない〕. 語例 ~ 자재 伸縮自在.

신축【新築】〈名・하他〉新築. 句例 ~중인 빌딩 新築中のビル.

신춘【新春】〈名〉新春. 新年. 初春. 語例 ~ 문예 (新聞などの)新春文芸.

신출-귀몰【神出鬼沒】〈名・하自〉神出鬼没. 句例 ~하는 도적 神出鬼没の盗賊.

신출-내기【新出—】[shinchullaegi]〈名〉新米. 駆け出し(者). 語例 ~ 기자 駆け出しの記者. 類신인(新人). 신참(新參).

신-코〈名〉履物のつま先.

신탁【信託】[shiːnt'ak]〈名・하他〉信託. 語例 금전 ~ 金銭信託 / ~ 통치 (이사회) 信託統治(理事会).

신통-력【神通力】[—nyŏk]〈名〉神通力・じんずうりき. 句例 ~을 갖고 있다 神通力を得ている.

신통-스럽다【神通—】(→스럽다)〈形〉⇨신통하다

*__신통-하다__【神通—】(→하다)〈形・自〉❶神のようにどんなことにも通達している. ❷(才能などが)不思議で霊妙だ. (神仏・薬の効き目などが)あらたかだ. 句例 신통한 약효 あらたかな薬効 / 신통하게도 잘 듣는 약 不思議にもよく効く薬. 文例 과녁을 신통하게 잘

맞힌다 的を不思議とよく当てる. ❸気が利いている. 感心だ. =대견하다. 句例 신통한 소리를 하다 味なことを言う. 文例 가난하지만 극진히 효도를 다하다니 신통한 아이다 貧しいながらも孝行を尽くすとは感心な子供だ.

신-트림 〈名・하自〉 すっぱい液の出るおくび〔げっぷ〕.

신파【新派】〈名〉新派. 句例 구파 ~의 대립 旧派新派の対立. 語例 ~ 연극 新派演劇. 新派劇. 對구파(舊派).

신판【新版】〈名〉新版. 語例 ~ 춘향전 新版春香伝. 對구판(舊版).

신품【新品】〈名〉新品. 句例 ~과 다름없는 카메라 新品同様のカメラ. 對중고품(中古品).

***신하**【臣下】〈名〉臣下. 臣.

신학【神學】〈名〉神学. 宗教, 特にキリスト教の原理と倫理について組織的に学ぶ学問. 語例 ~자 神学者.

신-학교【神學校】〈名〉神学校.

신형【新型】〈名〉新型. 語例 ~ 자동차 新型の自動車. 對구형.

***신호**【信號】[shi:nho]〈名・하自他〉信号. 合図. 句例 ~를 보내다 信号〔合図〕を送る / ~를 지키다 信号を守る. 語例 수기 ~ 手旗信号 / ~기 信号機 / ~등 信号灯 / 청~ 青信号 / 적~ 赤信号 / 모스 ~ モールス信号 / ~대기 信号待ち / ~탄 信号弾.

신혼【新婚】〈名・하自〉新婚. 語例 ~ 생활 新婚生活 / ~ 여행 新婚旅行.

신화【神話】〈名〉神話. 語例 로마〔그리스〕 ~ ローマ〔ギリシア〕神話.

신흥【新興】〈名・하自〉新興. 語例 ~ 세력 新興勢力 / ~ 종교 新興宗教 / ~ 공업국 新興工業国.

***싣다** [shi:tta] (실으니, 실어서) 〈他〉載せる. ❶積む. 句例 짐을 ~ 荷物を積む〔載せる〕/ 중유 드럼 통을 실은 탱커 重油のドラム缶を積んだタンカー / 석탄을 화차로 실어 내다 石炭を貨車で積み出す. ❷(出版物に)文・絵などを出す. 掲げる. 句例 광고를 ~ 広告を載せる / 신문에 ~ 新聞に載せる / 신문 톱에 ~ 新聞のトップに掲げる.

***실** [shi:l]〈名〉❶糸. 句例 ~을 잣다 糸を紡ぐ / 바늘에 ~을 꿰다 針に糸を通す / 엉킨 ~을 풀다 もつれた糸をほぐす. 文例 바늘 가는데 ~ 간다《속담》→'바늘'の小項目 語例 명주~ 絹糸 / 바느질~ 縫い糸. ❷糸状のもの. 語例 ~버들 しだれ柳.

실이 와야 바늘이 가지 糸がきてこそ針が行く. 施しがあってこそ報いもあるとの意.

실 〔漢字項目〕

【失】中學 실 シツ. ❶잃다 失う. 없어지다 うせる. ◧失意 실의 しつい. 失効 실효 しっこう. ◨損失 손실 そんしつ. 滅失 멸실 めっしつ. ❷과실 過ち. ◧失政 실정 しっせい. 失策 실책 しっさく. ◨過失 과실 かしつ.

【室】中學 실 シツ. ❶방 部屋. ◧室内 실내 しつない. ◨寝室 침실 しんしつ. 教室 교실 きょうしつ. ❷아내 妻. ◨側室 측실 そくしつ. 正室 정실 せいしつ. ❸가족 家族. ◨王室 왕실 おうしつ. 皇室 황실 こうしつ. ❹굴 洞. 室. ◨土室 토실 どしつ. 石室 석실 せきしつ. 玄室 현실 げんしつ.

【實(実)】中學 실 ジツ. ❶열매 実. ◨果實 과실 かじつ. 結實 결실 けつじつ. ❷속 中身. 내용 内容. ◧實質 실질 じっしつ. ◨有名無實 유명무실 ゆうめいむじつ. ❸참 本当. 실제 実際. ◧實行 실행 じっこう. 實情 실정 じつじょう. ◨寫實 사실 しゃじつ. ❹진실 まこと. ◧實直 실직 じっちょく. ◨誠實 성실 せいじつ. 忠實 충실 ちゅうじつ.

실각【失脚】〈名・하自〉失脚. 句例 ~한 정치가 失脚した政治家. 文例 말썽을 일으켜〔잘못을 저질러〕 ~했다 間違いを起こして〔犯して〕失脚した.

***실감**【實感】〈名・하他〉実感. 句例 ~이 나지 않다 実感がわかない / 화재의 무서움을 ~하다 火事の怖さを実感する.

실감(이) 나다 実感がわく. 実感が出る.

실-개천 [shi:l—]〈名〉細川. 細流.

실격【失格】[shilkkyŏk]〈名・하自〉失格. 文例 반칙을 해서 ~이 되었다 反則をして失格になった / 부정이 있어서 ~되었다 不正があって失格した.

실-고추 [shi:l—]〈名〉糸状に切ったとうがらし(唐辛子). 料理の薬味や飾りに使う.

실권【實權】[shilkkwon]〈名〉実権. 句例 ~을 쥐다 実権を握る.

실-금 [shi:lgŭm]〈名〉❶(器などの)細いひび. ❷細い線.

실금(이) 가다 細いひびが入る. =실금(이) 나다.

실기【實技】〈名〉実技. 語例 체육 ~ 体育の実技 / ~ 시험 実技試験.

실-꾸리 [shi:l—]〈名〉丸く巻いた糸.

실-낱 [shi:llat]〈名〉糸筋. 糸のより.

실낱 같다 ❶とても細くて小さい. か細い. ❷死にひん(瀕)している. 息も絶え絶えだ.

실낱 같은 목숨 ややもすれば絶えそうな命. はかない命.

***실내**【室內】[shillae]〈名〉室内. 語例 ~ 경기 室内競技 / ~ 장식 室内装飾 / ~화(靴) 上履き. 對실외(室外).

실내-악【室內樂】[shillaeak]〈名〉〔樂〕室内楽.

실-눈 [shi:llun]〈名〉細目. 細長い目. 細く開けた目. 薄目. 句例 ~을 뜨고 보다 薄目で見る.

실-답다【實—】(실다우니, 실다워서)〈形〉信じるに足りる. 誠実だ. 句例 실답지 않다 不誠実だ. 信じられない.

실-뜨기 [shi:l—]〈名〉糸取り. あや(綾)取り.

실랑이 〈名・하自〉'실랑이질'の略.

실랑이-질 〈名・하自〉人にうるさく付きまとっていじめること. うるさがらせ.

***실력**【實力】〈名〉実力. 句例 ~이 있다 実力がある / ~을 붙이다 実力をつける / ~을 발휘하다 実力を発揮する / ~에 호소하다 実力に訴える. 語例 ~자 実力者 / ~ 행사 実力行使.

***실례**【失禮】〈名・하自〉失礼. 失敬. 句例

ㅅ

～되는 말투 失礼な言い方／～가 되다 失礼にあたる. [文例] 먼저 ～하겠습니다 お先に失礼します／잠깐 ～ 하겠습니다 ちょっと失礼します／이만 ～하겠습니다 では失礼します.

실례【實例】〈名〉実例. [句例] ～를 들다 実例をあげる. [文例] 그런 ～가 없다 そういう実例がない.

실-로【實―】〈副〉実に. まさに. ＝참으로. [文例] ～ 40년 만에 조국의 땅을 밟아 보았다 実に四十年ぶりに祖国の土を踏んで見た.

***실로폰**〈名〉〔樂〕シロホン. ＝목금(木琴). ◇xylophone

실록【實錄】〈名〉〔史〕実録. [語例] 조선 왕조 ～ 朝鮮王朝実録.

실루엣〈名〉シルエット. ◇프 silhouette

실룩〈副・하自他〉筋肉の一部分がひとりでに動くさま. また, その一部分を動かすさま: ぴくっ. **～거리다**〈自他〉ぴくぴくする〔させる〕. [句例] 눈까풀이 ～거리다 まぶたがぴくぴくする／입을 ～거리다 口をぴくぴくさせる.
[表現] 語感の小さい語は'샐룩', 語勢の激しい語は'씰룩'.

실룩실룩〈副・하自他〉ぴくぴく. [文例] 그의 입술은 ～ 경련을 일으켰다 彼の唇はぴくぴくとけいれんを起こした.

실리【實利】〈名〉実利. 実益. 実. [句例] 모양새보다 ～를 중히 여기다 体裁より実利を重んじる.

***실리다** [一]〈自〉'싣다'の受け身: 載せられる. 積まれる. 載る. [句例] 잡지에 실린 기행문 雑誌に載った紀行文／채소가 트럭에 ～ 野菜がトラックに積まれる.
[二]〈他〉'싣다'の使役: 積ませる. 載せる. [句例] 신문에 기사를 ～ 新聞に記事を載せる／광고를 ～ 広告を載せる.

실리카 겔〈名〉シリカゲル. ◇silica gel

실리콘 [shillik'o:n]〈名〉〔化〕シリコン. ＝규소(硅素). ◇silicon

실린더〈名〉〔工〕シリンダー. ＝기통(氣筒). ◇cylinder

실-마리 [shi:l―]〈名〉糸口. ❶糸の端. ❷手掛かり. ＝단서(端緖). [句例] 이야기의 ～ 話の糸口／해결의 ～를 잡다 解決の糸口をつかむ.

***실망**【失望】〈名〉失望. ＝실의(失意). **～하다**〈自〉失望する. がっかりする. 気を落とす. [句例] ～을 느끼다 失望を感じる. [文例] 그렇게 ～하지 마라 そうがっかりするなよ／그의 얼굴에 ～하는 빛이 보였다 彼の顔に失望の色が見えた／～한 나머지 엎드려 울기 시작했다 失望のあまり突っ伏して泣き出した／그에게는 크게 ～했다 彼には大いに失望した. [語例] ～시키다 失望させる.

실명【失明】〈名・하自〉失明. [句例] 사고로 ～하다 事故で失明する. [語例] ～자 失明者.

실명【實名】〈名〉実名. ＝본명(本名). (對)가명(假名). (類)본명(本名).

실무【實務】〈名〉実務. [句例] ～에 밝은 사람 実務に明るい人. [語例] ～가 実務家.

실물【實物】〈名〉実物. 本物. [句例] ～대의 모형 実物大の模型. [語例] ～ 견본 実物見本／～ 교육 実物教育.

실-바람 [shi:l―]〈名〉❶そよ風. ❷〔氣〕至軽風. 風力1の風.

실-밥 [shi:lppap]〈名〉❶衣服の縫い糸. ❷抜き糸.

실백【實柏】〈名〉皮をむいた朝鮮松の実. ＝실백잣.

실-버들 [shi:lbŏdŭl]〈名〉糸柳. しだれ柳.

실-보무라지 [shi:lppomuraji]〈名〉糸くず.

실비【實費】〈名〉実費. [句例] ～로 제공하다 実費で提供する. [文例] 나머지는 ～로 나누어 드립니다 残りは実費でお分けします.

실사【實査】[shilssa]〈名・하他〉実査. 実際の調査.

실-사회【實社會】[shilssahoe]〈名〉実社会. 実世間. [句例] ～에 나가다 実社会に出る.

실상【實狀】[shilssang]〈名〉実状. [句例] ～을 파악하다 実状を把握する. (類)실정(實情).

실상【實相】[shilssang]〈名〉実相. [句例] 삶의 ～을 추구하다 生の実相を追究する.

실상【實像】[shilssang]〈名〉〔物〕実像. [句例] ～을 맺다 実像を結ぶ. (對)허상(虛像).

실-생활【實生活】[shilssaenghwal]〈名〉実生活. [句例] ～에 도움이 되다 実生活に役立つ.

실선【實線】[shilssŏn]〈名〉実線. →점선(點線). 파선(破線)

실성【失性】[shilssŏng]〈名・하自〉狂うこと. 気が触れること. 頭がおかしくなること. 正気を失うこと. [句例] ～한 사람 正気を失った人. [文例] ～이라도 했는가, 그런 꼴을 하고 気でも触れたのか, そんな格好をして.

실세【失勢】[shilsse]〈名・하自〉勢力を失うこと. [句例] ～를 만회하다 失った勢力を回復〔挽回〕する.

실세【實勢】[shilsse]〈名〉実勢. [句例] ～보다 비싸다 実勢より高い／정계의 ～ 政界の実勢. [語例] ～ 가격 実勢価格.

실소【失笑】[shilsso]〈名・하自〉失笑. [句例] ～를 사다〔받다〕失笑を買う／～를 금할 수 없다 失笑を禁じ得ない.

실-속【實―】[shilssok]〈名〉実. 中身. ❶実際の中身. 実質. [文例] 겉보기보다 ～ 있는 것을 택하였다 うわべよりも実のあるものを選んだ. ❷実益. 実利. [句例] ～을 차리다 実益〔実利〕を取る.

***실수**【失手】[shilssu]〈名・하自〉失策. しくじり. 失敗. やりそこない. 過ち. [句例] ～를 저지르다 失策を犯す／중대한 ～ 重大な過ち.

실수【實收】[shilssu]〈名〉⇨ 실수입(實收入)

실-수요【實需要】〈名〉実需要. [語例] ～자 実需要者. (對)가수요(假需要).

실-수입【實收入】〈名〉実収. 実収入. ＝실수(實收). [句例] ～이 높다 実収が高い／～이 해마다 줄다 実収入が年年減る.

***실습**【實習】[shilssŭp]〈名・하他〉実習. [句例] 공장에서의 ～ 工場での実習. [語例] 요리 ～ 料理実習／～생 実習生. (類)연습(演習).

***실시**【實施】[shilssi]〈名・하他〉実施. [句例] 계획대로 ～하다 計画どおり実施する. [文例] 잘

~되고 있다 うまく実施されている. [語例] ~ 요령 実施要領. (類)실행(實行). 실천(實踐).

실신【失神】[shilssin]〈名・하自〉失神〔失心〕. 気絶. 喪神. 気を失うこと. [句例] 피를 보고 ~하다 血を見て失神する〔気を失う〕. [語例] ~ 상태 失神状態.

실실 [shi:lshil]〈副・하自〉訳もなく笑ったり, いたずらに意地悪なことを言ったりするさま: へらへら. にたにた. [文例] 공연히 ~ 웃기만 한다 わけもなくへらへら笑ってばかりいる.

실-안개 [shi:ran-gae]〈名〉薄霧.

실어-증【失語症】[shirŏtchŭng]〈名〉失語症.

실언【失言】[shirŏn]〈名・하自〉失言. [句例] ~을 사과〔취소〕하다 失言をわびる〔取り消す〕.

***실업**【失業】[shirŏp]〈名・하自〉失業. [文例] ~ 문제가 심각해졌다 失業問題が深刻になってきた. [語例] ~률 失業率 / ~ 수당 失業手当 / ~자 失業者 / ~중 失業中. (對)취업(就業). (類)실직(失職).

실업【實業】[shirŏp]〈名〉実業. [語例] ~가 実業家. 事業家 / ~ 학교 実業学校.

실-없다 [shirŏpta]〈形〉ふまじめだ. くだらない. 中身がない. たわいない. [句例] 실없는 사람 ふまじめな人 / 실없는 농담을 지껄이다 くだらない冗談をたたく. [文例] 실없는 소리하지 마라 たわけたことを言うな. **실없이** [shirŏpshi]〈副〉ふまじめに. くだらなく. 訳もなく.

실연【失戀】[shiryŏn]〈名・하自〉失恋. [句例] ~의 상처〔괴로움〕失恋の痛手〔悩み〕.

실-오라기 [shi:roragi]〈名〉⇨ 실오리

실-오리 [shi:rori]〈名〉一糸. 一筋の糸. =실오라기. [句例] ~ 하나 걸치지 않은 벌거숭이 一糸もまとわぬ真っ裸だ.

실외【室外】[shiroe]〈名〉室外. 屋外. (對)실내(室內).

실용【實用】[shiryong]〈名・하他〉実用. [句例] ~만을 생각한 복장 実用のみを考えた服装. [語例] ~성 実用性 / ~화 実用化.

실용-적 [shiryongjŏk]〈名・冠〉実用的. 実用向き. [句例] ~인 도구 実用的な道具 / ~인 선물을 하다 実用的な贈り物を贈る.

실은【實—】[shirŭn]〈副〉実は. 本当は. その実. =사실은. [文例] ~ 까맣게 잊고 있었다 実は, すっかり忘れていた / 쉬운 것처럼 보이지만 ~ 어려운 장사다 やさしそうに見えるが, その実むずかしい商売だ.

실의【失意】[shirŭi]〈名・하自〉失意. [句例] ~ 속에 세상을 떠나다 失意の中に世を去る. (對)득의(得意). (類)실망(失望).

실익【實益】[shirik]〈名〉実益. [句例] ~을 거두다 実益を上げる / 취미와 ~을 겸하다 趣味と実益を兼ねる. (類)실리(實利).

실-잠자리 [shi:l—]〈名〉〔蟲〕いととんぼ(糸蜻蛉).

실재【實在】[shiltchae]〈名・하自〉実在. [句例] ~의〔하는〕 인물 実在の人物. [語例] ~감〔美〕実在感. (對)가공(架空). (類)현존(現存).

***실적**【實績】[shiltchŏk]〈名〉実績. [句例] ~이 있다 実績がある / ~을 올리다 実績をあげる / 과거의 ~을 능가하다 過去の実績をしのぐ. (類)공적(功績).

***실전**【實戰】[shiltchŏn]〈名〉実戦. [句例] ~에 부대끼다 実戦にもまれる / ~을 방불케 하는 예행 연습 実戦さながらの予行演習. [語例] ~ 경험 実戦の経験.

실점【失點】[shiltchŏm]〈名・하自〉失点. [句例] ~을 만회하다 失点を挽回する. (對)득점(得點).

실정【失政】[shiltchŏng]〈名・하自〉失政. [句例] ~을 거듭하다 失政をかさねる / 정부의 ~을 바로잡다 政府の失政を正す.

***실정**【實情】[shiltchŏng]〈名〉実情. [句例] ~을 조사하다 実情をしらべる / ~에 맞는 계획 実情に合った計画. [文例] ~은 이렇습니다 実情はこうなんです. (類)실태(實態).

실제【實弟】[shiltche]〈名〉実弟. 実の弟. =친(親)아우. (對)실형(實兄). 의제(義弟).

***실제**【實際】[shiltche]〈名〉実際. [句例] 이론과 ~ 理論と実際. [文例] ~는 그렇지 않다 実際はそうでない / 사진보다 ~가 더 아름답다 写真より実際の方がうつくしい. [語例] ~ 문제 実際問題.

***실제-로**【實際—】[shiltchero]〈副〉実際. 実際に. [句例] ~ 해 보다 実際にやってみる. [文例] 그것은 ~ 일어난 일이다 それは実際に起こったことだ.

실제-적【實際的】[shiltchejŏk]〈名・冠〉実際的. 現実的. [句例] ~인 방법 実際的な方法. [文例] 그의 사고 방식은 ~이다 彼の考え方は実際的だ.

실조【失調】[shiltcho]〈名〉失調. [語例] 영양 ~ 栄養失調.

실족【失足】[shiltchok]〈名・하自〉足を踏み外すこと. [句例] ~하여 추락하다 足を踏み外して墜落する.

실존【實存】[shiltchon]〈名・하自〉〔哲〕実存. [語例] ~주의 実存主義.

실종【失踪】[shiltchong]〈名・하自〉失踪. 失跡. [句例] ~된 남편을 찾다 失踪した夫を捜す. [語例] ~되다 失踪する / ~ 선고〔法〕失踪宣告 / ~자 失踪者.

실증【實證】[shiltchŭng]〈名・하他〉実証. [句例] 범죄를 ~하다 犯罪を実証する. [語例] ~적 연구 実証的研究. (類)증명(證明).

실지【失地】[shiltchi]〈名〉失地. [句例] ~를 회복하다 失地を回復する.

***실지**【實地】[shiltchi]〈名〉実地. [語例] ~ 조사 実地調査 / ~ 답사 実地踏査 / ~ 훈련 実地訓練. (類)현장(現場). **~로**〈副〉実地に. 実際に. [句例] ~로 해보다 実地にやってみる.

실직【失職】[shiltchik]〈名・하自〉失職. 失業. =실업(失業). [句例] 불황의 여파로 ~하다 不況のあおりで失職する. [文例] 현재 ~중이다 現在失職中である. (對)취직(就職). [語例] ~자 失業者.

***실질**【實質】[shiltchil]〈名〉実質. [語例] ~ 임금 実質賃金. (對)형식(形式). 명목(名目).

***실질-적**【實質的】[shiltchiltchŏk]〈名・冠〉実質的. [句例] ~인 감세 実質的な減税 / ~으로 다르다 実質的に異なる. [文例] ~으로는 세 시간 밖에 자지 않았다 実質的には三時間しか

ㅅ

眠らなかった. 對형식적(形式的).

실쭉-거리다 〈自他〉(怒ったりすねたりして)しきりに口をゆがめる. つんとする.
表現 語感の小さい語は'샐쭉거리다'.
실쭉실쭉〈副・하自他〉怒ってしきりに口をゆがめるさま: つんつん.

실쭉-샐쭉〈副・하自他〉すねてしきりに口をゆがめるさま: つんつん. つんと.

실쭉-하다 [shiltchuk'ada] (→하다)〈形〉すねている. むくれている. ふて腐れている. 文例 싫은 소릴 했더니 실쭉해서 가버렸다 嫌なことを言ったらすねて帰ってしまった.
表現 語感の小さい語は'샐쭉하다'.

실책【失策】〈名〉失策. しくじり. 句例 ~을 범하다 失策を犯す.

*__실천__【實踐】〈名・하他〉実践. 句例 이론을 ~에 옮기다 理論を実践に移す. 文例 이론보다 ~하는 것이 중요하다 理論より実践することが大切だ. 語例 ~적 実践的. 對이론(理論). 類실행(實行).

실체【實體】〈名〉実体. 句例 ~가 없는 이론 実体のない理論 / ~를 파악하다 実体をつかむ.

실추【失墜】〈名・하他〉失墜. 句例 명예를 ~하다 名誉を失墜する. 語例 권위 ~ 権威失墜.

실측【實測】〈名・하他〉実測. 句例 ~한 거리 実測した距離. 語例 ~도 実測図.

실컷〈副〉思う存分. 思い切り. いやというほど. 心ゆくまで. たらふく. 飽きるほど. 十二分に. さんざん. =마음껏. 句例 ~ 웃다 思い切り笑う / ~ 놀다 思う存分遊ぶ / ~ 즐기다 心ゆくまで〔思う存分〕楽しむ / 밥을 ~ 먹다 ご飯をたらふく食べる / 술을 ~ 마시다 酒を飽きるほど飲む. 文例 ~ 울었다 思い切り泣いた / ~ 자거라 心ゆくまで眠れ / ~ 얻어 맞았다 いやというほどなぐられた.

실크〈名〉シルク. 語例 ~ 해트 シルクハット. ◇silk

실크 로드 [—ro:dŭ]〈名〉〔史〕シルクロード. 絹の道. =비단길. ◇Silk Road

실탄【實彈】〈名〉実弾. ❶ほんものの弾丸. 句例 ~을 재다 実弾を込める. 語例 ~ 사격 実弾射撃. ❷(比喩的に, 選挙などの際の)現金. 句例 ~을 뿌리다 実弾をばらまく.

실태【實態】〈名〉実態. 実情. 句例 생활 ~를 조사하다 生活の実態を調査する / 경영 ~를 밝히다 経営の実態を明かす.

실토【實吐】〈名・하他〉事実をありのままに言うこと. 句例 현재의 심경을 ~하다 現在の心境をありのままに吐露する.

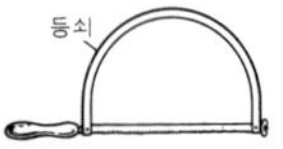

〈실톱〉

실-톱 [shi:l—]〈名〉糸のこ. 絵

실투【失投】〈名・하自〉〔野〕失投.

실-파 [shi:l—]〈名〉〔植〕細いねぎ. わけぎ(分葱).

실팍-지다〈形〉丈夫そうだ. 頑丈そうだ. がっちりしている. 句例 실팍진 어린이 丈夫な子供. 文例 몸이 실팍지게 보인다 からだ(体)が丈夫そうに見える.

실팍-하다 [shilp'ak'ada] (→하다)〈形〉(人や物が)非常に丈夫そうだ. 見るからに頑丈だ. 句例 몸집이 ~ からだ(体)つきが頑丈だ. 類튼튼하다. 단단하다.

실-패 [shi:l—]〈名〉糸巻き. 句例 ~에 실을 감다 糸巻きに糸を巻く.

*__실패__【失敗】〈名〉失敗. しくじり. **~하다**〈自他〉失敗する. しくじる. 句例 ~로 끝나다 失敗に終わる / ~를 거듭하다 失敗を重ねる / 시험에 ~하다 試験に失敗する〔しくじる〕. 語例 ~작 失敗作 / ~담 失敗談 / 대~ 大失敗. 對성공(成功).
실패는 성공의 어머니 失敗は成功の母〔もと〕.

실-하다【實—】(→하다)〈形〉❶(人や物が)丈夫だ. 文例 몸이 그리 실하지 못하다 からだがあまり丈夫でない. ❷(財産が)豊かだ. ❸中味が充実している. 句例 배추 속이 ~ 白菜の中味が満ちている. ❹まじめで偽りがない. 句例 실한 사람 信実のある人.

실학【實學】〈名〉実学. ❶実際に役立つ学問. ❷〔史〕朝鮮朝の中期に, 当時の支配階級の学問であった性理学に対する反動として起こった'実事求是'を主題として研究した学問. 語例 ~파〔史〕実学派《朝鮮朝の中期に'実学'を主唱した一群の学者たち》.

*__실행__【實行】〈名・하他〉実行. 句例 ~에 옮기다 実行に移す / ~이 따르지 않다 実行が伴わない. 語例 ~력 実行力 / 무언(無言) ~ 不言実行. 類실시(實施). 실천(實踐). 이행(履行).

실향-민【失鄕民】〈名〉故郷に帰れず他郷に住む民.

*__실험__【實驗】〈名・하他〉実験. 句例 생체 반응을 ~하다 生体反応を実験する. 語例 ~ 극장 実験劇場 / ~대 実験台 / ~실 実験室 / 핵~ 核実験.

실험 기구【實驗器具】〈名〉実験器具. 絵 句例 ~를 갖추다 実験器具をそろえる.

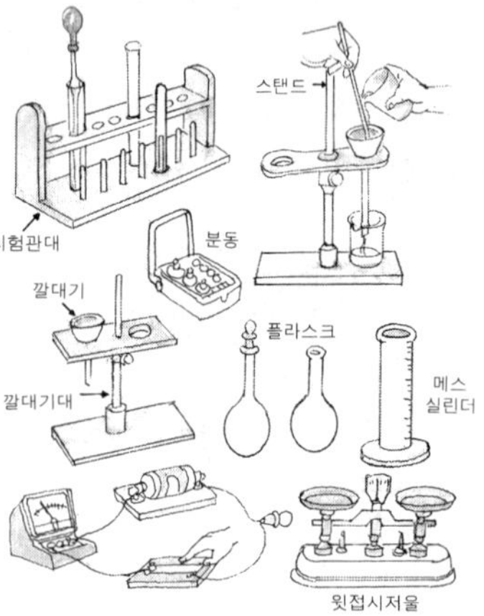

〈실험 기구〉

*실현【實現】〈名・하自他〉実現. [句例] 꿈이 ~되다 夢が実現する / 오랜 꿈을 ~하다 長年の夢を実現する. [語例] ~성 実現性.

*실형【實刑】〈名〉実刑. [句例] ~을 선고하다 実刑を言い渡す. [語例] ~ 판결 実刑判決.

실화【失火】〈名・하自〉失火. [句例] ~로 전소되다 失火により全焼する. 對방화(放火).

*실화【實話】〈名〉実話. [句例] ~ 같은 꾸민 이야기 実話のような作り話.

실황【實況】〈名〉実況. [句例] 현지 ~을 보고하다 現地の実況を報告する. [語例] ~ 방송 実況放送 / ~ 중계 実況中継.

실효【失效】〈名・하自〉失効. [句例] 법률의 ~ 法律の失効 / 권리가 ~되다 権利が失効する. 對발효(發效).

실효【實效】〈名〉実効. [句例] ~를 거두다 実効を上げる. [文例] 좀처럼 ~가 오르지 않는다 なかなか実効が上がらない.

**싫다 [shilt'a]〈形〉❶いやだ. 嫌いだ. 好かない. 気にくわない. [句例] 싫은 느낌 いやな感じ / 보기 싫은 놈 いやなやつ / 공부가 ~ 勉強がきらいだ.
❷(動詞語幹+'-기 ~'の形で)…したくない. (…するのが)いやだ. [句例] 보기〔듣기〕 ~ 見たく〔聞きたく〕ない / 일하기가 ~ 働きたくない.
[参考] '싫은 いやな' '싫고 いやで'は[shirŭn], [shilk'o]と読む.

싫어-지다 [shirŏjida]〈自〉❶いやになる. 嫌いになる. [句例] 일이 ~ 仕事がいやになる. [文例] 그녀가 싫어졌다 彼女がいやになった.
❷(動詞語幹+'-기 ~'の形で)…したくなくなる. (…するのが)いやになる. [文例] 일하기가 싫어졌다 働くのがいやになった.

*싫어-하다 [shirŏ—] (→하다)〈他〉嫌がる. ❶嫌う. (…が)嫌いだ. いと(厭)う. [句例] 공부를 ~ 勉強を嫌う〔いやがる〕/ 수학을 ~ 数学が嫌いだ. 数学を嫌う / 몹시 싫어하는 사람 大きらいな人. [文例] 싫어하는 술을 억지로 먹였다 いやがる酒を無理やりに飲ませた. ❷(動詞語幹+'-기 ~'の形で) …したがらない. (…することを)好まない. [句例] 먹기 ~ 食べたがらない / 일하기를 ~ 働くことを好まない. [文例] 하기 싫어하는 걸 억지로 시키지 마라 やりたがらないのを無理やりにさせるな.

싫-증【—症】[shiltchŭng]〈名〉嫌気. 飽き. [句例] ~을 잘 내는 사람 飽きっぽい人. 類염증(厭症).

싫증(이) 나다 嫌気がさす. いやになる. 飽きが来る. [文例] 맛있는 음식도 매일 먹으면 싫증이 나는 법이다 おいしい食べ物も毎日食べるといやになるものだ.

싫증(을) 내다 嫌気を起こす.

*심【心】〈名〉❶あずき粥に入れるだんご類: 種. ❷手術後の傷口に詰め込むガーゼなどの類: 心. ❸木の髄. ❹大根・にんじんなどの根の中の固い筋. ❺(洋服の肩やえりなどに入れる)芯. パッド [句例] ~을 넣다 芯を入れる. ❻(鉛筆などの)芯. ❼'촉심(燭心) ろうそくの芯'の略.

-심【心】〈尾〉…心. [語例] 애국~ 愛国心 / 허영~ 虚栄心.

심 〔漢字項目〕

【審】高校 심 シン. ❶상세히 조사하다 つまびらかに調べる. ▮審査 심사 しんさ. 審議 심의 しんぎ. ❷심리 재판 審理裁判. ▮再審 재심 さいしん. 結審 결심 けっしん. ❸심판원 審判員. ▮球審 구심 きゅうしん. 主審 주심 しゅしん. ❹자세하다 くわしい. 자세히 事細かく. ▮詳審 상심 しょうしん.

【尋(尋)】高校 심 ジン. ❶찾다 たずねる. 방문하다 訪れる. ▮尋訪 심방 じんぼう. ❷질문하다 質問する. ▮尋問 심문 じんもん. ❸깊이 따위를 재는 단위 深さなどをはかる単位. ▮千尋 천심 せんじん. ❹보통 普通. 범상(凡常) つね. ▮尋常 심상 じんじょう.

【心】中學 심 シン. ❶마음 こころ. 정신 精神. ▮心身 심신 しんしん. 心境 심경 しんきょう. ▮安心 안심 あんしん. 小心 소심 しょうしん. ❷심장 心臓. ▮心臓 심장 しんぞう. 心悸 심계 しんき. ❸가슴 胸. ▮心腹 심복 しんぷく. 心疾 심질 しんしつ. ❹가운데 まんなか. 중심에 있는 것 中心にあるもの. ▮核心 핵심 かくしん. 中心 중심 ちゅうしん.

【深】中學 심 シン. ❶깊다 ふかい. 깊이 ふかさ. ▮深海 심해 しんかい. 深奥 심오 しんおう. ▮水深 수심 すいしん. ❷깊게 深く. 심히 はなはだしく. 심하다 はなはだしい. ▮深思 심사 しんし. 深刻 심각 しんこく. ❸색깔 따위가 짙다 色などがこい. ▮深紅 심홍 しんく.

【甚】中學 심 ジン. 심하다 はなはだしい. 심히 はなはだしく. ▮甚大 심대 じんだい. ▮深甚 심심 しんじん. 劇甚 극심 げきじん.

심【沈】⇨ 침【沈】

*심각-하다【深刻—】[shimgak'ada] (→하다)〈形〉深刻だ. [句例] 심각한 이야기 深刻な話 / 심각한 고민 深刻な悩み.

심경【心境】〈名〉心境. [句例] ~을 말하다 心境を述べる / ~의 변화 心境の変化.

심금【心琴】〈名〉心の琴線. [句例] ~을 울리는 애절한 이야기 心の琴線に触れる哀切な話.

심기【心氣】〈名〉心気. 気持ち. 気分. [句例] ~가 개운치 않다 心気が晴れない / ~가 울적하다 心気がうっとうしい.

심기-일전【心機一轉】[—iltchŏn]〈名・하自〉心機一転. [文例] ~하여 가업에 힘쓰다 心機一転, 家業に励む.

**심다 [shi:mtta]〈他〉❶植える. [句例] 뜰에 나무를 ~ 庭に木を植える / 화분에 옮겨 ~ 植木鉢に植えかえる. ❷(種を)まく. [句例] 옥수수〔배추〕를 ~ とうもろこし〔白菜〕(の種)をまく. [文例] 씨를 심어야 싹이 나지 種をまかなければ芽は出ない.

심도【深度】〈名〉深度. [句例] ~를 재다 深度をはかる. [語例] ~계 深度計.

심드렁-하다 (→하다)〈形〉気乗りがしない. 気が進まない. [文例] 묻는 말에 심드렁하게 대답하다 尋ねるのに気乗りのしない返事をする.

심란-하다【心亂—】[shimnan—]（→하다）〈形〉心が乱れる．心が落ち着かずそわそわする．文例 심란해서 일이 안 된다 気が散って仕事ができない．

심려【心慮】[shimnyŏ]〈名・하他〉心慮．心配．気がかり．文例 그 일에 대해서는 ～ 마십시오 その事についてはご心配なさらないでください．

심로【心勞】[shimno]〈名〉心労．気疲れ．句例 ～가 겹치다 心労がかさなる．

심리【心理】[shimni]〈名〉心理．句例 젊은이의 ～를 파악하다 若者の心理をつかむ．語例 ～ 상태 心理状態／～ 묘사 心理描写／군중 ～ 群衆心理／～학 心理学．

심리【審理】[shi:mni]〈名・하他〉〔法〕審理．句例 ～를 받다〔진행하다〕審理を受ける〔進める〕．

심-마니〈名〉深い山に自生する朝鮮人参の採取を業とする人．＝채삼(採蔘)꾼．

*심문【審問】[shi:mmun]〈名・하他〉審問．句例 살인 용의자를 ～하다 殺人容疑者を審問する．

심미-안【審美眼】[shi:mmi—]〈名〉審美眼．句例 ～이 뛰어난 사람 審美眼のすぐれた人．

심벌〈名〉シンボル．＝상징(象徵)．文例 비둘기는 평화의 ～이다 はと(鳩)は平和のシンボルである．◇symbol

심-보【心—】[—ppo]〈名〉心掛け．心立て．心ばえ．性根．＝마음보．句例 ～가 고약하다 心掛けがよくない．性根が悪い／～가 사납다 性根がよこしまである．
参考 通例は悪い意味を含んで使われる．

심복【心腹】〈名〉心腹．腹心．句例 사장의 ～ 社長の腹心．語例 ～ 부하 腹心の部下．

⁑심부름 [shi:mburŭm]〈名〉(お)使い．～하다〈自〉お使いをする．使い走りする．句例 ～가다 お使いに行く／～ 보내다 使いに出す．文例 어머니 ～으로 가게에 갔다 母の使いで店に行った／얘, ～ 좀 해다오 おい，ちょっと使いに行ってくれ．語例 ～꾼 お使い．使いの者．

심사【心思】〈名〉意地悪な根性．
심사(를) 부리다 わざと人のことを邪魔する．意地悪をする．
심사(가) 사납다 心がひねくれて意地悪だ．心がよこしまだ．根性が悪い．

심사【審査】[shi:msa]〈名・하他〉審査．句例 자격을 ～하다 資格を審査する．語例 ～원 審査員．

심사-숙고【深思熟考】〈名〉深思熟考．沈思黙考．句例 ～ 끝에 단행하다 深思熟考の末断行する．

심산【深山】〈名〉深山．みやま《雅》．奥山．語例 ～ 계곡 深山渓谷／～ 유곡 深山幽谷．

심상【尋常】〈名・하形〉尋常．句例 ～치 않은 사태 尋常でない事態．文例 이 소란은 ～치가 않다 この騒ぎは尋常ではない．對비상(非常)．類예사(例事)．보통(普通)．

심성【心性】〈名〉'심성정(心性情)'の略：心性．天性．句例 한국인의 ～ 韓国人の心性／～이 착하다 心性が善良だ．

심성-암【深成岩】〈名〉〔鑛〕深成岩．

심-성정【心性情】〈名〉心性．天性．

심술【心術】〈名〉意地悪な心．語例 ～패기 意地悪な子供．
심술(을) 내다 意地悪をする．
심술(을) 부리다 '심술(을) 내다'のこと．
심술(이) 사납다 ひどく意地悪だ．
심술(을) 피우다 '심술(을) 내다'のこと．

*심술-궂다【心術—】〈形〉(とても)意地悪だ．句例 심술궂은 사람 意地悪な人／심술궂게 굴다 意地悪をする．

심술-꾸러기【心術—】〈名〉意地悪(な人)．あまのじゃく．＝심술쟁이．

심술-딱지【心術—】〈名〉'심술(心術)'の俗っぽい言いかた．

심술-쟁이【心術—】〈名〉⇨ 심술꾸러기．語例 ～ 영감 意地悪じいさん．

*심신【心身】〈名〉心身．句例 ～을 단련하다 心身を鍛える．文例 ～이 모두 지쳤다 心身ともに疲れた．

심심-산천【深深山川】〈名〉奥深い山川．

심심-풀이 [—p'uri]〈名・하自〉退屈しのぎ．暇つぶし．＝심심파적(破寂)．句例 ～로 그림을 그리다 退屈しのぎに絵をか(描)く／～로 장기를 두다 暇つぶしに将棋をさす．

심심-하다[1] (→하다)〈形〉味が薄い．句例 심심하게 간을 하다 薄く味つけをする．類싱겁다．

⁑심심-하다[2] (→하다)〈形〉退屈だ．所在ない．手持ちぶさただ．句例 심심해 하는 얼굴 退屈そうな顔．文例 심심해서 죽겠다〔못 견디겠다〕退屈でたまらない／할 일이 없어 ～ 所在なくて退屈だ／심심해서 연방 담배를 피운다 手持ちぶさたでしきりにタバコを吸う．語例 심심해하다 退屈がる．

심심-하다【深甚—】(→하다)〈形〉深甚だ．句例 심심한 사의〔경의〕를 표하다 深甚なる謝意〔敬意〕を表する．

심안【心眼】[shiman]〈名〉心眼．句例 ～을 열다 心眼を開く．對육안(肉眼)．

심야【深夜】[shimya]〈名〉深夜．夜更け．真夜中．句例 ～의 종소리 深夜の鐘の音．語例 ～ 방송 深夜放送／～ 요금 深夜料金／～ 프로 深夜番組．對백주(白晝)．

심오【深奧】[shimo]〈名・하形〉深奥．奥深いこと．句例 ～한 진리 奥深い真理／～한 경지 深奥な境地．

심의【審議】[shi:mŭi]〈名・하他〉審議．句例 법안을 ～하다 法案を審議する／～에 붙이다 審議に付する．語例 (국어) ～회 (国語)審議会．

*심장【心臟】〈名〉心臓．＝염통．句例 ～의 고동이 멈추다 心臓の鼓動が止まる／～이 약하다 心臓が弱い．語例 ～ 마비 心臓まひ／～병 心臓病／～부 心臓部．

심장【深長】〈名・하形〉深長．語例 의미 ～한 말 意味深長なことば．

심적【心的】[shimtchŏk]〈名・冠〉心的．語例 ～ 작용 心的作用／～ 변화 心的変化．對물적(物的)．

심전-도【心電圖】〈名〉心電図．

심정【心情】〈名〉心情．気持ち．胸中．句例 ～적으로 이해할 수 있는 행위 心情的に理

解できる行為. 文例 그의 ~을 헤아리다 彼の心情を察する.

심-줄 [—tchul]〈名〉'힘줄'の転訛.

심중【心中】〈名〉心中. 心の中. =의중(意中). 속마음. 句例 ~을 헤아리다 心中を察する / ~이 편치 않다 心中おだやかでない.

심중-하다【深重—】(→하다)〈形〉❶思慮深く重みがある. 慎重で落ち着いている. ❷深刻で重大だ. 句例 심중한 타격 深刻で重大な打撃. **심중히**〈副〉思慮深く. 重重しく.

심증【心證】〈名〉心証. 句例 ~을 굳히다 心証を固める. (對)물증(物證).

***심지**【心—】〈名〉心. 灯心. =등심(燈心). 句例 초의 ~ ろうそくの心 / ~를 돋우다〔올리다〕灯心を上げる / ~에 불을 붙이다 灯心に火をつける.

심지【心志】〈名〉心志. こころざし. 心と意志.

***심지어**【甚至於】[shi:mjiŏ]〈副〉はなは(甚)だしくは. それにもまして. その上(に). はなはだしきに至っては. 文例 훔치고, ~ 죽이기까지 했다 盗み, その上に殺しまでした / ~ 눈까지 오기 시작했다 その上に雪まで降り始めた.

심취【心醉】〈名・하自〉心酔. 句例 괴테에 ~하다 ゲーテに心酔する.

심층【深層】〈名〉深層. 深い層. 句例 인간 심리의 ~ 人間心理の深層. 語例 ~부 深層部.

심통【心—】〈名〉(よくない)心根. 根性. 意地悪. 句例 ~이 사납다 心根がとても悪い / ~을 부리다 意地悪をする.

***심판**【審判】[shi:mp'an]〈名・하他〉審判. ❶裁判. 裁き. 句例 ~을 바라다 審判をあおぐ / ~이 내리다 審判が下る / 신의 ~ 神の裁き / 최후의 ~ 最後の審判 / ~을 내리다 審判を下す. 語例 해난 ~ 海難審判. ❷審判官. 句例 ~에게 항의하다 審判に抗議する. 語例 ~원 審判員. アンパイア.

심포니〈名〉〔樂〕シンフォニー. シンホニー. =교향곡. 語例 ~ 오케스트라〔樂〕シンフォニーオーケストラ. ◇symphony

***심-하다**【甚—】[shi:m—](→하다)〈形〉はなは(甚)だしい. ひどい. 激しい. 句例 심한 충격 ひどい衝撃 / 심한 통증 はげしい痛み / 심한 손해를 입다 はなはだしい損害をこうむる / 장난이 ~ いたずらがひどい / 피해가 ~ 被害がひどい. 文例 그 장사는 경쟁이 ~ その商売は競争がはげしい. **심히** [shi:mhi]〈副〉はなはだ(しく). ひどく. はげしく. 文例 심히 유감스럽다 はなはだ遺憾である.

심해【深海】〈名〉深海. 語例 ~어 深海魚 / ~어업 深海漁業.

***심혈**【心血】〈名〉心血. 精魂.
심혈을 기울이다 心血を注ぐ〔傾ける〕. 文例 심혈을 기울여 완성시키다 心血を注いで完成させる.

심-호흡【深呼吸】〈名〉深呼吸. 句例 ~을 하다 深呼吸をする.

심화【深化】〈名・하自〉深化. 句例 노사의 대립이 ~되다 労使の対立が深化する / 모순이 ~되다 矛盾が深化する / 사고의 ~ 思考の深化.

****십**【十】〈數・冠〉十. 句例 ~에 ~을 곱하다 十に十をかける. 語例 ~회 十回 / ~인 十人.

십 〔漢字項目〕

【十】中學 십 ジュウ. ジッ. 열 とお. ■十惡 십악 じゅうあく. 十人 십인 じゅうにん. 十中八九 십중팔구 じっちゅうはっく.

십【拾】⇨ 습【拾】

십계【十戒】〈名〉〔佛〕十戒.

십-계명【十誡命】〈名〉〔基〕十誡.

십년-감수【十年減壽】[shimnyŏn—]〈名・하自〉十年の命が縮まること. ひどい恐怖・苦痛・驚きを表わす語. 文例 하도 놀라서 ~했다 非常に驚いて, 十年も命が縮まってしまったよ.

십년-공부【十年工夫】[shimnyŏnkkongbu]〈名〉十年の勉強. 長年の努力.
십년공부 나무아미타불 きゅうじん(九仞)の功をいっき(一簣)にか(虧)く. =십년공부 도로아미타불.

십년-지기【十年知己】[shimnyŏn—]〈名〉十年(来)の知己. 長年交わった友. 句例 ~와 같이 허물없이 사귀다 十年の知己のようにうち解ける.

십대【十代】〈名〉十代. 文例 지금 ~째가 서울에 살고 있다 今, 第十代目がソウルに住んでいる. 語例 ~ 소년 十代の少年.

***십-리**【十里】[shimni]〈名〉十里. 日本の一里にあたる. 語例 ~ 길 一里の道.

십분【十分】〈副〉十分. 句例 솜씨를 ~ 발휘하다 腕前を十分発揮する.

십상 ㊀〈名〉[もとの語形は'십성(十成)'] 好都合(のもの). おあつらえむきのもの. もってこいであること. ぴったりなこと. 文例 이 종이는 편지지로는 ~이다 この紙はびんせん(便箋)にもってこいだ.
㊁〈副〉好都合に. おあつらえむきに. ぴったり. 文例 재떨이로는 ~ 좋다 灰皿にはおあつらえむきだ.

십시-일반【十匙一飯】〈名〉十人がひとさじずつの飯を出し合えば一人分の飯になること. 多数の人が力を合わせれば一人の救済はできるとの意.

십이음 음계【十二音音階】[shibiŭmŭmgye]〈名〉〔樂〕十二音音階. =반음(半音) 음계.

십이-지【十二支】[shibi—]〈名〉十二支. '자子・축丑・인寅・묘卯・진辰・사巳・오午・미未・신申・유酉・술戌・해亥'の総称. 語例 십간 ~ 十干十二支.

십이지-장【十二指腸】[shibiji—]〈名〉〔生〕十二指腸. 語例 ~충 十二指腸虫 / ~ 궤양〔醫〕十二指腸潰瘍.

십인-십색【十人十色】[shibinshipsaek]〈名〉十人十色. =각인 각색(各人各色). 文例 사람의 사고 방식은 ~이다 人の考えかたは十人十色だ.

십일-조【十一條】[shibiltcho]〈名〉〔基〕信徒が教会に収入の十分の一を献金

することと. ＝십일조(十一租).
*십자【十字】〈名〉十字. 語例 적～ 赤十字 / ～로 十字路. つじ(辻)
*십자-가【十字架】〈名〉十字架.
십자가를 지다 十字架をせおう.
십자-군【十字軍】〈名〉十字軍. 句例 ～의 전사 十字軍の戦士 / 평화의 ～ 平和の十字軍.
십-자매【十姉妹】〈名〉〔鳥〕じゅうしまつ(十姉妹).
십-장생【十長生】〈名〉 長生きを象徴する十種のもの. 太陽・山・水・石・雲・松・不老草・かめ(亀)・つる(鶴)・しか(鹿). 民俗画・屛風, 昔の服飾, 陶磁器や器具のかざりなどに用いられた.
参考 韓国の民族信仰と道教から由来したもの.
십종 경기【十種競技】[—gyŏːnggi]〈名〉十種競技. デカスロン.
십중-팔구【十中八九】〈名・副〉十中八九. ＝십상(十常) 팔구. 文例 ～ 그의 짓이다 十中八九彼のしわざだ / ～는 출타중일 것이다 十中八九は留守だろう.
십진-법【十進法】[shipchinppŏp]〈名〉〔数〕十進法.
십팔-기【十八技】〈名〉十八般. 十八種の武芸.
십팔-번【十八番】〈名〉⇨ 장기(長技)

*싯-누렇다 [shinnurŏt'a] (싯누러니, 싯누러오)〈形〉真っ黄色い.
※싱겁다 (싱거우니, 싱거워서)〈形〉❶水っぽい. ㉠淡い. 塩辛くない. 甘い. 文例 이 된장국은 ～ このみそ汁は甘い. 對짜다. ㉡(酒などの)味がきつくない. 句例 싱거운 술 水っぽい酒. ❷まぬけている. しゃれけ(洒落気)がない. はりあいがない. 句例 사람됨이 ～ 人となりが甘い. ❸不体裁だ. 格好が似合わない. くだらない. 句例 싱거운 소리 くだらない話. 文例 싱겁게 키만 크다 のっぺらぼうに背ばかり高い / 키 크고 싱겁지 않은 사람 없다《속담》(→'키[1]'の小項目).
*싱그럽다 (싱그러우니, 싱그러워서)〈形〉さわやかだ. すがすがしい. 香ばしい. 句例 싱그러운 오월의 신록 さわやかな五月の新緑 / 싱그러운 바람이 불다 すがすがしい風が吹く.
싱그레〈副・하自〉 目だけでにこやかに笑うさま: にこっと. にやっと. にこやかに.
表現 語感の小さい語は'생그레'.
싱글〈名〉シングル. 語例 ～ 히트 シングルヒット / ～ 베드 シングルベッド. ◇single
*싱글-거리다〈自〉にこにこ笑う. 句例 혼자 좋아서 ～ 一人でうれしそうににこにこ笑う.
싱글싱글〈副・하自〉にこにこ.
싱글-벙글〈副・하自〉にこにこ. 文例 기쁜 일이라도 있는지 ～하고 있다 うれしいことでもあるのかにこにこしている.
싱긋〈副・하自〉にっこり. にこっと. 句例 ～ 웃다 にこっと笑う. ～거리다〈自〉にっこり笑う.
表現 語感の小さい語は'생긋'.
싱긋싱긋〈副・하自〉にこにこ.
싱긋-이 [shinggŭshi]〈副〉にっこりと. にこっと.
싱숭-생숭〈副・하形〉心がうきうきして落ちつかないさま: そわそわ. うきうき. 句例 마음이 ～하다 心がうきうきする.
*싱싱-하다 (→하다)〈形〉❶生きがいい. 生き生きしている. 句例 싱싱한 생선 生きのいい魚. ❷みずみずしい. 若若しい. なまなましい. 句例 나무의 푸르름이 ～ 木の緑がみずみずしい. ❸元気だ. 活発だ. ぴんぴんしている.
싱커페이션〈名〉〔楽〕シンコペーション. ＝당김음. ◇syncopation
싱크-대【sink臺】〈名〉(シンクの)流し(台).
싱크로나이즈드 스위밍〈名〉シンクロナイズドスイミング. ＝수중 발레. ◇synchronized swimming
*싶다〈補形〉❶('-고 ～'の形で)話し手が何かをのぞむ気持ちを表わす語: …たい. 句例 먹고 ～ 食べたい / 말하고 싶지 않다 言いたくない. ❷[もとの語形は'시프다'] ('-ㄴ가 ～・-는가 ～'の形で) 推定を不明瞭に表わす語: …ようだ. 文例 좀 큰가 ～ ちょっと大きいようだ / 뭔가 싶어 보았더니 별게 아니었다 なんだろう〔なにかしら〕と思って見たところたいしたこと〔もの〕ではなかった. ❸('-면 ～'の形で)希望を表わす語: …したらいいのにと思う. …て欲しい〔…てもらいたい〕なあ. 句例 빨리 떠났으면 ～ 早く出発したらいいなあと思う.
-싶다〈尾〉('듯～・성～'の形で)…のようだ. …らしい. 文例 모레쯤에 갈 듯～ あさってくらい行けそうだ. →듯싶다. 성싶다.
*싶어-하다 [ship'ŏ—] (→하다)〈補動〉('-고 ～'の形で)何かをしたい気持ちを表わす語: …たがる. 語例 알고 싶어하는 사람 知りたがる人 / 오고 ～ きたがる.
ㅆ [쌍시옷 ssangshiot] 'ㅅ'の硬音.
싸개〈名〉物を包む紙や布. 語例 책～ 本の包紙.
싸고-돌다 (—도니, —돌아서)〈他〉❶中心を取り囲んでその周りで動く. ❷かばう. 庇護する. 文例 그렇게 싸고돌기만 하면 버릇이 나빠집니다 そんなにかばってばかりいては, くせが悪くなります. ▷略して'싸돌다'ともいう.
싸구려 ㊀〈感〉 安売りするときやお客を呼びよせるときの掛け声: やすいですよ. やすいよ, やすい.
㊁〈名〉❶非常に値が安いもの. 句例 ～로 팔아 치우다 二束三文にたたき売る. ❷安物. 句例 ～를 찾아 돌아다니다 安物をあさる.
싸느랗다 [ssanŭrat'a] (싸느라니, 싸느라오)〈形〉❶(天気が冷え込んで)冷え冷えとしている. 寒寒としている. 句例 싸느란 가을 바람 冷え冷えとした秋風. ❷(からだなどが)冷たい. 句例 싸느란 시체 冷たくなった死体. ❸冷淡だ. 冷ややかだ. 句例 싸느란 표정 冷ややかな表情.
싸늘-하다 (→하다)〈形〉冷ややっこい. 冷ややかだ. ❶(天気などが)やや寒けがある. 句例 싸늘한 겨울 바람 冷やっこい冬風. ❷死体などが冷たい. 文例 달려갔을 때는 이미 싸늘해져 있었다 かけつけた時にはもう冷たくなっていた. ❸冷淡だ. 冷たい. 句例 싸늘한 눈초리로 쏘아보다 冷たい目付きで見つめる / 싸늘한 분

위기 冷ややかな雰囲気. **싸늘히**〈副〉冷たく. 冷ややかに. 冷淡に.

[表現] 語感の大きい語は'써늘하다'. 語勢の弱い語は'사늘하다'.

⁑**싸다**[1]〈他〉❶包む. [句例] 보자기에 ~ ふろしきに包む. ❷かばってやる. ＝감싸다. ❸食べ物を盛りつける. [句例] 도시락을 ~ 弁当をこしらえる. ▷→囲み記事 61

싸다[2]〈他〉(大小便などを)垂らす.

싸다[3]〈形〉❶口が軽い. [文例] 그 애는 입이 ~ その子は口が軽い. ❷足が速い. [句例] 싸게 걷다 足早に歩く. ❸火勢が強い. [句例] 싼 불로 끓이다 強火で沸かす. ❹性質などが剛直だ. [文例] 성깔이 너무 ~ 性質があまりはげしい.

⁑**싸다**[4]〈形〉❶安い. [句例] 싼 값 安いねだん / 싼 물건 安い品物. ❷仕打ちが適当か, または案外に軽いの意: 当たり前だ. 当然だ. [句例] 욕먹어〔맞아〕~ しか(叱)られて〔ぶたれて〕当然だ.

싼 것이 비지떡 安いものはおからのもち. 安かろう悪かろうの意.

싸-다니다〈自他〉出歩く. ほっつく. ほっつき回る. 略して'싸대다'ともいう. [句例] 유흥가를 ~ 盛り場をほっつき回る.

싸라기〈名〉❶小米. 砕け米. 砕米. くず米. ❷'싸라기눈'の略.

싸라기-눈〈名〉あられ(霰). 略して'싸락눈. 싸라기'ともいう. [句例] ~이 오다 あられが降る.

싸리〈名〉〔植〕⇨ 싸리나무. [語例] ~문 はぎの戸 / ~비 はぎで作ったほうき.

싸리-나무〈名〉〔植〕はぎ(萩).

싸리-버섯〈名〉〔植〕ほうきたけ.

싸-매다〈他〉包む. 巻く. 巻きつける. [句例] 상처를 붕대로 ~ 傷口を包帯で巻く.

⁑**싸우다**〈自〉❶争う. けんかをする. [句例] 싸우고 헤어지다 けんか別れする. ❷戦う. [句例] 적과 ~ 敵と戦う. ❸闘う. 競う. [句例] 병고와 ~ 病苦とたたかう / 불황과 ~ 不況とたたかう.

⁑**싸움**〈名〉けんか. 争い. 戦い. 戦. 立ち回り. 略して'쌈'ともいう. **~하다**〈自〉けんかをする. 争う. 戦う. [句例] ~을 걸다 戦いを挑む. けんかをうる / ~을 부추기다 けんかをけしかける. [語例] ~판 争いの場.

싸움은 말리고 흥정은 붙이랬다 けんかはやめさせ, 取り引きは周旋せよと言った. よくないことはやめさせ, いいことは勧めるべきだとの意.

*__싸움-터__〈名〉戦場. 戦地. 略して'쌈터'ともいう.

싸움-패【一牌】〈名〉ならず者. 無頼漢. ごろつきたち. 略して'쌈패'ともいう.

*__싸이다__〈自〉'싸다[1]'の受け身: 囲まれる. 包まれる. 取り巻かれる. [句例] 불길에 싸인 집 炎に包まれた家.

싸-전【一廛】〈名〉米屋.

싸전에 가서 밥 달라고 한다 米屋に行って飯をくれと言う. ひどくせっかちなことのたとえ.

싸-하다 [ssa:—] (→하다)〈形〉(舌やのどが)ひりつく. ひりひりする. ぴりっとする.

*__싹__[1]〈名〉❶芽. [句例] ~이 자라다 芽が伸びる / ~을 자르다 芽のうちに摘む. ❷'싹수'の略: 芽. 兆し. [文例] 악은 그 ~이 자라기 전에 잘라 버려야 한다 悪はその芽が伸びる前に切り取ってしまわなければならない.

싹이 노랗다 初めから望みがない. 見込みがない. ＝싹수가 노랗다.

싹(이) 트다 芽生える. ❶芽が出る. 芽ぐむ. 芽をふく. も(萌)える. [句例] 초목이 ~ 草木が芽生える / 새 풀이 싹트는 봄의 들 若草もえる春の野. ❷(物事が)起こり始める. 兆す. [句例] 사랑이 싹트기 시작하다 愛が芽生え始める / 새로운 사상이 싹트다 新しい思想が芽生える.

싹[2]〈副〉❶紙などを一気に切る音〔さま〕: すぱり. ずばり. さくり. さっくり. [句例] ~ 자르다 ずばりと切る. ❷滞りなく押したり掃き出すさま: すっきり. さっと. [句例] 마당을 ~ 쓸어버리다 庭をすっきり掃いてしまう. ❸少しも残さず皆. すっと. すっかり. [句例] 핏기가 ~ 가시다 血の気がすっと引く. ❹根から責任を取らず逃れるさま: がらりと. けろりと. くるりと. [句例] ~ 돌아서서 모른 체하다 けろりと態度を変えて知らんぷりをする.

싹둑〈副〉柔らかい物を細切りにするさま: ちょきん. すぱっと. [句例] 무를 ~ 자르다 大根をすぱっと切る. **~거리다**〈自他〉ちょきんちょきんと切る.

싹둑싹둑〈副・하自他〉ちょきんちょきん.

싹-수〈名〉見込み. 兆し. 芽. [文例] ~가 보인다 芽が出てきた. 見込みがある.

싹수(가) 노랗다 見込みがない. ＝싹이 노랗다.

싹수(가) 없다 見込みがない. 将来性がない.

싹수(가) 없이 見込みなく. 望みなく.

싹수(가) 있다 見込みがある. 望みがある. 将来性がある.

싹-싹[1]〈副〉すぱすぱ. ちょきんちょきん. [句例] 종이를 ~ 자르다 紙をちょきんちょきんと切る.

싹싹[2]〈副〉手を合わせてもむさま. [句例] 잘못했다고 ~ 빌다 許してくれと手をもむ.

싹싹-하다 [ssakssak'ada] (→하다)〈形〉気さくだ. さくい. 気軽い. 愛想がよい. [句例] 싹싹한 사람 気さくな人.

싹-쓸이 [ssakssŭri]〈名・하他〉すっかり掃き出

囲み記事 61

▩ '싸다'と'쌓다' ▩

싸다 (1) 包む —— 이것 좀 싸 주시오 これをちょっと包んでください.

(2) かば(庇)う —— 아이를 너무 싸고 돌면 방자해진다 子供を余りかばいだてすると我がままになる.

쌓다 (1) 積む. 重ねる —— 돌을 쌓다 石を積む.

(2) (徳・功績などを)積む —— 덕을 쌓다 徳を積む.

(3) (経験・技術などを)積む —— 얻기 어려운 경험을 쌓다 得難い経験を積む. 실력을 쌓다 実力をやしなう.

だすこと．一つ残らず無くすこと．（かけ事などに勝って）独り占めすること．

*싹-트다（싹트니, 싹터서）⇨'싹¹'の小項目

싼-값 [ssan-gap]〈名〉安値．＝염가．句例 ～으로 사들이다 安値で買い入れる．→값 参考

**쌀〈名〉❶米．＝미곡(米穀)．句例 ～을 주식으로 하다 米を主食とする / ～을 찧다 米をつ(搗)く / 멥～과 찹～ うるちともち米．語例 ～광 米蔵．❷いね科に属する穀物．麦・あわなど．

쌀-가게 [—kkage]〈名〉米屋．＝싸전(廛)．

쌀-겨 [—kkyŏ]〈名〉米ぬか．ぬか．こぬか．

쌀-독 [—ttok]〈名〉米のかめ．

쌀독에서 인심 난다 米のかめから人情がわく．自分が裕福であってこそ他人を助けることもできるの意．

쌀-뜨물〈名〉研ぎ水．研ぎ汁．白水．

**쌀-밥〈名〉米の御飯．＝이밥．백반(白飯)．

쌀-보리〈名〉裸麦．＝밀보리．

쌀-부대【—負袋】[—ppudae]〈名〉米袋．

쌀쌀-맞다〈形〉にべもない．冷淡だ．冷たい．句例 쌀쌀맞게 대하다 冷ややかに対する / 쌀쌀맞은 대답 にべもない返事．

쌀쌀-하다（→하다）〈形〉❶肌寒い．冷え冷えする．句例 쌀쌀한 날씨 肌寒いひより．❷冷たい．よそよそしい．冷ややかだ．句例 쌀쌀한 눈으로 보다 冷ややかな目で見る．쌀쌀히〈副〉冷たく．冷ややかに．

쌀-알 [ssaral]〈名〉米粒．

쌀-장사〈名・하自〉米商売．米の売買．

쌀-장수〈名〉米屋．米商人．

쌈¹〈名〉ちしゃ(萵苣)・白菜・のり(海苔)などで御飯とおかずを包んで食べること．また，その料理．

쌈² [ssa:m]〈名・하自〉'싸움'の略：けんか．戦い．争い．

쌈(을) 싸우다 ❶争う．けんかをする．❷戦争をする．戦う．

쌈³〈依名〉❶縫い針二十四本を単位として数える語．❷金百両の重さ．❸手入れするのにころあいの反物の一包み．参考 固有語の数詞にだけ付く．

쌈지〈名〉['담배 쌈지'の略] タバコ入れ．

쌈짓돈이 주머닛돈 タバコ入れのお金が巾着のお金．区別なく同じことのたとえ．

*쌍【雙】━〈名〉対．ペア．句例 ～을 이루다〔짓다〕対をなす．

═〈依名〉対．つがい．組．句例 한 ～의 비둘기 ひとつがいのはと(鳩) / 한 ～의 부부 一組の夫婦．

参考 ═の依存名詞は固有語の数詞にだけ付く．

쌍 〔漢字項目〕

【雙(双)】高校 쌍 ソウ．❶쌍 ふたつ．対．짝을 이룬 것을 세는 수사 対になっているものを数える数詞．▌雙手 쌍수 そうしゅ．雙眼鏡 쌍안경 そうがんきょう．▌屛風一雙 병풍 일쌍 びょうぶいっそう．❷견주다 ならぶ．필적하다 匹敵する．견줄 만한 것 ひってきするもの．▌雙璧 쌍벽 そうへき．▌無雙 무쌍 むそう．

쌍-가마【雙—】〈名〉対のつむじ．

쌍가지 소켓【雙—socket】〈名〉二またソケット．略して'쌍(雙)소켓'ともいう．

쌍견【雙肩】〈名〉双肩．＝양어깨．句例 국가의 운명을 ～에 짊어지다 国家の運命を双肩になう．

쌍-곡선【雙曲線】〈名〉〔數〕双曲線．

쌍-권총【雙拳銃】〈名〉二丁のピストル．

쌍-꺼풀【雙—】〈名〉二重まぶた．二皮目．語例 ～눈 二重まぶたの目．

쌍꺼풀(이) 지다 二重まぶたになる．

쌍날-칼【雙—】〈名〉両刃の刀．もろ刃．

쌍-년〈名〉'はした女'のさげすんだ言いかた：汚い女．卑しい女．

쌍-놈〈名〉'下郎'のさげすんだ言いかた：卑しい男．下種．

쌍동【雙童】〈名〉⇨ 쌍둥이．語例 ～딸 女のふたご / ～밤 ふたごくり(双子栗) / ～아들 男のふたご．

쌍두【雙頭】〈名〉❶双頭．＝양두(兩頭)．句例 ～의 독수리 双頭のわし．❷二匹．二頭．句例 ～ 마차 二頭立ての馬車．

쌍-둥이【雙—】〈名〉双子．

쌍룡【雙龍】[ssangnyong]〈名〉一対の竜．

쌍륙【雙六】[ssangnyuk]〈名〉すごろく(双六)．

쌍-말〈名・하自〉下品なことば．卑語．

쌍무【雙務】〈名〉双務．語例 ～ 계약 双務契約．

쌍-무지개【雙—】〈名〉二重虹．

쌍발【雙發】〈名〉❶双発．語例 ～기 双発機．❷銃口が二つあること．語例 ～ 엽총 二連の猟銃．

쌍방【雙方】〈名〉双方．両方．句例 ～의 의견 双方の意見．

쌍벌-죄【雙罰罪】[—tchoe]〈名〉〔法〕相姦者両方を罰する姦通罪．

쌍벽【雙璧】〈名〉双璧．句例 ～을 이루다 双璧をなす．

쌍-소리 [—ssori]〈名〉下品なことば〔話〕．句例 ～를 지껄이다 下品なことばを吐く．

쌍수【雙手】〈名〉双手．両手．もろ手．句例 ～를 들어 환영하다 もろ手を挙げて歓迎する．

쌍-스럽다（→스럽다）〈形〉下品だ．下劣だ．卑しい．文例 쌍스러운 말을 쓰지 마라 下品なことばを使うな．

쌍-심지【雙心—】〈名〉❶二筋の灯心．❷激怒で両目を血走らせていること．句例 눈에 ～를 켜고 화내다 両目を血走らせて怒る．

쌍심지(가) 나다 両目から火花が散る．(嫉妬などで)目が血走る．

쌍쌍【雙雙】━〈名〉二組以上の対〔カップル〕．語例 ～ 파티 男女のカップルが集まるパーティー．

═〈副〉'쌍쌍이'の略．

쌍쌍-이【雙雙—】〈副〉二人ずつ．対〔組〕になって．雌雄がつれそって．文例 나비가 ～ 날고 있다 ちょうちょう(蝶蝶)がつがいつがいに飛び交っている．

쌍안-경【雙眼鏡】〈名〉〔物〕双眼鏡．

쌍-알【雙—】〈名〉黄身が二つある卵.
 쌍알(이) 지다 事がかち合う. 一時に重なって起こる.
쌍-지팡이【雙—】〈名〉一対の杖.
 쌍지팡이를 짚고 나서다 いらぬおせっかいをする.
쌍-칼【雙—】〈名〉両刀(使い).
쌍화-탕【雙和湯】〈名〉〔韓醫〕疲労回復のためのせんじぐすり.
쌍-희자【雙喜字】[—hitcha]〈名〉絵や刺繡に用いる'囍'の字.
**쌓다 [ssa:t'a]〈他〉積む. ❶築く. 重ねる. 句例 성을 ～ 城を築く / 벽돌을 ～ れんがを積む / 확고한 지위를 ～ 不動の地位を築く. 語例 쌓아올리다 積み上げる. ❷蓄積する. 句例 경험을 ～ 経験を積む / 형설의 공을 ～ 蛍雪の功を積む / 기술을 ～ 技術を積む / 수양을 ～ 修養を積む. ▷→囲み記事 61
*쌓이다 [ssaida]〈自〉❶'쌓다 積む'の受け身: 積まれる. 句例 산처럼 쌓인 쌀가마니 山のように積まれた米俵. ❷積もる. ㉠重なる. 句例 낙엽이 ～ 落ち葉が積み重なる / 눈이 ～ 雪が積もる / 내려 쌓이는 눈 降り積もる雪. ㉡たまる. 句例 걱정이 ～ 心配が積もる / 빚이 ～ 借金がたまる / 불만이 쌓여 폭발하다 不満が積もって爆発する / 피로가 ～ 疲労がたまる. 文例 일이 (밀려) 쌓일 뿐이다 仕事がたまる一方である.
 쌔고-쌘 [ssae:gossaen]〈冠〉有り余る. ざらに有る. ありふれた.
 쌔고-쌨다 [ssae:gossaetta]〈形〉ざらにある. ありふれる. あり余る. 文例 그 정도의 것은 이 세상에 ～ それぐらいの物は世の中にざら〔ふんだん〕にある.
*쌔근-거리다〈自〉あえぐ. 息せく. 息をはずませる. 文例 무슨 일인지 쌔근거리며 뛰어 온다 何事か息をはずませて走ってくる.
 쌔근쌔근〈副・하自〉はあはあ. すやすや. 句例 ～ 잠든 아기 すやすや寝入っている赤ちゃん.
 쌔비다〈他〉'훔치다 盗む'の俗っぽい言いかた: かすめる.
 쌕쌕 [ssae:kssaek]〈副〉すやすや. 句例 아기가 ～ 잠자다 子供がすやすやと眠っている. ～거리다〈自〉しきりに息をはずませる.
 쌘 [ssae:n]〈冠〉ざらにある. ありふれた. 文例 그런 건 ～ 물건이다 それはざらにある物だよ.
 쌩긋〈副・하自〉にっこり. にこっと. 句例 ～ 웃다 にっこり笑う.
 쌩쌩 [ssae:ngssaeng]〈副〉ひゅうひゅう. ぴゅうぴゅう. 句例 찬 바람이 ～ 불다 冷たい風がぴゅうぴゅうと吹く.
 쌩쌩-하다 (→하다)〈形〉ぴちぴちしている. 生き生きしている. とても新鮮だ.
 써-넣다 [—nŏt'a]〈他〉書き入れる. 書き込む. =기입하다. 句例 신청서에 내용을 ～ 申請書に内容を書き入れる.
 써느렇다 [ssŏnŭrŏt'a] (써느러니, 써느러오)〈形〉❶ひやっこい. ㉠(気候が)涼しい. ㉡冷ややかだ. 冷たい. ❷おどろいてひやっとする.
 써늘-하다 (→하다)〈形〉❶ひやっこい. ひんやりする. 冷ややかだ. 句例 써늘한 방 冷ややかな部屋. ❷胸がひやっとする.

써다〈自〉(潮やたまり水が)引く.
써레 [ssŏ:re]〈名〉〔農〕まぐわ(馬鍬). 絵 語例 ⇨ 써레질 / 써렛발 まぐわの歯.

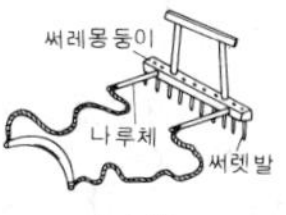

〈써레〉

써레-질 [ssŏ:re—]〈名〉代かき. まぐわで耕地をならすこと. ～하다〈自〉代かきをする.
써-먹다〈他〉'활용하다 活用する'の俗っぽい言いかた: 利用する.
썩[1]〈副〉❶さっさと. 速く. たちどころに. 文例 ～ 물러나지 못할까 さっさとしりぞかぬか. ❷すばらしく. ずば抜けて. とても. 非常に. 句例 ～ 좋은 성적을 올리다 すばらしい成績を取る.
썩[2]〈副〉❶ざっくり. 句例 무를 ～ 베다 大根をざっくり切る. ❷押したり掃いたりするさま: さっと. すっと. 句例 문을 ～ 열다 戸をさっとあける. ❸(人の前などに)いさぎよく出るさま. 句例 ～ 나서다 さっと前に出る.
**썩다〈自〉❶腐る. ㉠腐敗する. 句例 음식이 ～ 食べ物が腐る. 文例 이 사과는 썩어서 못먹겠다 このりんごは腐っているので食べられない.
㉡思想が健全でない. 句例 썩어 빠진 근성 腐れ根性. 文例 젊은 놈이 정신이 썩었구나 若いくせに精神が腐っているね.
㉢政治が乱される. 句例 썩은 정치 腐った政治.
㉣虫歯になる. 句例 이〔치아〕가 ～ 歯が虫歯になる.
㉤心を傷める. 気を病む. 煩う. 句例 속이 푹푹 ～ すっかり気がめいる.
❷使われずに古くなる. 朽ちる.
❸(才能などが)埋もれる. 文例 아까운 인재가 촌구석에 썩고 있다 惜しい人材が田舎に埋もれている.
 썩어도 준치 腐ってもたい.
썩어-빠지다 [ssŏgŏ—]〈自〉腐りきる. 朽ち果てる.
썩이다 [ssŏgida]〈他〉❶'썩다 腐る'の使役形: 腐らせる. 句例 아까운 쌀을 ～ もったいない米を腐らせる. ❷気をもませる. 頭を痛ませる. 句例 골치를 ～ 頭を痛ませる / 부모의 속을 ～ 親の気をもませる.
*썰다 [ssŏ:lda] (써니, 썰어서)〈他〉切る. 刻む. 句例 두껍게 ～ 厚切りにする / 잘게 ～ 細切りにする / 두부를 ～ 豆腐を切る.
表現 おもに食べ物を切ることに対していう.
썰렁-하다 (→하다)〈形〉❶ひやりとする. 冷え冷えする. 句例 방이 ～ 部屋の中がひやっとする. ❷もの寂しい. 句例 빈 교실이 ～ 教室ががらんとしている.
썰리다 [ssŏ:llida]〈自〉'썰다 切る'の受け身: 切られる. 切れる. 刻まれる. 句例 식칼이 잘 ～ 包丁がよく切れる.
**썰매〈名〉そり. 句例 ～를 타다 そりに乗る.
썰-물〈名〉引き潮. 下げ潮. 落ち潮. ㊊밀물.
썰썰-기다〈自〉恐れてはいつくばる. 恐れ入って縮こまる. ㊝오금을 못 펴다.
썰음-질 [ssŏ:rŭmjil]〈名・하他〉細のこで木を

切ること.

쏘가리〈名〉〔魚〕こうらいけつぎょ.

쏘개-질〈名・하自〉告げ口. 密告して妨げること.

쏘곤-거리다〈自他〉ささやく. ひそひそと話す.

쏘곤쏘곤〈副・하自他〉ひそひそ.

**쏘다〈他〉❶射る. 撃つ. 句例 활을 ~ 弓を射る. 絵 / 대포를 ~ 大砲を撃つ / 과녁을 쏘아 맞히다 的を射当てる. ❷刺す. 句例 벌이 ~ はち(蜂)が刺す. 絵 ❸鋭く言い放つ. ❹(においが)鼻をつく. (味が)舌を刺す. 句例 겨자 맛이 톡 ~ 辛子が鼻につんとくる.

表現 ②は, はち・虫などが刺すことを言うが, '蚊が刺す'のは'모기가 쏘다'とは言わず'물다 かむ'と表現する.

활을 쏘다 벌이 쏘다

〈쏘다〉

쏘-다니다〈自他〉歩き回る. うろつき回る. 句例 밤거리를 ~ 夜の街を歩き回る.

쏘시개〈名〉'불쏘시개'の略.

쏘이다〈自〉'쏘다 刺す'の受け身: (虫などに)刺される. 略して'쐬다'ともいう. 句例 벌에 ~ はち(蜂)に刺される.

쏙〈副〉❶突き出ていたりへこんでいたりするさま: にゅっと. ぐいっと. ぽこんと. 句例 구멍에서 머리를 ~ 내밀다 穴からにゅっと首を出す. ❷深く突っこんだり引き抜いたりするさま: ぐいっと. ぎゅっと. 句例 주먹을 ~ 들이밀다 ぐっとこぶしを突っこむ.

쏙닥-거리다〈自他〉ひそひそ話をする.

쏙닥쏙닥〈副・하自他〉ひそひそ.

쏙닥-이다 [ssoktagida]〈自他〉ひそひそと話す.

쏙독-새〈名〉〔鳥〕夜たか.

쏙-쏙〈副〉❶あちこち突き出たりへこんださま: にょきにょき. ぽこんぽこん. ❷ひきつづき差し込んだり抜いたりするさま: ぐいっぐいっと. ぎゅっぎゅっと. 句例 구멍마다 하나씩 ~ 집어 넣다 穴ごとに一つずつぐいぐい差し込む.

쏜살-같다〈形〉矢のようだ. **쏜살같이** [—gach'i]〈副〉矢のように. 矢のごとく. 句例 쏜살같이 빠르다 矢のように速い.

**쏟다〈他〉❶こぼす. 流す. 空ける. 句例 대야의 물을 ~ たらいの水を空ける / 잘못해서 국을 ~ 誤ってスープをこぼす.
❷吐き出す. 句例 피를 쏟고 쓰러지다 血を吐いて倒れる.
❸うち明ける. ぶちまける. 句例 불평을 쏟아 놓다 不平をぶちまける.
❹(心を)注ぐ. 傾注する. 句例 정열을 ~ 情熱を注ぐ / 연구에 심혈을 ~ 研究に心血を注ぐ.

*__쏟아-지다__ [ssoda—]〈自〉❶(一度にどっと)こぼれ出る. 文例 병이 넘어지는 바람에 그 안의 물이 다 쏟아졌다 瓶が倒された拍子にその中の水がみんなこぼれてしまった. ❷あふれる. 句例 눈물이 ~ 涙があふれ出る / 극장에서 사람이 쏟아져 나오다 劇場から人がどっと出てくる. ❸降りしきる. 降り注ぐ. 句例 쏟아지는 빗속을 가다 降りしきる雨の中を行く.

쏠다 [sso:lda] (쏘니, 쏠아서)〈他〉(ねずみが)かじる. 句例 쥐가 찬장을 ~ ねずみが茶だんすをかじる.

쏠리다〈自〉傾く. ❶(一方に)偏る. 句例 오른쪽으로 ~ 右のほうに傾く. ❷(心・視線が)注がれる. 集まる. 引かれる. 句例 마음이 ~ 気持ちが傾く / 동정이 ~ 同情が集まる.

쏠쏠-하다 (→하다)〈形〉(品質が)かなり良い. (商売などが)うまみがある. 句例 쏠쏠한 장사 うまみのある商売. 文例 저 가게는 작아도 쏠쏠한 물건이 많다 あの店は小さくとも結構いい品物がたくさんある. **쏠쏠히**〈副〉かなりよく. 結構.

쏴 [sswa:]〈副〉❶風が激しく吹き付けるさま. また, その音: ひゅう. ぴゅう. 文例 바람이 ~ 불어 온다 風がひゅうと吹いて来る. ❷水などが急に流れたり押し寄せる音: ざあっと. ❸大雨が降る音: ざあっと. 句例 소나기가 ~ 하고 오다 夕立がざあっと降る.

*__쏴-쏴__ [sswa:—]〈副〉❶風がしきりに強く吹き付ける音: ひゅうひゅう. びゅうびゅう. 句例 찬 바람이 ~ 불어오다 冷たい風がびゅうびゅう吹きまくる. ❷あらし(嵐)が吹く音: ざあざあ. 句例 비가 ~ 오다 雨がざあざあ降る.

쐐기[1] [sswae:gi]〈名〉くさび.

쐐기(를) 박다 ❶くさびをさす. ❷だめを押す.

表現 後で問題が起こらないようにあらかじめ念を押すことをたとえて'쐐기를 박다'と言うこともある.

쐐기[2] [sswae:gi]〈名〉〔蟲〕いらむし(刺虫). 語例 ~나방〔蟲〕いらが / ~풀〔植〕いらくさ(刺草).

쐬다[1] [ssoe:da]〈他〉❶当てる. さらす. 句例 바람을 ~ 風に当てる. 風にさらす / 햇볕을 ~ 日に当てる. ❷評価させる. 見てもらう. 句例 보석을 ~ 宝石を見てもらう.

쐬다[2] [ssoe:da]〈自〉'쏘이다'の略: 刺される. 句例 벌에 ~ はちに刺される.

쑤군-거리다〈自他〉ひそひそと話す. ささやく. 句例 쑤군거리는 소리가 들리다 ひそひそと話す声が聞こえる.

쑤군쑤군〈副・하自他〉ひそひそ.

*__쑤다__〈他〉(粥などを)炊く. 句例 풀을 ~ のり(糊)をつくる.

쑤석-거리다〈他〉❶しきりにひっかき回す. つっつき回す. 句例 숯불을 ~ 炭火をひっかき回す. ❷つつく. そそのかす. おだてる. 句例 친구를 쑤석거려 주식을 사게 하다 友達をつついて株を買わせる.

쑤석쑤석〈副・하他〉しきりにひっかき回したりおだてたりするさま.

쑤시다[1] 〈自〉 痛む. ずきずきする. うずく. 句例 어깨가 ～ 肩が痛む / 옛 상처가 ～ 古傷がうずく.

쑤시다[2] 〈他〉 ❶ほじくる. せせる. さしこむ. 句例 이〔귀〕를 ～ 歯〔耳〕をほじくる. ❷はち(蜂)の巣や穴などをつつく. 句例 벌집을 ～ はちの巣をつつく. ❸そそのかす.

쑥[1] 〈名〉〔植〕 よもぎ. もぐさ.

쑥[2] 〈名〉 間抜け. ばか. お人好し. やぼ. 文例 만나보니 정말 ～이더군 会ってみたところほんとに間抜けだったよ.

쑥[3] 〈副〉 ❶ひどく突き出たりへこんでいるさま: にゅっと. ぽこんと. ❷急に差し出したり現れるさま: ぬっと. にゅっと. 句例 돈을 달라고 손을 ～ 내밀다 お金をくれと手をにゅっと差し出す. ❸深くさしこんだり引き抜くさま: ぎゅっと. すぽっと. すっぽり. すっと. ぴょこんと. 句例 병마개가 ～ 빠지다 びんのせんがすぽっと抜ける / ～ 밀어넣다 ぐいっと押し込む.

***쑥-갓** 〈名〉〔植〕 春菊.

쑥대-머리 〈名〉 蓬頭. ＝쑥대강이.

쑥대-밭 〈名〉 ❶よもぎの生い茂った荒れ地. ❷廃墟. ▷略して'쑥밭'ともいう.

쑥대밭이 되다 廃墟となる.

쑥덕-거리다 〈自他〉 ひそひそと話し合う.

쑥덕쑥덕 〈副・하自他〉 ひそひそ.

쑥덕-공론 【一公論】 [—kongnon] 〈名・하自他〉 かれこれとひそかに相談したり人のうわさをすること. 密議.

쑥덕-이다 [ssuktŏgida] 〈自他〉 ひそひそと話し合う.

쑥-돌 〈名〉〔鑛〕 花崗岩.

쑥떡 〈名〉 草もち.

쑥-밭 〈名〉 '쑥대밭'の略.

쑥밭이 되다 廃墟となる.

쑥-스럽다 (→스럽다) 〈形〉 照れ臭い. きまり(が)悪い. 気まずい. 文例 선생님한테 칭찬을 받았을 땐 매우 쑥스러웠다 先生からほめられたときはとても照れ臭かった. 語例 쑥스럽게 照れ臭く / 쑥스러워지다 てれ臭くなる / 쑥스러워하다 照れ臭がる.

쑥-쑥 〈副〉 ❶あちこちみな突き出たりへこんだりしているさま: ぼこんぼこん. にょきにょき. ❷勢いよく成長するさま: すくすく(と). 句例 뜰의 화초가 ～ 자라다 庭の草花がすくすく伸びる. ❸続けざまに差し込んだり引き抜くさま: ぐいっぐいっ. すっぽりすっぽり. ずらりずらり. ❹刺すように痛むさま: ずきずき. ずきんずきん.

쑬쑬-하다 (→하다) 〈形〉 かなり良い. 使いようがある. 結構だ.

쒜쒜-쒜 [sswe:—] 〈感〉 ちちんぷいぷい.
表現 幼児がけがをしたとき, なでこすってなだめすかす言葉.

쓰개 〈名〉 頭にかぶる物の総称.

쓰기 〈名〉 (国語の学習で)書き取り.

⁑쓰다[1] (쓰니, 써서) 〈他〉 書く. ❶書き記す. 句例 고쳐 ～ 書き改める / 공책에 ～ ノートに取る / 연필로 ～ 鉛筆で書く / 일기를 ～ 日記をつける / 써 보내다 書き送る. 文例 이름을 잘못 썼다 名前を書き損なった. ❷(文章を)作る. 句例 세로 ～ 書き下ろす / 문장을 고쳐 ～ 文を作り直す. 文例 소설을 쓰기는 어렵다 小説を書くのは難しい.

⁑쓰다[2] (쓰니, 써서) 〈他〉 ❶かぶ(被)る. ㉠(頭などに)着ける. (眼鏡などを)か(掛)ける. 句例 모자를 비스듬히 ～ 帽子を斜めにかぶる / 탈〔가면〕을 ～ 仮面をかぶる / 색안경을 ～ 色眼鏡をかける.
㉡(布団などを)引っかぶる. (ちり・ごみなどを)浴びる. 句例 이불을 뒤집어 ～ 掛け布団を引っかぶる / 먼지를 ～ ほこりをかぶる.
㉢(罪を)かぶる. (ぬれぎぬを)着せられる. 文例 남의 죄를 뒤집어 쓰고 죽은 그 사람은 얼마나 억울했을까 人の罪をかぶって死んだその人はどれほどうらめしかったろう.
❷(傘を)差す. 句例 양산을 쓰고 가다 日傘をさして行く.

⁑쓰다[3] (쓰니, 써서) 〈他〉 使う. ❶使用する. 用いる. ㉠費やす. 句例 …을 마음대로 ～ …を勝手に使う / 돈을 다 ～ 金を使い果たす.
㉡利用する. 句例 도구를 ～ 道具を使う / 상자를 책상으로 ～ 箱を机に使う.
㉢(人を)雇う. 句例 조수를 ～ 助手を使う / 사무원을 ～ 事務員を雇う.
㉣(頭を)働かす. (意を)注ぐ. 傾ける. (はかりごとを)めぐらす. 句例 신경을 ～ 神経を使う. 気を使う / 계략을 ～ 計略を用いる.
㉤話す. 句例 영어를 쓰는 나라 英語を使う国.
❷(力を)尽くす. 句例 힘을 ～ 力を出す. 力を尽くす.
❸(…を)使って作る. …でする. 句例 밀가루를 재료로 ～ 小麦粉を材料にする / 쇠를 써서 만들다 鉄を使って作る.
❹投薬する. 服用する. 句例 약을 쓰지 않다 薬を使わない. 文例 약을 써도 효과가 없다 薬を飲んでも効果がない.
❺(かりうちや将棋などで駒を)進ませる. 動かす. 句例 말을 잘 ～ 駒の動かし方がうまい.
❻(疑問や'못쓰다'の形で)いけない. 文例 공부를 중도에 그만두면 쓰는가 勉強を途中でやめてもよいのか / 그런 소리 하면 못써 そんな事言ってはだめだよ.

쓰다[4] (쓰니, 써서) 〈他〉 墓を作る. 埋葬する. 句例 선산(先山) 밑에 뫼를 ～ 祖先の墓の下の方に埋葬する /양지 바른 곳에 묏자리를 ～ 日当たりのよい所に埋葬する.

⁑쓰다[5] (쓰니, 써서) 〈形〉 苦い. ❶苦味がある. 句例 아주 쓴 약 ひどく苦い薬. ❷(食欲が)ない. まずい. 句例 입맛이 ～ 口が苦い. ❸不気嫌だ. 苦苦しい. 句例 쓴 웃음을 짓다 苦笑いをする / 쓴 경험을 하다 苦い経験をする. ▷(反)달다.

쓰면 뱉고 달면 삼킨다 '달면 삼키고 쓰면 뱉는다'の意(→'달다[4]' の小項目).

쓴 입맛을 다시다 後味の苦さを覚える. 苦苦しく思う.

***쓰다듬다** [ssŭdadŭmtta] 〈他〉 ❶な(撫)でる. さす

ㅅ

る. なでさする. 句例 머리를 ~ 頭をなでる / 수염을 ~ ひげをなでる. ❷なだめる. すかす. 文例 우는 애의 머리를 쓰다듬으면서 달랬다 泣く子の頭をなでながらなだめた.

쓰디-쓰다 (一쓰니, 一써서)〈形〉'쓰다⁵'の強調形: 苦苦しい. ❶(味が)ひどく苦い. 句例 쓰디쓴 약 非常に苦い薬. 對다디달다. ❷つら(辛)い. 心苦しい. 句例 쓰디쓴 경험 苦苦しい経験.

*__쓰라리다__〈形〉❶(傷が)ひりひりする. うず(疼)く. 句例 상처가 ~ 傷口がうずく. ❷つら(辛)い. 苦い. 心苦しい. 句例 쓰라린 고통〔이별〕 つらい苦痛〔別れ〕/ 쓰라린 경험 苦い経験. 語例 쓰라림 苦しさ. 辛さ.

**__쓰러-뜨리다__〈他〉倒す. ❶立っているものを倒す. 句例 나무를 ~ 立ち木を倒す. ❷負かす. 打ち倒す. 句例 내각을 ~ 内閣を倒す / 적을 ~ 敵を倒す.

**__쓰러-지다__〈自〉倒れる. ❶(立っていたものが)横になる. 句例 나무가 바람에 ~ 木が風で倒れる. ❷病気になる. 句例 격무〔과로〕로 ~ 激務に〔過労で〕倒れる. ❸滅びる. つぶれる. 句例 회사가 ~ 会社が倒産する. ❹死ぬ. 句例 흉탄에 ~ 凶弾に倒れる.

쓰렁쓰렁-하다 (→하다)〈形〉(仲が疎遠になって)よそよそしい. うとい.

ㅅ

**__쓰레기__〈名〉ごみ. くず. ちり. あくた《雅》. 句例 ~를 버리다 ごみを捨てる / ~를 줍다 ごみを拾う / ~를 쳐가다 ごみをさらって行く. 語例 ~ 더미 ごみの山 / ~차 清掃車 / ~통(桶) ごみ箱. ちり箱. 掃きだめ / ~ 처리장 ごみ処理場.

**__쓰레-받기__〈名〉ごみ取り. ちり取り.

쓰레-질〈名·하自〉掃き掃除.

쓰르라미〈名〉〔蟲〕ひぐらし. かなかな(蜩).

쓰리다〈形〉❶ひりひり痛い. 焼ける. 句例 가슴이 ~ 胸が焼ける. ❷(空腹で腹が)痛い.

쓰이다¹ ㊀〈自〉'쓰다 書く'の受け身: 書かれる. 文例 오늘은 글씨가 잘 쓰인다 今日は字がよく書ける.

㊁〈他〉'쓰다 書く'の使役形: 書かせる. 句例 동생에게 쓰인 글씨 弟に書かせた字.

*__쓰이다²__〈自〉'쓰다 使う'の受け身: 使われる. 用いられる. 句例 많이〔널리〕 ~ 多く〔広く〕使われる / 쓰이게 되다 使われるようになる.

*__쓰임-새__〈名〉使いで. 使い道. 句例 ~가 있다 使いでがある / ~가 없다 使い道がない / ~가 많다 使いでが多い.

쓱〈副〉❶それとなく消えてなくなるさま: そっと. 句例 ~ 없어지다 すっとなくなる. ❷飛び出すさま: さっと. ぱっと. 句例 ~ 뛰어 나가다 ぱっと飛び出る. ❸速く過ぎ去るさま: さっと. すっと. 句例 ~ 지나가다 さっと通り過ぎる. ❹軽くこする〔もむ〕さま: さっと. 句例 ~ 문지르다 さっとこする〔もむ〕.

쓱싹-쓱싹〈副·하自他〉ぎいこぎいこ. ごしごし.

쓱싹-하다 [ssŭkssak'ada] (→하다)〈他〉❶(誤りを)消し隠す. もみ消す. 見逃す. ❷猫ばばをきめこむ. ❸(勘定などを)棒引きにする. 相殺する.

*__쓱-쓱__〈副〉ごしごし. 句例 ~ 문지르다 ごしごしこする.

쓴-맛〈名〉苦み. 苦さ.

쓴맛 단맛 다 보았다 酸いも甘いもみな味わった. 人生の苦楽をみな経験した.

쓴-웃음 [ssŭnusŭm]〈名〉苦笑い. 苦笑. 句例 ~을 짓다 苦笑いをする.

쓸개〈名〉〔生〕胆嚢. =담낭(膽囊). 語例 ~즙 胆汁.

쓸개 빠진 놈 ふ抜けめ. 腰抜け野郎.

*__쓸다¹__ (쓰니, 쓸어서)〈他〉❶掃く. 句例 비로 ~ ほうきで掃く / 마당을 ~ 庭を掃く.

❷手で軽くなでる. 句例 가슴을 쓸어 내리다 胸をなでおろす / 어깨를 가볍게 쓸어 주다 肩を軽くなでてやる.

❸一掃する. 総なめにする. 文例 홍수가 우리 마을 논밭을 쓸고 지나갔다 洪水がうちの村の田畑を総なめにしてしまった.

❹独り占めする. 席巻する. 文例 여러 가지 상을 싹 쓸어갔다 多くの賞を独り占めにした / 판돈을 몽땅 쓸어갔다 賭場の場銭をすべてかき集めていった.

쓸다² (쓰니, 쓸어서)〈他〉やすりをかける. す(擦)る. 句例 줄로 톱을 ~ やすりでのこぎりをする.

쓸데-없다 [ssŭltteŏpta]〈形〉い(要)らない. 無用だ. 役に立たない. 無駄だ. 句例 쓸데없는 걱정 いらない心配 / 쓸데없는 참견 よけいなお世話 / 쓸데없는 지출 無駄な出費.

쓸데없이 [ssŭltteŏpshi]〈副〉いたずらに. 無用に. 無駄に. 句例 쓸데없이 시간을 허비하다 いたずらに時間を費やす / 쓸데없이 떠들어 대다 いたずらに騒ぎ立てる.

쓸리다¹〈自〉擦りむける. 句例 넘어져서 무릎이 ~ 転んでひざが擦りむける.

쓸리다²〈自〉一方に傾きなびく.

쓸리다³〈自〉❶'쓸다 掃く'の受け身: 掃かれる. 句例 마당이 깨끗이 ~ 庭がきれいに掃かれる. ❷(雨·風などに)吹き払われる.

*__쓸-모__〈名〉役. 用. 使い道. 取り柄. 値打ち. 句例 ~가 있다 役に立つ / ~가 없다 役に立たない. くだらない. 文例 아무 ~도 없다 何の役にも立たない / 제법 ~가 있다 まんざら捨てたものでもない.

*__쓸쓸-하다__ (→하다)〈形〉❶うすら寒い. 冷え冷えする. 肌寒い. 句例 쓸쓸한 날씨가 계속되다 うすら寒い天気が続く. ❷(うら)寂しい. わびしい. 文例 쓸쓸한 마음을 달래기 위해 여행을 떠났다 寂しい気持ちを紛らすために旅に出た / 쓸쓸한 웃음 寂しい笑い / 쓸쓸하게 살다 寂しく暮らす. **쓸쓸히**〈副〉さびしく. つくねんと. ぽつねんと. しょんぼり. 句例 쓸쓸히 혼자서 노후를 보내고 있는 노인 寂しくひとりで老後を送っている老人.

쓸어-들이다 [ssŭrŏdŭrida]〈他〉掃き寄せる. 掃きためる.

쓸어-버리다 [ssŭrŏ—]〈他〉掃き捨てる.

쓿다 [ssŭlt'a]〈他〉(米·きびなどを)精白する. 句例 쓿은 쌀 精白した米.
參考 '쓿은 精白した' '쓿고 精白して'は[ssŭrŭn], [ssŭlk'o]と読む.

씀바귀〈名〉〔植〕にがな(苦菜).

씀씀-이 [ssŭmssŭmi]〈名〉費用. 支出. 掛

かかり. 句例 ～가 많다 費用〔掛かり〕がかさむ / ～가 헤프다 金遣いが荒い.

씁쓰레-하다 (→하다)〈形〉ほろ苦い. 苦っぽい. 句例 맥주의 씁쓰레한 맛 ビールのほろ苦い味.

씁쓸-하다 (→하다)〈形〉ほろ苦い. 苦っぽい. 句例 뒷맛이 ～ 後味がほろ苦い.

씌다¹ [ssida]〈自〉"쓰이다"の略. 句例 불어로 씌어 있는 책 フランス語で書かれている本.

씌다² [ssida]〈自〉物の怪につかれる. 句例 귀신이 씌어서 무당이 되다 鬼神に取り付かれてみこ(巫女)になる.

씌다³ [ssida]〈他〉'씌우다'の略. 句例 딸에게 모자를 씌어 주다 娘に帽子をかぶせてやる.

씌우개 [ssiugae]〈名〉覆い. カバー.

***씌우다** [ssiuda]〈他〉かぶせる. ❶(頭などの上に)か(掛)ける. 句例 모자를 ～ 帽子をかぶせる / 테이블보를 ～ テーブルにカバーをかける. ❷(とが(咎)などを人に)着せる. なする. 句例 누명을 ～ ぬれぎぬを着せる / 남에게 죄를 ～ 人に罪をなする.

****씨**¹〈名〉種. ❶種子. 実. 句例 ～를 뿌리다 種をまく. ❷(核果などの)核. さね(実). 仁. 語例 복숭아 ～ もも(桃)のさね. ❸たね(胤). 父の血筋. 句例 불륜의 ～를 배다 不倫の種をやどす. ❹物事の根本. もと. 句例 불화〔분쟁〕의 ～ 不和〔紛争〕の種.

씨(를) 말리다 種を絶やす. 一つも残さずみななくしてしまう. 皆殺しにする.

씨(가) 먹다 筋が通っている. 句例 씨가 먹는 말 道理にかなった言葉.

씨(를) 받다 種を取る.

씨²〈名〉(織物の)横糸. 對날.

***씨**【氏】〈依名〉氏. 殿. さん. 語例 김 ～ 金さん.

表現 姓・姓名・名前の後にみな付く. また, 男女ともに使われる. 最も中立的・公式的な呼称である. 恋人同志では名前の後に付けて呼びかけにも用いられる.

씨	〔漢字項目〕

【氏】中學 씨 シ. ❶같은 혈족의 집단 同一血族の集団. ▌氏族 씨족 しぞく. 氏名 씨명 しめい. ▌姓氏 성씨 せいし. ❷사람을 지칭하는 데 붙여 쓰는 칭호 人を指していうときに付ける称号. ▌金氏 김씨 キムし. 某氏 모씨 ぼうし.

씨근-거리다〈自〉あえぐ. 息をはずませる. 息を切らす.

씨근씨근〈副・하自〉はあはあ.

씨근-벌떡〈副・하自〉息をはずませるさま: あえぎあえぎ. 息を切らして. **～거리다**〈自〉しきりにあえぐ. 息をはずませる. 息を切らす.

씨-눈〈名〉⇨ 배(胚)

씨-닭 [—dak]〈名〉⇨ 종계(種鶏)

씨-도둑〈名〉一家の血統に似ないで他人に似ること.

씨도둑은 못 한다 血筋は争えない.

씨-돼지〈名〉 種付け用に飼う豚. 種豚. =종돈(種豚).

***씨름**〈名〉❶相撲. **～하다**〈自〉相撲をとる. 語例 ～꾼 相撲取り. 力士. ❷真剣に事に当たること. とり組み. **～하다**〈自〉とり組む. 句例 책과〔난문제와〕 ～하다 本に〔難問題と〕とり組む.

씨름-판〈名〉相撲場. 土俵場.

씨-받이 [—baji]〈名・하自〉❶種付け. 採種. 語例 ～말 種付け馬. ❷妻に欠陥があって子を生めないとき, 他の女性に受精させて子を生ませること.

씨-방【—房】〈名〉〔植〕子房.

씨부렁-거리다〈自〉しゃべり立てる. しきりに無駄口をたたく.

씨부렁씨부렁〈副・하自〉しきりにしゃべり立てるさま: ぺちゃぺちゃ. べらべら.

***씨-뿌리다**〈自〉種をまく. 句例 밭에 씨뿌리러 가다 畑に種まきに行く.

씨식-잖다 [ssishikchant'a]〈形〉(言動などが)きざ(気障)だ. こしゃく(小癪)だ.

씨-실〈名〉ぬき糸. 横糸. ぬき. 對날실.

씨아〈名〉綿繰り車. 綿車. 語例 ～질 綿繰り機で綿の実を抜くこと. 綿繰り.

씨-알〈名〉❶種卵. ❷穀物の種粒. ❸鉱物の細かい粒.

씨알-머리〈名〉素性. 毛並み. 句例 ～ 없는 계집 毛並みの悪い女.

表現 人をののしるとき, 血筋を見下げて当てこする語.

씨-암탉 [—amt'ak]〈名〉種取りめんどり.

***씨앗**〈名〉(作物・野菜の)種. =종자(種子). 句例 ～을 뿌리다 種をまく / ～을 받다 種をとる.

씨양이-질〈名・하自〉邪魔立て. 略して'쌩이질'ともいう.

씨족【氏族】〈名〉氏族. 語例 ～ 사회 氏族社会 / ～ 제도 氏族制度.

씨-줄〈名〉❶ぬき糸. ❷〔地〕⇨ 위선(緯線). 對날줄.

씩〈副〉にやり. にたり. にこっ. 句例 ～ 혼자서 웃다 にたりと一人で笑う / 멋쩍게 ～ 웃다 気まずそうににやっと笑う.

-씩〈尾〉…ずつ. …当て. 句例 세 개～ 나누어 주다 三個ずつ分けてやる / 두 홉～ 배급을 주다 二合当てに配給する / 하루에 두 번～ 먹는 약 一日に二回飲む薬. 文例 하나에 얼마～입니까 一つあたりいくらですか. 語例 조금～ 少しずつ.

씩둑-거리다〈自〉つまらないことをぺちゃくちゃとしゃべる. でたらめをしゃべる.

씩둑씩둑〈副・하自〉ぺちゃくちゃ.

씩씩 [ssi:kssik]〈副・하自〉息をせかしたり, はずませたりするさま: はあはあ. ぜいぜい. あえぎあえぎ. **～거리다**〈自〉はあはあする. 息巻く. 句例 ～거리며 덤비다 息巻いてとびかかる.

***씩씩-하다** [ssikssik'ada] (→하다)〈形〉りりしい. 雄雄しい. 勇ましい. 句例 씩씩한 모습 雄雄しい姿 / 씩씩한 청년 りりしい青年 / 씩씩하게 싸우다 勇ましく戦う. 文例 씩씩한 어린이는 나라의 기둥이다 りりしい子供は国の柱である.

씰그러-뜨리다〈他〉ゆが(歪)める. 傾ける.

씰그러-지다〈自〉ゆが(歪)む. 傾く.

씰긋-하다 [ssilgŭt'ada] (→하다)〈形〉ややゆがんでいる．やや傾いている．

씰룩〈副・하自他〉ぴくり．ぴくっと．ひくっと．句例 얼굴의 근육이 ~하다 顔の筋肉がぴくっとする．**~거리다**〈自他〉ぴくりぴくりする．

씰룩씰룩〈副・하自他〉ぴくりぴくり．ひくっひくっ．

**씹다〈他〉❶かむ．咀嚼する．句例 잘 씹어서 먹다 よくかんで食べる．❷そしる．人をあしざまに言う．けなす．❸じっとおさえる．句例 하품을 씹어 삼키다 あくびをぐっとかみしめる．

씹-조개〈名〉〔貝〕どぶがい(溝貝)．

씹히다 [ssip'ida] ━〈自〉'씹다 かむ．そしる'の受け身．❶かまれる．文例 고기가 너무 질겨서 잘 씹히지 않는다 肉があまり固くてよくかめない．❷人からそしりを受ける．悪口を言われる．

━〈他〉'씹다 かむ'の使役形：かませる．

씻기다 ━〈自〉'씻다 洗う'の受け身：洗われる．ぬぐわれる．句例 세찬 파도에 씻긴 바위 激浪に洗われた岩．

━〈他〉❶'씻다 洗う'の使役形：洗わせる．ぬぐわせる．そそがせる．句例 발을 ~ 足をそそがせる．❷洗ってやる．ぬぐってやる．句例 아들의 손을 씻겨 주다 息子の手を洗ってやる．

**씻다〈他〉❶洗う．流す．句例 그릇을 ~ 食器を洗う／때를 ~ あかを流す．❷ぬぐう．ふく．句例 몸을 ~ からだを洗う．身をぬぐう／이마의 땀을 ~ 額の汗をぬぐう．❸すすぐ．そそぐ．清める．句例 치욕을 ~ 恥をそそぐ／오명을 ~ 汚名をそそぐ．❹晴らす．句例 원한을 ~ 恨みを晴らす．

씻어-내다 [ssisŏ—]〈他〉洗い立てる．句例 때를 ~ あかを洗い落とす．

씻어-버리다 [ssisŏ—]〈他〉❶洗ってしまう．❷すすぐ．そそぐ．汚名を清める．

씻은-듯이 [ssisŭndŭshi]〈副〉きれいさっぱりと．洗ったように．句例 병이 ~ 낫다 病気がけろりと治る／아픈 것이 ~ 없어지다 痛みが水に流したように〔きれいに〕なくなる／원한을 ~ 잊어 버리다 恨みをきれいさっぱりと忘れてしまう．

씽〈副〉(枝や電線に鳴る)風の音：ひゅう．ぴゅう．

씽긋〈副・하自〉にこり．にっこと．**~거리다**〈自〉しきりににこにこする．

씽긋씽긋〈副・하自〉にこりにこり．

씽긋-이 [ssinggŭshi]〈副〉にこりと．

*씽-씽 [ssi:ng—]〈副〉❶強く鳴る風の音：ひゅうひゅう．ぴゅうぴゅう．❷にいにいぜみ(蟬)の鳴く音：しいしい．にいにい．

씽씽-매미〈名〉〔蟲〕にいにいぜみ(蟬)．

씽씽-하다 (→하다)〈形〉生き生きしている．ぴちぴちしている．元気旺盛だ．

ㅇ

ㅇ [이응 iŭng] ハングル字母の第八番目の字.

***아¹** 〈名〉〔言〕ハングルの字母'ㅏ'の名称.

***아²** 〈感〉❶驚き・うろたえ・あせりなどを表わしたり, せっぱ詰まったときに出す語: あ(っ). ああ. や. 文例 ～, 깜짝이야 ああ, びっくりした / ～, 큰일났다 あっ, 大変だ / ～, 대단히 실례했습니다 や, どうも失礼しました. ❷呼びかけの語: あ(あ), あの, おい. 文例 ～, 잠깐 あ, ちょっと / ～, 자네 좀 보세 あの, 君ちょっと来てくれ / ～, 그래서야 쓰나 おい, そんなことでは困るよ. ❸喜び・悲しみ・称賛・後悔などの感情を表わす語: ああ. おお. 文例 ～, 어머니 ああ, お母さん / ～, 기쁘다 ああ, うれしい / ～, 그리운 옛 추억이여 ああ, 懐かしいありし日の思い出よ.

아 해 다르고 어 해 다르다 'あ'と言って違うし, 'お'と言って違う. ものは言い様だとの意.

아³ 〈助〉終声のある名詞に付いて, 目下や物をさす語. ❶(名前に付いて)…や. 文例 인숙～, 놀자 仁淑, 遊ぼうよ. ❷(人間を表わす語に付いて) …よ. 文例 이 놈～ こやつめ / 막둥～ 末っ子や / 이 사람～, 어떻게 된 거야 ちょっとお前, どうしたんだ / 애들～, 내일 아침 일찍 오너라 みんな, あす早く来る事よ. ❸(童話などで, 動物の名に付いて) …よ. 文例 바둑～ ぶち犬よ / 호랑～ とら(虎)よ / 기러～ かり(雁)よ / 개굴～ 蛙よ. ❹(詩などで, 親しい呼びかけ) …よ. 文例 달～ 달～ 밝은 달～ 月よ, 月よ, 明るい月よ.
参考 終声のない名詞には'야'をつける.

아 〔漢字項目〕

【亞(亜)】 高校 아 ア. ❶버금가는 次ぐ. 다음가는 次ぎの. ■亞種 아종 あしゅ. 亞流 아류 ありゅう. 亞燐酸 아인산 ありんさん. ❷외국어의 음역자 外国語の音訳字. ■亞米利加 아메리카 アメリカ. ❸'아세아(亞細亞)'의 준말 'アジア(亜細亜)'の略. ■東亞 동아 とうあ. 歐亞 구아 おうあ.

【兒(児)】 中學 아 ジ. ニ. ❶어린이 子供. ■愛兒 애아 あいじ. 遺兒 유아 いじ. ❷어린 아이 幼い子. ■兒童 아동 じどう. ■幼兒 유아 ようじ. 育兒 육아 いくじ. 小兒 소아 しょうに. ❸사랑스런 젊은이 いとしい若者. ■健兒 건아 けんじ. 寵兒 총아 ちょうじ.

【我】 中學 아 ガ. ❶나 わたし. 우리 われ. ■自我 자아 じが. ❷나의 わたしの. 우리의 われらの. ■我國 아국 わがくに. 我軍 아군 わがぐん. 我見 아견 がけん. ❸고집을 부리다 我を張る. ■我執 아집 がしゅう.

【牙】 高校 아 ガ. ❶어금니 奥歯. ■牙齒 아치 がし. ❷대장의 기 大将の旗. ■牙旗 아기 がき. ❸대장이 있는 성 大将のいる城. ■牙城 아성 がじょう. ❹중매인 仲人. 媒酌人. ■牙人 아인 がじん. 牙錢 아전 がせん.

【芽】 高校 아 ガ. ❶초목의 싹 草木のめ. 새싹 新しい芽. ■麥芽 맥아 ばくが. 新芽 신아 しんが. ❷㉠새로 싹트다 新しく芽生える. ■萌芽 맹아 ほうが. 發芽 발아 はつが. ㉡사물의 시작 ことの起こり. ■萌芽期 맹아기 ほうがき.

【阿】 高校 아 ア. ❶언덕 丘. 고개 坂. ■阿丘 아구 あきゅう. ❷강변・해변 岸・水ぎわ. ■水阿 수아 すいあ. ❸산기슭 山のふもと. ■山阿 산아 さんあ. ❹의지하다 頼る. ■阿衡 아형 あこう. ❺아첨하다 へつらう. 아양떨다 こびる. ■阿眉 아미 あび. 阿世 아세 あせい. 阿諛 아유 あゆ. ❻길 모퉁이 曲がり角. ■曲阿 곡아 きょくあ. ❼'아프리카'의 준말 '阿弗利加'の略. ■南阿(聯邦) なんア(れんぽう(連邦)).

【雅】 高校 아 ガ. ❶바르다 ただしい. ■雅樂 아악 ががく. 雅言 아언 がげん. ❷변함없다 変わりない. 일정하다 一定している. ■雅意 아의 がい. ❸고상하다 みやびやかだ. ■雅趣 아취 がしゅ. 雅致 아치 がち. ■高雅 고아 こうが. 典雅 전아 てんが. ❹남의 언행・시문 등에 대한 칭찬 相手の行ない・詩歌などを称える語. ■雅兄 아형 がけい. 雅才 아재 がさい.

【餓】 高校 아 ガ. ❶굶주리다 うえる. ■餓鬼 아귀 がき. 餓死 아사 がし. ■饑餓 기아 きが. ❷굶기다 飢えさせる. ■餓殺 아살 がさつ.

****아가** 〈名〉❶《兒》赤子. 赤ちゃん. 乳飲み子. 坊や. ＝아기. ❷これ. ちょっと. あなた. 文例 ～야, 애가 운다 これ, 赤ちゃんが泣いてるよ.
表現 ②は, しゅうと・しゅうとめが若い嫁に向かってよびかける語.

아가리 〈名〉❶'입 口'の俗っぽい言いかた. 文例 ～ 닥쳐 だまれ. ❷(瓶やつぼなどの)口. 句例 꽃병의 ～가 깨지다 花瓶の口が割れる.

아가리(를) 놀리다 口をはさむ. しゃべる.

아가리(를) 벌리다 ❶口を開く. ❷(大きな口をあけて)泣く.

아가미 〈名〉えら(鰓).

아가씨 〈名〉❶処女の丁寧語: お嬢さん. 娘御. 乙女. 娘さん. 文例 예쁜 ～가 그런 말을 하면 못 써 きれいな娘さんがそんな事を言ってはだめよ. 語例 시골 ～ 田舎娘. ❷(飲み屋などで)お姉さん. 文例 ～ 주문 받아요 お姉さん, オーダーとってくれよ. 語例 다방 ～ 喫茶店のウエートレス. ❸夫の結婚前の妹を妻が呼ぶ語: あなた. 文例 ～는 언제 떠나세요 あなたはいつお出かけになるの.

아갈-잡이 [jabi] 〈名〉猿ぐつわ.

아갈잡이를 물리다 猿ぐつわをかませる.

아갈잡이를 시키다 身動きができないようにする.

아교 【阿膠】〈名〉にかわ(膠). ＝갖풀. 語例 ～질

にかわ質.

아군【我軍】[a:gun]〈名〉我が軍. 味方.

***아궁이**〈名〉たき口. かまど. 句例 ～에 장작불을 지피다 かまどにまきをくべる.

아귀¹〈名〉❶また(叉). 物の分かれめ. 語例 입～ 口角. ❷衣服のわきあけ. ❸(種子の)発芽口.

아귀(를) 맞추다 計算を合わせる. 予定の数に合わせる.

아귀(가) 무르다 気が弱い. 腰弱である.

아귀(가) 세다 ❶剛気である. 意志が堅い. ❷握力が強い.

아귀(가) 차다 '아귀(가) 세다'の強調語.

아귀(가) 트다 芽ぐむ.

아귀(를) 트다 衣服のわきをあける.

아귀²〈名〉〔魚〕あんこう(鮟鱇).

아귀【餓鬼】[a:gwi]〈名〉❶〔佛〕餓鬼. ❷食いしん坊. 句例 ～같이 먹다 がつがつとむさぼり食う. ❸けんか好きな人.

아귀-다툼〈名・하自〉'말다툼 口げんか'の俗っぽい言いかた: 口論. 言い合い.

아귀-힘〈名〉握力. 句例 ～이 세다 握力が強い.

아금-받다〈形〉抜け目がない.

****아기**〈名〉❶赤ん坊. 赤ちゃん. 句例 ～를 업다 赤ん坊をおぶう〔背負う〕/ ～를 낳다 赤ん坊を産む. 語例 ～집〔生〕子宮. ❷嫁や娘の愛称.

아기(가) 서다 妊娠する. 身ごもる.

아기-씨〈名〉❶(婚期の女性や結婚したばかりの女性を目下の人が呼ぶ語: お嬢さん. 若奥様. ❷人の娘に対する敬称. ❸妻が年下のこじゅうと(小姑)を高めて呼ぶ語.

***아기자기-하다** (→하다)〈形〉❶色色なものが調和がとれて美しく見事だ. 句例 아기자기하게 꾸민 정원 数寄を凝らした庭. ❷むつまじくて楽しい. 愛情がこまやかだ. 句例 아기자기한 신혼 생활 甘ったるい〔いともむつまじい〕新婚生活.

아기작-거리다〈自〉よちよち〔よたよた〕歩く.
表現 語感の大きい語は'어기적거리다'.

아기작아기작 [agijagagijak]〈副・하自〉よちよち. ちょこちょこ.

****아까**〈名・副〉さっき. 先程. 少し前. 文例 ～ 만났다 先程会った / ～는 실례했습니다 先程は失礼しました. 語例 ～부터 さっきから / ～까지 さっきまで.

아까워-하다 (→하다)〈他〉惜しむ. 惜しがる. 惜しく思う.

아깝다 (아까우니, 아까워서)〈形〉惜しい. ❶もったいない. 手放したくない. 文例 버리기는 ～ 捨てるにはもったいない / 아까운 솜씨를 썩이고 있다 もったいない腕前をくさらせている. ❷遺憾だ. 句例 아까운 사람 惜しい人. 文例 아깝게도 결승전에서 졌다 惜しくも決勝戦で敗れた. ❸大事だ. 大切だ. 文例 목숨이 ～ 命が惜しい.

***아끼다**〈他〉惜しむ. 大事にする. ❶やたらに扱わない. 句例 시간을 ～ 時間を惜しむ. ❷いたわる. 句例 친구를 ～ 友人を大事にする / 서로 아끼고 존경하는 사이 お互いにいたわり尊敬しあう間柄.

아낌-없다 [akkimŏpta]〈形〉('아낌없는'の形で)惜しみない…. 句例 아낌없는 찬사를 보내다 惜しみない称賛を送る. **아낌없이** [akkimŏpshi]〈副〉惜しまず. 惜しみなく. 惜しげもなく. 句例 아낌없이 돈을 쓰다 惜しまずに金を使う / 아낌없이 박수를 보내다 惜しみなく拍手を送る.

아나 [a:na]〈感〉ほら. おいそら. 文例 ～ 이거 받아라 ほら, これを受けとれや.
表現 子供を呼びかける語.

아나 나비야 猫を呼びかける語. 略して'아나'ともいう.

아나운서〈名〉アナウンサー. 略して'아나'ともいう. ◇announcer

아낙-네 [anangne]〈名〉婦女子. 女.

아날로그〈名〉アナログ. 語例 ～ 시계 アナログ時計. 對디지털. ◇analog

***아내**〈名〉妻. 家内. 女房. 句例 젊은 ～ 若い妻 / ～를 맞다〔얻다〕妻をめとる. 對남편.

아내가 귀여우면 처갓집 말뚝 보고도 절한다 妻がかわいければ妻の実家の棒ぐいを見てもおじぎをする. 愛情の深いたとえ. 屋烏の愛. 愛は屋上の烏に及ぶ.

아냐〈感〉['아니야'の略] いや. 文例 ～, 그런 뜻은 아니야 いや, そう言う意味ではない.

아네로이드 기압계【aneroid氣壓計】〈名〉〔物〕アネロイド気圧計.

아네모네〈名〉〔植〕アネモネ. ◇라 anemone

아녀자【兒女子】〈名〉❶女と子供. ❷女をややさげすんでいう語.

아뇨〈感〉['아니오'の略] いいえ. 文例 ～, 이건 제 것입니다 いいえ, これはわたくしのです.

아늑-하다 [anŭk'ada] (→하다)〈形〉静かで奥まっている. こぢんまりしている. 句例 아늑한 방 こぢんまりした部屋. **아늑히** [anŭk'i]〈副〉こぢんまりと. 居心地よく. 寂しく静かに.

****아니**¹〈副〉(用言の上に付いて) 否定, または反対の意を表わす語. 略して'안'ともいう. 句例 ～ 가다 行かない / ～ 보다 見ない. →아니하다

아니 되면 조상 탓 (事が) うまくいかないと祖先のせいにする. 不成功に終わればとかく人を恨むことのたとえ.

아니 땐 굴뚝에 연기 나랴 火のないところに煙は立たぬ. 物がなければ影ささず.

***아니**²〈感〉❶用言の前について否定の意を表わす語: いや. いいえ. 文例 아프지 않은가? ―～, 아프지 않아 痛くないかい? ―いや, 痛くない. ❷後の事実を強調する語: いや. いな. 文例 한국의, ～ 세계적 명작이다 韓国の, いや世界的名作だ. ❸驚き・疑い・感嘆などを表わす語: あれ. ええっ, なんだって. 文例 ～, 이게 뭐지 あれ, これはなんだ.

아니꼽다 (아니꼬우니, 아니꼬워서)〈形〉❶きざ(気障)だ. こしゃく(小癪)だ. 句例 아니꼬운 자식 きざな〔むかむかする〕やつ. 文例 놈의 거동이 ～ やつのふるまいがしゃくにさわる. ❷むかむかする. 吐きそうになる.

ㅇ

*아니나-다를까 〈感〉あん(案)のじょう(定). 予想通どおり. =아니나다르랴. 文例 ~ 성적이 엉망이다 あんのじょう成績がめちゃくちゃだ.

**아니다 ━〈形〉 否定に用いる語: …でない. 文例 저기가 아니고 여기다 あそこでなくここだ / 희망이 전혀 없는 것도 ~ 望みが全くないわけでもない.
━〈感〉そうでないと否定する語: いや. 文例 ~, 그게 맞는다 いや, それが合うよ.

아닌 밤중에 だしぬけに. 不意に. 突然. やぶから棒に. 文例 ~ 웬일이냐 この夜中に何事かね.

아닌 밤중에 홍두깨 やぶから棒.

아니-참 〈感〉あっ, そうだ. おっと. 文例 ~, 잊은 것이 있다 おっと忘れ物がある.
表現 不意に思いついた物事があるときにいう語.

아니-하다 (→하다)〈補形・補動〉('-지 아니하다'の形で) 否定を表わす語: …ない. 略して'않다'ともいう. 句例 밉지 ~ 憎らしくない / 지지 ~ 負けない.

아니할-말로 〈副〉口にすべきではないが. こう言ってはなんだが. 言ってはいけないことだが. 文例 ~ 그는 좋지 못한 사람이야 こう言ってはなんだが彼はよくない人だ.

아닌게-아니라 〈副〉本当に. 正しく. はたして. さすがに. はたせるかな. =미상불(未嘗不). 文例 ~ 참 예쁘더라 はたして〔まったく〕とてもきれいだったよ.

아담-스럽다【雅淡―】[a:dam―](→스럽다)〈形〉いかにも風雅である. こぢんまりとした感じだ.

아담-하다【雅淡―・雅澹―】[a:dam―](→하다)〈形〉 こぢんまりとして上品だ. 風雅だ. 落ち着いている. 文例 이 방은 아주 ~ この間は大変こぢんまりとしている. 語例 아담하게 風雅に. こぢんまりと. 落ち着いて.

아동【兒童】〈名〉児童. ❶子供. わらべ. =어린이. 語例 ~복 児童服 / ~ 보호 児童保護 / ~ 복지 児童福祉. ❷小学校の学童. =학동(学童). 語例 ~ 교육 児童教育.

아동-극【兒童劇】〈名〉 児童劇. 略して'동극(童劇)'ともいう.

아둔-하다 (→하다)〈形〉鈍い. (頭が) さえない. 愚かだ. とろい《俗》.

아드-님 〈名〉ご子息. 息子さん.
表現 他人の息子に対する敬称.

아드득 〈副〉 ❶歯ぎしりするときの音: ぎりっ. ❷固いものをかむときの音: がりっ. ぱりっ.
아드득아드득 [adŭdŭgadŭdŭk]〈副・하自他〉がりがり. ぎりぎり.

아득-바득 〈副〉ねちねちと. 句例 ~ 우기다 意地を通す / ~ 졸라대다 ねちねちとせがむ.

*아득-하다 [adŭk'ada] (→하다)〈形〉はる(遥)かだ. ❶はてしなく遠い. 句例 아득한 옛날 이야기 はるかな昔の話 / 아득한 나그넷길 はてしない旅路. 文例 갈 길이 멀고 ~ 行く道ははるかに遠い. ❷おぼろげだ. かすかだ. 句例 아득한 지평선 はるかな地平線. **아득히** [adŭ-k'i]〈副〉はるかに. 句例 아득히 멀다 はるかに遠い.

**아들 〈名〉息子. せがれ《俗》. 語例 ~놈〔자식〕(自公の)息子. せがれ / ~딸 息子と娘 / 친 ~ 実の息子. ㊟딸.

아들-자 〈名〉〔數〕副尺. ㊟어미자.

아따 〈感〉不満なときその気持ちをあてつけて出す声: ほほう. まあ. なんと. 文例 ~, 웃기는 왜 웃어 ほほう, どうして笑うのかい / ~, 그만 울어라 まあ, いいかげんに泣きやめろ.

아라베스크 〈名〉アラベスク. ◇프 arabesque

아라비아 숫자【Arabia數字】[―su:tcha]〈名〉アラビア数字. =산용(算用) 숫자.

*아라비안 나이트 〈名〉〔文〕アラビアンナイト. =천일 야화(千一夜話). ◇Arabian Night

아람 〈名〉 くり(栗)やどんぐりが木についたまま熟していが(毬)がはじけそうな状態. また, その実.
아람(이) 벌다 十公に熟した実のいがが割れる.

아랍 〈名〉アラブ. 語例 ~인 アラブ人 / ~ 문화권 アラブ文化圏. ◇Arab

아랑곳 〈名・하自〉人のことに立ち入ったり気にしたりすること. おせっかい. 知る所. 句例 ~하지 않고 事〔物〕ともせず. 文例 내 ~할 바 아니다 僕の知る所じゃない / 남이 뭐라 하든 ~하지 않는다 人が何と言おうと気にかけない.

아랑곳-없다 [aranggodŏpta]〈形〉(人の事に) なんの関係もない. かかわり合いがない. あずかり知る所ではない. 文例 정치 따위는 ~ 政治などあずかり知る所ではない. **아랑곳없이** [aranggodŏpshi]〈副〉あずかり知ることではないとして. 気にかけず.

**아래 〈名〉❶下. ㉠下の方. 下部. 句例 눈을 ~로 깔다 目を下に伏せる / 위를 ~로 하다 上を下にする. 逆さまにする. 文例 걸레는 책상 아래에 있다 ぞうきんは机の下にある / 물은 위에서 ~로 흘러간다 水は上から下に流れる. 語例 ~옷 下半身につける衣服 / 산 ~ 山のふもと / ~짝 上下一組のものの下の部公 / ~쪽 下の方 / ~채 離れ家 / ~편짝 下の方になっている部公 / ~층 下の階. 下層 / ~턱〔生〕下あご / 아랫눈썹 下まつげ / 아랫니 下歯 / 아랫단 すそ(裾) / 아랫동네 下の方の村 / 아랫물 下流の水 / 아랫바지 ズボン / 아랫입술 下唇 / 아랫변〔數〕(多角形の)底辺 / 아랫집 下の方にある家.
㉡(地位・年齢・身公などの)下位. 下. 句例 ~에서 세번째 下から三番目 / 평균보다 ~ 平均より下. 文例 그는 나보다 두 살 ~다 彼はわたしより二つ年下である. 語例 ⇨ 아랫것 / 아랫반(班) 下の組〔クラス〕.
㉢(数量・品質の)下. 文例 질이 이보다 ~다 質がこれより劣る.
㉣(支配・影響の)下. 文例 주어진 운명 아래에서 산다 与えられた運命のもとに生きる / 이번뿐이라는 조건 ~ 회장을 빌렸다 今度だけという条件の下に会場を借りた.
❷次. 以下. 文例 ~와 같이 말하였다 次のように言った. ▷㊟위.

아래-알 〈名〉(そろばんの) 一玉. 對윗알.

****아래-위** 〈名〉上と下. 上下・上下. 句例 ~로 흔들리다 上下にゆれる 語例 ~턱 目上と目下の区別 / 아래윗벌 衣服の上下.

아랫-것 〈名〉'하인(下人) 召し使い'の俗っぽい言いかた: しもべ(僕).

아랫-길 〈名〉 ❶品質や値段のより低いもの. ❷下の方の道. ▷對윗길.

아랫-녘 [araennyŏk] 〈名〉全羅・慶尚など南の地方を指す語. 對윗녘.

아랫-도리 〈名〉❶下半身. ❷['아랫도리옷'の略] (ズボン・チマなど)腰の下にはく服. ▷對윗도리. ❸身分の低い階級.

****아랫-목** [araenmok] 〈名〉オンドルのたき口に近い部分. 對윗목.
參考 目上の人が座る上座になる.

아랫-방 【一房】〈名〉❶離れの部屋. ❷(二つの部屋のうち)オンドルのたき口に近い部屋. ▷對윗방.

아랫-배 〈名〉丹田. 下腹. 句例 ~에 힘을 주다 丹田に力を入れる / ~가 살살 아프다 下腹がしくしく痛む. 對윗배.

아랫-사람 〈名〉❶['손아랫사람'の略] 目下(の人) ❷地位の低い人. 下の者. ▷對윗사람.

아랫-자리 〈名〉❶下座. ❷〔数〕下の位. ▷對윗자리.

아량 【雅量】[a:ryang] 〈名〉雅量. 大きな度量. 広い心. 句例 ~이 있다 雅量がある / (상사로서의)~을 보이다(上司としての)雅量を示す / ~이 없다〔모자라다〕 雅量に乏しい.

아련-하다 (→하다) 〈形〉おぼろだ. ❶はっきりしない. 記憶がうすい. 句例 아련한 기억을 더듬다 おぼろげな記憶をたどる. ❷ぼんやりとしている. かすかだ. ほのかだ. **아련히** 〈副〉かすかに. おぼろげに. ほのかに. ほんのりと. 句例 아련히 떠오르다 おぼろげに浮かぶ.

아령 【啞鈴】[a:ryŏng] 〈名〉亜鈴. ダンベル. 絵

〈아령〉

아로-새기다 〈他〉巧みに刻み込む. ちりばめる. 句例 마음에~ 心に刻みこむ. 肝に銘じる / 관에 보석을 ~ 冠に宝石をちりばめる.

아롱 〈名〉'아롱이'の略: まだら(のもの). 語例 ~무늬 まだら模様.

아롱-거리다 〈自〉ちらつく. ちらちらする. 目に浮かぶ.

아롱아롱 〈副・하形〉ちらほら.

****아롱-다롱** 〈副・하形〉(点・模様などが不規則に)まばらにちらちら散らばっているさま.

> 囲み記事 62
>
> ■ '아름'と'알음'と'앎' ■
>
> **아름** 抱え —— 장작을 한 아름 안고 온다 薪を一抱え抱えて来る.
>
> **알음** 知り合い —— 그와는 서로 알음이 있는 사이이다 彼とは互いに知り合いの仲である.
>
> **앎** '알다 知る'の名詞形 —— 바로 앎이 중요하다 正しく知ることが重要である.

아롱-이 〈名〉斑点. ぶち(斑). まだら物.

아롱-지다 〈形〉まだら模様に彩られている.

아뢰다 〈他〉❶'알리다 知らせる'の敬語: 申し上げる. 具する. (王に)奏する. 類사뢰다. ❷(目上の人の前で)音楽を奏する. 奏でる.

아류 【亞流】[a:ryu] 〈名〉亜流. 文例 그는 피카소의 ~에 지나지 않는다 彼はピカソの亜流にすぎない.

아르 〈依名〉アール《記号 a》. 文例 1 ~는 100평방미터이다 一アールは100平方メートルである. ◇프 are

아르곤 〈名〉〔化〕アルゴン. 語例 ~ 가스 アルゴンガス. ◇argon

아르바이트 〈名〉アルバイト. バイト《略語》. 句例 ~를 하러 가다 アルバイトをしに行く / ~를 고용하다 アルバイトを雇う. 文例 그 학생은 ~를 하고 있다 あの学生はアルバイトをやっている. 語例 ~ 학생 アルバイトの学生. ◇도 Arbeit

아르키메데스의 원리 【Archimedes—原理】[—wŏlli] 〈名〉〔物〕アルキメデスの原理.

아른-거리다 〈自〉'어른거리다'の語感の小さい語.

아름 ━〈名〉抱え. 句例 ~으로 묶다 一抱えにしてくくる.
━〈依名〉 一抱えの太さの単位: …抱え. 句例 두 ~이나 되는 거목 ふた抱えもある大木. 語例 세 ~ 三抱え. ▷→囲み記事 62

아름다움 〈名〉美しさ. 美.

****아름답다** (아름다우니, 아름다워서) 〈形〉美しい. きれいだ. 句例 아름다운 우정〔이야기〕 美しい友情〔話〕/ 아름다운 꽃 美しい花 / 아름다운 음악 美しい音楽 / 아름답게 하다 美しくする. 文例 꽃이 아름답게 피었다 花が美しく咲いた. 語例 아름다워지다 美しくなる.

아름-드리 〈名〉(太さが)一抱えを越す木や物. 語例 ~ 소나무 一抱えを越える松の木.

아름-차다 〈形〉手に余る. 手に負えない.

아리다 〈形〉ひりひりする. ❶ぴりっと辛い. 文例 김치가 너무 매워서 혀가 ~ キムチが辛すぎて舌がひりひりする. ❷(傷が)ちくちくといたむ. 句例 상처가 ~ 傷口がひりひりする. ❸えぐい. えがらい. えがらっぽい.

아리땁다 (아리따운, 아리따워서) 〈形〉きれいだ. 美しい. 麗しい. やさしい. 句例 아리따운 처녀 麗しい乙女 / 아리따운 마음씨의 소유자 やさしい心の持ち主.

****아리랑** 〈名〉〔樂〕['아리랑 타령(打令)'の略] アリラン(の歌). →囲み記事 63

아리송-하다 (→하다) 〈形〉不明瞭だ. 何が何やら分からない. 見分けが付かない. 略して'알송하다'ともいう. 文例 그녀의 태도가 요즘 ~ 彼女の態度が近ごろどうもはっきりしない.

아리아 〈名〉〔樂〕アリア. ◇이 aria

아리아리-하다 (→하다) 〈形〉❶(すべてが)ぼんやりしている. ぼうっとしている. 文例 안개가 낀 것처럼 ~ 霧につつまれたようにぼうっとしている. ❷ひりひり〔ぴりぴり〕する. 句例 입안이 ~ 舌がひりひりする.

아마 【亞麻】〈名〉〔植〕亜麻.

아마[1] 〈名〉'아마추어'の略: アマ. 對프로.

****아마**[2] 〈副〉恐らく. 多分. 大方. 文例 ~ 올

테죠 多分来るでしょう / ~ 지금쯤 끝났겠지 恐らく今ごろ終わったでしょう / ~ 그럴 거예요 多分そうでしょう.

*아마-도〈副〉'아마'の強調語: 多分. 恐らく(は).

아마추어〈名〉アマチュア. アマ(略語). [語例] ~ 선수 アマチュア選手. ㊥프로페셔널. ◇amateur

아말감〈名〉〔化〕アマルガム. ◇amalgam

아망 [a:mang]〈名〉子供の強がり. 負けん気. 片意地.

아망(을) 부리다 片意地を張る. 強がりを言う.

아메리카〈名〉〔地〕アメリカ. [語例] ~ 대륙 アメリカ大陸 / ~ 합중국 アメリカ合衆国. 米国. ◇America

아메리칸〈名〉アメリカン. [語例] ~ 인디언 アメリカンインディアン / ~ 풋볼(=미식(美式) 축구) アメリカンフットボール. ◇American

아메바 [ame:ba]〈名〉〔動〕アメーバ. ◇amoeba

아멘 [a:men]〈感〉〔宗〕アーメン. ◇그 amen

아명【兒名】〈名〉幼名. ㊥관명(冠名).

*아무 [a:mu] ㊀〈代〉❶だれ(誰). [文例] ~나 가거라 だれでも行け / 아는 사람은 ~도 없다 知っている人はだれもいない / ~라도 좋다는 건 아니다 だれでもよいというのではない / ~한테도 말하지 마 だれにもいうな / ~에게나 전하세요 だれにでも伝えてください / 이름만 대면 ~나 아는 사람이다 名前さえ言えばだれでも知っている人だ / ~도 모른다 だれも知らない. ❷だれそれ. [語例] 김~ 金なにがし.

㊁〈冠〉どんな. どの. なんの. 何. [句例] ~ 날 ~ 시에 ある日のある時間に / ~ 생각 없이 何気なく. [文例] ~ 책이나 가져 오너라 どの本でもいいから持って来なさい / ~ 소용도 없다 なんの役にも立たない / ~ 대답도 못했다 どんな答えもできなかった.

아무-개 [a:mu—]〈代〉だれそれ. なにがし(某). それがし. [句例] 이 ~의 가게 李だれがしの店 / 김 ~ 집 金なにがしの家.

[表現] もとは'아무'をさげすんで言うことばだったが, いまは一般的に用いられている. 用例のように姓の後につけて用いることもあるが, '아무개 왔니 だれそれは来たか'のように'아무개'だけで用いることもある.

아무-것 [a:mu—]〈代〉何. なん. [句例] ~도 아닌 일 なんでもない事 / ~도 없다 何もない. [文例] ~이나 주세요 なんでもください / ~이라도 좋다 なんでもいい / 그건 ~도 아니다 それはなんでもない / 이번 사건에 대해서는 ~도 모른다 今度の事件については何も知らない.

아무-데 [a:mu—]〈代〉どこ. [文例] ~에 가도 살 수 있다 どこへ行っても買える / ~도 가고 싶지 않다 どこにも行きたくない / ~고 데리고 가 줘 どこにでも連れて行ってくれ / ~나 갈래요 どこにでも参ります / ~서나 놀자 どこででも遊ぼう / ~서도 편지가 안 왔다 どこからも手紙が来なかった / ~도 없다 どこにもない / ~나 있다 どこにでもある.

아무-때 [a:mu—]〈代〉いつ. [文例] ~나 와도 좋다 いつ来てもかまわない / ~라도 좋다 いつでもいい / ~나 있다 いつでもある〔いる〕.

아무래도 [a:muraedo]〈副〉❶['아무러하여도'の略] どうでも. [文例] 그런 일은 ~ 좋다 そんなことはどうでもよい / ~ 저 사람이 수상하다 どうみてもあの人が怪しい. ❷['아무리 하여도'の略] どうしても. 何としても. [文例] ~ 영어에 관한 한 널 못 당하겠다 どうしても英語に関する限り君にかなわない.

아무러면 [a:murŏmyŏn]〈副〉['아무러하면'の略] どうあろうとも. いくらなんでも. どうだって. まさか. [文例] ~ 거짓말이야 할라구 まさかうそをつこうか / 옷이야 ~ 어떠냐 着物はどうだっていいじゃないか.

아무런 [a:murŏn]〈冠〉['아무러한'の略] なんら(何等)の. どんな. なん(何)の. [句例] ~ 생각도 없이 なんの気もなしに. [文例] ~ 곤란도 없다 なんらの困難もない / ~ 소용도 없다 なんの役にもたたない / 자네 ~ 걱정도 할 필요 없네 君はなんら心配する必要はない / 아직 ~ 소식도 없다 まだなんの便りもない.

아무런들 [a:murŏndŭl]〈副〉['아무러한들'の略] どうあろうと. なんと言おうが. まさか. [文例] 그들이 ~ 어떠냐 彼らがどうあろうとかまわないじゃないか / ~ 그러랴 まさかそうではなかろう.

아무렇거나 [a:murŏk'ŏna] ['아무러하거나'の略] どうであろうとも. どのようでも. どうでも. なんでも. 略して'아뭏거나'とも言う. [文例] 그게 ~ 넌 상관하지 마라 それがどうであろうと君はかかわるな / ~ 해 보자꾸나 とにかくやってみよう.

아무렇게 [a:murŏk'e] ['아무러하게'の略] どのように. いかように. どんなに. いいかげんに. 無造作に. [文例] ~ 생각해도 좋다 どのように考えてもよろしい / ~나 다뤄서는 안 된다 いいかげんにあしらってはいけない.

아무렇다 [a:murŏt'a](아무러니, 아무러오)〈形〉['아무러하다'の略] こうこうである. しかじかだ. どうだ. どんなだ.

囲み記事 63

■ 아리랑 アリラン ■

'アリラン'には, その種類が非常に多いが, 主流をなすものは, 江原道地方で歌われている'정선 아리랑 旌善アリラン', 湖南地域の'진도 아리랑 珍島アリラン', 慶尚南道の東北地方に広まっている'밀양 아리랑 密陽アリラン'が代表的なものとされている. なお, 近代化の過程において, 新しい類型のアリランが出た. その主なものが'경기 아리랑 京畿アリラン'あるいは'서울 아리랑 ソウルアリラン'で, 特に'경기 아리랑'は, 1930年代に羅雲奎の映画"아리랑"によって, 日本の侵略に対する韓国民族のうっ憤と重なり, 民衆によって広く歌われるようになった.

'경기 아리랑'は 아리랑 아리랑 아라리요. 아리랑 고개를 넘어간다 アリラン アリラン アラリヨ. アリラン峠を越えて行く'が基調となっている.

아무렇지도 않다 なんでもない. なんの変わりもない. 平気だ. [文例] 아무렇지도 않은 듯이 앉아 있다 何事もないように座っている.

아무렇든 [a:murŏt'ŭn] ['아무러하든'の略] どのようでも. どうであろうと. とにかく. なんとしても. 略して'아무튼'ともいう. [文例] 복장은 ~ 상관없다 身なりはどうであろうと差し支えない.

아무렇든지 [a:murŏt'ŭnji] ['아무러하든지'の略] どうであろうとも. どうでも. どんなにしても. 何はさておき. とにかく. 略して'아무튼지'ともいう.

아무려나 [a:muryŏna] 〈感〉 どうでもいいように. [文例] 저도 갈까요. ~ わたしも行きましょうか. どうでも好きなようにしなさい.

아무려니 [a:muryŏni] 〈感〉 まさか. いくらなんでも. [文例] ~ 그럴 리가 있겠나 まさか. そんなはずがあろうか.

아무렴 [a:muryŏm] 〈感〉 ['아무려면'の略] もちろん(勿論). むろん. そうだとも. [文例] ~, 가야지 もちろん行くとも / ~, 그렇지 그래 そうそう. そうだとも.

아무리 [a:muri] ■〈副〉 ❶⇨ 아무렇게. [文例] ~나 하려무나 どうにでもしろよ. ❷['제아무리'の略] いくら. どんなに. なんぼ. [文例] ~ 노력해도 소용이 없다 いくら努力してもだめだ / ~그렇다고 해도 믿어지지 않는다 いくらそうだとしても信じられない.

■〈感〉 いくらそうでも〔なんでも〕. まさか. [文例] ~, 오뉴월에 눈이야 올라구 いくらなんでも五六月に雪が降るものかね.

아무리 바빠도 바늘 허리 매어 쓰지 못한다 いくら忙しくても糸を針の腰に結んでは使えない. 何事にも定められた形式・順序をふまなければならない.

***아무-쪼록** [a:mu—] 〈副〉 なにとぞ(何卒). ぜひとも. なるたけ. できるだけ. どうか. くれぐれも. 願わくは. [文例] ~ 잘 부탁드립니다 なにとぞよろしくお願いいたします / ~ 일찍 오시오 できるだけ早目にいらっしゃい.

아무튼 〈副〉 ['아무러하든・아무렇든'の略] とにかく. どうであろうと. [文例] ~ 가봅시다 どうであろうと行ってみましょう / ~ 해보자 とにかくやってみよう / ~ 세상은 시끄럽게 되었다 とにかく世の中は騒がしくなって来た.

아무튼지 〈副〉 ['아무러하든지・아무렇든지'の略] 何はともあれ. ともかく. [文例] ~ 공부는 해야지 何はともあれ勉強はしなくてはならない.

아물-거리다 〈自〉 ❶おぼろげにちらつく. かすむ. 明滅する. [句例] 눈앞이 ~ 目先がちらつく / 아물거리는 항구의 등불 明滅する港のともしび. ❷話がしどろもどろだ.

아물아물 [amuramul] 〈副・하自形〉 ちらちら. しどろもどろ.

***아물다** (아무니, 아물어서) 〈自〉 い(癒)える. 治る. [句例] 상처가 ~ 傷がいえる. [文例] 상처가 좀처럼 아물지 않는다 傷口がなかなか治らない.

아물리다 〈他〉 ❶(傷を)いやす. ❷とりまとめる. [句例] 벌여 놓은 일들을 ~ 手をつけた仕事をとりまとめる. ❸しめくくる. けりをつける. [句例] 월말 결산을 ~ 月末決算のけりをつける.

아뭏지도 〈副〉 ['아무러하지도'の略] どうも. どのようでも. なんでも. なんとも. [句例] ~ 않다 なんともない. なんでもない.

아미노-산 【amino酸】 〈名〉〔化〕 アミノ酸.

아미타-불 【阿彌陀佛】 〈名〉〔佛〕 阿弥陀仏.

아바-마마 【一媽媽】 〈名〉《宮》 父君. 對어마마마(媽媽).

[表現] 王子や王女がその父王君を呼ぶときに用いる語.

아방-궁 【阿房宮】 〈名〉〔史〕 阿房宮.

[表現] 中国の秦始皇が建てた阿房宮にちなんで, 豪壮な家を'아방궁같은 저택 豪壮な邸宅'という.

아버-님 〈名〉 父上. 父御. お父さま. [文例] ~은 안녕하십니까 お父さまはお元気ですか. 對어머님.

[表現] 他人の父, または自公の父に対する尊称.

****아버지** 〈名〉 父. お父さん. 父親. [句例] ~를 꼭 닮다 お父さんそっくりだ. [語例] 우리 ~ うちのお父さん. 對어머니.

[表現] キリスト教では'하늘에 계신 하느님 아버지시여 天にまします父なる神よ'のように'神・エホバ'を指していう.

아범 〈名〉 ❶'아버지 父'をさげすんでいう語. ❷嫁がしゅうと・しゅうとめに対して自分の夫を指していう語: うちの人. ❸目上が子供を持った目下の男を指して親しげにいう語. ❹むかし, 年取った下男に対する呼称: 爺や.

아베 마리아 〈名〉 アベマリア. ◇라 Ave Maria

아베크 〈名・하自〉 アベック. ◇프 avec

아부 【阿附】 〈名〉 阿付. あゆ(阿諛). おもねること. 追従. おべっか. ごますり. へつらい. **~하다** 〈自〉 へつらう. おもねる. ごまをす(擦)る. [句例] 윗사람한테 ~하다 上の人にへつらう / 상사에게 ~하여 출세하다 上役におもねて出世する.

아비 〈名〉 ❶'아버지 父'をさげすんでいう語: おやじ. [句例] 그 ~에 그 아들 その親にその息子 / ~ 없는 자식 てて無し子. 父無し子. ❷⇨ 아범②③.

[參考] 口語では'애비'ともいう.

아비만한 자식이 없다 父にまさる子なし.

아비-규환 【阿鼻叫喚】 〈名〉 阿鼻叫喚. [句例] ~의 사고 현장 阿鼻叫喚の事故現場.

****아빠** 〈名〉《兒》 父ちゃん. パパ. [文例] 이거 우리 ~가 사줬단다 これうちのパパが買ってくれたんだ. 對엄마.

아뿔싸 〈感〉 しまった. [文例] ~ 낭패다 しまった, 困ったことになった.

아사 【餓死】 [a:sa] 〈名・하自〉 餓死. うえじに. =기사(饑死). [語例] ~자(를 내다) 餓死者(を出す).

아사달 【阿斯達】 〈名〉〔史〕 檀君が古朝鮮を開国したときの都.

아삭 〈副〉 野菜や果物をかむ音: ざくっ. がさっ. ぽりっ. **~거리다** 〈自他〉 がさがさする. さくさくする. ぽりぽりする.

表現 語勢の強い語は'아싹'.

아삭아삭 [asagasak]〈副・하自他〉がさがさ. さくさく. ぽりぽり.

아서-라〈感〉よせ. やめろ. 略して'아서'ともいう. 文例 ～ 그럼 못 쓴다 よせ, そんなことをしてはいけないぞ.

表現 目下の者に禁止の命令を表わす語.

아성【牙城】〈名〉牙城. 内城. 本丸. 本拠地. 根城.

아성【亞聖】[a:sŏng]〈名〉亜聖. 聖人に次ぐ人.

表現 孔子に次ぐ人の意で特に孟子をさしていう語.

아세아【亞細亞】〈名〉〔地〕'아시아 アジア'の漢字音表記.

아세테이트〈名〉アセテート. 語例 ～ 인견 アセテート人絹. ◇acetate

아세톤〈名〉〔化〕アセトン. ◇acetone

아세트-산【一酸】〈名〉〔化〕酢酸. 語例 ～ 발효 酢酸発酵.

아세틸렌〈名〉〔化〕アセチレン. 語例 ～ 용접 アセチレン鎔接. ◇acetylene

아쉬움〈名〉名残. 句例 ～이 남다 名残惜しい. 心残りだ.

***아쉬워-하다**(→하다)〈他〉(名残を)惜しむ. 未練がましい. もの足りなく思う. 句例 이별을 ～ 別れを惜しむ.

***아쉽다**(아쉬우니, 아쉬워서)〈形〉❶もの足りない. 不便だ. 不自由だ. (名残)惜しい. 句例 아쉬운 마음 もの足りない気持ち. 語例 아쉽게 惜しくも / 아쉬워지다 惜しくなる. ❷望ましい. 欲しい. 句例 돈이 ～ お金が欲しい / 아쉬운 소리를 하다 温情を乞う. 無心する. 文例 자연을 사랑하는 마음이 ～ 自然を愛する心が欲しい.

아쉬운 대로 気に満たないままに. 足りぬままに. せめて. 間に合わせものに. もの足りないが. 十分ではないが. 名残惜しくはあるが. 句例 ～ 참다 もの足りないが我慢する.

아스라-이〈副〉はるかに. かすかに.

아스라-하다(→하다)〈形〉はる(遥)かだ. かすかだ.

아스파라거스〈名〉〔植〕アスパラガス ◇asparagus

***아스팔트**〈名〉アスファルト. 語例 ～ 포장 アスファルト舗装 / ～길 アスファルトを敷いた道. ◇asphalt

아슬아슬-하다(→하다)[asŭrasŭlhada]〈形〉ひやひやする. ぞくぞくする. 句例 아슬아슬한 느낌을 주는 곡예 はらはらさせる離れ業 / 아슬아슬하게 세이프되다 すれすれのところでセーフになる. 文例 아슬아슬한 순간에 목숨을 건졌다 すんでのところで命拾いをした.

아시아〈名〉〔地〕アジア. 句例 ～ 경기 대회 アジア競技大会 / ～인 アジア人 / ～주 アジア州. ◇Asia

아시안 게임〈名〉アジア(競技)大会. ◇Asian Game

아씨 [a:ssi]〈名〉若奥様. お嬢さま.

表現 下男・下女などが主人の若い妻や娘を呼んだ語.

아아〈感〉❶意外なことや困ったときに発する語: ああ. あっ. おお. 文例 ～ 놀랐다 ああ驚いた. ❷気勢をあげる掛け声: わあ.

아악【雅樂】[a:ak]〈名〉雅楽. 語例 ～기 雅楽器・.

***아야**〈感〉あいたっ. いたい. 文例 ～ 아파 あいたっ, 痛いよ.

表現 いきなり殴られたり刺されて痛いときに発する語.

아양〈名〉愛嬌. こび(媚). 嬌態. **～스럽다**(→스럽다)〈形〉愛嬌がある.

아양(을) 떨다 愛嬌をふりまく. こびる.

아양(을) 부리다 こびる. 愛嬌をふりまく. こびへつらう.

아양(을) 피우다 こびる. へつらう.

아어【雅語】[a:ŏ]〈名〉雅語. 對속어(俗語).

아역【兒役】〈名〉〔劇〕子役. 子供役. 句例 ～으로 나오다 子役を勤める. 語例 ～ 배우 子役俳優.

***아연【亞鉛】**〈名〉〔鑛〕亜鉛. 語例 ～광 亜鉛鉱 / ～판 亜鉛版.

아연【俄然】〈副〉俄然. 句例 ～ 활기를 띠다 俄然活気を呈する. **～히**〈副〉俄然と.

아연 실색【啞然失色】[—shilssaek]〈名〉あっけに取られて顔色が変わること.

아연-하다【啞然—】(→하다)〈形〉啞然としている. 文例 그저 아연할 따름이었다 ただあっけにとられるばかりであった.

아-열대【亞熱帶】[a:yŏlttae]〈名〉亜熱帯. 語例 ～림 亜熱帯林. 對아한대(亞寒帶).

***아예**〈副〉❶初めから. てんから. 全く. てんで. 句例 ～ 상대하지 않다 てんから相手にしない. 文例 ～ 문제도 되지 않는다 全く問題にならない / 하다가 말려면 ～ 얘기를 꺼내지도 마라 言いかけてやめるくらいなら始めから話を持ち出したりするな. ❷絶対に. 決して. 句例 ～ 될 일이 아니다 絶対にできることじゃない.

아옹〈副・하自〉猫のなき声: ニャー.

아옹-거리다〈自〉❶(すねて)ぶつぶつこぼす. ❷互いにいがみ合う. 言い合う.

아옹-다옹〈副・하自他〉いがみ〔言い〕合うさま: ああのこうの. 句例 ～ 다투다 いがみ合う. 互いに言い争う.

아옹-하다(→하다)〈形〉❶(穴などが)薄暗くぽっかり空いている. くぼんでいる. ❷すねて〔むくれて〕いる. 句例 아옹해서 말도 않다 すねてものも言わない.

아우 ━〈名〉❶弟. 妹. =동생. 語例 ～님 '아우'の尊称: 弟さん. 妹さん / ～ 형제 '형제 兄弟'の俗っぽい言いかた. ❷同僚の中で年下の者.

━〈代〉(男女ともに仲間どうしで)自分を下げていう語.

아우(를) 보다 弟〔妹〕ができる.

아우(를) 타다 (母の妊娠で)乳飲み子がやせてくる.

아우르다(아우르니, 아울러서)〈他〉いっしょにする. 会わせる.

表現 語感の大きい語は'어우르다'.

아우성〈名〉大勢の人がどっとあげる叫び声〔わめき声〕.

아우성(을) 치다 わめく. わめき立てる. 声を張り上げる.

아우트-라인〈名〉アウトライン. 輪郭. ◇outline

아욱〈名〉〔植〕あおい(葵). 語例 ~국 あおいを入れたお汁.

아울러〈副〉❶併せて. 同時に. 付け加えて. 句例 ~ 주의할 것은 同時に注意すべきことは. ❷いっしょに. 共に. 句例 재색을 ~ 갖추다 才色を共に備えている.

아울리다〈自〉❶似合う. 調和する. 句例 넥타이가 잘 ~ ネクタイがよく似合う. ❷いっしょになる. 仲間入りする. 交わる. 句例 나쁜 친구와 ~ 悪友と交わる.

表現 語感の大きい語は'어울리다'.

아웃〈名〉アウト. 語例 ~사이더 アウトサイダー / ~코너 (野球の)アウトコーナー. ◇out

아유〈感〉いや. ああ. あら. まあ《女》. 文例 ~ 정말 놀랐다 ああ, ほんとに驚いた / ~ 깜짝이야 あら, びっくりしたわ.

表現 意外なことに接したり, 疲れたときなどに発する.

**아이[1] 〈名〉❶子供. 子. 略して'애'ともいう. 句例 ~를 업다 子供をおぶう / ~를 키우다 子を育てる / ~를 낳다 子を産む / ~가 생기다 子〔子供〕ができる. 語例 ~ 아버지 1)子のある男. 2)(子供のお父さんの意で)自分の夫を指す語 / ~ 어머니 1)子のある婦人. 2)(子供のお母さんの意で)自分の妻を指す語 / ~ 어멈〔어미〕'아이 어머니'をさげすんで言う語 / 아잇적 幼いころ. 幼時.

❷'아들 息子'の俗っぽい言いかた. 文例 저 애가 우리 ~야 あの子がうちの息子だよ.

❸胎児. 句例 뱃속의 ~ 腹の中の子. 胎児.

❹('아이들'の形で) まだ幼い, 未熟であるという意味をこめて, 教師が学生・生徒を, 集団の頭が成員を指していう語. 文例 ~들이 떠들지는 않습니까 学生たちは騒ぎませんか.

아이(가) 떨어지다 流産する.

아이(를) 배다 子をはらむ. 身ごもる. 妊娠する.

아이(가) 서다 身ごもる. 妊娠する.

아이 싸움이 어른 싸움된다 子供のけんかが大人のけんかになる. ささいなことが次第に大きくなることのたとえ.

*아이[2]〈感〉❶せがむときに出す語: ねえ. …ってば. 文例 ~ 빨리 줘요 ねえ, 早くくださいよ / 엄마, ~ 엄마두 かあさん, かあさんってば. ❷'아이고'の略. 文例 ~ 깜짝이야 いや〔あら. まあ〕驚いた.

**아이고〈感〉❶痛いとき, 驚いたとき, あきれたとき, または悔しいときなどに出す語: あ. あら. まあ《女》. ひゃあ. ああ. さてさて. やれやれ. 文例 ~ 깜짝이야 あら, びっくりした / ~ 놀랐다 ああ, 驚いた / ~ 내 팔자야 ああ, わたしの身の上ったら / ~ 큰일났다 ひゃあ, 大変だ. ❷泣き声, 特に喪中にこく(哭)する声.

아이고나〈感〉あらまあ. おや. ほんとに.

表現 子供のいじらしい言動を見て発する語.

아이고-머니〈感〉'아이고'の強勢語. 略して'애고머니'ともいう. 文例 ~ 몇해 만이야 あらまあ, 何年ぶりですの.

表現 おもに女性が用いる.

아이디어〈名〉アイディア. ◇idea

아이러니〈名〉アイロニー. ◇irony

아이스〈名〉アイス. 語例 ~ 링크 アイスリンク / ~박스 アイスボックス / ~쇼 アイスショー / ~캔디 アイスキャンデー / ~ 커피 アイスコーヒー / ~ 케이크 アイスケーキ / ~크림 アイスクリーム / ~ 하키 アイスホッケー. ◇ice

아이시【IC】[aishi:]〈名〉アイシー. 集積回路. ◇integrated circuitの略.

*아이-참〈感〉ひどくくやしいとき, 失望したとき, またはじれったいときに出す語: ほんとに. ちぇっ. 文例 ~ 속상해 まあ, くやしい / ~ 귀찮네 ほんとにうるさいね / ~ 다 틀렸다 ちぇっ, 台無しになった.

아이쿠〈感〉痛かったり, 驚いたりしたときに出す語: あっ. わあっ. うえっ.

아이-큐【IQ】[aik'yu:]〈名〉アイキュー. 知能指数. ◇intelligence quotientの略.

아작〈副・하自他〉果物などをかむ音. また, そのさま: さくっと. かりっと. ~거리다〈自他〉さくさく音をたてる.

아작아작 [ajagajak]〈副・하自他〉さくさく. かりかり.

아장-거리다〈自〉❶よちよち歩く. ちょこちょこ歩く. ❷ふらつく.

아장아장〈副・하自〉よちよち. ちょこちょこ. 句例 ~ 걷다 よちよち歩く.

아장-걸음 [ajanggŏrŭm]〈名〉よちよち歩き.

아쟁【牙箏】〈名〉〔樂〕牙箏. 絵

參考 小さい七弦の弦楽器の一つ. 弓で弦をこすって音を出す.

〈아쟁〉

**아저씨〈名〉❶おじ(伯父・叔父). ❷おじ(小父)さん. 語例 이웃 ~ 隣のおじさん / 순경 ~ お巡りさん / 기사 ~ 運転士さん. 對 아주머니.

表現 '伯父・叔父'は'삼촌(三寸)'と呼ばれるようになり, 一般的に中年の男性を指す語として使われる.

아전【衙前】[a:jŏn]〈名〉〔史〕朝鮮朝の地方官庁の世襲的な下級役人. 類 서리(胥吏).

아전-인수【我田引水】[a:jŏninsu]〈名〉我田引水.

아주【亞洲】〈名〉'아세아주 アジア州'の略.

**아주[1]〈副〉❶非常に. とても. 句例 ~ 비싸다 (値段が)ひじょうに高い / ~ 가난하다 とても貧乏だ〔貧しい〕. ❷全く. まるで. 全然. 句例 ~ 다르다 まるで〔まるっきり〕違う. ❸永久に. これを最後に. 文例 그는 ~ 가 버렸다 彼は永久に去った. ❹すっかり. 完全

かんに. 句例 ～ 잊어버리다 すっかり忘れてしまう.

아주 멀쩡하다 厚かましい. ずうずうしい. しゃあしゃあとしている.

아주² [a:ju] 〈感〉 人の得意がる言動をあざける語: なんだい. これはこれは. いやはや. さてさて. ふん. たいしたもんだ. 文例 ～, 제법인데 ふん, やってるね / ～, 잘난 체하는군 なんだい, えらぶって.

아주까리 〈名〉〔植〕 ❶とうごま(唐胡麻). ひま(蓖麻). ❷'아주까리씨'の略: ひまし(蓖麻子). 語例 ～ 기름 ひま油. ▷＝피마자(蓖麻子).

**아주머니 〈名〉 ❶おば(伯母・叔母). ❷おば(小母)さん. おかみさん. 奥さん. 句例 앞집 ～ 向かいのおばさん / 쌀집 ～ 米屋のおかみさん. ❸兄弟にあたる人の妻を呼ぶ語: 姉さん. 對아저씨.

表現 ①は'고모(姑母)''이모(姨母)'の方が多く使われ, 中年の女性を指す②の用法が一般的である.

아주머-님 〈名〉 '아주머니'の敬称: おばさま.

아주버니 〈名〉 夫の兄弟, または夫と同列血統の男の呼称: (お)兄さん. ＝시숙(媤叔).

아주버-님 〈名〉 '아주버니'の敬称: お兄さん.

-아지 〈尾〉 生まれて間もない家畜の意を表わす語. 語例 강～ 小犬 / 송～ 小牛 / 망～ 子馬.

아지랑이 〈名〉 かげろう(陽炎). 句例 ～가 피어오르다 かげろうが立つ.

**아직 〈副〉 ❶まだ…(しない). いまだ(に). 句例 ～ 안 보이다 まだ見えない / ～ 오지 않다 まだ来ない / 사정은 ～ 확실치 않다 事情はいまだに明らかでない. ❷いまだ. 今でもなお. なお. やはり. 句例 ～ 비가 오고 있다 まだ雨が降っている / ～ 시간이 있다 まだ時間がある.

表現 '아직은 때가 이르다 時機はまだ早すぎる' '아직은 도착하지 않았다 今のところ着いていない'のように '아직은'は強調や否定文に使う.

아직 멀었다 まだまだだ. まだ及ばない. 文例 전문가가 되기에는 ～ まだまだ玄人には程遠い.

아직-까지 〈副〉 いまだに. 今なお. 文例 ～ 소식이 없다 いまだに便りがない.

아직-껏 〈副〉 今まで. 今なお. 文例 ～ 자고 있었니 今まで寝ていたのか.

*아직-도 〈副〉 まだ. まだまだ. いまだに. 句例 ～ 잊을 수 없는 광경 いまだに忘られない光景. 文例 옛 풍습은 ～ 살아 있다 昔の風俗はまだ生きている.

*아찔-하다 (→하다) 〈形〉 くらくらする. ふらっとする.

表現 語感の大きい語は'어찔하다'.

아찔아찔 [atchiratchil] 〈副・하形〉 ふらふら. くらくら. 句例 눈이 ～할 정도로 깊은 골짜기 目がくらくらするほど深い谷間.

아차 〈感〉 あっ. しまった. あわや. 文例 ～ 우산을 잊었구나 あっ, 傘を(置き)忘れた.

表現 自分の失敗に気づいたときに出す語.

아첨 【阿諂】 〈名〉 おべっか. へつらい. おもねること. ごますり. ～하다 〈自〉 へつらう. おもねる. ごまをする. 語例 ～꾼 ご機嫌とり. ごますり.

아치 [a:ch'i] 〈名〉〔建〕 アーチ. ◇arch

-아치 〈尾〉 名詞の下に付いてその仕事に従事する人を表わす語. 語例 벼슬～ 役人. 官吏 / 구실～ 下役人.

**아침 〈名〉 ❶朝. あした《雅》 句例 ～ 일찍 朝早く / ～부터 밤까지 朝から晩まで / ～저녁으로 朝に夕に. 語例 ～거리 朝食の材料 / ～나절 朝食後から昼までの間. 午前中 / ～내 朝中. 朝のあいだ / ～놀 朝焼け / ～때 朝がた. 朝食の時間 / ～잠 朝寝 / ～ 진지 '朝の食事'の敬語 / ～참 朝食の後の休む時間. ❷'아침밥'の略. 句例 ～을 먹다 朝食を取る.

**아침-밥 [—ppap] 〈名〉 朝食. 朝ご飯.

아카데미 〈名〉 アカデミー. 語例 ～상 アカデミー賞. ◇academy

*아카시아 〈名〉〔植〕 ❶アカシア. ❷'아까시나무にせアカシア'の通称. ◇프 acacia

〈아코디언〉

아케이드 [a:k'eidŭ] 〈名〉 アーケード. ◇arcade

아코디언 [ak'o:diŏn] 〈名〉〔樂〕 アコーデオン. 手風琴. ＝손풍금. 絵 ◇accordion

아퀴 〈名〉 (仕事の)締めくくり. 結末.

아퀴(를) 짓다 (仕事を)締めくくる. 締めくくりをつける.

아크 [a:k'ŭ] 〈名〉〔物〕 アーク. 語例 ～등 アーク灯. ◇arc

*아크릴 〈名〉 アクリル. 語例 ～ 섬유 アクリル繊維. ◇acryl

아킬레스-건 【Achilles腱】 〈名〉 ❶アキレス腱. ＝아킬레스힘줄. ❷弱点. ウィークポイント.

아톰 〈名〉 アトム. ＝원자(原子). ◇atom

아트 [a:t'ŭ] 〈名〉 アート. 語例 ～지 アート紙. アートペーパー. ◇art

아틀리에 〈名〉 アトリエ. 画室. ◇프 atelier

*아파트 [ap'a:t'ŭ] 〈名〉 ['아파트먼트 하우스'の略] アパート. アパートメント. 句例 ～ 생활을 하다, ～에 살다. アパート住い〔暮らし〕をする. 語例 ～촌 アパート村. ◇apartmentから.

아파-하다 (→하다) 〈自〉 痛がる. 句例 가슴 ～ 悲しむ / 마음 ～ 心を痛める.

아편 【阿片】 〈名〉 阿片. 語例 ～ 전쟁〔史〕阿片戦争 / ～ 중독(자) あへん中毒(者).

아폴로 〈名〉 アポロ. ＝아폴론. 語例 ～ 계획 アポロ計画 / ～ 눈병〔醫〕 流行性角結膜炎. ◇Apollo

아폴론 〈名〉 アポロン. ◇도 Apollon

**아프다 (아프니, 아파서) 〈形〉 痛い. 句例 머리〔배〕가 ～ 頭〔腹〕が痛い / 마음이 ～ 心が痛む / 아파서 울다 痛くて泣く. 文例 몸이 아파서 학교를 쉬었다 体の具合が悪くて学校を休んだ. 語例 아프게 痛く / 아파지다 痛くなる. 病むようになる.

*아프리카-주 【一洲】 〈名〉〔地〕 アフリカ州.

아픔 〈名〉 痛み. 句例 상처의 ～ きずの痛み / ～이 심해지다 痛みがひどくなる.

아하 〈感〉ああ．ははあ．そうか．[文例] ～ 이제야 생각이 났다 ああ，やっと思い出した．
아하하 〈感〉あはは．
아-한대【亞寒帶】[a:handae]〈名〉亜寒帯．
아호【雅號】[a:ho]〈名〉雅号．号．
⁑**아홉** 〈數・冠〉九・く．九つ．[語例] ～째 九番目．九つ目／～명 九人．九名．
아황산 가스【亞黃酸gas】〈名〉〔化〕亜硫酸ガス．＝이산화황．
아흐레〈名〉❶九日．❷[‘아흐렛날’の略] 九日．九日の日．
[參考] ‘구일 九日’の固有語．
***아흔** 〈數・冠〉九十．[語例] ～ 살 90歳．
[參考] ‘구십(九十)’の固有語数詞．
악¹〈名〉ありったけの力．力み．必死〔死に物狂い〕のもがき．やけ．
악(에) 바치다 やけ(くそ)になる．死に物狂いになる．
악(을) 쓰다 あらんかぎりの声を張りあげる．わめく．どな(怒鳴)る．[句例] 악을 쓰며 덤비다 大声でわめきながらくってかかる．
악²〈名〉‘아기’の略．[文例] ～아 잘 자거라 坊やねんねしな．
***악**【惡】〈名〉悪．[句例] ～의 근원 悪の根源／～에 물들다 悪にそまる．[語例] 사회～ 社会悪．(對)선(善)．
악³〈感〉❶相手を驚かすためにだしぬけに出す声：わあっ．❷驚いたとき無意識に出る声：あっ．

악 〔漢字項目〕

【惡(悪)】 [中學] 악 アク．오 オ．[一]〔악〕❶㉠나쁘다 悪い．모질다 むごい．◧惡辣 악랄 あくらつ．惡人 악인 あくにん．◧善惡 선악 ぜんあく．㉡밉다 見苦しい．불쾌하다 不快だ．◧惡役 악역 あくやく．◧醜惡 추악 しゅうあく．㉢바르지 못하다 正しくない．부도덕하다 不道徳だ．◧惡德 악덕 あくとく．惡政 악정 あくせい．㉣용맹스럽다 勇敢だ．◧惡戰苦鬪 악전고투 あくせんくとう．
[二]〔오〕미워하다．증오하다 憎む．◧惡心 오심 おしん．惡寒 오한 おかん．◧憎惡 증오 ぞうお．
【岳】 [高校] 악 ガク．❶높고 웅대한 산 高く雄大な山．◧山岳 산악 さんがく．巨岳 거악 きょがく．❷크고 위엄이 있다 大きく威厳がある．◧岳父 악부 がくふ．
【樂(楽)】 [中學] 악 ガク．락 ラク．요 ギョウ．ゴウ．[一]〔악〕음악 音楽．풍류 風流．◧樂隊 악대 がくたい．樂曲 악곡 がっきょく．◧管絃樂 관현악 かんげんがく．
[二]〔락〕❶즐기다 楽しむ．喜ぶ．◧樂天 낙천 らくてん．◧安樂 안락 あんらく．❷즐거움 楽しみ．快いこと．◧苦樂 고락 くらく．快樂 쾌락 かいらく．❸즐겁다 楽しい．쾌하다 快い．◧樂土 낙토 らくど．樂園 낙원 らくえん．
[三]〔요〕좋아하다 好む．願う．望む．◧知者樂水 지자요수 知者は水を楽しむ．◧三樂 삼요 さんごう．

악감【惡感】〈名〉悪感．悪感情．[句例] ～을 품다 悪感をいだく．
***악곡**【樂曲】〈名〉楽曲．
악공【樂工】〈名〉楽人．
악귀【惡鬼】〈名〉悪鬼．悪霊．
악극【樂劇】〈名〉楽劇．[語例] ～단 楽劇団．
***악기**【樂器】〈名〉楽器．[句例] ～를 연주하다 楽器を奏でる．
악녀【惡女】[angnyŏ]〈名〉悪女．毒婦．
악단【樂團】〈名〉楽団．[句例] 유명한 관현～ 有名な管弦楽団．
악담【惡談】〈名〉❶悪口・あっこう．悪たれ口．❷人をののしりのろうこと．**～하다**〈自〉毒づく．悪態をつく．
악당【惡黨】〈名〉❶悪党．❷悪漢．(類)▷악인(惡人)．악한(惡漢)．
악대【樂隊】〈名〉楽隊．(類)악단(樂團)．
악덕【惡德】〈名〉悪徳．**～하다**〈形〉非道だ．不正だ．[語例] ～ 상인 悪徳商人．
악도리〈名〉荒くたけだけしい人〔動物〕．
악독-스럽다【惡毒—】(→스럽다)〈形〉邪悪であくどい．
악독-하다【惡毒—】[aktok'ada] (→하다)〈形〉あくどい．[語例] 악독하게 あくどく．邪悪に．
악동【惡童】〈名〉悪童．悪太郎．
악랄-하다【惡辣—】[angnal—] (→하다)〈形〉悪らつだ．[文例] 악랄한 수단으로 돈을 벌다 悪らつな手段でお金を稼ぐ／악랄한 짓을 하지마 悪らつな事をするな．**악랄히**〈副〉悪らつに．
악력【握力】[angnyŏk]〈名〉握力．[句例] 양손의 ～을 재다 両手の握力をはかる．[語例] ～계 握力計．
악령【惡靈】[angnyŏng]〈名〉悪霊．もののけ(怪)．[句例] ～의 앙얼 悪霊のたたり．
악마【惡魔】[angma]〈名〉悪魔．[句例] ～에 씌다 悪魔につかれる／～를 물리치다 悪魔を払う．[語例] ～주의〔文〕悪魔主義．
악-머구리 [angmŏguri]〈名〉とのさまがえる(殿様蛙)の異名．
악머구리 끓듯 (かえるがより集まったように)騒騒しい．
악명【惡名】[angmyŏng]〈名〉悪名・あくみょう．[句例] ～이 높다 悪名が高い／～을 떨치다 悪名をはせる．
악몽【惡夢】[angmong]〈名〉悪夢．[句例] ～에서 깨다 悪夢からさめる／～에 시달리다 悪夢にうな(魘)される．
악-물다 [angmulda] (악무니, 악물어서)〈他〉(歯を)食いしばる．[句例] 이를 악물고 참다〔노력하다〕歯をくいしばってがまんする〔努力する〕．
악-바리〈名〉❶片意地でがめつい人．❷ちゃっかり屋．
악법【惡法】〈名〉❶悪法．❷悪い方法．
***악보**【樂譜】〈名〉〔樂〕楽譜．曲譜．音譜．[句例] ～를 보지 않고 연주하다 楽譜を見ないで演奏する．
악사【樂士】〈名〉楽士．
악상【樂想】〈名〉〔樂〕楽想．
악서【惡書】〈名〉悪書．[語例] ～ 추방 悪書追放．(對)양서(良書)．
***악성**【惡性】〈名〉悪性．[語例] ～ 인플레 悪性インフレ／～ 종양 悪性腫瘍．(對)양성(良性)．
악성【樂聖】〈名〉楽聖．[語例] ～ 베토벤 楽聖

ベートーベン.

악센트〈名〉アクセント. [句例]그림에 ~를 넣다 絵にアクセントをつける. ◇accent

악수【握手】〈名・하自〉握手. [句例]굳은 ~ 固い握手 / ~를 나누다 握手を交わす.

악-순환【惡循環】〈名〉悪循環. [句例]~을 되풀이하다 悪循環を繰り返す〔反復する〕.

악습【惡習】〈名〉悪習. [句例]~에 물들다 悪習にそまる.

***악어**【鰐魚】[agŏ]〈名〉〔動〕わに(鰐). [句例]~ 가죽 핸드백 わに皮のハンドバッグ.

악역【惡役】[agyŏk]〈名〉悪役. 悪形. 敵役. [句例]~으로 나오다 悪役を演じる.

악-영향【惡影響】[agyŏnghyang]〈名〉悪影響. [句例]~을 미치다 悪影響を及ぼす.

악용【惡用】[agyong]〈名・하他〉悪用. [句例]지위를 ~하다 地位を悪用する / 남의 이름을 ~하다 他人の名を悪用する. (對)선용(善用).

악운【惡運】[agun]〈名〉悪運. [句例]~이 세다 悪運が強い. (對)호운(好運). 행운(幸運).

악의【惡意】[agŭi]〈名〉悪意. [句例]~있는 말을 하다 悪意のある言葉を言う / ~를 품다 悪意をいだく / ~로 해석하다 悪意に取る / ~없는 사람 悪意のない人. (對)선의(善意). 호의(好意).

악인【惡人】[agin]〈名〉悪人. 悪者. 悪玉. (對)선인(善人). (類)악한(惡漢).

악장【樂長】〈名〉楽長.

악장【樂章】〈名〉楽章. [語例]제1 ~ 第一楽章.

악-재료【惡材料】〈名〉悪材料. 略して‘악재’とも言う. (對)호재료(好材料).

악전【樂典】〈名〉〔樂〕楽典.

악전-고투【惡戰苦鬪】〈名・하自〉悪戦苦闘. [句例]선거에서 ~하다 選挙で悪戦苦闘する / ~ 끝에 悪戦苦闘の末.

악정【惡政】〈名〉悪政. ひせい(秕政). [句例]~을 베풀다 悪政を施す. (對)선정(善政).

악-조건【惡條件】[—chokkŏn]〈名〉悪条件. [句例]~이 겹치다 悪条件が重なる / ~ 밑에서 悪条件の下で. (對)호(好)조건.

악종【惡種】〈名〉❶悪い種類. ❷たちの悪い凶悪な人や動物.

악지〈名〉‘억지’の語感の小さい語.

악질【惡疾】〈名〉悪疾. 悪病.

악질【惡質】〈名〉悪質. ❶たちが悪いこと. ❷たちの悪い人や動物.

악질-적【惡質的】[—tchŏk]〈名・冠〉悪質. [句例]~인 범죄 悪質な犯罪 / ~인 선전 悪質な宣伝.

악착-같다【齷齪—】〈形〉ひどくしつこい〔やにっこい〕. へこたれない. **악착같이** [—kach'i]〈副〉しつこく. 執拗に. 負けん気に. [句例]악착같이 물고 늘어지다 しつようにくい下がる.

***악착-스럽다**【齷齪—】(→스럽다)〈形〉しつこい. 勝ち気だ. [句例]악착스러운 여자 勝気な女. **악착스레**〈副〉しつこく.

악처【惡妻】〈名〉悪妻. (對)양처(良妻). 현처(賢妻).

악-천후【惡天候】〈名〉悪天候. [句例]~를 무릅쓰고 悪天候を冒して〔ついて〕. (對)호천후(好天候).

악취【惡臭】〈名〉悪臭. [句例]~를 풍기다 悪臭を放つ / ~를 없애다 悪臭を消す〔除く〕.

악-취미【惡趣味】〈名〉悪趣味. ＝악취(惡趣). [文例]남을 속이고 기뻐하는 것은 ~다 人をかついで喜ぶのは悪趣味だ.

악평【惡評】〈名・하他〉悪評. [句例]~이 나다 悪評が立つ / ~을 받다 悪評をこうむる. (對)호평(好評).

악폐【惡弊】〈名〉悪弊. [句例]~를 일소하다 悪弊を一掃する.

악필【惡筆】〈名〉悪筆. [語例]~가 悪筆家. (對)달필(達筆).

***악-하다**【惡—】[ak'ada](→하다)〈形〉悪い. ❶気立てが悪い. 凶悪だ. 邪悪だ. [句例]악한 인간 悪い人間. ❷悪らつでむごい. ❸不道徳だ.

악한【惡漢】[ak'an]〈名〉悪漢. [句例]~한테 습격당하다 悪漢に襲われる. (類)악인(惡人).

악행【惡行】[ak'aeng]〈名〉悪行. 悪事. (對)선행(善行).

악화【惡化】[ak'wa]〈名・하自〉悪化. [句例]병상이〔관계가〕~하다 病状〔関係〕が悪化する. [語例]~시키다 悪化させる. (病気を)こじらせる / ~되다 悪化する.

악화【惡貨】[ak'wa]〈名〉悪貨. (類)양화.

악화는 양화를 구축한다 悪貨は良貨を駆逐する.

[参考]グレシャムの法則からでたことば.

***안**[1] ━〈名〉❶内. 内. 中. 内部. 内側. [句例]~에서 놀다 内で遊ぶ / ~으로 들어가다 内へ入る / 집 ~이 훤히 들여다보이다 家の中が丸見えだ. [語例]~쪽 内側.

❷(標準・限界の)内. 以内. [句例]사흘 ~에 끝내다 三日内に終える. [文例]이 범위 ~에서 생각해 주십시오 この範囲内で考えてください.

❸婦女の居間. 内室. 奥座敷.

❹‘안찝’の略: 裏. 裏地. [句例]옷의 ~을 대다 衣服の裏をつける.

❺‘아내 妻’の俗っぽい言いかた. ▷(對)밖.

━〈頭〉‘女’を指す語. [語例]~주인 女主人. おかみ / ~식구〔사람〕妻. 細君. 家内. 女房. ▷→囲み記事 55

안【案】[a:n]〈名〉❶‘안건(案件)’の略: 案. [語例]불신임~ 不信任案 / 예산~ 予算案. ❷考え. 思案. 計画. [句例]~을 내다 案を出す / ~을 세우다 案を立てる / 좋은 ~이 있다 いい考えがある.

***안**[2] ‘아니’の略: …(し)ない. [文例]비가 ~ 온다 雨が降らない / 일은 ~ 한다 仕事をしない / ~ 그래 そんなことない / ~ 좋아요 よくないです / 밥을 ~ 먹는다 ご飯を食べない / 이해가 ~ 간다 理解ができない / ~ 가는 거냐 못 가는 거냐 行かないのか, 行けないのか.

[表現]ほとんどすべての場合, ‘안＋用言’は‘用言の活用形＋-지＋않다’に置きかえられる. また, 分離用言では‘공부 안 하다 勉強しない’のように‘用言の語幹＋안＋하다’の形になる.

안 되다 [‘아니 되다’の略] ❶いけない. ならない.

文例 오면 안 된다 来てはいけない / 숙제를 하지 않으면 안 된다 宿題をしなければならない. ❷まだできあがらない. ❸うまく行かない. しくじる. 句例 계획대로 ~ 計画どおりにいかない.

안 〔漢字項目〕

【安】 中學 안 アン. ❶편안하다 安らかだ. ◧安全 안전 あんぜん. ◨保安 보안 ほあん. 治安 치안 ちあん. ❷편안히 하다 安らかにする. ◧安樂 안락 あんらく. 安心 안심 あんしん. ❸(값이) 싸다 安い. ◧安價 안가 あんか.

【岸】 高校 안 ガン. ❶해변 또는 강변 きし. ◧岸壁 안벽 がんぺき. ◨沿岸 연안 えんがん. 接岸 접안 せつがん. 海岸 해안 かいがん. ❷낭떠러지 がけ(崖). ◨崖岸 애안 がいがん.

【案】 中學 안 アン. ❶앉을 때 기대는 것 せもたれ. 책상 机. ◧案席 안석 あんせき. せもたれ. 案上 안상 あんじょう. ❷초안 草案. 下書き. ◨起案 기안 きあん. 議案 의안 ぎあん. ❸조사하다 調べる. 생각해 내다 考え出す. ◧案出 안출 あんしゅつ. ◨考案 고안 こうあん. 思案 사안 しあん. ❹인도하다 導く. ◧案內 안내 あんない.

【眼】 中學 안 ガン. ゲン. ❶눈 眼. 目. ◧眼球 안구 がんきゅう. 眼光 안광 がんこう. 眼前 안전 がんぜん. ◨千里眼 천리안 せんりがん. ❷物事を分別する能力. ◧眼識 안식 がんしき. ◨具眼 구안 ぐがん. ❸눈으로 보는 바 目で見ること. ◧眼界 안계 がんかい. 眼中 안중 がんちゅう. ◨着眼 착안 ちゃくがん. ❹주요한 점 かなめ. ◧眼目 안목 がんもく. ◨主眼 주안 しゅがん.

【鴈】 高校 안 ガン. 기러기 かり. ◧鴈書 안서 がんしょ. 鴈信 안신 がんしん. ◨飛鴈 비안 ひがん.
参考 '雁'で代用する.

【顏(顔)】 中學 안 ガン. ❶얼굴 顔. ◧顏面 안면 がんめん. ◨童顏 동안 どうがん. 龍顏 용안 りゅうがん. 破顏 파안 はがん. ❷채색 彩色. ◧顏料 안료 がんりょう.

안-간힘 [—kkanhim]〈名〉必死のあがき.
안간힘(을) 쓰다 こらえようとして歯をくいしばる. 耐え忍ぼうとして必死に力む. ありったけの力をふりしぼる. 息む. がんば(頑張)る. 句例 경기에 이기려고 ~ 試合に負けまいとがんばる.

안-감 [ankkam]〈名〉裏地. =안찝. 句例 옷에 ~을 대다 衣服に裏を当てる.

안강【鮟鱇】〈名〉〔魚〕'아귀'の漢字語: あんこう(鮟鱇). 語例 ~망 あんこう(鮟鱇)網.

***안-갚음** [a:n-gapŭm]〈名・하自〉❶親の恩を返すこと. ❷反哺.

***안개** [a:n-gae]〈名〉霧. もや(靄). 句例 ~가 짙다 霧が深い / ~가 (자욱이) 끼다 霧が(一面に)立ちこめる / ~에 싸이다 霧に包まれる / ~가 걷히다 霧が晴れる. 語例 아침 ~ 朝霧 / 밤~ 夜霧 / ~구름 層雲. 霧雲 / ~비 霧雨.

안개-꽃 [a:n-gae—]〈名〉〔植〕かすみそう(霞草).

***안건**【案件】[a:nkkŏn]〈名〉案件. 略して'안(案)'とも言う.

⁑**안경**【眼鏡】[a:n-gyŏng]〈名〉眼鏡. 句例 ~을 쓰다〔끼다〕眼鏡をかける / ~을 벗다 眼鏡を外す / ~을 닦다 眼鏡をふく / ~을 바로 쓰다 眼鏡の具合を直す / ~너머로 보다 眼鏡越しに見る. 語例 ~ 다리 眼鏡のつる〔脚〕/ ~방〔가게. 점〕眼鏡屋 / ~알 眼鏡のレンズ / ~잡이 眼鏡をかけた人. 眼鏡さん《俗》/ ~집 眼鏡入れ / ~테 眼鏡の縁〔フレーム〕/ 색~ 色眼鏡.
안경(을) 쓰다 ❶色眼鏡で見る. ❷いっぺんに酒二杯を受け取る.

***안과**【眼科】[a:nkkwa]〈名〉眼科. 語例 ~의사 眼科医.

안구【眼球】[a:n-gu]〈名〉眼球. 目玉. =눈알.

안기다 一〈自〉(人に)抱かれる. 句例 애인 품에 ~ 恋人に抱かれる / 엄마 품에 안기어 자다 母の懐に抱かれて眠る〔寝る〕.
二〈他〉❶(懐に)抱かせる. 抱くようにする. 句例 막내를 아버지에게 ~ 末っ子を父に抱かせる. ❷(責任・罪などを)負わせる. 句例 사원에게 책임을 ~ 社員に責任を負わせる. ❸(鳥に卵を)抱かせる. 句例 닭에게 알을 ~ 鶏に卵を抱かせる. ❹'때리다 なぐる'の俗っぽい言いかた: (こぶしなどを)食わせる. 打つ. 句例 한 대 ~ 一発食らわす.

***안내**【案內】[a:nnae]〈名・하他〉案內. 句例 앞장서서 ~하다 先に立って案內する / 손님을 별실에 ~하다 客を別室に通す. 語例 ~원〔인〕案內係. 案內人. ガイド / ~서 案內書. ガイドブック / ~소 案內所 / ~장 案內状 / 입학 ~ 入学案內 / ~되다 案內される / ~받다 案內を受ける. / ~판 案內の掲示板 / ~역 案內役.

⁑**안녕【安寧】** 一〈名〉安寧. **~하다**〈形〉つつが無い. 無事だ. 元気だ. 句例 사회의 ~ 질서를 유지하다 社会の安寧秩序を保つ. 文例 ~하세요 おはようございます. こんにちは. 今晩は / ~들 하십니까(複数の人に向かって)こんにちは / 그간 ~하신지요 (手紙などで)その間お元気でしょうか / 밤새 ~하셨습니까 おはようございます.
二〈感〉さようなら. おはよう. こんにちは. 今晩は.
表現 もとは, 別れのあいさつとして使われたが, 次第に出会ったときのあいさつとしても用いられるようになった. 前後の関係をふまえてその用法を区分する必要がある. また, 子供や若い女性がおもに使う用語であったが今は一般に広く使われる.

⁑**안녕-히**【安寧—】〈副〉安らかに. 無事に. 文例 ~ 가십시오 (立ち去る人に対して)さようなら / ~ 계십시오 (とどまる人に対して)さようなら / ~ 주무십시오 おやすみなさい / ~ 주무셨습니까 おはようございます.
表現 用例に示した用法は, 目上の人に対してだけ使われる. 対等以下の人に対しては'잘 가거라' '잘 있어' '잘 자거라' '잘 잤니'のように'잘'が用いられる.

⁑**안다** [a:ntta]〈他〉❶抱く. 抱える. いだ(抱)く.

句例 아이를 ～ 子供を抱く / 무거운 짐을 ～ 重い荷物を抱える. ❷(心に)いだく. 句例 희망을 ～ 希望をいだく / 슬픔을 ～ 悲しみをいだく / 위험을 안고 가파른 산을 오르다 危険を感じながら急な山を登る. ❸まともに受ける. 句例 바람을 ～ 風をまともに受ける / 바람을 안고 나아가다 風上に向かって進む / 돛이 바람을 ～ 帆が風をはらむ. ❹(鳥が卵を)抱く. かえ(孵)す. 句例 암탉이 알을 ～ めんどりが卵を抱く. ❺はらむ. 句例 폭풍우를 안은 정국의 형세 あらし(嵐)をはらんだ政情. ❻(責任を)負う. 句例 동생의 책임을 ～ 弟の責任を負う.

안고 지고 胸に抱いたり背に負ったりして.

안단테 〈名〉〔樂〕アンダンテ. 語例 ～ 칸타빌레 アンダンテカンタービレ. ◇이 andante

안단티노 〈名〉〔樂〕アンダンティーノ. ◇이 andantino

안달 〈名〉いらだち. 気をもむこと. やきもきすること. **～하다** 〈自〉いらいらする. じれる. じりじりする. もどかしがる. 句例 기다리는 사람이 오지 않아 ～하다 待ち人が来ないのでいらいら〔じりじり〕する / ～이 나 있다 じれている.

안달-뱅이 〈名〉❶よくじれる人. よくくよくよする人. ❷ひどくけちな人. 略して'안달이'とも言う.

안대 【眼帶】[a:ndae] 〈名〉眼帯.

안도 【安堵】〈名・하自〉安堵. 句例 ～의 한숨을 쉬다 安堵の息をつぐ. 安堵の胸をなでおろす. 語例 ～감 安堵感.

***안-되다** 〈形〉気の毒だ. 残念だ. 哀れだ. 句例 …이라니 안되었다 …とは気の毒だ / 거절하기는 안됐지만 断るのは残念だが.

안-뜰 〈名〉内庭. 中庭. 對바깥뜰.

안락 【安樂】[allak] 〈名〉安楽. **～하다** 〈形〉安楽だ. 句例 ～한 생활 安楽な生活. 語例 ～사 安楽死 / ～ 의자 安楽椅子.

안료 【顔料】[allyo] 〈名〉顔料.

안마 【按摩】[a:nma] 〈名〉あんま(按摩). **～하다** 〈他〉あんまをする. あんまを取る. 語例 ～사 あんま取り. あんま.

안마 【鞍馬】[a:nma] 〈名〉鞍馬.

안-마당 〈名〉内庭. 中庭.

안면 【安眠】〈名・하自〉安眠. 語例 ～ 방해 安眠妨害.

안면 【顔面】[a:nmyŏn] 〈名〉顔. ❶顔面. 面. 面(俗). 語例 ～근 顔面筋. ❷顔見知り. 句例 ～이 넓다 顔が広い. 顔が知られている / ～이 있다 顔見知りである. 顔なじみである / ～ 부지(不知)의 사람 見知らぬ人.

안면(을) 바꾸다 突然態度を変えて冷酷になる.

안목 【眼目】[a:nmok] 〈名〉眼識. 目. 句例 ～이 높다 眼識〔目〕が高い.

안무 【按舞】[a:nmu] 〈名〉〔演〕振り付け. **～하다** 〈自〉振り付けをする. 語例 ～가(家) 振り付け(師).

***안-방** 【—房】[—ppang] 〈名〉❶主婦部屋. ❷(韓国式家屋の)居間. 母屋の主になるオンドル部屋で台所と隣りあっている部屋. 語例 ～ 극장(劇場) 居間にいながらにしてドラマやショーなどを楽しめるという意味で, 'テレビジョン'のこと.

안방에 가면 시어머니 말이 옳고, 부엌에 가면 며느리 말이 옳다 主婦部屋に行くとしゅうとめの言うことが正しく, 台所に行くと嫁の言うことが正しい. 是非の判断が難しいことのたとえ.

안배 【按排・按配】[a:nbae] 〈名・하他〉案配. 句例 인원을 부서에 ～하다 人員を部署に案配する.

안벽 【岸壁】[a:nbyŏk] 〈名〉岸壁. 句例 배를 ～에 대다 船を岸壁につける.

안보 【安保】〈名〉['안전 보장'の略] 安保. 語例 ～리(理) 安保理. 安全保障理事会.

안부 【安否】〈名〉安否. 句例 ～를 묻다 安否を問う(尋ねる) / ～를 걱정하다 安否を気づかう. 文例 사모님께 ～ 전해 주세요 奥様によろしくお伝えください.

안빈-낙도 【安貧樂道】〈名〉貧しいうちにも心を安らかにして天道を楽しむこと.

안-사돈 【—査頓】[—ssadon] 〈名〉あいやけ(相舅)の婦女. 對바깥 사돈.

表現 結婚した男女それぞれの両親・親族が相手側の母親を呼ぶ語.

안-사람 [—ssaram] 〈名〉'아내'のくだけた言いかた: 女房. 家内. 内.

안-살림 [—ssallim] 〈名〉['안살림살이'の略] 主婦による家計の切り盛り. 對바깥살림.

안-상제 【—喪制】[—ssangje] 〈名〉喪中の女性. 對바깥 상제.

안색 【顔色】[a:nsaek] 〈名〉顔色. 血相. 気色. 句例 ～을 살피다 顔色〔気色〕をうかがう / ～이 변하다 顔色が変わる / ～을 바꾸다 顔色を変える / ～이 좋지 않다〔나쁘다〕 顔色が悪い.

안석 【案席】[a:nsŏk] 〈名〉座るとき背をもたせかけるクッション.

안성-맞춤 【安城—】〈名〉あつらえ向き. 好都合. うってつけ. 句例 ～의 장소 もってこいの場所. 文例 아주 ～이다 ちょうどあつらえ向きである / 자네에게 ～인 일이 있다 君にうってつけの仕事がある.

参考 むかし, 京畿道安城で生産されたあつらえの真鍮製品がじょうぶで注文者の気にいるものであったことからできた語.

안-섶 [—ssŏp] 〈名〉(上着の)内側のおくみ(衽).

안-손님 [—ssonnim] 〈名〉女の客. 對바깥 손님.

안수 【按手】[a:nsu] 〈名・하自〉〔基〕按手. 語例 ～ 기도 按手祈禱.

안식 【安息】〈名・하自〉安息. 語例 ～처 安息所 / ～일 安息日.

안-식구 【—食口】[—ssikku] 〈名〉❶女の家族. 對바깥 식구. ❷'아내'の俗っぽい言いかた: 女房. 家内. 内.

안-심 〈名〉牛のあばら骨の内側の肉. (牛の)ばら肉.

***안심** 【安心】〈名・하自〉安心. 語例 ～시키다 安心させる.

안심(이) 되다 安心できる. 安心だ.

안쓰럽다 (안쓰러우니, 안쓰러워서)〈形〉❶いたわしい. 痛ましい. 気の毒だ. 文例 여자 혼자서 자식을 기르는 게 어쩌나 안쓰러운지 女独りの手で子供を養うのがあまり痛ましくてね. ❷(本当に)済まない.

안아-맡다 [ana—]〈他〉人の責任を引き受ける.

안약【眼藥】[aːnyak]〈名〉目薬. =눈약(藥). 句例 ~을 넣다 目薬をさす.

안어울림-음【—音】[anǒullimǔm]〈名〉〔樂〕不協和音.

안염【眼炎】[aːnyǒm]〈名〉〔醫〕目の炎症.

안온-하다【安穩—】[anon—] (→하다)〈形〉安穏だ. 平穏だ. 句例 안온하게 지내다 安穏に暮らす.

안-옷고름 [anotkorǔm]〈名〉チョゴリの内側の結びひも. 略して'안고름'ともいう.

안울림 소리 [anullimssori]〈名〉〔言〕無声音. ハングルで, 子音のㄱ・ㄷ・ㅂ・ㅅ・ㅈ・ㅊ・ㅋ・ㅎなど. =무성음. 對울림 소리.

안위【安危】[anwi]〈名〉安危. 句例 국가의 ~에 관계되는 큰일 国家の安危にかかわる大事.

안이-하다【安易—】[ani—] (→하다)〈形〉安易だ. 句例 안이한 생각 安易な考え / 안이한 생활을 하다 安易な生活を送る. 語例 안이하게 安易に.

안일【安逸】[anil]〈名〉安逸. **~하다**〈形〉安逸だ. 句例 ~한 생활 安逸な生活 / ~을 탐하다 安逸をむさぼる. 語例 ~하게 安逸に.

ㅇ

안잠-자기 [antcham—]〈名〉住み込みのお手伝いさん.

안장【安葬】〈名・하他〉安らかに葬ること. 語例 ~되다 安らかに葬られる.

안장【鞍裝】[aːnjang]〈名〉❶くら(鞍). 語例 ~마(馬) くらを置いた馬 / ~코 あぐら鼻. ❷(自転車の)サドル.

안전【安全】〈名〉安全. **~하다〈形〉安全だ. 句例 ~한 여행 安全な旅行 / ~을 위협하다 安全を脅かす / ~하게 차를 몰다 安全に車を運転する. 語例 ~ 규칙 安全規則 / ~ 벨트 安全ベルト / ~기〔電〕安全器 / ~등 安全灯 / ~ 면도(面刀) 安全かみそり / ~ 제일 安全第一 / ~ 지대 安全地帯 / ~판 安全弁 / ~핀 安全ピン. **~히**〈副〉安全に.

안전【眼前】[aːnjǒn]〈名〉眼前. 目の前. 目前. =눈앞.

> 囲み記事 64
>
> ■ '안치다'と'앉히다' ■
>
> 発音の上では二語とも[anch'ida]で同じである.
>
> **안치다** (煮炊きするものをかまなどに)敷き入れる —— 쌀을 솥에 안치다 米をかまの中にしき入れる.
>
> **앉히다** (1) 座らせる —— 윗자리에 앉히다 上席に座らせる.
> (2) (地位などに)就かせる —— 이씨를 부장 자리에 앉히다 李氏を部長の座に座らせる.

안절부절-못하다 [—mot'ada] (→하다)〈自〉いても立ってもいられない. そわつく. そわそわする. いらいらする. 文例 그는 안절부절못하고 주위를 둘러봤다 彼はそわそわとして周りを見回した.

안정【安定】〈名・하形〉安定. 句例 생활의 ~ 生活の安定 / ~ 속의 개혁 安定の中の改革 / ~된 지위 安定した地位 / 기분이 ~되다 気分が静まる / 생활이 ~되다 生活が落ち着く. 文例 경제가 ~되어 있다 経済が安定している. 語例 ~감 安定感 / ~성 安定性.

안정【安靜】〈名〉安静. **~하다**〈形〉安静だ. 語例 절대 ~ 絶対安静 / ~시키다 安静させる.

안존-하다【安存—】(→하다)〈形〉しとやかだ. 句例 안존한 부인 しとやかな婦人.

안주【安住】〈名・하自〉安住. 句例 ~할 땅을 찾다 安住の地を見つける / 과장(의) 지위에 ~하다 課長の地位に安住する.

안주【按酒】〈名〉(酒の)さかな(肴). おつまみ. 句例 김치를 ~삼아 막걸리를 마시다 キムチをさかなに濁り酒を飲む. 文例 술 ~가 아무것도 없다 酒のさかながなにもない. 語例 마른 ~ 干し物のさかな / 안줏감 さかなの材料.

안-주머니 [—tchumǒni]〈名〉内ポケット. 懐. 句例 지갑을 ~에 넣다 財布を内ポケットに入れる.

안-주인【—主人】[—tchuin]〈名〉女主人. 主婦. 女あるじ. (旅館などの)おかみ(女将). 對바깥 주인.

안중【眼中】[aːnjung]〈名〉眼中. 句例 ~에 없다 眼中にない / ~에 두지 않다 眼中におかない. 文例 ~에 있는 것은 돈뿐이다 眼中にあるのは金だけだ.

안질【眼疾】[aːnjil]〈名〉眼疾. 眼病. =눈병.

안-집 [—tchip]〈名〉❶母屋. =안채. ❷大家の家. ❸むかし, 召し使いが主人の家を指して言った語.

안-짝〈名〉以内. 以下. 句例 만 원 ~의 돈 一万ウォン足らず〔以内〕のお金. 文例 오천원 ~엔 팔 수 없다 五千ウォン以下では手放せない.
表現 ある標準・距離・数に達しない範囲を示す.

안짱-다리〈名〉わに足. 内わに. がにまた(蟹股)《俗》. 對발장다리.

***안-쪽**〈名〉内. 内側. 對바깥쪽.

안-찝〈名〉(衣服の)裏地. 裏.

안-차다 [aːn—]〈形〉物おじしない. 図太い.
안차고 다라지다 物おじしない. 大胆不敵だ.

안착【安着】〈名・하自〉安着.

안-창〈名〉(靴の)中敷き.

안-채〈名〉母屋. 句例 ~를 쓰다 母屋を使う. 對사랑채.

안치【安置】〈名・하他〉安置. 文例 법당에 불상이 ~되어 있다 本堂に仏像が安置されている. 語例 시체 ~소 死体安置所.

안치다〈他〉(煮炊きすべきものをかま(釜)・なべなどに入れて)しかける. 句例 쌀을 ~ 米をかまにかける / 가스에 밥을 ~ ガスにご飯をしかける. →囲み記事 64

안-치수【一數】〈名〉内のり.
안타【安打】〈名〉安打. ヒット. 句例 ～를 치다 安打を打つ.
안타까워-하다 (→하다)〈他〉❶気の毒に思う. 不憫〔不愍〕に思う. ❷もどかしく思う. じれったがる. やるせながる. 切なく〔歯がゆく〕思う.
안타까이〈副〉もどかしく. 切なく. じれったく. 歯がゆく. やるせなく.
*__안타깝다__ (안타까우니, 안타까워서)〈形〉❶(見るに)不憫〔不愍〕だ. 気の毒だ. ❷もどかしい. 切ない. やるせない. じれったい. 歯がゆい. 句例 안타까운 마음 切ない思い. 文例 시간 가는 것이 ～ 時間の立つのがもどかしい.
*__안테나__〈名〉アンテナ. 句例 ～를 달다 アンテナを張る〔つける〕. ◇antenna
*__안-팎__ [anp'ak]〈名〉内外. ❶内と外. 句例 집 ～을 깨끗이 쓸다 家の内外をきれいに掃く. ❷およそ. そこそこ. 句例 오만 원 ～의 비용 五万ウォン内外の費用 / 사십 ～의 신사 四十そこそこの紳士 / 열 사람 ～ 十人前後. 語例 ～ 노자(路資) 往復の旅費.
안표【眼標】[aːnp'yo]〈名・하他〉目印し. 句例 ～를 하다 目印をつける.
안하【眼下】[aːnha]〈名〉眼下. 語例 ～ 무인 傍若無人.
*__안-하다__ (→하다)〈他〉しない. やらない. なさない. =아니하다. 句例 말을 ～ 口をきかない / 일을 ～ 仕事をしない.
⁑앉다 [antta]〈自〉❶座る. 腰を下ろす. 着く. 句例 걸상에 ～ 腰掛けに座る / 털썩 ～ どっかと座る / 자리에 ～ 席に着く. 文例 자 앉으시죠 どうぞお座りください.
❷(鳥や飛ぶ虫などが)止まる. 句例 머리에 파리가 ～ 頭にはえが止まる / 새가 전깃줄에 ～ 鳥が電線に止まる.
❸(地位・職に)就く. 座る. 句例 왕위에 ～ 王位に就く / 회장직에 ～ 会長の職に就く / 후임으로 ～ 後がまに座る.
❹(建物などが)据わる. 句例 남향으로 앉은 집 南向きに建っている家.
❺(ほこりなどが)たまる. (一面に)覆われる. 句例 때가 ～ あか(垢)がつく / 책상에 먼지가 ～ 机にほこりがたまる.
❻('앉아, 앉아 있다'の形で)動かないでじっとして(いる). 文例 걱정만 하고 앉아 있으면 어떡해 何もしないで心配ばかりしてどうするつもりか.
参考 '앉은 座った' '앉고 座って'は[anjŭn], [ankko]と発音される.
앉아 주고 서서 받는다 借りるときの地蔵顔, 返すときの閻魔顔.
앉았다 [anjatta]〈自〉['앉아 있다'の略] 座っている.
앉은-뱅이 [anjŭn—]〈名〉足のなえた人. 語例 ～ 저울 台ばかり / ～ 책상 座り机.
앉은-일 [anjŭnnil]〈名〉座業. 座ったままでする仕事. 對선일.
앉은-자리 [anjŭn—]〈名〉❶即座. 即席. (すぐ)その場. 立ち所. =즉석. 句例 ～에서 거절하다 即座に断る. ❷席. 座席.
앉은-장사 [anjŭn—]〈名〉座商.
*__앉은-키__ [anjŭn—]〈名〉座高. 對선키.
앉을-자리 [anjŭltchari]〈名〉❶座する場所. 文例 마땅한 ～가 없다 程よい座り場が見当たらない. ❷物を据える〔置く〕場所.
앉음-새 [anjŭm—]〈名〉座り. 句例 ～가 단정치 못하다 座り方が端正でない.
앉히다 [anch'ida]〈他〉❶(席に)座らせる. 句例 아이들을 ～ 子供たちを座らせる. ❷(地位・職に)就かせる. 据える. 句例 왕위에 ～ 王位に就かせる / 회장으로 ～ 会長に据える. ❸(行儀などを)しつける. 仕込む. ❹(文書などに)項目を別途に設けて記入する. ▷→囲み記事 64
⁑않다 [ant'a] ■〈他〉'아니하다'の略: しない. 文例 그 사람은 전연 공부하지 않는다 その人は全く勉強しない.
■〈補動〉('-지 않다'の形で)…しない. 句例 먹지 ～ 食べない / 일을 하지 않는 시간 仕事をしない時間.
■〈補形〉('-지 않다'の形で)…でない. …くない. 句例 여기서 멀지 않은 곳 ここから遠くない所 / 복잡하지 ～ 複雑でない / 구체적이지 ～ 具体的ではない.
参考 '않은 しない' '않고 しなくて'は[anŭn], [ank'o]と読む.
⁑알 ■〈名〉❶(鳥・魚・虫などの)卵. 句例 ～을 낳다 卵を産む / ～을 까다 卵をかえす / ～이 깨다 卵がかえる / 닭이 ～을 품다 鶏が卵を抱く. 語例 청어～ にしんの卵. 数の子 / 개구리～ かえるの卵.
❷実. 語例 밤～ くりの実.
❸粒. 玉. 句例 안경～이 깨지다 眼鏡の玉が壊れる. 語例 모래～ 砂粒 / 주판～ そろばんの玉 / 눈～ 目玉 / 총～ 鉄砲の弾.
❹'낟알'の略: 穀粒. 語例 쌀～ 米粒 / 콩～ 豆の実.
❺鶏卵. =달걀.
■〈依名〉粒. 句例 한 ～의 보리 一粒の麦 / 약 두 ～ 薬2錠.
表現 ■は固有語の数詞にだけつく.
알로 먹고 꿩으로 먹는다 一挙両得.
알(을) 배다 卵をはらむ.
알(을) 슬다 (魚・虫などが)卵を産む.

알 〔漢字項目〕

【謁(謁)】高校 알 エツ. ❶명함 名刺. ■謁刺 알자 えつし. ❷뵙다 まみえる. ■謁見 알현 えっけん. ■拝謁 배알 はいえつ. ❸아뢰다 申し上げる. ■啓謁 계알 けいえつ.

*__알갱이__〈名〉❶粒. 実. 句例 ～가 작다 粒が小さい. ❷粒子. 微粒子.
알-거지〈名〉文無しこじき(乞食). 句例 화재로 ～가 되다 火事で丸裸になる.
알겨-내다〈他〉(みみっちい手段で弱い者の物を)だまし取る. 巻き上げる.
알겨-먹다〈他〉(弱い者のものを)だまし取る. すかし取る. 句例 어린애 과자를 ～ 子供の菓子をすかし取る〔かすめ取る〕.
알-겯다 (알겯으니, 알겯어서)〈自〉(めんどりが)

ㅇ

コッコッとおんどりを呼ぶ.

알-곡【一穀】〈名〉❶ひえ(稗)など混じり物のない穀類. ＝알곡식. ❷さやをむいた豆類.

알-까기〈名〉孵化.

알-깍쟁이〈名〉❶ひどく意地悪な人. ❷ちゃっかりした子供.

알-껍질〈名〉卵殻.

알나리-깔나리 [allarikkallari]〈名〉子供たちが相手をからかう語.
参考 '알나리'はもと, 官職に就いた若くて小柄な人をからかっていう語. '알나리깔나리'はその畳語.

** 알다 [a:lda] (아니, 알아서)〈他〉知る. ❶分かる. 句例 보아 ~ 見て分かる / 들어 ~ 聞いて知る. 語例 아시다시피 ご存じのように. ご存じの通り.
❷理解する. 句例 알고 싶어하다 知りたく思う / 내가 알고 있는 바로는 わたしの知っている限りでは / 영어를 알고 있다 英語を知っている / (모르면서) 아는 체하다 知った振りをする / 알 리가 없다 分かるはずがない / 처음으로 안 사실 初めて知った事実. 文例 아시겠어요? お分かりですか.
❸悟る. 気付く. 句例 천명을 ~ 天命を知る. 文例 지갑을 떨어뜨린 것을 알지 못했다 財布を落としたのを知らなかった.
❹経験する. 句例 여자를 ~ 女を知る / 술맛을 ~ 酒の味を知る.
❺知り合いである. 句例 서로 아는 사이 旧知の間柄だ / 아는 사람이 많다 顔が広い / 우연히 알게 되다 偶然に知り合う. 文例 그 분을 아십니까 その方をご存じですか.
❻考えわきまえる. 句例 자기 자신을 ~ 自分自身を知る. 文例 잘 알아서 해라 よくわきまえて〔判断して〕やりなさい.
❼感じる. 句例 은혜를 ~ 恩を知る. 文例 창피를 알아라 恥を知れ.
❽あずかり知る. かかわる. 文例 내 알 바 아니다 僕の知った事ではない.
❾承知する. 文例 알겠습니다 分かりました. 承知いたしました.
❿('-ㄴ〔-는〕 줄로 ~'の形で)…するものと思う. 句例 눈이 오는 줄로 ~ 雪が降っているものと思う / 우리 나라 꽃인 줄로만 ~ 我が国の花だとばかり思う. 文例 오늘 꼭 올 줄 알았다 きょう必ず来るものと思った.

아는 것이 병 知っていることが病. 生はんかな知識はむしろ災いのもとになることのたとえ.

아는 길도 물어 가랬다 念には念を入れよ.

아는 도끼에 발등 찍힌다 飼い犬に手をかまれる.

알게 모르게 知らず知らず.

알다가도 모를 일 分かりそうで分からないこと.

알-뚝배기〈名〉素焼きの小さい鉢.

알뜰-살뜰〈副・하形〉家事の切り盛りをつましく上手にするさま. **~히**〈副〉つましく. まめまめしく.

알뜰-하다 (→하다)〈形〉❶まめで抜け目がない. 句例 알뜰한 살림 うまい家計の切り盛り. ❷つましい. つづまやかだ. 句例 알뜰한 주부 つましい主婦. ❸(暮らしに)不自由しない. 充実している. ❹愛情がこまやかで深い. 句例 알뜰한 아내의 사랑 こまやかな妻の愛. **알뜰히**〈副〉まめに. つましく. 不自由なく. 愛情こまやかに.

알라〈名〉〔宗〕アラー. ◇Allah

알랑-거리다〈自〉こびへつらう. おもねる. お上手をいう. ごまをする.
알랑알랑〈副・하自〉しきりにこびへつらうさま. とり入るさま. 句例 상사에게 ~하다 上役にごまをする.

알랑-방귀〈名〉ごますり.
表現 '알랑방귀'は俗っぽい言いかた.
알랑방귀 뀌다 '알랑거리다'の皮肉られた言いかた.

알랑-쇠〈名〉ごますり. おべっか使い.

알량-하다 (→하다)〈形〉❶取るに足りない. つまらない. 句例 알량한 솜씨 取るに足りない腕前 / 알량한 월급 ちょっぴりの月給. ❷品性と人格が卑しい.

알레그로〈名〉〔樂〕アレグロ. ◇이 allegro

알레르기〈名〉アレルギー. 語例 ~성 질환 アレルギー性疾患. ◇도 Allergie

알려-지다〈自〉❶知られる. (人に)知れ(渡)る. 句例 널리 알려진 사실 広く知れ渡っている事実 / 일반에게 ~ 一般に知(ら)れる / 상관에게 ~ 上司の耳に達する. ❷判明する. 知れる. 文例 소문은 거짓으로 알려졌다 うわさはうそと知れた. ❸(名などが)知られる. (…で)通る. 句例 잘 알려지지 않은 사람 あまり知られていない人 / 괴짜로 알려져 있다 変わり者で通っている. 文例 그는 문인으로 알려져 있다 彼は文人として知られている.

알력【軋轢】〈名〉軋轢. 句例 ~을 가져오다 軋轢を来す / 회사내의 ~ 社内のいざこざ.

알로-까다〈形〉'매우 약다'のさげすんだ言いかた: 抜け目がない. 目から鼻へぬけるようだ.

알로에〈名〉〔植〕アロエ. ◇라 aloe

알로하 셔츠〈名〉アロハシャツ. ◇aloha shirts

* 알록-달록〈副・하形〉まばらにまだらなさま: だんだらに. 点点と.

알루미늄〈名〉〔化〕アルミニウム. 語例 ~박 アルミ箔 / ~ 새시 アルミ(ニウム)サッシュ. ◇aluminium

* 알리다〈他〉知らせる. 通知する. 告げる. 報じる. 句例 합격을 ~ 合格を知らせる / 전화로 ~ 電話で知らせる.

알리바이〈名〉〔法〕アリバイ. 現場不在証明. 句例 ~가 성립되다 アリバイが成り立つ. ◇alibi

* 알-맞다 [a:l—]〈形〉適当だ. 程よい. 似合わしい. ふさわしい. ＝적당하다. 句例 젊은이에게 알맞은 취미 若者にふさわしい趣味 / 알맞게 데치다 程よくゆでる / 내게 알맞은 직업 わたしに適する職業 / 나이에 알맞게 年相応に.
参考 '알맞은'は[a:lmajŭn]と発音される.

알-맞추 [a:l—]〈副〉適当〔適度〕に. 程よく. ふさわしく. ちょうどよく. 句例 ~ 먹다 程よく食べる.

알맹이〈名〉中身. 句例 ~가 빠진 이야기 中身

の抜けた話. 文例 内容のない話 / 껍질은 벗기고 ~ 만 먹었다 皮はむいて中身だけ食べた. 語例 땅콩 ~ ピーナッツ.

알-몸 〈名〉裸体. 裸. 真っ裸. 裸身. 句例 ~으로 시집보내다 からだ一つで嫁入りさせる. 文例 아이들이 해변가에서 ~으로 뛰논다 子供たちが海べで真っ裸ではねまわる.

알-몸뚱이 〈名〉'알몸 裸'の俗っぽい言いかた. 句例 ~가 되다 裸になる.

알-밤 〈名〉❶(いがを取り除いた)くりの実. 對 송이밤. ❷げんこつ.

알밤(을) 먹이다 げんこつをくらわせる.

알-배기 〈名〉❶子持ちの魚. 語例 ~ 조기 子持ちいしもち. ❷見掛けより中がしっかりしているもの. 語例 ~ 배추 中の詰まった白菜.

알-배다 ⇨'알'の小項目

알-뿌리 〈名〉〔植〕球根.

알-사탕【—砂糖】〈名〉あめ玉. =눈깔사탕.

알선【斡旋】[alssŏn]〈名・하他〉斡旋. とり持ち. 世話. 計らい. 句例 취직을 ~하다 就職を斡旋する.

알성【謁聖】[alssŏng]〈名・하自〉〔史〕朝鮮朝時代, 王が成均館の文廟に参拝すること. 語例 ~ 급제(及第) 王が文廟に参拝した後に実施した科挙に及第すること.

알싸-하다 (→하다)〈形〉(辛味などで)ひりひりする. えがらっぽい.

알쏭-달쏭 〈副〉❶色とりどりの線や点がまだらなさま: だんだらに. **~하다**〈形〉だんだらだ. まだらだ. ❷こんがらかって判然としないさま. **~하다**〈形〉分かるようで分からない. 句例 기억이 ~하다 記憶がぼうっとする. 文例 이 문제는 정말 ~하다 この問題はほんとに分かるようで分からない.

알아-내다 [ara—]〈他〉❶分かる. 悟る. 句例 진의를 ~ 真意〔本心〕を悟る. ❷明らかにする. 見つけ出す. 探し出す. 究める. 句例 숨겨진 물건이 있는 데를 ~ 隠し物のありかを見つけ出す / 범인의 거처를 ~ 犯人の住まいを突きとめる / 진상을 ~ 真相を究める.

알아-듣다 [ara—] (—들으니, —들어서)〈他〉聞き分ける. 理解する. 会得する. 句例 충분히 ~ 十分に理解する / 빨리 말해서 못 ~ 速く話すので聞き取れない.

알아-맞히다 [aramach'ida]〈他〉知り当てる. 言い当てる. 句例 퀴즈의 정답을 ~ クイズの正答を当てる.

알아-먹다 [ara—]〈他〉'알아듣다'の俗っぽい言いかた. 文例 내 말(을) 알아먹겠니 僕の話を聞き分けられるの.

***알아-보다** [ara—]〈他〉❶調べる. 探る. 句例 내용을 ~ 内容を調べる / 진상을 ~ 真相を探る. ❷記憶する. 句例 옛날 친구를 ~ 昔の友を見知る〔記憶する〕/ 젖먹이가 엄마를 ~ 乳飲み子が母親を見分ける. ❸認める. 句例 사람을 ~ 相手を認める / 실력을 ~ 実力を認める.

알아-주다 [ara—]〈他〉❶(他人の長所を)認める. 句例 인격을 ~ 人格を認める / 세상이 알아주는 명의 世に知られた名医. ❷(他人の立場を)察してやる. 思いやる. 句例 …의 딱한 처지를 ~ …の苦しい立場を思いやる.

알아-차리다 [ara—]〈他〉見抜く. 予知する. 感づく. 句例 상대의 속셈을 ~ 相手の下心を見抜く.

알아-채다 [ara—]〈他〉機微を知る. 気づく. 感づく. 句例 싫어하는 눈치를 ~ 嫌がる気配を感じる / 속셈을 알아채이다 まゆ毛を読まれる.

알아-하다 [ara—] (→하다)〈他〉適当に判断してうまくとり計らう. 文例 우리 비서는 어려운 일을 알아서 한다 うちの秘書は難しいことをうまく処理する.

알알-이 [arari]〈副〉粒ごとに. 粒粒に. 句例 ~ 흩어지다 粒粒に散る / ~ 여물다 粒ごとに実る.

알알-하다 [aral—] (→하다)〈形〉'얼얼하다'の語感の小さい語.

***알-약【—藥】**[allyak]〈名〉丸薬. 錠剤. 句例 비타민 ~을 먹다 ビタミンの錠剤をのむ.

알은-체 [arŭn—]〈名〉❶他人のことにかかわる態度. **~하다**〈他〉かかわる. 句例 남의 일에 ~하다 人のことにかかわる. ❷知り合いのような態度. 親しい素振り. 目くばせすること. **~하다**〈他〉親しげな素振りをする. 目くばせする. 文例 길에서 어떤 사람이 ~하더라 道でだれかが目礼していたよ.

알음 [arŭm]〈名〉❶知り合い. 面識のあること. 句例 사업상의 ~ 事業上の知り合い. →囲み記事 62. ❷知っていること. 知識. ❸神の加護. 文例 ~으로 이번 일이 잘 됐다 神の加護でこんどのことがうまくいった.

알음-알음 [arŭmarŭm]〈名〉❶顔見知りの関係. ❷よしみ(誼).

알음-알이 [arŭmari]〈名〉❶親しい人. 知人. ❷小器用な手段. 句例 ~로 처리하다 賢く処理する. ❸伸びる才能. 句例 ~가 대단하다 才能が大したものだ.

알-젓 〈名〉魚卵の塩辛.

알-조 [a:ltcho]〈名〉合点のいくこと. =알괘. 文例 그 정도면 ~다 その程度なら合点がいく.

알-주머니 [—tchumŏni]〈名〉魚の卵嚢.

알-줄기 〈名〉〔植〕球茎.

알-집 [altchip]〈名〉〔生〕卵巣.

알짜 〈名〉最も肝心なもの. 粒より. えり抜き. 句例 ~만 골라 내다 めぼしいものだけ選び出す.

알짝지근-하다 (→하다)〈形〉❶やや辛い. 文例 김치 맛이 ~ キムチがやや辛い. ❷ひりひり痛む. 句例 햇살에 탄 살이 ~ 日焼けした肌がひりひり痛む. ❸ほろ酔いかげんだ. 文例 술이 알짝지근하게 취했다 酒がまわってほろ酔いかげんだ.

알짱-거리다 〈自〉❶ぺこぺこしながらだます. へつらいながらあざむく. ❷用もなく人の前をうろつく. 句例 공연히 사장실 앞에서 ~ 用もなく社長室の前をうろつく.

알짱알짱 〈副・하自〉❶こびへつらうさま. ❷うろうろ.

알-찌개 〈名〉卵を割って味付けしたなべ料理.

ㅇ

알-차다 〈形〉❶中身が満つ. 身入る. 句例 벼가 ~ 稲の穂が身入る. ❷内容が充実している. 文例 값도 싸고 내용도 ~ 値段も安く内容も充実している.

알칼리 〈名〉〔化〕アルカリ. 語例 ~성 アルカリ性. ◇alkali

***알코올** 〈名〉〔化〕アルコール. 語例 ~ 램프 アルコールランプ / ~ 음료 アルコール飲料 / ~ 중독 アルコール中毒. ◇alcohol

알-탄【一炭】〈名〉豆炭.

알토 〈名〉〔樂〕アルト. ◇이 alto

알-토란【一土卵】〈名〉皮をむいてきれいに洗った里芋. **~같다**〈形〉❶内容が充実している. ❷暮らしが豊かだ. 句例 ~같은 살림 裕福な暮らし向き.

알-통 〈名〉力こぶ. 句例 ~이 나온 팔 力こぶの盛り上がった腕.

알파【A・α】〈名〉アルファ. 句例 ~와 오메가 アルファとオメガー. 語例 ~선 アルファ線 / 플러스 ~ プラスアルファ. ◇그리스語から.

***알파벳** 〈名〉アルファベット. 語例 ~순 ABCの順. ◇alphabet

알파인 종목【Alpine種目】〈名〉(スキーで)アルペン(種目).

알현【謁見】〈名・하他〉謁見. 文例 소원이 이루어져 임금님을 ~하였다 願いがかなって王様に謁見した.

앎 [a:m]〈名〉分かっていること. 知識. →囲み記事 62

参考 '앎을 知識を' '앎과 知識と'は[a:lmŭl], [a:mgwa]と発音される.

***앓다** [alt'a]〈自他〉❶病む. 患う. 痛む. 句例 폐를 ~ 肺を病む / 이를 ~ 歯を痛む / 독감을 ~ 悪性の感冒を患う. ❷心配する. くよくよする. 句例 마음을 ~ 心を病む. 胸を痛める.

参考 '앓아 病んで' '앓는 病む' '앓고 病んで'は[ara], [allŭn], [alk'o]と発音される.

앓느니 죽지 病み煩うよりは死んだほうがましだ. 煩わしいことで絶えずくよくよするよりはいっそのこと死んでしまうほうがずっとましだとの意.

앓던 이 빠진 것 같다 虫歯が抜けたみたいだ. 心配事がなくなってすっきりすることのたとえ.

-앓이 [ari]〈尾〉名詞の後に付いて病の意を表わす語. 語例 가슴~ 胸焼け / 배~ 腹痛.

암¹ 〈頭〉雌・め…. 語例 ~소 雌牛 / ~여우 雌ぎつね / ~염소 雌羊. 對수.

参考 次のように, 一部'ㄱ・ㄷ・ㅂ'の初声がつく語は破裂音'ㅋ・ㅌ・ㅍ'に変わる. '암캐 雌犬' '암퇘지 雌豚' '암평아리 ひよこの雌'など.

암【癌】[a:m]〈名〉癌. 句例 ~에 걸리다 癌にかかる / 현대 사회의 ~이라고도 할 공해 문제 現代社会の癌ともいうべき公害問題 / ~적 존재다 癌のような存在だ. 語例 위~ 胃癌.

***암**² [a:m]〈感〉['아무러면'の略]もちろん. 文例 ~, 가야지 もちろん〔そうだとも〕, 行くともさ.

암 〔漢字項目〕

【岩】 高校 암 ガン. ❶바위 岩. ■岩窟 암굴 がんくつ. 岩頭 암두 がんとう. 岩石 암석 がんせき. ❷험준하다 険しい. ■岩阻 암조 がんそ.

【暗(暗)】 高校 암 アン. ❶어둡다 暗い. ■暗紫色 암자색 あんししょく. ■明暗 명암 めいあん. ❷어리석다 愚かだ. ■暗君 암군 あんくん. 暗愚 암우 あんぐ. ❸숨겨져 안 보임 隠れて見えない. ■暗渠 암거 あんきょ. 暗礁 암초 あんしょう. ❹몰래 ひそかに. ■暗殺 암살 あんさつ. 暗闘 암투 あんとう. ❺외다 暗記する. ■暗記 암기 あんき. 暗算 암산 あんざん.

암-갈색【暗褐色】[a:mgalssaek]〈名〉暗褐色.

암거【暗渠】[a:mgŏ]〈名〉〔土〕暗渠. 語例 ~ 배수 暗渠排水.

암-거래【暗去來】[a:m—]〈名・하他〉やみ取引. やみ流し. 語例 ~상(商) やみ屋.

암-고양이 〈名〉雌猫. 對수고양이.

암굴【岩窟】〈名〉岩窟. 岩穴. 岩屋. ほら穴.

암기【暗記】[a:mgi]〈名・하他〉暗記. 空覚え《老》. 語例 ~력 暗記力.

암-꽃 〈名〉〔植〕雌花. 對수꽃.

암-꿩 〈名〉雌きじ. =까투리. 對수꿩.

암-나사【一螺絲】〈名〉雌ねじ. ナット. 對수나사.

암-내 [a:mnae]〈名〉わきが(腋臭).

***암-놈** 〈名〉動物の雌の愛称. 對수놈.

암담-하다【暗澹一】[a:mdam—] (→하다)〈形〉暗澹としている. 句例 암담한 기분 暗澹とした気分 / 암담한 생각 暗澹たる思い.

암-막새 〈名〉〔建〕唐草がわら(瓦). 軒(平)がわら. 對수막새.

암만¹ 〈名〉いくら. しかじか. 文例 ~을 주어도 좋다 いくらをやっても構わない / 논 ~, 밭 ~, 모두 ~에 팔았다 田いくら, 畑いくら, 合わせてしかじかの金額で売った.

表現 数量や分量を明かしたくないとき, 漠然と表わす語.

암만² 〈副〉いくら. 文例 ~ 애를 써도 성적이 안 올라간다 いくら骨折っても〔努力しても〕成績が上がらない.

암만-암만 [ammanamman]〈名〉これこれしかじか.

암만-해도 [—hae:do]〈副〉どうしても. とうてい(到底). 文例 ~ 안된다 とうていできない. いくらやってみてもだめだ.

암-말 〈名〉雌馬. 對수말.

암매【暗賣】[a:mmae]〈名・하他〉やみ売り.

암-매장【暗埋葬】[a:m—]〈名・하他〉⇨암장(暗葬)

암모니아 〈名〉〔化〕❶アンモニア. 語例 ~수 アンモニア水. ❷硫安. ◇ammonia

암묵【暗默】[a:mmuk]〈名〉暗黙. 句例 ~의 양해 暗黙の了解 / ~리(裡)에 양해하다 暗黙のうちに了解する.

암반【岩盤】〈名〉岩盤.

암벽【岩壁】〈名〉岩壁. 句例 ~을 기어오르다 岩壁をよじのぼる. 語例 ~ 타기 岩壁登攀.

*__암산__【暗算】[a:msan]〈名・하他〉暗算. =속셈. 句例 ~으로 답하다 暗算で答える.

암살【暗殺】[a:msal]〈名・하他〉暗殺. 句例 ~을 꾀하다 暗殺をくわだてる. 語例 ~자 暗殺者.

암상 [a:msang]〈名〉ねたみそねむこと. やっかむこと. 語例 ~꾸러기 やっかみの意地悪. **~스럽다** (→스럽다)〈形〉そねみがましい. ねたみがましい. 句例 ~스러운 여자 嫉妬深い女.

암상(을) 내다 ねたましい言動をする.

암상(을) 떨다 ひどくねたましいふりを見せる.

암상(을) 부리다 ねたましい態度を見せる.

암상(을) 피우다 ねたみをあらわす. ねたましげにふるまう.

암상-궂다 [a:msang—]〈形〉ひどく嫉妬深く意地悪だ.

암색【暗色】[a:msaek]〈名〉暗色. 暗い(感じの)色. 對명색(明色).

*__암석__【岩石】〈名〉岩石.

*__암-소__〈名〉雌牛. 對황소. 수소.

암송【暗誦】[a:msong]〈名・하他〉暗唱.

암-수〈名〉雌と雄. 雌雄.

암술〈名〉['암꽃술'の略] 雌しべ. 對수술.

암시【暗示】[a:mshi]〈名・하他〉暗示. =힌트. 語例 자기 ~ 自己暗示 / ~ 요법 暗示療法.

암-시세【暗時勢】[a:m—]〈名〉やみ値. やみ相場.

암-시장【暗市場】[a:m—]〈名〉やみ市場.

암실【暗室】[a:mshil]〈名〉暗室. 語例 ~ 램프 暗室ランプ.

암암-리【暗暗裡】[a:mamni]〈名〉暗暗裡. 句例 ~에 승낙하다 暗暗裡に承諾する.

암약【暗躍】[a:myak]〈名・하自〉暗躍. 句例 뒤에서 ~하다 裏で暗躍する.

암염【岩塩】[amyŏm]〈名〉岩塩. 山塩. =돌소금.

암영【暗影】[a:myŏng]〈名〉暗影. 暗い影. 句例 ~이 감돌다 暗影が漂う / ~을 던지다 暗影を投げる〔投じる〕.

암운【暗雲】[a:mun]〈名〉暗雲. 文例 ~이 감돌고 있다 暗雲が低迷している.

암자【庵子】〈名〉〔佛〕大きな寺に属しているいおり(庵).

암장【暗葬】[a:mjang]〈名・하他〉密葬. 句例 시체를 ~하다 死体を密葬する.

암-죽【—粥】[a:mjuk]〈名〉重湯.

암중-모색【暗中模索】[a:mjung—]〈名・하他〉暗中模索.

암초【暗礁】[a:mch'o]〈名〉暗礁. 句例 배가 ~에 걸리다 船が暗礁に乗り上げる / 회담이 ~에 부딪치다 会談が暗礁に乗り上げる.

암-치〈名〉塩漬けにして干したにべ. 特に, 雌の干しにべ.

암-캉아지〈名〉雌の子犬. 對수캉아지.

암-캐〈名〉雌犬. 對수캐.

암-컷〈名〉動物の雌. 句例 ~과 수컷 雌と雄. 對수컷.

암-클〈名〉'女文字'の意で, ハングルのこと. 參考 むかし, 漢字に対してさげすんでいった語.

암-키와〈名〉め(牝)がわら. 對수키와.

*__암-탉__ [amt'ak]〈名〉めんどり. 對수탉.

암탉이 울면 집안이 망한다 めんどり歌えば家滅ぶ.

암-탕나귀〈名〉ろばのめす(雌). 對수탕나귀.

암-톨쩌귀〈名〉つぼがね(壺金). 軸受け. ひじつぼ. 對수톨쩌귀.

암-퇘지〈名〉豚の雌. 對수퇘지.

암투【暗闘】[a:mt'u]〈名・하自〉暗闘. 句例 ~를 벌이다 暗闘をくり広げる.

암팡-스럽다 (→스럽다)〈形〉ちゃっかりしている. 精悍だ. からだは小さいがたけだけしい. 句例 나이에 비해 ~ 年に似合わず精悍である.

암팡-지다〈形〉(小柄ではあるが)ちゃっかりしている. 句例 암팡진 여자 負けん気の強い女. 類야무지다.

암페어〈依名〉〔物〕アンペア. 語例 ~계 アンペア計. ◇ampere

암-평아리〈名〉雌のひよこ. 對수평아리.

암표【暗票】[a:mp'yo]〈名〉やみ取引の切符. 語例 ~상(商) だふ屋《俗》.

암표【暗標】[a:mp'yo]〈名〉(自分だけ分かるようにした)符丁.

암행 어사【暗行御史】[a:mhaeng-ŏ:sa]〈名〉〔史〕朝鮮朝時代, 王命によりひそかに地方官の治績や非行を調査して回った臨時の官職. 略して'어사(御史)'ともいう.

암호【暗號】[a:mho]〈名〉暗号. 合言葉. 句例 ~를 정하다 暗号をきめる / 정보를 ~로 보내다 情報を暗号で送る / ~를 해독하다 暗号を解読する. 語例 ~문 暗号文.

*__암흑__【暗黑】[a:mhŭk]〈名〉暗黒. 句例 사회의 ~면 社会の暗黒面 / ~가의 왕자 暗黒街の王者. 語例 ~기 暗黒期 / ~ 대륙 暗黒大陸 / ~ 시대 暗黒時代.

압 〔漢字項目〕

【壓(圧)】 高校 압 アツ. ❶강하게 누르다 強くおさえる. ▮壓迫 압박 あっぱく. 壓縮 압축 あっしゅく. ▮抑壓 억압 よくあつ. 彈壓 탄압 だんあつ. ❷누르는 힘 おさえる力. ▮壓力 압력 あつりょく. ▮氣壓 기압 きあつ.

압권【壓卷】〈名〉圧巻. 句例 현대 소설 중의 ~ 現代小説中の圧巻.

압도【壓倒】〈名・하他〉圧倒. 句例 듣는 이를 ~하는 훌륭한 연설 聞く者を圧倒する立派な演説. 語例 ~되다〔당하다〕圧倒される.

압도-적【壓倒的】〈名・冠〉圧倒的. 句例 ~인 승리 圧倒的な勝利 / ~으로 강하다 圧倒的に強い / ~ 다수로 당선되다 圧倒的多数で当選する.

*__압력__【壓力】[amnyŏk]〈名〉圧力. 句例 대기의 ~ 大気の圧力 / ~을 넣다〔가하다〕圧力を加える. プレッシャーをかける. 文例 강물이 ~으로 둑이 무너졌다 川の水の圧力で堤防がきれた. 語例 ~계 圧力計 / ~솥 圧力がま. 圧力なべ / ~ 단체 圧力団体.

압류【押留】[amnyu]〈名・하自他〉〔法〕差し押さえ. 句例 세무서의 ~를 당하다 税務署の

差し押さえを食らう．

압박【壓迫】〈名・하他〉圧迫．句例 ~을 받다〔주다〕圧迫を受ける〔与える〕/ 적진을 ~하다 敵陣を圧迫する．文例 가슴이 ~되어 괴롭다 胸が圧迫されて苦しい．語例 ~감 圧迫感．

압사【壓死】〈名・하自〉圧死．句例 낙반으로 ~하다 落盤で圧死する．

압송【押送】〈名・하他〉〔法〕押送．句例 죄인을 ~하다 囚人を押送する．類호송(護送)．

압수【押收】〈名・하他〉〔法〕押収．

압승【壓勝】〈名・하自〉圧勝．

압연【壓延】[abyŏn]〈名・하他〉圧延．語例 ~판 圧延板 / ~ 공장 圧延工場．

압정【押釘】〈名〉押しピン．画鋲．鋲．

압정【壓政】〈名〉圧政．句例 ~에 시달리다 圧政に苦しむ．

압제【壓制】〈名・하他〉圧制．語例 ~자 圧制者 / ~ 정치 圧制政治．

압지【押紙・壓紙】〈名〉吸い取り紙．押し紙．吸墨紙．

압착【壓搾】〈名・하他〉圧搾．語例 ~기 圧搾機．

압축【壓縮】〈名・하他〉圧縮．句例 기체를 ~하다 気体を圧縮する / 내용을 ~해서 편집하다 内容を圧縮して編集する．語例 ~ 가스 圧縮ガス / ~기 圧縮機．

***앗**〈感〉あっ．えっ．文例 ~, 위험하다 あっ，危ない．

앗기다〈他〉'앗다'の受け身：奪われる．取られる．句例 재산〔목숨〕을 ~ 財産〔命〕を奪われる．

앗다 [a:tta]〈他〉❶'빼앗다'の略：奪い取る．句例 가진 돈을 ~ 持ち金を奪い取る / 목숨을 앗아 간 화마 命を奪い取っていった火事．❷横取りする．句例 동료의 몫을 ~ 仲間の分を横取りする．❸(皮をむいて) 種〔実〕をとる．❹削りとる．

앙〈感〉❶子供の泣き声：あん．わあ．❷人を驚かすときの声：わあ．文例 ~, 놀랐지 わあ，驚いたろう．

앙 〔漢字項目〕

【仰】中學 앙 ギョウ．コウ．❶우러러보다 あおぐ．◨仰視 앙시 ぎょうし．仰天 앙천 ぎょうてん．仰慕 앙모 ぎょうぼ．❷의뢰하다 頼む．◨仰望 앙망 ぎょうぼう．❸믿다 信じる．◨信仰 신앙 しんこう．

【央】高校 앙 オウ．❶가운데 まんなか．◨中央 중앙 ちゅうおう．❷원하다 願う．◨央告 앙고 おうこく．央及 앙급 おうきゅう．

【殃】高校 앙 オウ．❶재앙 わざわい．◨殃禍 앙화 おうか．殃災 앙재 おうさい．❷해치다 害する．◨殃民 앙민 おうみん．

앙-가슴〈名〉乳房の間．胸の中央．

앙감-질〈名・하自〉片足跳び．

앙-갚음 [—gap'ŭm]〈名〉報復．復讐．敵討ち．仕返し．**~하다**〈自他〉報復する．仕返しをする．

앙-괭이 [a:ng—]〈名〉すす(煤)や墨で塗りたくった顔．

앙괭이(를) 그리다 顔に墨やすすを塗りたてる．

앙금〈名〉沈殿物．渣滓．おり(澱)．かす(滓)．句例 ~이 앉다 おりができる / ~을 가라앉히다 おりを沈める．

앙금-앙금 [anggŭmanggŭm]〈副〉幼児や脚の短い動物がゆっくりはうさま：よちよち．

表現 語感の大きい語は'엉금엉금'．

앙등【昻騰】〈名・하自〉高騰．＝등귀．

앙망【仰望】[a:ngmang]〈名・하他〉仰ぎ望むこと．仰望．文例 결재하여 주시기를 ~합니다 ご決裁を仰ぎます．

表現 おもに手紙文や公文書を作成するときに用いる．

앙상블〈名〉〔樂〕アンサンブル ◇프 ensemble

앙상-하다 (→하다)〈形〉❶(着物などが) 釣り合わない．句例 옷이 커서 ~ 服が大きくて釣り合わない．❷やつれている．やせさらばえている．句例 말라서 뼈만 ~ やせさらばえている / 긴 병으로 뼈만 ~ 長患いで骨と皮ばかりになる．❸(木の葉が落ちてしまい)もの寂しく寒寒としている．**앙상히**〈副〉骨と皮ばかりにやつれて．

表現 語感の大きい語は'엉성하다'．

앙숙【怏宿】〈名〉恨みがあって仲の悪いこと．句例 서로 ~이다 互いに憎み合っている．

앙심【怏心】〈名〉復讐心．恨み(に思う心)．

앙심(을) 먹다 恨む．恨みをいだく．恨みを持つ．根に持つ．

앙-앙 [a:ng-ang]〈副〉子供が泣くときの大声：あんあん．わあわあ．**~거리다**〈自〉大声でしきりに泣く．

表現 語感の大きい語は'엉엉'．

앙양【昻揚】[a:ng-yang]〈名・하他〉高揚．句例 사기를 ~시키다 士気を高揚させる．

앙증-맞다〈形〉(小さなものが)小憎らしいほどにかわいらしい．

앙증-스럽다 (→스럽다)〈形〉小さいながらよく整っていてかわいらしい．

앙짜〈名〉❶小憎らしくとり澄ますこと．気取ったふり．❷ひがみ根性の人．ひがもの．

앙천 대소【仰天大笑】[a:ngch'ŏndae:so]〈名・하自〉天を仰いで声高く笑うこと．

앙칼-스럽다 (→스럽다)〈形〉(特に女が)とげとげしい．毒毒しい．気が荒い．気が強い．句例 앙칼스러운 목소리 とげとげしい声．

앙칼-지다〈形〉❶(身に負えない事を)必死に挑む気性がある．執拗だ．負けん気がある．❷悪賢い．❸(声などが)鋭くて荒荒しい．句例 앙칼진 목소리 鋭い声．

앙케트 [angk'e:t'ŭ]〈名〉アンケート．◇프 enquête

앙코르 [angk'o:rŭ]〈名〉アンコール．◇프 encore

앙큼-하다 (→하다)〈形〉見かけによらず陰険だ．狡猾だ．隅に置けない．

앙탈〈名・하自〉❶言い逃れ．逃げ口上．❷反抗．

앙탈(을) 부리다 ❶逃げ口上を使う．❷手向かう．反抗する．毒突く．わがままを言う．

앙화【殃禍】[a:nghwa]〈名〉災い．たたり．

앙화(를) 입다 たたりを受ける．

***앞**〈名〉❶(空間的に)前．前面．句例 ~을 보다 前〔前方〕を見る / ~으로 나

아가다 前へすすむ / ~으로 나오다 前に出る / ~으로 죄다 前へ詰める. [文例] ~으로 가 前へ進め《号令》/ 우체국 ~으로 길이 트이다 郵便局の前面に道が通る. [語例] ~니 前歯 / ~발 前足 / 눈~ 目の前. 目先.
❷(時間的に)前. 先. [句例] ~에서 말한 바와 같이 先程〔先般〕話したように.
❸先頭. [句例] ~을 다투다 先を争う. [文例] 네가 ~이다 君が先頭だ.
❹将来. 未来. 先. [文例] ~으로 어떻게 할 거나 将来〔今後〕どうするつもりか / ~으로 잘 부탁드리겠습니다 これから先よろしくお願い申しあげます. ▷(對)뒤.
❺(順序の)先. [語例] ~ 페이지 前のページ.
❻分け前. 持ち分. [句例] 맏아들 ~으로 가는 재산 総領息子の分け前となる身代.
❼(手紙などで)あて(宛). 様. 殿. [句例] 서무과장 ~ 庶務課長あて〔様〕.
❽陰部. 前. [句例] ~을 가리다 陰部をかくす.
앞(을) 못 보다 ❶目が見えない. ❷将来を見通す能力がない.
앞이 캄캄하다 お先真っ暗だ.
앞-가림 〈名・하自〉どうにか読み書きができ, 辛うじて自分の責任を果たしていけること. [文例] 간신히 ~을 했다 ようやく面目をほどこした / 네 ~이나 잘 해라 自分のことだけしっかりやりなさい.
앞-길 〈名〉❶前途. 将来. 行く末. [句例] ~이 유망하다 前途が有望である. ❷(家などの)前の通り. (對)뒷길.
앞길이 구만 리 같다 前途が九万里もある. 若いから将来が期待されることのたとえ.
*__앞-날__ [amnal]〈名〉将来. 未来. 来るべき日. [文例] ~이 얼마 안 남았다 余生がいくばくもない. (對)뒷날.
앞-니 [amni]〈名〉前歯. 門歯.
*__앞-다리__ 〈名〉❶(獣の)前脚. ❷機の前脚. (對)뒷다리. ❸移転先. 引っ越し先. [文例] ~가 아직 비질 않았다 移転先がまだ空かない.
앞-당기다 〈他〉予定を繰り上げる. 早める. 取り越す. [句例] 개회를 ~ 開会を早める / 앞당겨 쓰다 繰り上げて使う / 출발 시간을 예정보다 ~ 出発時間を予定より繰り上げる. [文例] 식량 원조를 앞당겨 하기로 했다 食糧援助を早めて実施することにした. (對)미루다.
앞-두다 〈他〉控える. 目前に迫る. 前にする. [文例] 시험을 내일로 앞두고 있다 試験を明日に控えている.
*__앞-뒤__ 〈名〉前後. 前と後ろ. [文例] ~ 생각 없이 꾐에 넘어갔다 前後の考えもなくさそいにのってしまった / ~ 좌우를 살피고 가라 前後左右をたしかめてから行け. [語例] 앞뒷문 前後の門 / 앞뒷집 前の家と後ろの家. 隣.
앞뒤가 막히다 ❶四方がふさがって息苦しい. ❷少しも融通がきかない.
앞뒤가 맞다 つじつまが合う. 筋道が通る.
앞뒤를 재다 前後をよくわきまえる.
앞-뜰 〈名〉前の庭. 前庭・ぜんてい. (對)뒤뜰.
앞-마당 [am—]〈名〉前庭・ぜんてい. (對)뒷마당.
앞-머리 [ammŏri]〈名〉❶前頭部. [文例] ~가 지끈지끈 아프다 前頭部がずきんずきんと痛む. ❷前髪. [句例] ~를 가지런히 자르다 前髪をきちんと切りそろえる. ❸先頭. [句例] ~에 서서 입장하다 先頭に立って入場する. ▷(對)뒷머리.
*__앞-면__【一面】[ammyŏn]〈名〉前面. (對)뒷면.
앞-문【一門】[ammun]〈名〉表門. 表口. (對)뒷문.
앞-바다 〈名〉沖. 沖合.
앞-발 〈名〉(獣の)前足. [語例] ~질 前足でけること. 前足をしきりに動かすこと. (對)뒷발.
앞-산【一山】〈名〉前方の山. (對)뒷산.
앞-서 〈副〉❶先に. 前に. あらかじめ. [句例] 식사하기에 ~ 약을 마시다 食事の前に薬を飲む / ~ 떠난 사람들 先に出発した人たち. ❷先立って. 先般. 先日. [句例] ~ 말씀드린 바와 같이 先般申し上げた通り.
앞서-가다 (—가거라)〈自他〉❶先に立って行く. ❷先に進む. 先んじる. ❸人より抜きんでる.
*__앞-서다__ 〈自〉❶先に進む. 前に立つ. [句例] 경제적으로 앞선 나라 経済的に進んだ国. [文例] 어머니가 언제나 앞선다 母がいつも前に立つ. ❷(なすべきものの条件に)先立って要求される. 先立つ. [文例] 우선 앞서는 것은 돈이다 まず先立つものはお金である. ❸先立って死ぬ. [句例] 부모에 ~ 親に先立つ.
앞서거니 뒤서거니 先になったり後になったり(して).
앞-서서 〈副〉❶先立って. ❷前もって. あらかじめ.
*__앞-세우다__ 〈他〉❶先に立たせる. [句例] 악대를 ~ 楽隊を先に立たせる. ❷先に出す. 表に立たせる. [句例] 경제 문제를 ~ 経済問題を表に立たせる. ❸先に死なす. 先立たれる. [句例] 외아들을 ~ 独り息子に先立たれる.
앞-앞 [abap]〈名〉各自それぞれの前. めいめい(銘銘).
앞앞-이 [abap'i]〈副〉❶各自の前に. めいめい(銘銘)に. それぞれの前に. ❷⇨ 몫몫이
앞-이마 [amnima]〈名〉❶'이마 額'の強調語. ❷額の中央〔真ん中〕.
앞-일 [amnil]〈名〉これから先のこと. 将来のこと. [文例] ~이 걱정이다 これから先が心配だ. (對)뒷일.
앞-자락 〈名〉前面のすそ. 前すそ. (對)뒷자락.
앞-잡이 [apchabi]〈名〉❶先導者. [句例] 경험자를 ~로 내세우다 経験者を先導に立たせる. ❷手先. 傀儡. 走狗. いぬ《俗》. [句例] 경찰의 ~ 警察の手先〔いぬ〕.
*__앞-장__ 〈名〉先頭(の人).
앞장(을) 서다 先頭に立つ. 先立つ. 先駆ける. 先頭で進む. [句例] 앞장 서서 나아가다 先頭に立って進む.
앞장(을) 세우다 先〔先頭〕に立たせる.
앞-지르기 〈名・하他〉追い越すこと. 出し抜くこと. 追い越し. =추월(追越).
앞-지르다 (앞지르니, 앞질러서)〈他〉追い越す. 追い抜く. 出し抜く. [句例] 앞차를 ~ 前の自動車を追い越す / 경쟁 상대를 ~ 競走相手を追い抜く / 선배를 ~ 先輩を出し抜く. (對)뒤처지다.
앞-집 〈名〉前にある家. 前の家. (對)뒷집.

앞-쪽 〈名〉前方. 前面. 前の方. (對)뒤쪽.

앞-차【一車】〈名〉先に出発した車. 前方の車. 文例 ～를 놓쳤다 先の車に乗り遅れた. (對)뒤차.

***앞-치마** 〈名〉前掛け. 前垂れ. エプロン. 句例 ～를 두르다 前掛けをかける.

***애**[1] [ae:]〈名〉❶憂いに満ちた心中. いらいらする気持ち. ❷心身の苦労.

애(가) 끊다 断腸の思いがする. 胸が張り裂ける.

애(가) 달다 たいへん気にかかっていらいらする. じりじりする.

애(를) 먹다 ❶はらはらする. やきもきする. ❷困り切る. もてあます. てこずる. 文例 큰 비를 만나 애를 먹었다 大雨にあって閉口〔往生〕した.

애(를) 먹이다 心配をかける. 困らせる. てこずらせる. 手を焼かせる.

애(를) 쓰다 努力する. 骨折る. 心労する. 文例 애쓴 보람이 있다 骨折ったかいがある / 애썼네 ご苦労さま / 애썼습니다 ご苦労さま(でした).

애(가) 타다 気が気でない. いらいらする. はらはらする. 句例 소식을 애타게 기다리다 便りを待ち焦がれる.

애(를) 태우다 心配をかける. 気苦労させる. 気をもませる. 句例 이룰 수 없는 사랑에 애를 태우다 かなわぬ恋に身をやつす.

애(가) 터지다 (心配で)胸がはりさけそうだ. (心配で)気が気でない.

****애**[2] [ae:]〈名〉'아이'の略: 子. 子供. 文例 이 ～는 장난꾸러기야 この子はいたずらぼうずだ.

애[3] 〈名〉〔言〕ハングルの字母'ㅐ'の名称.

애- 〈頭〉❶'幼い. 子供っぽい. 若い'などの意. 語例 ～송이 若僧. 青二才. / 앳되다 子供っぽい. ❷'初の'の意. 語例 ～벌 最初 / ～호박 初物のかぼちゃ.

애 〔漢字項目〕

【哀】 中學 애 アイ. ❶가엾게 여기다 あわれむ. ◧哀矜 애긍 あいきょう. 哀愍 애민 あいびん. あいみん. 哀情 애정 あいじょう. ❷슬퍼하다 悲しむ. ◧哀悼 애도 あいとう. 哀痛 애통 あいつう. 哀子 애자 あいし. ◧悲哀 비애 ひあい.

【愛】 中學 애 アイ. ❶사랑하다 愛する. ◧愛兒 애아 あいじ. 愛人 애인 あいじん. ❷좋아하다 好む. ◧愛好 애호 あいこう. 愛情 애정 あいじょう. 愛用 애용 あいよう. 愛讀 애독 あいどく. ❸아끼다 大事にする. ◧愛惜 애석 あいせき.

【涯】 高校 애 ガイ. ❶끝장 はて. ◧無涯 무애 むがい. 生涯 생애 しょうがい. 天涯 천애 てんがい. ❷물가 みずぎわ. ◧涯岸 애안 がいがん. ◧水涯 수애 すいがい.

애-간장【一肝腸】[ae:—]〈名〉'간장 肝臓'の強調語. 句例 ～을 저미다 はらわたを断つ. はらわたがちぎれる思いである.

애간장을 태우다 気をもませる. やきもきさせる.

애개 〈感〉❶失敗や後悔したときに軽く出す声: おっとと. あら. しまった. ❷少ないものや小さいものをさげずんで発する語: ありゃ. あれ. なんだ. 文例 ～ 이것뿐이야 なんだ, これっぽちか.

애개개 〈感〉'애개'を重ねた強調語: ありゃりゃ.

애걸【哀乞】[ae:gŏl]〈名・하自他〉哀願. 泣き付くこと. 文例 목숨만 살려 달라고 ～했다 命だけは助けてくれと哀願した.

애걸-복걸【哀乞伏乞】[ae:gŏl—]〈名・하自他〉平身低頭して哀願する.

애견【愛犬】[ae:gyŏn]〈名〉愛犬. 語例 ～가 愛犬家.

애고 〈感〉'아이고'の略.

애고-대고 〈感〉大声を出して泣くさま: わあわあ.

애고-머니 〈感〉'아이고머니 あら(まあ)'の略.

애고-애고 〈感〉(父母の葬式のとき, 子が哭泣する声: おいおい. わあわあ.

애교【愛嬌】[ae:gyo]〈名〉愛敬〔愛嬌〕. 句例 ～가 있다〔없다〕 愛敬がある〔ない〕/ ～ 만점이다 愛敬たっぷりだ.

애교(를) 떨다 なまめかしく愛敬をふりまく

애교(를) 부리다 愛敬を振りまく.

애교-심【愛校心】[ae:gyo—]〈名〉愛校心.

***애국**【愛國】[ae:guk]〈名・하自〉愛国. 語例 ～가 愛国歌 / ～ 선열 愛国先烈 / ～심 愛国心 / ～자 愛国者 / ～ 정신 愛国精神 / ～ 지사(志士) 愛国の志士.

애국-적【愛國的】[ae:guk—]〈名・冠〉愛国的. 句例 ～인 행동 愛国的な行動.

애꾸 〈名〉❶['애꾸눈'の略] 片目. 独眼. ❷['애꾸눈이'の略] 片目の人.

애-꿎다 〈形〉罪なく災いにあう. 心外だ. 残念だ. 文例 애꿎은 어린애만 때린다 罪のない子供ばかりなぐる.

애-끊다 [ae:kkŭnt'a] ⇨'애[1]'の小項目

애-늙은이 [ae:nŭlgŭni]〈名〉若年寄《俗》. 年寄りじみた人.

애니메이션 〈名〉〔演〕アニメーション. アニメ《略語》. 動画. ◇animation

애-달다 [ae:—] (애다니, 애달아서) ⇨'애[1]'の小項目

애달프다 (애달프니, 애달파서)〈形〉(心が)つらくて痛い. 切ない. 哀切だ. ふびんだ. 句例 애달픈 심정 切ない思い.

애달피 〈副〉切なく. ふびんに. 句例 ～ 울다 切なげに泣く.

애-당초【一當初】〈名〉'애초'の強調語: はじめ. 当初. 最初. 文例 ～부터 잘못됐다 はじめから間違っていた.
表現 副詞的にも用いる. 애당초 무리한 주문이었다 当初から無理な注文だった.

애도【哀悼】〈名・하他〉哀悼. 句例 삼가 ～의 뜻을 표하다 謹んで哀悼の意を表する.

애독【愛讀】[ae:dok]〈名・하他〉愛読. 語例 ～자 愛読者.

애드-벌룬 [—bŏllu:n]〈名〉アドバルーン. =광고풍선. 句例 ～을 띄우다 アドバルーンを揚げる. ◇일 ad-balloon

애로【隘路】〈名〉隘路. 句例 판매상의 ～ 販売上の隘路 / ～를 타개하다 隘路をきりぬける〔打開する〕.

애매모호-하다【曖昧模糊―】[ae:maemoho―] (→하다)〈形〉あいまいもこ(曖昧模糊)だ. 句例 뜻이 ～ 意味があいまいもこである.

애매-하다 [ae:mae―] (→하다)〈形〉無実である. ぬれぎぬを着せられている. 罪がない. 句例 애매한 사람을 들볶다 罪なき人をさいなむ. **애매히**〈副〉罪もなく. 文例 애매히 걸려들었다 罪もないのにひっ掛かった.

애매-하다【曖昧―】(→하다)〈形〉あいまい(曖昧)だ. 句例 애매한 태도를 취하다 あいまいな態度をとる.

애-먹다 [ae:―] ⇨'애¹'の小項目

애-먹이다 [ae:mŏgida] ⇨'애¹'の小項目

애먼 [ae:mŏn]〈冠〉❶とんでもない. 見当違いの. 句例 ～ 데서 찾다 見当違いの所でさがす. ❷無関係な. 無実の. 文例 ～ 사람 잡지 마 無関係の人をいじめるなよ.

애면-글면〈副・하自〉力に余ることをしようと努力するさま: 一心不乱に. 精一杯に. 一生懸命に. わき目もふらず.

애모【愛慕】[ae:mo]〈名・하他〉愛慕. 愛し慕うこと. 句例 ～의 정 愛慕の情.

애무【愛撫】[ae:mu]〈名・하他〉愛撫.

애-물 [ae:―]〈名〉❶たいへん手を焼かせるもの〔人〕. 苦労の種. 文例 자식은 ～이다 子供は苦労の種だ. ❷幼くして父母に先立って死んだ子.

애버리지〈名〉アベレージ. ＝평균점(平均點). ◇average

애-벌〈名〉(同じことを何度も繰り返すとき) 最初にあらましておくこと. 下ごしらえ. 語例 ～구이 素焼き / ～갈이 田畑の最初の耕し / ～ 빨래 下洗い.

애벌 빨다 下洗いをする.

애벌 찌다 (食物などを二度以上蒸すとき)最初に蒸す.

*__애-벌레__ [ae:―]〈名〉幼虫.

애-보기 [ae:―]〈名〉子守り. お守り.

애사【愛社】[ae:sa]〈名・하自〉愛社. 語例 ～정신 愛社精神.

애-새끼 [ae:―]〈名〉'자식(子息)'の下品な言いかた: 餓鬼.

애석-하다【哀惜―】[aesŏk'ada] (→하다)〈形〉実に惜しい. 文例 애석한 마음을 금할 수 없다 哀惜の念にたえない. **애석히** [aesŏk'i]〈副〉惜しく.

애소【哀訴】〈名・하他〉哀訴を聞きいれる.

애송【愛誦】[ae:song]〈名・하他〉愛誦. 句例 ～하는 시 愛誦する詩.

애-송이〈名〉若僧〔若造〕. 若輩. ひよこ. 小わっぱ《蔑》. 小せがれ《俗》. 未熟な者. 句例 대학을 갓나온 ～ 大学を出たばかりのほやほや. 文例 ～인 주제에 건방진 소리 마라 若僧のくせに生意気を言うな. 語例 ～ 기자 記者のたまご.

애수【哀愁】〈名〉哀愁. 句例 ～를 자아내다 哀愁をそそる.

*__애-쓰다__ [ae:―] (애쓰니, 애써서) ⇨'애¹'の小項目

애-아버지 [ae:―]〈名〉❶子のある男. 他人に対して自分の夫を指していう語: うちの主人. ▷(對)애어머니.

애-어머니 [ae:―]〈名〉❶子のある女性. ❷他人に対して自分の妻を指していう語: うちの家内. ▷(對)애아버지.

애오라지〈副〉❶ただ. いくぶん. 文例 ～ 성의만 받아 주십시오 物足りないが誠意だけはお受けください. ❷'오로지'の古めかしい言いかた: ひたすら. もっぱら. 文例 ～ 자식이 무사하기만을 기원한다 ひたすらわが子の無事だけを祈る.

애완【愛玩】[ae:wan]〈名・하他〉愛玩. 句例 ～용의 개 愛玩用の犬. 愛玩犬. 語例 ～ 동물 愛玩動物.

애욕【愛慾】[ae:yok]〈名〉愛欲. 句例 ～에 빠지다 愛欲におぼれる. (類)정욕(情慾).

애용【愛用】[ae:yong]〈名・하他〉愛用. 語例 ～품 愛用品 / ～자 愛用者

*__애원__【哀願】〈名・하他〉哀願. 句例 ～을 물리치다 哀願を退ける.

애인【愛人】[ae:in]〈名〉愛人. ❶人を愛すること. **～하다**〈自〉人を愛する. 語例 경천 ～ 敬天愛人. ❷恋人. 句例 ～과 결혼하다 恋人と結婚する.

애자【碍子・礙子】〈名〉〔電〕碍子. ＝뚱딴지.

애잔-하다 (→하다)〈形〉か弱い. ひ弱い. 弱弱しい. 句例 애잔한 모습 か弱い姿.

애장【愛藏】[ae:jang]〈名・하他〉愛蔵. 語例 ～품 愛蔵の品.

애-저【―猪】〈名〉食用の子豚.

*__애절-하다__【哀切―・哀絶―】(→하다)〈形〉哀切だ. 哀れだ. 非常に悲しい. 句例 애절한 이야기 哀切な物語 / 애절한 울음 소리 哀れな泣き声.

애정【愛情】[ae:jŏng]〈名〉愛情. 句例 어머니의 ～ 母の愛情 / ～을 고백하다 愛情を打ち明ける / 자식에게 ～을 쏟다 子に愛情を注ぐ.

애조【哀調】〈名〉哀調. 句例 ～를 띤 민요 哀調を帯びた民謡.

애족【愛族】[ae:jok]〈名・하自〉同胞を愛すること.

애주【愛酒】[ae:ju]〈名・하自〉愛酒. 愛飲. 語例 ～가 愛飲家. 愛酒. 酒好き(の人).

애증【愛憎】[ae:jŭng]〈名〉愛憎. 句例 ～이 상반하다 愛憎が相半ばする.

애지-중지【愛之重之】[ae:ji―]〈名・하他〉非常に愛して大事にすること. 句例 ～하는 자식 ひぞっ子 / ～하는 물건 とら(虎)の子.

애착【愛着】[ae:ch'ak]〈名・하自〉愛着. 句例 ～을 느끼다 愛着を感じる / ～을 버리다 愛着を捨てる / 삶〔생〕에 대한 ～심 生に対する愛着心.

애창【愛唱】[ae:ch'ang]〈名・하他〉愛唱. 句例 동요를 ～하다 童謡を愛唱する. 語例 ～곡(집) 愛唱曲(集).

애처【愛妻】[ae:ch'ŏ]〈名・하自〉愛妻. 語例 ～가 愛妻家

애처-롭다 (→롭다)〈形〉不憫〔不愍〕だ. 気の毒だ. かわいそうだ. 痛ましい. いじらしい. 文例 부모 잃은 자식들이 ～ 親をなくした子どもたちが気の毒だ. **애처로이**〈副〉かわいそうに. 痛ましく. 不憫に. いじらしく. 哀れに.

애첩【愛妾】[ae:ch'op]〈名〉愛妾.
애청【愛聽】[ae:ch'ŏng]〈名・하他〉愛聴. 語例 ~자 愛聴者.
애초〈名〉初め. 当初. 最初. のっけ. =당초(當初). 語例 ~부터 のっけから. 初めから.
애초-에〈副〉初めに. 最初に. 当初に. 略して'애최'ともいう. 文例 ~ 잘못했다 初めから誤った.
애칭【愛稱】[ae:ch'ing]〈名〉愛称. 句例 ~으로 부르다 愛称で呼ぶ.
애-타다 [ae:—] ⇨'애¹'の小項目
애타-심【愛他心】[ae:t'a—]〈名〉愛他心.
애-태우다 [ae:—] ⇨'애¹'の小項目
애-터지다 [ae:—] ⇨'애¹'の小項目
애통【哀痛】〈名・하自〉哀痛. 悲しみ痛むこと. 文例 얼마나 ~하십니까 ご愁傷さま.
애틋이 [aet'ŭshi]〈副〉やるせなく. 切なく.
애틋-하다 [aet'ŭt'ada] (→하다)〈形〉❶心残りして気がもめる. やるせない. 切ない. 句例 애틋한 사랑 切ない恋 / 애틋한 심정 やるせない思い. ❷哀惜の念がある.
애-티 [ae:—]〈名〉子供らしさ. 子供っぽさ. 幼げ. 句例 ~가 가시다 子供らしさがなくなる / ~가 흐르다 子供っぽさが漂っている. 文例 아직 ~가 난다 まだ子供っぽさがある.
애향-심【愛鄕心】[ae:hyang—]〈名〉愛郷心. 生まれ故郷を愛する心.
*__애호__【愛好】[ae:ho]〈名・하他〉愛好. 語例 음악 ~가 音楽愛好家.
애호【愛護】[ae:ho]〈名・하他〉愛護. 語例 동물 ~ 주간 動物愛護週間.
애-호박〈名〉まだ熟していないカボチャ. 初物のカボチャ.
애환【哀歡】〈名〉哀歓. 句例 ~을 함께 하다 哀歓を共にする / 인생의 ~ 人生の哀歓.
액【厄】〈名〉厄. 災い. 不運. 句例 ~을 면하다〔모면하다〕災難を免れる. 語例 ⇨ 액막이
액(을) 때우다 厄払い〔厄落とし〕をする.
액【液】〈名〉液. 汁.
액【額】〈名〉'편액(扁額)'の略：額.
-액【額】〈尾〉…額. …高. 語例 생산~ 生産額〔高〕/ 지출~ 支出額〔高〕.

액 〔漢字項目〕

【厄】 高校 액 ヤク. 재앙 わざわい. ■厄難 액난 やくなん. 厄年 액년 やくどし. 厄運 액운 やくうん. ■災厄 재액 さいやく.

【額】 高校 액 ガク. ❶이마 ひたい. ■額骨 액골 がっこつ. がくこつ. 額畔 액반 がくばん. ❷일정한 수량 高. 금전상의 수치 お金の値. ■額面 액면 がくめん. ■金額 금액 きんがく. 全額 전액 ぜんがく. ❸액자 がくぶち. ■扁額 편액 へんがく.

액-때우다【厄—】⇨'액(厄)'の小項目
액-때움【厄—】〈名・하自〉厄払い. 厄よけ. 厄落とし. 略して'액땜'ともいう.
액-땜【厄—】〈名・하自〉'액때움'の略.
액-막이【厄—】[aengmagi]〈名・하自〉〔民〕厄よけ. 厄払い. 厄落とし.
액면【額面】[aengmyŏn]〈名〉額面. 句例 ~ 백만 원의 채권 額面百万ウォンの債券. 文例 그가 한 말은 ~대로 믿을 수 없다 彼の言ったことは額面通り信じられない. 語例 ~가〔가격〕額面価〔価格〕.
액세서리〈名〉アクセサリー. ◇accessory
액셀러레이터〈名〉アクセル(レータ). =가속 페달(加速pedal). 略して'액셀'ともいう. 句例 ~를 밟다 アクセルを踏む. ◇accelerator
액션〈名〉アクション. 語例 ~ 스타 アクションスター. ◇action
액수【額數】〈名〉❶金額. 金高. ❷人員数.
액운【厄運】[aegun]〈名〉厄運. 句例 ~을 없애다 厄払いをする.
액자【額子】〈名〉額縁. 句例 ~를 걸다 額縁をかける.
액정【液晶】〈名〉液晶. 文字表示・温度計などに使われる有機化合物.
*__액체__【液體】〈名〉液体. 語例 ~ 연료〔산소〕液体燃料〔酸素〕.
액화【液化】[aek'wa]〈名・하自他〉液化. 語例 ~ 석유 가스 液化石油ガス. LPG / ~ 천연 가스 液化天然ガス. LNG.
*__앨범__〈名〉アルバム. =사진첩(帖). ◇album
앰뷸런스〈名〉救急車. ◇ambulance
앰프〈名〉アンプ. アンプリファイアー. =증폭기(增幅器). ◇amplifierの略.
앰플 [aemp'ŭ:l]〈名〉〔醫〕アンプル. ◇ampoule
앰-하다 [ae:m—] (→하다)〈形〉'애매하다'の略：無実だ.
앳-되다〈形〉子供っぽく見える. 幼く見える. うぶだ. あどけない.
앵¹〈副・하自〉蚊やはち(蜂)などの飛ぶ音：ぶうん.
앵²〈感〉だだをこねたり腹をたてたりするとき出す声：ええん. ああん. ちぇっ. 表現 語感の大きい語は'엥'.
앵글〈名〉アングル. =각도(角度). 語例 카메라 ~ カメラアングル. ◇angle
앵-돌아지다 [—dorajida]〈自〉❶すねる. ふてくさる. 文例 뜻대로 해 주지 않는다고 앵돌아졌다 わがままが通じなくてすねる. ❷(物が)よじまがる. ねじれる. 反る. 句例 앵돌아진 나뭇가지 ねじれた枝.
**__앵두__〈名〉[もとの語形は'앵도(櫻桃)'] ゆすらうめ(梅桃)の実. 語例 ~나무 ゆすらうめ.
*__앵무-새__【鸚鵡—】〈名〉〔鳥〕おうむ(鸚鵡). =앵무.
앵-앵〈副・하自〉蚊・はち(蜂)などが飛ぶとき続けざまに出す羽の音：ぶんぶん. **~거리다**〈自〉ぶんぶん音を立てる.
앵커〈名〉アンカー. ❶いかり(錨). =닻. ❷(リレー競技で)最終走者. ❸['앵커 맨'の略] アンカーマン. ニュースキャスター. ◇anchor
야¹〈名〉〔言〕ハングルの字母'ㅑ'の名称.
야【野】[ya:]〈名〉野. 句例 인재를 ~에서 구하다 人材を野に求める.
*__야²__ [ya:]〈感〉❶驚いたり感動したりするときに出す声：やあ. おう. 文例 ~ 이게 뭘까 おや！ これはなんだろう. ❷目下の者を呼ん

だり子供・若者同士が互いに呼びかける語：やあ．おい．文例 ～ 저리 비켜 おい，あっちへのけろ．

야[3]〈助〉❶限定・強調の意を表わす助詞：…(だけ)は．…こそ．…(して)は．文例 이번에～ 합격하겠지 今度こそは合格するだろう／너～ 반대 않겠지 おまえは反対しないだろうな．❷親しみを込めて呼びかける呼格助詞：…や．…よ．…ちゃん．句例 애～ おい／누나～ 姉ちゃん／개～ 犬よ／바다～ 海よ．

表現 終声のない体言や語尾につく．また，終声がある場合には'이야'になる．그 책이야 나도 읽었단다 その本はわたしも読んだよ．

야　〔漢字項目〕

【也】高校 야 ヤ．어조사(語助辭)의 하나 漢文の助字の一つ．❶사람을 부르는 데 씀 人を呼ぶときに用いる．▮回也 회야 かいや．❷문장 끝，또는 문장 속에서 어세(語勢)를 강조함 文末または文章の中で語勢を強調する．1) 단정을 나타냄 断定の意を表わす．2) 의문・반어를 나타냄．疑問・反語を表わす．3) 감탄을 나타냄 感嘆を表わす．

【夜】中學 야 ヤ．ヨ．밤 よる．▮夜間 야간 やかん．夜景 야경 やけい．夜勤 야근 やきん．夜半 야반 やはん．▮深夜 심야 しんや．昨夜 작야 さくや．徹夜 철야 てつや．▮小夜曲 소야곡 さよきょく．月夜 월야 つきよ．暗夜 암야 やみよ．

【耶】高校 야 ヤ．사 ジャ．━〔야〕❶문장 끝에 붙어 의문・반어・영탄의 뜻을 나타내는 말 文末について疑問・反語・詠嘆の意を表わす語．❷아버지를 이르는 말 父を指す語．▮耶孃 야양 やじょう．

〓〔사〕❶간사(姦邪)함 よこしまであること．▮耶氣 사기 じゃき．耶念 사념 じゃねん．耶心 사심 じゃしん．耶慾 사욕 じゃよく．耶鬼 사귀 じゃき．耶魔 사마 じゃま．

【野】中學 야 ヤ．❶들 野．▮平野 평야 へいや．荒野 황야 こうや．❷관도에 오르지 않은 민간 官途につかない民間．▮野黨 야당 やとう．▮在野 재야 ざいや．❸범위 範囲．▮分野 분야 ぶんや．視野 시야 しや．❹자연 그대로 自然のまま．▮野生 야생 やせい．野鳥 야조 やちょう．❺길이 들지 않음 手なずいていないこと．▮野性 야성 やせい．野獸 야수 やじゅう．❻친숙하게 따르지 않음 なじみ従わないこと．▮野望 야망 やぼう．野心 야심．やしん．

야【邪】⇨ 사【邪】

야【若】⇨ 약【若】

야간【夜間】[ya:gan]〈名〉❶夜間．語例 ～ 도주 夜逃げ／～ 작업 夜間作業／～ 경기 夜間競技／～ 촬영 夜間撮影．❷'야간부(夜間部)'の略．語例 ～부 夜間部／～ 학교 夜間学校．夜学．(반)주간(晝間)．

야경【夜景】[ya:gyŏng]〈名〉夜景．

야경【夜警】[ya:gyŏng]〈名〉夜警．夜番．句例 ～을 서다 夜警に当たる．語例 ～꾼 夜警人／～단 夜警団．

야경(을) 돌다 夜警に立つ．夜番をする．

야곡【夜曲】[ya:gok]〈名〉〔樂〕夜曲．セレナーデ．

야광【夜光】[ya:gwang]〈名〉夜光．語例 ～ 도료 夜光塗料／～ 시계 夜光時計／～주(珠) 夜光の玉／～충 夜光虫／～침 (時計の)夜光針．

＊＊야구【野球】[ya:gu]〈名〉野球．ベースボール．句例 ～ 구경하러 가다 野球を見に行く．語例 ～ 방망이 野球バット／～공 野球のボール／～장 野球場／～팬 野球ファン／프로 ～ プロ野球／～팀 野球チーム／～ 경기 野球試合．

야근【夜勤】[ya:gŭn]〈名・하自〉'야간 근무'の略：夜勤．

야금【冶金】[ya:gŭm]〈名・하他〉冶金．

야금-야금 [yagŭmnyagŭm]〈副・하自他〉少しずつ食べてしまうさま．句例 ～ 다 먹어 버리다 少しずつ全部食べてしまう／～ 갉아 먹다 ちょびちょびかじる．

야기【夜氣】[ya:gi]〈名〉夜気．

야기【惹起】[ya:gi]〈名〉惹起．**～하다**〈他〉引き起こす．句例 또 다른 문제를 ～시키다 また別の問題を引き起こす．語例 ～되다 引き起こされる．

야뇨-증【夜尿症】[ya:-nyotchŭng]〈名〉夜尿症．

야누스〈名〉〔神話〕ヤヌス．◇Janus

＊＊야단【惹端】[ya:dan]〈名・하自〉❶うるさいこと．やかましく騒ぐこと．騒騒しいこと．大騒ぎ．文例 임금을 올리라고 ～이다 賃金を上げろと大騒ぎだ．❷口やかましくしか(叱)ること．文例 들키면 ～ 맞는다 見つかるとしかられるぞ．❸大変な事．一大事．**～스럽다**(→스럽다)〈形〉たいへん騒がしい．

야단야단 [ya:dannyadan]〈名・副・하自〉❶むやみに騒ぎ立てるさま：わいわい．がやがや．❷ひどくしかるさま：がみがみ(と)．

야단(이) 나다 大変なことが起こる．事故が生じる．大騒ぎになる．

야단(을) 맞다 しかられる．お目玉を食う．

야단(을) 치다 ❶しかりつける．大声でしかり飛ばす．❷やたらに大騒ぎする．

＊야단-법석【惹端—】[ya:dan—]〈名〉大騒ぎ．らんちき騒ぎ．底抜け騒ぎ．

야단법석(을) 떨다 らんちき騒ぎをする．

야담【野談】[ya:dam]〈名〉野史の講談．語例 ～가(家) 野史の講談師．

야당【野黨】[ya:dang]〈名〉野党．句例 ～색이 강하다 野党色が濃い(強い)．語例 ～계 野系．野党系統／～성 野党的傾向．(반)여당(與黨)．

야드 [ya:dŭ]〈依名〉ヤード．語例 ～ 파운드법 ヤードポンド法．◇yard

야드르르〈副〉柔らかくつややかなさま：すべすべ．つやつや．**～하다**〈形〉すべすべする．つやつやする．句例 ～한 살결 柔肌．

야들-야들 [yadŭllyadŭl]〈副〉すべすべ．つやつや．**～하다**〈形〉すべすべする．つやつやする．句例 ～한 살결 つやつやした肌．

야로〈名〉'드러내지 않은 속셈 心中でのくわだ

て'の俗っぽい言いかた：内密なはかりごと．たくらみ．下心．＝흑막(黑幕)．[文例] 뭔가 ～가 있는 듯하다 何か下心があるらしい．㊮ 꿍꿍이(셈)．

야료【惹鬧】[ya:ryo]〈名・하自〉無理難題を吹っかけて騒ぎ立てること．

야료(를) 부리다 無理難題を吹っかけて騒ぎ立てる．

야릇-하다 [yarŭt'ada]（→하다）〈形〉おかしい．不思議だ．変だ．怪しい．異常だ．風変わりだ．奇怪だ．乙だ．[句例] 야릇한 운명 奇怪な運命／야릇한 복장 風変わりな服装／야릇한 기분 乙な気分．

야만【野蠻】[ya:man]〈名〉野蛮．[句例] ～적인 행동 野蛮なふるまい．[語例] ～인 野蛮人．蛮人．**～스럽다**（→스럽다）〈形〉野蛮だ．

야-만〈助〉…なければ．…(して)はじめて．…限り(だ)．限る．[文例] 먹어～ 산다 食べてはじめて生きられる．食べなければ生きられない／일을 해～ 한다 働かなければならない．

야-말로〈助〉…こそ(は)．[文例] 너～ 신사다 君こそ紳士である／저～ 사과드려야 합니다 わたくしこそおわびを申し上げなければなりません．

[表現] 終声のない体言につく語．終声がある場合は'이야말로'となる．그것이야말로 젊었을 때의 꿈이었다 それこそ若いころの夢だった．

야망【野望】[ya:mang]〈名〉野望．野心．[句例] ～을 품다 野望をいだく／～에 불타는 사나이 野望に燃える男／정치적 ～ 政治的野心．

야맹-증【夜盲症】[ya:maengtchŭng]〈名〉〔醫〕夜盲症．

야멸-스럽다（→스럽다）〈形〉つれない．冷たい．薄情だ．[句例] 야멸스럽게 거절하다 つれなく断る．

야멸-치다〈形〉無情だ．つれない．[句例] 야멸친 행동 無情な行動／야멸친 목소리 冷たい声．

***야무-지다**〈形〉❶しっかりしている．しまっている．がっちりしている．[文例] 나이에 비해제법～ 年の割にはなかなかしっかりしている．❷手際がよい．手先が器用だ．[句例] 야무진 솜씨 しっかりした腕前．

야물다（야무니，야물어서）㊀〈形〉❶ちゃっかりしている．抜け目がない．[文例] 야물게 생겼다 抜け目のない顔つきをしている．❷手抜かりがない．[句例] 일을 야물게 하다 仕事を手抜かりなくやる．❸堅実だ．[句例] 야물게 살다 堅実に暮らす．

㊁〈自〉⇨ 여물다

야바위 [ya:bawi]〈名〉ぺてん．詐欺．[語例] ～꾼 ぺてん師．ぽんびき《俗》／～판 ごまかしの場／야바윗속 からくりの内幕．

[參考] もと，中国式のいかさま賭博の一種．

야바위(를) 치다（人の目をかすめて）ごまかす．ぺてんにかける．

야박-하다【野薄―】[ya:bak'ada]（→하다）〈形〉薄情だ．不人情だ．せちがらい．**야박히** [ya:bak'i]〈副〉薄情に．不人情に．

야반【夜半】[ya:ban]〈名〉夜半．夜中．＝밤중．[語例] ～ 도주 夜逃げ．

야-밤【夜―】[ya:―]〈名〉夜中．[語例] ～ 삼경(三更) 真夜中．深夜．三更．

야-밤중【夜―中】[ya:bamtchung]〈名〉真夜中．深夜．＝한밤중．

야비-다리 [ya:bi―]〈名〉(つまらない者の)野卑な傲慢ぶり．

야비다리 치다 傲慢な人がわざと謙遜なふりをする．猫をかぶる．

야비-하다【野卑―】[ya:bi―]（→하다）〈形〉野卑だ．はしたない．浅ましい．さもしい．[句例] 야비한 말 浅ましい言葉．

야사【野史】[ya:sa]〈名〉野史．

야산【野山】[ya:san]〈名〉村に近い低い山．端山．草山．野山．

야살 [ya:sal]〈名〉(行動やことばが)小憎らしくこましゃくれたこと．[語例] ～이．～쟁이 こましゃくれて憎らしい人．**～스럽다**（→스럽다）〈形〉小憎らしい．

야살(을) 까다 こましゃくれた言動をする．

야살(을) 떨다 ひどくこましゃくれたことをする．

야살(을) 부리다 わざとこましゃくれた言動をする．

야살(을) 피우다（こちらのほうが困惑するほど)こましゃくれた言動をとる．

야상-곡【夜想曲】[ya:sang―]〈名〉〔樂〕夜想曲．ノクターン．

야생【野生】[ya:saeng]〈名・하自〉野生．[語例] ～마 野生の馬／～아 野生児／～종 野生種／～화 野生の花．

야성【野性】[ya:sŏng]〈名〉野性．[語例] ～미 野性美／～화 野性化．

야성-적【野性的】[ya:sŏng―]〈名・冠〉野性的．[句例] ～인 매력 野性的な魅力／～인 용모 野性的な顔立ち．

야소-교【耶蘇教】[ya:so―]〈名〉'예수교'の当て字．

야속-하다【野俗―】[ya:sok'ada]（→하다）〈形〉薄情だ．不人情だ．恨めしい．[句例] 야속한 사람 薄情〔無情〕な人．**야속히** [ya:sok'i]〈副〉薄情に．不人情に．恨めしく．[句例] 야속히 여기다 薄情と思う．**야속스럽다**（→스럽다）〈形〉⇨ 야속하다

야수【野手】[ya:su]〈名〉〔野〕野手．フィルダー．[語例] 내～ 内野手／외～ 外野手／～ 선택 野手選択．野選《略語》．

야수【野獸】[ya:su]〈名〉野獣．[句例] ～파의 화가 野獣派の画家．

야습【夜襲】[ya:sŭp]〈名・하他〉夜襲．夜討ち．[句例] 적을 ～하다 敵に夜襲をかける．

야시【夜市】[ya:shi]〈名〉⇨ 야시장

야시-장【夜市場】[ya:shi―]〈名〉夜市．夜店．＝야시．

야식【夜食】[ya:shik]〈名〉夜食．夜中に食べものを食べること．また，その食べもの．㊮밤참．

야심【野心】[ya:shim]〈名〉野心．[句例] ～을 품다 野心をいだ(抱)く／～이 있다〔없다〕野心がある〔ない〕／～ 만만하다 野心満満としている．[語例] ～가 野心家／～작 野心作．

야심-하다【夜深─】[ya:shim─]（→하다）〈形〉夜が深い.

야영【野營】[ya:yŏng]〈名・하自〉野営. 露営. 語例 ～지 野営地.

야옹〈感〉猫のなき声：にゃあお. にゃん.

야외【野外】[ya:oe]〈名〉野外. 語例 ～ 수업〔실습〕野外授業〔実習〕/ ～ 촬영 野外撮影 / ～ 콘서트 野外コンサート / ～ 공연 野外公演.

야욕【野慾】[ya:yok]〈名〉❶身分不相応な欲望. ❷野卑な情欲. 句例 성적인 ～을 채우다 性的欲望を満たす.

야위다〈自〉やせほそる. やせこける. やつれる. 句例 야윈 말 やせ馬. 類마르다.

야유【揶揄】[ya:yu]〈名〉揶揄. からかい. やじ. **～하다**〈他〉揶揄する. からかう. やじる.

야유-회【野遊會】[ya:yu─]〈名〉野遊会. 参考 主に, 職場や団体などで, そろってピクニックに行く集まりを指す.

야음【夜陰】[ya:ŭm]〈名〉夜陰. 句例 ～을 틈타다 夜陰に乗じる.

야인【野人】[ya:in]〈名〉野人.

야자【椰子】[ya:ja]〈名〉〔植〕やし(椰子). =야자나무. 語例 ～열매 やしの実 / ～수(樹) やしの木.

야적【野積】[ya:jŏk]〈名・하他〉野積. 野積み. 露天積み=노적(露積). 語例 ～장 露天の積み場.

야전【夜戰】[ya:jŏn]〈名・하自〉夜戦.

야전【野戰】[ya:jŏn]〈名・하自〉野戦. 語例 ～군 野戦軍 / ～ 병원 野戦病院 / ～ 침대 簡易寝台.

야조【野鳥】[ya:jo]〈名〉野鳥. =들새.

야죽-야죽 [yajungnyajuk]〈副・하自〉['야기죽야기죽'の略] 人をこばかにしてしゃべりまくるさま.

***야채**【野菜】[ya:ch'ae]〈名〉野菜. 青物. 蔬菜. 菜. 青菜. 菜っ葉. 語例 ～ 시장 青物市場 / ～류 野菜類 / ～ 수프 野菜スープ / ～ 요리 野菜料理 / ～상(商) 野菜売り.

야코-죽다〈自〉'기(氣)가 죽다 ひるむ'の俗っぽい言いかた：けお(気圧)される. 圧倒される.

야코-죽이다 [─jugida]〈他〉'기(氣)(를) 죽이다 士気をくじく'の俗っぽい言いかた：圧倒する. 威圧する.

야트막-하다 [yat'ŭmak'ada]（→하다）〈形〉❶かなり浅い. 浅めだ. 句例 개울물이 ～ 川の水がかなり浅い. ❷かなり低い. 低めだ. 句例 야트막한 언덕 かなり低い丘.

야틈-하다（→하다）〈形〉やや〔心持ち〕低い. やや浅めだ.

야포【野砲】[ya:p'o]〈名〉野砲. 語例 ～대 野砲隊.

야-하다【冶─】[ya:─]（→하다）〈形〉下品になまめかしい. 派手でけばけばしい. 句例 차림새가 ～ 身なりが品なくなまめかしい / 야한 옷차림을 한 여자 けばけばしい身なりをした女.

야학【夜學】[ya:hak]〈名・하自〉夜学. 句例 ～에 다니다 夜学に通う. 語例 ～생 夜学生 / ～교 夜学校. 夜学《略語》.

야합【野合】[ya:hap]〈名・하自〉野合. ❶転び寝. 出来合い. ❷正しくない事でひそかに通じること.

야행【夜行】[ya:haeng]〈名・하自〉夜行. 語例 ～ 열차 夜行列車 / ～성 夜行性.

***야-호**〈感〉ヤッホー. ◇yo-ho

야화【野話】[ya:hwa]〈名〉ちまたの話. 世間のさまざまな話.

야회-복【夜會服】[ya:hoe─]〈名〉夜会服. イブニング ドレス.

약[1]【約】〈名〉(花札遊びの)役. 参考 紅葉・雨・草などそれぞれ四枚ずつ集めると'약'になる.

약【藥】〈名〉❶薬. 句例 잘 듣는 ～ よく効く薬 / ～을 먹다 薬を飲む / ～이 되다 薬になる. 文例 모르는 게 ～ 知らなければ薬. 知らぬが仏《속담》. 語例 감기～ かぜ薬 / 가루〔물〕～ 粉〔水〕薬.
❷'화약(火藥)'の略. 句例 ～을 재다 火薬をこめる.
❸(農薬・消毒薬などの)薬品. 薬剤. 句例 쥐～을 놓다 猫いらずを仕掛ける / 파리～을 뿌리다 はえ取り薬をまく.
❹'유약'の略：上薬.
❺['구두약'の略] 靴墨. 句例 구두에 ～을 칠하다〔바르다〕靴に靴墨をぬる.
❻電池. 句例 라디오의 ～을 갈아 끼우다 ラジオの電池を取り替える.
❼'酒・麻薬'などの隠語.
❽とうがらし(唐辛子)・タバコなどの刺激性のある成分. 句例 약(이) 오르다(→小項目).
❾むくっと立つ怒り. しゃく(癪)に障る.

약에 쓰려도 없다 薬にしたくても無い.

약(이) 오르다 ❶しゃくに障る. 腹が立つ. ❷よく熟して刺激性の成分が強くなる. 句例 고추가 ～ とうがらしが熟して辛くなる.

약(을) 올리다 怒らせる. じらす. 腹を立たせる.

약(을) 팔다 あれやこれやを引き合いに出してしゃべりまくる. 話に花を咲かせることの俗っぽい言いかた.

***약**[2]【約】〈冠〉約. およそ. おおよそ. ほぼ. 句例 ～ 10리 約一里.

-약【弱】〈尾〉…弱. =빠듯. 文例 1.95는 2～이다 1.95は2に弱である. 對-강(強).

약　〔漢字項目〕

【弱(弱)】中學 약 ジャク. ❶약하다 よわい. ◧弱小 약소 じゃくしょう. 弱者 약자 じゃくしゃ. ◨強弱 강약 きょうじゃく. ❷어리다 幼い. ◧弱冠 약관 じゃっかん. 弱年 약년 じゃくねん. ❸수치를 반올림하고 그 수치보다 조금 적다는 것을 나타낼 때 쓰는 말 数値を切り上げてその数値より少少すくないことを表わす語. ◨五噸弱 오돈약 ごとんじゃく.

【約】中學 약 ヤク. ❶간단히 줄이다 つづめる. ◨要約 요약 ようやく. 集約 집약 しゅうやく. ❷검소하다. 倹素だ. 검소 倹素. ◨倹約 검약 けんやく. 節約 절약 せつやく. ❸약속을 맺음 とりきめをすること. ちぎり. ◧約束

약속 やくそく. 約定 약정 やくじょう. ❹대략. 대충 あらまし. ▮大約 대약 たいやく. ❺어떤 수로 나누는 것 ある数で割ること. ▮約分 약분 やくぶん. 約數 약수 やくすう.

【若】中學 약 ジャク. ニャク. 야 ニャ. ㊀〔약〕 ❶젊다 わかい. ▮若冠 약관 じゃっかん. ▮老若 노약 ろうじゃく. ろうにゃく. ❷어느 정도 どれほど. ▮若干 약간 じゃっかん. ❸상태를 나타내는 한문의 접미어 状態を表わす漢字語の接尾語. ▮自若 자약 じじゃく. ❹…와 같음 …のごとし. ▮傍若無人 방약무인 ぼうじゃくぶじん.

㊁〔야〕 반야 般若. ▮般若經 반야경 はんにゃぎょう.

【藥(薬)】中學 약 ヤク. ❶약 くすり. ▮藥效 약효 やっこう. ▮醫藥 의약 いやく. ❷해치는 약 害するくすり. ▮毒藥 독약 どくやく. ❸독특한 작용을 하는 약 独特な作用をするくすり. ▮火藥 화약 かやく. 農藥 농약 のうやく.

*약간【若干】〈名·副〉若干. 二三. わずか. いささか. やや. 少し. いくらか. 多少. ちょっと. そくばく. 句例 ～의 수정 若干の修正 / ～의 돈 そくばくの金 / 사원 ～명을 모집하다 社員若干名を募集する / ～ 기울다 ややかたよる / 술을 ～ 마시다 酒をいささか〔多少〕飲む / ～ 모자라다 いくらか足りない.

약-값【藥―】〈名〉薬代. 薬価. →값 參考

약골【弱骨】〈名〉❶弱い骨格. ❷病弱な人. 弱虫.

약과【藥果】〈名〉❶小麦粉をはちみつ(蜂蜜)または砂糖水でこねて, 型抜きしたものを油で揚げた菓子. =과줄. ❷たやすいことのたとえ. 朝飯前. 文例 그런 일쯤이야 ～다 そんなことくらいは朝飯前〔たやすいこと〕だ.

약관【約款】〈名〉約款.

약관【弱冠】〈名〉弱冠. 句例 ～ 십팔 세에 입상하다 弱冠十八歳で入賞する.
參考 男の年二十歳を指して言うことば.

⁑약국【藥局】〈名〉薬局.

약기【略記】〈名·하他〉略記.

약다〈形〉❶賢い. 才気がある. 文例 큰 아들이 더 ～ 上の息子の方がもっと賢い. ❷利をはかるのに巧みだ. 利口だ. ずるい. すれている. 句例 약게 굴다 利口に立ち回る / 약은 체하다 賢いふりをする. 語例 약게 利口に. ずるく. こざかしく.

약도【略圖】〈名〉略図. 句例 ～를 그리다 略図を取る. 略図を書く.

약동【躍動】〈名·하自〉躍動. 句例 생기가 ～하다 生気が躍動する. 語例 ～감 躍動感.

약력【略歷】[yangnyŏk]〈名〉略歴. 句例 ～을 소개하다 略歴を紹介する.

약령【藥令】[yangnyŏng]〈名〉主に韓方薬材を売買する市. =약령시(藥令市).

약리【藥理】[yangni]〈名〉薬理. 語例 ～ 작용 薬理作用 / ～학 薬理学.

*약물【藥物】[yangmul]〈名〉薬物. =약품. 句例 ～ 사용의 의혹을 받는 선수 薬物使用疑惑の選手. 語例 ～ 소독 薬物消毒 / ～ 요법 薬物療法 / ～ 중독 薬物中毒.

약-밥【藥―】〈名〉もち米をややこわめに蒸してはちみつ(蜂蜜)や砂糖・ごま油・醬油・くり(栗)・なつめ(棗)・干しぶどうなどを混ぜ合わせ再び蒸した飯. =약식(藥食).

⁑약방【藥房】〈名〉'약종상 藥種商' '매약상 売薬商'を言うことば: 薬屋.

약방에 감초 薬屋のかんぞう(甘草). ❶どんなことにも首を突っ込む人. ❷欠くことのできないもののたとえ.

약-방문【藥方文】〈名〉処方箋. 略して'방문(方文)'ともいう. =약화제(藥和劑). 句例 사후 ～ 死後の処方箋. 後の祭り《속담》.

약-보〈名〉'약은 사람 利ざとい人'のあだ名. 類 약빠리.

약보【藥補】〈名·하他〉薬を服用して元気を養うこと. 對 식보(食補).

약-복지【藥袱紙】〈名〉調合した韓方薬を包む四角の白い紙.

약-봉지【藥封紙】〈名〉薬袋. 薬を入れる紙袋.

약분【約分】〈名·하他〉〔數〕約分. =맞줄임.

약-빠르다 (약빠르니, 약빨라서)〈形〉すばしっこい. 目ざとい. 利ざとい. あざとい《俗》.

약-빨리〈副〉利ざとく.

약사【藥師】〈名〉薬剤師.

약-사발【藥沙鉢】〈名〉薬鉢.

약삭-빠르다 (―빠르니, ―빨라서)〈形〉如才ない. すばしっこい. 手腕がある. さかしい. 小利口だ. 才はじける.

약삭-빨리〈副〉如才なく. すばしっこく. 小利口に.

약-상자【藥箱子】〈名〉薬箱.

약석【藥石】〈名〉薬石. 句例 ～의 보람도 없이 薬石の効なく.

약설【略說】〈名·하他〉略説.

약세【弱勢】〈名〉弱勢. 劣勢. ～하다〈形〉劣勢だ. 句例 ～에 몰리다 劣勢に追い込まれる.

*약소【弱小】〈名〉弱小. ～하다〈形〉弱小だ. 語例 ～ 국가 弱小国家 / ～ 민족 弱小民族.

약소-하다【略少―】(→하다)〈形〉(贈り物などが)少なくて粗末だ. 文例 약소한 것이지만 받아주시기 바랍니다 お粗末な物ですがどうぞ受け取ってくださるようお願いします.

*약속【約束】〈名〉約束. 言い〔申し〕合わせ. 取り決め. ～하다〈他〉約束する. 取り決める. 句例 ～한 시간 約束の時間 / ～을 지키다 約束を守る / ～을 어기다 約束を破る / 굳게 ～하다 固く約束する / 결혼을 ～하다 結婚を約束する / 극장에 같이 가기로 ～하다 劇場に一緒に行く事を約束する. 語例 ～ 어음 約束手形.

약-손【藥―】〈名〉❶'약손가락'の略. ❷子供の痛い所がなおるように軽くさすりなでてやる大人の手. 文例 엄마 손은 ～이다 お母ちゃんの手では効き目があらたかだよ.

약-손가락【藥―】[―sonkkarak]〈名〉薬指. =무명지(無名指). 약지(藥指).

약-솜【藥―】〈名〉脱脂綿.

*약수【約數】〈名〉〔數〕約数.

약수【藥水】〈名〉薬水. 薬効のある泉の水. 語例 ~터 薬水のわき出る所.

약시【弱視】〈名〉〔生〕弱視.

약-시중【藥—】〈名・하自〉病人の薬の世話をすること. 句例 ~을 들다 薬の世話をする.

약식【略式】〈名〉略式.

약식【藥食】〈名〉⇨ 약밥

약-쑥【藥—】〈名〉薬用のよもぎ(艾). もぐさ. 句例 ~으로 뜸을 뜨다 もぐさで灸を据える.

약아-빠지다 [yaga—]〈形〉ひどく利ざとい. ずる賢しい.

약-오르다 [yagorŭda] (약오르니, 약올라서) ⇨ '약(藥)'の小項目

약-올리다 [yagollida] ⇨ '약(藥)'の小項目

약용【藥用】[yagyong]〈名・하他〉薬用. 語例 ~ 비누 薬用せっけん / ~ 식물 薬用植物.

약육-강식【弱肉強食】[yagyuk—]〈名〉弱肉強食. 句例 ~의 논리〔싸움〕弱肉強食の論理〔争い〕.

약음【弱音】[yagŭm]〈名〉弱音. 語例 ~기 弱音器.

약자【弱者】〈名〉弱者. 句例 ~를 돕다 弱者を助ける / ~편에 서다 弱者の方に立つ. 弱者に味方する. 語例 ~ 선수(先手) (将棋や碁で)弱い方が先に指すこと.

약자【略字】〈名〉略字. 略体. 對본자(本字).

약-장【藥欌】〈名〉薬だんす. 百味〔薬味〕だんす.

약-장수【藥—】〈名〉❶薬売り. ❷よくしゃべりまくる人の俗っぽい言いかた.

약재【藥材】〈名〉薬材. 薬料.

약전【弱電】〈名〉〔電〕弱電. 對강전(強電).

약전【藥典】〈名〉薬局方. 語例 대한(大韓) ~ 韓国薬局方.

약점【弱點】〈名〉弱点. 欠点. 短所. 泣き所. 急所. 穴《俗》. 句例 상대의 ~을 잡다 相手の弱点を握る〔つかむ〕/ 상대의 ~을 이용하다 相手の弱点を利用する / ~을 찌르다 泣き所をつく / ~을 찔리다 急所を突かれる / 상대의 ~을 발견하다 相手の穴を見つける / ~을 보이다 弱点を見せる.

약정【約定】〈名・하他〉約定. 句例 미리 ~하다 前もって約束して決める / ~을 맺다 約定を結ぶ. 語例 ~서 約定書 / ~ 이자(利子) 約定利息 / ~가 約定価格 / ~ 기간 約定期間.

약제【藥劑】〈名〉薬剤. 語例 ~실 薬剤室 / ~ 소독 薬剤消毒.

약제-사【藥劑師】〈名〉'약사(藥師)'の古い言いかた.

약조【約條】〈名・하他〉❶条件を定めて約束すること. ❷約束して決めた条項. 語例 ~금(金) 契約保証金.

약종【藥種】〈名〉薬種. 薬材. 薬料. 語例 ~상(商) 薬種商. 薬材商.

약주【藥酒】〈名〉❶薬酒. ＝약술 ❷どぶろくより澄ましたアルコール11度の酒. 清酒. ＝약주술. ❸'술'の丁寧語: お酒. 文例 ~ 한 잔 하셨군요 お酒を一杯やりましたね.

약지【藥指】〈名〉⇨ 약손가락

약진【弱震】〈名〉〔地〕弱震.

약진【躍進】〈名・하自〉躍進. 句例 ~의 해 躍進の年 / 신인의 ~ 新人の躍進 / 해마다 눈부신 ~을 계속하는 정보 산업 年ごとにめざましい躍進をつづけている情報産業.

약질【弱質】〈名〉弱質. 弱い体質. ＝약골(弱骨). 文例 우리 아이는 ~이다 うちの子は弱い体質である.

약체【弱體】〈名〉弱体. 語例 ~ 내각 弱体内閣.

약초【藥草】〈名〉薬草. ＝약풀. 語例 ~ 채집 薬草採集. 薬採り.

약-칠【藥—】〈名・하自他〉❶患部に薬をぬること. 句例 종기에 ~을 하다 はれ物に薬をぬる. ❷つや出し薬をぬること. 句例 구두에 ~을 하고 광을 내다 靴に靴墨をぬってつや出しをする.

약칭【略稱】〈名・하他〉略称.

약탈【掠奪】〈名・하他〉略奪. 語例 ~자 略奪者 / ~되다. ~당하다 略奪される.

약-탕관【藥湯罐】〈名〉薬をせん(煎)じる陶製の薬土瓶. 絵

〈약탕관〉

약-탕기【藥湯器】[—t'angkki]〈名〉❶せん(煎)じ薬を入れておく器. ❷⇨ 약탕관

약-통【藥桶】〈名〉薬箱. 語例 구두 ~ 靴墨入れ.

약-팔다【藥—】(약파니, 약팔아서) ⇨ '약(藥)'の小項目

약-포지【藥包紙】〈名〉薬包紙.

약품【藥品】〈名〉薬品. 語例 화학 ~ 化学薬品.

약-하다【弱—】[yak'ada] (→하다)〈形〉弱い. もろい. 句例 몸이 ~ からだが弱い / 시력이 ~ 視力が弱い / 열에 ~ 熱に弱い / 마음이 ~ 気が弱い / 약한 술 弱い酒 / 약한 바람 弱い風. 語例 약하게 弱く / 약해지다 弱くなる. 對강(強)하다. 세다.

약학【藥學】[yak'ak]〈名〉薬学. 語例 ~ 대학 薬学大学. 薬学部.

약한 산【弱—酸】[yak'ansan]〈名〉〔化〕弱酸. 對강한 산.

약호【略號】[yak'o]〈名〉略号. 句例 ~로 나타내다 略号で表わす. 語例 전신 ~ 電信略号.

약혼【約婚】[yak'on]〈名・하自〉婚約. 語例 ~자 婚約者. いいなずけ(許嫁) / ~ 반지 婚約指輪 / ~식 婚約式.

약화【弱化】[yak'wa]〈名・하自他〉弱化. 句例 국력의 ~ 国力の弱化. 語例 ~되다 弱化する. 弱くなる. 對강화.

*****약효**【藥效】[yak'yo]〈名〉薬効. 句例 ~가 떨어지다 薬の効き目が落ちる.

얄개〈名〉こましゃくれた人

얄궂다〈形〉❶(性格・人柄が)変だ. 奇妙だ. 変てこだ. 句例 얄궂은 성격 変わった性格. ❷奇妙で意地悪だ. 句例 얄궂은 질문 意地悪な質問. ❸'얄망궂다'の略. 句例 얄궂은 운명 数奇な運命 / 얄궂은 해후(邂逅) く

(奇)しき巡り合い.

얄따랗다 [yalttarat'a] (얄따라니, 얄따라오) 〈形〉 ひどく薄い. 薄っぺらだ. 文例 월급 봉투는 늘 ~ 月給袋はいつも薄っぺらである.

얄망-궂다 〈形〉 奇妙でややこしい. 略して'얄궂다'ともいう.

얄-밉다 [ya:l—] (얄미우니, 얄미워서) 〈形〉 憎らしい. 憎い. 小憎らしい. 句例 얄미운 말만 하다 憎まれ口ばかりたたく. 文例 선생님 앞에서만 잘 보이려고 하는 게 너무 ~ 先生の前でだけいいところを見せようとするのがあまりにも憎らしい. 語例 얄밉게 憎らしく. 憎たらしく.

얄팍-하다 [yalp'ak'ada] (→하다) 〈形〉 薄っぺらだ. 句例 봉투가 너무 ~ 封筒があまりにも薄っぺらだ.

얄팍얄팍 [yalp'angnyalp'ak] 〈副・하形〉 みな薄っぺらなさま.

**얇다 [yaltta] 〈形〉 ❶(厚さが)薄い. 句例 얇은 종이 薄い紙 / 얇은 옷을 입다 薄い着物を着る. 語例 얇게 薄く / 얇아지다 薄くなる. ❷(人の考えなどが)浅はかである. 句例 얇은 생각 浅はかな考え.

参考 '얇게 薄く' '얇은 薄い'は[yalkke], [yalbŭn]と読む.

얌생이 〈名〉 物を少しずつちょろまかす〔盗む〕こと. 語例 ~꾼 ちょろまかす人. こそ泥.

表現 '얌생이'は俗っぽい言いかた.

얌생이(를) 몰다 泥を働く. ちょろまかす.

얌전-떨다 (—떠니, —떨어서) 〈自〉 いかにもしとやかな〔おとなしい〕ふりをする.

얌전-빼다 〈自〉 とり澄ます. つつましやかなふりをする. 文例 말괄량이도 할아버지 앞에선 얌전빼다 おてんばも祖父の前ではとり澄ます.

얌전-이 [yamjŏni] 〈名〉 おとなしい子供.

얌전-하다 (→하다) 〈形〉 ❶おとなしい. しと(淑)やかだ. つつましやかだ. 文例 따님은 참 얌전하군요 娘さんは本当にしとやかですね / 할아버지 말씀을 얌전하게 듣고 있다 おじいさんの話をおとなしく聞いている. ❷見事だ. 立派だ. 句例 바느질 솜씨가 ~ 針仕事の腕が見事だ. **얌전히** 〈副〉 おとなしく. しとやかに. つつましやかに.

얌체 〈名〉 恥知らずの人, またはあこぎなことをする人などをさげすんでいう語: ちゃっかり屋. こざか(小賢)しい人. 語例 ~족 恥知らずな人. こざかしい人.

얌치 〈名〉 廉恥. 恥を知る心.

表現 語感の大きい語は'염치'.

얌치(가) 없다 恥知らずだ. 不遠慮だ.

**양 【羊】 〈名〉〔動〕 羊. 句例 ~을 치다 羊を飼う / 하나님의 어린 ~ 神の小羊. 文例 ~같이 순하다 羊のようにおとなしい. 語例 ~띠 ひつじ(未)の生まれ / ~떼 羊の群れ / ~고기 羊の肉.

양 【良】 〈名〉 良. 成績評点の四番目. 美の下, 可の上.

양 【胖】 [ya:ng] 〈名〉 牛の胃袋の肉.

양 【陽】 〈名〉 陽. 對음(陰).

*__양__ 【量】 〈名〉 量. ❶'분량(分量)・수량(數量)'の略. 句例 ~이 많다〔적다〕 量が多い〔少ない〕 / ~보다 질 量よりも質 / 일의 ~ 仕事の量. 對질(質). ❷'식량(食量)'の略. 句例 ~껏 먹다 たらふく食べる.

양 【孃】 〈依名〉 …孃. …さん. ミス…. 語例 김 ~ 金さん / 나카무라 ~ 中村孃 / 닉슨 ~ ミスニクソン.

表現 年下の未婚の若い女性の名前に付ける一般的な敬称.

양 【兩】 [ya:ng] ━〈依名〉 ⇨ 냥(兩). ━〈冠〉 '한 냥(兩)'の略: 一両. 句例 ~ 닷 돈 一両五もんめ(匁).

-양 【孃】 〈尾〉 …孃. 語例 안내~ 案内孃 / 교환~ 交換孃.

表現 職業を示す名詞につけ, その職業に従事する若い女性を表わす.

양 〔漢字項目〕

【壤(壤)】 高校 양 ジョウ. ❶땅 土. 대지 大地. ■土壤 토양 どじょう. 天壤 천양 てんじょう. 肥壤 비양 ひじょう. ❷数の名.

【揚】 中學 양 ヨウ. ❶올리다 あげる. ■揚陸 양륙 ようりく. ■抑揚 억양 よくよう. ❷나타내다 表わす. ■宣揚 선양 せんよう. ❸날리다 あげる. ■揚名 양명 ようめい.

【楊】 高校 양 ヨウ. ❶냇버들 やなぎ. ■楊枝 양지 ようじ. 楊花 양화 ようか. ■白楊 백양 はくよう. 水楊 수양 すいよう. ❷성의 하나 姓の一つ. ■楊貴妃 양귀비 ようきひ.

【樣(様)】 高校 양 ヨウ. ❶모양 さま. ■樣相 양상 ようそう. 樣態 양태 ようたい. ❷본. 본보기 形式. 手本. ■樣式 양식 ようしき. ❸무늬 もよう. ■文樣 문양 もんよう.

【洋】 中學 양 ヨウ. ❶넓은 바다 広い海. ■洋上 양상 ようじょう. ■大洋 대양 たいよう. 海洋 해양 かいよう. ❷세계를 동서로 나눈 부분 世界を東西に分かつときその部分. ■東洋 동양 とうよう. 西洋 서양 せいよう. ❸서양 西洋. ■洋服 양복 ようふく. 洋式 양식 ようしき. 洋食 양식 ようしょく.

【羊】 中學 양 ヨウ. 양 ひつじ. ■羊毛 양모 ようもう. ■緬羊 면양 めんよう. 白羊 백양 はくよう.

【讓(譲)】 中學 양 ジョウ. ❶양보함 ゆずる. ■讓渡 양도 じょうと. 讓步 양보 じょうほ. ❷겸손하다 へりくだる. ■謙讓 겸양 けんじょう.

【陽】 中學 양 ヨウ. ❶해. 일광 日. 日光. ■陽光 양광 ようこう. 陽春 양춘 ようしゅん. ■太陽 태양 たいよう. ❷양지 ひなた. 볕이 쪼이는 곳 日の当たるところ. ■陽地 양지 ひなた. ❸거짓으로 꾸밈 いつわること. ■陽動 양동 ようどう. 陽言 양언 ようげん. ❹역학상 원리에서 능동적・남성적인 상징으로 쓰이는 것 易学上の原理で能動的・男性的象徴として用いるもの. ■陽性 양성 ようせい. 陽極 양극 ようきょく. 陽氣 양기 ようき. 陽電子 양전자 ようでんし.

【養(養)】 中學 양 ヨウ. ❶기르다 やしなう. 사육하다 飼う. ■養鷄 양계

ようけい. 養豚 양돈 ようとん. 養育 양육 ようい く. ❷마음을 풍요롭게 함 心を豊かにする. ◧教養 교양 きょうよう. 修養 수양 しゅうよう. ❸남의 자식을 기르다 他人の子をそだてる. ◧養子 양자 ようし. 養父母 양부모 ようふぼ. ❹바치다 供える. ◧供養 공양 くよう.

양가【良家】〈名〉良家・. 句例 양갓집 규수 良家のお嬢さん.

양가【養家】[ya:ngga]〈名〉養家.

양각【陽刻】〈名・하他〉〔美〕陽刻. 浮き彫り. レリーフ.

양감【量感】〈名〉〔美〕量感. ボリューム.

양계【養鷄】[ya:nggye]〈名・하自〉養鶏. 語例 ~장 養鶏場.

양곡【洋曲】〈名〉西洋音楽. 西洋の音曲. 表現 おもに, 民謡・ポップス・シャンソンなどの軽音楽をいう.

양곡【糧穀】〈名〉食料としての穀物. 語例 ~ 관리 제도 食糧管理制度. 食管制度《略語》.

양-과자【洋菓子】〈名〉洋菓子.

양국【兩國】[ya:ngguk]〈名〉両国. 句例 ~간의 문화 교류 両国間の文化交流.

양궁【洋弓】〈名〉洋弓. アーチェリー.

양-귀비【楊貴妃】〈名〉❶〔植〕けし(芥子). 語例 ~꽃 けしの花. ❷〔史〕楊貴妃.

양극【兩極】[ya:nggŭk]〈名〉両極. 語例 ~화 현상 両極化現象.

양극【陽極】〈名〉〔物〕陽極. 語例 ~선 陽極線. 對음극(陰極).

양-극단【兩極端】[ya:ng—]〈名〉両極端.

양금【洋琴】〈名〉〔樂〕洋琴. 絵 語例 ~채 洋琴を打って鳴らす竹製の細いばち(桴).

〈양금〉

양기【陽氣】〈名〉陽気.

양-껏【量—】〈副〉思う存分に. ありったけ. 文例 ~ 드십시오 たくさん召し上がってください.

양-끝【兩—】[ya:ng—]〈名〉両端. =양단(兩端).

양-날【兩—】[ya:ng—]〈名〉両刃. もろ刃. 語例 ~톱 もろ刃のこぎり(鋸).

양냥-거리다〈自〉❶(なかなか満足せず)しきりにせがむ. ❷ひねくれる.

양녀【養女】[ya:ngnyŏ]〈名〉養女.

양념〈名〉薬味. 味付け. 香料. 調味料. **~하다**〈自〉味付けをする. 薬味を入れる. 語例 ~장(醬) 薬味を加えた醬油.

양-다리【兩—】[ya:ng—]〈名〉❶両脚. ❷二また.

양다리(를) 걸치다 二またをかける. '양다리(를) 걸치다'とも言う.

양단【兩端】[ya:ngdan]〈名〉❶両端. ❷始めと終わり.

양단【洋緞】〈名〉高級絹織物の一種.

양단-간【兩端間】[ya:ngdan—]〈名・副〉二通りのうち. とにかく. どうあろうと. 文例 ~ 결정을 내려라 二通りのうちとにかく決めろ.

***양달**【陽—】〈名〉日なた. 語例 ~쪽 日のよく当たる方. 對응달.

양-담배【洋—】〈名〉西洋タバコ. 洋もく.

양대【兩大】[ya:ngdae]〈冠〉両大. 二大. 語例 ~ 세력 両大勢力.

양도【讓渡】[ya:ngdo]〈名〉譲渡. **~하다**〈他〉譲渡する. 譲る. 句例 재산을 ~하다 財産を譲渡する. 語例 ~인 譲渡人 / ~ 소득세 譲渡所得税.

양-도체【良導體】〈名〉良導体. 導体.

양돈【養豚】[ya:ngdon]〈名・하自〉養豚.

양-동이【洋—】〈名〉❶水を入れて片手で持ち運べるようになったトタン製の水入れ. ❷バケツ.

양동 작전【陽動作戰】〈名〉〔軍〕陽動作戦.

양두-구육【羊頭狗肉】〈名〉羊頭狗肉.

양-딸【養—】[ya:ng—]〈名〉養女. =양녀.

양력【揚力】[yangnyŏk]〈名〉〔物〕揚力.

양력【陽曆】[yangnyŏk]〈名〉['태양력(太陽曆)'の略] 陽暦. 對음력.

양로【養老】[ya:ngno]〈名〉養老. 語例 ~원 養老院. 老人ホーム.

양론【兩論】[ya:ngnon]〈名〉両論. 句例 찬부 ~으로 갈리다 賛否両論に分かれる.

양륙【揚陸】[yangnyuk]〈名〉揚陸. 河岸揚げ. 荷揚げ. 水揚げ. 陸揚げ. **~하다**〈他〉揚陸する.

양립【兩立】[ya:ngnip]〈名・하自〉両立. 並立. 句例 일과 취미를 ~시키다 仕事と趣味を両立させる. 語例 ~되다 両立する.

양말【洋襪】〈名〉靴下. 句例 ~을 신다 靴下をはく / ~을 갈아 신다 靴下をはきかえる. 語例 겨울 ~ 冬用の靴下 / ~ 대님 靴下止め.

양면【兩面】[ya:ngmyŏn]〈名〉両面. 句例 물심 ~으로 도와 주다 物心両面にわたって援助する. 語例 ~ 작전 両面作戦 / ~ 테이프 両面テープ / ~ 인쇄 両面刷り.

양모【羊毛】〈名〉羊毛. 句例 ~를 깎다 羊毛を刈る.

양모【養母】[ya:ngmo]〈名〉養母. =양어머니.

양-물【洋—】〈名〉西洋の文物や風習. 句例 ~을 먹다 西洋の文物に接する.

양미-간【兩眉間】[ya:ng—]〈名〉眉間.

양민【良民】〈名〉良民.

양반【兩班】[ya:ngban]〈名〉❶〔史〕両班. ❷礼儀正しい善良な人. ❸妻が第三者に対し自分の夫を指す語: 亭主. 句例 우리 집 ~ うちの主人. ❹男性をやや敬っていう語: 方. だんな. 文例 주인 ~ 계시오 ご主人はおられますか / 그 ~은 어디서 오셨어요 あのだんなはどこから来られたのですか. ❺(職業を表わす名詞につけて)…さん. 語例 기사 ~ 運転士さん.

양반은 물에 빠져도 개헤엄은 안 한다 両班は水におぼれても犬かきはしない. 武士は食わねど高ようじ.

양반은 얼어 죽어도 겻불은 안 쬔다 両班は凍え死んでももみ殻の火には当たらない. たか(鷹)は飢えても穂をつまず.

参考 高麗・朝鮮朝時代，文官を'동반(東班)', 武官を'서반(西班)'といい, 両方を合わせて'양반(兩班)'といった.

양방【両方】[ya:ngbang]〈名〉両方. 双方. 句例 ~의 의견을 듣다 両方の意見を聞く.

*__양-배추__【洋―】〈名〉〔植〕キャベツ. かんらん(甘藍). 玉菜.

양-버들【洋―】〈名〉〔植〕ポプラ.

*__양변__【兩邊】[ya:ngbyŏn]〈名〉両辺. 両側.

양병【養兵】[ya:ngbyŏng]〈名・하自〉養兵.

양보【讓步】[ya:ngbo]〈名〉譲歩. **~하다**〈他〉譲歩する. 譲る. 句例 조금도 ~하지 않다 少しも譲らない / 노인에게 자리를 ~하다 年寄りに席を譲る. 語例 ~심 譲歩心.

**__양복__【洋服】〈名〉洋服. 背広. 句例 최고급의 맞춤 ~ 最高級のあつらえ洋服 / 낡은 ~ 古びた洋服. 疲れた洋服 / ~을 맞추다 洋服をあつらえる / ~ 한 벌 洋服一着. 語例 ~감. ~지 洋服の生地. 服地 / ~ 바지 ズボン / ~ 저고리 洋服の上着 / ~점 洋服店.

양봉【養蜂】[ya:ngbong]〈名・하自〉養蜂. 語例 ~가 養蜂家 / ~업 養蜂業.

양부【養父】[ya:ngbu]〈名〉養父. =양아버지.

양-부모【養父母】[ya:ng―]〈名〉養父母.

양분【兩分】[ya:ngbun]〈名・하他〉両分. 句例 세계를 ~하다 世界を両分する / 이익을 ~하다 利益を二分する.

양분【養分】[ya:ngbun]〈名〉養分. 栄養分. 句例 ~을 섭취하다 養分を攝取する〔とる〕.

양산【洋傘】〈名〉洋傘. こうもり傘. 傘. =박쥐 우산.

양산【陽傘】〈名〉日傘. パラソル. 句例 ~을 쓰다〔받다〕日傘を差す.

양산【量産】〈名・하他〉['대량 생산'の略] 量産. 大量生産.

양상【樣相】〈名〉様相. 有様. 状態. 様態. 句例 험악한 ~ 険悪な様相 / 심상치 않은 ~을 드러내다 ただならぬ様相を呈する.

양-상추【洋―】〈名〉サラダ菜. レタス.

양생【養生】[ya:ngsaeng]〈名・하自他〉❶養生. 摂生. 保養. ❷〔建〕養生.

양서【良書】〈名〉良書. 句例 ~를 구입하다 良書を購入する. 對악서(惡書).

양서【洋書】〈名〉洋書. 西洋の本.

양서-류【兩棲類】[ya:ngsŏ―]〈名〉〔動〕両生類. =개구리강(綱).

양성【良性】〈名〉良性. 語例 ~ 종양 良性腫瘍. 對악성(惡性).

양성【陽性】〈名〉陽性. 文例 투베르쿨린 반응은 ~이었다 ツベルクリン反応は陽性だった. 語例 ~ 모음 陽性母音 / ~ 반응 陽性反応 / ~자 陽子. プロトン / ~화 陽性化. 對음성(陰性).

양성【養成】[ya:ngsŏng]〈名〉養成. **~하다**〈他〉養成する. 仕立てる. 句例 제자를 ~하다 弟子を養成する / 법률가로 ~하다 法律家に仕立てる / 지도자를 ~하다 指導者を養成する. 語例 ~소 養成所.

양성 모음【陽性母音】[―mo:ŭm]〈名〉〔言〕陽性母音. ㅏ・ㅗ・ㅑ・ㅛ・ㅘなどがこれに属する.

양속【良俗】〈名〉良俗. 語例 미풍 ~ 美風良俗.

양-손【兩―】[ya:ngson]〈名〉両手. 句例 ~을 모아 빌다 両手を合わせて祈る〔謝る〕/ ~을 들어 올리다 両手を上げる / ~으로 들어 올리다 両手で持ち上げる / ~에 꽃 両手に花.

양-송이【洋松茸】〈名〉西洋種のまつたけ. マシュルーム.

양수【兩手】[ya:ngsu]〈名〉両手. もろて. =양손. 語例 ~ 겸장 (将棋で)両王手.

양수【揚水】〈名・하自〉揚水. 語例 ~기 揚水機 / ~ 발전 揚水発電 / ~ 펌프 揚水ポンプ.

*__양수__【陽數】〈名〉〔數〕正数. 對음수(陰數).

양수-기【量水器】〈名〉量水器. 水量計.

양-수사【量數詞】〈名〉〔言〕助数詞. →囲み記事 65

양순-하다【良順―】(→하다)〈形〉善良で従順だ. おとなしい. **양순히**〈副〉善良で従順に.

양식【良識】〈名〉良識. 句例 ~이 의심스럽다 良識が疑わしい / ~에 호소하다 良識に訴える / ~이 있다 良識がある / ~ 있는 사람 良識のある人.

양식【洋式】〈名〉['서양식'の略] 洋式. 句例 ~ 가구 洋式の家具. 對한식(韓式).

*__양식__【洋食】〈名〉洋食. 語例 ~을 먹다 洋食を食べる.

양식【樣式】〈名〉様式. 句例 생활 ~을 합리화

囲み記事 65

■ 양(量)수사 助数詞 ■

1. 助数詞の例

옷 두 벌 着物二着. 신 다섯 켤레 靴五足.
소 두 마리 牛二頭. 술 한 잔 酒一杯.
종이 두 장 紙二枚. 고기 두 근 肉二斤.
배 열〔십〕척 船十隻. 학생 구 명〔아홉 명・아홉 사람〕学生9名〔人〕. 땅 열 평 土地十坪.

なお, 年代・年数または一部の名数がつく場合は, 漢語の数詞につながれる.

구십 년대 90年代. 육 킬로미터 6km(キロメーター). 팔 그램 8グラム.

2. 慣用的な表現 '서'と'세'及び'너'と'네'

(1) '서'と'세' 同じく三を表すけれども後にくる名数によって'서' とも'세'ともなる.

서 ―― 금 서 돈 金3匁. 쌀 서 말 米3斗. 엽전 서 푼 びた3文.

석 ―― 보리 석 섬 麦3石. 종이 석 장 紙3枚.

(2) 同じく四を表す '너'と'네'

너 ―― 쌀 너 말 米4斗. 좁쌀 너 되 あわ4升.

넉 ―― 돈 넉 냥 銭4両. 자동차 넉 대 自動車4台. 쌀 넉 섬 米4石・4俵.

◎時に関する読みかたは, 囲み記事58 '時間を表すことば'を参照.

하다 生活の様式を合理化する / 판에 박힌 ~ 型にはまった様式. 語例 ~미 様式美 / 건축 ~ 建築様式 / 표현 ~ 表現様式.

양식【養殖】[ya:ngshik]〈名・하他〉養殖. 句例 진주를 ~하다 真珠を養殖する. 語例 인공 ~ 人工養殖 / ~업 養殖業 / ~장 養殖場 / ~되다 養殖される.

表現 おもに, 魚介や海藻などについていう.

양식【糧食】〈名〉糧食. 糧. 句例 ~이 떨어지다 食糧が尽きる / 먹는 ~과 마음의 ~ 食べる糧と心の糧.

양실【洋室】〈名〉洋室. 洋間.

양심【良心】〈名〉良心. 句例 ~의 자유 良心の自由 / ~의 가책 良心の呵責 / ~적인 가게 良心的な店 / ~에 찔리다 良心がとがめる / ~에 호소하다 良心に訴える / ~이 있다 良心がある.

양-쌀【洋一】〈名〉西洋産の米.

表現 台湾米・安南米なども含めて一般に外国産の米を言うこともある.

양-아들【養一】[ya:ng—]〈名〉⇨ 양자(養子)

양-아버지【養一】[ya:ng—]〈名〉⇨ 양부(養父)

양-아치〈名〉'넝마주이 くず拾い'の俗っぽい言いかた: ばた屋.

양악【洋樂】〈名〉['서양 음악'の略] 洋楽. 語例 ~기 洋楽器.

양약【良藥】〈名〉良薬. 語例 ~ 고구(苦口) 良薬は口に苦いこと.

양약【洋藥】〈名〉西洋医学の薬. 新薬. 西洋薬.

양-약국【洋藥局】〈名〉主に韓方薬以外の薬を売る薬局.

양-약재【洋藥材】〈名〉西洋薬の薬材. 對 한약재.

양양-하다【洋洋一】(→하다)〈形〉洋洋としている. 句例 양양한 앞길 洋洋たる前途 / 전도가 양양한 청년 前途洋洋たる青年.

양양-하다【揚揚一】(→하다)〈形〉揚揚としている. 句例 의기 양양하게 개선하다 意気揚揚と凱旋する.

양어【養魚】[ya:ng-ŏ]〈名・하自〉養魚. 語例 ~장 養魚場.

양-어머니【養一】[ya:ng—]〈名〉⇨ 양모(養母)

양-어버이【養一】[ya:ng—]〈名〉⇨ 양부모

양여【讓與】[ya:ng-yŏ]〈名・하他〉譲与. 語例 ~세 譲与税.

***양옥**【洋屋】〈名〉洋館. ＝양옥집.

양요【洋擾】〈名〉〔史〕西洋人によって起こされた事変.

参考 1866年, フランス軍艦が江華島を攻撃した事変'병인양요(丙寅洋擾)'と 1871年, アメリカの軍艦が江華島を攻撃した'신미양요(辛未洋擾)'などがある.

양-요리【洋料理】[—nyori]〈名〉['서양 요리'の略] 西洋料理.

양용【兩用】[ya:ng-yong]〈名〉両用. ＝겸용(兼用). 語例 수륙 ~ 水陸両用.

양원【兩院】[ya:ng-won]〈名〉両院. 二院. 語例 ~제 両院制. 二院制.

양위【讓位】[ya:ng-wi]〈名・하自〉譲位.

양육【養育】[ya:ng-yuk]〈名〉養育. **~하다**〈他〉養育する. はぐくむ. 育てる. 語例 ~비 養育費 / ~원 養育院.

양-으로【陽一】〈副〉陽に. 句例 음으로 ~ 도와주다 陰に陽に援助を与える.

양은【洋銀】〈名〉洋銀. アルマイト. 語例 ~ 그릇 洋銀製の器.

양의【洋醫】〈名〉洋医.

양이【攘夷】[ya:ng-i]〈名・하自〉攘夷. 語例 ~론 攘夷論.

양-이온【陽ion】〈名〉〔物〕陽イオン. 對 음이온.

양인【洋人】〈名〉['서양인'の略] 洋人. 西洋人.

양일【兩日】[ya:ng-il]〈名〉両日. 二日. 語例 ~간 両日間. 二日間.

양자【兩者】[ya:ngja]〈名〉両者. 両人. 両方. 語例 ~ 택일 両者択一.

양자【陽子】〈名〉〔物〕⇨ 양성자(陽性子)

양자【量子】〈名〉〔物〕量子.

양자【養子】[ya:ngja]〈名〉養子. 養い子. もらい子. ＝양아들. **~하다**〈他〉養子にする. 句例 ~를 가다 養子に行く / ~를 세우다 養子を定める / ~를 들이다 養子をとる / ~를 들다 養子入りする. 語例 ~ 결연 養子縁組.

양잠【養蠶】[ya:ngjam]〈名・하自〉養蚕. 語例 ~업 養蚕業.

양장【洋裝】〈名・하自他〉洋装. 語例 ~ 미인 洋装美人 / ~점 洋装店 / ~본(本) 洋装本. 洋とじ本.

양재【洋裁】〈名〉洋裁. 語例 ~ 학교 洋裁学校.

양-재기【洋一】〈名〉エナメル引きの器.

参考 今は, アルミニウムやアルマイトの器をふくめていう.

양-잿물【洋一】[—jaenmul]〈名〉洗濯用の苛性ソーダ.

양적【量的】[yangtchŏk]〈名・冠〉量的. 句例 ~으로 많다 量的に多い. 對 질적(質的).

양-전기【陽電氣】〈名〉〔物〕陽電気. 對 음전기.

양-전자【陽電子】〈名〉〔物〕陽電子.

양-접시【洋一】〈名〉洋皿.

양-젖【羊一】〈名〉羊の乳.

양조【釀造】[ya:ngjo]〈名・하他〉醸造. 語例 ~업 醸造業 / ~장 醸造場.

양주【洋酒】〈名〉洋酒.

양주【兩主】[ya:ngju]〈名〉'부부(夫婦)'のくだけた言いかた: 夫婦.

양즙【䏣汁】[ya:ngjŭp]〈名〉細切りにした牛の胃袋を煮詰めてしぼった汁.

양지【洋紙】〈名〉洋紙.

양지【陽地】〈名〉ひなた(日向). 文例 ~로 나가서 볕을 쬐다 日なたに出て, ひなたぼっこをする. 語例 ~쪽 日なたの方 / ~ 식물 陽生植物. 對 음지(陰地) 식물.

양지가 음지 되고 음지가 양지 되다 日なたが日陰になり日陰が日なたになる. 天下は回り持ち.

양지 바르다 日当たりがよい. 句例 양지 바른 곳 日当りのよいところ.

양지【諒知】〈名・하他〉了知. 承知.

ㅇ

양지-머리 〈名〉牛の胸の肉.
양질 【良質】〈名〉良質. 句例 ～의 종이 良質の紙. 對악질(惡質).
양-짝 【兩—】[ya:ngtchak]〈名〉一対.
*양-쪽 【兩—】[ya:ngtchok]〈名〉両方. 双方. 句例 ～ 겨드랑이 両わき / ～의 주장을 듣다 双方の言い分を聞く.
양차 【兩次】[ya:ngch'a]〈名〉両次. 二度. 二回. 句例 ～의 대전 両次の大戦.
양-차다 【量—】〈自〉❶たらふくだ. 満腹だ. ❷満足だ. (心に)かなう.
양찰 【諒察】〈名・하他〉了察. 文例 아무쪼록 ～하여 주십시오 なにとぞご了察ください.
양처 【良妻】〈名〉良妻. 語例 현모 ～ 良妻賢母. 對악처(惡妻).
양철 【洋鐵】〈名〉['서양철(西洋鐵)'の略] ブリキ. 語例 ～ 가위 ブリキばさみ. 金ばさみ / ～통 ブリキ缶 / ～공 ブリキ屋.
양초 【洋—】〈名〉ろうそく.
양춘 【陽春】〈名〉陽春. ❶陰暦正月の別称. ❷暖かい春. 語例 ～ 가절 陽春佳節.
양-춤 【洋—】〈名〉洋式の踊り. 特に, 社交ダンス.
양측 【兩側】[ya:ngch'ŭk]〈名〉❶両方. 句例 ～의 대표 両方の代表. ❷両側. 句例 길 ～에 나무를 심다 道の両側に木を植える.
양치 【養齒】[ya:ngch'i]〈名・하自〉['양치질'の略] 歯を磨き口をすすぐこと. 句例 소금물로 ～하다 塩水で口をすすぐ. 語例 양칫물 うがい水.
양-치기 【羊—】〈名〉羊飼い.
양치-식물 【羊齒植物】[—shingmul]〈名〉しだ植物.
양치-질 【養齒—】[ya:ngch'i—]〈名・하自〉塩や歯磨きで歯を磨き水で口をすすぐこと.
양친 【兩親】[ya:ngch'in]〈名〉両親. 二親. 父母. 句例 ～을 여의다 両親を失う / ～의 사랑을 한 몸에 받다 両親のちょう(寵)を一身に集める.
양키 〈名〉ヤンキー. アメリカ人の俗称. 語例 ～ 기질 ヤンキーかたぎ. ◇Yankee
양-탄자 【洋—】〈名〉絨緞. 毛氈. カーペット.
양태 【様態】〈名〉様態. 状態. 様子. 様さま. 様相.
양-털 【羊—】〈名〉羊毛. ウール. 語例 ～실 毛糸.
*양-파 【洋—】〈名〉〔植〕たまねぎ(玉葱).
*양-팔 【兩—】[ya:ngp'al]〈名〉両腕. 語例 ～ 저울 てんびん(天秤).
양편 【兩便】[ya:ngp'yŏn]〈名〉両側. 両方. 語例 ～짝〔쪽〕両側の方.
양푼 〈名〉真鍮製の鉢. 絵
参考 食べ物を入れたり温めるのに使う.

〈양푼〉

양품 【洋品】〈名〉洋品. 語例 ～점 洋品店.
양풍 【良風】〈名〉良風. 語例 ～ 미속 良風美俗.
양풍 【洋風】〈名〉['서양풍(西洋風)'の略] 洋風.
양피 【羊皮】〈名〉羊皮. キッド. 語例 ～지 羊皮紙.
양항 【良港】〈名〉良港. 句例 천연의 ～ 天然の良港.
양해 【諒解】〈名・하他〉了解. 句例 ～를 얻다 了解をえる / ～를 구하다 了解をもとめる / 아무런 ～도 없이 何の断りもなしに.
양형 【量刑】〈名〉量刑. 句例 부당한 ～ 不当な量刑.
양호 【養護】[ya:ngho]〈名・하他〉養護. 語例 ～ 교사 養護教師 / ～실 養護室.
양호-하다 【良好—】(→하다)〈他〉良好だ. 句例 성적이 ～ 成績がよい.
양화 【良貨】〈名〉良貨. 對악화(惡貨).
양화 【洋靴】〈名〉⇨ 구두. 語例 ～점 靴屋.
양화 【洋畫】〈名〉洋画. 語例 ～가 洋画家.
양회 【洋灰】〈名〉セメント.
*얕다 〈形〉浅い. 句例 물이 ～ 水が浅い / 얕은 소견 浅はかな考え / 얕은 수작 浅はかな策 / 견식이 ～ 見識が浅い. 語例 얕게 浅く / 얕아지다 浅くなる. 對깊다.
얕디-얕다 〈形〉とても浅い.
*얕-보다 〈他〉さげすむ. 見下げる. 軽んじる. 見くびる. おとしめる. 句例 가난한 사람을 ～ 貧しい人を軽んじる / 벌이가 적다고 ～ もうけが少ないとさげすむ / 사람을 ～ 人を軽んじる / 체구가 작다고 ～ からだが小さいとてなめる / 상대를 ～ 相手を見下ろす. 文例 사람을 얕보지 마라 人をばかにするな.
얕은-꾀 [yat'ŭn—]〈名〉あさはかな知恵. 句例 ～에 넘어가다 浅知恵に乗せられる.
얕은-맛 [yat'ŭn—]〈名〉あっさりした味.
얕-잡다 〈他〉甘く見る. 侮る. さげすむ. みくびる. 句例 가난하다고 얕잡아 보다 貧しいとて侮る.
얕추 〈副〉さげずんで. あなどって. 浅く. 見下げて. 句例 ～ 보다 見下げる.
애[1] 〈名〉〔言〕ハングルの字母'ㅐ'の名称.
*애[2] [yae:]〈名〉['이 애'の略] この子. 文例 ～랑 같이 가거라 この子といっしょに行きなさい.
애[3] [yae:]〈感〉❶あら. まあ《女》. やあ. おお. へえ. 文例 놀랐다, ～ あら, おどろいたわ / ～ 참 잘했다 やあ, でかしたぞ. ❷['이 애'の略] おい. ちょっと. 文例 ～ 이리 와라 ちょっとこっちへ来て(ごらん).
表現 ②は, 子供どうし, または大人が子供に向かって呼びかける語.
*얘기 [yae:gi]〈名〉'이야기'の略: 話. ～하다〈自他〉話をする. 話す. 語る. 句例 ～를 꺼내다 話を引き出す / ～를 계속하다 話を続ける / ～를 시작하다 話を始める. 文例 이 ～는 안 들은 걸로 합시다 この話は聞かなかったものとしましょう.
얘깃-거리 [yae:gitkŏri]〈名〉'이야깃거리'の略: 話の種. 言い草. 語り草.
얘야 [yae:ya]〈感〉['이 애야'の略] 坊や. お嬢ちゃん. 文例 ～ 이리 오너라 坊や, こちらにおいで / ～ 네 이름은 뭐니 お嬢ちゃん, あんたの名前は何.
얜 [yae:n]['이 애는'の略] この子は. 文例 ～ 놀

기만 한다 この子は遊んでばかりいる.

앨 [yae:l] ['이 애를'の略] この子を. 文例 ~ 꾸짖지 마세요 この子をしからないでください.

어[1] 〈名〉〔言〕ハングルの字母'ㅓ'の名称.

어[2] 〈感〉❶軽い驚き, またはじれったい心情を表わす語: あっ. あれ. 文例 ~, 돈이 없어졌다 あっ, 金がなくなったぞ / ~, 왜 이렇게 기다리게 하나 ああ, 何でこんなに待たせるのかな! ❷急に思い当たったとか相手の注意をうながすときの語: おう. ああ. さあ. 文例 ~, 이제야 생각이 난다 おお, 今ようやく思い出した / ~, 돌아갈 셈인가 なに, 帰るつもりかね.

어[3] 〈感〉❶感嘆したときに出す語: ああ. おう. やあ. 文例 ~, 참 훌륭하구나 ああ, 見事だね / ~, 참 아름답구나 やあ, きれいだね. ❷目下や友達どうしで答えるときの語: ああ. おう. 文例 ~, 곧 가겠다 おう, すぐ行くぜ.

어 〔漢字項目〕

【御】 高校 어 ギョ. ゴ. ❶말을 부림 馬を御すること. ◧御者 어자 ぎょしゃ. ❷뜻대로 다루는 것 思うままに操ること. ◧制御 제어 せいぎょ. 統御 통어 とうぎょ. ❸(공격을) 막는 것 防ぐこと. ◧防御 방어 ぼうぎょ. ❹천자와 관계되는 것에 존경의 뜻으로 붙이는 접두어 天子と関係のある物事に尊敬の意でつける接頭語. ◧御所 어소 ごしょ. 御用 어용 ごよう. 御殿 어전 ごてん.

【漁】 中學 어 ギョ. リョウ. ❶고기잡이 魚をとること. ◧漁撈 어로 ぎょろう(漁労). 漁船 어선 ぎょせん. 漁場 어장 ぎょじょう. ぎょば. 漁村 어촌 ぎょそん. ❷고기를 낚다 魚を釣る. ◧漁釣 어조 ぎょちょう. ◧豊漁 풍어 たいりょう(大漁).

【語】 中學 어 ゴ. ❶말하다 かたる. ◧語感 어감 ごかん. 語氣 어기 ごき. 語意 어의 ごい. ❷말 ことば. ◧語錄 어록 ごろく. ◧言語 언어 げんご. 單語 단어 たんご.

【魚】 中學 어 ギョ. ❶물고기 うお. さかな. ◧魚介 어개 ぎょかい. 魚類 어류 ぎょるい. ◧大魚 대어 たいぎょ. 稚魚 치어 ちぎょ. ❷물고기 모양을 한 것 魚のようすをしたもの. ◧魚雷 어뢰 ぎょらい. 魚拓 어탁 ぎょたく.

어간【語幹】[ŏ:gan]〈名〉〔言〕語幹. 對어미(語尾).
参考 '믿는다 信じる' '믿고, 믿어 信じて'の'믿'が語幹. '믿다'を基本形と言う.

어감【語感】[ŏ:gam]〈名〉語感. 句例 ~이 좋다 語感がいい / ~이 다르다 語感が違う.

어개-류【魚介類】〈名〉魚介類=어패류.

어거-하다【御―】[ŏ:gŏ―](→하다)〈他〉❶牛馬を御する. ❷制御する.

어구【語句】[ŏ:gu]〈名〉語句.

어구【漁具】〈名〉漁具.

어군【魚群】〈名〉魚群. 語例 ~ 탐지기 魚群探知機.

어귀〈名〉入り口. 語例 마을 ~ 村の入り口.

어그러-지다〈自〉❶それる. ❷外れる. くい違う. 句例 기대에 ~ 期待に外れる. ❸仲たがいになる. 句例 사이가 ~ 仲たがいする.

어근【語根】[ŏ:gŭn]〈名〉〔言〕語根.
参考 '읽다 読む', '먹이 えさ', '평화롭다 平和である'などの'읽''먹''평화'をさす. この語根だけで, または外の言葉がついて語幹になる.

어글어글-하다 [ŏgŭrŏgŭl―]〈形〉目鼻だちが大づくりである.

어금-니〈名〉奥歯. 臼歯.
어금니를 악물다 奥歯をくいしばる.

어긋-나다 [ŏgŭnnada]〈自〉❶外れる. 句例 다리뼈가 ~ 脚の骨が外れる. ❷行き違う. 句例 길이 ~ 互いに行き違う. ❸食い違う. ずれる. 句例 예상이 ~ 予想が狂う / 기대에 어긋나는 행동 期待に添わない行動. ❹⇨어그러지다

어긋-매끼다 [ŏgŭn―]〈他〉適当に食い違えて合わす. 互い違いにする.

어긋-물리다 [ŏgŭn―]〈他〉互い違いに組み合わせる.

***어기다**〈他〉(約束・命令などを)守らない. 破る. たがえる. 背く. 句例 약속을 ~ 約束をたがえる / 기일을 ~ 期日を破る / 명령을 ~ 命令に背く / 법을 ~ 法律を破る.

어기야〈感〉'어기야디야'の略.

어기야-디야〈感〉船頭が舟をこぐときの掛け声: えんやこりゃ. えんやら(や).

어기어-지다〈自〉❶たがえるようになる. ❷⇨어그러지다

어기적-거리다〈自〉足を不自由に動かしながら歩く. 句例 다리를 다쳐 걸음을 ~ 足のけが(怪我)でよたよたと歩く.
어기적어기적 [ŏgijŏgŏgijŏk]〈副・하自〉よたよた.

어김-없다 [ŏgimŏpta]〈形〉間違いない. 確かだ. たがえる事がない. 文例 그는 어김없는 사람이다 その人は間違いない人間だ. **어김없이** [ŏgimŏpshi]〈副〉間違いなく. たがわず. たがえることなく. 文例 ~ 온다 きっと来る.

어깃-장〈名〉ことさらにたて突くこと. 刃向かい. 反抗.
어깃장(을) 놓다 さからってたて突く. 刃向かう.

****어깨**〈名〉肩. ❶腕の付け根から首までの部分. 句例 ~를 두드리다 肩をたたく / ~가 뻐근하다 肩が凝る / ~를 주무르다 肩をもむ. 語例 ~걸이 ショール / ~너머글 耳学問 / ~뼈〔生〕肩甲骨 / ~통 肩幅 / 어깻바대 肩あて / 어깻짓 肩を動かす動作.
❷襟とそでぐりの間.
❸責任や使命. 句例 ~가 무겁다 肩が重い.
❹'깡패'の俗っぽい言いかた: やくざ. ごろつき.
어깨가 가벼워지다 肩が軽くなる. 肩の荷が下りる.
어깨가 무겁다 担われた重責が重荷になる.
어깨가 움츠러 들다 肩身が狭くなる.
어깨가 처지다 肩を落とす.
어깨로 숨을 쉬다 肩で息をする.
어깨를 겨누다 肩を並べる. 対等の地位で張

はり合う．'어깨를 겨루다'とも言う．

어깨를 나란히 하다 肩を並べる．❶並んで立つ．並んで歩く．❷'어깨를 겨누다'のこと．

어깨를 으쓱거리다 肩をそびやかす．

**어깨-동무 〈名〉❶肩を組むこと．❷幼友達．

어깨-총 〈名・感〉担え銃つ．

어깨-춤 〈名〉興がわいて肩を上下に動かすこと．また，そのような踊り．

어깻-바람 〈名〉得意になって肩をそびやかすこと．調子に乗って腰軽に立ち回ること．

어깻-죽지 〈名〉肩先．肩口．

어눌-하다【語訥―】[ŏ:nul―]（→하다）〈形〉訥弁だ．

**어느 〈冠〉❶どの．句例 ～ 사람 どの人 / ～ 사이에 いつの間にか．文例 ～ 책을 읽었느냐 どの本を読んだの / ～ 때고 놀러 오세요 いつでも遊びに来てください．❷ある．とある．句例 ～ 날 ある日 / ～ 정도까지 ある程度まで．文例 ～ 경우에는 그것은 옳을 수 있다 ある場合にはそれは正しい事であり得る．

어느 겨를에 いつの間にか．

어느 누구 '누구'の強調語．だれ（誰）．文例 ～의 짓이냐 だれの仕業か．

어느 동네 아이 이름인줄 아나 どの村の子供の名だと思うのか．ある金高をあまり軽んじるなとなじ（詰）ることば．文例 100만 원이 ～ 百万ウォンをそう軽軽しく口にしてはだめだよ．

어느 세월에 いつになったら．＝어느 천년（千年）에．文例 ～ 어른이 될꼬 いつになったら大人になろうか．

어느 장단에 춤을 추어야 옳은지 どの調子に合わせて踊ればいいのやら．方方からの指図で迷うことのたとえ．

어느 하가（何暇）에 いつの日になったら．

어느-쪽 〈名〉どちら．どの方向．どちら側．どっち．文例 ～이 낫습니까 どっちのほうがいいのですか．

*__어두워-지다__ 〈自〉❶暗くなる．❷（視力・聴力などが）弱くなる．❸（世の中のことに）疎くなる．

어두-육미【魚頭肉尾】[―yungmi]〈名〉魚は頭のほうが，獣は尾のほうがうまいということ．

어두컴컴-하다（→하다）〈形〉薄暗い．

어둑어둑-하다 [ŏdugŏduk'ada]（→하다）〈形〉（たそがれになり）薄暗い．ほの暗い．

*__어둑-하다__ [ŏduk'ada]（→하다）〈形〉❶薄暗い．❷人擦れしていなくてうぶ（初）だ．

*__어둠__ 〈名〉暗がり．暗やみ．やみ（闇）．句例 ～ 속으로 사라지다 暗やみにまぎれる / ～이 깔리다 暗やみになる / ～ 속에서 양초를 찾다 暗がりでろうそくを探す．語例 ～상자 暗箱．

어둠침침-하다（→하다）〈形〉暗い．

**어둡다 (어두우니，어두워서)〈形〉❶暗い．句例 날이 저물어서 ～ 日が暮れて暗い．語例 어둡게 暗く．❷（視力・聴力などが）弱い．句例 밤눈이 ～ 夜目が弱い / 귀가 ～ 耳が遠い．❸（物事に）疎い．うかつ（迂闊）だ．句例 세상 일에 ～ 世事に疎い．/ 잇속에 ～ 実利に暗い．❹（表情などが）暗い．句例 표정이 ～ 表情が暗い．▷反밝다．

**어디 ㊀〈代〉❶どこ．どちら．文例 ～서 오셨습니까 どちらからおいでなさいましたか / ～쯤 갔을까 どこら辺りまで行ったろうか / 그 까닭이 ～에 있나 その理由がどこにあるのか / ～선가 들은 것 같다 どこかで聞いたようだ．語例 ～나 どこにも / ～든（지）どこでも / ～론가〔론지〕どことなく / ～까지나 あくまでも．

❷どこか．文例 ～ 괜찮은 다방이라도 없어요 どこかいい喫茶店でもありませんか / ～ 가셨는데요 どこかに出かけましたけど．

❸（'어딘지' '어딘가'の形で）なんとなく．どことなく．どこか．文例 어딘가 다르다 どこか違う / 어딘지 모르게 병이 있는 것 같다 どことなく病気があるようだ．

㊁〈感〉❶念を押したり何かをねらう意を強調する語：よし．ようし．文例 ～，두고 보자 よし，今に見ろ．よし，覚えておけ / ～，보자 さあ，見みせてごらん．

❷反問を強調する語：そもそも．一体．文例 ～ 그게 될 법이나 한 일이오 そもそもそれができそうな事と思いますか．

어디 개가 짖느냐 한다 どこの犬がほえるやら．てんで人の話を聞こうともしないとの意．

어디여 [ŏdiyŏ:]〈感〉牛が道をそ（逸）れる時正す掛け声：どうどう．略して'어디'ともいう．

*__어때__ ['어떠해'の略] どうだい．文例 그럼 ～ それでいいじゃないか / ～，근사하지 どうだい，いかすだろう．

*__어떠-하다__（→하다）〈形〉どうである．どういうふうだ．略して'어떻다'ともいう．文例 자네의 통증은 어떠한가 君の痛みはどうかね / 어떠한 일이라도 해낸다 いかなる事でも成し遂げる．

어떡-하다 [ŏttŏk'ada]（→하다）〈他〉['어떠하게 하다'の略] いかにする．どんなにする．どういうふうにする．文例 그럼 난 어떡한다 では僕はどうすればいいかな．

*__어떤__ 〈冠〉['어떠한'の略] ある．どんな．どのような．どの．句例 ～ 사람의 일생 ある人の一生．文例 ～ 놈이냐 どんなやつなのか．

*__어떻게__ [ŏttŏk'e]〈副〉['어떠하게'の略] ❶どんなに．どういうふうに．いかに．どう．文例 ～ 되어도 손해는 없다 どう転んでも損はしない / 성함은 ～ 되십니까 お名前はなんとおっしゃいますか / ～ 만들면 되지 どんなに作ったらいいんだい / ～ 해서라도 이겨야 한다 どうしてでも勝たなければならない / 자네라면 ～ 하겠나 君ならどうする．❷どうして．なんで．文例 ～ 오셨습니까 なにか御用でもございますか．❸どうにか．文例 ～ 되겠죠 どうにかなるでしょう．

**어떻다 [ŏttŏt'a]（어떠니，어떠오）〈形〉'어떠하다'の略．文例 그게 ～는 말인가 それがどうだと言うのだ / 이렇게 하면 어떻겠는가 こうしたらどうかね．

어떻든지 [ŏttŏt'ŭnji]〈副〉['어떠하든지'の略] どうあろうとも．いずれにしても．文例 ～ 가 보아라 どうあろうとも行ってみなさい / ～ 잘못은 네게 있다 いずれにしても誤ちはお前にある．

어뜩 〈副〉 ちらっと．ちらりと．文例 ～ 그를 봤다 ちらっと彼を見た．

어뜩-하다 [ŏttŭk'ada] (→하다) 〈形〉 急にふらふらする．くらくらする．

表現 語感の小さい語は'아뜩하다'．

어란【魚卵】〈名〉 塩干しにした魚の卵．からすみ．

어럽쇼 〈感〉 '어어 あっ．おお'の俗っぽい言いかた：おやっ．文例 ～, 이게 어떻게 된 일인가 おっと，こりゃどうなったことだい．

어레미 〈名〉 目の粗いふるい(篩)．

어려움 〈名〉 難しさ．困難．句例 ～을 이겨 내다 困難を克服する．

어려워-하다 (→하다) 〈他〉 ❶(目上の人に)気兼ねする．文例 그렇게 어려워하지 말고 앞으로 나오너라 そんなに気兼ねしないで前に出て来なさい．❷(仕事で)骨が折れて力む．難しがる．

어련무던-하다 (→하다) 〈形〉 ❶さほど悪くない．無難だ．文例 어련무던한 솜씨다 さほど悪くない腕前だ．❷善良でおとなしい．円満だ．文例 외모와는 달리 ～ 見掛けによらずおとなしい．**어련무던히** 〈副〉 無難に．あたりさわりなく．

어련-하다 (→하다) 〈形〉 さほど間違いはない．違うはずがない．文例 자네의 기억이니 어련하겠나 君の記憶だもの間違いがあろうか．**어련히** 〈副〉 間違いなく．確かに．

表現 '確かでなくあいまいだ'の意で，必ず疑問形に用いられ，確かな事を強く表わす．

어렴-성 [—ssŏng] 〈名〉 遠慮．気兼ねすること．句例 ～이 없다 気兼ねする心構えがない．

어렴풋-이 [ŏryŏmp'ushi] 〈副〉 ❶ぼんやりと．おぼろげに．❷かすかに．❸うつらうつらと．文例 하도 피곤해서 나도 모르게 ～ 잠이 들었다 とても疲れていたので我知らずにうつらうつらと眠りついた．

***어렴풋-하다** [ŏryŏmp'ut'ada] (→하다) 〈形〉 ❶(記憶が)ぼんやりしている．おぼろげだ．文例 어린 시절의 기억이 ～ 幼いころの記憶がぼんやりする．❷(光や音が)かすかだ．句例 기적 소리가 ～ 汽笛の音がかすかに聞こえる．❸(眠りが)浅い．うつらうつらする．

어렵【漁獵】〈名〉 漁猟．❶漁業と狩猟．語例 ～ 시대 漁猟時代．❷漁業．語例 ～선 漁猟船．

****어렵다** (어려우니, 어려워서) 〈形〉 ❶難しい．困難だ．難儀だ．句例 이해하기 ～ 分かりにくい．理解に苦しむ / 어려운 일 難しい仕事．❷貧しい．句例 어려운 살림 貧しい暮らし / 어렵게 살다 暮らしに事欠く．❸気難しい．❹(病が)重い．❺(目上の人が)近寄りがたい．気兼ねする．❻すまない．文例 어렵지만 부탁 좀 들어다오 すまないが，頼みを聞いてくれ．

어려운 걸음을 하다 めったに行かれない所を訪ねる．文例 먼길에 어려운 걸음을 하셔서 감사합니다 遠路をはるばるお越しくださいましてありがとうございます．

어로【漁撈】〈名・하他〉 漁労．語例 ～선 漁船 / ～ 감독선 漁労監督船．

어록【語錄】[ŏ:rok] 〈名〉 語録．

어뢰【魚雷】〈名〉 魚雷．句例 ～를 발사하다 魚雷を発射する．語例 ～정 魚雷艇．

***어루-만지다** 〈他〉 ❶な(撫)でさする．なでる．さする．句例 오월의 훈풍이 뺨을 ～ かぐわしいさつき(五月)の風がほおをなでる / 수염을 ～ ひげをなでる．❷いたわる．慰撫する．句例 부하의 노고를 ～ 部下の労苦をいたわる．

***어류**【魚類】〈名〉 魚類．

어르다 [ŏ:rŭda] (어르니, 얼러서) 〈他〉 あやす．すかす．句例 우는 아이를 ～ 泣く子をあやす．

어르고 뺨치기 口に蜜，腹に剣．

어르신 〈名〉 ['어르신네'の略] ❶相手の父の敬称．❷父の友，または老人の敬称．お年寄り．ご老人．

****어른** [ŏ:rŭn] 〈名〉 ❶大人．＝성인(成人)．文例 ～이 다 됐다 すっかり大人になった．❷目上の人．句例 ～을 공경하다 目上の人を敬う．❸他人の父の敬称．文例 자네 ～께서 찾아오셨네 君のお父様がおいでになったよ．**～스럽다** (→스럽다) 〈形〉 (子供が)大人びている．大人っぽい．

어른 뺨치겠다 大人のほっぺたを殴るほどだ．(子供が)大人も及ばないほど利口だとの意．

어른-거리다 〈自〉 ❶ちらつく．ちらちらする．見えがくれする．句例 나뭇잎 사이로 먼 산이 ～ 木の間に遠くの山が見えがくれする．❷影がかすかに動く．❸ゆらめく．ゆらゆらする．句例 물에 비친 모습이 ～ 水にうつった姿がゆらゆらする．

어른어른 [ŏrŭnŏrŭn] 〈副・하自〉 ちらちら．ゆらゆら．

어름 [ŏ:rŭm] 〈名〉 ❶二つの物が接するところ．❷物と物の真ん中．句例 ～에 놓인 물건 真ん中におかれた物．▷→囲み記事 66

어름-거리다 〈自他〉 ❶言動がはっきりしない．ぐずぐずする．句例 아리송한 태도로 ～ はっきりしない態度でぐずぐずする．❷いいかげんに片付ける．

어름어름 〈副・하自他〉 [ŏrŭmŏrŭm] ぐずぐず．いいかげんに．

어리 〈名〉 ❶(ひよこなどにかぶせて飼う)はぎ(萩)で編んだ丸い鳥かご．❷(鶏などを入れて売り歩く)背負いかご．

어리광 〈名〉 甘えること．**～스럽다** (→스럽다) 〈形〉 甘ったれだ．

어리광(을) 떨다 甘える．甘ったれる．

어리광(을) 부리다 甘えてかかる．

囲み記事 66

■ '어름'と'얼음' ■

二語はほぼ等しく[ŏrŭm]と発音されるが意味は全く違う．

어름　物と物の触れ合うところ —— 바다와 하늘이 닿은 어름이 수평선이다 海と空の触れ合ったところが水平線である．

얼음　氷 —— 얼음이 얼다 氷が張る．

ㅇ

어리광(을) 피우다 ひどく甘える.
어리-굴젓 〈名〉 とうがらし(唐辛子)粉を混ぜたかき(牡蠣)の塩辛.
*__어리다__[1] 〈自〉 ❶涙ぐむ. 目がうるむ. 句例 눈에 눈물이 ～ 目に涙がにじむ〔浮かぶ〕. ❷こ(凝)ごる. こもる. 句例 피가 ～ 血がこごる / 정성 어린 선물 真心のこもった贈り物 / 설움이 어린 표정 悲しみのこもった表情. ❸目がくらむ. まぶしい. 文例 눈이 어려 잘 안 보인다 目がくらんでよく見えない.
**__어리다__[2] 〈形〉 ❶幼い. 文例 내 딸은 아직 ～ うちの娘はまだ幼い / 어려서부터 운동을 좋아했다 子供の時から運動を好んだ. ❷考えが足りない. ❸幼稚だ. 句例 하는 짓이 ～ することが幼稚だ〔子供っぽい〕.
어리-대다 〈自〉 ❶うろつく. うろうろする. 文例 남이 일하는데 어리대지 말고 가서 공부나 해라 人が仕事をしているのにうろつかないで, 行って勉強でもしろ. ❷ぐずつく. ぐずぐずする. 文例 어리대지 말고 썩 들어오너라 ぐずぐずせずさっさと入って来なさい.
어리둥절-하다 (→하다) 〈形〉 めんくらう. ぼやっとする. うろたえる. まごつく. 文例 느닷없는 일이라서 어리둥절해 있다 だしぬけな事なのでめんくらっている.
어리벙벙-하다 (→하다) 〈形〉 呆然とする. まごつく. 文例 느닷없이 당해서 어리벙벙했다 ～ だしぬけにやられて呆然とした.
어리석다 〈形〉 愚かだ. まぬけだ. 文例 하는 짓이 정말 ～ する事が実に愚かだ / 어리석게도 그런 놈을 믿다니 愚かにもそんな奴を信じるとは.
어리어리-하다 (→하다) 〈形〉 ❶みんな(皆)が似たり寄ったりだ. ❷みんな(皆)まぬけて見える. ぼんやりしている.
어린-것 〈名〉 ちび. ❶'어린 아이 幼子'を親しんで言う語: ちびっこ. おちびちゃん. ❷'어린 사람 幼い人'をさげすんで言う語: 小さいやつ. 文例 ～이 아는 체하지 마라 小さいくせに知ったかぶりをするな.
表現 '어린 것' は俗っぽい言いかた.
어린-년 〈名〉 '幼い女の子. 若い娘'をさげすんで言うことば.
어린-놈 〈名〉 '幼い男の子'をさげすんで言うことば: 小さいやつ. ちびっこ.
어린 소견 【一所見】 [—so:gyŏn] 〈名〉 幼い者の考え. 幼稚な考え.
*__어린-아이__ [ŏrinai] 〈名〉 幼子. 幼児. 子供. 略して'어린애'とも言う.
어린-애 [ŏrinae] 〈名〉 '어린아이'の略.
어린애 보는 데는 찬물도 마시기 어렵다 子供の見るところでは生水も飲みにくい. ❶子供のいるところでは行動に気をつけるべきだとの意. ❷好んで物まねをすることをなじることば.
어린-양 【一羊】 [ŏrinnyang] 〈名〉〔基〕 人類の罪を償った救い主としてのイエス.
*__어린-이__ [ŏrini] 〈名〉 子供. 児童. 句例 ～는 나라의 보배 子供は国の宝. 語例 ～ 신문 子供新聞 / ～ 은행 子供銀行 / ～회 子供会 / ～ 시간 (放送で)子供の時間 / ～ 헌장 児童憲章 / ～ 회관 児童会館.
어린이 장난 같다 子供っぽくてばかばかしい.
*__어린이-날__ [ŏrini—] 〈名〉 子供の日. 五月五日.
*__어림__ 〈名〉 概算. 見積もり. 見当. **～하다** 〈他〉 見積もる. 概算する. 語例 ～셈 概算. 見積もり算 / ～수 概数. およその数 / ～짐작 およその見積もり. 当て推量.
어림(을) 잡다 概算する. 見積もる. 見当をつける. 句例 어림 잡아 백만 원 大ざっぱに見積もって百万ウォン.
어림-없다 [ŏrimŏpta] 〈形〉 ❶(あまり多すぎたり大きすぎて)概算すらできない. 見当すらつかない. 句例 어림없는 크기 見当もつかない大きさ. ❷定見がない. ❸とても可能性がない. 望めない. 文例 내 힘으로는 어림없는 일입니다 わたしの力では及びもつかないことです. ❹(的などから)はるかに外れている. とんでもない. 文例 어림없는 소리 마라 とんでもないことを言うな. **어림없이** [ŏrimŏpshi] 〈副〉 とんでもなく. 途方もなく.
어릿-광대 〈名〉 ❶道化役者. ピエロ. ❷ちょうちん(提灯)持ち. 幇間.
어릿-어릿 [ŏridŏrit] 〈副・하自〉 生気がなくのそのそと.
어마 〈感〉 ⇨ 어머
어마-뜨거라 〈感〉 きゃあ. わあ. ひゃあ.
表現 非常に怖いものやぞっとするほどいやなものに出会ったとき出す語.
어마-마마 【一媽媽】 〈名〉〔宮〕 おたあ様. おたた様.
表現 王や王子がその母君を呼ぶ語.
어마어마-하다 (→하다) 〈形〉 物物しい. いかめしい. ものすご(凄)い. 句例 규모가 ～ 規模がとてつもない / 어마어마하게 큰 건물 ものすごく大きい建物.
어말 어미 【語末語尾】 [ŏ:marŏ:mi] 〈名〉〔言〕 語尾の一つ. 活用語尾のおわりの部分に付く語尾. 普通, '선어말 어미'に対して言う言葉. '먹고 食べて' '먹기 食べること'の -고, -기 など.
어머 〈感〉 ⇨ 어머나
어머나 〈感〉 まあ. あれ. あらまあ. わあ. 略して'어머'ともいう.
表現 女性がひどく驚いたとき, 思わず発する語.
**__어머니__ 〈名〉 母. おかあさん. 母親. お袋.
句例 필요는 발명의 ～ 必要は発明の母.
語例 친～ 実母. 生母 / 양～ 養母 / 의붓～ 継母 / ～ 교실 母親学校〔学級〕 / ～회 母の会.
表現 '아이고 어머니 어떡해 あら, どうしましょう'のように女性が感嘆詞的にも使う.
*__어머-님__ 〈名〉 母上. お母様.
表現 他人の母親. 嫁がしゅうとめに対して, 男の婚約者が将来の妻の母に対して用いる.
어멈 〈名〉 ❶'어머니 母'をさげすんでいうことば. ❷むかし, '既婚の女中・召し使いの女'を指した語. ❸目上の人が子のいる

目下の女を親しく呼ぶ語: 母ちゃん. 對 아범.

어명【御命】[ŏ:myŏng]〈名〉御命. 王の命令. 句例 ～이 내리다 王命が下る.

어-묵【魚一】〈名〉かまぼこ(蒲鉾). 語例 ～꼬치 おでん.

어문【語文】[ŏ:mun]〈名〉語文. 語例 ～ 일치 語文一致.

어물【魚物】〈名〉❶魚. ❷干し魚. 干物.

어물-거리다〈自〉ぐずぐずする. もたもたする.

어물어물[ŏmurŏmul]〈副・하自〉ぐずぐず. まごまご. もたもた.

***어물-전【魚物廛】**〈名〉'생선 가게 魚屋'の古めかしい言いかた.

어물전 망신은 꼴뚜기가 시킨다 魚屋の恥さらしはいいだこがさせる. 愚かな者が仲間に迷惑をかけることのたとえ.

어물쩍-거리다〈自〉(言行を)あいまい(曖昧)にする. ぼ(や)かす.

어물쩍어물쩍[ŏmultchŏgŏmultchŏk]〈副・하自〉(言動を)しきりにぼやかすさま.

어물쩍-하다[ŏmultchŏk'ada](→하다)〈自〉(言行をわざと)あいまいにする. うやむやにする. 句例 어물쩍한 적이 없다 うやむやにしたことがない.

***어미**〈名〉❶'어머니 母'をさげすんで言うことば: おふくろ. ❷しゅうと・しゅうとめが子供を産んだ後の嫁を呼ぶ語: 母ちゃん. 文例 ～를 닮아 똑똑하다 母に似て利口だ. ❸子を産んだ動物の雌. 語例 ～닭 親どり / ～개 親犬.

***어미【語尾】**[ŏ:mi]〈名〉ことばの終わりの部分. 語尾. '읽다 読む' '읽으니 読むと' '읽고 読んで'の'-다, -으니, -고'など. 語例 ～ 변화 語尾の変化. →어말 어미. 선어말 어미. 부록(付録) 어미 일람표

어미-자〈名〉主尺.

어미-젖〈名〉⇨ 모유(母乳)

어민【漁民】〈名〉漁民.

***어버이**〈名〉親. 父母. 両親. 句例 하늘보다 높고 바다보다 깊은 ～의 은혜 天より高く海より深い親の恩.

어버이-날〈名〉親の日. 五月八日.

***어법【語法】**[ŏ:ppŏp]〈名〉語法. 文法.

***어부【漁夫】**〈名〉漁師. 漁夫. ＝고기잡이. 語例 ～지리 漁夫の利.

어부바〈感〉赤ん坊におんぶすることを伝えるときの語: おんぶ. **～하다**〈自他〉おんぶする. おんぶされる. 文例 아가, ～하자 いい子だ, おんぶしようね.

어분【魚粉】〈名〉魚粉.

어-불성설【語不成説】[ŏ:bulssŏngsŏl]〈名〉話が理屈に合わないこと. 文例 네 말은 ～이야 君の言っていることは理屈に合っていないぞ.

어뿔싸〈感〉失敗を悟って悔やむときに発する語: しまった. ああ残念だ. 表現 語感の小さい語は'아뿔싸'.

어사【御史】[ŏ:sa]〈名〉〔史〕❶王命で特別な使命を帯びて地方に派遣された臨時的官職の官吏. ❷'암행 어사'の略.

어사-또【御史一】[ŏ:sa—]〈名〉〔史〕'어사(御史)'の敬称.

어-사리【漁一】〈名・하自〉網を張って魚をたくさんとること.

어사-화【御賜花】[ŏ:sa—]〈名〉〔史〕文武科の科挙合格者に王が賜った紙の造花.

어-살【魚一】〈名〉やな(梁). ひび(篊).

어살(을) 지르다 やなを打つ.

어색-하다【語塞一】[ŏ:saek'ada](→하다)〈形〉❶言葉がつかえる〔つまる〕. 言葉に窮する. ❷ぎごちない. きまり〔間〕が悪い. 句例 어색한 입장〔동작〕ぎこちない立場〔動作〕/ 어색한 관계 きまりが悪い関係 / 어색한 연기 ぎこちない演技. 語例 어색하게 ぎこちなく / 어색해지다 ぎこちなくなる. 気まずくなる.

어서〈副〉行動を促したり勧めるときの語: はやく. さあ. どうぞ. 文例 ～ 가거라 はやく行けよ / ～ 오십시오 どうぞいらっしゃいませ.

어서어서〈副〉'어서'の強調語. はやくはやく. さあさあ.

어선【漁船】〈名〉漁船.

어설프다[ŏ:sŏlp'ŭda](어설프니, 어설퍼서)〈形〉粗雑だ. なまはんかだ. 不手際だ. 句例 어설픈 지식 なまはんかな知識. **어설피**〈副〉なまはんかに. 不徹底に. なまじいに. うかつに.

어세【語勢】[ŏ:se]〈名〉語勢. 句例 ～를 높이다 語勢を強める.

어셈블리〈名〉アセンブリー. (機械などの)組み立て. 組み立て部品. ◇assembly

어소【御所】[ŏ:so]〈名〉御所.

어수룩-하다[ŏsuruk'ada](→하다)〈形〉❶うぶだ. 人ずれしていない. なまっちょろい《俗》. おめでたい. ❷(物事が)たやすい. ぼろい. 句例 어수룩한 장사 ぼろい商売.

어수선-하다(→하다)〈形〉❶取り散らかしている. ごちゃごちゃしている. 句例 어수선한 거리 ごちゃごちゃした街 / 방안이 ～ 部屋の中が取り散らかしている. 語例 어수선하게 ごたごたと〔ごちゃごちゃと〕. 散らかって. ❷気が落ち着かない. 気が乱れている. 慌ただしい. 句例 어수선한 정국 慌ただしい政局. 語例 어수선하게 落ち着かなく. もやもやと.

어순【語順】[ŏ:sun]〈名〉語順.

어스레-하다(→하다)〈形〉小暗い. 薄暗い. ほの暗い. 句例 어스레한 황혼 薄暗いたそがれ / 어스레한 달빛 薄暗い月の光.

어스름〈名〉(明け方・夕方の)ほの暗い明るさ.

어슥-어슥[ŏsŭgŏsŭk]〈副・하形〉多くのものが皆一方にゆがんで〔傾いて〕いるさま.

어슬렁-거리다〈自〉のそりのそり歩き回る. ぶらつく. うろつく.

어슬렁어슬렁〈副・하自〉のそりのそり. のそのそ.

***어슴푸레-하다**(→하다)〈形〉❶薄暗い. ほの暗い. おぼろげだ. ほのかである. 句例 어슴푸레하게 보이는 빛 ほのかに見える光 / 달이 어슴푸레하게 흐리다 月がおぼろげにかすむ. ❷か

ㅇ

すかだ．ぼんやりしている．[文例] 어슴푸레하게 기억하고 있을 뿐이다 ぼんやりと記憶しているだけである．

어슷비슷-하다 [ŏsŭtpisŭt'ada] (→하다)〈形〉❶似たり寄ったりだ．似通っている．[句例] 실력이 ～ 実力が似たり寄ったりだ．㊫비슷비슷하다．❷あっちに傾いたりこっちに傾いたりして一様でない〔ふぞろいだ〕．

어슷-하다 [ŏsŭt'ada] (→하다)〈形〉斜めぎみだ．傾いている．[句例] 어슷하게 자르다 斜めに切る．

어슷어슷 [ŏsŭdŏsŭt]〈副・하形〉多くのものがやや傾いているさま．

어시【魚市】〈名〉'어시장'の略．

어시스트〈名・하他〉アシスト．◇assist

어-시장【魚市場】〈名〉魚市場．略して'어시'ともいう．

어썩〈副・하自他〉果物・野菜などをかむさま．また，その音：ばりばりと．がりがりと．さくさくと．

[表現] 語感の小さい語は'아싹'．語勢の弱い語は'어석'．

어안 렌즈【魚眼lens】〈名〉〔物〕魚眼レンズ．

*어안이 벙벙하다 [ŏ:ani--] (→하다) あっけにとられる．唖然とする．あきれてものがいえない．あっけらかんとする《俗》．[文例] 너무나 일방적인 처사라서 ～ 余りに独善的な処置なのであっけにとられている／어안이 벙벙하여 말이 안 나온다 あっけにとられて声〔ことば〕も出ない．

어야-디야〈感〉'어기야디야'の略：えんやこりゃ．

어-어 [ŏ:—]〈感〉意外なことに出会ったとき出す声：あっ．おお．

어언【於焉】〈副〉'어언간'の略．[文例] 학교를 나온지 ～ 10년이 지났다 学校を出てはや十年が過ぎた．

어언-간【於焉間】〈副〉いつのまに(か)．はや．略して'어언'ともいう．

*어업【漁業】〈名〉漁業．[語例] 원양〔연안〕～ 遠洋〔沿岸〕漁業／～ 조합 漁業組合／～ 자원 漁業資源．

*어여쁘다 (어여쁘니, 어여뻐서)〈形〉'예쁘다'の古めかしい言いかた．美しい．きれいだ．かわいい．어여삐〈副〉美しく．きれいに．かわいらしく．

어여차〈感〉多くの人が力を合わせるときの掛け声：よいしょ．えんやこりゃ．一二の三．＝어기여차．

어엿-이 [ŏyŏshi]〈副〉堂堂と．引け目なく．

어엿-하다 [ŏyŏt'ada] (→하다)〈形〉堂堂としている．ひけを取らない．[文例] 어엿한 청년으로 성장했다 立派な青年に成長した．

어영-부영〈副〉うやむやに．いいかげんに．[句例] ～ 세월을 보내다 便便と日を過ごす〔送る〕．

어용【御用】[ŏ:yong]〈名〉御用．[語例] ～ 신문 御用新聞／～ 학자 御用学者．

어우러-지다〈自〉(多くのものが調和されて)一塊になる．一団となる．交わる．[句例] 꽃이 어우러져 피다 花が咲き乱れる／뜻을 같이하는 자들끼리 ～ 志を同じくする者どうしが一団となる．

어우르다 (어우르니, 어울러서)〈他〉❶一団と〔一塊に〕なる．❷かりうち(樗蒲)で二つ以上のこま(駒)を重ね合わせる．

*어울리다〈自〉❶似合う．調和する．釣り合う．[句例] 잘 어울리는 부부〔한 쌍〕似合いの夫婦〔カップル〕／어울리지 않다 そぐわない／얼굴(생김)에 어울리지 않는 상냥한 목소리 顔つきにそぐわないやさしい声．[文例] 양복 색과 넥타이가 잘 어울린다 服の色とネクタイがよく釣り合う／이 그림은 방에 잘 어울린다 この絵は部屋にしっくりする．❷交わる．[句例] 나쁜 친구와 ～ 悪友と交わる．

어원【語源】[ŏ:won]〈名〉〔言〕語源．

어유 [ŏyu:]〈感〉❶意外なことに驚いて発する語：ああ．おう．ありゃ．おや．やれ．あらあら《女》．あらまあ《女》．あれっ．[文例] ～，큰일났군 やれ，大変なことになったぞ．❷疲れたり，またはある事が力に余るときに出す声：ああ．おお．やれやれ．[文例] ～，무거워 ああ重たい．

어육【魚肉】〈名〉魚肉．❶魚と獣肉．❷魚の肉．

어육이 되다 踏みにじられてめちゃくちゃになる．

어음〈名〉〔経〕手形．[句例] ～을 끊다 手形を振り出す．[語例] 약속 ～ 約束手形／～ 교환소 手形交換所／～ 거래 手形取引／～ 할인 手形割引．

어의【御醫】[ŏ:ŭi]〈名〉侍医．

어의【語義】[ŏ:ŭi]〈名〉語義．

어이[1]〈名〉⇨어처구니

어이(가) 없다 あきれる．あいた口がふさがらない．敢えない．あっけない．[句例] 어이 없는 표정을 지어 보이다 あきれたという表情を作ってみせる．

어이 없이 あきれて．あっけなく．どうしようもなく．途方もなく．[句例] ～ 패하다 あえなく敗れる．

어이[2]〈副〉'어찌'の古めかしい言いかた．どうして．何がために．[句例] ～ 해서 何ゆえに．[文例] 내 ～ 왔던고 どうして僕が(ここに)来たのだろう．

어이[3]〈感〉'어이구'の略．[文例] ～，추워 おう寒い．

*어이[4] [ŏ:i]〈感〉友達や目下の人を呼ぶ語：おい．[文例] ～，너 뭐하고 있는 거야 おい，君何をしているんだ／～，듣고 있니 おい，聞いているのか．

*어이구〈感〉痛いとき，驚いたとき，力を入れるとき，恨めしいときなどに発する語：ううん．いたいっ．よいしょ．おう．ああ．[文例] ～，이게 누구십니까 ああ，こりゃどなたかと思ったら／～，무서워 おう，恐ろしい／～，아파 おう，痛い／～，분해 ああ，くやしい．[語例] ～나 ありゃありゃ．あらまあ／～머니 ああ．おう．ううん．

[表現] '어이구머니'は'어이구'の強調語で，おもに女性が用いる．

어장【漁場】〈名〉漁場．[語例] 근해 ～ 近海の漁場．

**어저께〈名〉昨日．＝어제．

[表現] '어제'よりやや口語的な言いかた. また, 副詞的にも用いられる.

어적 〈副・하自他〉 果物などを一気にかむさま. また, その音: ぼりっ. かりっ. **～거리다** 〈自他〉 ぼりぼり〔かりかり〕音がする. また, ぼりぼりとかむ.

[表現] 語感の小さい語は'아작'.

어적어적 [ŏjŏgŏjŏk] 〈副・하自他〉 ぼりぼり. かりかり.

어전【御前】 [ŏ:jŏn] 〈名〉 御前. [語例] ～ 회의 御前会議.

어정-거리다 〈自〉 のそのそ歩き回る. ぶらつく. うろつく. [句例] 집 주위를 ～ 家の周りをぶらつく.

어정어정 〈副・하自〉 のそのそ. ぶらぶら.

[表現] 主にからだの大きい人や獣の歩きかたについての表現.

어정-뜨다 (―뜨니, ―떠서) 〈形〉 (当然なすべきことが)ぞんざいでもの足りない. いいかげんだ. 中途半端だ.

어정쩡-하다 (→하다) 〈形〉 ❶どっちつかずだ. ぱっとしない. あいまいだ. はっきりしない. [句例] 어정쩡한 대답 あいまいな答え. [語例] 어정쩡하게 中途半端に. あいまいに. ㊟엉거주춤하다. ❷(記憶が)ぼんやりしている. [文例] 언제적 일이었던지 ～ いつの事だったのか記憶がぼんやりしている. ❸(事がややこしくなって)まごつく. 慌てる.

어제 〈名〉 きのう. 昨日. ＝어저께. [句例] …이 ～의 일처럼 생각된다 …が昨日のことのように思われる. [語例] ～오늘 1)きのうと今日. 2)最近. 近ごろ / 어젯밤 昨夜. 昨日の晩 / 어젯저녁 昨晩. ゆうべ.

어제가 다르고 오늘이 다르다 昨日が違い今日がまた違う《とても速く変化する》.

어제 보던 손님 きのう会った客. けいがい(傾蓋)の友《会ってすぐ親しくなる》.

*__어조【語調】__ [ŏ:jo] 〈名〉 語調. 口調. 口振り. ことばつき. [句例] ～를 높이다〔강하게 하다〕 語調をつよめる / 침착한 ～로 말하다 落ち着いた語調で話す.

어족【魚族】 〈名〉 魚族. ＝어류(魚類).

어족【語族】 [ŏ:jŏk] 〈名〉〔言〕 語族.

어줍다 [ŏ:jupta] 〈形〉 ❶言行が不自然ではっきりしない. 鈍い. ❷不慣れでまずい. 下手だ. [句例] 어줍은 솜씨 下手な手つき. ❸手足・腰がしびれて自由が利かない. 硬い.

어중간-하다【於中間―】 (→하다) 〈形〉 中途半端だ. なまはんかだ. どっちつかずだ. **어중간히** 〈副〉 中途半端に. なまじっかに.

어중-되다【於中―】 [―ttoeda] 〈形〉 中途半端だ. ちゅうぶらりんだ. どっちつかずだ.

어중이-떠중이 [ŏ:jung-i―] 〈名〉 うごう(烏合)の衆. 群衆. [文例] ～가 모여들었다 群衆が寄り集まった.

어지간-하다 (→하다) 〈形〉 ❶相当(なもの)だ ㉠(標準)には近い. ㉡かなりよい. かなり…する〔ある〕. [句例] 어지간한 미인 かなりの美人 / 어지간한 실력 相当な実力. ❷そこそこだ. まあまあだ. 差し障りがない. [文例] 어지간하면 눈감아 줘라 そこそこの事だったら目をつぶってやれよ / 어지간한 실력으로는 어림도 없다 並みの実力では無理だ. **어지간히** 〈副〉 かなり. ほどよく. 適当に. [文例] 경적 소리가 어지간히 시끄럽구나 警笛の音がかなりうるさいな / 그런대로 어지간히 팔렸다 それなりにまあまあの売れ行きだった.

어지러-뜨리다 〈他〉 取り散らかす. (取り)乱す. [句例] 방안을 ～ 部屋を取り散らかす〔乱す〕.

어지러-이 〈副〉 目まぐるしく. ごちゃごちゃに. 乱雑に.

어지럼 〈名〉 ['어지러움'の略] めまい(目眩). [語例] ⇨어지럼증

어지럼-증【―症】 [―tchŭng] 〈名〉 めまい症.

*__어지럽다__ (어지러우니, 어지러워서) 〈形〉 ❶乱れている. 乱雑だ. 散らかっている. 慌ただしい. [句例] 어지러운 세상 乱れた世の中 / 방안이 ～ 部屋が散らかっている / 사업을 어지럽게 벌여 놓다 事業をごちゃごちゃと広げる. ❷めまいがする. 目がくらむ. 目まぐるしい. [句例] 어지럽게 변하는 세상 目まぐるしく変化する世の中 / 갑자기 눈앞이 어지러워지다 急に目の前がくらくらしてくる.

어지럽히다 [ŏjirŏp'ida] 〈他〉 ❶惑わす. [句例] 인심〔세상〕을 ～ 人心〔世〕を惑わす. ❷散らかす. [文例] 방안을 어지럽히지마라 部屋を散らかすな.

어지르다 (어지르니, 어질러서) 〈他〉 取り散らかす.

어지-빠르다 (―빠르니, ―빨라서) 〈形〉 中途半端だ. どっちつかずだ.

어질다 (어지니, 어질어서) 〈形〉 善良だ. 情け深く寛大だ. 賢い. [句例] 어진 마음 善良な心 / 어진 아내 しと(淑)やかな妻 / 어진 임금 賢君. 賢明な君主.

어질-병【―病】 [―ppyŏng] 〈名〉〔韓醫〕 めまいの病気. ＝어질증(症).

어질병이 지랄병 된다 めまいの病がてんかんになる. 小さな病も前もって防がないと重い症状になることのたとえ.

*__어질-어질__ [ŏjirŏjil] 〈副〉 くらくら. ふらふら.

어째 〈副〉 '어찌하여'の略: どうして. なぜ. [文例] ～ 하라는 대로 안 하나 どうして言う通りにしないのか / ～ 울지 なぜ泣くの.

어째서 〈副〉 ['어찌하여서'の略] どうして. なぜ.

*__어쨌든__ 〈副〉 ['어찌하였든' '어찌 되었든'の略] どうあろうとも. とにかく. いずれにせよ. どっちみち. 何はさておき. (何は)ともあれ. ＝어쨌든지. [文例] ～ 가야 한다 とにかく行かねばならない.

어쩌고-저쩌고 〈副〉 なんだかんだ. ああのこうの. つべこべ. [文例] 그들은 모이기만 하면 ～ 떠들어댄다 彼らは寄ればああのこうのしゃべりちらす.

어쩌나 ['어찌하나'の略] どうしよう(か) [文例] 이 일을 [illegible] これを[illegible]しよう.

어쩌다가 〈副〉 '어찌하다가'の略. ❶意外に. 偶然に. 思いがけなく. [文例] ～ 그를 만났다 偶然彼に会った. ❷ときおり. たまに. 時に. [句例] ～ 술을 마시다 たまに酒を飲む. ▷略し

て'어쩌다'ともいう.

*어쩌면 ━〈副〉'어찌하면'の略. ❶どうすれば. どのようにすれば. 文例 ～ 좋을까 どうすればよいだろう. ❷どうかすると. ひょっとしたら. 事によると. もしかしたら. あるいは. 文例 ～ 그 애가 오늘 올지도 몰라 ひょっとしたらその子が今日来るかも知れないよ.

━〈感〉 意外なことに感嘆する語: あれまあ. ああら. 文例 ～, 그럴 수가 있어요 あれまあ, そんなことってあり得るかしら.

어쩐지 〈副〉どうしたのか. どうしたことか. なんとなく. そぞろ. どうやら. どことなく. なんだか. 文例 ～ 오늘 그는 좀 이상하다 どうしたのか, 今日の彼はちょっとおかしい / ～ 마음이 내키지 않는다 なんとなく気が進まない / ～ 그 사람이 좋아요 なぜかあの人が好きです.

어쩔 수 없다 [—ssuŏ:pta] ぜひもない. いかんともしがたい. 仕方ない. やむをえない. 文例 모두가 반대한다면 ～ みんなが反対するならぜひもない / 그렇다면 ～ そうであるならしかたない. 類할 수 없다.

어쩔 수 없이 [—ssuŏ:pshi] 仕方なく. やむなく. 類할 수 없이.

어쭙지-않다 [—ant'a]〈形〉❶気障りだ. なまいきだ. 句例 어쭙지 않게 굴다 きざ(気障)に振る舞う. ❷こばかにしている. 鼻にもかけない. くだらない. 句例 어쭙지 않게 대하다 軽んじる.

*어찌 〈副〉❶どうして. なんで. なんぞ. 文例 ～ 그것을 기대하랴 どうして〔なんで〕それを期待しようか / ～ 질 수 있겠는가 なんぞ負けるものか. ❷どんな方法で. どんな風に. どのように. 文例 그 문제를 ～ 풀었나 その問題をどのようにして解いたの.

*어찌나 〈副〉どれほど. 文例 ～ 어려운지 더 이상 공부를 계속하기가 힘들 것 같다 どれほど難しいことか, これ以上勉強を続けがたいようだ / 그녀가 ～ 예쁜지 그저 쳐다보기만 했다 彼女がどれほどきれいなことか, ただ見とれるばかりだった.

어찌-하여 〈副〉どんな理由で. どうして. 略して'어째'ともいう. 文例 ～ 너는 오지 않았느냐 どうして君は来なかったのか.

*어차피 【於此彼】〈副〉['어차어피(於此於彼)에'の略] どうせ. どっちみち. いずれにしても. 所詮. 文例 ～ 헤어질 거라면 일찍 헤어지는 게 낫다고 생각해 どうせ別れるなら, 早く別れたほうがいいと思うよ / ～ 치러야 할 돈이다 どっちみち支払うべき金だ.

어처구니 〈名〉思いのほか大きい物や人.

어처구니-없다 [—ŏpta]〈形〉あきれる. あっけにとられる. とんでもない. 文例 어린애가 술을 마시다니 ～ 子供が酒を飲むとはあきれたものだ〔とんでもない〕/ 어처구니(가) 없어서 말도 안 나온다 あきれ返って物も言えない. **어처구니없이** [—ŏpshi]〈副〉あきれて. あっけなく. 文例 어처구니없이 (경기에) 패했다 (試合に)あっけなく敗れた.

어청-거리다 〈自〉(背の高い人や獣などが) 活発に歩く. すたすたと歩く. ずかずかと歩く.

어청어청 〈副・하自〉すたすたと. ずかずかと.

*어촌 【漁村】〈名〉漁村.

-어치 〈尾〉(値段に値する)分量. 程度. …分. 句例 한 푼의 값～도 없다 一文の値打ちもない. 語例 만 원～ 一万ウォン分.

어탁 【魚拓】〈名・하他〉 魚拓. 魚の拓本(をとること).

어탁을 뜨다 魚拓をとる.

어투 【語套】[ŏ:t'u]〈名〉話しぶり. 口振り. 語気. ＝말투. 句例 날카로운 ～로 따지다 鋭い語気でつめよる.

어패-류 【魚貝類】〈名〉 魚介〔魚貝〕類. 魚類と貝類.

어퍼-컷 〈名〉アッパーカット. 句例 ～을 먹여 쓰러뜨리다 アッパーカットを食らわして倒す. ◇uppercut

어폐 【語弊】[ŏ:p'ye]〈名〉語弊. 文例 그 표현에는 ～가 있다 その表現には語弊がある.

어포 【魚脯】〈名〉 魚の薄切りを味つけして干した物.

어푸-어푸 〈副・하自他〉水におぼれて苦しむさま: あぷあぷ. あっぷあっぷ.

어프로치 [ŏp'ŭro:ch'i]〈名〉アプローチ. 句例 사회학적인 ～ 社会学的なアプローチ. ◇approach

어필 〈名・하自他〉アピール. 句例 대중에게 ～하다 大衆にアピールする. 語例 섹스 ～ セックスアピール. ◇appeal

어-하다 [ŏ:—] (→하다)〈他〉甘やかす.

*어학 【語學】[ŏ:hak]〈名〉語学.

*어항 【魚缸】〈名〉金魚鉢. 金魚つぼ. 水船.

어항 【漁港】〈名〉漁港.

어허 〈感〉意外なことに出会って出す声: おお. ははあ. いやはや. うむ. 文例 ～, 그거 참 うむ, それはどうも.

어허-둥둥 〈感〉赤ん坊をあやすときに歌を兼ねてあやす声: おお, よしよし好い子. 坊やは好い子.

어허허 〈感〉 多少重みのある男性の笑い声: はははは.

어험 〈感〉威厳を示すせき払い: えへん. おほん. えっへん. おっほん.

어혈 【瘀血】[ŏ:hyŏl]〈名・하自〉〔韓醫〕悪血.

어형 【語形】[ŏ:hyŏng]〈名〉〔言〕語形. 語例 ～ 변화 語形変化.

어화 [ŏ:hwa]〈感〉喜びの気持ちを歌で表わしながら何かを呼びかける声. 文例 ～, 벗님네야 おお, 友よ. 語例 ⇨어화둥둥

어화-둥둥 〈感〉'어허둥둥'の古めかしい言いかた.

어회 【魚膾】〈名〉魚の刺身. なます(膾). ＝생선회.

어획 【漁獲】〈名・하他〉漁獲. 語例 ～고 漁獲高 / ～량 漁獲量 / ～물 漁獲物.

어휘 【語彙】[ŏ:hwi]〈名〉語彙. 句例 ～를 풍부히 하다 語彙をゆたかにする / 빈약한 ～ とぼしい語彙. 語例 기본 ～ 基本語彙.

어흥 〈感〉❶とら(虎)のほえ声: うおお. ❷子供を怖がらすためにとらがほえるまねをして出す声: がおう. ぐおう.

억 【億】〈數〉億. 語例 오～원 五億ウォン.

억　〔漢字項目〕

【億】中學 억 オク. ❶수의 단위. 또, 수가 많음. 数の単位. また, 数が多いこと. ◧億兆 억조 おくちょう. ◨五億 오억 ごおく. 巨億 거억 きょおく. ❷헤아리다 推しはかる ◧億測 억측 おくそく.

【憶】中學 억 オク. ❶기억하다 おぼえる. 생각해 내다 思いおこす. ◨記憶 기억 きおく. 追憶 추억 ついおく. ❷생각하다 かんがえる. ◧憶念 억념 おくねん.

【抑】高校 억 ヨク. 누르다 おさえる. ◧抑壓 억압 よくあつ. 抑揚 억양 よくよう. 抑制 억제 よくせい. 抑止 억지 よくし.

*억-누르다 [ŏngnurŭda] (억누르니, 억눌러서)〈他〉抑圧する. 押さえる. 抑える. 抑えつける. 抑制する. 圧迫する. 句例 감정을 ~ 感情を抑える〔殺す〕/ 자기 주장을 ~ 自分の主張を抑える.

억-눌리다 [ŏngnullida]〈自〉'억누르다'の受け身: 押さえられる. 抑えられる. 抑圧される. 圧迫される.

억대【億臺】〈名〉億の単位で数えられる数. 億台. 句例 ~의 재산 何億もの財産.

억류【抑留】[ŏngnyu]〈名・하他〉抑留. 語例 ~ 생활〔선원〕抑留生活〔船員〕.

억만【億萬】[ŏngman]〈名〉❶億. ❷億万. きわめて多い数. 句例 ~ 가지 걱정 数数の心配事. 語例 ~년 億万年 / ~ 장자 億万長者.

억병〈名〉止めどなく飲む酒の量. 大酒. 鯨飲. 泥酔. 句例 ~으로 취하다 へべれけに酔う. 文例 ~이 되었다 ひどく酔っ払った. 泥酔した.

억-보〈名〉強情者. 意地っぱり. 頑固一点張り.

억새 [ŏ:ksae]〈名〉〔植〕すすき(薄・芒). =억새풀.

억설【臆說】〈名〉憶説.

*억-세다〈形〉❶(からだが)頑丈だ. 句例 억센 팔 頑丈な腕. 語例 억세게 強く. たくましく. がっちりと / 억세어지다 強くなる. たくましくなる. ❷押しが強くがめつい. 句例 성격이 너무 ~ 性格が強過ぎる. ❸(葉・茎などが)固い. 句例 껍질이 ~ 皮が固い.
表現 ②は, 多くは悪い意味で用いられる.

억수〈名〉どしゃ降り. 鉄砲雨《俗》. 豪雨. 句例 ~같이 퍼붓는 비 どしゃ降りの雨. 語例 ~ 장마 豪雨の長雨.

억압【抑壓】[ŏgap]〈名・하他〉抑圧. 句例 ~이 가해지다 抑圧が加えられる. 語例 ~당하다 抑圧される.

억양【抑揚】[ŏgyang]〈名〉抑揚. イントネーション. 節回し. 句例 ~을 붙여서 읽다 抑揚をつけて読む.

*억울-하다【抑鬱—】[ŏgul—] (→하다)〈形〉悔しい. 恨めしい. やるかたない. しのびない. 句例 억울한 심정 やるかたない心情. 文例 나는 ~ 僕は(ぬれぎぬを着せられて)悔しい / 잘못도 없는데 야단을 맞다니 너무나 ~ 過ちもないのに怒られるなんてあまりにも悔しい.

語例 억울하게 悔しく. 恨めしく.

억제【抑制】〈名〉抑制. ~하다〈他〉抑制する. 押さえつける. 抑えつける. 句例 감정을 ~하다 感情を抑制する / 인플레를 ~하다 インフレを抑制する. 語例 ~되다 抑制される.

억조【億兆】㊀〈數〉億と兆. ㊁〈冠〉億兆. 限りなく多い数. 語例 ~ 창생 億兆蒼生. 数多き民.

*억지〈名〉無理強い. ごり押し. 無理押し. 横車. 語例 ~ 다짐 無理強いの承諾. むりやりの念押し / ~ 웃음 つくり笑い / ~ 춘향(春香)이 無理強いをしてやっと成し遂げたこと / 억짓손 無理強いの手段. 強引なやりかた. ~스럽다 (→스럽다)〈形〉押しが強い. 横車を押す.

억지(를) 부리다 我を張る. 意地を張る. 強情を張る. 文例 억지를 부려 성공했다 ごり押しにやって成功した.

억지(가) 세다 無理強いがひどい. 意地っ張りだ.

억지(를) 세우다 意地を通す.

억지(를) 쓰다 強情に我を通す. 無理強いをする. 意地を張る〔通す〕.

*억지-로〈副〉むりやりに. むり押しをして. 意地を張って〔通して〕. 句例 ~ 먹이다 無理に食べさせる / ~ 참다 辛うじて堪える.

억척 ㊀〈名〉がめついこと. あくどいこと. しつこく根強いこと. 語例 ~꾸러기 非常にあくどくふるまう人. がめつい人. 勝ち気の者. ㊁〈副〉根強く. しつこく. ひどく. =억척으로. ~스럽다 (→스럽다)〈形〉あくどい. 根気強い.

억척(을) 떨다 根強くふるまう. 粘り強く行動する.

억척(을) 부리다 がめつく〔しつこく〕ふるまう.

억척-같다〈形〉しつこく根強い. あくどい. がめつい. 억척같이 [—kach'i]〈副〉ひどく根強く. あくどく. 句例 억척같이 벌어서 모은 돈 あくどくと働いてためた金.
表現 語感の小さい語は'악착같다'.

억척-으로 [ŏkch'ŏgŭro]〈副〉がむしゃらに. 粘り強く. 根気強く.

억측【臆測】〈名・하他〉憶測. 当て推量. 文例 그것은 단순한 ~에 불과하다 それはただの憶測にすぎない.

억패-듯〈副〉情け容赦なく. 強引に.

억-하심정【抑何心情】[ŏk'ashimjŏng]〈名〉一体どんな考えでそんなことをするのか分からないこと. 文例 무슨 ~으로 그러는 거요? どういうわけでそんなことをするんですか.

언　〔漢字項目〕

【焉】高校 언 エン. ❶상태를 나타내는 말로 쓰임 状態を表わす語として用いる. ◨終焉 종언 しゅうえん. 忽焉 홀언 こつえん. ❷의문・반어를 나타내는 말로 쓰임 疑問・反語を表わす語として用いる.

【言】小學 언 ゲン. ゴン. ❶말. 언어. ことば. げんご. ◨方言 방언 ほうげん. 食言 식언 しょくげん. ❷말하다 かたる. ◧言及 언급 げんきゅう. 言明 언명 げんめい. ◨證言 증언 しょうげん. ❸말하다 かたる. ◧言上 언상 ごん

じょう. 言語道断 언어도단 ごんごどうだん. ▮他言 타언 たごん.

언-감생심【焉敢生心】〈名〉あえてそんなことは考えることすらできないこと.

언걸〈名〉❶とばっちり. 巻き添え. ❷ひどい苦労.

언걸(을) 먹다 ❶(他人のため)巻き添えを食う. とばっちりを食う. ❷大変な苦労をする.

언걸(을) 입다 巻き添え〔とばっちり〕を食う.

언급【言及】〈名〉言及. **~하다**〈自〉言及する. 触れる. 句例 ~을 피하다 言及を避ける / 앞〔위〕에서 ~한 문제 前〔上〕で言及した問題. 文例 이 문제는 서문에서 약간 ~되어 있다 この問題は序文でちょっと触れている / 그 일에 대해선 이제 더 이상 ~하지 않겠습니다 その事についてはもうこれ以上言及いたしません. 語例 ~되다 言及される.

****언니**〈名〉❶妹が姉を呼ぶ語: 姉さん. ❷妹が兄の妻を呼ぶ語: 姉さん. ❸女性が目上の女性, 先輩の女性を親しく呼ぶ語: お姉さん. ❹幼い弟が兄を親しく呼ぶ語: 兄さん《兒》.

表現 ③は, '미숙 언니 美淑さん' '미스 송 언니 ミス宋さん'のように名前の後, または'미스'+姓の後につけて用いることもある.

언더-라인〈名〉アンダーライン. ＝밑줄. ◇underline

***언덕**〈名〉❶丘. 丘陵. ❷坂. 語例 ~길 坂道 / ~배기 坂の頂上. 傾斜のはげしい坂.

언덕(이) 지다 傾斜〔坂〕になっている. 道が平坦でなく高めである.

언도【言渡】〈名・하他〉〔法〕(判決の)言い渡し.

参考 法律用語 '선고(宣告)'の旧称.

언동【言動】〈名〉['언어 행동(言語行動)'の略] 言動. 句例 ~을 삼가다 言動を慎む.

언-두부【—豆腐】[ŏ:n—]〈名〉高野豆腐. 凍り豆腐. しみ豆腐.

언뜻〈副〉❶ちょっと. ふと. ふっと. 句例 ~ 귓결에 듣다 ふと〔ちょっと〕耳にする / ~ 생각이 나다 ふっと思い付く. ❷ちらっと. ちらりと. 文例 ~ 보였다 ちらっと見えた / ~ 보아도 안다 一見してわかる / ~ 보기엔 진짜지 가짜지 모르겠다 ちらっと見ただけでは本物か偽物か分からない.

언뜻언뜻 [ŏnttŭdŏnttŭt]〈副〉ちらっちらっと.

언론【言論】[ŏllon]〈名〉言論. 句例 ~의 자유 言論の自由. 語例 ~계 言論界 / ~ 기관 言論機関 / ~ 통제 言論統制.

언명【言明】〈名・하他〉言明. 句例 ~을 피하다 言明をさける / 장관의 ~ 長官の言明 / 사퇴를 ~하다 辞退を言明する.

언문【諺文】[ŏ:nmun]〈名〉オンモン(諺文).

参考 '한글 ハングル'の古称.

언변【言辯】〈名〉話術. 口弁. 口. ＝구변. 句例 ~이 좋다 口が達者である.

언사【言辭】〈名〉言辞. ことば. 言い草. ＝말. 句例 불온한 ~ 穏やかでないことば.

언성【言聲】〈名〉話し声. 声. ＝말소리. 句例 ~을 높이다 声を高める.

***언약**【言約】[ŏnyak]〈名・하他〉口約束. 口固め. 句例 부부의 ~을 하다 夫婦の口固めをする / 결혼하기로 ~한 사이 結婚を誓い合った仲.

***언어**【言語】[ŏnŏ]〈名〉言語. 語例 ~ 장애 言語障害 / ~ 불통 言語の不通 / ~ 공동체 言語共同体 / ~ 생활 言語生活 / ~학 言語学.

언어 도단【言語道斷】[ŏnŏdo:dan]〈名〉言語道断. 文例 자기 자식을 버리다니 ~이다 わが子を捨てるとは言語道断だ.

언쟁【言爭】〈名〉言い争い. 口げんか. 言い合い. やり合い. ＝말다툼. **~하다**〈自〉言い争う. 言い合う. 句例 ~이 벌어지다 言い争いが起こる.

언저리 [ŏnjŏri]〈名〉あたり. ほとり. 周囲. へり(縁). 縁.

****언제** [ŏ:nje] ▬〈副〉いつ(何時). いつか. ＝어느때에. 句例 ~ 어디서나 いつどこでも. 文例 ~ 가느냐 いつ行くのか / ~ 한 번 집에 놀러 오세요 いつか一度うちに遊びにおいでください.

▬〈代〉いつ. ＝어느때. 文例 시험은 ~부터 시작합니까 試験はいつから始まりますか / 그 사람 생일이 ~였더라 その人の誕生日がいつだっけ.

***언제-나** [ŏ:njena]〈副〉❶いつでも. 文例 ~ 좋다 いつでもよい. ❷いつも. 常に. 始終. しょっちゅう. 文例 ~ 변함이 없다 いつも変わらない / ~ 같은 일을 한다 いつも同じ仕事をする. ❸いつごろ. いつになったら. 文例 비는 ~ 갤까 雨はいつごろあがるだろうか.

언제-든지 [ŏ:nje—]〈副〉いつでも. いつであっても. いつだって. 文例 ~ 오너라 いつでもいいから来なさい / ~ 좋다〔상관없다〕 いつでもいい〔構わない〕.

***언젠-가** [ŏ:njen—]〈副〉['언제인가'の略] ❶いつかは. そのうち. 今に. 文例 ~ 후회할 게다 いつかは後悔するだろう. ❷いつだったか. いつかしら. いつぞや. 文例 ~ 갔던 적이 있다 いつだったか行ったおぼえがある.

언중-유골【言中有骨】[—nyugol]〈名〉なにげない言葉の中に底意がひそんでいること. 含みのある言いかた.

언질【言質】〈名〉言質. 言葉質《口》.

언질(을) 잡다 言質を取る.

언질(을) 주다 言質を与える.

언짢다 [ŏntchant'a]〈形〉悪い. ❶よくない. 気に入らない. 不快だ. (気分が)すぐれない. 句例 언짢은 표정 撫然たる表情. 文例 그의 언동이 ~ 彼の言動が気に入らない / 아침부터 기분이 ~ 朝からむしゃくしゃする / 언짢게 생각마라 悪く思うなよ. ❷見にくい. 見苦しい. 文例 옷이 보기에 ~ 服が見苦しい.

参考 '언짢아 すぐれないで'は[ŏntchana], '언짢게 悪く'は[ŏntchank'e]と発音される.

언청이〈名〉兎唇. 三つ口.

언-필칭【言必稱】〈副〉ものを言えばきっと. 口を開ければ必ず〔決まって〕. 文例 ~ 처자식의 자랑이다 口を開けさえすれば妻子の自慢ばなしだ.

언해【諺解】[ŏ:nhae]〈名・하他〉諺解．漢文をハングルで解釈すること．

언-행【言行】〈名〉[‘언어 행동(言語行動)’の略] 言行．語例 ～ 일치 言行一致．

***얹다** [ŏntta]〈他〉❶上げる．載せる．句例 책을 선반에 ～ 本を棚に上げる / 머리에 ～ 頭に頂く / 어깨에 손을 ～ 肩に手をかける / 이마에 손을 ～ 額に手をかざす．❷(かりうち(樗蒲)で)こま(駒)を重ねる．❸上乗せする．句例 웃돈을 얹어서 주다 足し金を上乗せしてやる．

参考 ‘얹어 載せて’は[ŏnjŏ]，‘얹고 載せて’は[ŏnkko]と発音される．

〈얹은머리〉

얹은-머리 [ŏnjŭn—]〈名〉丸く結って頭にぐるりと巻き上げた女性の髪形．絵

얹혀-살다 [ŏnch'ŏ—]（—사니，—살아서）〈自〉人に頼って暮らす．居候する．句例 형네 집에 ～ 兄の家に居候する．

***얹히다** [ŏnch'ida] ❶〈自〉❶‘얹다 載せる’の受け身：載せられる．句例 트럭 위에 짐이 ～ トラックの上に荷物が載せられる．❷重ねられる．句例 무거운 짐 위에 책이 ～ 重い荷物の上に本が重ねられる．❸(船が)乗り上げる．句例 배가 얕은 곳에 ～ 船が浅瀬に乗り上げる．❹食当たりする．句例 먹은 것이 ～ 食べたものが胃にもたれる．類 체하다．❺居候する．厄介になる．

❷〈他〉‘얹다 載せる’の使役形：載せるようにする．

****얻다**[1] [ŏtta]〈他〉❶もらう．句例 형에게서 책을 ～ 兄から本をもらう / 휴가를 ～ 休暇を取る．

❷得る．受ける．句例 지식을 ～ 知識を得る / 권리를 ～ 権利を得る / 승인〔신임〕을 ～ 承認〔信任〕を得る / 공감〔만족〕을 ～ 共感〔満足〕を得る / 국민의 지지를 ～ 国民の支持を得る．

❸拾う．句例 길에서 돈을 ～ 道でお金を拾う．類 줍다．

❹博する．句例 호평을 ～ 好評を博する．

❺(部屋などを)借りる．句例 셋방을 ～ 間借りをする．類 빌리다．꾸다．

❻迎える．めとる．＝맞다．句例 아내를 ～ 妻をめとる．

❼(病気に)なる．句例 병을 ～ 病気にかかる．類 걸리다．

❽占める．句例 승리를 ～ 勝利を得る．

얻다[2] [‘어디에다’の略] どこに．どこへ．文例 그런 사람을 ～ 쓰겠나 そんな人をどこに使えるか．

얻다가 [‘어디에다가’の略] どこに．どこへ．どこいらに．文例 ～ 버렸느냐 どこいらに捨てたのか．

얻어-듣다 [ŏ:dŏ—]（—들으니，—들어서）〈他〉聞き込む．小耳にはさむ．句例 소문을 ～ うわさを聞き込む〔耳にする〕．

얻어들은 풍월(風月) 拾い聞きした知識．耳学問．

****얻어-맞다** [ŏ:dŏ—]〈自他〉なぐられる．文例 공연한 참견을 했다가 얻어맞았다 よけいなおせっかいでなぐられた．

얻어-먹다 [ŏ:dŏ—]〈自他〉❶もらい食いする．❷おごってもらう．句例 선배에게 저녁을 ～ 先輩に夕食をおごってもらう．❸ののしられる．句例 죄도 없이 욕을 ～ とが(咎)もなくののしられる．

얻어-터지다 [ŏ:dŏ—]〈自他〉‘얻어맞다’の俗っぽい言いかた：なぐられる．

***얼** [ŏ:l]〈名〉精神．魂．みたま(御霊)．句例 민족의 ～ 民族の魂．

얼(이) 빠지다 気が抜ける．間が抜ける．気がぼうっとする．失神〔失心〕する．文例 이 얼빠진 놈아 この間抜けめ．

얼(을) 빼다 めんくらわせる．気を失わせる．

얼-간〈名・하他〉❶魚・野菜などを浅漬けにすること．甘塩．❷[‘얼간 망둥이’の略] とりとめのない人．しまりなく何事にもでしゃばる人．❸[‘얼간이’の略] 薄ばか．まぬけ者．出来損ない．とんま．文例 이 ～아 このまぬけめ．

얼-갈이 [ŏ:lgari]〈名・하他〉〔農〕❶冬に田畑を粗くすきかえすこと．❷冬に野菜を植えること．また，その野菜．冬菜．語例 ～ 김치 冬菜で漬けたキムチ．

얼개〈名〉組立て．仕組み．構造．

얼결-에 [ŏlkkyŏre]〈副〉‘얼떨결에’の略．

****얼굴**〈名〉顔．❶㉠面．面(俗)．顔面．句例 갸름한 ～ 細長い顔．うりざね顔 / 둥근 ～ 丸顔 / 넓적한 ～ ひらべったい顔 / 귀여운 ～ かわいい顔 / 예쁜 ～ きれいな顔 / 주름진 ～ しわ(皺)のよった顔 / 환한 ～ 晴れ晴れした顔 / ～을 대하다 顔を合わせる / ～을 돌리다 顔をそむける / ～을 (쳐)들다 顔を上げる / ～을 숙이다 顔をうつむける / ～을 찡그리다 顔をしかめる / ～이 화끈해지다 顔がほてる．顔から火が出る / ～을 씻다 顔を洗う / 손수건으로 ～을 가리다 ハンカチで顔を覆う．語例 ～ 생김새 顔つき．

㉡顔つき．表情．句例 놀란 ～ 驚いた顔 / 슬픈 ～ 悲しそうな顔 / 실망한 ～ 失望した顔 / 우울한 ～ 浮かぬ顔 / 웃는 ～ 笑顔 / 성난 ～ 怒った顔 / 험악한 ～ 険悪な顔 / 불쾌한 ～을 하다 いやな顔をする / 슬픈 듯한 ～ 悲しそうな顔．

㉢知れ渡ること．句例 ～이 잘 알려지다 顔が広い / ～을 팔다 顔をきかす / ～이 알려져 잘 통하다 顔がきく．

❷体面．面目．句例 ～을 보아(서) 顔に免じて．

얼굴(이) 깎이다 顔がつぶされる．＝낯(이) 깎이다．文例 그 일로 얼굴이 깎였다 そのことで顔がつぶされた．

얼굴(을) 붉히다 ❶顔を赤らめる．句例 얼굴을 붉히며 화를 내다 顔を赤くして怒る．❷顔にもみじを散らす．

얼굴에 똥칠을 하다 顔に泥を塗る．みそ(味噌)をつける．

얼굴에 먹칠을 하다 ‘얼굴에 똥칠을 하다’のこと．

얼굴에 철판을 깔다 (顔に鉄板を敷いたように)厚かましい．ずうずうしい．＝낯가죽이 두껍다．

ㅇ

얼굴에 침 뱉다 顔につばを吐く. 面前で侮辱する.
얼굴을 내밀다 顔を出す.
얼굴이 뜨겁다 顔が熱い. 顔から火が出る.
얼굴이 새파래지다 顔が真っ青になる.
얼굴이 팔리다 顔が売れる. 有名になる.
얼굴이 피다 (年ごろになって)色気づく.
얼굴이 홍당무가 되다 顔に紅葉を散らす.

얼굴-값 [—kkap] 〈名〉 顔立ち〔メンツ(面子)〕にふさわしい行ない. →값 参考
얼굴값도 못 하다 ぶざまなことをする.
얼굴값(을) 하다 顔立ちにふさわしいことをする.

얼굴-빛 [—ppit] 〈名〉 顔色. 血色.
얼굴빛이 달라지다 顔色が変わる.
얼굴빛이 붉으락푸르락하다 (怒ったり興奮したりして)顔色が赤くなったり青くなったりする.

얼굴-색【—色】 [—ssaek] 〈名〉 ⇨ 얼굴빛

얼근-하다 (→하다) 〈形〉 ❶ほろ酔い機嫌だ. ❷(辛くて)少少口がひりひりする. **얼근히** 〈副〉 ❶ほろ酔いかげんに. 句例 얼근히 취해서 ほろ酔い機嫌になって. ❷ひりひりと.
表現 語勢の激しい語は'얼큰하다'.

얼기-설기 〈副・하形〉 (糸などが)もつれたさま. 交錯しているさま: ごじゃごじゃ. 文例 털실이 ~ 얽혀 있다 毛糸がごちゃごちゃに絡み合っている.

얼김-에 [ǒlkkime] 〈副〉 その場のはずみで. その場のどさくさ紛れに. 文例 ~ 한데 어울렸다 その場のはずみでいっしょになった / ~ 해치웠다 どさくさ紛れに事をすました.

****얼다** [ǒ:lda] (어니, 얼어서) 〈自〉 ❶凍る. 凍りつく. 句例 물이 ~ 水が凍る. 文例 수도가 얼어서 물이 안 나온다 水道が凍って水が出ない. ❷凍える. 寒さでからだの感覚がなくなる. 句例 손이 ~ 手が凍える / 얼어 죽다 凍え死にする. ❸'기(가) 죽다 気がひける'の俗っぽい言いかた: お(怖)じけ(気)づく. こわばる. すくむ. 句例 연단에서 ~ 演壇でのぼせあがる / 무대에서 ~ 舞台であがる / 협박을 당하여 ~ おどかされてすくむ.
언 발에 오줌 누기 凍った足に小便をする. 効き目がないことのたとえ.
参考 '얼게 凍るように' '어는 凍る'は[ǒlge], [ǒ:nǔn]と長音に発音するが, '얼어 凍って'は[ǒrǒ]のように短音になる.

얼떨결-에 [—kkyǒre] 〈副〉 どさくさ紛れに. うっかりして. 略して'얼결에'ともいう. 文例 ~ 말해 버렸다 ついうかうか言ってしまった.

얼떨떨-하다 (→하다) 〈形〉 面くらってなすすべを知らない. とまど(戸惑)う. 目がくらむようだ. 文例 느닷없는 일이라서 ~ だしぬけな事なのでめんくらう / 사람이 너무 많아 ~ 人出がすごくて目がくらみそうだ.

얼-뜨기 [ǒ:l—] 〈名〉 間抜け. とんま. へま.

얼-뜨다 [ǒ:l—] (얼뜨니, 얼떠서) 〈形〉 間が抜けてぼんやりしている. ぼけている. 句例 얼뜬 사람 間抜けな人. 文例 그는 보기보다 ~ 彼は見掛けより間が抜けている.

얼렁-뚱땅 〈副・하自他〉 策略を弄して巧みに人をごまかすさま. =엄벙뗑. 句例 일을 ~ 해치우다 仕事をいいかげん(加減)に片付けてしまう.

얼레 〈名〉 たこ(凧)糸を巻くかせ. 糸枠.

얼레-빗 〈名〉 目の粗いくし(櫛). 絵 對참빗.

〈얼레빗〉

얼루기 〈名〉 ❶斑点. ❷毛色などがまだら模様の動物.

***얼룩** 〈名〉 し(染)み. 斑点. まだら. ぶち. だんだら. 句例 ~을 빼다 しみを抜く. 語例 ~말 しま馬 / ~소 まだら牛 / ~점(點) 斑点 / ~무늬 まだら模様.
얼룩(이) 지다 しみが付く. 句例 땀으로 ~ 汗でしみ付く.

얼룩-덜룩 〈副・하形〉 まだらになっているさま: だんだらに. 点点と.

얼룩-빼기 〈名〉 毛色などがまだら模様の動物や物.

얼룩-얼룩 [ǒllugǒlluk] 〈副・하形〉 規則正しくしま(縞)またはまだら(斑)のあるさま. 語例 ~하게 まだらに. だんだらに.

얼룽-덜룽 〈副・하形〉 (雑然と)ぶち(斑)のあるさま: まだらに. だんだらに.

****얼른** 〈副〉 すぐ. すばやく. 早く. 急いで. さっさと. =속(速)히. 文例 ~ 오너라 すぐ〔急いで〕来なさい.
얼른얼른[1] [ǒllǔnǒllǔn] 〈副〉 すばやく. さっさと.

얼른-거리다 〈自〉 ❶ちらつく. ちらちらする. 句例 불빛이 ~ 明かりがちらつく. ❷影がゆらゆらする. 文例 못에 비친 그림자가 얼른거린다 池に映った物影がゆらゆらする. ❸しゃ(紗)などが動く度にゆらゆらする.
얼른얼른[2] [ǒllǔnǒllǔn] 〈副・하自〉 ❶ちらちら. ❷ゆらゆら.

얼리다 [ǒ:llida] 〈他〉 '얼다 凍る'の使役形: 凍らせる. 冷凍する. 句例 물을 ~ 水を凍らせる / 고기를 ~ 肉を冷凍する.

***얼마** [ǒ:lma] 〈名〉 ❶いくら. どれほど. なんぼ《俗》. いくばく《雅》. 文例 전부 합쳐서 ~요 全部合わせていくらですか. ❷やや. 少し. いくばく. 句例 ~의 돈 いくばくの金 / ~ 지나지 않아서 やや過ぎて. ややあって.

얼마-간【—間】 [ǒ:lma—] ㊀〈名〉 いくらか. どのくらい. いくらぐらい. 多少. 文例 ~의 돈은 갖고 있다 いくらかの金は持っている.
㊁〈副〉 しばらくの間. 当分. 句例 ~ 머무르다 当分とどまる.

***얼마-나** [ǒ:lma—] 〈副〉 ❶いくらぐらい. いかほど. 文例 ~ 받아 왔나 いくらぐらいもらって来たのか / 몸무게가 ~ 나갑니까 体重はどのくらいですか / 그의 나이가 ~ 되어 보이나 彼の年はいくつぐらいに見えるか. ❷どんなに(か). どれくらい(か). 文例 ~ 괴로웠을까 どんなに苦しかっただろうか.

***얼마-든지** [ǒ:lma—] 〈副〉 いくらでも. どのくらいでも. 文例 돈은 ~ 주겠다 金はいくらでもやろう.

얼마-만큼 [ǒ:lma—] 〈副〉 どのくらい. いくらぐらい. 略して'얼마큼'ともいう. 文例 ~ 차지할 것인가 どのくらい占めるべきか.

얼마-쯤 [ǒ:lma—] 〈副〉 いくらぐらい. どれほど.

文例 거리가 ～ 됩니까 距離はどのくらいですか / ～은 봐주겠다 いくらぐらいかは大目に見てやろう.

***얼-버무리다** 〈自他〉 ❶(間に合わせの材料などで)いいかげん(加減)に事をなす. 句例 바쁜 대로 일을 ～ 急ぐだけにいいかげんに事をなす. ❷よくかまないで飲みこむ. 句例 밥을 얼버무려 삼키다 ご飯をよくかまずに飲みこむ. ❸まぜこぜにする. ❹やみ(闇)に葬る. もみ消す. 句例 사건을 ～ 事件をやみに葬る. ❺言い紛らす. 紛らす. はぐらかす. ちゃ(茶)かす《俗》. 句例 답변을 ～ 答弁をごまかす / 슬픔을 웃음으로 ～ 悲しみを笑いに紛らす / 대답을 ～ 返事を濁す / 상대의 힐문을 ～ 相手の詰問をはぐらかす / 그 자리를 ～ その場を繕う / 적당히 ～ うまくちゃかす.

얼-보다 [ŏ:l—] 〈他〉 ❶はっきり見ない. ❷まともに見ない.

얼-보이다 [ŏ:l—] 〈自〉 ❶はっきり見えない. ❷正しく見えない. ゆがんで見える. 句例 거울이 ～ 鏡がゆがんで見える.

얼-빠지다 [ŏ:l—] ⇨ '얼'の小項目

얼-빼다 [ŏ:l—] ⇨ '얼'の小項目

얼싸 〈感〉 興に乗って出す語: よいよい. 文例 ～ 좋다 ああ, よいよい. ああ, よいしょ.

얼싸-둥둥 〈感〉 赤ん坊をあやす語: ああ, よしよし.

얼싸-안다 [—antta] 〈他〉 抱擁する. 抱き込む. 抱きしめる. 句例 얼싸안고 울다 抱き合って泣く.

***얼씨구** 〈感〉 ❶興に乗ってはやす語: ようよう. よいやよいや. 文例 ～ 좋다 よいやよいやさと. ❷見苦しいふるまいをあざける語: ようよう.

얼씨구-나 〈感〉 ❶⇨ 얼씨구. ❷得たり賢し. しめた. 句例 ～ 하고 적의 허를 찌르다 得たり賢しと敵の虚をつく.

얼씨구-절씨구 〈感〉 興に乗ってはやす語: よいやよいや. よいやよいやさと.

얼씬 〈副〉 目の前に現れたり消えたりするさま: さっ. ちらっ. **～거리다** 〈自〉 (目の前に現れたり消えたりして)ちらちらする. 出没する. 句例 불량배(不良輩)들이 ～ 不良たちが出没する. 文例 내 앞에 얼씬거리지도 마라 目の前から消えうせろ.

얼씬 못 하다 姿を見せることもできない. 近づくこともできない. 文例 호되게 당하고는 얼씬 못 한다 ひどい目にあってからは近づくこともできない.

얼씬 아니하다 ぜんぜん姿を見せない. 文例 싸운 후로는 얼씬 아니한다 争ってからは姿だに見せない.

얼어-붙다 [ŏrŏ—] 〈自〉 凍りつく. 氷が張り詰める. いてつく. 句例 강이 ～ 川が凍りつく / 물이 ～ 水が凍りつく / 연못에 얼음이 ～ 池に氷が張り詰める / 수도꼭지가 ～ 水道の蛇口が凍りつく.

***얼얼-하다** [ŏrŏl—] (→하다) 〈形〉 ❶(辛くて)ひりひりする. ぴりぴりする. ひりつく. 文例 반찬이 매워서 입안이 ～ おかずが辛くて口の中がひりひりする. ❷(皮膚などが)ひりひりする. 文例 칼에 베인 상처가 ～ ナイフの傷口がひりひりする.

얼-요기 【—療飢】 [ŏllyogi] 〈名〉 簡単な腹ごしらえ.

얼음 [ŏrŭm] 〈名〉 氷. 句例 ～이 얼다 氷が張る / ～이 녹다 氷が解ける / ～을 깨다 氷を割る / ～으로 차게 하다 氷でひやす. 語例 ～ 과자 氷菓子 / ～ 냉수 氷水 / ～덩이 氷塊 / ～물 氷水. お冷や / ～ 베개 氷まくら. 氷枕 / ～ 사탕 氷砂糖 / ～ 주머니 氷嚢. 氷袋 / ～지치기 氷滑り / ～ 찜질 氷しっぷ / ～판 氷の面. →囲み記事 66

얼음(이) 박이다 凍傷にかかる.

얼음(을) 지치다 氷滑りをする.

얼음장-같다 [ŏrŭmtchang—] 〈形〉 (オンドル(温突)・手足・からだなどが)たいへん冷たい. **얼음장같이** [—gach'i] 〈副〉 氷のように冷たく.

参考 '얼음장'は, 氷の大きな欠けら.

얼음-집 [ŏrŭmtchip] 〈名〉 ❶氷を売る店. ❷イグルー.

얼쩡-거리다 〈自〉 ❶用もなくぶらつく. ❷甘言を弄する. たぶらかす.

얼쩡얼쩡 〈副・하自〉 ❶ぶらぶら. ❷甘言を弄してたぶらかすさま.

얼추 〈副〉 ❶ほとん(殆)ど. 大方. 大体. おおよそ. あらかた. 一通り. ひとわたり. あらまし. ＝대강. ❷ほとんど近く.

얼추-잡다 〈他〉 大方見積もる.

얼-치기 〈名〉 ❶どちらともつかぬもの. ❷専門の知識や技術のない人. 語例 ～ 학자 でも学者《俗》. ❸あれこれが少しずつ入り混じっているもの.

얼큰-하다 (→하다) 〈形〉 ❶(味が)辛くて口の中がひりひりする. ❷ほろ酔いきげんだ. 酔いがまわる. **얼큰히** 〈副〉 ❶ひりひり. ❷ほろ酔いかげんに.

얼키-설키 〈副〉 もつれているさま: ごじゃごじゃ. ごちゃごちゃ.

얼토당토-아니하다 ❶全く関連がない. ❷とんでもない. 愚にもつかない. やぶにら(藪睨)みだ《俗》. 略して'얼토당토않다'ともいう. 文例 그것은 얼토당토아니한 생각이다 それはやぶにらみの考えだ.

얽다[1] [ŏkta] 〈自〉 ❶あばた(痘痕)になる. あばたがある. 句例 얽은 얼굴 あばた面. 文例 얼굴이 많이 얽었다 顔がひどいあばただ. ❷(ものの表面に)ぼこぼこした傷が多くできる. 文例 책상이 많이 얽었다 机に傷が多い.

参考 '얽고 でこぼこになって' '얽어 でこぼこして'は[ŏlkko], [ŏlgŏ]と発音される.

***얽다**[2] [ŏkta] 〈他〉 ❶(ひも(紐)や縄で)縛る. くくる. 編む. 結ぶ. から(絡)げる. 句例 짐을 끈으로 ～ 荷物をひもでくくる / 대바구니를 ～ 竹かごを編む. ❷(うそなどを)でっちあげる. 文例 골탕을 먹이려고 없는 일을 얽으려고 한다 こらしめのためありもしない事をでっちあげようとしている.

参考 '얽고 縛って' '얽는 縛る'は[ŏlkko], [ŏngnŭn], '얽어 縛って'は[ŏlgŏ]と発音される.

얽-매다 [ŏngmaeda] 〈他〉 ❶縛る. くくる. ほだす. ❷束縛する. 縛りつける. 句例 사람의 자

ㅇ

유를 ～ 人の自由を束縛する. ❸(仕事に)身を傾ける.

얽-매이다 [ŏng—] 〈自〉 '얽매다'の受け身. ❶束縛される. 縛りつけられる. 句例 시간에 ～ 時間に束縛される. ❷ほだされる. 拘泥する. 句例 인정에 ～ 情にほだされる / 인습에 ～ 因習にとらわれる. 文例 아이에게 얽매여 책도 못 읽는다 子供にかまけて本も読めない.

얽어-매다 [ŏlgŏ—] 〈他〉 縛りつける. がんじがらめにする. 句例 철사로 ～ 針金で縛りつける.

***얽히다** [ŏlk'ida] 〈自〉 ❶'얽다² 縛る'の受け身: 縛られる. 絡まれる. 句例 나팔꽃 덩굴에 얽힌 대나무 막대 朝顔のつるにからまれた竹の棒. ❷互いに引っ掛かる. 絡む. もつれる. 絡まる. 句例 여러 가지 사정이 ～ いろいろな事情が絡まる. ❸関連する. まつわる. 句例 지명에 얽힌 전설 地名にまつわる伝説 / 그 사람에게 얽힌 소문 その人にまつわるうわさ. ❹巻き添えを食う. 理由なく嫌疑がかかる. 句例 사건에 공연히 ～ 理由もなく事件の巻き添えを食う. ❺(考えが)入り乱れる. こんがらかる. 文例 여러 가지 생각에 얽혀 말을 하지 못했다 いろいろな考えに(頭が)ごっちゃになって口がきけなかった.

얽히고 설키다 (物事が)複雑にもつれる. こんがらかる.

엄격-하다 【嚴格—】 [ŏmkkyŏk'ada] (→하다) 〈形〉 厳格だ. 厳しい. 句例 엄격하게 기르다 厳格に育てる / 엄격한 부모 밑에서 자라다 厳しい両親のもとで育つ. **엄격히** [ŏmkkyŏk'i] 〈副〉 厳格に.

엄　〔漢字項目〕

【嚴(厳)】 中學 엄 ゲン. ゴン. ❶엄하다 きびしい. ◧嚴格 엄격 げんかく. 嚴密 엄밀 げんみつ. ❷위엄이 있다 いか(厳)めしい. ◧嚴父 엄부 げんぷ. 嚴肅 엄숙 げんしゅく. ◨尊嚴 존엄 そんげん. ❸엄숙하다 おごそかだ. ◨莊嚴 장엄 そうごん.

엄금 【嚴禁】 〈名・하他〉 厳禁. 語例 출입 ～ 立入り厳禁.

엄-나무 [ŏ:m—] 〈名〉〔植〕 はりぎり(針桐).

엄-니 [ŏ:mni] 〈名〉 きば(牙).

엄동 【嚴冬】 〈名〉 厳冬. 語例 ～ 설한(雪寒) 雪の降る極寒.

엄두 〈名〉 あえて何かをしようとする意欲. やる気.

엄두가 나지 않다 '엄두가 안 나다'のこと.

엄두가 안 나다 意欲がわかない. その気にならない.

엄두도 못 내다 思いもよらない. 考えも及ばない.

****엄마** 〈名〉 ❶《兒》ママ. おかあちゃん. かあちゃん. おっかあ. 文例 ～, 밥 줘 ママ, ご飯ちょうだい. ❷子供の名前の後に付けてその母親を呼ぶ語. 語例 인순이 ～ インスンのお母さん.

엄명 【嚴命】 〈名・하他〉 厳命. 句例 ～을 받다 厳命をうける / ～을 내리다 厳命をくだす / 사장의 ～ 社長の厳命.

***엄밀-하다** 【嚴密—】 (→하다) 〈形〉 厳密だ. 句例 엄밀한 조사 厳密な調査. 文例 엄밀하게 말하면 그건 틀렸습니다 厳密にいえばそれは間違っています. **엄밀히** 〈副〉 厳密に.

엄벌 【嚴罰】 〈名・하他〉 厳罰. 句例 ～에 처하다 厳罰に処する.

엄벙-덤벙 〈副・하自〉 みさかいもなく行動するさま: 無鉄砲に. 向こう見ずに. 軽はずみに. 上っ調子に. 文例 그는 언제나 ～하고 있다 彼はいつも上っ調子である.

엄벙-뗑 〈副・하自他〉 ⇨ 얼렁뚱땅

엄부 【嚴父】 〈名〉 厳父. 對자모(慈母).

***엄살** 〈名〉 痛い〔困った〕ふりを大げさに表わす態度. 大げさな痛がり. 仮病. 文例 저 녀석은 ～이 심하다 あいつはともすると大げさに苦しいふりをする. 語例 ～꾸러기. ～쟁이 痛がり屋.

엄살(을) 떨다〔부리다〕 痛い〔苦しい〕ふりをする. 仮病を使う.

엄선 【嚴選】 〈名・하他〉 厳選. 句例 후보자를 ～하다 候補者を厳選する.

엄수 【嚴守】 〈名・하他〉 厳守. 語例 시간 ～ 時間厳守.

엄수 【嚴修】 〈名・하他〉 厳かに執り行なうこと. 句例 추도식을 ～하다 追悼式を厳かに執り行なう.

***엄숙-하다** 【嚴肅—】 [ŏmsuk'ada] (→하다) 〈形〉 厳粛だ. 厳かだ. 句例 죽음이라는 엄숙한 사실에 직면해 있다 死という厳粛な事実に直面している. **엄숙히** [ŏmsuk'i] 〈副〉 厳粛に. 厳かに. 句例 식을 엄숙히 거행하다 式を厳粛にとり行なう.

엄습 【掩襲】 [ŏ:msŭp] 〈名・하他〉 だしぬけ〔不意〕に襲撃すること. やみ討ち.

엄연-하다 【儼然—】 [ŏmyŏn—] (→하다) 〈形〉 厳然としている. 句例 엄연한 사실 厳然たる事実. **엄연히** 〈副〉 厳然として. 文例 지금도 엄연히 존재한다 今も厳然として存在する.

엄정 【嚴正】 〈名〉 厳正. **～하다** 〈形〉 厳正だ. 句例 ～하게 처리하다 厳正に処理する. 語例 ～ 중립 厳正中立. **～히** 〈副〉 厳正に.

엄존 【儼存】 〈名・하自〉 厳存. 句例 증거가 ～하다 証拠が厳存する.

엄중-하다 【嚴重—】 (→하다) 〈形〉 厳重だ. 句例 엄중한 처벌 厳重な処罰. **엄중히** 〈副〉 厳重に. きび(厳)しく. 厳に.

엄지 〈名〉 ['엄지가락'の略] 親指. 語例 ～손가락 手の親指 / ～손톱 手の親指のつめ(爪) / ～발가락 足の親指 / ～발톱 足の親指のつめ.

엄책 【嚴責】 〈名・하他〉 厳責.

엄처-시하 【嚴妻侍下】 〈名〉 恐妻家. 女房の尻にしかれている夫. かかあ天下に甘んじている夫.

***엄청-나다** 〈形〉 途方もない. とてつもない. べらぼうだ. ものすごい. どえらい《俗》. とんでもない. 度外れだ. おびただしい. 句例 인파가 ～ どえらい〔おびただしい〕人出だ / 엄청나게 비싸다 べらぼう〔ばか〕に高い / 엄청나게 큰 소리 度外れに大きい声. 文例 엄청난 일을 저질렀다 どえらい事をしでかした.

엄친【嚴親】〈名〉自分の父の称：父親．＝가친(家親)．㊖자친(慈親)．

엄파이어〈名〉アンパイア．(競技の)審判員．◇umpire

엄폐【掩蔽】[ǒmp'ye]〈名・하他〉掩蔽．語例 ～물 掩蔽物／～호 掩蔽壕．

엄-포 [ǒmp'o]〈名〉見えすいた脅かし．こけおどし．空いばり．文例 그런 ～는 두렵지 않다 そんなこけおどしは怖くない．

엄포(를) 놓다 こけおどしをする．こけおどしの文句を並べる．

엄-하다【嚴―】(→하다)〈形〉きび(厳)しい．きつい．句例 엄한 단속 きびしい取り締まり／경계가 ～ 警戒がきびしい／자식들에게 ～ 息子たちにきびしい．語例 엄해지다 きびしくなる．**엄히**〈副〉きびしく．厳に．句例 엄히 꾸짖다 きびしくしかる．

엄호【掩護】[ǒmho]〈名・하他〉掩護．句例 해병대의 상륙을 ～하다 海兵隊の上陸を掩護する．語例 ～ 사격 掩護射撃．

업〈名〉〔民〕(一家の)福の神．福を招くもの．語例 ～구렁이 福の神であるあおだいしょう．

업【業】〈名〉❶'직업'の略：業．なりわい．句例 종이 장사를 ～으로 하다 紙商売を業とする．❷〔佛〕業．

업 〔漢字項目〕

【業】中學 업 ギョウ．ゴウ．❶학습하는 일 学び事．◧授業 수업 じゅぎょう．卒業 졸업 そつぎょう．❷삶의 수단 暮らしの手立て．◧農業 농업 のうぎょう．生業 생업 せいぎょう．職業 직업 しょくぎょう．❸일과 근무 仕事と務め．◧業務 업무 ぎょうむ．◧作業 작업 さぎょう．休業 휴업 きゅうぎょう．❹선악의 결과 善悪の結果．◧業果 업과 ごうか．業苦 업고 ごうく．業報 업보 ごうほう．

업계【業界】〈名〉業界．句例 ～의 동향 業界の動向．語例 가전〔출판〕～ 家電〔出版〕業界／～지 業界紙．

**업다〈他〉❶負う．おんぶする．背負う．句例 아기를 ～ 赤ん坊を負う〔おんぶする〕．❷担う．担ぐ．句例 장관을 업고 행세하다 長官を担いで勢力をふるう．❸交尾する．❹(かりうち(樗蒲)で)二つのこま(駒)をいっしょに重ねる．句例 두 동을 업고 가다 (二つの)こまを重ねて進む．

업어 가도 모르다 (ぐっすり眠っていて)背負って行っても分からない．

업어라도 주고 싶다 おぶってやりたいほどかわいい．

업-둥이〈名〉自分の家の前で拾いあげた捨て子．またはもら(貰)い子．
参考 財物にめぐまれる福を背負って入って来た子供の意．

업무【業務】[ǒmmu]〈名〉業務．句例 ～에 방해가 되다 業務のじゃまになる／～를 완수하다 業務を果たす／～에 취수하다 業務に就く．語例 일상 ～ 日常の業務／～ 감사 業務監査／～상 과실 業務上の過失．

업보【業報】〈名〉〔佛〕業報．因果．業．

업신-여기다 [ǒːpshinnyǒgida]〈他〉侮る．ばかにする．蔑視する．軽んじる．見下げる．見くびる．ないがしろにする．さげすむ．句例 작은 나라라고 ～ 小さい国だと侮る／시골뜨기라고 ～ 田舎者とてばかにする／젊다고 ～ 若いからとて軽んじる．

업신-여김 [ǒːpshinnyǒgim]〈名〉軽蔑．蔑視．句例 ～을 당하다〔받다〕軽蔑〔無視〕される．

업심 [ǒːpshim]〈名〉'업신여김'の略．

업심(을) 받다 さげすまれる．軽視される．ばかにされる．

업어-치기 [ǒbǒ―]〈名〉(相撲・柔道で)背負い投げ．

업자【業者】〈名〉業者．語例 출입 ～ 出入りの業者／소매 ～ 小売り業者．

업적【業績】〈名〉業績．句例 ～이 오르다 業績が上がる／～을 남기다 業績を残す／큰 ～을 올리다 大きな業績をあげる．

업종【業種】〈名〉業種．語例 ～별 조합 業種別の組合．㊟직종(職種)．

업주【業主】〈名〉['영업주(營業主)'の略] 業主．句例 ～의 횡포 業主の横暴．

*__업체__【業體】〈名〉❶事業の主体．❷['기업체(企業體)'の略] 企業体．業者．語例 수입 ～ 輸入業者．

업태【業態】〈名〉業態．語例 ～ 조사 業態調査．

업히다 [ǒp'ida] ㊀〈自〉'업다'の受け身：背負われる．おぶわれる．おんぶされる．句例 아기가 엄마에게 ～ 赤ん坊が母におんぶされる．㊁〈他〉'업다'の使役形：背負わせる．負わせる．おんぶさせる．

**없다 [ǒːpta]〈形〉無い．❶持っていない．句例 돈이 ～ 金が無い／없는 돈을 털어서 なけなしの金をはたいて／경험이 ～ 経験が無い／눈붙일 겨를도 ～ 一睡の暇もない．
❷空っぽだ．＝비다．句例 병 속에는 아무 것도 ～ 瓶の中は空っぽだ．
❸場所を占めていない．句例 나무 한 그루 ～ 木一本もない．
❹存在しない．いない．句例 집에 아무도 ～ 家にだれもいない／당할 사람이 ～ かな(適)う者がない．
❺(事が)起こらない．句例 별 일 ～ 変わったことはない．文例 말썽이 없었으면 좋겠다 悶着が起こらなきゃいいけれども．
❻欠けている．句例 생기가 ～ 生気がない／맛이 ～ 味がない／성의가 ～ 誠意を欠く．
❼貧しい．＝가난하다．句例 없는 살림 貧しい暮らし／없는 놈이 있는 체하다 持たない者が持ったふりする．
❽死んでいる．文例 지금 그는 이 세상에 ～ 彼は亡くなってこの世にいない．
❾('-ㄹ 수 ～'の形で) できない．句例 먹을 수 없는 버섯 食べられないきのこ．▷㊖있다．
❿対等以下の人に対して，'望めない'の意で脅かす語．文例 이번만은 용서하지만 다음번엔 ～ 今度だけは許すが次は容赦ないぞ／까불면 없을 줄 알아 ふざけたらこの世にないものと思え．
参考 '없고 なくて' '없는 ない' '없으니 ないので'

ㅇ

は[ǒ:pko], [ǒ:mnŭn], [ǒ:psŭni]と読む.

없는 게 없다 なんでもある. あらゆる物を備えている.

없어 비단 옷 着替えなしの晴れ着なし. 猿楽の不便. '없어서 비단 치마'とも言う.

***없애다** [ǒ:psaeda]〈他〉['없이하다'の略] なくす. ❶取り除く. 句例 방해자를 ~ 邪魔者を取り除く. ❷浪費する. 句例 돈을 ~ 金を浪費する / 먹어 ~ 食べつくす. ❸処分する. 句例 헌 신문을 ~ 古新聞を処分する. ❹失う. 句例 지갑을 ~ がま口をおとす. ❺'죽이다 殺す'の俗っぽい言いかた: 消す. 文例 없애 버려라 殺してしまえ.

없어-지다 [ǒ:psǒ—]〈自〉無くなる. 消えうせる. 消える. 句例 책이 ~ 本が無くなる / 냄새가 ~ においが消える. 文例 그의 모습이 어느새 없어졌다 彼の姿がいつのまにか消えうせた.

***없이** [ǒ:pshi]〈副〉❶無く. ないままに. 句例 쉴새 ~ 일하다 休むひまなく仕事をする. 文例 바깥을 멍하니 바라보면서 말 ~ 앉아 있다 外をぼんやりと眺めながら何も言わずに座っている / 아무것도 ~ 떠났다 何も持たずに出発した. ❷貧しく. 文例 ~ 산다고 업신여기지 마세요 貧しく暮らしているといって, ばかにしないでください.

엇-〈頭〉'そ(逸)れて'・'外れて'・'交互に'・'行き違いに'・'互い違いに'・'少し'などの意. 語例 ~나가다 脱線する / ~구수하다 少しおいしそうだ.

엇-가다〈自〉❶ひねくれる. ❷常軌を逸する. 句例 엇가는 행동 常軌を逸した行動.

엇-각【—角】〈名〉〔數〕錯角.

엇-갈리다〈自〉❶行き違う. 行き交う. すれちがう. 入り違う. 句例 길이 ~ 互いに行き違う. ❷食い違う. 句例 의견이 ~ 意見が食い違う / 희비가 엇갈리는 인생 泣き笑いの交錯する人生.

엇-걸다 (엇거니, 엇걸어서)〈他〉互い違いに〔筋違いに〕か(掛)ける.

엇-나가다 [ǒnnagada]〈自〉❶横へそれる. ❷常軌を逸する. ひねくれる.

엇-대다〈他〉❶はす(斜)に当てる. 句例 옷에 헝겊을 ~ 着物に布切れをはすに当てる. ❷当てこする. 当てつける.

엇-메다 [ǒnmeda]〈他〉たすきがけにする. 句例 어깨띠를 ~ たすきを筋交いに肩にかける.

엇-바꾸다〈他〉互いに交換する. 句例 책을 ~ 本を互いに交換する.

엇-베다〈他〉斜めに切る.

엇비슷-이 [ǒtpisŭshi]〈副〉ほとんどそっくりに.

엇비슷-하다 [ǒtpisŭt'ada] (→하다)〈形〉やや似ている. ほとんどそっくりだ. (実力などが)ほぼ等しい. 文例 질은 다르지만 모양은 ~ 質は違うが形はほとんど似ている.

엇-시조【旕時調】〈名〉〔文〕'시조(時調)'の一つ. 六句のうち'종장(終章)'の第一句をのぞいて, ほかのどれか一句が'평시조'より字数が多い'시조'. =중형(中形) 시조.

엉거주춤-하다 (→하다)〈自〉❶中腰〔及び腰・浮き腰〕になる. 句例 엉거주춤한 자세 中腰の姿勢. ❷日和見の態度だ. ためらう. 文例 너무 추워서 갈까 말까 결정하지 못하고 엉거주춤했다 あまり寒いので行くか行くまいか決めかねて迷った.

엉겁-결에〈副〉思わぬ間に. 思いも寄らぬ瞬間に. はずみにのって. とっさの間に. 思わず. ふと. 文例 ~ 손을 들었다 思わず手を挙げた / ~ 소리를 질렀다 思わず叫んだ.

엉겅퀴〈名〉〔植〕のあざみ(野薊).

엉금-엉금 [ǒnggŭmǒnggŭm]〈副〉脚の長い人や動物がゆっくり歩く〔は(這)う〕さま: のっそのっそ. のっそりのっそり. 句例 ~ 기다 のそのそとはう.

엉기다〈自〉❶凝り固まる. 句例 음식이 식어서 기름이 ~ 料理が冷えて油気が固まる. ❷仕事がはかどらずぐずぐずする. 句例 일에 엉겨 있다 仕事に絡まれている. ❸やっとは(這)って行く. 句例 술에 만취되어 ~ 酔っ払ってやっとはうように歩く.

엉너리〈名〉歓心を買うために甘い言動で人におもねること.

엉너리(를) 치다 狡猾な甘言で人におもねる.

엉덩-방아 [ǒngdǒng—]〈名〉尻餅.

엉덩방아(를) 찧다 尻餅をつく.

****엉덩이** [ǒngdǒng-i]〈名〉尻. 句例 ~를 흔들다 尻を振る. こびる.

엉덩이가 무겁다 尻が重い. 腰が重い.

엉덩이를 붙이다 一箇所に長くとどまる. 長居をする.

엉덩이에 뿔이 났다 尻に角が生えた. 未熟な人間が教えに従わず勝手なことをすることのたとえ.

엉덩-춤 [ǒngdǒng—]〈名〉❶尻振り踊り. ❷得意になって尻を浮き浮きさせること.

***엉뚱-하다** (→하다)〈形〉❶身に過ぎる言動である. 身分不相応だ. ❷とんでもない. 突拍子もない. 突飛だ. 句例 엉뚱한 짓 突拍子〔とてつ〕もないしぐさ / 엉뚱한 대답 とんちんかんな答え. 語例 엉뚱하게 場違いに. 突拍子もなく. とんちんかんに. とんでもなく.

엉망〈名〉めちゃくちゃ. めちゃめちゃ. 文例 만사가 ~이다 すべてがめちゃくちゃだ / 비를 맞아 옷이 ~이 됐다 雨で服がぐちゃぐちゃ〔だいなし〕になった / 시험 성적이 ~이다 試験の成績が散散だ.

엉망-진창〈名〉'엉망'の強調語. 文例 회계가 ~이다 会計が乱脈をきわめている.

엉성-하다 (→하다)〈形〉❶粗い. まばらだ. 締まりがない. 整っていない. ずさんだ. ラフだ. 句例 엉성한 머리카락 (は(禿)げて)まばらな髪の毛. 文例 계획서가 매우 ~ 計画書がはなはだ粗末だ. ❷やせこけている. 句例 엉성한 나뭇가지 (葉が落ちて)枯れ枯れになったこずえ. ❸意に満たない. しっくりしない.

엉성히〈副〉❶粗く. まばらに. 締まりなく. ❷やせこけて. ❸しっくりしないで.

***엉-엉** [ǒng-ǒng]〈副・하自〉大声で泣くさま〔声〕: わあわあ. えんえん. ああんああん. 文例 너무 아파서 ~ 울었다 あまりにも痛いのでわあわあ声を出して泣いた. **~거리다**〈自〉しきりに大声を出して泣く. ああんああんと泣く.

엉클어-뜨리다 [ŏngk'ŭrŏ—] 〈他〉 (物事を) もつれさせる. 乱す.

엉클어-지다 [ŏngk'ŭrŏ—] 〈自〉 絡み合う. もつれる. よれる. 乱れる. ＝엉키다. 句例 머리카락이 ～ 髪の毛がもつれる.

엉큼-성큼 〈副〉 長い足で大またに歩くさま: のしのし. のっしのっし.

엉큼-스럽다 (→스럽다) 〈形〉 腹黒い所がある. **엉큼스레** 〈副〉 腹黒く.

엉큼-하다 (→하다) 〈形〉 腹黒い. 腹に一物ある. 句例 엉큼한 놈 陰険なやつ.

*__엉키다__ 〈自〉 もつれる. 絡み合う. 句例 실이 ～ 糸がもつれる / 감정이 복잡하게 ～ 感情が複雑にもつれる.

엉터리 〈名〉 ❶はったり屋. ほら吹き. 文例 그는 ～다 彼ははったり屋だ. ❷見かけ倒し. でたらめ. いんちき. 句例 ～ 의사 へぼ〔やぶ〕医者 / ～ 계획 でたらめな計画 / 일을 ～로 하다 仕事をでたらめにする. ❸(物事の)根拠〔もと〕になる理由.

엉터리-없다 [—ŏpta] 〈形〉 根拠がない. とんでもない. とてつもない. 法外だ. 途方もない. むちゃだ. 句例 엉터리없는 소리 べらぼうな話. **엉터리없이** [—ŏpshi] 〈副〉 根拠なく. 法外に. むちゃに. 途方〔とてつ〕もなく. 句例 엉터리없이 비싼 약 とてつもなく高い薬.

엊-그저께 〈名〉 ❶先先日. ❷数日前.

엊-그제 〈名〉 '엊그저께'の略. 文例 동네의 시냇물에서 놀던 어린 시절도 ～ 같다 村の小川に遊び戯れた幼き日も数日前のようだ.

엊-저녁 〈名〉 ['어젯저녁'の略] 昨夜. ゆうべ. 昨晩.

엎다 〈他〉 ❶ひっくり返す. 伏せる. 句例 그릇을 엎어 놓다 器を伏せておく / 밥그릇을 ～ ご飯茶わんをひっくり返す. ❷滅ぼす. 覆す. だめ(駄目)にする. 句例 천년의 사직을 ～ 千年の社稷を滅ぼす / 정부를 ～ 政府を倒す.

엎드러-지다 〈自〉 (つん)のめる. うつむけに倒れる. 前のめりになる. 句例 돌에 걸려 ～ 石につまずいてのめる.

엎드러지면 코 닿을 데 指呼の間. 目と鼻の間.

엎드려-팔굽히기 [—p'algup'igi] 〈名〉 (体操で)腕立て伏せ.

**__엎드리다__ 〈自〉 ❶四つんばいになる. 腹ばいになる. 伏せる. うつぶせる. 句例 땅에 ～ 地にうつぶせる / 엎드려서 책을 읽다 腹ばいになって本を読む. ❷平伏する. ひれ伏す. 文例 넙죽 엎드려 용서를 빌었다 ひれ伏して許しを請うた.

엎드려 절 받기 身を伏せてお辞儀を受ける. 相手がする気もないのを無理にしてもらうことのたとえ. '옆 찔러 절받기'ともいう.

엎어-놓다 [ŏp'ŏnot'a] 〈他〉 伏せておく. 句例 잔을 ～ 杯を伏せておく / 읽던 책을 ～ 読みかけた本を伏せておく.

엎어-지다 [ŏp'ŏ—] 〈自〉 ❶前にのめる. 倒れる. 句例 빙판에서 ～ 凍った道で転ぶ. ❷覆る. ひっくり返る. ❸(物事が)だめ(駄目)になる.

**__엎-지르다__ (엎지르니, 엎질러서) 〈他〉 こぼす. 句例 물을 ～ 水をこぼす.

엎지른 물 覆水盆に返らず.

엎질러-지다 〈自〉 こぼれる.

엎-치다 ㊀〈自〉 腹ばいになる. ㊁〈他〉 '엎다'の強調語.

엎친데 덮친다 倒れたところへ覆いかぶさる. 泣き面にはち(蜂).

엎친 물 '엎지른 물'の意(→'엎지르다'の小項目).

엎치락-뒤치락 〈副・하自他〉 ❶寝つけずに何度も寝返りをうつさま. ❷上になり下になるさま. 伯仲の間であるさま. 文例 경기가 ～한다 シーソー戦を展開する.

에[1] 〈名〉〔言〕 ハングルの字母'ㅔ'の名称.

에[2] [eː] 〈感〉 ものを言うとき, 次の言葉を考えながら出す語: ええ. ええと. 文例 ～, 여러분 ええと, 皆さん.

에[3] 〈助〉 ❶場所を表わす助詞: …に. 句例 산 위～ 뜬 구름 山の上に浮かんだ雲 / 방～ 남아 있다 部屋に残っている.
❷方向を表わす: …へ. …に. 句例 부산～ 가다 釜山に行く. 文例 지금 학교～ 가는 길이다 今学校に行くところだ.
❸時を表わす: …に. 文例 세 시～ 만납시다 三時に会いましょう.
❹原因を表わす: …に. 句例 바람～ 날리는 깃발 風にはためく旗.
❺動作・状態の対象を示す: …に. 句例 문법～ 관심을 가지다 文法に関心を持つ / 차멀미～ 제일 좋은 약 車酔いに一番の薬 / 임무～ 충실하다 任務に忠実だ.
❻値段を表わす: …で. 句例 2만 원～ 사다 2万ウォンで買う.
❼道具・手段・材料を表わす: …で. …に. 句例 무를 물～ 씻다 大根を水で洗う / 눈물～ 젖은 얼굴 涙にぬれた顔.
❽基準になる単位を表わす: …に. 句例 일년～ 두 번 여행하다 一年に二回旅行する.
❾並列を表わす: …に. …やら. 文例 술～ 떡～ 밥～ 진탕 먹었다 酒やらもち(餅)やらご飯やらうんと食べた.
❿地位を示す語とともに用いられて担当を表わす: …に. 句例 왕위～ 오르다 王位に昇る / 춘향역～ 뽑히다 春香の役に抜擢される.
⓫'에다가'の略: …に. 句例 국～ 밥을 말다 ご飯にお汁をかける / 연구～ 연구를 거듭하다 研究に研究を重ねる.

에게 〈助〉 …に. 句例 신～ 맹세하다 神に誓う. 文例 그～ 주어라 彼にやれ / 형～ 야단맞다 兄にしかられる / 그녀～ 관심이 있다 彼女に関心がある / 개～ 물렸다 犬にかまれた / 자네～만 시키는 것이 아닐세 君にだけやらせるのではないぜ / 자네～도 주겠다 君にも上げよう. →게[3].

表現 人間や動物などを表わす語にだけ用いられる. それ以外には'에'を用いる. '은행에 맡기다 銀行に預ける' また, 会話体では'한테・더러'などと置き換え得

る. '나에게〔더러・한테〕 그렇게 말씀하셨다 わたしにそうおっしゃった' '친구에게〔한테〕(서) 배웠다 友達に〔から〕習った' また, 目上に対しては'께'を使う. '선생님에게〔께〕 칭찬받다 先生に褒められる'.

에게-다 〈助〉…に. 句例 친한 사람~ 연락하다 親しい人に連絡する.

에게-로 〈助〉…に. …へ. 句例 동생~ 달려가다 弟のほうに駆けて行く.

에게-서 〈助〉…から. …より. 句例 어머니~ 온 편지 母からの手紙 / 선생님~ 배우다 先生から教わる.

에고이즘 〈名〉エゴイズム. ◇egoism

***에끼** [e:kki] 〈感〉気に入らないときに出す声: えい. くそ. 畜生. 文例 ~ 이 죽일 놈 この死に損ないめ.

에끼다 〈他〉相殺する. 埋め合わせる. 帳消しにする. パアにする《俗》.

에나멜 〈名〉エナメル. 語例 ~선 エナメル線 / ~질 エナメル質. 琺瑯質 / ~ 페인트 エナメルペイント. ◇enamel

***에너지** 〈名〉エネルギー. ＝에네르기. 語例 ~원 エネルギー源 / ~ 자원 エネルギー資源 / ~ 전환 エネルギー転換. ◇energy

에누리 〈名〉❶掛け値. ㉠実際より高くつけた値段. **~하다** 〈他〉掛け値を言う. 句例 손님에게 ~하다 お客に掛け値を言う. ㉡物事を大げさに言うこと. 文例 그의 이야기에는 ~가 있다 彼の話には掛け値〔ほら〕がある. ❷お負け. 値切り. 値引き. **~하다** 〈他〉負ける. 値切る. 句例 물건 값을 ~하다 品物代を値切る / ~해서 듣다 話を割り引きして聞く.

에누리-없다 [—ŏpta] 〈形〉掛け値がない. 値切ることができない. 値引きしない. お負けがない. **에누리없이** [—ŏpshi] 〈副〉掛け値なしに. 値引きなしで. 文例 에누리없이 얼마요 掛け値なしにいくらかね.

에-는 〈助〉…には. 略して'엔'とも言う. 文例 가지~ 수꽃이 없다 なす(茄子)にはむだ花がない / 산~ 가지 마라 山には行くな.

***에다**[1] [e:da] 〈他〉えぐ(抉)る. えぐり出す. 切る. 句例 살을 에는 듯한 찬 바람 肌をえぐるような寒風 / 에는 듯 신랄한 말 えぐるような辛辣な言葉.

에다[2] 〈助〉'에다가'の略.

에다가 〈助〉…に. …の上に. …やら. 略して'에' '에다'とも言う. 句例 십~ 십을 더하다 十に十を加える / 빵~ 버터를 바르다 パンにバターをつける / 벽~ 지도를 붙이다 壁に地図を張る. 文例 어디~ 두었느냐 どこに置いたのか / 빵~ 우유~ 많이 먹었다 パンに〔やら〕ミルクに〔やら〕いっぱい食べた.

에덴 〈名〉〔宗〕エデン. 句例 ~의 꽃동산 エデンの花園. ◇Eden

에델바이스 〈名〉〔植〕エデルワイス. ◇도 Edelweiss

에도 〈助〉❶'또한 …もまた'の意を表わす副詞格助詞: …にも. …でも. …も. 文例 겨울~ 꽃이 핀다 冬でも花が咲く / 이번~ 졌다 今度もまた負けた. ❷'…すら' '…にさえ'の意を表わす. 句例 꿈~ 잊지 못할 그녀 夢にだに忘られない彼女.

에-돌다 [e:—] (에도니, 에돌아서) 〈他〉❶尻込みをする. 避ける. 辺りをうろつく. ❷遠回りする. ぐるぐる回る.

에-두르다 [e:—] (에두르니, 에둘러서) 〈他〉❶張り巡らす. ❷遠回しに言う.

에라 〈感〉❶失望の意を表わす声: えい. 畜生. ちきしょう. くそ. 文例 ~ 모르겠다 えいくそ, なるようになれ. ❷子供や目下の者に'よせ'という意味でしかるときの声: よせよせ. やめろ. 文例 ~ 이놈들 그만두지 못해 こら, やめんか.

에러 〈名〉エラー. ◇error

에로 〈名〉エロ. 語例 ~ 문학 エロ文学. ◇eroticismの略.

에루화 〈感〉興に乗って歌うときのはやし(囃子): よいよい. 文例 ~ 좋구나 さのよいよい.

에메랄드 〈名〉エメラルド. ◇emerald

에비 〈名・感〉子供をおどかすために'恐ろしいもの'の意で使う語: 鬼. 化け物. 文例 ~ 온다 化け物が来るよ.

****에서** 〈助〉❶場所を表わす助詞: …で. 句例 공원~ 만나다 公園で会う / 서울~ 살다 ソウルに住む / 대학~ 배우다 大学で学ぶ.
❷(団体の名前について)主体を示す: …が. 文例 우리 학교~ 이겼다 うちの学校が勝った.
❸動きの起点を示す: …から. …より. 句例 여기~ 저기까지 ここからあそこまで / 학교~ 출발하다 学校から出発する / 위험~ 멀어지다 危険から遠ざかる / 세 시~ 다섯 시까지 三時から五時まで / 교육적 견지~ 보면 教育的見地から見ると / 호기심~ 시작하다 好奇心から始める / 그런 목적~ 취해진 대책 そのような目的から取られた対策.
表現 会話では, 場所の代名詞および地名の後ろで'서'と置きかえ得る. '서울에서〔서〕 부산까지 ソウルから釜山まで' '여기에서〔서〕 ここで'. また, ③の起点を示す助詞'에서'は'으로부터'と置きかえ得る. '바다에서〔로부터〕 시원한 바람이 불어오다 海の方から涼しい風が吹いてくる'. なお, 人が起点となる場合は'에서'でなく'에게서'(会話体では'한테서')を用いる. '어머니에게서 온 편지 母からの手紙'.

에세이 〈名〉エッセイ. ◇essay

에센스 〈名〉エッセンス. ◇essence

에스컬레이터 〈名〉エスカレーター. 句例 ~를 타다 エスカレーターに乗る. ◇escalator

에스코트 [esŭk'o:t'ŭ] 〈名・하他〉エスコート. ◇escort

에스키모 〈名〉エスキモー. ◇Eskimo

에스페란토 〈名〉エスペラント語. ◇Esperanto

에어 〈名〉エア. 語例 ~ 쇼 エアショー / ~컨 エアコン(ディショナー) / ~ 포켓 エアポケット. ◇air

에어로빅 댄스 〈名〉エアロビックダンシング. ◇aerobic dance

에어로빅스 〈名〉エアロビクス. ◇aerobics

에우다 〈他〉❶(取り)囲む. 句例 성을 ~ 城を

囲む. ❷迂回する. 句例 에워 가다 遠回りして行く. ❸(帳簿などから)消す.

***에워-싸다** 〈他〉 取り囲む. 包囲する. 句例 성을 ~ 城を取り囲む. 語例 에워싸이다 取り囲まれる.

에의 〈助〉…への. 句例 행복~ 초대 幸福への招待.

***에이** 〈感〉 失望・あきらめの意を表わす語: えい. ままよ. 文例 ~ 이 멍청한 놈아 えい, このうすばかめ.

***에이그** 〈感〉 憎いときとか, 情けないときに出す声: なんと. まあ. 文例 ~ 이걸 그냥 畜生, こいつを.

***에이스** 〈名〉 エース. ◇ace

에이엠 방송 【AM放送】 [—baːngsong] 〈名〉 エーエム放送.

에이치-비 【HB】 [—biː] 〈名〉 エッチビー.

***에잇** 〈感〉 気に食わないときに発する語: えいっ. くそっ. 文例 ~ 실패했다 えいっ, しくじった.

에테르 [eːt'erŭ] 〈名〉〔物・化〕 エーテル. ◇ether

에티켓 〈名〉 エチケット. 句例 ~을 지키다 エチケットを守る. ◇프 étiquette

에프엠 방송 【FM放送】 [—baːngsong] 〈名〉 エフエム放送.

에피소드 [ep'isoːdŭ] 〈名〉 エピソード. ◇episode

에헴 〈感〉もったいぶったり自分の出現を知らせるためにわざとするせき払い: えへん.

***엑스** 【X, x】 〈名〉 エックス. 語例 ~ 레이 エックス線 / ~선 사진 エックス線写真 / ~ 좌표 エックス座標 / ~축 エックス軸.

엑스트라 〈名〉 エキストラ. ◇extra

엑스포 【EXPO】 〈名〉 エキスポ. ◇World Exposition から.

엔 〈助〉 '에는 には'の略. 文例 사랑~ 고민이 따른다 愛には悩みが伴う.

엔간-하다 (→하다) 〈形〉 ['어연간하다'の略] ほどほどだ. 相当だ. 普通だ. まあまあだ. **엔간히** 〈副〉 適当に. 程よく. 文例 엔간히 먹어라 ほどほどに食べなさい.

엔-극 【N極】 〈名〉 エヌ極. 北極.

엔드 〈名〉 エンド. 語例 ~ 라인 エンドライン. ◇end

엔들 〈助〉…にでも. …にだに《雅》. 文例 꿈~ 잊으리오 夢にだに忘れようか.

엔-지 【NG】 [enjiː] 〈名〉 エヌジー. ◇no good から.

엔지니어 〈名〉 エンジニア. ◇engineer

엔진 〈名〉 エンジン. 語例 ~ 고장 エンスト《俗》/ 디젤 ~ ディーゼルエンジン. ◇engine

엔트리 〈名〉 エントリー. ◇entry

엘 〈助〉 ['에를'の略] …に. …へ. 句例 거기~ 갔더니 そこに行ったら.

엘리베이터 〈名〉 エレベーター. ＝승강기. 語例 ~ 걸 エレベーターガール. ◇elevator

엘리트 〈名〉 エリート. ◇프 élite

엣센스 〈名〉 ⇨ 에센스

여¹ 〈名〉〔言〕 ハングルの字母 'ㅕ'の名称.

여² 【女】 〈名〉 '여성(女性)'の略: 女. 女性. 句例 남과 ~ 男と女.

여³ 〈助〉 母音で終わる体言につく呼格助詞: …よ. 句例 동포~ はらから(同胞)よ / 친구~ 友よ.

参考 子音で終わる語につくときは'이여'になる. '슬픔이여 안녕 悲しみよ, さようなら'.

-여 【餘】 〈尾〉 …余. …余り. 句例 백~ 명 百余名.

여 〔漢字項目〕

【予】 高校 여 ヨ. 예 ヨ. ■〔여〕 ❶주다 与える. ■予奪 여탈 よだつ. ❷나 我. ■予輩 여배 よはい. 予小子 여소자 よしょうし. われしょうし. 予一人 여일인 よいちにん. われいちにん.
■〔예〕 미리 あらかじめ. '豫 예'の俗字.

【余】 中學 여 ヨ. ❶나 我. ■余輩 여배 よはい. ❷나머지 余り. 残り. ■余暇 여가 よか. 余談 여담 よだん. 余白 여백 よはく. ■窮余 궁여 きゅうよ. 殘余 잔여 ざんよ. ❸음력 4월 陰暦四月. ■余月 여월 よげつ.

【如】 中學 여 ジョ. ニョ. ❶그대로다 そのどおりだ. 같다 同じだ. ■如上 여상 じょじょう. 如實 여실 にょじつ. 如意 여의 にょい. ❷상태를 나타내는 말의 어미에 붙이는 어조사 状態を表わす言葉の語尾につける助字. ■缺如 결여 けつじょ. 談如 담여 たんじょ. 突如 돌여 とつじょ.

【汝】 中學 여 ジョ. 너 お前. なんじ. ■汝輩 여배 じょはい. 汝曹 여조 じょそう.

【與(与)】 中學 여 ヨ. ❶상대에게 주다 与える. ■與奪 여탈 よだつ. ■賦與 부여 ふよ. ❷관계하다 かかわる. ■與黨 여당 よとう. 與知 여지 よち. ■參與 참여 さんよ. 關與 관여 かんよ.

【輿】 高校 여 ヨ. ❶가마 こし. ■神輿 신여 しんよ. 輦輿 연여 れんよ. ❷많다 多い. 많은 사람 大勢の人. ■輿論 여론 よろん. 輿望 여망 よぼう. ❸수레 車. ■乘輿 승여 じょうよ.

【餘(余)】 中學 여 ヨ. ❶남다 余る. 나머지 余り. ■餘白 여백 よはく. 餘分 여분 よぶん. 餘財 여재 よざい. ■剩餘 잉여 じょうよ. ❷그 이상 それ以上. ■月餘 월여 げつよ. 百餘名 백여 명 ひゃくよめい.

***여가** 【餘暇】 〈名〉 余暇. ひま. 句例 ~를 이용하다 余暇を利用する / ~를 즐기다 余暇をたのしむ. 語例 ~ 선용 余暇の善用.

***여간** 【如干】 〈副・하形〉 なみなみ. なみたいてい. ちょっとやそっと. よほど. 句例 ~해서는 なみたいていの事では. ちょっとやそっとでは / ~ 힘드는 게 아니다 ちょっとやそっとの苦労ではない.

表現 必ずうち消しを伴う.

여간(이) 아니다 なみたいていではない. 尋常ではない. 普通ではない. 文例 그녀의 고집은 여간 아니다 彼女の我は普通ではない.

여간-내기 【如干—】 〈名〉 ただ者. 並の者. ─ 보통내기. 文例 그는 ~가 아니다 彼はただ者ではない.

表現 必ずうち消しを伴う.

여객 【旅客】 〈名〉 旅客・りょきゃく. 語例 ~기 旅客機 / ~선 旅客船 / 철도 ~ 鉄道の

旅客.

여건【與件】[yŏ:kkŏn]〈名〉与件. 与えられた条件. 文例 공부할 ~이 좋지 않다 勉強する与件が良くない.

여걸【女傑】〈名〉女傑. 女丈夫. 男まさりの女性. =여장부.

여경【女警】〈名〉['여자 경찰관'の略] 婦警.

여고【女高】〈名〉'여자 고등 학교 女子高等学校'の略. 語例 ~생 女子高校生. 女子高生.

여공【女工】〈名〉女子工員. 女工. 對남공(男工).

여과【濾過】[yŏ:gwa]〈名・하他〉〔化〕濾過. 語例 ~기 濾過機 / ~지 濾過紙.

여관【旅館】〈名〉旅館. 宿屋. 句例 값싼 ~ 安い旅館.

여-교사【女教師】〈名〉女教師.

여군【女軍】〈名〉〔軍〕❶女子で編成された軍隊. ❷女子の軍人.

여권【女權】[yŏkkwon]〈名〉女権. 語例 ~ 신장(伸張) 女権拡張.

여권【旅券】[yŏkkwon]〈名〉旅券. パスポート. 句例 ~이 나오다 旅券が下りる / ~을 신청하다 旅券の下付を申請する / ~을 갱신하다 旅券を更新する.

**여기 一〈代〉ここ. こち(ら). 文例 ~가 좋다 ここがいい / 댁이 ~서 멉니까 お宅はここから遠いですか.

二〈副〉ここに〔へ〕. 文例 ~ 오시면 바다를 보실 수 있습니다 ここにいらっしゃれば海が眺められます / ~ 있어요 (物を差し出しながら) はい, どうぞ.

*여기다〈他〉思う. 感じる. 見なす. 認める. 句例 불쌍히 ~ かわいそうに思う. 文例 앞으로는 나를 어머니로 여기고 의지하도록 해라 これからはわたしをお前の母さんだと思って頼るようにしなさい.

여-기자【女記者】〈名〉婦人記者.

*여기-저기 一〈副〉あち(ら)こち(ら)に. 文例 ~ 돌이 흩어져 있다 あちこちに石が散らばっている.

二〈代〉ここあそこ. あち(ら)こち(ら). 方方. 句例 ~서 불이 나다 あっちこっちで火事が起こる / ~(를) 뛰어다니다 ここあそこを飛び回る.

여뀌〈名〉〔植〕たで(蓼).

여난【女難】〈名〉女難. 句例 ~의 상이 있다 女難の相がある.

여남은 [yŏnamŭn]〈數・冠〉十あまり. =십여(拾餘). 句例 ~ 사람 十人あまり(の人) / ~ 해 十年あまり. 文例 그 마을에는 집이 ~ 있다 その村には家が十あまりある.

여념【餘念】〈名〉余念.

여념(이) 없다 余念がない. 文例 그는 공부에 여념이 없다 彼は勉強に余念がない.

여느〈冠〉❶通常の. 普通の. 並の. 句例 ~ 사람 ただ人. 普通の人. ❷その他の. 文例 ~ 때와 다르다 いつもと違う / 이것은 ~ 것과 다르다 これは他のものとは違う.

여단【旅團】〈名〉〔軍〕旅団. 語例 ~장 旅団長.

여-닫다 [yŏ:—]〈他〉開閉する. 開けたり閉めたりする.

*여-닫이 [yŏ:daji]〈名〉❶開閉すること. ❷引き戸・上げ下ろし戸の通称.

여담【餘談】〈名〉余談. =잡담(雜談). 句例 이것은 ~이지만 これは余談ですが.

여당【與黨】[yŏ:dang]〈名〉〔政〕与党. 句例 ~과 야당 与党と野党. 語例 ~ 의원 与党議員.

여대【女大】〈名〉['여자 대학'の略] 女子大. 語例 ~생 女子大生.

**여덟 [yŏdŏl]〈數・冠〉八. 八つ. =팔. 語例 ~ 살 八歳 / ~ 시 八時 / ~ 개 八つ / ~ 번째 八番目. 八つ目.

參考 '여덟이 八つが' '여덟과 八つと'は'[yŏdŏlbi] [yŏdŏlgwa]'と読む.

여덟팔자-걸음【—八字—】[yŏdŏlp'altchagŏrŭm]〈名〉八の字歩き. いばった歩きかた.

**여-동생【女同生】〈名〉妹. 對남동생.

여드레〈名〉❶八日. 文例 작업을 끝내는데 ~ 걸렸다 作業を終えるのに八日間かかった. ❷'여드렛날'の略: 八日目の日. ❸'초여드렛날'の略: 八日. 句例 음력 ~ 陰暦の八日.

여드름〈名〉にきび. 句例 ~이 나다 にきびができる / ~을 짜다 にきびをつぶす / ~ 투성이의 얼굴 にきびだらけの顔.

여든〈數・冠〉八十. =팔십. 語例 ~ 살 八十歳 / ~ 번째 八十番目.

여래【如來】〈名〉〔佛〕如来. 語例 아미타 ~ 阿彌陀如来.

**여러〈冠〉(数)多くの. いろいろの. 様様の. 句例 ~ 군데를 찾아보다 あちこち〔方方〕を捜して見る. 文例 ~ 사람 앞에 나서다 多くの人の(大勢の)前に立つ / 여기는 ~ 번 와 봤다 ここは何度か来たことがある / ~ 각도에서 검토하다 様様な角度から検討する / ~ 번 시도해 보았으나 성공하지 못했다 幾度も試みたが成功しなかった / 그 동안 ~ 여자를 만났다 その間いろんな女に会った.

여러 가지 多くの種類. いろいろ. もろもろ. =가지가지. 句例 ~ 책을 팔다 いろいろな本を売る. 文例 ~로 감사합니다 いろいろとありがとうございます. 語例 ~ 사정 もろもろの事情 / ~ 종류 いろいろな種類.

여러 해 ❶多年. 数年. 文例 이 집에서 산지 ~가 된다 この家で暮らして数年になる. ❷長年. 句例 ~ 동안 사귄 친구 長年付き合った親友.

*여러모-로〈副〉多角的に. 多方面に. いろいろな面で. 句例 ~ 검토하다 多角的に検討する / ~ 신세를 지다 いろいろな面で世話になる.

*여러-분〈名〉皆さん. 皆様. 文例 ~ 안녕하세요 皆さん, こんにちは.

表現 '여러 사람 多くの人'の敬称であるが, 対称の代名詞としておもに用いられる.

여러해-살이 [—sari]〈名〉〔植〕多年生. 語例 ~ 식물 多年生植物 / ~뿌리〔植〕宿根 / ~풀 多年草. 宿根草.

*여럿〈名〉❶多くの数. 多数. 句例 ~ 중에서 하나를 고르다 多くの中から一つを選ぶ. ❷多くの人. 多人. 句例 ~이 모여서 떠들다 多くの人が集まって騒ぎ立てる.

여력【餘力】〈名〉余力. ゆとり. 句例 ~이 있다 余力がある.

여론【輿論】[yŏ:ron]〈名〉世論. よろん(輿論). 句例 ~을 무시〔존중〕하다 世論を顧みない〔尊重する〕/ ~에 귀를 기울이다 世論に耳を傾ける / ~에 호소하다 世論に訴える. 語例 ~ 조사 世論調査.

여류【女流】〈名〉女流. 語例 ~ 작가〔시인〕女流作家〔詩人〕.

**여름〈名〉夏. 語例 ~날 夏の日 / ~내 夏じゅう / ~ 방학 夏休み / ~새 夏鳥 / ~옷 夏服 / ~철 夏季 / 늦~ 晩夏 / 초~ 初夏.

여름(을) 타다 夏負け〔夏やせ・夏ばて〕をする.

*여리다〈形〉もろくて柔らかい. 句例 외모에 비해 ~ 見かけによらず柔らかくか弱い / 인정에 ~ 情けにもろい.

여린-말〈名〉〔言〕意味は同じだが語勢は弱い語. 對센말.

여린-입천장【—天—】[yŏrinipch'ŏnjang]〈名〉〔生〕軟口蓋.

여막【旅幕】〈名〉宿屋. はたご屋.

여막【廬幕】〈名〉廬舎. 墓のそばに建てて喪に服するいおり(庵).

여명【黎明】〈名〉黎明. 夜明け. 明け方. 句例 문예 부흥의 ~기 文芸復興の黎明期.

여물〈名〉❶まぐさ(秣). 飼い葉. 句例 말에 ~을 주다 馬にまぐさをやる. 語例 ~죽(粥) 煮たまぐさ / ~ 바가지 煮たまぐさをすくうひさご. ❷壁土にまぜるために切り刻んだわら(藁).

여물다(여무니, 여물어서) ■〈自〉❶よく実る. 熟する. 句例 잘 여문 옥수수 よく熟したとうもろこし. ❷(物事が)うまくいく.

■〈形〉❶しっかり〔ちゃっかり〕している. 句例 일을 여물게 하다 仕事をしっかりする. 文例 사람 됨됨이가 제법 여물구나 人となりがなかなかちゃっかりしているね. ❷(生活が)つつましい. 無駄がない. 句例 살림살이가 ~ 暮らしに無駄がない.

여미다〈他〉整える. 正す. 句例 옷깃을 ~ 襟を正す.

여-반장【如反掌】〈名〉てのひらを返すようにたやすいこと. 朝飯前. 文例 1등 하기는 ~이다 一等をするのは朝飯前だ.

여-배우【女俳優】〈名〉女優. 略して'여우'とも言う.

여백【餘白】〈名〉余白. 句例 ~을 남겨 두다 余白を残しておく / ~에 써 넣다 余白に書きこむ / ~을 메우다 余白をうずめる / ~이 많은 페이지 余白の多いページ.

여-벌【餘—】〈名〉❶余分の物. 残り物. ❷後で使うために残しておく物. 予備の物.

*여보〈感〉❶'여보시오'のやや低めた語; おい 文例 ~, 당신이 실수하지 않았소 ちょっと, あなたが間違ってませんか. ❷夫婦がお互いに呼び合う語: おい. おまえ《妻に》. あなた《夫に》. 文例 ~, 양말 어디 있어 おい, 靴下はどこにあるんだ / ~, 오늘 몇 시쯤에 돌아오세요 あなた, きょう何時ごろお帰りになるんでしょうか.

여-보게〈感〉君. おい. 句例 ~, 같이 가세 おい, 一緒に行こう.

表現 '여보시게'のやや低めた語で, やや目下か親しい相手に使う.

여-보세요〈感〉もしもし. 文例 ~, 누구신지요 もしもし, どなたでしょう.

表現 '여보시오'と同じ意の俗っぽい言いかた. 主に電話や見知らぬ人に呼び掛けるとき使う.

여-보시게〈感〉君. 貴公.

表現 対等またはやや目下の人を呼んだり注意を促すときにやや高めた語として用いる.

*여-보시오〈感〉もしもし. ちょっと.

表現 一般に, 人を呼んだり, 注意を促すときにやや高めた語として用いる.

여-보십시오〈感〉'여보시오'の敬語: もしもし. ちょっと.

여복【女福】〈名〉艶福. 句例 ~이 많다 艶福家である.

*여-봐라〈感〉❶昔, 他人の家を訪問して案内を請うときの語: たのもう. ❷目下の人を呼んだり注意を促すときの語: これこれ. おい. 文例 ~, 아무도 없느냐 おい, だれもいないのか.

參考 '여기를 보아라 こちらを見よ'の意.

여봐란-듯이 [—dŭshi]〈副〉これ見よがしに. 文例 지난 날의 가난뱅이가 이제는 ~ 살고 있다 過ぎし日のすかんぴんが今ではこれ見よがしに暮らしている.

여부【與否】[yŏ:bu]〈名〉可否. …するか否か. 句例 합격 ~의 판정 合否の判定 / 진위 ~는 모르지만 真偽の程は明らかでないが / 승낙 ~를 묻다 諾否を問う. 文例 그 일의 성공 ~는 자네한테 달려 있다 その仕事が成功するか否かは君にかかっている.

여부(가) 없다 可否を論じる必要がない. たしかだ. 間違いない. いやも応もない. もちろん(勿論)である.

여북〈副・하形〉どれほど. どんなに. さぞ. さだめし. =오죽. 句例 ~ 다급했으면 どれほどせっぱ詰まっていれば. どれほど窮迫していれば. 文例 ~해서 도망을 쳤겠나 どんなにつらくて逃げたんだろう.

表現 おもに疑問文の形で用いられる.

여북-이나 [yŏbugina]〈副〉'여북'の強調語: どんなにか. さぞかし. =오죽이나. 文例 그가 오면 ~ 즐거우랴 彼が来たらどんなに楽しかろう.

여분【餘分】〈名〉余分. =나머지. 句例 ~이 없다 余りがない / ~이 생기다 余りが生じる. 文例 ~이 하나밖에 없다 余分が一つしかない.

여-불비례【餘不備禮】〈名〉不備. 不一. 略して'여불비(餘不備)'ともいう.

表現 '礼を尽くすことが不充分だった'の意で, 手紙のおわりに書くあいさつのことば.

여비【旅費】〈名〉旅費. =노자(路資). 句例 ~를 마련하다 旅費を工面する. 文例 ~는 각

ㅇ

자 부담이다 旅費は各自持ちである. [語例] 왕복 ～ 往復の旅費.

여-비서【女秘書】〈名〉女性秘書.

여사【女史】〈名〉女史. [語例] 김 ～ 金女史. [表現] 社会的地位のある女性を呼ぶときに, 姓や姓名につけて使う敬称.

여-사무원【女事務員】〈名〉女性事務員. オフィスレディー. オーエル《略語》.

여-사장【女社長】〈名〉女社長.

여상【女商】〈名〉'여자 상업 고등 학교 女子商業高等学校'の略.

여색【女色】〈名〉女色. [句例] ～에 빠지다 女色におぼれる. 女に狂う.

여생【餘生】〈名〉余生. 余命. [句例] ～을 교육에 바치다 余生を教育に尽くす / ～을 편히 지내다 余生を安楽に暮らす / ～을 시골에서 조용히 보내다 余生を田舎で静かに送る.

여-선생【女先生】〈名〉女性教師. ＝여교사(女教師).

****여섯**〈數・冠〉六つ. 六. ＝육(六). [句例] 다섯, ～, 일곱, …, いつ, む, なな, …. [語例] ～ 명 六名 / ～ 시 六時 / ～ 살 六歳 / ～째 六番目. 六つ目.

여성【女性】〈名〉女性. [語例] 직업 ～ 職業婦人 / 미혼 ～ 未婚の女性 / ～미 女性美. 女性の美 / ～관 女性観 / ～ 문제〔잡지〕女性問題〔雑誌〕/ ～호르몬 女性ホルモン. 對남성(男性).

***여성-적**【女性的】〈名・冠〉女性的. [句例] ～인 소년 女性的な少年. 對남성적.

여세【餘勢】〈名〉余勢. [句例] 승리의 ～를 몰아 공격하다 勝ちに乗って攻めまくる / ～를 몰아 단숨에 토벌해 버리다 余勢を駆って一気に討ち平らげる.

여수【旅愁】〈名〉旅愁. ＝객수(客愁).

여-순경【女巡警】〈名〉婦警《略語》. 婦人警官.

여승【女僧】〈名〉〔佛〕女僧. 尼僧. 比丘尼. [句例] ～이 되다 尼寺に入る / ～이 환속하다 尼僧が還俗する / 늙은 ～ 老尼. [語例] ～방(房) 尼寺.

여식【女息】〈名〉娘. ＝딸.

여신【女神】〈名〉女神. [句例] 자유의 ～ 自由の女神.

여신【與信】[yŏ:shin]〈名〉〔經〕信用供与. [語例] ～ 업무 信用供与業務. 對수신(受信).

여실-하다【如實―】(→하다)〈形〉如実だ. **여실히**〈副〉如実に. [句例] 기쁨을 여실히 나타내다 よろこびを如実に表わす.

여심【女心】〈名〉女心.

여아【女兒】〈名〉❶娘. ＝딸. ❷女の子. ▷ 對남아(男兒).

여야【與野】[yŏ:ya]〈名〉与党と野党.

여염-집【閭閻―】[―tchip]〈名〉普通の人の家. 民家. 略して'염집'ともいう. [句例] 기생이 아니라 ～ 여자 芸者でなく堅気の女. [語例] ～ 하숙 素人下宿.

***여왕**【女王】〈名〉女王. クィーン. [句例] 은반의 ～ 銀盤の女王. [語例] ～벌 女王ばち.

****여우**〈名〉❶〔動〕きつね(狐). [句例] ～에게 홀리다 きつねにつかれる. きつねがつく. [語例] ～비 日照り雨. きつねの嫁入り. 天気雨. ❷'狡猾で気まぐれな女'の俗っぽい言いかた.

여우【女優】〈名〉'여배우'の略: 女優. 對남우.

여우-같다〈形〉きつねのように悪賢い.

여우같은 마누라, 토끼같은 자식 きつねのような妻, うさぎのような子《夫をうまく操る賢い妻とかわいい子供》.

여운【餘韻】〈名〉余韻. [句例] 종소리의 ～ 鐘の響き〔余韻〕/ ～이 남다 後を引く / ～을 남기다 余韻を残す.

여울〈名〉瀬. 早瀬. [句例] 얕은 ～ 浅瀬. [語例] ～목 早瀬の狭い部分.

***여위다**〈自〉やせる. やつれる. [句例] 몸이 ～ 身が細る / 옛 모습을 찾아볼 수 없을 정도로 ～ 見る影もなくやせる.

***여유**【餘裕】〈名〉余裕. ゆとり. [句例] ～ 있는 태도 余裕のある態度 / ～ 있는 생활 ゆとりのある暮らし / 시간적(인) ～가 없다 時間的余裕がない. [文例] 과거를 돌아볼 ～도 없이 바쁘게 지내 왔다 過去を振り返る余裕もなく忙しく過ごしてきた. [語例] ～ 작작(綽綽) 余裕しゃくしゃく.

여의다〈他〉❶死に別れる. [句例] 부모를 ～ 親に死に別れる. 親をなくす〔失う〕. ❷(娘を)嫁がせる. [句例] 딸을 ～ 娘を嫁にやる.

여의-봉【如意棒】〈名〉如意棒.

여-의사【女醫師】〈名〉女医. 略して'여의(女醫)'ともいう.

여의-주【如意珠】〈名〉如意珠. 如意宝珠.

여의-찮다【如意―】[―ch'ant'a]〈形〉'여의(如意)하지 아니하다'の略: 不如意だ. ままにならない. [句例] 사업이 ～ 事業が思わしくはかどらない.

***여인**【女人】〈名〉女子. 女性. 女人《老》. [句例] 묘령의 ～ 妙齢の女性 / 아름다운 ～을 만나다 美しい女性に会う.

여인-숙【旅人宿】〈名〉宿屋. はたご屋.

****여자**【女子】〈名〉女子. 女. 女性. [句例] ～용 시계 女持ちの時計 / ～답게 행동하다 女らしく振る舞う / ～답지 않게 女だてらに. [語例] ～분 女の方 / ～애 女の子 / ～용품 女物. 對남자.

여장【旅裝】〈名〉旅装. [句例] ～을 풀다 旅装を解く.

여-장부【女丈夫】〈名〉女丈夫. 女傑. 對대장부(大丈夫).

***여전-하다**【如前―】(→하다)〈形〉従前通りだ. 相変わらずだ. ＝여구(如舊)하다. [文例] 그 버릇은 여전하군 その癖はむかしのままだね / 여전한 생활을 보내고 있습니다 相変わらずの生活を送っています / 늙었어도 건강은 ～ 年をとっても健康に変わりはない. **여전히**〈副〉相変わらず. 依然として. 今もなお. [文例] 지금도 여전히 가난하다 今もなお貧乏である / 그녀는 여전히 예쁘다 彼女は相変わらずきれいだ.

여정【旅程】〈名〉旅程. [句例] 수학 여행의 ～ 修学旅行の旅程.

여죄【餘罪】〈名〉余罪. [句例] ～를 추궁하다〔캐

다〕余罪を追及する.
여주 [yŏ:ju]〈名〉〔植〕つるれいし(蔓茘枝).
여-주인공【女主人公】〈名〉女主人公. ヒロイン.
여중【女中】〈名〉'여자 중학교'の略: 女子中学校.
여지【餘地】〈名〉余地. [文例] 입추의 ~도 없다 立錐の余地もない / 의심할 ~도 없다 疑いをはさむ余地もない / 발전의 ~는 있다 発展の余地はある / 변명의 ~가 없다 弁解の余地がない / ~ 없이 당했다 余地もなく〔完全に〕やられた.
여진【餘震】〈名〉余震. 揺り返し. [句例] ~이 밀려오다 余震が来る.
*__여진-족__【女眞族】〈名〉〔史〕女真族.
*__여-집합__【餘集合】[—jip'ap]〈名〉〔數〕余集合.
*__여쭈다__ [yŏ:tchuda]〈他〉❶申し上げる. 言上する. [文例] 숨김없이 여쭈겠습니다 包み隠さずに申し上げます. ❷お伺いする.
여쭙다 [yŏ:tchupta]（여쭈우니, 여쭈워서）〈他〉['여쭈옵다'の略] '여쭈다'の尊称: お伺いする. [文例] 말씀 좀 여쭙겠습니다 ちょっとお伺いいたします.
여차 [yŏ:ch'a]〈名〉些細な事. 副次的なこと. [文例] 그런 건 ~다 そんなことは二の次だ.
여차여차-하다【如此如此—】(→하다)〈形〉かくかくしかじかである.
여차-하면〈副〉いざと言う時は. [文例] ~ 뛸 작정이다 いざとなったら逃げるつもりだ.
여축【餘蓄】〈名・하他〉使い余した物(を蓄えること). [句例] 식량의 ~이 없어지다 食糧の蓄えがなくなる.
여치 [yŏ:ch'i]〈名〉〔蟲〕きりぎりす(螽蟖).
여타【餘他】〈名〉その他のもの〔こと〕. [句例] ~의 문제 そのほかの問題.
여탕【女湯】〈名〉女湯. 對남탕.
*__여태__〈副〉今まで. いまだに. [文例] ~ 뭘하고 있었느냐 今まで何をしていたんだ / ~ 기다리고 있었다 今まで待っていたんだ.
여태-까지〈副〉'여태'の強調語: 今まで. 今になっても. =여태껏. [文例] ~ 한번도 들은 적이 없다 ついぞ聞いたことがない.
여태-껏〈副〉⇨ 여태까지
여투다〈他〉節約してためて〔蓄えて〕おく.
여파【餘波】〈名〉余波. [句例] ~를 받다 余波を受ける / 긴축 재정의 ~ 緊縮財政の余波. [文例] 태풍의 ~로 물결이 높았다 台風の余波で波が高かった.
여편-네〈名〉❶既婚の女性をさげすんで言う語. ❷'아내 妻'のさげすんだ言いかた: 女房.
여하【如何】〈名・하形〉いかん(如何). [句例] 이유 ~에 따라서 理由いかんによって. [文例] 검사 결과 ~에 따라서는 곧 입원시킬 필요가 있다 検査の結果いかんによってはすぐ入院させる必要がある. **~히**〈副〉いかに. どう. =어떻게. [文例] 이를 ~히 해결할 것인가 これをどう解決すべきか.
여하-간【如何間】〈副〉ともかく. とにかく. [文例] ~ 해 보자 とにかくやってみよう.
여하-튼【如何—】〈副〉⇨ 여하간
여-학교【女學校】〈名〉女学校. 對남학교.
*__여-학생__【女學生】〈名〉女学生. 對남학생.
여한【餘恨】〈名〉遺恨. [句例] 죽어도 ~이 없다 死んでも思い残すことはない.
여항【餘項】〈名〉余項.
**__여행__【旅行】〈名・하自〉旅行. 旅. ツアー. [句例] ~을 떠나다 旅行に出(かけ)る. [語例] 수학~ 修学旅行 / 유럽 방문 ~ 訪欧ツアー / ~용 가방 旅行かばん / ~자 旅行者 / 당일치기 ~ 日帰りの旅行 / ~사 旅行社. 旅行代理店. ツアリストビューロー / 신혼 ~ 新婚旅行.
여호와〈名〉〔宗〕エホバ. ◇Jehovah
여흥【餘興】〈名〉余興. [句例] ~으로 노래를 부르다 余興に歌を歌う.
*__역__【驛】〈名〉駅. [文例] ~까지 버스로 몇 분 걸리죠 駅までバスに乗って何分かかりますか. [語例] 종착~ 終着駅.
*__역__【役】■〈名〉役. 配役. [句例] 노인~을 맡아 하다 年寄りの役をつとめる.
■〈尾〉…役. [語例] 안내~ 案内役 / 상담~ 相談役.

역 〔漢字項目〕

【亦】[中學] 역 エキ. ❶또한 やはり. ■亦是 역시 やはり. ❷모두 すべて.
【域】[高校] 역 イキ. ❶땅의 경계 土地の境界. ■區域 구역 くいき. 市域 시역 しいき. ❷사물의 범위 事物の範囲. ■聲域 성역 せいいき. 神域 신역 しんいき. 音域 음역 おんいき.
【役】[高校] 역 ヤク. エキ. ❶공무를 맡기다 公用を課する. ■兵役 병역 へいえき. 調査役 조사역 ちょうさやく. ❷관직 또는 책무 官職または責務. ■役員 역원 やくいん. 役割 역할 やくわり. ❸연극에서 맡는 역할 演劇での役. ■配役 배역 はいやく. 主役 주역 しゅやく. 惡役 악역 あくやく. ❹꼭 해야 할 책무 必ずなすべき責務. ■役務 역무 えきむ. ■現役 현역 げんえき.
【易】[中學] 이 イ. 역 エキ. ■〔이〕쉽다 やさしい. ■安易 안이 あんい. 容易 용이 ようい. 平易 평이 へいい.
■〔역〕❶바꾸다 交換する. ■交易 교역 こうえき. 貿易 무역 ぼうえき. ❷점을 치다 占う. ■易經 역경 えきけい. 易者 역자 えきしゃ.
【疫】[高校] 역 エキ. ヤク. ❶돌림병 伝染病. ■疫病 역병 えきびょう. 疫學 역학 えきがく. ■檢疫 검역 けんえき. 免疫 면역 めんえき. ❷재앙 災い. ■疫病神 역병신 やくびょうがみ.
【譯(訳)】[高校] 역 ヤク. ❶통역・번역하다 通訳・翻訳する. ■譯語 약어 やくご. ■直譯 직역 ちょくやく. ❷풀이하다 解する. ■評譯 평역 ひょうやく. 傳譯 전역 でんやく.
【逆(逆)】[中學] 역 ギャク. ❶거스르다 逆らう. ■逆徒 역도 ぎゃくと. 逆賊 역적 ぎゃくぞく. ■反逆 반역 はんぎゃく. ❷거꾸로 됨 逆さま. ■逆境 역경 ぎゃっきょう.

逆光 역광 ぎゃっこう. 逆數 역수 ぎゃくすう. ❸맞다 迎える. ■逆命 역명 ぎゃくめい. 逆旅 역려 ぎゃくりょ. ❹미리 前もって. ■逆修 역수 ぎゃくしゅ.

【驛(駅)】 高校 역 エキ. ❶정거장 停車場. ■驛頭 역두 えきとう. 驛務員 역무원 えきむいん. 驛長 역장 えきちょう. ■小驛 소역 しょうえき. ❷옛날의 역참 昔の馬つぎ場. ■驛馬 역마 えきば. 驛站 역참 えきたん.

역-겹다【逆—】(역겨우니, 역겨워서)〈形〉おぞましい. 疎ましい. 虫ずが走る. 句例 역겨운 냄새 むかつくようなにおい. 類역하다.

역경【逆境】〈名〉逆境. 句例 ~에 빠지다 逆境に陥る / ~과 싸우다 逆境と闘う. 對순경(順境).

역관【譯官】〈名〉〔史〕'사역원(司譯院)'で通訳に従事した官僚. 訳官.

*__역군__【役軍】〈名〉 ❶(工事現場で)賃仕事をする人. ❷働き手. =일꾼.

역대【歷代】〈名〉歴代. 代代. 句例 ~의 내각 歴代の内閣.

역도【力道】〈名〉 重量挙げ. =역기(力技).

역량【力量】[yŏngnyang]〈名〉力量. 器量. 句例 ~있는 인물 力量のある人物.

역력-하다【歷歷—】[yŏngnyŏk'ada] (→하다)〈形〉歴歴としている. ありありと著しい. あきらかだ. 句例 불만의 표정이 ~ 不満の表情がありありと見える / 타살(의) 흔적이 ~ 他殺の痕跡がはっきりしている. **역력히** [yŏngnyŏk'i]〈副〉歴歴と. ありありと. 文例 결점이 역력히 보인다 欠点がありありと見える.

역류【逆流】[yŏngnyu]〈名・하自〉逆流. 句例 만조로 강물이 ~하다 満潮で川が逆流する / 피가 ~하다 血が逆流する.

역-마차【驛馬車】[yŏng—]〈名〉駅馬車.

역모【逆謀】[yŏngmo]〈名・하自〉逆謀. 謀反を起こすこと. また, そのはかりごと.

역무【驛務】[yŏngmu]〈名〉駅務. 語例 ~원 駅務員.

역문【譯文】[yŏngmun]〈名〉訳文.

역방【歷訪】〈名・하他〉歴訪. 句例 5개국을 ~하다 五か国を歴訪する.

역-부족【力不足】〈名・하形〉力量・技量などが及ばぬこと.

역사【力士】〈名〉力士. =장사(壯士).

역사【役事】〈名・하自〉普請. 土木・建築の仕事.

⁂**역사**【歷史】〈名〉歴史. 句例 ~에 길이 남다 長く歴史に残る / 음식의 ~ 食べ物の歴史. 語例 ~가 歴史家. 史家 / ~ 소설 歴史小説 / ~책(冊) 歴史の本. 史書.

역사【轢死】〈名・하自〉轢死. 語例 ~자 轢死者.

역사【驛舍】〈名〉駅舎.

*__역사-상__【歷史上】〈名〉史上. 歴史の上. 句例 ~의 인물 歴史上の人物 / ~ 유명한 곳 歴史上有名な所 / ~ 미증유의 대전 歴史上未曾有の大戦.

*__역사-적__【歷史的】〈名・冠〉歴史的. 史的. 句例 ~인 관점 歴史的な観点 / ~인 사건(순간) 歴史的な事件〔一瞬〕/ ~인 대회 歴史的な大会.

역산【逆算】〈名・하他〉逆算. 句例 죽은 해로부터 ~해서 没年から逆算して.

역-선전【逆宣傳】〈名・하他〉逆宣伝.

역설【力說】〈名・하自他〉力説. 句例 국방의 중대성을 ~하다 国防の重大性を力説する.

역설【逆說】〈名〉逆説. パラドックス. 語例 ~가 逆説家 / ~적 逆説的.

역성〈名・하他〉えこひいき.

역성(을) 들다 えこひいきする. 肩を持つ. =역성하다. 句例 한쪽 역성을 들다 一方の肩を持つ.

역성 혁명【易姓革命】[—hyŏngmyŏng]〈名〉易姓革命. =역세(易世) 혁명.

역수【逆數】〈名〉〔數〕逆数. 文例 3의 ~는 1/3이다 三の逆数は1/3である.

역-수입【逆輸入】〈名・하他〉〔經〕逆輸入.

역-수출【逆輸出】〈名・하他〉〔經〕逆輸出.

역순【逆順】〈名〉逆順.

역습【逆襲】〈名・하他〉逆襲. 句例 적을 ~하다 敵を逆襲する.

⁂**역시**【亦是】〈副〉❶…もまた(又). 文例 그것도 ~ 좋겠지 それもまたよかろう. ❷やはり. やっぱり. なお. 文例 그는 ~ 악한이었다 彼はやはり悪者だった.

역암【礫岩】[yŏgam]〈名〉〔地〕礫岩. =자갈돌.

역어【譯語】[yŏgŏ]〈名〉訳語. 句例 ~가 적절하지 못하다 訳語が適切でない.

역-이용【逆利用】[yŏgiyong]〈名・하他〉逆利用. 逆用. 句例 적의 선전을 ~하다 敵の宣伝を逆用する.

역임【歷任】[yŏgim]〈名・하他〉歴任. 文例 여러 곳의 교감・교장을 ~하였다 方方の教頭・校長を歴任した.

역자【譯者】〈名〉訳者.

역작【力作】〈名・하他〉力作.

역장【驛長】〈名〉駅長.

역적【逆賊】〈名〉逆賊. 句例 ~의 누명을 쓰다 賊名を着せられる. 文例 이기면 충신, 지면 ~이라 勝てば官軍, 負ければ賊軍. 語例 ~질 謀反〔反逆〕すること / ~ 모의 謀反の謀議.

역전【逆轉】〈名・하自〉逆転. 句例 형세가 ~되다 形勢が逆転する. 語例 ⇨ 역전승 / ~홈런 逆転ホームラン.

역전【歷戰】〈名・하自〉歴戦. 句例 ~의 용사 歴戦の勇士.

역전【驛前】〈名〉駅前. =역두(驛頭). 語例 ~광장 駅前広場.

역전【驛傳】〈名・하他〉〔史〕駅伝. =역체(驛遞). 參考 朝鮮朝時代, 宿駅から宿駅へ公用の文書や旅客などを送り届けた制度.

역전 경주【驛傳競走】[—gyŏːngju]〈名〉駅伝競走. =역전(驛傳) 마라톤.

역전-승【逆轉勝】〈名・하自〉 逆転勝ち. 語例 ~되다 逆転勝ちとなる.

역점【力點】〈名〉力点. 句例 속도에 ~을 두다 速度に力点をおく.

***역정**【逆情】〈名〉'성 怒り'の尊敬語. 句例 ~을 사다 不興を買う.

역정(이) 나다 '성나다 腹が立つ'の尊敬語.

역정(을) 내다 '성내다 腹を立てる'の尊敬語.

역조【逆調】〈名〉(国際収支の)不均衡. 主に'逆'・'不利'・'赤字'のことをいう. 句例 국제 수지가 ~로 기울다 国際収支が赤字となる. 語例 무역 ~ 貿易不均衡.

역졸【驛卒】〈名〉〔史〕駅卒.

역주【力走】〈名・하自〉力走. 句例 전 코스를 ~하다 全コースを力走する.

역주【譯註】〈名〉訳注. 句例 ~를 달다 訳注をつける.

역지-사지【易地思之】〈名・하自他〉立場を変えて考えること. 相手の身になって思うこと.

역질【疫疾】〈名〉❶疫病. 疫疾. ❷〔醫〕⇨ 천연두(天然痘)

역참【驛站】〈名〉〔史〕駅站. 宿駅. 宿場.

역투【力投】〈名・하自〉力投. 句例 ~의 보람도 없이 패전 투수가 되다 力投のかい(甲斐)もなく敗戦投手になる.

역투【力鬪】〈名・하自〉力闘.

역풍【逆風】〈名〉逆風.

역-하다【逆―】[yŏk'ada]〈形〉(→하다) むかつく. 吐き気がする. 句例 역한 냄새 むかむかするようなにおい / 보기만 해도 ~ 見ただけでむかつく. ㊮메스껍다. 역겹다.

역학【力學】[yŏk'ak]〈名〉〔物〕力学. 語例 유체 ~ 流体力学 / 양자 ~ 量子力学.

역학【易學】[yŏk'ak]〈名〉易学.

***역할**【役割】[yŏk'al]〈名〉役割. 句例 ~을 분담하다 役割を分担する / ~을 다하다 役割を果たす / ~을 정하다 役割を決める / 지도적인 ~을 하다 指導的役割を演じる.

역행【逆行】[yŏk'aeng]〈名・하自他〉逆行. 句例 시대에 ~하다 時代に逆行する / 민주주의에 ~하다 民主主義に逆行する.

역-효과【逆效果】[yŏk'yogwa]〈名〉逆効果. 句例 ~를 가져오다 逆効果をもたらす.

***엮다** [yŏkta]〈他〉❶(ひも(紐)・縄などで)編む〔すく〕. 句例 실로 그물을 ~ 糸で網をすく / 돗자리를 ~ むしろを編む. ❷結う. 句例 울타리를 ~ 垣根を結う. ❸書きつづる. 話をつづる. 句例 이야기를 ~ 話を記録する〔語る〕. ❹編纂する. 編む. 句例 자서전을 ~ 自叙伝を編む.

엮은-이 [yŏkkŭni]〈名〉編者. ＝편자. 편집자.

***연**【年】〈名〉年・とし. 一年. 語例 ~ 평균 年平均 / ~ 5퍼센트의 이자 年5パーセントの利子.

***연**【鳶】〈名〉たこ(凧・紙凧). 絵 句例 ~을 날리다〔띄우다〕 たこを揚げる.

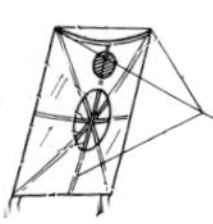

〈연〉

***연**【聯】〈名〉〔文〕聯. 句例 다섯 ~으로 이루어진 시 五聯の詩.

연 〔漢字項目〕

【宴】高校 연 エン. ❶잔치 うたげ. ◨宴席 연석 えんせき. 宴會 연회 えんかい. ◧酒宴 주연 しゅえん. ❷쉬다 くつろぐ. ◨宴居 연거 えんきょ. 宴樂 연락 えんらく.

【延(延)】高校 연 エン. ❶길게 하다 のばす. 길어지다 のびる. ◨延年 연년 えんねん. 延命 연명 えんめい. 延長 연장 えんちょう. ❷시간・기일이 늦다 時間・期日などがおくれる. ◨延期 연기 えんき. 延着 연착 えんちゃく. ◧順延 순연 じゅんえん. ❸끌어들이다 引き入れる. ◨延覽 연람 えんらん.

【沿(沿)】高校 연 エン. 시간・물의 흐름을 따르다 時間・水の流れにそう. ◨沿道 연도 えんどう. 沿岸 연안 えんがん. 沿海 연해 えんかい. 沿革 연혁 えんかく.

【演】高校 연 エン. ❶넓히다 ひろめる. 말하다 述べる. ◨演說 연설 えんぜつ. 演義 연의 えんぎ. 演繹 연역 えんえき. ❷남에게 보이거나 들려 주다 人に見せるか聞かせる. ◨演劇 연극 えんげき. 演藝 연예 えんげい. ◧公演 공연 こうえん. 出演 출연 しゅつえん. ❸실제로 하다 実際に行なう. ◨演算 연산 えんさん. 演習 연습 えんしゅう.

【然】中學 연 ゼン. ネン. ❶바로 그대로다 しかり, そのとおりだ. ◧當然 당연 とうぜん. 自然 자연 しぜん. ❷그렇다면 しからば. ◨然則 연즉 しからば. ❸바로 그대로다 そのとおりだ. ◧天然 천연 てんねん.

【煙(煙)】中學 연 エン. ❶연기 けむり. ◨煙毒 연독 えんどく. 煙幕 연막 えんまく. ◧硝煙 초연 しょうえん. ❷안개 かすみ. もや. ◨煙霧 연무 えんむ. 煙雨 연우 えんう. ❸그을음 すす. ◧煤煙 매연 ばいえん. ❹담배의 뜻 たばこの意. ◨煙草 연초 タバコ.

【燃】高校 연 ネン. ❶불에 타다 もえる. ◨燃料 연료 ねんりょう. 燃燒 연소 ねんしょう. ◧可燃 가연 かねん. ❷'연료'의 준말 '燃料'の略. ◨燃比 연비 ねんぴ(燃費).

【燕】高校 연 エン. ❶제비 つばめ. ◨燕尾服 연미복 えんびふく. 燕雀 연작 えんじゃく. ❷잔치를 열다 酒盛りをする. ◨燕飮 연음 えんいん. ❸쉬다 くつろぐ. ◨燕居 연거 えんきょ.

【研】中學 연 ケン. ❶(돌로) 갈다 とぐ. ◨研磨 연마 けんま. 研修 연수 けんしゅう. ❷조사하여 밝혀내다 調べ明らかにする. ◨研究 연구 けんきゅう. 研學 연학 けんがく. ❸벼루 すずり. ◨研蓋 연개 けんがい. 研屛 연병 けんびょう.

【硯】中學 연 ケン. 벼루 すずり. ◨硯水 연수 けんすい. 硯滴 연적 けんてき. ◧筆硯 필연 ひっけん.

연간【年間】〈名〉年間. 語例 ~ 소득 年間所得 / ~ 계획 年間計画.

연감【年鑑】〈名〉年鑑. イヤーブック. 語例 출판 ~ 出版年鑑.

연-거푸【連―】〈副〉続けざまに. 繰り返し. 引き続き. 句例 ~ 맥주를 마시다 続けざまにビールを飲む.

연-건평【延建坪】〈名〉 延べ坪. のべ面積. 句例 ～ 천평의 빌딩 延べ坪一千坪のビル.

*__연결__【連結】〈名〉 連結. **～하다**〈他〉連結する. つなぐ. 連ねる. 継ぐ. 句例 객차를 ～하다 客車をつなぐ. 語例 ～기 連結器 / ～되다 連結される. つながる / ～시키다 連結させる. つなぐ. 結びつける.

연계【連繫】〈名・하他〉連係. 句例 민족적 ～를 회복하다 民族的連係を回復する. 語例 ～되다 連係する.

연고【軟膏】[yŏ:n-go]〈名〉〔藥〕軟膏. 句例 부스럼에 ～를 바르다 出来物に軟膏を塗りつける.

연고【緣故】〈名〉❶事由. わけ. 文例 무슨 ～로 그렇게 급하게 밖으로 나가십니까 どんな訳があって, そんなに急いで外にお出かけになるのですか. ❷縁故. ゆかり. 縁続き. 続き合い. よすが(縁). 手づる. コネ. 句例 ～를 찾아 취직하다 コネ〔よすが〕を求めて就職する. 語例 ～자 縁故者 / ～지 縁故地. ❸⇨ 인연(因緣).

연골【軟骨】[yŏ:n-gol]〈名〉〔生〕軟骨.

연공【年功】〈名〉年功. 句例 ～을 쌓다 年功を積む. 甲羅を経る. 語例 ～ 서열 年功序列.

연관【鉛管】〈名〉鉛管.

연관【聯關】〈名・하自〉 連関. 関連. 句例 ～이 없다 関連がない / ～성이 있는 사건 連関性のある事件. 語例 ～ 관계 連関関係 / ～되다 関連する.

**__연구__【研究】[yŏ:n-gu]〈名・하他〉研究. 工夫. 句例 역사를 ～하다 歴史を研究する. 語例 ～소 研究所 / ～실 研究室. ラボラトリー / ～되다 研究される / ～비 研究費 / ～심 研究心 / ～ 발표 研究発表 / ～생 研究生.

연-구개【軟口蓋】[yŏ:n—]〈名〉軟口蓋. ＝여린입천장. 語例 ～음 軟口蓋音. 對경구개.

*__연극__【演劇】[yŏ:n-gŭk]〈名〉演劇. 芝居. 劇. ドラマ. 句例 한 바탕 ～을 부리다 一芝居を打つ. 語例 ～ 무대 芝居の舞台. 劇場 / ～단 演劇団. 劇団 / ～ 배우 舞台俳優 / ～인 演劇人.

연근【蓮根】〈名〉〔植〕蓮根.

*__연금__【年金】〈名〉年金. 句例 ～으로 생활하다 年金で生活する. 語例 종신 ～ 終身年金 / 국민 ～ 国民年金.

연금【軟禁】[yŏ:nkŭm]〈名・하他〉軟禁. 語例 ～ 상태 軟禁された状態.

연기【延期】〈名・하他〉延期. 日延べ. 句例 비 때문에 운동회를 ～하다 雨のため運動会を延期する. 語例 ～되다 延期される.

**__연기__【煙氣】〈名〉煙. 句例 자욱한 ～ もうもうたる煙. 文例 아니 땐 굴뚝에 ～ 나랴《속담》 火のない所に煙は立たぬ.

연기【演技】[yŏ:n-gi]〈名〉演技. **～하다**〈自〉演技する. 演じる. 句例 ～를 잘 하다 演技がうまい. 語例 ～자 演技者 / ～파 演技派.

*__연-꽃__【蓮—】〈名〉はすの花. はちす《雅》. れんげ(蓮華). 句例 흰 ～ びゃくれん(白蓮).

*__연-날리기__【鳶—】〈名〉たこ揚げ. 語例 ～ 대회 たこ揚げ大会.

연내【年內】〈名〉 年内. その年の内. 句例 ～에 완성하다 年内に完成する.

연년-생【連年生・年年生】〈名〉年子. 句例 ～을 키우다 年子を育てる.

연-놈〈名〉男と女をいっしょにひっくるめた下品な言いかた: 野郎とあま.

*__연단__【演壇】[yŏ:ndan]〈名〉演壇. 句例 ～에 오르다 演壇にのぼる.

연-달다【連—】(연다니, 연달아서)〈自他〉引き続く. 相次ぐ. 句例 연달아 벨이 울리다 しきりにベルが鳴る / 사고가 연달아 일어나다 事故が次次に起こる / 비보가 ～ 悲報が相次ぐ.

연대【年代】〈名〉年代. 句例 ～순으로 年代順に / ～가 꽤 오래다 年代がかなり古い. 語例 ～표 年代表. 年表 / 생존 ～ 生存年代.

연대【連帶】〈名・하他〉連帯. 句例 ～하여 책임을 지다 連帯して責任を負おう / ～로 돈을 빌리다 連帯で金を借りる. 語例 ～ 보증 連帯保証 / ～ 책임 連帯責任 / ～감 連帯感.

연대【聯隊】〈名〉〔軍〕連隊. 語例 ～장 連隊長.

연도【年度】〈名〉年度. 年次. 句例 ～가 바뀌다 年度がかわる / 다음 ～로 이월하다 次の年度に繰り越す. 語例 ～말 年度末 / ～초 年度初め / 졸업 ～ 卒業年度 / 회계 ～ 会計年度.

연도【沿道】〈名〉沿道. 道端. ＝연로(沿路). 句例 마라톤 코스 ～에 관중이 모이다 マラソンコースの沿道に観衆が集まる.

연두【年頭】〈名〉年頭. 年明け. 語例 ～ 교서 年頭教書 / ～사 年頭の辞 / ～ 국회 年明けの国会.

연두【軟豆】[yŏ:ndu]〈名〉'연둣빛'の略. 語例 연둣빛 薄緑色. 浅緑. も(萌)えぎ(黄)色.

연등【燃燈】〈名〉〔佛〕燃灯. 語例 ～절(節) 燃灯節. ちょうちん(提灯)に火をともして仏に祈る日の意で, 陰暦四月八日のこと / ～ 놀이 燃灯節のちょうちん祝い / ～회(會) 燃灯会. 陰暦一月十五日にちょうちんをともして仏に祈る法会.

연-때【緣—】〈名〉 因縁が相結ばれるきっかけ. 回り合わせ. 句例 ～가 맞다 回り合わせがいい / ～가 맞아 결혼하다 縁があって結婚する.

*__연락__【連絡】[yŏllak]〈名・하他〉連絡. 句例 ～을 끊다 連絡を絶つ / ～을 긴밀히 하다 連絡を密にする / ～을 취하다 連絡をつける〔取る〕/ 아무런 ～도 없다 何の音さたもない / ～이 두절되다 連絡がとぎれる / …으로부터 ～이 있다 …から連絡がある. 文例 거기 도착해서 ～드리겠습니다 向こうへ着いてからご連絡申しあげます. 語例 ～ 사무소 連絡事務所 / ～망(網) 連絡網 / ～병 連絡兵. 伝令 / ～소 連絡所 / ～되다 連絡がつく.

연락-선【連絡船】[yŏllak—]〈名〉連絡船. フェリーボート. 句例 태풍으로 ～이 결항하다 台風で連絡船が欠航する.

연래【年來】[yŏllae]〈名〉年来. 句例 ～의 숙원 年来の宿願.

연령【年齢】[yŏllyŏng]〈名〉年齢. 年. =나이. 句例 젊은 ~층 若い年齢層. 語例 취학〔결혼〕就学〔結婚〕年齢 / 정신 ~ 精神年齢 / ~ 제한 年齢制限.

연례【年例】[yŏllye]〈名〉毎年の例. 語例 ~행사 例年〔年並み〕の行事.

연로-하다【年老—】[yŏllo—]（→하다）〈形〉老いている. 句例 연로하신 부모님 年老いた父母.

***연료**【燃料】[yŏllyo]〈名〉燃料. 句例 ~용의 기름 燃油 / ~를 보급하다 燃料を補給する / ~가 부족하다 燃料が不足する. 語例 ~비 燃料費 / 핵~ 核燃料 / 화석 ~ 化石燃料 / 기체〔고체·액체〕~ 気体〔固体·液体〕燃料 / ~림 燃料林.

연루【連累】[yŏllu]〈名〉連累. 連座. 巻き添え. 引っ掛かり. 掛かり合い. **~하다**〈自〉連座する. 巻き添えを食う. 掛かり合う. 句例 사건에 ~된 사람들 事件につながる人人 / 사건에 ~되다 事件に巻き込まれる. 語例 ~자 連累者.

연륙-교【連陸橋】[yŏllyuk—]〈名〉連陸橋.

연륜【年輪】[yŏllyun]〈名〉年輪. =나이테. 句例 ~으로 수령을 조사하다 年輪で樹齢を調べる / ~을 세다 年輪を数える / ~을 쌓다 年輪をつむ.

연리【年利】[yŏlli]〈名〉〔經〕年利. 句例 ~ 오푼의 이자 年利五分の利子.

연립【聯立】[yŏllip]〈名·하自〉連立. 語例 ~내각 連立内閣 / ~ 방정식 連立方程式.

연립 주택【聯立住宅】[yŏllipchu:t'aek]〈名〉連立住宅. 三階建て以下の棟割り長屋式集合住宅.

연마【研磨·練磨】[yŏ:nma]〈名〉研磨. 錬磨〔練磨〕. **~하다**〈他〉研磨する. 錬磨〔練磨〕する. 磨く. 句例 기술을 ~하다 技術を磨く / 심신을 ~하다 心身を錬磨する.

연마【連馬】〈名·하自〉（囲碁で）渡り. 語例 ~되다 渡る.

연막【煙幕】〈名〉煙幕. 句例 ~을 치다 煙幕を張る. 語例 ~탄 煙幕弾.

연말【年末】〈名〉年末. 年の暮れ. 暮れ. 年の瀬. =세모(歲暮). 세말(歲末). 句例 ~이 다가오다 年末に向かう. 年の瀬がおしつまって来る. 年の暮れが迫る. 語例 ~ 대매출 年末大売り出し.

연맹【聯盟】〈名·하自〉連盟. リーグ. 句例 ~에 가입하다 連盟に加入する. 語例 국제 ~ 国際連盟.

연-면적【延面積】〈名〉延べ面積.

연명【延命】〈名·하自〉延命. 句例 지닌 물건을 팔아서 겨우 ~하다 持ち物を売ってやっと食いつなぐ. 語例 ~책 延命策.

연명【連名·聯名】〈名·하自〉連名. 句例 ~으로 성명을 내다 連名で声明を出す.

***연모**〈名〉物を作る道具と材料. 道具. 句例 ~를 챙기다 道具を整える.

연모【戀慕】[yŏ:nmo]〈名〉恋慕. **~하다**〈他〉恋慕する. (恋い)慕う. 句例 ~의 정을 품다 恋慕の情をいだく.

***연-못**【蓮—】〈名〉はす池. (一般に)池. 語例 ~가 池のほとり.

연무【烟霧·煙霧】〈名〉煙霧. もや(靄). スモッグ. 句例 ~가 자욱하게 끼다 もやが立ち込める.

연무【演武】[yŏ:nmu]〈名·하自〉演武. 語例 ~장 演武場 / ~대 演武台.

연무【鍊武】[yŏ:nmu]〈名〉練武.

연미-복【燕尾服】[yŏ:nmi—]〈名〉えんび服.

연민【憐憫·憐愍】〈名〉憐憫. **~하다**〈形〉あわれだ. ふびんだ. 句例 ~의 정을 자아내다 憐憫の情を催す. **~히**〈副〉あわれに. ふびんに.

연발【連發】〈名·하自他〉連発. 句例 사고의 ~ 事故の連発〔続発〕/ 육~의 권총 六連発のピストル〔拳銃〕/ 감탄의 소리를 ~하다 感嘆の声を連発する. 語例 ~총 連発銃.

연-밥【蓮—】[—ppap]〈名〉はす(蓮)の実.

연방【聯邦】〈名〉連邦. 語例 구 소비에트 ~ 旧ソビエト連邦 / ~ 정부 連邦政府.

연방〈副〉続けざまに. 引き続いて. ひっきりなしに. しきりに. しょっちゅう. 句例 차가 ~ 지나가다 車がひっきりなしに通る / ~ 지껄이다 ひっきりなしにしゃべる. 文例 ~ 맛이 있느냐고 묻는다 しきりにうまいかと聞く.

연배【年輩】〈名〉年配. 同じ年頃. 語例 동~ 同年配.

연변【沿邊】〈名〉ほとり. あたり. 国境·川·大通りなどに沿った一帯. 句例 고속 도로 ~의 거리 高速道路筋の町 / 철도 ~을 따라 걷다 鉄道に沿って歩く.

연병-장【練兵場】[yŏ:nbyŏng—]〈名〉〔軍〕練兵場.

연보【年報】〈名〉年報. 句例 학회의 ~ 学会の年報.

연보【年譜】〈名〉年譜. 句例 작가의 ~를 작성하다 作家の年譜をつくる.

연보【捐補】[yŏ:nbo]〈名·하他〉〔基〕献金.

연-보라【軟—】[yŏ:nbora]〈名〉薄紫. ふじ色.

연봉【年俸】〈名〉年俸. 年給. 句例 ~ 오천만 원 年俸五千万ウォン.

연분【緣分】〈名〉縁. 因縁. 句例 ~을 맺다 縁を結ぶ / 좋은 ~을 만나 결혼하다 良縁を得て結婚する. 語例 천생 ~ 天が定めた縁. よく似合った夫婦であることのたとえ.

연-분홍【軟粉紅】[yŏ:n—]〈名〉薄い桃色. 淡紅色. 語例 ~ 치마 薄紅色のチマ.

연불【延拂】〈名·하他〉延べ払い. 語例 ~ 수출 延べ払い輸出.

연-붉다【軟—】[yŏ:nbukta]〈形〉薄赤い.
參考 '연붉은 薄赤い'は[—bulgŭn]と発音される.

***연비**【連比】〈名〉〔數〕連比.

연비【燃比】〈名〉(自動車の)燃費.

연사【年事】〈名〉その年の作柄. 文例 금년 ~가 어떻습니까 今年の作柄はいかがですか.

연사【演士】[yŏ:nsa]〈名〉講師. 講演者. 弁士.

연산【年産】〈名〉年産. 句例 ~ 20 톤 年産二十トン. 語例 ~액 年産額.

연산【演算】[yŏ:nsan]〈名·하他〉〔數〕演算. =운산(運算). 語例 ~ 기호 演算記号.

ㅇ

연상【年上】〈名〉年上. 年かさ. 年長. 句例 ~의 여인 年上の女性. 文例 나보다 7년 ~이다 わたしより七年年配〔年長〕だ.

연상【硯床】[yŏ:nssang]〈名〉文机.

연상【聯想】〈名・하他〉連想. 文例 에디슨 하면 전기를 ~한다 エジソンというと電気を連想する. 語例 ~되다 連想される.

***연설**【演說】[yŏ:nsŏl]〈名・하自〉演説. 句例 일장 ~을 하다 一席弁じる. 一席ぶつ. 一くさり演説する. 語例 가두 ~ 大道演説. つじ(辻)演説 / 합동 ~ 立ち会い演説 / ~조 演説調.

연세【年歲】〈名〉'나이 年齢'の敬語: お年. 句例 ~가 높다 春秋高し. 文例 ~가 어떻게 되십니까 お年はおいくつでいらっしゃいますか.

연소【年少】〈名〉年少. 年若. 若年. **~하다**〈形〉年少だ. 若年だ. 年が若い. 語例 ~자 年少者. ジュニア.

연소【延燒】〈名〉延焼. 類焼. もらい火. **~하다**〈自〉延焼〔類焼〕する. 句例 ~를 면하다 類焼を免れる.

연소【燃燒】〈名〉燃焼. 燃え. **~하다**〈自〉燃焼する. 燃える. 語例 완전 ~ 完全燃焼 / ~시키다 燃焼させる.

연속【連續】〈名〉連続. 続き. **~하다**〈自他〉連続する. 続く. 連なる. 句例 불행의 ~ 不幸せの続き / 휴일이 ~되다 休みが続く. 語例 ~물 シリーズ物 / ~극 連続ドラマ.

***연쇄**【連鎖】〈名・하他〉連鎖. 語例 ~ 반응 連鎖反応 / ~점 連鎖店. チェーンストア. チェーン店 / ~상 구균 連鎖状球菌 / ~ 추돌 사고 玉突き事故.

연수【年收】〈名〉年収. 語例 ~ 5천만 원 年収五千万ウォン.

연수【延髓】〈名〉〔生〕延髄. =숨골.

연수【研修】[yŏ:nsu]〈名・하他〉研修. 句例 ~를 받다 研修を受ける / ~를 마치다 研修を終える / 신입 사원의 ~ 기간 新入社員の研修期間. 語例 ~생 研修生 / 사법 ~원 司法研修所.

연-수정【煙水晶】〈名〉煙水晶.

연습【演習】[yo:nsŭp]〈名・하他〉演習. 句例 합동 대~을 거행하다 合同大演習を行なう. 語例 예행 ~ 予行演習.

***연습**【練習・鍊習】[yŏ:nsŭp]〈名・하他〉練習. 習練. 修練. けいこ(稽古). リハーサル. 句例 충분한 ~ 十分な練習. 文例 무슨 일이나 ~하기 나름이다 何事も練習次第だ. 語例 ~곡〔樂〕練習曲. エチュード / ~장 練習帳 / ~ 문제 練習問題.

연승【連勝】〈名・하自〉連勝. 語例 연전 ~ 連戦連勝.

연시【軟柿】[yŏ:nshi]〈名〉熟柿. =연감.

연-시조【聯時調】〈名〉〔文〕二首以上の'평시조(平時調)'が合わさった'시조(時調)'の形式の一つ.

연-싸움【鳶―】〈名〉たこ(凧)を揚げて上手に繰り自分のたこの糸で相手のたこ糸をぶっ切り, 相手のたこを落とす勝負.

연안【沿岸】[yŏnan]〈名〉沿岸. 文例 ~ 지방은 바람이 세다 沿岸地方は風が強い. 語例 동해 ~ 東海の沿岸 / 태평양 ~국 太平洋沿岸国 / ~ 어업 沿岸漁業.

연애【戀愛】[yŏ:nae]〈名〉恋愛. 恋. **~하다**〈自〉恋愛する. 恋する. 句例 목하 ~중이다 目下恋愛中である. 語例 ~ 결혼 恋愛結婚 / ~ 소설 恋愛小説 / ~ 편지 恋文. ラブレター.

연약-하다【軟弱―】[yŏ:nyak'ada](→하다)〈形〉軟弱だ. か弱い. 弱弱しい. きゃしゃだ. 句例 연약한 태도 軟弱〔弱弱しい〕態度 / 연약한 사나이 女女しい男 / 연약한 여자의 힘 か弱い女の細腕 / 연약한 몸 きゃしゃな〔か細い〕からだ.

연어【鰱魚】[yŏnŏ]〈名〉〔魚〕さけ(鮭). 語例 ~ 통조림 さけ缶.

연연-하다【戀戀―】[yŏ:nyŏn―](→하다)〈形〉未練がましく執着する. 恋恋としている. 句例 지위에 ~ 地位に恋恋としている. **연연히**〈副〉恋恋と. 未練がましく.

연예【演藝】[yŏ:nye]〈名・하自〉演芸. エンターテーンメント. 句例 ~계의 사람들 演芸界の人人 / 여흥으로 ~를 하다 余興に演芸をやる. 語例 ~인 芸人. 芸能人. エンターテーナー / ~ 프로 芸能プロ.

연-월-일【年月日】[yŏnworil]〈名〉年月日. 語例 ~시 年月日時 / 출생 ~ 生年月日.

연유【煉乳】[yŏ:nyu]〈名〉練乳. コンデンスミルク. 句例 ~를 먹이다 練乳を飲ます. 語例 무가당 ~ 無糖練乳.

연유【緣由】[yŏnyu]〈名〉縁由. 由来. 由. **~하다**〈自〉由来する. よる. 句例 사건의 ~ 事件の由来. 語例 ~되다 由来する.

연-이나【然―】[yŏnina]〈副〉しかれども. しかし. だが. =그러나. 表現 古風な表現.

***연-이율**【年利率】[yŏnniyul]〈名〉年利. 年率.

연인【戀人】[yŏ:nin]〈名〉恋人. 愛人. 情人. =애인. 句例 영원한 ~ 永遠の恋人.

연-인원【延人員】[yŏninwon]〈名〉延べ人員.

연일【連日】[yŏnil]〈名〉連日. 句例 바빠서 ~ 야근하다 忙しくて連日夜勤する / ~ 대만원이다 連日の大入り満員だ.

연임【連任】[yŏnim]〈名・하他〉再任. 重任.

연-잇다【連―】[yŏnitta](연이으니, 연이어서)〈他〉引き続く. 相次ぐ. 句例 연이은 가뭄 引き続く日照り / 사건이 연이어 터지다 事件が相次いで起こる.

연-잎【蓮―】[yŏnnip]〈名〉はす(蓮)の葉.

연자-매【研子―】[yŏ:nja―]〈名〉牛馬に引かせて穀物をひくうす(臼). 絵

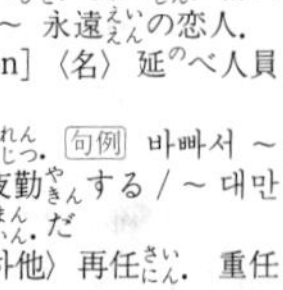

〈연자매〉

연자-방아【研子―】[yo:nja―]〈名〉⇨ 연자매

연작【連作】〈名・하他〉〔農〕連作.

연장〈名〉道具. 句例 ~을 챙기다 道具を仕舞う. 語例 ~ 주머니 道具袋.

연장【年長】〈名・하形〉年長. 年上. 語例 ~자 年長者. 目上(の人). 長上.

연장【延長】〈名〉延長. **~하다**〈自他〉延長する. 延ばす. 句例 회의를〔수명을〕~하다 会議〔寿命〕を延ばす / 회기를 삼 일간 ~하다 会期を三日間日延べする / 비자의 ~이 필요하다 ビザの延長が必要だ. 文例 소풍은 교실의 ~이다 遠足は教室の延長である. 語例 ~선 延長線 / ~전 延長戦 / ~ 시간 (試合の)増し時間 / ~ 되다 延長される. 對단축.

연재【連載】〈名・하他〉連載. 語例 ~ 소설 連載小説.

연적【硯滴】[yŏ:njŏk]〈名〉水入れ. 水滴. 水注.

연적【戀敵】[yŏ:njŏk]〈名〉恋敵.

연전【連戰】〈名・하他〉連戦. 語例 ~ 연승 連戦連勝 / ~ 연패 連戦連敗.

연전-에【年前—】[yŏnjŏne]〈副〉先年. 幾年か前に. 文例 ~ 왔을 때도 비가 왔습니다 先年来た時も雨でした.

연정【戀情】[yŏ:njŏng]〈名〉恋情. 恋心. 句例 ~을 품다 恋情を寄せる.

연-제품【煉製品】〈名〉練り製品.

연좌【連坐】〈名・하自〉連座. 語例 ~제 連座制 / ~ 데모 連座デモ / ~되다 連座する. 巻き添えを食う.

*__연주__【演奏】[yŏ:nju]〈名〉演奏. **~하다**〈他〉演奏する. 奏する. かなでる. 句例 ~를 시작하다 演奏し始める / 국가를 ~하다 国歌を奏する. 語例 ~가 演奏家 / ~회 演奏会. コンサート / ~자 演奏者. プレーヤー / ~실 演奏室.

연-줄【緣—】〈名〉縁筋. 縁故. 手づる. つて(伝). コネ. 句例 ~을 찾다 つて〔手づる〕を求める / 친척의 ~로 취직하다 親戚を手づるに就職する.

*__연-줄__【鳶—】[—tchul]〈名〉たこ糸.

연줄연줄-로【緣—緣—】[yŏnjullyŏnjullo]〈副〉縁故伝いに. 句例 ~ 알게 된 사람 縁故伝いに知り合いになった人.

연중【年中】〈名〉年中. 語例 ~ 무휴 年中無休 / ~ 행사 年中行事.

연지【臙脂】〈名〉臙脂. 紅. 句例 ~를 찍다 紅をさす. 語例 입술 ~ 口紅.

연차【年次】〈名〉年次. 語例 ~ 계획 年次計画 / ~ 휴가 年次休暇 / ~적으로 年次的に.

연착【延着】〈名・하自〉延着. 文例 사고로 열차가 ~하였다 事故で列車が延着した. 語例 ~되다 延着する.

연체【延滯】〈名・하自他〉延滞. 語例 ~료 延滞料 / ~ 이자 延滞利息 / ~되다 延滞される. 滞る.

연체-동물【軟體動物】[yŏ:nch'e—]〈名〉軟体動物.

연초【年初】〈名〉年初. 年始.

연출【演出】[yŏ:nch'ul]〈名・하他〉演出. 語例 ~가 演出家 / ~자 演出者 / ~ 대본 演出台本.

연타【連打】〈名・하他〉連打.

**__연탄__【煉炭】[yo:nt'an]〈名〉練炭. 句例 ~불을 피우다 練炭に火をつける. 語例 ~ 가스 중독 練炭ガス中毒 / ~값 練炭の値段 / ~재 練炭がら.

연통【煙筒】〈名〉煙突. 煙筒. =굴뚝.

연판-장【連判狀】[—tchang]〈名〉連判状.

연패【連敗】〈名・하自〉連敗. 語例 연전 ~ 連戦連敗 / 삼~ 三連敗.

연표【年表】〈名〉年表.

**__연필__【鉛筆】〈名〉鉛筆. 句例 ~을 깎다 鉛筆を削る / ~로 쓰다 鉛筆で書く. 語例 색~ 色鉛筆 / ~ 깎이 鉛筆削り / ~심 鉛筆の芯.

*__연하__【年下】〈名〉年下(の人). 句例 ~의 사람〔남편〕年下の人〔夫〕/ 세 살 ~이다 三つ年下である. 對연상(年上).

연하【年賀】〈名〉年賀. 語例 ~ 우편 年賀郵便 / ~장 年賀状.

연-하다【軟—】[yŏ:n—](→하다)〈形〉❶軟らかい. 句例 고기가 ~ 肉が軟らかい. 語例 연하게 やわらかく / 연해지다 やわらかくなる. ❷(色などが)薄い. 句例 연한 색깔 薄い色 / 연한 차 薄茶. 語例 연하게 薄く / 연해지다 薄くなる.

-연하다【然—】(→하다)〈尾〉…然とする. …を気取る. …振る. …をきめこむ. 語例 신사 ~ 紳士然とする / 학자~ 学者振る / 예술가~ 芸術家を気取る / 선배~ 先輩面をする.

연한【年限】〈名〉年限. 語例 복무 ~ 服務年限.

연합【聯合】〈名・하自他〉連合. 語例 ~국 連合国 / ~군 連合軍 / ~ 전선 連合戦線 / ~ 작전 連合作戦 / ~ 함대 連合艦隊 / 국제 ~ 国際連合.

연해【沿海】〈名〉沿海. 語例 ~ 어업 沿海漁業.

연-해【連—】〈副〉['연하여'の略] 引き続き. 続けて. しきりに.

연행【連行】〈名〉連行. **~하다**〈他〉連行する. 引き〔引っ〕立てる. 句例 범인을 ~하다 犯人を引っ立てる / 도둑을 파출소까지 ~하다 泥棒を交番まで引く.

연행-사【燕行使】[yŏ:nhaeng—]〈名〉〔史〕朝鮮朝時代, 燕京, 今の北京に派遣した朝鮮の使節.

연혁【沿革】[yŏ:nhyŏk]〈名〉沿革. 句例 학교의 ~을 설명하다 学校の沿革を述べる.

연화【蓮花・蓮華】〈名〉はす(蓮)の花. れんげ(蓮華). =연꽃. 語例 ~대 れんげ台. れんげ座.

연회【宴會】[yŏ:nhoe]〈名〉宴会. 句例 ~를 베풀다 宴会を催す. 宴を張る / ~에 초대를 받다 宴会に呼ばれる. 語例 ~장 宴会場 / ~석 宴会の席.

연-회색【軟灰色】[yŏ:n—]〈名〉薄ねず. 薄い灰色.

연후【然後】[一]〈名〉しかる後. そうした後. [二]〈副〉['연후에'の略] しかる後に. そうした後で. 文例 숙제를 하고 난 ~에 놀아라 宿題をした後で遊びなさい.

연휴【連休】〈名〉連休.

연희【演戱】[yŏ:nhi]〈名・하自〉演戯. 語例 ~자 演戯者.

열【列】〈名〉列. 句例 ~을 짓다 列をつくる / ~로 서다 五列に並ぶ / ~을 좁히다 列を詰める / ~을 이루어 列をなして.

****열**【熱】〈名〉熱. ❶〔物〕熱さ. 句例 ~을 가하다 熱を加える / ~을 발생하다 熱を生じる. ❷興奮. 句例 ~을 올리다(→小項目). ❸'신열(身熱)'の略：体熱. 句例 ~이 있다 熱がある / ~이 높다 熱が高い / ~이 내리다 熱が下がる〔取れる〕/ ~을 재다 熱を計る. ❹'열성'の略：強い意気ごみ. 語例 야구 ~ 野球熱.

열(이) 나다 ❶熱が出る. ❷激しい. 句例 열이 나게 독촉하다 激しく督促する. ❸興奮する. 怒る. 句例 열이 나게 굴지 마 怒らせるな.

열(을) 받다 頭にくる.

열(이) 식다 熱がさめる. 意欲がなくなる.

열(이) 오르다 熱が上がる. のぼせる. 興奮する.

열(을) 올리다 熱を上げる. のぼせる.

****열**〈數・冠〉十. =십(十). 語例 ~ 달 十箇月 / ~ 손가락 十指 / ~ 권 十冊 / ~이서 十人で / ~ 번째 十番目.

열 길 물속은 알아도 한 길 사람의 속은 모른다 測り難きは人の心.

열 번 찍어 안 넘어가는 나무 없다 十回も切りつけられて倒れぬ木はない. 繰り返し努力すればついに成功するとの意.

열 〔漢字項目〕

【悅(悦)】中學 열 エツ. 기뻐하다 喜ぶ. ▮悅樂 열락 えつらく. ▮喜悅 희열 きえつ. 滿悅 만열 まんえつ.

【熱】中學 열 ネツ. ❶뜨겁다 熱い. ▮熱氣 열기 ねっき. 熱湯 열탕 ねっとう. ▮耐熱 내열 たいねつ. ❷체온 体温. ▮熱病 열병 ねつびょう. ▮微熱 미열 びねつ. 平熱 평열 へいねつ. ❸높은 온도를 내는 에너지 高い温度を出すエネルギー. ▮熱源 열원 ねつげん. 熱量 열량 ねつりょう. ❹강한 의욕 強い意欲. ▮熱意 열의 ねつい. 熱中 열중 ねっちゅう. ▮情熱 정열 じょうねつ.

열간 압연【熱間壓延】[yŏlganabyŏn]〈名〉熱間圧延.

열감【熱疳】〈名〉〔韓醫〕小児の疳症の一つ.

열강【列強】〈名〉列強. 句例 ~의 각축(角逐) 列強の競り合い.

열거【列擧】〈名〉列挙. **~하다**〈他〉列挙する. 並べる. 句例 증거를 ~하다 証拠を並べる / 죄상을 ~하다 罪状を並べ立てる.

열-관리【熱管理】[—gwalli]〈名〉熱管理.

열광【熱狂】〈名・하自〉熱狂. 句例 ~하는 팬에게 둘러싸이다 熱狂するファンにとりかこまれる.

열광-적【熱狂的】〈名・冠〉熱狂的. 句例 ~인 환영을 받다 熱狂的な歓迎を受ける.

열기【熱氣】〈名〉❶熱気. ㉠熱い気体. 句例 ~에 쐬다 熱気にあたる. ㉡高まった意気ごみ. 熱. 句例 ~를 띠고 말하다 熱をこめて話す. ❷(からだの)熱. 熱気. 句例 몸에 ~가 있다 からだに熱がある.

열김-에【熱—】[yŏlkkime]〈副〉熱気に満ちた余勢をかって.

열-나다【熱—】[yŏllada] ⇨'열(熱)'の小項目

열녀【烈女】[yŏllyŏ]〈名〉烈女. 語例 ~문(門) 烈女を顕彰して立てた赤い門 / ~전 烈女伝 / ~비 烈女の碑.

***열다**[1] [yŏ:lda] (여니, 열어서)〈自〉(実が)実る. な(生)る. 句例 감이 주렁주렁 ~ かきが鈴すなりになる.

****열다**[2] [yŏ:lda] (여니, 열어서)〈他〉開く. ❶明〔開〕ける. 句例 뚜껑을 ~ ふたを明ける / 창문을 ~ 窓を明ける / 입을 열지 않다 口を開かない. ❷始める. 起こす. 句例 국회를 ~ 国会を開く / 새 시대를 ~ 新時代を開く. ❸催す. 開催する. 句例 송별연을 ~ 送別の宴を開く. ❹営業する. 文例 그 가게는 일요일에도 연다 その店は日曜日も開く.

***열대**【熱帶】[yŏlttae]〈名〉熱帯. 語例 ~ 기후 熱帯気候 / ~림 熱帯林 / ~ 식물 熱帯植物 / ~어 熱帯魚.

열대-성【熱帶性】[yŏlttaessŏng]〈名〉熱帯性. 語例 ~ 저기압 熱帯性低気圧.

열-댓 [yŏlttaet]〈數・冠〉十五ぐらい. 語例 ~ 사람 十五人ぐらい.

***열도**【列島】[yŏltto]〈名〉列島. 語例 일본 ~ 日本列島.

***열두-째** [yŏlttu—]〈數〉十二番目.
参考 '열둘째'は十二個目の意で, 序数詞でなく名詞である.

열등【劣等】[yŏlttŭng]〈名〉劣等. **~하다**〈形〉劣等だ. 劣っている. 句例 모든 면에서 ~한 사람 すべての面で劣っている人. 語例 ~생 劣等生 / ~ 의식 劣等意識.

열등-감【劣等感】[yŏlttŭng—]〈名〉〔心〕劣等感. コンプレックス. 引け目. 句例 ~에 사로잡히다 劣等感にとらわれる / ~을 느끼다 引け目を感じる / ~을 버리다 劣等感を捨てる.

열-띠다【熱—】〈形〉熱を帯びる. 熱がこもる. 熱っぽい. 句例 열띤 응원 熱のこもった応援 / 열띤 어조로 말하다 熱っぽい調子で語る.

열람【閱覽】〈名・하他〉閲覧. 句例 자료를 ~하다 資料を閲覧する. 語例 ~실 閲覧室 / ~자 閲覧者 / ~료 閲覧料.

열량【熱量】〈名〉熱量. 句例 ~이 많은 식품 熱量の多い食品. 語例 ~계 熱量計. カロリメーター

***열렬-하다**【熱烈—・烈烈—】(→하다)〈形〉熱烈だ. 句例 열렬한 연애 熱烈な恋愛. **열렬히**〈副〉熱列に. 句例 열렬히 사랑하다 熱烈に愛する.

****열리다**[1]〈自〉'열다'の受け身. ❶開〔明〕く. 開かれる. 句例 문이 ~ とびら〔戸〕が開く. 文例 문이 잘 열리지 않는다 戸がなかなか開かない / 문이 반쯤 열려 있다 戸が半開きになっている. ❷(文化が)開ける. 開化する. 句例 문화가 열림에 따라 文化が進むにつれて. ❸(店などが)開く. 開く. 句例 은행 문이 ~ 銀行が開く. ❹(催しなどが)開く. 開かれる. 催される. 句例 국회가 ~ 国会が開く.

***열리다**[2]〈自〉(実が)な(生)る. 句例 감이 많이 ~ かき(柿)がたくさんなる.

열망【熱望】〈名・하他〉熱望. 句例 평화를 ~하

다 平和を熱望する.

⁑**열매** 〈名〉実. ❶果実. [句例] ~가 열리다 実がな(生)る / ~를 맺다 実を結ぶ. [語例] 나무 ~ 木の実. ❷結果. [文例] 여러 해 동안의 노력이 ~를 맺었다 長年の努力が結実した〔実を結んだ〕.

열무 〈名〉幼い大根. [語例] ~ 김치 幼い大根で漬けたキムチ.

열반 【涅槃】〈名・하自〉〔佛〕涅槃. [句例] ~에 들다 涅槃に入る.
[表現] 釈迦の死のことを指したが, 広く僧侶の死にも言う.

열변 【熱辯】〈名〉熱弁. [句例] ~을 토하다 熱弁を吐く〔ふるう〕.

열병 【熱病】〈名〉熱病. [句例] ~을 앓다 熱病を患う / ~에 걸리다 熱病にかかる.

열-복사 【熱輻射】〈名〉〔物〕熱輻射. 熱放射.

*__열사__ 【烈士】[yŏlssa]〈名〉烈士. [語例] 순국 ~ 殉国の烈士.

열사 【熱砂】[yŏlssa]〈名〉熱砂. [句例] ~의 사막 熱砂の砂漠.

열사-병 【熱射病】[yŏlssappyŏng]〈名〉〔醫〕熱射病. 日射病.

열성 【熱性】[yŏlssŏng]〈名〉熱性. [語例] ~병 熱性病.

열성 【熱誠】[yŏlssŏng]〈名〉熱誠. 真心. 熱意. [句例] ~이 넘치는 지원 熱誠あふれる支援 / ~이 부족하다 熱意が足りない / ~을 다하다 真心を尽くす / 배우려는 ~ 学ぼうとする熱意 / ~껏 真心を尽くして. **~스럽다** (→스럽다)〈形〉熱心だ. 真心がこもっている.

열성-적 【熱誠的】[yŏlssŏng—]〈名・冠〉熱誠的. 熱誠なる. [句例] ~인 성원 熱誠なる声援 / ~으로 일하다 熱誠をこめて仕事をする.

열세 【劣勢】[yŏlsse]〈名・하形〉劣勢. [句例] ~를 만회하다 劣勢をもりかえす〔取り戻す〕 / ~에 몰리다 劣勢に陥ちる. (對)우세(優勢).

*__열-쇠__ [yŏ:lssoe]〈名〉かぎ(鍵). キー. [句例] ~로 열다 かぎで開ける / 문제 해결의 ~ 問題解決のかぎ / 사건의 ~를 쥐고 있다 事件のかぎをにぎっている. [語例] ~ 구멍 かぎ穴 / ~ 꾸러미 かぎ束 / ~ 고리 キーホルダー.

⁑**열심** 【熱心】[yŏlssim]〈名・하形〉熱心. [句例] 무슨 일에나 ~인 사람 何事にも熱心な人. [語例] ~이다 熱心だ. **~히**〈副〉熱心に. [句例] ~히 공부하다 熱心に〔一生懸命(に)〕勉強する / ~히 일한 보람이 있어서 熱心に働いたかいがあって.

열-십자 【一十字】[yŏlssibcha]〈名〉十文字. [文例] 길이 ~로 교차되어 있다 道が十文字に交差している.

열악-하다 【劣惡—】[yŏrak'ada] (→하다)〈形〉劣悪だ. [句例] 열악한 상품 劣悪な商品 / 열악한 작업 환경 劣悪な作業環境.

열애 【熱愛】[yŏrae]〈名・하他〉熱愛.

*__열어-젖히다__ [yŏrŏjŏch'ida]〈他〉(戸・障子などを)押し開く. 開け放つ.

열-없다 [yŏ:rŏpta]〈形〉❶照れ臭い. くすぐったい. (少し)きまりが悪い. [句例] 열없는 웃음 照れ臭い笑い. [語例] 열없어하다 きまり悪く思う. ❷小心だ. お(怖)じけ(気)が多い. **열없이** [yŏ:rŏpshi]〈副〉照れ臭く. 小心に.

열-에너지 【熱energy】[yŏrenŏji]〈名〉熱エネルギー.

열-역학 【熱力學】[yŏllyŏk'ak]〈名〉熱力学.

열연 【熱演】[yŏryŏn]〈名・하他〉熱演. [句例] ~에 박수를 보내다 熱演に拍手を送る / ~하는 주인공 熱演する主人公.

열-오르다 【熱—】[yŏrorŭda] ⇨'열(熱)'の小項目

열-올리다 【熱—】[yŏrollida] ⇨'열(熱)'の小項目

열외 【列外】[yŏroe]〈名〉列外. [句例] ~에 서다 列外に立つ.

열-용량 【熱容量】[yŏllyongnyang]〈名〉〔物〕熱容量.

열의 【熱意】[yŏrŭi]〈名〉熱意. 熱. [句例] ~를 보이다 熱意を示す / ~가 부족하다 熱意が足りない. 熱意に欠けている / ~가 대단하다 たいした熱意である. [文例] ~만 있다면 못 할 일이 없다 熱意さえあればできない事はない.

열전 【熱戰】[yŏltchŏn]〈名〉熱戦. [句例] 숨막히는 ~ 息詰まる熱戦 / ~을 전개하다 熱戦を繰り広げる.

열-전도 【熱傳導】〈名〉〔物〕熱伝導.

열정 【熱情】[yŏltchŏng]〈名〉熱情. [句例] ~에 불타다 熱情に燃える. [語例] ~적 熱情的.

*__열중__ 【熱中】[yŏltchung]〈名〉熱中. **~하다**〈自〉熱中する. 夢中になる. [句例] 독서에 ~하다 読書にふける / 야구에 ~하다 野球に熱中する / 일에 ~하는 성미 仕事に熱中するたち.

열중-쉬어 【列中—】[yŏltchung—]〈感〉休め《号令》. →편히쉬어.

열-째 〈數〉十番目. [句例] 왼쪽부터 열째번 집 左から十番目の家.

*__열차__ 【列車】〈名〉列車. [句例] ~를 타다 列車に乗る / ~를 놓치다 列車に乗り遅れる. [文例] ~는 정시에 도착했다 列車は時間通りに着いた / 다음 ~는 몇시에 도착합니까 次の列車は何時に到着しますか. [語例] 상행〔하행〕~ 上り〔下り〕列車 / 통근〔특급〕~ 通勤〔特急〕列車.

열창 【熱唱】〈名・하他〉熱唱.

열-처리 【熱處理】〈名・하他〉熱処理.

열풍 【熱風】〈名〉熱風. [句例] ~이 불다 熱風が吹く.

열화 【烈火】〈名〉烈火. [句例] ~같이 성내다 烈火の如く怒る.

열-효율 【熱效率】〈名〉熱効率.

⁑**열흘** 〈名〉十日. 旬日. [句例] ~이나 걸리다 十日もかかる. [語例] ~날 (その月の)十日.
열흘 붉은 꽃이 없다 十日間赤い花はない. 権勢・栄華は長く続かないことのたとえ. '화무십일홍(花無十日紅)'ともいう.

⁑**엷다** [yŏ:ltta]〈形〉薄い. [句例] 엷은 빛깔 薄い色 / 엷은 회색 양복 薄い灰色の洋服 / 엷은 맛 淡い味. 薄い味. [語例] 엷게 薄く / 엷어지다 薄くなる.
[參考] '엷은 薄い' '엷고 薄くて'は[yŏ:lbŭn] [yŏ:lkko]と読む.

염 [yŏ:m]〈名〉岩石によってできた小島.

語例 외~ 孤島.

염 〔漢字項目〕

【染】高校 염 セン. ❶물들이다 染める. ◨染色 염색 せんしょく. 染料 염료 せんりょう. ◨捺染 날염 なっせん. ❷질병 따위가 침범하다 病などが侵す. ◨感染 감염 かんせん. 傳染 전염 でんせん.

【炎】中學 염 エン. ❶타오르다 燃えあがる. ◨炎燒 염소 えんしょう. ◨火炎 화염 かえん. ❷덥다 暑い. ◨炎暑 염서 えんしょ. 炎天 염천 えんてん. ❸신체의 일부에 통증이나 열이 나다 からだの一部に痛みや熱がある. ◨炎症 염증 えんしょう. ◨胃炎 위염 いえん. 中耳炎 중이염 ちゅうじえん.

【鹽(塩)】高校 염 エン. ❶소금 塩. ◨鹽田 염전 えんでん. 鹽分 염분 えんぶん. ◨食鹽 식염 しょくえん. ❷〔化〕염소 塩素. ◨鹽化 염화 えんか. 鹽酸 염산 えんさん. ◨炭酸鹽 탄산염 たんさんえん.

參考 '塩'は俗字で, 正字の代わりにも使われる.

염가【廉價】[yŏmkka]〈名〉廉価. 安価. 安値. 低価. 句例 ~로 팔다 廉価で売る. 安値で売る. 語例 ~품 廉価品 / ~ 대매출 廉価大売り出し.

염교〈名〉〔植〕らっきょう.

염기【塩基】〈名〉〔化〉塩基. 語例 ~성 염료〔용액〕塩基性染料〔溶液〕.

염낭【一囊】〈名〉巾着. =두루주머니.

*__염두__【念頭】〈名〉念頭. 句例 ~에 두다 念頭におく. 文例 다른 일은 ~에 없다 ほかのことは念頭にない.

염라 대왕【閻羅大王】[yŏmnadae:wang]〈名〉〔佛〕閻魔大王.

*__염려__【念慮】[yŏ:mnyŏ]〈名〉心がかり. 心配. 気掛かり. **~하다**〈他〉心配する. 気遣う. 案じる. 文例 ~하실 것 없습니다 御念には及びません / ~ 마세요 ご心配には及びません / ~해 주셔서 감사합니다 ご配慮いただきありがとうございます. 語例 ~되다 気がかりになる. 気遣われる. 気にかかる. **~스럽다** (→스럽다)〈形〉気遣わしい. 気にかかる. 文例 합격될지 안 될지 ~스럽다 受かるかどうか気遣わしい.

염려 놓다 安心する. 放念する.

염료【染料】[yŏ:mnyo]〈名〉染料. =물감. 句例 천연 ~와 합성 ~ 天然染料と合成染料.

염-밭【塩一】〈名〉⇨ 염전(塩田).

염병【染病】[yo:mbyŏng]〈名〉❶〔韓醫〕腸チフス. ❷'전염병(傳染病)'の略.

*__염분__【塩分】〈名〉塩分. 塩気. 句例 ~을 다량 함유하다 塩分を多量含む.

염불【念佛】[yŏ:mbul]〈名・하自〉念仏. 句例 ~을 외다 念仏を唱える.

염불에는 맘이 없고 잿밥에만 맘이 있다 念仏はそっちのけにしてお供えのご飯にだけ気が向く. 本筋をはずれて利欲にだけ気を遣うことのたとえ.

*__염산__【塩酸】〈名〉〔化〉塩酸.

*__염색__【染色】[yŏ:saek]〈名〉染色. 染め. 色染め. **~하다**〈他〉染色する. 染める. =물들이다. 句例 머리를 검게 ~하다 髪を黒く染める. 語例 홀치기 ~ 絞り染め. 絞り《略語》/ ~집 紺屋・こうや. 染め物屋 / ~체〔生〕染色体.

염세【厭世】[yŏ:mse]〈名・하自〉厭世. 語例 ~가 厭世家. ペシミスト / ~주의 厭世主義. ペシミズム / ~ 자살 厭世自殺.

염세-적【厭世的】[yŏ:mse—]〈名・冠〉厭世的. 語例 ~ 사상 厭世的思想.

**__염소__〈名〉〔動〕やぎ(山羊). 語例 ~ 수염 やぎのひげ / 흑~ 黒やぎ.

염소【塩素】〈名〉〔化〉塩素.

염원【念願】[yŏ:mwon]〈名〉念願. **~하다**〈他〉念願する. 念じる. 句例 ~을 이루다 念願を達する〔果たす〕/ 합격되기를 ~하다 受かるようにと念じる / ~이 이루어지다 念願がかなう〔成就する〕.

염전【塩田】〈名〉塩田. =염밭.

염좌【捻挫】[yŏ:mjwa]〈名〉捻坐.

염주【念珠】[yŏ:mju]〈名〉〔佛〕数珠. 句例 ~알을 세다 念珠をつまぐる.

염주-비둘기【念珠—】[yŏ:mju—]〈名〉〔鳥〕しらこばと(白子鳩).

염증【炎症】[yŏmtchŭng]〈名〉炎症. 句例 ~이 생기다 炎症が生じる / ~을 일으키다 炎症を起こす.

염증【厭症】[yŏ:mtchŭng]〈名〉嫌気. =싫증. 句例 ~이 나다 嫌気がさす. 飽きる / ~을 느끼다 嫌気を催す.

염천【炎天】〈名〉炎天. 句例 오뉴월 ~에 五六月の炎天〔炎暑〕に.

*__염초__【焔硝】〈名〉焔硝. ❶〔韓醫〕朴硝で作った薬材. ❷〔化〕⇨ 초석(硝石) ❸⇨ 화약(火藥)

염출【捻出】[yŏ:mch'ul]〈名・하他〉捻出. 句例 비용을 ~하다 費用を捻出する / 여비를 ~하다 旅費をつくる.

염치【廉恥】〈名〉廉恥. 語例 ~심 廉恥心.

염치(를) 차리다 いんぎん(慇懃)にふるまう. '체면(體面)을 차리다' ともいう.

염치-없다【廉恥—】[—ŏpta]〈形〉廉恥がない. わがままだ. 身勝手だ. 句例 염치없는 놈 恥しらず(め). 無遠慮なやつ / 염치없는 청(請) 身勝手なお願い. **염치없이** [—ŏpshi]〈副〉廉恥もなく. 無遠慮に. つけつけと.

염탐【廉探】〈名・하他〉ひそかに事情を探ること. 語例 ~꾼 回し者. 間者. スパイ.

염통〈名〉〔生〕心臓. =심장. 語例 ~구이 牛の心臓の焼き肉.

염-하다【殮—】[yŏ:m—](→하다)〈他〉死体を清めて経かたびらを着せる. ゆかん(湯灌)する. =염습(殮襲)하다.

염화【塩化】〈名・하自〉〔化〉塩化. 語例 ~나트륨 塩化ナトリウム / ~칼슘 塩化カルシウム / ~칼륨 塩化カリウム / ~수소 塩化水素.

엽 〔漢字項目〕

【葉】中學 엽 ヨウ. ❶(초목의) 잎 (草木の)葉. ◨葉綠素 엽록소 ようりょくそ. ◨落葉 낙엽 らくよう. おちば. 複葉 복엽 ふ

くよう. ❷시기 時期. ◨初葉 초엽 しょよう. 中葉 중엽 ちゅうよう. 末葉 말엽 まつよう. ❸얇은 종이를 세는 말 薄い紙を数える語. ◨三葉 삼엽 さんよう.

엽견【獵犬】〈名〉⇨ 사냥개①

엽관【獵官】〈名・하自〉猟官. 語例 ～ 운동 猟官運動.

엽-궐련【葉―】〈名〉葉巻. シガー.

엽기【獵奇】〈名・하自〉猟奇. 語例 ～ 소설 猟奇小説 / ～적인 사건 猟奇的な事件.

엽기【獵期】〈名〉猟期. ❶⇨ 사냥철. ❷狩猟がゆるされている時期.

엽록-소【葉綠素】[yŏmnok―]〈名〉葉緑素. クロロフィル.

엽록-체【葉綠體】[yŏmnok―]〈名〉葉緑体.

엽맥【葉脈】[yŏmmaek]〈名〉⇨ 잎맥

엽서【葉書】〈名〉葉書. 句例 ～를 띄우다 葉書をだす. 語例 우편 ～ 郵便葉書 / 그림〔왕복〕～ 絵〔往復〕葉書.

엽전【葉錢】〈名〉真鍮製の昔の通貨. 参考 高麗と朝鮮朝にわたってつくられたもの. 円形で真ん中に四角の穴があり, 真鍮のほか錫や鉄などでもつくった.

엽차【葉茶】〈名〉葉茶. お茶. 文例 ～ 한 잔 주시겠어요 お茶一杯くださいませんか.

엽총【獵銃】〈名〉猟銃. ＝사냥총.

****엿**〈名〉あめ(飴). 語例 가래～ 棒状のあめ. あめん棒.

엿(을) 먹이다 あめを食わすの意. 一本食わす. だます.

엿 먹어라 くそくらえ.

엿〈冠〉'ㄴ・ㄷ・ㅁ・ㅂ・ㅅ・ス'などを初声とする一部の名詞について, '여섯 六の意'を表わす語. 語例 엿 말 六斗 / 엿 냥 六両.

***엿-기름**〈名〉麦芽. 麦もやし.

***엿-듣다** [yŏ:t―] (엿들으니, 엿들어서)〈他〉聞き耳を立てる. 立ち聞きする. 文例 누군가가 엿듣고 있다 だれかが立ち聞きしている.

엿-보다 [yŏ:t―]〈他〉❶盗み見る. のぞき見る. 句例 문틈으로 ～ 戸のすき間から盗み見る / 몰래 엿보는 버릇이 있다 盗視する癖がある. ❷(機を)ねらう. うかがう. 句例 틈을 ～ すき(隙)をうかがう / 기회를 ～ 時機をうかがう. ❸うかがい知る. 文例 제안을 수락할 뜻이 없음을 그의 말에서 엿볼 수 있다 提案を受諾する意志がないことを彼の言葉からうかがえる.

엿새〈名〉六日・むいか. 六日間. 文例 꼭 ～ 걸려서 완성했다 ちょうど六日かかって完成した / 이 달 초 ～에 출발한다 今月の六日に発つ.

엿-장수〈名〉あめ売り.

엿장수 마음대로 (あめ売りがあめを自分勝手に引き伸ばすように)物事を自分の思いどおりにするさま.

表現 '엿장수 마음대로는 안 된다 自分勝手にできるものではない'のように否定の語を伴う.

엿-치기〈名・하自〉あめん棒を折って, その断面の穴の有無・大小・多少などで勝負するかけ.

영【令】〈名〉['명령'の略] 令. 命令. 句例 ～을 내리다 令を下す.

영【零】〈名〉零. ゼロ. 句例 3대 ～으로 지다 三対ゼロで負ける. 語例 ～점 오 0.5.

***영**【靈】〈名〉[영혼(靈魂)の略] 霊. みたま(御霊). 句例 고인의 ～ 亡き人の霊 / ～과 육 霊と肉.

영 [yŏ:ng] [副]〈名〉(後に否定の語を伴って)まったく. まるで. 文例 견본과 ～ 딴판이다 見本とはまったく違う / ～ 말을 안 듣는다 全然言うことをきかない.

***영**【永】[yŏ:ng]〈副〉['영영(永永)'の略] 永遠に. 永久に. 句例 ～ 잊을 수 없는 추억 永久に忘れられない思い出. 文例 ～ 저 세상으로 가 버렸다 永遠にあの世に逝ってしまった.

영 〔漢字項目〕

【影】高校 영 エイ. ❶그림자 影. ◨陰影 음영 いんえい. 投影 투영 とうえい. ❷사물의 모습 事物の姿. ◨機影 기영 きえい. 幻影 환영 げんえい. ❸투영된 것 投影されたもの. ◨影印 영인 えいいん. ◨近影 근영 きんえい. 撮影 촬영 さつえい.

【映】高校 영 エイ. 비추다 映す. ◨映畫 영화 えいが. 映像 영상 えいぞう. ◨上映 상영 じょうえい. 反映 반영 はんえい.

【榮(栄)】中學 영 エイ. ❶번영하다 さかえる. ◨榮華 영화 えいが. 榮達 영달 えいたつ. ◨虛榮 허영 きょえい. ❷영예롭다 栄誉だ. ◨榮光 영광 えいこう. ◨光榮 광영 こうえい.

【永】中學 영 エイ. ❶(시간이) 길다 (時間が)永い. ◨永遠 영원 えいえん. 永續 영속 えいぞく. 永久 영구 えいきゅう. ❷오래도록 永い間. ◨永住 영주 えいじゅう.

【泳】高校 영 エイ. 헤엄치다 泳ぐ. ◨泳法 영법 えいほう. ◨水泳 수영 すいえい. 遊泳 유영 ゆうえい. 競泳 경영 きょうえい.

【營(営)】高校 영 エイ. ❶경영하다 営む. ◨營業 영업 えいぎょう. ◨運營 운영 うんえい. 經營 경영 けいえい. 國營 국영 こくえい. ❷만들다 造る. ◨營繕 영선 えいぜん. ◨造營 조영 ぞうえい. ❸군대 주둔지 軍隊の駐屯地. ◨陣營 진영 じんえい. 野營 야영 やえい. 兵營 병영 へいえい.

【英】中學 영 エイ. ❶뛰어나다 優れる. ◨英才 영재 えいさい. 英雄 영웅 えいゆう. 英傑 영걸 えいけつ. ❷꽃 花. ◨石英 석영 せきえい. ❸영국의 약어 英国の略語. ◨英語 영어 えいご. ◨親英 친영 しんえい.

【詠】高校 영 エイ. ❶시가를 읊다 詩歌を詠む. ◨詠唱 영창 えいしょう. 詠嘆 영탄 えいたん. ❷시가를 지어 바침 詩歌をつくってささげる. ◨題詠 제영 だいえい. 獻詠 헌영 けんえい.

【迎(迎)】中學 영 ゲイ. ❶맞이하다 迎える. ◨迎春 영춘 げいしゅん. ◨歡迎 환영 かんげい. 送迎 송영 そうげい. ❷(남의 뜻을) 잘 맞추다 (人の意に)よく合わせる. ◨迎合 영합 げいごう.

영가【靈歌】〈名〉〔樂〕霊歌. 語例 흑인 ～ 黒人霊歌.

***영감**【令監】[yŏ:nggam]〈名〉❶年取った夫を呼ぶ語. 句例 우리집 ~님 家の主人/댁의 ~님 お宅のご主人〔ご老人〕. ❷男の老人に対する敬称. ご老人. ❸〔史〕正三品と従二品の官吏の呼び名. 語例 ~ 마님〔史〕'영감③'の敬称. ❹古いしきたりから, 面長・郡守・判事・検事・国会議員などに対して使った敬称.

영감【靈感】〈名〉霊感. インスピレーション. 句例 ~을 얻어 작곡하다 霊感を得て作曲する/~이 떠오르다 霊感がひらめく.

영걸【英傑】〈名・하形〉英傑. **~스럽다**(→스럽다)〈形〉英傑らしさがある.

영검【靈一】〈名〉[もとの語形は'영험(靈驗)'] 霊験. **~하다**〈形〉霊験あらたかだ. 略して'영하다'ともいう.

영결【永訣】[yŏ:nggyŏl]〈名・하自〉永訣. 死別. 語例 ~식 告別式.

영계【一鷄】〈名〉若鶏. ひな鶏. 語例 ~ 백숙 若鶏の丸煮. 鶏の水炊き.

영고 성쇠【榮枯盛衰】[—sŏ:ngsoe]〈名〉栄枯盛衰.

영공【領空】〈名〉領空. 句例 ~을 침범하다 領空を侵す. 語例 ~권 領空権.

영관【領官】〈名〉〔軍〕領官. 日本の佐官に当たる階級.

영관【榮冠】〈名〉栄冠. 句例 승리의 ~을 차지하다 勝利の栄冠を勝ちとる.

***영광**【榮光】〈名〉栄光. 光栄. 句例 분에 넘치는 ~ 身に余る光栄/젊은이에게 ~을 돌리다 若者に花を持たせる/당선의 ~을 차지하다 当選の栄をになう. **~스럽다**(→스럽다)〈形〉光栄だ. 栄え栄えしい. 句例 ~스러운 승리 栄えある勝利. **~스레**〈副〉光栄に.

영구【永久】[yŏ:nggu]〈名・하形〉永久. 永遠. 語例 ~ 불변 永久不変/~치 永久歯/~ 자석 永久磁石. **~히**〈副〉永久〔永遠〕に. とこしえに. とわに. 句例 ~히 잠들다 とこしえに眠る/~히 돌아오지 않다 永久に帰らない.

영구-적【永久的】[yŏ:nggu—]〈名・冠〉永久的. 語例 반~ 半永久的.

영구-차【靈柩車】〈名〉霊柩車. 柩車.

***영국**【英國】〈名〉〔地〕英国. イギリス. 語例 ~인 イギリス人. 英国人/~식 발음 イギリス式発音.

영기【令旗】〈名〉〔史〕令旗.
参考 昔, 軍中で軍令を伝えるときに使った旗. 青地の絹に赤字の'令'を縫いつけた.

영남【嶺南】〈名〉〔地〕嶺南・ヨンナム.
参考 '鳥嶺'の南側の意で, 慶尚南北道のこと.

영내【營內】〈名〉営内. 兵営内.

영농【營農】〈名・하自〉営農. 語例 ~ 후계자 営農後継者/~ 자금 営農資金.

영단【英斷】〈名・하他〉英断. 句例 ~을 내리다 英断を下す.

영달【榮達】〈名・하自〉栄達. 出世. 句例 ~의 길 栄達の道.

영도【零度】〈名〉零度. 文例 물은 섭씨 ~에서 얼음이 된다 水は摂氏零度で氷になる.

영도【領導】〈名・하他〉領導. リード. 語例 ~자 領導者/~력 領導〔指導〕力.

***영동**【嶺東】〈名〉〔地〕嶺東・ヨンドン. ＝관동(關東).
参考 大関嶺の東側の意で, 江原道の東部地方をいう.

영락【零落】[yŏngnak]〈名・하自〉零落. 落ちぶれ. 句例 ~한 부호의 말로 金持ちの成れの果て/거지로 ~하다 こじき(乞食)に成り下がる.

영락【瓔珞】[yŏngnak]〈名〉瓔珞.

영락-없다【零落一】[yŏngnagŏpta]〈形〉確かである. 間違いない. 文例 이번에는 ~ 今度こそは間違い〔外れっこ〕ない. **영락없이** [yŏngnagŏpshi]〈副〉確かに. 間違いなく.

영령【英靈】[yŏngnyŏng]〈名〉英霊. 句例 ~을 봉안하다 英霊を祭る.

영롱-하다【玲瓏一】[yŏngnong—](→하다)〈形〉玲瓏としている. 句例 영롱한 달빛 玲瓏たる月影. **영롱히** [yŏngnonghi]〈副〉玲瓏と(して).

영리【營利】[yŏngni]〈名・하自〉営利. 語例 ~ 법인 営利法人/~ 사업 営利事業/~주의 営利主義.

영리-적【營利的】[yŏngni—]〈名・冠〉営利的. 句例 ~인 사업에 손을 대다 営利的な事業に手を出す.

영리-하다【怜悧一】[yŏngni—](→하다)〈形〉怜悧だ. 利口だ. 賢い. さかしい. 句例 영리한 아이 聡明な子供/영리한 사람 利口な人. 語例 영리하게 利口に.

영림【營林】[yŏngnim]〈名・하自〉営林. 語例 ~서 営林署.

영-마루【嶺一】〈名〉峠のいただき.

영면【永眠】[yŏ:ngmyŏn]〈名・하自〉永眠.

영문〈名〉訳. 理由. 成り行き. 文例 어찌 된 ~인지 전연 알 수가 없다 どういう訳なのか全然分からない.
영문(을) 모르다 わけが分からない. 理由が分からない.

***영문**【英文】〈名〉❶英文. 語例 ~과 英文科/~ 편지 英文の手紙. ❷ローマ字. 句例 이름을 ~으로 쓰다 名前をローマ字で書く.

영-문법【英文法】[—munppŏp]〈名〉英文法.

영-문학【英文學】〈名〉英文学. 句例 ~을 전공하다 英文学を専攻する. 語例 ~사 英文学史.

영민-하다【英敏一】(→하다)〈形〉鋭敏だ. 明敏だ. 句例 두뇌가 ~ 頭脳が明敏だ.

영법【泳法】[yŏ:ngppop]〈名〉泳法.

영봉【靈峰】〈名〉霊峰. 語例 백두산 ~ 白頭山の霊峰.

영-부인【令夫人】〈名〉令夫人.

영빈【迎賓】〈名・하自〉迎賓. 語例 ~관 迎賓館.

영사【映寫】〈名・하他〉映写. 句例 ~기 映写機. プロジェクター/~막 映写幕. スクリーン/~실 映写室.

영사【領事】〈名〉領事. 語例 ~관 領事館/부~ 副領事/총~ 総領事.

영산【靈山】〈名〉霊山.

영상【映像】〈名〉映像. 句例 거울에 비친 ~ 鏡に映った映像. 語例 ~ 신호 映像信号 / 텔레비전 ~ テレビの映像 / ~ 합성 장치 映像合成装置.

영상【零上】〈名〉零上. プラス. 語例 ~ 2도 プラス 二度. ㉤영하.

영상【領相】〈名〉〔史〕'영의정(領議政)'の別称. 語例 ~ 대감 領議政閣下.

영생【永生】[yŏ:ngsaeng]〈名・하自〉〔基〕永生. 永遠に生きること. 語例 ~ 불멸 永生不滅.

영서【嶺西】〈名〉〔地〕嶺西・ヨンソ.
參考 大関嶺の西側を指す語で, 江原道の西部地方をいう.

영선【營繕】〈名・하他〉営繕. 語例 ~비 営繕費.

영세【永世】[yŏ:ngse]〈名〉永世. 語例 ~ 중립국 永世中立国.

영세【零細】〈名・하形〉零細. 語例 ~ 기업 零細企業 / ~농 零細農 / ~민 零細民. 細民.

영세【領洗】〈名・하自〉〔天主教〕洗礼.

영속【永續】[yŏ:ngsok]〈名・하自他〉永続. 句例 그와의 우호 관계를 ~시키다 彼との友好関係を永続させる. 語例 ~성 永続性 / ~되다 永続する.

영속-적【永續的】[yŏ:ngsok—]〈名・冠〉永続的. 句例 ~인 유대 관계 永続的な紐帯関係.

영수【領受・領收】〈名〉領収. 受領. **~하다**〈他〉領収する. 受け取る.

영수【領袖】〈名〉領袖. 文例 양정당의 ~가 회담했다 両政党の領袖が会談した.

영수-증【領收證】〈名〉領収証. 領収書. 受領証. 受取. 句例 ~을 받다 領収書を受け取る.

영시【英詩】〈名〉英詩.

영시【零時】〈名〉零時. (夜の)十二時.

영식【令息】〈名〉令息. ㉤영양(令孃). 영애(令愛).

영아【嬰兒】〈名〉嬰児. みどりご. 赤子. 語例 ~기 嬰児期.

영악-스럽다(→스럽다)〈形〉⇨ 영악하다

영악-하다 [yŏng-ak'ada] (→하다)〈形〉利害に抜け目がなくがめつい. 句例 영악한 아이 利にさとい子供.

영애【令愛】〈名〉令愛. 令嬢. お嬢さま. ㉤영식(令息).

영약【靈藥】〈名〉霊薬. 奇薬. 仙薬. 句例 ~의 효력 霊薬の効.

영양【令孃】〈名〉令嬢. ㉤영식(令息).

영양【羚羊】〈名〉〔動〕かもしか. 羚羊.

***영양**【營養】〈名〉栄養. 句例 ~을 섭취하다 栄養を取る〔摂取する〕/ ~이 있는 요리 栄養のある料理 / ~ 상태가 좋다 栄養状態がいい. 語例 ~사 栄養士 / ~분 栄養分 / ~식 栄養食 / ~제 栄養剤 / ~ 부족 栄養不足 / ~물 栄養物 / ~ 주사 栄養注射.

영양-가【營養價】[yŏng-yangkka]〈名〉栄養価. 句例 ~가 높다 栄養価がたかい.

영양-소【營養素】〈名〉栄養素. 句例 여러 가지 ~ いろいろの栄養素.

영양 실조【營養失調】[yŏng-yangshiltcho]〈名〉営養失調. 句例 편식으로 인한 ~ 偏食による営養失調.

영어【英語】〈名〉英語. 句例 ~로 말하다 英語で話す / ~ 실력이 붙다 英語の力がつく. 語例 미국 ~ アメリカ英語.

***영업**【營業】〈名・하他〉営業. 句例 밤 아홉시까지 ~하다 夜の九時まで営業する / ~을 시작하다 店を開く. 語例 ~ 감찰 営業鑑札 / ~권 営業権 / ~용 자동차 営業用自動車 / ~ 시간 営業時間.

영역【領域】〈名〉領域. 句例 이웃 나라의 ~을 침범하다 隣国の領域を侵す / 남의 ~을 침범하다 他人の領分を侵す / 전문 ~이 다르다 畑が違う.

영영【永永】[yŏ:ng-yŏng]〈副〉永久に. いつまでも. 略して'영'ともいう. 句例 ~ 돌아오지 않다 永久に帰って来ない.

***영예**【榮譽】〈名〉栄誉. 誉れ. 句例 합격의 ~ 合格の栄誉 / ~로 삼다 栄誉とする / ~를 얻다〔안다〕栄誉を得る〔になう〕/ ~를 일신에 모으다 栄誉を一身に集める. **~스럽다**(→스럽다)〈形〉'영예롭다'のこと. **~롭다**(→롭다)〈形〉誉れである. **~로이**〈副〉光栄に. 誉れに.

영외【營外】〈名〉営外. 兵営外. 語例 ~ 거주〔軍〕営外居住.

영웅【英雄】〈名〉英雄. ヒーロー. 句例 난세의 ~ 乱世の雄 / 국민적 ~이 되다 国民的英雄になる / ~을 낳다 英雄を生む. 語例 ~심 英雄心 / ~전 英雄伝 / ~시하다 英雄視する.

***영원**【永遠】[yŏ:ng-won]〈名・하形〉永遠. 永久. とこしえ. 句例 ~한 이별 長の別れ / ~한 생명 永遠〔とこしえ〕の生命 / ~한 진리 永遠の真理. 語例 ~ 불멸 永遠不滅 / ~ 무궁 永遠無窮. **~히**〈副〉永遠〔永久〕に. とこしえに. 句例 ~히 잠들다 とこしえに眠る.

영원【蠑螈】〈名〉〔動〕いもり.

영위【營爲】〈名〉営為. 営み. **~하다**〈他〉営む. 句例 삶을 ~하다 生を営む.

영유【領有】〈名〉領有. **~하다**〈他〉領有する. 領する. 占める. 句例 (…의) ~로 돌아가다 (…の)領有に帰する. 語例 ~권 領有権.

영-의정【領議政】〈名〉〔史〕朝鮮朝の議政府の最高官職. =영상(領相).

영인【影印】[yŏ:ng-in]〈名・하他〉影印. 語例 ~본 影印本.

영입【迎入】〈名・하他〉迎え入れること. 句例 전문 경영인을 ~하다 専門の経営人を迎え入れる.

영자【英字】[yŏngtcha]〈名〉英字. 語例 ~ 신문 英字新聞.

영장【令狀】[yŏngtchang]〈名〉令状. 句例 ~에 의한 체포 令状による逮捕. 語例 소집〔수색〕~ 召集〔捜索〕令状.

영장【靈長】〈名〉霊長. 句例 만물의 ~ 万物の霊長. 語例 ~류 霊長類.

영재【英才】〈名〉英才. 鋭才. 語例 ~ 교육 英才教育.

영적【靈的】[yŏngtchŏk]〈名・冠〉霊的. 語例

ㅇ

～ 세계 霊的世界.
영전【榮轉】〈名・하自〉栄転. 文例 ～을 축하합니다 ご栄転をお祝い申し上げます. 語例 ～되다 栄転する.
영전【靈前】〈名〉霊前. 句例 ～에 꽃을 바치다 霊前に花を供える / ～에 엎드리다 霊前にぬかずく.
영점【零點】[yŏngtchŏm]〈名〉零点. ゼロ. 句例 시험에서 ～을 받다 試験で零点を取る.
영접【迎接】〈名〉(人を)迎えること. **～하다**〈他〉迎える. 句例 하객을 ～하다 賀客を迎える.
영정【影幀】[yŏ:ngjŏng]〈名〉影像. 画像を表装した掛け物.
영조【營造】〈名・하他〉営造. 語例 ～물 営造物.
영주【永住】[yŏ:ngju]〈名・하自〉永住. 語例 ～권 永住権.
영주【英主】〈名〉英主.
영주【領主】〈名〉領主.
영지【靈芝】〈名〉〔植〕れいし(霊芝). まんねんたけ. =영지버섯.
영차〈感〉'이영차'の略: よいしょ. よいさ. 語例 ～ 영차 よいしょよいしょ.
영창【詠唱】[yŏ:ngch'ang]〈名〉〔樂〕詠唱. アリア.
영창【映窓】[yŏ:ngch'ang]〈名〉部屋を明るくするため部屋と板の間の間仕切りにはめた二枚の引き障子.
영창【營倉】〈名〉〔軍〕営倉.
영치기 [yŏ:ngch'igi]〈感〉大勢で重い物を運ぶとき調子を合わせる掛け声: よいしょ. よいさ. えいやこら.
영탄【詠嘆】[yŏ:ngt'an]〈名・하自〉詠嘆.
***영토**【領土】〈名〉領土. 句例 ～를 지키다 領土を守る / ～를 넓히다 領土を広める / 이웃나라의 ～를 침범하다 隣国の領土を侵す. 語例 ～ 분쟁 領土紛争.
영특-하다【英特—】[yŏŋgt'ŭk'ada] (→하다)〈形〉英明で特出したところがある. 句例 영특한 아이 非常に賢く秀でた子.
영패【零敗】〈名・하自〉零敗. ゼロ敗. 句例 가까스로 ～를 면하다 辛うじて零敗を免れる.
***영하**【零下】〈名〉零下. 氷点下. 句例 ～ 십도의 추위 零下十度の寒さ. 文例 온도계가 ～로 내려갔다 寒暖計が氷点以下に下がった.
영합【迎合】〈名〉迎合. **～하다**〈自〉迎合する. 迎える. 句例 권력자에게 ～하다 権力者に迎合する / 상대편의 뜻에 영합하다 先方の意を迎える.
영해【領海】〈名〉領海. 句例 ～를 침범하다 領海を侵す.
***영향**【影響】[yŏ:nghyang]〈名〉影響. 句例 ～이 미치다 影響が及ぶ. 差し響く. 差し障る / ～을 받다〔주다〕 影響を受ける〔与える〕/ ～이 크다 影響〔響き〕が大きい. 語例 ～력 影響力.
***영혼**【靈魂】〈名〉霊魂. 魂. 句例 ～의 불멸을 믿다 霊魂の不滅を信じる.

ㅇ

⁑**영화**【映畫】〈名〉映画. ムービー. シネマ. キネマ. 句例 인기있는 ～ 呼び物の〔評判の〕の映画 / ～의 한 장면 映画の一こま / ～를 찍다 映画をとる / ～를 구경하다 映画を見る / ～를 보러가다 映画を見に行く / ～에 출연하다 映画に出演する〔出る〕. 語例 서부 ～ 西部映画 / 기록 ～ 記録映画 / 무성 ～ 無声映画. サイレント / ～ 배우〔감독〕 映画俳優〔監督〕/ ～계 映画界 / ～관 映画館 / 텔레비전 ～ テレビ映画 / ～제 映画祭.
영화【榮華】〈名〉栄華. 栄え. 句例 더없는 ～를 누리다 栄華をきわめる / 하루 아침의 ～ 槿花一朝の栄え. **～롭다**(→롭다)〈形〉時めき栄える. 権力や富貴を享受している. **～로이**〈副〉栄華に. 栄え時めいて. 華やかに.
영화-화【映畫化】〈名・하他〉映画化. 句例 위인의 생애를 ～하다 偉人の一生を映画化する.
⁑**옆**〈名〉横. そば(側・傍). わき(脇). サイド. 傍ら. 横合い. 横手. 端. はた(傍). 隣. 句例 학교 ～에 있는 건물 学校の横手にある建物 / ～에서 말참견하다 はたから差し出口をする / ～을 향해서 앉다 横向きに座る / ～을 보다 横を見る / ～으로 눕다 横向きに寝る / ～으로 다가서다 そばに寄る / ～에 앉다 隣に座る. 文例 ～에서 참견하지 마 はたから口を出すな. 語例 ～사람 隣の人 / ～쪽 横の方 / 다리～ 橋のたもと / ～방 隣部屋.
옆-구리〈名〉わき. わき腹. 横腹. ひばら. 句例 ～를 걷어차다 わき腹をけとばす / ～를 찌르다 わきをつつく. (わきをつついて)ひそかに合図をする. 文例 ～가 땅겨서 걸을 수 없다 横腹がつっぱって歩けない.
옆구리 찔러 절 받기 わきをつついてお辞儀を受ける. 相手をうながして利益を計ることのたとえ.
옆-길〈名〉わき道. 横道. 横筋. 句例 이야기가 ～로 새다 話が横筋にそれる. 話がわき道に入る.
옆-넓이 [yŏmnŏlbi]〈名〉側面積. =측면적.
***옆-면**【—面】[yŏmmyŏn]〈名〉側面. 句例 ～에서 공격하다 側面から攻撃する. =측면.
옆-모서리 [yŏmmosŏri]〈名〉〔數〕側稜.
***옆-자리**〈名〉隣席. 隣の席.
⁑**옆-집**〈名〉隣家. 隣の家.
예[1]〈名〉〔言〕ハングルの字母'ㅖ'の名称.
***예**[2] [ye:]〈名〉昔. ずっと以前. いにしえ. 句例 ～나 지금이나 昔も今も / ～로부터 昔から.
***예**【例】[ye:]〈名〉例. ❶'전례(前例)'の略: 前例. 先例. ためし(例). 文例 그런 ～는 이제까지 없었다 そういうためしはこれまでになかった / 제 시간에 온 ～가 없다 時間どおりに来たためしがない. ❷いつものきまり. ならわし. 句例 ～의 그 가게〔수법〕 例の〔くだん〕の店〔手〕/ ～의 그 장소에서 例の場所で. 文例 ～의 그 나쁜 버릇이 시작되었다 例の病気が始まった. ❸実例. たとえ. 句例 최근의 ～를 들면 最近の例をあげると / 구체적으로 ～를 들다 具体的に例をあげる. 文例 ～를 들자면 한이

없다 例を挙げればきりがない / 한국도 이 ~에 서 벗어나지 못한다 韓国もまたこの例に漏れない.

예【禮】[ye:]〈名・하自〉礼. 句例 ~를 다하다 礼を尽くす / ~를 지키다 礼を守る.

예[3] ■〈代〉['여기'の略] ここ. 文例 ~가 어디냐 ここはどこだ.
■〈副〉['여기에'の略] ここに. 文例 ~ 앉거라 ここに座れよ.

***예**[4] [ye:]〈感〉❶はい. え(え). 文例 ~, 잘 알았습니다 はい, よくわかりました. はい, 承知しました. ええ, かしこまりました / ~, 그렇습니다 え, そうです / ~, ~, 곧 가져오겠습니다 はいはい, さっそく持って参ります / 상사에게 ~하고 굽신거린다 上役にへいへいしている. ❷目上に問い返す語: え. はい. 文例 ~ 뭐라고요 え, なんですって.
表現 目上の人に丁寧に答えたり肯定する語で, '네'よりいっそう改まった感じを表わす.

예　〔漢字項目〕

【藝(芸)】中學 예 ゲイ. ❶재능 才能. ■技藝 기예 ぎげい. 手藝 수예 しゅげい. ❷학문 또는 기술 学問や技術. ■藝術 예술 げいじゅつ. 藝能 예능 げいのう. ■學藝 학예 がくげい. ❸식물을 심다 植物を植える. ■園藝 원예 えんげい. 農藝 농예 のうげい.

【譽(誉)】高校 예 ヨ. ❶칭찬하다 ほめる. ■毀譽褒貶 훼예포폄 きよほうへん. 稱譽 칭예 しょうよ. ❷칭찬받는 일 ほめられること. 명예 ほまれ. ■榮譽 영예 えいよ. 名譽 명예 めいよ.

【豫(予)】高校 예 ヨ. ❶미리 あらかじめ. ■豫定 예정 よてい. 豫備 예비 よび. 豫約 예약 よやく. ❷꾸물거리다 ぐずぐずする. ■猶豫 유예 ゆうよ.

【銳(鋭)】高校 예 エイ. ❶날카롭다 鋭い. ■銳角 예각 えいかく. 銳利 예리 えいり. ■尖銳 첨예 せんえい(先鋭). ❷민첩하다 敏捷だ. 재치가 있다 才知がある. ■銳敏 예민 えいびん. ■氣銳 기예 きえい. 新銳 신예 しんえい. ❸강하고 우수한 군사 強くて優れた兵. ■精銳 정예 せいえい.

예각【銳角】[ye:gak]〈名〉〔數〕鋭角. 對둔각.

예감【豫感】[ye:gam]〈名・하他〉予感. 虫の知らせ. 句例 합격할 듯한 ~이 들다 合格しそうな予感がする / 어쩐지 좋지 않은 ~ 虫の知らせ. 語例 ~되다 予感される.

예견【豫見】[ye:gyŏn]〈名〉予見. 見越し. **~하다**〈他〉予見する. 見越す. 句例 먼 장래를 ~하다 遠い将来を予見する.

***예고**【豫告】[ye:go]〈名・하他〉予告. 前触れ. 先触れ. 句例 영화의 ~편 映画の予告篇 / 태풍의 ~ 台風の先触れ / 아무 ~도 없이 なんの断わりもなしに. 文例 ~ 없는 방문은 실례다 前触れのない訪問は失礼である.

예과【豫科】[ye:kkwa]〈名〉予科. 語例 ~ 학생 予科の学生 / 의대 ~ 医科大学予科.

예광-탄【曳光彈】〈名〉曳光弾.

예규【例規】[ye:gyu]〈名〉例規.

***예금**【預金】[ye:gŭm]〈名・하他〉預金. 句例 ~을 찾다 預金をおろす〔引き出す〕/ 은행에 ~하다 銀行に預金する. 語例 보통〔정기〕~ 普通〔定期〕預金 / ~ 통장 預金通帳.

예기【豫期】[ye:gi]〈名・하他〉予期. 句例 ~한 대로 予期した通り / ~한 대로 되다 思った通りになる. 思うつぼにはまる / ~치 않은 일 予期しなかったこと.

예끼 [ye:kki]〈感〉殴らんばかりの気勢でしかりつけるときの声: やい. こら. 文例 ~ 이놈 おいこら.

예납【豫納】[ye:nap]〈名・하他〉予納. 前納.

예년【例年】[ye:nyŏn]〈名〉例年. 句例 ~과 같이 例年通り / ~에 비해서 例年に比べて〔比して〕/ ~의 행사 例年の行事 / ~에 없는 추위 例年にない寒さ.

예능【藝能】[ye:nŭng]〈名〉芸能. 語例 ~계 芸能界 / ~인 芸能人 / ~계(系) 芸能系.

예-닐곱〈數・冠〉六七. 六つか七つ. 句例 ~ 자루의 연필 六七本の鉛筆. 語例 ~ 사람 六七人.

예단【禮緞】[ye:dan]〈名〉礼物として贈る絹織物.

예라 [ye:ra]〈感〉❶子供に対して禁止させる語: やめろ. よせ. 文例 ~ 그만 두지 않겠니 よせ, やめないか. ❷あきらめたり, 決断したりするときに出す語: よし. やれ. 文例 ~ 그만 두자 やれやれ, やめとこう. よし, やめよう / ~ 모르겠다 えい, どうにでもなれ / ~ 나도 해 보자 よし, 僕もやってみよう.

예리-하다【銳利—】[ye:ri—](→하다)〈形〉鋭利だ. 鋭い. 句例 예리한 칼날 鋭利な刃 / 예리한 두뇌 鋭利な頭脳. 鋭い頭.

예매【豫買】[ye:mae]〈名・하他〉予約買い. 語例 ~되다 予約買いされる.

예매【豫賣】[ye:mae]〈名・하他〉前売り. 語例 ~권 前売り券 / ~처(處) 前売りする場所.

예명【藝名】[ye:myŏng]〈名〉芸名.

예문【例文】[ye:mun]〈名〉例文. 句例 ~을 보이다 例文を示す / ~을 들다 例文をあげる / 사전의 ~을 보고 낱말의 사용법을 알다 辞典の例文を見て語の使い方を知る.

***예물**【禮物】[ye:mul]〈名〉礼物. ❶贈り物. お礼の品. ❷花嫁の初対面のあいさつを受けたしゅうと(舅)としゅうとめ(姑)が返礼に与える品物. ❸結婚式で花婿と花嫁が交換する記念品.

예민-하다【銳敏—】[ye:min—](→하다)〈形〉鋭敏だ. 句例 예민한 신경 鋭敏な神経 / 귀가 ~ 耳がさとい / 예민한 두뇌 鋭敏な頭脳. 文例 신경이 예민해졌다 神経がとがって来た. 語例 예민하게 鋭敏に.

***예방**【豫防】[ye:bang]〈名・하他〉予防. 句例 전염병을 ~하다 伝染病を予防する. 語例 ~ 접종〔주사〕予防接種〔注射〕/ 화재 ~ 火災予防 / ~되다 予防される.

예방【禮訪】[ye:bang]〈名・하他〉あいさつのための訪問. 儀礼的に訪問すること.

예배【禮拜】[ye:bae]〈名・하自〉礼拝. 語例 ~당 礼拝堂. 教会.

예배(를) 보다 礼拝を行なう.

예법【禮法】[ye:ppŏp]〈名〉礼法. 礼儀作法. [句例] ～에 맞다 礼法にかなう / ～에 어긋나다 礼法に背く.

*__예보__【豫報】[ye:bo]〈名・하他〉予報. [句例] ～가 맞지 않다 予報が外れる. [文例] ～가 맞았다 予報が当たった. [語例] 일기 ～ 天気予報.

예복【禮服】[ye:bok]〈名〉礼服. [句例] ～을 입다 礼服を着る〔着用する〕.

예불【禮佛】[ye:bul]〈名・하自〉〔佛〕礼仏. 仏参. 仏参り.

예비【豫備】[ye:bi]〈名・하他〉予備. [語例] 향토 ～군 郷土予備軍 / ～ 조사 予備調査 / ～ 고사 予備考査 / ～비 予備費 / ～ 시험 予備試験 / ～ 지식 予備知識 / ～역 予備役.

**__예쁘다__ [ye:ppŭda] (예쁘니, 예뻐서)〈形〉きれいだ. 美しい. かわいい. 麗しい. [句例] 예쁜 꽃 きれいな花 / 예쁜 얼굴 きれいな顔. [語例] 예쁘게 きれいに / 예뻐지다 きれいになる. 美しく〔かわいらしく〕なる / 예뻐하다 かわいがる.

예쁘장-스럽다 [ye:ppŭjang—] (→스럽다)〈形〉こぎれいに見える. ちょっと美しい所がある.

*__예쁘장-하다__ [ye:ppŭjang—] (→하다)〈形〉かわいらしい. ややきれいだ.

*__예사__【例事】[ye:sa]〈名〉['예상사(例常事)'の略] 常の事. ありふれた事. 日常茶飯事. 平気なこと. [文例] 그 정도의 일은 ～다 そのくらいのことは何でもない〔ざらにあることだ〕. [語例] ～말 普通〔並〕の言葉 / 예삿일 普通のこと. ただ事.

*__예사-로__【例事—】[ye:sa—]〈副〉平気で. なんともなく. ありふれた事だとして. [句例] ～ 거짓말을 하다 平気でうそをつく. [文例] 그런 일을 ～ 여기다니 そのような事をへのかっぱに思うなんて.

*__예사-롭다__【例事—】[ye:sa—] (→롭다)〈形〉常の事だ. ありふれたことだ. 尋常だ. いつもの事だ. [句例] 예사로운 태도 いつもの通りの態度. [文例] 예사로운 일이 아니다 ただ事ではない / 둘은 예사로운 사이가 아니다 二人はありふれた〔普通の〕仲ではない. **예사로이**〈副〉ありふれたこととして. あたりまえに. 尋常に. 平気に. [句例] 예사로이 여기다 尋常に思う.

*__예산__【豫算】[ye:san]〈名・하他〉予算. [句例] ～을 감축하다 予算を切りつめる / ～을 세우다〔짜다〕予算を立てる〔組む〕/ ～을 심의하다 予算を審議する. [語例] ～안 予算案 / 긴축〔균형〕～ 緊縮〔均衡〕予算 / ～ 부족〔초과〕予算不足〔超過〕.

*__예상__【豫想】[ye:sang]〈名・하自〉予想. [句例] ～이 어긋나다〔빗나가다〕予想が外れる. 見当違いする. [文例] ～과는 달리 시험 문제는 쉬웠다 思いの外試験問題はやさしかった. [語例] ～대로 予想通り. 案の定. 御多分にもれず / ～외로 予想外に. 案外. 思いの外.

예서 ['여기서'の略] ここで. ここから. [文例] ～ 기다려 ここで待てよ / ～ 거기까지 5분 걸린다 ここからそこまで五分かかる.

예선【豫選】[ye:sŏn]〈名・하他〉予選. [句例] ～을 통과하다 予選を通過する.

예속【隷屬】[ye:sok]〈名・하自〉隷属. [句例] 강국에 ～되다 強国に隷属する.

예수 [ye:su]〈名〉〔基〕イエス. キリスト. [語例] ～교 キリスト教 / ～님 イエス様. ◇Jesus

*__예순__〈數・冠〉六十. [語例] ～하나 六十一 / ～ 번째 六十番目.

*__예술__【藝術】[ye:sul]〈名〉芸術. アート. [句例] ～을 위한 ～ 芸術のための芸術. [語例] ～가 芸術家. アーティスト / ～계 芸術界 / ～원 芸術院 / ～품 芸術品 / ～ 활동 芸術活動 / ～제 芸術祭.

예술은 길고 인생은 짧다 芸術は長く人生は短し.

예술-적【藝術的】[ye:sultchŏk]〈名・冠〉芸術的. [語例] ～ 가치 芸術的価値 / ～ 충동 芸術的衝動 / ～ 양심 芸術的良心.

예-스럽다 [ye:—] (→스럽다)〈形〉古風だ. ふるめかしい. [句例] 예스러운 건물 ふるめかしい建物 / 예스러운 사람 古風な人.

예습【豫習】[ye:sŭp]〈名・하他〉予習. [句例] ～을 하지 않고 학교에 가다 予習をせずに学校へ行く. [文例] 여기까지 ～해 오너라 ここまで予習してきなさい. (對)복습(復習).

예시【例示】[ye:shi]〈名・하他〉例示. [句例] ～해서 설명하다 例示して説明する.

예식【禮式】[ye:shik]〈名〉礼式. [語例] ～장 結婚式場.

예약【豫約】[ye:yak]〈名・하他〉予約. リザーブ. [句例] ～을 취소하다 予約を取り消す / 내일 좌석을 ～하다 あしたの席をリザーブする〔取る・予約する〕. [語例] ～금 予約金. 前渡し金 / ～되다 予約される.

예언【豫言】[ye:ŏn]〈名・하他〉予言. [句例] ～이 들어 맞다〔빗나가다〕予言が当たる〔外れる〕. [語例] ～자 予言者.

*__예외__【例外】[ye:oe]〈名〉例外. [句例] ～로 하다 例外にする. [文例] ～없는 규칙은 없다 例外のない規則はない. [語例] ～없이 例外なく / ～적 例外的.

예우【禮遇】[ye:u]〈名・하他〉礼遇. [語例] 전관 ～ 前官礼遇.

예의【銳意】[ye:ŭi]〈名〉(副詞的に用いられて)鋭意. [句例] 대세를 ～ 주시하다 大勢を鋭意注視する / ～를 꺾다 鋭意をそぐ.

예의【禮儀】[ye:ŭi]〈名〉礼儀. [句例] ～에 벗어난 행동 礼儀にはずれた行ない / ～에 어긋나지 않다 礼儀にかなう / ～가 없다 礼儀を欠く / ～를 존중하다 礼儀を尊ぶ / ～를 모르는 사람 礼儀知らずの人 / ～를 지키다 礼儀を守る. [語例] ⇨동방예의지국 / ～ 범절 礼儀作法. エチケット. 行儀作法.

예의(가) 바르다 礼儀正しい.

예인-선【曳引船】〈名〉引き船. 曳船.

예장-함【禮狀函】[ye:jang—]〈名〉〔民〕婚姻取り定めの書状と結納を入れる箱. ＝봉치함.

예전 [ye:jŏn]〈名〉昔. ずっと以前. [文例] ～에는 초가집도 많았다 かつてはわらぶきの家も多かった / ～ 같으면 새소리도 들을 수 있었는데 昔だったら鳥の声も聞けたのに.

*예절【禮節】[ye:jŏl]〈名〉礼節. 句例 ～을 지키다 礼節を守る / ～을 차릴 줄 알다 礼節をわきまえる / ～을 모르다 礼節を知らない. 語例 ～바르다 礼節正しい.

예정【豫定】[ye:jŏng]〈名〉予定. 積もり. ～하다〈他〉予定する. 見積もる. 見込む. 句例 ～대로 진전되다 予定どおりにはかどる / ～이 틀어지다 予定が狂う / ～보다 일찍 끝나다 予定より早く終わる / ～을 짜다 予定を組む / ～에 넣다 予定に入れる / 앞으로의 ～ 今後の予定 / ～된 행동 予定の行動. 文例 내일 떠날 ～이다 明日出発の予定〔出発する積もり〕である. 語例 ～일 予定日 / ～표 予定表.

예조【禮曹】[ye:jo]〈名〉〔史〕礼曹. 高麗・朝鮮時代の六曹の一つ. 礼楽・外交・教育・科挙などをつかさどった. 語例 ～ 판서 礼曹判書. 礼曹の長官で, 正二品の文官.

예찬【禮讚】[ye:ch'an]〈名・하他〉礼賛. ほめたたえること. 句例 고인의 위업을 ～하다 故人の偉業を礼賛する.

예측【豫測】[ye:ch'ŭk]〈名・하他〉予測. 句例 경기의 ～ 景気の予測 / ～할 수 없는 사태 不測の事態. めどの立たない事態 / ～이 서다 めどが立つ. 語例 ～되다 予測される.

예치【預置】[ye:ch'i]〈名・하他〉預けて置くこと. 語例 ～금 預かり金. 預け金.

예-컨대【例—】[ye:—]〈副〉例えば. ❶仮に. たとえ. =이를테면. 文例 ～ 우리가 이겼다고 치자 かりに我我が勝ったとしよう. ❷例をあげると. たとえていえば. =예를 들면. 文例 몸에 해로운 것, ～ 담배 따위를 삼가자 からだに悪いもの, たとえばタバコの類をつつしもう.

예탁【預託】[ye:t'ak]〈名・하他〉預託. 語例 ～금 預託金 / ～ 증서 預託証書.

예편【豫編】[ye:p'yŏn]〈名・하自他〉予備役編入. 語例 ～되다 予備役に編入される.

예포【禮砲】[ye:p'o]〈名〉〔軍〕礼砲. 句例 21발의 ～를 쏘다 二十一発の礼砲を放つ.

예하【隷下】[ye:ha]〈名〉隷下. 語例 ～ 부대 隷下の部隊.

예행【豫行】[ye:haeng]〈名・하他〉予行. 句例 졸업식의 ～ 연습 卒業式の予行演習.

예후【豫後】[ye:hu]〈名〉予後. 句例 ～가 나쁘다 予後が悪い〔好ましくない〕.

옌장 [ye:njang]〈感〉残念がって出す声: ちぇっ. ちぇ. 文例 ～ 손해 봤다 ちぇ, 損した.

*옛 [ye:t]〈冠〉昔の. いにしえの. 句例 ～ 전쟁터의 유적 古戦場の跡 / ～정을 새로이하다 旧情をあたためる / 신라의 ～ 서울 新羅の昔の都. 語例 ～ 사랑 昔の恋. 昔の恋人 / ～ 친구 故旧. 昔友達 / ～ 모습 昔の面影.

⁑옛-날 [ye:nnal]〈名〉昔. 昔時. 昔日. 往時. =옛적. 句例 ～ 아주 먼 ～ 昔昔大昔 / 지나간 ～ あ(在)りし昔 / ～에 익힌 솜씨 昔取ったきねづか / ～을 말해 주는 기록 昔を物語る記録 / ～에 살던 집 昔住んでいた家. 文例 그건 벌써 ～에 끝난 일이다 それはとくの昔にすんだ事だ. 語例 ～ 옛적 昔昔. 大昔 / ～ 이야기 昔話. おとぎばなし.

옛-말 [ye:nmal]〈名〉❶古語. =고어(古語). ❷昔話. 文例 지금은 그것도 ～이 되었다 今ではそれも昔話になった. ❸古人の言葉. 句例 ～에 이르기를 古語にいわく.

옛-부터 [ye:t—]〈副〉'예로부터'の誤り. 参考 '옛'が名詞でなく冠形詞であることに留意すること.

옛-사람 [ye:t—]〈名〉❶古人. 昔の人. ❷古風な人. 古めかしい人.

옛-스럽다 [ye:t—] (→스럽다)〈形〉'예스럽다'の誤り.

옛-이야기 [ye:nniyagi]〈名〉昔話. おとぎばなし. =옛날 이야기.

옛-일 [ye:nnil]〈名〉昔の事. 往事. 過ぎし事.

옛-적 [ye:t—]〈名〉❶昔. 遠い過去. 語例 ～ 사람 昔の人 / 옛날 ～ 昔昔. 大昔. ❷一昔. 文例 작년이 벌써 ～이다 昨年が既に一昔である.

옛-정【—情】[ye:t—]〈名〉旧情. 句例 ～을 새로이 하다 旧情をあたためる.

옛-집 [ye:t—]〈名〉❶古家. 古い家. 句例 고색 창연한 ～들 古色蒼然たる古い家家. ❷昔のすみか. 古巣. 句例 ～이 그립다 古巣が恋しい.

옛-추억【—追憶】[ye:t—]〈名〉昔の思い出. 追憶. 句例 지나간 ～에 잠기다 過ぎさった昔の思い出にふける〔ひたる〕.

옛-터 [ye:t—]〈名〉古跡. 遺跡. =옛터전. 語例 황성 ～ 荒城の古跡.

옛-풍속【—風俗】[ye:t—]〈名〉古風. 昔の風俗.

옜다 [yetta]〈感〉['여기 있다 ここにある'の略] えい. ほら. 文例 ～, 먹어라 ほら, 食べろ.

옜소 [yetso]〈感〉['여기 있소 ここにあります'の略] さあ. 文例 ～, 받으시오 さあ, 受け取りなさい.

表現 あまり親しくない人に何かを渡し与えるときに用いる. 目上の人に対しては'옜습니다 ここにあります'を使う.

오〈名〉〔言〕ハングルの字母 'ㅗ'の名称.

⁑오【五】[o:]〈數・冠〉五. 五つ. =다섯. 語例 ～분 五分 / ～남매 五人兄弟.

오 〔漢字項目〕

【五】中學 오 ゴ. ❶다섯 五. いつ(つ). ▮五感 오감 ごかん. 五輪 오륜 ごりん. 五穀 오곡 ごこく. 五官 오관 ごかん. ❷다섯번 五回. ▮五戰 오전 ごせん. 五勝 오승 ごしょう.

【傲】高校 오 ゴウ. 거만하다 おごる. ▮傲慢 오만 ごうまん. 傲然 오연 ごうぜん. ▮驕傲 교오 きょうごう.

【午】中學 오 ゴ. ❶낮 12시 昼の十二時. ▮午後 오후 ごご. 午睡 오수 ごすい. ▮正午 정오 しょうご. ❷(방위의) 남쪽 (方位の)南. ▮子午線 자오선 しごせん. ❸십이지의 일곱째. 말 十二支の七番目. うま(午).

【吾】中學 오 ゴ. ❶나 私. 우리 私たち. ▮吾人 오인 ごじん. 吾等 오등 われら(我等). ❷친구에게 친밀감을 나타냄 友に親密

感を表す. ■吾兄 오형 ごけい.

【嗚】高校 오 オ. ❶탄식하는 소리 嘆く声. ■嗚呼 오호 ああ. ❷목메어 울다 悲しげに泣く. ■嗚咽 오열 おえつ.

【娯(娛)】高校 오 ゴ. 즐거워하다 楽しむ. 즐거움 楽しみ. ■娛樂 오락 ごらく. 娛遊 오유 ごゆう.

【悟】中學 오 ゴ. 깨닫다 悟る. ■悟道 오도 ごどう. 悟性 오성 ごせい. ■覺悟 각오 かくご.

【梧】高校 오 ゴ. ❶벽오동나무 あおぎり. ■梧桐 오동 ごどう. 梧秋 오추 ごしゅう. ❷책상 机. ■梧右 오우 ごゆう.

【汚】高校 오 オ. ❶더럽히다 汚す. ■汚染 오염 おせん. 汚名 오명 おめい. ❷더럽다 きたない. ■汚水 오수 おすい. 汚物 오물 おぶつ. 汚損 오손 おそん.

【烏】中學 오 ウ. ❶까마귀 からす. ■烏鷺 오로 うろ. 烏合之卒 오합지졸 うごうのしゅう(烏合の衆). ❷검다 黒い. ■烏髮 오발 うはつ.

【誤(誤)】中學 오 ゴ. 잘못하다 誤る. 틀리다 間違う. ■誤解 오해 ごかい. 誤字 오자 ごじ. ■錯誤 착오 さくご. 正誤 정오 せいご. 過誤 과오 かご.

*오-가다 〈自他〉 行き来する. 往来(去来)する. 行き交う. 句例 가슴에 오가는 상념 胸に去来する思い / 거리를 오가는 사람들 通りを行き交う人人.

오가리 〈名〉 ❶大根・カボチャなどの切り干し. かんぴょう. ❷(植物の葉が暑さ・病気などで)枯れしおれること.

오가리(가) 들다 (植物の葉が) 枯れしおれる.

오가-피 【五加皮】[o:ga—] 〈名〉 '오갈피'のもとの語形.

오각 【五角】[o:gak] 〈名〉 五角. 語例 ~형 五角形 / ~ 기둥 五角柱.

오갈피 [o:galp'i] 〈名〉〔韓醫〕[もとの語形は'오가피'] 五加皮. 語例 ~나무 うこぎ(五加) / ~술 五加皮酒.

오감 【五感】[o:gam] 〈名〉〔生〕 五感.

오개년 계획 【五個年計劃】[o:gaenyŏngye:hoek] 〈名〉 五箇年計画. 語例 경제 개발 ~ 経済開発五箇年計画.

오경 【五經】[o:gyŏng] 〈名〉 五経・ごけい. 語例 사서 ~ 四書五経.

*오곡 【五穀】[o:gok] 〈名〉 五穀. 句例 ~의 풍요를 빌다 五穀の豊饒を祈る / ~이 풍성하게 익다 五穀が豊かに実る. 語例 ~밥 五穀を混ぜて炊いた飯.

오골-계 【烏骨鷄】 〈名〉〔鳥〕 うこつけい(烏骨鶏).

오관 【五官】[o:gwan] 〈名〉〔生〕 五官.

오구 【烏口】 〈名〉 からす口. =가막부리.

오그라-들다 (—드니, —들어서) 〈自〉 縮む. 縮(こ)まる. 収縮する. 句例 구두가 ~ 靴が縮む / 몸이 오그라드는 느낌 身の縮まる思い. 文例 몸이 오그라들 정도로 춥다 身が縮まる程寒い.

오그라-뜨리다 〈他〉 縮める. 収縮させる. (からだを)丸める.

오그라-지다 〈自〉 ❶端が内側の方へ巻き上がる〔曲がり込む〕. ❷縮む. 縮(こ)まる. 縮れる. 収縮する. ❸⇨ 오므라지다. ❹つぶれる. へこむ. くぼむ.

오그랑-장사 〈名〉 へこ(凹)み商売. 元手を食い込む商売. 略して'옥장사'ともいう.

오그리다 〈他〉 ひっ込める. 縮める. 曲げる. 句例 발을 ~ 足をひっ込める / 철사를 ~ 針金を曲げる / 발을 오그리고 자다 足を縮めて寝る.

오금 〈名〉 ひかがみ. よぼろ. 句例 ~을 펴다 ひかがみを伸ばす. 文例 ~아, 나 살려라 ひかがみよ, 我を助けたまえ. 雲をかすみと逃げることのたとえ.

오금(을) 못 쓰다 動きがとれない. おじける. 気後れがする. 頭が上がらない.

오금(을) 박다 (日ごろの大言にそぐわぬおじけた行動をするときそれを取り上げて)やり込める. ねじ込む.

오금(이) 박히다 (日ごろの大言にたがう言行のため)やり込められる.

오굿-하다 [ogŭt'ada] (→하다) 〈形〉 内側にやや曲がり〔へこみ〕気味だ.

오기 【傲氣】[o:gi] 〈名〉 ❶負けん気. 負けず嫌い. 勝ち気. やせがまん. 意地. 句例 ~를 부리다 やせがまんを張る / ~가 세다 負けん気が強い. 文例 이렇게 되면 ~로라도 질 수 없다 こうなったからには立て引きずくだ. ❷傲慢な気.

오기 【誤記】[o:gi] 〈名・하他〉 誤記. 書き誤り.

오나-가나 〈副〉 どこへ行っても. どこでも. 至る所. いつも. 文例 ~ 말썽이다 どこでももんちゃくを起こす.

오냐 [o:nya] 〈感〉 ❶うん. よし. そうか. 文例 ~, 알았다 そうか, 分かった. ❷よし. ようし. 文例 ~, 두고 보자 よし, 覚えておけ〔今に見ろ〕. 表現 ①は目下の人に対して肯定の返事を, ②は独り言で決意を表わす.

오-누이 〈名〉 兄と妹. 姉と弟. 略して'오뉘'ともいう. =남매(男妹).

오-뉴월 【五六月】[o:—] 〈名〉 (陰暦の)五六月. 語例 ~ 염천 真夏の炎天. 参考 '오뉴월'は '오륙월(五六月)'の 慣用音.

**오늘 〈名〉 ❶今日. 本日. 今日. 句例 ~의 나를 있게 한 은인 わたしを今日あらしめた恩人. 文例 ~은 일진이 좋다 今日は日並みがいい / ~은 운(運)이 없다 今日はつきがよくない. 語例 ~ 아침 今朝 / ~밤 今晩. 今夜 / ~ 저녁 今夕. 今晩 / ~ 따라 (日もあろうに) 今日に限って. よりによって今日のような日に. ❷'오늘날'の略.

*오늘-날 [onŭllal] 〈名〉 今日. 現時. 現今. 今日日. 略して'오늘'ともいう. 句例 ~의 세계 今日の世界 / ~의 청년 現時の青年 / ~의 학생 今日日の学生.

오늬 [oni] 〈名〉 矢はず.

**오다 (오너라) ■〈自〉 来る. ❶近づく. やって来る. 句例 친구들이 ~ 友達がやって来る / 봄이 ~ 春が来る / 가지러 ~ 取りに来る / 데리러 ~ 連れに来る / 오는 십일에 来たる十日に / 가는 해 오는 해 行く年来る

年. 文例 오늘 밤 집에 오지 않겠나 今夜うちに来ないか / 오시기를 기다리고 있겠습니다 おい(御出)でをお待ちしております / 마침 잘 왔다 よい所へ来た / 어서 오십시오 (店員がお客に)いらっしゃいませ.
❷(雨・雪などが) 降る. 句例 비가〔눈이〕 ~ 雨〔雪〕が降る / 서리가 ~ 霜が降りる / ~ 말다 하는 날씨 降りみ降らずみの天気. 文例 소나기가 올 것 같다 夕立が来そうだ.
❸到着する. 句例 편지가 ~ 手紙が来る / 버스가 ~ バスが来る. 文例 전화 왔어요 電話ですよ. 電話がかかって来ましたよ.
❹(眠気が)さす. (眠気を)催す. 句例 졸음이 ~ 眠くなる.
❺(風邪に)かかる. 句例 몸살이 ~ 疲れ果てて病気になる. 文例 감기가 와서 머리가 쑤신다 かぜを引いて頭が痛い.
❻(電灯などが)つく. (電流が) 流れる. 文例 전기불이 왔다 電灯がともった / 손에 전기가 온다 手に感電する.
❼(…に)由来する. 句例 라틴어에서 온 말 ラテン語から来た言葉.
❽(何かが原因で) 起こる. 句例 과로에서 오는 병 過労から来る病気 / 부주의에서 온 사고 不注意から起こった事故.
□二〈他〉 ❶来る. 句例 밤길을 ~ 夜道を来る. ❷(ある動作をするために)来る. 句例 견학을 ~ 見学に来る / 구경을〔면회를〕 ~ 見物〔面会〕に来る.
□三〈補動〉 ❶('-아・-어 ~の'形で) その動作・状態が現在にまで及ぶことを表わす語. 句例 날이 밝아 ~ 夜が明けてくる〔明けそめる〕/ 이제까지 논술해 온 내용 今まで述べてきた内容. 文例 온갖 고생을 겪어 왔다 あらゆる苦労をなめてきた / 귀국한 지도 10년이 되어 온다 帰国してからはや十年になってくる. ❷一部の動詞の語尾 '-아, -어'の後について, その動作をしてもどって来ることを表わす語. 句例 빵을 사 ~ パンを買ってくる / 돈을 벌어 ~ お金をかせいでくる.
▷→동사 활용표(부록)
表現 □一の⑧は, よくないことがおきたときに使うことが多い. また, ②の場合は, 雨に感謝する気持ちから'비가 오시다'のように尊敬の先語末語尾をつけて表現することもある.

오는 말이 고와야 가는 말이 곱다 売り言葉に買い言葉.

오는 정이 있어야 가는 정이 있다 魚心に水心.

오다-가다 〈副〉 ❶ときどき. たまに. 句例 ~ 한번씩 만나다 たまに一度ずつ会う. ❷偶然. たまたま. 何かの拍子に. 句例 ~ 만난 부부 出来合いの夫婦. ❸通りすがり〔がかり〕に. 句例 ~ 들르다 通りすがりに立ち寄る.

오달-지다 〈形〉 抜け目がない. 手抜かりがなくしっかりしている. そつがない. 句例 오달지다 連中じゃない.

오-대양 【五大洋】 [o:—] 〈名〉 五大洋.

오-대주 【五大洲】 [o:—] 〈名〉 五大州.

오도독-뼈 〈名〉 (牛の) 軟骨.

오동 【梧桐】 〈名〉 ⇨ 오동나무

***오동-나무** 【梧桐—】 〈名〉 〔植〕 きり(桐).

오동통-하다 (→하다) 〈形〉 (小柄な人が) まるぽちゃに太っている. 丸まっちい. 句例 오동통한 얼굴 丸まっちい顔.

오두-막 【—幕】 〈名〉 ⇨ 오두막집

오두막-집 【—幕—】 〈名〉 小構えの家. とま屋. あばら屋.

오들-오들 [odŭrodŭl] 〈副〉 (寒さ・怖さのためにからだを小さく震わせるさま: ぶるぶる. わなわな. 句例 ~ 떨다 ぶるぶる震わせる〔震える〕/ 추위로 ~ 떨다 寒さでわなわな震える.

오등 【吾等】 〈代〉 我ら. 我我.
表現 '우리'の古めかしい語.

오디 〈名〉 桑の実.

오뚝 〈副・하形〉 ❶高くそびえ立つさま. また, 突き出ているさま: 高く. 屹然と. 句例 ~한 코 高い鼻. 形のいい鼻. ❷倒れてもすぐ起き直るさま.

오뚝-이[1] [ottugi] 〈副〉 ⇨ 오뚝

오뚝-이[2] [ottugi] 〈名〉 起き上がり小法師. 不倒翁.

오라 [o:ra] 〈名〉 〔史〕 罪人を縛った赤く太い縄. 早縄. 取り縄. 句例 ~에 묶이다 早縄をもらう. 語例 오랏줄 早縄.

오라(를) 지다 早縄で縛り上げられる. 句例 오라질 놈 こん畜生.

오라버니 〈名〉 (妹からみて)兄. (お)兄様.
表現 年とった人の使う言葉で, '오빠'より格式ばった感じ.

오라버님 〈名〉 '오라버니'の敬称.

오라범 〈名〉 '오라버니'をやや低めて言う語.
語例 ~댁(宅) 女性の男兄弟の妻. 義理の姉妹.

오라비 〈名〉 ❶女性の男兄弟. ❷女性が他人に対して自分の兄を低めて言う語. ❸女性が他人に対して自分の弟を指して言う語.

***오락** 【娛樂】 [o:rak] 〈名〉 娯楽. 語例 ~실 娯楽室. ゲームセンター / ~ 영화 娯楽映画 / ~ 시설 娯楽施設.

***오락-가락** 〈副・하自〉 ❶行ったり来たりするさま. ❷降ったりやんだり. 句例 비가 ~하는 날씨 降りみ降らずみの天気 / 비가 ~하다 雨が降ったりやんだりする. ❸(頭が)もうろうとしてはっきりしないさま. 句例 정신이 ~하다 意識がおぼろである. 頭がはっきりしない.

***오랑캐** 〈名〉 〔史〕 ❶昔豆満江一帯に住んでいた女真族. ❷蛮人. 野蛮人. えびす.

오랑캐-꽃 〈名〉 〔植〕 すみれ. =제비꽃.

⁑오래 〈副〉 長い間. 永らく. 久しく. 句例 ~ 기다리다 長い間待つ / ~ 살다 長生きする. 生き長らえる / 병이 ~ 끌다 病気が長引く / ~ 걸리다 手間が取れる〔かかる〕. 文例 그는 이제 ~ 살 것 같지 않다 彼はもう生き長らえそうもない / 남의 집에 ~ 앉아 있지 마라 人の家で長じりをするな.

오래-가다 〈形〉 長く持つ. 長持ちする. 持ちがいい. 句例 불이 ~ 火持ちがいい. 文例 이 구두는 오래간다 この靴は長持ちする / 이처럼

좋은 날씨는 오래가지 않을 걸 この好天気は長く持つまい.

오래간-만 〈名〉 久し振り. 久久《雅》. 句例 ~에 만나다 久し振りに会う / ~에 영화를 보다 久久に映画を見る. 文例 참 ~일세 やあ, しばらくだね / 정말 ~입니다 本当にお久し振りです.

오래다 〈形〉 長くたって〔経て〕いる. 久しい. 文例 집을 나간 지 ~ 家を出て久しい / 그를 본 지 꽤 ~ 彼に会って(から)もう久しい / 오래지 않아 여름 방학이 끝난다 間もなく夏休みが終わる.

*__오래-도록__ 〈副〉 長く. 長い間. 久しく. 長らく. 文例 ~ 기다려야 했다 長いこと待たされた / ~ 못만났다 長らく会えなかった.

오래-되다 〈形〉 古い. 長い時間がたっている. 句例 오래된 친구 古い友人 / 오래된 건물 古い建物. 文例 이 건물은 아주 오래되었습니다 この建物はとても古いです.

오래-오래 〈副〉 いく久しく. すえ長〔永〕く. いつまでも. 句例 ~ 기억에 남다 長く記憶に残る. 文例 ~ 사십시오 いつまでも長生きなさってください.

오래-전 【一前】〈名・副〉 ずっと前. 句例 ~부터의 준비 先先からの準備. 文例 ~부터 가고 싶었다 前前から行きたいと思っていた / ~부터 성함은 알고 있었습니다 ずっと前からお名前は存じておりました.

*__오랜__ 〈冠〉 長年〔永年〕の. 長〔永〕の. 長〔永〕い. 古くからの. 句例 아주 ~ 옛날 遠い昔 / ~ 교제〔경험〕 長年のつきあい〔経験〕 / ~ 세월 長い年月. 長年 / ~ 교분(交分) 古くからのつきあい / ~ 세월이 지나다 長い歳月を経る. 文例 한국은 5천년이라는 ~ 역사를 갖고 있다 韓国は五千年という永い歴史を持っている.

오랜-만 〈名〉 ⇨ 오래간만

*__오랫-동안__ 〈名〉 長〔永〕い間. 久しい間. 句例 ~ 와병중인 조부 永い間病臥中の祖父. 文例 ~ 격조했습니다 久久ごぶさたしました / ~ 기다리시게 해서 미안합니다 長らくお待たせいたしまして済みません.

오렌지 〈名〉 オレンジ. 語例 ~색 オレンジ色. だいだい(橙)色 / ~ 주스 オレンジジュース. ◇orange

오로라 〈名〉 オーロラ. =극광(極光). ◇aurora

*__오로지__ [o:roji] 〈副〉 ただ. ひとえに. ひたすら. もっぱ(専)ら. 全く. いちずに. 句例 ~ 공부만 하다 ひたすらに勉強する / ~ 연구에 몰두하다 もっぱら研究に打ち込む / ~ 자식의 신상만 걱정하는 부모의 마음 いちずに子の身の上を念じる親心 / ~ 명령에 따를 뿐 ただ命令に従うのみ. 文例 성공은 ~ 당신의 덕택입니다 成功はいちずにあなたのおかげであります.

오롯-이 [oroshi] 〈副〉 静かでもの寂しく. わびしく. ひっそりと. 句例 ~ 앉아 있다 わびしく座っている.

오류 【誤謬】 [o:ryu] 〈名〉 誤謬. 間違い. 句例 ~를 범하다 誤謬〔過ち〕を犯す / 판단의 ~에 빠지다 判断の誤謬に陥る.

오륜 【五倫】 [o:ryun] 〈名〉 五倫. 語例 삼강 ~ 三綱五倫.
参考 父子の親, 君臣の義, 夫婦の別, 長幼の序, 朋友の信をいう.

오륜 【五輪】 [o:ryun] 〈名〉 五輪. オリンピックのマーク. 絵 語例 ~기 五輪旗 / ~ 대회 オリンピック大会.

〈오륜〉

*__오르간__ 〈名〉 オルガン. ◇organ

*__오르-내리다__ 〈自他〉 ❶(階段などを)上がり下がりする. 上り下りする. ❷(物価が) 上下する. 上がったり下がったりする. (熱などが)差し引きする. ❸(人の)うわさ〔口の端〕に上る. 膾炙する. ❹食べたものがもたれて込み上がる.

**오르다

(오르니, 올라서) ■〈自〉 ❶上がる《'揚がる・挙がる'とも書く》. 對 내리다. ㉠上の方へ上がる〔達する〕. 句例 막이 ~ 幕が上がる / 국기가 ~ 国旗が揚がる / 불꽃이 ~ 花火が揚がる / 봉화가 ~ のろしが揚がる / 하늘 높이 (날아) ~ 空高く舞い上がる / 기어 ~ はい上がる.

㉡(出来が今までより)よくなる. 句例 성적〔능률〕이 ~ 成績〔能率〕が上がる.

㉢(収益が)増す. 句例 수입이 ~ 収入が挙がる / 월급이 ~ 月給が上がる.

㉣(値段・相場・熱などが)高くなる. 句例 물가가 ~ 物価が上がる / 시세가 ~ 相場が上がる〔伸びる〕 / 인기가 ~ 人気が上がる / 열이〔온도가〕 ~ 熱〔温度〕が上がる.

㉤陸上に移(され)る. 句例 뭍에 ~ おか(陸)に上がる / 짐이 부두에 ~ 荷が桟橋に揚がる.

㉥(煙などが)立つ. 句例 김이 ~ 湯気が立つ / 연기가 ~ 煙がたち上る.

㉦(勢い・程度などが)盛んになる. 句例 기세가 ~ 気勢が上がる〔出る〕.

㉧大きな声・音が起こる. 句例 환성이 ~ 歓声が上がる.

❷上る《'登る・昇る'とも書く》. ㉠高い所へ達する. 句例 산〔나무〕에 ~ 山〔木〕に登る / 단상에 ~ 壇上に登る.

㉡位に就く. 句例 왕위에 ~ 王位に就く〔登る〕 / 요직에 ~ 要職に就く.

㉢(上手の方へ)行く. 句例 강을 거슬러 ~ 川を上る.

㉣(旅に)出る. (途に)つく. 句例 귀로에 ~ 帰途につく / 여행길에 ~ 旅行の途に上る.

㉤(食膳などに)出る. 句例 밥상에 쇠고기가 ~ 食膳に牛肉が上る.

㉥(相当の数量に)なる. 句例 백만 명 이상에 ~ 百万人以上に上る.

㉦取り上げられる. 句例 화제에 ~ 話題に上る / 남의 입에 ~ 人の口に上る / 의제에 ~ 議題に上る.

❸乗〔載〕る. ㉠乗り物の中に入る. 句例 자동차에 ~ 車に乗る.

㉡(新聞などに)出る. 句例 이름이 신문에 ~ 名が新聞に載る / 역사 기록에 이름이 ~ 歴史の記録に名が載る.

㊂調子が合う. 句例 일이 궤도에 ~ 仕事が調子に乗る.
❹(病気に)かかる. 引きつける. 句例 옴이 ~ かいせんにかかる / 옻이 ~ うるしにかぶれる / 다리에 쥐가 ~ 足が引きつける.
❺(酒などが)回る. からだに行き渡って作用する. 句例 술기운이 ~ 酒が回る.
❻(火炎・怒りなどが)燃え立つ. 込み上がる. 句例 불기둥이 ~ 火柱が燃え立つ / 분노가 치밀어 ~ 怒りが燃え立つ〔込み上がる〕.
❼(肉が)つく. 句例 운동 부족으로 군살이 ~ 運動不足でぜい肉がつく.
❽(悪魔などが)つく. 乗りうつる. 句例 무당에게 신이 ~ 神のみたまがみこ(巫女)に乗りうつる.
㊁〈他〉上がる. 上る. 句例 계단을 ~ 階段を上がる / 비탈길을 ~ 坂を上る.

오르지 못할 나무는 쳐다보지도 말라 昇れない木は仰ぎ見もするな. 不可能なことは初めからあきらめよとの意.

오르락-내리락 [orŭrangnaerirak]〈副・하自他〉上がったり下がったりするさま. 上ったり下ったりするさま. 句例 계단을 ~하다 階段を上がったり下がったりする / 열이 ~하다 熱が上がったり下がったりする.

오르막〈名〉上り坂. 上り. 語例 ~ 시세 上り相場.

오르막-길〈名〉上り坂の道. 句例 ~에 접어들다 上り(道)にさしかかる. 文例 여기서부터는 ~이다 ここからは上り坂だ.

오른〈冠〉右の. 右側の. 對왼. 語例 ~쪽 右側. 右の方 / ~편 右側. 右の方 / ~발 右足 / ~팔 右腕. 對왼.

*__오른-손__〈名〉右手. めて(馬手). 句例 ~으로 쓰다 右手で書く. 語例 ~잡이 右手利き. 右利き.

오른-씨름〈名〉右相撲. 互いに右肩を当てて取る相撲. 對왼씨름.

오름-세【一勢】〈名〉(物価などの)上がり. 上がり気味. 騰勢.

**__오리__ [o:ri]〈名〉〔鳥〕かも. あひる. 語例 ~걸음 あひるのようによたよたと歩くこと / ~알 あひるの卵.

오리【五里】[o:ri]〈名〉五里.
参考 日本の半里に当たる.

오리【汚吏】[o:ri]〈名〉汚吏. 語例 탐관 ~ どんかん(貪官)汚吏.

오리-나무〈名〉〔植〕はんのき.

**__오리다__〈他〉切り取る. 切り抜く. 句例 그림을 ~ 絵を切り抜く / 신문 기사를 오려 내다 新聞の記事を切り取る.

오리-무중【五里霧中】[o:rimu:jung]〈名〉五里霧中. 語例 ~이다 五里霧中である.

오리-발 [o:ri—]〈名〉〔鳥〕水かき(搔き).
오리발(을) 내밀다 とぼける. ごまかす.

오리엔테이션〈名〉オリエンテーション. ◇orientation

오리온-자리〈名〉〔天〕オリオン座. ◇Orionから.

오리지널〈名〉オリジナル. 独創的. ◇original

오막-살이 [—sari]〈名〉あばら家や暮らし. あばら家. 語例 ~집 あばら家.

오만【傲慢】[o:man]〈名〉傲慢. **~하다**〈形〉傲慢だ. 句例 ~한 태도 傲慢な態度. 語例 ~하게 傲慢に / ~ 불손〔무례〕傲慢不遜〔無礼〕.

오만【五萬】[o:man]〈冠〉非常に多い数量を表わす語. 句例 ~ 가지 물건을 팔다 ありとあらゆる品を売る. 語例 ~날 多くの日. 毎日毎日.

오만-상【五萬相】[o:man—]〈名〉しかめっ面. 渋面.
오만상을 짓다〔찌푸리다〕 しかめっ面をする. 苦虫をかみつぶしたような顔をする.

오매-불망【寤寐不忘】[o:mae—]〈名・하他〉寝ても覚めても忘れないこと.

오명【汚名】[o:myŏng]〈名〉汚名. 句例 ~을 남기다 醜名を残す / ~을 씻다 汚名をすすぐ / ~을 쓰다 汚名をこうむる.

오목【五目】[o:mok]〈名〉五目. 五目並べ. 連珠. 句例 ~을 두다 五目並べをする.

오목-거울〈名〉凹面鏡.

오목눈-이 [omongnuni]〈名〉❶〔鳥〕えなが(柄長). ❷目のくぼんだ人.
表現 ②は俗っぽい言いかた.

오목-다각형【—多角形】[—tagak'yŏng]〈名〉〔數〕凹多角形.

오목-렌즈 [o-mongnenjŭ]〈名〉凹レンズ. 對볼록렌즈. ◇lensから.

오목-조목〈副・하形〉やや大きいものと小さいものがぼこぼこと混ざっているさま.

오목-판【—版】〈名〉凹版. 對볼록판.

*__오목-하다__ [omok'ada] (→하다)〈形〉くぼんでいる. へこんでいる.

오묘-하다【奥妙—】(→하다)〈形〉奥妙だ. 玄妙だ. 奥深い.

오물【汚物】[o:mul]〈名〉汚物. 語例 ~ 처리장 汚物処理場.

오물-거리다〈自他〉❶(小さい虫・魚などが)うようよする. ❷(口を)もぐもぐさせる.
表現 語感の大きい語は'우물거리다'.
오물오물 [omuromul]〈副・하自他〉❶うようよ. ❷もぐもぐ.

*__오므라-들다__ (—드니, —들어서)〈自〉すぼむ. すぼまる. 縮(こ)まる. 縮む. しぼむ. 句例 꽃〔풍선〕이 ~ 花〔風船〕がしぼむ.

오므리다〈他〉すぼめる. 縮める. つぼめる. ひっ込める. 句例 입을 ~ 口をすぼ〔つぼ〕める.
表現 語感の大きい語は'우므리다'.

오믈렛〈名〉オムレツ. ◇omelet

오미【五味】[o:mi]〈名〉五味.
参考 '신맛 すっぱい味', '쓴맛 苦い味', '단맛 甘い味', '매운맛 辛い味', '짠맛 塩辛い味'の五種の味.

오미-자【五味子】[o:mi—]〈名〉〔韓醫〕五味子.

오밀-조밀【奥密稠密】〈副・하形〉❶意匠の凝っているさま. ❷手がよく行き届いているさま. 句例 ~하게 꾸민 정원 意匠を凝らした庭園.

오발【誤發】[o:bal]〈名・하他〉❶暴発. 語例 ~ 사고 暴発事故 / ~탄 誤射弾. 暴発弾. ❷失言. 言い誤り.

오밤-중【一中】[o:bamtchung]〈名〉真夜中．深夜．＝한밤중．

오버 [o:bŏ]〈名〉オーバー．**～하다**〈自〉オーバーする．越す．句例 예산을 ～하다 予算をオーバーする〔越す〕．語例 ～ 센스《俗》オーバーセンス / ～ 코트 オーバーコート / ～ 타임 オーバータイム．◇over

오보【誤報】[o:bo]〈名・하他〉誤報．句例 ～로 판명되다 誤報と判明する / ～가 실리다 誤報が載る．

오보에 [o:bo-e]〈名〉〔樂〕オーボエ．◇이 oboe

오복【五福】[o:bok]〈名〉五福．

參考 人生の五種の幸福，すなわち寿命の長いこと，財力の豊かなこと，無病なこと，徳を好むこと，天寿を全うすること．

오붓-이 [obushi]〈副〉豊かに．水入らずに．こぢんまりと．

*__오붓-하다__ [obut'ada]（→하다）〈形〉❶無駄がなく必要なものばかりある．句例 집안끼리의 오붓한 모임 水入らずの集まり．❷(暮らしが)豊かだ．こぢんまりしている．句例 오붓하게 살다（心）豊かに暮らす．

오븐〈名〉オーブン．天火．◇oven

오비【O.B.】[o:bi:]〈名〉オービー．◇old boy から．

오비-이락【烏飛梨落】〈名〉からす飛びてなし(梨)落ちる．偶然なことで人に疑われることのたとえ．

__오빠〈名〉❶(妹からみて)兄．お兄さん．類 오라버니．句例 군대에 간 ～ 軍隊に行った兄さん．❷(高校生までの年齢の女の子が目上の男性に対して)…さん．兄さん．語例 진호 ～ 鎮浩さん．鎮浩兄さん．

오산【誤算】[o:san]〈名・하他〉誤算．考え違い．見込み違い．句例 커다란 ～ 大きな誤算．

*__오색__【五色】[o:saek]〈名〉五色．句例 ～ 찬란하게 빛나다 五色燦然と輝く / ～ 영롱한 무지갯빛 五色玲瓏たる虹の色．

參考 '오색'は，青・赤・黄・白・黒の五つの色．転じて，いろいろな彩り．

오선-지【五線紙】[o:sŏn—]〈名〉〔樂〕五線紙．

오소리〈名〉〔動〕あなぐま．むじな．

오솔-길 [—kkil]〈名〉さびしい小道．

오수【午睡】[o:su]〈名〉午睡．昼寝．

*__오순-도순__〈副〉仲むつまじく．句例 ～ 지내다 仲よく〔むつまじく〕暮らす．

오슬-오슬 [osŭrosŭl]〈副・하他〉ぞくぞく．句例 ～ 춥다 ぞくぞくと寒い．

오식【誤植】[o:shik]〈名・하他〉〔印〕誤植．ミスプリント．句例 ～이 많은 책 誤植の多い本 / 교정에서 ～을 잡지 못하다 校正で誤植を見落とす．

오심【誤審】[o:shim]〈名・하他〉誤審．

오십【五十】[o:ship]〈數・冠〉五十．いそ(五十)．＝쉰．句例 ～보 백보 五十歩百歩．

오싹-오싹 [ossagossak]〈副・하自〉ぞくぞく．ひしひし．句例 ～ 소름이 끼치다 ぞくぞく鳥肌がたつ．文例 감기로 등골이 ～해진다 風邪で背筋がぞくぞくする．

오아시스〈名〉オアシス．句例 사막의 ～ 砂漠のオアシス．◇oasis

오얏〈名〉〔植〕すもも(李)．プラム．語例 ～나무 すもも．

表現 '자두'の古めかしい語．

오역【誤譯】[o:yŏk]〈名・하他〉誤訳．語例 ～ 투성이 誤訳だらけ．

오열【五列】[o:yŏl]〈名〉❶五列．❷第五列．スパイ．＝제오열．

오열【嗚咽】〈名〉おえつ(嗚咽)．むせぎ泣き．**～하다**〈自〉おえつする．むせぶ．

*__오염__【汚染】[o:yŏm]〈名・하自〉汚染．文例 수돗물의 ～이 심각하다 水道の水の汚染が深刻だ．語例 대기〔수질〕 ～ 大気〔水質〕汚染 / ～도〔원〕 汚染度〔源〕/ ～되다 汚染される / ～ 물질 汚染物質．

오용【誤用】[o:yong]〈名・하他〉誤用．句例 말의 ～ ことばの誤用．

*__오월__【五月】[o:wol]〈名〉五月．さつき．

__오이〈名〉〔植〕きゅうり．句例 ～를 소금에 절이다 きゅうりを塩漬けにする．語例 ～ 김치 きゅうりのキムチ / ～ 소박이 きゅうりを四すじに縦割りしてその中にねぎ・にんにく・しょうが・

《古歌 5》

오우가 五友歌

1642年，朝鮮朝の文臣で，連時調の作家でもある尹善道(1587-1671)の時調作品．水・石・松・竹・月の五つの自然物を友にたとえた時調で，序章をも合わせて六章からなる．彼の歌集'산중신곡 山中新曲'に収められている．

歌 詞

〈古文〉	〈現代文〉	
내 버디 몃치나 ᄒᆞ니	내 벗이 몇이냐 하니	我が友幾人と言わば
수석(水石)과 송죽(松竹)이라.	水石과 松竹이라.	水石と松竹なり．
동산(東山)의 ᄃᆞᆯ 오르니	東山에 달 오르니	東の山に月昇らば
긔 더욱 반갑고야.	기 더욱 반갑고나.	これまた喜ばしからずや．
두어라 이 다ᄉᆞᆺ밧긔	두어라 이 다섯 밖에	よ(止)せよ，この五つの外に
또 더ᄒᆞ야 머엇ᄒᆞ리.	또 더하여 무엇하리.	かてて加うる又何をもってかせん．

とうがらし粉などを混ぜた薬味を入れてつけたキムチ / ～지 煮冷ましの塩水にきゅうりを漬けて味付けしたお菜. きゅうりのピクルス.

오인【誤認】[o:in]〈名〉誤認. ～**하다**〈他〉誤認する. 見誤る. 見まがう.

오일〈名〉オイル. 油. 語例 ～ 달러 オイルドル / ～ 쇼크 オイルショック / ～ 교환 オイル交換. ◇oil

오일【五日】[o:il]〈名〉五日. いつか. 文例 오월 ～은 어린이날이다 五月五日は子供の日である. 語例 ～장(葬) 亡くなってから五日目に行なう葬式.

오입【誤入】[o:ip]〈名・하自〉妻以外の女性との浮気.

오자【誤字】[o:ja]〈名〉誤字. 句例 ～투성이의 글 誤字だらけの文.

오작-교【烏鵲橋】〈名〉〔民〕烏鵲橋. 天の川の橋.

오장【五臟】[o:jang]〈名〉〔韓醫〕五臓.

오장-육부【五臟六腑】[o:jangnyukpu]〈名〉五臓六腑. 臓腑. 句例 ～가 뒤틀리다 はらわたが煮え返る.

오전【午前】[o:jŏn]〈名〉午前. 句例 ～ 중에 午前中に. 語例 ～반(班) (二部制授業で)午前のクラス〔組〕. 對오후.

오점【汚點】[o:tchŏm]〈名〉汚点. 句例 ～을 남기다 汚点を残す.

오정【午正】[o:jŏng]〈名〉正午. ＝정오(正午). 語例 ～ 때 正午頃.

오존〈名〉〔化〕オゾン. 語例 ～층 オゾン層. ◇ozone

오종 경기【五種競技】[o:jonggyŏ:nggi]〈名〉五種競技.

오종종-하다(→하다)〈形〉顔が小さくて見栄えがしない.

오죽【烏竹】〈名〉〔植〕くろちく(黒竹). しちく(紫竹).

오죽〈副〉いかほど(如何程). どんなにか. さぞ(かし). いかばかり. 文例 ～ 기쁘랴 どんなにうれしいことであろうか / ～ 쓰라렸을까 さだめしつらかっただろう.

오죽-이나 [ojugina]〈副〉⇨ 오죽. 文例 ～ 낙심이 되겠습니까 さだめしお気落ちのことでしょう.

오죽-잖다 [―tchant'a]〈形〉取るに足りない. つまらない. 句例 오죽잖은 사람 取るに足りない人.

오죽-하다 [ojuk'ada] (→하다)〈形〉どれほど…だ. さぞかし…だ. 文例 그 심정 오죽하겠나 その心情いかばかりであろうか. 語例 오죽하면 いかほどの事情があらば. どれほどせっぱつまっていれば.

表現 '오죽하면, 오죽하여, 오죽하랴' などの活用形で使われ, その程度が 'どれほどひどくて' 'どれほどひどかろう'などの意を表わす.

오줌〈名〉小便. 尿. いばり. 小水《雅》. おしっこ《児》. しい《児》. 語例 ～똥 大小便 / ～보 ぼうこう(膀胱) / ～싸개 寝小便をした子をからかう語.

오줌(을) 누다 小便をする.

오줌(이) 마렵다 小便がしたい. 尿意を催す.

오줌(을) 싸다 ❶小便をする. 小用を足す. ❷尿をたらす.

오중【五重】[o:jung]〈名〉五重. 語例 ～주〔樂〕五重奏 / ～탑〔佛〕五重の塔.

오지〈名〉❶'오지 그릇'の略. ❷'오짓물'の略.

*__오지__【奧地】[o:ji]〈名〉奥地・おくち. 句例 ～에서 살다 奥地に住む.

오지 그릇〈名〉素焼きの陶器.

오지다 [o:jida]〈形〉'오달지다'の略.

오지랖〈名〉上着の前すそ.

오지랖(이) 넓다 出しゃばる. 差し出がましい. 事につけ口を出す.

*__오직__〈副〉ただ. 文例 ～ 명령에 따를 뿐이다 ただ命令に従うのみである / ～ 한 개밖에 남지 않았다 ただの一個しか残っていない.

오진【誤診】[o:jin]〈名・하他〉誤診. 文例 명의라도 ～하는 수가 있다 名医ですら誤診することがある.

오짓-물 [ojinmul]〈名〉上薬. つやぐすり. 釉薬.

오징어〈名〉〔動〕(するめ)いか. 語例 ～포(脯) するめ(鯣) / ～회 いかの刺身.

*__오차__【誤差】[o:ch'a]〈名〉誤差. 句例 ～가 생기다 誤差が生じる. 語例 측정 ～ 測定誤差 / ～율 誤差率.

오찬【午餐】[o:ch'an]〈名〉ごさん(午餐). 昼飯. 昼食.

*__오케스트라__ [o:k'esŭt'ŭra]〈名〉オーケストラ. 語例 ～ 박스 オーケストラボックス. ◇orchestra

오-케이【OK】[o:k'ei]〈名・感〉オーケー. 文例 ～, 알았네 オーケー, わかった / 사장의 ～를 아직 못 따냈다 社長のオーケーをまだ取ってない.

오토메이션 [o:t'omeisyŏn]〈名〉オートメーション. ◇automation

오토-바이 [o:t'o―]〈名〉オートバイ. モーターサイクル. ◇일 auto bicycleから.

오톨-도톨〈副・하形〉でこぼこ. ぼこぼこ. ぶつぶつ.

오판【誤判】[o:p'an]〈名・하他〉誤判. 誤審.

오판-화【五瓣花】[o:p'an―]〈名〉〔植〕花びらが五枚の花. ＝다섯잎꽃.

오퍼-상【offer商】〈名〉オファーを専門にする仲介輸出業(者).

오페라〈名〉オペラ. 語例 ～ 하우스 オペラハウス. ◇opera

오페레타〈名〉オペレッタ. ◇이 operetta

오프〈名〉オフ. 語例 ～사이드 オフサイド. ◇off

오프-셋〈名〉〔印〕オフセット. 語例 ～ 인쇄 オフセット印刷. ◇offset

오픈 [o:p'ŭn]〈名〉オープン. 語例 ～ 게임 オープンゲーム / ～카 オープンカー. ◇open

오피스〈名〉オフィス. ◇office

오한【惡寒】〈名〉悪寒. 寒気. 句例 ～이 나다 悪寒をおぼえる. 悪寒がする.

오합지-졸【烏合之卒】〈名〉烏合の衆.

오해【誤解】[o:hae]〈名・하他〉誤解. 句例 ～를 사다 誤解を受ける〔招く〕/ ～를 풀다 誤

解を解く / ~를 받다 誤解される / ~에 기인한 싸움 誤解によるけんか.

⁑오후【午後】[o:hu]〈名〉午後. 句例 ~에 약속이 있다 午後に約束がある. 語例 ~반(班)(二部制授業で)午後のクラス〔組〕. 對오전.

***오히려**〈副〉むしろ. かえって. なお. 文例 ~ 모자란다 かえって足りない / 천재라고 하기보다는 ~ 미치광이다 天才と言うよりはむしろ狂人である.

옥【玉】〈名〉玉・たま. 句例 금이야 ~이야 하고 기르다 ちょうよ花よと育てる. 語例 ~가락지 玉の指輪.

옥에도 티가 있다 玉にも傷あり.

옥에 티 玉に傷.

옥【獄】〈名〉獄. 監獄. 牢屋. 句例 ~에 갇히다 獄に下る / ~에 가두다 獄につなぐ / ~에 갇힌 몸 幽囚の身.

옥 〔漢字項目〕

【屋】中學 옥 オク. ❶집 家. 주택 住宅. ▮屋外 옥외 おくがい. 屋内 옥내 おくない. ▮家屋 가옥 かおく. ❷지붕 屋根. ▮屋上 옥상 おくじょう.

【獄】高校 옥 ゴク. ❶감옥 監獄. ▮獄死 옥사 ごくし. 獄舍 옥사 ごくしゃ. ▮投獄 투옥 とうごく. ❷재판 裁判. 판결 判決. ▮疑獄 의옥 ぎごく.

【玉】中學 옥 ギョク. ❶구슬 玉. 보석 宝石. ▮玉石 옥석 ぎょくせき. ▮珠玉 주옥 しゅぎょく. 寶玉 보옥 ほうぎょく. ❷임금에 관한 사물에 붙이는 미칭 天皇や王に関するものに付ける美称. ▮玉體 옥체 ぎょくたい. 玉座 옥좌 ぎょくざ. ❸남의 물건에 붙이는 미칭 他人のものに付ける美称. ▮玉稿 옥고 ぎょくこう. 玉案 옥안 ぎょくあん.

옥고【獄苦】〈名〉牢屋暮らしの苦しみ.

옥내【屋內】[ongnae]〈名〉屋内. 語例 ~ 집회 屋内集会.

옥니 [ongni]〈名〉内曲がりの歯. 語例 ~박이 内曲がり歯の人.

옥답【沃畓】〈名〉美田.

옥-도끼【玉―】〈名〉玉の斧.

옥도-정기【沃度丁幾】〈名〉ヨードチンキ. =요오드팅크.

옥-돔【玉―】〈名〉〔魚〕あかあまだい(赤甘鯛).

옥-동자【玉童子】〈名〉 玉のような男の子. 大事な男の子.

옥-바라지【獄―】〈名・하他〉 囚人に差し入れをして世話すること.

옥-비녀【玉―】〈名〉玉のかんざし.

옥사【獄死】〈名・하自〉獄死. 牢死.

옥사【獄舍】〈名〉獄舎.

***옥상**【屋上】〈名〉屋上. 語例 ~ 정원 屋上庭園.

옥새【玉璽】〈名〉玉璽. 宝璽. 類국새.

옥색【玉色】〈名〉水色. 空色.

옥석【玉石】〈名〉玉石. 句例 ~을 가리다 玉石をえり分ける. 善悪を区別する. 語例 ~구분(俱焚) 玉石ともに焚くこと. よいものと悪いものとがともに滅びること.

⁑옥수수〈名〉とうもろこし. とうきび. 句例 ~를 삶아 먹다 とうもろこしをゆでて食べる. 語例 ~나무 とうもろこし / ~밭 とうもろこし畑 / 옥수숫대 とうもろこしの茎.

***옥신-각신**〈副〉 ああだこうだと. すったもんだ. やっさもっさ. **~하다**〈自〉ああだこうだと言い争う. 句例 ~한 끝에 すったもんだのあげくに.

옥-양목【玉洋木】[ogyangmok]〈名〉キャラコ.

옥외【屋外】[ogoe]〈名〉屋外. 野天. 語例 ~ 주차 青空駐車 / ~ 등 屋外灯 / ~ 집회 屋外集会.

옥잠-화【玉簪花】〈名〉〔植〕たまのかんざし. ぎぼし〔ぎぼうし(ゅ)〕(擬宝珠).

옥-장사〈名〉['오그랑장사'の略] へこ(凹)み商売. 元金を食い込む商売. 損をする商売.

옥좌【玉座】〈名〉玉座.

옥중【獄中】〈名〉獄中. 句例 ~에서 신음하다 獄窓に呻吟する. 語例 ~ 생활 獄中生活.

옥체【玉體】〈名〉玉体. 文例 ~ 보중하시기를 御身お大事になさいますよう.
表現 普通, 手紙に用いる.

옥타브〈名〉〔樂〕オクターブ. ◇octave

옥토【沃土】〈名〉沃土. 美田. 句例 메마른 땅을 ~로 만들다 やせ地を美田と化す.

옥-토끼【玉―】〈名〉月に住むというううさぎ.

옥편【玉篇】〈名〉 玉篇. 字引き. 字典. 句例 ~을 찾다 字引きを引く.

옥황 상제【玉皇上帝】[ok'wangsa:ngje]〈名〉玉皇大帝《道教の神》. 元始天尊. 玉帝. 天帝.

⁑온 [o:n]〈冠〉すべての. 全部の. あらゆる. 全…. 文例 ~ 가족이 환대한다 一家をあげてもてなす / ~ 세상에 잘 알려져 있다 世に広く知れわたっている. 語例 ~ 세계 全世界. 世界中 / ~ 종일 終日 / ~ 몸 全身 / ~ 힘 全力 / ~ 국민 全〔すべての〕国民.

온 〔漢字項目〕

【溫(温)】中學 온 オン. ❶따뜻하다 温かい. ▮溫室 온실 おんしつ. 溫暖 온난 おんだん. ❷마음이 부드럽다 優しい. ▮溫顔 온안 おんがん. 溫厚 온후 おんこう. 溫情 온정 おんじょう. ❸온도 温度. ▮氣溫 기온 きおん. 體溫 체온 たいおん.

***온-갖** [o:ngat]〈冠〉(ありと)あらゆる. すべての. 句例 ~ 지혜를 짜내다 ありとあらゆる知恵を絞る / ~ 수단을 다 써보다 手を変え品を変える. 百計をめぐらす. あらゆる手段を講じる / ~ 좋은 음식 あらゆるうまい食べ物.
參考 次に母音がつくと [o:n-gad―] となる. 온갖 어류 あらゆる魚類 [o:n-gadŏryu].

온건【穩健】[o:ngŏn]〈名・하形〉穩健. 穩やか. 句例 ~한 말씨 穩やかなもの言い / ~한 사상 穩健な思想 / ~한 조치 穩やかな処置. 語例 ~파 穩健派. はと派 / ~하게 穩健に.

온고-지신【溫故知新】〈名・하自〉温故知新.

온기【溫氣】〈名〉温気. ぬくもり. 暖気. 句例 몸의 ~ 肌のぬくもり.

온기(가) 돌다 (冷えたからだが)ぬくもってくる.

温まる.

온난【溫暖】〈名・하形〉温暖. 句例 기후가 ～한 지방 気候の温暖な地方.

온난 전선【溫暖前線】〈名〉〔氣〕温暖前線.

온당-하다【穩當—】[o:ndang—] (→하다)〈形〉穏当だ. 句例 온당한 의견 穏当な意見 / 온당하지 않은 말 不穏当な言葉.

***온대**【溫帶】〈名〉温帯. 語例 ～ 기후 温帯気候 / ～림 温帯林 / ～ 식물 温帯植物.

***온데간데-없다** [—ō:pta]〈形〉行方不明である. 影も形もない. 文例 옛 도읍의 흔적은 ～ 旧都のおもかげは跡形もない. **온데간데없이** [—ōpshi]〈副〉影も形もなく. 跡形もなく. 句例 온데간데없이 사라지다 影も形もなく消え去る.

***온도**【溫度】〈名〉温度. 句例 방의 ～가 높다 部屋の温度が高い / 낮은 ～로 저장하다 低い温度〔冷温〕で貯蔵する / ～를 재다 温度を計る / ～를 조절하다 温度を調節する. 語例 ～계 温度計.

온돌【溫突】〈名〉オンドル. 語例 ～방 オンドル部屋.

온-라인〈名〉オンライン. 句例 ～으로 송금하다 (銀行で)オンラインによる送金をする. ◇on-line

온면【溫麵】〈名〉温麺. 温かい汁かけ麵.

온-몸 [o:n—]〈名〉総身. 全身. 体中. 句例 ～이 아프다 体中が痛い / ～에 아픔을 느끼다 身内に痛みを感じる / ～에 스며들다 総身にしみわたる / ～이 땀으로 흠뻑 젖다 全身が汗でびっしょりぬれる.

온-밤 [o:n—]〈名〉終夜. 夜通し. 一晩中. 句例 ～을 뜬 눈으로 새우다 夜通し一睡もしない.

***온상**【溫床】〈名〉〔農〕温床. 句例 ～에서 자라다 温床で育つ / 악의 ～ 悪の温床. 語例 ～ 재배 温床栽培.

***온수**【溫水】〈名〉温水. 語例 ～ 난방 温水暖房 / ～기 温水機.

온순-하다【溫順—】(→하다)〈形〉温順だ. 従順だ. おとなしい. 句例 온순한 태도 神妙な態度 / 온순한 성미 温順な〔おとなしい〕性格. **온순히**〈副〉温順に. おとなしく.

온-쉼표【—標】[o:n—]〈名〉〔樂〕全休止符.

온스〈依名〉オンス. 語例 1～ 一オンス. ◇ounce

온실【溫室】〈名〉温室. 句例 ～에서 자라난 아이 温室育ちの子 / 화분을 ～에 넣다 植木鉢を温室に入れる. 語例 ～ 효과 温室効果.

온유-하다【溫柔—】[onyu—] (→하다)〈形〉温柔だ. 句例 온유한 성미 温柔なたち(質).

온-음【—音】[o:nŭm]〈名〉〔樂〕全音. 語例 ～표 全音符 / ～ 음계 全音音階.

온장-고【溫藏庫】〈名〉温蔵庫. ㉷냉장고.

온전-하다【穩全—】[o:njŏn—] (→하다)〈形〉完全だ. 無事だ. 傷がない. まともだ. 句例 온전하게 보관하다 傷のないように保管する / 온전한 정신 まともな精神. **온전히**〈副〉完全に. 無事に. 傷のないように. まともに.

온-점【—點】[o:n—]〈名〉終止符. ピリオド. ＝마침표.

온점【溫點】[ontchŏm]〈名〉(皮膚の)温点.

온정【溫情】〈名〉温情. 思いやり. 句例 ～을 베풀다 温情を施す. 語例 ～주의 温情主義.

온-종일【—終日】[o:n—]〈名・副〉一日中. 四六時中. ひねもす《雅》. ひもすがら《雅》. 文例 ～ 잠만 자고 있다 四六時中〔一日中〕眠ってばかりいる.

온-찜질【溫—】〈名〉温湿布. **～하다**〈自〉温湿布をする.

온-채 [o:n—]〈名〉家屋〔建物〕全体. 句例 ～를 빌리다 一棟全体を借りる. 語例 온챗집 (間借りでなく)一棟全体を使う家.

***온천**【溫泉】〈名〉温泉. 句例 ～에 가다 温泉に行く. 語例 ～장 温泉場. 湯治場 / ～수 温泉水.

온탕【溫湯】〈名〉温湯.

***온-통** [o:n—]〈名・副〉すべて皆. すっかり. 全部. 文例 ～ 불바다였다 一面火の海であった / ～ 그 소문뿐이다 そのうわさで持ち切りだ. 語例 ～으로 丸のままで. すっかり. ことごとく. 丸丸と.

온풍-기【溫風機】〈名〉温風機.

온혈 동물【溫血動物】[—do:ngmul]〈名〉温血動物. 定温動物.

온화-하다【溫和—】(→하다)〈形〉温和だ. もの柔らかだ. 句例 온화한 기후 温和な気候 / 온화한 성격 温和な性格 / 온화한 신사 もの柔らかな紳士. 語例 온화하게 温和に.

온화-하다【穩和—】[o:nhwa—] (→하다)〈形〉穏和だ. 穏やかだ. 和やかだ. 句例 온화한 표현 穏やかな表現. 語例 온화하게 穏和に. 穏やかに.

올[1]〈名〉'올해'の略. 語例 ～ 농사 今年の農作 / ～ 겨울〔여름〕今年の冬〔夏〕/ ～ 봄〔가을〕今年の春〔秋〕. 今春〔今秋〕.

올[2] [o:l] [一]〈名〉よ(縒)り. 糸すじ. 布目. 句例 ～이 촘촘한 옷감 目のつんだ生地 / ～이 굵다 布目が粗い / ～이 된 실 よりの強い糸. [二]〈依名〉糸やひもの筋を数える単位: 筋. 語例 실 한 ～ 糸一筋. 一糸.

올- [o:l]〈頭〉早熟の意を表わす語. 語例 ～밤 わせ(早生)のくり(栗) / ～벼 わせ(早稲).

올가미〈名〉わな. 句例 ～로 들개를 잡다 わなで野良犬を捕らえる / ～에 걸리다 わなにかかる〔落ちる〕.

올가미(를) 쓰다 わなにかかる. 策略に陥としいれられる.

올가미(를) 씌우다 わなにかける. 計略に陥れる.

올-감자 [o:l—]〈名〉わせ(早生)のばれいしょ〔じゃがいも〕.

올-곧다 [o:l—]〈形〉❶心が正しい. 律儀一点張りだ. きまじめだ. 実直だ. ❷すじ〔線〕がまっすぐだ. 直線である.

올드 미스 [o:ldŭ—]〈名〉オールドミス. ◇일 old miss

*올라-가다

(올라가거라) [一]〈自〉❶上がって行く. 上がる. ㉠(高い所へ)登〔上・昇〕る. 句例 눈초리가 ～ 目じりがつりあがる / 나무〔산〕에 ～ 木〔山〕に登る / 지붕에 ～ 屋根に上がる / 계량기가 ～

メーターが上がる.
㉡(地位・成果・程度などが)高くなる. 増す. 句例 성적이 ~ 成績が上がる / 월급이 ~ 月給が上がる / 지위가 ~ 位が高くなる / 매상이 ~ 売上高が上がる.
㉢(物価・値打ちなどが)上昇する〔騰貴〕する. 句例 물가가 갑자기 ~ 物価が急に上がる / 집세가 ~ 家賃が上がる.
㉣上京する. 句例 올라가는 열차 上りの列車.
㉤上陸する. 句例 뭍에 ~ おか(陸)に上がる.
❷(流れを) さかのぼる. 句例 배를 저어 강 위로 거슬러 ~ 船をこいで川上にさかのぼる.
❸(身代などが)無くなる. 失われる. 文例 불이 나서 가산이 다 올라가 버렸다 火災で家産がすっかりなくなってしまった.
❹'죽다 死ぬ'の俗っぽい言いかた.
二〈他〉上がる. 上る. さかのぼる. 句例 계단을 ~ 階段をのぼる〔あがる〕/ 강을 ~ 川をさかのぼる.

***올라-서다** 〈自〉 ❶(高い所に)上がって立つ. 句例 단상에 ~ 壇上に上がって立つ. ❷何かを踏んでその上に立つ. 句例 발판에 ~ 踏み台に乗る / 자전거 위에 올라서서 축구 경기를 구경하다 自転車の上に立ってサッカー試合を見る. ❸(高い地位に)就く. のし上がる. 句例 중역으로 ~ 重役にのし上がる.

올라-앉다 [—antta] 〈自〉 ❶高い所に座る. ❷(高い地位などに)就く. 句例 권좌에 ~ 権力の座にのし上がる. ❸(物の上に)乗る. 座る. 句例 그네에 ~ ぶらんこに乗る.

올라-타다 〈自〉 ❶(物の上に)乗る. 乗り込む. またがる. 句例 버스에 ~ バスに乗り込む. ❷(からだに)乗り掛かる. 組み敷く. 句例 올라타 상대를 내리누르다 乗り掛かって相手を押さえつける.

올랑-거리다 〈自〉 ❶(胸が)どきどきする. ❷(波が)うねり続ける.

올려-놓다 [—not'a] 〈他〉 ['올리어 놓다'の略] (…の上に)置く. 乗せる. 掛ける. 句例 냄비를 풍로에 ~ なべをこんろに掛ける.

올려본-각【—角】 〈名〉〔數〕仰角. ＝앙각. 對 내려본각.

올록-볼록 〈副・하形〉 でこぼこ. 句例 ~한 표면 でこぼこした表面.

***올리다** 〈他〉 ❶上〔挙・揚〕げる. ㉠上へやる. 句例 돛을 ~ 帆を上げる / 막을 ~ 幕を上げる / 손을 ~ 手を挙げる.
㉡(空へ)上せる. 句例 기구를 ~ 気球を上げる.
㉢(上に)置く. 乗せる. 句例 책을 선반에 올려놓다 本を棚に上げておく / 짐을 트럭에 ~ 荷物をトラックに上げる. 絵
㉣陸揚げする. 句例 뭍에 ~ おか(陸)に上げる.
㉤(声などを)出す. 句例 환성을 ~ 歓声を上げる.
㉥(勢いなどを)増す. 出す. 句例 기세를 ~ 気勢を上げる / 스피드를 ~ スピードを上げる.
㉦(値打ちなどを)高める. 増す. 句例 값을 ~ 値段を上げる / 급료를 ~ 給料を上げる / 지위를 ~ 位を上げる.
㉧(収益・成果などを)おさめる. 句例 실적을〔전과를〕~ 実績〔戦果〕を上げる.
㉨(式を)挙げる. 句例 결혼식을 ~ 結婚式を挙げる. 絵
㉩(目上の人に)差し上げる. ささ(捧)げる. 句例 식사를 ~ 食事を差し上げる / 말씀을 ~ お話を申し上げる.
㉪(神仏などに)供える. 上せる. ささ(捧)げる. 句例 기도를 ~ 祈りをささげる.
❷(ペンキなどを)塗る. めっきする. 句例 금물을 ~ 金めっきをする. 金を着せる.
❸(病気を)移らせる. かからせる. 句例 옴을 ~ 疥癬にかからせる.
❹(ぴんたなどを)打つ. 食わす. 句例 따귀를 ~ ぴんたを食わす.
❺上せる. ㉠(文書などに)載せる. 句例 기록〔명부〕에 ~ 記録〔名簿〕に載せる / 장부에 ~ 帳簿に記入する / 호적에 ~ 戸籍に入れる.
㉡提示する. 句例 입〔의제〕에 ~ 口〔議題〕にのぼせる / 무대에 ~ 舞台にのぼせる.
❻(屋根を)ふ(葺)く. 句例 기와를 ~ かわら(瓦)をふく.

짐을 트럭에 올리다　　결혼식을 올리다

〈올리다〉

올리브 〈名〉〔植〕オリーブ. 語例 ~유〔기름〕オリーブ油. ◇olive

올림[1] 〈名〉(手紙で)…拝. 語例 김갑돌 ~ 金甲乭拝.

올림[2] 〈名〉〔數〕切り上げ. 語例 반~ 四捨五入. 對버림.

올림-표【—標】 〈名〉〔樂〕シャープ.

***올림픽** 〈名〉オリンピック. 語例 ~ 경기 オリンピック競技 / ~ 체조 경기장 五輪体操競技場 / ~ 종목 オリンピック種目. ◇Olympic

올망-졸망 〈副・하形〉 かわいらしいものがふぞろ(不揃)いに多く並んでいるさま. 文例 아이들이 ~ 모여 있다 小さい子供たちが大勢集まっている.

올무 〈名〉(鳥や獣を捕らえる) くく(括)り. わな(罠).

올-바로 [o:lbaro] 〈副〉 正しく. 正直に. 文例 마음을 ~ 가져라 心を正直に持て.

***올-바르다** (올바르니, 올발라서) 〈形〉 正しい. 句例 마음이 ~ 心が正しい / 사물에 대한 올바른 견해 正しい物の見方 / 올바른 생각 正しい考え.

올-벼 [o:l—] 〈名〉 わせ(早稲). 語例 중~ 中手

올빼미 〈名〉〔鳥〕ふくろう(梟). 「실.
올-실 [o:l—]〈名〉片糸. 一本の糸. ＝외올
올-차다 [o:l—]〈形〉がっちりしている. 中味が充実している. 句例 올차게 생긴 얼굴 元気いっぱいな顔.
***올챙이** 〈名〉〔動〕お玉じゃくし. 語例 ～배 お玉じゃくしのように膨れ上がった腹.
올케 〈名〉(女性が兄弟の妻に対して)義理の姉妹. 語例 큰～ いちばん上の義理の姉.
****올-해** 〈名〉今年. 当年. 略して'올'ともいう. 句例 ～ 안에 今年中. 文例 ～는 거의 비가 오지 않는다 今年はほとんど雨が降らない / ～ 대학을 나왔다 今年大学を卒業した.
表現 用例のように副詞的にも用いられる. ただし, 略語の'올'にはそのような用法がない.
옭다 [okta]〈他〉❶くくる. からげる. ❷わなに〔を〕かける. ❸はかりごとで人を陥れる.
參考 '옭거나 くくったり' '옭아서 くくって'は[olkkŏna], [olgasŏ]と発音される.
옭-매다 [ongmaeda]〈他〉小間結びにする. 真結びにかたく結ぶ.
옭-매듭 [ong—]〈名〉小間結び. 真結び.
옭아-매다 [olga—]〈他〉❶わな(罠)をかけてくるくると縛りつける. 句例 미친 개를 ～ 狂犬を縛りつける. ❷無実の罪をでっちあげる.
***옮기다** [omgida]〈他〉❶移す. ㉠(物の位置を)置き変える. 運ぶ. (きまった場所に)直る. 句例 화분을 ～ 植木鉢を移す / 책상을 창문 가까이로 ～ 机を窓近くに移す / 일등석으로 ～ 一等席に直る / 서울을 ～ 都を移す.
㉡移転する. 句例 거처를 교외로 ～ 住まいを郊外に移す / 셋집을 ～ 借家を引き移る / 하숙을 ～ 下宿を変える.
㉢転じる. 句例 발걸음을 ～ 歩を移す. 足を運ぶ / 실행에 ～ 実行に移す / 약속을 행동으로 ～ 約束を行動に移す.
㉣他へ回す. 文例 그 사건은 고등 법원으로 옮겨졌다 その事件は高等裁判所へ移された.
㉤(病気を)伝染させる. 句例 병을 ～ 病気を移す / 뇌염을 옮기는 모기 脳炎を移す蚊.
❷(聞いた話を人に)伝える. (言い)漏らす. 他言する. 文例 들은 말을 함부로 옮기지 마라 耳にしたことをみだりに他言するな.
❸(引き)写す. 句例 원본대로 옮겨 쓰다 原本通りに書き写す.
❹(翻)訳する. 句例 옮기기 어려운 말 訳しにくい語. 文例 다음 우리 말을 영어로 옮기시오 次の韓国語を英語に訳しなさい.
옮다 [o:mtta]〈自〉❶(住む所などが)移る. 変わる. 移動する. 転じる. ❷(病気などが)移る. 感染する. 句例 감기가 ～ かぜが移る. ❸(思想などに)かぶれる.
參考 '옮거나 移ったり' '옮아서 移って'は[omkkŏna], [olmasŏ]と読む.
***옮아-가다** [olma—]〈自〉❶(権利などが)移って行く. 移る. 変わる. 転じる. 句例 남의 손으로 ～ 人の手に移る / 다른 당으로 ～ 他の党に移る. ❷(うわさなどが)口伝えに広まる. 伝わる. 文例 소문이 벌써 그곳까지 옮아갔다 うわさがもはやそこまで伝わった.
옮아-오다 [olma—]〈自〉❶(居所を)移して来る. ❷伝わって来る. 移り広がって来る.
****옳다**[1] [olt'a]〈形〉正しい. 道理にかな(適)っている. 句例 옳지 않다고 보다 非とする / 옳은 말 もっともな話. 道理にかなった言葉 / 옳은 답 正しい答え. 文例 네 말이 ～ 君の言うことが正しい / 반드시 옳지는 않다 必ずしも正しくはない. 語例 옳게 正しく.
옳다[2] [olt'a]〈感〉その通り. そうそう. よろしい. 全くだ. 文例 ～, 정말 그 말이 맞구나 そうそう, 全く話の通りだ.
옳소 [olsso]〈感〉その通り. 文例 ～, 찬성이오 その通り, 賛成, 賛成.
表現 集会などで発言者の意見に同意・賛成の意を表わすときにとなえる語.
옳아 [ora]〈感〉そうそう. よろしい. その通り. 全くそうだ. 文例 ～, 그 뜻이었구나 そうだ, その意味だったんだなあ.
***옳지** [olch'i]〈感〉そうそう. その通り. そうだ. よろしい. 文例 ～, 그렇게 하면 된다 よろしい, そうすればよい.
옴 [o:m]〈名〉〔醫〕疥癬. ひぜん. 湿. 句例 ～이 오르다 湿をかく. 疥癬にかかる. 語例 ～쟁이 '疥癬患者'をからかっていう語.
옴지락-거리다 〈自他〉しきりにうごめく〔うごめかす〕.
옴지락옴지락 [omjiragomjirak]〈副・하自他〉うざうざ.
옴짝-달싹 〈副・하自〉⇨ 꼼짝달싹
옴찔 〈副・하自他〉驚いて身をすくめるさま: びくっと. ぎくりと. 文例 선생님 목소리에 ～했다 先生の声にぎくりとした.
옴츠러-들다 (—드니, —들어서)〈自〉縮こまる. すくみあがる. 小さくなる.
옴츠러-지다 〈自〉(寒さ・怖さに)身がすくむ. 小さくなる. お(怖)じける.
옴큼 〈依名〉握り. すくい. 句例 쌀 한 ～ 米一握り.
表現 語感の大きい語は'움큼'.
옴팡-눈 〈名〉くぼ目. かなつぼ目.
옴폭 〈副・하形〉ぽこっと. 句例 길이 ～ 패다 道路がぽこっとへこむ.
옵서버 [opsŏ:bŏ]〈名〉オブザーバー. ◇observer
****옷** 〈名〉服. 衣服. 衣. 衣装. 句例 갈아입을 ～ 替え着. 着替え / 낡은 ～ 着古しの服 / 수수한 ～ じみな服 / 품이 좁은 옷 身幅の狭い服 / 낙낙한 ～ たっぷりした服 / ～을 입다 服を着る / ～을 벗다 服を脱ぐ / ～을 껴입다 重ね着する. 厚着をする / ～을 갈아입다 服を着替える / ～을 입히다 服を着せる / ～을 찢다 服をやぶる / ～에 풀을 먹이다 着物にのりを付ける / 젖은 ～을 불에 쬐어 말리다 ぬれた服を火干しにする / ～을 개키다 服を畳む. 文例 입고 갈 ～이 없다 着て行く服がない. 語例 속～ 下着. 肌着 / 맞춤～ あつらえ服 / 웃～ 上着.

옷이 날개 馬子にも衣装.

옷-가지 〈名〉衣類. (いくつかの)持ち服. (何着かの)衣服. [句例] ～를 사다 衣服を(何着か)買う. [文例] 변변한 ～가 없다 めぼしい服が(一着も)ない.

*옷-감 〈名〉生地. 服地. 反物. [句例] 흰 ～ 無色の生地 / 순모의 ～ 純毛の服地 / 좋은 ～으로 맞추다 いい服地であつらえる.

옷-값 [—kap]〈名〉衣装代. →값 [参考]

*옷-걸이 [—kŏri]〈名〉衣裄. 衣紋掛け. ハンガー.

옷-고름 〈名〉チョゴリ・'두루마기 ツルマギ'などの結びひも.

옷-기장 〈名〉(衣服の)丈. 服の長さ. [句例] ～을 줄이다 服の丈を詰める.

옷-깃 〈名〉襟. [句例] ～을 여미다 襟元をかき合わせる. 襟を正す〔合わせる〕/ 숙연히 ～을 여미다 粛然として襟を正す. [語例] ～차례 右回りの順番.

옷-단 〈名〉衣服のすそ(裾)やそで口などの縁の折り返し.

옷-맵시 [on—]〈名〉着こなし. 身なり.

옷-상자【—箱子】〈名〉衣類箱. 衣装ケース.

옷-소매 〈名〉そで(袖).

옷-솔 〈名〉衣服ブラシ.

옷-자락 〈名〉すそ(裾). [句例] ～을 걷어올리다 すそをからげる / ～이 펄럭거리다 すそがひらつく.

*옷-장【—欌】〈名〉衣装だんす. [句例] 옷을 ～에 넣다 衣服をたんすにしまう.

*옷-차림 〈名〉服装. 身なり. 装い. 着こなし. 装束. なり. [句例] 깔끔한〔산뜻한〕～ きちんと〔さっぱり〕した身なり / 초라한 ～ みすぼらしい身なり / 장사꾼 같은 ～의 사람 商人らしい風体の人 / 단정한 ～을 하다 端正な服装をする.

-옹【翁】〈尾〉…翁. [語例] 간디～ ガンジー翁 / 김～ 金翁.

옹 〔漢字項目〕

【翁(翁)】[高校] 옹 オウ. ❶남자 노인 おきな. ▮翁媼 옹온 おうおう. ▮老翁 노옹 ろうおう. 漁翁 어옹 ぎょおう. ❷남자 노인의 높임말 老男子に対する敬称. ▮奈翁 나옹 なおう(ナポレオン).

옹-고집【甕固執】[o:ng—]〈名〉片意地. 強情. いこじ. えこじ. [句例] ～을 부리다 片意地〔強情〕を張る. [語例] ～쟁이 いこじな人. 意地っ張り.

옹골-차다 〈形〉堅実でみっちりしている. がっちりしている. 頑丈だ. 充実している.

옹기【甕器】[o:nggi]〈名〉素焼きの陶器. ＝옹기그릇. [語例] ～가마 陶器(焼き)窯 / ～장이 陶工 / ～전 陶磁器店.

옹기-종기 〈副・하形〉大きさの違う多くのものが一所に集まっているさま. [文例] 집들이 ～ 모여 있다 あまたの家が入り交じって立っている.

*옹달-샘 [—ssaem]〈名〉小さな泉. 小泉.

옹달-우물 [ongdarumul]〈名〉小さくて浅い井戸.

옹두리-뼈 [o:ngduri—]〈名〉〔動〕膝蓋骨.

옹립【擁立】[o:ngnip]〈名〉擁立. ～하다〈他〉擁立する. 擁する. [句例] 어린 임금을 ～하다 幼帝を擁(立)する.

옹배기 〈名〉たらいに似た小さい陶器の器. ＝옹자배기.

옹색-하다【壅塞—】[o:ngsaek'ada] (→하다)〈形〉❶困窮している. [句例] 살림이 ～ 暮らしが苦しい. ❷狭苦しい. [句例] 방이 ～ 部屋が狭苦しい. ❸窮屈でゆとりがない. [句例] 옹색한 변명 窮屈な弁明〔言い訳〕.

옹-솥 〈名〉口の小さいかま(釜). ＝옹달솥.

옹알-거리다 〈自他〉❶つぶやく. ぶつぶつ言う. ❷まだ言葉を話せない赤ん坊がつぶやくように独り言を言う.

[表現] ①はおもに女性に対して用いる.

옹알옹알 [ong-arong-al]〈副・하自他〉ぶつぶつ.

옹알-이 [ong-ari]〈名・하自〉喃語.

옹이 〈名〉(木の)節. 節目.

옹이에 마디 泣き面にはち(蜂). 弱り目にたたり目.

옹졸-하다【壅拙—】[o:ngjol—] (→하다)〈形〉偏狭で融通がきかない. 渋い. [文例] 매우 옹졸한 놈이다 なかなか渋いやつだ.

옹주【翁主】〈名〉〔史〕庶出の王女.

옹호【擁護】[o:ngho]〈名・하他〉擁護. [句例] 인권〔권익〕을 ～하다 人権〔権益〕を擁護する. [語例] ～자 擁護者.

옻 〈名〉❶漆. ❷漆かせ. 漆かぶれ. 漆負け.

옻(이) 오르다 漆にかぶれる.

옻(을) 올리다 漆にかぶれさせる.

옻(을) 타다 漆に負ける. 漆に負けやすい体質である.

옻-나무 [onnamu]〈名〉〔植〕漆.

옻-칠【—漆】〈名・하自〉❶漆. ❷漆塗り.

와[1]〈名〉〔言〕ハングルの字母'ㅘ'の名称.

*와[2] [wa:]〈副〉❶多くの人が一時に動くさま: わあっと. どっと. [句例] ～ 밀려 오다 わっと押し寄せる. ❷大勢の人が一度に騒ぎ立てる声: どっと. わっと. [句例] ～하고 웃다 わっと笑う.

와[3] [wa:]〈感〉牛馬の動作を止めるときのかけ声: どうどう.

와[4]〈助〉❶列挙する接続助詞: …と. [句例] 개～ 소 犬と牛 / 오빠～ 누이동생 兄と妹. ❷比較の対象を示す副詞格助詞: …に. …と. [句例] 참외～ 비슷하다 まくわうりによく似ている. [文例] 그～는 비교도 안 된다 彼とは比べ物にならない. ❸いっしょにすることを表わす副詞格助詞: …と. [句例] 누나～ 같이 놀다 姉といっしょに遊ぶ / 친구～ 만나다〔헤어지다〕友達と会う〔別れる〕.

[表現] (1) 終声のない体言につく. 終声のある体言には'과'が使われる. [句例] 하늘과 바다 空と海 / 동생과 싸우다 弟とけんかする. (2) 会話体では '하고' '랑'を多く用いる. [句例] 엄마랑 누나랑 母と姉と. [文例] 나하고 놀자 僕と遊ぼう.

와 같다 ❶…のようだ. [句例] 너와 같은 놈 お前

まえのようなやつ. ❷…と同じだ. 文例 내 의견은 너~ ぼくの意見は君と同じだ.

와 같이 ❶…のように. 句例 축구~ 격렬한 운동 サッカーのようにはげしい運動 / 이~ このように. ❷…といっしょに. 文例 나~ 시험공부를 하자 ぼくといっしょに試験勉強をしよう.

와 더불어 …とともに. 文例 친구~ 은사를 찾아뵈었다 友人と共に恩師を訪ねた.

와 아울러 …とともに. …と同時に. 句例 흥미~ 교훈이 담긴 책 興味と同時に教訓に富む本.

와 〔漢字項目〕

【瓦】 中學 와 ガ. ❶기와 かわら. ▮瓦家 와가 かわらや(屋). ▮煉瓦 연와 れんが. ❷사물이 흩어짐 物事が散らばる. ▮瓦解 와해 がかい. ❸무게의 단위 그램의 한자 표기 重さの単位であるグラムの漢語.

【臥】 中學 와 ガ. 눕다 伏す. 쉬다 休む. ▮臥龍 와룡 がりょう. ▮仰臥 앙와 ぎょうが. 病臥 병와 びょうが.

와그르르 〈副・하自〉 積まれているものが 一度に崩れ落ちる音: がらがら. 句例 ~ 무너지다 がらがらと崩れる.

와글-거리다 〈自〉 群がり騒ぐ. 騒ぎたてる. 雑踏する. ざわつく. ざわめく.

와글와글 [wagŭrwagŭl] 〈副・하自〉 わあわあ. わいわい. がやがや. てんやわんや《俗》. 句例 ~ 떠들어대다 がやがや騒ぐ / ~ 큰 소란을 떨다 わあわあ大騒ぎをする. 文例 밖에서 뭔가 ~ 떠들고 있다 外で何やらわいわい言っている.

와당【瓦當】[wa:dang] 〈名〉〔建〕 瓦当. =막새.

参考 軒丸瓦または軒平瓦の先端をなす半円形・円形の部分. いろいろの紋様が刻まれ, それを'와당문瓦当紋'という.

와당탕 〈副・하自〉 板の上に物が落ちたりぶつかって出る音: ばたん. がたん.

와들-와들 [wadŭrwadŭl] 〈副・하自他〉 わなわな. がたがた. 句例 두려움에 ~ 떨다 怖さにわなわな震える / 추워서 ~ 떨다 寒くてがたがた震える / ~ 떨다 震え上がる.

와락 〈副〉 急に飛びかかったり引っ張るさま: 不意に. にわかに. 突然. ぐいと. 句例 ~ 달려들다 不意にとびかかる / ~ 잡아당기다 ぐいと引っ張る.

와르르 〈副・하自〉❶(石垣などが)崩れるさま, またはその音: がらがら. 句例 돌담이 ~ 무너지다 石垣ががらがらと崩れる. 文例 담이 ~ 무너졌다 塀がもろに倒れた. ❷(雷が)騒騒しく鳴る音: ごろごろ.

와병【臥病】[wa:byŏng] 〈名・하自〉 臥病. 病臥. 句例 오랫동안 ~중인 조부 長らく病臥中の祖父.

와신-상담【臥薪嘗膽】[wa:shin—] 〈名・하自〉 臥薪嘗胆.

参考 もともとの意味は, まき(薪)の上に寝ることと苦い胆をなめること. むかし中国で, あいあらそっていた呉王と越王が, 互いにうけた恨みを忘れないために, 自ら身をくるしめたという故事による.

와이-셔츠 〈名〉 ワイシャツ. 句例 매일 ~를 갈아입다 毎日ワイシャツを着替える. ◇white shirts

와이어 게이지 〈名〉 ワイヤゲージ. ◇wire gauge

와이-엠-시-에이【YMCA】[—shi:—] 〈名〉 ワイエムシーエー. ◇Young Men's Christian Association の略.

와이 좌표【Y座標】[—jwa:p'yo] 〈名〉〔數〕 ワイ座標. 對엑스 좌표.

와이-축【Y軸】〈名〉〔數〕 ワイ軸. 對엑스축.

와이퍼 〈名〉 ワイパー. ◇wiper

와이프 〈名〉 ワイフ. 妻. 家内. ◇wife

와인 〈名〉 ワイン. ぶどう酒. 語例 ~ 글라스 ワイングラス. ◇wine

와일드 〈名・하形〉 ワイルド. 句例 ~한 성격 ワイルドな性格. ◇wild

와작-와작 [wajagwajak] 〈副〉 大根などをかむ音: がりがり. もりもり. 句例 무를 ~ 씹다 大根をばりばりかじる.

와전【訛傳】[wa:jŏn] 〈名・하他〉 訛伝. 誤った伝え.

와중【渦中】〈名〉 渦中. 句例 사건의 ~에 휘말리다 事件の渦中にまきこまれる / ~의 인물 渦中の人物.

와지끈 〈副・하自〉 多くの固いものがこわれる音: がたん. がちゃん. どかん. 語例 ~뚝딱 がちゃんぴしゃ. がちゃんがちゃん.

와트 〈依名〉 ワット. 句例 백 ~의 전구 百ワットの電球. ◇watt

와해【瓦解】[wa:hae] 〈名・하自〉 瓦解. 文例 내각이 ~되었다 内閣が瓦解した.

왁스 〈名〉 ワックス. ◇wax

***왁자지껄-하다** (→하다) 〈自〉 多くの人が大声でしゃべり散らす. がやがや騒ぐ. 句例 아이들이 ~ 子供たちががやがや騒ぐ.

왁자-하다 (→하다) 〈形〉 目がまわるほどやかましい. ざんざめく《俗》.

완 〔漢字項目〕

【完】 中學 완 カン. ❶끝까지 가다 終わりまでいく. ▮完成 완성 かんせい. 完投 완투 かんとう. ▮未完 미완 みかん. 補完 보완 ほかん. ❷모두 갖추어져 있다 みんな備わっている. ▮完全 완전 かんぜん. 完璧 완벽 かんぺき.

【緩(緩)】 高校 완 カン. ❶느슨하게 하다 緩める. ▮緩和 완화 かんわ. ▮弛緩 이완 しかん. ❷속도를 늦추다 速度を緩める. ▮緩急 완급 かんきゅう. 緩慢 완만 かんまん. ❸충격을 완화하다 衝撃を緩める. ▮緩衝 완충 かんしょう.

완강-하다【頑強—】(→하다) 〈形〉 頑強だ. 句例 완강한 저항 頑強な抵抗. **완강히** 〈副〉 頑強に. 頑として. 句例 완강히 거부〔주장〕하다 頑強に〔頑として〕拒む〔主張する〕.

완결【完決】〈名・하他〉 完全に決定すること.

완결【完結】〈名・하他〉 完結. 句例 사건을 ~하다 事件を完結する / 소설의 ~편 小説の完結編. 語例 ~되다 完結する.

***완고-하다**【頑固—】(→하다) 〈形〉 頑固だ. かたくなだ. ごつい. 句例 완고한 인간 かたくなな

人/완고한 아버지〔영감〕ごついおやじ. 文例 아버지는 옛날 분이어서 여간 완고하지 않다 おやじは昔かたぎでなかなか頑固である/완고한 그도 항복한 모양이다 頑固な彼も閉口したらしい. **완고히**〈副〉頑固に. かたくなに.

완곡-하다【婉曲—】[wa:n-gok'ada] (→하다)〈形〉婉曲だ. 句例 완곡한 표현 婉曲な表現/완곡한 충고 遠回しの〔控え目な〕忠告/완곡하게 비난하다 やんわりと非難する. **완곡히** [wa:n-gok'i]〈副〉婉曲に. 句例 완곡히 거절하다〔말하다〕婉曲に断る〔言う〕.

완공【完工】〈名・하自他〉完工. 竣工. 語例 ~되다 完工する. 對기공(起工).

완구【玩具】[wa:n-gu]〈名〉玩具. おもちゃ. =장난감.

완납【完納】〈名・하他〉完納. 句例 세금을 ~하다 税金を完納する.

완두【豌豆】[wa:ndu]〈名〉〔植〕えんどう(豌豆). 語例 ~콩 えんどう(豆)/~꽃 えんどうの花.

완력【腕力】[wa:llyŏk]〈名〉腕力. 腕っ節. 力ずく. 腕ずく. 句例 ~을 휘두르다 腕力をふるう/~에 호소하다 暴力に訴える/~으로 뺏다 腕ずくで取り上げる.

완료【完了】[wallyo]〈名・하他〉完了. 語例 준비 ~ 準備完了/~되다 完了する〔される〕.

***완만-하다**【緩慢—】[wa:nman—] (→하다)〈形〉緩慢だ. 緩やかだ. なだらかだ. 句例 완만한 동작 緩慢な動作/완만하게 굽어지는 길 緩やかにカーブする道/완만한 오르막길 緩い上り坂/완만한 흐름 緩やかな流れ. **완만히**〈副〉緩慢に. 緩やかに.

완벽【完璧】〈名・하形〉完璧. 句例 ~을 기하다 完璧を期する. 文例 ~하게 모든 것을 다 갖춘 사람은 없다 完璧にすべてのものを皆備えている人はいない.

완봉【完封】〈名・하他〉完封. 句例 상대방의 수를 ~하다 相手のわざを完封する. 語例 ~승 完封勝ち.

완불【完拂】〈名・하他〉すっかり支払うこと.

완비【完備】〈名・하他〉完備. 句例 시설이 ~되다 施設が完備する. 語例 냉방 ~ 冷房完備.

완상【玩賞】[wa:nsang]〈名・하他〉翫賞. 鑑賞. 句例 골동품을 ~하다 骨董品を翫賞する.

완생【完生】〈名・하自〉完全に生きること.

***완성**【完成】〈名・하他〉完成. 出来上がり. 句例 논문을 ~하다 論文をまとめる. 文例 ~까지 열흘은 걸린다 出来上がりまで十日はかかる/이 달 안의 ~은 어려울 것 같다 今月中の完成はおぼつかない. 語例 ~되다 出来上がる. 完成する/~품 完成品.

완수【完遂】〈名〉完遂. **~하다**〈他〉完遂する. 成し遂げる. 果たす. 句例 책임을 ~하다 責任を完遂する〔果たす〕/임무를 ~하다 任務を全うする/연구를 ~하다 研究を成し遂げる. 文例 맡은 일은 기한 안으로 ~해야 한다 引き受けた事は期限内に完遂しなければならない. 語例 ~되다 完遂される.

완숙【完熟】〈名〉完熟. **~하다** [一]〈自〉❶完熟する. 句例 ~한 수박 よく熟れたすいか/~기(期)에 접어들다 完熟期に入る. ❷完全にゆでる. 句例 ~한 달걀 固ゆでの卵. [二]〈形〉熟練している. 句例 ~한 솜씨 熟練した腕前.

완승【完勝】〈名・하自〉丸勝ち. 完勝. 句例 ~을 거두다 完勝を収める.

완역【完譯】[wanyŏk]〈名・하他〉完訳. 語例 ~본 完訳本. 對초역(抄譯).

완연-하다【宛然—】[wa:nyŏn—] (→하다)〈形〉宛然としている. ❶はっきりしている. 文例 가을빛이 ~ 秋の気配がはっきりと感じられる. ❷そっくりだ. 句例 어머니의 모습이 ~ 母親そっくりだ. **완연히**〈副〉宛然として. さながら. ちょうど. 文例 완연히 진짜 같다 宛然として真に迫る.

완월【玩月】[wa:nwol]〈名・하自〉観月. 月見.

완자 [wa:nja]〈名〉小刻みの牛肉に卵・豆腐を混ぜて丸め, 油で揚げた食べ物.

완자-창【卍字窓】[wa:nja—]〈名〉まんじ(卍)形の格子窓. 絵

〈완자창〉

완장【腕章】[wa:njang]〈名〉腕章. 句例 ~을 두르다 腕章をつける.

***완전**【完全】〈名・하形〉完全. 句例 ~한 사람 完全な人/~한 원 完全な円/~한 성공 完全な成功/~을 기하다 完全を期する. 語例 ~무결 完全無欠/~ 고용 完全雇用/~ 식품 完全食品/~ 무장 完全武装/~ 범죄 完全犯罪. **~히**〈副〉完全に. 全く. すっかり. 句例 ~히 사라지다 完全に消え去る. 文例 ~히 잊어버렸다 とんと忘れた/~히 봄이 됐다 すっかり春になった.

완제-품【完製品】〈名〉完成品.

완주【完走】〈名・하自〉完走.

완충 지대【緩衝地帶】[wa:nch'ung—]〈名〉緩衝地帯.

완치【完治】〈名・하他〉完治. 語例 ~되다 完治する.

완쾌【完快】〈名・하自〉全快. 全癒. 句例 ~할 가망이 없는 환자 全快の望みのない病人. 語例 ~되다 全快する.

완투【完投】〈名・하自〉〔野〕完投.

완패【完敗】〈名・하自〉完敗. べた負け《俗》.

완-하제【緩下劑】[wa:n—]〈名〉緩下剤.

완행【緩行】[wa:nhaeng]〈名・하自〉緩行. 鈍行《俗》. 語例 ~ 열차 鈍行列車/~차 緩行車. 對급행.

완화【緩和】[wa:nhwa]〈名〉緩和. **~하다**〈他〉緩和する. 緩める. 句例 수입 규제를 ~하다 輸入規制を緩和する. 語例 긴장 ~ 緊張緩和/~되다 緩和される. 和らぐ.

왈【曰】〈不自〉いわ(曰)く. 句例 공자 ~ 孔子いわく.

왈 〔漢字項目〕

【曰】中學 왈 エツ. ❶가로되 いわく. 가라사대 のたまわく. ▣子曰 자왈 しいわく. ❷일컫다 言う.

왈가닥[1] 〈名〉おてんば. おきゃん.

왈가닥[2] 〈副・하自〉 多くの固い物がぶつかりあって立てる音: かたかた. がちゃがちゃ. ～**거리다** 〈自〉がちゃがちゃする〔させる〕.

왈가-왈부【曰可曰否】〈名・하他〉あれこれ言い立てること. あげつらうこと.

왈짜【曰—】〈名〉⇨ 왈패(曰牌)

*__왈츠__〈名〉ワルツ. ＝원무곡(圓舞曲). ◇waltz

왈카닥〈副・하自〉❶急に引っ張ったり押したりするさま: ぐいっと. ❷急にどっとあふれ出るさま.

왈패【曰牌】〈名〉 言動を慎まず騒騒しい人. ＝왈짜.
表現 おもに女性に対して言う語.

왔다-갔다〈副・하自〉行ったり来たり. 行きつ戻りつ. 句例 ～ 서성거리다 行ったり来たりしながらうろつく.

*__왕__【王】〈名〉王. ❶王様. 句例 ～을 가까이 모시다 王に侍する. ❷長. おさ(長). 句例 백수의 ～ 百獣の王. 文例 소비자는 ～이다 消費者は王様である. 語例 발명～ 発明の王.

왕 〔漢字項目〕

【往(徃)】高校 왕 オウ. ❶가다 行く. 죽다 死ぬ. ▮往來 왕래 おうらい. ▮極樂往生 극락 왕생 ごくらくおうじょう. ❷옛 いにしえ. ▮往古 왕고 おうこ. 往年 왕년 おうねん. ❸이따금 ときどき. ▮往往 왕왕 おうおう.

【王】中學 왕 オウ. ❶왕 王. 천자 天子. ▮王家 왕가 おうけ. ▮帝王 제왕 ていおう. ❷같은 종류 중에서 우두머리 首位にあげられるもの. ▮王者 왕자 おうしゃ. ▮打擊王 타격왕 だげきおう. ❸왕족 남자의 칭호 王族の男子の称. ▮王孫 왕손 おうそん.

왕가【王家】〈名〉王家. 句例 ～의 출신 王家の出.

왕-거미【王—】〈名〉〔動〕おにぐも.

왕-겨【王—】〈名〉粗ぬか(糠). もみ殻. もみぬか(粃糠). す(磨)りぬか.

왕-고모【王姑母】〈名〉大伯母〔叔母〕. 祖父の姉妹.

왕-골〈名〉〔植〕ワングル. 語例 ～ 방석 ワングルで編んだ座布団.

왕관【王冠】〈名〉王冠.

왕국【王國】〈名〉王国.

왕궁【王宮】〈名〉王宮.

왕권【王權】[wangkkwon]〈名〉王権. 語例 ～ 신수설 王権神授説.

왕년【往年】[wa:ngnyŏn]〈名〉往年. 往時. 昔. ＝옛날. 句例 ～의 명배우 往年の名優 / ～의 황금 시대 往年の黄金時代. 文例 ～의 그도 좀 늙었다 往時の彼もかなり老いた.

왕눈-이【王—】[wangnuni]〈名〉どんぐり眼の人.

왕-대부인【王大夫人】〈名〉 他人の祖母の尊称.

왕-대비【王大妃】〈名〉〔史〕生存している, 前王の妃.

왕-대인【王大人】〈名〉 他人の祖父の尊称.

왕도【王都】〈名〉王都. 都. 京.

왕도【王道】〈名〉王道. 文例 학문에 ～는 없다 学問に王道なし.

*__왕래__【往來】[wa:ngnae]〈名・하自〉往来. 行き来. 句例 편지 ～가 있다 手紙のやり取りがある / 사람의 ～가 많다 人の往来が多い / 서로 ～하는 사이 互いに行き来する仲.

왕릉【王陵】[wangnŭng]〈名〉王陵.

왕림【枉臨】[wa:ngnim]〈名・하自〉枉駕. 来臨. 光臨. 来駕. 文例 ～하여 주시기를 바랍니다 御来臨〔御光臨〕を仰ぎます / 일부러 ～해 주셔서 감사합니다 わざわざおいでくださいましてありがとうございます.

*__왕명__【王命】〈名〉王命. 句例 ～을 거스르다 王命に逆らう / ～을 따르다 王命に従う.

왕모【王母】〈名〉王母.

왕-모래【王—】〈名〉粒の粗い砂.

왕-밤【王—】〈名〉大きいくり(栗).

왕-방울【王—】〈名〉大きい鈴. 語例 ～눈 どんぐり眼. 大目玉.
왕방울을 달다 声が大きい.

왕복【往復】[wa:ngbok]〈名・하自〉往復. 行き帰り. 文例 우체국까지 두 번 ～했다 郵便局まで二度往復した / ～ 모두 비행기를 이용했다 行き帰りとも飛行機を利用した. 語例 ～ 엽서 往復葉書 / ～ 운동〔物〕往復運動 / ～표(票) 往復切符.

왕비【王妃】〈名〉王妃. ＝왕후.

왕사【王師】〈名〉王師.

왕-새우【王—】〈名〉〔動〕はこえび.

왕생【往生】[wa:ngsaeng]〈名・하自〉〔佛〕往生. 語例 ～ 극락 極楽往生.

왕성【王城】〈名〉王城.

왕성【旺盛】[wa:ngsŏng]〈名〉 旺盛. ～**하다**〈形〉旺盛だ. 盛んだ. 句例 ～한 기세 隆隆たる勢い / ～한 호기심 旺盛な好奇心. 文例 늙었어도 여전히 의기 ～하다 老いてもなお意気盛んである. 語例 원기 ～ 元気旺盛 / 식욕 ～ 食欲旺盛.

왕-세손【王世孫】〈名〉〔史〕 王世子の長子. 王太孫. 略して'세손(世孫)'ともいう.

왕-세자【王世子】〈名〉〔史〕王世子. 東宮. 春の宮. 語例 ～비 王世子妃. 東宮妃.

왕-소금【王—】〈名〉粗塩.

왕손【王孫】〈名〉王孫.

왕수【王水】〈名〉〔化〕王水.

*__왕실__【王室】〈名〉王室. ＝왕가(王家).

왕업【王業】〈名〉王業.

왕왕〈副・하自〉わめくさま: わあわあ. ～**거리다**〈自〉わあわあわめく. がなりたてる.

왕왕【往往】[wa:ng-wang]〈副〉往往. 折折. 時折. 文例 ～ 실패하는 일이 있다 往往失敗することがある / ～ 의견의 차이도 생긴다 時折意見の相違も生じる.

왕위【王位】〈名〉王位. 句例 ～에 오르다 王位に就く / ～를 계승하다 王位を継ぐ「継承する」/ ～를 빼앗다 王位を奪う.

왕자【王子】〈名〉王子. 語例 ～군(君)〔史〕王の庶子の称号.
参考 '왕자군'は功臣たちに授けた君号と区別するための語.

*왕자【王者】〈名〉王者・. 句例 유도의 ～ 柔道の王者 / ～의 관록 王者の貫禄 / 밀림의 ～ 密林の王者.

왕정【王政】〈名〉王政. 語例 ～ 복고 王政復古

왕제【王弟】〈名〉王弟.

*왕조【王朝】〈名〉王朝. 語例 로마노프 ～ ロマノフ王朝 / ～초 王朝初.

왕족【王族】〈名〉王族.

*왕좌【王座】〈名〉王座. 句例 예능계의 ～를 차지하다 芸能界の王座を占める.

왕진【往診】[wa:ngjin]〈名・하他〉往診. 来診. 句例 의사에게 ～을 청하다 医者に来診を頼む / ～을 거절하다 往診を断る. 語例 ～료 往診料.

왕창〈副〉❶思いっきり. 句例 ～ 마시다 思いっきり飲む. ❷おびただしく多いさま: どっさり. 句例 ～ 벌다 じゃんじゃんもうける.
表現 '왕창'は俗っぽい言いかた.

왕초【王—】〈名〉'거지〔넝마주이〕 두목 こじき〔くず拾い〕の親分の俗っぽい言いかた.

왕통【王統】〈名〉王統. 句例 ～을 잇다 王統を継ぐ.

왕-파리【王—】〈名〉〔蟲〕おおいえばえ.

왕후【王后】〈名〉王后. きさき(后).

왕후【王侯】〈名〉王侯. 語例 ～ 장상 王侯将相.
왕후 장상이 씨가 있나 王侯将相いずくんぞ種あらんや.

왜¹〈名〉〔言〕ハングルの字母'ㅙ'の名称.

왜【倭】〈名〉'왜국(倭國)'の略: 倭.

ㅇ

**왜²[wae:]〈副〉なぜ. 何故. どうして. なんで. 文例 ～ 그런지 슬프다 何となく悲しい / ～ 학교를 쉬었느냐 なんで学校を休んだのだ / ～ 이렇게 추울까 なんで〔どうして〕こんなに寒いのだろう / ～ 그럴까 なぜだろう / ～ 웃느냐 なぜ笑うのか / 왠지 모르게 싫증이 난다 何とはなしに嫌気がさす / ～ 그러세요 どうなさったのですか.

왜가리[wae:gari]〈名〉〔鳥〕あおさぎ(青鷺).

왜-간장【倭—醬】〈名〉(家で作ったのに対して)工場などでつくった醬油の俗称.
参考 日本式の醬油の意.

왜건〈名〉ワゴン. ◇wagon

*왜곡【歪曲】〈名・하他〉歪曲. 句例 사실을 ～ 보고하다 事実を歪曲報告する. 語例 ～되다 歪曲される.

왜관【倭館】〈名〉〔史〕倭館.
参考 朝鮮朝時代, 日本人の通商の窓口として釜山におかれた日本人のための宿舎.

*왜구【倭寇】〈名〉〔史〕倭寇.
参考 13～16世紀にかけて, 朝鮮や中国の沿岸を回りながら略奪した日本人の海賊.

왜국【倭國】〈名〉倭国.
表現 日本をさげすんで言う語.

*왜군【倭軍】〈名〉日本軍.

왜냐-하면〈副〉なんとなれば. なぜかというと. なぜ(何故)なら(ば). いかん(如何)となれば. 文例 ～ 그것이 당연하다고 생각했기 때문이다 なぜならばそれが当然だと考えたからだ.

왜-놈【倭—】〈名〉日本人のやつ《ののしって言う語》.

왜-떡【倭—】〈名〉せんべい.

왜-말【倭—】〈名〉'日本語'をさげすんで言う語.

왜-무【倭—】〈名〉(朝鮮大根に対して)太く長い日本種の大根.

*왜병【倭兵】〈名〉日本兵.

왜색【倭色】〈名〉'日本風'をさげすんで言う語. 語例 ～ 가요 日本風の歌謡曲.

왜소【矮小】〈名・하形〉矮小. 句例 ～한 사람 背の低い人.

왜식【倭式】〈名〉'日本式'をさげすんで言う語.

왜식【倭食】〈名〉'日本料理'をさげすんで言う語. 語例 ～집 日本料理屋.
表現 ふつうは'일식(日食)'を用いる.

왜인【倭人】〈名〉'日本人'をさげすんで言う語.
表現 ふつうは'일인(日人)'を用いる.

왜장【倭將】〈名〉日本軍の大将〔将軍〕.

*왜적【倭敵】〈名〉敵国である日本. 敵国人である日本人.

왜적【倭賊】〈名〉⇨ 왜구(倭寇)

왜정【倭政】〈名〉日本の侵略下の政治. ＝일정(日政). 語例 ～ 시대 日本侵略下の時代.

왝〈副・하自〉吐き出す声: げえ.

외〈名〉〔言〕ハングルの字母'ㅚ'の名称.

*외【外】[oe:]〈名〉外. ＝밖. 句例 그 ～에 その外に / 인솔자 ～ 50명 引率者の外五十名.

외【椳】〈名〉〔建〕壁下地. 壁代.

외-〈頭〉名詞の前に付いて'独・独り・単・片'の意を表わす語. 語例 ～아들 独り子 / ～톨 独りぼっち.

외 〔漢字項目〕

【外】中學 외 ガイ. ゲ. ❶밖 そと. ◧外観 외관 がいかん. ◧内外 내외 ないがい. ❷어떤 범위를 벗어난 곳 ある範囲をこえたところ. ◧外出 외출 がいしゅつ. ◧言外 언외 げんがい. ❸어머니 및 아내의 겨레붙이 母・妻などの身内. ◧外族 외족 がいぞく. 外祖父 외조부 がいそふ. ❹외대다 はずす. ◧除外 제외 じょがい.

【畏】高校 외 イ. 두려워 하다 かしこまる. ◧畏敬 외경 いけい. 畏怖 외포 いふ.

외가【外家】[oe:ga]〈名〉母の里〔実家〕. ＝외갓집.

외간-남자【外間男子】[oe:gan—]〈名〉なんのかかわりもない男. よその男.
参考 親戚以外の男性を女性が呼ぶ語.

외-갈래〈名〉ただ一筋. 語例 ～길 一本筋の道.

외견【外見】[oe:gyŏn]〈名〉外見. ＝외관(外観). 文例 ～은 좋으나 내용이 빈약하다 外見はよいが内容が貧弱である. 語例 ～상 外見上.

외계【外界】[oe:gye]〈名〉外界. 句例 ～의 온

도 外界の温度 / ~로부터 차단되다 外界からとざされる〔遮断される〕. 語例 ~인 外界人.

외-고집【一固執】〈名〉意地っ張り. 片意地. 利きかん気. えこじ(依怙地). いこじ(意固地). 一徹. 句例 노인의 ~ 老人の一徹 / ~이 있는 사나이 いこじな男 / ~을 부리다 意地を張る. 語例 ~쟁이 一徹者. 意地っ張り.

외-곬 [—gol]〈名〉❶一方にだけ通じた道. ❷一本気. 一向き. ひたむき. 一筋. いちず(一途).

외곬으로 一筋に. ひたむきに. 句例 ~ 생각하다 一向きに考える. 一筋に思い詰める. いちずに思い込む / ~ 가다 ひたすら一つのことに努める.

参考 '외곬으로'は[oegolssŭro]と発音される.

***외-과**【外科】[oe:kkwa]〈名〉外科. 句例 ~ 수술을 받다 外科の手術を受ける. 語例 ~의(醫) 外科医.

외곽【外廓】[oe:gwak]〈名〉外郭. 外ぐるわ. 句例 성의 ~을 부수다 城の外郭をこわす. 語例 ~ 단체 外郭団体.

외관【外觀】[oe:gwan]〈名〉外観. 見掛け. 上べ. 体裁. 見え. 外構え. =외견(外見). 句例 ~은 훌륭하다 外観は立派だ / ~은 나쁘지는 않다 外見は悪くはない / ~만 꾸미다 体裁だけつくろう / ~이 나쁘다 見つきが悪い. 文例 사람은 ~으로 판단할 수 없다 人は見掛けによらない.

***외교**【外交】[oe:gyo]〈名〉外交. 句例 ~를 끊다 外交を絶つ. 語例 친선 ~ 親善外交 / ~권 外交権 / ~ 문서 外交文書 / ~ 정책 外交政策 / ~ 사절 外交使節.

외교-관【外交官】[oe:gyo—]〈名〉外交官. 文例 ~으로서의 생애는 화려했다 外交官としての生涯は華華しかった.

***외교-적**【外交的】[oe:gyo—]〈名・冠〉外交的. 句例 ~인 사람 外交的な人 / ~인 수완 外交的な手腕.

외국【外局】[oe:guk]〈名〉外局.

****외국**【外國】[oe:guk]〈名〉外国. 異邦. とつくに《雅》. 句例 ~에 있는 친구 外国にいる友達 / ~으로 수출하다 外国に輸出する / ~에 유학하다 外国に留学する / ~ 수준에 이르다 外国の水準に達する〔追い付く〕/ ~ 사정에 밝다 外情に明るい / ~ 시장에 지반을 구축하다 外国市場に地盤を築く. 語例 ~인〔사람〕外国人. 外人 / ~말 外国語 / ~ 공관 外国公館.

외국-산【外國産】[oe:guk—]〈名〉外国産. 舶来. 句例 국산품이 ~을 능가하다 国産品が舶来品をしの(凌)ぐ.

외국-어【外國語】[oe:gugŏ]〈名〉外国語. 外國. 句例 ~의 필요성을 절실히 느끼다 外国語の必要性をしみじみ感じる.

외국 영화【外國映畫】[oe:gungnyŏnghwa]〈名〉外国映画. 略して'외화 外画'ともいう 句例 ~를 보다 外国映画を見る.

외근【外勤】[oe:gŭn]〈名・하自〉外勤. 語例 ~ 사원 外勤の社員. ㊉내근(內勤).

외기-권【外氣圈】[oe:gikkwon]〈名〉外気圏. 語例 ~ 돌입 外気圏突入.

외-길〈名〉一筋道.

외나무-다리〈名〉一本橋.

외나무다리에서 만날 날이 있다 一本橋で出会う日がある. 恨みをかえばいつかは災いを受けることのたとえ.

외-눈〈名〉片目. 独眼. 一眼.

외눈 하나 깜짝 아니하다 少しも驚かない.

***외다** [oe:da]〈他〉'외우다'の略: そらんじる. 暗記する. 覚える. 句例 염불을 ~ 念仏を唱える / 시구를 ~ 詩句をそらんじる / 영어 단어를 열심히 ~ 一生懸命英語の単語を暗記する. 文例 그 책이라면 대부분 외고 있다 その本なら大抵は空で覚えている.

외도【外道】[oe:do]〈名〉❶正しくない道〔行為〕. ❷⇨ 오입(誤入). **~하다**〈自〉❶よその女と情を通じる. ❷本職以外のことに手をつける.

외-돌토리〈名〉(寄るべない)独りぼっち. 略して'외톨'ともいう. 句例 부모가 죽어 ~가 되다 親が亡くなって独りぼっちになる.

외동-딸〈名〉'외딸 一人娘'の愛称.

외동-아들〈名〉'외아들 一人息子'の愛称.

외등【外燈】[oe:dŭng]〈名〉['옥외등(屋外燈)'の略] 外灯. 句例 현관 밖에 ~을 달다 玄関の外に外灯をつける.

외-따로〈副〉つれもなくただ独りで. ただ一つだけ別に. ぽつんと. 文例 산마루에는 소나무가 ~ 서 있다 山の頂には松がぽつんと立っている.

외딴〈冠〉(多くの物から離れて)ただ一つの. 人里離れた. 語例 ~ 마을 隠れ里 / ~ 곳 人のいない所. 人里離れたところ / ~길 人里離れた寂しい小道 / ~섬 離れ島.

외딴-집〈名〉一軒家. 一つ家. 句例 동네 밖의 ~ 村外れの一軒家.

외-딸〈名〉一人娘. 句例 ~을 시집보내다 一人娘を嫁にやる.

외-떨어지다 [oettŏrŏjida]〈形〉寂しく独り離れている.

외람-되다【猥濫—】[oe:ramttoeda]〈自〉僭越だ. おこがましい. でしゃばる. 句例 외람된 말씀이지만 はばかりながら. 文例 외람되지만 제가 사회를 보겠습니다 僭越ながらわたしが司会をいたします. 語例 외람되이 僭越にも.

***외래**【外來】[oe:rae]〈名〉外来. 語例 ~ 문화 外来文化 / ~ 사상 外来思想 / ~품 外来品. 舶来品 / ~ 환자 外来患者.

외래-어【外來語】[oe:rae—]〈名〉外来語. 句例 ~의 범람 外来語の氾濫.

외로 [oe:ro]〈副〉❶左側に. 左の方に. ❷斜めに. 逆に.

외로 지나 바로 지나 右側に背負っても左側に背負ってもどっちにしても結果は同じだとの意.

***외로움**〈名〉孤独. 寂しさ. 句例 가슴 속에 스며드는 ~ 胸に染みるわ(侘)びしさ.

외로이〈副〉❶心細く. ❷寂しく. わ(侘)びしく.

외롭다 (외로운, 외로워서)〈形〉❶身寄り〔寄るべ〕がなくて心細い. 句例 외로운 몸 独りぼっちの身 / 어머니를 여의고 ~ 母に死なれ

ㅇ

て寂しい. ❷非常に寂しい. わ(侘)びしい. 文例 혼자 다니는 여행은 ～ 独り旅はわびしい / 덕은 외롭지 않다 徳は孤ならず / 혼자 외롭게 서 있다 独りしょんぼり立っている.

외마디-소리 〈名〉 高く鋭い一声. 悲鳴. 句例 ～를 지르다 悲鳴をあげる.

외면[1] 【外面】 [oe:myŏn] 〈名〉 外面. 外側. 上べ. 面. 表面. 文例 ～은 모두 페인트칠을 한다 外側は全部ペンキ塗りにする. 語例 ～치레 見せかけ.

외면[2] 【外面】 [oe:myŏn] 〈名・하自〉 そっぽを向くこと. 顔を背けること. 文例 어려운 일을 ～만 할 수는 없다 難しい事から目をそらしてばかりいる訳にはいかない. 語例 ～당하다 そっぽを向かれる.

외면-적 【外面的】 [oe:myŏn—] 〈名・冠〉 外面的. 句例 ～인 고찰 外面的考察.

외-명부 【外命婦】 [oe:—] 〈名〉〔史〕 外命婦. 對내명부.
参考 朝鮮朝時代, 王族の妻・娘および文武官の妻の総称.

외모 【外貌】 [oe:mo] 〈名〉 容貌. 見た目. 外見. 外面. 上べの様子. 句例 남자다운 ～ 男らしい容貌 / ～를 꾸미다 外見を飾る. 文例 ～보다 마음이 고와야지 外見よりも心がきれいでなくちゃ.

외무 【外務】 [oe:mu] 〈名〉 外務. 語例 ～원 外務員. 外交員.

외무-부 【外務部】 [oe:mu—] 〈名〉 外務部. 外務省に当たる. 語例 ～ 장관 外務部長官. 外務大臣.

외미 【外米】 [oe:mi] 〈名〉 [‘외국미’の略] 外米. 句例 ～를 사들이다 外米を買い入れる.

외박 【外泊】 [oe:bak] 〈名・하自〉 外泊. 句例 무단 ～하다 無断で外泊する / ～을 허가하다 外泊を許可する.

외-발 〈名〉 片方の足. 語例 ～ 제기 片方の足でける‘제기’遊び.

외-밭 [oe:bat] 〈名〉 きゅうりやまくわうりの畑. →밭参考

외벽 【外壁】 [oe:byŏk] 〈名〉 外壁. ＝밭벽.

***외부** 【外部】 [oe:bu] 〈名〉 外部. 外. 外側. 外方. 句例 ～에 알려지다 外部に知られる / ～로부터의 비평〔압력〕 外部からの批評〔圧力〕 / 건물의 ～ 建物の外部 / ～에 누설하다 外部にもらす. 語例 ～ 사람 外部の人 / ～ 구조 外構え. 對내부

외빈 【外賓】 [oe:bin] 〈名〉 外賓.

***외-삼촌** 【外三寸】 [oe:samch'on] 〈名〉 母方のおじ.

외상 [oe:sang] 〈名〉 付け. 帳付け. 掛け. 句例 쌀을 ～으로 팔다 米を掛け買いする〔付けで買う〕. 語例 ～ 매입 買い掛け. 掛け買い / ～값 掛け金 / ～ 판매 掛け売り / ～ 장부 掛け売り通帳.

외상이면 소도 잡아 먹는다 付けで買うなら牛もほふ(屠)って食べる. 後の事は考えずその場さえよければ何でもすることのたとえ.

***외상** 【外傷】 [oe:sang] 〈名〉 外傷. 句例 ～을 입다 外傷を負う.

외서 【外書】 [oe:sŏ] 〈名〉 [‘외국 도서’の略] 外書.

외선 【外線】 [oe:sŏn] 〈名〉 外線. 語例 ～ 공사 外線工事. 對내선(内線).

외설 【猥褻】 [oe:sŏl] 〈名・하形〉 猥褻. 語例 ～물 猥褻物 / ～ 행위 猥褻行為.

외성 【外城】 [oe:sŏng] 〈名〉 外城.

외세 【外勢】 [oe:se] 〈名〉 外勢. ❶外の情勢. ❷外国の勢力.

외손 【外孫】 [oe:son] 〈名〉 ⇨ 외손자

외-손녀 【外孫女】 [oe:—] 〈名〉 娘が産んだ女の子. 孫娘.

외-손자 【外孫子】 [oe:—] 〈名〉 外孫・そとまご.

외숙 【外叔】 [oe:suk] 〈名〉 母方のおじ. ＝외삼촌.

외-숙모 【外叔母】 [oe:sungmo] 〈名〉 母方のおじの妻.

외식 【外食】 [oe:shik] 〈名・하自〉 外食.

외신 【外信】 [oe:shin] 〈名〉 外信. 外電. 句例 ～이 전하는 바에 의하면 外信の伝えるところによると / ～이 들어오다 外電が入る. 語例 ～부 外信部 / ～ 기자 外信記者.

외-아들 〈名〉 独り息子.

외야 【外野】 [oe:ya] 〈名〉〔野〕 外野. 語例 ～수 外野手. アウトフィールダー.

외양 【外洋】 [oe:yang] 〈名〉 外洋.

외양 【外様】 [oe:yang] 〈名〉 見え. 外見. 外面. ＝외모(外貌). 句例 ～에 무관심하다 見えに構わない. 文例 ～만 훌륭한 건축이다 外面だけ立派な建物だ.

***외양-간** 【喂養間】 [—kkan] 〈名〉 牛小屋. 牛舎. 文例 소 잃고 ～ 고친다《속담》 後悔先に立たず. 盗人を見て取りなわをなう.

외올-실 〈名〉 片糸. 一本の糸.

외욕-질 〈名・하自〉 吐き気. 略して‘왹질’ともいう.

외용 【外用】 [oe:yong] 〈名・하他〉 外用. 語例 ～약 外用薬. 付け薬.

***외우다** 〈他〉 暗記する. 覚える. 記憶する. そらんじる. 略して‘외다’ともいう.

외유 【外遊】 [oe:yu] 〈名・하自〉 外遊. 句例 ～길에 오르다 外遊の途にのぼる.

외유-내강 【外柔内剛】 [oe:yu-nae:gang] 〈名・하形〉 外柔内剛. 句例 ～한 사람 外柔内剛の人.

외이 【外耳】 [oe:i] 〈名〉〔生〕 外耳. 語例 ～염 外耳炎. 對중이(中耳). 내이(内耳).

외인 【外人】 [oe:in] 〈名〉 ❶外人. 語例 ～ 부대 外人部隊 / ～ 주택 外国人住宅. ❷部外者. 句例 ～ 출입 금지 部外者立入禁止. ❸他人. 文例 출가 ～이라는 말이 있다 嫁に行けば他人という言葉がある.

외-자 【一字】 〈名〉 一字. 語例 ～ 이름 一字からなる名前.
参考 ‘허준(許浚)’, ‘정철(鄭澈)’の‘준(浚)’ ‘철(澈)’が‘외자 이름’である.

외자 【外資】 [oe:ja] 〈名〉 [‘외국 자본 外国資本’の略] 外資. 語例 ～ 도입 外資導入.

외적 【外的】 [oe:tchŏk] 〈名・冠〉 外的. 語例 ～ 조건〔욕구〕 外的条件〔欲求〕. 對내적(内的).

*외적【外敵】[oe:jŏk]〈名〉外敵. 句例 ～의 침입에 대비하다 外敵の侵入に備える / ～을 막다 外敵を防ぐ.
외전【外電】[oe:jŏn]〈名〉外電.
외제【外製】[oe:je]〈名〉['외국제 外国製'の略]. 外国製. 語例 ～ 화장품 外国製の化粧品 / ～차 外車.
외-조모【外祖母】[oe:—]〈名〉外祖母.
외-조부【外祖父】[oe:—]〈名〉外祖父.
외종 사촌【外從四寸】[oe:jongsa:ch'on]〈名〉母方のおじの子. いとこ.
외종-형【外從兄】[oe:jong—]〈名〉母方のいとこのうち年上の男. 對외종제(外從弟).
외-줄〈名〉一筋. 一本. 単線.
외지【外地】[oe:ji]〈名〉[외국신문 外国新聞の略] 外地. よその土地. 文例 고향을 떠나 ～에 나가 있다 故郷を離れて外地に出ている. 語例 ～ 근무 外地勤務.
외지【外紙】[oe:ji]〈名〉外紙.
외-지다〈形〉ひっそりとしている. 人里離れている. 句例 외진 산길 ひっそりとした山道.
외채【外債】[oe:ch'ae]〈名〉外債. ＝외국채(外國債).
외척【外戚】[oe:ch'ŏk]〈名〉外戚. 文例 그녀는 나의 ～뻘이 된다 彼女はわたしの外戚に当たる.
외출【外出】[oe:ch'ul]〈名〉外出. ～하다〈自〉外出する. 出掛ける. 句例 ～중이다 外出中である / ～에서 돌아오다 外出から戻る. 文例 잠깐 ～하고 올게 ちょっと外出してくる. 語例 ～복 外出着. よそ行き(の服) / ～증 外出許可書 / 무단 ～ 無断外出 / ～ 금지 外出禁止.
*외치다 [oe:ch'ida]〈自他〉叫ぶ. わめ(喚)く. 声を張り上げる. 句例 구조를 ～ 助けを呼ぶ / 독립을 ～ 独立を叫ぶ. 文例 주정꾼의 외치는 소리가 뚝 그쳤다 酔いどれのわめき声がぷっつりと切れた.
외탁【外—】[oe:t'ak]〈名・하自〉容貌・性格・体質などが母方に似ていること. 對친탁.
외톨-밤〈名〉いがの中に一粒入っているくり(栗).
외톨-이 [oet'ori]〈名〉独り身. 一人ぼっち. ＝외돌토리.
외-통〈名〉(将棋で)一手詰めの王手. 語例 ～수(手) 一手詰め.
*외투【外套】[oe:t'u]〈名〉外套. オーバー(コート). 句例 낡아 빠진 ～ よれよれのオーバー / ～를 한벌 사다 外套を一着買う.
외판【外販】[oe:p'an]〈名・하他〉外販. 外商. 語例 ～원 外販の従業員. 外交員. セールスマン.
외-팔〈名〉片腕. 隻腕. 語例 ～이 片腕の人.
외풍【外風】[oe:p'ung]〈名〉❶透き間風. 外から入る風. 句例 ～이 세다 透き間風がひどい. ❷外来の風俗.
*외-할머니【外—】[oe:—]〈名〉外祖母. 母方のおばあさん.
*외-할아버지【外—】[oe:harabŏji]〈名〉外祖父. 母方のおじいさん.
외항【外港】[oe:hang]〈名〉外港.
외항【外項】[oe:hang]〈名〉〔數〕外項. 對내항(內項).
외항-선【外航船】[oe:hang—]〈名〉外航船. 對내항선(內航船).
외해【外海】[oe:hae]〈名〉外海. 外洋. 對내해. 근해.
외향-성【外向性】[oe:hyangssŏng]〈名〉〔心〕外向性. 對내향성.
*외형【外形】[oe:hyŏng]〈名〉外形.
*외화【外貨】[oe:hwa]〈名〉外貨. 句例 ～를 벌다 外貨を稼ぐ. 語例 ～ 보유고 外貨保有高 / ～ 획득 外貨獲得.
외환【外患】[oe:hwan]〈名〉外患. 句例 내우～이 번갈아 가며 닥치다 内憂外患こもごも至る.
외환【外換】[oe:hwan]〈名〉['외국환'の略] 外国為替. 語例 ～ 관리 外国為替管理 / ～ 시장 外国為替市場 / ～ 은행 外国為替銀行 / ～율 (外国)為替相場.
*왼-발 [oe:n—]〈名〉左足.
왼-새끼 [oe:n—]〈名〉左縄.
参考 不浄を防ぐといわれしめ縄などに用いられる.
왼새끼를 꼬다 左縄をなう. ❶事がさんざんによじれる. ❷皮肉り, 嫌がらせを言う.
*왼-손 [oe:n—]〈名〉左手. 語例 ～잡이 左利き. ぎっちょ.
왼-씨름 [oe:n—]〈名〉左相撲. 對오른씨름.
参考 '샅바 回し'は右足に掛け, 肩は左側に当てて取る相撲.
**왼-쪽 [oe:n—]〈名〉左側. 左手.
*왼-팔 [oe:n—]〈名〉左腕・さわん. 語例 ～ 투수 左腕投手. サウスポー.
왼-편【一便】[oe:n—]〈名〉左. 左側. 左の方. ＝왼편짝.
욀-총【一聰】[oe:l—]〈名〉記憶力. 暗記力.
요[1]〈名〉〔言〕ハングルの字母'ㅛ'の名称.
요【要】〈名〉要. 文例 ～는 돈이다 要は金.
表現 '要点'の意で, おもに'요는'の形で用いられる.
**요[2]〈名〉敷布団. しとね《雅》. 句例 ～를 깔다 敷布団を敷く.
요[3]〈冠〉この. 文例 ～ 근처이다 この辺である / ～ 이삼일이 고비다 ここ二三日が峠である. 語例 ～놈 こいつ.
表現 卑しめたり小さいものを指していう.
요[4]〈助〉❶…よ. …わ. …ます(よ). 文例 눈이 와～ 雪が降りますよ / 나는 안 갈래～ わたしは行かないよ / 몰랐는 걸～ 知らなかったんですもの / 빨리～ 早くよ / 울고 있어～ 泣いてますわ. ❷…ですね. 文例 저는～ 어저께～ 그분한테서～ 좋은 사람을 소개받았어요 わたしはですね, きのうですね, あの方からですね, いい人を紹介されたんですよ.
表現 ①は, 説明語の語尾について尊称や注意をうながす特殊助詞. ②は, 助詞・体言・副詞などについて, 目上の人に対し強調したり語調を整えたりする特殊助詞.

ㅇ

요 〔漢字項目〕

【搖(揺)】 高校 요 ヨウ. ❶흔들리다 ゆれうごく. ▮搖落 요락 ようらく. ▮動搖 동요 どうよう. ❷흔들다 ゆり動かす. ▮搖籃 요람 ようらん.

【腰(腰)】 高校 요 ヨウ. ❶허리 こし. ▮腰痛 요통 ようつう. ▮細腰 세요 さいよう. ❷허리에 차다 腰におびる. ▮腰刀 요도 こしがたな.

【要(要)】 高校 요 ヨウ. ❶구하다 求める. ▮要請 요청 ようせい. ❷요하다 いる. ▮必要 필요 ひつよう. ❸중요한 곳 かなめ. ▮要路 요로 ようろ. ▮主要 주요 しゅよう.

【謠(謡)】 高校 요 ヨウ. ❶노래하다 うたう. ▮謠詠 요영 ようえい. ❷노래 うた. ▮俗謠 속요 ぞくよう. 歌謠 가요 かよう. ❸소문 うわさ. ▮謠言 요언 ようげん.

【遙(遥)】 高校 요 ヨウ. ❶아득히 멀다 はるか遠い. ▮遙遠 요원 ようえん. ❷멀리 遠く. ▮遙拜 요배 ようはい. ❸거닐다 ぶらぶら歩く. ▮消遙 소요 しょうよう.

요가 〈名〉 ヨーガ. ヨガ. ゆが(瑜伽). ◇범 yoga

요강 【尿鋼】〈名〉 しゅびん(溲瓶). しびん. おまる. おかわ(御厠)《女》. 絵

〈요강〉

요강 【要綱】〈名〉 要綱. 語例 정치학 ~ 政治学要綱.

요건 【要件】[yokkŏn] 〈名〉 要件. 句例 ~을 구비하다〔갖추다〕 要件を備える / ~을 충족시키다 要件を満たす. 文例 성공의 ~은 성실이다 成功の要件は誠実である.

요-건 [‘요것은’の略] これは. 文例 ~ 뭐냐 これは何かね.

요-걸 [‘요것을’の略] これを. こいつを. 文例 ~ 어떻게 한다는 거냐 これをどうすると言うのかね.

요-것 〈代〉 ❶これ. 文例 ~은 내 것이다 これはわたしのだ. ❷こいつ. 文例 ~ 참 맹랑한 놈이다 こいつ, なかなかのものだな.

요-게 [‘요것이’の略] これが. こいつが. 文例 ~ 까불어 この野郎, なまいきな事をしやがる.

요격 【邀擊】〈名・하他〉 迎擊. 邀擊. 語例 ~기 邀擊機 / ~ 미사일 迎擊ミサイル.

요괴 【妖怪】〈名〉 妖怪. お化け. 化け物. 変化. 句例 밤마다 나타나는 ~ 夜ごと現れる妖怪. **~스럽다** (→스럽다) 〈形〉 奇怪だ.

요구 【要求】〈名〉 要求. **~하다** 〈他〉 要求する. 求める. 句例 부당한 ~ 不当な要求 / 회장의 퇴진을 ~하다 会長の退陣を求める / 시대의 ~ 時代の要求 / ~를 물리치다 要求をしりぞける / ~에 응하다 要求に応じる. 語例 임금 인상 ~ 賃上げ要求 / ~되다 要求される.

요구르트 〈名〉 ヨーグルト. ◇yog(h)urt

요금 【料金】[yo:gŭm] 〈名〉 料金. 句例 ~을 치르다〔내다〕 料金を払う / ~을 인상하다 料金を引き上げる. 語例 전기 ~ 電気料金. 電気料 / 공공 ~ 公共料金 / 버스 ~ バス代. バスの料金.

요기 【療飢】〈名・하自〉 虫養しない. 口しのぎ.

요긴-하다 【要緊一】(→하다) 〈形〉 重要だ. 緊要だ. 非常に大切だ. 句例 요긴한 사람〔문제〕 緊要な人〔問題〕. 語例 요긴하게 大切に. 緊要に.

요-다음 〈名〉 この次. 略して‘요담’とも言う. 文例 ~ 일요일에 또 만납시다 次の日曜にまた会いましょう.

요담 【要談】〈名・하自〉 要談. 句例 ~을 나누다 要談を交わす / 바로 ~으로 들어가다 早速要談に取りかかる.

요도 【尿道】〈名〉〔生〕 尿道. 語例 ~염 尿道炎.

요동 【搖動】〈名〉 揺れ. **~하다** 〈自他〉 揺れる. 句例 심한 ~ ひどい揺れ.

요들 〈名〉〔樂〕 ヨーデル. 語例 ~송 ヨーデルの歌. ◇yodel

요란-스럽다 【搖亂一・擾亂一】(→스럽다) 〈形〉 騒がしい. やかましい. けばけばしい.

***요란-하다** 【搖亂一・擾亂一】(→하다) 〈形〉 ❶騒騒しい. 句例 요란한 노랫소리 騒騒しい歌声 / 요란한 초인종 소리 けたたましいベルの音. 語例 요란하게 騒騒しく. ❷けばけばしい. 大げさだ. 句例 요란한 옷차림 あっと言わせるようなけばけばしい身なり.

요람 【搖籃】〈名〉 揺りかご. 揺籃. 句例 ~에서 무덤까지 揺りかごから墓場まで. 語例 ~지 揺籃地 / ~ 시대 揺籃時代.

요람-기 【搖籃期】〈名〉 揺籃期. 句例 회사의 ~ 会社の揺籃期.

요랬다-조랬다 こうしたりああしたり. こう言ったりああ言ったり. 文例 ~ 갈팡질팡한다 こうしたりああしたりうろうろするばかりだ.

요량 【料量】〈名・하他〉 後事をよく考え図ること. 了見. 思案. 句例 ~이 있는 사람 了見深い人.

요러다가 [‘요러하다가’の略] このようにして. こうして. 文例 ~ 해가 지면 어떻게 하지 こうしているうちに日が暮れたらどうするかな / ~ 날이 새겠다 こうしているうちに夜が明けそうだ.

요러쿵-조러쿵 〈副・하自〉 ⇨ 이러쿵저러쿵. 文例 ~ 말이 많다 なんだかんだと文句が多い.

요렇다 [yorŏt'a] (요러니, 요러오) 〈形〉 [‘요러하다’の略] このようだ. こうだ.

***요령** 【要領】〈名〉 要領. こつ. 句例 ~을 익히다 こつを覚える / ~이 좋다 要領がいい. 語例 ~껏 要領よく.

요령(을) 부리다 要領よくする. 要領を得たことをする.

요령(이) 있다 要領がいい. 句例 요령있게 말하다 要領よく話す. 文例 그의 대답은 간단하고 요령 있다 彼の答えは簡にして要〔要領〕を得ている. 語例 요령있게 要領よく.

요령-부득 【要領不得】〈名・하形〉 要領を得ないこと. 文例 ~이라 잘 모르겠다 要領を得ずよくわからない.

요로 【要路】〈名〉 要路. 句例 교통의 ~ 交通の要路 / 관계 ~에 진정하다 関係の要路へ陳情する.

요리 【料理】〈名・하他〉 料理. 句例 손수 만든 ~ 手ずから作った料理 / ~를 배우다 料理を

習う / 국정을 ~하다 国政を料理する. 文例 ~를 잘 한다 料理が上手だ. 語例 서양〔중국〕 ~ 西洋〔中国·中華〕料理 / 일품~ 一品料理 / ~법 料理法 / 요릿집 料理屋. 料理店 / ~사 料理人. 調理師 / ~상(床) 料理を並べたお膳.

요리-조리 〈副〉'이리저리'の語感の小さい語. 文例 ~ 용케 피한다 あち(ら)こち(ら)にうまく避け回る.

요망【要望】〈名・하他〉要望. 句例 ~에 부응하다 要望にこた(応)える / 계획의 실현을 강력히 ~하다 計画の実現を強く要望する. 文例 봄철에는 불조심이 ~됩니다 春の季節には火の用心が要望されます.

요모-조모 〈名・副〉'이모저모'の語感の小さい語. 句例 ~(로) 자세히 알아보다 あれこれとくわしく調べてみる.

요목【要目】〈名〉要目. 語例 교수 ~ 教授要目.

요물【妖物】〈名〉❶あやしい物. ❷邪悪な人. 語例 ~ 단지 魔物.

요법【療法】[yoppop]〈名〉療法. 語例 대증 ~ 対症療法 / 물리 ~ 物理療法 / 민간 ~ 民間療法.

요부【妖婦】〈名〉妖婦. 妖女. バンプ. 句例 ~형의 여자 妖婦型の女.

요사【妖邪】〈名・하形〉あやしく邪悪であること. **~스럽다**(→스럽다)〈形〉あやしくよこしまに見える.

요사(를) 떨다 よこしまにふるまう.

요사(를) 부리다 よこしまな言動をする.

요사(를) 피우다 よこしまな言動を公然とする.

***요-사이** 〈名・副〉❶この間. ❷このごろ. 近ごろ. 文例 ~ 어떻게 지내십니까 近ごろいかがお過ごしですか / ~ 젊은이는 예의를 모른다 近ごろの若い者は礼儀を知らない.

***요-새** 〈名・副〉'요사이'の略.

요새【要塞】〈名〉要塞. 要害. とりで(砦). 句例 자연의 ~ 自然の要害 / 난공 불락의 ~ 難攻不落の要塞 / ~화하다 要害化する. 語例 ~지(대) 要塞地. 要塞地帯.

요소【尿素】〈名〉〔化〕尿素. 語例 ~ 비료 尿素肥料 / ~ 수지 尿素樹脂. ユリア樹脂.

요소【要所】〈名〉要所. 句例 ~에 경관을 배치하다 要所に警官を配置する / ~에 감시자를 세우다 要所に張り番を立てる / ~ ~에 要所要所に.

요소【要素】〈名〉要素. エレメント. 句例 물질의 구성 ~ 物質の構成要素 / 자연의 3대 ~, 불・물・흙 自然の三大要素, 火・水・土.

***요술**【妖術】〈名〉妖術. 魔法. 手品. 魔術. 句例 ~을 부리다 妖術を使う. 語例 ~쟁이 妖術師. 魔法使い. 手品師 / ~ 거울〔지팡이〕 魔法の鏡〔杖〕.

요시찰-인【要視察人】[yoshich'arin]〈名〉〔法〕行政・警察上の要注意人物.

요식【要式】〈名〉要式. 語例 ~ 행위 要式行為.

요식-업【料食業】[yo:shigŏp]〈名〉飲食業.

요약【要約】〈名・하自他〉要約. 句例 ~하여 말하다 かいつまんで話す / 이야기의 내용을 간단히 ~하면 話の内容を簡単に要約すれば. 語例 ~되다 要約される.

***요양**【療養】〈名・하自他〉療養. 語例 결핵 ~소 結核療養所 / ~ 생활 療養生活 / 자택 ~ 自宅療養.

요업【窯業】〈名〉窯業.

요염-하다【妖艶—】(→하다)〈形〉妖艶だ. あで(艶)やかだ. なまめかしい. あだ(婀娜)っぽい. 句例 요염한 자태 妖艶な姿態〔姿〕 / 요염한 여자 あだっぽい女.

***요오드** 〈名〉〔化〕ヨード. 沃素. ＝옥소(沃素). 옥도(沃度). 語例 ~ 용액 ヨードチンキ / ~포름 ヨードホルム. ◇프iode, 도Jod

요요 [yo:yo]〈名〉ヨーヨー. ◇yoyo

요원【要員】〈名〉要員. 句例 ~을 확보〔양성〕하다 要員を確保〔養成〕する. 語例 보안 ~ 保安要員 / 작업 ~ 作業要員.

요원-하다【遙遠—・遼遠—】(→하다)〈形〉遥遠だ. 遼遠だ. 句例 전도 ~ 前途遼遠だ.

요율【料率】[yo:yul]〈名〉料金の程度・割合.

요인【要人】〈名〉要人. 語例 정부 ~ 政府の要人.

요인【要因】〈名〉要因. 句例 ~이 되다 要因になる / 실패의 ~ 失敗の要因.

***요일**【曜日】〈名〉曜日. 文例 무슨 ~입니까 何曜日ですか.

요-전【—前】〈名〉この前. 先日. この間. 先だって. 句例 ~에 본 영화 この前見た映画 / ~ 일요일 この前の日曜日. 文例 ~에는 실례했습니다 先日は失礼いたしました / ~부터 쭉 집에 안 계셔요 この前からずっと家におられません.

요-전번【—前番】[—jŏnppŏn]〈名〉この前. 先日. 先ごろ. 文例 ~에는 많은 폐를 끼쳤습니다 先ごろにはいろいろごやっかいになりました.

요절【夭折】[yo:jŏl]〈名・하自〉夭折. 若死に. ＝요사(夭死). 文例 그의 ~은 국가의 크나큰 손실이다 彼の夭折は国家の大きな損失である.

요절【腰折・腰絶】〈名・하自〉あまりにもおかしくて腰が折れそうなこと. 笑いこけること. 句例 ~ 복통(腹痛)할 노릇 あまりにもおかしくて腰が折れ腹が痛くなりそうなこと.

요절-나다 [yojŏllada]〈自〉(物事が)台なしになる. おじゃんになる.

요절-내다 [yojŏllaeda]〈他〉台なしにする. 使えなくする. 駄目にする.

***요점**【要點】[yotchŏm]〈名〉要点. 句例 ~만 간단히 말하다 要点だけ手短かに述べる / ~을 파악하다 急所をつかむ.

요정【妖精】〈名〉妖精. ニンフ. 句例 꽃의 ~ 花の妖精.

요정【料亭】〈名〉料亭. 料理屋. ＝요릿집.

参考 おもに, 韓国料理を出す高級な店をいう.

요조-숙녀【窈窕淑女】[yo:josungnyŏ]〈名〉窈窕たる淑女. 美しくしとやかな淑女.

요-주의【要注意】〈名〉要注意. 語例 ~ 인물

要注意人物.

요-즈막〈名・副〉このごろ. 最近. 近ごろ. 近来. 句例 ~의 유행 近ごろの流行.

****요-즈음**〈名・副〉このごろ. 今時《老》. 近ごろ. 当節. 略して'요즘'ともいう. 句例 ~의 세태 昨今の世相 / ~의 젊은이 このごろの若者. 文例 ~ 그런 일은 보통이다 近ごろそんな事はありきたりである / ~ 그런 생각은 진부하다 今時そんな考えは古臭い.

요지【要地】〈名〉要地. 句例 교통의 ~ 交通の要地.

요지【要旨】〈名〉要旨. 大要. あらまし. 句例 사건의 ~를 말하다 事件の大要を話す / 상대방 말의 ~를 잘 파악하다 相手の話の要旨をよく把握する.

요지-경【瑤池鏡】〈名〉のぞき眼鏡. のぞきからくり. 文例 세상은 ~ 속이다 世はまさにのぞき眼鏡みたいだ. 世の中が混乱していて何が何だかわからないの意.

요지-부동【搖之不動】〈名・하自〉ゆさぶっても微動だにしないこと. 絶対変わらないこと.

요직【要職】〈名〉要職. 句例 ~에 오르다〔앉다〕要職に就く / 정부의 ~에 있다 政府の要職にある.

요철【凹凸】〈名・하形〉凹凸. でこぼこ. 句例 ~이 심하다 でこぼこが多い.

요청【要請】〈名〉要請. **~하다**〈他〉要請する. (強く)請い求める. 句例 면회를 ~하다 面会を求める / ~을 받아들이다 要請を受け入れる / ~을 거절하다 要請を断る. 語例 ~되다 要請される / ~받다 要請を受ける / ~서 要請書.

요체【要諦】〈名〉要諦. 句例 처세의 ~를 깨닫다 処世の要諦を悟る.

요추【腰椎】〈名〉〔生〕腰椎. =허리등뼈.

요충【要衝】〈名〉['요충지'の略] 要衝. 語例 ~지 要衝(の地) / ~ 지대 要衝地帯.

요-컨대【要─】〈副〉要するに. せん(詮)ずるところ. 要は. 文例 ~ 결론은 이렇다 つまり結論はこうである / ~ 합격해야 한다 要するに合格しなければならない.

요크셔-종【Yorkshire種】[yo:k'ŭsyŏ─]〈名〉ヨークシャ種.

요통【腰痛】〈名〉腰痛. 句例 ~을 고치다 腰痛をなおす.

요트〈名〉ヨット. 語例 ~ 레이스 ヨットレース. ◇yacht

요판【凹版】〈名〉〔印〕凹版. =오목판. 語例 ~ 인쇄 凹版印刷. グラビア印刷. 對철판(凸版).

요-하다【要─】(→하다)〈他〉要する. 必要とする. 句例 정확을 ~ 正確を要する / 재검을 ~ 再検討を要する.

요해【了解】[yo:hae]〈名・하他〉了解. 句例 암묵의 ~ 暗黙の了解.

요해【要害】〈名〉'요해처'の略: 要害.

요해-처【要害處】〈名〉❶要害地. ❷からだの重要な部分.

***요행**【僥倖・徼幸・徼倖】■〈名・하自形〉僥倖. こぼれ〔まぐれ〕幸い. 句例 ~을 믿다 僥倖に頼る / ~을 바라다 僥倖を願う. 文例 성공은 ~이 아니다 成功はまぐれではない. **~히**〈副〉運よく. 幸運にも. まぐれ幸いに. 文例 ~ 합격했다 まぐれ幸いに受かった.
■〈副〉まぐれ(幸い)に. 運よく. 意外の幸運で.

요행-수【僥倖數】[─ssu]〈名〉まぐれ当たり. 句例 ~를 노리다 山をかける〔張る〕/ 큰 ~를 바라다 大穴をねらう. 文例 ~로 일등을 했다 まぐれ当たりに一等をした.

****욕**【辱】〈名・하自〉❶'욕설'の略: 悪口. 悪罵. 句例 ~을 하다 悪口を言う / 뒤에서 ~을 하다 陰で悪口を言う / ~을 퍼붓다 激しくののしる.
❷恥辱. 辱め. 句例 ~을 당하다 辱めを受ける.
❸'수고 苦労'の俗っぽい言いかた.

욕(이) 되다 不面目だ. 不名誉である. 恥になる. 句例 조상의 이름을 욕되게 하다 祖先の名を辱める〔汚す〕.

욕(을) 먹다 悪口をいわれる. ののし(罵)られる. 非難される. 悪評を聞く.

욕(을) 보다 ❶恥辱を受ける. 恥をかく. 辱められる. ❷(非常に)苦労する. 骨折る. 困難をなめる. 文例 자네 욕보았군 君苦労したな / 어제는 욕보셨습니다 昨日はご苦労様でした. ❸強姦される. 辱められる.

욕(을) 보이다 ❶辱める. 恥をかかせる〔与える〕. ❷苦労をかける. 苦しめる.

욕 〔漢字項目〕

【慾】 高校 욕 ヨク. 탐내다 むさぼる. ■慾情 욕정 よくじょう. ■貪慾 탐욕 どんよく.

【欲】 中學 욕 ヨク. ❶하고자 하다. 바라다 ほっする. ■欲求 욕구 よっきゅう. 欲望 욕망 よくぼう. ❷욕심 よく. ■情欲 정욕 じょうよく.

【浴】 中學 욕 ヨク. ❶미역감다 水をあびる. ■浴客 욕객 よっかく. ■入浴 입욕 にゅうよく. ❷미역 水浴び. ■海水浴 해수욕 かいすいよく.

【辱】 高校 욕 ジョク. ❶욕보이다 はずかしめる. ■凌辱 능욕 りょうじょく. 侮辱 모욕 ぶじょく. ❷욕보다 はずかしめを受ける. ■屈辱 굴욕 くつじょく. ❸욕 はずかしめ. ■恥辱 치욕 ちじょく.

욕-가마리【辱─】〈名〉悪口を言われて当然な人.

욕-감태기【辱─】〈名〉いつも人から悪口を言われている人.

욕객【浴客】〈名〉浴客. 句例 온천장의 ~ 温泉場の浴客.

욕구【欲求】〈名・하他〉欲求. 句例 생의 ~ 生の欲求 / 만인의 ~를 채우다〔충족시키다〕万人の欲求を満たす. 語例 ~ 불만 欲求不満.

욕망【欲望】[yongmang]〈名〉欲望. 句例 ~을 채우다 欲望を満たす / ~을 누르다 欲望を押さえる / ~에 눈이 어두워지다 欲望に目がくらむ. 文例 인간의 ~에는 한이 없다 人間の欲望には限りがない.

욕설【辱說】〈名・하自〉悪口. 雑言. 毒

口. 略して'욕(辱)'ともいう. 句例 ~을 퍼붓다 悪口をあびせる. 毒づく. 悪態をつく / ~을 듣고 격분하다 悪口を言われて激昂する.

***욕실**【浴室】〈名〉['목욕실(沐浴室)'の略] 浴室. ふろ場. 湯殿《老》.

***욕심**【欲心·慾心】〈名〉欲. 欲心. 欲念. 句例 ~이 많은 사람 欲の深い人. 貪婪な人 / ~이 없다 欲がない / 돈에 대한 ~ 金銭に対する欲. 文例 지나친 ~은 화를 부른다 過ぎた欲は災いを呼ぶ. 語例 ~꾸러기 欲張り(の人). 貪欲な人 / ~쟁이 欲張り. 強欲な人.

욕심(이) 나다 欲が出る. 欲しいと思う.

욕심(을) 내다 欲を出す. 欲張る. 句例 욕심을 낸다면 欲気を出せば.

욕심(을) 부리다 欲張る. 欲をかく. 文例 너무 욕심을 부리면 안 돼요 あまり欲張るとだめですよ / 욕심을 부리자면 한이 없다 欲を言ったらきりがない.

욕심(이) 사납다 強欲〔どんよく〕である. ひどい欲張りである.

욕-쟁이【辱―】〈名〉悪口をよく言う人. 悪口屋.

욕정【欲情】〈名〉欲情. 句例 ~에 사로잡히다 欲情に襲われる.

욕조【浴槽】〈名〉浴槽. 湯船.

욕-지거리【辱―】〈名·하自〉雑言. 悪口. 悪態. 悪たれ口. ＝욕설(辱說). 句例 ~를 하다 悪態をつく.

表現 '욕지거리'は俗っぽい言いかた.

욕-지기〈名·하自〉吐き気.

욕지기(가) 나다 吐き気を催す. 吐き気がする. 文例 이름만 들어도 욕지기가 난다 名を聞いただけで吐き気がする.

욕탕【浴湯】〈名〉'목욕탕 風呂場'の略.

****욕-하다**【辱―】[yok'ada] (→하다)〈自〉悪口を言う. けなす. ののし(罵)る. 句例 마구 ~ さんざっぱら悪態をつく / 빗대어 ~ あてこす(擦)る. 文例 뒷구멍에서 남을 욕하는 게 아니다 陰で人をののしるものでない.

욧-속〈名〉(綿·毛などの)敷布団の中味.

욧-잇 [yonnit]〈名〉敷布団のカバー. 敷布. シーツ. 句例 ~을 갈다 敷布団の上側の白い布地を替える.

용【龍】〈名〉竜·たつ. ドラゴン. 文例 개천에서 ~난다 掃きだめにつる(鶴).

-용【用】〈尾〉用. 持ち. 語例 여자~ 女持ち / 아동~ 児童用 / 가정~ 家庭用 / 사무~ 事務用.

용 〔漢字項目〕

【勇】中學 용 ユウ. ❶날래다 すばやい. ◧勇猛 용맹 ゆうもう. ❷용감하다 いさましい. ◧勇戦 용전 ゆうせん. 勇敢 용감 ゆうかん. ◨武勇 무용 ぶゆう. ❸용사 いさましい人. ◧勇士 용사 ゆうし. 勇兵 용병 ゆうへい.

【容】小學 용 ヨウ. ❶모습 すがた. 모양 かたち. ◧容姿 용자 ようし. ◨形容 형용 けいよう. ❷꾸미다 よそおう. ◧容飾 용식 ようしょく. ◨美容 미용 びよう. ❸담다 入れる. 盛る. ◧容量 용량 ようりょう. ◨收容 수용 しゅうよう. ❹받아들이다 受け入れる. ◧容認 용인 ようにん. ◨寬容 관용 かんよう. ❺용서하다 ゆるす. ◧容赦 용사 ようしゃ.

【庸】高校 용 ヨウ. ❶쓰다 もちいる. ◨登庸 등용 とうよう. ❷범상하다 平凡だ. ◧庸人 용인 ようじん. ◨中庸 중용 ちゅうよう. ❸어리석다 愚かしい. ◧庸劣 용렬 ようれつ. 庸愚 용우 ようぐ.

【用】中學 용 ヨウ. ❶쓰다 用いる. ◧用紙 용지 ようし. ◨使用 사용 しよう. ❷인물을 끌어 쓰다 人をとりたてて用いる. ◨登用 등용 とうよう. 任用 임용 にんよう. ❸행하다 おこなう. ◧用刑 용형 ようけい. ❹비용 入費. ◧用度 용도 ようど. ◨費用 비용 ひよう. ❺용도 使いみち. ◧用途 용도 ようと. ❻쓸모가 있는 일 役にたつこと. ◨活用 활용 かつよう. 効用 효용 こうよう. ❼도구 道具. ◧用具 용구 ようぐ. ❽일 しごと. ◧用務 용무 ようむ. ◨公用 공용 こうよう.

***용감**【勇敢】[yo:nggam]〈名〉勇敢. **~하다**〈形〉勇敢だ. 勇ましい. 句例 ~한 병사 勇敢な〔勇ましい〕兵士. 語例 ~ 무쌍 勇敢無双. **~히**〈副〉勇敢に. 勇ましく. 句例 ~히 싸우다 勇敢に戦う.

용건【用件】[yo:ngkkŏn]〈名〉用件. 用事. 所用. 用向き. 句例 ~을 말하다 用件を言う / ~을 마치다 用件をすます / ~으로 들어가다 用件に入る. 文例 ~은 무엇입니까 御用は何ですか.

용공【容共】〈名·하自〉容共. 句例 ~ 정책을 배격하다 容共政策を排撃する. 語例 ~ 사상 容共思想.

용광-로【鎔鑛爐】[―no]〈名〉溶鉱炉. 溶炉.

***용구**【用具】[yo:nggu]〈名〉用具. 語例 운동 ~ 運動用具.

용궁【龍宮】〈名〉竜宮.

***용기**【勇氣】[yo:nggi]〈名〉勇気. 句例 ~ 있는 사나이 勇気のある男 / ~가 나다 力づく / ~를 내다 勇気を出す / ~를 꺾다 勇気をそぐ〔くじく〕/ ~를 잃다 勇気を失う. 弱気を出す.

용기【容器】〈名〉容器. 器. 入れ物. 句例 ~에 담다〔넣다〕容器に入れる. 語例 폴리에틸렌 ~ ポリエチレン容器.

용-꿈【龍―】〈名〉竜を見た夢.

용꿈(을) 꾸다 竜の夢を見る. 縁起のいい夢を見る.

용납【容納】〈名·하他〉容納. 受け入れること. 句例 ~할 수 없는 일 受け入れることのできないこと.

용단【勇斷】[yo:ngdan]〈名·하他〉勇断. 句例 ~을 내리다 勇断を下す / 출자하기로 ~을 내리다 出資に踏み切る.

용달-사【用達社】[yo:ngdalssa]〈名〉配達屋. 便利屋. 便達屋. メッセンジャー.

용달-차【用達車】[yo:ngdal―]〈名〉配達業者の車.

용담【龍膽】〈名〉〔植〕りんどう(竜胆).

***용도**【用途】[yo:ngdo]〈名〉用途. 使い道. 句例 ~가 많다 使い道が多い / ~를 밝히다 用

途を明らかにする / ~가 한정되다〔넓다〕 用途がかぎられる〔広い〕.

*용-돈【用—】[yo:ngtton]〈名〉小遣い銭. 小遣い. ポケットマネー. 手持ち金. 句例 한 달 ~ 30만 원 月の小遣い三十万ウォン / ~을 쪼개서 책을 사다 小遣いを割いて本を買う / ~을 조르다 小遣いをせびる.

용-두레〈名〉〔農〉低い所から水を田にくく(汲)みあげる農具. 絵

〈용두레〉

용두-사미【龍頭蛇尾】〈名〉竜頭蛇尾. 句例 ~가 되다 しりすぼ(尻窄)まりになる. 文例 그 계획은 ~로 끝났다 その計画は竜頭蛇尾に終わった.

용-띠【龍—】〈名〉たつ(辰)年生まれ.

용량【用量】[yo:ngnyang]〈名〉〔藥〕用量. 句例 일회의 ~ 一回の用量.

용량【容量】[yongnyang]〈名〉〔化〉容量. 語例 열~ 熱容量 / ~ 분석 容量分析.

용력【勇力】[yo:ngnyŏk]〈名〉勇力・勇力. すぐれた力量. 強い力.

용렬-하다【庸劣—】[yongnyŏl—](→하다)〈形〉庸劣だ. 凡庸で劣っている. 句例 용렬한 사나이 庸劣な男.

용례【用例】[yo:ngnye]〈名〉用例. 句例 ~가 많은 사전 用例の多い辞典 / ~를 보이다 用例を示す.

용-마루〈名〉(屋根の)棟.

용매【溶媒】〈名〉〔化〉溶媒.

용맹【勇猛】[yo:ngmaeng]〈名〉勇猛. **~하다**〈形〉勇猛だ. 勇ましい. 句例 ~을 떨치다 猛勇を振るう. 語例 ~심 勇猛心. **~스럽다**(→스럽다)〈形〉'용맹하다'のこと.

용명【勇名】[yo:ngmyŏng]〈名〉勇名. 句例 ~을 떨치다 勇名をはせる〔とどろ(轟)かす〕.

용모【容貌】〈名〉容貌. 顔形. 顔つき. 器量. 句例 ~가 반듯한 여자 顔形の整った女性 / 고상한 ~ 上品な顔立ち / ~가 아름답다 見目麗しい. 見目好い. 器量がいい / ~가 뛰어나다 容貌にすぐれる. 語例 ~ 파기(疤記) 人相書き.

*용무【用務】[yo:ngmu]〈名〉用務. 用事. 御用. =볼일. 句例 긴급한 ~ 緊急の用務 / ~를 마치다 用をすます. 語例 ~원 用務員.

용법【用法】[yo:ngppŏp]〈名〉用法. 使い方. 用い方. 句例 전치사의 ~ 前置詞の用法 / ~을 그르치다 用法をあやまる.

용변【用便】[yo:ngbyŏn]〈名〉用便. **~하다**〈自〉用便する. ちょうず(手水)に行く. 句例 ~을 보다 用を足す.

용병【用兵】[yo:ngbyŏng]〈名・하自〉用兵. 句例 ~에 능하다 用兵に長じている / ~의 묘를 발휘하다 用兵の妙を発揮する. 語例 ~술 用兵術.

*용사【勇士】[yo:ngsa]〈名〉勇士. 句例 역전의 ~ 歴戦の勇士. 語例 백의 ~ 白衣の勇士 / 상이 ~ 傷痍の勇士.

용상【龍床】〈名〉['용평상(龍平床)'の略] 王座. 御座.

*용서【容恕】〈名〉許し. 容赦. 勘弁. **~하다**〈他〉許す. 勘弁する. 容赦する. 句例 ~할 수 없다 許し難い / 엎드려 ~를 빌다 伏して許しを請う / 부모의 체면을 봐서 ~하다 親に免じて許す. 文例 거짓말을 하면 ~ 않겠다 うそ(嘘)をつくと承知しないぞ / 신이여 나의 죄를 ~하소서 神よ我が罪とがを許したまえ / ~해 주십시오 勘弁して〔許して〕ください / 이번엔 ~없다 今度こそは容赦しないぞ / 신발을 신고 교실에 들어오는 사람은 ~없이 처벌하겠다 土足で教室に入る者は容赦なく罰する. 語例 ~되다〔받다〕 許される.

용소【龍沼】〈名〉滝つぼ. =용추(龍湫).

용-솟음【湧—】[—sosŭm]〈名・하自〉勢いよくわ(湧)き出ること.

용솟음 치다 たぎり立つ. ほとばしる. わき上がる. 句例 투지가 ~ 闘志が勃勃わき上がる/

《古歌 6》

용비어천가 龍飛御天歌

朝鮮朝世宗27年(1445), ハングルでつづ(綴)った韓国最初の国文学作品. 楽章文学の代表作. 125章からなる長編の, 王朝叙事詩である.

歌詞 第二章

〈古文・漢文〉
불휘 기픈 남ᄀᆞᆫ
ᄇᆞᄅᆞ매 아니 뮐ᄊᆡ,
곶 됴코 여름 하ᄂᆞ니,
ᄉᆡ미 기픈 므른
ᄀᆞᄆᆞ래 아니 그츨ᄊᆡ,
내히 이러 바ᄅᆞ래 가ᄂᆞ니.
根深之木
風亦不扤
有灼其華 有蕡其實
源遠之水
旱亦不竭
流斯爲川 于海必達

〈現代文〉
뿌리 깊은 나무는
바람에 아니 움직이므로,
꽃 좋고 열매 많습니다.
샘이 깊은 물은
가물에 아니 그치므로,
내를 이루어 바다로 갑니다.

根の深き木は
風に揺らがざれば,
花美しく実多し.
泉の深き水は
日照りに涸れざれば,
川を成して海に至る.

피가 ~ 血がたぎる.

용수〈名〉❶(酒やしょう油をこ(漉)す)竹やはぎ(萩)でつくった筒状のざる. ❷(囚人を連行するとき)顔が見えないようにかぶせる深い編みがさ(笠).

용수(를) 지르다 (酒やしょう油をこすために)かめ(甕)にざるをさし込む.

*용수【用水】[yo:ngsu]〈名〉用水. 語例 관개 ~ 灌漑用水 / ~로 用水路 / ~통 用水おけ(桶).

*용수-철【龍鬚鐵】〈名〉スプリング. 発条. ばね. ぜんまい. 語例 ~ 장치 ばね仕掛け / ~저울 ぜんまいばかり(秤).

용신【容身】〈名・하自〉❶(場所が狭くて)やっと身動きがとれること. ❷どうにか世に身を寄せて生きて行くこと.

용신(을) 못 하다 (場所が狭くて)身動きもできない.

용심 [yo:ngshim]〈名〉意地悪. 語例 ~꾸러기〔쟁이〕意地悪な人.

용심(을) 부리다 人を憎みじゃけんにふるまう. 意地悪をする.

용-쓰다 [yo:ng—] (용쓰니, 용써서)〈自〉❶あるだけの力を出す. 力む. ❷苦しみをつとめてこらえる.

용안【龍顔】〈名〉竜顔. 王の顔. 天顔.

용암【溶暗】〈名〉〔劇〕溶暗. フェードアウト.

용암【熔岩・鎔岩】〈名〉〔地〕溶岩. ラバ. 句例 ~이 흐르다 溶岩が流れる. 語例 ~ 대지 溶岩台地.

*용액【溶液】〈名〉溶液. 句例 콜로이드 ~ コロイド溶液.

용어【用語】[yo:ng-ŏ]〈名〉用語. 語例 문법 ~ 文法用語 / 물리 ~ 物理用語 / 전문 ~ 専門用語. テクニカルターム.

용언【用言】[yo:ng-ŏn]〈名〉〔言〕用言.

용역【用役】[yo:ng-yŏk]〈名〉用役. サービス. 語例 ~ 회사 用役会社 / ~ 산업 用役産業. サービス産業.

용연-하다【聳然—】[yo:ng-yŏn—] (→하다)〈形〉聳然としている. 용연히〈副〉聳然と.

용왕【龍王】〈名〉竜神. 竜王.

용융【熔融】〈名・하自〉〔化〕溶融.

용의【用意】[yo:ng-ŭi]〈名・하他〉用意. 句例 ~ 주도한 사람 用意周到な人.

용의-자【容疑者】〈名〉容疑者. =피의자. 句例 ~를 잡다 容疑者を捕らえる / ~를 검거하다 星をあげる / ~로 점찍다 (容疑者として)星をつける / 살인 사건의 ~ 殺人事件の容疑者.

용이-하다【容易—】(→하다)〈形〉容易だ. たやすい. 句例 용이한 일 容易なこと / 용이한 쪽을 택하다 やす(易)きにつく / 용이한일이 아니다 容易なことではない. 語例 용이하게 容易に. たやすく.

용인【容認】〈名・하他〉容認. 句例 ~하기 어렵다 容認しがたい.

용장【勇將】[yo:ngjang]〈名〉勇将. 文例 밑에 약졸 없다 勇将のもと(下)に弱卒なし.

용재【用材】[yo:ngjae]〈名〉用材. 語例 건축 ~ 建築用材.

용적【容積】〈名〉容積. 語例 ~량 容積量.

용전【勇戰】[yo:ngjŏn]〈名・하自〉勇戦. 語例 ~ 분투 勇戦奮闘.

용접【鎔接】〈名・하他〉溶接. 語例 ~공 溶接工 / 전기〔산소〕 ~ 電気〔酸素〕溶接 / ~기〔봉〕溶接機〔棒〕.

용지【用地】[yo:ngji]〈名〉用地. 語例 건축 ~ 建築用地 / 댐~ ダムサイト.

용지【用紙】[yo:ngji]〈名〉用紙. 語例 답안 ~ 答案用紙 / 원고 ~ 原稿用紙.

용-춤〈名〉おだてに乗ること.

용춤(을) 추다 おだてられいい気になって引きずりまわされる.

용춤(을) 추이다 おだてて意のままに操る.

용총-줄 [—tchul]〈名〉帆綱.

용-케 [yo:ng—]〈副〉['용하게'の略] よく. 上手に. たくみに. けなげ(健気)に. 句例 ~ 고비를 넘기다 よく瀬戸際〔危機〕を乗り越える / ~ 알아맞히다 うまく言い当てる. 文例 ~ 속였군 うまくだましたな / 겨우 한 달에 60만 원 정도로 ~ 사는군 高が月六十万ウォンぐらいでよくも暮らせるものだな.

용태【容態】〈名〉容体〔容態〕. 句例 ~가 급변하다〔악화되다〕 容体が急変〔悪化〕する. 文例 환자의 ~가 이상하다 病人の様子が変である.

용퇴【勇退】[yo:ngt'oe]〈名・하自〉勇退. 句例 후진을 위하여 ~하다 後進のために勇退する.

용-트림〈名・하自〉もったいぶったおくび.

용-틀임【龍—】[—t'ŭrim]〈名〉殿閣などに飾った竜の絵または彫刻.

용품【用品】[yo:ngp'um]〈名〉用品. 語例 가정 ~ 家庭用品 / 여성 ~ 婦人用品 / 일상 ~ 日常用品.

*용-하다 [yo:ng—] (→하다)〈形〉❶腕前〔技量〕が優れている. たくみだ. うまい. 巧妙だ. 上手だ. 句例 용한 점쟁이 うまく当てる占い師 / 용한 의사에게 보이다 すぐれた医者に見てもらう. ❷けなげだ. あっぱれだ. でかした. えらい. 文例 일등을 했다니 용하구나 一番になったとはあっぱれなものだね. ❸(人・性質が)ちょっと愚かでおとなしい. 文例 너무 용해서 탈이다 あまりおとなしいばかりで困る. 용히〈副〉❶たくみに. うまく. 巧妙に. ❷けなげに. えらく.

*용해【溶解】〈名・하自他〉溶解. 語例 ~도 溶解度 / ~되다 溶解する.

용해【鎔解・熔解】〈名・하自他〉溶解. 句例 불로 ~하다 火で溶解する. 語例 ~로 溶解炉. 類용해(融解).

용-해【龍—】〈名〉〔民〕たつ(辰)の年.

용허【容許】〈名・하他〉⇨ 허용(許容)

용혈【溶血】〈名〉〔生〕溶血. 語例 ~ 반응 溶血反応 / ~성 빈혈 溶血性貧血.

용호-상박【龍虎相搏】〈名・하自〉竜虎相打つこと.

용훼【容喙】〈名・하自〉容喙

우[1]〈名〉〔言〕ハングルの字母'ㅜ'の名称.

우【右】[u:]〈名〉右. みぎ. 文例 ~로 나란히 右へならえ. 語例 ~측 통행 右側通行.

우【優】〈名〉優. 成績評点の二番目.

*우[2] [u:]〈副〉多くのものが一度に押し寄せ

て来る〔行く〕さま：どっと．どやどや．[文例] 여러 사람이 ～ 몰려 왔다 大勢の人がどっと押し寄せて来た．

우 〔漢字項目〕

【偶】[高校] 우 グウ．❶짝수 二で割りきれる数．◨偶數 우수 ぐうすう．◨奇偶 기우 きぐう．❷짝 つれあい．◨配偶 배우 はいぐう．對偶 대우 たいぐう．❸인형 人形．◨偶像 우상 ぐうぞう．◨木偶 목우 もくぐう．❹마주 대하다 相対する．◨偶語 우어 ぐうご．❺마침 たまたま．◨偶然 우연 ぐうぜん．偶發 우발 ぐうはつ．

【優】[高校] 우 ユウ．❶도탑다 てあつい．◨優待 우대 ゆうたい．優偶 우우 ゆうぐう．❷뛰어나다 すぐれる．◨優劣 우열 ゆうれつ．優秀 우수 ゆうしゅう．❸부드럽다 やさしい．◨優柔 우유 ゆうじゅう．優雅 우아 ゆうが．❹광대 役者．◨俳優 배우 はいゆう．女優 여우 じょゆう．

【又】[中學] 우 ユウ．또 また．또하다 ふたたびする．◨十又五年 십우 오년 じゅうゆうごねん．

【友】[中學] 우 ユウ．❶벗 とも．◨友人 우인 ゆうじん．友誼 우의 ゆうぎ．◨朋友 붕우 ほうゆう．❷친하게 지내다 親しくつきあう．◨友好 우호 ゆうこう．◨交友 교우 こうゆう．

【右】[中學] 우 ユウ．ウ．❶오른쪽 みぎがわ．◨右側 우측 うそく．◨左右 좌우 さゆう．❷중히 여기다 重んずる．◨右文 우문 ゆうぶん．

【宇】[中學] 우 ウ．❶주거 住まい．◨屋宇 옥우 おくう．殿宇 전우 でんう．❷하늘 空．◨宇宙 우주 うちゅう．❸나라 国．천하 天下．◨宇內 우내 うだい．❹도량 度量．◨氣宇 기우 きう．

【尤】[中學] 우 ユウ．더욱 もっと．가장 最も．또，가장 뛰어난 것 また，最もすぐれたもの．◨尤物 우물 ゆうぶつ．

【愚】[高校] 우 グ．❶어리석다 おろかだ．◨愚直 우직 ぐちょく．愚鈍 우둔 ぐどん．愚民 우민 ぐみん．❷자기의 겸칭 自分に関してへりくだっていう語．◨愚妻 우처 ぐさい．愚見 우견 ぐけん．

【憂】[中學] 우 ユウ．❶근심 うれい．◨憂患 우환 ゆうかん．◨杞憂 기우 きゆう．❷걱정하다 心配する．◨憂慮 우려 ゆうりょ．憂懼 우구 ゆうく．

【牛】[中學] 우 ギュウ．ゴ．❶소 うし．◨牛馬 우마 ぎゅうば．牛舍 우사 ぎゅうしゃ．❷이십팔수(宿)의 하나 二十八宿の一つ．◨牽牛星 견우성 けんぎゅうせい．

【羽(羽)】[高校] 우 ウ．❶깃 はね．◨羽毛 우모 うもう．羽扇 우선 うせん．❷날개 つばさ．◨羽翼 우익 うよく．羽化 우화 うか．❸새 鳥．◨羽族 우족 うぞく．❹오음의 하나 五音の一つ．◨羽聲 우성 うせい．

【遇(遇)】[中學] 우 グウ．❶만나다 出会う．◨遭遇 조우 そうぐう．奇遇 기우 きぐう．❷대접하다 もてなす．◨待遇 대우 たいぐう．禮遇 예우 れいぐう．

【郵】[高校] 우 ユウ．❶역말 駅馬．역참 駅站．◨郵驛 우역 ゆうえき．❷물품 따위를 운송하는 제도 物品などを運送する制度．◨郵便 우편 ゆうびん．郵送 우송 ゆうそう．

【雨】[中學] 우 ウ．비 雨．비가 오다 雨が降る．◨雨季 우계 うき．雨中 우중 うちゅう．◨晴雨 청우 せいう．暴雨 폭우 ぼうう．

우거【寓居】 [u:gŏ] 〈名・하自〉寓居．仮住まい．寓舍．

우거지 〈名〉 白菜・大根などの茎や外側の葉．[語例] ～상(相) しかめっ面．膨れっ面．渋っ面．苦り切った顔 / 우거짓국 大根の葉や白菜のくず葉を入れたスープ．

***우거지다** 〈自〉生い茂る．[句例] 나무가 우거진 깊은 산속 木深い山奥 / 잡초가 ～ 雑草が生い茂る / 풀이 우거진 들판 草深い原．

우걱-뿔 〈名〉内側に曲がった角．

우겨-대다 〈他〉(頑固に)言い張る．強情〔意地〕を張る．[句例] 옳다고 ～ 正しいと言い張る / 당치도 않은 말을 ～ 由無いことを言い張る．

우격-다짐 〈名・하自他〉無理往生．無理強いに承服させること．[句例] ～으로 승낙시키다 力ずくで承諾させる / ～으로 일을 하다 権柄ずくで物事をやる．

우격-으로 [ugyŏgŭro] 〈副〉無理やりに．無理強いに．

우경【右傾】 [u:gyŏng] 〈名・하自〉右傾．㉾좌경(左傾)．

우국【憂國】 〈名・하自〉憂国．[語例] ～지사 憂国の士 / ～ 충정 憂国の衷情．

우군【友軍】 〈名〉友軍．味方の軍隊．[語例] ～기 友軍機．

우그러-뜨리다 〈他〉へこませる．

우그러-지다 〈自〉へこむ．くぼむ．しわが寄る．ちぢれる．

우그렁-쪽박 〈名〉しおれてへこんだひさご(瓢)．

우그리다 〈他〉(物を)くぼませる．へこ(凹)ます．縮れ込ます．
[表現] 語感の小さい語は'오그리다'．

***우글-거리다** 〈自〉うようよする．うじゃうじゃする．[句例] 거지가 ～ こじきがうようよしている / 구더기가 ～ うじ(蛆)がうじゃうじゃしている．
우글우글 [ugŭrugŭl] 〈副・하自〉うようよ．うじゃうじゃ．ごろごろ．

우글다 (우그니，우글어서) 〈形〉へこ(凹)んでいる．

우글-쭈글 〈副・하形〉しわくちゃ．もみくちゃ．

우긋-이 [ugŭshi] 〈副〉ややへこみ〔反り〕気味に．

우긋-하다 [ugŭt'ada] (→하다) 〈形〉ややへこみ気味だ．

우기【雨期】 [u:gi] 〈名〉雨季〔雨期〕．[句例] ～에 접어들다 雨季に入る．㉾건기(乾期)．

우기다 〈自〉言い張る．言い通す．意地を張る．[句例] 끝까지 모른다고 ～ しまいまでも知らないと言い張る．

우는-살 [u:nŭn—] 〈名〉かぶらや(鏑矢)．鳴箭．鳴り矢．＝명적(鳴鏑)．향전(響箭)．

우는-소리 [u:nŭn—] 〈名〉❶泣き声．鳴き声

. ❷泣き言. 句例 ~를 하다 泣き言をいう〔ならべる〕/ ~를 들어주다 泣き言を聞いてやる.

우당탕 〈副〉 重いものが落ちたり床の上で跳ねる音: どしん(と). がたん(と). がたがた.
~거리다 〈自〉 しきりにどしんがたんする.
우당탕우당탕 〈副・하自〉 どしんどしん. がたんがたん(と).

우당탕-퉁탕 〈副・하自〉 がらがらがたん. がたがたどしん(と). 文例 ~ 대소동을 일으키다 がらがらがたんと大騒ぎをおこす.

***우대【優待】** 〈名・하他〉 優待. 優遇. 句例 경험자를 ~하다 経験者を優遇する. 語例 ~권 優待券. 對냉우(冷遇).

***우두【牛痘】** 〈名〉 牛痘. 種痘. 句例 ~를 놓다〔접종하다〕 牛痘を植える. 種痘する.

우두둑 〈副・하自〉 ❶固いものをか(嚙)み砕く音: かりっと. がりがり. ぼりぼり. 句例 돌을 ~ 씹다 石をかりっとかむ. ❷物が強く折れる音: ぽきん(と). 句例 마른 나뭇가지가 ~ 부러지다 枯れ木の枝がぽきんと折れる.

우두둑-거리다 〈自〉 しきりにがりがりする. ぼりぼりする. めりめりと音がする.
우두둑우두둑 [ududugududuk] 〈副・하自〉 かりかり. ぼりぼり. ぽきんぽきん. めりめり.

우두망찰-하다 (→하다) 〈自〉 ひどくうろたえる. まごつく. 慌てふためく. 類당황하다.

우두머리 〈名〉 ❶ものの頂. てっぺん. ❷頭. 頭目. 首領. ボス. 親分. 句例 ~가 되다 首領となる / ~로 앉히다 頭に据える / …를 ~로 삼다 …を頭目とする / 반대파의 ~ 反対派の旗頭.

우두커니 〈副〉 ぼさっと. ぼそっと. 呆然と. ぼんやりと. ぽつねんと. つくねんと. 句例 ~ 바라보다 ぼんやり(と)眺める / ~ 앉아 있다 ぼそっと座っている / ~ 서 있다 ぼんやり突っ立っている. 文例 ~ 생각에 잠겨 있다 ぽつねんと物思いにふけっている.

우둔-하다【愚鈍―】 (→하다) 〈形〉 愚鈍だ. 句例 우둔한 사람 愚鈍な人. 文例 이 우둔한 놈아 この愚鈍なやつめ. 對영리(怜悧)하다.

우둥퉁-하다 (→하다) 〈形〉 大柄でぼってりしている.
表現 語感の小さい語は'오동통하다'.

우듬지 〈名〉 こずえ(梢). =말초(末梢).

우등【優等】 〈名・하自〉 優等. 句例 ~으로 졸업하다 優等で卒業する. 語例 ~상 優等賞 / ~생 優等生.

우뚝 〈副・하形〉 ❶高くそび(聳)え立っているさま: にょっきり. 句例 구름 사이로 ~ 솟은 산봉우리 雲間に高くそびえる山の頂 / ~ 솟은 험한 산들 そそり立った険しい山山. ❷人よりひときわ抜きんでているさま: ぐっと. ずっと. 句例 ~한 존재 抜け出た存在.
우뚝우뚝 [uttuguttuk] 〈副・하形〉 にょきにょき(と).

우뚝-이 [uttugi] 〈副〉 にょっきと.

우라늄 〈名〉〔化〕 ウラン ウラーウ《記号 U》. 語例 ~광 ウラン鉱. ◇uranium

우라-질 〈冠〉(えい)くそ(糞). 畜生. =빌어먹을.

우락-부락 〈副・하形〉 人相が険しく言動の荒荒しいさま. 句例 ~한 사나이 荒くれ〔ごつごつした〕男 / 성품이 ~하다 気性が乱暴である.

우람-스럽다 (→스럽다) 〈形〉 雄大でいかめ(厳)しい. 堂堂としている. たくましい.

***우람-하다** (→하다) 〈形〉 ⇨ 우람스럽다

우량【雨量】 [uːryang] 〈名〉 雨量. =강우량(降雨量). 語例 ~ 측정 雨量測定.

우량【優良】 〈名・하形〉 優良. 句例 ~한 성적 優良な成績. 語例 ~아 優良児 / ~주 優良株 / ~품 優良品.

우러-나다 〈自〉 にじみ出る. し(染)み出る. 抜ける. (茶などが)出る. 句例 쓴 맛이 ~ 苦味がしみ出る / 떫은 맛이 ~ あく(灰汁)が抜ける / 차맛이 잘 ~ 茶がよく出る.

***우러-나오다** 〈自〉 心からわ(湧)き出る. にじみ出る. 句例 진심에서 우러나온 친절 心〔心底〕からの親切.

우러러-보다 〈他〉 仰ぐ. 仰ぎ見る. 見上げる. 句例 지도자로서 ~ 指導者として仰ぐ / 푸른 하늘을 ~ 青空を仰ぎ見る / 우러러볼 만한 인물 見上げた人物.

우러르다 (우러르니, 우러러서) 〈自〉 ❶頭を重重しくもたげる. ❷仰ぐ. 仰ぎ慕う. 敬う. 句例 선배로서 ~ 先輩と仰ぐ / 하늘을 ~ 天を仰ぐ / 성현의 유풍을 ~ 聖賢の遺風を仰ぐ.

우렁이 〈名〉〔貝〕 たにし(田螺).
우렁잇속 같다 たにしの体内のようだ. 内容が複雑でわかりにくいことのたとえ.

우렁-차다 〈形〉(声・音の)響きが大きく力強い. 句例 우렁차게 외치다 おたけ(雄叫)びを上げる / 우렁찬 목소리 力強く大きな声.

우레 〈名〉 雷. いかずち《雅》. =천둥. 句例 ~와 같은 박수 万雷の拍手. あらしのような〔割れるような〕拍手. 語例 우렛소리 雷の音.

우려【憂慮】 〈名〉 憂慮. おそれ. 憂い. **~하다** 〈他〉 憂慮する. 憂える. おそれる. 句例 ~할만한 사태 憂慮すべき事態. 文例 나라의 장래를 ~하다 国の将来を憂える / 태풍이 큰 비를 뿌릴 ~가 있다 台風が大雨を降らすおそれがある.

우려-내다 〈他〉 ❶巻き上げる. 絞り上げる. すかし〔せびり〕取る. 文例 그럴싸한 말로 돈을 ~ うまい事を言って金をせびり取る. ❷水に浸して色・味・あく(灰汁)を抜く. 句例 (물에 담가) 고사리를 ~ わらびの渋を抜く.

우려-먹다 〈他〉 ❶(水に浸して)あく(灰汁)・味などを抜いて食べる. 句例 땡감을 ~ 渋がきの渋を抜いて食べる. ❷(脅かしたりして)無理強いに巻き上げる. 絞り取る.

우롱【愚弄】 〈名・하他〉 愚弄. 文例 사람을 ~하는 것도 정도가 있지 人を愚弄するにも程がある.

우루과이 라운드 〈名〉〔經〕 ウルグアイラウンド. ◇Uruguay Round

우르르 〈副・하自〉 ❶(大勢の人・動物群が)一度に動いたり走り出したり押し寄せたりするさま: どっと. わあっと. どやどや(と). どかどか(と). 文例 ~ 방으로 몰려들었다 どやどやと〔どっと〕部屋へ押し寄せた〔なだれ

込んだ〕/ ～ 배에 올라탄다 どかどかと船に乗り込む. ❷積み上げた物が崩れ落ちるさま. また, その音: がらがら. もろに. 句例 ～쓰러지다〔넘어가다〕 もろに倒れる / 돌담이 ～ 무너지다 石垣ががらがらと〔もろに〕崩れる. ❸雷が鳴る音: ごろごろ.

우리[1] 〈名〉おり(檻). (家畜などの)小屋. 句例 ～에 넣다 おりに入れる / ～를 부수다 おりを破る. 語例 돼지 ～ 豚小屋 / 사자 ～ ライオンのおり.

****우리**[2] 〈代〉わたしたち. わたしども. 我我. 我ら. うち. 句例 ～ 젊은이의 책무 我ら, 若人の責務 / ～의 대표 わたしたち〔我ら〕の代表. 文例 ～가 알 바 아니다 我我の知るところではない / ～ 애는 수학이 약하다 うちの子は数学に弱い〔数学が不得手だ〕/ ～ 세 사람은 수영하러 갔었다 わたしたち三人は泳ぎに行っていた. 語例 ～ 나라 我が国.

表現 '우리'はまた単数代名詞 '나 わたし' の所有格 '나의 わたしの'の意としても用いられて, 日本語の'我我の, 我らの'よりも使用範囲が広い. また, 自分がその構成員である場合, '내, 나의'で表わす代わりに'우리'を用いるのが普通である. 우리 고향 わたしの故郷. 우리 집 わたしの家. 我が家. 우리 어머니 わたしの母. 우리 선생님 わたしの(担任)先生. 우리 집사람 うちの女房. 家内.

우리-네 〈代〉わたしたち. 我ら. 僕たち. 文例 ～ 젊은이가 해야 할 일이다 我ら, 若人のなすべきことである.

우리다 〈他〉❶(水に浸して) あく(灰汁)・味・色・においなどを抜く. 句例 쓴 맛을 ～ 苦味を抜く / 떫은 감을 ～ 渋がきをさわ(醂)す. ❷⇨ 우려내다①

우리-들 〈代〉我我. 我ら. わたしたち.

***우리-말** 〈名〉我が国のことば. 自国語. すなわち, 国語. 韓国語.

우리-별 〈名〉韓国最初の人工衛星の名称. 科学探査用で, その第一号が1992年8月11日に打ち上げられた.

우리-식 【一式】〈名〉我らの方式. 自分たちのやり方.

우리-편 【一便】〈名〉味方.

우마-차 【牛馬車】〈名〉牛車と馬車.

우매 【愚昧】〈名・하形〉愚昧. 句例 ～한 사람 愚昧な人.

우먼 〈名〉ウーマン. 語例 ～ 파워 ウーマンパワー. ◇woman

우무 〈名〉ところてん. =한천(寒天).

***우묵-하다** [umuk'ada] (→하다)〈形〉くぼんでいる. へこんでいる.

表現 語感の小さい語は'오목하다'.

우묵우묵 [umugumuk]〈副・하形〉ところどころくぼんでいるさま. また, 一様にくぼんでいるさま.

우문 【愚問】〈名〉愚問. 語例 ～ 우답 愚問愚答 / ～ 현답 愚問賢答.

****우물** 〈名〉井戸. 井《雅》. 句例 마른〔빈〕 ～ 空井戸 / ～을 파다 井戸を掘る / ～물을 푸다〔긷다〕 井戸水をく(汲)む.

우물 안 개구리 井の中のかわず(蛙).

우물을 파도 한 우물을 파랬다 井戸を掘るにしても一つの井戸を掘れ. 一つの仕事に励めずいたずらに職業を転転すると成功は望めないとのたとえ. 転石こけを生さず.

우물(을) 치다 井戸をさらう. 井戸替え〔ざらえ〕をする.

우물-가 [—kka]〈名〉井戸端. 語例 ～ 공론(公論) 井戸端会議.

우물-거리다 〈自他〉もぐもぐする. ❶(食べ物を口の中で)もぐもぐかむ. ❷口ごもる. もじもじする. 文例 우물거리지 말고 똑똑히 말해라 もぐもぐせずに〔ぐずぐず言っていないで〕はっきり言え.

우물우물 [umurumul]〈副・하自他〉もぐもぐ. 句例 ～ 씹다 もぐもぐかむ. 文例 무언가 ～ 말한다 何かもぐもぐ(と)言う.

***우물-쭈물** 〈副〉ぐずぐず. まごまご. もたもた. **～하다**〈自他〉ぐずぐずする. もたもたする. ぐずつく. 句例 ～하다가 기회를 놓치다 ぐずぐずして機会を失う. 文例 ～하다간 기차를 놓친다 ぐずぐずすると汽車に乗りおくれるぞ / ～하지 말고 빨리빨리 걸어라 まごまごしないでさっさと歩け.

우뭇-가사리 〈名〉〔植〕天草. 略して'우뭇가시'とも言う.

우므러-들다 (—드니, —들어서)〈自〉縮こまる. 縮む. すぼまる.

우므러-뜨리다 〈他〉縮こめる. 縮ませる. すぼめる.

우므리다 〈他〉縮める. すぼめる. ひっ込める. 句例 입을 ～ 口をすぼめる.

表現 語感の小さい語は'오므리다'.

우미-하다 【優美—】(→하다) 〈形〉 優美だ. 句例 우미한 곡선 優美な曲線.

우박 【雨雹】[u:bak]〈名〉ひょう(雹). あられ. =누리. 句例 ～이 내리다 ひょうが降る / 총알이 ～처럼 날아오는 속을… 弾丸が雨あられと飛んでくる中を….

우발 【偶發】[u:bal] 〈名・하自〉 偶発. 句例 ～적인 충동 ふとした出来心. 語例 ～범 偶発犯 / ～ 사건 偶発事件 / ～적으로 偶発的に.

우방 【友邦】〈名〉友邦.

우범 【虞犯】〈名〉ぐ(虞)犯. 語例 ～ 소년 ぐ犯少年 / ～ 지대 ぐ犯地帯.

우변 【右邊】[u:byŏn]〈名〉右辺. 右側. 對 좌변(左邊).

우비 【雨備】[u:bi]〈名〉雨具. 句例 ～가 준비 안 되다 雨具の用意がない.

우비다 〈他〉ほじくる. ほじる《俗》. 句例 코딱지〔귀〕를 ～ 鼻くそ〔耳〕をほじくる.

表現 語勢の激しい語は'후비다'.

우비어 파다 うが(穿)つ. ほじくる. えぐる.

****우산** 【雨傘・雨繖】[u:san]〈名〉傘. 雨傘. こうもり傘. 句例 ～을 받다〔쓰다〕 傘を差す / ～을 접다 傘を畳む〔すぼめる〕/ ～ 속에 들어가다 傘に入る / 핵～ 속에 들다 核の傘に入る. 語例 지(紙)～ 油紙の傘. からかさ / 접～ 折り畳み傘 / ～대 傘の柄 / ～살 傘の骨.

우상 【偶像】[u:sang] 〈名〉 偶像. アイドル. 句例 …을 ～화〔시〕하다 …を偶像化〔視〕する.

語例 ~ 숭배 偶像崇拝.

우생-학【優生學】〈名〉〔生〕優生学.

우선【優先】〈名・하自〉優先. 文例 공무는 사삿일에 ~한다 公務は私事に優先する. 語例 최 ~ 最優先 / ~권 優先権 / ⇨ 우선적

***우선**【于先】〈副〉まず. ❶まず初めに. 最初に. 先に. とりあえず. 文例 ~ 인사부터 드려라 まずあいさつからしなさい / ~ 자금이 충분치 않다 何よりもまず資金が充分でない / ~ 그에게로 갑시다 まず彼のところへ行きましょう.

❷まずもって. ともかく. さしあたり. さしずめ. ひとまず. 何はともあれ. 何はさておき. 文例 이 정도면 ~ 안심해도 좋다 この分ならさしあたり安心してよい / ~ 이만하면 되겠다 さしずめこれで間に合う / ~ 가 보자 ひとまず行ってみよう.

우선 먹기는 곶감이 달다 さしあたって食べるには干しがき(柿)が甘い. 後はどうなろうと当座はよい方を選ぶとのたとえ.

***우선-적**【優先的】〈名・冠〉優先的. 文例 이 문제를 ~으로 다루자 この問題を優先的に取り上げよう.

우세【優勢】〈名・하形〉優勢. 句例 ~를 유지하다 優勢を保つ / ~하게 되다 優勢に立つ. 優勢になる. 文例 적은 수(數)의 ~를 믿고 밀어닥쳤다 敵は優勢な数を頼りに押し寄せてきた. 語例 수적 ~ 数的優勢 / ~승 (柔道で)優勢勝ち. 對열세(劣勢).

우셋-거리〈名〉物笑いの種. (お)笑いぐさ. 句例 ~가 되다 物笑いの種となる. (人に)笑われる.

우송【郵送】〈名・하他〉郵送. 句例 원고를 ~하다 原稿を郵送する. 語例 ~료 郵送料.

우수【雨水】[uːsu]〈名〉❶雨水. ＝빗물. ❷雨水. 二十四節気の一つ.

우수【偶數】[uːsu]〈名〉偶数. ＝짝수. 對기수(奇數).

우수【憂愁】〈名〉憂愁. 憂い. 句例 ~에 잠기다 憂愁に暮れる. 物思いに沈む.

우수【優秀】〈名・하形〉優秀. 句例 ~한 교사 優秀な教師 / ~한 성적을 올리다 優秀な成績をあげる. 語例 ~성 優秀性. 對열악(劣惡). 類우량(優良).

우수리〈名〉❶余り. はした(端). 残り. ＝끝수. 句例 ~가 나다 余りが出る / ~를 잘라 버리다 はしたを切り捨てる. ❷釣銭. お釣り. ＝거스름돈. 句例 ~를 받다 お釣りを受け取る.

우수수〈副・하形〉❶物がたくさん落ちるとかこぼれるさま: ぱらぱら. ざあっと. 句例 밤송이가 ~ 떨어지다 いがががぱらぱらと落ちる. ❷落ち葉などが散るさま. また, その音: ぱらぱら. さらさら. 句例 나뭇잎이 ~ 떨어지다 木の葉がぱらぱらと散る / 마른 잎이 ~ 떨어지다 枯れ葉がさらさらと散る.

우스개〈名〉おどけ. しゃれ. 語例 우스갯소리 笑い話, 冗談 / 우스갯짓 おどけたしぐさ〔まね〕.

우스꽝-스럽다 (→스럽다)〈形〉(見るからに)おどけている. とてもこっけいだ. たいへんおかしい.

***우습다** [uːsŭpta] (우스우니, 우스워서)〈形〉おかしい. ❶こっけいだ. おもしろい. 句例 우스운 짓을 하다 こっけいなまねをする. 文例 우스워 죽겠다 おかしくてたまらない / 뭐가 그렇게 우스운가 何がそんなにおかしいのだ. ❷ばかげている. あほう(阿呆)らしい. 文例 저 애가 반장이라고! 참 ~ あの子が級長だって! ちぇ, ばかげている〔ちゃんちゃらおかしい〕. 語例 우스워하다 おかしがる.

우습게 보다 ❶軽んじる. 見下げる. 見下す. 侮る. 高をくくる. 句例 사람을 ~ 人を軽んじる〔軽視する〕. ❷見くびる. あまく見る. 句例 상대를 ~ 相手を見くびる. 文例 그런 짓을 하면 남에게 우습게 보인다 そんな事をすると人に見くびられる / 그 일을 우습게 보고 덤볐다가 혼이 났다 その事を見くびって取りかかりひど(酷)い目にあった.

우습게 여기다 '우습게 보다'のこと.

우승【優勝】〈名・하自形〉優勝. 句例 ~을 하다 優勝する. 優勝をとげる / ~을 휩쓸다 優勝をさらう. 語例 ~기 優勝旗 / ~ 다툼 優勝争い / ~배 優勝杯. 優勝カップ.

우-시장【牛市場】〈名〉牛市.

우심-하다【尤甚―】(→하다)〈形〉さらに〔とくに〕ひど(酷)い. もっともひどい. 文例 그 지방의 홍수 피해는 ~ その地方の洪水の被害はとくにはなはだしい.

우아 [uaː]〈感〉❶意外な喜びに出会って出す声: わあ. やあ. ひやあ. ❷馬をなだめるかけ声: どう. しし. ▷略して'와'とも言う.

우아우아〈感〉どうどう. ししし. 略して'와와'とも言う.

우아-스럽다【優雅―】(→스럽다)〈形〉見るからに優雅だ. 優雅に見える.

우아-하다【優雅―】(→하다)〈形〉優雅だ. みや(雅)びやかだ. 句例 우아한 모습〔자태〕優雅な姿 / 우아한 생활 優雅な生活 / 취미가 우아한 사람 趣味の優雅な〔みやびた趣味の〕人 / 우아하고 부드러운 거동 たおやかな物腰.

우악살-스럽다 (→스럽다)〈形〉(言動が) 荒荒しい. 粗野だ. 乱暴だ. 略して'왁살스럽다'とも言う.

우애【友愛】〈名〉友愛. 句例 ~의 정 友愛の情. 語例 ~ 결혼 友愛結婚. 類우정(友情).

우엉〈名〉〔植〕ごぼう(牛蒡).

우여-곡절【迂餘曲折】〈名〉迂余曲折. 文例 ~을 겪은 끝에 겨우 결론에 도달했다 迂余曲折を経て, やっと結論に達した.

***우연**【偶然】〈名・하形〉偶然. 句例 ~의 일치 偶然の一致 / ~한 일〔사건〕偶然のできごと / 고의인지 ~인지 故意か偶然か / …은 ~이 아니다 …は偶然ではない. 文例 우리들은 ~한 일로 서로 알게 되었다 我我はふとしたことで知り合いになった. 對필연(必然). **~히**〈副〉偶然(に). たまたま. 図らずも. 句例 ~히 만나다 偶然出会う. 文例 종로에서 ~히 그녀를 만났다 鍾路でたまたま彼女に会った.

우열【優劣】〈名〉優劣. 句例 ~을 가리다 優劣をつける / ~을 가리기가 어렵다 優劣がつけ難い / ~을 다투다 優劣を争う / ~을 가리는 척도 優劣をきめる尺度. 文例 ~의 차가 없다

優劣の差がない.
우왕-좌왕【右往左往】[u:wangjwa:wang]〈名·하自〉右往左往. 文例 군중이 혼란 중에 ~하다 群衆が混乱のさなかに右往左往する.
우울【憂鬱】〈名〉憂鬱. ~하다〈形〉憂鬱だ. (気分などが)暗い. うっとうしい. 句例 ~한 기분 憂鬱な気分 / ~한 얼굴을 하다 憂鬱な〔浮かぬ, さ(冴)えない, ふさいだ, 暗い〕顔をする / ~하게 하다 憂鬱にする / ~해지다 憂鬱になる. 気がめいる / ~해지는 이야기 気のめいる話. 語例 ~증 憂鬱症. ヒポコンデリー.
우월【優越】〈名〉優越. ~하다〈形〉優れている. 勝っている. 句例 ~한 지위 優越した地位. 語例 ⇨ 우월감
우월-감【優越感】〈名〉優越感. 句例 ~을 품다〔갖다〕優越感をいだく〔持つ〕/ ~에 젖다 優越感にひたる. 對열등감(劣等感).
우위【優位】〈名〉優位. 句例 ~를 차지하다 優位を占める / ~에 서다 優位に立つ / ~를 이용하다 優位に乗じる.
⁑우유【牛乳】〈名〉牛乳. ミルク. 句例 아이를 ~로 키우다〔기르다〕赤ちゃんを牛乳で育てる / ~를 데우다〔짜다〕牛乳を温める〔しぼる〕/ ~를 끓여 살균하다 牛乳を沸かして殺菌する. 語例 ~병 牛乳瓶 / ~ 배달 牛乳配達 / 生牛乳.
우유-부단【優柔不断】〈名·하形〉優柔不断. 句例 ~한 성격 優柔不断な性格.
우의【友誼】〈名〉友誼. 句例 ~를 맺다 友誼を結ぶ / ~가 두텁다 友誼にあつい. 語例 국제 ~ 国際友誼. 類우정(友情).
우의【雨衣】[u:ŭi]〈名〉雨着. ＝비옷.
우이【牛耳】〈名〉❶牛耳. 牛の耳. ❷(団体などの)頭.
우이(를) 잡다 牛耳る. 牛耳をとる.
우이-독경【牛耳讀經】〈名〉牛に経文. 馬の耳に念仏. ＝쇠귀에 경(經) 읽기.
우익【右翼】[u:ik]〈名〉右翼. 右. ライト. 句例 극단적인 ~ 極端な右翼 / 적의 ~을 치다 敵の右翼を突く. 語例 ~수〔野〕右翼手. ライト / ~ 단체 右翼団体. 對좌익(左翼).
우장【雨裝】[u:jang]〈名·하自〉雨具. また, 雨具をつけること.
우적-우적 [ujŏgujŏk]〈副·하形〉❶無理やりに事を進めるさま: どしどし. ぴしぴし. ❷(キムチなどの)漬物をかむさま. また, その音: がりがり. むしゃむしゃ.
우정【友情】〈名〉友情. 句例 따뜻한 ~ 温かい友情 / ~을 맺다 友情を結ぶ / ~을 두터이 하다 友情を厚くする / ~이 두텁다 友情に厚い.
*우주【宇宙】[u:ju]〈名〉宇宙. コスモス. 句例 ~의 신비 宇宙の神秘 / ~의 수수께끼 宇宙のなぞ(謎) / 인간을 ~에 보내다 人間を宇宙に送り出す. 語例 ~ 개발 宇宙開発 / ~복 宇宙服 / ~ 비행(사) 宇宙飛行(士) / ~선 宇宙船 / ~ 스테이션 宇宙ステーション / ~ 여행 宇宙旅行 / ~ 왕복선 宇宙連絡船.
우중충-하다 (→하다)〈形〉暗い. ❶うす暗い. 陰気だ. 句例 우중충한 방 うす暗い〔陰気くさい〕部屋 / 우중충한 날씨 陰気な天気. どんよりした空模様. ❷(色が)鮮やかでない. くすんでいる. 句例 우중충한 색 くすんだ〔さ(冴)えない〕色.
우지 [u:ji]〈名〉泣き虫. 泣きみそ. ＝울보. 參考 特に男の子の泣き虫は'울남(男)', 女の子の泣き虫は'울녀(女)'ともいう.
우지【牛脂】〈名〉牛脂.
우지끈〈副·하自〉固くて大きいものが壊れたり折れたりするさま. また, その音: めりめり. ぽきっ(と). ぽきん. 句例 ~ 소리와 함께 넘어가다 めりめりと音がして倒れる. ~거리다〈自〉めりめり〔ぽきんぽきん〕と折れる.
우지끈우지끈 [ujikkŭnujikkŭn]〈副·하自〉めりめり(と). ぽきんぽきん(と).
*우지직〈副·하自〉❶乾いた麦わら·まきなどの燃える音: ぱちぱち(と). ❷枯れ枝などの折れる音: めりめり. ぽきん. ぽきっ. ぎいっ(と). ~거리다〈自〉(続けざまに)ぱちんぱちん〔じいじい·ぽきんぽきん(と)·めりめり〕と音がする. ぎいぎい鳴る〔音がする〕. 文例 돛대는 곧 부러질 듯이 ~거렸다 マストは今にも折れそうにぎいぎい鳴った.
우지직우지직 [ujijigujijik]〈副·하自〉ぱちぱち. ぽきっぽきっ. めりめり(と). じいじい.
우직-하다【愚直—】[ujik'ada] (→하다)〈形〉愚直だ. ばか正直だ. 句例 우직한 사람 愚直〔ばか正直〕な人.
*우짖다 [u:jitta]〈自〉❶泣き叫ぶ. 泣きわめく. ＝울부짖다. ❷(鳥が)さえずる. 類지저귀다.
우쭐-거리다〈自他〉全身を〔が〕続けて律動的に揺れ動かす〔動く〕.
우쭐-하다 (→하다)〈自〉いい気になる. 得意(顔)になる. 思い上がる. うぬぼれる. 偉そうにふるまう. 句例 꽤 우쭐해 있다 かなりうぬぼれている. 文例 저 녀석은 솜씨 좀 있다고 우쭐해 있다 あいつは腕が利くとてうぬぼれている / 칭찬 좀 받으면 곧 우쭐해진다 ほめられるとすぐ増長する〔思い上がる〕/ 성공하여 우쭐해 있다 成功して得意になっている.
우천【雨天】[u:ch'ŏn]〈名〉雨天. 句例 ~ 때문에 雨天につき / ~에도 불구하고 雨天にもかかわらず. 語例 ~ 순연 雨天順延.
우체【郵遞】〈名〉郵便. 語例 ⇨ 우체국 / ~통(筒) 郵便ポスト. 郵便箱.
*우체-국【郵遞局】〈名〉郵便局. 語例 ~ 직원 郵便局員.
우측【右側】[u:ch'ŭk]〈名〉右側. 右. ＝오른쪽. 句例 ~에 보이는 집 右手に見える家 / ~으로 돌다〔꼬부라지다〕右(側)に曲がる. 語例 ~ 통행 右側通行. 對좌측.
우툴-두툴〈副·하形〉でこぼこ(凸凹). 凹凸. ざらざら. 句例 ~한 길 でこぼこ(の多い)道 / ~한 유리 でこぼこのあるガラス / ~한 것을 고르다 でこぼこをならす.
우파【右派】[u:p'a]〈名〉右派. 右翼. 對좌파(左派).
우편【右便】[u:p'yŏn]〈名〉右側. 右の方. 右手. 略して'우(右)'とも言う. ＝오른편. 오른쪽. 對좌편.
*우편【郵便】〈名〉郵便. 句例 ~으로 보내다 郵便で送る / ~ 배달을 하다 郵便配達をする.

語例 내용 증명 ～ 内容証明郵便 / ～ 번호 郵便番号 / ～ 사서함(函) 郵便私書箱 / ～ 엽서 郵便はがき / ～ 집배원 郵便集配人. 郵便屋《俗》/ ～환(換) 郵便為替.

우편-물【郵便物】〈名〉 郵便. 郵便物. 句例 ～을 구분하다 郵便物を区分する / ～을 부치다 郵便を出す / ～이 도착하다 郵便がとどく. 語例 배달 불능 ～ 配達不能郵便物 / ～ 투입구 郵便物差し入れ口.

⁑**우표**【郵票】〈名〉 郵便切手. 切手《略語》. 句例 편지에 ～를 붙이다 手紙に切手を張る / ～의 경매 切手のオークション. 語例 ～ 딱지 切手 / ～ 수집 切手収集. 切手コレクション.

우호【友好】〈名〉友好. 句例 ～를 깊게 하다 友好を深める / ～ 관계를 유지하다 友好関係を維持する. 語例 ～적 友好的 / ～ 조약 友好条約.

우화【寓話】[u:hwa]〈名〉寓話. ＝우언(寓言). 語例 ～집 寓話集 / 이솝 ～ イソップの寓話. イソップ物語.

우환【憂患】〈名〉憂患. 憂い. ❶心配事. ❷病気による憂い.

우회【迂廻・迂回】〈名・하自〉迂回. 遠回り. 句例 5킬로나 ～하다 5キロも遠回りする / 산을 ～해 가다 山を迂回して行く / ～적인 방법 遠回りな方法. 語例 ～(도)로 迂回道路. 迂回路.

우-회전【右廻轉・右回轉】[u:—]〈名・하自他〉右折. 句例 십자로에서 ～하다 十字路で右折する. 語例 ～ 금지 右折禁止. 對좌회전.

우후-죽순【雨後竹筍】[u:hu—]〈名〉 雨後の竹の子. 句例 ～처럼 나타나다 雨後の竹の子のように出る.

우후후〈感〉 こらえきれず噴き出す笑い声: うっふふ.

욱다〈自〉内側に曲がっている〔凹んでいる〕. 内側にそっている.

욱-대기다〈他〉❶(乱暴に)脅かす. 脅す. ❷荒っぽく言い張る. 無理やり押し通す.

욱시글-거리다〈自〉ひしめき合う. 群がりうごめく. うようよする. 略して'욱실거리다'とも言う.

욱시글욱시글 [ukshigŭrukshigŭl]〈副・하自〉⇨ 욱시글득시글

욱시글-득시글〈副・하自〉 ひしめき合っているさま: うようよ. うじゃうじゃ. 略して'욱실득실'とも言う.

욱신-거리다〈自〉ずきずき〔ずきんずきん〕痛む. 文例 감기로 머리가 욱신거린다 風邪で頭がずきずきする / 이가 욱신거린다 歯がずきんずきん痛む.

욱신욱신 [ukshinukshin]〈副・하自〉ずきずき. ずきんずきん.

욱실-득실〈副・하自〉'욱시글득시글'の略.

욱이다 [ugida]〈他〉内側に曲げる. へこます.

욱일-승천【旭日昇天】[ugil—]〈名〉旭日昇天. 句例 ～의 기세 旭日昇天の勢い.

욱-죄다〈自〉(からだの一部が)ぎゅっと引き締まる. 引きつる. ＝욱조이다. 句例 얼굴이 ～ 顔が引きつる.

욱-지르다 (욱지르니, 욱질러서)〈他〉(威圧的なことばで相手を)脅かす・脅(か)す. 威嚇する.

욱-질리다〈自〉'욱지르다'の受け身: (脅かされて)気がくじかれる. さんざんやり込められる.

욱-하다 [uk'ada] (→하다)〈自〉かっとなる. のぼせ上がる. かんしゃく(癇癪)を起こす. 句例 욱하고 성을 내다 かっとなって怒る. 文例 그 사람은 욱하기 잘하는 성질이다 あの人はかっとなりやすいたちだ.

*** 운**【運】[u:n]〈名〉'운수(運數)'の略: 運. 巡り合わせ. 回り合わせ. 付き《俗》. 句例 ～이 다하다〔다 되다〕運が尽きる. 付きがおちる / ～이 트이다 運が向く / ～이 나쁘다 運〔巡り合わせ〕が悪い / ～이 없다 運がない / ～을 하늘에 맡기다 運を天に任せる / ～이 돌아오다 付きがまわってくる. 文例 오늘은 정말 ～이 좋기도 하다 今日は何て間がいいんだろう / ～ 나쁘게 들키고 말았다 運悪く見つかってしまった. 語例 장사 ～ 商運.

운【韻】[u:n]〈名〉'운자(韻字)'の略: 韻.

운(을) 달다 韻を踏む. ＝압운(押韻)하다.

운(을) 떼다 ❶話を切り出す. 話し始める. ❷それとなくほのめかす.

운 〔漢字項目〕

【云】中學 운 ウン. 말하다 言う. ◧云爲 운위 うんい.

【運(運)】中學 운 ウン. ❶돌다 めぐる. ◧運行 운행 うんこう. 運轉 운전 うんてん. ❷움직이다 動かす. ◧運筆 운필 うんぴつ. ❸옮기다 移す. ◧運輸 운수 うんゆ. ◧海運 해운 かいうん. ❹운 回り合わせ. ◧運命 운명 うんめい. ◧幸運 행운 こううん. 悲運 비운 ひうん.

【雲】中學 운 ウン. ❶구름 くも. ◧雲雨 운우 うんう. ◧風雲 풍운 ふううん. ❷많이 모이는 것의 형용 多く集まることの形容. ◧雲集 운집 うんしゅう. ❸하늘 そら. ◧雲霄 운소 うんしょう. ◧青雲 청운 せいうん.

【韻】高校 운 イン. ❶음의 울림 音のひびき. ◧餘韻 여운 よいん. ❷한자를 발음의 유사에 따라 구분한 것 漢字を発音の類似によって分けたもの. ◧韻脚 운각 いんきゃく. ❸동일 또는 비슷한 음운을 문 중의 일정한 위치에 되풀이하는 일 同一または類似した音韻を文中の一定した位置に並べること. ◧韻律 운율 いんりつ. ◧押韻 압운 おういん. ❸풍치 おもむき. ◧韻致 운치 いんち. ◧氣韻 기운 きいん.

운고-계【雲高計】〈名〉〔氣〕雲高計. 雲高測定器.

*** 운동**【運動】[u:ndong]〈名・하自他〉運動. 句例 야외 ～을 하다 野外運動をする / ～ 삼아 걷다 運動がてら歩く / 개에게 ～을 시키다 犬に運動をさせる / 선거〔취직〕 ～을 하다 選挙〔就職〕運動をする / 물체의 ～에 관한 법칙 物体の運動に関する法則. 語例 ～ 경기 運動競技 / ～구 運動具 / ～ 모자 運動帽 / ～ 자금 運動資金 / ～장 運動場 / ～ 선수 運動選手 / ～ 정신 運動精神. スポーツマンシップ / ～화 運動靴 / ～회 運動会 / 문맹 퇴치 ～

識字運動 / ～ 부족 運動不足.

운동-권【運動圈】[u:ndongkkwon]〈名〉政治運動に積極的に参加している学生や労働者をまとめていう語.

운동 신경【運動神經】[u:ndong—]〈名〉運動神経. 文例 ～이 발달해 있다〔둔하다〕運動神経が発達している〔鈍い〕.

운두〈名〉靴・器物などの縁の高さ. 句例 ～가 높은 그릇 山の高い容器.

운-떼다【韻—】[u:n—] ⇨ '운(韻)'の小項目

운량【雲量】[ullyang]〈名〉〔氣〕雲量. ＝구름양(量).

운명【運命】[u:nmyŏng]〈名〉運命. 運. 巡り合わせ. 回り合わせ. 命運. 句例 일국의 ～ 一国の命運 / 기구한 ～ 数奇な運命 / ～의 장난 運命のいたずら〔戯れ〕/ 얄궂은 ～ 皮肉な運命 / ～에 따르다 運命に従う / 몰락할 ～에 있다 没落の運命にある / 묘한 ～ 妙な回り合わせ / 이상한 ～ 不思議な巡り合わせ. 語例 ～론〔哲〕運命論. 類 숙명(宿命).

운명【殞命・隕命】[u:nmyŏng]〈名・하自〉殞命. 息を引き取ること.

운모【雲母】〈名〉〔鑛〕雲母・うんぼ・きらら(雲母). ＝돌비늘. 語例 ～ 편암 雲母片岩.

운무【雲霧】〈名〉雲霧. 句例 ～가 자욱이 끼다 雲霧が深く立ち込める.

운반【運搬】〈名〉運搬. (持ち)運び. **～하다**〈他〉運搬する. 運ぶ. 句例 재목을 ～하다 材木を運搬する / 이삿짐을 ～하다 ひっ越し荷物を運ぶ / ～하기에 편리하다 運ぶのに便利である. 語例 ～인 運搬夫〔人〕/ ～비 運搬費 / ～ 작용 運搬作用 / ～차 運搬車.

운석【隕石】[u:nsŏk]〈名〉〔鑛〕隕石. ＝별똥별. 句例 ～이 떨어지다 隕石が落ちる.

운송【運送】〈名・하他〉運送. 句例 트럭으로 ～하다 トラックで運送する. 語例 ～료 運送料〔代〕. 運賃 / ～비 運送費 / ～업 運送業 / ～선 運送船.

***운수**【運數】[u:nsu]〈名〉運. 巡り合わせ. 回り合わせ. 星回り. 運勢. 略して'운(運)'ともいう. 句例 ～가 좋다 運(勢)がよい. 回り合わせがよい / ～가 나쁘다 運が悪い / ～를 보다〔점치다〕運勢を見る. 運勢を見てもらう / ～ 타령을 하다 星回りの悪いのをなげく / ～를 잘 타고나다 よい星の下に生まれる.

운수(가) 사납다 運が悪い. 星回りが悪い.

운수【運輸】〈名・하他〉運輸. 運送. 語例 ～업 運輸業. 運送業 / ～ 회사 運輸〔運送〕会社.

운수-불길【運數不吉】[u:nsu—]〈名・하形〉運が不吉な〔悪い〕こと.

운수 소관【運數所關】[u:nsuso:gwan]〈名〉運命の致す所で人力ではいかんともし難いこと.

운신【運身】〈名〉からだを動かすこと. 身動き. 身じろぎ. **～하다**〈自〉身じろぐ.

***운영**【運營】[unyŏng]〈名・하他〉運営. 句例 국회의 ～ 国会の運営 / 대회를 ～하다 大会を運営する. 語例 ～ 위원 運営委員. 類 경영(經營).

운용【運用】[unyong]〈名・하他〉運用. 句例 자금을 ～하다 資金を運用する. 語例 ～비 運用費.

운우지-락【雲雨之樂】[unujirak]〈名〉男女の交わりの楽しみ. 雲雨の楽しみ.

운운【云云】[unun]〈名〉うんぬん(云云). これこれ. しかじか(然然). 文例 새삼스레 결과를 ～하지 마라 いまさら結果をうんぬんするな.

운율【韻律】[u:nyul]〈名〉韻律. リズム. ＝리듬. 句例 ～에 맞다 韻律にかなっている / ～을 고르다 韻律を整える / ～이 좋은 시 響きのいい詩.

운임【運賃】[unim]〈名〉運賃. 運送料. ＝짐삯. 句例 ～을 물다 運賃を払う / ～을 올리다 運賃を上げる / ～을 되돌려 받다 運賃を払い戻してもらう / ～이 비싸다 運賃が高い. 語例 ～ 인상 運賃の値上げ.

운전【運轉】〈名・하他〉運転. 句例 자동차를 ～하다 自動車を運転する / 자동차 ～이 익숙하다 自動車の運転がうまい. 語例 ～ 기사(技士) 運転士の美称 / ～대 (車などの)ハンドル / ～대(臺) 運転台 / ～ 면허증(證) 運転免状 / ～사 運転士. 運転手. 運ちゃん《俗》. ドライバー / ～ 자금 運転資金 / 무면허 ～ 無免許運転 / 무사고 ～ 無事故運転 / 갈짓자(之字) ～ 蛇行運転. 類 가동(稼動).

운집【雲集】〈名〉雲集. **～하다**〈自〉雲集する. 群がる. 句例 ～한 군중 雲集した群集.

운치【韻致】[u:nch'i]〈名〉韻致. 雅致. 風情. 風雅なおもむき. ＝풍치(風致). 句例 ～ 있는 경치 風情のある景色 / ～를 돋우다〔더하다〕風情をそそる〔添える〕/ ～ 있게 지어 놓은 별당 風流をこらして造った離れ屋 / ～ 있는 그림 味のある絵.

운필【運筆】〈名・하自〉運筆. 筆遣い. 用筆. ＝필법(筆法). 句例 ～에 힘이 있다 運筆に勢いがある.

운하【運河】〈名〉運河. 句例 ～를 파다〔개통하다〕運河を掘る〔開く〕. 語例 파나마 ～ パナマ運河 / ～선 運河船.

운항【運航】〈名・하自〉運航. 句例 항공기의 ～ 航空機の運航 / 유럽 항로를 ～하다 ヨーロッパ航路を運航する.

운행【運行】〈名・하自他〉運行. 句例 ～이 문란해지다 運行が乱れる / 천체의 ～ 天体の運行 / 임시 열차를 ～하다 臨時列車を運行する. 語例 거북이 ～ のろのろ運行〔運転〕.

운형-자【雲形—】〈名〉〔數〕雲形定規. ＝곡선자.

운휴【運休】〈名・하自〉['운전 휴지(運轉休止)'の略] 運休. 句例 태풍으로 ～하다 台風で運休する. 類 결항(缺航).

울〈名〉'울타리'の略. 句例 ～ 밑에 선 봉선화 垣根のしたに咲いたほうせんか.

울고-불고[u:lgo—]〈副・하自〉(くやしさなどで)泣いたりわめいたりするさま.

울근-불근〈副・하自〉(…との)仲がうまく行かず互いにいがみ合うさま.

울긋-불긋〈副・하形〉多くのものが色とりどりに混ざっているさま: 色とりどり. 文例 산에 단풍이 ～하다 山の紅葉が色とりどりだ / ～ 꽃이 만발했다 色とりどりの花が咲き乱れて

いる.

울꺽 〈副・하自〉 (胃の中のものを)吐き出そうとするさま. **~거리다** 〈自〉 (吐き気がして)むかむかする. 句例 속이 ~거리다 胸がむかむかする. むかつく.

울꺽울꺽 [ulkkŏgulkkŏk] 〈副・하自〉 むかむか.

⁑울다 [u:lda] (우니, 울어서) 〈自〉 ❶泣く. しゃくる. 句例 큰 소리로 ~ 大声で泣く / 흐느껴 ~ しゃくり上げて泣く / 훌쩍거리며 ~ すすり〔しくしく〕泣く / 하염없이 ~ さめざめと泣く / 목메어 ~ 涙にむせぶ / (아기가) 자지러지게 ~ (赤子が)火のついたように泣く / 몸부림치며 ~ 身もだえして泣く / 구슬프게 ~ あわれげに泣く / 기뻐서 ~ うれし泣きをする / 소리를 죽이고 ~ 声を殺して泣く / 울면서 떠나다 泣く泣く立ち去る / 실컷 ~ 泣きたいだけ〔思い切り〕泣く / 울면서 말하다 泣きながら言う / 울면서 잠들다 泣き寝入りする / 울면서 애원〔부탁〕하다 泣いて頼む / 자기도 모르게 따라 ~ 思わずもらい泣きをする / 울고만 있다 泣いてばかりいる / 불행한 나날을 울며 지내다 不幸な日日を泣き暮らす. 文例 울지 마라 泣くな / 우는 아이가 잘 자란다 泣く子がよく育つ / 그는 울어서 눈이 퉁퉁 부어 있었다 彼は目を泣きはらしていた / 딸은 푹 엎드려 울기 시작했다 娘はつっ伏して泣き出した.

❷(鳥・獣・虫などが)鳴く. いななく. ほ(吠)える. 句例 새가〔닭이〕 ~ 鳥〔鶏〕が鳴く / 벌레가 ~ 虫が鳴く〔すだく〕 / 이리〔사자〕가 ~ おおかみ(狼)〔ライオン〕がほえる / 말이 히힝하고 ~ 馬がひひんといななく. 文例 귀뚜라미가 울고 있다 こおろぎが鳴いている / 사자 우는 소리를 듣고 오싹했다 ライオンのほえ声を聞いてひやりとした.

❸(布地・縫い物・張り付けた物などが)ゆが(歪)む. しわが寄る. たぐまる《俗》. 句例 옷이 ~ 着物がたぐまる / 벽지가 ~ 壁紙にしわが寄る.

❹(汽笛・雷などが) 鳴る. 句例 고동이 ~ 汽笛が鳴る.

❺耳鳴りがする. 句例 귀가 ~ 耳鳴りがする.

❻いかにも難儀しているようなふりをする. 泣きべそをかく. 句例 우는 소리를 하다 泣き言をいう.

울며 겨자 먹기 (辛くて)涙を流しながら辛子を食べる《いやなことをやむを得ずすることのたとえ》.

울지 않는 아이 젖 주랴 泣かぬ子に乳をやるはずがあろうか《黙ってばかりいればなんにもありつけないとの意》. 泣く子に乳.

울-대 [u:lttae] 〈名〉〔鳥〕 鳴管. =명관.

***울렁-거리다** 〈自〉 ❶(胸が)わくわくする. どきどきする. 波立つ. 句例 가슴이 ~ 胸がどきどきする. 胸が波立つ〔波打つ〕 / 기쁨으로 울렁거리는 가슴 喜びに波打つ胸. ❷(吐き気で)むかつく. むかむかする. 文例 배를 타면 속이 울렁거린다 船に乗ると胸がむかつく.

울렁울렁 〈副・하自〉 ❶どきどき. わくわく. ❷むかむか.

울력-성당 【一成黨】 [u:llyŏk—] 〈名・하自他〉 [もとの語形は'위력(威力) 성당'] 徒党をなして脅かしのさばること.

⁑울리다 ━〈他〉 ❶泣かせる. 句例 아이를 때려서 ~ 子供を殴って泣かせる / 관객을 울린 명연기 観客を泣かせた名演技 / 약한 자를 지분거려 ~ 弱い者をつついて泣かす. 文例 불효 자식이 부모를 울린다 不孝者が親を泣かせる / 사람 울리는군 泣かせるじゃないか

❷鳴らす. ㉠(音を)出させる. 響かせる. とどろかす. 句例 종〔방울〕을 ~ 鐘〔鈴〕を鳴らす / 초인종을 ~ 呼び鈴を鳴らす / 경종을 ~ 警鐘を鳴らす / 북을 ~ 太鼓を鳴らす〔打つ・たたく〕 / 폭음을 ~ 爆音をとどろかす. ㉡(広く)知れ渡るようにする. とどろ(轟)かす. 響かせる. 句例 명성을 천하에 ~ 名声を天下にとどろかす.

━〈自〉 鳴る. ❶(音が)出る. 鳴り渡る. 響く. 句例 전화가〔사이렌이〕 ~ 電話〔サイレン〕が鳴る / 목소리가 ~ 声が立つ / 벨소리가 요란하게 ~ ベルがけたたましく鳴る. 文例 종소리가 멀리 울려 퍼졌다 鐘の音が遠く響き渡った.

❷とどろく. どよむ. どよめく. 響き渡る. 句例 천둥이 ~ 雷が鳴る〔鳴りどよむ〕 / 환성이 하늘에 울려 퍼지다 歓声が空にどよめく / 포성이 은은히 ~ 砲声がいんいんととどろく / (열차 따위가) 요란하게 소리를 울리며 사라지다 (列車などが)轟轟と音を立てて走り去る.

❸(名声などが) とどろく. 響く. 句例 명성이 천하에 ~ 名声天下に鳴る / 이름이 세상에 ~ 名が世に響く.

울림 〈名〉 響き. 鳴り. 語例 산~ 山びこ / 땅~ 地鳴り.

울림-소리 [—ssori] 〈名〉〔言〕 有声音. ハングルでは, 母音・鼻音(=ㄴ・ㅁ・ㅇ)・流音(=ㄹ)など. ㉾안울림소리.

울림-통 【一筒】 〈名〉 共鳴器.

울먹-거리다 〈自〉 今にも泣き出しそうな顔になる.

울먹울먹 [ulmŏgulmŏk] 〈副・하自〉 しきりに泣き出しそうな顔をするさま.

울먹-이다 [ulmŏgida] 〈自〉 今にも泣き出しそうな顔をする. 句例 울먹이는 소리가 되다 涙声になる.

울멍-줄멍 〈副・하形〉 かわいいものがふぞろ(不揃)いに並んでいるさま.

울며-불며 [u:lmyŏ—] 〈副〉 泣く泣く. 泣き泣き. 句例 ~ 매달리다 泣き泣きすがり付く.

울-밑 〈名〉 垣根の下.

⁑울-보 [u:lbo] 〈名〉 よく泣く子供. 泣き虫. =우지.

울-부짖다 〈自〉 ❶泣き叫ぶ. 泣きわめ(喚)く. 号泣する. 句例 울부짖는 아녀자들 泣き叫ぶ女子供. ❷ほ(吠)えたけ(哮)る. ㊫우짖다.

울분 【鬱憤】 〈名・하形〉 鬱憤. 句例 ~을 풀다〔터뜨리다〕 鬱憤を晴らす〔漏らす〕 / ~을 누르다〔참다〕 鬱憤をおさえる.

울-상 【一相】 [ulssang] 〈名〉 泣き面. 泣き顔. 泣きべそ. 句例 ~이 되다. ~을 짓다 泣き面になる / 꾸중을 듣고 ~이 되다 しかられて泣き

べそをかく．

울쑥-불쑥〈副・하形〉あちこちふぞろ(不揃)いにそびえ立って〔突き出て〕いるさま．

울-안 [uran]〈名〉(柵・垣根・間垣など)囲いの中〔内側〕．

*__울음__ [urŭm]〈名〉❶泣き声．鳴き声．句例 ~이 크다 泣き声が大きい〔高い〕．語例 ~ 소리 泣〔鳴〕き声．❷泣〔鳴〕くこと．文例 와 하고 ~을 터뜨렸다 わっと泣き出した〔泣き崩れた〕/ 금세 ~이 터질 것 같다 今にも泣き出しそうである．

울음-바다 [urŭmppada]〈名〉大勢の人が一斉に泣き出して泣き声で覆われる情景．

*__울음-보__ [urŭmppo]〈名〉⇨ 울음

울음-보따리 [urŭmppottari]〈名〉'울음보'の俗っぽい言いかた．

*__울적-하다__【鬱寂―】[ultchŏk'ada] (→하다)〈形〉気がめいい(滅入)ってもの悲しい．(気分が)うっとうしい．もの寂しくて憂鬱だ．句例 마음〔속〕이 ~ 気分がさ(冴)えない．気がくしゃくしゃする．

울증【鬱症】[ultchŭng]〈名〉鬱病．抑鬱症．

*__울창-하다__【鬱蒼―】(→하다)〈形〉['울울창창하다'の略] うっそう(鬱蒼)としている．こんもり(と)している．句例 울창한 숲 こんもりとした森．

울컥〈副・하自他〉むかつくさま．❶突然怒りの感情が込み上げるさま：むっと．かっと．句例 상대의 조롱에 ~하다 相手のあざけ(嘲)りにむっとする〔かっとなる〕．文例 그녀는 부지중 ~ 치미는 것을 눌러 참았다 彼女は思わずかっとなるのを抑えた．❷吐き気を催すさま．また，へど(反吐)を吐くさま．

울컥-거리다〈自他〉(しきりに)むかつく．むかむかする．むっとする．句例 속이 ~ 胸がむかむかする．文例 생각만 해도 속이 울컥거린다 考えただけでもへどが出る / 보고 있기만 해도 속이 울컥거린다 見ているだけで胸がむかつく．

울컥울컥 [ulk'ŏgulk'ŏk]〈副・하自他〉むかむか．

울타리〈名〉垣．垣根．囲い．斎垣．略して'울'とも言う．=굽바자．句例 낮은 ~ 姫垣 / ~를 두르다 囲いをする．垣〔垣根〕をめぐらす〔作る〕/ ~ 너머로 보다 垣根越しに見る / ~를 뛰어넘다 垣を飛び越える．語例 섶나무 ~ しば垣．

*__울퉁-불퉁__〈副・하形〉凸凹．ごつごつ．句例 ~한 길 凸凹な〔凸凹した〕道 / ~한 바위산 ごつごつした岩山 / 길이 ~하다 道が凸凹している / ~한 곳을 고르다 凸凹をなら(均)す．

울혈【鬱血】〈名〉〔醫〕鬱血．

울화【鬱火】〈名〉心火．しゃく(癪)．かんしゃく(癇癪)．句例 ~가 치미는 이야기 しゃくな話 / ~가치밀다しゃくに障る．怒りがこみ上げる．

울화-병【鬱火病】[―ppyŏng]〈名〉〔韓醫〕(怒りを押さえたために)心が結ぼれてもだえる病気．=울화증(症)．

울화-통【鬱火―】〈名〉'울화'を強めていうことば：かんしゃくだま(癇癪玉)．堪忍袋．

울화통(이) 터지다 堪忍袋の緒が切れる．

움¹ [u:m]〈名〉❶芽．若芽．新芽．下もえ．句例 ⇨ 움트다．❷ひこばえ(蘖)．またば(又生)え．

움도 싹도 없다 芽も双葉もない．❶人や物が影もなく消え失せて行方を知らないこと．❷将来の見込みが全くないこと．

움² [u:m]〈名〉穴蔵．句例 무를 ~에 저장하다 大根を穴蔵に蓄える．

움(을) 묻다 穴蔵を作る．

움-돋다 [u:m―]〈自〉新芽が出る．(若)芽をふく．

움-막【―幕】[u:mmak]〈名〉穴蔵．語例 ~살이 穴蔵住まい〔暮らし〕/ ~집 穴蔵．

움-묻다 [u:m―] ⇨ '움²'の小項目

움실-거리다〈自〉(虫などが)うようよ〔うじゃうじゃ〕する．うごめ(蠢)く．

움실움실 [umshirumshil]〈副・하自〉うようよ．うじゃうじゃ．句例 구더기가 ~하다 うじ(蛆)がうようようごめく．

움쑥〈副・하形〉物の面や底がくぼんださま：ぺこん(と)．ぺこり(と)．

움쑥움쑥 [umssugumssuk]〈副・하形〉あちこちへこんでいるさま：ぺこんぺこん(と)．

움직-거리다〈自他〉続けざまに動く〔動かす〕．句例 손발을 ~ 手足を動かす．

〈움직도르래〉

움직 도르래〈名〉〔物〕動滑車．絵

**__움직-이다__ [umjigida]〈自他〉動く．動かす．❶㉠(一般的な意味で)動く．動かす．位置を〔が〕移動する．移す．移る．句例 손발을 ~ 手足を動かす / 입술을 ~ 唇を動かす / 움직이지 않고 있다 動かないでいる / 서랍〔문짝〕이 움직이지 않다 引き出し〔扉〕が動かない / 몸을 움직일 수가 없다 身動きができない．

㉡転任する．文例 당분간 지금의 자리를 움직이지 않을 작정이다 当分今の座を動かないつもりだ．

㉢(物が〔を〕)揺れる．揺り動かす．句例 앞니가 ~ 前歯が動く〔ぐらつく〕/ 바람이 작은 가지를 ~ 風が小枝を動かす / 바람으로 나뭇잎이 ~ 風で木の葉が動く〔揺れる〕．

㉣(機械などを〔が〕) 作動させる〔する〕．運転する〔される〕．句例 전기로 ~ 電気で動く / 기계를〔엔진을〕 ~ 機械〔エンジン〕を動かす / 배를 ~ 船を動かす / 배터리로 움직이는 시계 電池で動く時計 / 차를 움직이게 하다 車を動き出させる．

❷(組織・人などを〔が〕)意のままに動かす〔動く〕．行動する(ようにする)．句例 군대를 ~ 兵を動かす / 경찰이 ~ 警察が動く / 남의 뜻대로 ~ 人の思いのままに動く．文例 부하가 마음대로 움직여 주지 않는다 手下が思うように動いてくれない / 당국자를 움직여 해결을 꾀하다 当局者を動かして解決を図る．

❸変化させる〔する〕．変更する．変える．変わる．句例 움직이는 세상 変わる世の中 / 움직일 수 없는 결심 変えがたい決心 / 움직일

수 없는 사실 動かし得ない〔がたい〕事実 / 역사를 ～ 歴史を動かす. [文例] 세계의 정세가 크게 움직이고 있다 世界の情勢が大きく動いている.
❹心が動く. 心を動かせる. 感動する〔させる〕. [句例] …하고 싶은 마음이 ～ …したい心が動く / 사람 마음을 ～ 人心を動かす / 마음이 움직이지 않다 心が動かない / 유혹에 움직이지 않다 誘惑に動かされない / 열변〔돈〕으로 사람의 마음을 ～ 熱弁〔金〕で人の心を動かす.
❺左右される. [句例] 한 때의 감정으로 ～ 一時の感情で動く.
❻経営する. 運営する. [句例] 공장을 ～ 工場を経営する / 전력으로 움직이는 공장 電力で動かされる工場.

움직임 [umjigim]〈名〉動き. ❶動くこと. 移動. 活動. 動作. [句例] 구름의 ～이 빠르다 雲足が速い / 재빠른 ～을 보이다 素早い動きを見せる. ❷動向. 動静. 変化. [句例] 여론의 ～ 世論の動き / 정계의 ～ 政界の動き / 적의 ～을 살피다 敵の動静をうかがう.

움-집 [u:mtchip]〈名〉(住居用の) 穴蔵. [語例] ～살이 穴蔵住まい.

움쭉-달싹〈副・하自〉やっと身じろぎできるようす. [句例] ～ 못하다 動きが取れない. 身動きができない / ～ 못하게 하다 動きが取れないようにする. [文例] 버스는 ～도 못할 정도로 붐볐다 バスは身動きもできないほど込んでいた.
[表現] 主に否定の語'못하다'を伴う.

움찔〈副・하自他〉ひどく驚いて身をすく(竦)めるさま: ぎくりと. ぎょっと. びくっと. [句例] 허를 찔려 ～하다 不意を突かれてぎくりとする.

움찔-거리다〈自他〉ひどく驚きおびえてびくつく. ぎくりと驚いてたじろぐ〔身をすくませる・身がすくむ〕.

움찔움찔 [umtchirumtchil]〈副・하自他〉びくびく. ぎくりぎくり.

움츠러-들다 (―드니, ―들어서)〈自〉縮(こ)まる. 縮み上がる. すく(竦)む. すぼ(窄)まる. [句例] 무서워서 ～ 恐ろしくて縮こまる / 추워서 몸이 ～ 寒さでからだが縮こまる / 몸이 움츠러드는 느낌 身の縮む思い.

움츠러-뜨리다〈他〉(恐ろしさ・寒さなどでからだを)縮み上がらせる. 縮こませる. すく(竦)ませる. (首を)ひっ込ませる. [句例] 몸을 ～ 身を縮める〔縮こませる〕.

***움츠러-지다**〈自〉❶(怖さ・寒さのためにからだが)縮(こ)まる. 縮み上がる. すく(竦)む. [句例] 추워서 몸이 ～ 寒くてからだがすくむ / 아파서 몸이 ～ 痛くて縮み上がる. [文例] 무서움에 발이 움츠러져 움직일 수가 없다 恐ろしさに足がすくんで動けない. ❷気をくじ(挫)かれてたじろぐ.

움츠리다〈他〉(寒さ・恐ろしさで身を)すく(竦)める. 縮める. ひっ込める. [句例] 몸을 ～ からだをすくめる / 목을 ～ 首をひっ込める〔すくめる〕/ 발을 움츠리고 자다 足を縮めて寝る. [文例] 몸을 움츠리고 틈새를 빠져 나갔다 身を縮めて透き間を通り抜けた / 구석에 움츠리고 있었다 隅にすくんでいた.

움켜-잡다〈他〉(ひっ)つか(摑)む. しっかり握る〔つかむ〕. [句例] 멱살을 ～ 胸ぐらをひっつかむ / 뱃살을 움켜잡고 웃다 腹を抱かえて笑う.

움켜-쥐다〈他〉❶わしづか(鷲摑)みにする. 握りしめる. ぐっとつか(摑)む. ❷(権力などを)握る. [句例] 정권을 움켜 쥐고 있다 政権を握っている.

움큼〈依名〉手で一度握った分量の単位: すく(掬)い. …握り. …つかみ. [語例] 한 ～ 一握り.

움키다〈他〉しっかり握る. ぐっとつか(摑)む. わしづか(鷲摑)みにする.

움-트다 [u:m―] (움트니, 움터서)〈自〉芽生える. 芽ぶく. 芽ぐむ. もえ出る. [句例] 버드나무가 ～ 柳が芽ぶく〔芽生える〕/ 우정이 ～ 友情が芽生える. [文例] 두 사람 사이에 사랑이 움텄다 二人の間に恋が芽生えた.

움-파 [u:mp'a]〈名〉❶ひこばえ(蘖)のねぎ(葱). ❷穴蔵で育ったもえぎいろ(萌黄色)のねぎ.

움펑-눈〈名〉くぼ目. 金つぼ眼.

움푹〈副・하形〉深くくぼんでいるさま: ぺこりと. ぺこんと. ぽこんと. [句例] ～ 팬 땅 くぼ地 / ～ 들어가다〔패다〕 ぺこりとへこ(凹)む / 길이 ～ 패어 있다 道がへこんで〔くぼんで〕いる / 수면 부족으로 눈이 ～ 들어가다 寝不足で目がくぼむ.

움푹움푹 [ump'ugump'uk]〈副・하形〉ところどころがくぼんでいるさま: ぽこぽこ(と).

웃-〈頭〉名詞の前に付いて'上'の意を表わす語. [語例] ～어른 目上. →囲み記事 67

웃-거름〈名・하自〉追い肥. 追肥. ㊀밑거름.

웃-국〈名〉(酒・醬油などの)上澄み.

웃기다〈他〉'웃다'の使役形: 笑わせる. 笑わす. [句例] 웃기는 짓 人を笑わせ / 좌중〔청중〕을 ～ 座中〔聴衆〕を笑わせる. [文例] 관객을 크게 웃겼다 観客を笑殺させた / (사람) 웃기지 말게 笑わせるな / 저녀석이 발명가가 되겠다고, 웃기는군 あれが発明家になるって, 笑わせるね.

웃다 [u:tta] ■〈自〉笑う. ❶(普通の意味で)笑う. [句例] 크게 ～ 大きく笑う. 顎を外す / 와 하고 ～ どっと笑う / 빙긋 ～ にんまり(と)笑う / 낄낄〔킥킥〕 ～ くすくす笑う / 생긋거리며 ～ にっこり〔にこりと〕笑う / 싱글싱

囲み記事 67

■ '웃'と'윗' ■

皆'上'の意で名詞の前につく.

웃　上下の対立のない語に使われる.
웃국 上澄み. 웃기 (もち(餅)や果物を盛る時の)上部を飾るもち, あるいは果物.
웃돈 足し金. 웃비 しばらくや(止)んだ雨.
웃어른 目上の人.

윗　上下の対立のある語に使われる.
윗넓이 上の広さ. 윗니 上歯.
윗도리 上体. 上着. 윗몸 上半身.
윗사랑 上方の棟の客間.
윗입술 上唇. 윗자리 上席.

글 ~ にやにやと笑う / 방긋 ~ にっこり〔にこりと〕笑う / …을 보고〔듣고〕 ~ …を見て〔聞いて〕笑う / 자지러지게 ~ 笑いこける / 뱃살을 움켜쥐고 ~ 腹を抱えて笑う / 떠나갈 듯이 ~ 笑いどよめく / 우스워서 깔깔 ~ おかしくてからから笑う / 부끄러움을 웃음으로 얼버무리다 恥ずかしさを笑ってごまかす / 웃는 얼굴로 맞다 笑い顔で迎える. 文例 웃을〔웃어 버릴〕 일이 아니다 笑い事ではない / 조금도 웃지 않다 にこりともしない / 웃지 않을 수 없다 笑わずにはいられない. 笑わざるを得ない.

❷(比喩的に)花が開く. 咲く. 文例 꽃이 웃고 새가 지저귀다 花笑い鳥歌う.

参考 ①の文例で'웃을 일'は[u:sŭllil]と読む.

三〈他〉笑う. 嘲笑する. あざ(せせら)笑う. 嘲る. 句例 속으로 가만히〔혼자〕 ~ 陰で笑う〔舌を出す〕. ひそかにほくそ笑む. 文例 너 같은 짓을 하면 남들이 웃는다 君のようなことをすると世間から笑われる.

웃는 낯에 침 뱉으랴 笑う顔につば(唾)は吐けぬ. 怒れるこぶし(拳)笑顔に当たらず. 笑う顔に矢立たず.

웃어 넘기다 笑い飛ばす. 笑いのめす. 一笑に付する. 笑って問題にしない.

웃으며 뺨치듯 笑いながら相手にびんたを食わすよう. 優しく見せかけているものの実は相手を害するとのたとえ.

웃-돈〈名〉物を交換するとき, 差額を補って出す金. 足し金.

웃-돌다 (웃도니, 웃돌아서)〈自〉上回る. =상회(上廻)하다. 句例 예상을〔목표를〕 ~ 予想〔目標〕を上回る / 지난해를 크게 웃도는 이익 昨年度を大幅に上回る利益. 對밑돌다.

웃-물 [unmul]〈名〉上澄み. 上水.

***웃-어른** [udŏrŭn]〈名〉目上(の人).

***웃-옷** [udot]〈名〉うわぎ(上衣). ❶⇨ 윗옷. ❷いちばん外側に着る服. '두루마기ツルマギ'・コートなど. =겉옷.

***웃음** [usŭm]〈名〉笑い. 笑み. 句例 소리를 죽인 ~ 忍び笑い / 빈정거리는 ~ 皮肉な笑い / 호걸(풍)의 ~ 豪傑笑い / ~을 머금다 笑いをふくむ / ~을 띄우다 笑いを浮かべる / ~을 참다 笑いを押さえる〔こらえる・忍ぶ〕/ 만면에 ~을 띄우다 満面に笑みをたた(湛)える〔浮かべる〕/ (참고 있던) ~을 터뜨리다 笑いを漏らす / ~을 자아내다 笑いを催させる / 슬픔을 ~으로 달래다 悲しみを笑いに紛らす. 語例 ⇨ 웃음가마리 / ⇨ 웃음거리 / ⇨ 웃음소리 / ~판 多くの人の笑い場 / 거짓(헛) ~ そら笑い / 쓴~ 苦笑い. 苦笑.

웃음(을) 띠다 笑みを帯びる. 笑いをふくむ.

웃음 속에 칼이 있다 笑中に刀あり. 上べは優しく見せかけているが内心人を害しようとすることのたとえ.

웃음을 사다 笑いを買う〔招く〕. 人に笑われる.

웃음(을) 짓다 顔をほころばせる. 笑みをたた(湛)える. ほほえ(微笑)む. 句例 억지웃음을 짓다 作り笑いをする. 無理に笑って見せる.

웃음-가마리 [usŭmkkamari]〈名〉笑い者. 笑いぐさ(種). 句例 ~가 되다 笑い者になる / ~로 만들다 笑い者にする.

웃음-거리 [usŭmkkŏri]〈名〉人笑わせ. 物笑いの種. (お)笑いぐさ. お笑い. 句例 ~가 되다 物笑いの種になる. 人の笑いぐさ〔笑い物〕になる. 文例 큰 ~다 とんだ物笑いだ.

웃음-꽃 [usŭm—]〈名〉陽気に笑いさざめくさま. 句例 ~을 피우다 陽気に笑いさざめく. 盛んに笑いはしゃぐ.

웃음-보 [usŭmppo]〈名〉大笑い. 句例 ~를 터뜨리다 笑い出す. 笑いをもらす. 噴き出す.

웃음-소리 [usŭmssori]〈名〉笑い声. 句例 ~를 내다 笑い声をたてる / ~가 들리다 笑い声が聞こえる / ~가 높다 笑い声が高い.

웅 〔漢字項目〕

【雄】 中學 웅 ユウ. ❶수컷 雄. ■雄性 웅성 ゆうせい. ■雌雄 자웅 しゆう. ❷굳세다 おおしい. ■雄壯 웅장 ゆうそう. 雄飛 웅비 ゆうひ. ❸뛰어나다 優れている. ■英雄 영웅 えいゆう.

웅담【熊膽】〈名〉〔韓醫〕くま(熊)の胆嚢.

웅대-하다【雄大—】(→하다)〈形〉雄大だ. 句例 웅대한 조망〔구상〕 雄大な眺め〔構想〕/ 규모의 웅대함을 자랑하다 規模の雄大さを誇る.

웅덩이〈名〉水たまり. よど(淀)み. 文例 길에는 군데군데 ~가 패어 있다 道路にはところどころ水たまりができている.

웅덩이-지다〈自〉(雨の後)水たまりになる.

웅도【雄途】〈名〉雄途. 句例 북극 횡단의 ~에 오르다 北極横断の雄途に就く.

웅도【雄圖】〈名〉雄図. 句例 월세계 탐험의 ~ 月世界探険の雄図.

웅변【雄辯】〈名〉❶雄弁. 句例 ~을 토하다 雄弁を振るう / ~으로 말하다 雄弁に語る〔物語る〕. 文例 결과가 이 사실을 ~으로 말해 주고 있다 結果がこの事実を雄弁に語っている. 語例 ~대회 雄弁大会 / ~술 雄弁術. ❷'웅변가'の略.

웅변-가【雄辯家】〈名〉雄弁家.

웅비【雄飛】〈名・하自〉雄飛. 句例 해외로 ~하다 海外に雄飛する.

***웅성-거리다**〈自〉ざわめく. ざわつく. ひし(犇)めく. 句例 군중이 ~ 群衆がひしめく. 文例 온 동네가 그 소식으로 웅성거리고 있었다 町中がその知らせでざわめいていた.

웅성웅성〈副・하自〉ざわめくさま.

웅숭-그리다〈他〉(恐ろしさ・寒さなどで)からだをすく(竦)める. 縮める.

웅숭-깊다〈形〉❶度量が広く思いやりがある. 思慮ぶかい. ❷(奥)ゆかしい. ❸つつましく軽軽しくない.

웅얼-거리다〈自他〉(口の中で)ぶつぶつつぶやく. むにゃむにゃ言う.

웅얼웅얼 [ung-ŏrung-ŏl]〈副・하自他〉ぶつぶつ. むにゃむにゃ.

웅자【雄姿】〈名〉雄姿. 句例 ~를 드러내다 雄姿を現す.

웅장-하다【雄壯—】(→하다)〈形〉雄壮だ. 雄大〔壮厳〕だ. 句例 웅장한 경치 雄大な眺め

〔景色〕.

웅지【雄志】〈名〉雄志. 大望. 句例 ~를 품다 雄志をいだく / ~를 펴다 大望を遂げる.

웅크리다〈他〉(寒さや怖さなどで)身をすく(竦)める〔縮める〕. しゃがむ. うずくま(蹲)る. 句例 보이지 않는 곳에 ~ 物陰にしゃがむ. 文例 툇마루 밑에 개가 웅크리고 있다 縁の下に犬がうずくまっている.

워〈名〉〔言〕ハングルの字母'ㅝ'の名称.

⁑워낙〈副〉❶もともと. 元来. 文例 ~ 저런 사람이니까 미리 조심해 두는 것이 좋다 もともとああいう人だからあらかじめ気をつけている方がよい / 겨울이란 ~ 추운 법이다 もともと冬は寒いものだ. ❷なに(何)せ. なに(何)しろ. あまりに(も). =아주. 원체. 句例 ~ 길이 나빠서 なにしろ道が悪いので. 文例 쇼크가 ~ 커서 말이 안나온다 ショックがあまりに大きくて, 言葉が出ない / ~ 길이 붐벼서 그만 늦어버렸다 なにしろ道がこんでいて, すっかり遅くなってしまった / 그 정도의 돈은 아무것도 아닐세, ~ 큰 부자이니까 そのぐらいの金はなんでもないさ, なにしろ金満家なんだから.

워드 프로세서 [woːdŭ—]〈名〉ワードプロセッサー. ワープロ《略語》. 自動文書作成機. ◇word processor

워리 [woːri]〈感〉犬を呼ぶ語.

워키-토키 [woːk'it'oːk'i]〈名〉ウォーキートーキー. 近距離用の小型トランシーバー. ◇walkie-talkie

***원**【圓】〈名〉円. サークル. 句例 ~을 이루다 円を成す / 새가 ~을 그리며 날다 鳥が円を描いて飛ぶ. 語例 ~운동 円運動 / ~편광 円偏光 / 외~ 外円.

원【願】[woːn]〈名〉願い. =소원(所願). 句例 ~을 들어 주다 願いを聞き入れる. →원(願)하다

⁑원[1]〈依名〉韓国の貨幣単位:ウォン. '전'の百倍.
参考 もとは, 원(圓), 전(錢)と書きあらわしたが, 今は漢字は使わない.

원[2] [woːn]〈感〉意外なときや驚くときなどに発する語: まあ. あら. これは. なん(何)て〔と〕. 文例 ~, 세상에 그럴 수가! まあ, なんとひどいことなんだろう / ~, 저리도 못났을까 まあ, なんて弱虫だろう / ~, 세상에 그런 거짓말을 하다니 よくもまあそんなうそがつけたもんだ.

-원【願】〈尾〉'원서(願書)'の意: …願い. 語例 휴학~ 休学の願い / 사직~ 辞職願い.

원 〔漢字項目〕

【元】中學 원 ゲン. ガン. ❶근본 元. ◧元素 원소 げんそ. 元氣 원기 げんき. 元金 원금 がんきん. もときん. ◨根元 근원 こんげん. ❷원래의 상태 もとの状態. ◨還元 환원 かんげん. 復元 복원 ふくげん. ❸최고위자 最高位者. ◧元首 원수 げんしゅ. 元師 원수 げんすい. ❹구분한 것을 세는 말 区分したものを数える語. ◨次元 차원 じげん. 單元 단원 たんげん. ❺〔數〕방정식의 미지수 方程式の未知数. ◨多元 다원 たげん. 二元 이원 にげん. ❻시초가 되다 初めになる. ◧元祖 원조 がんそ. 元年 원년 がんねん. ❼한해의 처음 一年の初め. ◧元旦 원단 がんたん.

【原】中學 원 ゲン. ❶원래의 もとの. ◧原文 원문 げんぶん. 原産地 원산지 げんさんち. ❷근본이 되는 것 根本になるもの. ◧原因 원인 げんいん. 原則 원칙 げんそく. ◨病原菌 병원균 びょうげんきん. ❸넓은 들판 広い野原. ◨高原 고원 こうげん. 草原 초원 そうげん. ❹'원자력'의 준말 原子力の略. ◧原爆 원폭 げんばく.

【員】高校 원 イン. ❶인원수 人数. ◧員數 원수 いんずう. ◨全員 전원 ぜんいん. 定員 정원 ていいん. ❷일이나 역할을 맡은 사람 仕事や役を受け持った人. ◨委員 위원 いいん. 議員 의원 ぎいん. 社員 사원 しゃいん.

【園】中學 원 エン. ❶정원 庭園. ◧園藝 원예 えんげい. 園遊會 원유회 えんゆうかい. ◨公園 공원 こうえん. ❷뜰이 있고 사람이 모이는 곳 庭があって人が集まる所. ◨動物園 동물원 どうぶつえん. 學園 학원 がくえん. ❸유치원이나 보육원 幼稚園や保育園. ◨園兒 원아 えんじ. 園長 원장 えんちょう.

【圓(円)】中學 원 エン. ❶둥글다 円い. ◧圓周 원주 えんしゅう. 圓盤 원반 えんばん. ◨半圓 반원 はんえん. ❷모가 없다 角がない. ◧圓滑 원활 えんかつ. 圓滿 원만 えんまん.

【怨】中學 원 エン. オン. 원망하다 恨む. ◧怨恨 원한 えんこん. 怨靈 원령 おんりょう. ◨仇怨 구원 きゅうえん. 宿怨 숙원 しゅくえん.

【援(援)】高校 원 エン. 구원하다 助ける. ◧援軍 원군 えんぐん. 援助 원조 えんじょ. ◨後援 후원 こうえん. 應援 응원 おうえん. 救援 구원 きゅうえん.

【源】高校 원 ゲン. ❶근원 源. ◧源泉 원천 げんせん. 源流 원류 げんりゅう. ◨水源 수원 すいげん. ❷사물이 발생하는 근본 事物が発生するもと. ◨起源 기원 きげん. 財源 재원 ざいげん. 資源 자원 しげん.

【遠(遠)】中學 원 エン. オン. ❶멀리 떨어져 있다 遠く離れている. ◧遠征 원정 えんせい. 遠近 원근 えんきん. ❷오랜 시간이 지나다 長い時間がたつ. ◨永遠 영원 えいえん. 久遠 구원 くおん. ❸친하지 않다 親しくない. ◨疏遠 소원 そえん. 敬遠 경원 けいえん.

【院】高校 원 イン. ❶주위에 담을 두른 건물 周囲にへいをめぐらした建物. ◨養老院 양로원 ようろういん. 學院 학원 がくいん. 議院 의원 ぎいん. ❷병원 病院. ◧院長 원장 いんちょう. ◨病院 병원 びょういん. 通院 통원 つういん. 入院 입원 にゅういん.

【願】高校 원 ガン. 소원하다 願う. ◧願書 원서 がんしょ. 願望 원망 がんぼう. ◨祈願 기원 きがん. 請願 청원 せいがん.

원가【原價】[wonkka]〈名〉原〔元〕価. コスト. 元値. 元. 句例 책의 ~ 本の原価 / ~로 팔다 元値で売る / ~ 이하로 팔다 原価を割って

〔切って〕売る. 語例 ～ 계산 原価計算/생산 ～ 生産原価.

원-거리【遠距離】[wo:n—]〈名〉遠距離. ＝장거리. 對근거리.

원격【遠隔】[wo:nkkyŏk]〈名・하形〉遠隔. 語例 ～지 遠隔の地/～ 조작〔조종〕遠隔操作〔操縦〕.

*__원고__【原告】〈名〉〔法〕原告. 文例 그 증거는 명백히 ～에게 불리하다 その証拠は明らかに原告に不利である. 對피고(被告).

원고【原稿】〈名〉原稿. 句例 ～를 쓰다 原稿を書く/～를 정리〔채택〕하다 原稿を整理〔採用〕する/～를 수정하다 原稿の手直しをする/～를 인쇄에 부치다 原稿を印刷に付する/～ 없이 이야기하다 原稿なしで話す. 語例 ～료 原稿料. 稿料/⇨원고 용지

원고 용지【原稿用紙】[—yo:ngji]〈名〉原稿用紙. 略して'원고지'ともいう.

원광【原鑛】〈名〉原鉱. 粗鉱. 句例 ～ 그대로 선적하다 原鉱のままで船積みする.

원군【援軍】[wo:n-gun]〈名〉援軍. 句例 ～을 요청하다〔기다리다〕援軍を請う〔待つ〕/～을 보내다 援軍〔援兵〕を送る. 文例 ～이 올 때까지 성은 지탱할 수 없다 援軍が来るまで城は持ちきれない.

원귀【寃鬼】[wo:n-gwi]〈名〉寃鬼. 怨霊. 文例 ～의 앙얼을 입어서 죽었다 怨霊に取りつかれて死んだ.

*__원-그래프__【圓graph】〈名〉〔數〕円グラフ.

원-그림【原—】〈名〉原画.

원근【遠近】[wo:n-gŭn]〈名〉遠近. 句例 ～에 따라 다르다 遠近によって違う/카메라의 ～을 조절하다 カメラの遠近を調節する.

원근-법【遠近法】[wo:n-gŭnppŏp]〈名〉遠近法.

*__원금__【元金】〈名〉元金. 元手. 句例 ～과 이자 元金と利子. 元子/～에 이자를 붙여 갚다 元金に利子を付けて返す. 文例 ～도 이자도 날려버렸다 元も子もなくした. 對이자(利子).

원기【元氣】〈名〉元気. ❶持って生まれた気力. 活力. 精力. 句例 ～(가) 왕성하다 元気旺盛だ/～가 넘칠 것 같다 元気があふれるばかりである/～가 쇠하다 元気が衰える. 語例 ～ 부족 元気不足. ❷(天地間の)精気.

원기【原器】〈名〉原器. 語例 미터 ～ メートル原器/킬로그램 ～ キログラム原器.

원-기둥【原—】〈名〉建物の中央に立てる柱. 大黒柱.

*__원-기둥__【圓—】〈名〉〔數〕円柱.

원내【院內】〈名〉'원 院'の字の付いた各種機関の内部. 院内. 語例 ～ 교섭 단체 院内交渉団体/～ 간사 院内幹事/～ 총무 院内総務.

원년【元年】〈名〉元年.

*__원-님__【員—】〈名〉〔史〕郡守の尊称.

원님 덕에 나팔이라 郡守のおかげでラッパ. 他人のおかげでいい待遇を受けることのたとえ. お相伴にあずかる.

원단【元旦】〈名〉元旦. 元正. 一月一日. 元日.

원단【原緞】〈名〉原料としての反物.

원대【原隊】〈名〉〔軍〕原隊. 句例 ～ 복귀하다 原隊に復帰する.

원대-하다【遠大—】[wo:ndae—](→하다)〈形〉遠大だ. 句例 원대한 포부 遠大な抱負/원대한 계획을 세우다 遠大な計画を立てる.

원동【遠東】[wo:ndong]〈名〉〔地〕極東.

원동-기【原動機】〈名〉〔物〕原動機.

원동-력【原動力】[wondongnyŏk]〈名〉原動力. 句例 활동〔혁명〕의 ～ 活動〔革命〕の原動力.

원두-막【園頭幕】〈名〉まくわうり・すいかなどの畑を守る番小屋.

원-둘레【圓—】〈名〉〔數〕⇨원주(圓周)

*__원래__【元來・原來】[wollae]〈名・副〉元来. もともと. 句例 ～ 정직한 사람 元来正直な人. 文例 ～ 네가 나쁘다 元は君が悪い/～ 활발한 아이였다 もともと活発な子だった/～ 어려운 일이야 どだい難しい仕事だ.

원로【元老】[wollo]〈名〉元老. 句例 정계의 ～ 政界の元老. 語例 ～원 元老院.

원론【原論】[wollon]〈名〉原論. 語例 경제학 ～ 経済学原論.

*__원료__【原料】[wollyo]〈名〉原料. 句例 ～를 확보하다 原料を確保する.

원류【源流】[wollyu]〈名〉源流. 句例 강의 ～ 川の源流/그리스 문화의 ～를 연구하다 ギリシャ文化の源流を研究する.

원리【元利】[wolli]〈名〉元利. 元と子. 語例 ～ 합계 元利合計/～금 元利金.

*__원리__【原理】[wolli]〈名〉原理. 句例 다수결의 ～ 多数決の原理/～를 응용하다 原理を応用する.

원만-하다【圓滿—】(→하다)〈形〉円満だ. 句例 원만한 인격〔인품〕円満な人格〔人柄〕/원만한 가정 생활 円満な家庭生活/원만한 타결 円満な妥結/원만하지 못하다 円満を欠く. 文例 부모와 자식 사이가 원만하지 못하다 親子の間がしっくり行かない/웬 일인지 그들 사이가 원만하지 못하다 どうした訳か彼らの間がむつ(睦)まじくない. **원만히**〈副〉円満に. 句例 원만히 해결하다 円満に解決する/극히 원만히 살다〔지내다〕至極円満に暮らす.

원-말【原—】〈名〉原語. ＝본딧말.

원망【怨望】[wo:nmang]〈名〉恨み. **～하다**〈他〉恨む. 根に持つ. 句例 ～을 늘어놓다 恨み言を言う/～의 대상이 되다 怨嗟の的になる. **～스럽다**(→스럽다)〈形〉恨めしい. 句例 ～스러운 얼굴〔표정〕恨めしそうな顔つき. かこち顔/～스럽게 생각하다 恨めしいと思う. 文例 그가 나를 구하러 오지 않은 것이 ～스러웠다 彼が助けに来てくれないのが恨めしかった/2루수의 실책이 ～스러워 죽겠다 セカンドのエラーが恨めしくてたまらない.

원매-인【願買人】[wo:nmae—]〈名〉買い手. ＝작자. 원매자(願買者).

원매-자【願賣者】[wo:nmae—]〈名〉売り手. ＝원매인(願賣人).

원맥【原麥】〈名〉原麦.

원맨 쇼 [wonmaensyo:]〈名〉ワンマンショー. ◇one-man show
원면【原綿】〈名〉原綿.
원모【原毛】〈名〉原毛. 句例 ~의 수입 原毛の輸入.
*__원목__【原木】〈名〉原木. 粗木. 句例 펄프의 ~ パルプの原木.
원무-곡【圓舞曲】〈名〉円舞曲. =왈츠.
원문【原文】〈名〉原文. テキスト. 本文. 句例 ~의 잘못 原文の誤り / ~에 충실하게 번역하다 原文に忠実に訳する.
원반【圓盤】〈名〉円盤. 句例 ~ 모양의 것 円盤状のもの. 語例 ⇨ 원반던지기
원반-던지기【圓盤—】〈名〉円盤投げ. 句例 ~에서 우승하다 円盤投げで優勝する.
원병【援兵】[wo:nbyŏng]〈名〉援兵. 援軍. 句例 ~을 요청하다 援兵を請う / ~을 보내다 援軍を送る.
원본【原本】〈名〉原本. ❶['원간본(原刊本)'の略] 初刊本. ❷(翻訳・謄写・抄録などで) もとになる本. 句例 ~과 사본 原本と写本. ❸根源. 大本. 句例 ~으로 거슬러 올라가면 原本にさかのぼれば. ❹正本・.
원부【原簿】〈名〉原簿. 元帳. 句例 ~와 대조하다〔맞쐬다〕元帳と突き合わせる.
원-불교【圓佛教】〈名〉〔佛〕円仏教. 1916年に仏教の現代化と生活化をモットーに全羅北道益山に総本山を設けて創立した一宗派.
*__원-뿔__【圓—】〈名〉〔數〕円錐. 語例 ~꼴 円錐形.
원사【原絲】〈名〉原糸.
원사이드 게임〈名〉ワンサイドゲーム. ◇one-sided game
원산-지【原産地】〈名〉原産地.
원상【原狀】〈名〉原状. 句例 ~(으로) 복귀하다 原状に復する. もとのさや(鞘)に収まる. 語例 ~ 유지 原状維持.
원색【原色】〈名〉〔物〕原色. =기색(基色). 語例 ~판 原色版 / 삼~ 三原色.
원생【院生】〈名〉院生. 大学院の学生. また, 少年院の収容者.
원생-동물【原生動物】〈名〉〔動〕原生動物. =원시(原始) 동물.
원서【原書】〈名〉原書. 句例 셰익스피어를 ~로 읽다 シェイクスピアを原書で読む. 類원본(原本).
원서【願書】[wo:nsŏ]〈名〉願書. 願い. 句例 ~를 접수하다 願書を受け付ける / ~를 마감하다 願書を締め切る. 語例 입학 ~ 入学願書.
원석【原石】〈名〉原石. 句例 ~ 그대로의 다이아몬드 原石のままのダイヤモンド.
원성【怨聲】[wo:nsŏng]〈名〉怨声. 恨みの声.
*__원소__【元素】〈名〉〔化〕元素. 句例 몇 개의 ~로 분해하다 いくつかの元素に分解する. 語例 금속 ~ 金属元素 / 동위 ~ 同位元素.
원소 기호【元素記號】〈名〉〔化〕元素記号.
원소 주기율표【元素周期律表】〈名〉〔化〕元素周期律表. 略して '주기율표・주기표' ともいう.

원수【元首】〈名〉元首. 語例 국가 ~ 国家の元首.
원수【元帥】〈名〉元帥.
*__원수__【怨讐】〈名〉怨讐. あだ(仇). 敵. 句例 부모의 ~ 親の敵 / ~로 여기다 仇敵視する. 仇視する.
원수(를) 갚다 あだを討つ. 敵を討つ〔とる〕. 恨みを晴らす.
원수는 외나무 다리에서 만난다 敵は一本橋で出会う. 人に恨みを買う者はいつか難儀するときにその仕返しを受けるとのたとえ.
원수(를) 지다 あだを成す. 互いに敵どうしとなる.
원숙【圓熟】〈名〉円熟. 語例 ~기 円熟期 / ~미 円熟味.
원숙-하다【圓熟—】[wonsuk'ada] (→하다) ━〈自〉⇨ 무르익다①.
━〈形〉円熟している. 練れている. 句例 원숙한 사상〔인격〕円熟した思想〔人格〕/ 마음이 원숙해지다 心が練れる / 원숙한 경지에 이르다 円熟の境〔境地〕に達する. 文例 그는 원숙한 인물이다 彼は練れた人物である.
**원숭이 [wo:nsung-i]〈名〉〔動〕猿. ましら《雅》. 句例 ~의 흉내 내기 猿の物まね / ~처럼 흉내를 내다 猿まねをする / ~처럼 기어오르다 ましらのごとくよじ登る / ~가 쭈르르 나무에 올라가다 猿がするすると木に登る.
원숭이도 나무에서 떨어진다 猿も木から落ちる. 弘法にも筆のあやまり.
원시【原始・元始】〈名〉原始. はじめ. もと. 句例 ~적인 경향 原始的傾向 / ~적인 생활 原始的生活. 語例 ⇨ 원시림 / ⇨ 원시 시대 / ~ 사회 原始社会 / ~인 原始人 / ~ 상태 原始状態.
원시【遠視】[wo:nshi]〈名〉['원시안(遠視眼)'の略] 遠視. 遠眼. 遠目. 句例 ~인 사람 遠視の人. 文例 할아버지는 ~이다 祖父は遠目だ. 對근시(近視).
원시-림【原始林】〈名〉原始林.
원시 시대【原始時代】〈名〉原始時代.
원심【原審】〈名〉〔法〕原審. 句例 ~을 파기하다 原審を破棄する.
원심-력【遠心力】[wo:nshimnyŏk]〈名〉〔物〕遠心力. 對구심력(求心力).
원아【園兒】[wona]〈名〉園児.
원안【原案】[wonan]〈名〉原案. 句例 격론을 거듭한 ~ もみにもんだ原案 / ~대로 가결하다 原案通り可決する / ~에 찬성하다 原案に賛成する / ~을 작성하다 原案を作成する. 對성안(成案). 類초안(草案).
원앙【鴛鴦】[wonang]〈名〉❶〔鳥〕おしどり. =원앙새. ❷鴛鴦. むつまじい夫婦. 語例 ~금 鴛鴦のふすま(衾).
원액【原液】[wonaek]〈名〉原液.
원양【遠洋】[wo:nyang]〈名〉遠洋. 語例 ~ 항해 遠洋航海. 對근해(近海).
원양 어선【遠洋漁船】[wo:nyang—]〈名〉遠洋漁船.
원양 어업【遠洋漁業】[wo:nyang—]〈名〉遠洋漁業.

ㅇ

원어【原語】[wonŏ]〈名〉原語.
원예【園藝】[wonye]〈名〉園芸. 語例 ～사 園芸師 / ～ 시험장 園芸試験場 / ～ 작물 園芸作物 / 가정 ～ 家庭園芸.
원외【院外】[wonoe]〈名〉院外. 句例 ～ 운동을 하다 院外運動をする. 語例 ～ 투쟁 院外闘争. 對원내(院內).
원용【援用】[wo:nyong]〈名・하他〉援用. 句例 사례를 ～하다 事例を援用する / 문헌을 ～하다 文献を援用する.
원-운동【圓運動】[wonundong]〈名〉〔物〕円運動.
원-위치【原位置】[wonwich'i]〈名〉元の位置. 元の場所.
*__원유__【原油】[wonyu]〈名〉原油. 句例 ～의 보유량 原油の保有量 / ～가 분출하다 原油が噴出する.
원음【原音】[wonŭm]〈名〉原音. 基音.
원인【原人】[wonin]〈名〉原人. 語例 직립 ～ 直立原人.
*__원인__【原因】[wonin]〈名〉原因. 句例 사고의 ～ 事故の原因 / 화재의 ～ 火事の原因. 火の元 / ～과 결과 原因と結果 / 사소한 일이 ～이 되어 ふとしたことが原因で / ～을 찾아내다 原因を突き止める / ～을 밝히다 原因を明らかにする. 對결과(結果).
원인【猿人】[wonin]〈名〉猿人.
원인【遠因】[wo:nin]〈名〉遠因. 句例 전쟁의 ～이 되다 戦争の遠因となる. 對근인(近因).
원일-점【遠日點】[wo:niltchŏm]〈名〉〔天〕遠日点. 對근일점(近日點).
원자【元子】〈名〉〔史〕王の長男.
参考 普通, この王子が太子になる.
*__원자__【原子】〈名〉原子. 語例 ～가 原子価 / ～병 原子病 / ～운 原子雲.
원자 기호【原子記號】〈名〉〔物・化〕⇨ 원소 기호(元素記號).
원자-량【原子量】〈名〉〔物・化〕原子量.
원자-력【原子力】〈名〉〔化〕原子力. 語例 ～ 발전(소) 原子力発電(所) / ～ 잠수함 原子力潜水艦.
원자-로【原子爐】〈名〉〔物〕原子炉.
원-자재【原資材】〈名〉(工業生産の)資材となるもの. 原材料.
원자-탄【原子彈】〈名〉⇨ 원자 폭탄
원자 폭탄【原子爆彈】〈名〉原子爆弾. 略して'원폭'ともいう.
원자-핵【原子核】〈名〉〔物〕原子核. 語例 ～ 분열 原子核分裂 / ～ 붕괴 原子核崩壊.
원작【原作】〈名〉原作. 語例 ～자 原作者.
원장【元帳】[wontchang]〈名〉元帳. 原簿. 句例 ～과 대조하다 元帳と突き合わせる / ～에 기입하다 元帳に記入〔記帳〕する.
원장【院長】〈名〉院長. 句例 병원의 ～ 病院の院長.
원장【園長】〈名〉園長. 句例 동물원 ～ 動物園の園長 / 유치원 ～ 幼稚園の園長.
원-장부【元帳簿】〈名〉❶もととなる帳簿. ❷元帳. ＝원장(元帳).
원-저자【原著者】〈名〉原著者. ＝원작자(原作者).
원적【原籍】〈名〉原籍. 語例 ～지 原籍地.
원전【原典】〈名〉原典. 文例 ～과 대조하여 확인했다 原典にあたってたしかめた.
원전【原電】〈名〉'원자력 발전(소) 原子力発電(所)'の略.
원점【原點】[wontchŏm]〈名〉原点. 元. 句例 ～으로 돌아가다 原点に返る / ～으로 되돌아가서 다시 생각하다 原点に立ち戻って〔元に返って〕考えなおす.
원정【遠征】[wo:njŏng]〈名・하自〉遠征. 句例 ～ 온 선수들 来征した選手たち / ～의 길에 오르다 遠征の途につく. 語例 ～ 경기 遠征試合 / ⇨ 원정군 / 해외 ～ 海外遠征. 類장정(長征).
원정-군【遠征軍】[wo:njŏng—]〈名〉遠征軍. 句例 ～을 맞이하다 遠征軍を迎える.
원정-대【遠征隊】[wo:njŏng—]〈名〉遠征隊. 句例 ～를 조직〔파견〕하다 遠征隊を組織〔派遣〕する.
원제【原題】〈名〉原題. ＝원제목(原題目). 對개제(改題)・역명(譯名).
원조【元祖】〈名〉元祖・元. 始祖. 句例 종문의 ～ 宗門の始祖 / 지압술의 ～ 指圧術の元祖.
원조【援助】[wo:njo]〈名・하他〉援助. 句例 조건부 ～ ひも付き援助 / ～를 주다 援助を与える / ～를 약속하다 援助を約する / ～를 (요)청하다 援助を求める〔請う〕/ …에게 ～를 바라다 …に援助を仰ぐ / ～하러 가다 援助に向かう. 句例 해외 ～ 계획 海外援助計画 / ～ 물자 援助物資.
원죄【原罪】〈名〉〔基〕原罪.
원죄【冤罪】[wo:njoe]〈名〉冤罪. ぬれぎぬ. 句例 ～를 (들)쓰다 冤罪を被る. ぬれぎぬを着せられる.
원주【圓周】〈名〉〔數〕円周. ＝원둘레.
*__원주__【圓柱】〈名〉円柱. ＝원기둥. 語例 ～ 투영법 円柱投影法.
원주-민【原住民】〈名〉原住民.
원-주소【原住所】〈名〉もとの住所. 對현(現)주소.
원주-율【圓周率】〈名〉〔數〕円周率.
원지【原紙】〈名〉原紙. 句例 ～를 긁다 原紙〔がり〕を切る.
원-채〈名〉母屋・おも.
원천【源泉】〈名〉源〔原〕泉. 句例 활동력의 ～ 活動力の源泉. 語例 ～ 과세〔징수〕源泉課税〔徴収〕.
원 천만에【一千萬一】[wo:nch'ŏnmane]〈感〉どういたしまして. とんでもない. めっそうもない.
원체【元體】■〈名〉本をなす形体. 本体. ■〈副〉もともと. もとから. あまりにも. 何にしろ. ＝워낙. 본디. 文例 ～ 길이 붐벼서 그만 늦고 말았다 何しろ道がこんでいて, すっかり遅くなってしまった.
원초-적【原初的】〈名・冠〉原初(の). (物事や現象の) いちばん初め(の). 語例 ～ 형태 原初形態.
원촌【原寸】〈名〉⇨ 제치수
*__원칙__【原則】〈名〉原則. 建て前. 句例 ～적으로 原則として / ～을 세우다〔정하다〕原則を立

たてる〔きめる〕/ ～에 의거하다 原則に基づく / …을 ～으로 하다 …を原則〔建て前〕とする / ～을 무너뜨리다 建て前をくずす. 文例 에누리 않는 것을 ～으로 하고 있습니다 値引き無しを建て前としております. 語例 근본 ～ 根本原則.

원-컨대【願—】[wo:n—]〈副〉願わくは. 願うことには. =바라건대. 文例 ～ 저의 소망이 이루어지게 해주소서 願わくは我が望みをかなえたまえ.

원탁【圓卓】〈名〉円卓. 句例 ～을 둘러싸고 앉다 円卓をかこんで座る.

원탁 회의【圓卓會議】[wont'ak'oe:ŭi]〈名〉円卓会議.

원통【圓筒】〈名〉円筒. 語例 ～ 도법 円筒図法 / ～형 円筒形 / 반(半)～형 半円筒形. なまこ形.

원통-하다【寃痛—】(→하다)〈形〉恨めしい. くやしい. 無念だ. 残念だ. 句例 원통하게 생각하다 無念に思う / 원통해서 이를 갈다 無念の歯がみをする. **원통히**〈副〉残念に. くやしそうに.

원판〈名・副〉本来の状態〔場面〕. 本来. =원래.

원판【原板】〈名〉(写真の)原板.

원-판결【原判決】〈名〉原判決. 句例 ～을 파기하다 原判決を破棄する.

원폭【原爆】〈名〉'원자 폭탄'の略: 原爆. 句例 ～의 희생자〔피해자〕原爆の犠牲者〔被害者〕. 語例 ～ 실험 原爆実験 / ～증〔醫〕原爆症.

원-풀다【願—】[wo:n—] (원푸니, 원풀어서)〈自〉願いがかなう.

원-풀이【怨—】[wo:np'uri]〈名・하自〉恨みを晴らすこと.

원-풀이【願—】[wo:np'uri]〈名・하自〉願いをかなえること. 望みがかなうこと.

*__원-피스__[—p'i:sŭ]〈名〉ワンピース. 簡単服. 句例 간편한 여름철 ～ 簡単な夏向きのワンピース. ◇one-piece

*__원-하다__【願—】[wo:n—](→하다)〈他〉❶願う. 望む. 句例 원하는 일 願い事 / 영달을 ～ 栄達を願う / 원하는 일이 이루어지다 願い(事)がかなう. 文例 교섭이 원만히 타결되기를 원합니다 交渉が円満に妥結することを望んでいます / 무엇이든 원하시는 것을 드리죠 なん(何)なりとお望みの物を差し上げましょう. ❷(何かを)しようと思う. 句例 손에 넣기를 원하는 물건 手に入れたい品物. ❸こいねがう. ㉠求める. 欲する. 句例 평화를 ～ 平和を求める〔欲する〕. ㉡請う. 請願〔懇願〕する. 句例 용서를 ～ ゆるしを請う〔こいねがう〕.

원한【怨恨】[wo:nhan]〈名〉怨恨. 恨み. 意趣. 略して'원(怨)''한(恨)'ともいう. 句例 ～을 사다 恨みを買う / ～이 있다 恨みがある / ～을 품다 怨恨〔恨み〕をいだ(抱)く / ～을 풀다 恨み〔意趣〕を晴らす / ～에 의한 살인 怨恨による殺人 / ～이 골수에 사무치다 恨み骨髄に徹する / 쌓이고 쌓인 ～을 풀다 恨みつらみを晴らす.

원해【遠海】[wo:nhae]〈名〉遠海. =원양(遠洋). 난바다. 語例 ～어 遠海魚. 對근해(近海).

원형【原形】〈名〉❶原形. 句例 ～을 유지하다 原形を保つ / ～을 잃다. ～이 남아 있지 않다 原形をとどめない. ❷〔言〕⇨ 기본형

원형【原型】〈名〉原型. 句例 ～을 뜨다 原型をとる.

원형【圓形】〈名〉円形. まるがた. 輪. 句例 ～으로 오려내다 円形に切り抜く / ～으로 앉다〔늘어서다〕輪になって座る〔並ぶ〕. 語例 ～ 극장 円形劇場. 對방형(方形).

원형-질【原形質】〈名〉〔生〕原形質. 語例 ～ 운동 原形質運動.

원호【援護】[wo:nho]〈名・하他〉援護. 句例 ～의 손길을 뻗치다 援護の手をさしのべる. 語例 ～회 援護会.

원호【圓弧】〈名〉〔數〕円弧. =호(弧). 句例 공이 ～를 그리며 날다 ボールが円弧を描いて飛ぶ.

원혼【寃魂】[wo:nhon]〈名〉冤魂. 恨みをのんで死んだ人の魂.

원-화【—貨】〈名〉(韓国の)ウォン貨.

원화【原畫】〈名〉原画. 句例 ～의 모사 原画の模写.

*__원활-하다__【圓滑—】(→하다)〈形〉円滑だ. 句例 원활한 운용 円滑な運用. **원활히**〈副〉円滑に. なだらかに. 句例 원활히 진척시키다 円滑に運ばせる. 文例 회의는 원활히 진행되었다 会議は円滑に運んだ / 모든 일이 원활히 진척되었다 万事スムーズにいった.

원훈【元勳】〈名〉元勲.

원흉【元兇】〈名〉元凶. 句例 부정 선거의 ～ 不正選挙の元凶.

월[wo:l]〈名〉文章. =글월.

*__월__【月】■〈名〉❶暦の一か月. 月. =달. 句例 ～ 2회의 공연 月2回の公演 / ～ 얼마로 月にいくらで. 語例 ～평균 月平均. ❷['월요일(月曜日)'の略]. 月.
■〈依名〉一年を十二に分けた区分け. また, それをかぞえる語. 月: 語例 오뉴～ 五六月.

월 〔漢字項目〕

【月(月)】中學 월 ゲツ. ガツ. ❶달 月. ◧月光 월광 げっこう. 月世界 월세계 げっせかい. ◧満月 만월 まんげつ. 明月 명월 めいげつ. ❷일년의 12분의 일 一年の十二分の一. ◧月末 월말 げつまつ. 月刊 월간 げっかん. ◧正月 정월 しょうがつ. 年月 연월 ねんげつ. ❸시간의 흐름 時の流れ. ◧歳月 세월 さいげつ. ❹칠요 중의 두번째 七曜のうちで二番目. ◧月曜日 월요일 げつようび.

【越】高校 월 エツ. 넘다 越える. ◧越境 월경 えっきょう. 越權 월권 えっけん. 越冬 월동 えっとう. ◧超越 초월 ちょうえつ.

월간【月刊】〈名〉月刊. 語例 ～ 잡지 月刊雑誌.

월경【月經】〈名・하自〉月経. 月の物. 月の障り. メンス. =몸엣것. 생리(生理). 語例 첫～ 初潮. 初花.

월경【越境】〈名・하自〉越境. 句例 불법으로 ～하다 不法に越境する.

월계-관【月桂冠】〈名〉月桂冠. 句例 승리의 ~을 쓰다 勝利の月桂冠を頂く.
월광【月光】〈名〉月光. ＝달빛. 句例 (베토벤의) ~곡 (ベートベンの)月光の曲.
월권【越權】[wolkkwon]〈名·하自〉越権. 語例 ~ 행위 越権行為.
월급【月給】〈名〉月給. サラリー. 句例 ~을 받다〔타다〕月給をもらう / ~으로 살다 月給で暮らす / ~을 올리다 月給を上げる / ~이 오르다 月給が上がる / 백만원의 ~을 받다 100万ウォンの月給を取る. 語例 ~날 月給日 / ~ 봉투 月給袋. 給料袋 / ⇨ 월급쟁이.
월급-쟁이【月給—】〈名〉 月給取り. サラリーマン. 勤め人. 句例 ~ 생활을 하다 お勤め暮らしをする. 月給で暮らす.
월남【越南】[wollam]〈名·하自〉❶境界線を越えて南の方に行くこと. ❷軍事境界線の以北から南下して大韓民国に越えて行くこと. 對월북(越北).
월동【越冬】[wolttong]〈名·하自〉越冬. 句例 ~ 준비를 하다 冬を越す準備をする. 冬支度をする. 文例 곰은 굴 속에서 ~한다 くま(熊)は穴の中で冬ごもりする. 語例 ~비 越冬費.
*__월등-하다__【越等—】[wolttŭng—]（→하다）〈形〉けた外れだ. ずば抜けて〔抜きんでて〕いる. 並外れている. **월등히**〈副〉けた外れに. ずば抜けて. 段違いに. とびきり. 並外れて. 句例 월등히 싼 값 けた外れの安値. 文例 저 물건은 그것보다 월등히 위다 あの品は それよりとびきり上である.

ㅇ

월례【月例】〈名〉月例. 句例 ~의 모임 月例の集まり / ~ 행사를 하다 月例の行事をとり行なう. 語例 ~회 月並会.
월리【月利】〈名〉月利. ＝달변. 句例 ~ 5푼의 고리 月五分の高利.
월말【月末】〈名〉月末・つきずえ. つごもり《雅》. 語例 ~ 지급 月末払い. 對월초(月初).
월면【月面】〈名〉月面. 語例 ~도 月面図 / ~ 착륙 月面着陸.
월반【越班】〈名·하自〉飛び級. 学年を飛ばして進級すること.
월별【月別】〈名〉月別. 語例 ~ 매상고 月別の売り上げ高.
월부【月賦】〈名〉月賦. 月割り. 句例 5개월~로 사다 五か月の月賦で買う. 語例 ~불(拂) 月払い / ~액 月割り額 / ~ 판매 月賦販売.
월석【月石】[wolssŏk]〈名〉月の石〔岩石〕.
월세【月貰】[wolsse]〈名〉❶月ぎ(決)めの家賃〔間代〕. ＝사글세. ❷月ぎめの貸家〔借り家〕. ＝사글셋집. ❸月ぎめの貸間〔借り間〕. ＝사글셋방.
월-세계【月世界】[wolssegye]〈名〉月世界. 句例 ~의 탐사 月の探査. 文例 ~로의 여행은 마침내 실현되었다 月への旅行はついに実現された.
월수【月收】[wolssu]〈名〉月収. 語例 ~ 2백만원 月収二百万ウォン.
월식【月蝕·月食】[wolssik]〈名·하自〉月食. 語例 개기 ~ 皆既月食.
월야【月夜】[worya]〈名〉月夜. ＝달밤.
월여【月餘】[woryŏ]〈名〉月余. ひと月あまり. 句例 ~에 걸쳐 月余にわたって.
월요【月曜】[woryo]〈名〉['월요일'の略] 月曜. 語例 ~병 月曜病 / ~일 月曜日.
*__월일__【月日】[woril]〈名〉❶月日. 語例 생년~ 生年月日. ❷月日. 月と日.
월중 행사【月中行事】[woltchung—]〈名〉月中行事. 月の行事. 語例 ~표 月中行事表.
월척【越尺】〈名〉釣り上げた魚の長さが一尺余りあること. また, その魚.
월초【月初】〈名〉月始め. 月頭. 句例 ~의 행사 月始めの行事. 對월말(月末).
월컥〈副〉❶食べた物を急に吐き出すさま: げえっ(と). ❷いきなりひっくり返るさま. ❸急に引っ張ったり押すさま: ぐいっと. ぎゅっと.
월훈【月暈】〈名〉月暈. 月がさ. ＝달무리.
웨〈名〉ハングルの字母'ㅞ'の名称.
웨딩〈名〉ウエディング. ウェディング. 語例 ~ 드레스 ウエディングドレス / ~ 마치 ウエディングマーチ. ◇wedding
웨스턴〈名〉ウエスタン. ＝서부극(西部劇). 서부활극. ◇western
웨이스트〈名〉ウエスト ◇waist
웨이터〈名〉ウエイター. ウエーター. ◇waiter
웨이트〈名〉ウエート. ◇weight
웨이트리스〈名〉ウエイトレス. ウェートレス. ◇waitress
웩〈副·하自〉食べたものを急に吐き出すさま. また, その音: げえっ(と).
웩-웩〈副·하自〉❶声を張り上げてしきりに叫ぶさま. ❷しきりに吐き出すときの音.
*__웬__[we:n]〈冠〉'어떠한'·'어찌 된'の意の語: どんな. どうした. 見知らぬ. とある. 文例 ~ 돈이냐 どうしたお金かね / ~ 사람이 현관에 와 있다 見知らぬ人が玄関にきている.
웬 떡이냐 どうしたもち(餅)だい. 棚からぼたもち. 思いがけない幸運に恵まれたとも言う語.
웬-걸[we:n-gŏl]〈感〉疑いまたは意外・否定の意を表わす語: これはまたなんと〔どうして〕. 何を. どうして(そんな). それどころか. いや. 文例 ~, 그랬을 리가 없지 なんで, そんなことがあろうものか / 그는 존경을 받는 사람이었는데 실제로 만나보니 ~, 그렇지가 않았다 彼は人に尊敬されてる人だったが実際会って見ると, どうしてそうでもなかった.
웬-만큼[we:n—]〈副〉❶いいかげんに. 適度に. そこそこ(に). ほどほどに. 文例 ~ 해 두자 いいかげんにしておこう / 이제 농담도 ~ 해 둬라 もう冗談もいいかげんにしろ / 욕심도 ~ 부려야지 欲張るのもほどがある. ❷かなり. 相当(に). よほど. 句例 ~ 살다 人並みに暮らす. 文例 이젠 돈도 ~ 모았지 今ではお金も相当ためたものだ.
웬만-하다[we:nman—]（→하다）〈形〉❶まあまあだ. まずまずだ. (人)並みだ. 句例 웬만한 가정 普通〔一般〕の家庭 / 웬만한 성적 人並み〔かなり〕の成績. 文例 인물은 ~ 器量

きりょうは二の町だ〔まあまあの程度だ〕. ❷('웬만하면'の形で) なんなら. よかったら. できれば. 文例 웬만하면 그만둬도 좋아 なんならやめてもいい / 웬만하면 빚은 지고 싶지 않다 できることなら借金はしたくない.

웬-셈 [weːnsem]〈名〉どうしたこと. どうした訳〔もの〕. どういうつもり. 句例 ~인지 どういう訳か〔ものか〕. 類웬일.

*__웬-일__ [weːnnil]〈名〉どうしたこと〔訳〕. 何事. 文例 이게 ~이냐 これはどうしたことか / ~인가 싶어 뛰쳐나가 보았다 何事かと思って飛び出して見た / 그런 짓을 하다니 ~이냐 そんなことをするとは何事だ / ~인지 가슴이 설렌다 なんとなく〔なにかしら〕胸騒ぎがする.

웽〈副・하自〉❶虫が飛ぶとき立てる音: ぶん. ❷(ものが)風を切って矢のように飛び去る音: ぴゅん(と). ❸強い風が針金などに当たって鳴る音: ひゅう(と).

웽-웽〈副・하自〉❶虫が群れをなして飛び交う音: ぶんぶん. ❷風がはげしく吹きつける音: ひゅうひゅう(と). **~거리다**〈自〉しきりにぶんぶんと音をたてる. (風が)ひゅうひゅうと鳴る.

위[1]〈名〉〔言〕ハングルの字母'ㅟ'の名称.

***위**[2]〈名〉上. ❶上の方. 句例 머리~ 頭の上 / 손을 ~로 뻗(치)다 手を上に伸ばす / ~에서 보다 上から見る / 눈을 들어 ~를 보다 目を上げて上を見る / 비행기가 구름 ~를 날다 飛行機が雲の上を飛ぶ.
❷高いところ. 頂. 頂上. 上部. 句例 나무 ~에 木の上に / 맨 ~의 いちばん上の / ~에서 밑〔아래〕까지 上から下まで / ~에서 3행째 上から三行目 / 산 ~에서 바라보다 山の上から見晴らす. 文例 언덕 ~에 집이 있다 丘の上に家がある.
❸表〔面〕. 表面. 上面. 句例 책상 ~의 책 机の上の本 / 호수 ~를 비추는 달 湖の上を照らす月 / 물 ~를 달리다 水の上を走る. 文例 양복 ~에 바바리코트를 걸쳤다 洋服の上にバーバリーコートをひっ掛けた.
❹(比較して)よりよい方. 優れていること. 文例 나보다 그가 훨씬 ~다 わたしより彼がはるかに上である / 솜씨가 한 수 ~다 腕前が一枚上だ / ~를 보면 한이 없다 上を見れば切りがない.
❺(地位・身分・年が)上であること. 上位. 年上. 目上. 句例 윗사람 上の人. 目上. 上司 / 세 살 ~의 형 三つ上〔年かさの〕の兄 / ~로부터의 명령 上からの命令 / 남의 ~에 서다 人の上に立つ. 文例 형은 나보다 두 살 ~다 兄はわたしより二つ年上である / 그는 계급이 나보다 ~입니다 彼はわたしよりも位が上です. ▷對아래.
❻('그 ~에'の形で)その上(に). さらにまた. …に加えて. 句例 그 ~에 또 なおかつ. そこへまた. 文例 용돈도 주었는데 그 ~에 또 무엇을 바라느냐 小遣いもやったのに, その上また何を望んでいるのか / 우리들은 그 ~에 무엇을 더 해야 하는가 我らはそれに加えて何をしなければならないのか.
❼前にかかげた〔述べた〕こと. 以上. 句例 ~와 같은 조건으로 以上の(ような)条件で / ~에 말한〔논술한〕 바와 같이 上に述べたように / ~에 말한 이유로 上に述べた理由によって. 對아래.

위에는 위가 있다 上には上がある.

*__위__【胃】〔生〕胃. 胃袋. 胃のふ(腑)《老》. ＝밥통. 句例 ~가 튼튼하다〔약하다〕 胃が丈夫だ〔弱い〕/ ~가〔에〕 나쁘다 胃が〔に〕悪い / ~를 튼튼히 하다 胃を丈夫にする / ~에 탈이 나다 胃をこわす.

위 〔漢字項目〕

【位】中學 위 イ. ❶장소・위치 所・位置. ◨首位 수위 しゅい. 方位 방위 ほうい. ❷신분・지위 身分・地位. ◧位階 위계 いかい. ◨地位 지위 ちい. 王位 왕위 おうい. ❸눈금에 나타난 양 目盛りに示された量. ◨水位 수위 すいい. ❹남에게 대한 높임말 他人に対する敬語. ◨各位 각위 かくい.

【偉】中學 위 イ. ❶훌륭하다 偉い. ◧偉人 위인 いじん. 偉大 위대 いだい. ❷크고 당당하다 大きくて堂堂としている. ◧偉容 위용 いよう. 偉丈夫 위장부 いじょうぶ. ◨魁偉 괴위 かいい.

【僞(偽)】高校 위 ギ. 거짓 偽り. 가짜 にせ. ◧僞造 위조 ぎぞう. 僞善 위선 ぎぜん. ◨虚僞 허위 きょぎ. 眞僞 진위 しんぎ.

【危】中學 위 キ. 위험하다 危ない. 위태롭다 危うい. ◧危機 위기 きき. 危險 위험 きけん. 危惧 위구 きぐ. 危害 위해 きがい. ◨安危 안위 あんき.

【圍(囲)】高校 위 イ. ❶둘러싸다 囲む. ◧圍繞 위요 いじょう. いにょう. ◨包圍 포위 ほうい. ❷둘레 まわり. ◨周圍 주위 しゅうい. 範圍 범위 はんい. 胸圍 흉위 きょうい.

【委】高校 위 イ. ❶맡기다 まかせる. ◧委託 위탁 いたく. 委任 위임 いにん. 委囑 위촉 いしょく. ❷위원회의 준말 委員会の略. ◨敎委 교위(교육 위원회) きょうい.

【威】中學 위 イ. ❶위세를 떨치다 威を振るう. ◧威勢 위세 いせい. 威力 위력 いりょく. ◨權威 권위 けんい. 示威 시위 じい. しい. ❷위협하다 おびやかす. ◧威脅 위협 きょうい(脅威). 威壓 위압 いあつ.

【慰】高校 위 イ. ❶위안하다 慰める. ◧慰問 위문 いもん. 慰靈 위령 いれい. ◨弔慰 조위 ちょうい. ❷위로하다 ねぎらう. ◧慰勞 위로 いろう.

【爲(為)】中學 위 イ. 하다 する. 행하다 行なう. ◧爲政 위정 いせい. ◨行爲 행위 こうい. 無爲 무위 むい. ❷만들다 作る. ◨作爲 작위 さくい. 人爲 인위 じんい.

【緯】高校 위 イ. 지구상의 남북의 위치를 나타내는 선 地球上の南北の位置を示す線. ◧緯度 위도 いど. ◨經緯 경위 けいい. 南緯 남위 なんい. 北緯 북위 ほくい.

【胃】高校 위 イ. 위 胃. ◧胃液 위액 いえき. 胃腸 위장 いちょう. ◨健胃 건위 けんい.

【謂】高校 위 イ. ❶말하다. 話す. ❷평론하다 評論する. ❸이르기를 言わば. ◨所謂 소위 いわゆる.

【違(違)】高校 위 イ. ❶틀리다 違う. 일치하지 않다 一致しない. ◧違和感 위화감 いわかん. ◨相違 상위 そうい. ❷위반하다 違える. ◧違反 위반 いはん. 違法 위법 いほう. 違約 위약 いやく.

【衞(衛)】高校 위 エイ. 지키다 守る. ◧衞兵 위병 えいへい. 衞生 위생 えいせい. ◨防衞 방위 ぼうえい. 護衞 호위 ごえい. 守衞 수위 しゅえい.

参考 普通, '衞'も使われる.

위-경련【胃痙攣】[wigyŏngnyon]〈名〉〔醫〕胃けいれん.

위계【位階】〈名〉位階. 句例 ~가 높다 位階が高い / ~ 질서를 어지럽히다 位階の秩序をみだす.

위계【僞計】〈名・하自〉偽計.

위관【尉官】〈名〉〔軍〕尉官. 句例 ~급 장교 尉官級の将校.

위구-심【危懼心】〈名〉危惧の念. 句例 ~을 품다 危惧の念をいだく.

위-궤양【胃潰瘍】〈名〉〔醫〕胃潰瘍.

위급-하다【危急―】[wigŭp'ada] (→하다)〈形〉危急である. 句例 위급한 경우에 危急の場合に / 이 위급한 때에 この危急の際に / 위급한 사태에 직면하다 危急に瀕する.

위기【危機】〈名〉危機. ピンチ. 句例 누란의 ~ 累卵の危機 / ~를 벗어나다〔면하다〕危機を脱する〔免れる〕/ ~에 처하다 危機に瀕する / ~에 직면하다 危機に直面する / ~에 빠지다 危機に陥る / ~에 빠뜨리다 危機に陥らせる〔陥しいれる〕/ ~가 닥치다 危機が迫る. 語例 ~감 危機感 / ⇨ 위기 일발

위기-일발【危機一髮】〈名〉危機一髪. 句例 ~에서 살아나다 危機一髪(のところ)で助かる. 間一髪で逃れる.

***위대-하다**【偉大―】(→하다)〈形〉偉大だ. 句例 위대한 인물 偉大な人物 / 위대한 발자취 偉大な足跡.

위도【緯度】〈名〉〔地〕緯度. 句例 ~를 측정하다 緯度を測定する. 對경도(經度).

위독-하다【危篤―】[widok'ada] (→하다)〈形〉危篤である. 句例 위독해지다 危篤に陥る / 위독한 상태 危篤状態.

위락【慰樂】〈名〉慰楽. 語例 ~ 시설 慰楽施設.

***위력**【威力】〈名〉威力. 句例 돈의 ~ 金の威力 / 원자 폭탄의 ~ 原子爆弾の威力 / 자연의 ~ 自然の威力 / ~이 있다 威力がある / ~을 발휘하다 威力を発揮する / ~으로써 굴복시키다 威力をもって屈服させる.

위령-제【慰靈祭】〈名〉慰霊祭. 語例 전몰자 ~ 戦没者慰霊祭.

위령-탑【慰靈塔】〈名〉慰霊塔.

***위로**【慰勞】〈名〉慰労. **~하다**〈他〉慰労する. 慰める. いたわる. ねぎら(労)う. 句例 불행을 ~하다 不幸を慰める / 노고(勞苦)를 ~하다 労をねぎらう / 병자를 ~하다 病人を慰める. 語例 ~금 慰労金. 類위안(慰安).

위문【慰問】〈名〉見舞い. 慰問. **~하다**〈他〉慰問する. 見舞う. 語例 ~금 慰問金 / ~ 편지 慰問状 / ~품 慰問品.

***위반**【違反】〈名・하他〉違反. 句例 …에 ~하여 …に違反して. 文例 그건 규칙〔약속〕~이다 それは規則〔約束〕違反だ. 語例 선거(법) ~ 選挙違反 / ~ 행위 違反行為 / 주차 ~ 駐車違反.

위배【違背】〈名〉違背. 違反. **~하다**〈他〉違背する. 違反する. 反する. 句例 …에 ~하여 …に違反して / 교칙에 ~된 행위 校則に反した行ない. 語例 ~되다 違背する.

위법【違法】〈名・하自〉違法. 句例 ~적으로 違法的に. 語例 ~성 違法性 / ~ 행위 違法行為. 對합법(合法). 類불법(不法).

위병【胃病】[wippyŏng]〈名〉胃病. =위장병. 句例 ~으로 고생하다 胃病に悩む / ~이 악화되다 胃病が悪化する.

위산【胃酸】〈名〉胃酸. 語例 ~ 결핍증 胃酸欠乏症. 無酸症 / ~ 과다증 胃酸過多症. 過酸症.

위상【位相】〈名〉位相. 句例 달의 ~ 月の位相. 語例 ~차 位相差.

***위생**【衞生】〈名〉衛生. 句例 ~적인 衛生的な / ~에 해롭다 衛生に害がある / ~에 조심하다 衛生に注意する〔気をつける〕. 語例 ~병 衛生兵 / ~비 衛生費 / 공중 ~ 公衆衛生 / 비(非)~ 不衛生 / 정신 ~ 精神衛生 / 환경 ~ 環境衛生.

위선【僞善】〈名・하自〉偽善. 句例 ~적인 偽善的な / ~을 행하다 偽善を行なう. 文例 그건 ~이다 それは偽善だ. 語例 ~자 偽善者.

위선【緯線】[wisŏn]〈名〉緯線. 對경선(經線).

위성【衞星】〈名〉衛星. 語例 ~ 사진 衛星写真 / 기상〔통신〕~ 気象〔通信〕衛星 / 인공 ~ 人工衛星.

위성-국【衞星國】〈名〉['위성 국가'の略] 衛星国.

위성 도시【衞星都市】〈名〉衛星都市.

위성 방송【衞星放送】[—baːngsong]〈名〉衛星放送.

***위세**【威勢】〈名〉威勢. 威. 句例 ~ 있는 威勢ある / ~가 좋다 威勢がいい / ~를 부리다 威を振るう / ~에 눌리다 威に伏する.

위스키〈名〉ウィスキー. 句例 ~를 스트레이트로 마시다 ウィスキーを生〔ストレート〕で飲む. 語例 스카치 ~ スコッチウィスキー. ◇whisky

***위시-하다**【爲始―】(→하다)〈他〉(主に, 위시하여〔해서〕・위시한の形で) (…を)始め(として). 文例 미술관을 위시해서, 각종의 문화 시설이 설치되었다 美術館を始め, 各種の文化施設が設けられた.

表現 '비롯하여・비롯해서・비롯한'ともいう.

위신【威信】〈名〉威信. 句例 ~에 관계되다 威信にかかわる / ~을 잃다 威信を失う〔失墜する〕. 文例 그 사건으로 정부의 ~은 땅에 떨어졌다 その事件で政府の威信は地に落ちた.

위-아래〈名〉上下・上下. ❶上と下. =상하(上下). 句例 ~로 上下に / 신사복의 ~ 背広の上下 / ~로 움직이다 上下に動

く〔動かす〕/ ~가 거꾸로 되다 上下になる. 上下が転倒する. ❷(地位・身分の) 高きと低き. 貴賤. 官民. 治者と被治者. =고하(高下). [句例] ~가 마음을 하나로 하여 上下心を一つにして / ~의 구별없이 上下の別なく. ▷(類)아래위.

*__위안__【慰安】〈名〉慰安. 慰め. 慰み. **~하다**〈自〉慰安する. 慰める. [句例] ~을 찾다〔구하다〕慰めを求める / 그다지 ~이 되지 않다 大して慰めにならない / 종교에서 ~을 얻다 宗教から慰めを得る. [文例] 그 이야기는 환자에게 ~이 되었다 その話は病人に慰めになった. [語例] ~거리 慰みごと. 慰み物 / ~부 慰安婦. (類)위로(慰勞).

위암【胃癌】〈名〉〔醫〕胃癌.

위압【威壓】〈名・하他〉威圧. [句例] ~적으로 威圧的に / ~적(인) 태도 威圧的(な)態度 / 주위를 ~하다 あたりを威圧する / 남을 ~하다 人を威圧する / ~감을 느끼다〔주다〕威圧感を感じる〔与える〕. [語例] ~당하다 威圧される.

위액【胃液】〈名〉胃液.

위약【違約】〈名・하自〉違約. 変約. [句例] ~을 용서하다 違約を許す. [語例] ⇨위약금 / ~자 違約者.

위약-금【違約金】〈名〉違約金. [句例] ~을 물다 違約金を取られる.

위엄【威嚴】〈名・하形〉威厳. [句例] 어딘지 모르게 ~이 있는 사람 どことなく威厳のある人 / 가까이하기 어려운 ~ 近づきがたい威厳 / ~을 보이다 威厳を示す / ~을 잃지 않다 威厳を保つ. **~스럽다** (→스럽다)〈形〉いか(厳)めしい. ものものしい. おもおもしい.

위업【偉業】〈名〉偉業. [句例] ~을 이루다 偉業を成す〔成し遂げる〕/ 건국의 ~ 建国の偉業.

위염【胃炎】〈名〉〔醫〕胃炎. 胃カタル. [語例] 만성 ~ 慢性胃炎.

위용【威容】〈名〉威容. 威厳のあるようす〔態度〕. [句例] ~이 있다 威容がある.

위용【偉容】〈名〉偉容. りっぱな顔立ち. また, そのようす. 堂堂たるようす. [句例] ~을 자랑하다 偉容をほこる.

**__위원__【委員】〈名〉委員. [句例] ~에 뽑히다 委員に選ばれる〔あげられる〕/ ~이 되다 委員になる / ~직을 맡아보다 委員をつとめる. [語例] ~단 委員団 / ~장 委員長 / ~회 委員会 / 상임 ~ 常任委員 / 집행 ~ 執行委員.

위인【爲人】〈名〉人となり. =사람됨. [文例] 그는 ~이 정직하다 彼は人となりが正直である.

위인【偉人】〈名〉偉人. [句例] 세기의 ~ 世紀の偉人 / 과거의 ~들 過去の偉人たち. [語例] ~전 偉人伝.

위임【委任】〈名〉委任. **~하다**〈他〉委任する. 委する. [句例] 권한의 ~ 権限の委任 / 전권을 ~하다 全権を委任する. [語例] ~자 委任者 / ~장 委任状 / ~ 통치 委任統治. (類)위촉(委囑). 위탁(委託).

위자-료【慰藉料】〈名〉慰謝料. 手切れ金. 涙金. [句例] ~를 주다 手切れ金を払う / ~를 청구하다 慰謝料を請求する.

위장【胃腸】〈名〉胃腸. [句例] ~을 해치다 胃腸を害する〔こわす〕. [語例] ~병 胃腸病 / ~염 胃腸炎. 胃腸カタル / ~ 장애 胃腸障害 / ~약 胃腸薬.

*__위장__【僞裝】〈名・하他〉偽装. カムフラージュ. [句例] ~된 민주 국가 偽装された民主国家 / 서가(書架)로 ~한 도어 本箱に偽装したドア / 수사(修士)의 모습으로 ~하다 修道士の姿に身をやつす. [語例] ~망 偽装網 / ~복 迷彩服.

위정-자【爲政者】〈名〉為政者.

위조【僞造】〈名・하他〉偽造. 偽製. 贋造. [句例] 수표를 ~하다 小切手を偽造する. [語例] ~ 문서 偽造文書 / ~ 증서 偽証文 / ⇨위조 지폐 / ~품 偽造品. いかもの. いかさま物. にせ物. まがい物.

위조 지폐【僞造紙幣】〈名〉偽造紙幣. 偽札. [句例] ~를 사용하다 偽造紙幣を使う / ~를 주다 偽札をつかませる.

*__위주__【爲主】〈名・하他〉主とすること. [句例] 실력 ~로 実力本位で.

위중-하다【危重―】(→하다)〈形〉病状が重い. 危篤である.

위증【僞證】〈名・하他〉偽証. [句例] ~죄로 고발되다 偽証罪に問われる. [語例] ~자 偽証者.

**__위-쪽__〈名〉上の方. 上方. 上手. 上. [句例] ~에서 불어오는 바람 上手から吹き下ろす風 / 강의 ~ 川上 / ~을 보다 上(の方)を見る. (對)아래쪽.

위촉【委囑】〈名〉委嘱. **~하다**〈他〉委嘱する. 嘱する. [句例] ~에 의해 委嘱によって / 정부의 ~을 받다 政府の委嘱を受ける. (類)위탁(委託). 위임(委任).

위축【萎縮】〈名〉委縮. **~하다**〈自〉委縮する. 縮む. いじける. [句例] ~된 태도 いじけた態度. [文例] 추워서 몸도 마음도 ~되었다 寒さでからだも心も縮みこんだ.

위-출혈【胃出血】〈名〉〔醫〕胃出血.

위-층【一層】〈名〉❶上の層. 上層. =상층. ❷(一階に対する)二階. (階下に対する)階上. [句例] ~의 방 階上のへや / ~으로 올라가다 階上〔二階〕へ上がる. ▷(對)아래층.

*__위치__【位置】〈名〉位置. **~하다**〈自〉位置する. あ(在)る. 位する. [句例] 북동쪽에 ~하다 北東に位〔位置〕する / ~를 바꾸다 位置を変える / ~를 선정하다 位置を選定する / 유리한 ~를 차지하다 有利な位置を占める. [文例] 출세하기에는 불리한 ~에 있다 出世には不利な位置にいる. [語例] ~ 감각 位置感覚 / ~ 에너지 位置エネルギー.

위-카메라【胃camera】〈名〉胃カメラ.

위탁【委託】〈名・하他〉委託. [句例] 상품 판매를 ~하다 品物の販売を委託する / 임무를 대리인에게 ~하다 任務を代理人に委託する / ~을 받다 委託を受ける. [語例] ~ 매매 委託売買 / ~ 가공 무역 委託加工貿易 / ~ 수수료 委託手数料 / ~ 판매 委託販売. (類)위촉(委囑). 위임(委任).

위태-롭다【危殆―】(→롭다)〈形〉危うい. 危ない. 危なっかしい《俗》. けんのんだ. [句例] 위태롭게 여기다 危ぶむ. けんのんがる / 생명〔목숨〕을 위태롭게 하다 生命〔命〕を脅かす /

위태로운 짓을 하다 危ないことをする / 위태로운 국면에 놓이다 危うい局面に置かれる / 생명이 ~ 命が危ない / 위태롭게 느꼈다 危ない思いがした. [語例] 위태로워지다 危なくなる. 危うくなる / 위태로워하다 危ぶむ. **위태로이** 〈副〉 危うく.

위태위태-하다 【危殆危殆―】 (→하다) 〈形〉 たいへん危ない. とても危うい. ひやひや〔はらはら〕させる. [句例] 위태위태한 걸음걸이 危なっかしい足どり / 위태위태한 곡예 はらはらさせる曲芸.

위태-하다 【危殆―】 (→하다) 〈形〉 危ない. 危うい. [句例] 목숨이 ~ 命が危ない.

위-턱 〈名〉 上あご. 上顎. [語例] ~뼈 上顎骨. 對아래턱.

위통 【胃痛】 〈名〉 〔醫〕 胃痛.

위트 〈名〉 ウイット. =기지(機智). 재치. [句例] ~가 있는 ウイットのある. ◇wit

위패 【位牌】 〈名〉 位牌. [句例] 선조의 ~를 모시다 先祖の位牌を祭る.

위폐 【僞幣】 〈名〉 偽金. 偽造紙幣. [語例] ~범(犯) 偽金造り.

위풍 【威風】 〈名〉 威風. [句例] ~에 압도당하다 威風に圧倒される.

위풍당당-하다 【威風堂堂―】 (→하다) 〈形〉 威風堂堂としている. [句例] 위풍당당한 행진 威風堂堂たる行進. **위풍당당히** 〈副〉 威風堂堂と.

⁑**위-하다** 【爲―】 [wi:―] (→하다) 〈他〉 ❶ため(為)になるようにする. ㉠('…하기 위하여〔위해〕'の形で) …するため(に). [句例] 사의를 표하기 위해 謝意を表するため(に) / …하지 않기 위해 …しないために. [文例] 집을 짓기 위해 땅을 다진다 家を建てるために地を固める. ㉡('…을〔를〕 위하여〔위해〕'の形で) …のため(に). [句例] 정의를 위하여 正義のために / 조국을 위해 祖国のために / 휴양을 위해 休養のため / 남을 위해 봉사하다 人のために尽くす / 회사를 위하여 일하다 会社のために働く / 국가〔주의〕를 위해 죽다 国家〔主義〕のために死ぬ. [文例] 물리학 연구를 위해 도미(渡美)하였다 物理学研究のために渡米した / 너를 위해 하는 말이다 君のためを思って言うのだ. ㉢('…을〔를〕 위한'の形で) …のための. …するための. [句例] 소년을 위한 읽을거리 少年向きの読み物 / 출세를 위한 수단 出世のための手段 / 편의를 도모하기 위한 시설 便宜を図るための施設. ❷敬って言葉を慎む. ❸大事にする. 慈しむ. いたわる. [句例] 부모를 위하는 마음 親を思う〔大切にする〕心 / 몸을 ~ からだを大事にする.

위-하수 【胃下垂】 〈名〉 〔醫〕 胃下垂.

위해 【危害】 〈名〉 危害. [句例] ~를 가하다 危害を加える.

위헌 【違憲】 〈名・하自〉 違憲. [語例] ~성 違憲性.

⁑**위험** 【危險】 〈名〉 危険. **~하다** 〈形〉 危険だ. 危ない. 危うい. [句例] ~을 아랑곳하지 않고 危険を物ともせず / ~을 깨닫다〔알아채다〕 危険を感づく / ~을 무릅쓰다 危険をおかす / ~에 노출시키다 危険に身をさらす / ~에 직면하다 危険に直面する / ~에 빠뜨리다 危険に落とし入れる / ~에 처해 있다 危険に瀕している / 몸에 ~이 닥치다 身に危険が迫る / 몸의 ~을 느끼다 身の危険を感じる / ~이 따르다 危険が伴う / ~한 짓을 하다 危険なことをする. [文例] 큰 돈을 지니고 다니는 것은 ~하다 大金を持ち歩くのはけんのんである / ~하다, 도망쳐라 危ない, 逃げろ. [語例] ~물 危険物 / ~ 부담 危険負担 / ~성 危険性 / ~ 수위 危険水位 / ⇨ 위험시(視) / ~ 신호 危険信号 / ~ 인물 危険人物 / ~ 천만 危険千万. 對안전(安全).

위험-스럽다 【危險―】 (→스럽다) 〈形〉 危なっかしい《俗》. 危ない. **위험스레** 〈副〉 危なそうに. 危なげに.

위험-시 【危險視】 〈名・하他〉 危険視. [句例] 집단주의를 ~하다 集団主義を危険視する.

*__위협__ 【威脅】 〈名〉 脅威. 威嚇. 脅かし. **~하다** 〈他〉 威嚇する. 脅かす. 脅かす. [句例] ~을 느끼다〔주다〕 脅威を感じる〔与える〕 / ~이 되다 脅威となる / 평화를 ~하다 平和を脅かす / 죽인다고 ~하다 殺すぞと威嚇する / ~적인 태도를 취하다 威嚇的な態度を取る. [語例] ~ 사격 威嚇射撃. 類협박(脅迫).

위화-감 【違和感】 〈名〉 違和感. [句例] ~을 느끼다 違和感をおぼえる / ~을 조성(造成)하다 違和感を醸成する.

위-확장 【胃擴張】 〈名〉 〔醫〕 胃拡張.

윗-간 【―間】 〈名〉 (二間続きの部屋で) オンドルの焚き口から遠い方の部屋. 對아랫간.

윗-길 〈名〉 ❶上の方の道. ❷(質的に) よりよい品物. 上質のもの. ▷對아랫길.

*__윗-니__ [winni] 〈名〉 上歯. 對아랫니.

윗-대 【―代】 〈名〉 祖先. =조상(祖上). [句例] ~로부터 물려받은 물건 祖先から受け継いだもの. 對아랫대.

윗-도리 〈名〉 ❶上半身. =상체. ❷'웃옷 上着'の俗っぽい言いかた. ▷對아랫도리.

윗-막이 [winmagi] 〈名〉 ものの上部をふさぐ部分. 對아랫막이.

윗-머리 [winmŏri] 〈名〉 上部の端. 上端. 對아랫머리.

윗-목 [winmok] 〈名〉 オンドル部屋の(焚き口から遠く) 煙突に近いほうの部分《下座も》. 對아랫목.

*__윗-몸__ [winmom] 〈名〉 上体. 上半身. [句例] ~ 운동 上体の運動 / ~을 일으키다 上体を起こす.

윗-물 [winmul] 〈名〉 川上の水. 對아랫물.

윗물이 맑아야 아랫물이 맑다 上手の水が澄んでこそ下手の水も清けれ. 上の者に不正なところがなければ下の者もおのずとこれに倣って正しくなるものだとのたとえ.

윗-반 【―班】 〈名〉 上のクラス〔学級〕. 對아랫반.

윗-방 【―房】 〈名〉 連なっている二つの部屋のうちで上の間. 對아랫방.

윗-배 〈名〉 (へそから) 上の方の腹. 上腹. 對아랫배.

윗-벌 〈名〉 (上下服の) 上着. 對아랫벌.

*윗-변【一邊】〈名〉〔數〉多角形の上辺. 對밑변.

윗-사람〈名〉目上(の人). 上の人. (会社などの)上司. 句例 ~을 공경하다 目上を敬う / ~을 업신여기다 長上をあなどる. 對아랫사람.

윗-수염【一鬚髥】〈名〉口ひげ. 句例 ~을 기르다 口ひげを生やす. 對아랫수염.

윗-알 [widal]〈名〉(そろばんの)五玉. 對아래알.

윗-옷 [widot]〈名〉上半身に着る衣類. 上着. =상의(上衣). 對아래옷.

*윗-입술 [winnipsul]〈名〉上唇. 對아랫입술.

윗-잇몸 [winninmom]〈名〉上の歯茎. 對아랫잇몸.

*윗-자리〈名〉上座. 上席. 句例 ~에 앉다 上座〔上席〕に座る / ~에 앉히다 上席に据える / (위계가)…의 ~에 있다 (位階が)…の上席にいる / 반의 ~를 차지하고 있다 クラスの上席を占めている. 對아랫자리.

윗-집〈名〉上手の隣家. 對아랫집.

윙〈副・하自〉❶蜂などの昆虫が飛ぶとき出る音: ぶん(と). ❷機械がまわるとき出る音: びゅん(と). 句例 비행기가 ~ 날아가다 飛行機がびゅんと飛んでいく. ❸風が木の枝や電線などにぶつかって鳴る音: ひゅう(と). びゅう(と).
表現 語感の小さい語は'욍'.

윙-윙〈副・하自〉ぶんぶん. ひゅうひゅう(と). びゅんびゅん(と). 文例 바람이 ~ 불고 있었다 風がぴゅうぴゅう吹いていた. **~거리다**〈自〉しきりにぶんぶん〔ひゅうひゅう・びゅんびゅん〕と音がする. 句例 벌떼가 ~거리다 蜂の群れがぶんぶん羽を鳴らす. / 바람이 ~거리다 風がひゅうひゅう鳴る.

윙크〈名・하自〉ウィンク. 文例 그가 ~했다 彼がウィンクした. ◇wink

유〈名〉〔言〕ハングルの字母'ㅠ'の名称.

유【類】[yuː]〈名〉類. たぐ(類)い. 句例 이런 ~의 책 この類の本 / 같은 ~의 물건 同じ類〔たぐい〕の品物 / ~가 드문 たぐいまれな / 다른 것과 ~를 달리하다 他と類を異にする. 文例 이런 ~의 그림은 전에 본 적이 있다 このたぐいの絵は以前見たことがある.

유 〔漢字項目〕

【乳(乳)】高校 유 ニュウ. ❶젖 乳. 젖 모양의 것 乳のようなもの. ◧乳液 유액 にゅうえき. ◨牛乳 우유 ぎゅうにゅう. 豆乳 두유 とうにゅう. ❷유방 乳房. ◧乳頭 유두 にゅうとう. ◨鍾乳石 종유석 しょうにゅうせき.

【儒】高校 유 ジュ. ❶공자의 가르침 孔子の教え. ◧儒學 유학 じゅがく. 儒教 유교 じゅきょう. ❷유학을 가르치는 사람 儒学を教える人. ◨大儒 대유 たいじゅ.

【唯】中學 유 ユイ. イ. ❶단지 ただ. 그것뿐 それだけ. ◧唯一 유일 ゆいいつ. 唯美主義 유미주의 ゆいびしゅぎ. 唯物論 유물론 ゆいぶつろん. ❷대답하다 返答する. ◧唯唯諾諾 유유낙낙 いいだくだく.

【幼】中學 유 ヨウ. 어리다 幼い. ◧幼兒 유아 ようじ. 幼稚園 유치원 ようちえん. ◨長幼 장유 ちょうよう.

【幽】高校 유 ユウ. ❶깊고 조용하다 深くて静かだ. ◧幽境 유경 ゆうきょう. 幽玄 유현 ゆうげん. 幽谷 유곡 ゆうこく. ❷사후의 세계 死後の世界. ◧幽界 유계 ゆうかい. 幽靈 유령 ゆうれい.

【悠】高校 유 ユウ. ❶아득히 멀다 はるかに遠い. ◧悠久 유구 ゆうきゅう. 悠長 유장 ゆうちょう. ❷마음이 느긋하다 心がゆったりしている. ◧悠然 유연 ゆうぜん. 悠悠 유유 ゆうゆう.

【惟】高校 유 イ. ユイ. ❶오직 ただ. ◧惟一 유일 ゆいいつ. ❷생각하다 思う. ◨思惟 사유 しい. しゆい.

【愈(愈)】高校 유 ユ. ❶남보다 우수하다 他人より勝る. ❷병이 좋아지다 病がよくなる. ❸병을 고치다 病気をなおす. ❹더욱더욱 ますます. ◧愈愈 유유 ゆゆ. いよいよ.

【有】中學 유 ユウ. ウ. ❶있다 ある. 존재하다 存在する. ◧有無 유무 うむ. 有名 유명 ゆうめい. 有效 유효 ゆうこう. 有力 유력 ゆうりょく. ❷갖다 持つ. ◨私有 사유 しゆう. 所有 소유 しょゆう. 特有 특유 とくゆう.

【柔】中學 유 ジュウ. ニュウ. ❶부드럽다 柔らかい. ◧柔軟 유연 じゅうなん. ◨優柔 우유 ゆうじゅう. ❷유도 柔道. ◧柔術 유술 じゅうじゅつ. ❸유순하다 柔順だ. ◧柔弱 유약 にゅうじゃく. 柔和 유화 にゅうわ.

【油】中學 유 ユ. ❶기름 油. ◧油然 유연 ゆぜん. 油脂 유지 ゆし. ◨石油 석유 せきゆ. 燈油 등유 とうゆ. ❷'석유'의 준말. '石油'の略. ◧油井 유정 ゆせい. 油田 유전 ゆでん. ◨原油 원유 げんゆ. 精油 정유 せいゆ.

【猶(猶)】中學 유 ユウ. ❶망설이다. ためらう. ◧猶豫 유예 ゆうよ. ❷오히려 なお. ❸ 같다 同じだ. ◨猶父 유부 ゆうふ. ❹움직이다 動く.

【由】中學 유 ユ. ユウ. ユイ. ❶유래 由来. 이유 わけ. ◧由來 유래 ゆらい. 由緒 유서 ゆいしょ. ◨理由 이유 りゆう. 事由 사유 じゆう. ❷느긋하다 気ままだ. ◨自由 자유 じゆう.

【維】高校 유 イ. ❶잇다 つなぐ. 잡아매다 くくる. 유지하다 持ち続ける. ◧維持 유지 いじ. ❷실 糸. ◨纖維 섬유 せんい. ❸이 これ. 오직 ただ. ◧維新 유신 いしん.

【裕】高校 유 ユウ. 넉넉하다 ゆたかだ. ◧裕福 유복 ゆうふく. ◨富裕 부유 ふゆう. 餘裕 여유 よゆう.

【誘】高校 유 ユウ. ❶꾀다 誘う. 권하다 勧める. ◧誘導 유도 ゆうどう. ◨勸誘 권유 かんゆう. ❷꾀어내다 おびき出す. ◧誘引 유인 ゆういん. 誘惑 유혹 ゆうわく. 誘拐 유괴 ゆうかい.

【遊(遊)】中學 유 ユウ. ユ. ❶놀다 遊ぶ. ◧遊戲 유희 ゆうぎ. 遊園地 유원지 ゆうえんち. 遊山 유산 ゆさん. ◨豪遊 호유 ごうゆう. ❷돌아다니다 歩き回る. ◧遊說

유세 ゆうぜい. ◨外遊 외유 がいゆう. ❸학문 등을 위하여 타국으로 가다 学問などのために他国に行く. ◨遊學 유학 ゆうがく. ❹사귀다 交わる. ◨交遊 교유 こうゆう.

【酉】 中學 유 ユウ. ❶지지(地支)의 열째 十二支の十番目. 닭 とり. ◨辛酉 신유 しんゆう. かのととり. ❷한자 부수의 하나 漢字部首の一つ. ❸시간 時間. 오후 5시부터 7시 사이 午後五時から七時まで. ◨酉時 유시 とりのとき(酉の刻).

【遺(遺)】 中學 유 イ. ユイ. ❶잃다 失う. 버리다 捨てる. ◨遺失 유실 いしつ. 遺棄 유기 いき. ❷죽은 사람이 남긴 것 死んだ人が残したもの. ◨遺産 유산 いさん. 遺言 유언 ゆいごん. ❸후세에 남겨주다 後世に残す. ◨遺業 유업 いぎょう. 遺風 유풍 いふう.

유-가족【遺家族】〈名〉 遺家族. ＝유족(遺族). 句例 전몰자의 ~ 戦没者の遺家族.

유가 증권【有價證券】[yu:kkajŭngkkwon]〈名〉有価証券.

유감【遺憾】〈名〉遺憾. 句例 ~이지만 遺憾ながら / ~으로 여기다 遺憾に思う / ~의 뜻을 표하다 遺憾の意を表する / ~천만이다 遺憾千万である / ⇨ 유감없다 / ⇨ 유감스럽다

***유감-스럽다**【遺憾—】(→스럽다)〈形〉遺憾だ. 残念だ. 句例 유감스럽지만 遺憾ながら. 残念ながら / 유감스러운 듯이 遺憾そうに. 残念そうに / 유감스럽게 여기다 遺憾に思う. 遺憾とする. 文例 유감스럽지만 도와줄 수 없다 遺憾ながらご助力できない / 유감스럽게도 초대에 응할 수가 없습니다 残念ながらご招待に応じかねます. **유감스레**〈副〉遺憾に. 残念に. 口惜しく.

유감-없다【遺憾—】[yugamŏpta]〈形〉遺憾がない. 残り惜しくない. 申し分がない. 文例 만에 하나라도 유감없도록 하시기 바랍니다 万遺憾なきを期されたい. **유감없이** [yugamŏpshi]〈副〉遺憾なく. 残り惜しくなく. 申し分なく. 句例 유감없이 재능을 발휘하다 遺憾なく才能を発揮する.

유개 화차【有蓋貨車】[yu:gaehwa:ch'a]〈名〉有蓋貨車. 對무개(無蓋) 화차.

유격-대【遊擊隊】〈名〉遊撃隊. 遊軍. 別動隊. パルチザン. ゲリラ. ＝빨치산.

유격-수【遊擊手】〈名〉(野球の)遊撃手. ショート. ＝쇼트 스톱.

유격-전【遊擊戰】〈名〉〈名〉遊撃戦. ゲリラ戦. ＝게릴라전(戰).

유고【有故】[yu:go]〈名・하形〉事故があること. 故があること. 文例 의장이 ~시에는 부의장이 대리한다 議長に故ある時は副議長が代理をつとめる.

유고【遺稿】〈名〉遺稿. 句例 고인의 ~를 정리하다 故人の遺稿を整理する〔まとめる〕.

유골【遺骨】〈名〉遺骨. 句例 ~을 (단지 등의 용기에) 담아 모시다 遺骨を納める / ~이 돌아오다 遺骨が帰る. 語例 ~함(函) 遺骨箱.

유공【有功】[yu:gong]〈名・하形〉有功. 語例 ~자 有功者.

유괴【誘拐】〈名〉誘拐. 拐引. かどわかし. **~하다**〈他〉誘拐する. かどわかす. 語例 ⇨ 유괴범 / ~ 사건 誘拐事件.

유괴-범【誘拐犯】〈名〉誘拐犯. 人さらい. 文例 ~에게 아이를 유괴당했다 人さらいに子供をさらわれた.

***유교**【儒敎】〈名〉儒教. 語例 ~ 사상 儒教思想.

유구-무언【有口無言】[yu:gu—]〈名〉口があっても言えないこと. なんとも弁明の余地がないこと.

유구-하다【悠久—】(→하다)〈形〉悠久だ. 句例 유구한 역사 悠久な歴史 / 유구한 옛날부터 悠久の昔から. 類유원(悠遠)하다.

유권【有權】[yu:kkwon]〈名〉有権. 語例 ~ 해석 有権解釈. / ⇨ 유권자

유권-자【有權者】[yu:kkwon—]〈名〉有権者.

유급【有給】[yu:gŭp]〈名〉有給. 語例 ~ 직원 有給職員 / ~ 휴가 有給休暇. 對무급(無給).

유급【留級】〈名・하自〉留年. 落第.

유기【遺棄】〈名・하他〉遺棄. 語例 시체 ~ 死体遺棄 / ~ 죄 遺棄罪.

유기【鍮器】〈名〉⇨ 놋그릇

유기 그릇【鍮器—】〈名〉⇨ 놋그릇

유기-물【有機物】[yu:gi—]〈名〉有機物. 對무기물.

유기-음【有氣音】[yu:gi—]〈名〉〔言〕有気音. ＝거센 소리. 對무기음.

유기-적【有機的】[yu:gijŏk]〈名・冠〉有機的. 句例 ~인 관련성 有機的な関連性 / ~인 결합 有機的な結合.

유기-체【有機體】[yu:gi—]〈名〉有機体.

유기 화합물【有機化合物】[yu:gihwahammul]〈名〉〔化〕有機化合物. 略して'유기물'ともいう. 對무기 화합물.

유난 [yu:nan]〈名〉並外れなこと. 際立っていること. 気難しいこと. →유난하다

유난(을) 떨다 ことさら変わった〔並外れな〕振る舞いをする. (えり好みなどにつき)ことのほかやかましく振る舞う.

유난-스럽다 [yu:nan—] (→스럽다)〈形〉ことさら(殊更)際立っている. ことのほか変わっている. (えり好みなどに)とりわけやかましい. 文例 이 문장은 유난스럽게 어렵다 この文章はやけにむずかしい. **유난스레**〈副〉⇨ 유난히

유난-하다 [yu:nan—] (→하다)〈形〉並でない. 変わっている. 際立っている. 気難しい. …にやかましい. 句例 유난한 취미 気難しい〔変わった〕好み / 먹는 것에 ~ 食べ物にやかましい. 文例 성미가 유난해서 좀처럼 가까이하기가 어렵다 なかなかの気難し屋で取っつきにくい. **유난히**〈副〉並外れて. 際立って. ひときわ(一際). ことのほか. ことさら(殊更)(に). やけに. 句例 몸집이 유난히 큰 남자 並外れな大男 / 유난히 아름답다 ひときわ美しい / 유난히 신중을 기하다 ことさら大事をとる. 文例 올 겨울은 유난히 춥다 この冬はやけに〔ことのほか〕寒い.

유네스코【UNESCO】〈名〉ユネスコ. 語例 ~ 헌장 ユネスコ憲章. ◇United Nations Educational, Scientific and Cultural Organizationの

略.

유년【幼年】〈名〉幼年. 句例 ～ 시절의 추억 幼年時代の思い出. 語例 ～기 幼年期.

유념【留念】〈名・하他〉 気〔心・念頭〕にとどめておくこと. 留意.

유능-하다【有能—】[yu:nŭng—]（→하다）〈形〉有能だ. 句例 유능한 사람 有能な人.

유니버시아드 [yunibŏ:shiadŭ]〈名〉ユニバーシアード. ◇Universiade

유니세프【UNICEF】〈名〉ユニセフ. ◇United Nations International Children's Emergency Fundの略. 現在の正式名称は United Nations Children's Fund

유니-폼〈名〉ユニフォーム. 制服. ◇uniform

유-다르다【類—】[yu:—]（유다르니, 유달라서）〈形〉類を異にする. 違って〔異なって〕いる. ず(ば)ぬけている. 格別だ. 異様だ. 文例 그 사람에게는 어딘가 여느 사람과는 유다른 데가 있다 あの人にはどこか常人と違った〔異なった〕ところがある.

유단-자【有段者】[yu:dan—]〈名〉有段者.

유-달리【類—】[yu:—]〈副〉ひときわ(一際). ず(ば)ぬけて. ことのほか. 目立って. とりわけ. やけに. 句例 ～ 키가 큰 남자 ず(ば)ぬけて背の高い男 / ～ 눈에 띄다 ひときわ目立つ / ～ 귀여워하다 ことのほかかわいがる. 文例 오늘은 ～ 덥다 今日はやけに〔ことのほか〕暑い.

유대【紐帶】〈名〉紐帯. きずな(絆). つな(繫)がり. 句例 강한 ～로 맺어지다 強いきずなで結ばれる / ～를 끊다 きずなを断つ. 文例 우방과의 ～를 공고히 하다 友邦との紐帯を固める.

유도【柔道】〈名〉柔道. 柔術.

유도【誘導】〈名・하他〉 誘導. 句例 비행기를 ～하다 飛行機を誘導する / 피난처로 ～하다 避難所に誘導する. 語例 ～체 誘導体 / ～ 작전 誘導作戦 / ～ 장치 誘導装置.

유도 신문【誘導訊問】[—shi:nmun]〈名〉誘導尋問. 句例 ～을 하다 誘導尋問をする / ～에 걸려들다 誘導尋問にひっ掛かる.

유도-탄【誘導彈】〈名〉〔軍〕誘導弾. ミサイル. ＝미사일.

유독【有毒】[yu:dok]〈名・하形〉 有毒. 語例 ～ 가스 有毒ガス / ～ 물질 有毒物質. ㉷무독(無毒).

***유독**【惟獨】〈副〉❶(ただ)独り. ただ一つ. 文例 ～ 그녀만이 반대했다 ただ独り彼女のみが反対した. ❷ひときわ(一際). 際立って. ことのほか. 文例 우아한 그녀의 아름다움만이 ～ 눈에 띄었다 優雅な彼女の美しさだけがひときわ目立っていた.

유동【流動】〈名・하自他〉 流動. 文例 사태는 아직 ～적이다 事態はまだ流動的である. 語例 ～물〔체〕流動物〔体〕/ ～성 流動性 / ⇨유동식 / ～ 자본 流動資本.

유동-식【流動食】〈名〉 流動食. 句例 ～을 주다 流動食を与える.

유두【乳頭】〈名〉乳頭. ＝젖꼭지.

유두【流頭】〈名〉〔民〕節句の一つ. 陰暦の六月十五日. この日に小川や滝で髪を洗い水浴する風習がある.

유들-유들 [yudŭllyudŭl]〈副〉（いけ）しゃあしゃあ(と). **～하다**〈形〉（いけ）しゃあしゃあとしている. (いやに)ずうずうしい. 図太い. 文例 그는 무슨 말을 들어도 ～하다 彼は何事を言われてもいけしゃあしゃあ(と)している / 정말이지 ～한 녀석이군 なんてずうずうしいやつだ.

유라시아〈名〉〔地〕ユーラシア. ◇Eurasia

유람【遊覽】〈名・하他〉 遊覧. 句例 ～ 여행을 떠나다 遊覧旅行に行く. 語例 ～선 遊覧船.

유랑【流浪】〈名〉流浪. さすらい. 流転. 漂泊. **～하다**〈自他〉流浪する. 流され歩く. さすらう. 句例 ～의 몸 さすらいの身 / 각지를 ～하다 各地を流れ歩く. 語例 ～민 流民・流浪の民. / ～ 생활 さすらいの生活.

유래【由來】〈名・하自〉由来. 縁起. ＝내력. 句例 …에 ～되다 …に由来する / ～를 적은 책 縁起を記した本 / 지명의 ～ 地名の由来 / ～를 더듬다 由来をたずねる.

유량【流量】〈名〉流量. 句例 하천의 ～을 재다 河川の流量を測る. 語例 ～계 流量計.

***유럽** [yu:rŏp]〈名〉〔地〕['유럽주'の略] ヨーロッパ. ＝구주(歐洲). 語例 ～ 공동체 欧州共同体. イーシー《EC》/ ～ 연합 ヨーロッパ連合. イーユー《EU》/ ～ 인종 ヨーロッパ人種. ◇Europe

유려-하다【流麗—】（→하다）〈形〉 流麗だ. 句例 유려한 문장 流麗な文章.

유력-시【有力視】[yu:ryŏk—]〈名・하他〉有力視. 文例 가장 ～되고 있다 最も有力視されている.

유력-자【有力者】[yu:yŏk—]〈名〉有力者. 句例 정계의 ～ 政界の有力者 / ～의 소개를 받다 有力者の紹介をもらう.

유력-하다【有力—】[yu:ryŏk'ada]（→하다）〈形〉有力だ. 句例 유력한 단서 有力な手掛かり / 유력한 신문 有力な新聞 / 유력한 용의자 有力な容疑者 / 유력한 증거 有力な証拠 / 가장 유력한 우승 후보 最も有力な優勝候補. ㉷무력하다.

유령【幽靈】〈名〉幽霊. 亡霊. お化け. 句例 ～이 나오다 幽霊が出る / ～이 나오는 집 幽霊屋敷. お化け屋敷. 語例 ～ 도시 幽霊都市 / ～ 인구 幽霊人口 / ～ 회사 幽霊会社.

유례【類例】[yu:rye]〈名〉類例. たぐ(類)い. 文例 그 독자성은 ～를 찾아볼 수 없다 その独自性は他に類例を見ない.

유례-없다【類例—】[yu:ryeŏpta]〈形〉類例がない. たぐ(類)いがない. 句例 유례없는 사건 たぐいのない事件. 文例 이런 대참사는 역사상 유례가 없다 このような大惨事は歴史上類例がない. **유례없이** [—ŏpshi]〈副〉たぐいなく.

유료【有料】[yu:ryo]〈名〉有料. 語例 ～ 도로 有料道路 / ～ 시설 有料施設. ㉷무료(無料).

유류【油類】〈名〉油類. 語例 ～ 파동(波動) オイルショック. 石油危機.

유리【遊離】〈名・하自〉 遊離. 句例 현실에서 ～된 정책 現実から遊離した政策. ㊝분리(分離).

****유리**【琉璃】〈名〉ガラス. 瑠璃・玻璃《古》. 句例 창(窓)에 ～를 끼우다 窓にガラスをはめる〔入

れる・張る〕. 語例 ~그릇 ガラスの器物 / ~병 ガラス瓶 / ~잔(盞) ガラスの杯. グラス / ~창 ガラス窓 / ~컵 ガラスのコップ. グラス / 젖빛 ~ すり〔乳白〕ガラス. つや消しガラス / 판~ 板ガラス.

유리 섬유【琉璃纖維】[—sŏmyu]〈名〉ガラス繊維. =글라스 파이버.

유리-수【有理數】[yu:ri—]〈名〉〔數〕有理数. 對무리수.

***유리-하다**【有利—】[yu:ri—](→하다)〈形〉有利だ. 分〔歩〕がある. 句例 유리한 증언 有利な証言 / 유리한 입장〔조건〕 有利な立場〔条件〕/ 유리하게 해석하다 有利に解釈する. 文例 앞 선 사람이 ~ 先に立った人が有利だ. 對불리하다.

유린【蹂躪】〈名〉蹂躪. **~하다**〈他〉蹂躪する. 踏みにじる. 句例 국토를 ~하다 国土を蹂躪する / 법을 ~하다 法を踏みにじる / 타인의 권리를 ~하다 他人の権利を蹂躙する. 語例 인권 ~ 人権蹂躙.

유림【儒林】〈名〉儒林. =사림(士林).

유만-부동【類萬不同】[yu:man—]〈名〉❶多くのものがそれぞれ同じくないこと. ❷程度を越すこと. 分に似合わないこと. 文例 거짓말을 해도 ~이지, 그런 당치 않은 일이 있을까 うそをつくにも程があるものだ, どうしてそんなばかなことがありえよう.

유망-주【有望株】[yu:mang—]〈名〉成長株. ❶発展性のある会社の株. ❷将来性のある人. 文例 그는 정계의 ~다 彼は政界の成長株だ.

유망-하다【有望—】[yu:mang—](→하다)〈形〉有望だ. 句例 유망한 전도 有望な前途 / 전도 유망한 청년 前途有望な青年.

유머 [yu:mŏ]〈名〉ユーモア. 句例 억지로 꾸미지 않은〔자연스러운〕 ~ 作りのないユーモア / ~가 있다 ユーモアがある / ~를 알다 ユーモアがわかる. 語例 ~ 소설〔작가〕 ユーモア小説〔作家〕. ◇humor

유머레스크 [yu:mŏresŭk'ŭ]〈名〉〔樂〕ユーモレスク. ◇humoresque

****유명**【有名】[yu:myŏng]〈名〉有名. **~하다**〈形〉有名だ. 名高い. 句例 ~한 작품 有名な作品 / 세계에 ~한 경관 世界に名だたる景観 / ~ 무명의 사람들 有名無名の人人 / …을 ~하게 하다 …を有名にする / ~해지다 有名になる. 語例 ~세 有名税 / ~인 有名人. 對무명(無名).

유명【幽明】〈名〉幽明.
유명을 달리하다 幽明境を異にする.

유명무실-하다【有名無實—】[yu:myŏngmushil—](→하다)〈形〉有名無実だ. 句例 유명무실한 회장 有名無実の会長 / 유명무실해지다 有名無実と〔に〕なる.

유모【乳母】〈名〉乳母. =젖어미. 句例 ~를 딸리다 乳母をつける. 語例 ⇨ 유모차

유모-차【乳母車】〈名〉乳母車. =동차(童車). 句例 ~를 밀고 가다 乳母車を押して行く.

유목【遊牧】〈名・하自〉遊牧. 句例 ~ 생활을 하며 지내다 遊牧の生活を送る. 語例 ~민 遊牧の民 / ~ 민족 遊牧民族.

유무【有無】[yu:mu]〈名〉有無. 有り無し. 句例 지혜 ~를 시험하다 知恵の有無を試す / ~ 상통하다 有無相通じる / ~간(間)에 有無にかかわらず. とに〔とも〕かく. 語例 이상 ~ 異常の有無.

유묵【遺墨】〈名〉遺墨. 故人の残した筆跡. 句例 고(故) P씨의 ~ 전시회 故P氏の遺墨展示会.

***유물**【遺物】〈名〉遺物. 句例 과거의 ~ 過去の遺物 / 봉건〔석기〕 시대의 ~ 封建〔石器〕時代の遺物.

유물-론【唯物論】〈名〉〔哲〕唯物論. 對유심론(唯心論). 관념론(觀念論).

유미-주의【唯美主義】〈名〉〔文・美〕唯美主義. =탐미주의.

유밀-과【油蜜菓】〈名〉 韓国固有の菓子の一種. 小麦粉または米の粉をこねて適当な形につくって乾かし, 油揚げにしてはちみつ(蜂蜜)や水あめをぬったあとはぜやごまをまぶした菓子. 略して'유과(油菓)'ともいう. =밀과(蜜菓).

유발【乳鉢】〈名〉⇨ 막자사발

유발【誘發】〈名・하自他〉誘発. 句例 여병(餘病)을 ~하다 余病を誘発する. 類촉발(觸發).

유방【乳房】〈名〉乳房・ち ぶさ. =젖. 語例 ~암 乳癌.

유배【流配】〈名〉配流. 流刑・るけい. 島流し. =귀양. **~하다**〈他〉流刑〔流罪〕に処する. 流す. 島流しにする. ざん(竄)する. 語例 ~되다 配流にあう. 流罪に処せられる / ~지 配所. 流刑地.

유별【有別】[yu:byŏl]〈名・하形〉区別のあること. 句例 남녀가 ~하다 男女おのずと区別あり / 부부 ~이라 夫婦おのずから別あり. **~히**〈副〉並外れて. 格別に. 際立って. 変わって.

유별-나다【有別—】[yu:byŏllada]〈形〉区別がはっきりしている. 並外ずれている. 変わっている. 特別だ. 句例 유별나게 몸집이 큰 남자 並外れた大男 / 유별나게 힘이 센 장사 並外れの力持ち. 文例 그 아이는 유별나게 머리가 좋다 その子は並外れて頭がいい / 그녀에게는 좀 유별난 데가 있다 彼女には少し変わったところがある / 올 여름은 유별나게 덥다 この夏は特別に〔やけに〕暑い.

유별-스럽다【有別—】[yu:byŏl—] (→스럽다)〈形〉一見並外ずれている. 変わったところがある.

유보【留保】〈名〉留保. 保留. **~하다**〈他〉留保する. 見合わせる. 句例 판단을 ~하다 判断を留保する. 語例 ~ 조항(條項) 留保箇条〔条目〕.

유복【有服】[yu:bok]〈名〉'유복지친'の略.

유복-자【遺腹子】〈名〉遺腹. 忘れ形見. =유자(遺子). 文例 이 아이는 그이의 ~다 この子は彼の忘れ形見である.

유복지-친【有服之親】[yu:bokji—]〈名〉喪に服する近い身内.

유복-친【有服親】[yu:bok—]〈名〉'유복지친'の

略.

유복-하다【裕福—】[yubok'ada] (→하다)〈形〉裕福だ. 暮らしに事欠かない. 暮らし向きがよい. 句例 유복하게 살다 裕福に暮らす / 유복한 가정에서 자라다 裕福な家庭に育つ.

유부【油腐】〈名〉油揚げ. 油げ《略語》. 揚げ《略語》. 語例 ~ 국수 きつねうどん.

유부-녀【有夫女】[yu:bu—]〈名〉有夫の女〔身〕. 人妻.

유-분수【有分數】[yu:—]〈名〉('…도 ~'の形で) …にも程があるものだ. 文例 사람을 우습게 보아도 ~지 人をばかにしても程があるものだ.

유-불-선【儒佛仙】[—ssŏn]〈名〉儒道・仏道・仙道の三つ.

유비-무환【有備無患】[yu:bi—]〈名〉備え有れば憂い無し. 転ばぬ先の杖.

유사【有史】[yu:sa]〈名〉有史. 句例 ~(이)전의 有史(以)前の / ~ 이래의 대전쟁 有史以来の大戦争. 語例 ~ 시대 有史時代.

유사【類似】[yu:sa]〈名〉類似. 疑似〔擬似〕. **~하다**〈形〉類似している. 句例 …과 매우 ~하다 …にきわめて類似している. 文例 양자의 성격이 ~하다 両者の性格が類似している. 語例 ~ 사건 類似事件 / ⇨ 유사점 / ~ 종교〔宗〕類似宗教 / ⇨ 유사품

유사-시【有事時】[yu:sa—]〈名〉有事の際. ことある時. いざという時. 句例 일조 ~에 一朝有事の日〔際〕に / ~에 대비하다 有事〔いざという時〕に備える.

유사-점【類似點】[yu:satchŏm]〈名〉類似点. 句例 …의 ~을 들다 …の類似点をあげる. 文例 양자는 ~이 많다 両者には類似(の)点が多い.

유사-품【類似品】[yu:sa—]〈名〉類似品. 文例 ~에 주의 類似品に注意.

유산【流産】〈名〉流産. 流れ. **~하다**〈自他〉流産する. 流す. 句例 계획이 ~되다 計画が流れ(にな)る. 文例 임신 3개월만에 ~했다 妊娠三か月めに流産した / 조각은 또다시 ~되었다 組閣はまたもや流れた.

유산【遺産】〈名〉遺産. 句例 ~을 남기다 遺産を残す / ~을 분배하다 遺産を分配する / ~을 이어받다 遺産を継ぐ. 語例 ~ 관리 遺産管理 / ~ 상속 遺産相続 / 문화 ~ 文化遺産.

유상【有償】[yu:sang]〈名〉有償. 句例 ~으로 취득하다 有償で取得する. 語例 ~ 배급 有償配給. 對무상(無償).

유색 인종【有色人種】[yu:saeginjong]〈名〉有色人種.

유생【幼生】〈名〉〔動〕幼生.

유생【有生】[yu:saeng]〈名〉有生. 生命のあるもの. 生物. 生き物.

유생【儒生】〈名〉儒生. 儒者.

***유서**【由緒】〈名〉由緒. 句例 ~ 깊은 집안〔건물〕由緒ある家柄〔建物〕.

유서【遺書】〈名〉遺書. 書き置き. 句例 ~를 쓰다 遺書をしたためる. 類유언장(遺言狀).

유선【有線】[yu:sŏn]〈名〉有線. 語例 ~ 방송 有線放送 / ~ 전화 有線電話 / ~ 텔레비전 CATV. 對무선(無線).

유선-형【流線型】〈名〉流線型・流線形. 語例 ~ 자동차 流線型の自動車.

유성【油性】〈名〉油性. 語例 ~ 잉크〔페인트〕油性インク〔ペンキ〕.

유성【流星】〈名〉〔天〕流星. 流れ星. ＝별똥별.

유성-기【留聲器】〈名〉蓄音機の旧称.

유성-음【有聲音】[yu:sŏng-ŭm]〈名〉〔言〕⇨ 울림소리. 對무성음.

유세【有勢】[yu:se]〈名・하自〉❶勢力・権力のあること. ❷見せびらかしに権力を振り回すこと. 偉ぶること. 文例 넌 대체 무언데 그렇게 ~냐 お前いったい何を頼んでそう偉ぶるんだ.

유세(를) 떨다 これ見よがしに偉ぶる. 権力を見せびらかす.

유세(를) 부리다 (金力・地位などを)盾に取って権勢を振り回す. 偉そうに振る舞う.

유세【遊說】〈名・하自他〉遊説. 句例 ~에 나서다 遊説に出る. 語例 지방〔선거〕~ 地方〔選挙〕遊説.

유속【流速】〈名〉流速. 語例 ~계 流速計.

유수【流水】〈名〉流水. 語例 행운 ~ 行雲流水 / 낙화 ~ 落花流水. しぼみ落ちる花と流れる水.

유수-지【遊水池】〈名〉遊水池.

유수-하다【有數—】[yu:su—] (→하다)〈形〉指折り数えられるほどきわだっている. 句例 세계에서도 유수한 지휘자 世界でも有数の指揮者.

유숙【留宿】〈名〉止宿. 宿泊. **~하다**〈自〉宿泊する. 泊まる. 句例 친구 집에 ~하다 友人の所に宿泊する. 語例 ~인 宿泊人. 止宿人.

유순-하다【柔順—】(→하다)〈形〉従順〔柔順〕だ. 句例 유순한 태도 従順な態度. 文例 겉보기에는 유순해 보인다 見かけは柔順である.

유순히〈副〉従順に. おとなしく. すなおに.

유스 호스텔 [yu:sŭ—]〈名〉ユースホステル. ◇youth hostel

유습【遺習】〈名〉遺習. 遺風.

유시【諭示】〈名・하他〉諭示.

유식【有識】[yu:shik]〈名・하形〉有識. 句例 ~한 사람 有識者. 識者. 物知り / ~한 체하다 物知りぶる. 對무식(無識).

유신【維新】〈名・하他〉維新.

유신-론【有神論】[yu:shinnon]〈名〉〔哲〕有神論. 語例 ~자 有神論者. 對무신론(無神論).

유실【流失】〈名・하他〉流失. 文例 홍수로 다리가 ~되었다 洪水で橋が流失した. 語例 ~ 가옥 流失家屋.

유실【遺失】〈名・하他〉遺失. 語例 ~물 遺失物 / ~ 신고 遺失届け.

유실-수【有實樹】[yu:shilssu]〈名〉有用な実のなる木《くりの木やなつめの木など》.

유심-론【唯心論】[—non]〈名〉〔哲〕唯心論. アイデアリズム. 對유물론(唯物論).

유심-하다【有心—】[yu:shim—] (→하다)〈形〉心がひと所に向いている. **유심히**〈副〉つくづく. つらつら. 注意深く. 句例 유심히 보다 つくづく見つめる / 유심히 살피다 注意深

く探る. 對무심(無心)히.

유아【幼兒】〈名〉幼児. 幼子. [語例] ~기 幼児期 / ~원(園) 幼児院.

유아【乳兒】〈名〉乳児. 赤子. =젖먹이. [語例] ~기 乳児期 / ~ 사망률 乳児死亡率.

유아-등【誘蛾燈】〈名〉誘蛾灯. [句例] ~을 켜다 誘蛾灯をつける.

유액【乳液】〈名〉(植物・化粧品などの)乳液.

유야-무야【有耶無耶】[yu:ya—]〈名・副〉あいまいではっきりしないこと. うやむや. **~하다**〈形〉うやむやだ. あいまいだ. [句例] ~로 끝나다 うやむや(のうち)に終わる / 사건을 ~ 묻어버리다 事件をうやむや(のうち)に葬る.

유약【釉藥】〈名〉釉薬. 上薬. =잿물. [句例] ~을 입히다 上薬をかける.

유약-하다【柔弱—】[yuyak'ada] (→하다)〈形〉柔弱だ. [句例] 유약한 인물〔정신〕柔弱な人物〔精神〕.

유어【類語】[yu:ŏ]〈名〉類語. 類義語.

유언【遺言】〈名・하他〉遺言・. [句例] ~에 따라 遺言によって〔通りに〕/ ~을 남기고 죽다 遺言を残して死ぬ. [語例] ~장 遺言状.

유언-비어【流言蜚語】〈名〉流言飛語. 流言. デマ. =뜬소문. [句例] ~를 퍼뜨리다 デマをとばす〔流す〕.

유업【遺業】〈名〉遺業. [句例] 부친의 ~을 계승하다 父の遺業を継ぐ.

유-에프-오【UFO】[yu:ep'ŭo:]〈名〉ユーフオー. 未確認飛行物体. ◇unidentified flying objectの略.

유-엔【UN】[yu:en]〈名〉ユーエヌ. 国連. [語例] ~군 国連軍 / ~기 国連旗 / ~ 사무 총장 国連事務総長 / ~ 총회 国連総会 / ~ 헌장 国連憲章. ◇United Nationsから.

-유여【有餘】〈尾〉有余. 余り. [句例] 삼년~ 三年有余〔余り〕.

*__유역__【流域】〈名〉流域. [句例] 양쯔 강 ~ 揚子江流域.

유연【柔軟】〈名〉柔軟. **~하다**〈形〉柔軟だ. 柔〔軟〕らかい. しなやかだ. [句例] ~한 몸 柔軟な〔軟らかい〕からだ / ~한 태도 柔軟な態度 / ~성이 있는 柔軟性のある. [語例] ~ 체조 柔軟体操. **~히**〈副〉柔軟と〔に〕.

유연-탄【有煙炭】[yu:yŏn—]〈名〉〔鑛〕有煙炭. 對무연탄.

유예【猶豫】〈名・하他〉猶予. [句例] 삼일간의 ~를 주다 三日間の猶予を与える / 잠시의 ~를 바라다 しばらくの猶予を願う. [語例] 집행 ~ 執行猶予.

유용【流用】〈名・하他〉流用. 転用. [句例] 공금을 ~하다 公金を流用する / …에 자금을 ~하다 …に資金を流用〔転用〕する. [語例] ~금 流用金.

유용-하다【有用—】[yu:yong—] (→하다)〈形〉有用だ. 役に立つ. [句例] 유용한 인재〔인물〕有用の材〔人物〕/ 생활에 유용한 물건 暮らしに用立つ物 / 유용하게 하다 有用ならしめる. 役立たせる. **유용히**〈副〉有用に.

유원-지【遊園地】〈名〉遊園地.

유월【六月】〈名〉六月.
[参考] '유월'は '육월(六月)'の慣用音.

유유-상종【類類相從】[yu:yu—]〈名・하自〉類は友を呼ぶ. 同気あい求める.

유유-자적【悠悠自適】〈名〉悠悠自適. [句例] ~한 생활 悠悠自適の生活.

유유-하다【悠悠—】(→하다)〈形〉悠悠としている. [句例] 유유한 태도 悠悠たる物腰. **유유히**〈副〉悠悠と. [句例] 유유히 담배를 피우다 悠悠とタバコを吸う.

*__유의__【留意】〈名・하自〉留意. 注意. [句例] 건강에 ~하다 健康に留意する / …에 ~하지 않다 …に留意しない. [語例] ~ 사항 留意事項.

*__유익-하다__【有益—】[yu:ik'ada] (→하다)〈形〉有益だ. 益になる. 益する. ためになる. [句例] 유익한 책 有益な書物. ためになる本 / 유익하게 쓰다 有益に使う. 對무익(無益)하다.

유인【誘引】〈名〉誘引. **~하다**〈他〉誘引する. おびき寄せる. いざなう《雅》.

유인【誘因】〈名〉誘因. [句例] 전쟁의 ~이 되다 戦争の誘因となる.

유인-물【油印物】〈名〉プリント.

유인-원【類人猿】[yu:inwon]〈名〉〔動〕類人猿.

유일【唯一】〈名〉唯一・. **~하다**〈形〉唯一だ. [句例] ~한 예 唯一の例 / ~한 즐거움 唯一の楽しみ. [文例] 건강이 ~한 재산이다 健康が唯一の財産である. [語例] ~ 무이 唯一無二 / ~신 唯一神 / ~ 사상 唯一思想.

유임【留任】〈名・하自〉留任. [句例] 현직에 ~하다 現職に留任する. [語例] ~ 운동 留任運動.

유입【流入】〈名・하自〉流入. [句例] 외자의 ~ 外資の流入 / 인구가 ~되다 人口が流入する. 對유출(流出).

유자【柚子】[yu:ja]〈名〉〔植〕ゆず(柚子)の実. [語例] 유잣빛 ゆず色 / ~나무 ゆず(の木).

유-자녀【遺子女】〈名〉❶故人の子女. ❷戦死者または戦病死者の子供たち.

유자-망【流刺網】〈名〉流し網.

유작【遺作】〈名〉遺作.

*__유적__【遺跡・遺蹟】〈名〉遺跡. 古跡. [句例] 고대 문명〔역사상〕의 ~ 古代文明〔歴史上〕の遺跡. 類유지(遺址).

유전【油田】〈名〉油田. [語例] ~ 지대 油田地帯.

유전【遺傳】〈名・하自〉遺伝. [句例] ~성의〔적인〕遺伝性の〔的〕の. [文例] 매독은 ~한다 梅毒は遺伝する. [語例] ~병 遺伝病 / ⇨유전자 / ~질 遺伝質 / ~학 遺伝学 / 격세 ~ 隔世遺伝.

유전-자【遺傳子】〈名〉遺伝子. 遺伝因子. [語例] ~ 공학 遺伝子工学.

유정【油井】〈名〉油井. [語例] ~관 油井管.

유-제품【乳製品】〈名〉乳製品.

유조-선【油槽船】〈名〉油槽〔油送〕船. タンカー.

유조-차【油槽車】〈名〉タンクローリー.

유족【遺族】〈名〉遺族. 遺家族.

유종의 미【有終—美】[yu:jong-ŭimi]〈名〉有終の美. [句例] ~를 거두다〔장식하다〕有終の美をなす〔飾る〕.

*유죄【有罪】[yu:joe]〈名・하形〉有罪. 句例 ～로 인정할 증거 有罪と認める証拠 / ～로 결정하다 有罪と決する / ～를 선고하다 有罪と宣告する. 語例 ～ 판결 有罪判決. 對무죄(無罪).

유지【有志】[yu:ji]〈名〉有志. 有力者. 顔利き. 句例 지방의 ～ 土地の有力者〔有志〕.

유지【油脂】〈名〉油脂. 語例 ～ 공업 油脂工業 / ～ 작물 油脂作物 / ～류 油脂類.

유지【油紙】〈名〉油紙・ゆし. 句例 ～를 깔다 油紙を敷く.

*유지【維持】〈名〉維持. **～하다**〈他〉維持する. 保つ. 句例 평화가 ～되다 平和が維持される〔保たれる〕/ 체면을〔질서를〕 ～하다 体面〔秩序〕を保つ. 文例 온도를 일정하게 ～한다 温度を一定に保つ. 語例 ～비 維持費.

유지【遺志】〈名〉遺志. 句例 돌아가신 아버지의 ～를 잇다 亡父の遺志を継ぐ.

유징【油徵】〈名〉石油が埋蔵されているきざし. 油徴.

유착【癒着】〈名・하自〉〔醫〕癒着. 句例 정경(政經) ～ 政財界の癒着. 語例 늑막 ～ 肋膜癒着.

유찰【流札】〈名・하自〉入札流れ.

*유창-하다【流暢—】(→하다)〈形〉流暢だ. 句例 유창한 영어 流暢な英語 / 영어를 유창하게 말하다 英語を流暢に話す.

유채【油菜】〈名〉〔植〕油菜. ＝평지. 語例 ～화〔꽃〕油菜の花.

유채-색【有彩色】[yu:ch'ae—]〈名〉〔美〕有彩色. 色相を有する色あい《赤・黄色・朱色など》. 對무채색(無彩色).

유채-화【油彩畫】〈名〉油絵. 油彩画. ＝유화(油畫). 句例 ～를 그리다 油絵を描く. 語例 ～가(家) 油絵画家.

유체【流體】〈名〉〔物〕流体. 語例 ～ 역학 流体力学.

유추【類推】[yu:ch'u]〈名〉類推. アナロジー. **～하다**〈他〉類推する. 推し量る. 句例 과거의 언동에서 동기를 ～하다 過去の言動から動機を類推する / 그의 성질로 ～하건대 彼の性質から類推すると. 語例 ～ 해석 類推解釈.

유축 농업【有畜農業】[yu:ch'ungnong-ŏp]〈名〉有畜農業.

유출【流出】〈名・하自〉流出. 句例 토사의 ～ 土砂の流出 / 원유가 바다로 ～하다 原油が海へ流出する / 인구가 ～하다 人口が流出する. 語例 두뇌 ～ 頭脳流出. 對유입(流入).

유충【幼蟲】〈名〉〔蟲〕幼虫. ＝애벌레. 句例 나방의 ～ が(蛾)の幼虫.

유층【油層】〈名〉〔地〕油層.

유치【留置】〈名〉留置. 留め置き. **～하다**〈他〉留置する. 留め置く. 句例 경찰에 ～되다 警察に留置される. 語例 ～ 우편〔전보〕留め置き郵便〔電報〕/ ～장 留置場. 豚箱《俗》

유치【誘致】〈名・하他〉誘致. 句例 공장을 ～하다 工場を誘致する.

*유치-원【幼稚園】〈名〉幼稚園. 句例 ～의 원아 幼稚園の園児.

유치-하다【幼稚—】(→하다)〈形〉幼稚だ. 子供っぽい. 句例 유치한 생각 幼稚な〔子供っぽい〕考え / 유치한 말 子供らしいことば.

*유쾌-하다【愉快—】(→하다)〈形〉愉快だ. 快い. 句例 유쾌한 사람〔기분〕 愉快な人〔気分〕/ 유쾌하게 시간을 보내다 愉快に時を過ごす. 文例 유쾌한 하루를 보냈다 愉快な一日を過ごした. **유쾌히**〈副〉愉快に.

유탄【流彈】〈名〉流弾. 流れ弾. 句例 ～에 맞아서 죽다 流れ弾に当たって死ぬ.

유태【猶太】〈名〉〔史〕ユダヤ. ＝유대. 語例 ～교 ユダヤ教 / ～인 ユダヤ人.

유-턴 [yu:—]〈名・하自〉ユーターン. ◇U-turn

유토피아 [yu:t'op'ia]〈名〉ユートピア. 理想郷. 桃源郷. 語例 ～ 사회주의 ユートピア〔空想的〕社会主義. ◇Utopia

유통【流通】〈名・하自他〉流通. 句例 ～ 질서의 확립 流通秩序の確立 / 새로 ～되는 화폐 新しく流通する貨幣. 文例 공기의 ～이 잘된다 空気の流通がよい. 語例 ～ 기구 流通機構 / ～ 시장 流通市場.

유파【流派】〈名〉流派. 句例 ～에 속하다 流派に属する / ～가 다르다 流派が異なる.

유포【流布】〈名〉流布. **～하다**〈自他〉流布する. 言い触らす. 句例 유언비어를 ～하다 流言飛語を飛ばす / 소문이 세상에 ～되다 うわさが世間に流布する〔広まる〕.

*유품【遺品】〈名〉遺品. ＝유물(遺物).

유풍【遺風】〈名〉遺風. ＝유속(遺俗).

유-하다【留—】(→하다)〈自〉❶寝る. ❷泊まる. とど(留)まる. 滞在する. ＝묵다.

유-하다【柔—】(→하다)〈形〉❶柔らかい. 對강(剛)하다. ❷気がゆったりしている. こせつかない. 気遣いがない.

*유학【留學】〈名・하自〉留学. 句例 미국으로 ～가다 アメリカへ留学する / ～을 마치고 돌아가다 留学を終えて帰る. 語例 ～생 留学生.

유학【儒學】〈名〉儒学. ＝공맹학(孔孟學). 語例 ～자 儒学者.

유한【有限】[yu:han]〈名〉有限. **～하다**〈形〉有限だ. 限りがある. 句例 ～한 범위 有限な範囲 / ～한 생명 限りある命. 語例 ～ 급수〔數〕有限級数 / ～ 책임 有限責任 / ～ 회사 有限会社. 對무한(無限).

유한【遺恨】〈名〉遺恨. 句例 ～을 품다 遺恨をいだく / ～을 풀다 遺恨を晴らす.

유해【有害】[yu:hae]〈名〉有害. **～하다**〈形〉有害だ. 句例 ～한 식품 有害な食品 / ～ 무익하다 有害無益である. 語例 ～ 첨가물 有害添加物. 對무해(無害).

유해【遺骸】〈名〉遺骸. なきがら(亡骸). 遺体. 死体. 句例 ～를 안치하다 遺骸を安置する.

유행【流行】〈名〉流行. はやり. **～하다**〈自〉流行する. はやる. 句例 ～하는 패션 流行のファッション / 한때 ～하였던 노래 一時はやった歌 / 미니 스커트가 ～하다 ミニスカートがはやる / ～이 한물 가다 流行が下火になる / ～에 뒤지다 流行に遅れる / ～을 따르다〔좇다〕 流行を追う / 콜레라가 ～하다 コレラがはやる. 語例 ～가 流行歌. はやり歌 / ～병 流行病. はや

り病 / ～성 감기(感氣) 流行性感冒. 流感《略語》. インフルエンザ. はやりかぜ / ～어 流行語. はやりことば.

유혈【流血】〈名〉流血. 句例 ～의 참사 流血の惨事 / ～을 보다 流血を見る / ～이 낭자하다 流血がはなはだしい. 血まみれだ. 語例 ～극 流血劇.

*__유형__【有形】[yu:hyŏng]〈名・하形〉有形. 語例 ～ 문화재 有形文化財 / ～물 有形物. 對무형(無形).

유형【類型】[yu:hyŏng]〈名〉類型. 句例 문장의 ～ 文章の類型 / ～이 많다 類型が多い. 語例 ～화 類型化 / ～적 類型的. 類패턴.

*__유혹__【誘惑】〈名〉誘惑. いざない. **～하다**〈他〉誘惑する. いざなう. 句例 여행에의 ～ 旅へのいざない / ～이 많다 誘惑が多い / ～과 싸우다 誘惑とたたかう / ～에 이기다〔지다〕誘惑に勝つ〔負ける〕/ ～에 빠지다 誘惑に陥る / ～을 물리치다 誘惑を退ける. 語例 ～되다〔당하다〕誘惑される.

유화【油畫】〈名〉油絵. 洋画. ＝유채화(油彩畫). 語例 ～구 油絵の具.

유화【宥和】〈名・하自〉宥和. 語例 ～론자 宥和論者 / ～ 정책 宥和政策.

유황【硫黃】〈名〉〔化〕硫黄. ＝황(黃). 語例 ～천〔地〕硫黄泉.

유회【流會】〈名・하自〉流会. (お)流れ. 句例 ～(가) 되다 流会になる. お流れになる. 對성회(成會).

*__유효__【有效】[yu:hyo]〈名〉有効. **～하다**〈形〉有効だ. 句例 ～하게 쓰다 有効に使う / ～하게 하다 有効にする. 文例 그 약속은 아직 ～하다 その約束はまだ有効だ. 語例 ～기간 有効期間 / ～성 有効性 / ～ 성분 有効成分.

유훈【遺訓】〈名〉遺訓. 句例 돌아가신 아버지의 ～ 亡き父の遺訓.

유휴【遊休】〈名〉遊休. 語例 ～ 물자 遊休物資 / ～ 시설 遊休施設 / ～지 遊休地.

유흥【遊興】〈名・하自〉遊興. 句例 ～에 빠지다 遊興にふける / ～에 돈을 없애다 遊興に金を散じる. 語例 ～비 遊興費 / ～세 遊興税.

유희【遊戲】[yuhi]〈名・하自〉遊戯. 句例 ～를 가르치다 遊戯を教える. 語例 ～ 시간 遊戯の時間.

**__육__【六】〈數〉六. むつ. むう. む. 語例 ～개월 六ヶ月. 六月.

육 〔漢字項目〕

【肉(肉)】高校 육 ニク. ❶살. 고기 肉. ▐肉食 육식 にくしょく. 肉類 육류 にくるい. ▌牛肉 우육 ぎゅうにく. 筋肉 근육 きんにく. ❷과일 따위의 부드러운 속 부분 果実などの柔らかい中身の部分. ▌果肉 과육 かにく. 朱肉 주육 しゅにく. ❸육체 肉体. ▐肉彈 육탄 にくだん. 肉感 육감 にっかん. 肉眼 육안 にくがん.

【育】中學 육 イク. ❶기르다 育てる. ▐育兒 육아 いくじ. 育成 육성 いくせい. ▌飼育 사육 しいく. 保育 보육 ほいく. ❷자라다 育つ. ▌發育 발육 はついく. 生育 생육 せいいく.

육각【六角】〈名〉六角. 語例 ～형 六角形 / ～ 기둥 六角柱.

육감【六感】〈名〉〔'제육감(第六感)'の略〕第六感. 勘. 句例 ～으로 맞히다 第六感で当てる. 文例 ～으로 알았다 勘でわかった.

육감-적【肉感的】〈名・冠〉肉感的. 官能的. 句例 ～인 여배우 肉感的な〔色っぽい〕女優.

육갑【六甲】〈名・하自〉❶'육십 갑자(六十甲子)'の略. ❷人の言行を卑しめて言う語.

육갑(을) 떨다 ほざく. ぬかす.

육-개장【肉―】〈名〉〔料理〕煮込んだ牛肉を細く裂いて辛味をつけた汁物.

*__육교__【陸橋】〈名〉陸橋. 歩道橋. ＝오버브리지. 類구름다리.

육군【陸軍】〈名〉〔軍〕陸軍. 語例 ～ 본부 陸軍本部 / ～ 사관 학교 陸軍士官学校.

육-대주【六大洲】〈名〉〔地〕六大州.

육로【陸路】[yungno]〈名〉陸路. 句例 ～를 잡다〔택하다〕陸路をとる. 對수로(水路).

*__육류__【肉類】[yungnyu]〈名〉肉類.

육림-업【育林業】[yungnimŏp]〈名〉造林業.

육면-체【六面體】[yungmyŏn―]〈名〉〔數〕六面体.

육-모【六―】[yungmo]〈名〉六角. 語例 ～정(亭) 六角の亭.

육박【肉薄】〈名〉肉薄〔肉迫〕. **～하다**〈自〉肉薄〔肉迫〕する. 迫る. 句例 적진에 ～하다 敵陣に肉迫する〔迫る〕/ 일점차로 ～하다 一点差に肉薄する. 語例 ～전 肉薄戦.

육-반구【陸半球】〈名〉〔地〕陸半球.

육법-전서【六法全書】〈名〉六法全書.

*__육상__【陸上】〈名〉陸上. 文例 그는 ～ 근무다 彼は陸上勤務である. 語例 ～ 경기 陸上競技 / ～ 교통 陸上交通 / ～ 선수 陸上選手.

육서【陸棲】〈名〉陸生. 語例 ～ 동물 陸生動物. 對수서(水棲).

육성【肉聲】〈名〉肉声. 生の声. 句例 ～과 같은 음색을 내다 肉声同様の音色を出す.

육성【育成】〈名・하他〉育成. 句例 묘목의 ～ 苗木の育成 / 선수〔제자〕를 ～하다 選手〔弟子〕を育成する. 類양성(養成).

육송【陸松】〈名〉〔植〕赤松.

육수【肉水】〈名〉肉を煮出した汁. 肉汁.

육순【六旬】〈名〉❶六十日. ❷六十歳.

육식【肉食】〈名・하自〉肉食. 句例 ～을 끊다 肉食を断つ. 語例 ～ 동물 肉食動物 / ～성 肉食性.

육신【肉身】〈名〉肉身. ＝육체. 句例 ～을 쓰다 からだを動かす. 活動する. 對영혼.

육십【六十】〈數・冠〉六十. 六十路《雅》. 文例 나이 ～ 고개를 넘어서다 よわい六十路の坂をくだる. 語例 ～대 六十代.

육십 갑자【六十甲子】〈名〉〔民〕六十干支. えと(干支). 略して'육갑(六甲)'ともいう.

육십 만세 운동【六十萬歲運動】[yukshimma:n-seu:ndong]〈名〉〔史〕1926年6月10日朝鮮王朝最後の国王隆熙皇帝の国葬日を期して, 学生層を中心に広範な民衆が日本帝国主義の打倒

うを唱えていっせいに蜂起した万歳運動.

육아【育兒】[yuga]〈名・하自〉育児. 句例 ~에 전념하다 育児に専念する. 語例 ~법 育児法.

육안【肉眼】[yugan]〈名〉肉眼. =맨눈. 句例 ~으로 보이다 肉眼で見える / ~으로는 볼 수 없다 肉眼では見えない.

육영【育英】[yugyŏng]〈名・하自〉育英. 語例 ~ 사업 育英事業 / ~ 자금 育英資金.

육용【肉用】[yugyong]〈名・하他〉肉用. 語例 ~종 肉用種.

육운【陸運】[yugun]〈名〉陸運. 語例 ~업 陸運業. 對해운(海運). 수운(水運).

***육이오 전쟁**【六二五戰爭】[yugiojŏ:njaeng]〈名〉〔史〕朝鮮戦争. 略して'육이오(六二五)'ともいう. =육이오 사변(事變)〔동란(動亂)〕.
参考 1950年6月25日の未明に北韓共産軍が三十八度線全域にわたって不法南侵を開始し, 全国土を戦禍のちまた(巷)に追い込んだ戦争.

육전【陸戰】〈名〉〔軍〕陸戦. 句例 ~과 해전 陸戦と海戦.

육조【六曹】〈名〉〔史〕朝鮮王朝時代に'의정부(議政府)'のもとで国務をつかさどった六官府. すなわ(即)ち '이조(吏曹)・호조(戶曹)・예조(禮曹)・병조(兵曹)・형조(刑曹)・공조(工曹)'の総称.
参考 各曹の主務長官を'판서(判書)'と称し, その下に'참판(參判)・참의(參議)'などがあった.

육종【育種】〈名・하他〉育種.

육중-하다【肉重—】(→하다)〈形〉(ずうたいが大きく)ずっしり〔どっしり〕している.

***육지**【陸地】〈名〉陸地. 陸. おか(陸). =뭍. 語例 ~ 측량 陸地測量.

***육체**【肉體】〈名〉肉体. =육신(肉身). 句例 ~의 결함 肉体の欠陥 / ~를 알다 肉体を知る. 語例 ~ 노동 肉体労働. 力仕事 / ~미 肉体美. 對정신(精神).

육체-적【肉體的】〈名・冠〉肉体的. 句例 ~ 고통〔욕망〕肉体的苦痛〔欲望〕/ ~으로 견딜 수 없다 肉体的にたえられない. 文例 ~인 피로는 정신적인 피로보다 회복하기 쉽다 肉体的な疲労は, 精神的な疲労より回復しやすい. 對정신적.

육촌【六寸】〈名〉またいとこ. 二いとこ. はとこ《俗》. =재종(再從).

육추【育雛】〈名・하自〉育雛. 語例 ~기 育雛器.

육친【肉親】〈名〉肉親. 親身. 句例 ~의 정 肉親の情 / ~처럼 돌보다 親身になって世話をする.

육탄【肉彈】〈名〉肉弾. 句例 ~으로 싸우다 肉弾相うつ. 語例 ~전 肉弾戦.

육포【肉脯】〈名〉ほしし(脯). ほしじし(干肉・乾肉)

육풍【陸風】〈名〉〔氣〕陸風. =뭍바람. 육연풍(陸軟風). 對해풍(海風).

육필【肉筆】〈名〉肉筆. 句例 ~의 원고 肉筆の原稿.

육하 원칙【六何原則】[yuk'a—]〈名〉(報道記事などで)文章構成の六つの要素, すなわち'だれが・何を・どこで・いつ・なぜ・どんなふうに'を指して言う語.

육회【肉膾】[yuk'oe]〈名〉〔料理〕肉のなます(膾). 牛肉を細切りにした生の赤身に薬味をかけたもの.

육-혹【肉—】[yuk'ok]〈名〉肉瘤. こぶ.

윤【潤】[yu:n]〈名〉'윤기(潤氣)'の略: つや.
윤(이) 나다 つやが出る. つやつやしい.
윤(을) 내다 つやを出す. 照りをつける.

윤 〔漢字項目〕

【潤】高校 윤 ジュン. ❶물기가 있다 潤う. ▐潤滑 윤활 じゅんかつ. 潤筆 윤필 じゅんぴつ. ❷젖어서 윤기가 나다 ぬれてつやが出る. ▐潤色 윤색 じゅんしょく. 潤澤 윤택 じゅんたく. ❸이득보다 もうける. ▐利潤 이윤 りじゅん.

윤곽【輪廓】〈名〉輪郭. 目鼻. アウトライン. 句例 사건의 ~ 事件の輪郭 / ~이 뚜렷한 얼굴 目鼻立ちのはっきりした顔. 彫りの深い顔 / 사건 해결의 ~이 잡히다 事件解決の目鼻がつく.

윤기【潤氣】[yu:nkki]〈名〉色つや. つや. 略して'윤(潤)'ともいう. 句例 ~가 흐르는 얼굴 つやつやした顔.

윤-나다【潤—】[yu:n—] ⇨'윤(潤)'の小項目

윤-내다【潤—】[yu:n—] ⇨'윤(潤)'の小項目

윤년【閏年】[yu:nnyŏn]〈名〉うるう年.

윤-달【閏—】[yu:n—]〈名〉うるう月.

윤리【倫理】[yulli]〈名〉倫理. モラル. 語例 ~적 倫理的 / ~학 倫理学.

윤번【輪番】〈名・하自〉輪番. 回り番. 句例 ~으로 하다 輪番でやる. 語例 ~제 輪番制.

윤일【閏日】[yu:nil]〈名〉うるう(閏)日. 二月二十九日.

윤작【輪作】〈名・하他〉〔農〕輪作. 輪栽. 輪換. =돌려짓기. 語例 ~ 재배 輪換栽培.

윤전-기【輪轉機】〈名〉輪転機. 輪転印刷機.

윤중-제【輪中堤】〈名〉中島の周りをとり囲んだ堤.

윤창【輪唱】〈名〉〔樂〕輪唱. ラウンド. =돌림노래.

윤택【潤澤】[yu:nt'aek]〈名〉潤沢. **~하다**〈形〉潤沢だ. ゆとりがある. 句例 ~한 자금 潤沢な資金 / ~한 생활 ゆとりのある生活 / ~하게 살다 豊かに暮らす.

윤화【輪禍】〈名〉輪禍. 交通事故. 句例 ~를 당하다〔입다〕輪禍に会う.

윤활-유【潤滑油】[yu:nhwallyu]〈名〉潤滑油.

윤회【輪廻】〈名・하自〉〔佛〕輪回〔輪廻〕. 語例 ~ 사상 輪回思想.

-율【率】〈尾〉…率. 語例 백분~ 百分率 / 치사율 致死率.
参考 終声がないか, または'ㄴ'で終わる名詞に付く. 'ㄴ'以外の終声のある名詞には'-률'が付く. 사망률 死亡率, 합격률 合格率など.

율동【律動】[yulttong]〈名〉律動. リズム. 語例 ～감 律動感 / ～적 律動的. リズミカル / ～ 체조 律動〔リズム〕体操.

율령【律令】〈名〉〔史〕律令. 語例 ～ 국가 律令国家.

율무〈名〉〔植〕はとむぎ(鳩麦). 語例 ～쌀 薏苡仁はとむぎの種.

율법【律法】[yulppŏp]〈名〉律法. ❶おきて. ❷〔基〕人間生活に関して神が示した規範. ❸〔佛〕⇨ 계율(戒律)

율사【律士】[yulssa]〈名〉弁護士.

융【絨】〈名〉絨. 表面を柔らかく毛羽立てた織物.

융기【隆起】〈名・하自〉隆起. 句例 지반의 ～ 地盤の隆起 / 완만한 ～ なだらかな隆起 / ～해 있는 隆起している. 語例 ～ 해안 隆起海岸. 對 침하(沈下).

융단【絨緞】〈名〉絨緞. カーペット. ＝양탄자. 句例 ～을 깔다 絨緞を敷く. 語例 ～ 폭격 絨緞爆撃.

융모【絨毛】〈名〉⇨ 융털

융비-술【隆鼻術】〈名〉隆鼻術.

*__융성__【隆盛】〈名・하形〉隆盛. 句例 국운의 ～ 国運の隆盛〔隆昌〕/ (날로) ～해가다 隆盛におもむく. 語例 ～기 隆盛期.

융숭-하다【隆崇—】(→하다)〈形〉(もてなし・待遇が)手厚い. 丁重だ. 句例 융숭한 대접 手厚いもてなし / 융숭하게 장사지내다 手厚く葬る. **융숭히**〈副〉手厚く. 丁重に. 句例 융숭히 대접하다 手厚くもてなす.

*__융자__【融資】〈名・하他〉融資. 句例 ～를 받다 融資を受ける / ～의 회수가 불가능한 경우 融資が焦げついた場合. 語例 ～ 알선 融資斡旋 / 조건부 ～ ひも付き融資.

융제【融劑】〈名〉融剤.

융-털【絨—】〈名〉❶絨緞の表の柔らかい毛. ❷〔生〕絨毛.

융통【融通】〈名・하他〉融通. 句例 자금을 ～하다 資金を融通する / 3천만원 ～해 받다 3,000万ウォン融通してもらう. 語例 ⇨ 융통성 / ～어음 融通手形.

융통-성【融通性】[—ssŏng]〈名〉融通(性). 句例 ～이 없는 사람 融通の利かない人. 杓子定規な〔の〕人.

융합【融合】〈名〉融合. **～하다**〈自他〉融合する. 溶け合う. 句例 동서 문화의 ～ 東西文化の融合 / 하나로 ～하다 一つに融合する. 語例 핵～ 核融合. 對 분열.

융해【融解】〈名・하自〉融解. 語例 ～열〔物〕融解熱 / ～점〔物〕融解点.

융화【融和】〈名〉融和. **～하다**〈自〉融和する. 解け合う. 句例 ～를 꾀하다 融和をはかる / ～되기 어려울 정도로 融和し難いほどに. 語例 ～책 融和策.

*__윷__ [yu:t]〈名〉❶小さな丸い棒切れを割って作った, 四本一組の遊戯具. かりうち. ❷'윷'をなげうった時, かりがそろ(揃)ってあおむけになった時の称.
参考 あそび方はなげうった時, あおむけ・うつむけの落ち方により一点から五点までの点数がつき, これによって四個のこま(駒)を進める. 韓国固有の遊戯で正月などの節日に二・三組に分けて遊ぶ.

윷-놀이 [yu:nnori]〈名・하自〉'윷'の遊戯. かりうち(樗蒲). ちょぼ. ＝척사(擲柶).

윷-판 [yu:t—]〈名〉'윷놀이'をする場所〔集い〕.

윷-판【—板】[yu:t—]〈名〉'윷놀이'でこま(駒)を進めるゲーム盤. ＝말판. 絵

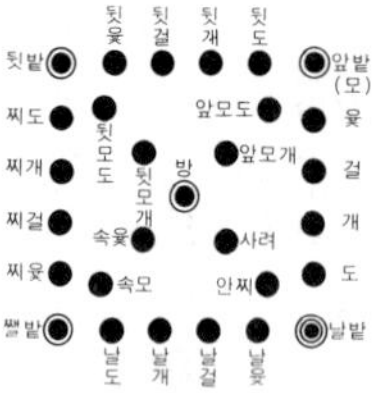

〈윷판〉

으〈名〉〔言〕ハングルの字母'ㅡ'の名称.

으깨다〈他〉❶(固い物を)押しつぶす. (すり)つぶす. 押しひしぐ. 砕く. 句例 호두를 ～ くるみを押しつぶす / 감자를 ～ ジャガ芋をすりつぶす. ❷(硬い物を)柔らかくする. 練る. 句例 으깬 팥소 つぶしあんこ / 밥풀을 ～ そくいを練る / 된장을 ～ みそをす(擂)る.

으늑-하다 [ŭnŭk'ada] (→하다)〈形〉❶小ぢんまりして居心地がいい. 奥ゆかしい. ❷奥まって静かだ. **으늑히** [ŭnŭk'i]〈副〉小ぢんまりと. 居心地よく.

으드득〈副・하自他〉❶(固い物を)強くかむ音: かりっと. ばりばり. 句例 날밤을 ～ 깨물다 生ぐりをかりっとかみ砕く. ❷歯をきしる音: ぎしっと. ぎりぎり. 句例 ～ 이를 갈다 ぎりぎりと歯ぎしりする. **～거리다**〈自他〉❶しきりにばりばり〔がりがり〕(と)音がする〔音を立てる〕. ❷ぎりぎり(と)歯をきしる. 句例 이를 ～거리다 歯をぎりぎり(と)鳴らす.

으드득으드득 [ŭdŭdŭgŭdŭdŭk]〈副・하自他〉❶ばりばり. がりがり. ❷ぎりぎり.

으드등-거리다〈自〉しきりにいがみ合う. す(擦)れ合う. がみがみ言い合う. 句例 모녀가 ～ 母と娘がいがみ合う.

으드등으드등〈副・하自〉しきりにいがみ合う〔言い合う・すれ合う〕さま: がみがみ.

으뜸〈名〉❶最上. 最高. 第一. 一番. 最. 頭. 長. 句例 세계 ～의 강국 世界一の強国. 文例 경치로는 금강산을 ～으로 친다 景色では金剛山を第一と見なす / 이것을 ～으로 친다 これを最とする / 술은 백약의 ～ 酒は百薬の長. ❷根本. 旨. 根源. 文例 글은 간결함을 ～으로 한다 文は簡潔を旨とす / 효도는 덕의 ～이다 孝は徳の根本である.

으뜸-가다〈自〉第一〔随一〕である. 最上だ. 最高だ. 一番だ. 句例 알프스에서 으뜸가는 험봉 アルプス随一の険峰 / 반에서 으뜸가는 아이 クラスで一番の子供 / 동네에서 으뜸가는 미인 町内切っての美人 / (인생의) 으뜸가는 즐거움 (人生の)最上の楽しみ.

으뜸-꼴〈名〉〔言〕ある単語の基本となる形. 原形.

으레〈副〉❶いうまでもなく. 言わずとも. 当然. 文例 학생은 ～ 공부에 힘써야 한다 学生は当然勉強に励むべきだ / ～ 이렇게 돼야 한다 当然こうなるべきだ / ～ 우리가 할 일이

다 当然僕らがすべきことなのだ.
❷いつも. きっと. 決まって. 常に. 【句例】 ～… 을 하다 決まって…をする. …を常とする. 【文例】 아침에 일어나면 ～ 산책을 한다 朝起きると決まって散歩をする / 둘은 만나면 ～ 싸운다 二人は会うといつもけんかだ / 무언가 하려 들면 ～ 비가 온다 何かしようとすればきっと雨だ.

으로 〈助〉 'ㄹ'終声以外の終声を持つ体言に付く副詞格助詞. ❶…で. …にて《雅》. ㉠方法・手段などを表わす. 【句例】 몸～ 때우다 身で償う / 돈～ 때우다 お金で済ませる / 항공편～ 부치다 航空便で送る / 차가운 눈～ 보다 冷たい目で見る / 특급～ 가다 特急で行く / 주먹～ 치다 こぶしで打つ.
㉡材料・構成要素などを表わす: …から. 【句例】 대리석～ 지은 집 大理石で建てた家 / 양원～ 된 의회 両院からなる議会 / 헌 궤짝～ 책상을 만들다 古箱で机をこしらえる.
㉢原因などを表わす: …のために. 【句例】 폐병～ 죽다 肺病で死ぬ. 【文例】 병～ 누워 있다 病気で寝ている.
㉣地位などを表わす: …に. …と. 【句例】 사람～ 태어나다 人に生まれる / 평사원～ 늙다 平社員で年をとる.
㉤形式を表わす. 【句例】 물건～ 지급하다 物で払う / 어음～ 지불하다 手形で支払う.
㉥根拠・より所を表わす. 【句例】 연금～ 살다〔지내다〕 年金で暮らす / 붓～ 밥을 먹다 筆で食う / 안색～ 알 수 있다 顔色で分かる〔知る〕.
㉦基準・金額などを表わす: …に. 【句例】 돈～ 환산하다 金に換算する / 만～ 다섯 살 満で五歳 / 보수를 일당～ 받다 報酬を日当でもらう / 헐값～ 팔아치우다 捨て値で売り払う. 【文例】 만원～ 세 개 살 수 있다 一万ウォンで三個買える.
❷…に. ㉠変化などを表わす: …と. 【句例】 공업용～ 돌리다 工業用に回す. 【文例】 비는 오후부터 눈～ 변했다 雨は午後から雪に変わった.
㉡決定などを表わす: …と. 【句例】 위원장～ 추대하다 委員長に祭り上げる / 정각에 떠나는 것～ 하다 定刻に立つことと〔に〕する. 【文例】 점심은 라면～ 하자 お昼はラーメンにしよう.
㉢方向を表わす: …へ. 【句例】 위쪽～ 上の方へ / 중국～ 떠나다 中国に向かう. 【文例】 이쪽～ 오시오 こちらへいらっしゃい.
㉣ 結果などを表わす: …と. …で. 【句例】 미완성～ 끝나다 未完成に終わる. 【文例】 전쟁～ 일생을 망쳤다 戦争で一生を棒に振った.
㉤増減・分類などを表わす. 【句例】 넷～ 분류하다 四つに分類する. 【文例】 사망자는 이십명으로 늘어났다 死傷者は二十名に増えた.
❸'으로서'の略. 【文例】 유학생～ 한국에 왔다 留学生として韓国に来た.
❹'으로써'の略. 【文例】 이것～ 개회사를 마치겠습니다 これをもって開会の辞を終わることにします.

으로는 〈助〉 助詞'으로'と'는'が重なってできた副詞格助詞: …に(は). …では. 【句例】 북～ 백두산, 남～ 한라산 北に(は)白頭山, 南には漢拏山. 【文例】 낫～ 큰 나무를 베지 못한다 かま(鎌)では大木を切り倒せない.

으로도 〈助〉 'ㄹ'終声以外の終声を持つ体言に付き, '…でも' '…にも'の意を表わす副詞格助詞. 【句例】 힘～ 돈～ 力ずくでも金でも. 【文例】 이 골목은 시장～ 통한다 この路地は市場にも通じる.

으로-부터 〈助〉 'ㄹ'以外の終声を持つ体言に付いて, '…から. …より'の意を表わす副詞格助詞. 【句例】 샘～ 흘러 나오는 물 泉から流れ出る水 / 멀리 있는 형～의 편지 遠くの兄からの手紙. 【文例】 생판 모르는 사람～ 돈을 꾸었다 あかの他人から金を借りた.

으로서 〈助〉 'ㄹ'以外の終声を持つ体言に付く副詞格助詞. '身分・地位・資格をもって'の意を表わす: …として. 【句例】 공무원～ 있을 수 없는 행위 公務員としてあるまじき行ない. 【文例】 형～ 용납할 수 없다 兄として許せない.

으로써 〈助〉 'ㄹ'以外の終声を持つ体言に付いて, '…をもって. …で'の意を表わす副詞格助詞. 【句例】 서면～ 통지하다 書面をもって通知する / 그의 금력～도 彼の金力をもってしても / 죽음～ 속죄하다 死をもってあがなう. 【文例】 네 실력～ 한다면 문제없을 것이다 君の実力をもってすれば訳ないはずだ.

으로 하여금 'ㄹ'以外の終声を持つ体言に付いて, '…をして'の意を表わす語. 【文例】 스승～ 감동하게 하다 師をして感動せしめる.

으르다 (으르니, 을러서) 〈他〉 脅す. 脅かす. 【句例】 으르고 달래고 하여 脅したりすかしたりして / 완력으로 해결하겠다고 ～ 腕力で片付けるぞと脅かす / 그냥 두지 않겠다고 ～ ただでは置かないといきまく.

으르-대다 〈他〉 (恐ろしいけんまく(剣幕)で)脅しつける. いきまく.

으르렁 〈副・하自〉 ❶(獣の)うなるさま. うなり声. ❷いがみ合うさま. がみがみ言い合うさま. **～거리다** 〈自〉 ❶(獣が)うなる. ほえたける. 【句例】 사자가 ～거리다 ライオンがうなる. ❷いがみ合う. 角突き合いをする. 【句例】 원수처럼 ～거리다 敵のようにいがみ合う.

으르렁으르렁 〈副・하自〉 ❶さかんにほえるさま: うおんうおん. ❷しきりに争うさま.

*__으름-장__ [—tchang] 〈名〉 脅し. 脅迫. 威嚇. 【句例】 ～이 통하지 않다 脅しが利かない.

으름장(을) 놓다 脅しつける. 脅迫する. 【文例】 빚쟁이가 으름장을 놓고 돌아갔다 借金取りが脅し文句を並べて帰った.

*__으리으리-하다__ (→하다) 〈形〉 豪壮だ. 堂堂として立派である. ものものしい. 【句例】 으리으리한 저택 豪壮〔豪華〕な邸宅 / 으리으리한 요리 豪勢な料理 / 으리으리한 행렬 も

ㅇ

のものしい行列.

으스-대다 〈自〉 威張る. もったいぶる. 高ぶる. =으시대다. 文例 성공했다고 해서 으스대지 마라 成功したからといって高ぶるな. 類뽐내다. 재다.

으스러-뜨리다 〈他〉 (押し)砕く. (押し)つぶす. こなごなにする. 打ちこわす. 句例 머리를 때려 ~ 頭をたたき割る.

으스러-지다 〈自〉 (塊が) 砕ける. つぶれる. (めちゃくちゃに)壊れる. こなごなになる. 句例 몸이 으스러지도록 일하다 身を粉にして働く. 文例 문에 껴서 손가락이 으스러졌다 ドアに挟まって指がつぶれた.

으스름-달 [—ttal] 〈名〉 おぼろ月.

으스름-달밤 [—ppam] 〈名〉 おぼろ月夜. おぼろ夜.

으스름-하다 (→하다) 〈形〉 おぼろだ. (月が)ほんのりと明るい. 句例 봄날 밤의 으스름한 달빛 春の夜のおぼろげな月影.

으스스 〈副・하形〉 寒気や不気味なものがからだに触れてぞっと肌寒い思いをするさま: ぞっと. ぞくぞく. 句例 ~ 찬바람이 불다 肌寒い〔うすら寒い〕風が吹く / 등이 ~하다 背中がぞくぞくする. 文例 어쩐지 ~하다 何となく気味が悪い.

으슥-하다 [ŭsŭk'ada] (→하다) 〈形〉 (気味悪いほど) 奥まって静かだ. ひっそり(と)している. 句例 으슥한 뒷골목 ひっそり(と)した裏通り / 으슥한 산길 人里はなれた寂しい山路 / 으슥한 방 奥まった部屋.

으슬-으슬 [ŭsŭrŭsŭl] 〈副・하形〉 鳥肌が立つほど寒気がするさま: ぞくぞく. 句例 ~ 오한이 나다 ぞくぞく(と)悪寒がする〔を覚える〕.

으슴푸레-하다 (→하다) 〈形〉 (月の光が)おぼろだ. ぼんやりしている.

으썩 〈副・하他〉 (固い果物などを)強くかみ砕くさま. また, その音: がりっ(と). さくっ(と).

으쓱[1] 〈副〉 寒気や恐怖などでからだがすくむさま: ぞっと. ひやっと. びくっと. **~하다** 〈形〉 ぞっとする. びくっと〔ひやっと〕する.

으쓱[2] 〈副・하自他〉 うぬぼれて肩をそびやかすさま. 得意になるさま. 句例 성공으로 ~해지다 成功で得意になる. **~거리다** 〈自他〉 しきりに肩をそびやかす. 得意然とする. もったいぶる.

으쓱으쓱 [ŭssŭgŭssŭk] 〈副・하自他〉 思い上がってしきりに肩をそびやかすさま. 得意になるさま.

으악 〈感〉 ❶食べたものを吐き出す音: げえっ. ❷驚いて, または驚かすときに出す声: あっ. わっ.

으앙 〈感〉 赤ん坊の泣き声: ぎゃあ. おぎゃあ.

으앙으앙 〈感〉 ぎゃあぎゃあ. おぎゃあおぎゃあ.

으응 〈感〉 ❶友人や目下の者に対して, 反問したり肯定するときの語: うん. ああ. え. 文例 ~, 알겠다 うん, 分かった / ~, 뭐라고 え, なんだって / ~ 그래? え? そうかい. ❷気に入らないとき, またはいらだたしいときに出す声: えい. ううん. ちぇ.

으지직 〈副・하自他〉 (机などの)組み合わされた木製物や木の枝などがつぶれたり, こわれたり折れたりする音: めりめり(と). **~거리다** 〈自他〉 しきりにめりめりと音が〔を〕する〔立てる〕.

으지직으지직 [ŭjijigŭjijik] 〈副・하自他〉 めりめり.

으흐흐 〈感〉 不気味に笑う声: うふふ.

윽-물다 [ŭng—] (—무니, —물어서) 〈他〉 (唇を)かみしめる. (歯を)食いしばる. 句例 이를 윽물고 참다 歯を食いしばってこら(堪)える. 表現 語感の小さい語は'악물다'.

윽-박다 〈他〉 頭ごなしに抑えつける. やり込める.

윽박-지르다 (—지르니, —질러서) 〈他〉 頭ごなしにする. さんざんにやり込める. へこます. ぐうの音も出なくする. 言い込める. 句例 되게 ~ ひどくやり込める〔どやしつける〕. 語例 윽박질리다 やり込められる. へこまされる.

*__은__ 【銀】〈名〉〔鑛〕銀. 白金. 句例 ~으로 만든 칼 白金造りの太刀. 語例 ~메달 銀メダル / ~테 안경 銀縁眼鏡.

은 〈助〉 終声を持つ体言に付いて物事を区別するときに用いる補助詞: …は. …には. …では. 文例 이것~ 책이다 これは本である / 당장~ 대답 못드립니다 すぐにはご返事できません / 꽃~ 아니다 花ではない / 조금~ 알려진 인물이다 ちょっとは知れた名である.

은 〔漢字項目〕

【恩】中學 은 オン. 은혜 恵み. ◧恩惠 은혜 おんけい. 恩師 은사 おんし. 恩人 은인 おんじん. 恩寵 은총 おんちょう. ◨謝恩 사은 しゃおん. 聖恩 성은 せいおん.

【銀】中學 은 ギン. ❶(금속의) 은 銀. ◧銀塊 은괴 ぎんかい. 銀盤 은반 ぎんばん. 銀婚式 은혼식 ぎんこんしき. ◨金銀 금은 きんぎん. ❷은빛 銀色. ◧銀幕 은막 ぎんまく. 銀髮 은발 ぎんぱつ. 銀河 은하 ぎんが. ❸화폐 貨幣. ◧銀貨 은화 ぎんか. 銀行 은행 ぎんこう.

【隱(隠)】高校 은 イン. オン. ❶숨다 隠れる. ◧隱居 은거 いんきょ. 隱密 은밀 いんみつ. おんみつ. 隱士 은사 いんし. ❷숨기다 隠す. ◧隱喩 은유 いんゆ. 隱語 은어 いんご. 隱蔽 은폐 いんぺい. ❸가엾어 하다 哀れむ. ◧隱恤 은휼 いんじゅつ.

은-가락지 【銀—】〈名〉 銀の指輪.

은거 【隱居】〈名・하自〉 隱居. 句例 ~하여 여생을 보내다 隠居して余生を送る.

은고 【恩顧】〈名・하他〉 恩顧. 句例 ~를 입다 恩顧を被る〔受ける〕/ ~에 보답하다 恩顧に報いる.

은공 【恩功】〈名〉 恩恵と功労. 恩. 句例 ~을 모르는 사람 恩知らずな人.

은광 【銀鑛】〈名〉〔鑛〕銀鉱. 銀山.

은괴 【銀塊】〈名〉 銀塊.

은근-하다 【慇懃—】(→하다) 〈形〉 いんぎん(慇懃)だ. ❶(言動が)礼儀正しく丁重だ. 句例 은근한 태도 いんぎんな態度. ❷(ひそかに)通じ合っている. ひそやかだ. 文例 저 남녀

두 사람은 은근한 사이다 あの男女二人はただならぬ仲だ. **은근히**〈副〉❶いんぎんに. 丁寧に. 句例 손님을 은근히 접대하다 客を丁寧にもてなす. ❷ひそ(や)かに. 暗に. それ〔なん〕となく. 人知れず. 句例 은근히 반대하다 それとなく反対する / 은근히 사모(思慕)하다 心ひそかに思いを寄せる / 세상 이야기로 은근히 속을 떠보다 世間話で暗に〔それとなく〕探って見る. 文例 가만히 생각하니 은근히 화가 난다 よくよく考えてみるとなんとなく腹が立つ.

은닉【隱匿】〈名〉隠匿. **~하다**〈他〉隠匿する. (包み)隠す. 句例 범인을 ~하다 犯人を隠す / ~된 무기 隠された武器. 語例 ~ 물자 隠匿物資.

은덕【恩德】〈名〉恩徳. 恩.

은덕【隱德】〈名〉陰徳. 隠れた恩徳. 句例 ~을 베풀다 陰徳を施す.

은-도금【銀鍍金】〈名・하他〉銀メッキ.

은-돈【銀—】〈名〉銀貨.

은둔【隱遁】〈名・하自〉隠遁. 語例 ~ 생활 隠遁生活 / ~처(處) 隠遁場所.

은-딱지【銀—】〈名〉時計の銀側. 語例 ~ 시계 銀側時計.

은막【銀幕】〈名〉銀幕. スクリーン. 句例 ~의 여왕 銀幕の女王.

은밀【隱密】〈名・하形〉隠密. 内密. 内緒. 内内. 句例 ~한 계획 隠密な計画 / ~한 의논 密密の相談. **~스럽다**〈形〉隠密だ. 内密だ. ひそかだ. **~히**〈副〉隠密に. ひそかに. 内密に. 句例 ~히 일을 진행시키다 ひそかに事を運ぶ. 文例 일을 꾀할 때는 ~히 해야 한다 はかりごと(謀)は密なるをもって良しとす.

은박【銀箔】〈名〉銀箔. 句例 ~을 박다 銀箔をおく / ~을 붙이다〔입히다〕銀箔をはる / ~이 벗겨지다 銀箔がはげる. 語例 ~ 가루 銀砂子.

은반【銀盤】〈名〉銀盤. 句例 ~의 여왕 銀盤の女王.

은-반지【銀斑指】〈名〉銀の指輪.

은방【銀房】[ŭnppang]〈名〉金銀の細工物を作って売る店.

은-방울【銀—】〈名〉銀鈴.

은방울-꽃【銀—】〈名〉〔植〕すずらん(鈴蘭).

은백-색【銀白色】〈名〉銀白色.

은-붙이【銀—】[—buch'i]〈名〉銀製の物の総称.

은-비녀【銀—】〈名〉銀製のかんざし.

은-빛【銀—】[ŭnppit]〈名〉銀色. 白金色. 句例 ~을 발하다 銀色を発する.

은사【恩師】〈名〉恩師. 句例 ~의 가르침 恩師の教え.

은사【隱士】〈名〉隠士. 隠者.

은산【銀山】〈名〉銀山. 銀鉱. ＝은광.

은상【恩賞】〈名・하他〉恩賞.

은-세계【銀世界】〈名〉銀世界. 文例 아침에 일어나 보니 온통 ~였다 朝起きて見たら一面の銀世界だった.

은-세공【銀細工】〈名・하自〉銀細工.

은-수저【銀—】〈名〉銀製のさじ(匙)とはし(箸).

은신【隱身】〈名・하自〉身を隠すこと. 句例 이웃집에 ~하다 隣家に隠れる. 語例 ⇨ 은신처

은신-처【隱身處】〈名〉隠れ家. 隠れ場. アジト. 句例 범인의 ~를 알아〔찾아〕내다 犯人の隠れ家〔場〕をつきとめる / ~를 찾다 隠れ家を求める.

은어【銀魚】[ŭnŏ]〈名〉〔魚〕あゆ(鮎). 句例 ~의 소금구이 あゆの塩焼き.

은어【隱語】[ŭnŏ]〈名〉隠語. 隠しことば.

은연【隱然】[ŭnyŏn]〈名・하形〉隠然. 句例 ~한 세력〔힘〕隠然たる勢力〔力〕. **~히**〈副〉隠然と. ひそかに.

은연-중【隱然中】[ŭnyŏnjung]〈名・副〉(しばしば'~에'の形で) 隠然たる中に. それとなく. 暗に. ひそかに. 句例 ~에 경고하다 それとなく警告する / ~에 사의(辭意)를 비추다 暗に辞意をもらす. 文例 ~에 일대 세력을 이루다 隠然たる中に一大勢力をなす.

은유【隱喩】[ŭnyu]〈名〉'은유법'の略 : 隠喩.

은유-법【—法】[ŭnyuppŏp]〈名〉隠喩法. ㊥ 직유법(直喩法).

은은-하다【殷殷—】[ŭnŭn—] (→하다)〈形〉(砲声などのとどろきが)殷殷として大きい. 句例 은은한 포성 殷殷たる砲声. **은은히**〈副〉殷殷と.

***은은-하다**【隱隱—】[ŭnŭn—] (→하다)〈形〉かすかで明らかでない. ほのかだ. ほんのりしている. 句例 은은한 꽃향기가 풍기다 そこはかとない〔ほんのりした〕花の香りが漂う / 절에서 들려오는 은은한 종소리 寺から聞こえてくるかすかな鐘の音. **은은히**〈副〉ほのかに. かすかに. ほんのりと. そこはかとなく. 文例 꽃 향기가 은은히 풍겨 온다 花の香りがそこはかとなく漂って来る.

은의【恩義】[ŭnŭi]〈名〉恩義. 句例 남의 ~에 보답하다 人の恩義に報いる.

***은인**【恩人】[ŭnin]〈名〉恩人. 句例 생명의 ~ 命の恩人. ㊥원수(怨讐).

은인-자중【隱忍自重】[ŭnin—]〈名・하自〉隠忍自重. 句例 ~의 나날을 보내다 隠忍自重の日日を送る.

은-장도【銀粧刀】〈名〉女性用の装身具の一つ. 銀の懐刀. 絵
参考 朝鮮王朝時代, 女性が貞操を脅かされようとする時はこれで自決することを辞さなかった.

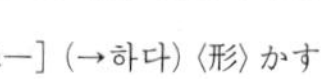

〈은장도〉

은-장이【銀匠—】〈名〉金・銀・銅などの細工をする職人. 飾り職〔屋〕. ＝은장(銀匠). 은장색(銀匠色).

은전【恩典】〈名〉恩典. 句例 ~을 베풀다 恩典を施す.

은제【銀製】〈名〉銀製. 白金造り. 語例 ~ 식기 銀製の食器 / ~품 銀製品.

은-종이【銀—】〈名〉銀紙. 語例 ~로 싸다 銀紙でつつむ.

은총【恩寵】〈名〉恩寵. 恵み. 句例 신의 ~을 입다 神の恩寵〔恵み〕を受ける.

은퇴【隱退】〈名・하自〉引退. 句例 공직〔정계〕에서 ~하다 公職〔政界〕から引退する /

～하여 편안히 지내다 引退して楽に暮らす. 語例 ～ 성명 引退声明.

은폐【隱蔽】〈名〉隠蔽. **～하다**〈他〉隠蔽する. 覆い隠す. 句例 사실을 ～하다 事実を隠蔽する〔隠す〕/ ～된 사실 隠された事実. 語例 ～ 공작 隠蔽工作.

은하【銀河】〈名〉〔天〕銀河. 天の川〔河〕. 語例 ～계〔天〕銀河系 / ～수(水) 天の川.

***은행**【銀行】〈名〉銀行. 句例 ～에 예금하다 銀行に預金する〔金を預ける〕/ ～에서 돈을 찾다 銀行から金を引き出す / ～과 거래를 트다 銀行と取り引きを始める. 語例 ～원 銀行員 / ～ 수표〔어음〕銀行小切手〔手形〕/ ～장(長)(銀行の)頭取 / 지방 ～ 地方銀行. 地銀《略語》/ 혈액 ～ 血液銀行.

***은행**【銀杏】〈名〉〔植〕ぎんなん(銀杏). いちょうの実. 語例 ～나무 いちょう(銀杏) / ～잎 いちょうの葉.

***은혜**【恩惠】〈名〉恩恵. 恩. 句例 스승의 ～ 師の恩 / 어버이〔부모〕의 ～ 親の恩 / ～를 베풀다 恩恵を施す / ～를 입다 恩を被る. 恩恵を受ける. 恩恵に浴する / ～를 갚다 恩を返す / ～에 보답하다 恩に報いる. 文例 신세를 졌으면 ～를 갚아야지 世話になったら恩は返さなくちゃ.

은혜를 원수로 갚는다 恩をあだで返す.

은혜-롭다【恩惠―】(→롭다)〈形〉恩をうけてありがたい. 恵み深い. **은혜로이**〈副〉ありがたく. 恵み深く.

은화【銀貨】〈名〉銀貨. ＝은전(銀錢).

***을**【乙】〈名〉❶乙. ❷〔民〕十干の二番め. きのと(乙).

을〈助〉終声のある体言に付いて, その語を目的語にする目的格助詞. ❶…を. 句例 책～ 읽다 本を読む / 길～ 가다 道を行く / 산길～ 오르다 山道を登る / 남～ 비웃다 人を笑う / 발을 통하여 밖～ 보다 すだれを通して外を見る.

❷…が. 句例 농담～ 알다 冗談が分かる / 운동～ 잘하다 運動が上手である / 글～ 읽지 못하다 字が読めない. 文例 이야기의 뜻～ 도무지 모르겠다 話の意味がさっぱり分からない.

❸…に. 句例 남편～ 잘 섬기다 夫によく仕える / 동생～ 만나다 弟に会う / 말～ 타다 馬に乗る. ▷→를

을 〔漢字項目〕

【乙】中學 을 オツ. ❶천간(天干)의 둘째. 十干の第二位. きのと. ◧乙丑 을축 きのとうし. 乙夜 을야 いつや. おつや. ❷사물의 둘째. 제 2 위. 物事の第二位. ◧乙種 을종 おつしゅ. 乙科 을과 おつか. ◨甲乙 갑을 こうおつ.

을랑〈助〉⇨ㄹ랑

을랑-은〈助〉⇨ㄹ랑은

을사 조약【乙巳條約】[ŭlssa―]〈名〉〔史〕乙巳条約. 1905年, 日本が大韓帝国政府を威嚇して締結させ, 外交権を完全にうばった条約. ＝을사 보호 조약(乙巳保護條約). 을사 오조약(乙巳五條約).

을씨년-스럽다(→스럽다)〈形〉❶大変みすぼらしい. もの寂しげだ. 句例 흐린 하늘이 ～ 曇った空がもの寂しげだ. ❷非常に貧しい. 惨めだ. 句例 살림이 매우 ～ 暮らしが非常に貧しい. **을씨년스럽게**〈副〉もの寂しく.

을종【乙種】[ŭltchong]〈名〉乙種. 第二級の種類. 語例 ～면허 乙種免許.

읊다[ŭpta]〈他〉❶(韻に合わせて)吟じる. 誦する. 句例 한시를 ～ 漢詩を吟じる. ❷詩を作る. 詠む. 句例 조국에 대한 사랑을 읊은 시 祖国に対する愛を詠んだ詩.
参考 ‘읊고 吟じて’‘읊으면 吟じると’は[ŭpko], [ŭlpŭmyŏn]と読む.

읊조리다[ŭpchorida]〈他〉(調子に合わせて低い声で詩を)吟じる. 詠じる.

***음**【音】〈名〉音. ❶(耳に聞こえる)音. ＝소리. ❷‘자음 字音’の略. ❸漢字の字音. 對새김.

***음**【陰】〈名〉陰. ❶(易学での)陰. ❷〔物〕‘음극 陰極’の略. ❸〔數〕負数. ❹(物の)かげ. 句例 ～으로 양으로 돕다 陰に陽に助ける. ▷對양(陽). ❺男女の生殖器.

음 〔漢字項目〕

【吟】中學 음 ギン. ❶신음하다 うめく. うなる. ◧呻吟 신음 しんぎん. 沈吟 침음 ちんぎん. ❷읊조리다 吟じる. ◧吟詠 음영 ぎんえい. 吟唱 음창 ぎんしょう. ❸철저하게 조사함 よく調べること. ◧吟味 음미 ぎんみ.

【陰】中學 음 イン. ❶그늘 かげ. ◧陰氣 음기 いんき. 陰影 음영 いんえい. ❷숨는 것 隠れること. ◧陰德 음덕 いんとく. 陰密 음밀 いんみつ. 陰謀 음모 いんぼう. ❸흘러가는 시간 移りゆく時間. ◨光陰 광음 こういん. 寸陰 촌음 すんいん. ❹역학상 소극적·여성적인 성질 상태 易学上, 消極的·女性的な性質·状態. ◧陰極 음극 いんきょく. 陰畫 음화 いんが. ❺남녀의 음부 男女の陰部. ◧陰毛 음모 いんもう. 陰門 음문 いんもん.

【音(音)】中學 음 オン. イン. ❶소리 音. ね. ◧音域 음역 おんいき. 音響 음향 おんきょう. ◨高音 고음 こうおん. 爆音 폭음 ばくおん. ❷음색과 가락 音色. ◧音階 음계 おんかい. 音樂 음악 おんがく. 音程 음정 おんてい. ❸목소리와 언어의 소리 声と言語の音. ◧音讀 음독 おんどく. 音節 음절 おんせつ. ❹서신 便り. ◧音書 음서 おんしょ. 音信 음신 おんしん.

【飮(飲)】中學 음 イン. ❶마시다 飲む. ◧飲食 음식 いんしょく. ◨試飲 시음 しいん. 暴飲 폭음 ぼういん. ❷잔치 さかもり. ◧飲餞 음전 いんせん. 飲戲 음희 いんぎ.

음가【音價】[ŭmkka]〈名〉音価.

음감【音感】〈名〉音感. 響き. 句例 ～이 좋다 音感がよい.

음계【音階】〈名〉〔樂〕音階. 語例 장～ 長音階.

음곡【音曲】〈名〉音楽. 音律の曲調.

음공【陰功】〈名〉陰の功労. 隠れた功労.

음극【陰極】〈名〉〔電〕陰極. 負極. 語例 ～관 陰極管 / ～선 陰極線. 對양극(陽極).

음덕【陰德】〈名〉陰徳. 句例 ~을 쌓다 陰徳を積む.

음덕【蔭德】〈名〉先祖の恩徳. 余徳.

음덕-양보【陰德陽報】[ŭmdŏngnyangbo]〈名〉陰徳を積めばよい報いがあること.

음독【音讀】〈名・하他〉音読. 音読み.

음독【飮毒】〈名・하自〉服毒. 語例 ~ 자살 服毒自殺.

음두【音讀】〈名〉字音と句読.

음란-하다【淫亂―】[ŭmnan―](→하다)〈形〉淫乱だ. みだらだ. 句例 음란한 여자 淫乱な女 / 음란한 이야기 みだらな話. **음란히**〈副〉みだらに.

음량【音量】[ŭmnyang]〈名〉音量. ボリューム. 句例 ~을 조절하다 音量を調節する. 類 성량(聲量).

음력【陰曆】[ŭmnyŏk]〈名〉'태음력 太陰暦'の略: 陰暦. 旧暦. 對 양력(陽曆).

음료【飮料】[ŭmnyo]〈名〉飲料. 飲み物. 語例 ~수 飲み水. (サイダーなどの)飲み物 / 청량 ~ 清涼飲料.

음률【音律】[ŭmnyul]〈名〉〔樂〕音律. ❶音の調子・高さ. ❷音階の体系. ❸(雅楽で)五音と六律.

음모【陰謀】〈名〉陰謀. 悪巧み. (法律での)犯罪に関する行為. **~하다**〈他〉陰謀する. たくらむ. 句例 탄로난 ~ 暴かれた陰謀 / 세 사람이 ~한 범죄 三人が陰謀した〔たくらんだ〕犯罪.

음미【吟味】〈名・하他〉吟味. ❶詩を吟じ味わうこと. 句例 시를 ~하며 읽다 詩を吟味しながら読む. ❷物事をよく調べ, その意味を考えること.

음반【音盤】〈名〉音盤. レコード.

음복-하다【飮福―】[ŭmbok'ada](→하다)〈他〉(祭祀を終えて祭官が)供え物を分けて食べる.

음산-하다【陰散―】(→하다)〈形〉❶(天気がくもって)うすら寒い. 句例 음산한 날씨 うすら寒い天気. ❷(様子が)うら寂しい. 句例 음산한 실내 うら寂しい室内. **음산히**〈副〉うすら寒く.

*__음색__【音色】〈名〉音色. (声や楽器などの)音色.

음성【音聲】〈名〉音声. 声. 句例 ~이 상하다 声が痛む / 탁한 ~ 濁った音声〔声〕. 語例 ~학 音声学 / ~ 기관 音声器官 / ~ 기호 音声記号.

음성【陰性】〈名〉陰性. ❶消極的な性質. ❷(本性を表わせない)陰気な性質. 語例 ~ 원소 陰性元素. 對 양성(陽性).

음성 반응【陰性反應】[―ba:nŭng]〈名〉〔醫〕陰性反応. 病原菌を持っているという反応がないこと.

음속【音速】〈名〉〔物〕音速. 音の速さ. 語例 초~ 超音速.

*__음수__【陰數】〈名〉〔數〕負数. 零より小さい数. 對 양수(陽數).

**__음식__【飮食】[ŭ:mshik]〈名〉['음식물 飲食物'の略] 飲食. 食べ物. 句例 ~에 주의하다 食べ物に気をつける.

음식 싫은 건 개나 주지, 사람 싫은 건 할 수 없다 嫌いな食べ物は犬にでも与えられるが, 嫌いな人間はどうしようもない.

음식은 갈수록 줄고, 말은 갈수록 는다 食べ物は日がたつにつれて減るが, 口数は日がたつほど多くなる.

**__음악__【音樂】[ŭmak]〈名〉音楽. 語例 ~가 音楽家 / ~ 감상실 音楽鑑賞室 / ~ 영화 音楽映画 / ~회 音楽会.

음양【陰陽】[ŭmyang]〈名〉陰陽. ❶宇宙万物の二元対立の関係を表わす語. 語例 ~ 오행설 陰陽五行説 / ~가 陰陽家. ❷(電気と磁気の)陰極と陽極. ❸男女の性的差異にともなう性質.

음역【音域】[ŭmyŏk]〈名〉音域. 音の幅. 句例 ~이 넓은 목소리 音域の広い声.

음영【陰影】[ŭmyŏng]〈名〉陰影. かげ. 句例 ~으로 입체감을 내다 陰影で立体感を出す / 소나무가 ~을 비치다 松がかげをさしている. 語例 ~ 화법 陰影画法.

음용【飮用】[ŭmyong]〈名・하他〉飲用. 句例 ~할 물을 준비하다 飲用の水を備える. 語例 ~수 飲用水.

음운【音韻】[ŭmun]〈名〉音韻. ❶漢字の音と韻. ❷言語を形成する音と韻の調和. 語例 ~론 音韻論 / ~학 音韻学.

음울-하다【陰鬱―】[ŭmul―](→하다)〈形〉陰鬱だ. 陰気だ. 晴れ晴れしない. 句例 음울한 분위기 陰鬱な雰囲気 / 음울한 기분이 든다 陰鬱な気持ちがする. **음울히**〈副〉陰鬱に. 晴れ晴れしないで.

음-으로【陰―】[ŭmŭro]〈副〉陰に. かげで. ひそかに. こっそり. 句例 ~ 돕다 かげで助ける.

음으로 양으로 陰に陽に. かげになり日なたになり. 句例 ~ 보살펴 주다 陰に陽に面倒をみてやる.

음-이온【陰―】[ŭmion]〈名〉〔化〕陰イオン.

음자리-표【音―標】〈名〉〔樂〕音符記号.

음절【音節】〈名〉〔言〕音節. シラブル. 語例 ~ 문자 音節文字.

음정【音程】〈名〉〔樂〕音程. 句例 ~이 틀리다 音程が狂う.

음조【音調】〈名〉音調. ❶音の高低・強弱・速度の程度. ❷演奏における音程の正確さ. 句例 ~가 고른 음악 音調の一定した音楽.

음주【飮酒】〈名・하自〉飲酒. 句例 그는 ~가 심하다 彼は飲み過ぎる. 語例 ~가 酒飲み / ~ 운전 飲酒運転.

음지【陰地】〈名〉陰地. 日陰. 語例 ~ 식물 陰地植物.

음지가 양지되고, 양지가 음지된다 日かげが日なたになり, 日なたが日かげになる. 天下〔世〕は回り持ち.

음질【音質】〈名〉音質. 句例 ~이 좋은 라디오 音質のよいラジオ.

음치【音癡】〈名〉音痴. 句例 그는 ~다 彼は音痴だ.

음침-하다【陰沈―】(→하다)〈形〉陰鬱だ. ❶(天気などが)うっとうしい. 陰気だ. 句例 음침한 방 陰鬱な部屋. ❷(人の性質が)陰鬱

だ. 陰険だ. [句例] 음침한 가게 주인 陰険な店の主人. **음침히** 〈副〉うっとうしく. 陰鬱に. 陰険に.

음탕【淫蕩】〈名〉淫蕩. 酒色におぼれて身もちが悪いこと. みだらな享楽にふけること. **～하다** 〈形〉淫蕩である. 酒色におぼれる. [句例] ～한 생활 みだらな生活. **～스럽다** (→스럽다)〈形〉淫蕩なところがある. みだらだ.

음파【音波】〈名〉〔物〕音波. [語例] ～ 탐지기 音波探知機.

음편【音便】〈名〉〔言〕音便.
[參考] ハングルでは'자음 동화(子音同化)'という.

음표【音標】〈名〉〔樂〕音符.

음표 문자【音標文字】[—muntcha]〈名〉〔言〕音標文字. ❶音声記号. ❷表音文字. 声音文字. 對표의 문자(表意文字).

음향【音響】〈名〉音響. 響き. [語例] ～ 관제 音響管制 / ～ 신호 音響信号 / ～ 효과 音響効果 / ～ 측심 音響測深 / ～학 音響学.

음험-하다【陰險—】(→하다)〈形〉陰険だ. ずるい. [句例] 음험한 흉계 陰険な悪巧み.

음화【陰畫】〈名〉陰画. ネガ(チブ). 對양화(陽畫).

음-훈【音訓】〈名〉音訓.

음흉【陰凶】〈名〉陰険で凶悪なこと. **～하다**〈形〉陰険で凶悪だ. [句例] 음흉한 계획 陰険な計画. **～히**〈副〉陰険に. ずるく. **～스럽다**(→스럽다)〈形〉陰険で凶悪なところがある.

*__읍__【邑】〈名〉邑. ❶行政単位の一つで郡や市の管轄区域のうちにある地方行政単位. ❷'읍내'の略. [語例] ～민 邑民 / ～장 邑長.

읍 〔漢字項目〕

【泣】中學 읍 キュウ. 울다 泣く. ■泣諫 읍간 きゅうかん. 泣訴 읍소 きゅうそ. ■感泣 감읍 かんきゅう.

【邑】中學 읍 ユウ. ❶마을 村. ■邑民 읍민 ゆうみん. 邑村 읍촌 ゆうそん. ■都邑 도읍 とゆう. ❷걱정스럽다 憂える. ■邑憐 읍련 ゆうりん.

읍내【邑內】[ŭmnae]〈名〉邑内. ❶邑の区域内. ❷〔史〕観察官衙を除いた, 地方官衙があった集落.

읍소【泣訴】〈名・하他〉泣訴. [句例] 무죄를 ～하다 無罪を泣訴する.

*__응__〈感〉❶同年輩や目下の者に答えたり, 答えを促すときに出す声: ああ. あん. うん. なあ. ねえ. ❷人のことばが気に入らないとき不服の意を表わす声: ううん. ふん. [文例] ～, 그게 아냐 ううん, そうじゃないよ.

응 〔漢字項目〕

【應(応)】中學 응 オウ. ❶응하다 応じる. 대답하다 答える. ■應答 응답 おうとう. 應待 응대 おうたい. 應手 응수 おうしゅ. ■呼應 호응 こおう. ❷변화에 맞추어 따르다 変化に応じて従う. ■應急 응급 おうきゅう. 應分 응분 おうぶん. 應用 응용 おうよう. ■順應 순응 じゅんのう. 感應 감응 かんのう.

응결【凝結】〈名・하自〉凝結. [句例] 시멘트〔수증기〕가 ～하다 セメント〔水蒸気〕が凝結する.

응고【凝固】〈名・하自〉凝固. [句例] 혈액이 ～하다 血液が凝固する. [語例] ～열 凝固熱 / ～점 凝固点.

*__응급__【應急】[ŭ:nggŭp]〈名・하他〉応急. [句例] ～ 조치를 하다 応急処置をする / ～을 요하는 환자 応急(手当て)を要する患者. [語例] ～ 수단 応急手段 / ～책 応急策.

응낙【應諾】[ŭ:ngnak]〈名・하他〉応諾. 承諾. [句例] ～없이 承諾なしに(承諾を得ずに) / 요구를 선선히 ～하다 要求を快く承諾する.

*__응달__〈名〉日陰. 陰地. [句例] ～에서 말리다 日陰で乾かす / ～에서 쉬다 日陰で休む.
응달(이) 지다 日陰になる. 陰る.
응달에도 햇볕이 드는 날이 있다 陰地にも日がさすときがある《待てば海路の日和あり》.

응답【應答】[ŭ:ngdap]〈名・하自〉応答. 返答. [文例] 노크를 했지만 ～이 없다 ノックをしたが応答がない / 즉시 ～하라 直ちに返答せよ. [語例] 질의 ～ 質疑応答.

응당【應當】[ŭ:ngdang]〈副〉必ず. 当然. きっと. [文例] ～ 그렇다 きっとそうだ / ～ 그래야 한다 必ずそうでなければならない / ～ 참가해야지 当然参加すべきだ.

응당-하다【應當—】[ŭ:ngdang—](→하다)〈形〉当たり前だ. 当然だ. [文例] 어버이가 자식을 사랑하는 건 응당한 일이다 親が子を愛するのは当たり前のことだ / 학생이 공부하는 것은 응당한 일이다 学生が勉強するのは当然だ. **응당히**〈副〉必ず. きっと. 当然.

응대【應對】[ŭ:ngdae]〈名・하自〉応対. 応答. 返答. [句例] 정성어린 ～ 真心をこめた応対 / 성의있게 ～하다 誠意を込めて応対する.

응모【應募】[ŭ:ngmo]〈名・하自〉応募. [句例] 현상 공모에 ～하다 懸賞公募に応募する. [語例] ～ 원고 応募原稿 / ～자 応募者 / ～ 작품 応募作品.

응분【應分】[ŭ:ngbun]〈名〉応分. それ相応. 分相応. [句例] ～의 대우 応分の待遇 / ～의 성과 応分の成果 / ～의 처분 相応の処分.

*__응석__ [ŭ:ngsŏk]〈名〉甘えること. 甘え. ただをこねること. **～하다**〈自〉ただをこねる. 甘える. [文例] ～하는 어린이 버릇이 없다 甘える子, しつけが悪い. [語例] ～꾸러기 甘えん坊. ただっ子 / ～둥이 ただっ子.
응석(을) 받다 甘やかす. 甘えさす.
응석(을) 부리다 甘える. ただをこねる. [句例] 응석을 부리는 막내 ただをこねる末っ子.

응수【應酬】[ŭ:ngsu]〈名〉応酬. 受け答え. やりとり. 言い返し. **～하다**〈自〉応酬する. 受け答えする. 言い返す. [文例] 한 마디도 지지 않고 ～하다 一言も負けずに言い返す.

응시【凝視】〈名〉凝視. **～하다**〈他〉凝視する. じっと見つめる. [句例] 매서운 ～의 눈초리 鋭い凝視のまなざし / 얼굴을 ～하다 顔をじっと見つめる. 類주시(注視).

응시【應試】[ŭ:ngshi]〈名・하自〉応試. [句例]

입학 시험에 ～하다 入学試験に応試する. 語例 ～ 자격 応試資格.

응애-응애 〈感〉 赤子の泣き声：おぎゃあおぎゃあ.

응어리 〈名〉 しこり. ❶筋肉のしこり. 句例 ～가 생기다 しこりができる. ❷心のしこり. わだかまり. 文例 아직도 마음의 ～가 남아 있다 心のしこりがまだ残っている. ❸果物の芯・核. ❹(はれ物のうみが固まった)しこり. ぐりぐり.

응용【應用】[ŭ:ng-yong]〈名・하他〉応用. 句例 공식을 ～해서 풀다 公式を応用して解く. 語例 ～ 과학 応用科学 / ～ 문제 応用問題 / ～ 수학 応用数学.

***응원**【應援】[ŭ:ng-won]〈名・하他〉応援. 句例 ～을 부탁하다 応援を頼む / 선발팀을 ～하다 選抜チームを応援する. 語例 ～가 応援歌 / ～단 応援団.

응-응 〈感・하自〉 ❶子供がただをこねながら泣く声：ああんああん. ❷対等・目下の者に続けて答える声：うんうん.

응전【應戰】[ŭ:ngjŏn]〈名・하自〉応戦. 文例 ～하기 시작했다 応戦し始めた.

응접【應接】[ŭ:ngjŏp]〈名・하他〉応接. もてなし. 応待. 句例 친절한 ～ 親切な応待〔もてなし〕/ 손님을 ～하다 お客をもてなす.

응집【凝集】〈名・하自〉 凝集. 句例 세력을 ～하다 勢力を凝集する. 語例 ～력 凝集力 / ～ 반응 凝集反応.

응축【凝縮】〈名・하自〉凝縮. 句例 ～된 덩어리 凝縮したかたまり. 語例 ～기 凝縮器. コンデンサー / ～열 凝縮熱. 類 응결(凝結).

응-하다【應―】[ŭ:ng―] (→하다)〈自〉(質問・呼びかけ・要求などに)応じる. 句例 도전에 ～ 挑戦に応じる / 사회 변화에 ～ 社会の変化に応じる / 초대에 ～ 招待に応じる.

의 〈名〉〔言〕ハングルの字母'ㅢ'の名称.

의【義】[ŭi:]〈名〉義. ❶道義. 道理. 句例 ～를 중히 여기다 義を重んじる. ❷他人と骨肉同様の関係を結ぶこと. 語例 ～형제 義兄弟. ❸意味. ❹経書の意味を解釈させた科挙の試験問題の一つ.

의【誼】[ŭi:]〈名〉'정의 情宜'の略：仲. よしみ(誼). 句例 ～가 나쁘다 仲が悪い / 부부 사이의 ～가 좋다 夫婦がむつまじい〔夫婦間の仲がよい〕.

의 〈助〉 体言についてその語が冠形語の役割をなすようにする助詞：…の. ❶所有者・所属を示す. 句例 그～ 책 彼の本 / 맑은 한국～ 하늘 澄みわたった韓国の空.

❷客体を示す：…の 句例 언론～ 자유 言論の自由 / 자유～ 여신 自由の女神.

❸場所・所在を示す：…の. …にある. 句例 온양～ 명소 温陽の名所 / 밤하늘～ 별 夜空の星 / 서울～ 신문 ソウルの新聞.

❹季節・時期などを示す：…の. 句例 가을～ 노래 秋の歌 / 최초～ 기자 회견 初の記者会見 / 한 시간～ 휴식 一時間の休み.

❺全体に対する部分を示す：…の. 句例 전체～ 일부 全体の一部 / 시민～ 한 사람으로서 市民の一人として. 一市民として.

❻用途・材料などを示す：…の. …のための. …からなる. 句例 연극～ 소품 演劇の小道具 / 동물～ 먹이 動物のえさ. 文例 물은 산소와 수소～ 화합물이다 水は酸素と水素との化合物である.

❼関係を示す：…の. …に対する. …に関する. 句例 수학～ 권위인 K교수 数学の権威であるK教授 / 장군～ 아들 将軍の息子 / 전세～ 인연 前世の因縁.

❽比喩・特性を示す：…の. …ような. 句例 철～ 장막 鉄のカーテン / 불굴～ 투지 不屈の闘志 / 빨간 빛깔～ 모자 赤い色の帽子 / 산～ 높이 山の高さ.

❾程度や量を示す：…の. 句例 열 자루～ 연필 十本の鉛筆 / 1리터～ 물 1リットルの水 / 지상 최대～ 작전 地上最大の作戦.

❿主体を示す：…の. …が. 句例 우리～ 각오 我らの〔が〕覚悟 / 국민～ 염원 国民の念願 / 정부 차원～ 교섭 政府レベルの交渉.

⓫作者であることを示す：…の. 句例 톨스토이～ 부활 トルストイの復活 / 베토벤～ 운명 ベートーベンの運命.

⓬根源・目的を示す：…の. …からの. …への. 句例 상사～ 명령 上司の命令 / 성공으로～ 길 成功に至る道.

⓭二つの体言の関係を示す：…の. …という. 句例 시간～ 세계 時間の世界 / 불후～ 명작 不朽の名作.

參考 (1) 人称代名詞'나・너・저'の場合は'나의・너의・저의'などよりも所有格形の冠形語'내・네・제'を一般的に用いる.

(2) 'A의 B AのB'の'의'は普通省略されて'AB'のように用いられる. 당신집 あなたの家. 가죽 가방 革のカバン. 문학부 학생 文学部の学生. 콘크리트 벽 コンクリートの壁. 가을비 秋の雨. 내 책 わたしの本.

의 〔漢字項目〕

【依】 中學 의 イ. ❶의지하다 頼る. 근거로 하다 よる. ▌依據 의거 いきょ. 依賴 의뢰 いらい. 依存 의존 いそん. 依託 의탁 いたく. ❷본래 그대로 もとのまま. ▌依然 의연 いぜん.

【儀】 中學 의 ぎ. ❶예의 범절과 그에 따른 행동 礼儀作法とそれによった行動. ▌儀式 의식 ぎしき. 儀仗 의장 ぎじょう. 儀典 의전 ぎてん. ▌禮儀 예의 れいぎ. ❷본보기 手本. ▌儀範 의범 ぎはん. 儀表 의표 ぎひょう. ❸천체를 측량하는 기계 天体を測量する器械. ▌渾天儀 혼천의 こんてんぎ. 地球儀 지구의 ちきゅうぎ.

【宜】 高以 의 ギ. ❶옳다 正しい, 괜찮다 よろしい. ▌適宜 적의 てきぎ. 便宜 편의 べんぎ. ❷마땅하다 当然である. ▌機宜 기의 きぎ. 時宜 시의 じぎ.

【意(意)】 中學 의 イ. ❶마음 こころ. 생각 考え. ▌意氣 의기 いき.

意見 의견 いけん. 意志 의지 いし. ▌總意 총의 そうい. 敬意 경의 けいい. ❷뜻 意味. 내용 内容. ▌意義 의의 いぎ. 意譯 의역 いやく. ▌題意 제의 だいい. 文意 문의 ぶんい.

【疑】高校 의 ギ. ❶의심스럽다 疑わしい. ▌疑問 의문 ぎもん. ▌懷疑 회의 かいぎ. ❷의심하다 疑う. ▌疑念 의념 ぎねん. 疑惑 의혹 ぎわく. ▌嫌疑 혐의 けんぎ.

【義】中學 의 ギ. ❶옳은 길 正しいみち. ▌義氣 의기 いき. 義人 의인 ぎじん. 義理 의리 ぎり. ▌信義 신의 しんぎ. ❷글이나 글자의 뜻 文章または文字の意. ▌語義 어의 ごぎ. 意義 의의 いぎ. 字義 자의 じぎ. ❸실물을 대신한 것 実物の代わり. ▌義父母 의부모 ぎふぼ. 義手 의수 ぎしゅ. 義眼 의안 ぎがん. 義齒 의치 ぎし.

【衣】中學 의 イ. ❶옷 着物. 몸에 걸치는 것 身にまとう物. ▌衣冠 의관 いかん. 衣裳 의상 いしょう(衣装). ▌上衣 상의 うわぎ. ❷입다 着る. 입히다 着せる. ▌衣帶 의대 いたい.

【議】中學 의 ギ. ❶의논하다 話し合う. ▌議案 의안 ぎあん. ▌建議 건의 けんぎ. 討議 토의 とうぎ. 協議 협의 きょうぎ. ❷의견을 말하다 意見を述べる. ▌動議 동의 どうぎ. 異議 이의 いぎ.

【醫(医)】高校 의 イ. 병을 고치다 病気を治す. ▌醫師 의사 いし. 醫術 의술 いじゅつ. 醫藥 의약 いやく. 醫學 의학 いがく. ▌名醫 명의 めいい.

ㅇ

*의거【依據】〈名〉依拠. ある事実・力によること. ～하다〈自〉(ある事実を)根拠とする. よる. 略して'의하다'とも言う. 句例 법에 ～하여 벌을 주다 法によって罰を与える.

의거【義擧】[ŭi:gŏ]〈名〉義挙. 句例 ～를 일으키다 義挙する.

의걸이-장【衣―欌】[ŭigŏrijang]〈名〉衣類たんす(簞笥).

*의견【意見】[ŭi:gyŏn]〈名〉意見. 考え. 見解. 句例 ～을 말하다 意見を述べる / ～의 일치 意見の一致. 語例 ～서 意見書. 類의사(意思).

*의결【議決】〈名・하他〉議決. 句例 예산안을 ～하다 予算案を議決する. 語例 ～권 議決権 / ～ 사항 議決事項.

의과【醫科】[ŭikkwa]〈名〉医科. 語例 ～ 대학 医科大学. 医大《略語》.

의관【衣冠】〈名〉衣冠. 衣と冠. 身なり. 句例 ～을 차리다〔갖추다〕衣冠を整える. 語例 ～ 문물(文物) (その国の)文明・文化.

의구-하다【依舊―】(→하다)〈形〉昔のままだ. 元のままだ. 句例 산천이 ～ 山と川が昔のままだ. 의구히〈副〉昔のまま(どおり)に. 元のままに.

의군【義軍】[ŭi:gun]〈名〉義軍. 義兵.

의기【意氣】[ŭi:gi]〈名〉意気. 心意気. 句例 ～가 드높다 意気軒高だ / ～ 왕성하다 意気旺盛だ / ～ 투합하다 意気投合する.

의기소침-하다【意氣銷沈―】[ŭi:gisoch'im―](→하다)〈自〉意気消沈する.

의기양양-하다【意氣揚揚―】[ŭi:giyang-yang―](→하다)〈形〉意気揚揚だ.

의기충천-하다【意氣衝天―】[ŭi:gich'ungch'ŏn―](→하다)〈自〉意気衝天する.

*의논【議論】〈名〉相談. 話し合い. ～하다〈他〉話し合う. 相談する. 句例 문제의 해결을 ～하다 問題の解決を相談する.

의논(이) 맞다〈自〉話し合いがまとまる. 意見が合う.

参考 '의논'の元の語は'의론 議論'.

의당-사【宜當事】〈名〉当たり前のこと.

의당-하다【宜當―】(→하다)〈形〉当たり前だ. 当然だ. 句例 그것은 의당한 요구다 それは当然な要求だ. 의당히〈副〉当然. 文例 빌린 것은 의당히 갚아야 한다 借りたものは当然返さなければならない.

의도【意圖】[ŭi:do]〈名〉意図. 考え. ～하다〈他〉意図する. 考える. 句例 내 ～는 わたしの意図は / 부장의 ～ 部長の考え. 文例 그가 ～한 것은 훌륭했었다 彼が意図した事は立派であった.

*의례【儀禮】〈名〉儀礼. 句例 ～적인 방문 儀礼的な訪問. 語例 국민 ～ 国民儀礼.

의론【議論】〈名・하他〉議論. →의논

의-롭다【義―】[ŭi:ropta](→롭다)〈形〉❶義を重んじる. 句例 의로운 결정 義を重んじた決定. ❷義理堅い. 句例 의로운 사람 義理堅い人. ❸義侠心がある. 의로이〈副〉義に満ちて. 義理堅く.

의뢰【依賴】〈名・하他〉依頼. 句例 조사를 ～하다 調査を依頼する〔頼む〕. 語例 ～심 依頼心 / ～인 依頼人.

*의료【醫療】〈名〉医療. 語例 ～계 医療界 / ～기 医療器 / ～비 医療費 / ～인 医療人 / ～ 보험 医療保険.

의류【衣類】〈名〉衣類. 衣服. 句例 ～를 정리하다 衣類を整理する. 語例 ～상 衣類商 / ～품 衣類品.

*의리【義理】[ŭi:ri]〈名〉義理. 道理. 道義. 句例 ～가 없다 義理を欠く / ～를 지키다 義理を守る. 語例 ～ 부동(不同) 義理〔道理〕に外れること.

*의무【義務】[ŭi:mu]〈名〉義務. 当然の責務. 句例 부모로서의 ～ 親としての義務 / 노동의 ～ 労働の義務 / 국민에겐 납세의 ～가 있다 国民には納税の義務がある. 語例 ～감 義務感 / ～ 연한 義務年限 / 병역 ～ 兵役義務. ▷對권리(權利).

의무【醫務】〈名〉医務. 語例 ～실 医務室.

의문【疑問】〈名・하他〉疑問. 句例 ～을 품다 疑問をいだく / ～의 죽음 疑問の死 / ～이 생기다 疑問が生じる. 語例 ～문 疑問文 / ～부 疑問符 / ～사 疑問詞 / ～점 疑問点. ～스럽다(→스럽다)〈形〉疑わしいところがある. 文例 그가 진짜 박사인지 ～스럽다 彼がほんとうの博士かどうか疑わしいところがある.

의뭉-스럽다(→스럽다)〈形〉見かけによらず腹黒いところがある. 句例 의뭉스러운 놈 腹黒いやつ. 의뭉스레〈副〉腹黒く. 悪賢く.

의뭉-하다(→하다)〈形〉(外見は愚かなようだが心の中は)腹黒い. 句例 구렁이같이 의뭉한 사람 青大将のように腹黒い人.

****의미**【意味】[ŭi:mi]〈名・하他〉意味. 訳. 意義. 句例 말의 ~ 言葉の意味 / 엄밀한 ~로는 厳密な意味では. 文例 표현은 다르나 ~는 같다 表現は違うが意味は同じだ. 語例 무~ 無意味 / ~ 심장 意味深長 / ~론 意味論.

의법【依法】〈名・하自〉準法. 法に基づいて行なうこと. 句例 ~ 처리하다 法によって処理する.

***의병**【義兵】[ŭi:byŏng]〈名〉義兵. 義軍. 句例 ~을 모으다 義兵を募る.

의복【衣服】〈名〉衣服. 着物. 服. 句例 ~이 초라하다 着物がみすぼらしい.

의복이 날개 衣服が翼. 馬子にも衣装.

의분【義憤】[ŭi:bun]〈名〉義憤. 句例 민족적인 ~ 民族的な義憤 / ~을 금할 수 없다 義憤を禁じ得ない.

의붓-자식【一子息】[ŭi:butchashik]〈名〉まま子. 連れ子. 句例 ~이 둘 있다 まま子が二人いる.

의붓자식 다루듯 まま子を扱うように. 他人の物のようにそまつに扱うことのたとえ.

***의사**【義士】[ŭi:sa]〈名〉義士. 義人.

의사【意思】[ŭi:sa]〈名〉意思. 心. 考え. 句例 ~가 통하다 意思が通じる / ~소통이 잘되다 意思の疎通がよい. 語例 ~ 전달 意思伝達 / ~ 표시 意思表示. 類의지(意志).

의사【擬似】〈名〉疑似. 語例 ~ 콜레라 疑似コレラ. 對진성(眞性).

****의사**【醫師】〈名〉医師. 医者. ドクター. 句例 ~의 진찰을 받다 医者の診察を受ける. 語例 내과 ~ 内科医者 / 외과 ~ 外科医者 / 치과 ~ 歯科医者 / 단골 ~ かかりつけの医者.

의사【議事】〈名〉議事. 語例 ~당 議事堂 / ~록 議事録 / ~봉 議事棒 / ~ 일정 議事日程 / ~ 진행 議事の進行.

***의상**【衣裳】〈名〉衣装. 衣服. 着物. コスチューム. 句例 화려한 ~ はなやかな衣装. 語例 무대 ~ 舞台衣装 / 신부 ~ 花嫁衣装.

의석【議席】〈名〉議席. 句例 ~을 차지하다 議席を占める / ~을 다투다 議席を争う. 語例 ~수 議席数.

의성-어【擬聲語】〈名〉〔言〕擬声語. 類소리흉내말. →의태어(擬態語)

의수【義手】[ŭi:su]〈名〉義手. 對의각(義脚). 의족(義足).

의술【醫術】〈名〉医術. 句例 눈부시게 발달한 ~ 目覚ましく発達した医術. 語例 ~가 医術家.

의식【衣食】〈名〉衣食. 句例 ~이 충분하다 衣食が十分だ. 語例 ~주 衣食住 / ~지방(之方) 衣食を得る方法 / ~지향(之鄕) 生活の豊かな地方.

***의식**【意識】[ŭi:shik]〈名〉意識. **~하다**〈他〉意識する. 気がつく. 句例 ~을 잃다 意識〔気〕を失う / ~이 강한 대학생 意識の高い大学生 / 입상을 ~하고 만들다 入賞を意識して作る / 처벌을 ~한 행동 処罰を意識した行動. 語例 ~ 구조 意識構造 / ~ 불명 意識不明 / 정치 ~ 政治意識 / 피해 ~ 被害意識 / ~화 意識化 / 죄~ 罪の意識.

의식【儀式】〈名〉儀式. 式典. 句例 ~을 엄숙하게 거행하다 儀式を厳かに行なう. 文例 무사히 ~을 마쳤다 無事に儀式を済ました.

***의심**【疑心】〈名〉疑心. 疑い. 疑念. **~하다**〈他〉疑う. 句例 남의 말을 ~하다 人の話を疑う / ~이 풀리다 疑いが晴れる / 성공을 ~하다 成功を危ぶむ / ~을 품다 疑心〔疑念〕をいだく. 語例 ~꾸러기 疑い深い人. **~스럽다** (→스럽다)〈形〉疑わしい. いぶかしい. 怪しい. 文例 ~스러운 눈으로 보았다 怪しい目付きで見た. **~쩍다**〈形〉疑わしい. いぶかしい. 怪しい.

의심(이) 가다 疑わしい.

의심(이) 나다 疑いが生じる. 疑わしく思う.

의아【疑訝】〈名〉疑い. 不審. けげん. **~하다**〈形〉疑わしい. いぶかしい. 句例 ~한 표정 いぶかしげな表情. けげんなおももち / ~하게 생각하다 不審に思う. 語例 ~심 いぶかしく思う心. **~스럽다** (→스럽다)〈形〉いぶかしい. 疑わしい. **~스레**〈副〉いぶかしく. 疑わしく. 不審に.

의안【義眼】[ŭi:an]〈名〉義眼. 入れ目.

의안【議案】〈名〉議案. 句例 ~을 가결하다 議案を可決する / ~을 제출하다 議案を提出する. 語例 ~ 심의 議案の審議.

의약【醫藥】〈名〉医薬. 語例 ~ 분업 医薬分業 / ~품 医薬品.

의역【意譯】[ŭi:yŏk]〈名・하他〉意訳. 句例 ~한 문장 意訳した文章 / 외서를 ~하다 外書を意訳する. 語例 ~본 意訳した本.

의연-금【義捐金】[ŭi:yŏn-gŭm]〈名〉義援金. 句例 ~을 모으다 義援金を集める. 語例 수재 ~ 水害義援金.

***의연-하다**【毅然―】(→하다)〈形〉毅然としている. 句例 의연한 태도 毅然とした態度. **의연히**〈副〉毅然として.

의옥【疑獄】〈名〉疑獄. 語例 ~ 사건 疑獄事件.

의외【意外】[ŭi:oe]〈名〉意外. 思いの外. =뜻밖. 句例 ~의 반응을 일으키다 意外な反響をおこす.

의외-로【意外―】[ŭi:oe―]〈副〉意外に(も). 案外. 文例 ~ 부진했다 意外に振るわなかった / ~ 시간이 많이 걸렸다 案外手間取った / ~ 잘 되었다 存外にうまくいった.

의욕【意慾】[ŭi:yok]〈名〉意欲. 張り合い. 句例 ~을 잃다 意欲を失う. 張り合いをなくす / ~이 넘치다 意欲があふれる / ~이 솟다 意欲がわく / ~적으로 대처하다 意欲的に当たる.

의용-군【義勇軍】[ŭi:yong―]〈名〉義勇軍.

의원【醫院】〈名〉医院. 類병원(病院).

의원【議院】〈名〉議院. =국회(國會).

***의원**【議員】〈名〉議員. 語例 국회 ~ 国会議員 / 시의회 ~ 市会議員.

의원 내각제【議院內閣制】[―nae:gakche]〈名〉議院内閣制. 對대통령제(大統領制).

의원 면직【依願免職】[―myŏ:njik]〈名〉依願免職.

의음【擬音】〈名〉擬音. 語例 ~ 효과 擬音効果

***의의**【意義】[ŭi:ŭi]〈名〉意義. =뜻. 의미(意味). 句例 ~ 있는 일 意義のある仕事. 文例 참가하는 데에 ~가 있다 参加することに意義が

ある. (類)가치(價値).

의의-깊다【意義―】[ŭi:ŭi―]〈形〉意義深い. [句例] 의의깊은 사업 意義深い事業.

의인【義人】[ŭi:in]〈名〉義人. =의사(義士).

의인-법【擬人法】[―ppŏp]〈名〉〔文〕擬人法. '산이 우리를 부르고 있다 山が我らを呼んでいる'などの表現.

의인-화【擬人化】〈名・하他〉擬人化. [句例] 동물을 ~한 작품 動物を擬人化した作品.

****의자**【椅子】〈名〉椅子. =교의(交椅). [句例] ~에 앉다 椅子に腰かける〔着く〕. [語例] 안락 ~ 安楽椅子/장~ 長椅子.

의장【意匠】[ŭi:jang]〈名〉意匠. =미장(美匠). [語例] ~ 등록 意匠登録. (類)디자인.

의장【議長】〈名〉議長. [語例] 국회 ~ 国会議長/~단 議長団.

의장【議場】〈名〉議場.

의장-권【意匠權】[ŭi:jangkkwon]〈名〉〔法〕意匠権. =의장 전용권(意匠專用權).

의장-대【儀仗隊】〈名〉儀仗隊.

의장-병【儀仗兵】〈名〉儀仗兵.

의적【義賊】[ŭi:jŏk]〈名〉義賊. (類)협도(俠盜).

의전【儀典】〈名〉儀典. =의식(儀式).

의절-하다【義絶―】[ŭi:jŏl―](→하다)〈自〉義絶する. 縁切りする. 絶縁する. (子を)勘当する. [句例] 친구와 ~ 友と義絶〔絶交〕する.

의젓-이[ŭijŏshi]〈副〉でんと. 大様に. [句例] 윗자리에 ~ 앉아 있다 上座にでんと座っている.

의젓-하다[ŭijŏt'ada](→하다)〈形〉おうよう(鷹揚)だ. 大様だ. 気品があって重みがある. [句例] 의젓한 인품 おうような人柄. [文例] 인품이 의젓하게 보인다 人柄が大様に見える.

의정-부【議政府】[ŭi:jŏng―]〈名〉〔史〕朝鮮朝時代, 行政府の最高機関. 略して'정부(政府)'ともいう.

의정-서【議定書】〈名〉(外交上の)議定書.

***의제**【議題】〈名〉議題. [句例] ~를 제출하다 議題を提出する/~를 심의하다 議題を審議する.

의족【義足】[ŭi:jok]〈名〉義足. [句例] ~을 달다 義足をつける. (対)의수(義手). (類)의지(義肢).

***의존**【依存】〈名〉依存. **~하다**〈自〉依存する. 寄りかかる. [句例] 부모에 대한 ~심 親への依存心/해외 자원에 ~하다 海外の資源に依存する. [語例] ~도 依存度/상호 ~ 相互依存.

의존 명사【依存名詞】〈名〉〔言〕形式名詞. '것 こと' '뿐 だけ'などと'명수사(名數詞) 助数詞' '마리 匹' '원 ウォン'などを指す語. (対)자립(自立) 명사.

[参考] '명수사'は'양수사(量數詞)'とも言い, 正式には'단위성(單位性) 의존 명사'という.

***의-좋다**【誼―】[ŭi:jot'a]〈形〉むつまじい. 仲がいい. [句例] 의좋은 형제 仲のいい兄弟/의좋게 살다 むつまじく暮らす. 仲よく暮らす. (類)정(情)답다.

의중【意中】[ŭi:jung]〈名〉意中. =마음속. [句例] ~의 인물 意中の人/~을 헤아리다 意中を察する/~을 떠보다 腹を探る.

***의지**【依支】〈名〉もたれること. 頼ること. 支え. 頼り. **~하다**〈他〉寄りかかる. 頼る. 頼む. もたれる. すがる. 頼りにする. [句例] ~할 곳 없는 신세 頼りない身の上/남을 ~하다 人を頼る/지팡이에 ~하다 つえにすがる/선배를 ~하다 先輩におぶさる. [文例] 지도를 ~하여 찾아냈다 地図を頼りにさがしあてた.

***의지**【意志】[ŭi:ji]〈名〉意志. =뜻. [句例] ~가 강하다 意志が強い/불굴의 ~ 不屈の意志/확고한 ~ 確固たる意志. [語例] ~력 意志力. 意志の力/~ 박약 意志薄弱. (類)의사(意思).

의지【義肢】[ŭi:ji]〈名〉義肢. 義手と義足.

의지가지-없다[―ŏpta]〈形〉全く身寄りがない. 寄るべがない. **의지가지없이**[―ŏpshi]〈副〉身寄りもなく.

의치【義齒】[ŭi:ch'i]〈名〉義歯. 入れ歯. =틀니. [句例] ~를 해넣다 入れ歯を入れる.

***의타-심**【依他心】〈名〉依頼心. [句例] ~이 강하다 依頼心が強い.

의탁【依託】〈名〉依託. 依頼. **~하다**〈他〉依託する. 依頼する. 託する. 寄りかかる. [文例] 부모에게 ~하여 생활하고 있다 親に寄りかかって生活している.

의태【擬態】〈名〉〔動〕擬態.

의태-어【擬態語】〈名〉〔言〕擬態語. →의성어(擬聲語)

의표【意表】[ŭi:p'yo]〈名〉意表. [句例] ~를 찌르다 意表をつく/상대방의 ~를 찌르다 相手の意表に出る.

***의-하다**【依―】(→하다)〈自〉['의거(依據)하다'の略]よ(因)る. 基づく. [句例] 들은 바에 의하면 聞くところによると/원조에 의해서 재건하다 援助によってたて直す/사정에 의하여 … 事情により…. (類)따르다. 인(因)하다.

[表現] '…에 의하여 …によって'は'…에 따라', '…에 의한 …による'は'…(으)로 인한'などのように'따르다' '인하다'に換えられて用いられる傾向がある. '일기 예보에 의하면 天気予報によれば'は'일기예보에 따르면', '홍수에 의한 피해 洪水による被害'は'홍수로 인한 피해', '부주의에 의한 사고 不注意による事故'は'부주의로 인한 사고'と言い表わすのが適切な表現とされている.

***의학**【醫學】〈名〉医学. [語例] ~계 医学界/~박사 医学博士/동양 ~ 東洋医学.

의향【意向】[ŭi:hyang]〈名〉意向. [句例] ~을 묻다 意向をただす/~을 내비치다 意向を漏らす/~을 떠보다 意向をさぐる/참가할 ~이 있다 参加する意向がある. (類)의도(意圖).

의혈【義血】[ŭi:hyŏl]〈名〉義血. 義のために流した血.

***의협-심**【義俠心】[ŭi:hyŏp―]〈名〉義俠心. [句例] ~이 많은 사람 義俠心に富んだ人/~이 있는 사람 義俠の人.

의-형제【義兄弟】[ŭi:―]〈名〉義兄弟. 兄弟分. [句例] ~를 맺다 義兄弟の契りを結ぶ.

의혹【疑惑】〈名・하自他〉疑惑. [句例] ~을 풀다 疑惑をはらす/~을 불러일으키다 疑惑を招く/

～의 눈으로 보다 疑惑の目で見る. ㊫의심(疑心).

*의회【議會】〈名〉議会. 句例 ～를 열다 議会を開く / ～를 해산하다 議会を解散する. 語例 ～ 제도 議会制度 / ～ 정치 議会政治 / 시～ 市議会 / 도～ 道議会.

이[1]〈名〉ハングル字母の'ㅣ'の名称.

이[2] ❶歯. ㉠歯牙. 句例 ～를 닦다 歯を磨く / ～를 쑤시다 歯をほじくる / ～가 나다 歯が生える / ～가 아프다 歯が痛い. 歯が痛む / ～를 앓다 歯を痛む / ～가 들뜨다 歯が浮く. ㉡機械・道具のふちにあるぎざぎざ. 語例 톱니 のこぎりの歯. ▷→囲み記事 68 ❷瀬戸物などの欠けた縁. 句例 이(가) 빠지다(→小項目).

이가 없으면 잇몸으로 살지 歯がなければ歯茎で生きる. なければそれなりでどうにかして間に合わせることのたとえ.

이(를) 갈다 ❶歯ぎしりをする. ❷歯がみをする. くやしがる. ❸乳歯が生えかわる.

이(가) 갈리다 くやしさで歯ぎしりをする.

이도 안 났다 相手にならないほど水準が低い.

이를 악물다 歯をくいしばる.

이(가) 맞다 ぴったり合う. しっかりかみ合う.

이(가) 빠지다 ❶歯が抜ける. ❷瀬戸物の縁が欠ける. のこぎりの歯が欠ける.

이에서 신물이 돈다 歯にすっぱい水がたまる. いまいましくて二度と見たくないことのたとえ.

이[3]〈名〉〔蟲〕しらみ. 句例 ～를 잡다 しらみをとる〔つぶす〕. →囲み記事 68

이 잡듯 하다 しらみつぶしにさがす.

이【利】[iː]〈名〉利. ❶商売上のもうけ. 句例 ～가 남다 もうかる. ❷'이익(利益)'の略. 句例 ～를 탐하다 利をむさぼる. ❸'변리(邊利)'の略：利子. 利まわり.

이【里】[iː]〈名〉里. 地方行政の末端区域. 村落を基準としている. '면 面'の下. 語例 ⇨ 이장(里長). →리(里) 参考 地名の場合は'리(里)'という.

*이[4]〈依名〉人を表わす語. 句例 만든 ～ 作った人 / 지은～ 書きあらわした人 / 저 ～ あの人 / 듣는 ～ 聞き手 / 말하는 ～ 話し手.

이[5] ■〈代〉❶'이이 この人'の略. 文例 ～가 주인입니다 この人が主人です. ❷'이것 これ'の略. 句例 ～보다 큰 것 これより大きいもの. ❸'こういう事情'の意. 句例 ～에 정상을 참작하여… よって, 情状酌量して….
■〈冠〉この. 句例 ～ 사람 この人.

이【二・貳】[iː]〈數・冠〉二. 語例 ～인 二人.

이[6]〈助〉終声のある語につく. ❶⇨ 가①. 句例 산～ 높다 山が高い. ❷⇨ 가②. 句例 사장～ 되다 社長になる. ❸⇨ 가③. 文例 그것은 금～ 아니다 それは金ではない.

-이-〈尾〉❶形容詞や自動詞の語幹について他動詞をつくる語. 句例 높～다 高める / 죽～다 殺す. ❷他動詞の語幹について, 受け身や使役の動詞をつくる語. 句例 쓰～다 使われる / 먹～다 食べさせる. ▷→-기-. -리-. -히-.

-이〈尾〉❶形容詞・動詞の語幹について, それらを名詞につくる語. 語例 먹～ 食べもの. えさ / 높～ 高さ. ❷形容詞の語幹について, 副詞をつくる語. 句例 많～ 多く. たくさん / 깨끗～ きれいに / 다소곳～ しとやかに. ❸畳語の名詞について, 副詞をつくる語. 句例 낱낱～ 一一. 一つ一つ / 곳곳～ ところどころ. あちこち. ❹終声のある人名について, 語感を整える語. 語例 복순～ 福順 / 갑동～ 甲童. ❺'-하다' '-거리다'のつく語形の語根について, 人・動物・物事をつくる語. 語例 깔쭉～ (ぎざぎざのある)鋳貨 / 홀쭉～ やせっぽち.

이 〔漢字項目〕

【二】 中學 이 ニ. ❶둘 二つ. ■二季 이계 にき. 二極 이극 にきょく. 二酸化 이산화 にさんか. 二世 이세 にせい. 二千石 이천석 にせんごく. 二者擇一 이자택일 にしゃたくいつ. ❷다음 次ぎ. 둘째 第二の. ■二男 이남 じなん. 二流 이류 にりゅう. 二次 이차 にじ.

【以】 中學 이 イ. ❶범위・방향의 기점을 나타내는 말 範囲・方向の起点を表わす語. ■以內 이내 いない. 以北 이북 いほく. 以上 이상 いじょう. 以遠 이원 いえん. ❷'…을, …으로써'의 뜻 '…を, …をもって'の意. ■以卵投石 이란투석 いらんとうせき. 以心傳心 이심전심 いしんでんしん.

【已】 中學 이 イ. ❶그치다 やむ. 끝내다 やめる. ■不得已 부득이 やむをえず. 生滅滅已 생멸멸이 しょうめつめつい. ❷이미 すでに. 벌써 もはや. ■已成 이성 いじょう. 已業 이업 いぎょう. ❸그보다 전에 それより前に. ■已往 이왕 いおう. 已次 이차 いじ. ❹'以'와 같은 뜻 '以'と同じ意. ■已上 이상 いじょう. 已後 이후 いご.

【異】 中學 이 イ. ❶다르다 異なる. ■異國 이국 いこく. 異性 이성 いせい. 異質 이질 いしつ. ■差異 차이 さい. ❷보통이 아니다 普通でない. ■異教徒 이교도 いきょうと. 異

囲み記事 68

■ '이'と'니' ■

歯としらみ(虱)はともに'이'と言うが, その'이'が終声のある語につく合成語となる場合, '니'あるいは'리'と発音される. その場合は, ともに'니'と表記する.

歯	간니[kaːnni]	永久歯
	덧니[tŏnni]	八重歯
	사랑니[sarangni]	知歯
	송곳니[songgonni]	犬歯
	어금니[ŏgŭmni]	奥歯
	윗니[winni]	上歯
	톱니[tomni]	のこぎりの歯
	틀니[tŭlli]	総入れ歯
しらみ	가랑니[karangni]	小さいしらみ
	옷엣니[osenni]	ころもじらみ

端 이단 いたん. 異變 이변 いへん. 異常 이상 いじょう. ◧驚異 경이 きょうい.

【移】 中學 이 イ. 옮기다 移る. 바뀌다 変わる. ◧移管 이관 いかん. 移民 이민 いみん. 移送 이송 いそう. 移植 이식 いしょく. 移住 이주 いじゅう. 移讓 이양 いじょう. 移牒 이첩 いちょう. ◧變移 변이 へんい. 轉移 전이 てんい.

【耳】 中學 이 ジ. 귀 耳. 듣다 聞く. ◧耳殼 이각 じかく. 耳目 이목 じもく. 耳順 이순 じじゅん. 耳語 이어 じご. ◧馬耳東風 마이동풍 ばじとうふう.

【貳(弍)】 中學 이 ニ. ジ. ❶'二'と同意で画数の多い字. ❷배신하다 そむく. ◧貳心 이심 にしん. じしん. ふたごころ. 貳志 이지 じし.

이간【離間】[i:gan]〈名・하他〉離間. 反間. 句例 친구 사이를 ~하다〔시키다〕友人を仲たがいさせる. 語例 ~책 離間策.

이간(을) 붙이다 仲たがいをさせる. 句例 두 사람을 이간 붙이다 二人を仲たがいさせる.

이간-질【離間―】[i:gan―]〈名・하自他〉仲たがいさせること. 離間をはかること.

이-갈다 (이가니, 이갈아서) ⇨'이²'の小項目

이-갈리다 ⇨'이²'の小項目

이-같이 [―gach'i]〈副〉このように. こんなに. 句例 ~ 많은 돈 このように多い金. 文例 그는 ~ 말했다 彼はこのように話した.

**이-거〈代〉'이것'の略: これ. これは. 文例 ~ 야단났군 これは困ったな / ~ 놀랍군 これは驚いたね / ~ 얼마요 これいくらですか.

이건¹〈助〉⇨ 건². 句例 사람~ 짐승~ 人でもけものでも.

*이-건² ['이것은'の略] これは. 文例 ~ 뭐냐 これはなんだ.

이걸-로 ['이것으로'の略] これで. これをもって. 文例 ~ 가져가라 これを持って行け / ~ 연회를 끝냅니다 これでお開きにします.

**이-것〈代〉❶これ. 文例 ~을 네게 줄게 これをきみにあげよう / ~은 제 것입니다 これはわたしのです. ❷人をさげすんで言う語: こいつ. 文例 ~이 왜 이리 대들지 こいつがなんでこうくってかかるのだ.

이것-저것〈代〉あれこれ. あれやこれや. いろいろ. 何やかや. 句例 ~ 생각하며 괴로워하다 あれこれ思いなやむ. 文例 연말엔 ~ 바쁜 일이 많다 年末には何やかやと忙しいことが多い.

*이-게 ['이것이'の略] これが. 文例 ~ 좋군 これがいいね / ~ 문제의 그림이다 これが問題の絵だ.

이견【異見】[i:gyŏn]〈名〉異見. 句例 ~을 말하다 異見を述べる / ~을 좁히다 異見を狭める.

이고〈助〉⇨ 고. 文例 책~ 옷~ 다 줄게 本も服もみなやろう.

이골 [i:gol]〈名〉ある方面に熟達すること.

이골(이) 나다 なれる. た(長)ける. 句例 장사에 ~ 商売にたける / 운전에 ~ 運転に熟練する.

이공【理工】[i:gong]〈名〉理工. 語例 ~과 理工科 / ~계 理工系.

이-과【理科】[i:kkwa]〈名〉理科. 句例 ~에 진학하다 理科に進む.

이관【移管】〈名・하他〉移管. 句例 사무를 지방관청으로 ~하다 事務を地方官庁に移管する.

이교【異教】[i:gyo]〈名〉異教. 語例 ~도 異教徒.

이구-동성【異口同聲】[i:gu―]〈名〉異口同音. 句例 ~으로 찬성을 외치다 異口同音に賛成を唱える.

이국【異國】[i:guk]〈名〉異国. =타국. 語例 ~인 異国人 / ~땅 異国の土. 異郷 / ~ 정서〔정취(情趣)〕異国情緒〔情調〕. エキゾチシズム.

이국-적【異國的】[i:guk―]〈名・冠〉異国的. エキゾチック. 句例 ~인 풍모 異国的な風貌.

이군【二軍】[i:gun]〈名〉二軍. 語例 ~ 선수 二軍選手.

이궁【離宮】〈名〉離宮. =행궁(行宮).

*이권【利權】[i:kkwon]〈名〉利権. 句例 ~을 독점하다 利権を独占する / ~을 찾아 다니다 利権あさりをする.

이글 [i:gŭl]〈名〉〔鳥〕イーグル. ◇eagle

이글-거리다〈自〉赤赤と燃え(上が)る. 句例 이글거리는 태양 赤赤と燃える太陽.

이글이글 [igŭrigŭl]〈副・하自形〉(炎が)燃え盛るさま: 炎炎と. かっかと. あかあかと. 句例 숯불이 ~ 피어오르다 炭火がかっかとおこる.

이글루〈名〉イグルー. ◇igloo

이금【而今】〈副〉今になって. =이금(而今)에. 語例 ~ 이후 今より以後.

이급【二級】[i:gŭp]〈名〉二級.

이기【利器】[i:gi]〈名〉利器. 句例 문명의 ~ 文明の利器.

**이기다¹〈自他〉勝つ. 負かす. 破る. 打ち勝つ. 句例 쉽게 ~ 楽に勝つ / 유혹에 ~ 誘惑に勝つ / 이긴 기세를 몰다 勝ちに乗じる / 졸음을 이기지 못하다 眠けをこらえることができない. 文例 축구 경기에서 3대 2의 스코어로 이겼다 サッカーの試合で3対2のスコアで勝った / 지는 것이 이기는 것이다 負けるが勝ち.

이기다²〈他〉❶(粉や土などを)こ(捏)ねる. 練る. 句例 밀가루를 ~ 小麦粉をこねる. ❷(肉などを)みじん切りにする. ❸洗濯物をもみ洗いする.

이기-심【利己心】[i:gi―]〈名〉利己心.

*이기-적【利己的】[i:gi―]〈名・冠〉利己的. エゴイスチック. 句例 ~인 태도 利己的な態度. 語例 ~이다 利己的だ. 虫がいい.

이기-주의【利己主義】[i:gi―]〈名〉利己主義. エゴイズム. 句例 ~의 화신 利己主義の化身. 語例 ~자 利己主義者. エゴイスト / ~적 利己主義的.

이기죽-거리다〈自〉くだらないことをいけしゃあしゃあとしゃべる. 愚にもつかぬことをねちねちと話す. 長長とぐうたらを言う. 略して'이죽거리다'ともいう.

이기죽이기죽 [igijungnigijuk]〈副・하自〉ねちねちと. くどくど. しゃあしゃあと.

**이-까짓〈冠〉これしきの. これくらいの. こればか

りの. 句例 ～것 하고 버티다 なにくそとがんばる. 文例 ～것은 아무 것도 아니다 これくらいのもの〔こと〕は何でもない / ～ 일로 주저앉을까 보냐 これしきの事でへたばるものか.

*이끌다 (이끄니, 이끌어서)〈他〉導く. ❶指導する. 句例 바른 길로 ～ 正しき道に導く. ❷率いる. 句例 의병을 이끌고 전쟁터로 향하다 義兵を率いて戦場に向かう. ❸引く. 手引く. 引き出す. 句例 노인의 손을 이끌어 안내하다 老人の手を引いて案内する / 사업을 성공으로 이끈 원인 事業を成功に導いた原因 / 결론을 이끌어 내다 結論を引き出す〔導く・導出する〕/ 팀을 우승으로 이끈 원동력 チームを優勝に導いた原動力. 文例 어린 딸의 손을 이끌고 역으로 서둘렀다 幼い娘の手を引いて駅に急いだ.

*이끌리다〈自〉'이끌다'の受け身: 導かれる. 駆られる. 引かれる. 率いられる. 句例 참을 수 없는 충동에 이끌려서 押さえ難い衝動に駆られて. 文例 아이의 손에 이끌려 공원에 갔다 子供の手に引かれて公園に行った.

이-끗【利―】[i:―]〈名〉利得の糸口. 利. 句例 ～에 밝다 利にさとい.

*이끼¹〈名〉〔植〕こけ(苔・蘚). 句例 ～낀 바위 こけむした岩 / ～가 끼다 こけが生える. こけむす.

이끼²〈感〉'이끼나'の略.

이끼나〈感〉(お)やっ. うわっ. あれっ.

이나〈助〉⇨ 나

이-나마¹〈副〉 これすら(も). これ(だけ)でも. 文例 ～ 마저 없애버릴 작정이냐 これすらもすっかり無くしてしまうつもりか / 성적이 ～라도 된 것은 자네 덕일세 成績がこれくらいにでもなったのは君のおかげだ.

이나마²〈助〉⇨ 나마

이-날〈名〉今日・きょう. この日. 句例 내년의 ～까지 일년간 来年の今日まで一年間.

이날 이때까지 今日のこの時まで. 今の今まで. 今(に至る)まで. 文例 ～ 몰랐다 今の今まで知らなかった / ～ 그에게서 칭찬의 말이란 한번도 들어본 적이 없다 今まで彼から褒め言葉って一言も聞いたことがない.

이날-저날〈副・하自〉今日明日. そのうちそのうち. 文例 ～ 자꾸 미루기만 한다 今日明日と日延べばかりする. 類차일피일.

이남【以南】[i:nam]〈名〉❶以南. 語例 충청도 ～ 忠清道以南. 對이북. ❷(韓半島の)南半分. 北緯三十八度線以南, または休戦ライン以南を言う語.

이남-박〈名〉木をくりぬいて同心円状のぎざぎざをつけた米をとぐ器.

이내¹〈名〉夕もや. 暮靄. 夕煙.

이내【以内】[i:nae]〈名〉以内. 句例 반경 10킬로 ～의 지역 半径十キロ以内の地域 / 오등 ～의 성적 五番以内の成績. 文例 사흘 ～에 끝낼 것 三日以内に終えること.

이-내²〈冠〉'나의'の強調語: このわたしの. 文例 ～ 마음을 모르다니 このわたしの心を知らないとは.

이내³〈副〉❶たちまち. たちどころに. 間もなく. すぐ. ただちに. 文例 약을 먹었더니 ～ 아픔이 가셨다 薬を飲んだらたちまち痛みが去った / 볼일을 마치고 ～ 돌아갔다 用を済まして間もなく帰った / 꾸지람을 들으면 ～ 부루퉁해진다 しかられるとすぐ膨れっ面をする. ❷ずっと. この方. 以来. 文例 헤어진 후 ～ 소식이 없다 別れてこの方(いまだに)たよりがない.

이-내몸〈名〉'나의 몸'の強調語: わたしの身. この身.

이냥〈副〉このまま. こんな具合で. この通り. 文例 ～ 내버려 둬라 このままほう(放)って置け / ～ 가만히〔잠자코〕있을 수는 없다 このままで黙っているわけにはいかない.

이-네〈代〉この(群れの)人たち. 文例 ～들은 뭣을 하나 この人たちは何をするのかな.

*이념【理念】[i:nyŏm]〈名〉理念. 句例 ～이 다르다 理念が違う.

이-놈〈感・代〉この野郎. こいつ.
表現 男性をののしる語. 女性をののしる語は'이년 このあま'.

이농【離農】〈名・하自〉離農. 句例 ～하는 농민 離農する百姓. 語例 ～가 離農家.

이뇨【利尿】[i:nyo]〈名・하自〉利尿. 句例 ～제 利尿剤.

이니〈助〉⇨ 니

이니셔티브〈名〉イニシアチブ. 句例 ～를 잡다 イニシアチブを取る. ◇initiative

이닝〈名〉〔野〕イニング. 語例 라스트 ～ ラストイニング. ◇inning

*이다¹〈他〉❶頭に載せる. 句例 짐을 이고 가다 荷を頭に載せて行く / 물동이를 인 처녀 水がめを頭に載せた乙女. ❷頂く. 句例 머리에 서리를 ～ 頭に霜を頂く / 흰 눈을 인 백두산 白い雪を頂く白頭山. 文例 별을 이고 밭에 나가 별을 이고 돌아온다 星を頂いて畑に出て, 星を頂いて帰る.

이다²[i:da]〈他〉ふ(葺)く. 句例 기와로 지붕을 ～ かわらで屋根をふく.

**이다³〈助〉 体言について指定を表わす叙述格助詞: …だ. …である. 文例 이것은 책～ これは本である / 내일은 휴일～ 明日は休み〔休日〕だ / 병중～ 病中である / 저 사람은 군인일 것～ あの人は軍人であろう / 그는 이름있는 물리학자～ 彼は名高い物理学者だ.
表現 (1) 体言以外に助詞や語尾の後にも用いられる. また, 終声のない語の後では語幹の'이'が省略されることがある. '이것은 다리다 これは橋だ'. '저것은 사과다 あれはりんごだ'.
(2) 이다は活用できる唯一の助詞で, 否定語は'아니다'. '그게 정말일까 それが本当だろうか' '그게 정말이면 それが本当だったら' '그게 정말〔사실〕이니 それが本当(事実)だから'など.

-이다〈尾〉主に擬態語に付いて, その語を動詞にする語. 語例 끄덕～ うなずく / 출렁～ ゆれる / 번뜩～ ひらめく / 끈적～ ねばつく. べたつく / 허덕～ あえぐ.

이-다음〈名〉この後. この次. 略して'이담'ともいう. 文例 ～에도 만날 기회가 있다 これからも

ㅇ

会う機会がある / ～ 차례는 자네일세 この次の番は君だ.

이-다지 〈副〉こんなにまで. これ程にまで. これくらいで. 文例 ～ 괴로울 줄은 몰랐다 これ程にまで苦しいとは思わなかった.

이다지-도 〈副〉'이다지'の強調語: これ程にまでも. こんなにまでも. 文例 ～ 추울 줄이야 こんなにまでも寒かろうとは.

이단【異端】[i:dan]〈名〉異端. 句例 극소수의 ～ 분자 一握りの異端分子. 語例 ～자 異端者.

이-달 〈名〉今月. 当月. 句例 ～분의 급료 今月分の給料 / 지난 해의 ～ 去年の今月 / ～ 중에 今月中に.

이-담 〈名〉'이다음'の略: この次. 今度. 後日. 句例 ～부터는 これからは. 文例 ～ 정류장에서 내린다 次の停留所で降りる.

이대【二大】[i:dae]〈冠〉二大. 語例 ～ 정당 二大政党.

이-대로 〈副〉❶この通りに. このように. 文例 ～ 만들어라 この通りに作れ. ❷このまま. 文例 ～ 내버려 둬 줘 このままほっといてくれ / 난 ～가 좋다 わたしはこのままのほうがいいよ.

이데올로기 〈名〉イデオロギー. 句例 ～의 차이 イデオロギーの相違. ◇도 Ideologie

이동【以東】[i:dong]〈名〉以東.

이동【異動】[i:dong]〈名〉異動. 語例 인사 ～ 人事異動.

*이동【移動】〈名〉移動. ～하다〈自他〉移動する. 移る. 移す. 句例 민족의 대～ 民族の大移動 / 철새의 ～ 鳥の渡り. 語例 ～ 도서관 移動図書館 / ～ 무대 移動舞台 / ～ 방송 移動放送 / ～식 移動式 / 평행 ～ 平行移動.

이동성 고기압【移動性高氣壓】[—ssŏng—]〈名〉〔氣〕移動性高気圧.

이동 통신【移動通信】〈名〉移動体通信. 移動通信.

이두【吏讀・吏頭】[i:du]〈名〉イドゥ. 吏吐〔吏読・吏道〕. 吏読文字. 語例 ～ 문학 吏読文学.

参考 新羅以降, 韓国語の固有語の表記に漢字の音と意〔訓〕を交ぜて使った文字.

이두 박근【二頭膊筋】[i:du—]〈名〉〔生〕二頭膊筋. 上腕二頭筋.

이드르르 〈副〉つややか. ～하다〈形〉つやつやしい. つややかだ.

이득【利得】[i:dŭk]〈名〉利得. もうけ. 利益. 得. マージン. 句例 ～을 계산하다 利得を計算する / ～을 좇다 利得に走る / ～을 얻다 利益を得る / 터무니없이 많은 ～을 보다 ぼろもうけをする.

이든 〈助〉⇨ 든

이든지 〈助〉⇨ 든지

이-들 ㊀〈代〉これら. この人たち.
㊁〈冠〉これらの.

이들이들-하다 [idŭridŭl—] (→하다)〈形〉とてもつやつやしい. とてもつややかだ.

이듬-해 〈名〉翌年. 明くる年. ＝다음해.

이등【二等】[i:dŭng]〈名〉二等. 二番. 句例 ～으로 졸업하다 二番で卒業する. 語例 ～석 二等席. エコノミークラス.

*이등변 삼각형【二等邊三角形】[i:dŭngbyŏnsamgak'yŏng]〈名〉〔數〕二等辺三角形.

이등-병【二等兵】[i:dŭng—]〈名〉〔軍〕二等兵. 句例 ～에서 일등병으로 진급하다 二等兵から一等兵に進級する.

이-등분【二等分】[i:—]〈名・하他〉二等分.

**이따 〈副〉'이따가'の略.

**이따가 〈副〉すこし後で. 後程. 文例 청소는 ～ 해라 掃除は後でしなさい / ～ 갈게 後程行くよ. 後で行くから.

*이따금 〈副〉時時. 時たま. 時折. 折折. ちょいちょい. 句例 ～ 만나는 사람 たまに出会う人 / 이 근처에서 ～ 눈에 띄는 사람 この近くでちょくちょく見かける人. 文例 ～ 편지가 온다 時たま便りが来る / ～ 가랑비가 뿌린다 時折小雨がばらつく / 그는 학교를 ～ 쉰다 彼はちょいちょい学校を休む.

이-따위 〈名〉このたぐい. こんなもの. 文例 ～를 먹으란 말인가 こんなものを食べろと言うのか.

表現 冠形詞的にも使う. '～ 짓 このようなこと. こんなまね'.

이-때 〈名〉この時. 今. 句例 천고 마비의 ～ 天高く馬肥ゆる今. 語例 ～껏 今(の今)まで.

이-똥 〈名〉歯くそ. 歯かす.

이란성 쌍생아【二卵性雙生兒】[i:ranssŏng—]〈名〉二卵性双生児.

이랑 〈名〉うね(畝). 句例 ～을 만들다 うねをつくる.

이랑이 고랑 되고 고랑이 이랑 된다 天下は回り持ち.

이래【以來】[i:raê]〈名・副〉以来. この方. 句例 …한 ～ …して以来. …してこのかた. 語例 유사 ～ 有史以来 / 건국 ～ 建国以来.

이래 ['이리하여'の略] このようにして. こうして. かくて. 文例 ～ 망했다 かくして滅んだ.

이래도 ❶['이렇게 하여도'の略] このようにしても. こうしても. 文例 ～ 안 되고 저래도 안 된다 こうしてもああしてもできない. ❷['이러하여도'の略] これでも. 文例 ～ 또 할 테냐 これでもまたやるつもりか.

이래라-저래라 こうしろああしろ. このようにしろあのようにしろ. 文例 ～ 참견이 심하다 こうしろああしろとおせっかい(節介)が多い.

이래-봬도 ['이러하게 보이어도'の略] こう見えても. 文例 ～ 비싼 물건이다 こう見えても値段の高い品物だ / ～ 난 그런 사람이 아니다 はばかりながらわたしはそんな人ではない.

*이래서 ['이리하여서'の略] こんなにして. このようにして. かくして. 文例 ～ 그는 무사하게 됐다 こんなにして彼は無事になった / ～ 나는 성공했다 かくしてわたしは成功した.

*이래서-야 ['이리하여서야'の略] こうしては. このようにしては. 文例 ～ 쓰나 こうしてはだめじゃないか.

이래-저래 〈副〉どうやらこうやら. あれこれ. 文例 ～ 손해만 봤다 あれこれと損ばかりした / ～ 생계를 유지하고 있다 どうやらこうやら生計を立てている.

이랬다-저랬다 ['이리하였다 저리하였다'の略] あ

あしたりこうしたり. 句例 말을 ~ 하다 言を左右にする. 文例 ~하여 갈피를 잡을 수 없다 ああ言ったりこう言ったりして何が何だか〔どうしたらいいのか〕さっぱり分からない.

이러 〈感〉 牛馬を御するときの掛け声: どう. 文例 ~, ~ はい(しい)どうどう.

이러구러 〈副〉 ❶はからずも. 文例 ~ 서울 구경을 잘 했습니다 はからずもソウルの見物をよくしました. ❷かれこれ. あれこれ. 文例 고향을 떠난 지 ~ 십년이 지났다 くにを出てからあれこれ十年が過ぎた.

이러나 [‘이러하나’の略] このようであるが. 文例 지금은 ~ 앞으로는 아주 달라져 있을 거다 今はこのようであるが将来はすっかり変わっているはずだ.

이러나-저러나 [‘이러하나 저러하나’‘이리하나 저리하나’の略] こうでもああでも. こうしてもああしても. いずれにしても. どっちみち. どのみち. とにかく. 文例 ~ 일은 해야지 何はともあれ仕事はしなくちゃ / ~ 손해를 본 것은 틀림없다 どっちみち損をしたのは間違いない.

이러니 [‘이러하니’の略] こうだから. だから. 文例 ~ 더 열심히 해라 だからもっと熱心にやれ / 사정이 ~ 어쩔 수 없다 事情がこうなんだから, どうにもしようがない.

이러니까 [‘이러하니까’ ‘이리하니까’の略] こうだから. こうしたから. 文例 ~ 사고를 내는 거야 こうだから事故を起こすのだよ.

이러니-저러니 [‘이러하다느니 저러하다느니’の略] どうのこうの. かれこれ. 何だかんだ. 何のかのと. とやかく. 句例 ~ 하지 말고 四の五のと言わずに / ~ 말하기 전에 とかく〔とやかく〕言う前に. 文例 이제 와서 ~ 해 보았댔자 소용없다 今更どうのこうのと言ったってしようがない / ~ 말할 처지가 못 된다 どうこう言うべき筋合いではない.

이러다 [‘이렇게 하다’の略] このようにする. こうする. 文例 지난번에도 ~ 사고를 냈다 この前もこのようにして事故を起こした.

이러다가 [‘이렇게 하다가’の略] こうするうちに. こうしていて. 文例 ~ 죽으면 어쩌나 こうしているうちに死んだらどうしよう.

***이러면** [‘이러하면’の略] こうしたら. こうすれば. 文例 너무 ~ 사고가 난다 あまりこうしたら事故が起こるよ.

이러므로 [‘이러하므로’の略] こうだから. この故に. 文例 항상 ~ 낙제를 한 것이다 いつもこうだから落第したのだ.

이러저러-하다 (→하다) 〈形〉 しかじかである. そんなこんなである. 句例 이러저러한 사정으로 かくかくしかじかの事情で. 語例 이러저러해서 そんなこんなで.

이러쿵-저러쿵 〈副・하自〉 どうこう. どうのこうの. とやかく. あれこれ. 何のかのと. 文例 이제 와서 ~ 해 봤자 소용없다 今更どうのこうのと言ってもしようがない / ~ 말하지 마라 とやかく言うな. つべこべ言うな.

***이러-하다** (→하다) 〈形〉 こうである. このようだ. この通りだ. こういう事である. こんな具合だ. 略して‘이렇다’ともいう. 句例 이러한 정세 하에서 このような情勢のもとに. 文例 이러한 일은 없다 こういう事はない / 이러하지도 저러하지도 못한다 にっちもさっちもいかない / 이러한 사람은 처음이다 このような人は始めてだ.

이럭-저럭 〈副・하自〉 ❶どうにか(こうにか). 曲がりなりにも. 文例 ~ 졸업했다 どうにかこうにかして〔曲がりなりにも〕卒業した / ~ 만들어냈다 どうにか作り上げた. ❷なんとかかんとか. かれこれ. 何やかや. なるがままに. 文例 ~ 참을 수 있다 なんとか我慢ができる / ~ 돈을 꽤 많이 썼다 何やかやで大分お金を使った / 덕택에 ~ 일을 마쳤습니다 おかげさまでどうやら仕事を終えました. ❸知らぬ間に. そうこう. とかく. 文例 ~하는 동안에 해가 저물었다 そうこうする〔とかくする〕うちに日が暮れた.

****이런**[1] 〈冠〉 [‘이러한’の略] このような. こんな. か(斯)かる. 句例 ~ 상태로는 こんなありさまでは. 文例 ~ 조건으로는 수락은 어림도 없다 こんな条件では応諾は思いもよらぬ / ~ 것도 모르는가 こんな事も分からないのか.

이런[2] 〈感〉 おやっ. ほい. や. これは. これはこれは. 文例 ~, 또 들켰구나 や, また見つかってしまったな / ~, 그럴 수가 있나 これはこれは, そんな事があり得るものか.

이런-고로 【一故一】 〈副〉 このようなわけで. こうなので. こんなので. =이러므로. 文例 ~ 항상 주의해야 한다 このようなわけでいつも注意しなければならない.

이런-대로 [‘이러한 대로’の略] このままで. このように. この通りに. 文例 ~ 살아가고 싶다 このまま暮らして行きたい.

이런-즉 〈副〉 [‘이와 같은 즉・이러한 즉’の略] こんなわけだから. こんなわけで. こうなので. このようだから. 文例 ~ 그를 학생이라 할 수는 없다 こんなわけだから彼を学生だとは言えない.

이렁-저렁 〈副・하自〉 どうやらこうやら. どうにかこうにか. 文例 여름 한 철도 ~ 다 지나갔다 夏もどうやらこうやら過ぎ去った.

***이렇게** [irŏk'e] 〈副〉 [‘이러하게’の略] このように. こんなに. これ程. こう. かく. 句例 ~ 해서 かくして. 文例 ~까지 잘 만들 수는 없다 こう〔こんなに〕までうまくは作れない / ~ 말하면 저렇게 말한다 こう言えばああ言う / ~ 더워서는 못 견디겠다 こう暑くてはやりきれない / ~ 된 바에는 한시 바삐 돌아가〔돌아와〕 주었으면 좋겠다 かくなったからには一刻も早く帰って欲しい.

이렇다 [irŏt'a] (이러니, 이러오) 〈形〉 ‘이러하다’の略. 文例 그의 이야기는 대개 ~ 彼の話は大体こうだ / ~ 할 곤란은 없다 さしたる困難はない / ~ 할 결점도 없지만 왠지 싫군 これという欠点はないがなんとなく嫌だね.

이렇다-저렇다 [irŏt'ajŏrŏt'a] [‘이러하다거나 저러하다거나’の略] ああだこうだ. どうのこうの. とやかく. 句例 이 일에 내가 ~ 할 자격은 없지만 この事に対して僕がどうのこうの言う筋合いではないが.

이렇든-저렇든 [irŏt'ŭnjŏrŏt'ŭn] 〈副〉 [‘이러하든 저러하든’の略] ああでもこうでも. とにかく.

文例 ~ 빨리 해라 とにかく早くやれ.

이렇듯 [irŏt'ŭt]〈副〉このように. かくまで. かくのごとく. これ程. 句例 ~ 많은 돈 このように多くの金. 文例 슬픔이 ~ 클 줄이야 悲しみがこれ程深いとは.

이렇듯-이 [irŏt'ŭshi]〈副〉このように. こんなに(も).

이렇지 [irŏch'i]〈感〉ほら. どうだ. 文例 ~, 내 말이 틀림없어 ほら(こうだろう), 僕の話に間違いはない.

이레〈名〉七日. ❶七日間. ❷'이렛날'の略.

이렛-날 [irennal]〈名〉❶七日目の日. 語例 한 ~ 一七日・/ 두 ~ 二七日. ❷['초이렛날'の略] 七日.

이력【履歴】[i:ryŏk]〈名〉履歴. ＝경력(經歷). 句例 ~을 쌓다 経歴を積む / ~이 다채롭다 経歴が豊かだ.

이력(이) 나다 経験を積んでその事〔道〕に熟達する.

이력-서【履歴書】[i:ryŏk—]〈名〉履歴書. 語例 자필 ~ 自筆履歴書.

이례【異例】[i:rye]〈名〉異例. 句例 ~의 승진 異例の昇進.

이례-적【異例的】[i:rye—]〈名・冠〉異例(の). 句例 ~인 인사 破天荒の人事 / ~인 일〔조치〕異例の事〔措置〕/ ~인 출세 異例の出世.

이로너라〈感〉'이리 오너라'の略.

이로-부터〈副〉これより. これから以後. 今後. 句例 ~ 백년 뒤에 これより百年後に. 文例 ~ 다시 싸우면 안 된다 今後またけんかしてはだめだよ.

이로-써〈副〉これをもって. これにて. こういうわけで. 文例 ~ 오늘 일을 마친다 これで今日の仕事を終える / ~ 방패를 삼아라 これをもって盾とせよ.

이론【異論】[i:ron]〈名〉異論. ＝이의(異議). 句例 ~을 제기하다 異論を唱える. 文例 ~은 없다 異論はない.

이론【理論】[i:ron]〈名〉理論. 理屈. 理. 句例 ~과 실제〔실천〕理論と実際〔実践〕/ ~을 세우다〔수립하다〕理論を立てる. 文例 정치란 ~대로 되는 것은 아니다 政治は理屈通りに行くものではない. 語例 ~가 理論家 / ~ 물리학 理論物理学 / ~ 투쟁 理論闘争 / ~상 理論上.

이론-적【理論的】[i:ron—]〈名・冠〉理論的. 句例 ~으로는 그렇게 말할 수 있지만 理論的にはそう言えるが.

***이-롭다**【利—】[i:—] (→롭다)〈形〉有利だ. 得だ. ためになる. 句例 몸에 ~ からだに良い. からだのためになる / 적을 이롭게 하다 敵に利する. 文例 조금도 이로운 점이 없다 少しも利するところがない. **이로이**〈副〉有利に.

이루【二壘】[i:ru]〈名〉二塁. セカンドベース. セカンド. 句例 ~까지 진출하다 二塁まで進む.

이루〈副〉すべて. 全部. ことごとく. とうてい(到底). 文例 ~ 다 말할 수는 없다 とうてい口では話し切れない / 글로 ~ 다 표현할 수 없다 筆紙に尽くし難い.

***이루다**〈他〉❶成す. 作〔造〕る. 築く. 句例 무리를 ~ 群れを成す / 가정을 ~ 家庭を持つ / 성황을 ~ 盛況を呈する / 인산 인해를 ~ 人山を築く / 주성분을 ~ 主成分をなす. ❷遂げる. 果たす. 達する. 句例 목적을 ~ 目的を遂げる / 숙원을 ~ 宿願を果たす. 本懐〔宿望〕を遂げる / 뜻을 ~ 思いを遂げる. 志を得る / 소원을 이루어주다 望みをかなえてやる / 잠을 못 ~ 眠れない / 이루지 못할 사랑 遂げられぬ恋.

이루-수【二壘手】[i:ru—]〈名〉〔野〕二塁手. セカンドベースマン. セカンド. 句例 ~의 실책 二塁手〔セカンド〕のエラー.

***이루어-지다**〈自〉成る. 成し遂げられる. でき上がる. 果たされる. 句例 타협이 ~ 妥協が成り立つ / 혼담이 ~ 縁談が成り立つ〔まとまる〕/ 꿈이 ~ 夢がかなう / 소원이 ~ 願いがかなう / 계약이 ~ 契約が成り立つ / 이루어질 수 없는 사랑 及ばぬ恋. 文例 로마는 하루 아침에 이루어진 것이 아니다 ローマは一朝一夕に成ったのではない.

이루-타【二壘打】[i:ru—]〈名〉〔野〕二塁打. 句例 ~를 날리다 二塁打を飛ばす.

***이룩-되다**〈自〉成る. 句例 피와 땀으로 이룩된 댐 血と汗で成ったダム / 위업이 ~ 偉業が成る.

***이룩-하다** [iruk'ada] (→하다)〈他〉❶成す. 作〔造〕る. 成し遂げる. 達成する. 句例 가정을 ~ 家庭〔所帯〕を持つ / 식량 자급자족을 ~ 食糧の自給自足を達成する. ❷(国などを)創建する. 立〔建〕てる. 作〔造〕り上げる. 句例 근대 공업 국가를 이룩하는 길 近代工業国家を作り上げる道.

이류【二流】[i:ryu]〈名〉二流. 句例 ~ 삼류의 작가 二流, 三流の作家.

***이륙**【離陸】〈名・하自〉離陸. 文例 멋있게 ~했다 見事に離陸した.

이륜-차【二輪車】[i:ryun—]〈名〉二輪車.

***이르다**[1] (이르니, 이르러서)〈自〉至る. ❶到着する. 到達する. 行き着く. 達する. 句例 목적지에 ~ 目的地に至る / 막다른 곳에 ~ どん詰まりに突き当たる / 기차가 철교에 ~ 汽車が鉄橋にかかる. ❷達する. わたる. 及ぶ. 立ち至る. 句例 자자손손에 이르기까지 子子孫孫に至るまで / 일이 이에 ~ 事ここに至る〔立ち至る〕/ 나이 50에 ~ よわい五十に至る / 폭력 사태에 ~ 暴力沙汰に及ぶ. 文例 공사는 겨우 완성에 이르렀다 工事はやっと完成に至った. ❸('…기에 이르다'の形で) …するに至る. …するようになる. 文例 꾸준한 노력 끝에 유학하기에 이르렀다 たゆまぬ努力の末, 留学するに至った.

***이르다**[2] (이르니, 일러서) [一]〈自〉言う. 話す. 申す. 句例 속담에도 이르듯이 ことわざにも申します通り / 옛 사람이 이르되 古人が言うことには.

[二]〈他〉❶あらかじめ知らせる. 句例 도착 시각을 일러 두다 到着の時刻を告げておく. ❷言い聞かせる. 説き聞かす. 句例 잘 알아듣도록 ~ 言い含める. かんで含める. ❸告げ口をする. 告げる. 句例 아버지에게 일러 바치다

ㅇ

父に告げ口する.

이를 데 없다 この上もない. たとえようもない. 句例 이를 데 없이 괴상한 모양 珍無類な格好 / 귀엽기 ～ たとえようもなくかわいい. 文例 죄송하기 이를 데 없습니다 恐縮にたえません.

*이르다[3] (이르니, 일러서) 〈形〉早い. 句例 이른 아침 早朝. 早天 / 이른 번호 若い番号. 文例 이를수록 좋다 早い程良い / 이른 아침을 먹고 집을 나왔다 早目の朝食を取って家を出た. 對늦다. 類빠르다.

이른-모 〈名〉早苗.

이른-바 〈副〉いわゆる. 文例 이런 것이 ～ 정치라는 것이다 こんなのがいわゆる政治というものだ.

이른-봄 〈名〉早春. 初春. 春先. ＝맹춘(孟春). 句例 따뜻한 ～의 어느 날 ぽかぽかした春先のある日.

이를-테면 〈副〉['이를터이면'の略] たとえて言えば. 言わば. たとえば. 句例 ～ 사자나 호랑이 같은 맹수들은 たとえば獅子やとら(虎)などの猛獣は. 文例 ～ 그는 산 부처다 たとえて言えば彼は生仏だ.

**이름 〈名〉名. ❶名前. 姓名. ネーム. ＝성명(姓名). 句例 ～ 없는 백성 名無き民 / ～을 적다 名を書き入れる / ～을 대다 名を言う. 文例 누구냐, ～을 대라 何者だ, 名乗れ. 語例 ～표 名札.
❷名称. 称号. 句例 꽃〔동물〕의 ～ 花〔動物〕の名 / 단체의 ～ 団体の名 / 회사의 ～ 会社名. 文例 ～은 본체〔실체〕를 나타낸다 名は体を表わす.
❸名義. 句例 시장의 ～으로 축하 전보를 보내다 市長の名で祝賀電報を打つ.
❹評判. うわさ(噂). 句例 ～을 후세에 남기다 名を後世に垂れる〔残す〕/ 당대에 ～을 떨치다 当世に名をとどろ(轟)かす〔鳴らす・響かせる〕.
❺名誉. 句例 모교의 ～을 더럽히다 母校の名を汚す.
❻口実. 名分. 句例 평화란 ～ 아래 침략을 꾀하다 平和の名のもとに侵略を図る.
❼体裁. 名聞. 句例 ～을 버리고 실을 취하다 名を捨てて実を取る. **～하다** 〈他〉…と呼ぶ. …と言う. 句例 호남평야라 ～하다 湖南平野と呼ぶ / 낙동강이라 ～하다 落東江と言う.

이름(을) 걸다 名を連ねる. 成員となる. 句例 환경단체에 ～ 環境団体に名を連ねる.

이름(이) 나다 有名だ. 有名になる. 名が知られる. 句例 예로부터 맛있는 사과로 이름난 고장 昔からおいしいりんごで有名な所 / 단풍이 아름답기로 이름난 산이다 もみじが美しい事で有名な山だ / 온천으로 ～ 温泉で知られる / 숙덕으로 이름난 부인 淑徳の誉れ高い婦人 / 이름난 악당 札付きの悪党. 文例 그가 이름난 명인이다 彼が音に聞こえた名人だ.

이름(이) 높다 名高い. 有名だ. 評判だ. 句例 교육자로 이름 높은 분 教育者として高名な方 / 장서가로서 ～ 蔵書家として名高い.

이름(이) 없다 名もない. 無名だ.

이름을 남기다 名を残す〔とどめる〕. 句例 역사에 ～ 歴史に名を残す.

이름을 팔다 名を売る.

이름(이) 있다 有名だ. 名がある. 句例 이름있는 가문 名のある家門.

이름 좋은 하늘타리 名ばかりのからすうり. 見掛け倒しのたとえ.

이름(을) 짓다 名前をつける. 名付ける. 呼ぶ. 句例 창수라 ～ 昌洙と名付ける.

이름-자【―字】[―tcha]〈名〉名を表わす字. 句例 자기 ～도 못 쓰는 무식쟁이 自分の名前も書けない無学の者.

*이름-표【―標】〈名〉名札.

이리[1] 〈名〉白子. ＝어백(魚白). 句例 ～를 먹다 白子を食う.

이리[2] 〈名〉〔動〕おおかみ(狼).

*이리[3] 〈副〉こっちへ. こちらに. ＝이리로. 文例 ～ 오십시오 こちらへどうぞ.

이리[4] 〈副〉['이러하게'の略] このように. こんなに. こう. かく. **～하다** 〈自他〉このようにする. 句例 ～ 된 바에는 かくなる上は. 文例 왜 ～ 힘들까 どうしてこんなにつらいものだろうか / 왜 ～ 추울까 何でこんなに寒いんだろう / ～하여 두 사람은 맺어졌다 かくして二人は結ばれた.

이리 뒤적 저리 뒤적 あちこちかき探るさま. 句例 ～ 물건을 고르다 あちこちかき探って物を選ぶ / 장롱속을 ～하며 찾다 たんすの中をかき探る.

이리 뒤척 저리 뒤척 寝返りをうつさま.

이리듐 〈名〉〔化〕イリジウム. ◇iridium

이리-로 〈副〉'이리[3]'の強勢語. 文例 ～ 오시오 こっちへいらっしゃい.

이리 오너라 〈感〉頼もう. 御免. 略して'이로너라'ともいう.
表現 昔, 他人の家の門前で案内を請うときに唱えた言葉.

이리-온 [―o:n] 〈感〉 こっち〔こちら〕へおいで. 文例 아가야 ～ 坊や. おいで.
表現 幼い子供を呼びよせるときの言葉.

이리-이리 〈副〉 ❶こちらへこちらへ. こっちへこっちへ. ❷かくかく. こうこう. 句例 ～ 하라고 이르다 こうこうせよと言いつける.

*이리-저리 〈副〉❶あちこち. あちらこちら. 句例 모금을 위하여 ～ 뛰어다니다 募金のためにあちこち飛び回る. ❷あれこれ. 句例 ～ 생각하다 あれこれ(と)考える. 按ずる / ～ 핑계를 둘러대다 あれこれと逃げ口上を並び立てる.

**이마 〈名〉額. ぬか《雅》. おでこ《俗》. 句例 ～를 맞대고 의논하다 額を集めて相談する / ～ 위의 머리칼 額髪 / ～ 생김새 額つき / ～에 주름살을 짓다 額にしわを寄せる / ～가 터지다 額が割れる / ～가 좁다 額が狭い / ～의 땀을 닦다 額の汗をふく.

이마를 찔러도 피 한방울 안 나겠다 額をつき刺しても血一滴も出そうでない. けちである. 血も涙もなさそうだ. 抜け目がない.

이마에 내천자를 쓰다 額に川の字のしわをよせる．気に障って顔をしかめる．

이마에 피도 안 마르다 額の血もまだ乾いていない．まだ幼い．乳臭い．

이마마-하다 (→하다)〈形〉これくらいだ．この程度である．[文例] 그 크기는 ～ その大きさはこれくらいだ．

이마-빼기〈名〉'이마 額'の俗っぽい言いかた．略して'마빡'ともいう．

이-마적〈名〉最近．このごろ．近ごろ．[文例] ～엔 통 소식이 없다 近ごろはさっぱり便りがない．

이만 ━〈冠〉これくらいの．この程度の．[文例] ～ 일에 쓰러지다니 これくらいのことで倒れるとは．

━〈副〉これまで．これで．これくらいで．この程度で．[文例] 오늘 수업은 ～ 今日の勉強はこれまで / ～ 실례하겠습니다 これで失礼いた(致)します．

이만저만-하다 (→하다)〈形〉ああこうである．相当だ．なみたいていだ．まあまあだ．[文例] 이만저만한 노력이 아니고서는 이 일은 완성할 수 없다 並並ならぬ努力をささげなければこの事は完成できない / 이만저만한 어려움이 아니다 なみたいていの難しさではない．

[表現] おもに否定語を伴う．

**이-만큼〈副〉こんなに．これ程．これくらい．略して'이마큼'ともいう．

이만-하다 (→하다)〈形〉これくらいだ．この程度だ．[文例] 이만한 고생은 참을 수 있어야 한다 これくらいの苦労は辛抱できねばならぬ．

ㅇ

이맘-때〈名〉今ごろ．今時分．[句例] 지난 해 ～ 去年の今ごろ．

이맛-돌〈名〉かまどのたき口の上にかける長い石．

이맛-살〈名〉額のしわ．[句例] ～을 펴다 愁眉を開く．

이맛살을 찌푸리다 額にしわを寄せる．

이맛-전〈名〉額の広い部分．

이-맞다 ⇨'이²'の小項目

이며〈助〉⇨ 며

이면【裏面】[i:myŏn]〈名〉裏面．裏側．[句例] ～에서 활약하다 裏で活躍する / 사회의 ～에 밝다 社会の裏に詳しい．[語例] ～ 공작 裏面工作 / ～사 裏面史．

이명【耳鳴】[i:myŏng]〈名〉耳鳴り．＝귀울음．

이명-증【耳鳴症】[—tchŭng]〈名〉⇨ 이명(耳鳴)

**이모【姨母】〈名〉母の姉妹．(母方の)伯母〔叔母〕．[語例] ～부 母の姉妹の夫．おじ / ～님 おば様 / ～부님 おじ様．

이모【異母】[i:mo]〈名〉異母．腹違い．[語例] ～ 형제 腹違いの兄弟．

*이모-작【二毛作】[i:mo—]〈名〉二毛作．[文例] 이 지방에서는 ～을 할 수 있다 この地方では二毛作ができる．

이모-저모〈名・副〉あれこれ．各方面．いろんな角度．[句例] 사회의 ～를 살피다 社会のあれこれを調べる〔探る〕/ ～ 세밀히 조사하다 あれこれと細かく調べる．

*이목【耳目】[i:mok]〈名〉耳目．❶耳と目．❷人目．世間の注目．[句例] 남의 ～을 끌다 人目を引く / 세상의 ～을 끌다 世の視聴を集める / 세상의 ～을 피하다 世を忍ぶ / ～을 꺼리다 人目を気にする．

이-목-구-비【耳目口鼻】[i:mok—]〈名〉目鼻立ち．顔だち．[句例] ～가 단아하다 目鼻立ちが上品である / ～가 번듯하다 目鼻立ちが整っている．

이무기 [i:mugi]〈名〉❶竜に成りそこなって深い水に住むという伝説上のおろち．❷うわばみ．おろち．大蛇．

이문【利文】[i:mun]〈名〉❶利ざや．[句例] 근소한 ～ わずかな利ざや．❷⇨ 이자(利子)

이물〈名〉へさき(舳先)．船首．みよし(舳)．(對) 고물．

이물【異物】[i:mul]〈名〉異物．[句例] 삼킨 ～을 토해 내다 飲み込んだ異物を吐き出す．

이물-스럽다 (→스럽다)〈形〉陰険で底が知れない．腹に一物あるようだ．腹黒い．

*이-물질【異物質】[i:multchil]〈名〉異物質．異物．[句例] ～이 섞여 들다 異物が混入する．

*이미 [i:mi]〈副〉もう．既に．すんでに．とうに．先刻．早．もはや(最早)．[句例] ～ 말한 바와 같이 既に述べた通り．[文例] ～ 때는 늦었다 もう間に合わない．既に手遅れだ / 대세는 ～ 결정됐다 大勢は既に決まった．

이미지〈名〉イメージ．[句例] ～가 떠오르다 イメージが浮かぶ．[文例] 손님에게 나쁜 ～를 주고 싶지 않다 お客様に悪いイメージを与えたくない．◇image

*이민【移民】〈名・하自〉移民．[句例] 미국으로 ～을 가다 アメリカに移民する．

이-민족【異民族】[i:—]〈名〉異民族．

*이바지-하다 (→하다)〈自他〉裨益する．貢献する．資する．報じる．尽くす．[句例] 산업 발전에 ～ 産業発展に資する / 교육에 이바지하는 바가 크다 教育に裨益するところ大である．

이반【離反・離叛】〈名・하自〉離反．[句例] 민심이 ～하다 民心がはなれる〔離反する〕．

이발【理髪】[i:bal]〈名・하自〉理髪．調髪．散髪．[句例] ～하러 가다 散髪しに行く．[語例] ～사 理容師．理髪師．床屋 / ～소 理容店．理髪店．散髪屋．床屋 / ～기(器) バリカン．

이-밥 [i:bap]〈名〉生飯．白いご飯．

이방 [i:bang]〈名〉〔民〕[もとの語形は'예방(豫防)'] 厄よけ．厄払い．

이방【異邦】[i:bang]〈名〉異邦．異国．[語例] ～인 異邦人．外国人．

*이-번【一番】〈名〉今度．今回．今次．この度．この程．＝금번．[文例] ～ 사건으로 그를 다시 보았다 今度の事件で彼を見直した / ～에 좌기(의 장소)로 이전했습니다 今回下記に移転いたしました / ～에는 폐를 많이 끼쳤습니다 この度はたいへんお世話になりました / ～ 월요일에 시골에 갔다 왔다 この間の月曜日に田舎に行って来た．[語例] ～달 今月 / ～주 今週．

이번【二番】[i:bŏn]〈名〉二番．第二番．

이벤트〈名〉イベント．[語例] 메인 ～ メインイベン

ト. ◇event

이변【異變】[i:byŏn]〈名〉異変. 句例 ~을 듣고 달려가다 変事を聞いて駆けつける. 語例 기상 ~ 気象の異変.

이별【離別】〈名・하自〉離別. 別離. 別れ. 句例 ~의 슬픔 別れのつらさ / ~의 말〔눈물〕名残のことば〔涙〕/ 부부의 ~ 夫婦の離別 / ~을 고하다 別れを告げる / ~의 술잔을 나누다 別れの杯を交わす. 文例 영원한 ~은 죽음뿐이다 永遠の別れは死のみである. 語例 ~가 別れの歌. 離別の歌 / ~주 別れの酒. 離別の酒.

이병-률【罹病率】[—nyul]〈名〉罹病率.

이-보다【利—】[i:—]〈自他〉❶利益になる. ❷利益を得る. 得する.

이복【異腹】[i:bok]〈名〉異腹. 腹違い. 異母. 語例 ~ 동생 腹違いの弟 / ~ 형제 まま(継)兄弟. 腹違いの兄弟.

이봐〈感〉['이 보아・이것 보아'の略] おい. こら. これ. 文例 ~ 이리 와 これ, こっちへ来い / ~ 잠깐만 기다려 おい, ちょっと待て. 表現 目下の人に呼びかける語.

이부【二部】[i:bu]〈名〉二部. 語例 ~ 수업 二部授業 / ~ 합창 二部合唱 / ~작 二部作 / ~제 (午前・午後, または昼間・夜間の)二部制.

****이부-자리**〈名〉寝床. 布団. 寝具. 句例 ~를 깔다〔보다〕寝床〔布団〕を敷く.

이북【以北】[i:buk]〈名〉❶以北. 對이남(以南). ❷(韓半島で)北半分. 北緯三十八度線または休戦ライン以北を言う語. 文例 ~에 친척이 있다 北に親戚がいる.

이분【二分】[i:bun]〈名・하他〉二分. 句例 ~의 이 박자 二分の二拍子 / 천하를 ~하다 天下を二分する. 語例 ~ 쉼표〔樂〕二分休(止)符 / ~ 음표 二分音符 / ~법〔論〕二分法.

이-분자【異分子】[i:—]〈名〉異分子. 句例 당내의 ~를 제명하다 党内の異分子を除名する.

****이불**〈名〉掛け布団. ふすま(衾)《雅》. 句例 ~을 햇볕에 말리다 掛け布団を日干しにする. 語例 ~보(褓) 布団を包む大きなふろしき / ~잇 布団カバー / ~장 布団入れ(のたんす).

이불 속에서 활개 친다 布団の中で幅を利かせる. 内弁慶.

이브 [i:bŭ]〈名〉〔宗〕イブ. ◇Eve

이브닝 [i:bŭning]〈名〉イブニング. 語例 ~ 드레스 イブニングドレス. イブニング / ~ 코트 イブニングコート. ◇evening

***이비인후-과**【耳鼻咽喉科】[i:biinhukkwa]〈名〉〔醫〕耳鼻咽喉科.

이빨〈名〉'이 歯'の俗っぽい言いかた.

****이쁘다**(이쁘니, 이뻐서)〈形〉'예쁘다'の転訛.

이사【二死】[i:sa]〈名〉〔野〕二死. ツーダウン. 語例 ~ 만루 二死満塁.

이사【理事】[i:sa]〈名〉理事. 取締役. 句例 ~로 승진하다 理事に昇任する. 語例 ~관 理事官 / ~국 理事国 / ~장 理事長 / ~회 理事会.

***이사**【移徙】〈名〉引っ越し. 転宅. 家移り. **~하다**〈自〉引っ越す. 引き移る. 句例 이웃 동네로 ~하다 隣の町に引っ越す. 語例 ⇨이삿짐

이사(를) 가다 引っ越して行く. 句例 새로 지은 집으로 이사를 가다 新しく建てた家に引っ越して行く.

이사(를) 오다 引っ越して来る.

이-사분기【二四分期】[i:—]〈名〉第二四半期.

이-사이〈名・副〉近ごろ. 最近.

***이삭**〈名〉穂. 語例 벼 ~ 稲穂.

이삭(을) 줍다 落ち穂を拾う.

이삭(이) 패다 穂が出る.

이삭-줍기〈名〉落ち穂拾い.

이산【離散】〈名・하自〉離散. 離れ離れ. 別れ別れ. 語例 ~ 가족 離散家族.

***이산화-탄소**【二酸化炭素】[i:sanhwat'a:nso]〈名〉〔化〕二酸化炭素. ＝탄산가스.

이산화-황【二酸化黃】[i:sanhwa—]〈名〉〔化〕二酸化硫黄. ＝아황산 가스.

이삼【二三】[i:sam]〈冠〉二三. 両三. 語例 ~회 二三回 / ~일 二三日. 両三日. 明日あさって / ~명 二三名 / ~월 二三月. 二三か月 / ~년 二三年. 二年か三年.

이삿-짐【移徙—】〈名〉引っ越し荷物.

***이상**【以上】[i:sang]〈名〉❶以上. 句例 ~과 같이 以上の通り. 語例 다섯 살 ~ 五歳以上 / 예상 ~ 予想以上. ❷(副詞的に用いて)…したからには. …の上は. 句例 이렇게 된 ~에는 こうなったからには. 文例 맡은 ~에는 해내야 한다 引き受けたからにはやり遂げねばならない / ~ 보고를 마치겠습니다 以上で報告を終わります / 신이 아닌 ~ 아무도 그 많은 일을 다 해낼 수는 없다 神ではない以上, だれもそんなにたくさんの仕事をすべてやり遂げることはできない.

***이상**【異狀】[i:sang]〈名〉異状. 文例 별로 ~은 없다 別に異状はない / 서부 전선 ~ 없다 西部戦線異状無し.

***이상**【異常】[i:sang]〈名〉異常. アブノーマル. 不思議. 妙. **~하다**〈形〉異常だ. 不思議だ. 妙だ. 句例 계기의 ~ 計器の狂い / ~한 이야기 不可思議〔不思議・変〕な話 / ~한 사람〔행동〕おかしい人〔行動〕/ ~한 성격 変な性格 / ~한 기분 変な気分. 文例 인연이란 ~한 것 縁とは異なもの / 공사가 ~없이 진척됐다 工事が異常なく進んだ / ~한 소리가 난다 怪しい物音がする / ~하게 늦는군 妙に遅いな / 이건 ~한데 これは変だぞ. 語例 ~ 기온 異常気温 / ~ 건조 주의보 異常乾燥注意報 / ~ 기상 異常気象. 對정상(正常). **~히**〈副〉異常に. 不思議に. 妙に. **~스럽다**(→스럽다)〈形〉異常だ. 不思議だ. 妙だ.

表現 '이상(異常)'は'정상(正常)'の対で, ふつうとは異なる物事一般を表わし, '이상 [illegible]' '이상 [illegible] 異常渇水'などのように名詞・形容詞の用法で使われる. '이상(異狀)'は, 正常な状態と異なる特別な状態, 特に安心できないような状態を表わし, 名詞としてだけ用いられる.

***이상**【理想】[i:sang]〈名〉理想. 句例 그리스도의 ~ キリストの理想 / ~을 추구하다 理想を追い求める / ~과 현실 理想と現実 / 높은 ~을 품다 高い理想をいだ(抱)く. 語例 ~론 理想論 / ~화 理想化 / ~가 理想家.

이상야릇-이 [i:sangnyarŭshi]〈副〉珍妙に. 変に. へんちくりんに.

이상야릇-하다【異常―】[i:sangnyarŭt'ada](→하다)〈形〉珍妙だ. 変だ. 句例 이상야릇한 얼굴을 하다 珍妙な顔をする.

***이상-적**【理想的】[i:sang—]〈名・冠〉理想的. 句例 ~인 생활 理想的な生活 / ~인 여성 理想の女性. 對현실적.

이상-주의【理想主義】[i:sang—]〈名〉理想主義. アイデアリズム. 語例 ~자 理想主義者. アイデアリスト.

이상-향【理想鄕】[i:sang—]〈名〉理想郷. ユートピア. むかう(無何有)のさと(郷).

이색-적【異色的】[i:saek—]〈名・冠〉異色. 異色の. 異色ある. 句例 ~인 존재 異色のある存在 / ~인 역작 異色の力作.

이-생【—生】〈名〉この世. 現世. 句例 ~에서 맺지 못할 연분 この世で結ばれない縁. 文例 그것이 ~에서의 마지막이었다 それがこの世の別れだった.

이서【以西】[i:sŏ]〈名〉以西. 對이동(以東).

이설【移設】〈名・하他〉移して設置すること.

이설【異說】[i:sŏl]〈名〉異説. 句例 ~을 세우다 異説を立てる.

이성【二姓】[i:sŏng]〈名〉二つの姓. 結婚する男と女の両家. 語例 ~지합(之合) 姓の異なる二人の男女の結合, すなわち婚姻. 結婚.

***이성**【異性】[i:sŏng]〈名〉異性. 句例 ~간의 교제 異性間の交際. 語例 ~화 異性化 / ~체〔化〕異性体 / ~애 異性間の愛.

이성에 눈을 뜨다 性に目覚める.

이성【異姓】[i:sŏng]〈名〉異姓. =타성(他姓). 語例 ~동명 異姓同名 / ~친 母方の親類. 外戚.

이성【理性】[i:sŏng]〈名〉理性. ロゴス. 句例 감정에 흘러 ~을 잃다 感情に走って理性を失う / ~을 되찾다 理性をとり戻す. 語例 ~론 理性論.

이성-적【理性的】[i:sŏng—]〈名・冠〉理性的. 句例 ~인 사람〔판단〕理性的な人〔判断〕.

이세【二世】[i:se]〈名〉二世. ❶移民の子供. 句例 한국계 미국인 ~ 韓系アメリカ二世. ❷二代目. 語例 조지 ~ ジョージ二世. ❸親から見て, 子供. 文例 ~가 태어났다 二世が生まれた. ❹'이세 국민(國民) 二世国民. 次の世代を担う子供たち'の略.

이속【吏屬】[i:sok]〈名〉〔史〕官庁の下級役人. =이서(吏胥).

이송【移送】〈名・하他〉移送. 句例 사건의 ~ 事件の移送 / 우편물을 ~하다 郵便物を移送する.

이-수【里數】[i:ssu]〈名〉里数.

이수【履修】[i:su]〈名・하他〉履修. 句例 전 과정을 ~하다 全課程を履修する. 語例 ~학점 履修単位.

이순【耳順】[i:sun]〈名〉耳順《六十歳》.

이슈〈名〉イッシュー. 問題点. 争点. 句例 금주의 ~ 今週のイッシュー. ◇issue

이스트 [i:sŭt'ŭ]〈名〉イースト. 語例 ~균 イースト菌. ◇yeast

이슥-토록〈副〉['이슥하도록'の略] 夜が更けるまで. =이슥히. 句例 밤이 ~ 공부하다 夜更けまで勉強する.

이슥-하다 [isŭk'ada](→하다)〈形〉夜がかなり更けている. 句例 이슥한 거리 夜更けの町.

***이슬**〈名〉露. 句例 ~이 맺히다 露が結ぶ / ~같은 목숨 露の命 / 눈에 ~을 머금다 目に露を宿す. 語例 아침 ~ 朝露 / ~ 방울 露の滴り. 露のしずく. 水玉. 露の玉 / ~점(點)〔物〕露点 / ~ 아침 露の乾かぬ早朝.

이슬로 사라지다 露と消える. 句例 형장의 ~ 刑場の露と消える.

이슬람〈名〉〔宗〕イスラム. 語例 ~교 イスラム教. ◇Islam

이슬-비〈名〉霧雨. 小ぬか雨. 煙雨. 句例 ~ 내리는 이른 아침 霧雨けむるあけがた.

이승〈名〉この世. 現世. 句例 ~에서 못 다한 일 この世でやり残したこと. 對저승.

이승을 떠나다 この世を去る. 死ぬ.

이승【尼僧】〈名〉〔佛〕尼僧. 比丘尼. 尼. =비구니.

이식【利息】[i:shik]〈名〉利息. 利子.

이식【利殖】[i:shik]〈名・하自〉利殖. 句例 ~에 능하다 利殖にた(長)けている.

이식【移植】〈名〉移植. 植え付け. **~하다**〈他〉移植する. 植え付ける. 句例 묘목을 ~하다 苗木を移植する / 논에 벼를 ~하다 田に稲を植え付ける. 語例 각막 ~ 수술 角膜移植手術.

이실직고-하다【以實直告―】[i:shiljikko—](→하다)〈自他〉事実の通り告げる.

이심【二心】[i:shim]〈名〉二心. 句例 ~을 품다 二心をいだ(抱)く.

이심【二審】[i:shim]〈名〉〔法〕['제이심(第二審)'の略] 二審.

이심-전심【以心傳心】[i:shim—]〈名〉以心伝心. 文例 말하지 않아도 ~으로 안다 口にしなくても以心伝心でわかる.

***이십**【二十】[i:ship] ㊀〈數・冠〉二十. =스물.
㊁〈名〉二十. 二十歳.

이십 안 자식 삼십 안 천량 二十前に子をもうけ, 三十以前に財産をこしらえねばならない.

이십-사【二十四】[i:ship—]〈名〉〔數・冠〉二十四. 語例 ~금 二十四金 / ~방위 二十四方位 / ~절기 二十四節気. 二十四気.

이십-세기【二十世紀】[i:shipsegi]〈名〉二十世紀.

이십팔-수【二十八宿】[i:shipp'alssu]〈名〉〔天〕二十八宿.

****이-쑤시개**〈名〉楊枝. つまようじ(爪楊枝). 小ようじ. 句例 ~로 이를 쑤시다 つまようじを使う.

이씨 조선【李氏朝鮮】[i:ssi—]〈名〉〔史〕朝鮮朝

朝鮮．李氏朝鮮．略して‘이조(李朝)’ともいう．

参考 ‘이씨 조선’は，日本の侵略下にあった時代の用語．今は‘조선조 朝鮮朝’を使う．

이악-하다 [iak'ada] (→하다) 〈形〉 利にさとい．抜け目がない．

이-알 〈名〉 生飯の粒．

이알이 곤두서다 白米のご飯の粒が逆立ちする．暮らし向きが少し楽になって威張り散らす．

이-앓이 [—ari] 〈名〉 歯痛・しつう．＝치통(歯痛)．

이앙 【移秧】〈名〉 植え付け．田植え．＝모내기．**~하다** 〈自〉 植え付ける．田植え(を)する．語例 ~기(機) 田植え機 / ~기(期) 田植え時．

이-애 ■〈名〉 [‘이 아이 この子’の略] 略して‘애’ともいう．文例 ~는 귀엽다 この子はかわいい．

■〈感〉 [‘이 아이야 この坊や’の略] 略して‘얘’ともいう．文例 ~, 너의 집이 어디냐 坊や，君の家はどこかね / ~, 영화 보러 가자 おい，映画を見に行こう．

表現 ■は，大人が子供に，また若者どうしで用いられる．■■はふつう‘애’の形で使われる．

이애저애-하다 (→하다) 〈自〉 この子，あの子などとぞんざいに呼び捨てにして子供扱いする．

이야 〈助〉 ⇨ 야[2]

※이야기 〈名・하自他〉 話．略して‘얘기’ともいう．❶言葉．会話．句例 ~를 해 주다 話してやる / 상스러운 ~ 下がかった話 / 요령 부득의 ~ つかみどころのない話 / ~를 듣다 話を聞く / ~를 나누다 語り合う / ~도 못 하게 하다 話もさせてくれない．

❷相談．談話．句例 더불어 ~를 할 만하다 話すに足りる / 서로 ~를 한 결과 話し合いの結果 / ~가 성립되다 話がまとまる〔付く〕．文例 할 ~가 있다 話がある / ~ 좀 하자 ちょっと話があるんだが / 그럼, ~를 들어 봅시다 ではお話を伺いましょう．

❸話題．句例 ~를 바꾸다 話を変える．語例 혼사 ~ 結婚ばなし．縁談．

❹物語．説話．句例 토끼와 거북이의 ~ うさぎとかめの話．文例 어째 꾸며낸 ~ 같다 どうも作り話のようだ．

❺[‘옛날 이야기’の略] 昔話．おとぎ話．句例 ~를 해 달라고 조르다 おとぎ話をしてくれとせがむ．

❻⇨ 소설(小説)

❼うわさ(噂)．評判．句例 남의 ~에 의하면 人の話によれば / 남의 ~ 좋아하는 사람 他人のうわさの好きな人 / 남의 ~처럼 말하다 他人の事のように話す．文例 처음 듣는 ~다 耳新しい話だ．語例 뒷~ 裏話．

❽事情．わけ．言い分．句例 울면서 신세~를 하다 泣きながら身の上を語る / ~가 통하는 사람 話のわかる人．文例 그 쪽 ~두 들어 보지 向こうの言い分も聞こう．

이야기 꽃을 피우다 話に花が咲く．

이야기-꾼 〈名〉 話し手．語り手．

***이야깃-거리** 〈名〉 言い草．語りぐさ．話の種．句例 뭇 사람들의 ~가 되다 衆人の言いぐさになる．

이야깃-주머니 〈名〉 話の種が尽きないこと．おもしろい話をたくさん持っている人．

이야-말로[1] 〈副〉 [‘이것이야말로’の略] これこそ．文例 ~ 진짜 보배다 これこそ真の宝だ．

이야-말로[2] 〈助〉 ⇨ 야말로

이양 【移譲】〈名・하他〉 移譲．句例 정권을 ~하다 政権を移譲する．

이양-선 【異様船】 [i:yang—] 〈名〉〔史〕 異様船．黒船．

参考 朝鮮朝のおわりごろ，欧米から朝鮮にやって来た大型の外国船．

***이어-달리기** 〈名〉 リレー競技．継走．

이어-링 〈名〉 イヤリング．耳飾り．耳輪．＝귀고리．◇earring

***이어-받다** 〈他〉 受け継ぐ．引き継ぐ．引く．引き取る．継ぐ．句例 핏줄을 ~ 血筋を引く / 일을 ~ 仕事を引き継ぐ / 전통을 ~ 伝統を受け継ぐ．

이어-서 〈副〉 引き続き．続いて．文例 곧 ~ 음악 프로가 있다 引き続き音楽のプロがある．

***이어-지다** 〈自〉 つながる．続く．句例 가느다랗게 이어진 산길 ほそぼそと続く山道．

이어-짓기 〈名・하他〉〔農〕 連作．㊥돌려짓기．

이어-폰 [—p'o:n] 〈名〉 イヤホーン．◇earphone

이언 【俚諺】〈名〉 俚諺．ことわざ．

이엄-이엄 [—niŏm] 〈副〉 辛うじて続いて行くさま．

이엉 〈名〉 屋根・塀などをふ(葺)くために編んだわら(藁)．句例 ~으로 지붕을 인 집 わらぶ(藁葺)きの家 / 뜸 ~으로 인 지붕 とまぶき(苫葺)の屋根．

이-에 〈副〉 よって．故に．ここに．＝그래서．그리하여．文例 그 공적이 크므로 ~ 이를 표창함 その功績こう大なるによってここにこれを賞します．

이-에서 〈副〉 ❶これより．これ以上．文例 ~ 더 나가지 마라 これより先に出るな．❷これに比べて．文例 ~ 더 슬픈 일이 어디 있으랴 これよりもっと悲しい事があろうか．

이에-짬 〈名〉 継ぎ目．

이여 〈助〉 ⇨ 여

이여차 〈感〉 ‘이영차’の略．

이역 【二役】 [i:yŏk] 〈名〉 二役．語例 일인 ~ 一人二役．

이역 【異域】 [i:yŏk] 〈名〉 ❶異域．異国．外国．句例 ~에서 살다 異域で暮らす．❷他郷．

이-역시 【一亦是】〈副〉 これ(も)また．

이열-치열 【以熱治熱】 [i:yŏl—] 〈名〉 熱をもって熱をいやすこと．

이영차 〈感〉 よいしょ．よいやさ．よいさ．えんやらや．わっしょい．どっこい(しょ)．略して‘이여차・영차・여차’ともいう．

表現 多くの人が力を合わせて重い物を持ち上げるときなどの掛け声．

이온 〈名〉〔化〕 イオン．語例 양~ 陽イオン / 음~ 陰イオン．◇ion

이완 【弛緩】〈名・하自〉 弛緩．句例 정신이 ~되다 精神が弛緩する〔緩む〕．

이왕 【已往】 [i:wang] ■〈名〉 以前．句例 ~의

일 すでに過ぎ去った事. 過去の事.
㊁'이왕에'の略.

이왕-에【已往―】[i:wang―]〈副〉既にそうなったからには. どうせ. せっかく. 略して'이왕'ともいう. =기왕에. 文例 ~ 가려면 빨리 가는 게 낫다 どうせ行くなら早い方がよい / ~ 할 바에는 잘 해라 どうせやるならしっかりやれ / ~ 왔으니 쉬었다 가거라 せっかく来たんだから休んで行きなさい.

이왕에 버린 몸 どうせ捨てた身. どうせだめになったもの.

이왕-이면【已往―】[i:wang―]〈副〉同じ事なら. どうせなら. 文例 ~ 영어를 배우겠습니다 同じ事なら英語を学びます / ~ 내가 있을 때에 오지 그래요 どうせなら僕のいるときに来なさいよ.

이왕지-사【已往之事】[i:wangji―]〈名〉既に過ぎ去った事. 過去のこと.

***이외**【以外】[i:oe]〈名〉以外. 句例 예상 ~의 성과 予想外の成果. 文例 회원 ~는 입장을 금한다 会員以外は入場を禁じる.

이욕【利慾】[i:yok]〈名〉利欲. 句例 ~에 눈이 어두워지다 利欲に目がくらむ.

***이용**【利用】[i:yong]〈名・하他〉利用. 句例 기회(여가)를 ~하다 機会〔余暇〕を利用する / 지위를 ~하다 地位を利用する / 막간을 ~하여 여흥을 하다 つなぎに余興を入れる / 연구에 ~하다 研究の用に足す / 남을 ~물로 삼다 人を食い物〔道具〕に使う / 약점을 ~하다 弱点に〔弱みに〕付け入る〔付け込む〕/ 허점을 ~하다 すきに乗じる / 정치적으로 ~되다〔당하다〕 政治的に利用される. 文例 손님 여러분의 많은 ~을 바랍니다 お客様方のたくさんのご利用をお願いいたします. 語例 ~ 가치 利用価値 / 폐품 ~ 廃品利用 / ~자 使用者. ユーザー / ~률 利用率.

이용-도【利用度】[i:yong―]〈名〉利用度. 句例 ~가 높다 利用度が高い.

이용-사【理容師】[i:yong―]〈名〉理容師.

이울다 (이우니, 이울어서)〈自〉❶(花・葉などが)しな(萎)びる. しお(萎)れる. ❷(勢いがだんだん)衰える. な(萎)える.

＊＊이웃〈名〉隣. 隣近所. 句例 ~과의 교제 隣付き合い / 학교 바로 ~에 살다 学校のすぐ隣に住む / ~에 사는 사람 隣に住む人. 語例 ~ 나라 隣国 / ~집 隣家. 隣(の家) / ~간 隣近所の間柄. 隣り合わせ.

이웃 사촌【―四寸】[―sa:ch'on]〈名〉遠い親類より近くの他人.

이원【二元】[i:won]〈名〉二元. 語例 ~ 방송 二元放送 / ~ 일차 방정식 二元一次方程式 / ~ 합금 二元合金 / ~론 二元論.

이원-권【以遠權】[i:wonkkwon]〈名〉〔航空〕以遠権.

이원-제【二院制】[i:won―]〈名〉二院制度. 両院制.

이월【二月】[i:wol]〈名〉二月. 語例 음력 ~ 陰暦の二月. きさらぎ(如月).

이월【移越】〈名〉繰り越し. **~하다**〈自他〉繰り越す. 句例 잔액을 차기로 ~하다 残額を次期に繰り越す. 語例 ~금 繰越金.

***이유**【理由】[i:yu]〈名〉理由. 訳. いわれ. いわく. ゆえん(所以). 句例 이와 같은 ~로 しかじかの理由で / 무슨 ~로 何故に / ~를 대다〔말하다〕 理由を述べる / ~를 붙이다 理由をつける / 경제적인 ~로 経済上の理由で / 지각한 ~ ちこくした理由. 文例 별로 이렇다 할 ~도 없다 別にこれと言う理由もない / 왜 화를 내는지 ~를 모르겠다 なぜ怒るのかその理由が分からない / 이상이 이 안을 낸 ~입니다 以上がこの案を出したゆえんであります.

이유【離乳】〈名・하自他〉離乳. 語例 ~기 離乳期 / ~식 離乳食.

이윤【利潤】[i:yun]〈名〉利潤. もうけ. 句例 ~을 추구하다 利潤を追求する / ~을 올리다 利潤を上げる / ~이 박하다〔높다〕 利潤がうすい〔高い〕. 文例 이 장사는 ~이 많이 남는다 この商売は大いにもうかる.

이율【利率】[i:yul]〈名〉利率. 利回り. 歩. 句例 연 5푼의 ~ 年五分の利率 / ~이 좋다〔나쁘다〕 歩がいい〔悪い〕/ ~이 좋은 주식에 투자하다 利回りのよい株に投資する.

이율 배반【二律背反】[i:yulbae:ban]〈名〉〔論〕二律背反.

***이윽고**〈副〉間もなく. 程なく. やがて. 文例 ~ 그녀가 나타났다 間もなく〔やがて〕彼女が現われた.

이음-매〈名〉つなぎ目. 継ぎ目. 継ぎ手. 文例 털실의 ~가 겉에 나오지 않게 짠다 毛糸の継ぎ目が表に出ないように編む.

이 음-줄 [―tchul]〈名〉〔樂〕スラー. =슬러(slur). 연결선(連結線).

***이의**【異議】[i:ŭi]〈名〉異議. 異存. 句例 ~를 제기하다 異議〔故障〕を申し立てる. 異論を唱える. 文例 ~는 없다 異存は無い. 語例 ~ 신청 異議の申し立て.

이-이〈代〉この人. この方. 文例 ~는 제 남편입니다 こなたはわたしの主人であります.

이이-제이【以夷制夷】[i:ijei]〈名・하自〉いいせいい(以夷制夷).

***이익**【利益】[i:ik]〈名〉利益. 益. 句例 국가의 ~ 国家の利益 / ~이 적은 일 益の少ない仕事 / ~이 많다 利益が多い / ~을 독점하다 もうけを独り占めにする / ~을 올리다 利益をあげる / ~을 얻다〔보다〕利益をえる. 文例 ~은 반분한다 もうけは山分けだ / 큰 ~ 앞에 작은 ~은 버리자 大利の前に小利は捨てよう. 語例 ~ 대표 利益代表 / ~금 利益金. 益金 / ~ 배당 利益配当 / ⇨ 이익 사회

이익 사회【利益社會】[i:ik―]〈名〉〔社〕利益社会. ㊟공동(共同) 사회.

이인【二人】[i:in]〈名〉二人・にん. 両人. 語例 ~조 二人組 / ~칭 二人称 / ~승 보트 二人乗りボート.

이인-삼각【二人三脚】[i:in―]〈名〉二人三脚.

이임【離任】〈名・하自〉離任. 句例 부장직을 ~하다 部長の職を離任する. 語例 ~사 離任の辞 / ~식 離任式.

이입【移入】〈名・하他〉移入.

이자〈名〉〔生〕⇨ 췌장

***이자**【利子】[i:ja]〈名〉利子. 利息. 金利.

利. 子. ＝길미. 句例 ~를 받고 돈을 빌려 주다 利子を取って金を貸す / ~를 낳다 利を生む / ~가 붙다 利子がつく / ~를 내다 利子を支払う / ~를 붙이다 利子をつける. 語例 은행 ~ 銀行の利子.

이작【裏作】[i:jak]〈名・하他〉〔農〕裏作. ＝뒷갈이.

이장【里長】[i:jang]〈名〉里長. 語例 ~님 里長さん.

이장【移葬】〈名・하他〉改葬.

이재【理財】[i:jae]〈名〉理財. 句例 ~에 밝다 理財にたける.

이재【罹災】〈名・하自〉罹災. 被災.

이재-민【罹災民】〈名〉罹災民. 被災者. 句例 전쟁으로 인한 ~ 戦争による罹災民.

이적【移籍】〈名・하自〉移籍.

이적【異蹟】[i:jŏk]〈名〉❶奇異な行跡. ❷奇跡. (特に)キリストの奇跡.

이적【離籍】〈名・하他〉離籍. 句例 호적에서 ~하다 戸籍から離籍する.

이적 행위【利敵行爲】[i:jŏk'aeng-wi]〈名・하自〉利敵行為.

***이전**【以前】[i:jŏn]〈名〉以前. 句例 오십세 ~의 저작 五十歳以前の著作 / 통일 신라 ~의 유적 統一新羅以前の遺跡 / ~과 같이 하다 前前の通り行なう. 文例 ~에 간 적이 있다 以前行った事がある / ~에 주의받은 일을 잊었다 先に注意された事を忘れた / 서울에 오기 ~에 그 사람을 만났다 ソウルに来る以前にその人に会った.

이전【移轉】〈名〉移転. 引っ越し. **~하다**〈他〉移転する. 引っ越す. 転じる. 句例 주거를 ~하다 住居を移転する〔転じる〕. 語例 ~통지 移転通知 / 사무소 ~ 事務所の移転 / 권리 ~ 権利の移転 / ~ 등기 移転登記.

이전-투구【泥田鬪狗】〈名〉泥仕合. 名分の立たないことでいがみあいながら争うこと. 句例 ~의 양상을 나타내다 泥仕合の様相を呈する.

이점【利點】[i:tchŏm]〈名〉利点. 利. 句例 지세의 ~ 地の利 / 많은 ~이 있다 数数の利点がある.

이정【里程】[i:jŏng]〈名〉里程. 道程.

이정-표【里程標】[i:jŏng—]〈名〉里程標. 道しるべ. 一里塚. 句例 새로운 ~를 세우다 新しい里程標を打ち建てる.

****이제** ■〈名〉今. ただいま. 文例 ~부터 10년이 중요한 시기이다 今から十年が大切な時期だ / 그것도 ~는 옛 이야기가 됐다 それも今では昔語りとなった / ~ 와서 말해 봤자 이미 늦었다 今更言ったってもう遅い / 예나 ~나 조금도 변함이 없다 昔も今も全然変わりがない.

■〈副〉もう. 既に. さて. 文例 ~ 떠나겠어요 もう出発します / ~ 이것으로 끝장이군 もうこれでおしまいだ / ~ 슬슬 나가 볼까 さて, そろそろ出掛けようか / ~ 막 돌아왔습니다 今しがた戻りました.

이제-까지〈副〉今まで. 句例 ~의 예 今までの例.

이제-껏〈副〉今まで. 今に至るまで. ＝여태껏.

句例 ~ 없던 일 いまだかつて無かった事. 文例 ~ 뭣을 했느냐 今まで何をしていたのか.

이제나-저제나〈副〉今か今かと. 文例 ~ 기다리고 있다 今か今かと待っている.

이제-야〈副〉今になって. 今やっと. 文例 ~ 알았다 今やっと〔初めて〕分かった / ~ 겨우 일을 시작한다 今になってやっと仕事を始める.

이젤 [i:jel]〈名〉イーゼル. 画架. ◇easel

이조【吏曹】[i:jo]〈名〉〔史〕吏曹. 語例 ~ 참판(參判) 吏曹の次官. 從二品の位 / ~ 판서(判書) 吏曹の長官. 正二品の位.

參考 朝鮮朝の六曹の一つ. 文官の選任・叙勲・官僚の成績考課などをつかさどった.

이조【李朝】[i:jo]〈名〉〔史〕'이씨 조선'の略.

이조【移調】〈名・하自〉〔樂〕移調.

이종【姨從】〈名〉['이종 사촌(四寸)'の略] 母の姉妹の子. 母方のいとこ.

이종 교배【異種交配】[i:jong—]〈名〉〔生〕異種交配.

이주【移住】〈名〉移住. **~하다**〈自〉移住する. 住み替える. 住み替わる. 句例 외국으로 ~하다 外国に移住する. 語例 ~자 移住者 / 해외 ~ 海外移住 / ~민 移住民. 移民.

이죽-거리다〈自〉'이기죽거리다'の略.

이중【二重】[i:jung]〈名〉二重. ダブル. 句例 물건이 ~으로 보이다 ものが二重に見える / 유리창을 ~으로 하다 ガラス窓を二重にする / 값을 ~으로 지불하다 代金を二重に払う. 語例 ~ 가격 二重価格 / ~ 결혼 二重結婚. 重婚 / ~ 과세 陽暦と陰暦の正月を二重に祝うこと / ~ 국적 二重国籍 / ~ 매매 二重売買 / ~ 모음 二重母音. 重母音 / ~창 二重窓 / ~ 효과 二重効果.

이중 인격【二重人格】[i:jung-inkkyŏk]〈名〉二重人格.

이중-주【二重奏】[i:jung—]〈名〉〔樂〕二重奏.

이중-창【二重唱】[i:jung—]〈名〉〔樂〕二重唱. ＝듀엣. 이부(二部) 합창.

이-즈막〈名・副〉'요즈막'の語感の大きい語.

이-즈음〈名・副〉'요즈음'の語感の大きい語. 略して'이즘'ともいう.

이지러-뜨리다〈他〉(器物などの角や隅を)欠かす. こわす.

이지러-지다〈自〉欠ける. 句例 찻잔이 ~ 茶わんが欠ける / 상자가 ~ 箱がへこむ / 달이 ~ 月が欠ける.

이지-적【理智的】[i:ji—]〈名・冠〉理知的. 句例 ~인 여성〔얼굴〕理知的な女性〔顔〕/ ~이다 理知的だ.

이직【離職】〈名・하自〉離職. 語例 ~자 離職者 / ~률 離職率.

이-직각【二直角】[i:—]〈名〉〔數〕二直角. 180度.

이진【二陣】[i:jin]〈名〉第二陣. 語例 ~ 선수 二陣の選手.

이진-법【二進法】[i:jinppŏp]〈名〉〔數〕二進法.

이질【姨姪】〈名〉姉妹の子供. 語例 ~녀 姉妹の娘. めい(姪) / ~부(婦) おい(甥)の妻 /

～서(婿) めいの夫.

이질【異質】[i:jil]〈名〉異質. 語例 ～ 문화 異質な文化 / ～적 異質的. 對동질(同質).

이질【痢疾】[i:jil]〈名〉〔韓醫〕疫痢. 赤痢. 句例 ～에 걸리다 赤痢にかかる. 語例 ～ 아메바 赤痢アメーバ.

이-짝〈名〉❶⇨ 이쪽² ❷⇨ 이편(便)

이짝-저짝〈名〉こちら(側の方)とあちら(側の方).

이-쩍〈名〉歯石. 歯くそ.

이-쪽¹〈名〉歯のこわれたかけら.

이-쪽²〈名〉こちら. こっち. こなた. こち《雅》. この方. 文例 ～에서 전화하겠습니다 こちらからお電話します / ～은 언제라도 좋습니다 こちらはいつでも結構です.

***이쪽-저쪽**〈名〉あっちこっち. あちこち《雅》. あちらこちら. 句例 ～으로 바삐 돌아다니다 あちこちをせわしく飛び回る.

이-쯤〈名〉このくらい. この程度. ここら. この辺. このあたり. 文例 ～에서 그만 두자 ここらでやめよう / ～이면 충분하겠지 このくらいなら十分だろう.
表現 副詞的にも用いられる. '이쯤 해 두자 ≡ このくらいにしておこう'.

***이차**【二次】[i:ch'a]〈名〉❶(第)二次. 語例 ～ 방정식〔數〕二次方程式 / ～ 산업 第二次産業 / ～ 시험 二次試験 / ～ 제품 (第)二次製品. ❷二次会. 文例 ～로 갑시다 二次会に行きましょう.

이차-원【二次元】[i:ch'a—]〈名〉二次元. 句例 ～의 세계 二次元の世界.

이차-적【二次的】[i:ch'a—]〈名・冠〉二次的. =부차적(副次的). 文例 그런 일은 ～인 문제다 そんなことは二次的な問題である.

이-착륙【離着陸】[—ch'angnyuk]〈名・하自〉離着陸. 句例 ～하는 비행기 離着陸する飛行機.

이-찹쌀 [i:—]〈名〉(雑穀に対して)もち米.

이채【異彩】[i:ch'ae]〈名〉異彩. 句例 ～를 띠다〔발하다〕異彩を放つ. **～롭다** (→롭다)〈形〉ひときわ目立っている.

***이-처럼**〈副〉こんなに. このように. これ程. 文例 ～ 심한 지진은 처음이다 これ程ひどい地震は始めてだ / ～ 잘 될 줄은 몰랐다 こんなにうまくいくとは思わなかった.

이첩【移牒】〈名・하他〉移牒. 文例 공문서를 타(他)부서에 ～했다 公文書を他の部署に移牒した.

이-촉〈名〉歯根.

이층【二層】[i:ch'ŭng]〈名〉二階. 句例 ～을 더 드리다 二階を継ぎ足す. 語例 ～ 건물 二階建て. 二階 / ～장(欌) 上下二段になっているたんす / ～집 二階家.

***이치**【理致】[i:ch'i]〈名〉道理. 理. ことわり(理). 句例 ～에 맞다 理にかなう / 자명한 ～ 自明な理. 文例 그의 말은 ～에 닿는다 彼の話は筋が通っている〔理屈が立っている〕/ 그건 ～에 안 맞는 말이다 それは道理に合わない話だ / 그가 거짓말을 할 것은 뻔한 ～다 彼がうそをつくのは目に見えている.

이퀄〈名〉イコール. ◇equal

이키〈感〉'이키나'の略.

이키나〈感〉❶驚いたときに出す声: あっ. おっと. 文例 ～ 큰일났다 あっ, 一大事だ. あっ, これは大変だ / ～ 위험해 おっと危ない. ❷人をおだ(煽)てるか, またはあざ笑うときに出す声: やあ. 文例 ～ 일류 신사가 됐군 やあ, これは一流紳士になったね.

이타-적【利他的】[i:t'a—]〈名・冠〉利他的. 句例 ～인 생각 利他的な考え.

이타-주의【利他主義】[i:t'a—]〈名〉利他主義. 愛他主義.

이탄【泥炭】〈名〉〔鑛〕⇨ 토탄(土炭)

이탈【離脱】〈名・하他〉離脱. 句例 소속 정당을 ～하다 所属政党を離脱する / 대열에서 ～하다 隊列から離れる. 語例 ～자 離脱者 / ～되다 離脱する.

이탓-저탓〈副・하自〉あれこれと逃げ口上を言うこと. なんだかんだ. 文例 일하기 싫으니까 ～ 핑계만 댄다 仕事に嫌気がさしてなんだかんだと言い訳ばかりする.

이태〈名〉二年. 二個年.

이탤릭〈名〉〔印〕イタリック(体). ◇italic

***이-토록**〈副〉こんなに. このように. 文例 ～ 재미있는 소설은 읽은 적이 없다 こんなにおもしろい小説は読んだことがない / ～ 심할 줄은 몰랐다 こんなにひどいとは知らなかった.

***이튿-날** [—t'ŭnnal]〈名〉❶二日. 二日目. ❷翌日. 明くる日. 句例 ～ 아침 일찍 翌朝早く. 語例 ～ 밤 翌晩. ❸'초이튿날'の略: (月の)二日. 略して'이틀'ともいう.

***이틀**¹〈名〉❶二日. 両日. 二日間. 文例 단 ～ 만에 이루어졌다 たった二日ででき上がった / ～이나 걸렸다 二日もかかった. 語例 ～거리〔醫〕三日熱. マラリア. ❷'이튿날・초이튿날'の略: (月の)二日.

이-틀²〈名〉〔生〕歯槽.

이파리〈名〉(草木の)葉. =잎사귀.

이판-사판〈名〉破れかぶれ. 文例 이젠 ～이다 もう, やぶれかぶれだ.

이팔-청춘【二八青春】[i:p'al—]〈名〉二八の春. 十六歳前後の若者. 青春男女.

이-편【一便】〈名〉こちらがわ. こちらの方.

이편-저편【一便一便】一〈名〉あちこち. あちらこちら. =이쪽저쪽
二〈代〉こちらがわ(側)の人とあちらがわの人. 味方と敵側. 文例 ～으로 갈라져서 싸웠다 敵と味方に分かれて戦った.

이핑계-저핑계〈副・하自〉⇨ 이탓저탓

***이하**【以下】[i:ha]〈名〉以下. 句例 대장 ～ 10명 隊長以下十名. 文例 ～ 생략한다 以下省略する / ～ 이에 준한다 以下これに準じる. 語例 수준 ～ 水準以下. 對이상.

이하-부정관【李下不整冠】[i:ha—]〈名〉李下に冠を正さず. 李下の冠. 略して'이하(李下)'ともいう.

이하-선【耳下腺】[i:ha—]〈名〉〔生〕耳下腺. =귀밑샘. 語例 ～염〔醫〕耳下腺炎. お多福風邪.

이학【理學】[i:hak]〈名〉理学.

이-학기【二學期】[i:—]〈名〉二学期.

이한【離韓】〈名・하自〉離韓.

이합-집산【離合集散】〈名〉離合集散.

이항【移項】〈名・하他〉〔數〕移項.

이-해〈名〉今年. =올해. 文例 ~도 저물어 간다 今年も暮れていく / ~도 얼마 안 남았다 今年も余す所いくばくもない.

***이해**【利害】[i:hae]〈名〉利害. 句例 ~가 상반하다 利害が相反する / ~를 초월하다 利害を越える / ~가 일치하다 利害が一致する / ~가 얽히다 利害がからむ. 語例 ~ 득실 利害得失 / ~ 타산 利害打算 / ~ 상반(相半) 利害が相半ばすること.

***이해**【理解】[i:hae]〈名・하自〉理解. 句例 ~하기 쉬운 理解し〔分かり〕やすい / ~하기 어려운〔힘든〕理解しにくい / ~가 빠르다 飲み込み〔理解〕がはやい / …를 ~하여 동조하다 …に理解をしめす / ~가 안 되다 理解できない / 말을 ~하다 ことばを理解する / …을 이해하고 있다 …に理解がある / ~를 구하다 理解を求める / 서로간의 ~相互の理解. 文例 ~해 주게나 分かってくれたまえ. 語例 ~력 理解力 / ~성(性)(相手のことを)よく理解してやる心 / ~되다 理解される / ~시키다 理解させる. 飲みこませる. 合点がいくようにする.

이해가 가다 理解できる. 理解される. 分かる. 合点がいく. 文例 이해가 안 가는 데가 많습니다 理解できない所がたくさんあります.

이해 관계【利害關係】[i:hae—]〈名〉利害関係. 句例 ~가 있다 利害関係がある / ~로 맺어지다 利害関係で結ばれる.

이해-심【理解心】[i:hae—]〈名〉理解する心. 思いやり. 許容する心. 句例 ~이 없는 사람 理解のない人. 文例 그 분은 참 ~이 많으십니다 あの方はとても理解がおありです / ~이 있는 선배의 배려로 난관을 극복할 수 있었다 理解のある先輩の配慮で, 難関を克服することができた.

***이행**【移行】〈名・하自〉移行. 語例 ~ 기간〔조치〕移行期間〔措置〕/ ~되다 移行する.

이행【履行】[i:haeng]〈名・하他〉履行. 句例 약속을 ~하다 約束を履行する. 語例 ~되다 履行される.

이호【二號】[i:ho]〈名〉二号. 語例 ~ 홈런 二号ホームラン / ~차 二号車.

이-호-예-병-형-공【吏戶禮兵刑工】[i:hoye:—]〈名〉〔史〕吏戸礼兵刑工. 参考 高麗・朝鮮朝時代, 重要国務をつかさどった六つの中央官署. 高麗では'육부 六部', 朝鮮では'육조 六曹'と呼ばれた.

이혼【離婚】〈名・하自〉離婚. 離縁. 夫婦別れ. 語例 ~ 소송 離婚訴訟 / ~당하다 離婚される.

이화-명나방【二化螟―】[i:hwa—]〈名〉〔蟲〕二化めいが(螟蛾). 二化めいちゅう(螟虫). =이화 명충. 명충나방.

이환-율【罹患率】[—nyul]〈名〉罹患率. 罹病率.

***이후**【以後】[i:hu]〈名〉以後. 以降. 句例 18세기 ~ 十八世紀以来. 文例 5시 ~는 집에 있습니다 五時以後は家におります / ~로는 조심하겠습니다 以後気をつけます / 전달 ~비가 오지 않는다 先月以来雨が降らない / 미국에 도착한 ~ 회의를 열기로 했다 アメリカに着いた後, 会議を開くことにした. 對이전(以前).

이히히〈感〉❶大いに笑いこける声: わはは. ❷ばか笑いをする声. おどけて笑う声: いひひ. えへへ.

익 〔漢字項目〕

【益(益)】 中學 익 エキ. ❶늘다 ふえる. ▮增益 증익 ぞうえき. 有益 유익 ゆうえき. 國益 국익 こくえき. ❷이롭다 ためになる. ▮益金 익금 えききん. 益友 익우 えきゆう. 益者 익자 えきしゃ. ▮便益 편익 べんえき.

【翼(翼)】 高校 익 ヨク. ❶날개 つばさ. ▮翼如 익여 よくじょ. ▮右翼 우익 うよく. 主翼 주익 しゅよく. ❷돕다 助ける. ▮翼贊 익찬 よくさん. ▮輔翼 보익 ほよく.

****익다**[1]〈自〉❶熟する. ㉠実る. 熟れる. 句例 감이 ~ かき(柿)が熟する / 잘 익은 수박 よく熟れた〔上出来の〕すいか(西瓜) / 벼가 ~ 稲が実る. 文例 이 감은 덜 익어서 떫다 このかきは若くて渋い. ㉡よいころあ(頃合)いになる. 句例 기운이 무르~ 機運が熟する. ❷煮える. 句例 충분히 ~ 煮上がる / 덜 익은 밥 半煮えのご飯 / 잘 익은 감자 よく煮えたじゃがいも. ❸(漬物が)漬かる. 味がつく. 発酵する. 文例 김치가 익었다 キムチが漬かった.

익다[2]〈形〉❶慣れている. 句例 귀에 ~ 聞き慣れる. 聞きつける / 손에 ~ 手慣れる. 文例 눈에 익은 사람이다 見慣れた人だ. ❷なじみの間柄である. 句例 낯이 익은 사람 顔なじみ. 文例 아기가 안 우는 걸 보니 벌써 낯이 익었구나 赤ちゃんが泣かないところをみると, もう見慣れたんだな.

익명【匿名】[ingmyǒng]〈名〉匿名. 句例 ~의 편지〔기부자〕匿名の手紙〔寄付者〕.

익모-초【益母草】[ingmo—]〈名〉❶〔植〕めはじき. やくもそう(益母草). =암눈비앗. ❷〔韓醫〕花時の, めはじきを乾かした生薬. 産前・産後の薬に用いる.

익-반죽〈名・하他〉粉に熱湯をかけながらこねること.

익사【溺死】〈名〉溺死. おぼ(溺)れ死に. 水死. **~하다**〈自〉溺死する. おぼれ死にする. 水死する. 句例 강에서 ~하다 川でおぼれ死にする. 語例 ~자 水死人. 溺死者. 川流れ / ~체 水死体.

익살〈名〉こっけい(滑稽). ひょうきん(剽軽). しゃれ(洒落). 諧謔. おどけ. 語例 ~꾼. ~꾸러기 道化者. ひょうきん者. **~스럽다**(→스럽다)〈形〉こっけいだ. ひょうきんだ. 道化じみている. おどけたふうである. 句例 ~스러운 그림 笑い絵 / ~스러운 말을 하다 こっけいな事を言う. しゃれごとを言う / ~스러운 짓을 하다 おどけたまねをする.

익살(을) 떨다〔부리다〕 おどける. ふざける. しゃれを飛ばす.

익살-맞다〈形〉⇨익살스럽다. 句例 익살맞은 꼴을 하다 おどけた格好をする / 익살맞은 얼굴

おどけた顔/익살맞게 떠들어대다 あちゃらかをやらかす.

익수【一手】〈名〉玄人. 専門家. ㉗생수(生手).

***익숙-하다** [iksuk'ada] (→하다)〈形〉❶(し)慣れている. 物〔手〕慣れている. 上手だ. 巧みだ. 句例 붓글씨에 익숙해지다 筆に書き慣れる/늘 보아서 익숙해지다 見慣れる/익숙한 태도로 응대하다 慣れた身ごなしで〔物慣れた態度で〕応待する/익숙한 솜씨로 다루다 (物)慣れた手つきで扱う/그다지 익숙하지 못한 일 あまりしつけない仕事. ❷よく分かっている. 句例 미국 사정에 익숙한 사람 アメリカの事情に明るい人. ❸なじみだ. 親しい. 句例 낯이 익숙한 탤런트 なじみのタレント. **익숙히** [iksuk'i]〈副〉上手に. 巧みに. 親しく. よく. 略して'익히'ともいう. 句例 익숙히 다니던 길 通い慣れた道/익숙히 알고 있는 사실 よく知っている事実.

익은-말 [igŭn—]〈名〉慣用語.

익은-소리 [igŭn—]〈名〉⇨ 속음(俗音)

익일【翌日】[igil]〈名〉翌日. =이튿날.

익자-삼우【益者三友】[—samu]〈名〉益者三友. ㉗손자삼우(損者三友).

参考 交わって利益になる三種類の友. すなわち正直な人, 信用のある人, 知識のある人.

익조【益鳥】〈名〉益鳥. ㉗해조(害鳥).

익충【益蟲】〈名〉益虫. ㉗해충.

***익히** [ik'i]〈副〉'익숙히'の略. 句例 ~ 아는 사정 よく知っている事情. 文例 그와는 ~ 아는 사이다 彼とは顔なじみだ.

***익히다** [ik'ida]〈他〉❶(実・種などを)熟させる. 実らせる. ❷(生の物を)煮る. 句例 뭉근 불에 ~ とろとろと煮る. 文例 고기는 푹 익히는 게 좋다 肉はよく煮る方がいい. ❸(酒・漬物などを)漬ける. 味をつかせる. 発酵させる. 句例 김치를 ~ キムチを漬かるようにする. ❹慣らす. 仕込む. 習う. 覚える. 句例 본바닥에서 익힌 영어 本場仕込みの英語/손에 ~ 手に慣らす/기술을 ~ 技術を身につける. ❺親しい間柄になる. なじむ. 句例 낯을 ~ 顔をなじませる.

인〈名〉(タバコ・コーヒー・阿片など)何度も繰り返して身についた癖〔中毒〕.

인(이) 박이다 癖がつく. 中毒になる. 句例 담배에 ~ タバコを吸うのが癖になる.

인【燐】〈名〉〔化〕燐.

-인【人】〈尾〉…人. 語例 문화~ 文化人/서양~ 西洋人/사회~ 社会人/한국~ 韓国人.

인 〔漢字項目〕

【人】中學 인 ジン. ニン. ❶사람 ひと. ◧人家 인가 じんか. 人間 인간 にんげん. 人口 인구 じんこう. 人生 인생 じんせい. 人性 인성 じんせい. 人心 인심 じんしん. 人稱 인칭 にんしょう. ◨貴人 귀인 きじん. 軍人 군인 ぐんじん. 愛人 애인 あいじん. 擬人 의인 ぎじん. ❷사람을 세는 말 人を数える語. ◨三人 삼인 さんにん. 五人組 오인조 ごにんぐみ.

【仁】中學 인 ジン. ニ. ニン. ❶어질다 慈しみ深い. ◧仁君 인군 じんくん. 仁術 인술 じんじゅつ. 仁政 인정 じんせい. ◨慈仁 자인 じじん. ❷핵과의 씨 核果のたね. ◨桃仁 도인 とうにん. 杏仁 행인 きょうにん. ❸상대를 부르는 호칭 相手をよぶ呼称. ◧仁兄 인형 じんけい.

【刃(刄)】高校 인 ジン. ニン. 칼과 칼날 刀とそのやいば. ◧刃傷 인상 にんじょう. ◨毒刃 독인 どくじん. 白刃 백인 はくじん. 自刃 자인 じじん.

【印】中學 인 イン. ❶도장 はんこ. ◧印鑑 인감 いんかん. 印刻 인각 いんこく. 印稅 인세 いんぜい. 印章 인장 いんしょう. ◨官印 관인 かんいん. 捺印 날인 なついん. ❷표시하다 しるす. 인쇄하다 印刷する. ◧印金 인금 いんきん. 印刷 인쇄 いんさつ. 印行 인행 いんこう. ❸불교에서 손가락으로 만드는 형상 仏教で指をもっていろいろな形像を作ること. ◧印相 인상 いんそう. ◨結印 결인 けついん.

【因】中學 인 イン. ❶연유하다 ちなむ. 따르다 したがう. ◧因循 인순 いんじゅん. 因習 인습 いんしゅう. ❷이유 わけ. 일이 일어나는 근본 ことの起こるもと. ◧因果 인과 いんが. ◨死因 사인 しいん. 原因 원인 げんいん. 敗因 패인 はいいん.

【姻】高校 인 イン. ❶시집가다 嫁ぐ. ◨婚姻 혼인 こんいん. ❷혼인으로 맺은 인척 縁組みで結ばれた親類. ◧姻家 인가 いんか. 姻族 인족 いんぞく. 姻戚 인척 いんせき.

【寅】中學 인 イン. ❶십이지의 세번째 十二支の三番目. とら. ◨甲寅 갑인 こういん. きのえとら. ❷동료 同僚. ◨同寅 동인 どういん. ❸공경하다 敬う. ◧寅畏 인외 いんい.

【引】中學 인 イン. ❶당기다 ひく. 끌어당기다 ひっぱる. ◧引力 인력 いんりょく. 引接 인접 いんせつ. ◨牽引 견인 けんいん. ❷이끌다 導く. ◧引導 인도 いんどう. 引率 인솔 いんそつ. ❸물러가다 退く. ◧引退 인퇴 いんたい. ❹예로 들다 例にあげる. 증거로 대다 証拠としてとりあげる. ◧引用 인용 いんよう. 引證 인증 いんしょう. ❺떠맡다 ひきうける. ◧引責 인책 いんせき. ❻늘이다 長くする. ◨延引 연인 えんいん.

【忍(忍)】中學 인 ニン. ❶참다 忍ぶ. 견디다 たえる. ◧忍耐 인내 にんたい. 忍冬 인동 にんどう. 忍術 인술 にんじゅつ. ◨隱忍 은인 いんにん. ❷비참하다 むごい. ◧忍心 인심 にんしん. 忍人 인인 にんじん.

【認(認)】中學 인 ニン. ❶알다 しる. ◧認識 인식 にんしき. 認定 인정 にんてい. ❷인가하다 ゆるす. ◧認可 인가 にんか. ◨承認 승인 しょうにん. 追認 추인 ついにん.

인가【人家】〈名〉人家. 句例 ~가 드문 산중 人家のまれな山の中/~가 즐비하다 人家が立ち並んでいる.

***인가**【認可】〈名・하他〉認可. 句例 ~를 받다 認可を受ける〔得る〕/~가 나오다 認可がおりる. 語例 ~ 신청 認可申請/~증 認可証.

인-가난【人—】〈名〉人手不足. 人材の貧

困. 適材の不足.

*인간【人間】〈名〉人間. 句例 쓸모 있는〔없는〕~ 役に立つ〔立たない〕人間 / 훌륭한 ~ すぐれた人間 / 고집이 센 ~ しぶとい人間 / ~의 존엄성 人間の尊厳性 / 정직한 ~ 正直な人間 / 못된 ~ だめ(駄目)なやつ. 語例 ~ 관계 人間関係. ヒューマンリレーション / ~ 문화재 人間文化財. 人間国宝 / ~ 사회 人間社会 / ~상 人間像 / ~ 형성 人間形成.

인간 도처에 유청산 人間至る所青山あり.

인간 만사 새옹지마 人間万事塞翁が馬.

인간-답다【人間—】(—다우니, —다워서)〈形〉人間らしい. =사람답다. 句例 인간다운 생활 人間らしい〔人がましい〕生活.

인간-미【人間味】〈名〉人間味. 句例 ~가 없다〔있다〕人間味がない〔ある〕.

*인간-성【人間性】[—ssŏng]〈名〉人間性. ヒューマニティー. ユマニテ. 句例 ~을 존중하다 人間性を尊重する / ~의 심부(深部) 人間性の内奥 / ~이 결여되다 人間性に欠ける / ~을 의심하다 人間性をうたがう.

인간-적【人間的】〈名・冠〉人間的. 句例 ~인 대접을 받다 人間的なあつかいを受ける / ~인 생활 人間的な生活.

인감【印鑑】〈名〉〔法〕印鑑. 語例 ~ 증명(서) 印鑑証明(書).

인감 도장【印鑑圖章】〈名〉印鑑登録をした印章. 実印. 文例 등기 서류에는 ~이 필요하다 登記書類には実印が要る. 對막도장.

인건-비【人件費】[inkkŏnbi]〈名〉人件費. 句例 ~의 상승 人件費のアップ / ~에 충당하다 人件費に当てる.

인걸【人傑】〈名〉人傑.

*인격【人格】[inkkyŏk]〈名〉人格. 句例 원숙한 ~ 円熟な人格. 語例 이중 ~ 二重人格 / ~ 수양 人格の修養 / ~ 형성 人格形成 / ~화 人格化.

인격-자【人格者】[inkkyŏk—]〈名〉人格者. 文例 지도자는 ~라야 한다 指導者は人格者でなければならない. 語例 이중 ~ 二重人格者.

인견【人絹】〈名〉['인조견(人造絹)'の略] 人絹. 語例 ~사 人造絹糸. 人絹.

인경〈名〉〔史〕夜の通行禁止を知らせるためについた大きな鐘.

인계【引繼】[iːn-gye]〈名・하他〉引き継ぎ. 句例 미결 서류를 ~하다 未決書類を引き継ぐ / 사업을 아들에게 ~하다 事業を息子に継がせる / 범인을 경찰에 ~하다 犯人を警察に引き渡す. 語例 인수 ~ 引き継ぎと引き受け / 사무 ~ 事務の引き継ぎ. 對인수(引受).

인고【忍苦】〈名〉忍苦. 句例 오랜 ~끝에 성공하다 長い忍苦のあげく成功する.

*인공【人工】〈名〉人工. =인조(人造)・인위(人爲). 語例 ~ 가루받이 人工授粉 / ~ 감미료 人工甘味料 / ~ 강우 人工降雨 / ~미 人工美 / ~ 수정 人工受精 / ~ 색소 人工色素 / ~ 호수 人造湖.

*인공 위성【人工衛星】〈名〉人工衛星. 語例 ~ 발사 계획 人工衛星の打ち上げ計画.

*인공-적【人工的】〈名・冠〉人工的. 句例 ~으로 만들다 人工的に作る.

인공 호흡【人工呼吸】〈名〉人工呼吸. 句例 ~을 실시하다 人工呼吸を施す.

인과【因果】〈名〉因果. 語例 ~ 관계 因果関係 / ~응보 因果応報 / ~율 因果律. 因果法則.

인광【燐光】〈名〉燐光. 語例 ~체 燐光体.

인광【燐鑛】〈名〉〔鑛〕燐鉱. 燐鉱石.

*인구【人口】〈名〉人口. 句例 ~의 도시 유입 人口の都市流入 / ~의 도시 집중화 人口の都市集中化 / ~가 많다〔적다〕人口が多い〔少ない〕/ ~가 불어나다〔늘다〕人口が増える / ~가 줄다 人口が減る. 語例 ~ 문제 人口問題 / ~ 밀도 人口密度 / ~수 人口数 / ~ 정책 人口政策 / ~ 조사 人口調査 / 주간 ~ 昼間人口 / 유령 ~ 幽霊人口 / 낚시 ~ 釣り人口 / 농촌 ~ 農村の人口.

인구에 회자하다 人口に膾炙する.

인군【人君】〈名〉人君. 君主. 王. =임금.

인권【人權】[inkkwon]〈名〉人権. 句例 ~을 수호하다 人権を守る / ~을 침해하다 人権を侵す. 語例 ~ 선언 人権宣言 / ~ 옹호 人権擁護 / ~ 유린 人権蹂躙 / ~ 침해 人権侵害 / 기본적 ~ 基本的人権.

인근【隣近】〈名〉隣近. 近隣.

인기【人氣】[inkki]〈名〉人気. 人受け. 受け. 句例 굉장한 ~ ものすごい人気 / ~를 노린 작품 人受けをねらった作品 / ~ 있는 영화 呼び物の〔評判の〕の映画 / ~를 얻다 人気を得る / ~를 잃다 人気を失う〔落とす〕/ ~가 있다 人気がある. 好評を博する / ~가없다 人気がない / ~가 떨어지다 人気がおちる. 文例 여자에게 ~가 있다 女にもてる〔騒がれる〕. 語例 ~ 가수 人気歌手 / ~ 선수〔산업〕花形選手〔産業〕/ ~인 人気者. 人気のある人 / ~ 직업 人気商売 / ~상 人気賞.

인-기척【人—】[—kkich'ŏk]〈名〉人け. 人っけ. 人の気配. 句例 ~이 없는 쓸쓸한 길 人けのない寂しい道 / ~이 있다 人臭い.

인-꼭지【印—】〈名〉印章のつまみ.

인-끈【印—】〈名〉印章のつまみに通したひも. =인수(印綬).

*인내【忍耐】〈名・하自他〉忍耐. 語例 ~력 忍耐力 / ~심 忍耐心.

인-내천【人乃天】〈名〉〔宗〕(天道教教理で) 人すなわち天であること.

인-다오 ['이리 다오'の略] こちらに〔こっちに〕出しなさい〔よこしなさい〕. 文例 저기 저 책을 ~ むこうのあの本をこっちにくれや.

*인대【靭帶】〈名〉〔生〕靱帯.

인덕【人德】[inttŏk]〈名〉⇨ 인복(人福)

인덱스〈名〉インデックス. ❶索引. =찾아보기. ❷指標. ◇index

인도【人道】〈名〉人道. ❶人として, 当然守るべき道. 句例 ~상 묵과할 수 없는 중대한 문제 人道上ゆゆ(由由)しい問題 / ~에 어긋나다 人道に反する. 語例 ~주의 人道主義. ヒューマニズム. ❷歩道.

인도【引渡】〈名・하他〉引き渡し. 渡し. 句例 신병을 ~하다 身柄を引き渡す.

인도【引導】〈名〉引導. (教え)導くこと. 手引き. **~하다**〈他〉導く. 句例 사람을 바른 길로 ~하다 人を正道に導く. 語例 ~자 導く人. 導師 / ~되다 導かれる. 導きを受ける.

인도【印度】〈名〉〔地〕インド. 語例 ~양 インド洋 / ~ 코끼리 インド象.

인도-교【人道橋】〈名〉歩道橋.

인도-적【人道的】〈名・冠〉 人道的. 句例 ~인 관점 人道的な観点 / ~인 문제 人道的(な)問題 / ~(인) 견지 人道的(な)見地.

인두〈名〉 ❶(裁縫の)こて(鏝). 焼きごて. 語例 ~질 こてを当てること / ~판 こて台. ❷[‘납땜 인두’の略] はんだごて(半田鏝).

인-두겁【人—】〈名〉人面. 人間の皮.

인두겁(을) 쓰다 人間の皮をかぶる. 言動が人間らしくない.

*__인디언__〈名〉インディアン. ◇Indian

*__인력__【人力】[illyŏk]〈名〉人力. 人間の力. 句例 ~으로 감당 못할 일 人力にあまる仕事 / ~으로 어쩌지 못하는 재해 人力の及ばない大災害. 語例 ~ 개발 人力開発 / ~ 수출 人力輸出.

인력【引力】[i:llyŏk]〈名〉〔物〕引力. 語例 만유 ~ 万有引力.

인력-거【人力車】[illyŏk—]〈名〉人力車. 人力. 力車. 絵 語例 ~꾼 人力車夫. 車夫. 車引き. ひ(挽)き子.

〈인력거〉

*__인류__【人類】[illyu]〈名〉人類. 句例 ~의 행복〔평화〕人類の幸福〔平和〕. 語例 ~ 사회 人類社会 / ~애 人類愛 / ~학 人類学.

인륜【人倫】[illyun]〈名〉人倫. 句例 ~에 어긋나다 人倫にもとる. 語例 ⇨ 인륜 대사

안륜 대사【人倫大事】[illyundae:sa]〈名〉人間の一生における重大な行事. 婚礼・葬式などを指す. =인간 대사.

인마【人馬】〈名〉人馬. 句例 ~의 왕래 人馬の往来. 語例 ~ 살상 人馬の殺傷.

인망【人望】〈名〉人望. 句例 ~이 있다 人望がある / ~을 얻다 人望を得る.

인맥【人脈】〈名〉人脈. 句例 유력한 ~을 갖다 有力な人脈を持つ.

인면-수심【人面獣心】〈名〉人面獣心.

인멸【湮滅・堙滅】〈名・하自他〉湮滅. 句例 증거를 ~하다 証拠を湮滅する.

인명【人名】〈名〉人名. 語例 ~록 人名録.

*__인명__【人命】〈名〉人命. 句例 ~에 관계되는 문제 人命にかかわる問題. 語例 ~ 구조 人命救助 / ~ 재천 人命在天.

인문【人文】〈名〉人文. 語例 ~ 과학 人文科学 / ~ 지리학 人文地理学 / ~주의 人文主義 / ~계 (大学などの)人文系.

*__인물__【人物】〈名〉❶人物. 句例 위험한 ~ 危険な人物 / 훌륭한 ~ 立派な人物 / 뛰어난 ~ すぐれた人物. 偉物《俗》/ ~을 보다 人物を見る / ~을 만들다 人物をつくる. 文例 그는 대단한 ~이다 彼はなかなかの人物だ. 語例 중요 ~ 重要人物 / ~ 고사 人物考査 / ~평 人物評 / 등장 ~ 登場人物. ❷器量. 見目. 顔. =용모. 句例 ~이 좋다 器量がいい. 文例 대단한 ~이다 たいした器量だ. ❸‘인물화 人物画’の略. 句例 ~을 그리다 人物画を描く.

*__인민__【人民】〈名〉人民. 句例 ~을 위한, ~에 의한, ~의 정치 人民のための, 人民による, 人民の政治. 語例 ~ 전선 人民戦線.

인-박이다 [—bagida] ⇨ ‘인’の小項目

인-발【印—】[inppal]〈名〉印影.

인-복【人福】[inppok]〈名〉人人と交わりながら受ける恵みや福. =인덕(人德).

인부【人夫】〈名〉作業員. 雑役の労働者.

인분【人糞】〈名〉人糞. 語例 ~ 거름 下肥.

인비【燐肥】〈名〉[‘인산 비료’の略] 燐肥.

인사【人士】〈名〉人士. 語例 지명〔유명〕~ 知名〔有名〕人士.

인사【人事】〈名〉❶あいさつ(挨拶). **~하다**〈自〉 あいさつする. 句例 ~를 나누다 あいさつを交わす / 서로 ~하다 互いにあいさつを交わす / …와는 아직 ~가 없다 …とはまだあいさつを交わしていない / 초면 ~를 하다 初対面のあいさつをする / 공손히 ~하다 丁寧にあいさつをする. 語例 아침 ~ 朝のあいさつ / 작별 ~ 別れのあいさつ / ~말 あいさつのことば〔辞〕/ ~ 말씀 ごあいさつ / ~드리다 ごあいさつする.

❷守るべき礼儀. 儀礼. 句例 ~를 차릴 줄 알다 礼儀をわきまえる. 文例 그것은 ~가 아니다 それは礼儀に外れている. 語例 ~치레 上べだけの儀礼. ほんの礼儀上.

❸人事. ㉠人のすること. 句例 수(修)~ 대천명(待天命) 人事を尽くして天命を待つ. ㉡会社などの組織で, 人の地位や異動・評価などに関する事柄. 句例 공정한 ~ 公正な人事. 語例 ~과 人事課 / ~ 이동 人事異動 / ~ 관리〔행정〕人事管理〔行政〕/ 정실 ~ 身内びいきの人事異動.

㉢意識や感覚. 語例 ⇨ 인사불성

인사-란【人事欄】〈名〉(新聞・雑誌の)消息欄.

인사-불성【人事不省】[—bulssŏng]〈名〉人事不省. 意識不明の状態. 句例 ~에 빠지다 人事不省に陥る.

인사-성【人事性】[—ssŏng]〈名〉礼儀をわきまえていること. 句例 ~이 없다 礼儀を知らない.

인사성(이) 밝다 礼儀正しい.

인산【因山】〈名〉〔史〕大葬. =국장(國葬).

인산【燐酸】〈名〉〔化〕燐酸. 語例 ~염 燐酸塩 / ~ 비료 燐酸肥料. 燐肥 / ~ 칼슘 燐酸カルシウム.

인산-인해【人山人海】[insaninhae]〈名〉人山. (黒山のような)人だかり. 句例 ~를 이루다 人山を築く.

*__인삼__【人蔘】〈名〉〔植〕朝鮮人参. にんじん(人参). 略して‘삼(蔘)’ともいう. 語例 ~주 にんじん酒 / ~차 にんじん茶.

參考 韓国産のちょうせんにんじんの通称は‘고려 인삼’と言う.

인상【人相】〈名〉人相. 句例 ~이 나쁘다 人相

が悪い / 무서운 ～ こわい相貌. 語例 ～ 착의 人相と身なり.

인상【引上】〈名〉❶引き上げ. アップ. **～하다**〈他〉引き上げる. 語例 가격 ～ 値上げ / 임금 ～ 賃上げ / 금리 ～ 利上げ / 유가 ～ 石油価格の引き上げ / ～률 引き上げ率 / ～액 引き上げ額 / ～되다 引き上げられる. 對인하(引下). ❷(重量挙げで)スナップ.

***인상**【印象】〈名〉印象. インプレッション. 句例 강한 ～을 주다 印象付ける / 좋은 ～을 주다 いい印象を与える / ～에 남다 印象に残る / 그릇된 ～ 誤った印象 / ～을 받다 印象を受ける. 語例 첫～ 第一印象. ファーストインプレッション / ～주의 印象主義 / ～파 印象派.

인상(이) 깊다 印象深い.

인상(을) 쓰다 '험악한 표정을 짓다 険悪な表情をする'の俗っぽい言いかた: 険しい顔をする.

인상(이) 짙다 '인상(이) 깊다'のこと.

***인상-적**【印象的】〈名・冠〉印象的. 句例 ～인 장면 印象的なシーン.

***인색-하다**【吝嗇—】[—saek'ada] (→하다)〈形〉けちだ. けちくさい. 吝嗇だ. 句例 인색한 사람 吝嗇な人. けちん坊 / 인색한 근성 みみっちい根性 / 돈에 ～ 金に汚い / 인색하게 굴다 けちる.

인생【人生】〈名〉❶人生. 句例 제2의 ～ 第二の人生 / 허무한 ～ むなしい人生 / ～의 좋은 반려 人生のよき伴侶 / 충실한 ～ 充実した人生 / ～의 목적 人生の目的 / ～을 보내다 人生をおくる. 語例 ～ 극장 人生劇場 / ～ 철학 人生哲学 / ～론 人生論 / ～ 행로 人生行路. ❷人の命. 命を持っている人間. 句例 ～이 불쌍해서 살려주다 哀れを感じて助けてやる.

인생은 짧고 예술은 길다 人生は短く芸術は長し.

인생 칠십 고래희(古來稀) 人生七十古来まれ(稀)なり.

인생-관【人生觀】〈名〉人生観. 句例 ～이 다른 사람 人生観の異なる人.

인선【人選】〈名・하他〉人選. 句例 무난한 ～ 無難な人選 / ～에서 빠지다 選から漏れる.

인성【人性】〈名〉人性. 文例 ～은 선인가 악인가 人性は善なのか悪なのか.

인세【印税】〈名〉印税.

인솔【引率】〈名〉引率. **～하다**〈他〉引率する. 率いる. 語例 ～자 引率者.

인쇄【印刷】〈名・하他〉印刷. 句例 회보를 ～하다 会報を印刷する. 語例 ～기 印刷機 / ～물 印刷物. 刷り物 / ～소 印刷所 / ～술 印刷術 / ～ 잉크 印刷インク / 활판 ～ 活版印刷 / 삼색판 ～ 三色版の印刷 / ～되다 印刷される.

인-수【人數】[inssu]〈名〉人数. 句例 ～가 모자라다〔남다〕人数が足りない〔あまる〕.

인수【引受】[i:nsu]〈名〉引き受け **～하다**〈他〉引き受ける. 引き継ぐ. 引き取る. 句例 기꺼이 ～하다 喜んで引き取る / 불량품을 ～하다 不良品を引き取る / 정권을 ～하다 政権を引き継ぐ / 환어음을 ～하다 為替手形を引き受ける. 語例 ～ 인계 引き継ぎと受け継ぎ. 受け渡し.

인수【因數】[inssu]〈名〉〔數〕因数. 語例 공통 ～ 共通因数.

인수 분해【因數分解】[inssu—]〈名〉〔數〕因数分解.

인술【仁術】〈名〉仁術. 文例 의술은 ～이다 医術は仁術である.

인슐린〈名〉〔化〕インシュリン. ◇insulin

인스턴트〈名〉インスタント. 即席. 語例 ～ 식품 インスタント食品 / ～ 커피 インスタントコーヒー. ◇instant

인스피레이션〈名〉インスピレーション. ＝영감(靈感). ◇inspiration

인습【因習】〈名〉因習. 句例 ～에 사로잡히다〔얽매이다〕因習にとらわれる. 語例 ～ 타파 因習打破.

인식【認識】〈名・하他〉認識. 句例 ～을 새로이 하다 認識を新たにする / 널리 ～되다 広く認識される / ～이 부족하다 認識を欠く. 認識に欠ける / 올바르게 ～하다 正しく認識する. 語例 ～론 認識論 / ～표〔軍〕認識票 / ～ 부족 認識不足.

인신【人身】〈名〉人身. 語例 ～ 공격 人身攻撃 / ～ 매매 人身売買.

인심【人心】〈名〉人心. 人の心. 句例 각박한 ～ 荒れ果てた人の心 / ～이 후하다 人情が厚い / ～이 좋다 人情味がある. 語例 ～ 세태 人情世態.

인심(이) 사납다 人情がない. 不人情だ. 人心が荒れている.

인심(을) 사다 人心を得る.

인심(을) 쓰다 気前よくする. 人情を施す.

인심(을) 잃다 人心を失う. 評判が落ちる.

인양【引揚】[inyang]〈名〉引き揚げ. **～하다**〈他〉引き揚げる. 句例 침몰선을 ～하다 沈没船を引き揚げる.

***인어**【人魚】[inŏ]〈名〉人魚.

***인연**【因緣】[inyŏn]〈名〉因縁. 縁. 句例 부부의 ～ 夫婦の縁. 二世の契り / 전생의 ～ 前世の縁〔因縁〕. 文例 이상한 ～으로 맺어진 두 사람이다 不思議な縁で結ばれた二人である / 이것을 ～으로 해서 앞으로도 찾아 주십시오 これを折に今後ともお訪ねください / ～이 있으면 또 만나뵐 수 있겠죠 縁があったらいつかまたお目にかかれますよね.

인연을 끊다 縁を切る.

인연을 맺다 縁を結ぶ.

인연이 끊어지다 縁が切れる.

인연이 멀다 縁が薄い.

인왕【仁王】[inwang]〈名〉〔佛〕仁王. 語例 ～문 仁王門.

인용【引用】[inyong]〈名・하他〉引用. 句例 성서의 말씀을 ～하다 聖書の言葉を引用する / 논어의 한 구절을 ～하다 論語の一句を引く. 語例 ～구 引用句 / ～문 引用文 / ～부(호) 引用符. クォーテーションマーク.

인원【人員】[inwon]〈名〉人員. 語例 ～ 점호 人員点呼 / 참가 ～ 参加人員.

인원-수【人員數】[inwonssu]〈名〉人数. 人員

数. 句例 ～를 늘리다 人数をふやす / ～를 채우다〔맞추다〕 頭をそろえる.

인위-적【人爲的】[inwi—]〈名・冠〉人為的. 句例 ～인 억제 人為的な抑制. 對자연적(自然的). 천연적(天然的).

인의【仁義】[inŭi]〈名〉仁義. 仁と義. 句例 ～에서 벗어나다 仁義にはずれる.

인-의-예-지-신【仁義禮智信】[inŭiye:—]〈名〉仁・義・礼・智・信の五徳. 五常.

인자【仁者】〈名〉仁者. 語例 ～요산(樂山) 仁者は山を楽しむ / ～무적 仁者に敵なし.

인자【因子】〈名〉因子. ファクター. 語例 유전～ 遺伝因子.

인자【印字】〈名・하自〉印字. 語例 ～기 印字機. タイプライター.

인자-스럽다【仁慈—】(→스럽다)〈形〉情け深い. 慈しみ深い.

인자-하다【仁慈—】(→하다)〈形〉慈愛に満ちている. 句例 인자한 얼굴 仁慈に富んだ顔. 慈愛に満ちた顔.

인장【印章】〈名〉印. 印章. 句例 ～을 찍다 印章を押す.

인재【人才】〈名〉人才. 才知ある人物.

인재【人材】〈名〉人材. 人物. 句例 유능한 ～ 有能な人材 / 국가 경륜의 ～ 国家経綸の材 / ～를 발탁하다 人材を抜擢する / 천하에 ～를 구하다 四方に適材を求める. 語例 ～등용 人材の登用.

인재【人災】〈名〉人災. 文例 화재는 대부분 ～라고 할 수 있다 火災の大部分は人災と言える.

인적【人的】[intchŏk]〈名・冠〉人的. 語例 ～자원 人的資源 / ～증거 人的証拠. 對물적(物的).

***인적**【人跡・人迹】〈名〉人跡. 句例 ～이 드문 깊은 산 人跡まれな奥山 / ～이 끊어지다 人足が絶える.

인절미〈名〉もち米でつくった切りもちを, 黄な粉などでまぶしたもの.

인접【隣接】〈名・하自〉隣接. 句例 ～한 나라 隣接の国 / 집에 ～한 땅 家に接した土地.

***인정**【人情】〈名〉人情. 情け. 思いやり. 句例 ～이 많다 情け深い. 情に厚い / ～사정도 없이 때리다 情け容赦もなく殴る / ～있는 배려 心あるはからい / ～에 끌리다 情にほだされる. 文例 ～에는 변함이 없다 人情に変わりはない / 그런 일은 ～상 할 수 없다 そのようなことは人情としてできない. 語例 ～가화 人情佳話 / ～소설 人情小説. **～스럽다** (→스럽다)〈形〉情け深い.

인정이 없다 思いやりがない. 冷ややかだ. 情がない.

인정【認定】〈名・하他〉認定. 認知. 句例 자격을 ～하다 資格を認定する. 文例 사실의 ～은 증거에 의한다 事実の認定は証拠による / 대금을 주고 받으면 상행위로 ～한다 代金の受け渡しは取り引きと認める. 語例 ～과세 認定課税 / ～시험 認定試験.

인정(을) 받다 認定される. 認められる. 句例 세상에서 ～ 世に認められる.

인정-머리【人情—】〈名〉'인정(人情)'の俗っぽい言いかた: 人情. 人情味. 句例 ～가 없다 そっけない.

인정-미【人情味】〈名〉人情味. 句例 ～넘치는 사람 人情味あふれる人 / ～가 있다 情味がある.

인정 신문【人定訊問】[—shi:nmun]〈名〉〔法〕人定尋問. 人定質問.

***인제**〈副〉❶今になって. 今. ただいま. 文例 ～끝났다 今終わった. ❷今すぐ. 文例 ～곧 가겠다 今すぐ行くつもりだ.

인조【人造】〈名〉人造. アーティフィシャル. ＝인공(人工). 語例 ～견 人絹 / ～견사 人造絹糸 / ～석 人造石 / ～보석 人造宝石 / ～피혁 人造革. 擬革 / ～인간 人造人間.

인종【人種】〈名〉人種. 語例 황색 ～ 黄色人種 / 백～ 白人種 / 식～ 人食い人種 / ～차별 人種差別 / ～적 편견 人種的偏見.

인종【忍從】〈名・하自〉忍従. 句例 시어머니에게 ～해온 아내 しゅうとめ(姑)に忍従して来た妻.

인주【印朱】〈名〉朱肉. 印肉. 語例 ～갑(匣) 肉入れ. 肉池.

인-주오 ['이리 주오'の略] こち(ら)へよこしなさい.

인준【認准】〈名・하他〉〔法〕法律に指定された公務員の任命に関する, 国会の承認.

인-줄【人—】[intchul]〈名〉出産の後に門口に張る不浄よけのしめなわ(注連縄). ＝금(禁)줄. 句例 ～을 치다 しめなわを張る.

인중【人中】〈名〉人中. 鼻溝.

인중이 길다 '寿命が長そうだ'の意.

인-줘 ['이리 주어'の略] こっちによこせ.

인증【認證】〈名・하他〉〔法〕認証. 語例 ～서 認証書.

인지【人指】〈名〉人差〔人指〕し指. 食指. ＝집게손가락.

인지【人智】〈名〉人知. 句例 ～의 발달 人知の発達 / ～가 미치지 못하는 곳 人知の及ばない所.

인지【印紙】〈名〉印紙. ＝수입(收入) 인지. 句例 ～를 붙이다 印紙を張る.

인지【認知】〈名・하他〉〔法〕認知. 句例 자식을 ～하다 子を認知する.

인지-상정【人之常情】〈名〉人情の常. だれもが持っている人情.

인질【人質】〈名〉人質. ＝볼모. 句例 ～이 되다 人質になる / ～로 잡다 人質に取る. 語例 ～극(劇) 人質騒動.

인책【引責】〈名・하自〉引責. 語例 ～사직 引責辞職.

인척【姻戚】〈名〉姻戚. 姻族. 語例 ～관계 姻戚関係.

***인체**【人體】〈名〉人体. 句例 ～의 구조 人体の構造 / ～에 해롭다 人体に害がある. 語例 ～실험 人体実験 / ～모델 モデルになる人 / ～모형 人体模型.

인축【人畜】〈名〉人畜. 句例 ～에 무해한 약품 人畜に無害な薬品.

인출【引出】〈名・하他〉引き出すこと. 句例 예금을 ～하다 預金をおろす / 예금의 ～ 預金の

引き出し.

인치 〈依名〉 長さの単位: インチ. ◇inch

인칭 【人稱】〈名〉〔言〕人称. 語例 제1 ～ 第一人称 / 제2〔제3〕 ～ 第二〔第三〕人称.

인터내셔널 〈名〉 インターナショナル. =국제적. ◇international

인칭 대명사 【人稱代名詞】[—dae:myŏngsa]〈名〉〔言〕人称代名詞. =인대명사(人代名詞). →제일인칭. 제이인칭. 제삼인칭.

参考 本辞典では, '지시(指示)대명사'と共に'代名詞'として〈代〉と示した.

인터뷰 〈名・하他〉 インタビュー. ◇interview

인터체인지 〈名〉 インターチェンジ. 略して'아이시(IC)'ともいう. ◇interchange

인터폰 〈名〉 インターホ(ー)ン. ◇interphone

인턴 〈名〉 インターン. ◇intern

인테리어 〈名〉 インテリア. 語例 ～ 디자인 インテリアデザイン. ◇interior

인텔리 〈名〉 '인텔리겐치아'の略: インテリ.

인텔리겐치아 〈名〉 インテリゲンチア. インテリ《略語》. ◇러 intelligentzia

인파 【人波】〈名〉 人波. 人出. 句例 ～에 시달리다 人波にもまれる / 대단한 ～다 たいした〔ど偉い〕人出だ.

인-파이트 〈名〉 インファイト. ◇infight

인편 【人便】〈名〉 人づて. 句例 ～으로 듣다 人づてに聞く / ～으로 사과를 부치다 人づてにりんごを届ける.

인품 【人品】〈名〉 人品. 人柄. 句例 의젓한 ～ おうような人柄 / 소탈〔수수〕한 ～ 無造作な人柄.

인플레 〈名〉 '인플레이션'の略: インフレ.

인플레이션 〈名〉 インフレーション. インフレ《略語》. 句例 ～ 방지의 묘책 インフレ防止の妙策. ◇inflation

인플루엔자 〈名〉〔醫〕インフルエンザ. =독감. ◇influenza

인하 【引下】〈名・하他〉 引き下げ. 下げ. 句例 원가를 ～하다 コストを引き下げる. 語例 가격 ～ 値下げ / 금리 ～ 利下げ / ～되다 引き下げられる. 對인상(引上).

***인-하다** 【因—】(→하다)〈自〉 よ(因)る. 句例 누전으로 인한 화재 漏電による火災 / 부주의로 인한 사고 不注意による事故 / …로 인하여 …によって. …が原因で. …のせいで. …に基づいて.

인해 전술 【人海戰術】[—jŏ:nsul]〈名〉 人海戦術.

인허 【認許】〈名・하他〉 認許. 許可.

****인형** 【人形】〈名〉 人形. 句例 ～을 만들다 人形を作る. 語例 목각 ～ 木彫の人形 / ～극 人形劇. 人形芝居.

인형 【仁兄】〈代〉 仁兄.

表現 手紙で, 友人を親しみを込めて呼ぶ語.

인화 【人和】〈名〉 人和.

인화 【引火】〈名・하自〉 引火. 句例 휘발유에 ～하다 ガソリンに引火する. 語例 ～성 물질 引火性物質 / ～점 引火点 / ～되다 引火する.

인화 【印畫】〈名・하他〉 印画. 焼き付け. 語例 ～지 印画紙. 種紙.

인후 【咽喉】〈名〉〔生〕咽喉. 語例 ～염 咽喉炎 / 이비～과 耳鼻咽喉科.

****일** [i:l]〈名〉 ❶仕事. ワーク. **～하다**〈自〉仕事をする. 句例 서서 하는 ～ 立ち仕事 / ～에 쫓기다 仕事に追い回される / ～이 벅차다 仕事が張る / ～에 몰두하다 仕事に打ち込む / ～이 고되다 仕事がつらい / ～이 밀리다 仕事がつかえる / ～이 많다 仕事が多い.

❷用務. 用事. 句例 ～을 보다 用を足す. 文例 무슨 ～로 오셨습니까 どんな御用でいらっしゃいましたか.

❸事. ㉠成り行き. 事柄. 句例 반가운 ～ 喜ばしい事. 文例 세상 ～이란 그런 것이다 世間の事とはそんなものだ / 그런 ～이 있어서 되겠는가 そのようなことがあってたまるものか / 무슨 ～이 있어도 꼭 해 내자 どんなことがあっても必ずやり遂げよう.

㉡事変. 事件. 文例 큰 ～이 났다 大変な事が起こった.

㉢事故. 出来事. 文例 의외의 ～에 아연해질 뿐이었다 意外の出来事に啞然とするばかりだった / 예삿 ～이 아니다 ただごとではない.

㉣特別の事情. 句例 별다른 ～은 아니오나 別儀はありませんが. 文例 오지 못할 ～이 있다 来られない事情がある.

㉤経験. 句例 먹어본 ～이 있다 食べたことがある / 본 ～이 없다 見たことがない.

㉥果たすべき責任. 句例 나라～을 맡기다 国事を任す. 語例 집안～ 家事. 家政.

㉦文末に添えて願望や軽い命令を表わす. 句例 모자를 벗을 ～ 帽子を脱ぐ事. 文例 합격하고 싶으면 공부할 ～이다 試験に受かるには勉強する事だ.

㉧用言を名詞化する語. 句例 먹는 ～ 食べること.

❹行事. 句例 (혼례 등의) 큰 ～을 치르다 (婚礼などの)大きな行事を終える〔やりのける. とり行なう〕.

❺計画. 事業. 句例 ～이 잘 되어 가다 事業がうまくはかどる.

***일** 【日】 ■〈名〉 ❶日曜日. ❷日. 語例 기념～ 記念日.

■〈依名〉 日数を数える単位: 日. 語例 십오～ 十五日 / 이십～ 二十日.

表現 ■は漢字語の数詞にだけつく.

****일** 【一】 ■〈數〉 一つ. 一. 句例 ～에 2를 더하다 一に二を加える. 語例 ～이삼 一二三.

■〈冠〉 '한'の意: 一. 語例 ～ 주년 一週年 / ～ 매 一枚 / ～ 층 一階.

일 〔漢字項目〕

【一】 中學 일 イチ. イツ. ❶자연수의 첫 수 自然数の初めの数. ▐一個 일개 いっこ. 一讀 일독 いちどく. 一世 일세 いっせい. ▐單一 단일 たんいつ. 擇一 택일 たくいつ. ❷오로지 いつに. 오직 ひたすら. ▐一念 일념 いちねん. 一貫 일관 いっかん. ❸빼어나다 優すぐれている. 최초의 最初の. ▐一次 일차 いちじ. ▐第一 제일 だいいち. ❹고르게 하다 同じくする. ▐一同 일동 いちどう. 一律 일률 いちりつ. 一心 일심 いっしん.

【壹(壱)】 中學 일 イチ. イツ. ❶'一'의 갖은 자 '一'の大字. ◧壹萬 일만 いちまん. ❷오직 もっぱら. ◧壹是 일시 いっし. 壹意 일의 いちい. ❸순박하다 純朴だ. ◨醇壹 순일 じゅんいつ.

【日】 中學 일 ニチ. ジツ. ❶해 ひ. ◧日光 일광 にっこう. 日照 일조 にっしょう. 日出 일출 にっしゅつ. ◨落日 낙일 らくじつ. ❷낮 昼. ◧日勤 일근 にっきん. 日直 일직 にっちょく. ❸하루 一日. 시기 時期. ◧日給 일급 にっきゅう. 日時 일시 にちじ. ◨隔日 격일 かくじつ. ❹나날이 日に日に. 매일 毎日. ◧日記 일기 にっき. 日刊 일간 にっかん. 日報 일보 にっぽう.

【逸(逸)】 高校 일 イツ. ❶잃다 失う. 없어지다 なくなる. ◧逸文 일문 いつぶん. 逸民 일민 いつみん. ❷달리다 走る. 도망하다 逃げる. ◧逸機 일기 いっき. 逸散 일산 いっさん. ❸편안하다 安らかだ. ◧逸樂 일락 いつらく. ◨安逸 안일 あんいつ. ❹빼어나다 ぬきんでる. ◧逸才 일재 いつざい. 逸品 일품 いっぴん.

일가【一家】〈名〉❶親類. 身内. 語例 ～붙이 親族. 血縁関係にある者 / ～ 친척 親類一族. 親類縁者. 親類. ❷一家. ㉠家族全体. 語例 ～ 화합 一家和合 / ～ 단란 一家だんらん(団欒). ㉡(学問・技芸などの)一流派. 句例 ～를 이루다 一家を成す.

일가-견【一家見】〈名〉一見識. 句例 ～을 갖다 一見識をもつ.

일각【一角】〈名〉一角. 句例 문단의 ～ 文壇の一角 / 빙산의 ～ 氷山の一角. 語例 ～수 一角獣. ユニコーン.

일각【一刻】〈名〉一刻. ❶'一時'の初めの時刻《十五分》. ❷わずかの時間. 句例 ～을 다투다 一刻を争う.

일각이 삼추(三秋) 같다 一刻三秋のごとし. 一日千秋. 一刻千秋.

일각-대문【一角大門・一脚大門】〈名〉〔建〕韓国固有の家屋で, 二本の門柱に扉をつけて屋根をかけた門. 主に, 略式の正門や内庭などに用いる. ＝일각문.

일간【日刊】〈名・하自〉❶日刊. 語例 ～지 日刊紙. ❷'일간 신문 日刊新聞'の略.

일간【日間】〈副〉近いうち. 不日. いずれ《雅》. そのうち. 文例 ～ 다시 들르겠네 そのうちまた寄るよ / ～ 또 찾아 뵙겠습니다 いずれまた, うかがいます.

일갈【一喝】〈名・하他〉一喝. 語例 대성 ～ 大声一喝.

*__일-감__ [i:lkkam]〈名〉仕事(の材料). ＝일거리. 文例 ～이 밀려 있다 仕事がつかえている.

일갓-집【一家—】〈名〉親類(の家).

일-개【一介】〈名・冠〉一介(の). 語例 ～ 서생 一介の書生.

일-개【一個・一箇】〈名〉一個. 一つ. 語例 ～월 一か月. 一月.

일-개미 [i:l—]〈名〉〔蟲〕働きあり(蟻).

일-개인【一個人】〈名〉一個人・一個人. 句例 ～으로서의 발언 一個人としての発言.

일거【一擧】〈名〉一挙. 語例 ～ 양득 一挙両得.

*__일-거리__ [i:lkkŏri]〈名〉なすべき仕事. 仕事の材料. ＝일감. 句例 ～를 구하다 仕事を求める / ～가 없다 する仕事がない.

일거수-일투족【一擧手一投足】〈名〉一挙手一投足. ＝일거 일동.

일거-에【一擧—】〈副〉一挙に. 文例 ～ 열세를 만회했다 一挙に劣勢を挽回した.

일거-일동【一擧一動】[—ilttong]〈名〉一挙一動. 句例 ～을 지켜보다 一挙一動を見守る.

일건 서류【一件書類】[ilkkŏn—]〈名〉一件書類. 句例 ～를 검찰청에 송치하다 一件書類を検察庁に送致する.

일격【一擊】〈名〉一撃. 一打ち. 句例 턱에 ～을 맞다 顎に一撃を受ける / ～을 가하다 一撃を加える.

일견【一見】㊀〈名・하他〉一見. 句例 ～해서 알 수 있다 一見してわかる / ～의 가치가 있다 一見の値打ちがある. 文例 백문이 불여～ 百聞は一見にしかず.

㊁〈副〉一見. ちょっと見たところ. 文例 ～ 촌뜨기인 것 같다 一見田舎者のようだ.

일계【日計】〈名〉日計. 語例 ～표 日計表.

일고【一考】〈名・하他〉一考. 句例 ～의 여지가 있다 一考の余地がある.

일고【一顧】〈名・하他〉一顧. 句例 ～의 가치도 없다 一顧の価値もない.

일고-여덟 [—yŏdŏl]〈數・冠〉七つか八つ. 七か八. 略して'일여덟'ともいう. →여덟 參考

**__일곱__〈數・冠〉七・七. 七つ. ＝칠(七). 語例 ～가지 빛깔 七色. 七彩 / ～번째 七つ目. 七番目 / ～장 七枚・七枚.

일과【一過】〈名・하自〉一過. 句例 ～성(性)의 현상 一過性の現象. 語例 태풍 ～ 台風一過.

일과【日課】〈名〉日課. 句例 아침 산책을 ～로 삼다 朝の散歩を日課とする. 語例 ～표 日課表.

일관【一貫】〈名〉['일이관지(一而貫之)'の略]一貫. **～하다**〈自〉一貫する. 貫く. 句例 초지를 ～하다 初志を貫く / ～하여 반대 입장을 취하다 一貫して反対の立場を取る / 영어로만 시종 ～하다 英語一点張りで押し通す. 語例 시종 ～ 終始一貫 / ～ 작업 一貫作業 / ～성 一貫性.

일괄【一括】〈名〉一括. 一まとめ. **～하다**〈他〉一括する. ひっくるめる. 句例 의안을 ～ 상정하다 議案を一括上程する. 語例 ～ 심의 一括審議.

일광【日光】〈名〉日光. ＝햇빛. 語例 ～ 소독 日光消毒 / ～욕 日光浴.

일교-차【日較差】〈名〉〔氣〕日較差.

*__일구다__〈他〉(荒れ地を)掘り起こす. ＝기경(起耕)하다. 句例 밭을 ～ 畑を耕す〔すきおこす〕.

일구-이언【一口二言】〈名・하自〉一口両舌. 二枚舌. 食言. 句例 ～하는 사람 二枚舌を使う人.

일국【一國】〈名〉一国. 句例 ～의 안위에 관계되는 큰일 一国の安危にかかわる大事 / ～의 대통령 一国の大統領.

일군【一軍】〈名〉一軍. 句例 이군에서 ～으로 올라가다〔野〕二軍から一軍に上がる. 語例 ～ 사령관 (第)一軍司令官.

일그러-뜨리다〈他〉ゆがめる. 句例 얼굴을 ～ 顔をゆがめる.

***일그러-지다**〈自〉ひずむ. ゆがむ. 句例 일그러진 얼굴 ゆがんだ顔 / 일그러진 성격 ゆがんだ性格.

일금【一金】〈名〉一金. 句例 ～ 오천만원정 一金五千万ウォンなり.
表現 金額の前でお金の意を表わす.

일급【一級】〈名〉一級. 句例 ～ 위다 一級上である. 文例 그는 유도가 ～이다 彼は柔道が一級である. 語例 ～품 一級品.

일급【日給】〈名〉日給. 句例 ～을 받다 日給をもら(貰)う. 語例 ～쟁이 日給で働く人 / ～제 日給制.

일긋-거리다〈自〉(組立てられた物などが)ぐらぐらする.
일긋일긋 [ilgŭnnilgŭt]〈副・하自〉ぐらぐら. がたがた.

일긋-하다 [ilgŭt'ada] (→하다)〈形〉一方に傾いてゆがんでいる. やや斜めだ.

일기【一技】〈名〉一技. 語例 일인 ～ 교육 一人一技教育.

일기【一期】〈名〉❶一期. 語例 ～분 一期分 / ～생 第一期生. ❷一期. 句例 50세를 ～로 죽다 五十歳を一期に亡くなる.

***일기**【日記】〈名〉日記. ダイアリー. 句例 ～를 쓰다 日記を書く〔つける〕. 語例 그림 ～ 絵日記 / ～ 문학 日記文学 / ～책 日記帳 / ～장 日記帳 / ～체 日記体.

***일기**【日氣】〈名〉天気. 日和. ＝날씨. 句例 ～가 나쁘다 天気が悪い / ～를 보다 日和を見る. 語例 ～ 불순 天候不順 / ～ 예보 天気予報.

일기-당천【一騎當千】〈名〉一騎当千. 句例 ～의 용사 一騎当千のつわもの.

일기죽-거리다〈自他〉(歩くとき)腰や尻を左右にゆっくり揺さぶる. しゃなりしゃなりと歩く.
일기죽일기죽 [ilgijungnilgijuk]〈副・하自他〉しゃなりしゃなり.

일-깨다[1]〈自〉早く目が覚める. 早く起床する.

일-깨다[2]〈他〉'일깨우다'の略.

***일-깨우다**〈他〉❶早めに起こす. ❷教えて悟らせる. 覚醒させる. 略して'일깨다'ともいう. 句例 일깨워 주다 教えてやる / 잘못을 ～ 過ちを悟らせる / 세인을 ～ 世人を警醒する.

일-껏 [i:l—]〈副〉わざわざ. せっかく. 句例 ～ 만들어 놓은 것을 부서뜨리다 せっかく作ったものを壊す.

***일-꾼** [i:l—]〈名〉❶労働者. 人夫. 語例 날품팔이 ～ 日雇い人夫. ❷働き手〔者〕. 句例 ～이 많다 働き手が多い / ～이 모자라다 人手が足りない. 人手が不足する. ❸有為の人材. やり手.

일-나가다 [i:llagada]〈自〉働きに出かける. 出勤する.

일-내다 [i:llaeda]〈他〉(悪事などを)仕出かす. 犯す. 起こす.

일년【一年】[illyŏn]〈名〉一年. 一とせ. 句例 ～하고 반년 一年有半 / ～을 돌아보다 一年を顧みる. 文例 ～ 내내 술에 빠져 있다 年中酒浸りになっている. 語例 ～ 재수생 一浪《俗》. 一年浪人 / ～ 내내 一年じゅう(いつも) / ～ 열두달 通年. 一年の全期間 / ～근(根) 一年生植物の根 / ～생 一年生. 一年生植物.

일년-감【一年—】[illyŏn—]〈名〉〔植〕'토마토'の古めかしい言いかた.

일념【一念】[illyŏm]〈名〉一念. 句例 자식을 생각하는 어머니의 ～ 子を思う母の一念.

일다[1] [i:lda] (이니, 일어서)〈自〉起こる. 句例 바람이 ～ 風が起こる / 바람이 불어 물결이 ～ 風が吹いて波が起こる / 전쟁〔말썽〕이 ～ 戦い〔いざこざ〕が起こる / 숯불이 ～ 炭火が燃え上がる〔起こる〕.

일다[2] [i:lda] (이니, 일어서)〈自〉❶(泡などが)立つ. 句例 거품이 ～ 泡が立つ / 보풀이 ～ 毛羽が立つ / 손거스러미가 ～ さかむけができる. 手がささくれる. ❷勢いが盛んになる. 栄える. 句例 기운이 ～ 気運が栄える.

일다[3] [i:lda] (이니, 일어서)〈他〉よなげる. 揺る. ❶米を研ぐ. ❷水中で選び取る. よ(選)る. 句例 사금을 ～ 砂金を揺る.

일단【一段】[ilttan]〈名〉一段.

일단【一團】[ilttan]〈名〉一団. 句例 ～의 외국인 관광객 一団の外国人観光客.

일단【一端】[ilttan]〈名〉一端. 句例 소신의 ～을 말하다 所信の一端を述べる.

일단【一旦】[ilttan]〈副〉いったん(一旦). ひとたび(一度). 句例 ～ 유사시에는 いったん事ある時は. いったん緩急の際は / ～ 결심한 이상에는 ひとたび決心したからには / ～ 귀국하다 ひとまず帰国する. 文例 ～(은) 그렇게 결론지을 수 있다 一応そのように結論を下すことができる.

일-단락【一段落】[—ttallak]〈名〉一段落. 一区切り. 切り. 句例 일이 ～되다 仕事が一段落つく. 仕事に切りがつく. 文例 우선 이것으로 ～짓자 ひとまずこれで切りをつけよう.

일당【一堂】[ilttang]〈名〉一堂. 句例 회원이 ～에 모이다 会員が一堂に会する.

일당【一黨】[ilttang]〈名〉一党. 一味. 句例 강도 ～을 검거하다 強盗の一味を検挙する. 語例 ～ 일파 一党一派 / ～ 독재 一党独裁.

일당【日當】[ilttang]〈名〉日当. 日割り. 句例 오만원의 ～을 받다 五万ウォンの日当をもらう / 보수를 ～으로 받다 報酬を日割りでもらう.

일-당백【一當百】[ilttangbaek]〈名〉一人で百人に当たること. ㊫일기 당천.

일대【一代】[ilttae]〈名〉一代. ＝일세(一世). 句例 ～의 영웅 一代の英雄. 語例 ～기 一代記.

일대【一帶】[ilttae]〈名〉一帯. 界隈. ＝일원(一圓). 句例 그 부근 ～ その付近一帯 / 강원도 ～ 江原道一帯.

일대【一大】[ilttae]〈冠〉一大. 句例 사회의 ～ 변동 社会の一大変動. 語例 ～ 발견 一大発

見 / ～ 쾌거 一大快挙 / ～ 개혁 一大改革.

일대-사【一大事】[ilttae—]〈名〉一大事. [句例] 국가의 ～ 国家の一大事.

일대-일【一對一】[ilttae—]〈名〉一対一. [句例] ～의 대응 一対一の対応.

일도-양단【一刀兩斷】[iltto—]〈名〉一刀両断. [文例] ～으로 금방 해결됐다 一刀両断でたちまち解決した.

일독【一讀】[ilttok]〈名・하他〉一読. [句例] ～의 가치가 있다 一読の値打ちがある. 一読に値する / ～을 권하다 一読を勧める.

*__일동__【一同】[ilttong]〈名〉一同. [語例] 유지 ～ 有志一同 / 직원 ～ 職員一同.

일득-일실【一得一失】[ilttŭgilssil]〈名〉一得一失.

일등【一等】[ilttŭng]〈名〉一等. [語例] ～병 一等兵 / ～상 一等賞 / ～석 一等席 / ～품 一等品 / ～성 一等星 / ～국 一等国 / ～급 一等級.

일란성 쌍생아【一卵性雙生兒】[illanssŏng—]〈名〉一卵性双生児.

일람-표【一覽表】〈名〉一覧表.

일러-두기〈名〉(本などの)凡例. 端書き.

일러-두다〈他〉言いつけておく. [文例] 집을 잘 보라고 ～ 留守をよくしろと言いつける〔申しつけておく〕.

일러-바치다〈他〉告げ口する. 言いつける. [句例] 동료에 관한 일을 ～ 仲間の事を告げ口する / 부모에게 ～ 親に言いつける.

일러-주다〈他〉❶教えてやる. 言い聞かせる. [句例] 늘 일러주고 있습니다만 始終言って聞かせているのですが. ❷知らせる. ＝알려주다.

일렁-거리다〈自〉(波のまにまに)いさよう. 揺れる. 漂う. ゆらゆらする. [句例] 일렁거리는 물결 いさよう波.

일렁일렁〈副・하自〉ゆらゆら. のたりのたり.

일렁-이다〈自〉⇨ 일렁거리다

일력【日曆】〈名〉暦. 日めくり. は(剥)がし暦. 日読み《雅》.

일련【一連】〈名〉一連. [句例] ～의 사건을 해결하다 一連の事件を解決する. [語例] ～ 번호 一連番号. 通し番号.

*__일렬__【一列】〈名〉一列. [句例] ～로 나란히 서다 一列に並ぶ. [語例] ～ 종대 一列縦隊.

일례【一例】〈名〉一例. [句例] ～를 들면 一例を挙げれば. [文例] ～를 들어 설명하겠습니다 一例をあげて説明しましょう. [語例] ～로서 一例として.

일로【一路】㊀〈名〉一路. ひとすじの道. ㊁〈副〉ひたすら. まっすぐに. [句例] ～ 귀국길에 오르다 一路帰国の途につく / ～ 매진하다 一路邁進する.

일로〈副〉'이리로'の略. [文例] ～ 오너라 こっちへ来なさい.

일루【一縷】〈名〉一縷. [句例] ～의 희망을 간직하다 一縷の望みをいだ(抱)く.

일루【一壘】〈名〉〔野〕一塁. ファーストベース. [語例] ～수 一塁手. 一塁. ファーストベースマン / ～타 一塁打.

일류【一流】〈名〉一流. [語例] ～ 대학 一流大学 / ～ 스타〔학자〕一流のスター〔学者〕/ ～ 호텔〔극장〕一流のホテル〔劇場〕.

일률【一律】〈名〉一律. [語例] 천편 ～ 千編一律.

일률-적【一律的】[—tchŏk]〈名・冠〉一律. [句例] ～으로 값을 1할 올리다 一律に一割値上げする. [文例] ～으로는 말할 수 없다 一概には言えない.

일리【一理】〈名〉一理. [文例] 그것도 ～가 있다 それも一理ある.

일말【一抹】〈名〉一抹. [文例] ～의 불안이 없지 않다 一抹の不安が無くもない.

일망-무제【一望無際】〈名〉一望千里. [句例] ～의 기름진 평야 一望千里の沃野.

일망-타진【一網打盡】〈名・하他〉一網打尽. [句例] 밀수단을 ～하다 密輸団を一網打尽する.

일맥 상통【一脈相通】〈名〉一脈相通じること. [文例] ～하는 바가 있다 一脈相通じるものがある.

*__일면__【一面】〈名〉一面. 片面. 一方面. 一方. [句例] 시대상의 ～ 時代相の一面. [文例] 그에게는 그런 ～이 있었다 彼にはそう言った一面があった. [語例] ～ 톱 기사 一面トップの記事.

일-면식【一面識】〈名〉一面識. [句例] ～도 없다 一面識もない.

일명【一名】〈名〉一名.

일모【日暮】〈名・하自〉日暮れ. 夕暮れ. 夕方.

일모-작【一毛作】〈名〉一毛作.

일목-요연【一目瞭然】[ilmogyoyŏn]〈名・하形〉一目瞭然. [文例] 결과가 어떻게 될 것인가는 ～하다 結果がどうなるかは一目瞭然である.

일몰【日沒】〈名〉日没. 日の入り. [句例] ～이 빨라지다 日の入りが早くなる. ㊫일출(日出).

일무-소식【一無消息】〈名〉全く消息〔便り〕が無いこと.

일문【一門】〈名〉一門. [語例] ～ 일족 一門一族.

일문【日文】〈名〉日本文.

일문-일답【一問一答】[ilmunilttap]〈名〉一問一答. [句例] 기자와 ～하다 記者と一問一答する.

일미【一味】〈名〉❶一味. [語例] 어두(魚頭) ～ 魚の頭部が最もうまいこと. ❷ ⇨ 일당(一黨)

일박【一泊】〈名・하自〉一泊. [句例] ～ 2일 예정으로 떠나다 一泊二日の予定で出掛ける.

*__일반__【一般】〈名〉一般. ❶同様. 同類. 一様. [文例] 이거나 그거나 매～이다 それもこれも全く同じだ. ❷普通. [句例] ～에게 인기 있는 영화 一般に受ける映画 / ～의 평이 좋다 一般の評判がよろしい. [語例] ～ 시민 一般市民 / ～ 은행 一般銀行. ❸普遍. [文例] 그것은 ～적으로는 맞지 않는 이론이다 それは一般には当てはまらない理論である. [語例] ～화 一般化 / ～ 상식 一般常識 / ～론 一般論.

*__일반-인__【一般人】[ilbanin]〈名〉一般人. 普通の人. [句例] 교육에 대한 ～의 관심 教育

に対する一般人の関心.

일반-적【一般的】〈名・冠〉一般的. 句例 ~인 경향 一般的な傾向. 文例 ~으로 열대 주민은 조숙하다 一般的に熱帯の人は早熟である. 語例 ~으로 一般的に. 概して. 総じて. 俗に.

일방【一方】〈名〉一方. 片方. 語例 ~ 통행 一方通行 / ~ 통행로 一方交通路. 一方通行の街路. ワンウェイ.

일방-적【一方的】〈名・冠〉一方的. 句例 ~인 승리 一方的勝利 / ~인 주장〔의견〕一方的な主張〔意見〕/ ~으로 치우치다 一方に偏る. 語例 ~ 경기 ワンサイドゲーム.

*__일-벌__ [i:l—]〈名〉〔蟲〕働きばち(蜂).

일벌-백계【一罰百戒】〈名〉一人を厳しく罰して多くの人の戒めとすること.

일변【一邊】㊀〈名〉一辺. 句例 삼각형의 ~ 三角形の一辺.
㊁〈副〉一方. 傍ら. 句例 ~ 기뻐하고 ~ 슬퍼하다 一面喜び, また一面悲しむ.

일변【一變】〈名・하自〉一変. 句例 태도〔형세〕가 ~하다 態度〔形勢〕が一変する / 거리의 모습이 ~하다 町の様子が一変する.

일변【日邊】〈名〉日歩. =날변. 句例 이자를 ~으로 계산하다 利子を日歩で計算する.

일변-도【一邊倒】〈名〉一辺倒. 語例 강경 ~ 強硬一辺倒.

일-변화【日變化】〈名〉日変化.

일별【一瞥】〈名・하他〉一瞥. 一目. 文例 ~하여 가짜임을 알았다 一瞥して偽物であることが分かった.

일병【一兵】〈名〉❶'일등병一等兵'の略. ❷一兵. 一人の兵士. 文例 최후의 ~에 이르기까지 싸우라 最後の一兵に至るまで戦え.

일보【一步】〈名〉一歩. 句例 ~ 후퇴 이보 전진(二步前進) 寸退尺進 / 붕괴 ~ 직전에 있다 崩壊一歩手前にある / ~ ~ 목적에 다가가다 歩一歩と目的に近づく. 語例 ~ 전진 一歩前進.

일보【日報】〈名〉日報.

일-복【一福】[i:lppok]〈名〉仕事が多いことを福にたとえた語. 句例 ~이 많다 次から次へと仕事にありつく / ~이 터지다 仕事がどっとおしよせる.

⁑**일본**【日本】〈名〉日本. 語例 ~ 뇌염 日本脳炎 / ~ 민족 日本〔大和〕民族 / ~ 요리 日本料理. 和食 / ~ 식〔풍〕日本式〔風〕和式〔和風〕/ ~ 열도 日本列島 / ~ 사람 日本人.

*__일본-어__【日本語】[ilbonŏ]〈名〉日本語. =일본말.

*__일부__【一部】〈名〉一部. 句例 ~를 수정하다 一部を修正する / ~ 사람들의 불만 一部の人人の不満 / 신문 ~의 대금 新聞一部の代金.

일부 다처【一夫多妻】〈名〉一夫多妻.

⁑**일부러**〈副〉わざわざ(と). 句例 ~ 하다 故意にする. わざとする. 文例 ~ 갈 필요는 없다 わざわざ行くまでもない〔行くには及ばない〕/ ~와 주셔서 감사합니다 わざわざおいでになってありがとうございます.

일-부분【一部分】〈名〉一部分. 句例 ~에 불과하다 一部分に過ぎない.

일부-인【日附印】〈名〉日付印. 句例 ~을 찍다 日付印を押す.

일부-종사【一夫從事】〈名・하自〉一人の夫だけに仕えること.

일분【一分】〈名〉❶一分. '一寸・一匁・一割'の十分の一. 句例 1할 ~의 이자 一割一分の利息. ❷一分. 一時間の六十分の一. 句例 ~ 일초를 다투다 一分一秒〔分秒〕を争う.

일사【一死】[ilssa]〈名〉❶一死. ❷〔野〕一死. ワンダウン. ワンアウト. 語例 ~ 만루 一死満塁.

일사-계【日射計】[ilssa—]〈名〉〔氣〕日射計.

일사-병【日射病】[ilssappyŏng]〈名〉日射病. 句例 ~에 걸리다 日射病にかかる.

일사-부재리【一事不再理】[ilssa—]〈名〉〔法〕一事不再理.

일-사분기【一四分期】[ilssabun-gi]〈名〉第一四半期.

일사-불란【一絲不亂】[ilssa—]〈名・하形〉一糸も乱れないこと. 句例 ~하게 행동하다 一糸乱れず行動する.

일사-천리【一瀉千里】[ilssach'ŏlli]〈名〉一瀉千里. 句例 ~로 해 치우다 一瀉千里に片づける.

일산【日産】[ilssan]〈名〉日産. ❶一日の生産高. 語例 ~ 일만 대 日産一万台. ❷日本産.

*__일산화-탄소__【一酸化炭素】[ilssanhwat':anso]〈名〉〔化〕一酸化炭素. 語例 ~ 중독 一酸化炭素の中毒.

일-삼다 [i:lsamtta]〈他〉❶その仕事に従事する〔携わる〕. 文例 일삼아 할 것은 없고 틈나는 대로 해라 つきっきりでする必要はなく暇なときにしなさい. ❷没頭する. 専念する. ふける. 句例 낚시질을 ~ 釣りにふける. 釣りで日を暮らす.

*__일상__【日常】[ilssang]〈名・副〉日常. 日ごろ. ふだん. 句例 ~ 쓰는 말 日常使う言葉 / ~의 행동 日常の行い. 語例 ~ 생활 日常生活. 寝起き《俗》/ ~ 업무 日常の業務 / ~ 용품 日常用品. 日用品 / ~사 日常事. 日常の事 / ~ 다반사 日常茶飯(事).

*__일생__【一生】[ilssaeng]〈名〉一生. 生涯. 句例 파란 많은 ~ 波乱に富んだ一生 / ~을 그르치다〔망치다〕一生を誤る. 一生を棒に振る / ~을 교육에 바치다 一生を教育にささげる. 文例 ~의 소원입니다 一生のお願いです. 語例 ~토록 死ぬまで. 一生涯かかって. 生涯を尽くして. ㊫평생. 생애. 일평생.

일석【日夕】[ilssŏk]〈名〉日夕. [illegible]. 語例 ~ 점호 日夕点呼.

일석-이조【一石二鳥】[ilssŏgi:jo]〈名〉一石二鳥. 句例 ~의 효과 一石二鳥の効果. ㊫일거 양득.

*일선【一線】[ilssŏn]〈名〉一線. 句例 ~을 긋다 一線を画する. 一線を引く / ~을〔에서〕 물러나다 一線を退く / ~에서 활약하다 (第)一線で活躍する. 語例 ~ 부대 第一線部隊 / ~ 기자 第一線の記者.

일설【一説】[ilssŏl]〈名〉一説. 句例 ~에 의하면 一説によると. 語例 ~에는 一説には.

일세【一世】[ilsse]〈名〉一世. ❶一生. ❷世の中. 当世. 当時. 句例 ~를 풍미하다 一世を風靡する / ~의 사표로 존경받다 一世の師表として仰がれる / ~의 명필 当代の名筆. ❸一人の王の時期. 一代. ❹初代. 語例 나폴레옹 ~ ナポレオン一世. ❺移民・開拓民などの最初の代の人. 句例 미국 이민의 ~ アメリカ移民の一世.

일-세기【一世紀】[ilssegi]〈名〉一世紀.

일세대 가정【一世代家庭】[ilssedae—]〈名〉一つの世代だけで構成される家庭. 夫婦だけの家庭.

일-소 [ilsso]〈名〉役牛.

일소【一笑】[ilsso]〈名・하他〉一笑. 句例 파안 ~하다 破顔一笑する.

일소에 부치다 一笑に付する. 笑殺する.

일소 일소 일노 일로 (一笑一少一怒一老) 常ににこにこしていると若くなり, 腹をたてていると老いるものだ. いつも朗らかに暮らすのがいいとの意.

일소【一掃】[ilsso]〈名・하他〉一掃. 句例 체화를 ~하다 滞貨を一掃する / 불안을 ~하다 不安を一掃する / 부정 부패를 ~하다 不正腐敗を一掃する.

*일-손 [i:lsson]〈名〉❶仕事の腕. 腕前. 句例 ~이 야무지다 腕がしっかりしている. ❷人手. 句例 ~이 모자라다 人〔人手〕が足りない / ~이 없다 人手がない. ❸仕事の手. 句例 ~을 멈추고 잠시 쉬다 仕事の手を休めてしばらく休息する.

일손(을) 놓다 仕事をやめる. 手を引く. (仕事の)手を休める.

일손(을) 떼다 仕事をやめる. 仕事を終える.

일손(을) 쉬다 (仕事の)手を休める.

일손(을) 잡다 仕事に取りかかる.

일손(이) 잡히다 仕事に意欲が出る.

일-솜씨 [i:l—]〈名〉仕事の腕. 手並み. 句例 ~가 좋다 仕事の腕がいい.

일수【日收】[ilssu]〈名〉❶日銭. 日なし. 句例 빚을 ~로 갚다 借金を日なし〔日賦〕で返す. 語例 일숫돈 日なし金. 日金 / ~놀이 日なし貸し. ❷日収. 語例 ~ 5만원 日収五万ウォン.

일수【日數】[ilssu]〈名〉❶日数. 語例 결석 ~ 欠席日数. ❷その日の運. 文例 오늘은 ~가 사납다 今日は運が悪い.

일수-판매【一手販賣】[ilssu—]〈名〉一手販売. =총판(總販).

일순【一巡】[ilssun]〈名・하自他〉一巡. 一巡り.

일순-간【一瞬間】[ilssun—]〈名〉一瞬間. 瞬間. 瞬く間. 略して'일순(一瞬)'ともいう. 句例 ~에 사라지다 一瞬間に消え去る / ~도 우물쭈물할 수 없다 一瞬間もぐずぐずすることができない / ~에 생긴 일 一瞬間の出来事.

일습【一襲】[ilssŭp]〈名〉(衣服・器物・器具などの)一式. 一そろい. ワンセット. 語例 가구 ~ 家具一式 / 낚시 도구 ~ 釣道具一式.

일승-일패【一勝一敗】[ilssŭng—]〈名〉一勝一敗.

일승 일패는 병가 상사 一勝一敗は兵家の常.

*일시【一時】[ilssi]〈名〉一時・一時. 句例 ~의 잘못 一時の過ち / ~ 귀국을 명령받다 一時帰国を命じられる. 語例 ~ 모면〔방편〕当座しのぎ. 一時しのぎ. 当座〔一時〕逃れ. その場しのぎ〔逃れ〕/ ~ 발뺌 一時逃れのいい訳 / ~금 一時金 / ~불 一時払い.

일시【日時】[ilssi]〈名〉日時. 文例 결혼식의 ~가 정해졌다 結婚式の日時が決まった.

일시-에【一時—】[ilssi—]〈副〉一時に. 同時に. 一度に. 句例 ~ 꽃이 피다 一時に花が咲く / 문제점이 ~ 밝혀지다 問題点が一時にあきらかになる / 신청이 ~ 쇄도하다 申し込みが一時に殺倒する.

일시-적【一時的】[ilssi—]〈名・冠〉一時的. 句例 ~인 현상 一時的な現象 / ~으로 방법을 바꿔 보다 一時的にやり方を変えてみる.

일식【日式】[ilssik]〈名〉日本式. 和式. 語例 ~요리 日本料理.

*일식【日蝕・日食】[ilssik]〈名〉〔天〕日食. 句例 ~을 관측하다 日食を観測する.

일신【一身】[ilssin]〈名〉一身. 身. 句例 ~의 영광 一身の栄光 / ~의 이익만을 꾀하다 一身の利益だけを計る.

일신【一新】[ilssin]〈名・하自他〉一新. 句例 면목을 ~하다 面目を一新する / 진용을 ~하다 陣容を一新する.

일신-교【一神教】[ilssin—]〈名〉一神教.

일신-상【一身上】[ilssin—]〈名〉一身上. 句例 ~의 문제 一身上の問題 / ~의 사정으로 사직하다 一身上の都合で辞職する.

일심【一心】[ilssim]〈名〉一心. 語例 ~동체 一心同体. 同心一体 / ~ 전력(專力) 心を一つにして力を尽くすこと / ~ 협력 一心協力.

일심【一審】[ilssim]〈名〉〔法〕['제일심'の略]一審. 初審. 語例 ~ 판결 一審判決.

일쑤 ㊀〈名〉❶習わし. お決まり. 常. 文例 틈만 있으면 영화 보러 가기가 ~다 暇さえあれば映画を見に行くのが常〔お決まり・お定まり〕だ. ❷一番いい方法. 文例 공부만 하는 것이 ~가 아니다 勉強ばかりするのがいちばんいいというものではない.

㊁〈副〉たびたび(度度). しばしば. 毎度. 文例 ~ 지각을 한다 毎度遅刻をする.

일약【一躍】[iryak]〈副〉一躍(して). 句例 ~ 중역이 되다 一躍(して)重役になる.

일어【日語】[irŏ]〈名〉日本語. =일본어. 句例 ~를 배우다 日本語を学ぶ. 語例 ~ 회화 日本語会話 / ~ 강습 日本語の講習.

**일어-나다 [irŏ—] (일어나거라)〈自〉❶起きる. 起き上がる. 句例 환자가 자리에서 ~ 病人が床から起き上がる. 文例 아침 일찍 일어나는 것이 괴롭다 朝早

く起きるのがつらい.
❷立つ. 立ち上がる. 句例 벌떡 ~ むっくり立ち上がる / 의자에서 ~ 椅子から立ち上がる / 자리를 박차고 ~ 席をけって立つ.
❸起こる. ㉠発生する. 句例 전쟁이 ~ 戦争が起こる / 사고가 연달아 ~ 事故が相次いで起こる. 事故が頻発する / 비슷한 사건이 자주 ~ 似たような事件がしばしば起こる / 난처한 일이 ~ 困った事が持ち上がる / 심한 복통이 ~ 激しい差し込みが起こる.
㉡(火が)起こる. 火が付き始める. 文例 불이 잘 일어난다 (1) 火がよく付く. (2) 火事がよく起こる.
㉢興る. 盛んになる. 句例 새로운 산업이 ~ 新しい産業が起こる / 국운이 크게 ~ 国運が大きく開ける.

⁑일어-서다 [irŏsŏda] 〈自〉 立つ. 立ち上がる. ❶起立する. 句例 불쑥 ~ つと立ち上がる / 일어서서 절하다 立ち上がってお辞儀をする / 일어서서 교가를 부르다 起立して校歌を歌う. ❷立ち直る. 句例 좌절에서 다시 ~ 挫折から立ち直る. 文例 적에게 다시 일어설 틈을 주지 않았다 敵に立ち直るすきを与えなかった / 한번 실패하면 좀처럼 일어서기 어렵다 一度つまずくとなかなか立ち直れない.

일어-앉다 [irŏantta] 〈自〉 起き上がって座る. →앉다 参考

일언【一言】 [irŏn] 〈名〉 一言・一言. 一言《老》. 句例 남자의 ~ 男の一言.

일언-반구 [irŏnba:n-gu] 〈名〉 一言半句. 文例 ~ 말이 없다 一言も言わない / ~도 소홀히 하지 않는다 一言半句もゆるがせにしない.

일언지-하【一言之下】 [irŏnji—] 〈名〉 一言の下. 言下. 句例 ~에 거절하다 一言の下に断る.

일-없다 [i:rŏpta] 〈形〉 ❶必要がない. い(要)らない. 文例 그런 건 ~ そんな物はいらない. ❷構わない. **일없이** [i:rŏpshi] 〈副〉 用なく. 無用に. 句例 ~ 왔다갔다하다 用なく行ったり来たりする.

일-여덟 [iryŏdŏl] 〈數・冠〉 七八. 七つか八つ. ＝칠팔(七八). →여덟 参考

일엽-편주【一葉片舟】 [iryŏp—] 〈名〉 一葉の扁舟. (一艘の)小舟.

일-옷 [i:rot] 〈名〉 作業服. 仕事着.

일요【日曜】 [iryo] 〈名〉 ‘일요일’の略: 日曜. 語例 ~ 화가〔목수〕 日曜画家〔大工〕.

⁑일요-일【日曜日】 [iryo—] 〈名〉 日曜日. 日曜. サンデー. ＝공일(空日). 句例 때마침 ~이라 折から日曜日とあって. 語例 ~날 ‘일요일’のくだけた言いかた.

일용【日用】 [iryong] 〈名〉 日用. 語例 ~ 잡화 日用雑貨 / ~품 日用品.

일원【一元】 [irwon] 〈名〉 一元. 語例 ~ 2차 방정식 一元二次方程式 / ~론 一元論. 對 다원(多元).

일원【一員】 [irwon] 〈名〉 一員. 句例 대표단의 ~이 되다 代表団の一員となる.

일원【一圓】 [irwon] 〈名〉 一円. 一帯. 句例 수도 ~에 걸쳐 首都の一円にわたって.

일원-화【一元化】 [irwon—] 〈名・하自他〉 一元化. 句例 체제를 ~하다 体制を一元化する.

일월【一月】 [irwol] 〈名〉 一月. むつき(睦月)《雅》. ＝정월.

일월【日月】 [irwol] 〈名〉 日月. 語例 ~ 성신 日月星辰.

일위【一位】 [irwi] 〈名〉 ❶一位. 句例 ~를 차지하다 一位を占める / ~로 골인하다 一位でゴールインする. ❷〔數〕 一のけた(桁)〔位〕. 一位.

⁑일으키다 [irŭk'ida] 〈他〉 起こす. ❶引き起こす. 句例 몸을 ~ からだを起こす / 쓰러진 나무를 일으켜 세우다 倒れた木を起こす. 絵
❷物事を始める. 句例 소송을 ~ 訴訟を起こす / 전쟁을 ~ 戦争を引き起こす / 군사를 ~ 兵を挙げる. 旗を揚げる.
❸(病に)かかる. 句例 복통을 ~ 腹痛を起こす. 絵 / 식중독을 ~ 食いあたりする / 가벼운 빈혈을 ~ 軽い貧血を起こす.
❹生じさせる. 句例 전기를 ~ 電気を起こす / 흙먼지를 ~ 土煙を立てる. 絵
❺勢いをつける. 句例 가세를 ~ 家勢を立て直す.
❻立身する. 身を立てる.
❼引き起こす. 巻き起こす. 句例 평지 풍파를 ~ 平地に波乱を呼び起こす / 문제를 ~ 問題を起こす / 한바탕 말썽을 ~ 一悶着起こす / 일대 선풍을 ~ 一大旋風を巻き起こす.

〈일으키다〉

일의대-수【一衣帶水】 [irŭidae—] 〈名〉 一衣帯水. 文例 한국과 일본은 ~를 격하고 있을 뿐이다 韓国と日本は一衣帯水を隔てているのみだ.

일이【一二】 [illi] ㊀〈數〉 一二. 一つか二つ. ＝한둘. 句例 ~를 다투는 갑부 一二を争う富豪.
㊁〈冠〉 一二の. ＝한두. 句例 ~ 예외를 제외하고는 一二の例外を除いては.

일익【一翼】 [irik] 〈名〉 一翼. 句例 ~을 담당하다 一翼を担う.

일익【日益】 [irik] 〈副〉 ますます. いよいよ. 句例 ~ 번창하다 ますます繁盛する.

일인【一人】 [irin] 〈名〉 一人・一人. 語例 ~당 국민 소득 一人当たりの国民所得 / ~이역 一人二役 / ~ 일기 一人一技 / ~자 一人者. オーソリティー / 생선회 ~분 刺し身一人前.

일인【日人】 [irin] 〈名〉 日本人. ＝일본 사람.

일-인칭【一人稱】[irinch'ing]〈名〉〔言〕一人称. '나 わたし'がある. =제일인칭.

일일【一日】[iril]〈名〉一日・一日. ❶ひと日. 句例 ~분의 일 一日分の仕事. 語例 ~ 생활권 一日生活圏 / ~ 삼회 一日三回 / ~ 일선 一日一善 / ~ 여삼추(如三秋) 一日三秋〔千秋〕. ❷ついたち. =초하루.

일일【日日】[iril]〈名〉日日. 日ごと. 毎日. 語例 ~ 잔고 日日残高 / ~ 연속극 日日連続ドラマ.

일일-이 [i:lliri]〈副〉事ごとに. すべて. 句例 ~ 참견하다 事ごとに口出しをする.

일일-이【一一一】[illiri]〈副〉事事に. 一つ一つ. いちいち(一一). 句例 ~ 답장을 쓰다 いちいち返事を書く / ~ 조사하다 一つ一つ調べる. 文例 ~ 다 옳은 말이다 いちいちもっともである.

일임【一任】[irim]〈名・하他〉一任. 文例 그 일은 자네에게 ~하겠네 その仕事は君に一任する〔任せる〕よ.

*__일자__【一字】[iltcha]〈名〉❶一字. 語例 ~ 천금 一字千金 / ~ 무식 一文不知〔不通〕. ❷短い文. 句例 ~ 적어 보내다 簡単に書いて送る.

일자【日字】[iltcha]〈名〉⇨ 날짜

*__일-자리__ [i:ltchari]〈名〉❶職. 勤め口. 職業. 句例 ~를 얻다 勤め口を得る / ~를 얻지 못하다 勤め口が見つからない. あぶれる / ~를 잃다 職を失う. 文例 ~가 얻어걸렸다 職にありついた. ❷職場. 仕事場. 句例 ~에 나가다 職場に行く.

일잣-집【一字一】〈名〉〔建〕'一'の字のように建てた家.

일장【一場】[iltchang]〈名〉一場. 一席. =한바탕. 句例 ~ 연설을 하다 一席ぶつ. 一席弁じる. 一場〔一くさり〕の演説をする. 語例 ~ 훈시 一場の訓示.

일장-기【日章旗】[iltchang—]〈名〉日章旗. 日の丸の旗.

일장-일단【一長一短】[iltchang-ilttan]〈名〉一長一短. 文例 제각기 ~이 있다 それぞれ一長一短がある.

일장-춘몽【一場春夢】[iltchang—]〈名〉一場の夢.

일전【一戰】[iltchŏn]〈名〉一戦. **~하다**〈自〉一戦する. 一戦を交える. 句例 ~을 불사하다 一戦を辞さない.

일전【一轉】[iltchŏn]〈名・하自〉一転. 句例 무대는 ~하여 舞台は一転して. 文例 정세가 ~되었다 情勢が一転した. 語例 심기 ~ 心機一転.

일전【日前】[iltchŏn]〈名〉先般. 先ごろ. 先日. 過日. 句例 ~에 말씀드린 건(件) 先般〔過日〕申し上げました件.

일절【一切】[iltchŏl]〈副〉一切. 全く. 全然. 文例 담배를 ~ 피우지 않는다 タバコを一切吸わない. ▷→囲み記事 69

일점-혈육【一點血肉】[iltchŏmhyŏryuk]〈名〉ただ一人の(自分の)子供. 文例 슬하에 ~도 없다 ひざ元にただ一人の子供もいない.

일정【一定】[iltchŏng]〈名〉一定. **~하다**〈形〉一定している. 句例 ~한 직업 一定の〔決まった〕職業 / ~한 양식 一定の様式 / ~한 조건 하에서 一定した条件の下で / 크기가 ~한 삼각형 大きさが一定の三角形 / 복장을 ~하게 하다 服装を一定にする. 語例 ~량 一定量.

일정【日政】[iltchŏng]〈名〉⇨ 왜정(倭政)

일정【日程】[iltchŏng]〈名〉日程. 句例 ~을 정하다〔잡다〕 日割り〔日程〕を決める / 여행 ~을 세우다 旅行の日程を立てる / ~에 오르다 日程にのぼる / ~을 마치다 日程を終える. 語例 ~표 日程表 / 의사 ~ 議事日程.

일제【一齊】[iltche]〈名〉一斉. いちどき(一時). 語例 ~ 단속 一斉取り締まり / ~ 사격 一斉射撃. **~히**〈副〉一斉に. いちどきに. 句例 ~히 사직하다 一斉に辞職する / 거리의 불량배를 ~히 검거하다 町のよた者を一斉に検挙する.

*__일제__【日帝】[iltche]〈名〉['일본 제국 日本帝国', '일본 제국주의 日本帝国主義'の略]日帝. 語例 ~ 강점기(強占期) 日帝強占期(1910-1945) / ~ 시대 '일제 강점기'のもとの呼び名.

일제【日製】[iltche]〈名〉和製. 日本製. メードインジャパン. 語例 ~차 日本製の自動車.

*__일조__【一兆】[iltcho]〈數〉一兆.

일조【一朝】[iltcho]〈名〉❶'일조 일석'の略. ❷一朝. 句例 ~ 유사시(有事時)에는 一朝事あれば.

일조【日照】[iltcho]〈名〉日照. 照り. 語例 ~권 日照権 / ~ 시간 日照時間 / ~율 日照率.

일조-일석【一朝一夕】[iltchoilssŏk]〈名〉一朝一夕. 文例 외국어 습득은 ~에는 되지 않는다 外国語のマスターは一朝一夕にはできない.

일족【一族】[iltchok]〈名〉一族.

일종【一種】[iltchong]〈名〉一種. 句例 ~의 편견 一種の偏見 / 양주의 ~ 洋酒の一種.

일주【一周】[iltchu]〈名・하他〉一周. 一回り. 一巡り. 句例 운동장을 ~하다 運動場を一周する. 語例 세계 ~ 世界一周.

일주【一週】[iltchu]〈名〉❶'일주간(一週間)' '일주일(一週日)'の略: 一週. ❷一周年.

일주-간【一週間】[iltchu—]〈名〉一週間. 略して'일주(一週)'ともいう.

일주-기【一週忌】[iltchu—]〈名〉一周忌. 一回忌. =소상(小祥). 句例 부친의 ~의 재(齋) 父の一周忌の法事.

일주-년【一週年】[iltchu—]〈名〉一周年. 語例 ~ 기념일 一周年記念日.

일주 운동【日周運動】[iltchuu:ndong]〈名〉日周運動.

일-주일【一週日】[iltchuil]〈名〉一週間. 句例 향후 ~ 向こう一週間.

일지【日誌】[iltchi]〈名〉日誌. 句例 업무 ~를 매일 쓰다 業務日誌を毎日つける. 語例 항해〔학급〕 ~ 航海〔学級〕日誌. 類일기(日記).

일직【日直】[iltchik]〈名〉日直. 語例 ～ 당번 日直当番 / ～ 장교 日直将校.

일-직선【一直線】[iltchik—]〈名〉一直線. 句例 ～상의 정점 一直線上の定点 / ～으로 나아가다 一直線に進む.

일진【一陣】[iltchin]〈名〉一陣. 語例 ～ 광풍 ひとしきりの暴風. 一陣の狂風.

일진【日辰】[iltchin]〈名〉日柄. 日並み. その日のえと(干支). 文例 오늘은 ～이 좋다 今日は日柄〔日並み〕がいい.

일진-월보【日進月步】[iltchinwolbo]〈名・하自〉日進月歩. 句例 ～의 발전 日進月歩の発展.

일진-일퇴【一進一退】[iltchinilt'oe]〈名・하自〉一進一退. 句例 병세가 ～를 거듭하다 病状が一進一退をつづける.

일찌감치〈副〉早目に. もう少し早く. 句例 ～ 일어나다 早目に起きる / 이야기를 ～ 끝내다 話を早目に打ち切る.

일찌거니〈副〉⇨ 일찌감치

***일찍**〈副〉早く. 早早. 早目に. ＝일찍이. 句例 ～ 출근하다 早目に出勤する / 아침 ～ 일어나다 朝早く起きる. 文例 ～ 와 주셔서 고맙소 早早とおいでくださってありがとう / ～부터 명성(名聲)은 듣고 있었습니다 かねがね御盛名は承っておりました.

***일찍-이** [iltchigi]〈副〉❶⇨ 일찍. ❷以前. つと(夙)に. かつて. 文例 ～ 이런 일은 없었다 こんなことは以前はなかった / ～ 그런 경험도 했다 かつてそういう経験もした.

***일차**【一次】〈名〉一次. 語例 ～ 방정식 一次方程式 / ～ 산업 第一次産業 / ～ 시험(第)一次試験 / ～ 함수 一次関数.

일차 소비자【一次消費者】〈名〉〔生〕一次消費者. 生態系で, 緑色植物や落ち葉などを食う動物. 羊・牛・しか(鹿)・しまうま(縞馬)など. この動物を食うものを二次消費者という.

일차-적【一次的】〈名・冠〉一次的. 句例 ～인 책임 一次的な責任.

일착【一着】〈名・하自〉(第)一着. 文例 마라톤 경기에서 ～을 하다 マラソン競技で第一着になる.

일천-하다【日淺—】(→하다)〈形〉日が浅い. 句例 역사가 ～ 歴史が浅い.

일체【一切】❶〈名〉一切. 全部. 句例 일 ～를 맡기다 仕事の一切を任せる / 소지품 ～를 조사하다 持ち物の一切を調べる.

❷〈冠〉一切の. すべての. あらゆる. 文例 ～ 자유 행동은 금한다 一切自由行動は禁じる / ～ 비용은 이쪽 부담이다 一切の費用は当方持ちである.

❸〈副〉一切. 全く. 全然. 文例 술은 ～ 마시지 않는다 酒は一切飲まない. ▷→囲み記事 69

表現 ❸は否定の表現とともに用いられる.

일체【一體】〈名〉①変わらないこと. 一様であること. ＝일례(一例). ②全部. ③一体. 同類. ＝한몸. 語例 혼연 ～ 混然一體.

일촉-즉발【一觸卽發】〈名〉一触即発. 句例 ～의 위기 一触即発の危機.

일촌 광음 불가경【一寸光陰不可輕】一寸の光陰軽んずべからず.

일축【一蹴】〈名〉一蹴. **～하다**〈他〉一蹴する. けと(蹴飛)ばす. はねつける. 句例 항의를 ～하다 抗議をけ(蹴)る / 회사측 의 안(案)을 ～하다 会社側の案をつっぱねる / 제안을 ～하다 提案をはねつける.

일출【日出】〈名・하自〉日出. 日の出. 語例 ～시 日出時. 對일몰.

일취-월장【日就月將】[—woltchang]〈名・하自〉日に成り月に進むこと. 日進月歩.

일층【一層】❶〈名〉一階.

❷〈副〉一層. ひときわ(一際). ひとしお(一入). 句例 ～ 더 노력하다 より一層努力する / ～ 돋보이다 ひときわ見栄えがする.

***일치**【一致】〈名〉一致. **～하다**〈自〉一致する. マッチする. 合する. 句例 중론이 ～하다 衆論が一致する / 의견이 ～하다 意見が合する / 두 사람의 마음이 ～되다 二人の気持ちがひとつになる / 만장 ～로 가결하다 満場一致で可決する. 文例 그것은 우연의 ～다 それは偶然の一致だ. 語例 언행 ～ 言行一致 / ～되다 一致する / ～ 단결 一致団結.

일치-점【一致點】[—tchŏm]〈名〉一致点. 句例 의론의 ～ 議論の一致点. 文例 상호간에는 아무런 ～도 없다 相互の間にはなんらの一致点もない..

일침【一針】〈名〉一針.

일침(을) 놓다 手厳しく警告〔忠告〕する.

일컫다(일컬으니, 일컬어서)〈他〉❶称する. (名づけて)呼ぶ. 号する. 句例 호를 만해라 ～ 号を万海と称する / 병력 백만이라고 ～ 兵力百万と号する / 스스로 명인이라고 ～ 自ら名人を称する.

❷(ほめ)たたえる. 文例 백두산은 신성한 산으로 일컫는다 白頭山は神聖な山としてたたえられている.

일탈【逸脫】〈名・하自〉逸脫. 語例 ～되다 逸脱する.

***일-터** [i:l—]〈名〉職場. 作業場. 仕事場. 句例 ～에 나가다 職場に出る / 목수의 ～ 大工の仕事先.

일파【一派】〈名〉一派. 文例 그들 ～의 짓이다

囲み記事 69

▩ '일체'(一切)と'일절'(一切) ▩

일체 (1) 一切 —— 가사 일체를 떠맡다 家事一切をひきうける.

(2) 一切の —— 일체중생 一切衆生 / 일체 비용은 참가자 부담 一切の費用は参加者自弁.

(3) 一切. 全く —— 모든 권한을 일체 너에게 맡긴다 すべての権限を一切君にゆだねる.

일절 一切. 打ち消しや禁止のことばを伴う —— 거짓말은 일절 하지 마라 うそは一切口に出すな. 그것은 일절 모른다 その事は一切知らない.

ㅇ

彼らー派のしわざだ.

일-판 [i:l―]〈名〉仕事の場.

일패-도지【一敗塗地】〈名・하自〉一敗地にまみ(塗)れること.

***일편-단심**【一片丹心】〈名〉(ひたすらな)真心.

***일-평생**【一平生】〈名〉一生涯. ＝한평생.

일-품 [i:l―]〈名〉仕事の手間. 句例 ~이 많이 들다 手間が多くかかる.

일품【一品】〈名〉一品. ❶一つの品物. 語例 ~ 요리 一品料理. アラカルト. ❷逸品. 語例 천하 ~ 天下一品.

일품【逸品】〈名〉逸品. ＝절품(絶品).

일필【一筆】〈名〉一筆・一筆. 語例 ~화 一筆画/~ 휘지(揮之) 一筆書き. 一息に書き下ろすこと.

****일-하다** [i:l―] (→하다)〈自〉働く. 仕事をする. 句例 부지런히 ~ せっせと働く/힘을 내서 ~ 張り切って働く/쉴새 없이 ~ のべつなしに働く/하루 종일 쉬지 않고 ~ 一日中ぶっつづけで働く〔仕事をする〕/밤낮을 가리지 않고 ~ 昼夜を分かたず働く.

일-학기【一學期】〈名〉一学期.

일행【一行】〈名〉❶一行. 同勢. 連れ(合い). 同行者. 句例 ~을 잃어버리다 連れを見失う. 文例 우리 ~은 무사히 도착했다 我我一行は無事に到着した. 語例 ~ 다섯 사람 同勢五人. ❷一行. 一くだり.

일화【逸話】〈名〉逸話. エピソード. 句例 그 사람의 숨은 일면을 알려 주는 재미있는 ~ その人のかくれた一面を知らせるおもしろい逸話.

일확-천금【一攫千金】〈名〉一攫千金. 句例 ~을 꿈꾸다 一攫千金を夢見る.

일환【一環】〈名〉一環. 句例 세계 문학의 ~으로서의 한국 문학 世界文学の一環としての韓国文学/언어 정책의 ~ 言語政策の一環. 語例 ~책(策) 全体と関連する一部分としての方策.

일회【一回】〈名〉一回. 句例 역사의 ~성(性) 歴史の一回性. 語例 ~분 一回分/~전 一回戦.

일회-용【一回用】〈名〉使い捨て. 句例 ~ 반창고 使い捨て絆創膏/~ 제품 使い捨ての製品/~ 라이터 使い捨てライター.

일후【日後】〈名・副〉今後. 後日.

***일흔**〈數・冠〉七十・七十. ＝칠십(七十). 句例 만 ~살 満七十歳.

参考 '일흔 여섯 七十六', '일흔 여덟 七十八'は[ilhŭnnyŏsŏt], [―nyŏdŏl]と読む.

일희-일비【一喜一悲】[ilhi―]〈名・하自形〉一喜一憂. 文例 조난자의 가족은 시시 각각의 정보에 ~했다 遭難者の家族は刻刻の情報に一喜一憂した.

****읽다** [ikta]〈他〉読む. 句例 책을 ~ 本を読む/사람의 마음을 ~ 人の心を読み取る/합격자의 이름을 소리높이 ~ 合格者の名前を読み上げる/동화책을 읽어 주다 童話の本を読んでやる/읽고 계시다 お読みなさっている. 語例 읽기 読むこと. 読み方.

参考 '읽으면 読むと''읽고 読んで'は[ilgŭmyŏn], [ilkko]と読む.

읽히다 [ilk'ida] ━〈他〉'읽다'の使役形: 読ませる. 句例 책을 ~ 本を読ませる.

━〈自〉'읽다'の受け身: 読ま(さ)れる. 句例 잘 읽히는 책 よく読まれる本.

****잃다** [ilt'a]〈他〉失う. ❶なくす. 句例 지갑을 ~ 財布を落とす〔なくす〕/시력을 ~ 視力を失う/재산을 ~ 財産をなくす/신용을 ~ 信用を失う/인심을 ~ 人心を失う/힘을 ~ 力を失う. ❷(勝負事などで)金品をなくす. 句例 내기에서 ~ か(賭)けに負ける. 文例 백만원이나 잃었다 百万ウォンもなくした. ❸取り逃がす. 句例 기회를 ~ 機会を失う. ❹死に別れる. 亡くす. 句例 어버이를 ~ 親を失う/외동자식을 잃고 슬퍼하다 一粒種を亡くして悲しむ. ❺(道に)迷う. 句例 길을 ~ 道に迷う/방향 감각을 ~ 方向感覚を失う. ❻(意識などが)常態でないようになる. 句例 제정신을 ~ 正体を失う/과음하여 정신을 ~ 酒を飲み過ぎて気を失う/흥분해서 이성을 ~ 興奮して理性を失う/의식을 ~ 気を失う. ▷→囲み記事 71

参考 '잃으면 失うと'は[irŭmyŏn]と読む.

***잃어-버리다** [irŏ―]〈他〉なくしてしまう. 失う. 句例 지갑을 ~ 財布をなくしてしまう/길을 ~ 道に迷う.

***임**〈名〉慕う人. 主.

表現 恋人・主君・親・友など広く使われる.

임도 보고 뽕도 딴다 一挙両得. 一石二鳥.

임을 보아야 아이를 낳지 橋が無いので渡りようがない. 港無くて舟付かず.

임 〔漢字項目〕

【任】高校 임 ニン. ❶(일을) 맡기다 まかせる. ▮任命 임명 にんめい. ▮委任 위임 いにん. ❷마음대로 하다 わがままだ. ▮任意 임의 にんい. ❸메다 になう. ▮任負 임부 にんぷ. ❹직무를 맡다 役目につく. ▮任官 임관 にんかん. 任用 임용 にんよう. ▮兼任 겸임 けんにん. 重任 중임 じゅうにん. 常任 상임 じょうにん.

【壬】中學 임 ジン. 아홉째 천간 九番目の十干. ▮壬公 임공 じんこう.

【賃】中學 임 チン. ❶고용하다 やとう. 품삯 やといしろ. ▮賃金 임금 ちんぎん. 賃作 임작 ちんさく. 賃錢 임전 ちんせん. ▮勞賃 노임 ろうちん. ❷대금 代金. ▮賃貸 임대 ちんたい. 賃借 임차 ちんしゃく. ▮運賃 운임 うんちん.

임간【林間】〈名〉林間. 語例 ~ 학교 林間学校.

임검【臨檢】〈名・하他〉臨検. 句例 경찰관이 ~하다 警察官が臨検する.

임계 온도【臨界溫度】〈名〉〔物〕臨界温度.

임관【任官】[i:mgwan]〈名・하自〉任官.

****임금** [i:mgŭm]〈名〉君主. 君王. 王. 句例 천하를 평정하여 ~이 되다 天下を平定して王になる/~의 만수 무강을 빌다 王の聖寿万歳を祈る. 語例 ~님 王様.

****임금**【賃金】[i:mgŭm]〈名〉賃金. 語例 ~ 인상

賃上げ. 賃金〔ベース〕アップ / ～ 격차 賃金格差 / 최저 ～ 最低賃金 / 실질 ～ 実質賃金.

임기【任期】[i:mgi]〈名〉任期. 句例 ～가 차다〔끝나다〕任期が切れる. 語例 ～ 만료 任期満了.

임기-응변【臨機應變】〈名・하自〉臨機応変. 句例 ～의 조치 臨機応変の措置.

임대【賃貸】[i:mdae]〈名・하他〉賃貸. 賃貸し. 句例 가옥을 ～하다 家屋を賃貸する. 語例 ～ 가격 賃貸価格 / ～ 계약 賃貸契約 / ～료 貸し賃. 貸料 / ～물 賃貸物 / ～인 賃貸人.

임-대차【賃貸借】[i:m—]〈名〉賃貸借. 賃貸契約.

임도【林道】〈名〉林道.

임면【任免】[i:mmyŏn]〈名・하他〉任免. 任命と免職. 語例 ～권 任免権.

임명【任命】[i:mmyŏng]〈名〉任命. **～하다**〈他〉任命する. 任じる. 句例 과장에 ～되다 課長に命じられる〔任命される〕. 語例 ～장 任命状 / ～식 任命式 / ～권자 任命権者. 對해임(解任). 類임용(任用).

*__임무__【任務】[i:mmu]〈名〉任務. 務め. 句例 ～를 완수하다 任務を果たす〔全うする〕/ ～를 맡다 任に当たる / ～를 띠다 任務を帯びる / 중대한 ～ 重大な任務.

임박【臨迫】〈名〉切迫. **～하다**〈自〉切迫する. (差し)迫る. 間近になる. 句例 출발에 ～해서 出発間ぎわに / 입시 일자가 ～하다 入試の日が差し迫る / 죽을 때가 ～하다 死期が迫る.

임산【林産】〈名〉林産. ＝임산물. 語例 ～물 林産物 / ～ 자원 林産資源.

임산-부【妊産婦】[i:msan—]〈名〉妊産婦.

임상【臨床】〈名・하自〉臨床. 語例 ～ 강의 臨床講義 / ～례 臨床例 / ～ 의학 臨床医学 / ～의 臨床医 / ～ 실험 臨床実験.

임석【臨席】〈名〉臨席. **～하다**〈自〉臨席する. 臨む. 文例 부디 ～해 주시기 바랍니다 なにとぞご臨席をお願い申しあげます. 語例 ～ 경관 臨席の警官.

*__임시__【臨時】〈名〉臨時. 句例 ～ 휴가를 얻다 臨時休暇〔臨休〕をもらう / ～ 직원으로 일하다 臨時職員として働く / ～ 열차를 마련하다 臨時列車を仕立てる / ～ 방편으로 거짓말을 하다 その場逃れにうそを言う. 語例 ～ 고용 臨時雇い / ～ 국회 臨時国会 / ～ 정류소 仮〔臨時〕停留所 / ～ 뉴스 臨時ニュース / ～ 휴업 臨時休業.

임시 변통【臨時變通】[—by:ŏnt'ong]〈名〉一時しの(凌)ぎ. 当座しのぎ. その場逃れ. 付け焼き刃. ＝임시 처변(處變). 句例 ～의 답변 その場逃れの答弁 / ～의 대책 その場しのぎの対策.

임신【妊娠・姙娠】[i:mshin]〈名〉妊娠. 懐妊. 受胎. 身重. ＝회잉(懷孕). **～하다**〈自〉妊娠する. はら(孕)む. 身ごもる. 句例 ～한 몸 身重のからだ / 아내가 ～하다 家内が身重になる. 語例 ～복(服) マタニティードレス / ～부 妊婦. 身持ちの女性.

임야【林野】[imya]〈名〉林野.

임업【林業】[imŏp]〈名〉林業.

임연수-어【林延壽魚】[imyŏnsu—]〈名〉〔魚〕ほっけ(𩸽).

임용【任用】[i:myong]〈名・하他〉任用. 句例 직원으로 ～하다 職員に任用する. 語例 ～ 시험 任用試験.

*__임원__【任員】[i:mwon]〈名〉役員. 句例 ～을 뽑다 役員を選ぶ〔選挙する〕. 語例 조합 ～ 組合の役員.

임의【任意】[i:mŭi]〈名〉任意. 句例 ～로 해석하다 任意に解釈する / 자기 ～대로 처리하다 自分の思うままに処理する. 文例 원주상의 ～의 두 점을 취한다 円周上の任意の二点を取る. 語例 ～ 동행〔출두〕 任意同行〔出頭〕.

임의-롭다【任意—】[i:mŭi—]（→롭다）〈形〉❶任意だ. 気ままだ. 勝手に振る舞える. 句例 임의로운 생활 気ままな生活. ❷じっこんである. 懇意だ. 句例 임의로운 사이 じっこんのあいだがら.

임자 [i:mja]〈名〉主・主. 持ち主. 句例 ～ 없는 물건을 줍다 持ち主の分からない品物を拾う. 文例 떨어뜨린 물건의 ～를 찾는다 落とし物の持ち主を捜す. 語例 집～ 家主・やぬし / 땅 ～ 土地の所有者. 地主 / ～말〔言〕主語.

임자(를) 만나다 好敵手に巡りあう. 手ごわい相手にあう. 自分にぴたりあう相手に巡りあう.

임자 [i:mja]〈代〉❶親しい間柄で呼び合う語: あんた. 君. お前さん. ❷夫婦間の呼称: あんた. お前.
表現 '자네 君'より改まった言いかた.

임전【臨戰】〈名・하自〉臨戦. 語例 ～ 무퇴(無退) 戦いに臨んで退かないこと / ～ 태세 臨戦態勢.

임정【臨政】〈名〉〔'임시 정부'の略〕仮政府. 語例 ～ 요인 仮政府の要人.

임종【臨終】〈名・하自〉❶臨終. 死に際. 死に臨むこと. 句例 ～의 유언 臨終の遺言 / ～을 지켜보다 最期を見届ける. 文例 고통 없는 조용한 ～이었다 苦しみのない立派な往生であった. ❷親の死に目に居合わせること. ＝종신(終身).

임지【任地】[i:mji]〈名〉任地. 句例 ～로 떠나다 任地に赴く.

임직-원【任職員】[i:mjigwon]〈名〉役職員.

*__임진-왜란__【壬辰倭亂】[i:mjin—]〈名〉〔史〕壬辰の倭乱. 略して'임진란(壬辰亂)'ともいう.
參考 朝鮮朝 宣祖25年(1592), 日本の豊臣秀吉が朝鮮を侵略した戦争. 日本では'文禄の役'と呼ぶ.

임차【賃借】[i:mch'a]〈名・하他〉賃借. 賃借り. 句例 토지를 ～하다 土地を賃借りする. 語例 ～인 賃借人 / ～료 借料. 借り賃. 對임대(賃貸).

임치【任置】[i:mch'i]〈名・하他〉〔法〕寄託.

임파【淋巴】[i:mp'a]〈名〉〔生〕'림프 リンパ'の音訳. 語例 ～선 リンパ腺.

임-하다【任—】[i:m—]（→하다）❶〈自〉引き受

うけて自分の責任〔任務〕とする.
(二)〈他〉任じる. 任命する.

임-하다【臨—】(→하다)〈自〉臨む. ❶面する. 句例 바다에 ～ 海に臨む. ❷あることに当たる. 句例 교섭에 ～ 交渉に当たる / 침착한 태도로 죽음에 ～ 従容として死につく〔臨む〕/ 긴급 사태에 ～ 緊急事態に臨む. ❸統治者・支配者として人人に対する. 句例 부하 직원에게 관대하게 ～ 部下職員に対して寛大に臨む. ❹臨席する. 句例 개회식에 ～ 開会式に臨む〔参席する〕. ❺降臨する. 句例 하느님이 지상에 임하시다 神が地上に降臨される.

임학【林學】〈名〉林学.

임해【臨海】〈名〉臨海. 語例 ～ 공업 단지 臨海工業団地.

임화【臨畫】〈名〉臨画.

입 〈名〉口. ❶人や動物の器官. 句例 ～을 벌리다 口をあける / ～을 삐죽이 내밀다 口をとがらす / ～을 오므리다 口をすぼめる / ～을 다물다 口をつぐむ / ～ 안이 화끈거리다 口の中がひりつく / ～ 안이 얼얼하다 口の中がひりひり〔ぴりぴり〕する.

❷言葉つき. 句例 ～이 무거운 사람 口重な人 / ～이 가벼운 사나이 口軽な男 / 자기 ～으로 口ずから / ～이 닳도록 口酸っぱく / ～만 벌리면 二言目には / ～을 놀리다 口を滑らす. 口外する / ～을 열다〔떼다〕 口を切る. 口を割る. 口を開く / ～ 밖에 내다 口走る. 口を滑らす. 口外する / ～에 담다 口にする / ～을 모아 반대하다 口をそろえて反対する.

❸うわさ(噂). 句例 남의 ～에 오르다 人の口にのぼる / ～에 올리다 口にかける / ～에서 ～으로 전래된 전설 口から口へ伝わった伝説.

❹味覚. 句例 ～이 심심하다 口寂しい / ～에 맞다 口にあう.

❺家族. 句例 ～을 덜다 口を減らす.

입(이) 걸다 口汚い.
입(이) 뜨다 口が堅い〔重い〕. 口数が少ない. 句例 입뜬 사람 口重の人.
입(을) 막다 口をふさぐ.
입만 까다 口先だけで実行が伴わない.
입만 살다 話だけで実行が伴わない.
입만 아프다 いくら教えてやってもかいがない.
입(을) 맞추다 ❶キスをする. 口づけする. 接吻する. ❷口裏を合わせる.
입(을) 모으다 異口同音に話す. 口をそろえる.
입(을) 봉하다 口をつぐむ.
입(이) 싸다 口が軽い. 句例 입이 싼 여자 口の軽い女.
입(을) 씻다 知らんぷりする.
입에 대다 口にする. たしなむ.
입에 맞는 떡 願ったりかなったり.
입에 발린 소리 心にもないお世辞.
입에서 젖내 난다 口なお(尚)乳臭い.
입에 쓴 약이 병에는 좋다 良薬は口に苦し.
입에 오르내리다 うわさにのぼる.
입에 침이 마르도록 口のつばが乾くほどに. しきりにほめたたえることのたとえ.
입에 풀칠한다 糊口をしのぐ.
입이 가볍다 口が軽い.
입이 근질근질하다 (しゃべりたくて)口がむずむずする.
입이 더럽다 口汚い.
입이 떨어지다 話を始める.
입이 무겁다 口が重い.
입이 벌어지다 口がほころびる.
입이 보배 口は宝. ほっぺた叺す.
입이 험하다 口汚い.
입(이) 짧다 口がおごる. 小食, または偏食する癖がある.
입(이) 차다 大きな口をたたく.

입 〔漢字項目〕

【入】 中學 입 ニュウ. ❶들어가다 はいる. ▌入國 입국 にゅうこく. 入城 입성 にゅうじょう. 入場 입장 にゅうじょう. 入學 입학 にゅうがく. ▌加入 가입 かにゅう. 潛入 잠입 せんにゅう. ❷거둬 들이다 収める. ▌收入 수입 しゅうにゅう. 歲入 세입 さいにゅう. ❸넣다 入れる. ▌入棺 입관 にゅうかん. 入庫 にゅうこ.

입-가〈名〉口元. 口辺. 口わき. 句例 ～에 미소를 띠다 口元に微笑を浮かべる.

입-가심〈名・하自〉口すすぎ. 口直し. 句例 약을 먹고 ～으로 과자를 먹다 薬の口直しにお菓子を食べる.

입각【入閣】〈名・하自〉入閣. 句例 새 내각에 ～하다 新内閣に入閣する.

입각【立脚】〈名・하自〉立脚. 句例 사실에 ～하여 事実に即して / 현실에 ～하다 現実に立脚する. 語例 ～점 立脚点.

입-간판【立看板】〈名〉立て看板.

입건【立件】〈名・하他〉〔法〕立件.

입경【入京】〈名・하自〉入京. 句例 각지의 대표가 속속 ～하다 各地の代表が続続と入京する.

입고【入庫】〈名・하他〉入庫. 蔵入れ. 句例 차를 ～시키다 車を入庫する / 물품을 ～시키다 品物を蔵入れする. 語例 ～되다 入庫する.

입고-병【立枯病】[—ppyŏng]〈名〉〔農〕立ち枯れ病. ＝모잘록병.

입공【入貢】〈名・하自〉入貢.

입관【入棺】〈名・하他〉入棺. 納棺.

입교【入校】〈名・하自〉入校. 入学. 語例 ～식 入校式.

입구【入口】〈名〉入り口. はいり口. 句例 ～가 좁다 入り口が狭い. 語例 지하철 ～ 地下鉄の入り口.

입국【入國】〈名・하自〉入国. 語例 ～ 관리 入国管理 / ～ 비자〔사증〕 入国ビザ〔査証〕.

입궁【入宮】〈名・하自〉❶宮中に入ること. ❷(将棋で)こま(駒)が相手の王将の領域に入ること. ❸〔史〕宮女になること.

입궐【入闕】〈名・하自〉宮中に入ること. ㊎ 퇴궐(退闕).

입금【入金】〈名・하自他〉入金. 句例 은행에 ～하다 銀行に入金する. 語例 ～ 전표 入金伝票.

입-길〈名〉口の端. 句例 ～에 오르다 口の端に

のぼる / ~에 올리다 口の端にかける.

입길에 오르내리다 人から悪口を聞いたりそしりを愛けける.

입-김 〈名〉 ❶息. 息づかい. 句例 ~이 세다 息づかいが荒い. ❷影響力. 句例 ~을 넣다 息を吹きかける.

입-내¹ [imnae] 〈名〉 口まね. 語例 ~쟁이 口まねをする人. 物まねをよくする人.

입내(를) 내다 口〔物〕まねをする.

입-내² [imnae] 〈名〉 구취(口臭)

****입다** 〈他〉 ❶着る. 着込む. まと(纏)う. (下着などを)は(穿)く. 召す. 句例 나들이옷을 ~ 晴れ着をまとう / 바지를 ~ ズボンをはく / 복을 ~ 喪に服する. ❷被る. (被害・傷などを)負う. 受ける. 句例 큰 피해를 ~ 大害を被る / 큰 타격을 ~ 痛手を被る〔受ける〕/ 중상을 ~ 重傷を負う / 충격〔타격〕을 ~ 衝撃〔打撃〕を受ける / 전화를 ~ 戦禍を被る / 농작물이 병충해를 ~ 作物が病虫害にやられる. 文例 언걸을 입어 조사를 받았다 とばっちりを食って調べられた. ❸浴する. 被る. 着る. 句例 은혜를 ~ 恩を着る〔受ける〕. 恩恵に浴する / 덕을 ~ 余慶を被る.

입단【入團】〈名・하自〉 入団.

입-담 〈名〉 話しぶり. 話術. 口. 句例 ~이 좋다 口達者である.

입당【入黨】〈名・하自〉 入党. 對탈당(脫黨).

***입대**【入隊】〈名・하自〉 入隊. 對제대(除隊).

입-덧 〈名〉 つわり. 悪阻.

입덧(이) 나다 つわりが起こる. 句例 입덧이 나기 시작하다 つわりが始まる.

입도 선매【立稻先賣】〈名〉 青田売り.

입동【立冬】〈名〉 立冬. 語例 ~ 추위 立冬の寒さ.

입-뜨다(입뜨니, 입떠서) ⇨ '입'の小項目

입력【入力】[imnyŏk] 〈名〉 入力. インプット. 對출력(出力).

입론【立論】[imnon] 〈名・하自〉 立論.

입-막음 [immagŭm] 〈名・하自〉 口止め. 口ふさぎ. 口固め. 句例 뇌물을 주어 ~하다 つかませて口止めをする / ~으로 한몫 주다 口止めに分け前をやる.

***입-맛** [im—] 〈名〉 口当たり. 口触り. 味. =구미(口味). 句例 ~을 잃다 食欲を失う / ~을 돋구다 食欲をそそる.

입맛(을) 다시다 舌なめずりをする. 舌鼓を打つ. のど(喉)を鳴らす. 句例 입맛을 다시며 기다리다 舌なめずりして待ち構える.

입맛(이) 당기다 ❶食べたくなる. 食が進む. ❷興味がわく. 欲がでる.

입맛대로 하다 自分の好きなようにする.

입맛(이) 돌다 食欲が出る.

입맛(이) 떨어지다 食欲がなくなる. 興味がなくなる.

입맛(이) 쓰다 思い通りにならず腹立たしい. 苦苦しい. 後味が悪い.

입-맞추다 [im—] ⇨ '입'の小項目

입-매¹ [im—] 〈名〉 '입맵시'の略. 句例 ~가 고운 처녀 口元がかわいい娘.

입매² [immae] 〈名・하自他〉 ❶簡単な食事で腹をいやすこと. 語例 입맷상(床) 宴会んで, 本膳に先立って出る簡単な膳. ❷見せかけだけの仕事をすること.

입-맵시 [immaepshi] 〈名〉 (きれいな) 口元. 略して'입매'ともいう.

입면-도【立面圖】[immyŏn—] 〈名〉〔數〕 立面図. =정면도(正面圖). 對평면도(平面圖).

입멸【入滅】[immyŏl] 〈名・하自〉〔佛〕 入滅. 涅槃. =입적(入寂).

입-모습 [im—] 〈名〉 口つき. 口の形. 句例 굳게 다문 ~ 堅く締まった口元.

입문【入門】[immun] 〈名・하自〉 入門. 句例 학풍을 경모하여 ~하다 学風を慕って入門する. 語例 ~서(書) 入門(書). 手引き(書). しおり(栞).

입-바르다 (입바르니, 입발라서) 〈形〉 言うことが正しい. 正しいことをよく言う.

입방【立方】〈名〉 ⇨ 세제곱

입방아-찧다 [—tchit'a] 〈自〉 無駄口をたたく. 口うるさく言う.

***입-버릇** 〈名〉 口癖. 句例 ~처럼 말하다 口癖のように言う.

입법【立法】〈名・하自〉 立法. 語例 ~권 立法権 / ~ 기관 立法機関 / ~부 立法府 / ~화 立法化 / ~ 정신 立法精神.

입-병【—病】〈名〉 口の病気.

입-빠르다 (입빠르니, 입빨라서) 〈形〉 口軽い. おしゃべりだ. 文例 그는 너무 입빨라서 곤란하다 彼はあまり口軽で困る.

입사【入舍】〈名・하自〉 入舎. 句例 기숙사에 ~하다 寄宿舎に入舎する.

입사【入社】〈名・하自〉 入社. 語例 ~ 시험 入社試験. 對퇴사(退社).

입산【入山】〈名・하自〉 入山. 句例 ~ 수도하다 入山修行する. 語例 ~ 금지 入山禁止. 山止め.

입상【入賞】〈名〉 入賞. **~하다** 〈自〉 入賞する. 賞に入る. 句例 ~의 영예를 얻다 入賞の栄誉を得る. 語例 ~자 入賞者 / ~작 入賞作 / ~되다 入賞する.

입상【立像】〈名〉 立像.

입석【立席】〈名〉 立席.

***입선**【入選】〈名〉 入選. **~하다** 〈自〉 入選する. 語例 ~작 入選作 / ~되다 入選する.

입성 〈名〉 '옷 衣服'の俗っぽい言いかた. 句例 ~이 더럽다 衣服が汚れている.

입성【入城】〈名・하自〉 入城. 語例 ~식 入城式.

입소【入所】〈名・하自〉 入所. 語例 ~자 入所者.

입속-말 [—songmal] 〈名〉 つぶや(呟)き言. 独り言. 句例 ~로 중얼거리다 ぶつぶつ独り言を言う.

입수【入手】〈名〉 入手. **~하다** 〈自他〉 入手する. 手に入れる. 句例 ~하기 어려운 물건 入手困難な品 / 특별한 경로로 ~하다 特別なルートで手に入れる. 語例 ~ 경로 入手経路 / ~되다 入手される. 手に入る.

****입술** 〈名〉 唇. 句例 ~을 핥다 唇をな(舐)めずる / ~이 마르다 唇が乾く / ~을 깨물다 唇を噛む / 붉은 ~ 赤い唇 / 두툼한 ~ 厚い唇. 語例 윗~ 上唇 / 아랫~ 下唇.

입술에 침이나 바르지 唇につば(唾)でもぬらして物を言うがいい. 公然とうそ(嘘)をつく人に言う語.

입술을 깨물다 (悔しかったり, 苦しみをこらえるとき)唇をかむ.

입술이 없으면 이가 시리다 唇滅びて歯寒し.

입술 연지【―臙脂】[―lyŏnji]〈名〉口紅. ルージュ. リップスティック. 句例 ~를 바르다 口紅を差す.

입시【入試】〈名〉[‘입학 시험’の略] 入試. 句例 ~ 준비를 하다 入試の準備をする. 語例 ~ 문제 入試問題 / ~ 지옥 入試地獄.

입식【立式】〈名〉 (台所など)立ち仕事ができるようになっている方式.

입식【立食】〈名・하他〉 立ち食い. 立食. 語例 ~ 파티 立食パーティー.

입신【入神】〈名・하自〉入神. 句例 ~의 경지에 달하다 入神の域に達する.

입신【立身】〈名〉 立身. **~하다**〈自〉立身する. 身を立てる. 句例 ~을 꾀하다 立身を図る. 語例 ~ 양명 立身揚名 / ~ 출세(하다) 立身出世(する).

입실【入室】〈名・하自〉 入室. ❶部屋に入ること. ❷医務室に患者として入ること.

입-심〈名〉[もとの語形は‘입힘’] 勢いよい話し振り. 句例 ~이 좋다〔세다〕口達者だ.

입-싸다 ⇨‘입’の小項目

입-쌀 [i:p―]〈名〉白米. うるち米. 語例 ~밥 生飯. 白いご飯.

입-씨름〈名・하自〉❶口利き. 話し合いで物事を成立させること. ❷口げんか(喧嘩). 言い争い. 押し問答. 口争い. =말다툼. 句例 결말 없는 ~ 水掛け論.

입-씻이 [―ssishi]〈名・하自〉❶口止め料. 口固め. 口薬. 口ふさ(塞)ぎ. ❷⇨ 입가심

입-아귀 [ibagwi]〈名〉口角. 口の両角.

입안【立案】[iban]〈名・하他〉立案. 語例 ~자 立案者.

입양【入養】[ibyang]〈名・하自他〉〔法〕 養子縁組み.

입어-권【入漁權】[ibŏkkwon]〈名〉〔法〕 入漁権.

입영【入營】[ibyŏng]〈名・하自〉入営. 語例 ~ 장정 入営壮丁.

입영【立泳】[ibyŏng]〈名〉 立ち泳ぎ. =선헤엄.

***입원**【入院】[ibwon]〈名・하自〉入院. 句例 ~해 있다 入院している. 語例 ~ 환자 入院患者 / ~실 入院室. 對퇴원(退院).

입자【粒子】〈名〉〔物〕 粒子. 句例 미세한 ~ 微細な粒子.

입장【入場】〈名・하自〉入場. 語例 ~권 入場券 / ~ 금지 入場禁止 / ~료 入場料. 木戸銭 / ~식 入場式.

입장【立場】〈名〉立場. 立つ瀬. 句例 ~이 난처하다 立つ瀬がない. 立場が苦しい. 文例 당신도 제 ~이 돼 보십시오 あなたもわたしの身にもなってごらんなさい.

表現 ‘처지 處地’を使うのが普通.

입-장단【―長短】〈名〉口拍子. 句例 ~에 놀아나다 口拍子に乗る.

입적【入寂】〈名・하自〉〔佛〕入寂. 入滅. =열반(涅槃).

입적【入籍】〈名・하他〉入籍. 語例 ~ 절차 入籍の手続き.

입전【入電】〈名・하自〉入電. 来電. 句例 …로부터의 ~에 의하면 …からの入電によれば.

입정〈名〉❶口癖. 口振り. ❷(食べ物を食べる)口の動き.

입정(을) 놀리다 ❶ひっきりなしに何かを食べる. ❷口汚くののしる.

입정(이) 사납다 ❶口汚い. 口さがない. 口癖が悪い. 句例 입정 사납게 욕을 퍼붓다 口汚くののし(罵)る. ❷むさぼ(貪)り食う. 食いしん坊である. 句例 아무것이나 입정 사납게 먹는 사람 何でも食べる口汚い人.

입주【入住】〈名・하自〉入居. 語例 ~금 (残金や権利金などの)アパートなどに入居するのに必要な金.

입증【立證】〈名・하他〉立証. 句例 무죄의 ~ 無罪の立証. 文例 이 증서가 ~한다 この証文が物をいう.

입지【立地】〈名〉立地. 語例 공장 ~ 工場立地 / ~ 조건 立地条件.

입지-전【立志傳】〈名〉立志伝.

입질〈名〉(釣りで)当たり. 魚信. **~하다**〈自〉当たりがある.

입-짓〈名・하自〉口の動作. 口でする合図〔サイン〕.

입찬-소리〈名〉 口幅ったい言葉. 自慢話. 大言壮語. 文例 하지도 못하는 주제에 ~만 한다 出来もしないくせに口幅ったいことばかり言う.

입찰【入札】〈名・하他〉〔經〕 入札. 入れ札. 語例 ~ 공고 入札の公告 / ~자 入札者 / 지명 ~ 指名入札.

입-천장【―天―】〈名〉〔生〕 ⇨ 구개(口蓋)

입체【立替】〈名〉立て替え. **~하다**〈他〉立て替える. 句例 대금을 ~하다 代金を立て替える. 文例 내가 ~해 주지 わたしが用立ててしよう.

입체【立體】〈名〉〔數〕立体. 語例 ~감 立体感 / ~미 立体美 / ~ 사진 立体写真 / ~ 영화 立体映画 / ~ 음향 立体音響 / ~파 立体派. キュービズム. 對평면(平面).

입체 교차【立體交叉】〈名〉立体交差. 語例 ~로 立体交差道路. インターチェンジ.

입체-적【立體的】〈名・冠〉 立体的. 句例 ~으로 생각하다 立体的に考える.

입초【入超】〈名〉〔經〕[‘수입 초과’の略] 入超. 對출초(出超).

입초【立哨】〈名・하自〉立ち番. 文例 정문에서 ~ 경관에게 검문당했다 正門で立ち番の警官に尋問を受ける.

입초(를) 서다 歩哨に立つ.

입추【立秋】〈名〉立秋.

입추【立錐】〈名〉立錐. 句例 ~의 여지도 없다 立錐の余地もない.

입춘【立春】〈名〉 立春. 句例 대한이 지나고 ~이 되다 寒明けになる.

입춘-대길【立春大吉】〈名〉立春大吉.

參考 立春の日に吉運を祈って正門に張り付ける文句.

입출-금【入出金】〈名〉入金と出金.

입하【入荷】[ip'a]〈名・하自〉入荷. 入り荷. 着荷. 語例 신상품 대량 ~ 新商品の大量入荷. 對출하(出荷).

입하【立夏】[ip'a]〈名〉立夏.

***입학**【入學】[ip'ak]〈名・하自〉入学. 句例 ~을 허가하다 入学を許可する / ~을 지원하다 入学を志願する / ~ 절차를 밟다 入学手続きをふむ. 語例 ~금 入学金 / ~난 入学難 / ~ 자격 入学資格 / ~ 시험 入学試験 / ~ 원서 入学願書 / ~식 入学式.

입항【入港】[ip'ang]〈名・하自〉入港. 句例 ~한 배를 검역하다 入り船〔入港した船〕を検疫する.

입헌【立憲】[ip'ŏn]〈名・하自〉立憲. 語例 ~ 군주국 立憲君主国 / ~ 정체 立憲政体 / ~ 정치 立憲政治.

입회【入會】[ip'oe]〈名・하自〉入会. 語例 ~금 入会金.

입회【立會】[ip'oe]〈名〉立ち会い. **~하다**〈自〉立ち会う. 句例 참고인으로 ~하다 参考人として立ち会う.

입회-인【立會人】[ip'oe—]〈名〉立ち会い人. 句例 개표의 ~ 開票の立ち会い人.

입-후보【立候補】[ip'ubo]〈名・하自〉立候補. 句例 국회 의원에 ~하다 国会議員に立候補する / ~ 접수를 마감하다 立候補受け付けを締め切る. 語例 ~자 立候補者.

***입히다** [ip'ida]〈他〉❶着せる. まとわせる. 句例 나들이 옷을 ~ 晴れ着を着せる. ❷(被害などを)与える. 加える. 被らせる. 負わせる. 句例 상해를 ~ 傷害を加える / 손해를 ~ 損害を負わせる. ❸塗り付ける. 上塗りをする. 句例 도금을 ~ メッキをかける / 단청을 ~ 丹青を施す. ❹覆う. かぶせる. 句例 설탕을 입힌 과자 砂糖を着せた菓子 / 뜰에 잔디를 ~ 庭に芝生を敷く.

잇[1]〈名〉(寝具などの)覆い. カバー. 語例 이불 ~ 布団のカバー / 베갯~ まくら(枕)当て.

잇[2]〈名〉❶〔植〕紅花. =잇꽃. ❷(染料用の)紅.

잇-구멍【利—】[i:t—]〈名〉利得のありそうな道.

****잇다** [i:tta](이으니, 이어서)〈他〉❶結ぶ. つな(繫)ぐ. 句例 두 점을 잇는 직선 二点を結ぶ直線 / 뼈를 ~ 骨を継ぐ / 실을 ~ 糸をつなぐ. 語例 이어지다 つながる. ❷継ぐ. 句例 법통을 ~ 法統を継ぐ / 대를 ~ 跡を取る. ❸維持する. 句例 풀뿌리로 목숨을 이어 가다 草の根で命をつないでいく.

参考 '이으니 つなぐから''이어서 つないで'のように母音で始まる語尾と合って活用するときは[iŭni], [iŏsŏ]と'ㅅ'が脱落し短音化される.

잇단-음표【一音標】[i:ttan—]〈名〉〔樂〕連音符.

잇-달다 [i:t—](잇다니, 잇달아서) ■〈他〉後をつなぎつける. 句例 끊어진 실을 ~ 切れた糸をつなぎつける.

■〈自〉続く. 相次ぐ. 句例 관객이 잇달아 모여들다 観客が相次いで〔続続と〕集まってくる.

잇-닿다 [i:ttat'a]〈自〉つながり接する. 句例 숲에 잇닿은 밭 森に接した畑 / 처마가 잇닿은 집 軒続きの家.

잇-대다 [i:t—]〈他〉つな(繫)ぎ合わせる. 継ぎ合わせる. つづ(綴)る. 句例 천조각을 ~ 寄せ切れを縫い合わせる.

***잇-따르다** [i:t—](잇따르니, 잇따라서)〈自〉相次ぐ. (引き)続く. 句例 잇따른 낙반 사고 相次ぐ落磐事故 / 잇따라 쓰러지다 相次いで倒れる / 불행이 ~ 不幸が続く / 사고가 잇따라 일어나다 事故が引き続いて起こる.

***잇-몸** [inmom]〈名〉歯茎. 歯肉. 句例 ~이 헐다 歯茎がただれる.

잇-바디〈名〉歯列. 歯並み. 句例 ~가 곱다 歯並みがきれいだ.

잇-새〈名〉歯と歯のすき間.

잇-속〈名〉歯並び. 句例 ~이 고르다 歯並びがきれいだ.

잇-속【利—】[i:t—]〈名〉実利. 句例 ~ 있는 일 もうけになる仕事 / 제 ~만 차리는 사람 我利我利亡者.

잇-자국〈名〉歯形. 句例 ~이 나다 歯形が残る.

잇-줄【利—】[i:t—]〈名〉利益を得る道〔手段〕. 利益となる手づる.

****있다** ■〈形〉あ(有)る. い(居)る. ❶存在する. 句例 산도 있고 물도 ~ 山もあり水〔川〕もある / 좋은 일이 ~ いい事がある / 사정이 ~ 事情がある / 눈앞에 있는 물건 目の前にある物 / 서울 서남쪽에 ~ ソウルの西南にある.

❷とどまっている. 文例 게 있어라 そこにいなさい / 여기 ~가 동생을 데리고 오너라 ここにとどまっていて弟を連れて来なさい.

❸(地位・職場・居所などを)占めている. 句例 고향에 있는 형 故郷にいる兄 / 장관 자리에 ~ 長官の席にいる / 큰 회사에 ~ 大会社に(勤めて)いる.

❹持っている. 句例 마침 (집에) 있는 물건 あり合わせの品 / 있는 자와 없는 자 持てる者と持たない者 / 아내가 ~ 妻がある / 능력이 ~ 能力がある / 있는 힘을 다 내다 あらん限りの力を出す / 재미 있는 이야기 おもしろい話 / 믿음이 ~ 信念〔信仰〕がある. 文例 신분증 있소 身分証明書ありますか / 할 말 있나 文句あるのか.

❺(事件などが)起こる. (会合などが)行なわれる. 句例 강의가 ~ 講義がある / 오후에 모임이 ~ 午後に会合がある. 文例 볼일이 있어서 실례하겠네 用があるのでお先に失敬する / 전쟁이 있은 뒤에 연락이 끊어졌다 戦争が起こった後, 連絡がとだえた / 그런 일이 있어서야 되겠나 そんな事があってたまるものか.

❻からだの内部にある. 句例 병이 ~ 病気がある / 뱃속에 아이가 ~ 身ごもっている.

❼(時間が)たつ. 経過する. 句例 얼마 안 있어서 間もなく. 文例 일주일 있으면 아버지가 돌아오실까 一週間たてばお父さんが帰って来られるだろうか.

❽('…에 ~'の形で)…の状態だ. 句例 아직

실험 단계에 ~ まだ実験段階にある / 전쟁 중에 ~ 戦争中である.

❾('…에 있어(서)'の形で)…において. …にあって. 句例 외국어 학습에 있어서 중요한 일 外国語学習において重要な事 / 한국에 있어서의 경제 발전 韓国における経済発展. 文例 내게 있어 한국은 인정미 넘치는 나라이다 わたしにとって韓国は人情味あふれる国である.

❿('-ㄹ 수 ~'の形で)…することができる. 句例 할 수 있는 일 できること / 볼 수 ~ 見ることができる.

⓫('있지' '있잖아'の形で)事実を強調・確認する語: ほら. さあ. あのう. 文例 그 사람 있지, 오늘 못 온대 その人ね, 今日来られないって / 있잖아(요), 오늘 데이트하기로 했어 あのね, 今日デートする事にしたんだよ. ▷→囲み記事 70

二〈補動〉('…고 ~'の形で)ある動作を続けている意を表わす: …ている. 句例 먹고 ~ 食べている / 크게 웃고 있는 사진 顔をほころばせて笑っている写真.

三〈補形〉('-아・-어 ~'の形で)ある状態が続けられている意を表わす: …ている. 句例 앉아 ~ 座っている / 피어 ~ 咲いている.

参考 (1) '있다'は動詞・形容詞の区別が不分明な特別の語で, 疑問形・命令形・請誘形は'있느냐 あるか"있어라 お(居)れ"있자 おろう'のように動詞形に活用し, 感嘆形・平叙形は'있구나 あるな"있다 ある'のように形容詞形に活用する.
(2) '있다'の否定形は'없다' '있지 아니하다'で, 尊敬語は'계시다'.

잉꼬 〈名〉〔鳥〕いんこ(鸚哥). 語例 ~ 부부 おしどり夫婦. ◇일 インコ

잉어 【一魚】[i:ng-ŏ] 〈名〉〔魚〕こい(鯉).
잉어가 뛰니까 망둥이가 뛴다 こいが躍るとどじょうも躍る.

잉여 【剩餘】[i:ng-yŏ] 〈名〉剰余. 残り. 余り. 余剰. 語例 ~금 剰余金 / ~ 농산물 余剰農産物 / ~ 가치 剰余価値.

*__잉-잉__ 〈副・하自〉子供が盛んに泣く声: いあんいあん. **~거리다**〈自〉続けざまにああんああんと泣く.

> 囲み記事 70
>
> ■ '있음'と'있습니다' ■
>
> '있다 ある'の丁寧語は'있습니다'と書くことに取り決められている. '있다'の名詞形は'있음 あり'となる. また, '없다 ない'も同じく, '없음 なし' '없습니다 ありません'と言う.
>
> **있음** —— 셋집 있음 貸家あり. 현재 태풍은 서해안으로 빠지고 있음 現在台風は西海岸を通り抜けつつある. 보균자 없음 保菌者無し.
>
> **있습니다** —— 이곳은 비가 오고 있습니다 こちらは雨が降っています. 염려할 것 없습니다 気にかけることなんかありません.

잉크 〈名〉インク. 句例 ~를 쏟다 インクをこぼす / 만년필에 ~를 넣다 万年筆にインクを入れる. 語例 ~병 インク瓶. ◇ink

잉태 【孕胎】[i:ngt'ae] 〈名〉懐妊. 妊娠. **~하다**〈自他〉懐妊する. 妊娠する. はら(孕)む. みごもる.

⁑**잊다** 〈他〉忘れる. ❶記憶がなくなる. 句例 잊을 수 없는 옛 친구 忘れがたい故旧〔旧友〕/ 은혜를 ~ 恩を忘れる / 까맣게 ~ すっかり忘れる. ❷置き忘れる. 句例 물건을 ~ 忘れ物をする / 우산을 ~ 傘を忘れる. ❸気がつかない. 句例 침식을 ~ 寝食を忘れる / 늙음을 ~ 老いを忘れる. ❹あきらめる. 思い切る. 句例 시름을 ~ 憂いを忘れる / 싫은 것을 깨끗이 ~ いやなことはさらりと忘れる. ▷→囲み記事 71

*__잊어-버리다__ [ijŏ—] 〈他〉すっかり忘れてしまう. 文例 그 일은 이제 잊어버려라 その事はもう忘れてしまえよ.

잊히다 [ich'ida] 〈自〉❶忘れられる. 文例 때가 지나면 잊혀지겠지 時が過ぎれば忘れるだろう. ❷思い出せない. 句例 잊혀지지 않는 추억 忘れられぬ思い出 / 잊혀지지 않는 꿈 名残の夢. ❸分からなくなる.

⁑**잎** 〈名〉葉. 葉っぱ《口》. 句例 푸른 ~ 青葉. 語例 뽕~ 桑の葉 / 가랑~ 枯れ葉.

잎-꼭지 〈名〉〔植〕葉柄.

잎-나무 [im—] 〈名〉しば(柴).

잎-눈 [im—] 〈名〉〔植〕葉芽.

잎-담배 〈名〉葉タバコ. ＝엽초(葉草).

잎말이-병 【一病】[immarippyŏng] 〈名〉〔植〕はまきむし(葉捲虫)により葉が枯れる病気.

잎-맥 【一脈】[im—] 〈名〉〔植〕葉脈.

잎-벌레 〈名〉〔蟲〕葉虫. ＝돼지벌레.

잎-사귀 〈名〉葉. 葉っぱ《口》. 句例 ~ 끝에 맺힌 이슬 葉末に宿る露.

잎-줄기 〈名〉〔植〕葉軸.

잎-집 〈名〉〔植〕葉鞘.

> 囲み記事 71
>
> ■ '잊다'と'잃다' ■
>
> 잊다 忘れる
> (1) おぼえていたことを思い出せなくなる —— 그의 이름을 잊었다 彼の名まえを忘れた.
> (2) 気付かないでいる —— 즐거워서 시간 가는 줄을 잊었다 楽しくて時間のたつのを忘れた.
> (3) うっかりして物を置き忘れる —— 가방을 잊고 왔다 カバンを忘れて来た.
> (4) あきらめる. 思いきる —— 시름을 잊다 憂いを忘れる.
>
> 잃다 (1) 失う. 無くす —— 신용을 잃다 信用を失う.
> (2) (かけ事で金などを)無くす —— 노름에서 5만원을 잃었다 とばくで5万ウォン無くした.
> (3) とり逃がす —— 호기를 잃다 好機を逸する.
> (4) 死に別れる —— 친구를 잃었다 友を失った.

ㅈ

ㅈ [지읒 chiŭt] ハングル字母の第九番目の字.
[参考] ‘ㅈ이 スが’ ‘ㅈ을 スを’は[chiŭshi], [chiŭsŭl]と読む.

***자**[1] ■一〈名〉 定規. 物指〔物差〕し. スケール. [句例] ~로 재다 物差しで測る. 物差しを当てる. [語例] 삼각~ 三角定規 / 줄~ 巻き尺.
■二〈依名〉 尺. ＝척(尺). [語例] 한 ~ 두 치 一尺二寸.

***자【字】** ■一〈名〉 ❶字. 文字・. [語例] 로마~ ローマ字. ❷字. 成年男子が本名以外につけた別の名.
■二〈依名〉 字数の単位. [句例] 2백~ 원고 용지 二百字づめの原稿用紙.

***자【者】**〈依名〉 者. [句例] 약한 ~ 弱い者. [文例] 그 ~의 소행이다 そいつの仕業だ.

****자**[2] 〈感〉 人を促したり注意を喚起する声: さあ. さて. まあ. どれ. どうれ. それ. そら《俗》. どりゃ《俗》. [文例] ~, 먹어라 さあ, お食べ / ~, 슬슬 가 볼까 さて, そろそろ行こうか〔帰ろうか〕/ ~, 한 잔 まあ, 一杯 / ~, 해 볼까 どうれ, やってみるか / ~, 던진다 それ, 投げるぞ / ~, 덤벼 봐 どんと来い.

자-【自】〈頭〉 ‘…より・から’の意を表わす語: 自…. [句例] ~5월 지10월 自五月至十月.

-자【子】〈尾〉 …子. ❶きわめて小さい物を表わす語. [語例] 미립~ 微粒子 / 양성~ 陽子. ❷(新聞などの)特定の欄を受け持った記者の自称語. [語例] 편집~ 編集子. ❸一家の学説を立てた人の敬称. また, その著述. [語例] 공~ 孔子 / 주~ 朱子 / 제~ 백가 諸子百家.

-자【者】〈尾〉 …者. ❶人を表わす語. [語例] 승리~ 勝利者 / 용의~ 容疑者. ❷その道に通じている人. [語例] 과학~ 科学者 / 기술~ 技術者. ❸物事または場所を表わす語. [語例] 전~와 후~ 前者と後者.

자 〔漢字項目〕

【刺】 [高校] 자 シ. 척 シ. 라. ■一〔자〕 찌르다 さす. ▐刺戟 자극 しげき. 刺繡 자수 ししゅう. 刺客 자객 しきゃく.
■二〔척〕(칼로) 찌르다 (刀で)さす. ▐刺殺 척살 しさつ.
■三〔라〕《韓》 수라 王にさしあげる御飯. ▐水刺(床) 수라(상) 韓国の王朝時代の君主にささげたおぜん立て.

【姉】 [中學] 자 シ. 누이. 손위 누이 姉. ▐姉妹 자매 しまい. 姉兄 자형 あねむこ(姉婿).

【姿(姿)】 [高校] 자 シ. 맵시 着こなし. 자태 姿態. ▐姿勢 자세 しせい. 姿態 자태 したい. ▐容姿 용자 ようし. 雄姿 웅자 ゆうし.

【子】 [中學] 자 シ. ス. ❶아들 息子. 자손 子孫. ▐子息 자식 しそく. 子女 자녀 しじょ. ▐父子 부자 ふし. ❷동물의 알 動物の卵. 식물의 열매 또는 씨 植物の実または種. ▐種子 종자 しゅし. 種. ❸이자. 금리 金利. ▐利子 이자 りし. ❹임 思慕する人. ㉠남자의 미칭 男の美称. ▐君子 군자 くんし. ㉡남자 男. ▐讀書子 독서자 どくしょし. 男子 남자 だんし. ❺작은 것 小さいもの. ▐瞳子 동자 どうし. 原子 원자 げんし. ❻명사를 만드는 말 名詞をつくる言葉. ▐帽子 모자 ぼうし. 骨子 골자 こっし. 椅子 의자 いす. ❼십이지(十二支)의 첫째 十二支の一番目. 방위로는 정북 方位では正北. 시각으로는 오후 열두 시 時刻では午後の十二時.

【字】 [中學] 자 ジ. ❶문자 文字. ▐字義 자의 じぎ. ▐漢字 한자 かんじ. ❷자. 본 이름 외에 부르는 이름 字.
[参考] 공자의 자는 중니 孔子のあざなは仲尼.

【恣】 [高校] 자 シ. 방자하다 ほしいままにする. ▐恣意 자의 しい. 恣行 자행 しこう. ▐放恣 방자 ほうし.

【慈】 [中學] 자 ジ. ❶사랑하다 愛する. 자애롭다 いつくしむ. ▐慈愛 자애 じあい. 慈善 자선 じぜん. 慈悲 자비 じひ. ❷어머니 母. ▐慈母 자모 じぼ.

【玆】 [高校] 자 シ. ❶검다 黒い. 탁하다 濁る. ❷이 この. ❸이 곳 ここ. ❹이때 この時. 지금 今. ❺이에 ここに. ❻해 年. 일년 一年.

【紫】 [高校] 자 シ. 자줏빛 紫. ▐紫煙 자연 しえん. 紫雲 자운 しうん. 紫外線 자외선 しがいせん.

【者(者)】 [中學] 자 シャ. ❶놈 者. 행동의 주체 行動の主体. ▐使者 사자 ししゃ. 王者 왕자 おうしゃ. 學者 학자 がくしゃ. 有力者 유력자 ゆうりょくしゃ. 當事者 당사자 とうじしゃ. ❷사물 또는 장소 事物または場所. ▐前者 전자 ぜんしゃ. 後者 후자 こうしゃ.

【自】 [中學] 자 ジ. シ. ❶자기 自己. 이 몸 この身. ▐自己 자기 じこ. 自他 자타 じた. ▐各自 각자 かくじ. ❷스스로 みずか(自)ら. 저절로 おのずと. ▐自活 자활 じかつ. 自習 자습 じしゅう. 自然 자연 しぜん. ❸자기 뜻대로 自分の意のままに. ▐自由 자유 じゆう. ❹…부터 …から. ▐自四月至六月 자사월 지유월 四月から六月まで.

【資(資)】 [高校] 자 シ. ❶재물 資本. 物資. ▐資本 자본 しほん. 資産 자산 しさん. 資源 자원 しげん. ▐投資 투자 とうし. 學資 학자 がくし. ❷지위 地位. 신분 身分. ▐資格 자격 しかく. ❸재질 材質. ▐資質 자질 ししつ.

【雌】高校 자 シ. 암컷 雌. ■雌雄 자웅 しゆう. 雌性 자성 しせい. 雌蕊 자예 しずい.

자가【自家】〈名〉自家. 語例 ～ 당착 自家撞着.

자가-용【自家用】〈名〉自家用. 語例 ～족 マイカー族 / ～차 自家用車.

자각【自覺】〈名〉自覚. **～하다**〈他〉自覚する. 自覚める. 句例 국민의 ～을 촉구하다 国民の自覚を促す. 語例 ～ 증상 自覚症状.

***자갈**〈名〉砂利. ざり(砂利). 小石. くりいし(栗石). 句例 ～을 깔다 砂利を敷く. 語例 ～길 砂利道 / ～밭 小石の多い土地.

자-갈색【紫褐色】[cha:galssaek]〈名〉焦げ茶(色).

자개〈名〉〔貝〕青貝. 螺鈿. 語例 ～ 그릇 螺鈿飾りの器 / ～ 소반 螺鈿細工の膳 / ～장롱 螺鈿飾りのたんす(箪笥).

자객【刺客】[cha:gaek]〈名〉刺客. 句例 ～의 손에 쓰러지다 刺客の手に倒れる.

자격【資格】〈名〉資格. 句例 ～을 얻다〔따다〕資格をえる〔取る〕/ ～이 있다 資格がある / 개인 ～으로 個人の資格で / ～을 박탈당하다 資格を剝奪される / ～이 충분하다 資格が十分だ. 語例 ～ 시험 資格試験 / ～ 심사 資格審査 / 무～자 無資格者 / ～증 資格証 / ～ 상실 資格喪失.

자격지-심【自激之心】〈名〉自責の念. 自分の行いに対していだく不満や気のとがめ.

자결【自決】〈名·하自〉自決. ❶自己決定. 語例 민족 ～주의 民族自決主義. ❷自殺.

자계【磁界】〈名〉〔物〕⇨ 자기장(磁氣場)

자고-로【自古一】〈副〉'자고이래로'の略.

자고이래-로【自古以來一】〈副〉昔から(今まですっと). 古くから. ＝자고이래.

자괴지-심【自愧之心】〈名〉自ら恥じる心.

자구【字句】〈名〉字句. 句例 ～를 수정하다 字句を訂正する.

자구【自救】〈名·하自〉自救. 語例 ～권 自救権 / ～ 행위 自救行為.

자국〈名〉跡. 跡形. 痕跡. 語例 ～눈 (足跡がつくくらいの)薄く積もった雪 / 손톱 ～ つめあと(爪痕). つめがた(爪形).

자국(이) 나다 跡形がつく〔できる·残る〕. 句例 뺨에 맞은 자국이 나다 ほお(頰)に殴られた跡が残る.

자국(을) 밟다 足跡をたどる.

자국【自國】〈名〉自国. 語例 ～민 自国民 / ～영토 自国の領土.

자궁【子宮】〈名〉〔生〕子宮. ＝아기집. 語例 ～암 子宮がん.

자귀〈名〉〔建〕ちょうな(手斧). 語例 ～질 ちょうな仕事.

자귀-나무〈名〉〔植〕ねむの木.

자그락-거리다〈自〉も(揉)める. ごたごた言い争う.

자그락자그락〈副·하自〉つまらない事で言い争うさま: ごたごた(と).

자그마치〈副〉❶わず(僅)かばかり. 少し(だけ). 小さ目に. 文例 물을 ～ 부어라 水を少しだけ注ぎなさい. ❷'予想外に多い〔大きい〕'の意の反語的表現. 少しどころか. 少なくとも. 文例 놀라지 마, ～ 만명이나 된다 驚くなかれ, ざっと一万人はある.

자그마-하다 (→하다)〈形〉小さい. ささやかだ. 小振りだ. 小さ目だ. ちっぽけだ《俗》. 略して'자그맣다'ともいう. 句例 자그마한 몸집 ちっぽけなからだ / 자그마한 집 小さな家.

자그맣다 [chagŭmat'a] (자그만, 자그마오)〈形〉'자그마하다'の略.

***자극**【刺戟】[cha:gŭk]〈名·하他〉刺激. 句例 ～을 주다〔받다〕刺激を与える〔受ける〕/ 혀를 ～하다 舌を刺激する / 신경을 ～하다 神経を刺激する. 文例 ～ 없는 생활에 지쳤다 刺激のない生活にあきた. 語例 ～성 刺激性 / ～제 刺激剤.

자극【磁極】〈名〉〔物〕⇨ 자기극

자극-적【刺戟的】[cha:gŭk—]〈名·冠〉刺激的. 句例 ～인 말 刺激的な言葉 / ～인 모습 刺激的な姿態.

***자금**【資金】[cha:gŭm]〈名〉資金. 語例 ～난 資金難 / ～ 조달 資金調達 / 사업 ～ 事業資金 / ～ 부족 資金不足.

자급【自給】〈名·하他〉自給. 句例 식량을 ～하다 食糧を自給する. 語例 ～ 자족 自給自足.

자긍【自矜】〈名·하自〉自慢. 自負. 語例 ～심 自負心.

****자기**【自己】■〈名〉自己. 自分. 自身. 自分自身. 語例 ～ 과시(誇示) 自己顕示 / ～만족 自己満足 / ～ 비판 自己批判 / ～ 기만 自己欺瞞 / ～ 반성 自己反省 / ～ 주장 自分の主張 / ～ 자신 自分自身 / ～ 중심주의 自己中心主義 / ～ 본위 自己本位 / ～자본 自己資本 / ～ 모순 自己矛盾. 自己撞着 / ～ 소개 自己紹介.
■〈代〉❶自分. 自身. 文例 ～가 잘못해 놓고는 남에게 책임을 미룬다 自分が悪かったのに人に責任を転嫁する. 語例 ～ 집 自分の家. ❷(若い恋人や夫婦の間で)あなた. 君. 文例 ～가 그 때 그랬잖아 あなたがあの時そう言ったじゃないの / ～ 뭐 먹을래 君, 何食べる.

자기【自記】〈名·하他〉自記. 語例 ～ 온도계 自記温度計.

자기【瓷器】〈名〉磁器. 語例 고려 ～ 高麗磁器.

자기【磁氣】〈名〉〔物〕磁気. 語例 ⇨ 자기력

자기-극【磁氣極】〈名〉〔物〕磁極.

자기-력【磁氣力】〈名〉〔物〕磁気力. 磁力.

자기-장【磁氣場】〈名〉〔物〕磁場. ＝자계(磁界).

자기 폭풍【磁氣暴風】〈名〉〔物〕磁気あらし(嵐).

자기-화【磁氣化】〈名·하自〉〔物〕磁化.

****자꾸**〈副〉しきりに. ひっきりなしに. やたらに. 句例 아이들이 ～ 졸라서 子供たちがしきりにせがむので / 앞발로 ～ 구멍을 파다 前足でしきりに穴を掘る. 文例 전화가 ～ 걸려 온다 電話がひっきりなしにかかってくる.

자꾸-만〈副〉'자꾸'の強調語: しきりに. ひっきり

なしに. [文例] 배가 고프다고 ~ 울어요 おなかがすいたと, ひっきりなしに泣くんです.

자꾸-자꾸 〈副〉 ずっとひっきりなしに.

*__자나-깨나__ 〈副〉 寝ても覚めても. 明け暮れに. 朝晩いつも. [文例] ~ 잊을 수 없다 寝ても覚めても忘れられない / ~ 불조심 寝ても覚めても火の用心.

*__자네__ 〈代〉 ❶君. [文例] 이봐 ~ おい君 / ~의 성공을 비네 君の成功を祈るよ. ❷あなた.
[表現] ①はおもに成人男子が同等あるいはやや目下の相手に対して呼ぶ語. ②は義理の父母が婿に対して, 年上の相嫁が年下の相嫁に対していう語.

*__자녀__【子女】〈名〉 子女. 子供. [語例] ~ 교육 子女教育 / ~분 お子さん. 子供さん.

⁑__자다__ ❶(자거라) 〈自〉 ❶眠る. 寝る. [句例] 한 잠 ~ 一眠りする / 일찍 자고 일찍 일어나다 早く寝て早く起きる / 푹 ~ ぐっすり寝る. ❷(動いていたものが) 止まる. やむ. な(凪)ぐ. [句例] 바람이 ~ 風がやむ〔な(凪)ぐ〕/ 시계가 ~ 時計が止まる. ❸共寝する. 一つ寝する. ❹(花札などで, 欲しい札が) めくり札の山のいちばん下にある.
❷(자거라) 〈他〉 睡眠をとる. [句例] 낮잠을 ~ 昼寝をする / 늦잠을 ~ 寝坊をする.

자는 범 코침 주기 やぶをつついて蛇を出す.

자다가 벼락을 맞다 寝耳に水.

자다가 봉창 두드린다 見当違いのことを言う.

자당【自黨】〈名〉 自党.

자당【慈堂】〈名〉 他人の'어머니 母'の尊称. 母堂. 母御. 母君. [文例] ~께 안부 여쭈어 주게 ご母堂にくれぐれもよろしく.

자당【蔗糖】〈名〉〔化〕 蔗糖.

자동【自動】〈名〉 自動. [語例] ~ 교환기 自動交換機 / ~문 自動ドア / ~ 소총 自動小銃 / ~ 시계 自動巻きの時計 / ~식 自動式 / ~식(式) 전화기 自動式電話機 / ~ 신호 自動信号 / ~ 제어 自動制御. オートメーション / ~ 지급기 自動支払機 / ~ 직기 自動織機 / ~ 판매기 自動販売機. 自販機 / ~ 화기 自動火器 / ~ 회로 차단기 自動回路遮断器 / ~으로 自動で. ㊟수동(手動). 「사.

자동-사【自動詞】〈名〉〔言〕 自動詞. ㊟타동

자동-적【自動的】〈名・冠〉 自動的. [句例] ~으로 열리다 自動的に開く / ~으로 닫히다 自動的にしまる. [文例] 부회장이 ~으로 회장이 된다 副会長が自動的に会長になる.

⁑__자동-차__【自動車】〈名〉 自動車. [句例] ~를 타다 自動車に乗る / ~를 몰다 自動車を駆る / ~에 사람을 태우다 自動車に人を乗せる / ~가 달리다 自動車が走る. [語例] 영업용 ~ 営業用自動車 / 화물 ~ 貨物自動車. トラック / ~ 주차장 自動車駐車場 / ~ 키 自動車のかぎ(鍵) / ~ 보험 自動車保険.

자동-화【自動化】〈名・하自他〉 自動化. [語例] ~ 장치 自動化装置.

⁑__자두__ 〈名〉 [もとの語形は'자도(紫桃)']〔植〕 すもも.

자디-잘다 (—자니, —잘아서) 〈形〉 非常に細かい.

자라 〈名〉〔動〕 すっぽん. どろがめ. どうがめ.

자라 보고 놀란 가슴 소댕 보고 놀란다 あつもの(羹)に懲りてなます(膾)を吹く. 落ち武者はすすき(芒)の穂に怖ず.

*__자라-나다__ 〈自〉 育つ. 成長〔生長〕する. 伸びる. [句例] 건강하게 ~ 健康に育つ / 가지가 ~ 枝が伸びる. [文例] 부모님은 무럭무럭 자라나는 자식들을 보는 재미로 사셨대요 わたしの両親は, すくすくと育つ子供たちを見るのを楽しみに生きてきたそうです.

⁑__자라다__[1] 〈自〉 ❶育つ. [句例] 사랑을 받고 ~ 慈しみの中に育つ / 빨리 자라도록 비료를 주다 早く育つように肥料をやる / 수염이 ~ ひげが伸びる. ❷発展する. [句例] 선진국으로 ~ 先進国に発展する.

자랄 나무는 떡잎부터 알아본다 なる木は花から違う.

자라다[2] ❶〈形〉 足りる. 十分だ. [文例] 5만원만 있으면 자라겠지 五万ウォンもあれば足りるだろう.
❷〈自〉 (標準に) 達する. 届く. 及ぶ. [句例] 손이 자라는 곳에 手の届く所に / 힘이 자라는 데까지 力の及ぶ限り.

자라-목 〈名〉 ❶すっぽんの首. ❷小さく縮まる物. [語例] ~ 셔츠 とっくりのシャツ. タートルネックのシャツ. ❸猪首の人.

자라목이 되다 縮こまる.

자락 〈名〉 (衣服などの) すそ(裾). [語例] 치맛~ もすそ(裳裾) / 바짓~ ズボンのすそ.

자란-자란 〈副・하形〉 ❶なみなみ. ❷すれすれ.

⁑__자랑__ 〈名〉 誇り. 自慢. **~하다** 〈他〉 誇る. 自慢する. [文例] 아들 ~이 또 시작됐다 またむすこ自慢が始まった / 자기 ~만 하지 마라 自分の自慢だけをするな. [語例] ⇨ 자랑거리. **~스럽다** (→스럽다) 〈形〉 誇らしい. 誇らかだ. [句例] ~스런 태도 誇らしい態度. **~스레** 〈副〉 誇らしく.

자랑-거리 [—kkŏri] 〈名〉 自慢の種.

자랑-삼다 [—samtta] 〈他〉 自慢の種とする. 自慢する. 誇りとする. [句例] 자랑삼아 이야기하다 誇りとして語る.

자래-로【自來—】〈副〉 '자고이래(自古以來)로'の略.

자력【自力】〈名〉 自力. [語例] ~ 갱생 自力更生 / ~ 구제〔法〕 自力救済.

자력【資力】〈名〉 資力. [語例] ~ 부족 資力不足.

자력【磁力】〈名〉 磁力. =자기력(磁氣力). [句例] ~이 작용하다 磁力が働く. [語例] ~계 磁力計 / ~선 磁力線.

*__자료__【資料】〈名〉 資料. たね. データ. [句例] ~를 수집하다 資料をあつめる. [語例] 조사 ~ 調査資料.

*__자루__[1] 〈名〉 袋. [句例] ~에 담다 袋に入れる / ~에 가득 들어 있다 袋にいっぱい入っている.

*__자루__[2] 〈名〉 柄. [語例] 우산〔국자〕 ~ かさ〔ひしゃく〕の柄 / ~ 바가지 木をくり抜いてつくったひしゃく.

자루[3] 〈依名〉 鉛筆・刀など棒状の物を数える単位: 本. [語例] 연필 세 ~ 鉛筆三本 / 칼 열 ~ 刀十本〔十口〕/ 소총

ス

두 ~ 小銃二挺.

*자르다 (자르니, 잘라서)〈他〉❶切る. 切り取る. 断〔裁〕ち切る. 断〔裁〕つ. 句例 둘로 ~ 二つに切る / 나무를 ~ 木を切る / 목을 ~ 首を切る / 머리를 짧게 ~ 髪を短く刈る / 가위로 ~ はさみで切る. ❷首にする. 句例 과장의 목을 ~ 課長を首にする.

자르르〈副〉❶油気などでつやがあるさま: つやつや. 句例 윤기가 ~ 흐르는 머리 つやつやとつやのある髪. ❷筋肉や関節などにしびれを感じるさま: びりびり.

자리[1] 〈名〉❶席. 座. 座席. 句例 ~를 양보하다 席を譲る / 자리를 뜨다(→小項目) / ~가 비어 있다 席が空いている. 文例 ~가 없어 죽 서서 갔다 席がないのでずっと立って行った. ❷場. 場所. 句例 경사스런 ~ 晴れの場所 / 축하 모임의 ~ 祝賀会の席. ❸所. 場所. 句例 침대를 들여 놓을 ~ ベッドを据える〔入れる〕べき場所 / ~가 좁다 場所が狭い. ❹跡. 句例 차가 지나간 ~ 車の跡 / 옛날에 학교가 있던 ~ 昔学校があった跡 / 장난을 하다 다친 ~ いたずらをしてつけた傷の跡 / 우두 맞은 ~ 種痘の跡. ❺地位. 位. 口. 椅子. ポスト. 句例 사장 ~에 앉히다 社長の地位に着かす / 과장 ~가 하나 비다 課長のポストが一つ空く. ❻対象. 相手. 句例 좋은 혼처~가 나서다 いい結婚相手が現われる. ❼数値の位取り. けた(桁). 位. 句例 천의 ~ 千の位. 文例 10 ~ 이하는 올리세요 十の位以下は切り上げなさい. ❽〔天〕(星座の)座. 語例 백조~ 白鳥座.

자리를 뜨다 席〔座〕をはずす.

자리(를) 잡다 ❶席を取る. 席に着く. ❷落ち着く. (腰を)据える. 句例 교사로 ~ 教員に落ち着く / 자리를 잡고 앉다 席をとって座る.

자리(가) 잡히다 ❶上手になる. 慣れてくる. ❷安定する. 落ち着く. 定着する. 句例 교통 질서가 ~ 交通秩序が定着してくる.

자리[2]〈名〉❶敷き物の総称. ござ. むしろ. 句例 ~를 펴다 ござを敷く. 語例 ~틀 ござ・むしろを編む器械. ❷'잠자리'の略: 寝床. 布団. 句例 ~를 펴다 布団を敷く / ~를 개(키)다 布団をたたむ〔上げる〕/ ~에 들다 寝床に入る. 床につく. 語例 ~끼 まくら元に準備して置く飲み水 / ~옷 寝巻き / 자릿상(牀) 布団を上げておくテーブル / 자릿장(欌) 布団入れ(のたんす).

자리-다툼〈名・하自〉地位争い. 座席取りのけんか.

자리-보전【―保全】〈名・하自〉病床にある〔伏す〕こと.

자립【自立】〈名〉自立. 独立. 独り立ち. ~하다〈自〉自立する. 立つ. 句例 경제적으로 ~하다 経済的に自立する. 文例 결혼을 했으니 이젠 ~해야지 結婚したんだから, もう自立しなくちゃ. 語例 ~ 경제 自立経済 / ~ 정신 自立心. 自立の精神.

자립-적【自立的】〈名・冠〉自立的. 語例 ~으로 自立して. 自力で.

자릿-그물〈名〉定置網. =정치망.

자릿-세【―貰】〈名〉席料.

자릿-수【―數】〈名〉数のけた(桁). 位.

자릿자릿-하다 [charitcharit'ada] (→하다)〈形〉ひどくしびれ(痺)れる. ぴりぴりする. 句例 신경이 ~ 神経がぴりぴりする.

자릿-점【―點】〈名〉そろばん(算盤)のはり(梁)につけた位取りを表わす印.

자막【字幕】〈名〉字幕. スーパーインポーズ.

자-막대기〈名〉物差〔物指〕しに用いる竹や木の棒.

자만【自慢】〈名・하自〉自慢. 語例 ~심 慢心. 自慢する心.

*자매【姉妹】〈名〉姉妹. 語例 형제 ~ 兄弟姉妹 / ~ 결연 姉妹縁組み / ~교 姉妹校〔学校〕/ ~ 도시 姉妹都市 / ~지(紙) 姉妹新聞 / ~편 姉妹編 / ~품 姉妹品 / ~ 회사 姉妹会社.

자맥-질〈名・하自〉'무자맥질'の略.

자멸【自滅】〈名・하自〉自滅. 句例 승리를 서두르다 ~하다 勝ちを焦って自滅する.

자명【自明】〈名・하形〉自明. 句例 ~한 이치 自明の理.

자명-고【自鳴鼓】〈名〉〔史〕敵の侵入があれば, おの(自)ずから鳴るといわれた太鼓.

자명-종【自鳴鐘】〈名〉目覚まし時計.

자모【子母】〈名〉子母. 母子. 語例 ~음 子音と母音.

자모【字母】〈名〉字母. 語例 ~순 字母の配列順.

자모【姉母】〈名〉姉と母. 語例 ~회 幼稚園や小学校などで, 児童の姉や母など女性の保護者からなる会.

자모【慈母】〈名〉慈母. 句例 ~의 사랑을 받고 자라다 慈母のいつくしみを受けて育つ. 對엄부(嚴父).

자못〈副〉考えたよりずっと. いとも. 句例 ~ 엄숙하게 いとも厳かに / ~ 미안한 듯한 표정 すこぶるすまなさそうな表情.

자문【諮問】〈名・하他〉諮問. 句例 ~에 응하다 諮問に応じる. 語例 ~ 기관 諮問機関.

자문-자답【自問自答】〈名・하自〉自問自答.

자물-단추〈名〉貴金属で作ったボタンの一種. 尾錠. 留め金.

*자물-쇠 [―ssoe]〈名〉錠. 錠前. 句例 ~를 비틀어 열다 錠をね(捩)じ開ける / ~를 잠그다 錠をかける. 語例 ~청 錠前のばね. 對열쇠.

자바라【啫哮囉】〈名〉〔楽〕鐃鈸.
參考 シンバルに似た真鍮製の打楽器の一つ.

자박〈副〉静かに踏み出す足音: さくさく. ~거리다〈自〉さくさくと足音を立てる.

자박자박〈副・하自〉続けて足音がするさま: さくさく.

자반 [cha:ban]〈名〉塩物. 語例 ~ 고등어 塩さば.
參考 もとは慣用音の'佐飯'で表記した.

자반-뒤집기 [cha:ban—]〈名・하自〉病による苦痛に耐えきれなくてのたうち回ること.

자발-적【自發的】[―tchŏk]〈名・冠〉自発的. 句例 ~으로 연습하다 自発的に練習する. 語例 ~ 협력자 自発的協力者.

자방【子房】〈名〉〔植〕⇨ 씨방

자배기〈名〉たらい(盥)に似た陶器の一つ.

자백【自白】〈名〉自白. 白状. 自供. **～하다**〈他〉自白する. 白状する. 自供する. 泥を吐く《俗》. 句例 범행을 ～하다 犯行を自白する.

자-벌레〈名〉〔蟲〕尺取り虫.

자별-하다【自別—】(→하다)〈形〉❶おのずから他と違う. ❷特に〔とりわけ〕親しい仲だ. **자별히**〈副〉格別に. とりわけ親しく.

***자본**【資本】〈名〉資本. 元手. 元金. キャピタル. ＝밑천. 句例 ～을 투입하다 資本を投じる / ～의 축적〔유출・조성〕資本の蓄積〔流出・造成〕. 語例 ～가 資本家 / ～금 資本金 / ～ 부족 資本不足 / 외국 ～ 外国資本 / 자기 ～ 自己資本 / 금융 ～ 金融資本.

자본-주의【資本主義】〈名〉資本主義. キャピタリズム. 語例 ～ 경제 資本主義経済.

자부【子婦】〈名〉'며느리 息子の妻'の漢字語.

자부【自負】〈名〉自負. **～하다**〈他〉自負する. しょ(背負)う《俗》. 句例 장수를 ～하다 長寿を自負する. 文例 내 생각이 옳다고 ～하고 있다 わたしの考えが正しいと自負している. 語例 ～심 自負心.

자비【自費】〈名〉自費. 句例 ～로 유학하다 自費で留学する. 語例 ～ 출판 自費出版.

자비【慈悲】〈名〉慈悲. 句例 ～를 베풀다 慈悲を施す〔垂れる〕. 恵みを施す / 부처님의 ～를 배우다 仏の慈悲を学ぶ. 語例 ～심 慈悲心. 情け. **～롭다**(→롭다)〈形〉慈悲深い. 慈悲心がある. 情け深い. **～로이**〈副〉あわれみを持って. 慈悲深く.

자빠-뜨리다〈他〉倒す. 転がす.

자빠-지다〈自〉❶倒れる. 転がる. つまずく. 句例 옆으로 ～ 横に倒れる / 뒤로 ～ 後ろに倒れる. ひっくり返る. ❷(仕事から)手を引く. 脱落する. 句例 못하겠다고 ～ できないからと言って手を引く. ❸'눕다 横になる. 寝る'の下品な言いかた. 寝転ぶ. 句例 자빠져서 책을 읽다 寝転んで本を読む.

자산【資産】〈名〉資産. 財産. ＝재산. 句例 ～의 증식 資産の増殖. 語例 ～가 資産家.

자살【自殺】〈名・하自〉自殺. 句例 ～을 도모하다〔꾀하다〕自殺をはかる. 語例 ～자 自殺者 / 음독 ～ 服毒自殺 / 투신 ～ 飛び込み自殺 / ～ 미수 自殺未遂.

자상【刺傷】[cha:sang]〈名〉刺傷. 刺し傷. 突き傷. 句例 ～을 입다 刺傷を受ける.

자상-하다【仔詳—】(→하다)〈形〉❶つまび(詳)らかだ. 詳しい. 詳細だ. 句例 자상하게 알고 있다 詳細に知っている / 자상하게 물어보다 子細に聞いてみる. ❷よく気がきく. 細やかだ. 句例 자상한 성격 細やかな性格. **자상히**〈副〉つまび(詳)らかに. 詳しく. 句例 자상히 설명하다 詳しく説明する.

자새〈名〉❶縄をなう装置. ❷糸巻き. 糸車. かせ. 語例 ～질 糸車を回す仕事.

자색【姿色】[cha:saek]〈名〉姿色. (女性の)見目形. 容色. 句例 ～이 아름답다 見目形が美しい.

자색【紫色】[cha:saek]〈名〉紫色. 紫.

자생【自生】〈名・하自〉自生. 句例 산야에 ～하는 꽃 山野に自生する花. 語例 ～ 식물 自生植物 / ～지 自生地.

자생-적【自生的】〈名・冠〉自生的. 語例 ～ 관념 自生的観念.

자서【自署】〈名・하自他〉自署. 句例 본인의 ～ 本人の署名.

자서-전【自敍傳】〈名〉自叙伝. 略して'자전(自傳)'ともいう.

***자석**【磁石】〈名〉〔物〕磁石. マグネット. 語例 막대 ～ 棒磁石 / ～식 전화기 磁石式電話機.

자선【慈善】〈名〉慈善. 句例 가난한 사람에게 ～을 베풀다 貧しい人に慈善をほどこす. 語例 ～가 慈善家 / ～ 냄비 慈善〔社会〕なべ(鍋) / ～ 사업 慈善事業 / ～ 음악회 慈善音楽会. チャリティーコンサート / ～ 단체 慈善団体.

자설【自說】〈名〉自説. 句例 ～을 굽히지 않다 自説を曲げない.

자성【自省】〈名・하自〉自省.

자성【磁性】〈名〉〔物〕磁性. 句例 ～이 있는 쇳조각 磁性のある鉄片. 語例 ～체 磁性体.

***자세**【姿勢】[cha:se]〈名〉姿勢. 身構え. 体勢. ポーズ. 句例 바른 ～ 正しい姿勢 / ～가 좋다〔나쁘다〕姿勢がいい〔悪い〕/ ～를 바로 하다 姿勢を正す. 語例 고～ 高姿勢 / 저～ 低姿勢.

자세【藉勢】[cha:se]〈名・하自〉勢いを借りること.

자-세포【刺細胞】[cha:—]〈名〉〔動〕刺細胞.

****자세-하다**【子細—・仔細—】(→하다)〈形〉つまびらかだ. 詳しい. 細かい. 細細しい. 句例 자세한 설명 細かい説明 / 자세하게 알아보다 詳しく調べる. **자세히**〈副〉詳しく. 細かく. つぶさに. つまびらかに. 細細と. 句例 자세히 까닭을 말하다 子細にわけを話す.

자소이래-로【自少以來—】〈副〉幼いころから今に至るまでずっと.

***자손**【子孫】〈名〉子孫. ＝후손. 句例 ～이 끊기다 子孫〔後〕が絶える / ～이 많다〔적다〕子孫が多い〔少ない〕/ ～에게 남겨주다〔전하다〕子孫にのこす〔伝える〕/ ～이 귀하다 子孫が乏しい. 語例 ～ 만대 子孫万代.

자수【自首】〈名・하自〉〔法〕自首. 句例 범인이 ～하다 犯人が自首する / 가족이 ～를 권하다 家族の者が自首をすすめる.

자수【字數】[chassu]〈名〉字数. 句例 ～를 맞추다 字数をあわせる / 한 행의 ～ 一行の字数.

자수【刺繡】[cha:su]〈名〉刺繡. 縫い取り. 縫い. **～하다**〈自〉刺繡する. 縫い取る.

자수 성가【自手成家】〈名〉自力で一家の暮らしを立てること.

자-수정【紫水晶】[cha:—]〈名〉紫水晶.

자숙【自肅】〈名・하自〉自粛. 句例 자연 파괴를 ～하다 自然破壊を自粛する.

자습【自習】〈名・하他〉自習. 語例 ～ 시간 自習時間 / ～서 自習書. 虎の巻《俗》. あんちょこ《俗》.

자승【自乘】〈名・하他〉'제곱'の古い言いかた.

자승-자박【自縄自縛】〈名〉自縄自縛. 句例 ～에 빠지다 自縄自縛におちいる.

자시다 [cha:shida]〈他〉'먹다 食べる'のていねいな言いかた. 召し上がる.

表現 '잡수시다'はもっとていねいな言いかた.

자식【子息】〈名〉❶子. 子供. 息子と娘. 子女. 句例 ～을 보다〔낳다〕子をもうける. 子を産む / ～을 훌륭히 키우다 子供を立派に育てる / 부모 ～간의 애정 親子の間の愛情. 文例 우리 집 ～들은 말을 잘 듣지 않는다 うちの餓鬼どもは言う事をよく聞かない. ❷男をののしって言う語: やつ(奴). 野郎. 文例 에이, 나쁜 ～ えい, 悪いやつめ / 징그러운 ～ げじげじ野郎 / 개 같은 ～ 犬ころみたいなやつ.

表現 ①で, 他人の子は普通, '자녀(子女)'といい, 自分の息子はひくめて'아들 자식'ともいう.

*자신【自身】〈名〉自身. 自分. 句例 자기 ～이 반성해 보다 自分自身で反省してみる / ～을 돌아보다 自身を省みる / ～의 힘으로 해내다 自分の力で成し遂げる. 文例 너 ～을 알라 なんじ(汝)自らを知れ.

자신【自信】〈名・하他〉自信. 句例 ～에 차 있다 自信に満ちている / ～을 잃다 自信をなくす〔失う〕/ ～이 붙다 自信がつく / ～이 있다〔없다〕自信がある〔ない〕/ ～을 가지다 自信を持つ. 語例 ～감 自信感 / ～만만하다 自信満満だ.

자심-하다【滋甚―】(→하다)〈形〉ますますはなはだしい〔ひどい〕. 句例 피해가 ～ 被害がますますはなはだしい. 자심히〈副〉ますますはなはだしく〔ひどく〕.

자씨【姉氏】〈名〉他人の姉をうやまって言う語: 姉上.

자아【自我】〈名〉自我. エゴ. 句例 ～에 눈뜨다 自我に目覚める / ～의 확립 自我の確立. 語例 ～ 실현 自我実現 / ～ 의식 自我意識.

자아-내다〈他〉❶糸を紡ぎ出す. 句例 누에에서 자아낸 실 かいこから紡ぎ出した糸. ❷(機械の力で)液体や気体などが流れ〔噴き〕出るようにする. ❸(感じや興味などを)わき起こらせる. 醸し出す. そそる. 催す. 句例 눈물을 ～ 涙をそそる〔催す〕/ 호기심을 ～ 好奇心をそそる / 웃음을 ～ 笑いを誘う / 깊은 감명을 ～ 深い感銘を呼び起こす.

자아-올리다〈他〉(機械の力で)水を吸い上げる.

자아-틀〈名〉ウィンチ.

자애【自愛】〈名・하自〉自愛. 文例 ～하시기 바랍니다 御自愛を願います. 語例 자중～ 自重自愛.

자애【慈愛】〈名〉慈愛. 慈しみ《雅》. 句例 어버이의 ～ 親の慈愛. 語例 ～심 慈愛心 / ～지정 慈愛の情. 慈しむ心.

자애-롭다【慈愛―】(→롭다)〈形〉慈しみ深い. 句例 자애로운 눈으로 바라보다 慈愛にみちた目で眺める. 자애로이〈副〉慈しみ深く.

자양【滋養】〈名〉滋養. 語例 ～물 滋養物 / ～제 滋養剤.

자양-분【滋養分】〈名〉滋養分. 文例 달걀에는 ～이 많다 卵には滋養(分)がたっぷりある.

자업-자득【自業自得】〈名〉自業自得. 句例 ～이라고 체념하다 自業自得とあきら(諦)める.

자-에【玆―】〈副〉ここ(玆)に. ここにおいて. よ(仍)って. 故に. ＝이에. 文例 그 공이 크므로 ～ 이를 표창함 その功大なるによってここ(玆)にこれを賞す.

表現 '이에 ここに, よって'の古めかしい言いかた. おもに, 賞状などで使われた.

*자연【自然】㊀〈名〉自然. ～하다〈形〉⇨ 자연스럽다. 句例 ～의 조화(造化) 自然の営み / ～의 위력 自然の威力 / ～을 사랑하다 自然を愛する / ～을 벗삼다 自然を友とする / ～과 친하다 自然にしたしむ / ～으로 돌아가다 自然に帰る / ～ 그대로의 모습 生まれたままの自然のすがた. 語例 ～계 自然界 / ～공원 自然公園 / ～ 과학 自然科学 / ～ 녹지 自然緑地 / ～림 自然林 / ～ 면역 自然免疫 / ～ 발생 自然発生 / ～사 自然死 / ～석 自然石 / ～수 自然数 / ～ 숭배 自然崇拝 / ～미 自然美. 天然の美 / ～ 보호 自然保護 / ～인 自然人 / ～ 재해 自然災害 / ～ 현상 自然現象 / 대～ 大自然.

㊁〈副〉'자연히'の略. 文例 일이 ～ 그렇게 되었다 事が自然にそうなった.

자연 도태【自然淘汰】〈名〉〔生〕⇨ 자연 선택

자연 선택【自然選擇】[―sŏ:nt'aek]〈名〉〔生〕自然選択.

*자연-스럽다【自然―】(→스럽다)〈形〉自然だ. 句例 자연스럽게 행동하다 自然にふるまう / 자연스러운 동작 自然な動作. 자연스레〈副〉自然に. ひとりでに. おのずから.

자연-적【自然的】〈名・冠〉自然的. 語例 ～ 조건 自然的条件 / ～ 형태 自然的形態.

자연-주의【自然主義】〈名〉自然主義. ナチュラリズム. 語例 ～자 自然主義者. ナチュラリスト.

자연 증가【自然増加】〈名〉自然増加. 語例 ～율 自然増加率.

*자연 환경【自然環境】〈名〉自然環境.

*자연-히【自然―】〈副〉自然に. 自然(と). おの(自)ずから. おの(自)ずと. ひとりでに. 句例 ～ 머리가 수그러지다 自然と頭が下がる / 병이 ～ 낫다 病気が自然に治る.

자영【自營】〈名・하他〉自営. 句例 공장을 ～하다 工場を自営する. 語例 ～업 自営業.

자오-선【子午線】〈名〉〔天〕子午線. 語例 본초～ 本初子午線.

자외-선【紫外線】[cha:oe―]〈名〉〔物〕紫外線. 語例 ～ 사진 紫外線写真 / ～ 요법 紫外線療法. →적외선(赤外線)

자우【慈雨】〈名〉慈雨.

자욱-이 [chaugi]〈副〉深く. 濃く. もやもやと.

자욱-하다 [chauk'ada](→하다)〈形〉(煙などが)立ち込めている. 深い. 濃い. もやもやしている. 句例 안개가 ～ 霧が深い / 초연이 ～ 硝煙が立ち込めている.

자-운영【紫雲英】[cha:unyŏng]〈名〉〔植〕しう

ス

んえい(紫雲英). れんげ(そう).

자웅【雌雄】〈名〉雌雄. 句例 ~을 결하다 雌雄を決する / ~을 겨루다 雌雄を争う. 優劣を競う.

자원【字源】〈名〉字源.

자원【自願】〈名・하他〉みずから志願する〔願い出る〕こと. 句例 ~해서 입대하다 みずから志願して入隊する. 語例 ~ 봉사자 ボランティア.

***자원**【資源】〈名〉資源. 句例 ~이 부족〔풍부〕한 나라 資源の乏しい〔豊かな〕国 / ~ 재활용에 힘쓰다 資源リサイクルに力を注ぐ / ~을 개발하다 資源を開発する. 語例 지하 ~ 地下資源 / 인적 ~ 人的資源 / 천연 ~ 天然資源 / 관광 ~ 観光資源.

자위〈名〉眼球や卵などを色によって分けた部分. 身. 目. 語例 노른~ 黄身 / 흰~ 白身. 白目 / 검은 ~ 黒目.

자위【自慰】〈名・하自〉自慰. 句例 현상에 만족하고 ~하다 現状に満足して自慰する. 語例 ~책 自慰策.

자위【自衛】〈名・하他〉自衛. 語例 ~권 自衛権 / ~ 수단 自衛手段 / ~책 自衛策.

****자유【自由】**〈名〉自由. 句例 언론의 ~ 言論の自由 / ~의 몸 自由の身 / 개인의 ~ 個人の自由 / …의 ~를 확보하다 …の自由を確保する / ~를 박탈〔보장〕하다 自由を剝奪〔保障〕する / ~를 잃다 自由を失う / ~를 주다 自由を与える / ~를 저해하다 自由を阻害する / ~를 옹호하다 自由を擁護する. 文例 선택은 너의 ~다 選択は君の自由だ / ~를, 아니면 죽음을 달라 (我に)自由を与えよ, しか(然)らずんば死を与えよ. 語例 ~ 결혼 自由結婚 / ~ 경제 自由経済 / ~ 국가 自由国家 / ~권 自由権 / ~ 도시 自由都市 / ~ 무역 自由貿易 / ~ 민주 국가〔사회〕 自由民主国家〔社会〕 / ~민 自由民 / ~ 사상 自由思想 / ~ 세계 自由世界 / ~업 自由業 / ~ 의사 自由意思 / ~ 의지 自由意志 / ~ 이민 自由移民 / ~인(人) 自由人 / ~ 임용제 自由任用制 / ~ 재량 自由裁量 / ~항 自由港 / ~ 통상 自由通商 / ~ 통항권 自由通航権 / ~형〔法〕自由刑 / ~ 혼인〔法〕自由婚姻 / ~화 自由画 / ~화 自由化 / ~ 진영 自由陣営 / ~형 自由型 / ~ 행동 自由行動.

***자유-롭다**【自由—】(→롭다)〈形〉自由だ. 句例 자유로운 행동 自由な行動 / 자유롭게 되다 自由になる / 병으로 몸이 자유롭지 못하다 病気でからだの自由がきかない. **자유로이**〈副〉自由に. 文例 피아노를 자유로이 치십시오 ピアノをご自由にお弾きください.

자유 방임【自由放任】[—ba:ng-im]〈名〉自由放任. 語例 ~주의 自由放任主義.

자유분방-하다【自由奔放—】(→하다)〈形〉自由奔放だ. 句例 자유분방한 생활 自由奔放な生活 / 자유분방하게 살다 自由奔放に生きる.

자유-스럽다【自由—】(→스럽다)〈形〉自由だ. 句例 자유스러운 활동 自由な活動 / 자유스럽게 출입할 수 있다 自由に出入りできる. **자유스레**〈副〉自由に.

자유-시【自由詩】〈名〉自由詩. 對 정형시(定型詩).

자유-자재【自由自在】〈名〉自由自在. 句例 ~로 다루다 自由自在に使いこなす.

자유-주의【自由主義】〈名〉自由主義. リベラリズム.

자율【自律】〈名〉自律. 文例 너희들의 ~에 맡

囲み記事 72

■ 자음 동화 子音の同化 ■

音節末の子音が次に来る語頭の子音と結合されるとき, 一方の子音が他方の子音の影響によって, その固有の音価とは異なる音に発音されるのがある. これが'子音の同化'で, '자음 접변(子音接變)'とも言う.

同化の類型.

ㄱ, ㄲ, ㅋ, ㄳ, ㄺ(代表音 ㄱ)
ㅅ, ㅆ, ㅈ, ㅊ, ㅌ, ㅎ(代表音 ㄷ) } + ㄴ/ㅁ → ㅇ/ㄴ/ㅁ
ㅍ, ㄼ, ㄿ, ㅄ(代表音 ㅂ)

먹는→멍는, 긁는→긍는
윗물→윈물, 놓는→논는
앞마당→암마당, 값나가다→감나가다

ㅁ, ㅇ, ㄱ, ㅂ } + ㄹ → ㄴ

침략→침냑
항로→항노
막론→망논
십리→심니

ㄹ+ㄴ, ㄴ+ㄹ→ㄹ+ㄹ　칼날→칼랄　천리→철리

ただし, -란(欄), -량(量), -력(力), -례(禮), -론(論), -로(路), -료(料)などの前で'ㄴ'と結合されると, 'ㄹ'は'ㄴ'に発音される.

의견란→의견난, 생산량→생산냥, 공권력→공꿘녁, 횡단로→횡단노, 입원료→이붠뇨

구개음화 口蓋音化

上の同化現象の一つに, 口蓋音でない'ㄷ, ㅌ'が, 母音'ㅣ'と結合するとき, 口蓋音である, 'ㅈ, ㅊ'にかえられて発音されるのがある. これを'구개음화(口蓋音化)'という.

ㄷ+ㅣ→ㅈ+ㅣ　밭받이→밭바지
ㅌ+ㅣ→ㅊ+ㅣ　같이→가치

また, ㄷ+ㅎ→치の型もある.

굳히다→구치다

기겠다 お前たちの自律にまかせよう. [語例] ~성 自律性 / ~ 신경 自律神経 / ~ 정신 自律の精神 / ~ 학습 自律学習. ㊥타율(他律).

자율-적【自律的】[—tchŏk]〈名·冠〉自律的. [句例] ~으로 운영하다 自律的に運営する. [語例] ~ 판단 自律的判断.

자음【子音】〈名〉〔言〕子音. =닿소리. ㊥모음(母音). →자모(字母). →囲み記事 73·89
[参考] 現代ハングルの子音は ㄱ·ㄴ·ㄷ·ㄹ·ㅁ·ㅂ·ㅅ·ㅇ·ㅈ·ㅊ·ㅋ·ㅌ·ㅍ·ㅎと ㄲ·ㄸ·ㅃ·ㅆ·ㅉがある. これらは初声にもなるが ㄸ·ㅃ·ㅉを除いては終声になる. また, 終声には'겹받침'もある.

자음【字音】〈名〉字音. 漢字の音.

자음 동화【子音同化】〈名〉〔言〕前の語の終声と後の語の初声の子音が互いに同化され, その音価が変わって発音されること. →囲み記事 72

자의【自意】〈名〉自分の意思. ㊥타의(他意).

자의【恣意】[cha:ŭi]〈名〉恣意. 気ままな心. [句例] ~로 행하다 気ままに行なう.

자-의식【自意識】〈名〉〔心〕自意識. [句例] ~의 과잉 自意識の過剰 / ~을 발달시키다 自意識を発達させる / ~이 있는 사람 自意識のある人.

자의-적【恣意的】[cha:ŭi—]〈名·冠〉恣意的. [句例] ~ 행위 恣意的行い / ~인 해석 恣意的な解釈. [文例] 그들의 선택은 ~이다 彼らの選択は恣意的である.

자이언트〈名〉ジャイアント. 巨人. ◇giant

자인【自認】〈名·하他〉自認. [句例] 과실〔실정〕을 ~하다 過失〔失政〕を自認する.

자일〈名〉ザイル. =로프. ◇도 Seil

자임【自任】〈名·하自他〉自任. [句例] 천재 음악가라고 ~하다 天才音楽家だと自任する.

자자-손손【子子孫孫】〈名〉子子孫孫. [句例] ~에 전하다 子子孫孫に伝える. [文例] ~ 행복하기 바란다 子子孫孫にまで幸福であってほしい.

자자-하다【藉藉—】(→하다)〈形〉(うわさなどが)広まっている. (うわさで)持ち切りだ. [句例] 평판이 ~ 評判が高い.

자작【子爵】〈名〉子爵.

자작【自作】〈名·하他〉自作. [句例] ~의 라디오 自製のラジオ. [語例] ~농 自作農 / ~시 自作詩 / ~ 자연 自作自演.

囲み記事 73

■ 자음의 읽기와 차례 子音の読みかたと順序 ■

(1) 子音の読みかた

ㄱ(기역) ㄴ(니은) ㄷ(디귿) ㄹ(리을) ㅁ(미음) ㅂ(비읍) ㅅ(시옷) ㅇ(이응) ㅈ(지읒) ㅊ(치읓) ㅋ(키읔) ㅌ(티읕) ㅍ(피읖) ㅎ(히읗)

この外 ㄲ(쌍기역) ㄸ(쌍디귿) ㅃ(쌍비읍) ㅆ(쌍시옷) ㅉ(쌍지읒) ㄳ(기역시옷) ㅄ(비읍시옷) など

(2) 事典での配列の順序

ㄱ ㄲ ㄴ ㄷ ㄸ ㄹ ㅁ ㅂ ㅃ ㅅ ㅆ ㅇ ㅈ ㅉ ㅊ ㅋ ㅌ ㅍ ㅎ

자작【自酌】〈名·하自〉['자작 자음(自飮)'の略] 自酌. 手酌(で飲むこと).

자작-나무 [chajangnamu]〈名〉〔植〕しらかば(白樺).

자작-자작〈副·하形〉水などが乾いてだんだん少なくなるさま: ぴちゃぴちゃ. びちゃびちゃ.

자잘-하다 (→하다)〈形〉細細しい. みな細かい.

자장【磁場】〈名〉〔物〕⇨ 자기장(磁氣場)

***자장-가**【—歌】〈名〉子守歌. [文例] 엄마의 ~를 들으면서 아기는 새근새근 잠이 들었다 母ちゃんの子守歌を聞きながら, 坊やはすやすやと寝入った.

자장-면〈名〉⇨ 짜장면. ◇중 酢醬麪

자장-자장〈感〉ねんねん.
[表現] 幼児を寝かせるときのあやし言葉.

자재【自在】〈名·하形〉自在. [語例] 자유~ 自由自在 / ~화 自在画.

자재【資材】〈名〉資材. [語例] 건축 ~ 建築資材 / ~난 資材難.

자전【字典】〈名〉字典. 字引き.

자전【自傳】〈名〉'자서전(自敍傳)'の略: 自伝.

자전【自轉】〈名·하自〉自転. [文例] 지구는 ~한다 地球は自転する. [語例] ~ 주기 自転周期 / ~축 自転軸. ㊥공전(公轉).

**자전-거【自轉車】〈名〉自転車. [句例] ~를 타다 自転車に乗る / ~ 페달을 밟다 自転車をこぐ. [語例] ~ 경주 自転車競走 / ~포 自転車屋.

자정【子正】〈名〉午前零時. 夜中の十二時. ㊥오정(午正). 정오(正午).

자정 작용【自淨作用】[—jagyong]〈名〉自浄作用.

자제【子弟】〈名〉❶他人の息子に対する丁寧語: 令息. ご子息. [語例] ~분 ご子息. ❷子弟. [語例] 양가 ~ 良家の子弟.

자제【自制】〈名·하他〉自制. [句例] ~력을 잃다 自制を失う. [語例] ~력 自制力 / ~심 自制心.

자조【自助】〈名·하自〉自助. [語例] ~ 정신 自助精神.

자조【自嘲】〈名·하自〉自嘲.

자조-적【自嘲的】〈名·冠〉自嘲的. [句例] ~인 웃음 自嘲的な笑い.

자족【自足】〈名·하自他〉自足. [句例] ~한 생활 満ち足りた生活. [語例] 자급 ~ 自給自足.

자존-심【自尊心】〈名〉自尊心. プライド. [句例] ~이 강한 사람 自尊心の強い人 / ~이 상하다 自尊心が傷つけられる〔傷つく〕.

***자주**【自主】〈名〉自主. [語例] ~권 自主権 / ~국방 自主国防 / ~ 독립 自主独立 / ~성 自主性 / ~력 自主力 / ~ 정신 自主の精神.

자주【紫朱】〈名〉⇨ 자줏빛

**자주〈副〉しばしば. たびたび. 重ね重ね. [句例] ~ 만난 사람 たびたび会った人 / 비슷한 사건이 ~ 일어나다 同じような事件がたびたび起こる. 「に.

자주-자주〈副〉頻繁に. しげしげ(と). しきり

表現 '자주 しばしば'を強めた言いかた.

***자주-적**【自主的】〈名・冠〉自主的. 句例 ~인 외교 自主的な外交 / ~으로 방침을 정하다 自主的に方針を決める.

자주-포【自走砲】〈名〉自走砲.

자줏-빛【紫朱―】〈名〉古代紫. 赤紫色. =자주. 자주색(色).

자중[1]【自重】〈名〉自重. 物の自体の重さ. 句例 ~ 30톤의 기계 自重三十トンの機械.

자중[2]【自重】〈名・하自〉自重. 文例 아무쪼록 ~하여 주십시오 くれぐれもご自重を願います. 語例 ~ 자애 自重自愛.

자중지-란【自中之亂】〈名〉仲間争い. 同士討ち. 内輪もめ.

자지러-뜨리다〈他〉❶(恐れ・緊張などで)からだを縮こませる. 身をすくめる. ❷(動植物が病気などで)縮こまる. な(萎)える. しおれる.

자지러-지다〈自〉❶(恐れなどで)からだが縮こまる. 句例 자지러지게 놀라다 身がすくむほどびっくりする. ❷(笑い声や拍子取りなどのテンポが)早くなる. 句例 자지러지게 웃다 笑いこける / 자지러지게 울다 いらだたしいほどしきりに泣き叫ぶ.

자진【自進】〈名・하自〉自ら進んですること. 自発的にすること. 句例 ~해서 일을 하다 進んで仕事をする. 文例 ~해서 헌금합시다 奮って献金しましょう.

자-질〈名・하自〉尺を取ること. 物差しで長さを測ること.

자질【資質】〈名〉資質. 句例 뛰어난 ~의 소유자 すぐれた資質の持ち主 / ~을 갖추고 있다 資質を備えている / ~이 없다 資質に欠ける / ~을 타고 나다 資質に恵まれる.

자질구레-하다(→하다)〈形〉細細しい. 句例 자질구레한 일 細細とした用事.

자-짜리〈名〉(釣りで)一尺(余り)の魚.

자찬【自讚】〈名・하自他〉自賛. 語例 자화 ~ 自画自賛.

자책【自責】〈名・하自〉自責. 句例 ~감에 사로잡히다 自責の念にかられる. 語例 ~점〔野〕自責点.

자처【自處】〈名〉❶自決. **~하다**〈自〉自決する. ❷自任. 自負. **~하다**〈自〉自任する. 任じる. 気取る. 句例 호걸로 ~하다 豪傑を気取る / 예술가로 ~하다 芸術家をもって任じる. 文例 그는 천재로 ~하고 있다 彼は天才を自任している.

자천【自薦】〈名・하自〉自薦. 句例 ~ 타천의 후보자 自薦他薦の候補者.

자철-광【磁鐵鑛】〈名〉磁鉄鉱. 略して'자철(磁鐵)'ともいう.

자청【自請】〈名・하自他〉自ら請うこと. 句例 죽음을 ~하다 自ら死を請う / ~해서 나서다 自ら進んで乗り出す.

자체【自體】〈名〉自体. 句例 그 ~의 무게로 넘어지다 それ自体の重みで倒れる. 文例 그 생각 ~가 벌써 틀렸다 その考え自体がすでに間違っている / 계획 ~에는 비난의 여지가 없다 計画そのものには非難の余地がない.

자체【字體】〈名〉字体.

자초【自招】〈名・하他〉自ら招くこと. 句例 화를 ~하다 災いを自ら招く.

자초-지종【自初至終】〈名〉始めから終わりまで. 一部始終. 始末. 顚末. 句例 ~을 말하다 一部始終を話す.

자축【自祝】〈名・하他〉自ら祝うこと. 語例 ~연 自分の慶事を自ら祝賀するために催す宴会.

자충【自充】〈名・하自〉(碁で)自分の地を自らふさぐこと.

자취〈名〉跡. 跡形. 形跡. 名残. 句例 ~를 감추다 跡〔姿〕をくらます. 影を隠す / 고대 문명의 ~ 古代文明のなごり / 역사의 ~를 돌이켜 보다 歴史の足跡を顧みる / ~ 없이 사라지다 跡形もなく消え去る / ~를 찾을 길이 없다 行方を捜すすべがない.

자취【自炊】〈名・하自〉自炊. 句例 하숙에서 ~하다 下宿で自炊する.

자치【自治】〈名・하自〉自治. 語例 ~권 自治権 / ~ 기관 自治機関 / ~ 단체 自治団体. 自治体. 地方公共団体 / ~령 自治領 / ~ 제도 自治制度 / ~회 自治会 / 지방 ~ 地方自治 / ~ 정신 自治精神.

자-치기〈名〉地面に置いた短い棒切れを長い棒切れで打ち飛ばし, その距離の遠近によって勝負を決める, 子供たちの遊び.

자친【慈親】〈名〉他人に対して自分の母を言う語. =자모(慈母). ㉺엄친(嚴親).

자침【磁針】〈名〉磁針. 文例 ~은 남북을 가리킨다 磁針は南北を指す.

자칫〈副〉❶万が一. ちょっと. 文例 ~ 잘못하면 떨어진다 ちょっと〔まかり〕間違えば落ちる. ❷やや(少し). 文例 ~ 큰 듯하다 やや大きいようだ.

자칫-하면 [chach'it'amyŏn]〈副〉ちょっと間違えば〔失敗すれば〕. ともすると. すんでのところで. もう少しで. 文例 ~ 실패하기 쉽다 ともすると失敗しがちだ / 여름에는 ~ 수면 부족이 되기 쉽다 夏はややもすれば睡眠不足になりがちである / ~ 계산이 틀린다 ともすると計算を間違える / ~ 차에 치일 뻔했다 すんでのところで車にひかれるところだった.

자칭【自稱】〈名・하他〉自称. 句例 신의 아들이라고 ~하는 사나이 神の子と自称する男.

자키〈名〉ジョッキー. 語例 디스크~ ディスクジョッキー. ディージェー / 비디오~ ビデオジョッキー. ブイジェー. ◇jockey

자타【自他】〈名〉自他. 文例 ~가 다 인정하는 바다 自他ともに認めるところだ. 語例 ~ 공인(共認) 自他共に認める〔許す〕こと.

자탄【自歎・自嘆】〈名・하自他〉自嘆. 自ら嘆くこと.

자태【姿態】[cha:t'ae]〈名〉姿態. 姿. 句例 요염한 ~ あで姿. なまめかしい姿態 / 불상의 단엄한 ~ 仏像の端厳なお姿.

자택【自宅】〈名〉自宅. 私宅. 自邸. 句例 ~에 전화를 걸어 보다 自宅に電話をかけてみる. 語例 ~ 요양 自宅療養.

자퇴【自退】〈名・하自他〉自退. 自ら退くこと.

자투리〈名〉(布の)端切れ. 切れ(端). 切れ地. 語例 ~땅 宅地の区画をした後に残った, 基準面積未満の不定形の狭い土地.

자파【自派】〈名〉自派. 語例 ~ 세력 自派勢力. 對타파(他派).

자판【字板】〈名〉〔컴〕文字盤. キーボード.

자판-기【自販機】〈名〉['자동 판매기'の略] 自販機.

자패【紫貝】[cha:p'ae]〈名〉〔貝〕たからがい(宝貝).

자평【自評】〈名・하他〉自評.

자폐-증【自閉症】[—tchŭng]〈名〉〔醫〕自閉症.

자포-자기【自暴自棄】〈名〉自暴自棄. やけ. やけくそ. すてばち. 破れかぶれ《俗》. 句例 ~의 행동을 하다 破れかぶれの行動をする / 실연하여 ~가 되다 失恋してやけくそになる.

자폭【自爆】〈名・하自〉自爆.

자-풀이 [—p'uri]〈名・하他〉❶(反物の)一尺当たりの単価を割り出すこと. ❷尺単位で売ること.

자필【自筆】〈名・하他〉自筆. 自書. 語例 ~ 이력서 自書〔自筆〕の履歴書.

자학【自虐】〈名・하自〉自虐. 語例 ~ 행위 自虐行為.

자해【自害】〈名・하自〉自害.

자해【字解】〈名・하自他〉字解.

자행【恣行】[cha:haeng]〈名・하他〉恣行. ほしいままに行なうこと. 句例 폭력을 ~하다 暴力をほしいままにする.

자형【字形】〈名〉字形.

자형【姉兄】〈名〉姉の夫. 義兄.

자형【慈兄】〈名〉大兄. 貴兄. 表現 おもに手紙文で用いられる.

자혜-롭다【慈惠—】(→롭다)〈形〉慈しみ深い. **자혜로이**〈副〉慈しみ深く.

자화【磁化】〈名・하自〉〔物〕磁化. ＝자기화(磁氣化).

자화-상【自畫像】〈名〉自画像. 句例 ~을 그리다 自画像を描く.

자화-자찬【自畫自讚】〈名・하自〉自画自賛. 手前みそ.

자활【自活】〈名・하自〉自活. 句例 ~의 길 自活の道 / 아르바이트로 ~해 가다 アルバイトで自活して行く.

> 囲み記事 74
>
> ■ '작다'と'적다' ■
>
> 작다 小さい
> (1) 大きさが小さい —— 작은 돌 小さい石
> (2) 年が幼い —— 작은 아이 小さい子供
> (3) 声が低い —— 작은 목소리 小さい声
> (4) 規模が小さい —— 작은 건물 小さい建物
> (5) 度量が狭い —— 작은 인물 小さい人物
> (6) 広さが狭い —— 작은 방 小さい部屋
> (7) 単位が小さい —— 작은 돈 少額のお金. 小銭
>
> 적다 少ない —— 적은 금액 少ない額. 경험이 적다 経験が少ない.

자-회사【子會社】〈名〉子会社. 對모(母)회사.

자획【字畫】〈名〉字画. 筆画. 句例 ~으로 자전을 찾다 字画で字書を引く.

자훈【字訓】〈名〉字訓.

작【勺】〈依名〉勺. ❶容量の単位: 一合の十分の一. ❷面積の単位: 一坪の百分の一.

작【作】〈依名〉作. 語例 이광수 ~ 李光洙作.

작 [cha:k]〈副・하自〉❶紙・布などを一気に裂く音: ぴりっ. びりっ. 句例 헝겊을 ~ 찢다 布切れをぴりっと裂く. ❷線などを一気に引くさま: さっと. 句例 줄을 ~ 긋다 線をさっと引く.

작 〔漢字項目〕

【作】 中學 작 サク. サ. ❶만들다. 짓다 つくる. ▌作成 작성 さくせい. 作曲 작곡 さっきょく. ▐合作 합작 ごうさく. 傑作 걸작 けっさく. 豊作 풍작 ほうさく. 耕作 경작 こうさく. ❷일하다 仕事をする. 작용하다 作用する. ▌作業 작업 さぎょう. ▐發作 발작 ほっさ. ❸움직이다 動く. ▐動作 동작 どうさ.

【昨】 中學 작 サク. ❶어제 昨日. 지난날 過ぎし日. 전날 前日. 한 돌 전의 시기 一年前の時期. ▌昨日 작일 さくじつ. 昨年 작년 さくねん. 昨春 작춘 さくしゅん. ❷옛날 昔. 이전 以前. ▌昨今 작금 さっこん.

【爵(爵)】 高校 작 シャク. ❶잔. 술잔 杯. ❷귀족에게 주어진 칭호나 신분 貴族に授けられた称号や身分. ▌爵位 작위 しゃくい. ▐公爵 공작 こうしゃく. 襲爵 습작 しゅうしゃく.

【酌】 高校 작 シャク. ❶따르다 くむ. 술을 잔에 따르다 酒を杯に差す. ▌酌婦 작부 しゃくふ. ▐獨酌 독작 どくしゃく. ❷헤아리다 酌量する. ▐參酌 참작 しんしゃく(斟酌).

작가【作家】〈名〉作家. 語例 규수 ~ けいしゅう(閨秀)作家 / 인기 ~ 人気作家.

작고【作故】〈名・하自〉死ぬことの丁寧語: 逝去. 死去.

*__작곡__【作曲】〈名・하自他〉作曲. 文例 그 노래는 누가 ~했는지 모른다 その歌は誰が作曲したのか分からない. 語例 ~가 作曲家 / ~법 作曲法.

작금【昨今】〈名〉昨今. きのう(昨日)今日. 近ごろ. このごろ. 句例 ~의 세태 昨今の世相. 語例 ~ 양년 昨年と今年 / ~ 양일 きのうと今日.

**__작년__【昨年】[changnyŏn]〈名〉昨年. 去年. 文例 ~에는 여러 모로 신세졌습니다 昨年はいろいろとお世話になりました. 語例 ~ 이맘때 去年の今ごろ.

**__작다__ [cha:kta]〈形〉小さい. ❶大きくない. 低い. 短い. 句例 작은 돌 小さな石. 小石 / 작은 키 低い丈. 文例 몸집은 작지

만 힘은 세다 からだは小さいが力持ちだ. 語例 작게 小さく / 작아지다 小さくなる. ❷幼い. 句例 누이동생보다 더 작은 아이 妹よりまた小さい子 / 작은 언니 下の兄さん / 작은 애 下の子. ❸度量が狭い. 句例 인물이 ～ 人物が小さい. ❹声が低い. 句例 작은 목소리 小さな声. ❺細かい. 文例 작은 일에 구애되지 마라 小さな事にこだわるな. ❻わずかだ. 少ない. 句例 작은 돈 少ない金. 小銭に. わずかなお金. ❼規模が大きくない. 句例 작은 회사〔공장〕 小さな会社〔工場〕. ▷→囲み記事 74

작게 먹고 가는 똥 누어라 少し食べて少しの便を排泄せよ. 欲張らずに分相応な暮らしをせよとの意.

작아도 후추알이다 '작은 고추가 맵다'のこと.

작은 고추가 맵다 小さいとうがらし(唐辛子)がもっと辛い. 山椒は小粒でもぴりっとする.

작달막-하다 [chaktalmak'ada] (→하다) 〈形〉 (からだの大きさにくらべて)背が低い. ずんぐりしている.

작달-비 〈名〉 どしゃ降りの雨.

작당 【作黨】〈名・하自〉 群れをなすこと. 徒党を組むこと.

작대기 〈名〉 ❶(突っ張りに使う)また木. 長い棒. ❷(試験の答案などの)棒線. 棒印.

작도 【作圖】〈名・하自他〉 作図. 語例 ～법 作図法.

작동 【作動】〈名・하自〉 作動. 句例 엔진이 ～하다 エンジンが作動する. 語例 ～되다 作動する.

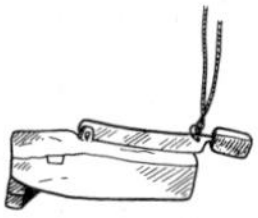
〈작두〉

작두 【斫―】〈名〉 押し切り. 飼い葉切り. 絵 語例 ～질 押し切りでまぐさなどを刻み切ること.

작량 【酌量】[changnyang] 〈名・하他〉 酌量. 句例 정상을 ～하다 情状を酌量する.

작렬 【炸裂】[changnyŏl] 〈名・하自〉 炸裂. 句例 포탄이 ～하다 砲弾が炸裂する. 語例 ～음 炸裂音.

작명 【作名】[changmyŏng] 〈名・하自〉 名付け. 命名. 語例 ～가 名付けを業とする人.

*__작문__ 【作文】[changmun] 〈名・하自〉 作文. つづり方. 語例 ～ 시간 作文の時間.

작물 【作物】[changmul] 〈名〉 '농작물'の略: 作物. 句例 ～을 재배하다 作物を栽培する / ～을 심다 作物を植える / 우박에 의한 ～의 피해 ひょう(雹)による作物の被害.

작법 【作法】〈名〉 作法. 語例 소설 ～ 小説作法.

작별 【作別】〈名〉 別れ. 決別. **～하다** 〈自他〉 別れる. たもと(袂)を分かつ. 句例 ～을 고하다 別れを告げる / ～ 인사를 하다 別れのあいさつをする / ～ 인사를 나누다 別れのあいさつを交わす.

작보 【昨報】〈名〉 昨報.

작부 【作付】〈名〉 作付け. 植え付け. 語例 ～면적 作付け面積.

작사 【作詞】〈名・하自〉 作詞. 語例 ～가 作詞家.

〈작살〉

작살[1] 〈名〉 もり(銛). やす. 絵 句例 ～로 찌르다 もりで突く.

작살[2] 〈名〉 完全に壊れてだめになったり, めちゃめちゃになること.

작살(이) 나다 こっぱみじんになる. ちりぢりに砕ける.

작살(을) 내다 こっぱみじんにする. ちりぢりに砕く.

작설-차 【雀舌茶】〈名〉 茶の木の若葉でつくった茶.

작성 【作成】〈名・하他〉 作成. 句例 서류를〔논문을〕 ～하다 書類〔論文〕を作成する. 語例 ～되다 作成される.

작심 【作心】〈名・하自〉 固く心に決めること. 決心.

작심-삼일 【作心三日】[―samil] 〈名〉 決心が三日も続かないこと. 三日坊主.

작약 【芍藥】[chagyak] 〈名〉〔植〕 しゃくやく(芍薬).

작약 【炸藥】[chagyak] 〈名〉 炸薬.

작약 【雀躍】[chagyak] 〈名・하自〉 雀躍. 小躍り. 語例 흔희 ～ 欣喜雀躍.

*__작업__ 【作業】[chagŏp] 〈名・하自〉 作業. 句例 ～의 능률 作業の能率 / 단순한 ～ 単純な作業 / ～중의 사고 作業中の事故 / ～을 시작〔중지〕하다 作業を始める〔中止する〕. 語例 일관 ～ 一貫作業 / ～대 作業台 / ～모 作業帽 / ～원 作業員 / ～반 作業班.

작업-복 【作業服】[chagŏp―] 〈名〉 作業服. 職服. ＝일복. 노동복.

작업-장 【作業場】[chagŏp―] 〈名〉 作業場.

작열 【灼熱】[changnyŏl] 〈名・하自〉 灼熱. 句例 ～하는 태양 灼熱する太陽.

*__작용__ 【作用】[chagyong] 〈名〉 作用. 働き. **～하다** 〈自〉 作用する. 働く. 句例 이성이 ～하다 理性が働く / 위의 소화 ～을 도와 주다 胃の消化作用を助ける / 비와 바람의 ～ 雨と風の作用 / ～ 반작용의 원리 作用反作用の原理. 語例 부～ 副作用.

작위 【作爲】[chagwi] 〈名〉 作為. 語例 ～적 作為的 / ～범 作為犯.

작위 【爵位】[chagwi] 〈名〉 爵位. 句例 ～를 받다 爵位を受ける.

작은-골 [chagŭn―] 〈名〉 ⇨ 소뇌(小腦)

작은곰-자리 [chagŭn-gom―] 〈名〉〔天〕 小ぐま座.

작은-누이 [chagŭn―] 〈名〉 (男から見て)一番上の姉以外の姉.

작은-달 [chagŭn―] 〈名〉 小の月.
参考 陽暦では三十一日未満の月, 陰暦では二十九日の月.

작은-댁 【―宅】[chagŭn―] 〈名〉 '작은집 分家'の丁寧語.

작은-말 [chagŭn―] 〈名〉 (韓国語[illegible])単語の意味は同じだが, 語感が小さく感じられる語. 主音節に'ㅏ・ㅐ・ㅗ・ㅘ・ㅙ・ㅚ'などを含む. '말랑말랑'など. 對큰말.
参考 本辞典では'語感の小さい語'と示した.

ス

작은-매부【一妹夫】〈名〉❶(長女でない)姉の夫. 義兄. ❷妹の夫. 義弟.
작은-설 [chagŭn—]〈名〉おおみそか(大晦日).
작은-아버지 [chagŭnabŏji]〈名〉父の弟. 叔父.
表現 結婚していない場合は'삼촌(三寸)'と言う.
작은-아씨 [chagŭnassi]〈名〉❶昔, 良家の未婚の娘を身分の低い者が言った語. ❷夫の未婚の妹を呼ぶ語.
작은-어머니 [chagŭnŏmŏni]〈名〉❶叔父の妻. 叔母. ❷(実母と区別して)父のめかけを呼ぶ語.
작은-집 [chagŭn—]〈名〉❶別居の子〔弟〕の家. ❷'변소 便所'のしゃれた言いかた. ❸めかけ(妾). めかけの住まい.
***작은-창자** [chagŭn—]〈名〉〔生〕⇨ 소장(小腸)
작자【作者】〈名〉❶人をさげすんで言う語: 者. やつ(奴). 文例 괴상한 ~군 妙なやつ(奴)だな. 語例 그 ~ そいつ. ❷['저작자'の略] 作者. 句例 이 소설의 ~ この小説の作者. 語例 ~ 미상 作者未詳. ❸買い手. 文例 ~가 한 사람도 없다 買い手が一人もいない.
작작〈副〉適当に. 大概に. いいかげんに. 程よく. 文例 까부는 것도 ~ 해라 たわ(戯)けもいいかげんにしろ / 놀리는 것도 ~ 해라 ふざけるのもいいかげんにしろ / 게으름도 ~ 피워라 さぼるのもほどほどにしろ.
작전【作戰】〈名・하自〉作戦. 句例 ~을 짜다 作戦を練る / ~을 세우다 作戦をたてる / ~이 들어맞다 作戦が図に当たる. 語例 공동〔합동〕~ 共同〔合同〕作戦 / ~ 계획 作戦計画 / ~ 타임 作戦タイム / 상륙 ~ 上陸作戦.
***작정**【作定】〈名・하自〉事を決めること. つ(積)もり. もくろみ. 文例 어떻게 할 ~인지 전연 모르겠다 どうするつもりなのかさっぱりわからない / 매일 아침 뒷산에 오르기로 ~했다 毎朝裏山に登ることに決めた / 내년에 외국 여행을 할 ~이다 来年, 外国旅行をするつもりだ / 나는 경주 관광을 갈 ~으로 돈을 모으고 있다 わたしは慶州観光に行くつもりでお金をためている.
작중 인물【作中人物】〈名〉作中の人物.
작태【作態】〈名〉振る舞い. 句例 바보 같은 ~ ばか(馬鹿)なまね.
작파【作破】〈名・하他〉中断してしまうこと. 取りやめること.
작폐【作弊】〈名・하自他〉弊害を作ること.
***작품**【作品】〈名〉作品. 句例 ~을 출품〔전시〕하다 作品を出品〔展示〕する / 대표적인 ~ 代表的な作品. 語例 문학 ~ 文学作品 / ~집 作品集.
작풍【作風】〈名〉作風. 句例 ~이 변화하다 作風が変化する.
작황【作況】[chak'wang]〈名〉作況. 作柄. 句例 ~이 좋다 作柄がいい. 語例 보리 ~ 大麦の作柄.
작히나 [chak'ina]〈副〉さぞかし. どんなに(か). どれほど. 略して'작히'ともいう. 文例 그렇게 되면 ~ 좋겠니 そうなればどんなに(か)よかろう.
잔【盞】■〈名〉❶碗. 杯. コップ. ❷['술잔'の略] 杯. 句例 ~을 나누다 杯を交わす / ~을 기울이다 杯を傾ける / ~을 비우다 杯を干す / ~을 돌리다 杯を回す.
■〈依名〉酒や飲料を器に満たした量の単位: 杯. 語例 술 석 ~ 酒三杯 / 커피 한 ~ コーヒー一杯.
잔-〈頭〉'小さい・細い'の意. 語例 ~돌 小石. くりいし(栗石) / ~소리 小言 / ~돈 小銭.

잔 〔漢字項目〕

【殘(残)】 高校 잔 ザン. ❶남다 のこる. 남기다 のこす. ◨殘暑 잔서 ざんしょ. 殘壘 잔루 ざんるい. ❷잔인하다 残忍だ. ◨殘酷 잔혹 ざんこく. 殘虐 잔학 ざんぎゃく.

잔-가시〈名〉魚の小骨.
잔-가지〈名〉小枝.
잔-걱정〈名〉こまごました心配事.
잔고【殘高】〈名〉残高. 残額. 残り高. 語例 예금 ~ 預金残高.
잔-고기〈名〉小魚. 雑魚.
잔고기 가시 세다 小人に鈍なし.
잔교【棧橋】〈名〉❶懸け橋. ❷桟橋.
잔-글씨〈名〉細字.
잔-금〈名〉短い〔細い〕線〔ひび〕.
잔금【殘金】〈名〉残金. 後金. 句例 ~을 치르다 残金を支払う.
잔-기침〈名・하自〉軽いせき(咳).
잔-꾀〈名〉浅知恵. こざか(小賢)しい策.
잔꾀(를) 피우다 こざかしい策を弄する.
잔당【殘黨】〈名〉残党.
잔대【盞臺】[chanttae]〈名〉杯の下皿. 受け皿.
잔-돈〈名〉❶小銭. はした金. 句例 ~으로 바꾸다 小銭に換える. ❷釣り銭. お釣り. 句例 ~을 거슬러 받다 おつりをもらう.
잔돈-푼〈名〉いくらか〔若干〕の金. 小出しに使う金. 文例 ~이 생겼다 はした金ができた.
잔-돌〈名〉小石. 細かい石.
잔등-이〈名〉'등'の俗っぽい言いかた: 背中.
***잔디**〈名〉芝. ローン. 句例 ~를 심다 芝を植える. 語例 ~밭 芝生.
잔뜩〈副〉いっぱい. たくさん(沢山). うんと《俗》. すっかり. 句例 밥을 ~ 먹다 ご飯を腹いっぱい食べる / ~ 찌푸린 날씨 どんよりした空 / 돈을 ~ 가지고 있다 お金をうんと持っている / 술에 ~ 취하다 酒にすっかり酔う / ~ 화가 나다 ひどく怒る.
잔량【殘量】[challyang]〈名〉残量. 残りの量.
잔루【殘壘】[challu]〈名〉〔野〕残塁.
잔류【殘留】[challyu]〈名・하自〉残留. 居残り. 語例 ~ 부대 残留部隊.
잔-말〈名・하自〉無駄口. つまらない話. 文例 ~ 말고 가만 있어 無駄口をたたかずに黙れよ.
잔무【殘務】〈名〉残務. 語例 ~ 정리 残務整理.
잔-물결 [—mulkkyŏl]〈名〉小波. さざ波.
잔-병【一病】〈名〉軽い病気. 句例 ~이 많다 病気がちだ. 語例 ~꾸러기 病気がちの人 /

～치레 病気がちであること.

*잔-뼈〈名〉(年少者の)十分に成長していない骨. 句例 ～가 굵어지다 細骨が太くなる. 人の助けを受けて育つ. 幼いころからある仕事をしながら成長する.

잔-뿌리〈名〉側根. 支根. ひげ根.

잔상【殘像】〈名〉残像. 句例 영화는 ～을 이용한 것 映画は残像を利用したもの.

잔서【殘暑】〈名〉残暑.

잔설【殘雪】〈名〉残雪.

*잔-소리〈名〉❶くどくどしい無駄口. ＝잔말. **～하다**〈自〉無駄口をきく. 文例 ～하지 마라 無駄口をたたくな. ❷小言. **～하다**〈自〉小言を言う. 句例 ～를 듣다 小言を食う / ～가 심하다 口やかましい. 語例 ～꾼 小言の多い人. 口うるさい人. やかましや.

잔-손〈名〉こまごました手数〔手間〕. 句例 ～이 많이 가는 일 手の込む仕事. 語例 ～질 こまごました手入れ.

잔손(이) 가다 手間〔手数〕がかかる. こまごました手間が取れる.

잔-솔〈名〉小松. 若松. 語例 ～밭 小松の林〔原〕.

잔-술【盞—】[—ssul]〈名〉❶一杯の酒. ❷コップ売りの酒. コップ酒. 語例 ～집 コップ売りの酒屋.

잔-시중〈名〉こまごまとした世話. 句例 ～을 들다 こまごまと面倒を見てやる.

잔-심부름〈名・하自〉身の回りのこまごましたことの使い. 雑事の使い走り. 語例 ～꾼 小間使い. こまごまとした仕事をする人.

잔악-하다【殘惡—】[chanak'ada](→하다)〈形〉残忍で悪らつだ.

잔액【殘額】[chanaek]〈名〉残額.

잔약-하다【孱弱—】[chanyak'ada](→하다)〈形〉か弱い. ひ弱い.

잔업【殘業】[chanŏp]〈名〉残業. 語例 ～수당 残業手当て.

잔여【殘餘】[chanyŏ]〈名〉残余. 余り. 残り.

잔인【殘忍】[chanin]〈名〉残忍. **～하다**〈形〉残忍だ. 句例 ～한 범행〔성격〕残忍な犯行〔性格〕. 語例 ～하게 残忍に / ～성 残忍性.

잔-일 [channil]〈名〉(手間のかかる)こまごました仕事.

*잔잔-하다 (→하다)〈形〉静かだ. 穏やかだ. 句例 잔잔한 바다 静かな海 / 잔잔한 목소리 静かな声 / 잔잔한 회의 분위기 穏やかな会議の雰囲気 / 바람이 잔잔해지다 風が静まり返る. 語例 잔잔하게 静かに. おさまって.

잔재【殘滓】〈名〉残滓・ざんし. 句例 구시대의 ～ 旧時代の残滓.

잔-재미〈名〉こまごました楽しみ〔おもしろみ〕.

잔-재주【—才—】〈名〉小才. 小細工. 句例 ～가 있다 小才がきく / ～를 부리다 小細工を弄する.

잔존【殘存】〈名・하自〉残存・ざんぞん. 句例 구습이 ～하다 旧習が残存する. 語例 ～부수〔세력〕残存部数〔勢力〕.

잔-주름〈名〉小じわ. 細かいひだ(襞). 句例 얼굴에 ～이 잡히다 顔に小じわが寄る.

잔챙이〈名〉小物.

*잔치〈名〉宴. 宴会. 祝宴. うたげ(宴)《雅》. 句例 ～를 벌이다 宴を張る. 語例 혼인 ～ 婚礼の祝宴. 結婚披露宴 / 잔칫날 宴会の日 / 잔칫집 祝宴を催す家 / 잔칫상 祝宴の膳.

잔-털〈名〉綿毛. 産毛. にこ毛.

잔품【殘品】〈名〉残品. 売れ残りの品物. 句例 ～ 정리 대매출 残品整理の大売り出し.

잔학【殘虐】〈名・하形〉残虐. 句例 ～한 범죄 残虐な犯罪. 語例 ～성 残虐性.

잔해【殘骸】〈名〉残骸. 句例 자동차의 ～ 自動車の残骸. 文例 사막에는 동물의 ～가 널려 있었다 砂漠には動物の残骸がころがっていた.

잔-허리〈名〉柳腰. 弱腰.

잔혹-하다【殘酷—】[chanhok'ada] (→하다)〈形〉残酷だ. むごい. 句例 잔혹한 처사 むごい仕打ち / 더할 수 없이 ～ 残酷極まりない.

잗-다랗다 [chattarat'a] (잗다라니, 잗다라오)〈形〉非常に細かい. 略して'잗닿다'ともいう.

잗-달다 (잗다니, 잗달아서)〈形〉(やり方が)こまごましい. けちくさい. みみっちい.

잘[1] [cha:l]〈名〉くろてん(黒貂)の毛皮.

**잘[2]〈副〉よく. ❶正しく. 文例 마음을 ～ 써라 心を正しく持て.

❷うまく. 上手に. 立派に. 句例 ～ 듣는 약 よく効く薬 / ～ 수습하다 うまくとりなす / 글씨를 ～ 쓰다 字を上手に書く / 일이 ～ 되어 가다 仕事がうまくはかどる.

❸無事に. つつがなく. 元気に. 句例 목적지에 ～ 도착하다 目的地まで無事に到着する. 文例 ～ 지내고 있습니다 つつがなく暮らしています / ～ 가시오 さようなら.

❹満足に. 思う存分. 十分に. 文例 ～ 잤다 ぐっすり眠った / ～ 익었다 よく熟れた / ～ 먹었습니다 ごちそうさまでした / ～ 썼습니다 十分に使わせていただきました.

❺折折. 時時. しょっちゅう. しばしば. 文例 ～ 가곤 했었지 よく行ったものだ / 이렇게 ～ 우는 여자는 처음 보겠다 こんなによく泣く女は初めて見る.

❻美しく. きれいに. 見目よく. 句例 ～ 생긴 사람 見目形の美しい人. 文例 ～ 생겼다 顔立ちがいい. ハンサムだ.

❼うまい具合に. 折よく. 文例 마침 ～ 왔다 ちょうどいいところに来た / ～ 와 주셨습니다 ようこそおいでくださいました.

❽よろしく. 文例 ～ 부탁합니다 よろしくお願いします / 안부 ～ 전해 주십시오 よろしくお伝えください.

❾たやすく. 文例 허리가 아파서 ～ 구부릴 수 없다 腰が痛んでたやすく曲げられない.

❿大切に. 句例 옷을 ～ 간수해 두다 衣服を大切にしまっておく.

⓫はっきり. 確かに. 詳しく. 文例 잡음 때문에 라디오가 ～ 안 들린다 雑音のためラジオがよく聞こえない / 뭐라는지 ～ 모르겠다 何を言っているのかよく分からない / ～ 조사해 보

ス

고 정하자 よく調べてみて決めよう.
⓬(概数を表わす語について)優に. たっぷり. 文例 이 일을 마치려면 대엿새는 ~ 걸릴 것이다 この仕事を終えるには五六日はたっぷりかかろうよ.

잘도 '잘'を強めた言いかた: よくも. 文例 그런 어려운 일을 ~ 했구나 そんな難しいことをよくぞやったものだ.

잘만 よく…さえ. 文例 ~ 운영했더라면 성공했을 텐데 よく運営さえしたら成功したものを.

잘은 よくは. 文例 ~ 모르지만 그 사람은 꽤 알려진 사람인 것 같다 よくは分からないが, その人はかなり知られている人のようだ.

잘 자랄 나무는 떡잎부터 알아본다 なる木は花から違う. せんだん(栴檀)は双葉より芳し.

잘 헤는 놈 빠져 죽고 잘 오르는 놈 떨어져 죽는다 川立ちは川で果て, 木のぼりのうまい者は落ちて果てる.

잘그랑-거리다 〈自他〉 ちゃらんちゃらん(音が)する.

잘그랑잘그랑 〈副・하自他〉 ちゃらんちゃらん.

잘근-잘근 〈副〉 こわ(強)い物をしきりにかむさま: ぐちゃぐちゃ(と). 句例 오징어를 ~ 씹다 するめをぐちゃぐちゃかむ.

잘-나다 [challada] 〈形〉 ❶偉い. 優れている. 句例 잘난 체하다 偉そうに振る舞う. ❷見目よい. 器量がいい. 句例 잘난 사나이 見目よい男. ❸(反語的に)たいしたことはない. ろくでもない. くだらない. 文例 그 잘난 것 가지고 그 야단이냐 そんなろくでもないものをもってそんなに大騒ぎをするのか.

잘다 (자니, 잘아서) 〈形〉 細かい. ❶小さい. 句例 잔 글씨 細かい字. 文例 감자가 아주 잘군요 ジャガ芋がとても小さいですね.
❷細い. 句例 잔 뿌리 細い根. ひげ根 / 잘게 썰다 細かく刻む.
❸(性格が)こせこせしている. 偏狭だ. みみっちい. 句例 잘게 굴다 こせこせする.
❹詳細だ. 子細だ. 句例 잔 주석 子細な〔詳しい〕注釈. 文例 사람이 너무 ~ 人間があまりこせこせしている.
❺こまごまとしている. つまらない. 句例 잔 재주가 많은 사람 手まめな人 / 잔 손이 많이 드는 잔 일 手のこんだつまらない仕事. ▷㊥굵다.

잘-되다 〈自〉 ❶よくはかどる〔運ぶ〕. よくできる. 文例 생각보다는 잘됐다 思ったよりはよくできた. ❷成功する. 偉くなる.

잘되면 제 탓 못 되면 조상(祖上) 탓 うまくいけば自分のしわざ, うまくいかなかったら祖先のせい.

잘똑-하다 [chalttok'ada] (→하다) 〈形〉 深くくびれている. 句例 목이 잘똑한 꽃병 首のくびれた花瓶.

잘똑잘똑 〈副・하形〉 ところどころくびれているさま.

잘라-말하다 [—ma:lhada] (→하다) 〈自〉 きっぱりと言い切る. 断言する. 句例 틀림없다고 ~ 間違いないと断言する.

잘라-먹다 〈他〉 ❶ちぎって食べる. 句例 떡을 ~ もち(餅)をちぎって食べる. ❷(借り)倒す. 踏み倒す. 句例 술값을 ~ 飲み代を踏み倒す. ❸(中間で)横取りする. 横領する.

잘록-하다 [challok'ada] (→하다) 〈形〉 くびれている. 句例 허리가 ~ 腰がくびれている.

잘록잘록 〈副・하形〉 ところどころくびれているさま.

*__잘리다__ 〈自〉 '자르다'の受け身. ❶切られる. 断たれる. 切断される. ❷貸し〔踏み〕倒される. 句例 밥값〔술값〕이 ~ 食い〔飲み〕倒される. ❸首になる. 辞めさせられる. 文例 그는 회사 돈을 유용해서 목이 잘렸다 彼は会社の金を使いこんで首になった.

잘-먹다 〈自他〉 ❶(好き嫌いなく)よく食べる. 文例 뭐든지 잘먹어야 키가 잘 자라요 なんでもよく食べてこそ大きくなるんですよ. ❷食と生活になに不足ない. 句例 잘먹고 잘 살다 食べ物に不自由しないで生活する.

⁑**잘못** ㊀〈名〉 誤り. 過ち. 間違い. 手抜かり. 非. 落ち度. 手落ち. とが. 句例 큰 ~ 大きな過ち / ~을 바로잡다 誤りを正す / ~을 저지르다 過ちをおかす / ~을 깨닫다 誤りに気づく / ~을 발견〔인정〕하다 誤りを発見する〔認める〕/ ~을 빌다 過ちをわびる / ~을 후회하다 過ちを悔いる. 文例 내겐 ~이 없다 私には過ち〔落ち度〕はない / ~은 누구에게나 있는 법 だれにも過ちはあるもの / 제 ~이었으므로 사과드립니다 わたしの落ち度でしたので, おわび申しあげます.
㊁〈副〉 誤って. 間違えて. うっかり. 句例 형을 아우로 ~ 보다 兄を弟と見誤る / ~ 해석하다 解釈をし損なう / 약을 ~ 먹다 薬を飲み違える. 文例 ~ 건드리다간 큰일 난다 うっかり手をつけたりしたらとんでもないことになる.

*__잘못-되다__ 〈自〉 ❶間違う. 誤る. 句例 잘못된 생각 誤った考え. 文例 문제를 푼 뒤에 잘못된 곳이 있나 없나를 언제나 검토해야 한다 問題を解いた後では, 間違った所があるかないかをいつも検討しなければならない. ❷(事故などで)死ぬ. 文例 어린 것이 병마에 잘못되지나 않았는지 幼い子が病魔にとりつかれて死んだのではないか.

⁑**잘못-하다** [chalmot'ada] (→하다) 〈他〉 (やり・し)損なう. しくじる. 間違える. 誤りを犯す. 句例 판단을 ~ 判断を誤る / 수술을 ~ 手術をやり損なう / 계산을 ~ 計算を間違える / 뒤처리를 ~ 後始末を誤る. 文例 제가 잘못했습니다. 용서하십시오 わたしの間違いです. お許しください.

잘-살다 (—사니, —살아서) 〈自〉 ❶よく生きる. 句例 잘사는 묘목 よく生きる苗木. ❷豊かな暮らしをする. 句例 잘사는 사람 豊かに暮らす人 / 잘사는 집 裕福な家 / 잘사는 나라 豊かな国. ㊥못살다. ❸無事に過ごす. つつがなく暮らす. 文例 자식들이 잘살고 있는지 궁금하다 息子たちが無事に過ごしているかどうか気になる.

잘살아도 내 팔자(八字)요, 못살아도 내 팔자 窮通おのおの命あり. 富貴貧賤天にあり.

잘-생기다 〈形〉見目よい. 器量がいい. きれいだ. ハンサムだ. 句例 잘생긴 젊은이 ハンサムな若者. 文例 난 잘생긴 남자가 좋다 わたしは美男子が好きだわ / 얼굴만 잘생겼으면 뭘해 마음씨가 고와야지 顔がきれいでも, 心がきれいでなければね. 對못생기다.

잘쏙-이 [chalssogi] 〈副〉くびれて細く.

잘쏙-하다 [chalssok'ada] (→하다) 〈形〉くびれている. 句例 허리가 ~ 腰がくびれている.

잘쏙잘쏙 〈副・하形〉ところどころくびれているさま.

잘잘[1] 〈副〉❶湯が煮え立つさま: ぐらぐら. 文例 물이 ~ 끓는다 湯がぐらぐら沸く. ❷温度が非常に高く熱いさま. 文例 온돌이 ~ 끓는다 オンドルが手も触れられないほど熱い / 열이 있어 몸이 ~ 끓는다 熱があってからだがほてっている.

잘잘[2] [cha:ljal] 〈副〉油気やつやがあるさま: てかてか. つるつる. 句例 머리에 윤기가 ~ 흐르다 髪がつやでてかてか光る.

***잘-잘못** 〈名〉是と非. 善しあし. 正邪. =시비(是非). 句例 ~을 따지다 是非をただす / ~은 별문제로 치고 善しあしは別として.

잘잘못-간에 【—間—】 [—kane] 〈副〉是非はともかく. 善しあしにかかわらず.

****잘-하다** (→하다) 〈他〉よくする. ❶正しくする. 立派にする. 句例 잘한 일과 잘못한 일 正しい行ないと過ち. ❷うまくする. 上手だ. 句例 말을 ~ 話がうまい / 공부를 ~ よく勉強をする. 文例 참 잘한다 とても上手だ〔うまい〕/ 정말 잘했다! よくやった. でかした / 잘하면 성공할 지도 모른다 うまくやれば成功するかもしれない. ❸うまい具合に…する. 文例 오늘 오길 잘했다 きょううまい具合に来た. ▷對잘못하다. ❹よく…する. …しがちだ. 句例 웃기를 ~ よく笑う.

잘-해야 〈副〉せいぜい. たかだか. 大目に見て. 文例 ~ 열 명이 될까 말까 하다 せいぜい十人になるかならないかだ. 類기껏해야.

****잠** 〈名〉❶眠り. 睡眠. 句例 ~을 설치다 寝そびれる / 깊은 ~ 深い眠り / ~을 깨다 眠りをさます / ~이 깊다 眠りがふかい / ~에서 깨다 眠りからさめる / ~에 빠지다 眠りに落ちる / ~이 안 오다 眠れない / ~이 오다 眠気がさす. 語例 선~ うたた寝. 仮寝 / 낮~ 昼寝. 午睡 / 겨울 ~ 冬眠.
❷蚕の眠り. 眠. 語例 한 ~ 一眠 / 석 ~ 三眠.
❸かさ(嵩)のあるものに押しをきかすこと. 句例 종이의 ~을 재우다 かさばらないように紙を押しつける / ~이 잔 이불솜 ぺちゃんこになった布団綿.

잠(이) 깨다 ❶眠りから覚める. ❷悟る.

잠(이) 들다 ❶寝付く. 寝入る. 句例 깊이 ~ 深く寝入る. ❷永い眠りにつく. 永眠する. 句例 지하에 잠든 친구 地下に眠る友.

잠을 자야 꿈을 꾸지 眠ってこそ夢を見る. ある結果を得るには順序を踏まなければならないとの意.

잠(을) 자다 眠る. ❶寝る. 句例 잠 자듯이 죽다 眠るがごとく死ぬ. ❷活用されないままでいる. 死蔵されている. 句例 지하에 잠자는 보물 地下に眠る財宝.

잠(을) 재우다 ❶寝かす. 句例 아기를 ~ 赤ん坊を寝かす. ❷(かさばったものを)押さえつける. 句例 흩어진 머리를 ~ さんばら髪を押さえて形を整える.

잠 〔漢字項目〕

【暫】 高校 잠 ザン. 잠시. 잠깐 しばらく. ■暫時 잠시 ざんじ. 暫定 잠정 ざんてい.

【潛(潜)】 高校 잠 セン. ❶무자맥질하다 もぐる. ■潛航 잠항 せんこう. 潛水 잠수 せんすい. ❷숨다 ひそむ. ■潛入 잠입 せんにゅう. 潛伏 잠복 せんぷく. ■沈潛 침잠 ちんせん.

【蠶(蚕)】 高校 잠 サン. 누에 かいこ. ■蠶絲 잠사 さんし. 蠶食 잠식 さんしょく. 蠶卵 잠란 さんらん. ■養蠶 양잠 ようさん. 春蠶 しゅんさん.

잠-결 [—kkyŏl] 〈名〉夢うつつ. 寝耳. 句例 ~에 듣다 寝耳に〔夢うつつに〕聞く.

잠-귀 [—kkwi] 〈名〉寝耳.

잠귀(가) 밝다 寝耳がさとい. 目ざとい. 對잠귀(가) 어둡다.

잠귀(가) 어둡다 寝耳がにぶい. 對잠귀(가) 밝다.

잠귀(가) 질기다 寝耳がにぶくて寝覚めが悪い.

****잠그다**[1] (잠그니, 잠가서) 〈他〉❶(戸などを)閉ざす. (錠を)かける. 下ろす. 句例 뒷문을 ~ 裏門を閉ざす. ❷止める. ㉠(ボタンなどを)かける. ㉡(栓などを)ひねって止める. 句例 수도를 ~ 水道を止める.

잠그다[2] (잠그니, 잠가서) 〈他〉❶漬ける. 浸す. 句例 물에 ~ 水に漬ける. ❷(将来を見込んで)投資する.

잠기다[1] 〈自〉❶'잠그다[1]'の受け身: (戸などが)閉まる. 閉ざされる. (錠などが)かかる. 下りる. (ボタンが)かかる. 句例 자물쇠가 잠긴 방 錠のかかった部屋. 文例 자물쇠가 저절로 잠기었다 錠がひとりでにかかった. ❷しゃが(嗄)れる. 声がつぶれる. ❸(水道の栓などが)しめられる.

잠기다[2] 〈自〉❶'잠그다[2]'の受け身: 漬かる. 浸る. 句例 밭이 물에 ~ 畑が水に浸る / 짐이 바닷물에 ~ 積み荷が海水に漬かる. ❷(ある事業に資本などが)死蔵される. ❸ふけ(耽)る. 暮れる. 沈む. 句例 추억에 ~ 追憶にふける / 우수에 ~ 愁いに沈む / 생각에 ~ 物思いに沈む.

****잠깐** 〈名・副〉しばら(暫)く. つか(束)の間. ちょっとの間. しばし《雅》. 句例 ~ 동안의 이별 しばしの別れ. 文例 ~ 이리 오너라 ちょっと(こっちへ)来い / ~ 실례합니다 ちょっと失礼します.

잠깐-만 ■〈副〉'잠깐'を強めた言いかた. 文例 ~ 기다려 주세요 少少お待ちください.
■〈感〉ちょっと待って. 文例 ~요 ちょっと待ってください.

****잠-꼬대** 〈名・하自〉❶寝言. 句例 ~를 하다 寝言を言う. ❷たわ言. うわごと. 句例 ~를 늘어놓다 たわ言を並べる. 文例 무슨 ~같은 소릴

하고 있는 거야 なんのたわ言を言っているんだ.

⁑잠-꾸러기 〈名〉(朝)寝坊. お寝坊さん. ねぼすけ《俗》.

잠두【蠶豆】〈名〉〔植〕空豆. ＝누에콩.

***잠-들다** (—드니, —들어서) ⇨'잠'の小項目

***잠망-경**【潛望鏡】〈名〉潜望鏡.

⁑잠바 〈名〉⇨ 점퍼

잠방이 〈名〉ももひき.

잠-버릇 [—ppŏrŭt]〈名〉寝癖. 句例 ～이 나쁘다 寝癖が悪い. 寝相が悪い.

잠복【潛伏】〈名〉潜伏. **～하다**〈自〉潜伏する. 潜む. 張り込む. 句例 형사가 ～하다 刑事が張り込む. 文例 범인은 시내에 ～하고 있다 犯人は市内に潜伏している. 語例 ～ 형사 張り込みの刑事 / ～기 潜伏期.

잠사【蠶絲】〈名〉蚕糸. 語例 ～업 蚕糸業.

잠수【潛水】〈名〉潜水. 潜り. ダイビング. **～하다**〈自〉潜水する. 潜る. 句例 물속으로 ～하다 水中に潜る. 語例 ～ 기구 潜水器具 / ～복 潜水服 / ～부 潜水夫 / ～함 潜水艦.

***잠시**【暫時】[chaːmshi]〈名・副〉しばら(暫)く(の間). しば(暫)し. 暫時. 片時. 一刻. 句例 ～를 못 참고 ちょっとの間も辛抱できずに. 文例 ～ 기다리세요 しばらく〔少少〕お待ちください. 語例 ～ 후(後) 間もなく. しばらくして.

잠식【蠶食】〈名〉蚕食. **～하다**〈他〉蚕食する. 食い荒らす. 食い入る. 句例 외국 시장을 ～하다 外国市場を蚕食する / 주위의 여러 나라를 ～하다 周囲の諸国を蚕食する.

⁑잠-옷 [chamot]〈名〉寝間着. 寝巻き. パジャマ. ＝자리옷.

잠입【潛入】[chamip]〈名〉潜入. **～하다**〈自〉潜入する. 忍び込む. 潜る. 句例 적진에 ～하다 敵陣に潜入する.

ス

⁑잠-자다 ⇨'잠'の小項目

***잠-자리**[1] [—tchari]〈名〉❶寝床. 床. 句例 ～에 들다 床につく〔入る〕/ ～를 펴다 床を敷く. ❷'동침(同寢) 同衾'の俗っぽい言いかた：共寝. **～하다**〈自〉共寝する. 句例 ～를 같이하다 (男女が)共寝する.

잠자리(를) 보다 布団を敷く.

***잠자리**[2] 〈名〉〔蟲〕とんぼ(蜻蛉).

잠자리 날개 같다 とんぼの羽のようだ. からむし(苧麻)などの織物がきわめて薄くて透けて見えるの意.

잠자리-비행기【—飛行機】〈名〉'헬리콥터 ヘリコプター'の俗っぽい言いかた.

잠자코 〈副〉黙って. 文例 무엇을 물어도 ～만 있다 何を聞いても黙りこくっている / 넌 ～ 있어 君は黙っていろ.

잠잠-하다【潛潛—】(→하다)〈形〉❶(物音がなく)静かだ. 文例 왠지 주변은 ～ なぜかあたりは静かだ. ❷黙っている. 押し黙る. 文例 무엇을 물어도 잠잠하기만 하다 何をたずねても黙黙としている. **잠잠히**〈副〉❶静かに. ひっそりと. ❷黙りこくって. 黙黙と.

잠재【潛在】〈名・하自〉潜在. 語例 ～ 능력 潜在能力 / ～ 의식 潜在意識 / ～ 수요 潜在需要 / ～력 潜在力.

잠-재우다 ⇨'잠'の小項目

잠재-적【潛在的】〈名・冠〉潜在的. 語例 ～ 실업 潜在的失業.

잠적【潛跡】〈名・하自〉 行方をくらますこと. 文例 어딘가로 ～해버렸다 どこかに行方をくらましてしまった.

잠정【暫定】[chaːmjŏng]〈名〉暫定. 句例 ～적인 조치 暫定的な処置. 語例 ～ 규약 暫定規約 / ～ 예산 暫定予算.

잠-투정 〈名・하自〉子供が寝入る前や目覚めてからむずかること. 文例 이 애는 잠들 때마다 ～을 부린다 この子は寝入るときはいつもむずかる.

잠항【潛航】〈名・하自〉潜航. 語例 ～정 潜航艇.

잠행【潛行】〈名・하自他〉 潜行. 句例 지하에 ～하다 地下に潜行する.

잡 〔漢字項目〕

【雜(雑)】 高校 잡 ザツ. ゾウ. ❶섞이다 まじる. ◧混雜 혼잡 こんざつ. 亂雜 난잡 らんざつ. ❷여러가지 섞여 있다 いろんな物がまじる. ◧雜種 잡종 ざっしゅ. 雜木林 잡목림 ぞうきばやし. 雜費 잡비 ざっぴ. ◨複雜 복잡 ふくざつ.

잡가【雜歌】〈名〉❶俗っぽい歌. 俗歌. ❷正楽以外の歌. 雑曲. ❸〔樂〕朝鮮朝末ごろの平民の唱曲.

参考 ③は専門的な歌い手によって歌われた'가사(歌詞)'調の歌で, '가곡(歌曲)' '시조(時調)'にくらべて俗っぽいという意味で'잡가'と言われる. 地域により, '경기 잡가(京畿雜歌)' '서도(西道) 잡가' '남도(南道) 잡가'に区分され, 歌う方式により '좌창(坐唱)'と '입창(立唱)'に分かれる.

잡거【雜居】〈名・하自〉雑居. 語例 ～ 생활 雑居生活.

잡-것【雜—】〈名〉❶雑品. ❷'점잖지 못한 사람 下品な人'の俗っぽい言いかた：げす.

***잡곡**【雜穀】〈名〉 雑穀. 語例 ～밥 糅飯 / ～상 雑穀商. 雑穀屋.

잡귀【雜鬼】〈名〉(正体の分からない)いろいろな鬼神.

잡균【雜菌】〈名〉雑菌.

잡기【雜技】〈名〉❶雑技. いろいろな技芸. ❷いろいろな賭博. 句例 ～로 가산을 날리다 賭博で家産をなくす.

잡기【雜記】〈名・하自他〉雑記. 語例 신변 ～ 身辺雑記 / ～장 雑記帳.

잡-년【雜—】[cham—]〈名〉ふしだらな女. 不貞な女. 下品な女. ㊥잡놈.

잡념【雜念】[chamnyŏm]〈名〉 雑念. 句例 ～이 떠오르다 雑念がわく / ～을 버리다 雑念を捨てる〔去る〕/ ～을 떨쳐 버리다 雑念をはらいのける.

잡-놈【雜—】[cham—]〈名〉みだらなやつ(奴). 下品〔下劣〕な男. ㊥잡년.

⁑잡다[1] 〈他〉❶取る. ㊀(手に)握る. 持つ. つかむ. 句例 붓을 ～ 筆を執る / 손을 잡고 인도하다 手を取って導く / 목덜미를 ～ 襟首をつかむ / 운전대를 ～ ハンドルをとる. 文例 넘어지지 않으려고 손잡이를 꽉 잡았다

倒れないようにつり革をぎゅっとつかんだ.
㉡(権力などを)握る. つかむ. 句例 정권을 ~ 政権を握る / 천하를 ~ 天下を取る.
㉢抵当〔質物〕にする. 句例 카메라를 ~ カメラを質に取る / 볼모를 ~ 人質に取る. 文例 집을 잡고 돈을 꾸어 주었다 家を担保にして金を貸してやった.
㉣(職場・目標などを)選んで定める. 決める. 句例 방향을 ~ 方向をとる / 골라 ~ 選び取る / 여관을 ~ 宿を取る / 날짜를 ~ 日取りを決める.
㉤空間を占める. 句例 장소를 넓게 ~ 場所を広く取る / 차 사이의 거리를 충분히 ~ 車間距離を十分に取る.
㉥計る. 句例 통계를 ~ 統計を取る.
❷つかむ. ㉠(欠点・弱点などを)つまみ出す. 握る. 捕らえる. 句例 상대의 약점을 ~ 相手の弱点を握る〔つかむ〕/ 남의 말꼬리를 ~ 人の言葉じりをとらえる.
㉡(証拠などを)手に入れる. 押さえる. 句例 증거를 ~ 証拠をつかむ〔握る〕/ 단서를 ~ 端緒をつかむ / 등치는 현장을 ~ たかりの現場を押さえる.
㉢逮捕する. 捕獲する. 捕らえる. 捕る. 句例 도둑을 ~ どろぼうを捕らえる〔上げる〕/ 물고기〔쥐〕를 ~ 魚〔ねずみ〕を捕る.
㉣得る. 句例 행운을 ~ 幸運をつかむ / 기회를 ~ 機会を得る.
㉤掌握する. 句例 부하를 ~ 部下を掌握する / 군기를 ~ 軍紀を確立する.
㉥受け取る. 句例 신호 전파를 ~ 信号電波をキャッチする.
❸(田に)水を引く. 句例 논에 물을 ~ 田に水を引く.
❹(人を)引き止める. 文例 바쁜 사람 잡지 마라 忙しい人を引き止めるな.
❺(車を)拾う. 句例 택시를 ~ タクシーを拾う〔つかまえる〕.

잡다[2] 〈他〉 ❶推し量る. 見積もる. 概算する. 句例 대충〔최대한으로〕 잡아서… 大体〔最大限に〕見積もって…. 文例 시간이 얼마나 걸릴지 잡아 봐라 時間がどのくらいかかるか見積もってみよ. ❷小作料などを見積もってきめる.

잡다[3] 〈他〉 ❶屠殺する. ほふ(屠)る. つぶ(潰)す. 句例 소를 ~ 牛をほふる / 닭을 ~ 鶏をつぶす.
❷計略を使って人を窮地に陥れる. 句例 사람 잡을 소리 とんでもない話. 人をさいなます話.
❸鎮火する. 句例 불을 ~ 火事を消し止める.
❹心を静める. (怒気や浮ついた気持ちなどを)抑える. 句例 인플레를 ~ インフレを抑える / 마음을 잡고 공부에 열중하다 腰を入れて〔据えて〕勉強に熱中する.

잡다[4] 〈他〉 ❶曲がったものをまっすぐに直す. 正す. 句例 굽은 철사를 똑바로 ~ 曲がったワイヤをまっすぐにする. ❷(衣服に)ひだをつける. 句例 바지 주름을 ~ ズボンに折り目をつける.

잡다-하다 【雜多―】(→하다) 〈形〉 雑多だ. 句例 잡다한 물건 雑多な品物.

잡담 【雜談】〈名〉雑談. 無駄話. 世間話. 駄弁. **~하다**〈自〉雑談する. だべる《俗》. 句例 ~으로 시간을 보내다 雑談で時間をつぶす.

잡도리〈名・하他〉❶過ちのないように注意すること. ❷段取り.

잡동사니〈名〉がらくた. 雑品. 文例 ~가 뒤범벅이 돼 있다 がらくたがごっちゃになっている.

잡-되다 【雜―】〈形〉下品でみだ(淫)らだ. 俗っぽい.

잡목 【雜木】[chammok]〈名〉雑木・雑木. 語例 ~림 雑木林.

잡무 【雜務】[chammu]〈名〉雑務. 句例 ~에 쫓기다 雑務に追われる.

잡문 【雜文】[chammun]〈名〉雑文. 句例 ~을 쓰다 雑文を書く.

잡부-금 【雜賦金】〈名〉いろいろな賦課金.

잡비 【雜費】〈名〉雑費. 句例 ~가 많이 들다 雑費がかさむ.

잡살-뱅이〈名〉がらくた. こまごましたいろいろな物.

잡-상인 【雜商人】〈名〉いろいろなものを売り歩く商人.

잡석 【雜石】〈名〉(土木などの基礎になる)割りぐり石. 荒石. 句例 ~을 깔다 割りぐり石を敷く.

잡설 【雜說】〈名〉雑説.

잡-소득 【雜所得】〈名〉雑所得. 類잡수입.

잡-손질 【雜―】〈名・하自他〉不必要な手入れ. むだ手間.

잡수다 ㊀〈自〉'먹다 耳が遠い'のうやまった言いかた. 句例 귀가 잡순 노인 耳の不自由な老人.
㊁〈他〉❶'먹다 食べる'のうやまった言いかた: 召し上がる. 文例 한번 잡숴 보세요 一度召し上がってごらんなさい. ❷'먹다 年を取る'のうやまった言いかた. 句例 연세 잡순 분 お年を召した方.

****잡수시다**〈他〉'먹다 食べる'のもっともうやまった言いかた: 召し上がる. 略して'잡숫다'ともいう. 文例 많이 잡수세요 たくさん召し上がってください / 진지 잡수셨습니까 お食事召し上がりましたか.

잡-수입 【雜收入】〈名〉雑収入.

잡숫다〈他〉'잡수시다'の略.

잡-스럽다 【雜―】(→스럽다)〈形〉ふしだらだ. 品が悪い. みだらだ. 乱雑だ. わいせつだ. 句例 잡스러운 이야기 品の悪い話.

잡식 【雜食】〈名・하自他〉雑食. 語例 ~성 동물 雑食性動物.

잡아-가다 [chaba―] (―가거라)〈他〉(犯人などを)捕らえて行く. 連行する.

잡아-가두다 [chaba―]〈他〉捕らえて監禁する.

잡아-끌다 [chaba―] (―끄니, ―끌어서)〈他〉引っ張る.

잡아-내다 [chaba―]〈他〉❶引っ張り出す. つか(摑)み出す. ❷(欠点などを)指摘する. 句例 오자(誤字)를 ~ ミスプリントをさがし出す.

잡아-넣다 [chabanŏt'a]〈他〉捕らえて拘禁する．押し込める．句例 범인을 감옥〔유치장〕에 ～ 犯人を牢屋〔留置場〕に入れる〔ぶちこむ〕．

***잡아-당기다** [chaba—]〈他〉引っ張る．引きよせる．句例 줄〔팔〕을 ～ 綱〔腕〕を引っ張る．文例 너무 잡아당기면 끊어진다 あまり引っ張り過ぎると切れる．

잡아-들이다 [chabadŭrida]〈他〉❶つかまえて中に入れる．押し込める．つめ込む．❷⇨ 잡아넣다

잡아-떼다 [chaba—]〈他〉❶引き離す．もぎ取る．取り外す．句例 단추를 ～ ボタンをもぎ取る．❷しらを切る．うそぶく．言い消す．句例 끝까지 ～ 最後までしらを切る．

잡아-매다 [chaba—]〈他〉❶(一つにまとめて)くく(括)る．束ねる．縛る．❷(逃げないように)縛りつける．略して'잡매다'ともいう．句例 개를 기둥에 ～ 犬を柱につなぐ．

잡아-먹다 [chaba—]〈他〉❶(動物を殺して)食べる．食う．句例 고양이가 쥐를 ～ 猫がねずみを捕って食う／야수에게 잡아먹히다 野獣に食われる．❷(時間・費用などが)かかる．食う．句例 휘발유를 많이 잡아먹는 자동차 ガソリンをたくさん食う自動車．

잡아-죽이다 [chabajugida]〈他〉捕らえて殺す．

잡아-채다 [chaba—]〈他〉たくる．ひったくる．ふんだくる《俗》．句例 가방을 ～ かばんをふんだくる．

잡아-타다 [chaba—]〈他〉(自動車などを)止めて乗る．拾う．句例 택시를 ～ タクシーを拾って乗る．

잡역【雜役】 [chabyŏk]〈名〉雑役．句例 ～에 종사하다 雑役に従事〔服〕する．語例 ～부 雑役夫．下回り．

잡음【雜音】 [chabŭm]〈名〉雑音．句例 도시의 ～ 都市の雑音／전화에 ～이 들어오다 電話に雑音がはいる／～을 넣다 雑音を入れる．第三者が横やりを入れる／～을 일으키다 雑音を生じさせる．

잡인【雜人】 [chabin]〈名〉❶(その場・事に)無関係の人．第三者．❷つまらない人．

잡-일【雜—】 [chamnil]〈名〉雑用．雑事．雑役．

잡종【雜種】〈名〉雑種．語例 ～개 雑犬．雑種の犬／～세 雑種税．

****잡지【雜誌】**〈名〉雑誌．マガジン．句例 ～를 구독하다 雑誌を購読する．語例 대중 ～ 大衆雑誌／～사 雑誌社．

잡채【雜菜】〈名〉〔料理〕いろいろの野菜とはるさめ・肉類を混ぜて油でいためた料理．

잡초【雜草】〈名〉雑草．句例 ～가 무성하다 雑草がはびこる／～를 뽑다 雑草を抜き取る／～같은 생활력으로 雑草のような生活力で．

잡치다〈他〉❶し損じる．し損なう．しくじる．失敗する．台無しにする．句例 일을 ～ 仕事をし損なう／계획이 잡쳐 버리다 計画が台無しになる．❷(気分〔感情〕を)損なう．句例 기분을 ～ 気分を損なう．

잡칙【雜則】〈名〉雑則．

잡탕【雜湯】〈名〉❶〔料理〕牛肉・なまこ・あわび・大根などに薬味を混ぜて煮込んだスープ．ごった煮．❷ごたごた物〔者〕．

잡-풀【雜—】〈名〉雑草．＝잡초．

잡화【雜貨】 [chap'wa]〈名〉雑貨．語例 ～상 雑貨商／～점 雑貨店．雑貨屋．

***잡히다**[1] [chap'ida]〈自〉'잡다[1]'の受け身．❶屠殺される．
❷つかまれる．握られる．句例 손목을 ～ 手首を取られる．
❸捕らえられる．捕れる．つかまる．(獲物が)かかる．句例 잉어가 ～ こい(鯉)が捕れる／범인이 경찰에 ～ 犯人が警察につかまる．
❹(難癖などが)つけられる．握られる．句例 트집을 ～ 言い掛かりをつけられる／단서가 ～ 手掛かりが得られる／남한테 흉을 ～ 人にあら(粗)を握られる．
❺鎮火する．句例 불길이 금방 ～ 火がすぐ鎮まる．
❻(物事・気持ちなどが)落ち着く．安定する．句例 마음이 잡히지 않다 気持ちが落ち着かない／균형이 ～ バランス〔均衡〕がとれる．文例 일이 손에 잡히지 않는다 仕事が手につかない．
❼(計画などが)決まる．句例 스케줄이 ～ スケジュールが決まる．
❽(田などに水が引かれて)た(溜)まる．句例 물이 가득히 잡힌 논 水が引かれた水田．

잡히다[2] [chap'ida]〈自〉'잡다[4]'の受け身．❶(曲がったものが)まっすぐに直される．句例 철사가 곧게 ～ ワイヤがまっすぐに伸ばされる．❷(しわが)寄る．(折り目・ひだなどが)つく．句例 눈가에 주름이 ～ 目じりにしわが寄る／주름잡힌 치마 ひだのついたスカート．

잡히다[3] [chap'ida]〈他〉'잡다[1]①㉢'の使役形：担保に入れる．質に入れる．句例 시계를 잡히고 돈을 빌리다 時計を質に入れて金を借りる．

잣 [cha:t]〈名〉朝鮮松の実．語例 ～나무 朝鮮松．五葉松．

잣다 [cha:tta]（자으니，자아서）〈他〉❶紡ぐ．句例 실을 ～ 糸を紡ぐ．❷(水車・ポンプなどで)水をくみ上げる．句例 못에서 논으로 물을 자아 올리다 池から田へ水をくみ上げる．

잣-대〈名〉'자막대기'の略：物差し．

잣-송이 [cha:t—]〈名〉朝鮮松の松かさ．

잣-죽【—粥】 [cha:t—]〈名〉朝鮮松の実を入れたかゆ(粥)．

장【長】 [cha:ng]〈名〉長．頭．句例 한 집안의 ～ 一家の長．

***장【章】**〈名〉章．チャプター．

장【將】〈名〉将．❶将帥．将官．❷将棋の駒の一つ．❸'장군⊟②'の略：王手．

장(을) 받다 '장군(을) 받다'の意（→'장군'の小項目）

장(을) 부르다 '장군(을) 부르다'の意（→'장군'の小項目）

***장**[1]**【場】**〈名〉市．市場．＝시장．句例 ～에 가다 市場に行く／～이 열리다 市が開かれる．語例 아침～ 朝市．

장(을) 보다 ❶品物を売るため市場に行く. ❷市場に行って買い物をする.

장(이) 서다 市が立つ. 句例 5일〔닷새〕마다 ～ 五日ごとに市が立つ.

장²【場】〈名〉場. 句例 3막 5～의 연극 三幕五場の演劇 / 힘의 ～〔物〕力の場.

장【腸】〈名〉〔生〕腸. はらわた. 句例 ～이 튼튼하다 腸が強い.

***장**【醬】[cha:ng]〈名〉❶醬油. ＝간장. ❷醬油・みそ(味噌)などの総称. 句例 ～을 담그다 醬油〔みそ〕を仕込む. 文例 ～을 잘못 담그면 1년 고생 みそ造りに失敗すると一年苦労.

장【欌】[cha:ng]〈名〉たんす. 文例 요와 이불은 그 ～ 속에 있다 敷布団と掛布団はそのたんすの中にある.

장【張】〈依名〉枚. 句例 돗자리 두 ～ ござ二枚 / 종이 열 ～ 紙十枚 / 만 원짜리 세〔석〕～ 10,000ウォン札三枚.

表現 紙・ガラス・切手など, うすい物を数える単位. おもに, 固有語の数詞に付く, 漢字語の数詞には, '매(枚)'が用いられる.

장 〔漢字項目〕

【丈】高校 장 ジョウ. ❶길이의 단위 長さの単位. ◨丈餘 장여 じょうよ. ◨三丈 삼장 さんじょう. ❷어엿한 남자 一人前の男. ◨丈夫 장부 じょうふ.

【場】中學 장 ジョウ. ❶어떤 일을 하는 넓은 장소 何かをする広い場所. ◨劇場 극장 げきじょう. 市場 시장 いちば. ❷연극의 한 장면 演劇の一場面. ◨第二幕 第一場 제이막 제일장 だいにまくだいいちば.

【壯(壮)】中學 장 ソウ. ❶혈기 왕성하다 血気旺盛だ. ◨壯快 장쾌 そうかい. 壯年 장년 そうねん. ❷당당하고 훌륭하다 堂堂として立派だ. ◨壯擧 장거 そうきょ. 壯大 장대 そうだい.

【奬(奨)】高校 장 ショウ. 권하다 勧める. ◨奬勵 장려 しょうれい. 奬學 장학 しょうがく. ◨勸奬 권장 かんしょう.

【帳】高校 장 チョウ. ❶장부 ノート. ◨帳簿 장부 ちょうぼ. ◨記帳 기장 きちょう. ❷장막 とばり(帳). 커튼 カーテン. ◨帳幕 장막 とばり.

【張】高校 장 チョウ. ❶활시위를 매다 弓に弦をはる. 당기다 引く. ◨緊張 긴장 きんちょう. ❷펴 넓히다 広げ伸ばす. ◨擴張 확장 かくちょう. 膨張 팽창 ぼうちょう. ❸주장하다 言いはる. ◨主張 주장 しゅちょう.

【掌】高校 장 ショウ. ❶손바닥 手のひら. ◨掌中 장중 しょうちゅう. 掌握 장악 しょうあく. ◨合掌 합장 がっしょう. ❷취급하다 取り扱う. ◨分掌 분장 ぶんしょう. 車掌 차장 しゃしょう.

【將(将)】中學 장 ショウ. ❶군대를 통솔하는 사람 軍隊を統率する人. 장군 将軍. ◨將官 장관 しょうかん. 將軍 장군 しょうぐん. ◨大將 대장 たいしょう. ❷장차 将来. 바야흐로 まさ(将)に.

【牆】高校 장 ショウ. 집을 흙이나 돌 같은 것으로 둘러막은 것 家を土や石などを積んでかこった境界. ◨牆角 장각 しょうかく. 牆壁 장벽 しょうへき.

【章】中學 장 ショウ. ❶글이나 음악의 한 구분. 文や音楽の一区分. ◨章節 장절 しょうせつ. ◨樂章 악장 がくしょう. ❷규칙 規則. ◨章程 장정 しょうてい. ◨憲章 헌장 けんしょう. ❸표지 標識. 기장 記章 きしょう. ◨印章 인장 いんしょう. 勳章 훈장 くんしょう.

【粧】高校 장 ショウ. 단장하다 よそおう. 화장하다 化粧する. ◨化粧 화장 けしょう. 新粧 신장 しんしょう.

【腸】高校 장 チョウ. ❶창자 はらわた. ◨腸炎 장염 ちょうえん. ◨大腸 대장 だいちょう. 盲腸 맹장 もうちょう. 胃腸 위장 いちょう. ❷마음・정신・감정이 있는 곳 心・精神・感情のありか. ◨斷腸 단장 だんちょう.

【臟(臓)】高校 장 ゾウ. 오장 五臓. 내장 内臓. ◨臟器 장기 ぞうき ◨肝臟 간장 かんぞう. 心臟 심장 しんぞう. 肺臟 폐장 はいぞう.

【莊(荘)】高校 장 ソウ. ❶장엄하다 荘厳だ. ◨莊嚴 장엄 そうごん. 莊重 장중 そうちょう. ❷시골집 田舎の家. ◨山莊 산장 さんそう. 別莊 별장 べっそう.

【葬】高校 장 ソウ. 장사지내다 ほうむる. ◨葬儀 장의 そうぎ. ◨埋葬 매장 まいそう. 合葬 합장 がっそう.

【藏(蔵)】高校 장 ゾウ. ❶감추다 かくす. 간직하다 おさめる. ◨藏書 장서 ぞうしょ. ◨貯藏 저장 ちょぞう. 冷藏 냉장 れいぞう. ❷곳간 蔵. ◨經藏 경장 けいぞう.

【裝(装)】高校 장 ソウ. ❶옷을 차려 입다 身なりを整える. ◨服裝 복장 ふくそう. 旅裝 여장 りょそう. ❷꾸미다 飾る. ◨裝身具 장신구 そうしんぐ. 裝飾 장식 そうしょく. 裝置 장치 そうち.

【長】中學 장 チョウ. ❶길다 長い. 크다 大きい. ◨長身 장신 ちょうしん. 長久 장구 ちょうきゅう. 長征 장정 ちょうせい. ❷우수하다 優れている. ◨長點 장점 ちょうてん. ❸나이가 많다 年が多い. 나이가 많아지다 年が寄る. ◨長者 장자 ちょうじゃ. 長老 장로 ちょうろう. ◨年長者 연장자 ねんちょうしゃ. ❹우두머리 頭. ◨長官 장관 ちょうかん. ◨社長 사장 しゃちょう. ❺뻗다 のびる. ◨延長 연장 えんちょう. 助長 조장 じょちょう.

【障】高校 장 ショウ. ❶가로막다 くいとめる. ◨障壁 장벽 しょうへき. ❷지장을 주다 さしつかえる. ◨故障 고장 こしょう. 支障 지장 ししょう.

장가 [cha:ngga]〈名〉妻をめと(娶)ること. 男が結婚すること.

장가(를) 가다 (男が)結婚する.

장가(를) 들다 妻をめとる. (男が)結婚する. ＝장가(를) 가다. 對시집(을) 가다.

장가(를) 들이다 (男を)結婚させる.

장가(를) 보내다 (男を)結婚させる. 對시집(을) 보내다.

⁑**장갑**【掌匣】[cha:nggap]〈名〉手袋. 句例 가죽 ~을 끼다 革の手袋をはめる. 語例 면(綿)~ 軍手.

장갑【裝甲】〈名・하他〉装甲. 語例 ~차 装甲車.

장거【壯擧】[cha:nggŏ]〈名〉壮挙. 句例 세계 일주의 ~ 世界一周の壮挙.

*__장-거리__【長距離】〈名〉長距離. 語例 ~ 경주 長距離競争 / ~ 전화 長距離電話 / ~포 長距離砲.

장-거리【場―】[―kkŏri]〈名〉市が立つにぎやかな通り. 市場通り.

장검【長劍】〈名〉長剣. 對단검(短劍).

장계【狀啓】[cha:nggye]〈名〉〔史〕地方に派遣された官吏が王に上啓する文書.

장고【長考】〈名・하他〉長考.

장관【壯觀】[cha:nggwan]〈名〉壮観. 句例 ~을 이루다 壮観をなす. 文例 실로 ~이다 実に壮観だ.

장관【長官】[cha:nggwan]〈名〉長官. 語例 외무부 ~ 外務部長官.
參考 日本の大臣に当たる.

장광-설【長廣舌】〈名〉長広舌. 句例 ~을 늘어놓다 長広舌をふるう.

장교【將校】[cha:nggyo]〈名〉将校.

장구〈名〉〔樂〕[もとの語形は'장고(杖鼓)'] チャング. 句例 ~를 치다 チャング〔鼓〕を打つ. 語例 ~잡이 チャングの鼓手 / ~채 チャングを打つ細いばち / ~통 チャングの胴部.

장구【長久】〈名・하形〉長久. 句例 ~한 역사 長く続いた歴史.

장구-벌레〈名〉〔蟲〕ぼうふら. 蚊の幼虫.

장-국【醬―】[cha:ngkkuk]〈名〉❶すまし汁. ❷みそ汁以外の汁物の総称. 語例 ~밥 汁飯.

장군【將軍】㊀〈名〉❶将軍. ❷(将棋で)王手. 略して'장(將)'ともいう.
㊁〈感〉王手をかけるときの掛け声.

장군(을) 받다 (王手をかけられて)王将を守る. 王手を防ぐ. 略して'장(을) 받다'ともいう.

장군(을) 부르다 王手をかける〔唱える〕. 略して'장(을) 부르다'ともいう.

*__장기__【長技】[changkki]〈名〉おはこ. お株. 得手. お手の物. お家芸. 特技. 十八番. 文例 수판이라면 내 ~지 そろばんなら僕のお手の物だ.

장기【長期】〈名〉長期. 句例 ~간에 미치다 長期におよぶ / ~에 걸치다 長期にわたる. 語例 ~예보 長期予報 / ~전 長期戦 / ~체류 長期滞在 / ~화 長期化. 對단기(短期).

*__장기__【將棋】[cha:nggi]〈名〉将棋. 句例 ~를 두다 将棋をさす / 떼고 두는 ~ こま落ち将棋. 語例 ~짝 将棋のこま(駒) / ~판(板) 将棋盤.

장기【臟器】〈名〉〔生〕臓器. 語例 ~ 이식 臓器移植.

장-꾼【場―】〈名〉❶市場の商人. ❷市場に買い物に来た人.

장끼〈名〉雄のきじ(雉). 對까투리.

⁑**장난**〈名〉いたずら. 遊び. 戯れ(事). やんちゃ《俗》. おいた《児・女》. **~하다**〈自〉いたずらする. 句例 운명의 ~ 運命のいたずら〔戯れ〕/ 반 ~으로 いたずら半分に / 그저 ~으로 그린 그림 ちょっといたずらにかいた絵 / ~에 팔리다 遊びに夢中になる. 語例 ~꾸러기 いたずらっ子. いたずら坊主〔小僧〕. わんぱく. ちゃめっ子 / ~질 いたずら / ~ 전화 いたずら電話.

장난(을) 치다 いたずらをする. 戯れる. =장난하다.

⁑**장난-감** [―kkam]〈名〉おもちゃ. 玩具. 慰み物. =노리개. 완구. 語例 ~ 가게 おもちゃ屋.

장난-기【―氣】[―kki]〈名〉いたずらっ気. ちゃめっ気. おどけ. 句例 ~가 있는 사람 ちゃめっ気のある人. おちゃめな人.

*__장-날__【場―】〈名〉市日. 市の立つ日.

장남【長男】[cha:ngnam]〈名〉長男. 長子. 総領息子. =맏아들. 큰아들. 句例 ~으로 태어나다 長男に生まれる.

장내【場內】〈名〉場内. 語例 ~ 금연 場内禁煙.

장녀【長女】[cha:ngnyŏ]〈名〉長女. =맏딸. 큰딸.

장년【壯年】[cha:ngnyŏn]〈名〉壮年. 語例 ~시대 壮年時代 / ~기 壮年期.

장님 [cha:ngnim]〈名〉'소경 視覚障害人'のうやまった言いかた: 盲人. 盲者.

장다리〈名〉大根・白菜などの花をつける茎. 語例 ~꽃 大根・白菜などの花茎に咲いた花.

*__장단__【長短】〈名〉❶長短. 句例 ~을 재다 長短を測る / ~을 서로 보완하다 長短を相補う. 語例 ~점(點) 長所と短所. ❷(音楽・踊りの)拍子. 調子. リズム.

장단(을) 맞추다 調子を合わせる. ❶拍子を取る. 句例 장단에 맞추어 춤을 추다 リズムに合わせて踊る. ❷相手の気に入るように言葉や態度を合わせる. 類맞장구(를) 치다.

장단(을) 치다 調子を取って鼓などを打ち鳴らす. 調子に乗せる.

장담【壯談】[cha:ngdam]〈名・하自他〉壮語. 句例 호언~하다 大言壮語する.

장-대【長―】[―ttae]〈名〉長ざお(竿). さお(竿). 語例 ~비 しの(篠)突く雨. どしゃぶりの雨 / 빨래 ~ 物干しざお.

장대【長大】〈名・하形〉長大. 句例 체격이 ~하다 体格が立派だ. 對단소(短小).

장대-높이뛰기【長―】[changttaenop'ittwigi]〈名〉棒高跳び. =봉고도(棒高跳).

장도【壯途】[cha:ngdo]〈名〉壮途. 句例 ~에 오르다 壮途につく / ~를 축하하다 壮途を祝う.

*__장도리__ [cha:ngdori]〈名〉くぎ抜き.

장독【杖毒】[cha:ngdok]〈名〉〔史〕杖刑を受けてできた傷の毒.

⁑**장-독**【醬―】[cha:ngttok]〈名〉醬油やみそを醸したり蓄えたりするかめ(瓶). 語例 ~간(間) 醬油がめやみそがめの置き場 / ~대(臺) かめ置き台.

장-돌뱅이【場―】[―ttolbaeng-i]〈名〉各地の市場を回りながら物を売る商人. 旅あきんど. =장(場)돌림.

장딴지 [cha:ngttanji]〈名〉ふく(脹)らはぎ(脛).

こむら．句例 ～가 아프다 ふくらはぎが痛い．

*__장래__【將來】[changnae]〈名・副〉将来．先．先行き．句例 가까운 ～ 近い将来／～가 염려되다 先が思いやられる．行く先が心配だ／～가 촉망되다 末頼もしい／나라의 ～ 国の将来／～를 약속한 사이 将来を約束した間柄．文例 ～ 커서 뭣이 될래 将来大きくなって何になりたいの．

__장래-성__【將來性】[changnaessŏng]〈名〉将来性．見込み．見所．句例 ～ 있는 청년 見込みのある青年．

__장려__【奬勵】[cha:ngnyŏ]〈名・하他〉奨励．句例 저축을 ～하다 貯蓄を奨励する．語例 ～금 奨励金．

__장력__【張力】[changnyŏk]〈名〉〔物〕張力．引っ張る力．語例 표면 ～ 表面張力．

__장렬__ [cha:ngnyŏl]〈名〉葬列．

__장렬-하다__【壯烈―】[cha:ngnyŏl―]（→하다）〈形〉壮烈だ．句例 장렬한 최후를 마치다 壮烈な最後を遂げる．__장렬히__ [cha:ngnyŏlhi]〈副〉壮烈に．

__장례__【葬禮】[cha:ngnye]〈名〉葬儀．葬式．語例 ～식(式) 葬式．

__장로__【長老】[cha:ngno]〈名〉長老．句例 마을의 ～ 村の長老．語例 ～교 長老教会．プレスビテリアン．

__장롱__【欌籠】[cha:ngnong]〈名〉たんす(簞笥)．語例 자개 ～ 螺鈿細工のたんす．

**__장마__〈名〉長雨．梅雨．五月雨．句例 계속되는 ～ うち続くつゆ／～가 걷히다 つゆが明ける．語例 ～ 전선 梅雨前線／⇨ 장마철／장맛비 つゆ時の雨．

__장마(가) 들다__ 梅雨になる．

__장마(가) 지다__ 梅雨になる．

__장마-철__〈名〉梅雨期．梅雨時．句例 ～로 접어들다 梅雨の季節に入る．

__장막__【帳幕】[cha:ngmak]〈名〉とばり(帳・帷)．カーテン．テント．句例 철〔죽〕의 ～ 鉄〔竹〕のカーテン／～을 치다 テントを張る．カーテンをかける．

*__장만__〈名・하他〉❶作ること．ととのえること．こしらえること．❷(買ったりこしらえたりして)備えること．用意．仕度．入手．句例 음식을 ～하다 食べ物を用意する／침구를 ～하다 寝具を準備する／집을 ～하다 家を買い入れる〔手に入れる〕．

__장-맛__【醬―】[cha:ng―]〈名〉醬油やみその味．

*__장면__【場面】〈名〉場面．シーン．句例 극적인 ～ 劇的なシーン／슬픈 ～에 부닥치다 悲しい場面にぶつかる／～이 바뀌다 場面が変わる．語例 연애 ～ ラブシーン．

__장모__【丈母】[cha:ngmo]〈名〉妻の母．義母．＝빙모(聘母)．語例 ～님 おかあさん．對장인(丈人)．

__장목__【長木】〈名〉(物を支えるのに用いる)太く長い木．＝장(長)나무．

__장문__【長文】〈名〉長文．句例 ～의 편지 長文の手紙．對단문(短文)．

__장문__【掌紋】[cha:ngmun]〈名〉掌紋．

__장물__【贓物】〈名〉贓物．贓品．盗品．語例 ～아비 贓物を買い受ける人／～죄〔法〕贓物罪．

**__장미__【薔薇】〈名〉〔植〕ばら(薔薇)．ローズ．句例 장밋빛 인생 ばら色の人生．語例 ～꽃 ばら(の花)．

__장-바구니__【場―】[―ppaguni]〈名〉[‘시장(市場) 바구니’の略] 買い物のかご．

__장-바닥__【場―】[―ppadak]〈名〉市場(の中)．

__장발__【長髮】〈名〉長髪．語例 ～족 長髪族．

__장방-형__【長方形】〈名〉長方形．矩形．＝직사각형．

__장벽__【障壁】〈名〉障壁．邪魔．妨げ．句例 ～을 둘러치다 障壁をめぐらす／양국간의 ～을 제거하다 両国間の障壁を取り除く／～이 생기다 障壁が生じる／～에 가려지다 障壁に遮られる．

__장병__【將兵】[cha:ngbyŏng]〈名〉将兵．将卒．

__장-보기__【場―】〈名〉(市場での)買い物．

__장-보다__【場―】⇨‘장(場)’の小項目

__장복__【長服】〈名・하他〉薬などを長期間服用すること．

__장본-인__【張本人】[changbonin]〈名〉張本人．句例 싸움의 ～ けんかの張本人．

__장부__〈名〉〔建〕ほぞ(枘)．語例 ～촉(鏃) ほぞの端／장붓구멍 ほぞ穴．

__장부__【丈夫】[cha:ngbu]〈名〉ますらお(丈夫)．一人前の男．

__장부 일언이 중천금__(重千金) 男の一言は千金の重みがある．約束は必ず守らなければならないとの意．

__장부__【帳簿】〈名〉帳簿．句例 매출액을 ～에 기입하다 売り上げ高を帳簿につけこむ／～ 기장을 마감하다 帳簿を締め切る．

__장비__【裝備】〈名・하他〉装備．句例 근대적 ～를 갖추다 近代的装備を整える．語例 중～ 重装備．

__장-뼘__【長―】〈名〉親指と中指を最大に伸ばした長さ．

*__장사__〈名〉商売．商い．商業．__～하다__〈自〉商売する．商う．句例 ～의 요령 商売のこつ／～가 잘 되다 商売がうまくいく／～가 거덜나다 商売があがったりだ／～를 잘하다 商売が上手だ／～가 번창하다 商売が繁盛する．語例 ～ 밑천 商売の元手／～치 ‘장사꾼’のさげすんだ言いかた．→囲み記事 75

__장사__【壯士】[cha:ngsa]〈名〉❶壮士．雄雄しい人．怪力の人．豪傑．❷⇨ 역사(力士)．語例 천하 ～ 天下の壮士．

囲み記事 75

■ ‘장사’と‘장수’ ■

장사 商売――그 사람은 옷장사를 한다 彼は着物の商売をしている／올해는 장사가 신통치 않다 今年は商売がかんばしくない．

장수 商人――생선 장수 魚屋．魚の商人．그는 떡장수입니다 彼はもち屋さんです．

ス

장사【葬事】[chaːngsa]〈名〉葬儀．葬式．
장사(를) 지내다 葬式を執り行なう．句例 유해를 정중히 장사 지내다 遺骸を丁重に葬る．
장사-꾼〈名〉❶商売の上手な人．商才にたけた人．❷商人．商売人．あきんど．＝장사치．句例 타고난 ～ 根からの商人．文例 저 사람은 ～ 냄새가 난다 あの人は商人臭い．
장사-진【長蛇陣】〈名〉長蛇の陣．長蛇の列．句例 ～을 이루다 長蛇の列をなす．
장살【杖殺】[chaːngsal]〈名・하他〉〔史〕刑罰としてむち(笞)で打ち殺すこと．
장삼【長衫】〈名〉〔佛〕緇衣．墨染めの僧衣．絵

〈장삼〉

장삼-이사【張三李四】[changsamiːsa]〈名〉張三李四．身分も低く名もない平凡な人人．
参考 張氏の三男と李氏の四男の意．
장상【將相】[chaːngsang]〈名〉将相．将帥と宰相．語例 ～지재(之材) 将相の材．
장색【匠色】〈名〉職人．匠人．＝장인(匠人)．語例 떠돌이 ～ 渡り職人．
장생【長生】〈名・하自〉長生き．長生．語例 ～ 불사 長生不死／불로 ～ 不老長寿．
장서【藏書】〈名〉蔵書．文例 만 권의 ～가 있다 一万冊の蔵書がある．語例 ～가 蔵書家／～ 목록 蔵書目録．
장-서다【場―】⇨'장(場)'の小項目
장석【長石】〈名〉〔鑛〕長石．＝질돌．
장성【長成】[chaːngsŏng]〈名・하自〉成長して大人になること．句例 ～한 아들 成人になった息子．
장성【長城】〈名〉長城．語例 만리 ～ 万里の長城．
장성【將星】[chaːngsŏng]〈名〉〔軍〕将星．将軍．
*장소【場所】〈名〉場所．場．所．句例 ～가 ～인 만큼 場所が場所だけに／～를 차지하다 場所を占める／넓은 ～ 広い場所／때와 ～를 가리다 時と場所を選ぶ．文例 앉을 ～가 없다 座る所がない．語例 약속 ～ 約束の場所．
장손【長孫】[chaːngson]〈名〉嫡孫．＝맏손자．
장-손녀【長孫女】[chaːng―]〈名〉嫡子の長女．＝맏손녀．
장송【長松】〈名〉大きな松の木．
장송【葬送】[chaːngsong]〈名・하自〉葬送．送葬．野辺の送り．語例 ～곡 葬送曲．
*장수〈名〉商人．あきんど．…売り．語例 엿 ～ あめ売り／떡～ 餅売り／생선 ～ 魚売り．魚屋(さん)．→囲み記事 75
장수【長壽】〈名・하自〉長寿．長生き．長命．句例 ～의 비결 長寿の秘訣／～하는 집안 長生きする家系．
장수【將帥】[chaːngsu]〈名〉将帥．大将．
장수【張數】[changssu]〈名〉枚数．句例 표의 ～를 세다 切符の枚数を数える．

장승〈名〉❶〔民〕村の守り神として村の入り口などに立てる男女一対の木像．絵 ❷比喩的に背の高い人．のっぽ．文例 ～처럼 서 있지만 말고 이리 와 서 앉아라 ぼかんと突っ立ってばかりいないでこちらに来て座りなさい．

〈장승〉

장승 만하다 雲を突くほど高い．
장-시간【長時間】〈名〉長時間．文例 ～ 기다렸다 長時間待った．對단(短)시간．
장-시일【長時日】〈名〉長時日．長い間．對단(短)시일．
*장식【裝飾】〈名〉装飾．飾り付け．～하다〈他〉装飾する．飾り付ける．飾る．彩る．句例 너무 화려한 ～ あまりにも派手な装飾／화려하게 ～하다 華やかに飾る／무대를 꽃으로 ～하다 舞台を花で飾り付ける．語例 실내 ～ インテリア．室内装飾／～품 装飾品／～물 装飾物．飾り物／～용 전구 装飾用電球．
장신【長身】〈名〉長身．長軀．句例 ～의 사나이 長身の男．對단신(短身)．
장신-구【裝身具】〈名〉装身具．アクセサリー．句例 ～를 달다 装身具を着ける．
장아찌〈名〉〔料理〕❶千切りにした大根・きゅうりなどを醬油・みそなどに漬けたおかず．❷白菜・せり(芹)などを塩漬けした後，醬油をかけて調味したおかず．
장악【掌握】[chaːng-ak]〈名・하他〉掌握．句例 정권을 ～하다 政権を掌握する／부하를 ～하다 部下を掌握する．
장안【長安】〈名〉首都の意で'서울 ソウル'を指す語．句例 ～의 화젯거리가 되다 満都の話題をさらう．
参考 中国の西安．もとは唐代の都．
장-암【腸癌】〈名〉〔醫〕腸がん．
장애【障碍】〈名〉障害．障り．句例 위장 ～를 일으키다 胃腸障害を起こす／통행에 ～가 되다 通行の妨げとなる／～를 극복하다 障害を乗り越える．語例 ～물 障害物／～물 달리기〔경주〕障害物競走．ハードル競走／언어〔기능〕～ 言語〔機能〕障害．
장애-인【障碍人】〈名〉障害者．身体障害者．身障者《略語》．＝장애자．語例 ～ 올림픽 대회 国際身体障害者スポーツ大会．パラリンピック．
장액【漿液】〈名〉〔生〕漿液．
장약【裝藥】〈名・하自〉〔軍〕装薬．類장전(裝塡)．
장어【長魚】〈名〉〔魚〕'뱀장어'の略：うなぎ(鰻)．語例 ～구이 (うなぎの)かば焼き／～덮밥 うなぎどんぶり．
장엄-하다【莊嚴―】(→하다)〈形〉荘厳だ．句例 장엄한 의식 荘厳な儀式．장엄히〈副〉荘厳に．厳かに．
장염【腸炎】[changnyŏm]〈名〉〔醫〕腸炎．
장옷〈名〉〔史〕良家の女性が外出するとき，顔を隠すために頭からかぶった覆い物．被衣《古》．絵

〈장옷〉

장외【場外】〈名〉場外. 句例 ～로 나가다 場外に出る／～ 홈런을 날리다 場外ホームランを飛ばす. 語例 ～ 거래〔經〕場外取引き. 對장내(場內).

장-운동【腸運動】〈名〉〔生〕腸運動.

장원【壯元】[cha:ng-won]〈名・하自〉〔史〕科挙に首席で合格すること. また, その人. 語例 ～ 급제(及第) (科挙での)首席合格.

장원【莊園】〈名〉〔史〕荘園〔庄園〕.

장유【長幼】[cha:ng-yu]〈名〉長幼. 語例 ～유서(有序) 長幼序あり.

장음【長音】〈名〉〔言〕長音. 對단음(短音).

장-음계【長音階】〈名〉〔樂〕長音階. 對단음계.

장의【葬儀】[cha:ng-ŭi]〈名〉葬儀. 語例 ～사 葬儀社. 葬儀屋.

-장이【匠一】〈尾〉 匠人の意を表わす語. 語例 미～ 左官／대장～ 鍛冶屋. →-쟁이

장인【丈人】[cha:ng-in]〈名〉妻の父. 義父. 岳父. ＝빙부(聘父). 語例 ～ 어른 おとうさん. 對장모(丈母).

장인【匠人】〈名〉 匠人. 匠〔工〕. 職人. ＝장색(匠色).

장자【長子】[cha:ngja]〈名〉長子. 長男. ＝맏아들.

장자【長者】[cha:ngja]〈名〉長者. 大金持ち. 語例 백만〔억만〕 ～ 百万〔億万〕長者.

장작【長斫】〈名〉薪. まき. 句例 ～을 피우다〔때다〕 薪をくべる／～을 패다 まきを割る. 語例 ～개비 割り木の一片／～더미(積み上げた)まきの山／～불 まきの火.

장장【長長】㊀〈冠〉非常に長い. 語例 ～추야 長い秋の夜.
㊁〈副〉長長と. 句例 ～ 10년이나 걸린 공사 長長と十年もかかった工事／～ 10시간에 걸친 마라톤 회의 十時間にもわたる長いマラソン会議／～ 5백리의 여정 長い長い五十里にわたる旅程.

장장-이【張張一】〈副〉一枚一枚ごとに.

장전【裝塡】〈名・하他〉装塡. 句例 실탄을 ～하다 実弾を装塡する〔こめる〕.

***장점**【長點】[changtchŏm]〈名〉長所. 長点. メリット. 句例 ～을 살리다〔키우다〕 長所をいかす〔のばす〕. 對단점(短點).

장정【壯丁】[cha:ngjŏng]〈名〉壮丁. ❶血気盛んな若者. ❷徴兵適齢期にある青年. 句例 ～을 모아 훈련시키다 壮丁を集めて訓練させる.

장정【長征】〈名・하自他〉長征.

장정【裝幀】〈名・하他〉装丁. 句例 내용에 걸맞게 ～하다 内容にふさわしく装丁する.

장조【長調】[changtcho]〈名〉〔樂〕長調. 句例 라～의 바이올린 협주곡 ニ長調のバイオリン協奏曲.

장-조림【醬一】[cha:ng—]〈名〉〔料理〕牛肉の醬油煮.

장-조카【長一】[cha:ng—]〈名〉長兄の長男. 一番上のおい(甥). ＝장질(長姪).

장족【長足】〈名〉長足. 句例 ～의 진보를 보이다 長足の進歩を見せる.

장졸【將卒】[cha:ngjol]〈名〉将卒. 将兵.

장지【長指】〈名〉⇨ 가운뎃손가락

장지【葬地】[cha:ngji]〈名〉葬地. 埋葬地.

장지【障一】〈名〉障子. 句例 ～를 바르다 障子を張る. 語例 ～문(門) 障子／～틀 障子の枠.

장-질부사【腸窒扶斯】〈名〉'장티푸스 腸チフス'の音訳.

***장차**【將次】〈副〉今から先. 将来. 今後. 文例 ～ 어떻게 할 작정인가 今後どうするつもりなのか.
表現 たまに名詞的にも用いられる. 句例 ≡ ～의 계획 将来の計画.

장착【裝着】〈名・하他〉装着. 句例 타이어에 체인을 ～하다 タイヤにチェーンを装着する.

장총【長銃】〈名〉〔軍〕小銃《短銃に対して言う語》. ライフル.

***장치**【裝置】〈名〉装置. しつらえ. 仕掛け. **～하다**〈他〉装置する. しつらえる. 仕掛ける. 句例 폭약을 ～하다 爆薬を仕掛ける. 語例 ～ 산업 装置産業／무대 ～ 舞台装置／자동 조종 ～ 自動操縦装置／난방 ～ 暖房装置.

장침【長針】〈名〉長針. ❶長い針. ❷(時計の)長針. 分針. ＝분침. ▷對단침(短針).

장쾌-하다【壯快一】[cha:ngk'wae—] (→하다)〈形〉壮快だ. 句例 장쾌한 행진곡 壮快な行進曲. 文例 스키 활강은 ～ スキー滑降は壮快だ.

장타【長打】〈名〉〔野〕長打. ロングヒット. 語例 ～력 長打力.

장-타령【場打令】〈名〉 物ごいが門前や市場などで歌う俗謡の一つ.

장탄【裝彈】〈名・하自〉装弾. 語例 ～ 장치 装弾装置.

장-탄식【長歎息】〈名・하自〉長嘆息. 長嘆. 長大息. 句例 절망하여 ～하다 絶望して長嘆する.

장-터【場一】〈名〉 市場. 市が立つ場所. ＝시장터.

장-티푸스【腸typhus】〈名〉〔醫〕腸チフス.

장파【長波】〈名〉〔物〕長波.

장판【壯版】〈名〉❶厚い油紙を張ったオンドル(温突)の床. ❷'장판지'の略. 語例 ～방(房) '장판지'を張ったオンドル部屋.

장판-지【壯版紙】〈名〉オンドル(温突)の床に張る厚い油紙. 略して'장판(壯版)'ともいう.

장편【長篇】〈名〉長編. 語例 ～ 소설 長編小説. 對단편(短篇).

***장-하다**【壯一】[cha:ng—] (→하다)〈形〉❶立派だ. あっぱれだ. 見事だ. 句例 장한 어머니〔아들〕 立派な母〔息子〕／장한 행동 あっぱれなふるまい. 文例 ～, 참 잘했다 あっぱれだ. よくやった. ❷殊勝だ. けなげだ. 奇特だ. 感心だ. 句例 장한 어린이 殊勝な子. **장히**〈副〉立派に. けなげに. 盛んに.

장학【奬學】[cha:nghak]〈名・하自〉奨学. 句例 ～금을 주다〔받다〕 奨学金を与える〔受ける〕. 語例 ～생 奨学生／～제도 奨学制度.

장학-관【奬學官】[cha:nghakkwan]〈名〉視学官. 教育に関する指導・調査・監督などの事務をつかさどる教育公務員の一つ.

장해【障害】〈名〉❶障害. ❷⇨ 장애(障碍)
장형【長兄】[cha:nghyŏng]〈名〉長兄. ＝맏형.
장화【長靴】〈名〉長靴. ブーツ. 語例 고무 ~ ゴム長. 對단화(短靴).
장황-하다【張皇―】(→하다)〈形〉冗漫だ. 冗長だ. くどくどしい. 長たらしい. 句例 장황한 설명 冗長な説明 / 장황한 연설 長たらしい〔だらだらした〕演説. 文例 장황하게 길기만 할 뿐 내용이 없는 얘기다 だらだら(と)長いだけで内容のない話だ. **장황히**〈副〉冗漫〔冗長〕に. 長長と. くどくどと. 句例 불평을 장황히 늘어놓다 不平をくどくどと述べる.
잦다¹〈自〉❶(液体が蒸発したり煮つまって)だんだん減って少し残る. 干上がる. ❷おさまる. なぐ. 句例 바람이 자고 파도가 ~ 風がやみ波がおさまる.
***잦다**²〈形〉頻繁だ. たびたびだ. しばしばだ. (頻度が)激しい. 句例 사람의 왕래가 ~ 人通りが激しい / 술집 출입이 ~ 飲み屋に出入りが激しい / 비가 ~ 雨が頻繁に降る. 對드물다.
잦아-지다 [chaja―]〈自〉しげくなる. 頻繁になる. 文例 요즈음 부부 싸움이 잦아졌다 このごろ夫婦げんかが多くなった.
잦은-걸음 [chajŭn-gŏrŭm]〈名〉速足. 急ぎ足. 小走り.
잦은-장단【―長短】[chajŭn―]〈名〉速い拍子.
잦히다¹ [chach'ida]〈他〉炊き上がった御飯を弱い火でむらす.
잦히다² [chach'ida]〈他〉⇨ 젖히다. 句例 몸을 ~ からだを反らす.
재¹〈名〉灰. 句例 죽음의 ~ 死の灰 / 화로의 ~를 긁어내다 火鉢の灰をかき出す. 文例 다 타고 ~만 남았다 みんな焼けて灰だけが残った. 語例 담뱃~ タバコの灰.
재가 되다 灰になる. 句例 죽어 ~ 死んで灰になる.
재²〈名〉峠. ＝영(嶺). 句例 ~를 넘다 峠を越える.
재【齋】〈名〉❶〔佛〕法事. 供養. 句例 ~를 올리다 法事を営む. ❷'재계(齋戒)'の略.

재 〔漢字項目〕

【再】中學 재 サイ. サ. ❶두번 ふたたび. ■再考 재고 さいこう. 再生 재생 さいせい. ❷두번 하다 再度する. ■再犯 재범 さいはん. 再會 재회 さいかい.
【哉】中學 재 サイ. ❶영탄・찬탄을 나타내는 조사 詠嘆・賛嘆を表わす助詞. ■快哉 쾌재 かいさい. ❷의문・반어를 나타내는 조사 疑問・反語を表わす助詞.
【在】中學 재 ザイ. ❶있다 ある. 존재하다 存在する. ■在校 재교 ざいこう. 在位 재위 ざいい. ■健在 건재 けんざい. ❷곳 場所. ■在所 재소 ざいしょ.
【才】中學 재 サイ. 재능 才能. 재능이 있는 사람 才能のある人. ■才気 재기 さいき. ■秀才 수재 しゅうさい. 天才 천재 てんさい.
【材】中學 재 ザイ. ❶재목 材木. 건축・기구 등의 재료로 쓰이는 나무 建築・器具などの材料に使われる木. 원료가 되는 물질 原料になる物質. ■材料 재료 ざいりょう. ■石材 석재 せきざい. 教材 교재 きょうざい. ❷타고난 능력 秀でた能力. ■人材 인재 じんざい. 棟梁之材 동량지재 棟梁の材.
【栽】中學 재 サイ. ❶초목을 심다 草木を植える. ■栽培 재배 さいばい. 栽植 재식 さいしょく. ❷옮겨 심은 곳 移植した所. ■盆栽 분재 ぼんさい.
【災】高校 재 サイ. 천변지이로 인한 불행한 사고 天変地異による不幸な事故. ■災害 재해 さいがい. 災厄 재액 さいやく. ■天災 천재 てんさい. 罹災 이재 りさい.
【裁】高校 재 サイ. ❶옷감을 마름질하다 着物を作るために布をたち切る. 재단하다 裁断する. ■裁縫 재봉 さいほう. ■洋裁 양재 ようさい. ❷일을 처리하다 事を処理する. ■裁判 재판 さいばん. ■決裁 결재 けっさい.
【財】中學 재 ザイ. 재물 財物. 재산 財産. ■財寶 재보 ざいほう. ■私財 사재 しざい. 文化財 문화재 ぶんかざい. 家財 가재 かざい. 消費財 소비재 しょうひざい.
【載】高校 재 サイ. ❶싣다 のせる. 積む. ■積載 적재 せきさい. 滿載 만재 まんさい. ❷책・장부 등에 적다 ノートや帳簿などに記す. ■記載 기재 きさい. 登載 등재 とうさい.

재가【在家】[chae:ga]〈名・하自〉❶在宅. ❷〔佛〕在家. 語例 ~승 在家僧.
재가【再嫁】[chae:ga]〈名・하自〉再嫁. 再縁. 再婚.
재가【裁可】〈名・하他〉裁可. 句例 사장의 ~를 바라다 社長の裁可を仰ぐ.
재간【才幹】〈名〉才幹. 才能. 句例 ~이 뛰어나다 才幹がすぐれている / ~있는 사람 才能のある人. 文例 우는 아이를 달랠 ~이 없다 泣く子をあやすすべがない.
재간【再刊】[chae:gan]〈名・하他〉再刊. 句例 잡지를 ~하다 雑誌を再刊する.
재갈〈名〉くつわ. はみ.
재갈(을) 먹이다 くつわをはめる.
재갈(을) 물리다 はみをかませる. 句例 말에 재갈을 물리다 馬にくつわをする〔はめる〕.
재감-자【在監者】[chae:gam―]〈名〉在監者. ＝재소자.
재강〈名〉酒かす. ＝술찌끼.
재개【再開】[chae:gae]〈名・하他〉再開. 句例 교섭을 ~하다 交渉を再開する.
재-개발【再開發】[chae:―]〈名・하他〉再開発. 句例 도심의 ~ 都心の再開発.
재건【再建】[chae:gŏn]〈名〉再建. **~하다**〈他〉再建する. 建て直す. 句例 국가 ~의 길 国家再建の道 / 조직을 ~하다 組織を建て直す.
재-검토【再檢討】[chae:―]〈名・하他〉再検討. 句例 원안을 ~하다 原案を再検討する / ~를 가하다 再検討を加える / ~를 요구하다〔요

하다〕再検討を求める〔要する〕.

재결【裁決】〈名・하他〉裁決. 句例 ～을 내리다 裁決を下す / ～을 청하다〔바라다〕 裁決を仰ぐ.

재-결합【再結合】[chae:—]〈名・하自〉再結合. 文例 그들은 마침내 ～했다 彼らはついによ(撚)りを戻した.

재경【在京】[chae:gyŏng]〈名・하自〉在京. 語例 ～ 동창회 在京同窓会.

재경【財經】〈名〉財経. 財政と経済. 語例 ～ 위원회 財経委員会.

재경-원【財經院】〈名〉'재정 경제원'の略.

재계【財界】〈名〉財界. 句例 ～의 움직임 財界の動き / ～를 주름잡는 인물 財界を牛耳る人物.

재계【齋戒】〈名・하自〉斎戒. 語例 목욕 ～ 沐浴斎戒.

재고【再考】[chae:go]〈名・하他〉再考. 句例 ～를 촉구하다 再考を促す. 文例 그 일은 ～의 여지가 없다 そのことは再考の余地がない.

재고【在庫】[chae:go]〈名〉在庫. ストック. 句例 ～를 조사하다 在庫を調べる / ～가 떨어지다〔바닥나다〕 在庫が切れる / ～가 쌓이다 在庫がたまる. 語例 ～ 정리 대매출 棚ざらえ大売り出し / ～품 在庫品.

재교【再校】[chae:gyo]〈名・하他〉〔印〕再校. 二度めの校正. 語例 ～쇄(刷) 再校ゲラ.

재-교부【再交付】[chae:—]〈名・하他〉再交付. 語例 ～ 신청 再交付申請.

재-교육【再教育】[chae:—]〈名・하他〉再教育. 句例 일선 교사들의 ～ 一線教員たちの再教育.

재-군비【再軍備】[chae:—]〈名・하自〉再軍備. 句例 ～에 광분하다 再軍備に狂奔する.

재기【才氣】〈名〉才気. 語例 ～ 발랄 才気煥発. 才気はつらつ(潑剌).

재기【再起】[chae:gi]〈名・하自〉再起. 句例 ～를 기약하다 再起を期する. 文例 ～할 가망이 전혀 없다 再起する見込みがまったくない. 語例 ～ 불능 再起不能.

재깍[1]〈副・하自他〉固いものが折れたりぶつかる時の音: ぱちん. がちん. こつん. かち. 句例 자물쇠가 ～하고 잠기다 錠前ががちんと閉まる. **～거리다**〈自他〉しきりにぱちん〔がちん〕と音を立てる.

재깍재깍〈副・하自他〉ぱちぱち. がちがちと. かちかちと. 句例 시계가 ～ 가는 소리 時計がかちかちと動く音.

재깍[2]〈副〉敏捷に. 手早く.

재깍재깍〈副〉さっさと. てきぱきと. はきはきと. 句例 일을 ～ 해치우다 仕事をてきぱきと片付ける.

재난【災難】〈名〉災難. 災い. 句例 뜻하지 않은 ～ 不慮の災難 / ～을 만나다 災難にあう / ～을 방지하다〔막다〕 災難を防ぐ / ～이 덮치다 災難がふりかかる.

재-넘이 [—nŏmi]〈名〉山おろし. 高嶺おろし. 句例 ～가 세차게 불다 山おろしが吹きまくる.

재능【才能】〈名〉才能. 才. 句例 비범한 ～ 非凡な才能 / 미술(의) ～을 타고난 사람 美術の才能に恵まれた人 / ～을 키우다 才能を伸ばす / ～을 발휘하다 才能を発揮する. 類 재간(才幹).

⁑**재다**[1] [chae:da] ㊀〈他〉❶(寸法・長さ・高さなどを)測〔計〕る. 句例 높이를 ～ 高さを計る / 혈압을 ～ 血圧を計る / 시간을 ～ 時間を計る / 자로 ～ 物差しで測る. 尺を取る / 양복 치수를 ～ 洋服の寸法をはかる.
❷うかがい見る. 見はからう. 推し量る. ようすを探る. 句例 앞뒤를 ～ 前後をかえり見て慎重に構える.
❸(弾薬を)装塡する. 込める. 句例 총알을 ～ 弾〔弾丸〕をこめる.
㊁〈自〉威張る. 傲慢ぶる. もったいぶる. 文例 저 재는 꼴이 가관이다 あのうぬぼれた格好は見られたもんじゃないな / 이봐, 너무 재지 마라 おい, あまりいばるな.
表現 '재다㊁'は俗っぽい言いかた.

재다[2] [chae:da]〈他〉'쟁이다'の略.

재다[3] [chae:da]〈形〉❶(動作が)速い. 敏捷だ. 句例 걸음이 ～ 足が速い. ❷(物が)たやすく温まる. 句例 솥이 ～ かま(釜)が早く温まる. ❸(口が)軽い. 口早だ. 句例 입이 잰 사람 口の軽い人.

재단【財團】〈名〉財団. 句例 ～을 설립하다 財団を設立する. 語例 록펠러 ～ ロックフェラー財団 / ～ 법인 財団法人.

재단【裁斷】〈名〉裁断. ＝마름질. **～하다**〈他〉裁断する. 裁つ. 句例 드레스를 ～하다 ドレスを裁断する. 語例 ～기 裁断機 / ～사 裁断師.

재담【才談】〈名〉才知に富んだユーモア. おもしろい話. 気のきいた話.

재덕【才德】〈名〉才徳. 句例 ～을 겸비한 부인 才徳兼備の婦人.

재-두루미〈名〉〔鳥〕まなづる(真鶴・真名鶴).

⁑**재-떨이** [—ttŏri]〈名〉灰皿. 語例 담배 ～ タバコの灰皿.

재래【在來】[chae:rae]〈名〉在来. 句例 ～의 풍습 在来の風習 / ～의 방식 在来の方式. 語例 ～종 在来種.

재래-식【在來式】[chae:rae—]〈名〉在来式. 語例 ～ 공법 在来式工法.

재량【裁量】〈名・하他〉❶裁量. 文例 네 ～에 맡기마 君の裁量にまかせる. ❷'자유 재량 自由裁量'の略.

재력【財力】〈名〉財力. 句例 ～으로 큰소리치다 財力に物を言わせる. 語例 ～가(家) 財力のある人.

재론【再論】[chae:ron]〈名・하他〉再論. 文例 ～할 여지가 없다 再論の余地がない / ～할 필요도 없다 再論する必要もない. 再論を要しない.

재롱【才弄】〈名〉茶目. 語例 ～둥이 茶目っ子. **～스럽다**(→스럽다)〈形〉(しぐさが)かわいらしい.

재롱(을) 떨다 '재롱(을) 부리다'のこと.

재롱(을) 부리다 茶目っ気で人を笑わす.

＊**재료**【材料】〈名〉材料. 句例 ～를 마련하다 材料をそろえる〔買いあつめる〕. 語例 건축 ～ 建築材料 / ～ 역학 材料力学 / 수예 ～ 手芸の材料.

ス

재림【再臨】[chae:rim]〈名・하自〉再臨. 句例 그리스도의 ～ キリストの再臨.

재목【材木】〈名〉❶材木. 木材. 句例 산에서 ～을 베어내다 山から材木を切り出す. 語例 ～상 材木商. 材木屋. ❷人材. 材. 句例 유용한 ～ 有用の材.

재무【財務】〈名〉財務. 語例 ～ 제표 財務諸表.

재-무장【再武裝】[chae:—]〈名・하自〉再武装. 語例 도덕 ～ 道徳再武装.

재물【財物】〈名〉財物. 財産. 財貨. 句例 ～을 탐내다 財貨をむさぼ(貪)る.

재물-대【載物臺】[—ttae]〈名〉(顕微鏡の)載物台.

***재미**〈名〉おもしろ(面白)み. おもしろさ. 楽しみ. 興味. 句例 낚시질의 ～를 모르는 사람 魚釣りのおもしろみを知らない人 / 아이를〔자식을〕기르는 ～ 子供を育てる楽しみ / 독서의 ～를 모르다 読書の楽しみを知らない. 文例 요새 ～가 좋은가 近ごろ調子はどうかね / 무슨 ～로 사느냐 何がおもしろくて生きているのだ. **～스럽다** (→스럽다)〈形〉おもしろそうだ.

재미(가) 나다 おもしろい. 楽しみがわく. 興味が起こる. 句例 재미나게 놀다 楽しく遊ぶ. 文例 재미 나는 놀이를 찾아보자 おもしろい遊びを探して見よう.

재미(를) 보다 成果をあげる. 良い目を見る. おもしろい経験をする. 句例 약초 재배로 ～ 薬草栽培でひともうけする / 재미 보러 가다 遊びに行く.

재미(를) 붙이다 興味を持つ(ようになる). 味をしめてや(止)められなくなる. 文例 그는 독서에 재미를 붙이고 지낸다 彼は読書に興味を覚えて過ごしている.

재미(가) 없다 おもしろくない. つまらない. 句例 재미 없는 이야기 つまらない話 / 재미 없는 소문 おもしろくない評判. 文例 네 멋대로 했다간 재미 없어 お前の勝手にしたら承知しないぞ.

재미(가) 있다 おもしろい. 興味がある. 句例 참 재미 있는 사람 とてもおもしろい人 / 재미 있어 하다 おもしろがる / 재미 있게 읽다 おもしろく読む. 文例 무슨 재미 있는 일은 없을까 何かおもしろいことはないだろうか / 이거 ～ 있게 되는 군 これはおもしろくなってきたな.

재미(가) 적다 おもしろくなさそうだ. どうもおもしろくない. 好ましくなさそうだ.

재발【再發】[chae:bal]〈名・하自〉再発. 句例 병이 ～하다 病気が再発する / 전쟁의 ～을 막다 戦争の再発を防ぐ.

재-발견【再發見】[chae:—]〈名・하他〉再発見. 句例 가치의 ～ 価値の再発見.

재배【再拜】[chae:bae]〈名・하自〉再拝. 語例 돈수 ～ 頓首再拝.
表現 手紙で, 文章の締めくくりとして最後にしるす言葉.

***재배**【栽培】[chae:bae]〈名・하他〉栽培. 句例 꽃을 ～하다 花を栽培する. 語例 ～ 식물 栽培植物 / 비닐 하우스 ～ ビニールハウス栽培 / 촉성 ～ 促成栽培 / ～되다 栽培される.

재-배치【再配置】[chae:—]〈名・하他〉再配置. 語例 ～되다 再配置される.

재벌【財閥】〈名〉財閥. 語例 신흥 ～ 新興財閥 / 대～ 大財閥 / ～ 총수 財閥の総帥.

재벌-구이【再—】[chae:bŏl—]〈名〉本焼き. 二度がま(窯). 對초(初)벌구이.

재범【再犯】[chae:bŏm]〈名・하他〉再犯. 語例 ～자 再犯者. 對초범(初犯).

재보【財寶】〈名〉財宝.

재-보험【再保險】[chae:—]〈名〉再保険.

***재봉**【裁縫】〈名・하他〉裁縫. お針. 針仕事. 句例 ～을 배우다 裁縫を習う. 語例 ～사(師) 仕立て屋 / ～사(絲). ～실 ミシン用の糸.

재봉-틀【裁縫—】〈名〉ミシン. 語例 발～ 足踏みミシン / 손～ 手回しミシン.

***재-빠르다** (재빠르니, 재빨라서)〈形〉素早い. 手早い. はしこい. すばしっこい. 敏捷だ. 句例 사태의 변화에 재빠르게 대응하다 事態の変化に素早く対応する.

***재-빨리**〈副〉素早く. いち早く. 敏捷に. すばしっこく. 文例 ～ 일을 해치운다 手早く仕事を片付ける / 사고 발생과 동시에 ～ 달려갔다 事故の発生と同時に素早く駆けつけた.

재사【才士】〈名〉才子. 才人. 對재녀(才女).

***재산**【財産】〈名〉財産. 富. 句例 ～이 있다 財産がある / ～을 탕진하다 身代をつぶす / ～을 모으다 財産をつくる〔ためる〕. 文例 지식은 무형의 ～이다 知識は無形の財産である. 語例 ～가 財産家 / ～권 財産権 / ～ 목록 財産目録 / ～ 상속 財産相続 / ～세 財産税 / 유형 ～ 有形の財産 / 국유 ～ 国有財産.

재삼【再三】[chae:sam]〈副〉再三. 再再. 文例 ～ 부탁했다 再三頼んだ. 語例 ～재사 再三再四.

재상【宰相】[chae:sang]〈名〉宰相. 丞相. 句例 철혈 ～ 비스마르크 鉄血宰相ビスマルク.

재색【才色】〈名〉才色. 才知と容色. 句例 ～을 겸비한 여인 才色兼備の女性.

재생【再生】[chae:saeng]〈名・하自他〉再生. 句例 ～의 기쁨 再生の喜び / ～의 길을 걷다 再生の道を歩む. 語例 ～ 고무 再生ゴム / 녹음 ～ 장치 録音再生装置 / ～ 섬유 再生繊維 / ～지 再生紙 / ～품 再生品 / ～되다 再生する. 再生される.

재-생산【再生産】[chae:—]〈名・하他〉〔經〕再生産. 語例 확대 ～ 拡大再生産.

재석【在席】[chae:sŏk]〈名〉在席. 句例 ～ 의원 과반수의 찬성 在席議員の過半数の賛成.

재선【再選】[chae:sŏn]〈名・하自他〉再選. ❶'재선거'の略. ❷'재당선'の略. 句例 ～ 금지의 규정 再選禁止の規程 / ～을 저지하다 再選をはばむ / 국회 의원에 ～되다 国会議員に再選される.

재-선거【再選擧】[chae:—]〈名・하他〉再選挙. 略して'재선(再選)'ともいう.

재소-자【在所者】[chae:so—]〈名〉❶ある所に収容されている者. ❷⇨ 재감자

재수【再修】[chae:su]〈名〉学んだ課程を再

び履修すること．再学．一浪．**～하다**〈他〉(入学試験に落ちて)浪人する．一浪する．語例 ～생 浪人．一浪の人．

재수【財數】〈名〉運．財運．縁起．(勝負事などでの)付き．巡り合わせ．

재수(가) 나쁘다 縁起が悪い．

재수 없는 놈은 뒤로 자빠져도 코가 깨진다 運の悪い者は後ろに転んでも鼻がつぶれる．運の悪い者はなす事がすべて魔が差すの意．

재수(가) 없다 財運〔縁起〕が悪い．ついてない．付きがない．文例 재수 없는 소리 마라 縁起でもないことを言うなよ．

재수(가) 있다 縁起がいい．ついている．

재수(가) 좋다 運がいい．

재-수입【再輸入】[chae:—]〈名・하他〉再輸入．

재-수출【再輸出】[chae:—]〈名・하他〉再輸出．

재심【再審】[chae:shim]〈名・하他〉再審．句例 ～을 청구하다 再審を請求する．

재앙【災殃】〈名〉災い．災難．句例 뜻밖의 ～을 만나다 とんだ災難に遭う．

재야【在野】[chae:ya]〈名・하自〉在野．句例 ～의 인사 在野の人物．

재연【再燃】[chae:yŏn]〈名・하自〉再燃．句例 분쟁이 ～하다 紛争が再燃する．語例 ～되다 再燃する．

재외【在外】[chae:oe]〈名〉在外．語例 ～ 공관 在外公館．

****재우다**〈他〉❶寝かす．眠らす．略して'재다'ともいう．句例 아기를 ～ 赤ん坊を寝かす．❷泊める．泊まらせる．句例 여행자를 ～ 旅の者を泊める．

재우-치다〈他〉せ(急)き立てる．督促する．句例 재우쳐 묻다 せわしなく問う．せき立てて尋ねる．

재원【才媛】〈名〉才媛．才女．

재원【財源】〈名〉財源．句例 ～이 부족하다 財源が乏しい / ～을 확보하다 財源を確保する．

재위【在位】[chae:wi]〈名・하自〉在位．句例 ～ 삼십년 在位三十年．

재의【再議】[chae:ŭi]〈名・하他〉再議．句例 일사 부～의 원칙 一事不再議の原則．

재-인식【再認識】[chae:—]〈名・하他〉再認識．句例 시국의 중대성을 ～하다 時局の重大性を再認識する．

재일【在日】[chae:il]〈名〉在日．語例 ～ 동포 在日同胞．

재임【在任】[chae:im]〈名・하自〉在任．句例 ～중의 사건 在任中の事件．語例 ～ 기간 在任期間．

재임【再任】[chae:im]〈名・하自〉再任．語例 ～되다 再任される．

재자【才子】〈名〉才子．＝재사(才士)．語例 ～가인 才子佳人．㊇재녀(才女)．

재-작년【再昨年】[chae:jangnyŏn]〈名〉一昨年．おととし．＝그러께．

재잘-거리다〈自〉ぺちゃくちゃしゃべる．文例 아이들이 재잘거리며 놀고 있다 子供たちがぺちゃくちゃしゃべりながら遊んでいる．

재잘재잘〈副・하自〉ぺちゃくちゃ．

재재-거리다〈自〉続けざまにぺちゃぺちゃしゃべる．

재적【在籍】[chae:jŏk]〈名・하自〉在籍．語例 ～ 의원 在籍議員．

재정【財政】〈名〉財政．句例 ～적인 뒷받침을 해주다 財政的後押しをしてやる．語例 지방 ～ 地方財政 / 긴축〔건전〕 ～ 緊縮〔健全〕財政 / ～난 財政難．

재정【裁定】〈名・하他〉裁定．語例 ～ 신청 裁定申請 / 중재 ～ 仲裁裁定．

재정 경제원【財政經濟院】〈名〉財政経済院．経済企画庁と大蔵省に当たる．'장관 長官'は副総理を兼任する．略して'재경원'とも言う．

재제【再製】[chae:je]〈名・하他〉再製．語例 ～염 天日塩を精製した塩 / ～주 再製酒．

재-조정【再調整】[chae:—]〈名・하他〉再調整．

재-조직【再組織】[chae:—]〈名・하他〉再組織．

재종【再從】[chae:jong]〈名〉またいとこ(又従兄弟・又従姉妹)．ふたいとこ．はとこ．＝육촌(六寸)．語例 ～간(間)またいとこの間柄 / ～숙(叔) 父のまたいとこ / ～제(弟) 弟に当たるまたいとこ / ～ 형제 またいとこ / ～질 またいとこの息子．

***재주**【才—】〈名〉❶才．才知．才能．才幹．句例 ～가 뛰어난 사람 才にたけた人 / ～를 너무 믿다 才に走る / 타고난 ～ 持って生まれた才能．文例 숨은 ～를 발견해 내다 隠された才能を見いだす / 재사는 제 ～에 망한다 才子は才におぼれる．❷手腕．手際．腕前．技・わざ．芸．句例 절묘한 ～ 絶妙の技 / ～가 없다 芸がない / ～를 익히다 芸を身につける / ～가 용하다 すばらしい手際だ．文例 무～도 ～의 하나 無芸も芸のうち．

재주(를) 넘다 とんぼをきる．宙返りをする．

재주는 곰이 넘고 돈은 호인(胡人)이 받는다 鷹骨折って旦那の餌食．

재주(를) 부리다 ❶奇妙な技を行う．❷手管を使う．

재주(가) 있다 器用だ．句例 여러 가지 ～ いろいろな才能がある．

재주(를) 피우다 ❶奇妙な技〔手〕を考え出す．❷つまらない事に知恵を働かす〔手際を見せる〕．

재주-껏【才—】〈副〉腕を振るって．能〔才知の〕ある限り．文例 ～ 해 보아라 腕の限りやってみろ．

재주-꾼【才—】〈名〉多才な人．才にたけた人．器用な人．器用者．

재중【在中】[chae:jung]〈名〉在中．語例 사진 ～ 写真在中．

參考 ふうとうの表などに書く言葉．

재즈〈名〉ジャズ．語例 ～ 밴드 ジャズバンド / [illegible]．◇Jazz

재직【在職】[chae:jik]〈名・하自〉在職．語例 ～ 기간 在職期間 / ～중 在職中 / ～ 증명서 在職証明書．

***재질**【材質】〈名〉材質．句例 ～이 단단하다 材

質が硬い. 語例 ~감 材質感.

재차【再次】[chae:ch'a]〈名・副〉もう一度. 再び. 二度に. 再度. 重ねて. 句例 ~ 충고하지만 重ねて忠告するが / ~ 묻다 もう一度問う / ~ 도전하다 再度挑戦する. 語例 ~ 방문 再度の訪問. 類 거듭.

재창【再唱】[chae:ch'ang]〈名・하自〉歌を再び歌うこと. アンコール.

재채기〈名・하自〉くしゃみ. 句例 ~가 나오다 くしゃみが出る.

재천【在天】[chae:ch'ŏn]〈名〉在天. 文例 인명은 ~이다 人命は天意による.

재청【再請】[chae:ch'ŏng]〈名・하他〉❶繰り返して請うこと. ❷(歌などの)アンコール. 句例 ~을 받다 アンコールを受ける. 文例 ~에 응해 한 곡 더 불렀다 アンコールに応じてもう一曲歌った. ❸(会議で)動議に賛成の意を表すること.

재촉〈名〉催促. **~하다**〈他〉❶催促する. せ(急)き立てる. ❷急がせる. 早める. 句例 성화 같은 ~ 矢の催促 / 걸음을 ~하다 足を早める / 죽음을 ~하다 死を早める / 끈질기게 ~하다 しちくどく催促する / 변제를 ~하다 弁済をせき立てる.

재-출발【再出發】[chae:—]〈名・하自〉再出発. 句例 인생의 ~ 人生の再出発.

재취【再娶】[chae:ch'wi]〈名〉後妻. 後添い. =후처(後妻). **~하다**〈他〉後添いを迎える.

*__재치__【才致】〈名〉機知. 才覚. 機転. 句例 ~가 있다 目端がきく. 小手回しが利く. 機転が利く. 語例 ~ 문답 とんち問答 / ~꾼 機知のある人.

재침【再侵】[chae:ch'im]〈名・하他〉再侵攻. 再侵略. 句例 적의 ~에 대비하다 敵の再侵攻に備える.

재-탈환【再奪還】[chae:—]〈名・하他〉再奪還.

재탕【再湯】[chae:t'ang]〈名・하他〉二番煎じ. 語例 ~약 二番煎じ.

재-티〈名〉灰の粉.

재판【再版】[chae:p'an]〈名・하他〉❶再版. 重版. ❷再び繰り返されること. 焼き直し.

재판【再販】[chae:p'an]〈名・하他〉[‘재판매 再販売’の略] 再販. 語例 ~ 가격 再販価格 / ~ 제도 再販制度.

*__재판__【裁判】〈名・하他〉裁判. 句例 ~을 받다 裁判を受ける. 裁かれる / ~에 이기다〔지다〕裁判に勝つ〔負ける〕/ 공정한 ~ 公正な裁判. 語例 공개 ~ 公開裁判 / 형사〔민사〕~ 刑事〔民事〕裁判 / ~관 裁判官 / ~권 裁判権 / ~소 裁判所 / ⇨ 헌법 재판소 / ~장 裁判長 / ~ 청구권 裁判請求権.
参考 民事・刑事・家庭に関する訴訟をとり扱う裁判所は법원(法院)と言う.

재편【再編】[chae:pyŏn]〈名・하他〉[‘재편성 再編成’の略] 再編. 句例 조직을 ~하다 組織を再編する.

재-평가【再評價】[chae:p'yŏngkka]〈名・하他〉再評価. 語例 자산 ~ 資産再評価.

재하-자【在下者】[chae:ha—]〈名〉目下の者.

재학【在學】[chae:hak]〈名・하自〉在学. 語例 ~생 在学生 / ~중 在学中 / ~ 증명서 在学証明書.

재-할인【再割引】[chae:harin]〈名・하他〉〔經〕再割引. 語例 ~ 어음 再割引手形 / ~율 再割引率.

*__재해__【災害】〈名〉災害. 句例 ~를 입다 災害をこうむる〔受ける〕. 災害にみまわれる. 語例 ~ 대책 災害対策 / ~ 보상 災害補償 / ~ 보험 災害保険 / ~지 災害地 / 자연 ~ 自然災害.

재향 군인【在鄕軍人】[chae:hyanggunin]〈名〉在郷軍人.

재현【再現】[chae:hyŏn]〈名・하自他〉再現. 句例 황금 시대를 ~하다 黄金時代を再現する.

재혼【再婚】[chae:hon]〈名・하自〉再婚.

재화【財貨】〈名〉財貨. =재물.

재-확인【再確認】[chae:hwagin]〈名・하他〉再確認.

재활【再活】[chae:hwal]〈名・하自他〉社会復帰すること. リハビリテーション. 語例 ~원(院) リハビリテーションセンター.

재회【再會】[chae:hoe]〈名・하自〉再会. 句例 ~를 기약하다 再会を期する.

잭〈名〉❶〔機〕ジャッキ. ❷(トランプの)ジャック. ◇jack

잭-나이프 [chaengnaip'ŭ]〈名〉ジャックナイフ. ◇jackknife

잼〈名〉ジャム. 語例 딸기~ いちごジャム. ◇jam

잼버리〈名〉ジャンボリー. ◇jamboree

잽〈名〉(ボクシングの)ジャブ. ◇jab

잽-싸다〈形〉素早い. 敏捷だ. すばしっこい. 句例 잽싸게 달아나다 素早く逃げる.

잿-날【齋—】[chaennal]〈名〉〔佛〕斎日.

잿-더미〈名〉灰の堆積. 灰の山. 句例 ~로 화하다 灰の山と化する.

잿-물 [jaenmul]〈名〉❶(洗濯に使う)あく(灰汁). 句例 ~로 빨래하다 あくで洗い物をする. ❷‘양잿물’の略. ❸(陶磁器の)上薬. 釉薬.
잿물(을) 내리다 灰を水に浸してあくを取る.

잿-밥【齋—】〈名〉〔佛〕供養のときに供える御飯.

잿-빛〈名〉灰色. 句例 얼굴이 ~이 되다 顔色が灰色になる.

쟁【箏】〈名〉〔樂〕箏.

쟁 〔漢字項目〕

【爭(争)】中學 쟁 ソウ. ❶다투다 争う. 싸우다 闘う. ■爭議 쟁의 そうぎ. 爭奪 쟁탈 そうだつ. ■競爭 경쟁 きょうそう. 鬪爭 투쟁 とうそう. ❷직언하다 直言する. ■爭臣 쟁신 そうしん.

쟁강-거리다〈自他〉薄い金属片がぶつかりあって音が鳴る. がちゃんがちゃんする.
쟁강쟁강〈副・하自他〉がちゃんがちゃん.

쟁그랑〈副・하自他〉薄い金属片がぶつかりあってなる音: かちゃん. ことん. **~거리다**〈自

他〉しきりにかちゃんかちゃんと音を出す.
쟁그랑쟁그랑 〈副・하自他〉かちゃんかちゃん. ことんことん.
쟁기 〈名〉すき(犂). [絵] [語例] ～날 すきさき(犂先) / ～질 すきで耕すこと.

〈쟁기〉

쟁론【爭論】[chaengnon]〈名・하自〉争論. 論争.
**쟁반【錚盤】〈名〉盆. [句例] ～같이 둥근 달 盆のような丸い月.
쟁의【爭議】〈名・하自〉争議. [句例] ～가 오래 끌다 争議が長引く / ～가 일어나다 争議が起こる / ～를 조정〔해결〕하다 争議を調停〔解決〕する. [語例] 노동 ～ 労働争議.
-쟁이 〈尾〉[もとの語形は'장(匠)이'] 人の性質・習慣・行動などを表わす語に付けて, その人をさげすんで言う語. [語例] 고집～ 意地っ張り / 멋～ しゃれ者 / 요술～ 手品師. 魔法使い. →-장이
쟁이다 〈他〉積み重ねる. 略して'재다'とも言う. [句例] 곳간에 나무를 ～ 納屋に薪を積む.
쟁쟁-하다【琤琤—】(→하다)〈形〉❶(玉の触れ合う音が)さえている. ❷(音・声が)いんいんと耳に残っている〔響くようだ〕. [文例] 아직도 귀에 ～ 今なお耳に聞こえるようだ. 쟁쟁히 〈副〉❶玉の触れる音がさえているさま. ❷(音・声が)いんいんと耳に残って.
쟁쟁-하다【錚錚—】(→하다)〈形〉錚錚としている. [句例] 쟁쟁한 학자〔인사〕 錚錚たる学者〔人物〕. 쟁쟁히 〈副〉錚錚と.
쟁점【爭點】[chaengtchŏm]〈名〉争点. [句例] 법률상의 ～ 法律上の争点.
쟁취【爭取】〈名・하他〉勝ち取ること. [句例] 승리를〔독립을〕 ～하다 勝利〔独立〕を勝ち取る.
쟁탈【爭奪】〈名〉争奪. ～하다 〈他〉争奪する. 取り合う. [語例] ～전 争奪戦 / 유산 ～ 遺産の取り合い.
쟤 [chyae:] ['저 아이'の略] あの子. [文例] ～를 잘 안다 あの子をよく知っている.
쟨 [chyae:n] ['저 아이는'の略] あの子は. [文例] ～ 저 집 애다 あの子はあの家の子だ.
쟬 [chyae:l] ['저 아이를'の略] あの子を. [文例] ～ 아니 あの子(の事), 知ってるの.
저[1] 〈名〉〔樂〕横笛. [句例] ～를 불다 横笛を吹く / ～와 피리 横笛と笛.
저【箸】〈名〉'젓가락'の略.
**저[2] ㊀〈代〉❶'나'のへりくだった言いかた: 私. わたし. 自分. 手前. [句例] ～의 부주의로 手前の不注意で. [文例] ～는 아직 햇병아리입니다 わたしはまだぺいぺいです / ～를 기억하십니까 わたくしを御記憶ですか. ❷'자기 自己'のぞんざいな言いかた: 自分. [文例] ～보고 욕을 한 것도 아닌데 自分に対して悪口を言ったのでもないのに / 놈은 내가 ～보고 화를 낸 줄 알고 있나 봐 やつはわたしが自分の事を怒ったと思ってるようだよ.
❸'저이 あの人'の略.
❹'저것'の略: あれ. [文例] 이도 ～도 아니다 これでもあれでもない / ～를 어쩌지 あれをどうしよう.
㊁〈冠〉近い所にいる人や物をさす語: あの. [句例] ～ 사람 あの人 / ～ 분 あの方 / ～ 유명한 사건 あの有名な事件 / ～ 산 너머에 あの山の向こうに.
[表現] ㊀①②は, 助詞'가'の前では'제'になる. '청소는 제가 하겠습니다 掃除は私がやります' '제가 뭐 잘났다고 까불어 自分がなんで偉そうにでしゃばるんだ'.
저[3] [chŏ:]〈感〉すぐ考えが思い浮かばないとき, またはちょっとためらうときに発する語: ええ. ええと. あのう. [句例] ～, 사실은 ええと, 実は. [文例] ～, 당신 이름이 뭐더라 ええと, あなたの名前は何でしたかね / ～, 미안합니다 あのう, すみません.

저 〔漢字項目〕

【低】[中學] 저 テイ. 낮다 低い. ◧低空 저공 ていくう. ◨高低 고저 こうてい. 最低 최저 さいてい. ❷수그리다 低める. ◧低頭 저두 ていとう. 低姿勢 저자세 ていしせい.
【底】[高校] 저 テイ. 밑(바닥) 底. ◧底流 저류 ていりゅう. ◨海底 해저 かいてい. 徹底 철저 てってい. ❷근본이 되는 것 根本をなすもの. ◧底本 저본 ていほん.
【抵】[高校] 저 テイ. ❶거역하다 逆らう. ◧抵抗 저항 ていこう. 抵觸 저촉 ていしょく. ❷상당하다 相当する. ◧抵當 저당 ていとう. ❸대저 およそ. ◨大抵 대저 たいてい.
【著(著)】[中學] 저 チョ. 착 チャク. ㊀〔저〕❶나타나다 現われる. 나타내다 現す. ◧著名 저명 ちょめい. ◨顯著 현저 けんちょ. ❷글을 짓다 書物を書き著す. ◧著書 저서 ちょしょ. 著作 저작 ちょさく.
㊁〔착〕'着'의 본디 글자 '着'の本字.
【貯】[中學] 저 チョ. 쌓다 蓄える. 쌓아두다 ためる. 쌓아둔 물건 蓄えた物. ◧貯金 저금 ちょきん. 貯藏 저장 ちょぞう. 貯炭 저탄 ちょたん. 貯水 저수 ちょすい.

저가【低價】[chŏ:kka]〈名〉低価. 廉価.
저개발-국【低開發國】[chŏ:gaebal—]〈名〉低開発国.
[參考] 現在は'발전 도상국 発展途上国'という.
**저-거 〈代〉'저것'の略.
저-건 ['저것은'の略] あれは. あいつは. [文例] ～ 내 거요 あれはわたしのものです.
저-걸 ['저것을'の略] あれを. あいつを. [文例] ～ 주시오 あれをください.
저걸-로 ['저것으로'の略] あれで. [文例] ～ 소리를 낸다 あれで音を出す.
**저-것 〈代〉あれ. 略して'저거'ともいう. [文例] ～은 무엇일까 あれはなんだろう.
저-게 ['저것이'の略] あれが. あいつが. [文例] ～ 뭔지 아세요 あれがなんだか分かりますか.

ス

저격【狙擊】[chŏ:gyŏk]〈名・하他〉狙撃. 句例 요인을 ～하다 要人を狙撃する. 語例 ～당하다 狙撃される / ～병 狙撃兵 / ～수 狙撃手.

저고리〈名〉チョゴリ. 上衣. 上着. 絵 語例 저고릿감 チョゴリの生地 / 저고릿고름 チョゴリの結びひも / 저고릿바람 衣冠を整えない普段の身なり.

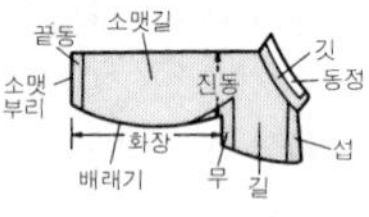

〈저고리〉

저공【低空】[chŏ:gong]〈名〉低空. 語例 ～비행 低空飛行.

저공해-차【低公害車】[chŏ:gonghae—]〈名〉低公害車. クリーンカー.

***저금**【貯金】[chŏ:gŭm]〈名・하他〉貯金. 句例 ～을 찾다〔꺼내다〕貯金を下ろす. 語例 ～통 貯金箱. 類예금(預金).

저급【低級】[chŏ:gŭp]〈名・하形〉低級. 句例 ～한 취미 低級な趣味. 對고급.

저기 ㊀〈代〉あそこ. あちら. 向こう. 句例 ～에 보이는 섬 かなた〔向こう〕に見える島. 文例 ～에 집을 짓자 あそこに家を建てよう / 여기나 ～나 ここもあそこも.
㊁〈副〉あそこに. あちらに. 文例 ～ 가 보아라 あそこに行ってみなさい.

저-기압【低氣壓】[chŏ:—]〈名〉低気圧. 句例 ～이 다가오다 低気圧が近づく. 文例 형은 오늘 밤 ～이다 兄は今晩は低気圧だ. 對고기압.

저-까짓〈冠〉たかがあれくらいの. あれしきの. 文例 ～ 것 나도 할 수 있다 それっぱしの事はわたしだってできるさ / ～ 것이 뭘 안다고 あんな者が何を知っているといって.

저-나마〈副〉あれでも. あれでさえも. 文例 ～ 없으면 곤란하다 あれでさえもなければ困る.

저널리스트 [chŏ:nŏllisŭt'ŭ]〈名〉ジャーナリスト. ◇journalist

저널리즘 [chŏ:nŏllijŭm]〈名〉ジャーナリズム. ◇journalism

저네-들〈代〉あの人たち. あちらの人たち. あいつら. 彼ら. ＝저네. 文例 ～이 저지른 일이다 彼らがしでかした事だ.

저녁〈名〉❶夕. 夕べ. 夕方. 日暮れ. 夕暮れ. 句例 아침 ～으로 朝に夕に. 朝夕. 文例 ～에는 시원하다 夕方は涼しい. 語例 매일 ～ 毎夕. 毎晩 / ～ 곁두리 昼食と夕食の間に取る間食 / ～ 기도 夕べの祈り. ❷'저녁밥'の略. 句例 ～을 먹다 夕食〔夕飯〕を食べる / ～을 짓다 夕御飯を炊く. 文例 ～은 드셨나요 夕食はおすみになりましたか / ～이라도 같이 합시다 夕飯でも一緒にしましょう. 語例 ～거리 夕食の糧〔材料〕.

저녁-나절 [chŏnyŏng—]〈名〉夕暮れ時. たそがれ時.

저녁-놀 [chŏnyŏngno:l]〈名〉夕焼け. 夕映え. 句例 ～이 진 하늘 夕映えの空.

저녁-때〈名〉夕方. 夕暮れ方. 句例 ～가 되면 夕方になると.

저녁-밥〈名〉夕飯. 夕食. ゆうげ(夕餉)《雅》. 晩食. 句例 ～을 먹다 夕飯を食べる / ～을 준비하다 夕食の支度をする.

저녁-상【一床】〈名〉夕食の食膳. 句例 ～을 차리다 夕食の膳を調える.

저능【低能】[chŏ:nung]〈名・하形〉低能. 語例 ～아 低能児.

저-다지〈副〉あれ程. あんなにまで. 文例 ～ 보고 싶을까 あんなにまで会いたいのだろうか.

저당【抵當】[chŏ:dang]〈名〉〔法〕抵当. 語例 ～권 抵当権 / ～물 質物. 質ぐさ.

저당(을) 잡히다 抵当〔質・かた〕に入れる. 句例 집을 저당 잡히다 家を抵当に入れる〔取る〕.

저-대로〈副〉あのように. あのままに. ああ. 文例 ～ 두었다가는 안 된다 あのままにして置いてはだめだ.

저돌【豬突】〈名・하自〉猪突. 句例 ～적으로 돌진하다 猪突的に突進する / ～적인 행동 向こう見ずな行動.

저-들〈代〉['저이들・저네들'の略] あの人たち. 彼ら.

저-따위〈名〉あんなもの〔やつ(奴)・部類〕. 句例 ～ 인간 あんな人間. 文例 일을 ～로 해 仕事をあんなにいいかげんにするのか.

저락【低落】[chŏ:rak]〈名・하自〉低落. 句例 물가의 ～ 物価の低落.

저래 ❶['저러하여'の略] あのようで. ああで. あのざまで. 文例 꼴이 ～ 가지고는 아무 것도 못 한다 ざまがああでは何事もできない / 이래 ～ 손해만 봤다 あれこれ損ばかりした. ❷['저리하여'の略] あのようにして. ああして. 文例 ～ 괜찮을까 ああしていいのだろうか.

저래서 ❶['저러하여서'の略] あのよう〔ざま〕で. ああなので. 文例 ～ 안 된다 ああだからだめだ. ❷['저리하여서'の略] あの〔あんな〕ようにして. ああして.

저러다〈副〉['저렇게 하다 あのようにする'の略] あのようにしたら. ああ言うと. 文例 재 ～ 죽겠다 あの子, あんな事してたら死んじゃうよ / 이럴 수도 저럴 수도 없다 どうにもこうにもならない.

저러다가 ['저렇게 하다가'の略] あのようにして(いて). 文例 매번 ～는 떨어질걸 毎度あのようにしていたら落ちるだろう.

저러면 ['저러하면'の略] あのようであれば. ああだったら. 略して'저럼'とも言う. 文例 커서도 ～ 저놈을 뭣에 쓰나 大きくなってからもああだったらやつを何の役に立てよう.

저러-하다 (→하다)〈形〉ああだ. あのようだ. あんな具合だ. 略して'저렇다'とも言う.

***저런** ㊀['저러한'の略] あのような. あんな. 文例 ～ 사람은 안 돼 あのような人はだめだ / ～ 사람인 줄은 몰랐지 あんな人とは知らなかった / ～ 버러지 같은 놈과는 상대하지 마 あんな虫けらのようなやつとは相手になるな.
㊁〈感〉意外な事に驚いて発する声: おや. さてさて. なんとまあ. 文例 ～, 어쩌나 まあ, どうしよう / ～, 일이 난처하게 됐군 さてさて, 困った事になったぞ / ～, 비가 또 오시네 おや, 雨がまた降ってくるぞ.

저렇다 [chŏrŏt'a] (저러니, 저러오)〈形〉'저러하다'の略: ああだ. 文例 이렇다 ～ 말 한 마디 없다 こうだとかああだとか一言もない / 저렇게 큰 뱀은 본 적이 없다 あんな大きな蛇は見た

ことがない / 그의 옷차림은 늘 ～ 彼の身なりはいつもあんな具合だ.

저력【底力】[chŏ:ryŏk]〈名〉底力. 地力. [句例] ～을 보이다 底力を見せる / ～을 발휘하다 地力を発揮する / ～이 있다 底力がある.

저렴【低廉】[chŏ:ryŏm]〈名・하形〉低廉. [句例] ～한 가격 安い価格.

저리【低利】[chŏ:ri]〈名〉低利. [句例] ～로 자금을 빌리다 低利で資金を借りる. [語例] ～ 융자 低利貸し付け / ～채 低利の債務. [對]고리(高利).

****저리**〈副〉❶あのように. あんなに. [句例] 이리 할까 ～ 할까 ああしようかこうしようか. ❷あちらに. あっちに. あそこに. [文例] ～ 가시오 あちら〔あそこ〕に行きなさい / ～ 가면 학교입니다 あちらに行けば学校です.

저리다〈自〉しび(痺)れる. [句例] 팔다리가 ～ 手足がしびれる. →囲み記事 76

***저마다**〈副〉人ごとに. ひとりびとり. 各自. 口口に. おのおの. [句例] ～ 불평을 하다 口口に不平を訴える / ～ 한 마디씩 하다 みなそれぞれ一言ずつ言う. [文例] 사람은 ～ 생각이 다르다 人はおのおの考えかたが違う.

저-만치〈副〉少し離れた所に. [文例] ～ 떨어져 있어 少し離れていなさい.

저-만큼〈副〉あのくらい(に). あの程度に.

저만-하다 (→하다)〈形〉❶あのくらいだ. あの程度だ. [句例] 저만한 크기의 나무 あれくらいの木. ❷別に大したものではない.

저맘-때〈名〉あの〔あれ〕くらいの時. [文例] 나도 ～는 기운이 좋았는데 わたしもあのくらいの時は力があったものだが.

저명【著名】[chŏ:myŏng]〈名・하形〉著名. [語例] ～ 인사 著名の士.

저-물가【低物價】[chŏ:mulkka]〈名〉低物価. [語例] ～ 정책 低物価政策.

***저물다** (저무니, 저물어서)〈自〉(日・年が)暮れる. [句例] 저물어 가는 저녁 하늘 暮れ行く夕空 / 한 해가 ～ 年が暮れる.

저물-도록〈副〉❶日暮れまで. [句例] 날이 ～ 일하다 日の暮れ方まで働く. ❷遅くまで.

저미다〈他〉薄く切る. 小切りにする. [句例] 고기를 ～ 肉を薄く切る.

저-버리다〈他〉❶(約束などを)破る. [句例] 맹세를 ～ 誓いを破る. ❷(恩義などを)ないがしろにする. 見捨てる. 無にする. 背く. [句例] 은혜를 저버리는 사람 恩をないがしろにする人 / 남의 호의를 ～ 人の好意を無にする.

저벅〈副〉重みのある大きな足音: どしん. ～거리다〈自〉どしんどしんと足音がする.

저벅저벅〈副・하自〉どしんどしん.

저번【這番】[chŏ:bŏn]〈名〉この前. 先ごろ. その節. ＝지난번. [文例] ～엔 실례했습니다 この間は失礼いたしました.

저변【底邊】[chŏ:byŏn]〈名〉底辺. ❶〔數〕⇨ 밑변 ❷下層部. [句例] 사회 ～의 목소리 社会の底辺の声. [語例] ～ [illegible] 底辺(の)[illegible].

저서【著書】[chŏ:sŏ]〈名・하自〉著書. [句例] ～를 내다 著書を出す / 경제 관계 ～ 経済関係の著書.

저-속도【低速度】[chŏ:—]〈名〉低速度. ＝저속(低速). [語例] ～ 촬영 低速度撮影.

저속-하다【低俗—】[chŏ:sok'ada] (→하다)〈形〉低俗だ. [句例] 저속한 취미 低俗な趣味 / 저속한 말 卑俗な言葉.

저수【貯水】[chŏ:su]〈名・하自〉貯水. [語例] ～량 貯水量.

***저수-지**【貯水池】[chŏ:su—]〈名〉貯水池.

저술【著述】[chŏ:sul]〈名〉著述. ～하다〈他〉著述する. 著す. [句例] 책을 ～하다 本を著す. [語例] ～업 著述業 / ～가 著述家.

저습【低濕】[chŏ:sŭp]〈名・하形〉低湿. [句例] ～한 땅 低湿地. [語例] ～ 지대 低湿地帯. [對]고습(高濕).

저승〈名〉あの世. よみ(黄泉). よみの国. 来世. [句例] ～으로 가다 あの世へ行く. 死ぬ / ～으로 보내다 '죽여 없애다 殺してしまう'のえんきょくな言いかた. [語例] ～ 사자 冥土の使者. [對]이승.

저승-길 [—kkil]〈名〉よみじ(黄泉路). ＝황천길.

저승길이 구만리 よみじは九万里. あの世ははるかに遠い.

저액【低額】[chŏ:aek]〈名〉低額. [語例] ～ 소득자 低額所得者. [對]고액(高額).

저어-새〈名〉〔鳥〕へらさぎ.

저어-하다 (→하다)〈他〉恐れる. 不安に思う. 懸念する. [句例] 기대에 어그러지지 않을까 ～ 期待に外れはしないかと恐れる.

저온【低溫】[chŏ:on]〈名〉低温. [語例] ～ 살균 低温殺菌. [對]고온(高溫).

***저울**〈名〉はかり(秤). [句例] ～에 달다 はかりにかける. [語例] ～대 さおばかり(竿秤) / ～추(錘) 重り. 分銅.

저울-눈 [—lun]〈名〉はかり目. [句例] ～을 속이다 はかり目をごまかす.

저울-질〈名・하自他〉❶はかり(秤)にかけること. 計〔量〕り. [句例] ～을 넉넉하게 하다 計りをよくする. ❷心でおしはかること. [句例] 이해 득실을 ～하다 利害得失を計る.

저-위도【低緯度】[chŏ:—]〈名〉低緯度. [對]고위도.

저율【低率】[chŏ:yul]〈名〉低率. [句例] ～의 이자 低率の利子. [對]고율.

저음【低音】[chŏ:ŭm]〈名〉低音. ＝낮은음. 베이스. [語例] ～ 가수 低音歌手 / ～부 低音部. [對]고음(高音).

저의【底意】[chŏ:ŭi]〈名〉底意. 下心. [文例] 아무런 ～도 없다 なんの下心もない / ～를 알 수 없다 底意をはかりかねる.

囲み記事 76

▩ '저리다'と'절이다' ▩

二語とも発音は[chŏrida]であるが, '저리다'は自動詞であり, '절이다'は他動詞で, 意味も違う.

저리다　しびれる —— 장시간 앉아 있어서 발이 저리다 長時間すわっていたため足がしびれる.

절이다　塩漬けする —— 배추를 소금에 절이다 白菜を塩に漬ける.

ス

저-이〈代〉あの人. 語例 ～들 あの人たち.

저인-망【底引網】[cho:—]〈名〉底引き網. トロール(網). 語例 ～ 어선 トロール船.

저-임금【低賃金】[chŏ:—]〈名〉低賃金.

저자〈名〉❶(市場にある)店. ❷(朝夕に立つ)市.

저자(를) 보다 市場であきないをする. 句例 저자 보러 가다 市場へ買い物に行く.

저자(가) 서다 市が立つ. 市で取り引きが始まる.

저-자【一者】〈名〉'저 사람 あの人'のさげすんだ言いかた：あいつ. あれ. 文例 ～는 누군가 あいつはだれ(誰)か.

저자【著者】[chŏ:ja]〈名〉著者. 句例 이 책의 ～ この本の著者.

저-자세【低姿勢】[chŏ:—]〈名〉低姿勢. 句例 ～로 나오다 低姿勢に出る. 語例 ～ 외교 低姿勢外交.

저작【咀嚼】[chŏ:jak]〈名・하他〉咀嚼. 語例 ～근 咀嚼筋.

저작【著作】[chŏ:jak]〈名・하他〉著作. 語例 ～가 著作家 / ～권 著作権 / ～물 著作物 / ～자 著作者.

저잣-거리〈名〉店が並んでいる通り.

***저장**【貯藏】[chŏ:jang]〈名〉貯蔵. 蓄え. **～하다**〈他〉貯蔵する. 蓄える. 語例 ～고 貯蔵庫 / ～량 貯蔵量.

***저-절로**〈副〉自然に〔と〕. おの(自)ずと. おの(自)ずから. ひと(独)りでに. 句例 상처가 ～ 낫다 傷が自然になおる / 문이 ～ 열리다 戸がひとりでに開く. 文例 평소의 마음가짐이 ～ 행동에 드러났다 平素の心持ちがおのずと行動に現われた.

저조【低調】[chŏ:jo]〈名・하形〉低調. 文例 생산이 ～했다 生産が低調だった.

저주【咀呪】[chŏ:ju]〈名〉のろ(呪)い. **～하다**〈他〉のろう. 句例 ～받은 인생 のろわれた人生. 文例 너를 일생 동안 ～하겠다 お前を一生のろってやる. **～스럽다** (→스럽다)〈形〉のろわしい. 句例 ～스러운 운명 のろわしい運命 / 태풍이 ～스럽다 台風がのろわしい.

저-주파【低周波】[chŏ:—]〈名〉低周波. 語例 ～ 전류 低周波電流. 對고주파.

저지【低地】[chŏ:ji]〈名〉低地. 對고지(高地).

저지【沮止】[chŏ:ji]〈名〉阻止. **～하다**〈他〉阻止する. 阻む. 句例 침입을 ～하다 侵入を阻止する / 힘으로 ～하다 力で阻止する. 語例 ～선 阻止線.

저지〈名〉ジャッジ. 審判(員). 語例 ～ 페이퍼 ジャッジペーパー. ◇judge

***저지르다** (저지르니, 저질러서)〈他〉❶(過ちを)犯す. (悪事などを)仕出かす. やらかす. 句例 엉뚱한 짓을 ～ とんだ事をしでかす / 실수를 ～ 失敗をやらかす / 죄를 ～ 罪を犯す. ❷(厄介な事を)(引き)起こす. 句例 일을 ～ 問題を引き起こす. 文例 무슨 일을 저지를 것 같다 何かごたごたを引き起こしそうだ.

저질【低質】[chŏ:jil]〈名〉低質. 句例 ～인 사람 たち(質)の悪い人. 語例 ～품 低質品.

저-쪽〈名〉向こう(側). あちら. あっち. 文例 ～으로 가라 あっちに行け. 語例 바다 ～ 海のかなた.

저촉【抵觸】[chŏ:ch'ok]〈名〉抵触. **～하다**〈自〉抵触する. 触れる. 句例 법률에 ～되다 法律に触れる / 규칙에 ～되다 規則に抵触する.

***저축**【貯蓄】[chŏ:ch'uk]〈名〉貯蓄. **～하다**〈他〉貯蓄する. 蓄える. ためる. 句例 식량을 ～하다 食糧を蓄える. 語例 ～ 성향 貯蓄性向 / ～ 예금 貯蓄預金 / ～ 은행 貯蓄銀行.

저탄【貯炭】[chŏ:t'an]〈名・하自〉貯炭. 語例 ～장 貯炭場 / ～량 貯炭量.

저택【邸宅】[chŏ:t'aek]〈名〉邸宅. 屋敷. 語例 대～ 大邸宅.

저-편【一便】〈名〉あちら側. あちら. 向こう(側). 文例 ～에서 먼저 싸움을 걸어 왔다 あっちから先にけんかをしかけてきた.

저포【苧布】[chŏ:p'o]〈名〉⇨ 모시

저하【低下】[chŏ:ha]〈名・하自〉低下. 句例 학력의 ～ 学力の低下. 語例 ～되다 低下する.

저-학년【低學年】[chŏ:hangnyŏn]〈名〉低学年. 語例 ～ 학생 低学年の生徒. 對고학년.

***저항**【抵抗】[chŏ:hang]〈名・하自〉抵抗. 句例 완강한 ～을 받다 頑強な抵抗を受ける / ～을 느끼다 抵抗を感じる / 공기의 ～ 空気の抵抗 / 해방을 위한 ～ 解放のための抵抗. 語例 ～감 抵抗感 / ～ 운동 抵抗運動 / ～ 정신 抵抗精神 / 전기 ～ 電気抵抗. 類대항(對抗). 반항(反抗).

저항-력【抵抗力】[chŏ:hangnyŏk]〈名〉抵抗力. 句例 병에 대한 ～을 기르다 病気に対する抵抗力を養う.

저해【沮害】[chŏ:hae]〈名・하他〉阻害. 句例 발전을 ～하다 発展を阻害する. 語例 ～ 요인 阻害要因. 類방해(妨害).

저-혈압【低血壓】[chŏ:hyŏrap]〈名〉低血圧. 對고혈압.

***저희** [chŏhi]〈代〉❶'우리'のへりくだった言いかた：私ども. わたしたち. てまえ(手前)ども. 文例 ～가 하겠습니다 てまえどもがやります. ❷あの人たち. 自分たち. 文例 ～끼리만 놀러 갔다 あの人たち〔自分たち〕だけで遊びに行った.

저희-들 [chŏhi—]〈代〉'저희'の強調語.

***적**【敵】〈名〉敵. 句例 ～을 추격하다 敵を追撃する / ～과 싸우다 敵と戦う / ～을 쓰러뜨리다 敵を倒す / ～이 많다 敵が多い / ～을 만들다 敵をつくる / ～이 되다 敵になる / 인류의 ～ 人類の敵.

적【籍】〈名〉籍. 戸籍・兵籍・学籍などの文書. 句例 대학에 ～을 두다 大学に籍をおく / ～을 옮기다 籍を移す.

***적**〈依名〉❶(…の)時. 句例 밥 먹을 ～에 ご飯の時に / 어릴 ～에 놀던 곳 幼い時に遊んだ所. ❷(…した)こと. 文例 저 나무 꼭대기에 올라간 ～이 있다 あの木のてっぺんに登ったことがある / 누구와도 다투어 본 ～이 없다 だれ(誰)とも争ったことがない.

参考 '읽을 적 読む時''잘 적 寝る時'のように'ㄹ'終声の語の後では[tchyŏk]と発音される.

-적【的】〈尾〉…的. 語例 문학～ 文学的 / 소

극~ 消極的.
〔參考〕 おもに, 漢字語に付いて, そのような性質・状態・関係にあることを表わす名詞・冠形詞をつくる.

적 〔漢字項目〕

【寂】高校 적 ジャク. セキ. ❶쓸쓸하다 寂しい. ◨寂寞 적막 じゃくまく. 寂寥 적료 せきりょう. ◨閑寂 한적 かんじゃく. 靜寂 정적 せいじゃく. ❷열반(涅槃)에 들어가다 涅槃に入る. ◨寂滅 적멸 じゃくめつ. ◨入寂 입적 にゅうじゃく.

【摘】高校 적 テキ. ❶골라서 따다 摘む. ◨摘出 적출 てきしゅつ. 摘要 적요 てきよう. ❷들추어 내다 あばく. ◨摘發 적발 てきはつ. ◨指摘 지적 してき.

【敵】中學 적 テキ. ❶원수 かたき. 적 敵. ◨敵意 적의 てきい. ◨宿敵 숙적 しゅくてき. ❷상대가 되다 相手になる. ◨敵手 적수 てきしゅ. ◨匹敵 필적 ひってき. ❸전쟁의 상대 戦争の相手. ◨敵陣 적진 てきじん. 敵將 적장 てきしょう.

【滴】高校 적 テキ. 물방울 滴. 물방울이 떨어지다 滴が落ちる. ◨滴下 적하 てきか. ◨水滴 수적 すいてき. 雨滴 우적 うてき. 點滴 점적 てんてき.

【的】中學 적 テキ. ❶과녁 的. ◨標的 표적 ひょうてき. 目的 목적 もくてき. ❷과녁에 맞다 的にあたる. ◨的中 적중 てきちゅう. 的確 적확 てきかく. ❸명사에 붙어서 '…적인'의 뜻을 나타내는 말 名詞に付いて'…的な'の意を表す語. ◨私的 사적 してき. 知的 지적 ちてき.

【積】高校 적 セキ. ❶쌓다 積む. 쌓이다 積もる. ◨積載 적재 せきさい. 積雪 적설 せきせつ. ◨累積 누적 るいせき. ❷부피・크기 体積・大きさ. ◨面積 면적 めんせき. 容積 용적 ようせき. 相乘積 상승적 そうじょうせき.

【笛】高校 적 テキ. 피리 笛. ◨笛聲 적성 てきせい. ◨汽笛 기적 きてき. 警笛 경적 けいてき.

【籍(籍)】高校 적 セキ. ❶문서・서류 또는 책 文書・書類または本. ◨書籍 서적 しょせき. 典籍 전적 てんせき. ❷소속을 밝히는 장부 所属を明らかにする帳簿. ◨戶籍 호적 こせき. 國籍 국적 こくせき. 地籍 지적 ちせき. 入籍 입적 にゅうせき.

【績】高校 적 セキ. ❶실을 뽑다 紡ぐ. ◨紡績 방적 ぼうせき. ❷성과 成果. 공적 功績. ◨成績 성적 せいせき. 業績 업적 ぎょうせき. 治績 치적 ちせき.

【賊】高校 적 ゾク. ❶도둑 盜賊. ◨賊徒 적도 ぞくと. ◨山賊 산적 さんぞく. ❷해치다 害する. ◨賊害 적해 ぞくがい. ❸역적 逆賊. 반란을 일으키는 자 反乱を起こす者. ◨賊臣 적신 ぞくしん. ◨國賊 국적 こくぞく.

【赤】中學 적 セキ. シャク. ❶붉은 빛 赤色. ◨赤血 적혈 せっけつ. 赤軍 적군 せきぐん. 赤銅色 적동색 しゃくどうしょく. ❷진심 真心. 진실 真実. ◨赤誠 적성 せきせい. ❸아무것도 없음 何もない. ◨赤貧 적빈 せきひん. 赤手 적수 せきしゅ.

【跡】高校 적 セキ. ❶발자취 足跡. ◨人跡 인적 じんせき. 筆跡 필적 ひっせき. ❷옛 건물의 터 昔の建物の跡. ◨遺跡 유적 いせき. 古跡 고적 こせき.

【蹟】高校 적 セキ. 자취 跡. ◨史蹟 사적 しせき. 古蹟 고적 こせき. 筆蹟 필적 ひっせき.
〔參考〕 韓国では'蹟' '跡'を共に使う.

【適(適)】中學 적 テキ. ❶맞다 適する. 어울리다 ふさわしい. ◨適切 적절 てきせつ. 適當 적당 てきとう. 適材 적재 てきざい. ❷마음에 들다 気に入る. ◨適宜 적의 てきぎ. ◨快適 쾌적 かいてき.

적-갈색【赤褐色】[jŏkkalssaek]〈名〉赤褐色. さびいろ(錆色). =고동색(古銅色).

적개-심【敵愾心】〈名〉敵愾心. 〔句例〕 ~에 불타다 敵愾心に燃える / ~을 불태우다 敵愾心を燃やす / ~을 품다 敵愾心をいだく.

적격【適格】〈名〉適格・てっかく. 〔句例〕 과장으로 ~인 사람 課長として適格な人. 〔語例〕 ~ 심사 適格審査 / ~자 適格者.

적교【吊橋】〈名〉⇨ 현수교(懸垂橋).

적국【敵國】〈名〉敵国・てっこく. 〔語例〕 가상 ~ 仮想敵国.

적군【賊軍】〈名〉賊軍.

***적군**【敵軍】〈名〉敵軍. 〔句例〕 ~에게 포위되다 敵軍に包囲される〔囲まれる〕/ ~을 무찌르다 敵軍をけちらす. 對아군(我軍). 우군(友軍).

적극【積極】〈名〉積極. 〔語例〕 ~성 積極性 / ~ 방어 積極防御 / ~책 積極策. 對소극(消極).

적극-적【積極的】〈名・冠〉積極的. 〔句例〕 ~인 사람 積極的な人 / ~으로 발언〔행동〕하다 積極的に発言〔行動〕する. 對소극적.

***적금**【積金】〈名〉積み金. 月掛け貯金. 〔句例〕 ~을 붓다 月掛け貯金を払い込む. 〔語例〕 정기 ~ 定期積み金.

적기【赤旗】〈名〉赤い旗. (共産党の)赤旗.

적기【適期】〈名〉適期. 〔句例〕 ~에 파종하다 適期に種をまく.

적기【敵機】〈名〉敵機. 〔文例〕 ~가 내습했다 敵機が来襲した. 對우군기(友軍機). 아군기(我軍機).

적나라-하다【赤裸裸―】[chŏngnara―] (→하다)〈形〉赤裸裸だ. むき出しだ. 〔句例〕 적나라한 고백 赤裸裸な告白. 〔文例〕 적나라한 표현이 흥미롭다 赤裸裸な表現が興味をそそる.

***적다**[1]〈他〉記録する. (書き)記す. 書き込む. したた(認)める. 〔句例〕 서류에 이름을 ~ 書類に名を記す.

****적다**[2] [jŏkta]〈形〉少ない. 〔句例〕 분량이 ~ 分量が少ない / 벌이가 ~ 稼ぎが少ない / 오식이 적은 책 誤植の少ない本 / 말수가 적은 사람 口数の少ない人. 〔文例〕 적게 잡아도 3만원 정도야 되겠지 少なく見ても〔見積もっても〕3万ウォンほどにはなるだろう / 그 말을 듣고 적지 않게 놀랐다 その話を聞いて少なからず驚

いた. ㊊많다. →囲み記事 74

적당-량【適當量】[chŏktangnyang]〈名〉適量. 適度の量.

*__적당-하다__【適當―】(→하다)〈形〉適当だ. ほどよい. 句例 병자에게 적당한 음식 病人に適当な食べ物. 文例 적당한 물건을 골라라 適当な品物を選びなさい / 적당한 때에 이야기를 꺼냈다 適当な時に話を切り出した. ㊫알맞다. 적절(適切)하다. **적당히**〈副〉適当に. いいかげんに. 句例 적당히 다루다 いいかげんにあしらう / 적당히 배합하다 適当に配合する.

적대【敵對】〈名・하自〉敵対. 句例 ~적인 행동 敵対的な行動. 語例 ~ 관계 敵対関係 / ~ 세력 敵対勢力 / ~ 행위 敵対行為.

적대-시【敵對視】〈名・하他〉敵視. 句例 반대파를 ~하다 反対派を敵視する.

*__적도__【赤道】〈名〉〔天〕赤道. 語例 ~ 반경 赤道半径 / ~ 해류 赤道海流.

적란-운【積亂雲】[chŏngnanun]〈名〉〔氣〕積乱雲. 入道雲. =쌘비구름.

적량【適量】[chŏngnyang]〈名〉適量. =적당량. 句例 ~의 약을 먹다 適量の薬を飲む / ~을 초과하다 適量を超過する.

적령【適齡】[chŏngnyŏng]〈名〉適齢. 句例 결혼 ~기 結婚適齢期.

적립【積立】[chŏngnip]〈名〉積み立て. **~하다**〈他〉積み立てる. 句例 결혼 자금을 ~하다 結婚資金を積み立てる. 語例 ~금 積立金.

적막【寂寞】[chŏngmak]〈名・하形〉寂漠. 句例 ~한 황야 寂漠たる荒野 / ~한 인생 寂漠たる人生. **~히**〈副〉寂漠と.

적-바림〈名〉書き付け. 書留. **~하다**〈他〉書き付ける. 書き留める.

적-반하장【賊反荷杖】〈名〉('泥棒がかえって棒を振りかざす'の意で)盗人たけだけ(猛猛)しいとのこと. 文例 ~도 유분수지 盗人たけだけしいにも程がある.

적발【摘發】〈名・하他〉摘発. 句例 부정을〔탈세를〕~하다 不正〔脱税〕を摘発する. 語例 ~되다 摘発される.

적법【適法】〈名・하形〉適法. 語例 ~성 適法性 / ~ 행위 適法行為. ㊊위법(違法). ㊫합법(合法).

적병【敵兵】〈名〉敵兵.

적부【適否】〈名〉適否. 適不適. 句例 ~를 묻다 適否を問う. 語例 ~ 심사 適否審査.

적분【積分】〈名〉〔數〕積分. 語例 ~법 積分法 / ~학 積分学.

적산【敵産】〈名〉敵産. 敵国の財産. 語例 ~ 동결 敵産凍結.

적산【積算】〈名・하他〉積算. 語例 ~ 전력계 積算電力計.

적삼〈名〉한복(韓服)のひとえ(単衣)のチョゴリ.

적색【赤色】〈名〉赤色. 赤. 語例 ~ 테러 赤テロ / ~ 혁명 赤色革命. 共産革命.

적선【敵船】〈名〉敵船.

적선【積善】〈名・하自〉積善. 善行を積み重ねること. 語例 ~지가 積善の家.

적설【積雪】〈名〉積雪. 語例 ~량 積雪量.

*__적성__【適性】〈名〉適性. 句例 ~이 안 맞다 適性に欠ける. 語例 ~ 검사 適性検査.

적성【敵性】〈名〉敵性. 語例 ~ 국가 敵性国家.

적세【敵勢】〈名〉敵勢. 句例 ~가 약해지다 敵勢が衰える.

적소【適所】〈名〉適所. 語例 적재 ~ 適材適所.

적수【敵手】〈名〉敵手. 語例 호~ 好敵手.

적수-공권【赤手空拳】〈名〉赤手空拳. 句例 ~으로 성공하다 素手で成功する.

적시【適時】〈名〉適時. 語例 ~ 안타 適時安打. タイムリーヒット.

*__적시다__〈他〉浸す. ぬ(濡)らす. 湿す. 句例 수건을 물에 ~ タオルを水に浸す / 비로 옷을 ~ 雨で服をぬらす.

적-신호【赤信號】〈名〉赤信号. 句例 교통 신호가 ~로 바뀌다 交通信号が赤信号に変わる / 건강의 ~ 健康の赤信号. ㊊청신호.

적실【嫡室】〈名〉嫡室. 正妻. 正室.

적실【敵失】〈名〉敵失. 敵側の失策. 文例 ~에 의한 1점으로 이겼다 敵失による一点で勝った.

*__적-십자__【赤十字】〈名〉赤十字. 語例 ~ 병원 赤十字病院 / ~사 赤十字社 / ~ 국제 위원회 赤十字国際委員会 / ~ 조약 赤十字条約 / ~기 赤十字旗.

적악【積惡】[chŏgak]〈名・하自〉積悪. ㊊적선(積善).

적어도 [chŏgŏdo]〈副〉❶少なくとも. 文例 ~ 만원은 된다 少なくとも一万ウォンにはなる / ~ 이것만은 알아 두게 少なくともこれだけは覚えておけ. ❷せめて. 文例 ~ 논어 정도는 읽어야지 せめて論語ぐらいは読まねば. ❸仮にも. かりそ(仮初)めにも. いやしく(苟)も. 句例 ~ 남자라면 仮にも男なら. 文例 ~ 대학생이 아니냐 かりそめにも大学生じゃないか / ~ 양심에 부끄러운 행동을 해서는 안 된다 いやしくも良心に恥じる行動をしてはいけない. ❹いくら少なく見積もっても. 控え目に見ても. 文例 ~ 2시간은 걸린다 少なくとも二時間はかかる.

적어-지다 [chŏgŏ―]〈自〉少なくなる. 減る. 句例 수입이 ~ 収入が減る. ㊊많아지다.

적역【適役】[chŏgyŏk]〈名〉適役. はまり役. 文例 중재라면 그가 ~이다 仲裁なら彼が適役だ.

적외-선【赤外線】[chŏgoe―]〈名〉赤外線. 語例 ~ 사진 赤外線写真. →자외선(紫外線)

적요【摘要】[chŏgyo]〈名・하他〉摘要. 句例 출납부의 ~란 出納簿の摘要欄.

*__적용__【適用】[chŏgyong]〈名〉適用. **~하다**〈他〉適用する. 当てはめる. 句例 규칙의 ~ 범위 規則の適用範囲.

적운【積雲】[chŏgun]〈名〉積雲. =뭉게구름.

적응【適應】[chŏgŭng]〈名・하自〉適応. 句例 외국 생활에 ~하지 못하다 外国生活に適応できない / 새로운 환경에 ~하다 新しい環境に適応する. 語例 ~ 능력 適応能力 / ~력 適応力.

적의【敵意】[chŏgŭi]〈名〉敵意. 文例 한때 ~를 품었다 一時敵意をいだ(抱)いていた.

적이 [chŏ̆gi]〈副〉多少. いくらか. ちょっと. 少少. 文例 그 소식에 ~ 놀랐다 その知らせに少少驚いた / ~ 안심했다 いくらか安心した.

적이-나 [chŏ:gi—]〈副〉❶多少でも. いくらかでも. 文例 ~ 보탬이 될 수 있다면 多少とも足しになればよいものを. ❷'적이'の反語的な表現: ちょっとばかり. 文例 흥, 고소를 한다니 ~ 두렵군 ほお, 告訴するってこりゃ全く恐れ入ったわい.

적이나-하면 [chŏ:gina—]〈副〉いくらかでも都合〔立場〕がよかったら. 文例 ~ 가 보련만 都合が多少でも許せば行って見るんだが.

적임【適任】[chŏgim]〈名〉適任. 語例 ~자 適任者.

적자【赤字】〈名〉赤字. 句例 ~를 내다 赤字を出す / ~를 메우다 赤字を埋める / ~가 나다 赤字になる. 語例 ~ 예산〔재정〕赤字予算〔財政〕. 對흑자(黑字).

적자【嫡子】〈名〉嫡子. 對서자(庶子).

적자 생존【適者生存】〈名〉適者生存.

적-잖다 [chŏ:kchant'a]〈形〉['적지 않다'の略] 少なくない. 文例 그만하면 적잖은 재산이다 それくらいなら少なからぬ財産だ.

***적잖-이** [chŏ:kchani]〈副〉['적지 않이'の略] 少なからず. 文例 ~ 놀랐다 少なからず驚いた.

적장【敵將】〈名〉敵将.

적재【積載】〈名・하他〉積載. 語例 ~량 積載量.

적재-적소【適材適所】〈名〉適材適所. 句例 ~의 인사 適材適所の人事.

적적-하다【寂寂—】[chŏkchŏk'ada] (→하다)〈形〉ひっそりとして寂しい. 句例 적적한 마음 寂しい心. **적적히** [chŏkchŏk'i]〈副〉寂しく. ひっそりと.

적전【敵前】〈名〉敵前. 語例 ~ 도하 敵前渡河 / ~ 상륙 敵前上陸.

적절-하다【適切—】(→하다)〈形〉適切だ. 句例 적절한 비유 適切な比喩 / 적절한 대응책 適切な対応策. 類적당(適當)하다. 적합(適合)하다. **적절히**〈副〉適切に. 句例 적절히 처리하다 適切に処理する.

적정【滴定】〈名〉〔化〕滴定.

적정【適正】〈名・하形〉適正. 語例 ~ 가격 適正価格.

적정【敵情】〈名〉敵情. 句例 ~을 살피다 敵情を探る.

적조【赤潮】〈名〉赤潮.

적중【的中】〈名・하自〉的中〔適中〕. 句例 예상이 ~하다 予想が的中する〔当たる〕. 語例 ~되다 的中する / ~률 的中率.

적지【敵地】〈名〉敵地. 句例 ~에 잠입하다 敵地に潜入する / ~에 뛰어들다 敵地に乗り込む.

적진【敵陣】〈名〉敵陣. 句例 ~으로 쳐들어가다 敵陣に攻め込む.

적철-광【赤鐵鑛】〈名〉赤鉄鉱.

적체【積滯】〈名・하自〉積み滞ること. 渋滞.

적출【摘出】〈名・하他〉摘出. 語例 ~ 수술 摘出手術.

적출【嫡出】〈名〉嫡出. 語例 ~자 嫡出子. 對서출(庶出).

적출【積出】〈名・하他〉積み出し. 語例 ~항 積み荷港.

적침【敵侵】〈名〉敵の侵入〔侵略〕.

적탄【敵彈】〈名〉敵弾. 句例 ~에 쓰러지다 敵弾に倒れる / 빗발치듯 날아오는 ~ 雨あられと降る敵弾.

적폐【積弊】〈名〉積弊. 句例 ~를 일소하다 積弊を一掃する.

적-포도주【赤葡萄酒】〈名〉赤ぶどう酒.

적하【積荷】[chŏk'a]〈名〉積み荷. =적화(積貨). 語例 ~ 보험 積み荷保険 / ~ 증명서 積み荷証明書.

적함【敵艦】[chŏk'am]〈名〉敵艦.

적합-하다【適合—】[chŏk'ap'ada] (→하다)〈形〉適合している. 適している. 句例 체질에 적합한 음식 体質に適合した食べ物 / 조건에 ~ 条件に適合している / 과장 자리에 적합한 인물 課長のいすにふさわしい人物 / 여성에게 적합한 운동 女性に適した運動. 語例 적합하게 ふさわしく.

적-혈구【赤血球】[chŏk'yŏlgu]〈名〉〔生〕赤血球. 對백혈구.

적화【赤化】[chŏk'wa]〈名・하自他〉赤化. 共産主義化. 語例 ~ 정책 赤化政策.

적화【積貨】[chŏk'wa]〈名〉積み荷. =적하.

적확-하다【的確—】[chŏk'wak'ada] (→하다)〈形〉的確〔適確〕だ. 句例 적확한 판단 的確な判断. **적확히** [chŏk'wak'i]〈副〉的確に.

적히다 [chŏk'ida]〈自〉'적다'の受け身: 書き付けられる. 記録される. 句例 이름이 ~ 名前が書き付けられる.

전 [chŏ:n]〈名〉縁. へり. 語例 화롯~ 火鉢の縁〔へり〕.

***전**【前】■〈名〉前. 以前. 句例 나이 먹기 ~에 年取る前に. 文例 ~에 만난 적이 있다 前に会った事がある / 석달 ~의 일이다 三か月前のことだ / 말을 끝내기도 ~에 방에서 나가 버렸다 話を終えもしないうちに部屋から出て行ってしまった.

■〈依名〉(手紙などで目上の受取人の名前などの後で)…様. 句例 아버님 ~ 상서 お父さまへ.

■〈冠〉前. 前の. 語例 ~ 대통령 前大統領 / ~ 의원 前代議士. 前議員 / ~ 학기 前学期.

表現 ■で, 対等・目下の人には'앞 …あて'を用いる.

전【煎】[chŏ:n]〈名〉薄く切った肉・魚・貝・野菜などの材料に小麦粉をまぶし, フライパンで焼いた食べ物.

전【廛】[chŏ:n]〈名〉店. 商店. 句例 ~을 벌이다 店を開く.

전〈依名〉貨幣の単位で, ウォンの百分の一: チョン. 語例 1원 50~ 一ウォン五十チョン. →원[1] 參考

***전**【全】〈冠〉❶'すべて, 全体'の意: 全. 語例 ~ 국민 全国民 / ~ 세계 全世界. ❷'全

ㅈ

まったく, とてもひどい'などの意. 語例 ~ 도둑놈 ひどい泥棒 / ~ 깍쟁이 ひどいしみったれ.

전-【前】〈頭〉前…. 先…. 以前の. 前の. 先の. 語例 ~남편 前夫. 先夫 / ~반기 前半期.

-전【展】〈尾〉展覧会の意. …展. 語例 사진~ 写真展.

-전【傳】〈尾〉…伝. 語例 자서~ 自叙伝 / 링컨 ~ リンカーン伝.

-전【戰】〈尾〉…戦. …試合. 語例 사상~ 思想戦 / 백병~ 白兵戦 / 리그~ リーグ戦 / 홍백~ 紅白試合.

전　〔漢字項目〕

【傳(伝)】 中學 전 デン. ❶전하다 伝える. 전해지다 伝わる. ◧傳令 전령 でんれい. ◧遺傳 유전 いでん. ❷전해오는 말 伝わる話. (사람의) 일대기 一代記. ◧傳說 전설 でんせつ. 傳記 전기 でんき. ◧自傳 자전 じでん. ❸고전의 주석 古典の注釈. ◧春秋左氏傳 춘추좌씨전 しゅんじゅうさしでん.

【全(全)】 中學 전 ゼン. ❶전부 全部. ◧全體 전체 ぜんたい. 全集 전집 ぜんしゅう. 全國 전국 ぜんこく. ❷온전하다 全うし. ◧完全 완전 かんぜん. 安全 안전 あんぜん.

【典】 中學 전 テン. ❶규칙 規則. 법률 法律. ◧典範 전범 てんぱん. ◧法典 법전 ほうてん. ❷책 書籍. ◧古典 고전 こてん. 辭典 사전 じてん. ❸의식 儀式. ◧典禮 전례 てんれい. ◧祭典 제전 さいてん. 式典 식전 しきてん.

【前(前)】 中學 전 ゼン. ❶앞 前. ◧前後 전후 ぜんご. ◧面前 면전 めんぜん. ❷시간적으로 앞 時間的に前. ◧前日 전일 ぜんじつ. 前世紀 전세기 ぜんせいき. ◧生前 생전 せいぜん. ❸양자 중의 앞선 쪽 両者の中で前の方. ◧前妻 전처 ぜんさい. 前任 전임 ぜんにん. ❹과거 過去. ◧空前 공전 くうぜん.

【專(専)】 高校 전 セン. ❶오로지 하나에 집중하다 もっぱら一つに集中する. ◧專攻 전공 せんこう. 專門 전문 せんもん. ❷제멋대로 하다 ほしいままにする. ◧專橫 전횡 せんおう. 專行 전행 せんこう. ❸전문학교의 준말 専門学校の略. ◧工專 공전 こうせん.

【展】 中學 전 テン. ❶펴다 広げる. ◧展開 전개 てんかい. 展望 전망 てんぼう. ❷늘어놓다 つらね並べる. ◧展示 전시 てんじ. 展覽會 전람회 てんらんかい. ❸펴서 읽다 広げて読む. ◧親展 친전 しんてん.

【戰(戦)】 中學 전 セン. ❶싸움 戦う. 전쟁 戦争. ◧戰場 전장 せんじょう. ◧決戰 결전 けっせん. 開戰 개전 かいせん. ❷겨루다 きそう. 경기 競技. ◧觀戰 관전 かんせん. 經濟戰 경제전 けいざいせん. ❸무서워 떨다 恐れおののく. ◧戰慄 전율 せんりつ.

【田】 中學 전 デン. ❶밭 畑. 논 田. ◧田園 전원 でんえん. 田地 전지 でんち. ◧水田 수전 すいでん. ❷논밭 모양을 한 것 田畑のように何かを産出する所. ◧塩田 염전 えんでん. 炭田 탄전 たんでん.

【轉(転)】 高校 전 テン. ❶넘어지다 転ぶ. 돌다 回転する. ◧轉倒 전도 てんとう. 轉落 전락 てんらく. ◧公轉 공전 こうてん. 回轉 회전 かいてん. 自轉 자전 じてん. ❷장소나 방향을 바꾸다 場所や方向を変える. ◧轉向 전향 てんこう. ◧移轉 이전 いてん.

【錢(銭)】 中學 전 セン. ❶돈. 특히 금속화폐 お金. 特に金属貨幣. ◧金錢 금전 きんせん. 口錢 구전 こうせん. ❷예전 화폐의 단위로 원(圓)의 백분지 일 以前使った貨幣の単位で'원(圓)'の百分の一.

【電】 中學 전 デン. ❶번갯불 いなずま. ◧電光 전광 でんこう. ◧雷電 뇌전 らいでん. ❷전기 電気. ◧電球 전구 でんきゅう. 電波 전파 でんぱ. 電車 전차 でんしゃ. ◧送電 송전 そうでん.

전가【轉嫁】〈名・하他〉転嫁. 句例 책임을 ~하다 責任を転嫁する.

전각【殿閣】[chŏ:n-gak]〈名〉殿閣.

전갈【全蠍】〈名〉〔動〕さそり(蠍). 語例 ~자리〔天〕さそり座.

전갈【傳喝】〈名・하他〉言付け. 言づて. 伝言. 句例 ~을 받다 言付けを聞く.

전개【展開】[chŏ:n-gae]〈名・하自他〉展開. 句例 아름다운 경치가 ~되다 美しい景色が広がる / 대논전을 ~하다 大論戦を展開する / 국면의 ~를 기다리다 局面の展開を待つ. 語例 ~ 과정 展開過程 / ~식〔數〕展開式 / ~도〔數〕展開図.

전갱이〈名〉〔魚〕あじ(鰺).

전거【典據】[chŏ:n-gŏ]〈名〉典拠. 文例 ~가 있어 믿을 수 있다 典拠があるから信がおける.

전거【轉居】[chŏ:n-gŏ]〈名〉転居. 宿替え. ひっ越し.

전격【電擊】[chŏ:n-gyŏk]〈名・하他〉電撃. 句例 ~적으로 결정하다 電撃的に決定する. 語例 ~ 작전 電撃作戦 / ~ 요법〔醫〕電撃療法.

전결【專決】〈名・하他〉専決. 句例 국장의 ~ 사항 局長の専決事項.

전경【全景】〈名〉全景. 句例 ~을 촬영하다 全景を撮影する. 語例 도시 ~ 町の全景 / ~ 사진 全景写真.

전경【戰警】[chŏ:n-gyŏng]〈名〉'전투 경찰 戦闘警察' '전투 경찰대 戦闘警察隊'の略.

전고【典故】[chŏ:n-go]〈名〉典故.

전고-미증유【前古未曾有】〈名〉前古未曽有. 句例 ~의 대재해 前古未曽有の大災害.

전곡【全曲】〈名〉全曲. 句例 ~을 연주하다 全曲を演奏する.

전골 [chŏ:n-gol]〈名〉すき焼き. 寄せなべ(鍋). 語例 ~틀 '전골'を煮る器. すきやきなべ(鍋).

전공【專攻】〈名・하他〉専攻. 句例 국제법을 ~하다 国際法を専攻する. 語例 ~ 과목 専攻科目 / ~ 분야 専攻分野.

전공【電工】[chŏ:n-gong]〈名〉['전기 공업 電気工業' '전기공 電気工'の略] 電工.

전공【戰功】[chǒ:n-gong]〈名〉戦功. 句例 ～을 세우다 戦功を立てる.

전과【全科】[chǒnkkwa]〈名〉全科. ❶全学科. 全教科. ❷小学校の全教科をまとめた参考書.

전과【前科】[chǒnkkwa]〈名〉前科. 句例 ～가 있다 前科がある. 語例 ～ 삼범 前科三犯 / ～자 前科者.

전과【前過】〈名〉前過. 句例 ～를 뉘우치다 前過を悔いる.

전과【戰果】[chǒ:nkkwa]〈名〉戦果. 句例 혁혁한 ～를 올리다 赫赫たる〔輝かしい〕戦果をあげる.

전과【轉科】[chǒ:nkkwa]〈名・하自〉転科.

전관 수역【專管水域】〈名〉専管水域.

전관 예우【前官禮遇】[chǒn-gwannye:u]〈名〉前官礼遇.

전광【電光】[chǒ:n-gwang]〈名〉電光. 語例 ～ 뉴스 電光ニュース / ～ 게시판 電光掲示板.

전광-석화【電光石火】[chǒ:n-gwangsŏk'wa]〈名〉電光石火. 句例 ～와 같이 빠른 솜씨 電光石火の早業〔早技〕.

전교【全校】〈名〉全校. 句例 ～생이 모이다 全校生が集まる.

***전구**【電球】[chǒ:n-gu]〈名〉電球. たま. 句例 ～가 끊어지다 電球が切れる. 語例 백열 ～ 白熱電球 / 꼬마 ～ 豆電球.

전-국【全—】〈名〉水を混ぜない酒や醬油などの原液. もろみ(諸味). =진국. 語例 ～ 간장 生醬油.

***전국**【全國】〈名〉全国. 句例 ～에서 모이다 全国から集まる / ～에 중계되다 全国に中継される. 語例 ～ 체육 대회〔체전(體典)〕全国体育大会 / ～구 국회 의원 全国区国会議員 / ～ 각지 全国各地.

전국【戰局】[chǒ:n-guk]〈名〉戦局. 句例 ～이 유리하게 전개되다 戦局が有利に展開する.

전국【戰國】[chǒ:n-guk]〈名〉戦国. 語例 ～ 시대 戦国時代.

***전국-적**【全國的】〈名・冠〉全国的. 句例 ～인 불황 全国的な不況 / ～으로 비가 오다 全国的に雨が降る.

전군【全軍】〈名〉全軍. 句例 ～을 지휘하다 全軍を指揮する.

전권【全權】[chǒnkkwon]〈名〉全権. 句例 ～을 위임하다 全権を委任する. 語例 ～ 대사 全権大使 / ～ 위원 全権委員.

전극【電極】[chǒ:n-gŭk]〈名〉電極.

전근대-적【前近代的】〈名・冠〉前近代的. 句例 ～인 사고 방식 前近代的な考え方.

전근【轉勤】[chǒ:n-gŭn]〈名・하自〉転勤. 句例 지방으로 ～되다 地方に転勤される.

전기【前記】〈名・하他〉前記. 句例 ～한 바와 같이 前記のとおり. 對후기(後記).

전기【前期】〈名〉前期. 語例 ～ 이월금 前期繰越金 / ～ 시험 前期試験. 對후기(後期).

***전기**【傳記】〈名〉伝記. 語例 ～ 작가 伝記作家.

전기【電氣】[chǒ:n-gi]〈名〉❶電気. 句例 ～가 나가다 停電になる / ～가 통하다 電気が通じる. 語例 ～ 공업 電気工業 / ～ 공학 電気工学 / ～ 기관차 電気機関車 / ～ 난로 電気ストーブ / ～ 냉장고 電気冷蔵庫 / ～ 다리미 電気アイロン / ～ 담요 電気布団 / ～력 電気力 / ～ 면도기 電気かみそり / ～ 밥솥 電気がま(釜). 電気炊飯器 / ～ 세탁기 電気洗濯機 / ～ 스탠드 電気スタンド / ～ 에너지 電気エネルギー / ～장(場) 電場 / ～ 저항 電気抵抗 / ～ 청소기 電気掃除機 / ～ 풍로 電気こんろ / ～ 회로 電気回路. サーキット / ～ 요금 電気料金. ❷電灯. 明かり. 句例 ～를 켜다 電気〔電灯〕をつける / ～를 끄고 자다 電気〔電灯〕を消して寝る.

전기【電機】[chǒ:n-gi]〈名〉電機. 語例 중～ 重電機.

전기【轉記】[chǒ:n-gi]〈名・하他〉転記. 句例 원장에 ～하다 元帳に転記する.

전기【轉機】[chǒ:n-gi]〈名〉転機. 変わり目. 句例 인생의 ～를 맞이하다 人生の転機を迎える / 하나의 ～를 마련하다 一つの転機をこしらえる.

전기-공【電氣工】[chǒ:n-gi—]〈名〉電気工. 電工《略語》.

전깃-불【電氣—】[chǒ:n-gitpul]〈名〉電灯の明かり. 句例 ～을 켜놓다 電灯をつけて置く / ～을 어둡게 하다 電灯を暗くする.

전깃-줄【電氣—】[chǒ:n-gitchul]〈名〉電線. =전선(電線).

전-나무 [chǒ:n—]〈名〉〔植〕もみ(樅).

전-날【前—】〈名〉前日. 前の日. 句例 결혼하기 ～ 結婚する前日. ❷先日. 過日. 句例 ～의 약속 先日の約束. 文例 ～에 있었던 일은 깨끗이 잊어라 過ぎし日の事はきれいに忘れてしまいなさい.

전-남편【前男便】〈名〉前夫. 先夫. 句例 ～에게서 낳은 아이들 前夫との間に生まれた子供たち.

전년【前年】〈名〉前年.

전념【專念】〈名・하自〉専念. 句例 학업에 ～하다 学業に専念する.

전능【全能】〈名・하形〉全能. 語例 전지 ～ 全知全能.

전단【全段】〈名〉全段. 句例 ～짜리 광고 全段抜きの広告.

전단【專斷】〈名・하他〉専断. 句例 인사 관리를 ～하다 人事の管理を専断する.

전단【傳單】〈名〉伝単. 宣伝ビラ. 句例 ～을 뿌리다 ビラをまく.

***전달**【傳達】〈名・하他〉伝達. 句例 의사를 ～하다 意思を伝達する〔伝える〕. 語例 명령 ～ 命令伝達 / ～되다 伝達される.

전-달【前—】[chǒnttal]〈名〉前月. 先月. 對 홋달.

전담【全擔】〈名・하他〉全部を受け持つこと. 句例 비용을 ～하다 費用を全部受け持つ

전담【專擔】〈名・하他〉専門に担当すること.

전답【田畓】〈名〉田畑. =논밭.

전당【典當】[chǒ:ndang]〈名・하他〉質物を担保に金銭を貸借すること. 語例 ～포 質屋.

전당(을) 잡다 質に取る. 句例 카메라를 전당 잡다 カメラを質に取る.
전당(을) 잡히다 質に入れる.
전당【殿堂】[chŏ:ndang]〈名〉殿堂. 句例 미의 ~ 美の殿堂.
전당 대회【全黨大會】[—dae:hoe]〈名〉全党大会.
전대【前代】〈名〉前代. 對후대(後代).
전대【戰隊】[chŏ:ndae]〈名〉戦隊. 語例 비행 ~ 飛行戦隊.
전대【轉貸】[chŏ:ndae]〈名〉転貸. 転貸し. 又貸し.
전대-미문【前代未聞】〈名〉前代未聞. 句例 ~의 불상사 前代未聞の不祥事.
전도【全圖】〈名〉全図. 語例 세계 ~ 世界全図.
전도【前途】〈名〉前途. 句例 ~ 유망한 청년 前途有望な青年. 語例 ~ 요원 前途遼遠.
전도【傳道】〈名・하自〉伝道. 句例 기독교를 ~하다 キリスト教を伝道する. 語例 ~사 伝道師 / ~ 사업 伝道事業 / ~회 伝道会 / 복음 ~ 福音伝道.
전도【傳導】〈名・하他〉〔物〕伝導. 語例 ~율 伝導率.
전도【顚倒】[chŏ:ndo]〈名・하自他〉転倒. 語例 본말〔주객〕~ 本末〔主客・しゅきゃく〕転倒 / ~되다 転倒する.
전동【電動】[chŏ:ndong]〈名〉電動. 語例 ~기 電動機 / ~차 電動車 / ~력 電動力.
전동【箭筒】[chŏ:ndong]〈名〉[もとの語形は'전통(箭筒)'] 矢筒.
*__전등__【電燈】[chŏ:ndŭng]〈名〉電灯. 電気《俗》. 句例 ~을 끄다 電灯を消す / ~을 켜다 電気〔電灯〕をつける. 語例 ~갓 電灯のかさ(笠) / ~불 電灯の明かり / ~알 電球. 球 / 손~ 懐中電灯.
전라【全裸】[chŏlla]〈名〉全裸. すっ裸. 丸裸.
전락【轉落】[chŏ:llak]〈名・하自〉転落. 句例 ~의 길을 걷다 転落の道をたどる / 밤거리의 여자로 ~하다 夜の女に転落する. 語例 ~ 사고 転落事故 / ~되다 転落する.
전란【戰亂】[chŏ:llan]〈名〉戦乱. 句例 ~이 일어나다 戦乱が起こる.
전람-회【展覽會】[chŏ:llam—]〈名〉展覧会. 句例 ~를 열다 展覧会を開く〔催す〕/ ~가 열리다 展覧会が開かれる. 語例 고미술 ~ 古美術展覧会 / ~장 展覧会場.
전래【傳來】[chŏllae]〈名・하自〉伝来. 句例 불교의 ~ 仏教の伝来. 語例 ~ 동화〔동요〕伝来童話〔童謡〕.
전략【前略】[chŏllyak]〈名・하他〉前略.
*__전략__【戰略】[chŏ:llyak]〈名〉戦略. 句例 ~을 짜다 戦略をねる / ~을 세우다 戦略をたてる. 語例 ~ 기지 戦略基地 / ~ 공군 戦略空軍 / ~ 폭격 戦略爆撃 / ~가 戦略家 / ~ 물자 戦略物資. 類전술(戰術).
전량【全量】[chŏllyang]〈名〉全量. 語例 ~ 수출 全量輸出.
전력【全力】[chŏllyŏk]〈名〉全力. 句例 ~을 다하다 全力を尽くす / ~을 기울이다 全力を傾ける. 語例 ~ 투구 全力投球.
전력【前歷】[chŏllyŏk]〈名〉前歴. 句例 ~을 속이다 前歴を偽る.
*__전력__【電力】[chŏ:llyŏk]〈名〉電力. 文例 이 기계는 ~이 많이 든다 この機械は電力を食う. 語例 ~계 電力計 / ~선 電力線 / ~화 電力化 / ~ 소비 電力消費.
전력【戰力】[chŏ:llyŏk]〈名〉戦力. 句例 ~의 증강 戦力の増強.
전령【傳令】[chŏllyŏng]〈名・하他〉〔軍〕伝令. 句例 ~을 보내다 伝令を出す.
전례【前例】[chŏllye]〈名〉前例. 先例. 句例 ~를 따르다 前例に従う / ~가 있다〔없다〕前例がある〔ない〕.
*__전류__【電流】[chŏ:llyu]〈名〉〔物〕電流. 句例 ~가 통하다 電流が通じる / ~가 흐르다 電流が流れる. 語例 고압 ~ 高圧電流 / ~계 電流計 / ~ 차단기 電流遮断器.
전륜 구동【前輪驅動】[chŏllyun—]〈名〉前輪駆動. 語例 ~차 前輪駆動の車.
전리【電離】[chŏ:lli]〈名・하自〉電離. 語例 ~도 電離度 / ~층 電離層.
전리-품【戰利品】[chŏ:llipum]〈名〉戦利品.
전립【戰笠】[chŏ:llip]〈名〉〔史〕陣がさ(笠). 絵

〈전립〉

전립-선【前立腺】[chŏllipsŏn]〈名〉〔生〕前立腺.
전말【顚末】[chŏ:nmal]〈名〉顚末. 始末. 句例 사건의 ~ 事件の顚末. 語例 ~서 顚末書.
전망【展望】[chŏ:nmang]〈名・하他〉展望. 句例 밝은 ~ 明るい見通し / 정계〔장래〕를 ~하다 政界〔将来〕を展望する / 경기의 ~ 景気の見通し / ~이 좋지 않다 見通しがよくない. 文例 올해 물가 상승률은 5퍼센트에 그칠 것으로 ~된다 今年の物価上昇率は五パーセントにとどまるものと見通す. 語例 ~대 展望台. 見晴らし / ~되다 展望される. 見込まれる / ~차 展望車.
*__전매__【專賣】〈名・하他〉専売. 語例 ~품 専売品 / ⇨ 전매 특허
전매【轉賣】[chŏ:nmae]〈名・하他〉転売. 句例 아파트를 ~하다 アパートを転売する.
전매 특허【專賣特許】[—t'ŭk'ŏ]〈名〉専売特許. ❶'특허 特許'の旧称. ❷その人がもっぱら得意としていることを, しゃれて言う語. 文例 결혼식 사회가 너의 ~가 아니냐 結婚式の司会が君の専売特許じゃないか. 表現 ②は俗っぽい言いかた.
전면【全面】〈名〉全面. 句例 ~에 걸쳐서 全面にわたって. 語例 ~ 광고 全面広告 / ~ 전쟁 全面戦争.
전면【前面】〈名〉前面. 句例 ~의 적 前面の敵 / 의식의 ~에 意識の前面に / ~에 내세워지다 前面に押し出される. 對후면(後面).
전면-적【全面的】〈名・冠〉全面的. 句例 ~인 협력 全面的な協力 / ~으로 지지〔개정〕하다 全面的に支持〔改正〕する.

전멸【全滅】〈名・하自〉全滅. 句例 ～의 위기에 처하다 全滅の危機に瀕する. 文例 적은 ～하였다 敵は全滅した. 語例 ～되다 全滅する / ～시키다 全滅させる.

전모【全貌】〈名〉全貌. 全容. 句例 사건의 ～가 밝혀지다 事件の全貌が明らかになる.

전몰【戰歿】[chŏ:nmol]〈名・하自〉戦没. 戦死. 句例 ～자의 넋을 위로하다 戦没者の霊を慰める. 語例 ～ 장병 戦没将兵.

전무【全無】〈名・하形〉皆無. 句例 가능성이 ～하다 可能性が皆無だ.

전무【專務】〈名〉[‘전무 이사(專務理事) 専務取締役’の略] 専務.

전-무식【全無識】〈名・하形〉一文不知. 文盲. =일자 무식(一字無識). 판(判)무식.

전무-후무【前無後無】[—hu:mu]〈名・하形〉空前絶後. 句例 ～한 대참사 空前絶後の大惨事.

전문【全文】〈名〉全文. 句例 ～을 삭제당하다 全文を削除される.

전문【前文】〈名〉前文. 語例 헌법 ～ 憲法の前文.

***전문**【專門】〈名・하他〉専門. 文例 그의 ～은 영문학이다 彼の専門は英文学だ. 語例 ～가 専門家. くろうと / ～어 専門語. 術語 / (안과) ～의 (眼科)専門医 / (낚시 도구) ～점 (釣り道具の)専門店 / ～ 지식 専門知識 / ～ 위원 専門委員 / ～지 専門誌 / ～ 서적 専門書 / ～화 専門化 / ～직 専門職 / ～ 교육 専門教育.

전문【電文】[chŏ:nmun]〈名〉電文. 句例 ～을 해독하다 電文を解読する.

전문 대학【專門大學】〈名〉専門大学. 略して‘전문대(專門大)’ともいう.
参考 日本の短期大学に当たる.

전문-적【專門的】〈名・冠〉専門的. 句例 ～인 지식 専門的な知識 / ～으로 연구하다 専門的に研究する.

전반【全般】〈名〉全般. 句例 ～에 걸쳐 全般にわたって / 사회 ～의 문제 社会全般の問題. 文例 성적이 ～적으로 좋다 成績が全般的によい.

전반【前半】〈名〉前半. 語例 ～전 前半戦 / ～부 前半部 / ～기 前半期. 對후반(後半).

전방【前方】〈名〉❶前方. 句例 ～에 보이는 섬 前方に見える島. ❷前線. 語例 ～ 부대 前線〔第一線〕の部隊. 對후방(後方).

전번【前番】[chŏnppŏn]〈名〉先般. 先ごろ. 先だって. 先回. この間. この前. =지난번(番). 먼젓번(番). 句例 ～에 말씀드린 일 この間申し上げた事.

전범【典範】[chŏ:nbŏm]〈名〉典範.

전범【戰犯】[cho:nbŏm]〈名〉戦犯. ❶‘전쟁 범죄 戦争犯罪’の略. 語例 ～자 戦犯. 戦争犯罪人. ❷‘전쟁 범죄인 戦争犯罪人’の略.

전별【餞別】[chŏ:nbyŏl]〈名・하他〉餞別. はなむけ. 句例 ～의 말 はなむけの言葉. 語例 ～금(金) 餞別のお金 / ～연 餞別の宴.

전보【電報】[chŏ:nbo]〈名・하自〉電報. 句例 ～를 치다 電報を打つ / ～로 알리다 電報で知らせる. 語例 ⇨ 전보 용지 / ⇨ 전봇대

전보【轉補】[chŏ:nbo]〈名・하自〉転補. 語例 ～ 발령 転補発令 / ～되다 転補される. 転勤になる.

전보 용지【電報用紙】[chŏ:nboyo:ngji]〈名〉‘전보 발신지 電報発信紙’の俗称. 頼信紙.

전복【全鰒】〈名〉〔貝〕あわび(鮑). 語例 ～죽 あわびのおかゆ(粥).

전복【顚覆】[chŏ:nbok]〈名・하自他〉転覆. 句例 열차의 ～ 사고 列車の転覆事故 / 배가 ～하다 船が転覆する / 정부의 ～을 기도하다 政府の転覆を謀る. 語例 ～되다 転覆する.

전봇-대【電報—】[chŏ:nbot—]〈名〉❶電柱. 電信柱. ❷‘背の高い人’をあざけっていう語. のっぽ.
表現 ②は俗っぽい言いかた.

***전부**【全部】〈名・副〉全部. すべて. 皆. 句例 ～ 써 버리다 全部使ってしまう. 文例 이것이 ～입니다 これが全部です / ～ 꾸며 낸 거짓말이다 全部作り上げたうそだ / ～가 다 그런 건 아니다 全部がそうとは限らない.

전부【前夫】〈名〉前夫. 先夫. =전(前)남편.

전부【前部】〈名〉前部. 前の部分. 對후부(後部).

전분【澱粉】[chŏ:nbun]〈名〉⇨ 녹말(綠末)

전비【前非】〈名〉前非. 句例 ～를 뉘우치다 前非を悔いる.

전비【戰費】[chŏ:nbi]〈名〉戦費.

전사【戰士】[chŏ:nsa]〈名〉戦士. 句例 무명 ～의 무덤 無名戦士の墓. 語例 산업 ～ 産業戦士.

전사【戰史】[chŏ:nsa]〈名〉戦史. 語例 ～ 편찬 戦史の編纂.

전사【戰死】[chŏ:nsa]〈名・하自〉戦死. 語例 ～자 戦死者.

전사【轉寫】[chŏ:nsa]〈名・하他〉転写. 語例 ～지〔印〕転写紙 / ～본 転写本.

전산【電算】[chŏ:nsan]〈名〉‘전자 계산기’の略. 語例 ～기 電算機《略語》. コンピューター / ～ 조판〔印〕コンピューター組版 / ～실 コンピューター室 / ～ 처리 コンピューター処理 / ～화 コンピューター化.

전상【戰傷】[chŏ:nsang]〈名・하自〉戦傷. 句例 ～을 입다 戦傷を受ける. 語例 ～병 戦傷兵 / ～자 戦傷者.

전생【前生】〈名〉〔佛〕前生. 前世. 句例 ～에 지은 죄 前世で犯した罪. 語例 ～ 연분(緣分) 前世の因縁.

전-생애【全生涯】〈名〉全生涯. =일평생.

전서【全書】〈名〉全書. 語例 육법 ～ 六法全書 / 백과～ 百科全書.

전서【篆書】[chŏ:nsŏ]〈名〉❶篆書. ❷⇨ 전자(篆字)

전선【前線】〈名〉前線. 句例 ～의 장병 前線の将兵 / 취재차 ～으로 떠나다 取材のため前線へたつ. 文例 그들은 업계의 최～에서 활약하는 기업 전사들이다 彼らは，業界の最前線で活躍する企業戦士たちである. 語例 온난〔한랭〕～ 温暖〔寒冷〕前線 / 장마 ～ 梅雨前線.

***전선**【電線】[chŏ:nsŏn]〈名〉電線. =전깃줄.

[文例] ～이 끊겨져 있다 電線が切れている. [語例] 해저 ～ 海底電線 / ～줄 電線.

*전선【戰線】[chŏ:nsŏn]〈名〉戦線. [句例] ～을 이탈하다 戦線を離脱する / ～에 복귀하다 戦線に復帰する / ～을 확대하다 戦線を拡大する. [語例] 공동 ～(을 펴다) 共同戦線(を張る) / 통일 ～ 統一戦線.

*전설【傳說】〈名〉伝説. [句例] ～상의 영웅 伝説上の英雄.

전설 모음【前舌母音】[―mo:um]〈名〉〔言〕前舌母音. 舌の前部と軟口蓋のあいだで発音される母音. 'ㅣ・ㅔ・ㅚ・ㅐ・ㅟ'など. →후설(後舌) 모음

전설-적【傳說的】[―tchŏk]〈名・冠〉伝説的. [句例] ～인 인물〔명연주〕伝説的な人物〔名演奏〕.

전성【全盛】〈名・하形〉全盛. [語例] ～기 全盛期 / ～ 시대 全盛時代.

전성【展性】[chŏ:nsŏng]〈名〉〔物〕展性.

전세【前世】〈名〉前世. 前生. [句例] ～의 인연 前世の因縁.

전세【專貰】〈名〉貸し切り. [語例] ～ 버스 貸し切りバス / ～기〔편〕チャーター機〔便〕.

전세(를) 내다 借り切る. チャーターする. [句例] 버스를 전세 내어 여행하다 バスを借り切って旅行する.

*전세【傳貰】〈名〉 家屋や部屋などの貸借で, 一定の金額を家主に預ければ, 月月の家賃や部屋代は不要で, 契約が終わると預けたお金が借り手に戻る貸借関係. [語例] 전셋집 '전세'で借りた家.

전세(를) 놓다 '전세'契約で(家・部屋・店舗を)貸す.

전세(를) 들다 '전세'契約で(家・部屋・店舗を)借りる.

전세【戰勢】[chŏ:nse]〈名〉戦勢. [句例] 불리한 ～ 不利な戦勢.

전-세계【全世界】〈名〉全世界.

전-세기【前世紀】〈名〉前世紀. [句例] ～의 유물 前世紀の遺物.

전소【全燒】〈名・하自〉全焼. 丸焼け. [句例] 집이 ～되다 家が丸焼けになる.

전속【專屬】〈名・하自〉専属. [語例] ～ 가수 専属歌手 / ～ 부관 専属副官 / ～ 계약 専属契約.

전속【轉屬】[chŏ:nsok]〈名・하自〉転属. [語例] ～명령 転属命令 / ～되다 転属される〔になる〕.

전-속력【全速力】[chŏnsongnyŏk]〈名〉全速力. フルスピード. [句例] ～으로 달리다 全速力で走る / ～을 내다 全速力を出す.

전송【電送】[chŏ:nsong]〈名・하他〉電送. [語例] ～ 사진 電送写真.

전송【餞送】[chŏ:nsong]〈名〉見送り. ＝배웅. **～하다**〈他〉見送る. [句例] 성대한 ～ 盛んな見送り / ～하러 공항에 나가다 見送るために空港に出かける. ㊥마중.

전수【專修】〈名・하他〉専修.

전수【傳授】〈名・하他〉伝授. [句例] 비법을 ～하다 秘法を伝授する.

전술【前述】〈名・하自〉前述. [句例] ～한 바와 같이 前述のごとく〔とおり〕. ㊥후술(後述).

전술【戰術】[chŏ:nsul]〈名〉戦術. [句例] 교묘한 ～ 巧妙な戦術 / ～을 바꾸다 戦術を変える. [語例] ～가 戦術家 / ～ 공군〔폭격〕戦術空軍〔爆撃〕. ㊊전략(戰略).

전승【全勝】〈名・하自〉全勝. 丸勝ち. [語例] ～ 우승 全勝優勝. ㊥전패(全敗).

전승【傳承】〈名・하他〉伝承. [語例] 민간 ～ 民間伝承.

전승【戰勝】[chŏ:nsŭng]〈名・하自〉戦勝. [語例] ～국 戦勝国 / ～ 기념일 戦勝記念日.

*전시【展示】[chŏ:nshi]〈名・하他〉展示. [句例] 작품을 ～하다 作品を展示する. [語例] ～회 展示会 / ～되다 展示される / ～품 展示品 / ～ 효과 展示効果 / ～장 展示会場.

전시【戰時】[chŏ:nshi]〈名〉戦時. 戦争中. [語例] ～ 체제 戦時体制. ㊥평시(平時).

전신【全身】〈名〉全身. [句例] ～의 힘을 다하다 全身〔渾身〕の力をこめる. [語例] ～ 마취 全身麻酔 / ～ 불수 全身不随 / ～ 운동 全身運動 / ～ 크기 全身大.

전신【前身】〈名〉前身. [文例] 이 대학의 ～은 사범 학교다 この大学の前身は師範学校である.

전신【電信】[chŏ:nshin]〈名〉電信. [語例] ～기 電信機 / ～환(換) 電信為替 / ～주 電信柱. 電柱 / 무선～ 無線電信.

전신【轉身】[chŏ:nshin]〈名・하自〉転身. [句例] 사업가에서 정치가로 ～하다 実業家から政治家に転身する.

전실【前室】〈名〉前妻. 先妻. [語例] ～ 자식 先妻腹の子. ㊥후실(後室).

전심【專心】〈名・하自〉専心. 専念. [語例] ～ 전력 専心全力.

전압【電壓】[chŏ:nap]〈名〉〔物〕電圧. [句例] ～이 낮다〔높다〕電圧が低い〔高い〕/ ～을 올리다〔내리다〕電圧を上げる〔下げる〕. [語例] ～계 電圧計 / ～선 電圧線.

전액【全額】[chŏnaek]〈名〉全額. [句例] ～을 지급하다 全額を支払う. [語例] ～ 납입 全額払い込み.

전야【前夜】[chŏnya]〈名〉前夜. [語例] 혁명 ～ 革命前夜 / ～제 前夜祭 / 크리스마스 ～ クリスマスイブ.

전어【錢魚】[chŏ:nŏ]〈名〉〔魚〕このしろ(鰶).

전언【傳言】[chŏnŏn]〈名・하他〉伝言. 言付け. 言づて. [語例] ～판 伝言板.

전업【專業】[chŏnŏp]〈名〉専業. [語例] ～ 주부 専業主婦 / ～ 농가 専業農家.

전업【電業】[chŏ:nŏp]〈名〉電業. [語例] ～사 電気店. 電業社.

전업【轉業】[chŏ:nŏp]〈名・하自〉転業. [句例] ～을 권하다 転業を勧める. ㊊전직(轉職).

전역【全域】[chŏnyŏk]〈名〉全域. [句例] ～에 걸쳐서 全域にわたって. [語例] 수도권 ～ 首都圏全域.

전역【轉役】[chŏ:nyŏk]〈名・하自〉転役. 軍隊で他の兵役に転じること. [句例] 예비역으로 ～시키다 予備役に転役させる.

전연【全然】[chŏnyŏn]〈副〉全然. 全く. てんで. ＝전혀. [句例] ～ 모르다 全然知らない. [文例] 그것은 ～ 문제가 되지 않는다 それはてんで問題にならない.

ス

전열【電熱】[chŏ:nyŏl]〈名〉電熱. 語例 ~기 電熱器 / ~선 電熱線.

전열【戰列】[chŏ:nyŏl]〈名〉戦列. 句例 ~을 가다듬다 戦列を整える.

***전염**【傳染】[chŏnyŏm]〈名・하自〉伝染. 句例 병의 ~을 막다 病気の伝染を防ぐ / ~성이 강하다 伝染性が強い. 文例 홍역이 ~하고 있다 はしかが伝染中だ. 語例 공기 ~ 空気伝染 / ~되다 伝染する.

***전염-병**【傳染病】[chŏnyŏmppyŏng]〈名〉〔醫〕伝染病. 句例 ~이 돌다〔발생하다〕伝染病がはやる〔発生する〕. 語例 법정 ~ 法定伝染病.

전용【專用】[chŏnyong]〈名・하他〉専用. 句例 대통령 ~기 大統領の専用機 / ~ 회선 専用回線.

전용【轉用】[chŏ:nyong]〈名・하他〉転用. 文例 예산의 ~은 허용되지 않는다 予算の転用は許されない.

전우【戰友】[chŏ:nu]〈名〉戦友. 語例 ~애 戦友愛.

전운【戰雲】[chŏ:nun]〈名〉戦雲. 句例 ~이 감돌다 戦雲が漂う.

전원【田園】[chŏnwon]〈名〉田園. 語例 ~ 도시 田園都市 / ~ 생활 田園生活 / ~ 시인 田園詩人.

전원【全員】[chŏnwon]〈名〉全員. 語例 ~ 집합 全員集合 / ~ 찬성 全員賛成.

전원【電源】[cho:nwon]〈名〉電源. 句例 ~을 끊다 電源を切る. 語例 ~ 개발 電源開発 / ~ 스위치 電源スイッチ.

전월【前月】[chonwol]〈名〉前月. 先月. ＝전(前)달. 지난달.

전위【前衛】[chŏnwi]〈名〉前衛. 語例 ~ 예술 前衛芸術 / ~ 영화〔화가〕前衛映画〔画家〕/ ~파 前衛派. アバンギャルド.

전위【電位】[chŏ:nwi]〈名〉〔物〕電位. 語例 ~차 電位差.

전유【專有】[chŏnyu]〈名・하他〉専有. 語例 ~물 専有物. 對공유(共有).

전율【戰慄】[chŏ:nyul]〈名・하自〉戦慄. 句例 ~할 범죄 戦慄すべき犯罪 / ~을 느끼다 戦慄を覚える.

전음【全音】[chŏnŭm]〈名〉〔樂〕⇨ 온음

전의【戰意】[chŏ:nŭi]〈名〉戦意. 句例 ~를 상실하다 戦意を失う〔喪失する〕.

전이【轉移】[chŏ:ni]〈名・하他〉転移. 句例 암 조직의 ~ がん組織の転移.

전인【前人】[chŏnin]〈名〉前人. 先人. 句例 ~ 미답의 분야 前人未踏の分野.

전인 교육【全人教育】[chŏnin-gyo:yuk]〈名〉全人教育.

전일【前日】[chŏnil]〈名〉前日. 先日. ＝전(前)날.

전임【前任】[chŏnim]〈名〉前任. 語例 ~자 前任者 / ~지 前任地. 對후임(後任).

전임【專任】[chŏnim]〈名・하他〉専任. 語例 ~ 강사 専任講師. 對겸임(兼任).

전입【轉入】[chŏ:nip]〈名・하自〉転入. 語例 ~생 転入生 / ~ 신고 転入届け. 對전출.

전자【前者】〈名〉❶⇨ 지난번 ❷前者. 文例 ~에 비해 후자가 크다 前者に比べて後者が大きい. 對후자(後者).

전자【電子】[chŏ:nja]〈名〉〔物〕電子. エレクトロン. 語例 ~ 공업 電子工業 / ~ 공학 電子工学. エレクトロニクス / ~ 시계 電子時計 / ~ 악기 電子楽器 / ~ 오락 ビデオ〔テレビ〕ゲーム. コンピューターゲーム / ~ 오르간 電子オルガン / ~ 음악 電子音楽 / ~ 장치 電子装置 / ~ 현미경 電子顕微鏡.

전자【電磁】[chŏ:nja]〈名〉⇨ 전자기(電磁氣)

전자【篆字】[chŏ:nja]〈名〉篆字.

전자 계산기【電子計算機】[chŏ:njagye:san-gi]〈名〉❶電子計算機. コンピューター. 略して'전산(電算)・전산기(電算機)'ともいう. ＝컴퓨터. ❷電子式卓上計算機.

전-자기【電磁氣】[chŏ:n—]〈名〉〔物〕電磁. 語例 ~력 電磁力 / ~장 電磁場.

전자기-파【電磁氣波】[chŏ:njagi—]〈名〉〔物〕電磁波.

전자 레인지【電子range】[chŏ:nja—]〈名〉電子レンジ.

***전-자석**【電磁石】[chŏ:n—]〈名〉電磁石.

전자-파【電磁波】[chŏ:nja—]〈名〉〔物〕⇨ 전자기파(電磁氣波)

전작【前酌】〈名〉酒席に参加する前に飲んだ酒. 文例 ~이 있어 사양하겠다 もうすでに飲んできたので遠慮するよ.

전장【全長】〈名〉全長. 語例 ~ 10미터 全長十メートル.

전장【前章】〈名〉前章. 前の章.

전장【戰場】[chŏ:njang]〈名〉戦場. 戦地. 戦の庭《雅》. ＝전쟁터.

전재【戰災】[chŏ:njae]〈名〉戦災. 句例 ~를 입다 戦災をこうむる. 戦災にあう. 語例 ~ 고아 戦災孤児.

전재【轉載】[chŏ:njae]〈名・하他〉転載. 文例 무단 ~를 금함 無断転載を禁じる.

****전쟁**【戰爭】[chŏ:njaeng]〈名・하自〉戦争. 戦《雅》. 戦い. 句例 ~이 일어나다 戦争が起こる / ~을 일으키다 戦争〔戦〕を(ひき)起こす / ~에 이기다〔지다〕戦争に勝つ〔負ける〕/ 끝없는 ~이 계속되다 果てしなき戦いが続く / ~의 참화 戦争の惨禍. 語例 ~ 놀이 戦争ごっこ / ~ 범죄(인) 戦争犯罪(人). 戦犯《略語》/ ~ 문학 戦争文学 / ~ 이야기 戦争の話. 軍談 / ~터 戦場. 戦の庭《雅》/ 핵~ 核戦争 / 교통 ~ 交通戦争.

전적【全的】[chŏntchŏk]〈名・冠〉全的. 句例 ~으로 지지를 받다 全的に支持を受ける / 유적에 대한 ~인 조사 遺跡の全面的な調査. 文例 나는 네 의견에 ~으로 동감이다 ぼくは君の意見に全く同感だ. 對부분적(部分的).

전적【戰跡】[chŏ:njŏk]〈名〉戦跡. 語例 ~지 戦跡地.

전적【戰績】[chŏ:njŏk]〈名〉戦績.

전전【戰前】[chŏ:njon]〈名〉戦前. 語例 ~파 戦前派. 對전후(戰後).

전전【轉轉】[chŏ:njŏn]〈名・하自〉転転. 句例 일자리를 찾아 각지를 ~하다 職を求めて各地を転転(と)する.

ス

전전【前前】〈名・冠〉前前. 先先. 語例 ~날 おととい. 一昨日/~년(年) おととし. 前前年/~달 前前〔先先〕月/~번(番) この前の前. 先般.

전전-긍긍【戰戰兢兢】[chŏ:njŏn—]〈名・하自〉戦戦恐恐. 文例 해고될까 봐 ~하고 있다 首になりはしないかと戦戦恐恐としている.

전전-반측【輾轉反側】[chŏ:njŏnbanch'ŭk]〈名・하自〉輾転反側.

전정【前程】〈名〉前程. 前途. =앞길.
전정이 구만리 같다 前途が九万里のようだ. 前途有望だ.

전정【剪定】[chŏ:njŏng]〈名・하他〉剪定. 語例 ~ 가위 剪定ばさみ. 花ばさみ. 木ばさみ.

전제【前提】〈名〉前提. **~하다**〈他〉前提とする. 句例 결혼을 ~로 교제하다 結婚を前提に交際する. 語例 ~ 조건 前提条件.

전제【專制】〈名・하他〉専制. 語例 ~ 정치 専制政治/~주의 専制主義/~ 군주 専制君主/~적 폭군 専制的暴君.

전조【前兆】〈名〉前兆. きざし. 前触れ. =조짐. 징조.

전조-등【前照燈】〈名〉前照灯. ヘッドライト. =헤드라이트.

전주【前奏】〈名〉〔樂〕前奏. 語例 ⇨ 전주곡. 對 후주(後奏). 간주(間奏).

전주【前週】〈名〉前週. 先週. =지난주(週). 語例 ~ 토요일 先週〔前週〕の土曜日.

전주【電柱】[chŏ:nju]〈名〉電柱. 電信柱. =전봇대. 句例 ~를 세우다 電柱を立てる.

전주【錢主】〈名〉金主. 金元. 貸元. スポンサー. =자본주.

전주-곡【前奏曲】〈名〉〔樂〕前奏曲. プレリュード.

전지【全紙】〈名〉全紙. 全判.

전지【電池】[chŏ:nji]〈名〉電池. バッテリー. 語例 건~ 乾電池/태양 ~ 太陽電池.

전지【戰地】[chŏ:nji]〈名〉戦地. 戦場. =싸움터.

전지 분유【全脂粉乳】[—bunyu]〈名〉全脂粉乳.

전지 요양【轉地療養】[chŏ:nji—]〈名〉転地療養. 出養生.

전지전능-하다【全知全能—】(→하다)〈形〉全知全能である. 句例 전지전능하신 하느님 全知全能の神.

전직【前職】〈名〉前職. 語例 ~ 대통령 前職の大統領. 元〔前〕大統領. 對 현직(現職).

전직【轉職】[chŏ:njik]〈名・하自〉転職. 転業. 句例 ~을 희망하다 転職を希望する.

****전진**【前進】〈名・하自〉前進. 句例 일보 ~하다 一歩前進する. 語例 ~ 기지 前進基地/~시키다 進める.

전집【全集】〈名〉全集. 語例 가곡〔문학〕~ 歌曲〔文学〕全集/~물 全集もの. 對 단행본(單行本).

전차【電車】[chŏ:nch'a]〈名〉電車. 句例 ~를 타고 가다 電車に乗って行く. 語例 무궤도 ~ 無軌道電車.

전차【戰車】[chŏ:nch'a]〈名〉戦車. タンク. =탱크. 語例 ~대 戦車隊.

전처【前妻】〈名〉前妻. 先妻. 語例 ~ 소생(所生) 先妻の子. 對 후처(後妻).

전-천후【全天候】〈名〉全天候. 語例 ~ 농업 全天候農業/~ 전투기 全天候戦闘機.

전철【前轍】〈名〉前轍.
전철을 밟다 前轍を踏む. 前車の轍を踏む. 二の舞をする.

전철【電鐵】[chŏ:nch'ŏl]〈名〉['전기 철도'の略] 電鉄. 語例 ~ 요금 電鉄の料金.

****전체**【全體】〈名〉全体. 句例 회사 ~의 의견 会社全体の意見. 語例 ~주의 (국가) 全体主義(国家)/~ 집합〔數〕全体集合/~ 회의 全体会議.

****전체-적**【全體的】〈名・冠〉全体的. 句例 ~인 문제 全体的な問題/~으로 보아 全体的に見て. 全体から見ると.

전초【前哨】〈名〉〔軍〕前哨. 語例 ~ 부대 前哨部隊/~전 前哨戦.

전축【電蓄】[chŏ:nch'uk]〈名〉['전기 축음기 電気蓄音機'の略] 電蓄.

전출【轉出】[chŏ:nch'ul]〈名・하自〉転出. 句例 지점으로 ~되다 支店に転出する. 語例 ~ 신고 転出届. 對 전입(轉入).

전치【全治】〈名・하他〉全治. 句例 ~ 2개월의 중상을 입다 全治二か月の重傷を負う. 語例 ~되다 完治・かんじする.

전치-사【前置詞】〈名〉〔言〕前置詞.

전토【全土】〈名〉全土. 句例 한국 ~에 걸쳐서 韓国全土にわたって.

****전통**【傳統】〈名〉伝統. 句例 ~을 지키다 伝統を守る/~을 세우다 伝統をつくる/~을 잇다 伝統を(受け)つぐ/~을 깨뜨리다 伝統を破る. 語例 ~ 예능 伝統芸能/~ 예술품 伝統芸術品/~주의 伝統主義/~ 문화 伝統文化.

전통-적【傳統的】〈名・冠〉伝統的. 句例 ~으로 예의를 존중하다 伝統的に礼儀を重んじる.

전투【戰鬪】[chŏ:nt'u]〈名・하自〉戦闘. たたかい. 句例 치열한 ~ 凄烈な戦闘/전선에서 작은 ~가 계속되다 前線で小競り合いが続く. 語例 ~ 경찰대 戦闘警察隊/~기 戦闘機/~력 戦闘力.

전파【全破】〈名・하自他〉全壊. 語例 ~ 가옥 全壊家屋/~되다 全壊する.

****전파**【電波】[chŏ:np'a]〈名〉〔物〕電波. 句例 ~를 타다 電波に乗る/~에 싣다 電波にのせる/~를 통하여 電波を通じて. 語例 ~ 망원경 電波望遠鏡/~ 방해 電波妨害/~ 탐지기 電波探知機. レーダー.

전파【傳播】〈名・하自他〉伝播. 句例 문화의 ~ 文化の伝播. 語例 ~ 속도 伝播速度.

전편【前篇】〈名〉前編. 對 후편(後篇).

전폐【全廢】〈名・하他〉全廃. 句例 만사(萬事) ~하고 달려오다 あらゆる事を全部とりやめて駆けつける/식음을 ~하다 飲み食いを全廃する.

전폭【全幅】〈名〉全幅. 幅いっぱい.

전폭-적【全幅的】〈名・冠〉全面的. 句例 ~인 지지를 보내다 全幅の支持を与える/~으로 신뢰하다 全幅の信頼を置く.

전표【傳票】〈名〉伝票. 句例 ~를 떼다〔끊다〕

ス

伝票をきる. [語例] 대체(對替) ~ 振替伝票 / 출금〔입금〕 ~ 出金〔入金〕伝票.

전하【殿下】[chŏ:nha]〈名〉殿下. [語例] 태자 ~ 皇太子殿下.

전하【電荷】[chŏ:nha]〈名〉〔物〕電荷. [語例] 양〔음〕~ 陽〔負〕電荷.

****전-하다**【傳―】(→하다)〈他〉伝える. ❶渡す. [句例] 돈을 전해 주다 金を渡してやる. ❷(人を介して)知らせる. 言い知らせる. [句例] 진실을 ~ 真実を伝える / 소문이 전해지다 うわさが伝わる. [文例] 전할 말씀이 있으시면 제가 전해 드리죠 伝言がありましたらお取り次ぎ致します / 안부 전해 주세요 よろしくお伝えください. ❸譲る. 教える. [句例] 가보를 자손에게 ~ 家宝を後の者に伝える / 비법을 ~ 秘法を伝える. ❹受け継ぐ. [句例] 면면히 전해오는 전통 脈脈と伝わる伝統 / 예로부터 전하는 바에 의하면 昔から伝わる所によると. ❺(文物を)他の所に移す. [句例] 해외에서 전해 온 제법 海外から伝えられた製法.

전학【轉學】[chŏ:nhak]〈名・하自〉転学. 転校. [句例] 다른 학교로 ~하다 他校に転学する / 시골 중학에서 ~해 오다 地方の中学から転校してくる. [語例] ~생 転校生 / ~시키다 転校〔転学〕させる.

전함【戰艦】[chŏ:nham]〈名〉戦艦.

전항【前項】〈名〉前項.

전해【電解】[chŏ:nhae]〈名・하他〉〔物〕[‘전기 분해 電気分解’の略] 電解. [語例] ~액 電解液 / ~질 電解質.

***전해-지다**【傳―】〈自〉伝わる. 伝えられる. 渡される. [句例] 예로부터 전해지는 민화 古くから伝わる民話. [文例] 그것은 무사히 그녀에게 전해졌다 それは無事に彼女に伝えられた〔渡された〕.

전향【轉向】[chŏ:nhyang]〈名・하自〉転向. [句例] 우파로 ~하다 右派に転向する / 첨단 산업으로 ~하다 先端産業に転向する. [語例] ~문학 転向文学 / ~자 転向者.

***전혀**【全―】〈副〉全然. 全く. まるっきり. 根から. 皆目. さっぱり. てんで. [句例] ~ 모르다 からきし〔つゆほども, まるきり, 根から〕知らない / ~ 다르다 まったく違う / ~ 상대하지 않다 頭から相手にしない. [文例] 성공할 가망은 ~ 없다 成功の見込みはまるっきり無い / 일본말은 ~ 못 한다 日本語は全然できない / 그의 의중은 ~ 짐작도 안 간다 彼の意中は, 皆目けんとうもつかない.

전형【典型】[chŏ:nhyŏng]〈名〉典型. [句例] 정치가의 한 ~ 政治家の一典型.

전형【銓衡】[chŏ:nhyŏng]〈名・하他〉選考. [句例] 합격자를 ~하다 合格者を選考する. [語例] ~ 위원 選考委員.

전형-적【典型的】[chŏ:nhyŏng―]〈名・冠〉典型的. [句例] ~인 신사 典型的な紳士 / ~인 관료주의자 典型的な官僚主義者.

囲み記事 77

▩ 전화의 예의 電話の礼儀 ▩

1. 電話を受けるときの表現

여보세요	もしもし
여보세요. (지역 이름)입니다	もしもし. (地域の名)でございます.
(네) 잠시〔잠깐, 조금〕 기다려 주십시오.	(はい), ちょっとお待ちください.
지금 안 계십니다. 들어오시면 뭐라고 전해 드릴까요.	いま, いらっしゃいません〔いません〕. 帰ってこられたらなんとお伝えしましょうか.
아닌데요〔아닙니다〕, 전화 잘못 걸렸습니다. 몇 번에 거셨습니까.	いいえ, 番号ちがいと思います. 何番におかけですか.

2. 電話をかけるときの表現

안녕하십니까? (저는, 여기는) ○○○입니다. ○○○씨 계십니까?	もしもし? (私は, こちらは) ○○○でございます. ○○○さんはいらっしゃいますか.
안녕하십니까? (저는, 여기는) ○○○인데요, ○○○씨 좀 바꾸어 주시겠습니까?	もしもし? (私は, こちらは) ○○○でございますが, ○○○さんと代わっていただけますか?
〔交換のとき〕 안녕하십니까? ○○번 좀 부탁합니다.	もしもし? ○○番をお願いします.
죄송합니다만, ○○한테서 전화 왔었다고 전해 주시겠습니까?	すみませんが, ○○から電話があったとお伝えください.
미안합니다만 말씀 좀 전해주시겠습니까.	恐れ入りますが, 伝言をお願い致します.
안녕하십니까? ○○○님의 전화인데요, ○○씨를 부탁합니다.	もしもし. ○○さんのお電話ですが, ○○さんをお願いいたします.
〔頼みの電話がつながれたとき〕	
안녕하십니까? 저는 ○○회사 ○○○입니다. ○○님의 전화인데요, 바꾸어 드리겠습니다.	もしもし. 私は〔こちらは〕 ○○社の○○でございます. ○○さんのお電話ですが, 代わって上げます.
죄송합니다〔미안합니다〕. 전화 잘못 걸렸습니다.	すみません. 番号ちがいでした.

ス

**전화【電話】[chŏ:nhwa]〈名・하自〉電話. 句例 ～를 걸다 電話をかける. 電話をする / ～를 놓다 電話を引く / ～를 가설하다 電話を架設する / ～를 끊다 電話を切る / ～가 끊어지다 電話が切れる / ～를 받다 電話口にでる / ～가 걸리다 電話がかかる. 文例 ～ 받으세요 電話をお取りください / ～ 왔어요 電話ですよ / 내일 ～하겠습니다 明日電話します / 아까 ～ 왔었어요 さっき電話がありましたよ. 語例 ～국 電話局 / ～기 電話機 / ～ 번호 電話番号 / ～ 번호부 電話帳. 電話番号簿 / ～ 박스 電話ボックス / ～벨 電話のベル / ～선 電話線 / 공중 ～ 公衆電話 / 자동 응답 ～ 留守番電話 / 무선 ～ コードレス電話 / 시외 ～ 市外電話 / 국제 ～ 国際電話. →囲み記事 77

전화【戰火】[chŏ:nhwa]〈名〉戦火. 句例 ～를 입다 戦火に見舞われる.

전화【戰禍】[chŏ:nhwa]〈名〉戦禍. 句例 ～를 입다 戦禍をこうむる / ～를 모면하다 戦禍をまぬかれる.

전화-위복【轉禍爲福】[chŏ:nhwa—]〈名・하自〉災いが転じて福になること.

전환【轉換】[chŏ:nhwan]〈名〉転換. 変換. **～하다**〈自他〉転換する. 転じる. 変換する. 句例 기분을 ～하다 気分を転換する / 농업 사회에서 공업 사회로 ～되다 農業社会から工業社会へ転換する. 語例 ～점 転換点 / 방향 ～ 方向転換 / 성～ 性転換 / ～ 사채 転換社債 / 국면 ～책 局面転換策.

전환-기【轉換期】[chŏ:nhwan—]〈名〉転換期. 句例 역사적인 ～ 歴史的な転換期 / ～의 한국 転換期の韓国 / ～의 문학 転換期の文学 / ～에 접어들다 転換期に入る.

전황【戰況】[chŏ:nhwang]〈名〉戦況. 句例 ～이 호전되다 戦況が好転する.

전회【轉回】[chŏ:nhoe]〈名・하自他〉転回. ＝회전(回轉). 句例 코페르니쿠스적 ～ コペルニクス的転回.

전후【前後】〈名〉前後. 前後ろ. **～하다**〈自他〉前後する. 句例 사십 ～의 사나이 四十前後の男 / 15세기를 ～한 언어 문화 十五世紀前後の言語文化 / ～ 분별 없이 前後不覚にも. 文例 임진 왜란을 ～해서 한국어는 크게 변화했다 壬辰の倭乱を前後して韓国語は大きく変化した. 語例 ～ 좌우(를 확인하다) 前後左右(を確認する).

전후【戰後】[chŏ:nhu]〈名〉戦後. 語例 ～세대 戦後世代 / ～파 戦後派. 對전전(戰前).

절[1]〈名〉寺. 句例 ～에 가다 寺に参る.

절[2]〈名・하自〉敬礼. お辞儀. えしゃく. 句例 가볍게 고개를 숙여 ～하다 軽く首を下げてお辞儀をする / 큰 ～을 하다 ひざ(膝)を曲げ手をついて, 丁寧にお辞儀をする.

절【節】〈名〉節. 句例 제1장 제2～ 第一章第二節.

절 [저를 の略] わたくしを〔に〕. 文例 ～ 따라오세요 わたしについて来なさい.

절 〔漢字項目〕

【折】 高校 절 セツ. ❶꺾다 折る. 꺾이다 折れる. ▮骨折 골절 こっせつ. 屈折 굴절 くっせつ. ❷나누다 分ける ▮折半 절반 せっぱん. ❸방향이 구부러지다 方向が折れる. ▮曲折 곡절 きょくせつ. ❹일찍 죽다 若い内に死ぬ. ▮夭折 요절 ようせつ.

【節(節)】 中學 절 セツ. ❶마디 ふし. ▮關節 관절 かんせつ. 季節 계절 きせつ. ❷시가(詩歌)・문장의 마디 詩歌・文章の節. ▮章節 장절 しょうせつ. 第一節 제일절 だいいっせつ. 音節 음절 おんせつ. ❸절개 節操. 신념 信念. ▮貞節 정절 ていせつ. 變節 변절 へんせつ. ❹낭비를 삼가다 浪費をつつしむ. ▮節約 절약 せつやく. 節水 절수 せっすい. 節電 절전 せつでん.

【絶(絶)】 高校 절 ゼツ. ❶끊다. 絶つ. 끊어지다 絶える. ▮絶交 절교 ぜっこう. 絶食 절식 ぜっしょく. ▮斷絶 단절 だんぜつ. ❷거절하다 拒絶する. ▮謝絶 사절 しゃぜつ. ❸몽땅 없어지다 全部なくなる. ▮絶滅 절멸 ぜつめつ. ▮廢絶 폐절 はいぜつ. 뛰어나다 すばらしい. ▮絶景 절경 ぜっけい. 絶妙 절묘 ぜつみょう.

절【切】⇨ 체【切】

절간【—間】[chŏlkkan]〈名〉'절 寺'の俗っぽい言いかた.

절감【切感】〈名・하他〉痛切に感じること. 痛感. ＝통감(痛感). 句例 역부족을 ～하다 力不足を切に感じる.

절감【節減】〈名・하他〉節減. 句例 경비의 ～ 経費の節減.

절개【切開】〈名・하他〉切開. 語例 제왕 ～ 帝王切開 / ～ 수술 切開手術.

절개【節槪】〈名〉節義と気概. 志操. 節操. 句例 ～를 지키다 節操〔操〕を守る.

절경【絶景】〈名〉絶景. 句例 천하의 ～ 天下の絶景.

절교【絶交】〈名・하自〉絶交. 句例 ～를 선언하다 絶交を宣言する / ～장을 보내다 絶交状を送る.

절구〈名〉臼. 絵 句例 ～를 찧다 臼をつく. 語例 ～질 臼でつくこと / ～통 1)臼. 2)太った人をからかって言う語. ずんどう《特に太った女性を指す》/ 절굿공이 きね(杵).

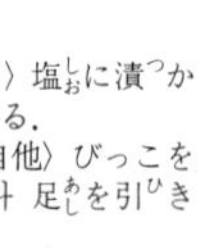

〈절구〉

절규【絶叫】〈名・하自他〉絶叫. 句例 구원을 ～하다 救いを求めて絶叫する.

절기【節氣】〈名〉節気.

절다[1] [chŏ:lda] (저니, 절어서)〈自〉塩に漬かる. 句例 배추가 ～ 白菜が漬かる.

절다[2] [cho:lda] (저니, 절어서)〈自他〉びっこを引く. 句例 다리를 절며 걸어오다 足を引き引き歩いて来る.

절단【切斷】[chŏlttan]〈名・하自他〉切断. 句例 오른발을 ～하다 右足を切断する. 語例 ～기 切断機 / ～면 切断面. 断面.

절대【絶對】[chŏlttae] ━〈名〉絶対. 語例 ～ 개념 絶対概念 / ～ 군주제 絶対君主制 / ～ 권력 絶対権力 / ～ 다수 絶対多数 / ～ 반대 絶対反対 / ～ 복종 絶対服従 / ～ 안정 絶対安静 / ～ 온도 絶対温度 / ～자 絶対者 / ～치〔값〕 絶対値.

二〈副〉'절대로'の略：絶対(に)． 文例 ～ 이긴다 絶対勝つ／～ 그렇지 않다 絶対(に)そうでない．

절대 가인【絶代佳人】[chŏlttae—]〈名〉絶世の美人．

절대-량【絶對量】[chŏlttae—]〈名〉絶対量． 句例 수입〔식량〕의 ～ 輸入〔食糧〕の絶対量．

절대-로【絶對—】[chŏlttae—]〈副〉絶対(に)．決して．略して'절대'ともいう． 文例 ～ 안 가겠다 絶対(に)行かない．

절대-시【絶對視】[chŏlttae—]〈名・하他〉絶対視．

절대-적【絶對的】[chŏlttae—]〈名・冠〉絶対的． 句例 ～인 존재 絶対的な存在／～인 권력 絶対的な権力． 文例 사장의 명령은 ～이다 社長の命令は絶対だ．

절도【絶島】[chŏltto]〈名〉絶島．離れ島．

절도【竊盜・窃盜】[chŏltto]〈名・하他〉窃盗． 句例 ～를 하다 窃盗を働く． 語例 ～범 窃盗犯／～죄 窃盗罪．

절도【節度】[chŏltto]〈名〉節度． 句例 ～를 지키다 節度を守る／～있는 생활 節度のある生活．

절도-사【節度使】[chŏltto—]〈名〉〔史〕節度使 参考 唐の辺境の軍団司令官．朝鮮朝では，各道の陸軍を指揮した'병마 절도사(兵馬節度使)'と水軍をつかさど(司)った'수군(水軍) 절도사'とがあった．

절뚝-거리다〈自他〉片足を引きずって歩く．

절뚝절뚝〈副・하自他〉びっこを引くさま．

절뚝발-이 [chŏlttukpari]〈名〉片足の不自由な人．

절량【絶糧】〈名〉食糧が尽きること．

절레-절레〈副〉首をしきりに左右に振るさま． 句例 고개를 ～ 흔들다 首を左右に振る． 参考 おもに，否定を表わすための動作．

절로〈副〉❶['저절로'の略] ひとりでに．おのずと． 句例 ～ 고개가 수그러지다 おのずから頭が下がる． ❷['저리로'の略] あちらに． 文例 ～ 가거라 あっちへ行け．

절룩-거리다〈自他〉片足をやや引きずって歩く．

절룩절룩〈副・하自他〉片足をやや引きずって歩くさま．

절륜【絶倫】〈名・하形〉絶倫． 語例 정력 ～ 精力絶倫．

절름-거리다〈自他〉片足を少し引きずって歩く．

절름절름〈副・하自他〉片足を少し引きずって歩くさま．

절름발-이 [chŏllŭmbari]〈名〉❶片足の不自由な人． ❷ちんばな物． 語例 ～ 의자 足の長さが不ぞろいで，座りの悪い椅子． ❸ちぐはぐな状態．

절망【絶望】〈名・하自〉絶望． 句例 인생에 ～하다 人生に絶望する． 語例 ～감 絶望感／～시 絶望視．

절망-적【絶望的】〈名・冠〉絶望的． 文例 우승은 ～이다 優勝は絶望的だ．

절멸【絶滅】〈名・하自〉絶滅． 句例 인류의 ～ 人類の絶滅／병균을 ～시키다 病菌を根絶する． 語例 ～되다 絶滅する．

절명【絶命】〈名・하自〉絶命．

절묘-하다【絶妙—】(→하다)〈形〉絶妙だ． 句例 절묘한 필치 絶妙の筆致．

절미【節米】〈名・하自〉節米． 語例 ～ 운동 節米運動．

절박【切迫】〈名〉切迫． **～하다**〈形〉切迫している． 句例 ～한 국제 정세 切迫した国際情勢． 語例 ～감 切迫感．

절반【折半】〈名〉半分．折半．二等分． 句例 이익금을 ～씩 나누어 갖다 益金を半分ずつ分け持つ．

절버덕〈副・하自他〉浅い水を荒荒しく踏む音：ぼちゃぼちゃ． **～거리다**〈自他〉ぼちゃぼちゃする．

절버덕절버덕〈副・하自他〉ぼちゃぼちゃ．

절벽【絶壁】〈名〉❶絶壁． 句例 ～을 기어오르다 絶壁をはい上がる． ❷耳が遠いこと． 句例 귀가 ～이다 耳が遠い．

절삭【切削】[chŏlssak]〈名・하他〉切削． 語例 ～ 공구 切削工具．

절상【切上】[chŏlssang]〈名・하他〉切り上げ． 語例 평가 ～ 平価切り上げ． 對 절하(切下)．

절색【絶色】[chŏlssaek]〈名〉絶色．絶世の美人．

절세【絶世】[chŏlsse]〈名〉絶世． 句例 ～의 미인 絶世の美人．

절수【節水】[chŏlssu]〈名・하自〉節水．

절승【絶勝】[chŏlssŭng]〈名〉絶勝． 語例 ～지 絶勝の地．

절식【絶食】[chŏlssik]〈名・하自〉絶食．断食． 語例 ～ 요법 絶食療法．

절실-하다【切實—】[chŏlssil—](→하다)〈形〉切実だ． 句例 절실한 요구 切実な要求／절실한 문제 切実な問題． **절실히**〈副〉切実に． 句例 절실히 느끼다 切実に感じる／절실히 필요하다 切実に必要だ．

***절약**【節約】[chŏryak]〈名・하他〉節約． 句例 돈〔비용〕을 ～하다 金〔費用〕を節約する． 語例 ～가 節約家／～되다 節約になる．

절연【絶緣】[chŏryŏn]〈名・하他〉絶縁． 語例 ～ 기구 絶縁器具／～ 재료 絶縁材料／～체 絶縁体／～성 絶縁性．

절의【節義】[chŏrŭi]〈名〉節義． 句例 ～를 중히 여기다 節義を重んじる．

절이다 [chŏrida]〈他〉塩漬けにする． 句例 배추를 소금에 ～ 白菜を塩で漬ける．→囲み記事 76

절전【節電】[chŏltchŏn]〈名・하自〉節電．

절절〈副〉加熱して非常にあついさま：ぐらぐらと．かっかと． 文例 방이 ～ 끓는다 オンドルがかっかと〔焼けつくほど〕熱い／감기로 몸이 ～ 끓는다 風邪で全身がかっかとほてっている．

절정【絶頂】[chŏltchŏng]〈名〉絶頂． 句例 산의 ～ 山の頂上／～에 달하다 絶頂に達する． 語例 ～기 絶頂期／인기 ～ 人気絶頂．

절제【切除】[chŏltche]〈名・하他〉切除． 句例 맹장 ～ 수술 盲腸の切除手術．

절제【節制】[chŏltche]〈名・하他〉節制． 句例 술을 ～하다 酒を節制する． 語例 ～생활 節制生

活.

절주【節酒】[chŏltchu]〈名・하自〉節酒. 語例 ~ 운동 節酒運動.

절지-동물【節肢動物】[chŏltchi—]〈名〉〔動〕節足動物.

절차【節次】〈名〉手続き. 手順. 手筈. 句例 ~를 밟다 手続きを取る〔踏む〕/ 까다로운 입국 ~ ややこしい入国手続き / ~상의 문제 手続き上の問題 / ~가 바뀌다 手続きがかわる / ~가 복잡하다 手続きが複雑だ〔わずらわしい〕. 語例 입학 ~ 入学手続き / ~법 手続き法.

절차-탁마【切磋琢磨】[—t'angma]〈名・하自他〉切磋琢磨.

절찬【絶讚】〈名・하他〉絶賛. 句例 ~을 받다 絶賛を博する.

절창【絶唱】〈名〉絶唱. 句例 고금의 ~ 古今の絶唱.

절충【折衷】〈名・하他〉折衷〔折中〕. 語例 ~안 折衷案.

절충【折衝】〈名・하他〉折衝. 句例 만난을 무릅쓰고 ~에 임하다 万難を排して折衝にあたる / ~을 거듭하다 折衝を重ねる.

절취【竊取】〈名・하他〉窃取. 句例 남의 재물을 ~하다 人の財物を窃取する.

절취-선【切取線】〈名〉切り取り線.

절치-부심【切齒腐心】〈名・하自〉切歯腐心.

절친-하다【切親―】(→하다)〈形〉きわめて親しい. 句例 절친한 친구 사이 親しい友の間柄 / 절친하게 지내다 じっこんにしている.

절-터〈名〉寺のあった跡. 寺の敷地.

절통-하다【切痛―】(→하다)〈形〉ひどく恨めしい. 非常に悔しい.

절판【絶版】〈名・하自他〉絶版. 語例 ~되다 絶版になる.

절편〈名〉花紋を押した, 円形または方形の白もち.

절품【切品】〈名・하自〉品切れ. ＝품절(品切). 句例 ~이 되다 品切れになる.

절품【絶品】〈名〉絶品.

절필【絶筆】〈名・하自〉絶筆.

절하【切下】〈名・하他〉切り下げ. 語例 평가 ~ 平価切り下げ. 對절상(切上).

절해【絶海】〈名〉絶海. 語例 ~ 고도 絶海の孤島.

절호【絶好】〈名・하形〉絶好. 句例 ~의 기회 絶好の機会〔チャンス〕.

**젊다 [chŏ:mtta]〈形〉若い. 句例 젊은 혈기 若気 / 젊은 아내 若妻 / 나이보다 젊어 보이다 年より若く見える / 젊은 사람 若い人.
參考 '젊고 若く' '젊은 若い'は [chŏmkko] [chŏlmŭn]と読む.

젊디-젊다 [chŏmttijŏmtta]〈形〉非常に〔とても〕若い. →젊다 參考

젊어-지다 [chŏlmŏ—]〈自〉若くなる.

*__젊은-이__ [chŏlmŭni]〈名〉若者. 若い人. 若人. 句例 늙은이도 ~도 老いも若きも / ~에게 어울리는 양복 若向きの洋服.

젊음 [chŏlmŭm]〈名〉若さ.

점【占】〈名・하他〉占い. ぼくぜい(卜筮). 卜占. 八卦.
점(을) 보다 占ってもらう.
점(을) 치다 占う.

**점【點】 ━〈名〉点. ❶しるしの黒点. 句例 ~을 찍다 点を打つ. ちょんを打つ.
❷句読点.
❸小さいしみ〔まだら〕.
❹問題となる所. 句例 의심스러운 ~ あやしい節. 不審のかど / 무례한 ~ 無礼の段 / 곤란한 ~ 困難な点. 文例 그 ~을 잘 모르겠다 そこの所がよくわからない / 배울 ~이 많다 学ぶべき点が多い.
❺〔數〕二つの線の交わる位置. 句例 두 ~을 지나는 직선 二点を通る線.
❻あざ. ほくろ. 斑点. 句例 푸른 ~ 青あざ / 볼에 ~이 있다 ほおにほくろがある / 이마에 흰 ~이 있는 말 額に白い斑点がある馬.
━〈依名〉❶時を表わす語：刻. 時. 文例 지금 몇 ~이나 今何時なの.
❷品物の数を表わす語：点. 句例 의류 십〔열〕 ~ 衣類十点 / 그림 한 ~ 絵一点.
❸(碁で)目や石の数を数える語：目. 句例 두 ~ 두고 두는 바둑 二目の置き碁.
❹しずくを数える語：滴. 文例 낙숫물이 한 ~ 두 ~ 떨어진다 雨垂れが一滴二滴〔点点と〕落ちる.
❺(肉などの)切れ. 句例 고기 한 ~ 肉の一切れ.
❻成績を表わす語：点. 句例 100 ~을 따다 百点を取る.
表現 ━の①③④⑤は固有語の数詞につき, ⑥は漢字語の数詞につく. ②は, 固有語・漢字語ともにつく.

점(을) 찍다 目をつける. 目星をつける. 句例 며느릿감으로 점찍어 놓다 嫁にしようと目星をつけておく.

-점【店】〈尾〉…店. 語例 요리~ 料理店 / 백화~ 百貨店.

점 〔漢字項目〕

【占】高校 점 セン. ❶점치다 占う. ▮占術 점술 せんじゅつ. ▮卜占 복점 ぼくせん. ❷장소나 물건을 차지하다 場所や物を占める. ▮占領 점령 せんりょう. 占有 점유 せんゆう. ▮독점 獨占 どくせん.

【店】中學 점 テン. 점방. 가게 店. ▮店員 점원 てんいん. 店鋪 점포 てんぽ(店舗). ▮開店 개점 かいてん. 商店 상점 しょうてん. 料理店 요리점 りょうりてん.

【漸】高校 점 ゼン. 차차 しだいに. ▮漸次 점차 ぜんじ. 漸進 점진 ぜんしん. 漸漸 점점 ぜんぜん.

【點(点)】高校 점 テン. ❶점 点. ▮點字 점자 てんじ. ▮黑點 흑점 こくてん. 斑點 반점 はんてん. ❷문장의 구절 또는 사물의 표지로 찍는 작은 점 文章の句節または事物のしるしをする小さい点. ▮句點 구점 くてん. 標點 표점 ひょうてん. ❸특별한 곳 特別の所. ▮終點 종점 しゅうてん. 要點 요점 ようてん. ❹불을 붙이다 火をともす. ▮點火 점화 てんか. 點燈 점등 てんとう. ❺결함 欠陥. ▮汚點 오점 おてん. 缺點 결점 けってん. ❻하나하나 一つ一つ. ▮點檢 점검 てんけん. 點

呼 점호 てんこ.
점거【占據】[chŏ:mgŏ]〈名・하他〉占拠. 句例 건물을 ~하다 建物を占拠する.
점검【點檢】〈名・하他〉点検. 句例 엔진을 ~하다 エンジンを点検する. 語例 인원 ~ 人員点検.
점고【點考】〈名・하他〉点呼.
점고(를) 맞다 点呼を受ける.
점괘【占卦】[chŏmkkwoe]〈名〉〔民〕吉凶を占って出た卦. 句例 ~가 나쁘다 算が合わぬ. 文例 좋은 ~가 나왔다 いい卦が出た.
점-그래프【點graph】〈名〉〔數〕点グラフ.
점-대【占—】[chŏmttae]〈名〉ぜいちく(筮竹). 句例 ~를 흔들다 ぜいちくを鳴らす.
*__점-대칭__【點對稱】〈名〉〔數〕点対称. 語例 ~ 도형 点対称図形.
점도【粘度】〈名〉粘度.
점령【占領】[chŏ:mnyŏng]〈名・하自他〉占領. 語例 ~군 占領軍 / ~지 占領地 / 무혈 ~ 無血占領.
점막【粘膜】〈名〉粘膜. 句例 코의 ~ 鼻の粘膜.
점멸【點滅】〈名・하自他〉点滅. 語例 ~기 点滅器 / ~ 신호 点滅信号.
점묘【點描】〈名・하他〉点描. 語例 ~화 点描画.
점-박이【點—】[—bagi]〈名〉あざ・ほくろ・斑点などがある人. また, 斑点のある獣.
점방【店房】[chŏ:mppang]〈名〉店. 店舗. = 가게.
점벙〈副〉水に浸ってすぐ浮かぶさま. また, その音: ぼちゃん. ぽちゃん. **~거리다**〈自他〉しきりにじゃぶんじゃぶんする.
점보〈名〉ジャンボ. 語例 ~ 사이즈 ジャンボサイズ / ~ 제트기 ジャンボジェット機. ◇jumbo
점-뿌림【點—】〈名・하他〉〔農〕点播.
점선【點線】〈名〉点線. 点点.
점성【粘性】〈名〉〔物〕粘性.
점성-술【占星術】〈名〉占星術.
*__점수__【點數】[chŏmssu]〈名〉点数. 点. 句例 ~가 후하다〔짜다〕点が甘い〔辛い〕/ ~를 매기다 点数をつける / 높은 ~를 따다 高い点数を取る / 전시회의 출품 ~ 展示会の出品点数.
__점심__【點心】[chŏ:mshim]〈名〉昼飯. お昼. 昼食. 昼御飯. **~하다〈自〉昼食の支度をする. お昼をとる. 句例 ~을 먹다 昼飯をとる. 昼食を食べる. 文例 ~ 드셨습니까 昼御飯はお済みですか / ~이나 같이 합시다 昼食でも一緒にしましょう. 語例 ~때 昼食時. 昼ごろ / ~밥 昼飯 / ~ 시간 昼食時間. 昼休み.
점안【點眼】[chŏman]〈名・하自〉点眼. 語例 ~수〔약〕点眼水〔薬〕.
점액【粘液】[chŏmaek]〈名〉粘液. 語例 ~질 粘液質.
점용【占用】[chŏ:myong]〈名・하他〉占用. 句例 도로의 무단 ~ 道路の無断占用.
점원【店員】[chŏ:mwŏn]〈名〉店員.
점유【占有】[chŏ:myu]〈名・하他〉占有. 語例 ~권 占有権 / ~물 占有物 / ~ 재산 占有財産 / 불법 ~ 不法占有.

점입-가경【漸入佳境】[chŏ:mip—]〈名・하自〉次第に佳境に入ること. だんだん興味深くなること.
점자【點字】[chŏmtcha]〈名〉点字. 語例 ~ 신문 点字新聞 / ~책 点字書.
점잔 [chŏ:mjan]〈名〉言行が重重しく上品な態度. おとなしやかなこと.
점잔(을) 부리다 おとなしやかに振る舞う. 上品ぶる.
점잔(을) 빼다 おとなしやかな振りをする. もったいぶる. 取り澄ます. 句例 점잔을 빼는 여자 気取った女 / 짐짓 점잔 뺀 얼굴을 하다 ことさらに取り澄ました顔をする.
점잔(을) 피우다 もったいぶる. いやに上品を気取る.
점잖다 [chŏ:mjant'a]〈形〉❶(威厳があって)おうよう(鷹揚)だ. 句例 점잖지 못하다 おとなげない / 점잖게 고개를 끄덕이다 おうようにうなずく. 語例 점잖아지다 大人びる. おとなしくなる. ❷上品だ. もの柔らかだ. 落ち着いて気品がある. 句例 점잖은 신사 もの柔らかな紳士. **점잖이** [chŏ:mjani]〈副〉❶おうように. ❷上品に. もの柔らかく.
점잖은 개가 부뚜막에 오른다 おとなしい犬がかまどに上る. おとなしく見える人が, とんでもない事をすることのたとえ.
점-쟁이【占—】〈名〉占方. 占い師. 易者. 卜者. 陰陽師. 句例 길거리의 ~ 大道易者.
점적【點滴】〈名・하他〉点滴. しずく. したたり. 語例 ~ 주사 点滴注射.
**__점점__【漸漸】[chŏ:mjŏm]〈副〉ますます. いよいよ. 徐徐に. だんだん. 次第に. 句例 ~ 더 멀리 ますます遠く / 바람이 ~ 거세어지다 風がいよいよはげしくなる / 성적이 ~ 나아지다 成績が次第によくなる / 관심이 ~ 높아지다 関心がだんだん高まる.
점점-이【點點—】[chŏmjŏmi]〈副〉点点と. ここかしこに. あちらこちらに. 文例 민가가 ~ 흩어져 있다 民家が点点と散らばっている.
점증【漸增】[chŏ:mjŭng]〈名・하自〉漸増. 句例 이익이 전달보다 ~하다 利益が前月より漸増する.
점지〈名・하他〉(神仏が)申し子を授けること. 句例 관세음보살이 ~해 주신 아이 観音様の申し子.
점진【漸進】[chŏ:mjin]〈名・하自〉漸進. 語例 ~주의 漸進主義. ㊥급진(急進).
점진-적【漸進的】[chŏ:mjin—]〈名・冠〉漸進的. 句例 ~인 개혁 漸進的(な)改革. 語例 ~으로 漸進的に.
점-찍다【點—】⇨'점(點)'の小項目
*__점차__【漸次】[chŏ:mch'a]〈副〉漸次. 徐徐に. 次第に. だんだん. 句例 ~ 증가하다 漸次増加する. 文例 친구들과 ~ 친숙하게 되었다 友人たちと次第になじむようになった.
점차-로【漸次—】[chŏ:mch'a—]〈副〉'점차'の強調語. 句例 ~ 진보하다 漸次進歩する.
점착【粘着】〈名・하自〉粘着. 語例 ~성 粘着性.
점철【點綴】〈名・하自他〉点綴.

점-치다【占—】⇨'점(占)'の小項目

점토【粘土】〈名〉粘土. 語例 ～질 粘土質.

점판-암【粘板岩】[chŏmp'anam]〈名〉〔鑛〕粘板岩.

점퍼〈名〉ジャンパー. 句例 ～ 스커트 ジャンパースカート. ◇jumper

점포【店鋪】[chŏ:mp'o]〈名〉店舗. 店. 句例 ～가 즐비하다 店舗が並んでいる.

점프〈名・하自〉ジャンプ. ◇jump

점-하다【占—】(→하다)〈他〉占める. 句例 다수를 ～ 多数を占める / 일위를 ～ 一位を占める.

점호【點呼】〈名・하他〉点呼. 句例 ～를 받다 点呼を受ける / 인원을 ～하다 人員を点呼する. 語例 일석 ～ 日夕点呼.

점화【點火】〈名〉点火. 火ともし. **～하다**〈自〉点火する. 火をともす. 句例 난로에 ～하다 ストーブに点火する. 語例 ～식 火入れ式 / ～약 点火薬 / ～ 장치 点火装置 / ～되다 とも(点)る.

접【椄】〈名〉〔植〕接ぎ木.

접(을) 붙이다 接ぎ木する.

접 〈依名〉 果物・白菜・大根などの百個単位を数える語. 語例 무 두 ～ 大根二百本 / 사과 한 ～ りんご百個.

表現 おもに, 固有語の数詞の後につく.

접 〔漢字項目〕

【接】中學 접 セツ. ❶달라붙다 接する. ▮接合 접합 せつごう. 接骨 접골 せっこつ. 接戰 접전 せっせん. ❷접대하다 もてなす. ▮接待 접대 せったい. ▮應接 응접 おうせつ. ❸가까이 가다 近付く. ▮接見 접견 せっけん. 接近 접근 せっきん.

【蝶】高校 접 チョウ. 나비 ちょうちょ. ▮蝶泳 접영 バタフライ. ▮胡蝶 호접 こちょう.

접객【接客】〈名・하自〉接客. 語例 ～업 接客業.

접견【接見】〈名・하自他〉接見. 引見. 目通り. 句例 대사를 ～하다 大使を接見する. 語例 ～실 接見室.

접경【接境】〈名・하自〉接境.

접골【接骨】〈名・하他〉接骨. 骨接ぎ. 整骨. 語例 ～술 接骨術 / ～원 接骨院 / ～의 接骨医. 骨接ぎ.

접근【接近】〈名・하自〉接近. 近付くこと. アプローチ. 句例 어떤 남자도 ～시키지 않다 どんな男も近寄せない / 태풍이 ～하다 台風が接近する / 우호적인 ～ 友好的な接近. 語例 ～전 接近戦 / ～시키다 近寄せる. 寄せつける.

접-눈【椄—】[chŏmnun]〈名〉接ぎ穂.

***접다**〈他〉畳む. 折る. 句例 우산을 ～ 傘を畳む / 종이를 ～ 紙を折る / 접어 넣다 折り込む. 畳み込む.

접대【接待】〈名〉接待. もてなし. サービス. 人あしらい. 応接. **～하다**〈他〉接待する. 取り持つ. 扱う. 句例 손님 ～를 하다 客の応接をする. 語例 ～부(婦) 接待婦. ホステス / ～받다 接待される. もてなされる.

접두-사【接頭辭】〈名〉〔言〕接頭辞. 接頭語. '짓-・덧-・대(大)-'など. ＝접두어. 對접미사(接尾辭).

접-때 [chŏ:p—]〈名・副〉さきごろ. 先だって. この前. 句例 ～ 온 사람 先だって来た人.

접목【椄木】[chŏmmok]〈名・하自〉接ぎ木. 句例 감나무를 ～하다 かきの接ぎ木をする.

접-바둑〈名〉置き碁.

접본【椄本】〈名〉台木. 接ぎ台.

접-붙이기【椄—】[chŏppuch'igi]〈名・하他〉接ぎ木.

접-붙이다【椄—】[chŏppuch'ida] ⇨'접(椄)'の小項目

접선【接線】〈名・하自〉❶〔數〕接線〔切線〕. 句例 호에 ～을 긋다 弧に接線を引く. ❷接触すること. 接すること. 句例 간첩과 ～하다 スパイと接する.

접속【接續】〈名・하自他〉接続. 文例 ～이 잘 안 됐는지 불이 잘 안 켜진다 接続がうまくいっていないのか, 電気がちゃんとつかない. 語例 ～ 열차 接続列車 / ～되다 接続される / ～곡 接続曲.

접속 부사【接續副詞】[—pu:sa]〈名〉〔言〕接続副詞. 前の文の意味をあとの文につなぐ役目をする副詞. '그러나・또는'など.

접속-사【接續詞】〈名〉〔言〕❶⇨ 접속 부사. ❷接続詞.

접속 조사【接續助詞】[—cho:sa]〈名〉〔言〕接続助詞. '과・와・(이)고・(이)며'など.

접수【接收】〈名・하他〉接収. 句例 가옥을 ～하다 家屋を接収する.

접수【接受】〈名・하他〉接受. 受け付け. 句例 원서 ～ 마감 願書受け付けの締め切り. 語例 ～ 창구 受け付けの窓口 / ～처 受付(場所) / ～되다 受け付けられる.

접-순【椄—】〈名・하他〉接ぎ穂.

****접시**〈名〉皿. 句例 한 ～ 두 ～ 一皿二皿. 語例 ～닦기 皿洗い / ～저울 皿ばかり / ～천칭(天秤) 上皿天秤.

접시-꽃〈名〉〔植〕たちあおい(立葵).

접안【接岸】[chŏban]〈名・하自〉接岸. 句例 제일 부두에 ～하다 第一埠頭に接岸する.

접안 렌즈【接眼lens】[chŏbannenjŭ]〈名〉接眼鏡. 接眼レンズ.

접어-들다 [chŏbŏ—](—드니, —들어서)〈自〉❶(日にち・年とが)近付く. 迫る. 入る. 句例 장마철에 ～ 梅雨に入る. 雨期に差し掛かる / 늘그막에 ～ 老いを迎える / 중년기에 ～ 中年になる. ❷ある地点を越すか, または別れ道にさしかかる. 句例 고개로 ～ 峠へさしかかる.

접어-주다 [chŏbŏ—]〈他〉❶大目に見てやる. 寛大に遇する. ❷ハンディキャップを与える. 句例 두 점 접어주는 바둑 二目の置き碁.

접영【蝶泳】[chŏbyŏng]〈名〉(水泳の)バタフライ.

접-의자【摺椅子】[chŏbŭija]〈名〉折り畳み椅子.

접-자【摺—】〈名〉折り尺.

접장【接長】〈名〉❶書堂の儒生の長. ❷教

師をさげすんで言う語. [語例] 시골 ~ 田舎の教師.

접전【接戰】〈名・하自〉接戦. [句例] ~ 끝에 겨우 이기다 接戦の末やっと勝つ.

접점【接點】〈名〉〔數〕接点.

접종【接種】〈名・하他〉接種. [語例] 예방 ~ 予防接種.

접지【接地】〈名〉〔物〕接地. アース. [語例] ~선 アース線.

접지【摺紙】〈名・하自〉〔印〕折り帖. 紙折り. [語例] ~기 紙折り機.

접-질리다〈自他〉関節をくじ(挫)く. [句例] 발목을 ~ 足首をくじく.

접착【接着】〈名・하自他〉接着. [語例] ~제 接着剤 / ~ 테이프 接着テープ.

접책【摺冊】〈名〉折り本.

접촉【接觸】〈名・하自他〉接触. [句例] 사업상의 ~을 가지다 事業上の付き合いを持つ / 외부와의 ~을 끊다 外部との接触を断つ / ~을 유지하다 接触をたもつ. [語例] ~ 사고 接触事故 / ~ 감염 接触感染.

접-하다【接―】[chŏp'ada] (→하다)〈自他〉接する. ❶触れる. [句例] 점과 점이 ~ 点と点が接する. ❷くっつく. 連なる. [句例] 하늘과 바다가 접하는 경계 空と海の接する境. ❸ぶつかる. 出会う. 応対する. [句例] 처음으로 접하는 어려운 사건 はじめて接する難事件 / 비보에[를] ~ 悲報に接する / 많은 사람을 ~ 多くの人と接する.

접합【接合】[chŏp'ap]〈名・하自他〉接合. [語例] ~면 接合面 / ~제 接合剤 / ~ 생식 接合生殖.

접히다 [chŏp'ida] [一]〈自〉'접다'の受け身. ❶折り畳まれる. ❷(碁などで)ハンディを与えられる.
[二]〈他〉'접다'の使役形. ❶折り畳ませる. [句例] 아이에게 종이를 ~ 子供に紙を折らせる. ❷(碁などで)ハンディを与える.

젓〈名〉塩辛. [句例] ~을 담그다 塩辛をつくる. [語例] 새우~ こえび(小海老)の塩辛 / 멸치~ 片口いわしの塩辛.

젓-가락【箸―】〈名〉はし(箸). 略して'젓갈' '저(箸)'ともいう. [語例] ~질 はしの上げ下ろし / ~통 はし箱.

젓가락-풀【箸―】〈名〉〔植〕こきつねのぼたん.

젓-갈〈名〉塩辛.

젓-갈【箸―】〈名〉'젓가락'の略.

젓-국〈名〉塩辛の汁.

*__젓다__ [chŏ:tta] (저으니, 저어서)〈他〉❶かき混ぜる. かき回す. 攪乱する. [句例] 국을 ~ おつゆをかき回す. ❷漕ぐ. さお(棹)さす. [句例] 노를 ~ 櫓を漕ぐ〔操る〕. [絵] / 배를 ~ 舟を漕ぐ. ❸(手や頭を)振る. [句例] 싫다고 고개를 ~ 嫌だと首を横に振る. [絵] ▷→囲み記事 78

노를 젓다　　싫다고 고개를 젓다

〈젓다〉

젓-대〈名〉'저 横笛'の俗っぽい言いかた.

정[1] [chŏ:ng]〈名〉のみ(鑿). 石のみ. [句例] ~으로 돌을 쪼다 のみで石をうがつ.

*__정__【情】〈名〉情. [句例] 연민의 ~ 憐憫の情 / 우국의 ~ 憂国の情 / 부부의 ~ 夫婦の情 / 낳은 ~ 기른 정 産んだ情と育てた情 / ~이 많은 사람 愛情深い人 / ~에 약하다 情にもろい / ~을 통하다 情を交わす. 情を通じる. [文例] 오는 ~이 있어야 가는 ~이 있다 魚心あれば水心.

정(이) 들다 なじむ. 親しくなる. 情が移る. [句例] 정이 든 여자 情の移った女性 / 정든 고향 なじみの故郷 / 정들자 이별 なじむやいな(否)やお別れ.

정(이) 떨어지다 愛想がつきる. いやになる.

정(을) 쏟다 愛情を注ぐ. 情を込める.

정[2] [chŏ:ng]〈副〉ほんとうに. まことに. 実に. =정말로. [文例] ~ 가고 싶으냐 ほんとうに行きたいのかね.

-정【整】[chŏ:ng]〈尾〉…なり(也). [句例] 일금 일천만원~ 一金一千万ウォン也. [表現] 金額の後に付けて限定する意を表わす.

정　〔漢字項目〕

【丁】中學 정 テイ. ❶천간(天干)의 넷째. 十干の四番目. ひのと. ▮丁酉 정유 ていゆう. ひのととり. ❷성년의 남자 成年の男. ▮壯丁 장정 そうてい. ❸일꾼 働き者. ▮園丁 원정 えんてい.

【井】中學 정 セイ. ショウ. ❶우물 いど. ▮井泉 정천 せいせん. ▮油井 유정 ゆせい. ❷사람들이 모이는 곳 人人が集まる所. ▮市井 시정 しせい. ❸네모로 반듯한 모양 真四角な形. ▮井然 정연 せいぜん.

【停】中學 정 テイ. ❶머물다 とどまる. 멎다 とまる. ▮停電 정전 ていでん. 停車 정차 ていしゃ. ❷중도에서 그만두게 하다 途中

囲み記事 78

▩ '젓다'と'젖다' ▩

젓다 (1) かき回す. かき混ぜる —— 스푼으로 커피를 저으며 마시다 スプーンでコーヒーをかき回しながら飲む.
(2) こ(漕)ぐ —— 배를 저어 대안에 이르다 船をこいで対岸に着く.
(3) (手や首を)振る —— 고개를 가로 젓다 首を横にふる.

젖다 (1) ぬれる —— 옷이 비에 젖다 着物が雨にぬれる.
(2) (身に)染まる —— 인습에 젖다 因習に染まる.
(3) (耳に)慣れる —— 귀에 젖은 그녀의 노랫소리 耳慣れした彼女の歌声.

(とちゅう)でとどめる. ◧停戰 정전 ていせん. 停職 정직 ていしょく.

【亭】高校 정 テイ. チン. ❶여인숙 はたご. ◨旅亭 여정 りょてい. ❷역참 宿場(しゅくば). ◨驛亭 역정 えきてい. ❸정자 ちん. ◨園亭 원정 えんてい.

【定】中學 정 テイ. ジョウ. ❶정하다 定(さだ)める. ◧定界 정계 ていかい. ◨決定 결정 けってい. 改定 개정 かいてい. ❷평정하다 平(たい)らげる. ◨平定 평정 へいてい. 鎭定 진정 ちんてい. ❸정해지다. 定まる. ◧定價 정가 ていか. 定員 정원 ていいん. ❹변함이 없다 変(か)わらない. ◧定石 정석 じょうせき.

【庭】中學 정 テイ. ❶뜰 庭(にわ). ◧庭園 정원 ていえん. ◨校庭 교정 こうてい. 前庭 전정 ぜんてい. ❷한집안 身内(みうち). ◨家庭 가정 かてい. ❸소송을 취급하는 곳 訴訟(そしょう)をあつかう所(ところ). ◨法庭 법정 ほうてい(法廷).

【廷】高校 정 テイ. ❶조정 朝廷(ちょうてい). ◧廷臣 정신 ていしん. ◨宮廷 궁정 きゅうてい. 朝廷 조정 ちょうてい. ❷백성이 출두하여 소송하는 곳 民(たみ)が出頭(しゅっとう)して訴訟(そしょう)する所(ところ). ◨法廷 법정 ほうてい.

【征】高校 정 セイ. 군대를 보내 악당을 정벌하다 軍隊(ぐんたい)を送(おく)り悪人(あくにん)を征伐(せいばつ)する. ◧征服 정복 せいふく. ◨遠征 원정 えんせい. 出征 출정 しゅっせい.

【情(情)】中學 정 ジョウ. セイ. ❶마음의 정 情(なさ)け. ◨感情 감정 かんじょう. 無情 무정 むじょう. 愛情 애정 あいじょう. ❷그윽한 정취 奥(おく)ゆかしいおもむき. ◧情趣 정취 じょうしゅ. 情景 정경 じょうけい. ◨風情 풍정 ふぜい. ❸있는 그대로 有(あ)りのまま. ◧情報 정보 じょうほう. ◨民情 민정 みんじょう. 實情 실정 じつじょう.

【政】中學 정 セイ. ショウ. ❶정사 まつりごと. ◧政治 정치 せいじ. 政府 정부 せいふ. ◨王政 왕정 おうせい. 攝政 섭정 せっしょう. ❷어느 부분의 행정 ある部分(ぶぶん)の行政(ぎょうせい). ◨市政 시정 しせい. 農政 농정 のうせい.

【整】高校 정 セイ. ❶가지런하다 整(ととの)う. ◧整理 정리 せいり. 整列 정렬 せいれつ. ❷정돈하다 整える. ◧整頓 정돈 せいとん. ◨調整 조정 ちょうせい.

【正】中學 정 セイ. ショウ. ❶바르다 正(ただ)しい. 바르게하다 正しくする. ◧正道 정도 せいどう. 正面 정면 しょうめん. 正直 정직 しょうじき. ◨矯正 교정 きょうせい. 公正 공정 こうせい. ❷자연의 도리에 맞다 自然(しぜん)の道理(どうり)にかなう. ◧正論 정론 せいろん. ◨訂正 정정 ていせい. ❸확실하게 確実(かくじつ)に. ◧正味 정미 しょうみ. 正當 정당 せいとう. ❹〔數〕플러스 プラス. ◧正數 정수 せいすう.

【淨(浄)】高校 정 ジョウ. 깨끗하다 清(きよ)い. 깨끗이 하다 清くする. ◧淨化 정화 じょうか. 淨水 정수 じょうすい. ◨洗淨 세정 せんじょう. 清淨 청정 せいじょう.

【程(程)】高校 정 テイ. ❶규칙 規則(きそく). ◧程式 정식 ていしき. ◨規程 규정 きてい. ❷어떤 범위내의 규정 ある範囲内(はんいない)の規程(きてい). ◨課程 과정 かてい. 日程 일정 にってい. ❸정도 程度(ていど). ◨音程 음정 おんてい. ❹경과하는 길이 経過(けいか)する長(なが)さ. ◨旅程 여정 りょてい. 過程 과정 かてい.

【精(精)】高校 정 セイ. ショウ. ❶쌀 등을 곱게 쓿다 米(こめ)などをついて白(しろ)くする. ◧精米 정미 せいまい. 精白 정백 せいはく. ❷세밀하다 精密(せいみつ)だ. ◧精讀 정독 せいどく. 精進 정진 しょうじん. ❸순수하다 純粋(じゅんすい)だ. ◧精粹 정수 せいすい. 精純 정순 せいじゅん. ❹날카롭다 するどい. ◧精銳 정예 せいえい. 精兵 정병 せいへい. ❺정기 精気(せいき). ◧精子 정자 せいし. 精蟲 정충 せいちゅう. ❻영혼 たましい. ◧精靈 정령 せいれい. ◨妖精 요정 ようせい.

【訂】高校 정 テイ. ❶바로잡다 正(ただ)しくする. ◧訂正 정정 ていせい. ◨校訂 교정 こうてい. 改訂 개정 かいてい. ❷약속을 맺다 約束(やくそく)を結(むす)ぶ. ◧訂交 정교 ていこう.

【貞】中學 정 テイ. ジョウ. ❶마음이 곧다 心(こころ)が正(ただ)しい. ◧貞操 정조 ていそう. 貞節 정절 ていせつ. ◨不貞 부정 ふてい. ❷이성에 접하지 않다 異性(いせい)を知(し)らない. ◨童貞 동정 どうてい.

【靜(静)】中學 정 セイ. ジョウ. ❶조용하다 静(しず)かだ. 조용하게 하다 静かにする. ◧靜止 정지 せいし. 靜養 정양 せいよう. 靜脈 정맥 じょうみゃく. ◨動靜 동정 どうせい. ❷떠들지 않고 조용하다 騒騒(そうぞう)しくない. ◧靜肅 정숙 せいしゅく. ◨鎭靜 진정 ちんせい.

【頂】中學 정 チョウ. ❶머리의 맨꼭대기 頭(あたま)の最上部(さいじょうぶ). ◧頂門 정문 ちょうもん. ❷꼭대기 いただき. ◧頂點 정점 ちょうてん. 頂上 정상 ちょうじょう. ◨山頂 산정 さんちょう.

정가【定價】[chŏ:ngkka]〈名・하自他〉定価(ていか). 句例 ~대로 팔다 定価どおりに売(う)る. 文例 ~는 얼마입니까 定価はいくらですか. 語例 ~표 正札(しょうふだ).

정각【正刻】[chŏ:nggak]〈名〉きっかり〔かっきり〕その時刻(じこく). 文例 ~ 열 시다 きっかり十時(じゅうじ)だ / 열 시 ~에 만나자 十時(じゅうじ)ちょうどに会(あ)おう.

정각【定刻】[chŏ:nggak]〈名〉定刻(ていこく). 句例 ~에 시작되다 定刻にはじまる. 語例 ~ 퇴청 定刻退勤(たいきん).

정-각뿔【正角—】[chŏ:ng—]〈名〉正角錐(せいかくすい).

정간【停刊】〈名・하他〉停刊(ていかん). 語例 ~되다 停刊になる.

정갈-스럽다(→스럽다)〈形〉見(み)るからに清潔(せいけつ)だ〔小(こ)ぎれいだ・さっぱりしている〕. **정갈스레**〈副〉清潔に. 小ぎれいに. こざっぱりと.

정갈-하다(→하다)〈形〉清潔(せいけつ)だ. こざっぱりしている. 小(こ)ぎれいだ. 句例 내복이 ~ 下着(したぎ)がきれいだ / 정갈한 소찬 さっぱりした精進料理(しょうじんりょうり). **정갈히**〈副〉清潔に. 小ぎれいに. こざっぱりと. 句例 방을 정갈히 치워 놓다 部屋(へや)を清潔に片付(かたづ)けておく.

정감【情感】〈名〉情感(じょうかん). 句例 ~이 넘치는 말 情感あふれる言葉(ことば) / ~어린 목소리 情感のこもった声(こえ).

정강【政綱】〈名〉政綱(せいこう).

정강【精鋼】〈名〉精鋼.
정강-말〈名〉'도보 徒歩'をしゃれて言う語.
정강말(을) 타다 徒歩で行く.
정강이〈名〉すね(脛). はぎ(脛). 向こうずね. 句例 ～를 차다 向こうずねを蹴る. 語例 ～뼈 脛骨.
정객【政客】〈名〉政客.
정거【停車】〈名〉停車. ＝정차(停車). **～하다**〈自他〉停車する. 止まる. 止める. 語例 ～장 停車場・駅／급～ 急停車.
정견【定見】[chŏ:nggyŏn]〈名〉定見.
정견【政見】〈名〉政見. 語例 ～ 발표 政見発表.
정결-하다【淨潔一】(→하다)〈形〉浄潔だ. 清潔だ. 句例 정결한 인품 清潔な人がら. **정결히**〈副〉浄潔に.
***정-겹다**【情一】(정겨우니, 정겨워서)〈形〉情愛深い. 愛情にあふれている. 句例 정겨운 옛 노래 情愛のこもった古い歌.
정경【政經】〈名〉政経. 語例 ～ 분리 政経分離／～ 유착 政経癒着.
정경【情景】〈名〉情景. 句例 눈물겨운 ～ 涙ぐましい情景／이별의 ～을 읊은 離別の情景を詠じた歌／가슴아픈 ～ 胸の痛む哀れな情景.
정계【政界】〈名〉政界. 句例 ～의 거물 政界の大物／～의 쇄신 政界の刷新／～에서 물러나다 政界から身を退く／～에 투신하다 政界に身を投じる／～에서 활약하다 政界で活躍する. 語例 ～ 은퇴 政界引退.
정계-비【定界碑】[chŏ:nggye—]〈名〉〔史〕定界碑.
参考 朝鮮朝粛宗三十八年(1712)に, 清との国境を定めるため白頭山に建てた石碑. 正式には'백두산 정계비'と言う.
정곡【正鵠】[chŏ:nggok]〈名〉正鵠. 句例 ～을 찌르다 正鵠を射る〔得る〕／～을 찌른 논설 正鵠を得た論説.
정공【正攻】[chŏ:nggong]〈名・하他〉正攻. 句例 ～법을 쓰다 正攻法を用いる. 正攻法でいく.
정과【正果】[chŏ:nggwa]〈名〉果物・しょうが(生姜)・朝鮮人参などをはちみつ(蜂蜜)や砂糖水で煮詰めた食べ物.
정관【定款】[chŏ:nggwan]〈名〉定款.
정관【靜觀】〈名・하他〉静観. 句例 정국의 추이를 ～하다 政局の推移を静観する.
정교【政教】〈名〉政教. 語例 ～ 분리 政教分離／～ 일치 政教一致.
정교【情交】〈名・하自〉情交. 句例 친밀한 ～를 맺다 親密な情交を結ぶ.
정교-롭다【精巧一】(→롭다)〈形〉精巧だ.
정교로이〈副〉精巧に.
정-교사【正教師】[chŏ:ng—]〈名〉正教員.
정교-하다【精巧一】(→하다)〈形〉精巧だ. 句例 정교한 솜씨 精巧な手際.
정구【庭球】〈名〉庭球.
参考 '연식 정구 軟式テニス'を主に指し, '경식 정구 硬式テニス'は'테니스 テニス'と言う.
정국【政局】〈名〉政局. 句例 ～이 긴박해지다 政局が緊迫する／～을 타개하다 政局を打開する／～의 안정 政局の安定. 文例 ～은 예단을 허용치 않는다 政局は予断を許さない.
정군【整軍】[chŏ:nggun]〈名・하自〉整軍.
***정권**【政權】[chongkkwon]〈名〉政権. 句例 ～을 잡다 政権を握る. 語例 독재 ～ 独裁政権／～ 교체 政権交代／～욕 政権欲.
정규【正規】[chŏ:nggyu]〈名〉正規. 句例 ～의 과정 正規の課程. 語例 ～군 正規軍／～ 절차 正規の手続き／～ 직원 正規の職員.
정근-상【精勤賞】〈名〉精勤賞.
정글〈名〉ジャングル. 密林. 語例 ～짐 ジャングルジム. ◇jungle
정기【正氣】[chŏ:nggi]〈名〉正気. 句例 천지의 ～ 天地の正気.
***정기**【定期】[chŏ:nggi]〈名〉定期. 語例 ～ 간행물 定期刊行物／⇨ 정기권／～ 시험 定期試験／～ 여객선 定期旅客船／⇨ 정기 예금／～ 적금 定期積み金／～ 총회 定期総会／～ 항공로 定期航空路／～ 휴업 定期休業.
정기【精氣】〈名〉精気. 句例 산천의 ～를 타고 나다 山川の精気を受けて生まれる.
정기-권【定期券】[chŏ:nggikkwon].〈名〉['정기 승차권 定期乗車券'の略] 定期券.
정기 예금【定期預金】[chŏ:nggiye:gŭm]〈名〉定期預金. 定期《略語》.
정기-적【定期的】[chŏ:nggi—]〈名・冠〉定期的. 句例 ～인 검사 定期的な検査／～인 모임 定期の集い.
정-나미【情一】〈名〉愛着心. 愛想.
정나미(가) 떨어지다 愛想がつきる.
정남【正南】[chŏ:ngnam]〈名〉['정남방(正南方)'の略] 真南. 正南.
정년【停年】〈名〉定年〔停年〕. 句例 ～ 퇴직하다 定年退職する. 語例 ～제 定年制.
정녕【丁寧・叮寧】〈副〉間違いなく. きっと. 必ず. 文例 ～ 네가 한 짓이렷다 間違いなくそなたがしたことであろうぞ.
정녕-코【丁寧一・叮寧一】〈副〉'정녕'を強めた言いかた：間違いなしに. 必ずや.
정-다각형【正多角形】[chŏ:ngdagak'yŏng]〈名〉正多角形・正多角形.
정-다이〈副〉むつ(睦)まじく. 親しく. 仲よく. 句例 ～ 놀다 むつまじくあそぶ.
정-단층【正斷層】[chŏ:ng—]〈名〉〔地〕正断層.
정담【情談】〈名〉打ち解けた話. 情話. 句例 ～을 나누다 情話を交わす.
정담【鼎談】〈名〉鼎談.
정답【正答】[chŏ:ngdap]〈名〉正答. 對오답(誤答).
***정-답다**【情一】(정다우니, 정다워서)〈形〉むつ(睦)まじい. 親密だ. 句例 정다운 친구가 되다 仲良しになる／정답게 얘기하다 むつまじく話し合う. しっぽり語る.
***정당**【政黨】〈名〉政党. 語例 보수〔혁신〕～ 保守〔革新〕政党／～ 정치 政党政治.
정당 방위【正當防衛】[chŏ:ngdang—]〈名〉正当防衛. ＝정당 방어(防禦).

정당-하다【正當―】[chŏ:ngdang―] (→하다)〈形〉正当だ. 句例 정당한 이유 正当な理由 / 정당한 거래 正当な取り引き. 文例 그의 제의는 ~ 彼の申し出では正当だ. **정당히**〈副〉正当に.

정당-화【正當化】[chŏ:ngdang―]〈名·하自他〉正当化. 句例 자기 태도를 ~하다 自分の態度を正当化する.

정도【正道】[chŏ:ngdo]〈名〉正道. 句例 ~를 걷다 正道を歩む / ~를 벗어나는 행위 正道をはずれる行為. 対사도(邪道).

****정도**【程度】〈名〉程度. くらい. 程. 程合. 句例 숟가락 하나 ~의 소금 さじ一杯くらいの塩 / 교육의 ~가 낮다 教育の程度が低い. 文例 농담도 ~껏 해라 冗談も程程にしろ / 전문가 빰칠 ~의 실력이다 玄人はだしの実力だ / 그럼 오늘은 이 정도에서 그만두자 では今日はこのへんでやめよう / 30분 ~의 거리다 三十分程の距離である / 이 ~라면 아쉬운 대로 참지 この分ならまあまあ我慢しよう / 어느 ~까지는 납득이 간다 ある程度までは納得がいく.

정도【精度】〈名〉['정밀도(精密度)'の略] 精度.

정독【精讀】〈名·하他〉精読. 熟読.

정돈【停頓】〈名〉停頓. 行き詰まり. **~하다**〈自〉停頓する. 行き詰まる. 句例 ~ 상태에 빠지다 停頓状態に陥る.

정돈【整頓】[chŏ:ngdon]〈名〉整頓. **~하다**〈他〉整頓する. 片付ける. 句例 책장을 ~하다 本棚を整頓する. 語例 ~되다 整頓される / 정리 ~ 整理整頓.

***정-들다**【情―】(―드니, ―들어서) ⇨'정(情)'の小項目

정-떨어지다【情―】[―ttŏrŏjida] ⇨'정(情)'の小項目

정략【政略】[chŏngnyak]〈名〉政略. 語例 ~가 政略家 / ~ 결혼 政略結婚 / ~혼 政略結婚.

정량【定量】[chŏ:ngnyang]〈名〉定量. 語例 ~ 분석 定量分析.

정력【精力】[chŏngnyŏk]〈名〉精力. 句例 왕성한 ~ 旺盛な精力 / ~을 소모하다[쏟다] 精力を消耗する[注ぐ]. 語例 ~제 精力剤.

정력-적【精力的】[chŏngnyŏk―]〈名·冠〉精力的. 句例 ~인 사람 精力的な人 / ~으로 일하다 精力的に働く.

정련【精錬】[chŏngnyŏn]〈名·하他〉精錬. 句例 구리를 ~하다 銅を精錬する.

정렬【整列】[chŏ:ngnyŏl]〈名·하自〉整列. 句例 운동장에 ~하다 運動場に整列する.

정령【政令】[chŏngnyŏng]〈名〉政令.

정례【定例】[chŏ:ngnye]〈名〉定例. 仕来り. 語例 ~ 회의 定例会議.

정론【正論】[chŏ:ngnon]〈名〉正論. 句例 ~을 펴다 正論を吐く.

정류【停留】[chŏngnyu]〈名〉停留. **~하다**〈自他〉停留する. 留まる. 語例 ~소 停留所.

***정류-장**【停留場】[chŏngnyu―]〈名〉停留場. 類정거장(停車場).

정률【定率】[chŏ:ngnyul]〈名〉定率. 語例 ~세 定率税.

***정리**【定理】[chŏ:ngni]〈名〉定理. 語例 피타고라스의 ~ ピタゴラスの定理.

정리【情理】[chŏngni]〈名〉情理. 句例 ~를 다하여 설득하다 情理を尽くして説得する / ~에 어긋난 일 情理にはずれた事.

***정리**【整理】[chŏ:ngni]〈名〉整理. 始末. **~하다**〈他〉整理する. 整える. 句例 장부를 ~하다 帳簿を整理する. 語例 교통〔인원〕 ~ 交通〔人員〕整理.

정립【鼎立】[chŏngnip]〈名·하自〉鼎立. 句例 세 후보가 ~하다 三人の候補が鼎立する.

***정-말**【正―】[chŏ:ng―] ■〈名〉本当. 誠. 真実. 句例 ~같은 거짓말 本当のようなうそ. 文例 그것만은 ~이다 それだけは真実である. ■〈副〉['정말로'の略] ほんとうに. まことに. まさ(正)に. 文例 ~ 난처하다 ほんとうに困った / ~ 드릴 말씀이 없습니다 ほんとうに申し訳ありません / 그것은 ~훌륭한 작품이다 それはまことに立派な作品だ.

정맥【精麥】〈名·하自〉精麦.

정맥【靜脈】〈名〉静脈. 語例 ~ 주사(를 놓다) 静脈注射(をうつ). 対동맥.

***정면**【正面】[chŏ:ngmyŏn]〈名〉正面. 真っ向. まとも. 句例 ~에 자리를 잡다 正面に座を占める / ~으로 쳐들어가다 真っ正面から打ってかかる / ~으로 충돌하다 まともにぶつかる / ~으로 거절하다 正面から拒絶する. 文例 역 ~에 은행이 있다 駅の真向きに銀行がある. 語例 ~ 공격 正面攻撃 / ~도 正面図 / ~ 충돌 正面衝突.

정모【正帽】[chŏ:ngmo]〈名〉正帽. 語例 정복 ~ 正服正帽.

정묘-호란【丁卯胡亂】〈名〉〔史〕丁卯の胡乱.
参考 朝鮮朝仁祖五年(1627), すなわち丁卯年に, 後金が朝鮮に侵入した戦乱.

정무【政務】〈名〉政務. 句例 ~에 쫓기다 政務に追われる. 語例 ~차관 政務次官.

정무 장관【政務長官】[―ja:nggwan]〈名〉政務長官. 無任所大臣に当たる. もと, 무임소 장관といった.

***정문**【正門】[chŏ:ngmun]〈名〉❶正門. 表門. 句例 ~으로 들어가다 正門から入る. ❷三門の中央の門.

정문-일침【頂門一針】[chŏngmunilch'im]〈名〉頂門の一針.
参考 '정문'はひよめき(顋門)や脳天の意.

정물【靜物】〈名〉静物. 語例 ~화 静物画.

정미【正味】[chŏ:ngmi]〈名〉正味. 中身. 句例 ~ 백 그램 正味百グラム.

정미【精米】〈名·하自〉精米. 語例 ~소 精米所.

정밀【精密】〈名·하形〉精密. 句例 ~한 지도가 필요하다 精密な地図が欲しい. 語例 ~ 검사 精密検査 / ~ 과학 精密科学 / ~ 기계 精密機械. / ~도 精密度. 精度 / ~화 精密画. **~히**〈副〉精密に.

정박【碇泊·渟泊】〈名〉停泊. **~하다**〈自〉停泊する. いかり(錨)を下ろす. 泊まる. 句例 항구에 ~하다 港に停泊する〔泊まる〕.

***정-반대**【正反對】[chŏ:ng—]〈名〉正反対. 句例 ~의 방향〔의견〕 正反対の方向〔意見〕/ ~의 성격 正反対な性格.

정-반사【正反射】[chŏ:ng—]〈名・하自〉〔物〕正反射. 對난반사(亂反射).

정백【精白】〈名〉精白. 語例 ~미 精白米.

정벌【征伐】〈名・하他〉征伐. 征討. 退治. 句例 산적〔반란군〕을 ~하다 山賊〔反乱軍〕を征伐する.

정범【正犯】[chŏ:ngbŏm]〈名〉正犯. =주범. 語例 공동 ~ 共同正犯. 對종범(從犯).

정변【政變】〈名〉政変. 句例 ~이 일어나다 政変が起こる / ~을 일으키다 政変を起こす.

정병【精兵】〈名〉精兵.

정보【情報】〈名〉情報. 句例 ~를 수집〔분석〕하다 情報を集める〔分析する〕/ ~량이 많다 情報量が多い / ~에 밝다 情報に明るい / ~를 제공하다 情報を提供する / ~가 들어오다 情報が入る. 語例 ~ 기관 情報機関 / ~망 情報網 / ~ 산업 情報産業 / ~원 情報員. エージェント / ~ 통신 산업 情報通信産業 / ~화 사회 情報化社会 / 해외 ~ 海外情報.

정보【町步】〈依名〉町歩. 句例 이백 ~의 논 二百町歩の田.

정보 통신부【情報通信部】〈名〉情報通信部. 郵政省と電気通信省に当たる. 略して'정통부'とも言う. 語例 ~ 장관 情報通信部長官.

정복【正服】[chŏ:ngbok]〈名〉正服. 制服. 句例 ~ 경찰관과 사복 형사 制服の警察官と私服の刑事.

정복【征服】〈名・하他〉征服. 句例 자연을 ~하다 自然を征服する / 히말라야를 ~하다 ヒマラヤを征服する. 語例 ~욕 征服欲 / ~자 征服者 / ~되다 征服される.

정부【正副】[chŏ:ngbu]〈名〉正副. 句例 ~ 두 통의 서류 正副二通の書類 / ~ 의장 正副議長.

***정부**【政府】〈名〉政府. 句例 ~의 방침 政府の方針 / ~를 수립하다 政府を樹立する. 語例 ~군 政府軍 / ~미〔보유미〕政府米. 政府保有米 / ~안 政府案 / 연방 ~ 連邦政府.

정분【情分】〈名〉情合い. 情義. 句例 ~이 두텁다 情義が厚い.

정비【整備】[chŏ:ngbi]〈名・하他〉整備. 句例 ~된 법체계 整備された法体系 / 자동차를 ~하다 自動車を整備する. 語例 ~공 整備工 / ~ 공장 整備工場 / ~사 整備士.

***정-비례**【正比例】[chŏ:ng—]〈名〉〔數〕正比例. 對반비례(反比例).

정사【正史】[chŏ:ngsa]〈名〉正史. 句例 ~와 야사 正史と野史.

정사【正使】[chŏ:ngsa]〈名〉正使. 句例 ~와 부사 正使と副使.

정사【政事】〈名〉政事. 政. 句例 ~를 맡아보다 政事をつかさどる.

정사【情死】〈名・하自〉情死. 心中.

정사【情事】〈名〉情事. 色事.

정사【精査】〈名・하他〉精査.

***정-사각형**【正四角形】[chŏ:ngsagak'yŏng]〈名〉正四角形. 正方形. =정방형.

정-사원【正社員】[chŏ:ng—]〈名〉正社員.

정산【精算】〈名・하他〉精算. 句例 운임을 ~하다 運賃を精算する.

***정-삼각형**【正三角形】[chŏ:ngsamgak'yŏng]〈名〉正三角形.

정상【正常】[chŏ:ngsang]〈名〉正常. 句例 ~으로 돌아가다 正常にもどる / ~으로 움직이다 正常に動く / ~이 아니다 異常だ. まともでない. 語例 ~이다 正常だ / ~ 근무 正常勤務 / ~ 가격 正常価格.
表現 '정상하다'の形はなく, '정상이다'または'정상적이다'を使う.

정상【定常】[chŏ:ngsang]〈名〉定常. 語例 ~ 상태〔物〕定常状態 / ~ 전류 定常電流 / ~파 定常波.

정상【頂上】〈名〉頂上. トップ. 句例 ~을 노리다 頂上を目差す. 語例 ~ 회담 頂上会談. サミット.

정상【情狀】〈名〉情状. 実情. 語例 ⇨ 정상 참작

정상-배【政商輩】〈名〉政商のやから(輩).

정상-적【正常的】[chŏ:ngsang—]〈名・冠〉正常(的). 句例 ~으로 발달하다 正常(的)に発達する / ~인 관계 正常(的)な関係.

정상 참작【情狀參酌】〈名・하他〉情状酌量. 句例 ~의 여지가 없다 情状酌量の余地がない.

정상-화【正常化】[chŏ:ngsang—]〈名・하自他〉正常化. 句例 ~를 꾀하다 正常化を図る. 語例 국교 ~ 国交の正常化.

정색【正色】[chŏ:ngsaek]〈名・하自〉真顔になること. 態度を改めること. 色を正すこと. 句例 ~하고 대들다 色を正して詰め寄る.

정색 반응【呈色反應】[—pa:nŭng]〈名〉〔化〕呈色反応.

정서【正書】[chŏ:ngsŏ]〈名・하他〉正書. 語例 ~법 正書法.

정서【情緖】〈名〉情緒. 句例 ~가 풍부한 항구 도시 情緒が豊かな港町. 語例 ~ 불안정 情緒不安定 / 이국 ~ 異国情緒.

정석【定石】[chŏ:ngsŏk]〈名〉定石. 定法. 句例 ~대로 하다 定石どおりにする.

정선【精選】〈名・하他〉精選. より抜き.

정설【定說】[chŏ:ngsŏl]〈名〉定説. 句例 ~을 따르다 定説に従う / 종래의 ~을 뒤엎다 従来の定説をくつがえす.

정성【定性】[chŏ:ngsŏng]〈名〉定性. 語例 ~ 분석 定性分析.

***정성**【精誠】〈名〉真心. 丹念. 誠. 句例 ~을 다하여 일하다 誠意を尽くして仕事をする / ~을 다하다 心の限りを尽くす / ~을 바치다 誠を捧げる. **~스럽다**(→스럽다)〈形〉真心がこもっている. **~스레**〈副〉真心をこめて.

정성(을) 들이다 真心をこめる.

정성(이) 어리다 真心がこもっている. 句例 정성 어린 선물 真心こめた贈り物.

정성-껏【精誠—】〈副〉真心をこめて. 丹念に. 句例 ~ 노모를 모시다 真心をこめて老母に仕える.

***정세**【情勢】〈名〉情勢. 様子. 成り行き.

句例 세계의 ~ 世界の情勢 / ~가 호전하다 情勢が好転する / ~를 관망하다 情勢を観望する / ~를 파악하다 情勢をつかむ. 語例 국제 ~ 国際情勢 / ~ 판단 情勢判断.

정수【正數】[chŏ:ngsu]〈名〉〔數〕⇨ 양수(陽數)

정수【淨水】〈名・하他〉浄水. 語例 ~기 浄水器 / ~장 浄水場.

정수【精髓】〈名〉精髄. 神髄. 句例 동양 문화의 ~ 東洋文化の精髄.

*__정수__【整數】[chŏ:ngsu]〈名〉〔數〕整数.

정수리【頂―】〈名〉脳天. 句例 ~를 때리다 脳天をなぐりつける.

정숙【靜肅】〈名・하形〉静粛. **정숙히** [chŏng-suk'i]〈副〉静粛に. 文例 정숙히 해주세요 静粛に願います.

정숙-하다【貞淑―】[chŏngsuk'ada] (→하다)〈形〉貞淑だ. しと(淑)やかだ. 句例 정숙한 아내 しとやかな妻. **정숙히** [chŏngsuk'i]〈副〉しとやかに. 貞淑に.

*__정승__【政丞】〈名〉〔史〕丞相.

정시【正視】[chŏ:ngshi]〈名・하他〉正視. 句例 차마 ~할 수 없다 正視するに忍びない.

정시【定時】[chŏ:ngshi]〈名〉定時. 句例 ~에 출발하다 定時に出発する. 語例 ~ 운행 定時運行.

정식【正式】[chŏ:ngshik]〈名〉正式. 本式. 句例 ~으로 영어를 배우다 本式に英語を習う / ~으로 허가하다 正式に許可する / ~으로 초대하다 正式に招待する. 語例 ~ 절차 正式の手続き / ~ 재판 正式裁判.

정식【定食】[chŏ:ngshik]〈名〉定食. 語例 한~ 韓定食 / 양~ 洋定食.

**__정신__【精神】〈名〉❶精神. 心. 魂. 句例 민주 헌법의 ~ 民主憲法の精神 / (일에) ~을 쏟다 (仕事に) 魂をこめる. 心魂を傾ける. 文例 건전한 몸에 건전한 ~이 깃들인다 健全なる精神は健全なるからだに宿る. 語例 민족 ~ 民族の精神 / 창업 ~ 創業の精神 / ~ 감정 精神鑑定 / ~과 精神科 / ~ 과학 精神科学 / ~ 노동 精神労働 / ~ 문화 精神文化 / ~ 박약 精神薄弱 / ~병 精神病 / ~ 병원 精神病院 / ~ 분열증 精神分裂症 / ~ 안정제 精神安定剤. トランキライザー / ~ 의학 精神医学 / ~ 착란 精神錯乱.

❷気. 正気. 句例 ~을 잃다 気を失う. 失神する / ~이 돌다 気がふれる〔狂う〕/ ~을 긴장시키다 気を張り詰める / ~이 아찔해지다 気が遠くなる.

정신(이) 나가다 気が抜ける. ぼうっとする. 文例 정신 나간 소리 마라 気の抜けたことを言うな.

정신(이) 나다 気がつく. 意識が戻る.

정신(이) 들다 しっかりする. 元気が出る. 我に返る. 気を取り戻す.

정신(이) 없다 ぼうっとしている. 無我無中だ. 忙殺される. 文例 기술 개발에 ~ 技術開発に大わらわである.

정신(이) 없이 我を忘れて. 無我無中で. 句例 정신없이 달아나다 無我無中で逃げる.

정신 일도 하사불성(精神一到何事不成) 精神一到何事か成らざらん.

정신(을) 차리다 気を引き締める. しっかりする. 文例 정신을 차려서 해라 気をつけてやれ / 정신 차려 しっかりしろ.

정신(을) 팔다 よそ見をする.

정신(이) 팔리다 気を取られる.

정신-대【挺身隊】〈名〉挺身隊.

정신-력【精神力】[―nyŏk]〈名〉精神力. 句例 강인한 ~ 強靭な精神力.

정신 분석【精神分析】〈名〉精神分析.

정신 연령【精神年齢】[―nyŏllyŏng]〈名〉〔心〕精神年齢. 對 생활(生活) 연령.

정신 위생【精神衛生】[chŏngshinwisaeng]〈名〉精神衛生. 文例 안달복달하는 것은 ~에 좋지 않다 いらいらするのは精神衛生によくない.

정신-적【精神的】〈名・冠〉精神的. 句例 ~으로 피곤하다 精神的に疲れる / ~인 사랑〔힘〕精神的な愛〔力〕. 語例 ~ 타격〔압박〕精神的打撃〔圧迫〕.

정실【正室】[chŏ:ngshil]〈名〉正室. 本妻. 正妻.

정실【情實】〈名〉情実. 句例 ~에 사로잡히다 情実にとらわれる. 語例 ~ 인사 情実人事.

정악【正樂】[cho:ng-ak]〈名〉〔樂〕正楽. 雅楽.

정액【定額】[chŏ:ng-aek]〈名〉定額. 語例 ~ 보험 定額保険 / ~ 요금 定額料金.

정양【靜養】〈名・하他〉静養. 句例 병후의 ~ 病後の静養.

정어리〈名〉〔魚〕いわし(鰯). まいわし.

정언-적【定言的】[chŏ:ng-ŏn―]〈名・冠〉定言的. 語例 ~ 명령 定言的命令 / ~ 삼단 논법 定言的三段論法.

정-역학【靜力學】[chŏngnyŏk'ak]〈名〉〔物〕静力学.

정연-하다【整然―】[chŏ:ng-yŏn―] (→하다)〈形〉整然としている. 句例 이론의 조리가 ~ 理路整然としている / 질서 ~ 秩序整然としている. **정연히**〈副〉整然と.

*__정열__【情熱】[chŏngnyŏl]〈名〉情熱. 熱情. 句例 ~을 기울이다〔불태우다〕情熱を傾ける〔燃やす〕. 語例 ~가 情熱家.

정열-적【情熱的】[chŏngnyŏltchŏk]〈名・冠〉情熱的. 句例 ~인 시인 情熱的な詩人 / ~으로 일을 하다 情熱的に仕事をする.

정예【精鋭】〈名〉精鋭. 語例 ~ 부대 精鋭部隊 / 소수 ~ 少数精鋭.

정오【正午】[chŏ:ng-o]〈名〉正午. 句例 ~의 뉴스〔시보〕正午のニュース〔時報〕.

정오【正誤】[chŏ:ng-o]〈名〉正誤. 語例 ~표 正誤表.

정온 동물【定溫動物】[chŏ:ng-ondo:ngmul]〈名〉定温(温血)動物.

정욕【情慾】[chŏngnyok]〈名〉情欲. 欲情. 句例 ~을 누르다 情欲を抑える / ~을 채우다 情欲を満たす.

정원【定員】[chŏ:ng-won]〈名〉定員. 句例 버스의 ~ バスの定員. 語例 ~ 미달 定員不足 / ~제 定員制 / ~ 초과 定員超過.

정원【庭園】〈名〉庭園. 庭. 語例 ~사 園丁. 庭師 / ~수 庭園樹.

정월【正月】〈名〉正月. 一月. むつき(睦月)《雅》. 語例 ~달 正月 / 음력 ~ 陰暦の一月 / ~ 초하루 正月一日 / ~ 초사흘 正月三日.

정유【精油】〈名・하自〉精油. 語例 ~ 공장 精油工場 / ~소 精油所 / 동백 ~ つばき(椿)の精油.

정유-재란【丁酉再亂】〈名〉〔史〕丁酉の再乱.
參考 壬辰の倭乱の後, 朝鮮朝宣祖三十年(1597), すなわち丁酉年に, 日本が再び侵入してきた戦乱. 日本では'慶長の役'という.

정육【精肉】〈名〉精肉. 上肉. 語例 ~점 精肉店. 肉屋.

정-육각형【正六角形】[chŏ:ngnyukkak'yŏng]〈名〉正六角形.

***정-육면체**【正六面體】[chŏ:ngnyungmyŏnch'e]〈名〉正六面体. 立方体. =입방체.

정음【正音】[chŏ:ng-ŭm]〈名〉〔言〕['훈민 정음(訓民正音)'の略] 正音・.

정의【正義】[chŏ:ng-ŭi]〈名〉正義. 句例 ~를 관철하다 正義を貫く / ~를 위해 싸우다 正義のために戦う / ~의 편 正義の味方. 語例 ~감 正義感 / ~파 正義派. **~롭다** (→롭다)〈形〉正義に反せず正当だ. 句例 ~로운 싸움 正義の戦い. **~로이**〈副〉正当に.

정의【定義】[chŏ:ng-ŭi]〈名・하他〉定義.
정의를 내리다 定義を下す.

정이-월【正二月】〈名〉正月と二月.

정-이품【正二品】[chŏ:ng—]〈名〉〔史〕正二品.
參考 '종일품 從一品'の下, '종이품 從二品'の上の位階.

〈정자〉

정자【正字】[chŏ:ngja]〈名〉正字. 對약자(略字). 속자(俗字).

정자【亭子】〈名〉亭. あずまや. 絵 句例 작은 ~ 小亭.

정자【精子】〈名〉精子. 對난자(卵子).

정자-나무【亭子—】〈名〉家の近所または道端にある大樹.
參考 主に'느티나무 けやき'で, この木陰は村人の休み場所となっている.

정작 [chŏ:ngjak] ■〈名〉肝心な物. 本物. ■〈副〉いざ. まさに. 実際に. =막상. 文例 ~ 당하면 꽁무니를 빼고 달아난다 いざとなればしっぽを巻いて逃げる / ~ 해보면 어렵다 実際にやってみると難しい.

정장【正裝】[chŏ:ngjang]〈名・하自〉正装. 文例 전원이 ~하고 의식에 참석하였다 全員が正装して儀式に参列した.

정장-제【整腸劑】[chŏ:ngjang—]〈名〉整腸剤.

정쟁【政爭】〈名〉政争. 句例 ~에 말려들다 政争に巻き込まれる.

정적【政敵】〈名〉政敵. 句例 ~을 실각시키다〔쓰러뜨리다〕政敵を失脚させる〔倒す〕.

정적【靜的】[chŏngtchŏk]〈名・冠〉静的. 句例 ~인 묘사 静的(な)描写. 對동적(動的).

정적【靜寂】〈名〉静寂. 句例 밤의 ~이 흐르다 夜の静寂が流れる / ~을 깨뜨리다 静寂をやぶる.

정전【正殿】[chŏ:ngjŏn]〈名〉〔史〕正殿.

정전【停電】〈名・하自〉停電. 語例 ~되다 停電する.

정전【停戰】〈名・하自〉停戦. 語例 ~ 명령 停戦命令 / ~ 협정 停戦協定.

정-전기【靜電氣】〈名〉静電気.

정절【貞節】〈名〉貞節. 句例 ~을 지키다 貞節を守る.

정점【頂點】[chŏngtchŏm]〈名〉頂点. 文例 위원회는 위원장을 ~으로 하여 여러 전문가로 구성되어 있다 委員会は委員長を頂点として, 多くの専門家から成り立っている.
參考 数学では'꼭지점'と言う.

정정【訂正】[chŏ:ngjŏng]〈名〉訂正. **~하다**〈他〉訂正する. 直す. 句例 자구를 ~하다 字句を訂正する.

정정【政情】〈名〉政情. 句例 ~이 불안한 나라 政情不安な国.

정정당당-하다【正正堂堂—】[chŏ:ngjŏngdang-dang—] (→하다)〈形〉正正堂堂としている. 句例 정정당당한 태도 正正堂堂たる態度 / 정정당당하게 싸우다 正正堂堂と闘う. **정정당당히**〈副〉正正堂堂と.

정정-하다【亭亭—】(→하다)〈形〉かくしゃくとしている. 句例 기력이 정정한 노인 かくしゃくたる老人. 文例 늙었어도 기력이 ~ 老いてなおかくしゃくとしている.

정제【精製】〈名・하他〉精製. リファイン. 句例 원유를 ~하다 原油を精製する. 語例 ~당〔염〕精製糖〔塩〕/ ~품 精製品.

정제【錠劑】〈名〉錠剤. タブレット.

정조【貞操】〈名〉貞操. 操. 句例 ~를 지키다 操を守る.

정조【情操】〈名〉情操. 語例 미적 ~ 美的情操.

정조-식【正條植】[chŏ:ngjo—]〈名・하他〉〔農〕正条植え.

정족-수【定足數】[chŏ:ngjok—]〈名〉定足数. 句例 ~에 미달하다 定足数に満たない.

정좌【正坐】[chŏ:ngjwa]〈名・하自〉正座. 端座.

정주【定住】[chŏ:ngju]〈名・하自〉定住. 句例 ~할 땅을 찾다 定住の地を求める.

정중-하다【鄭重—】[chŏ:ngjung—] (→하다)〈形〉丁重だ. 丁寧だ. 句例 정중한 인사 丁重なあいさつ(挨拶) / 극히 정중하게 다루다 至極丁寧に扱う / 정중하게 대접하다 丁重にもてなす. **정중히**〈副〉丁重に. 手厚く. 懇ろに.

정지【停止】〈名・하自他〉停止. 句例 발행을 ~하다 発行を停止する / 차를 ~시키다 車を停止させる. 語例 급~ 急停止 / 일시 ~ 一時停止 / ~ 신호 停止信号 / ~되다 停止する. 停止される.

정지【靜止】〈名・하自〉静止. 語例 ~ 상태 静止状態 / ~ 위성 静止衛星. 對운동(運動).

정지【整地】[chŏ:ngji]〈名・하自〉整地. 地ならし. 語例 ~ 작업 整地作業.

정직【停職】〈名・하自〉停職. 語例 ~ 처분 停職処分.

*정직-하다【正直―】[chŏ:ngjik'ada] (→하다)〈形〉正直だ. 句例 정직한 사람 正直な人. 정직히 [chŏ:ngjik'i]〈副〉正直に.

정진【精進】〈名・하自〉精進. 句例 불도에 ~하다 仏道に精進する.

정차【停車】〈名・하自他〉停車. ＝정거(停車). 句例 다음 ~역 次の停車駅.

정착【定着】[chŏ:ngch'ak]〈名〉定着. ~하다〈自他〉定着する. 落ち着く. 句例 한국어로 ~한 외래어 韓国語として定着した外来語 / 유목민이 물가에 ~하다 遊牧民が水辺に定着する. 語例 ~ 생활 定着生活 / ~지 定着地 / ~액 (写真の)定着液 / ~되다 定着する.

정찰【正札】[chŏ:ngch'al]〈名〉正札. 句例 ~이 붙은 상품 正札付きの商品. 語例 ~제(制) 正札付きの販売制度 / ~ 판매 正札販売.

정찰【偵察】〈名・하他〉偵察. 句例 적정을 ~하다 敵情を偵察する. 語例 ~기 偵察機 / ~대〔병〕偵察隊〔兵〕/ ~ 비행 偵察飛行.

정책【政策】〈名〉政策. 句例 ~을 결정하다 政策を決定する / ~을 짜내다 政策を練る / ~을 세우다 政策をたてる. 語例 외교 ~ 外交政策 / ~ 금융 政策金融.

정처【定處】[chŏ:ngch'ŏ]〈名〉一定の場所. 定まった所. 句例 ~ 없이 방황하다 当てもなくさまよう.

정청【政廳】〈名〉政庁.

정체【正體】[chŏ:ngch'e]〈名〉正体. 句例 ~를 나타내다〔숨기다〕正体を現す〔隠す〕/ ~가 드러나다 正体がばれる / ~ 불명의 여자 なぞ(謎)の女 / ~를 알 수 없는 놈 えたい(得体)の知れないやつ. 語例 ~ 불명 正体不明.

정체【政體】〈名〉政体. 語例 입헌 민주 ~ 立憲民主政体.

정체【停滯】〈名〉停滞. 滞り. ~하다〈自〉停滞する. 滞る. つか(支)える. 句例 자금의 ~ 資金の停滞 / 무역이 ~하다 貿易が停滞する / ~없이 발전하다 停滞なく発展する. 語例 ~ 전선〔氣〕停滞前線 / ~되다 停滞する.

정초【正初】〈名〉❶正月の初旬. ❷年の初め.

정초【定礎】[chŏ:ngch'o]〈名〉定礎. 語例 ~식 定礎式.

*정취【情趣】〈名〉情趣. 味わい. 趣き. 句例 ~가 있는 정원 趣きのある庭園 / 가을 ~가 느껴지다 秋の情趣が感じられる.

**정치【政治】〈名〉政治. 政. 句例 ~를 돌보다 政治をつかさどる / ~에 종사하다 政治にたずさわる / 밝은〔깨끗한〕~ 明るい〔清潔な〕政治. 語例 ~가 政治家 / ~ 결사 政治結社 / ~ 단체 政治団体 / ~계 政界 / ~ 권력 政治権力 / ~력 政治力 / ~범 政治犯 / ~부 기자 政治部記者 / ~ 운동 政治運動 / ~ 생명 政治生命 / ~ 자금 政治資金 / ~ 체제 政治体制 / ~ 풍토 政治風土 / ~ 헌금 政治献金 / ~ 활동 政治活動 / ~학 政治学 / 무단 ~ 武断政治 / 독재 ~ 独裁政治 / 지방 ~ 地方政治 / 정당 ~ 政党政治 / 관료 ~ 官僚政治.

정치-망【定置網】[chŏ:ngch'i―]〈名〉定置網. 台網. 建て網.

정치-적【政治的】〈名・冠〉政治的. 句例 ~인 문제〔수완〕政治的な問題〔手腕〕/ ~으로 해결하다 政治的に解決する.

정치-하다【精緻―】(→하다)〈形〉精緻だ.

정칙【定則】[chŏ:ngch'ik]〈名〉定則. 決まり.

정탐【偵探】〈名・하他〉探偵. 句例 적진을 ~하다 敵陣を探る. 語例 ~꾼 回し者. スパイ.

정태【靜態】〈名〉静態. 對 동태(動態).

정토【淨土】〈名〉〔佛〕浄土. 仏土. 浄界.

정통【正統】[chŏ:ngt'ong]〈名〉正統. 句例 ~성에 이의를 제기하다 正統性に異議を差し挟む. 語例 ~파 正統派.

정통【精通】〈名・하自〉精通. 熟知. 句例 ~한 소식통 精通の消息筋 / 고사에 ~한 사람 古事に精通した人.

정통-부【情通部】〈名〉'정보 통신부'の略.

정파【政派】〈名〉政派. 語例 정당 ~ 政党政派.

정평【定評】[chŏ:ngp'yŏng]〈名〉定評. 句例 ~이 있는 출판사 定評のある出版社 / ~이 있다 定評がある.

정표【情表】〈名〉贈り物をして誠意を表わすこと. また, その品物.

정풍【整風】[chŏ:ngp'ung]〈名〉整風. 語例 ~ 운동 整風運動.

**정-하다【定―】[chŏ:ng―] (→하다)〈他〉定める. 決める. 句例 태도를 ~ 態度を決める / 일정을 ~ 日割りを決める. 語例 정해지다 決まる.

정-하다【淨―】(→하다)〈形〉清い. 句例 물을 정하게 하다 水を清める. 정히〈副〉清く. きれいに. 清らかに.

정학【停學】〈名・하他〉停学. 語例 ~ 처분 停学処分.

정해【正解】[chŏ:nghae]〈名〉正解.

정해【精解】〈名・하他〉精解. 詳解.

정형-시【定型詩】[chŏ:nghyŏng―]〈名〉定型詩.

정형 외과【整形外科】[chŏ:nghyŏng-oe:kkwa]〈名〉整形外科. 句例 ~에서 정형 수술을 받다 整形外科で整形手術を受ける.

정혼【定婚】[chŏ:nghon]〈名・하自〉縁定め. 婚約. 文例 그들은 ~한 사이였다 二人は婚約の間柄であった.

정화【淨化】〈名・하他〉浄化. 文例 폐는 혈액을 ~한다 肺は血液を浄化する. 語例 ~ 장치 浄化装置 / ~조 浄化槽.

정화【精華】〈名〉精華. 句例 고대 문화의 ~ 古代文化の精華.

정화-수【井華水】〈名〉早朝にく(汲)んだ井戸水. 參考 祈るときの供え水, または韓方薬をせん(煎)じるときに使う.

*정확-하다【正確―】[chŏ:nghwak'ada] (→하다)〈形〉正確だ. 정확히 [chŏ:nghwak'i]〈副〉正確に. きちんと. ちゃんと. 句例 정확히 발음하다 正確に発音する.

정황【情況】〈名〉❶状況〔情況〕. ❷気の毒な事情.
정회【停會】〈名・하自〉停会. 句例 ~를 선언하다 停会を宣言する.
정휴-일【定休日】[chŏ:nghyu—]〈名〉[‘정기 휴업일’の略] 定休日.
정-히【正—】[chŏ:ng—]〈副〉まさ(正)に. 正しく. 確かに. 句例 ~ 그렇다면 確かにそうならば. 文例 ~ 영수함 まさに領収しました.
⁑**젖**〈名〉乳. ❶乳汁. 句例 ~을 먹다〔먹이다〕乳を飲む〔飲ます〕/ ~을 짜다 乳をしぼる / ~이 잘 나오다 乳がよく出る / ~이 많다 乳が多い / ~을 떼다 乳を離す / 어머니 ~을 먹고 자라다 お母さんの乳を飲んで育つ. ❷乳房. 句例 ~을 물리다 乳を含ませる / 아직 어머니의 ~이 그리운 나이 まだ母の乳が恋しい年ごろ / ~을 빨다 乳を吸う.
젖 먹던 힘이 다 든다 乳を飲んでいた力まで必要だ. たいへん骨が折れるの意.
젖-가슴〈名〉胸乳. 乳房. 胸.
⁑**젖-꼭지**〈名〉❶〔生〕乳頭. ❷(哺乳瓶の)乳首.
参考 赤ちゃん用の‘おしゃぶり’は‘공갈 젖꼭지 にせの乳首’という.
젖-내 [chŏnnae]〈名〉乳のにお(臭)い. 乳臭.
젖내(가) 나다 乳臭い. 口わきが白い. くちばし(嘴)が黄色い. 句例 젖내 나는 풋내기 乳臭い青二才.
젖-니 [chŏnni]〈名〉乳歯. ＝배냇니. 句例 ~를 갈다 乳歯が抜け替わる.
⁑**젖다**〈自〉❶ぬ(濡)れる. 湿る. 浸る. 句例 눈물에 젖은 얼굴 涙にぬれた顔 / 비에 ~ 雨にぬれる / 슬픔에 ~ 悲しみに浸る. ❷染みる. 染まる. 句例 악습에 ~ 悪習に染まる. ❸慣れる. 句例 귀에 젖은 목소리 耳慣れの声. ▷→囲み記事 78
젖-떨어지다 [—ttŏrŏjida]〈自〉離乳する. 乳離れする.
젖떨어진 강아지 같다 乳離れした犬ころみたいだ. ひどくむずかることのたとえ.
젖-먹이 [chŏnmŏgi]〈名〉乳児. 乳飲み子.
젖배-곯다 [chŏtpaegolt'a]〈自〉乳飲み子が乳に飢える.
젖-병【—甁】〈名〉哺乳瓶.
젖-비린내〈名〉❶乳臭いにおい. ❷幼稚な感じ.
젖비린내(가) 나다 ❶乳臭いにおいがする. ❷幼稚で子供っぽい.
젖-빛〈名〉乳色. 乳白色. 語例 ~ 유리 す(磨)りガラス. つやけしガラス. 曇りガラス.
⁑**젖-소**〈名〉乳牛.
젖-어머니 [chŏdŏmŏni]〈名〉乳母. ＝유모(乳母).
젖-통이〈名〉乳房.
젖혀-놓다 [chŏch'ŏnot'a]〈他〉❶ひっくり返して置く. ❷裏返しにして開けて置く. ❸後回しにする. あっちのけにする.
젖혀-지다 [chŏch'ŏ—]〈自〉裏返る. 反り返る. 反る.
*__젖히다__ [chŏch'ida]〈他〉反らす. めく(捲)る. のけ反る. 句例 가슴을 ~ 胸を反らす / 문을 밀어 젖히고 들어가다 戸を排して〔押し開けて〕入る / 7페이지를 ~ 七ページをめくる / 모자를 젖혀 쓰다 帽子をあみだにかぶる / 형을 젖히고 나서다 兄を差し置いて出しゃばる / 웃통을 벗어 ~ もろ肌を脱ぐ.
제【祭】[che:]〈名〉祭祀.
제(를) 지내다 祭祀を行なう.
*__제__[1] ㊀〈代〉❶‘내 僕’のへりくだった言いかた. 文例 ~가 가겠습니다 私が行きます / ~게도 하나 주세요 わたしにも一つください. ❷‘自己・自身’の意. 文例 제 일은 ~가 한다 自分の事は自分でする.
㊁❶‘나의’のへりくだった言いかた: わたしの. 手前の. 文例 ~ 생각은 이러합니다 手前の考えはこうであります / 이건 ~ 것입니다 これはわたしのものです. ❷[‘저의’の略] 自己の. 自身の. 文例 ~ 것 주고 뺨 맞는다 酒買って尻切られる / ~ 꾀에 넘어간다 だますだますでだまされる.
表現 ㊁は助詞‘가 が’および‘게 に’の前でだけ ≡ 用いられる.
제[2] [‘적에’の略] 時に. 折に. 文例 학교에 가려고 할 ~ 비가 왔다 学校に行こうとするや雨が降った.
제-【第】[che:]〈頭〉第…. 語例 ~일과 第一課 / ~삼국 第三国.
表現 漢字語の数詞に付く.
-제【祭】〈尾〉…祭. …祭り. 語例 예술~ 芸術祭 / 위령~ 慰霊祭.
-제【製】〈尾〉…製. 語例 외국~ 外国製 / 은~ 銀製.
-제【劑】〈尾〉…剤. 語例 소화~ 消化剤.

제 〔漢字項目〕

【制】高校 제 セイ. ❶(구조나 방법을) 정하다 (構造や方法を)定める. ◧制度 제도 せいど. 制服 제복 せいふく. ◨編制 편제 へんせい. ❷구조 構造. 편성 編成. ◨體制 체제 たいせい. 共和制 공화제 きょうわせい. ❸(일정 범위내로) 억누르다 (一定範囲内に)抑える. ◧制限 제한 せいげん. 制止 제지 せいし. ◨禁制 금제 きんせい. ❹지배하다 支配する. ◧制覇 제패 せいは. 制空權 제공권 せいくうけん.

【堤】高校 제 テイ. 둑. 제방 つつみ. ◧堤防 제방 ていぼう. ◨防波堤 방파제 ぼうはてい. 堰堤 언제 えんてい.

【帝(帝)】中學 제 テイ. ❶천자 天子. 황제 みかど. ◧帝王 제왕 ていおう. ◨皇帝 황제 こうてい. 女帝 여제 じょてい. ❷하느님 神. ◨天帝 천제 てんてい.

【弟】中學 제 テイ. ❶아우. 남동생 弟. ◨兄弟 형제 きょうだい. 實弟 실제 じってい. ❷제자 弟子. 문하생 門下生. ◧弟子 제자 でし. ◨師弟 사제 してい.

【提】高校 제 テイ. ❶손에 들다 手に提げる. ◧提燈 제등 ちょうちん. ❷들고 나와서 보이다 持ち出して見せる. ◧提案 제안 ていあん. 提供 제공 ていきょう. ❸서로 돕다 助け合う. ◧提携 제휴 ていけい. ❹통솔하다 統率する. ◧提督 제독 ていとく.

【濟(済)】[高校] 제 サイ. ❶돕다 助ける. ◨濟民 제민 さいみん. ◨救濟 구제 きゅうさい. 共濟 공제 きょうさい. ❷끝내다 すます. ◨完濟 완제 かんさい. 返濟 반제 へんさい.

【祭】[中學] 제 サイ. ❶제사지내다 祭る. ◨祭壇 제단 さいだん. 祭禮 제례 さいれい. ❷축제 祝祭. ◨文化祭 문화제 ぶんかさい. 謝肉祭 사육제 しゃにくさい. カーニバル.

【第】[中學] 제 ダイ. ❶순서를 나타내다 順を表す. ◨第一 제일 だいいち. 第三者 제삼자 だいさんしゃ. ❷시험 試験. ◨及第 급제 きゅうだい. 落第 낙제 らくだい.

【製】[中學] 제 セイ. 만들다 作る. ◨製作 제작 せいさく. 製造 제조 せいぞう. ◨特製 특제 とくせい. 鐵製 철제 てっせい. 複製 복제 ふくせい.

【諸(諸)】[中學] 제 ショ. 모든. 여럿 もろもろ. ◨諸君 제군 しょくん. 諸子 제자 しょし. 諸國 제국 しょこく.

【除】[中學] 제 ジョ. ジ. ❶없애버리다 とり去る. ◨除雪 제설 じょせつ. ◨削除 삭제 さくじょ. 排除 배제 はいじょ. 掃除 소제 そうじ. ❷집단이나 조직 밖으로 내보내다 集団や組織から追いだす. ◨除籍 제적 じょせき. 除名 제명 じょめい. ❸〔數〕나눔 割り算. ◨除數 제수 じょすう. ◨乘除 승제 じょうじょ.

【際】[高校] 제 サイ. ❶경계 境界. ◨際限 제한 さいげん. ◨國際 국제 こくさい. ❷사귀다 交わる. ◨交際 교제 こうさい. ❸사물의 중간 事物の中間. ◨春夏之際 춘하지제 しゅんかのさい.

【題】[中學] 제 ダイ. ❶내용을 요약한 말 内容を要約した語. ◨題名 제명 だいめい. 題目 제목 だいもく. ◨主題 주제 しゅだい. ❷글이나 이야기의 내용 文や話の内容. ◨話題 화제 わだい. ❸답을 구하는 물음 答えを求める問い. ◨出題 출제 しゅつだい. 問題 문제 もんだい.

【齊(斉)】[高校] 제 セイ. 자 シ. ㊀〔제〕❶가지런하다 整う. 균일하다 均一だ. ◨齊一 제일 せいいつ. 齊唱 제창 せいしょう. 齊列 제열 せいれつ. ❷바르다 正しい. ◨齊明 제명 さいめい.
㊁〔자〕❶옷자락 裾. ❷상복 喪服. ◨齊衰 자최 しさい.

제-각각【一各各】〈副〉おのおの(各各). それぞれ. [文例] ~ 멋대로 해산했다 おのおの勝手に解散した.

***제-각기**【一各其】〈副〉めいめい(銘銘). おのおの(各各). まちまちに. [句例] ~ 말하다 口口に言う. [文例] 표는 ~ 가져 주세요 切符はめいめいお持ちください.

제-값 [—gap]〈名〉それ相応の価格. [句例] ~을 받고 팔다 それ相応の〔当たり前の〕値段で売る. →값 [參考]

제강【製鋼】[che:gang]〈名・하自〉製鋼. [語例] ~소 製鋼所.

제거【除去】〈名〉除去. **~하다**〈他〉除去する. 取り除く. 取りのける. 除く. [句例] 방해자를 ~하다 妨害者を取り除く / 장해물을 ~하다 障害物を除去する / 치석을 ~하다 歯石を取り除く. [語例] ~되다 除去される.

제-격【一格】〈名〉それ相応の格式. 身分にふさわしい格式. [文例] 그 직무는 그에게 ~이다 その職務は彼にもってこいだ.

제고【提高】〈名・하他〉高めること. 引き上げること. [句例] 생산을 ~하다 生産を高める.

제곱〈名〉〔數〕二乗. 自乗. [語例] ~근 平方根. 自乗根 / ~비 自乗比 / ~ 미터 平方メートル.

제공【提供】〈名〉提供. **~하다**〈他〉提供する. 供する. [句例] 주식을 ~하다 酒食を供する / 자료를 ~하다 資料を提供する. [語例] 정보 ~자 情報提供者 / ~되다 提供される.

제공-권【制空權】[che:gongkkwon]〈名〉制空権. [句例] ~을 장악하다 制空権を握る.

제과【製菓】[che:gwa]〈名〉製菓. [語例] ~업 製菓業 / ~점 ベーカリー.

제관【祭官】[che:gwan]〈名〉祭官.

제구【制球】[che:gu]〈名〉〔野〕制球. (ボールの)コントロール. [語例] ~력 制球力.

제구【祭具】[che:gu]〈名〉祭具.

제구【諸具】〈名〉いろいろな道具.

제-구실〈名〉自分の役目〔役割〕. [文例] ~도 못한다 自分の役目も果たせない. 一人前でない.

제국【帝國】[che:guk]〈名〉帝国. [句例] ~주의의 몰락 帝国主義の没落. [語例] 대영 ~ 大英帝国.

제국【諸國】〈名〉諸国. [語例] 동남아 ~ 東南アジア諸国.

제군【諸君】〈名〉諸君. [語例] 학생 ~ 学生諸君.

제금【提琴】〈名〉〔樂〕提琴. [語例] ~가 提琴家. バイオリニスト.

제기[1]〈名〉穴のあいた銅銭などを薄紙で包み羽根のようにして足でけ(蹴)あげる遊び道具. また, その遊び. [絵] [語例] ~차기 '제기' けりの遊び.

〈제기〉

〈제기〉

제기【祭器】[che:gi]〈名〉祭器. 木製·真鍮製·ステンレス製の祭祀用の器具. 絵

제기【提起】〈名〉提起. **~하다**〈他〉提起する. 申し立てる. 句例 이의를 ~하다 異議を申し立てる / 문제를〔소송을〕 ~하다 問題〔訴訟〕を提起する. 語例 ~되다 提起される.

제기[2] [che:gi]〈感〉'제기랄'の略.

제기다[1]〈自〉抜け出す. そっと逃げる.

제기다[2]〈自〉訴状·願書などに題辞を記す.

제기다[3]〈他〉❶ひじ(肘)で突く. かかと(踵)でけ(蹴)る. ❷ちょうな(手斧)でこつこつと削る. ❸(液体などを)少しずつ注ぐ. ❹(銭打ちで)指定された銭をぴたりと当てる.

제기랄 [che:giral]〈感〉ちえっ. くそ(糞). こん畜生. 略して'제기'ともいう. 文例 ~, 이번에도 틀렸군 ちえっ, こんど(今度)もだめか / ~, 종일 비만 오네 ちくしょう, 一日中雨だね.

제꺽〈副〉物事を手際よく成し遂げるさま: さっさと. 手早く. じか(直)に. 句例 ~ 해치우다 さっさと片付ける.

제꺽제꺽〈副〉てきぱきと. はきはきと.

제-나름〈名〉自分なり. 句例 ~의 생각 自分なりの考え. 文例 바보도 ~의 지혜가 있다 ばかにもそれ〔彼〕なりの知恵がある.

제-날짜〈名〉定められた日. 略して'제날'ともいう. 句例 ~에 어김없이 납품하다 期日に間違いなく納品する / ~에 귀대하다 決められた日に帰隊する.

제너레이션〈名〉ゼネレーション. 語例 로스트 ~ ロストゼネレーション. ◇generation

제단【祭壇】[che:dan]〈名〉祭壇. 句例 ~을 차리다 祭壇を設ける.

제-달〈名〉所定の月. 決められた月. 期限が満ちた月.

제당【製糖】[che:dang]〈名〉製糖.

제대【除隊】〈名·하自〉除隊. 句例 만기로 ~하다 満期で除隊する. 語例 ~되다 除隊になる.

*__제-대로__ ■〈名〉そのまま. ありのまま. 句例 ~의 상태 ありのままの状態.
■〈副〉ろく(碌)に. 満足に. ちゃんと. 思い通りに. 文例 ~ 읽지도 쓰지도 못한다 ろくに読み書きもできない / 제 자리에 ~ 두어라 元の所にちゃんとしまいなさい / 말이 ~ 나오질 않는다 言葉が思った通りに出て来ない / ~ 답변도 못한다 ろくに答えることすらできない.

**__제도__【制度】[che:do]〈名〉制度. 句例 ~를 만들다 制度をもうける / ~를 고치다 制度を改める / ~를〔에〕 따르다 制度にならう / ~상의 결함 制度上の欠陥. 語例 교육 ~ 教育制度 / 의회 ~ 議会制度 / 현행 ~ 現行制度 / 입시 ~ 入学試験〔入試〕制度 / 문물 ~ 文物制度.

제도【製圖】[che:do]〈名·하自〉製図. 作図. 語例 ~기 製図器 / ~판 製図板 / ~용 연필 製図用鉛筆.

제도【諸島】〈名〉諸島. 語例 하와이 ~ ハワイ諸島.

제도【濟度】[che:do]〈名·하他〉〔佛〕済度. 句例 중생을 ~하다 衆生を済度する.

제독【提督】〈名〉提督.

제동【制動】[che:dong]〈名·하自〉制動. 句例 ~을 걸다 制動をかける. 語例 ~기 制動機. ブレーキ.

제등【提燈】〈名〉提灯. 語例 ~ 행렬 提灯行列.

제-딴은〈副〉自分の考えでは. 自分なりには. 自分のつもりでは. =제딴에는. 文例 ~ 잘 했다고 생각하겠지 自分なりにはよくしたものと思うだろう.

제-때〈名〉ちょうどよいとき. 適期. 定刻. 句例 ~에 나타나다 適期に現われる / ~에 대다 間に合う / ~에 식사하다 ころあいに合わせて食事をする.

제라늄〈名〉〔植〕ゼラニウム. ◇geranium

제련【製錬】[che:ryŏn]〈名·하他〉製錬. 語例 ~소 製錬所.

제례【祭禮】[che:rye]〈名〉祭礼. 句例 ~를 집행하다 祭礼を執り行なう.

제로〈名〉ゼロ. 零. 文例 놈의 인격은 ~다 やつ(奴)の人格はゼロだ. ◇zero

제록스〈名〉ゼロックス. ◇Xerox

제막【除幕】〈名·하自〉除幕. 語例 ~식 除幕式.

제-멋〈名〉思いどおり. 自らいいと思うところ. 句例 ~에 살다 思いどおりに生きる / ~에 겨워서 自分の興に乗じて.

*__제멋-대로__〈副〉自分勝手に. 気ままに. 好き放題(に). 身勝手に. 句例 ~ 굴다 勝手気ままにふるまう / ~ 지껄이다 自分勝手にしゃべりまくる / ~다 好き放題だ.

제-명【一命】〈名〉持って生まれた〔天から授かった〕寿命. 句例 ~에 못 죽을 놈 天寿を全うし得ないやつ.

제명【除名】〈名·하他〉除名. 語例 ~ 처분 除名処分 / ~되다 除名される.

제모【制帽】[che:mo]〈名〉制帽. 語例 제복 ~ 制服制帽.

*__제목__【題目】〈名〉題目. 句例 ~을 붙이다 題目〔表題〕をつける / 논문의 ~ 論文の題目.

제문【祭文】[che:mun]〈名〉祭文. 句例 ~을 읽다 祭文を読む.

제물【祭物】[che:mul]〈名〉供え物. 供物. 祭物. 生けにえ. =제수(祭需). 句例 ~로 바치다 供え物にする / ~이 되다 生けにえになる.

제물-낚시 [chemullakshi]〈名〉毛ばり. 虫ばり. 擬餌針.

제물-로〈副〉ひとりでに. おのずから. おのずと. 句例 ~ 화가 풀리다 おのずと怒りがしずまる.

제물-에 [chemure]〈副〉ひとりでに. おのずから. おのずと. 句例 겁을 먹고 ~ 포기하다 怖がっておのずからあきらめる.

제반【諸般】〈名·冠〉諸般(の). いろいろ(の). 種種(の). 各般(の). 句例 ~ 사정에 의해 諸般の事情により.

제발 [chebal]〈副〉何とぞ. どうぞ. 是非. どうか. なにぶん(何分). 文例 ~ 살려 주시오 何とぞ助けてください / ~ 부탁합니다 是非お願いします.

제발 덕분에 こい願わくば. どうか. 何とぞ.

제방【堤防】〈名〉堤防. 堤. 土手. ＝둑. 句例 ～을 쌓다 堤防を築く / ～이 무너지다 堤が切れる.

*__제법__〈名・副〉案外. 割合に. かなり. なかなか. 結構. 文例 못 할 줄 알았는데 ～이야 駄目だと思っていたところ案外だね / ～ 미녀다 なかなかの玉だね / ～ 맛있다 結構おいしい. 表現 予想していた以上にいいようすをや≡や嘲って言う語.

제법【製法】[che:ppŏp]〈名〉製法.

제보【提報】〈名・하自〉情報を提供すること. 句例 ～를 받다 情報を提供してもらう. 語例 ～자 情報提供者.

제복【制服】[che:bok]〈名〉制服. ユニホーム. 句例 ～을 입다 制服を着る.

제복【祭服】[che:bok]〈名〉祭服.

제본【製本】[che:bon]〈名・하他〉製本. ＝제책(製冊). 語例 ～소 製本所. 製本屋.

제분【製粉】[che:bun]〈名・하自〉製粉. 語例 ～기 製粉機 / ～업 製粉業 / ～소 製粉所.

제비[1]〈名〉くじ(籤). 抽選. 引き札.

제비(를) 뽑다 くじを引く. 抽選する.

**__제비__[2] [che:bi]〈名〉〔鳥〕つばめ(燕). 語例 ～꽃〔植〕すみれ(菫) / ～꿀〔植〕かなびき草 / ～붓꽃〔植〕かきつばた(杜若) / ～족 (若い)つばめ / ～추리 牛のばら肉.

제빙【製氷】[che:bing]〈名・하自〉製氷. 語例 ～ 공장 製氷工場 / ～기 製氷機.

*__제사__【祭祀】[che:sa]〈名〉祭祀. 祭り. 祭事. 句例 조상의 ～ 祖先の祭祀 / ～를 지내다 祭事をとり行なう. 語例 ～장 祭祀長.

*__제사__【製絲】[che:sa]〈名〉製糸. 語例 ～ 공장 製糸工場.

제사【第四】[che:sa]〈數・冠〉第四. 句例 ～의 불 第四の火. 語例 ～종 우편물 第四種郵便物.

제산-제【制酸劑】[che:san—]〈名〉制酸剤.

제삼【第三】[che:sam]〈數・冠〉第三. 語例 ～국 第三国 / ～ 세계 第三世界 / ～ 세력 第三勢力 / ～자 第三者. 局外者 / ～차 산업 第三次産業.

제삼-인칭【第三人稱】[che:saminch'ing]〈名〉〔言〕第三人称. ＝삼인칭.

参考 (1) 近称：(敬称) 이분(들) この方(たち). (普通の表現) 이이(들) この人(たち).

(2) 中称：(敬称) 그분(들) その方(たち). (普通の表現) 그(들) 彼(ら). 그이(들) その人(たち).

(3) 遠称：(敬称) 저분(들) その方(たち). (普通の表現) 저이(들) あの人(たち).

(4) 未知称：누구 だれ.

(5) 不定称：아무 だれ. 아무개 だれ. だれそれ.

제삿-날【祭祀—】[che:sannal]〈名〉祭祀の日. 祭日.

제삿-밥【祭祀—】[che:sat—]〈名〉祭祀を終えてから食べる御飯.

제상【祭床】[che:ssang]〈名〉供え物を載せる膳.

제설【除雪】〈名・하自〉除雪. 語例 ～ 작업 除雪作業 / ～차 除雪車.

제세【濟世】[che:se]〈名・하自〉済世. 語例 ～안민 済世安民.

제소【提訴】〈名・하他〉提訴. 句例 당국에 ～하다 当局に訴える.

제수【弟嫂】[che:su]〈名〉⇨ 계수(季嫂)

제수【除授】〈名・하他〉〔史〕除授. 王がじかに官吏を任命すること.

제수【除數】[chessu]〈名〉〔數〕除数. 對 피제수.

제수【祭需】[che:su]〈名〉❶祭祀用の品物. ❷供物. 祭物.

제스처〈名〉ジェスチャー. ◇gesture

제시【提示】〈名・하他〉提示. 呈示. 句例 증거를〔조건을〕～하다 証拠〔条件〕を提示する / 여권을 ～하다 旅券を提示する.

제-시간【一時間】〈名〉定められた時刻. 定刻. 句例 ～에 돌아오다 定刻に帰る.

제-아무리〈副〉いくらなんでも〔なんだって〕. どんなに…しても. どれほど…であっても. 文例 ～ 잘난 체해 봐도 별 수 없다 いくら偉ぶってみてもしようがない.

제안【提案】〈名・하他〉提案. 語例 ～권 提案権 / ～ 설명 提案説明 / ～ 이유 提案理由 / ～자 提案者 / ～되다 提案される.

제압【制壓】[che:ap]〈名〉制圧. **～하다**〈他〉制圧する. 制する. 圧する. 句例 적을 ～하다 敵を制圧する.

제야【除夜】〈名〉除夜. ＝제석(除夕). 句例 ～의 종이 울리다 除夜の鐘が鳴る.

제약【制約】[che:yak]〈名・하他〉制約. 句例 시간의 ～을 받다 時間に制約される / ～이 많다 制約が多い.

제약【製藥】[che:yak]〈名〉製薬. 語例 ～ 회사 製薬会社.

제어【制御】[che:ŏ]〈名・하他〉制御. 句例 방안의 온도를 컴퓨터로 ～하다 部屋の温度をコンピューターで制御する. 語例 자동 ～ 장치 自動制御装置 / ～되다 制御される.

제언【提言】〈名・하他〉提言. 句例 ～을 받아들이다 提言を受け入れる.

제염【製鹽】[che:yŏm]〈名・하自〉製塩. 語例 ～업 製塩業 / 천일 ～ 天日製塩.

제오【第五】[che:o]〈數・冠〉第五. 語例 ～열 第五列. スパイ.

제왕【帝王】[che:wang]〈名〉帝王. みかど(帝). 皇帝. 天子. 句例 무관의 ～ 無冠の帝王. 語例 ～ 절개 帝王切開.

제외【除外】〈名〉除外. **～하다**〈他〉除外する. とりのける. 除く. 文例 그 사람을 ～하고는 적당한 사람이 없다 その人を除いては適当な人がいない. 語例 ～되다 除外される / ～례 除外例. 例外規定.

제우스〈名〉ゼウス. ◇Zeus

제웅〈名〉〔民〕わら(藁)人形.
参考 陰暦正月十四日の夜, 道に捨てるとその年の厄除けになるという.

제원【諸元】〈名〉諸元. 句例 국산 소총의 ～ 国産小銃の諸元.

제위【帝位】[che:wi]〈名〉帝位. 句例 ～에 오르다 帝位に就く.

제유【製油】[che:yu]〈名・하他〉製油. 語例 ～ 공장 製油工場.

제육〈名〉[もとの語形は'저육(猪肉)'] 豚肉.

제육-감【第六感】[che:yuk—]〈名〉第六感.

제의【提議】〈名・하他〉提議. 句例 공동 연구를 ～하다 共同研究を提議する.

제이【第二】[che:i]〈數・冠〉第二. 句例 ～의 고향〔청춘〕 第二の故郷〔青春〕. 語例 ～차 산업 第二次産業 / ～차 세계 대전 第二次世界大戦.

제이-인칭【第二人稱】[che:i—]〈名〉〔言〕第二人称. ＝이인칭.

参考 (1) 敬称: 어르신 年寄りの方. お父様. 당신 あなた. など.

(2) 예사말 普通の言いかた: 너 お前. 君. 너희(들) お前(たち). 君(ら).

***제일**【第一】[che:il] ㊀〈數・冠〉第一. 句例 세계 ～의 부자 世界第一の金持ち. 文例 역시 우리집 김치맛이 ～이다 やっぱりうちのキムチの味が一番だ. 語例 ～선 第一線 / ～위 第一位 / ～인자 第一人者 / ～차 산업 第一次産業.

㊁〈副〉一番(に). 最も. 句例 ～ 좋다 一番いい / 노래를 ～ 잘 부르다 一番歌がうまい. 語例 ～ 먼저 一番先に.

제일-인칭【第一人稱】[che:irinch'ing]〈名〉〔言〕第一人称. ＝일인칭.

参考 나 わたし. 우리들 我我・我ら. 저 私・わたし. 저희 私ども. などがある.

***제자**【弟子】[che:ja]〈名〉弟子. 門人. 門弟. 句例 ～를 기르다 弟子を養う / ～가 되다 弟子になる / 예수의 열두 ～ イエスの十二使徒 / 스승과 ～ 先生〔師匠〕と弟子.

제자【題字】〈名〉題字.

***제-자리**〈名〉もとの場所. 自分の位置. 句例 ～로 돌아가다 元の場所に戻る / ～에 놓다 もとの場所に置く / ～를 떠나다 自分の位置を離れる. 語例 ～ 멀리뛰기 立ち幅跳び / ～ 높이뛰기 立ち高跳び.

제자리-걸음 [—gŏrŭm]〈名・하自〉足踏み. 文例 교섭이 ～이다 交渉が足踏み状態である.

제자-백가【諸子百家】〈名〉〔史〕諸子百家.

제작【製作】[che:jak]〈名・하他〉製作. 作製. 語例 ～물 製作物 / ～비 製作費 / ～법 製作法 / ～자 製作者 / 공동 ～ 共同製作 / 영화 ～ 映画製作.

제재【制裁】[che:jae]〈名・하他〉制裁. 句例 ～를 가하다 制裁を加える. 語例 법적 ～ 法的制裁 / 철권 ～ 鉄拳制裁.

제재【製材】[che:jae]〈名・하自他〉製材. 語例 ～소 製材所.

제재【題材】〈名〉題材. 句例 꽃을 ～로 그림을 그리다 花を題材にして絵をかく.

제적【除籍】〈名・하他〉除籍. 句例 ～당한 불량 학생 除籍された不良学生.

제전【祭典】[che:jŏn]〈名〉祭典. 句例 미의 ～ 美の祭典.

제정【制定】[che:jŏng]〈名〉制定. **～하다**〈他〉制定する. 制する. 句例 헌법을 ～하다 憲法を制定する.

제정【帝政】[che:jŏng]〈名〉帝政. 語例 ～ 러시아 帝政ロシア.

제정【祭政】[che:jŏng]〈名〉祭政. 語例 ～ 일치 祭政一致.

제정【提呈】〈名〉呈上. **～하다**〈他〉呈上する. 差し上げる. 句例 신임장을 ～하다 信任状を呈上する.

제-정신【—精神】〈名〉本性. 本心. 正気. 句例 ～이 들다 正気づく / ～을 잃다 正気を失う / ～을 차리다 正気に返る.

제제【製劑】[che:je]〈名・하他〉製剤. 製薬. 語例 생약 ～ 生薬製剤.

제조【製造】[che:jo]〈名・하他〉製造. 句例 부품을 ～하다 部品を製造する. 語例 ～법 製造法 / ～업 製造業 / ～업자 製造業者 / ～연월일 製造年月日 / ～원 製造元 / ～원가 製造原価.

제주【祭主】[che:ju]〈名〉祭主.

제주【祭酒】[che:ju]〈名〉祭祀用の酒.

제지【制止】[che:ji]〈名・하他〉制止. 句例 독주를 ～하다 独走を制止する.

제지【製紙】[che:ji]〈名・하自〉製紙. 語例 ～업 製紙業 / ～ 공장 製紙工場.

제-집〈名〉自家. 自宅. 自分の家. 句例 ～ 드나들듯 自分の家に出入りするように《足しげく通うさま》.

제-짝〈名〉(対をなすものの)片方. 連れ. 句例 ～을 찾다 自分の連れをさがす. 文例 짚신도 ～이 있다 わ(割)れなべ(鍋)にと(綴)じぶた(蓋).

제창【提唱】〈名〉提唱. **～하다**〈他〉提唱する. 唱える. 句例 새로운 학설을 ～하다 新しい学説を提唱する. 語例 ～자 提唱者. 類주창(主唱).

제창【齊唱】〈名・하他〉斉唱. 語例 교가 ～ 校歌斉唱.

제창〈副〉うまい具合に. いいあんばいに. あつらえ向きに. 文例 눈대중으로 사 왔는데 신이 ～ 맞는구나 目加減で買って来たのに靴がうまい具合に合うね.

제책【製冊】[che:ch'aek]〈名・하他〉製本. ＝제본(製本). 語例 ～소 製本所.

제천【祭天】[che:ch'ŏn]〈名・하自〉祭天.

제철〈名〉(着物・食べ物などの)適期. ふさわしい時季. 句例 ～의 생선 旬の魚 / ～ 만난 오이가 쏟아져 나오다 盛りのきゅうりがどっと出回る / ～이 아닌 옷 季節はずれの衣服.

***제철**【製鐵】[che:ch'ŏl]〈名・하自〉製鉄. 語例 ～소 製鉄所.

제청【提請】〈名・하他〉適当な人物を提示して任命を請うこと.

제쳐-놓다 [—not'a]〈他〉❶とりのける. わきにのけて置く. よけておく. ❷別に選んでおく. 取っておく. ❸後まわしにする. 差し置く. 句例 일을 제쳐놓고 외출을 하다 仕事を差し置いて外出する / 만사 제쳐놓고 달려오다 すべてを差し置いて駆けつける.

제초【除草】〈名・하自〉除草. 草取り. 語例 ～기 除草器. 草取り / ～제 除草剤. 除草薬.

제출【提出】〈名・하他〉提出. 句例 사표를

～하다 辞表を提出する. 語例 ～ 서류 提出書類.

제출물-로〈副〉自分の力で. 気の向くままに.

제출물-에 [chech'ulmure]〈副〉気の向くままに. 気ままのあげく.

제충【除蟲】〈名・하自〉除虫. 語例 ～국〔植〕除虫菊.

제치다〈他〉のける. 取り除く. よける. どける.

제-치수【一數】〈名〉原寸. 語例 ～ 크기 原寸大.

제트〈名〉ジェット. 語例 ～기 ジェット機 / ～기류 ジェット気流. ジェットストリーム / ～엔진 ジェットエンジン. ◇jet

제판【製版】[che:p'an]〈名・하自〉製版.

제패【制覇】[che:p'ae]〈名・하他〉制覇. 句例 세계 ～를 꿈꾸다 世界制覇を夢見る.

제풀-로〈副〉おのずから. おのずと. 自然と. ひとりでに. 句例 ～ 자라다 ひとりでに生長する. 類저절로.

제풀-에 [chep'ure]〈副〉おのずから. ひとりでに. わけもなく. 句例 ～ 눈이 감기다 ひとりでにまぶたが閉じる.

제품【製品】[che:p'um]〈名〉製品. 句例 ～을 발송하다 製品を発送する. 語例 국내 ～ 国内製品.

제-하다【除一】(→하다)〈他〉❶差し引く. ＝공제(控除)하다. 빼다. 句例 급료에서 세금을 ～ 給料から税金を差し引く. ❷〔數〕⇨ 나누다. ❸除く. ＝없애다. 類제거(除去)하다.

제한【制限】[che:han]〈名・하他〉制限. 句例 ～이 있다〔없다〕制限がある〔ない〕/ ～을 가하다 制限を加える / ～을 받다 制限を受ける / 속도를 ～하다 スピードを制限する. 語例 ～ 속도 制限速度 / ～ 구역 制限区域 / 수입 ～ 輸入制限 / ～되다 制限される.

제해-권【制海權】[che:haekkwon]〈名〉制海権.

제헌【制憲】[che:hŏn]〈名・하自〉制憲. 語例 ～ 국회 制憲国会.

*__제헌-절__【制憲節】[che:hŏn—]〈名〉制憲節. 憲法記念日. 国民の祝日の一つで, 七月十七日.

제현【諸賢】〈名〉諸賢. 皆様. 語例 애독자 ～ 愛読者諸賢.

제형【梯形】〈名〉⇨ 사다리꼴

제형【諸兄】〈名〉諸兄. 皆様. 語例 동기생 ～ 同期生諸兄.

제호【題號】〈名〉(本などの)題号. 題名.

제화【製靴】[che:hwa]〈名・하自〉製靴. 語例 ～공 製靴工.

제후【諸侯】〈名〉〔史〕諸侯. 句例 중세의 ～ 中世の諸侯.

제휴【提携】〈名・하自〉提携. 句例 밀접하게 ～하다 密接に提携する. 語例 기술 ～ 技術提携.

제-힘〈名〉自力. 句例 ～으로 해내다 自力でなしとげる.

젠장 [che:njang]〈感〉['젠장 맞을' '젠장 칠'の略] 気にくわなかったり, いまいましかったりするときなどに出す語: えいくそ. 畜生. ちぇっ. しまった. 文例 ～, 그 꼴이 뭐야 畜生, それはなんというざまだ.

젠-체하다 (→하다)〈自〉気取る. もったいぶる. うぬぼれる. 句例 젠체하는 말투 気取ったことばづかい. 文例 그렇게 젠체하지 마라 そううぬぼれるなよ.

젤라틴〈名〉〔化〕ゼラチン. ◇gelatine

젤리〈名〉ゼリー. ◇jelly

젯-날【祭一】[che:nnal]〈名〉'제삿날'の略.

젯-밥【祭一】[che:tpap]〈名〉祭祀に供えてから下げた御飯. ＝제삿밥. 参考 祭祀に供える御飯は'메''젯(祭)메'ともいう.

젱겅-거리다〈自他〉'쟁강거리다'の語感の大きい語.

젱그렁-거리다〈自他〉'쟁그랑거리다'の語感の大きい語.

*__조__〈名〉〔植〕あわ(粟). 語例 ～밥 あわ飯.

*__조__【組】㊀〈名〉組. いくつかのグループ. 句例 ～를 짜다 組を作る. 語例 2인～ 二人組. ㊁〈依名〉組み. セット. 語例 공구 한 ～ 工具一組み. 類벌.

조【條】〈依名〉❶条. くだり. 語例 제2～ 第二条. ❷('～로'の形で)名目・条件の意を表わす語. 句例 사례금～로 내는 촌지 謝礼金の名目で出す寸志.

조【調】[tcho]〈依名〉調. ❶口振りや行動の意を表わす語: 口調. 調子. 腰. 勢い. 句例 시비～로 대들다 けんか腰で食いかかる. 語例 애원～ 哀願調. ❷詩歌・歌などの字数によるリズム. 語例 칠오～ 七五調.

조【兆】〈數〉兆. 語例 이～(원) 二兆(ウォン).

조〈冠〉'저'の語感の小さい語: あの. あれ. 句例 ～ 아이 あの子 / ～ 만큼 あれほど.

조 〔漢字項目〕

【兆】中學 조 チョウ. ❶징조 きざし. ▯吉兆 길조 きっちょう. 前兆 전조 ぜんちょう. ❷〔數〕억의 만 갑절 億の萬倍. ▯億兆 억조 おくちょう.

【助】中學 조 ジョ. 돕다 助ける. ▮助手 조수 じょしゅ. 助力 조력 じょりょく. ▯援助 원조 えんじょ. 救助 구조 きゅうじょ. 內助 내조 ないじょ.

【弔】高校 조 チョウ. 적 テキ. ㊀〔조〕조의를 표하다 弔う. ▮弔意 조의 ちょうい. 弔電 조전 ちょうでん. 弔歌 조가 ちょうか. ▯慶弔 경조 けいちょう. ㊁〔적〕이르다 至る.

【操】高校 조 ソウ. ❶부리다 操る. ▮操舵 조타 そうだ. 操縱 조종 そうじゅう. 操作 조작 そうさ. ▯體操 체조 たいそう. ❷지조 みさお. ▯貞操 정조 ていそう.

【早】中學 조 ソウ. サッ. ❶이르다 早い. (이른) 아침 (早い) 朝. ▮早朝 조조 そうちょう. 早春 조춘 そうしゅん. 早起 조기 そうき. ❷서두르다 急ぐ. ▮早速 조속 さっそく. 早急 조급 さっきゅう. そうきゅう.

【朝(朝)】中學 조 チョウ. ❶아침 朝. ▮朝刊 조간 ちょうかん. 朝食 조식 ちょうしょく. 朝夕 조석 ちょうせき. ❷조정

朝廷. ◨朝臣 조신 ちょうしん. ◨王朝 왕조 おうちょう. 清朝 청조 しんちょう.

【條(条)】[高校] 조 ジョウ. ❶일의 줄거리 事の筋みち. ◨條理 조리 じょうり. ❷하나씩 표시한 것 箇条書きしたもの. ◨條約 조약 じょうやく. 條項 조항 じょうこう. ❸줄·끈 따위 긴 것 なわ·ひもなどの長いもの. ◨鐵條 철조 てつじょう.

【潮(潮)】[高校] 조 チョウ. ❶조수 しお. ◨潮水 조수 ちょうすい. 潮流 조류 ちょうりゅう. ◨滿潮 만조 まんちょう. ❷전체의 흐름 全体の流れ. ◨風潮 풍조 ふうちょう. 思潮 사조 しちょう. 最高潮 최고조 さいこうちょう.

【照】[高校] 조 ショウ. ❶비치다 照らす. 빛나다 照る. ◨照明 조명 しょうめい. ◨日照 일조 にっしょう. 落照 낙조 らくしょう. ❷맞대어 보다 対照する. ◨照會 조회 しょうかい. ◨參照 참조 さんしょう. 對照 대조 たいしょう.

【燥】[高校] 조 ソウ. 마르다 かわく. ◨燥濕 조습 そうしつ. ◨乾燥 건조 かんそう. 枯燥 고조 こそう.

【祖(祖)】[中學] 조 ソ. 혈연이나 가계의 근원 血縁や家系の根源. ◨祖父 조부 そふ. 祖國 조국 そこく. ◨元祖 원조 げんそ. 先祖 선조 せんぞ(祖先).

【租】[高校] 조 ソ. ❶세금 税金. ◨租税 조세 そぜい. 租入 조입 そにゅう. ◨公租 공조 こうそ. ❷약속하고 빌리다 約束して借りる. ◨租界 조계 そかい. 租借地 조차지 そしゃくち.

【組】[高校] 조 ソ. ❶실을 꼬듯이 엮다 糸をくみ合わせるように物事をくみ立てる. ◨組織 조직 そしき. 組閣 조각 そかく. ◨改組 개조 かいそ. ❷조합의 준말 組合の略. ◨勞組 노조 ろうそ.

【調(調)】[中學] 조 チョウ. ❶조사하다 調べる. ◨調査 조사 ちょうさ. 調書 조서 ちょうしょ. ❷조절하다 調節する. ◨調和 조화 ちょうわ. 調停 조정 ちょうてい. ❸음악의 장단 音楽のしらべ. ◨長調 장조 ちょうちょう. 變調 변조 へんちょう. 哀調 애조 あいちょう. ❹사물의 진행 상태 物事の進行状態. ◨協調 협조 きょうちょう. 步調 보조 ほちょう.

【造(造)】[中學] 조 ゾウ. ❶만들다 つくる. ◨製造 제조 せいぞう. 建造 건조 けんぞう. 創造 창조 そうぞう. ❷깊은 경지에 도달하다 深い境地に達する. ◨造詣 조예 ぞうけい.

【鳥】[中學] 조 チョウ. 새 とり. ◨鳥獸 조수 ちょうじゅう. 鳥類 조류 ちょうるい. 鳥籠 조롱 とりかご. ◨白鳥 백조 はくちょう. 野鳥 야조 やちょう.

조가【弔歌】[cho:ga]〈名〉弔歌. (類)만가(挽歌).

조가비〈名〉貝殻.

*__조각__ ㊀〈名〉切れ. 切れはし. 破片. かけら. [語例] ~구름 ちぎれ雲 / 유리 ~ ガラスのかけら / 빵 한 ~ パン一切れ.
㊁〈依名〉こわれたり, 切れたりしたものを数える語: 切れ. 片. [語例] 두 ~ 二切れ.
조각(이) 나다 ❶こわれて小さく割れる. ❷(意見が)割れる. 分かれる.
조각(을) 내다 割る. こわす. 砕く.

조각【組閣】〈名·하自〉組閣. [句例] ~에 착수하다 組閣に着手する.

조각【彫刻】〈名〉彫刻. 彫り物. **~하다**〈他〉彫刻する. 彫る. 彫り物をする. [句例] 불상을 ~하다 仏像を彫刻する〔彫る〕. [語例] ~가 彫刻家 / ~품 彫刻. 彫り物.

조각-달〈名〉片月. 弦月. 片割れ月. 弓張り月.

조각-배〈名〉扁舟. 小舟.

조각-보【—褓】〈名〉小切れを縫い合わせた風呂敷. [絵]
[參考] 風呂敷や'상보(床褓) お膳かけ'などに使う.

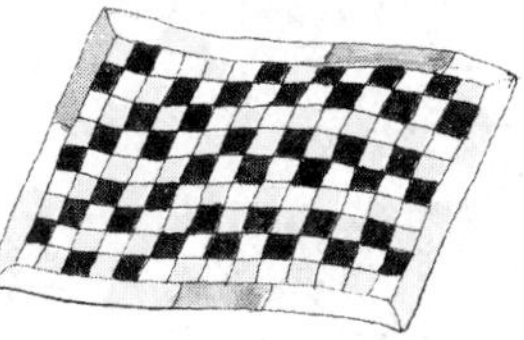

〈조각보〉

조각-조각〈副〉切れ切れ. ばらばら.

조각-칼【彫刻—】〈名〉彫刻刀. =조각도.

조간【朝刊】〈名〉['조간 신문'の略] 朝刊. [語例] ~지 朝刊. (對)석간(夕刊).

조갈【燥渴】〈名〉渇き. のどが渇くこと. [句例] ~이 나다 のとが渇く.

조갈-증【燥渴症】[—tchŭng]〈名〉〔韓醫〕のどがひどく渇く病気. =구갈증(口渴症).

조감-도【鳥瞰圖】〈名〉鳥瞰図.

조-감독【助監督】[cho:—]〈名〉(映画の)助監督.

조강【粗鋼】〈名〉粗鋼.

조강지-처【糟糠之妻】〈名〉糟糠の妻.
조강지처 불하당(不下堂) 糟糠の妻は堂より下ろさず.

*__조개__〈名〉貝. [語例] ~탄 豆炭 / ~젓 小さい貝類の塩辛.

조개-관자【—貫子】〈名〉貝柱. 肉柱.

조개-더미〈名〉貝塚.

조개-무지〈名〉⇨ 조개더미

조객【弔客】[cho:gaek]〈名〉弔客·弔客. = 문상객(問喪客). (對)하객(賀客).

조갯-살〈名〉❶むき身. ❷むき身の干物.

조-거〈代〉'조것'の略.

*__조건__【條件】[chokkŏn]〈名〉条件. [句例] ~이 성립되다 条件が調う / ~이 갖추어지다 条件が備わる / ~에 맞다 条件に合う / ~을 붙이다 条件をつける / ~을 내놓다 条件を出す / ~이 좋다 条件がいい. [語例] 무~ 無条件 / ~부 찬성 条件づき賛成.

조-건 ['조것은'の略] あれは. [文例] ~ 내거야 あれは僕のだよ.

조건 반사【條件反射】[chokkŏnba:nsa]〈名〉〔生〉条件反射. (對)무(無)조건 반사.
조-걸 [‘조것을’の略] あれを.
조걸-로 [‘조것으로’の略] あれで.
조-것〈代〉あれ. あのもの.
조-게 [‘조것이’の略] あれが. 文例 ~ 뭐야 あれがなにかね.
조견-표【早見表】[cho:gyŏn—]〈名〉早見表.
조경【造景】[cho:gyŏng]〈名・하自〉造園. 語例 ~ 사업 造園事業.
조계【租界】〈名〉〔史〉租界. 語例 공동 ~ 共同租界.
조계-종【曹溪宗】〈名〉〔佛〕曹渓宗. 韓国の禅宗を代表する宗派.
조곡【組曲】〈名〉⇨ 모음곡
조공【朝貢】〈名・하他〉〔史〉朝貢. 貢ぎ物. 句例 ~을 바치다 貢ぎ物をささ(捧)げる.
조교【弔橋】[cho:gyo]〈名〉⇨ 현수교(懸垂橋)
조교【助教】[cho:gyo]〈名〉❶大学で教授の研究及び事務の補助をする人. ❷〔軍〕教官の補助をする下士官.
조-교수【助教授】[cho:—]〈名〉大学教員の職位の一つ. ‘교수 教授’‘부교수 副教授’の次.
***조국**【祖国】〈名〉祖国. 句例 우리 ~ わが祖国 / ~을 지키다 祖国を守る / ~을 떠나다 祖国を離れる / ~의 땅을 밟다 祖国の土を踏む. 語例 ~ 통일 祖国統一.
***조그마-하다** (→하다)〈形〉やや小さい. やや少ない. 略して‘조그맣다’ともいう. 句例 조그마한 몸집 小柄なからだつき.
조그만 [‘조그마한’の略] 小さい. 小さな. 句例 ~ 집 小さな家.
***조그맣다** [chogŭmat'a] (조그마니, 조그마오)〈形〉‘조그마하다’の略. 句例 멀리 조그맣게 보이는 산 はるか遠くに小さく見える山.
조금【潮—】〈名〉小潮. 潮のみちひの差がもっとも小さくなる陰暦の毎月八日と二十三日. 語例 ~날 小潮の日. (對)한사리. 사리.
****조금** ㊀〈名〉少量・少ない程度・短い時間を表わす語: 少し. ちょっと. 文例 ~이라도 다르면 안 된다 少しでも違ったらだめだよ / ~만 기다려다오 ちょっと待ってくれ.
㊁〈副〉少し. ちょっと. わずかに. 少少. 句例 ~ 뒤에 少しあとに / ~ 더 もう少し / 아주 ~ ほんの少し. 文例 ~ 기다려 주십시오 少少お待ちください / ~ 더 주십시오 もうちょっとください.
조금-도〈副〉少しも. ちっとも. いささかも. 寸分も.
***조금-씩**〈副〉少しずつ. 文例 성적이 ~ 나아지고 있다 成績が少しずつよくなっていく.
조금-조금〈副〉❶少しずつ. わずかながら. ❷皆小さいさま.
조급-하다【躁急—】[chogŭp'ada] (→하다)〈形〉躁急だ. せっかちだ. 気短だ. 気ぜわしい. 句例 조급한 성질 躁急な性質 / 조급한 사람 せっかちな人. 気短な人. **조급히** [chogŭp'i]〈副〉気ぜわしく. あわただしく. 文例 그렇게 조급히 굴지 마라 そうあせるなよ.
****조기**〈名〉〔魚〕いしもち. ぐち. 語例 ~젓 いしもちの塩辛.
조기【弔旗】[cho:gi]〈名〉弔旗. 句例 ~를 달다 弔旗を掲げる.
조기【早起】[cho:gi]〈名・하自〉早起き. 語例 ~ 축구 早起きサッカー.
조기【早期】[cho:gi]〈名〉早期. 句例 ~에 발견하다 早期に発見する. 語例 ~ 재배 早期栽培 / ~ 교육 早期教育.
조깅〈名〉ジョギング. 語例 ~화(靴) ジョギングシューズ. ◇jogging
조끼[1]〈名〉チョッキ. 胴衣. 語例 방탄 ~ 防弾チョッキ.
조끼[2] ㊀〈名〉ジョッキ. 句例 ~ 가득찬 맥주 ジョッキいっぱいのビール.
㊁〈依名〉ジョッキを数える語. 句例 두 ~를 시키다 ジョッキ二つを注文する. ◇jugから.
조난【遭難】[cho:nan]〈名・하自〉遭難. 句例 눈사태로 ~을 당하다 なだれで遭難する. 語例 ~ 사고 遭難事故 / ~ 현장 遭難現場 / ~자 遭難者.
조달【調達】〈名・하自他〉調達. 句例 자금을 ~하다 資金を調達する. 語例 현지 ~ 現地調達.
조달-청【調達廳】〈名〉調達庁. 韓国の‘재정 경제원 財政経済院’に属する外局で, 政府需用の調達業務をつかさどる.
조도【照度】[cho:do]〈名〉〔物〕⇨ 조명도
조-동사【助動詞】〈名〉〔言〕助動詞. ハングルでは‘보조 동사(補助動詞)’という.
조동아리〈名〉‘주둥아리’の語感の小さい語. 略して‘조동이’ともいう.
***조랑-말**〈名〉小形の品種の馬.
조랑-조랑〈副〉‘주렁주렁’の語感の小さい語.
조력【助力】[cho:ryŏk]〈名〉助力. 手助け. 力添え. 助太刀. **~하다**〈他〉助力する. 手助けする. 力添えする. 助太刀する. 句例 ~을 받다 助力を受ける / ~을 구하다 助力をこう / ~을 부탁하다 助太刀を頼む.
조력 발전【潮力發電】[—paltchŏn]〈名〉潮力発電.
조련-사【調練師】〈名〉(動物の)調教師.
조령-모개【朝令暮改】[—mo:gae]〈名・하自他〉朝令暮改. 句例 ~의 정책 朝令暮改の政策.
조례【條例】〈名〉条例. 語例 지방 ~ 地方条例.
조례【朝禮】〈名〉朝礼. =조회(朝會). (對)종례(終禮).
조롱【鳥籠】〈名〉⇨ 새장
조롱 안의 새 かご(籠)の鳥. 他人によって自由を奪われている人.
조롱【嘲弄】〈名・하他〉嘲弄. 冷やかし. からかうこと. 句例 남에게 ~받다 人に嘲弄される / 농담으로 ~하다 じょうだんを言ってからかう.
조롱-박〈名〉ひさご. ひょうたんの実. また, それでつくった容器.
조류【鳥類】〈名〉鳥類. 語例 ~ 도감 鳥類図鑑 / ~ 학자 鳥類学者.
조류【潮流】〈名〉潮流. 句例 ~가 세다 潮流が

強い / ～를 타다 潮流に乗る / 시대의 ～ 時代の潮流.

조류【藻類】〈名〉〔植〕藻類.

조르기〈名〉(柔道の) 絞め技.

***조르다** (조르니, 졸라서)〈他〉❶締める. 絞める. 句例 목을 ～ 首を絞める / 허리띠를 ～ ベルトを締める. ❷せがむ. ねだる. せびる. 句例 어머니에게 ～ 母にねだる / 돈을 달라고 ～ お金をくれとせびる. ❸催促する. せきたてる. 句例 빨리 하라고 ～ 早くしろとせきたてる.

조름 [cho:rŭm]〈名〉〔魚〕えら(鰓).

〈조리〉

조리【笊籬】[cho:ri]〈名〉研いだ米をよなげるのに使う小さいざる型の器具. 竹ひご・針金などで三角に編んだもの. 絵

***조리**【條理】〈名〉条理. 筋. 筋道. つじつま. 句例 ～에 맞다 条理にかなう / ～를 세우다 筋を通す / ～있게 이야기하다 筋道を立てて話す.

조리【調理】〈名・하他〉❶養生. 摂生. ＝조섭(調攝). 句例 병후의 ～ 病後の養生. 語例 ⇨ 몸조리. ❷調理. 句例 생선을 ～하다 魚を調理する. 語例 ～법 調理法 / ～기 調理器具 / ⇨ 조리사

조리개〈名〉(カメラの) 絞り.

조리다〈他〉煮つける. 煮詰める. 煮しめる. 句例 생선을 바짝 ～ 魚を煮つける / 야채를 바싹 ～ 野菜を煮しめる. ▷→囲み記事 79

조리-대【調理臺】〈名〉調理台.

조리-돌리다〈他〉罪人をさらし者にして引きずり回る.

조리-사【調理士】〈名〉❶(免許のある) 調理師. ❷調理人. 板場. 板前. ＝요리사.

조리-질【笊籬—】[cho:ri—]〈名・하他〉'조리'でよなげること.

조리차-하다 (→하다)〈他〉倹約する. 切り詰める. ひき締める. 詰める.

조림〈名〉煮付け. にしめ. 語例 고등어 ～ さばの煮付け.

조림【造林】[cho:rim]〈名・하他〉造林. 語例 ～지 造林地 / 인공 ～법 人工造林法.

***조립**【組立】〈名〉組み立て. **～하다**〈他〉組み立てる. 語例 ～식 組み立て式 / ～ 공장 組み立て工場 / ～식 주택 組み立て住宅 / ～공 組み立て工 / ～도 組み立て図.

조립 건축【組立建築】[—kŏnch'uk]〈名〉組み立て建築.

조마조마-하다 (→하다)〈形〉はらはらする. ひやひや〔いらいら〕する. 文例 그때는 어떻게 될까 하고 조마조마했었다 あのときはどうなることかと, はらはらしていた / 역전당할 것 같아 조마조마했다 逆転されそうになってひやひやした.

조막-손〈名〉指が不自由で曲がったまま開かない手. 手てん棒.

조막손-이 [—soni]〈名〉手てん棒(の人).

조만-간【早晩間】[cho:man—]〈副〉早晩. 遅かれ早かれ. その内(に). おっつけ. 文例 ～ 결론이 날 것이다 早晩結論が出るだろう / ～ 비가 그칠걸 その内に雨はやむだろう.

조망【眺望】[cho:mang]〈名〉眺望. 眺め. 見晴らし. **～하다**〈他〉眺望する. 見晴らす. 眺める. 句例 ～이 좋다 眺望がいい. 類전망(展望).

조매-화【鳥媒花】〈名〉〔植〕鳥媒花.

조명【照明】[cho:myŏng]〈名・하他〉照明. 語例 ～ 기구 照明器具 / ～탄 照明弾 / 무대 ～ 舞台照明 / 간접 ～ 間接照明.

조명-도【照明度】[cho:myŏng—]〈名〉〔物〕照度.

조명-등【照明燈】[cho:myŏng—]〈名〉照明灯.

조모【祖母】〈名〉祖母. ＝할머니. 對조부(祖父). 参考 敬称は'조모님' '할머님'. 呼称は'할머니'.

조목【條目】〈名〉条目. 箇条. ＝조항(條項). 항목(項目). 句例 규약을 ～별로 쓰다 規約を箇条書きする.

조목-조목【條目條目】〈副〉条目ごとに. 句例 ～ 심의하다 逐次〔条目ごとに〕審議する. 文例 여러 질문을 ～ 적었다 多くの質問を箇条書きした.

조몰락-거리다〈他〉'주물럭거리다'の語感の小さい語.

조무래기〈名〉❶'작은 아이 小さい子'をややさげすんで言う語: ちび. 小僧. じゃり. ❷こまごました物. がらくた.

조문【弔文】[cho:mun]〈名〉弔文.

조문【弔問】[cho:mun]〈名・하他〉弔問. ＝문상(問喪). 句例 ～을 받다 弔問を受ける. 文例 많은 사람이 ～하러 왔다 たくさんの人が弔問に来た. 語例 ⇨ 조문객

조문【條文】〈名〉条文. 句例 규칙을 ～화(化)하다 決まりを条文にする / ～으로 명기하다 条文に明記する.

조문-객【弔問客】[cho:mun-gaek]〈名〉弔問客. ＝문상객(問喪客). 句例 ～이 끊이지 않다 弔問客が絶えない.

조물-주【造物主】[cho:multchu]〈名〉造物主.

조미【調味】〈名・하他〉調味. 句例 알맞게 ～하다 ほどよく調味する.

조미-료【調味料】〈名〉調味料. 語例 화학〔인공〕～ 化学〔人工〕調味料.

조밀-하다【稠密—】(→하다)〈形〉稠密である. 稠密している. 句例 인구가 조밀한 나라 人口の稠密な国. 文例 대도시는 인구가 ～ 大都市には人口が稠密している.

조-바꿈【調—】〈名〉〔樂〕転調. →조옮김

ス

> 囲み記事 79
>
> **'조리다'と'졸이다'**
>
> 二語とも [chorida] と発音されるので, 使うときには注意を要する.
>
> 조리다 煮る —— 고기를 짭짤하게 조리다 肉を塩からく煮る.
>
> 졸이다 (1) 煮詰める —— 국을 너무 졸였구나 汁を煮詰めすぎたね.
>
> (2) 気をも(揉)む —— 마음을 졸이며 뉴스에 귀를 기울이다 気をもみながらニュースに耳を傾ける.

조바심〈名・하自〉焦り. いらだち. 焦燥感. いらいらすること. はらはらすること. 句例 ~이 나다 いらだつ. 焦りを感じる. 文例 떨어질까 ~을 쳤다 落ちるのではないかとはらはらした.

조바위〈名〉韓国固有の服飾で, 婦人がかぶる防寒帽の一種. 絵

参考 朝鮮朝後期から用いられ, 少女もかぶった. また, 飾りとして外出用にも使った.

조반【朝飯】〈名〉朝飯. 朝食. 〈조바위〉朝御飯. =아침밥.

조-밥〈名〉あわ(粟)飯.

조방 농업【粗放農業】〈名〉粗放農業. 對집약(集約) 농업.

조부【祖父】〈名〉祖父. おじいさん. =할아버지. 對조모(祖母).
参考 敬称は'조부님' '할아버님'. 呼称は'할아버지'.

조-부모【祖父母】〈名〉祖父母.

조붓-이 [chobushi]〈副〉やや狭く. 少し狭そうに. 句例 눈을 ~ 뜨다 目をやや細く開く.

조붓-하다 [chobut'ada] (→하다)〈形〉やや狭い. 少し狭そうだ. 文例 저고리의 품이 ~ チョゴリの幅が少し狭そうだ.

조사【弔詞・弔辭】[cho:sa]〈名〉弔辞. 弔詞. 類조문(弔文).

조사【助詞】[cho:sa]〈名〉〔言〕助詞. 体言・副詞・語尾などについてことばとことばとの関係をあらわしたり, ことばのはたらきを助ける品詞. →付録조사 분류표(助詞分類表)

조사【照射】[cho:sa]〈名・하自他〉照射. 句例 방사선을 ~하다 放射線を照射する.

****조사**【調査】〈名〉調査. 調べ. **~하다**〈他〉調査する. 調べる. 句例 철저히 ~하다 徹底的に調査する / ~를 중단하다 調査をうち切る. 語例 ~단 調査団 / 재고 ~ 在庫調べ / 여론 ~ 世論調査.

조-사료【粗飼料】〈名〉粗飼料. 干し草・わらなど. 對농후(濃厚) 사료.

조산-사【助産師】[cho:san—]〈名〉(免許のある)助産婦.

조산 운동【造山運動】[cho:sanu:ndong]〈名〉〔地〕造山運動.

조산-원【助産員】[cho:sanwon]〈名〉'조산사'の旧称.

조삼-모사【朝三暮四】[—mo:sa]〈名〉朝三暮四.

조상【弔喪】[cho:sang]〈名・하他〉弔問. お悔やみ. 句例 ~하러 가다 お悔やみに行く.

***조상**【祖上】〈名〉祖先. 先祖. 父祖. 句例 ~의 산소 先祖のお墓 / ~ 전래의 가보 先祖伝来の家宝 / ~ 대대로 이어 받은 전통 先祖代代受け継がれた伝統. 語例 ~님 ご先祖様.

조상【彫像】〈名〉彫像.

조상 숭배【祖上崇拜】〈名〉祖先崇拝.

조상-신【祖上神】〈名〉〔民〕四代祖以上の祖先の神霊. 子孫を保護するといわれている.

조생-종【早生種】[cho:saeng—]〈名〉〔植〕わせ(早生)の品種. 略して'조종(早種)'ともいう. 對만생종(晩生種).

조서【調書】〈名〉調書. 句例 용의자의 ~를 꾸미다 容疑者の調書をとる. 語例 ~ 작성 調書の作成.

조석【朝夕】〈名〉朝夕. ❶朝夕. 朝晩. 句例 ~으로 문안드리다 朝夕御機嫌をうかがう. 文例 ~으로 제법 선선해졌다 朝夕はめっきりすずしくなった / ~으로 연습에 힘쓰고 있다 朝夕練習にはげんでいる. ❷['조석반(朝夕飯)'の略] 朝晩の食事. 語例 ~ 걱정 食べていく心配. 食べる心配.

조석【潮汐】〈名〉❶潮汐. ❷['조석수(潮汐水)'の略] 満ち潮と引き潮. また, 潮水.

***조선**【造船】[cho:sŏn]〈名・하他〉造船. 語例 ~술 造船術.

****조선**【朝鮮】〈名〉朝鮮. ❶韓国で上古から使われてきた国の名. ❷['근세 조선(近世朝鮮)'の略] 朝鮮朝.

***조선-소**【造船所】[cho:sŏn—]〈名〉造船所.

조선-어【朝鮮語】[chosŏnŏ]〈名〉⇨ 한국어(韓國語)

조선-옷【朝鮮—】[chosŏnot]〈名〉⇨ 한복(韓服)

조선 왕조【朝鮮王朝】[chosŏnwangjo]〈名〉〔史〕(近世の)朝鮮王朝. 以前は李氏朝鮮といった.

조선-조【朝鮮朝】〈名〉〔史〕(近世の)朝鮮朝.

조선-종이【朝鮮—】[—tchong-i]〈名〉⇨ 한지(韓紙)

조선-집【朝鮮—】[—tchip]〈名〉⇨ 한옥(韓屋)

조섭【調攝】〈名・하他〉調摂. 摂生. =조리(調理).

조성【助成】[cho:sŏng]〈名・하他〉助成. 句例 연구를 ~하다 研究を助成する. 語例 ~금 助成金.

조성【造成】[cho:sŏng]〈名・하他〉❶造成. 句例 택지를 ~하다 宅地を造成する. 語例 ~되다 造成される. ❷醸成. 醸し出すこと. 醸すこと. 句例 사회 불안을 ~하다 社会不安を醸成する / 분위기를 ~하다 雰囲気を醸す. 語例 ~되다 醸成される.

조성【組成】〈名・하他〉組成. 句例 물은 산소와 수소로 ~된다 水は酸素と水素で組成される.

조세【租稅】〈名〉租税. 略して'세(稅)'ともいう. 句例 ~를 과하다 租税を課する / ~를 납부하다 租税を納める.

조소【彫塑】〈名・하自〉彫塑.

조소【嘲笑】〈名・하他〉嘲笑. =비웃음. 句例 ~의 대상(이 되다) 嘲笑の的(になる) / ~를 받다 嘲笑を買う〔招く〕. 語例 ~당하다 嘲笑される.

조속-하다【早速—】[cho:sok'ada] (→하다)〈形〉速やかだ. 早い. 句例 조속한 조치를 취하다 速やかな処置をとる / 조속한 시일 안에 끝내다 早い日時内に済ます. **조속히** [cho:sok'i]〈副〉速やかに. 早く. 句例 조속히 해결하다 速やかに解決する.

조수【助手】[cho:su]〈名〉助手. 句例 ~로 일

하다. ~일을 맡아 하다 助手をつとめる. 語例 ~석 (トラックなどの)助手席.

조수【鳥獸】〈名〉鳥獸. 語例 ~ 보호구 鳥獸保護区. (類)금수(禽獸).

조수【潮水】〈名〉潮水・しお. 潮. 句例 ~의 간만 潮の干満 / ~가 써다 潮が干る〔引く〕.

조숙-하다【早熟—】[cho:suk'ada] (→하다) 一〈自〉早熟する. 果実が早く熟する. (對)만숙(晩熟)하다.
二〈形〉早熟だ. ませている. ＝숙성(夙成)하다. 句例 조숙한 아이 早熟な〔の〕子供. ませた子供 / 조숙한 소년 早熟な少年.

조신-하다【操身—】(→하다)〈形〉(身持ちが)つつ(慎)ましやかだ. 句例 조신한 처녀 つつましやかな乙女.

조-실부모【早失父母】[cho:—]〈名・하自〉幼いころ親に死なれること.

⁑**조심**【操心】[cho:shim]〈名・하自他〉気をつけること. 用心すること. 注意すること. 慎むこと. 句例 ~해서 찾다 注意してさがす / 밤길을 ~해서 귀가하다 夜道を用心して帰る. 語例 ⇨ 몸조심 / 불~ 火の用心.

*__조심-성__【操心性】[cho:shimssŏng]〈名〉慎み. たしなみ. 用心深さ. 気をつける性質. 句例 ~이 없는 행동 慎みのない振る舞い. ~스럽다 (→스럽다)〈形〉⇨ 조심스럽다

조심-스럽다【操心—】[cho:shim—] (→스럽다)〈形〉用心深い. つつ(慎)ましい. 控え目だ. 慎重だ. 句例 조심스러운 태도 つつましい態度. **조심스레**〈副〉用心深く. つつましく. 控え目に.

조심-조심【操心操心】[cho:shimjo:shim]〈副・하自他〉非常に用心深く振る舞うさま: 用心に用心を重ねて. とても慎重に. 句例 ~ 다가가다 用心深く近寄る.

조아리다〈他〉(恐縮して)頭を深く下げる. ぬかずく. 平身低頭する. 句例 머리를 조아리고 사과하다〔아뢰다〕平身低頭して謝る〔申し上げる〕/ 불전에 ~ 仏前にぬかずく.

조악【粗惡】〈名・하形〉粗悪. 語例 ~품 粗悪品.

조야【朝野】〈名〉朝野. 朝廷と民間.

조약【條約】〈名〉条約. 句例 ~을 체결하다〔맺다〕条約を締結する〔結ぶ〕/ ~을 비준하다 条約を批准する. 語例 현행 국제 ~ 現行の国際条約.

조약-돌〈名〉玉砂利. 小石. くり(栗)石.

조어【造語】[cho:ŏ]〈名〉造語. 語例 ~ 성분 造語成分.

조언【助言】[cho:ŏn]〈名・하他〉助言. 口添え. アドバイス. 句例 ~을 구하다 助言を求める / ~을 받다 助言を受ける / ~해 주다 助言してくれる. 助言してやる. 助言を与える. 語例 ~자 助言者.

조업【操業】〈名・하自〉操業. 句例 ~중인 어선 操業中の漁船. 語例 ~ 단축 操業短縮. 操短《略語》/ ~ 개시 操業開始.

조역【助役】[cho:yŏk]〈名〉(鉄道の駅で)'계장(係長)'や'부역장(副驛長)'の旧称: 助役.

조연【助演】[cho:yŏn]〈名・하他〉助演. 語例 ~ 여우상 助演女優賞. (對)주연(主演).

조예【造詣】[cho:ye]〈名〉造詣. 文例 그는 한학에 ~가 깊다 彼は漢学に造詣が深い.

조-옮김【調—】[—omgim]〈名・하自〉〔樂〕移調.

조용조용-하다 (→하다)〈形〉'조용하다'の強調語: 非常に静かだ. **조용조용히**〈副〉(もの)静かに. もの柔らかに. 静静と. 句例 조용조용히 타이르다 もの柔らかに諭す / 조용조용히 이야기하다 しみじみと話す.

⁑**조용-하다** (→하다)〈形〉[もとの語形は'종용(從容)하다'] 静かだ. もの静かだ. 句例 조용한 환경 静かな環境 / 조용한 인품 静かな人柄 / 조용한 장소 もの静かな場所. 語例 조용해지다 静かになる. 静まり返る. 静まる. **조용히**〈副〉静かに. もの静かに. 句例 조용히 이야기하다 (もの)静かに話す / 조용히 생각하다 静かに考える. 文例 그는 전원에서 조용히 여생을 보내고 있다 彼は田園で心静かに余生を送っている / 조용히 해라 静かにしろ.

조우【遭遇】[cho:u]〈名・하自他〉遭遇. 句例 적과 ~하다 敵と遭遇する.

조울-병【躁鬱病】[—ppyŏng]〈名〉〔醫〕そううつ(躁鬱)病.

조위【潮位】〈名〉潮位. 句例 만조시의 ~ 満潮時の潮位.

조위-금【弔慰金】[cho:wi—]〈名〉⇨ 부의금(賻儀金)

조율【調律】〈名・하他〉調律. 句例 피아노를 ~하다 ピアノを調律する. 語例 ~사 調律師.

조의【弔意】[cho:ŭi]〈名〉弔意. 句例 삼가 ~를 표하다 謹んで弔意をあらわす.

조의-금【弔意金】[cho:ŭi—]〈名〉⇨ 부의금(賻儀金)

조인【調印】〈名・하自〉調印. 句例 평화 조약에 ~하다 平和条約に調印する. 語例 ~되다 調印される.

조작【造作】[cho:jak]〈名・하他〉捏造. でっちあげ. 作為. からくり. 句例 사건을 ~하다 事件を捏造する / ~이 들통나다 からくりがばれる / ~한 흔적이 보이다 作為のあとが見える / ~된 서류 捏造された書類.

조작【操作】〈名・하他〉操作. 句例 기계를 ~하다 機械を操作する. 文例 이 기계의 ~은 복잡하다 この機械の操作は複雑だ.

조잡-하다【粗雜—】[chojap'ada] (→하다)〈形〉粗雑だ. 句例 조잡한 일 粗雑な仕事 / 조잡하게 다루다 粗雑にあつかう. 文例 생각하는 바가 ~ 考え方が粗雑だ.

조장【組長】〈名〉(作業などの)組長.

조장-하다【助長—】[cho:jang—] (→하다)〈他〉助長する. 句例 사회 불안을 ~ 社会不安を助長する. 文例 과보호는 자립심보다는 의존심을 조장한다 過保護は自立心よりは依存心を助長する.

조전【弔電】[cho:jŏn]〈名〉弔電. 句例 ~을 치다 弔電を打つ. (對)축전(祝電).

*__조절__【調節】〈名・하他〉調節. 句例 온도를 ~하다 温度を調節する / 적당히 ~하다 適当に加減する. 語例 ~되다 調節される.

조정【朝廷】〈名〉朝廷.

조정【漕艇】〈名・하自〉❶漕艇. ボートをこぐ

こと. ❷ボートレース. 競漕. ＝조정 경기.

조정【調停】〈名・하他〉調停. 句例 분쟁을 ～하다 紛争を調停する / ～ 역할을 맡고 나서다 調停の役を買って出る. 語例 ～자 調停者 / ～법 調停法.

조정【調整】〈名・하他〉調整. 句例 의견을 ～하다 意見を調整する / 음량을 ～하다 音量を調整する.

조제【調劑】〈名・하他〉調剤. 調合. 句例 처방대로 ～하다 処方通り調合する / 감기약을 ～하다 風邪薬を調合する.

조제-실【調劑室】〈名〉調剤室.

조조 할인【早朝割引】[cho:joharin]〈名〉(映画館などの)早朝割引.

조족지-혈【鳥足之血】〈名〉‘새발의 피’の意(→‘새²’の小項目).

조종【弔鐘】[cho:jong]〈名〉弔鐘. 弔いの鐘. 句例 ～이 울리다 弔鐘が鳴る.

*__조종__【操縱】〈名〉操縦. **～하다**〈他〉操縦する. 操る. 句例 비행기를 ～하다 飛行機を操縦する / 남을 마음대로 ～하다 人を意のままに操縦する / 뒤에서 사람을 ～하다 陰で人を操る. 語例 ～석 操縦席 / ～간 操縦桿 / ～되다 操縦される.

조종-사【操縱士】〈名〉操縦士. ＝파일럿. 語例 부～ 副操縦士.

조준【照準】[cho:jun]〈名・하他〉照準. 句例 ～이 어긋나다 照準が狂う / 백 미터에 ～을 맞추다 百メートルに照準を合わせる.

조지다〈他〉❶四隅にほぞをしっかりはめ込む. 緩まないようにしっかり締める. ❷言動をきびしく取り締まる. とっちめる. 文例 건방진 녀석을 조져 주자 生意気なやつをとっちめてやろう. ❸ぶん殴る. ひどくたたく. 文例 다시는 나서지 못하게 조져라 二度とでしゃばらないようにぶん殴れ. ❹台無しにする. だめにする. ＝망치다. 句例 신세를 ～ 一生を台無しにする.

*__조직__【組織】〈名・하他〉組織. 句例 ～을 만들다 組織を作る / 탐험대를 ～하다 探険隊を組織する / ～적으로 활동하다 組織的に活動する. 語例 ～화 組織化 / ～망 組織網 / ～력 組織力 / 신경 ～ 神経組織 / 하부 ～ 下部組織.

조짐【兆朕】〈名〉兆候. 兆し. 前触れ. 句例 좋은 ～이 나타나다 いい兆しが現れる. 文例 경기 회복의 ～이 보이기 시작하였다 景気回復の兆しが見えてきた. 類징후(徵候). 전조(前兆). 징조(徵兆).

조차【租借】〈名・하他〉租借. 語例 ～지 租借地 / ～권 租借権.

조차〈助〉‘…도 …も’‘역시 …もまた’の意で, 前のことばを強調する補助詞: …さえ. …まで(も). …すら. …だに《雅》. 文例 처음 하는 사람～(도) 할 수 있다 はじめての人でさえできる / 이름～ 못 쓴다 名前さえ書けない / 아이에게～ 멸시당했다 子供にまでばかにされた / 최하위 팀에게～ 졌다 最下位のチームにすら負けた. 類마저.

조차-장【操車場】〈名〉操車場.

조찬【朝餐】〈名〉朝餐. 朝食. ＝아침밥.

조처【措處】〈名・하他〉⇨ 조치(措置)

조청【造淸】[cho:ch'ŏng]〈名〉人造の蜜. 水あめ(飴).

조촐-하다 (→하다)〈形〉❶こぢんまりしている. 小ぎれいだ. つつ(慎)ましい. 句例 조촐하게 살다 こぢんまりと暮らす. つつましく暮らす. 小ぎれいに暮らす / 조촐한 집 こぢんまりした家. ❷(行動が)端正だ. きちんとしている. ❸(姿が)こざっぱりしている. **조촐히**〈副〉こぢんまりと. 小ぎれいに. つつましく. こざっぱりと. 句例 조촐히 차려 입은 모습 こざっぱりと装った姿.

조총【弔銃】[cho:ch'ong]〈名〉弔銃. 句例 ～을 쏘다 弔銃を撃つ.

조총【鳥銃】〈名〉❶鳥銃. ＝새총. ❷‘화승총 火縄銃’の旧称.

조치【措置】〈名・하他〉措置. 処置. ＝조처(措處). 句例 ～를 강구하다 措置を講じる / 강경한 ～를 취하다 強硬な措置をとる. 語例 응급 ～ 応急処置.

조칙【詔勅】[cho:ch'ik]〈名〉詔勅. ＝조서(詔書).

__조카__〈名〉おい(甥). 参考 姉や妹の息子は‘생질(甥姪)’という.

조카-딸〈名〉めい(姪). ＝질녀(姪女). 参考 姉や妹の娘は‘생질녀(甥姪女)’という.

조카-뻘〈名〉おい(甥)やめい(姪)に当たる間柄. ＝질항(姪行).

조카-자식【一子息】〈名〉おい(甥)とめい(姪)の通称. また, 他人に対して自分のおいをいうことば.

조타-수【操舵手】〈名〉⇨ 키잡이

조타-실【操舵室】〈名〉操舵室.

조퇴【早退】[cho:t'oe]〈名・하自〉早退. 早引け. 早引き. 文例 머리가 아파서 ～했다 頭が痛いので早退した / 볼일이 있어서 ～했다 用事があって早引けした.

조판【組版】〈名・하自〉組み版. 對해판(解版).

조폐 공사【造幣公社】[cho:p'ye—]〈名〉[‘한국 조폐 공사’の略] 造幣公社. 日本の造幣局に当たる.

조포【弔砲】[cho:p'o]〈名〉弔砲. 句例 ～를 쏘다 弔砲を撃つ.

조표【調標】〈名〉〔樂〕調号.

조합【組合】〈名〉❶組合. 句例 ～에 가입하다 組合に加入する. 語例 노동 ～ 労働組合 / 농업 협동 ～ 農業協同組合 / ～장 組合長. ❷〔數〕組み合わせ. 句例 순열과 ～ 順列と組み合わせ.

조합【調合】〈名・하他〉調合. 類조제(調劑).

조합-원【組合員】[chohabwon]〈名〉組合員. 語例 ～수 組合員数.

조항【條項】〈名〉条項. ＝조목(條目). 句例 회칙의 ～ 会則の条項 / 하나하나의 ～을 검토하다 一つ一つの条項を検討する.

조행【操行】〈名〉操行. ＝품행(品行).

조형【造形】[cho:hyŏng]〈名・하自〉造形〔造型〕. 語例 ～미 造形美.

조형 미술【造形美術】[cho:hyŏngmi:sul]〈名〉造形美術. ＝조형 예술.

조혼【早婚】[cho:hon]〈名・하自〉早婚. 句例

~하는 풍습 早婚の習わし. ㊉만혼(晩婚).

조화【弔花】[cho:hwa]〈名〉弔花. 句例 ~를 바치다 弔花を供える.

조화【造化】[cho:hwa]〈名〉❶造化. 句例 ~의 신 造化の神 / ~의 묘 造化の妙. ❷人の力ではどうすることもできない不思議な物事.

조화(를) 부리다 神秘な力で不思議な変化を起こす. 異変を起こす.

조화【造花】[cho:hwa]〈名〉造花. 句例 ~를 만들다 造花をつくる. ㊉생화(生花).

***조화**【調和】〈名・하自〉調和. 句例 ~를 이루다 調和がとれる / ~를 유지하다 調和をたもつ. 文例 이 건물은 배경과 ~를 이루고 있다 この建物は背景に調和している. 語例 ~되다 調和する. **~롭다** (→롭다)〈形〉調和している. 調和がとれている.

조황【釣況】[cho:hwang]〈名〉釣況. 魚釣りの状況. 釣り場の釣り具合い.

조회【朝會】〈名・하自〉朝会. =조례(朝禮). 句例 월요일의 ~ 月曜日の朝会. 語例 ~ 시간 朝会の時間.

조회【照會】[cho:hoe]〈名・하他〉照会. 語例 신원 ~ 身元照会.

조흔-색【條痕色】〈名〉(鉱物の)条痕色.

족【足】■一〈名〉脚. 牛・豚などのひざ(膝)から下の部分を言う. 語例 ⇨ 족탕
■二〈依名〉⇨ 켤레

-족【族】〈尾〉…族. 語例 몽고~ 蒙古族 / 폭주~ 雷族.

족 〔漢字項目〕

【族】中學 족 ゾク. 같은 피붙이. 한무리 やから. ■族長 족장 ぞくちょう. ■一族 일족 いちぞく. 家族 가족 かぞく. 貴族 귀족 きぞく. 民族 민족 みんぞく. 魚族 어족 ぎょぞく.

【足】中學 족 ソク. ❶발 足. ■足跡 족적 そくせき. ■義足 의족 ぎそく. 遠足 원족 えんそく. ❷충분히 있다 充分ある. ■不足 부족 ふそく. 滿足 만족 まんぞく. 充足 충족 じゅうそく.

족두리〈名〉婦人の礼装用冠の一つ. 黒い絹を六角にかたどってつくる. 絵

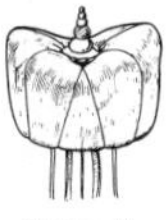
〈족두리〉

参考 今は新婦が旧式の婚礼で원삼(圓衫) 新婦の礼服と共に用いる. また, 新式の婚礼でも式後'폐백(幣帛) 新婦が式後, 最初に婚家の両親にお目にかかること'のとき旧式と同じく用いる.

족-발【足一】〈名〉(屠殺してばらした)豚の足首.

족보【族譜】〈名〉族譜. 家譜. 一族の系図. 句例 ~에 오르다 族譜に記載される.

족보를 캐다 族譜〔系図〕を一一調べる. 血筋をあかす.

족속【族屬】〈名〉血縁関係の一族. =족당(族黨).
表現 '그런 족속 따위 そんなやからなど'のように軽蔑の意を含めて使うこともある.

족쇄【足鎖】〈名〉罪人の足にはめた鎖の刑具. 句例 ~를 채우다 足に鎖の刑具をはめる.

족자【簇子】〈名〉掛け軸. 掛け物.

족장【族長】〈名〉族長.

족제비〈名〉〔動〕いたち.

족제비도 낯짝이 있다 いたちにも体面がある. 厚かましい人をとがめる語.

족족〈依名〉('-는 ~' '-는 데 ~'の形で)…する度に. …(する)ごとに. …次第. ことごとく. 残らず. 文例 보는 ~ 잡아라 見つけ次第とれ / 손대는 ~ 실패했다 手をつける度に失敗した / 가는 데 ~ 배척당했다 行く先ごとに排斥された.

족집게〈名〉毛抜き. 句例 ~로 가시를 뽑다 毛抜きでとげを抜き取る.
表現 '족집게'はまた占いでよく当てるみこ(巫女)を指す. '족집게 같이 맞춘다 寸分たがわず言い当てる'のようにも使う.

족치다〈他〉❶締め付けてへこます. やり込める. 句例 찍소리도 못하게 ~ ぐうの音も出ないようにやり込める. ❷ひどくさいなむ. 責めたてる. 文例 죄인을 자백하도록 족쳤다 白状するよう罪人を責めたてた.

족탕【足湯】〈名〉牛の足とひざ(膝)の裏の肉を煮詰めた汁. →족(足)

족-편【足一】〈名〉牛の足や皮・尾などを煮詰めて冷やしたにこごり.

족-하다【足一】[chok'ada] (→하다)〈形〉足りる. ❶十分だ. =넉넉하다. 文例 교통비는 삼천원 있으면 ~ 交通費は三千ウォンあれば足りる / 한 사람으로 ~ 一人で十分だ. ❷満足だ. =양(量)차다. 文例 잠깐 만난 것만으로도 ~ ちょっと会っただけでも満足だ. ㊮흡족하다. **족히** [chok'i]〈副〉十分に. 優に. 句例 일을 족히 맡길 만한 인물 仕事をまかせるに足りる人物 / 족히 만명이 넘는 관중 優に一万名を越える観衆.

존 〔漢字項目〕

【存】中學 존 ソン. ゾン. 있다 ある. 존재하다 存在する. ■存在 존재 そんざい. 存亡 존망 そんぼう. 存續 존속 そんぞく. ■殘存 잔존 ざんぞん. 保存 보존 ほぞん.

【尊(尊)】中學 존 ソン. ❶존귀하다. 尊い. ■尊敬 존경 そんけい. 尊重 존중 そんちょう ■自尊心 자존심 じそんしん. ❷상대를 높이는 말 相手を敬う語. ■尊顔 존안 そんがん. 尊名 존명 そんめい. ❸부처님 ほとけさま. ■本尊 본존 ほんぞん. 釋尊 석존 しゃくそん.

****존경**【尊敬】〈名〉尊敬. **~하다**〈他〉尊敬する. 敬う. 句例 ~하는 선생님 尊敬する先生 / 스승으로 ~하다 師と敬う / ~을 받다 尊敬を受ける. 尊敬される / ~할 만하다 尊敬に値する. ㊉멸시(蔑視).

존경-심【尊敬心】〈名〉尊敬の念. 句例 ~이 생기다 尊敬の念が生じる.

존경-어【尊敬語】〈名〉敬語.

존귀-하다【尊貴一】(→하다)〈形〉尊貴だ. 尊い. 句例 존귀한 신분 尊い身分. 尊貴な身分. ㊉비천(卑賤)하다.

존대【尊待】〈名・하他〉敬って丁寧に待遇

ス

待遇すること.

존대하고 뺨 맞지 않는다 丁寧な待遇をしてほおを打たれることはない. へりくだった態度をとって辱められることはないとの意.

존대-말【尊待―】〈名〉敬語.

존대-법【尊待法】[―ppŏp]〈名〉⇨ 높임법

존대-어【尊待語】〈名〉⇨ 존대말

존득-거리다〈自〉'쫀득거리다'の語勢の弱い語.

존립【存立】[chollip]〈名・하自他〉存立. 句例 국가의 ~이 위태로워지다 国家の存立があやぶまれる / 보다 나은 사회로 ~해 나가다 よりよい社会として存立していく.

존망【存亡】〈名〉存亡. 句例 회사의 ~을 건 사업 会社の存亡をかけた事業 / 위급 ~의 때 危急存亡のとき / 민족의 ~에 관계되는 사건 民族の存亡にかかわる出来事.

존망지-추【存亡之秋】〈名〉存亡の秋. 存亡の機.

존속【存續】〈名・하自〉存続. 句例 아직도 차별제도가 ~되는 나라 いまだに差別制度が存続する国. 語例 ~ 기간 存続期間 / ~시키다 存続させる.

존속【尊屬】〈名〉尊属. 語例 ~ 살인 尊属殺人 / 직계 ~ 直系尊属 / 방계 ~ 傍系尊属. 對비속(卑屬).

존엄【尊嚴】[chonŏm]〈名・하形〉尊厳. 句例 법의 ~(성)을 유지하다 法の尊厳を保つ / 인간의 ~(성)이 손상되다 人間の尊厳がそこなわれる. 語例 ~사 尊厳死.

존재【存在】〈名〉存在. **~하다**〈自〉存在する. 存する. 句例 ~를 인정하다 存在をみとめる / 신의 ~ 神の存在 / 귀중한 ~ 貴重な存在 / 지배자의 ~를 위협하다 支配者の存在を脅かす. 語例 ~ 가치 存在価値 / ~ 의의 存在意義 / ~ 이유 存在理由.

***존중**【尊重】〈名〉尊重. **~하다**〈他〉尊重する. 尊ぶ. 重んじる. 句例 인명을 ~하다 人命を尊重する / 소수 의견도 ~하다 少数の意見も尊重する / 도리를 ~하다 道理を重んじる. 語例 ~되다〔받다〕尊重される. 重んじられる. **~히**〈副〉重んじて. 大切に. 句例 상대방 의견을 ~히 여기다 相手の意見を重んじる.

존칭【尊稱】〈名〉尊称. 對비칭(卑稱).

존폐【存廢】〈名〉存廃. 句例 기구의 ~에 대하여 논의하다 機構の存廃について議論する.

존함【尊啣・尊銜】〈名〉尊名. お名前. 御尊名. 文例 ~은 익히 듣고 있습니다 御尊名はかねて承っております / ~은 어떻게 되십니까 お名前はなんとおっしゃいますか. 類성함(姓銜).

졸【卒】〈名〉将棋のこま(駒)の一つ. '卒'または'兵'と刻まれ一方に五つずつあり, ほかのこまより小さい. 前と横に一目ずつ進める. 歩にあたる. ＝졸때기.

졸 〔漢字項目〕

【卒】中學 졸 ソツ. シュツ. ❶마치다 おわる. ▮卒業 졸업 そつぎょう. ▮高卒 고졸 こうそつ. ❷갑자기 일어나는 일 にわかに起こる事. ▮卒倒 졸도 そっとう. 卒中 졸중 そっちゅう. ❸병사 兵. ▮兵卒 병졸 へいそつ. ❹죽다 死ぬ. ▮卒去 졸거 そっきょ. しゅっきょ. 卒年 졸년 そつねん.

【拙】高校 졸 セツ. ❶서투르다 つたない. ▮拙劣 졸렬 せつれつ. 拙速 졸속 せっそく. ▮巧拙 교졸 こうせつ. ❷자기를 낮춘 말 自分のへりくだった語. ▮拙稿 졸고 せっこう. 拙筆 졸필 せっぴつ.

졸개【卒―】〈名〉'부하 部下'をさげすんで言う語: ちんぴら. 腰巾着.

졸깃-졸깃〈副・하形〉'쫄깃쫄깃'の語勢の弱い語.

졸다[1] [cho:lda] (조니, 졸아서)〈自〉居眠りする. まどろむ. うとうとする. 句例 꾸벅꾸벅 ~ うとうとと〔こっくり〕居眠りする / 의자에 앉아 잠깐 ~ 椅子に座ってちょっとまどろむ. 文例 수면 부족으로 차안에서 졸았다 寝不足で車の中で居眠りしてしまった.

졸다[2] [cho:lda] (조니, 졸아서)〈自〉(水分が蒸発して分量が)少なくなる. 煮詰まる. 文例 찌개가 바싹 졸았다 なべ物がすっかり煮詰まった.

졸도【卒倒】[choltto]〈名・하自〉卒倒. 文例 그 자리에서 ~해 버렸다 その場で卒倒してしまった.

졸때기〈名〉❶規模が小さいこと. ちっぽけ. 語例 ~ 회사 ちっぽけな会社. ❷ちんぴら. 駆け出し. 文例 ~는 상대하지 않겠다 ちんぴらは相手にしない. ❸(将棋で)'졸(卒)'と'병(兵)'. 歩.

졸라-대다〈他〉しつこくねだる. せがむ. 句例 과자를 달라고 ~ お菓子をくれとしつこくねだる.

졸라-매다〈他〉きつく締める〔結ぶ〕. ぎゅっと結ぶ. 締めくくる. 句例 허리띠를 ~ 腰帯をぎゅっと締める.

졸랑-거리다〈自〉軽率にふるまう. おっちょこちょいにふるまう.

表現 語勢の激しい語は'촐랑거리다'.

졸랑졸랑〈副・하自〉軽率にふるまうさま: ちょこちょこ. うろちょろ.

졸래-졸래〈副・하形〉軽率にふるまうさま: ちょこちょこ. うろちょろ.

表現 語感の大きい語は'줄레줄레'. 語勢の強い語は'쫄래쫄래'.

졸리다[1] [cho:llida]〈自〉眠い. 眠たい. 文例 피곤해서 졸려 죽겠다 疲れて眠くてたまらない / 졸리는 눈으로 쳐다 보았다 眠たそうな目つきで見上げた.

졸리다[2]〈自〉'조르다 ねだる'の受け身: ねだられる. せがまれる. せきたてられる. 句例 용돈 때문에 아이들에게 ~ 小遣いのために子供たちにねだられる. 文例 빚에 졸려서 못 견디겠다 借金をせきたてられてたまらない.

졸막-졸막〈副・하形〉大きさの違う多くのものが混じっていてその差異が目立っているさま: ごたごた. ごちゃごちゃ. でこぼこ. 文例 상자 속에는 여러 가지 물건이 ~ 들어 있다 箱の中にはいろいろな〔雑多な〕ものがごたごたと入れてある.

졸망-졸망〈副・하形〉❶(表面の)でこぼこ. ❷子供たちや小さいものがより集まってかわいいさま: こちょこちょ. 文例 어린이들이 ~ 모여 있다 子供たちがこちょこちょ集まっている.

졸병【卒兵】〈名〉❶兵卒. ❷組織のなかで最

下級の人. 下っ端. ぺいぺい.
[表現] ②は俗っぽい言いかた.

졸보기-눈 〈名〉近視眼. 對멀리보기눈.

졸부【猝富】〈名〉にわか長者. 成金. [句例] ~가 되다 にわか長者になる.

졸속【拙速】[cholssok]〈名・하形〉拙速. できはまずいが仕上げは速いこと. [句例] ~을 피하다 拙速を避ける.

졸아-들다 [choradŭlda] (—드니, —들어서)〈自〉❶煮詰まる. [句例] 탕약이 ~ せんじ薬が煮詰まる. ❷減る. 縮まる. 小さくなる. [句例] 독의 간장이 ~ かめの醬油が減っていく.

졸아-붙다 [chorabutta]〈自〉煮詰まる. 焦げつく. [句例] 모둠냄비의 국물이 ~ 寄せなべの汁が煮詰まる.

졸아-지다 [chorajida]〈自〉(だんだん)減っていく. 縮んでいく. 少なくなる.
[表現] 語感の大きい語は'줄어지다'.

졸업【卒業】[chorŏp]〈名・하他〉卒業. ❶学校で教育過程を学び終えること. [句例] 대학을 갓 ~한 청년 大学を卒業したばかりの青年. [語例] ~생 卒業生/~식 卒業式/~장 卒業証書. ❷一定の段階を経て次の段階にいくこと. [文例] 그 분야는 벌써 ~했다 その分野はもう卒業した.

졸연-하다【猝然—】[choryŏnhada] (→하다)〈形〉❶不意だ. 突然だ. 出し抜けだ. [文例] 너무 졸연한 일이라 뭐가 뭔지 모르겠다 あまり出し抜けなので何が何だか見当がつかない. ❷(否定の表現とともに用いられて)たやすくない. 簡単でない. [文例] 그 많은 학생의 식사를 준비하는 것은 졸연치 않을 것이다 そんなに多くの学生の食事を用意するのはたやすいことではないだろう. **졸연히**〈副〉突然. 不意に. にわかに.

졸음 [cho:rŭm]〈名〉眠気. [句例] ~이 오다 眠気がさす/~이 닥치다 眠気に襲われる.

***졸이다** [chorida]〈他〉❶(おもに'마음・가슴'とともに用いられて)気をもむ. やきもきする. [文例] 그가 무슨 말을 할까 하고 마음을 졸였다 彼が何を言い出すのかと気をもんだ. ❷'졸다 減る'の使役形: 減らす. 煮詰める. [句例] 생선을 ~ 魚を煮詰める. ▷→囲み記事 79

졸-장부【拙丈夫】[choltchangbu]〈名〉小心者. 気が小さく臆病な人.

졸전【拙戰】[choltchŏn]〈名・하自〉つたない戦い. つたない試合. [文例] ~ 끝에 졌다 つたない試合のあげく敗れた.

졸졸 [cho:ljol]〈副〉❶少量の水が絶え間なく流れるさま. また, その音: ちょろちょろ. さらさら. [文例] 바위틈에서 물이 ~ 흘러 나온다 岩の間から水がちょろちょろと流れ出る.
❷子供・子犬などが後ろからついてくるさま: ぞろぞろ. ちょろちょろ. [文例] 아이들이 ~ 따라온다 子供たちがぞろぞろついてくる.
❸細いひも(紐)などを地面に引きずるさま: するする. ずるずる. [句例] 새끼토막을 ~ 끌고 다니는 어린이 縄切れをずるずると引きずって歩く子供.
❹小さい物をしきりにこぼすさま: ちびちび. ちびりちびり. [文例] 그는 콩을 ~ 흘리고 다닌다 彼は豆をちびりちびりとこぼしながら歩き回る.
❺つかえずに読んだり話したりするさま: すらすら. [句例] 책을 ~ 읽어 내려가다 本をすらすらと読み下す.

졸졸-거리다〈自〉(水が)ちょろちょろ流れる.

***졸졸졸** [cho:ljoljol]〈副〉(水が)絶え間なく流れるさま: ちょろちょろ. さらさら.

졸지【猝地】[choltchi]〈名〉にわか. 不意. 突然. [語例] ~ 풍파(風波) 突然の波風.

졸지-에【猝地—】[choltchi—]〈副〉突然に. 不意に. にわかに. =갑자기. [文例] 불이 나서 ~ 알거지가 되었다 火事で一朝に丸裸になった..

좀[1]〈名〉〔蟲〕❶['수시렁좀・나무좀・반대좀'の略](衣服・紙などを食う)しみ. しみむし. [文例] 책이 온통 ~이 먹었다 本がしみだらけだ/박달나무도 ~이 슨다《속담》 まゆみ(檀)もしみが食う. 賢い人も失敗することがあり, 健康な人も病気になることがあるとのたとえ. ❷知らぬ間に物事に少しずつ害を及ぼすような物や人のたとえ. [文例] 그놈은 사회의 ~이다 そいつは社会のしみだ.

좀이 쑤시다 しみがほじくる. (何かをしたくて)じっとしていられない.

****좀**[2]〈副〉❶'조금 少し'の略: (程度・分量が)少し. ちょっと. やや. [句例] 값이 ~ 비싸다 値段がちょっと高い. [文例] 병이 ~ 나았습니다 病気が少しよくなりました. ❷(時間的に)しばらく. ちょっと. 少し. [文例] ~ 기다려 주세요 しばらく待ってください/내일은 ~ 일찍 일어나라 明日は少し早目に起きなさい. ❸(要求や依頼するときに)ちょっと. どうぞ. [文例] 미안하지만 집 ~ 봐 주세요 すみませんが留守をちょっと頼みます/이것 ~ 써 주세요 これをちょっと書いてください.

좀[3] [cho:m]〈副〉(疑問や反語的な文章に用いられて)どんなにか. いかほど. さぞ. よほど. [文例] 수술한 데가 ~ 쑤실까 手術したところがさぞ痛むことだろう.

좀-〈頭〉(度量や規模などが)小…. ちっぽけな…. けちくさい…. [語例] ~놈 小人. 気の小さい男.

***좀-더**〈副〉もう少し. もうちょっと. もうしばらく. [文例] ~ 놀다 가거라 もうしばらく遊んで行きなさい/~ 잘게 썰어라 もう少し細かく刻みなさい.

좀-도둑 [chomttoduk]〈名〉こそ泥. 大したこともない物を盗む泥棒.

좀-되다 [chomttoeda]〈形〉しみったれだ. けちくさい. みみっちい. [句例] 좀된 사나이 けちくさい男. [文例] 과장이 하는 짓은 언제나 ~ 課長のやることはいつもみみっちい.

좀-먹다〈自他〉むしばむ. ❶品物をしみが食う. [句例] 좀먹은 책 しみの食った本. [文例] 옷장 [illegible] たんすの中の夏服をしみが食った. ❷少しずつ損害を及ぼす. [句例] 건강을 좀먹는 병균 健康をむしばむ病菌/국가를 좀 먹는 일 国家をむしばむこと.

좀-스럽다 [chomssŭrŏpta] (→스럽다)〈形〉❶

ちっぽけだ．こまごましい．取るに足りない．[句例] 좀스러운 고욤 こまごましいまめがき(豆柿)．❷こせこせしている．度量が狭い．みみっちい．[句例] 생각이 좀스러운 사람 考えのこせこせした人．

좀-약【—藥】[chomnyak]〈名〉(しみよけの)防虫剤．

좀-처럼 [cho:mch'ŏrŏm]〈副〉(否定の表現とともに用いられて)なかなか…しない．めったに…ない．[句例] ～ 오지 않는 기회 めったにあえないチャンス．[文例] 아무리 기다려도 ～ 오지 않는다 いくら待ってもなかなかこない．

좀-팽이〈名〉❶小柄でこせこせした人．[文例] 그는 ～같은 인상이었다 彼は小柄でこせこせした印象だった．❷くだらない物．がらくた．

좁다〈形〉❶(面積・空間・規模などが)狭い．小さい．[句例] 마당이 ～ 庭が小さい / 방이 ～ 部屋が狭い / 길이 ～ 道が狭い．[文例] 세상은 넓은 것 같으면서 ～ 世間は広いようで狭い．[語例] 좁은 문 狭き門．❷(度量・所見などが)狭い．ゆとりがない．[句例] 시야가 좁은 사람 視野の狭い人 / 저의 좁은 소견으로는 わたしの狭い所見では．▷(對)넓다．

좁-다랗다 [choptarat'a] (좁다라니, 좁다라서)〈形〉とても狭い．狭苦しい．[句例] 좁다란 사무실 狭苦しい事務室．(對)널따랗다．

*__좁-쌀__〈名〉❶あわ(粟)．[語例] ～떡 あわもち(粟餅)．❷ごく小さい物．せせこましい人．

좁쌀-과녁〈名〉顔の大きい人．

좁쌀-눈 [chopssallun]〈名〉目の小さい人．

좁쌀 미음【—米飮】〈名〉あわの重湯．

좁쌀-영감【—令監】[chopssallyŏnggam]〈名〉こせこせした老人．ささいなことまで干渉する人．

좁히다 [chop'ida]〈他〉狭める．縮める．絞る．[句例] 문제의 범위를 ～ 問題の範囲を狭める / 간격을 ～ 間隔を狭める．

좁혀 지내다 他人に抑えつけられて暮らす．

종 [cho:ng]〈名〉❶召し使い．奴婢．下男と下女．しもべ(僕)．＝노비(奴婢)．[語例] ～살이 しもべ暮らし．(對)상전(上典)．❷他人の命令どおりに動く人や忠実に働く人．

종【鐘】〈名〉鐘．釣り鐘．ベル．鈴．[句例] ～을 치다 鐘を鳴らす〔つく〕/ (새벽)～이 울리다 (暁の)鐘が鳴る．[語例] ～소리 鐘の音 / 초인～ 呼び鈴．

종 〔漢字項目〕

【宗】[中學] 종 シュウ．ソウ．❶종문 宗門．종가 宗家．▮宗廟 종묘 そうびょう．宗家 종가 そうけ．❷종교의 종파 宗教の宗派．▮改宗 개종 かいしゅう．禪宗 선종 ぜんしゅう．

【從(従)】[中學] 종 ジュウ．ショウ．ジュ．❶따르다 従う．▮服從 복종 ふくじゅう．追從 추종 ついじゅう．❷수행하는 종자〔신하〕従う従者〔臣下〕．▮主從 주종 しゅじゅう．侍從 시종 じじゅう．❸종사하다 従事する．▮從業員 종업원 じゅうぎょういん．❹침착하다 落ち着いている．▮從容 종용 しょうよう．❺벼슬 官位．▮從五品 종오품 じゅごほん．

【種】[中學] 종 シュ．❶동식물의 종자 動植物の種．▮種子 종자 しゅし．種馬 종마 しゅば．▮雜種 잡종 ざっしゅ．❷구분 区分．품목 品目．▮種類 종류 しゅるい．種目 종목 しゅもく．種別 종별 しゅべつ．❸식물을 심다 植物を植える．▮種樹 종수 しゅじゅ．❹뿌리다 まく．▮播種 파종 はしゅ．

【終(終)】[中學] 종 シュウ．❶끝나다 終わる．끝내다 終える．▮終結 종결 しゅうけつ．終戰 종전 しゅうせん．▮最終 최종 さいしゅう．❷죽다 死ぬ．▮終焉 종언 しゅうえん．▮臨終 임종 りんじゅう．❸끝까지 終わりまで．▮終身 종신 しゅうしん．終日 종일 しゅうじつ．

【縱(縦)】[高校] 종 ジュウ．❶세로 縦．남북의 방향 南北の方向．▮縱橫 종횡 じゅうおう．縱斷 종단 じゅうだん．❷제멋대로 움직이다 かってに動く．▮操縱 조종 そうじゅう．放縱 방종 ほうじゅう．

【鐘】[中學] 종 ショウ．종 鐘．▮鐘聲 종성 しょうせい．鐘閣 종각 しょうかく．▮晩鐘 만종 ばんしょう．警鐘 경종 けいしょう．梵鐘 범종 ぼんしょう．

종가【宗家】〈名〉宗家．本家．[句例] 종갓집 장남 宗家の総領息子．

종각【鐘閣】〈名〉鐘楼．鐘つき堂．

종결【終決】〈名・하自〉終決．結了．[文例] 토론이 ～되었다 討論が終決した．

종결【終結】〈名・하他〉終結．[句例] 연구를 ～하다 研究を終結する / 회의를 ～하다 会議を終結する．[語例] ～부 終結部 / ～ 어미 終結語尾．

종결(을) 짓다 終結に至らす．

*__종교__【宗教】〈名〉宗教．[句例] ～를 믿다〔버리다〕宗教を信じる〔捨てる〕/ ～에 귀의하다 宗教に帰依する．[語例] ～가 宗教家 / ～ 개혁 宗教改革 / 신흥 ～ 新興宗教．

종교의 자유【宗教—自由】〈名〉〔法〕信教の自由．＝신앙(信仰)의 자유．

종국【終局】〈名〉終局．❶事件の落着．大詰め．＝끝판．[句例] ～을 고하다〔맞이하다〕終局を告げる〔迎える〕．(類)종막(終幕)．❷囲碁の打ち終わり．

종군【從軍】〈名・하自〉従軍．[語例] ～기 従軍記 / ～ 기자 従軍記者．

종기【腫氣】[cho:nggi]〈名〉出来物．はれ物．お出来．[句例] ～가 나다 出来物〔お出来〕ができる．[語例] 악성 ～ 悪性の出来物．

종내【終乃】〈副〉ついに．とうとう．結局．＝(끝)끝내．[文例] ～ 항복하고 말았다 とうとう降参してしまった / ～ 소식이 끊겼다 ついに便りが断たれた．

종-다래끼〈名〉小かご．小さい釣りかご．

종다리〈名〉〔鳥〕ひばり(雲雀)．

종단【宗團】〈名〉宗教団体．

종단【縱斷】〈名・하他〉縦断．[句例] 태백 산맥을 ～하다 太白山脈を縦断する．[語例] ～면〔비행〕縦断面〔飛行〕．(對)횡단(横断)．

종달-새 [—ssae]〈名〉⇨ 종다리

종대【縱隊】〈名〉縦隊．[句例] 이열 ～로 행진하다 二列縦隊で行進する．[語例] 삼열 ～ 三列

縦隊. 對횡대(橫隊).

종두【種痘】〈名・하自〉〔醫〕種痘. 句例 ~를 접종하다 種痘をする〔植える〕. 語例 ~법〔醫〕種痘法.

종래【從來】[chongnae]〈名・副〉従来. 句例 ~의 방법 従来のやりかた / ~의 방침대로 従来の方針どおり.

종려-나무【棕櫚―】[chongnyŏ―]〈名〉〔植〕しゅろ(棕櫚).

종렬【縱列】[chongnyŏl]〈名〉縦列. たてに並ぶこと. =세로줄. 對횡렬(橫列).

*__종례__【終禮】[chongnye]〈名〉学校で日課が終わったあと担任教師と学生が集まる会. =종회(終會). 對조례(朝禮).

종료【終了】[chongnyo]〈名・하他〉終了. 句例 작업이 ~되다 作業が終了する. 語例 시합 ~ 試合終了.

종루【鐘樓】[chongnu]〈名〉鐘楼. 鐘突き堂. 句例 ~에 올라가 종을 치다 鐘楼に登って鐘をつく. 類종각(鐘閣).

*__종류__【種類】[cho:ngnyu]〈名〉種類. 種. 句例 ~가 다른 … 種類が異なる… / ~가 다르다 種類がちがう / 같은 ~의 책 同じ種類の本 / 세 ~로 나누다 三種類に分ける. 文例 이런 ~의 사건이 최근 늘고 있다 この種の事件が最近ふえている.

종막【終幕】〈名〉終幕. ❶〔劇〕フィナーレ. ❷事件の終わり. 句例 ~을 고하다 終幕を告げる. ▷對서막(序幕).

종말【終末】〈名〉終末. (事件の)終わり. 句例 비참한 ~을 맞다 惨めな終末を迎える. 語例 ~론〔宗〕終末論 / ~ 처리장 終末処理場.

종목【種目】[cho:ngmok]〈名〉種目. 語例 ~별 種目別 / 경기 ~ 競技種目 / 출전(出戰) ~ 出場種目.

종묘【種苗】〈名〉種苗. 種と苗. 語例 ~장(場) 苗木を植えて育てるところ.

종-무소식【終無消息】〈名〉ついになんらの消息もないこと. なしのつぶて. 文例 떠난 후로는 ~이다 立ってからはずっとなしのつぶてだ.

종반【終盤】〈名〉終盤. ❶(囲碁・将棋の)寄せ. 句例 ~에 접어들다 寄せに入る. ❷(物事の)最終段階. 句例 ~을 맞이하다 終盤を迎える. 文例 선거전도 이제 ~에 접어들었다 選挙戦もいよいよ終盤に入った. 語例 ~전 終盤戦.

종범【從犯】〈名〉〔法〕従犯. 句例 살인죄의 ~ 殺人罪の従犯. 語例 ~자 従犯者.

종별【種別】[cho:ngbyŏl]〈名・하他〉種別. 種類分け. 句例 ~로 나누다 種別に分ける.

종사【從事】〈名〉従事. **~하다**〈自〉従事する. 携わる. 句例 연구〔상업〕에 ~하다 研究〔商業〕に従事する / 문필에 ~하다 文筆に携わる / 잡역에 ~하다 雑役に服する.

종-살이 [cho:ngsari]〈名・하自〉しもべ暮らし.

종서【縱書】〈名・하他〉縦書き. =세로쓰기. 句例 ~로 쓰다 縦書きにする. 對횡서(橫書).

종성【終聲】〈名〉〔言〕終声. =받침.

*__종-소리__【鐘―】[―ssori]〈名〉鐘声. 鐘の音. 句例 새벽을 알리는 ~ 夜明けを告げる鐘の音 / 제야의 ~ 除夜の鐘の音.

종속【從屬】〈名・하自〉従属. 句例 ~적인 관계〔지위〕 従属的な関係〔地位〕. 語例 ~국 従属国 / ~되다 従属する. 類예속(隸屬).

종손【宗孫】〈名〉宗家の長孫〔いちばん上の孫〕.

종식【終熄】〈名・하自〉終息. 句例 내란〔분쟁〕이 ~되다 内乱〔紛争〕が終息する.

종신【終身】〈名・하自〉❶終身. 終生. 語例 ~ 회원 終身会員 / ~형 終身刑 / ~ 고용제 終身雇用制. ❷一生を終えること.

종신-토록【終身―】〈副〉一生涯. 死ぬまで. =평생(平生)토록.

종씨【宗氏】〈名〉親戚ではないが同姓の人. 同姓.

종아리 [cho:ng-ari]〈名〉〔生〕ふくらはぎ. こむら. =하퇴(下腿). 句例 ~가 굵다 ふくらはぎが太い. 語例 ~채 ふくらはぎを打つむち(鞭).

종아리(를) 치다 むちでふくらはぎを打つ.

종아리(를) 맞다 (罰として)ふくらはぎをむちで打たれる.

종알-거리다〈自〉(不平を)ぶつぶつ言う. つぶやく.
表現 語勢の強い語は'쫑알거리다'.

종알종알〈副・하自〉ぶつぶついうさま.

종양【腫瘍】[cho:ng-yang]〈名〉〔醫〕腫瘍. 語例 뇌~ 脳の腫瘍 / 악성 ~ 悪性腫瘍.

종언【終焉】〈名・하自〉終焉. 句例 마침내 ~을 고하다 ついに終焉を告げる.

종업【從業】〈名・하自〉従業. 語例 ~원(지주 제도) 従業員(持ち株制度).

종업【終業】〈名・하自〉終業. 語例 ~식 終業式 / ~ 시간 終業時間.

종영【終映】〈名・하自他〉終映. 映画の上映が〔を〕終わる〔終える〕こと.

종요-롭다 (→롭다)〈形〉重要だ. 非常に大切だ. 類긴요(緊要)하다.

종용【慫慂】〈名・하他〉慫慂. そそのかしすすめること. 句例 출마〔은퇴〕를 ~하다 出馬〔引退〕を慫慂する.

종유-동【鍾乳洞】〈名〉〔地〕鍾乳洞. =종유굴(鍾乳窟).

종유-석【鍾乳石】〈名〉〔鑛〕鍾乳石. =돌고드름.

⁑**종이**〈名〉紙. 句例 ~에 적다 紙に記す / ~를 뜨다 紙をすく / 물건을 ~로 싸다 品物を紙で包む. 語例 ~ 쓰레기 紙くず / ~쪽. 종잇조각. 紙切れ / ~배 紙で折った船.

종이 한 장(張) 의 차이 紙一重の差.

종이-호랑이【―虎狼―】〈名〉張り子の虎. 虚勢を張る人をあざけっていう語.

*__종일__【終日】〈名・副〉終日. 一日じゅう. 朝から晩まで. 句例 ~ 비가 오다 終日雨が降る. 文例 오늘은 하루 ~ 공부했습니다 きょうは一日じゅう勉強しました.

종일-토록【終日―】〈副〉朝から晩まで. 一日じゅう. 句例 ~ 내리는 비 終日降る雨 / ~ 쏘다니다 一日じゅううろつき回る.

종잇-장【―張】〈名〉紙の一枚一枚. 句例 ~이 흩어지다 紙がばらばらに散らばる.

종잇장 같다 (紙のように)きわめて薄い.

종자【從者】〈名〉従者．供人．供．[句例] ～를 거느리고 가다 従者を従えて行く．

종자【種子】〈名〉〔植〕種子．種．＝씨(앗)．[句例] ～를 개량하다 種子を改良する．[語例] ～ 식물 種子植物．

종작-없다 [chongjagŏpta]〈形〉要領を得ない．定見がない．[句例] 종작없는 말 要領を得ないことば．**종작없이** [chongjagŏpshi]〈副〉定見もなく．あてど(も)なく．

종-잡다〈他〉大体を推し量る．見当をつける．[句例] 종잡을 수 없는 말 とりとめのない話．[文例] 그가 하는 일은 도무지 종잡을 수가 없다 彼のすることは全く見当がつかない．

종장【終章】〈名〉終章．

종적【蹤迹・蹤跡】〈名〉蹤跡．行方．[句例] ～이 묘연하다 行方を知らない．

종적을 감추다 行方〔足跡〕をくらます．姿を消す．

종전【從前】〈名〉従前．以前．これまで．[句例] ～대로 従前どおり / ～에 볼 수 없었던 사례 これまでに見られなかった事例．㊞종래(從來)．

종전【終戰】〈名・하自他〉終戦．[句例] ～을 맞이하다 終戦を迎える．[語例] ～後 終戦後．㊉개전(開戰)．

종점【終點】[chongtchŏm]〈名〉終点．[句例] ～에서 내리다 終点で降りる．[語例] 버스 ～ バスの終点．

종족【種族】〈名〉種族．[句例] ～ 보존의 본능 種族保存の本能．

종종【種種】[cho:ngjong]〈副〉時時．時たま．しばしば．たびたび．たまたま．＝가끔．[句例] ～ 친구를 찾다 しばしば〔時時〕友達を訪ねる．[文例] ～ 놀러 오십시오 時時遊びに来てください / ～ 폐(弊)를 끼쳐 미안합니다 しばしばご迷惑をかけまして申しわけありません / 비슷한 사건이 ～ 일어났다 同じような事件がしばしば起こった．

종종-걸음 [—gŏrŭm]〈名〉刻み足．小走り．[句例] ～으로 걷다 小走りに歩く．

종종걸음(을) 치다 小走りする．

종주【宗主】〈名〉宗主．[語例] ～국 宗主国 / ～권 宗主権．

종주먹-대다 [cho:ngjumŏk—]〈他〉げんこつ(拳骨)を振り上げながら脅す．

종중【宗中】〈名〉一族．一門．

종중-산【宗中山】〈名〉一族の祖先の墓がある山．一族の所有になっている山．

종지〈名〉醬油などを入れてお膳にのせる小さい器．

종지-부【終止部】〈名〉終止符．ピリオド．＝마침표(標)．

종지부(를) 찍다 終止符を打つ．[句例] 논쟁에 종지부를 찍다 論争に終止符を打つ．

종지-뼈〈名〉〔生〕膝蓋骨．ひざ皿・ざら．＝슬개골．

종질【從姪】[cho:ngjil]〈名〉いとこ(従兄弟)の息子．＝당질(堂姪)．

종-질녀【從姪女】[cho:ngjillyŏ]〈名〉いとこ(従兄弟)の娘．＝당질녀(堂姪女)．

종착【終着】〈名・하自〉終着．[語例] ～역 終着駅 / ～ 열차 終着列車．

종창【腫脹】[cho:ngch'ang]〈名〉〔醫〕腫脹．むくみ．は(腫)れ．

종축【種畜】〈名〉種畜．繁殖用の家畜．[語例] ～장(場)．～ 목장 種畜牧場．

종탑【鐘塔】〈名〉鐘塔．

종파【宗派】〈名〉宗派．[句例] ～가 다르다 宗派が違う．

***종합**【綜合】〈名・하他〉総合．[句例] 각 방면의 정보를 ～하다 各方面の情報を総合する / ～적으로 판단하다 総合的に判断する．[語例] ～ 개발 総合開発 / ～ 과세 総合課税 / ～ 대학 総合大学 / ～ 병원 総合病院 / ～ 상사〔經〕総合商社．

종형【從兄】[cho:nghyŏng]〈名〉従兄．＝사촌형．㊉종제(從弟)．

종-형제【從兄弟】[cho:ng—]〈名〉父の兄弟の息子．いとこ(従兄弟)．

종횡【縱橫】〈名〉(‘～으로’の形で) 縦横に．[句例] ～으로 뻗은 철도망 縦横に走る鉄道網 / ～으로 활약하다 縦横に活躍する．

종횡 무진【縱橫無盡】〈名〉縦横無尽．[句例] ～의 대활약을 하다 縦横無尽の大活躍をする / ～으로 날뛰다 縦横無尽にあばれまわる．

좇다〈他〉追う．❶(後に)ついて行く．[句例] 친구를 좇아 등산을 가다 友達について登山に行く．❷(大勢に)従う．[句例] 여론을 ～ 世論に従う / 유행을 좇아 머리를 기르다 流行を追って髪を伸ばす．▷→囲み記事 80

좇아-가다 [choch'a—] (—가거라)〈他〉❶(後に)ついて行く．[文例] 지금 좇아가도 늦지 않다 今追いかけて行っても遅くない．❷(人の意見や大勢などに)従う．

좇아-오다 [choch'a—] (—오너라)〈他〉(後に)ついて来る．追って来る．

****좋다**[1] [cho:t'a]〈形〉❶いい．良〔善〕い．㋐好ましい．望ましい．すぐれている．[句例] 좋은 물건 いい品物 / 좋은 날씨 いい天気 / 스타일이 ～ スタイルがいい / 사람이 ～ 人が良い．[文例] 그게 그의 좋은 점이다 それが彼のいいところだ / 한없이 좋은 사람이다 この上なくいい人だ．
㋑愉快だ．楽しい．[句例] 기분이 ～ 気持ち〔気分〕がいい〔よい〕/ 기분이 좋지 않다 気分が

囲み記事 80

■ ‘좇다’と‘쫓다’ ■

좇다 (1) (後を)追う —— 끝없는 꿈을 좇다 見果てぬ夢を追う．

(2) 服従する —— 명령을 좇다 命令に服する．

(3) (大勢に)従う —— 대세를 좇는 수밖에 없었다 大勢に従うより外はなかった．

쫓다 (1) 追い払う —— 몰려드는 파리를 쫓느라 땀깨나 흘렸다 たかるはえを追い払うのに汗を流した．

(2) 追いかける —— 그를 쫓아가느라 숨이 차도록 달렸다 彼を追いかけるために，息が切れるほど走った．

すぐれない.
㉢美しい. 句例 경치가 ~ 景色がいい. 文例 참으로 좋은 달밤이다 実にいい月夜である.
㉣立派だ. 句例 집안이 ~ 家柄がいい / 요리 솜씨가 ~ 料理の腕前がいい / 좋은 환경에서 자라다 いい環境の中で育つ.
㉤賢しい. 句例 기억력이 ~ 物覚えがいい. 文例 머리도 좋고 성품도 ~ 頭もいいし気だてもいい.
㉥効き目がある. 句例 건강에 ~ 健康によい / 두통에 좋은 약 頭痛によく効く薬. 文例 이 약은 눈에 ~ この薬は目にいい.
㉦有益だ. 句例 많으면 많을수록 ~ 多ければ多いほどいい. 文例 이 책이 더 ~ この本がもっといい.
㉧(おもに'…도 ~'の形で)(…しても)よい. よろしい. 構わない. 句例 돌아가도 ~ 帰ってもよろしい. 文例 술을 마셔도 ~ 酒を飲んでもいい / 나로서는 아무래도 ~ わたしとしてはどうでも構わない.
㉨適当だ. 適切だ. 好都合だ. ふさわしい. 句例 놀기에 좋은 장소 遊ぶのにいい場所. 文例 마침 좋은 예가 있다 ちょうどいい例がある / 마침 좋은 때에 와 주었다 ちょうどいい時に来てくれた.
㉩めでたい. 喜ばしい. 句例 이 좋은 날에 今日の良き日に. このめでたい日に.
㉪(間柄が)親しい. むつまじい. 句例 사이가 ~ 仲がよい〔いい〕. 文例 사이 좋게 지내자 仲よく過ごそう.
㉫(反語として)悪い. 句例 염치가 ~ 恥知らずだ / 넉살이 ~ ずうずうしい. 文例 꼴 ~ いい面の皮だ. いいざまだ.
❷好きだ. 文例 나는 이것이 ~ わたしはこれがいい〔好きだ〕/ 어떠한 사람이 좋은가 どんな人が好きなのか / 산이 좋아 산에 오른다 山が好きで山に登る.
❸願望を表わす:(…すれば, …だったら)いい(のになあ). 文例 버스가 빨리 왔으면 좋겠다 バスが早く来たらいいのになあ / 좀더 시간이 있었으면 좋았을 텐데 もっと時間があったらよかったのに.
❹('…기 ~'の形で)…しやすい. しよい. 句例 읽기 좋은 책 読みやすい本 / 오르기 ~ 登りやすい. 文例 우리 나라는 살기 좋은 나라입니다 我が国は住みよい国です.

좋다² [cho:t'a]〈感〉よろしい. よし. ようし. 結構だ. 文例 ~, 네가 해 봐라 よし, 君がやってみろ / ~, 그럼 네 소원을 들어 주마 よし, ではお前の望みを聞いてやろう.

좋아 [choa]〈感〉⇨ 좋다²

***좋아-지다** [cho:a—]〈自〉❶よくなる. 句例 날씨〔경기〕가 ~ 天気〔景気〕がよくなる / 병세가 ~ 病状がよくなる. ❷好きになる. 文例 그 남자가 점점 좋아졌다 その男がだんだん好きになった.

⁑좋아-하다 [cho:a—] (→하다)〈他〉❶喜ぶ. うれしがる. 句例 시험에 합격하고 ~ 試験に受かって喜ぶ / 깡충깡충 뛰며 ~ ぴょんぴょん跳んで喜ぶ. ❷好きだ. 好む. 句例 좋아하는 시〔배우〕好きな詩〔役者〕/ 좋아하든 싫어하든 好きにしろ嫌いにしろ / 독서를 ~ 読書を好む / 과일을 ~ 果物を好む. 文例 나는 술을 아주 좋아한다 わたしは酒が大好きだ. ❸好く. 句例 좋아하는 사람 好きな人 / 서로 ~ 互いに好き合う. 好いて好かれる.

좋이 [cho:i]〈副〉❶よく. 悪意なく. 對나삐. ❷かなり. 優に. 十分に. 句例 ~ 삼만이 넘는 관중 優に三万を越える観衆. 文例 재산을 ~ 모았다 かなり財産を作った / 60은 ~ 넘었다 六十は優に越えた. 類족(足)히.

좌【左】[chwa:]〈名〉左・ひだり. 句例 ~와 같이 左のとおり / ~로 가다 左に行く. 語例 ~향 ~ 左向け左《号令》. 對우(右).

좌 〔漢字項目〕

【佐】高校 좌 サ. ❶돕다 助ける. ◧補佐 보좌 ほさ. ❷도움 助け. 보필(하는 사람) 補弼(する人). ◧佐吏 좌리 さり. ❸속료 属僚. 속관 属官. ◧佐僚 좌료 さりょう.

【坐】中學 좌 ザ. ❶앉다 座る. ◧坐視 좌시 ざし. 坐禪 좌선 ざぜん. 坐食 좌식 ざしょく. ◧對坐 대좌 たいざ. ❷연루되다 連累する. ◧連坐 연좌 れんざ.

【左】中學 좌 サ. ❶왼쪽 左. ◧左右 좌우 さゆう. さう. 左腕 좌완 さわん. 左記 좌기 さき. ❷급진파 急進派. ◧左傾 좌경 さけい. 左翼 좌익 さよく. ❸좋지 않은 지위 よくない地位. ◧左遷 좌천 させん.

【座】高校 좌 ザ. ❶자리 席. 앉는 자리 座るところ. ◧座席 좌석 ざせき. ◧玉座 옥좌 ぎょくざ. 正座 정좌 せいざ. ❷여럿이 모임 人人が集まっている. ◧座興 좌흥 ざきょう. 座談 좌담 ざだん. ❸지위 地位. ◧首座 수좌 しゅざ. 上座 상좌 じょうざ. かみざ. ❹성수(星宿) 星のやどり. ◧星座 성좌 せいざ.

좌경【左傾】[chwa:gyŏng]〈名・하自〉左傾. 語例 ~ 사상 左傾思想. 對우경(右傾).

좌골【坐骨】[chwa:gol]〈名〉〔生〕座骨. 語例 ~ 신경(통) 座骨神経(痛).

좌담【座談】[chwa:dam]〈名・하自〉座談. 句例 ~ 형식으로 이야기하다 座談の形で話す. 語例 ~회 座談会.

좌르르〈副〉❶水がどっと勢いよく流れ落ちる音: しゃあしゃあ. ざあっ. ❷(小銭や穀物など)固く小さいものが一度に流れ落ちる音: がらがら.

좌변【左邊】[chwa:byŏn]〈名〉❶左側. 左の方. =왼편(便)짝. ❷左辺. 左の辺. ▷對우변(右邊).

좌-불안석【坐不安席】[chwa:buransŏk]〈名・하自〉(不安・心配などで)居ても立ってもいられないこと.

좌상【坐商】[chwa:sang]〈名〉座商.

좌상【坐像】[chwa:sang]〈名〉座像. 對입상(立像).

***좌석**【坐席・座席】[chwa:sŏk]〈名〉座席. 席. 句例 ~ 순으로 座席の順に / ~에 앉다 座席につく. 語例 ~ 번호 座席番号 / ~권(券) 座席指定券.

좌석 버스【座席bus】[chwa:sŏk—]〈名〉座席バス《原則として座席の数しか客を乗せ

ス

ない市内バス. 料金が割高である》.

좌선【坐禪】[chwa:sŏn]〈名・하自〉〔佛〕座禅. 略して'선(禪)'ともいう. 句例 ~을 하다 座禅を組む.

좌시【坐視】[chwa:shi]〈名・하他〉座視. 句例 (그대로) ~할 수 없다 座視するにしのびない. 文例 도발해 오면 결코 ~하지 않겠다 挑発してきたら決して座視しないつもりだ. 類방관(傍觀).

좌완【左腕】[chwa:wan]〈名〉左腕・左腕. 語例 ~ 투수〔野〕左腕投手. 對우완(右腕).

***좌우**【左右】[chwa:u]〈名・하他〉左右. ❶左と右. 句例 도로 ~에 道路の左右に / ~로 갈라지다 左右に分かれる / ~로 엇갈리다 左右に行きかう. 語例 ~ 대칭 左右対称. ❷'좌지우지(左之右之)'の略. **~하다**〈他〉左右する. 句例 한 나라의 운명을 ~하다 一国の運命を左右する / 정치를 ~하다 政治を牛耳る. 語例 ~되다 左右される.
❸そばに従えている人. 側近. 句例 ~를 물리치다 左右を退ける.
❹左翼と右翼. 左派と右派. 語例 ~ 합작 左右合作.

좌우-간【左右間】[chwa:u—]〈副〉❶とにかく. 何はともあれ. いずれにせよ. 文例 ~ 그에게 가 보자 とにかく彼に行ってみよう. ❷どちらかを. どちらかに. =양단간(兩端間). 文例 가게 될는지 못가게 될는지 ~ 알려 주마 行けるか行けないか, どちらにしても知らせてやるよ.

좌우-명【座右銘】[chwa:u—]〈名〉座右の銘.

좌우지-간【左右之間】[chwa:uji—]〈副〉⇨ 좌우간(左右間)

좌-의정【左議政】[chwa:—]〈名〉〔史〕左議政. 朝鮮朝議政府の正一品の官職. =좌상(左相). 對우의정(右議政).

좌익【左翼】[chwa:ik]〈名〉左翼. 句例 극단적인 ~ 사상 極端な左翼思想. 語例 ~ 단체〔정당〕左翼団体〔政党〕/ ~ 분자 左翼分子 / ~수〔野〕左翼手. レフト.

좌절【挫折】[chwa:jŏl]〈名・하自〉挫折. くじけること. 句例 계획이 ~되다 計画が挫折する / ~감에 시달리다 挫折感にさいなまれる.

좌정【坐定】[chwa:jŏng]〈名・하自〉'앉음 座ること'の尊敬語. 文例 ~하십시오 お座りください.

좌중【座中】[chwa:jung]〈名〉座中. 人人が集まった席. 句例 ~을 웃기다 座中を笑わす.

좌지-우지【左之右之】[chwa:jiu:ji]〈名・하他〉思うままにすること. 牛耳ること. 略して'좌우(左右)'ともいう. 句例 남편을 ~하다 夫を牛耳る.

좌천【左遷】[chwa:ch'ŏn]〈名・하他〉左遷. 句例 벽지로 ~되다〔당하다〕僻地に左遷される. 對영전(榮轉).

좌초【坐礁】[chwa:ch'o]〈名・하自〉座礁. 句例 화물선이 ~되다 貨物船が座礁する〔座する〕.

좌충-우돌【左衝右突】[chwa:ch'ung-u:dol]〈名・하自〉左右八方やたらに突きあたること.

좌측【左側】[chwa:ch'ŭk]〈名〉左側・左側. =왼쪽. 語例 ~ 통행 左側通行. 對우측(右側).

***좌표**【座標】[chwa:p'yo]〈名〉〔數〕座標. 句例 ~를 구하다 座標を求める / …을 ~로 삼다 …を座標とする. 語例 ~축〔數〕座標軸.

좌현【左舷】[chwa:hyŏn]〈名〉左舷. 句例 배가 ~으로 기울다 船が左舷に傾く. 對우현(右舷).

좌-회전【左廻轉・左回轉】[chwa:—]〈名・하自他〉左折. 左へ曲がること. 文例 이곳에서는 ~을 못합니다 ここでは左折できません. 語例 ~ 금지 左折禁止. 對우(右)회전.

좌흥【座興】[chwa:hŭng]〈名〉座興. 句例 ~을 돋우기 위해 노래를 부르다 座興に歌をうたう. 文例 그는 ~을 돋우는 솜씨가 좋다 彼は座持ちがうまい.

좍 [chwa:k]〈副・하自〉広く広がるさま: ぱっと. 句例 소문이 ~ 퍼지다 うわさがぱっと広がる.

좍좍 [chwa:kchwak]〈副・하自〉❶大粒の雨や水が勢いよく注がれるさま. また,その音: じゃあじゃあ. ざあざあ. 句例 비가 ~ 쏟아지다 雨がじゃあじゃあと降る. 文例 머리에서부터 물을 ~ 뒤집어 썼다 頭から水をざあざあと浴びた. ❷よどみなく文章を読み下すさま: すらすら. 句例 논어를 ~ 읽어 내리다 論語をよどみなく読み下す. ❸みるみる広く広がるさま.

좔좔 [chwa:ljwal]〈副・하自〉多量の水が勢いよく流れるさま: ざあざあ. じゃあじゃあ. 句例 냇물이 ~ 흐르다 小川の水がじゃあじゃあと流れる. **~거리다**〈自〉(水が)ざあざあと流れる.

쟁이 [chwae:ng-i]〈名〉投網. =투망. 絵 句例 ~를 던지다 投網を投げる / ~질 하러 가다 投網を打ちに行く.

〈쟁이〉

***죄**【罪】[choe:]〈名〉罪. ❶悪行. 句例 ~와 벌 罪と罰 / ~를 밝히다 罪をただす. ❷とが. 文例 그에겐 ~가 없다 彼にはとががない / 누구의 ~도 아니다 だれのとがでもない. ❸〔法〕犯罪. 不法行為. 句例 ~를 범하다 罪を犯す / ~가 무겁다 罪がおもい. 文例 ~를 미워하되 사람을 미워하지 마라 罪を憎んでもその人を憎むな. ❹〔佛〕罪業.

죄 〔漢字項目〕

【罪】中學 죄 ザイ. ❶허물. 죄 罪. ▮罪惡 죄악 ざいあく. ▮原罪 원죄 げんざい. 功罪 공죄 こうざい. ❷법을 어긴 죄 法を犯した罪. ▮罪状 죄상 ざいじょう. ▮犯罪 범죄 はんざい.

죄과【罪科】[choe:kkwa]〈名〉罪科. とが. 句例 ~를 묻다 罪科を問う.

죄다[1] [choe:da]〈他〉❶締める. 引き締める. 句例 고삐를 ~ 手綱を引き締める / 나사를 꼭 ~ ねじをしっかり締める. ❷(すき間を)狭める. 詰める. 句例 죄어 앉다 (席を)詰めて座る. ❸気をもむ. 心を焦がす. 文例 마음을 죄며 검사 결과를 기다리고 있다 気をもみながら

検査の結果を待っている.

죄다[2] [choe:da]〈副〉何もかもすべて. すっかり. みんな. 全部. ひとつ残らず. 略して'죄'ともいう. ＝몽땅. 句例 ～ 먹어 버리다 すっかり食べてしまう. 文例 남기지 말고 ～ 먹어 치워라 残さずみんな食べてしまいなさい.

죄명【罪名】[choe:myŏng]〈名〉罪名. 句例 ～을 씻다 罪名をすすぐ.

죄-받다【罪―】[choe:―]〈自〉罰を受ける.

죄상【罪狀】[choe:sang]〈名〉罪状. 句例 ～을 밝히다 罪状を明らかにする.

죄송-스럽다【罪悚―】[choe:song―]（→스럽다）〈形〉恐れ多い. 申し訳ない. 句例 죄송스럽게 여기다 申し訳なく思う. 恐縮する. 文例 죄송스럽습니다만 조금 더 기다려 주십시오 恐れ入りますがもう少しお待ちください.

죄송스레〈副〉恐縮に. 恐れ多く. 申し訳なく.

*__죄송-하다__【罪悚―】[choe:song―]（→하다）〈形〉申し訳ない. 恐縮だ. 恐れ多い. 句例 죄송합니다만 … 恐れ入りますが…. 恐縮ですが…. 文例 바쁘신데 죄송합니다 お忙しいところ恐れ入ります / 시간에 늦어서 매우 죄송합니다 時間に遅れて大変申し訳ありません.

죄수【罪囚】[choe:su]〈名〉罪囚. 囚人. 語例 ～복 囚人服.

죄-스럽다【罪―】[choe:―]（→스럽다）〈形〉（罪を犯したかのように）恐れ多い. どうも申し訳ない.

죄악【罪惡】[choe:ak]〈名〉罪悪. 罪とが. 句例 ～을 범하다 罪悪を犯す / 낭비를 ～시하다 無駄遣いを罪悪視する. 語例 ～감 罪悪感.

죄어-들다（―드니, ―들어서）〈自〉引き締まる. 食い入る. 食い込む. 略して'좨들다'ともいう. 句例 결박한 밧줄이 몸에 ～ 縛った綱がからだに食い入る / 팔에 밧줄이 ～ 腕になわが食い込む.

죄이다〈自〉'죄다'の受け身: 締められる. 締まる. 句例 나사가 꼭 ～ ねじがしっかり締められる.

죄인【罪人】[choe:in]〈名〉❶罪人・つみびと. 語例 ～ 취급 罪人あつかい. ❷父母の喪中の人が自身を指していう語.

죄질【罪質】[choe:jil]〈名〉罪質. 犯罪の性質.

죄-짓다【罪―】[choe:―]（죄지으니, 죄지어서）〈自〉罪を犯す.

죄책【罪責】[choe:ch'aek]〈名〉罪責. 犯罪の責任. 語例 ～감 罪責感.

죔-쇠 [choe:m―]〈名〉締め金. 句例 …의 ～를 조이다〔늦추다〕…の締め金を締める〔緩める〕.

죔-틀 [choe:m―]〈名〉物を締める器具の総称. 締め具.

주【主】〈名〉主. ❶主人. あるじ. ❷主君. ❸持ち主. ❹中心となること. 句例 ～된 무기 主たる武器 / 공격을 ～로 하여 싸우다 攻撃を主にして戦う. ❺〔基〕神またはキリスト. 句例 우리 ～ 예수 わが主イエス. 文例 ～여 죄 많은 우리들을 [illegible] 主よ, 罪深き我らを….

주【州】〈名〉州. 語例 유타～ ユータ州.

주【洲】〈名〉〔地〕❶州. 語例 삼각～ 三角州. ❷州. 語例 아시아～ アジア州.

주【株】㊀〈名〉〔經〕'주식 株式・주권 株券'の略: 株. 語例 자산～ 資産株 / 성장～ 成長株.
㊁〈依名〉株券や樹木を数える語: 株. 句例 주식을 2천 ～ 사다 株を二千株買う.

주【註】〈名〉注. 注釈. 句例 난외의 ～ 欄外の注.

주(를) 달다 注をつける.

*__주__【週】〈名〉週. 句例 ～ 5일 근무 週五日勤務. 文例 다음 ～초에 만납시다 来週の初めに会いましょう. 語例 지난 ～ 先週 / 이번 ～ 今週.

주 〔漢字項目〕

【主(主)】中學 주 シュ. ❶중심이 되는 사람 中心になる人. ◧主人 주인 しゅじん. ◨領主 영주 りょうしゅ. ❷중심이 됨 中心になる. ◧主演 주연 しゅえん. 主題 주제 しゅだい. ◨民主 민주 みんしゅ. ❸신 神. 기독교에서 하느님. 또는 그리스도 キリスト教では神. またはキリスト. ◨天主 천주 てんしゅ. 救世主 구세주 きゅうせいしゅ. ❹행위를 하는 주체 行なう主体. ◧主管 주관 しゅかん. 主謀 주모 しゅぼう.

【住(住)】中學 주 ジュウ. ❶머무르다 とどまる. ◨居住 거주 きょじゅう. ❷살다 住む. ◧住宅 주택 じゅうたく. 住民 주민 じゅうみん. 住居 주거 じゅうきょ. ◨移住 이주 いじゅう.

【周(周)】高校 주 シュウ. ❶둘레 周囲. ◧周邊 주변 しゅうへん. ◨圓周 원주 えんしゅう. ❷주위를 돌다 周囲を回る. ◧周遊 주유 しゅうゆう. 周期 주기 しゅうき. ◨世界一周 세계 일주 せかいいっしゅう. ❸두루 미치다 あまねく行きわたる. ◧周知 주지 しゅうち. 周到 주도 しゅうとう.

【州】高校 주 シュウ. ❶고을 こおり. 마을 村里. ◧州縣 주현 しゅうけん. ◨九州 구주 きゅうしゅう《中国全土》. 徐州 서주 じょしゅう. ❷연방 국가의 지방 행정 구역 連邦国家での地方行政区域. ◧州立 주립 しゅうりつ. 州議會 주의회 しゅうぎかい. ◨加州〔地〕가주 かしゅう. ❸나라 国. 국토 国土. ◧州國 주국 しゅうこく. ❹강 가운데 섬 河の中の島.

【宙】中學 주 チュウ. 공중 空中. 하늘 天. ◨宇宙 우주 うちゅう. 碧宙 벽주 へきちゅう.

【晝(昼)】中學 주 チュウ. 낮 昼. ◧晝食 주식 ちゅうしょく. 晝夜 주야 ちゅうや. 晝間 주간 ちゅうかん. ◨白晝 백주 はくちゅう.

【朱】中學 주 シュ. 붉다 赤い. 붉은 색 赤い色. ◧朱筆 주필 しゅひつ. 朱紅 주홍 しゅこう. ◨丹朱 단주 たんしゅ.

【柱(柱)】高校 주 チュウ. 기둥 柱. ◧柱石 주석 ちゅうせき. ◨支柱 지주 しちゅう. 電柱 전주 でんちゅう.

【株】高校 주 シュ. ❶나무를 세는 말 木の本数を数える語. ◨梅三株 매삼

ス

주 うめさんしゅ. ❷〔經〕주식 株式. ▮株主 주주 かぶぬし. ▮新株 신주 しんかぶ.

【注(注)】中學 주 チュウ. ❶(액체를) 붓다 注ぐ. ▮注射 주사 ちゅうしゃ. 注水 주수 ちゅうすい. ▮傾注 경주 けいちゅう. ❷한 점에 집중하다 一点に集中する. ▮注意 주의 ちゅうい. 注目 주목 ちゅうもく. ❸본문을 설명한 것 本文を説明したもの. ▮注記 주기 ちゅうき. 注解 주해 ちゅうかい. ▮脚注 각주 きゃくちゅう.

【洲】高校 주 シュウ. ❶강 가운데 섬 河の中の島. ▮三角洲 삼각주 さんかくしゅう. さんかくす. 砂洲 사주 さしゅう. さす. ❷뭍 陸. 대륙 大陸. ▮歐洲 구주 おうしゅう. 亞洲 아주 アジアしゅう. 五大洲 오대주 ごだいしゅう.

【舟】高校 주 シュウ. 배 舟. ▮舟艇 주정 しゅうてい. 舟運 주운 しゅううん. ▮扁舟 편주 へんしゅう. 孤舟 고주 こしゅう.

【走】中學 주 ソウ. ❶달리다 走る. ▮走行 주행 そうこう. 走者 주자 そうしゃ. ▮競走 경주 きょうそう. 獨走 독주 どくそう. ❷달아나다 逃げる. ▮脫走 탈주 だっそう. 逃走 도주 とうそう. 敗走 패주 はいそう.

【酒】中學 주 シュ. ❶술 酒. ▮ 酒仙 주선 しゅせん. 酒興 주흥 しゅこう. 酒類 주류 しゅるい. ▮洋酒 양주 ようしゅ. 斗酒 두주 としゅ. ❷잔치 うたげ. 酒盛り. ▮酒宴 주연 しゅえん.

주가【株價】[chukka]〈名〉株価. 句例 ~가 폭등〔폭락〕하다 株価が暴騰〔暴落〕する. 語例 ~ 지수 株価指数.

주가가 오르다 株が上がる. 文例 요즈음 그의 주가가 올랐다 このごろ彼の株が上がった.

주간【主幹】〈名・하他〉主幹. 語例 편집 ~ 編集主幹.

주간【週刊】〈名・하他〉週刊. 語例 ~ 신문 週刊新聞/~지 週刊誌. ウイークリー.

주간【週間】〈名〉週間. 語例 ~ 일기(日氣)예보 週間天気予報/교통 안전 ~ 交通安全週間.

주간【晝間】〈名〉昼間. ひるま. 句例 ~부와 야간부 昼間部と夜間部. 語例 ~ 근무 昼間勤務. 對야간(夜間).

주객【主客】〈名〉主客・しゅきゃく. 句例 ~이 다 같이 主客共に/~이 바뀌다 主客が入れかわる. 語例 ~ 전도 主客転倒.

주거【住居】[chu:gǒ]〈名・하自〉住居. 住まい. 住みか. 句例 ~를 옮기다 住居を移転する/~를 정하다 住居をさだめる. 語例 ~ 지역 住居地域.

囲み記事 81

■ '주검'と'죽음' ■

주검 しかばね —— 전우의 주검을 뛰어넘어 돌격하다 戦友のしかばねを飛び越えて突撃する.

죽음 死 —— 죽음을 무릅쓰고 사고 현장으로 뛰어들다 死をものともせず, 事故の現場に飛び込む.

주거니 받거니 ⇨'주다¹'の小項目

주걱〈名〉❶'밥주걱'の略: (ご飯をよそう)しゃもじ. 飯じゃくし. 語例 ~턱 しゃくれたあご. ❷'구둣주걱'の略: 靴べら.

주검〈名〉しかばね. 死体. なきがら. =송장. →囲み記事 81

주격【主格】[chukkyǒk]〈名〉〔言〕主格. 語例 ⇨주격 조사

주격 조사【主格助詞】[chukkyǒkcho:sa]〈名〉〔言〕主格助詞. '격조사(格助詞)'の一つ. 体言について, その語を文章の主語のはたらきをさせる助詞. '이・가・께서・에서'など. →付錄 조사 분류표

주경-야독【晝耕夜讀】[—nyadok]〈名〉昼耕夜誦. 昼間は田畑を耕し夜は本を読むの意で, 忙しいうちにも熱心に勉強すること.

***주고-받다**〈他〉取り交わす. やり取りする. 句例 편지를 ~ 手紙を取り交わす/술잔을 ~ 杯をやり取りする/이야기를 ~ 話を交わす.

주곡【主穀】〈名〉主食とする穀物.

주관【主管】〈名・하他〉主管. 語例 ~ 관청〔사항〕主管官庁〔事項〕.

주관【主觀】〈名〉主観. 句例 개인의 ~에 따라 個人の主観によって/~을 버리다〔떠나다〕主観を捨てる〔はなれる〕/~이 뚜렷한 사람 自分の意見がはっきりしている人. 語例 ~성 主観性. 對객관(客觀).

주관-적【主觀的】〈名・冠〉主観的. 句例 ~인 판단 主観的な判断. 對객관적.

***주교**【主敎】〈名〉〔天主敎〕主教. 司教. ビショップ.

주구【走狗】〈名〉走狗. (他人の)手先. =앞잡이. 句例 침략자의 ~가 되다 侵略者の走狗となる.

주권【主權】[chukkwon]〈名〉主権. 句例 ~을 행사〔존중〕하다 主権を行使〔尊重〕する. 語例 ~자 主権者/~재민 主権在民.

주근-깨〈名〉そばかす. 語例 ~ 미인 そばかす美人.

주급【週給】〈名〉週給. 句例 ~으로 일하다 週給で働く. 語例 ~제 週給制.

주기【酒氣】〈名〉酒気. =술기(氣). 句例 ~를 띤 얼굴 酒気を帯びた顔.

주기【週期・周期】〈名〉周期. 句例 화산 활동의 ~ 火山活動の周期. 語例 ~율〔化〕周期律/~적 周期的.

주-기도문【主祈禱文】〈名〉〔基〕主の祈り.

주낙〈名〉はえ縄. 語例 ~배 はえ縄船.

주년【周年・週年】〈名〉周年. 句例 창립 10 ~을 축하하는 행사 創立十周年を祝う行事.

주눅 [chu:nuk]〈名〉いじけること. 気後れ.

주눅(이) 들다 いじける. 気後れ(が)する. 臆する. 句例 주눅 들게 하다 いじけさせる/주눅이 든 태도 いじけた態度. 文例 많은 사람 앞에서는 주눅이 들어 아무 말도 할 수가 없었다 おおぜいの前では臆してものも言えなかった.

주눅(이) 좋다 臆面もない. 気後れしない. 厚

あつかましい. 文例 그는 누구 앞에서나 주눅이 좋다 彼はだれの前に出ても悪びれたところがない〔気後れしない〕.

주니어 〈名〉 ジュニア. 語例 ~급 ジュニア級 / ~ 스타일 ジュニアスタイル. ㊚시니어(senior). ◇junior

****주다**[1] 〈他〉 ❶(相手に)与える. やる. 上げる. 授ける. 句例 애기한테 젖을 ~ 赤ん坊に乳をやる / 말에게 물을 ~ 馬に水をやる / 언질을 ~ 言質を与える / 반성할 기회를 ~ 反省の機会を与える / 학위를 ~ 学位を授ける. 文例 이 시계를 자네에게 주지 この時計を君に上げよう.
❷(人が自分に)くれる. 句例 친구가 나에게 준 책 友達がわたしにくれた本. 文例 그것을 내게 주게 それをぼくにくれ / 누님이 용돈을 주었다 姉が小遣いをくれた.
❸(損害・打撃などを)与える. 被らせる. 句例 피해를 ~ 被害を与える / 핀잔을 ~ けんつくを食わせる / 타격을 ~ 打撃を加える〔与える〕/ 남 앞에서 창피를 ~ 人前で恥をかかせる.
❹(お金を)払う. 出す. 文例 만 원 주고 잡지를 한 권 샀다 1万ウォン出して雑誌を一冊買った / 그 시계는 얼마 주셨습니까 その時計はいくらお払いになりましたか.
❺(力を)入れる. 強調する. 句例 힘주어 당기다 力を入れて引っ張る / 힘주어 말하다 強調して言う.
❻(心を)許す. 句例 마음을 ~ 心を許す.
❼(視線などを)向ける. やる. 句例 시선을 ~ 視線を向ける.
❽(くぎなどを)打つ. 句例 침을 ~ はり(鍼)を打つ. 文例 여기도 못을 하나 주어라 ここにもくぎを一本打って.

주거니 받거니 やりとり. やったりもらったり. 飲みつ勧めつ. 句例 술잔을 ~하다 杯をやりとりする.

***주다**[2] 〈補動〉 ('-아・-어 ~'の形で)他人のためにある動作をするのを表わす:…(して)やる. …(して)くれる. 句例 읽어 ~ 読んでやる / 가르쳐 ~ 教えてやる / 때려 ~ なぐってやる / 집을 비워 ~ 家を明け渡す / (너그러이) 봐 ~ (大目に)見てやる. 文例 어머니가 나에게 책을 사 주었다 母がわたしに本を買ってくれた / 한 대 먹여 줄까 一発お見舞いするか / 영어로 편지 한장 써 주세요 英語で手紙を一通書いてください.

주도【主都】〈名〉 主都.

주도【主導】〈名・하他〉 主導. 句例 ~권을 잡다〔장악하다〕主導権を握る. 語例 ~적 역할〔지위〕 主導的役割〔地位〕.

주동【主動】〈名・하自〉 主動. 句例 ~적 인물 主動的人物 / 파업의 ~자 ストライキの主動者〔リーダー〕.

주-되다【主—】〈自〉 主〔重〕立つ. 句例 주된 원인 主な〔主たる〕原因 / 주된 인물 主だった人物.

주둔【駐屯】 [chu:dun] 〈名・하自〉 駐屯. 句例 군대가 ~하다 軍隊が駐屯する. 語例 ~군〔지〕 駐屯軍〔地〕.

주둥아리 〈名〉 ❶'입 口'の俗っぽい言いかた. ❷'부리 くちばし'の俗っぽい言いかた. 句例 새의 ~ 鳥のくちばし.

주둥아리(를) 놀리다 みだりにしゃべる. 文例 그가 쓸 데없이 주둥아리를 놀렸다 彼がつまらないことをみだりにしゃべった.

주둥이 〈名〉 '주둥아리'の略: 口. くちばし.

주둥이(가) 싸다 '입(이) 싸다'の俗っぽい言いかた: 口が軽い. おしゃべりだ. 文例 그는 주둥이가 싸서 탈이다 彼は口の軽いのが欠点〔問題〕だ.

주렁-주렁 〈副〉 ❶果物などがたくさんぶら下がっているさま: 鈴なりに. ふさふさ(と). 句例 ~ 달린 감 鈴なりのかき(柿). 文例 바나나가 ~ 달려 있다 バナナがふさふさ(と)なっている. ❷一人に多くの人がくっついているさま: ぞろりと. ぞろぞろ. 句例 아이가 ~ 딸린 과부 ぞろりとこぶ付きのやもめ.

주력【主力】〈名〉 主力. 句例 ~을 투입하다 主力をつぎ込む. 語例 ~ 부대 主力部隊 / ~함 主力艦.

주력【走力】〈名〉 走力.

주력【注力】 [chu:ryŏk] 〈名・하自〉 力を注ぐこと. 句例 공부에 ~하다 勉強に力を注ぐ.

주례【主禮】〈名・하他〉 (結婚式など)儀式をつかさどること. また, その人.

주례(를) 서다 (結婚式などの)司式をつとめる.

****주-로【主—】**〈副〉 主に. 主として. 句例 ~ 식료품을 파는 가게 主に食料品を売る店. 文例 여름은 ~ 시골에서 지낸다 夏は主にいなかで暮らす.

주룩-주룩 〈副・하自〉 雨が激しく降る音: ざあざあ(と). じゃあじゃあ(と). 句例 비가 ~ 내리다 雨がざあざあと降る.

주류【主流】〈名〉 主流. 句例 한강의 ~ 漢江の主流 / 시대 사조의 ~ 時代思潮の主流. 語例 ~파 主流派 / 반~파 反主流派.

주르르 〈副〉 ❶早い足取りで進み出るさま: ばたばた. ぞろぞろ. 句例 ~ 달려가다 ばたばた駆けて行く / (…의 뒤를) ~ 따라다니다 (…の後ろを)ぞろぞろとついて歩く.
❷液体が軽く流れ出るさま: だらだら(と). ぽろぽろ(と). 句例 코피가 ~ 흐르다 鼻血がだらだらと流れる / 눈물을 ~ 흘리다 涙をぽろぽろ(と)こぼす.
❸物が斜面を滑り落ちるさま: するり(と). つるり(と). 文例 비탈길에서 ~ 미끄러졌다 坂道でつるり(と)滑った.

주름 〈名〉 ❶(顔などの)しわ. 句例 눈가에 ~이 생기다 目じりにしわが寄る / ~을 펴다 しわを伸ばす. ❷(衣服の)ひだ. 折り目. 句例 스커트의 ~ スカートのひだ / 바지 ~을 반듯이 잡다 ズボンの折り目をきちんとつける. 語例 ~치마 ギャザースカート(gather skirt).

주름(을) 잡다 ❶ひだをとる. 折り目をつける. ❷(主導権をとって)牛耳る. 句例 정계를 주름 잡는 인물 政界を牛耳る人物.

주름(이) 잡히다 しわが寄る. 折り目がつく. 句例 주름 잡힌 이마 しわがよった額.

주름-살 [—ssal] 〈名〉 (皮膚の)しわ. しわの筋. 句例 이마에 ~을 짓다 額にしわを寄せ

ス

る / ～이 많다 しわだらけだ / ～을 펴다 しわを伸ばす.

주름살(이) 잡히다 しわが寄る.

주름살-지다 [churŭmssal—] 〈自〉(皮膚・紙・服などが)しわ寄る. 略して'주름지다'とも言う.

주름-상자 【—箱子】〈名〉(カメラ・アコーディオンなどの)蛇腹.

주름-지다 〈自〉'주름살지다'の略.

주리다 [chu:rida] 〈自他〉飢える. かつえる. ❶ひもじくなる. 句例 주린 배를 움켜 안고 すき腹をかかえて. 文例 아이가 배를 주리고 기다리고 있다 子供が腹を減らして待っている. ❷愛情・欲望などが満たされていない. 句例 애정〔지식〕에 ～ 愛情〔知識〕に飢える. ▷→囲み記事 82

주마-가편 【走馬加鞭】〈名〉走り馬に鞭《一生懸命努力する人をさらに激励すること》.

주마-간산 【走馬看山】〈名〉(走っている馬から山を見るの意で)忙しくて大ざっぱに見て通ること.

주마-등 【走馬燈】〈名〉走馬灯. 回りどうろう.

주마등-같다 【走馬燈—】〈形〉 走馬灯のようだ. 走馬灯のように移り変わりが速い. 文例 세월은 주마등같이 지나갔다 歳月は走馬灯のごとく過ぎ去った.

***주막** 【酒幕】〈名〉(田舎の)宿屋を兼ねた居酒屋. はたご屋.

주말 【週末】〈名〉週末. ウイークエンド. 句例 ～마다 週末ごとに. 語例 ～ 여행 週末旅行. 對 주초(週初).

****주머니** 〈名〉❶巾着. 小袋. 句例 ～를 차다 巾着をさげる. 語例 돈～ 銭入れ. 財布.
❷ポケット. 懐. 転じて, 所持金. 句例 ～에 손을 넣다 ポケットに手を入れる / ～를 뒤지다 ポケットをさぐる / ～가 비다〔든든하다〕 懐が寒い〔暖かい〕/ ～ 사정이 좋다〔나쁘다〕 懐具合がいい〔苦しい〕. 語例 안～ うちポケット / 양복 ～ 洋服のポケット.
❸(物を入れる)袋. 句例 과일을 ～에 넣다 果物を袋に入れる. 語例 모래 ～ 砂袋.

주머니가 가볍다 財布が軽い. 持ち金が少ない.

주머니 돈이 쌈지돈 巾着のお金が財布のお金. 結局は同じことのたとえ.

囲み記事 82

■ '주리다'と'줄이다' ■

주리다 (1)(食べ物に)飢える —— 주린 배를 안고 살았던 피난민 생활 飢えた腹を抱かえて暮らした避難民の生活.
(2)(ほしいものに)飢える —— 애정에 주린 고아의 절규를 듣는 듯하였다 愛情に飢えたみなしごの絶叫を聞くようであった.
줄이다 減らす —— 인원을 줄이다 人員を減らす / 식사의 양을 줄이다 食事の量を減らす.

주머니를 털다 ❶財布をはたく. 持ち金をはたく. 文例 주머니를 다 털어도 5만 원도 안 된다 有り金をはたいても五万ウォンにもならない. ❷強盗を働く.

주머니-칼 〈名〉小刀. 懐刀.

****주먹** 〈名〉こぶし. げんこつ. 握りこぶし. 句例 ～을 들어올리다 こぶしを振り上げる / ～으로 때리다 げんこつでなぐる / ～을 휘두르다 げんこつを振り回す / ～으로 한 대 먹이다 げんこつをおみまいする.

주먹은 가깝고 법은 멀다 げんこつは近く法は遠い. 法よりまず暴力に訴えることのたとえ.

주먹을 불끈 쥐다 こぶしをぐっと握る.

주먹-구구 【—九九】〈名〉❶指折りの計算. ❷大まかな計算.

주먹-다짐 〈名・하他〉❶腕力ざた. 句例 ～을 하기에 이르다 腕力ざたに及ぶ. ❷力ずくで脅しつけること.

주먹-밥 〈名〉握り飯. お結び. おにぎり《女》.

주먹-질 〈名・하自〉げんこつで殴ること. こぶしを振り回すこと.

주먹-코 〈名〉団子鼻.

주모 【主謀】〈名・하他〉首謀. 句例 반란의 ～자 反乱の首謀者.

주모 【酒母】〈名〉酒屋で酒を売る女. 酒屋のおばさん.

주목 【注目】[chu:mok]〈名・하他〉注目. 句例 ～을 끌다〔받다〕注目を引く〔浴びる〕/ ～의 대상이 되다 注目の的となる / ～할 만한 사실 注目に値する事実. 文例 전방을 ～하라 前方を注目せよ. 類 주시(注視).

주-목적 【主目的】〈名〉主目的.

주무 【主務】〈名・하他〉主務. 語例 ～ 관청 主務官庁 / ～ 장관 主務長官〔大臣〕.

주무르다 (주무르니, 주물러서)〈他〉❶(やたらに)いじる. いじくる. もてあそぶ. 句例 시계를 마구 주물러서 망가뜨리다 時計をいじくりまわして壊す. ❷(人を)自由に操る. もてあそぶ. 句例 사람을 마음대로 ～ 人を思いのままにもてあそぶ / 잘 주물러서 승낙시키다 よく丸め込んで承諾させる. ❸(手で)もむ. あんまをする. 句例 어깨를 ～ 肩をもむ. 文例 다리를 좀 주물러 줘 脚をちょっともんでくれ.

****주무시다** 〈自〉'자다 眠る'の敬語: お休みになる. 文例 안녕히 주무십시오〔주무세요〕お休みなさい / 안녕히 주무셨습니까 よくお休みなさいましたか. おはようございます.

***주문** 【注文】[chu:mun]〈名・하他〉注文. あつらえること. 句例 ～을 받다 注文をとる〔うける〕/ 무리한 ～ 無理な注文 / 급한 ～ 急ぎの注文 / ～을 취소하다 注文を取り消す / 커피를 ～하다 コーヒーを注文する. 語例 ～ 생산 注文生産 / ～처(處) 注文先 / ～품 注文品 / 대량〔소량〕 ～ 大口〔小口〕注文.

주문 【呪文】[chu:mun]〈名〉呪文. まじないのことば. 句例 ～을 외다 呪文を唱える. おまじないをする.

주물 【鑄物】[chu:mul]〈名〉〔工〕鋳物. 語例 ～공(工) 鋳物師 / ～ 공장 鋳物工場 / ～ 가마 鋳物のかま.

ス

주물럭-거리다 〈他〉しきりにもんだりいじったりする. いじくり回す. ぎゅっぎゅっともむ.

주물럭주물럭 〈副・하他〉ぎゅっぎゅっ.

주미【駐美】[chu:mi]〈名〉駐米. 語例 ~ 대사 駐米大使.

***주민**【住民】[chu:min]〈名〉住民. 語例 ~ 등록(증) 住民登録(証) / ~세 住民税 / ~ 등록표 住民票.

주발【周鉢】〈名〉(真鍮製の)ご飯用のふた(蓋)付き碗. 絵

〈주발〉

주방【廚房】〈名〉 厨房. 台所. くりや(厨). キッチン. =부엌. 語例 ~장(長) コック長.

주번【週番】〈名〉週番. 語例 ~ 사관〔軍〕週番士官 / ~제 週番制 / ~ 근무 週番勤務.

주범【主犯】〈名〉〔法〕主犯. 句例 ~을 잡다 主犯を捕らえる.

주법【走法】[chuppŏp]〈名〉走法. 走り方.

주변 [chu:byŏn]〈名・하他〉やりくり. かい性. 融通. 句例 ~이 없다 かい性がない. 融通がきかない. →주변머리

***주변**【周邊】〈名〉周辺. 周り. 辺り. 句例 대도시 ~의 주택 大都市周辺の住宅 / ~을 둘러보다 辺りを見まわす. 語例 ~ 장치〔컴〕周辺装置 / 학교 ~ 学校の周り.

주변-머리 [chu:byŏn—]〈名〉'주변'の俗っぽい言いかた. 句例 ~가 없다 かい性がない. 融通がきかない.

주보【週報】〈名〉 週報. ウイークリー. 語例 시사 ~ 時事週報.

주봉【主峰】〈名〉主峰. =최고봉.

주부【主部】〈名〉 ⇨ 주어부(主語部). 對술부(述部).

주부【主婦】〈名〉主婦. 句例 ~의 몸 主婦の身 / 한 가정의 ~ 一家の主婦.

주빈【主賓】〈名〉主賓. 句例 ~의 축사 主賓の祝辞.

주뼛-주뼛 〈副・하形〉はにかんだりいじけたりするさま: おずおず. もじもじ. こわごわ. 恐る恐る. 句例 ~하며 묻다 おずおずと尋ねる / ~하며 대답하다 恐る恐る答える. 文例 꾸중 들을 줄 알고 ~ 앞으로 나왔다 しかられると思って恐る恐る前に出てきた.

주사【主事】〈名〉❶一定の事務を主管する人. 主事. 主任. ❷(男どうしで)名前につけて用いる尊称: …さん. …先生. 句例 김 ~댁 金さんのお宅. ❸〔法〕六級公務員の職級名称.

***주사**【注射】[chu:sa]〈名・하他〉注射. 句例 ~를 놓다 注射を打つ. 注射する / ~를 맞다 注射を打ってもらう. 語例 ~기 注射器 / 주삿바늘 注射針 / 예방 ~ 予防注射.

***주사위** 〈名〉さい(賽). さいころ. ダイス. 句例 ~를 던지다 さいをふる.

주사위는 던져졌다 さいは投げられた.

주산【珠算】〈名・하自〉珠算. そろばん. 玉算. 句例 ~을 놓다 そろばんを置く〔入れる〕.

주-산물【主産物】〈名〉主産物.

주-산지【主産地】〈名〉主産地.

주상【主上】〈名〉主上. 王. =임금.

주색【酒色】〈名〉 酒色. 酒と女. 句例 ~에 빠지다 酒色にふける〔おぼれる〕.

주색-잡기【酒色雜技】〈名〉酒色とばくち. 飲む打つ買う.

주서【朱書】〈名・하他〉朱書. 朱書き. 句例 본문 옆에 ~로 주를 달다 本文のわきに朱書で注を加える.

주서 [chu:sŏ]〈名〉ジューサー. 類믹서(mixer). ◇juicer

주석【主席】〈名〉主席. 語例 국가 ~ 国家主席.

주석【朱錫】〈名〉〔化〕❶すず(錫). 語例 산화~ 酸化すず. ❷真鍮. =놋쇠.

주석【柱石】〈名〉柱石. 句例 국가의 ~ 国家の柱石.

주석 【註釋・注釋】 [chu:sŏk] 〈名・하他〉 注釈. 注解. 略して'주(註)'ともいう. 句例 ~을 달다 注釈をつける〔加える〕. 語例 ~서 注釈書 / ~자 注釈者.

주선【周旋】〈名〉周旋. 取り持ち. 斡旋.
~하다 〈他〉 周旋する. 取り持つ. 句例 친구의 ~으로 友人の取り持ちで / 일자리를 ~하다 勤め口を周旋する / 두 사람 사이를 ~하다 二人の間を取り持つ.

주섬-주섬 〈副・하他〉 散らばった物を一つ一つ拾い収めるさま: 一つ一つ. 一枚一枚. 句例 옷을 ~ 주어 입다 着物を一枚一枚取り上げて着る.

주-성분【主成分】〈名〉主成分. 句例 약의 ~ 薬の主成分.

***주소**【住所】[chu:so]〈名〉住所. 句例 ~를 묻다 住所を尋ねる / ~를 정하다 住所を定める. 文例 좌기 ~로 이사했습니다 左記の住所へひっ越しました. 語例 ~록 住所録 / ~ 부정 住所不定 / ~ 불명 住所不明.

주술【呪術】[chu:sul]〈名〉呪術. まじない. 句例 ~을 부리다 まじないをする. 語例 ~사 呪術〔まじない〕師.

주스 [chu:sŭ]〈名〉ジュース. 語例 오렌지 ~ オレンジジュース. ◇juice

주시【注視】[chu:shi]〈名〉注視. 注目.
~하다 〈他〉注視する. 見つめる. 句例 여러 사람들의 ~ 속에서 多くの人人の注視の中で / 사태를 ~하다 事態を注視する.

주식【主食】〈名〉['주식물'の略] 主食. 句例 쌀을 ~으로 하다 米を主食とする. 對부식(副食).

주식【株式】〈名〉〔經〕株式. 株. 句例 ~을 매매하다〔발행하다〕 株式を売買する〔発行する〕. 語例 ~ 금융 株式金融 / ~을 사다 株を買う / ~으로 돈을 벌다 株でもうける / ~ 시장 株式市場 / ~ 배당 株式配当 / ~ 자본 株式資本 / ~ 회사 株式会社 / ~ 공개〔經〕株式公開 / ~ 시세〔經〕株式相場.

주신【主神】〈名〉(祭壇に祭った神のうち)主となる神. 主神.

주신【柱身】〈名〉柱. 柱の胴体部.

주심【主審】〈名〉['주심판(主審判)'の略] 主審. レフェリー. 句例 공정한 ~ 公正な主審〔レフェリー〕.

주악【奏樂】[chu:ak]〈名・하自〉奏楽. 句例

~을 시작하다 奏楽を始める.

주안【主眼】〈名〉主眼. 句例 경비 절감에 ~(점)을 두다 経費の節減に主眼(点)をおく.

주안-상【酒案床】[—ssang]〈名〉酒とさかな(肴)をそろえた膳. ＝술상.

주야【晝夜】〈名〉昼夜. 日夜. ＝밤낮. 句例 ~를 가리지 않고 昼夜をわかたず. 文例 ~로 쉬지 않고 일한다 日夜休まず働く. 語例 ~겸행 昼夜兼行.

주야-장천【晝夜長川】〈副〉昼夜をわかたず引き続き. 略して'장천'ともいう.

주어【主語】〈名〉❶〔言〕主語. 對서술어(敍述語). ❷〔論〕主辞.

주어-부【主語部】〈名〉主部. 對서술부.

*__주어-지다__〈自〉与えられる. 句例 주어진 문제 与えられた問題.

주역【主役】〈名〉主役. 句例 사건의 ~ 事件の主役 / ~을 맡아 하다 主役を勤める / ~을 맡기다 主役を任せる. 文例 오늘의 ~은 당신이에요 今日の主役はあなたですよ. 對단역(端役).

주역【周易】〈名〉周易. 語例 ~선생 八卦見. 類역경(易經).

주연【主演】〈名・하自〉主演. 句例 그 연극의 ~을 맡다 その演劇の主演をひき受ける / 그가 ~한 영화 彼が主演した映画. 語例 ~ 남우상 主演男優賞.

주연【酒宴】〈名〉酒盛り. 酒宴. 句例 ~을 열다 酒宴を催す. 語例 ~곡 酒宴で歌う歌.

주옥【珠玉】〈名〉珠玉. ❶海に産する珠と山に産する玉. 句例 ~으로 장식한 왕관 珠玉で飾った王冠. ❷美しくすぐれたものをほめる語. 句例 ~같은 작품 珠玉のような作品 / ~처럼 아름다운 살결 珠玉のように美しい肌. 語例 ~편 珠玉編.

*__주요__【主要】〈名・하形〉主要. 主なこと. 句例 ~한 계획 主要な計画. 語例 ~ 내용 主要内容 / ~ 목적 主要目的 / ~ 부분 主要部分 / ~ 수출품 主要輸出品.

주워-내다〈他〉(中の物を)拾い出す. 句例 쌀 속의 콩을 ~ 米の中の豆を拾い出す.

주워-담다[—damtta]〈他〉拾い入れる. 句例 흩어진 감을 바구니에 ~ 散らばっているかきをかご(籠)の中に拾い入れる.

주워-대다〈他〉(弁明などを)並べ立てる. 並べる. 言いつくろう. 言い訳する. 句例 확실한 실례를 ~ 確かな実例を並べる / 변명을 ~ 弁明を並べ立てる.

주워-듣다(—들으니, —들어서)〈他〉人づてに聞く. 聞きかじる. 耳にする. 小耳に挟む. 句例 주워들은 그에 대한 이야기 人づてに聞いた彼のうわさ / 주워들은 하찮은 문학 지식 聞きかじったわずかな文学の知識.

주워-먹다〈他〉拾って食べる. 食いあさる. 句例 이것저것 ~ あれこれと食いあさる / 밤을 ~ くりを拾って食べる.

주워-섬기다〈他〉(見聞きしたことをそのまま)言い立てる. 話しまくる. 句例 있는 것 없는 것 마구 ~ あることないことをやたらに言い立てる / 결점을 ~ 欠点を話しまくる.

주-원인【主原因】[—wonin]〈名〉主な原因. 句例 ~을 찾아내다 主な原因を探し出す.

*__주위__【周圍】〈名〉周囲. ❶周り. ぐるり. 句例 ~에 꽃을 심다 周りに花を植える. 文例 아마 ~ 사람들이 가만히 있지 않을테죠 恐らく周囲〔周り〕の人たちが黙っていないでしょう. 語例 학교 ~ 学校の周囲. ❷〔數〕円周.

주유【注油】[chu:yu]〈名・하自〉注油. 句例 자동차에 ~하다 車に注油する. 語例 ~관 注油管 / ~탑 注油塔.

주유-소【注油所】[chu:yuso]〈名〉注油所. 給油所. ガソリンスタンド.

주음【主音】〈名〉〔樂〕(音調の基本になる)主音. ＝으뜸음.

주의【主義】〈名〉主義. 語例 경험~ 経験主義 / 사실~ 写実主義 / 자연~ 自然主義 / 안전 제일~ 安全第一主義 / 속결~ 即決主義 / 기회~ 日和見主義.

__주의__【注意】[chu:ŭi]〈名〉注意. 用心. **~하다〈自他〉注意する. 気をつける. 用心する. 句例 ~해서 듣다 注意して聞く. 文例 차를 ~하시오 車に注意しなさい / 싸우지 않도록 ~를 주었다 けんかをしないように注意を与えた / 음주 운전하지 말라는 ~를 들었다 飲酒運転しないようにと注意された. 語例 ~ 사항 注意事項 / ~ 신호 注意信号.

주의-력【注意力】[chu:ŭiryŏk]〈名〉注意力. 句例 ~이 부족하다 注意力が足りない.

주의-보【注意報】[chu:ŭibo]〈名〉注意報. 語例 태풍 ~ 台風注意報 / 호우 ~ 豪雨注意報.

주익【主翼】〈名〉〔工〕(飛行機の)主翼. 句例 파손된 ~ 破損した主翼. 對보조익.

**__주인__【主人】〈名〉主人. 主. あるじ(主). 持ち主. 略して'쥔'ともいう. 文例 이집 ~은 누구십니까 この家の主人はどなたですか. 語例 집~ 家の主〔あるじ〕/ ~공 主人公 / ~장 主人の敬称. だんな(旦那)さん / 책~ 本の持ち主.

주인【主因】〈名〉主因. 句例 사망의 ~ 死亡の主因.

주일【主日】〈名〉〔基〕日曜日. 主の日. 聖日. 語例 ~ 예배 日曜日の礼拝 / ~ 학교 日曜学校. サンデースクール.

*__주일__【週日】〈名〉週日. 週. ❶週間. ウィーク. 文例 일요일이 지나고 새 ~이 시작된다 日曜日が過ぎて新たな週間がはじまる. ❷(数詞について)…週間. 句例 한 ~ 동안 一週間の間. 文例 두 ~ 후에 음악회가 열린다 二週間のあとに音楽会が開かれる. 參考 日本の週日は日曜(および土曜)以外の日をさすが, 韓国の週日は月曜から日曜までの七日間をさす.

주임【主任】〈名〉主任. 語例 ~ 교수 主任教授 / ~ 변호인 主任弁護人.

주입【注入】[chu:ip]〈名〉注入. **~하다**〈他〉注入する. 注ぎ込む. 句例 약액을 체내에 ~하다 薬液を体内に注入する / 학생들에게 지식을 ~하다 学生たちに知識を注入する〔詰めこむ〕. 語例 ~식(式) 교육 注入教育.

*__주자__【走者】〈名〉走者. ランナー. 句例 릴레이의 제1 ~ リレーの第一走者. 文例 2루에서

～는 죽었다 二塁でランナーはアウトされた〔しんだ〕. [語例] 최종 ～ 最終走者.

주자【奏者】[chu:ja]〈名〉奏者. 演奏者. [語例] 피아노〔오르간〕 ～ ピアノ〔オルガン〕奏者.

***주장**【主張】〈名〉主張. **～하다**〈他〉主張する. 言い張る. [句例] 강력히 ～하다 強く言い張る / 지동설을 ～하다 地動説を主張する.

주장【主將】〈名〉主将〔首将〕. キャプテン. [句例] 주둔군의 ～ 駐屯軍の主将 / 유도부의 ～ 柔道部のキャプテン.

주재【主宰】〈名・하他〉主宰. [句例] 회의를 ～하다 会を主宰する.

주재【駐在】[chu:jae]〈名・하自〉駐在. [句例] 일본에 ～하는 외교관 日本に駐在する外交官 / 상사의 해외 ～원 商社の海外駐在員. [語例] ～국 駐在国.

주저【主著】〈名〉主著.

주저【躊躇】〈名〉躊躇. **～하다**〈自他〉躊躇する. ためらう. ぐずぐずする. [句例] ～하게 된 동기 ためらうようになった動機. [文例] 비용이 많이 드는 일이라서 ～하였다 費用がかさむことなので躊躇した.

주저리〈名〉むさくるしいものが乱雑にぶらさがったり束ねられているもの.

주저리주저리〈副〉むさくるしいものが乱雑にぶらさがっているさま.

***주저-앉다** [chujŏantta]〈自〉❶(尻をついて)座りこむ. へたりこむ. [句例] 땅바닥에 탈싹 ～ 地面にぺたりと座りこむ. ❷(積んだ物などが)崩れる. (物の底などが)落ちこむ. [文例] 길 한복판이 주저앉았다 道の真んなかが落ちこんでいる. ❸(仕事などを)中途でやめる. 投げ出す. [文例] 어떤 난관에도 주저앉지 않는다 どんな難関の前でも(仕事を)中途で投げ出さない. ❹(地位や場所に)居座る. とどまる. [文例] 그는 교장자리에 주저앉기로 했다 彼は校長の地位に居座ることにした.

주저-앉히다 [—anch'ida]〈他〉'주저앉다'の使役形: 座らせる. とどませる.

주저주저-하다【躊躇躊躇—】(→하다)〈自〉ぐずぐずする. ためらう.

주전【主戰】〈名〉主戦. [語例] ～론 主戦論 / ～멤버 主力メンバー / ～ 선수 主戦選手 / ～투수 主戦投手. エース.

주전-부리〈名・하自〉絶えず間食するくせ. [句例] ～가 심한 어린이 間食してばかりいる子供.

주전-자【酒煎子】〈名〉湯沸かし. やかん.

주점【酒店】〈名〉酒屋. 飲み屋. ＝술집.

주접〈名〉(いろいろな原因で)生物が衰える状態.

주접(이) 들다 いじける. (病気がちで)発育が悪い. 委縮する.

주접(을) 떨다 (食べ物に)食い意地を張る. がつがつする.

주접-스럽다 (→스럽다)〈形〉(食べ物に対して)汚い. 食い意地が張っている. がつがつしている. **주접스레**〈副〉(食べ物に)汚く. がつがつ.

주정【酒酊】[chu:jŏng]〈名・하自〉酒に酔って言動が乱暴になること. 管を巻くこと. [句例] ～이 심한 사람 酒ぐせの悪い人 / 가끔 ～을 한다 ときたま管をまく.

주정(을) 부리다 酒に酔って管を巻く.

주정【酒精】〈名〉酒精. アルコール. [語例] ～ 발효 アルコール発酵 / ～분 アルコール分 / ～음료 アルコール飲料.

***주제**〈名〉'주제꼴 身なり'の略. ❶粗末な身なり. 格好. 身のほど. 分際. [句例] 초라한 ～ みすぼらしい身なり / ～가 사납다 着物・身なりがみっともない〔みすぼらしい・見苦しい〕. [文例] 이런 ～로는 대중 앞에 서지 못한다 このような身なりでは大衆の前に立てない / 자기 ～도 모르고 날뛴다 身のほども知らないででしゃばる. ❷('～에'の形で)…のくせに. [句例] 알지도 못하는 ～에 知りもしないくせに. [文例] 돈도 없는 ～에 큰소리친다 金もないくせに大きなことを言う.

***주제**【主題】〈名〉主題. テーマ. [句例] 세미나의 ～ ゼミナールの主題 / 종교를 ～로 한 작품 宗教を主題にした作品. [語例] ～ 음악 主題音楽. テーマミュージック.

주제-꼴〈名〉ぱっとしない粗末な身なり〔姿・ありさま〕. 略して'주제'とも言う.

주제-넘다 [chujenŏmtta]〈形〉(言葉や態度が)生意気だ. 身のほど知らずだ. 厚かましい. [句例] 주제넘은 소리를 하다 生意気な口をきく.

주조【主調】〈名〉〔樂〕主調. [語例] ～음 主調音.

주조【主潮】〈名〉主潮. [句例] ～를 이루다 主潮をなす.

주조【鑄造】[chu:jo]〈名〉鋳造. **～하다**〈他〉鋳造する. 鋳る. [句例] 활자를 ～하다 活字を鋳造する. [文例] 그 동상은 ～해서 만든 작품이다 その銅像は鋳造して作った作品です. [語例] ～ 화폐 鋳造貨幣 / ～ 활자 鋳造活字.

주종【主從】〈名〉主従. [語例] ～ 관계 主従関係.

주주【株主】〈名〉〔經〕株主. [語例] ～권 株主権 / ～ 총회 株主総会.

주중【週中】〈名〉週中. 週内. [語例] ～ 행사 週中行事.

주지【住持】〈名〉〔佛〕住持. 住職. ㊝방장(方丈).

주지【周知】〈名・하他〉周知. [句例] ～의 사실 周知の事実. [文例] 회원 전원에게 ～시켜야 한다 全会員に周知させなければならない.

주차【駐車】[chu:ch'a]〈名・하自〉駐車. [語例] ～ 금지 駐車禁止 / ～장 駐車場 / ～ 위반 駐車違反.

주창【主唱】〈名〉主唱. **～하다**〈他〉主唱する. 唱える. [句例] 새 학설을 ～하다 新学説を主唱する / 학교가 ～하는 새 생활 운동 学校が唱える新生活運動. [語例] ～자 主唱者.

주책〈名〉❶しっかりした考え. 定見. ❷無定見にふるまうこと.

주책(을) 떨다 無定見で軽薄にふるまう. いやらしくふるまう.

주책(을) 부리다 軽率にふるまう.

주책-망나니 [chuch'aengmangnani]〈名〉無定見で分別のない人をののしる語.

ス

주책-바가지 〈名〉軽薄で分別のない人をあざけって言う語.

주책-없다 [chuch'aegŏpta] 〈形〉軽薄だ. 見境がない. 無定見だ. 文例 주책없는 소리 마라 でたらめに無定見なこと言わないでくれ.

주책없이 [chuch'aegŏpshi] 〈副〉でたらめに. 軽薄に. あつかましく.

주철 【鑄鐵】 [chu:ch'ŏl] 〈名〉鋳鉄. ＝무쇠.

주체 〈名〉(手に負えないほど)煩わしいこと. または厄介な物を処理すること. **～하다** 〈他〉(厄介な物などを)処理する. 句例 ～할 수 없을 정도로 많은 돈 持て余すほどのたくさんの金. 文例 무거워서 혼자서는 ～할 수 없다 重くて一人では処理することができない. **～스럽다** (→스럽다) 〈形〉面倒臭い. 厄介だ. 煩わしい. 句例 그가 있으면 아무래도 ～스럽다 彼がいるとどうも厄介だ. **～스레** 〈副〉持て余すほど. 面倒臭く.

주체 【主體】 〈名〉主体. 句例 학생을 ～로 하는 등산대 学生を主体とする登山隊. 對객체(客體).

주체 높임법 【主體一法】 [—nop'impp ŏp] 〈名〉〔言〕'높임법'の一つ. 文章の主体になる主語に敬意を含ませる敬語法. '선어말 어미'の'-시-'をつけて表わす. '선생님께서 오셨습니다 先生がおこしになられました' '할아버지께서 진지를 드십니다 おじいさまがお食事をお上がりになります'などの表現法. →상대 높임법. 객체 높임법

주체-성 【主體性】 [—ssŏng] 〈名〉主体性. 句例 ～을 확립하다 主体性を確立する.

주초 【週初】 〈名〉週の初め. 對주말(週末).

주최 【主催】 〈名〉主催. 語例 ～국 主催国 / ～자 主催者. **～하다** 〈他〉主催する. 句例 학술 단체가 ～하는 발표회 学術団体が主催する発表会.

주축 【主軸】 〈名〉主軸. 句例 ～이 된 선수들 主軸になった選手たち.

주춤 〈副・하自〉❶歩みを止めて立ちすくむさま: ぴたっと. 文例 놀래서 ～ 멈추었다 驚いてぴたっと歩みを止めた. ❷ためらってもたもたと動作を中止するさま: ぐずぐずと. もたもたと. **～거리다** 〈自〉ためらう. たじたじする. ぐずぐずする. 句例 물건을 살까말까 ～거리다 品物を買おうか買うまいかもじもじする〔ぐずぐずする〕.

주춤주춤 〈副・하自〉もたもたと. ぐずぐずと. たじたじと.

주춤-병 【一病】 [—ppyŏng] 〈名〉ぐずぐずしてなかなか決断しない癖や欠点.

주치-의 【主治醫】 〈名〉主治医.

***주택** 【住宅】 [chu:t'aek] 〈名〉住宅. 語例 ～가 住宅街 / ～지 住宅地 / ～난 住宅難 / ～ 단지 住宅団地 / 분양 ～ 分譲住宅. 類거택(居宅).

주택 은행 【住宅銀行】 [chu:t'aegŭnhaeng] 〈名〉住宅銀行.

주파 【走破】 〈名〉走破. 句例 10킬로의 ～가 결코 쉽지 않다 10キロを走り通すことが決してたやすいことではない. **～하다** 〈他〉走破する. 走り通す. 句例 전원이 ～하다 全員が走り通す. 語例 ～거리 走破距離.

주파-수 【周波數】 〈名〉周波数. 語例 ～ 변조 周波数変調. エフエム(FM).

주판 【籌板】 [chu:p'an] 〈名〉 ⇨ 수판(數板)

주판-질 【籌板一】 [chu:p'an—] 〈名・하自他〉 ⇨ 수판질

주필 【主筆】 〈名〉主筆.

주해 【註解・注解】 [chu:hae] 〈名・하他〉注解. ＝주석(註釋). 略して'주(註)'ともいう. 句例 ～를 붙이다 注解をほどこす.

주행 【走行】 〈名・하自〉走行. 句例 고속 도로를 ～하다 高速道路を走行する. 語例 ～ 거리 走行距離 / ～ 속도 走行速度 / ～ 시간 走行時間.

주행 【舟行】 〈名・하自〉舟行.

주형 【鑄型】 [chu:hyŏng] 〈名〉鋳型. ＝거푸집. 句例 활자의 ～ 活字の鋳型.

주홍 【朱紅】 〈名〉'주홍빛 朱色'の略: 朱. ❶朱色. スカーレット. ❷朱・赤色の顔料.

주홍-빛 【朱紅一】 [—ppit] 〈名〉朱色. 略して'주홍'とも言う.

주화 【鑄貨】 [chu:hwa] 〈名・하自〉鋳貨. 硬貨. コイン.

주황 【朱黃】 〈名〉'주황빛 だいだい色'の略: だいだい色. かば色.

주황-빛 【朱黃一】 [—ppit] 〈名〉だいだい色. かば色. 略して'주황'とも言う.

주효 【奏效】 〈名・하自〉奏効. 句例 스퀴즈 작전이 ～하다 スクイズ作戦が奏効する.

죽 【粥】 〈名〉かゆ(粥). 句例 ～을 끓이다 かゆを炊く / ～도 못 먹는 형편 かゆも食えない暮らし向き / 식은～ 먹기 朝飯前. 語例 깨～ ごまかゆ / 흰～ 白かゆ.

죽 끓듯 하다 ❶気まぐれ〔移り気〕が激しい. ❷感情の起伏が激しい.

죽도 밥도 안 된다 かゆにも飯にもならない. どっちつかずで役に立たないことのたとえ.

죽 떠먹은 자리 かゆをすくって食べた跡. たくさんあるところから少しすくってもその跡は残らないことのたとえ.

죽 쑤어 개 좋은 일 했다 かゆを炊いて犬をよろこばした. せっかく骨折ったことが他人のためにつくす結果となった. 犬骨折ってたか(鷹)のえじきになるの意.

죽을 쑤다 ❶かゆを炊く. ❷大損害をこうむる. 事がめちゃめちゃになる.

죽이 끓는지 밥이 끓는지 모른다 かゆが煮えるのか飯が煮えるのかわからない. 何がどうなるのか全然わからないの意.

죽이 되든 밥이 되든 結果はどうなろうと, ともかく.

죽[1] 〈依名〉衣服・器などを数える単位: 十着. 十点. 語例 양말 한 ～ 靴下十足 / 옷 한 ～ 着物の十点.

죽[2] [chu:k] 〈副〉❶一列に並んでいるさま: ずらりと. ずらっと. 文例 학생들이 ～ 늘어서 있다 学生たちがずらっと並んでいる. ❷動作に滞りのないさま: さっと. すっと. 句例 직선을 ～ 긋다 直線をさっと引く. ❸多くの物を一目で見渡すさま: ざっと. ぐるっと. ぐるりと. 文例 청중을 한번 ～ 훑어보았다 聴衆

ちょうを一度ぐるっと見渡した. ❹水や酒などの飲み物を一息に飲むさま：ぐっと. ぐいっと. すっと. 文例 약을 단숨에 ~ 마셨다 薬を一気にぐっと飲んだ. ❺布や紙などを一気に裂くさま：びりっと. びりびりと. ばりばりと. 文例 바지가 못에 걸려 ~ 찢어졌다 ズボンがくぎにひっかかってびりっと破れた.

죽 〔漢字項目〕

【竹】中學 죽 チク. ❶대 竹. ▮竹槍 죽창 たけやり. 竹林 죽림 ちくりん. 竹馬 죽마 ちくば. ▮松竹 송죽 しょうちく. 爆竹 폭죽 ばくちく. ❷대나무관 竹の管. ▮絲竹管絃 사죽관현 しちくかんげん. ❸문자를 쓴 대쪽 文字を書いた竹片. ▮竹簡 죽간 ちくかん.

죽겠다 〈補動〉('-아[-어]~'の形で)感情が極度に達したことを表わす語：…で死にそうだ. …でたまらない. …で辛抱できない. 句例 우스워 ~ おかしくてたまらない / 숨이 차서 ~ 息がきれて死にそうだ / 아파 ~ 痛くてたまらない.

죽는-소리 [chungnŭn—] 〈名・하自〉苦痛や困難を大げさに言うことば：悲鳴. 泣きごと. 泣きべそ. 文例 이제와서 ~를 해도 소용없다 いまさら泣きごとを言ってもしかたがない.

죽는-시늉 [chungnŭn—] 〈名・하自〉大げさに痛がったり, 苦しがるふりをすること.

죽다[1] 〈自〉❶死ぬ. ㉠息を引き取る. 没する. ＝사망하다. 句例 굶어 ~ 餓え死にする / 암으로 ~ 癌で死ぬ / 얼어 ~ 凍え死にする / 젊어서 ~ 若くして死ぬ. 文例 죽을 각오로 하면 무엇이든 할 수 있다 死ぬ気でやればなんでもできる.
㉡〔野〕アウトになる. 句例 주자가 ~ 走者が死ぬ.
㉢(碁の石や将棋のこまが)とられる. 句例 돌이 ~ 石が死ぬ.
❷(草木などが)枯れる. しおれる. 句例 죽은 소나무 枯れた松の木 / 병충해로 죽은 벼 病虫害で枯れた稲. 文例 물을 주지 않아 꽃이 말라 죽었다 水をやらないので花が枯れた.
❸(動いているものが)止まる. やむ. 句例 시계가 ~ 時計が止まる / 바람이 ~ 風がやむ.
❹(気力・勢い・個性などが)衰える. 句例 사기가 ~ 士気が衰える / 개성이 ~ 個性がなくなる / 기가 ~ 気おくれする.
❺(火鉢の火などが)消える. 句例 연탄불이 ~ 練炭の火が消える.
❻(のりけ(糊気)が)なくなる. 句例 풀이 죽은 옷 のりけのなくなった服.
❼(真鍮・銀などが化学変化して色が)変わる. さえなくなる. 句例 죽은 색 さえない色.
❽(刃物が)鈍くなる. 切れなくなる.

죽기는 정승하기보다 어렵다 死ぬことが大臣の官位にのぼるより難しい. やたらに死ぬことができるのではない.

죽으나 사나 どんなことがあっても必ず. 何がなんでも当然.

죽은 나무에 꽃이 핀다 枯れ木に花が咲く. 枯木栄を発すの意.

죽은 정승이 산 개만 못하다 死んだ大臣が生きた犬より劣る. 死んでの金持ちより生きての貧乏がいい.

죽을 고생을 하다 死ぬほどの苦労をする.

죽자 사자 死に物狂いで. 必死になって.

죽지 못해 살다 死ねずに生きる. いやおうなしに生きる.

죽다[2] 〈形〉(盛りあがっているべきところが)へこんでいる. 落ちこんでいる. くぼんでいる. 句例 죽은 모서리를 살리다 へこんでいる角を出す / 콧날이 ~ 鼻がひしゃげている〔鼻がぺしゃんこだ〕.

죽데기 〈名〉 丸太を製材したあとの板切れ. 燃料に用いる.

죽도 【竹刀】〈名〉❶(剣道の)竹刀. ❷たけみつ(竹光). 竹を削って刀のように見せかけたもの.

죽마 【竹馬】[chungma]〈名〉竹馬・ちくば. ＝대말.

죽마-고우 【竹馬故友】[chungma—]〈名〉竹馬の友. 幼なじみ.

죽-맞다 [chung—]〈自〉気が合う. 馬が合う.

죽-부인 【竹夫人】〈名〉 竹夫人. (夏の夜, 暑さをしのぐため抱いて寝る竹で編んだ)筒状の抱きかご. 絵

〈죽부인〉

죽-세공 【竹細工】〈名〉 竹細工. 略して'죽공(竹工)'とも言う.

죽순 【竹筍】〈名〉竹の子. 語例 우후 ~ 雨の後の竹の子.

죽어-지내다 [chugŏ—]〈自〉❶(他人に抑えられて)小さくなって暮らす. 人の言うままになって暮らす. 文例 언제까지나 죽어지낼 수는 없다 いつまでも人の言うままになって暮らすことはできない. ❷貧しくて苦しい生活をする.

죽은-목숨 [chugŭn—]〈名〉❶死んだも同然の命. 望みのない命. ❷からだの自由がきかなくなった人. 生きがいのない人. ㊊산목숨.

죽을둥-살둥 [chugŭlttungsalttung]〈副〉死にもの狂いで. 必死になって. 句例 ~ 일만 하다 死にもの狂いで仕事ばかりする.

죽을-병 【—病】[chugŭlppyŏng]〈名〉不治の病. 句例 ~에 걸리다 不治の病にかかる.

죽을-상 【—相】[chugŭlssang]〈名〉❶死相. ❷非常に苦しそうな顔つき. 文例 ~이 되어 애원했다 苦しそうな顔になって頼んだ.

죽을-힘 [chugŭl—]〈名〉ありったけの力. 死力. 句例 ~을 다해서 死力をつくして.

***죽음** [chugŭm]〈名〉死. 死ぬこと. 死亡. 句例 삶과 ~ 生と死 / ~의 세계 死の世界 / 개~을 하다 犬死にする / ~을 각오하다 死を覚悟する / ~을 당하다 殺される / ~을 면하다 死を免れる / ~이 다가오다 死が迫る. ㊊삶. →囲み記事 01

***죽이다** [chugida]〈他〉❶殺す. ㉠命を奪う. 句例 쥐를 ~ ねずみを殺す / 때려 ~ 殴り殺す.
㉡(運動競技・将棋などで)アウトにする. 取る. 句例 주자를 ~ ランナーを殺す / 상

대(방)의 말을 ～ 相手のこま(駒)を取る. ❷(火などを)消す. 句例 연탄불을 ～ 練炭の火を消す. ❸(スピードなどを)落とす. 文例 차는 이미 속력을 죽이기 시작했다 車はもうスピードを落としはじめた. ❹(のりけ(糊気)を)薄める. 句例 옷의 풀기를 ～ 服ののりけを薄める. ❺(感情・息・笑い・あくびなどを)抑える. 殺す. 句例 숨을 ～ 息を殺す. ❻(化学的変化で金属のつやなどを)けす. 句例 광택을 ～ つやをけす. ❼(草木などを)枯らす. 句例 나무를 ～ 木を枯らす. ▷(對)살리다.

죽자꾸나-하고 〈副〉死ぬ覚悟で. 死力をつくして. 命をかけて. 句例 ～ 달려들다 死力をつくしてとりかかる.

죽장【竹杖】〈名〉竹杖. 竹の杖.

죽장-망혜【竹杖芒鞋】〈名〉 竹の杖とわらじ. 簡便な旅支度のこと.

죽-죽 [chu:kchuk] 〈副〉❶多くのものが一斉に並んだり伸び広がったりするさま: いっぱいに. のびのびと. 文例 길 양쪽에 가로수가 ～ 늘어서 있다 道の両側に並木がのびのびと並んでいる. ❷動作が続けられて滞りのないさま: ずんずん. 句例 ～ 앞으로 나아가다 ずんずんと先に進む. ❸紙・布などを続けて裂くさま: ばりばり(と). びりびり. 句例 가제를 ～ 찢다 ガーゼをびりびりと引き裂く. ❹多くの人や物をしきりに見渡すさま: ざっざっと. ぐるっと. ❺続けざまに線を引くさま: すっすっ(と). ❻口で続けて吸いこむさま: すうっと. すぱすぱ. 句例 파이프를 ～ 빨다 パイプをすぱすぱと吸う.

죽지 〈名〉❶腕と肩がつながれた関節. ❷翼のつけ根.

죽창【竹槍】〈名〉竹やり.

죽-치다 〈自〉こも(籠)る. 引きこもる. 閉じこもる. 文例 방안에 죽치고 앉아 원고를 썼다 部屋の中に閉じこもって原稿を書いた.

죽통【粥筒】〈名〉飼い葉おけ(桶). 類구유.

준-【準】[chu:n]〈頭〉準…. 語例 ～전시 準戦時 / ～결승 準決勝.

준 〔漢字項目〕

【俊】高校 준 シュン. ❶뛰어나다 すぐれている. ■俊敏 준민 しゅんびん. 俊英 준영 しゅんえい. 俊才 준재 しゅんさい. 俊秀 준수 しゅんしゅう. ❷높다 高い. ■俊徳 준덕 しゅんとく.

【準】高校 준 ジュン. ❶수준기 水準器. 수평하다 水平だ. ■準則 준칙 じゅんそく. ■標準 표준 ひょうじゅん. 基準 기준 きじゅん. ❷균등하다 均等になっている. ■準直 준직 じゅんちょく. ❸본뜨다 ならう. ■準據 준거 じゅんきょ.

【遵(遵)】高校 준 ジュン. 좇다. 따라가다 従う. ■遵守 준수 じゅんしゅ. 遵法 준법 じゅんぽう.

준거【準據】[chu:n-gŏ]〈名・하他〉準拠. 句例 교과서에 ～하다 教科書に準拠する.

준걸【俊傑】[chu:n-gŏl]〈名・하形〉俊傑. **～스럽다** (→스럽다)〈形〉とびぬけてすぐれている.

준-결승【準決勝】[chu:n-gyŏlssŭng]〈名・하自〉準決勝. 語例 ～전 準決勝戦.

준공【竣工】[chu:n-gong]〈名・하他〉竣工. 句例 새 교사를 ～하다 新しい校舎を竣工する. 語例 ～식 竣工式 / ～ 기념탑 竣工記念塔. (對)기공(起工). 착공(着工).

준동【蠢動】〈名・하自〉蠢動. 句例 게릴라의 ～ ゲリラの蠢動 / 적이 ～하기 시작하다 敵が蠢動しはじめる.

준령【峻嶺】[chu:llyŏng]〈名〉峻嶺. 語例 태산 ～ 泰山峻嶺.

준마【駿馬】[chu:nma]〈名〉駿馬.

준-말 [chu:n—]〈名〉略語. ことばの縮約形.

준법【遵法】[chunppŏp] 〈名〉 順法〔遵法〕. 語例 ～ 정신 順法精神 / ～ 의식 順法意識 / ～ 투쟁 順法闘争.

준비【準備】[chu:nbi]〈名〉準備. 支度. 用意. 備え. **～하다〈他〉準備する. 支度する. 備える. 句例 자금을 ～하다 資金を準備する / 장마에 대한 ～ 長雨に対する備え / 시험 ～를 하다 試験の準備をする. 文例 선수단을 태울 특별기를 ～했다 選手団を乗せる特別機を用意した. 語例 ～금 準備金 / ～물 準備物 / ～ 운동 準備運動 / ～ 체조 準備体操.

준설【浚渫】[chu:nsŏl]〈名・하他〉浚渫. 句例 한강의 강바닥을 ～하다 漢江の川底を浚渫する. 語例 ～ 공사 浚渫工事.

준수【遵守】〈名・하他〉 遵守〔順守〕. 句例 법률을 ～하다 法律を遵守する.

준엄-하다【峻嚴—】[chu:nŏm—] (→하다)〈形〉峻厳だ. 非常に厳しい. 句例 준엄하게 꾸짖다〔타이르다〕 厳しくとがめる〔論す〕. **준엄히**〈副〉峻厳に. 厳しく.

준족【駿足】[chu:njok]〈名〉駿足.

준-준결승【準準決勝】[chu:njungyŏlssŭng]〈名〉準々決勝.

준치 [chu:nch'i]〈名〉〔魚〕ひら(曹白魚). 句例 썩어도 준치 腐ってもたい.

준칙【準則】[chu:nch'ik]〈名〉準則. 語例 가정 의례 ～ 家庭儀礼の準則.

준-하다【準—】[chu:n—] (→하다)〈自他〉準じる. ならう. 句例 원안에 ～ 原案に準じる / 특사에 준하는 대우를 하다 特使に準じる待遇をする / 이하 이에 준함 以下これに準じる.

*__줄__[1] [一]〈名〉❶ひも(紐). 縄. 綱. 楽器の弦. 句例 ～을 치다 綱を渡す / ～이 끊어지다 弦が切れる. ❷点に対する線. すじ. 句例 운동장에 흰 ～을 긋다 運動場に白線を引く. ❸列. 行列. 句例 ～에 끼어들다 列に割りこむ / ～을 서다 列に並ぶ. ❹本・書類などの行. 句例 위로부터 열째 ～ 上から十行目. ❺人間関係のかかわり. 句例 그는 정계에 ～이 많다 彼は政界にコネが多い / ～을 놓다 とり持つ. 周旋する / ～이 닿다 関係が結ばれる. ❻一定の水準と程度を表わす語: 線. 列. 代. 句例 40～에 들어서서 아이를 낳다 四十代に入って子を産む.

[二]〈依名〉❶列を数える語: …列. 句例 두 ～로 서다 二列に並ぶ. ❷本の行数を数

える語：…行．〔文例〕 다섯째 ~부터 읽어라 五行目から読みなさい．❸野菜・干し魚などをわらなどで束ねたものを数える語：…連．〔文例〕 굴비 두 ~을 샀다 干しイシモチ二連を買った．

줄로 친 듯하다 線を引いたようだ．真っすぐだ．

***줄²** [chu:l]〈名〉（金属用の)やすり．〔句例〕 ~로 쓸다 やすりをかける．

***줄³**〈依名〉('-ㄴ[-ㄹ] ~'の形で)方法・心づもり・事実などを表わす語．〔文例〕 운전할 ~을 모른다 運転ができない／집에 간 ~ 알았다 家に帰ったと思った／그가 올 ~ 알았다 彼が来るだろうと思った／그럴 ~ 알았다 そうだろうと思った．

줄- [chu:l]〈頭〉少な目に，続けての意．〔文例〕 ~잡아도 10킬로그램은 된다 少な目に見積もっても十キログラムにはなる．

***줄거리**〈名〉❶葉の落ちた枝や茎．❷〔植〕植物の葉柄や葉脈．❸物事の大要．小説などの荒筋．〔文例〕 ~만 얘기해 주세요 荒筋だけ話してください．

줄곧〈副〉ずっと．続けて．絶えず．ひっきりなしに．〔文例〕 지금까지 ~ 같이 행동했다 今までずっと一緒に行動した．

줄기〈名〉❶〔植〕(木の)幹．(草などの)茎．〔句例〕 ~에서 뻗은 가지 幹から伸びた枝．㊥가지．❷水が流れ出る筋．川の流れ．〔句例〕 강~를 따라 걷다 川の流れに沿って歩く．❸山脈．山並み．〔句例〕 서쪽으로 뻗은 산 ~ 西の方に伸びた山並み．❹にわか雨の一降り．ひとしきり．〔句例〕 한 ~의 소나기가 쏟아지다 にわか雨がひとしきり降り注ぐ．❺光・煙などの筋．線．〔句例〕 한 ~의 불빛 ひと筋の火の光．

***줄기-차다**〈形〉勢いよい．力強い．

***줄-넘기** [chullŏmkki]〈名・하自他〉縄跳び．

⁑줄다 [chu:lda]〈自〉❶(数量が)減る．少なくなる．〔句例〕 수익이 ~ 収益が減る／체중이 ~ 体重が減る．❷(大きさが)縮む．〔文例〕 이것은 물에 빨면 준다 これは水に洗うと縮む．

***줄-다리기**〈名・하自〉綱引き．

줄-달다 ㊀〈自〉とぎれずに続く．〔句例〕 손님이 ~ お客さんが列をなす．
㊁〈他〉続ける．〔句例〕 약을 줄달아 먹다 薬を立て続けにのむ．

줄달음-질 [chuldarŭm—]〈名・하自〉一息に走ること．一目散に走ること．

줄달음질(을) 치다 一目散に走る．一気に走る．〔句例〕 사슴이 산으로 ~ しかが山の背を一目散に走る．

줄-대다〈自〉連なる．連続する．引き続く．〔文例〕 줄대서 물만 마신다 引き続いて水ばかり飲む．

줄레-줄레〈副・하自〉そそっかしく愚かにふるまうさま：ちゃかちゃか．のそりのそり．のそのそ．ふらふら．〔句例〕 눈치없이 ~ 따라다니다 人の気も知らずにのそのそとついて回る．
〔表現〕 語感の小さい語は'졸래졸래'．語勢の強い語は'쭐레쭐레'．

줄-모〈名〉正条植えにした苗．㊥허튼모．

줄-무늬 [—muni]〈名〉しま(縞)模様．しま(縞)．

줄-바둑〈名〉へぼ碁．碁石を一列に連ねて打つ下手な碁．

줄-뿌림〈名〉〔農〕条播．すじまき．

줄-사닥다리〈名〉縄ばしご(梯子)．つりばしご．略して'줄사다리'ともいう．

줄어-가다 [churŏ—]〈自〉だんだん少なくなる．小さくなる．だんだん減る．〔句例〕 날이 갈수록 독자가 ~ 日がたつにつれて読者が減る．

***줄어-들다** [churŏ—]（줄어드니，줄어들어서）〈自〉(大きさや量が)次第に減る．少なくなる．小さくなる．縮む．〔句例〕 체중이 ~ 体重が減る．〔文例〕 금년에는 수험생의 수가 줄어들었다 今年は受験生の数が減った．

줄어-지다 [churŏ—]〈自〉次第に減る．縮む．

***줄이다** [churida]〈他〉減らす．少なくする．小さくする．縮める．節約する．〔句例〕 두 개로 ~ 二つに減らす／수명을 ~ 命を縮める／경비를 ~ 経費を節約する．㊥늘리다．→囲み記事 82

줄인-자 [churin—]〈名〉縮尺．

줄임-표【—標】 [churimp'yo]〈名〉省略記号'……'のこと．

줄-자〈名〉巻き尺．

줄-잡다 [chu:l—]〈他〉少なく見積もる．割り引く．〔文例〕 줄잡아도 닷새는 걸린다 少なく見積もっても五日はかかる／모인 사람이 줄잡아도 천 명은 넘는다 集まった人が少なく見積もっても千人はこえる．

줄줄 [chu:ljul]〈副〉❶絶え間なく大量に流れるさま：ざあざあ．どくどく．〔句例〕 비가 ~ 내리다 雨がざあざあ降る．❷人や動物などが後ろにつきまとうさま：ぞろぞろ．ぞくぞく．〔文例〕 아이들이 선생님 뒤를 ~ 따라간다 子供たちが先生の後をぞろぞろついていく．❸よどみなく読んだり暗唱するさま：すらすら．〔句例〕 책을 ~ 읽다 本をすらすらと読む．❹太い綱などが引っぱられるさま：ずるずる．ぞろぞろ．ぐいぐい．〔句例〕 배에서 밧줄이 ~ 풀려 나가다 船からロープがずるずるとほどけていく．**~거리다**〈自〉ざあざあと音をたてて流れる．〔文例〕 냇물이 ~거리며 흐른다 小川の水がざあざあと音をたてて流れる．

줄줄-이 [chuljuri]〈副〉❶行ごとに全部．〔文例〕 ~ 모두 어려운 말이 섞여 있다 行ごとに全部難しいことばが含まれている．❷幾列にも．幾条にも．〔文例〕 ~ 늘어서서 전철을 기다리고 있다 幾列にも並んで電鉄を待っている．

줄-지다〈自〉物の表面にひびが入る．割れ目が生じる．

줄-질 [chu:l—]〈名〉やすりをかけること．やすりがけ．**~하다**〈自〉やすりをかける．〔文例〕 그 주물을 ~하라 その鋳物にやすりをかけなさい．

***줄 짓다**（줄지으니，줄지어서）〈自〉列をなす．(一列に)並ぶ．連なる．〔文例〕 신입생들이 줄짓고 서 있다 新入生たちが列をなして並んでいる．

줄-치다〈他〉❶線を引く．❷綱などを渡して

結ぶ〔張る〕.

줄-타기 〈名・하自〉綱渡り. [句例] 곡예사의 ~ 軽業師の綱渡り.

줄-타다 〈自〉綱渡りをする. 綱の上を歩く.

줄-팔매 〈名〉石投げの一種. 二つに折ったひもに石をはさんで回しながら片方のひもを放して石だけを遠くとばすこと.

줄팔매-질 〈名・하自〉'줄팔매'で石を投げること.

줄-표 【—標】〈名〉〔言〕ダッシュ'—'の記号. 言い換えを表わす記号.

줄-행랑 【—行廊】[—haengnang]〈名〉❶家の表門の左右にある, 下男の部屋. ❷'도망逃亡'の俗っぽい言いかた: 高飛び.

줄행랑(을) 치다 逃げを打つ. 逃亡する. [句例] 해외로 ~ 海外へ高飛びする.

줌 [chu:m] ━〈名〉❶'주먹 こぶし'の略. ❷'줌통 弓柄'の略.

━〈依名〉一握りの量を表わす語: 握り. [句例] 한 ~의 쌀 一握りの米／소금 한 ~의 무게 塩一握りの重さ.

***줍다** [chu:pta] (주우니, 주워서) 〈他〉(落ちた物を)拾う. [句例] 지갑을 ~ 財布を拾う／휴지를 ~ 紙くずを拾う.

[参考] '줏다'は誤った言いかた.

줏대 【主—】〈名〉❶主観. 主体性. 定見. 芯. [句例] ~있는 사람 定見のある人. 主観のかたい人. ❷事柄の中心. [句例] ~가 되는 사람 中心となる人.

중 [chu:ng]〈名〉〔佛〕僧. 僧侶. 坊主. [句例] ~ 염불하듯 坊主が念仏を唱えるように. 口先だけでそらんじること. [語例] ~대가리 坊主頭.

[参考] 改まった言いかたは'스님'.

중이 고기맛을 알면 절에 빈대가 안 남는다 坊主が肉の味を知ると寺に南京虫がいなくなる. 知らなかったことに味をしめるとひたすらそのことだけに執着することのたとえ.

중이 미우면 가사도 밉다 坊主が憎けりゃ袈裟まで憎い. ある人が憎いとそれに関係したものまで憎くなることのたとえ.

중이 제 머리 못 깎는다 坊主は自分の頭を刈れない. いくら大切なことであっても人の力を借りないとできないことのたとえ.

***중** 【中】━〈名〉中・なか. ❶成績などの中間. 中等. 中. [句例] ~ 정도의 성적 中ほどの成績. ❷物事の中. 内. 内部. [文例] 그 팀 ~에는 10대 선수가 많다 そのチームの中には十代の選手が多い. ❸将棋盤で端から二番目の線. ❹'중국 中国'の略.

━〈依名〉中. ❶(何かをしている). 間. [文例] 글을 쓰고 있는 ~이다 文を書いているところだ. [語例] 공사~ 工事中／회의~ 会議中. ❷事の範囲の中の意. [句例] 불행~ 다행 不幸中の幸い.

중 〔漢字項目〕

【中】[中學] 중 チュウ. ❶가운데 真ん中. ▌中央 중앙 ちゅうおう. 中級 중급 ちゅうきゅう. 中心 중심 ちゅうしん. ❷중간쯤 中間ほど. ▌中庸 중용 ちゅうよう. 中立 중립 ちゅうりつ. ▌途中 도중 とちゅう. ❸안쪽 中. ▌心中 심중 しんちゅう. 胸中 흉중 きょうちゅう. ❹(어떤 범위의)안 (ある範囲の)中. ▌一年中 일년중 いちねんじゅう. ❺적중하다 的中する. ▌命中 명중 めいちゅう. ❻독이 되다 からだに毒になる. ▌中毒 중독 ちゅうどく.

【仲】[高校] 중 チュウ. ❶버금 次ぐ. ▌仲兄 중형 ちゅうけい. ❷가운데 中. ▌仲介 중개 ちゅうかい.

【衆(衆)】[中學] 중 シュウ. シュ. ❶무리 群れ. ▌衆意 중의 しゅうい. ▌大衆 대중 たいしゅう. ❷많다 多い. ▌衆寡 중과 しゅうか. ▌群衆 군중 ぐんしゅう.

【重】[中學] 중 ジュウ. チョウ. ❶무겁다 重い. ▌重力 중력 じゅうりょく. 重量 중량 じゅうりょう. ▌體重 체중 たいじゅう. 比重 비중 ひじゅう. ❷(정도가) 심하다 (程度が)はなはだしい. ▌重傷 중상 じゅうしょう. ▌過重 과중 かじゅう. ❸중하다 重大だ. ▌重要 중요 じゅうよう. 重大 중대 じゅうだい. ❹중히 여기다 てあつい. ▌重視 중시 じゅうし. ▌尊重 존중 そんちょう. ❺겹치다 重なる. ▌重複 중복 ちょうふく. じゅうふく. ▌三重奏 삼중주 さんじゅうそう. 多重 다중 たじゅう.

***중간** 【中間】〈名〉中間. 間. 途中. 真ん中. [句例] ~에 서서 알선하다 間に立ってとり持つ／영화를 ~부터 보다 映画を途中から見る／~에서 둘로 끊다 真ん中から二つに切る／두 지점의 ~ 二つの地点の中間. [語例] ~고사 中間考査／~ 노선 中間路線／~ 보고 中間報告.

중간-색 【中間色】〈名〉中間色. 間色. [句例] 파랑과 빨강의 ~ 青と赤の中間色.

중간-자 【中間子】〈名〉〔物〕中間子.

중간-치 【中間—】〈名〉並製. 大きさや品質の中間ぐらいのもの. =중치.

중개 【仲介】〈名〉仲介. 仲立ち. 取り次ぎ. 橋渡し. **~하다**〈他〉仲介する. 仲立ちする. [句例] 가옥 매매의 ~ 家屋売買の仲介／~를 부탁하다 橋渡しを頼む／건물 매매를 ~하다 建物の売買を仲介する. [語例] ~료 仲介料／~ 무역 仲介貿易／~ 상인 仲介商人／~업자 仲介業者／~인 仲介人. 仲立ち人. ブローカー.

중-거리 【中距離】〈名〉中距離. [語例] ~ 달리기 中距離競走／~ 탄도 미사일 中距離弾道ミサイル.

중견 【中堅】〈名〉中堅. [句例] ~ 간부의 한 사람 中堅幹部の一人. [語例] ~ 작가 中堅作家.

중견-수 【中堅手】〈名〉〔野〕中堅手. センターフィールダー. センター《略語》.

중-경상 【重輕傷】[chu:ng—]〈名〉重軽傷.

중계 【中繼】〈名・하他〉中継. ❶中間で受け継ぐこと. [語例] ~ 무역 中継貿易／~소 中継所／위성 ~ 衛星中継. ❷'중계 방송(中繼放送)'の略. [語例] ~차 中継車／생~ 生中継.

중계 방송 【中繼放送】[—ba:ngsong]〈名〉中継放送.

중고【中古】〈名〉中古. ❶〔史〕歴史の時代区分の一つ：中世. 語例 ～사 中古史. 中世史. ❷['중고품 中古品'の略] 中古. 語例 ～차 中古車.

중공【中空】〈名〉❶中天. ❷中空. 内部が空っぽであること.

중-공업【重工業】[chu:nggong-ŏp]〈名〉〔工〕重工業. 對경공업(輕工業).

중과-부적【衆寡不敵】[chu:nggwa—]〈名〉衆寡敵せず.

중-과실【重過失】[chu:ng—]〈名〉〔法〕重過失. 語例 ～ 상해 重過失傷害.

중-괄호【中括弧】〈名〉中かっこ(括弧). '{ }'の名.

중구-난방【衆口難防】[chu:nggu—]〈名〉衆口ふさぎ難し. 多くの人の口をふさぐのは難しい.

表現 '중구난방으로 떠들다 大勢の人がむやみやたらに騒ぎ立てる'のように差し止められないほど声をそろえてやかましく騒ぐの意でも使う.

⁑**중국**【中國】〈名〉〔地〕中国. 語例 ～ 요리 中国料理 / ～인 中国人 / ～어 中国語.

중군【中軍】〈名〉中軍. 部隊の中央に位置する軍. 本隊.

중권【中卷】〈名〉中巻. 上・中・下三巻のうち中の巻.

중-근동【中近東】〈名〉中近東. 中東と近東の地域.

중-금속【重金屬】[chu:nggŭmsok]〈名〉〔化〕重金属. 對경금속(輕金屬).

중급【中級】〈名〉中級. 語例 ～ 영어 中級英語.

*****중기**【中期】〈名〉中期. 語例 중세 ～ 中世中期.

중기【重機】[chu:nggi]〈名〉重機. ❶〔工〕重工業に用いる機械. ❷建設工事に用いる機械. ❸〔軍〕['중기관총 重機関銃'の略]

중-길【中—】[—kkil]〈名〉質が中ぐらいのもの. 並み. 中質の品物.

*****중년**【中年】〈名〉中年. 句例 ～기에 접어들다 中年期にさしかかる. 語例 ～ 부인 中年の婦人 / ～층 中年層.

중-노동【重勞動】[chu:ng—]〈名〉重労働.

중뇌【中腦】〈名〉〔生〕中脳.

중단【中段】〈名〉中段. ❶一文章の真ん中の段落. ❷(家・階段などの)真ん中の層〔段〕.

*****중단**【中斷】〈名・하自他〉中断. 句例 경기를 ～하다 競技を中断する / 연구를 ～하다 研究を中断する. 語例 원조 ～ 援助の中断.

중대【中隊】〈名〉〔軍〕中隊. 語例 ～장 中隊長.

중대 사건【重大事件】[chu:ngdaesa:kkŏn]〈名〉重大事件. 略して'중대사'ともいう.

중대-시【重大視】[chu:ngdae—]〈名・하他〉重大視. 略して'중시(重視)'ともいう.

중대-하다【重大—】[chu:ngdae—](하나)〈形〉重大だ. 句例 중대한 문제 重大な問題 / 책임이 ～ 責任が重大だ. **중대히**〈副〉重大に.

중도【中途】〈名〉中途. ❶中程. 半ば. 句例 ～에서 실패하다 中途で失敗する. 語例 ～ 퇴학 中途退学. ❷(行く道の)途中. 句例 가는 ～에서 되돌아 오다 行く途中で引き返す.

중도【中道】〈名〉中道. ❶両極端にかたよらない中庸の道. 語例 ～정치 中道政治. ❷(何かをしている)途中. 句例 ～에 쓰러지다 中道にしてたおれる.

*****중독**【中毒】〈名〉中毒. 句例 술에 ～되다 アルコール中毒になる / 마약에 ～된 사람 麻薬に中毒された人〔麻薬中毒になった人〕. 語例 ～성 中毒性 / ～자 中毒者 / 식～ 食中毒 / 약물～ 薬物中毒.

중-동【中—】〈名〉物事の中間にあたる部分. 句例 나무의 ～을 자르다 木の中間部分を切る. 語例 ～무이 中途半端でやめること. 仕事を投げだすこと.

*****중동**【中東】〈名〉中東. 語例 ～ 전쟁 中東戦争 / ～ 지역 中東地域.

중등【中等】〈名〉中等. 語例 ～ 교육 中等教育 / ～ 학교 中等学校.

중략【中略】[chungnyak]〈名・하他〉中略.

중량【重量】[chu:ngnyang]〈名〉重量. 重さ. 目方. 句例 몸의 ～을 줄이다 体重を減らす / ～을 달다 目方を計る. 語例 ～급 권투 선수 重量級ボクサー / ～ 분석 重量分析 / ～톤 重量トン. 對경량(輕量).

중력【重力】[chu:ngnyŏk]〈名〉〔物〕重力. 語例 ～댐 重力ダム / ～파 重力波 / ～ 가속도 重力加速度.

중론【衆論】[chu:ngnon]〈名〉衆論. 大勢の意見. 句例 ～이 분분하다 大勢の意見がまちまちである.

중류【中流】[chungnyu]〈名〉中流. ❶(川の)中流. 句例 한강의 ～ 漢江の中流. ❷(社会階層の)中流. 語例 ～ 사회 中流社会 / ～층 中流層.

중립【中立】[chungnip]〈名〉中立. 語例 ～국 中立国 / ～주의 中立主義 / ～ 지대 中立地帯.

중망【衆望】[chu:ngmang]〈名〉衆望. 句例 ～에 보답하다 衆望に報いる / ～을 얻다 衆望を担う.

중매【中媒】〈名・하他〉中媒. 仲立ち. 媒酌. 語例 ～ 결혼 見合い結婚 / ～인 仲人. 媒酌人.

중매(를) 들다 結婚の仲立ちをする.

중매(를) 서다 '중매(를) 들다'のこと.

중-모음【重母音】〈名〉〔言〕重母音. 'ㅑ, ㅕ, ㅛ, ㅔ, ㅘ'などのような二重の母音. =복모음(複母音). 對단모음(單母音).

중문【中門】〈名〉中門. 正門の内側にある, もうひとつの門.

중문【重文】〈名〉〔言〕重文. 二つ以上の対等節からなる文章.

중반【中盤】〈名〉中盤. ❶(囲碁・将棋などで)序盤が終わり, だんだん本格的な対戦に入る局面. 文例 선거전이 ～에 접어들었다 選挙戦が中盤にさしかかった. ❷物事の基礎段階を過ぎた中期の段

階.

중방【中枋】〈名〉❶〔建〕‘중인방(中引枋)’の略：腰なげし(長押).❷(二人でひく鋸の)両側のつか(柄)の中央部にあてて支える横木.

중벌【重罰】[chuːngbŏl]〈名〉重罰. 句例 ~에 처하다 重罰に処する.

중병【重病】[chuːngbyŏng]〈名〉重病. 句例 ~에 걸리다 重病にかかる. 語例 ~ 환자 重病患者.

중-병아리【中一】[chungppyŏng-ari]〈名〉若鶏.

중복【中伏】〈名〉中伏. 三伏の一つ. 夏至がすぎて第四の庚の日. 語例 ~ 더위 中伏の暑さ.

중복【重複】〈名〉重複・じゅうふく. **~하다**〈他〉重複する. 重ねる. ダブる《俗》. 句例 ~을 피하다 重複をさける. 文例 이 글은 ~이 많다 この文章は重複が多い.

중뿔-나다【中一】[—lada]〈自〉でしゃばる. しゃしゃり出る《俗》. 文例 많은 사람 중에서 그 사람만이 ~ 大勢の中で, その人だけがでしゃばる. **중뿔나게** [—lage]〈副〉でしゃばって. 差し出がましく. とっぴょうしもなく. 文例 이제 와서 중뿔나게 무슨 간섭이냐 いまさらでしゃばって何を立ち入りするの.

중산 계급【中産階級】〈名〉中産階級.

중상【中傷】〈名・하他〉中傷. 句例 터무니 없는 ~을 받다 とんでもない中傷を受ける / 친구를 ~하다 友人を中傷する. 文例 남을 ~하는 사람은 상대하지 않는다 他人を中傷する人は相手にしない. 語例 ~ 기사 中傷記事.

*__중상__【重傷】[chuːngsang]〈名・하自〉重傷. 句例 ~을 입다 重傷を負う. 語例 ~자 重傷者. 對경상(輕傷).

중상-주의【重商主義】[chuːngsangchuŭi]〈名〉〔經〕重商主義. マーカンティリズム.

중생【衆生】[chuːngsaeng]〈名〉❶〔佛〕衆生. 一切の人類と動物. 語例 ~계 衆生界 / ~ 제도 衆生済度. ❷多くの人人.

중생-대【中生代】〈名〉〔地〕中生代.

중석【重石】[chuːngsŏk]〈名〉〔鑛〕重石. タングステン.

*__중성__【中性】〈名〉中性. ❶〔化〕酸性と塩基性との中間の状態. 語例 ~ 반응 中性反応 / ~ 비료 中性肥料. ❷性的に特性のない男女.

중성【重星】〈名〉〔天〕重星. 望遠境で見ると二つ以上に見える星. ＝이중성(二重星).

중성 모음【中性母音】[—moːŭm]〈名〉〔言〕中性母音. 陽性・陰性どの母音にも調和する母音. ハングルでは‘ㅣ’が中性母音.

중성-자【中性子】〈名〉〔物〕中性子. ニュートロン.

중세【中世】〈名〉〔史〕中世. 古代と近世の間の時期. 語例 ~기 中世期.

중소 기업【中小企業】〈名〉〔經〕中小企業. 略して‘중기(中企)’ともいう.

중소 기업청【中小企業廳】〈名〉中小企業庁. 略して‘중기청(中企廳)’ともいう.

參考 この機関の長は‘중소 기업청장(長)’という.

중수【重水】[chuːngsu]〈名〉〔化〕重水.

중수【重修】〈名・하他〉修復. 改修. 句例 옛 모습대로 ~된 성문 昔の姿どおりに修復された城門.

중-수소【重水素】[chuːngsuso]〈名〉〔化〕重水素.

중순【中旬】〈名〉中旬. 句例 ~이 지나다 中旬がすぎる / 내달 ~까지 완성할 것이다 来月の中旬まで完成するだろう.

중시【重視】[chuːngshi]〈名・하他〉[‘중요시 重要視’の略] 重視. 句例 사건을 ~하다 事件を重視する / 학력보다 인물을 ~하다 学歴より人物を重視する. 對경시(輕視).

중신【重臣】[chuːngshin]〈名〉〔史〕重臣. ❶重職にある臣下. ❷正二品以上の官吏.

*__중심__【中心】〈名〉中心. ❶中央. 真ん中. 句例 태양의 ~ 太陽の中心. 文例 시청은 시가지의 ~에 있다 市庁は市街地の中心にある. ❷最も重要な位置にある物や人. 句例 그가 이 행사의 ~ 인물이다 彼がこの行事の中心人物だ / 문화의 ~ 文化の中心. ❸〔數〕中心. 語例 ~각 中心角 / ~선 中心線.

중심【重心】[chuːngshim]〈名〉重心. 句例 ~을 잃다 重心をうしなう / 몸의 ~을 잡다 からだの重心を取る.

중심-부【中心部】〈名〉中心部.

중압【重壓】[chuːng-ap]〈名・하他〉重圧. 句例 기말 고사가 나를 ~하다 期末考査がわたしを重圧する / 무거운 세금이 시민을 ~하다 重い税金が市民を重圧する. 語例 ~감 重圧感.

*__중앙__【中央】〈名〉中央. ❶場所の中心. 句例 광장의 ~에 분수가 있다 広場の中央に噴水がある. ❷主要な地点・場所. 中枢. 語例 ~ 기상대 中央気象台 / ~ 방송국 中央放送局 / ~청 中央庁 / ~ 은행 中央銀行. ❸(地方に対する)首都. 文例 인구가 ~에 밀집되어 있다 人口が中央に密集している.

중앙 집권【中央集權】〈名〉中央集権.

중양-절【重陽節】〈名〉〔民〕重陽. 陰暦九月九日. この日に菊を入れたもち(餅)を食べる.

중언-부언【重言復言】[—buːŏn]〈名・하他〉同じことを繰り返して言うこと.

*__중얼-거리다__〈自〉独り言を言う. ぶつぶつつぶやく. 文例 언제나 중얼거리고 있다 いつもぶつぶつつぶやいている.

表現 語感の小さい語は‘종알거리다’. 語勢の強い語は‘쭝얼거리다’.

중얼중얼〈副・하自〉ぶつぶつ. むにゃむにゃ.

중역【重役】[chuːng-yŏk]〈名〉重役. 語例 ~실 重役室 / ~ 회의 重役会議.

중엽【中葉】〈名〉中葉. 句例 18세기의 ~에 十八世紀の中葉に.

*__중요__【重要】[chuːng-yo]〈名〉重要. **~하다**〈形〉重要だ. 大事だ. 大切だ. 句例 ~한 문

서 重要な文書 / 마음 가짐이 ～하다 心がけが大切だ. [文例] 언제나 그는 ～한 때에 없다 いつも彼は大事なときにいない. [語例] ～ 보고 重要報告 / ～ 인물 重要人物 / ～시 重要視 / ～ 문화재 重要文化財. **～히**〈副〉重要に. 大切に. 大事に.

중용【中庸】〈名〉中庸. 偏らず穏当なさま. [句例] ～을 지키다 中庸を守る.

중용【重用】[chu:ng-yong]〈名・하他〉重用・じゅうよう. [句例] 장관으로 ～하다 長官に重用する / 요직에 ～하다 要職に重用する.

중원【中原】〈名〉中原. ❶広野の中央. ❷中国の本土.

중위【中位】〈名〉中位. 中ぐらいの順位. [句例] ～ 이상의 성과 中位以上の成果. [語例] ～수〔數〕中位数.

중위【中衛】〈名〉中衛. ❶(九人制バレーボールで)前衛と後衛の中間の位置. ❷(サッカーなどで)ハーフバック.

중-위도【中緯度】〈名〉〔地〕中緯度.

중유【重油】[chu:ng-yu]〈名〉重油. [語例] ～ 기관 重油機関. ディーゼルエンジン. ㊉경유(輕油).

중음【中音】〈名〉❶中音. 中位の高さや強さの音声. ❷〔言〕中声. ＝가운뎃소리. ❸〔樂〕中音. アルトまたはテノール.

중의【衆意】[chu:ng-ŭi]〈名〉衆意. 大勢の意見. [句例] ～를 존중하다 衆意を尊重する / ～에 따르다 大勢の意見に従う.

중이【中耳】〈名〉〔生〕中耳. [語例] ～염 中耳炎.

중인【中人】〈名〉〔史〕中人.
[參考] 朝鮮時代, 両班と常民の中間の身分. 医者や外国語の通訳などの業務に従事した.

중-인방【中引枋】〈名〉〔建〕腰なげし(長押). 略して'중방(中枋)'ともいう.

중인-환시【衆人環視】[chu:ng-in—]〈名〉衆人環視. [句例] ～리(裡)에 衆人環視の中で.

중일 전쟁【中日戰爭】[—jŏ:njaeng]〈名〉〔史〕日中戦争. 中日戦争.

중임[1]【重任】〈名・하他〉重任. 再び同じ職務につく. [句例] 회장직에 ～되다 会長に重任される.

중임[2]【重任】[chu:ng-im]〈名〉重任. 重大な任務. [句例] ～을 맡다 重任を負おう.

중장【中將】〈名〉〔軍〕中将.

중-장비【重裝備】[chu:ng—]〈名〉重装備.

중재【仲裁】〈名・하他〉仲裁. [句例] 싸움의 ～ けんかの仲裁 / 분쟁을 ～하다 紛争を仲裁する. [語例] ～국〔인〕仲裁国〔人〕/ ～ 위원회 仲裁委員会.

중전【中前】〈名〉〔野〕中堅の前. [語例] ～ 안타(安打) センターの前に落ちるヒット.

중전【中殿】〈名〉〔史〕'중궁전(中宮殿)'の略. [語例] ～ 마마 王妃の敬称.

중절【中絶】〈名・하他〉中絶. [語例] 임신 ～ 妊娠中絶. ㊐중단(中斷).

중절-거리다〈自〉絶えずぶつぶつ言う.
중절중절〈副・하自〉ぶつぶつ.

중절-모【中折帽】〈名〉中折れ(帽子). ソフト. ＝중절 모자(中折帽子).

중점【中點】[chungtchŏm]〈名〉❶〔言〕⇨ 가운뎃점. ❷〔數〕中点. ❸〔印〕中点. 中黒. [句例] ～을 찍다 中点を打つ.

중점【重點】[chu:ngtchŏm]〈名〉重点. [句例] ～을 두다 重点を置く / ～적으로 살피다 重点的に調べる.

중조【重曹】〈名〉['중탄산 조달〔소다〕重炭酸ソーダ'の略] 重曹. 化学では'탄산 수소 나트륨 炭酸水素ナトリウム'という.

중졸【中卒】〈名〉['중학 졸업 中学卒業'の略] 中卒. [語例] ～자 中卒者.

중죄【重罪】[chu:ngjoe]〈名〉重罪. [語例] ～인 重罪人.

중주【重奏】〈名・하他〉〔樂〕重奏. [語例] 현악 4～ 弦楽四重奏.

중증【重症】[chu:ngtchŭng]〈名〉重症. [語例] ～ 환자 重症患者. ㊉경증(輕症).

중지【中止】〈名〉中止. **～하다**〈他〉中止する. よす. や(止)める. [句例] 계획이 비 때문에 ～되다 計画が雨のために中止される. [文例] 사격 ～《号令》打ち方やめ.

중지【中指】〈名〉⇨ 가운뎃손가락

중지【衆智】[chu:ngji]〈名〉衆知. [句例] ～를 모으다 衆知を集める.

중진【中震】〈名〉〔地〕中震.

중진【重鎭】[chu:ngjin]〈名〉重鎮. [句例] 학계의 ～ 学界の重鎮.

중진-국【中進國】〈名〉中進国.

중차대-하다【重且大—】[chu:ngch'adae—](→하다)〈形〉重かつ大だ. 重大だ. [句例] 중차대한 임무 重大な任務.

중참【中站】〈名〉中休み.

중창【重唱】〈名〉〔樂〕重唱. [語例] 삼～ 三重唱.

중책【重責】[chu:ngch'aek]〈名〉重責. [句例] ～을 맡다 重責を担う / ～을 완수하다 重責をはたす.

중천【中天】〈名〉中天. [句例] ～에 걸린 달 中天にかかった月 / 해가 ～에 뜨다 太陽が中天にかかる.

중첩【重疊】〈名・하自他〉重畳. [語例] 파란 ～ 波瀾重畳 / ～되다 重かさなる.

중추【中樞】〈名〉中枢. [語例] ～ 신경 中枢神経 / 신경 ～ 神経中枢.

중추【仲秋】〈名〉中秋〔仲秋〕. 陰暦の八月(十五日).

중추-절【仲秋節】〈名〉中秋(陰暦八月十五日)の節日. ＝추석(秋夕).

중층【中層】〈名〉中層. [語例] ～운 中層雲.

중-치【中—】〈名〉⇨ 중간치

중-키【中—】〈名〉中背.

중탕【重湯】〈名・하他〉湯煎.

중태【重態】[chu:ngt'ae]〈名〉重体〔重態〕. 危篤. [句例] ～에 빠지다 重体に陥ちる.

중-턱【中—】〈名〉(山・坂などの)中腹. [語例] 산 ～ 山の中腹.

중-토끼【中—】〈名〉ほとんど成長したうさぎ.

중퇴【中退】〈名・하他〉中退. 中途退学.

중파【中波】〈名〉〔物〕中波.

중편【中篇】〈名〉中編. [語例] ～ 소설 中編小

説.

중평【衆評】[chu:ngp'yŏng]〈名〉衆評. 文例 그가 적임자라는 데 ~이 일치하고 있다 彼が適任者だという事に衆評が一致している.

중품【中品】〈名〉並製の品物.

중풍【中風】〈名〉〔韓醫〕中風・ちゅうふう・ちゅうぶ. 句例 ~에 걸리다 中風にかかる.

중-하다【重―】[chu:ng―](→하다)〈形〉❶(病気・罪などが)重い. 句例 중한 병에 걸리다 重い病気にかかる / 죄가 ~ 罪が重い. ❷大切だ. 大事だ. 重要だ. 句例 내게 중한 사람〔물건〕わたしにとって大事な人〔物〕. ❸(任務などが)重大だ. 重い. 句例 책임이 ~ 責任が重い. **중히**〈副〉重く. 大事に. 語例 중히 여기다 重んじる.

중학【中學】〈名〉'중학교'の略: 中学. 語例 ~생 中学生.

*__중-학교__【中學校】〈名〉中学校.

중핵【中核】〈名〉中核. 句例 조직의 ~을 이루는 사람 組織の中核をなす人.

중형【中型】〈名〉中型〔中形〕. 語例 ~ 트럭 中型トラック / ~차 中型車.

중형【仲兄】[chu:nghyŏng]〈名〉仲兄. 次兄.

중형【重刑】[chu:nghyŏng]〈名〉重刑. 句例 ~을 과하다 重刑を科する / ~에 처하다 重刑に処する.

중화【中和】〈名・하自〉中和. 句例 염기로 산을 ~시키다 塩基で酸を中和させる. 語例 ~점 中和点.

중화【中華】〈名〉中華. 語例 ~ 민국 中華民国. 台湾 / ~ 인민 공화국 中華人民共和国. 中国 / ~ 사상 中華思想.

중-화기【重火器】[chu:ng―]〈名〉重火器. 語例 ~ 중대 重火器中隊.

중-화상【重火傷】[chu:ng―]〈名〉大やけど(火傷).

중화학 공업【重化學工業】[chu:nghwahak―]〈名〉重化学工業.

중-환자【重患者】[chu:ng―]〈名〉重病患者. 略して'중환(重患)'ともいう.

중후-하다【重厚―】[chu:nghu―](→하다)〈形〉重厚だ. 句例 중후한 인품 重厚な人柄.

중흥【中興】〈名・하自〉中興. 句例 민족의 ~ 民族の中興 / ~시킨 사람 中興の祖.

줴-뜯다 [chwe:―]〈他〉'쥐어뜯다'の略.

쥐[1]〈名〉けいれん(痙攣). しび(痺)れ. 引きつり.

쥐(가) 나다 しびれがくる. けいれんする. 句例 다리에 쥐가 나다 足にしびれがくる. こむら返りがおこる.

쥐(가) 오르다 '쥐(가) 나다'のこと.

**__쥐__[2]〈名〉〔動〕ねずみ(鼠). 句例 ~를 잡다 ねずみを捕る.

쥐도 새도 모르게 だれも知らないうちに〔人に気づかれないように〕こっそりと.

쥐-구멍〈名〉ねずみの穴.

쥐구멍에도 볕 들 날이 있다 待てば海路の日和あり.

쥐구멍(을) 찾다 恥ずかしくて, または追いつめられてあわてふためく. 文例 쥐구멍이라도 찾고 싶은 심정이다 (恥ずかしくて)穴があったら入りたい気持ちだ.

쥐-꼬리〈名〉ねずみのしっぽ.

쥐꼬리만하다 ほんのわずかだ. すずめ〔蚊〕の涙ほどだ. 句例 쥐꼬리만한 수입 すずめ〔蚊〕の涙ほどの収入.

**__쥐다__ [chwi:da]〈他〉握る. ❶持つ. つかむ. 句例 주먹을 ~ こぶし(拳)を握る〔つくる〕/ 막대기를 ~ 棒をつかむ / 손에 땀을 ~ 手に汗を握る. ❷(権利などを)手におさめる. 掌握する. 句例 주도권을 ~ 主導権を握る / 권력을 ~ 権力を握る / 비밀을 ~ 秘密を握る / 사건의 열쇠를 ~ 事件の手がかりをつかむ.

쥐면 꺼질까 불면 날까 握れば壊れはしないか, 吹けば飛びはしないか. 大事に取り扱うことのたとえ.

쥐었다 폈다 하다 (人を)自由自在に操る.

쥐-덫 [―dŏt]〈名〉ねずみ取り. ねずみ落とし. 句例 ~을 놓다 ねずみ取りを仕掛ける.

쥐-띠〈名〉〔民〕ね(子)の年(の生まれ).

쥐라-기【Jura紀】〈名〉〔地〕ジュラ紀.

쥐락-펴락 [chwi:rak―]〈副・하他〉人を意のままにもてあそぶさま: ほしいままに. 思いのままに.

쥐-며느리〈名〉〔動〕わらじむし(草鞋虫).

쥐-방울〈名〉〔植〕うまのすずくさ.

쥐방울-만하다 (→하다)〈形〉(人が)不釣り合いに小柄だ. 文例 쥐방울만한 게 까불어 小さいやつがふざけているね.
表現 '쥐방울만하다'は俗っぽい言いかた.

쥐-벼룩〈名〉〔蟲〕ねずみのみ(鼠蚤).

쥐불-놓이 [―noi]〈名・하自〉〔民〕陰暦正月の初めのね(子)の日に, 農家でねずみを追い払うため田畑のあぜ(畦)に火を放つこと.

쥐-뿔〈名〉とるに足りないこと〔物〕.

쥐뿔(이) 나다 つまらない者が突拍子もないことをする. 文例 쥐뿔나게 나서지 마라 やたらにでしゃばるな.

쥐뿔도 모르다 何も知らない.

쥐뿔도 없다 全然何もない.

쥐뿔만도 못하다 とてもつまらない. 非常にわずかだ.

쥐뿔-같다〈形〉つまらない. 何の取り柄もない. 文例 쥐뿔같은 소리 그만둬라 つまらない話はやめろ.

쥐-색【―色】〈名〉ねずみ色. 灰色. ＝쥣빛.

쥐-약【―藥】〈名〉猫いらず. 句例 ~을 먹다 猫いらずを飲む.

쥐어-뜯다〈他〉むしる. むしり取る. かきむしる. 句例 머리를 ~ 髪をかきむしる / 풀을 ~ 草をむしり取る.

쥐어-박다〈他〉(こぶしで)小突く.

쥐어-주다〈他〉つかませる. 握らせる. 句例 얼마간 ~ いくらかつかませる.

쥐어-지르다 (―지르니, ―질러서)〈他〉(こぶしで強く)殴る. げんこつを食らわせる. ぶん殴る. 略して'줴지르다'ともいう.

쥐어-짜다〈他〉❶(洗濯物などを)固く絞る. ねじる. 句例 백성의 고혈을 ~ 人民の膏血を絞り取る / 관객의 눈물을 ~ 観客の

涙を絞り取る / 레몬을 ~ レモンを絞る. ❷(しきりに)せがむ. (ひっきりなしに)せびる. (ゆすりがましく)ねだる.

쥐엄-쥐엄 〈感〉赤ん坊に握握をさせる時に言う語: おにぎりおにぎり. にぎにぎ.

쥐엄-질 〈名・하自〉(赤ん坊の)握握.

쥐여-지내다 〈自〉人に押さえつけられて暮らす. 取っちめられ通しである. 略して'줴지내다'ともいう. 文例 마누라에게 쥐여지낸다 妻の尻に敷かれている. かかあ天下である.

쥐-잡듯이 [—japtŭshi] 〈副・하他〉一匹も逃がさず. 一つも残さず. 徹底的に. しらみつぶしに. 句例 ~ 잡아내다 しらみつぶしに検挙する.

쥐-젖 〈名〉細長いいぼ(疣).

쥐죽은-듯이 [chwijugŭndŭshi] 〈副〉しんと. 息を殺して. じっと.

쥐죽은-듯하다 [chwijugŭndŭt'ada] (→하다) 〈形〉❶しんと静まり返っている. 物音一つしない. 文例 장내는 ~ 場内はしんとして物音一つしない. ❷(怖くて)息もつかない. 息を殺す. じっとしている.

쥐-포 【—脯】〈名〉かわはぎの干物.

쥔 [chwi:n] 〈名〉'주인 主人'の略.

쥘-부채 [chwi:l—] 〈名〉扇. 扇子.

쥣-빛 〈名〉ねずみ色.

즈음 〈依名〉ころ(頃). 際・きわ. 略して'즘'ともいう. 文例 요~ 만나지 못하고 있다 ここの所〔このごろ〕会っていない / 내가 떠날 ~에 학생 한 사람이 찾아왔다 わたしがたつころに学生がひとり訪ねて来た.

즈음-하다 (→하다) 〈自〉臨む. 際する. 当たる. 句例 이별에 즈음하여 別れに臨んで〔際して〕.

즈크 〈名〉ズック. ◇네 doek

*__즉__ 【卽】〈副〉すなわち. 言い換えれば. とりも直さず. 句例 서울, ~ 한국의 수도 ソウルすなわち韓国の首都. 文例 한 번의 실수가 ~ 평생의 실수다 一度の失敗がすなわち一生の失敗である.

즉 〔漢字項目〕

【則】中學 즉 ソク. 칙 ソク. ㊀〔즉〕곧 すなわち. ❶앞말을 받아 뒤에 접속하는 말로서 다음과 같은 뜻에 쓰임 前を受けて後に接続させる語で次のような意で使われる. …할 때에는 …する時は. …한 경우에는 …の場合は. ❷만일 그렇다면 万一そうだったら. ❸…에 이르러서는 …に至っては.

㊁〔칙〕❶법칙 法則. ▮規則 규칙 きそく. 原則 원칙 げんそく. ❷본받다 模範として従う. ▮則天 칙천 そくてん.

【卽(即)】中學 즉 ソク. ❶바로 すぐ. ▮卽刻 즉각 そっこく. 卽答 즉답 そくとう. ❷자리에 나가다 席に出る. ▮卽位 즉위 そくい. 卽席 즉석 そくせき.

즉각 【卽刻】〈名・副〉即刻. 即時(に). =즉시. 句例 ~ 해결하다 即時(に)解決する / ~ 달려가다 すぐさま駆けて行く.

즉결 【卽決】〈名・하他〉即決. 語例 ~ 심판 即決裁判 / ~ 처분 即決処分.

즉답 【卽答】〈名・하他〉即答. 句例 ~을 피하다 即答を避ける.

즉사 【卽死】〈名・하自〉即死. 句例 차에 받혀 ~하다 車にはねられて即死する.

즉석 【卽席】〈名〉即席. 句例 ~에서 거절하다 即座に断る. 語例 ~ 라면 即席ラーメン / ~ 연설 即席演説.

*__즉시__ 【卽時】㊀〈名〉即時. 即刻. 語例 ~불 即時払い.

㊁〈副〉即時に. すぐに. 直ちに. 早速. …次第. 句例 ~ 신청하다 すぐ申し込む / ~ 멈추다 直ちに止まる. 文例 ~ 오너라 すぐ来い / 일을 끝내는 ~ 귀국하겠다 仕事を終え次第帰国する.

즉위 【卽位】[chŭgwi] 〈名・하自〉即位. 語例 ~식 即位式.

즉응 【卽應】[chŭgŭng] 〈名・하自〉即応. 句例 사태에 ~하다 事態に即応する.

즉일 【卽日】[chŭgil] 〈名〉即日. 当日. 語例 ~ 귀향 即日帰郷.

즉전 【卽錢】〈名〉即金. 現金. 句例 물건 값을 ~으로 지불하다 代金を現金で支払う.

즉행 【卽行】[chŭk'aeng] 〈名・하自他〉即行.

즉효 【卽效】[chŭk'yo] 〈名〉即効. 語例 ~약 即効薬.

즉흥 【卽興】[chŭk'ŭng] 〈名〉即興. 句例 ~으로 연주하다 即興的に〔即興で〕演奏する.

즉흥-곡 【卽興曲】[chŭk'ŭng—] 〈名〉〔樂〕即興曲.

즉흥-시 【卽興詩】[chŭk'ŭng—] 〈名〉〔文〕即興詩.

*__즐거움__ 〈名〉楽しみ. 楽しさ. 句例 가정 생활의 ~ 家庭生活の楽しみ.

즐거이 〈副〉楽しく. うれしく. 句例 ~ 놀다 楽しく遊ぶ.

**__즐겁다__ (즐거우니, 즐거워서) 〈形〉❶楽しい. 愉快だ. 句例 즐거운 가정 楽しい家庭. 語例 즐거워하다 楽しがる / 즐거워지다 楽しくなる. ❷うれしい. 句例 즐겁게 이야기하다 楽しく話す / 즐거운 비명을 지르다 うれしい悲鳴をあげる.

*__즐기다__ ㊀〈他〉楽しむ. 好む. エンジョイする. 句例 인생을 ~ 人生を楽しむ〔エンジョイする〕/ 자연을 ~ 自然に親しむ / 꽃을 ~ 花をめ(愛)でる / 휴가를 ~ 休暇を楽しむ / 즐겨 먹는 생선 好んで食べる魚.

㊁〈自〉心を楽しく保つ.

즐비-하다 【櫛比—】(→하다) 〈形〉ぎっしり並んでいる. しっぴ(櫛比)する. 句例 인가가 ~ 人家がしっぴしている / 즐비하게 늘어선 집 整然と立ち並んでいる家並み.

즙 【汁】〈名〉汁. 語例 레몬~ レモンの汁.

즙(이) 나다 汁が出る.

즙(을) 내다 (果物など)汁を絞る. 絞って汁を出す.

즙액 【汁液】[chŭbaek] 〈名〉汁液. 汁.

증 【症】〈名〉❶'증세(症勢)'の略. 症. 語例 헛~ 空腹感. ❷'화증(火症)'の略. ❸'싫증'の略.

증(이) 나다 しゃくに障る. 嫌気がさす.

증(을) 내다 かんしゃくを起こす. 嫌気をもよお

す.

증【證】〈名〉証. 語例 면허～ 免許証 / 차량 검사～ 車検証 / 학생～ 学生証明書・学生証.

参考 '영수증 領収証'以外はたいてい[tchŭng]と濃音で発音される.

증 〔漢字項目〕

【增(増)】中學 증 ゾウ. ❶늘다 増ます. ◨增加 증가 ぞうか. 增減 증감 ぞうげん. ◨急增 급증 きゅうぞう. 倍增 배증 ばいぞう. ❷늘리다 増やす. ◨增兵 증병 ぞうへい. 增築 증축 ぞうちく.

【憎(憎)】高校 증 ゾウ. 미워하다 憎む. ◨憎惡 증오 ぞうお. ◨愛憎 애증 あいぞう.

【曾】中學 증 ソウ. ゾ. ❶이전에 以前に. 지금까지 今まで. ◨未曾有 미증유 みぞう. ❷직계의 삼촌간을 말함 直系の三親等. ◨曾孫 증손 ひまご. 曾祖 증조 そうそ.

【症】高校 증 ショウ. 병의 상태 病の状態. ◨症狀 증상 しょうじょう. ◨重症 중증 じゅうしょう. 後遺症 후유증 こういしょう.

【蒸】高校 증 ジョウ. 찌다 蒸す. ◨蒸發 증발 じょうはつ. 蒸氣 증기 じょうき. ◨燻蒸 훈증 くんじょう.

【證(証)】中學 증 ショウ. ❶증명하다 証明する. ◨證言 증언 しょうげん. ◨實證 실증 じっしょう. 立證 입증 りっしょう. ❷책임지고 맡다 責任を負って引き受ける. ◨保證 보증 ほしょう. ❸증거가 되는 것 証拠になる物. ◨證書 증서 しょうしょ. ◨免許證 면허증 めんきょしょう.

【贈(贈)】高校 증 ゾウ. ソウ. ❶물건을 보내다 物をおくる. ◨贈呈 증정 ぞうてい. 贈答 증답 ぞうとう. ◨寄贈 기증 きぞう. きそう. ❷사후에 조정에서 벼슬을 내리다 死後に朝廷から官位をおくる. ◨贈位 증위 ぞうい. ◨追贈 추증 ついぞう.

***증가**【增加】〈名・하自他〉増加. 句例 인구의 자연 ～ 人口の自然増加. 語例 ～되다 増加する. 増える. 増加される. 對감소(減少).

증간【增刊】〈名・하他〉増刊. 語例 임시 ～호 臨時増刊号.

증감【增減】〈名・하自他〉増減. 句例 수입의 ～ 収入の増減. 語例 ～되다 増減する. 増減される.

증강【增強】〈名・하他〉増強. 句例 체력의 ～ 体力の増強 / 수송력을 ～하다 輸送力を増強する. 語例 ～되다 増強される.

증거【證據】〈名〉証拠. 句例 ～를 잡다 証拠をとらえる / ～를 내세우다 証拠だてる / ～를 굳히다 証拠を固める / ～를 보전하다 証拠を保全する / ～가 없다 証拠がない / ～가 뚜렷하다 証拠がはっきりしている. 文例 뭘 ～로 그런 말을 하나 何を証拠にそんな事を言うのか / ～를 보여라 証拠を見せたまえ. 語例 ～물 証拠物 / ～ 불충분 証拠不十分 / ～인 証人 / ～품 証拠品 / 물적 ～ 物的証拠 / ～ 서류 証拠書類 / ～ 조사 証拠調べ.

***증권**【證券】[chŭngkkwon]〈名〉証券. 語例 ～ 시장 証券市場 / ～ 회사 証券会社 / 유가 ～ 有価証券 / 보험 ～ 保険証券.

증권 거래소【證券去來所】[chŭngkkwon-gŏ:raeso]〈名〉証券取引所.

***증기**【蒸氣】〈名〉蒸気. 語例 ～ 기관 蒸気機関 / ～ 기관차 蒸気機関車 / ～선 汽船. 蒸気船 / ～ 소독 蒸気消毒.

증대【增大】〈名・하自他〉増大. 句例 잡지의 ～호 雑誌の増大号 / 수요가 ～하다 需要が増大する. 語例 인구 ～ 人口の増大 / 생산〔불만〕～ 生産〔不満〕の増大 / ～되다 増大する.

증량【增量】[chŭngnyang]〈名・하自他〉増量. 句例 약의 ～ 薬の増量.

증류【蒸溜】[chŭngnyu]〈名・하他〉蒸留. 語例 ～수 蒸留水 / ～주 蒸留酒.

***증명**【證明】〈名・하他〉証明. 句例 무죄를 ～하다 無罪を証明する / 학설을 ～하다 学説を証明する / 과학적으로 ～되어 있지 않다 科学的に証明されていない. 語例 ～서 証明書 / 인감 ～ 印鑑証明 / ～되다 証明される.

***증발**【蒸發】〈名・하自〉蒸発. 句例 물의 ～ 水の蒸発. 文例 배우가 ～했다 俳優が蒸発した. 語例 ～량 蒸発量 / ～ 접시 蒸発皿.

증발【增發】〈名・하他〉増発. 句例 화폐의 ～ 貨幣の増発 / 임시 열차의 ～ 臨時列車の増発.

증배【增配】〈名・하他〉(配当・配給の)増配.

증보【增補】〈名・하他〉増補. 句例 사전의 ～판 辞典の増補版.

증빙【證憑】〈名・하自他〉証憑. 証拠. 語例 ～ 서류 証憑〔証拠〕書類.

증산【蒸散】〈名・하自〉蒸散. 語例 ～ 작용 蒸散作用.

증산【增産】〈名・하自他〉増産. 語例 식량 ～ 食糧増産. 對감산(減産).

증상【症狀】〈名〉症状. 句例 ～이 나타나다 症状が出る / ～이 호전되다 症状が好転する. 語例 자각 ～ 自覚症状.

증서【證書】〈名〉証書. 証文. 語例 졸업 ～ 卒業証書 / 차용 ～ 借用証書.

증설【增設】〈名・하他〉増設. 句例 지점을 ～하다 支店を増設する.

증세【症勢】〈名〉病症. 症状. 症候. 句例 병의 ～ 病気の症状.

증손【曾孫】〈名〉曽孫. ひ孫. ＝증손자. 語例 ～녀 ひ孫娘.

증식【增殖】〈名・하自他〉増殖. 句例 암세포의 ～이 빠르다 癌細胞の増殖が早い. 語例 ～로 増殖炉 / 재산 ～ 財産の増殖.

증액【增額】〈名・하他〉増額. 句例 예산의 ～ 予算の増額.

증언【證言】〈名・하他〉証言. 句例 불리한 ～을 하다 不利な証言をする / 목격자의 ～ 目撃者の証言. 語例 ～대 証言台.

증여【贈與】〈名・하他〉贈与. 語例 ～세 贈与税 / ～자 贈与者.

증오【憎惡】〈名・하他〉憎悪. 句例 ～심을 품다 憎悪の念をいだく.

증원【增員】〈名・하他〉増員. 句例 공장의 ～계획 工場の増員計画.

증원【增援】〈名・하他〉増援. 句例 ～을 요청하다 増援を要請する. 語例 ～ 부대 増援部隊.

증인【證人】〈名〉証人. 句例 ～을 세우다 証人をたてる / ～을 소환하다 証人を召喚する. 語例 ～ 신문 証人尋問.

증자【增資】〈名・하自〉増資. 句例 주식을 ～하다 株式を増資する. 對감자(減資).

증정【贈呈】〈名・하他〉贈呈. 句例 기념품을 ～하다 記念品を贈呈する.

증조【曾祖】〈名〉[‘증조부’の略] 曾祖. ひいじじ.

증진【增進】〈名・하自他〉増進. 句例 학력의 ～ 学力の増進. 語例 건강〔체력〕～ 健康〔体力〕増進 / 복지 ～ 福祉の増進.

증차【增車】〈名・하自他〉増車. 句例 버스를 ～하다 バスを増車する.

증축【增築】〈名・하他〉増築. 建て増し. 語例 ～ 공사 増築工事.

증파【增派】〈名・하他〉増派. 句例 부대를 ～하다 部隊を増派する.

증편【蒸―】〈名〉米の粉に濁酒を混ぜてこねくり(栗)・なつめ・五葉松の実などを入れて蒸したスポンジケーキ状の餅.

증폭【增幅】〈名・하他〉増幅. 語例 ～기 増幅器. アンプ.

증표【證票】〈名〉証票.

증후【症候】〈名〉症候. 語例 ～군 症候群. シンドローム.

***지**〈依名〉…(して)から. …(して)以来. 句例 헤어진 ～ 3년 別れてから三年. 決別以来三年.

表現 必ず終声‘ㄴ’の後に付き, ある動作のあった時から今までの間の意を表わす.

지〔漢字項目〕

【之】高校 지 シ. ❶가다 行く. 향하다 向かう. ▮之東之西 지동지서 しとうしさい. ❷이 これ. ‘是’와 뜻이 같음 ‘是’と同意である. ❸(소유・소재 등을 나타내는 접속사) …의 (所有・所在を表す接続詞)…の. ▮大學之道 대학지도 だいがくのみち.

【只】中學 지 シ. 단지 こればかり. 다만 ただ. ▮只今 지금 ただいま.

【地】中學 지 チ. ジ. ❶땅 地. ▮地球 지구 ちきゅう. 地上 지상 ちじょう. ▮平地 평지 へいち. 陸地 육지 りくち. ❷구분된 곳 区分した所. ▮地域 지역 ちいき. 地區 지구 ちく. ▮宅地 택지 たくち. 農地 농지 のうち. ❸옷감 生地. ▮洋服地 양복지 ようふくじ.

【志】中學 지 シ. ❶뜻을 세우다 志を立てる. ▮志願 지원 しがん. 志望 지망 しぼう. ▮意志 의지 いし. 立志 입지 りっし. 初志 초지 しょし. ❷기록하다 記録する. ▮三國志 삼국지 さんごくし. 魏志 위지 ぎし.

【持】中學 지 ジ. ❶가지다 持つ. 손에 들다 手に持つ. ▮持參 지참 じさん. 持病 지병 じびょう. ▮所持 소지 しょじ. ❷버티다 持ちこたえる. ▮持續 지속 じぞく. 持久 지구 じきゅう. ▮維持 유지 いじ.

【指】中學 지 シ. ❶손가락 또는 발가락 手や足の指. ▮指紋 지문 しもん. ▮食指 식지 しょくし. 屈指 굴지 くっし. ❷가리키다 指さす. 지휘하다 指揮する. ▮指導 지도 しどう. 指示 지시 しじ. 指揮 지휘 しき.

【支】中學 지 シ. ❶갈라져 나온 것 分かれ出たもの. ▮支派 지파 しは. 支店 지점 してん. 支部 지부 しぶ. ▮氣管支 기관지 きかんし. ❷버티다 支える. ▮支柱 지주 しちゅう. 支持 지지 しじ. 支援 지원 しえん. ❸지불하다 支払う. ▮支給 지급 しきゅう. 支出 지출 ししゅつ. ▮收支 수지 しゅうし. ❹지지(地支) 十二支. ▮十干十二支 십간십이지 じっかんじゅうにし.

【智】高校 지 チ. 슬기롭다 さとい. 지혜 知恵. ▮智識 지식 ちしき. 智將 지장 ちしょう. 智謀 지모 ちぼう. ▮奸智 간지 かんち.

【枝】中學 지 シ. ❶가지 枝. ▮枝葉 지엽 しよう. 枝幹 지간 しかん. ▮剪枝 전지 せんし. ❷원뿌리에서 갈려 나온 것 本の根から分かれ出たもの. ▮枝流 지류 しりゅう.

【止】中學 지 シ. ❶한 곳에 머물다 ひとところに止まる. ▮靜止 정지 せいし. 停止 정지 ていし. ❷(사물의) 진행을 멈추다 (事物の)進行を止める. ▮止血 지혈 しけつ. ▮終止 종지 しゅうし. 中止 중지 ちゅうし.

【池】高校 지 チ. 못 池. ▮池沼 지소 ちしょう. ▮貯水池 저수지 ちょすいち. 電池 전지 でんち.

【知】中學 지 チ. ❶알다 知る. 깨닫다 さとる. ▮知覺 지각 ちかく. 知識 지식 ちしき. 知遇 지우 ちぐう. 知性 지성 ちせい. ❷알리다 知らせる. ▮周知 주지 しゅうち. 通知 통지 つうち. ❸상대를 알고 있다 相手を知っている. ▮知己 지기 ちき. 知人 지인 ちじん. ❹자기의 맡은 지역을 잘 다스리다 自分の受け持った地域をよく治める. ▮知事 지사 ちじ.

【紙】中學 지 シ. ❶종이 紙. ▮紙幣 지폐 しへい. ▮白紙 백지 はくし. 表紙 표지 ひょうし. ❷신문의 준말 新聞の略. ▮紙面 지면 しめん. ▮機關紙 기관지 きかんし. 日刊紙 일간지 にっかんし.

【至】中學 지 シ. ❶이르다 至る. 다가오다 近づく. ▮必至 필지 ひっし. 乃至 내지 ないし. ❷더할 나위 없이 この上なく. ▮至高 지고 しこう. 至大 지대 しだい. 至誠 지성 しせい. ❸한해 중 낮이 가장 짧은 날과 긴 날 一年中昼が最も短い日と長い日. ▮夏至 하지 げし. 冬至 동지 とうし.

【誌】高校 지 シ. ❶적다 書く. 기록하다 記録する. ▮日誌 일지 にっし. 地誌 지지 ちし. ❷잡지의 준말 雑誌の略. ▮誌面 지면 しめん. ▮週刊誌 주간지 しゅうかんし.

【遲(遅)】高校 지 チ. ❶늦다 遅れる. ▮遲延 지연 ちえん. 遲刻 지각 ちこく. 遲速 지속 ちそく. 遲遲不進 지지부진 ちちふしん. ❷더디다 遅い.

지가【地價】[chikka]〈名〉地価. ＝땅값. 語例 ～ 상승 地価の上昇 / ～ 증권 地価証券.

지가【紙價】[chikka]〈名〉紙価. 句例 낙양의 ～를 올리다 洛陽の紙価を高める.

지각【地殼】〈名〉〔地〉地殻. 語例 ～ 변동 地殻変動 / ～ 운동 地殻運動.

지각【知覺】〈名・하他〉❶知覚. 語例 ～ 신경 知覚神経. ❷物心. 分別.

지각(이) 나다 物心がつく. 分別がつく.

지각(이) 들다 分別がつく.

지각(이) 없다 分別がない. 句例 지각 없는 짓 無分別なふるまい.

지각【遲刻】〈名・하自〉遅刻. 語例 ～생 遅刻生.

*__지갑__【紙匣】〈名〉財布. 金入れ. 句例 ～에 넣다 財布に入れる / ～에서 꺼내다 財布からとり出す / ～을 잃어버리다 財布を落とす / ～을 꺼내다 財布を取り出す. 語例 가죽 ～ 革の財布.

지게〈名〉チゲ. しょいこ. 句例 ～를 지다 しょいこを担ぐ〔背負う〕. 語例 ～꾼 しょいこで荷物を運ぶ人夫 / ～질 しょいこで荷物を運ぶこと / ～차(車) フォークリフト / 지겟작대기 しょいこのつっかい棒.

지게미〈名〉❶酒かす. ❷目やに.

지겹다 (지겨우니, 지겨워서)〈形〉こりごりだ. あきあきする. うんざりする. 文例 보기만 해도 ～ 見ただけでうんざりする.

*__지경__【地境】〈名〉❶地境・地界. 地界. ❷立場. 境遇. 状況. 句例 파산할 ～에 이르다 破産の羽目に陥る / 숨이 막힐 ～으로 무덥다 息がつまるほどむし暑い / 힘이 들어 죽을 ～이다 つらくて死ぬほどの思いだ.

지고【至高】〈名・하形〉至高. 句例 ～한 정신 至高の精神.

지관【地官】〈名〉地相人. 地相師.

*__지구__【地球】〈名〉地球. 語例 ～ 과학 地球科学 / ～촌 地球村 / ～인 地球人.

*__지구__【地區】〈名〉地区. 語例 풍치〔주택〕～ 風致〔住宅〕地区.

지구【地溝】〈名〉〔地〉地溝. 語例 ～대 地溝帯.

*__지구-력__【持久力】〈名〉持久力. 句例 ～이 아쉽다 持久力がほしい.

지구 자기【地球磁氣】〈名〉〔物〕地球磁気. 地磁気.

지구-전【持久戰】〈名〉持久戦. 句例 ～으로 끌고가다 持久戦に持ち込む.

지국【支局】〈名〉支局. 語例 ～장 支局長.

지그시〈副〉❶おもむろに力を加えて押したり引っ張ったりするさま: そっと. じわっと. 句例 환부를 ～ 누르다 患部をそっと押さえる / ～ 압력을 가하다 じわじわと圧力を加える. ❷ゆっくりと目を閉じるさま: そっと. 句例 ～ 눈을 감다 静かに〔そっと〕目をつぶる. ❸忍びこら(堪)えるさま: じっと. ぐっと. 句例 아픔을 ～ 참다 痛みをじっとこらえる / ～ 입술을 깨물다 ぐっと唇をか(嚙)みしめる.

지그재그〈名〉ジグザグ. Z字形. 電光形. 語例 ～ 데모 ジグザグデモ. ◇zigzag

지극-하다【至極—】[chigŭk'ada] (→하다)〈形〉この上ない. 限りない. 句例 효성이 ～ 親孝行この上ない. 大変な親孝行である. **지극히** [chigŭk'i]〈副〉この上なく. 限りなく. 至極. 句例 지극히 당연하다 至極当然だ.

지근【至近】〈名・하形〉至近. すぐそば. 語例 ～ 거리 至近距離 / ～탄 至近弾.

지근-거리다〈自他〉❶しつこくねだる. うるさく悩ます. 小突く. ❷しきりに軽く押さえつけて壊す. ❸しきりに軽くか(嚙)む. ❹(頭が)ずきずきと痛む.

지근지근〈副・하自他〉❶しつこく. ねちねちと. ❷軽く続けざまに. ❸ずきずきと.

지근덕-거리다〈自他〉'지근거리다'の強めた言いかた.

지근덕지근덕〈副・하自他〉'지근지근'の強めた言いかた.

지글-거리다〈自〉(少量の水が)じじと音を立てて煮え立つ. 煮詰まる. じりじりと沸く.

지글지글〈副・하自〉ぐつぐつ. じりじり. 句例 된장국이 ～ 끓다 みそ汁がぐつぐつと煮え立つ.

**__지금__【只今】㊀〈名〉今. 現在. 句例 ～의 이야기를 정리하면 今の話を整理すると / ～은 무리다 今は無理だ. 文例 ～ 같으면 아직 괜찮다 今ならまだ間に合う / ～부터 시작이다 今から始まりだ. 語例 ～쯤 今ごろ.

㊁〈副〉今. ただ今. 文例 ～ 당장 와 다오 今すぐ来てほしい / ～ 전화하고 있는 중입니다 今電話中であります.

지금【地金】〈名〉地金(じきん・じがね).

지금-거리다〈自〉(食べ物に混じっている砂などが口の中で)ざくざくする. じゃりじゃりする.

지금지금〈副・하自〉ざくざく(と). じゃりじゃり(と).

지금-껏〈副〉(今の)今まで. 今に至るまで. いまだに. 今もって. 文例 ～ 대답이 없다 いまだに返事がない.

지급【支給】〈名・하他〉支給. 支払い. 句例 여비의 ～ 旅費の支給. 語例 ～ 보증 支払い保証 / ～ 어음 支払い手形 / ～인 支払い人 / ～ 정지 支払い停止.

지급【至急】〈名・하形〉❶至急. 句例 ～을 요하다 至急を要する. ❷'지급 전보'の略: 至急電報.

지긋-이 [chigŭshi]〈副〉かなりの年輩で. 句例 나이가 ～ 들다 かなり年をとっている.

지긋지긋-이 [chigŭtchigŭshi]〈副〉うんざりする程.

지긋지긋-하다 [chigŭtchigŭt'ada] (→하다)〈形〉❶ぞっとする程だ. ❷ごりごりする. 愛想がつきる. うんざりする. 文例 비도 지긋지긋하게 온다 こう降られてはまったくうんざりする.

지긋-하다 [chigŭt'ada] (→하다)〈形〉かなりの年輩だ. 句例 나이 지긋한 신사 かなりの年輩の紳士. 中年の紳士.

지기【志氣】〈名〉志気. 意気込み. 句例 ～를 펴고 살다 意気込んで暮らす.

지기【知己】〈名〉知己. ＝지기지우(知己之友). →십년 지기

-지기[1]〈尾〉'섬 石, 말 斗'などに付いて, その量の種をまくことのできる田畑の面積を表わす語. 句例 논 한 섬～ 種一石まきの

田 / 밭 닷 마~ 種五斗まきの畑.

-지기² 〈尾〉…番. …守り. 語例 문~ 門番 / 등대~ 灯台守.

지껄-이다 [chikkŏrida] 〈自〉 口をたたく. しゃべりまくる. ぬか(吐)す《俗》. 駄弁を弄する. 句例 쓸데없는 말을 ~ むだ口をたたく / 함부로 ~ やたらにしゃべりまくる.

지끈 〈副・하自〉(固い物が)壊れたり折れる音: がちゃん(と). ぽきっ(と). 句例 지팡이가 ~ 부러지다 つえ(杖)がぽきっと折れる. **~거리다** 〈自〉 ❶がちゃんがちゃん(と)する. ぽきっぽきっ(と)折れる. ❷頭・患部などがずきずきと痛む.

지끈지끈 〈副・하自〉 ❶がちゃんがちゃん. ぽきっぽきっ. ❷ずきずき. 句例 머리가 ~ 아프다 頭がずきずきと痛む.

지끈둥 〈副〉 '지끈'の強めた言いかた.

***지나-가다** (지나가거라) ■〈自〉 ❶通る. 過ぎて行く. 通過する. 句例 버스가 ~ バスが通る. ❷過ぎる. 経る. た(経)つ. 句例 지나간 세월 過ぎ(去さっ)た年月. ❸(ある現象が)浮かんでは消える. かすめる. 文例 불길한 예감이 휙 머릿속으로 지나갔다 不吉な予感がさっと頭をかすめて通った. ❹(限度などが)過ぎる. 句例 기한이 ~ 期限が切れる.
■〈他〉 通り過ぎる. 通って行く. 句例 숲을 ~ 森を(通り)過ぎる / 문앞을 ~ 門前を素通りする.

지나가는 말로 話のついでに軽い気持ちで. =지나는 말로. 文例 ~ 한마디했다 話のついでに一言言わせてもらった.

****지나다** 〈自他〉 過ぎる. ❶通る. 通過する. 通り過ぎる. 通って行く. 句例 학교 앞을 ~ 学校の前を過ぎる / 길을 ~ 道を通って行く〔通る〕. ❷移って行く. 句例 지나는 길에 들르다 通りがかり〔通り掛け〕に立ち寄る. ❸(時が)た(経)つ. 経る. 過ぎ去る. 句例 시간이 ~ 時間がたつ / ⇨ 지난날. ❹終わりになる. 終了する. すむ. 句例 한물 지난 생선 出盛りを越した魚. しま(終)い物 / 축제가 ~ 祭りが過ぎる. ❺(期間・限度を)越す. 句例 기한이 지난 약속 어음 期間の切れた約束手形. ▷→囲み記事 83

지나지 않다 ('…에 지나지 않다'の形で)…に過ぎない. 句例 평범한 회사원에 ~ 平凡な会社員に過ぎない.

지나-다니다 〈自他〉 往来する. 往き来する. 通る. 句例 한길을 지나다니는 사람들 大通りを往来する人人.

지나-오다 (지나오너라) 〈自他〉 ❶通り過ぎて来る. 素通って来る. 句例 학교 앞을 ~ 学校の前を素通って来る〔通って来る〕. ❷経験する. 経て来る. 文例 지나온 날들은 아름답게 느껴진다 過ぎ去った日日は美しく感じられる.

***지나치다** 〈自他〉 ❶度を過ごす〔越す〕. 度が過ぎる. 句例 지나친 장난 度はずれのいたずら / 지나치게 공부하다 勉強をやり過ぎる. ❷度をはずれる. 過激だ. 句例 지나친 행동 度を越した行動. ❸通り過ぎる. 句例 극장 앞을 ~ 劇場の前を通り過ぎる / 한 정거장 ~ 一駅乗り越す.
参考 ①は形容詞的にも使う.

지난-날 〈名〉 過ぎた日. 句例 ~의 추억 過ぎ(去さり)し日の思い出 / ~의 슬픔 過ぎし日の悲しみ.

지난-달 〈名〉 先月. 前の月.

지난-밤 〈名〉 昨晩. 昨夜.

***지난-번** 【一番】〈名〉 この間. 先般. 先ごろ. この前. 文例 ~ 모임에는 참석하지 않았다 この間の集まりには参席しなかった.

지난-주 【一週】〈名〉 先週. 昨週.

지난-해 〈名〉 去年. 昨年. =작년(昨年).

지남-철 【指南鐵】〈名〉〔物〕 ❶⇨ 자석(磁石). ❷⇨ 자침(磁針)

***지내다** [chiːnaeda] ■〈自〉 暮らす. 過ごす. 句例 독신으로 ~ 独身で通す〔暮らす〕 / 가까이 ~ 親しく過ごす. 文例 요즘 어떻게 지내십니까 最近いかがお過ごしでしょうか.
■〈他〉 ❶務める. 経る. 句例 형사를 지낸 사람 刑事上がりの人 / 국무 총리를 ~ 国務総理を務める. ❷(冠婚葬祭を)執り行なう. 句例 장사를 ~ 葬式を行なう / 제사를 ~ 祭祀を行なう. ▷→囲み記事 83

지내-듣다 [chiːnae―] (―들으니, ―들어서) 〈他〉 聞き流す. 聞き過ごす. 聞き捨てる. 句例 귓결에 ~ 耳に聞き流す.

지내-보다 [chiːnae―] 〈他〉 ❶付き合ってみる. 文例 사람은 지내보지 않으면 알 수 없다 人とは付き合ってみなければ分からない. ❷経験してみる. ❸いいかげん(加減)に見る.

지네 〈名〉〔動〕 むかで(百足).

囲み記事 83

▩ '지나다'と'지내다' ▩

지나다 (1) 通って行く ―― 지나는 길에 친구 집에 들르다 通りがかりに友の家に立ち寄る.
(2) 通る ―― 가게 앞을 지나는 사람들을 물끄러미 바라보고 있었다 店の前を通る人人をぼんやりと眺めていた.
(3) (時が)たつ ―― 10년이 지난 지금에 와서 비로소 사실이 밝혀졌다 十年もたった今となってやっと事実が明らかになった.
(4) (盛りを)越す ―― 관광의 가을이 지난 산촌(山村)에는 겨울의 적막이 찾아들었다 観光の秋を越した山里には, 冬の寂寞が訪れた.
(5) (限度を)越す ―― 어제 마감날이 지났다 きのう(昨日)締切日が切れた.

지내다 (1) 暮らす ―― 지내는 일은 어떤가 暮らしはどうかね.
(2) 付き合っていく ―― 그와는 다정하게 지내는 사이다 彼とは仲良く付き合っている間柄だ.
(3) (地位を)経る ―― 과장직을 지낸 공무원 課長の職位を経た役人.
(4) (婚礼・葬儀などを)行なう ―― 장사를 지내고 이튿날 곧바로 상경하였다 葬儀を行なって翌日, 直ちに上京した.

지-노【紙—】〈名〉こより. 観世より.
지노귀-새남【—鬼—】〈名〉〔民〕死霊を極楽に導くためのみこ(巫女)の儀式. 略して'지노귀'ともいう.
지느러미〈名〉ひれ(鰭). 語例 가슴~ 胸びれ/꼬리~ 尾びれ/등~ 背びれ.
지능【知能】〈名〉知能. 句例 ~이 높다 知能が高い/~이 발달하다 知能が発達する. 語例 ~범 知能犯.
지능 검사【知能検査】[—gŏ:msa]〈名〉知能検査. =멘탈 테스트.
지능 지수【知能指數】〈名〉知能指数. =아이큐(IQ).
*__지니다__〈他〉❶持つ. 保つ. 句例 돈을 ~ 金を持つ. 金を身につけている/부적을 몸에 ~ お守りを身につけている. ❷(人格などを)備える. つける. 句例 덕을 ~ 徳を備える/매력을 지닌 여자 魅力のある女. ❸(原型を)保つ. 句例 원형을 ~ 原型を保つ〔失わない〕. ❹覚えている. 句例 마음에 ~ 胸にいだく.
지닐-총【—聽】〈名〉記憶力.
지다¹〈自〉❶ある状態になる. 句例 그늘이 ~ 陰になる. 陰が生じる/장마가 ~ 長雨になる/홍수가 ~ 大水が出る. ❷敵になる. 恨みをもつ. 句例 원수~ 敵同士になる. ❸生じる. 新しくできる. 句例 얼룩이 ~ 汚れがつく. ❹特徴が生じる. 句例 모가 ~ 角が立つ. 角張る.
*__지다__²〈自〉❶(日が)暮れる. 傾く. 沈む. 落ちる. 没する. 句例 서산으로 해가 ~ 日が西に沈む. 絵/달이 ~ 月が傾く. ❷(花などが)散る. 落ちる. 句例 꽃이 ~ 花が散る. 絵/꽃처럼 ~ 花と散る/나뭇잎이 ~ 木の葉が散る. ❸落ちる. なくなる. 消える. 句例 때가 ~ あか(垢)がぬける. 絵/얼룩이 안 ~ しみが落ちない〔消えない〕.

해가 지다　꽃이 지다　때가 지다

〈지다〉

⁑__지다__³〈自〉負ける. 敗れる. 句例 싸움에 ~ 戦に負ける〔敗れる〕/지는 것이 이기는 것 負けるが勝ち. 對이기다.
⁑__지다__⁴〈他〉❶'등지다'の略. 句例 해를 지고 걷다 日を背にして歩く. ❷背負う. 担う. 句例 짐을 ~ 荷を負う/등에 ~ 背負う. 後ろに担ぐ/배낭을 ~ リュックサックを背負う. ❸負う. ㉠債務などを持つ. 借金する. 句例 빚을 ~ 借金を負う. ㉡責任などを引き受ける. 持つ. 句例 책임을 지고 일하다 責任を持って働く. ❹おかげを被る. 着る. 受ける. 句例 많은 신세를 ~ 大変恩を着る. 文例 신세 많이 졌습니다 大変お世話になりました.
*__지다__⁵ 一〈補動〉('-아・-어~'の形で)成り行きを表わす語: …く〔に〕なる. …(ら)れる. 語例 꺾어~ 折れる/열려~ 開けられる/지워~ 消される/예뻐~ 美しくなる/조용해~ 静かになる/좋아~ 良くなる/넓어~ 広くなる. 広がる.
二〈補形〉('-고 지고'の形で)'싶다 (し)たい'のように, そうなることを切に望む気持ちを表わす語: …し(たい)ものだ《古めかしい表現によく用いられる》. 句例 가고 지고 行きたいものだ.
-지다〈尾〉名詞に付いて, そのようになっている状態を表わす語: …だ. …ている. 語例 기름~ 脂っこい. 地味が肥えている/값~ 高価だ. 高貴だ.
지당-하다【至當—】(→하다)〈形〉至当である. ごく当然だ. 至って理にかなっている. 句例 지당한 처사 至当な仕打ち/지당한 말씀 もっともなおことば.
*__지대__【地帶】〈名〉地帯. 語例 산악 ~ 山岳地帯/안전 ~ 安全地帯/녹~ グリーンベルト.
지-대공【地對空】〈名〉地対空. 語例 ~ 미사일 地対空ミサイル. 對공(空)대공.
지대-하다【至大—】(→하다)〈形〉至大だ. 句例 지대한 공적 至大なる功績.
지댓-돌【地臺—】〈名〉〔建〕土台石. =지대석(石).
⁑__지도__【地圖】〈名〉地図. マップ. 句例 ~를 그리다 地図を描く/~에 나와 있다 地図に出ている. 語例 자동차 도로 ~ 自動車道路地図/백~ 白地図.
*__지도__【指導】〈名・하他〉指導. 句例 선생의 ~를 받다 先生の指導を受ける. 語例 ~자 指導者/~력 指導力.
지독-하다【至毒—】[chidok'ada](→하다)〈形〉とてもひどい. ものすごい. 句例 지독한 구두쇠 ひどいしみったれ/지독한 냄새 ひどいにおい/지독한 추위 ひどい寒さ/지독하게 단단하다 とても固い. **지독히** [chidok'i]〈副〉ものすごく. はなは(甚)だしく. ひどく.
지동-설【地動說】〈名〉地動説. 對천동설(天動說).
지라〈名〉〔生〕⇨비장(脾臟)
지랄〈名・하自〉❶気まぐれな行動をけな(貶)す語. ❷気違いじみたふるまい. 句例 한참 ~을 떨다 ひとしきり気違い沙汰を演じる/~발광을 하다 狂ったように騒ぎたてる. ❸〔醫〕'지랄병'の略.
지랄-병【—病】[—ppyŏng]〈名〉〔韓醫〕⇨간질(癎疾)
지략【智略】〈名〉知略. 句例 ~이 뛰어나다 知略にたける.
⁑__지렁이__〈名〉〔動〕みみず(蚯蚓). 語例 ~고무 虫ゴム. みみず状のゴム管.
지레¹〈名〉てこ(梃子). =지렛대. 句例 ~로 들어 올리다 てこで持ち上げる. 語例 ~질 てこで動かすこと.
지레²〈副〉前もって. あらかじめ. 先だって. =미리. 句例 ~ 겁을 집어먹다 事に先だっておび(怯)える.

지레-짐작【―斟酌】〈名・하他〉早合点．早のみ込み．句例 ～으로 실수하다 早とちりする．

지렛-대〈名〉⇨ 지레[1]

지렛-목 [chiren―]〈名〉てこ(梃子)の支点．

지력【地力】〈名〉地力．語例 ～ 보전 地力の保全．

지령【指令】〈名・하他〉指令．指図．句例 ～을 받다 指令を受ける / ～을 내리다 指令を発する．

지령【紙齡】〈名〉新聞の発行号数．

지론【持論】〈名〉持論．持説．句例 ～을 굽히지 않다 持論を曲げない．

***지뢰**【地雷】〈名〉地雷．句例 ～를 묻다 地雷を仕掛ける〔伏せる〕．語例 ～밭 地雷原 / ～ 탐지기 地雷探知機．

지루-하다 (→하다)〈形〉退屈だ．あきあきする．句例 지루한 여행 退屈な旅行 / 지루한 생활을 벗어나다 退屈な生活から抜け出る．語例 지루하게 あきあきして．退屈に．

지류【支流】〈名〉支流．㊚본류(本流)．주류(主流)．

***지르다**[1] (지르니, 질러서)〈他〉❶刺す．突く．挿す．句例 주먹으로 한 대 ～ こぶしで一度突く / 비녀를 ～ かんざし(簪)を挿す / 주머니에 손을 ～ ポケットに手を突っ込む．
❷差す．㋐差し渡す．差し通す．句例 빗장을 ～ かんぬきをさす〔通す・掛ける〕．絵
㋑か(賭)ける．句例 판에 돈을 ～ ばくちに金をかける．
㋒混ぜる．句例 술에 물을 ～ 酒に水を割る / 다른 약을 ～ 他の薬を混ぜる．
❸(道を)突っ切る．近道する．文例 이 길로 질러 가면 빨리 간다 この道を近道して行けばすぐ着く．
❹起こらせる．付ける．句例 아궁이에 불을 ～ たき口に火を付ける．絵
❺⇨ 찌르다．句例 고약한 냄새가 코를 ～ 鼻持ちならないにおいが鼻を突く．
❻摘む．刈り取る．くじ(挫)く．そ(殺)ぐ．句例 곁순을 ～ 側から出た芽を摘む / 예기를 ～ 鋭気をそぐ．
❼濃い色でくま取って淡い色を浮き立たせる．

빗장을 지르다　　아궁이에 불을 지르다

〈지르다〉

***지르다**[2] (지르니, 질러서)〈他〉声を張り上げる．叫ぶ．句例 소리를 ～ 声を上げる．大声を出す / 비명을 ～ 悲鳴を上げる / 고함을 ～ 大声を上げる．

지르르〈副・하形〉❶潤いやつやのあるさま：すべすべ．つやつや．句例 윤기가 ～ 흐르는 머리 つやつやしい髪．❷ちょっとしびれを感じるさま：ぴりぴり．句例 뼈마디가 ～하다 関節がぴりぴりする．

지르-신다 [―shintta]〈他〉履物のかかと(踵)をつぶして突っ掛ける〔履く〕．

지르-잡다〈他〉つまみ洗いをする．

지르퉁-하다 (→하다)〈形〉ふて腐れる．むっとしている．不愛想だ．つんとしている．句例 지르퉁한 얼굴 むっとした顔．

***지름**〈名〉〔數〕直径．差し渡し．＝직경．語例 반～ 半径．

지름-길 [―kkil]〈名〉近道．早道．句例 ～로 가다 近道する．

⁑**지리**【地理】〈名〉地理．語例 ～학 地理学 / 풍수 ～ 風水地理．

지리다[1]〈他〉(大小便を)漏らす．垂れる．失禁する．

지리다[2]〈形〉小便臭い．句例 지린 냄새가 나다 小便臭い．

지리-멸렬【支離滅裂】〈名・하自〉支離滅裂．

지리-적【地理的】〈名・冠〉地理的．句例 ～인 조건〔분포〕地理的条件〔分布〕．語例 ～ 발견 地理的発見．

지린-내〈名〉小便のにおい．

지망【志望】〈名・하他〉志望．句例 의사를 ～하다 医者を志望する．語例 ～자 志望者 / 제1 ～ 第一志望．

지맥【支脈】〈名〉支脈．㊚본맥(本脈)．주맥(主脈)．

***지면**【地面】〈名〉地面．地べた．

지면【知面】〈名・하自〉❶初めて顔を合わせて知り合いになること．❷顔見知り．面識．句例 ～이 있는 사이 顔見知りの間柄 / ～이 없다 面識がない．

지면【紙面】〈名〉紙面．句例 ～을 할애하다 紙面をさく．

지명【地名】〈名〉地名．

지명【知名】〈名・하形〉知名．句例 사회적 ～도가 높다 社会的知名度が高い．語例 ～ 인사(人士) 知名の士．

지명【指名】〈名・하他〉指名．句例 ～을 받다 指名を受ける / 의장에 ～되다 議長に指名される / ～권을 가지고 있다 指名権を持っている．語例 ～ 수배 指名手配 / ～ 입찰 指名入札 / ～ 타자〔野〕指名打者．

지모【智謀】〈名〉知謀．

지목【地目】〈名〉地目．語例 ～ 변경 地目変更．

지목【指目】〈名・하他〉指目．目星をつけること．句例 범인으로 ～하다 犯人だと目星をつける．

지문【地文】〈名〉❶地文．語例 ～학 地文学．❷戯曲で解説とせりふ(台詞)を除いた部分の文．

지문【指紋】〈名〉指紋．句例 ～을 채취하다 指紋を採る / ～을 남기다 指紋を残す / ～을 찍다 指紋を押す．語例 ～ 채취 指紋採取．

지물-포【紙物鋪】〈名〉紙屋．

***지반**【地盤】〈名〉地盤．句例 연약한 ～ 軟弱な地盤 / ～을 굳히다 地盤をかためる / ～을

ス

구축하다 地盤を築く. 語例 ~ 침하 地盤沈下.

**지방【地方】〈名〉地方. 句例 각 ~을 돌아다니다 各地方を巡る / ~에 가다 地方に行く / ~을 여행하다 地方を旅行する. 語例 중부 ~ 中部地方 / ~ 검찰청 地方検察庁 / ~ 경찰청 地方警察庁 / ~ 도로 地方道路 / ~색 地方色. ローカルカラー / ~ 선거 地方選挙 / ~세 地方税 / ~ 은행 地方銀行 / ~ 의회 地方議会 / ~지 地方紙 / ~판 地方版. ローカル版 / ~ 행정 地方行政.

*지방【脂肪】〈名〉脂肪. 脂. 語例 ~산 脂肪酸 / ~ 조직 脂肪組織 / ~질 脂肪質 / ~층 脂肪層.

지방【紙榜】〈名〉紙でこしらえた位牌.

지방 공무원【地方公務員】〈名〉地方公務員. 對국가 공무원.

지방 법원【地方法院】[—bŏbwon]〈名〉地方法院. 地方裁判所. 略して'지법(地法)'ともいう. 語例 ~ 지원 地方法院支院.

지방 분권【地方分權】[—bunkkwon]〈名〉地方分権. 對중앙 집권(中央集權).

지방 자치【地方自治】〈名〉地方自治. 語例 ~ 단체 地方自治団体. 地方自治体.

*지배【支配】〈名・하他〉支配. 句例 감정〔선입관・환경〕에 ~되다 感情〔先入観・環境〕に支配される / ~를 받다 支配を受ける / 운명을 ~하다 運命を支配する / …의 ~하에 있다 …の支配下にある. 語例 ~ 계급 支配階級 / ~인 支配人. マネージャー / ~자 支配者.

지배-적【支配的】〈名・冠〉支配的. 句例 ~ 지위에 있다 支配的地位にある. 文例 핵실험 반대의 목소리가 ~이다 核実験反対の声が支配的だ.

지벅-거리다〈自〉よろめきながらたどたどと歩く.

지벅지벅〈副〉よろよろ. よたよた. たどたど.

지번【地番】〈名〉地番. 語例 ~ 정리 地番整理.

지벌【—罰】〈名〉〔民〕たた(祟)り.

지벌(을) 입다 たたりを受ける.

지병【持病】〈名〉持病. 句例 ~에 시달리다 持病になやむ.

지복【至福】〈名〉〔基〕至福. 語例 ~ 천년 至福千年.

지부【支部】〈名〉支部. 對본부(本部).

지분【持分】〈名〉持ち分.

지분-거리다〈自他〉意地悪くからかう. うるさくいじめる. 句例 여자를 ~ 女をからかう.

지분지분〈副・하自他〉ねちねち.

지불【支拂】〈名〉支払い. ~하다〈他〉支払う. 払う. 払い渡す. 句例 현금으로 ~하다 現金で支払う.

表現 法律用語としては'지급 支給'が用いられる.

**지붕〈名〉❶屋根. 句例 ~을 이다 屋根をふ(葺)く / ~이 새다 雨漏りがする / 한 ~ 밑에 살다 同じ屋根の下で暮らす. 語例 기와 ~ 瓦屋根 / 초가 ~ 草ぶきの屋根. 草屋根. ❷覆い.

지빠귀〈名〉〔鳥〕つぐみ(鶫).

지사【支社】〈名〉支社. 語例 ~장 支社長. 對본사(本社).

지사【志士】〈名〉志士. 語例 우국 ~ 憂国の志士.

지사【知事】〈名〉'도지사 道知事'の略：知事.

지사-제【止瀉劑】〈名〉止瀉剤. 下痢止め.

지상【地上】〈名〉地上. 句例 ~에 내리다 地上におりる / ~ 칠층의 빌딩 地上七階のビル. 語例 ~군 地上軍. 陸軍 / ~권 地上権 / ~ 낙원 地上の楽園. 對지하(地下).

지상【至上】〈名〉至上. 最上. 語例 ~ 명령 至上命令 / 예술 ~주의 芸術至上主義.

지상【地相】〈名〉地相.

지상【紙上】〈名〉紙上. 語例 ~ 공개 紙上公開.

지-새다〈自〉夜が明ける. 句例 지새는 달 有り明けの月.

지-새우다〈他〉夜を明かす. 夜明かしをする. 句例 뜬 눈으로 하룻밤을 ~ まんじりともせず一夜を明かす.

지서【支署】〈名〉支署. 對본서(本署).

지석【誌石】〈名〉墓石.

지선【支線】〈名〉支線. 對본선(本線).

지설【持說】〈名〉持説. 持論.

지성【至誠】〈名〉至誠. 語例 ~껏 至誠を尽くして.

지성이면 감천이라 誠を尽くせば天も感動する.

지성【知性】〈名〉知性. 語例 ~인 知性人.

지성-적【知性的】〈名・冠〉知性的. 句例 ~인 판단 知性的な判断.

지세【地勢】〈名〉地勢. 句例 ~가 험하다 地勢が険しい.

지소【支所】〈名〉支所. 對본소(本所).

지속【持續】〈名・하自他〉持続. 句例 젊음을 ~하다 若さを持続する / 대단한 ~력 大変な持続力. 語例 ~ 시간 持続時間 / ~성 持続性 / ~되다 持続する. 持続される.

지수【指數】〈名〉指数. 語例 물가 ~ 物価指数 / 불쾌 ~ 不快指数.

지스러기〈名〉くず(屑). 残り物. 語例 ~ 고치 くず繭.

*지시【指示】〈名・하他〉指示. 句例 방침을 ~하다 方針を指示する / 상사의 ~를 어기다 上役の指示にそむく / ~에 따르다 指示に従う / ~를 받다 指示を受ける / ~를 내리다 指示をあたえる. 語例 ⇨ 지시 대명사 / ~약〔化〕指示薬 / ~ 형용사 指示形容詞 / ~되다 指示される.

지시 대명사【指示代名詞】[—dae:myŏngsa]〈名〉〔言〕指示代名詞. =가리킴대이름씨. →인칭 대명사

參考 (1) 사물 事物を指す語：近称 이것 これ. 中称 그것 それ. 遠称 저것 あれ. 未知称 무엇 何・어느 것 どれ. 不定称 아무것 どれ.

(2) 처소 場所を指す語：近称 여기 ここ. 中称 저기 そこ. 遠称 저기 あそこ. 未知称 어디 どこ. 不定称 아무데 どこ.

*지식【知識】〈名〉知識. 句例 해박한 ~ 該博

な知識 / 산 ～ 生きた知識 / ～을 얻다 知識をえる / ～을 쌓다 知識を積む〔蓄える〕/ ～을 넓히다 知識を広める. 語例 ～ 계급 知識階級 / ～ 수준 知識水準 / ～욕 知識欲 / ～인 知識人 / ～ 산업 知識産業 / ～층 知識層 / 기초〔예비〕～ 基礎〔予備〕知識.

지신【地神】〈名〉地神.

지아비〈名〉目上の人に対して自分の夫を卑下して言う語. ㊥지어미.

지압【指壓】〈名・하他〉指圧. 語例 ～법 指圧法 / ～ 요법 指圧療法.

지양【止揚】〈名・하他〉止揚. 揚棄. アウフヘーベン.

지어-내다〈他〉作り出す. 句例 없는 말을 ～ 有りもしない事をでっちあげる.

지어미〈名〉目上の人に対して自分の妻を卑下して言う語. ㊥지아비.

지엄-하다【至嚴—】(→하다)〈形〉ごく厳かだ. 至って厳しい. 句例 지엄하신 분부 至厳なる仰せ.

지업-상【紙業商】〈名〉紙屋.

지에-밥〈名〉(酒造りなどに使う)こわ飯. おこわ.

지-엔-피【GNP】[chiːenp'iː]〈名〉ジーエヌピー. ◇Gross National Productの略.

지역【地域】〈名〉地域. 句例 ～간의 대립 감정을 없애다 地域間の対立感情をなくす. 文例 격심한 ～ 격차도 없애야 한다 激しい地域格差もなくさねばならぬ. 語例 오염 ～ 汚染地域 / 인구 밀집 ～ 人口密集地域 / ～구 (選挙の)地方区 / ～ 단체 地域団体 / ～ 개발 地域開発 / ～ 냉난방 地域冷暖房.

지역 사회【地域社會】〈名〉地域社会.

지연【地緣】〈名〉地縁.

지연【遲延】〈名〉遅延. **～하다**〈自他〉遅延する. 引き延ばす. 句例 지급이 ～되다 支払いが遅延される. 語例 ～ 작전 遅延〔引き延ばし〕作戦.

지열【地熱】〈名〉〔地〕地熱・ちねつ. 語例 ～ 발전 地熱発電.

지엽【枝葉】〈名〉枝葉・えだは. 文例 그것은 ～적인 문제다 それは枝葉の問題だ. 語例 ～말절 枝葉末節.

지옥【地獄】〈名〉地獄. 奈落. 句例 ～에 떨어지다 地獄に落ちる. 語例 교통 ～ 交通地獄 / 생～ 生き地獄 / 입시 ～ 入試地獄. ㊥극락(極樂).

***지우개**〈名〉❶黒板ふき. ❷'고무지우개'の略: 消しゴム. 句例 ～로 지우다 消しゴムで消す.

지우다[1]〈他〉❶(なかったものを)あらしめる. なす. 句例 그늘을 ～ 影を投じる〔つくる〕. ❷(特徴などを)つける. 語例 인상～ 印象づける.

지우다[2]〈他〉❶絶つ. 引き離す. 句例 숨을 ～ 息を絶つ / 아이를 ～ (胎児を)流す. ❷落とす. こぼす. 句例 눈물을 ～ 涙をこぼす. ❸(多くの量の中から)取り移す. [illegible] 句例 밥을 지우고 말아 먹다 ご飯をさじですくって汁の中にほぐして食べる.

지우다[3]〈他〉消す. 落とす. 無くす. 流す. 句例 글씨를 ～ 字を消す / 명부에서 ～ 名簿から消す / 때를 ～ あか(垢)を流す〔取る〕/ 기억을 ～ 記憶を消し去る / 웃음을 ～ 笑いを失う.

지우다[4]〈他〉'지다[3]'の使役形: 負かす. 勝つ.

지우다[5]〈他〉'지다[4]'の使役形: 負わせる. 背負わせる. 句例 짐〔책임〕을 ～ 荷〔責任〕を負わせる / 빚을 ～ 借金を負わせる.

지-우산【紙雨傘】〈名〉唐傘. 番傘. 句例 ～을 받다 唐傘を差す.

지원【支援】〈名・하他〉支援. 句例 ～을 받다 支援を受ける / ～을 요청하다 支援を求める. 語例 ～ 단체 支援団体 / ～자 支援者.

지원【志願】〈名・하他〉志願. 句例 법과를 ～하다 法科を志願する. 語例 ～병 志願兵 / ～자 志願者.

***지위**【地位】〈名〉地位. 句例 ～가 오르다 地位があがる / ～를 다투다 地位をあらそう / 여성의 ～ 향상을 꾀하다 女性の地位向上をはかる / 높은 ～ 高い地位. ㊝자리.

지육【脂肉】〈名〉脂肉. 脂身.

지육【智育】〈名〉知育.

***지은-이** [chiŭni]〈名〉著者. 作者. 著作者.

지인【知人】〈名〉知人. 知り合い. 句例 ～을 믿고 상경하다 知人を頼って上京する. 語例 ～ 관계 知人関係.

지-자기【地磁氣】〈名〉⇨ 지구 자기

지장【支障】〈名〉支障. (差し)障り. 差し支え. 句例 ～이 있다〔없다〕差し支えがある〔ない〕/ ～이 생기다 差し支えが生じる / ～이 있어서 못 가다 障りがあって行けない / ～ 없도록 하다 支障のないようにする / ～을 초래하다 支障をきたす.

지장【指章】〈名〉指印. つめ印. 拇印. 句例 ～을 찍다 拇印を押す.

지장【智將】〈名〉知将.

지장-보살【地藏菩薩】〈名〉〔佛〕地蔵菩薩. 地蔵《略語》.

지저귀다〈自〉さえず(囀)る. (鳥が)鳴く.

지저-깨비〈名〉こけら(杮). 木っ端. 切れ端. 木くず(屑).

***지저분-하다**(→하다)〈形〉❶汚らわしい. むさくるしい. むさい《俗》. 汚されている. 句例 지저분한 얘기 下品な話. ❷雑然と〔ごちゃごちゃ〕している. 取り散らされている. 句例 지저분한 거리 雑然とした通り. 語例 지저분하게 雑然と. 汚らしく.

지적【地籍】〈名〉地籍. 語例 ～ 대장 地籍台帳 / ～도 地籍図.

지적【知的】[chitchŏk]〈名・冠〉知的. 句例 ～인 얼굴 知的な顔立ち / ～인 사람 知的な人. 語例 ～ 수준 知的水準.

지적【指摘】〈名〉指摘. **～하다**〈他〉指摘する. 指す. 句例 결점을 ～하다 欠点を指摘する / ～을 받다 指摘される.

지전【紙錢】〈名〉❶→ 지폐(紙幣). ❷〔民〕紙銭・かみぜに.

지점【支店】〈名〉支店. 句例 ～을 내다 支店を出す. 語例 ～ 근무 支店勤務 / ～장 支店長. ㊥본점(本店).

ス

*지점【地點】〈名〉地点. 語例 반환〔통과〕～ 折り返し〔通過〕地点.
지-점토【紙粘土】〈名〉紙粘土.
지정【地釘】〈名〉〔建〕基礎ぐい.
지정(을) 다지다 基礎ぐいを打ち込む.
지정【指定】〈名・하他〉指定. 句例 날짜와 장소를 ～하다 日と場所を指定する. 語例 ～석 指定席 / ～되다 指定される.
지정-학【地政學】〈名〉地政学.
지조【地租】〈名〉地租.
지조【志操】〈名〉志操. (堅い)操. 句例 학자로서의 ～를 지키다 学者としての操を立てる〔守る〕.
지주【支柱】〈名〉支柱. つっかい棒. 支え柱. 句例 ～를 세우다 支柱を立てる / 당의 이론적 ～ 党の理論的支柱.
지주【地主】〈名〉地主. 語例 ～ 계급 地主階級.
지주【持株】〈名〉持ち株. 語例 ～ 회사 持ち株会社.
지중【地中】〈名〉地中. 地下. 語例 ～선 地下〔地中〕線路. 對지상(地上).
지중-해【地中海】〈名〉〔地〕地中海. 語例 ～성 기후 地中海性気候.
지지〈名〉幼児に汚い物を指していう語: ばば(屎).
지지【支持】〈名・하他〉支持. 句例 의회의 ～를 받다 議会の支持を受ける〔得る〕/ ～를 잃다 支持をうしなう / 폭넓은 ～ 幅広い支持. 語例 ～자 支持者.
지지【地支】〈名〉〔民〕干支を組み合わせるときの下の十二支. 對천간(天干).
지지【地誌】〈名〉地誌. 句例 향토의 ～ 郷土の地誌.
지지고-볶다〈他〉❶煮たりいた(炒)めたりする. ❷(人を)いびる. 痛めつける. ❸(髪を)縮らす. パーマをかける.
지지난-달〈名〉前前月. 先先月.
지지난-밤〈名〉一昨晩. おとといの夜〔晩〕.
지지난-번【一番】〈名〉この前の前. 先般.
지지난-해〈名〉一昨年. 先先年. おととし.
지지다〈他〉❶(水を少し入れて)煮る. 煮詰める. ❷鉄板焼きにする. 句例 달걀을 ～ 卵をい(煎)りつける. ❸焦がす. 焼く. 句例 환부를 ～ 患部を焼く.
지지러-지다〈自〉❶(驚いて身が)すくむ. 縮み上がる. 肝をつぶす. ❷(生物が病気で)よく育たない. いじける.
지지르다 (지지르니, 지질러서)〈他〉❶気勢をそ(殺)ぐ. ❷(重しなどで)押さえつける. 句例 돌로 지질러 놓다 石で押さえて置く.
지지름-돌 [—ttol]〈名〉重し.
지지리〈副〉ひどく. この上もなく. はなはだ. いたって. あきあきするほどに. 文例 ～ 못난 놈 ろくでなし / ～ 고생만 하는구나 えらい苦労ばかりするね.
지지-부진【遲遲不進】〈名〉遅遅として進まないこと.
지지-하다 (→하다)〈形〉❶だらだらと長びくばかりで大したことがない. ❷つまらない. くだらない.
지직-하다 [chijik'ada] (→하다)〈形〉(練り物ものなどが)やや水っぽい. 柔らかめだ.
*지진【地震】〈名〉〔地〕地震. 句例 ～이 일어나다 地震がおこる. 語例 ～계 地震計 / ～ 관측소 地震観測所 / ～대 地震帯 / ～파 地震波.
지진-아【遲進兒】[chijina]〈名〉遅進児. 語例 학업 ～ 学業遅進児.
지질【地質】〈名〉地質. 語例 ～ 시대 地質時代 / ～ 조사 地質調査 / ～학 地質学.
지질【紙質】〈名〉紙質.
지질리다〈自〉'지지르다'の受け身: 押さえつけられる.
지질-하다 (→하다)〈形〉取るに足りない. ばからしい. 句例 인품이 ～ 人柄が取るに足りない.
지짐-이 [chijimi]〈名〉❶少量の汁でからめ(鹹目)に煮付けたおかずの総称. ❷お好み焼き.
지짐-질〈名・하自他〉フライパンに油をひいてからからに焼くこと.
지참【持參】〈名・하他〉持参. 句例 도시락을 ～할 것 弁当持参のこと. 語例 ～금 持参金 / ～인불 어음 持参人払い手形.
지참【遲參】〈名・하自〉遅参. 遅刻.
지척【咫尺】〈名〉咫尺. ごく短い距離. 語例 ～지간 咫尺の間.
지척이 천리라 咫尺千里. 近所に住みながらも長い間付き合わないので遠くに住んでいるようである.
지척-거리다〈他〉˝足を引きずりながら歩く. よろよろ歩く.
지척지척〈副〉よろよろ.
지천-으로【至賤—】[chich'ŏnŭro]〈副〉ありふれて. 句例 돈이 ～ 많다 金が有り余るほどある.
지청【支廳】〈名〉支庁. 對본청(本廳).
지체〈名〉代代伝わる家柄. 句例 ～가 높은 사람 家柄のよい人.
지체【遲滯】〈名〉遅滞. ～하다〈自〉遅滞する. 手間を取る. 語例 ～되다 遅滞する.
지체 없이 遅滞なく. すかさず. 句例 ～ 철수하다 さっさと引き揚げる.
지체 부자유아【肢體不自由兒】〈名〉肢体不自由児. ＝신체(身體) 부자유아.
지축【地軸】〈名〉〔地〕地軸. 句例 ～을 뒤흔드는 굉음 地軸を揺るがす轟音.
*지출【支出】〈名・하他〉支出. 句例 ～을 줄이다 支出を減らす / ～이 많다 支出が多い / ～을 억제하다 支出をおさえる / 막대한 ～ 莫大な支出. 語例 ～액 支出額. 對수입(收入).
*지층【地層】〈名〉〔地〕地層.
*지치다[1] [chi:ch'ida]〈自〉くたびれる. 弱りきる. 疲れ果てる. 句例 기다리다 ～ 待ちわ(侘)びる. 待ちあぐむ. 待ちくたびれる.
지치다[2] [chi:ch'ida]〈他〉滑る. 語例 얼음지치기 氷滑り.
지치다[3] [chi:ch'ida]〈他〉(かんぬきを差さないで)門を閉める.
지침【指針】〈名〉指針. 句例 ～을 보이다 指針

を示す. 語例 복무 ～ 服務指針 / 행동 ～ 行動の指針.

지침-서【指針書】〈名〉手引き. 語例 학습 ～ 学習の手引き.

지칭【指稱】〈名・하他〉指称.

지켜-보다〈他〉見守る. 見届ける. 句例 최후를〔임종을〕～ 最期を見届ける / 사태의 진전을 ～ なりゆきを見守る.

****지키다**〈他〉守る. 句例 성을 굳게 ～ 城を堅く守る / 나라를 ～ 国を守る / 짐을 ～ 荷物を見張る / 순결을 ～ 純潔を守る / 지조〔절개〕를 ～ 操〔節〕を守る / 비밀을 ～ 秘密を守る / 아버지의 유훈을 ～ 父の遺訓を守る / 약속을 ～ 約束を守る. 語例 지켜지다 守られる.

지키는 사람 열이 도둑 하나를 못 당한다 番人十人が一人の泥棒にかなわない. いくら気をつけてもひそかに迫る災いは避け難いとの意.

지탄【指彈】〈名・하他〉❶指先をはじ(弾)くこと. ❷指弾. 非難. そしり. つまはじ(爪弾)き. 句例 세상의 ～을 받다 世の指弾を受ける.

지탱-하다【支撐―】(→하다)〈自他〉(長い間)支える. もちこたえる. 句例 한 집안의 살림을 ～ 一家の暮らしを支える / 버팀목이 지탱하고 있는 기둥 突っ張りに支えられている柱. 文例 많은 비에 둑이 지탱하지 못하고 무너졌다 大雨で堤防が支えきれずに崩れた / 이것으로 1주일은 무난히 지탱하겠지 これで一週間は難なくもちこたえるだろう.

***지팡이**〈名〉つえ(杖). 句例 ～를 짚다 つえをつく / ～에 의지하다 つえにすがる.

지퍼〈名〉ジッパー. ファスナー. チャック. ◇ zipper

지평-면【地平面】〈名〉〔地〕地平面.

지평-선【地平線】〈名〉地平線. 地平. 句例 ～ 위로 태양이 떠오르다 地平線の上に太陽が昇る.

지폐【紙幣】〈名〉〔經〕紙幣. 札. 句例 만원짜리 ～ 한 장 一万ウォン札一枚. 語例 소액 ～ 少額紙幣 / ～ 뭉치 札束 / 위조 ～ 偽造紙幣.

***지표**【地表】〈名〉地表. 語例 ～면 地表面.

지표【指標】〈名〉指標. 句例 ～를 정하다 指標を定める / ～로 삼다 指標とする. 語例 ～ 식물 指標植物 / 경기 ～ 景気指標 / ～ 식물 地標植物.

지표-수【地表水】〈名〉地表水. 對지하수.

지푸라기〈名〉わらくず(藁屑). 文例 물에 빠지면 ～라도 움켜 쥔다(→'물¹'の小項目).

지프 [chi:p'ŭ]〈名〉ジープ. ＝지프차. ◇jeep

지피다¹〈自〉〈民〉(神が)乗り移る. 神懸かりになる.

지피다²〈他〉(火を)くべる. たきつける. 句例 타다 남은 장작을 ～ 燃えさしのまきをくべる.

지피-지기【知彼知己】〈名〉彼を知り己を知ること.

지-필-묵【紙筆墨】〈名〉紙と筆と墨.

***지하**【地下】〈名〉地下. 句例 ～에 잠들다 地下にねむる / ～ 2층 地下二階. 語例 ～ 공작 地下工作 / ～도 地下道 / ～ 상가 地下の商店街. 地下街 / ～ 운동 地下運動. 地下活動 / ～ 조직 地下組織 / ～ 자원 地下資源.

지하-수【地下水】〈名〉地下水. 對지표수.

***지하-실**【地下室】〈名〉地下室.

지하-철【地下鐵】〈名〉['지하 철도 地下鉄道'の略] 地下鉄. 句例 ～을 타다 地下鉄に乗る / ～로 가다 地下鉄で行く.

지하-층【地下層】〈名〉地階.

지학【地學】〈名〉地学.

지향【志向】〈名・하自他〉志向. 句例 통일을 ～하다 統一を志向する. 語例 ～성 志向性 / 미래 ～ 未来志向.

지향【指向】〈名・하自他〉指向. 句例 물가 안정을 ～하는 경제 정책 物価安定を指向する経済政策. 語例 ～성 안테나 指向性アンテナ.

지향-없다【指向―】[―ŏpta]〈形〉定めがない. 当てど(も)ない. **지향없이** [―ŏpshi]〈副〉定めなく. 当てどなく. 句例 지향없이 헤매다 当てどなくさまよう.

지혈【止血】〈名・하自他〉止血. 血止め. 語例 ～제 止血剤 / ～되다 止血される.

지협【地峽】〈名〉〔地〕地峡. 語例 파나마 ～ パナマ地峡.

***지형**【地形】〈名〉地形. 語例 ～도 地形図.

***지혜**【智慧・知慧】〈名〉知恵. 句例 ～를 모으다〔빌리다〕知恵を合わせる〔借りる〕/ ～를 짜내다 知恵を絞り出す / ～가 없다 知恵が無い / ～로 해결해 나가다 知恵でもって解決していく. **～롭다** (→롭다)〈形〉知恵がある. 賢い. **～로이**〈副〉賢く. 賢明に.

지호지-간【指呼之間】〈名〉指呼の間. 略して'지호간'ともいう. 句例 ～에 바라보다 指呼の間に望む.

지화자〈感〉❶歌舞の調子に乗って唱えるはやしことば(囃子詞). ❷勝負に勝った人をほめたたえて唱えるはやしことば.

***지휘**【指揮】〈名・하他〉指揮. 指図. 句例 삼군을 ～하다 三軍を指揮する / 오케스트라를 ～하다 オーケストラを指揮する. 語例 ～권 指揮権 / ～대 指揮台 / ～소 指揮所. シーピー(CP) / ～법 指揮法 / 진두 ～ 陣頭指揮.

지휘-관【指揮官】〈名〉〔軍〕指揮官.

지휘-봉【指揮棒】〈名〉指揮棒. タクト. 句例 ～을 흔들다 タクトを振る.

지휘-자【指揮者】〈名〉指揮者. コンダクター. 語例 오케스트라 ～ オーケストラの指揮者.

직【職】〈名〉職. 句例 어떤 ～에 앉히다 ある職に就かせる. 語例 사무～ 事務職 / 과장～ 課長の職.

직 [chi:k]〈副〉❶線や字画を一気に引くさま: さっと. すうっと. ❷紙などを一気に引き裂くさま〔音〕: びりびり. ❸人や鳥が小便・糞をひっかけるさま: ちっ. びちゃっと.

직 〔漢字項目〕

【直】中學 직 チョク. ジキ. ❶곧다 まっすぐ. ▮直線 직선 ちょくせん. 直徑 직경 ちょっけい. 直球 직구 ちょっきゅう. ▮垂直 수직 すいちょく. ❷마음이 바르다 心が正しい. ▮直情 직정 ちょくじょう. ▮正直 정직 しょうじ

き. ❸직접 直接. ◧直賣 직매 ちょくばい. 直通 직통 ちょくつう. ❹당번 当番. ◧日直 일직 にっちょく. 宿直 숙직 しゅくちょく.

【織】 高校 직 ショク. シキ. ❶짜다 織る. ◧織機 직기 しょっき. 織布 직포 しょくふ. ◧紡織 방직 ぼうしょく. 染織 염직 せんしょく. ❷조립하다 組み立てる. ◧組織 조직 そしき.

【職】 高校 직 ショク. ❶일 仕事. ◧職業 직업 しょくぎょう. 職場 직장 しょくば. ◧就職 취직 しゅうしょく. 退職 퇴직 たいしょく. ❷직무상의 지위 職務上の地位. ◧職權 직권 しょっけん. ◧要職 요직 ようしょく. 官職 관직 かんしょく.

***직각** 【直角】〈名〉〔數〕直角. 句例 ~을 이루다 直角をなす. 語例 ~ 좌표 直角座標.

직각 삼각형 【直角三角形】[—samgak'yŏng]〈名〉〔數〕直角三角形.

직간 【直諫】〈名・하他〉直諫. 句例 사장에게 ~하다 社長に直諫する.

직감 【直感】〈名・하他〉直感. 句例 ~이 들어맞다 直感が当たる. 語例 ~력 直感力.

직-거래 【直去來】〈名・하自他〉直取り引き.

직격-탄 【直擊彈】〈名〉直撃弾. 句例 ~을 맞다 直撃弾に当たる.

직결 【直結】〈名・하他〉直結. 句例 국민 생활에 ~된 정책 国民生活に直結する政策.

직경 【直徑】〈名〉〔數〕⇨ 지름. ㊥반경(半徑).

직계 【直系】〈名〉直系. 語例 ~ 가족 直系家族 / ~ 비속〔존속〕直系卑属〔尊属〕/ ~ 제자 直系の弟子. ㊥방계(傍系).

직공 【職工】〈名〉職工. =공원(工員).

직관 【直觀】〈名・하他〉直観. 語例 ~력 直観力.

직교 【直交】〈名・하自〉〔數〕直交. 句例 두 직선이 ~하다 二つの直線が直交する.

직교 좌표 【直交座標】[—jwa:p'yo]〈名〉〔數〕直交座標. =직각 좌표.

직구 【直球】〈名〉〔野〕直球. ストレート. 句例 ~를 던지다 直球を投げる. ㊥변화구(變化球).

직권 【職權】〈名〉職権. 句例 ~을 행사하다 職権を行使する / 의장의 ~으로 퇴장을 명하다 議長の職権により退場を命じる. 語例 ~ 남용 職権乱用.

직급 【職級】〈名〉職級.

직기 【織機】〈名〉織機. 機.

직녀-성 【織女星】[chingnyŏ—]〈名〉〔天〕織女(星). 機織り姫. たなばた(ひめ). ベガ. 略して'직녀'ともいう. →견우 직녀

직능 【職能】[chingnŭng]〈名〉職能. 語例 ~ 대표제 職能代表制.

직답 【直答】〈名・하自他〉直答. 即答. 句例 ~을 피하다 直答〔即答〕を避ける.

***직렬** 【直列】[chingnyŏl]〈名〉〔物〕直列. 語例 ~형 발동기 直列型発動機. ㊥병렬(並列).

직류 【直流】[chingnyu]〈名〉直流. 語例 ~ 전류 直流電流. 直流. ㊥교류(交流).

직립 【直立】[chingnip]〈名・하自〉直立. 句例 ~ 부동의 자세 直立不動の姿勢. 語例 ~ 원인 直立猿人. ピテカントロプス エレクトゥス.

직매 【直賣】[chingmae]〈名・하他〉直売. 語例 산지 ~ 産地直売.

직매-점 【直賣店】[chingmae—]〈名〉直売店.

직면 【直面】[chingmyŏn]〈名・하自〉直面. 句例 난국에 ~하다 難局に直面する.

직명 【職名】[chingmyŏng]〈名〉職名.

직무 【職務】[chingmu]〈名〉職務. 句例 ~를 충실히 수행하다 職務を充実に遂行する. 語例 ~ 권한 職務権限 / ~ 태만 職務怠慢 / ~ 유기 職務遺棄.

직물 【織物】[chingmul]〈名〉織物. 句例 ~을 짜다 織物を織る.

직박구리 〈名〉〔鳥〕ひよどり(鵯).

직방 【直放】〈名〉効き目が直ちに現れること. 文例 이 약을 먹으면 ~으로 낫는다 この薬を飲めばすぐ治る.

직배 【直配】〈名〉直配. 直接配達〔配給〕.

직분 【職分】〈名〉職分. 役目. 分. 句例 ~을 다하다 分を尽くす. 役目を果たす.

직사 【直射】〈名・하自他〉直射. 語例 ~ 광선 直射光線 / ~포 直射砲.

***직-사각형** 【直四角形】[—sagak'yŏng]〈名〉〔數〕長方形. 矩形.

***직선** 【直線】〈名〉直線. 句例 ~을 긋다 直線を引く. 語例 ~ 거리 直線距離 / ~ 운동 直線運動. ㊥곡선(曲線).

직선 【直選】〈名・하他〉'직접 선거(直接選擧)'の略. ㊥간선(間選).

직설-법 【直說法】[—ppŏp]〈名〉〔言〕直説法.

직성 【直星】〈名〉年によってその人の運命をつかさどる九つの星.

직성(이) 풀리다 (望みがかなって)満足する. 気がすむ.

직소 【直訴】〈名・하他〉直訴.

직속 【直屬】〈名・하自〉直属. 句例 ~ 기관을 설치하다 直属の機関を設ける. 語例 ~ 상사 直属の上役.

직송 【直送】〈名・하他〉直送. 語例 산지 ~ 産地直送.

직-수입 【直輸入】〈名・하他〉直輸入.

직-수출 【直輸出】〈名・하他〉直輸出.

직시 【直視】〈名・하他〉直視. 句例 현실을 ~하다 現実を直視する.

직언 【直言】[chigŏn]〈名・하他〉直言. 句例 사장에게 ~하다 社長に直言する.

***직업** 【職業】[chigŏp]〈名〉職業. 生業. 職. 句例 ~을 구하다 職を求める / ~을 바꾸다 職業を変える. 語例 ~ 군인 職業軍人 / ~ 선수 職業選手. プロの選手 / ~ 여성 職業女性〔婦人〕/ ~ 의식 職業意識 / ~ 소개소 職業紹介所.

직업-병 【職業病】[chigŏp—]〈名〉職業病.

직영 【直營】[chigyŏng]〈名・하他〉直営. 句例 회사 ~의 식당 会社直営の食堂.

직원 【職員】[chigwon]〈名〉職員. 句例 ~을 두다 職員を置く. 語例 ~실 職員室 / 임시 ~ 臨時職員 / 사무 ~ 事務職員.

직위 【職位】[chigwi]〈名〉職位.

직유-법 【直喩法】[chigyuppŏp]〈名〉〔言〕直喩

法. '이를테면' '마치…'などが使われる. ㉥은유법(隱喩法).

***직-육면체** 【直六面體】 [chingnyungmyŏnch'e] 〈名〉〔數〕直六面体. 直方体.

직인【職印】[chigin]〈名〉職印. 役印. 句例 ~을 찍다 役印を押す.

직장【直腸】〈名〉〔生〕直腸. 語例 ~암 直腸癌.

***직장**【職場】〈名〉職場. 勤め口. 勤め先. 句例 ~에 나가다 勤め〔会社〕に出かける / 좋은 ~을 찾다 いい職場を探す.

직전【直前】〈名〉直前. 句例 골 ~에서 앞지르다 ゴール直前で追い抜く. 文例 전보를 치기 ~에 그가 왔다 電報を打つ直前に彼が来た. 語例 해방 ~ 解放直前 / 출발 ~ 出発直前. ㉥직후(直後).

***직접**【直接】■〈名〉直接. 句例 사고의 ~ 원인 事故の直接原因 / ~ 간접으로 신세를 지다 直接間接に世話になる. 語例 ~ 거래 直取引. 直接取引 / ~비 直接費 / ~ 조명 直接照明 / ~ 행동 直接行動.
■〈副〉直接(に). じきじき(直直). じか(直)に. 句例 ~ 듣다 直接聞く / 본인에게 ~ 전하다 本人にじかに伝える. 文例 내 자신이 ~ 가기로 했다 僕自身が直接行くことにした.

직접 선거【直接選擧】[—sŏ:n-gŏ]〈名〉直接選挙. 略して'직선'ともいう.

직접-세【直接稅】〈名〉〔法〕直接税. 略して'직세'ともいう.

직접-적【直接的】〈名・冠〉直接的. 句例 ~인 영향 直接的な影響. ㉥간접적.

직제【職制】〈名〉職制. 句例 ~를 고치다 職制を改める.

직조【織造】〈名・하他〉製織. 語例 ~ 공장 織物工場 / ~ 기계 製織機械.

직종【職種】〈名〉職種. 句例 ~이 바뀌다 職種が変わる.

직직 [chi:kchik]〈副・하他〉❶履き物を引きずる音〔さま〕: ずるずる. ❷線や字画を無造作に引くさま: さっさっと. 句例 ~ 그어 버리다 さっさっと線を入れる. ❸紙などを引き裂く音: びりびり.

직진【直進】〈名・하自〉直進. 文例 빛은 ~한다 光は直進する.

직책【職責】〈名〉職責. 句例 ~을 다하다 職責を果たす. 語例 ~ 수당 職務手当て.

직첩【職牒】〈名〉〔史〕任官の辞令.

직통【直通】〈名・하自〉❶直通. 語例 ~ 전화 直通電話. ❷(薬などが)すぐ効くこと. =직방(直放). 句例 약이 ~으로 듣다 薬がすぐ効く.

직파【直播】〈名・하他〉〔農〕直播. じきまき. じかまき. 句例 볍씨를 ~하다 もみ(籾)をじきまきする.

직판【直販】〈名・하他〉直接販売. 直販.

직하【直下】[chik'a]〈名・하自〉直下. 語例 적도 ~ 赤道直下 / 급전 ~ 急転直下.

직할【直轄】[chik'al]〈名・하他〉直轄. 句例 …의 ~로 옮기다 …の直轄に移す.

직할-시【直轄市】[chik'al—]〈名〉'광역시 広域市'の古い言いかた.

직함【職銜】[chik'am]〈名〉肩書き. 句例 명함에 ~을 열기하다 名刺に肩書きを並べる.

직항【直航】[chik'ang]〈名・하自〉直航. 語例 ~로 直航路 / ~선 直航船 / ~편 直航便.

직행【直行】[chik'aeng]〈名・하自〉直行. 句例 현장으로 ~하다 現場に直行する. 語例 ~ 열차〔버스〕直行列車〔バス〕.

직후【直後】[chik'u]〈名〉直後. すぐあと. 句例 서울에 도착한 ~에 ソウルに到着した直後に. 語例 독립 ~ 独立直後 / 조반 ~ 朝飯の直後. ㉥직전(直前).

진【津】[chi:n]〈名〉❶やに(脂). 句例 ~이 많다 やにっこい / 토란의 ~ 里芋のぬら. 語例 송~ 松やに. ❷タバコのニコチン.

진(이) 나다 (しつこくねだられて)へとへとになる. うんざりする.

진【陣】〈名〉陣. 句例 배수의 ~ 背水の陣. 語例 보도~ 報道陣.

진(을) 치다 陣〔陣営〕を張る. 陣取る.

진 [chi:n]〈名〉ジーンズ. =진스. 語例 블루 ~ ブルージーンズ. ◇jean

진 〔漢字項目〕

【振】 高校 진 シン. ❶흔들다 振る. ◧振動 진동 しんどう. 振幅 진폭 しんぷく. ❷떨쳐 일으키다 振るう. ◧振興 진흥 しんこう. ◨不振 부진 ふしん. ❸(야구에서) 배트를 휘두르다 (野球で)バットを振る. ◨三振 삼진 さんしん.

【珍】 高校 진 チン. ❶진귀하다 珍しい. ◧珍客 진객 ちんきゃく. 珍貴 진귀 ちんき. 珍重 진중 ちんちょう. ❷맛있는 음식 おいしい食べ物. ◧珍味 진미 ちんみ. ❸뜻밖의 일 意外の事件. ◧珍事 진사 ちんじ.

【盡(尽)】 中學 진 ジン. ❶다하다 尽くす. ◧盡力 진력 じんりょく. 盡忠報國 진충보국 じんちゅうほうこく. ◨無盡藏 무진장 むじんぞう. ❷전부 みんな. ◨一網打盡 일망타진 いちもうだじん.

【眞(真)】 中學 진 シン. ❶참다움 まこと. ◧眞意 진의 しんい. 眞實 진실 しんじつ. ◨純眞 순진 じゅんしん. ❷있는 그대로 ありのまま. ◨寫眞 사진 しゃしん. 迫眞 박진 はくしん. ❸서체의 하나 書体の一つ. ◧眞書 진서 しんしょ.

【辰】 中學 진 シン. 신 シン. ■〔진〕십이지(12支)의 다섯 번째 十二支の五番目. ◨戊辰 무진 ぼしん.
■〔신〕❶해・달・별의 총칭 日・月・星の総称. ◨星辰 성신 せいしん. ❷때 時. ◨生辰 생신 せいしん.

【進(進)】 中學 진 シン. ❶앞으로 나아가다 前に進む. ◧進行 진행 しんこう. 進軍 진군 しんぐん. 進出 진출 しんしゅつ. ❷계급이 오르다 階級が上がる. ◧進級 진급 しんきゅう. ◨榮進 영진 えいしん. 昇進 승진 しょうしん. ❸올리다 上げる. ◧進言 진언 しんげん. 進呈 진정 しんてい.

【鎭(鎮)】 高校 진 チン. ❶누르다 鎮める. ◧鎭壓 진압 ちんあつ. 鎭火

진화 ちんか. ❷가라앉다 鎮まる. ▮鎮痛 진통 ちんつう. 鎮静 진정 ちんせい. ❸누르는 물건 おさえるもの. ▮文鎮 문진 ぶんちん.

【陣】高校 진 ジン. ❶전투를 위해 병력을 배치한 곳 戦いのために兵力を配置した所. ▮陣地 진지 じんち. 陣頭 진두 じんとう. ▮圓陣 원진 えんじん. 報道陣 보도진 ほうどうじん. ❷한바탕 밀려오는 것 ひとしきり押し寄せること. ▮陣痛 진통 じんつう. ▮一陣狂風 일진광풍 いちじんきょうふう.

【陳】高校 진 チン. ❶늘어놓다 並べる. ▮陳列 진열 ちんれつ. ❷진술하다 陳述する. ▮陳情 진정 ちんじょう. ❸오래 되다 古臭くなる. ▮陳腐 진부 ちんぷ. ❹나라 이름 国の名.

진가【眞價】[chinkka]〈名〉真価. 句例 ~를 발휘하다 真価を発揮する.

진-간장【一醬】〈名〉❶長期間寝かせて濃くした醬油. ❷'工場づくりの醬油'の俗称. 對집간장.

진갑【進甲】[chiːn-gap]〈名〉還暦の翌年の誕生日.

진-걸레〈名〉ぬれ雑巾.

진격【進擊】[chiːn-gyŏk]〈名・하自〉進撃. 句例 파죽지세로 ~하다 破竹の勢いで進撃する. 語例 ~ 나팔 進撃ラッパ / ~ 명령 進撃命令.

진공【眞空】〈名〉〔物〕真空. 語例 ~관 真空管 / ~ 상태 真空状態 / ~ 청소기 真空掃除機 / ~ 포장 真空パック.

진공【進攻】[chiːn-gong]〈名・하自〉⇨ 진격(進擊)

진-구렁〈名〉ぬかるみ. 泥沼. 句例 ~에 빠지다 泥沼にはまる.

진-국【眞一】〈名〉❶まじめな人. ❷⇨ 전(全)국

진군【進軍】[chiːn-gun]〈名・하自〉進軍. 語例 ~ 명령 進軍命令.

진귀-하다【珍貴一】(→하다)〈形〉珍貴だ. 句例 진귀한 물건 珍貴な品.

진급【進級】[chiːn-gŭp]〈名・하自他〉進級. 句例 ~이 빠르다 進級が早い. 語例 ~ 시험 進級試験.

진기 명기【珍技名技】〈名〉珍技名技. 珍芸と名演.

진기-하다【珍奇一】(→하다)〈形〉珍奇だ. 句例 진기한 사건 珍奇な事件 / 진기한 것을 좋아하다 珍奇なものを好む.

진-날〈名〉じめじめした日. 雨や雪の降る日. 對마른날.

진노【震怒】[chiːnno]〈名・하自〉震怒. 句例 ~를 사다 逆鱗に触れる. 怒りを買う. 表現 神や貴人の怒りをいう.

진-노랑【津一】〈名〉濃い黄色.

진눈-깨비〈名〉みぞれ. 句例 ~가 오다〔내리다〕みぞれが降る.

진단【診斷】〈名・하他〉診断. 句例 ~을 받다 診断を受ける / ~을 내리다 診断をくだす. 語例 ~서 診断書 / 기업 ~ 企業診断 / 건강 ~ 健康診断.

진단【震檀】[chiːndan]〈名〉韓国の別称.

**진달래〈名〉〔植〕つつじ(躑躅). 語例 ~꽃 つつじの花.

진담【眞談】〈名〉本当の話. 文例 농담이 ~ 된다 冗談が本当の話になる / ~으로 하는 소리냐 本気で言っているのか.

진도【進度】[chiːndo]〈名〉進度. 句例 ~가 더디다 進度がおそい. 語例 학습 ~ 学習の進度.

진도【震度】[chiːndo]〈名〉〔地〕震度. 句例 ~ 5의 지진 震度5の地震.

진돗-개【珍島一】〈名〉〔動〕珍島犬. 參考 全羅南道珍島が原種の保有地で韓国特産の犬. 天然記念物に指定されている.

진동〈名〉チョゴリのそで付けの幅.

진동【振動】[chiːndong]〈名・하自〉振動. 句例 유리창이 ~하다 窓ガラスが振動する / ~이 심하다 振動が激しい. 語例 ~수 振動数.

진동【震動】[chiːndong]〈名〉震動. **~하다**〈自他〉震動する. 震える. 句例 지진으로 대지가 ~하다 地震で大地が震動する.

진두【陣頭】〈名〉陣頭. 句例 ~에 서다 陣頭に立つ. 語例 ~ 지휘 陣頭指揮.

진드기〈名〉〔動〕だに(壁蝨). 略して'진디'ともいう.

진득-거리다〈自〉❶ねばねばする. べとべとする. 句例 떡이 ~ もちがべとべとする. ❷強靭でなかなか断ち切れない.

진득진득〈副・하形〉粘っこいさま: ねばねば. べとべと.

진득-이 [chindŭgi]〈副〉落ち着いて. じっと. 句例 아픔을 ~ 참다 痛みをじっとこらえる.

진득-하다 [chindŭk'ada] (→하다)〈形〉落ち着いて我慢強い.

진디〈名〉〔蟲〕❶⇨ 진딧물. ❷'진드기'の略.

진딧-물 [chindinmul]〈名〉〔蟲〕油虫. ありまき.

진딧물(이) 내리다 (野菜などに)油虫がつく.

진-땀【津一】[chiːn—]〈名〉(苦しいときに出る)脂汗.

진땀(이) 나다 脂汗が出る. 冷や汗をかく.

진땀(을) 빼다 脂汗を流す.

진력【盡力】[chiːllyŏk]〈名・하自〉尽力. 句例 공익을 위해 ~하다 公益のために尽力する.

진로【進路】[chiːllo]〈名〉進路. 句例 졸업 후의 ~ 卒業後の進路 / 태풍의 ~ 台風の進路.

*진료【診療】[chillyo]〈名・하他〉診療. 句例 ~를 받다 診療を受ける. 語例 조기 ~ 早期診療 / ~소 診療所.

진루【進壘】[chiːllu]〈名・하自〉〔野〕進塁.

진리【眞理】[chilli]〈名〉真理. 句例 ~를 탐구하다 真理を探究する / 영원한 ~ 永遠の真理.

진맥【診脈】〈名・하他〉〔韓醫〕診脈. 検脈.

진-면목【眞面目】〈名〉真面目. 真価. 句例 ~을 발휘하다 真価を発揮する.

진물 [chiːnmul]〈名〉傷口からしみでる粘液.

진미【珍味】〈名〉珍味. 語例 산해 ~ 山海の珍味.

진미【眞味】〈名〉真味. 句例 ~를 알다 真味を

悟る.

진배-없다 [—ŏpta]〈形〉異なるところがない. …(も)同然だ. 劣らない. 句例 거저나 진배없는 가격 ただ(も)同然の値段. **진배없이** [—ŏpshi]〈副〉…(も)同然に. 異なるところなく.

진-버짐〈名〉〔韓醫〕湿癬.

진범【眞犯】〈名〉'진범인(眞犯人)'の略.

진-범인【眞犯人】[—bŏmin]〈名〉真犯人. 略して'진범'ともいう.

진보【進步】[chi:nbo]〈名・하自〉進歩. 句例 장족의 ~를 하다 長足の進歩をとげる / 과학이 ~하다 科学が進歩する.

진-보라【津—】〈名〉濃い紫.

진보-적【進步的】[chi:nbo—]〈名・冠〉進歩的. 句例 ~인 의견 進歩的な意見.

진부-하다【陳腐—】(→하다)〈形〉陳腐だ. 古臭い. 句例 진부한 표현 陳腐な表現.

***진-분수**【眞分數】[—bunssu]〈名〉〔數〕真分数. 對가분수(假分數).

진-분홍【津粉紅】〈名〉濃い桃色.

진사【進士】[chi:nsa]〈名〉〔史〕進士. 參考 科挙の小科に合格した人.

진상【眞相】〈名〉真相. 句例 사건의 ~ 事件の真相 / ~을 폭로하다 真相をあばく. 語例 ~ 조사 위원회 真相調査委員会.

진상【進上】[chi:nsang]〈名〉進上. 献呈. **~하다**〈他〉進上する. 進じる. 献じる. 語例 ~품 献上品.

진-선-미【眞善美】〈名〉真善美.

진설【陳設】[chi:nsŏl]〈名・하他〉祝宴・祭祀のときに食物をお膳に並べること.

진성【眞性】〈名〉真性. 文例 인간의 ~은 선이다 人間の真性は善である. 語例 ~ 콜레라〔뇌염〕真性コレラ〔脳炎〕.

진솔 [chi:nsol]〈名〉一度も洗ったことのない新しい衣服. 語例 ~옷 春秋に着るからむし(苧)の衣服.

진수【眞髓】〈名〉神髄〔真髄〕. エッセンス. 句例 예도의 ~를 맛보다 芸道の神髄を味わう.

진수【進水】[chi:nsu]〈名・하他〉進水. 語例 ~식 進水式.

진수-성찬【珍羞盛饌】〈名〉ごちそう. 豪華な食事.

진술【陳述】[chi:nsul]〈名・하他〉陳述. 句例 의견을 ~하다 意見を陳述する. 語例 ~서 陳述書.

진실【眞實】〈名〉真実. 本当. まこと. **~하다**〈形〉真実だ. まめだ. 句例 ~을 말하다 本当を述べる / ~을 구명하다 真実を究明する / ~을 고백하다 真実を告白する. 語例 ~성 真実性. **~히**〈副〉真実に. まことに.

***진실-로**【眞實—】〈副〉真実に. 本当に. まことに. 真に. 文例 ~ 사랑해 주는 사람과 결혼하고 싶다 本当に愛してくれる人と結婚したい.

진심【眞心】〈名〉真心. 赤心. 本気. 句例 ~을 피력하다 赤心を披瀝する. 文例 ~으로 축하한다 心から祝う / ~으로 그런 소릴 하는 건가 本気でそんなことを言うのか.

진압【鎭壓】[chi:nap]〈名・하他〉鎮圧. 句例 폭동을 ~하다 暴動を抑える〔鎮圧する〕. 語例 내란 ~ 内乱の鎮圧.

진앙【震央】[chi:nang]〈名〉〔地〕震央.

진액【津液】[chi:naek]〈名〉〔生〕体液.

진양-조【—調】[chinyangtcho]〈名〉〔樂〕パンソリや 산조(散調)の調子の一つ. 二十四拍子一長短の最も遅い調子. 六拍子ずつ四つに分けられるほか, 十二拍子ずつ二つに分けられることもできる.

진언【進言】[chi:nŏn]〈名・하自他〉進言. 句例 개혁안을 ~하다 改革案を進言する.

진열【陳列】[chi:nyŏl]〈名・하他〉陳列. 句例 보석을 ~하다 宝石を陳列する. 語例 ~대 陳列台 / ~실 陳列室. ショールーム / ~장 ショーケース / ~창 陳列窓. ショーウィンドー. 飾り窓.

진영【眞影】[chinyŏng]〈名〉真影.

진영【陣營】[chinyŏng]〈名〉陣営. 語例 자유 ~ 自由陣営.

진-외가【陳外家】[chinoega]〈名〉父方の祖母の実家.
參考 母方の祖母の実家は'외외가(外外家)'という.

진용【陣容】[chinyong]〈名〉陣容. 句例 ~을 재정비하다 陣容を立て直す.

진원【震源】[chi:nwon]〈名〉〔地〕震源. 語例 ~지 震源地.

진위【眞僞】[chinwi]〈名〉真偽. 句例 ~를 규명하다 真偽をただす.

진의【眞意】[chinŭi]〈名〉真意. 句例 ~를 알고 싶다 真意を知りたい / ~를 파악할 수 없다 真意をつかみかねる.

진-일 [chinnil]〈名・하自〉(洗濯・炊事などの)水仕事. 對마른일.

진입【進入】[chi:nip]〈名・하自〉進入. 語例 고속 도로 ~로 高速道路の進入路 / ~등 進入灯.

진자【振子】[chi:nja]〈名〉〔物〕振り子. 振子. 語例 ~ 시계 振り子時計 / 보정 ~ 補正振り子.

진-자리〈名〉❶お産の場所. ❷幼児の大小便でよごれて湿っぽい寝床. ❸人の死んだ場所. ❹その場. ＝당장.

진작【振作】[chi:njak]〈名・하自他〉振作. 語例 사기 ~ 士気振作.

진작 [chi:njak]〈副〉すでに. と(疾)うに. とっくに. 以前に. 少し早く. 文例 ~ 갔어야 했는데 とっくに行くべきだったのに / ~ 왔으면 만났지 もう少し早ければ会えたのに.

진저리〈名〉❶胴震い. (放尿後の)身震い. ❷こりごりの身震い.

진저리(가) 나다 ❶からだがぶるっと震える. 身震いがする. ❷こりごりする. うんざりする.

진저리(를) 치다 うんざりして身震いをする. ぞっとする.

진전【進展】[chi:njŏn]〈名・하自〉進展. 句例 교섭이 ~을 보이다 話し合いが進展を見せる / 문화의 ~에 기여하다 文化の進展に寄与する. 文例 이 문제는 어떻게 ~될까 この問題はどう進展するだろうか.

진절-머리〈名〉うんざり. ひどい身震い. 文例

ス

말이 길어서 ～가 난다 話が長いのでうんざりする.

진정【眞正】㊀〈名・하形〉真正. 句例 ～한 민주주의 真正なる民主主義 / ～한 사랑 真の愛.
㊁〈副〉本当に. 文例 ～ 난 몰랐다 本当にわたしは知らなかった.

진정【眞情】〈名〉真情. 句例 ～을 토로하다 真情を吐露する. 語例 ～으로 心から.

진정【陳情】[chiːnjŏng]〈名・하自他〉陳情. 句例 ～서를 제출하다 陳情書を出す.

진정【鎭定】[chiːnjŏng]〈名〉鎮定. 鎮め. ～**하다**〈他〉鎮める. 定める. 句例 소란을 ～시키다 騒ぎを鎮める / 소요가 ～되다 騒ぎが鎮定される.

진정【鎭靜】〈名・하自他〉鎮静. 句例 신경을 ～시키다 神経を和らげる / 사태가 ～되도록 힘쓰다 事態の鎮静に尽力する. 語例 ～제〔薬〕鎮静剤.

진정-코【眞正―】〈副〉本当に.

진-종일【盡終日】[chiːn―]〈名・副〉一日中. 句例 ～ 놀고 먹다 一日中遊んでくらす. 表現 多く副詞的に用いられる.

진주【眞珠】〈名〉真珠. パール. 語例 인조 ～ 人造真珠 / ～ 목걸이 真珠の首飾り / ～조개〔貝〕真珠貝. あこやがい(阿古屋貝) / ～ 세공(품) 真珠細工.

진중【珍重】〈名・하他〉珍重.

진중-하다【鎭重―】[chiːnjung―]（→하다）〈形〉(人柄が)重重しく奥床しい.

**진지 [chiːnji]〈名〉'밥'の敬った言いかた：お食事. 文例 ～ 잡수십시오 お食事でございます. お食事の用意ができました / ～ 잡수셨습니까 御飯はお召しあがりになりましたか. 語例 진짓상 (目上の人への)お膳.

진지【陣地】〈名〉〔軍〕陣地. 句例 ～를 구축하다 陣地を築く.

진지-하다【眞摯―】（→하다）〈形〉真摯だ. まじめでひたむきだ. 句例 진지한 태도 真摯な態度 / 진지하게 이야기하다 まじめに話す.

진진-하다【津津―】（→하다）〈形〉津津だ. 絶えずわき出る. 句例 흥미 진진한 문제 興味津津たる問題.

진짜【眞―】㊀〈名〉❶本物. 句例 ～같이 만들다 本物のように作る. 語例 ～ 다이아몬드 本物のダイヤ. ❷本当. 語例 ～ 이름〔나이〕本当の名〔年〕/ ～ 목적 本当の目的. 對가짜.
㊁〈副〉本当に. 文例 ～ 날 사랑하나 봐 本当にわたしを愛するようだ.

진짜-로【眞―】〈副〉本当に. 真実に. 本気で. 文例 ～ 하는 말이냐 本気で言うのか.

진짜-배기【眞―】〈名〉'진짜'の俗っぽい言いかた.

진찰【診察】〈名・하他〉〔醫〕診察. 句例 ～을 받다 診察を受ける. 語例 ～권〔료〕診察券〔料〕.

진창〈名〉ぬかるみ. 泥んこ. 句例 ～에 빠지다 ぬかるみに足を踏み込む. 語例 ～길 泥んこの道.

진척【進陟】[chiːnch'ŏk]〈名・하自〉進捗. 進行. 進展. 句例 ～이 보이지 않다 進捗が見られない / 전혀 ～이 없다 全然はかどらない〔はかが行かない〕. 語例 공사 ～ 상황 工事の進捗状況 / ～되다 はかどる.

*__진출__【進出】[chiːnch'ul]〈名・하自〉進出. 句例 결승에 ～하다 決勝に進出する / 해외로 ～하다 海外へ進出する.

진취【進取】[chiːnch'wi]〈名・하他〉進取. 句例 ～의 기상 進取の気性.

*__진취-적__【進取的】[chiːnch'wi―]〈名・冠〉進取的. 句例 ～인 정신 進取の精神.

진-치다【陣―】⇨'진(陣)'の小項目

진탕【―宕】〈副〉飽きるほどたくさん. いやになるほど. 思いっきり. 句例 ～ 마시다 思いっきり飲む. 語例 ～만탕 思う存分. 飽きるほど.

진토【塵土】〈名〉塵土. ちりと土.

진통【陣痛】〈名・하自〉〔醫〕陣痛. 句例 ～이 일어나다 陣痛が起こる / ～이 오다 陣痛が来る. 語例 ～ 촉진제 陣痛促進剤.

진통【鎭痛】[chiːnt'ong]〈名・하他〉鎮痛. 語例 ～제 鎮痛剤.

진퇴【進退】[chiːnt'oe]〈名〉進退. 句例 ～를 함께 하다 進退を共にする.

진퇴-양난【進退兩難】[chiːnt'oe―]〈名〉進退窮まること. ＝진퇴유곡(維谷).

진펄〈名〉沼地の多い野原.

진폭【振幅】[chiːnp'ok]〈名〉〔物〕振幅. 句例 ～이 크다 振幅が大きい.

진품【珍品】〈名〉珍品. 句例 비장하고 있는 ～ 秘蔵の珍品.

진품【眞品】〈名〉本物. 正真正銘の品物.

진-풍경【珍風景】〈名〉珍しい風景.

진필【眞筆】〈名〉真筆. 真跡.

*__진-하다__【津―】（→하다）〈形〉濃い. こってりしている. 句例 국이 ～ お汁が濃い / 화장이 ～ 化粧が濃い.

진학【進學】[chiːnhak]〈名〉進学. ～**하다**〈自〉進学する. 上の学校に進む. 句例 ～을 포기하다 進学をあきら(諦)める / 대학에 ～하다 大学に進学する. 語例 ～자 進学者 / ～ 지도 進学指導 / ～률 進学率.

진해-제【鎭咳劑】[chiːnhae―]〈名〉鎮咳剤.

진행【進行】[chiːnhaeng]〈名・하自他〉進行. 句例 병이 ～하다 病気が進行する / ～이 빠르다〔더디다〕進行が早い〔遅い〕/ 열차의 ～ 방향 列車の進行方向. 文例 연구가 ～중이다 研究が進行中である. 語例 의사 ～ 議事進行 / ～성 근시 進行性近視 / ～자 進行係. 司会者 / ～형 進行形 / ～되다 進行する. 進められる.

진-행주〈名〉ぬれ布巾. 對마른행주.

진형【陣形】〈名〉陣形. 句例 ～을 정돈하다 陣形を整える.

진혼-곡【鎭魂曲】[chiːnhon―]〈名〉鎮魂曲.

진홍【眞紅】〈名〉真紅. 真っ赤. 深紅色. ＝진홍색(眞紅色).

진화【進化】[chiːnhwa]〈名・하自〉進化. 句例 ～가 이루어지다 進化が成される. 語例 ～되다 進化する.

진화【鎭火】[chiːnhwa]〈名・하自〉鎮火. 語例

～ 작업 鎮火作業 / ～되다 鎮火する.

진화-론【進化論】[chiːnhwa—]〈名〉〔生〕進化論.

***진-흙** [chinhŭk]〈名〉❶赤どろ. ❷泥土. 泥んこ《俗》. どろ. 句例 바지에 ～이 묻다 ズボンに泥がくっつく.

参考 '진흙이 泥が' '진흙과 泥と'は, [—hŭlgi], [—hŭkkwa]と読む.

진흙-탕 [chinhŭk—]〈名〉ぬかるみ. 句例 무릎까지 빠지는 ～ ひざまで届くぬかるみ.

진흥【振興】[chiːnhŭng]〈名・하自他〉振興. 句例 산업을 ～하다 産業を振興する. 語例 ～책 振興策 / ～되다 振興する.

질【帙】〈名〉(本の)一そろい. 句例 전집을 ～로 사다 全集をそろいで買う.

***질**【質】〈名〉❶質. 句例 ～이 좋다〔나쁘다〕質がいい〔悪い〕/ 우선 양(量)보다 ～이다 まず量より質だ. ❷たち(質). 生まれつき. 天性. 句例 ～이 좋지 않은 사람 たちのよくない人. 文例 이번 감기는 ～이 고약하다 こんどの風邪はたちが悪い.

질　〔漢字項目〕

【姪】高校　질 テツ. 조카 おい(甥). ■姪孫 질손 てっそん. ■叔姪 숙질 しゅくてつ.

【疾】高校　질 シツ. ❶병 病. 질병 疾病. ■疾患 질환 しっかん. ■眼疾 안질 がんしつ. 宿疾 숙질 しゅくしつ. ❷빠르다 速い. ■疾走 질주 しっそう. 疾風 질풍 しっぷう. ❸미워하다 憎む. ■疾視 질시 しっし.

【秩】高校　질 チツ. 순서 順序. ■秩序 질서 ちつじょ.

【質】中學　질 シツ. シチ. チ. ❶사물의 내용 物の内容. ■實質 실질 じっしつ. 本質 본질 ほんしつ. ❷타고난 성질 生まれつきの性質. ■體質 체질 たいしつ. 神經質 신경질 しんけいしつ. ❸어떤 일정한 성질을 갖춘 물건 ある一定の性質を備えた物. ■蛋白質 단백질 たんぱくしつ. ❹꾸밈이 없음 飾りけがない. ■質素 질소 しっそ. ❺내용을 묻다 内容を問う. ■質問 질문 しつもん. 質疑 질의 しつぎ. ❻저당 抵当. ■人質 인질 ひとじち. ❼보증으로 주는 것 保証のためにやる物. ■言質 언질 げんち.

질겁-하다 [chilgŏp'ada] (→하다)〈自〉びっくりする. 仰天する. 句例 질겁해서 달아나다 びっくり仰天して逃げる.

질겅-거리다〈他〉小刻みにか(噛)み続ける.

질겅질겅〈副・하他〉くちゃくちゃ. 句例 껌을 ～ 씹다 ガムをくちゃくちゃかむ.

질경이〈名〉〔植〕おおばこ. しゃぜんそう(車前草).

질곡【桎梏】〈名〉桎梏. 句例 ～을 벗어나다 桎梏を脱する.

질-그릇〈名〉素焼きの土器.

질금-거리다〈自他〉(水などが)ちびちびもれたりや(汁)くだりする. 句例 눈물을 ～ 涙をにじませる.

질금질금〈副・하自他〉じくじく. ちょびちょび. ほろりと.

***질기다**〈形〉❶(肉などが)こわ(強)い. 固い. 句例 쇠고기가 ～ 牛肉が固い〔こわい〕. ❷(品物などが)丈夫で持ちがよい. (布・紙などが)強い. 句例 질긴 천 丈夫な布. ❸(気が)粘り強い. しつこい.

질기둥-이〈名〉粘り強い人.

질깃-질깃〈副・하形〉❶強靭なさま. 丈夫なさま. ❷(性格が)しつこい〔粘り強い〕さま. ❸固くてよくか(噛)み切れないさま.

질깃-하다 [chilgit'ada] (→하다)〈形〉少し固い. 強靭だ.

질끈〈副〉固く縛るさま: ぎゅっと. 句例 머리띠를 ～ 동여매다 鉢巻をしっかと結ぶ.

질녀【姪女】[chillyŏ]〈名〉めい(姪). ＝조카딸.

질다 (지니, 질어서)〈形〉❶(こねた物や御飯が)水気が多い. 軟らかい. 句例 밥이 너무 ～ 御飯が軟らかすぎる. 對되다. ❷ぬかっている. どろどろしている. 句例 길이 ～ 道がぬかる.

질-뚝배기〈名〉素焼きの鉢.

질량【質量】〈名〉〔物〕質量. 句例 ～ 보존의 법칙 質量保存の法則.

질러-가다 (질러가거라)〈自〉近道を(して)行く. 近道をする.

질러-오다 (질러오너라)〈自〉近道をして来る.

질력-나다 [chillyŏngnada]〈自〉[もとの語形は'진력(盡力)나다'] すっかり飽きる. 飽き飽きする. 句例 똑같은 나날의 생활에 ～ 毎日の変化のない暮らしにすっかり飽きる.

질리다〈自〉❶飽き飽きする. 嫌気がさす. こりる. 文例 이 일에는 질렸다 この仕事には飽き飽きした. ❷あっけに取られる. あきれ返る. たじろぐ. あきれ果てる. 参る. 閉口する. 句例 상대의 기세에 ～ 相手の気勢にたじろぐ / 겁에 ～ 恐怖におびえる / 기가 ～ おびえる. おじけづく. ❸青ざめる. 血の気が引く. 句例 파랗게 ～ 青くなる. ❹(色に)むらができる. ❺(費用が)かかる. ❻'지르다¹'の受け身: 突かれる. け(蹴)られる.

***질문**【質問】〈名・하他〉質問. 句例 ～ 공세를 받다 質問攻めにあう / ～을 받다 質問を受ける / ～에 대답하다 質問に答える. 語例 ～ 사항 質問事項.

질벅-거리다〈自〉どろどろする. じくじくする.

질벅질벅〈副・하形〉じめじめ. じくじく. 句例 길이 ～하다 道がじめじめする.

***질병**【疾病】〈名〉病気. 病. 疾病. 句例 ～으로 죽다 病気で死ぬ.

질부【姪婦】〈名〉おい(甥)の妻. ＝조카며느리.

질빵〈名〉背負いひも(紐).

질산【窒酸】[chilssan]〈名〉〔化〕硝酸.

질색【窒塞】[chilssaek]〈名・하自〉ぞっと〔ぎょっと〕すること. (ぞっとするほど)ひどく嫌うこと. 文例 그건 딱 ～이다 それはまっぴら御免だ / 영어는 ～이다 英語は苦手だ.

***질서**【秩序】[chilsŏ]〈名〉秩序. 句例 ～를 어지럽히다 秩序を乱す / ～를 지키다 秩序を守る / ～있게 행동하다 秩序正しく行動する / ～를 확립〔유지〕하다 秩序を確立する〔保つ〕. 語例 무～ 無秩序 / ～ 정연 秩序整然 / ～ 의

ス

식 秩序意識.
질소【窒素】[chilsso]〈名〉〔化〕窒素. 語例 ~(질) 비료 窒素肥料 / ~ 화합물 窒素化合物.
질시【嫉視】[chilssi]〈名〉嫉視. ねたみ. そねみ. **~하다**〈他〉嫉視する. ねた(妬)む. そね(嫉)む. 語例 반목 ~ 反目嫉視.
질식【窒息】[chilssik]〈名・하自〉窒息. 句例 연기에 싸여서 ~하다 煙にまかれて窒息する. 文例 규칙이 너무 많아 ~할 것 같다 規則ずくめで窒息しそうだ. 語例 ~사 窒死. 窒息死.
질의【質疑】[chirŭi]〈名・하他〉質疑. 句例 의원의 ~에 답변하다 議員の質疑に答える.
질의 응답【質疑應答】[chirŭiŭ:ngdap]〈名〉質疑応答.
질주【疾走】[chiltchu]〈名・하自〉疾走. 句例 전력으로 ~하다 全力で疾走する.
질질 [chi:ljil]〈副〉❶引きずるさま: ずるずる. ぞろぞろ. 句例 옷자락을 ~ 끌다 すそ(裾)をずるずると引きずる. ❷脂気や潤いでつやつや光るさま: つるつる. ぬるぬる. 句例 개기름이 ~ 흐르다 顔が脂気でてかてか光る. ❸粒や液体が少しずつ漏れ落ちるさま: だらだら. 句例 침을 ~ 흘리다 よだれをだらだら流す. ❹仕事や時間などを引き延ばすさま: ずるずる. 句例 교섭을 ~ 끌다 ずるずると交渉を長引かせる. ❺抵抗せず引っ張られるさま: ずるずる. 句例 ~ 끌려 가다 ずるずる引っ張られていく.
질책【叱責】〈名・하他〉叱責. 句例 엄한 ~을 받다 きびしい叱責を受ける / 엄하게 ~하다 きびしく叱責する.
질척-거리다〈自〉じめじめする. 句例 땅이 ~ 地面がべとつく.
질척질척〈副・하形〉じくじく. じめじめ. 句例 길이 ~해지다 道がじめじめになる.
질척-하다 [chilch'ŏk'ada] (→하다)〈形〉どろどろする. じくじく〔じめじめ〕する. 文例 간밤의 비로 길이 ~ 昨夜の雨で道がじくじく湿っている.
질타【叱咤】〈名・하他〉叱咤. 句例 ~ 격려하다 叱咤激励する.
질-탕관【—湯罐】〈名〉(薬などをせん(煎)じる)土瓶.
질탕-하다【佚宕—・佚蕩—】(→하다)〈形〉(主に, '질탕하게'の形で)遊びごとが度を過ぎる程. 遊びほうけて. 句例 질탕하게 놀다 思い残すことなく遊ぶ.
질투【嫉妬・嫉妒】〈名〉嫉妬. ねたみ. 焼きもち. そねみ. **~하다**〈他〉嫉妬する. ねたむ. そねむ. 焼く《俗》. 句例 ~가 나다 ねたむ. 焼ける / ~가 많다〔강하다〕 嫉妬深い / 여자의 ~심 女の嫉妬心.
질퍽-하다 [chilp'ŏk'ada] (→하다)〈形〉じめじめしている. 句例 비로 땅이 ~ 雨で地面がじめじめしている.
질펀-하다 (→하다)〈形〉❶広広としている. 句例 질펀한 들판 広広とした野原. ❷のんべんだらりと座り込んでいる. **질펀히**〈副〉❶広広と. ❷のんべんだらりと. 句例 질펀히 앉아 있다 だらりと座り込んでいる.
질풍【疾風】〈名〉疾風. はやて. 句例 ~처럼 달려오다 疾風のように駆けてくる.
参考 気象学では'흔들바람'という.
질풍 노도【疾風怒濤】[—no:do]〈名〉疾風怒濤. 句例 ~가 사납게 몰려오는 바다 疾風怒濤の荒れ狂う海.
질-항아리【—缸—】〈名〉素焼きのかめ(甕).
질-화로【—火爐】〈名〉素焼きの火鉢.
질환【疾患】〈名〉疾患. 病気. ＝질병(疾病).
짊어-지다 [chilmŏ—]〈他〉背負う. しょ(背負)う. ❶(荷物を)担う. 担ぐ. 句例 무거운 짐을 짊어지고 비칠거리다 重荷を背負ってよろける. ❷(負債を)負う. 句例 빚을 ~ 借金を背負う. ❸(責任を)担う. 句例 미래의 한국을 ~ 未来の韓国を担う.
*짐 ㊀〈名〉❶荷物. 荷. 句例 ~을 싣다 荷物を積む / ~을 풀다 積み荷を下ろす / ~을 꾸리다 荷物をまとめる / ~을 지다 荷を背負う / ~을 부치다 荷を送る / 한 ~의 쌀 一荷の米. 語例 ~꾸리기 荷作り. 荷ごしらえ / 이삿 ~ 引っ越しの荷物. ❷負担. 責任. 任務. 文例 자식이 ~이 된다 子が荷になる. ❸厄介な物. 文例 힘이 되기는커녕 ~이 된다 頼りになるどころかとんだ荷物だ.
㊁〈依名〉 一度で背負い運べるだけの分量を表わす語. 一背負い分. 句例 나무 한 ~ 薪一背負い分.
짐【朕】〈代〉朕. 天子の自称.
짐-꾼〈名〉荷担ぎ. 仲仕.
짐-바리 [chimppari]〈名〉荷駄. 句例 ~로 나르다 荷駄で運ぶ.
짐-삯 [chimssak]〈名〉(荷物の)運送料. 運び賃. 駄賃. →삯
짐-수레〈名〉荷車. 句例 ~를 끌다 荷車をひ(挽)く.
짐-스럽다 (→스럽다)〈形〉荷になる. 負担になる. 句例 집안일이 ~ 家事が荷になる.
*짐승〈名〉けだもの(獣). ❶獣. 動物. 語例 네발 ~ 四足の動物. 四つ足. ❷残忍・野蛮な人間のたとえ: 畜生. 文例 이 ~ 같은 놈 このけだものめ.
*짐작【斟酌】〈名〉推量. 心当たり. 見当. 推し当て. 見込み. にらみ. **~하다**〈他〉汲み取る. 商量する. 目星をつける. 按ずる. 踏む. 句例 ~이 빗나가다 見当が外れる / ~이 안 가다 見当がつかない / 이 사태로 ~하건대 この事態から見ると. 語例 어림 ~ 当て推量.
짐작이 가다 見当がつく. 予想がつく.
짐짓〈副〉わざと. 故意に. ことさら(殊更)(に). 句例 ~ 모른 체하다 ことさらに知らんぷりをする / ~ 못 들은 체하다 わざと聞かなかったふりをする.
짐-짝〈名〉荷作りした荷物.
**집 ㊀〈名〉❶家. うち. ㋐家屋. すみか. 宅. 句例 살 ~을 구하다 すみかを探す / ~을 짓다 家を建てる / ~을 보다〔지키다〕留守番する / 이 ~의 주인 この家のあるじ. 文例 우리 ~에 오너라 わたしの所〔うち〕へおいでよ. 語例 빈 ~ 空き家 / 옆 ~ 隣の家 / 살

림～ 住まい / 벽돌～ 煉瓦造りの家.
㉡家庭. 家族. 家門. [句例] 가난한 ～ 貧寒な〔貧しい〕家 / ～ 없는 아이 家なき子. [語例] 큰～ 本家 / 작은～ 1)分家. 2)めかけ(妾)の住まい.
❷(動物の)すみか. 巣. [句例] 거미가 ～을 짓다 くもが巣を張る. [語例] 개～ 犬小屋.
❸(刀の)さや(鞘)・すずり箱などのような入れ物. [語例] 칼～ 刀のさや / 벼룻～ すずり箱.
❹(囲碁の)目. 眼. 地. [文例] 백의 ～이 더 크다 白の地のほうが大きい.
❺店. [文例] 이 ～ 냉면은 맛있어 この店の冷麺はおいしいよ.
❻'집사람'の略.
㊁〈依名〉❶家を数える語: 軒. [語例] 한 ～ 一軒.
❷(囲碁の)目の単位: 目. [句例] 다섯 ～ 이기다 五目勝つ.

집(이) 나다 ❶売り家ができる. 家が空く. ❷(碁で)地ができる.

집(을) 내다 ❶住んでいた家を空ける. ❷(碁で)地をつくる.

집도 절도 없다 家も寺もない. 持ち家も財産もなくあちこちさまよっていることのたとえ.

집(을) 보다 ❶空き家をさがして見る. ❷留守番をする.

집(을) 비우다 留守にする.

집에서 새던 바가지, 들에 나가도 샌다 水の漏れるひさごは家で使っても野へ出て使っても同じだ. 壊れた物は役に立たないことのたとえ.

-집〈尾〉'店'の意を表わす語: …屋. [語例] 꽃～ 花屋 / 술～ 飲み屋 / 빵～ パン屋 / 요릿～ 料理屋.

집 〔漢字項目〕

【執】 [中學] 집 シツ. シュウ. ❶꽉 잡다 執る. ▮執刀 집도 しっとう. 執筆 집필 しっぴつ. ❷직무나 일을 확실하게 수행하다 職務や仕事を確実に遂行する. ▮執行 집행 しっこう. 執務 집무 しつむ. ❸붙어서 떨어지지 않다 かたくつかんで離さない. ▮執拗 집요 しつよう. 執念 집념 しゅうねん. ▮固執 고집 こしゅう.

【集】 [中學] 집 シュウ. ❶모으다 集める. 모이다 集まる. ▮集結 집결 しゅうけつ. 集會 집회 しゅうかい. 集合 집합 しゅうごう. ▮群集 군집 ぐんしゅう. ❷모은 것. 특히 시문 등을 모은 것 集めた物. 特に詩文などを集めた物. ▮全集 전집 ぜんしゅう. 詩集 시집 ししゅう. 文集 문집 ぶんしゅう.

집게〈名〉やっとこ(鋏). ニッパー. [語例] ～뼘 親指と人差し指を広げた長さ.

집게-발〈名〉かに(蟹)のはさみ.

집게-벌레〈名〉〔蟲〕はさみむし.

집게-손가락 [―sonkkarak]〈名〉人指し指. 食指. ＝검지 이지.

집결【集結】〈名・하自他〉集結. [句例] 함대가 ～하다 艦隊が集結する / 병력을 ～하다 兵力を集結する.

집계【集計】〈名・하他〉集計. [句例] 투표의 ～ 投票の集計.

집-고양이〈名〉飼い猫.

집-구석〈名〉'집 속 家の中' '집 家'の俗っぽい言いかた.

집권【執權】〈名・하自〉執権. [語例] ～자 執権者.

집권【集權】〈名・하他〉集権. [語例] 중앙 ～ 제도 中央集権制度. ㉥분권(分權).

집기【什器】〈名〉什器. 什物.

집념【執念】 [chimnyŏm]〈名〉執念. 執着心. **～하다**〈他〉執着する. 執心する. [句例] ～을 불태우다 執念を燃やす / ～이 강한 사람 執念深い人.

***집다**〈他〉❶取る. ㉠(指で)つまむ. [句例] 반찬을 접시에 집어 담다 おかずを小皿に取る / 쌀 속의 티를 집어 내다 米の中からごみをつまみだす / 손으로 집어 먹다 手でつまんで食べる. ㉡(やっとこなどで)挟む. [句例] 젓가락으로 ～ はし(箸)でつまむ. ❷拾う. [句例] 놓친 칼을 ～ 落とした刀を拾って取る. ❸かいつまむ. 指摘する. [句例] 요점을 딱 집어서 말하다 要点をかいつまんで話す. ▷→囲み記事 84

***집단【集團】**〈名〉集団. 集まり. [句例] ～을 이루다 集団を組む / ～적인 행동 集団的な行動 / ～적으로 움직이다 集団をなして動く. [語例] ～ 검진 集団検診 / ～ 농장 集団農場 / ～ 생활 集団生活.

집달-관【執達官】〈名〉〔法〕執行官.

집-대성【集大成】〈名・하他〉集大成. [句例] 연구의 ～ 研究の集大成.

집도【執刀】〈名・하自〉執刀. [文例] 수술은 김박사의 ～로 이루어졌다 手術は金博士の執刀の下に行なわれた.

집-돼지〈名〉飼い豚.

집-들이 [chiptŭri]〈名・하自〉新居祝いに知

囲み記事 84

'집다'と'짚다'

집다 (1) つまむ ―― 젓가락으로 반찬을 집어먹다 はし(箸)でおかずをつまんで食べる.
(2) 拾う ―― 마루에 떨어진 손수건을 집어서 주머니에 넣다 床に落ちたハンカチを拾ってポケットにしまう.
(3) 挟み持つ ―― 철사를 집게로 집어서 구부리다 針金をニッパーで挟んで曲げる.

짚다 (1) (杖を)つく ―― 지팡이를 짚으며 걸어가는 노인 杖をつきながら歩いて行く年寄り.
(2) (脈を)取る ―― 맥을 짚어보니 몹시 빨리 뛰었다 脈を取ってみたらすごく早く打っていた.
(3) (地に手を)つく ―― 땅에 손을 짚고 기어가다 地に手をついてはって行く.
(4) (クイズなどで)あてる ―― 답을 바로 짚었습니다 答えを正しくあてました.
(5) 推量する ―― 그들은 철수가 한 짓으로 짚고 있었다 彼らはチョルスの仕業だと推量していた.

しり合いを招待すること.

집-모기 [chim—]〈名〉〔蟲〕家蚊.

집무【執務】[chimmu]〈名・하自〉執務. 句例 ~ 시간이 길다 執務時間が長い. 語例 ~실 執務室.

집-문서【—文書】[chim—]〈名〉家の権利証書.

집배【集配】〈名・하他〉集配. 語例 ~인 ⇨ 집배원

*__집배-원【集配員】__〈名〉[‘우편 집배원 郵便集配人’の略] 集配人.

집백【執白】〈名〉(碁で)白を取って打つこと. 後手をとること. 對집흑(執黑).

집-비둘기〈名〉いえばと(家鳩). どばと(土鳩).

집사【執事】〈名〉執事. 句例 교회의 ~ 教会の執事.

집-사람〈名〉自分の妻を言う語: 家内. 文例 우리 ~도 안부 전해 달라고 하더군요 家内もよろしくとの事でした.

집산【集散】〈名・하自他〉集散. 句例 쌀의 ~지 米の集散地. 語例 이합 ~ 離合集散.

집-세【—貰】〈名〉家賃. たな(店)賃. 句例 ~가 비싸다 家賃が高い / ~가 밀리다 家賃が滞る / ~를 내다 家賃を払う.

집시〈名〉ジプシー. ◇Gipsy

*__집-안__ [chiban]〈名〉❶家族. 身内. 句例 ~끼리만으로 결혼식을 치르다 身内の者だけで結婚式を済ます / ~을 통솔하다 家を束ねる. ❷家柄. 家門. 家筋. 家庭. 句例 ~의 명예를 높이다 家名をあげる / 좋은 ~에 태어나다 良い家柄に生まれる / ~이 몰락하여 학교에 못 가게 되다 家が没落して学校に行けなくなる. ❸家〔屋敷〕の中.

집안-간【—間】[chiban—]〈名〉身内の間柄.

집안-사람 [chibanssaram]〈名〉(他人に対して)身内. 家族.

집안-싸움 [chiban—]〈名〉内輪もめ. ❶お家騒動. 家族間のもめごと. ❷内紛. 文例 ~이 그칠 날이 없다 内輪もめが絶えない.

집안-일 [chibannil]〈名〉家事. 家政. 句例 ~에 쫓겨 쉴 틈이 없다 家事に追われて休む暇がない.

집약【集約】[chibyak]〈名・하他〉集約. 句例 다수의 의견을 ~하다 多数の意見を集約する. 語例 ~ 농업 集約農業.

집어-넣다 [chibŏnŏt'a]〈自他〉❶手でつまんで入れる. ❷‘가두다’の下品な言いかた: ぶち込む. ほうり込む. 句例 교도소에 ~ 獄に投じる〔ぶち込む〕. 牢に投げ込む〔ほうり込む〕. ❸入れる. 句例 품속에 ~ ふところにしまい込む / 주머니에 돈을 ~ お金をポケットに突っ込む. ❹(学校に)入れる. ❺繰り込む. 句例 수선비를 예산에 ~ 修繕費を予算に繰り入れる.

집어-던지다 [chibŏ—]〈他〉ほうり投げる. 投げつける.

집어-등【集魚燈】[chibŏ—]〈名〉集魚灯.

집어-먹다 [chibŏ—]〈他〉❶つまむ. つまんで〔取って〕食べる. 句例 손가락〔젓가락〕으로 ~ 指〔箸〕でつまんで食べる. ❷横取りをする. くすねる.

집어-삼키다 [chibŏ—]〈他〉❶(つまんで)うのみにする. 丸のみにする. 飲み下す. ❷(人の物を)横取りする. ふんだくる.

집어삼킬 듯이 보다 憎悪に燃える目付きでにら(睨)みつける.

집어-치우다 [chibŏ—]〈他〉ほうり出す. ほうる. 投げ出す. 引き払う. 句例 학업을 ~ 学業をほうり出す / 장사를 ~ 商売をやめてしまう.

집-오리 [chibori]〈名〉〔鳥〕あひる(家鴨). 略して‘오리’ともいう.

집요-하다【執拗—】[chibyo—](→하다)〈形〉執拗だ. しつこい. 句例 집요하게 물고 늘어지다 執拗に食い下がる / 집요하게 자기 주장을 굽히지 않다 執拗に自説を曲げない.

집-임자 [chimnimja]〈名〉家主. =집주인.

집적-거리다〈他〉❶手出しをする. 文例 이것저것 집적거려 보았으나 결국 아무것도 안 되었다 いろいろと手を着けてみたが結局何もならなかった. ❷(むやみに人を)小突きまわす. つつく. 構う. 文例 왜 가만있는 아이를 집적거려서 울리니 なんでおとなしくしている子を構って泣かすの.

집적집적〈副・하他〉❶よけいなおせっかいをするさま. ❷(むやみに人を)小突きまわすさま.

집적 회로【集積回路】[chipchŏk'oero]〈名〉〔物〕集積回路. =아이시(IC).

집전【執典】〈名・하自〉典礼を執り行なうこと. 句例 미사를 ~하다 ミサを執り行なう.

집-주인【—主人】〈名〉家主. ❶亭主. 家長. 一家の主人. 世帯主. ❷大家. =집임자.

집중【集中】〈名・하自他〉集中. 句例 주의를 ~시키다 注意を集中させる / 시선이 ~하다 視線が集中する. 語例 ~ 공격 集中攻撃 / ~력 集中力 / ~ 사격 集中射撃 / ~ 포화 集中砲火 / ~되다 集中する. 對분산(分散).

집중-적【集中的】〈名・冠〉集中的. 句例 ~으로 질문하다 集中的に質問する.

집중 호우【集中豪雨】〈名〉集中豪雨.

집-쥐〈名〉〔動〕家ねずみ.

집-짐승〈名〉家畜.

*__집집-마다__ [chipchimmada]〈副〉家ごとに. 文例 ~ 김치맛이 다르다 家ごとにキムチの味が違う.

집집-이 [chipchibi]〈副〉家ごとに. 句例 ~ 국기를 달다 家並みに国旗をかかげる.

집착【執着】〈名・하自〉執着. 句例 돈에 ~하다 金に執着する / 구습에 ~하다 旧習になずむ. 語例 ~심 執着心.

집-채〈名〉家の一棟全部. 家屋全体. 句例 ~만한 파도 山のような大波.

집총【執銃】〈名・하自〉執銃. 語例 ~ 훈련 執銃訓練.

집-치장【—治粧】〈名・하自〉家を手入れしてきれいに飾ること. =집치레.

집-터〈名〉❶家の敷地. ❷屋敷のあと. 家のあった跡.

집-토끼〈名〉〔動〕飼いうさぎ(兎). 家兎.

집-파리〈名〉〔蟲〕いえばえ(家蠅).

집표【集票】〈名·하自〉集札. 駅などで, 降りる客の乗車券を回収すること. →개표(改票)

집필【執筆】〈名·하自〉執筆. [句例] 소설을 ~하다 小説を執筆する. [語例] ~자 執筆者 / ~진 執筆陣.

***집합**【集合】[chip'ap]〈名·하自他〉集合. [句例] 아침 8시에 ~하다 朝八時に集合する / 짝수의 ~ 偶数の集合. [語例] ~론 集合論 / 여(餘) ~ 補集合 / ~ 명사 集合名詞 / ~ 시간〔장소〕集合時間〔場所〕/ ~체 集合体.

집행【執行】[chip'aeng]〈名〉執行. **~하다**〈他〉執行する. 執り行なう. [句例] 형(刑)을 ~하다 刑を執行する / 예산의 ~ 予算の執行. [語例] ~ 기관 執行機関 / ~력 執行力 / ~부 執行部 / ~ 위원 執行委員 / ~ 유예〔정지〕執行猶予〔停止〕/ 강제 ~ 強制執行 / 사형 ~ 死刑の執行.

***집현-전**【集賢殿】[chip'yŏnjŏn]〈名〉〔史〕集賢殿.
[参考] 朝鮮朝初期の学問研究機関. '훈민 정음(訓民正音)'の創製など多くの文化事業をつかさどった.

집화【集貨】[chip'wa]〈名·하自他〉集貨. [句例] 농산물을 ~하다 農産物を集貨する.

집화-장【集貨場】[chip'wa—]〈名〉集貨場.

집회【集會】[chip'oe]〈名〉集会. **~하다**〈自〉集会する. 集う. [句例] ~를 열다 集会を開く / ~에 나가다 集会に出る / ~의 자유 集会の自由. [語例] ~장 集会場.

집흑【執黑】[chip'ŭk]〈名〉(碁で)黒を取って打つこと. 先手をとること. (對)집백(執白).

집히다 [chip'ida]〈自〉'집다'の受け身: つままれる. にぎられる. 取られる. はさまれる. [句例] 손에 집히는 대로 던지다 手あたり次第投げつける.

***짓** [chi:t]〈名〉仕業. まね(真似). 業. 振る舞い. 事. 行動. 挙動. しぐさ(仕種). [句例] 당치도 않은 ~ もっての外の事 / 미친 ~ 気違い沙汰 / 난폭한〔엉뚱한·턱 없는〕~을 하다 むちゃをする / 하는 ~이 밉다 しぶり〔やり方〕が憎い / 못된 ~을 하다 罪なことをする. [文例] 이 놈의 ~이다 こいつの仕業だ / 누구 ~인지 몰라도 너무했다 だれの仕業か分からないがひどい事をしたものだ / 그런 ~을 하면 벼락맞는다 そんな事をすると罰が当たるよ.

짓(이) 나다 興に乗ってはしゃぐ.

짓(을) 내다 興に乗って浮かれる.

짓-〈頭〉動詞の前に付いて'やたらに·めちゃくちゃに·容赦なく'などの意を表わす語. [語例] ~뭉개다 踏みつぶす / ~씹다 ばりばりか(嚙)み砕く / ~치다 めった打ちする. 乱打する.

짓-거리 [chi:t—]〈名·하自〉❶興に乗ってするしぐさ(仕種). ❷'짓'の俗っぽい言いかた. [文例] 그런 바보같은 ~는 이제 그만두어라 そんなばかげたまねはもうよしなさい.

짓고-땡 [chi:tkottaeng]〈名〉❶花札でする賭博のひとつ. ❷'思い通りにはかどること'の俗っぽい言いかた.

짓-궂다 [chi:tkutta]〈形〉意地悪い. たちが悪い. [句例] 짓궂게 굴다 意地悪をする / 짓궂은 말을 하다 嫌がらせを言う / 짓궂은 사람 意地悪な人.

짓-궂이 [chi:tkuji]〈副〉意地悪く.

짓-누르다 [chin—](짓누르니, 짓눌러서)〈他〉やたらに押さえつける. ぐっと押さえる. [句例] 꼼짝 못하게 어깨를 ~ 身動きできないように肩を押さえつける.

짓-눌리다 [chin—]〈自〉'짓누르다'の受け身: ひしげる. やたらに押さえつけられる. 踏みにじられる. 踏みつけられる.

****짓다** [chi:tta](지으니, 지어서)〈他〉❶作る. ㋐(服などを)仕立てる. [句例] 양복을

ス

囲み記事 85

■ '짓다'と'짖다'と'짙다' ■

짓다 (1) こしらえる —— 밥을 짓다 飯を炊く. 옷을 짓다 着物をこしらえる.
(2) (表情を)表わす —— 반가운 미소를 지으면서 맞아들이다 うれしいほほえみを浮かばせて迎え入れる.
(3) (文を)つづる —— 시를 짓다 詩を作る.
(4) (決着を)つける —— 결말을 짓고 가야한다 けりをつけて出かけなければならない. 확정짓다 確定する.
(5) (建物を)建てる —— 이층집을 짓다 二階の家を建てる. 뒤뜰에 창고를 지으려 한다 裏庭に倉庫を建てようと思う.
(6) (農業を)いとなむ —— 벼농사를 짓다 稲作をする.
(7) (無いことを)ねつぞうする —— 그것은 그가 지어낸 거짓말이었다 それは彼がでっちあげたうそであった.
(8) (罰当たりな事を)する —— 죄를 짓고는 못산다 罪な事をしては生きられない.

짖다 (1) (犬が)ほ(吠)える —— 밤중에 개짖는 소리에 잠이 깨었다 夜中に突然犬のほえ声で目がさめた.
(2) (からすや, かささぎが)やかましく鳴く —— 아침에 까치가 짖으면 반가운 일이 생긴다고 한다 朝かささぎが鳴き立てれば, うれしいことがあるといわれている.

짙다 (1) (色彩·味·化粧が)濃い —— 짙은 화장을 하고 연회에 나타나다 厚化粧をしてパーティーに現われる.
(2) (霧·煙·においなどが)深い —— 짙은 안개 때문에 비행기가 날지 못한다 濃い霧のために飛行機が飛べない.
(3) (草木の茂みが)深い —— 신록이 짙은 숲 속을 산책했다 新緑の深いやぶの中を散歩した.
(4) (液体が)濃い —— 푸른색을 짙게 칠하다 青色を濃く塗る.

～ 洋服を仕立てる.
㉡(表情などを)表わす. 浮かべる. …顔をする. 句例 울상을 ～ 泣き顔をする / 어두운 표정을 ～ 顔を曇らす / 쓴웃음을 ～ 苦笑いをする.
㉢(建物などを)建てる. 構える. 句例 새로〔다시〕 ～ 建て直す / 새로 지은 아파트 新しく建てたアパート.
㉣(作物を)栽培する. 句例 벼농사를 ～ 米を作る.
㉤炊く. 句例 밥을 ～ 御飯を炊く.
㉥形成する. 形づくる. 句例 열〔줄〕을 ～ 列を成す〔並ぶ〕/ 떼를 지어 날아가다 群れをなして飛び去る.
㉦創作する. (本を)著す. 句例 시를 ～ 詩を作る.
㉧作り〔でっち〕上げる. 句例 지어낸 이야기 作り話.
㉨(結び目を)結ぶ. こしらえる. 句例 매듭을 ～ 結び目を作る.
❷(結びを)つける. (結論を)出す. 句例 결말을 ～ 結末〔けり〕をつける.
❸犯す. 句例 큰 죄를 ～ 大罪を犯す.
❹(薬を)調剤する. 句例 감기약을 ～ 風邪薬を調合する.
❺命名する. 名付ける. 句例 이름을 ～ 名前をつける. ▷→囲み記事 85
参考 '지어서 作って', '지은 作った'は[chiŏsŏ], [chiŭn] と短音に発音される.

짓-마다 [chinmada] 〈他〉 ❶こなごなに砕く. ❷思いきりたたく. うんとなぐる.

짓-무르다 [chinmurŭda] (짓무르니, 짓물러서) 〈自〉 ただれる. 句例 상처가 ～ 傷がただれる.

짓-밟다 [—papta] 〈他〉 踏みつける. 踏みしだく. 踏みにじる. 踏んづける. 句例 화단의 꽃을 ～ 花壇の花を踏みにじる / 남의 친절을 ～ 人の親切を踏みにじる / 말굽으로 ～ 馬蹄に掛ける. →밟다 参考

짓-밟히다 [—palp'ida] 〈自〉 '짓밟다'の受け身: 踏みにじられる. 蹂躙される. 踏みつけられる. 句例 짓밟힌 순정 踏みにじられた純情 / 나라가 침략자에게 ～ 国が侵略者によって踏みにじられる.

짓-이기다 [chinnigida] 〈他〉 にじる. ひしぐ. めった切りにする. みじん切りにする. 散散にこね返す. すりつぶす. めちゃくちゃにする.

짓-찧다 [chittchit'a] 〈他〉 ❶つき砕く. ❷ひどく踏む. ❸こづき回す.

징[1] 〈名〉 (靴の)裏金. 句例 ～을 박다 裏金を打つ.

징[2] 〈名〉〔樂〕 銅鑼. 鉦. たたきがね. →농악 絵 文例 ～이 울린다 銅鑼が鳴る.

징 〔漢字項目〕

【徵(徵)】 高校 징 チョウ. 치 チ. 一〔징〕 ❶부르다 呼び出す. ◧徵集 징집 ちょうしゅう. 徵兵 징병 ちょうへい. 徵募 징모 ちょうぼ. ❷거두다 収める. ◧徵稅 징세 ちょうぜい. 徵收 징수 ちょうしゅう. ❸징조 きざし. ◧徵候 징후 ちょうこう. ◧象徵 상징 しょうちょう. 特徵 특징 とくちょう. 二〔치〕 음율 이름 音律の名. ◧宮商角徵羽 궁상각치우 きゅうしょうかくちう.

【懲(懲)】 高校 징 チョウ. 징계하다 懲らす. 넌덜나다 懲りる. ◧懲役 징역 ちょうえき. 懲罰 징벌 ちょうばつ. ◧勸善懲惡 권선징악 かんぜんちょうあく.

징건-하다 (→하다) 〈形〉 (食べたものが)消化されないでもたれ気味である.

징검-다리 〈名〉 飛び石. 語例 ～ 연휴 飛び石連休.

징검-돌 [—ttol] 〈名〉 ❶(浅瀬などの)飛び石. ❷敷き石. 石畳. 踏み石.

징계【懲戒】 〈名・하他〉 懲戒. 語例 ～ 처분 懲戒処分.

징그다 (징그니, 징거서) 〈他〉 ❶(服などが長持ちするように)刺し縫いする. ❷長い衣服の一部分を縫いあげする.

징그럽다 (징그러우니, 징그러워서) 〈形〉 気味が悪い. ぞっとするほどいやらしい. 句例 징그러운 웃음 소리 気味の悪い笑い声 / 징그러운 소리를 하다 いやらしいことを言う.

징글징글-하다 (→하다) 〈形〉 大変気味が悪い. 不快な気持ちがする. ぞっとするほどいやらしい.

징발【徵發】 〈名・하他〉 徵発. 句例 식량의 ～ 食糧の徵発.

징벌【懲罰】 〈名・하他〉 懲罰. 句例 ～을 받다 懲罰を受ける.

징병【徵兵】 〈名・하他〉 徵兵. 語例 ～ 검사 徵兵検査 / ～ 제도 徵兵制度.

징빙 서류【徵憑書類】 〈名〉 徵憑書類.

징세【徵稅】 〈名・하自〉 徵稅.

징수【徵收】 〈名〉 徵収. 取り立て. **～하다** 〈他〉 徵収する. 取り立てる. 語例 원천 ～ 源泉徵収 / ～금 徵収金 / ～되다 徵収される.

징역【懲役】 〈名〉〔法〕 懲役. 句例 ～ 5년의 형 懲役五年の刑. 語例 ～살이 懲役生活. 服役.
징역(을) 살다 服役する.

징용【徵用】 〈名・하他〉 徵用. 語例 ～되다 徵用される.

징-잡이 [chingjabi] 〈名〉 銅鑼を鳴らす人.

징조【徵兆】 〈名〉 徵兆. 兆し. 前触れ. 兆候. 前兆. しるし(徵). 句例 봄의 ～ 春の兆し. 文例 눈은 풍년의 ～ 雪は豊年のしるし.

징집【徵集】 〈名・하他〉 徵集. 句例 장정을 ～하다 壮丁を徵集する. 語例 ～ 면제〔연기〕 徵集免除〔延期〕/ ～ 영장 徵集令状.

징징-거리다 〈自〉 不満そうにぶつぶつつぶやく.

징크스 〈名〉 ジンクス. 句例 ～를 깨다 ジンクスを破る. ◇jinx

징후【徵候】 〈名〉 兆候. 前触れ. きざし. しるし(徵). 句例 회복의 ～ 回復の兆候.

***짖다** 〈自〉 ❶(犬が)ほ(吠)える. 句例 짖는 개 ほえる犬 / 개 짖는 소리 犬のほえる声. ❷(からす(烏)・かささぎ(鵲)などが)やかましく鳴く. ❸'지껄이다 しゃべる'をふざけて言う語. ▷→囲み記事 85

짙다 〈形〉 濃い. ❶(色彩・化粧・味などが)濃厚だ. こってりしている. 句例 짙은 화장

厚化粧 / 가을빛이 짙은 계곡 秋色が深い渓谷. ❷(煙・霧などが)深い. 句例 짙은 안개 濃い霧. 深い霧. ❸(草木・毛などが)密生している. 句例 짙은 눈썹 濃いまゆ毛. ❹(疑いが)濃厚だ. 句例 살인의 혐의가 ~ 殺人の疑いが濃い. ❺(液体の濃度が)高い. 句例 커피를 짙게 타다 コーヒーを濃くいれる. ▷野옅다. 類진하다. ▷→囲み記事 85

짙-푸르다 (짙푸르니, 짙푸르러서)〈形〉濃い緑色である. 濃く青い. 句例 짙푸른 바다 紺青の海.

짚〈名〉わら(藁). 語例 보릿~ 麦わら / 볏~ 稲わら. わら.

짚-가리〈名〉わらづか(藁塚).

짚-나라미 [chim—]〈名〉わらくず.

***짚다**〈他〉❶(杖を)つく. 句例 단장을 짚고 다니다 ステッキをついて歩く.

❷(脈を)取る. (手を)当てる. 句例 맥을 ~ 脈をとる. 文例 이마를 짚어 보니 열이 있었다 額に手を当てたら熱があった.

❸(…に手を)つく. 句例 손을 짚고 사과하다 手をついてあやまる / 무릎을 짚고 일어서다 ひざに手をついて立ち上がる.

❹指す. 指摘する. 句例 범인을 잘못 ~ 犯人を見誤る / 한 자 한 자 짚어 가며 읽다 一字一字指で指しながら読む.

❺推し量る. 推定する. 句例 산(産)달을 ~ 産み月を推定する. ▷→囲み記事 84

짚-단〈名〉わら束. ＝짚뭇.

짚-더미〈名〉わらの山.

짚-방석 【—方席】〈名〉わら座. 円座.

짚-불〈名〉わら火. 句例 ~을 때다 わら火をくべる.

짚불도 쬐다 나면 섭섭하다 わら火でも当たり終えれば名残惜しい. つまらないものでもなければ寂しいものだとの意.

짚-수세미〈名〉わらで作ったたわし.

짚-신〈名〉わらじ(草鞋). 草履. わらぐつ(藁沓). 絵 句例 ~을 신다 草履をはく / ~을 삼다 わらじを編む.

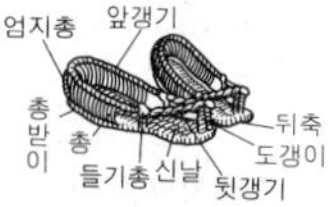

〈짚신〉

짚신도 제 짝이 있다 割れなべ(鍋)にと(綴)じぶた(蓋).

짚신-벌레〈名〉〔動〕草履虫.

짚-여물 [chimnyŏmul]〈名〉(牛馬の)わらまぐさ(藁秣).

짚이다 [chip'ida]〈自〉思い当たる. 心当たりがある. 推し量れる. 文例 그것에 대해서는 짚이는 데가 있다 それについては思い当たる所〔節〕がある.

짚-자리〈名〉❶わら(藁)ござ. わらごも. ❷わらを敷いた席.

ㅉ [쌍지읒 —chiŭt] 'ス'の硬音.

짜개〈名〉(豆などの)片割れ.

짜개다〈他〉裂く. 割る. 句例 호두를 ~ くるみを割る / 수박을 ~ すいかを二つに割る. 語例 짜개지다 (二つに)割れる. 裂ける.

参考 ふつう'쪼개다'が広く用いられる.

짜-깁기〈名・하他〉掛けはぎ. 掛けつぎ.

짜-깁다 (짜기우니, 짜기워서)〈他〉掛けはぎ〔掛けつぎ〕をする.

짜-내다〈他〉絞り出す. 絞り取る. 句例 지혜를 ~ 知恵を絞り出す.

****짜다**[1] ━〈他〉❶組む. ㉠(家具などを)組み立てる. 作る. 句例 장롱을 ~ たんすを組む. 絵 / 판을 ~ 版を組む.

㉡(組織などを)作る. 編成する. 句例 대오를 ~ 隊伍を組む / 시간표를 ~ 時間表を組む / 예산안을 ~ 予算案を組み上げる / …로 짜여 있다 …で組織されている.

❷絞〔搾〕る. ㉠(水気を取るため)ねじりしめる. 句例 걸레를 ~ 雑巾を絞る. 絵 / 우유를 ~ 牛乳を搾る / 고름을 ~ うみ(膿)を絞る / 여드름을 ~ にきびをつぶ(潰)す.

㉡(頭を)ひねる. 練る. 巡らす. 句例 머리를 ~ 頭を絞る / 지혜를 ~ 知恵を巡らす〔絞る〕/ 묘안을 ~ 妙計を案じる / 작전을 ~ 作戦を練る / 계획을 ~ 計画を立てる.

㉢搾取する. 搾り取る. 句例 백성의 고혈을 ~ 民のこうけつ(膏血)を搾る.

❸(ひも・糸などで)織る. 編む. 句例 가마니를 ~ かますを編む / 털실로 양말을 ~ 毛糸で靴下を編む. 絵

❹('상투 ちょんまげ'を)結う.

❺'울다 泣く'の俗っぽい言いかた: (涙を)流す. 句例 눈물을 ~ 涙を流しながら泣く.

━〈自〉ぐるになる. (人と)組む. 句例 그와 짜고 彼と組んで / 여럿이 짜고 속이다 みんながぐるになってだます. 文例 둘이서 짜고 한 일이다 二人でぐるになってしでかした事だ.

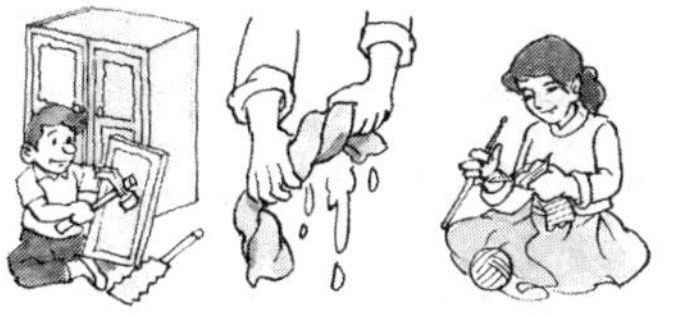
장롱을 짜다　걸레를 짜다　털실로 양말을 짜다

〈짜다〉

****짜다**[2]〈形〉❶塩辛い. 辛い. しょっぱい. 句例 짠맛 塩辛い味. 塩味 / 반찬이 너무 ~ おかずが辛過ぎる. 野싱겁다. ❷㉠けちで渋しい. しょっぱい. 文例 어째 저렇게 짜게 굴까 なんであんなに渋いんだろう. ㉡(点などが)辛い. きつい. 酷だ. 句例 점수가 ~ 点が辛い. 野후(厚)하다. 類박하다.

表現 ②は俗っぽい言いかた.

짜디-짜다〈形〉'짜다'の強調語.

***-짜리**〈尾〉❶身なりでその人を卑しめて言う語. 語例 양복~ 洋服を着た人. 洋服まとい / 삿갓~ かさ(笠)をかぶっている人.

❷(金額に付いて)'…に値するもの'の意. 句例 [illegible] 원~ 우표 300ウォン切手. 文例 이건 얼마~나 될까 この品はいくらぐらいのものだろうか. 語例 1000 원~ 물건 1000ウォンどころのもの.

❸(数・量について)その数量を持つもの

を表わす語. 句例 한 되～ 병 1升入りの瓶 / 15 살～ 아들 15歳の息子 / 초등 학교 4학년～ 小学校四年生の子供. 文例 두 권～를 사자 2巻物を買おう.

짜릿-하다 [tcharit'ada] (→하다)〈形〉❶(筋肉・骨節がにわかに)ぴりっとする. 句例 혀가 ～ ぴりっと舌をさす. ❷(胸に)こたえる. じいんと来る. 句例 가슴이 ～ 胸がじいんとする.

짜릿짜릿〈副・하形〉ぴりぴり. 文例 사랑하는 사람끼리는 손만 닿아도 ～한 모양이다 愛し合う者同士は互いの手が触れただけでもぴりっと来るようだ.

짜이다〈自〉❶'짜다[1]'の受け身：組まれる. 編成される. 句例 시간표가 ～ 時間割りが組まれる / 조직이 잘 ～ 組織がうまく組まれる. ❷整う. きちんとそろう. 釣り合う. 似合う. 句例 잘 짜인 팀워크 よくまとまったチームワーク.

*__짜임-새__〈名〉仕組み. 結構. 体裁. 句例 문장의 ～ 文章の結構 / ～있는 행사 企画の行き届いた行事 / ～가 곱다 織り目が細かい.

짜장-면【一醬麵】〈名〉〔料理〕中国式みそそば. ＝자장면.

짜증【一症】〈名〉かんしゃく(癇癪). 向かっ腹. 嫌気. 句例 ～을 부리다 かんしゃくを起こす. **～스럽다** (→스럽다)〈形〉しゃくに障っていらだたしい.

짜증(이) 나다 いらだたしくなる. 腹が立つ. 嫌気がさす.

짜증(을) 내다 かんしゃくを起こす. 腹を立てる. 文例 그는 걸핏하면 짜증을 낸다 彼はややもするとかんしゃくを起こす.

짜-하다 [tcha:―] (→하다)〈形〉(うわさが)ぱっと広がっている. 持ち切りだ. 類자자하다.

ス

*__짝__[1]〈名〉❶(二個以上そろって)一組・対になるもの.

❷対をなすものの片方. 片一方. 句例 ～을 이루다 対になる. 対をなす / 구두 한 ～이 없어지다 靴の片方がなくなる.

❸共に事を行なう人. 相棒. 相方. 連れ合い.

짝(이) 맞다 対がそろう. 対になる. 句例 짝이 안 맞는 찻잔 ふぞろいの茶わん.

짝(을) 맞추다 つがいにする. 組み合わせる. 一そろい〔一組〕にする.

짝(이) 없다 (…すること)この上ない. 極まる. 句例 지루하기 짝이 없다 退屈な事この上ない / 분하기 짝이 없다 くやしいっていったらない / 무례하기 짝이 없다 無礼きわまる.

짝 잃은 기러기 같다 連れを失ったがん(雁)のようだ. 連れ合いに先立たれた人の寂しさのたとえ.

짝(을) 짓다 ❶一そろい〔一対〕にする. つがいにする. 組み合わせる. 文例 둘씩 짝을 지으세요 二人ずつ組みを作ってください. ❷めあ(娶)わせる. 添わせる. 文例 저 둘을 짝지어 주자 あの二人を添わせてやろう.

짝(을) 채우다 ❶(一そろいのものの)欠けを満たす. 対にする. ❷連れ添わせる. めあわせる.

짝[2]〈依名〉❶冠形詞'아무 なんの'に付き, '곳 所'の意を表わす語. 句例 아무 ～에도 못 쓸 놈 なんの役にも立たないやつ. ❷冠形詞'무슨 なんたる'に付き, '꼴 ざま'の意を表わす語. 文例 무슨 ～이냐 なんたるざまだ.

짝-귀〈名〉両方の耳が同じくないふぞろいの耳.

짝-맞추다 [tchang―] ⇨'짝[1]'の小項目

짝-사랑〈名〉片思い. 片恋. おかぼ(岡惚)れ《俗》. 横恋慕. 句例 ～으로 고민하다 片思いに悩む〔苦しむ〕.

*__짝-수__【一數】〈名〉偶数. 對홀수.

짝-없다 [tchagŏpta] ⇨'짝[1]'の小項目

짝-짓기〈名・하自〉❶組み合わせること. ❷〔動〕交合. 交尾. 交接.

*__짝-짓다__ (짝지으니, 짝지어서) ⇨'짝[1]'の小項目

*__짝짜꿍__〈名・하自〉乳飲み子がかわいらしく両手を打つこと.

짝짝〈副・하自〉舌鼓を打ったり舌を鳴らしたりする音：くちゃくちゃ. ちゅっちゅっ. 句例 껌을 ～ 씹다 ガムをくちゃくちゃかむ. **～거리다**〈他〉しきりに舌鼓を打ちながら食べる.

*__짝짝-이__ [tchaktchagi]〈名〉(対の物の)ふぞろい. ちぐはぐ. 片ちんば. 句例 구두를 ～로 신다 靴を片ちんばに履く. 語例 ～ 장갑 ちぐはぐ〔片ちんば〕の手袋.

짝-채우다 ⇨'짝[1]'の小項目

짠-맛〈名〉塩辛い味.

짠-물〈名〉❶⇨ 바닷물. 對민물. ❷塩辛いものからしみ出た汁. 對단물.

짠지〈名〉大根の塩漬け.

짤깍〈副・하自他〉カメラのシャッターを押す音：ぱちり. **～거리다**〈自他〉続けざまにシャッターを押す.

짤깍짤깍〈副・하自他〉ぱちりぱちり.

짤따랗다 [tchalttarat'a] (짤따라니, 짤따라오)〈形〉思ったより短い.

짤막-이 [tchalmagi]〈副〉やや短く. 短めに.

짤막-하다 [tchalmak'ada] (→하다)〈形〉短めだ. 句例 짤막한 인사말 短めのあいさつ / 소매가 ～ そでがやや短い.

짤막짤막〈副・하形〉あれこれがみな短めなさま.

****짧다** [tchaltta]〈形〉❶短い. 句例 짧은 띠 短い帯 / 짧은 시간〔거리〕短い時間〔距離〕/ 짧은 장대 短いさお(竿) / 여름이 ～ 夏が短い / 짧게 자르다 短く切る. 對길다.

❷(範囲・程度が)及ばない. 足りない. 浅い. 句例 식견이 ～ 識見が足りない / 짧은 지식 浅い知識.

❸(資本などが)十分でない. 少ない. わずかだ. 句例 짧은 밑천으로 시작하다 わずかの元手で始める.

❹(食べ物に)やかましい. えり好み〔好き嫌い〕がはげしい. 文例 그는 원래 입이 ～ 彼はもともと好き嫌いがはげしい.

參考 '짧고 短くて' '짧은 短い'は[tchalkko], [tchalbŭn]と発音される.

짧아-지다 [tchalba―]〈自〉短くなる. つづまる. 句例 해가 ～ 日が短くなる. 文例 유행에 따라 치마가 짧아지기도 한다 流行によりスカー

トが短くなったりする.

짬 [tcha:m]〈名〉透き間. ❶(空間的な)透き. 文例 발 들여놓을 ~도 없다 足の踏み入れる透きもない.
❷継ぎ目. 句例 ~이 벌어지다 継ぎ目が離れる〔ゆるむ〕.
❸(時間的な)暇. 間. 合間. いとま(暇)《雅》. 句例 일하는 ~을 보아 仕事の間を見て / ~을 보아 놀러 가다 暇を見て遊びに行く. 文例 일이 바빠서 차 한잔 마실 ~도 없다 仕事が忙しくてお茶を一杯飲む暇もない. ▷類틈.
짬(이) 나다 ❶透き間ができる. ❷手が透く. 暇が空く. 暇ができる. 句例 책 읽을 ~이 나다 本を読む暇が空く.

짬뽕〈名〉ちゃんぽん. ＝혼음(混飲). 句例 술을 ~으로 마시다 酒をちゃんぽんに(して)飲む. ◇일 ちゃんぽん

짬짜미〈名・하他〉❶(二人だけの)ひそかな約束. ❷(勝負事での)八百長.

짬짬-이 [tchamtchami]〈副〉暇暇に. 合間に. 句例 일하는 ~ 한 대 피우다 仕事の合間に一服する. 類틈틈이.

짭짤-하다 (→하다)〈形〉❶やや塩辛い. 句例 짭짤한 맛 やや塩辛い味. ❷かなりよい. 結構だ. 句例 짭짤한 수입〔물건〕 かなりよい収入〔品物〕/ 짭짤한 솜씨 結構な腕前〔できばえ〕/ 장사가 짭짤하게 잘 되다 商売がかなりうまくいく. **짭짤히**〈副〉❶やや塩辛く. ❷結構に. かなりよく.

짱구〈名〉[‘짱구 머리’の略] さいづち頭.

짱아〈名〉《兒》⇨ 잠자리². 語例 ~채 捕虫網

짱알-거리다〈自〉(幼児が)むずかる. だだをこ「ねる.
表現 語感の大きい語は‘찡얼거리다’.
짱알짱알〈副・하自〉むずかる〔だだをこねる〕さま.

-째〈尾〉❶‘ありのまま・そのまま’の意: …ごと. 句例 뼈~ 먹다 骨ごと食べる / 뿌리~ 뽑다 根ごとに引き抜く. 根こそぎにする / 통~로 삼키다 丸のみにする.
❷名詞や数詞, また一部の冠形詞の後に付いて, 順序を表わす語: …目. …番目. 句例 둘~ 딸 二番目の娘 / 셋~ 집 三軒目の家 / 몇 번~ 何番目 / 다섯 대~의 차 五台目の車.
❸時を表わす語の後に付いて, ‘…の間’の意を表わす. 句例 이틀~ 밤을 새우다 二日間夜をふかす.
参考 ‘-째①’の代わりに‘-채’を使うことがあるが, これは非標準語である.

째깍〈副・하自他〉❶固いものが折れたり触れ合ったりして出る音: ぽきん. かちん. かちっ. ❷時計などの歯車の音: かちかち. **~거리다**〈自他〉❶しきりにぽきんぽきんと折る〔折れる〕. ❷かちかちと音がする〔音を立てる〕.
表現 語感の大きい語は‘쩨꺽’.
째깍째깍〈副・하自他〉ぽきんぽきん. かちんかちん. かち[illegible].

째다¹ [tchae:da]〈自〉(衣服・靴などが小さくて)きつい. 窮屈だ. きちきちだ. 堅い.

째다² [tchae:da]〈自〉(人手や物資が)不足する. 窮する. 句例 일손이 ~ 人手が足りない / 자금이 ~ 資金に窮する〔詰まる〕/ 생활이 ~ 生活に窮する.

째다³ [tchae:da]〈他〉(切り)裂く. 切開する. 切り開く. 句例 종기를 ~ はれ物を切開する / 소매치기가 주머니를 칼로 ~ すりがポケットをナイフで切る.

째리다 [tchae:rida]〈他〉‘노려보다’の俗っぽい言いかた: にらみつける. にらむ.

째-지다 [tchae:—]〈自〉‘째어지다’の略. ❶裂ける. ❷(暮らしに)ひどく窮する. 句例 째지게 가난하다 食うや食わずの暮らしである. とても貧乏だ.

짹-소리〈名〉ぐうの音. 句例 ~도 못 하다 ぐうの音も出ない.
表現 後に必ず否定や禁止の表現が来る.

***짹-짹**〈副〉すずめ(雀)・ねずみなどの鳴き声: ちゅうちゅう. ちいちい. 文例 참새 새끼가 꼭두새벽부터 ~ 울고 있다 すずめの子が朝っぱらからちゅうちゅう鳴いている. **~거리다**〈自〉(すずめなどが)しきりにちゅうちゅう鳴きたてる.

쨍〈副〉金属が触れ合って鳴るきつい音: かちん. がちゃん.

쨍그랑〈副・하自他〉薄い金属・ガラスなどがぶつかって鳴る音: がちゃん. 句例 접시가 ~ 깨지다 皿ががちゃんと割れる. **~거리다**〈自他〉がちゃんがちゃんと音がする〔音を立てる〕.
쨍그랑쨍그랑〈副・하自他〉がちゃんがちゃん.

쨍쨍〈副〉照りつけるさま: かんかん. じりじり. 句例 볕이 ~ 내리쬐다 太陽〔日〕がかんかん(と)照りつける.

쨍쨍-거리다〈自〉(不平を)がみがみ言う. ごてる《俗》.
表現 語感の大きい語は‘찡찡거리다’.

쩌렁쩌렁-하다 (→하다)〈形〉(声が)大きく響き渡る. りんりんとしている. 句例 쩌렁쩌렁한 목소리 よく通る声.

쩍〈副〉❶一気に(二つに)割れるさま: ぽっかり. ぱくっと. 句例 수박이 ~ 갈라지다 すいかがぽっかりと割れる. ❷大きく開ける〔広げる〕さま: ぱくり. あんぐり. 句例 입을 ~ 벌리다 口をぽかんと開ける / 두 팔을 ~ 벌리다 両腕をぱっと広げる.
表現 語感の小さい語は‘짝’.

쩍쩍〈副・하他〉❶物をか(噛)んだり舌打ちする音: くちゃくちゃ. ちっちっ. 句例 껌을 ~ 씹다 ガムをくちゃくちゃとかむ. ❷(まき(薪)や地面などが)割れるさま〔音〕: ぴしっぴしっ. 文例 가물어서 논이 ~ 갈라졌다 日照りが続いて田がぴしっぴしっとひび割れた.

쩍-하면 [tchŏk'amyŏn]〈副〉[‘뻔쩍하면’の略] ややもすれば. ともすれば. 事あるごとに.

쩔그렁〈副・하自他〉薄い金属が触れ合って鳴る音: かちん. がちゃん. ちゃりん. **~거리다**〈自他〉がちゃつく. ちゃらちゃらする〔させる〕.
쩔그렁쩔그렁〈副・하自他〉かちゃかちゃ.

쩔뚝-거리다〈自他〉片足をひどく引きずって歩く.

ス

[表現] 語勢の弱い語は'절뚝거리다'.

쩔뚝쩔뚝 〈副・하自他〉 片足をひどく引きずって歩くさま.

쩔뚝발-이 [tchŏlttukpari] 〈名〉 片足の具合が悪くて歩行の不自由な人.

쩔쩔-매다 〈自〉 ❶途方に暮れる. あわてふためく. [文例] 뭐라고 대답해야 좋을지 몰라 쩔쩔맸다 なんと答えていいか分からずうろたえた. ❷てんてこ舞い(を)する. [句例] 주문이 쏟아져서 ～ 注文が殺到しててんてこ舞い(を)する. ❸(圧倒されて)たじたじとなる. たじろぐ. 閉口する. [句例] 질문 공세에 ～ 質問ぜめにあってたじたじになる. [文例] 선생님 앞에서는 쩔쩔매어 말도 제대로 못 한다 先生の前ではどぎまぎして話もちゃんとできない. ❹(暮らし・金などに)窮する. [句例] 돈이 없어 ～ お金がなくて困り果てる.

쩝쩝 〈副・하自他〉 舌打ちをするさま. 舌鼓を打つさま. **～거리다** 〈自他〉 (しきりに)舌打ちをする. 舌鼓を打つ.

쩟 〈副〉 舌打ちをする音: ちぇっ.

쩡쩡 〈副・하自〉 権勢をふるうさま. 羽振りのいいさま. **～거리다** 〈自〉 羽振りをきかせる. [句例] ～거리고 살다 羽振りよく暮らす.

쩨쩨-하다 (→하다) 〈形〉 ❶つまらない. くだらない. ❷けちだ. しょっぱい. みみっちい. [句例] 쩨쩨한 녀석〔생각〕 けちくさいやつ〔考え〕. [文例] 쩨쩨한 소리 마라 けちくさい〔しょっぱい〕事を言うな. ㊫짜다.

쪼가리 〈名〉 欠けら. 片割れ. 破片. [語例] 헝겊〔천〕 ～ 布の切れ端し.

***쪼개다** 〈他〉 割る. 裂く. 分ける. [句例] 사과를 둘로 ～ りんごを二つに割る / 장작을 ～ まき(薪)を割る. →짜개다

쪼개-지다 〈自〉 ❶別れる. 分かれる. 分けられる. [句例] 나라가 둘로 ～ 国が二つに分かれる. ❷割れる. 裂ける. 割られる. [句例] 수박이 짝 ～ すいかがぽかんと割れる.

쪼그라-들다 (―드니, ―들어서) 〈自〉 縮む. 縮(こ)まる. しな(萎)びる. 減る. [句例] 몸이 ～ 身が縮こまる / 살림이 ～ 暮らし向きが悪くなる. [文例] 빨아도 쪼그라들지 않는다 洗濯しても縮まない.

쪼그라-뜨리다 〈他〉 (力んで)へこ(凹)ませる. つぶ(潰)す. 縮こませる. ぺしゃんこにする.

쪼그라-지다 〈自〉 ❶(かさが)縮まる. 小さくなる. へこ(凹)む. (つぶ(潰)れて)ぺちゃんこになる. ❷(老いぼれて)しな(萎)びる.

쪼그랑-할멈 〈名〉 しわくちゃばあさん. 梅干しばばあ(婆).

***쪼그리다** 〈他〉 ❶へこ(凹)ます. (押し)つぶ(潰)す. 小さくする. ❷(手足・身を)曲げる. かが(屈)める. しゃがむ. うずくまる. [句例] 몸을 쪼그리고 앉다 からだをかがめて座る.

[表現] 語感の大きい語は'쭈그리다'.

쪼글-쪼글 〈副・하形〉 しわくちゃ. くしゃくしゃ.

쪼다 [tcho:da] 〈他〉 ❶(鳥が)つつく. ついば(啄)む. [句例] 닭이 모이를 ～ 鶏がえさをつつく. ❷(のみ・たがねで)刻む. 彫る.

쪼들리다 〈自〉 (…に)悩まされる. 困る. 窮する. もまれる. [句例] 돈에 ～ お金に窮する / 빚쟁이에게 ～ 債鬼に責められる / 늘 ～ いつもぴいぴいする.

쪼록 〈副〉 狭い所を流れていた水がにわかに切れる音: ちょろっと.

쪼르르 〈副〉 ❶短い足を早目に運ばせて進むさま. ねずみ(鼠)などがちょろちょろ動き回るさま. ❷水が狭い所を流れるさま〔音〕: ちょろちょろ. ❸ずぶぬれになったさま: びっしょり. ❹小さいものが斜面を滑るさま: ずるずる. ❺子供や犬などがついて来るさま: ちょろちょろ. [句例] 아이들이 ～ 따라오다 子供たちがぞろぞろついて来る.

[表現] 語感の大きい語は'쭈르르'.

쪼르륵 〈副・하自他〉 ❶狭い所を流れていた水がにわかに切れる音: ちょろっ. ❷ひもじくて腹が鳴る音: ぐうっ. [文例] 배에서 ～ 소리가 난다 おなかがぐうぐう鳴る. **～거리다** 〈自他〉 しきりにちょろっ〔ぐうっ〕と音がする〔音を立てる〕.

쪼르륵쪼르륵 〈副・하自他〉 ちょろっちょろっ. ぐうぐう.

쪼아-먹다 〈他〉 ついば(啄)む. つつく. [句例] 새가 나무열매를 ～ 鳥が木の実をついばむ.

쪼이다 〈自他〉 ⇨ 쬐다

쪽[1] 〈名〉 既婚女性の髪形の一種. 髪を後ろで束ねてかんざしをさした形. [絵]

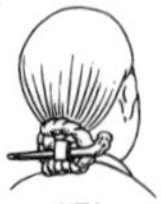
〈쪽〉

쪽(을) 찌다 (既婚女性が)髪を後ろで束ねてかんざしをさす.

***쪽**[2] ■〈名〉 ページ. 面. [句例] 5～ 참조 五ページ参照.
■〈依名〉 本の面を数える語: ページ. 面. [句例] 500～의 책 500ページの本.

쪽[3] ■〈名〉 (割れたものの)欠けら. 片. [語例] 마늘～ にんにく玉の一片.
■〈依名〉 欠けらを数える語: 切れ. [語例] 배두 ～ なし二切れ.

쪽[4] 〈名〉〔植〕 あい(藍).

***쪽**[5] 〈名〉 がわ(側). 方・かた. [句例] 한 ～ 구석 片隅. [語例] 오른〔맞은〕～ 右〔向こう〕側 / 동～ 東の方. 東側 / 아버지～ 父方.

쪽[6] 〈名〉 '얼굴 顔'の隠語.

쪽(을) 못 쓰다 ❶ぐうの音も出ない. ❷あまり好きで, 目がない. ㊫사족(四足)(을) 못 쓰다.

쪽-마루 [tchong―] 〈名〉 一・二枚の板を横に敷いた細長い縁側.

쪽매 [tchongmae] 〈名〉 寄せ木. [語例] ～붙임 寄せ木細工.

쪽-문 【一門】 [tchong―] 〈名〉 くぐり戸. 切り戸.

쪽-박 〈名〉 小さいひさご(瓢).

쪽박(을) 차다 物もらいをする. こじきになる.

쪽-발이 [tchokpari] 〈名〉 日本人をさげすんで言うことば.

쪽-배 〈名〉 丸木船.

쪽-빛 〈名〉 あい色.

쪽소매-책상 【一册床】 〈名〉 片そで(机). 略して'쪽소매'ともいう.

쪽지 【一紙】 〈名〉 ❶紙切れ. ❷紙切れに書いた

ス

言付けやメモ．❸合札．付箋．
쫀득-거리다 〈自〉(弾力のある食べ物が)口の中でにちゃにちゃする．
쫀득쫀득 〈副・하自形〉しこしこ．
쫀쫀-하다 (→하다)〈形〉織り目が細かい．布目が詰んでいる．
쫄깃-쫄깃 〈副・하形〉(歯でかむと)やや堅く弾力性があるさま：しこしこ．
쫄딱 〈副〉すっかり．完全に．文例 회사가 ～ 망했다 会社が完全につぶれた．
쫄딱-쫄딱 〈副・하形〉(物事を)幾度かに分けて少しずつするさま：ちびちび．句例 돈을 ～ 쓰다 お金をちびちびと使う．
쫄리다 〈自〉❶ひどくせがまれる〔ねだられる〕．責められる．❷ひどく締めつけられる．きりきりと縛ら〔結ば〕れる．
表現 語勢の弱い語は'졸리다'．
쫄쫄[1] 〈副〉❶水がほそぼそと流れるさま：ちょろちょろ．❷うるさい程つきまとうさま．**～거리다** 〈自〉❶(水が)ちょろちょろと流れる．❷しつこくつきまとう．
쫄쫄[2] 〈副〉空腹になったさま：ぺこぺこ．文例 하루 종일 ～ 굶고 다녔다 一日中何も食わずすきっ腹を抱かえて歩き回った．
쫄쫄-이 [tcholtchori]〈名〉❶おっちょこちょい．小柄で心の狭い人．❷伸縮自在の肌着〔履物〕．
쫄쫄쫄 〈副〉水がほそぼそと流れるさま：ちょろちょろ．
쫑그리다 〈他〉(犬・馬などが)耳をそばだてる．
쫑긋-거리다 〈他〉❶(話を切り出そうとして)口をもぐもぐさせる．❷(犬・馬などが耳を)ぴくぴくさせる．そばだてる．
쫑긋쫑긋 〈副・하他〉もぐもぐ．ぴくぴく．
쫑알-거리다 〈自〉(不平を)しきりにつぶやく．ぶつぶつ言う．
쫑알쫑알 〈副・하自〉ぶつぶつ．
쫓겨-나다 〈自〉締め出される．追い払われる〔出される〕．句例 공직에서 ～ 公職を追われる / 집에서 ～ 家を追われる / 주인에게 ～ 主人に締め出しを食う．
***쫓기다** 〈自〉'쫓다'の受け身：追われる．❶追いかけられる．句例 적에게 ～ 敵に追われる / 쫓고 쫓기는 싸움 追いつ追われつの戦い．❷(仕事などに)追い回される．句例 일에 ～ 仕事に追われる．
***쫓다** 〈他〉追う．❶追い払う．追いのける．追い出す．句例 파리를 ～ はえを追い払う / 마귀를 ～ 悪魔を払う．語例 쫓아 버리다 追い払ってしまう．追い散らす．❷(後を)追いかける．句例 전속력으로 뒤를 ～ 全速力で後を追う．▷→囲み記事 80
쫓아-가다 [tchoch'a—]（쫓아가거라）〈自他〉❶追いかける．おっかける．追う．句例 소매치기를 ～ すりを追いかける．❷ついて行く．付き従う．句例 친구를 따라 산에 ～ 友達の後について山に行く．
쫓아-내다 [tchoch'a—]〈他〉追い出す．追い払う．つまみ出す．句例 세든 사람을 ～ 間借り人を追い立てる．
쫓아-다니다 [tchoch'a—]〈自他〉❶後について歩く．つけ回ます．句例 끈질기게 ～ しつこくつけ回す．❷忙しそうに駆け回る．文例 온종일 쫓아다니면서 찾아보았다 一日中駆け回りながら探してみた．
쫓아-오다 [tchoch'a—]（쫓아오너라）〈自他〉❶追って来る．追いかけて来る．文例 개가 한 달음에 쫓아왔다 犬が一はしりに追ってきた．❷ついて来る．後をつける．
좍 〈副・하自〉たちまち広まるさま：ぱっと．句例 소문이 삽시간에 ～ 퍼지다 うわさがたちまちぱっと広まる．
***쬐다** [tchoe:da] ㊀〈自〉照る．照りつける．句例 해가 내리～ 日が照りつける / 저녁해가 들이～ 西日が照りこむ．
㊁〈他〉(日・火に)当たる．さらす．浴びる．句例 불을 ～ 火にあたる / 화로에 손을 ～ 火鉢に手をあぶる / 햇볕을 ～ 日光を浴びる．日向ぼっこをする．▷＝쪼이다．
쭈그러-들다 (—드니，—들어서)〈自〉'쪼그라들다'の語感の大きい語．
쭈그렁 밤송이 [—ba:msong-i]〈名〉できの悪いいがぐり．
쭈그렁 밤송이 삼 년 간다 できの悪いいがぐり三年もつ．ひ弱い人が案外長生きすることのたとえ．
쭈그렁-이 〈名〉❶縮みこんだ〔ぺちゃんこになった〕もの．しわくちゃの物．へこ(凹)んだもの．❷しなびた老人．老いぼれ．❸実りの悪い実．
쭈그리다 〈他〉'쪼그리다'の語感の大きい語．
쭈글-쭈글 〈副〉しわくちゃ．しわしわ．くちゃくちゃ．くしゃくしゃ．**～하다** 〈形〉しわくちゃだ．くしゃくしゃだ．しなびている．句例 늙어서 ～한 노인 老いてしわくちゃな〔しなびた〕老人 / 비를 맞아 ～해진 바지 雨にぬれてしわくちゃになったズボン．
쭈뼛이 [tchuppyŏshi]〈副〉そばだって．ぞっと．
쭈뼛-쭈뼛 〈副・하形〉はにかんだりいじけたりしてまごまごするさま：もじもじ．いじいじ．おどおど．恐る恐る．句例 ～ 의견을 말하다 おずおずと意見を述べる．
쭈뼛-하다 [tchuppyŏt'ada]（→하다）〈形〉❶そびえている．そばだっている．❷身の毛がよだつ思いだ．ぞっとする．
쭉 〈副〉❶(一列に)並んで〔続いて〕いるさま：ずらりと．句例 ～ 늘어서다 ずらりと並ぶ．❷動作が一気に行なわれるさま：さっと．すっと．❸動作が続くさま：ずっと．続けて．句例 ～ 서 있다 ずっと立ち通しである．❹一気に裂く音：ぱりっと．句例 종이를 ～ 찢다 紙をぱりっと裂く．❺勢いよく吸い〔飲み〕込むさま：ぐいと．ちゅっ．句例 맥주를 ～ 들이켜다 ビールを一気に飲み干す．❻線を一気に引くさま：すっと．
쭉정-이 〈名〉しいな(粃)．
쭝긋-거리다 〈他〉'쫑긋거리다'の語感の大きい語．
***-쯤** 〈尾〉名詞・代名詞に付いて程度を表わす語：…程．…ぐらい．…ごろ．…ばかり．…当たり．…前後．…方．句例 나이는 삼십사오 세～ 年の程〔ころ〕(は)三十四五．文例 그～ 일로 화를 내느냐 それしきの事で

ス

腹を立てるのか / 지금~은 서울에 도착했을거다　今ごろはソウルに到着したであろう. 語例 일곱시~ 七時ごろ. 七時前後 / 열흘~ 十日程 / 내년~ 来年当たり.

쯧-쯧 〈感〉 しきりに舌打ちをする音: ちぇっちぇっ.

찌 〈名〉 '낚시찌'の略.

찌개 〈名〉 チゲ. 肉・野菜にみそ(味噌)などを入れて煮込んだなべもの. 語例 김치 ~ キムチチゲ. キムチなべ.

찌그러-뜨리다 〈他〉 押しつぶす. へこ(凹)ます. ぺちゃんこにする.

찌그러-지다 〈自〉 ❶つぶ(潰)れる. (形が)ゆが(歪)む. へこ(凹)む. ❷や(痩)せこけてしな(萎)びる.

**찌꺼기 〈名〉 かす(滓). ❶沈んだおり(澱). ❷残り物. 残りかす. つまらないもの. くず(屑). 句例 먹다 남은 ~를 버리다 食べかすを捨てる / 팔다 남은 ~ 売れ残り. 語例 술~ 酒かす / 된장 ~ みそっかす. ▷略して '찌끼'ともいう.

찌다¹ 〈自〉 肥える. 太る. 句例 술살이 ~ 酒太りする.

찌다² 〈自〉 蒸し暑い. 蒸す. 蒸れる. 句例 찌는 듯한 더위 蒸す〔うだる〕ような暑さ.

*찌다³ ■〈他〉 蒸す. ふ(蒸)かす. 句例 고구마〔감자〕를 ~ 芋をふかす / 감자가 쪄지다 芋がふける.

■〈自〉 (気勢がくじけて)だめ(駄目)になる.

찌들다 (찌드니, 찌들어서) 〈自〉 ❶古くなってよごれる. あか(垢)〔油〕じみる. しみつく. 句例 셔츠가 ~ シャツがあかじみる. ❷(苦労を重ねて)やつれる. 句例 찌든 얼굴 やつれ顔 / 살림에 ~ 所帯染みる. 所帯やつれする.

*찌르다 (찌르니, 찔러서) 〈他〉 ❶突く. ㉠(針・刀などで)(突き)刺す. 句例 비수로 ~ 合い口で刺す / 작살로 ~ もり(銛)で突く / 등을 쿡쿡 ~ 背中をつつく〔小突く〕.

㉡攻める. 襲う. 句例 허를 ~ 虚を突く. 鼻をあかす / 의표를 ~ 意表を突く. 裏をかく / 약점을 ~ 弱点を突く / 폐부를 ~ 肺腑を突く〔えぐる〕/ 핵심을 ~ 核心を突く. 核心に触れる.

㉢(においが鼻などを)強く刺激する. 句例 냄새가 코를 ~ においが鼻を突く.

❷(ポケットなどに手を)突っこむ. 句例 손을 주머니에 ~ 手をポケットに突っこむ.

❸告げ口をする. 密告する. 句例 범인을 경찰에 ~ 犯人を警察に密告する.

찔러도 피 한 방울 안 나겠다 刺しても血一滴出るところがなさそうだ. ❶抜け目がないことのたとえ. ❷冷酷なことのたとえ.

찔러 피를 내다 刺して血を出す. わざと, しなくてもいいことをすることのたとえ.

*찌르레기 〈名〉〔鳥〕むくどり(椋鳥).

찌르르 〈副・하形〉 ❶水気・油気でいやにつやつやしいさま: てかてか. てらてら. ❷関節・筋肉にしびれを感じるさま: ぴりっと. ぴりぴり.

찌릿-하다 [tchirit'ada] (→하다) 〈形〉 ❶(手足が)ぴりっとする. ❷(胸に)強く感じる. 句例 가슴이 ~ 胸にじいんと来る.

찌릿찌릿 〈副・하形〉 ぴりぴり.

찌무룩-이 [tchimurugi] 〈副〉 不機嫌に. 小難しく. むっつりと.

찌무룩-하다 [—ruk'ada] (→하다) 〈形〉 不機嫌だ. 小難しい. 句例 찌무룩한 얼굴 不機嫌な顔.

찌뿌드드-하다 (→하다) 〈形〉 からだ(体)がだるい. けだるくてさっぱりしない. 重苦しい. 略して'뿌드드하다'ともいう. 文例 과로한 탓인지 몸이 ~ 過労のせいかからだがだるい.

찌우다 〈他〉 '찌다¹'の使役形: 太らせる. 肥やす. 句例 돼지를 잘 먹여 살을 ~ 豚をよく食わせて太らせる.

찌-지 【一紙】〈名〉 付箋. 押し紙.

찌푸리다 ■〈自〉 どんより曇る. 句例 (잔뜩) 찌푸린 날씨 どんよりした〔どんより曇った〕空模様.

■〈他〉 しかめる. しかめっ面をする. 句例 잔뜩 찌푸린 얼굴 苦り切った顔. 渋っ面. しかめっ面 / 못마땅하여 오만상을 ~ 苦虫をつぶしたような顔をする / 눈살을 ~ まゆをひそめる.

찍다¹ 〈他〉 ❶(刃物で)切る. ぶち切る. 句例 도끼로 나무를 ~ おので木を切る. ❷(札・切符などに)穴をあける. はさみ(鋏)を入れる.

**찍다² 〈他〉 ❶(液体などを)つける. 句例 붓에 먹을 ~ 筆に墨をつける. ❷突き刺す. 句例 작살로 ~ もり(銛)で突き刺す / 포크로 찍어서 먹다　フォークで刺して食べる. ❸(はんこなどを)押す. 突く. 句例 인장〔소인〕을 ~ 印章〔消印〕を押す. ❹刷る. 印刷する. 句例 전단(傳單)을 ~ 宣伝ビラを刷る. ❺(点などを)付ける. 打つ. 句例 종지부를 ~ 終止符を打つ. ❻(写真を)撮る. 写す. ❼型に押す. 句例 연탄〔벽돌〕을 찍어 만들다 練炭〔煉瓦〕を型に押してつくる. ❽指摘する. 指し示す. 文例 누구라고 찍어서 말하기는 어렵다 だれと名指しして言うのは難しい.

찍-소리 〈名〉 ぐうの音. 文句. 句例 ~도 못 하다 ぐうの音も出ない / ~ 못 하게 하다 やり込める. 文例 ~ 말고 따라와라 つべこべ言わずについてこい.

表現 後に否定や禁止の言葉が伴う.

찍어-내다 [tchigŏ—] 〈他〉 ❶(とがった物で)突き刺して引き出す. ❷刷り上げる. 刷り出す.

찍어-매다 [tchigŏ—] 〈他〉 粗目にざっと縫い合わす.

찍히다 [tchik'ida] 〈自〉 '찍다²'の受け身. ❶(おのなどで)切られる. ❷(はんこなどが)押される. ❸刷られる. 印刷される. ❹(写真などが)撮られる. ❺目をつけられる. にらまれる. 句例 과장한테 ~ 課長ににらまれる.

찐득-거리다 〈自〉 ❶ねちねちする. ねばねばべとつく. ❷強靭でなかなか断ち切れない.

찐득찐득 〈副・하自形〉 ねばねば.

찐-만두 【一饅頭】〈名〉 蒸しギョーザ.

찐-빵 〈名〉 まんじゅう(饅頭). あんまん.

찔끔 〈副〉 ❶(水・涙などを)とぎれとぎれにこぼすさま: ちょろちょろ. ほろり. 句例 눈물을

～ 흘리다 涙をほろりとこぼす. ❷雨が少し降ったりや(止)んだりするさま. **～거리다**〈自他〉❶(水・小便・涙などが〔を〕)ちびちびもれる〔もらす〕. ❷(出し惜しんで)ちびちび与える〔くれる〕.

찔끔찔끔〈副・하自他〉ちびちび. 少しずつ.

찔레-꽃〈名〉〔植〕のいばら(野茨)の花.

***찔리다**〈自〉'찌르다'の受け身. ❶刺される. 句例 가시에 ～ とげに刺される. ❷とがめる. 句例 양심에 ～ 良心がとがめる. 気がとがめる. ❸突かれる. 句例 아픈 데를 ～ 痛いところを突かれる.

찜〈名・하自〉❶煮込み. 鶏・魚・肉・野菜などに薬味を入れて煮込んだ料理. ❷'찜질'の略.

参考 ①はもと蒸してつくったことから出たことば.

찜부럭〈名〉不機嫌. むずかり. かんしゃく(癇癪). 句例 ～이 나다 しゃくにさわる.

찜부럭(을) 내다 むずかる. かんしゃくを起こす.

찜부럭(을) 부리다 むずかる. むっとなる.

찜뿌〈名〉野球に似た子供のボール遊び.

参考 ピッチャーがなくて, バレーボールのサーブのように, 打者が手でボールを打ちながらプレーする.

찜-질〈名・하自〉❶湿布. あんぽう(罨法). ❷砂風呂. 湯浴. ▷略して'찜'ともいう.

찜쪄-먹다〈自〉❶人を害する. やっつける. ❷手腕・器量などが抜きんでる. そこのけだ. 顔負けする. 句例 전문가 찜쪄먹을 솜씨 専門家そこのけの腕前.

찜쪄먹게 そこのけの. そっちのけの. 顔負けの. 文例 제 형 ～ 똑똑하다 自分の兄も顔負けするほど利口だ.

찜찜-하다 (→하다)〈形〉何となく気まずい. 気にかかる. 句例 찜찜한 생각이 들다 気まずい思いがする.

찜-통【一桶】〈名〉蒸し器. 蒸しなべ.

찜통-더위【一桶一】〈名〉蒸し風呂のような暑さ.

찡〈副・하自〉感動して胸が熱くなるさま: じいん(と). 句例 가슴에 ～ 와닿다 胸にじいんとくる. 文例 가슴이 ～하여 아무 말도 못 했다 胸がじいんとして何も言えなかった.

찡그리다〈他〉しかめる. ゆがめる. ひそめる. 句例 얼굴을 ～ 顔をしかめる.

찡긋〈副・하他〉顔をややしかめるさま. **～거리다**〈他〉(顔を)しきりにしかめる.

찡긋찡긋〈副・하他〉顔をしきりにしかめるさま.

찡얼-거리다〈自〉(子供が)むずかる. ぐずる. 表現 語勢の激しい語は'칭얼거리다'.

찡얼찡얼〈副・하自〉しきりにむずかるさま.

찢기다〈自〉'찢다'の受け身: 破られる. (引き)裂かれる.

****찢다**〈他〉(引き)裂く. 破る. 破く《俗》. 句例 귀청을 찢는 포성 耳をつんざく砲声 / 종이를 ～ 紙を破る.

찢어-발기다 [tchijŏ—]〈他〉ずたずたに裂く. 八つ裂きにする. ちぎ(千切)る.

찢어-지다 [tchijō—]〈自〉破れる. 破ける. 裂ける. 句例 옷이 ～ 服が裂ける〔破れる〕/ 갈기갈기 ～ ずたずたに裂ける / 가슴이 찢어지는 것 같다 胸が張り裂けるようだ.

찧다 [tchit'a]〈他〉❶つ(搗)く. 句例 쌀을 ～ 米をつく / 칠분도로 찧은 쌀 七分つきの米. ❷(重い物を上げ下ろしして)地をならす. ❸ぶつける. 句例 기둥에 머리를 ～ 柱に頭をぶつける / 엉덩방아를 ～ 尻餅をつく.

찧고 까불다 勝手に人をおだてたりけなしたりしてなぶる.

ㅊ

ㅊ [치읓 ch'iŭt] ハングル字母の第十番目の字.
參考 'ㅊ이 えが' 'ㅊ을 えを'は[ch'iŭshi], [ch'iŭsŭl]と読む.

**차【車】〈名〉❶車. 自動車・タクシー・汽車など乗り物の総称. 句例 ～를 잡다 車〔タクシー〕を拾う / ～를 타고 가다 車に乗って行く / ～에 깔리다 車にひかれる / ～를 놓치다 車〔列車・バス〕に乗り遅れる. 文例 ～를 몰 줄 아세요? 車の運転ができますか. 語例 ～바퀴 車輪 / 외제 ～ 外国製の車. ❷将棋の駒の一つ《飛車にあたる》.

**차【茶】〈名〉茶. ❶〔植〕['차(茶)나무'の略] 茶の木. 句例 ～를 심다 茶を植える. 語例 ～재배 茶の栽培 / ～밭 茶畑. 茶園・茶園. ❷お茶. 句例 진한 ～ 濃い茶 / ～를 끓이다 お茶を入れる〔沸かす〕 / ～를 내다〔대접하다〕 お茶を出す〔ごちそうする〕. 文例 ～라도 한 잔 하실까요? お茶でも一杯飲みましょうか. 語例 보리～ 麦茶 / 인삼～ 人参茶.

**차【差】〈名〉差. 違い. 句例 빈부의 ～ 貧富の差 / (신장에서) ～가 나다 (身長で)差がつく / 불과 한 표 ～로 이기다〔지다〕 たった一票の差で勝つ〔負ける〕. 語例 천양지(天壌之)～ 雲泥の差.

차【次】〈依名〉('…던 ～에'の形で)…(した)ついでに. …(した)折に. 文例 서울 갔던 ～에 대공원까지 구경하고 왔다 上京したついでに大公園まで見物してきた / 책방에 들렀던 ～에 그 책이 눈에 띄어서 사왔다 本屋に寄った折にその本が目についたので買って来た.

-차【次】〈尾〉❶ある動作性名詞に付いて '…하려고 …するため'の意を表わす: …のために. …するために. …しに. 句例 연구～ 상경하다 研究のため上京する. 文例 선생님께 인사～ 왔다가 가는 길입니다 先生にごあいさつをしに来て帰るところです. ❷(数字に付いて)回数・度数を表わす: …次. 語例 제1～ 세계 대전 第一次世界大戦 / 이～ 방정식 二次方程式.

차 〔漢字項目〕

【且】中學 차 シャ. ショ. 저 ソ. ㊀〔차〕❶또 かつ. 그 위에… そのうえ…. ❷…까지도 …でさえも. ❸그러함에도 불구하고 それにもかかわらず. ◧且驚 차경 しょきょう. ❹우선 まず. 잠시 しばらく. ◧且置 차치 しょち. ❺장차 しょうらい. ❻구차스럽다 言い訳がましい. ◧苟且 구차 こうしょ.
㊁〔저〕❶머뭇거리다 まごつく. 망설이다 ためらう. ❷語勢をつよめる助詞.

【借】中學 차 シャク. シャ. ❶빌리다 かりる. ◧借用 차용 しゃくよう. ◧貸借 대차 たいしゃく. ❷빌려주다 かす. ◧借與 차여 しゃよ.

【差】高校 차 サ. ❶틀리다 ちがう. ◧差異 차이 さい. ❷하나의 수치와 다른 수치와의 차이 一つの数値と他の数値とのひらき. ◧差額 차액 さがく. ◧誤差 오차 ごさ. ❸사신을 보내다 つかわす. ◧差遣 차견 さけん.

【次(次)】中學 차 ジ. ❶둘째 二番目. ◧次男 차남 じなん. 次長 차장 じちょう. ❷차례 順序. ◧次序 차서 じじょ. ◧目次 목차 もくじ. ❸횟수 回数. ◧第一次 제일차 だいいちじ. 兩次 양차 りょうじ.

【此】中學 차 シ. 이 この. 이것 これ. 이곳 ここ. ◧此岸 차안 しがん. 此君 차군 しくん. ◧彼此 피차 ひし.

차【車】⇨ 거【車】

차감【差減】〈名〉差し引き. ～하다〈他〉差し引く. 語例 ～ 잔액 差し引き残高.

**차갑다 (차가우니, 차가워서)〈形〉冷たい. ❶(天気などが)冷え冷えしている. 句例 차가운 바람 冷え冷えした〔冷たい〕風 / 얼음처럼 차가운 손 氷のように冷たい手 / 차가운 냉커피 冷たいアイスコーヒー. 語例 차가워지다 冷たくなる. ❷冷淡だ. 句例 차가운 반응〔태도〕 冷たい反応〔態度〕 / 차가운 눈초리로 바라보다 冷たい目つきで見つめる.

차고【車庫】〈名〉車庫. ガレージ. 句例 ～가 딸린 집 車庫つきの家 / 차를 ～에 넣다 車を車庫に入れる.

차곡-차곡〈副〉きちんきちん(と). きちんと. 句例 빈 상자를 ～ 쌓아 올리다 空き箱をきちんきちんと積み上げる / 옷가지를 ～ 개어 놓다 衣類をきちんと畳んで置く.

차관【次官】〈名〉次官. 語例 ～보 次官補 / 정무 ～ 政務次官.

차관【借款】[ch'a:gwan]〈名〉借款. 句例 ～을 제공하다 借款を提供する. 語例 대일 ～ 협정 対日借款協定.

차광【遮光】[ch'a:gwang]〈名・하自〉遮光. 光をさえぎること. 語例 ～막 遮光幕.

*차근-차근〈副・하形〉事をあわてず順序だてて行なうさま: (きちん)きちんと. 順順に. きちょうめんに. しみじみ. 落ち着いて. 句例 일을 ～ 처리하다 仕事をきちんと処理する / ～ 타이르다 しみじみ言い聞かす. 文例 알아듣기 쉽게 ～ 설명해 봐라 分かりやすいようにきちんと説明してごらんなさい.

차기【次期】〈名〉次期. 句例 ～ 선거에는 次期の選挙には. 語例 ～ 정권 次期政権.

차남【次男】〈名〉次男〔二男〕.

차내【車内】〈名〉車内. 語例 ～ 금연 車内禁煙 / ～ 광고 車内広告.

차녀【次女】〈名〉次女〔二女〕.

*차다[1]〈自〉❶満ちる. いっぱいになる. 句例 물이 가득 ～ 水が満ちる / 쌀통〔뒤주〕에 쌀이 ～ 米びつに米がいっぱいになる. 文例 방 안에 연기가 가득 찼다 部屋の中に煙がいっぱいたちこめた.
❷('…에 찬'の形で)…に満ちた. 句例 감격에 찬 눈물 感激に満ちた涙 / 희망에 찬 생활 希望に満ちた生活 / 투지에 찬 표정 闘志にみ

なぎる表情.

❸満月になる. 句例 달이 ~ 月が満ちる. 文例 달도 차면 기운다 月も満ちればか(虧)ける.

❹(一定の限度に)達する. 及ぶ. 句例 정원이 ~ 定員に達する / 무릎까지 차는 눈길 ひざ(膝)までくる雪の道 / 인원이 ~ 人数がそろう.

❺(定められた)期限になる. 句例 임기가 ~ 任期が満ちる / 나이도 차지 않은 소년 年端も行かぬ少年.

❻満足する. 満ち足りる. 句例 눈에 ~ 見た目に満足だ / 마음에 차지 않다 満足しない. 気にいらない.

차면 넘친다 満つればあふれる. 何事も盛りを過ぎれば衰えるとのたとえ.

＊＊차다[2] 〈他〉❶け(蹴)る. けとばす. 句例 공을 높이 ~ ボールを高くける / 엉덩이를 걷어 ~ 尻をけとばす / 자리를 차고 일어나다 席をけって立つ. ❷('혀를 ~'の形で)舌打ちする. 句例 얼굴을 찌푸리고 쯧쯧 혀를 ~ 顔をしかめてちぇっちぇっと舌打ちする. ❸(男女の間で)振る. (好意などを)はねつける. 文例 그는 사랑하던 여자를 차버렸다 彼は愛していた女を振ってしまった / 굴러 들어온 복(福)을 차버리다니 転がり込んだ幸運をけってしまうとは.

차다[3] 〈他〉❶(身に)着ける. 差す. 下げる. 帯びる. 句例 칼을 ~ 刀を差す〔帯びる〕. 絵 / 권총을 허리에 ~ ピストルを腰に着ける / 쌍칼을 ~ 両刀を帯する / 기저귀를 ~ おむつをする. 文例 시계를 차고 있다 時計をつけている. 絵 ❷(手錠・足かせなどを)はめられる. 句例 수갑〔쇠고랑〕을 ~ 手錠をはめられる. 絵

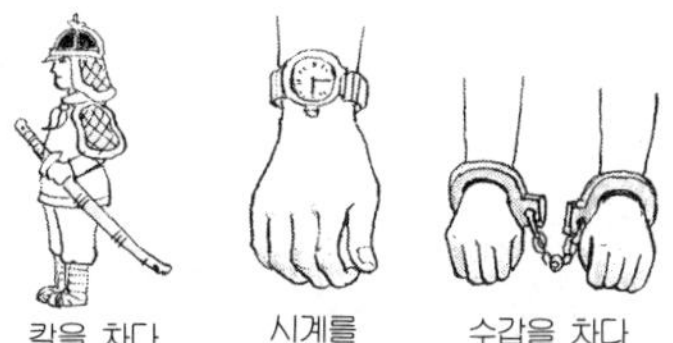

〈차다〉

＊＊차다[4] 〈形〉冷たい. ❶温度が低くて冷ややかだ. 句例 찬 음료 冷たい飲み物 / 찬 바람이 불다 冷たい風が吹く / 공기가 ~ 空気が冷たい / 수박을 차게 해서 먹다 すいかをよく冷やして食べる. 語例 찬술 冷や酒 / 차지다 冷たくなる. ❷人情が薄い. 冷淡だ. 句例 성격이〔마음씨가〕 ~ 性格〔心〕が冷たい.

차단【遮斷】 [ch'a:dan] 〈名・하他〉遮断. 句例 교통이 ~되다 交通が遮断される / 보급로를 ~하다 補給路を遮える. 語例 ~기 (踏み切りの)遮断機.

＊차도【車道】〈名〉車道. ＝찻길. 對보도(步道). 인도(人道).

차도【差度・瘥度】〈名〉病気が快方に向かう程度. 句例 ~가 있다 病気が快方に向かう〔好転する〕.

차-돌〈名〉❶〔鑛〕石英. ❷がっちりして抜け目のない人のたとえ.

차등【差等】〈名〉差等. 差をつけること. 句例 실적에 따라 ~을 매기다 実績によって差等をつける / ~을 두지 않다 差等を設けない. 對균등(均等).

차디-차다〈形〉非常に冷たい. 句例 차디찬 인상〔샘물〕 非常に冷たい印象〔泉の水〕.

차-떼기【車―】〈名〉(おもに野菜類の卸し売り市場などで)トラック一台分を単位として取り引きすること. 句例 양파를 ~로 사다 たまねぎをトラック一台分ひっくるめて買う.

차라리〈副〉むしろ. いっそ. かえって. 文例 적당히 하려면, ~ 하지 않는 게 낫다 いいかげんにするくらいなら, むしろしない方がいい / 괴로워서 ~ 죽어 버리고 싶다 苦しくて, いっそ死んでしまいたい / ~ 술이나 마시자 いっそ(のこと)酒でも飲もうや. 類오히려.

차량【車輛】〈名〉車両. 句例 ~을 정비하다 車両を整備する. 語例 ~ 검사증 車検証 / ~ 점검 車両点検.

＊차려〈感〉気を付け《号令》. 文例 열중 쉬어, ~! 休め, 気をつけ!

＊＊차례 [一]〈名〉❶順序. 順番. 順. 番. 句例 ~대로 順序に従って. 順番に / ~를 기다리다 順番〔番〕を待つ / 줄 선 ~대로 타다 並んだ順に乗る / ~가 돌아오다 順番が回ってくる. 文例 아무쪼록 ~대로 부탁합니다 どうか順番通りにお願いします / 겨우 내 ~가 되었다 やっとわたしの番になった. ❷(本の)目次. 句例 논문에 ~를 달다 論文に目次をつける. [二]〈依名〉…回. …度. 句例 두어 ~ 다녀오다 二回ぐらい行ってくる. 類번(番).

＊차례【茶禮】〈名〉〔民〕陰暦の元旦や'추석(秋夕)'および祖先の誕生日などに行なう簡単な祭祀. ＝다례(茶禮).

차례(를) 지내다 '차례(茶禮)'の儀式を行なう.

＊＊차례-차례〈副〉順順に. 順次に. 次次に. 順ぐりに. 順番に. 句例 일을 ~ 해치우다 仕事を順順にかたづける / ~ 물을 마시다 順ぐりに水を飲む. 文例 ~ 해라 順順にせよ / ~로 요리가 들어왔다 次次に料理がはこばれてきた.

차륜【車輪】〈名〉車輪. 車の輪. ＝수레바퀴. 차바퀴.

＊차리다〈他〉❶準備する. 調える. こしらえる. 句例 밥상을 ~ 膳立てをする / 저녁상을 ~ 夕食を調える. 文例 밥상을 차렸으니까 빨리 일어나세요 お膳を準備しましたから早く起きてください.

❷構える. 開く. 設ける. 句例 구멍가게를 ~ 小店を構える / 신접살림〔새살림〕을 ~ 新所帯を構える / 사무소를 ~ 事務所を設ける.

❸(精神などを)しっかりさせる. 句例 기운을 ~ 元気を出す / 정신을 ~ 気をつける. 文例 이봐, 정신 차려! おい, しっかりしろ.

❹(世間体を)つくろう. (礼儀を)わきまえる. 句例 체면을 ~ 体面をつくろう / 예의를 차릴 줄 모르는 사나이 礼儀をわきまえない男 / (너무) 격식을 ~ 格式ばる.

❺準備を整える．支度する．[句例] 떠날 채비를 ～ 出発の準備を整える．

❻身ごしらえをする．着飾る．装う．[句例] 곱게 ～ あでやかに装う / 화려하게 차려 입다 晴れやか〔華やか・はでやか〕に着飾る．

❼(欲望を)満たす．(利を)図る．[句例] 실속을 ～ 実利を取る〔図る〕．

차림 〈名〉姿．なり．服装．[句例] 남자 ～을 하다 男のなりをする．[語例] 잠옷 ～ 寝巻き姿 / 등산복 ～ 登山服の姿．

***차림-새** 〈名〉身なり．装い．[句例] 검소한 ～ 質素な身なり / 유달리 눈에 띄는 ～ ひときわ目立つ装い．

차림-표【一表】〈名〉献立表．メニュー．＝식단(食單)．

차마【車馬】〈名〉車馬．'거마(車馬)'とも読む．[語例] ～ 통행 금지 車馬通行禁止．

***차마** [ch'a:ma]〈副〉動詞の前に付いて'堪えられない・見兼ねる'の意を表わす語：とても．とうてい(到底)．どうしても．[句例] ～ 볼 수 없다 (とても)見るに忍びない．見るに見兼ねる．[文例] 어린애라 ～ 못 때리겠다 子供だからとうてい殴れない / 그 처참한 광경은 ～ 볼 수 없었다 その凄惨な光景はとても見るに忍びなかった．

차-멀미【車一】〈名・하自〉車酔い．[句例] ～를 하다 車に酔う．→뱃멀미

차명【借名】[ch'a:myŏng]〈名・하自〉他人の名を借りること．[語例] ～ 예금 他人名義の預金．

차밍 [ch'a:ming]〈名・하形〉チャーミング．魅力的．[語例] ～ 스쿨 チャーミングスクール．◇charming

차-바퀴【車一】〈名〉車輪．＝수레바퀴．

차변【借邊】[ch'a:byŏn]〈名〉〔經〕借方．[語例] ～ 계정(計定) 借方勘定．對대변(貸邊)．

***차별**【差別】〈名・하他〉差別．[句例] ～을 두다 差別をつける / 남녀(의) ～ 없이 男女の差別なく / ～ 대우를 받다 差別待遇を受ける．[文例] 어른이고 아이고 ～하지 않는다 大人も子供も差別しない．[語例] ～ 관세 差別関税 / 인종 ～ 人種差別．對평등(平等)．

***차분-하다** (→하다)〈形〉落ち着いている．もの静かだ．[句例] 차분한 성격〔여자〕 もの静かな性格〔女〕/ 차분한 빛깔 落ち着いた色．**차분히**〈副〉落ち着いて．じっくり．[句例] 차분히 생각하다 じっくり考える．

차비【車費】〈名〉車代．車賃．運賃．＝찻(車)삯．[文例] 서울까지의 왕복 ～는 얼마입니까 ソウルまでの往復運賃はいくらですか．

차석【次席】〈名〉次席．＝차위(次位)．[語例] ～ 검사 次席検事．

차선【次善】〈名〉次善．[語例] ～책 次善の策．

차선【車線】〈名〉車線．[句例] ～을 바꾸다 車線を変更する．[語例] 추월 ～ 追い越し車線 / 편도(片道) 4～ 片がわ四車線．

차액【差額】〈名〉差額．マージン．[句例] ～이 생기다〔나다〕 差額が生じる / ～을 먹다 マージンを取る．

차양【遮陽】[ch'a:yang]〈名〉ひさし．❶〔建〕軒に差し出した小屋根．❷(帽子の)つば．[句例] ～이 넓은 모자 つばが広い帽子．▷略して'챙'ともいう．

차-올리다〈他〉け上げる．[句例] 공을 ～ ボールをけ上げる．

차용【借用】[ch'a:yong]〈名・하他〉借用．[語例] ～자 借用者 / ～증(서) 借用証(書) / 무단 ～ 無断借用．對대여(貸與)．

차원【次元】〈名〉次元．[句例] 3～의 세계 三次元の世界 / 같은 ～ 同じ次元 / ～이 낮은 이야기 次元の低い話．[文例] 미국과는 생활의 ～이 다르다 アメリカとは生活の次元が違う．

***차이**【差異】〈名〉差異．差．違い．開き．[句例] 성격의 ～ 性格の違い / 견해의 ～ 見解の相違 / 3분 ～로 기차를 놓치다 三分の違いで汽車に乗り損なう．[文例] 두 제품에 큰 ～는 없다 両製品にたいした差異はない / 시험을 본 결과 실력의 ～가 드러났다 試験の結果，実力の差が現われた．

차이(가) 나다 違いが生じる．

***차이-점**【差異點】[—tchŏm]〈名〉差異点．違う点．相違点．[句例] ～을 지적하다 差異点を指摘する．對공통점．

차일【遮日】[ch'a:il]〈名〉日よけ．日覆い．シェード．[句例] 창문의 ～을 내리다 窓の日よけを下ろす．

차일-피일【此日彼日】[—p'i:il]〈副・하自〉(約束・期日などを)今日明日と延ばすこと．[句例] ～ 미루다 今日明日と延ばす．

차임〈名〉チャイム．[句例] ～ 벨을 울리다 チャイムを鳴らす．[語例] 도어 ～ ドアチャイム．◇chime

차입【借入】[ch'a:ip]〈名〉借り入れ．**～하다**〈他〉借り入れる．[句例] 운영 자금을 ～하다 運営資金を借り入れる．[語例] ～금 借入金．

차장【車掌】〈名〉車掌．[語例] 버스 ～ バスの車掌．

차점【次點】[ch'atchŏm]〈名〉次点．[句例] ～으로 낙선되다 次点で落選する．[語例] ～자 次点者．

차제【此際】〈名〉('～에'の形で)この際．この機会に．[句例] ～에 분명히 말해 두지만 この際はっきり言っておくが．[文例] ～에 아주 단념해라 この際きっぱりとあきらめなさい．

차종【車種】〈名〉車種．車の種類．

차주【車主】〈名〉車の持ち主．

차주【借主】[ch'a:ju]〈名〉借り主．借り手．對대주(貸主)．

***차지**〈名〉分け前．(取り)分．**～하다**〈他〉占める．占有する．取る．[句例] 절대 다수를 ～하다 絶対多数を占める / 승리를 ～하다 勝ちを占める / 수석을 ～하다 首席を占める / 장소〔천하〕를 ～하다 場所〔天下〕を取る．[文例] 건물이 땅의 절반을 ～하고 있다 建物が土地の半分を占めている / 나머지는 내 ～다 残りはおれの分だ / 여기 있는 건 너희들 ～다 ここにある物はお前たちの分だ．

차지다〈形〉❶(ご飯・もちなどが)粘り気が多い．粘っこい．ねばねばしている．[句例] 흙이 ～ 土が粘っこい．❷(気性が)しっかりして粘り強い．

차질【蹉躓・蹉跌・差跌】〈名〉蹉跌．狂い．つまずき．[句例] ～을 가져오다〔초래하다〕 蹉跌を来

きたす / 계획에 ~이 생기다 計画に狂いが生じる.

***차차**【次次】〈副〉だんだん. 次第に. 漸次. ようやく. おいおい. =차츰. [句例] ~ 일에 익숙해지다 だんだん仕事に慣れる / ~ 추워지다 だんだん寒くなる / ~ 좋아지다 漸次よくなる / 비가 ~ 개다 雨が次第にあがる. [文例] 동쪽 하늘이 ~ 밝아지기 시작했다 東の空がようやく白み始めた / ~ 아시게 됩니다 おいおいお分かりになります.

차창【車窓】〈名〉車窓. [句例] ~으로 경치를 바라보다 車窓から景色を眺める.

차체【車體】〈名〉車体. ボディー. [文例] ~가 대파되었다 車体が大破された. [語例] ~ 중량 車体重量.

차축【車軸】〈名〉車軸.

차츰〈副〉次第に. 漸次. =차차(次次). [文例] 의식도 ~ 뚜렷해졌다 意識も次第にはっきりして来た.

***차츰-차츰**〈副〉次第に. だんだん. おいおい. 漸次(に). [句例] 병도 ~ 나아지다 病気もおいおいとよくなる. [文例] 노동자들의 생활이 ~ 좋아지고 있다 労働者の生活がだんだんとよくなっている.

차치【且置】[ch'a:ch'i]〈名・하他〉(おもに'…은〔는〕~하고'の形で)さておいて. [文例] 그 문제는 ~하고라도 이것은 어떻게 할 작정인가 その問題はさておいても, これはどうするつもりか.

차편【車便】〈名〉車の便. [句例] ~에 짐을 부치다 車の便で荷物を送る.

차폐【遮蔽】[ch'a:p'ye]〈名〉遮蔽. 覆って遮ること. [語例] ~물 遮蔽物.

＊＊차표【車票】〈名〉乗車券. 切符. チケット. [句例] ~를 사다〔끊다〕切符を買う / ~를 예매하다 乗車券を前売りする. [語例] 왕복 ~ 往復切符.

차형【次兄】〈名〉次兄. =중형(仲兄).

차후【此後】〈名・副〉このの ち. 今後. [句例] ~ 10년간 今後十年間.

착〈副〉(物が)すきまなく密着するさま: ぴったり(と). ぴたりと. べったり(と). [句例] 종이를 ~ 붙이다 紙をぴったり(と)張りつける / 땅바닥에 ~ 엎드리다 地面にぴたりとうつぶす. [文例] 비를 맞아 셔츠가 몸에 ~ 달라붙었다 雨にぬれて, シャツがからだにべったりとくっついた.

착 〔漢字項目〕

【捉】高校 착 ソク. 잡다 とらえる. ◨捕捉 포착 ほそく.

【着】中學 착 チャク. ジャク. ❶입다 着る. ◧着衣 착의 ちゃくい. 着用 착용 ちゃくよう. ❷달라붙다 くっつく. ◨密着 밀착 みっちゃく. 執着 집착 しゅうちゃく. ❸정주하다 住みつく. ◨定着 정착 ていちゃく. ❹다다르다 いきつく. ◧着岸 착안 ちゃくがん. ◨到着 とうちゃく. ❺바둑에서 돌을 놓다 囲碁で石をおく. ◨敗着 패착 はいちゃく 新着 신착 しんちゃく. ❻도착의 순서 到着の順序. ◧着順 착순 ちゃくじゅん. ◨第一着 제일착 だいいっちゃく.

【錯】高校 착 サク. ❶섞이다 まじる. ◧錯雑 착잡 さくざつ. ◨交錯 교착 こうさく. ❷틀리다 あやまる. ◧錯誤 착오 さくご. 錯覚 착각 さっかく. ❸뒤바뀌다 あべこべになる. ◨倒錯 도착 とうさく.

착각【錯覺】〈名〉錯覚. 勘違い. **~하다**〈自〉錯覚する. 間違える. [句例] 눈의 ~ 目の錯覚 / ~에 빠지다 錯覚におちいる / ~을 일으키다 錯覚を起こす / 엉뚱한 ~을 하다 とんだ勘違いをする.

착공【着工】〈名・하自〉着工. =기공(起工). [句例] ~이 늦어지다 着工が遅れる. [文例] ~된 지 3년 만에 완공되었다 着工されてから三年めに完工した. [語例] ~식 着工式. (對)준공(竣工).

착륙【着陸】[ch'angnyuk]〈名・하自〉着陸. [句例] ~에 실패하다 着陸に失敗する. [語例] ~ 지점 着陸地点 / ~등 着陸灯 / 달 ~ 月面着陸 / 동체 ~ 胴体着陸. (對)이륙(離陸).

착복【着服】〈名・하自他〉着服. [文例] 회사 돈을 ~하고 도망쳤다 会社の金を着服して逃げうせた.

착상【着想】〈名〉着想. 思いつき. アイディア. **~하다**〈他〉思いつく. [句例] 기발한 ~ 奇抜な思いつき / ~을 얻다 着想を得る / ~이 훌륭하다 着想がすぐれている.

착색【着色】〈名・하他〉着色. 色づけ. [語例] ~ 유리 着色ガラス / ~제 着色剤.

착석【着席】〈名・하自〉着席. [文例] 모두 ~해 주십시오 皆さん着席してください. [語例] ~순 着席順. (對)기립(起立).

착수【着手】〈名〉着手. **~하다**〈他〉着手する. 取りかかる. [句例] 일〔공사〕에 ~하다 仕事〔工事〕に取りかかる / 새로운 사업에 ~하다 新しい事業に着手する. [語例] ⇨ 착수금 / ~되다 着手される.

착수-금【着手金】〈名〉手付け. 手付け金. [句例] ~을 걸다〔내다〕手付けを打つ.

착신【着信】〈名・하自〉着信. [語例] ~ 통지 着信の知らせ. (對)발신(發信).

착실-하다【着實—】(→하다)〈形〉着実だ. まじめだ. 地道だ. [句例] 착실한 사람 まじめな人. 地道な人 / 착실하게 진보하다 着実に進歩する / 착실한 직업 ちゃんとした職業. **착실히**〈副〉着実に. まじめに. 地道に. まともに. [句例] 착실히 살다 まじめ〔まとも〕に暮らす / 착실히 일하다 まじめに働く.

착안【着眼】[ch'agan]〈名・하自〉着眼. 着目. 目のつけ方. [句例] 훌륭한 ~ すばらしい着眼. [文例] 좋은 점에 ~하고 있다 いい所に着眼している / 그것이 ~해야 할 점이다 そこが目のつけどころだ.

착안-점【着眼點】[ch'agantchŏm]〈名〉着眼点. 目のつけどころ. [句例] ~이 좋다 着眼点がよい. 目のつけどころがいい / ~이 남다르다 目のつけどころが並はずれている.

착암-기【鑿岩機】[ch'agam—]〈名〉削岩機. [句例] ~로 구멍을 뚫다 削岩機で穴をあける.

착오【錯誤】[ch'ago]〈名・하他〉錯誤. 誤り. [句例] 시대 ~적인 생각 時代錯誤的な考え / 중대한 ~를 범하다 重大な錯誤を犯

おかす. 語例 시행 ~ 試行錯誤.

착용【着用】[ch'agyong]〈名〉着用. **~하다**〈他〉着用する. 着る. 句例 군복을 ~하다 軍服を着用する / 완장을 ~하다 腕章をつける. 文例 당일은 예복을 ~할 것 当日は礼服を着用すること.

착잡-하다【錯雜―】[ch'akchap'ada] (→하다)〈形〉錯綜している. 句例 착잡한 심경 錯雑した心境.

착지【着地】〈名・하自〉着地. ❶着陸する場所. ❷到着地. 語例 ~불(拂)〔經〕着地払い. ❸(体操競技などで)地面に降り立つこと. 句例 ~에 성공하다 着地に成功する / ~에서 자세가 흐트러지다 着地で体勢が崩れる.

착착¹〈副〉⇨ 척척¹

착착²〈副〉物事が順序を追ってはかどるさま: 着着(と). どんどん. 句例 일이〔공사가〕~ 진행되다 仕事〔工事〕が着着とすすむ.

착취【搾取】〈名・하他〉搾取. 句例 노동자를 ~하다 労働者を搾取する. 語例 ~ 계급 搾取階級 / ~당하다 搾取される.

⁑**착-하다** [ch'ak'ada] (→하다)〈形〉善良だ. おとなしい. 良い. 句例 착한 아이 おとなしい子. いい子 / 착한 일을 하다 よい行ないをする / 마음이 ~ 心根がよい. 文例 우리 아기 착하기도 하지 うちの坊やはとてもよい子だね. 語例 착해지다 善良になる. おとなしくなる.

찬【饌】[ch'a:n]〈名〉'반찬(飯饌)'の略: おかず.

찬 〔漢字項目〕

【讚(讃)】 高校 찬 サン. ❶기리다 たたえる. ◧讚嘆 찬탄 さんたん. ◧稱讚 칭찬 しょうさん. ❷한문 문체의 하나 漢文の一体. ◧梵讚 범찬 ぼんさん.

【贊(賛)】 高校 찬 サン. 돕다 たすける. ◧贊助 찬조 さんじょ. ◧協贊 협찬 きょうさん.

찬가【讚歌】[ch'a:n-ga]〈名〉賛歌. 句例 사랑의 ~(를 노래하다) 愛の賛歌(を歌う). 語例 조국 ~ 祖国賛歌.

찬-거리【饌―】[ch'a:nkkŏri]〈名〉おかずの材料. =반찬거리.

찬-기【―氣】〈名〉冷気. 冷たい空気. 句例 ~가 돌다 冷たい空気が漂う.

찬동【贊同】[ch'a:ndong]〈名・하自他〉賛同. 句例 ~을 얻다 賛同を得る / 취지에 ~하다 趣旨に賛同する. 語例 ~자 賛同者. 類찬성(贊成).

***찬란-하다**【燦爛―】[ch'a:llan―] (→하다)〈形〉燦爛としている. きらびやかだ. 輝かしい. まばゆい. 句例 찬란한 보석 燦爛たる宝石 / 찬란한 금관 きらびやかな金冠 / 찬란한 우리 문화 輝かしいわが文化. **찬란히** [ch'a:llanhi]〈副〉燦爛と. 燦然と. 句例 찬란히 빛나다 燦然として輝く.

⁑**찬-물**〈名〉冷や水. 冷たい水. 冷水. お冷や. =냉수(冷水). 句例 ~을 한 바탕 뒤집어 쓰다 冷水をひと浴び浴びる. 對더운물.

찬물을 끼얹다 冷水をぶっかける. 水を差す.

찬미【讚美】[ch'a:nmi]〈名・하他〉賛美. 句例 조국〔인생〕을 ~하다 祖国〔人生〕を賛美する.

찬-바람〈名〉❶冷たい風. 冷風. 寒風. 句例 살을 에는 듯한 ~ 身を切るような寒風 / ~이 휘몰아치다 寒風吹きすさぶ. ❷秋風. 木枯らし.

찬바람(이) 일다 冷たい風が起こる. 冷ややかな空気が漂う. 殺伐な雰囲気になる.

찬-밥〈名〉冷や飯. 句例 ~을 데우다 冷や飯を温める. 對더운밥.

찬밥(을) 먹이다 冷や飯を食わせる. 冷遇するの意.

찬부【贊否】[ch'a:nbu]〈名〉賛否. 句例 ~를 묻다 賛否を問う / ~ 양론이 맞서다 賛否両論が対立する. 語例 ~ 동수 賛否同数.

찬불【讚佛】[ch'a:nbul]〈名・하自〉〔佛〕讃仏. 仏の功徳をたたえること. 語例 ~가 讃仏歌.

찬사【讚辭】[ch'a:nsa]〈名〉賛辞. ほめ言葉. 句例 ~를 보내다〔드리다〕賛辞を送る〔呈する〕/ ~를 아끼지 않다 賛辞を惜しまない.

***찬성**【贊成】[ch'a:nsŏng]〈名・하他〉賛成. 句例 ~을 요청하다 賛成を求める / (다수의) ~을 얻다 (多数の)賛成を得る. 文例 나는 대~이다 ぼくは大賛成だ / ~하시는 분은 손을 들어 주십시오 ご賛成の方は手をあげてください. 語例 ~자 賛成者. 對반대(反對). 類찬동(贊同).

찬송【讚頌】[ch'a:nsong]〈名・하他〉賛美. 句例 하느님을 ~하다 神を賛美する. 語例 ~가〔基〕賛美歌.

찬스 [ch'a:nsŭ]〈名〉チャンス. =기회(機會). 句例 ~를 잡다〔놓치다〕チャンスをつかむ〔のがす〕/ 절호의 ~ 絶好のチャンス. ◇chance

***찬양**【讚揚】[ch'a:nyang]〈名・하他〉あがめたたえること. 句例 신을 ~하다 神をたたえる. 語例 ~대〔基〕聖歌隊.

찬연-하다【燦然―】[ch'a:nyŏn―] (→하다)〈形〉燦然としている. きらきらと光り輝く. 句例 찬연한 영예에 빛나다 燦然たる栄誉に輝く. **찬연히** [ch'a:nyŏnhi]〈副〉燦然と. 句例 찬연히 빛나는 공적〔보석〕燦然と輝く功績〔宝石〕.

찬장【饌欌】[ch'a:ntchang]〈名〉(台所の)戸棚. 茶だんす. 食器棚.

찬조【贊助】[ch'a:njo]〈名・하他〉賛助. 句例 ~를 얻다 賛助を得る. 語例 ~금 賛助金 / ~ 출연 賛助出演.

찬찬-하다 (→하다)〈形〉(性質が)綿密で落ち着いている. 沈着だ. 注意ぶかい. 句例 찬찬한 성격 注意ぶかい〔沈着な〕性格. **찬찬히**〈副〉注意ぶかく. 綿密に. 落ち着いて. 句例 찬찬히 살펴보다 注意ぶかく見る〔観察する〕.

찬-칼【饌―】[ch'a:nk'al]〈名〉(料理用の)小さい包丁.

찬탄【讚嘆・贊嘆】[ch'a:nt'an]〈名・하他〉賛嘆. 句例 ~하여 마지않다 賛嘆してやまない.

찬탈【簒奪】[ch'a:nt'al]〈名・하他〉簒奪. 句例 왕위를 ~하다 王位を簒奪する.

찬표【贊票】[ch'a:np'yo]〈名〉賛成票. 對부표(否票).

찬합【饌盒】[ch'a:nhap]〈名〉重箱. 句例 밥

과 반찬을 ～에 담다 ご飯とおかずを重箱に盛る.

찰 〔漢字項目〕

【察】 中學 찰 サツ. ❶살피다 注意して見る. 헤아리다 おしはかる. ◧察知 찰지 さっち. ◧觀察 관찰 かんさつ. ❷드러나다 あきらかになる. 자세히 알다 くわしくわかる. ◧明察 명찰 めいさつ. 診察 진찰 しんさつ.

찰-가난 〈名〉 赤貧. 極貧.

찰-거머리 〈名〉 ❶へばりついて離れないひる(蛭). ❷ねちねちと人にまといついて悩ます人のたとえ. 文例 ～ 같은 놈이다 (ひるのように)ねちっこいやつだ.

찰과-상 【擦過傷】〈名〉 擦過傷. かすり傷. 句例 ～을 입다 かすり傷を負う.

찰-기 【一氣】〈名〉 粘り気. (もちなどの)腰. 句例 ～가 있다〔없다〕 腰がある〔ない〕.

찰나 【刹那】 [ch'alla] 〈名〉 刹那. 瞬間. 句例 그 ～에 その瞬間に / ～적 환락에 빠지다 刹那的な歓楽に陥る. 語例 ～주의 刹那主義. 對겁(劫).

찰-떡 〈名〉 もち米で作ったもち. 對메떡.

찰떡 궁합(宮合) ❶新婚の仲がむつまじいこと. ❷(結婚する男女の)相性がこの上なくよく合うこと.

찰떡-같다 〈形〉 愛情が深く細やかで離れがたい. 文例 부부의 정이 ～ 夫婦の情が深く固い. **찰떡같이** [―kach'i] 〈副〉 離れがたく. 愛情細やかに.

찰랑-찰랑 〈副・하形〉 なみなみ(と). 句例 ～하게 술을 따르다 なみなみと酒をつぐ.

찰-밥 〈名〉 ❶もち米の御飯. 白蒸し. 對메밥. ❷こわ飯. おこわ《女》.

찰-벼 〈名〉 もち稲. 對메벼.

찰상 【擦傷】 [ch'alssang] 〈名〉 擦傷. すり傷. かすり傷. ＝찰과상(擦過傷).

찰싹 〈副・하自他〉 ❶水面やほおなどを平たい物で軽く打つ音: ぴしゃり(と). ぴしゃっと. 句例 볼기를 ～ 때리다 尻をぴしゃりと打つ. ❷波打つ音: ぱしゃっと. **～거리다** 〈自他〉 ぴしゃっぴしゃっと打つ〔音がする〕.

表現 語感の大きい語は'철썩'.

찰싹찰싹 〈副・하自他〉 ぴしゃっぴしゃっ. ぴしゃりぴしゃり. ぴちゃぴちゃ. 句例 얼굴을 ～ 때리다 顔をぴちゃぴちゃとぶつ.

찰카닥 〈副・하自他〉 ❶粘っこい物がしっかりくっつくさま. また, その音: べたりと. ❷かぎ(鍵)など固い金属がぶつかり合う音: がちりと. がちゃりと. 句例 ～하고 열쇠를 채우다 がちゃりとかぎをかける / 수갑을 ～ 채우다 手錠をがちゃりとかける. **～거리다** 〈自他〉 がちゃがちゃする〔させる〕.

찰칵 〈副・하自他〉 '찰카닥'の略. 句例 ～ 셔터를 누르다 かちりとシャッターを切る.

***찰-흙** [ch'alhŭk] 〈名〉 粘土・ねば土. 句例 ～으로 바르다 粘土で塗る. 語例 종이 ～ 紙粘土.

참[1] 〈名〉 誠. 真実. ❶偽りでないこと. 句例 ～과 거짓 真実と虚偽. ❷本物. 真…. 語例 ～사람 真人間 / ～사랑 まことの愛. ▷對거짓.

참 【站】 [ch'a:m] ㊀〈名〉 ❶〔史〕 駅站. ❷仕事の中休みに食べる食事.

㊁〈依名〉 場合・予定の意を表わす: とき. つもり. ところ. 句例 …하려는 ～에 …するところへ. 文例 시장하던 ～이라 많이 먹힌다 おなかがすいていたところなので, たくさん食べられる / 막 출발하려는 ～이다 ちょうど出発しようとするところだ.

****참**[2] ㊀〈副〉 '참으로 本当に・まことに・実に・どうも', '과연 果たして'の意味で用いる語. 文例 ～ 예쁘군 ほんとにきれいだね / ～ 놀라운 일이다 実に驚くべきことだ / ～ 고맙다 どうもありがとう / ～ 딱하다 まことに気の毒だ.

㊁〈感〉 まったく忘れていたことを突然思い出したとき, または, 感情がたかぶったときなどに出す語: あっ. なんとまあ. そうだ. 文例 ～, 잊었었네 あっ, 忘れていた / ～, 크구나 実に大きいな / ～, 예쁘기도 해라 なんとまあ, きれいなのだろう.

참- 〈頭〉 ❶'本当・真実'の意を表わす語. 語例 ～뜻 本当の意味 / ～모습 本当の姿. ❷品位や質がずっといいことを表わす語. 語例 ～먹 上質の墨 / ～숯 堅炭.

참 〔漢字項目〕

【參(参)】 中學 참 サン. 삼 シン. ㊀〔참〕 ❶뒤섞이다 いりまじる. ◧參伍 참오 さんご. ❷참여하다 加わる. ◧參加 참가 さんか. 參與 참여 さんよ. ❸모이다 あつまる. ◧參集 참집 さんしゅう. 參觀 참관 さんかん. ❹(신불을) 배례하다 拝む. ◧參拜 참배 さんぱい. ❺군주 따위를 찾아 뵙다 君主などに面会する. ◧參謁 참알 さんえつ. ❻대조하다 照らしあわす. ◧參考 참고 さんこう. 參照 참조 さんしょう.

㊁〔삼〕 '三'의 갖은 자. '三'と同意の字. 별이름 星の名. ◧參星 삼성 しんしゅく(參宿).

【慙】 高校 참 ザン. 부끄러워하다 はじる. ◧慙愧 참괴 ざんき. ◧無慙 무참 むざん.

【慘(惨)】 高校 참 サン. ザン. ❶혹독하다 むごい. ◧慘酷 참혹 ざんこく. 慘劇 참극 ざんげき. ❷마음 아프다 いたましい. ◧慘憺 참담 さんたん. ◧悲慘 비참 ひさん.

***참가** 【參加】〈名・하自〉 参加. 句例 대회에 ～하다 大会に参加する / ～를 호소하다 参加を呼びかける. 語例 ～ 신청 参加申し込み. エントリー / ～자 参加者.

참-개구리 〈名〉〔動〕 とのさまがえる(殿様蛙).

참견 【參見】〈名〉 おせっかい. 口出し. 手出し. **～하다** 〈他〉 おせっかいをする. 口出し(を)する. でしゃばる. 句例 쓸데없는 ～ いらぬおせっかい. よけいな口出し〔お世話〕. 文例 남의 일에 ～ 마(라) 人の事に口出しするなよ / 쓸데없는 ～은 그만두게 いらぬおせっかいはやめてくれ.

***참고** 【參考】〈名・하他〉 参考. 句例 ～가 되다 参考になる / (전례를) ～로 삼다 (前例を)参考にする / 남의 의견을 ～하다 人の意見を参考する. 文例 ～하시길 ご参考まで / ～될 만한 자료를 모았다 参考になりそうな資料を集めた. 語例 ～ 문헌 参考文献 / ～인 参考人. 類참조

ㅊ

(參照).

참고-서【参考書】〈名〉参考書. 語例 학습 ~ 学習参考書.

참관【參觀】〈名・하他〉 参観. 句例 일반인의 ~을 허용하다 一般人の参観を許す. 語例 수업 ~ 授業参観.

참관-인【參觀人】[ch'amgwanin]〈名〉❶参観人. 語例 ~ 명부 参観人名簿. ❷〔法〕選挙の立ち合い人. 句例 개표의 ~ 開票の立ち合い人.

참극【慘劇】〈名〉惨劇. 句例 ~을 빚다 惨劇を演じる.

참-기름〈名〉ごま油. →들기름

참-깨〈名〉〔植〕ごま(胡麻). 句例 ~를 볶다 ごまをいる / ~로 기름을 짜다 ごまの種子から油をしぼる.

참-나무〈名〉〔植〕❶ぶな科に属するならがしわ(楢柏)・あべまき(阿部槇)・みずなら(水楢)などの総称. ❷くぬぎ(櫟).

*__참다__ [ch'a:mtta]〈他〉❶こらえる. 我慢する. 耐える. 辛抱する. 句例 아픔을 ~ 痛みをこらえる / 눈물을 ~ 涙をこらえる / 웃음을 ~ 笑いをこらえる〔殺す〕/ 괴로움을 참고 견디다 苦しみを耐え忍ぶ / 모욕을 꾹 ~ 侮辱をじっとこらえる / 노여움을 ~ 怒りをこらえる〔抑える〕/ 불편을 ~ 不便を我慢する. 文例 아파서 도저히 참을 수 없다 痛くてとても我慢できない / (이왕) 참는 김에 좀 더 참자 辛抱するついでに, もう少し辛抱しよう / 조금만 더 참으면 된다 もう少しの辛抱だ.
❷(時や機会を)待つ. 文例 이왕 참은 김에 며칠만 더 참아 주게 どうせ待ったのだから, ついでにもう何日か待ってくれ.

참다-못해 [ch'a:mttamot'ae]〈副〉たまりかねて. 我慢しきれずに. こらえきれずに. 句例 ~ 버럭 화를 내다 こらえきれずかっと腹を立てる / ~ 울음을 터뜨리다 我慢できずにわっと泣き出す. 文例 ~ 한마디 했다 こらえきれずに一言言った / 너무 심해서 ~ 호통을 쳤다 あまりのことに, たまりかねてどなりつけた.

참담-하다【慘憺—】(→하다)〈形〉惨憺としている. 句例 참담한 패배 惨憺たる敗北 / 참담한 결과로 끝나다 惨憺たる結果に終わる.

*__참-답다__ (참다우니, 참다워서)〈形〉(うそや飾りがなく)真実である. 真である. 本当だ. 句例 참다운 사랑 真実の愛 / 참다운 행복 真の幸福 / 참다운 의미에 있어서 本当の意味において.

참-대〈名〉〔植〕真竹.

참-돔〈名〉〔魚〕まだい(真鯛).

*__참-되다__ [ch'amttoeda]〈形〉真実だ. 真である. 誠実だ. 句例 참된 영웅〔용기〕真の英雄〔勇気〕/ 참되게 살다 誠をもって生きる. 誠実に生きる.

참-뜻〈名〉本当の意味. 真意. 真義. 句例 ~을 깨닫다 真意を悟る / 평등의 ~을 이해하다 平等の真義を理解する.

참-말〈名〉 本当の話. 本当. 句例 농담을 ~로 듣다 冗談を真に受ける. 文例 그게 ~인가 それは本当(の話)か / ~ 같지 않아 믿어지지 않는다 本当らしくないので信じられない. 對 거짓말. **~로**〈副〉本当に. まことに. 実に. 句例 ~로 기쁘다 本当にうれしい / ~로 훌륭하다 まことにりっぱだ.

참-맛〈名〉本当の味. 醍醐味. 句例 낚시(질)의 ~을 맛보다 釣りの醍醐味を味わう.

참모【參謀】〈名〉参謀. 句例 회장의 ~역 会長の参謀役. 語例 ~총장〔軍〕参謀総長 / 선거 ~ 選挙参謀.

참-모습〈名〉 真の姿. 本当の姿. 真面目.

참배【參拜】〈名〉参拝. 参詣. **~하다**〈自〉参拝する. もう(詣)でる. 句例 신사 ~를 반대하다 神社参拝を反対する. 語例 ~객 参拝客.

참변【慘變】〈名〉むごたらしい事件や事故. 惨事.

참-빗〈名〉目の細かい竹ぐし. すきぐし. 絵 句例 ~으로 머리를 빗다 すきぐしで髪をすく.

〈참빗〉

참사【慘事】〈名〉惨事. 句例 ~를 초래하다 惨事を招く / 눈뜨고 볼 수 없는 ~ 目も当てられない惨事.

참-사람〈名〉真人間. 句例 마음을 고쳐 ~이 되다 心を入れ変えて真人間になる.

참-사랑〈名〉真実の愛. 真の愛情.

참상【慘狀】〈名〉惨状. 句例 ~을 보이다 惨状を呈する / 이루 말할 수 없는 ~ 言語に絶する惨状. 名状しがたい惨状.

참-새〈名〉〔鳥〕すずめ(雀). 略して'새'ともいう. 句例 ~처럼 재잘거리다 すずめのようにさえずる. 語例 ~떼 すずめの群れ / ~구이 (すずめの)焼き鳥.

*__참석__【參席】〈名〉列席. 出席. **~하다**〈自〉列席する. 出席する. 列する. 句例 식에 ~하다 式に列する / 모임에 ~하다 会に出る / 친구 결혼식에 ~하다 友人の結婚式に列席する. 文例 ~하신 여러분, 자리에 앉아 주십시오 ご列席のみなさま, どうかお座りください. 語例 ~자 出席者.

참선【參禪】〈名・하自〉〔佛〕参禅. 句例 ~하여 무아의 경지에 들다 参禅して無我の境地に入る. 語例 ~자 参禅者.

참수【斬首】[ch'a:msu]〈名・하他〉斬首. 打ち首. 首切り. 略して'참(斬)'ともいう. 文例 국적으로서 ~되었다 国賊として斬首された.

참-숯〈名〉堅炭. 語例 ~불 堅炭の火.

참신【斬新】〈名〉 斬新. **~하다**〈形〉 斬新だ. 句例 ~한 디자인 斬新なデザイン / ~한 기획 斬新な企画.

*__참여__【參與】[ch'amyŏ]〈名〉参与. **~하다**〈自〉参与する. あずかる. 句例 국정에 ~하다 国政に参与する〔あずかる〕. 類관여(關與).

**__참-외__ [ch'amoe]〈名〉〔植〕まくわうり. 語例 ~밭 まくわうり畑.

참-으로 [ch'amŭro]〈副〉本当に. まことに. 実に. 全く(のところ). 句例 ~ 기쁘다 本当にうれしい / ~ 훌륭하다 まことにりっぱだ. 文例 ~ 놀라운 일이다 実に驚くべき事だ / ~ 유감스러운 일이다 まことに遺憾なことだ.

참을-성【—性】[ch'amŭlssŏng]〈名〉こらえ性. 忍耐性. 辛抱強さ. 句例 ~이 많다 辛

抱強い. 我慢強い / ～이 없는 사람 こらえ性のない人 / ～있게 기다리다 我慢強く待つ.

참의-원【參議院】[ch'amŭi—]〈名〉〔法〕参議院. 参院《略語》. 對민의원(民議院). 類상원(上院).

참작【參酌】〈名・하他〉参酌. 酌量. 斟酌. 句例 실정을 ～해서 결정하다 実情を参酌して決める / 사정을 ～하여 事情を斟酌して. 文例 정상 ～의 여지가 없다 情状酌量の余地がない.

참전【參戰】〈名・하自〉参戦. 句例 유엔군으로 ～하다 国連軍として参戦する. 語例 ～국 参戦国.

참정【參政】〈名・하自〉参政. 語例 (여성) ～권〔法〕(婦人)参政権.

참조【參照】〈名・하他〉参照. 文例 다음 항을 ～해 주십시오 次の項を参照してください.

참-조기〈名〉〔魚〕いしもち(石持・石首魚). ぐち.

참참-이【站站—】[ch'a:mch'ami]〈副〉時時. 時折. 間をおいて. =이따금. 句例 ～ 쉬어가면서 일을 하다 ときどき休みながら仕事をする.

참치〈名〉〔魚〕'다랑어 まぐろ'を食用として称する語. 語例 ～ 통조림 まぐろの缶詰.

참패【慘敗】〈名・하自〉惨敗・惨敗. ぼろ負け. 句例 ～를 당하다 惨敗を喫する. 對압승(壓勝). 類대패(大敗). 완패(完敗).

참-하다 [ch'a:mhada] (→하다)〈形〉❶(物の形・程度などが)小ぎれいだ. 適当だ. ちょうど合う. 句例 참한 집 こぢんまりとした家. 文例 공부하기에 참한 방이다 勉強するに適当な部屋だ. ❷(性格などが)しとやかでおとなしい. つつましい. 句例 참한 색시 しとやかでおとなしい娘. 気立てのよい娘.

참호【塹壕】〈名〉〔軍〕塹壕. 略して'호(壕)'ともいう. 句例 ～를 파다 塹壕を掘る. 語例 ～전 塹壕戦.

참혹【慘酷】〈名〉残酷. ～하다〈形〉残酷だ. むごたらしい. 句例 ～한 형벌〔전쟁〕残酷な刑罰〔戦争〕/ ～하기 그지없는〔짝이 없는〕사건 残酷極まりない事件. 語例 ～상(相) 残酷な相. ～히 [ch'amhok'i]〈副〉残酷に.

참화【慘禍】〈名〉惨禍. 句例 전쟁의 ～ 戦争の惨禍 / 큰 ～를 입다 ひどい惨禍をこうむる.

참회【懺悔】〈名・하他〉懺悔. 句例 죄를 ～하다 罪を懺悔する / ～의 눈물을 흘리다 懺悔の涙を流す. 語例 ～록 懺悔録.

찹쌀〈名〉もち米. 語例 ⇨ 찹쌀떡 / ～밥 もち米の飯. 對멥쌀.

찹쌀-떡〈名〉❶もち米のもち(餅). ❷もち米のあんこもち.

찻-간【車間】〈名〉❶(汽車・バスなどの)車内. 車中. 句例 ～에서 우연히 만나다 車内で偶然出合う. ❷(列車などの)箱. 句例 (우연히) 한 ～에 같이 타다 同じ箱に乗り合わせる. 語例 이웃 ～ 隣の箱.

찻-삯 [ch'atsak]〈名〉車賃. 車代. 運賃. =차비(車費). →삯 參考

찻-숟가락【茶—】〈名〉茶さじ. ティースプーン. 略して'찻숟갈'ともいう.

찻-잔【茶盞】〈名〉湯飲み茶わん. 茶飲み(茶わん).

찻-장【茶欌】〈名〉茶だんす.

*찻-집【茶—】〈名〉お茶屋. 喫茶店. =다방(茶房).

창〈名〉❶(靴・履物の)底. 靴底. 句例 ～을 갈다 靴底を張り替える. 語例 ⇨ 창갈이. ❷敷革. 句例 ～을 깔다 敷皮を敷く.

⁑창【窓】〈名〉'창문(窓門)'の略: 窓. 句例 ～을 열다〔닫다〕窓を開ける〔閉める〕/ ～ 너머로 바라다보이는 경치 窓越しに眺められる景色. 語例 ～유리 窓ガラス / ～틀〔建〕窓枠.

창【唱】[ch'a:ng]〈名・하自他〉❶(歌を)歌うこと. =가창(歌唱). ❷'판소리・잡가(雜歌)'などを節をつけて歌うこと. または, その歌声.

창【槍】〈名〉やり(槍). 句例 ～으로 찔러죽이다 やりで突き殺す. 語例 ～끝 やり先 / ⇨ 창던지기 / 죽～ 竹やり.

창　〔漢字項目〕

【倉】高校 창 ソウ. ❶곳집 くら. ◧倉庫 창고 そうこ. ◨穀倉 곡창 こくそう. ❷옥사 牢屋. ◨營倉 영창 えいそう.

【創】高校 창 ソウ. ❶다치다 傷つく. ◧創痍 창이 そうい. 創傷 창상 そうしょう. ❷시작하다 始める. ◧創始 창시 そうし. ◨獨創 독창 どくそう. 草創 초창 そうそう.

【唱】中學 창 ショウ. ❶부르다 歌う. ◧唱歌 창가 しょうか. ◨合唱 합창 がっしょう. ❷외치다 叫ぶ. ◧唱和 창화 しょうわ. ◨先唱 선창 せんしょう.

【昌】中學 창 ショウ. 창성하다 栄える. ◧昌運 창운 しょううん. ◨隆昌 융창 りゅうしょう.

【暢】高校 창 チョウ. ❶잘 통하다 とどこおりなく進む. ◨流暢 유창 りゅうちょう. ❷성장하다 育つ. 거침없이 뻗다 伸びる. ◧暢達 창달 ちょうたつ. 暢茂 창무 ちょうも.

【滄】高校 창 ソウ. ❶차다 つめたい. ◧滄滄 창창 そうそう. ❷큰바다 うなばら. ◧滄海 창해 そうかい.

【窓】中學 창 ソウ. ❶창문 まど. ◧窓口 창구 まどぐち. ◨車窓 차창 しゃそう. ❷창문이 있는 방 窓のある部屋. ◨同窓 동창 どうそう. 學窓 학창 がくそう.

【蒼】高校 창 ソウ. ❶푸르다 青い. ◧蒼天 창천 そうてん. 蒼海 창해 そうかい. ❷허둥지둥하다 あわてる. ◧蒼惶 창황 そうこう. 蒼白 창백 そうはく.

*창-가【窓—】[—kka]〈名〉❶窓のへり〔ふち〕. ❷窓辺. 窓際. =창옆. 句例 ～에 책상을 두다 窓際に机を置く.

창간【創刊】[ch'a:nggan]〈名・하他〉創刊. 語例 ～호 創刊号. 對폐간(廢刊).

창-갈이 [—gari]〈名・하他〉(靴などの)底を張り替えること. 語例 구두 ～ 靴底の張り替え.

창건【創建】[ch'a:nggŏn]〈名・하他〉創建. はじめて建てること. 句例 고려 시대에 ～된 절 高麗時代に創建された寺.

*창고【倉庫】〈名〉倉庫. 蔵〔倉〕. =곳집. 語例 ～업 倉庫業 / ～ (보관)료〔經〕倉敷料 /

~지기 蔵番.

창공【蒼空】〈名〉蒼空. 青空. 句例 ~을 날다 青空を飛ぶ.

*__창구__【窓口】〈名〉窓口. 句例 ~를 개설하다 窓口を設ける / 대화의 ~를 열다 話し合いの窓口を開く / ~ 서비스가 나쁘다 窓口のサービスが悪い. 文例 3번 ~로 오십시오 三番の窓口へおいでください. 語例 ~ 업무 窓口業務 / 민간 무역 ~ 民間貿易の窓口.

*__창-구멍__【窓—】[—kkumŏng]〈名〉窓や障子の破れ穴.

창극【唱劇】[ch'a:nggŭk]〈名〉〔劇〕'판소리 パンソリ'を中心にして, 演劇的なせりふを取り入れて演じる古典劇. =국극(國劇).

창당【創黨】[ch'a:ngdang]〈名・하自〉立党. 句例 혁신 정당을 ~하다 革新政党を立党する. 語例 ~ 정신 立党の精神.

창-대【槍—】[—ttae]〈名〉やり柄.

창-던지기【槍—】〈名・하自〉やり投げ. =투창(投槍).

창립【創立】[ch'a:ngnip]〈名・하他〉創立. 句例 ~된 지 20년이 되다 創立されてから二十年になる / 회사를 ~하다 会社を創立する. 語例 ~ 기념일 創立記念日 / ~자 創立者.

*__창문__【窓門】〈名〉窓. 略して'창(窓)'ともいう. 句例 ~을 닫다 窓を閉める / ~을 활짝 열어 놓다 窓を開け放す. 文例 눈은 마음의 ~(이다) 目は心の窓(だ). 語例 이중 ~ 二重窓.

창백-하다【蒼白—】[ch'angbaek'ada] (→하다)〈形〉蒼白だ. 青白い. 句例 창백한 얼굴 青白い顔 / 창백한 인텔리 青白きインテリ / 얼굴이 창백해지다 顔が蒼白になる.

창-살【窓—】[—ssal]〈名〉窓の桟. 窓格子.

창설【創設】[ch'a:ngsŏl]〈名・하他〉創設. =창립(創立). 文例 ~된 지 꼭 50년이 되었다 創設されてからちょうど50年になった. 語例 ~ 멤버 創設メンバー.

창세-기【創世記】[ch'a:ngse—]〈名〉〔基〕創世記.

창시【創始】[ch'a:ngshi]〈名〉創始. **~하다**〈他〉創始する. 開く. 句例 유파의 ~자 流派の創始者.

창씨 개명【創氏改名】[ch'a:ngssigae:myŏng]〈名〉〔史〕創氏改名《日本統治時代に, 日本が韓国人の姓名を強制的に日本式に変えさせたこと. 1940年から実施した》. 文例 ~을 거부하였다 創氏改名を拒否した.

창안【創案】[ch'a:ng-an]〈名・하他〉創案. 文例 이 기계는 그가 ~한 것이다 この機械は彼の創案したものだ. 語例 ~자 創案者.

창업【創業】[ch'a:ng-ŏp]〈名・하他〉創業. 句例 ~ 백년을 자랑하다 創業百年を誇る. 文例 ~은 쉬우나 (이를) 지키기는 어렵다 創業は易く守成は難し. 語例 ~비 創業費. 創立費 / ~자 創業者.

*__창의__【創意】[ch'a:ng-ŭi]〈名・하自〉創意. 句例 ~성이 풍부한 사람 創意に富んだ人 / ~를 살리다 創意を生かす.

창자〈名〉〔生〕小腸・大腸の総称. 腸. はらわた. 句例 소의 ~ 牛のはらわた / 생선 ~로 만든 젓갈 魚のはらわたで作った塩辛.

창자가 끊어지다 はらわたがちぎれるほど悲しい. 断腸の思いだ.

창작【創作】[ch'a:ngjak]〈名・하他〉創作. 句例 훌륭한 ~ りっぱな創作 / ~ 의욕이 솟다 創作意欲がわ(湧)く. 語例 ~극 創作劇 / ~집 創作集 / ~ 무용 創作舞踊. 對모작(模作).

창제【創製】[ch'a:ngje]〈名・하他〉創製. 最初に作り出すこと. 句例 한글을 ~하신 세종대왕 ハングルを創製なされた世宗大王.

*__창조__【創造】[ch'a:ngjo]〈名・하他〉創造. 句例 ~의 기쁨 創造の喜び / 새로운 역사의 ~ 新しい歴史の創造. 語例 ~력 創造力 / ~적 사고 創造的思考 / 천지 ~ 天地創造.

창조-성【創造性】[ch'a:ngjossŏng]〈名〉創造性. 句例 ~이 뛰어난 작품 創造性に優れた作品.

창졸-간【倉卒間】〈名〉倉卒の間. とっさの間. つかの間. あっという間. 文例 ~에 생긴 일이라서 어쩔 수도 없었다 とっさの間に起こったことなので, どうすることもできなかった. 類졸지(猝地).

창창-하다【蒼蒼—】(→하다)〈形〉前途がはるかだ. 前途有望だ. 句例 앞날이 창창한 젊은이 前途洋洋たる若人.

창출【創出】〈名・하自他〉創出. 句例 새로운 문화를 ~하다 新たな文化を創出する.

창틀【窓—】〈名〉窓枠.

창파【滄波】〈名〉滄波. 青い波.

창포【菖蒲】〈名〉❶〔植〕菖蒲. ❷〔韓醫〕菖蒲の根.

창포-물【菖蒲—】〈名〉菖蒲の葉や根を入れてわかした湯《この湯で端午の節句に髪を洗う》.

창피【猖披】〈名〉恥. 恥辱. 恥ずかしさ. 句例 ~를 당하다 恥をかく〔さらす〕/ 남에게 ~를 주다 人に恥をかかせる. **~스럽다** (→스럽다)〈形〉恥ずかしい. 句例 ~스러운 옷차림 恥ずかしい身なり.

**__창피-하다__【猖披—】(→하다)〈形〉恥ずかしい. 文例 창피해서 고개를 들 수가 없다 恥ずかしくて顔をあげられない / 남자가 창피하게 그런 짓을 할 수 있겠는가 男が恥ずかしくもそんな事ができようか.

창호【窓戶】〈名〉窓と戸.

*__창호-지__【窓戶紙】〈名〉障子紙.

**__찾다__〈他〉❶探〔捜〕す. 尋ねる. 句例 일거리를 ~ 仕事をさがす / 범인을 ~ 犯人を捜す / 엄마 찾아 3만리 母を尋ねて三千里. →리(里)参考

❷取り戻す. 取り返す. (預けたものを)返してもらう. 見つける. 句例 맡겼던 짐을 ~ 預けたものを返してもらう / 짓밟혔던 조국을 ~ 踏みにじられた祖国を取り戻す.

❸分からないことや知識などを究明する. 探る. 句例 원리를 ~ 原理を究明する / 글의 핵심을 ~ 文章の核心を探る.

❹(失ったりなくなったりしたものを)見つける. 探し出す. 句例 잃었던 책을 ~ 失った本

ほんを見つける. ❺訪問する. 訪ねる. 訪れる. 句例 오래간만에 선생님을 ～ ひさしぶりに先生を訪問する / 명승 고적을 ～ 名勝旧跡をと(訪)う. ❻要求する. 求める. 請求する. 句例 더워서 냉수만 ～ 暑いので冷や水ばかり求める / 예금을 ～ 預金を引き出す〔下ろす〕. ❼(辞典などを)引く. 探す. 調べる. 句例 사전을 ～ 辞書を引く / 사전에서 낱말의 뜻을 ～ 辞典で単語の意味を探す.

***찾아-가다** [ch'aja—] (—가거라) 〈他〉 ❶(預けた物などを)受け取って行く. 下ろして行く. 句例 은행에서 예금을 ～ 銀行から預金を下ろして行く. ❷訪ねて行く. 会いに行く. 訪問する. 句例 옛 친구를 ～ 旧友に会いに行く.

찾아-내다 [ch'aja—] 〈他〉 探し出す. 見つける. 発見する. 探し当てる. 句例 종유석 동굴을 ～ 鍾乳石の洞窟を発見する.

***찾아-보다** [ch'ajaboda] 〈他〉 ❶探して見る. 句例 여기저기를 ～ ここかしこを探して見る. ❷訪れる. 行って会う. 訪問する. 句例 대학 선배를 ～ 大学の先輩を訪問する.

***찾아-오다** [ch'aja—] (—오너라) 〈他〉 ❶訪ねて来る. 訪れる. やってくる. 句例 십년 만에 고향에 ～ 十年ぶりに故郷を訪れる / 밤마다 몰래 ～ 夜ごと忍んでやってくる. ❷(貸した物や預けた物を)取り戻してくる. 引き取ってくる. 下ろしてくる. 句例 은행에서 돈을 ～ 銀行からお金を下ろしてくる.

채[1] 〈名〉 ❶'채찍 むち'の略. ❷刑罰用のむち. ❸〔樂〕 (太鼓・どら(銅鑼)などを打つ)ばち(桴). ❹〔樂〕 (鼓弓・琵琶などの弦をならす)ばち(撥).

***채**[2] ■〈名〉 (家屋の)棟. 屋. 語例 바깥～ 離れ屋 / 안～ 母屋.
■〈依名〉 ❶家屋を数える単位: 棟. 軒. ＝동(棟). 句例 기와집 두 ～ 瓦屋二軒 / 초가집 한 ～ わらぶきの家一棟. ❷ふとんを数える単位: 枚. 組. 句例 이불 두 ～를 사다 ふとん二枚を買う.

***채**[3] 〈依名〉 ある状態がひき続いたきりであること: …(の)まま. …なり. 句例 산 ～로 잡다 生きたまま捕らえる / 입은 ～로 자다 着たなりで寝る. 文例 미해결인 ～로 남아 있다 未解決のままで残っている. →囲み記事 86

***채**[4] 〈副〉 一定の程度にまだ達していない状態を表わす語: いまだ. まだ. 句例 ～ 익지 않은 과일 いまだうれていない果物. 文例 그는 날이 ～ 밝기도 전에 떠났다 彼はまだ夜が明けきらないうちにたった. →囲み記事 86

채 〔漢字項目〕

【債】 高校 채 サイ. ❶빚 借り. ■債券 채권 さいけん. ■負債 부채 ふさい. ❷빚돈의 반환을 재촉하다 貸し金をとりたてる. ■債權 채권 さいけん. 債鬼 채귀 さいき.

【彩(彩)】 高校 채 サイ. ❶무늬 あや. ■文彩 문채 ぶんさい. ❷채색하다 いろどる. ■彩色 채색 さいしき. ■光彩 광채 こうさい. ❸모양 形. ■풍채 風彩. 神彩 신채 しんさい.

【採(採)】 中學 채 サイ. ❶캐다 掘る. ■採鑛 채광 さいこう. 採取 채취 さいしゅ. ❷골라 쓰다 選び用いる. ■採擇 채택 さいたく. 採用 채용 さいよう.

【菜(菜)】 中學 채 サイ. ❶나물 な. ■菜園 채원 さいえん. ■野菜 야채 やさい. ❷반찬 おかず. ■菜單 채단 さいたん. ■前菜 전채 ぜんさい.

채광【採光】 [ch'ae:gwang] 〈名・하自〉 採光. 句例 ～이 잘 되는 방 採光のいい部屋. 語例 ～창 採光窓. 明かり窓 / ～탄 〔軍〕 採光弾.

채광【採鑛】 [ch'ae:gwang] 〈名・하自〉 採鉱. 語例 ～법 採鉱法.

채굴【採掘】 [ch'ae:gul] 〈名・하他〉 採掘. 句例 금을 ～하다 金を採掘する. 語例 ～권 採掘権.

채권【債券】 [ch'ae:kkwon] 〈名〉 〔經〕 債券. 句例 ～을 발행하다 債券を発行する.

채권【債權】 [ch'ae:kkwon] 〈名〉 〔法〕 債権. 句例 ～의 소멸 債権の消滅. 語例 ～ 양도 〔法〕 債権譲渡 / ～자 債権者. 對채무(債務).

채널 〈名〉 チャンネル. 句例 ～을 맞추다 チャンネルを合わせる. ◇channel

채다[1] 〈他〉 ❶いきなり引っぱる. ぐいと引き寄せる. 句例 낚싯줄을 ～ 釣り糸をぐいと引き寄せる. ❷ひったくる. 奪い取る. 文例 날치기가 핸드백을 채어 갔다 かっぱらいがハンドバッグをひったくって行った.

채다[2] 〈他〉 すぐ気がつく. 感づく. 句例 기미〔낌새〕를 ～ 気配を悟る. 気づく. 文例 전혀 눈치 채지 못했다 とんと気がつかなかった.

채다[3] [ch'ae:da] 〈自〉 '차다'の受け身. ❶け(蹴)られる. 突き飛ばされる. 句例 허리를 ～ 腰をけられる. ❷横取りされる. ひったくられる. 奪い取られる. 句例 핸드백을 ～ ハンドバッグを奪い取られる. ❸(石などに)つまずく. 句例 돌부리에 채어 쓰러지다 石の角につまずいて倒れる. ❹(男女関係で)振られる. 句例 여자에게 ～ 女に振られる.

챈 발이 곱챈다 け(蹴)られた足がまたけられる. 不幸や災難が重なることのたとえ. 泣き面に蜂.

> 囲み記事 86
>
> ▩ '채'と'체' ▩
>
> 채 (1) ('-ㄴ 채' '채로'の形で) (…した)まま —— 신을 신은 채(로) 방에 들어가다 靴をはいたまま室内に入る.
> (2) いまだ —— 날이 채 밝기도 전에 밭으로 나가다 夜がまだ明けきらぬうちに畑に出る. 영화가 채 끝나기 전인데 관객들은 자리를 뜨기 시작했다 映画がいまだ終わりもしないのに, 観客たちは席を離れはじめた.
>
> 체 ('-ㄴ〔-은・-는〕체' の形で) もしく(よそおい) —— 학자인 체하다 学者を気どる. 길에서 만나도 본 체 만 체하다 道で会っても見て見ぬふりをする.

채도【彩度】[ch'ae:do]〈名〉彩度. 色の鮮やかで明るい程度.

채도 대비【彩度對比】[ch'ae:dodae:bi]〈名〉彩度対比. 彩度の違いが大きい二つ以上の色を対比させた時に現れる効果.

채-독【菜毒】[ch'ae:dok]〈名〉❶食べると胃腸を害する野菜の毒気. 文例 ~에 걸렸다 野菜の毒気に当たった. ❷〔醫〕十二指腸虫による疾患. =채독증(菜毒症).

〈채롱〉

채롱【一籠】〈名〉つづら(葛籠). 絵

채마【菜麻】[ch'ae:ma]〈名〉野菜. 語例 ~밭〔전(田)〕野菜畑.

채무【債務】[ch'ae:mu]〈名〉〔法〕債務. 句例 ~를 지다 債務を負おう. 語例 ~국〔자〕債務国〔者〕/ ~ 불이행 債務不履行. 對채권(債權).

채보【採譜】[ch'ae:bo]〈名・하他〉〔樂〕採譜. ある曲を聴いて楽譜に書き取ること.

채비【一備】〈名・하自〉支度. 用意. 準備. 句例 떠날 ~를 하다 出発の支度をする / ~를 차리다 支度〔用意・準備〕をする. 文例 곧 시작할 수 있게 ~하시오 すぐはじめるよう支度しなさい. 語例 겨울 ~ 冬支度.

채산【採算】[ch'ae:san]〈名・하他〉採算. 句例 ~이 맞다 採算がとれる〔合う〕. 語例 독립 ~제 独立採算制.

채색【彩色】[ch'ae:saek]〈名・하自〉彩色. ❶いろいろの美しい色. ❷絵や装飾に色づけすること. 句例 (토기에) ~을 하다 (土器に)彩色を施す. 文例 도자기의 ~이 아름답다 焼き物の彩色が美しい. 語例 ~화 彩色画.

채석【採石】[ch'ae:sŏk]〈名・하自〉採石. 語例 ~권 採石権 / ~장 採石場. 石切り場.

*__채소__【菜蔬】[ch'ae:so]〈名〉蔬菜. 野菜. 青物. 句例 뜰에 ~를 가꾸다 庭に野菜をつくる. 語例 ~ 가게 八百屋 / ~류 蔬菜類 / ~밭 蔬菜畑.

*__채송-화__【菜松花】[ch'ae:songhwa]〈名〉〔植〕まつばぼたん.

채식【菜食】[ch'ae:shik]〈名・하自〉菜食. 文例 ~은 건강에 좋다 菜食は健康によい. 語例 ~주의 菜食主義. 對육식(肉食).

채신-없다 [ch'ae:shinŏpta]〈形〉(言行が)軽率だ. 軽軽しい. みっともない. 句例 채신없는 행동 軽軽しい行動. **채신없이** [ch'ae:shinŏpshi]〈副〉軽率に. 軽軽しく. ぶざまに. みっともなく.

채용【採用】[ch'ae:yong]〈名・하他〉採用. 句例 직원을 ~하다 職員を採用する / 의견을 ~하다 意見を採用する. 語例 사원 ~ 社員採用 / 현지 ~ 現地採用.

채우다¹〈他〉❶(包むように)身につける. 当てる. 句例 기저귀를 ~ おむつを当てる. ❷(錠前・ボタンなどを)かける. 句例 방문을 ~ 部屋の戸に錠前をかける / 단추를 ~ ボタンをはめる. ❸(手足に刑具を)かける. はめる. 句例 손목에 수갑을 찰칵하고 ~ 手首に手錠をかちゃっとはめる.

채우다²〈他〉(冷水や氷などに)つける. 冷やす. さます. 句例 수박을 찬물에 ~ すいかを冷水につける / 맥주를 얼음에 ~ ビールを氷につけて冷やす.

*__채우다__³〈他〉❶(数量などの不足を)補う. 満たす. そろえる. 句例 부족한 수량을 ~ 足りない数量を補う. ❷いっぱいにする. 満たす. うず(埋)める. 詰める. 句例 여백을 ~ 余白をうずめる / 허기진 배를 ~ ひもじい腹を満たす / 술잔을 ~ 杯を満たす. ❸(欲望などを)満たす. 句例 욕망을 ~ 欲望を満たす / 사복을 ~ 私服を肥やす. ❹(期限を)満たす. 句例 계약 기한을 ~ 契約期限を満たす / 날수를 ~ 日数を満たす.

채점【採點】[ch'ae:tchŏm]〈名・하他〉採点. 句例 ~이 후하다 採点が甘い / 국어 답안지를 ~하다 国語の答案用紙を採点する. 語例 ~표 採点表.

채집【採集】[ch'ae:jip]〈名・하他〉採集. 句例 나비를 ~하다 ちょうちょうを採集する. 語例 곤충 ~ 昆虫採集 / ~망 捕虫網.

채찍〈名〉むち(鞭). 句例 ~으로 때리다 むちで打つ / ~을 휘두르다 むちを振る.

채찍-질〈名・하他〉むち打つこと. ❶むち打ち. 句例 말에 ~하다 馬にむち打つ. ❷せきたてたり, 励ましたりすること. 句例 노구를 ~하다 老軀にむち打つ. 文例 그는 난관에 부닥친 자신을 ~하였다 彼は, 難関にぶつかった自分をむち打った.

채취【採取】[ch'ae:ch'wi]〈名・하他〉採取. 句例 샘플을〔조개를〕~하다 サンプル〔貝〕を採取する. 語例 ~권 採取権 / 자갈 ~ 砂利採取 / 지문 ~ 指紋の採取.

채택【採擇】[ch'ae:t'aek]〈名・하他〉採択. 句例 결의안을 ~하다 決議案を採択する. 文例 많은 학교가 이 교과서를 ~하고 있다 多くの学校がこの教科書を採択している.

채혈【採血】[ch'ae:hyŏl]〈名・하自〉採血.

채화【採火】[ch'ae:hwa]〈名・하自〉レンズで太陽の光線から, (オリンピックの)聖火を採ること.

**__책__【冊】〈名〉本. 書物. 図書. 句例 ~을 읽다 本を読む / ~으로 엮다 本にまとめる / 한 권의 ~ 一冊の本 / 남에게 권하고 싶은 ~ 人にすすめたい本. 語例 ~값 本代 / 만화~ 漫画の本 / 국어~ 国語の本.

책 〔漢字項目〕

【冊(册)】中學 책 サツ. サク. ❶책 書物. ▮冊子 책자 さっし. ▮書冊 서책 しょさつ. ❷칙서 みことのり. ▮冊立 책립 さくりつ. 冊封 책봉 さくほう.

【策】高校 책 サク. ❶대쪽 竹冊. ▮簡策 간책 かんさく. ❷사령서 辞令書. ▮策書 책서 さくしょ. 策命 책명 さくめい. ❸계략 はかりごと. ▮策略 책략 さくりゃく. ▮政策 정책 せいさく.

【責】中學 책 セキ. シャク. ❶꾸짖다 とがめる. ▮叱責 질책 しっせき. 譴責 견책 けんせき. 呵責 가책 かしゃく. ❷임무 つとめ. ▮責任 책임 せきにん. ▮職責 직책 しょくせき.

‡책-가방【册一】〈名〉(本を入れて持ち歩く)かばん.

책-갈피【册一】〈名〉本のページとページの間. 句例 서표(書標)를 ~에 끼우다 しおりを本の間に挟む.

책-거리【册一】〈名·하自〉❶'서당 書堂'で一冊の本を習い終わると, その礼として師友にごちそうした習わし. =책(册)씻이. ❷〔美〕本や文房具を描いた絵.

책-꽂이【册一】[—kkoji]〈名〉本立て. 書架. 本棚.

책동【策動】〈名·하他〉策動. 画策. 文例 배반자의 ~을 미리 막다 裏切り者の策動を前もって防ぐ. 語例 ~가 策動家.

책략【策略】[ch'aengnyak]〈名〉策略. はかりごと. 句例 ~을 세우다 策略を立てる / ~에 걸려들다 策略にひっかかる.

책망【責望】[ch'aengmang]〈名·하他〉しか(叱)ること. とがめること. 責めること. 句例 사장의 ~을 받다 社長のとがめを受ける / 아버지에게 ~을 듣다 父にしかられる.

***책-받침**【册一】〈名〉下敷き.

책방【册房】〈名〉本屋. 書店. 書房.

책사【册肆】〈名〉⇨ 서점(書店)

책사【策士】〈名〉策士. =모사(謀士).

‡책상【册床】〈名〉机. デスク. 句例 ~ 위에 있는 책 机の上にある本. 文例 ~ 앞에 앉아 공부한다 机の前に座って勉強する. 語例 ~ 서랍 つくえの引き出し.

책상-다리【册床一】〈名〉あぐら. ひざ(膝)を組むこと. 句例 ~를 하고 앉다 あぐらをかく.

책상-머리【册床一】〈名〉机のそば.

책상-물림【册床一】〈名〉(本ばかり読んで)世情にうとい人. 書生っぽ《俗》. 学者ばか. =책상퇴물(退物).

***책임**【責任】[ch'aegim]〈名〉責任. 句例 ~을 느끼다 責任を感じる / ~을 따지다 責任を問いただす / ~을 다하다 責任をはたす. 語例 ~감 責任感 / ~자 責任者 / 공동 ~ 共同責任 / 연대 ~ 連帯責任.

책임(을) 지다 責任を負う〔持つ〕. 句例 책임을 함께 지다 責任を共に負う / 책임을 지고 사임하다 責任を取って辞任する.

책임 내각【責任内閣】[ch'aegimnae:gak]〈名〉〔政〕責任内閣. 語例 ~제 責任内閣制.

책임 능력【責任能力】[ch'aegimnŭngnyŏk]〈名〉〔法〕責任能力.

책자【册子】〈名〉本. 書物.

책-잡다【責一】〈他〉とがめる. 責める. (過ちの責任を)なじる.

책-잡히다【責一】[—chap'ida]〈自〉'책(責)잡다'の受け身: とがめられる. 責められる. 文例 그는 남에게 책잡힐 일은 하지 않는다 彼は人にとがめられるようなことはしない.

책장【册張】〈名〉本のページ. 句例 ~을 넘기다 ページをめくる.

***책장**【册欌】〈名〉本棚. 本箱. 句例 붙박이 ~ 取り付けの本棚.

챔피언〈名〉チャンピオン. ◇champion

챙[ch'ae:ng]〈名〉'차양(遮陽)'の略: ひさし.

***챙기다**〈他〉❶取りまとめる. 取りそろえる. 句例 낚시 도구를 ~ 釣り道具を取りそろえる. ❷よく整理する. 片付ける. しまう. 句例 흩어진 서류를 ~ 散らかっている書類を整理する. ❸(食物を)準備する. 膳立てをする. 句例 저녁밥을 ~ 夕ご飯の準備をする. ❹人の物をかすめる. 着服する. 文例 그는 남의 몫까지 챙기고 시침을 떼고 있다 彼は人の分け前までかすめて知らん顔をしている. 表現 ④は俗っぽい言いかた.

처【妻】〈名〉妻. 家内. 女房. =아내. 句例 내연의 ~ 内縁の妻. 文例 ~에게도 상속권이 있다 妻にも相続権がある.

-처【處】〈尾〉所・場所の意を表わす: …所. …場所. …先. 語例 근무~ 勤め先. 勤務先 / 접수~ 受け付け.

처 〔漢字項目〕

【妻】中學 처 サイ. 아내 つま. ▮妻子 처자 さいし. 妻妾 처첩 さいしょう. ▯▮正妻 정처 せいさい. 賢妻 현처 けんさい.

【悽】高校 처 セイ. サイ. 슬퍼하다 悲しむ. 비통하다 悲痛である. ▮悽然 처연 せいぜん. 悽慘 처참 せいさん. 悽愴 처창 せいそう.

【處(処)】中學 처 ショ. ソ. ❶곳 ところ. ▯▮居處 거처 きょしょ. ❷머물러 있다 とどまる. ▮處世 처세 しょせい. ❸벼슬하지 않고 있다 官につかずにいる. 결혼하지 않고 집에 있다 結婚せずに家にいる. ▮處士 처사 しょし. 處女 처녀 しょじょ. ❹처리하다 始末する. ▮處置 처치 しょち. 處斷 처단 しょだん. 處刑 처형 しょけい.

처가【妻家】〈名〉妻の実家. =처갓집.

처가-댁【妻家宅】[—ttaek]〈名〉他人の妻の実家に対する尊称.

처가-살이【妻家一】[—sari]〈名·하自〉妻の実家に身を寄せて暮らすこと.

처남【妻男·妻娚】〈名〉妻の兄弟. 義兄. 義弟.

처-넣다[—nŏt'a]〈他〉(物などを)詰め込む. 突っ込む. ぶち込む. つぎ込む. 文例 옷들을 트렁크에 ~ 衣服類をトランクに詰め込む / 회사 설립에 많은 돈을 ~ 会社の設立に多くの金をつぎ込む / 감옥에 ~ 刑務所にぶちこむ.

‡처녀【處女】[ch'ŏ:nyŏ]〈名〉処女. ❶未婚の女性. 娘. 乙女. 句例 한창 나이의 ~ 娘盛り. 語例 ~ 시절 娘時代 / 시골 ~ 田舎娘. ❷(ある名詞の前について)初めての…. 第一回めの…. だれも手をつけていない…. 語例 ~작 処女作 / ~지 処女地 / ~ 출판 処女出版 / ~ 항해 処女航海.

처녀가 아이를 낳아도 할 말이 있다 未婚の女性が子を産んでも言い分はある. 盗人にも三分の理あり.

처녀-궁【處女宮】[ch'ŏ:nyŏ—]〈名〉〔天〉処女宮《黄道十二宮の六番目》.

처녀-림【處女林】[ch'ŏ:nyŏ—]〈名〉処女林. 原始林.

처녀-막【處女膜】[ch'ŏ:nyŏ—]〈名〉〔生〉処女膜.

ㅊ

처단【處斷】[ch'ŏ:dan]〈名・하他〉処断. 句例 법에 의한 ~ 法による処断 / 엄중히 ~하다 厳重に処断する.

처량-하다【凄涼―】(→하다)〈形〉❶凄涼としている. 荒涼としてもの寂しい. うら寂しい. 句例 처량한 광경 凄涼たる光景. ❷哀れでもの悲しい. 哀れである. わびしい. 句例 처량한 신세 もの悲しい身の上 / 처량하게 울다 もの哀れに泣く / 처량한 얼굴로 간청하다 もの悲しそうな顔つきで請い願う. 文例 처량한 심정을 풀 길이 없다 わびしい思いをいかんともし難い. **처량히**〈副〉もの悲しく. うら寂しく. わびしく.

처럼〈助〉(体言のあとについて)…のように. …と同じように. …ほどに. 句例 대낮~ 밝다 真昼のように明るい / 어린아이~ 좋아서 날뛰다 子供のように喜んで小躍りする. 文例 할머니의 손이 얼음~ 차갑다 おばあさんの手が氷のように冷たい.

***처리**【處理】[ch'ŏ:ri]〈名・하他〉処理. 句例 사무 ~가 능하다 事務の処理がうまい / 사건을 신속히 ~하다 事件を速やかに処理する. 語例 사후 ~ 事後処理 / 열 ~ 熱処理 / 화학적 ~ 化学的処理.

처마〈名〉〔建〕軒. 句例 ~를 잇대고(늘어서) 있다 軒をつらねる. 語例 ~끝 軒先 / ~밑 軒下.

처마-널〈名〉〔建〕欄干や軒のへりに巡らした板.

처-매다〈他〉(包帯で傷口などを)巻いて縛る.

처-박다〈他〉❶強く打ち込む. やたらに打ち込む. 句例 못을 ~ くぎ(釘)を打ち込む. ❷やたらに押し込む. 詰め込む. 突っ込む. 句例 책상 서랍에 처박아 두다 机の引き出しに押し込んでおく. ❸閉じ込める. 押し込める. 句例 하루 종일 집에 처박혀 있다 一日中家に閉じこもっている.

처방【處方】[ch'ŏ:bang]〈名〉〔醫〕処方. ❶症状に応じて薬を調合する方法. 句例 ~을 내리다 処方をくだす. ❷物事を処理する方法.

처벌【處罰】[ch'ŏ:bŏl]〈名・하他〉処罰. 句例 ~을 받는다 処罰を受ける / 범인을 ~하다 犯人を処罰する.

처분【處分】[ch'ŏ:bun]〈名・하他〉❶処分. 句例 가옥을 ~하다 家屋を処分する. 語例 불기소 ~ 不起訴処分 / 행정 ~ 行政処分. ❷措置. 処置. 計らい. 指図. 句例 관대히 ~하다 寛大に措置する / 부장의 ~대로 하다 部長の指図どおりにする.

처분-권【處分權】[ch'ŏ:bunkkwon]〈名〉〔法〕処分権. 処分しうる権利. 文例 그에게는 재산의 ~이 없다 彼には財産の処分権がない.

처세【處世】[ch'ŏ:se]〈名・하自〉処世. 世渡り. 句例 ~에 능하다 世渡りにたけている. 語例 ~술 処世術 / ~훈 処世訓.

처신【處身】[ch'ŏ:shin]〈名・하自〉(世に処する)身の振り方. 身持ち. 句例 ~을 잘 해야 한다 身をよく処しないといけない.

처신-사납다【處身―】[ch'ŏ:shin―]〈形〉'치신사납다'のもとの語形.

처신-없다【處身―】[ch'ŏ:shinŏpta]〈形〉'치신없다'のもとの語形.

****처음** **一**〈名〉(順序・時間のうえで)いちばん初め. 最初. 文例 책을 ~부터 끝까지 읽다 本を初めから終わりまで読む / 그 글이 ~에는 어렵다고 생각했다 その文が最初は難しいと思った.
二〈副〉初めて. 皮切り. 文例 난생 ~ 보는 물건이다 生まれて初めて見る物だ / ~ 뵙겠습니다 初めてお目にかかります. 初めまして.

처자【妻子】〈名〉妻子(さいし)・(つまこ). 句例 ~를 먹여 살리다 妻子を養う.

처절-하다【悽絶―】[ch'ŏ:jŏl―](→하다)〈形〉凄絶だ. きわめてもの悲しい. 句例 처절한 전투 凄絶な戦闘. 文例 사고의 현장은 처절했다 事故の現場は凄絶だった. **처절히**〈副〉凄絶に. もの悲しく.

처족【妻族】〈名〉妻の一族.

***처지**【處地】[ch'ŏ:ji]〈名〉❶自分が置かれている立場. 環境. 状態. 句例 딱한 ~에 놓여 있다 苦しい立場に置かれている. ❷間柄. 仲. 句例 농담을 나누는 ~다 冗談を言い合う間柄だ. ❸地位. 身分. 分際. 文例 그 사람과 나는 ~가 다르다 彼とわたしは身分が異なる.

처-지다 [ch'ŏ:jida]〈自〉❶(底に)沈む. (下に)下がる. 句例 탑이 밑으로 ~ 塔が下に下がる. ❷(張っていた物が)垂れ下がる. (力がなく)垂れる. 句例 빨랫줄이 ~ 洗濯物の干しひもが垂れ下がる. ❸(後に)残される. たち後れる. 句例 혼자 쓸쓸히 ~ ひとり寂しく取り残される. ❹(将棋で)王将がいちばん下の線に下がる.

처참-하다【悽慘―】[ch'ŏ:ch'amhada](→하다)〈形〉凄惨だ. むごたらしい. 句例 처참한 전투 凄惨な戦闘. **처참히**〈副〉凄惨に. むごたらしく.

처치【處置】[ch'ŏ:ch'i]〈名・하他〉処置. 処分. 処理. 始末. 句例 단호하게 ~하다 断固として始末する. 文例 10년이나 쓴 헌 냉장고를 ~했다 十年間も使った古い冷蔵庫を処分した.

처-하다【處―】[ch'ŏ:hada](→하다)〈自他〉処する. ❶(ある状況に)身を置く. 置かれる. 句例 역경에 ~ 逆境に置かれる. ❷処罰する. 句例 무기형에 ~ 無期刑に処する.

처형【處刑】[ch'ŏ:hyŏng]〈名・하他〉処刑. 句例 간첩을 ~하다 スパイを処刑する / ~된 죄없는 시민들 処刑された罪のない市民たち. 語例 ~장 処刑場.

***척**【隻】〈依名〉船を数える単位: 隻. 語例 두 ~의 군함 二隻の軍艦.

척[1]〈依名〉(それらしく繕う)態度. ふり. 句例 아는 ~하다 知ったふりをする. 文例 정직한 ~하다가 곧 탄로났다 正直なふりをしたがすぐばれた.

척[2]〈副〉❶物がくっつくさま: べたっと. びたっと. びったりと. 句例 젖은 옷이 몸에 ~ 들러붙다 ぬれた服がからだにべたっとひっつく. ❷瞬

間的に見るさま：ちらっと．ちらりと．[文例] ～ 보기에도 괜찮다 ちらっと見た目にも悪くない．❸垂れ下がったり折れ曲がったりするさま：ぐにゃっと．ぐったり．だらっと．だらりと．[句例] ～ 늘어진 버드나뭇가지 だらりと垂れ下がった柳の枝．

척[3] [ch'ŏ:k]〈副〉動作などをためらわず素早くするさま：さっと．すっと．[句例] 돈을 ～ 내주다 お金をさっと渡す．

척 〔漢字項目〕

【尺】[中學] 척 シャク．セキ．❶길이의 단위 長さのたんい．자 さし．◧尺度 척도 しゃくど．◧曲尺 곡척 かねじゃく．❷약간 わずか．◧尺寸 척촌 せきすん．尺土 척토 せきど．❸길이 ながさ．◧縮尺 축척 しゅくしゃく．

【戚】[高校] 척 セキ．❶슬퍼하다 かなしむ．◧休戚 휴척 きゅうせき．❷근심하다 うれえる．心配する．◧憂戚 우척 ゆうせき．❸친척 みうち．◧外戚 외척 がいせき．親戚 친척 しんせき．

【拓】[高校] 척 タク．탁 タク．㊀〔척〕넓히다 ひらく．◧開拓 개척 かいたく．干拓 간척 かんたく．
㊁〔탁〕박다 刷りとる．◧拓本 탁본 たくほん．◧魚拓 어탁 ぎょたく．

【斥】[高校] 척 セキ．❶물리치다 しりぞける．◧排斥 배척 はいせき．❷가리키다 指さす．◧指斥 지척 しせき．❸엿보다 うかがう．◧斥候 척후 せっこう．

척관-법【尺貫法】[ch'ŏkkwanppŏp]〈名〉尺貫法．

척도【尺度】〈名〉尺度．❶物の寸法や長さの標準．❷評価したり判断したりする基準．[句例] 가치의 ～ 価値の尺度．

척사【擲柶】〈名〉⇨ 윷놀이

척수【脊髓】〈名〉〔生〕脊髄．[語例] ～막〔生〕脊髄膜 / ～염〔醫〕脊髄炎．

척주【脊柱】〈名〉〔生〕脊柱．

척-지다【隻—】〈自〉互いに恨みをいだく．

척-짓다【隻—】(척지으니, 척지어서)〈自〉恨みをいだくようなことをする．

척척[1]〈副〉物がよくくっつくさま：べたべたと．ねばねばと．[句例] ～ 들러 붙다 べたべたとくっつく．
[表現] 語感の小さい語は'착착'．

척척[2]〈副〉❶物事を手際よく滑らかに進めるさま：てきぱき．しゃきしゃき．[句例] 맡은 일을 ～ 처리하다 受け持った仕事をてきぱきと片付ける．❷物事を滞りなく運ぶさま：とんとん．すらすら．ずんずん．さっさと．[句例] 일이 ～ 진행되다 仕事がとんとんと運ぶ．❸手並み足並みがよく合うさま：ぴったり．[句例] 발을 ～ 맞추며 행진하다 足並みをきちんとそろえて行進する．❹きちんと折りたたむさま．[句例] 신문을 ～ 접어두다 新聞をきちんと折りたたんで置く．

척추【脊椎】〈名〉〔生〕脊椎．[語例] ～ 카리에스 脊椎カリエス / ⇨ 척추동물

척추-동물【脊椎動物】〈名〉〔動〕脊椎動物．

척화-비【斥和碑】[ch'ŏk'wabi]〈名〉〔史〕朝鮮王朝の末期，大院君が欧米の侵入を退けた後，'斥洋鎖国'の旨を石ぶみに刻み国民に公布する意で，ソウルを初め各地方に建てた碑．

척후【斥候】[ch'ŏk'u]〈名・하他〉〔軍〕❶斥候．❷'척후병 斥候兵'の略．[語例] ～대 斥候隊 / ～전 斥候戦．

***천**【千】〈數〉千．[語例] ～배 千倍 / ～군만마 千軍万馬．

천 길 방죽도 개미 구멍으로 무너진다 千丈の堤も蟻(蟻)の穴によって崩れる．

천 〔漢字項目〕

【川】[中學] 천 セン．내 かわ．◧川邊 천변 かわべ．◧河川 하천 かせん．大川 대천 おおかわ．山川 산천 さんせん．

【泉】[中學] 천 セン．❶샘 いずみ．◧泉水 천수 せんすい．泉石 천석 せんせき．◧源泉 원천 げんせん．溫泉 온천 おんせん．❷돈 ぜに．◧泉布 천포 せんぷ．◧貨泉 화천 かせん．❸저승 あの世．◧泉下 천하 せんか．◧黃泉 황천 こうせん．

【淺(浅)】[中學] 천 セン．❶물이 얕다 水があさい．◧淺海 천해 せんかい．◧深淺 심천 しんせん．❷학식 따위가 깊지 않다 学識などが深くない．◧淺學 천학 せんがく．淺見 천견 せんけん．❸빛깔이 엷다 色がうすい．◧淺紅 천홍 せんこう．

【薦】[高校] 천 セン．사람을 천거하다 人を挙げすすめる．◧薦擧 천거 せんきょ．◧推薦 추천 すいせん．自薦 자천 じせん．他薦 타천 たせん．

【賤】[高校] 천 セン．천하다 いやしい．신분・계급이 낮다 身分・階級が低い．◧賤民 천민 せんみん．賤業 천업 せんぎょう．◧貴賤 귀천 きせん．微賤 미천 びせん．

【踐(践)】[高校] 천 セン．❶밟다 ふむ．이행하다 ふみおこなう．◧踐行 천행 せんこう．◧實踐 실천 じっせん．❷자리에 나아가다 位につく．◧踐祚 천조 せんそ．

【遷(遷)】[高校] 천 セン．❶옮기다 うつる．장소를 바꾸다 うつす．◧遷幸 천행 せんこう．遷都 천도 せんと．◧左遷 좌천 させん．孟母三遷 맹모삼천 もうぼさんせん．❷바뀌고 변하다 移り変わる．◧遷移 천이 せんい．◧變遷 변천 へんせん．

천거【薦擧】[ch'ŏ:n-gŏ]〈名・하他〉薦挙．推薦．[句例] 후보자를 ～하다 候補者を薦挙する．

천고【千古】〈名〉千古．大昔．永遠．永久．[句例] ～의 진리 千古の真理 / ～에 빛날 공적 千古に輝く功績．[語例] ～불후(不朽) 千古不朽．いつまでも朽ちないこと．

천고-마비【天高馬肥】[—ma:bi]〈名〉天高く馬肥ゆ．

천공【天工】〈名〉天工．天のしわざ．自然の作用．反 인공(人工)．

천국【天國】〈名〉天国．楽しい所．楽園．[語例] 지상 ～ 地上の楽園．

천근【千斤】〈名〉❶千斤．❷非常に重い重さを表わす語：千鈞．[文例] 그의 말은 ～의

무게가 있다 彼の言うことは千鈞の重みがある.

천근 같다 非常に重い. 句例 피로가 쌓여 몸이 ~ 疲れが重なってからだが非常に重い.

천-냥【千兩】〈名〉千両. 金が非常に多いこと. 文例 그의 목소리는 ~짜리다 彼の声は千両に値する.

천냥 빚도 말로 갚는다 千両の借金も言葉で返す. 口達者は世渡りがうまい.

천년【千年】〈名〉千年. 永遠の年月. 語例 ~ 왕국〔基〕千年王国 / ~만년 千万年. 非常に永い歳月.

천당【天堂】〈名〉天堂. ❶天上界にある殿堂. ❷天国. ❸〔佛〕極楽浄土.

천대【賤待】[ch'ŏ:ndae]〈名・하他〉❶ばかにしていいかげんにもてなすこと. 冷遇すること. 句例 직장에서 ~를 받다 勤め先で冷遇を受ける. ❷ぞんざいに取り扱うこと.

천도【遷都】[ch'ŏ:ndo]〈名・하自〉遷都. 都を移すこと.

천도-교【天道教】〈名〉〔宗〕天道教, 韓国の宗教の一つ. 朝鮮朝末期, '동학(東學)'をもとに教祖崔濟愚が興した民族宗教. 天人合一を宗旨とする.

천동-설【天動說】〈名〉天動説.

천둥〈名・하自〉'천동(天動)'の転化: 雷. 句例 ~ 소리가 들린다 雷の音が聞こえる.

천둥 벌거숭이 無鉄砲な人.

천둥에 개 뛰어들 듯 雷に犬が駆け込むよう. 驚いてなすすべを知らず慌てふためくこと.

천렵【川獵】[ch'ŏllyŏp]〈名・하自〉川狩り.

천리【千里】[ch'ŏlli]〈名〉千里. きわめて遠い距離. 句例 천릿길도 멀다 않고 찾아가다 千里の道のりも遠く思わず訪れる. 語例 ~ 건곤(乾坤) 果てしない天地 / ~안 千里眼.

천리【天理】[ch'ŏlli]〈名〉天理. 句例 ~에 어긋나다 天理に背く.

천리-마【千里馬】[ch'olli—]〈名〉千里の馬. 一日に千里を走ると言う伝説の馬. 非常にすぐれた馬.

ㅊ

천마【天馬】〈名〉天馬. ❶天上界にすむと伝えられる馬. ❷アラビア産の駿馬. ❸ペガサス.

천막【天幕】〈名〉天幕. テント. 句例 ~을 치다 テントを張る. 語例 ~집 テントを張って作った家.

***천만**【千萬】㊀〈數〉千万. 万の千倍. 句例 칠~ 동포 七千万の同胞.

㊁〈名〉その程度のはなはだしい意を表わす: 千万. 語例 위험 ~ 危険千万.

㊂〈冠〉千万. 語例 ~원 千万ウォン.

㊃〈副〉全然. 全く. 至極. 句例 ~ 지당한 말씀 至極ごもっともなお言葉.

천만의 말씀 全く意外な〔とんでもない〕言葉. 文例 ~입니다 どういたしまして. とんでもございません. 滅相もございません.

천만-금【千萬金】〈名〉莫大な金銭や財宝.

천만-년【千萬年】〈名〉千万年. 永い年月.

천만-다행【千萬多幸】〈名・하形〉非常に幸いなこと.

천만-대【千萬代】〈名〉永い世代. ＝천만세(千萬世).

천만 뜻밖【千萬—】〈名〉全く意外なこと.

천만-부당【千萬不當】〈名・하形〉⇨ 천부당만부당(千不當萬不當)

천만-에【千萬—】[ch'ŏnmane]〈感〉滅相もない. とんでもない.

천명【天命】〈名〉天命. ❶天の与えた命. 寿命. ＝천수(天壽). ❷天から授かった運命. 天運. 句例 ~으로 살아나다 天運によって助かる. ❸天の命令. 句例 ~을 어기다 天命に背く.

천문【天文】〈名〉〔天〕❶天文. 天体でおこるあらゆる現象. 語例 ~도(圖) 天文を表わした図 / ~시(時) 天文時. ❷'천문학(天文學)'の略.

천문-대【天文臺】〈名〉〔天〕天文台.

천문-학【天文學】〈名〉天文学. 句例 ~적인 숫자 天文学的数字.

천민【賤民】[ch'ŏ:nmin]〈名〉賤民. 社会階級で最下層の人たち.

천박-하다【淺薄—】[ch'ŏ:nbak'ada](→하다)〈形〉浅薄だ. 浅はかだ. 句例 천박한 생각〔지식〕浅薄な考え〔知識〕.

천벌【天罰】〈名〉天罰. 句例 ~을 받을 죄인 天罰を受けるべき罪人.

천부【天賦】〈名〉天賦. 生まれつき. 句例 ~의 재능 天賦の才能. 語例 ~ 인권 天賦人権. 類천생(天生).

천부당-만부당【千不當萬不當】[—ma:nbudang]〈名・하形〉不当千万なこと. とんでもないこと. 文例 자네의 주장은 ~하다 君の主張は不当千万だ〔とんでもない〕.

천부-설【天賦說】〈名〉〔哲〕天賦説. ＝선천론(先天論).

천사【天使】〈名〉天使. 句例 백의의 ~ 白衣の天使 / 집 없는 ~ 家なき天使.

천상【天上】〈名〉天上. ❶天の上. ❷'천상계(天上界)'の略.

천상 천하 유아 독존 天上天下唯我独尊.

천상-계【天上界】〈名〉〔佛〕天上界.

천생【天生】㊀〈名〉天生. 生まれつき. 天然に生じること. 文例 성악가는 ~의 재능을 타고나야 한다 声楽家は生まれつきの才能を持って生まれなければならない. 語例 ⇨ 천생연분

㊁〈副〉❶生まれながら. 先天的に. 初めから. 文例 그는 ~ 시인으로 타고났다 彼は生まれながらの詩人だ. ❷そっくり. まるで. 文例 웃는 얼굴이 ~ 아버지야 笑い顔がお父さんそっくりだ. ❸仕方なく. やむを得ず. 文例 ~ 그 그림을 팔아야 했다 仕方なくその絵を売らなければならなかった.

천생-배필【天生配匹】〈名〉天が定めた似合いの夫婦.

천생-연분【天生緣分】[—nyŏnbun]〈名〉天が定めた縁. ＝천생인연.

천석-꾼【千石—】〈名〉千石取りの大地主〔金持ち〕.

천성【天性】〈名〉天性. 生まれつきの性質.

句例 ~이 착한 사람 生まれつきが善良な人.
천수【天壽】〈名〉天寿. 句例 ~를 누리다 天寿を全うする. (類)천명(天命).
천수-답【天水畓】〈名〉〔農〕雨水のみにたよる田.
천시【天時】〈名〉天時. ❶自然に巡ってくる現象. ❷天が与えた時機.
천식【喘息】[ch'ŏ:nshik]〈名〉〔醫〕喘息. 句例 ~의 발작 喘息の発作. 語例 기관지 ~ 気管支喘息.
천신-만고【千辛萬苦】[—ma:n-go]〈名〉千辛万苦. 句例 ~ 끝에 얻은 성공 千辛万苦の末にやっと得た成功.
천안【天顔】〈名〉王の顔. (類)용안(龍顔).
***천연**【天然】[ch'ŏnyŏn] [一]〈名〉天然. 自然のままの状態. 語例 ~ 기념물 天然記念物 / ~ 고무 天然ゴム / ~ 섬유 天然纖維. [二]〈副〉そっくり. 句例 그녀는 ~ 제 어머니 모습이다 彼女は母親のおもかげそっくりだ. ~**스럽다** (→스럽다)〈形〉飾り気なく自然だ. 平然としている. まことしやかだ. 句例 ~스럽게 거짓말을 하다 まことしやかに嘘をつく. ~**스레**〈副〉自然に. 平然と. まことしやかに. 文例 아무 일도 없었던 것처럼 ~스레 말한다 何事もなかったように平然と話す.
천연 가스【天然gas】〈名〉天然ガス. 地中より噴出する可燃性ガス.
천연-빙【天然氷】〈名〉天然の氷. 自然に凍った氷. (對)인조빙.
천연 조림【天然造林】[ch'ŏnyŏnjo:rim]〈名〉天然造林. 天然の力を利用して後継樹を仕立てる造林法. (對)인공 조림.
천왕-성【天王星】[ch'ŏnwangsŏng]〈名〉〔天〕天王星. 太陽系の第七惑星.
천운【天運】[ch'ŏnun]〈名〉❶天運. 天の定めによる運. 句例 ~이라고 체념하다 天運だとあきらめる. ❷天体の運行.
천원【天元】[ch'ŏnwon]〈名〉天元. ❶万物生育のもと. ❷碁盤の中心にある星. ❸君主の別称.
천원【泉源】[ch'ŏnwon]〈名〉泉の源.
천인【天人】[ch'ŏnin]〈名〉❶天人. 天と人. ❷飛天. 天女. ❸才能や容貌が人並みに優れている.
천인-공노【天人共怒】[ch'ŏnin—]〈名・하自〉天と人とが共に怒る. だれでも憤怒するほど憎らしいこと. 句例 ~할 사건 だれでも憤怒するほど憎らしい事件.
천일 야화【千一夜話】[ch'ŏnillya:hwa]〈名〉千夜一夜物語. アラビアンナイト. ＝아라비안 나이트.
천자【天子】〈名〉天子. 皇帝.
천자-문【千字文】〈名〉千字文. 四言古詩二百五十句をおさめたもので習字などの手本として用いられる.
천장【天一】〈名〉天井. ❶部屋の上方の板張り. 句例 ~이 낮은 방 天井の低い部屋 / ~에서 비가 새다 天井から雨が漏る. ❷株式の取り引きで, 一定期間のうち相場が最も上がった頂点. 語例 ~ 시세 天井相場.
***천재**【天才】〈名〉天才. 天賦の才能, またはその才能を備えた人. 句例 음악의 ~ 音楽の天才. 語例 ~ 교육 天才教育.
천재-지변【天災地變】〈名〉天災と地変. 自然による災害と地殻の変動.
천적【天敵】〈名〉〔生〕天敵. 句例 개구리의 ~은 뱀이다 蛙の天敵は蛇だ / 진디의 ~은 무당벌레다 あぶらむしの天敵はてんとうむしだ.
천정【天井】〈名〉⇨ 천장
천정-부지【天井不知】〈名〉天井知らず. 句例 ~로 물가가 오르다 天井知らずに物価が上がる.
천제【天帝】〈名〉天帝. 造物主. 天主. 上帝. (類)하느님.
천주【天主】〈名〉❶中国の神の名. ❷〔佛〕大自在天の別称. ❸〔佛〕諸天の王. ❹〔天主教〕天主. ❺〔基〕天国の主人.
천지【天地】〈名〉❶天地. 天と地. 世の中. 語例 자유 ~ 自由の天地 / 신~ 新天地 / ~ 만물 天地万物. ❷きわめて多いこと. 文例 시장에는 사람 ~다 市場には人がいっぱいだ.
천지가 개벽할 판이다 物事が全く別のものに変わりそうだとの意.
천지가 진동하다 天地が震動する. 大きな音がとどろく.
천지-신명【天地神明】〈名〉天地神明. 文例 ~께 비나이다 天地の神神さまにお祈り申しあげます.
천지-판【天地板】〈名〉ひつぎ(柩)のふたと底に敷く板.
천직【天職】〈名〉天職. 天性に合った職業. 文例 의사가 내 ~이다 医者がわたしの天職だ.
천진【天眞】〈名・하形〉天真. ❶自然のままで飾り気がないこと. 句例 ~한 화가의 웃음 飾り気のない画家の笑い. ❷〔佛〕不生不滅の真心. ~**스럽다** (→스럽다)〈形〉純真だ. 無邪気だ. あとげない. 句例 ~스러운 아기의 웃는 얼굴 あとげない赤ちゃんの笑顔. ~**스레**〈副〉無邪気に. あとげなく. 純真に. 句例 ~스레 웃는다 無邪気に笑う.
천진-난만【天眞爛漫】〈名・하形〉天真爛漫. 句例 ~한 얼굴을 하고 있다 あとげない顔をしている.
천차-만별【千差萬別】[—ma:nbyŏl]〈名・하形〉千差万別. 文例 사람의 생활 방식은 ~이다 人間の生活方式は千差万別だ.
****천천-히** [ch'ŏ:nch'ŏnhi]〈副〉❶(動作などが)ゆっくりと. のんびりと. 徐徐に. 文例 기차가 ~ 움직이기 시작했다 汽車がゆっくりと動き始めた. ❷(時間的に)ゆっくりと. 文例 이따가 ~ 이야기합시다 あとでゆっくりと話しましょう.
천체【天體】〈名〉天体. 宇宙空間に存在する物体. 語例 ~ 망원경 天体望遠鏡 / ~ 물리학 天体物理学 / ~ 관측 天体観測 / ~력 天体暦. 天体観測に必要な事柄を記載した暦.
천추【千秋】〈名〉千秋. 千年. 長い年月.

句例 ～에 길이 남을 업적 長い年月の間残るべき業績.

천치【天癡・天痴】〈名〉白痴. ばか. あほう.

천칭【天秤】〈名〉天秤. 句例 ～으로 달다 天秤ではかる.

천편-일률【千篇一律】[ch'ŏnp'yŏnillyul]〈名〉千編一律. 一本調子. どれも同じ調子で変化がないこと. 句例 ～의 방식 千編一律の方式 / ～적인 내용 千編一律の内容.

천하【天下】〈名〉天下. 句例 ～를 손에 쥐다 天下を握る / ～의 명물 天下の名物. 語例 ～ 명창 天下名唱 / ～ 대세 天下大勢 / ～ 무적 天下無敵.

천-하다【賤―】[ch'ŏ:nhada] (→하다)〈形〉❶卑しい. 句例 천한 마음 卑しい心. ❷(身分や地位が)きわめて低い. 文例 오늘날 노동을 천하게 생각하는 사람은 없다 今日労働を卑しく思う人はいない. ❸ありふれている. 文例 요즘은 겨울에도 과일이 ～ このごろは冬にも果物がありふれている.

천하-없어도【天下―】[―ŏpsŏdo]〈副〉ぜひとも. どんなことがあろうと必ず. きっと. 文例 ～ 약속은 지킨다 どんなことがあろうと約束は必ず守る.

천하-없이【天下―】[―ŏpshi]〈副〉またとなく. いくら. どんなに. 文例 ～ 귀중한 것이라도 목숨과는 바꿀 수 없다 どんなに貴重なものでも命とは代えられない.

천하-에【天下―】〈感〉以外なことにであったとき, 嘆きの意を表わす語. 句例 ～ 상대 못할 놈 どうも相手のできないやつ.

천행【天幸】〈名〉天幸. 天の恵み. 天の加護. 句例 ～으로 살아나다 天の恵みで助かる.

***철**[1]〈名〉❶季節. シーズン. 句例 ～에 맞는 양복 季節に合う洋服. ❷もっとも盛んな時. (物の)出盛り. 旬. 句例 꽁치의 ～ さんまの旬. 文例 이제 ～은 지났다 もう旬は過ぎた.

철[2]〈名〉物心. 分別. わきまえ. 句例 ～이 멀쩡한 녀석 もう物心のついたやつ〔分別のあるやつ〕.

철(이) 나다 分別がつく. 物心がつく. 文例 그 녀석 철나려면 아직 멀었다 そいつに分別がつくにはまだ時間がかかる.

철(이) 들다 '철(이) 나다'のこと.

***철**【鐵】〈名〉❶〔鑛〕鉄. ❷堅固なもの. 句例 ～의 의지 鉄の〔堅固な〕意志 / ⇨ 철의 장막. ❸'철사(鐵絲)・번철(燔鐵)'の略.

철 〔漢字項目〕

【哲】高校 철 テツ. ❶밝다 明らかだ. 슬기가 있다 かしこい. ▮哲人 철인 てつじん. 哲理 철리 てつり. ▮明哲 명철 めいてつ. 賢哲 현철 けんてつ. ❷철학의 약칭 哲学の略. ▮西哲 서철 せいてつ. 印哲 인철 いんてつ.

【徹】高校 철 テツ. ❶통하다 通る. 끝까지 하다 つらぬき 通す. ▮徹底 철저 てってい. 徹頭徹尾 철두 철미 てっとうてつび. 徹夜 철야 てつや. ▮貫徹 관철 かんてつ. 透徹 투철 とうてつ. ❷거두다 引き揚げる. 《'撤'과 통용 '撤'と通用》. ▮徹兵 철병 てっぺい. 徹回 철회 てっかい.

【鐵(鉄)】中學 철 テツ. ❶쇠 てつ. くろがね. ▮鐵鑛 철광 てっこう. 鐵材 철재 てつざい. ▮製鐵 제철 せいてつ. 銑鐵 선철 せんてつ. ❷견고하고 강한 것 堅くて強いこと. ▮鐵拳 철권 てっけん. 鐵壁 철벽 てっぺき. ❸날붙이 刃物. 무기 武器. ▮鐵槌 철퇴 てっつい. ▮寸鐵 촌철 すんてつ. ❹철도의 약칭 鉄道の略. ▮電鐵 전철 でんてつ. 地下鐵 지하철 ちかてつ.

철갑【鐵甲】〈名〉❶鉄甲. 鉄のよろい. ❷ある物に他の物質を塗りつけてできた薄皮. 句例 ～을 두르다 鉄甲で身をかためる. 語例 ～선 鉄甲船.

철강【鐵鋼】〈名〉鉄鋼. 語例 ～업 鉄鋼業.

철거【撤去】〈名・하他〉撤去. 句例 장애물을 ～하다 障害物を撤去する. 語例 ～ 작업 撤去作業.

철골【鐵骨】〈名〉〔建〕鉄骨. 語例 ～ 구조 鉄骨構造.

철공-소【鐵工所】〈名〉鉄工所.

철관【鐵管】〈名〉鉄管. ＝쇠파이프.

철광【鐵鑛】〈名〉❶'철광석 鉄鉱石'の略：鉄鉱. ❷鉄の鉱山.

철교【鐵橋】〈名〉鉄橋. 句例 ～를 놓다 鉄橋をかける. 文例 열차가 ～를 건너가고 있다 列車が鉄橋を渡っている.

철궤【鐵櫃】〈名〉⇨ 금궤(金櫃)

철근【鐵筋】〈名〉鉄筋.

철근 콘크리트【鐵筋concrete】[―k'onk'ŭri:t'ŭ]〈名〉鉄筋コンクリート.

철금【鐵琴】〈名〉〔樂〕鉄琴.

철기【鐵器】〈名〉鉄器.

철기 시대【鐵器時代】〈名〉鉄器時代. 韓国では'삼국 시대 三国時代'の前期に始まる.

철-길【鐵―】[―kkil]〈名〉鉄道. レール.

철-나다 [ch'ŏllada] ⇨ '철[2]'の小項目

***철도**【鐵道】[ch'ŏltto]〈名〉鉄道. ＝철로(鐵路). 철길. 句例 ～를 부설하다〔깔다〕鉄道を敷く / ～가 불통이 되다 鉄道が不通になる. 語例 ～ 건널목 鉄道の踏切 / ～편 鉄道便.

철도-청【鐵道廳】[ch'ŏltto―]〈名〉鉄道庁. '건설 교통부 建設交通部'の外局で, 国鉄を管轄する官庁. 長官は'철도청장(長)'という.

철두-철미【徹頭徹尾】[ch'ŏlttu―]〈副〉徹頭徹尾. **～하다**〈形〉徹底している. 徹底的だ. 句例 ～하게 조사하다 徹底的に調査する. 文例 ～ 반대하는 입장으로 일관했다 徹頭徹尾反対する立場をつらぬいた.

철-둑【鐵―】[―ttuk]〈名〉'철롯둑'の略.

철-들다 (철드니, 철들어서) ⇨ '철[2]'の小項目

철-따구니〈名〉'철[2]'の俗っぽい言いかた.

철-딱서니〈名〉'철[2]'の俗っぽい言いかた.

철렁〈副・하自他〉❶広く深いところにたまった水が一度ゆれうごくさま. また, その音：どぶん. ざぶん. ❷びっくりするさま：どきっ. びくっと. 句例 가슴이 ～ 내려앉다 肝を冷やす.

철렁-거리다〈自他〉❶続けざまに水がじゃぶじゃぶ音をたてる. じゃぶじゃぶさせる. ❷(びっくりして)どきんどきんする. びくびくす

る.

철렁철렁〈副・하自他〉❶どぶんどぶん. ざぶんざぶん. ❷どきんどきん. びくびく.

철로【鐵路】〈名〉鉄路. 鉄道線路.

철롯-둑【鐵路―】〈名〉(線路の)築堤. 略して'철둑'ともいう.

철마【鐵馬】〈名〉汽車を馬にたとえた語.

철-만나다〈自〉出盛り〔シーズン〕になる. 最盛期を迎える. 句例 철만난 대구 잡이 最盛期を迎えたたら漁.

철망【鐵網】〈名〉❶鉄網. 金網. ❷'철조망'の略.

철-면피【鐵面皮】〈名〉 鉄面皮. ＝후안(厚顔). 文例 너와 같은 ~는 처음 봤다 君のような鉄面皮は初めて見るのだ.

철모【鐵帽】〈名〉鉄帽. 鉄かぶと.

철-모르다 (철모르니, 철몰라서)〈自〉分別がない. わきまえがない. 文例 철모르는 아이를 너무 나무라지 마라 分別のない子供をあまりしかるなよ.

철문【鐵門】〈名〉鉄門. ＝쇠문.

철물【鐵物】〈名〉金物.

철물-점【鐵物店】〈名〉金物屋.

철벅-거리다〈自他〉続けざまに浅瀬などを踏んだりしてぴちゃぴちゃ〔ばちゃばちゃ〕音がする. また, そのような音をたてる.

철벅철벅〈副・하自他〉ぴちゃぴちゃ. ばちゃばちゃ.

철벙-거리다〈自他〉 続けざまに深い水の中に重いものが落ちたりしてどぶんどぶん〔ざぶんざぶん〕と音がする. また, そのような音をたてる.

철벙철벙〈副・하自他〉どぶんどぶん. ざぶんざぶん.

철벽【鐵壁】〈名〉鉄壁. 句例 ~(같은) 수비 鉄壁の守り〔守備〕. 類철통(鐵桶).

***철봉**【鐵棒】〈名〉鉄棒. 句例 ~으로 치다 鉄棒でなぐる / ~에 매달리다 鉄棒にぶらさがる / ~에서 턱걸이를 하다 鉄棒で懸垂をする.

철-부지【―不知】〈名〉 世間知らず(の人). 分別のない人. 文例 자네는 꽤나 ~군 君はずいぶん世間知らずだね. 語例 ~ 아들 世間知らずの息子.

철분【鐵分】〈名〉鉄分. 文例 이 물은 ~이 많다 この水は鉄分がつよい.

***철사**【鐵絲】[ch'ŏlssa]〈名〉針金. 語例 구리 ~ 銅線.

***철-새** [ch'ŏlssae]〈名〉渡り鳥. ＝후조(候鳥). 句例 ~의 도래 渡り鳥の渡来. 文例 그는 ~처럼 여기저기 거리를 옮겨 다녔다 彼は渡り鳥のようにあちこちの町を移り歩いた. 對텃새.

철석-같다【鐵石―】[ch'ŏlssŏk―]〈形〉鉄石のように固い. 句例 철석같은 맹세 鉄石の誓い.

철석같이 [ch'ŏlssŏkkach'i]〈副〉鉄石のように固く. 句例 철석같이 믿다 固く信じる.

철수【撤收】[ch'ŏlssu]〈名・하自他〉撤収. 句例 부대가 후방으로 ~하다 部隊が後方に撤収する / 캠프를 ~하다 キャンプを撤収する.

철시【撤市】[ch'ŏlssi]〈名・하自〉市場・店などが一斉に門を閉めて休むこと. 一斉に休業すること.

철썩-거리다〈自他〉❶続けざまに水面や肉の柔らかい部分を平たい物で打ったりして, ぴしゃりぴしゃり〔ばしゃっばしゃっ〕と音がする. また, そのような音をたてる. ❷続けざまに波が打ったり打ち寄せたりしてどうどう〔ひたひた〕音がする. また, そのような音をたてる.

철썩철썩〈副・하自他〉❶ぴしゃりぴしゃり. ばしゃっばしゃっ. ❷どうどう. ひたひた.

철야【徹夜】[ch'ŏrya]〈名・하自〉徹夜. 句例 ~하며 시험 공부를 하다 徹夜で試験勉強をする.

철-없다 [ch'ŏrŏpta]〈形〉がんぜない. 思慮分別がない. 句例 철없는 아이 がんぜない子供. **철없이**[ch'ŏrŏpshi]〈副〉がんぜなく. 分別なく.

철의 장막【鐵―帳幕】[ch'ŏrŭi―]〈名〉鉄のカーテン. ＝아이언 커튼.

철인【哲人】[ch'ŏrin]〈名〉哲人. 語例 ~ 소크라테스 哲人ソクラテス.

철인【鐵人】[ch'ŏrin]〈名〉鉄人. 語例 ~ 레이스 鉄人レース.

철자【綴字】[ch'ŏltcha]〈名・하自〉〔言〕つづり字. 綴字. 子音'ㅅ'と母音'ㅗ'を組み合わせて'소'の字になるなど.

철자-법【綴字法】[ch'ŏltchappŏp]〈名〉〔言〕⇨맞춤법

철재【鐵材】[ch'ŏltchae]〈名〉鉄材.

***철저-하다**【徹底―】[ch'ŏltchŏ―]（→하다）〈形〉徹底している. 徹底的だ. 句例 철저한 현실주의자 徹底した現実主義者 / 철저한 연구 徹底的な研究. **철저히** [ch'ŏltchŏhi]〈副〉徹底的に. 句例 원인을 철저히 조사하다 原因を徹底的に調査する.

철제【鐵製】[ch'ŏltche]〈名〉鉄製. 語例 ~ 가구 スチール製家具.

철제【鐵蹄】[ch'ŏltche]〈名〉鉄蹄. (馬の)蹄鉄.

철제【鐵劑】[ch'ŏltche]〈名〉鉄剤. 造血剤の一種.

철조-망【鐵條網】[ch'ŏltchomang]〈名〉鉄条網. 略して'철망(鐵網)'ともいう. 句例 ~을 치다 鉄条網を張る.

철쭉〈名〉〔植〕つつじ(躑躅). ＝철쭉나무. 語例 ~꽃 つつじの花.

철창【鐵窓】〈名〉鉄窓. 語例 ~ 신세 鉄窓につながれた身 / ~ 생활 獄中の生活. 囚人の生活.

철책【鐵柵】〈名〉鉄さく. 句例 ~을 둘러 치다 鉄さくをめぐらす.

철천지-한【徹天之恨】〈名〉骨髄に徹している恨み.

철철 [ch'ŏ:lch'ŏl]〈副〉液体が満ちあふれるさま: なみなみと. どくどく(と). 句例 술잔에 술이 ~ 넘치게 따르다 杯に酒をなみなみとつぐ.

철철-이 [ch'ŏlch'ŏri]〈副〉季節ごとに. 句例 ~ 피는 꽃 季節ごとに咲く花 / ~ 옷을 해입다 季節がかわるごとに着物をあつらえて着る.

철칙【鐵則】〈名〉鉄則. 句例 ~을 지키다 鉄則を守る. 文例 예의를 지키는 것을 ~으로 삼고

있다 礼儀を守るのを鉄則としている.

철커덕 〈副・하自他〉粘り気のあるものや平たいものがぶつかったりくっついてから離れる音: べったり. がちゃんと. がちゃりと. 略して'철컥'ともいう. 句例 ～ 달라붙다 べったりとくっつく / 문에서 ～ 소리가 나다 門でがちゃりと音がする. **～거리다** 〈自他〉べったり〔がちゃん〕と音がする. また, そのような音をたてる.

철커덕철커덕 〈副・하自他〉べたりべたり. がちゃんがちゃん. がちゃりがちゃり.

철컥 〈副・하自他〉'철커덕'の略.

철탑 【鐵塔】〈名〉鉄塔.

철통 【鐵桶】〈名〉鉄桶. 句例 ～ 같은 방비 鉄桶の防備.

철퇴 【撤退】〈名・하自〉撤退.

철퇴 【鐵槌】〈名〉鉄槌.

철퇴를 가하다 鉄槌を加える.

철퇴를 내리다 鉄槌を下す. 句例 밀수단에 ～ 密輸団に鉄槌を下す.

철판 【鐵板】〈名〉鉄板. 語例 ～ 구이 鉄板焼き.

철판을 깔다 面の皮が厚い. 鉄面皮だ. 恥も外聞もない. 文例 저 사나이는 얼굴에 철판을 깐 사람이다 あの男は恥も外聞もない人だ.

철폐 【撤廢】〈名・하他〉撤廃. 句例 차별을 ～하다 差別を撤廃する / 규제를 ～하다 規制を撤廃する. 語例 ～되다 撤廃される.

철필 【鐵筆】〈名〉❶ペン. ❷(がり版の原紙を切る)鉄筆.

철-하다 【綴―】(→하다)〈他〉と(綴)じる. つづ(綴)る. 句例 신문을 철해 두다 新聞をとじておく / 서류를 ～ 書類をつづる.

철학 【哲學】〈名〉哲学. 語例 ～자 哲学者 / ～적 哲学的 / 인생 ～ 人生哲学.

철회 【撤回】〈名・하他〉撤回. 句例 제안〔처분〕을 ～하다 提案〔処分〕を撤回する / 요구〔사표〕를 ～하다 要求〔辞表〕を撤回する.

첨 [ch'ŏ:m] 〈名・副〉'처음'の略.

첨 〔漢字項目〕

【尖】高校 첨 セン. ❶뾰족하다 とがる. 끝이 날카롭다 先がとがっている. ■尖鋭 첨예 せんえい. 尖塔 첨탑 せんとう. ■肺尖 폐첨 はいせん. ❷끝 さき. ■尖兵 첨병 せんぺい. 尖端 첨단 せんたん. ■筆尖 필첨 ふでさき(筆先).

【添】高校 첨 テン. 더하다 そえる. 보태다 つけ加える. ■添加 첨가 てんか. 添削 첨삭 てんさく. ■加添 가첨 かてん.

첨가 【添加】〈名・하他〉添加. 句例 색소를 ～하다 色素を添加する. 語例 ～제 添加剤 / 식품～물 食品添加物 / ～되다 添加される.

첨단 【尖端】〈名〉先端. 句例 유행〔시대〕의 ～을 가다 流行〔時代〕の先端を行く. 語例 ～기술 先端技術 / ～ 산업 先端産業 / 최～ 最先端.

첨부 【添附】〈名・하他〉添付. 句例 원서에 사진을 ～하다 願書に写真を添付する. 語例 ～서류 添付書類.

첨예-하다 【尖銳―】[ch'ŏmye―] (→하다)〈形〉先鋭である. 句例 첨예한 대립 先鋭な対立.

첨예-화 【尖銳化】[ch'ŏmye―]〈名・하自〉先鋭化. 句例 ～되는 쟁의 先鋭化する争議.

첩 【妾】〈名〉めかけ(妾).

첩 【貼】〈依名〉〔韓醫〕薬材を紙で四角に包んだ包みを数える語: 貼. 語例 보약 두 ～ 補薬二貼.
參考 二十貼を'한 제(劑)'という.

-첩 【帖】〈尾〉…帳. 語例 사진～ 写真帳.

첩 〔漢字項目〕

【妾】高校 첩 ショウ. 첩 めかけ. 소실 そばめ. ■妾出 첩출 しょうしゅつ. ■愛妾 애첩 あいしょう. 蓄妾 축첩 ちくしょう.

첩경 【捷徑】〈名〉捷径. ＝지름길. 句例 외국어를 배우는 ～ 外国語を学ぶ捷径.

첩보 【諜報】〈名〉諜報. 語例 ～ 기관 諜報機関.

첩-약 【貼藥】[ch'ŏmnyak]〈名〉韓薬材を調合して紙で四角に包んだ包み.

첩어 【疊語】[ch'ŏbŏ]〈名〉畳語. '아롱아롱' '이리저리'など.

첩자 【諜者】〈名〉諜者. ＝간자(間者). 밀정(密偵).

첩첩-산중 【疊疊山中】〈名〉深い山奥.

첩첩-이 【疊疊―】[ch'ŏpch'ŏbi]〈副〉畳畳と. 幾重にも重ねて. 句例 문을 ～ 닫아 걸다 門を幾重にも閉ざす.

첩첩-하다 【疊疊―】[ch'ŏpch'ŏp'ada] (→하다)〈形〉幾重にも重なり合っている. 畳畳としている.

*****첫** 〈冠〉物事の始まりの意: 初め(て)の. 初(の). 第一(の). 最初の. 語例 ～무대 初舞台.

*****첫-** 〈頭〉初(の)…. 初め(て)の…. 第一(の)…. 最初の…. 語例 ～사랑 初恋. 對막-.

첫-걸음 [―kŏrŭm]〈名〉❶第一歩. 句例 ～을 내딛다 第一歩を踏み出す. ❷初歩. 入門. 語例 일본어 ～ 日本語入門.

첫-날 [ch'ŏn―]〈名〉初日. 初めの日. 句例 공연의 ～ 公演の初日. 對마지막날.

첫날-밤 [ch'ŏnnalppam]〈名〉(新婚の)初夜.

첫-눈[1] [ch'ŏn―]〈名〉一目. 第一印象. 句例 ～에 마음에 들다 一目で気にいる / ～에 반하다 一目ぼれする.

첫-눈[2] [ch'ŏn―]〈名〉初雪.

첫-돌 〈名〉初めての誕生日. この日には'수수 팥단자 あずきのあん(餡)をまぶしたきびだんご'などをつくり'돌상'を設けて祝う.

첫-마디 [ch'ŏn―]〈名〉最初の一言.

*****첫-머리** [ch'ŏn―]〈名〉初め. 先頭. しょっぱな. 句例 글의 ～ 書き出し.

첫-무대 [ch'ŏn―]〈名〉初舞台.

첫-발 〈名〉第一歩.

첫발을 내딛다 第一歩を踏み出す. 初めてある範囲内に足を踏み入れる.

첫-번 【―番】〈名〉第一番. 最初. 句例 ～ 경험 最初の経験.

첫-사랑 〈名〉初恋. 句例 ～의 추억 初恋の思い出.

첫-새벽 〈名〉 暁. 明け方. 早暁.

첫-서리 〈名〉 初霜. [句例] ～가 내리다 初霜が降りる.

첫-소리 〈名〉〔言〕 初声. 一音節で最初の子音. '말'の'ㅁ'の音など. ＝초성(初聲). [參考] ハングルの音節の構造には母音または母音＋子音, 子音＋母音, 子音＋母音＋子音の四種類がある. 音節の頭子音を初声, 母音を中声, 音節末子音を終声という.

첫손-꼽다 〈自〉 第一番目にあげる. 筆頭にあげる. [句例] 세계에서 첫손꼽는 음악가 世界で第一番といわれる音楽家. [語例] 첫손 꼽히다 一番といわれる. 筆頭にあげられる.

첫-솜씨 〈名〉 初めての手並み. 初めて見せる腕前. [文例] ～ 치고서는 잘 됐다 初めの手並にしてはよくできた.

첫-술 〈名〉 食べはじめのひとさじ(匙).

첫술에 배 부르랴 ひとさじで腹を満たせるだろうか. なんでもすぐ満足することはできないものだとの意.

첫-아기 [ch'ŏdagi] 〈名〉 初子. 初産児. ＝첫아이.

첫-얼음 [ch'ŏdŏrŭm] 〈名〉 初氷. [句例] ～이 얼다 初氷が張る.

첫-인사 【一人事】 [ch'ŏdinsa] 〈名・하自〉 初対面のあいさつ.

첫-인상 【一印象】 [ch'ŏdinsang] 〈名〉 第一印象. [句例] ～이 좋다〔나쁘다〕 第一印象がいい〔悪い〕.

***첫-째** ❶〈數〉 第一. 一番. [語例] ～ 시간 第一時間.
❷〈名〉 ⇨ 만. [語例] ～ 딸 最初に生まれた娘.
❸〈副〉 第一. 一番に.

첫째-가다 〈自〉 一番だ. 第一位だ. [句例] 우리 나라 첫째 가는 팀 我が国で第一のチーム.

첫째-항 【一項】 〈名〉〔數〕 (数列・級数の) 初項.

첫-차 【一車】 〈名〉 (バス・列車の) 始発. [句例] ～로 떠나다 始発で立つ. (對)막차.

첫-추위 〈名〉 その冬の初めての寒さ.

첫-해 [ch'ŏt'ae] 〈名〉 初年. [文例] 계획을 ～에서 다음해에 걸쳐 계속 추진하였다 計画を初年から翌年にかけて続けて推し進めた.

청 【清】 〈名〉〔史〕 (中国の) 清. ＝청나라. 청국(清國).

청 【請】 〈名〉 ❶['청탁(請託)・청촉(請囑)'の略] 請い. 願い. 頼み. [句例] ～을 들어주다 頼みを聞き入れる. 請いを入れる. ❷(客を) 招くこと. ▷→청하다

청(을) 넣다 特別に頼む. 頼み込む.

청	〔漢字項目〕

【廳(庁)】 [高校] 청 チョウ. 관아 役所. ■廳舍 청사 ちょうしゃ. 廳務 청무 ちょうむ. ■官廳 관청 かんちょう. 退廳 퇴청 たいちょう. 鐵道廳 철도청 てつどうちょう.

【晴(晴)】 [中學] 청 セイ. 개다 はれる. 맑음 はれ. ■晴天 청천 せいてん. 晴朗 청랑 せいろう. ■快晴 쾌청 かいせい.

【淸(清)】 [中學] 청 セイ. ショウ. シン. ❶맑다 きよい. ㉠물이 맑다 水がすんでいる. ■淸濁 청탁 せいだく. 淸流 청류 せいりゅう. ㉡깨끗하다 けがれがない. ■淸潔 청결 せいけつ. 淸貧 청빈 せいひん. ❷시원하다 すずしい. 상쾌하다 すがすがしい. ■淸涼 청량 せいりょう. 淸冷 청랭 せいれい. ❸말끔히 치우다 さっぱりと整理する. 깨끗이 하다 きれいにする. ■淸算 청산 せいさん. 淸掃 청소 せいそう. ■肅淸 숙청 しゅくせい. ❹청나라 (中国の) 清. ■淸朝 청조 しんちょう. ■日淸戰爭 일청전쟁 にっしんせんそう.

【聽(聴)】 [中學] 청 チョウ. ❶듣다 きく. 정신을 차리고 듣다 熱心に聞く. ■聽取 청취 ちょうしゅう. ■傾聽 경청 けいちょう. 視聽 시청 しちょう. ❷들어주다 ききとどける. ■聽許 청허 ちょうきょ. 聽從 청종 ちょうじゅう.

【請(請)】 [中學] 청 セイ. シン. ショウ. 청하다 こう. 바라다 ねがいもとめる. ■請求 청구 せいきゅう. 請願 청원 せいがん. ■申請 신청 しんせい. 懇請 간청 こんせい.

【靑(青)】 [中學] 청 セイ. ショウ. ❶푸르다 あおい. 푸른빛 あおいろ. ■靑天 청천 せいてん. 靑果 청과 せいか. ■丹靑 단청 たんせい. ❷'젊은・신선한' 등의 뜻 '年若い・新鮮な'などの意. ■靑年 청년 せいねん. 靑春 청춘 せいしゅん. ❸초목이 무성하다 草木がしげる. ■靑山 청산 せいざん. 靑靑 청청 せいせい.

청각 【靑角】 〈名〉〔植〕 ['청각채(菜)'の略] まふのり(真布海苔). '김장'キムチの調味用やあえ物にして食べる海藻.

청각 【聽覺】 [ch'ŏ:nggak] 〈名〉 聴覚. [句例] ～이 예민하다 聴覚がするどい / ～을 잃다 聴覚を失う.

***청-개구리** 【靑一】 〈名〉 ❶〔動〕 あおがえる. ❷言行がねじけたりつむじ曲がりの人の別名. へそ曲がり. あまのじゃく. [參考] ②は, ひねくれて親の言いつけを聞かなかったあおがえるの子の童話から出たことば.

청결-하다 【淸潔一】 (→하다) 〈形〉 清潔だ. [句例] 청결한 복장 清潔な服装. (對)불결(不潔)하다. (類)깨끗하다. **청결히** 〈副〉 清潔に. [句例] 몸을 늘 청결히 하다 からだを清潔に保つ.

청경-우독 【晴耕雨讀】 〈名・하自〉 晴耕雨読.

청과 【靑果】 〈名〉 青果. ＝청과물. [語例] ⇨ 청과 시장

청과-물 【靑果物】 〈名〉 青果物. ＝청과.

청과 시장 【靑果市場】 [—shi:jang] 〈名〉 青果市場. ＝청과물 시장.

청-교도 【淸敎徒】 〈名〉〔基〕 清教徒. ＝퓨리턴.

청구 【請求】 〈名・하他〉 請求. [句例] 물품 대금을 ～하다 物品の代金を請求する. [語例] ～서 請求書.

청구-권 【請求權】 [—kkwon] 〈名〉〔法〕 請求権. [句例] ～을 포기하다 請求権を放棄する.

청국 【淸國】 〈名〉〔史〕 '청(淸)'のこと.

청국-장 【清麴醬】〈名〉 ❶蒸した大豆を発酵させてうす(臼)でつきとうがらし・豆腐・肉類などを入れて煮込んだおかず. ❷⇨ 담북장

청군 【青軍】〈名〉 (競技の組分けで)青軍. 青組. [文例] ~ 이겨라 青勝て. 對백군(白軍).

청-기와 【青―】〈名〉 青がわら(瓦). ＝청와(青瓦).

***청-나라** 【清―】〈名〉〔史〕'청(清)'のこと.

***청년** 【青年】〈名〉青年. [句例] 전도 유망한 ~ 前途有望な青年. [語例] ~기 青年期 / ~ 운동 青年運動 / ~회 青年会 / 문학 ~ 文学青年.

청대-콩 【青―】〈名〉未熟の青い豆. ＝청태(青太).

청동 【青銅】〈名〉青銅. [語例] ~기 青銅器 / ~화로 青銅の火鉢.

청동기 시대 【青銅器時代】〈名〉〔史〕青銅器時代.

청둥-오리 〈名〉〔鳥〕まがも. ＝물오리.

청둥-호박 〈名〉熟れきったかぼちゃ.

청량 음료 【清涼飲料】[ch'ŏngnyang-ŭmnyo]〈名〉清涼飲料.

청량-제 【清涼劑】[ch'ŏngnyang—]〈名〉 清涼剤. [句例] 한 모금의 ~ 一服の清涼剤.

청량-하다 【清涼―】[ch'ŏngnyang—] (→하다)〈形〉清涼だ. [句例] 청량한 가을 공기 清涼な秋気.

***청력** 【聽力】[ch'ŏ:ngnyŏk]〈名〉 聴力. [句例] ~이 약해지다 聴力がおとろえる. [語例] ~계 聴力計.

청렴 【清廉】[ch'ŏngnyŏm]〈名・하形〉 清廉. [句例] ~한 정치가 清廉な政治家.

청렴-결백 【清廉潔白】[ch'ŏngnyŏm—]〈名・하形〉清廉潔白. [句例] ~한 사람 清廉潔白な人 / ~을 주장하다 清廉潔白を主張する.

청명-하다 【清明―】(→하다)〈形〉清明だ. 澄み渡っている. [句例] 청명한 날씨 清明な天気 / 청명한 가을 하늘 澄み渡った秋空.

청문-회 【聽聞會】[ch'ŏ:ngmun—]〈名〉 聴聞会. →공청회(公聽會)

청-바지 【青―】〈名〉青ズボン. 特に, ブルージンズ. ジーパン.

청백-리 【淸白吏】[ch'ŏngbaengni]〈名〉清吏. [參考] 청백리を選定する制度は大体高麗時代から始めたが, 朝鮮朝時代にいたっては中央の各官庁の高官が推薦して選んだ.

청부 【請負】〈名・하他〉 請負. 土木や建築の工事では'도급(都給)'という. [語例] ~인 請負人.

청부(를) 맡다 '도급(을) 맡다'の意(→'도급'の小項目)

청부(를) 주다 '도급(을) 주다'の意(→'도급'の小項目)

청빈-하다 【清貧―】(→하다) 〈形〉 清貧だ. [句例] 청빈한 생활에 만족하다 清貧に甘んじる.

청사 【青史】〈名〉青史. [句例] ~에 이름을 남기다 青史に名をとどめる.

청사 【廳舍】〈名〉庁舎. [語例] 정부 종합 ~ 政府総合庁舎.

***청-사진** 【青寫眞】〈名〉青写真. [句例] 계획의 ~ 計画の青写真. [文例] 이 계획은 아직 ~ 단계다 この計画はまだ青写真の段階だ.

청사 초롱 【青紗―籠】〈名〉〔史〕赤と青の紗を張った釣り灯籠. 昔, 宮中または高官の外出のとき用いた. ＝청사 등롱(燈籠).
[參考] 今は伝統的婚礼や'함(函)'をおくるとき用いる.

청산 【清算】〈名・하他〉清算. [句例] 빚을 ~하다 借金を清算する / 과거를 ~하다 過去を清算する.

청산-유수 【青山流水】[—nyusu]〈名〉 立て板に水. [句例] ~와 같은 웅변 立て板に水を流すような雄弁.

청산-칼리 【青酸kali】〈名〉〔化〕青酸カリ. 正式には'시안화 칼륨'という.

청상 과부 【清孀寡婦】[—gwa:bu]〈名〉年若の

ㅊ

《古歌 7》

청산별곡 青山別曲

高麗後期の歌謡の一つ. 作者・年代は未詳. 八聯からなる. 現実の苦しさから離れて, 青い山または海に生きたいと言う内容であるが, 苦しい中にも生に対する意志がうかがえる.

[歌 詞] (第一聯)

〈古 文〉	〈現 代 文〉	
살어리 살어리랏다.	살으리 살으리로다.	暮らし暮らさん
청산(青山)애 살어리랏다.	청산에 살으리로다.	青山に暮らさん.
멀위랑 ᄃᆞ래랑 먹고,	머루랑 다래랑 먹고	山ぶどうなり猿梨の実なり食して
청산(青山)애 살어리랏다.	청산에 살으리로다.	青山に暮らさん.
얄리얄리 얄랑셩	얄리얄리 얄라셩	ヤルリヤルリ ヤルラション
얄라리 얄라	얄라리 얄라	ヤルラリ ヤルラ

'ヤルリ…'は折り返し.

未亡人. 若後家. 略して'청상'ともいう.

*청-색【青色】〈名〉青色. 略して'청(青)'ともいう.

*청소【清掃】〈名・하他〉清掃. 掃除. 句例 교정을 ~하다 校庭を清掃する. 語例 ~차 清掃車 / ~기 掃除機 / 대~ 大掃除 / ~원 清掃夫. 掃除人 / ~ 도구 掃除道具.

청-소년【青少年】〈名〉青少年. 語例 ~ 교육 青少年教育 / ~ 야구단 青少年野球団.

청순-하다【清純―】(→하다)〈形〉清純だ. 句例 청순한 처녀 清純な乙女 / 청순한 느낌 清純な感じ.

청승〈名〉みすぼらしく哀れっぽい様子〔態度〕. ~스럽다 (→스럽다)〈形〉いかにも哀れげだ. しょんぼりして哀れっぽい.

청승(을) 떨다 みすぼらしく哀れげにふるまう. いかにももの悲しい態度をとる. 文例 우는 소리를 하며 청승을 떨고 있다 泣き言を言いながら見苦しくふるまっている.

청승-맞다〈形〉みすぼらしく哀れっぽい. いかにももの悲しそうだ. 句例 청승맞게 울고 있다 もの悲しく泣いている.

청신-하다【清新―】(→하다)〈形〉清新だ. 句例 청신한 기풍 清新な気風.

청-신호【青信號】〈名〉青信号. 句例 ~가 나오다 青信号が出る. ㊌적신호(赤信號).

청심-환【清心丸】〈名〉〔韓醫〕心臓の血液を清め熱を下げる丸薬.

청아-하다【清雅―】(→하다)〈形〉清雅だ. 句例 청아한 목소리 清雅な声.

청약【請約】〈名・하他〉株式の公募やアパートの売り出しに応募して引受けの契約を申請すること.

청어【青魚】〈名〉〔魚〕にしん(鰊). 参考 食料品としては'비웃', 干物は'관목(貫目)'という.

청운【青雲】〈名〉青雲.

청운의 꿈 立身出世の夢.

청운의 뜻 青雲の志. 句例 ~을 품고 상경하다 青雲の志をいだいて上京する.

청원【請願】〈名・하他〉請願. 句例 ~이 각하되다 請願が却下される. 語例 ~서 請願書 / ~권 請願権.

청원 경찰【請願警察】[―gyŏ:ngch'al]〈名〉請願警察. 請願巡査. 官庁・公共団体・銀行などが費用を負担して警察の配置を請願する制度. また, それによって配置された警察官.

청음【清音】〈名〉清音. ❶清らかな音声. ❷〔言〕⇨ 안울림소리. ▷㊌탁음(濁音).

청일 전쟁【清日戰爭】[―jŏ:njaeng]〈名〉〔史〕日清戦争.

청자【青瓷・青磁】〈名〉青磁. 語例 고려 ~ 高麗青磁.

청자 상감【青瓷象嵌】〈名〉青磁象眼.

청-장년【青壯年】〈名〉青壮年.

청정【清淨】〈名・하形〉清浄. 句例 ~한 공기 清浄な空気 / ~ 무구한 마음 清浄無垢な心. 語例 ~ 야채 清浄野菜 / ~ 재배 清浄栽培 / ~ 해역 清浄海域 / 공기 ~기 空気清浄機.

청조【清朝】〈名〉❶〔史〕清朝. ❷'청조체 清朝体'の略. ❸'청조 활자 清朝活字'の略.

청주【清酒】〈名〉清酒. ❶澄んだ酒. ❷日本酒. ＝정종(正宗). ▷㊌탁주(濁酒).

청중【聽衆】[ch'ŏ:ngjung]〈名〉聴衆. 文例 그 연설은 많은 ~의 마음을 사로잡았다 その演説は多くの聴衆の心をとらえた.

청진【聽診】[ch'ŏ:ngjin]〈名・하他〉聴診.

청진-기【聽診器】[ch'ŏ:ngjin―]〈名〉〔醫〕聴診器.

청천【晴天】〈名〉青天. 晴天. ＝청공(晴空).

청천 하늘에 날벼락 青天の霹靂.

청천 벽력【青天霹靂】[―byŏngnyŏk]〈名〉青天の霹靂.

청첩【請牒】〈名〉'청첩장'の略. ＝청장(請狀).

청첩-장【請牒狀】〈名〉招待状.

청청-하다【青青―】(→하다)〈形〉青青としている. 句例 청청한 초원 青青とした草原. 청청히〈副〉青青と.

청초-하다【清楚―】(→하다)〈形〉清楚だ. 句例 청초한 아름다움 清楚な美しさ / 청초한 느낌이 들다 清楚な感じがする. 청초히〈副〉清楚に.

청춘【青春】〈名〉青春. 句例 ~을 구가하다 青春を謳歌する. 語例 ~ 시대 青春時代.

청출어-람【青出於藍】[ch'ŏngch'urŏram]〈名〉青は藍より出でて藍より青し. 出藍の誉れ. 略して'출람(出藍)'ともいう.

청취【聽取】[ch'ŏ:ngch'wi]〈名・하他〉聴取. 語例 ~자 聴取者 / ~율 聴取率. →시청(視聽)

청탁【請託】〈名・하他〉請託. 頼むこと. 略して'청(請)'ともいう. 句例 ~을 물리치다 請託を断わる / 원고를 ~하다 寄稿を頼む.

청포【清泡】〈名〉緑豆のおり(澱)を煮てつくったところてん状の食品. ＝녹말(綠末)묵. 녹두묵.

청-포도【青葡萄】〈名〉青ぶどう(葡萄).

**청-하다【請―】(→하다)〈他〉❶請う. 求める. 願う. 要請する. ＝원하다. 바라다. 句例 면회를 ~ 面会を求める / 가르침을 ~ 教えを仰ぐ. ❷招く. 招待する. 呼ぶ. 文例 손님을 청해서 연회를 열었다 客を招いて宴を開いた. ❸(眠りを)誘う〔催させる〕. (眠気を)催させる. ❹(料理を)注文する. 句例 냉면을 ~ 冷麺を注文する. ㊊시키다.

청혼【請婚】〈名・하自〉求婚. 句例 ~을 거절하다 求婚を断わる.

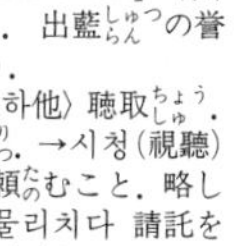

〈체〉

*체¹〈名〉ふるい(篩). 絵 句例 가루를 ~로 치다 粉をふるいにかける / 술을 ~에 밭(치)다〔거르다〕 酒をふるいでこす / ~를 메(우)다 ふるいの枠に網を張る.

체에 내리다 ふるいにかける. ふるいでこす.

체【滯】〈名〉❶食もたれ. 食滞. ❷'체증(滯症)'の略. →체(滯)하다

체²〈依名〉それらしく装う態度の意. ('-ㄴ ~・-는 ~・-은 ~'の形で)…(する)ふり. …(した)ふり. ＝척. 句例 본~만~見ても見なかっ

たふり / 알고도 모르는 ～ 知っても知らないふり．→체하다．囲み記事86

체³〈感〉気に食わないときや残念で嘆かわしいときに発する声：ちぇ．ちぇっ．文例 ～, 이젠 다 틀렸네 ちぇっ，もうだめだ．

-체【體】〈尾〉…体．語例 육면～ 六面体 / 건강～ 健康体 / 조직～ 組織体．

체　〔漢字項目〕

【切】高校 체 サイ．절 セツ．㊀〔체〕온통 すべて．전부 全部．◧一切 일체 いっさい．
㊁〔절〕❶칼로 베다 刃物できる．◧切開 절개 せっかい．切斷 절단 せつだん．❷절박하다 さしせまる．◧切迫 절박 せっぱく．❸간절히 ひたすら．◧切望 절망 せつぼう．切實 절실 せつじつ．◧懇切 간절 こんせつ．痛切 통절 つうせつ．❹확실 確実．◧適切 적절 てきせつ．❺한자의 음을 표시하는 법 漢字の音を示す法．◧反切 반절 はんせつ．

【替】高校 체 タイ．❶바뀌다 かわる．바꾸다 とりかえる．◧交替 교체 こうたい．代替 대체 だいたい．❷쇠퇴하다 すたれる．◧隆替 융체 りゅうたい．衰替 쇠체 すいたい．

【體(体)】中學 체 タイ．テイ．❶몸 からだ．◧體質 체질 たいしつ．體格 체격 たいかく．◧身體 신체 しんたい．人體 인체 じんたい．❷바탕 根本を成す部分．◧體言 체언 たいげん．體用 체용 たいよう．◧本體 본체 ほんたい．主體 주체 しゅたい．❸모양 ようす．용모 容貌．◧體裁 체재 ていさい．◧風體 풍체 ふうてい．ふうたい．❹형태 形態．일정한 형체를 갖춘 것 きまった形をもったもの．◧體系 체계 たいけい．體制 체제 たいせい．◧國體 국체 こくたい．書體 서체 しょたい．❺물건 もの．◧物體 물체 ぶったい．液體 액체 えきたい．❻행하다 おこなう．◧體驗 체험 たいけん．

체감【遞減】〈名・하自他〉逓減．語例 ～ 법칙 逓減法則．對체증(遞增)．

체감 온도【體感溫度】[ch'egamondo]〈名〉体感温度．

체격【體格】〈名〉体格．句例 ～이 좋다 体格がいい / 훌륭한 ～ 立派な体格 / 빈약한 ～ 貧弱な体格．

*__체결__【締結】〈名・하他〉締結．句例 조약을 ～하다 条約を締結する．語例 ～되다 締結される．

체경【體鏡】〈名〉姿見．

체계【體系】〈名〉体系．句例 ～를 세우다〔확립하다〕体系を立てる〔確立する〕/ ～화하다 体系化する．体系づける．

체계-적【體系的】〈名・冠〉体系的．句例 ～으로 설명하다 体系的に説明する．

체-관【一管】〈名〉師管．句例 ～부 師管部．→물관

체구【體軀】〈名〉体軀．句例 당당한 ～ 堂堂たる体軀．

체급【體級】〈名〉（ボクシング・レスリング・重量挙げなどの）体重別階級．クラス．

체납【滯納】〈名・하他〉滞納．句例 세금이 ～되다 税金が滞納される．語例 ～액 滞納額．類미납(未納)．

체내【體內】〈名〉体内．語例 ～ 기생충 体内寄生虫．對체외(體外)．

*__체념__【諦念】〈名〉諦念．あきらめ．断念．～하다〈他〉あきらめる．断念する．句例 안 된다고 ～하다 だめだとあきらめる / ～ 비슷한 심정 あきらめに似た心情．

체능【體能】〈名〉ある仕事に堪えうる身体の能力．体力．

체득【體得】〈名・하他〉体得．句例 일의 요령을 ～하다 仕事のこつを体得する．類터득．

*__체력__【體力】〈名〉体力．句例 ～의 한계 体力の限界 / ～을 북돋우다 体力をつける / ～이 떨어지다 体力がおちる．語例 기초 ～ 基礎体力 / ～검사 体力テスト．

체류【滯留】〈名・하自〉滞留．逗留．＝체재(滯在)．語例 장기 ～ 長逗留．

체면【體面】〈名〉体面．世間体．沽券．体裁．面目．略して'면(面)'ともいう．句例 ～을 지키다 体面をたもつ / ～을 차리다 体裁をつくろう / ～을 손상하다 体面を汚す / ～에 관계되다 体面〔沽券〕にかかわる / ～이 서다 顔が立つ．

체면 사납다 面目が立たない．恥ずかしく悔しい．

체벌【體罰】〈名・하他〉体罰．句例 ～을 가하다 体罰をくわえる / ～을 주다 体罰を与える．

체불【滯拂】〈名・하自他〉（給与・代金などの）遅払い．句例 노임의 ～ 労賃の遅払い．

체스〈名〉チェス．句例 ～의 말 チェスのこま(駒)．◇chess

체신-부【遞信部】〈名〉'정보 통신부(情報通信部)'の旧称．

체액【體液】〈名〉〔生〕体液．

체언【體言】〈名〉〔言〕体言．名詞・代名詞・数詞がある．＝임자씨．→용언(用言)

*__체온__【體溫】〈名〉体温．句例 ～을 재다 体温を計る．語例 ～ 조절 体温調節．

체온-계【體溫計】〈名〉体温計．

체외【體外】〈名〉体外．對체내(體內)．

체위【體位】〈名〉体位．句例 ～가 향상〔저하〕되다 体位が向上〔低下〕する．

*__체육__【體育】〈名〉体育．語例 ～ 시간（学校の）体育の時間 / ～회 体育会．

체육-관【體育館】〈名〉体育館．ジム．

체육의 날【體育―】[ch'eyugŭi―]〈名〉体育の日．韓国では十月十五日．

체인지 코트 [―k'o:t'ŭ]〈名〉（バレーボールなどの）チェンジコート．◇change court

체장【體長】〈名〉⇨ 몸길이

체재【滯在】〈名・하自〉滞在．＝체류(滯留)．語例 ～지 滞在地 / ～ 기간 滞在期間．

체재【體裁】〈名〉体裁．（文章などの）形式．＝체제(體制)．스타일．

체적【體積】〈名〉体積．参考 数学では'부피'ともいう．

체전【體典】〈名〉❶体育祭．運動会．❷'전국 체전 全国体育大会'の略．

체제【體制】〈名〉❶⇨ 체재(體裁)．❷体制．句例 협력 ～를 강화하다 協力体制を強化

する. 語例 사회 ～ 社会体制 / 경제 ～ 経済体制 / 독재 ～ 独裁体制 / 반～ 反体制.

체조【體操】〈名・하自〉体操. 語例 맨손 ～ 徒手体操 / 율동 ～ 律動体操 / 기계 ～ 器械体操.

체조 경기【體操競技】[—gyŏ:nggi]〈名〉体操競技. オリンピック種目の一つ.

체중【體重】〈名〉体重. =몸무게. 句例 ～을 줄이다 体重を減らす. 語例 ～계 体重計.

체증【滯症】[ch'etchŭng]〈名〉〔韓醫〕食滞の症状. 略して'체(滯)'ともいう.

체증【遞增】〈名・하自〉逓増. =체가(遞加). 對 체감(遞減).

체-질〈名・하他〉ふるい(篩)にかけること. ふるうこと.

체질【體質】〈名〉体質. 句例 ～을 개선하다 体質を改善する / ～에 맞다 体質に合う. 語例 알레르기(성) ～ アレルギー体質 / ～적 결함 体質的欠陥.

체취【體臭】〈名〉体臭. 句例 작가의 ～를 느낄 수 있는 작품 作家の体臭が感じられる作品.

체크〈名〉チェック. ❶〈하他〉照合すること. 検査すること. また, そのしるし. 句例 출입자를 ～하다 出入者をチェックする / 리스트와 대조하여 ～하다 リストとつき合わせてチェックする. ❷格子じま. 語例 ～ 무늬 스커트 チェックのスカート. ◇check

체통【體統】〈名〉(身分や地位にふさわしい)体面. メンツ. 句例 양반의 ～ 両班の体面 / ～을 지키다 (身分相応の)体面をたもつ.

체통(을) 잃다 身分相応のメンツを失う.

체포【逮捕】〈名・하他〉逮捕. 句例 범인을 ～하다 犯人を逮捕する. 語例 ～되다 逮捕される.

체-하다【滯—】(→하다)〈自〉食もたれする. 食滞する.

***체-하다**(→하다)〈補動〉('-ㄴ ～・-은 ～・-는 ～'の形で)(…する)ふりをする. (…した)ふりをする. …ぶる. =척하다. 句例 잘난 ～ 偉ぶる. 大きな顔をする. 見識ばる / 자는 ～ たぬき寝入りする. 眠っているふりをする / 보고도 못 본 ～ 見ても見ないふりをする / 모르는 ～ 知らないふりをする. 知らん顔をする / 젠 ～ 見えをきる / 난 체하는 얼굴 自慢顔 / 본 체만 ～ 見て見ないふりをする. 知らん顔をする.

체험【體驗】〈名・하他〉体験. 句例 귀중한 ～ 貴重な体験 / ～을 살리다〔이야기하다〕体験を生かす〔語る〕. 語例 ～담 体験談 / ～기 体験記.

체형【體刑】〈名・하他〉体刑.

체형【體型】〈名〉体型. 句例 비만형의 ～ 肥満型の体型.

체화【滯貨】〈名〉滞貨. 句例 산적된 ～ 滞貨の山.

첼레스타〈名〉〔樂〕チェレスタ. ◇이 celesta

첼로〈名〉〔樂〕チェロ. ◇cello

쳄발로〈名〉〔樂〕チェンバロ. =하프시코드. ◇이 cembalo

쳇-바퀴〈名〉ふるい(篩)の枠. 句例 다람쥐 ～ 돌듯《속담》(→'다람쥐'の小項目).

쳐-가다(쳐가거라)〈他〉(不潔なものを)片付ける. 取り去る. (糞尿などを)くみ取っていく.

쳐-내다〈他〉(汚物などを)取り除く. くみ出す. (どぶなどを)さらう. 句例 거름을 ～ 下肥をくみだす〔運び出す〕/ 도랑을 ～ どぶをさらう.

****쳐다-보다**[ch'ŏ:da—]〈他〉['치어다보다'の略] 見上げる. 見つめる. 句例 하늘을 ～ 空を見上げる / 남의 얼굴을 말끄러미 ～ 人の顔をまじまじと見つめる.

****쳐-들다**[ch'ŏ:—](쳐드니, 쳐들어서)〈他〉❶持ち上げる. もたげる. 上げる. 句例 머리를 ～ 頭をもたげる〔持ち上げる〕/ 얼굴을 ～ 顔を上げる / 두 손을 ～ 両手を上げる. ❷取り上げる. 指摘する. =초들다. 文例 사소한 문제는 쳐들어 말할 거리도 못 된다 些細な問題は取り上げるに足りない.

쳐-들어가다[—dŭrŏgada](쳐들어가거라)〈他〉攻め込む. 攻め入る. 句例 적진 깊숙이 ～ 敵陣深く攻め込む.

***쳐-들어오다**[—dŭrŏoda](쳐들어오너라)〈他〉攻め込んで来る. 攻め寄せる. 句例 적군이 ～ 敵軍が攻め寄せて来る.

***쳐-부수다**〈他〉打ち破る. ぶちこわす. 句例 적을 ～ 敵を打ち破る.

쳐-죽이다[—jugida]〈他〉打ち殺す. 切り殺す. 句例 원수를 칼로 ～ 敵を刀にかける.

***초**〈名〉ろうそく(蠟燭). 句例 ～가 다 타다 ろうそくが尽きる. 語例 촛불 ろうそくの火.

****초【醋】**〈名〉酢. =식초(食醋).

초(를) 치다 ❶酢をかける. 酢をくわえる. ❷相手の気勢をそぐ.

초【初】〈依名〉初. 初め. 語例 이 달 ～ 今月の初め / 9회 ～ (野球で)九回の表 / 학년 ～ 学年の初め. 對 말(末).

****초【秒】**〈依名〉秒. 句例 ～를 다투다 秒〔寸刻〕を争う. 文例 그 기록은 1 ～의 착오도 없다 そのレコードは一秒のくるいもない. 語例 ～단위 秒単位 / ～읽기 秒読み / 오 ～ 五秒.

초-【初】〈頭〉初…. 語例 ～여름 初夏・しょか / ～봄 初春・しょしゅん / ～하루 一日.

초　〔漢字項目〕

【初(初)】 中學 초 ショ. ❶처음 はじめ. ◧初期 초기 しょき. 初級 초급 しょきゅう. ◨最初 최초 さいしょ. 太初 태초 たいしょ. ❷처음으로 はじめて. ◧初婚 초혼 しょこん. 初演 초연 しょえん.

【抄】 高校 초 ショウ. ❶노략질하다 かすめとる. ◧抄略〔抄掠〕초략 しょうりゃく. ❷베끼다 引き写す. 추려 베끼다 抜き書きする. ◧抄本 초본 しょうほん. 抄錄 초록 しょうろく. ❸주석서 注釈書. ◨史記抄 사기초 しきしょう. ❹종이를 뜨다 紙をすく. ◧抄紙 초지 しょうし. 抄造 초조 しょうぞう.

【招】 中學 초 ショウ. ❶부르다 まねく. ◧招請 초청 しょうせい. 招待 초대 しょうたい. ❷초래하다 もたらす. ◧招來 초래 しょうらい.

ㅊ

【礎】高校 초 ソ. 주춧돌 礎. 사물의 기본 もと. ◧礎石 초석 そせき. 礎材 초재 そざい. ◧基礎 기초 きそ. 定礎 정초 ていそ.

【肖(肖)】高校 초 ショウ. ❶닮다 似る. ◧肖似 초사 しょうじ. ◧不肖 불초 ふしょう. ❷닮게하다 似せる. 본뜨다 かたどる. ◧肖像 초상 しょうぞう.

【草】中學 초 ソウ. ❶풀 くさ. ◧草木 초목 そうもく. 草原 초원 そうげん. ◧水草 수초 すいそう. 雜草 잡초 ざっそう. ❷조잡한 間に合わせの. 간단한 簡単な. ◧草庵 초암 そうあん. 草堂 초당 そうどう. ❸시작하다 はじめる. 시작 はじまり. ◧草創期 초창기 そうそうき. ❹초잡다 草する. 초한 것 下書き. ◧草稿 초고 そうこう. 草案 초안 そうあん. ◧起草 기초 きそう. ❺서체의 하나 書体の一つ. ◧草書 초서 そうしょ. 草體 초체 そうたい.

【超】高校 초 チョウ. ❶뛰어넘다 とびこえる. 기준에서 지나쳐 있다 基準をこえている. ◧超越 초월 ちょうえつ. 超過 초과 ちょうか. ◧出超 출초 しゅっちょう. 入超 입초 にゅうちょう. ❷뛰어나다 かけ離れている. 탁월하다 はるかにすぐれている. ◧超人 초인 ちょうじん. 超俗 초속 ちょうぞく. ❸훨씬 はるか. 최상 最上. ◧超滿員 초만원 ちょうまんいん. 超高速 초고속 ちょうこうそく.

초가【草家】〈名〉わら(藁)ぶきの家. 草屋.

초-가을【初―】〈名〉初秋. 早秋.

초가-집【草家―】〈名〉⇨ 초가

초-강대국【超強大國】〈名〉超強大国.

초고【草稿・草藁】〈名〉草稿. 句例 소설의 ～를 쓰다 小説の草稿を書く.

***초과**【超過】〈名・하自他〉超過. 句例 목표를 ～하다 目標を超過する. 語例 정원 ～ 定員超過 / 예산 ～ 予算の超過.

초교【初校】〈名〉初校. 初めの校正.

초급【初級】〈名〉初級. 語例 ～ 영어 初級英語 / ～ 회화 初級会話.

***초기**【初期】〈名〉初期. 語例 ～ 작품 初期の作品 / 발병 ～ 発病の初期.

초년【初年】〈名〉初年. ❶人生の初期. 若いとき. 語例 ～ 고생 若いときの苦労. ❷初めの時期. 語例 ～병 初年兵.

초년 고생은 은을 주고 산다 若いときの苦労は銀を出して買う. 若いときの苦労は買ってでもする. '초년 고생은 사서라도 한다'とも言う.

초단【初段】〈名〉初段. 語例 유도 ～ 柔道初段.

초-단파【超短波】〈名〉〔物〕超短波.

초-닷새【初―】〈名〉'초닷샛날 五日'の略.

초-닷샛날【初―】[―datsaennal]〈名〉月の五番目の日. 五日・ご日.

초당【草堂】〈名〉草ぶきの離れ. 類초옥(草屋).

초대【初代】〈名〉初代. 語例 ～ 회장 初代会長.

***초대**【招待】〈名〉招待. 招き. ～**하다**〈他〉招待する. 招く. 句例 파티에 ～를 받다 パーティに招待される〔招かれる〕. 語例 ～석 招待席 / ～장 招待状.

초-대형【超大型】〈名〉超大型. 超弩級.

초등【初等】〈名〉初等. 語例 ～ 교육 初等教育 / ～ 수학 初等数学.

초등 학교【初等學校】〈名〉小学校. 小学《略語》. 語例 ～ 교사 小学校教員. 参考 もとの名は'국민 학교'.

초라-하다(→하다)〈形〉❶みすぼらしい. 貧弱だ. 句例 옷차림이 ～ 身なりがみすぼらしい / 초라한 밥상 粗末な食膳. ❷生き生きとしていない. つまらない. しがない. 句例 초라한 물건 つまらない物 / 초라한 살림 しがない暮らし.

초래【招來】〈名〉招来. ～**하다**〈他〉招来する. 招き寄せる. もたらす. 句例 좋은 결과를 ～하다 よい結果をもたらす. 文例 순간적인 실수가 불행을 ～한다 瞬間的な過ちが不幸を招く.

초려【草廬】〈名〉草廬. ❶わらぶきの家. ❷自分の家の謙譲語.

초로【草露】〈名〉草露. 草葉の露.

초로(와) 같다 露のようにはかない. 句例 초로와 같은 인생 はかない人生.

***초록**【草綠】〈名〉'초록색(草綠色) 草色'の略: 緑色. 草色. 語例 진～ 深緑.

초록은 동색 草色と緑は同じ色. 名は違うが結局同類である.

초롱〈名〉石油などを入れるブリキ缶. 石油缶.

초롱【―籠】〈名〉ちょうちん(提灯). 灯籠.

초롱초롱-하다(→하다)〈形〉(目などが)澄んで輝かしい. きらきらする. (頭が)はっきりしている. さえている. 句例 초롱초롱한 눈 きらきら輝く目 / 정신이 더욱 초롱초롱해지다 頭がますますさえる.

초-만원【超滿員】[ch'omanwon]〈名〉超満員. 類대만원(大滿員).

초면【初面】〈名〉初対面.

초목【草木】〈名〉草木. 語例 산천 ～ 山川草木.

초반【初盤】〈名〉序盤. 緒戦. 句例 ～부터 우세하다 緒戦から優勢である. 語例 ～전 序盤戦. 對종반(終盤).

초-벌【初―】〈名〉⇨ 애벌

초범【初犯】〈名〉初犯. 對재범(再犯). 누범(累犯).

***초보**【初步】〈名〉初歩. 入門. 手始め. 句例 ～부터 배우다 初歩から学ぶ.

초본【抄本】〈名〉抄本. 語例 호적 ～ 戸籍抄本.

초-봄【初―】〈名〉初春・はつはる. 早春. 春先. 句例 ～에 피는 꽃 春先に咲く花.

초봉【初俸】〈名〉初任給. 初給.

초빙【招聘】〈名・하他〉招聘. 句例 외국에서 교수를 ～하다 外国から教授を招聘する / 연사로 ～되다 演士に招聘される.

초-사흗날【初―】[ch'osahŭnnal]〈名〉月の三番目の日. 三日・さんにち. 語例 이월 ～ 二月三日.

초-사흘【初―】〈名〉'초사흗날 三日'の略.

초산【醋酸】〈名〉〔化〕酢酸. '아세트산'の旧称.

초상【初喪】〈名〉人が死んで葬式を終えるまでの期間. 喪. 喪中. 折れ口. 不幸

ㅊ

ふこう.

초상(이) 나다 人が死ぬ. 不幸にあう.

초상【肖像】〈名〉肖像. 句例 벽에 걸려 있는 아버지의 ~ 壁にかけられている父の肖像. 語例 ~화 肖像画.

초생-지【草生地】〈名〉草の生えた水際の土地. 草生地.

초서【草書】〈名〉草書. くずし字. 句例 ~로 쓴 편지 草書で書いた手紙.

초석【礎石】〈名〉礎石. ❶〔建〕基礎の石. 句例 ~을 놓다 礎石を置く. ❷物事の基礎. 礎. 語例 나라의 ~ 国の礎.

초성【初聲】〈名〉〔言〕⇨ 첫소리 (對)종성(終聲).

초소【哨所】〈名〉哨所.

초속【初速】〈名〉['초속도(初速度)'の略] 初速. 最初の速度.

초속【秒速】〈名〉秒速. 句例 ~ 20미터의 바람 秒速20メートルの風.

초순【初旬】〈名〉初旬. 語例 8월 ~ 八月初旬.

초승【初―】〈名〉月初め. 文例 내달 ~에 만납시다 来月の初めごろに会いましょう. 語例 ~달 三日月.

초식【草食】〈文・하自〉草食. 文例 ~하는 동물이 많다 草食する動物が多い. 語例 ~ 동물 草食動物. 草食獣/~성 草食性.

초심-자【初心者】〈名〉初心者. 句例 ~를 위한 참고서 初心者のための参考書.

초안【草案】〈名〉草案. 下書き. 草稿. 句例 원고의 ~ 原稿の草案/연설문의 ~을 잡다 演説文の草案をつくる〔草する〕. 語例 헌법 ~ 憲法草案.

초야【草野】〈名〉草野. 片田舎. 僻村. 句例 ~에 묻혀 살다 草野に隠れて暮らす.

초-여름【初―】〈名〉初夏. 句例 ~의 따가운 햇살 初夏の暑い日差し.

초연-하다【超然―】(→하다)〈形〉超然としている. かけ離れている. 句例 당파 싸움에 ~ 党派の争いに超然としている. 초연히〈副〉超然と. 句例 세속에 초연히 살아가다 世俗に超然として暮らしていく.

초엽【初葉】〈名〉初葉. 初期. 語例 20세기 ~ 二十世紀の初期.

초-엿새【初―】〈名〉'초엿샛날 六日'の略.

초-엿샛날【初―】[―yŏtsaennal]〈名〉月の六番目の日. 六日.

초옥【招獄】〈名・하自〉〔史〕罪状をただすために重犯罪人を取り調べること.

초옥【草屋】〈名〉草ぶきの家. 草屋. (類)초당(草堂).

초원【草原】〈名〉草原. 句例 ~에 사는 야생 동물 草原にすむ野生動物.

초월【超越】〈名・하自他〉超越. 句例 국경을 ~한 사랑 国境を超越した愛. 語例 ~ 개념 超越概念/~론 超越論.

초유【初乳】〈名〉〔生〕初乳.

초-음속【超音速】〈名〉〔物〕超音速. 語例 ~ 제트기 超音速ジェット機.

초-음파【超音波】〈名〉〔物〕超音波.

초-이튿날【初―】[ch'oit'ŭnnal]〈名〉月の二番目の日. 二日.

초-이틀【初―】〈名〉'초이튿날 二日'の略.

초인【超人】〈名〉超人. スーパーマン. 文例 그는 ~의 힘을 가지고 있다 彼は超人の力を持っている. 語例 ~적 超人的.

초인-종【超人鐘】〈名〉呼び鈴. ベル. 句例 ~을 누르다 呼び鈴を押す.

초-읽기【秒―】[ch'oilkki]〈名〉秒読み. 句例 ~에 들어가다 秒読みに入る/~에 몰리다 秒読みに追われる.

초입【初入】〈名・하自〉❶(路地・坂などの)始まる所. 入り口. 口. 句例 골목 ~에 있는 집 路地の入り口にある家. 語例 등산길 ~ 登山口/마을 ~ 村の入り口.

초-잡다【草―】〈他〉草する. 下書きする. 句例 축사를 ~ 祝辞を草する.

초장【初章】〈名〉❶〔樂〕第一楽章. ❷詩歌を三つに分けたときの最初の章.

초장【初場】〈名〉最初. 当初. 初め. はな. 文例 ~부터 재수가 없구나 はなから縁起が悪い.

초-저녁【初―】〈名〉❶宵の口. 夕暮れ. 文例 ~부터 모여서 논다 宵の口から集まって遊ぶ. 語例 ~잠 宵寝. ❷'초장(初場)'の俗っぽい言いかた.

초점【焦點】[ch'otchŏm]〈名〉焦点. 句例 렌즈의 ~ レンズの焦点/~이 맞다 焦点が合っている/이야기의 ~이 빗나가다 話の焦点がぼやける. 語例 ~ 거리 焦点距離.

초조【焦燥】〈名〉焦燥. いらだち. 焦り. ~하다〈形〉いらだっている. いらいらしている. 文例 ~한 마음으로 발표를 기다리고 있다 いらいらした気持ちで発表を待っている. 語例 ~감 焦燥感. ~히〈副〉いらだって. いらいらして. 焦って.

초지【初志】〈名〉初志. 句例 ~를 관철하다 初志を貫く/~를 번복하다 初志を翻す.

초지-일관【初志一貫】〈名・하自〉初志一貫. 句例 뜻을 굽히지 않고 ~하다 志を曲げずに初志を貫く.

초창【草創】〈名〉草創. 創業. 文例 회사 ~기에 입사했다 会社の草創期に入社した.

초청【招請】〈名・하他〉招請. 招待. 招聘. 句例 미국 대학으로부터 ~을 받다 アメリカの大学から招請を受ける. 語例 ~국 招請国/~장 招請状.

초침【秒針】〈名〉秒針.

**초콜릿〈名〉チョコレート. 語例 ~빛 チョコレート色. ◇chocolate

초크 [ch'o:k'ŭ]〈名〉チョーク. 白墨. ◇chalk

초토【焦土】〈名〉焦土. 句例 ~로 변한 격전지 焦土に変わった激戦地. 語例 ~화 전술 焦土化戦術.

*초-파리【醋―】〈名〉〔蟲〕きいろしょうじょうばえ(黄色猩猩蠅).

초판【初版】〈名〉初版. 句例 ~ 1만 부 인쇄 初版一万部印刷.

초-하루【初―】〈名〉'초하룻날 一日'の略.

초-하룻날【初―】[ch'oharunnal]〈名〉月の第一番目の日. 一日.

초행【初行】〈名・하自〉初めて行くこと. 初め

ての道. 文例 서울은 ~입니까? ソウルは初めての道ですか. 語例 ~길 初めて行く道.

초-현대적【超現代的】〈名·冠〉超現代的. 句例 ~인 작업실 超現代的な作業室.

촉 〔漢字項目〕

【促】 高校 촉 ソク. ❶재촉하다 うながす. 죄치다 せきたてる. ◨促成 촉성 そくせい. 促進 촉진 そくしん. ◨督促 독촉 とくそく. ❷좁히다 縮める. 좁혀지다 短くつまる. ◨促音 촉음 そくおん.

【燭】 高校 촉 ショク. ソク. ❶초 ろうそく. ◨燭臺 촉대 しょくだい. 燭淚 촉루 しょくるい. ❷촛불 ろうそくの火. 등불 ともしび. ◨燈燭 등촉 とうしょく. 華燭 화촉 かしょく. ❸광도의 예전 단위 光度の旧単位. ◨燭光 촉광 しょっこう. ◨百燭 백촉 ひゃくしょく.

【觸(触)】 中學 촉 ショク. ❶닿다 ふれる. 만지다 さわる. ◨觸覺 촉각 しょっかく. 觸手 촉수 しょくしゅ. ◨接觸 접촉 せっしょく. 感觸 감촉 かんしょく. ❷범하다 犯す. ◨抵觸 저촉 ていしょく.

촉【屬】⇨ 속【屬】

촉각【觸角】〈名〉〔動〕触角. =더듬이.

촉각을 곤두세우다 触角を逆立てる. 神経をとがらす.

촉각【觸覺】〈名〉〔生〕触覚. =촉감(觸感)②. 句例 ~이 예민하다 触覚が鋭敏だ. 語例 ~기관 触覚器官 / ~선 触覚腺.

촉감【觸感】〈名·하自他〉❶触感. 感触. 句例 차가운 ~ 冷たい触感. ❷〔生〕触覚. ❸〔韓醫〕'촉상(觸傷)'の別称.

촉구【促求】〈名·하他〉促すこと. 句例 회답을 ~하다 回答を促す.

촉박-하다【促迫—】[ch'okpak'ada] (→하다)〈形〉切迫している. 差しせまる. 句例 시간이 ~ 時間が差しせまっている.

촉상【觸傷】〈名·하自〉〔韓醫〕寒気に触れて病気になること. =촉감(觸感)③.

촉진【促進】〈名·하他〉促進. 句例 판매 ~을 꾀하다 販売の促進を図る / 평화 통일을 ~시키다 平和的統一を促進させる.

촉촉-하다 [ch'okch'ok'ada] (→하다)〈形〉湿り気がある. しっとりしている. じめじめしている. 句例 땀이 배어서 셔츠가 ~ 汗がにじ(滲)んでシャツがじめじめしている. **촉촉히** [ch'okch'ok'i]〈副〉しっとり. 句例 이슬에 촉촉히 젖은 옷 朝露にしっとりとぬれた服.

촉탁【囑託】〈名·하他〉嘱託. 語例 ~ 사원 嘱託社員 / ~의 嘱託医.

촌【村】[ch'o:n]〈名〉田舎. 村. 句例 ~에서 올라온 학생 田舎から出て来た学生. 語例 ~사람 田舎の人 / ~색시 田舎の娘 / 선수~ 選手村 / 대학~ 大学町. 類시골.

촌 〔漢字項目〕

【寸】 中學 촌 スン. ❶치 すん. ◨寸尺 촌척 すんしゃく. ◨一寸 일촌 いっすん. ❷근소·약간의 뜻 僅少·若干の意. ◨寸刻 촌각 すんこく. 寸劇 촌극 すんげき. 寸志 촌지 すんし. ❸혈족의 세수를 세는 말 血族の世数をかぞえる語. ◨四寸 사촌 いとこ. 六寸 육촌 またいとこ.

【村】 中學 촌 そん. 마을 むら. 시골 いなか. ◨村落 촌락 そんらく. ◨山村 산촌 さんそん. 農村 농촌 のうそん.

촌각【寸刻】[ch'o:n-gak]〈名〉寸刻. 句例 ~을 다투는 사태 寸刻を争う事態.

촌-구석【村—】[ch'o:nkkusŏk]〈名〉(都市から遠く離れた)片田舎. また, 田舎の片隅.

촌극【寸劇】[ch'o:n-gŭk]〈名〉寸劇. =토막극.

촌-뜨기【村—】[ch'o:nttŭgi]〈名〉田舎っぺえ. やぼ. 田舎者. お上りさん. 句例 시골에서 올라온 ~ お上りさん.

촌락【村落】[ch'o:llak]〈名〉村落. 村. 人里. 句例 ~에서 멀리 떨어진 산속 人里遠く離れた山奥. 語例 ~ 공동체 村落共同体.

촌민【村民】[ch'o:nmin]〈名〉村民. 百姓. =촌백성.

촌수【寸數】[ch'o:nssu]〈名〉親族関係の遠近を表わす単位: 親等. 等親.

촌-스럽다【村—】[ch'o:nssŭrŏpta] (→스럽다)〈形〉田舎臭い. 田舎っぽい. やぼったい. 句例 촌스러운 처녀 やぼったい娘 / 촌스러운 모습 田舎っぽい姿. **촌스레**〈副〉田舎臭く. 田舎っぽく.

촌음【寸陰】[ch'o:nŭm]〈名〉寸陰. 寸時. =촌시(寸時). 句例 ~을 아껴서 책을 읽다 寸時を惜しんで本を読む.

촌장【村長】[ch'o:njang]〈名〉村長. むらおさ.

촌지【寸志】[ch'on:ji]〈名〉寸志. 寸心. 寸意. 句例 자그마한 ~ ささやかな寸志.

촌초【寸秒】[ch'o:nch'o]〈名〉寸秒. 句例 ~를 다투다 寸秒を争う.

촌충【寸蟲】[ch'o:nch'ung]〈名〉〔動〕条虫. さなだむし(真田虫).

촌토【寸土】[ch'o:nt'o]〈名〉寸土. 寸地. =척토(尺土). 句例 ~도 양보하지 않고 寸土も譲らず.

촌-티【村—】[ch'o:nt'i]〈名〉田舎っぽさ. 田舎くささ. やぼったさ. 句例 ~가 흐른다 やぼったさが漂う / ~가 나다 田舎くさい.

촌평【寸評】[ch'o:np'yŏng]〈名·하他〉寸評.

촐랑-거리다〈自〉❶(深く狭い器の水が)続けざまに揺れ波立つ. ❷軽率に振る舞う. おっちょこちょいに出しゃばる.
表現 語感の強い語は'촐렁거리다'.
촐랑촐랑〈副·하自〉軽率に振る舞うさま. おっちょこちょいに. ちょろちょろ. 句例 ~ 돌아다니다 ちょろちょろ歩き回る.

촐랑-이〈名〉おっちょこちょい. そそっかしくふるまう人. あわて者.

촘촘-하다 (→하다)〈形〉❶(織物などの)目がつんでいる. 目が細かい. 句例 촘촘하게 짜다 細かく編む. ❷(すきまや穴が)詰まっている. ぎっしりだ. 文例 촘촘하게 심지 말고 사이를 두고 심어라 ぎっしり植えないで間を置いて植えなさい. ❸緻密だ. 句例 일을 촘촘하게 하다 仕事を緻密にする. **촘촘히**〈副〉細かく.

ぎっしり．緻密に．

*촛-농【一膿】[ch'onnong]〈名〉燭涙．ろうそくが燃えて流れる蠟．

촛-대【一臺】〈名〉燭台．

*촛-불〈名〉ろうそくの火．

*총【銃】〈名〉銃．鉄砲．句例 ~을 쏘다 銃を撃つ．〔類〕총포(銃砲）．

총(을) 잡다 銃を取る．戦場に行く．

*총【總】[ch'o:ng] 総．一〈冠〉'総計・合わせて'の意．語例 ~ 200개 総計二百個．二〈頭〉'全体・すべて'の意．語例 ~수입 総収入 / ~선거 総選挙．

총 〔漢字項目〕

【總(総)】高校 총 ソウ．❶거느리다 従える．다스리다 治める．■總理 총리 そうり．總裁 총재 そうさい．❷모든 すべての．■總會 총회 そうかい．總意 총의 そうい．❸한데 합치다 一つにまとめる．■總括 총괄 そうかつ．總計 총계 そうけい．❹묶은 머리 束ねた髪．총이 ふさ．■總狀 총상 そうじょう．

【聰】高校 총 ソウ．귀가 밝다 耳ざとい．총명하다 かしこい．■聰明 총명 そうめい．聰慧 총혜 そうけい．

【銃】高校 총 ジュウ．총 じゅう．てっぽう．■銃砲 총포 じゅうほう．銃傷 총상 じゅうしょう．■小銃 소총 しょうじゅう．拳銃 권총 けんじゅう．

총각【總角】[ch'o:nggak]〈名〉未婚の男．チョンガー．語例 ~ 처녀 未婚の男女．

총검【銃劍】〈名〉銃剣．＝총칼．句例 ~으로 찌르다 銃剣で突く．文例 ~을 앞세우고 침략했다 銃剣を取って〔武力で〕侵略した．

총검-술【銃劍術】〈名〉銃剣術．

총격【銃擊】〈名・하他〉銃撃．語例 ~전 銃撃戦．

총-결산【總決算】[ch'o:nggyŏlssan]〈名・하他〉総決算．

총계【總計】[ch'o:nggye]〈名・하他〉総計．総和．都合．句例 ~를 내다 総計を出す．

총-공격【總攻擊】[ch'o:nggonggyŏk]〈名・하他〉総攻撃．句例 ~을 감행하다 総攻撃を敢行する．

총괄【總括】[ch'o:nggwal]〈名・하他〉総括．語例 ~ 책임자 総括責任者 / ~적 総括的．

총구【銃口】〈名〉銃口．＝총부리．句例 ~를 들이대다 銃口を向ける．

총-궐기【總蹶起】[ch'o:nggwolgi]〈名・하自〉総決起．句例 국민이 ~하다 国民が総決起する．

총기【銃器】〈名〉銃器．語例 ~ 불법 소지자 銃器不法所持者．

총기【聰氣】〈名〉聡明さ．記憶力．

총독【總督】[ch'o:ngdok]〈名〉総督．語例 ~부 総督府．

총-동원【總動員】[ch'o:ngdong-won]〈名・하他〉総動員．総出．句例 ~되어 대청소를 하다 総出で大掃除をする / ~해서 일에 착수하다 総動員で仕事にかかる．

총량【總量】[ch'o:ngnyang]〈名〉総量．語例 ~ 2천 킬로그램 総量二千キログラム．

총력【總力】[ch'o:ngnyŏk]〈名〉総力．句例 ~을 기울이다 総力を傾ける．語例 ~전 総力戦．

총론【總論】[ch'o:ngnon]〈名〉総論．文例 ~에는 찬성이나 각론에는 반대한다 総論には賛成するが，各論には反対する．

총리【總理】[ch'o:ngni]〈名〉'국무 총리(國務總理)'の略．語例 ~ 공관 総理官邸．

총림【叢林】[ch'ongnim]〈名〉叢林．

총망-하다【悤忙一】(→하다)〈形〉あわただしい．悤忙だ．文例 몹시 총망하여 인사하는 것도 잊었다 非常にあわただしかったのであいさつ(挨拶)するのも忘れた．**총망히**〈副〉あわただしく．ばたばたと．

총명-하다【聰明一】(→하다)〈形〉聡明だ．利口だ．賢い．句例 총명한 어린이 聡明な子供．文例 어릴 때부터 총명했다 幼いときから聡明であった．〔類〕현명(賢明)하다．

총무【總務】[ch'o:ngmu]〈名〉総務．句例 연구회의 ~ 研究会の総務．語例 ~부(장) 総務部(長)．

총무-처【總務處】[ch'o:ngmuch'ŏ]〈名〉総務処．日本の総務庁に当たる．語例 ~ 장관 総務処長官．

총-본부【總本部】[ch'o:ngbonbu]〈名〉総本部．

총-본산【總本山】[ch'o:ngbonsan]〈名〉〔佛〕総本山．〔對〕말사(末寺)．

총-부리【銃一】[ch'ongppuri]〈名〉銃口．筒先．＝총구(銃口)．句例 ~가 불을 뿜는다 銃口が火を吹く / ~를 돌리다 攻撃の的をかえる．

총부리를 들이대다 銃を向けて脅す．

총-사령관【總司令官】[ch'o:ngsaryŏnggwan]〈名〉総司令官．

총-사직【總辭職】[ch'o:ngsajik]〈名・하自〉総辞職．語例 내각 ~ 内閣総辞職．

총살【銃殺】〈名・하他〉銃殺．語例 ~형 銃殺刑．

총상【銃傷】〈名〉銃傷．銃創．文例 유탄에 ~을 입었다 流れ弾に当たって銃傷を負った．

총선【總選】[ch'o:ngsŏn]〈名〉〔法〕'총선거(總選擧)'の略．

총-선거【總選擧】[ch'o:ngsŏn-gŏ]〈名・하他〉〔法〕総選挙．句例 ~에 대비하다 総選挙に備える．

총성【銃聲】〈名〉銃声．＝총소리．句例 ~이 울리다 銃声がひびく．

총수【總帥】[ch'o:ngsu]〈名〉総帥．総大将．句例 삼군의 ~ 三軍の総帥 / 재벌의 ~ 財閥の総帥．

총수【總數】[ch'o:ngsu]〈名〉総数．句例 생산 공장의 ~ 生産工場の総数．〔類〕총량(總量)．

총아【寵兒】[ch'o:ng-a]〈名〉寵児．句例 화단(畫壇)의 ~ 画壇の寵児．

*총알【銃一】〈名〉弾丸．鉄砲玉．句例 ~을 재다 弾丸をこめる．文例 ~이 빗발치듯 날아온다 弾丸が雨あられと飛んで来る．

총애【寵愛】[ch'o:ng-ae]〈名・하他〉❶寵愛．

[句例] ~를 받다 寵愛を受ける. ❷〔天主教〕天主の愛.

총액【總額】[ch'o:ng-aek]〈名〉総額. 総高. [語例] 예산 ~ 予算の総額 / 매상 ~ 売上げ総額.

총-영사【總領事】[ch'o:ngnyŏngsa]〈名〉総領事. [語例] ~관 総領事館.

총-예산【總豫算】[ch'o:ngnyesan]〈名〉総予算.

총원【總員】[ch'o:ng-won]〈名〉総員. 全員. [句例] ~이 집합하다 全員が集まる.

총의【總意】[ch'o:ng-ŭi]〈名〉総意. [句例] 사원의 ~ 社員の総意.

총장【總長】[ch'o:ngjang]〈名〉総長. [語例] 참모 ~ 参謀総長 / 사무 ~ 事務総長.

총재【總裁】[ch'o:ngjae]〈名〉総裁. [語例] 은행 ~ 銀行総裁 / 적십자사 ~ 赤十字社総裁.

총-지휘【總指揮】[ch'o:ngjihwi]〈名・하他〉総指揮. [句例] 삼군을 ~하다 三軍を総指揮する.

총체【總體】[ch'o:ngch'e]〈名〉総体. 全体. [語例] ~적 総体的.

총총【悤悤】〈副・하形〉悤悤. **~히**〈副〉あわただしく. そそくさ. [句例] ~히 떠나다 悤悤と立ち去る. あわただしく出発する.

총총-하다(→하다)〈形〉(星が)きらきら光る. [文例] 하늘엔 별이 ~ 空には星がきらきら光っている. **총총히**〈副〉きらきらと.

총칙【總則】[ch'o:ngch'ik]〈名〉総則. [句例] ~을 정하다 総則を定める.

총칭【總稱】[ch'o:ngch'ing]〈名・하他〉総称. [文例] 사과・배・감 등을 ~하여 과일이라고 한다 りんご・なし・かきなどを総称して果物と言う.

***총-칼**【銃一】〈名〉⇨ 총검(銃劍)

총탄【銃彈】〈名〉銃弾. =총알. [句例] ~에 쓰러지다 銃弾にたおれる.

총통【銃筒】〈名〉〔史〕昔の軍隊が用いた火器の総称.

총통【總統】[ch'o:ngt'ong]〈名・하他〉総統.

총-파업【總罷業】[ch'o:ngp'aŏp]〈名・하自〉総罷業. ゼネスト《略語》. [句例] ~을 벌이다 ゼネストを打つ.

총평【總評】[ch'o:ngp'yŏng]〈名・하他〉総評. 概評. [文例] 오늘 모임에서 ~하기로 결정했다 今日の集会で総評することに決めた.

총포【銃砲】〈名〉銃砲. [語例] ~ 가게 銃砲店.

총화【總和】[ch'o:nghwa]〈名〉総和. ❶総計. ❷全体の和合. [文例] 국민 ~로 난국을 타개하여야 한다 国民全体の和合で難局を打開しなければならない.

***총회**【總會】[ch'o:nghoe]〈名〉総会. [句例] ~를 열다 総会を開く. [語例] 정기 ~ 定期総会 / 주주 ~ 株主総会 / ~꾼 総会屋.

총획【總畫】[ch'o:nghoek]〈名〉総画. [語例] ~ 색인 総画索引.

***촬영**【撮影】[ch'waryŏng]〈名・하他〉撮影. [句例] 영화를 ~하다 映画を撮影する / 사진을 ~하다 写真を撮る. [語例] ~기 撮影機 / ~ 대본 撮影台本.

ㅊ

최-【最】[ch'oe:]〈頭〉最…. [語例] ~고급 最高級 / ~신식 最新式.

최 〔漢字項目〕

【催】[高校] 최 サイ. ❶재촉하다 うながす. 재치다 いそがせる. ■催促 최촉 さいそく. 催告 최고 さいこく. ❷불러일으키다 もよおす. ■催眠 최면 さいみん. 催涙 최루 さいるい. ❸모임을 열다 会をひらく. もよおす. ■開催 개최 かいさい. 主催 주최 しゅさい.

【最】[中學] 최 サイ. 가장 最も. 제일 一番. ■最大 최대 さいだい. 最新 최신 さいしん. 最古 최고 さいこう. 最近 최근 さいきん.

최강【最強】[ch'oe:gang]〈名〉最強. [句例] 세계 ~을 자랑하다 世界最強を誇る / ~의 선수 最強の選手.

최고【最古】[ch'oe:go]〈名〉最古. [句例] 현존하는 ~의 건물 現存する最古の建物. 對최신(最新).

***최고**【最高】[ch'oe:go]〈名〉最高. [句例] ~의 품질 最高の品質. [語例] ~ 기록 最高記録 / ~봉 最高峰. 對최저(最低).

최고-가【最高價】[ch'oe:gokka]〈名〉最高価. [句例] 최저가로 사서 ~로 팔다 最低価で買って最高価で売る.

최고-권【最高權】[ch'oe:gokkwon]〈名〉〔法〕最高権.

최-고급【最高級】[ch'oe:gogŭp]〈名〉最高級. [語例] ~ 호텔 最高級のホテル / ~품 最高級の品.

최고 법원【最高法院】[ch'oe:gobōbwon]〈名〉〔法〕最高裁判所. 最高裁《略語》. [參考] 韓国では'대법원(大法院)'を言う.

최-고조【最高潮】[ch'oe:gojo]〈名〉最高潮. 絶頂. クライマックス. [句例] 인기가 ~에 이르다 人気が絶頂に達する / 군중의 흥분이 ~에 달하다 群衆の興奮がクライマックスに達する.

***최근**【最近】[ch'oe:gŭn]〈名〉最近. 近ごろ. [句例] ~에 있었던 일 最近あったできごと. [文例] ~에 자동차를 샀다 最近自動車を買った.

최다【最多】[ch'oe:da]〈名〉最多. [語例] ~ 득점 最多得点 / ~ 출장 最多出場. 對최소(最少).

최단【最短】[ch'oe:dan]〈名〉最短. [語例] ~ 거리 最短距離 / ~ 시일 最短時日. 對최장.

***최대**【最大】[ch'oe:dae]〈名〉最大. [句例] ~ 다수의 행복 最大多数の幸福. [語例] ~량 最大量 / ~치 最大値 / ~ 규모 最大の規模. 對최소(最小).

***최대 공약수**【最大公約數】[ch'oe:daegong-yaksu]〈名〉〔數〕最大公約数. 對최소 공배수.

최대-한【最大限】[ch'oe:daehan]〈名・副〉最大限. 最大限度. [句例] ~의 능력을 발휘하다 最大限の能力を発揮する. 對최소한.

최량【最良】[ch'oe:ryang]〈名〉最良. 類최선(最善).

최루【催淚】〈名〉催涙. [語例] ~ 가스 催涙ガス / ~탄 催涙弾.

최면【催眠】〈名〉催眠. 句例 ~ 상태에 빠지다 催眠状態におちいる. 語例 ~ 요법 催眠療法.

최면-술【催眠術】〈名〉催眠術. 句例 ~을 걸다 催眠術をかける.

최상【最上】[ch'oe:sang]〈名〉最上. 句例 ~의 기쁨 最上の喜び / ~의 조건 最上の条件. 語例 ~급 最上級 / ~층 最上層. 對최하(最下).

***최선**【最善】[ch'oe:sŏn]〈名〉最善. 句例 ~의 길 最善の道 / ~을 다하다 最善〔全力〕を尽くす. 對최악(最惡).

최-선봉【最先鋒】[ch'oe:—]〈名〉最先鋒. 急先鋒. 文例 그는 독립 운동의 ~에 섰다 彼は独立運動の急先鋒に立った.

최소【最小】[ch'oe:so]〈名〉最小. 文例 ~의 노력으로 최대의 효과를 거두었다 最小の努力で最大の効果をあげた. 對최대(最大).

최소【最少】[ch'oe:so]〈名〉最少. 句例 ~의 인원으로 最少の人数で. 對최다(最多).

***최소 공배수**【最小公倍數】[ch'oe:sogongbaesu]〈名〉〔數〕最小公倍数. 對최대 공약수.

최소-한【最小限】[ch'oe:sohan]〈名・副〉最小限. 最小限度. 句例 피해를 ~으로 막다 被害を最小限に食いとめる. 對최대한.

***최신**【最新】[ch'oe:shin]〈名〉最新. 語例 ~ 기술 最新技術 / ~식 最新式. 對최고(最古).

최신-형【最新型】[ch'oe:shinhyŏng]〈名〉最新型. 語例 ~ 자동차 最新型自動車.

최악【最惡】[ch'oe:ak]〈名〉最悪. 句例 ~의 상황에 대비하다 最悪の状況に備える. 對최선(最善).

최-우수【最優秀】[ch'oe:usu]〈名〉最優秀. 語例 ~ 선수〔작품〕最優秀選手〔作品〕.

최장【最長】[ch'oe:jang]〈名〉最長. 語例 ~ 거리 最長距離. 對최단(最短).

최저【最低】[ch'oe:jŏ]〈名〉最低. 文例 물가가 ~ 5퍼센트는 올랐다 物価が最低五パーセントはあがった. 語例 ~ 기온 最低気温 / ~ 생활선 最低生活線 / ~ 임금 最低賃金 / ~가(價) 最低価格. 對최고(最高).

최적【最適】[ch'oe:jŏk]〈名・하形〉最適. 句例 ~한 생활 환경 最適の生活環境.

최-전선【最前線】[ch'oe:jŏnsŏn]〈名〉最前線. 第一線. 句例 ~의 장병 最前線の将兵.

최종【最終】[ch'oe:jong]〈名〉最終. 語例 ~ 결과 最終の結果 / ~회 最終回.

최종-심【最終審】[ch'oe:jong—]〈名〉〔法〕最終審理.

최-첨단【最尖端】[ch'oe:ch'ŏmdan]〈名〉最先端. 語例 ~ 기술 最先端の技術.

***최초**【最初】[ch'oe:ch'o]〈名〉最初. いちばん初め. 句例 ~의 데이트 最初のデート / ~의 대륙 횡단 最初の大陸横断. 對최종(最終). 類처음.

최하【最下】[ch'oe:ha]〈名〉最下. 句例 성적이 ~로 떨어지다 成績が最下に落ちる. 語例 ~등 最下等 / ~층 最下層. 對최상(最上). 類최저(最低). 최악(最惡).

최혜-국【最惠國】[ch'oe:hyeguk]〈名〉最恵国. 語例 ~ 대우 最恵国待遇.

최후【最後】[ch'oe:hu]〈名〉最後. 句例 ~의 노력 最後の努力 / ~의 심판 最後の審判 / ~의 만찬 最後の晩餐. 文例 ~의 순간까지 싸웠다 最後の瞬間まで戦った. 語例 ~ 수단 最後の手段 / ~ 통첩 最後通牒. 類마지막.

***추**【錘】〈名〉重り. 錘. ❶'저울추'の略. ❷'시계추'の略. ❸重りのようにひもに垂れさがったものの総称. 句例 낚싯줄에 ~를 달다 釣り糸に重りをつける.

추 〔漢字項目〕

【抽】高校 추 チュウ. (여럿 중에서) 뽑아내다 (たくさんある中で)抜く. ▮抽籤 추첨 ちゅうせん. 抽象 추상 ちゅうしょう. 抽出 추출 ちゅうしゅつ.

【推】中學 추 スイ. ❶밀다 推す. 밀어 올리다 推し上げる. ▮推進 추진 すいしん. 推力 추력 すいりょく. 推薦 추천 すいせん. ❷추측하다 推測する. ▮推計 추계 すいけい. 推理 추리 すいり. ▮類推 유추 るいすい.

【秋】中學 추 シュウ. ❶가을 秋. ▮秋季 추계 しゅうき. 秋分 추분 しゅうぶん. 秋風 추풍 しゅうふう. ❷세월 時. ▮春秋 춘추 しゅんじゅう. 千秋 천추 せんしゅう.

【追(追)】中學 추 ツイ. ❶뒤를 쫓다 後を追う. ▮追跡 추적 ついせき. 追突 추돌 ついとつ. 追擊 추격 ついげき. ❷쫓아내다 追い出す. ▮追放 추방 ついほう. ❸뒤따라 가다 ついて行く. ▮追從 추종 ついじゅう. ❹추가하다 追加する. ▮追加 추가 ついか. 追記 추기 ついき. ❺과거를 생각하다 過去を思う. ▮追想 추상 ついそう. 追憶 추억 ついおく.

【醜】高校 추 シュウ. 추하다 醜い. ▮醜惡 추악 しゅうあく. 醜態 추태 しゅうたい. 醜行 추행 しゅうこう. ▮美醜 미추 びしゅう.

추가【追加】〈名・하他〉追加. 句例 조건을 ~하다 条件を追加する. 語例 ~량 追加量 / ~요금 追加料金 / ~ 주문 追加注文 / ~시험 追試験. 追試《略語》.

추격【追擊】〈名・하他〉追撃. 句例 적을 ~하다 敵を追撃する. 語例 ~전 追撃戦.

추계【秋季】〈名〉秋季. 秋期. 語例 ~ 운동회 秋季運動会.

추계【推計】〈名・하他〉推計. 句例 득표수를 ~하다 得票数を推計する. 語例 ~ 인구 推計人口 / ~학 推計学.

추구【追求】〈名・하他〉追求. 句例 공공의 이익을 ~하다 公共の利益を追求する.

추구【追究】〈名・하他〉追究. 句例 진리의 ~ 真理の追究 / 문제의 본질을 ~하다 問題の本質を追究する.

추궁【追窮】〈名・하他〉追及. 句例 책임을 ~하다 責任を追及する.

추근-추근〈副・하形〉性質や言動がとてもしつこいさま：ねちねち. 執拗に. 句例 ~ 따지고 들다 ねちねちと問いただす. **~히**〈副〉ねちねちと. しつこく.

추근추근-하다(→하다)〈形〉とても湿ってい

る. 湿っぽい.

추기-경【樞機卿】〈名〉〔天主教〕枢機卿・

추남【醜男】〈名〉ぶおとこ(醜男). 對미남(美男).

추녀〈名〉〔建〕軒.

추녀【醜女】〈名〉ぶおんな(醜女). 醜女. しこめ. ぶす《俗》. 對미녀(美女).

추념【追念】〈名・하他〉❶追念. 過去の事を思い出してしのぶこと. ❷追悼.

**추다〈他〉踊る. 舞う. 句例 춤을 ~ 舞を舞う. 踊りを踊る / 탱고를 ~ タンゴを踊る / 춤을 잘 추는 사람 踊りの上手な人. 文例 함께 추실까요 一緒に踊りましょうか.

추대【推戴】〈名・하他〉推戴. 句例 회장으로 ~하다 会長に推戴する〔祭り上げる〕.

추도【追悼】〈名・하他〉追悼. 追弔. 句例 고인을 ~하다 故人を追悼する. 語例 ~사 追悼の辞 / ~회 追悼会.

추돌【追突】〈名・하自他〉追突. 語例 ~ 사고 追突事故.

추락【墜落】〈名・하自〉墜落. 句例 옥상에서 ~하다 屋上から墜落する / 비행기가 곤두박질하여 ~하다 飛行機が真っ逆さまに墜落する / ~된 신용을 만회하다 落ちた信用を挽回する. 語例 ~사 墜落死. 墜死 / ~ 사고 墜落事故.

추레-하다 (→하다)〈形〉みすぼらしい. うす汚い. 句例 행색(行色)이 ~ 身なりがみすぼらしい / 추레한 방 うす汚い部屋.
表現 語感の小さい語は'초라하다'.

추렴〈名・하他〉[もとの語形は'출렴(出斂)'] (金品を)おのおの分担して出すこと. 割り勘. 句例 (소풍가는) 비용을 ~하다 (遠足の)費用を出し合う. 語例 술~ 割り勘で飲むこと.

추론【推論】〈名・하他〉推論. 句例 사실에 비추어 ~하다 事実に照らして推論する / ~에 불과하다 推論に過ぎない.

추리【推理】〈名・하他〉推理. 文例 사건의 경위를 하나하나 ~해 나갔다 事件のいきさつを一つ一つ推理していった. 語例 ~력 推理力 / ~ 소설 推理小説. ミステリー.

추리다〈他〉選び出す. 抜き出す. 要約する. 句例 좋은 것을 ~ よいものを選び出す / 요점을 추려서 설명하다 要点をかいつまんで説明する.

추모【追慕】〈名・하他〉追慕. 句例 돌아가신 어머니를 ~하다 なき母を追慕する / ~의 정을 금할 수 없다 追慕の情に堪えない. 語例 ~회 亡き人をしのぶ会.

추문【醜聞】〈名〉醜聞. スキャンダル. 句例 스타에 얽힌 ~ スターにまつわる醜聞 / ~이 퍼지다 醜聞が広まる / ~이 끊이지 않다 醜聞が絶えない.

추물【醜物】〈名〉醜い物や人.

추방【追放】〈名・하他〉追放. 句例 공직에서 ~하다 公職から追放する / 독재자를 국외로 ~하다 独裁者を国外に追放〔放逐〕する. 語例 ~령 追放令.

추분【秋分】〈名〉秋分. 語例 ~점〔天〕秋分点. 對춘분(春分).

추산【推算】〈名・하他〉推算. 文例 사망자는 약 2천 명으로 ~된다 死亡者は約二千名と推算される.

***추상**【抽象】〈名〉抽象. 語例 ~ 명사 抽象名詞 / ~ 예술 抽象芸術 / ~화〔美〕抽象画. 對구상(具象).

추상-같다【秋霜—】〈形〉(命令・刑罰などが)非常にきび(厳)しい. 句例 추상같은 명령 非常にきびしい命令. **추상같이** [—gach'i]〈副〉非常にきびしく.

추상-적【抽象的】〈名・冠〉抽象的. 句例 ~인 생각 抽象的な考え / ~인 말만 하다 抽象的な事ばかり言う. 文例 말이 ~이어서 모르겠다 話が抽象的でわからない. 語例 ~ 개념〔論〕抽象的概念. 對구체적(具體的).

추서【追敍】〈名・하他〉追叙. 死後の叙位・叙勲.

***추석**【秋夕】〈名〉〔民〕陰暦八月十五日の称. 仲秋節. =중추절. 한가위.
語例 ~빔 '추석'に着る新しい服.
参考 仲秋節の朝には一族の親戚がすべて本家に集まり, 先祖に祭祀を行ないお墓の草取りや墓参りなどをする.

추세【趨勢】〈名〉趨勢. 成り行き. 句例 여론의 ~ 世論の趨勢 / 시대의 ~에 따르다 時代の趨勢に従う / ~를 점쳐 보다 趨勢をうらなってみる.

추수【秋收】〈名・하自他〉秋収. 秋の取り入れ〔収穫〕. =가을걷이. 句例 모내기에서 ~하기까지 植え付けから刈り入れまで / ~를 끝내고 한숨 돌리다 秋の取り入れを終えて一息つく. 語例 ~때 刈り入れ時. 秋の取り入れ時 / ~기(期) 秋の収穫時期.

추수 감사절【秋收感謝節】[—ga:msajŏl]〈名〉〔基〕感謝祭. 略して'감사절(節)'ともいう. =추수 감사일(日).

추스르다 (추스르니, 추슬러서)〈他〉❶(事を)うまく取りまとめる. うまく収拾して処理する. 句例 일을 잘 ~ 事をうまく収拾する. ❷(病気で寝ていた人などが)自分の力でからだを動かす. 文例 그는 몸하나 제대로 추스르지 못할 만큼 쇠약해졌다 彼は自分のからだもろくに動かせないほど衰弱している.

추신【追伸・追申】〈名・하他〉追伸. 追って書き. 二伸. =추계(追啓). 句例 ~을 붙이다 追伸を付ける.

추심【推尋】〈名・하他〉(銀行などでの)取り立て. 語例 ~료(料) 取り立て料金 / ~ 어음 取り立て手形.

추악-하다【醜惡—】[ch'uak'ada] (→하다)〈形〉醜悪だ. 句例 추악한 싸움〔모습〕醜悪な争い〔姿〕/ 사회의 추악한 면 社会の醜悪な面.

추앙【推仰】〈名・하他〉あがめ奉ること. 句例 신으로 ~하다 神としてあがめ奉る / 무인의 귀감으로 ~되다 武人の鑑と仰がれる. 語例 ~받다 あがめられる.

추어-올리다〈他〉おだてる. =추어주다. 句例 남을 추어올려서 비위를 맞추다 人をおだてて機嫌をとる / 추어 올리는 통에 콧대가 높아지다 ちやほやされててんぐ(天狗)になる.

추어-주다〈他〉おだてる. 持ち上げる. 句例 일

을 잘했다고 ~ 仕事をよくやったとおだてる. 文例 추어주니까 기분 좋아하더라 ちやほやされていい気になっていた.

추어-탕【鰍魚湯】〈名〉〔料理〕どじょう汁. 略して'추탕(鰍湯)'ともいう.

추억【追憶】〈名・하他〉追憶. 思い出. 句例 젊은 날의 ~ 若き日の追憶 / 첫사랑의 ~ 初恋の思い出 / 지난 날의 ~에 잠기다 過ぎし日の思い出にふける. 語例 ~담(談) 思い出話 / ~되다 追憶される. 思い出される. ㊫회상(回想).

추워-하다 (→하다)〈自〉寒がる. 句例 옷을 얇게 입고 ~ 薄着して寒がる. ㊤더워하다.

추월【追越】〈名〉追い越し. 追い抜き. **~하다**〈他〉追い越す. ＝앞지르기. 句例 앞차를 ~하다 前の車を追い越す. 語例 ~ 금지 追い越し禁止 / ~당하다 追い越される.

***추위**〈名〉寒さ. 句例 ~가 풀리다 寒さが和らぐ / 한겨울의 매서운 ~ 真冬のきび(厳)しい寒さ / ~가 몸에 스미다 寒さが身にしみる. 文例 ~에 약한 체질이다 寒さに弱い性だ. ㊤더위.

추위(를) 타다 寒がる. 寒さに弱い. 句例 추위를 잘 타는 사람 寒がり(屋). ㊤더위(를) 타다.

추이【推移】〈名・하自〉推移. なりゆき. 句例 시대의 ~를 지켜보다 時代の推移を見守る / 일의 ~를 지켜보다 事のなりゆきを見守る.

추잉 검 [ch'u:ing—]〈名〉チューインガム. 略して'껌 ガム'ともいう. ◇chewing gum

추잡-스럽다【醜雜—】(→스럽다)〈形〉みだらだ. いやらしい. 句例 추잡스러운 짓 みだらな行為 / 여자에게 추잡스러운 말을 하다 女にいやらしいことを言う. **추잡스레**〈副〉みだらに. いやしく.

추잡-하다【醜雜—】[ch'ujap'ada] (→하다)〈形〉猥雑だ. 卑猥だ. みだらだ. 句例 추잡한 이야기 みだらな話. 猥雑な話 / 행실이 ~ 身持ちが猥雑だ / 선거전에서 추잡한 싸움을 벌이다 選挙戦で泥仕合を演じる.

추장【酋長】〈名〉酋長. 語例 인디언 ~ インディアンの酋長.

추적【追跡】〈名・하他〉追跡. 句例 범인을 ~하다 犯人を追跡する / ~의 손길을 피하다 追跡の手を逃れる. 語例 ~자 追跡者 / ~ 조사 追跡調査.

추접-스럽다 (→스럽다)〈形〉汚らしい. 汚らわしい. 不潔だ. いやらしい. 句例 듣기에도 추접스러운 이야기 聞くも汚らわしい話. 文例 저런 추접스러운 남자는 얼굴도 보기 싫다 あんな汚らわしい男は顔も見たくない / 그런 추접스런 말은 이제 그만해요 そんないやらしい話はもうやめて.

추정【推定】〈名・하他〉推定. 句例 (경찰의) ~에 의하면 (警察の)推定によると / …를 범인으로 ~하다 …を犯人と推定する. 語例 ~ 인구 推定人口 / 사망 ~ 시간 死亡推定時刻. ㊫추량(推量).

추종【追從】〈名・하他〉追従. 句例 타의 ~을 불허하다 他の追従を許さない / 남의 의견에 ~하다 他人の意見に追従する. 語例 ~자 追従者.

추진【推進】〈名・하他〉推進. 句例 …의 ~을 꾀하다 …の推進を図る / 계획을 강력히 ~시키다 計画を強力に推進させる. 語例 ~기(機) 推進機 / ~력 推進力 / ~축 推進軸 / ~되다 推進される.

추징【追徵】〈名・하他〉追徵. 句例 회비의 ~ 会費の追徵. 語例 ~금 追徵金 / ~세 追徵税 / ~되다 追徵される.

***추천**【推薦】〈名〉推薦. **~하다**〈他〉推薦する. 薦める. 句例 후보자를 ~하다 候補者を推薦する / 안심하고 ~할 수 있다 安心して推薦できる. 文例 그 책은 그의 ~을 받아서 읽었다 その本は彼に薦められて読んだ. 語例 ~ 입학 推薦入学 / ~장 推薦状.

추첨【抽籤】〈名・하自〉抽選. くじ引き. 句例 ~에 당첨되다〔떨어지다〕抽選に当たる〔外れる〕/ ~으로 정하다 くじ引きで決める. 語例 ~권〔번호〕抽選券〔番号〕.

추출【抽出】〈名・하他〉抽出. 句例 무작위로 ~하다 無作為に抽出する / 독물을 ~하다 毒物を抽出する. 語例 표본 ~ 標本抽出. サンプリング.

추측【推測】〈名〉推測. **~하다**〈他〉推測する. 推し測る. 句例 ~이 가다 推測がつく / ~컨대 推測するに / ~이 맞다〔어긋나다〕推測が当たる〔外れる〕. 文例 그의 말은 단순한 ~에 불과하다 彼の話は単なる推測に過ぎない.

추켜-들다 (―드니, ―들어서)〈他〉持ち上げる. (上に)高く上げる. 句例 작대기를 추켜 들고 개를 쫓다 棒切れを振りかざして犬を追う.

추켜-잡다〈他〉(手を上げて)つかむ. 持ち上げる. 句例 끌리는 치맛자락을 ~ ひきずられるチマのすそを持ち上げる.

추탕【鰍湯】〈名〉〔料理〕'추어탕(鰍魚湯)'の略.

추태【醜態】〈名〉醜態. 句例 ~를 부리다〔보이다〕醜態を演じる〔見せる〕/ ~를 드러내다 醜態をさらす.

추파【秋波】〈名〉秋波. 流し目. 色目. ウインク. 句例 ~를 던지다 秋波を送る / 남자에게〔정권에〕~를 던지다 男〔政権〕に色目を使う〔秋波を送る〕.

추풍-낙엽【秋風落葉】[—nagyŏp]〈名〉❶秋風に散り落ちる木の葉. ❷勢力などが落ち葉の散るように衰えることのたとえ.

추-하다【醜—】(→하다)〈形〉醜い. 汚らしい. 汚らわしい. 句例 추한 얼굴 醜い顔 / 추한 유산 싸움 醜い遺産争い. 語例 추해지다 醜くなる.

추행【醜行】〈名〉醜行. 句例 남녀간의 ~ 男女間の醜行 / ~을 폭로하다 醜行を暴く.

추호【秋毫】〈名〉(おもに'~의・~(라)도'の形で) 秋毫(の). ごう(毫)(も…ない). これっぽち. 句例 ~의 결점도 없다 秋毫の欠点もない. 文例 그런 짓을 하고도 그는 ~도 양심의 가책을 안 느낀다 そんなことをしても彼は秋毫も〔これっぽちも〕良心の呵責を感じない / 속일 생각은 ~도 없었다 だます考えは微塵もなかった.

추후【追後】〈名・副〉追って. 後程. 略して'후(後)'ともいう. 文例 결정은 ~ 통지함 決定は追って〔後程〕通知する / 결과는 ~ 우편으로 알

ㅊ

려 드리겠습니다 結果は追って郵便でお知らせします.

축【祝】〈名〉'축문(祝文)'の略.

*__축__【軸】〈名〉軸. 心棒. 句例 수레바퀴의 ~ 車の軸 / ~을 받치다 軸を受ける. 語例 ~받이 軸受け / 회전~ 回転軸.

축¹〈依名〉部類. 同類. たぐい. グループ. 句例 젊은 ~에 끼다 若者のグループに入る / 사람 ~에 못 끼이다 人数に入らない. 文例 그는 사람 ~에도 들지 못하는 망나니다 彼は人間のたぐいにも入らない与太者だ.

축² [ch'u:k] 〈副〉物が下に垂れ下がったさま: だらりと. だらっと. 句例 개가 혀를 ~ 늘어뜨리다 犬が舌をだらりと垂らす / ~ 늘어진 버들가지 だらりと垂れ下がった柳の枝.

축 〔漢字項目〕

【丑】中學 축 チュウ. ❶지지(地支)중의 둘째. 十二支の二番目. 소 うし(丑). ◧丑年 축년 うしどし. ❷시간 時. 오전 한시에서 세시 사이 午前一時から三時まで. ◧丑時 축시 うしのとき(丑の刻). ❸수갑 手錠. 手かせ.

【畜】高校 축 チク. ❶(가축 따위를) 기르다 飼う. ◧畜舍 축사 ちくしゃ. 畜産 축산 ちくさん. ◨牧畜 목축 ぼくちく. 家畜 가축 かちく. ❷짐승 けもの. ◧畜生 축생 ちくしょう. ◨鬼畜 귀축 きちく.

【祝(祝)】中學 축 シュク. シュウ. ❶축하하다 祝う. ◧祝日 축일 しゅくじつ. 祝福 축복 しゅくふく. 祝儀 축의 しゅうぎ. ◨慶祝 경축 けいしゅく. ❷축문 祝詞.

【築】高校 축 チク. ❶다지다 地面を固める. ❷쌓다 築く. 축조하다 築造する. ◧築港 축항 ちっこう. ◨改築 개축 かいちく. 建築 건축 けんちく. 新築 신축 しんちく.

【縮】高校 축 シュク. 줄이다 縮める. 줄다 縮む. 오그라들다 縮こまる. ◧縮小 축소 しゅくしょう. 縮圖 축도 しゅくず. ◨壓縮 압축 あっしゅく. 濃縮 농축 のうしゅく. 軍縮 군축 ぐんしゅく.

【蓄】高校 축 チク. 쌓다 積む. 모으다 蓄える. ◧蓄積 축적 ちくせき. 蓄電池 축전지 ちくでんち. ◨貯蓄 저축 ちょちく. 備蓄 비축 びちく. 含蓄 함축 がんちく.

【逐(逐)】高校 축 チク. ❶쫓다 追う. 쫓아내다 追い出す. ◧逐鹿 축록 ちくろく. 逐鬼 축귀 ちくき. ◨驅逐 구축 くちく. ❷차례로 하다 順にする. ◧逐條審議 축조 심의 ちくじょうしんぎ. ❸다투다 争う. ◨角逐 각축 かくちく.

축가【祝歌】〈名〉祝い歌. 語例 생일 ~ 誕生日の祝い歌.

축-가다【縮—】〈自〉⇨ 축(縮)나다

*__축구__【蹴球】〈名〉ア式蹴球. サッカー. フットボール. 語例 ~공 サッカーボール / ~ 선수 サッカー選手 / 미식(美式) ~ アメリカンフットボール. 米式蹴球.

축-나다【縮—】[ch'ung—]〈自〉❶減る. 足りない. 足りなくなる. 句例 돈이 ~ お金が減る. ❷衰弱する. =축(縮)지다. 句例 몸이 ~ からだが衰える.

축-내다【縮—】[ch'ung—]〈他〉足りないようにする. 減らす. 使う. 取り出す.

축농-증【蓄膿症】[ch'ungnongtchŭng]〈名〉〔醫〕蓄膿症.

축대【築臺】〈名〉高く築いた土台.

*__축도__【縮圖】〈名〉 縮図. =축소도(縮小圖). 句例 인생의 ~ 人生の縮図. 語例 ~기〔법〕縮図器〔法〕.

축문【祝文】[chungmun]〈名〉祭祀のとき, 神に祈る文. 祝詞. 祝文. 略して'축(祝)'ともいう.

축배【祝杯】〈名〉祝杯. 句例 ~를 들다 祝杯をあげる.

*__축복__【祝福】〈名・하自他〉祝福. 句例 ~받은 가정〔결혼〕祝福された家庭〔結婚〕/ 전도를 ~하다 前途を祝福する〔祝う〕/ 새 출발을 ~하다 新たな門出を祝う. 對저주(詛呪).

축사【畜舍】〈名〉畜舎. 類우리.

축사【祝辭】〈名・하自〉祝辞. 句例 ~를 하다 祝辞を述べる. 語例 내빈 ~ 来賓の祝辞.

축산【畜産】〈名〉 畜産. 語例 ~물 畜産物 / ~업 畜産業.

축성【築城】〈名・하自〉築城. 城を築くこと. 語例 ~학〔술〕築城学〔術〕.

*__축소__【縮小】〈名・하自他〉縮小. 句例 인원을 ~하다 人員を縮小する / 원형을 ~해서 모형을 만들다 原物を縮小して模型をつくる. 語例 ~율 縮小率 / ~판 縮小版 / 군비 ~ 軍備縮小. 對확대(擴大). 확장(擴張).

축쇄【縮刷】〈名・하他〉〔印〕縮刷. 語例 ~판 縮刷版.

축연【祝宴】[ch'ugyŏn]〈名〉['축하연(祝賀宴)'の略] 祝宴. 句例 ~을 베풀다 祝宴を張る〔設ける・催す〕.

축원【祝願】[ch'ugwon]〈名〉祈り. 願い. **~하다**〈自他〉祈る. 文例 귀사가 더욱 더 번창하시기를 ~합니다 貴社のますます繁盛されん事をお祈りいたします. 語例 ~드리다 お祈りする.

축음-기【蓄音機】[ch'ugŭm—]〈名〉蓄音機. =유성기(留聲機). 句例 ~를 틀다 蓄音機をかける. 語例 ~판(板) 音盤. レコード.

축의【祝意】[ch'ugŭi]〈名〉祝意. 句例 ~를 표하다〔전하다〕祝意を表する〔伝える〕. 對조의(弔意).

축의【祝儀】[ch'ugŭi]〈名〉祝儀. 祝いの儀式. 語例 ~금(金) 祝儀. 祝いのお金.

축이다 [ch'ugida]〈他〉ぬ(濡)らす. 湿す. 湿らせる. 潤す. 句例 천을 더운 물에 ~ 布を湯で湿す / 차로 목을 ~ お茶でのどを潤す. 類적시다.

축일【祝日】[ch'ugil]〈名〉祝日. 式日.

축재【蓄財】〈名・하自〉蓄財. 句例 ~의 길 蓄財の道 / ~에 능하다 蓄財にたける. 語例 ~가 蓄財家 / 부정 ~ 不正蓄財.

축적【蓄積】〈名・하自他〉蓄積. 句例 부의 ~ 富の蓄積 / ~된 지식 蓄積された知識. 語例 자본 ~ 資本の蓄積.

축전【祝典】〈名〉祝典. 句例 성대한 ~을 거행하다 盛大な祝典を挙げる.

축전【祝電】〈名〉祝電. 句例 ~을 치다〔보내다〕祝電を打つ〔送る〕. 對조전(弔電).

축전-지【蓄電池】〈名〉蓄電池. バッテリー.

축제【祝祭】〈名〉祝祭. お祭り. フェスティバル. 句例 ~기분이다 お祭り気分だ. 文例 ~로 아이들이 들떠 있다 お祭りで子供たちが浮き浮きしている. 語例 ~일 祝祭日.

축제【築堤】〈名・하自〉〔土〕築堤. 語例 ~ 공사 築堤工事.

축조【逐條】〈名・하他〉逐条. 句例 의안을 ~ 심의하다 議案を逐条審議する.

축지【縮地】〈名・하自〉〔民〕縮地. 仙術によって地脈を縮め, 距離を近くすること. 語例 ~법〔法〕縮地の術.

축-지다【縮—】〈自〉(病気で)弱る. 衰弱する. =축나다.

축척【縮尺】〈名〉縮尺. =줄인자. 句例 ~ 오만 분의 일의 지도 縮尺五万分の一の地図. 語例 ~도 縮尺図. 對현척(現尺).

축축-이 [ch'ukch'ugi]〈副〉しっぽり(と). じめじめと. じっとり. 文例 땀으로 등이 ~ 젖었다 汗で背がしっぽり(と)ぬれた. 類홍건히.

축축-하다 [ch'ukch'uk'ada] (→하다)〈形〉じめじめしている. しめっぽい. 句例 내의가 ~ 下着がじめじめする / 빨래가 아직 ~ 洗濯物がまだしめっぽい / 가랑비에 젖어서 옷이 ~ ぬか雨にぬれて着物がしめっぽい.

表現 語感の小さい語は'촉촉하다'.

축출【逐出】〈名・하他〉放逐. 追い出すこと. 句例 학교에서 ~당하다 学校から追い出される / 당에서 ~하다 党から放逐する.

축포【祝砲】〈名〉祝砲. 句例 ~를 쏘다 祝砲を放つ.

축하【祝賀】[ch'uk'a]〈名〉祝賀. 祝い. **~하다**〈他〉祝賀する. 祝う. 句例 입학을〔승리를〕~하다 入学〔勝利〕を祝う / 결혼 ~ 선물을 보내다 結婚祝いの贈り物を送る. 文例 졸업을 ~합니다 ご卒業おめでとうございます / 진심으로 ~드립니다 心からお祝い申し上げます / 그러면 이것으로 ~의 말씀을 대신하겠습니다 それではこれでお祝いの言葉のかわりといたします. 語例 ~술 祝い酒 / ~ 퍼레이드 祝賀パレード / ~회 祝賀会 / 신년 ~ 新年のお祝い.

춘 〔漢字項目〕

【春】中學 춘 シュン. ❶봄 春. ▐春季 춘계 しゅんき. 春秋 춘추 しゅんじゅう. ▐早春 조춘 そうしゅん. 立春 입춘 りっしゅん. 新春 신춘 しんしゅん. ❷남녀간에 이성을 구하는 마음 男女が異性を求める気持ち. ▐春情 춘정 しゅんじょう. ▐思春期 사춘기 ししゅんき. ❸젊은 시대 若い時代. ▐青春 청춘 せいしゅん.

춘계【春季】〈名〉春季. =춘기(春期). 語例 ~ 대청소 春季大掃除.

춘궁【春窮】〈名〉春窮. 陰暦の三・四月ごろ農家で食糧が乏しくなること. =보릿고개. 語例 ~기 春窮期.

춘기【春期】〈名〉春期. =춘계(春季). 語例 ~ 운동회 春期運動会.

춘기【春機】〈名〉春機. 語例 ~ 발동기 春機発動期.

춘몽【春夢】〈名〉春夢. はかない夢. 文例 인생은 ~과 같다 人生春夢のごとし. 語例 일장 ~ 一場の夢〔春夢〕.

춘부-장【春府丈・椿府丈】〈名〉他人の父親に対する敬称: 父御. ご尊父.

춘분【春分】〈名〉春分. 語例 ~점〔天〕春分点. 對추분(秋分).

춘-삼월【春三月】[—samwol]〈名〉(春たけなわの)陰暦の三月.

춘색【春色】〈名〉春色. 春の景色. 春景.

춘설【春雪】〈名〉春雪. 春の雪. =봄눈.

춘장【春丈】〈名〉'춘부장(春府丈)'の略.

춘정【春情】〈名〉春情. 色気. 句例 ~을 돋우다〔자아내다〕春情をあおる〔催す〕/ ~을 불러 일으키는 春情をそそるような.

춘추【春秋】〈名〉春秋. ❶春と秋. 語例 ~복(服) 合い服. 合い着. 對하동(夏冬). ❷目上の年齢の敬称: お年. 句例 ~가 높다 春秋高し. 文例 올해 ~가 어떻게 되십니까 今年お年はいくつになられますか. 類연세(年歳).

춘추 시대【春秋時代】〈名〉〔史〕(中国の)春秋時代. 紀元前770年から紀元前403年までの時代.

춘-하-추-동【春夏秋冬】〈名〉春夏秋冬.

춘향-전【春香傳】〈名〉〔文〕春香伝. 朝鮮時代の代表的小説の一つ. 身分の低い妓生の娘である春香と身分の高い両班の息子李夢龍の恋を描いたもの.

출 〔漢字項目〕

【出】中學 출 シュツ. スイ. ❶낳다 生む. ▐出産 출산 しゅっさん. ❷나가다 出る. ▐出荷 출하 しゅっか. 出血 출혈 しゅっけつ. 出納 출납 すいとう. ▐支出 지출 ししゅつ. 輸出 수출 ゆしゅつ. ❸밖에 나타나다 外に現われる. ▐出現 출현 しゅつげん. ▐露出 노출 ろしゅつ. ❹일 또는 모임으로 외출하다 仕事や会合で出かける. ▐出場 출장 しゅつじょう. 出席 출석 しゅっせき. ▐退出 퇴출 たいしゅつ.

출가【出家】〈名・하自〉〔佛〕出家. 家を出て仏門にはいること. 句例 ~하여 속세를 등진 몸 出家遁世の身. 語例 ~ 득도〔佛〕出家得度.

출가【出嫁】〈名〉嫁入り. **~하다**〈自〉嫁入りする. 嫁ぐ. 嫁に行く. 句例 딸을 ~시키다 娘を嫁がせる / ~한 딸 嫁に行った娘. 語例 ⇨ 출가외인

출가-외인【出嫁外人】〈名〉嫁いだ娘は他人と同様であること.

출간【出刊】〈名・하他〉⇨ 출판(出版)

출강【出講】〈名・하自〉出講. 句例 대학에 ~하다 大学に出講する. 對휴강(休講).

출격【出擊】〈名・하自他〉出撃. 語例 ~ 명령 出撃命令.

출결【出缺】〈名〉['출결석(出缺席)・출결근(出缺勤)'の略] 出欠. 句例 ~ 상태를 조사하다 出

え

欠状態をしらべる.

출고【出庫】〈名・하他〉出庫. 蔵出〔倉出〕し. 句例 ~를 제한하다 出庫を制限する. 文例 갓 ~된 술은 맛이 좋다 蔵出したての酒はうまい. 語例 ~ 가(격) 出庫価格 / ~ 전표 出庫〔蔵出し〕伝票. 對입고(入庫).

출구【出口】〈名〉出口. 句例 ~를 찾다 出口をさがす / ~가 막히다 出口がふさがれる. 語例 ~ 통로 出口への通路 / 비상 ~ 非常口. 對입구(入口).

출국【出國】〈名・하自〉出国. 語例 ~ 관리 出国管理 / ~ 절차(節次) 出国手続き. 對입국(入國).

출근【出勤】〈名・하自〉出勤. 出社. 句例 ~ 시간에 늦다 出勤時間に遅れる / 9시에 ~하다 九時に出社する. 語例 ~부 出勤簿 / 시차제(制) ~ 時差出勤. 對퇴근(退勤).

출금【出金】〈名・하自他〉出金. 語例 ~ 전표 出金伝票. 對입금(入金).

출-납【出納】[ch'ullap]〈名・하他〉出納. 出し入れ. 句例 ~을 맡아보다 出納をつかさどる / 상품의 ~ 商品の出し入れ. 語例 ~계(원) 出納係 / 금전 ~ 金銭の出納.

출납-부【出納簿】[ch'ullap—]〈名〉出納簿. =출납장(帳). 語例 금전 ~ 金銭出納簿.

출동【出動】[ch'ulttong]〈名・하自〉出動. 句例 구급차의 ~ 救急車の出動 / ~ 준비를 명하다 出動の準備を命じる. 語例 긴급 ~ 緊急出動.

출두【出頭】[ch'ulttu]〈名・하自〉出頭. 句例 법정에 ~하다 法廷に出頭する / ~를 명령하다 出頭を命じる. 語例 ~인 出頭人.

출렁-거리다〈自〉❶水がだぶだぶと揺れる. だぶつく. 句例 뱃속이 ~ おなかがだぶだぶする. ❷大波がざぶりざぶりと打ち寄せる. 波がどうどうと打ち寄せる. 句例 출렁거리는 파도 ざぶんざぶんとうねっている波.

출렁출렁〈副・하自〉❶だぶだぶ. 句例 ~ 소리를 내다 だぶだぶと音を立てる. ❷ざぶりざぶり. どうどう.

출력【出力】〈名〉出力. 句例 ~ 5만 킬로와트의 발전소 出力五万キロワットの発電所. 文例 이 모터는 ~이 크다 このモーターは出力が大きい. 語例 ~ 장치 出力装置. 對입력(入力).

출루【出壘】〈名・하自〉〔野〕出塁. 句例 ~해 있다 出塁している. 語例 ~율 出塁率.

출마【出馬】〈名・하自〉出馬. 句例 선거에 ~하다 選挙に出馬する. 語例 재~ 再出馬.

출몰【出沒】〈名・하自〉出没. 句例 해적〔밀어선〕이 ~하다 海賊〔密漁船〕が出没する.

***출발**【出發】〈名・하自〉出発. 句例 ~이 임박해서 出発間ぎわに / ~에 즈음하여〔앞서서〕出発に際して〔先だって〕/ 인생의 첫 ~ 人生の門出 / ~을 앞당기다〔연기하다〕出発を繰り上げる〔延ばす〕. 文例 처음부터 ~이 나빴다 初めからスタートが悪かった. 語例 ~선(線) スタートライン / ~역 出発駅 / ~점 出発点 / 재~ 再出発. 對도착(到着).

출범【出帆】〈名・하自〉出帆. 船出. 句例 부산항을 ~하다 釜山港を出帆する / 새로운 ~ 新しき船出.

출병【出兵】〈名・하自〉出兵. 派兵. 語例 해외 ~ 海外出兵.

출산【出産】[ch'ulssan]〈名・하自〉出産. お産. 句例 사내아이를 ~하다 男の子を産む. 語例 ~율 出産率 / ~ 휴가 出産休暇. 産休《略語》.

출생【出生】[ch'ulssaeng]〈名〉出生. 生まれ. **~하다**〈自他〉出生する. 生まれる. 句例 ~의 비밀을 알다 出生の秘密を知る / 서울 ~의 아가씨 ソウル生まれの娘 / 달이 못 차서 ~하다 月足らずして生まれる. 語例 ~ 신고(申告) 出生届 / ~연월일 生年月日 / 유월 ~자 六月生まれの人.

출석【出席】[ch'ulssŏk]〈名・하自〉出席. 句例 ~을 부르다 出席をとる. 語例 ~부 出席簿 / ~ 일수 出席日数 / ~ 인원 出席人数 / ~ 명령〔法〕出席命令.

출세【出世】[ch'ulsse]〈名・하自〉出世. 句例 ~가 빠르다 出世が早い / ~의 길이 열리다 出世の道が開かれる. 語例 ~욕 出世欲 / ~작 出世作 / 입신 ~ 立身出世.

출신【出身】〈名〉出身. 上がり. 句例 군인 ~의 장관 軍人出身の長官〔大臣〕. 文例 그는 A대학 ~이다 彼はA大出身である / 당신은 어디 ~입니까 あなたはどこの出身ですか. 語例 ~교 出身校 / 대학 ~ 大学出 / 공무원 ~ 役人上がり / 서울 ~ ソウル出身.

출연【出演】[ch'uryŏn]〈名・하自〉出演. 句例 영화에 ~하다 映画に出演する. 語例 ~자 出演者 / ~료 出演料. ギャランティー. ギャラ《略語》/ 고별(告別) ~ お名残出演.

출영【出迎】[ch'uryŏng]〈名〉出迎え. **~하다**〈他〉出迎える. 句例 ~을 받다 出迎えを受ける / 역으로 ~(을) 나가다 駅へ出迎えに行く. 類영접(迎接).

表現 '출영'は公的な場合で, 一般的な'出迎え'は'마중'という.

출옥【出獄】[ch'urok]〈名・하自〉出獄. 出所. =출감(出監). 句例 형기를 마치고 ~하다 刑期を終えて出獄する. 語例 가~ 仮出獄.

출원【出願】[ch'urwon]〈名〉出願. 願い出. **~하다**〈自他〉出願する. 願い出る. 句例 특허를 ~하다 特許を出願する. 語例 ~인〔자〕出願者 / ~ 절차 出願手続き.

출입【出入】[ch'urip]〈名〉出入. 出入り. **~하다**〈自他〉出入する. 出入りする. 句例 사람의 ~이 많다 人の出入りが多い / 극장에 ~하다 劇場に出入りする / 관청 ~이 잦다 よく官庁に出入りする. 文例 누구를 막론하고 ~을 금한다 人のいかんを問わず, 出入りを禁じる. 語例 ~구 出入り口 / ~ 금지 구역 立ち入り禁止区域 / ~국 관리 (사무소) 出入国管理(事務所) / ~문(門) 通用門.

출자【出資】[ch'ultcha]〈名・하自〉出資. 句例 …에 공동으로 ~하다 …に共同で出資する. 語例 ~금〔자〕出資金〔者〕.

***출장**【出張】[ch'ultchang]〈名・하自〉出張. 句例 ~을 보내다 出張させる / 공무로 ~가다 公務で出張する / ~ 명령을 받다 出張を命じられる. 語例 ~소 出張所. 出先機関 / ~처 出

張先 / 해외 ～ 海外出張.

*출전【出戰】[ch'ultchŏn]〈名・하自〉❶出戦. 戦争に行くこと. ❷出場. 試合に出ること. 句例 경기에 ～하다 競技に出場する. 語例 ～ 선수 出場選手.

출정【出征】[ch'ultchŏng]〈名・하自〉出征. 句例 소집을 받고 ～하다 召集を受けて出征する. 語例 ～ 군인〔병사〕出征軍人〔兵士〕.

출제【出題】[ch'ultche]〈名・하自〉出題. 句例 어려운 문제를 ～하다 難しい問題を出題する. 語例 ～ 위원 出題委員 / ～자 出題者.

출중-하다【出衆—】[ch'ultchung—] (→하다)〈形〉衆に抜きんでている. 句例 출중한 인물 出色の人物. 衆に抜きんでた人物 / 출중한 솜씨 出色のできばえ / 용모가 ～ 容貌がきわだっている.

출처【出處】〈名〉出所. 出どころ. 句例 소문의 ～ うわさの出所〔出どころ〕/ ～ 불명의 정보 出所不明の情報 / ～를 밝히다 出所を明かす. 文例 그 돈의 ～를 대라 その金の出どころを言え.

출출-하다 (→하다)〈形〉少し腹がすいている. ややひもじい. 文例 아침을 조금밖에 안 먹었더니 속이 ～ 朝飯を少ししか食べなかったのでひもじい感じがする.

출타【出他】〈名・하自〉外出. 他出《老》. 文例 아버지는 ～중이십니다 父は外出中です.

출토【出土】〈名・하自〉出土. 文例 석기 시대의 유물이 ～되었다 石器時代の遺物が出土した. 語例 ～품 出土品.

*출판【出版】〈名・하他〉出版. 句例 책을 ～하다 本を出版する / ～물을 단속하다 出版物を取り締まる. 語例 ～의 자유 出版の自由 / ～사 出版社 / 자비 ～ 自費出版.

출품【出品】〈名・하自他〉出品. 句例 전시회에 ～하다 展示会に出品する.

출하【出荷】〈名・하自他〉出荷. 句例 과일을 시장에 ～하다 果物を市場に出荷する. 語例 ～량 出荷量. ㉺입하(入荷).

출항【出航】〈名・하自〉出航. 句例 안개 때문에 ～이 늦어지다 霧のため出航が遅れる. ㉺결항(缺航).

출항【出港】〈名・하自〉出港. 文例 이 배는 내일 ～할 예정입니다 この船は明日出港の予定です. ㉺입항(入港).

출현【出現】〈名・하自〉出現. 句例 구세주의 ～ 救世主の出現 / 적기가 ～하다 敵機が出現する.

출혈【出血】〈名・하自〉出血. 句例 ～이 심하다〔멎다〕出血がひどい〔止まる〕/ 많은 ～을 강요당하다 多大の出血を強いられる. 文例 아군의 다소의 ～은 부득이하다 味方の多少の出血はやむを得ない. 語例 ～ 수주〔판매〕出血受注〔販売〕/ 내～ 内出血.

출회【出廻】〈名・하自〉出回ること. 文例 봄 야채가 ～되기 시작했다 春野菜が出回りはじめた. 語例 ～기 出回り期.

**춤〈名〉踊り. 舞踊. 舞. ダンス. 句例 ～을 잘 추다 踊りが上手だ / 노래와 ～으로 밤을 새우다 歌と踊りで夜を明かす. 語例 사교～ 社交ダンス / 사자～ 獅子舞.

춤(을) 추다 ❶(踊りを)踊る. 舞う. 句例 춤추러 가다 踊りに行く / 노래하며 ～ 歌いながら踊る. ❷(喜びのあまり)小躍りする. 句例 춤을 추며 좋아하다 小躍りしながら喜ぶ. ❸(人の言うがままに)踊る. 句例 남의 장단에 ～ 人に踊らされる.

**춤-추다 ⇨'춤'の小項目

**춥다 (추우니, 추워서)〈形〉寒い. 句例 추워 보이다 寒そうに見える / 추운 겨울 날씨 寒い冬の天気 / 으스스 추운 아침 うすら寒い朝 / 추워서 벌벌 떨다 寒くてぶるぶる震える / 춥지도 덥지도 않은 좋은 계절 寒からず暑からずの好季節. 文例 봄이라 하지만 아침은 아직 ～ 春といっても朝はまだ寒い. 語例 추워지다 寒くなる / 추워하다 寒がる. ㉺덥다.

충【蟲】〈名〉❶虫. ＝벌레. ❷'회충(蛔蟲) 回虫'の略.

충 〔漢字項目〕

【充】中學 충 ジュウ. ❶차다 満ちる. ▮充血 충혈 じゅうけつ. 充實 충실 じゅうじつ. ❷채우다 満たす. ▮充電 충전 じゅうでん. ▮擴充 확충 かくじゅう. 補充 보충 ほじゅう.

【忠】中學 충 チュウ. ❶충실하다 忠実だ. ▮忠實 충실 ちゅうじつ. 忠告 충고 ちゅうこく. ❷충성하다 忠誠をつくす. ▮忠臣 충신 ちゅうしん. 忠義 충의 ちゅうぎ. ▮不忠 불충 ふちゅう.

【蟲(虫)】中學 충 チュウ. 벌레 虫. ▮蟲類 충류 ちゅうるい. 蟲害 충해 ちゅうがい. ▮昆蟲 곤충 こんちゅう. 幼蟲 유충 ようちゅう.

【衝】高校 충 ショウ. ❶찌르다 突く. ▮衝天 충천 しょうてん. ❷부딪치다 突き当たる. ▮衝突 충돌 しょうとつ. 衝擊 충격 しょうげき. 衝動 충동 しょうどう. ❸중요한 곳 重要な場所. ▮要衝 요충 ようしょう. 緩衝 완충 かんしょう.

충간【忠諫】〈名・하他〉忠諫. 心からいさ(諫)めること.

충격【衝擊】〈名〉衝撃. ショック. 句例 ～적인 사건 衝撃的な事件 / 심한 ～을 주다 ひどい衝撃を与える / 어머니를 잃은 ～ 母を失った衝撃 / 큰 ～을 받다 大きなショックを受ける. 語例 ～ 요법 衝撃〔ショック〕療法 / ～파〔物〕衝撃波.

충고【忠告】〈名・하自他〉忠告. 句例 ～에 따르다 忠告に従う / ～를 받아들이다 忠告を受け入れる. 文例 아무리 ～해도 소용없었다 いくら忠告しても無駄だった.

충당【充當】〈名〉充当. ～하다〈他〉充当する. 充〔当〕てる. 句例 생활비에 ～하다 生活費に充てる. 文例 이익금은 작년도의 적자에 ～한다 利益金は昨年度の赤字に充当する. 語例 ～되다 充当される. 充〔当〕てられる.

충돌【衝突】〈名・하自〉衝突. ぶつかること. 句例 ～을 피하다 衝突をさける / 버스와 트럭의 정면 ～ バスとトラックの正面衝突 / 의견이 ～하다 意見が衝突する / 진학 문제로 부모와 ～하다 進学問題で親とぶつかる. 語例 ～

사고 衝突事故 / 무력 ～ 武力衝突.

충동【衝動】〈名・하他〉衝動. 句例 ～을 주다 衝動を与える / ～을 억제하다 衝動を抑える / …하고 싶은 ～을 느끼다 …したい衝動を覚える / 일시적 ～에 사로잡히다〔이끌리다〕一時の衝動にかられる. 語例 ～ 구매(購買) 衝動買い / 성적 ～ 性的衝動.

충동-이다【衝動—】〈他〉❶興奮させるほどの強い刺激を与える. ❷(人を)あおる. けしかける.

충동-적【衝動的】〈名・冠〉衝動的. 句例 ～인 범행〔행동〕衝動的な犯行〔行動〕.

충동-질【衝動—】〈名・하他〉そそのかすこと. けしかけること.

충만-하다【充滿—】(→하다)〈形〉充満している. 満ちている. 句例 환희에 충만한 얼굴 歓喜に満ちた顔 / 천지에 충만한 봄 기운 天地に充満している春の気配.

충매-화【蟲媒花】〈名〉〔植〕虫媒花.

***충분-하다**【充分—】(→하다)〈形〉十分〔充分〕だ. 句例 충분한 음식물 十分な食べ物 / 충분한 보수를 받다 十分な報酬をもらう / 식량이 충분치 못하다 食糧が十分でない. 文例 한 사람으로 ～ 一人で十分だ / 그 정도면 ～ その程度ならたくさんだ. **충분히**〈副〉十分(に). たっぷり. 句例 충분히 설명하다 十分に説明する / 실력을 충분히 발휘하다 実力を十分発揮する. 文例 식량은 아직 충분히 남아 있다 食糧はまだ十分残っている / 시간은 충분히 있다 時間はたっぷりある.

***충성**【忠誠】〈名・하自〉忠誠. 句例 ～을 맹세하다 忠誠を誓う / 나라에 ～하다 国に忠誠を尽くす. 語例 ～심 忠誠心. 對불충(不忠). 類충의(忠義). 충절(忠節). **～스럽다**(→스럽다)〈形〉忠実だ. **～스레**〈副〉忠実に.

충수【蟲垂】〈名〉〔生〕虫垂. ＝충양 돌기(蟲様突起). 語例 ～염〔醫〕虫垂炎. →맹장염(盲腸炎).

충신【忠臣】〈名〉忠臣. 文例 이기면 ～이요, 지면 역적이라 勝てば官軍, 負ければ賊軍. 對역적(逆賊). 역신(逆臣).

충신은 불사이군(不事二君) 忠臣は二君に仕えず.

충실【充實】〈名・하形〉充実. 句例 ～한 생활〔내용〕充実した生活〔内容〕/ 군비의 ～을 꾀하다 軍備の充実を図る. 文例 이 책은 내용이 ～하다 この本は内容が充実している. **～히**〈副〉充実に.

충실-하다【忠實—】(→하다)〈形〉忠実だ. 句例 충실한 부하 忠実な部下 / 원문에 충실한 번역 原文に忠実な翻訳. 文例 누구나 자기 직무에 충실하여야 한다 だれでも自分の職務に忠実でなければならない. **충실히**〈副〉忠実に. 句例 충실히 일하다 忠実に働く / 약속을 충실히 이행하다 約束を忠実に履行する.

충심【忠心】〈名〉忠心. 忠義の心.

충심【衷心】〈名〉衷心. 真心. 句例 ～으로 감사하다 衷心から感謝する. 文例 ～으로 애도의 뜻을 표합니다 衷心より哀悼の意を表わします. 類충정(衷情).

충언【忠言】〈名・하自他〉忠言. 忠告. 句例 남의 ～을 듣지 않다 人の忠言をきかない. 文例 ～은 귀에 거슬린다(＝충언 역이(逆耳)) 忠言は耳に逆らう.

충원【充員】〈名・하自他〉充員. 句例 결원을 ～하다 欠員を充員する.

충의【忠義】〈名〉忠義. 句例 ～를 다하다 忠義を尽くす.

충적【沖積・冲積】〈名・하自〉〔地〕沖積. 語例 ～토 沖積土 / ～ 평야 沖積平野 / ～ 작용 沖積作用 / ～층 沖積層.

충적-세【沖積世】〈名〉〔地〕沖積世.

충전【充電】〈名・하他〉充電. 句例 배터리에 ～하다 バッテリーに充電する / 새로운 창작을 위한 ～ 기간 新たなる創作のための充電期間. 語例 ～기 充電器 / 재～ 再充電. 對방전(放電).

충절【忠節】〈名〉忠節. 句例 ～을 다하다 忠節を尽くす.

충족【充足】〈名・하他〉充足. 満ち足りること. 句例 욕망〔조건〕을 ～시키다 欲望〔条件〕を充足させる / ～한 생활을 영위하다 満ち足りた生活を営む. 語例 ～감 充足感.

충천【衝天】〈名・하自〉衝天. 語例 의기 ～(하는 기개) 意気衝天(の概).

충치【蟲齒】〈名〉虫歯. ＝삭은니. 句例 ～를 빼다 虫歯を抜く / ～가 쑤시다 虫歯がうずく. 文例 ～가 두 개 있다 虫歯が二本ある / 단 것만 먹으면 ～가 생긴다 甘い物ばかり食べると虫歯ができる.

충해【蟲害】〈名〉虫害. 食害. 句例 ～를 입다 虫害を被る / ～에 대한 예방 虫害に対する予防. 虫食いの予防. 文例 소나무가 ～로 고사했다 松が虫害で枯れた.

충혈【充血】〈名〉〔醫〕充血. 句例 ～된 눈 充血した目. 文例 철야를 해서 눈이 ～되어 있다 徹夜をしたので目が充血している.

충혼【忠魂】〈名〉忠魂. 句例 순국의 ～을 위로하다 殉国の忠魂を慰める. 語例 ～비〔탑〕忠魂碑〔塔〕.

충효【忠孝】〈名〉忠孝. 句例 ～의 사상을 함양하다 忠孝の思想を涵養する.

췌장【膵臟】[ch'we:jang]〈名〉〔生〕膵臓. ＝이자. 語例 ～염 膵臓炎.

취〈名〉〔植〕'참취 しらやまぎく' '단풍취 もみじはぐま'などの山菜の総称.

취〔漢字項目〕

【取】 中學 취 シュ. 취하다 取る. 빼앗다 奪う. ■取材 취재 しゅざい. 取得 취득 しゅとく. ■採取 채취 さいしゅ. 奪取 탈취 だっしゅ. 詐取 사취 さしゅ.

【吹】 中學 취 スイ. 불다 吹く. 입으로 불어서 소리내다 口で吹いて音を出す. ■吹奏 취주 すいそう. 吹管 취관 すいかん. ■鼓吹 고취 こすい.

【就】 中學 취 シュウ. ジュ. ❶일자리에 나가다 職場に赴く. ■就職 취직 しゅうしょく. 就任 취임 しゅうにん. 就業 취업 しゅうぎょう. ❷일을 이루다 事を成す. 일이 이루어지다 事が成される. ■成就 성취 じょうじゅ.

【臭(臭)】高校 취 シュウ. ❶냄새(가 나다) におい(がする). ▮臭氣 취기 しゅうき. ▮惡臭 악취 あくしゅう. 體臭 체취 たいしゅう. ❷(냄새를) 맡다 (においを)かぐ. 參考 '嗅'と同じ字.

【趣】高校 취 シュ. ❶향하다 赴く. ❷마음이 쏠리는 곳 趣. ▮趣向 취향 しゅこう. 趣味 취미 しゅみ. ❸풍치 風致. 멋 いき(粋). ▮興趣 흥취 きょうしゅ. 野趣 야취 やしゅ. ❹내용이나 줄거리 内容や話のすじ. ▮趣旨 취지 しゅし.

【酔(醉)】高校 취 スイ. ❶술에 취하다 酒に酔う. ▮醉漢 취한 すいかん. 醉客 취객 すいかく. ▮痲醉 마취 ますい. ❷술에 취한듯 황홀해지다 酒に酔ったように恍惚になる. ▮心醉 심취 しんすい. 陶醉 도취 とうすい.

취객【醉客】[ch'wi:gaek]〈名〉酔客. 酔漢. 酔っ払い. 句例 비틀거리는 ~ 千鳥足の酔客.

***취급**【取扱】[ch'wi:gŭp]〈名〉取り扱い. (人の)扱い. **~하다**〈他〉取り扱う. 扱う. 句例 돈〔화약〕을 ~하다 金〔火薬〕をとり扱う / 우체국에서 ~하다 郵便局でとり扱う / 노인 ~을 하다 年寄り扱いをする / 사람을 어린애 ~하다 人を子供扱いにする. 文例 마치 죄인 ~이다 まるで罪人扱いだ / 저희는 이런 형의 상품을 ~하지 않습니다 私どもでは, この型の商品は扱っておりません / 바보 ~을 받았다 ばか扱いされた. 語例 ~ 주의 とり扱い注意 / ~소 取扱所 / 소화물 ~ 小荷物とり扱い / ~되다 とり扱われる.

취기【醉氣】[ch'wi:gi]〈名〉酔気. 酔い. 句例 ~가 돌다 酔いがまわる / ~가 가시다 酔いが覚める.

취득【取得】[ch'wi:dŭk]〈名・하他〉取得. 句例 권리〔면허〕를 ~하다 権利〔免許〕を取得する. 語例 부동산 ~세 不動産取得税 / ~자 取得者.

취로【就勞】[ch'wi:ro]〈名・하自〉就労. 仕事に就くこと. 語例 ~ 규칙〔인구〕就労規則〔人口〕/ ~ 시간 就労時間. 類취업(就業).

취로 사업【就勞事業】[ch'wi:rosa:ŏp]〈名〉失業者や細民のために政府が実施する各種の公共事業. =새마을 취로 사업.

***취미**【趣味】[ch'wi:mi]〈名〉❶趣味. 句例 ~가 고상한 사람 趣味のいい人 / ~로 우표를 모으다 趣味で切手を集める / ~로 시작한 꽃꽂이 趣味で始めた生け花 / ~와 실익을 겸하다 趣味と実益を兼ねる. 文例 내 ~는 당구다 ぼくの趣味はたまつきだ / 춤은 내 ~에 맞지 않는다 踊りはわたしの趣味に合わない / 저 무늬는 내 ~에 맞지 않는다 あの柄はぼくの好みに合わない. 語例 악~ 悪趣味. ❷興味. 句例 ~를 가지고 일하다 興味を持って働く / 그림에 ~를 붙이다 絵に興味を覚える〔持つ〕. 文例 그는 컴퓨터에 ~가 있는 것 같다 彼はコンピューターに興味があるようだ.

취사【炊事】[ch'wi:sa]〈名・하自〉炊事. 語例 ~ 당번 炊事〔飯炊き〕当番 / ~병〔軍〕炊事兵 / ~장 炊事場 / 공동 ~ 共同炊事.

취사【取捨】[ch'wi:sa]〈名・하他〉取捨. 用捨. 句例 ~ 선택을 못하(고 망설이)다 取捨に迷う. 語例 ~ 선택 取捨選択.

취소【取消】[ch'wi:so]〈名〉取り消し. **~하다**〈他〉取り消す. 取りやめる. 句例 앞의 말을 ~하다 前言を取り消す / 발언 ~를 요구하다 発言の取り消しを求める. 文例 그 주문은 어저께 ~되었다 その注文はきのう取り消しになった / 그 계획은 ~한다 その計画は取りやめにする. 語例 ~ 기사 取り消し記事 / ~되다 取り消される. 取り消しになる / ~당하다 取り消される / 계약 ~ 契約取り消し.

취수【取水】[ch'wi:su]〈名・하自〉取水. 語例 ~구 取水口 / ~탑 取水塔.

취약【脆弱】〈名・하形〉脆弱. 句例 ~한 구조〔지층〕脆弱な構造〔地層〕. 語例 ~성 脆弱性.

취업【就業】[ch'wi:ŏp]〈名・하自〉就業. 語例 ~ 규칙 就業規則 / ~ 인구 就業人口 / ~중 면회 사절《揭示》就業中(は)面会謝絶. 對실업(失業).

취임【就任】[ch'wi:im]〈名〉就任. **~하다**〈自〉就任する. 就く. 句例 교장으로 ~하다 校長に就任する / 사장직에 ~하다 社長の職に就く. 語例 ~사 就任の辞 / ~식 就任式 / ~ 인사 就任のあいさつ. 對이임(離任). 퇴임(退任). 사임(辞任).

취입【吹入】[ch'wi:ip]〈名〉吹き込み. レコーディング. **~하다**〈他〉吹き込む. 句例 레코드에 ~하다 レコードに吹き込む / 신곡을 ~하다 新曲を吹き込む. 語例 신곡 ~ 新曲の吹き込み.

취재【取材】[ch'wi:jae]〈名・하自〉取材. 句例 사건을 ~하다 事件を取材する / 전설에서 ~한 소설 伝説に取材した小説. 語例 ~ 기자 取材記者 / ~ 여행 取材旅行 / ~원 取材源 / ~ 활동 取材活動.

취주【吹奏】[ch'wi:ju]〈名・하他〉吹奏. 句例 관악기를 ~하다 管楽器を吹奏する. 語例 ~악 吹奏楽 / ~악단 吹奏楽団. ブラスバンド.

취지【趣旨】[ch'wi:ji]〈名〉趣旨. 趣き. 趣意. 句例 ~를 설명하다 趣旨を説明する / 대회의 ~에 어긋나다 大会の趣旨に反する / 그 ~를 전하다 その旨を伝える. 文例 말씀하시는 ~는 잘 알았습니다 お話の趣はよくわかりました. 語例 ~서 趣意書.

취직【就職】[ch'wi:jik]〈名・하自〉就職. 句例 회사에 ~하다 会社に就職する / ~자리를 구하다 就職口を求める / ~난이 심하다 就職難がひどい. 語例 ~ 시험〔알선〕就職試験〔斡旋〕/ ~ 전선 就職戦線 / ~되다 就職する. 對실직(失職). 퇴직(退職).

취침【就寢】[ch'wi:ch'im]〈名・하自〉就寝. 就床. 句例 ~중이다 就寝中である. 語例 ~ 시간 就寝時間. 對기상(起床). 기침(起寢).

취하【取下】[ch'wi:ha]〈名〉取り下げ. 願い下げ. **~하다**〈他〉取り下げる. 句例 소송을 ~하다 訴訟を取り下げる. 語例 고소 ~ 告訴の願い下げ. 類철회(撤回).

***취-하다**【取—】[ch'wi:—] (→하다)〈他〉❶取る. ㉠自分のものとする. 句例 영양을 ~ 栄

養を取る. 文例 충분한 휴식과 수면을 취했다 十分な休息と睡眠を取った. ㉡選択する. 句例 중간을 ~ 中を取る / 명예를 버리고 실리를 ~ 名を捨てて実を取る. ㉢構える. 句例 포즈를 ~ ポーズを取る / 강경한 태도를 ~ 強硬な態度を取る. ㉣講じる. 句例 수단을 ~ 手段を取る / 연락을 ~ 連絡を取る / 응급 조치를 ~ 応急処置を施す. 文例 우리가 취할 길은 오직 하나뿐이다 我我の取るべき道はただ一つだけである. ❷(金などを)借りる. 句例 돈을 취해오다 金を借りて来る. 類꾸다.

취-하다【酔—】[ch'wi:—] (→하다)〈自〉❶(酒に)酔う. 句例 취하도록 마시다 酔うまで飲む / 곤드레만드레 ~ べろべろに酔う / 취한 체하다 酔ったふりをする. 文例 그는 걷지 못할 정도로 취했다 彼は歩けないほど酔った. ❷(薬などが全身に効いて)精神がぼんやりする. 句例 독한 약 기운에 ~ 薬が強すぎて頭がぼうっとする / 잠에 취한 얼굴 寝ぼけた顔. ❸(物事に)酔う. 陶酔する. 句例 꽃향기에 ~ 花の香に酔う / 환희에 ~ 歓喜に酔う / 묘기에 ~ 妙技に酔う.

취학【就學】[ch'wi:hak]〈名・하自〉就学. 語例 ~률 就学率 / ~ 아동〔연령〕就学児童〔年齢〕. 對미(未)취학.

취항【就航】[ch'wi:hang]〈名・하自〉就航. 句例 뉴욕 항로에 ~하다 ニューヨーク航路に就航する. 語例 국제선 ~ 国際線就航.

취향【趣向】[ch'wi:hyang]〈名〉趣向. おもむき. 句例 ~을 바꾸다 趣向を変える / 새로운 ~ 新しい趣向 / 개개인의 ~에 따라 다르다 個人個人おのおのの趣向によって異なる.

-측【側】〈尾〉一部の名詞に付いて'そちら'の意を表わす語: …がわ(側). 句例 정부~에서는 政府がわでは / 조합~의 요구 組合がわの要求. 語例 주최~ 主催がわ / 우리~ 我が方 / 좌~ 통행《掲示》左側・さそく通行.

측 〔漢字項目〕

【側】高校 측 ソク. 곁 がわ(側). 옆 側そば. ■側近 측근 そっきん. 側面 측면 そくめん. ■左側 좌측 さそく. ひだりがわ. 兩側 양측 りょうがわ.

【測】高校 측 ソク. ❶(깊이나 길이를) 재다 (深さや長さを)測る. ■測定 측정 そくてい. 測量 측량 そくりょう. 測地 측지 そくち. ■目測 목측 もくそく. 觀測 관측 かんそく. ❷헤아리다 推し量る. ■推測 추측 すいそく. 豫測 예측 よそく. 臆測 억측 おくそく.

측근【側近】〈名〉側近. 句例 ~에 모시다 側近に仕える / 사장의 ~ 社長の側近 / 총리 ~ 소식통에 의하면 総理側近の消息筋によると…. 語例 ~자 側近(者).

측량【測量】[ch'ŭngnyang]〈名・하他〉測量. ❶測定すること. 句例 토지를 ~하다 土地を測量する. 語例 ~도 測量図 / ~사 測量士 / 삼각 ~ 三角測量. ❷推し測ること. 文例 그의 속마음을 ~할 길이 없다 彼の胸中を推し測るすべがない.

측면【側面】[ch'ŭngmyŏn]〈名〉側面. 句例 적군의 ~을 찌르다 敵軍の側面を突く / 사물을 ~에서 보다 物事を側面から見る / 작가의 알려지지 않은 ~ 作家の知られていない側面. 文例 그에게 그러한 ~도 있었다 彼にそんな側面もあった. 語例 ~ 공격 側面攻撃 / ~도 側面図.

*__측우-기__【測雨器】[ch'ŭgugi]〈名〉❶雨量計. ❷〔史〕朝鮮朝世宗24年(1442年), 全国に設けられた世界最初の雨量計. 絵

〈측우기〉

측은-하다【惻隱—】[ch'ŭgŭn—](→하다)〈形〉哀れだ. ふびんに思う. 句例 측은한 마음(이 들다) 惻隠の情(を覚える). **측은히** [ch'ŭgŭnhi]〈副〉惻隠に. ふびんに. 句例 측은히 여기다 ふびんに思う.

*__측정__【測定】〈名・하他〉測定. 句例 거리〔온도 변화〕를 ~하다 距離〔温度の変化〕を測定する. 語例 ~기〔값〕測定器〔値〕/ ~ 오차 測定誤差 / 체력 ~ 体力測定.

측후-소【測候所】[ch'ŭk'u—]〈名〉〔氣〕測候所.
参考 今は, '기상 관측소 気象観測所' という.

츱츱-하다 [ch'ŭpch'ŭp'ada](→하다)〈形〉けちくさくてあつかましい. 句例 돈에 ~ 金に意地汚い.

**층【層】〈名〉層. ❶階層. 句例 선수~이 두텁다 選手の層が厚い. 語例 독자~ 読者層 / 중간~ 中間層 / 지식~ 知識層. ❷重なり. 語例 석탄~ 石炭層 / 전리~ 電離層. ❸(建物の)階. 文例 한 ~만 더 올라가십시오 もう一階だけ上がってください. 語例 이 ~집 二階家.

층(이) 나다〔지다〕 ❶(一様でなく)等差が生じる. ❷層をなす. (物の高さが)でこぼこになる. 句例 머리를 층(이) 지게 깎다 頭をとら刈りにする.

층 〔漢字項目〕

【層(層)】高校 층 ソウ. ❶층집 高殿. ■層樓 층루 そうろう. ■高層 고층 こうそう. ❷층을 이룬 것 かさなった物. ■層雲 층운 そううん. ■地層 지층 ちそう. 斷層 단층 だんそう. ❸사회나 사람들의 계급 社会や人人の階級. ■上層階級 상층 계급 じょうそうかいきゅう. 商人層 상인층 しょうにんそう.

층계【層階】〈名〉階段. 句例 가파른 ~ 急な階段 / ~를 오르다 階段を上がる. 語例 ~참(站)〔建〕(階段の)踊り場.

층수【層數】[ch'ŭngssu]〈名〉(建物の)階数. 文例 이 빌딩의 ~는 16층이다 このビルの階数は16階だ.

층층-다리【層層—】〈名〉階段.

층층-대【層層臺】〈名〉❶⇨ 층층다리. ❷幾段にもなっている台. 略して'층대(層臺)'ともいう.

층층-시하【層層侍下】〈名〉父母・祖父母と共

とに暮らしていて，かしず(傅)くべき人が多いこと．

층층-이【層層―】〈副〉幾層にも．幾重にも．[句例] 돌을 ～ 쌓아 올리다 石を幾層にも積み上げる．

치【歯】〈名〉⇨ 이[2]

치(를) 떨다 ❶けちで出し惜しみする．[文例] 그는 단돈 천원에 치를 떠는 사람이다 彼はたった千ウォンの金にけちけちする人だ．❷(憤怒や悔しさで)歯ぎしりする．[句例] 너무 분해서 치를 떨다 くやしさのあまり歯ぎしりをする．

치(가) 떨리다 あまり悔しかったり忌まわしくて歯がみをする．くやしくて身震いがする．[文例] 생각만 해도 치가 떨린다 考えるだけでも身震いがする．

치[1]〈依名〉❶'이 人'をいやしんでいう語．[句例] 젊은 ～들 若いやつら．若い連中．[文例] 그 ～는 구두쇠로 유명하다 あいつはけちで有名だ．[語例] 그 ～ そいつ．その者／저 ～ あいつ．あれ．❷指定された多くの物のうちの一つ：…分．…物．[句例] 이틀 ～ 식량 二日分の食糧／석 달 ～ 이자 三か月分の利子．[語例] 오늘 ～ 今日の分／다음 달 ～ 来月分．

*__치__[2]〈依名〉長さの単位：寸．＝촌(寸)．[句例] 두 ～ 닷 푼 二寸五分／한 ～ 앞도 알 수 없는 세상 一寸先はやみの世．

치-〈頭〉一部の動詞の前に付いて，上に向くことを表わす語．[句例] 눈을 ～뜨다 上目をつかう．[語例] ～받다 突き上げる／～솟다 立ちのぼる．込み上げる．

치 〔漢字項目〕

【値】[高校] 치 チ．❶만나다 遭う．◧値遇 치우 ちぐ．ちぐう．❷값 値．◧價値 가치 かち．數値 수치 すうち．絶對値 절대치 ぜったいち．測定値 측정치 そくていち．

【恥】[高校] 치 チ．❶부끄럼 恥．◧恥辱 치욕 ちじょく．◧無恥 무치 むち．羞恥 수치 しゅうち．破廉恥 파렴치 はれんち．❷부끄러워하다 恥じる．◧恥部 치부 ちぶ．恥骨 치골 ちこつ．

【治】[中學] 치 ジ．チ．❶다스리다 治める．◧治世 치세 ちせい．◧政治 정치 せいじ．自治 자치 じち．❷병을 고치다 病を治す．◧治療 치료 ちりょう．◧根治 근치 こんじ．こんち．❸감영(監營) 地方官衙．

【稚】[高校] 치 チ．❶어리다 おさない．◧稚魚 치어 ちぎょ．稚拙 치졸 ちせつ．稚氣 치기 ちき．◧幼稚 유치 ようち．❷おさない子 ◧稚兒 치아 ちじ．

【置】[高校] 치 チ．❶두다 置く．◧位置 위치 いち．配置 배치 はいち．安置 안치 あんち．❷베풀다 施す．◧處置 처치 しょち．措置 조치 そち．設置 설치 せっち．

【致】[中學] 치 チ．❶부르다 招く．◧招致 초치 しょうち．誘致 유치 ゆうち．❷이르다 いたる．◧一致 일치 いっち．合致 합치 がっち．❸…하기에 이르다 …にいたる．◧致死 치사 ちし．致命傷 치명상 ちめいしょう．◧極致 극치 きょくち．❹보내다 送る．◧致贈 치증 ぞう．

【齒(歯)】[中學] 치 シ．❶이 歯．◧齒科 치과 しか．齒牙 치아 しが．齒痛 치통 しつう．はいた．❷나이 年．◧年齒 연치 ねんし．

치고〈助〉(ふつう否定の表現とともに用いられて)'例外なく・すべて'の意を表わす補助詞：…で．…ならば．…として(は)．[文例] 한국 사람 ～ 누가 통일을 반대하겠느냐 韓国人でだれが統一に反対しようか／네 물건 ～ 쓸 만한 것 없더라 お前の物で使えるものはなかったね．

***치과**【歯科】[ch'ikkwa]〈名〉〔醫〕歯科．[語例] ～ 의사 歯医者／～ 대학 歯科大学．

치국 평천하【治國平天下】〈名〉治国平天下．[表現] '수신 제가(修身齊家) 치국 평천하'と続く．

치근【歯根】〈名〉[生] 歯根．＝이촉．

치근-거리다〈自他〉❶ねちねちと付きまとって困らせる．[文例] 저 청년이 그 여자를 귀찮게 치근거렸다 あの青年が彼女にうるさく付きまとった．❷うるさくねだる．[句例] 돈을 달라고 귀찮게 ～ お金をくれとしつこくねだる．

치근치근〈副・하自他〉ねちねち(と)．

치기-배【―輩】〈名〉'날치기 かっぱらい' '소매치기 すり'などをまとめていう言いかた．

치다[1]〈自〉❶(風・吹雪・雷などが)強く吹きつける．吹きまくる．おちる．[句例] 눈보라가 ～ 吹雪が吹きまくる／벼락이 ～ 雷がおちる．❷(波などが)打ちつける．打ち寄せる．[句例] 파도치는 소리 波が打ち寄せる音．

***치다**[2]〈他〉❶(手や物で)打つ．たたく．殴る．[句例] 주먹으로 ～ こぶしで殴る／막대기로 ～ 棒で打つ．
❷(太鼓・鐘・ピアノなどを)打つ．弾く．たたく．[句例] 종을 ～ 鐘を打つ．[絵]／피아노를 ～ ピアノを弾く／북을 ～ 太鼓をたたく．
❸(もちなどを)つく．[句例] 절굿공이로 떡을 ～ きね(杵)でもちをつく．
❹(鉄を熱して)鍛える．たたく．[句例] 칼을 ～ 刀を打つ〔鍛える〕．
❺(玉突き・花札などを)打つ．(テニス・ピンポンなどを)する．[句例] 당구를 ～ 玉を突く／탁구를 ～ ピンポンをする／타자를 ～ タイプを打つ／화투를 ～ 花札をする．
❻(敵を)討つ．攻める．[句例] 적진을 ～ 敵陣を攻める．
❼(手足・羽・尾などを)強く振る．[句例] 날개를 ～ 羽ばたく／개가 꼬리를 ～ 犬が尾を振る．
❽(人の非を)突く．[句例] 날카로운 필봉으로 상대편을 ～ 鋭い筆鋒で相手方を突く．
❾(葉・枝を)刈る．剪定する．[句例] 가지를 ～ 枝を切り落とす〔剪定する〕．[絵]
❿(野菜などを)千切りにする．[句例] 무를 채 ～ 大根を千切りにする．
⓫(電信・電報を)打つ．[句例] 축전을 ～ 祝電を打つ
⓬斬り落とす．打つ．[句例] 목을 ～ 首を打つ．
⓭(手段を)とる．(動作を)する．[句例] 히트를 ～ ヒットする／코웃음을 ～ 鼻先でせせら笑う．

종을 치다　　가지를 치다

〈치다〉

치다[3] 〈他〉 ❶(鉛筆・筆などで)線を引く. 句例 줄을 ~ 線を引く. ❷(印などを)押す. 句例 낙관을 ~ 落款を押す. ❸占う. 句例 운명을 점~ 運命を占う. ❹(試験を)受ける. 句例 입학 시험을 ~ 入学試験を受ける ❺見なす. 見立てる. 見積もる. 句例 그건 그렇다 치고 それはそうとして.

***치다**[4] 〈他〉 ❶(液・粉などを)振り掛ける. 注す. 句例 초를 ~ 酢を振り掛ける / 국에 소금을 ~ 汁に塩を振り掛ける. ❷ふるい(篩)にかける. ふるう. 句例 밀가루를 체에 ~ 小麦粉をふるいでふるう.

***치다**[5] 〈他〉 ❶(幕・網などを)ひろげてか(掛)ける. 張る. つ(吊)る. 句例 장막을 ~ 幕を張る / 밧줄을 ~ 縄を張る / 모기장을 ~ 蚊帳をつる / 발을 ~ すだれをかける. 絵
❷(屛風・壁などを)巡らす. 句例 병풍을 ~ 屛風を巡らす. 絵
❸(ひもなどで)巻きつける. くくる. 句例 각반을 ~ 脚半を巻きつける.
❹叫ぶ. 句例 큰 소리를 ~ 大きな声で叫ぶ.
❺('장난을 ~'の形で)ふざける. 句例 아이들이 장난을 ~ 子供たちがふざける.
❻(わざと)気勢よく出る. (大げさに)振る舞う. 句例 풍을 ~ ほら(法螺)を吹く / 공갈을 ~ 恐喝する.
❼身震いする. 句例 진저리 ~ 身震いする.

발을 치다　　병풍을 치다

〈치다〉

***치다**[6] 〈他〉 ❶(動物が)子を産む. 句例 돼지가 새끼를 ~ 豚が子を産む. ❷(家畜などを)飼う. 句例 닭을 ~ 鶏を飼う. ❸(みつばちが)蜜をつくる. ❹(植物が)枝を伸ばす. 句例 배나무가 가지를 ~ なしの木が枝を伸ばす. ❺(客を)もてなす. (下宿人を)置く. 句例 손님을 ~ 客をもてなす〔泊める〕.

치다[7] 〈他〉 ❶(積もりたまった物を)取り除く. 清掃する. さら(浚)う. 句例 눈을 ~ 雪を除く〔か(搔)く〕/ 도랑을 ~ どぶをさらう / 변소를 ~ 便所のたまった糞尿を取り除く. ❷土を起こして田畑を作る.

치다[8] 〈他〉 ひ(轢)く. 句例 자동차가 사람을 ~ 自動車が人をひく. 文例 고양이가 트럭에 치였다 猫がトラックにひかれた.

치다[9] [ch'i:da] 〈他〉 '치우다'の略.

치다[10] [ch'i:da] 〈自〉 '치이다'の略.

치다꺼리 〈名・하他〉 ❶(仕事などの)片付け. 処理. 始末. とり扱い. 句例 일 ~를 하다 仕事の後片付けをする / 사건의 뒤~를 맡다 事件の後始末を引き受ける. ❷手助け. 世話. 句例 아이들의 ~를 하다 子供たちの世話をやく.

치-닫다 (치달으니, 치달아서) 〈自〉 上に向かって走る. 走り上がる. 駆け上がる.

치-뜨다 (치뜨니, 치떠서) 〈他〉 目を上向きにあける. 文例 눈을 치뜨고 그를 보았다 目を上向きにして彼を見た. 對내리뜨다.

치레 〈名・하他〉 ❶飾りつけ. 装飾. 語例 옷~ 着飾り / 겉~ 上べかざり. 見てくれ. ❷見掛けだけをよくすること. 語例 인사~ 上べだけを装うこと.

***치료**【治療】〈名・하他〉 治療. 手当て. 句例 ~를 받다 治療を受ける / 환자를 ~하다 患者を治療する. 語例 응급 ~ 応急手当て / ~실 治療室 / ~비 治療費〔代〕.

치료-제【治療劑】〈名〉 治療に用いる薬.

***치르다** (치르니, 치러서) 〈他〉 ❶(借金や代金を)支払う. 句例 방세를 ~ 家賃〔部屋代〕を支払う. ❷ある仕事をやりのける. 経験する. 執り行なう. 句例 잔치를 ~ 宴会を執り行なう / 시험을 ~ 試験を受ける / 손님을 ~ 客をもてなす.

****치마** 〈名〉 ❶チマ. 韓国の女性用の民族衣装で'저고리 チョゴリ'と対になる長いスカートのようなもの. ❷スカート. 句例 ~를 입다 スカートを着る〔履く〕. ❸上下に色分けしたたこの下の部分. ❹朝鮮朝時代, 朝廷の礼服や祭服の上に重ねてまとうチマみたいなもの.

치명-상【致命傷】[ch'i:myŏng—] 〈名〉 致命傷. 句例 ~을 입다 致命傷を負う. 文例 그 폭로 기사가 그에게 ~이 되었다 その暴露記事が彼にとって致命傷となった.

치명-적【致命的】[ch'i:myŏng—] 〈名・冠〉 致命的. 句例 ~인 중상 致命的な重傷 / ~인 타격 致命的な打撃.

치-밀다 (치미니, 치밀어서) ■〈自〉 ❶(悲しみ・怒りなどの感情が)激しく込み上げる. 沸き返る. 句例 울화가 ~ 怒りが込み上げる. ❷(煙・炎などが)噴き上がる. 文例 밤하늘에 화염이 치밀어 올랐다 夜空に炎が噴き上がった. ❸(胃がもたれて食べた物が)出てくる. 句例 먹은 것이 ~ 食べた物がもどる.
■〈他〉 (下から上に)押し上げる. 突き上げる. 對내리밀다.

치밀-하다【緻密—】(→하다) 〈形〉 緻密だ. きめ細かい. 句例 치밀한 연구 계획 緻密な研究計画 / 섬세하고 치밀한 동양 자수 纖細で緻密な東洋刺繡.

치-받치다 ■〈自〉❶(炎・煙などが)吹き上がる. わき上がる. 句例 불길이 ~ 火の手が上がる. 炎が吹き上がる / 연기가 ~ 煙がわき上がる. ❷(悲しみ・怒りなどの感情が)燃え上がる. わき上がる. 込み上げる. 句例 설움이 ~ 悲しみがわき上がる.
■〈他〉 下のほうを支えて〔支えながら〕上のほうに支え上げる. 句例 장미를 막대로 ~ ばらを棒で支える〔突っ張る〕.

치부【致富】[ch'i:bu]〈名・하自〉財を築いて金持ちになること. 財を成すこと.

치사【致死】[ch'i:sa]〈名・하他〉致死. 語例 과실 ~ 過失致死.

치사【致謝】[ch'i:sa]〈名・하他〉感謝の意を表わすこと.

치사-량【致死量】[ch'i:sa—]〈名〉 致死量. 句例 ~에 달하는 약물 致死量に達する薬物.

치사-스럽다【恥事—】(→스럽다)〈形〉⇨ 치사하다

치사-하다【恥事—】(→하다)〈形〉恥ずべきだ. 恥知らずでいやらしい. 句例 치사한 생각이 들다 いやらしい感じがする.

치석【歯石】〈名〉歯石.

치-솟다〈自〉❶上に向かってつき上がる. 立ちのぼる. 句例 연기가 ~ 煙が立ちのぼる. ❷(感情・力などが)わき上がる. 込み上げる. 句例 울분이 ~ 憤りが込み上げる / 힘이 ~ 力がわき上がる.

***치수**【—數】〈名〉寸法. サイズ. 句例 양복 ~를 재다 洋服の寸法をはかる / ~에 맞추다 寸法に合わせる.
치수(를) 내다 長さの寸法を決める.
치수(를) 대다 寸法をはかって決める.

치수【治水】〈名・하自〉〔土〕治水. 語例 치산 ~ 治山治水.

치수-금【—數—】〈名〉寸法の目盛り. 句例 ~이 인치로 된 자 インチで目盛りがして〔つけて〕ある物差し.

치신 [ch'i:shin]〈名〉'처신(處身)'をいやしめて言う語: 身持ち. 振る舞い.

치신-사납다 [ch'i:shin—] (—사나우니, —사나워서)〈形〉身持ちが軽率でみっともない.

치신-없다 [ch'i:shinŏpta]〈形〉身持ちが軽はずみで威厳がない. **치신없이** [ch'i:shinŏpshi]〈副〉見苦しく. 軽はずみに.

치아【歯牙】〈名〉 歯牙. '이 歯'を上品に言う語.

치안【治安】〈名・하自他〉治安. 句例 ~을 파괴하는 행위 治安を破壊する行為. 語例 ~ 경찰 治安警察.

치약【歯藥】〈名〉歯磨き.

치열【歯列】〈名〉歯列. 歯並び. 歯並み. = 잇바디. 語例 ~ 교정 歯列矯正.

치열-하다【熾烈—】(→하다)〈形〉 熾烈だ. 句例 치열한 전투 熾烈な戦闘. **치열히**〈副〉熾烈に. 激しく.

치외 법권【治外法權】〈名〉〔法〕治外法権. 文例 이 고관은 [illegible] 을 지니고 있나 外交官は治外法権をもっている.

치욕【恥辱】〈名〉恥辱. 恥. 辱め. 句例 ~을 당하다 恥辱を被る / ~을 참고 견디다 恥辱を耐え忍ぶ. **~스럽다** (→스럽다)〈形〉恥ずかしい.

*****치우다**〈他〉❶(物をよそに)移す. 捨てる. 句例 기중기로 무거운 것을 ~ 起重機で重い物を移す / 쓰레기를 ~ ごみを捨てる. ❷片付ける. 整頓する. 句例 방을 ~ 部屋を片付ける / 눈을 ~ 雪を掃く〔か(搔)く〕. ❸(仕事を中途で)やめる. 中止する. 句例 하던 일을 ~ やっていた仕事を中止する. ❹'시집 보내다 嫁がせる'の俗っぽい言いかた. 句例 딸을 ~ 娘を嫁がせる.

치우-치다〈自〉(一方に)片寄る. 句例 짐이 한쪽으로 ~ 荷物が一方に片寄る.

치유【治癒】〈名・하自〉治癒. 文例 병은 완전히 〔깨끗이〕 ~되었다 病気は完全に〔きれいに〕治った.

치이다〈自〉 (費用・代金など)お金がかかる. 文例 하나 만드는 데 2천원 치인다 一つつくるのに二千ウォンかかる.

치장【治粧】〈名・하自〉美しく装うこと. 飾ること. おめかし. 句例 아가씨가 ~하다 娘がおめかしをする / 얼굴을 ~하다 化粧する / 상점을 ~하다 店を飾る.

치중 【置重】 [ch'i:jung] 〈名・하自〉 重点を置くこと. 力を入れること. 句例 경제 정책에 ~하다 経済政策に重点を置く.

치즈 [ch'i:jŭ]〈名〉チーズ. ◇cheese

치질【痔疾】〈名〉〔醫〕痔疾. 痔.

치켜-세우다〈他〉おだてる. 句例 부하를 ~ 部下をおだてる.

치키다〈他〉(上に)引き上げる. (目を)つり上げる. からげる. 句例 치맛자락을 ~ チマのすそをからげる / 치켜 올라간 눈 つり上がった目.

치타 [ch'i:t'a:]〈名〉〔動〕チーター. ◇cheetah

치통【歯痛】〈名〉歯痛. 句例 ~이 좀 가라앉다 歯痛が少しおさまる.

치하【治下】〈名〉治下. 支配下. 統治下. 句例 제일 공화국 ~에서 第一共和国の治下で.

치하【致賀】[ch'i:ha]〈名・하他〉祝賀・称賛の意を述べること. 句例 …의 공로를 ~하다 …の功労を称賛する.

칙사【勅使】〈名〉勅使. 句例 ~를 보내다 勅使を遣わす.
칙사 대접 '勅使に対するもてなし'の意で, 極めて丁重にもてなすことを表わす.

칙살-맞다〈形〉けちくさい. みみっちい. しみったれている. 文例 그는 돈 쓰는 방법이 ~ 彼は金の使い方がけちくさい〔みみっちい〕.

***칙칙-폭폭**〈副〉 蒸気機関車が煙をはきながら走る音: しゅっしゅっぽっぽっ.

칙칙-하다 [ch'ikch'ik'ada] (→하다)〈形〉❶(色が)くすんでいる. 句例 옷 빛깔이 ~ 衣服の色がくすんでいる. ❷(毛髪・林などが)透き間なく密で濃く見える. ぎっしり詰まっている.

친-【親】〈頭〉❶直系の両親の血を引く意を表わす語: 実の…. 語例 ~형제 実の兄弟. ❷近い・親しい関係を表わす語: 親…. 句例 ~정부군의 반격 親政府軍の反撃. 語例 ~여당파 親与党派.

ㅊ

친 〔漢字項目〕

【親】中學 친 シン. ❶부모 父母. ◧兩親 양친 りょうしん. 母親 모친 ははおや. ❷친척 親戚. ◧親族 친족 しんぞく. ◧近親 근친 きんしん. ❸친하다 親しい. ◧親友 친우 しんゆう. 親交 친교 しんこう. ❹몸소하다 自らする. ◧親書 친서 しんしょ. 親筆 친필 しんぴつ.

****친교【親交】**〈名〉親交. 句例 미국과 ~를 맺다 アメリカと親交を結ぶ.

****친구【親舊】**〈名〉❶友達. 友人. 文例 자네와 ~가 되고 싶다 君と友達になりたい. 語例 낚시 ~ 釣り仲間 / 소꿉 ~ おさななじみ / 놀이 ~ 遊び友達. ❷同輩を親しみをこめて呼ぶとき, またはあまり好きでない人をぞんざいに呼ぶときの呼称: やあ. 君. おっさん. 文例 그 사람 참 재미있는 ~로군 その人とてもおもしろいおっさんだなあ.

친근【親近】〈名〉親近. 親しいこと. **~하다**〈形〉親しい. 文例 나는 부장과 ~한 사이이다 僕は部長と親しい間柄だ. 語例 ~감 親近感. **~히**〈副〉親しく.

친목【親睦】〈名・하形〉親睦. 句例 ~을 도모하다 親睦を図る. 語例 ~회 親睦会.

친밀-하다【親密—】(→하다)〈形〉親密だ. 文例 감독과 배우는 친밀한 관계를 유지해야 한다 監督と俳優は親密な関係を保たなければならない. **친밀히**〈副〉親密に. 句例 관계가 친밀히 되다 関係が親密になる.

친분【親分】〈名〉親密な間柄. 親交. 句例 ~이 두터워지다 親交が厚くなる.

친선【親善】〈名〉親善. 語例 ~ 경기 親善競技 / 국제 ~ 国際親善 / ~ 사절(단) 親善使節(団).

친숙-하다【親熟—】[ch'insuk'ada] (→하다)〈形〉親しくて気がねしない. 句例 친숙한 사이 親しい間柄. **친숙히** [ch'insuk'i]〈副〉親しく.

친애【親愛】[ch'inae]〈名・하他〉親愛. 句例 ~하는 고객 여러분 親愛する顧客の皆様.

친우【親友】[ch'inu]〈名〉親友. 句例 둘도 없는 ~ 無二の親友.

친일【親日】[ch'inil]〈名〉親日. 語例 ~ 세력 親日勢力 / ~파 親日派.

***친절【親切】**〈名〉親切. **~하다**〈形〉親切だ. 句例 ~을 다하다 親切を尽くす. 文例 그 여자는 누구에게나 ~하다 彼女はだれにも親切だ. **~히**〈副〉親切に. 句例 ~히 대답하다 親切に答える.

친정【親庭】〈名〉(結婚した女の)実家. 里. 文例 아내는 ~에 가 있다 妻は里帰りしている. 對시가(媤家). 시댁(媤宅).

친정-살이【親庭—】[—sari]〈名・하自〉嫁いだ女性が実家に帰って暮らすこと. 對시집살이.

***친족【親族】**〈名〉親族. 親類. 身寄り. 語例 ~ 회의 親族会議 / ~권 親族権 / ~법 親族法.

***친척【親戚】**〈名〉親戚. 親類. 身寄り. 句例 ~(뻘)이 되다 親戚に当たる / ~집에 가다 親戚の家に行く. 語例 ~ 관계 親戚関係.

친친〈副〉幾重にも固く巻いたり縛ったりするさま: ぎゅうぎゅう(と). ぐるぐる(と). くるくる(と). 句例 붕대를 ~ 감다 包帯をぐるぐると巻く.

친친-하다 (→하다)〈形〉湿っぽくて感じが悪い. ねとねとしている. じとじとする. 句例 사타구니가 ~ またぐらが湿っぽくて感じが悪い.

친필【親筆】〈名〉親筆. 自筆.

****친-하다【親—】**(→하다) [一]〈形〉親しい. 心安い. むつまじい. 句例 친한 친구들 親しい友達ら / 친하게 사귀다 親しくつき合う. [二]〈自他〉親しむ. 仲よくする. 親しくする. 仲よくなる. 親しくなる. 句例 친하기 쉬운〔어려운〕 사람 親しくなりやすい〔にくい〕人.

***칠【漆】**〈名〉❶'옻칠'の略: 漆. 句例 ~을 올리다 漆を塗る. ❷塗料として用いる物質, またはそれを塗ること. 塗り. 句例 ~이 벗겨지다 塗りがはげる. 語例 ~ 공사 塗装工事 / 애벌~ 下塗り. →칠하다

****칠【七】**〈數・冠〉七・な. 七つ. 語例 ~년 七年 / ~월 七月. 類일곱.

칠 〔漢字項目〕

【七】中學 칠 シチ. ❶수의 일곱 数の七. なな. ななつ. ◧七名 칠명 しちめい. ❷일곱번째 七番目. ◧七月 칠월 しちがつ. ❸몇번이고 なんかいでも. ◧七顚八倒 칠전팔도 しちてんばっとう.

【漆】高校 칠 シツ. 옻 漆. 옻칠 漆塗り. ◧漆器 칠기 しっき. ◧乾漆 건칠 かんしつ. 膠漆 교칠 こうしつ.

칠거지-악【七去之惡】〈名〉七去. 七出. 儒教で, 妻を捨てることのできる七つの条件.

칠-그릇【漆—】〈名〉漆器. 塗り物.

칠떡-거리다〈自〉(物が長すぎて)ずるずる引きずる. すれる. 句例 치마가 땅에 ~ チマが地面にすれる.

칠떡칠떡〈副・하自〉引きずられるようす: ずるずる.

****칠면-조【七面鳥】**〈名〉❶〔鳥〕七面鳥. ❷移り気の人. 心の変わりやすい人.

칠석【七夕】[ch'ilssŏk]〈名〉七夕. 陰暦七月七日の夜.

칠석-물【七夕—】[ch'ilssŏngmul]〈名〉七夕の日に降る雨.

칠석물(이) 지다 七夕の日に雨が降って洪水になる.

칠순【七旬】[ch'ilssun]〈名〉七旬. 七十路. ❶七十日. ❷七十歳. 語例 ~ 노인 七十歳の老人.

칠월【七月】[ch'irwol]〈名〉七月.

칠-장이【漆匠—】〈名〉ペンキ屋. 塗装工. 塗師. 塗り師.

칠전-팔기【七顚八起】[ch'iltchŏn—]〈名〉七転八起. 七転び八起き.

칠칠-하다 (→하다)〈形〉❶(野菜などが)よく伸びている. 文例 배추가 칠칠하게 자라고 있다 白菜がよく伸びている〔育っている〕. ❷手際よく敏捷だ. 句例 일을 칠칠하게 해치우다 仕事を手際よく敏捷にやってのける. ❸しお(萎)れていないできれいだ.

*칠판【漆板】〈名〉黒板. 句例 ～을 지우다 黒板をふく. 語例 ～ 지우개 黒板ふき〔消し〕.

⁑칠-하다【漆―】(→하다)〈他〉(塗料などを)塗る. 句例 페인트를 ～ ペンキを塗る / 수건에 비누를 ～ 手ぬぐいに石けんをつける.

칠현-금【七絃琴】〈名〉〔樂〕七弦琴.

칠흑【漆黑】〈名〉漆黒. 句例 ～ 같은 머리 漆黒の髪 / ～ 같은 어둠 漆黒のやみ. 真っ暗やみ.

칡 [ch'ik]〈名〉〔植〕くず(葛).

参考 '칡이 くずが' '칡과 くずと'は [ch'ilgi], [ch'ikkwa]と読む.

칡-덩굴 [ch'ik—]〈名〉くずのつる(蔓)が茂った草むら.

⁑침〈名〉〔生〕つば(唾). よだれ. つばき. 句例 손에 ～을 묻히다 手につばをつける / ～을 뱉다 つばを吐く / ～을 튀기다 つばをとばす.

침먹은 지네 つばを飲んだむかで. 当然言うべきことも言えない人のたとえ.

침(을) 삼키다 つばを飲みこむ.

침(을) 흘리다 よだれを垂らす. よだれを流す.

침【鍼】〈名〉鍼. 語例 ～술사 鍼術師.

침(을) 맞다 鍼を打ってもらう.

침 〔漢字項目〕

【侵(侵)】高校 침 シン. 침범하다 侵す. ◧侵入 침입 しんにゅう. 侵略 침략 しんりゃく. 侵攻 침공 しんこう. ◨不可侵 불가침 ふかしん.

【寝(寝)】高校 침 シン. 잠자리에 들다 寝床に入って寝る. ◧寝室 침실 しんしつ. 寝臺 침대 しんだい. ◨就寝 취침 しゅうしん.

【枕】高校 침 チン. 베개 まくら. ◧枕上 침상 ちんじょう. 枕席 침석 ちんせき.

【沈】高校 침 チン. 심 チン. ㊀〔침〕❶물속에 가라앉다 水中に沈む. ◧沈没 침몰 ちんぼつ. ◨浮沈 부침 ふちん. 撃沈 격침 げきちん. ❷마음이 침울하다 気がめいる. ◧沈痛 침통 ちんつう. 沈鬱 침울 ちんうつ. 沈默 침묵 ちんもく. ◨消沈 소침 しょうちん.

㊁〔심〕 성의 하나 姓の一つ.

【浸(浸)】高校 침 シン. ❶물에 잠기다 水に浸される. ◧浸水 침수 しんすい. ❷스며들다 しみ入る. ◧浸潤 침윤 しんじゅん. 浸透 침투 しんとう.

【針】中學 침 シン. ❶바늘 針. ◨運針 운침 うんしん. ❷눈금을 가리키는 침 目盛りを指す針. ◧針路 침로 しんろ. ◨指針 ししん. 秒針 초침 びょうしん. ❸바늘 모양의 것 針のような物. ◧針葉樹 침엽수 しんようじゅ. ❹의료용의 침 医療用の針. ◧針灸 침구 しんきゅう.

침공【侵攻】〈名・하他〉侵攻. 句例 ～을 막다 侵攻を防ぐ.

침노-하다【侵擄―】(→하다)〈他〉少しずつ侵して奪う.

침-놓다【鍼―】[ch'imnot'a]〈自〉❶鍼をうつ. ❷手ひどく風刺する.

⁑침대【寢臺】[ch'i:mdae]〈名〉寝台.

*침략【侵略】[ch'imnyak]〈名・하他〉侵略. 文例 ～은 막아야 한다 侵略は防がなければならない. 語例 경제 ～ 経済侵略 / 무력 ～ 武力侵略 / ～ 전쟁 侵略戦争.

침몰【沈沒】〈名・하自〉沈没. 句例 배가 ～하다 船が沈没する.

*침묵【沈默】〈名・하自〉沈黙. 句例 ～을 깨고 입을 열다 沈黙をやぶって口を開く.

침범【侵犯】〈名・하他〉侵犯. 句例 남의 특권을 ～하다 人の特権を侵犯する. 語例 영공 ～ 領空侵犯 / 영해 ～ 領海侵犯.

침상【寢牀】[ch'i:msang]〈名〉寝台.

침-샘〈名〉〔生〕唾液腺.

침소【寢所】[ch'i:mso]〈名〉寝所. 寝床. 寝室.

침소-봉대【針小棒大】〈名・하自他〉針小棒大. 句例 사건을 ～하여 말하다 事件を針小棒大に言う.

침수【浸水】〈名・하自〉浸水. 語例 ～ 가옥 浸水家屋.

침술【鍼術】〈名〉〔韓醫〕鍼術.

침식【侵蝕】〈名・하他〉侵食. 句例 남의 땅을 ～하다 人の土地を侵食する.

침식【浸蝕】〈名・하他〉〔地〕浸食. 句例 바닷물의 ～ 작용 海水の浸食作用. 語例 ～곡 浸食谷 / ～ 평야 浸食平野.

침식【寢食】[ch'i:mshik]〈名〉寝食. 句例 ～을 같이하다 寝食を共にする / ～을 잊고 공부하다〔연구에 열중하다〕寝食を忘れて勉強する〔研究に熱中する〕.

침실【寢室】[ch'i:mshil]〈名〉寝室. 寝間.

침엽-수【針葉樹】[ch'imyŏpsu]〈名〉〔植〕針葉樹.

침울【沈鬱】[ch'imul]〈名・하形〉沈鬱. ❶気が沈んでいること. 憂鬱であること. 句例 ～한 표정 沈鬱な表情. ❷(天気が)うっとうしいこと. 句例 날씨가 ～하다 空模様がうっとうしい. **～히**〈副〉沈鬱に. 陰鬱に. 句例 ～히 앉아 있다 沈鬱に座っている.

*침입【侵入】[ch'imip]〈名・하自他〉侵入. 句例 남의 집에 ～하다 人の家に侵入する. 語例 불법 ～ 不法侵入.

침-쟁이【鍼―】〈名〉❶'침술가 鍼医'の下品な言いかた. ❷阿片中毒者.

침전【沈澱】〈名・하自〉沈殿. ❶液体中の微細な固体が沈んで底にたまること. 句例 바닥에 찌꺼기가 ～하다 底にかすが沈殿する. 語例 ～물 沈殿物. ❷〔化〕溶液中での化学変化により生じる反応. 語例 ～제 沈殿剤.

침착【沈着】〈名〉沈着. **～하다**〈形〉落ち着いている. 沈着だ. 句例 ～하게 굴다 沈着にふるまう. 文例 좀더 ～하게 말하시오 もっと落ち着いて話しなさい / 그는 항상 ～하다 彼はいつも落ち着いている. 語例 ～성 沈着性. **～히** [ch'imch'ak'i]〈副〉沈着に. 落ち着いて. 文例 행동을 ～히 하라 落ち着いて行動しろ.

침침-하다【沈沈―】(→하다)〈形〉❶うす暗い. どんより曇っている. うっとうしい. 句例 날씨가 ～ 天気がどんより曇っている. ❷(目が)かすんでいる. はっきり見えない. 句例 눈이 ～ 目がかすんではっきり見えない.

침통【沈痛】〈名・하形〉沈痛. 句例 ～한 표정

으로 말을 꺼내다 沈痛な表情で話を切り出す．～히〈副〉沈痛に．

침팬지〈名〉〔動〕チンパンジー．◇chimpanzee

침해【侵害】〈名・하他〉侵害．侵すこと．句例 사생활을 ～하다 プライバシーを侵害する．語例 소유권 ～ 所有権侵害．

침-흘리다 ⇨'침'の小項目

칩〈名〉チップ．❶〔物〕(集積回路を作りつけた半導体の細片．❷トランプなどで点数を数える算木．❸木材を細かく切ったパルプの材料．❹(小さく切って油に揚げた料理．語例 포테이토 ～ ポテトチップ．◇chip

칫-솔【歯―】〈名〉歯ブラシ．

칭〔漢字項目〕

【稱(称)】高校 칭 ショウ．❶부르는 이름 呼ぶ名．◧稱號 칭호 しょうごう．◧敬稱 경칭 けいしょう．名稱 명칭 めいしょう．❷칭찬하다 ほめる．◧稱讃 칭찬 しょうさん．◧過稱 과칭 かしょう．❸쌍방이 어울리다 双方が釣り合う．◧對稱 대칭 たいしょう．

칭송【稱頌】〈名・하他〉功績をほめたたえること．文例 그의 ～이 자자하다 彼に対する称賛の声が高い．

칭얼-거리다〈自〉むずかる．だだをこねる．句例 아기가 ～ 赤ん坊がむずかる．
表現 語勢の弱い語は'징얼거리다'．強い語は'찡얼거리다'．

칭얼칭얼〈副・하自〉しきりにむずかるさま．

***칭찬**【稱讚】〈名・하他〉称賛．賞賛．句例 세인의 ～을 받다 世の称賛を受ける〔あびる〕/ 극구 ～하다 限りなくほめたたえる．

칭-하다【稱―】(→하다)〈他〉称する．言う．呼ぶ．＝일컫다．句例 독립문이라고 ～ 独立門と称する〔言う・呼ぶ〕．

칭호【稱號】〈名〉称号．句例 박사 ～를 수여하다 博士の称号を授与する．

ㅊ

ㅋ

ㅋ [키읔 k'iŭk] ハングル字母の第十一番目の字.
参考 'ㅋ이 ㅋが' 'ㅋ을 ㅋを'は [k'iŭgi] [k'iŭgŭl] と読む.

카나리아 〈名〉〔鳥〕カナリア. ◇canaria

***카네이션** [k'a:neisyŏn] 〈名〉〔植〕カーネーション. ◇carnation

카논 〈名〉〔樂〕カノン. ◇canon

카누 [k'anu:] 〈名〉カヌー. 語例 ～ 경기 カヌー競技. ◇canoe

카니발 [k'a:nibal] 〈名〉カーニバル. =사육제(謝肉祭). ◇carnival

***카드** [k'a:dŭ] 〈名〉カード. 句例 ～를 집다 カードをとる / ～를 도르다 カードをくばる / ～로 정리하다 カードで整理する. 語例 ～식 (목록) カード式(目録).

카드뮴 〈名〉〔化〕カドミウム. 語例 ～ 중독 カドミウム中毒. ◇cadmium

카드 섹션 [k'a:dŭ—] 〈名〉(人文字の)カードセクション. ◇card section

카디건 [k'a:digŏn] 〈名〉カーディガン. ◇cardigan

카라반 〈名〉カラバン. =캐러밴. ◇프 caravane

카랑카랑-하다 (→하다) 〈形〉(声音が)甲高く澄んでいる. りんりんとしている. 句例 카랑카랑한 목소리 りんりんとした声.

카레 〈名〉カレー. ◇curry

카레-라이스 〈名〉カレーライス. =라이스 카레. ◇curry and riceから.

카로틴 〈名〉〔化〕カロチン. ◇carotin

카르스트 〈名〉〔地〕カルスト. ◇도 Karst

카르테 〈名〉〔醫〕カルテ. =진료부(診療簿). ◇도 Karte

카르텔 〈名〉〔經〕カルテル. =기업 연합(企業聯合). ◇도 Kartell

카리스마 〈名〉カリスマ. 句例 ～적 존재 カリスマ的(な)存在. ◇charisma

카리에스 〈名〉〔醫〕カリエス. 語例 척추 ～ 脊椎カリエス. ◇라 caries

****카메라** 〈名〉カメラ. =사진기(寫眞機). 촬영기. 句例 ～에 담다 カメラにおさめる / ～로 촬영하다 カメラでとる / ～를 돌리다 カメラをまわす. ◇camera

카메라-맨 〈名〉カメラマン. ◇cameraman

카멜레온 〈名〉〔動〕カメレオン. ◇chameleon

카무플라주 〈名・하他〉カムフラージュ. =위장(僞裝). 은폐. 句例 결점을 ～하다 欠点をカムフラージュする. ◇프 camouflage

카바이드 [k'a:baidŭ] 〈名〉〔化〕カーバイド. =탄화칼슘. ◇carbide

카본 [k'a:bon] 〈名〉〔化〕カーボン. ❶炭素. ❷炭素棒. ❸⇨ 카본지. ◇carbon

카본-지 【carbon紙】 [k'a:bon—] 〈名〉カーボン紙. =탄산지(炭酸紙).

카세트 〈名〉カセット. 語例 ～ 테이프 カセットテープ. ◇cassette

카스텔라 〈名〉カステラ. ◇포 castella

카스트 [ca:sŭt'ŭ] 〈名〉〔社〕(インドの)カースト. ◇caste

카시오페이아-자리 〈名〉〔天〕カシオペア座. ◇Cassiopeiaから.

카약 〈名〉カヤック. ◇kayak

카우보이 〈名〉カウボーイ. =목동(牧童). 목부(牧夫). ◇cowboy

카운슬러 〈名〉カウンセラー. =상담원(相談員). ◇counselor

카운슬링 〈名〉カウンセリング. =상담 지도(相談指導). 신상(身上) 상담. ◇counseling

카운터[1] 〈名〉カウンター. =계산대. 계산기(器). ◇counter

카운터[2] 〈名〉(ボクシングなどの)カウンター. 語例 ～ 펀치 カウンターパンチ / ～블로 カウンターブロー. ◇counter

카운트 〈名・하自他〉(スポーツ競技の)カウント. 語例 볼 ～ ボールカウント / ～ 아웃 カウントアウト. ◇count

카카오 〈名〉〔植〕カカオ. ◇cacao

카키-색 【khaki色】 [k'a:k'i—] 〈名〉カーキ色.

카타르 〈名〉〔醫〕カタル. 語例 장～ 腸カタル. ◇catarrh

카타르시스 〈名〉〔哲・醫〕カタルシス. ◇catharsis

카탈로그 〈名〉カタログ. =상품 목록. 도서 목록. ◇catalogue

카테고리 〈名〉カテゴリー. =범주(範疇). 句例 ～로 나누다 カテゴリーにわける. ◇category. 도 Kategorie

카톨릭 〈名〉〔宗〕⇨ 가톨릭. ◇Catholic

카트리지 [k'a:t'ŭriji] 〈名〉カートリッジ. ◇cartridge

카 페리 [k'a:—] 〈名〉カーフェリー. ◇car ferry

카페인 〈名〉〔化〕カフェイン. ◇caffeine

카펫 [k'a:p'et] 〈名〉カーペット. =양탄자. ◇carpet

카-폰 [k'a:p'on] 〈名〉カーフォン. 自動車電話. ◇car-phone

카피 〈名・하他〉コピー. =복사(複寫). 복제(複製). 句例 ～를 뜨다 コピーをとる. ◇copy

칵테일 〈名〉カクテル. 語例 ～ 파티 カクテルパーティー. ◇cocktail

칸 ❶〈名〉四方を囲んだ線の中. 語例 빈 ～ 空欄.
❷〈依名〉家の間数を数える語: 間. 語例 한 ～ 방 一間の部屋. →간(間)[1]

칸나 〈名〉〔植〕カンナ. ◇canna

칸델라 〈依名〉〔物〕カンデラ. 光度の単位. 《記号 cd》. ◇candela

칸-막이 [—magi] 〈名・하自他〉仕切り. 間仕切り. つい立て. 句例 방을 ～하다 部屋を仕切る / ～를 세우다 つい立てを立てる.

칸잡이-그림 [kanjabi—] 〈名〉間取り図.

칸초네 〈名〉〔樂〕カンツォーネ. ◇이 canzone

칸타빌레 〈名〉〔樂〕カンタービレ. ◇이 cantabile

칸타타 〈名〉〔樂〕カンタータ. ◇이 cantata

****칼**[1] 〈名〉(刀・包丁・剣・小刀・やいば

ㅋ

などの)刃物. 句例 ～로 베다 刀で切る／～로 찌르다 刀で突き刺す／～을 갈다 刃物を研ぐ／～을 뽑다 刀を抜く／～을 차다 刀を下げる〔差す〕. 剣を帯びる／～을 휘두르다 刀をふりまわす／～로 썰다 包丁で刻む／～로 저미다 包丁を入れる. 包丁で薄く切る.

칼로 물 베기 刀で水を切る. けんかをしてもすぐ仲直りをすることのたとえ.

칼(을) 맞다 刀剣で切られる.

칼(을) 품다 殺意をいだく.

칼² 〈名〉〔史〕首かせ(枷). 絵

칼(을) 쓰다 首かせをかけられる〔はめられる〕.

칼(을) 씌우다 首かせをかける〔はめる〕.

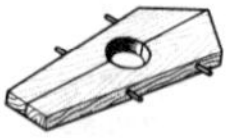

〈칼〉

칼-국수 〈名〉小麦粉をこねて薄く延ばしたあと, 包丁で細かく切った麵.

칼-끝 〈名〉刃先. 切っ先. 太刀先. 句例 ～이 날카롭다 刃先が鋭い.

칼-날 [─lal]〈名〉(刃物の)刃. 句例 ～이 날카롭다 刃が鋭い／～이 무디다 刃が鈍い／～의 이가 빠지다 刃がこぼれる.

칼데라 〈名〉〔地〕カルデラ. 語例 ～ 호수 カルデラ湖. ◇스 caldera

칼-등 [─ttŭng]〈名〉刃物の背. 峰.

칼라 〈名〉カラー. ＝깃. 句例 와이셔츠의 ～ ワイシャツのカラー. ◇collar

칼럼 〈名〉(新聞・雑誌などの)コラム. ◇column

칼로리 〈名・依名〉カロリー. 句例 ～가 높다 カロリーが高い. 語例 저～ (식품) 低カロリー(食品). ◇calorie

칼륨 〈名〉〔化〕カリウム《記号 K》. 語例 ～염 カリウム塩. ◇라 kalium

칼리 〈名〉〔化〕カリ. 語例 청산 ～ 青酸カリ. ◇라 kali

칼-부림 〈名・하自〉刃物を振り回すこと. 刃傷. 句例 ～이 일어나다 刃傷に及ぶ. 刃傷沙汰になる.

***칼슘** 〈名〉〔化〕カルシウム《記号 Ca》. 語例 ～ 화합물 カルシウム化合物. ◇calcium

칼-싹두기 〈名〉ねり粉をやや厚く大きめに切って煮た食べ物.

칼-자국 [─tchaguk]〈名〉切り傷. 刀傷・かたな傷. 刀痕.

칼-자루 [─tcharu]〈名〉❶刃物の柄. つか(柄). ❷'실권 実権'の俗っぽい言いかた. 句例 ～를 쥔 사람 実権を握っている人.

칼자루를 잡다 つかをつか(攫)む. 相手より有利な立場にあることのたとえ.

칼-질 〈名・하自〉刃物で切ったり削ったりすること. 刃物を使うこと. また, その方法. 句例 ～이 서투르다 刃物の使いかたがへただ.

칼-집¹ [─tchip]〈名〉(刀の)さや(鞘).

칼-집² [─tchip]〈名〉料理で, 魚肉につけた刻み目.

칼-춤 〈名〉剣舞. 句例 ～을 추다 剣舞を舞う.

칼-침 【─鍼】〈名〉刃物で刺したり刺されたりすること.

칼침(을) 맞다 (恨みなどで)刀でさされる.

칼칼-하다 (→하다)〈形〉❶(水が飲みたくて)のどがからからだ. ❷ひりひりと辛い.

캄캄-절벽 【─絶壁】〈名〉何も知っていないこと. お先真っ暗.

캄캄-하다 (→하다)〈形〉❶真っ暗だ. 句例 캄캄한 밤 真っ暗な夜. ❷暗い. ㉠前途に希望がもてない. 句例 앞길이 ～ お先真っ暗だ. ㉡(情報・知らせなどを)知らない. 文例 법률에는 ～ 法律に関しては何も知らない.

캅셀 〈名〉カプセル. ＝교갑(膠匣). 캡슐. ◇도 Kapsel

***캐-내다** [k'ae:─]〈他〉❶掘り出す. ＝파내다. ❷(内実などを)探り出す. 句例 비밀을 ～ 秘密を探り出す.

***캐다** [k'ae:da]〈他〉❶(うずもれているものを)掘る. (山菜などを)摘み採る. 句例 감자〔고구마〕를 ～ いもを掘る／석탄을 ～ 石炭を掘る／산나물을 ～ 山菜をつみとる. ❷(秘密などを)探る. 明かす. 句例 비밀을 ～ 秘密を探る／근원을 ～ もとをただす／뒤를 ～ ひそかに背後を調べる. あらをさがす.

캐러멜 〈名〉キャラメル. ◇caramel

캐러밴 〈名〉キャラバン. ＝대상(隊商). ◇caravan

캐럴 〈名〉キャロル. カロル. 語例 크리스마스 ～ クリスマスカロル. ◇carol

캐럿 〈依名〉カラット. 句例 2 ～의 다이아몬드 二カラットのダイヤモンド. ◇carat

캐-묻다 [k'ae:─] (캐물으니, 캐물어서)〈他〉'캐어묻다'の略. 句例 준엄하게 ～ きびしく問い詰める.

캐비닛 〈名〉キャビネット. ◇cabinet

캐스터네츠 〈名〉〔樂〕カスタネット. ◇castanets

캐스트 〈名〉キャスト. ＝배역(配役). ◇cast

캐스팅 보트 [─bo:t'ŭ]〈名〉キャスティングボート. 句例 ～를 쥐다 キャスティングボートを握る. ◇casting vote

캐시미어 〈名〉カシミヤ. ◇cashmere

캐시밀론 〈名〉カシミロン. ◇Cashmilon

캐어-묻다 (─물으니, ─물어서)〈他〉根掘り葉掘り聞きただす. 問い詰める. 略して'캐묻다'ともいう. 句例 죄상을 ～ 罪状を聞きただす.

캐주얼 웨어 〈名〉カジュアルウェアー. ◇casual wear

캐처 〈名〉〔野〕キャッチャー. ＝포수(捕手). ◇catcher

캐치 〈名・하自他〉キャッチ. 語例 ～볼 キャッチボール／나이스 ～ ナイスキャッチ. ◇catch

캐치프레이즈 〈名〉キャッチフレーズ. 文例 신용 제일을 ～로 삼고 있다 信用第一をキャッチフレーズとしている. ◇catchphrase

캐터필러 〈名〉キャタピラ. ＝무한 궤도. ◇caterpillar

캑 〈副・하自〉のどにつかえたものを吐き出すためにせき込む声: があっ(と). がっ(と). げえっ(と).

캑-캑 〈副・하自〉のどにつかえたものを吐き出すため, つづけざまにせき込む声: があっがあっ(と). がっがっ(と). げえっげえっ(と). ～**거리다** 〈自他〉つづけざまに'캑캑'声が出る. また, そのような声をたてる.

캔디 〈名〉キャンデー. 語例 아이스 ～ アイスキャンデー. ◇candy

캔버스 〈名〉カンバス. キャンバス. ◇canvas

캘린더 〈名〉カレンダー. ＝달력. ◇calendar

캠퍼스 〈名〉(大学の)キャンパス. ◇campus

캠페인 〈名〉キャンペーン. 句例 ～을 벌이다 キャンペーンをはる. ◇campaign

캠프 〈名〉 キャンプ. ＝야영(野營). 야영 막사. 語例 ～촌 キャンプ村/～ 생활 キャンプ生活/～장 キャンプ場/베이스 ～ ベースキャンプ. ◇camp

캠프-파이어 〈名〉キャンプファイア. ◇campfire

캠핑 〈名・하自〉キャンピング. ◇camping

캡슐 [k'aepsyu:l] 〈名〉カプセル. ❶飲みにくい薬を封入して飲みやすくするゼラチン製の小さい容器. ❷密閉した容器. 句例 ～을 회수하다 カプセルを回収する. 語例 타임 ～ タイムカプセル/우주 ～ 宇宙カプセル. ◇capsule

캥 〈副〉きつね(狐)の鳴き声: こん.

캥거루 [k'aenggŏru:] 〈名〉〔動〕カンガルー. ◇kangaroo

캥-캥 〈副・하自〉きつねが続けざまに鳴く声: こんこん. **～거리다** 〈自〉続けざまにこんこんと鳴き声を出す.

커 [k'ŏ:] 〈副・感〉 ❶食べ物が辛いときや酒の味・においがひどくきついとき発する声: はあっ. かあっ. ひいっ. ❷疲れきって眠っているとき出るいびき: ぐう. ぐうっと.

커녕 〈助〉('-기～(…도)' '～(…도)'の形で)…どころか. …はおろか. …はさておきの意を表わす補助詞. '는〔은〕～'と言えば意味が強まる. 文例 붓(은) ～ 연필도 없다 筆どころか鉛筆もない/주기(는) ～ 말도 없더라 くれるどころか話もなかったよ/즐겁기(는) ～ 불쾌하다 楽しいどころかかえって不愉快だ/상(은) ～ 오히려 벌을 받았다 褒美どころかかえって罰を受けた.

커닝 〈名・하自〉カンニング. ◇cunning

***커-다랗다** [k'ŏ:darat'a] (커다라니, 커다라오) 〈形〉 とても大きい. 略して'커닿다'ともいう. 句例 커다란 기쁨 非常に大きい喜び/커다란 사나이 大の男. 文例 신문에 광고를 커다랗게 냈다 新聞に広告をでかでかと出した. 對조그맣다.

커다래-지다 [k'ŏ:darae—] 〈自〉非常に大きくなる. 略して'커대지다'ともいう. 句例 놀라서 눈이 ～ 驚いて目が大きくなる.

커리어 〈名〉キャリア. ＝경력(經歷). 句例 10년의 ～ 十年のキャリア. ◇career

커리큘럼 〈名〉 カリキュラム. ＝교육 과정. ◇curriculum

커머셜 [k'ŏmŏ:syŏl] 〈名〉 コマーシャル. ＝시엠(CM). 語例 ～송 コマーシャルソング. ◇commercial

커뮤니케이션 [k'ŏmyu:nik'eisyŏn] 〈名〉コミュニケーション. 語例 매스 ～ マスコミュニケーション. マスコミ《略語》. ◇communication

커미셔너 〈名〉 (プロ野球などの)コミッショナー. ◇commissioner

커버 〈名・하他〉カバー. 句例 전국을 ～하는 서비스망 全国をカバーするサービス網/손실을 ～하다 損失をカバーする. 語例 시트 ～ シートカバー. ◇cover

커브 [k'ŏ:bŭ] 〈名〉カーブ. 句例 ～를 틀다 カーブをきる/크게 ～를 그리다 大きくカーブを描く. 語例 인 ～ インカーブ. ◇curve

커서 [k'ŏ:sŏ] 〈名〉〔컴〕カーソル. ＝깜박이. 반디. ◇cursor

커스터드 [k'ŏsŭt'ŏ:dŭ] 〈名〉 カスタード. ◇custard

****커-지다** 〈自〉大きくなる. 広がる. 成長する. 句例 형보다 더 ～ 兄よりも大きくなる/화재가 ～ 火災が広がる/키가 ～ 背がのびる.

커터 〈名〉カッター. ＝재단기(裁斷機). ◇cutter

커트 〈名・하他〉(テニス・ピンポン・ゴルフで)カット. ＝커팅. 句例 공을 ～하다 ボールをカットする. 對드라이브. →컷. ◇cut

커트-라인 〈名〉合格圏の最低線. 及落線. 句例 ～이 높다 合格の最低点数が高い. ◇cutline

커튼 [k'ŏ:t'ŭn] 〈名〉カーテン. ＝휘장. 장막. 句例 ～을 달다 カーテンをかける/～을 닫다 カーテンをしめる/～을 걷다 カーテンをあける. ◇curtain

커틀릿 〈名〉カツレツ. カツ《略語》. 語例 비프 ～ ビーフカツレツ. ◇cutlet

커프스 〈名〉(洋服の)カフス. 語例 ～ 단추〔버튼〕カフスボタン. ◇cuffs

커플 〈名〉カップル. ＝한 쌍. ◇couple

***커피** [k'ŏ:p'i] 〈名〉 コーヒー. 句例 ～를 끓이다 コーヒーをいれる. 語例 ～ 세트 コーヒーセット/～ 포트 コーヒーポット. ◇coffee

컨디션 〈名〉コンディション. ＝조건(條件). 상태. 사정. 句例 ～이 좋다 コンディションがいい/～을 조절하다 コンディションをととのえる. 語例 베스트 ～ ベストコンディション. ◇condition

컨베이어 〈名〉コンベヤー. 語例 ～ 시스템 コンベヤーシステム/벨트 ～ ベルトコンベヤー. ◇conveyor

컨테이너 〈名〉コンテナ. 語例 ～선 コンテナ船. ◇container

컨트롤 〈名・하他〉コントロール. 句例 ～이 좋은〔나쁜〕투수 コントロールがいい〔悪い〕投手. 語例 ～ 타워 コントロールタワー. ◇control

컬 [k'ŏ:l] 〈名・하他〉カール. ◇curl

컬러 〈名〉 カラー. 語例 ～ 텔레비전 カラーテレビ/～ 필름 カラーフィルム/포스터 ～ ポスターカラー/로컬 ～ ローカルカラー. ◇color

컬컬-하다 (→하다) 〈形〉 '칼칼하다'の語感の大きい語.

컴백 〈名・하自〉カムバック. ＝복귀. 句例 정계에 ～하다 政界にカムバックする. ◇comeback

컴컴-하다 (→하다) 〈形〉 ❶暗い. 真っ暗だ. 句例 컴컴한 밤길 暗い夜道. ❷腹黒い. 貪欲だ. 句例 컴컴한 속셈 腹黒い下心.

***컴퍼스** 〈名〉コンパス. 句例 ～로 그린 원 コンパスでえがいた円/～가 길다 コンパスが長い. ◇compass

컴퓨터 [k'ŏmp'yu:t'ŏ] 〈名〉コンピューター. ＝전산기(電算機). 語例 퍼스널 ～ パーソナルコン

ピューター．パソコン《略語》/ ～ 게임 コンピューターゲーム．◇computer

컵 [一]〈名〉コップ．カップ．語例 우승 ～ 優勝カップ / 유리 ～ ガラスのコップ / 종이～ 紙コップ / ～ 라면 カップ麵．カップヌードル．
[二]〈依名〉飲料の分量をその容器のコップで数える語：杯．語例 물 한 ～ (コップ)一杯の水．◇cup

컷〈名・하他〉カット．❶断ち切ること．削除すること．句例 머리를 ～하다 髪をカットする / 검열에서 ～당하다 検閲でカットされる．❷〔野〕送球を途中でとらえること．文例 송구를 외야수가 ～했다 送球を外野手がカットした．❸小さな挿絵．また，映画で，一つの場面．句例 하단에 ～을 넣다 下端にカットを入れる / 한 ～을 찍다 ワンカットを撮る．→커트．◇cut

컹컹〈副・하自〉大きい犬のほえ声：わんわん．**～거리다**〈自〉続けざまにわんわんとほえる．

케이블〈名〉ケーブル．語例 해저 ～ 海底ケーブル．◇cable

케이블 카 [—k'a:]〈名〉ケーブルカー．◇cable car

***케이스**〈名〉ケース．＝경우(境遇)．상자(箱子)．句例 ～에 넣다 ケースに入れる / 특수한 ～ 特殊なケース．語例 모델 ～ モデルケース / ～바이 ～ ケースバイケース．◇case

케이-에스【KS】〈名〉'한국 공업 규격 韓国工業規格'．また，そのしるし．ケーエス．語例 ～ 표시품 ケーエス表示製品．◇Korean Industrial Standardの略．

케이에스 마크【KS mark】[—ma:k'ŭ]〈名〉ケーエスマーク．Ⓚのしるし．絵

〈케이에스마크〉

케이-오【K. O.】[—o:]〈名〉ケーオー．＝녹아웃．語例 ～승 ケーオー勝ち．◇knock outの略．

케이크〈名〉ケーキ．＝과자(菓子)．語例 생일 축하 ～ バースデーケーキ．◇cake

케첩〈名〉ケチャップ．語例 토마토 ～ トマトケチャップ．◇ketchup

케케-묵다〈形〉古臭い．かび臭い．句例 케케묵은 생각 古臭い考え．かび臭い考え．

켄트-지【Kent紙】〈名〉ケント紙．

켕기다 [一]〈自〉❶張り詰める．ぴんと張る．突っ張る．句例 줄이 팽팽하게 ～ ひもがぴんと張る．文例 옆구리가 켕겨서 걸을 수가 없다 横腹が突っ張って歩けない．❷気にかかる．気後れする．文例 큰소리는 쳤으나 역시 속으로는 켕기는 모양이군 大口をたたいたものの，やはり気にかかるようだね．
[二]〈他〉張る．突っ張る．句例 줄을 ～ ひもをぴんと張る．

켜〈名〉(重なった物の)層．重ね．句例 시루떡의 ～를 두껍게 안치다 (もちを蒸すとき)こしき(甑)に米粉の層を厚く敷く．

****켜다**〈他〉❶(灯を)つける．ともす．とぼす．(マッチを)す(擦)る．句例 전등을〔라디오를〕～ 電気〔ラジオ〕をつける / 불을 ～ 灯をともす / 촛불을 ～ ろうそくの火をともす / 성냥을 ～ マッチをする．絵 対끄다．
❷(水・酒などを)一気に飲む．あおる．飲み干す．句例 냉수를 단숨에 ～ 冷や水を一気にあおる．絵
❸(のこぎりで)ひ(挽)く．句例 재목을 ～ 材木をひく．
❹(繭から糸を)紡ぐ．句例 누에고치에서 실을 ～ 蚕の繭から糸をつむぐ．
❺(弦楽器などを)弾く．かき鳴らす．句例 바이올린을 ～ バイオリンを弾く．
❻伸びをする．句例 기지개를 켜면서 하품을 하다 伸びをしながらあくびをする．

성냥을 켜다　냉수를 단숨에 켜다

〈켜다〉

켜이다〈自〉'켜다'の受け身：(水などを)たくさん飲ませられる．また，飲みたくなる．略して'키다'ともいう．

****켜-지다**〈自〉(明かりなどが)つ(点)く．ともる．句例 전등이 ～ 電灯がつく〔ともる〕．文例 이 성냥은 켜지지 않는다 このマッチはつかない．

켜켜-이〈副〉層ごとに．重ね重ねに．句例 시루에 ～ 팥고물을 얹다 こしき(甑)に小豆のまぶし粉を層ごとに敷く．

켤레〈依名〉履物など二つそろって一組をなすものを数える語：足．組．対．語例 구두 한 ～ 靴一足 / 양말 두 ～ 靴下二足．
参考 固有語の数詞につく．

****코**[1]〈名〉鼻．❶顔にある臭覚器官．句例 ～가 메다〔막히다〕鼻が詰まる / ～를 후비다 鼻をほじくる / (개가) ～를 킁킁거리다 (犬が)鼻をくんくん鳴らす / ～를 벌름거리다 鼻をうごめかす．語例 납작～ あぐら鼻 / 매부리～ わし鼻 / 들창～ ししっ鼻 / 딸기～ ざくろ鼻．
❷はな(洟)．鼻水．鼻じる．水っ鼻．句例 ～를 흘리다 鼻(じる)をたらす / ～를 훌쩍거리다 鼻を(ずるずると)すする / ～(를) 풀다(→小項目) / ～를 닦다 鼻をぬぐう．

코가 꿰이다 '약점이 잡히다 弱点をつかまれる'の俗っぽい言いかた．

코가 납작해지다 鼻がへこむ．面目を失う．

코가 땅에 닿다 頭を深く垂れる．句例 코가 땅에 닿게 절하다 頭を深く下げて最敬礼をする．

코가 비뚤어지게 正体もなくぐでんぐでんに酔うほど飲むさま．

코가 빠지다 心配ごとが重なって意気消沈する．

코가 쉰댓 자나 빠졌다 鼻が五十五尺も伸びて垂れる．心配ごとで気後れしたり気落ちすることのたとえ．

코가 우뚝하다 鼻高高だ．高慢だ．

코값을 하다 男らしくおうように構える．男らしくふるまう．

코(를) 골다 いびきをかく．句例 코를 크게 골다 大いびきをかく．

코(가) 높다 鼻が高い．高慢だ．

코(를) 떼다 鼻を折られる．やりこめられる．恥をかく．

코를 박듯 頭を深く下げて．句例 ～ 절하다 頭を深く下げてお辞儀をする．

코를 쏘다 '코를 찌르다'のこと．

코를 잡아도 모르겠다 鼻をつまれても分からない．真っ暗やみのたとえ．

코를 찌르다 鼻をつく．鼻が曲がる．句例 악취가 ～ 悪臭が鼻をつく．

코 먹은 소리 鼻声．鼻にかかった声．

코 묻은 돈 鼻たれ小僧らの持っているわずかばかりのお金の意．

코 아래 진상이 제일이라 鼻の下に献上するのが第一だ．人の歓心を買うには食べさせるのが一番効果的だとの意．また，そでの下を使うのが何より効き目があるものだとの意．

코에 걸다 鼻にかける．句例 학벌을 ～ 学閥を鼻にかける．

코에서 단내가 난다 鼻から焦げるにおいがする．仕事のため苦労して心身が疲れきっているとの意．

코(를) 풀다 鼻をかむ．

코[2] 〈名〉❶物の突き出た先．語例 버선～ '버선'のつま先．❷(編み物や網などの)目．編み目．句例 ～가 성기다 編み目があらい．

코-감기【一感氣】〈名〉鼻風邪．句例 ～에 걸리다 鼻風邪を引く．

코-골다 (코고니，코골아서) ⇨'코[1]'の小項目

코-끝 〈名〉鼻先．鼻面．

코끝도 볼 수 없다 人の姿が見られない．

코끝도 안 보인다 人の姿が全然見えない．顔を出すことがない．

**코끼리 〈名〉〔動〕象．

코끼리 비스킷 象にビスケットの意で非常に少ない食べ物のたとえ．

*__코너__ [k'o:nŏ]〈名〉コーナー．句例 ～에 몰리다 苦しい立場に追い込まれる．文例 주자는 제 2 ～를 돌았다 走者は第二コーナーを回った．語例 식품 ～ 食料品コーナー / 인〔아웃〕～ イン〔アウト〕コーナー．◇corner

코너 킥 [k'o:nŏ—]〈名・하他〉コーナーキック．◇corner kick

코-대답【一對答】〈名・하自〉鼻であしらう答え(をすること)．

코드[1] [k'o:dŭ]〈名〉〔樂〕コード．和音．◇chord

코드[2] [k'o:dŭ]〈名〉コード．＝규칙．부호(符號)．語例 ～표 コード表 / 프레스 ～ プレスコード / 입력 ～ 入力コード．◇code

코드[3] [k'o:dŭ]〈名〉コード．句例 다리미의 ～ アイロンのコード．語例 ～ 스위치 コードスイッチ．◇cord

코-딱지 〈名〉鼻くそ．句例 [illegible] 鼻くそをほじくりだす．

코-뚜레 〈名〉'쇠코뚜레'の略．

코란 [k'o:ran—]〈名〉〔宗〕コーラン．◇Koran

코러스 [k'o:rŏsŭ]〈名〉コーラス．◇chorus

코로나 〈名〉〔天〕コロナ．◇corona

코르덴 〈名〉コールテン．語例 ～ 바지 コールテンのズボン．◇corded velveteenから．

코르크 〈名〉コルク．語例 ～ 마개 コルク栓．◇cork

코리아 〈名〉コリア．＝한국(韓國)．◇Korea

코-맹맹이 〈名〉鼻詰まりの人．鼻声の人．

코-머거리 〈名〉鼻閉塞になっている人．

코먹은 소리 ⇨'코[1]'の小項目

코멘트 〈名〉コメント．語例 노 ～ ノーコメント．◇comment

코묻은 돈 [k'omudŭndo:n] ⇨'코[1]'の小項目

코뮈니케 〈名〉コミュニケ．語例 공동 ～ 共同コミュニケ．◇프 communiqué

코미디 〈名〉コメディー．＝희극(喜劇)．◇comedy

코미디언 〈名〉コメディアン．＝희극 배우．◇comedian

코-밑 〈名〉鼻の下．文例 ～에 있는 것도 못 찾는다 目の前にあるのもさがせない．→밑 参考

코-바늘 かぎ針．語例 ～ 뜨개질 かぎ針編み．㉪대바늘．

코발트 〈名〉コバルト．語例 ～색 コバルト色 / ～블루 コバルトブルー．◇cobalt

코-방귀 〈名〉❶人をこばかにしてふふんと鼻を鳴らすこと．❷人の忠言や意見をせせら笑うこと．

코방귀만 뀌다 鼻(の先)であしらう．人をばかにしている．

코-방아 〈名〉・うつぶせに倒れて地面などに鼻柱をぶつけること．

코방아(를) 찧다 倒れて鼻柱をぶつける．

코브라 〈名〉〔動〕コブラ．語例 킹 ～ キングコブラ．◇cobra

코-빼기 〈名〉['코쭝배기'の略] '코 鼻'の俗っぽい言いかた．

코빼기도 나타나지 않다 '코끝도 안보인다'の意(→'코끝'の小項目)．

코빼기도 못 보다 全然出てこないので顔も見られない．

코빼기도 볼 수 없다 '코끝도 볼 수 없다'の意(→'코끝'の小項目)．

코-뼈 〈名〉鼻骨．

코뿔-소 [—sso]〈名〉〔動〕さい(犀)．＝무소．

*__코스__ [k'o:sŭ]〈名〉コース．句例 예정된 ～ 予定のコース / 정해진 ～ きまりのコース / ～를 따라가다 コースをたどる．語例 마라톤 ～ マラソンコース / 하이킹 ～ ハイキングコース / 엘리트 ～ エリトコース / 풀～ フルコース / 박사 ～ ドクターコース．◇course

*__코스모스__ 〈名〉〔植〕コスモス．◇cosmos

코스튬 〈名〉コスチューム．＝무대 의상(衣裳)．◇costume

코스트 〈名〉コスト．語例 ～ 다운 コストダウン．◇cost

코알라 〈名〉〔動〕コアラ．◇koala

*__코-앞__ 〈名〉鼻先．目の前．句例 ～에 들이대나 鼻先に突きつける．

코앞에 닥치다 目前に迫る．句例 마감날이 ～ しめきりの日が目前に迫る．

코-웃음 [—usŭm]〈名〉鼻先でせせら笑うこ

ㅋ

と．あざ笑い．
코웃음(을) 짓다 せせら笑いを浮かべる．
코웃음(을) 치다 鼻先でせせら笑う．あざ笑う．
코인 〈名〉コイン．＝경화(硬貨)．동전(銅錢)．語例 ～ 로커 コインロッカー．◇coin
코일 〈名〉コイル．語例 ～ 스프링 コイルばね．◇coil
코-주부 【─主簿】〈名〉鼻の大きい人の別称．
코즈머폴리턴 〈名〉コスモポリタン．＝세계인(世界人)．세계주의자．◇cosmopolitan
코-찡찡이 〈名〉 ❶鼻詰まりで鼻声になっている人．❷鼻ぺちゃの人．▷ 略して'찡찡이'ともいう．
코치 [k'o:ch'i] 〈名・하他〉 コーチ．コーチャー．句例 ～를 받다 コーチを受ける / 축구팀을 ～하다 サッカーチームをコーチする．語例 삼루 ～ 三塁コーチャー．◇coach
코코아 〈名〉ココア．◇cocoa
코크스 [k'o:k'ŭsŭ] 〈名〉コークス．＝골탄(骨炭)．句例 ～를 때다 コークスをた(焚)く．◇도 Koks
코-털 〈名〉鼻毛．句例 ～을 뽑다 鼻毛を抜く．
코털이 센다 鼻毛が白くなる．物事がはかどらないのでひどく気苦労することのたとえ．
코트[1] [k'o:t'ŭ] 〈名〉コート．＝겉옷．외투．句例 ～를 걸쳐 입다 コートを羽織る．語例 레인 ～ レーンコート / 반～ 半コート．◇coat
코트[2] [k'o:t'ŭ] 〈名〉コート．＝경기장．語例 테니스 ～ テニスコート．◇court
코팅 [k'o:t'ing] 〈名〉コーティング．語例 합성 수지 ～ 合成樹脂のコーティング．◇coating
코펠 〈名〉(登山用の)コッヘル．◇도 Kocherから．
*＊**코-피** 〈名〉鼻血．句例 ～를 흘리다 鼻血を流す〔出す〕/ ～가 나오다 鼻血が出る / ～가 멎다 鼻血が止まる．
코-하다 [k'o:─] (→하다) 〈自〉《兒》ねんねする．＝자다．文例 코하자 ねんねしようね．ねんねしな．
코-허리 〈名〉鼻筋のへこんで細い部分．
코허리가 저리고 시다 あまりの悲しさに耐えられない．
코-흘리개 〈名〉はなた(洟垂)らし．はなた(洟垂)れ．文例 아직 ～다 まだはなた(洟垂)らしだ．
***콕**[1] 〈名〉コック．＝고동．句例 가스의 ～ ガスのコック．◇cock
콕[2] 〈副・하自〉 ❶激しくぶつかって刺されるさま：ぶすっと．ぶすりと．ちくりと．ぐっと．句例 바늘로 ～ 찌르다 針でちくりと刺す / 송곳으로 ～ 찌르다 きりでぶすりと突き刺す．❷くちばしや道具で固い物をつつくさま：こつんと．こんと．こつこつ．文例 새가 모이를 ～ 쪼다 鳥がえさをこつんとつつく．
콕-콕 〈副・하自〉 しきりに勢いよく刺されたり，固い物でつつくさま：ちくちく．ぶすぶす．こつこつ．句例 모이를 ～ 쪼아 먹다 えさをこつこつつついて食べる．
콘덴서 〈名〉コンデンサー．＝축전기(蓄電器)．응축기(凝縮器)．◇condenser
콘도 〈名〉コンドミニアム．◇condo
콘도르 〈名〉〔鳥〕コンドル．◇스 condor
콘사이스 〈名〉コンサイス．語例 ～판 コンサイス版．◇concise
콘서트 [k'onsŏ:t'ŭ] 〈名〉コンサート．語例 ～ 홀 コンサートホール．◇concert
콘센트 〈名〉コンセント．差し込み．句例 플러그를 ～에 꽂다 プラグをコンセントに差し込む．◇concentric plugから．
콘체르토 〈名〉〔樂〕コンチェルト．＝협주곡(協奏曲)．語例 피아노 ～ ピアノコンチェルト．◇이 concerto
콘크리트 [k'onk'ŭri:t'ŭ] 〈名〉コンクリート．語例 ～ 포장 コンクリート舗装 / 철근 ～ 鉄筋コンクリート．◇concrete
콘택트 렌즈 〈名〉コンタクトレンズ．略して'콘택트'ともいう．◇contact lens
콘테스트 〈名〉コンテスト．＝경기회．선출회．語例 미인 ～ 美人コンテスト．◇contest
콘트라베이스 〈名〉〔樂〕コントラバス．＝콘트라바스．◇contrabass
콘트라스트 〈名〉コントラスト．＝대조(對照)．句例 뚜렷한 ～를 이루다 あざやかなコントラストをなす．◇contrast
콘-플레이크 [k'o:n─] 〈名〉コーンフレーク．◇cornflakes
콜드 게임 [k'o:ldŭ─] 〈名〉〔野〕コールドゲーム．◇called game
콜레라 〈名〉〔醫〕コレラ．語例 ～균 コレラ菌．◇cholera
콜레스테롤 〈名〉コレステロール．◇cholesterol
콜로이드 〈名〉〔化〕コロイド．＝교질(膠質)．語例 ～ 용액 コロイド溶液．◇colloid
콜록 〈副・하自〉せき(咳)をする音：ごほん．～**거리다** 〈自〉ごほんごほんとせきをする．せき込む．
콜록콜록 〈副・하自〉ごほんごほん．
콜론 〈名〉コロン．':'の記号．◇colon
콜 사인 [k'o:l─] 〈名〉コールサイン．HLKAなど．＝호출 부호．◇call sign
콜콜 [k'o:lk'ol] 〈副・하自〉(子供が)寝息を立てて眠っているさま：すうすう．ぐうぐう．**～거리다** 〈自〉すうすうと寝息を立てる．
콜 타르 [k'o:l─] 〈名〉〔化〕コールタール．コールター．◇coal tar
콤마 〈名〉コンマ．句例 ～로 끊다 コンマできる．語例 2~5 二コンマ五．◇comma
콤바인 〈名〉コンバイン．＝합성식 수확기(合成式收穫機)．◇combine
콤비 〈名〉コンビ．句例 ～를 이루다 コンビを組む．語例 명～ 名コンビ．◇combinationから．
콤비나트 [k'ombina:t'ŭ] 〈名〉〔經〕コンビナート．語例 석유 화학 ～ 石油化学コンビナート．◇러 kombinat
콤팩트 디스크 〈名〉コンパクトディスク．＝시디(CD)．◇compact disk
콤플렉스 〈名〉コンプレックス．＝열등감(劣等感)．句例 ～를 갖다〔품다〕コンプレックスを持つ〔いだく〕．◇complex
*＊**콧-구멍** 〈名〉鼻の穴．鼻孔．
콧구멍만하다 非常に狭い．句例 콧구멍만한 방 とても狭苦しい部屋．

콧-김 〈名〉鼻息.
콧김이 세다 権力や影響力が強い.
콧-날 [k'on—]〈名〉鼻筋. 句例 ~이 서다 鼻筋が通る / ~이 오뚝한 사람 鼻筋が通った人.
콧-노래 [k'on—]〈名〉鼻歌. 句例 ~를 부르다 鼻歌を歌う / ~를 흥얼거리다 鼻歌を口ずさむ / ~를 부르면서 일하다 鼻歌まじりで仕事をする.
콧-대 〈名〉鼻柱. 鼻っ柱.
콧대(가) 높다 鼻が高い.
콧대를 꺾다 鼻柱を折る〔くじく〕. 鼻を折る. 鼻っ柱をへし折る.
콧대를 세우다 うぬぼれて傲慢にふるまう.
콧대(가) 세다 鼻っ柱が強い.
***콧-등** 〈名〉鼻の背. 鼻面. 鼻筋. 句例 말의 ~을 어루만지다 馬の鼻面をなでる.
콧등이 세다 '콧대(가) 세다'の意(→'콧대'の小項目).
콧-마루 [k'on—]〈名〉鼻筋. びりょう(鼻梁).
콧-물 [k'on—]〈名〉鼻じる. 鼻. 鼻水. 水っぱな(洟). 句例 ~을 흘리다 鼻じる〔水っぱな〕をたらす / ~이 나오다 鼻〔水っぱな〕が出る.
콧-방울 〈名〉小鼻. 鼻翼.
콧-병 【—病】〈名〉鼻の病気.
콧병 든 병아리 같다 鼻の病気にかかったひよこのようだ. こくりこくりと居眠りすることのたとえ.
콧-소리 〈名〉❶鼻声. 句例 ~로 말하다 鼻声で言う / ~를 내다 鼻声を出す. ❷〔言〕⇨ 비음(鼻音)
콧-수염 【—鬚髯】〈名〉口ひげ. 句例 ~을 기르다 口ひげを生やす.
***콩**[1] 〈名〉〔植〕豆. 大豆. 句例 ~을 볶다 豆をい(炒)る / ~을 물에 담가서 불리다 豆を水にふやかす / 알알이 모두 고른 ~ 粒ぞろいの大豆. 語例 볶은 ~ いり豆 / ~밥 豆御飯 / ⇨ 콩볶듯 / ⇨ 콩튀듯
콩 심은 데 콩 나고 팥 심은 데 팥 난다 豆を植えた所に豆が生え, 小豆を植えた所に小豆が生える. 原因によって結果が生じるの意.
콩으로 메주를 쑨다 해도 곧이 듣지 않는다 大豆でみそだまこうじ(味噌玉麴)をつくると言っても信じない. うそをよくつくので当たり前のことも信用することができないの意.
콩을 심다 (豆を植え付けるとき片足で踏みつけることから)片足を引きずって歩くことのたとえ.
콩이야 팥이야 한다 豆だの小豆だのと言う. 似通っているものをあれやこれやと言い争うの意.
콩[2] 〈副・하自他〉固い所に小さくて重い物が落ちてぶつかる音: ことんと. とん.
콩-가루 [—kkaru]〈名〉黄な粉.
콩가루(가) 되다 粉みじんになる. 粉粉になる.
콩-강정 〈名〉いり豆にあめ(飴)をまぶした菓子.
콩-고물 [—kkomul]〈名〉黄な粉.
콩-국 [—kkuk]〈名〉すこし煮た大豆をひ(碾)きつぶして搾った汁. この汁に麺などを入れて食べる. 豆乳.
콩-국수 〈名〉'콩국'にうどんを入れ, 塩で味をつけた食べ物. 夏は氷をいれたりする.
***콩-기름** 〈名〉豆油. 大豆油.
콩-깍지 〈名〉豆がら. 大豆のさや(莢).
콩-깻묵 [—kkaenmuk]〈名〉豆かす(粕). =대두박(大豆粕).
콩-꼬투리 〈名〉豆のさや(莢). 豆粒のあるさや.
***콩-나물** 〈名〉大豆もやし.
콩나물 시루 같다 すし詰めになっている. 句例 콩나물 시루 같은 버스 すし詰めのバス.
콩나물-국 [—kkuk]〈名〉大豆もやし入りの澄まし汁.
콩나물-밥 〈名〉大豆もやし入りの御飯.
콩다콩 〈副・하自他〉'쿵더쿵'の語感の小さい語.
콩닥 〈副・하自他〉'쿵덕'の語感の小さい語.
콩-대 [—ttae]〈名〉豆を取り去った茎.
콩-댐 〈名・하他〉ご(豆汁)にえ(荏)の油を混ぜて布の袋に入れ, '온돌 オンドル'にはりつけた油紙に塗りつけること. そのオンドル紙が丈夫になりつやをだす.
参考 今はワニスを塗ったり, 合成の油紙を使ったりする傾向がある.
콩-떡 〈名〉米の粉に豆を混ぜて蒸したもち.
***콩-밥** 〈名〉❶豆御飯. ❷'죄수의 밥 囚人の飯'の俗っぽい言いかた.
콩밥 먹다 '감옥살이하다 監獄で服役する. 監獄の飯を食う'の俗っぽい言いかた. 臭い飯を食う.
콩밥 먹이다 '監獄の飯を食わせる'の俗っぽい言いかた. 臭い飯を食わせる.
콩-밭 〈名〉豆畑.
콩밭에 가서 두부 찾는다 豆畑へ行って豆腐を求める. 非常にせっかちな人のたとえ.
콩-볶듯 [—boktŭt]〈副〉❶豆をいるように 乱射する銃の音のたとえ. =콩튀듯. 句例 ~ 나는 기관총 소리 豆をいるような機関銃の音. ❷せっかちで短気にふるまうさま. また, 人をいたたまれないようにするさま.
콩-소 〈名〉豆または黄な粉のあん(餡).
콩소메 〈名〉コンソメ. ◇프 consommé
콩-알 〈名〉豆粒. 句例 간이 ~만해지다(→'간(肝)'の小項目). 文例 멀리 그 집이 ~만하게 보인다 遠くにその家が豆粒ほどに見える.
콩-엿 [—nyŏt]〈名〉いり豆を混ぜこんだあめ(飴).
콩-잎 [—nip]〈名〉豆の葉.
콩-자반 〈名〉煮豆.
콩-장 【—醬】〈名〉いり豆をしょうゆ・ごま油・とうがらし粉や刻んだねぎなどとあえたおかず.
콩-찰떡 〈名〉もち米の粉に黒豆を敷き, これを幾重にも重ねて蒸したもち.
콩-콩 〈副・하自他〉続けざまに出る'콩'の音: とんとん. こんこん. ことこと. **~거리다** 〈自他〉続けざまにとんとん〔こんこん・ことこと〕音がする. また, そのような音をたてる.
콩쿠르 [k'ongk'u:rŭ]〈名〉コンクール. =경연회(競演會). 語例 음악 ~ 音楽コンクール. ◇프 concours

ㅋ

콩-튀듯 〈副・하自〉 ❶'콩튀듯팥튀듯'の略. ❷⇨ 콩볶듯①

콩튀듯-팥튀듯 〈副・하自〉 逆上してじだんだを踏むさま：怒り狂って. かっかとなって.

콩트 〈名〉 コント. ◇프 conte

콩팥 〈名〉 ❶大豆と小豆. ❷〔生〕⇨ 신장(腎臓)

콰르르 〈副・하自〉 多量の液体が小さい穴から勢いよく流れ出る音. また, そのようなさま：どくどく(と). じゃーっと.

콰르릉 〈副・하自〉 爆発物が破裂して鳴り響く大きい音：どかん. **~거리다** 〈自他〉 続けざまにどかんどかんと鳴り響く. また, そのような音をたてる.

콰르릉콰르릉 〈副・하自他〉 どかんどかん.

콰르텟 〈名〉〔樂〕カルテット. ＝사중창. 사중주. ◇프 quartette

콱 〈副・하自〉 ❶力強く突き刺すさま：ぶすっと. きゅっと. 句例 단검으로 ~ 찌르다 短剣でぶすっと突く. ❷(ひどい寒さ・熱気, またはにおいなどで)息がつまりそうなさま：ぐっと. むっと. つんと. 句例 악취가 ~ 코를 찌르다 悪臭がむっと鼻をつく／숨이 ~ 막히다 息がぐっとつまる.

콱-콱 〈副・하自〉 ❶しきりに力強く突き刺すさま：ぶすっぶすっと. ❷(熱気・においなどで)息がつまりそうなさま：むっむっと. つんつんと. 句例 악취로 숨이 ~ 막히다 悪臭でむっとする. **~거리다** 〈自〉 ❶ぶすっぶすっと突く. ❷(においが)つんつん(と)つく. (息が)ぐっとつまる.

콸콸 〈副・하自〉 狭い穴から水が勢いよく流れ出る音：どくどく. だくだく. がばがば. ざあざあ. 句例 피가 ~ 흐르다 血がどくどくと流れ出る／물이 ~ 흐르다 水がざあざあ(と)流れる. **~거리다** 〈自〉 (水などが)どくどく〔だくだく〕(と)流れ出る.

쾅 〈副・하自他〉 ❶鉄砲・大砲などを撃つときや爆発するときの音：どん. どかん. 句例 대포소리가 ~ 하고 울리다 砲声がどかんと鳴る. ❷重い物が勢いよく落ちて鳴り響く音：どしん.

쾅-쾅 〈副・하自他〉 ❶続けざまに強くたたいたりぶつけたりまたは爆発する音：どんどん. どかんどかん. 句例 문을 ~ 두드리다 戸をとんとん(と)たたく. ❷しきりに重い物の落ちる音：どしんどしん. **~거리다** 〈自他〉 ❶とんとん〔どかんどかん〕とたたく〔音が鳴る〕. ❷どしんどしん(と)落ちる音がする〔音を立てる〕.

쾌 〈依名〉 干しめんたい(明太)二十匹を一単位として数える語：連.

쾌 〔漢字項目〕

【快】 中學 쾌 カイ. ケ. ❶상쾌하다 こころよい. ▮快樂 쾌락 かいらく. ▮愉快 유쾌 ゆかい. ❷빠르다 速い. ▮快走 쾌주 かいそう.

쾌감 【快感】〈名〉 快感. 句例 ~을 느끼다 快感を覚える.

쾌거 【快擧】〈名〉 快挙. 句例 애국자의 ~ 愛国者の快挙. 文例 근래에 보기 드문 ~다 近来まれ(稀)に見る快挙である.

쾌-남아 【快男兒】[—nama]〈名〉 快男児.

쾌락 【快樂】〈名〉 快楽. 句例 육체의 ~만을 추구하는 생활 肉体の快楽だけを追求する生活. 語例 ~설 快楽説／~주의 快楽主義.

쾌락 【快諾】〈名・하他〉 快諾. 快く承諾すること. 句例 사원들의 요구를 ~하다 社員たちの要請を快諾する.

쾌속 【快速】〈名・하形〉 快速. 句例 ~으로 달리다 快速で〔猛スピードで〕走る. 語例 ~ 열차 快速列車／~정 快速艇.

쾌승 【快勝】〈名・하自〉 快勝. 句例 ~을 거두다 快勝をあげる.

쾌유 【快癒】〈名・하自〉 快癒. 全快. 類 쾌차(快差). 句例 ~를 빌다 快癒を祈る.

쾌재 【快哉】〈名〉 快哉. 句例 ~를 부르다 快哉を叫ぶ.

쾌적 【快適】〈名・하形〉 快適. 句例 ~한 여행을 즐기다 快適な旅行を楽しむ.

쾌조 【快調】〈名〉 快調. 好調. 句例 ~의 스타트를 끊다 快調なスタートを切る.

쾌차 【快差】〈名・하自〉 快癒. 全快. 句例 병이 ~하다 病気が快癒する.

쾌청 【快晴】〈名・하形〉 快晴. 句例 ~한 날씨 快晴の天気.

쾌활 【快活】〈名・하形〉 快活. 句例 ~한 기질〔성격〕快活な気性〔性格〕. **~히** 〈副〉 快活に.

쾌-히 【快—】〈副〉 快く. 愉快に. てきぱきと. 句例 ~ 떠맡다 快く引き受ける.
参考 形容詞'쾌(快)하다 愉快だ. 気持ちよい'から派生して副詞として用いられる語.

쾨쾨-하다 (→하다)〈形〉 ❶悪臭を放つ. かび臭い. ひどくにおう. 文例 광 안에 들어서니 쾨쾨한 냄새가 코를 찌른다 物置きに入るとかびくさいにおいが鼻をつく. ❷(言動が)汚ならしい. 句例 쾨쾨한 녀석 汚らしいやつ.
表現 語感の大きい語は'퀴퀴하다'.

쿠데타 〈名〉 クーデター. 句例 ~를 일으키다 クーデターを起こす. 語例 군사 ~ 軍事クーデター. ◇프 coup d'Etat

쿠렁-쿠렁 〈副・하形〉(袋などの中身が)いっぱいでなく透き間のあるようす：すかすか. だぶだぶ. 文例 바지가 ~하여 얻어 입은 것 같다 ズボンがだぶだぶで借り着みたいだ.

쿠션 〈名〉 クッション. ◇cushion

쿠키 〈名〉 クッキー. 句例 ~를 맛있게 먹다 クッキーをおいしく食べる. ◇cookie. cooky

쿠폰 [k'u:p'on]〈名〉 クーポン. ◇coupon

*__쿡-쿡__ 〈副・하自〉 物を続けざまに強く突き刺すさま：ぶすっぶすっと. こつこつ(と). ちくちく(と). 句例 색대로 쌀가마를 ~ 찌르다 米刺しで米俵をぶすっぶすっと突き刺す. 文例 수술한 자리가 ~ 쑤신다 手術のあとがちくちく痛む. **~거리다** 〈自〉 ぶすっぶすっと突き刺す. こつこつとつっつく.

쿨러 [k'u:llǒ]〈名〉 クーラー. 冷房装置. 對 히터. ◇cooler

쿨렁 〈副・하自〉 ❶器に入っている液体が揺れる音：ぽちゃっと. だぶんと. ぼちゃんと.

[文例] 통 속의 물이 ～ 소리를 내며 흔들린다 桶の中の水がぼちゃっと音をたてながらゆれる. ❷張り付けたものがぴったりくっつかないで膨れ上がっているさま: ぽこんと. ぷくっと. [文例] 벽보가 붙어 있지 않고 ～하다 張り紙がよくつかないでぷくっと膨れ上がっている. **～거리다**〈自〉❶ぼちゃんぼちゃんと音をたてる. ❷ぽこんぽこんと膨れ上がる.

쿨롬 [k'u:llom]〈依名〉〔物〕クーロン. 電気量の実用単位《記号C》. ◇Coulomb

쿨룩〈副・하自〉(老人・病人などが)咳をする音: ごほん. [句例] ～하고 기침을 하다 ごほんと咳をする. **～거리다**〈自〉ごほんごほんと咳をする.

쿨룩쿨룩〈副・하自〉ごほんごほん.

쿨쿨[1]〈副・하自〉(広い穴から)水が勢いよく流れ出る音: どくどく. ごぼごぼ. [文例] 하수도의 토관에서 구정물이 ～ 쏟아진다 下水道の土管から汚水がどくどくあふれ出る. **～거리다**〈自〉どくどくと流れる.

쿨쿨[2] [k'u:lk'ul]〈副・하自〉いびきをかいているさま: ぐうぐう. [文例] 코를 ～ 골며 자고 있다 ぐうぐう(と)いびきをかいて寝ている. **～거리다**〈自〉いびきをかく.

*__쿵__〈副・하自他〉重い物が落ちたり倒れたりするときひびく音: どしん. ごとん. どすん. [句例] ～하고 넘어지다 どすんと倒れる.

쿵더쿵〈副・하自他〉'쿵덕'を旋律的に表現した語: ごとんごとん. どしんどしん. [句例] ～하고 디딜방아를 찧다 ごとんごとんと踏みうすをつく.

쿵덕〈副・하自他〉きね(杵)でうす(臼)をつく音: ごとん. [句例] ～ 소리를 내는 방아 ごとんごとんと音を出すうす. **～거리다**〈自他〉ごとんごとんと音をたてる.

쿵덕쿵덕〈副・하自他〉ごとんごとん.

쿵-쾅〈副・하自他〉❶銃・砲などの音が入りまじってとどろく音: どんどん. ❷板の間を踏みならすときに出る音: どん. [句例] 마룻바닥을 ～ 구르다 板の間をどんと踏みならす. ❸(固い物が)ぶつかるときに出す音: どかん. ずしん. [句例] 부딪쳐서 ～ 소리를 내다 ぶつかってどかんと音をたてる. **～거리다**〈自他〉どんどんと音を出す.

쿵쾅쿵쾅〈副・하自他〉どんどんどんどん.

쿵-쿵〈副・하自他〉❶重い物が続けざまに落ちて鳴る音: どしんどしん. どすんどすん. ❷太鼓や大砲の音: どんどん. ❸きね(杵)でうす(臼)をつく音: どしんどしん. **～거리다**〈自他〉どしんどしん〔どんどん〕と音がする.

쿼트 [k'wo:t'ŭ]〈依名〉クォーター. 四分の一. ◇quart

퀀셋〈名〉クォンセット. かまぼこ形の建物. かまぼこ形兵舎. ◇Quonset

퀄퀄〈副・하自〉大量の液体が穴から勢いよく流れ出る音: どくどく. だくだく. [文例] 병에서 간장이 ～ 쏟아진다 瓶からしょうゆがどくどくと流れ出る. **～거리다**〈自〉どくどくと流れ出る.

퀑〈副・하自他〉❶重い物が落ちてひびく音: どしん. どかん. ❷爆発物が爆発するときひびく音: どん. どかん. [句例] 포탄이 ～ 떨어지다 砲弾がどかんと落ちる.

퀑-퀑〈副・하自他〉❶爆発物が続けざまに爆発してひびく音: どかんどかん. [句例] 포탄이 ～ 떨어지다 砲弾がどかんどかんと落ちてくる. ❷重い物が続けざまに落ちてひびく音: どしんどしん. どかんどかん. **～거리다**〈自他〉どしんどしんと音をたてる.

퀘스천 마크 [k'wesŭch'ŏnma:k'ŭ]〈名〉クェスチョンマーク. 疑問符. ◇question mark

퀭-하다 (→하다)〈形〉目が落ちくぼんで精気がない. [文例] 지친 탓인지 눈이 ～ 疲れたせいか目がくぼんで精気がない.

퀴즈〈名〉クイズ. [句例] ～를 풀다 クイズを解く. [語例] ～ 쇼 クイズショー / ～ 프로 クイズ番組. ◇quiz

퀴퀴-하다 (→하다)〈形〉(物が腐ったりして)かび臭い. 悪臭がする. [文例] 상한 생선처럼 ～ 傷んだ魚のように悪臭がする.

*__크기__〈名〉(広さ・量・形などの)大きさ. サイズ. …大. [句例] 엽서 ～의 카드 葉書大のカード. [文例] ～에 따라 값도 다르다 大きさによって値段も異なる.

크나-크다 (—크니, —커서)〈形〉非常に大きい. (ことが)重大だ. [句例] 크나큰 사건 非常に大きな事件 / 크나큰 잘못 重大なあやまり.

크낙-새〈名〉〔鳥〕きたたき(木叩).

**__크다__ ━(크니, 커서)〈形〉大きい. ❶(長さ・広さ・大きさなどが)大きい. [句例] 몸이 ～ からだが大きい / 방이 ～ 部屋が大きい / 가장 큰 도시 最も大きい都市.

❷(数・量が)多い. 大きい. [句例] 5는 3보다 ～ 五は三より大きい.

❸(衣服などのサイズが)大きい. [句例] 양복이 너무 ～ 洋服があまり大きい.

❹(声などが)大きい. 強い. [句例] 바람 소리가 ～ 風の音が強い.

❺(範囲・規模などが)大きい. 広い. [句例] 계획 범위가 ～ 計画の範囲が大きい / 규모가 ～ 規模が大きい.

❻(考え・度量などが)大きい. 広い. [句例] 마음이 큰 사람 心の大きい人 / 담이 ～ 肝が太い.

❼(責任・任務などが)重い. 大きい. 重大だ. [句例] 책임이 ～ 責任が重い / 큰 임무를 맡다 重大な任務を引き受ける.

❽(金額の数値が)大きい. [文例] 월말에 지불해야 할 금액이 ～ 月末に支払うべき金額が大きい〔多い〕.

❾(罪・あやまちなどが)大きい. 重い. [句例] 죄가 ～ 罪が重い / 큰 잘못을 저지르다 大きなあやまちを犯す.

❿(一か月の日数によって)大の月だ. 大だ. [句例] 7・8월은 큰 달이다 七・八月は大の月だ. ▷(対)작다.

━(크니, 커서)〈自〉(生物が)大きくなる. 生長する. 伸びる. 育つ. [句例] 코스모스가 쑥쑥 ～ コスモスがすくすく(と)伸びる. [文例] 1년 사이에 아들이 무척 컸다 一年の間に息子がたいへん大きくなった.

커도 한 그릇 작아도 한 그릇 大きくても一杯.

小さくても一杯. 大小にかかわらず名目は同じだ. 分配する量が等しいこと.

큰 방죽도 개미구멍으로 무너진다 大きな堤もあり(蟻)の穴で崩れる. ささいなことでもばかにしているとひどい目に合う.

크디-크다 (一크니, 一커서)〈形〉非常に大きい. (對)작디작다.

크라프트-지【kraft紙】〈名〉クラフト紙.

크래커〈名〉クラッカー. [語例] 치즈 ～ チーズクラッカー. ◇cracker

크랭크〈名・하自〉クランク. ❶〔機〕往復運動を回転運動に, または回転運動を往復運動に変える装置. ❷映画を撮影すること. [語例] ～인 クランクイン. ◇crank

크렁-크렁〈副・하形〉❶液体が器にいっぱい満ちであふれそうなさま：なみなみと. [文例] 목욕통에 물이 ～ 채워졌다 浴槽に水がなみなみと満たされた. ❷汁の実はわずかで汁が多いさま. ❸水を飲みすぎて腹がだぶつくさま：だぶだぶ. がぼがぼ.

크레오소트 [k'ŭreoso:t'ŭ]〈名〉クレオソート. ◇creosote

⁑**크레용**〈名〉クレヨン. [句例] ～을 칠하다 クレヨンを塗る. ◇프 crayon

크레이터〈名〉(月などの)クレーター. 噴火口. ◇crater

크레인〈名〉クレーン. 起重機. [句例] ～으로 들어올리다 クレーンでつり上げる. ◇crane

크레졸〈名〉〔化〕クレゾール. [句例] ～ 비눗물 クレーゾルせっけん液. ◇도 cresol

⁑**크레파스**〈名〉クレパス. [語例] ～화 クレパス画. ◇craypas. crayon pastel から. [參考] もとは 商標名.

크로스〈名〉クロス. [語例] ～ 레이트〔經〕クロスレート / ～바 クロスバー / ～ 스파이크 (バレーボルの)クロススパイク. ◇cross

크로커스〈名〉〔植〕クロッカス. 花サフラン. ◇crocus

크롤 [k'ŭro:l]〈名〉(水泳)クロール(ストローク). ◇crawl

크롬〈名〉〔化〕クロム. クローム. ◇chrome

⁑**크리스마스**〈名〉〔基〕クリスマス. [語例] ～ 선물 クリスマスプレゼント〔贈り物〕/ ～실 クリスマスシール / ～ 카드 クリスマスカード / ～ 캐럴 クリスマスカロル / ～ 트리 クリスマスツリー. ◇Christmas

크리스천〈名〉クリスチャン. [句例] ～답지 않은 짓 クリスチャンらしくないふるまい. ◇Christian

크리스털〈名〉クリスタル. 水晶. [語例] ～ 글라스 クリスタルガラス / ～ 리시버 クリスタルレシーバー. ◇crystal

크림 [k'ŭri:m]〈名〉クリーム. [語例] 아이스 ～ アイスクリーム / 영양 ～ 栄養クリーム / ～빵 クリームパン / ～ 소다 クリームソーダ ◇cream

큰-골〈名〉〔生〕⇨ 대뇌

큰-곰〈名〉❶〔動〕ひぐま(羆). ❷〔天〕'큰곰자리 大熊座'の略.

큰-글씨〈名〉大きく書いた字. (對)잔글씨.

큰-기침〈名・하自〉(人けし, または威儀を示すための)せき払い. [句例] 방문 앞에서 ～을 하다 部屋への戸の前まで大きな声でせき払いをする. (對)잔기침.

큰-누나〈名〉《兒》いちばん上の姉ちゃん. 上の姉ちゃん.

큰-누이〈名〉(男からみて)上の姉. いちばん上の姉. (對)작은누이.

큰-눈〈名〉大雪. [文例] ～이 오면 큰일이다 大雪が降ると大変だ. (類)대설(大雪).

큰-달〈名〉大の月. 陽暦では三十一日, 陰暦では三十日の月. (對)작은달.

큰-댁【一宅】〈名〉'큰집'の尊称.

큰-돈〈名〉大金. [句例] ～을 손에 넣다 大金を手に入れる. (類)거금(巨金).

큰-딸〈名〉長女. 総領娘. (對)작은딸.

큰-뜻〈名〉大志. [句例] ～을 품다 大志をいだく.

큰-마음〈名〉広い心. 寛大な心. 略して'큰맘'ともいう. [句例] ～으로 봐주다 大目にみてやる.

큰마음(을) 먹다 ❶寛大な心をもつ. ❷難しい決心をする. 思い切って(…することに)決める. [文例] 큰마음을 먹고 발표하기로 하였다 一大決心して発表することにした.

큰-말〈名〉〔言〕語感の大きい語. 陰母音で成り立つ語で, 実質的な意味は陽母音の語と変わらないが語感が大きくなる語. '동동'に対して'둥둥', '파랗다'に対して'퍼렇다'など. (對)작은말.

큰-매부【一妹夫】〈名〉上の姉の夫. いちばん上の姉の夫.

큰-문【一門】〈名〉三門のうち真ん中のいちばん大きい門.

큰문(을) 잡다 身分の高い人が出入りするとき真ん中の大きい門を開ける.

큰-물〈名〉大水. 洪水. [句例] ～로 제방이 무너지다 洪水で堤が崩れる.

큰물(이) 지다 大水〔洪水〕になる.

큰-방【一房】〈名〉❶広くて大きい部屋. 大部屋. ＝대방(大房). ❷家中でいちばん目上の婦人が寝起きする部屋. ❸寺で僧が日常生活する部屋.

***큰-북**〈名〉〔樂〕大太鼓. [絵]

〈큰북〉

큰-불〈名〉❶大火. 大火事. 大火災. [句例] ～이 나다 大火事がおこる. ❷大きな獣を捕えるために放つ弾丸.

큰불(을) 놓다 ❶大火をおこす. ❷大きい獣を捕えるための銃を撃つ.

큰-비〈名〉大雨. 豪雨. [句例] ～로 홍수가 나다 大雨で洪水になる / ～로 교통이 두절되다 大雨で交通がとだえる.

큰-상【一床】〈名〉❶多くの料理を並べることができる大きな食卓. ❷婚礼や還暦祝いなどの宴会で, 主人公のために設けられる膳.

큰상(을) 받다 (婚礼・還暦の祝いの宴会で)主人公が大きな膳で特別の供応を受ける.

큰-소리〈名・하自〉❶大声. 大きな声. [句例] ～로 꾸짖다 大声でしかる. [文例] ～로 말해 주세요 大きな声で話してください. ❷大言. 大口. ほら.

큰소리(를) 치다 ❶大声でどなる. ❷大きなことを

言う. 大口をたたく. 句例 곧 죽어도 큰소리를 친다 やせても枯れても大言を吐く.

큰-스님 〈名〉〔佛〕大和尚. 徳の高い高僧の敬称.

큰-아들 [k'ŭnadŭl] 〈名〉長男. 総領息子.

⁑**큰-아버지** [k'ŭnabŏji] 〈名〉伯父.

큰-악절 [k'ŭnakchŏl] 【一樂節】〈名〉〔樂〕大楽節. 二つの小楽節を合わせたもの.

큰-어머니 [k'ŭnŏmŏni] 〈名〉❶伯父の妻. 伯母. ❷庶子が父の本妻を言う語.

⁑**큰-언니** [k'ŭnŏnni] 〈名〉(妹からみて)いちばん上の姉.

⁑**큰-오빠** [k'ŭnoppa] 〈名〉(妹からみて)いちばん上の兄.

⁑**큰-일** [k'ŭnil] 〈名〉❶大事・大事. 重大なこと. 大変なこと. 句例 비가 오면 ~이다 雨が降ると大変だ / ~을 저지르다 大変なことをしでかす. ❷結婚式や葬儀などの重要な行事. =대사(大事).

큰일(을) 치르다 重要な行事をとり行なう. 文例 큰딸의 큰일을 치렀다 長女の結婚式を挙げた.

큰-절 〈名・하自〉女性がする最も敬意を込めたお辞儀. 両手を額にあてて膝をゆっくり折り曲げて座り, 頭を深深と下げる礼.

큰-조카 〈名〉長兄の長男. =장질(長姪). 장조카.

큰-집 〈名〉❶(分家した者からみて)本家. (他の家で暮らす弟とその子孫からみて)長兄やその子孫の家. ❷(妾やその子孫からみて)本妻やその子孫の家. ❸構えの大きな家. 對작은집. ❹刑務所.
参考 ④は俗っぽい言いかた.

큰-창자 〈名〉〔生〕⇨ 대장(大腸)

큰코-다치다 〈自〉ひどい目に合う.

큰-할머니 〈名〉祖父の長兄の妻. 大伯母.

큰-할아버지 [k'ŭnharabŏji] 〈名〉祖父の長兄. 大伯父.

⁑**큰-형** 【一兄】〈名〉長兄. いちばん上の兄.

큰-형수 【一兄嫂】〈名〉長兄の妻.

클라리넷 〈名〉〔樂〕クラリネット. ◇clarinet

클라이맥스 〈名〉クライマックス. 句例 스토리의 ~ ストーリーのクライマックス. ◇climax

클라이밍 〈名〉クライミング. 語例 록 ~ ロッククライミング. ◇climbing

클래스 〈名〉クラス. 句例 하이 ~ ハイクラス / ~메이트 クラスメート. 同級生. ◇class

클래식 〈名・하形〉クラシック. 句例 ~한 건축물 クラシックな 建築物. 語例 ~ 음악 クラシック 音楽. ◇classic.

클랙슨 〈名〉クラクション. 句例 ~을 울리다 クラクションを鳴らす. ◇klaxon

클러치 〈名〉〔機〕クラッチ. ◇clutch

클럽 〈名〉クラブ. ❶同じ趣味などを持った人の集まり. 句例 ~에 입회하다 クラブに入会する. 語例 ~ 활동 クラブ活動. ❷(ゴルフなどの)ボールを打つ棒. ◇club

클로버 [k'ŭllo:bŏ] 〈名〉〔植〕クローバー. =토끼풀. ◇clover

클로즈-업 [k'ŭllo:jŭŏp] 〈名・하他〉クローズアップ. ❶(クローズ)アップ. 大写し. 句例 ~된 얼굴 사진 クロズアップされた顔写真. ❷問題として目立つように大きく取り上げること. 句例 교통 문제가 ~되다 交通問題がクローズアップされる. ◇close-up

클린-업 [k'ŭllinŏp] 〈名・하自他〉〔野〕クリーンアップ. クリーンナップ. 語例 ~ 트리오 クリーンナップトリオ. ◇cleanup

클린치 〈名・하自〉(ボックシングの)クリンチ. クリンチング. ◇clinch

클린 히트 [k'ŭlli:nhit'ŭ] 〈名〉〔野〕クリーンヒット. 鮮やかな安打. ◇clean hit

***클립** 〈名〉クリップ. ◇clip

큼직-이 [k'ŭmjigi] 〈副〉かなり大きく. 大ぶりに.

큼직-하다 [k'ŭmjik'ada] (→하다) 〈形〉かなり大きい. 大ぶりだ. 句例 큼직한 대접 大ぶりなどんぶり / 사진이 신문에 큼직하게 나다 写真が新聞に大きく載る.

큼직큼직 〈副・하形〉どれもこれもみな かなり大きなさま. 句例 ~한 감들 そろって粒の大きいかき(柿).

킁킁 〈副・하自〉病気または癖のせいでしきりに鼻を鳴らすさま: くんくん. くすんくすん. **~거리다** 〈自〉くんくんとしきりに鼻を鳴らす. 句例 ~거리며 냄새를 맡다 くんくんと鼻を鳴らしながらにおいをかぐ.

킁킁-이 〈名〉鼻を鳴らす癖のある人.

⁑**키**[1] 〈名〉❶(人や動物の)背・背. 背丈. 身長. 句例 ~가 작다 背が低い. 文例 1년 사이에 ~가 많이 컸다 一年の間に背丈がずいぶん伸びた. ❷物の高さ. 語例 책상의 ~ 机の高さ.

키는 작아도 담은 크다 背は低いが肝は太い. 背の低い人をほめることば.

키 크고 싱겁지 않은 사람 없다 背が高くていいかげんでない人はいない.

키[2] 〈名〉み(箕). 絵 句例 ~로 까불다 みでふるう.

〈키〉

키[3] 〈名〉(船の)かじ(舵). 語例 ~잡이 舵手. かじ取り.

키(를) 잡다 ❶(船の)かじを取る. ❷一定の方向に物事をうまく運んでいく.

키[4] [k'i:] 〈名〉キー. ❶かぎ(鍵). 語例 아파트 ~ アパートのかぎ / 자동차 ~ 自動車のキー. ❷(問題や事件を解決する)手がかり. かぎ. 句例 사건의 ~를 쥐고 있다 事件のかぎを握っている. 語例 ~ 워드 キーワード. ❸(ピアノ・オルガンなどの)鍵盤. ❹(タイプライター・計算器などの)手でたたく文字盤. ❺(電話・電信などの)キー. 電鍵. ◇key

키-보드 [k'i:bo:dŭ] 〈名〉キーボード. ❶〔樂〕鍵盤. ❷ホテルなどの受付で客室のキーをさげておく板. ❸〔컴〕⇨ 자판(字板). ◇keyboard

키-순 【一順】〈名〉背丈の順. 文例 ~으로 서시오 背丈の順に並びなさい.

키스 〈名・하自〉キス・キッス. 接吻. 口づけ.

[句例] 볼에다 ~하다 ほお(頰)にキスをする. ◇kiss

***키우다** 〈他〉 ❶育てる. はぐく(育)む. 飼う. [句例] 두 고아를 ~ 二人のみなしごを育てる / 강아지를 ~ 子犬を飼う. (類)기르다. ❷(才能・勢力などを)伸ばす. (財産などを)ふやす. 大きくする. [句例] 창조력을 ~ 創造力を伸ばす.

키위 〈名〉〔植〕 キウィ. ◇kiwi

키-잡이 [k'ijabi] 〈名〉 かじ取り. 舵手. =조타수(操舵手).

키-질 〈名・하他〉 み(箕)で穀物をふるうこと.

키트 〈名〉 (模型の)キット. ◇kit

키퍼 [k'i:p'ŏ] 〈名〉 '골키퍼 ゴールキーパー'の略. ◇keeper

키 포인트 [k'i:—] 〈名〉 キーポイント. 主眼点. 解決の糸口. ◇key point

킥[1] 〈名・하他〉 (サッカーの)キック. [語例] 코너 ~ コーナーキック / 프리 ~ フリーキック. ◇kick

킥[2] 〈副・하自〉 こらえきれずに笑いを漏らすさま: くすっと. くすりと. [句例] 갑자기 ~하고 웃다 にわかにくすっと笑う.

킥-복싱 〈名〉 キックボクシング. [文例] ~은 태국에서 시작되었다 キックボクシングはタイで始まった. ◇kickboxing

킥-볼 〈名〉 キックボール. ◇kickball

킥-오프 [k'igop'ŭ] 〈名・하他〉 キックオフ. =시축(始蹴). ◇kickoff

킥-킥 〈副・하自〉 こらえきれずに笑いを漏らすさま: くすくす(と). **~거리다** 〈自〉 くすくすと笑う. [文例] 청년의 익살스런 몸짓에 처녀들이 ~거리며 웃는다 青年のおどけた身振りに娘たちがくすくす(と)笑っている.

킬 〈名・하自〉 (テニスなどの)キル. 強く打つこと. ◇kill

킬러 〈名〉 キラー. ❶(バレーボールで)スパイクする選手. ❷〔野〕 特定のチームに強い投手. ◇killer

킬로 ㊀〈依名〉'킬로그램・킬로와트・킬로미터'などの略: キロ《記号 k》. [句例] 3 ~의 무게 三キログラムの重さ / 5 ~의 거리 五キロメートルの距離 / 70 ~의 몸무게 七十キログラムの体重.
㊁〈頭〉 千の意味を持つ語: キロ. [語例] ~미터 キロメートル / ~그램 キログラム / ~리터 キロリットル / ~와트 キロワット / ~칼로리 キロカロリー. ◇ユ kilo

킬킬 〈副・하自〉 こらえきれずに笑うさま: くすくす(と). くっくっ(と). [句例] 남몰래 ~ 웃다 陰でくすくすと笑う. **~거리다** 〈自〉 くすくすと笑う. [句例] 얼굴을 마주보고 ~거리다 顔を見合わせてくすくす笑う.

킷-값 [k'itkap] 〈名〉 (子供にたいして用いて)背丈にふさわしい行動. 年にふさわしい行動. [文例] 제발 ~이나 해라 お願いだから年にふさわしく行動しなさい. →값[參考]

킹킹 〈副・하自〉 子供がせがんだりだだをこねたりする声: ああん. うんうん. [句例] 자꾸 ~ 보채다 しきりにうんうんとむずかる. **~거리다** 〈自〉 うんうんとむずかる.

ㅌ

ㅌ [티읕 t'iŭt] ハングル字母の第十二番目の字.
参考 'ㅌ이 ㅌが' 'ㅌ을 ㅌを'は[t'iŭshi], [t'iŭsŭl]と読む.

타【他】〈名〉他. ほか. 他人. ＝남. 句例 ～의 추종을 불허하다 他の追随を許さない.

타【打】〈依名〉ダース. 語例 연필 두 ～ 鉛筆二ダース / 수건 여섯 ～ てぬぐ(手拭)い六ダース / 양말 한 ～ くつした一ダース.

타 〔漢字項目〕

【他】 中學 타 タ. ❶남 他の人. ▮他人 타인 たにん. ▮自他 자타 じた. ❷다르다 違う. ▮他異 타이 たい. 他日 타일 たじつ. ❸딴 일 ほかのこと. ▮他事 타사 たじ.

【墮(堕)】 高校 타 ダ. ❶떨어지다 落ちる. ▮墮落 타락 だらく. ❷떨어뜨리다 落とす. ▮墮胎 타태 だたい.

【妥(妥)】 高校 타 ダ. 온당하다 穏当だ. 타협하다 折り合う. ▮妥當 타당 だとう. 妥協 타협 だきょう.

【打】 中學 타 ダ. チョウ. ❶치다 打つ. ▮打擊 타격 だげき. 打擲 타척 ちょうちゃく. ▮強打 강타 きょうだ. 毆打 구타 おうだ. ❷동작을 나타내는 관사 動作をあらわす冠詞. ▮打算 타산 ださん. ❸다스 ダースの当て字. ▮鉛筆一打 연필 일타 えんぴついちだ.

타개【打開】[t'a:gae]〈名・하他〉打開. 句例 난국을 ～하다 難局を打開する. 語例 ～책 打開策.

***타격**【打擊】[t'a:gyŏk]〈名〉打擊. ❶打つこと. たたくこと. 句例 ～을 가하다 打擊を加える. ❷〔野〕バッティング. 文例 ～에는 자신이 있다 打擊には自信がある. 語例 ～률 打擊率. 打率 / ～순 打擊順. 打順. ❸ショック. 損害. 損失. 文例 심한 ～으로 병이 났다 ひどい痛手を受けて病気になった.

타결【妥結】[t'a:gyŏl]〈名・하自他〉妥結. 句例 현안 문제를 ～하다 懸案問題を妥結する. 文例 교섭이 ～되었다 交渉が妥結した.

타계【他界】〈名・하自〉他界. ❶他の世界. ❷死亡すること. 文例 선생님이 ～한 지도 벌써 10년이나 된다 先生が他界してからもう十年にもなる. ❸〔佛〕十界のうち, 人間以外の世界《天上界・地獄界・餓鬼界など》.

***타고-나다**〈他〉先天的に持って生まれる. 生まれつく. 句例 음악가로 ～ 音楽家に生まれつく / 타고난 목소리 生まれつきの声. 地声. / 자식복을 ～나다 子宝に恵まれる. 文例 그는 타고난 장사꾼이다 彼は根っからの商売人だ.

타구【打球】[t'a:gu]〈名〉〔野〕打球.

타구【唾具】[t'a:gu]〈名〉たんつぼ(痰壺).

타국【他國】〈名〉他国. 他の国. 語例 ～ 땅 他国の地 / ～인 他国人.

타-누르기〈名〉(相撲で)相手をからだで押さえつけて倒す技.

타닌〈名〉〔化〕⇨ 타닌산 ◇tannin

타닌-산【tannin酸】〈名〉〔化〕タンニン酸.

****타다**[1]〈自〉❶焼ける. ㉠燃える. 燃焼する. 句例 집이 ～ 家が焼ける / 잘 타는 종이 よく燃える紙 / 불탄 자리 焼け跡 / 초가 ～ ろうそくが燃える.
㉡(黒く)焦げる. 日焼けする. 句例 밥이 ～ ご飯が焦げる / 새까맣게 탄 얼굴 真っ黒に焼けた顔.
❷(日照りで植物が)干からびる. 枯れる. 文例 가뭄에 밭곡식이 다 탔다 旱魃で畑の穀物が全部枯れた.
❸(のど・唇が)渇く. 句例 더워서 목이 ～ 暑いのでのどが渇く. 絵
❹(情熱・色彩が)燃える. 句例 불타는 청춘 燃える青春. 文例 가을 단풍이 타는 듯하다 秋の紅葉が燃えるようだ. 絵
❺(気・心が)痛む. 焦がれる. もめる. 句例 애가 ～ 気がもめる / 속이 ～ 心が痛む.

더워서 목이 타다　　단풍이 타는 듯하다

〈타다〉

****타다**[2]〈他〉❶(乗り物に)乗る. 句例 버스를 ～ バスに乗る / 비행기를 ～ 飛行機に乗る.
❷(そりやスケートなどで)滑る. 句例 썰매를 ～ そりで滑る / 스케이트를 ～ スケートをする / 스키를 타러 가다 スキーに行く.
❸(ぶらんこやシーソーなどに)乗る. 句例 그네를 ～ ぶらんこに乗る.
❹(足場の悪いところを)渡る. 登る. 句例 나무를 ～ 木に登る / 줄을 ～ 綱を渡る.
❺(風・煙などの勢いに)乗る. 句例 바람을 타고 들려오는 소리 風に乗って聞こえてくる音 / 전파를 타고 전하는 뉴스 電波に乗って伝えるニュース.

***타다**[3]〈他〉液体に別の液体または粉などを加える. 混ぜる. 入れる. 割る. 句例 그림 물감을 ～ 絵の具を混ぜる / 술에 물을 ～ 酒を水で割る.

***타다**[4]〈他〉❶(給与・賞・配給などを)もらう. 受ける. 句例 개근상을 ～ 皆勤賞をもらう / 배급을 ～ 配給を受け取る / 급여를 ～ 給与をもらう. ❷(才能・体力などを)授かる. 恵まれる. 文例 뛰어난 재주를 타고 태어났다 優れた才能を持って生まれた.

타다[5]〈他〉❶(頭髪を左右に)分ける. 句例 가르마를 ～ 髪を分ける. ❷(内部の物を取

とり出すため)割る．切る．裂く．句例 박을 ~ ふくべを割る．❸(豆・小豆などをひきうすで)ひく．句例 콩과 팥을 ~ 豆と小豆をひく．

타다[6] 〈他〉❶(弦楽器を)弾く・奏でる．句例 비파를 ~ 琵琶を弾く / 거문고를 ~ 琴を弾く．❷(綿などを)打つ．句例 솜을 ~ 綿を打つ．

타다[7] 〈他〉❶かぶれる．敏感である．句例 옻을 ~ 漆にかぶれる / 부끄럼을 ~ 恥ずかしがる．❷(季節や縁起などの影響を受けて)からだが参る．巡り合わせが悪い．句例 여름을 ~ 夏負けする / 부정(不淨)을 ~ たた(祟)りを受ける．縁起が悪い．

타당【妥當】[t'a:dang]〈名・하形〉妥当．句例 ~한 결론 妥当な結論．語例 ~성 妥当性．

타도【打倒】[t'a:do]〈名・하他〉打倒．打ち倒すこと．句例 독재 정권을 ~하다 独裁政権を打倒する．

타락【墮落】[t'a:rak]〈名・하自〉堕落．句例 ~한 생활〔여자〕堕落した生活〔女〕/ ~의 길 堕落の道 / 종교의 ~ 宗教の堕落．語例 ~ 정치 堕落政治．

타래 ━〈名〉糸・ひも・縄を巻いてかせにしたもの．語例 ~실 かせ糸 / ~엿 かせ糸のようによったあめ(飴)．
━〈依名〉糸やひも・縄などのかせを数える単位：…巻き．束．連．語例 실 네 ~ 糸四巻き．

타래-박〈名〉竹や木のさお(竿)におけ(桶)をつけたつるべ．

타래-타래〈副・하形〉(糸・ひも・綱・縄などを)ぐるぐる巻いて一巻きずつそろえたさま．句例 ~ 사려 놓은 털실 一巻ずつぐるぐる巻いた毛糸．

타력【打力】[t'a:ryŏk]〈名〉[‘타격력’の略] 打力．(バットで)打つ力．

타력【惰力】[t'a:ryŏk] 惰力．❶惰性の力．習慣の力．❷〔物〕慣性を起こす力．

타령【打令】[t'a:ryŏng]〈名〉❶〔樂〕韓国民族音楽の一つ：打令．…節．語例 도라지 ~ トラジ打令 / 아리랑 ~ アリラン打令．❷〔樂〕‘판소리 パンソリ’と雑歌などの総称．❸口癖のように同じことを繰りかえしていうこと．文例 입만 열면 돈~이다 口を開けば一にもお金，二にもお金だ．

타르〈名〉〔化〕タール．語例 콜~ コールタール．◇tar

타박 [t'a:bak]〈名・하他〉きつく責めつけること．ひどくけなすこと．けちをつけること．文例 하는 일마다 ~이다 する事なす事にけちをつける / ~만 맞고 물러나왔다 ひどく責められただけで引き下がった．

타박-거리다〈自〉とぼとぼと重い足どりで歩く．
表現 語感の大きい語は‘터벅거리다’．
타박타박 とぼとぼ．よろよろ．

타박-상【打撲傷】[t'a:bak—]〈名〉打撲傷．打ち傷．

타봉【打棒】[t'a:bong]〈名〉〔野〕打棒．バット．句例 ~이 날카롭다 打棒がさえる．

타산【打算】[t'a:san]〈名・하他〉打算．句例 이해 ~이 빠른 사람 損得勘定が早い人 / ~적인 성격 打算的な性格．

타산지-석【他山之石】〈名〉他山の石．句例 친구의 실패를 ~으로 삼다 友人の失敗を他山の石とする．

타살【他殺】〈名・하自他〉他殺．語例 ~체 他殺体 / ~ 혐의 他殺の疑い．對자살(自殺)．

타석【打席】[t'a:sŏk]〈名〉〔野〕打席．バッターボックス．句例 ~에 서다 打席に立つ / 3~ 무안타 三打席ノーヒット．語例 ~수 打席数．

타선【打線】[t'a:sŏn]〈名〉〔野〕打線．打者の陣容．句例 불을 뿜는 ~ 火を吹く打線．

타성【惰性】[t'a:sŏng]〈名〉❶惰性．文例 ~에서 벗어나야만 한다 惰性から抜け出さないといけない．❷〔物〕⇨ 관성(慣性)

타수【打數】[t'a:su]〈名〉〔野〕打数．句例 5~3안타 五打数三安打．

타순【打順】[t'a:sun]〈名〉〔野〕打順．

타-악기【打樂器】[t'a:—]〈名〉〔樂〕打楽器．

타액【唾液】[t'a:aek]〈名〉〔生〕唾液．＝침．語例 ~선 唾液腺．

타-오르다（타오르니，타올라서）〈自〉❶(火が)燃えあがる．句例 장작이 ~ 薪が燃えあがる．❷(感情・情熱が)燃える．胸を焦がす．句例 타오르는 정열 燃えあがる情熱 / 타오르는 분노 燃え立つ怒り．

타워〈名〉タワー．塔．◇tower

타원【楕圓】[t'a:won]〈名〉〔數〕楕円．語例 ~체 楕円体 / ~형 楕円形．

타월〈名〉タオル．てぬぐ(手拭)い．語例 ~ 천 タオル地 / 목욕 ~ バスタオル．◇towel
타월을 던지다 タオルを投げる．降参する．

타율【打率】[t'a:yul]〈名〉〔野〕打率．句例 3할 2푼 5리의 ~ 三割二分五厘の打率 / ~을 높이다 打率を上げる．

타의【他意】〈名〉他意．❶ほかの考え．文例 ~는 없었습니다 他意はなかったのです．❷他人の考え．

타이〈名〉タイ．❶ひも．❷‘넥타이 ネクタイ’の略．句例 ~를 매다 タイを締める．❸〔樂〕連結弧線．❹‘타이 스코어’の略．◇tie

***타-이르다**（타이르니，타일러서）〈他〉たしなめる．言い聞かせる．教え諭す．句例 알아듣도록 잘 ~ 理解するように言い聞かせる．

타이머〈名〉タイマー．ストップウォッチ．語例 셀프 ~ セルフタイマー．◇timer

타이밍〈名〉タイミング．句例 ~을 놓치다〔맞추다〕タイミングをはずす〔合わせる〕/ ~이 좋다〔맞지 않다〕タイミングがいい〔合わない〕．◇timing

타이 스코어〈名〉タイスコア．◇tie score

타이틀〈名〉タイトル．❶標題．書名．語例 ~ 페이지 タイトルページ．❷職名．肩書き．句例 어마어마한 ~ いかめしいタイトル．❸(スポーツの)選手権．語例 ~ 매치 タイトルマッチ．❹映画の字幕．◇title

타이프〈名〉‘타이프라이터 タイプライター’の略：タイプ．句例 ~를 치다 タイプを打つ．◇type

타이프-라이터〈名〉タイプライター．略して‘타이프’ともいう．＝타자기(打字機)．◇typewriter

타이피스트〈名〉タイピスト．＝타자수(打字手)．◇typist

타인【他人】〈名〉他人. 句例 ～의 명의로 자동차를 사다 他人の名義で自動車を買う.

타임〈名〉タイム. ❶時間. 語例 ～ 스위치 タイムスイッチ / ～ 머신 タイムマシン. ❷運動競技の所要時間. 句例 ～을 재다 タイムを測る. ❸(運動競技で)試合の一時中止. 句例 ～을 걸다 タイムをかける / ～을 요구하다 タイムを要求する. ❹〔樂〕拍子・速度・音符の長短. ◇time

타임리〈名・하形〉タイムリー. 語例 ～ 에러 タイムリーエラー / ～ 히트 タイムリーヒット. ◇timely

타임 캡슐〈名〉タイムカプセル. ◇time capsule

타입〈名〉タイプ. ❶型. 様式. 句例 새로운 ～의 옷 新しいタイプの服. ❷類型. 典型. 句例 내가 좋아하는 ～의 여자 僕の好きなタイプの女性. 語例 학자 ～ 学者タイプ. ◇type

타자【打字】[t'a:ja]〈名・하自〉タイプすること. 語例 ～기(機) タイプライター / ～수〔원(員)〕タイピスト.

타자(를) 치다 タイプを打つ.

***타자**【打者】[t'a:ja]〈名〉〔野〕打者. バッター. 語例 선두 ～ 先頭打者. トップバッター.

타작【打作】[t'a:jak]〈名・하他〉〔農〕❶脱穀. ＝마당질. 바심. ❷地主と小作人が収穫物を一定の割合で分ける小作制度の一つ.

타작-꾼【打作―】[t'a:jak―]〈名〉脱穀の仕事をする人.

타전【打電】[t'a:jŏn]〈名・하自〉打電. 電報を打つこと.

타점【打點】[t'a:tchŏm]〈名〉打点. 句例 3타수 2～ 三打数二打点. 語例 ～왕 打点王.

타조【駝鳥】[t'a:jo]〈名〉〔鳥〕だちょう(駝鳥).

타종【打鐘】[t'a:jong]〈名・하自〉鐘を打ち鳴らすこと. 語例 ～ 신호 鐘による信号.

타진【打診】[t'a:jin]〈名・하他〉打診. 句例 흉부를 ～하다 胸部を打診する / 상대방의 의향을 ～하다 相手の意向を打診する〔探る〕.

타진【打盡】[t'a:jin]〈名・하他〉打尽. 句例 일망 ～하다 一網打尽にする.

타파【打破】[t'a:p'a]〈名・하他〉打破. 打ち破ること. 句例 미신〔악습〕을 ～하다 迷信〔悪習〕を打破する. 語例 계급 ～ 階級打破 / 현상 ～ 現状打破.

타향【他鄕】〈名〉他郷. 異郷. 句例 ～을 떠돌아다니다 他郷をさすらう / ～에서 고생하다 他郷で苦労する. 語例 ～살이 他郷暮らし. 對고향(故鄕).

타협【妥協】[t'a:hyŏp]〈名・하他〉妥協. 句例 ～을 모색하다 妥協をはかる / ～점을 찾아내다 妥協点を見いだす. 文例 이 정도에서 ～하기로 했다 この辺で妥協することにした. 語例 ～안 妥協案 / ～적(인 태도) 妥協的(な態度).

탁 [t'a:k]〈副〉❶固い物がぶつかる音: ごつんと. ばたっと. どんと. ぶすっと. 句例 머리를 ～ 때리다 頭をごつんと殴る. 文例 화살이 과녁에 명중했다 矢が的にぶすっと的中した.

❷ぴんと張っていた物が急にはずれるか切れる音: ぱちんと. ぶすっと. ぷっつりと. 句例 밧줄이 ～ 끊어지다 綱がぷっつりと切れる.

❸急に打ったり閉まったりする音: ぽんと. ぴしゃりと. ばたんと. 句例 어깨를 ～ 치다 肩をぽんとたたく. 文例 바람에 문이 ～ 닫혔다 風で戸がばたんと閉まった.

❹息が詰まるさま: ぐっと. むっと. 句例 갑자기 숨이 ～ 막히다 突然ぐっと息が詰まる.

❺広く見渡せるさま: ずっと. さっと. 句例 ～ 트인 시야 ずっと開けた視野.

❻つば(唾)やたん(痰)を勢いよく吐き出すさま: ぺっと. 句例 침을 ～ 뱉다 つばをぺっと吐き出す.

탁 〔漢字項目〕

【托】 高校 탁 タク. ❶맡기다 任せる(《'託'に通用》). ◧托生 탁생 たくしょう. ❷받쳐 들다 手のひらに置く. ◧托鉢 탁발 たくはつ. ◨茶托 차탁 ちゃたく.

【濁】 高校 탁 ダク. ジョク. ❶흐리다 濁る. ◧濁水 탁수 だくすい. ◨清濁 청탁 せいだく. ❷혼란하다 乱れる. ◧濁亂 탁란 だくらん. 濁世 탁세 だくせい. じょくせ. ❸곱지 아니하다 さっぱりしない. ◧濁音 탁음 だくおん. ❹더럽다 汚れている. ◨汚濁 오탁 おだく.

【濯(濯)】 高校 탁 タク. 빨다 洗う. ◨洗濯 세탁 せんたく.

【琢】 高校 탁 タク. 쪼아 모양을 만들다 つついて形を作る. ◧琢磨 탁마 たくま. ◨彫琢 조탁 ちょうたく.

탁구【卓球】〈名〉卓球. ピンポン. 句例 ～를 치다 卓球〔ピンポン〕をする. 語例 ～공 ピンポン球 / ～대 ピンポン台.

탁류【濁流】[t'angnyu]〈名〉濁流. 句例 ～가 소용돌이치다 濁流が渦巻く / ～에 휩쓸리다 濁流に巻きこまれる.

탁발【托鉢】〈名・하自〉〔佛〕托鉢. 語例 ～승 托鉢僧.

탁본【拓本】〈名〉拓本. 石刷り. ＝탑본(搨本). 句例 시비의 ～을 뜨다 詩碑の拓本をとる.

탁상【卓上】〈名〉卓上. 語例 ～ 공론〔계획〕机上の空論〔計画〕/ ～ 시계 置き時計 / ～ 연설 卓上演説. テーブルスピーチ / ～ 전화 卓上電話.

탁아-소【託兒所】[t'agaso]〈名〉託児所.

탁월-하다【卓越―】[t'agwol―]（→하다）〈形〉卓越している. 句例 탁월한 기술〔재능〕卓越した技術〔才能〕. 文例 그는 지도력이 ～ 彼は指導力が卓越している.

탁자【卓子】〈名〉卓子. テーブル.

탁-탁〈副〉❶物事の処理をうまくするさま: てきぱき(と). さっさと. 句例 ～ 해치우다 てきぱきとやってのける.

❷つば(唾)をしきりに吐きすてるさま: ぺっぺっ(と). ぱっぱっ(と). 句例 침을 ～ 뱉다 つばをぺっぺっと吐く.

❸物をしきりにたたいたり, ほこりなどをはたくさま. ぱたぱた(と). 句例 먼지를 ～ 털다 ほこりをぱたぱたとはたく.

❹息が詰まるさま: ぐっぐっ(と). 句例 숨이 ～ 막히다 息がぐっぐっと詰まる.

ㅌ

❺固い物がしきりにはじけたりぶつかるさま：ぱちぱち(と)．ぽかんぽかん(と)．[句例] 콩이 ～ 튀다 豆がぱちぱちとはじける．
❻続けて物を切ったり折ったりするさま：ぽきぽき(と)．ぷつぷつ(と)．[句例] 나뭇가지를 ～ 부러뜨리다 木の枝をぽきぽきと折る．

***탁-하다**【濁―】[t'ak'ada] (→하다)〈形〉濁っている．❶(液体・空気などが)清らかでない．[句例] 탁한 물〔공기〕濁った水〔空気〕．❷顔色がくもっている．陰鬱だ．❸(声が)がらがらしている．[句例] 말소리가 ～ 話し声が濁っている．

탄【炭】[t'a:n]〈名〉炭．❶'석탄'の略．❷'연탄(煉炭)'の略．

탄　〔漢字項目〕

【彈(弾)】 [高校] 탄 ダン．❶활 弓．◨彈弓 탄궁 だんきゅう．だんぐう．❷탄알 弾丸．◨彈丸 탄환 だんがん．◨砲彈 포탄 ほうだん．❸튀기다 はじく．◨彈力 탄력 だんりょく．彈性 탄성 だんせい．❹타다 かき鳴らす．◨彈琴 탄금 だんきん．❺치다 打つ．탄핵하다 弾劾する．◨彈劾 탄핵 だんがい．◨糾彈 규탄 きゅうだん．

【歎】 [高校] 탄 タン．❶한숨쉬다 嘆く．◨歎聲 탄성 たんせい．◨悲歎 비탄 ひたん．❷칭찬하다 褒める．감탄하다 感心する．◨歎賞 탄상 たんしょう．◨感歎 감탄 かんたん．

【炭(炭)】 [高校] 탄 タン．❶숯 炭．◨木炭 목탄 もくたん．氷炭 빙탄 ひょうたん．❷석탄・탄소의 약칭 石炭・炭素の略称．◨炭坑 탄갱 たんこう．炭酸 탄산 たんさん．炭化 탄화 たんか．◨黑炭 흑탄 こくたん．

탄-가루【炭―】[t'a:nkkaru]〈名〉石炭または練炭の粉．

탄광【炭鑛】[t'a:n-gwang]〈名〉炭鉱．[語例] ～ 노동자 炭鉱労働者／～촌 炭鉱村．

탄-내【炭―】[t'a:nnae]〈名〉❶練炭や炭が燃えるときのにおい．❷'일산화탄소 一酸化炭素'の俗称．

탄도【彈道】[t'a:ndo]〈名〉弾道．[語例] ～ 미사일 弾道ミサイル／～학 弾道学．

탄력【彈力】[t'a:llyŏk]〈名〉弾力．[句例] ～이 강한 고무 弾力の強いゴム／～을 지니게 하다 弾力を持たせる／～을 잃은 피부 弾力のなくなった皮膚．[文例] 상황 변화에 ～ 있게 대처하다 状況の変化に弾力のある処置をする．[語例] ～성 弾力性．

탄로【綻露】[t'a:llo]〈名・하自他〉露見．ばれること．[句例] 음모가 ～나다 陰謀が露見する〔ばれる〕．

탄복【歎服】[t'a:nbok]〈名・하他〉感服．感心．[句例] 그 아름다움에 ～하다 その美しさに感服する．

탄산【炭酸】[t'a:nsan]〈名〉〔化〕炭酸．[語例] ～가스 炭酸ガス／～나트륨 炭酸ナトリウム／～수 炭酸水／～칼슘 炭酸カルシウム．

탄생【誕生】[t'a:nsaeng]〈名・하自〉誕生．[句例] 석가 ～을 축하하다 釈迦の誕生を祝う／신내각이 ～하다 新内閣が誕生する．[語例] ～석 誕生石／～지 誕生地／～일 誕生日．

탄성【彈性】[t'a:nsŏng]〈名〉〔物〕弾性．[語例] ～ 고무 弾性ゴム／～체 弾性体．

탄성【嘆聲・歎聲】[t'a:nsŏng]〈名〉嘆声．嘆く声．[句例] ～을 내다 嘆声をもらす／～을 지르다 嘆声をあげる．

탄소【炭素】[t'a:nso]〈名〉〔化〕炭素．[語例] ～강 炭素鋼／～동화 작용〔植〕炭素同化作用／～봉 炭素棒／～ 전구 炭素電球．

***탄수화-물**【炭水化物】[t'a:nsuhwamul]〈名〉〔化〕炭水化物《もとは'含水炭素'といった》．

탄식【歎息・嘆息】[t'a:nshik]〈名・하自他〉嘆息．嘆いてため息をつくこと．[句例] 깊이 ～하다 深くため息をつく／하늘을 우러러보고 ～하다 天を仰いで嘆息をもらす．[語例] 장～ 長嘆息．

탄신【誕辰】[t'a:nshin]〈名〉誕辰．(王様や師表とすべき人の)誕生日．

탄-알【彈―】[t'a:nal]〈名〉弾丸．(鉄砲の)弾．＝탄환．[句例] ～을 재다 弾を込める．

***탄압**【彈壓】[t'a:nap]〈名・하他〉弾圧．[句例] 언론을 ～하다 言論を弾圧する／철저하게 ～당하다 徹底的に弾圧される／～에 항거하다〔견디다〕弾圧に抵抗する〔耐える〕．

탄약【彈藥】[t'a:nyak]〈名〉弾薬．[句例] ～을 재다 弾薬を込める．[語例] ～ 상자 弾薬箱／～고 弾薬庫．

탄원【歎願・嘆願】[t'a:nwon]〈名・하他〉嘆願．[句例] ～을 받아들이다 嘆願を受け入れる．[語例] ～서 嘆願書．

탄일-종【誕日鐘】[t'a:niltchong]〈名〉クリスマスに教会で突く鐘．

탄저【炭疽】[t'a:njŏ]〈名〉〔醫〕⇨ 탄저병

탄저-병【炭疽病】[t'a:njŏppyŏng]〈名〉炭疽病．❶〔醫〕家畜に発生する伝染病．❷〔農〕トマト・桃・りんご・かき(柿)などに発生する病害．暗褐色のまだら(斑)が生じる．＝검썩은병(病)．

탄주【彈奏】[t'a:nju]〈名・하他〉弾奏．❶弦楽器を奏でること．❷〔史〕罪を明らかにしてその旨を国王に報告すること．

탄탄【坦坦】[t'a:nt'an]〈名・하形〉坦坦．道や土地などが平らであること．

탄탄 대로【坦坦大路】[t'a:nt'andae:ro]〈名〉❶坦坦たる大路．❷順調な道のり．

탄탄-하다 (→하다)〈形〉(構造や外観などが)がっしりしている．堅固だ．丈夫だ．しまっている．[句例] 몸이 ～ からだがしまっている／기반이 ～ 基盤が堅固だ／탄탄한 건물 がっちりした建物．**탄탄히**〈副〉しっかりと．がっしりと．
[表現] 語感の大きい語は'튼튼하다'．

탄-하다 [t'a:n―] (→하다)〈他〉❶(他人のことに)おせっかいをやく．口出しする．❷口論をしかける．言いがかりをつけて絡む．

탄화【炭化】[t'a:nhwa]〈名・하自〉〔化〕炭化．[語例] ～물 炭化物／～수소 炭化水素．

탄화-칼슘【炭化calcium】[t'a:nhwa―]〈名〉〔化〕炭化カルシウム．

***탄환**【彈丸】[t'a:nhwan]〈名〉弾丸．弾．＝탄알．[句例] ～을 재다〔장전하다〕弾丸を装填する．[語例] ～ 열차 弾丸列車．

ㅌ

*탈 [t'a:l]〈名〉仮面. ❶(演劇・舞踊などでかぶる)面. マスク. 語例 ⇨탈놀음 / 도깨비 ~ 鬼の面 / 사자의 ~ 獅子の面. ❷本心を隠した顔. 句例 양의 ~을 쓴 늑대 羊の仮面をかぶったおおかみ.

탈(을) 벗다 仮面を脱ぐ. 本来の姿をさらけ出す.

탈(을) 쓰다 ❶面をつける. 仮面をかぶる. 句例 탈을 쓰고 춤을 추다 仮面をかぶって踊る. ❷(本心・本性を隠して)いつわりの姿をつくろう. 仮面をかぶる. 猫をかぶる. 句例 애국자의 탈을 쓰다 愛国者の仮面をかぶる.

탈【頉】[t'a:l]〈名〉❶(思いがけない)事故. 故障. 文例 ~이 생길까 걱정이다 事故がおこるかと心配だ.

❷病気. 病. =병. 文例 배~이 났다 腹痛を起こした.

❸言いがかり. 難癖. けちをつけること. =트집. 句例 탈을 잡다(→小項目) ❹(おもに'이다'と共に用いて)(…なのが)欠点だ. きずだ. 問題だ. 文例 얼굴이 예쁜 것도 ~인가 顔がきれいなのも問題なのか / 그는 항상 회의에 늦게 오는 게 ~이다 彼はいつも会議に遅れて来るのが欠点だ.

탈(이) 나다 ❶事故・故障が生じる. 悪い方へ進む. 句例 기계가 탈이 나다 機械に故障が起こる. ❷からだに異常が生じる. 病気にかかる.

탈(을) 내다 故障〔事故〕をおこす.

탈(이) 없다 ❶故障がない. 順調である. ❷病気にかからない. →탈없이

탈(을) 잡다 (なんとかして)あら捜しをする. 難癖〔けち〕をつける.

탈 〔漢字項目〕

【奪】高校 탈 ダツ. 빼앗다 奪う. ▮奪取 탈취 だっしゅ. 奪還 탈환 だっかん. ▮掠奪 약탈 りゃくだつ. 争奪 쟁탈 そうだつ.

【脫(脱)】中學 탈 ダツ. ❶벗다 ぬぐ. ▮脱衣 탈의 だつい. 脱帽 탈모 だつぼう. ❷벗기다 ぬがせる. ▮脱穀 탈곡 だっこく. ❸벗어나다 脱する. ▮脱走 탈주 だっそう. ▮離脱 りだつ. ❹빠지다 抜ける. 漏れる. ▮脱字 탈자 だつじ. 脱落 탈락 だつらく.

탈-것 [t'alkkŏt]〈名〉(車・船・馬・輿・飛行機など)乗り物の総称.

탈곡【脫穀】〈名・하自〉脱穀.

탈-나다【頉—】[t'a:llada] ⇨'탈(頉)'の小項目

탈-놀음 [t'a:llorŭm]〈名〉〔民〕仮面劇.

탈당【脫黨】[t'alttang]〈名・하自〉脱党. 句例 ~하여 정계를 떠나다 脱党して政界から身を引く. 對입당(入黨).

탈락【脫落】〈名・하自〉脱落. ❶抜け落ちること. 句例 명단에서 ~되다 名簿から脱落する. 語例 ~자 脱落者. ❷〔言〕合成語の形成に際して一方の母音・子音または音節が省略されること《例えば, '어제 저녁'が'엊저녁', '사닥다리'が'사다리'になるなどの現象》.

탈모【脫毛】〈名・하自〉脱毛. 語例 ~증 脱毛症 / ~제 脱毛剤.

탈모【脫帽】〈名・하自〉脱帽. 文例 실내에선 ~할 것 室内では脱帽のこと. 對착모(着帽).

탈무드 [t'almu:dŭ]〈名〉〔宗〕タルムード. ◇히 Talmud

탈-바가지 [t'a:lppagaji]〈名〉❶ふくべを二つに割って干したものでつくった仮面. ❷'탈 仮面'の俗っぽい言いかた. ❸'철모(鐵帽) 鉄かぶと'の俗っぽい言いかた.

탈-바꿈 [t'a:lbakkum]〈名・하自〉〔動〕変態.

탈-삼진【奪三振】〈名・하自〉〔野〕投手が打者から三つのストライクを奪うこと.

탈상【脫喪】[t'alssang]〈名・하自〉喪が明けること. =해상(解喪).

탈색【脫色】[t'alssaek]〈名・하他〉脱色. 語例 ~제 脱色剤. 對염색(染色).

탈선【脫線】[t'alssŏn]〈名・하自〉脱線. ❶車両が線路からはずれること. 句例 열차가 ~하다 列車が脱線する. 語例 ~ 사고 脱線事故. ❷横道にそれること. 文例 ~하지 않도록 주의해라 横道にそれることのないように注意しなさい.

탈세【脫稅】[t'alsse]〈名・하自他〉脱税. 語例 ~ 행위 脱税行為.

탈수【脫水】[t'alssu]〈名・하自〉脱水. 句例 빨래하고 나서 ~하다 洗濯したあと脱水する. 語例 ~기 脱水機 / ~ 증상 脱水症状.

탈싹〈副・하自〉❶小柄な人がにわかに座るさま: べたっと. 句例 의자에 ~ 주저앉다 椅子にべたっと座る. ❷小さくて厚いものが崩れ落ちるさま: どさっと. どかっと. 句例 선반이 ~ 내려앉다 棚がどさっと崩れ落ちる. 表現 語感の大きい語は'털썩'.

탈-쓰다 [t'a:lssŭda](—쓰니, —써서) ⇨'탈'の小項目

탈-없다【頉—】[t'a:rŏpta] ⇨'탈(頉)'の小項目

탈-없이【頉—】[t'a:rŏpshi]〈副〉つつがなく. 無事に. 順調に. 事故なく. 句例 ~ 지내다 つつがなく暮らす. 文例 덕분에 아무 ~ 학교를 마칠 수가 있었다 おかげでつつがなく学校を終えることができた.

탈옥【脫獄】[t'arok]〈名・하自〉脱獄. 句例 ~을 꾀하다 脱獄を図る. 語例 ~수 脱獄囚.

탈의【脫衣】[t'arŭi]〈名・하自〉脱衣. 語例 ~실 脱衣室 / ~장 脱衣場. 對착의(着衣).

탈-잡다【頉—】[t'a:l—] ⇨'탈(頉)'の小項目

탈주【脫走】[t'altchu]〈名・하自〉脱走. 句例 집단으로 ~하다 集団をなして脱走する / ~를 기도하다 脱走を企てる. 語例 ~병 脱走兵.

탈지【脫脂】[t'altchi]〈名・하自他〉脱脂. 語例 ~면 脱脂綿 / ~ 분유 脱脂粉乳.

탈진【脫盡】[t'altchin]〈名・하自〉脱力. 気力が尽きること. 句例 ~한 상태로 골인하다 へとへとになってゴールインする.

*탈출【脫出】〈名・하自他〉脱出. 句例 적지에서 ~하다 敵地から脱出する.

*탈-춤 [t'a:lch'um]〈名〉仮面舞踊. 仮面をつけておどる踊り. =가면무(假面舞).

탈취【奪取】〈名・하他〉奪取. 奪い取ること. 句例 날치기가 핸드백을 ~하다 かっぱらいがハンドバックを奪い取る.

E

탈퇴【脱退】〈名・하自〉 脱退. 句例 협회에서 ~하다 協会から脱退する. 對가입(加入).

탈피【脱皮】〈名・하自〉脱皮. 句例 뱀〔매미〕의 ~ へび〔せみ〕の脱皮 / ~를 꾀하다 脱皮を図る / 구태로부터 ~하다 旧態から脱皮する.

탈환【奪還】〈名・하他〉奪還. 奪回. 奪い返すこと. 句例 진지를 ~하다 陣地を奪還〔奪回〕する. 語例 고지 ~ 高地奪還.

탐【貪】〈名・하他〉'탐욕 貪欲'の略. →탐하다

탐(이) 나다 欲が出る. ひどく欲しくなる. 句例 탐나는 물건 とても欲しい物.

탐(을) 내다 欲しがる. うらやましがる. 句例 지위를 탐내다 地位を欲しがる / 남의 재산을 탐내다 人の財産を欲しがる.

탐 〔漢字項目〕

【探】中學 탐 タン. ❶찾다 探す. ▮探索 탐색 たんさく. 探求 탐구 たんきゅう. ❷염탐하다 探る. ▮探偵 탐정 たんてい. ▮内探 내탐 ないたん. ❸찾다 訪ねる. ▮探訪 탐방 たんぼう. 探険 탐험 たんけん.

【貪】高校 탐 ドン. トン. タン. 탐하다 むさぼる. ▮貪慾 탐욕 どんよく. 貪食 탐식 どんしょく.

탐관【貪官】〈名〉 貪官. 欲の深い官吏. 語例 ~ 오리 貪官汚吏.

탐구【探究】〈名・하他〉 探究. 句例 진리를 ~하다 真理を探究する. 語例 ~심 探究心.

탐구【探求】〈名・하他〉 探求. 探し求めること. 句例 행복의 ~ 幸福の探求 / 고대 유물을 ~하다 古代の遺物を探求する.

탐-나다【貪―】⇨'탐(貪)'の小項目

탐-내다【貪―】⇨'탐(貪)'の小項目

탐독【耽讀】〈名・하他〉 耽読. 読みふけること. 句例 철학책을 ~하다 哲学の本を耽読する.

탐라【耽羅】[t'amna]〈名〉'제주도 済州島'の古称.

탐문【探聞】〈名・하他〉探聞. 探り聞くこと. 句例 ~한 바에 의하면 探聞したところによれば. 語例 ~ 수사 聞き込み捜査.

탐방【探訪】〈名・하他〉 探訪. 句例 소년원을 ~하다 少年院を探訪する. 語例 ~ 기사 探訪記事 / ~ 기자 探訪記者.

탐사【探査】〈名・하他〉探査. 探り調べること. 句例 바다 밑을 ~하다 海底を探査する / 석유 ~를 위한 시추 石油探査のための試錐.

탐색【探索】〈名・하他〉探索. 探り求めること. 句例 범인의 행방을 ~하다 犯人の行方を探索する.

탐-스럽다 (→스럽다)〈形〉 うっとりするようだ. ほれぼれするようだ. のどから手が出そうだ. (欲しくて)よだれが垂れそうだ. 句例 탐스러운 꽃 ほれぼれするような花 / 탐스러운 모습의 여인 ほれぼれするような顔形の女性.

탐욕【貪慾】[t'amyok]〈名〉 貪欲. 文例 ~은 자신을 망칠 수 있다 貪欲は自身を滅ぼすことがある. **~스럽다** (→스럽다)〈形〉貪欲だ. 句例 ~스러운 생각 貪欲な考え / ~스러운 사내 貪欲な男. **~스레**〈副〉貪欲に. 句例 ~스레 재산을 모으다 貪欲に財産を殖やす.

탐정【探偵】〈名・하他〉探偵. 語例 ~물 探偵物 / ~ 소설 探偵小説.

탐조-등【探照燈】〈名〉探照灯. サーチライト. 句例 ~으로 비추다 探照灯で照らす.

탐지【探知】〈名・하他〉探知. 句例 비밀을 ~하다 秘密を探知する〔探る〕. 語例 (전파) ~기 (電波)探知機.

탐탁-스럽다 (→스럽다)〈形〉⇨ 탐탁하다

탐탁-하다 [t'amt'ak'ada] (→하다)〈形〉好ましい. 気に入る. 申し分ない. 句例 탐탁지 않게 생각하다 好ましくないものと考える / 그다지 탐탁지 않은 인상〔조건〕あまり好ましくない印象〔条件〕. **탐탁히** [t'amt'ak'i]〈副〉好ましく.

탐-하다【貪―】(→하다)〈他〉むさぼ(貪)る. 欲しがる. がつがつする. 句例 폭리를〔안일을〕~ 暴利〔安逸〕をむさぼる / 음식을 ~ 食べ物にがつがつしている. 文例 금전을 너무 탐하지 마라 金銭にあまりがつがつするな.

탐험【探險】〈名・하他〉探険. 語例 ~가 探険家 / ~대 探険隊 / 남극 ~ 南極探険.

***탑**【塔】〈名〉塔. 語例 구층 석~ 九層の石塔 / 사리~ 舎利塔 / 상아~ 象牙の塔 / 중계~ 中継塔.

탑 〔漢字項目〕

【塔】高校 탑 トウ. ❶탑 とう. ▮佛塔 불탑 ぶっとう. 寶塔 보탑 ほうとう. ❷높이 솟은 건조물 高くそびえ立つ建造物. ▮鐵塔 철탑 てっとう.

탑승【搭乗】〈名・하自〉 搭乗. 乗り込むこと. 句例 런던행 비행기에 ~하다 ロンドン行きの飛行機に乗り込む. 語例 ~객 搭乗客 / ~권 搭乗券 / ~원 搭乗員.

탑신【塔身】〈名〉塔身. 塔の基壇と相輪との間の部分. 語例 ~석(石) 塔身をなす石.

탑재【搭載】〈名・하他〉搭載. 句例 폭탄을 ~하다 爆弾を搭載する. 語例 ~기 搭載機 / ~량 搭載量.

탓〈名〉 悪いことの起こった原因・理由: (…の)せい. (…の)ため. (…の)わけ. 句例 나이 ~으로 年のせいで / 남의 ~으로 돌리다 人のせいにする. 文例 이번 실패는 모두 네 ~이다 今度の失敗はすべて君のせいだ / 말 한 마디 잘못한 ~으로 혼났다 一言口を滑らしたためひどい目にあった.

탓-하다 [t'at'ada] (→하다)〈他〉(ある結果を)恨む. 責める. せいにする. 文例 남을 탓하지 말고 자기 자신을 반성해라 人のせいにしないで自分自身を反省せよ / 누구를 원망하고 누구를 탓하랴 だれをか恨みだれをかとがめん.

***탕**〈副〉 ❶弾力のある固い物が強くぶつかったり落ちたりする音: ずどんと. ❷鉄砲などを撃つときの音: どん. ずとん. ばん. 句例 권총을 ~ 쏘다 ピストルをどんと撃つ.

탕【湯】[t'a:ng]〈名〉 ❶'국 汁物'の丁寧語. ❷祭祀に供えるあつもの. ❸風呂や温泉などの浴場. 湯. 句例 ~에 들어가다 湯にはいる. 語例 남~ 男湯.

-탕【湯】〈尾〉 ❶〔韓醫〕'湯薬'の意: …湯.

語例 갈근~ 葛根湯 / 대전 십보~ 大全十補湯. ❷汁・スープの意を表わす. 語例 곰~ 肉の汁. コムタン / 추어~ どじょう汁.

탕 〔漢字項目〕

【湯】高校 탕 トウ. ❶끓인 물 湯. ▌溫湯 온탕 おんとう. 熱湯 열탕 ねっとう. ❷탕약 煎薬. ▌藥湯 약탕 やくとう. ❸온천 溫泉. ▌湯治 탕치 とうじ.

탕감【蕩減】〈名・하他〉(税金・借金などを)帳消しにすること. 棒引きにすること. 句例 빚을 ~하다 借金を棒引きにする.

탕-거리【湯―】[t'angkkŏri]〈名〉汁物の材料. →국거리

탕수-육【糖水肉】〈名〉酢豚《中国料理の一つ》.

탕약【湯藥】[t'a:ng-yak]〈名〉〔韓醫〕湯薬. 煎薬. せん(煎)じぐすり.

탕진【蕩盡】[t'a:ngjin]〈名・하他〉蕩尽. 財産を使い尽くすこと. 句例 전재산을 ~하다 全財産を蕩尽する.

탕-탕² 〈副・하自〉❶鉄砲や爆発の音: ぱんぱん(と). ずとんずとん(と). どんどん(と). 句例 총을 ~ 쏘다 銃をぱんぱんと撃つ. ❷床板などをしきりに打つ音: ばたんばたん(と). どんどん(と). ❸不相応に大きなことを言うさま: ぽんぽん(と). 句例 사장을 믿고 큰소리를 ~ 치다 社長を頼りに大きなことをぽんぽんと言う.

탕파【湯婆】[t'a:ngp'a]〈名〉湯たんぽ.

태【胎】〈名〉〔生〕胎. 卵膜・胎盤・へその緒などの総称.

태 〔漢字項目〕

【太】中學 태 タイ. タ. ❶크다 大きい. ▌太陽 태양 たいよう. 太陰 태음 たいいん. ❷심하다 はなはだしい. ▌太甚 태심 たいじん. 太古 태고 たいこ. ❸처음 物のはじめ. ▌太初 태초 たいしょ. 太祖 태조 たいそ. ❹가장 존귀한 것 もっとも尊いもの. ▌太子 태자 たいし. 太后 태후 たいこう.

【怠】高校 태 タイ. 게으르다 怠ける. ▌怠慢 태만 たいまん. 怠業 태업 たいぎょう. ▌倦怠 권태 けんたい.

【態】高校 태 タイ. テイ. ❶모양 形. 맵시 様子. ▌態度 태도 たいど. ▌姿態 자태 したい. ❷꼴 ありさま. ▌形態 형태 けいたい. 舊態 구태 きゅうたい.

【殆】高校 태 タイ. ❶위태하다 危うい. 위태롭게 여기다 危険に思う. ▌危殆 위태 きたい. ❷거의 ほとんど. ▌殆半 태반 たいはん(大半). ❸처음 初め. 시초에 初めに.

【泰】中學 태 タイ. ❶크다 大きい. ▌泰山 태산 たいざん. ❷침착하다 落ち着いている. 편안하다 安らかだ. ▌泰然 태연 たいぜん. 泰平 태평 たいへい.

태고【太古】〈名〉太古. 大昔. 語例 태곳적 太古時代 / ~사 太古史.

*__태국__【泰國】〈名〉〔地〕'タイ'の漢音.

태권【跆拳】[t'aekkwon]〈名〉テコン. 韓国固有の格闘技. 語例 ~도 テコンドー. →태껸

태그 매치〈名〉タッグマッチ. ◇tag match

**__태극-기__【太極旗】〈名〉太極旗. 1883年に国旗として採択された大韓民国の国旗の称.

태극-선【太極扇】〈名〉太極をえがいたうちわ(団扇). =태극부채.

태기【胎氣】〈名〉懐妊の兆し.

태깔-스럽다【態―】[t'ae:kkal―] (→스럽다)〈形〉驕慢だ. 横柄だ. 句例 태깔스러운 태도 尊大な態度. **태깔스레**〈副〉驕慢に. 横柄に.

태껸〈名〉柔軟な手足の動作で相手を制する韓国固有の武道の一つ('태권(跆拳)'より動作が柔軟で決められた型がない).

*__태도__【態度】[t'ae:do]〈名〉態度. ようす. 物腰. 句例 ~가 건방지다 態度がなまいきだ / 부드러운〔침착한〕~ やわらかな〔落ち着いた〕物腰 / ~가 이상하다 ようすがおかしい / ~를 분명히 하다 態度を明らかにする / 애매한 ~를 취하다 あいまいな態度を取る / 진지한 ~로 임하다 真剣な態度でのぞむ.

태동【胎動】〈名・하自〉胎動. ❶〔生〕胎児の動き. 文例 5개월쯤부터 ~을 느낀다 五箇月ごろから胎動を感じる. ❷(物事の)芽生え. 句例 개혁 세력이 ~하다 改革勢力が胎動する. 語例 ~기 胎動期.

태두【泰斗】〈名〉['태산 북두(泰山北斗)'の略] 泰斗. 句例 물리학의 ~ 物理学の泰斗.

태만【怠慢】〈名〉怠慢. 怠り. **~하다**〈形〉怠慢だ. 句例 직무에 ~한 사람 職務に怠慢な人. 語例 직무 ~ 職務怠慢. **~히**〈副〉怠慢に. なおざりに.

태몽【胎夢】〈名〉妊娠の兆しとなる夢. 句例 ~을 꾸다 妊娠の兆しとなる夢を見る.

태반【殆半】〈名〉ほとんど半分ぐらい. 大半. 句例 반대가 ~을 차지하다 反対が大半を占める. 文例 일의 ~은 끝났다 大半の仕事は終わった.

태반【胎盤】〈名〉〔生〕胎盤.

태-부족【太不足】〈名・하形〉大いに〔非常に〕足りないこと.

태산【泰山】〈名〉泰山. 高くて大きな山. 文例 ~이 높다 하되 하늘 아래 뫼이로다 泰山が高いと言えども天の下にあるのだ. 語例 ~준령 泰山峻嶺. 高い山と険しい峰.

태산 같다 山のようだ. 山とある. 文例 할 일이 태산 같습니다 すべき事が山ほどあります / 걱정이 ~ 非常に心配だ. 心配でたまらない.

태산 명동에 서일필(鼠一匹) 大山鳴動してねずみ一匹.

태생【胎生】〈名〉❶(ある土地の)生まれ. 出生. 文例 그는 순수한 서울 ~이다 彼は生っ粋のソウル生まれである. 語例 삼월 ~ 三月の生まれ. ❷〔生〕胎生. 語例 ~ 동물 胎生動物 ⇔난생(卵生).

태세【態勢】〈名〉態勢. 身構え. 句例 준비 ~를 갖추다 準備態勢を整える / 싸울 ~를 취하다 けんかの身構えをとる / 방어 ~를 취하다 防御の態勢を取る. 語例 경계〔임전〕~ 警戒

〔臨戦〕態勢 / 수용 ～ 受け入れ態勢.

태아【胎兒】〈名〉胎児. 句例 ～를 유산시키다 胎児を流す. 語例 ～기 胎児期.

***태양**【太陽】〈名〉太陽. ❶日. 日輪. ＝해. 句例 ～이 떠오르다〔지다〕太陽が昇る〔沈む〕/ 작열하는 ～ 灼熱する太陽. 語例 ～계〔天〕太陽系 / ～ 광선 太陽光線 / ～열 太陽熱 / ～ 숭배 太陽崇拝. ❷(比喩的に)常に光り輝く存在. 句例 민족의 ～ 民族の太陽.

***태어-나다**〈自〉生まれる. 出生する. 句例 어린애가 ～ 赤ちゃんが生まれる / 서울에서 ～ ソウルで生まれる / 태어나서 지금까지 生まれてから今まで / 다시 태어난 기분 生まれ変わった気持ち / 부잣집에 ～ 金持ちの家に生まれる. 文例 태어나면서부터 악인은 없다 生まれながらの悪人はいない. 類낳다.

태업【怠業】〈名〉怠業. サボタージュ. サボ《略語》. **～하다**〈自〉怠業する. サボる. 語例 ～ 전술 怠業戦術.

태연-스럽다【泰然―】(→스럽다)〈形〉泰然としている. 平気だ. **태연스레**〈副〉泰然と. 事もなげに.

태연자약-하다【泰然自若―】[t'aeyŏnjayak'ada] (→하다)〈形〉泰然自若としている. 句例 태연자약한 태도 泰然自若たる態度.

태연-하다【泰然―】(→하다)〈形〉泰然〔平然〕としている. 平気だ. 句例 태연한 태도 泰然たる態度 / 태연한 얼굴을 하다 平気な顔をする / 태연한 체하다 平気をよそおう. **태연히**〈副〉泰然と. 平然と. 平気で. 句例 태연히 거짓말을 하다 平然とうそをつく.

태엽【胎葉】〈名〉ぜんまい. ねじ. 句例 시계 ～을 감다 時計のぜんまいを巻く / ～이 풀리다 ぜんまいが緩む. 語例 ～ 장치 ぜんまい仕掛け.

***태우다**[1]〈他〉❶焼く. ㉠(火をつけて)燃やす. 句例 낙엽을 ～ 落ち葉を燃やす / 담배를 ～ タバコを吸う / 쓰레기를 ～ ごみを焼く〔燃やす〕/ 민가 두 채를 ～ 民家二棟を焼く. ㉡(皮膚を)日に焼く. 句例 햇볕에 등을 ～ 日光に背中を焼く. 絵 ❷焦がす. ㉠焼いて黒焦げにする. 句例 밥을 새까맣게 ～ ご飯をまっくろに焦がす / 다리미로 셔츠를 ～ アイロンでシャツを焦がす. 絵 ㉡気をもむ. 心を悩ます. 句例 애를 ～ 思いを焦がす / 짝사랑으로 가슴을 ～ 片思いで胸を焦がす / 기다리는 사람이 오지 않아 속을 ～ 待ち人が来ないのでいらいらする.

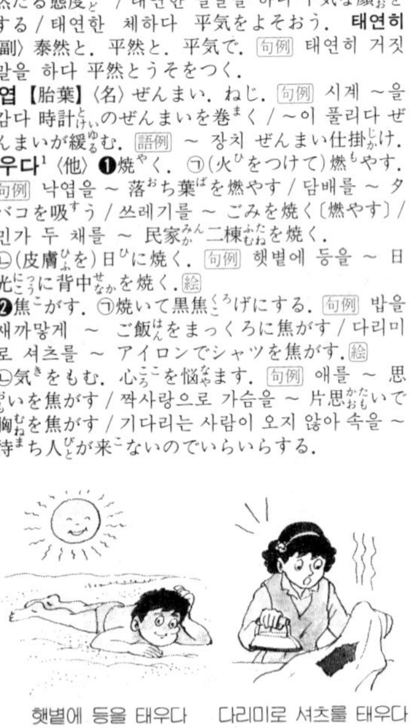

햇볕에 등을 태우다　　다리미로 셔츠를 태우다

〈태우다〉

***태우다**[2]〈他〉❶(乗り物などに)乗せる. 句例 차에 손님을 ～ 車に客を乗せる / 아이를 목말 ～ 子供を肩車に乗せる. 文例 그녀를 집까지 태워다 주었다 彼女を家まで乗せてやった. ❷(比喩的に)人を持ち上げる. お世辞を言う. 文例 비행기 태우지 마시오 お世辞はやめてください.

태우다[3]〈他〉(かけ事で)金品をか(賭)ける.

태음-력【太陰曆】[―nyŏk]〈名〉〔天〕太陰暦. 陰暦. 略して'음력(陰曆)'ともいう. 對태양력(太陽曆).

태자【太子】〈名〉〔史〕'황태자(皇太子)'の略: 太子. 語例 ～비(妃) 皇太子妃.

태조【太祖】〈名〉太祖. 句例 고려 ～ 왕건 高麗の太祖王建. 語例 이～ 李太祖. 類시조(始祖).

태초【太初】〈名〉太初.

태클〈名〉タックル. 句例 맹렬한 ～ 猛烈なタックル. ◇tackle

태평【太平・泰平】〈名〉❶太平〔泰平〕. **～하다**〈形〉太平である. 句例 ～한 세상 太平の世 / ～을 구가하다 太平を謳歌する / ～의 꿈을 깨뜨리다 太平の夢を破る. 語例 ～ 성대(聖代) 太平のみ代 / 천하 ～ 天下太平. ❷のんき. 気楽. **～하다**〈形〉のんき〔気楽〕だ. 句例 ～하게 살아가다 のんきに暮らす. 文例 무사 ～한 사람이다 のんき〔気楽〕な人だ. **～히**〈副〉❶太平に. ❷のんきに. 気楽に. **～스럽다**(→스럽다)〈形〉太平である. のんきだ. 文例 그 시대는 모든 게 ～스러웠다 その時代はすべてが太平だった.

태평-가【太平歌】〈名〉太平を謳歌する歌.

태평-소【太平簫】〈名〉〔樂〕唐人笛. チャルメラ. ＝날라리.

***태평-양**【太平洋】〈名〉〔地〕太平洋. 語例 ～ 전쟁〔함대〕太平洋戦争〔艦隊〕.

***태풍**【颱風】〈名〉台風. タイフーン. 句例 ～이 가져온 피해 台風がもたらした被害 / ～이 북상하다 台風が北上する / ～에 휩쓸리다 台風に見舞われる. 語例 ～ 경보 台風警報 / ～의 눈〔氣〕台風の目.

태형【笞刑】〈名〉〔史〕笞刑. むち打ちの刑.

태환【兌換】〈名・하他〉〔經〕兌換. 語例 ～권 兌換券 / ～ 지폐 兌換紙幣.

택 〔漢字項目〕

【宅】 中學 택 タク. 집 すみか. ■宅地 택지 たくち. ■家宅 가택 かたく. 住宅 주택 じゅうたく.

【擇(択)】 中學 택 タク. 가리다. 고르다 えらぶ. ■擇出 택출 たくしゅつ. ■選擇 선택 せんたく.

【澤(沢)】 高校 택 タク. ❶윤 つや. ■光澤 광택 こうたく. 色澤 색택 しきたく. ❷소택 さわ. ■沼澤 소택 しょうたく. ❸윤택하다 うるおいがある. ■潤澤 윤택 じゅんたく. ❹은덕 めぐみ. ■恩澤 은택 おんたく. 惠澤 혜택 けいたく.

***택시**〈名〉タクシー. タク《略語》. 句例 ～를 타다 タクシーに乗る / ～를 잡다〔세우다〕タクシーを拾う〔とめる〕/ ～에 합승하다 タクシーに相乗りする. 語例 ～ 기사(技士) タクシー運転

手/～ 승차장〔타는곳〕 タクシー乗り場/개인 ～ 個人タクシー/～미터 タクシーメーター. ◇taxi

택일【擇一】 [t'aegil] 〈名・하自〉 択一. 選一. 語例 양자(兩者)～ 二者択一.

택일【擇日】 [t'aegil] 〈名・하自〉 吉日を選ぶこと. 日取り. 句例 결혼〔혼사(婚事)〕 날짜를 ～하다 結婚の日取りを決める.

택일(이) 나다 よい日取りが決まる.

택지【宅地】 〈名〉 宅地. ＝집터. 句例 ～를 사다 宅地を買う. 語例 ～ 조성 宅地造成.

***택-하다【擇一】** [t'aek'ada] (→하다) 〈他〉 '선택(選擇)하다'の略: 選ぶ. 取〔採〕る. 句例 죽음을 ～ 死を選ぶ/둘 중에 하나를 ～ 二つのうち一つを選ぶ/다수결을 ～ 多数決を取る/A보다 B를 ～ AよりもBを採る/명예를 버리고 실리를 ～ 名を捨てて実を取る. 文例 길일을 택하여 식을 올리다 吉日を選んで式をあげる. 語例 택해지다 選ばれる. 採択される.

탤런트 〈名〉 タレント. 語例 인기 ～ 人気タレント/텔레비전 ～ テレビタレント. ◇talent

탬버린 〈名〉〔樂〕 タンバリン. ◇tambourine

탭-댄스 〈名〉 タップダンス. ◇tap dance

탯-줄【胎一】 〈名〉〔生〕 へその緒. 臍帯・. 句例 ～을 끊다 へその緒を切る.

탱고 〈名〉〔樂〕 タンゴ. 句例 ～를 추다 タンゴを踊る. ◇tango

탱자 〈名〉 からたち(枳殼)の実. 語例 ～나무〔植〕 からたち.

****탱크** 〈名〉 タンク. ❶液体や気体を蓄えておく容器. 語例 가스 ～ ガスタンク/오일 ～ オイルタンク. ❷戦車. ◇tank

탱화【幀畫】 〈名〉〔佛〕 掛け軸に描いた仏像. 略して'탱(幀)'ともいう.

***터**[1] 〈名〉 ❶敷地. 宅地. 場所. 句例 ～가 넓은 집 敷地の広い家/～를 차지하다 場所を占める〔ふさぐ〕. 文例 애들이 공～에서 놀고 있다 子供らが広っぱで遊んでいる. 語例 빈～ 空き地/놀이～ 遊び場/쓰레기～ ごみ捨て場.

❷(物事の)基. 基礎. 土台. 文例 무슨 일이든지 ～를 먼저 잘 닦아야 한다 どんな仕事でも, 土台をまずしっかりさせねばならない.

터(를) 다지다 地固めする. 句例 집을 짓기 위하여 터를 다지다 家を建てるために地固めをする.

터(를) 닦다 ❶地ならしをする. 敷地をならす. ❷(物事の)基礎を固める. 句例 생활의 터를 닦다 生活の基礎を固める.

터(가) 세다 地相が悪くて不吉なことがいろいろ起こる.

터(를) 잡다 ❶敷地・場所などを決める. ❷土台が固まる.

터[2] 〈名〉 '터수'の略.

***터**[3] 〈依名〉 ❶強い意図・推量・予定を表わす語《ふつう次に来る'이'と結合して'…ㄹ 테'の形で用いられる》: つもり. はず. 句例 [illegible] …するつもりだ/(내일) 갈 ～이다 (あす)行くつもりだ. 文例 곧 갈 테니 기다려라 すぐ行くから待ってくれ/지금쯤은 도착했을 텐데 今ごろは到着しているはずだが/그만한 일은 자네도 (당연히) 알고 있을 ～ それくらいの事は君だって知っているはず/너는 어떻게 할 테냐? 갈 테냐? 안 갈 테냐? お前はどうするつもりだ? 行くつもりか? 行かないつもりか?

❷'…であるのに. …にもかかわらず'の意を表わす語: …(している)くせに. 文例 돈도 없는 ～에 사치가 심하다 金もないくせにぜいたくが過ぎる. 類주제.

터널 〈名〉 トンネル. 隧道. ＝굴(窟). 語例 해저 ～ 海底トンネル. ◇tunnel

터-놓다 [t'ŏnot'a] 〈他〉 ❶(さえぎるものを)取りのける. 開ける. 開放する. 句例 방의 칸막이를 ～ 部屋の仕切りを取りのける/수문을 ～ 水門をあける. ❷わけ隔てなくつきあう. うち解ける. 腹を割る. 句例 (속을) 터놓고 얘기하다 腹を割って話す/터놓고 지내는 사이 気が置けない間柄. ❸(禁じたことを)解く. 解除する.

터-닦다 ⇨'터[1]'の小項目

터덜-거리다 〈自他〉 ❶(疲れた足取りで)とぼとぼ歩く. ❷(空車が)がたがたと音を立てながら通る.

터덜터덜 〈副・하自他〉 とぼとぼ. がたがた.

터득【攄得】 [t'ŏ:dŭk] 〈名〉 会得. 体得. **～하다** 〈他〉 会得する. 体得する. 悟る. 句例 진리를 ～하다 真理を悟る/새로운 기법을 ～하다 新しいわざを会得する.

***터-뜨리다** [t'ŏ:—] 〈他〉 破裂させる. 爆発させる. 句例 풍선을 ～ 風船を割る/나도 모르게 웃음을 ～ 思わず噴き出す/다이나마이트를 ～ ダイナマイトを爆発させる/샴페인을 ～ シャンペンを抜く.

터럭 〈名〉 (人や獣の)長く太い毛.

터무니-없다 [—ŏpta] 〈形〉 根拠がない. 途方もない. とんでもない. とてつもない. でたらめだ. 句例 터무니없는 소문〔요구〕 とんでもないうわさ〔要求〕/터무니없는 이야기 でたらめな話/터무니없는 값을 매기다 法外な値をつける. 文例 터무니없는 소리를하지 마라 途方もない事をいうな/무슨 원한이 있어서 그런 터무니없는 말을 할까 なんの恨みがあってあんなとんでもない事をいうのかな. **터무니없이** [—ŏpshi] 〈副〉 途方もなく. とんでもなく. 法外に. むやみに. 句例 값이 터무니없이 비싸다 値段が法外に高い/터무니없이 이익이 많은 장사 ぼろい商売.

***터미널** [t'ŏ:minŏl] 〈名〉 ターミナル. 語例 고속 버스 ～ 高速バスターミナル. ◇terminal

터벅-거리다 〈自〉 (疲れた足取りで)とぼとぼ歩く. てくてく歩く.

터벅터벅 〈副・하自〉 とぼとぼ. てくてく. 句例 혼자 ～ 걸어가다 ひとりでとぼとぼ(と)歩いて行く.

터부 [t'ŏbu:] 〈名〉 タブー. ＝금기(禁忌). 句例 ～를 범하다 タブーを犯す. 文例 그 말은 우리들 사이에서는 ～로 되어 있다 そのことばは我我の間ではタブーになっている. ◇taboo

터빈 [t'ŏ:bin] 〈名〉 タービン. 語例 증기 ～ 蒸気タービン. ◇turbine

터-세다 ⇨'터[1]'の小項目

터수〈名〉❶暮らし向きの程度や状態．[文例] 사는 ~가 넉넉하지 않다 暮らし向きが楽でない．❷付き合い関係．間柄．[文例] 친한 ~에 그건 너무하다 親しい間柄でそれはあんまりだ．▷略して'터[2]'ともいう．

터울〈名〉兄弟〔姉妹〕の年齢の差．年ちがい．[句例] 두 살 ~로 낳다 二つちがいに(子を)産む／한 살 ~이다 年子である．[文例] 언니와 나는 두 살 ~이다 お姉さんとわたしは二歳ちがいだ．

터-잡다 ⇨'터[1]'の小項目

***터전**〈名〉(生活の)より所．基盤．[句例] 생활(의) ~을 잃다 生活のより所〔基盤〕を失う．

터-주【―主】〈名〉〔民〕(家の)守り神．(敷地の)地神．

터-주다〈他〉(禁じたことを)解く．解除する．(ふさがったものを取り除いて)開けてやる．[句例] 통행을 금하고 있던 길을 ~ 通行を禁じていた道を開けてやる／막힌 곳을 ~ ふさがった水の出入り口を開けてやる．

터줏-대감【―主大監】〈名〉'터주격인 사람 生え抜き'の意の俗っぽい言いかた．その土地や団体などでの古顔〔最古参〕をあざけて言う語．

****터지다** [t'ŏ:jida]〈自〉❶(事件などが)起こる．勃発する．[句例] 중대 사건이 ~ 重大事件が起こる．[文例] 또 전쟁이 터졌다 また戦争が勃発した．

❷(火薬などが)爆発する．破裂する．[句例] 폭탄이 ~ 爆弾が爆発する／포탄이 ~ 砲弾が破裂する．

❸(表皮などが)裂ける．割れる．ひびが入る．はちきれる．[句例] 터진 입술 ひび割れた唇／이마가 ~ 額が割れる／혈관이 ~ 血管が破れる．[文例] 너무 먹어서 배가 터질 것 같다 食べすぎて，おなかがはちきれそうだ／가슴이 터질듯한 기분이다 胸が張り裂ける思いだ．

❹(土手などが)切れる．決壊する．[句例] 봇둑이 ~ せき(堰)が切れる．

❺(積もっていた感情などが)爆発する．[句例] 분노가 ~ 怒りが爆発する／터져 나오는 환성 沸き上がる歓声／참았던 웃음이 ~ こらえていた笑いが噴き出る／감격의 박수가 터져 나오다 感激の拍手が沸き起こる．

❻(着物などが)ほころびる．[句例] 소매 끝이 ~ そで口がほころびる／옷 솔기가 ~ 縫い目がほつれる．

❼(鼻血などが)突然出る．噴き出る．[句例] 코피가 ~ 鼻血が噴き出る．

❽ぶん殴られる．たたかれる．[句例] 깡패에게 얻어 ~ ごろつきにぶん殴られる．

[表現] ⑧は俗っぽい言いかた．

터치〈名・하自他〉タッチ．❶手で触ること．接触．[文例] 이 물건 ~하지 마라 この物に触るな．[語例] 배턴 ~ バトンタッチ．

❷(ピアノ・タイプライターなどの)キーを打つこと．指使い．[文例] 저 피아니스트의 ~는 부드럽다 あのピアニストのタッチは柔らかい．

❸ある物事に関与すること．[文例] 그 문제에 대해선 더 이상 ~하고 싶지 않다 その問題についてはこれ以上タッチしたくない．

❹(絵画・文章などで)筆遣い．筆致．[句例] 훌륭한 ~ 見事なタッチ／거친 ~로 그리다 あらいタッチで描く．

❺(野球で)ボールをランナーに当てること．[句例] ~가 안 되어 세이프 タッチにならずセーフ．[語例] ~ 아웃 タッチアウト．◇touch

터프〈名・하形〉タフ．頑強なこと．[句例] ~한 사나이 タフな男．[語例] ~ 가이(guy) タフガイ．◇tough

***턱**[1]〈名〉顎．[句例] ~이 빠지다 顎がはずれる／손으로 ~을 괴다 手で顎を支える．ほおづえをつく．[語例] ~끈 顎ひも／아래~ 下顎．おとがい《雅》／위~ 上顎．

턱[2]〈名〉平面から急に突き出た所．段差．[句例] 문~에 걸리다 敷居につまずく．

턱(이) 지다 段差がつく．丘ができる．

턱[3]〈名〉(めでたいときの)おごり．もてなし．ごちそう．[句例] 한 ~ 내다 ひとおごりする．[文例] 합격〔승진〕했으니 한 ~ 내야지 合格〔昇進〕したから一杯おごらなきゃ．[語例] 득남(得男)〔생남(生男)〕~ 男の子の出産を祝うもてなし．

턱[4]〈名〉❶理由．わけ．はず．[文例] 그럴 ~이 있나 そんなわけはあるまい／내가 알 ~이 있나 ぼくが知るはずがないだろう．❷程度．くらい．[文例] 아직 그 ~인가 まだそれくらいなのか．

턱[5]〈副〉❶緊張がほぐれるさま：ほっと．[句例] 마음을 ~ 놓다 ほっと安心する．❷ある動作を大様に落ち着いてするさま：でんと．平然と．[句例] ~ 앉아서 한마디 하다 でんと座って一言いう．

턱-걸이 [―kŏri]〈名・하自〉❶懸垂．[句例] ~ 운동을 하다 懸垂運動をする．❷合格・昇進などのための運動．❸かろうじて合格すること．[句例] 대학에 ~로 겨우 입학하다 大学にやっとのことで入学する．

[表現] ②・③は俗っぽい言いかた．

턱-밑 [t'ŏngmit]〈名〉❶あごの下．❷ごく近い所のたとえ．目の前．[句例] ~에 내밀다 目の前に突き出す．

턱-받이 [―paji]〈名〉よだれ掛け．

턱-뼈〈名〉〔生〕あご骨．＝악골(顎骨)．

턱-수염【―鬚髯】〈名〉あごひげ．

턱-없다 [t'ŏgŏpta]〈形〉とんでもない．❶理不尽だ．途方もない．むちゃだ．[句例] 턱없는 짓을 하다 むちゃな事をする．[文例] 턱없는 소리 하지 마라 とんでもないことをいうな．❷不相応だ．法外だ．べらぼうだ．[句例] 턱없는 값으로 팔리다 ばか値に売れる．**턱없이** [t'ŏgŏpshi]〈副〉むちゃ〔めちゃ〕に．法外に．べらぼうに．[句例] 턱없이 싼 물건 法外に安い品物／턱없이 비싸다 べらぼうに高い．

턱-지다 ⇨'턱[2]'の小項目

턴 [t'ŏ:n]〈名・하自〉ターン．[語例] 유(U)~ ユーターン．◇turn

****털**〈名〉❶(人・動物の)毛．[句例] ~이 많이 난 다리 毛深い足／~이 고운 말 毛並みのきれいな馬／~이 빠지다 毛が抜ける．[語例] 가슴~ 胸毛．

❷髪の毛．[句例] 텁수룩한 머리~ ぼさぼさした

髪の毛．
❸(鳥の)羽毛．羽．句例 비둘기의 깃~ はとの羽毛．語例 새~ 鳥の毛．
❹'털실'の略：毛糸．ウール．語例 ~셔츠 毛〔ウール〕のシャツ．
❺(ブラシなどの)毛．句例 솔의 ~ ブラシの毛．
❻〔植〕葉・茎などの表面に生えた糸のようなもの：綿毛．句例 민들레 씨의 솜~ たんぽぽ(の種)の綿毛．
털(을) 갈다 毛変わりする．毛が生え代わる．→털갈이
털-가죽〈名〉毛皮．＝모피(毛皮)．語例 ~ 코트 毛皮のコート．
털-갈다 (—가니, —갈아서) ⇨'털'の小項目
털-갈이 [—gari]〈名・하自〉毛替わり．羽抜け．句例 ~하는 새 羽抜け鳥．
털-구멍 [—kkumŏng]〈名〉毛穴．
털-끝〈名〉❶毛の先．❷ごく些細なもの．毛頭．文例 그만둘 생각은 ~만큼도 없다 やめる気は毛頭ない / ~만큼도 의심할 여지가 없다 毛頭疑う余地がない．
**털다 [t'ŏ:lda] (터니, 털어서)〈他〉❶(ごみなどを)払う．はたく．払いのける．句例 먼지를 ~ ほこりを払う / 이불을 ~ ふとんをはたく / 눈을 털어버리다 雪を払いのける．
❷(あり金全部を)使い果たす．はたく．句例 호주머니를 다 ~ 財布の底をはたく．文例 그는 전재산을 털어 학교를 세웠다 彼は全財産をはたいて学校を設立した．
❸(強盗・泥棒などが) 金品をかすめ取る．奪い取る．荒らす．句例 빈집을 ~ 空き家を荒らす．文例 어젯밤에 도둑이 들어 다 털어 갔다 昨夜泥棒が入ってみんなかっさらっていった．語例 빈집털이 空き巣ねらい．
털리다〈自他〉'털다'の受け身．❶(ほこりなどが)落ちる．はたかれる．❷(泥棒などに)すっかり盗まれる．さらわれる．句例 소매치기한테 지갑을 ~ すりに財布を取られる．文例 도둑에게 몽땅 털렸다 どろぼうにごっそり持って行かれた．❸(ばくちなどで)あり金をすっかり巻き上げられる．
털-모자【—帽子】〈名〉毛皮の帽子．毛帽子．
털-목도리〈名〉毛皮や毛糸の襟巻き．
털-보〈名〉ひげの濃い人．毛深い人．
털-붓〈名〉毛筆．＝모필(毛筆)．
털-빛 [—ppit]〈名〉毛色．
털-신〈名〉毛皮・毛糸の防寒靴．
털-실〈名〉毛糸．ウール．＝모사(毛絲)．句例 ~로 뜨개질을 하다 毛糸で編み物をする / ~로 장갑을 짜다 毛糸で手袋を編む．
털썩〈副・하自〉❶人が急に座りこむさまやその音：べったりと．べたりと．どっかり．句例 ~ 주저앉다 べたりと座る．どっかりと腰を下ろす．文例 지쳐서 툇마루에 ~ 주저앉았다 疲れて縁側にべったりと座りこんだ．❷やや厚く広いものが急に落ちるさまやその音：どっかり．どっさり．どさり(と)．句例 짐을 ~ 내려놓다 荷物をどっかりと下ろす．
털어-놓다 [t'ŏrŏnot'a]〈他〉(秘密や悩みなどを)うち明ける．ぶちまける．句例 비밀〔사실〕을 ~ 秘密〔事実〕をうち明ける / 불만을 죄다 ~ 不満をぶちまける / 뱃속을 탁 털어놓고 이야기하다 腹の中をぶちまけて話す．
털어-먹다 [t'ŏrŏ—]〈他〉(財産などを)食いつぶす．使い果たす．はたく．句例 도박으로 전재산을 ~ ばくちで全財産を使い果たす / 가산을 다 ~ 家の財産をすべて食いつぶす．
털-옷 [t'ŏrot]〈名〉毛皮の服．
털-장갑【—掌匣】〈名〉毛糸の手袋．
털털-이 [t'ŏlt'ŏri]〈名〉❶大ざっぱで気どらない人．❷古びてがたがたする自動車や車など．句例 (수명이) 다된 ~ 자동차 がたがたのおんぼろ自動車．語例 ~ 버스 おんぼろバス．
털털-하다 (→하다)〈形〉(人の性格が)儀式ばらない．大ざっぱで堅苦しくない．
텀벙〈副・하自〉重く大きい物が深い水に落ちこむ音．また，そのさま：どぶん．どぼん．＝첨벙．句例 바다에 ~ 뛰어들어가다 海にどぼんと飛びこむ．
텀벙-거리다〈自他〉どぶんどぶん〔ぼちゃんぼちゃん〕と音がする〔音をたてる〕．
텀벙텀벙〈副・하自他〉どぶんどぶん．
텀블링〈名・하自〉タンブリング．＝공중(空中)제비．◇tumbling
텁석-부리〈名〉ひげ面の人．
텁수룩-이 [t'ŏpsurugi]〈副〉(髪の毛やひげが)もじゃもじゃと．ぼうぼうと．ぼさぼさと．句例 머리를 ~ 기르다 髪をぼうぼうと伸ばす．
텁수룩-하다 [t'ŏpsuruk'ada] (→하다)〈形〉(髪の毛やひげが)もじゃもじゃだ．句例 텁수룩한 머리털 ぼさぼさの髪の毛 / 수염이 텁수룩하게 나다 ひげがもじゃもじゃと生える．
텁텁-하다 [t'ŏpt'ŏp'ada] (→하다)〈形〉❶(舌ざわりが)さっぱりしない．句例 입안이 ~ 口の中がすっきりしない．❷(性格が) 堅苦しく〔ややこしく〕ない．
텃-밭〈名〉(家の)敷地についている畑．
텃-새〈名〉季節的に移動しない鳥．留鳥．(對)철새．
텃-세【—貰】〈名〉借地料．
텃-세【—勢】〈名・하自〉(地元風を吹かして)よそから来たものをないがしろにすること．文例 ~(를) 부리지 마라 地元風を吹かすな．土地の者だといばるな．
텅〈副〉中に何もないさま：がらんと．句例 ~ 빈 교실 がらんとした〔がらんどうの〕教室 / ~ 빈 전차 がら空きの電車．文例 사무실은 ~ 비어 있었다 事務室はがらんとしていた．
텅스텐〈名〉〔化〕タングステン《記号 W》．＝중석(重石)．語例 ~강 タングステン鋼．◇tungsten
텅-텅[1]〈副〉空いて何もないさま：がらがら．からから．句例 ~ 비어 있는 전차 がらがらの電車．文例 지갑이 ~ 비었다 財布がからからだ / 버스는 ~ 비어 있었다 バスはがらがらにすいていた．
텅텅[2]〈副〉大言壮語するさま：でかでか．句例 큰소리만 ~ 치다 でかでかと大口をたたく．
表現 語感の小さい語は'탕탕'．
*테〈名〉❶たが．句例 ~가 헐거워지다〔벗겨지다〕たががゆるむ〔外れる〕/ 통에 ~를 메우다〔두르

다〕たるにたがをかける. ❷へり. 枠. 縁. 語例 안경~ めがねの枠〔縁〕/ 금~ 안경 金縁めがね. ❸(帽子の)つば. 句例 ~가 넓은 모자 つばの広い帽子.

테너〈名〉〔樂〕テナー. テノール. ◇tenor

테니스〈名〉テニス. 句例 ~를 치다 テニスをやる. 語例 ~공 テニスボール / ~ 코트 テニスコート. ◇tennis

테두리〈名〉枠. ❶縁. へり. 句例 기사를 점선~로 두르다 記事を点線の枠で囲む. ❷範囲. 限界. 句例 예산의 ~ 안에서 꾸려나가다 予算の枠内でやりくりする / 법률의 ~를 벗어난 행동 法律の枠をこえた行動. 語例 ~밖 枠外.

테라스〈名〉テラス. ◇terrace

테러〈名〉テロ. 語例 ~단 テロ団 / 적색(赤色)~ 赤テロ / 폭탄 ~ 爆弾テロ. ◇terror

테러리스트〈名〉テロリスト. ◇terrorist

테마 [t'e:ma]〈名〉テーマ. 主題. 語例 ~ 소설〔文〕テーマ小説 / ~송(=주제가) テーマソング / 연구 ~ 研究テーマ. ◇도 Thema

테스트〈名・하他〉テスト. 句例 ~를 받다 テストを受ける / ~에 합격하다 テストに合格〔パス〕する. 語例 ~ 케이스 テストケース. ◇test

테이블〈名〉テーブル. 句例 ~에 앉다 テーブルにつく. 語例 ~ 매너 テーブルマナー / ~ 스피치 テーブルスピーチ. ◇table

*__테이프__〈名〉テープ. 句例 ~를 끊다 テープを切る. ゴールインする / ~를 감다〔돌리다〕テープを巻く〔まわす〕/ ~에 녹음하다 テープに録音する. 語例 ~ 리코더 テープレコーダー. ◇tape

테크닉〈名〉テクニック. 句例 ~이 있다〔없다〕テクニックがある〔ない〕/ 고도의 ~ 高度のテクニック. ◇technic

텐트〈名〉テント. =천막(天幕). 句例 ~를 치다〔걷다〕テントを張る〔たたむ〕. ◇tent

**__텔레비전__〈名〉テレビ《略語》. テレビジョン. 略して'티브이(TV)'ともいう. 句例 ~을 보다 テレビを見る / ~을 켜다〔끄다〕テレビをつける〔消す〕. 語例 ~ 드라마 テレビドラマ / ~ 전화 テレビ電話 / ~ 프로그램〔영화〕テレビ番組〔映画〕. ◇television

텔레파시〈名〉テレパシー. 句例 ~가 통하다 テレパシーが通じる. ◇telepathy

텔렉스〈名〉テレックス. ◇telex

템포〈名〉テンポ. 句例 ~가 빠르다〔느리다〕テンポがはやい〔おそい〕/ 일이 급 ~로 진전되다 事が急テンポで進む. ◇이 tempo

토〈名〉〔言〕(漢文を読むときの)送り仮名. (漢字につける)振り仮名. 句例 ~를 달다 送り〔振り〕仮名を振る.

토 〔漢字項目〕

【兎】高校 토 ト. ❶토끼 うさぎ. ▮兎唇 토순 としん. いぐち. みつくち. ▮脫兎 탈토 だっと. 狡兎 교토 こうと. ❷달 つき. ▮烏兎 오토 うと.

【吐】高校 토 ト. ❶토하다 はく. ▮吐血 토혈 とけつ. ▮嘔吐 구토 おうと. ❷말하다 のべる. ▮吐露 토로 とろ.

【土】中學 토 ド. ト. ❶흙 つち. ▮土砂 토사 どしゃ. ▮粘土 점토 ねんど. ❷땅 りく. ▮土地 토지 とち. ❸나라 くに. ▮疆土 강토 きょうど. 國土 국토 こくど. ❹고향 ふるさと. ▮土着 토착 どちゃく. ▮鄕土 향토 きょうど.

【討】高校 토 トウ. ❶치다 うつ. ▮討伐 토벌 とうばつ. 討滅 토멸 とうめつ. ❷찾다 きわめる. ▮討論 토론 とうろん. ▮檢討 검토 けんとう.

토건【土建】〈名〉〔'토목(土木) 건축'の略〕土建. 語例 ~업 土建業 / ~업자 土建屋.

토공【土工】〈名〉❶土工. 土木工事などに従事する労働者. ❷⇨ 미장이

토관【土管】〈名〉土管. 句例 ~을 묻다 土管を埋める.

토기【土器】〈名〉土器. 土焼・つちき. 語例 ~장(匠)이 土器をつくることを業とする人.

**__토끼__〈名〉〔動〕うさぎ(兎). 句例 ~ 사냥을 가다 うさぎ狩りに行く / ~가 깡충깡충 뛰어다니다 うさぎがぴょんぴょん(と)はねまわる. 語例 ~뜀(뛰기) うさぎ跳び / ~집〔장(欌)〕うさぎ小屋 / ~털 うさぎの毛 / ~해〔民〕う(卯)の年. うさぎ年.

토끼 둘을 잡으려다가 하나도 못 잡는다 二兎を追う者は一兎をも得ず.

토너먼트 [t'o:nŏmŏnt'ŭ]〈名〉トーナメント. 對리그전(戰). ◇tournament

토-담【土-】〈名〉土塀. 築地. 句例 ~을 두르다 土塀〔築地〕をめぐらす. 語例 ~집 土塀の家.

토대【土臺】〈名〉土台. ❶土で築いた台. ❷(建築物の)基礎. 礎. 句例 ~를 다지다〔굳히다〕土台を固める. 文例 이 집은 ~가 튼튼하다 この家は土台がしっかりしている. ❸(物事の)基本. 基礎. もと. 句例 …을 ~로 한 …を土台とした / 성공의 ~를 쌓다 成功の土台を築く / 경험을 ~로 장사를 시작하다 経験をもとに商売を始める.

토라지다〈自〉すねる. ふて腐れる. 仲たがいする. 文例 토라져서 말을 듣지 않는다 すねて言うことをきかない / 일도 안 하고 토라져 있다 仕事もせずにふて腐れている.

토란【土卵】〈名〉〔植〕里芋. 語例 ~국 里芋の汁物.

토로【吐露】〈名〉吐露. **~하다**〈他〉吐露する. 吐く. 句例 진실〔진정〕을 ~하다 真実〔真情〕を吐露する / 심정을 ~하다 心情を吐露する〔吐く〕.

토록〈助〉ある程度や数量に及ぶことを表わす: …ほど. …のように. …まで. 句例 이~ 풍부한 어휘 このように〔これほど〕豊富な語彙 / 그~ 주의했는데도 あれほど注意したのに. 文例 이~ 많은 줄은 몰랐다 これほど多いとは知らなかった.

-토록 ['-하도록'の略] …(する)ように. …(する)まで. 句例 영원~ 변하지 않는 마음 永遠に変わらぬ心 / 철저히 조치~ 徹底的に措置するよう.

*__토론__【討論】[t'o:ron]〈名・하他〉討論. 句例 ~에 부치다 討論に付する / ~을 종결하다 討論をうち切る / 활발한 ~ 活発な討論. 語例

(지상) ～회 (紙上)討論会/반대 ～ 反対討論.

****토마토**〈名〉〔植〕トマト. 語例 ～ 케첩 トマトケチャップ. ◇tomato

토막 ㊀〈名〉切れ. 切れ端. 切れっぱし. 端くれ. 語例 고등어 ～ さばの切り身/나무 ～ 木切れ. 棒切れ.
㊁〈依名〉❶切れ端を数える語：切れ. 句例 생선 한 ～ 魚の一切れ. ❷('한 ～'の形で) ㉠(…の)ひとこま. 句例 역사의 한 ～ 歴史のひとこま/추억의 한 ～ 思い出のひとこま. ㉡(話などの)くさり. 句例 한 ～ 에피소드 いっぺんのエピソード.

토막(을) 내다 '토막(을) 치다'のこと.

토막(을) 치다 ぶつ切りにする. ずたずたに切る. ＝토막(을) 내다. 句例 생선을 토막 치다 魚をぶつ切りにする. 切り身にする.

토막-극【―劇】〈名〉寸劇. ＝촌극.

토막-토막〈副〉いくつかに寸断されたさま：ずたずた. きれぎれに. とぎれとぎれ. 句例 생선을 ～ 자르다 魚をぶつぎりにする/나무를 ～ 베다 木をきれぎれにする〔きる〕.

토목【土木】〈名〉'토목 공사'の略：土木. 語例 ～ 기사 土木技師.

토목 공사【土木工事】〈名〉土木工事.

토-박이【土―】[―bagi]〈名〉'본토박이'の略：土地っ子. 生え抜き. 生っ粋の土地の人. 語例 서울 ～ 生っ粋のソウルっ子. 生え抜きのソウルっ子/～말 土語.

토박-하다【土薄―】[t'obak'ada] (→하다)〈形〉土地がやせている. 句例 토박한 땅 やせた土地. ㊥비옥(肥沃)하다.

토벌【討伐】〈名・하他〉討伐. 句例 반란군을 ～하다 反乱軍を討伐する. 語例 ～대 討伐隊/～군 討伐軍.

토사【土砂】〈名〉土砂. 句例 제방 ～가 유실되다 堤防の土砂が流失する.

토사 곽란【吐瀉癨亂】[t'o:sagwangnan]〈名〉〔醫〕吐瀉霍乱.

토산-물【土産物】〈名〉土産. 地物. 物産. 略して'토산'ともいう.

토산-품【土産品】〈名〉特産品.

토설【吐說】[t'o:sŏl]〈名・하他〉隠していた事実をうち明けること.

***토성**【土星】〈名〉〔天〕土星. 句例 ～의 고리 土星の環.

토성【土城】〈名〉土城.

토속【土俗】〈名〉土俗. 句例 ～적인 무용 土俗的な舞踊.

토스〈名・하自他〉(球技で)トス. 語例 ～ 배팅 トスバッティング. ◇toss

토스터 [t'o:sŭt'ŏ]〈名〉トースター. 語例 자동 ～ 自動トースター. ◇toaster

토스트 [t'o:sŭt'ŭ]〈名〉トースト. 句例 ～ 한 개 トースト一枚. ◇toast

토시〈名〉[もとの語形は'투수(套袖)'] 防寒・防暑用としてはめる腕ぬき. 防寒用は布製, 防暑用は竹ひご・とう(籐)・馬すなどでつくる. 句例 ～를 끼다 腕ぬきをはめる.

토실-토실〈副・하形〉ふっくらと肉付きのいいさま：ぽちゃぽちゃ. ぽってり. まるまる. 句例 ～ 살이 찌다 まるまるとふとる/～한 얼굴 ぽちゃぽちゃした顔.

토-씨〈名〉⇨ 조사(助詞). 略して'토'ともいう.

***토양**【土壤】〈名〉土壌. 句例 ～이 기름지다 土壌がこえる/비옥한 ～ 肥沃な土壌. 語例 산성 ～ 酸性土壌/～ 오염 土壌汚染.

토역【土役】〈名〉工事で, 土をあつかう仕事. ＝흙일.

****토요-일**【土曜日】〈名〉土曜日. 略して'토요'ともいう.

***토의**【討議】[t'o:ŭi]〈名・하他〉討議. 句例 ～를 거듭하다 討議を重ねる/～에 들어가다 討議にはいる/～에 부치다 討議に付する/통학에 대하여 ～하다 通学にたいして討議する. 語例 ～ 사항 討議事項/～되다 討議される.

토종【土種】〈名〉その土地で産出する品種. 在来種. ＝토산종(土産種). 본토종(本土種). 語例 ～닭 地鳥/～벌 在来種のはち(蜂).

토지【土地】〈名〉土地. ❶土. 句例 비옥한 ～ 肥沃な土地. ❷地所. 句例 ～를 사다 土地を買う/～를 팔아넘기다 土地を売り渡す/～를 측량하다 土地を測量する. 語例 ～ 개혁 土地改革. ▷＝땅.

토질【土質】〈名〉土質. 語例 ～ 검사 土質検査.

토질-병【土疾病】[―ppyŏng]〈名〉風土病. 地方病. ＝토질(土疾).

토착【土着】〈名・하自〉土着. 語例 ～민 土着民/～화 土着化.

토치카 [t'o:ch'ik'a]〈名〉〔軍〕トーチカ. 語例 적 ～ 敵のトーチカ. ◇러 totschka

토큰 [t'o:k'ŭn]〈名〉トークン. バスや自動販売機などの代用硬貨. 語例 버스 ～ バストークン. ◇token

토키 [t'o:k'i]〈名〉トーキー. ＝발성 영화(發聲映畫). ㊥사일런트. ◇talkie

토탄【土炭】〈名〉泥炭.

토템 폴 [t'o:t'emp'o:l]〈名〉トーテムポール. ◇totem pole

토파즈〈名〉トパーズ. ◇topaz

토퍼〈名〉(婦人用の) トッパー. ◇topper

토픽〈名〉トピック. ＝화제(話題). 句例 오늘의 ～ 今日のトピック. 語例 해외 ～ 海外トピック. ◇topic

****토-하다**【吐―】[t'o:―] (→하다)〈他〉吐く. ❶(食べた物を) 吐き出す. 戻す. へどを吐く. ＝게우다. 句例 먹은 것을 ～ 食べた物を戻す〔吐く〕. ❷(中の物を)外へ出す. ＝뱉다. 句例 피를 ～ 血を吐く. ❸言葉に出す. 吐露する. 句例 기염을 ～ 気炎を吐く. 熱を吹く/열변을 ～ 熱弁をふるう.

톡〈副〉❶一部分が突き出たさま：ぽこっと. ぬっと. 句例 ～ 불거진 눈 ぽこっと突き出た目. ❷軽くたたくさま. また, その音：こつんと. ぽんと. 句例 어깨를 ～ 치다 肩をぽんとたたく. ❸何かが急に破れるさま. また, その音：ぱちん. ぱん. 句例 풍선이 ～ 터지다 風船がぱんと割れる. ❹何かが足などにひっかかるさま. また, その音：こつん. ❺急に跳ねるさま. また, その音：ぴょんと. ぽんと. 句例 벼룩이 ～ 튀다 のみがぴょんと跳ねる. ❻言葉

ㅌ

ことを鋭く言いはなつさま：ぽん(と)．きっぱり(と)．ぴしゃり(と)．[文例] 냉정하게 한마디로 ~ 쏘아 붙여 거절했다 冷たく一言できっぱりとはねつけた．❼強く舌先を刺激するさま：ひりひり．[句例] ~ 쏘는 고추냉이의 매운맛 ひりひりさせるわさびの辛味．

톡-톡 〈副〉 ❶つづけざまに軽くたたくさま〔音〕：ぽんぽん．[句例] 등을 ~ 치다 背中をぽんぽん打つ．❷何かがつづけざまに破裂するさま〔音〕：ぱちんぱちん．❸つづけざまに跳ねるさま〔音〕：ぴょんぴょん．[句例] ~ 콩 튀는 소리 ぱちぱちと豆がはねる音．❹方方で突き出るさま：にょきにょき．❺ことばをつっけんどんに言いはなつさま：ぴしゃりと．[句例] ~ 쏘아 붙여 거절하다 つづけてぴしゃりとはねかえす．❻小さい物がしきりに折れるさま〔音〕：ぽきぽき．ぷつぷつ．[句例] 연필심이 ~ 부러지다 鉛筆の芯がぽきぽきと折れる．

톡톡-하다 [t'okt'ok'ada] (→하다) 〈形〉 ❶汁が煮詰まって濃い．❷織り目が細かく詰んでいる．布地が分厚い．[句例] 톡톡한 천 織り目がつんで分厚い布．❸(内容などが) 充実している．(暮らしが)豊かだ．[句例] 한 밑천 톡톡하게 벌다 たんまりと一もうけする．[文例] 한턱 톡톡하게 내게 たっぷりおごらせてくれよ．❹(叱責などの程度が)ひどい．[句例] 톡톡하게 혼이 나다 こっぴどいめにあう．**톡톡히** [t'okt'ok'i] 〈副〉 分厚く．非常に多く．ずいぶん．たっぷり．[句例] 돈을 톡톡히 벌다 お金をたっぷりもうける／꾸지람을 톡톡히 듣다 おしかりを手痛くうける．

[表現] ①は'톡톡하다'の方がよく使われる．

***톤** 〈依名〉トン．重さの単位．[語例] 적재량 10~ 積載量十トン．◇ton

톤-수【ton數】〈名〉トン数．[語例] 화물 적재 ~ 貨物積載トン数．

톨 [一]〈名〉 くり(栗)などの個個の粒．[句例] 밤~이 굵다 くりの粒が大きい．

[二]〈依名〉固有語の数詞につけて，くりなどの粒を数える語：粒．[語例] 밤 두 ~ くり二粒／쌀 한 ~ 米一粒．

톨-게이트 [t'o:l―] 〈名〉(高速道路の)トールゲート．◇tollgate

톱¹ 〈名〉のこぎり(鋸)．のこ《略語》．[句例] ~으로 나무를 켜다 のこぎりで木をひ(挽)く．[語例] 전기 ~ 電気のこぎり／실~ 糸のこ．

***톱²** 〈名〉トップ．[句例] 조간 ~에 실리다 朝刊のトップに載る．[語例] ~ 클래스 トップクラス／~ 뉴스 トップニュース．◇top

톱-날 [t'om―] 〈名〉のこぎりの目．[句例] ~을 세우다 のこぎりの目を立てる．

***톱-니** [t'om―] 〈名〉 ❶のこぎりの歯．❷〔植〕鋸歯．

***톱니-바퀴** [t'omni―] 〈名〉 歯車．[句例] ~가 맞물리다 歯車がかみあう．

***톱-밥** 〈名〉おがくず．のこくず．

톱-질 〈名・하自〉木びき．のこぎりで木材をひくこと．

톱톱-하다 [t'opt'op'ada] (→하다) 〈形〉 汁が煮詰まって濃い．[句例] 전골을 톱톱하게 끓이다 牛なべを濃い目につくる．(類)바특하다．

ㅌ

톳 〈名・依名〉のり(海苔)四十枚あるいは百枚を束にしたもの．また，それを数える語：束．帖．[語例] 김 한 ~ のり一束〔四帖・十帖〕．

****통¹** 〈名〉❶ズボンのまた(股)・そで(袖)などの幅．[句例] 바지~이 넓다 バチの幅が広い．❷腰・脚の太さや回り．[句例] 허리~이 굵다 腰まわりが大きい．[語例] 몸~ (둘레) 胴(回り)．

통(이) 크다 度量が大きい．肝〔腹〕が大きい．[句例] 통이 큰 사람 度量の大きい人．腹が大きい人．[文例] 몸집은 작으면서도 통이 크다 体格は小柄ながらも度量は大きい．

통² [一]〈名〉中身がよく熟した白菜・ふくべ(瓠)・すいかなどの大きさ．玉．[句例] ~이 큰 배추 玉の大きい白菜．

[二]〈依名〉 白菜・ふくべ・すいかなどを数える語：株．個．[語例] 배추 백 ~ 白菜百株／수박 두 ~ すいか二個．

***통**【桶】[一]〈名〉 おけ(桶)．たる(樽)．缶．箱．[語例] 물~ 水おけ／석유~ 石油缶／드럼~ ドラム缶／휴지~ ごみ箱／벌~ みつばち(蜜蜂)の巣箱．→통메우다

[二]〈依名〉 おけなどの容器に入れたものを数える語：おけ．たる．缶．箱．[語例] 물 한 ~ 水一おけ／술 한 ~ 酒一たる．

통【筒】〈名〉筒．[語例] 대〔죽〕~ 竹筒．

통【統】[t'o:ng]〈名〉'시(市)' 行政の末端組織の一つ．統．'동洞'の下，'반(班)'の上．

통³ 〈依名〉❶('~에'の形で) (ごたごたが起こっている)最中．さなか(最中)．渦中などの意を表わす語．[文例] 난리~에 가족과 헤어졌다 戦乱のさなかに家族と別れた．❷('-는〔-은〕~에'の形で) …の弾みに．…ので．…ための意を表わす語．[文例] 너무 떠드는 ~에 잠에서 깨났다 あまりさわぐので目が覚めた．(類)바람³①．❸ぐる．一味．[句例] 한 ~이 되다 ぐるになる．❹一定の長さのカナキン・キャラコなどを数える語：反．匹．[語例] 광목 한 ~ カナキン一匹．

[表現] ①は名詞のあとにつき，②は動詞の語幹につく．

통【通】〈依名〉 手紙・文書などを数える語：通．[語例] 편지 두 ~ 手紙二通／입학 원서 한 ~ 入学願書一通．

***통⁴** 〈副〉❶'온통'の略．[句例] 어깨를 ~으로 들어낸 댄서 肩を丸丸と出したダンサー．❷全然．全く．皆目．まるで．一向．さっぱり．まるきり．＝전연．전혀．[文例] 수영을 ~ 못한다 全く泳げない／해보았으나 ~ 안 된다 やってみたけれど，全然だめだ／~ 짐작도 안 간다 皆目，けんとうもつかない／아무리 주의해도 ~ 효과가 없다 いくら注意しても一向効き目がない／그 문제는 아무리 생각해도 ~ 모르겠다 その問題はいくら考えてもさっぱりわからない／장사가 ~ 안 된다 商売がまるでだめだ／그는 ~ 미덥지가 못하다 彼は一向たよりにならない．❸'통째'の略．

-통【通】〈尾〉 その方面に精通していることを表わす語：…通．[語例] 소식~ 消息通．消息筋／정보~ 情報通／미국~ アメリカ通．

통 〔漢字項目〕

【痛】 高校 통 ツウ. ❶아프다 いたい. ■痛覺 통각 つうかく. ■苦痛 고통 くつう. 頭痛 두통 ずつう. ❷아파하다 いたく感じる. いたがる. ■痛恨 통한 つうこん. ■悲痛 비통 ひつう. ❸몹시. 대단히 はなはだしく. ■痛快 통쾌 つうかい. 痛切 통절 つうせつ.

【統】 中學 통 トウ. ❶거느리다 すべる. ■統治 통치 とうち. 統帥 통수 とうすい. ❷합치다 合わせる. ■統一 통일 とういつ. 統合 통합 とうごう. ❸계통 ひとつながりのもの. ■系統 계통 けいとう. 血統 혈통 けっとう.

【通(通)】 中學 통 ツウ. ツ. ❶통하다 とおる. ■貫通 관통 かんつう. 開通 개통 かいつう. ❷두루 미치다 行きわたる. ■流通 유통 りゅうつう. ❸왕래하다 行き来する. ■通過 통과 つうか. ■交通 교통 こうつう. ❹환히 알다 ひろく 物事に通じる. ■通達 통달 つうたつ. ■博通 박통 はくつう. ❺의사가 통하다 意思が通じる. ■通譯 통역 つうやく. ■疏通 소통 そつう. ❻남녀가 교섭함 男女が交わること. ■姦通 간통 かんつう. 私通 사통 しつう. ❼온통 全部. ■通常 통상 つうじょう. ❽편지・서류를 세는 의존 명사 手紙・書類などを数える語. ■書面一通 서면 일통 しょめんいっつう.

통-가죽 〈名〉 (縫い目をほどかないでそのまま洗える)丸洗いの衣服.

통감 【痛感】 [t'o:nggam] 〈名・하他〉 痛感. 文例 어학의 필요성을 ~하고 있다 語学の必要性を痛感している.

통겨-주다 〈他〉 (秘密を)そっと知らせてやる. 文例 이전하는 것을 미리 통겨주었다 移転することを前もって知らせてやった.

통계 【統計】 [t'o:nggye] 〈名〉 統計. 句例 ~를 잡다 統計をとる / ~를 내다 統計を出す. 語例 ~치 統計値 / ~ 자료 統計資料 / ~표 統計表 / ~적(방법) 統計的(方法) / 인구 ~ 人口統計.

통계-청 【統計廳】 [t'o:nggye—] 〈名〉 統計庁. 総理府総務庁の統計局に当たる. 長官は'통계청장(長)'と言う.

통고 【通告】 〈名・하他〉 通告. 句例 정식 ~를 받다 正式の通告を受ける. 文例 불참의 뜻을 ~했다 不参の旨を通告した. 語例 ~서 通告書 / 사전 ~ 事前通告 / 마지막 ~ 最後の通告.

통-고추 〈名〉 丸のままのとうがらし.

통곡 【痛哭】 [t'o:nggok] 〈名・하自〉 痛哭. 句例 가슴을 치고 ~하다 胸をたたいて痛哭する / 대성(大聲) ~하다 大声をあげて悲しく泣く.

통곡 【慟哭】 [t'o:nggok] 〈名・하自〉 慟哭. 句例 유해 앞에서 ~하다 遺体の前で慟哭する.

***통과** 【通過】 〈名〉 通過. **~하다** 〈自他〉 通過する. (検査などを)通る. 句例 급행 열차가 ~하다 急行列車が通過する / 관문을 무사히 ~하다 関門を無事に通過する / 심사(의회)를 ~하다 検査〔議会〕を通る〔通過する〕 / 검문소를 ~시키다 検問所を通す / 태풍이 ~하다 台風が通過する. 文例 예산안이 국회를 ~했다 予算案が国会を通過した. 語例 ~되다 通過する / ~시키다 通過させる. 通す / ~역 通過駅 / ~세 通過税.

통관 【通關】 〈名・하自他〉 通関. 語例 ~ 절차 通関手続き.

통괄 【統括】 [t'o:nggwal] 〈名・하他〉 統括. 句例 사무를 ~하다 事務を統括する.

통권 【通卷】 〈名〉 (雑誌などの)通巻. 句例 ~ 2백호가 발간되다 通巻二百号が発刊される.

통근 【通勤】 〈名・하自〉 通勤. 句例 걸어서 ~하다 歩いて通勤する / 버스로 ~하다 バスで通勤する. 語例 ~ 열차 通勤列車 / ~자 通勤者.

통금 【通禁】 〈名〉 '통행 금지'の略. 語例 ~ 시간 通行禁止時間.

통-기타 【筒guitar】 [t'onggit'a:] 〈名〉 '共鳴箱のある普通のギター'の俗っぽい言いかた.

통-김치 〈名〉 白菜の丸漬けキムチ.

통-꼭지 【桶—】 〈名〉 おけ(桶)の外側についている柄〔取っ手〕 =통젖.

통-꽃 〈名〉〔植〕 合弁花. 對갈래꽃.

통-나무 〈名〉 丸太. 丸木. 丸太ん棒. 句例 ~를 엮다 丸太を組む.

통나무-배 〈名〉 丸木舟.

통나무-집 〈名〉 丸太小屋. =귀틀집.

통념 【通念】 〈名〉 通念. 句例 종래의 ~ 従来の通念 / 사회 ~이 바뀌어 가다 社会の通念が変わっていく.

통달 【通達】 〈名・하自他〉 通達. 句例 민법에 ~하다 民法に通達する / 각 기관에 ~하다 各機関に通達する.

통-닭 [—dak] 〈名〉 鶏の丸焼き, または丸揚げ. 語例 ~구이 鶏の丸焼き / ~ 튀김 鶏の丸揚げ. →닭 參考

통독 【通讀】 〈名・하他〉 通読. 句例 죽 ~하다 ざっと通読する.

통람 【通覽】 [t'ongnam] 〈名・하他〉 通覧. 句例 리포트를 ~하다 リポートを通覧する.

통렬-하다 【痛烈—】 [t'o:ngnyŏl—] (→하다) 〈形〉 痛烈だ. 句例 통렬하게 공격하다 痛烈に攻撃する / 통렬한 비난을 퍼붓다 痛烈な非難を浴びせる. **통렬히** 〈副〉 痛烈に. 句例 통렬히 비판하다 痛烈に批判する.

통례 【通例】 [t'ongnye] 〈名〉 通例. =상례(常例). 句例 ~에 따르다 通例に従う. 文例 이 상가는 ~적으로 첫째 일요일에 휴업한다 この商店街は通例, 月初めの日曜日に休む / 이러한 관습은 ~로 되어 있다 このような慣習は通例となっている.

통로 【通路】 [t'ongno] 〈名〉 通路. 通り道. 句例 ~를 막다 通路をふさぐ / 태풍의 ~ 台風の通り道. 語例 지하 ~ 地下通路.

통-마늘 〈名〉 丸ごとのにんにくの玉.

통-메우다 【桶—】 〈自〉 おけ(桶)のたがをはめる.

통-박 [—ppak] 〈名〉 '머리 頭'の俗っぽい言いかた. 句例 ~을 굴리다 頭を使う. 頭を働かす.

통-발 【筒—】 〈名〉 漁具の一つ. 筌. うけ(筌). うえ(筌). じんどう.

통변 【通辯】 〈名・하他〉 通弁. =통역(通譯).

E

통보【通報】〈名・하他〉通報. 句例 ～를 받고 출두하다 通報を受けて出頭する / 학교에 사실을 ～하다 学校に事実を通報する. 語例 기상 ～ 気象通報.
통-보리〈名〉丸麦.
***통분**【通分】〈名〉〔數〕通分. 句例 공통 분모를 정하여 ～하다 共通の分母をきめて通分する.
통분【痛憤・痛忿】[t'o:ngbun]〈名・하形〉痛憤. 句例 ～을 금치 못하다 痛憤にたえない.
통-사정【通事情】〈名・하自〉❶自分の事情を人にうち明けて訴えること. 文例 기일을 연장해 달라고 ～하였다 期日を延ばしてくれるよう事情をうち明けて頼んだ. ❷人の事情をよく理解すること. ▷略して'통정(通情)'ともいう.
통산【通算】〈名・하他〉通算. 句例 ～하여 구년의 의무교육 通算して九年の義務教育. 文例 ～ 백회 출전했다 通算百回出場した. 語例 ～ 성적 通算成績.
통산-부【通産部】〈名〉'통상 산업부'の略.
통상【通常】㊀〈名〉通常. 句例 ～대로 영업하다 通常どおり営業する. 語例 ～ 상태 通常の状態 / ～ 우편물 通常郵便物. ㊁〈副〉通常. 文例 ～ 일요일에는 등산을 한다 通常, 日曜には登山をする. ▷＝보통(普通).
통상【通商】〈名・하自〉通商. 句例 많은 나라와 ～하다 多くの国と通商する. 語例 ～ 조약 通商条約.
통상 산업부【通商産業部】[—sa:nŏppu]〈名〉通商産業部. 通商産業省に当たる. 略して'통산부(通産部)'とも言う. 語例 ～ 장관 通商産業部長官. 通商産業大臣.
통설【通說】〈名〉通説. 句例 ～을 뒤엎다 通説をくつがえす. 文例 그 학설은 ～로 되어 있다 その学説は通説となっている. 對이설(異說).
통-성명【通姓名】〈名・하自〉互いに名乗り合うこと. 初対面のあいさつを取り交わすこと. 略して'통성(通姓)'ともいう.
통속【通俗】〈名〉通俗. 句例 ～적인 영화 通俗な映画. 語例 ～ 소설 通俗小説 / ～화 通俗化.
통속-적【通俗的】〈名・冠〉通俗的. 句例 ～인 표현 通俗的な表現. 俗っぽい表現 / ～인 영화 通俗な映画.
통솔【統率】[t'o:ngsol]〈名〉統率. **～하다**〈他〉統率する. 率いる. 統べる. 句例 전군을 ～하다 全軍を統率する〔率いる〕. 語例 ～자 統率者 / ～력 統率力.
통수【統帥】[t'o:ngsu]〈名・하他〉統帥. 句例 삼군을 ～하다 三軍を統帥する. 語例 ～권 統帥権.
***통신**【通信】〈名・하他〉通信. 句例 ～을 보내다 通信を送る / ～이 끊기다 通信がとだえる / 무선으로 ～하다 無線で通信する. 語例 ～ 시설 通信施設 / ～ 판매 通信販売. 通販《略語》/ ～기 通信機 / ～비 通信費.
통신-망【通信網】〈名〉通信網. 語例 국제 ～ 国際通信網.
통신-사【通信社】〈名〉通信社. 句例 ～와 특약을 맺은 신문사 通信社と特約を結んだ新聞社.
통신-사【通信使】〈名〉〔史〕通信使. 朝鮮朝時代に, 日本に差し遣わした使臣. 高宗十三年(1876年)'수신사(修信使)'と改称された.
통신 위성【通信衛星】[t'ongshinwisŏng]〈名〉通信衛星. 句例 ～을 쏘아 올리다 通信衛星を打ち上げる. →무궁화호(無窮花號)
통어【統御】[t'o:ng-ŏ]〈名・하他〉統御. 句例 전군을 ～하다 全軍を統御する.
통역【通譯】〈名・하他〉通訳. 句例 한국어로 ～하다 韓国語で通訳する. 語例 동시 ～ 同時通訳.
통용【通用】〈名〉通用. **～하다**〈自他〉通用する. 通じる. 文例 이 표는 한 달간 ～된다 この切符は一か月通用する / 이것은 다른 케이스에도 ～된다 これは別のケースにも通用する. 語例 ～문 通用門 / ～ 기간 通用期間 / ～ 화폐 通用貨幣.
통운【通運】〈名・하他〉通運. 語例 ～ 회사 通運会社.
통-으로〈副〉['온통으로'の略] 丸のままで. 丸ごと. 句例 ～ 삼키다 丸飲みする.
***통일**【統一】[t'o:ng-il]〈名・하他〉統一. 句例 ～이 되다〔유지되다〕統一がとれる / 용지의 크기를 ～하다 用紙の大きさを統一する / 나라를 ～하다 国を統一する. 語例 천하 ～ 天下統一 / 남북 ～ 南北統一 / ～되다 統一される.
통일-원【統一院】[t'o:ng-irwon]〈名〉統一院. 中央官庁の一つ. 国土の統一に関する政策・調査などをつかさどる. '장관 長官'は副総理を兼任する.
***통장**【通帳】〈名〉通帳. 語例 예금 ～ 預金通帳.
***통제**【統制】[t'o:ngje]〈名・하他〉統制. 句例 물가를 ～하다 物価を統制する / ～를 강화〔완화〕하다 統制を強化〔緩和〕する / ～를 풀다 統制をはずす. 語例 ～ 경제 統制経済.
***통-조림**【桶―】〈名〉缶詰. 句例 깡통따개로 ～을 따다 缶切りで缶詰をあける. 語例 쇠고기 ～ 牛肉の缶詰. 牛缶 / ～통 缶詰の缶.
통증【痛症】[t'o:ngtchŭng]〈名〉痛む症状. 痛み. 句例 ～을 느끼다 痛みを感じる / ～을 견디다 痛みにたえる / ～이 멎다 痛みがやむ / ～을 누그러뜨리다〔없애다〕痛みを和らげる〔除く〕.
***통지**【通知】〈名・하他〉通知. 知らせ. ＝통기(通寄). 句例 ～를 받다 通知〔知らせ〕を受ける / 우편으로 ～하다 郵便で通知する. 語例 ～ 예금 通知預金.
통지-서【通知書】〈名〉通知書. 句例 합격 ～를 받다 合格通知書を受ける.
통지-표【通知表】〈名〉'생활 통지표'の略.
통-째〈副〉⇨ 통째로
통째-로〈副〉丸ごと. 丸のまま. 句例 배추를 ～ 저리다 白菜を丸のまま漬ける / ～ 삶다 丸のまま煮る. 丸煮する / ～ 굽다 丸焼きにする / ～ 삼키다 丸のみにする.
통찰【洞察】[t'o:ngch'al]〈名・하他〉洞察. 句例 정세를 ～하는 사람 情勢を洞察する人. 語例 (날카로운) ～력 (鋭い)洞察力.

ㅌ

통첩【通牒】〈名・하他〉通牒. 句例 ~을 내다 通牒を発する. 語例 최후 ~ 最後の通牒.

통촉【洞燭】[t'o:ngch'ok]〈名・하他〉'양찰(亮察)了察'の敬語. 御了察. 文例 부디 ~하여 주십시오 何とぞ御了察ください.

통치【統治】[t'o:ngch'i]〈名・하他〉統治. 句例 나라를 ~하다 国を統治する / 영국 ~하에 있는 지역 イギリスの統治下にある地域. 語例 ~자 統治者 / ~ 기관 統治機関.

통-치마〈名〉一枚の布で縫い合わせたチマ. 對풀치마.

통칙【通則】〈名〉通則. 句例 ~으로 인정되다 通則として認められる.

통칭【通稱】〈名〉通称. 句例 ~ 엑스로 불리다 通称Xと呼ばれる / 에이라는 ~으로 통하다 Aの通称で通じる.

통쾌-감【痛快感】[t'o:ngk'wae—]〈名〉痛快な気持ち.

통쾌-하다【痛快—】[t'o:ngk'wae—] (→하다)〈形〉痛快だ. 句例 통쾌하게 느끼다 痛快に感じる / 통쾌한 일 痛快なできごと / 통쾌한 홈런 痛快なホームラン. **통쾌히**〈副〉痛快に.

통-크다 (통크니, 통커서) ⇨'통¹'の小項目

통탄【痛歎】[t'o:ngt'an]〈名・하他〉痛嘆. 句例 ~해 마지 않다 痛嘆にたえない. 文例 실로 ~할 일이다 実に痛嘆すべきことだ. まことに嘆かわしいことだ.

통-통¹〈副・하自他〉床などを踏み鳴らしたり, 小太鼓などをしきりにたたく音: とんとん. ぽんぽん. **~거리다**〈自他〉続けてとんとんと踏み鳴らす. とんとんと打ち続ける.

통통²〈副〉からだがは(腫)れ上がったり肥えているさま: まるまる(と). ころころ. ぽってり. ふっくら. むくむく. ぶくぶく. **~하다**〈形〉ふっくらとしている. まるまるとしている. ぶくぶく(と)している. 句例 ~하게 살찐 사람 ふっくらと肥えた人 / ~한 몸집 まるまるとしたからだつき / 울어서 눈이 ~ 붓다 泣き腫らす / ~한 강아지 ころころした子犬. **~히**〈副〉まるまる(と). ふっくらと. ぶくぶく(と). ぽってり(と).

통통-배〈名〉ぽんぽん蒸気.

통-틀다 (통트니, 통틀어서)〈他〉ひっくるめる.

통-틀어 [—t'ŭrŏ]〈副〉ひっくるめて. 全部で. あわせて. まとめて. すべて. 文例 ~ 얼마요 ひっくるめていくらですか.

통폐【通弊】〈名〉通弊. 文例 시험 지옥은 교육의 ~다 試験地獄は教育の通弊だ.

통-폐합【統廢合】[t'o:ng—]〈名・하他〉機構や企業などを廃合して一つにすること.

통풍【痛風】[t'o:ngp'ung]〈名〉〔醫〕痛風. 句例 발가락의 ~ 足指痛風.

통풍【通風】〈名・하自〉通風. 風通し. =통기(通氣). 句例 ~이 잘 되는 방 通風のいい部屋 / ~이 잘되다 風通しがいい. 語例 ~ 장치 通風装置.

***통-하다**【通—】(→하다)〈自他〉❶通じる. ㉠(遮るものがなく)開ける, 通う, =트이다. 句例 사방으로 ~ 四方に通じる / 안뜰로 통하는 길 内庭に通じる戸口. 文例 칸막이를 치우고 두 방을 한 방으로 통하게 하였다 二つのへやをぶち抜いて一室にした / 한참만에 숨이 통했다 しばらくしてから息が通うようになった.

㉡(親しく付き合って)心や意思がよく伝わる. 通う. 句例 마음이 통하는 친구 心の通う友達 / 말이 ~ ことばが通じる / 이야기가 통하는 사람 話せる人 / 서로 이야기가 ~ たがいに話が通じる.

㉢精通する. 句例 고금에 ~ 古今に通じる.

㉣(道などが)とどく. とどかせる. 句例 지하철이 ~ 地下鉄が通じる / 로마로 통하는 길 ローマに通じる道.

㉤ひそかに連絡をとったり, 関係する. 句例 적과 ~ 敵に通じる / 기맥이 ~ 気脈が通じる.

㉥全体に及ぶ. 文例 그의 주장은 일생을 통하여 변하지 않았다 彼の主張は一生を通じてかわらなかった.

㉦(間に)介する. 文例 남을 통하여 면회를 신청했다 人を介して面会を申し入れた / 텔레비전을 통하여 알게 되었다 テレビを通じて知るようになった.

㉧経路をへて動く. 通う. 句例 전기가 ~ 電気が通じる / 혈관에 피가 ~ 血管に血が通う / 전화가 ~ 電話が通じる / 대변이 잘 ~ 便がよく通じる.

❷通る. ㉠通用する. 句例 어디에서나 통하는 돈 どこでも通用するお金 / 시의 대가로 ~ 詩の大家で通る.

㉡ 許容される. 文例 억지가 통하지 않는다 無理が通らない / 그것으로는 세상에 통하지 않는다 それでは世の中は通らない.

통학【通學】〈名・하自〉通学. 句例 자전거로 ~하다 自転車で通学する. 語例 ~생 通学生 / ~로 通学路.

통한【痛恨】[t'o:nghan]〈名・하他〉痛恨. 句例 ~의 눈물 痛恨の涙. 語例 일대 ~사 一大痛恨事.

통할【統轄】[t'o:nghal]〈名・하他〉統轄. 句例 주무 관청에서 ~하는 사항 主務官庁で統轄する事項.

통합【統合】[t'o:nghap]〈名・하他〉統合. 統一. 句例 의견을 ~하다 意見を統合する / 유사한 기구를 정리 ~하다 類似の機構を整理統合する.

***통행**【通行】〈名・하自他〉通行. 句例 국도를 ~하는 차 国道を通行する車. 語例 ~ 방해 通行のさまたげ / 일방 ~ 一方〔片側〕通行 / 좌측 ~ 左側通行 / ~인 通行人 / ~료 通行料.

통행 금지【通行禁止】[—gŭ:mji]〈名〉通行禁止. 通行止め. 略して'통금(通禁)'ともいう. 語例 제차 ~ 諸車通行止め《掲示》.

통화【通貨】〈名〉通貨. 語例 현금 ~ 現金通貨 / 국제 ~ 国際通貨.

통화【通話】一〈名・하自〉通話. 句例 어머니와 ~하다 母と通話する. 語例 ~중 通話中 お話中 / ~료 通話料 / 시내 ~ 市内通話.

二〈依名〉電話で話をするときの時間の単位: 通話. 語例 한 ~ 3분 이내 一通話三分以内.

E

퇴 〔漢字項目〕

【退(退)】 中學 **퇴** タイ. ❶물러나다 しりぞく. もどる. ◧退去 퇴거 たいきょ. 退勤 퇴근 たいきん. ◨進退 진퇴 しんたい. 後退 후퇴 こうたい. ❷관직 따위를 떠나다 官などからはなれる. ◧退職 퇴직 たいしょく. ◨引退 인퇴 いんたい. ❸줄다 おとろえる. ◧退嬰 퇴영 たいえい. ◨衰退 쇠퇴 すいたい. ❹겸손하다 へりくだる. ◧退讓 퇴양 たいじょう. ◨辭退 사퇴 じたい. ❺물리치다 しりぞける. ◧退治 퇴치 たいじ. ◨擊退 격퇴 げきたい.

퇴각【退却】[t'oe:gak]〈名・하自他〉退脚. 句例 후방으로 ~하다 後方に退脚する. 類후퇴(後退).

퇴거【退去】[t'oe:gŏ]〈名・하自〉退去. 立ち退くこと. 語例 ~ 명령 退去命令.

퇴고【推敲】〈名・하自〉推敲. 句例 ~를 거듭하다 推敲を重ねる / 원고를 ~하다 原稿を推敲する.

퇴교【退校】[t'oe:gyo]〈名・하自〉退校. =퇴학(退學).

퇴근【退勤】[t'oe:gŭn]〈名・하自〉退勤. 句例 정시에 ~하다 定時に退勤する / ~이 이르다 退勤が早い. 語例 회사 ~ 시간 会社の引け時. 對출근(出勤). 類퇴사(退社). 퇴청(退廳).

퇴로【退路】[t'oe:ro]〈名〉退路. 句例 적의 ~를 차단하다 敵の退路を遮断する / ~를 끊다 退路を絶つ.

퇴물【退物】[t'oe:mul]〈名〉❶(目上の人の)使い古し. お下がり. お古. ❷(気に入らなかったりし)断られた物. つき返された物. ▷=퇴물림. ❸その職から退いた人を卑しめて言う語:…上がり. 語例 기생 ~ キーセン上がり.

퇴박-맞다【退—】[t'oe:bang—]〈自〉退けられる. 断られる. 文例 청탁한 것이 퇴박맞았다 請託したのが断られた.

퇴박-하다【退—】[t'oe:bak'ada] (→하다)〈他〉は(撥)ね返す. 退ける. 断る. 句例 원조 신청을 ~ 援助の申し出をはね返す.

퇴보【退步】[t'oe:bo]〈名・하自〉退歩. 句例 기술〔운동 능력〕이 ~하다 技術〔運動能力〕が退歩する. 對진보(進步).

퇴비【堆肥】〈名〉堆肥. 積み肥. =두엄. ~하다〈自〉堆肥をつくる.

퇴사【退社】[t'oe:sa]〈名・하自〉退社. ❶退勤. 語例 ~ 시간 退社時間. ❷退職. 對입사(入社).

퇴색【退色・褪色】[t'oe:saek]〈名・하自〉退色. 句例 ~하기 쉬운 색깔 退色しやすい色. →바래다[1]

퇴역【退役】[t'oe:yŏk]〈名・하自〉退役. 語例 ~ 장군 退役将軍.

퇴원【退院】[t'oe:won]〈名・하自〉退院. 句例 병원에서 ~하다 病院から退院する. 對입원(入院).

퇴임【退任】[t'oe:im]〈名・하自〉退任. 語例 ~ 인사 退任のあいさつ. 對취임(就任).

*__퇴장__【退場】[t'oe:jang]〈名・하自〉退場. ❶(会場・舞台から)しりぞくこと. 句例 무대에서 조용히 ~하다 舞台から静かに退場する. ❷会議の中途でしりぞくこと. 句例 회의장에서 서둘러 ~하다 会場から急いで退場する. ❸競技中反則を犯したためゲームからはずされること. ▷對입장(入場).

퇴적【堆積】〈名・하自他〉堆積. 文例 낙엽이 수북이 ~해 있다 落ち葉がうずたかく堆積している. 語例 ~암 堆積岩 / ~도 堆積島 / ~ 작용 堆積作用.

퇴조【退潮】[t'oe:jo]〈名・하自〉退潮. ❶引き潮. 干潮. ❷勢力が衰えること. 句例 전체주의가 ~하다 全体主義が退潮する. 類퇴세(退勢).

퇴주【退酒】[t'oe:ju]〈名〉祭祀のとき供えた酒を下げること. また, その酒.

퇴줏-그릇【退酒—】[t'oe:jut—]〈名〉'퇴주'を注ぐ器. =퇴주기(退酒器).

퇴직【退職】[t'oe:jik]〈名・하自〉退職. 語例 정년 ~ 定年退職 / ~ 수당 退職手当て.

퇴진【退陣】[t'oe:jin]〈名・하自他〉退陣. ❶陣地から後方へしりぞくこと. ❷社会的地位からしりぞくこと. 句例 경영 일선에서 ~하다 経営の一線からしりぞく.

퇴짜 [t'oe:tcha]〈名〉'퇴자(退字)'の転化. ❶〔史〕上納した織物の品質が悪くて'退'の字が押されて返されたもの. ❷(贈り物などを)つき返すこと. また, そのもの.

퇴짜(를) 놓다 つき返す. 拒絶する. 句例 보내온 선물을 ~ 贈られたお土産をつき返す.

퇴짜(를) 맞다 (贈り物などが)つき返される. 拒絶される.

퇴치【退治】[t'oe:ch'i]〈名・하他〉退治. 句例 결핵을 ~하다 結核を退治する. 語例 문맹 ~ 文盲退治.

퇴폐【頹廢】〈名・하自〉退廃. ❶衰えすたれること. 句例 독재 정치의 ~와 몰락 独裁政治の退廃と没落. ❷道徳や明るい気風などが乱れること. 句例 ~한 대중 가요 退廃した流行歌. 語例 ~ 문학 退廃文学 / ~주의 退廃主義.

퇴-하다【退—】[t'oe:—] (→하다)〈他〉❶(贈られた物を)受け取らない. 拒絶する. 句例 뇌물을 ~ わいろを拒絶する. ❷(買った物を)返品する. 戻す. 返す. ❸(余った物を)減らす. 取り出す.

퇴학【退學】[t'oe:hak]〈名・하自他〉退学. 退校. 語例 ~당하다 退学になる / ~시키다 退学させる.

퇴행【退行】[t'oe:haeng]〈名・하自〉退行. 語例 ~ 현상 退行現象.

퇴화【退化】[t'oe:hwa]〈名・하自〉退化. 句例 문명의 ~ 文明の退化. 對진화(進化). 類퇴행(退行).

툇-마루【退—】[t'oe:nmaru]〈名〉〔建〕縁側.

투【套】〈名〉❶一定の様式. 方式. 方法. 句例 일기 ~로 기록하다 日記の様式で記録する. ❷言葉遣い. 文例 말하는 ~가 너무나도 거만하다 言葉遣いが余りにも高慢だ. ❸(物事の)やりかた. 手並み. 文例 기계를 다루는 ~가 매우 능숙하다 機械の操りかたがとても上手だ.

투 [t'u:]〈名〉ツー. 二. 二つ. 語例 ～ 아웃〔野〕ツーアウト / ～ 스텝 ツーステップ / ～피스 ツーピース. ◇two

투 〔漢字項目〕

【投】中學 투 トウ. ❶던지다 なげる. ▮投擲 투척 とうてき. 投手 투수 とうしゅ. ❷내던지다 なげだす. ▮投降 투항 とうこう. 投棄 투기 とうき. ❸보내다 送る. ▮投稿 투고 とうこう. ❹의탁하다 寄る. 머무르다 とどまる. ▮投宿 투숙 とうしゅく. ❺들어맞다 かなう. ▮投合 투합 とうごう.

【透(透)】高校 투 トウ. ❶환하다 すきとおる. ▮透明 투명 とうめい. ❷꿰뚫다 つきとおる. すきとおる. ▮透過 투과 とうか. 透徹 투철 とうてつ.

【鬪(鬪)】高校 투 トウ. ❶싸움 たたかい. ▮鬪爭 투쟁 とうそう. ▮決鬪 결투 けっとう. ❷싸우다 あらそう. 싸우게 하다 たたかわせる. ▮鬪牛 투우 とうぎゅう. 鬪技 투기 とうぎ.

투견【鬪犬】〈名・하自〉鬪犬. 語例 ～ 대회 鬪犬大会.

투고【投稿】〈名・하自〉投稿. 句例 잡지에 ～하다 雑誌に投稿する.

투과【透過】〈名・하自〉透過. 透き通ること. 透かして見えること. 語例 ～성 透過性 / ～율 透過率.

〈투구〉

투구〈名〉かぶと(兜). 絵 語例 ～끈 かぶとの緒.

투구【投球】〈名・하自〉投球. 語例 전력 ～ 全力投球.

투기【投機】〈名〉投機. 句例 ～로 재산을 늘리다 投機で財産をふやす / 부동산의 ～ 거래 不動産の投機取引. 語例 ～꾼 投機師 / ～매매 投機売買.

투덜-거리다〈自〉しきりに不平不満を鳴らす. ぶつぶつ言う. 愚痴をこぼす. 句例 용돈이 적다고 ～ 小遣い銭が少ないと不平を鳴らす / 월급이 적다고 ～ 月給が少ないとぶつぶつ言う.

투덜투덜〈副・하自〉しきりに不平を鳴らすさま: ぐすぐす(と). ぶつぶつ(と).

투레-질〈名・하自〉乳飲み子が唇を震わせながらぶぶぶと音を出すこと.

투망【投網】〈名〉投網. 句例 ～을 던지다 投網を打つ. 類 쟁이.

투매【投賣】〈名・하他〉投げ売り. 捨て売り. 乱売. 句例 재고품을 모두 ～하다 在庫品を全部投げ売りする. 類 덤핑.

***투명**【透明】〈名・하形〉透明. 透き通っていること. 句例 ～한 가을 하늘 透き通っている秋の空 / ～한 유리 透明なガラス. 語例 ～체 透明体.

투박-스럽다 (→스럽다)〈形〉不格好だ. 無愛想だ. やぼったい. 不完全だ. **투박스레**〈副〉ぶっきらぼうに. やぼったく. 無愛想に.

투박-하다 [t'ubak'ada] (→하다)〈形〉❶地味で丈夫だ. 句例 투박한 코트 くすんでいるが丈夫なコート. ❷(言動が)ぶっきらぼうだ. やぼったい. 無愛想だ. 句例 투박한 말투 ぶっきらぼうな言葉遣い.

투베르쿨린〈名〉〔醫〕ツベルクリン. 語例 ～ 반응 ツベルクリン反応. ◇도 Tuberkulin

투병【鬪病】〈名・하自〉鬪病. 句例 암과의 ～ 癌との鬪病. 語例 ～ 생활 鬪病生活 / ～ 일기 鬪病日記.

투사【透寫】〈名・하他〉透写. 透かし写し. 句例 그림을 ～하다 絵を透かし写しにする. 語例 ～지 透写紙. トレーシングペーパー.

투사【鬪士】〈名〉鬪士. 句例 개혁 운동의 ～ 改革運動の鬪士 / 독립을 지도한 ～ 独立を指導した鬪士.

투서【投書】〈名・하自〉投書. 句例 장관 앞으로 ～하다 長官あてに投書する. 語例 ～란 投書欄 / ～함 投書箱.

투석【投石】〈名・하自〉投石. 語例 ～ 사건 投石事件.

-투성이〈尾〉(名詞のあとに付いて) …だらけ. …みどろ. …まみれ. 句例 땀～의 얼굴 汗みどろの顔 / 모순～의 논리 矛盾だらけの論理 / 비듬～의 머리 ふけだらけの髪 / 피～가 된 사나이 血まみれになった男.

***투수**【投手】〈名〉〔野〕投手. ピッチャー. 句例 ～를 교체하다 投手を交替する. 語例 선발 ～ 先発投手 / 구원 ～ リリーフピッチャー.

투숙【投宿】〈名・하自〉投宿. 句例 여관에 ～하다 旅館に泊まる. 語例 ～객 投宿客.

투시【透視】〈名・하他〉透視. 句例 뢴트겐 ～에 의한 진단 レントゲン透視による診断. 語例 ～도 透視図.

투신【投身】〈名・하自〉❶身を投じること. 全力を尽くすこと. 句例 정계에 ～하다 政界に身を投じる. ❷投身. 身投げ. 語例 ～자살 投身自殺.

투실-투실〈副・하形〉程よく肥えて感じのいいさま: むくむく(と). まるまる(と). 句例 ～살이 오른 아기 まるまると肥えた赤ちゃん. 表現 語感の小さい語は'토실토실'.

투약【投藥】〈名・하自〉投薬. 句例 환자에게 ～하다 患者に投薬する.

투약-구【投藥口】〈名〉(病院の)薬局の窓口.

투여【投與】〈名・하他〉投与. 句例 항생 물질의 ～ 抗生物質の投与.

투영【投影】〈名〉投影. ❶地面や水面に物の影がうつること. ❷投影図法によって平面上にか(描)かれた図形. 語例 ～도 投影図.

투옥【投獄】〈名・하他〉投獄. 句例 살인 혐의로 ～되다 殺人の嫌疑で投獄される.

투우【鬪牛】〈名・하自〉鬪牛. 語例 ～사 鬪牛士 / ～장 鬪牛場.

투입【投入】〈名・하他〉投入. 句例 경찰력을 ～하여 진압하다 警察力を投入して鎮圧する / 자금의 ～ 資金の投入.

***투자**【投資】〈名・하自〉〔經〕投資. 句例 부동산에 ～하다 不動産に投資する / 인재 양성(人材養成)에 ～하다 人材の養成に投資する. 語例 ～ 신탁 投資信託.

*투쟁【闘争】〈名・하自〉闘争. 戦い. 句例 법정 ~으로 시비를 가리다 法廷闘争で是非を明らかにする / 자유를 위해 ~하다 自由のため闘争する. 語例 ~사 闘争史 / ~심 闘争心.

투정〈名・하他〉'투정질'の略. 句例 ~을 부리다 だだをこねる.

투정-질〈名・하他〉だだをこねること. ねだること. すねること. 略して'투정'とも言う. 句例 돈을 달라고 ~하다 金をくれとだだをこねる.

*투지【闘志】〈名〉闘志. 闘魂. 句例 ~에 불타다 闘志にもえる / 불굴의 ~ 不屈の闘志 / ~를 잃다 闘志を失う.

투창【投槍】〈名・하自〉(陸上競技の)やり投げ. =창던지기.

투척【投擲】〈名・하他〉投擲. 句例 수류탄을 ~하다 手榴弾を投げとばす. 語例 ~경기 投擲競技.

*투철【透徹】〈名・하形〉透徹. 句例 ~한 군인정신 透徹した軍人精神 / ~한 이론 透徹した理論.

투-포환【投砲丸】〈名〉(陸上競技の)砲丸投げ. =포환던지기.

투표【投票】〈名・하自他〉投票. 句例 ~로 결정하다 投票で決定する / ~에 부치다 投票に付する. 語例 ~권 投票権 / ~소 投票所 / ~함 投票箱.

투하【投下】〈名・하他〉投下. 句例 폭탄을 ~하다 爆弾を投下する / 1억의 자금을 ~한 사업 一億の資金を投下した事業.

투항【投降】〈名・하自〉投降. 文例 제대로 싸우지도 못하고 ~했다 ろくに戦いもせずに投降した. 語例 ~군 投降軍 / ~병 投降兵.

투-해머【投hammer】〈名〉(陸上競技の)ハンマー投げ. =해머던지기.

투호【投壺】〈名・하自〉投壺. 矢をつぼ(壺)の中に投げ入れる遊戯. 語例 ~살 投壺に用いる矢.

투혼【闘魂】〈名〉闘魂. 句例 ~을 불태우다 闘魂をもやす / 불굴의 ~ 不屈の闘魂.

툭〈副〉❶一部分が突き出ているさま: ぷくっと. 句例 이마가 ~ 불거지다 額がぷくっと突き出ている.
❷軽くたたくさま. また, その音: ぽんと. 句例 어깨를 ~ 치다 肩をぽんとたたく.
❸物が急に破裂するさま. また, その音: ぱんと. ぷつりと. 句例 풍선이 ~ 터지다 風船がぱんと破れる.
❹何かにひっかかるさま: こつんと. 句例 문턱에 ~ 걸려 넘어지다 敷居にこつんとつまずいて倒れる.
❺急に跳ねるさま. また, その音: ぽん. ぴょん. 句例 고무공이 ~ 튀어오르다 ゴムまりがぽんと跳ね上がる.

툭탁〈副・하自他〉固い物が互いにぶつかったり打ち合うさま. また, その音: とんとん. こつんこつん. ~거리다〈自他〉どたばたする.
툭탁툭탁〈副・하自他〉とんとん. どたばた.

툭툭-하다 [t'ukt'uk'ada] (→하다)〈形〉❶汁が濃い. ❷織物が丈夫で分厚い.

툭-하면 [t'uk'amyŏn]〈副〉ともすると. どうかすると. ささいなことで. 文例 ~ 화를 낸다 ともするとすぐ怒る / ~ 싸운다 ささいなことでけんかをする.

툰드라〈名〉〔地〕ツンドラ. 類동토대(凍土帯). ◇러 tundra

툴툴-거리다〈自〉不平をぶつぶつ言う. ぶうぶう言う. 句例 반찬이 없다고 ~ おかずがないとぶつぶつ言う.

툴툴-하다 (→하다)〈自〉怒った顔つきで不平を鳴らす. ぐずぐず〔ぶうぶう〕言う.

퉁겨-지다〈自〉❶(突然)ばれる. 現れる. 句例 비밀이 퉁겨져 나오다 秘密が突然ばれる. ❷(組み立てられたものが)はずれる. ゆがむ. 句例 뼈가 ~ 骨がはずれる〔脱臼する〕. ❸(期待が)はずれる.

퉁기다〈他〉❶(支えたもの・組み合わせたものを)はずす. 句例 기둥받침을 ~ 柱の土台をはずす. ❷(機会を)逸する. 逃す. 失う. 句例 모처럼의 기회를 ~ せっかくの機会を逸する. ❸(骨の関節を)はずらせる.

퉁명-스럽다 (→스럽다)〈形〉ぶっきらぼうだ. つっけんどんだ. 無愛想だ. 句例 말투가 ~ ことば遣いがつっけんどんだ / 퉁명스러운 사람 無愛想な人. **퉁명스레**〈副〉ぶっきらぼうに. つっけんどんに. 無愛想に.

퉁소〈名〉〔樂〕'통소(洞簫)'の転化: 洞簫. 尺八に似た笛.

퉁퉁〈副・하形〉❶肉づきがよく太っているさま: ぶくぶく(と). ぽってり(と). 句例 몸집이 ~하다 からだつきがぶくぶく太っている. ❷からだの一部が(腫)れあがるさま: ぶくぶく(と). 文例 눈이 ~ 붓도록 울었다 まぶた(瞼)がはれあがるまで泣いた.

퉤-퉤〈副〉やたらにつば(唾)を吐き捨てるさま: ぺっぺっ(と).

튀각〈名〉昆布の揚げ物.

튀기 [t'wi:gi]〈名〉❶混血児. ❷(動物の)雑種.

*튀기다[1]〈他〉❶急に力強く放つ. (指で)はじく. 句例 주판알을 ~ そろばんのたまをはじく. ❷(水などを)はねのける. はねとばす. 句例 자동차가 흙탕물을 ~ 車が泥をはねる.

튀기다[2]〈他〉❶(油で)揚げる. 句例 생선을 기름에 ~ 魚を油で揚げる. ❷はじけさせる. 膨らせる. 句例 옥수수를 ~ とうもろこし(の実)をはじけさせてポップコーンをつくる.

튀김〈名〉揚げ物. てんぷら.

*튀다〈自〉❶はじける. 跳ねる. 跳ね返る. 句例 기름이 얼굴에 ~ 油が顔にはねる / 콩이 ~ 豆がはじける. 文例 공을 벽에 던지면 튀어나온다 ボールを壁に投げるとはね返ってくる.
❷(爆発物などが)破裂する. 飛び散る. 爆発する. 句例 수류탄이 ~ 手榴弾が破裂する.
❸素早く逃げる. 走る. 高飛びする. 句例 도둑이 ~ どろぼうが逃げる / 외국으로 ~ 外国へ高飛びする.
❹(折れて一部が)裂けてはじける. 句例 휘었던 대나무가 ~ たわめた竹が裂けてはじける.

*튀어-나오다〈自〉飛び出す. 飛び出る. 句例 눈알이 ~ 目玉が飛び出す / 갑자기 아이가 차

ㅌ

도로 ~ にわかに子供が車道に飛び出る.

튜너 [t'yu:nŏ] 〈名〉 (テレビ・ラジオの)チューナー. ◇tuner

튜바 [t'yu:ba] 〈名〉〔樂〕 チューバ. 金管楽器の一種. ◇tuba

튜브 [t'yu:bŭ] 〈名〉 チューブ. ◇tube

***튤립** [t'yu:llip] 〈名〉〔植〕 チューリップ. ◇tulip

***트다**¹ (트니, 터서) 〈自〉 ❶ひび割れる. 裂ける. 句例 가뭄으로 논바닥이 ~ 日照りで田んぼがひび割れる. ❷(寒さ・刺激などで肌が)あかぎれになる. 句例 손이 ~ 手があかぎれになる. ❸発芽する. 芽が出る. 句例 새싹이 ~ 新芽が出る. ❹夜が明ける. 句例 먼동이 ~ 東の空が白む / 동틀 무렵 夜が白むころ.

트다² (트니, 터서) 〈他〉 ❶開く. (ふさがっていたものを)通じるようにする. 句例 길을 ~ 道を開く. ❷取引をはじめる. 句例 은행과 거래를 ~ 銀行と取引を始める. ❸友達つきあいをする. 親しくする. 句例 서로 트고 지내다 親しくつき合う.

***트라이앵글** 〈名〉 ❶〔數〕 三角形. ❷三角定規. ❸〔樂〕 トライアングル. ◇triangle

트라코마 〈名〉〔醫〕 トラコーマ. トラホーム. ◇trachoma

트랙 〈名〉 トラック. ❶陸上競技場の競走路. ❷録音テープなどの, おび状になっていて, 録音される部分. ◇track

트랙터 〈名〉 トラクター. ◇tractor

트랜스 〈名〉 トランス. 変圧器. ◇transformer から.

트랜지스터 〈名〉 トランジスター. ◇transistor

트램펄린 〈名〉 トランポリン. ◇trampolin

트랩 〈名〉 タラップ. 階段のようになったはしご. ◇네 trap

트러스트 〈名〉〔經〕 トラスト. 独占的な企業合同. ◇trust

****트럭** 〈名〉 トラック. 貨物自動車. ◇truck

트럼펫 〈名〉〔樂〕 トランペット. ◇trumpet

트럼프 〈名〉 トランプ. ◇trump

트렁크 〈名〉 トランク. ◇trunk

트레이너 〈名〉 トレーナー. ❶スポーツ選手を訓練させる人. ❷馬・犬などの調教師. ◇trainer

트레이닝 〈名〉 トレーニング. 訓練. ◇training

트레이드-마크 [t'ŭreidŭma:k'ŭ] 〈名〉 トレードマーク. 商標. ◇trademark

트레이싱 페이퍼 〈名〉 トレーシングペーパー. 類 투사지(透寫紙). ◇tracing paper

트레일러 〈名〉 トレーラー. ◇trailer

트로이카 〈名〉 トロイカ. (ロシアで)三頭立ての馬車またはそり. ◇러 troika

트로피 〈名〉 トロフィー. 優勝杯. ◇trophy

트롤 〈名〉 ['트롤망'の略] トロール. 語例 ~망 トロール網 / ~선 トロール船. ◇trawl

트리오 〈名〉〔樂〕 トリオ. ❶三重唱または三重奏. ❷三人組. 語例 클린업 ~ 〔野〕クリーンアップトリオ. ◇이 trio

트릭 〈名〉 トリック. ❶ごまかし. はかりごと. 句例 ~을 쓰다 トリックをつかう. ❷(映画の)特殊撮影. ◇trick

트림 [t'ŭ:rim] 〈名・하自〉 おくび. げっぷ. 句例 ~이 나오다 げっぷが出る.

***트이다** 〈自〉 ❶障害物がなくなる. 開ける. 通じる. 句例 길이 ~ 道が開ける / 터널이 ~ トンネルが通じる.
❷晴れる. 句例 활짝 트인 하늘 からっと晴れた空.
❸よくなっていく. 開ける. 句例 운이 ~ 運が開ける / 앞길이 ~ 前途が開ける.
❹(頭や心が)すっきりする. 晴れる. さえる. 句例 가슴이 ~ 気持ちが晴れる / 머리가 트인 사람 頭がさえた人.
❺(穴が)開く. 句例 구멍이 트여 있다 穴が開いている.

***트집** 〈名〉 ❶ひび. 割れ目. 裂け目. 句例 ~이 생기다 割れ目が生じる. ❷難くせ. 言いがかり. けちをつけること. 句例 ~을 잡아 값을 깎다 けちをつけて値切る. 語例 ~ 거리 難くせのたね. けちをつける言いぐさ / ~쟁이 よくけちをつける人.

트집(을) 쓰다 難くせをつける.

트집(을) 잡다 けちをつける. 言いがかりをつける. 難くせをつける.

특 〔漢字項目〕

【特】 中學 특 トク. ドク. 뛰어나다 すぐれぬきんでる. 유다르다 他と別である. ▮特別 특별 とくべつ. 特異 특이 とくい. ▮獨特 독특 どくとく.

특가 【特價】 〈名〉 特価. 語例 ~ 판매 特価販売 / ~품 特価品.

특권 【特權】 〈名〉 特権. 句例 외교관의 ~ 外交官の特権 / ~을 가지다 特権をもつ. 語例 ~ 계급 特権階級 / ~ 의식 特権意識.

특근 【特勤】 〈名・하自〉 時間外勤務. 特別勤務. 語例 ~ 수당 時間外勤務手当て.

특급 【特急】 〈名〉 ['특별 급행 열차'の略] 特急. 語例 ~ 열차 特急列車.

특기 【特技】 〈名〉 特技. 句例 ~를 살리다 特技を生かす.

특기 【特記】 〈名・하他〉 特記. 句例 ~할 만한 업적 特記すべき業績. 語例 ~ 사항 特記事項.

특대 【特大】 〈名〉 特大. 語例 ~호 特大号.

특대 【特待】 〈名・하他〉 特待. 特別の待遇. 語例 ~생 特待生.

특등 【特等】 〈名〉 特等. 語例 ~석 特等席 / ~실 特等室.

특명 【特命】 [t'ŭngmyŏng] 〈名・하他〉 特命. ❶王の特別な教旨. ❷特別な任命. 語例 ~ 전권 대사 特命全権大使. ❸〔軍〕 特別の命令. 句例 ~을 받다 特命を受ける.

***특별** 【特別】 〈名・하形〉 特別. 格別. 特殊. 句例 ~한 사유가 있다 特別な事由がある / ~하게 취급하다 特別に取り扱う. 語例 ~ 권한 特別権限 / ~ 출연 特別出演 / ~ (교육) 활동 特別(教育)活動. 略して '특활'とも言う / ~ 방송 特別放送 / ~세 特別税 / ~ 소비세 特別消費税 / ~ 회원 特別会員. **~히** 〈副〉 特別に. 對 보통(普通).

특별 담보 【特別擔保】 〈名〉〔法〕 特別担保. 句例 ~를 설정하다 特別担保を設定する.

ㅌ

특별 사면【特別赦免】[—sa:myŏn]〈名〉〔法〕特別赦免．略して'특사 特赦'とも言う．

특별-시【特別市】〈名〉特別市．語例 서울 ～ ソウル特別市．

특별 예금【特別預金】[—lye:gŭm]〈名〉〔經〕特別預金．

특보【特報】〈名・하他〉特報．語例 선거 ～ 選挙特報．

특사【特使】〈名〉特使．句例 ～를 파견하다 特使を派遣する．

특산【特産】〈名〉特産．文例 이 지방에는 ～물이 없다 この地方には特産物がない．語例 ～품 特産品．

*특색【特色】〈名〉特色．特長．特徴．句例 ～을 잘 나타낸 작품 特色をよく表わした作品／～ 있는 문장 特色のある文章．

특석【特席】〈名〉特席．

특설【特設】〈名・하他〉特設．語例 ～ 경기장 特設競技場／～링 特設リング／～ 무대 特設舞台．

*특성【特性】〈名〉特性．特質．句例 ～을 살리다 特性を生かす．語例 국민적 ～ 国民的特性．

특수【特殊】〈名・하形〉特殊．特別．句例 ～한 기술로 처리하다 特殊な技術で処理する．語例 ～강 特殊鋼／～ 교육 特殊教育／～성 特殊性．

특수 문자【特殊文字】[—muntcha]〈名〉特殊文字．数字またはローマ字以外のコンピューターで用いられている文字．

특약【特約】[t'ŭgyak]〈名・하他〉特約．語例 에이 피 ～ AP特約／～점 特約店．

특용【特用】[t'ŭgyong]〈名・하自他〉特用．語例 ～림 特用林／～ 작물 特用作物．

특유【特有】[t'ŭgyu]〈名・하他〉特有．句例 그 나라 ～의 문화 その国特有の文化／～한 맛과 냄새 特有の味とにおい．語例 ～성 特有性．

특이【特異】[t'ŭgi]〈名・하形〉特異．句例 그의 체질은 ～하다 彼の体質は特異だ．語例 ～성 特異性／～ 체질〔醫〕特異体質．

특정【特定】〈名・하他〉特定．語例 ～물〔法〕特定物／～인 特定人．

특제【特製】〈名・하他〉❶特製．語例 ～ 양복 特製の洋服．❷'특제품 特製品'の略．

특종【特種】〈名〉❶特種．語例 ～품 特種品．❷['특종 기사'の略] 特種．句例 ～을 찾아내다 特種を探し出す．

특진【特進】〈名・하自〉特進．句例 범인을 체포하여 2계급 ～하다 犯人を逮捕して二階級特進する．

특집【特輯】〈名〉特集．語例 ～ 기사 特集記事／～호 特集号．

*특징【特徵】〈名〉❶特徴．句例 ～이 있는 얼굴 特徴のある顔．❷〈하他〉〔史〕官職を授けるため王が臣下を呼び出すこと．

특징(을) 짓다 特徴づける．句例 그 시대를 특징짓는 사상 その時代を特徴づける思想．

특천【特薦】〈名・하他〉特薦．

특청【特請】〈名・하他〉特別な要請．

특출【特出】〈名・하形〉特出．文例 그는 어학에서 ～한 재능을 보이고 있다 彼は語学の面で優れた才能を見せている．

특파【特派】〈名・하他〉特派．文例 사건 현장에 기자를 ～하다 事件の現場に記者を特派する．語例 ～ 사절 特派使節／～원 特派員．

특허【特許】[t'ŭk'ŏ]〈名・하他〉特許．❶特別に許可すること．❷〔法〕行政手続きによって私権を設定すること．❸'특허권 特許権'の略．句例 ～권을 따다 特許権を取る／～권이 나오다 特許権が下りる．語例 ～법 特許法／～증 特許証／～품 特許品．

특허-청【特許廳】[t'ŭk'ŏch'ŏng]〈名〉特許庁．'통상 산업부(通商産業部)'に属し，特許に関する事務を統括的に扱う．

특혜【特惠】[t'ŭk'ye]〈名〉特恵．句例 ～를 받다 特恵を受ける．語例 ～국 대우 特恵国待遇／～ 무역 特恵貿易．

특활【特活】[t'ŭk'wal]〈名〉'특별 활동 特別活動'の略．

특효【特效】[t'ŭk'yo]〈名〉特効．句例 신경통에 ～가 있다 神経痛に特効がある．語例 ～약 特効薬．

**특-히【特—】[t'ŭk'i]〈副〉'특별히 特別に'の略：特に．ことさら．とりわけ．句例 ～ 마음에 드는 작품 特に気に入る作品／～ 뛰어난 선수 とりわけすぐれた選手．

**튼튼-하다 (→하다)〈形〉❶丈夫だ．壮健だ．がっちりしている．句例 몸을 튼튼하게 하다 からだを丈夫にする／튼튼한 몸매 がっちりしているからだつき．❷堅固だ．頑丈だ．しっかりしている．丈夫だ．強い．句例 끈이 ～ ひもが丈夫だ／건물이 ～ 建物が頑丈だ．튼튼히〈副〉丈夫に．堅固に．頑丈に．句例 짐을 튼튼히 묶다 荷物をしっかりとくくる．

틀〈名〉型．枠．❶(物の)型・形を作り出すもの．句例 ～에 박힌 교육 型にはまった教育／～에 부어 주조하다 型に注入して鋳造する．

❷枠・縁．額．句例 ～에 끼우다 枠にはめる．語例 사진～ 写真の額／수～ 刺繡枠／창～ 窓枠．

❸簡単な機械．器具．語例 새끼～ 縄をなう機械／가마니 ～ かます(叺)を編む簡単な器具／재봉～ ミシン．

❹一定の形式や格式．句例 편지의 ～ 手紙の形式．

❺(人の)貫禄・威儀．文例 그는 사장다운 ～이 잡혔다 彼は社長らしい貫禄がついた．

틀(에) 맞추다 型にはめる．

틀(이) 잡히다 (ふるまい・態度などが)型にはまる．

틀-니 [t'ŭlli]〈名〉入れ歯．義歯．

*틀다 (트니, 틀어서)〈他〉❶ねじる．よじる．ひねる．句例 병마개를 ～ 瓶の栓を抜く／수도꼭지를 ～ 蛇口をひねる．絵

❷(事を)じゃまする．反対する．妨げる．句例 계획을 ～ 計画を妨げる．

❸(髪を)結う．句例 어머니는 쪽을 ～ 母はまげ(髷)を結う．

❹綿打ち弓で綿を打つ．

❺鳥が巣をつくる．句例 까치가 둥지를 ～ かささぎが巣をつくる．絵

❻(機械・装置などを)動かす. 句例 전축을 ~ 電蓄をかける.
❼(方向・進路などを)変える. 句例 태풍이 진로를 동북쪽으로 ~ 台風が進路を東北に変える.

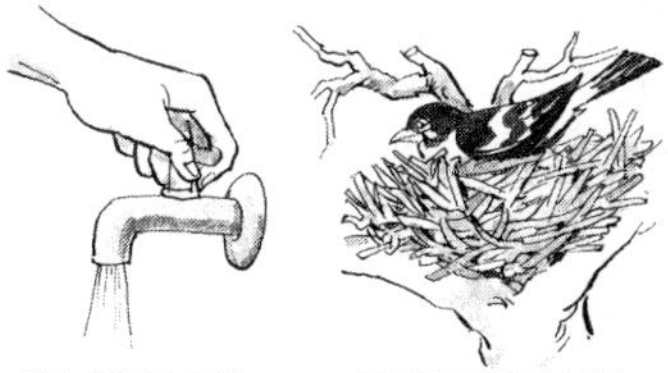

수도 꼭지를 틀다 까치가 둥지를 틀다

〈틀다〉

⁑틀리다[1] 〈自〉❶違う. 間違う. 狂う. 合わない. 句例 결산이 ~ 決算が合わない / 답이 ~ 答えが違う. ❷不和になる. 仲たがいする. 駄目になる. 句例 다 틀려 버리다 すっかり駄目になる / 사소한 일로 친구와 ~ ちょっとしたことで友達と不和になる. ❸(心や行動が)誤っている. 正しくない. ひねくれる. 駄目だ. 句例 마음가짐이 ~ 心構えがなっていない / 하는 짓이 ~ やることが誤っている.

틀리다[2] 〈自〉'틀다'の受け身.

틀림 〈名〉❶違い. 間違い. 誤り. 文例 ~이 없도록 주의하라 誤りのないように注意しなさい. ❷仲たがい. 食い違い.

틀림-없다 [t'ŭllimŏpta] 〈形〉間違いない. 句例 성공할 것이 ~ 成功は間違いない / 내게 맡겨 두면 ~ おれに任せておけば大丈夫だ〔間違いない〕/ 틀림없나 확인하다 間違いないか確かめる. **틀림없이** [—ŏpshi] 〈副〉間違いなく. 確かに. きっと. まさ(正)に. 文例 그는 틀림없이 온다 彼はきっとくる / 틀림없이 내가 말한 그 사나이다 確かに僕が話したその男だ.

틀어-넣다 [t'ŭrŏnŏt'a] 〈他〉詰め込む. ねじ入れる. (狭い所に)押し込む. 句例 헌 책을 상자에 ~ 古本を箱の中に押し込む.

틀어-막다 [t'ŭrŏmakta] 〈他〉❶(穴などを)ふさぐ. 句例 손바닥으로 입을 ~ 手のひらで口をふさぐ / 헝겊으로 구멍을 ~ 布切れで穴をふさぐ. ❷(言論・言動を)抑える. 封じる. 句例 국민의 입을 ~ 国民の口を封じる. ❸(事を)妨げる. 無理にじゃまする. 句例 다 된 혼담을 ~ まとまりかけた縁談を妨げる. ❹(負債などを)埋め合わせる. 句例 빚을 ~ 負債を埋め合わせる.

틀어-박다 [t'ŭrŏbakta] 〈他〉❶(狭い所に無理に)押し込む. ねじこむ. 突っこむ. 文例 어머니 가슴에 얼굴을 틀어박고 울었다 母の胸に顔を突っこんで泣いた. ❷しまい込んだままほったらかしておく. 句例 겨울 옷을 옷장에 틀어박아 놓다 冬の服をたんす(箪笥)の中にしまっておいたままほったらかしている.

틀어-박히다 [t'ŭrŏbak'ida] 〈自〉閉じこもる. 引きこもる. 句例 서재에 ~ 書斎に閉じこもる / 온 종일 집에 ~ 一日中家に引きこもる.

틀어-지다 [t'ŭrŏjida] 〈自〉❶曲がる. 反れる. 句例 길이 왼쪽으로 ~ 道が左側に曲がる. ❷ねじれる. よれる. よじれる. 句例 넥타이가 틀어져 있다 ネクタイがねじれている. ❸仲たがいする. 仲が悪くなる. 文例 두 사람 사이가 틀어져 버렸다 二人の仲が悪くなってしまった. ❹(計画や仕事などが)食い違う. 失敗する. 狂う. 句例 계획이 ~ 計画が狂う / 실험 결과가 ~ 実験結果が失敗する.

⁑틈 〈名〉❶透き間. 間隔. 割れ目. 亀裂. 句例 문 ~으로 바람이 들어오다 戸の透き間から風が入ってくる / 바위 ~에 풀이 나다 岩の割れ目に草が生えている. ❷暇. 手間. 余暇. 間. 句例 놀 ~이 없다 遊ぶ暇がない / 말할 ~도 없이 사라지다 話をする間もなく去る / ~이 있을 때면 독서에 빠지다 暇のあるときは読書にふける. ❸機会. 透き. 句例 ~을 노리다 機会をねらう / 도망칠 ~ 이 없다 逃げる透きがない. ❹(人間関係の)ひび. 間隙. 不和. 句例 두 사람 사이에 ~이 생기다 二人の仲にひびが入る.

틈(을) 타다 機会に乗じる. 機会を利用する. 句例 야음을 틈 타다 夜陰に乗じる / 혼잡의 틈을 타다 混雑に紛れる.

틈-나다 〈自〉❶暇ができる. 暇になる. 手があく. 文例 틈나는 대로 가겠어요 暇になり次第お伺いします. ❷透き間ができる. 句例 틈난 벽 透き間ができた壁. ❸(人と人とが)不和になる. 疎遠になる. 句例 서로 틈난 두 사람 互いに不和になった二人.

틈-내다 〈自〉❶都合をつくる. 暇をつくる. 句例 틈내어 부산에 가다 暇をつくって釜山へ行く. ❷透き間をつくる. 空間を空ける. 文例 나도 앉을 수 있게 틈내 주었다 僕も座れるよう空間を空けてくれた.

틈-타다 ⇨'틈'の小項目

***틈틈-이** [t'ŭmt'ŭmi] 〈副〉❶透き間ごとに. 句例 ~ 낀 먼지를 털다 透き間ごとにたまったごみを払う. ❷暇暇に. 暇あるごとに. 片手間に. 句例 일하는 ~ 공부하다 仕事の暇暇に勉強する.

틔우다 [t'iuda] 〈他〉(仕切りなどを)取り除く. 開ける. 句例 눈을 치고 길을 ~ 雪をかいて道を開ける / 방을 ~ 仕切りを取り除いて部屋を広くする.

티[1] 〈名〉❶ほこり. ごみ. ちり. くず. 句例 눈에 ~가 들어가다 目にごみが入る. ❷小さなきず. 欠点. 句例 옥에 ~ 玉にきず.

티[2] 〈依名〉ふ(振)り. なり. 気配. ようす. 素振り. …くささ. 句例 부자 ~를 내다 金持ちのふりをする / 시골 ~가 나다 田舎くさい / 학자 ~를 내다 学者のふりをする.

티격-태격 〈副・하自〉言い争うさま: 何だかんだ. どうのこうの. ああだとかこうだとか. 文例 만나기만 하면 ~한다 会うたびに何だかんだと口げんかをする.

***티끌** 〈名〉❶ごみ. ほこり. ちり(塵). 句例 ~이 수북이 쌓이다 ほこりがうず高く積もる. ❷(比喩的に)ほんのわずかなこと. 微塵. 文例 양심 따위는 ~만큼도 없다 良心なんかちりほどもない.

티끌 모아 태산(泰山) ちりも積もれば山となる.

티눈 〈名〉(手(て)・足(あし)の)魚(うお)の目(め). 句例 ～이 생기다 魚の目が生(しょう)じる.
티-룸 [t'i:ru:m] 〈名〉 喫茶店(きっさてん). ティールーム. ◇tearoom
티-브이【TV】 [t'i:bŭi] 〈名〉 '텔레비전'の略: ティービー.
티 셔츠 [t'i:syŏch'ŭ] 〈名〉 ティーシャツ. ◇T shirts
티-스푼 [t'i:sŭp'un] 〈名〉 ティースプーン. ◇teaspoon
티-자【T—】 [t'i:ja] 〈名〉 T定規(ティーじょうぎ).
티-케이-오【TKO】 [t'i:k'eio:] 〈名〉 ティーケーオー. テクニカルノックアウト.
티켓 〈名〉 チケット. ◇ticket
티크 [t'i:k'ŭ] 〈名〉〔植〕 チーク. ◇teak
티타늄 〈名〉〔化〕 チタニウム. 略して'티탄 チタン'とも言(い)う. ◇라 titanium
티탄 〈名〉〔化〕 ⇨ 티타늄. ◇도 Titan
티푸스 〈名〉〔醫〕 チフス. ◇도 typhus
틴 [t'i:n] 〈名〉 ティーン. 語例 ～ 에이저 ティーンエージャー. ◇teen
팀 [t'i:m] 〈名〉 チーム. 語例 우승 ～ 優勝(ゆうしょう)チーム. ◇team
팀-워크 [t'i:mwo:k'ŭ] 〈名〉 チームワーク. 句例 ～가 잡혀 있다 チームワークが取(と)れている. ◇teamwork
팁 〈名〉 チップ. 句例 ～을 주다 チップをやる / ～을 내다 チップを出(だ)す. ◇tip

ㅍ

ㅍ [피읖 p'iŭp] ハングル字母の第十三番目の字.
参考 'ㅍ이 ㅍが' 'ㅍ을 ㅍを'は [p'iŭbi] [p'iŭbŭl] と読む.

파 〈名〉〔植〕❶ねぎ(葱). 句例 ～ 한 단 ねぎ一束. 語例 실～ 細ねぎ / 왕～ 太ねぎ. ❷'골파'の略: わけぎ. ❸'양파'の略: たまねぎ.

파【派】〈名〉派. 句例 같은 ～ 同じ派 / 세 ～로 갈라지다 三つの派にわかれる. 語例 입체～ 立体派.

파【破】[p'a:]〈名〉❶壊れ物. 傷物. ❷人の欠点.

파(가) 나다 傷物になる.

파〈名〉〔樂〕(階名の) ファ. ◇이 fa

파 〔漢字項目〕

【播】高校 파 ハ. ❶널리 퍼뜨리다 広く伝える. ▮傳播 전파 でんぱ. ❷종자를 뿌리다 種をまく. ▮播種 파종 はしゅ. ▮撒播 살파 さっぱ.

【波】中學 파 ハ. ❶물결 波. 파도치다 波が打つ. ▮波濤 파도 はとう. 波動 파동 はどう. 波浪 파랑 はろう. ▮風波 풍파 ふうは. ❷파동 波動. ▮波長 파장 はちょう. ▮電波 전파 でんぱ. 短波 단파 たんぱ. 音波 음파 おんぱ. 寒波 한파 かんぱ.

【派(派)】高校 파 ハ. ❶갈래 分かれ. 곁가지 分かれた系統. ▮派生 파생 はせい. 派閥 파벌 はばつ. ▮學派 학파 がくは. 流派 유파 りゅうは. ❷사람을 보내다 人を送る. ▮派遣 파견 はけん. ▮急派 급파 きゅうは. 特派 특파 とくは.

【破】中學 파 ハ. ❶부서지다 破れる. 부수다 破る. ▮破壞 파괴 はかい. 破損 파손 はそん. ▮擊破 격파 げきは. 突破 돌파 とっぱ. 大破 대파 たいは. ❷부서져 못쓰게 되다 破れて使われない. ▮破產 파산 はさん. 破滅 파멸 はめつ. ▮難破 난파 なんぱ. ❸끝까지 해내다 終わりまでやり抜く. ▮踏破 답파 とうは. 讀破 독파 どくは. ❹규범을 어기다 規範を破る. ▮破戒 파계 はかい. 破格 파격 はかく.

【罷】高校 파 ヒ. ハイ. 피 ヒ. ━〔파〕❶파하다 やめる. ▮罷業 파업 ひぎょう. ❷직무를 그만두게 하다 職務をやめさせる. ▮罷免 파면 ひめん. 罷市 파시 はいし.
━〔피〕고달프다 疲れてだるい. ▮罷倦 피권 ひけん.

【頗】高校 파 ハ. ❶치우치다 偏る. ▮頗僻 파벽 はへき. ❷불공평하다 不公平だ. ▮偏頗 편파 へんぱ. ❸자못 すこぶる.

파격-적【破格的】[p'a:gyŏk—]〈名・冠〉破格(の). 型破り(の). 句例 ～인 대우 破格のあつかい / ～인 행동 型破りな行動.

***파견【派遣】**〈名・하他〉派遣. 句例 기자를〔사절을〕～하다 記者〔使節〕を派遣する. 語例 ～되다 派遣される / ～대 派遣隊.

파계-승【破戒僧】[p'a:gye—]〈名〉〔佛〕破戒僧.

파고-들다 (—드니, —들어서)〈自他〉❶深く入り込む. ㉠潜り込む. 句例 이불 속에 ～ 布団の中に潜り込む. ㉡深くしみこむ. しみとおる. 句例 마음에 파고드는 듯한 문장 心にしみこむような文章 / 냉기가 속속들이 ～ 冷たさがしみとおる. 文例 어머니 말씀이 마음속 깊이 파고들었다 母のことばが心の奥深くしみこんだ. ❷食い込む. 食い入る. 句例 외국 시장에 ～ 外国の市場に食い込む. ❸(物事を)掘り下げる. 究明する. 句例 문제점을 ～ 問題点を掘り下げる.

파곳〈名〉〔樂〕ファゴット. =바순. ◇fagott

파괴【破壞】[p'a:goe]〈名・하他〉破壊. 句例 조직〔건물〕을 ～하다 組織〔建物〕を破壊する / 환경 ～를 초래하다 環境の破壊を招く. 語例 ～력 破壊力 / ～되다 破壊される. 對건설(建設).

파괴-적【破壞的】[p'a:goe—]〈名・冠〉破壊的. 句例 ～인 언동 破壊的な言動. 對건설적(建設的).

파국【破局】[p'a:guk]〈名〉破局. 句例 ～에 직면하다 破局に直面する / ～을 맞이하다 破局を迎える. 語例 ～적 破局的.

파급【波及】〈名・하自〉波及. 句例 불매 운동이 전국에 ～되다 不買運動が全国に波及する. 語例 ～ 효과 波及効果.

파기【破棄】[p'a:gi]〈名・하他〉破棄. 句例 비밀 서류를 ～하다 秘密書類を破棄する / 조약〔약속〕을 ～하다 条約〔約束〕を破棄する / 일심 판결을 ～하다 一審判決を破棄する.

파-김치〈名〉ねぎのキムチ.

파김치(가) 되다 綿のように疲れる. 疲れてくたくたになる.

파-내다〈他〉掘り出す. 句例 석탄을 ～ 石炭を掘り出す.

파노라마〈名〉パノラマ. 語例 ～ 사진 パノラマ写真. ◇panorama

파니 [p'a:ni]〈副〉何もしないで遊んでいるさま: ぶらぶら. 文例 하루 종일 ～ 놀기만 한다 一日中ぶらぶらと遊んでばかりいる.

****파다**〈他〉❶(土・穴などを)掘る. しゃくる. 句例 땅을 깊이 ～ 土を深く掘る / 구멍을 ～ 穴を掘る / 우물〔터널〕을 ～ 井戸〔トンネル〕を掘る / 손으로 모래를 ～ 手で砂をしゃくる. ❷掘り下げる. 深く究める. 句例 진상을 들이 ～ 真相を究めつくす. ❸彫る. 刻む. =새기다. 句例 도장을 ～ 判こを彫る. ❹全力を注ぐ. 精を出す. 句例 영어만 ～ 英語だけに精を出して勉強する. ❺襟ぐりをく(刳)る.

파다-하다【頗多—】(→하다)〈形〉すこぶる多い. 文例 그러한 예는 ～ そのような例はいくらでもある. 類허다(許多)하다. **파다히**〈副〉非常に多く.

파다-하다【播多—】(→하다)〈形〉うわさが広まっている. =짜하다. 文例 거리에는 아무 근거

도 없는 소문이 ～ 街には根も葉もないうわさが広まっている. **파다히** 〈副〉 ぱっと. 広く.

파닥-거리다 〈自他〉 '퍼덕거리다'の語感の小さい語.

****파도【波濤】**〈名〉 波濤. 大波. 波. 句例 ～를 넘다 波濤をこえる / 거친 ～ 荒波 / ～가 높다 波が高い / ～가 일다 波立つ / ～가 밀려오다 波がおしよせる / ～를 헤치고 나아가다 波濤をけって進む.

파도(가) 치다 波打つ.

파도-타기【波濤―】〈名・하自〉 波乗り. ＝서핑.

파동【波動】〈名〉 波動. 句例 국제 정치의 ～ 国際政治の波動. 語例 유류(油類) ～ オイルショック.

파라다이스 〈名〉 パラダイス. ＝이상향(理想鄕). 낙원. ◇paradise

파라솔 〈名〉 パラソル. ＝양산(陽傘). 語例 비치 ～ ビーチパラソル. ◇프 parasol

파라티푸스 〈名〉〔醫〕 パラチフス. ◇도 Paratyphus

파라핀 〈名〉〔化〕 パラフィン. ◇paraffin

***파란【波瀾】**〈名〉 波乱. 句例 ～을 일으키다 波乱を起こす. 文例 ～ 많은 인생을 보냈다 波乱に富んだ人生を送った.

파란-만장【波瀾萬丈】〈名・하形〉 波乱万丈. 句例 ～한 생애 波乱万丈の生涯.

****파랑** 〈名〉 青色. (絵の具や染料の)青.

****파랑-새** 〈名〉 ❶青い鳥. ❷〔鳥〕 ぶっぽうそう.

파랑-이 〈名〉 青色のもの.

파랑 주의보【波浪注意報】［―ju:ŭibo］〈名〉〔氣〕 波浪注意報.

****파랗다** ［p'a:rat'a］ (파라니, 파라오) 〈形〉 (非常に)青い. 句例 파란 하늘 青い空 / 파란 잎 青葉.

파래 〈名〉〔植〕 あおのり. 緑藻類の一種で, 食用になる海藻.

파래-지다 ［p'a:rae―］〈自〉 ❶青くなる. 青ばむ. 句例 나뭇잎이 ～ 木の葉が青ばむ. ❷青ざめる. 青白くなる. 句例 얼굴이 ～ 顔が青ざめる.

파-렴치 【破廉恥】 ［p'a:―］ 〈名・하形〉 破廉恥. 句例 ～한 행위〔사람〕 破廉恥な行ない〔人〕.

파르르 〈副・하自〉 '바르르'の語勢の激しい語.

파르스름-하다 (→하다) 〈形〉 薄く青みがかっている.

파릇-파릇 〈副・하形〉 青青と. 句例 ～ 새싹이 돋아나다 青青と芽を出す / 버드나무가 ～하게 싹트다 やなぎが青青と芽吹く.

****파리** ［p'a:ri］〈名〉〔蟲〕 はえ(蠅). 句例 ～를 쫓다 はえを追う / 설탕에 ～가 꾀다 砂糖にはえがたかる. 語例 ⇨ 파리채

파리(를) 날리다 商売が上がったりだ〔はやらない〕. 閑古鳥が鳴く. 客足が遠のく.

파리-목숨 ［p'a:ri―］〈名〉 取るに足りない命. 虫けらのような命.

파리 목숨 같다 虫けらの命のようだ. 文例 파리 목숨 같이 죽어갔다 虫けらのように死んでいった.

파리-채 ［p'a:ri―］〈名〉 はえたたき. 句例 ～로 파리를 잡다 はえたたきではえ(蠅)をたたく.

파리-하다 (→하다) 〈形〉 やつれて青白い. 句例 병으로 파리해지다 病気で青白くやつれる.

파마 ［p'a:ma］〈名〉 パーマ. **～하다** 〈自〉 パーマをかける. ◇permanent wave から.

파-먹다 〈他〉 ❶(中身を)えぐって食べる. ほじくって食べる. 掘り出して食べる. 文例 딱따구리가 나무 줄기 속의 벌레를 파먹고 있다 きつつきが幹の中の虫を掘り出して食べている. ❷(稼がないで)居食いする. 寝食いする. 文例 부모의 재산을 다 파먹었다 親の財産をみな食い尽くした.

파면【罷免】［p'a:myŏn］〈名・하他〉 罷免. 語例 ～되다 罷免になる. 罷免される / ～권 罷免権.

파멸【破滅】［p'a:myŏl］〈名・하自〉 破滅. 句例 ～을 초래하다 破滅を招く / ～에 직면하다 破滅に瀕する / 일신의 ～ 身の破滅.

파문【波紋・波文】〈名〉 波紋. 句例 ～이 번지다 波紋が広がる / 정계에 ～을 던지다 政界に波紋を投げかける / 큰 ～을 일으키다 大きな波紋をまきおこす.

파문【破門】［p'a:mun］〈名・하他〉 破門. 句例 제자를 ～하다 弟子を破門する. 語例 ～되다〔당하다〕 破門される.

****파-묻다**[1] 〈他〉 ❶うずめる. 埋める. 句例 보물을 ～ 宝をうずめる / 죽은 새를 ～ 死んだ鳥を埋める / 베개에 얼굴을 파묻고 울다 枕に顔をうずめて泣く. ❷(ひそかに)隠す. 葬る. 句例 어둠 속에 ～ やみの中に隠す. やみに葬る / 추억을 가슴에 파묻어 두다 思い出を胸にしまっておく.

파-묻다[2] (파물으니, 파물어서) 〈他〉 何度もくりかえして詳しく問いただす. 類캐묻다.

파-묻히다 ［―much'ida］〈自〉 '파묻다[1]'の受け身: うずもれる. うずまる. うずめられる. 句例 집이 눈에 ～ 家が雪にうずまる / 땅 밑에 ～ 地底にうずまれる / 꽃다발에 ～ 花束にうずめられる.

파발【擺撥】〈名〉〔史〕 朝鮮朝時代, 公文を早く送るために設けた駅站. 飛脚の宿駅. 語例 ～꾼 飛脚. 早打ち / ～마(馬) 早馬.

파발을 놓다 飛脚をたてる.

파-밭 〈名〉 ねぎ畑.

파밭 밟듯하다 非常に用心深く歩いて行く.

파벌【派閥】〈名〉 派閥. 句例 ～ 싸움이 벌어지다 派閥争いが展開される.

파병【派兵】〈名・하自〉 派兵. 句例 해외에 공병대를 ～하다 海外に工兵隊を派兵する.

파-뿌리 〈名〉 ❶ねぎの根. ❷'백발 白髪'のたとえ. 句例 검은 머리 ～되도록《속담》(→'검다'の小項目).

파삭-하다 ［p'asak'ada］〈形〉 (すっかりかわいて)壊れやすい. もろい. ぱさぱさしている.

파삭파삭 〈副・하形〉 ぱさぱさ. ぼくぼく. かりかり. 句例 ～한 흙 ぼくぼくの土 / ～한 과자 ぱさぱさのケーキ.

파산【破産】［p'a:san］〈名・하自〉 破産. 句例 ～에 직면하다 破産に瀕する. 文例 회사는 ～ 직전에 있다 会社は破産一歩手前だ.

파-산적【―散炙】〈名〉 ゆでたねぎと調味した

牛肉をくし(串)にさして焼いた食べ物. ㊮파전.

파상 공격【波状攻撃】[—go:nggyŏk]〈名〉波状攻撃. [句例] ~을 가하다 波状攻撃を加える.

파상-풍【破傷風】[p'a:sang—]〈名〉〔醫〕破傷風.

파생【派生】〈名・하自〉派生. [句例] 문제가 ~하다 問題が派生する / ~적인 의미 派生的な意味.

파생-어【派生語】〈名〉〔言〕派生語.

파선【破船】[p'a:sŏn]〈名・하自〉破船. 難船. [句例] 풍랑으로 ~하다 風浪で難船する.

파손【破損】[p'a:son]〈名・하自他〉破損. [句例] ~된 자동차 破損した自動車 / 기물을 ~하다 器物を破損する / ~이 심하다 破損がひどい. [語例] ~ 부분 破損部分. 破損個所.

파-쇠【破—】[p'a:—]〈名〉❶金属容器のかけら. ❷くず鉄. =헌쇠. 고철(古鐵).

파쇼〈名〉ファッショ. ◇이 fascio

파수【把守】〈名・하他〉見張ること. 警戒して守ること. また, その人. [語例] ~막(幕) 番人の詰め所. 番人小屋 / ~병 番兵. ほしょう(歩哨).

파수(를) 보다 見張る. 番をする.

파수-꾼【把守—】〈名〉番人. 見張り. 物見.

파스너〈名〉ファスナー. ◇fastener

파스텔〈名〉〔美〕パステル. [語例] ~화 パステル画. ◇pastel

파슬리[p'a:sŭlli]〈名〉〔植〕パセリ. ◇parsley

파시【波市】〈名〉海上で開かれる魚市.

파시즘〈名〉ファシズム. ◇fascism

***파악**【把握】〈名・하他〉把握. [句例] 상황을 ~하다 状況を把握する / 요점을 ~하다 要点を押さえる / 진상을 ~하다 真相をつかむ. [文例] 문장의 요지를 전혀 ~할 수 없었다 文章の要旨が全く把握できなかった.

파안-대소【破顔大笑】[p'a:andaeso]〈名・하自〉破顔大笑. 顔を和らげて大笑いすること.

파약【破約】[p'a:yak]〈名・하自〉破約. [句例] 계약이 ~되다 契約が破約になる. ㊮위약(違約).

파업【罷業】[p'a:ŏp]〈名・하自〉['동맹(同盟) 파업'の略] 罷業. ストライキ. スト《略語》. [句例] ~을 하다 ストライキをうつ.

파열【破裂】[p'a:yŏl]〈名・하自〉破裂. [句例] 수도관이 ~되다 水道管が破裂する.

파열-음【破裂音】[p'a:yŏrŭm]〈名〉〔言〕破裂音. ハングルでは, 'ㅂ・ㅃ・ㅍ・ㄷ・ㄸ・ㅌ・ㄱ・ㄲ・ㅋ'の子音がある.

파우더〈名〉パウダー. =가루. 분말(粉末). [語例] 베이비 ~ ベビーパウダー. ◇powder

파운드〈名・依名〉ポンド. [語例] ~ 블록 ポンドブロック. ◇pound

파울〈名〉(スポーツの)ファウル. [語例] ~ 볼 ファウルボール. ◇foul

파워〈名〉パワー. =힘. 능력. 권력 [句例] ~가 있는 사람 パワーのある人. ◇power

파이[1]〈名〉パイ. [語例] 애플 ~ アップルパイ / 레몬 ~ レモンパイ. ◇pie

파이[2]〈名〉〔數〕パイ. 円周率を表わす記号. ◇그 π

파이팅〈感〉応援のかけ声: がんばれ. ファイト. ◇fighting

파이프〈名〉パイプ. [句例] ~가 막히다 パイプが詰まる / 마도로스 ~를 물다 マドロスパイプをくわえる / ~ 담배를 피우다 パイプをふかす. [語例] 쇠~ 鉄パイプ / ~ 라인 パイプライン. ◇pipe

파이프 오르간〈名〉〔樂〕パイプオルガン. ◇pipe organ

파인더〈名〉(カメラの)ファインダー. ◇finder

파인애플[p'ainaep'ŭl]〈名〉パイナップル. ◇pineapple

파인 플레이〈名〉ファインプレー. =미기(美技). 묘기(妙技). [句例] ~를 연출하다 ファインプレーを演じる. ◇fine play

파일【八日】[p'a:il]〈名〉〔佛〕陰暦四月八日の釈迦誕生日. =초파일. 연등절(燃燈節). 부처님 오신 날.

[參考] '파일'は '팔일'の慣用音.

파일[1]〈名〉ファイル. ❶書類挟み. =서류철(書類綴). ❷〔컴〕データーの集まり. ◇file

파일[2]〈名〉パイル. ❶布地の表面にけばなどを織り出したもの. [語例] ~직 パイル織り. ❷〔建〕基礎工事用のくい(杭). [語例] 콘크리트 ~ コンクリートパイル. ◇pile

파일럿〈名〉パイロット. =조종사. 도선사(導船士). ◇pilot

파자마〈名〉パジャマ. =자리옷. 잠옷. ◇pajamas

파장【波長】〈名〉〔物〕波長. [句例] ~이 길다 波長が長い.

파장【罷場】[p'a:jang]〈名・하自〉市場などをしまうこと. また, そのころ. [句例] ~이 되다 市がしまいになる. 場が終わる.

파-전【—煎】〈名〉❶水にとろりと溶かした小麦粉をフライパンに入れ, ねぎと肉類・かき(牡蠣)・貝のむき身などを添えて焼いた食べもの. ❷⇨ 파산적

파종【播種】[p'a:jong]〈名・하自〉種まき. 播種. [句例] 밀을 ~하다 小麦の種をまく. [語例] ~기 播種期. 種まきどき.

파죽지-세【破竹之勢】[p'a:jukchi—]〈名〉破竹の勢い. [句例] ~로 진격하다 破竹の勢いで進撃する.

파지【破紙】[p'a:ji]〈名〉ほご(反故). 不用の紙.

파직【罷職】[p'a:jik]〈名・하他〉罷職. 官吏を罷免すること.

파찰-음【破擦音】[p'a:ch'arŭm]〈名〉破擦音. ハングルでは 'ㅈ・ㅉ・ㅊ'の子音がある.

파초【芭蕉】〈名〉〔植〕芭蕉.

파출-부【派出婦】〈名〉派出婦.

파출-소【派出所】[—sso]〈名〉['경찰관 파출소'の略] 派出所.

파충-류【爬蟲類】[—nyu]〈名〉〔動〕はちゅうるい(爬虫類). =뱀강(綱).

파-치【破—】[p'a:—]〈名〉壊れもの. 傷物. [句例] ~이 나다 傷物が出る.

파카[p'a:k'a]〈名〉パーカ. 頭巾つきのコート. ◇parka

파탄【破綻】[p'a:t'an]〈名・하自〉破綻. [句例]

생활이 ～나다 生活に破綻を生じる.

파투【破鬪】[p'a:t'u]〈名〉花札遊びで, 枚数が足りなかったりいかさまがあったりしてその場が無効になること.

파투(가) 나다 花札遊びで, その場が無効になる.

파트 [p'a:t'ŭ]〈名〉パート. ＝역할. 직분(職分). 句例 영업 ～에서 일하다 営業のパートではたらく. 語例 바이올린 ～ バイオリンのパート. ◇part

파트너 [p'a:t'ŭnŏ]〈名〉パートナー. ＝짝패. 동반자. ◇partner

***파티** [p'a:t'i]〈名〉パーティー. 句例 ～를 열다 パーティーを開く. 語例 크리스마스 ～ クリスマスパーティー. ◇party

파파야〈名〉〔植〕パパイア. ◇papaya

파편【破片】[p'a:p'yŏn]〈名〉破片. 句例 포탄의 ～ 砲弾の破片 / ～이 튀다 破片が飛び散る.

파피루스〈名〉パピルス. 語例 ～ 문서 パピルス文書. ◇papyrus

파-하다【罷―】[p'a:―] (→하다)〈自他〉仕事・授業などが終わる. また, 終える. 句例 일을 파하고 돌아가다 仕事を終えて帰る / 파할 무렵 引けぎわ. 文例 학교는 다섯 시에 파한다 学校は五時に引ける.

파-헤치다〈他〉暴く. ❶(不正や秘密などを)明るみに出す. ＝폭로하다. 句例 비밀을 ～ 秘密を暴く. ❷(中のものを)取り出す. 掘り返す. 句例 무덤을 ～ 墓を暴く / 땅을 ～ 土を掘り返す. 語例 파헤쳐지다 暴かれる. 取り出される.

파혼【破婚】[p'a:hon]〈名・하自〉破婚. 婚約破棄. 文例 두 사람은 ～했다 二人は破婚した. 語例 ～되다 破婚になる.

팍팍-하다 [p'akp'ak'ada] (→하다)〈形〉❶(食べ物に水気がなくてのどにつまるほど)ぱさぱさしている. 句例 팍팍한 빵 ぱさぱさのパン. ❷疲れて足が重い.

판 ━〈名〉(ある事が行なわれる)場. 場面. 現場. 幕. 段. ところ. 句例 ～이 깨지다 興がさめる / 이렇게 위급한 ～에… このような危急なときに…. 文例 남이 나설 ～이 아니다 他人が出る幕じゃない / 지금 막 가려고 하던 ～이었다 今ちょうど行こうとするところだった. 語例 싸움～ けんかの現場.

━〈依名〉勝負事の回数を数える語: 回. 度. 局. 語例 바둑 한 ～ 碁一局.

판【板】━〈名〉❶板. ＝널빤지. 語例 빨래～ 洗濯板.

❷(将棋などの)盤. 語例 바둑～ 碁盤 / 장기～ 将棋盤.

❸['레코드판'の略] レコード. 句例 레코드 플레이어에 ～을 틀다 プレーヤーにレコードをかける.

━〈依名〉プラスチックなどの盤形に入れた卵三十個を数える語. 語例 계란 두 ～ 卵三十個入りの盤二つ.

판【版】〈名〉〔印〕版. ❶印刷版. ❷'활판 活版'の略. 句例 ～을 짜다 組み版をする. ❸印刷して書物をつくること. また, 改版した回数を表わす語. 句例 ～을 거듭하다(→小項目). 語例 삼～ 三版 / 초～ 初版.

판에 박다 型にはめたようだ. 型通りだ. 句例 판에 박은 인사 型通りのあいさつ.

판에 박은 것 같다 ❶判で押したようだ. 句例 판에 박은 것 같은 말 決まり文句. お決まりの文句. ❷そっくり似ている. 句例 판에 박은 것 같이 닮은 사람 そっくり似ている人.

판을 거듭하다 版を重ねる. 句例 판을 거듭하여 나온 책 版を重ねて出た本.

판　〔漢字項目〕

【判(判)】中學 판 ハン. バン. ❶분명하다 明らかだ. ■判明 판명 はんめい. 判然 판연 はんぜん. ❷구별하여 판단하다 区別して判断する. ■判斷 판단 はんだん. 判定 판정 はんてい. ■審判 심판 しんぱん. 批判 비판 ひはん. ❸재판하다 裁判する. ■判事 판사 はんじ. 判例 판례 はんれい. ■公判 공판 こうはん. 裁判 재판 さいばん. ❹종이・서적의 크기 紙・本などの大きさ. ■四六判 사륙판 しろくばん.

【板】高校 판 ハン. バン. ❶판자. 또 그런 모양의 것 板. また, そのような形のもの. ■鐵板 철판 てっぱん. 甲板 갑판 かんぱん. 看板 간판 かんばん. 黑板 흑판 こくばん. ❷〔野〕'투수판'의 준말 '投手板'の略. ■登板 등판 とうばん. ❸납작하다 ひらったい. ■平板 평판 へいばん.

【版】高校 판 ハン. ❶나무 판 木の版. ■版畫 판화 はんが. ❷인쇄하기 위한 판 印刷のための版. ■版木 판목 はんぎ. ■活版 활판 かっぱん. 凸版 철판 とっぱん. ❸출판물 出版物. ■版權 판권 はんけん. ■再版 재판 さいはん.

【販】高校 판 ハン. 장사하다 商売する. 팔다 売る. ■販賣 판매 はんばい. ■市販 시판 しはん.

판-가름〈名・하他〉勝敗を決めること. 物事の優劣や是非を判断すること. 勝負の分かれ目. 分け目. 文例 누가 옳은지 ～하기 어렵다 だれが正しいのか判断しにくい.

판가름(이) 나다 優劣や是非が決まる. 勝負がつく.

판-검사【判檢事】〈名〉判事と検事.

판결【判決】〈名・하他〉判決. 句例 ～이 내리다 判決がくだる / ～을 내리다 判決をくだす / ～을 선고하다 判決を言いわたす / ～을 번복하다 判決をくつがえす / 무죄 ～을 받다 無罪の判決を受ける. 語例 최종 ～ 最終判決.

판결-문【判決文】〈名〉判決文. 句例 ～을 읽다 判決文を読みあげる

판관【判官】[p'a:n-gwan]〈名〉判官. 裁判官. 審判官.

판국【―局】〈名〉事件が起こった局面. 場面. 状態. 場合. 句例 이러한 ～에… このような状態の中で…. このような場合に… / 한창 어수선한 ～ 慌ただしいさなか. 文例 어째 된 ～인지 전혀 모르겠다 どうなったわけ〔こと〕かさっぱり分からない.

판권【版權・板權】[p'ankkwon]〈名〉版権.

판권-장【版權張】[p'ankkwontchang]〈名〉奥付.

판금【販禁】〈名〉'판매 금지 販売禁止'の略：発禁.

판-나다〈自〉❶けりがつく．結末がつく．勝負が終わる．❷身代をたたむ．家産がつぶれる．

***판단**【判斷】〈名・하他〉判断．句例 ～을 내리다 判断をくだす / ～에 따르다 判断に従う / 공정하게 ～하다 公正に判断する / ～을 그르치다 判断を誤る / ～을 할 수 없다 判断がつかない．文例 잘잘못은 귀하의 ～에 맡기겠습니다 善しあしはあなたのご判断にお任せします．

***판단-력**【判斷力】[—nyŏk]〈名〉判断力．句例 ～이 뛰어나다 立派な判断力がある / ～을 잃다 判断力を失う．

판도【版圖】〈名〉版図．❶国の領土．句例 ～를 넓히다 版図を広げる / 광대한 ～ 広大な版図．❷個人などの勢力範囲．文例 그의 출현으로 재계의 ～가 달라졌다 彼の出現で財界の版図が変わった．

판독【判讀】〈名・하他〉判読．(暗号文など の)判断．句例 ～하기 힘든 문자 判読しがたい文字．文例 암호문의 글짜 두 개가 지워져서 ～할 수 없다 暗号文の文字二つが消えて判断がつかない．

판례【判例】[p'allye]〈名〉〔法〕['판결례 判決例'の略] 判例．句例 ～를 인용하다 判例を引用する / ～를 조사하다 判例を調べる．語例 ～집 判例集．

판로【販路】[p'allo]〈名〉販路．売れ口．はけ口．句例 ～를 넓히다 販路を広げる / 공예품의 ～ 工芸品のはけ口 / ～를 개척하다 販路〔はけ口〕を開拓する．

판막【瓣膜】〈名〉〔生〕弁膜．＝판(瓣)．語例 심장〔혈관〕～ 心臓〔血管〕弁膜．

판-막음 [—magŭm]〈名・하自〉その場で最後の勝利を収めること．また，その勝利．

판매【販賣】〈名・하他〉販売．句例 상품을 ～하다 商品を販売する．語例 ～ 가격 販売価格 / ～점 販売店 / 방문 ～ 訪問販売 / 자동～기 自動販売機．

판명【判明】〈名・하自他〉判明．句例 행방이 ～되다 行方が判明する．文例 사건 전모가 ～되었다 事件の全貌が判明した．

판목【版木】〈名〉〔印〕版木〔板木〕．

판-박이【版—】[—bagi]〈名〉❶印刷した本．❷そっくりのもの．瓜二つ．また，型通りのもの．❸移し絵．

판별【判別】〈名・하他〉判別．句例 ～이 되다 判別がつく / 선악을 ～하다 善悪を判別する．

***판사**【判事】〈名〉〔法〕判事．語例 배석 ～ 陪席判事．

판서【判書】〈名〉〔史〕高麗末・朝鮮朝時代，'육조 六曹'の長官．語例 예조 ～ 礼曹の長官．
參考 '판서'の下は '참판(參判)'という．

판서【板書】〈名・하自他〉板書．黒板に字を書くこと．また，その字．

판-소리 [—ssori]〈名〉〔樂〕パンソリ．朝鮮朝第21代王英祖以来，庶民が'창극(唱劇)'につけて歌った歌．→囲み記事 87

판수〈名〉❶盲人の易者．❷盲人．＝소경．

판연-하다【判然—】[p'anyŏn—]（→하다）〈形〉判然としている．句例 판연한 증거 判然たる証拠．文例 이유가 판연하지 않다 理由が判然としない．**판연히** [p'anyŏnhi]〈副〉判然と．略して'판히'ともいう．文例 뜻이 판연히 다르다 意味が全く違う．

판-유리【板琉璃】[—nyuri]〈名〉板ガラス．

판이-하다【判異—】[p'ani—]（→하다）〈形〉大いに異なる．まるで違う．句例 판이한 의견 まったく異なる意見．文例 여느 때와 분위기가 ～ いつもと雰囲気がまるで違っている．

***판자**【板子】〈名〉❶板．＝널빤지．句例 ～를 대다 板を張る．❷⇨ 송판(松板)

판자-촌【板子村】〈名〉バラックの集落．

판잣-집【板子—】〈名〉バラック．掘っ建て小屋．

판장【板牆】〈名〉['널판장'の略] 板塀．句例 ～을 둘러치다 板塀を巡らす．

판정【判定】〈名・하他〉判定．句例 ～을 내리다 判定を下す．語例 ～승 判定勝ち / ～패 判定負け．

판제【辦濟】〈名・하他〉弁済．類 변제(辨濟)．판상(辦償)．

***판지**【板紙】〈名〉板紙．厚紙．ボール紙．

판-치다〈自〉❶(その分野で)最も優れる．抜きんでる．最も秀でる．句例 씨름 판에서 ～ 相撲場で最も抜きんでる．❷(ある分野で)意のままに勢力を張る．勢力を振るう．幅を利かせる．牛耳る．句例 학생들이 판치는 동네다 学生たちが幅を利かせる村である．

판탈롱〈名〉パンタロン．◇프 pantalon

囲み記事 87

▩ 판소리 パンソリ ▩

朝鮮朝時代第19代王肅宗初期ないし第21代王英祖以来，'소리꾼 歌人'と呼ばれる一人の演戯者が'고수 鼓手'の太鼓拍子に合わせて，長い叙事的な物語を歌唱と語りを交えながら口演する民俗音楽である．主に南漢江以南，小白山脈以西の地方で歌われ，19世紀後半から，一般の庶民のみならず，広く両班〔貴族〕階級からも呼応を得て，独特なジャンルとして発展した．代表的な演目に'춘향가 春香歌'，'심청가 沈清歌'，'적벽가 赤壁歌'，'수궁가 水宮歌'，'흥부가 興夫歌'の'판소리 다섯마당'がある．その歌いには，テンポの遅速によって表現に変化をあたえているが，そのテンポには次のような区別がある．

진양조(調)：西洋音楽の拍子にすると24/4となるもっともゆるい調子．
중모리：12/4拍子で진양조の次にゆるい調子．
중중모리：12/8拍子で중몰이よりは少し早い．
잦은모리：同じく12/8拍子であるが拍子の内容で差がある．
휘모리：4/4拍子でもっともテンポの早い調子．

ㅍ

판판-이 [p'anp'ani]〈副〉いつも．しょっちゅう．ことごとに．文例 시합에 ～ 지고 말았다 試合をするたびに負けてしまった．

판판-하다 (→하다)〈形〉平たい．平らだ．句例 길을 판판하게 닦다 道を平らにならす．**판판히**〈副〉平たく．平らに．

*__판화__【版畫】〈名〉〔美〕版画．句例 ～를 박다 版画を刷する．語例 ～가 版画家．

**__팔__〈名〉〔生〕腕．句例 ～을 걷어 올리다 腕をまくり上げる／～을 끼다 腕を組む／～에 매달리다 腕にぶらさがる／～을 벌리다 腕を広げる．

팔을 걷고 나서다 積極的に乗り出す．

팔을 걷어붙이다 取りかかる．

팔이 들이 굽지 내굽나 腕は内側に曲がるのであって外側には曲がらない．自分に近い人に味方したくなるのは当たり前のことだ．また，自分に有利なように処理するのは人情の常である．

팔이 안으로 굽지 밖으로 굽으랴 '팔이 들이 굽지 내굽나'のこと．

**__팔__【八】〈數·冠〉八．八つ．八っつ．＝여덟．

팔　〔漢字項目〕

【八】 中學 팔 ハチ．❶여덟 八．や．やつ．やっつ．よう．◧八月 팔월 はちがつ．八方 팔방 はっぽう．❷여덟번 八回．◧七顚八起 칠전팔기 しちてんはっき．

팔-가락지〈名〉腕輪．略して'팔찌'とも言う．

팔각【八角】〈名〉八角．＝팔모．語例 ～기둥 八角柱／～당 八角堂／～정 八角形の亭．あずまや．

팔각-형【八角形】[p'algak'yŏng]〈名〉〔數〕八角形．八角．

팔-걸이 [p'algŏri]〈名〉❶(椅子などの)ひじかけ．語例 ～ 의자 ひじかけ椅子．❷(相撲の技の一つで)手で相手の足をすくい投げる技．❸犬かき．いぬおよぎ．

*__팔-꿈치__〈名〉〔生〕ひじ(肘)．句例 ～로 밀어제치다 ひじで押しのける／～를 구부리다 ひじを曲げる．

팔-놀림 [p'allollim]〈名〉腕を動かすこと．

**__팔다__ (파니, 팔아서)〈他〉❶売る．句例 과자를 ～ 菓子を売る／물건을 팔기 시작하다 品物を売りはじめる．㉶사다．

❷(代価を受け取って)労働力を提供する．句例 날품을 팔며 살아가다 日雇いで暮らしていく．

❸目をそらす．気をとられる．句例 한눈을 ～ よそ見をする．目をそらす．

❹(名前·名誉などを)売り物にする．かたる．借りる．句例 친구의 이름을 ～ 友達の名をかたる．文例 선배의 이름을 팔아 돈을 꾸었다 先輩の名を借りて金を借りた．

❺(良心などを)売り渡す．裏切る．句例 나라를 판 역적 国を売った逆賊／살기 위해 양심을 ～ 生きていくために良心を売る．

❻(穀物を)買う．文例 쌀을 팔아 오게 米を買ってきなさい．

**__팔-다리__〈名〉手足．腕と脚．語例 ～ 뼈 手足の骨．

팔도【八道】[p'altto]〈名〉〔史〕朝鮮朝時代の行政区域．京畿·忠清·慶尚·全羅·江原·黄海·平安·咸鏡などの八道．

팔뚝〈名〉腕．小手．

팔락〈副·하自〉風にはためくさま：ひらひら(と)．はたはた(と)．**～거리다**〈自他〉はたはた〔ひらひら〕する．句例 바람에 ～거리는 깃발 風にひらひらとはためく旗．表現 語感の大きい語は'펄럭'．

팔락팔락〈副·하自他〉ひらひら．はたはた．

팔락-이다 [p'allagida]〈自他〉風にはためく．句例 깃발이 ～ 旗が風にはためく．

팔랑〈副·하自〉風になびくさま：ひらひら(と)．句例 나뭇잎이 ～ 떨어지다 木の葉がひらひらと散る．**～거리다**〈自他〉ひらひらなびく．句例 현수막이 바람에 ～거리다 垂れ幕が風にひらひらとなびく．

팔랑팔랑〈副·하自他〉ひらひら(と)．ぱたぱた(と)．

팔랑-개비〈名〉❶風車．絵 ❷落ち着きのない人．おっちょこちょい．

〈팔랑개비〉

팔레트〈名〉〔美〕パレット．語例 ～ 나이프 パレットナイフ．◇프 palette

*__팔리다__〈自〉❶売れる．文例 이 참고서가 잘 팔린다 この参考書がよく売れる．❷(気などを)奪われる．句例 노는 데 정신이 ～ 遊びに気を奪われる．

팔매〈名〉つぶて．石投げ．語例 ～질 つぶてを打つこと．石を投げること．

팔목〈名〉手首．語例 ～ 시계 腕時計．

팔방【八方】〈名〉❶八方．句例 사방 ～으로 연락하다 四方八方に連絡をとる．❷方方．あちこち．

팔방-미인【八方美人】〈名〉八方美人．❶どちから見ても美しい人．❷何事にも優れている人．❸だれからも悪く思われないようにふるまう人．❹何事にも手をつけようとする人をあざける語．

팔-베개〈名〉ひじまくら(肘枕)．手まくら．腕まくら．句例 ～를 하고 낮잠을 자다 ひじまくらで昼寝をする．

팔분 쉼표【八分—標】[—swi:mp'yo]〈名〉〔樂〕八分休止符．

팔 분-음 표【八分音標】[p'albun ŭ mp'yo]〈名〉〔樂〕八分音符．

팔-뼈〈名〉〔生〕腕の骨．

팔순【八旬】[p'alssun]〈名〉八十歳．語例 ～ 노인 八十歳の老人．

팔-심 [p'alssim]〈名〉腕力．腕っ節．句例 ～이 센 사람 腕っ節〔腕力〕の強い人．

팔십【八十】[p'alssip]〈數·冠〉八十．＝여든．句例 ～년의 인생 八十年の人生．語例 ～세 八十歳．

팔-씨름〈名·하自〉腕相撲．

팔아-먹다 [p'aramŏkta]〈他〉'팔다 売る'の俗っぽい言いかた．❶売る．売ってしまう．売り払う．売り込む．売り飛ばす．句例 가짜를 진짜처럼 ～ にせ物を本物として売り払う．❷(気を)奪われる．夢中になる．文例 정

신을 어디에 팔아먹고 그것도 못하느냐 気をどこに奪われてそれもできないのかね. ❸穀物を買って食う. 文例 한 달에 쌀 서 말을 팔아먹는다 一月に米三斗を買って食べる. ❹(名前や名誉を)売り物とする. 句例 돈을 꾸려고 친구의 이름을 ~ お金を借りるため友人の名前を売ってしまう〔かたる〕.

팔-오금 [p'arogŭm]〈名〉〔生〕ひじの内側.

***팔월**【八月】[p'arwol]〈名〉八月.

팔월 한가위【八月―】[p'arwol―]〈名〉旧暦の八月十五日. '추석(秋夕)'に当たる日.

-팔이 [p'ari]〈尾〉売る人を表わす語:…売り. 語例 껌~ ガム売り / 신문~ 新聞売り.

팔자【八字】[p'altcha]〈名〉(持って生まれた一生の)運. 運勢. 星回り. 運命. 句例 ~가 좋다〔나쁘다〕運がいい〔悪い〕/ 부자가 될 ~다 金持ちになる星回りだ.

팔자(를) 고치다 ❶女性が再婚する. ❷成り上がる. 句例 땅값이 올라서 ~ 土地の値上がりで成り上がる.

팔자(가) 세다 生まれつきの星回りが悪い.

팔자(에) 없다 思いがけない幸運に恵まれる.

팔자 걸음【八字―】[p'altchagŏrŭm]〈名〉'여덟 팔자 걸음' の略.

팔-재간【―才幹】[p'altchaegan]〈名〉相撲で腕をつかう技.

팔-죽지 [p'altchukchi]〈名〉二の腕. じょうはく(上膊).

팔-짓 [p'altchit]〈名・하自〉腕をあちこち動かすこと. 手振り.

팔짝〈副・하自他〉❶障子などを急に押し開けるさま:ぱたんと. ぱっと. 句例 창문을 ~ 열다 窓をぱたんと開ける. ❷軽く跳び上がるさま:ぴょんと. 句例 도랑을 ~ 뛰어 넘는다 溝をぴょんと跳びこえる. **~거리다**〈自他〉❶(門などが)しきりにぱっぱっと開閉する. ❷続けてぴょんぴょんと跳び上がる. 「と.

팔짝팔짝〈副・하自他〉ぱっぱっと. ぱたんぱたん

팔짝-뛰다〈自〉❶(無実の言いがかりなどを受けてとんでもないと)強く否認する. ❷(意外な喜びで)跳び上がる.
表現 語感の大きい語は'펄쩍뛰다'.

팔짱〈名〉腕組み.

팔짱(을) 끼다 腕を組む. 腕組みをする. 手をこまぬく.

팔짱(을) 지르다 手をこまぬく.

팔찌〈名〉❶'팔가락지'の略:腕輪. ❷弓を射るときのこて(籠手).

팔촌【八寸】〈名〉❶八寸. ❷八親等.

***팔팔**〈副〉❶(少量の)湯がたぎるさま:ぐらぐら(と). 句例 물이 ~ 끓는다 湯がぐらぐらとたぎる. ❷体温・オンドルなどの温度が高いさま:かっかと. 句例 온돌방이 ~ 끓는다 オンドル部屋がかっかと熱い. ❸(小さい物が)勢いよく動くさま:ぴょんぴょんと.

팔팔 뛰다 (無実の言いがかりなどを受けたとき)強く否定する. 句例 그런 말을 한 적이 없다고 ~ そんなことを言っていないと強く否定する.

팔팔-하다 (→하다)〈形〉❶(こらえ性がなく)せっかちだ. 句例 팔팔한 성격 せっかちな性格. ❷元気で生き生きしている. ぴんぴんとしている. 句例 나이에 비하면 아직 팔팔한 편이다 年に比べればまだぴんぴんとしているほうだ.

팝 뮤직 [―myu:jik]〈名〉〔樂〕ポップミュージック. ポピュラーミュージック. ◇pop music

팝 송〈名〉〔樂〕ポップソング. ポピュラーソング. ◇pop song

팝-콘 [p'apk'o:n]〈名〉ポップコーン. ◇popcorn

팡이-실〈名〉〔植〕菌糸.

팡파르 [p'angp'a:rŭ]〈名〉〔樂〕ファンファーレ. ◇프 fanfare

***팥**〈名〉〔植〕小豆. 語例 ~빙수 (小豆のあん(餡)をかけた)氷水.

팥-고물〈名〉小豆のつぶしあん(餡). 句例 떡에 ~을 묻히다 餅に小豆のつぶしあんをまぶす.

팥-떡〈名〉小豆もち.

팥-밥〈名〉赤飯. 小豆飯.

팥-죽【―粥】〈名〉小豆がゆ.

패【牌】〈名〉❶牌. 札. 語例 명~ 名札. ❷仲間. 連中. やから(輩). 徒党. 句例 ~를 짓다〔짜다〕群れを組む. 語例 깡~ やくざ. ごろつき.

패【霸】[p'ae:]〈名〉❶人をたくみに欺く手管だ. ❷(囲碁の)劫.

패 〔漢字項目〕

【貝】中學 패 バイ. ❶조개 貝. ▮貝類 패류 かいるい. ❷조가비 貝殼. ▮貝塚 패총 かいづか. ❸돈 貨幣. ▮龜貝 구패 きばい.

【敗】中學 패 ハイ. ❶패하다 敗れる. ▮敗者 패자 はいしゃ. 敗北 패배 はいぼく. ▮惜敗 석패 せきはい. 大敗 대패 たいはい. ❷실패하다 しくじる. ▮失敗 실패 しっぱい. 成敗 성패 せいはい. ❸썩어서 쓸모없게 되다 腐って役に立たなくなる. ▮腐敗 부패 ふはい.

패가【敗家】[p'ae:ga]〈名・하自〉身代をつぶすこと. 破産. 文例 ~하기 전에 주의하라 身を滅ぼす前に注意しなさい. 語例 ~망신 身代を使い果たして身を滅ぼすこと.

패-거리【牌―】〈名〉'패(牌)②'の俗っぽい言いかた:やから. 連中.

패권【霸權】[p'ae:kkwon]〈名〉霸権. 句例 ~을 쥐다 霸権を握る / ~을 다투다 霸権を争う.

패기【霸氣】[p'ae:gi]〈名〉霸気. 句例 ~가 부족하다 霸気が乏しい / ~ 만만한 청년 霸気満満な青年.

패-나다【霸―】[p'ae:nada]〈自〉(囲碁で)劫になる.

패다[1]〈自〉(稲・麦・すすきなどの)穂が出る. 文例 벼는 여름에서 가을에 걸쳐 팬다 稲は夏から秋にかけて穂が出る.

패는 곡식 이삭 뽑기 出る穂を抜く. とても意地悪だ.

패다[2]〈他〉ぶん殴る. 殴りつける. たたく. 句例 개를 몽둥이로 ~ 棒で犬を殴る. 類때리다

패다[3] [p'ae:da]〈他〉(斧で薪などを)割る. 句例 도끼로 장작을 ~ 斧で薪を割る.

ㅍ

패다[4] [p'ae:da] ❶〈自〉'파다 掘る'の受け身：掘られる. 彫られる. くぼむ. 句例 빗물에 땅이 ～ 雨水で地面が掘られる. ❷〈他〉'파다 掘る'の使役形：掘らせる. 彫らせる. 句例 인부에게 땅을 ～ 人夫に地面を掘らせる.

패랭이〈名〉❶〔史〕(卑しい人・父母の喪に服している人がかぶる)竹で編んだかさ(笠). ❷〔植〕'패랭이꽃'の略.

패랭이-꽃〈名〉〔植〕石竹. なでしこ.

패류【貝類】[p'ae:ryu]〈名〉貝類.

패망【敗亡】[p'ae:mang]〈名・하自〉敗亡. 文例 그 나라는 사치로 ～했다 その国は奢侈に流れて滅びた.

패물【佩物】[p'ae:mul]〈名〉❶装身具. ❷⇨노리개①

패배【敗北】[p'ae:bae]〈名・하自〉敗北. 句例 예선에서 ～하다 予選で敗北する.

패색【敗色】[p'ae:saek]〈名〉敗色. 文例 이미 ～이 보이기 시작했다 すでに敗色が見えだした.

패색이 짙다 敗色が濃い.

패션〈名〉ファッション. 語例 ～쇼 ファッションショー / ～ 모델 ファッションモデル. ◇fashion

패스〈名・하自他〉パス. ❶通過. 合格. 文例 입학시험에 ～했다 入学試験にパスした. ❷通行証. 定期券. ❸(球技での)ボールを味方に渡すこと. 語例 ～볼 パスボール. ❹'패스포트パスポート'の略. ❺(トランプで)自分の番を飛ばすこと. ◇pass

패스트 볼 [—bo:l]〈名〉〔野〕捕手と内野手がボールを取りそこなうこと. ◇passed ball

패습【悖習】[p'ae:sŭp]〈名〉道理にもとる風習. 悪習.

패-싸움【覇—】[p'ae:ssaum]〈名〉(囲碁で)劫の争い.

패-쓰다【覇—】[p'ae:ssŭda]〈自〉(囲碁で)劫にする. もんもんとはかって急を逃れる.

패업【覇業】[p'ae:ŏp]〈名〉覇業. 句例 ～을 이루다 覇業を成し遂げる.

패용【佩用】[p'ae:yong]〈名・하他〉佩用. 句例 훈장을 ～하다 勲章を佩用する.

패인【敗因】[p'ae:in]〈名〉敗因. 文例 연습 부족이 ～이었다 練習の不足が敗因だった.

*__패자__【敗者】[p'ae:ja]〈名〉敗者. 文例 ～에게는 할 말이 없다 敗者には話すべき言葉がない.

패자【覇者】[p'ae:ja]〈名〉覇者. 句例 마라톤의 ～ マラソンの覇者.

패잔-병【敗殘兵】[p'ae:jan—]〈名〉敗残兵.

패전【敗戰】[p'ae:jŏn]〈名・하自〉敗戦. 語例 ～국 敗戦国 / ～ 투수 敗戦投手.

패착【敗着】[p'ae:ch'ak]〈名〉(囲碁で)敗着. 文例 그 점이 ～이었다 その点が敗着だった.

패총【貝塚】[p'ae:ch'ong]〈名〉貝塚. ＝조개더미.

패킹〈名・하自他〉パッキング. 荷造り. 語例 ～ 페이퍼 パッキングペーパー. ◇packing

패턴〈名〉パターン. 語例 행동 ～ 行動のパターン. ◇pattern

패트롤〈名・하自〉パトロール. 語例 ～ 카 パトロールカー. ◇patrol

*__패-하다__【敗—】[p'ae:hada] (→하다)〈自〉❶(戦いに)敗れる. 負ける. 句例 결승전에서 아깝게 ～ 決勝戦で惜しくも敗れる / 어이없이 ～ あっけなく負ける.

팩스〈名〉'팩시밀리'の略：ファックス. ◇fax

팩시밀리〈名〉ファクシミリ. ◇facsimile

팬〈名〉ファン. ❶愛好者. 語例 ～ 레터 ファンレター. ❷扇風機. 送風機. ◇fan

팬지〈名〉〔植〕パンジー. 三色すみれ. ◇pansy

팬츠〈名〉パンツ. ◇pants

팬터마임〈名〉〔劇〕パントマイム. 無言劇. ◇pantomime

팬티〈名〉パンティー. ブリーフ. 語例 ～ 스타킹 パンティーストッキング. ◇panties

팸플릿〈名〉パンフレット. 句例 ～을 돌리다 パンフレットを配る. ◇pamphlet

팻-말【牌—】[p'aenmal]〈名〉立て札. 高札. 句例 ～을 세우다 立て札を立てる.

*__팽개-치다__〈他〉❶(物を)ほうり投げる. ほうり出す. 句例 편지를 책상 위에 ～ 手紙を机の上にほうり出す. ❷(仕事などを)投げ出す. ほうっておく. 句例 일을 중도에서 ～ 仕事を中途で投げ出す.

팽-나무〈名〉〔植〕えのき(榎).

팽배【澎湃・彭湃】〈名・하自〉澎湃. 句例 평화주의가 ～하게 일어나다 平和主義が澎湃として起こる.

*__팽이__〈名〉こま. 句例 ～를 돌리다〔치다〕こまを回す. 語例 ～채 こまのむち. こまを回すむち / ～치기 こま回し.

팽창【膨脹】〈名・하自〉膨張〔膨脹〕. 句例 세력이 ～하다 勢力が膨張〔拡大〕する / 해마다 ～하는 예산 年ごとに膨張する予算.

*__팽팽-하다__ (→하다)〈形〉❶ぴんと張っている. 句例 줄이 ～ ひもがぴんと張っている. ❷(両側の力が)五分五分だ. 釣り合っている. 伯仲している. 句例 팽팽한 승부 伯仲した勝負 / 실력이 서로 ～ 実力が互いに五分五分だ. ❸(性質が)偏狭だ. けちくさい. **팽팽히**〈副〉ぴんと. 張りきって. ぎりぎりに.

퍼-내다〈他〉くみ上げる. すくい出す. くみ取る. 句例 우물에서 물을 ～ 井戸から水をくみ上げる / 독에서 쌀을 ～ かめ(甕)から米をすくい出す.

퍼니 [p'ŏ:ni]〈副〉なすこともなく遊んでいるさま：ぶらぶら(と). ごろごろ(と). 句例 ～ 놀고만 있는 실업자 ぶらぶら遊んでばかりいる失業者.

퍼더-버리다〈他〉ぶざまに手足をのばして座る. ひざ(膝)をくずす.

퍼더버리고 앉다 足を投げだして座る. 楽に座る.

퍼덕-거리다〈自他〉❶鳥などがしきりに羽ばたきする. ❷魚がしきりにぴちゃぴちゃと音を出す.

퍼덕-이다 [p'ŏdŏgida]〈自他〉❶鳥が羽ばたきする. ❷魚がぱしゃっ〔ぴちっ〕と跳ねる. ❸旗などが風にはためく.

퍼-뜨리다 [p'ŏttŭrida]〈他〉広める. 普及させる. まき散らす. 言いふらす. 句例 소문을 ～ うわさを広める / 전통 문화를 ～ 伝統の文

化を普及させる / 나쁜 병을 ~ 悪い病気をまき散らす.

퍼뜩 〈副・하形〉 ❶(急に)思い出したり思い浮かんだりするさま: はっと. ふっと. はたと. ふと. [句例] 정신이 ~ 들다 気がはっとつく / 좋은 생각이 ~ 떠오르다 いい考えがふっと思い浮かぶ. ❷素早く片付けるさま: さっと. さっさと. [文例] 빨래를 ~ 끝냈다 洗濯をさっさと終えた.

퍼뜩퍼뜩 〈副・하形〉 さっさと. とっさに.

퍼렁 〈名〉 ❶青い色. 青. ❷青色の染料.

퍼렇다 [p'ŏrŏt'a] (퍼런, 퍼레서) 〈形〉 青い. 青青としている. [句例] 퍼런 바다 青い海 / 매실은 아직 ~ 梅の実はまだ青い.

퍼레이드 〈名〉 パレード. ◇parade

퍼레-지다 〈自〉 青くなる. 青ざめる. [句例] 얼굴이 ~ 顔が青くなる.

퍼머넌트 [p'ŏ:mŏnŏnt'ŭ] 〈名〉 パーマネント. パーマ《略語》. ◇permanent

퍼-먹다 〈他〉 ❶(ご飯などを)すくって食べる. よそって食べる. [句例] 밥을 공기에 ~ ご飯を茶わんによそって食べる. ❷やたらに食べる. がつがつ食べる. [文例] 그렇게 급히 ~가는 배탈이 난다 そうやたらにかきこんでは腹を壊す.

***퍼-붓다** (퍼부으니, 퍼부어서) 〈自他〉 ❶(雨・雪などが)激しく降る. 降り注ぐ. [句例] 비가 억수같이 ~ 雨が激しく降り注ぐ.

❷(悪口などを)浴びせる. [句例] 욕설을 ~ 悪口を浴びせる / 질문을 ~ 質問を浴びせる.

❸くみ入れる. [句例] 독에 물을 ~ かめ(甕)に水をくみ入れる.

퍼센트 〈依名〉 パーセント. [句例] 10~의 증가 十パーセントの増加. ◇percent

퍼센티지 〈名〉 パーセンテージ. 百分比. 百分率. 歩合. ◇percentage

퍼스널 컴퓨터 [p'ŏ:sŭnŏlk'ŏmp'yu:t'ŏ] 〈名〉 パーソナルコンピューター. パソコン《略語》. ◇personal computer

퍼스트 [p'ŏ:sŭt'ŭ] 〈名〉 ファースト. 第一. 最初. [語例] ~ 레이디 ファーストレディー / ~ 베이스〔野〕ファーストベース. 一塁. ◇first

퍼즐 〈名〉 パズル. [語例] 크로스워드 ~ クロスワードパズル. ◇puzzle

***퍼지다** [p'ŏ:jida] 〈自〉 ❶(先が)広がっている. 広い. 広がる. 伸びる. 張る. [句例] 끝이 ~ 先が広がっている / 햇살이 ~ 日ざしが広がる.

❷(うわさ・思想などが)広まる. 知れ渡る. 普及する. [句例] 그 뉴스가 삽시간에 ~ そのニュースがあっという間に広まる / 신학설이 널리 ~ 新学説が広く知れ渡る.

❸(病気などが)広がる. 伝染する. [文例] 감기가 학급 전체에 퍼졌다 風邪がクラス全体に広がった.

❹(子孫などが)増える. 栄える. (草木などが)茂る. 大きくなる. [句例] 나뭇가지가 ~ 木の枝が大きくなる〔伸びる〕/ 자손이 ~ 子孫が栄える.

❺(ご飯つぶなどが)蒸れる. よく煮える. [文例] 밥이 잘 퍼졌다 ご飯がよく蒸れている.

❻(洗濯物のしわが)よく伸びる. [句例] 주름이 잘 ~ しわがよく伸びる.

퍼펙트 게임 [p'ŏ:p'ekt'ŭgeim] 〈名〉〔野〕パーフェクトーゲーム. ◇perfect game

****퍽**[1] 〈副〉 とても. すごく. 非常に. はなはだ. 大変. [句例] ~ 세다 非常に強い / ~ 재미 있다 すごくおもしろい. [文例] 오늘은 ~ 더운 날이다 今日は大変暑い日だ / 날씨가 ~ 추워졌다 天気がとても寒くなった.

퍽[2] 〈副・하形〉 ❶強く突き刺すさま. また, その音: ぶすっと. ぶすり. [句例] 단도로 ~ 찌르다 あいくち(匕首)でぶすっと刺す. ❷くずおれるさま. また, その音: ばたっと. へなへなと. ばたりと. [句例] 그 자리에 ~ 쓰러지다 その場にばたりと倒れる. ❸ぬかるみに深くはまりこむさま. また, その音: ずぼっと. ずぶっと.

퍽-퍽 〈副〉 ❶続けざまに勢いよく刺すさま: ぶすぶす(と). [句例] 송곳으로 ~ 찌르다 きりでぶすぶすと刺す.

❷続けざまに力なく倒れるさま: ばたばた(と). [句例] 세워 놓은 볏단이 ~ 쓰러지다 立てておいたいなづか(稲束)がばたばたと倒れる.

❸ぬかるみに深くはまりこむさま: ずぶずぶ(と). ずぼっずぼっ(と). [句例] 발이 ~ 빠지다 足がずぼっずぼっとはまる.

❹(雨・雪などが)降り注ぐさま: ざあざあ(と). こんこん(と). [文例] 눈이 ~ 내린다 雪がこんこんと降る.

펀둥-거리다 〈自〉 何もせずに怠けている. ぶらぶらする. [句例] 실직해서 펀둥거리고 있다 職を失ってぶらぶらしている.

펀둥펀둥 〈副・하自〉 ぶらぶら(と). ごろごろ(と). だらだら(と).

펀치 〈名〉 ❶パンチ. [語例] ~기 パンチ機. パンチャー / ~ 카드 パンチカード. ❷(ボクシングでの)パンチ. ◇punch

펀펀-하다 (→하다) 〈形〉 平たい. ひら(平)べったい. 平らだ. [句例] 펀펀한 들판 ひらべったい野原. **펀펀히** 〈副〉 ひらべったく. 平たく. 平らに.

펄떡 〈副・하自〉 ❶力を入れて軽く跳ぶさま: ぽんと. ぴょんと. [句例] 도랑을 ~ 뛰어넘다 溝をぴょんと跳び越える. ❷脈が激しくうつさま: どきどきと. どきんと. **~거리다** 〈自〉 ❶ぴょんぴょんと跳ねる. [句例] 물고기가 ~거리다 魚がぴょんぴょんと跳ねる. ❷どきどきする.

펄떡펄떡 〈副・하自〉 ❶ぴょんぴょん. ぽんぽん. ぴんぴん. ❷どきどき.

펄럭 〈副・하自〉 旗などが風になびくさま: はたはた. ひらひら. **~거리다** 〈自〉 はたはた〔ひらひら〕なびく. [句例] 옷자락이 ~거리다 着物のすそがひらひらなびく.

펄럭펄럭 〈副・하自〉 はたはた. ひらひら. [句例] ~ 나부끼다 ひらひらなびく.

***펄럭-이다** [p'ŏllŏgida] 〈自〉 翻る. なびく. はためく. [句例] 국기가 바람에 ~ 国旗が風にはためく.

펄렁 〈副・하自〉 旗などが風にはためくさま: ひらひら. はたはた. **~거리다** 〈自〉 ひらひらする.

펄쩍 〈副・하自他〉 ❶戸・ふたなどを急に開けるさま: ぱっと. さっと. [句例] 창문을 ~ 열다 窓をぱっと開ける. ❷勢いよく跳ねあがる

ㅍ

さま：ぱっと．ぴょんと．さっと．**～거리다**〈自他〉㉠(しきりに)ぱっと跳ね上がる．㉡(戸などを)さっさっと開け放す．

펄쩍펄쩍〈副・하自他〉ぱっぱっと．さっさっと．

펄펄〈副〉❶多量の湯が沸き立つさま：ぐらぐら(と)．句例 물이 ～ 끓다 湯がぐらぐらと沸き立つ． ❷からだやオンドルが熱っぽいさま：かっかと．句例 고열로 몸이 ～ 끓다 高熱でからだがかっかとほてる．❸勢いよく跳ねるさま：ぴょんぴょんと．句例 ～ 뛰는 잉어 ぴょんぴょんと跳ねるこい．❹風に旗がはためいたり雪が飛び散るさま：はたはた(と)． びゅうびゅう(と)．文例 눈이 ～ 날리고 있다 雪がびゅうびゅうと飛び散っている．

펄프〈名〉パルプ．◇pulp

펌프〈名〉ポンプ．句例 ～로 물을 퍼내다 ポンプで水をくみ出す．◇pump

펑〈副・하自〉❶物がにわかに破裂する音：ぱあん．句例 풍선이 ～ 터지다 風船がぱあんと破裂する． ❷穴が大きく開く音：ぽこん．ぽっかり．

펑크〈名〉パンク．❶車のタイヤやチューブなどが破れること． ❷物がふくらんで破裂すること．❸計画などが狂うこと．❹秘密などが明るみに出ること．◇punctureから．

펑-퍼지다〈自〉平たく横に広がる．

펑퍼짐-하다(→하다)〈形〉まるみを帯びて平たく横に広がっている． ひら(平)べったい．句例 펑퍼짐한 언덕 ひらべったい丘／펑퍼짐한 엉덩이 まるみを帯びて横に広がっているお尻．

펑-펑[1]〈副・하自他〉❶続けざまに破裂する音：ぽんぽん(と)． ぱんぱん(と)．❷大きい穴が続けて開く音：ぽこんぽこん(と)．❸太鼓などを続けてたたく音：どんどん(と)． ❹お金を無駄遣いするさま：どんどん(と)．**～거리다**〈自他〉❶ぽんぽんと音がする．❷物が水の中にどぶんどぶん落ちる．❸お金を無駄遣いする．

*__펑-펑__[2]〈副・하自他〉❶水が勢いよく流れ出るさま：どくどく(と)． じゃあじゃあ(と)． ❷雪が降りしきるさま：しんしん(と)．こんこん(と)．句例 눈이 ～ 내리다 雪がこんこんと降る．

페가수스〈名〉(ギリシャ神話の)ペガサス．語例 ～자리〔天〕ペガサス座．◇Pegasus

페넌트〈名〉ペナント．語例 ～ 레이스 ペナントレース．◇pennant

페널티〈名〉ペナルティ．罰則．語例 ～ 킥 ペナルティキック／～ 골 ペナルティゴール． ◇penalty

페놀〈名〉〔化〕フェノール．語例 ～ 수지 フェノール樹脂．◇phenol

페니실린〈名〉〔醫〕ペニシリン．語例 ～ 쇼크 ペニシリンショック．◇penicillin

ㅍ

페달〈名〉ペダル．句例 ～을 밟다 ペダルを踏む．◇이pedal

페르마타 [p'erŭma:t'a]〈名〉〔樂〕フェルマータ．＝늘임표．◇이 fermata

페리-보트 [p'eribo:t'ŭ]〈名〉フェリーボート．フェリー《略語》．◇ferryboat

페미니스트〈名〉フェミニスト．◇feminist

페스트〈名〉〔醫〕ペスト．◇pest

페스티벌〈名〉フェスティバル．祭典．＝축제(祝祭)．◇festival

페시미즘〈名〉ペシミズム．悲観論．厭世．㊊옵티미즘．◇pessimism

페어-스케이팅〈名〉ペアスケーティング．◇pair-skating

페어 플레이〈名〉フェアプレー．語例 ～ 정신 フェアプレーの精神．◇fair play

페이소스〈名〉ペーソス． ＝파토스． ㊊에토스(ethos)．㊫애수(哀愁)．◇pathos

페이스〈名〉ペース．句例 자기 ～를 지키다 自分のペースを守る．文例 상대방의 ～에 말려 들었다 相手のペースに巻きこまれた．語例 체인지 오브 ～〔野〕チェンジオブペース．◇pace

페이지〈名〉ページ．＝쪽．句例 ～를 매기다 ページを打つ．◇page

페이퍼〈名〉ペーパー．❶紙．＝종이．語例 토일렛 ～ トイレットペーパー／레터 ～ レターペーパ． 便箋．❷'샌드페이퍼 サンドペーパー'の略． ＝사포(砂布)．❸新聞．語例 뉴스 ～ ニュースペーパー．◇paper

페인트[1]〈名〉フェイント．語例 ～ 모션 フェイントモーション．◇feint

*__페인트__[2]〈名〉ペイント．ペンキ．句例 ～로 칠하다 ペイントで塗る．◇paint

페치카〈名〉ペチカ．◇러 pechka

페트〈名〉ペット．＝애완물．◇pet

페퍼민트〈名〉ペパーミント． 薄荷． ＝박하．語例 ～ 검 ペパーミントガム．◇peppermint

펜〈名〉ペン．句例 ～을 들다 ペンを執る．語例 볼～ ボールペン／～촉 ペン先／～대 ペン軸．◇pen

펜 네임〈名〉ペンネーム．筆名．＝필명．◇pen name

펜던트〈名〉ペンダント．㊫목걸이．◇pendant

펜스〈名〉フェンス．句例 ～를 넘는 홈런〔野〕フェンスごえのホームラン．◇fence

펜싱〈名〉フェンシング．◇fencing

*__펜치__〈名〉ペンチ．◇pinchersから．

펜타곤〈名〉ペンタゴン．◇Pentagon

펜 팔〈名〉ペンパル．ペンフレンド．＝펜 프렌드．◇pen pal

펜-화【pen畫】〈名〉ペン画．

펠리컨〈名〉〔鳥〕ペリカン．＝사다새．◇pelican

펠트〈名〉フェルト．語例 ～ 펜 フェルトペン．◇felt

펩신〈名〉〔化〕ペプシン．◇pepsin

펭귄〈名〉〔鳥〕ペンギン．語例 황제～ エンペラーペンギン．◇penguin

*__펴-내다__〈他〉❶(畳んだものを)広げて出す．広げる．❷発行する．頒布する．句例 시집을 ～ 詩集を発行する．

*__펴낸-이__ [p'yŏnaeni]〈名〉発行者．→지은이

펴-놓다 [—not'a]〈他〉❶広げて敷く．句例 잠자리를 ～ 床をとる．❷(本などを)開いておく．

**__펴다__〈他〉❶(畳んだものや巻き物を)広げる．開く．開ける．句例 책을 ～ 本を開く〔広げる〕．絵／부채를 ～ 扇を開く／책의 5페이지를 ～ 本の五ページを開ける．㊫펼치다．

❷伸ばす．㉠(曲がったものなどを)まっすぐに

する. 句例 다리미질로 주름을 ～ アイロンをかけてしわを伸ばす. 絵

㉡(羽・手足・勢力などを)広げる. 張る. 句例 허리를 ～ 腰を伸ばす / 가슴을 ～ 胸を張る / 날개를 ～ 翼を張る / 허리를 펴고 걷다 背筋を伸ばして歩く / 사지(四肢)를 ～ 手足を伸ばす / 손가락을 ～ 手の指を伸ばす / 세력을 ～ 勢力を張る〔広げる〕.

㉢のびのびと自由にふるまう. 句例 기를 ～ 羽を伸ばす.

❸(包んだものなどを)広げる. 開ける. 句例 보따리를 펴보다 風呂敷包みを広げてみる.

❹敷く. ㉠(床を)とる. 句例 이부자리를 ～ 布団を敷く.

㉡施行する. 発布する. 句例 선정〔계엄령〕을 ～ 善政〔戒厳令〕を敷く.

❺(暮らしを)楽にする. よくする. 文例 이제야 허리를 펴고 살게 되었다 今やっと腰を伸ばして楽に暮らせるようになった.

책을 펴다　　다리미로 주름을 펴다

〈펴다〉

펴이다 〈自〉'펴다'の受け身. ❶(絡まっていたものが)ほぐれる. 正常に戻る. ❷(暮らしが)豊かになる. 楽になる. 句例 셈평이 ～ ふところが暖まる. 暮らしが豊かになる. ▷略して'피다'とも言う.

펴-지다 〈自〉 ❶(畳まれたものなどが)広がる. 開く. 文例 책을 펴진 채로 두었다 本を開かれたままにしておいた. ❷(曲がったもの・ひだ・しわなどが)伸びる. 句例 철사가 똑바로 ～ 針金がまっすぐに伸びる. ❸(すぼんでいたものが)開く. 句例 꽃잎이 ～ 花びらが開く.

편 〈名〉'떡 もち'の上品な言いかた: おもち.

***편¹**【便】〈名〉 ❶'인편(人便)'の略. 句例 아저씨 ～으로 보내다 おじさんを通して送る. ❷がわ(側). ㉠方. 句例 저 ～을 보다 あちらの方〔がわ〕を見る. ㉡仲間. 組. 句例 소비자 ～에 서다 消費者のがわに立つ. 文例 우리 ～이 이겼다 味方が勝った. ❸便. 句例 ～이 닿는 대로 便のありしだい. 語例 항공～ 航空便 / 오후～ 午後の便. ❹(物事をいくつかに分けたときの)一方. …方. 文例 근면한 ～입니다 勤勉な方です / 살아서 수모(羞侮)를 겪을 바에야 죽는 ～이 낫다 生きて恥をさらすくらいなら, むしろ死んだ方がましだ.

편(을) 들다 肩を持つ. 味方する. 肩入れをする. 句例 가난한 자의 편을 들다 貧しい者の肩を持つ. 文例 어느 쪽을 편 들어야 할지 분간할 수 없다 どちらの方に味方するのがいいのか見分けがつかない. 類 역성(을) 들다.

***편**【編】〈名〉 人名や団体名などにつけて'편찬 編纂'の意を表わす語: 編. 語例 한글 학회 ～ ハングル学会編.

편²【便・偏】〈依名〉'편짝'の略: 方. 文例 이 ～이 훨씬 낫다 こっちの方がずっといい.

***편**【篇】〈依名〉(詩歌・文章・書物などの)編. 句例 한 ～의 시 一編の詩. 語例 문법～ 文法編 / 제삼～ 第三編.

편　〔漢字項目〕

【便】 中學 편 ベン. ビン. 변 ベン. ㊀〔편〕❶편리하다 便利だ. ▮便利 편리 べんり. ▮不便 불편 ふべん. ❷편지 手紙. ▮郵便 우편 ゆうびん. 航空便 항공편 こうくうびん. ❸쪽 がわ(側). ▮右便 우편 みぎがわ(右側). 左便 좌편 ひだりがわ(左側).
㊁〔변〕배설물 排泄物. ▮便所 변소 べんじょ. ▮大便 대변 だいべん. 小便 소변 しょうべん.

【片】 中學 편 ヘン. ❶한 개의 반 一箇の半分. 조각 欠けら. ▮片鱗 편린 へんりん. 片雲 편운 へんうん. ▮断片 단편 だんぺん. 破片 파편 はへん. ❷극히 소량의 것 しごく少量のこと. ▮片時 편시 かたとき.

【篇】 中學 편 ヘン. ❶수미가 완전한 시가 또는 문장 首尾が完全な詩歌や文章. ▮篇章 편장 へんしょう. ▮短篇 단편 たんぺん. ❷책 중의 일부분 本のなかで一部分. ▮前篇 전편 ぜんぺん. ❸시문 따위를 세는 말 詩文などを数える語. ▮詩三篇 시삼편 しさんぺん.

【編(編)】 高校 편 ヘン. ❶편집하다 編集する. ▮編者 편자 へんしゃ. 編輯 편집 へんしゅう(編集). 編修 편수 へんしゅう. ❷소설 따위의 작품. 또, 그 일부 小説などの作品. また, その一部. ▮續編 속편 ぞくへん. 長編 장편 ちょうへん. ❸편성하다 編成する. ▮編入 편입 へんにゅう. 編曲 편곡 へんきょく.

【遍(遍)】 高校 편 ヘン. 두루 미치다 漏れなく行き渡る. ▮遍在 편재 へんざい. 遍歴 편력 へんれき. ▮普遍 보편 ふへん.

편-가르다【便—】(—가르니, —갈라서)〈自他〉(勝負をつけるために)組に分ける. 組み分けする.

편-갈리다【便—】〈自〉'편가르다'の受け身: 組に分けられる.

편강【片薑】〈名〉しょうがを薄く切り, 砂糖に漬けて干したもの.

편견【偏見】〈名〉偏見. 句例 ～을 갖다 偏見を持つ〔いだく〕/ ～에 사로잡히다 偏見にとらわれる / ～을 버리다 偏見を捨てる.

편경【編磬】〈名〉〔樂〕編磬. 雅楽に用いる打楽器の一つ. ㄱの字形の板石を大きな架に十六個を二段につるして, 角製のつち(槌)で打ち鳴らす. 雅楽ではすべての楽器を調律する基準となる.

편곡【編曲】〈名・하自他〉〔樂〕編曲. 句例 경음악으로 ～하다 軽音楽に編曲する. 語例 ～자 編曲者.

편달【鞭撻】〈名・하他〉鞭撻. 文例 앞으로도 지

ㅍ

도 ～해 주시기 바랍니다 今後ともご指導ご鞭撻のほどお願い申し上げます.

편대【編隊】〈名〉編隊. 句例 ～를 짜다 編隊を組む. 語例 ～ 비행 編隊飛行.

편도【片道】〈名〉片道. 文例 ～ 삼백 원, 왕복 육백 원이다 片道三百ウォン, 往復六百ウォンだ. 對왕복.

편도-선【扁桃腺】〈名〉〔生〕扁桃腺. 句例 ～이 붓다 扁桃腺がはれる. 語例 ～염 扁桃腺炎.

편두-통【偏頭痛】〈名〉〔醫〕偏頭痛. 句例 ～이 생기다〔나다〕偏頭痛がする.

편-들다【便―】⇨'편'(便)'の小項目

편람【便覽】[p'yŏllam]〈名〉便覧. 語例 문법 ～ 文法便覧.

편력【遍歷】[p'yŏ:llyŏk]〈名・하自他〉遍歴. 句例 중국 각지를 ～하다 中国の各地を遍歴する. 語例 인생 ～ 人生遍歴.

*__편리__【便利】[p'yŏlli]〈名〉便利. **～하다**〈形〉便利だ. 都合がいい. うまく役立つ. 句例 ～하게 되어 있다 便利にできている / (여러 모로) ～하다 便利がよい / ～한 도구 便利な道具 / 생활을 ～하게 하다 生活を便利にする / 남의 ～를 도모하다 人の便利を図る. 對불편(不便).

편린【片鱗】[p'yŏ:llin]〈名〉片鱗. 文例 그것으로 그의 재능의 ～을 엿볼 수 있다 それで彼の才能の片鱗がうかがえる.

편모【偏母】〈名〉(夫に死なれた)独り身の母親. 語例 ～ 슬하(膝下)(에서 자라다) 独り身の母親のひざ下(で育つ).

편모【鞭毛】〈名〉〔生〕鞭毛. 語例 ～운동 鞭毛運動 / ～류 鞭毛類.

편물【編物】〈名〉編み物. ＝뜨개질. 뜨개것. 句例 털실로 ～을 하다 毛糸で編み物をする.

편법【便法】[p'yŏnppŏp]〈名〉便法. 句例 ～을 강구하다 便法を講じる / ～을 취하다 便法をとる. 文例 그것은 일시적인 ～에 지나지 않는다 それは一時的の便法にすぎない.

편벽-되다【偏僻―】〈形〉偏屈だ. 心が偏ってひがんでいる. 句例 편벽된 생각 偏った考え. **편벽되이**〈副〉偏屈に. 偏って.

편성【編成】〈名・하他〉編成. 句例 예산을 ～하다 予算を編成する / 십량 ～의 열차 十両編成の列車. 語例 학급 ～ クラス編成 / 방송 프로 ～ 放送番組編成 / ～되다 編成される.

편수【編修】〈名・하他〉編修. 句例 교과서의 ～ 教科書の編修.

편승【便乘】〈名・하自〉便乗. 句例 시국에 ～하다 時局に便乗する. 文例 같은 방향이어서 이웃집 차에 ～하였다 同じ方向なので隣の車に便乗させてもらった.

편식【偏食】〈名・하他〉偏食. 句例 ～을 고치다 偏食を治す. 文例 ～하는 것은 몸에 해롭다 偏食するのはからだに悪い.

*__편안-하다__【便安―】[p'yŏnan―] (→하다)〈形〉無事だ. 気楽だ. 安らかだ. 穏やかだ. 句例 편안한 생활 安らかな生活. 楽な生活 / 편안하게 지내다 気楽に暮らす / 부모님을 편안하게 해 드리다 両親を楽にしてあげる / 앉아있기에 편안한 의자 座り心地のいい椅子. **편안히** [p'yŏnanhi]〈副〉無事に. 気楽に. 楽に. 安らかに. 句例 편안히 자다 安らかに眠る / 소파에서 편안히 쉬다 ソファーでくつろぐ. 語例 편안해지다 楽になる. 安らかになる.

편애【偏愛】[p'yŏnae]〈名・하他〉偏愛. 句例 장남을 ～하다 長男を偏愛する.

편육【片肉】[p'yŏnyuk]〈名〉煮た牛肉の薄切り. '수육'の薄切り.

편의【便宜】[p'yŏnŭi]〈名・하形〉便宜. 句例 ～를 도모하다 便宜を図る / ～를 제공하다 便宜を与える / ～상 경칭을 생략하다 便宜上敬称を省略する.

편의 시설【便宜施設】[p'yŏnŭishi:sŏl]〈名〉便益施設. 公園などの売店・駐車場・便所などの施設.

편의-점【便宜店】[p'yŏnŭi―]〈名〉コンビニエンスストア.

편익【便益】[p'yŏnik]〈名・하形〉便益. 句例 ～을 제공하다 便益を与える.

편입【編入】[p'yŏnip]〈名・하自他〉編入. 句例 삼학년에 ～되다 三学年に編入される / 대도시에 ～되다 大都市に編入される. 語例 ～ 시험 編入試験 / ～생 編入生.

편자〈名〉蹄鉄. 鉄蹄. 句例 말에 ～를 박다〔대다〕馬に蹄鉄を打つ. 馬に装蹄する / 개 발에 ～《속담》猫に小判.

편자【編者】〈名〉編者. 編纂者＝엮은이. 句例 사전의 ～ 辞典の編者.

편재【偏在】〈名・하自〉偏在. 句例 부의 ～ 富の偏在.

편재【遍在】[p'yŏ:njae]〈名・하自〉遍在. 文例 이 기묘한 풍습은 온 나라에 ～해 있다 この奇妙な風習は国じゅうに遍在している.

편저【編著】〈名・하他〉編著. 文例 십여 권의 ～를 갖고 있다 十冊あまりの編著を有する.

편전【便殿】〈名〉便殿. 王が平生起居した宮殿.

편제【編制】〈名・하他〉〔軍〕編制. 句例 2개 대대로 ～하다 二個大隊に編制する. 語例 전시 ～ 戦時編制.

편종【編鐘】〈名〉〔樂〕編鐘. 雅楽に用いる打楽器の一つ. 架に音階順に十六個の鐘を二段につるして, 角製のつち(槌)で打ち鳴らす.

편중【偏重】〈名・하自他〉偏重. 語例 학력 ～ 사회 学歴偏重社会 / ～되다 偏重する. 偏る.

__편지__【片紙・便紙】[p'yŏ:nji]〈名〉手紙. **～하다〈自〉手紙を出す. 句例 ～를 쓰다 手紙を書く / ～를 부치다 手紙を出す / ～가 도착하다 手紙がとどく / ～를 받다 手紙をもらう / ～가 오다 手紙が来る / ～를 (써)보내다 手紙を寄せる / ～를 봉하다 手紙に封をする / ～의 봉을 뜯다 手紙の封を切る / ～의 답장을 내다 手紙の返事を出す. 語例 안부 ～ ご機嫌伺いの手紙 / 연애 ～ 恋文. →囲み記事 88

参考 '편지'の同義語には, '서간(書簡)・서한(書翰)・서함(書函)・신서(信書)・서장(書狀)・서찰(書札)'などがあり, 敬語としては '귀서(貴書)・귀함(貴函)・귀한(貴翰)・옥서(玉書)・

ㅍ

혜서(惠書)·혜한(惠翰)'などが用いられる.

편지-지【片紙紙】[p'yŏ:njiji]〈名〉便箋.

편지-투【片紙套】[p'yŏ:nji—]〈名〉❶書簡の様式. ❷書簡文の文範. ＝편지틀.

편집【編輯】〈名·하他〉編集. 句例 신문을 ~하다 新聞を編集する. 語例 ~부 編集部/~자 編集者/~ 후기 編集後記. 類편찬(編纂).

편-짜다【便—】〈自〉(勝負をつけるために)組み分けをする. 組を組む.

편-짝【便—·偏—】〈名〉相対する組のどちらかの一方. 略して'편'·'짝'ともいう. 語例 이 ~ こちらがわ. 味方の方.

편차【偏差】〈名〉〔數〕偏差. 句例 ~가 두드러지다 偏差が著しい.

편찬【編纂】〈名·하他〉編纂. 句例 사전을 ~하다 辞典を編纂する. 類편집(編輯).

편-찮다【便—】[—ch'ant'a]〈形〉❶安らかでない. 楽でない. 句例 마음이 ~ 気楽でない. 對편하다. ❷病んでいる. 具合〔調子〕が

囲み記事 88

▨ 편지 쓰는 법 手紙の書き方 ▨

		目上の方へ	同僚へ	目下の人へ	会社や団体へ
前書き		아버님 보(시)옵소서 父上ごらんあそばせ お父さまごらんください (○○○) 선생님께(올립니다) (○○○) 先生へ(一筆申し上げます) (○○○) 부장님께(드립니다) (○○○) 部長様へ(一筆啓上) ○○○ 님께〔公的な場合〕 ○○○ 様へ	○○○ 선생께 ○○○ 先生へ ○○○ 과장에게 ○○○ 課長へ ○형 보오 ○さん ごらんなさい	○○ 에게 ○○ へ ○○ 보아라 ○○ 見よ ○○○ 군에게 ○○○ 君へ 아우님 보시게 弟ごらんなさい	○○ 주식회사 귀중 ○○ 株式会社御中
後付け		○○○ 올림 ○○○ 드림 ○○○ 敬具	○○ 드림 ○○ 敬具	○○○ 씀 ○○○ 書〔書く〕 ○○○ 가 ○○○ が	○○ 주식회사 사장 ○○○ 올림〔드림〕 ○○ 株式会社社長 ○○○ 敬具
表書き	目上の方へ	○○○＋직함＋님(께) ○○○ ＋肩書＋様 ○○○ 귀하 ○○○ 貴下 ○○○ 좌하 ○○○ 座下	○○○ 귀하 ○○○ 貴下 ○○○ 님(에게) ○○○ さん(へ)	○○○ 앞 ○○○ 御前	○○ 주식회사 귀중 ○○ 株式会社御中 ○○ 주식회사 ○○○ 사장님 ○○ 株式会社 ○○○ 社長殿 ○○ 주식회사 ○○○ 사장 귀하 ○○ 株式会社 ○○○ 社長貴下
	父母に	○○○(본인 이름)의 집 ○○○(本人の名)の宅 ○○○ 좌하 ○○○ 座下 ○○○ 귀하 ○○○ 貴下			

〈上の表は 国立国語研究所と朝鮮日報が共同で提示した案〉

＊会社や団体への書簡の前書きは日本のわきづ(脇付)けに当たる.

＊韓国では表書きに父母の名は書かず手紙を出す本人の名を書く. 以前は'○○○(＝本人の名) 本家入納'と書いた.

＊日本でよく使う'拝啓·謹啓·急啓'などの前書きや, '敬具·敬白·拝具'などの後付けは, 儀礼·見舞い·用事などの手紙にだけ使う傾向にある.

ㅍ

悪い. 句例 몸이 ~ からだの具合〔調子〕が悪い. 加減が悪い. 文例 어디 편찮으십니까 どこか加減がお悪いのですか.

편충【鞭蟲】〈名〉〔動〕べんちゅう(鞭虫).

편친【偏親】〈名〉片親. 句例 ~ 슬하의 아이 片親の子ども.

편파-적【偏頗的】〈名・冠〉偏頗なこと. また, そのさま. 句例 ~인 생각 偏頗な考え.

편평-족【扁平足】〈名〉〔醫〕扁平足. =평발.

편평-하다【扁平—】(→하다)〈形〉扁平だ. 句例 편평한 모양 扁平なかたち. **편평히**〈副〉扁平に.

***편-하다**【便—】(→하다)〈形〉楽だ. ❶安らかだ. 句例 편하게 앉다 楽に座る / 편한 자세로 앉다 ひざをくずす. ❷心配がない. 気楽だ. 文例 전부 고백하고 나니 마음이 편해졌다 すっかり白状して気が楽になった. ❸やすい. たやすい. 句例 쓰기 ~ 使いやすい. 楽に使える. **편히**〈副〉楽に. 安らかに. やすく. 気楽に. ゆっくり. 句例 의자에 편히 앉다 いすにゆっくりかける / 편히 쉬다 くつろぐ. 文例 편히 앉으십시오 楽にお座りください.

편향【偏向】〈名・하自〉偏向. 句例 한쪽으로 ~된 견해 一方に偏向した見方.

편협-하다【偏狹—・褊狹—】[p'yŏnhyŏp'ada] (→하다)〈形〉偏狭だ. 句例 편협한 생각〔성격〕偏狭な考え〔性格〕.

편형-동물【扁形動物】〈名〉〔動〕扁形動物.

***펼치다**〈他〉広げる. 繰り広げる. 延べる. 句例 지도를〔신문을〕 ~ 地図〔新聞〕を広げる / 열전을 ~ 熱戦を繰り広げる / 두루마리를 ~ 巻き物を延べる / 책을 펼쳐 보다 書をひもどく《やや古風な言いかた》.

평【評】[p'yŏ:ng]〈名・하他〉評. ❶批評. 評判. 句例 ~이 좋다 評判がいい / ~이 나쁘다 評判が悪い. 不評だ. ❷'평론(評論)'の略. 語例 인물~ 人物評. →평(評)하다

평【坪】〈依名〉坪. 語例 두 ~ 二坪 / 백 ~ 百坪.

평-【平】〈頭〉'平の・普通の'の意を表わす語. 語例 ~사원 平社員.

평 〔漢字項目〕

【平(平)】 中學 평 ヘイ. ビョウ. ❶평평하다 平らだ. ▮平行 평행 へいこう. 平野 평야 へいや. ▮水平 수평 すいへい. 地平線 지평선 ちへいせん. ❷대체로 균등하다 大体等しい. ▮平均 평균 へいきん. 平準 평준 へいじゅん. 平等 평등 びょうどう. ❸평온하다 穏やかだ. ▮平穩 평온 へいおん. ▮太平 태평 たいへい. 和平 화평 わへい. ❹쉽다 たやすい. ▮平易 평이 へいい. ❺평상 平常. 보통 普通. 범상 尋常. ▮平凡 평범 へいぼん. 平日 평일 へいじつ. ❻수의 제곱 数の自乗. ▮平方 평방 へいほう.

【評(評)】 高校 평 ヒョウ. ❶평하다 批評する. ▮評論 평론 ひょうろん. ▮批評 비평 ひひょう. ❷좋고 그른 판정 よしあしの判定. ▮評價 평가 ひょうか. ▮書評 서평 しょひょう. 好評 호평 こうひょう. 品評 품평 ひんぴょう.

평가【平價】[p'yŏngkka]〈名〉〔經〕平価. 語例 ~ 절하 平価切り下げ / ~ 절상 平価切り上げ.

***평가**【評價】[p'yŏ:ngkka]〈名・하他〉評価. 値踏み. 句例 ~가 높다 評価が高い / 실력을 ~하다 実力を評価する / 재산을 ~하다 財産を評価する / 만 원으로 ~하다 一万ウォンと値踏みする. 語例 과대〔과소〕 ~ 過大〔過小〕評価.

평결【評決】[p'yŏ:nggyŏl]〈名・하他〉評決. 句例 배심원이 내린 유죄 ~ 陪審員の下した有罪の評決.

***평균**【平均】〈名・하他〉平均. 句例 ~을 웃돌다 平均を上回る. 文例 ~해서 하루 다섯 시간 공부했다 平均して一日五時間勉強した. 語例 ~ 기온 平均気温 / ~점 平均点 / ~ 풍속 平均風速 / ~적 平均的 / ~화 平均化.

평균-값【平均—】[—kkap]〈名〉〔數〕平均値. =평균치. 句例 ~을 구하다 平均値を求める.

***평균-대**【平均臺】〈名〉平均台. 語例 ~ 운동 平均台運動.

평균 수명【平均壽命】〈名〉平均寿命. 句例 ~이 길어지다 平均寿命が延びる.

평년【平年】〈名〉平年. 句例 ~과 윤년 平年とうるう年. 語例 ~ 수준(의 우량) 平年なみ(の雨量).

평년-작【平年作】〈名〉〔農〕平年作. 略して'평작(平作)'ともいう. 句例 ~을 웃돌다〔밑돌다〕 平年作を上回る〔下回る〕.

평당【坪當】〈名〉坪当たり. 語例 ~ 지가 坪当たりの地価.

***평등**【平等】〈名〉平等. **~하다**〈形〉平等だ. 句例 ~하게 다루다 平等にあつかう / ~한 권리 平等の権利. 文例 법 앞에서는 만인이 ~하다 法の前には万人が平等である. 語例 남녀 ~ 男女平等 / ~권 平等権 / 불~ 不平等.

평론【評論】[p'yŏ:ngnon]〈名・하他〉評論. 略して'평(評)'ともいう. 句例 시사 문제를 ~하다 時事問題を評論する. 語例 ~가 評論家 / 문예 ~ 文芸評論. 類논평(論評).

***평면**【平面】〈名〉平面. 句例 ~상의 한 점 平面上の一点. 對곡면(曲面).

평면-도【平面圖】〈名〉平面図. 對측면도(側面圖). 정면도(正面圖).

평면-적【平面的】〈名・冠〉平面的. 句例 사물을 ~으로 파악하다 物事を平面的にとらえる. 對입체적(立體的).

평민【平民】〈名〉平民. 句例 ~적인 정치가 平民的な政治家. 語例 ~ 출신 平民生まれ.

평방【平方】〈名〉〔數〕'제곱'の旧称.

평범-하다【平凡—】(→하다)〈形〉平凡だ. 月並だ. ありきたりだ. 句例 평범한 인생〔생활〕 平凡な人生〔生活〕/ 평범한 생각 ありきたりの考え. 對비범(非凡)하다. **평범히**〈副〉平凡に. 句例 평범히 살아가다 平凡に暮らす.

평복【平服】〈名〉平服. ふだん着. =평상복(平常服). 통상복(通常服). **~하다**〈自〉平服を着る. 句例 ~으로 출석하다 平服で出席する. 文例 제복을 벗고 ~으로 갈아 입었다 制服を脱いで平服に着替えた.

평상【平常】〈名・副〉'평상시'の略.

평상-복【平常服】〈名〉ふだん着. ＝평복(平服).

평상-시【平常時】[一]〈名〉平常. ふだん. 日ごろ. ＝평소(平素). 평일(平日). 句例 ~와 같이 출근하다 平常どおり出勤する. 對비상시(非常時).

[二]〈副〉ふだん. 日ごろ. 句例 ~ 생각하고 있는 일 ふだん思っていること. ▷略して'평시(平時)'・'상시(常時)'ともいう.

***평생**【平生】[一]〈名〉一生. 句例 ~의 소원 一生のお願い / 교육에 ~을 바치다 教育に一生をささげる. 語例 한~ 一生涯.

[二]〈副〉一生. 終生. ＝평생토록. 文例 이 은혜는 ~ 잊지 않겠습니다 このご恩は一生忘れません / ~ 잊을 수 없다 終生忘れられない.

參考 平生は'평소 平素'の意.

평생 교육【平生教育】[—gyo:yuk]〈名〉生涯教育.

평생-토록【平生—】〈副〉一生. 一生涯. 終生. ＝평생. 句例 ~ 독신으로 지내다 一生独身で通す.

평서-문【平敍文】〈名〉平叙文.

평서-형【平敍型】〈名〉〔言〕用言と叙述格助詞'이다'の活用形の一つ. '-다 だ・である' '-오 です'などの語尾がつく形. '이것은 집이다 これは家だ' '저것은 책이오 あれは本です'などの形式. ＝서술형(敍述型).

***평소**【平素】[一]〈名〉平素. 平常. ふだん. 句例 ~의 마음가짐 ふだんの心がけ / ~의 염원 平素の念願. 文例 ~부터 재해시에 대비하고 있다 ふだんから災害時に備えている.

[二]〈副〉ふだん. 平素の. 文例 ~ 격조했음을 사과드립니다 平素のごぶさたをおわびいたします.

평수【坪數】[p'yŏngssu]〈名〉坪数. 句例 건물의 ~ 建物の坪数.

평시【平時】〈名・副〉'평상시'の略: 平時. 文例 ~에도 전시에 대비하여 훈련을 거르지 않는다 平時も戦時に備えて訓練を欠かさない.

평-시조【平時調】〈名〉〔文〕'시조(時調)'の一つ. '초장(初章)(＝初の二句)'が3・4・3(4)・4, '중장(中章)(＝中間の二句)'が3・4・4・3(4), '종장(終章)(＝末の二句)'が3・5・4・3の四十五内外の字数になっている. 代表的で基本的な'시조'. ＝단형(短形) 시조. →사설시조. 엇시조. 연시조

평-신도【平信徒】〈名〉(教会で役職のない)一般の信者.

평안【平安】〈名〉'평안도 平安道(＝韓国の西北にある道)'の略.

평안 감사(監司)도 제 싫으면 그만이다 平安道知事の職も就きたくなければそれきりだ《平安道知事の職が一番人気があったことから》. いくら結構なことでも気に入らないと強いてやらせることはできないとの意.

평안-하다【平安—】(→하다)〈形〉平安だ. 安らかだ. 文例 댁내가 두루 평안하십니까 ご家族の方方はお変わりございませんか. **평안히**〈副〉平安に.

表現 '평안히 가'の方がよく使われる.

***평야**【平野】〈名〉平野. ＝들. 평원(平原). 語例 충적 ~ 沖積平野.

평영【平泳】〈名〉平泳ぎ. ＝개구리헤엄.

평온【平溫】〈名〉平温. 句例 ~으로 되돌아오다 平温に戻る.

평온-하다【平穩—】(→하다)〈形〉平穏だ. 何事もなく穏やかだ. 句例 평온한 나날 平穏な日日 / ~을 되찾다 平穏を取り戻す / 평온한 바다 穏やかな海 / 평온하기를 빌다 平穏を祈る. 文例 며칠간은 평온하게 지나갔다 何日間は平穏に過ぎていった. **평온히**〈副〉平穏に.

평원【平原】〈名〉平原. ＝평야(平野). 語例 대~ 大平原.

평의【評議】[p'yŏng-ŭi]〈名・하他〉評議. 語例 ~원 評議員 / ~회 評議会.

평이-하다【平易—】(→하다)〈形〉平易だ. たやすい. 句例 평이한 문제 平易な問題.

***평일**【平日】〈名〉平日. 週日. ウィークデー. 文例 운동회가 중지되어 ~과 같이 수업하였다 運動会が中止したため, 平日どおり授業した. 對휴일(休日).

평점【評點】[p'yŏ:ngtchŏm]〈名〉評点. 句例 ~이 후하다 評点が甘い.

평정【平定】〈名・하他〉平定. 句例 천하를 ~하다 天下を平定する / 반란을 ~하다 反乱を平らげる / 난리를 ~하다 乱を平定する.

평정【平靜】〈名〉平静. **~하다**〈形〉平静だ. 句例 애써 ~을 가장하다 つとめて平静を装う / 마음의 ~을 잃다 心の平静を失う / ~을 유지하다 平静を保つ.

평준-화【平準化】〈名・하他〉平準化. 句例 임금의 ~ 賃金の平準化.

평지〈名〉〔植〕油菜. 菜の花. ＝유채(油菜).

평지【平地】〈名〉平地. 句例 ~가 적은 지역 平地の少ない地域. 對산지(山地).

평지-풍파【平地風波】〈名〉平地に波乱を起こすこと. 思いもよらないもめ事が起こることのたとえ. 句例 ~를 일으키다 平地に波乱を起こす.

***평탄-하다**【平坦—】(→하다)〈形〉(地面・心・物事が)平坦だ. 句例 평탄한 길 平坦な道 / 평탄한 인생 平坦な人生 / 전도가 ~치 않다 前途が平坦でない.

평판【平版】〈名〉〔印〕平版. 語例 ~ 인쇄 平版印刷.

평판【評判】[p'yŏ:ngp'an]〈名・하他〉評判. 句例 ~이 좋다〔나쁘다〕 評判がいい〔悪い〕/ ~이 높다 評判が高い / ~을 얻다 評判をとる / ~이 나다 評判が立つ〔出る〕.

***평평-하다**【平平—】(→하다)〈形〉平たい. 平らだ. 句例 평평한 길 平らな道. **평평히**〈副〉平たく. 平らに.

***평-하다**【評—】[p'yŏ:ng—](→하다)〈他〉['비평(批評)하다'・'평론(評論)하다'の略] 評する. 句例 인물을 ~ 人物を評する / 작품을 ~ 作品を評する.

***평행**【平行】〈名・하形〉平行. 句例 ~으로 선을 긋다 平行に線を引く / ~하는 두 직선 平行する二直線. 語例 ~ 이동 平行移動.

평행-봉【平行棒】〈名〉平行棒. 語例 이단 ~ 段違い平行棒.

ㅍ

*평행 사변형【平行四邊形】[—sa:byŏnhyŏng]〈名〉〔數〕平行四辺形. ＝나란히꼴.
*평행-선【平行線】〈名〉平行線. 句例 ~을 긋다 平行線を引く / 의견의 불일치로 ~을 걷다 意見の不一致で平行線をたどる.
參考 数学では'평행 직선'ともいう.
*평형【平衡】〈名・하形〉平衡. ＝균형(均衡). 句例 ~을 유지하다 平衡をたもつ. 語例 ~ 감각 平衡感覚.
평화【平和】〈名・하形〉平和. 句例 ~를 지키다 平和を守る / 가정의 ~를 어지럽히다 家庭の平和を乱す / ~적으로 해결하다 平和的に解決する / 세계 ~를 원하다 世界の平和を願う / ~를 사랑하는 사람들 平和を愛する人人. 語例 ~ 운동 平和運動 / ~ 통일 平和統一. **~스럽다 (→스럽다)〈形〉⇨ 평화롭다
*평화-롭다【平和—】(→롭다)〈形〉平和だ. ＝평화스럽다. 句例 평화로운 가정 平和な家庭 / 평화로운 세상 平和な世の中 / 평화롭게 살다 平和に暮らす. **평화로이**〈副〉平和に.
폐【肺】[p'ye:]〈名〉〔生〕肺. ＝폐장(肺臟). 허파. 부아. 句例 ~로 호흡하다 肺で呼吸する / ~를 앓다 肺を病む. 語例 ~활량 肺活量.
폐【弊】[p'ye:]〈名〉❶'폐단(弊端)'の略. ❷人に迷惑をかけること. 文例 남에게 ~가 되지 않도록 조용히 해라 人に迷惑にならないように静かにしなさい. →폐스럽다
폐(를) 끼치다 迷惑をかける. 世話をかける. 世話になる. 面倒をかける. 句例 이웃에 ~ 隣に迷惑をかける. 文例 폐를 끼쳐서 미안합니다 難儀をかけてすみません / 그때는 폐 많이 끼쳤습니다 その折は大変お世話さまになりました.
폐-【弊】[p'ye:]〈頭〉自分の方にあるものを謙遜して言うことば: 弊…. 語例 ~사 弊社.

폐 〔漢字項目〕

【幣(幣)】高校 폐 ヘイ. ❶돈 お金. ◨貨幣 화폐 かへい. 紙幣 지폐 しへい. 造幣 조폐 ぞうへい. ❷예물 礼物. ◧幣物 폐물 へいもつ. 幣帛 폐백 へいはく.
【廢(廃)】高校 폐 ハイ. ❶못쓰게 되다 廃れる. ◧廢物 폐물 はいぶつ. 廢墟 폐허 はいきょ. 廢屋 폐옥 はいおく. ❷지금까지 있던 것을 없애다 今まであったものを無くす. ◧廢止 폐지 はいし. 廢刊 폐간 はいかん. ◨改廢 개폐 かいはい. 撤廢 철폐 てっぱい.
【弊(弊)】高校 폐 ヘイ. ❶해치다 害する. ◧弊害 폐해 へいがい. 弊習 폐습 へいしゅう. ◨舊弊 구폐 きゅうへい. ❷피로에 지치다 疲れる. ◨疲弊 피폐 ひへい. ❸해지다 破れる. ◧弊衣 폐의 へいい. 弊履 폐리 へいり. ❹자기 쪽에 붙이는 겸칭 自分の方に付ける謙称. ◧弊店 폐점 へいてん. 弊社 폐사 へいしゃ.
【肺】高校 폐 ハイ. ❶폐 肺. 허파 肺臟. ◧肺炎 폐렴 はいえん. 肺病 폐병 はいびょう. 肺結核 폐결핵 はいけっかく. ◨心肺 심폐 しんぱい. 硅肺 규폐 けいはい(珪肺). ❷마음속 心の中. 진심 真心. ◧肺腑 폐부 はいふ.
【蔽】高校 폐 ヘイ. 덮다 覆う. 덮어씌우다 覆いかぶせる. ◧蔽塞 폐색 へいそく. ◨遮蔽 차폐 しゃへい.
【閉】中學 폐 ヘイ. ❶닫다 閉じる. ◧閉門 폐문 へいもん. 閉鎖 폐쇄 へいさ. ◨開閉 개폐 かいへい. ❷가두다 閉じ込める. 갇히다 閉じ込められる. ◧閉塞 폐색 へいそく. ◨密閉 밀폐 みっぺい. ❸마치다 終える. ◧閉會 폐회 へいかい. 閉校 폐교 へいこう. 閉店 폐점 へいてん.

폐가【廢家】[p'ye:ga]〈名・하自〉廃家. 句例 이농하여 ~가 되다 離農して廃家になる.
폐가-제【閉架制】[p'ye:ga—]〈名〉(図書館の)閉架の制度. 對개가제(開架制).
폐간【廢刊】[p'ye:gan]〈名・하他〉廃刊. 句例 잡지가 ~되다 雑誌が廃刊になる. 對창간.
폐갱【廢坑】[p'ye:gaeng]〈名・하自他〉廃坑. 句例 광석이 나오지 않아 ~되다 鉱石が出ないので廃坑になる.
폐-결핵【肺結核】[p'ye:—]〈名〉〔醫〕肺結核.
폐-곡선【閉曲線】[p'ye:—]〈名〉〔數〕(円などの)閉曲線.
폐교【廢校】[p'ye:gyo]〈名・하自〉廃校. 句例 학생이 줄어서 ~되다 学生が減ったので廃校になる. 對개교(開校).
폐기【廢棄】[p'ye:gi]〈名・하他〉廃棄. 句例 묵은 서류를 ~하다 古くなった書類を廃棄する. 語例 ~ 처분 廃棄処分.
폐기-물【廢棄物】[p'ye:gi—]〈名〉廃棄物. 語例 ~ 처리·廃棄物処理 / 산업 ~ 産業廃棄物 / 방사성 ~ 放射性廃棄物.
폐농【廢農】[p'ye:nong]〈名・하自〉農業をやめること.
폐단【弊端】[p'ye:dan]〈名〉❶煩わしく面倒なこと. ❷弊害になること. 句例 ~이 생기다 弊害が生じる / ~을 없애다 弊害をなくす. ▷略して'폐(弊)'ともいう.
폐-디스토마【肺distoma】[p'ye:—]〈名〉〔醫〕肺ジストマ.
*폐렴【肺炎】[p'ye:ryŏm]〈名〉〔醫〕[もとの語形は'폐염(肺炎)'] 肺炎.
폐막【閉幕】[p'ye:mak]〈名・하自他〉閉幕. 文例 박람회가 무사히 ~하였다 博覧会が無事に閉幕した. 語例 ~식 閉幕の式典. 對개막(開幕).
폐문【閉門】[p'ye:mun]〈名・하自〉閉門. 語例 ~ 시간(이 되다) 閉門時間(になる). 對개문(開門).
폐물【幣物】[p'ye:mul]〈名〉贈り物. ＝선물(膳物). →패물(佩物)
폐물【廢物】[p'ye:mul]〈名〉廃物. 語例 ~ 이용 廃物利用. 類폐품(廢品).
폐백【幣帛】[p'ye:baek]〈名〉新婦がしゅうと(舅)としゅうとめ(姑)に初対面の儀式で, お礼をしてから差し上げる なつめ・ほしし(脯)などの進上物.
參考 今は新郎といっしょに式場で婚礼のあとこの行事を行なう. また, この儀式をあげることを '폐백을 올리다'という.

폐병【肺病】[p'ye:ppyŏng]〈名〉❶肺病. 肺患. ❷'폐결핵'の俗っぽい言いかた.
폐부【肺腑】[p'ye:bu]〈名〉肺腑.
폐부를 찌르다 肺腑を突く. 句例 폐부를 찌르는 한 마디 말 肺腑をつく一言.
폐부에 새기다 肝に銘じる.
폐사【敝社・弊社】[p'ye:sa]〈名〉弊社. 對귀사(貴社).
폐사【斃死】[p'ye:sa]〈名・하自〉斃死. 句例 가축이 ~하다 家畜が斃死する.
폐색【閉塞】[p'ye:saek]〈名・하自他〉閉塞. 語例 ~ 장치 (鉄道の)閉塞装置 / 장~ 腸閉塞.
폐색 전선【閉塞前線】[p'ye:saek—]〈名〉〔氣〕閉塞前線.
폐쇄【閉鎖】[p'ye:swae]〈名・하他〉閉鎖. 句例 문을 ~하다 門を閉鎖する / ~적인 성격 閉鎖的な性格. 語例 ~(된) 사회 閉鎖社会. 對개방(開放).
폐수【廢水】[p'ye:su]〈名〉廃水. 語例 공장 ~ 工場廃水 / ~ 처리 장치 廃水処理装置.
폐-스럽다【弊—】[p'ye:—]（→스럽다）〈形〉煩わしい. 面倒だ. 厄介だ. 句例 폐스러운 일을 의논하다 厄介なことを相談する. **폐스레**〈副〉厄介になって.
폐습【弊習】[p'ye:sŭp]〈名〉弊習. ＝폐풍(弊風). 句例 ~을 타파하다 弊習を打破する / ~을 고치다 弊習を矯める.
폐액【廢液】[p'ye:aek]〈名〉廃液. 句例 공장의 ~ 工場の廃液. 類폐수(廢水).
폐어【廢語】[p'ye:ŏ]〈名〉廃語. ＝사어(死語).
폐업【閉業】[p'ye:ŏp]〈名・하自他〉❶閉業. ❷閉店.
폐업【廢業】[p'ye:ŏp]〈名・하自他〉廃業. 句例 회사를 ~하다 会社を廃業する. 語例 ~ 신고 廃業届け.
폐유【廢油】[p'ye:yu]〈名〉廃油. 語例 ~ 방출 廃油の垂れ流し.
폐인【廢人】[p'ye:in]〈名〉廃人. 文例 미쳐서 ~이 되었다 気が狂って廃人になった.
폐일언-하다【蔽一言—】[p'ye:irŏn—]（→하다）〈自〉('폐일언하고'の形で)一言でいえば. とにかく. 文例 폐일언하고 다시 만나자 とにかく改めて会うことにしよう.
폐장【肺臟】[p'ye:jang]〈名〉〔生〕肺臓. ＝폐(肺).
폐장【閉場】[p'ye:jang]〈名・하自他〉(会場の)閉場. 語例 ~되다 閉場になる. 對개장(開場).
폐점【閉店】[p'ye:jŏm]〈名・하自他〉閉店. 文例 오늘은 ~했습니다 今日は閉店しました / 이제 ~이다 もう看板だ. 對개점(開店).
폐점【敝店・弊店】[p'ye:jŏm]〈名〉弊店.
폐정【閉廷】[p'ye:jŏng]〈名・하自〉閉廷. 句例 ~을 선언하다 閉廷を宣する. 語例 ~되다 閉廷になる. 對개정(開廷).
폐지【廢止】[p'ye:ji]〈名・하他〉廃止. 句例 사형을 폐지하다 死刑を廃止する. 語例 ~안 廃止案 / ~되다 廃止される. 廃止になる. 類철폐(撤廢).
폐지【廢紙】[p'ye:ji]〈名〉紙くず. ＝휴지(休紙). 語例 ~ 재활용 紙くずのリサイクル.
폐질【廢疾】[p'ye:jil]〈名〉廃疾. 語例 ~자 廃疾者.
폐차【廢車】[p'ye:ch'a]〈名〉廃車. **~하다**〈自〉廃車にする. 廃車になる. 語例 ~ 처분 廃車処分.
***폐품**【廢品】[p'ye:p'um]〈名〉廃品. 語例 ~ 회수 廃品回収. 類폐물(廢物).
폐하【陛下】[p'ye:ha]〈名〉陛下. 語例 황제 ~ 皇帝陛下.
폐-하다【廢—】[p'ye:—]（→하다）〈他〉廃する. 句例 왕정을 ~ 王政を廃する / 학업을 ~ 学業を廃する / 허례를 ~ 虚礼を廃する / 식음(食飮)을 ~ 飲み食いを廃する.
폐해【弊害】[p'ye:hae]〈名〉弊害. 句例 ~가 생기다 弊害が生じる / 환경 오염의 ~ 環境汚染の弊害 / ~를 수반하다 弊害を伴う. 類악폐(惡弊).
폐허【廢墟】[p'ye:hŏ]〈名〉廃墟. 句例 ~가 된 거리 廃墟と化した街.
폐-활량【肺活量】[p'ye:—]〈名〉肺活量. 句例 ~을 재다 肺活量を量る.
폐회【閉會】[p'ye:hoe]〈名・하自他〉閉会. 句例 ~를 선언하다 閉会を宣する / 국회가 ~되다 国会が閉会になる / 총회를 ~하다 総会を閉会する. 語例 ~식 閉会式 / ~사 閉会の辞. 對개회(開會).
포【包】〈名〉韓国将棋のこま(駒)の一つ. 左右両方にあって, ほかのこまを一つ飛び越えることができる.
포【砲】〈名〉'대포(大砲)'の略: 砲. 語例 ~진지 砲陣地.
포【脯】〈名〉['포육(脯肉)'の略] 干し肉. ほしし(脯). ほしじし(乾肉). 句例 ~를 뜨다 干し肉にするために肉を薄切りにする.
-포〈尾〉'해 年' '달 月' '날 日'などにつけて, ある期間・間の意を表わす語: …ばかり. …も. 文例 만난 지 달~나 된다 会ったのが一箇月間にもなる.

포 〔漢字項目〕

【包(包)】高校 포 ホウ. ❶보자기 따위로 싸다 風呂敷などで包む. ■包装 포장 ほうそう. ■梱包 곤포 こんぽう. ❷둘러싸다 取り囲む. ■包圍 포위 ほうい. 包莖 포경 ほうけい. ❸안에 넣다 中に入れる. ■包含 포함 ほうがん. 包括 포괄 ほうかつ.

【布】中學 포 フ. ホ. ❶헝겊. 천 布. ■布衣 포의 ふい. ほい. 布帛 포백 ふはく. ■畫布 화포 がふ. ❷널리 알리다 広く知らせる. 펴다 広げる. ■布告 포고 ふこく. 布陣 포진 ふじん. ■公布 공포 こうふ. 流布 유포 るふ.

【抱(抱)】中學 포 ホウ. ❶안다 だく. 抱える. ■抱擁 포옹 ほうよう. 抱腹 포복 ほうふく. ❷마음에 품다 心にいだく. ■抱負 포부 ほうふ. 抱懷 포회 ほうかい.

【捕】高校 포 ホ. 붙잡다 捕まえる. 捕らえる. 붙잡히다 捕まる. ■捕殺 포살 ほさつ. 捕縛 포박 ほばく. 捕獲 포획 ほかく. 捕鯨 포경 ほげい. 捕手 포수 ほしゅ. ■逮捕 체포 たいほ.

ㅍ

【浦】 高校 포 ホ. ❶물가 江や湖のほとり. 바닷가 海岸. ◧浦口 포구 みなと(港)・わた(渡)しば(場). ❷바다가 쑥 들어간 곳 海が陸地にはいり込んだ所. ◧曲浦 곡포 うらわ(浦曲).

【胞(胞)】 高校 포 ホウ. ❶태아를 싸는 막 胎児を包む膜. ◧胞衣 포의 ほうい. えな. ❷모체 母体. ◧同胞 동포 どうほう. ❸생물체를 형성하는 세립 生物体を形成する細かい粒. ◧胞子 포자 ほうし. ◧細胞 세포 さいぼう.

【飽(飽)】 高校 포 ホウ. 싫증이 나다 飽きる. 배부르다 腹がいっぱいだ. ◧飽食 포식 ほうしょく. 飽和 포화 ほうわ. 飽腹 포복 ほうふく.

포【暴】⇨ 폭【暴】

포개다 〈他〉(ある物の上に)重ねる. 積み重ねる. (脚を)組む. 句例 책을 포개어 놓다 本を積み重ねて置く.

포갬-포갬 〈副〉物を重ねるさま: 重ね重ねに. 幾重にも. 句例 ～ 쌓은 가마니 積み重ねたかます.

포격【砲撃】〈名・하他〉砲撃. 句例 적 진지를 ～하다 敵の陣地を砲撃する / ～을 가하다 砲撃を加える / ～을 받다 砲撃を受ける.

포경-선【捕鯨船】[p'o:gyŏngsŏn]〈名〉捕鯨船.

포고【布告・佈告】[p'o:go]〈名・하他〉布告. 語例 선전 ～ 宣戦布告.

포고-령【布告令】[p'o:go—]〈名〉布告令. ある内容を布告する命令や法令.

포괄【包括】[p'o:gwal]〈名・하他〉包括. 句例 ～적으로 말하면 包括的に述べれば / 문제점을 ～하여 질문하다 問題点を包括して質問する.

포교【布教】[p'o:gyo]〈名・하他〉布教. 句例 ～에 종사하다 布教に従事する. 語例 ～사〔佛〕布教師. 類전도(傳道).

포구【浦口】〈名〉浦・入り江・湾の入り口.

***포근-하다** (→하다)〈形〉❶(布団などが)ふくよかだ. ふんわりしている. 句例 포근한 이불 ふくよかな布団. ❷(冬の気候が)風もなく暖かい. 文例 오늘은 겨울치고는 포근한 날씨다 今日は冬にしては暖かい天気だ. ❸(雰囲気などが)和やかだ. 句例 가정의 포근한 분위기 家庭の和やかな雰囲気. **포근히**〈副〉❶(ぽかぽかと)暖かく. ❷ふくよかに.

***포기** ━〈名〉草木の根元の部分: 株. 句例 국화의 ～를 나누다 菊の株を分ける. 語例 ～ 나누기 株分け.
━〈依名〉…株. 語例 배추 한 ～ 白菜一株.

***포기**【抛棄】[p'o:gi]〈名・하他〉放棄. 句例 권리를 ～하다 権利を放棄する / 경기를 ～하다 試合を放棄する〔投げる〕/ 시험을〔승부를〕～하다 試験〔勝負〕を投げる / 진학을 ～하다 進学をあきらめる. 語例 전쟁 ～ 戦争放棄.

포대【布袋】〈名〉布袋. 布のふくろ.

***포대**【包袋】〈名〉(布・紙・皮などでつくった)袋. ＝부대(負袋). 句例 ～에 넣다 袋に入れる.

포대【砲臺】〈名〉〔軍〕砲台. 句例 ～를 구축하다 砲台を築く.

****포대기**〈名〉赤ん坊をおんぶしたり寝かしたりするとき, かぶせるうすい布団. ねんねこ(ばんてん)のようなもの. ＝강보(襁褓).

****포도**【葡萄】〈名〉〔植〕ぶどう(葡萄). 句例 ～ 한 송이 ぶどうの一ふさ. 語例 ～나무〔植〕ぶどうの木 / ～밭 ぶどう畑. ぶどう園 / ～주 ぶどう酒. ワイン / 포돗빛 ぶどう色 / 건～ 干しぶどう.

포도-당【葡萄糖】〈名〉〔化〕ぶどう糖. 語例 ～액 ぶどう糖液.

포동-포동〈副・하形〉まるまる. むっちり. ふっくら(と). 句例 ～한 볼〔얼굴〕ふっくら(と)したほお〔顔〕/ ～ 살이 찌다 まるまると太る / ～한 아기 まるまるとした赤ん坊. 文例 소녀의 몸은 사춘기가 되면 ～해진다 少女のからだは年ごろになるとむっちりする.

포로【捕虜】[p'o:ro]〈名〉とりこ. ❶捕虜. 俘虜. 句例 ～의 몸 捕らわれの身. 文例 그는 적군의 ～가 되었다 彼は敵軍の捕虜になった. 語例 ～ 교환〔송환〕捕虜交換〔送還〕/ ～ 수용소 捕虜〔俘虜〕収容所. ❷なにかに熱中すること. 句例 사랑의 ～가 되다 恋のとりこになる.

포르말린〈名〉〔薬〕ホルマリン. フォルマリン. ◇formalin

포리【捕吏】[p'o:ri]〈名〉〔史〕捕吏. 捕り手. 捕り方. 句例 ～가 뒤를 쫓다 捕り手が後を追う.

포마드〈名〉ポマード. ◇pomade

포말【泡沫】〈名〉泡沫. 泡. ＝물거품. 語例 ～ 소화기 気泡消火器 / ～ 회사 泡沫会社. 設立されてすぐつぶれてしまう基礎の弱い会社.

포목【布木】〈名〉麻布と木綿. 語例 ～상(商) 反物商 / ～점(店) 反物屋.

포문【砲門】〈名〉砲門. 砲口.
포문을 열다 砲門を開く. 攻撃を開始する.

포물-선【抛物線】[p'o:mulssŏn]〈名〉〔數〕放物線. 句例 ～을 그리며 낙하하다 放物線を描いて落下する. 語例 ～ 운동〔物〕放物線運動.

포박【捕縛】[p'o:bak]〈名〉捕縛. **～하다**〈他〉捕縛する. 絡める. 縛する. 句例 범인을 ～하다 犯人を捕縛する / 도둑을 ～하다 盗人を絡める / 순순히 ～당하다 神妙に縄にかかる.

포병【砲兵】〈名〉〔軍〕砲兵. 句例 ～의 엄호 사격 砲兵の掩護射撃. 語例 ～대 砲兵隊 / ～진지 砲兵陣地.

포복【匍匐】〈名・하自〉匍匐. 腹ばうこと. 四つんばい. 句例 ～해서 전진하다 匍匐して前進する. 語例 ～ 전진〔軍〕匍匐前進.

포복-절도【抱腹絶倒】[p'o:bokchŏltto]〈名・하自〉抱腹絶倒. 略しては'절도'という. 句例 ～할 희극 抱腹絶倒の喜劇.

포-볼 [p'o:bol]〈名〉〔野〕フォアボール. ＝사구(四球). ◇일 four ballsから.

포부【抱負】[p'o:bu]〈名〉抱負. 句例 ～가 크

ㅍ

다 抱負が大きい / 금년 일년의 ~를 말하다 今年一年の抱負を語る.

포상【褒賞】〈名・하他〉褒賞. 句例 ~을 받다 褒賞をもらう / 유공자를 ~하다 功労者を褒賞する. 語例 ~ 수여 褒賞授与. 對징벌(懲罰).

포석【布石】[p'o:sŏk]〈名・하自〉布石. 句例 (바둑에서) ~을 연구하다 (囲碁で)布石を研究する / 차기 선거를 위한 ~ 次期選挙のための布石.

포섭【包攝】[p'o:sŏp]〈名・하他〉(相手を)抱き込むこと. 句例 유력자를〔적의 거물을〕~하다 有力者〔敵の大物〕を抱き込む.

포성【砲聲】〈名〉砲声. =폿소리. 句例 ~이 울려 퍼지다 砲声がとどろく / 은은한 ~ 殷殷たる砲声 / 귀청을 찢는 듯한 ~ 耳をつんざくような砲声.

포수【砲手】[p'o:su]〈名〉❶鉄砲打ち. 猟師. 句例 ~가 멧돼지를 쏘다 猟師がいのししを射つ. ❷〔軍〕砲手. 砲兵.

포수【捕手】[p'o:su]〈名〉〔野〕捕手. キャッチャー. 對투수(投手).

***포스터**〈名〉ポスター. 句例 ~를 붙이다〔떼어내다〕ポスターを張る〔はがす〕. 語例 ~ 컬러 포스터ーカラ. ◇poster

포스트〈名〉ポスト. ❶地位. 持ち場. 句例 중요한 ~에 앉다 重要なポストに就く. ❷郵便. 郵便箱. 語例 ~ 카드 ポストカード. 郵便葉書. ◇post

포승【捕繩】[p'o:sŭng]〈名〉捕り縄. 縄. 早縄. =오라. 오랏줄. 句例 ~으로 묶다 捕り縄で縛る / 범인에게 ~을 지우다 犯人に捕り縄をかける / 순순히 ~을 받다 神妙に縄にかかる.

포식【飽食】[p'o:shik]〈名・하他〉飽食. 語例 ~난의(暖衣) 飽食暖衣.

포악【暴惡】〈名〉暴悪. **~하다**〈形〉暴悪である. 句例 ~한 범인 暴悪な犯人. 語例 ~질 暴悪なふるまい. **~스럽다** (→스럽다)〈形〉暴悪である.

포옹【抱擁】[p'o:ong]〈名・하他〉抱擁. 句例 두 팔을 크게 벌리고 ~하다 大手を広げて抱擁する / 서로 ~하다 抱擁し合う.

포용【包容】[p'o:yong]〈名・하他〉包容. 句例 ~력이 큰 사람 包容力の大きい人. 文例 그는 사람을 ~하는 아량이 있다 彼は人を包容する雅量がある. 語例 ~성 包容性.

포위【包圍】[p'o:wi]〈名〉包囲. 囲み. **~하다**〈他〉包囲する. 取り囲む. 句例 ~를 풀다 囲み〔包囲〕を解く / 3면에서 적을 ~하다 三方から敵を包囲する / 사방을 적에게 ~당하다 四方を敵に囲まれる. 語例 ~ 공격 包囲攻撃 / ~되다. ~당하다 包囲される.

포위-망【包圍網】[p'o:wi—]〈名〉包囲網. 囲み. 句例 ~을 좁히다〔벗어나다〕包囲網を狭める〔脱する〕/ 적의 ~을 뚫다 敵の囲み〔包囲網〕を破る.

포유【哺乳】[p'o:yu]〈名・하他〉哺乳. 語例 ~기 哺乳期 / ~ 동물 哺乳動物.

포유류【哺乳類】[p'o:yu—]〈名〉〔動〕哺乳類. 文例 고래는 ~에 속한다 鯨は哺乳類に属する.

포인트〈名・依名〉ポイント. ❶要点. たいせつな点. 句例 중요한 ~를 잡다 重要なポイントをおさえる. 語例 세일즈 ~ セールスポイント. ❷得点. 点数. 語例 세트 ~ セットポイント. ❸〔印〕'포인트 활자 ポイント活字'の略: ポ《略語》. 句例 9~의 활자 九ポイントの活字 / 9~로 짜다 九ポで組む. ◇point

포자【胞子】〈名〉〔植〕胞子. =홀씨. 語例 ~낭 胞子嚢 / ~ 식물 胞子植物.

포장【布帳】〈名〉とばり. ほろ. 幕. 語例 ⇨ 포장마차

포장【包裝】〈名・하他〉包装. 荷造り. 句例 ~이 풀리다 包装が崩れる. 文例 ~이 잘 되어 있다 包装がよくできている. 語例 ~지 包装紙 / ~ 디자인 包装デザイン.

포장【鋪裝】〈名・하他〉舗装. 句例 ~된 길 舗装された道. 語例 ~ 도로 舗装道路. 舗道 / 아스팔트 ~ アスファルト舗装.

포장 마차【布帳馬車】[—ma:ch'a]〈名〉ほろ馬車. 屋台(店). 句例 ~에서 한잔 걸치다 屋台で一杯ひっかける.

포졸【捕卒】[p'o:jol]〈名〉〔史〕捕吏. 捕り手. =포도 군사(捕盜軍士).

포즈 [p'o:jŭ]〈名〉ポーズ. 句例 ~를 취하다〔바꾸다〕ポーズを取る〔変える〕. 文例 이 사진은 ~가 좋다 この写真はポーズがよい. ◇pose

포지션〈名〉ポジション. 地位. 位置. 持ち場. 句例 중요한 ~ 重要なポジション / 자기 ~을 지키다 自分のポジションを守る. ◇position

포진【布陣】[p'o:jin]〈名・하自〉布陣. 句例 강을 등지고 ~하다 川を背にして布陣する.

포착【捕捉】[p'o:ch'ak]〈名〉捕捉. **~하다**〈他〉捕捉する. 捕らえる. 句例 적 함대의 동태를 ~하다 敵の艦隊の動きを捕捉する / 기회를 ~하다 機会を捕らえる.

포커 [p'o:k'ŏ]〈名〉ポーカー. 語例 ~ 페이스 ポーカーフェース. ◇poker

포켓〈名〉ポケット. =호주머니. 句例 ~에 손을 넣다 ポケットに手を入れる. 語例 ~ 머니 ポケットマネー / ~북 ポケットブック / ~형 ポケット型. ◇pocket

***포크** [p'o:k'ŭ]〈名〉フォーク. 句例 나이프와 ~로 먹다 ナイフとフォークで食べる. ◇fork

포크 댄스 [p'o:k'ŭ—]〈名〉フォークダンス. =향토 무용. ◇folk dance

포크 송 [p'o:k'ŭ—]〈名〉〔樂〕フォークソング. =민요(民謠). ◇folk song

***포탄**【砲彈】〈名〉〔軍〕砲弾. =대포알. 句例 ~이 터지다 砲弾が破裂する / 적에게 ~을 퍼붓다 敵に砲弾を浴びせる / ~이 빗발치듯 하다 砲弾が雨あられと降る.

포탈【逋脫】[p'o:t'al]〈名・하他〉逋脱. 租税を逃れること. 脱税. 句例 세금을 ~하다 税金を逃れる.

포플러〈名〉〔植〕ポプラ. =미루나무. ◇poplar

포플린〈名〉ポプリン ◇poplin

포학【暴虐】[p'o:hak]〈名・하形〉暴虐. 句例 ~한 군주 暴虐な君主 / 온갖 ~한 짓을 다하다 暴虐の限りを尽くす. 語例 ~ 무도 暴虐無道.

ㅍ

포함【包含】〈名〉包含. **～하다**〈自他〉包含する. 含む. 込める. [句例] 교통비를 ～하다 交通費を含む / 여관비에 팁도 ～시키다 旅館代にチップも含める / 세금을 ～한 가격 税込み価格. [文例] 여러 가지 뜻이 ～되어 있다 いろいろな意味が含まれている / 운임까지 ～해서 5만 원입니다 運賃まで含めて五万ウォンです.
[表現] '포함'は 日本語の'包含'の意と'含む'の≣意がある.

포화【砲火】〈名〉砲火. [句例] ～를 퍼붓다 砲火を浴びせる / ～가 멎다 砲火がやむ. [語例] 십자～ 十字砲火.

포화【飽和】[p'o:hwa]〈名〉飽和. [句例] 인구가 ～ 상태가 되다 人口が飽和状態になる. [語例] ～량 飽和量 / ～ 용액〔化〕飽和溶液 / ～ 증기 飽和蒸気.

포환【砲丸】〈名〉砲丸. [語例] 투(投)～. ～던지기 砲丸投げ.

포획【捕獲】[p'o:hoek]〈名・하他〉捕獲. [句例] 고래를 ～하다 鯨を捕獲する / ～량이 늘다 捕獲量が増す. [語例] ～물 捕獲物.

포효【咆哮】〈名〉咆哮. ＝포호(咆號). **～하다**〈自〉咆哮する. たけ(哮)る. ほえたける. [句例] 사자의 ～ 獅子の咆哮. [文例] 호랑이가 ～하는 소리를 듣고서 오싹해졌다 虎のほえ声を聞いてぞっとした.

*__폭__【幅】[一]〈名〉幅. ❶よこ幅. 幅員. ＝너비. [句例] ～이 넓다〔좁다〕 幅が広い〔狭い〕/ ～을 넓히다 幅を広げる / ～이 넓은 넥타이 幅広のネクタイ / 강의 ～이 넓다 川の幅が広い.
❷(知識・事業・度量などの)範囲. 間口. [句例] ～ 넓은 활동 幅広い活動 / ～ 넓은 교제 広い交際 / ～이 넓은 사람 間口が広い人 / 연구의 ～을 넓히다 研究の間口を広げる.
[二]〈依名〉掛け軸・絵・反物・紙などを数える語: 幅. の(幅). [句例] 한 ～의 그림같은 풍경 一幅の絵のような風景 / 석자 ～의 이불 三幅ぶとん.

폭〈副〉'푹'の語感の小さい語.

폭 〔漢字項目〕

【幅】[高校] 폭 フク. ❶폭・나비 幅. ▐振幅 진폭 しんぷく. 全幅 전폭 ぜんぷく. 紙幅 지폭 しふく. ❷족자. 또 족자를 세는 말 掛け物. また, その数を数える語. ▐三幅 삼폭 さんぷく. 畫幅 화폭 がふく.

【暴】[中學] 폭 バク. 포 ボウ. [一]〔폭〕❶쬐다 さらす. ▌暴書 폭서 ばくしょ. ❷드러내다 あらわにする. ▌暴露 폭로 ばくろ.
[二]〔포〕사납다 荒荒しい. ▌暴惡 포악 ぼうあく. ▐横暴 횡포 おうほう.

【爆】[高校] 폭 バク. 터지다 はじける. 폭발하다 爆発する. ▌爆音 폭음 ばくおん. 爆彈 폭탄 ばくだん. 爆笑 폭소 ばくしょう. 爆風 폭풍 ばくふう. ▐自爆 자폭 じばく. 猛爆 맹폭 もうばく. 原爆 원폭 げんばく. 水爆 수폭 すいばく.

폭격【爆擊】〈名・하他〉爆撃. [句例] 마구 ～하다 むやみに爆撃する. [語例] 무차별〔융단〕～ 無差別〔絨緞〕爆撃 / ～기 爆撃機 / ～당하다 爆撃される.

폭군【暴君】〈名〉暴君. [句例] ～같이 굴다 暴君ぶりを発揮する / 우리 집의 ～ わが家の暴君.

폭도【暴徒】〈名〉暴徒. [句例] ～로 화하다 暴徒と化す / ～를 진압하다 暴徒を鎮圧する.

폭동【暴動】〈名〉暴動. [句例] ～이 일어나다 暴動が起こる / ～을 일으키다 暴動を起こす. [語例] ～죄 暴動罪 / ～ 진압 暴動鎮圧 / 농민 ～ 百姓一揆.

폭등【暴騰】〈名・하自〉暴騰. [句例] 인플레로 물가가 ～하다 インフレで物価が暴騰する / 지가〔땅값〕의 ～을 초래하다 地価の暴騰を招く. [對] 폭락(暴落). [類] 급등(急騰).

폭락【暴落】[p'ongnak]〈名・하自〉暴落. がた落ち. [句例] 주가〔달러〕가 ～하다 株価〔ドル〕が暴落する. [文例] 쇠고기 값이 ～했다 牛肉の値段が暴落した. [對] 폭등(暴騰).

폭력【暴力】[p'ongnyŏk]〈名〉暴力. [句例] ～을 가하다 暴力を加える / ～을 휘두르다 暴力をふるう / ～에 호소하다 暴力に訴える. [語例] ～단 暴力団 / ～배(輩) 暴力をふるう不良の徒. ぐれん隊《俗》/ ～ 행위 暴力行為 / ～주의 暴力主義. テロリズム.

폭로【暴露】[p'ongno]〈名〉暴露. **～하다**〈自他〉暴露する. 暴く. ばらす《俗》. すっぱぬく《俗》. [句例] 정체를〔부정을〕～하다 正体〔不正〕を暴露する / 마구 ～하다 暴き立てる / 비밀을 ～하다 秘密をばらす〔すっぱぬく〕/ 정계의 이면을 ～하다 政界の裏面をあばき出す. [語例] ～ 기사〔전술〕暴露記事〔戦術〕. [對] 은폐(隱蔽).

폭리【暴利】[p'ongni]〈名〉暴利. [句例] ～를 보다〔탐하다〕 暴利を得る〔むさぼる〕/ ～를 단속하다 暴利を取り締まる. [語例] ～ 행위 暴利行為. [對] 박리(薄利).

폭발【爆發】〈名・하自〉爆発. [句例] 화약이〔지뢰가〕～하다 火薬〔地雷〕が爆発する / 불만이〔분노가〕～하다 不満〔怒り〕が爆発する. [語例] 가스 ～ ガス爆発 / ～력〔물〕爆発力〔物〕/ 핵～ 核爆発.

*__폭발-적__【爆發的】[—tchŏk]〈名・冠〉爆発的. [句例] ～인 인기〔파워〕爆発的な人気〔パワー〕.

폭사【爆死】〈名・하自〉爆死. [句例] 지뢰를 건드려 ～하다 地雷に触れて爆死する.

폭삭〈副〉❶腐り切ったさま: すっかり. [文例] 달걀이 ～ 곯았다 卵がすっかり腐り切った. ❷(もろい物が)急に崩れるか落ちこむさまや音: どさりと. どさっと. [文例] 썩은 초가 지붕이 ～ 내려앉았다 腐ったわら屋根がどさっと崩れ落ちた.

폭설【暴雪】〈名〉(にわかの)大雪. 豪雪. どか雪. [文例] 간밤에 내린 ～로 교통은 거의 두절되었다 昨夜降った大雪で交通はほとんど途絶した.

폭소【爆笑】〈名・하自〉爆笑. [句例] ～가 일어나다 爆笑が起こる / ～를 자아내다 爆笑を誘う.

*__폭약__【爆藥】[p'ogyak]〈名〉〔化〕['폭발약(爆發藥)'の略] 爆薬. [句例] ～을 장치하다 爆薬をしかける. [語例] ～고 爆薬庫.

폭양【曝陽】[p'ogyang]〈名〉かんかん照りの日ざし. ＝뙤약볕. 불볕.

폭언【暴言】[p'ogŏn]〈名・하自〉暴言. 句例 ~을 하다 暴言を吐く / ~을 퍼붓다 暴言を浴びせかける.

폭우【暴雨】[p'ogu]〈名〉暴雨. 句例 도중에 ~를 만나다 途中で暴雨にあう.

폭음【暴飮】[p'ogŭm]〈名・하自他〉暴飲. 語例 ~ 폭식 暴飲暴食.

폭음【爆音】[p'ogŭm]〈名〉爆音. 句例 ~을 울리다 爆音をとどろかす / 귀청을 찢는 듯한 ~ 耳をつんざくばかりの爆音 / ~에 놀라서 잠을 깨다 爆音に驚かされて目を覚さます.

폭정【暴政】〈名〉暴政. ＝학정(虐政). 句例 ~에 시달리다 暴政に苦しめられる / ~을 타도하다 暴政を打倒する. ㊀인정(仁政). ㊊악정(惡政).

폭주【暴走】〈名・하自〉暴走. 句例 트럭이 ~하다 トラックが暴走する. 語例 ~족 暴走族. かみなり族 / ~차 暴走車 / ~ 택시 神風タクシー.

폭주【輻輳・輻湊】〈名・하自〉輻輳. 句例 기사가 ~하다 記事が輻輳する. 文例 연말에는 사무가 ~한다 年末には事務が輻輳する. ㊊러시(rush).

폭죽【爆竹】〈名〉爆竹. 句例 축하하는 ~을 터뜨리다 お祝いの爆竹を鳴らす. 語例 ~ 놀이 爆竹遊び / ~ 소리 爆竹の音.

*__폭탄__【爆彈】〈名〉爆弾. 句例 ~ 선언을 하다 爆弾宣言をする / ~을 투하하다〔떨어뜨리다〕爆弾を投下する〔落とす〕/ ~이 폭발하다 爆弾が爆発する. 語例 ~ 발언〔성명〕爆弾発言〔声明〕/ 시한 ~ 時限爆弾.

폭투【暴投】〈名・하他〉〔野〕暴投. ワイルドピッチ.

폭파【爆破】〈名・하他〉爆破. 句例 ~하여 바위를 깨뜨리다 爆破して岩を砕く. 語例 ~ 작업 爆破作業.

*__폭포__【瀑布】〈名〉[‘폭포수(水)’の略] 瀑布. 滝. 句例 ~의 물안개 滝の水煙 / ~(수)처럼 쏟아지다 滝のように降り注ぐ. 語例 ~ 줄기 滝の糸 / 나이아가라 ~ ナイアガラ瀑布.

폭풍【暴風】〈名〉暴風. あらし(嵐). 句例 격정의 ~ 激情のあらし / ~이 휘몰아치다 暴風が吹きすさぶ / 인플레〔불경기〕의 ~에 밀려나다 インフレ〔不景気〕のあらしに押し流される. 語例 ~권 暴風圏 / ~ 경보〔氣〕暴風警報.

폭풍 전의 고요 あらしの前の静けさ.

폭풍-우【暴風雨】〈名〉暴風雨. あらし(嵐). 句例 ~가 일다 暴風雨が起こる / ~를 만나다 あらしに遭う. 語例 ~ 주의보 暴風雨注意報.

폭행【暴行】[p'ok'aeng]〈名・하自〉暴行. 手込め. 句例 ~을 하다 暴行をはたらく / ~을 가하다 暴行を加える / 불량자에게 ~을 당하다 不良に手込めにされる. 語例 ~ (상해)죄 暴行(傷害)罪 / 집단 ~ 集団暴行.

폴라로이드 카메라〈名〉[‘폴라로이드 랜드(Land) 카메라’の略] ポラロイドカメラ《商標名》. ◇Polaroid camera

폴로네즈 [p'ollone:jŭ]〈名〉〔樂〕ポロネーズ. ◇프 polonaise

폴로 셔츠 [p'o:llo—]〈名〉ポロシャツ. ◇polo shirts

폴리-에스테르〈名〉〔化〕ポリエステル. ◇polyester

폴리-에틸렌〈名〉〔化〕ポリエチレン. ◇polyethylene

폴카〈名〉〔樂〕ポルカ. ◇polka

폼 [p'o:m]〈名〉フォーム. (からだの)姿勢. 句例 ~이 좋다 フォームがいい / 멋진 ~으로 달리다 美しいフォームで走る. 語例 배팅 ~ バッティングフォーム / 투구 ~ 投球フォーム. ◇form

폼(을) 잡다 身構えをする. 格好をつける.

폼(을) 재다 もったいぶる.

퐁-소리【砲—】〈名〉砲声. ＝포성(砲聲).

퐁당〈副〉小さく固い物が水に落ちる音: ぽちゃんと. 句例 연못에 돌멩이를 ~ 던지다 池に石ころをぽちゃんと投げる.

表現 語感の大きい語は‘풍덩’.

*__표__【表】〈名〉表. 句例 ~로 만들다 表にする / ~로 정리하다 表にまとめる / ~로 나타내다 表で示す. 文例 상세한 것은 다음 ~와 같다 詳細は次の表のとおりである. 語例 시간~ 時間表. 時間割り / 정가~ 定価表 / 연대~ 年代表.

표(가) 나다 よく目につく. 目立つ. 句例 표나게 굴다 人目につくようなふるまいをする / 표나게 예쁘다 際立って美しい.

*__표__【票】〈名・依名〉❶切符. 券. チケット. 札. 句例 ~를 사다〔끊다〕切符を買う / ~를 팔다 切符を売る. 語例 버스~ バスの切符 / 왕복~ 往復切符 / 차(車)~ 乗車券 / 꼬리~ 荷札. ❷(選挙などでの)票. 句例 깨끗한 한 ~ 清き一票 / …에게 한 ~를 던지다 …に一票を投じる. 語例 ~밭 票田 / 부동~ 浮動票.

*__표__【標】〈名・하他〉標. しるし. 目じるし. 札. マーク. 句例 ~를 해 놓다 しるしをつけておく / 분필로 ~를 하다 チョークでしるしをする. 語例 별~ 星じるし / 화살~ 矢じるし / 동그라미~ まるじるし / 이름~ 名札. →표(標)하다

표 〔漢字項目〕

【標】高校 표 ヒョウ. ❶표지 しるし. ▌標識 표지 ひょうしき. 標準 표준 ひょうじゅん. 標高 표고 ひょうこう. ▌目標 목표 もくひょう. ❷나타내다 表わす. ▌標語 표어 ひょうご. 標札 표찰 ひょうさつ. ▌商標 상표 しょうひょう.

【漂】高校 표 ヒョウ. ❶(물위를) 떠돌다 水の上を漂う. ▌漂着 표착 ひょうちゃく. 漂流 표류 ひょうりゅう. ❷물로 바래다 水でさらす. ▌漂白 표백 ひょうはく.

【票】高校 표 ヒョウ. ❶표 票. ▌傳票 전표 でんぴょう. 調査票 조사표 ちょうさひょう. ❷ 투표지 投票紙. ▌票決 표결 ひょうけつ. 票數 표수 ひょうすう. ▌開票 개표 かいひょう. ❸투표수를 세는 말 投票数を数える語. ▌三千票 삼천표 さんぜんひょう.

【表】 中學 표 ヒョウ. ❶바깥 表. ◧表紙 표지 ひょうし. 表面 표면 ひょうめん. ◨地表 지표 ちひょう. ❷겉에 나타내다 表に現す. ◧表現 표현 ひょうげん. 表札 표찰 ひょうさつ. ◨公表 공표 こうひょう. 發表 발표 はっぴょう. ❸그래프 グラフ. 그림 図. ◨圖表 도표 ずひょう. 年表 연표 ねんぴょう. ❹표면에 서다 表面に立つ. ◨代表 대표 だいひょう.

표결【表決】〈名・하他〉表決. 句例 거수에 의한 ~ 挙手による表決. 語例 ~권(=의결권) 表決権.

표결【票決】〈名・하他〉票決. 句例 안건을 ~에 부치다 案件を票決に付する. 文例 이견이 없으시면 ~에 들어가겠습니다 ご異見がなければ票決に移ります.

표고〈名〉〔植〕しいたけ(椎茸). 語例 ~버섯 '표고'の明らかな言いかた.

표고【標高】〈名〉標高. 海抜. 語例 ~점〔地〕標高点.

표구【表具】〈名・하他〉表具. 表装. =장황(粧潢). 語例 ~사 表具師. 表具屋. 経師屋.

표기【表記】〈名・하他〉表記. 句例 한글〔로마자〕로 ~하다 ハングル〔ローマ字〕で表記する. 文例 신청은 ~한 주소로 해 주시기 바랍니다 申し込みは表記のあて先へお願いします. 語例 외래어 ~법 外来語表記法.

표-나다【表—】⇨'표(表)'の小項目

표독-스럽다【慓毒—】(→스럽다)〈形〉毒毒しい. とげとげしい. 句例 표독스런 말투 とげとげしい話しかた. **표독스레**〈副〉毒毒しく. とげとげしく.

표독-하다【慓毒—】[p'yodok'ada](→하다)〈形〉残忍で毒毒しい. 句例 표독한 여자 とげとげしい女.

표류【漂流】〈名・하自〉漂流. 句例 배가 ~하다 船が漂流する / 바다를 ~하다 海を漂流する. 語例 ~선 漂流船 / 로빈슨 ~기 ロビンソン漂流記.

표리【表裏】〈名〉表裏. 裏表. 句例 ~가 없는〔있는〕 사람 表裏のない〔ある〕人 / ~ 없이 일하다 表裏〔陰ひなた〕なく働く. 文例 그는 ~ 부동(不同)한 사나이다 彼は裏表のある男だ. 語例 ~ 일체 表裏一体.

***표면**【表面】〈名〉表面. 表. 上べ. 上向き. 外面. 句例 ~에 서다〔나타나다〕 表面に立つ〔現れる〕 / 달의 ~ 月の表面 / ~상의 이유 表面の理由. 表向きの理由. 語例 ~장력〔物〕表面張力 / ~ 처리〔工〕表面処理.

囲み記事 89

▩ 표제어의 배열 見出しの並べかた ▩

本辞典の見出しの排列は, '닿소리 子音'によって大別し, その中で'홀소리 母音'の順を追って並べられる. その順序は次の通りである.

닿소리: ㄱ, ㄲ, ㄴ, ㄷ, ㄸ, ㄹ, ㅁ, ㅂ, ㅃ, ㅅ, ㅆ, ㅇ, ㅈ, ㅉ, ㅊ, ㅋ, ㅌ, ㅍ, ㅎ

홀소리: ㅏ, ㅐ, ㅑ, ㅒ, ㅓ, ㅔ, ㅕ, ㅖ, ㅗ, ㅘ, ㅙ, ㅚ, ㅛ, ㅜ, ㅝ, ㅞ, ㅟ, ㅠ, ㅡ, ㅢ, ㅣ

받침 終声: ㄱ, ㄲ, ㄳ, ㄴ, ㄵ, ㄶ, ㄷ, ㄹ, ㄺ, ㄻ, ㄼ, ㄽ, ㄾ, ㄿ, ㅀ, ㅁ, ㅂ, ㅄ, ㅅ, ㅆ, ㅇ, ㅈ, ㅊ, ㅋ, ㅌ, ㅍ, ㅎ

표면-적【表面的】〈名・冠〉表面的. 句例 ~인 관계 表面的な関係 / ~인 구실 表向きの口実. 語例 ~ 변화 表面的変化.

표면-화【表面化】〈名・하自〉表面化. 句例 사건〔대립〕이 ~하다 事件〔対立〕が表面化する.

표명【表明】〈名・하他〉表明. 句例 소신을〔사의를〕 ~하다 所信〔辞意〕を表明する / 유감의 뜻을 ~하다 遺憾の意を表明する.

표방【標榜】〈名・하他〉標榜. 句例 민주주의를 ~하다 民主主義を標榜する.

표백【漂白】〈名〉漂白. さらし. **~하다**〈他〉漂白する. さらす. 句例 천을 ~하다 布をさらす. 語例 ~ 공정 さらしの工程 / ~분(粉) さらし粉 / ~제〔작용〕 漂白剤〔作用〕.

표-범【豹—】〈名〉〔動〕ひょう(豹). 句例 ~처럼 민첩하다 ひょうのように敏捷だ.

표변【豹變】〈名・하自〉豹変. 句例 태도를 ~시키다 態度を豹変させる. 文例 회의 석상에서의 그의 ~에는 놀랐다 会議の席上での彼の豹変ぶりにはおどろいた.

***표본**【標本】〈名〉標本. 見本. サンプル. 句例 ~으로 하다 標本にする / ~을 만들다 標本をつくる / 속물의 ~ 俗物の標本. 文例 그는 불량배의 ~이다 彼は不良の見本である. 語例 ~실 標本室 / ~ 조사 標本調査 / ~ 추출 標本抽出. サンプリング / 곤충 ~ 昆虫標本.

표상【表象】〈名〉表象. シンボル. =상징(象徵). 文例 비둘기는 평화의 ~이다 はとは平和の表象である.

***표시**【表示】〈名〉表示. しるし. **~하다**〈他〉表示する. 示す. 句例 애정〔감사〕의 ~ 愛情〔感謝〕のしるし / 자기 의사를 ~하다 自分の意思を表示する. 文例 그저 성의의 ~입니다 ほんのおしるしです. 語例 ~등 表示灯 / 가격〔의사〕 ~ 価格〔意思〕表示.

표어【標語】〈名〉標語. モットー. スローガン. 句例 교통 안전의 ~ 交通安全の標語 / 친절 봉사를 ~로 내걸다 親切なサービスをスローガンに掲げる.

표음 문자【表音文字】[—muntcha]〈名〉〔言〕表音文字. =소리 글자. 對표의(表意) 문자.

표의 문자【表意文字】[—muntcha]〈名〉〔言〕表意文字. =뜻글자. 對표음(表音) 문자.

표적【標的】〈名〉標的. 的. ねら(狙)い. ターゲット. 句例 ~을 벗어나다 的をはずれる / 공격의 ~이 되다 攻撃の標的となる. 語例 ~ 사격 標的射撃.

표절【剽竊】〈名・하他〉剽窃. 盗作. 句例 ~한 것이 탄로〔들통〕나다 剽窃したのがばれる. 語例 ~물 剽窃物.

***표정**【表情】〈名・하他〉表情. 顔つき. 面持ち. 句例 ~이 흐려지다 表情がくもる / 밝은〔굳은〕 ~ あかるい〔かたい〕表情 / ~이 풍부한 사람 表情の豊かな人 / ~이 없다 表情にとぼし

い / 근심스런 ~ 心配そうな面持ち / 기쁜 듯한 ~ うれしそうな顔つき / 이상한 ~을 짓다 変な顔つきをする. 語例 ~술 表情術.

표제【標題・表題】〈名〉 表題〔標題〕. タイトル. 見出し. 句例 ~를 붙이다 表題〔見出し・タイトル〕をつける / 신문의 ~ 新聞の見出し / 눈을 끄는 ~ 人の目を引く見出し.

표제-어【標題語・表題語】〈名〉 見出し. 見出し語. エントリー. =올림말. →囲み記事 89

표주-박【瓢—】〈名〉 ひょうたん(瓢簞). ひさご. =표자(瓢子). 絵

〈표주박〉

***표준**【標準】〈名〉 標準. 句例 ~을 정하다〔세우다〕 標準を定める〔立てる〕/ ~에서 벗어나다 標準からはずれる / ~에 달하다 標準に達する. 語例 ~ 가정〔규격〕 標準家庭〔規格〕/ ⇨ 표준어 / ~시 標準時 / ~ 치수 標準サイズ / ~형 標準型.

표준-어【標準語】[p'yojunŏ]〈名〉〔言〕 標準語. =표준말. 對방언(方言). 사투리. 參考 韓国の標準語は, 教養のある人人の間で通用されている現代のソウルことばである.

표준-화【標準化】〈名・하他〉 標準化. 句例 규격의 ~를 도모하다 規格の標準化をはかる.

***표지**【表紙】〈名〉 表紙. =책(冊)뚜껑. 句例 ~를 넘기다 表紙をめくる / ~가 떨어진 책 表紙のとれた本. 語例 가죽 ~ 革の表紙 / 책 ~ 本の表紙.

표지【標識】〈名〉 標識. 目じるし. 句例 붉은 ~를 달다〔붙이다〕 赤い標識を付ける. 語例 ~등 標識灯 / 교통 ~ 交通標識 / 항로 ~ 航路標識.

표창【表彰】〈名・하他〉 表彰. 句例 장관에게 상신하여 ~을 의뢰하다 長官に上申して表彰を依頼する. 語例 ~식〔장〕 表彰式〔状〕/ ~받다 表彰される.

표층【表層】〈名〉 表層. 表面の層. 句例 지구의 ~ 地球の表層. 語例 ~ 눈사태 表層なだれ. 對심층(深層).

표피【表皮】〈名〉〔生〕 表皮. 句例 나무의 ~ 木の表皮.

표-하다【表—】(→하다)〈他〉 表する. 表わす. 示す. 句例 경의를 ~ 敬意を表する〔表わす〕/ 감사〔애도〕의 뜻을 ~ 感謝〔哀悼〕の意を表する.

표-하다【標—】(→하다)〈他〉 しるす. しるしをつける. 句例 읽다 만 곳을 표해 두다 読みさしの所をしるしておく.

***표현**【表現】〈名〉 表現. **~하다**〈他〉 表現する. 表わす. 言い表わす. 句例 정교〔완곡〕한 ~ たくみ〔婉曲〕な表現 / 노골적인 ~ むき出しの表現 / 문학적으로 ~되다 文学的に表現される / ~의 자유 表現の自由. 文例 ~은 다르나 내용은 한가지다〔같다〕 表現は違うが内容は一つだ / 그 사람은 ~이 서투르다 その人は表現が下手だ. 語例 ~력 表現力.

푯-말【標—】[p'yon]〈名〉 標識のくい. =표말(標抹). 표목(標木). 句例 ~을 박다 標識のくいを打つ.

푸 [p'u:]〈副〉 ❶唇を合わせて息を吹き出す音: ぷー. ❷へ(屁)が出る音: ぷー.

푸근-하다 (→하다)〈形〉 ❶(冬の天気が)なごやかだ. ぽかぽか暖かい. 句例 푸근한 겨울 날씨 ぽかぽか暖かい冬の日和. ❷(雰囲気などが)ほのぼのとしている. 句例 푸근한 인정미 ほのぼのとした人情味. ❸ふくよかで暖かい.

푸념〈名・하自〉 苦情をこぼすこと. 泣き言. 愚痴. 繰り言. 句例 ~을 늘어놓다 泣き言を並べる. 愚痴をこぼす / 늙은이의 ~ 年寄りの繰り言.

***푸다** (푸니, 퍼서)〈他〉 ❶(水・粉状の物などを)くみとる. すくう. 句例 두레박으로 물을 ~ つるべで水をくむ / 펌프로 물을 퍼 올리다 ポンプで水をくみ上げる / 배의 물을 퍼 내다 船の水をくみ出す / 삽으로 모래를 ~ シャベルで砂をすくいとる. ❷(飯を)かまなどから移す. よそう. 句例 공기에 밥을 퍼담다 茶わんにご飯をよそう / 손수 밥을 퍼서 먹다 手盛りで飯を食う.

푸닥-거리〈名・하自〉〔民〕 みこ(巫女)の厄払い行事.

푸-대접【—待接】〈名・하他〉 冷遇. =냉대(冷待). 박대(薄待). 句例 외지(外地) 사람이라 ~을 받다 よそ者のゆえに冷遇を受ける. 語例 ~받다 冷遇される. 對후대(厚待).

푸드덕〈副・하自他〉 鳥類が羽ばたく音: ばたばた. 句例 새가 ~ 날아오르다 鳥がばたばた(と)飛び立つ. **~거리다**〈自他〉 しきりにばたばたする〔させる〕.

푸드덕푸드덕〈副・하自他〉 ばたばた.

푸르께-하다 (→하다)〈形〉 青みがかっている. 句例 푸르께한 유리 青みがかったガラス.

푸르다 (푸르니, 푸르러서)〈形〉 ❶青い. 句例 푸른 산 青い山 / 푸른 하늘 青い空 / 푸른 잎의 계절 青葉の季節 / 바다가 ~ 海が青い. 文例 나뭇잎이 푸르러졌다 木の葉が青くなった. ❷気勢が鋭い. 句例 서슬이 푸른 얼굴로 노려보다 恐ろしいけんまくでにらみつける.

푸르디-푸르다 (—푸르니, —푸르러서)〈形〉 真っ青だ. 非常に青い. 句例 푸르디푸른 초원 青青とした草原.

푸르락-누르락 [p'urŭrang—]〈副・하自〉 興奮して顔色が青ざめたり黄色くなったりするさま: 青くなったり黄色くなったり.

푸르스름-하다 (→하다)〈形〉 青みがかっている. やや青い. 句例 푸르스름한 빛깔을 띠다 青みがかった色を帯びる.

푸르죽죽-하다 [p'urŭjukchuk'ada] (→하다)〈形〉(色がさえないで)濁った青色だ. どす青い.

푸른-곰팡이〈名〉〔植〕 青かび.

푸릇-푸릇〈副〉 点点と青いさま: 青青と. **~하다**〈形〉 点点と青い. 文例 새싹이 ~ 돋는다 新芽が青青と芽生える.

푸새[1]〈名〉(衣類などの)のり付け. ~하다〈他〉 のり付けをする.

푸새[2]〈名〉 雑草. 野草.

푸석-돌〈名〉〔鑛〕 もろい石. 略して'석돌'ともいう.

ㅍ

푸석-이 [p'usŏgi] 〈名〉 ❶もろくて砕けやすい物. もろいもの. ❷体質のもろい人. 意気地なし. 弱虫.

푸석-하다 [p'usŏk'ada] (→하다) 〈形〉 ❶(かさばったものが)ばさばさしてもろい. もろく砕けやすい. 句例 사과가 ~ りんごがぼそぼそしている. ❷(顔や肌につやがなく)むくんでいる.

푸석푸석 〈副・하形〉 ばさばさ. ぼろぼろ. 句例 가뭄으로 흙이 ~해지다 日照りで土がばさばさになる.

푸성귀 〈名〉 青物. 青菜. 菜っ葉. 野菜. 語例 ~ 시장 青物市場.

푸슬-푸슬 〈副・하形〉 粉などが水気が足りなくてよく固まらないさま: ぼろぼろ. ばらばら. ばさばさ.

表現 語勢の弱い語は'부슬부슬'.

푸주【一廚】 〈名〉 ⇨ 푸줏간

푸줏-간【一廚間】 〈名〉 肉屋. =푸주. 고깃간.

푸지다 〈形〉 (食べ物などが)たっぷりある. 句例 밥을 푸지게 먹다 ご飯をたっぷり食べる.

푸짐-하다 (→하다) 〈形〉 (食べ物や品物などが)たっぷりあってにぎにぎしい. もりだくさんだ. 句例 밥상을 푸짐하게 하다 食膳をにぎわす / 음식이 푸짐한 잔치 ごちそうがたっぷりの祝宴 / 잔치가 ~ 宴会がすばらしくにぎやかだ. **푸짐히** 〈副〉 たっぷりと. にぎやかに.

푹 〈副〉 ❶深いさま: ふかく. ぐっすり. たっぷり. 句例 잠이 ~ 들다 ぐっすり寝入る.
❷深く突き刺すさま: ぶすっと. ぶすりと. ぐさりと. 句例 송곳으로 ~ 찌르다 きりでぶすっと突き刺す / 단도로 ~ 찌르다 短刀でぐさりとつく. 文例 굵은 주사기를 팔뚝에 ~ 찔렀다 太い注射器を腕にぶすりと刺した.
❸表にあらわれないように包みかぶせるさま: すっぽり. 句例 모자를 ~ 내려 쓰다 帽子を目深にかぶる / 이불을 ~ 뒤집어 쓰다 ふとんをすっぽり(と)かぶる.
❹よく煮たてるさま: 十分に. じっくり(と). 句例 콩을 ~ 삶다 豆を煮込む / 닭을 ~ 고다 鶏をじっくりと煮込む.
❺深く掘られているさま: ぼこっと. 文例 구덩이가 ~ 패였다 くぼみがぼこっと掘られている.
❻にわかに減るさま: どっかり. 句例 수입이 ~ 줄다 収入がどっかり減る. 文例 몸무게가 갑자기 ~ 줄었다 体重がどっかり減った.
❼気を落としてうなだれるさま: がっくり(と). 句例 어깨를 ~ 떨어뜨리다 がっくり(と)肩を落とす / 고개를 ~ 떨어뜨리다 がっくり(と)首をたれる.
❽泥などにはまりこむさま: すぽっと. 句例 수렁에 ~ 빠지다 どろぬまにすぽっとはまる.
❾力なくべたりとくずおれるさま: ばったり. ばたっと. どっと. 句例 ~ 쓰러지다 ばったり(と)倒れる.

푹신-하다 (→하다) 〈形〉 ふわふわする. ふかふかする. ふくよかだ. 句例 푹신한 침대 ふかふかのベッド. **푹신히** 〈副〉 ふくよかに. ふかふかに.

푹-푹 [p'u:kp'uk] 〈副〉 ❶深く突き刺すさま: ぐさぐさ. ぶすぶす. 句例 단도로 ~ 찌르다 短剣でぐさぐさと刺す.
❷全部腐ったさま: すっかり. 句例 음식이 ~ 썩다 食べ物がすっかり腐る.
❸中身までよく煮えたさま: じゅうぶんに. 句例 ~ 삶다 じゅぶんに煮る.
❹続けざまにうずくさま: ずきずき. ずきんずきん. 句例 곪은 손가락이 ~ 쑤시다 う(膿)んだ指がずきずきとうずく.
❺蒸し暑いさま: むんむん. むしむし. 句例 ~ 찌는 삼복(三伏) 더위 むんむんする三伏の暑さ.
❻ぬかるみなどにはまるさま: ずぼっずぼっ. ずぶりずぶり. 句例 진창에 발이 ~ 빠지다 足がぬかるみの中にずぼっずぼっとはまる.

푹-하다 [p'uk'ada] (→하다) 〈形〉 (冬の天気が)ぽかぽかと暖かい.

푼[1] 〈依名〉 百分率の単位: 分. 句例 5할 2~ 五割二分.

*****푼**[2] [p'u:n] 〈依名〉 ❶昔の金銭の単位: 文. 句例 몇 ~ 안 되는 돈 いく文にもならないお金 / 한 ~도 없다 一文もない. ❷重量の単位: 分. 句例 한 돈 닷 ~ 一匁五分. ❸長さの単位: 分. 句例 두 치 서 ~의 길이 二寸三分の長さ.

푼더분-하다 (→하다) 〈形〉 ❶(顔立ちが)福福しい. ふっくらとしている. ふくよかだ. ❷(暮らしが)豊かだ. 句例 푼더분한 살림살이 豊かな暮らし.

푼-돈 [p'u:ntton] 〈名〉 はした金. 小銭. ばら銭. 句例 ~을 모으다 小銭をためる.

푼푼-이 [p'u:np'uni] 〈副〉 一銭二銭と. わずかずつ. 句例 ~ 저금하다 少しずつ貯金する.

⁑**풀**[1] 〈名・하自〉 のり(糊). 句例 ~을 묽게 하다 のりをうすめる / ~을 쑤다 のりをつくる / 옷에 ~을 먹이다 のりづけをする.

⁑**풀**[2] 〈名〉 ❶草. 句例 ~이 나다 草が生える / ~이 마르다 草が枯れる / ~을 뽑다 草を取る / ~을 베다 草を刈る. ❷'갈풀 草肥'の略.

풀[3] 〈名〉 '풀기(氣)'の略.
풀(이) 서다 (布などに)のりがきく.
풀(이) 없다 元気がない. しおれている.
풀(이) 죽다 ❶のりがきいていない. ❷元気がなくしょげている.

풀-기【一氣】 [p'ulkki] 〈名〉 ❶のり気. 句例 ~가 없다 のり気がない. ❷元気. 活気. 文例 젊은이가 통 ~가 없다 若者が全く元気がない. ▷略して'풀[3]'ともいう.

⁑**풀다** 〈他〉 (푸니, 풀어서) ❶解く. ほどく. ほぐす. 句例 매듭을 ~ 結び目を解く. 絵 / 머리를 ~ 髪をほどく.
❷人などを動員する. 句例 경찰을 풀어 범인을 찾다 警察を動員して犯人を捜す.
❸解除する. 解く. ゆるめる. 句例 계엄령을 ~ 戒厳令を解く / 통제를 ~ 統制をゆるめる.
❹液体に他の物を溶かすか混ぜる. 句例 설탕을 물에 ~ 砂糖を水に溶かす / 맥주에 위스키를 ~ ビールにウイスキーを混ぜる.
❺(問題などを)解く. 解釈する. 解決する. 句例 수학 문제를 ~ 数学問題を解く.
❻(感情・恨みなどを)和らげる. 晴らす. 句例 노여움을 ~ 怒りを解く / 원한을 ~ 恨み

を晴らす / 서로 감정을 ~ お互いに気持ちを和らげる.
❼(土地を)耕す. 起こす. 田をつくる. 句例 물을 끌어 논을 ~ 水を引いて田をつくる.
❽鼻をかむ. 句例 화장지로 코를 ~ ちり紙で鼻をかむ. 絵
❾(渇きなどを)いやす. なおす. 句例 갈증을 ~ 渇きをいやす.
❿(肩の凝りなどを)ほぐす. 句例 뻐근한 어깨를 ~ 肩の凝りをほぐす.

매듭을 풀다 화장지로 코를 풀다

〈풀다〉

***풀리다** 〈自〉❶解ける. ほどける. ほぐれる. 句例 엉클어진 매듭이 ~ もつれた結び目が解ける / 구두끈이 ~ 靴のひもがほどける / 응어리가 ~ しこりがほぐれる.
❷(寒さが)和らぐ. 緩む. 文例 추위가 많이 풀렸다 寒さが大分和らいだ.
❸(疑いや誤解などが)なくなる. 晴れる. 句例 의심이 ~ 疑いが晴れる / 원한이 ~ 恨みが晴れる.
❹(問題が)解ける. 明らかになる. 句例 문제가 ~ 問題が明らかになる / 수수께끼가 ~ なぞが解ける.
❺(規律や元気などが)解ける. 緩む. なくなる. 句例 긴장된 마음이 ~ 張りきった気持ちが緩む / 맥이 탁 ~ 気力がなくなる.
❻(液体に他の物が)溶ける. 句例 비누가 물에 잘 ~ 石鹼が水によく溶ける.
❼(禁令・職位などが) 解除される. 解ける. 句例 금지령이 ~ 禁止令が解除される / 직무에서 ~ 役目が解ける.
❽(拘束状態から)自由になる. 釈放される. 句例 구속된 사람이 ~ 拘束中の人が釈放される.

풀-먹이다 [—mŏgida]〈自〉(布・紙などに)のり(糊)づけする. 句例 풀먹인 옷 のりづけした着物.

풀무 〈名〉ふいご.

***풀-밭** 〈名〉草地・くさち. 草原・くさはら. 草むら.

풀-벌레 〈名〉草の虫.

풀 베이스 〈名〉〔野〕フルベース. 満塁. ◇일 full base

풀-빛 [p'ulppit]〈名〉草色. ㊫풀색.

풀-솜 [p'ulssom]〈名〉真綿.

***풀-숲** 〈名〉草むら. 草やぶ.

풀썩 〈副・하自〉煙・ほこりなどが急に立ちのぼるさま: ぱっと. ふわっと. 句例 갑자기 연기가 ~ 피어오르다 急に煙がぽっと立ちのぼる.
~거리다〈自〉(ほこり・煙などが)しきりにふわっと立つ. ぽっと立つ.
풀썩풀썩 〈副・하自〉ぽっぽっと. ふわっふわっと.

풀-쑤다 〈自〉❶のり(糊)をつくる. ❷(比喩的に)財物をやたらに使い果たすこと.

풀어-내다 [p'urŏnaeda]〈他〉❶(もつれた物を)解きほぐす. 解く. 句例 엉킨 실을 ~ もつれた糸を解きほぐす. ❷(むずかしい問題などを)解き明かす. 解明する. 句例 까다로운 수학 문제를 ~ ややこしい数学問題を解き明かす / 암호를 ~ 暗号を解明する.

풀어-놓다 [p'urŏnot'a]〈他〉❶解き放す. 放つ. 釈放する. 句例 개를 ~ 犬を解き放す.
❷(探索のため人たちを)放つ. 配置する. 句例 시내 곳곳에 형사를 ~ 市内方方へ刑事を配置する.

풀어-지다 [p'urŏjida]〈自〉❶(結んだ物・もつれた物などが) 解ける. ほどける. ほつれる. 句例 매듭이 ~ 結び目がほどける.
❷(寒さが)和らぐ. 緩む. 句例 추위가 ~ 寒さが緩む.
❸(恨み・疑いなどが)晴れる. 解ける. 消える. 句例 감정이 ~ 感情のもつれが消える / 원한이 ~ 恨みが晴れる / 혐의가 ~ 嫌疑が晴れる.
❹液体によく溶ける. 句例 설탕이 물에 잘 ~ 砂糖が水によく溶ける.
❺(固い物などが)やわらかくなる. しまりがなく膨らむ. 伸びる. 句例 가락국수가 ~ うどんが伸びる.
❻(問題が)解ける. 明らかになる. 句例 어려운 문제가 ~ むずかしい問題が解ける.
❼(統制・禁令などが)解ける. 解除される. 句例 금지령이 ~ 禁止令が解除される.

풀이 [p'uri]〈名・하他〉〔言〕解釈. 解くこと.

-풀이 [p'uri]〈尾・하自〉厄払いをすること. 句例 액~하다 厄払いをする.

풀이-말 [p'uri—]〈名〉〔言〕⇨ 술어(述語)

풀이-씨 [p'uri—]〈名〉〔言〕⇨ 용언(用言)

풀-잎 [—lip]〈名〉草葉. 草の葉.

풀-장 【pool場】[p'u:ljang]〈名〉プール. 水泳場.

풀-죽다 ⇨ '풀³'の小項目

풀-칠 【—漆】〈名・하自〉❶のり(糊)をつけること. 句例 창호지에 ~하다 障子紙にのりをつける. ❷糊口をしのぐこと. やっと暮らしをたてること. 文例 겨우 입에 ~할 정도다 辛うじて糊口をしのぐ程度だ.

풀 카운트 〈名〉〔野〕フルカウント. 打者のボールカウントが ツーストライク スリーボールの状態. ◇full count

풀-피리 〈名〉[もとの語形は'풀잎 피리'] 草笛.

풀-하다 (→하다)〈自〉(布・紙などに)のり(糊)づけする. =풀먹이다.

***품**[1] 〈名〉❶上着の胸幅. 背幅. 句例 앞~이 넓다 胸幅が広い / 뒤~이 좁다 背幅が狭い. ❷胸. 懐. また, 比喩的にあたたかく迎え入れてくれるところ. 句例 엄마 ~에 안긴 어린이 母の懐に抱かれている子供 / 자연의 ~에 안기다 自然の懐に抱かれる.

ㅍ

품² 〈名〉手数. 手間. 労力. 句例 ～이 많이 들다 手間〔労力〕が多くかかる.

품³ [p'u:m]〈依名〉動詞についてその動作や格好を表わす語: ふ(振)り. さま. ようす. 句例 글씨 쓰는 ～ 字の書きぶり / 말하는 ～이 신사답다 ことばつきが紳士にふさわしい.

품 〔漢字項目〕

【品】 中學 품 ヒン. ❶물건 品物. ▐品質 품질 ひんしつ. 品種 품종 ひんしゅ. ▐商品 상품 しょうひん. 製品 제품 せいひん. ❷등급 等級. 계급 階級. ▐品位 품위 ひんい. 品格 품격 ひんかく. ▐氣品 기품 きひん. 上品 상품 じょうひん.

품-값 [p'umkkap]〈名〉労賃. 賃金. ＝품삯. 句例 ～이 비싸다 賃金が高い. →값 参考

품-갚음 [p'umgap'ŭm]〈名・하自〉労力の見返り.

품격【品格】[p'u:mkkyŏk]〈名〉品格. 品位. 句例 ～이 떨어지다 品格が落ちる.

품계【品階】[p'u:mgye]〈名〉〔史〕官吏の職位と等級. 類위계(位階).

품귀【品貴】[p'u:mgwi]〈名・하形〉品切れ. 品薄. 品枯れ. 文例 이 물품은 ～ 상태다 この品物は品薄だ.

***품다** [p'u:mtta]〈他〉❶懐に入れたりかかえる. 抱く. 句例 가슴에 아기를 ～ 赤ん坊を胸に抱く / 암탉이 알을 ～ めんどりが卵を抱く. ❷(湿気などを)含む. 含有する. 文例 물기를 많이 품고 있다 水気を多く含んでいる. ❸(考えなどを)いだく. 句例 의심을 ～ 疑いをいだく / 희망을 ～ 希望をいだく.

품명【品名】[p'u:mmyŏng]〈名〉品名. 品物のなまえ.

품목【品目】[p'u:mmok]〈名〉品目. 品物の種類や目録.

품사【品詞】[p'u:msa]〈名〉〔言〕品詞. 語例 ～론 品詞論.

품-삯 [p'umssak]〈名〉労賃. 賃金. 手間賃. ＝품값. 句例 약간의 ～을 받다 わずかな賃金をもらう. →삯 参考

품성【品性】[p'u:msŏng]〈名〉品性. 句例 ～이 비열하다 品性が下劣である.

품성【稟性】[p'u:msŏng]〈名〉稟性. 天性. 句例 ～이 착하다 稟性が善良だ.

***품-속** [p'umssok]〈名〉懐. 懐中. 胸. ＝품안. 句例 ～에 집어 넣다 懐にしまい込む / 할아버지(의) ～에 안기다 おじいさんの胸に抱かれる.

품신【稟申】[p'u:mshin]〈名・하他〉稟申. 上申. 句例 계획서를 ～하다 計画書を上申する.

ㅍ

***품-안** [p'uman]〈名〉懐. 懐中. ＝품속.

품-앗이 [p'umashi]〈名・하自〉(野良仕事などで)互いに労力を提供して助け合うこと. 労力での相互扶助.

품위【品位】[p'u:mwi]〈名〉品位. ❶位階と地位 / ❷気品. 威厳. 句例 ～를 떨어뜨리다 品位を落とす〔威厳を失う〕/ ～가 있는 사람 品位のある人 / ～가 떨어지다 品位がさがる.

품의【稟議】[p'u:mŭi]〈名・하他〉(上役に対する)稟議. 語例 ～서 稟議書.

***품종**【品種】[p'u:mjong]〈名〉品種. 句例 벼의 ～ 稲の品種. 語例 ～ 개량 品種改良.

***품질**【品質】[p'u:mjil]〈名〉品質. 句例 ～이 떨어지다 品質がおとる / ～을 높이다 品質を高める. 語例 ～ 관리 品質管理 / ～ 보증 品質保証 / ～ 향상 品質向上.

품-팔다 (품파니, 품팔아서)〈自〉手間仕事をする. 日雇い労働をする. 賃労働をする.

품-팔이 [p'ump'ari]〈名・하自〉賃労働. 手間仕事. 日雇い仕事. 語例 ～꾼 日雇い. 日雇い労働者.

품평【品評】[p'u:mp'yŏng]〈名・하他〉品評. 語例 ～회 品評会.

품행【品行】[p'u:mhaeng]〈名〉品行. 行ない. 身持ち. ふるまい. 句例 ～이 나쁜 사나이 身持ちの悪い男 / ～을 바르게 하다 品行を正す.

풋-〈頭〉(名詞について) ❶新しい…. 初物の…. 語例 ⇨ 풋내기. ❷未熟の…. 語例 ⇨ 풋고추 / ～대추 未熟ななつめ.

풋-감〈名〉あおがき(青柿).

풋-거름〈名〉緑肥. 草肥.

풋-것〈名〉初物. 走り.

풋-고추〈名〉青とうがらし(唐辛子).

풋고추 절이김치 青とうがらしの塩漬けキムチ. 塩漬けキムチに青とうがらしを入れるのが当然であるように, 互いに仲が非常にいい人をあざけって言う語.

풋-곡식【一穀食】〈名〉まだ十分に実っていない穀物.

풋-과실【一果實】〈名〉熟していない果物.

풋-김치〈名〉春や秋, 初物の大根・白菜で漬けたキムチ.

풋-나무 [p'un—]〈名〉'갈잎나무 落葉樹' '새나무 すすき' '풋장 くぬぎや雑木の枝'などの総称.

풋-나물 [p'un—]〈名〉春に出た若芽のあえもの.

풋-내 [p'unnae]〈名〉❶(新芽・若葉などの)青くさいにおい. ❷未熟で幼稚であること. 句例 ～ 나는 애송이 青くさい若造.

풋-내기 [p'unnaegi]〈名〉新米. 新人. 青二才. 文例 저 ～가 무엇을 할 수 있겠나 あの青二才に何ができるか. 語例 ～ 기자 青二才の記者.

풋-배〈名〉十分に熟していないなし(梨).

풋-볼 [p'utpo:l]〈名〉フットボール. ◇football

풋-사랑〈名〉❶幼いときの恋. ❷はかない恋. かりそめの恋. あだ情.

풋-콩〈名〉十分に実っていないさや(莢)の中の豆. 枝豆.

풋풋-하다 [p'utp'ut'ada] (→하다)〈形〉(初物のように)みずみずしい. いきいきしている. 生きがいい.

풍¹【風】〈名〉'허풍'の略: ほら. うそ. 句例 ～을 떨다 ほらを吹く.

풍²【風】〈名〉〔韓醫〕風. ❶脳・筋肉などの感覚を失い, からだが不自由になる病気. ❷原因不明の皮膚疾患.

-풍【風】〈尾〉(名詞について)風俗・様式などの意を表わす語: …風. 句例 동양～의

그림 東洋風の絵. 語例 서구~ 西欧風 / 학자~ 学者風.

풍 〔漢字項目〕

【楓】中學 풍 フウ. 단풍나무 かえで・紅葉. ▮楓林 풍림 ふうりん. 楓葉 풍엽 ふうよう. ▮丹楓 단풍 もみじ(紅葉).

【豐(豊)】中學 풍 ホウ. ❶풍년들다 豊年になる. ▮豊作 풍작 ほうさく. 豊凶 풍흉 ほうきょう. ❷넉넉하다 豊かだ. ▮豊富 풍부 ほうふ.

【風】中學 풍 フウ. フ. ❶바람 風. 바람이 불다 風が吹く. ▮風車 풍차 ふうしゃ. 風雪 풍설 ふうせつ. ▮颱風 태풍 たいふう. 季節風 계절풍 きせつふう. ❷관습 慣習. 풍습 風習. ▮風俗 풍속 ふうぞく. ▮家風 가풍 かふう. 校風 교풍 こうふう. 惡風 악풍 あくふう. ❸소문 うわさ. ▮風說 풍설 ふうせつ. 風聞 풍문 ふうぶん. ❹취향 趣向. ▮風流 풍류 ふうりゅう. 風情 풍정 ふぜい.

*__풍경__【風景】〈名〉風景. 景色. 句例 ~을 화폭에 옮기다 風景を画幅に移す. 語例 전원 ~ 田園風景 / ~화 風景画.

풍경【風磬】〈名〉 風鈴. 風鐸. 絵 句例 처마 끝의 ~이 울리다 軒端の風鈴が鳴る.

〈풍경〉

풍광【風光】〈名〉 風光. ＝경치(景致). 語例 ~ 명미 風光明媚.

풍구【風一】〈名〉❶〔農〕唐箕. ❷ふいご. ＝풀무.

풍금【風琴】〈名〉〔樂〕オルガン.

풍기【風紀】〈名〉風紀. 句例 ~를 어지럽히다 風紀を乱す. 語例 ~ 문란 風紀紊乱.

풍기다〈自他〉❶(かおり・気配などが)におう. 漂う. 漂わす. 放つ. 句例 꽃 향기가 ~ 花の香かりが漂う / 악취를 ~ 悪臭を放つ / 학자 냄새를 ~ 学者くさい. ❷(鳥などが)四方に散る. 飛び立たせる. 句例 새 떼를 ~ 鳥の群れを飛び立たせる. ❸(穀物を)吹き分ける. 句例 벼를 바람에 대고 ~ もみを風にさらして吹き分ける.

*__풍년__【豊年】〈名〉豊年. 對흉년(凶年).

풍년(이) 들다 豊作だ. 豊年になる.

풍덩〈副・하自他〉大きく重い物が深い水の中に落ちる音: どぶんと. どぼんと. 文例 웅덩이에 큰 돌이 ~ 떨어졌다 よど(淀)みの中に大きな石がどぶんと落ちた. **~거리다**〈自他〉どぶんどぶんと落ちる.

풍덩풍덩〈副・하自他〉どぶんどぶん. どぼんどぼん.

풍뎅이〈名〉〔蟲〕こがねむし(黄金虫).

풍-떨다 (풍떠니, 풍떨어서)〈自〉[‘허풍 떨다’の略] ほらを吹く.

풍랑【風浪】[p’ungnang]〈名〉風浪. 波風. 句例 ~에 시달리고 있는 어선 風浪にもまれている漁船.

풍력【風力】[p’ungnyŏk]〈名〉 風力. 語例 ~계 風力計 / ~ 발전 風力発電.

풍력 계급【風力階級】[p’ungnyŏk—]〈名〉風力階級.

*__풍로__【風爐】[p’ungno]〈名〉こんろ(焜炉). 語例 석유 ~ 石油こんろ / 가스 ~ ガスこんろ.

풍류【風流】[p’ungnyu]〈名〉風流. 句例 ~를 즐기다 風流をたしな(嗜)む. 語例 ~객 風流人 / ~ 놀이 風流遊び.

풍만【豊滿】〈名・하形〉豊満. 句例 ~한 육체 豊満な肉体.

풍매-화【風媒花】〈名〉〔植〕風媒花.

풍문【風聞】〈名〉風聞. 風説. うわさ. 風の便り. 句例 ~에 들으면 風の便りに聞けば. 文例 그것은 단지 ~에 지나지 않는다 それはただ風聞にすぎない.

풍물【風物】〈名〉❶風物. ＝경치(景致). 句例 전원의 ~ 田園の景色 / 시적 ~ 詩的な風物. ❷〔樂〕農楽に用いる楽器の総称. ❸農楽.

풍미【風味】〈名〉風味. 句例 ~가 있다 風味がある.

풍미【風靡】〈名・하自他〉 風靡. 句例 일세를 ~하다 一世を風靡する.

*__풍부-하다__【豊富一】(→하다)〈形〉豊富だ. 豊かだ. 富んでいる. 句例 내용이 풍부한 책 内容の豊富な本 / 수산 자원이 ~ 水産資源が豊かだ. **풍부히**〈副〉豊富に. 豊かに.

풍비-박산【風飛雹散】〈名・하自〉四方に飛び散ること. ちりぢりになること. 略しては‘풍산(風散)’という.

풍상【風霜】〈名〉風霜. 風雪. 句例 오랜 ~에 견디다 長い風霜に耐える / ~을 무릅쓰다 風霜を冒す.

풍상을 겪다 きびしい風霜を経る.

**풍선【風船】〈名〉[‘고무 풍선 ゴム風船’の略] 風船. 風船玉. 句例 ~이 터지다 風船がやぶれる.

풍설【風雪】〈名〉風雪. ＝눈바람.

풍설【風說】〈名〉風説. うわさ. 風聞. 句例 ~을 퍼뜨리다 うわさを立てる〔流す〕/ ~이 퍼지다 風説が広まる.

풍성-하다【豊盛一】(→하다)〈形〉ふんだんだ. 豊かだ. 豊富だ. 句例 풍성한 곡식 豊かな穀物. **풍성히**〈副〉豊かに.

풍세【風勢】〈名〉風勢. 風の勢い〔強さ〕. ＝풍력(風力). 句例 ~가 심해지다 風勢がつのる.

*__풍속__【風俗】〈名〉風俗. 句例 ~을 문란하게 하다 風俗を乱す. 語例 ~도 風俗画 / ~ 소설 風俗小説.

풍속【風速】〈名〉風速. 風の速さ. 語例 ~계 風速計.

풍수【風水】〈名〉❶風水. 陰陽五行説で, 地勢と水勢を見て天地の二気が完全に調和する地域を選び, 住居と墓の位置を定める説. ❷⇨ 지관(地官)

풍수 지리【風水地理】〈名〉地形と方位の吉凶を判断して埋葬の地を決める理論. ＝풍수 지리설(說).

풍-수해【風水害】〈名〉風水害.

*__풍습__【風習】〈名〉風習. しきたり. ならわし. 句例 옛 ~을 지키다 昔の風習を守る / 진기한 ~ 珍しい風習.

풍식【風蝕】〈名〉〔地〕風食. 語例 ~ 작용 風食作用.

풍악【風樂】〈名〉〔樂〕昔から伝来してきた韓

ㅍ

国固有の音楽. 句例 ～을 즐기다 伝統音楽を楽しむ.
풍악을 잡히다 伝統音楽を演奏させる.
풍압【風壓】〈名〉〔物〕風圧. 句例 ～에 견디다 風圧に耐える. 語例 ～계 風圧計.
풍어【豐漁】〈名〉豊漁. 大漁.
풍요【豐饒】〈名・하形〉豊饒. 豊かなこと. 句例 ～한 국민 생활 豊かな国民生活 / ～한 땅 豊饒な土地. **～롭다** (→롭다)〈形〉豊饒だ. 豊かだ. 句例 ～로운 사회 豊かな社会. **～로이**〈副〉豊饒に. 豊かに.
풍우【風雨】〈名〉風雨. ＝비바람. 句例 ～를 무릅쓰고 가다 風雨をついて行く.
풍운【風雲】〈名〉風雲. 句例 ～이 감돌다 風雲, 急を告げる.
풍운의 뜻 風雲の志.
풍운-아【風雲兒】[p'ung-una]〈名〉風雲児. 句例 정계의 ～ 政界の風雲児.
풍월【風月】〈名〉風月. 句例 ～을 벗삼다 風月を友とする. 語例 화조 ～ 花鳥風月.
풍자【諷刺】〈名・하他〉風刺. 句例 현대 정치를 ～한 내용 現代の政治を風刺した内容. 語例 ～ 만화 風刺漫画 / ～화 風刺画 / 사회 ～ 社会風刺.
풍작【豐作】〈名〉豊作. 句例 ～을 구가하는 농부들 豊作を謳歌する百姓たち / ～의 해 豊作の年. 對흉작(凶作).
풍장〈名〉〔樂〕農楽用楽器の民俗的な言いかた.
풍전-등화【風前燈火】〈名〉風前のともしび. ＝풍전 등촉(燈燭).
풍조【風潮】〈名〉風潮. 句例 ～에 따르다 風潮に従う / ～에 역행하다 風潮に逆らう.
풍족-하다【豐足—】[p'ungjok'ada] (→하다)〈形〉豊かだ. 句例 지하 자원이 ～ 地下資源が豊かだ / 풍족하게 살다 豊かに暮らす. **풍족히** [p'ungjok'i]〈副〉豊かに.
풍진【風疹】〈名〉〔醫〕風疹. 三日ばしか.
풍차【風車】〈名〉❶風車. ❷風車. ＝팔랑개비. ❸唐箕. ＝풍(風)구.
풍채【風采】〈名〉風采. 恰幅. おしだし. 句例 당당한 ～ 堂堂たる風采 / ～가 좋다 風格がある. 風采がいい.
풍치【風致】〈名〉風致. 趣. 句例 ～가 있는 정원 趣のある庭 / ～를 해치다 風致を害する. 語例 ～림 風致林 / ～ 지구 風致地区.
풍토【風土】〈名〉風土. 語例 ～병 風土病 / ～색 風土色.
풍토-기【風土記】〈名〉風土記.
풍파【風波】〈名〉風波. ❶風と波. 波風. 句例 사나운 ～ 荒い波風 / ～가 높아지다 風波が高まる. ❷もめ事・いざこざ. 句例 가정에 ～가 일다 家庭にもめ事が立つ. ❸(世の)荒波. 苦難. 句例 거센 ～에 견디다 荒波に耐える.
풍해【風害】〈名〉風害. 風災. 句例 ～가 심하다 風害がはなはだしい.
풍향【風向】〈名〉風向. 風向き. 句例 ～이 바뀌다 風向が変わる. 語例 ～계 風向計.
풍화【風化】〈名・하自〉〔化・地〉風化. 語例 ～작용 風化作用.
参考 化学では特に'풍해 風解'とも言う.
풍-흉【豐凶】〈名〉豊凶. 句例 ～을 점치다 豊凶を占う.
퓨마 [p'yu:ma]〈名〉〔動〕プューマ. ◇puma
퓨즈 [p'yu:jŭ]〈名〉ヒューズ. 句例 ～가 끊어지다 ヒューズが飛ぶ. ◇fuse
프라이〈名・하他〉フライ. 句例 계란 ～를 하다 目玉焼きをつくる. 語例 ～팬 フライパン / 생선 ～ 魚のフライ. ◇fry
프라이드〈名〉プライド. 句例 ～가 높다 プライドが高い / ～를 상하게 하다 プライドを傷つける. ◇pride
프런티어 스피릿〈名〉フロンティアスピリット. 開拓精神. ◇frontier spirit
프레스〈名〉プレス. ❶新聞. 印刷. 語例 ～센터 プレスセンター. ❷〔機〕成形(機械). ◇press
프레스코〈名〉〔美〕フレスコ. 語例 ～화 フレスソコ画. ◇이 fresco
프레온〈名〉〔化〕フレオン. フロン. 語例 ～ 가스 フレオンガス. ◇Freon
프레이즈〈名〉〔言〕フレーズ. ◇phrase
프레임〈名〉フレーム. ❶わく. ふち. ❷温床. ◇frame
프레젠트〈名・하他〉プレゼント. ◇present
프로〈名〉プロ. ❶'프로그램'の略: 番組. 語例 교양 ～ 教養プロ. ❷'프로덕션 プロダクション'の略. ❸'프로파간다 プロパガンダ'の略. ❹'프롤레타리아 プロレタリア'の略. 語例 ～ 문학 プロ文学. ❺'프로페셔널 プロフェッショナル'の略. 語例 ～ 야구 プロ野球 / ～ 권투 プロボクシング / ～ 레슬링 プロレス. 對아마. ❻'프로센토 プロセント'の略: パーセント. ◇pro
프로그래머〈名〉プログラマー. ◇programmer
프로그램〈名〉プログラム. 番組. ◇program
프로그램 언어【program言語】[—gŭraemŏnŏ]〈名〉〔컴〕プログラム言語.
프로듀서〈名〉プロデューサー. ◇producer
프로젝트〈名〉プロジェクト. 計画. ◇project
프로판〈名〉〔化〕プロパン. ◇propane
프로펠러〈名〉プロペラ. ◇propeller
프로포즈 [p'ŭrop'o:jŭ]〈名・하自他〉プロポーズ. ◇propose
프록 코트 [p'ŭrokk'o:t'ŭ]〈名〉フロックコート. ◇frock coat
프리 [p'ŭri:]〈名〉フリー. 語例 ～ 랜서 フリーランサー / ～ 스로 フリースロー / ～ 스타일 フリースタイル / ～ 킥 フリーキック. ◇free
프리마 돈나〈名〉〔樂〕プリマドンナ. ◇이 prima donna
프리미엄〈名〉プレミアム. ◇premium
프리즘〈名〉〔物〕プリズム. 分光器. ◇prism
프리패브〈名〉プレハブ. ◇prefab
프린트〈名・하自他〉プリント. 語例 ～ 배선(配線) プリント配線. ◇print
플라스크〈名〉〔化〕フラスコ. ＝프라스코. ◇flask
***플라스틱**〈名〉〔化〕プラスチック. ◇plastic
플라이〈名〉〔野〕フライ. 語例 라이트 ～ ライトフライ. ◇fly
플라이어〈名〉プライヤー. ◇plier
플라타너스〈名〉〔植〕プラタナス. ◇platanus

플라토닉 러브 〈名〉プラトニックラブ. ◇platonic love

플란넬 〈名〉フランネル. ネル《略語》. ◇flannel

플랑크톤 〈名〉〔生〕プランクトン. ◇plankton

플래시 〈名〉 ❶懐中電灯. ❷フラッシュ. 句例 ~를 터트리다 フラッシュをたく. 語例 뉴스 ~ ニュースフラッシュ / ~ 밸브 フラッシュバルブ. ◇flash

플래카드 [p'ŭllaek'a:dŭ] 〈名〉 プラカード. ◇placard

플랜 〈名〉プラン. 句例 ~을 세우다 プランを立てる. 語例 마스터 ~ マスタープラン. ◇plan

플랜트 〈名〉プラント. 語例 ~ 수출 プラント輸出. ◇plant

플랫폼 [p'ŭllaetp'o:m] 〈名〉プラットホーム. ◇platform

***플러그** 〈名〉プラグ. ◇plug

플러스 〈名・하他〉プラス. 語例 ~ 마이너스 プラスマイナス / ~극 プラス極 / ~ 알파 プラスアルファ. 對마이너스. ◇plus

플레이 〈名〉プレー. 語例 ~ 보이 プレーボーイ / ~볼 プレーボール / 파인 ~ ファインプレー. ◇play

플레이어 〈名〉 プレーヤー. ❶選手. ❷演技者. 演奏者. ◇player

플레이트 〈名〉プレート. 句例 ~를 밟고 선 투수 プレートを踏んで立っている投手〔ピッチャー〕. ◇plate

플로피 디스크 〈名〉〔컴〕フロッピーディスク. =디스켓. ◇floppy disk

플루오르 〈名〉〔化〕弗素. ◇도 Fluor

플루토늄 〈名〉〔化〕プルトニウム. 語例 ~ 폭탄 プルトニウム爆弾. ◇plutonium

플루트 [p'ŭllu:t'ŭ] 〈名〉〔樂〕フルート. ◇flute

****피**[1] 〈名〉血. ❶血液. 句例 ~가 나오다 血が出る / ~를 흘리다 血を流す. ❷血筋. 血統. 句例 ~를 이어받다 血を引く. ❸血気. 句例 ~가 끓어오르다 血が沸き上がる.

피가 거꾸로 솟다 頭に血が上る. 逆上する.

피가 끓다 血が沸く. 血が騒ぐ.

피가 마르다 非常に苦しい. やきもきしてとてもつらい.

피가 맺히다 血がにじむ. 血まめができる. 大変苦労する.

피가 통하다 血が通う. 生きている. 温かい思いやりがある.

피도 눈물도 없다 血も涙もない.

피도 마르지 않다 まだ幼い.

피도 안 마르다 '피도 마르지 않다'のこと.

피로 피를 씻는다 血で血を洗う. 血をもって血を洗う. 血が血を洗う.

피를 나누다 血を分ける.

피를 말리다 ひどく苦しめる. やきもきするようにさせる.

피를 받다 血を受ける. 先祖・父母から心身の特質をうけつぐ.

피를 보다 ❶血を見る. 争い事で血が流れる. ❷侮辱をうける. 恥ずかしいめにあう. 災難にあう. ❸大きな損害をこうむる.

피에 주리다 血に飢える.

피[2] 〈名〉〔植〕いぬびえ. ひえ. いね科の一年草の一つ.

피[3] [p'i:] 〈副・하自〉 ❶人をあざ笑うときに出す声: ふん(と). 句例 얕보며 ~ 웃다 見下げてふんと笑う. ❷ゴムまりなどから空気のぬける音: しゅうっ(と).

피 〔漢字項目〕

【彼】 中學 피 ヒ. 저 あの. 저쪽 かなた. 저 사람 あの人. 그 彼. ▌彼岸 피안 ひがん. 彼我 피아 ひが. 彼此 피차 ひし.

【疲】 高校 피 ヒ. 고달프다 疲れる. 느른하다 くたくただ. ▌疲勞 피로 ひろう. 疲弊 피폐 ひへい.

【皮】 中學 피 ヒ. ❶껍질 皮. 가죽 革. ▌皮膚 피부 ひふ. 皮革 피혁 ひかく. ▌牛皮 우피 ぎゅうひ. 樹皮 수피 じゅひ. 鐵面皮 철면피 てつめんぴ. ❷겉모양 表面. ▌皮相 피상 ひそう.

【被】 高校 피 ヒ. ❶이불 布団. 옷 服. ▌被服 피복 ひふく. 被膜 피막 ひまく. 被覆 피복 ひふく. ❷(화를) 입다 (危害を)受ける. ▌被害 피해 ひがい. 被爆 피폭 ひばく. 被襲 피습 ひしゅう. ❸피동을 나타내는 말 受け身を表わす語. ▌被疑者 피의자 ひぎしゃ. 被告 피고 ひこく.

【避(避)】 高校 피 ヒ. ❶피하다 避ける. ▌避暑 피서 ひしょ. 避難 피난 ひなん. 避身 피신 ひしん. ▌逃避 도피 とうひ. ❷싫어하여 멀리하다 嫌って遠ざける. ▌忌避 기피 きひ. 回避 회피 かいひ.

피-가수【被加數】[p'i:gassu] 〈名〉〔數〕被加数. =더하임수(數). 對가수(加數).

피겨 〈名〉フィギュア. 語例 ~ 스케이팅 フィギュアスケーティング. ◇figure

피격【被擊】[p'i:gyŏk] 〈名・하自〉 攻擊を受けること.

***피고**【被告】[p'i:go] 〈名〉〔法〕 ❶被告. 句例 ~에게 유리한 증언 被告に有利な証言. 對원고(原告). ❷'피고인'の略.

피-고름 〈名〉 ❶膿血. 血とうみ(膿). ❷血の混じったうみ.

피고-인【被告人】[p'i:go—] 〈名〉〔法〕被告人. 略して'피고'ともいう.

***피곤**【疲困】〈名・하形〉疲労. くたびれ疲れること. 句例 ~을 풀다 疲れを抜く〔取る〕.

피골 상접【皮骨相接】〈名〉 皮と骨がくっつくほどにやせていること.

피-교육자 【被教育者】 [p'i:—] 〈名〉 被教育者. 教育を受ける者.

피-나무 〈名〉〔植〕アムールしなのき.

***피난**【避難】[p'i:nan] 〈名・하自〉 避難. 句例 전쟁 때문에 시골로 ~하다 戦争のため田舎に避難する. 語例 ~길 避難の道 / ~민 避難民 / ~살이 避難生活.

參考 '피난 避難'は災難を避けること. '피란 避乱'は戦乱・変乱などを避けることの意であるが, 一般的に共通の意として'피난'を多く用いている.

피날레 〈名〉フィナーレ. ❶最終. ❷〔樂〕終曲. 對서곡(序曲). ❸〔劇〕終幕. 對서막(序

幕). ◇이 finale

피넛 [p'i:nŏt] 〈名〉ピーナッツ. ◇peanut

피-눈물 〈名〉血涙. 血の涙. 句例 ~을 흘리다 血の涙を流す.

 피눈물(이) 나다 非常に悲しかったりとてもくやしくて涙がでる.

**피다[1] 〈自〉❶(花が)咲く. 開く. 句例 무궁화꽃이 피어 있는 화단 むくげの花が咲いている花壇. 文例 꽃이 피기에는 아직 이르다 花が咲くにはまだ早い. ❷(容貌などが)ひときわ美しくなる. なまめく. 句例 한창 필 나이 若盛りの年ごろ. 文例 살림이 피니까 얼굴도 핀다 暮らしがよくなるや顔も美しくなる. ❸火がおこる. 燃える. 句例 숯불이 활활 ~ 炭火がかっかとおこる. ❹'펴이다'の略.

피다[2] [p'i:da] 〈他〉'피우다'の略.

피대【皮帶】〈名〉調べ帯.

피동【被動】[p'i:dong] 〈名〉受け身. 受動. 句例 ~적인 사고 방식 受動的な考えかた. 語例 ~문 受け身の文章. 對능동(能動).

피동-형【被動形】[p'i:dong—] 〈名〉〔言〕受け身の形. =입음꼴. 對능동형(能動形).

피둥-피둥 〈副・하形〉❶(特に老人が)太っていて肌につやがあるさま: つやつや(と). ぱんぱん(と). 文例 70이 지났지만 아직 ~하다 七十が過ぎたが, まだつやつやとしている. ❷横柄で図太いさま. 文例 그는 ~ 놀기만 한다 彼は何もしないで遊んでばかりいる.

피-디【PD】[p'i:di:] 〈名〉(放送での)プロデューサー. ◇producerから.

피-땀 〈名〉❶血と汗. 句例 ~의 결정 血と汗の結晶. ❷脂汗. 類혈한(血汗).

 피땀(을) 흘리다 血と汗を流す. 汗水を流す.

피-똥 〈名〉血便. 血の混じった大便.

피라미 〈名〉〔魚〕はや. うぐい.

피라미드 〈名〉ピラミッド. ◇Pyramid

피란【避亂】[p'i:ran] 〈名・하自〉避乱. 戦乱を避けること. 避難. 疎開. 句例 ~ 가다 疎開する. 避難する. 語例 ~길 避難の道. 疎開の道 / ~민 難民. 疎開民.

피랍【被拉】[p'i:rap] 〈名〉拉致・らっされること. 語例 ~되다 拉致される.

피력【披瀝】〈名・하他〉披瀝. 句例 소신을 ~하다 所信を披瀝する.

*__피로__【疲勞】〈名・하形〉疲労. 疲れ. くたびれること. 句例 ~가 쌓이다 疲れがたまる / ~의 기색이 짙다 疲労の色が濃い. 語例 정신적 ~ 気疲れ.

피로-연【披露宴】〈名〉披露宴.

피뢰-침【避雷針】[p'i:roe—] 〈名〉避雷針.

피륙 〈名〉反物. 布地.

피리 [p'i:ri] 〈名〉〔樂〕笛. ❶(韓国の民族音楽で用いる)穴が八つある縦笛. ❷縦笛類の総称. 句例 ~를 불다 笛を吹く. →저[1]

피리어드 〈名〉〔言〕ピリオド. =온점. 마침표. 종지부(終止符). 句例 ~를 찍다 ピリオドを打つ.

피마-자【蓖麻子】〈名〉❶〔植〕とうごま(唐胡麻). ひま(蓖麻). =아주까리. ❷ひまし(蓖麻子). とうごまの種.

피막【皮膜】〈名〉皮膜. 語例 ~ 조직 皮膜組織.

ㅍ

피망 〈名〉〔植〕ピーマン. ◇프 piment

*__피-맺히다__ [—maech'ida] ⇨ 피[1]の小項目

피-바다 〈名〉血の海. 句例 ~가 되다 血の海になる.

피-범벅 〈名〉血だらけ. 血まみれ. 句例 ~이 되어 쓰러지다 血まみれになって倒れる.

피복【被服】〈名〉被服. 衣服. =옷.

피복【被覆】[p'i:bok] 〈名・하他〉被覆. 句例 전선을 고무로 ~하다 電線をゴムで被覆する. 語例 ~선 被覆線. 絶縁線.

*__피부__【皮膚】〈名〉皮膚. 肌. 句例 ~가 거칠어지다 肌が荒れる / ~가 반들반들하다 肌がつやつやしている / ~에 주름이 잡히다 皮膚にしわが寄る. 語例 ~병 皮膚病 / ~색 肌色 / ~염 皮膚炎.

피-붙이 [p'ibuch'i] 〈名〉血族. 肉親. =혈육(血肉). 살붙이.

피-브이-시【PVC】[p'i:bŭishi:] 〈名〉ピーブイシー. ポリ塩化ビニール. 塩化ビニール樹脂. ◇polyvinyl chlorideの略.

피-비린내 〈名〉血のにおい. 血なまぐささ. 句例 ~가 나다 血なまぐさい / ~나는 사건 血なまぐさい事件.

피-사리 〈名・하自〉〔農〕ひえ取り. ひえ抜き.

피사-체【被寫體】[p'i:sa—] 〈名〉被写体.

피살【被殺】[p'i:sal] 〈名・하自〉殺されること.

피상-적【皮相的】〈名・冠〉皮相的. 通り一遍. 句例 ~인 해석 通り一遍の解釈 / ~인 견해 皮相的な見解.

피서【避暑】[p'i:sŏ] 〈名・하自〉避暑. 句例 ~를 가다 避暑に行く. 語例 ~지 避暑地.

피선거-권【被選擧權】[p'i:sŏn-gŏkkwon] 〈名〉〔法〕被選挙権.

*__피스톤__ 〈名〉〔工〕ピストン. ◇piston

피스톨 〈名〉ピストル. =권총(拳銃). ◇pistol

피습【被襲】[p'i:sŭp] 〈名・하自〉襲われること. 襲撃を受けること. 句例 괴한에게 ~당하다 怪漢に襲われる.

피-승수【被乘數】[p'i:sŭngssu] 〈名〉〔數〕被乗数. 對승수(乘數).

피신【避身】[p'i:shin] 〈名・하自〉身を避けること. 身をかくすこと. 逃げること. 句例 빨리 ~하다 早く身をかくす. 語例 ~처 かくれ家. かくれ場所.

피아【彼我】[p'i:a] 〈名〉彼我. 句例 ~의 이해 관계 彼我の利害関係.

**피아노[1] 〈名〉〔樂〕ピアノ. 句例 ~를 치다 ピアノを弾く / ~를 배우다 ピアノを習う. ◇piano

피아노[2] 〈名〉〔樂〕ピアノ. '弱く'の意. 對포르테. ◇이 piano

피아니스트 〈名〉ピアニスト. ◇pianist

피아니시모 〈名〉ピアニシモ. 'ごく弱く'の意. 對포르티시모. ◇이 pianissimo

피-아르【PR】[p'i:a:rŭ] 〈名・하他〉ピーアール. 語例 ~ 활동〔영화〕ピーアール活動〔映画〕. ◇public relationsの略.

**피어-나다 〈自〉❶(消えかけた火が)起こりかける. 句例 연탄불이 ~ 練炭の火が起こりかける. ❷(花などが)咲き始める. 句例 꽃이 ~ 花が咲き始める. ❸(苦しい生活が)よくなりかける. 句例 쪼들리던 살림이 ~ 貧しかった生

活がよくなりかける. ❹(死にかけた人に)生気がよみがえる. 句例 얼굴이 활짝 ~ 顔色が生き生きとよみがえる.

피에로 〈名〉ピエロ. =어릿광대. ◇프 pierrot

피-엑스【PX】[p'i:eksŭ]〈名〉ピーエックス. 軍営の売店. 酒保. ◇Post Exchangeの略.

***피우다** 〈他〉❶(花などを)咲かせる. 句例 이야기 꽃을 ~ 話の花を咲かせる. ❷(火を)起こす. 句例 난로에 불을 ~ ストーブに火を起こす. ストーブをたく. ❸(たばこを)吸う. 吹かす. 飲む. 句例 담배를 자주 ~ たばこをしきりに吸う〔飲む〕. ❹(ある行動を)起こす. する. 句例 소란을 ~ 騒ぎたてる. ❺(ほこり・におい・煙などを)立てる. におわす. 漂わす. 句例 먼지를 ~ ほこりをたてる. ▷略して'피다'ともいう.

피의-자【被疑者】[p'i:ŭija]〈名〉〔法〕被疑者. 容疑者.

피임【被任】[p'i:im]〈名・하自〉任命されること.

피자 〈名〉ピザ. ピッツア. ◇pizza

피장-파장 〈名〉お互いさま. 文例 분하기는 ~이다 悔しいのはお互いさまだ.

피-제수【被除數】[p'i:jessu]〈名〉〔數〕被除数. 對제수(除數).

피차【彼此】[p'i:ch'a]〈名・副〉❶お互い. 句例 ~ 마찬가지다 お互いさまだ / ~의 사정 お互いの事情. ❷あれこれ. 彼此.

피차-간【彼此間】[p'i:ch'a—]〈名・副〉両方とも. あちらかこちら. 文例 그것은 ~에 좋은 일이다 それは両方ともにいいことだ.

피차-일반【彼此一般】[p'i:ch'a—]〈名〉お互いさま. 文例 곤란한 것은 ~이다 困るのはお互いさまだ.

피처 〈名〉〔野〕ピッチャー. 對캐처. ◇pitcher

피치 〈名〉ピッチ. 句例 ~를 올리다 ピッチをあげる. 語例 급~(로 노를 젓다) 急ピッチ(でこぐ). 類페이스. 템포. ◇pitch

피치카토 〈名〉〔樂〕ピチカート. ◇이 pizzicato

피칭 〈名〉〔野〕ピッチング. 投球. ◇pitching

피켈 〈名〉ピッケル. ◇pickel

피켓 〈名〉ピケット. ピケ《略語》. 句例 ~을 배치하다 ピケをはる. ◇picket

피콜로 〈名〉〔樂〕ピッコロ. ◇이 piccolo

피크 [p'i:k'ŭ]〈名〉ピーク. =정상(頂上). 절정(絕頂). 정점(頂點). 句例 러시아워의 ~ ラッシュアワーのピーク. ◇peak

피크닉 〈名〉ピクニック. ◇picnic

피타고라스의 정리【Pythagoras—定理】[—jŏ:ng-ni]〈名〉〔數〕ピタゴラスの定理.

피-톨 〈名〉〔生〕血球.

***피-투성이** 〈名〉血みどろ. 血まみれ. 血だらけ. 句例 ~가 되다 血まみれになる.

피트 [p'i:t'ŭ]〈依名〉フィート. 語例 백 ~ 百フィート. ◇feet

피펫 〈名〉〔化〕ピペット. ◇pipette

피폐【疲弊】〈名・하自〉疲弊. 句例 전쟁으로 나라가 ~하다 戦争で国が疲弊する.

피폭【被爆】[p'i:p'ok]〈名・하自〉(爆撃による)被爆.

피폭【被曝】[p'i:p'ok]〈名・하自〉(原爆による)被爆. 語例 ~자 被爆者.

피-피-엠【ppm】[p'i:p'i:em]〈名・依名〉ピーピーエム. ◇parts per millionの略.

****피-하다**【避—】[p'i:—](→하다)〈自他〉❶避ける. 逃れる. よける. 隠れる. 句例 날아오는 공을 ~ 飛んでくるボールをよける / 남의 눈을 ~ 人目を避ける / 인파를 ~ 人込みを避ける.

***피해**【被害】[p'i:hae]〈名〉被害. 句例 ~를 입다 被害をこうむる / ~를 입히다 被害を与える. 語例 ~자 被害者 / 재산 ~ 財産の被害 / ~망상 被害妄想.

피혁【皮革】〈名〉皮革. 皮. =가죽. 語例 ~제품 皮革製品.

픽 〈副〉❶疲れて力なく倒れるさま: ぱたりと. ぱたっと. ぱったりと. 句例 ~ 쓰러지다 ぱったりと倒れる. ❷蒸気・空気などが吹き出すさま: しゅうっ. 句例 타이어에서 공기가 ~ 새다 タイヤから空気がしゅうっと抜ける. ❸あざけり笑うさま: ふんと. へんと. ふふと. 文例 어이가 없어 ~ 웃고 말았다 あきれてふんと笑ってしまった. ❹腐った縄などが切れるさま: ぶっつり(と). ぶつり(と).

픽션 〈名〉フィクション. 文例 그 소설은 ~이다 その小説はフィクションである. 對논픽션. ◇fiction

픽-업 [p'igŏp]〈名・하他〉ピックアップ. 語例 ~트럭 ピックアップトラック. ◇pickup

픽-픽 〈副〉❶多くのものが疲れて続けざまに倒れるさま: ばたばたと. ❷腐った縄などが続けて切れるさま: ぶつりぶつり. ❸しきりにぷっとあざけり笑うさま.

핀 〈名〉ピン. 語例 안전 ~ 安全ピン. ◇pin

핀셋 〈名〉ピンセット. ◇프 pincette

핀잔 〈名・하他〉面責. けんつく. 面と向かって責めること.

핀잔(을) 맞다 面責される. けんつくを食う. 笑い者にされる.

핀잔(을) 먹다 '핀잔(을) 맞다'のこと.

핀잔(을) 주다 面と向かって責める. けんつくを食わせる.

핀치 〈名〉ピンチ. 危機. 語例 ~ 러너 ピンチランナー. ◇pinch

핀치 히터 〈名〉〔野〕ピンチヒッター. =대타자(代打者). ◇pinch hitter

필【匹】〈依名〉馬・牛などを数える単位: 匹. 語例 소 세 ~ 牛三匹.

필【疋】〈依名〉❶反物を数える単位: 疋. 語例 무명 두 ~ 木綿二疋. ❷⇨ 필(匹)

필 〔漢字項目〕

【匹】中學 필 ヒツ. ❶필 匹. ㉠옷감 길이의 단위 布の長さの単位. ㉡牛馬などを数える語. ❷짝 連れ合い. 벗 友. ▮配匹 배필 ひっぱい(匹配). ❸한 사람 一人. ▮匹夫 필부 ひっぷ.

【必】中學 필 ヒツ. ❶반드시 必ず. ▮必勝 필승 ひっしょう. 必然 필연 ひつぜん. 必死 필사 ひっし. 必要 필요 ひつよう. ❷하지않으면 안되다 しなければならない. ▮必携 필휴 ひっけい. 必讀 필독 ひつどく.

【畢】高校 필 ヒツ. 마치다 終(お)える. 끝나다 終(お)わる. ▮畢生 필생 ひっせい. 畢業 필업 ひつぎょう. 畢境 필경 ひっきょう. ❷(힘을) 다하다 (力(ちから)を)つくす. ▮畢力 필력 ひつりょく.

【筆】中學 필 ヒツ. ❶붓 筆(ふで). ▮鉛筆 연필 えんぴつ. 毛筆 모필 もうひつ. 萬年筆 만년필 まんねんひつ. ❷문자나 문장을 쓰다 文字(もじ)や文章(ぶんしょう)を書(か)く. ▮筆順 필순 ひつじゅん. 筆陣 필진 ひつじん. 筆者 필자 ひっしゃ. ▮自筆 자필 じひつ. 随筆 수필 ずいひつ.

필경【畢竟】〈副〉畢竟(ひっきょう). 結局(けっきょく). つまるところ. 文例 ~은 잡히고 말았다 結局つかまってしまった / ~엔 면직되고 말았다 結局免職(めんしょく)されてしまった.

필기【筆記】〈名・하他〉筆記(ひっき). 句例 강의 내용을 ~하다 講義(こうぎ)の内容(ないよう)を筆記する. 語例 ~ 시험 筆記試験(しけん) / ~장 筆記帳(ちょう).

필기-체【筆記體】〈名〉筆記体(ひっきたい). 對인쇄체(印刷體).

필담【筆談】[p'ilttam]〈名・하自他〉筆談(ひつだん). 句例 ~으로 의견을 교환하다 筆談で意見(いけん)を交(か)わす.

필답【筆答】[p'ilttap]〈名・하自他〉筆答(ひっとう). 語例 ~ 시험 筆答試験(しけん). 筆記試験(ひっきしけん).

필독【必讀】[p'ilttok]〈名・하他〉必読(ひつどく). 語例 ~서 必読書(しょ).

필드 [p'i:ldŭ]〈名〉フィールド. 語例 ~ 경기

囲み記事 90

■ 필순 筆順(ひつじゅん) ■

漢字を書(か)くときの，筆(ふで)の運(はこ)び方(かた)のことを筆順という．すなわち，点(てん)と線(せん)を順(じゅん)にしたがって一(ひと)つの漢字を書きおえるまでの順序(じゅんじょ)をいうのである．筆順は，漢字全体(ぜんたい)の形(かたち)が整(ととの)い，構造的(こうぞうてき)にも正(ただ)しく書けるようにと長(なが)い間(あいだ)工夫(くふう)されたものであるから，それにしたがって書くのが能率(のうりつ)的でまた効果(こうか)的である．

筆順をおぼえるには，たがいに共通(きょうつう)する原則(げんそく)を理解(りかい)することが何(なに)よりもたいせつである．その一般(いっぱん)的なきまりは次(つぎ)のとおりである．

筆順の根本(こんぽん)的原則

(1) 上(うえ)から下(した)へ: 漢字を組(く)み立(た)てる上(うえ)の部分(ぶぶん)より下(した)の部分へと書いていく．

工：工 工 工

(2) 左(ひだり)がわから右(みぎ)がわへ: 漢字の左がわより順にしたがって右の部分へと書いていく．

川：川 川 川

筆順のいろいろ

上の二大(にだい)原則をもとにして，その他(ほか)いろいろと細(こま)かいきまりがある．以下(いか)にそれらを大別(たいべつ)して示(しめ)すことにする．

(1) たて・よこにまじわる線(せん)は，よこの線を先(さき)に書く．

十：十 十 七：七 七

(2) 左・中(なか)・右の三(みっ)つの部分に分(わ)けられる場合は，中の部分を先に書き，そのあとに左がわと右がわを書く．

小：小 小 小

(3) 漢字全体をつらぬくたての線は，さいごに書く．

中：中 中 中 中

(4) 漢字全体をつらぬくよこの線は，さいごに書く．

女：女 女 女

(5) 外(そと)がわがかこまれている漢字は，外がわを先に書く．

同：同 同 同 同

(6) 左にはらう線と右にはらう線がまじわったり，接(せっ)している形(かたち)の字は，左にはらうほうを先に書く．

文：文 文 文 文

(7) よこの線と，左にはらう線がまじわるときは，短(みじか)いほうの線を先に書く．

① はらう線が短く横の線が長(なが)いとき．

右：右 右 右 右 右

② 横の線が短く，はらう線が長いとき

左：左 左 左 左 左

注意: 左がわにはらう線にも先に書くものとあとに書くものとがある．

① 先に書くもの 九：九 九

及：及 及 及

② 後(あと)に書くもの 力：力 力

方：方 方 方 方

(8) ‘にょう(繞)’には，先に書くものと後に書くものがある．

① ‘にょう’が独立(どくりつ)した字の‘走’や‘是’などは先に書く．

起：起 起 起 起 起 起

② 独立した字でない‘えんにょう(廴)’や ‘しんにょう(辶)’などは後に書く．

近：近 近 近 近 近 近

廷：廷 廷 廷 廷 廷 廷

注意: がんだれ(厂)，まだれ(广)，やまいだれ(疒)などの‘たれ’は，先に書く．

(9) 右上(みぎうえ)の点(てん)はさいごに打(う)つ．

代：代 代 代 代

フィールド競技 / 라이트 ～ ライトフィールド. ◇field

필드 하키 [p'i:ldŭ—] 〈名〉 フィールドホッケー. ◇field hocky

필라멘트 〈名〉〔物〕 フィラメント. 繊条. 語例 텅스텐 ～ タングステンフィラメント. ◇filament

필름 〈名〉 フィルム. 句例 카메라에 ～을 넣다 カメラにフィルムを入れる / ～의 현상 フィルムの現像. 語例 ～ 라이브러리 フィルムライブラリー. ◇film.

필마 【匹馬】〈名〉 匹馬. 一匹の馬.

필멸 【必滅】〈名・하自〉〔佛〕 必滅. 句例 ～의 운명 必滅の運命. 語例 생자 ～ 生者必滅.

필명 【筆名】〈名〉 筆名. ペンネーム.

필묵 【筆墨】〈名〉 筆墨. 筆と墨.

필법 【筆法】[p'ilppŏp] 〈名〉 筆法. 筆のはこび. 句例 ～을 배우다 筆法を習う.

필사 【必死】[p'ilssa] 〈名〉 必死. 懸命. 句例 ～의 각오 必死の覚悟 / ～의 노력 必死の努力 / ～적 必死的.

필사 【筆寫】[p'ilssa] 〈名・하他〉 筆写. 語例 ～본 筆写本.

필산 【筆算】[p'ilssan] 〈名・하他〉 筆算.

필생 【畢生】[p'ilssaeng] 〈名〉 畢生. 終生. 一生. 句例 ～의 대작 畢生の大作 / ～의 사업 畢生の事業.

필수 【必修】[p'ilssu] 〈名〉 必修.

필수 【必須】[p'ilssu] 〈名〉 必須. 語例 ～ 조건 必須の条件 / ～ 조항 必須の条項.

필수 과목 【必須科目】[p'ilssu—] 〈名〉 必須科目. 對선택 과목.

필수 아미노산 【必須amino酸】[p'ilssu—] 〈名〉 必須アミノ酸.

필수-품 【必需品】[p'ilssup'um] 〈名〉 必需品. 句例 생활 ～을 갖추다 生活必需品を備える.

필순 【筆順】[p'ilssun] 〈名〉 筆順. 筆を運ぶ順序. →囲み記事 90

필승 【必勝】[p'ilssŭng] 〈名〉 必勝. 句例 ～을 기하다 必勝を期する / ～의 신념 必勝の信念.

필시 【必是】[p'ilssi] 〈副〉 必ず. 多分. きっと. ＝필연(必然). 文例 ～ 그는 올 것이다 きっと彼はくるだろう / ～ 해내고야 말 것이다 必ずやりのけるだろう.

필연 【必然】[p'iryŏn] ■〈名〉 必然. 文例 죽음은 ～이다 死は必然である. 對우연. 개연(蓋然). ■〈副〉 必ず. きっと.

필연-성 【心然性】[piryŏnssŏng] 〈名〉 必然性. 文例 그 결론에는 ～을 인정할 수 없다 その結論には必然性がみとめられない.

필연-적 【必然的】[p'iryŏnjŏk] 〈名・冠〉 必然的. 句例 ～인 귀결 必然的な帰結.

필연-코 【必然—】[p'iryŏnk'o] 〈副〉 '필연'の強調語: 必ずや. きっと. 文例 이번에야 말로 ～ 합격해야 한다 今度こそきっと合格しなければならない.

필요 【必要】[p'iryo] 〈名・하形〉 必要. 句例 ～가 있다 必要がある / ～는 발명의 어머니 必要は発明の母 / ～한 사람이 되다 必要な人間になる. 語例 ～량 必要な量 / ～성 必要性 / ～악 必要悪 / ～ 경비 必要経費.

필자 【筆者】[p'iltcha] 〈名〉 筆者. 句例 연설문의 ～ 演説文の筆者.

필적 【筆跡・筆蹟】[p'iltchŏk] 〈名〉 筆跡. 句例 …의 ～이다 …の筆跡だ / ～을 달리하여 쓰다 筆跡を変えて書く.

필체 【筆體】〈名〉 書体. 句例 단정한 ～ きちんとした書体.

필치 【筆致】〈名〉 筆致. 句例 경묘한 ～ 軽妙な筆致.

필터 〈名〉 フィルター. 句例 렌즈에 ～를 씌우다 レンズにフィルターをつける / ～ 달린 담배 フィルターつきのたばこ. ◇filter

필통 【筆筒】〈名〉 筆立て. 筆箱. 筆入れ.

필-히 【必—】〈副〉 必ず. 是非とも. きっと. 文例 ～ 참석할 것 是非とも参加する〔臨む〕こと.

핍박 【逼迫】〈名・하自他〉 逼迫. 句例 매우 ～해진 상태 非常に逼迫した状態 / ～을 이겨내다 逼迫に打ち勝つ.

핏-기 【—氣】〈名〉 血の気. 血色. 句例 ～가 돌다 血の気がさす / ～가 없다 血の気がない.

핏기(가) 가시다 血の気が引く.

핏기(를) 잃다 血の気を失う.

핏-대 〈名〉 太い血管. 血筋. 青筋. 語例 ～줄 血管.

핏대(를) 세우다 '핏대(를) 올리다'のこと.

핏대(를) 올리다 青筋を立てる.

핏-발 〈名〉 充血. 血走ること.

핏발(이) 삭다 充血が取れる.

핏발(이) 서다 充血する. 血走る. 句例 핏발이 선 눈 充血した目.

핏-빛 〈名〉 血の色. 血のようにまっ赤な色.

핏-속 〈名〉 ❶血の中. ❷血統.

핏-자국 〈名〉 血痕. ＝혈흔(血痕).

핏-줄 〈名〉 ❶血管. ❷血筋. 血統. 句例 ～은 어쩔 수 없다 血筋は争えない / ～을 이어받다 血筋を引く / ～이 끊기다 血統が絶える.

핏-줄기 〈名〉 ❶血管. ❷血統. 血筋.

핑 〈副〉 ❶素早く一回転するさま: くるりと. くるっと. 句例 눈알이 ～ 돌다 目玉がくるりと回る. ❷急にめまいがするさま: ぐらっと. ふらっと. 句例 머리가 ～ 돌며 어지럽다 頭がぐらっとしてめまいがする. ❸急に涙が目にたまるさま: じんと. 句例 눈물이 ～ 돌다 涙がじんとにじむ.

핑계 〈名・하他〉 口実. 言い訳. 弁解. 句例 그럴 듯한 ～ もっともらしい口実. 文例 그런 ～는 안 통한다 そんな言い訳は通じない / 병을 ～로 결석했다 病気を口実に欠席した.

핑계(를) 삼다 口実にする. 言い訳にする.

핑계없는 무덤없다 口実のない墓はない. いろいろと口実をつけて責任を避けることのたとえ.

핑크 〈名〉 ピンク. ❶紅色. ❷〔植〕 石竹. ❸色っぽいこと. ◇pink

핑-퐁 〈名〉 ピンポン. 卓球. ◇ping-pong

핑-핑 〈副〉 ❶しきりに回るさま: くるくる(と). ぐるぐる(と). ❷しきりにめまいがするさま: ぐらぐら(と). ❸弾丸などが風を切って飛ぶさま〔音〕: ぴゅうぴゅう(と). 文例 총알이 ～ 머리 위를 날아갔다 銃弾がぴゅうぴゅうと頭の上を飛んでいった.

핑핑-하다 (→하다) 〈形〉 '팽팽하다'の語感の大きい語.

ㅍ

ㅎ

ㅎ [히읗 hiŭt] ハングル字母の第十四番目の字.
[参考] (1) ‘ㅎ이 ㅎが’ ‘ㅎ을 ㅎを’は[hiŭshi] [hiŭsŭl]と読む.
(2) 終声ㄱ・ㄷ・ㅂ・ㅈ＋ㅎ→ㅋ・ㅌ・ㅍ・ㅊになる. 약(弱)하다 [yak'ada] など. また, 終声ㅎ＋ㄱ・ㄷ・ㅂ・ㅈ→ㅋ・ㅌ・ㅍ・ㅊになる. 놓다 [not'a]など.

하【下】〈名〉❶[ha:] 下・か・しも. ＝아래. 밑. [語例] ~반신 下・半身. ㊥상(上). ❷(接尾語的に用いて)ある状態のもとにあることを表わす語: 下. もと(下). [句例] 이런 조건~에 このような条件のもとに / 전시~의 식량사정 戦時下の食糧事情 / 지배~에 있다 支配下におかれている. ❸[ha:] 下位の品質・等級などを表わす語: 下・か. [文例] 성적은 ~의 중쯤이다 成績は下の中ぐらいだ. ㊥상(上).

하¹〈副〉たくさん. 多いに. とても. あまり. ＝많이. 크게. 퍽. [文例] ~ 추워서 쉬고 있다 あまり寒くて休んでいる.

하²〈副・하自〉息を大きく吐きだす声: はあ(と). ふう(と). [文例] 유리를 닦으려고 ~하고 입김을 불었다 ガラスをふくため息をはあっと吹きかけた.

하³ [ha:]〈感〉喜び・悲しみ・怒り・嘆きなどの感情を表わす声: はあ. ほう. へえ. まあ. ああ. [文例] ~, 참 잘 됐다 ほう, とてもよくできた. ああ, ほんとうにうまくいった.
[表現] 語感の大きい語は‘허’.

하 〔漢字項目〕

【下】[中學] 하 カ. ゲ. ❶아래 した. ◧下方 하방 かほう. 下流 하류 かりゅう. ◨天下 천하 てんか. 地下 지하 ちか. ❷다른 것의 영향을 받는 처지 他からの影響を受ける位置. ◨門下 문하 もんか. 部下 부하 ぶか. 時下 시하 じか. ❸지위・급이 낮은 것 位・級の低いもの. ◧下位 하위 かい. 下等 하등 かとう. ❹내리다 おりる. くだる. くだす. 떨어지다 落ちる. ◧下車 하차 げしゃ. 下山 하산 げざん. 下命 하명 かめい. ◨落下 낙하 らっか. 沈下 침하 ちんか.

【何】[中學] 하 カ. 무엇 なに. 어느 どれ. ◨幾何 기하 きか. 誰何 수하 すいか. 如何 여하 いかん.

【夏】[中學] 하 カ. ゲ. ❶여름 なつ. ◧夏期 하기 かき. 夏至 하지 げし. ◨盛夏 성하 せいか. 立夏 입하 りっか. ❷중국 고대의 왕조의 이름 中国の古代の王朝の名. ◧夏殷周 하은주 かいんしゅう.

【河】[中學] 하 カ. ガ. ❶중국의 황하의 일컬음 中国の黄河のこと. ◧河北 하북 かほく. 河南 하남 かなん. ❷강 かわ. ◧河川 하천 かせん. 河床 하상 かしょう. かわどこ. ◨氷河 빙하 ひょうが. ❸은하 銀河. ◧河漢 하한 かかん.

【荷】[高校] 하 カ. ❶연 ハス(蓮). ◧荷葉 하엽 かよう. ❷메다 になう. 짊어지다 かつぐ. ◧荷重 하중 かじゅう. 荷擔 하담 かたん. ◨負荷 부하 ふか. ❸짐 にもつ. ◧出荷 출하 しゅっか. 集荷 집하 しゅうか.

【賀】[中學] 하 ガ. 축하하다 祝う. ことほぐ. ◧賀正 하정 がしょう. がせい. 賀宴 하연 がえん. ◨年賀 연하 ねんが. 祝賀 축하 しゅくが.

하강【下降】[ha:gang]〈名・하自〉下降. [句例] 기온의 ~ 気温の下降. [語例] ~ 기류 下降気流. ㊥상승(上昇).

하객【賀客】[ha:gaek]〈名〉賀客. 祝賀にくる客.

하게-체【一體】〈名〉〔言〕‘상대 높임법’の一つ. かなり年をとった人が親しい間柄の同輩またはやや年下の人に対して軽い敬意をこめて言う終結形の言葉遣い. ‘해라체’と ‘하오체’の中間に当たる. ‘앉게 座りなさいよ’ ‘자 한잔 들게나 さあ, 一杯やれ〔やりなさい〕よ’など.

하게-하다 (→하다)〈自〉親しい同輩またはやや年下の人に対して軽い敬意をこめた言葉遣いをする.

하계【下界】[ha:gye]〈名〉下界. [句例] ~로 내려온 선녀 下界におりた天女 / ~를 내려다 보다 下界を見下ろす.

하계【夏季】[ha:gye]〈名〉夏季. ＝하기(夏期). [語例] ~ 강습 夏季講習. ㊥동계(冬季).

하고〈助〉❶‘와・과 と’の意を表わす語. ㉠列挙の対象を表わす. [句例] 그림~ 글자 絵と文字. ㉡比較の対象を表わす. [句例] 너~ 닮은 사람 きみに似ている人. ㉢相手になって一緒にすることを表わす. [文例] 나~ 놀자 僕と遊ぼうよ. ❷言葉・音・考えなどを引用する場合の対象を表わす: と. [文例] 앗 ~ 소리를 질렀다 ‘あっ’と声を張り上げた.

하고-많다 [—mant'a]〈形〉(主に ‘하고많은’の形で)とても多い. 多い上にまたも多い. [文例] 하고많은 것 중에서 왜 그런 걸 샀니 数多い物の中からなんでそんなものを買ったのか.

하곡【夏穀】[ha:gok]〈名〉(麦類のように)夏にとり入れる穀物. ㊥추곡(秋穀).

하관【下顴】[ha:gwan]〈名〉顔の下の部分.
하관(이) 빨다 (全体的に) 顔の下のほうが狭い.

하교【下教】[ha:gyo]〈名・하他〉目上の人が目下の者に教示すること. [文例] 진학에 대하여 ~하여 주시기 바랍니다 進学につきご教示ください.

하교【下校】[ha:gyo]〈名・하自〉下校. ＝하학(下學). [語例] ~ 시간 下校時間. ㊥등교(登校).

하구【河口】〈名〉河口・かわぐち. ＝강어귀. [句例] 배가 ~에 도착하다 船が河口に着く.

하구-둑【河口—】〈名〉河口ぜき(堰). ＝하구언(堰). [語例] 낙동강 ~ 洛東江河口ぜき.

ㅎ

하권【下巻】[ha:gwon]〈名〉(書物の)下巻. 下の巻. 對상권(上巻).

하-극상【下剋上】[ha:gŭksang]〈名・하自〉下克上. 句例 ～의 폐해 下克上の弊害.

하급【下級】[ha:gŭp]〈名〉下級. 語例 ～생 下級生 / ～ 관리 下級官吏. 對상급(上級).

하기【下記】[ha:gi]〈名・하他〉下記. 文例 세목은 ～와 같이 되어 있다 細目は下記の通りになっている.

하기【夏期】[ha:gi]〈名〉夏期. ＝하계(夏季). 語例 ～ 방학 夏休み / ～ 휴가(를 얻다) 夏期休暇(をとる). 對동기(冬期).

하기는〈副〉きめられたことなどを肯定する意を表わす語: そう言えば. もっとも. 実のところ. 略して'하긴'ともいう. 文例 ～ 그렇기도 하군 そう言えばそうでもあるね.

하기야〈副〉'実のところをいえば'の意を表わす語: そりゃ(そうなんだが). そうはいうものの. もっとも. 文例 ～ 열심히 하면 될 수도 있겠지 そりゃ熱心にやればできないことではなかろう.

하긴〈副〉'하기는'の略. 文例 ～ 그것도 일리가 있지 そういえばそれも一理はあるね.

⁑하나[1] ■〈數〉一つ. 一. 一人. 句例 ～만 가지다 一つだけ持つ / 어른 ～하고 아이 둘 大人一人と子供二人 / ～씩 먹다 一つずつ食べる. 文例 아기가 태어나서 식구 ～가 늘었다 赤ん坊が生まれて家族が一人増えた.

■〈名〉一つ. 一人. ❶ただそれのみ. ＝유일(唯一). 句例 단 ～뿐인 친구 唯一の親友 / 방법은 오직 ～뿐 方法は一つだけ〔があるのみ〕. ❷一体. 同体. 句例 마음을 ～로 하다 心を一つにする / 세계는 ～ 世界は一つ. ❸('～도 …않다' '～도 …없다'の形で) '全然・少しも'の意を表わす語. 文例 그는 인사 ～도 하지 않은 채 지나갔다 彼はあいさつ一つもしないで通りすぎた / 단 ～도 완전한 것은 없다 ただの一つも完全なものはない.

하나 가득 (透き間もなく)いっぱい. びっしり. 文例 그릇에 물을 ～ 채웠다 器に水をいっぱい満たした.

하나는 알고 둘은 모른다 一は知って二には知らない. 了見の狭いことのたとえ.

하나를 보고 열을 안다 一を見て十を知る. 一を聞いて十を知るの意.

하나밖에 모르다 一つしか知っていない. 凝り性で生まじめだとの意.

하나에서 열까지 一から十まで. いちいち. 句例 ～ 다 가르쳐 주다 一から十まで全部教えてやる.

하나[2]〈副〉'그러하나 そうだが'の意を表わす接続副詞: だが. けれども. しかし. ＝하지만. 文例 물건은 좋다. ～ 너무 비싸다 品はいい. だが, あまり高過ぎる.

하나-같이 [—gach'i]〈副〉一様に. 文例 모두 ～ 마음씨가 곱다 みな一様に気立てがやさしい. 類한결같이.

하나-님〈名〉〔基〕プロテスタントでいう'하느님'のこと.

⁑하나-하나〈名・副〉いちいち. ひとつひとつ(漏れなく). 句例 물건을 ～ 세다 品物をひとつひとつ数える / ～ 검토하다 いちいち検討する / ～ 열거하다 いちいち列挙する.

⁑하느-님〈名〉〔宗〕❶神. 神様. 上帝. 句例 ～께 빌다 神に祈る. ❷〔基〕神. 天主. 句例 전지전능하신 ～ 全知全能の神.
参考 信仰の対象としての'하느님'は, プロテスタントでは'하나님', カトリックでは'하느님', 천도교(天道教)では'한울님', 대종교(大倧教)では'한얼님'という.

하느작-거리다〈自〉(細長くてしなやかな木の枝などが)軽くゆらゆらとゆれる. ゆらぐ. 略して'하늑거리다'ともいう. 句例 수양버들 가지가 바람에 ～ しだれ柳の枝が風にゆらゆらとゆれる.

하느작하느작 [hanŭjak'anŭjak]〈副・하自〉ゆらゆら(と). ゆらりゆらり(と). しゃなりしゃなり(と). 略して'하늑하늑'ともいう. 句例 ～ 걷다 しゃなりしゃなりと歩く.

⁑하늘〈名〉天. ❶空. 句例 ～을 우러러보다 天をあおぐ / ～로 올라가다 天にのぼる / ～을 날다 空を飛ぶ / 푸른 ～ 青い空 / ～에 날아오르다 空に舞い上がる. 語例 고향 ～ 故郷の空.
❷神. 神様. 句例 ～의 도움 天の助け / ～의 은총 天の恵み / ～에 맹세하다 天に誓う.
❸天国. 句例 ～에서 내려온 천사 天から下った天使 / ～에라도 오를 것 같은 기쁜 마음 天にものぼる心地.

하늘 같다 非常に恵み深い. 相手を高く仰ぎ見る. 神のようにあがめる. 句例 하늘 같은 부모님 은혜 この上もなく深い父母の恩.

하늘과 땅 天と地. 天地の差.

하늘 높은 줄 모른다 天の高いのを知らない. ❶出世をとげたからといって, 我が物顔になる. ❷天井しらずの値上がりになる.

하늘 보고 주먹질한다 天にこぶしを振るう. とんでもないことをするとの意.

하늘 아래 첫 동네 天の下では初めの村. 非常に高い地帯にある村のたとえ.

하늘에 맡기다 天にまかせる. 運命にまかせる.

하늘에 침뱉기 天につばする. 天を仰いでつばきする.

하늘을 보아야 별을 따지 空を見なくては星が取れない. 動機があってこそ結果があるものだとの意.

하늘을 지붕 삼다 天を屋根にする. ❶野宿する. ❷さすらいの身になる.

하늘을 찌르다 天を突く. 句例 하늘을 찌르는 기세 天を突く勢い.

하늘의 별따기 空の星とり. とても不可能なことのたとえ.

하늘이 노랗다 ❶過労や傷心で気力がない. ❷絶望の状態になっている.

하늘이 두 쪽이 나도 天が二つに割れるようなことがあっても. どんなことがあっても.

하늘이 무너져도 솟아날 구멍이 있다 空が崩れても抜け出る穴はある. 窮すれば通じるの意.

하늘이 캄캄하다 ❶強いショックを受けてくらっとなる. ❷絶望的になる.

ㅎ

하늘-가 [—kka]〈名〉天の果て. [句例] ~에 아른거리는 별빛 天の果てにちらつく星の光.

하늘-거리다〈自〉ひらひらする. ゆらゆらする. [句例] 나뭇잎이 바람에 ~ 木の葉が風にひらひらなびく.

하늘하늘〈副・하自〉ひらひら(と). ゆらゆら(と).

**하늘 나라 [hanŭllara]〈名〉天国. ＝천국. 천당(天堂).

하늘-빛 [—ppit]〈名〉空色. ＝하늘색.

하늘-소 [—sso]〈名〉〔蟲〕かみきりむし.

하늘하늘-하다 (→하다)〈形〉(触れれば崩れそうに)もろい. ぐにゃぐにゃしている. ぺらぺらだ. [句例] 하늘하늘한 인견 ぺらぺらの人絹.

하늬-바람 [hani—]〈名〉'서풍 西風'を農村や漁村でいう言葉. 略して'하늬'ともいう. (對)샛바람.

하니까〈副〉'그러하니까(そう)だから''그리하니까 そうしたら. そうするから. そう言ったら. そう言うから'などの意の 接続副詞.

하다 (하니, 하여서, 해서) 【一】〈他〉❶する. ㉠(ある目的で)動く. やる. 行なう. な(為)す. [句例] 독서를 ~ 読書をする / 산책을 ~ 散歩する / 절을 ~ おじぎをする. 礼をする / 싸움을 ~ けんかをする / 실수를 ~ へまをやる. [文例] 할 수 있는 데까지 해보자 やれるだけやってみよう / 하면 된다 なせばなる.

㉡他の動詞の代わりに使われる語. [句例] 점심을 ~(＝먹다) 昼飯を食べる / 밥을 ~(＝짓다) ご飯を炊く / 노래를 ~(＝부르다) 歌を歌う / 술을 한잔 ~(＝마시다) 酒を一杯やる / 복면을 ~(＝쓰다) 覆面をする.

㉢ある状態や表情を表わす. [句例] 성난 얼굴을 ~ 怒った顔をする.

㉣('(으)로 ~'の形で) ある状態や地位にならせる. …にする. …とする. [句例] 향상을 목표로 ~ 向上を目標とする / 조카를 양자로 ~ おい(甥)を養子にする.

㉤ある状態になるように決める. …ことにする. [句例] 소풍을 가기로 ~ 遠足に行くことにする.

㉥ある役目を受け持つ. 勤める. [句例] 장사를 하는 사람 商売をする人.

㉦処理する. 処分する. [文例] 남은 돈을 어떻게 할까 残りのお金はどうしようかな.

❷('(이)라고 ~'の形で) …と呼ぶ. …と言う. …と称する. [文例] 그와 같은 사람을 천재라(고) 한다 そのような人を天才と言う.

【二】〈自〉❶する. ㉠行なわれる. できる. …しうる. [文例] 아무나 다 하는데 네가 못 할 리가 없다 だれでもできるのに君ができないはずがない.

㉡大体の時間を表わす語につけて, '時間がたつ'の意になる語. [文例] 한 일주일쯤 하여 완쾌되었다 約一週間ぐらいして, 全快した.

㉢金額に関する言葉につけて, どれだけするかを表わす語. [句例] 삼만 원이나 하는 책 三万ウォンもする本.

❷('-고 하여''-고 해서'の形で) …であるので. …したりするので. …したりして. …といっても. [文例] 시간도 없고 돈도 없고 해서 집으로 돌아갔다 時間もないしお金もないので家へ帰った / 성인이라고 해도 인간인 이상 결점이 있는 것이다 聖人といえども人間であるからには欠点があるのだ.

❸…と言う. ㉠引用語につく語. [文例] 가장 오래 된 절이라고 한다 いちばん古いお寺だと言う / 가난이라고 하는 것은 죄가 안 된다 貧乏というのは罪にならない.

㉡前後の文をつなぐ語. [文例] 고양이 목에 누가 방울을 달 것인가 하는 게 문제다 猫の首にだれが鈴をつけるかというのが問題だ.

❹前の言葉を受ける語: …と思う. [文例] 아직 자나 해서 깨우러 왔다 まだ寝ているのかと思って起こしに来た.

【三】〈補動〉❶('-기도 ~'の形で) とても …である. とても …する. …することもある. [文例] 많이 먹기도 한다 よくも食べるね. ほんとうにたくさん食べるね / 약으로 쓰기도 한다 薬に使うこともある.

❷('(으)려고 ~''-고자 ~'の形で) …(し)ようとする. …(し)ようと思う. [句例] 극장에 가려고〔가고자〕~ 劇場に行こうとする.

❸('-게 ~'の形で) …させる. [句例] 가게 ~ 行かせる / 공부하게 ~ 勉強させる. (類)시키다.

❹('(-으)면 ~'の形で) …だったらいい(のに)と思う. …したいと思う. [文例] 너를 만났으면 한다 君に会ってみたいと思っている.

❺('-어야 ~''-아야 ~''-여야 ~'などの形で) …しなければならない. …でなければならない. …すべきである. [文例] 가야 한다 行かなければならない.

❻('-기 만〔조차・까지・는〕~'の形で) …してばかりいる. …しさえする. …でさえある. …することはする. [文例] 틈만 나면 먹기만 한다 ひまさえあれば食べてばかりいる / 울기까지 했다 泣きさえした / 무서워도 가기는 했다 こわくても行くには行った.

[参考] '-기도'は動詞の語尾で, '가기도 行くことも''오기도 くることも'などと言う. '어야''여야''-기만'なども動詞の語尾.

【四】〈補形〉❶('-기도 ~'の形で) とても …である. [句例] 물이 맑기도 ~ 水がとても澄んでいる.

❷('어야 ~''-아야 ~'などの形で) …でなければならない. [文例] 용감해야 한다 勇敢でなければならない.

❸('-기 만〔조차・까지・는〕~'の形で) …でさえある. とても…である. [文例] 슬프기만 ~ とても悲しい.

[参考] '-기도''-어야''기'などは形容詞の語尾.

하던 지랄도 멍석 펴 놓으면 안 한다 よくする悪ふざけもいざむしろを敷いたらやらない. 鬼も頼めば人を食わぬの意.

할 수 없다 仕方がない. どうすることもできない. [文例] 뭐라고 하든 ~ なんと言われても仕方がない / 비가 와서 할 수 없이 되돌아왔다 雨が降ったので仕方なく引き返した.

할 일 없으면 낮잠이나 자라 なすべきことがなかったら昼寝でもせよ. 人のことに対して余計なでしゃばりはするなとの意.

-하다 (-하니, -하여서, -해서)〈尾〉❶…する. ㉠

名詞の後について, 動詞をつくる語. 語例 운동~ 運動する / 사랑~ 愛する / 말~ 話す.

㉡副詞について, 動詞や形容詞をつくる語: …している. 語例 번쩍번쩍~ ぴかぴかする / 매끈매끈~ すべすべする.

❷形容詞の 語根について 状態を 表わす語. 語例 얌전~ おとなしい. しとやかだ / 훌륭~ 立派だ.

❸副詞形語尾'ㅘ・ㅝ・ㅏ・ㅓ'について, 動詞をつくる語: …がる. 語例 귀여워~ かわいがる / 기뻐~ うれしがる.

❹('체~' '듯~'などの形で) …ふりをする. …そうだ. 語例 모른 체~ 知らないふりをする / 좋을 듯~ よさそうだ.

参考 '체' '듯'は依存名詞.

하다가 〈副〉 たまには. ときには. まれには. 文例 ~ 좋은 일도 있겠지 たまにはいいこともあるだろう. 類가다가.

하다-못해 [—mot'ae] 〈副〉 ❶仕方なく. 文例 ~ 도망쳤다 仕方なく逃げてしまった. ❷せめて. どうにもならなければ. 文例 ~ 엽서라도 보내주었으면 안심했을 텐데 せめて葉書でもだしてくれたら安心しただろうに.

하단 【下段】 [ha:dan] 〈名〉 (物の)下段. 句例 책장의 ~ 本棚の下段. 對상단(上段).

하단 【下端】 [ha:dan] 〈名〉 (物の)下端. =아래쪽. 句例 그 행의 ~ その行の下端. 對상단(上端).

하단 【下壇】 [ha:dan] 〈名・하自〉 降壇. 句例 발언이 끝나고 ~하다 発言が終わって降壇する. 對등단(登壇).

하달 【下達】 [ha:dal] 〈名・하自他〉 下達. 句例 명령을 ~하다 命令を下達する. 語例 상의 ~ 上意下達. 對상달(上達).

하대 【下待】 [ha:dae] 〈名・하他〉 ❶粗末にあしらう〔もてなす〕こと. 冷遇すること. ❷目下に対する言葉遣いをすること. 對공대(恭待). 존대(尊待).

하도 〈副〉 '하'を強めた言いかた: とても. あまりにも. 文例 ~ 기가 막혀서 말도 안 나왔다 あまりにもあきれてものも言えなかった.

하-도급 【下都給】 [ha:—] 〈名〉 下請け. 句例 ~을 주다 下請けにだす.

하도롱-지 【—紙】 〈名〉 ハトロン紙. 句例 ~로 싸다 ハトロン紙で包む. ◇ド Patronenpapier から.

하드-보드 [ha:dŭbo:dŭ] 〈名〉 ハードボード. ◇hardboard

하드-웨어 [ha:dŭ—] 〈名〉 〔컴〕 ハードウエア. ハード《略語》. 對소프트웨어. ◇hardware

하드-커버 [ha:dŭ—] 〈名〉 ハードカバー. ◇hardcover

하드 트레이닝 [ha:dŭ—] 〈名〉 ハードトレーニング. =맹연습. 맹훈련. ◇hard training

하등 【下等】 [ha:dŭng] 〈名〉 下等. 語例 ~품 下等品. 下等な品 / ~ 동물〔식물〕 下等動物〔植物〕. 對상등(上等).

하등 【何等】 ━〈名〉 ('~의'の形で) なんの. なんら. 文例 그것은 ~의 가치도 없다 それはなんの価値もない / 나는 그 일과 ~의 관계도 없다 僕はそのこととなんの関係もない.

━〈冠・副〉 なんの. なんら. 文例 너에게는 ~ 책임이 없다 きみにはなんら責任がない. ▷=아무. 아무런.

하라-체 【—體】 〈名〉 〔言〕 '상대 높임법'の一つ. '해라체'からきた言葉遣い. 相手が特定の個人でないときには尊卑の区別が薄れるような言いかたになり, 広告文・演説文などに使われる. '보라 見よ. 見ろ' '대책은 있는가 対策はあるのか'など.

하락 【下落】 [ha:rak] 〈名・하自〉 下落. 句例 주가가 ~하다 株価が下落する. 對등귀(騰貴). 상승(上昇).

하례 【賀禮】 [ha:rye] 〈名・하自〉 祝賀の礼式. 賀儀.

**하루 〈名〉 一日. ❶一昼夜. また, ある時から二十四時間の間. =일일(一日). 語例 ⇨ 하루같이. ❷朝から夕べまでの間. 文例 어느덧 ~가 지나갔다 いつの間にか一日が過ぎ去った. ❸('~는'の形で) ある日(のこと). 文例 ~는 친구와 산에 올라갔다 ある日友達と山登りをした. ❹'하룻날'の略: 一日. =일일. 語例 스무 ~ 二十一日.

하루가 멀다고 時を嫌わず毎日(のように). 句例 ~ 찾아오다 毎日のように訪ねてくる.

하루-같이 [—gach'i] 〈副〉 長い年月を変わりなく. 文例 십 년을 ~ 기다리고 있다 十年一日のごとく待っている.

하루-거리 〈名〉 〔醫〕 三日熱.

하루-건너 〈副〉 ⇨ 하루걸러

하루-걸러 〈副〉 一日おきに. 句例 ~ 도장에 가다 一日おきに道場へ行く.

하루-바삐 〈副〉 一日も早く. =하루속히. 하루빨리. 文例 ~ 건강해지시기를 바랍니다 一日も早くお元気になってください.

하루-살이 [—sari] 〈名〉 かげろう. ❶〔蟲〕 とんぼに似た小さい昆虫の一つ. ❷はかないもの. 句例 ~ 같은 목숨 かげろうの命.

하루-아침 〈名〉 ❶一朝一夕. 句例 ~에 없어지다 一朝一夕に〔突然〕なくなる. ❷一朝. ある(日の)朝. 文例 그 시인은 ~에 갑자기 유명해졌다 その詩人は一朝にして名を成した.

하루-종일 【—終日】 〈名・副〉 一日中. =온종일. 하루내내. 句例 ~ 비가 오다 一日中雨が降る.

하루-치 〈名〉 一日分. 句例 ~의 식량 一日分の食糧.

하루-하루 〈名・副〉 一日一日. その日その日. 句例 ~ 달라지다 日に日に〔日増しに〕変わる.

하룻-강아지 〈名〉 ❶生まれて間もない小犬. ❷あっちこっち飛び回る小犬. ❸青二才. 初歩者.

하룻강아지 범 무서운 줄 모른다 生まれたばかりの小犬は虎を怖がらない. めくら(盲)蛇におじず.

하룻-길 〈名〉 一日の道のり. 文例 거기까지는 ~은 될거요 そこまでは一日の道のりはあるでしょう.

하룻-날 [harunnal] 〈名〉 一日. 略して'하루'と

もいう.

하룻-밤〈名〉一夜. ❶一晩. 句例 ~ 묵다 一晩泊まる. ❷ある夜. 文例 가을의 ~을 친구와 이야기로 지새웠다 秋の一夜を友と語り明かした.

하룻밤을 자도 만리 장성을 쌓는다 一夜を共に寝ても万里の長城を築く. 付き合いは短くても深いよしみを結ぶことのたとえ.

***하류**【下流】[ha:ryu]〈名〉下流. ❶川下. 下手. 川のすそ. ❷下層階級. ▷對상류(上流).

하륙【下陸】[ha:ryuk]〈名・하自他〉陸揚げ. 荷揚げ. 荷下ろし. 句例 화물을 ~하다 貨物を陸揚げする. 類양륙(揚陸).

하릴-없다 [ha:rirŏpta]〈形〉どうにも仕方がない. 文例 바보라는 말을 들어도 ~ ばかと言われても仕方がない. **하릴없이** [ha:rirŏpshi]〈副〉仕方なく. 句例 하릴없이 돌아오다 仕方なく戻ってくる.

****하마**【河馬】〈名〉〔動〕かば(河馬).

하마터면〈副〉すんでのところで. すんでのことに. 危うく. 文例 ~ 죽을 뻔했다 すんでのことに死ぬところだった / ~ 지각할 뻔했다 危うく遅刻するところだった.

하마-평【下馬評】[ha:ma—]〈名〉下馬評. 句例 ~에 오르다 下馬評に上る.

하명【下命】[ha:myŏng]〈名・하自他〉下命. 句例 ~을 받다 ご下命を受ける. 對분부(分付・吩咐).

하모니 [ha:moni]〈名〉ハーモニー. =조화(調和). 화성(和聲). 句例 ~를 이루다 ハーモニーがとれる. ◇harmony

***하모니카** [ha:monik'a]〈名〉ハーモニカ. 句例 ~를 불다 ハーモニカを吹く. ◇harmonica

하문【下問】[ha:mun]〈名・하他〉下問. 語例 ~하시다 ご下問になる.

하물【荷物】[ha:mul]〈名〉荷物. 貨物. =짐.

하물며〈副〉まして. いわんや. =황차(況且). 文例 어른도 모르는데 ~ 어린이가 알 리가 없다 大人もわからないのに, まして子供どもにわかるはずがない / ~ 그에게 있어서랴 まして彼においてをや.

하-바리【下—】[ha:—]〈名〉(組織の)下っ端. 平. 文例 ~들이 잘난 체하고 으스댄다 下っ端どもが偉そうな顔をしていばる.

하-반기【下半期】[ha:—]〈名〉下半期. 下期. 句例 ~의 실적 下半期の実績. 對상반기(上半期).

하-반부【下半部】[ha:—]〈名〉下半部. 句例 얼굴의 ~를 뒤덮는 수염 顔の下半部をおおうひげ. 對상반부(上半部).

하-반신【下半身】[ha:—]〈名〉下半身・下半身. 句例 ~이 불편하다 下半身の具合が悪い. 對상반신(上半身).

하백【河伯】〈名〉河伯. 河神. 川の神.

하복【夏服】[ha:bok]〈名〉夏服. 夏着. 夏物. =하의(夏衣). 語例 ~지 夏服地. 對동복(冬服).

하복-부【下腹部】[ha:bok—]〈名〉下腹部. 句例 ~가 아프다 下腹部が痛い.

하부【下部】[ha:bu]〈名〉下部. 語例 ~ 조직 下部組織. 對상부(上部).

하뿔싸〈感〉'아뿔싸'の語勢の激しい語.

하사【下士】[ha:sa]〈名〉〔軍〕下士. 下士官の最下位の階級. '중사(中士)'の下, '병장(兵長)'の上《三等陸曹〔海曹・空曹〕に当たる》.

하사【下賜】[ha:sa]〈名・하他〉下賜. 句例 금일봉을 ~하다 金一封を下賜する. 語例 ~금 ご下賜金.

하사-관【下士官】[ha:sa—]〈名〉〔軍〕下士官. 語例 선임 ~ 先任下士官.
参考 上位から'원사(元士)・상사(上士)・중사(中士)・하사(下士)'となっている.

하산【下山】[ha:san]〈名・하自〉下山・下山. 句例 무사히 ~하다 無事に下山する. 對등산(登山).

하상【河床】〈名〉河床・河床. 語例 ~ 토사 河床土砂.

하선【下船】[ha:sŏn]〈名・하自〉下船. 句例 승객이 ~하다 乗客が下船する. 對승선(乗船).

하소연 [ha:soyŏn]〈名・하他〉(悔しいことなどを)切切と訴えること. 哀訴. 略して'하소'ともいう. 句例 괴로운 사정을 ~하다 苦しい事情を切に訴える.

***하수**【下水】[ha:su]〈名〉下水. 句例 ~가 흘러들다 下水が流れ込む. 語例 ~관 下水管 / ~처리(장) 下水処理(場). 對상수(上水).

하수【下手】[ha:su]〈名〉技量が劣っていること. また, そのような人. (囲碁などの)下手. 對상수(上手).

하수-도【下水道】[ha:su—]〈名〉下水道. 下水《略語》. 句例 ~가 막히다 下水がつかえる. 語例 ~ 공사 下水工事. 對상수도(上水道).

하수-인【下手人】[ha:su—]〈名〉下手人. =하수자(下手者). 句例 ~을 알아내다 下手人をつき止める.

하숙【下宿】[ha:suk]〈名〉下宿. ❶〈하自〉他人の家の部屋を借りて住みこむこと. 句例 ~을 구하다 下宿をさがす / ~을 치다 下宿屋をする / ~비를 내다 下宿代を払う. 語例 ~생 下宿生 / ~방 下宿部屋. ❷安宿.
参考 ①は普通賄いつきであるがこれがないのは'자취(自炊)'という.

하숙-집【下宿—】[ha:suk—]〈名〉❶下宿している家. ❷下宿屋.

하순【下旬】[ha:sun]〈名〉下旬. 句例 내달 ~경 来月の下旬ごろ.

하시【何時】〈名〉いつ. どんな時. 句例 ~라도 いつでも / ~를 막론하고 いつどんな時でも. 時を問わず.

하식【河蝕】〈名〉〔地〕河食. 語例 ~ 작용 河食作用.

하안 단구【河岸段丘】〈名〉〔地〕河岸段丘.

하야【下野】[ha:ya]〈名・하自〉下野. 句例 책임을 지고 ~하다 責任を負って下野する. 語例 ~ 성명 下野声明.

하양〈名〉❶白. 白色. 白色の染料や絵の具. ❷白いもの.

****하얗다** [ha:yat'a](하야니, 하야오)〈形〉とても白い. 真っ白だ. 句例 하얀 손수건 真っ白なハンカチ.

하얘-지다 [ha:yae—]〈自〉(真っ)白くなる.

句例 얼굴빛이 ~ 顔色が(真っ)白くなる.

하여-간【何如間】〈副〉とにかく. ともかく. いずれにせよ. とにもかくにも. =어쨌든. 하여튼. 하여간에. 文例 출타 중일지도 모르지만 ~ 가보자 留守かもしれないが, とにかく行ってみよう.

하여간-에【何如間—】[hayŏgane]〈副〉⇨ 하여간

***하여금**〈副〉('(으)로 ~'の形で) …をして(…せしめる). 文例 이 책은 독자로 ~ 깊은 감명을 받게 한다 この本は読者をして深い感銘を受けさせる.

하여-튼【何如—】〈副〉⇨ 하여간

하여-튼지【何如—】〈副〉⇨ 하여간

하역【荷役】[ha:yŏk]〈名〉荷役. 荷物のあげおろし. 語例 ~ 작업 荷役作業/~업 荷役業.

하염-없다 [hayŏmŏpta]〈形〉❶むなしい. ぼけっとしている. ❷とめどない. 限りない. **하염없이** [hayŏmŏpshi]〈副〉むなしく. とめどなく. 句例 하염없이 흐르는 눈물 とめどなく流れる涙.

하염직-하다 [hayŏmjik'ada] (→하다)〈形〉やりがいがある. する価値がある. 句例 후진들을 위하여 하염직한 일 後進のためやりがいのある仕事.

하오【下午】[ha:o]〈名〉下午. 午後. =오후(午後). 對상오(上午).

하오-체【一體】〈名〉〔言〕'상대 높임법'の一つ. 相手をやや高めて言う言葉遣い. 現代の韓国語ではほとんど使われない. '주오 ちょうだいな' '어서 가오 早く行きなさいな' など. '하게체'と'합쇼체'の中間にあたる.

하오-하다 (→하다)〈自〉相手に対してやや高めた言葉遣いをする.

하옥【下獄】[ha:ok]〈名・하他〉下獄. 入獄. 句例 죄인을 ~하다 罪人を下獄させる.

하와이안 기타〈名〉〔樂〕ハワイアンギター. ◇Hawaiian guitar

하우스〈名〉ハウス. ❶家. ❷〔農〕ビニールハウス. ◇house

하우스 재배【house栽培】[—jae:bae]〈名〉〔農〕ハウス栽培.

하원【下院】[ha:won]〈名〉(二院制議会の)下院. 語例 ~ 의원 下院議員. 對상원(上院).

하위〈名・하自〉'화해 和解'の俗っぽい言いかた.

하위【下位】[ha:wi]〈名〉下位. 低い地位. 語例 ~ 분류 下位分類/~ 타선 下位打線/~ 관리 下位の役人. 下役. 對상위(上位).

하의【下衣】[ha:ŭi]〈名〉(ズボンなど)腰の下に着用する衣服. 對상의(上衣).

하의【夏衣】[ha:ŭi]〈名〉⇨ 하복(夏服). 對동의(冬衣).

하의 상달【下意上達】[ha:ŭisa:ngdal]〈名〉下意上達. 對상의 하달(上意下達).

하이〈冠〉ハイ. 語例 ~ 클래스 ハイクラス/~ 스피드 ハイスピード/~ 템포 ハイテンポ/⇨ 하이힐. ◇high

하이-라이트〈名〉ハイライト. 句例 그 쇼의 ~ そのショーのハイライト. ◇high-light

하이 스쿨 [—sŭk'u:l]〈名〉ハイスクール. ◇high school

하이에나〈名〉〔動〕ハイエナ. ◇hyena

하이-웨이〈名〉ハイウエー. =간선(幹線) 도로. 고속 도로. ◇highway

하이잭〈名〉ハイジャック. 乗っ取り. ◇hijack

하이킹〈名・하自〉ハイキング. 語例 ~ 코스 ハイキングコース. 類피크닉. 소풍. ◇hiking

하이-틴 [—t'i:n]〈名〉ハイティーン. 對로틴. ◇highteen

하이-파이〈名〉ハイファイ. 語例 ~ 재생 장치 ハイファイ再生装置. ◇hi-fi (high fidelity)から.

하이픈〈名〉ハイフン. 句例 ~으로 잇다 ハイフンでつなぐ/~을 넣다 ハイフンを入れる. ◇hyphen

하이 허들 [—hŏ:dŭl]〈名〉(陸上競技の)ハイハードル. ◇high hurdles

하이 힐 [—hi:l]〈名〉ハイヒール. 對로힐. ◇high-heeled shoesから.

***하인**【下人】[ha:in]〈名〉下人. しもべ. 召し使い. 語例 ~배 下人たち. しもべのやから(輩).

하인【何人】〈名〉何人・何人. =누구. 文例 ~을 막론하고 들어가지 못 한다 何人であろうと入れない.

하자【瑕疵】〈名〉瑕疵. 語例 ~ 보수 공사 瑕疵に対する補修工事.

하잘것-없다 [hajalkkŏdŏpta]〈形〉つまらない. くだらない. 取るに足りない. 句例 하잘것없는 이야기 くだらない話/하잘것없는 일로 다투다 つまらないことで争う. **하잘것없이** [hajalkkŏdŏpshi]〈副〉つまらなく. ばからしく.

하전【荷電】〈名〉〔物〕荷電. 語例 ~ 입자 荷電粒子.

하절【夏節】[ha:jŏl]〈名〉夏季. =여름철. 對동절(冬節).

하제【下劑】[ha:je]〈名〉〔藥〕下剤. 下し薬. 通じ薬.

하주【荷主】〈名〉荷主. =화주(貨主).

하중【荷重】〈名〉荷重. 句例 ~에 견디다 荷重にたえる/다리의 ~ 橋の荷重.

하지【下肢】[ha:ji]〈名〉〔生〕下肢. =다리. 對상지(上肢).

하지【夏至】[ha:ji]〈名〉夏至. 語例 ~점〔天〕夏至点/하짓날 夏至の日. 對동지(冬至).

***하지만**〈副〉しかし. だが. けれども. だって. でも. =그러나. 그렇지만. 文例 물은 깨끗해졌다. ~, 물고기는 이제 돌아오지 않는다 水はきれいになった. でも, 魚はもう戻ってこない.

하직【下直】[ha:jik]〈名・하自他〉❶(長い旅路につくとき)目上の人に別れのあいさつをすること. いとまごい. 句例 ~차(次) 찾아뵙다 別れのあいさつをするために伺う. 文例 아버지에게 ~ 인사를 하고 길을 떠났다 父にいとまごいをして旅立った. ❷(世を)捨てること. 別れること. 離れること. 句例 고향을 ~하다 故郷を離れる/세상을 ~하다 帰らぬ旅路につく. 世を捨てる. 死ぬ.

하차【下車】[ha:ch'a]〈名・하自〉下車. 語例 도중 ~ 途中下車. 對승차(乘車).

하찮다 [hach'ant'a]〈形〉'하치않다'の略：つまら

ㅎ

ない．取るに足りない．大したものでない．句例 하찮은 이야기〔선물〕つまらない話〔贈り物〕/ 하찮게 여기다 高をくくる．類하잘것없다．

하책【下策】[ha:ch'aek]〈名〉下策．＝하계(下計)．對상책(上策)．

*__하천__【河川】〈名〉河川．句例 ~이 범람하다 河川が氾濫する．語例 ~ 오염 河川の汚染 / ~수 河川水 / ~ 관리 河川管理．

하천 부지【河川敷地】〈名〉河川敷．

하청【下請】[ha:ch'ŏng]〈名〉'하도급(下都給)'の古い言いかた．

하체【下體】[ha:ch'e]〈名〉下半身・しもはんしん．對상체(上體)．

하층【下層】[ha:ch'ŭng]〈名〉下層．＝밑층．하급．語例 ~ 계급 下層階級 / ~운 下層雲．對상층(上層)．

하-치【下—】[ha:—]〈名〉下等品．＝하품(下品)．對상(上)치．

하치-않다 [—ant'a]〈形〉⇨ 하찮다

하치-장【荷置場】〈名〉貨物置き場．

하키〈名〉❶ホッケー．＝필드 하키．❷'아이스 하키 アイスホッケー'の略．◇hockey

하트 [ha:t'ŭ]〈名〉ハート．句例 ~, 스페이드, 다이아 그리고 클럽 ハート，スペード，ダイアそしてクラブ．語例 ~형 ハート型．◇heart

하편【下篇】[ha:p'yŏn]〈名〉下編．對상편(上篇)．

**__하품__〈名・하自〉あくび．句例 ~을 참다 あくびをこらえる / ~이 나오다 あくびがでる / ~을 억지로 참다 あくびをかみころす / 크게 ~하다 大きくあくびをする / ~하면서 말하다 あくび交じりに言う．

하품만 하고 있다 あくびばかりしている．不景気で商売が上がったりだ．何もすることがない．

하프 [ha:p'ŭ]〈名〉ハーフ．語例 ~ 타임 ハーフタイム / ~ 코트 ハーフコート．◇half

하프 [ha:p'ŭ]〈名〉〔樂〕ハープ．句例 ~를 뜯다〔타다〕ハープを弾く．語例 ~ 주자 ハープ奏者．◇harp

하프시코드 [ha:p'ŭshik'o:dŭ]〈名〉〔樂〕パープシコード．＝클라브생．쳄발로．◇harpsichord

하필【何必】〈副〉よりによって．なんで．どうして．ことさら．とりわけ．＝해필(奚必)．文例 ~, 밤에 간단 말인가 なんで，夜行こうとするのだ．

하필이면 よりによって．こともあろうに．文例 ~, 이 바쁜 때에 오다니 무슨 일인가 よりによって，この忙しいときに来るとはどうしたことか．

*__하하__〈副・感・하自〉❶口を大きく開けて笑う声：はは(と)．あはは(と)．句例 ~ 웃다 ははと笑う．❷あきれてため息をつく声：ああ．はは．へえ．文例 ~, 이거 큰일 났군 ああ，これは大変だ．❸何か悟ったときに出す声：ははあ．ふうん．文例 ~, 그랬었군 ははあ，そうだったのか．**~거리다**〈自〉つづけざまに ははは と笑う．

하학【下學】[ha:hak]〈名・하自〉下校．對상학(上學)．

ㅎ

하한【下限】[ha:han]〈名〉下限．句例 합격점의 ~을 정하다 合格点の下限を決める．對상한(上限)．

하한-기【夏閑期】[ha:han—]〈名〉(店などの)夏枯れ時．

하해【河海】〈名〉河海．河と海．句例 ~ 같은 부모의 은혜 河海のように広く大なる父母の恩恵．

하행【下行】[ha:haeng]〈名・하自〉❶下り．㉠下行．下降．㉡中央から地方へ行くこと．❷'하행 열차'の略．▷對상행(上行)．

하행 열차【下行列車】[ha:haengnyŏlch'a]〈名〉下り列車．對상행(上行) 열차．

하향【下向】[ha:hyang]〈名・하自〉❶下に向くこと．下向き．うつむき．❷衰えていくこと．❸物価が下落すること．句例 물가가 ~세에 있다 物価が下落傾向にある．▷對상향(上向)．

하현-달【下弦—】[ha:hyŏnttal]〈名〉下弦の月．對상현달．

하회-하다【下廻—】[ha:hoe—]（→하다）〈自〉(ある基準より)下回る．＝밑돌다．句例 작황이 평년작을 ~ 作柄が平年作を下回る．對상회(上廻)하다．

하후-상박【下厚上薄】[ha:husa:ngbak]〈名〉(待遇が)下に厚く上に薄いこと．

학【鶴】〈名〉〔鳥〕⇨ 두루미

학 〔漢字項目〕

【學(学)】 中學 학 ガク．❶배우다 まなぶ．연구하다 研究する．▮學習 학습 がくしゅう．學業 학업 がくぎょう．▮勉學 면학 べんがく．留學 유학 りゅうがく．❷학문 学問．지식의 체계 知識の体系．▮學識 학식 がくしき．學術 학술 がくじゅつ．▮理學 이학 りがく．天文學 천문학 てんもんがく．❸학교 学校．▮學園 학원 がくえん．學制 학제 がくせい．▮入學 입학 にゅうがく．大學 대학 だいがく．

【鶴】 高校 학 カク．❶두루미 つる．▮鶴翼 학익 かくよく．▮白鶴 백학 しらづる．❷㉠(학과 같이) 흰 모양 (つるのように)白いさま．▮鶴髮 학발 かくはつ．鶴林 학림 かくりん．㉡목이 긴 모양 首の長いさま．▮鶴首 학수 かくしゅ．鶴望 학망 かくぼう．

학계【學界】〈名〉学界．句例 ~의 관심을 끌다 学界の関心を引く．

학과【學科】〈名〉学科．語例 영문~ 英文学科 / ~ 과정 学科課程 / ~ 과목 学科科目．

**__학교__【學校】〈名〉学校．句例 ~에 입학하다 学校に入学する / ~를 졸업하다 学校を卒業する / ~를 빼먹다 学校をさぼる．語例 ~ 교육 学校教育 / ~ 도서관 学校の図書館 / ~장 学校長．

학구【學究】〈名〉学究．句例 ~에 전념하다 学究に専念する．語例 ~열 学究熱 / ~적 学究的．

학군【學群】〈名〉地域別に分割した中・高校の学校群．学区．通学区．

학군-단【學軍團】〈名〉['학도 군사 교육단(學徒軍事教育團)'の略] 学軍団．(英語の頭文字をとって)R.O.T.C.とも表わす．

*학급【學級】〈名〉学級. クラス. 句例 ～을 편성하다 学級を編成する. 語例 ～ 담임 学級担任 / ～ 문고 学級文庫 / ～ 신문 学級新聞 / ～ 일지 学級日誌 / ～회 学級会.

학기【學期】〈名〉学期. 語例 신～ 新学期 / ～말 시험 学期末試験.

*학년【學年】[hangnyŏn] ━〈名〉学年. 文例 내가 ～이 위다 僕が学年が上だ.
━〈依名〉…年生. 文例 몇 ～이지요? 何年生ですか. 語例 오～ 五年生.

학대【虐待】〈名・하他〉虐待. 虐げること. 句例 동물을 ～하다 動物を虐待する〔虐げる〕/ ～를 받다 虐待される.

학덕【學德】〈名〉学徳. 句例 ～을 겸비하다 学徳を兼備する.

학도【學徒】〈名〉学徒. 学生. 生徒. 学問を磨く人. 語例 ～병 学徒義勇兵.

학동【學童】〈名〉学童. ❶私塾で勉強する児童. ❷小学生.

학력【學力】[hangnyŏk]〈名〉学力. 句例 ～이 저하되다 学力が低下する. 語例 ～ 고사 学力考査.

학력【學歷】[hangnyŏk]〈名〉学歴. 句例 ～이 높다 学歴が高い. 文例 이력서에는 반드시 ～과 경력을 쓴다 履歴書には必ず学歴と経歴を書く. 語例 고～ 高い学歴 / ～ 사회 学歴社会.

학령【學齡】[hangnyŏng]〈名〉学齢. 句例 ～기에 달한 어린이 学齢期に達した子供.

학명【學名】[hangmyŏng]〈名〉❶学名. 学問上の名声. 文例 그 교수의 ～은 널리 알려져 있다 その教授の名声は広く知られている. ❷(動植物の)学名.

학무【學務】[hangmu]〈名〉学務.

*학문【學問】[hangmun]〈名・하他〉学問. 学識. 句例 ～을 닦다 学問を磨く / ～에 힘쓰다 学問に励む / ～에 뜻을 품다 学問に志をいだ(抱)く.

*학벌【學閥】〈名〉学閥. 句例 ～을 형성하다 学閥を形成する / ～이 좋은 교수 学閥のよい教授.

학병【學兵】〈名〉'학도병 学徒義勇兵'の略.

학부【學府】〈名〉学府. 語例 최고 ～ 最高学府.

학부【學部】〈名〉学部. ❶(旧制大学の)学部. ❷(大学院に対する)学部. ❸〔史〕大韓帝国の学務行政をつかさどった官庁.

학-부모【學父母】〈名〉就学中の児童や学生の父母.

학-부형【學父兄】〈名〉就学中の児童や学生の父兄〔保護者〕.

학비【學費】〈名〉学費. 句例 ～가 불어나다 学費がかさむ / ～를 대어주다 学費を出してやる / ～를 벌다 学費をかせぐ.

학사【學士】〈名〉(文学士などの)学士.

학사【學事】〈名〉学事. 語例 ～ 보고 学事報告.

학살【虐殺】〈名・하他〉虐殺. 句例 무참히 ～당한 시체 無残に虐殺された死体.

*학생【學生】〈名〉学生. 生徒. 句例 ～은 나라의 기둥 学生は国の柱石. 文例 어느 학교 ～인가 どの学校の学生かね. 語例 ～ 문예 学生文芸 / ～용 学生用 / ～ 운동 学生運動.

학설【學說】〈名〉学説. 句例 새로운 ～ 新しい学説 / ～을 세우다 学説を立てる.

학수-고대【鶴首苦待】〈名・하他〉(つる(鶴)のように)首を長くして待ちわびること. 句例 회소식을 ～하다 首を長くして吉報を待ちわびる.

학술【學術】〈名〉学術. 語例 ～ 발표회 学術発表会 / ～ 조사 学術調査 / ～ 회의 学術会議 / ～ 단체 学術団体.

학술-원【學術院】[haksurwon]〈名〉学術院. 学士院. アカデミー.

*학습【學習】〈名・하他〉学習. 句例 수학을 ～하다 数学を学習する. 語例 ～ 발표회 学習発表会 / ～ 일기 学習日記 / ～ 지도 学習指導 / ～ 활동 学習活動.

학식【學識】〈名〉学識. 句例 ～이 풍부한 사람 学識の豊かな人.

학업【學業】[hagŏp]〈名〉学業. 句例 ～에 힘쓰다 学業に励む / ～을 마치다 学業を終える.

학연【學緣】[hagyŏn]〈名〉同窓関係の縁.

학예【學藝】[hagye]〈名〉学芸. 語例 ～란 学芸欄 / ～회 学芸会.

*학용-품【學用品】[hagyong—]〈名〉学用品.

학우【學友】[hagu]〈名〉学友. 語例 ～회 学友会.

*학원【學院】[hagwon]〈名〉学院. 塾. 語例 외국어 ～ 外国語学院〔塾〕/ 요리 ～ 料理学院 / 일본어 ～ 日本語塾 / 자동차 기술 ～ 自動車技術学院.

학원【學園】[hagwon]〈名〉学園.

학위【學位】[hagwi]〈名〉学位. 句例 ～를 따다 学位を取る / ～를 수여하다 学位を授与する. 語例 박사 ～ 博士学位 / ～ 논문 学位論文.

학익-진【鶴翼陣】[hagik—]〈名〉〔軍〕鶴翼の陣形. つる(鶴)が翼を広げた形の陣を張り敵を包囲する戦術.

*학자【學者】〈名〉学者. 句例 ～가 되다 学者になる / ～의 체면을 지키다 学者の面目を保つ. 語例 국어 ～ 国語学者 / 사이비 ～ えせ学者.

학자-금【學資金】〈名〉学資金.

학장【學長】〈名〉学長.

학적【學籍】〈名〉学籍. 語例 ～부 学籍簿 / ～ 조회 学籍照会.

학점【學點】〈名〉(大学や大学院での学科履修の)単位. 文例 철학 과목은 ～을 따기가 매우 어렵다 哲学科目の単位を取るのがとてもむずかしい.

학정【虐政】〈名〉虐政. 句例 ～에 시달리다 虐政に苦しめられる. 對선정(善政).

학제【學制】〈名〉学制. 句例 ～를 개편하다 学制を改編する.

학질【瘧疾】〈名〉〔醫〕⇨ 말라리아. 語例 ～ 모기 マラリア蚊.

학창【學窓】〈名〉学窓. 学校の別称. 句例 ～을 떠나다 学窓を離れる. 語例 ～ 시절 学窓時代.

ㅎ

학칙【學則】〈名〉学則.

학파【學派】〈名〉学派. 語例 스콜라 ~ スコラ学派.

학풍【學風】〈名〉学風. ❶学問上の流派. 句例 아카데믹한 ~ アカデミックな学風. ❷学校の気風.

학회【學會】[hak'oe]〈名〉学会. 語例 한글 ~ ハングル学会.

***한**〈冠〉❶一つの. 一. 語例 ~ 개 一個 / ~ 사람 一人 / ~번 一回. ❷同じ. 同一の. 文例 ~ 회사에 근무하고 있다 同じ会社に勤めている. ❸ほぼ. 約. おおよそ. 大体. 文例 ~ 열 개 정도만 있으면 되네 おおよそ十個ぐらいあれば大丈夫だ.

한 달이 크면 한 달은 작다 ひと月が大の月ならひと月は小の月. よいことがあれば次には悪いことがある.

한 술 밥에 배 부르랴 ひとさじの飯で腹がふくれようか. 労少なくして大きな効果は得られない.

한 일을 보면 열 일을 안다 ひとつのことを見れば十のこともわかる. ある人のひとつのことをわかれば, その人の全体像を推測できる.

한 치 걸러 두 치 一寸おいて二寸. 負うた子より抱いた子.

한-〈頭〉❶大きい. 語例 ~길 大通り. ❷'正しい・本当の'意を表わす: 真…. 語例 ~낮 真昼 / ~마음 真心 / ~밤중 真夜中 / ~복판 真ん中. 中心. ❸満ちているさま: いっぱい. 語例 ~가득 ぎっしりいっぱいに / ~껏 精いっぱい.

***한**【限】[haːn] ㊀〈名・하他〉❶限り. 限度. 際限. 句例 될 수 있는 ~ できる限り / ~없이 기쁘다 非常にうれしい. 文例 가도 가도 ~이 없다 行っても行っても限りがない. ❷'계한(界限)' 限界'の略. 文例 강당에 ~해서 입장함 講堂に限って入場する. ❸'기한(期限)'の略. 文例 15일~ 마감한다 十五日限り締め切る. ❹'제한(制限)'の略: 制限. 限ること. 句例 입장은 여성에 ~하다 入場は女性に限る. ㊁〈依名〉('…는 ~'の形で用いられて) …する限り. 句例 죽는 ~이 있어도 死に至るとも. 死んでも / 지는 ~이 있어도 負けても.

***한**【恨】[haːn]〈名・하他〉恨み. 恨む気持ち. 句例 ~을 풀다 恨みを晴らす / ~을 품다 恨みをいだ(抱)く.

한【韓】[haːn]〈名〉韓. ❶'대한 민국(大韓民國)'の略. ❷'대한 제국(大韓帝國)'の略. ❸〔史〕中国の戦国七雄の一つ.

-한【漢】〈尾〉男子・男の意を表わす語: …漢. 語例 괴~ 怪漢 / 무뢰~ 無頼漢 / 호~ 好漢.

한 〔漢字項目〕

【寒(寒)】中學 한 カン. ❶차다 つめたい. 춥다 さむい. ◧寒冷 한랭 かんれい. 寒暑 한서 かんしょ. ◧嚴寒 엄한 げんかん. ❷곤궁하다 まずしい. 쓸쓸하다 ものさびしい. ◧寒村 한촌 かんそん. ◧貧寒 빈한 ひんかん. ❸이십사 절기의 소한과 대한 二十四節気の小寒と大寒. ◧寒行 한행 かんぎょう. ◧大寒 대한 だいかん.

【恨】中學 한 コン. ❶한하다 うらむ. 유감으로 생각하다 遺憾に思う. ◧恨事 한사 こんじ. ◧遺恨 유한 いこん. 怨恨 원한 えんこん. ❷애석히 여겨 후회하다 残念に思い後悔する. ◧悔恨 회한 かいこん. 痛恨 통한 つうこん.

【旱】高校 한 カン. 가물 日照り. 가물다 ひでりが続く. ◧旱魃 한발 かんばつ. 旱災 한재 かんさい.

【汗】高校 한 カン. ❶땀 あせ. 땀이 나다 あせをかく. ◧汗腺 한선 かんせん. 汗牛充棟 한우 충동 かんぎゅうじゅうとう. ◧發汗 발한 はっかん. 冷汗 냉한 れいかん. ひやあせ. ❷북방 이민족의 우두머리의 호칭 北方異民族の頭の呼称: 汗・ハン. ◧成吉思汗 성길사한 じんぎすかん. チンギスハン.

【漢(漢)】中學 한 カン. ❶강의 이름 河の名. ㉠양자강의 지류 揚子江の支流. ㉡한강 漢江. ◧漢水 한수 かんすい. ❷은하수 あまのがわ. ◧銀漢 은한 ぎんかん. 天漢 천한 てんかん. ❸중국 왕조의 이름 中国王朝の名. ◧後漢 후한 こうかん. ❹한족 漢族. 중국 본토 中国本土. ◧漢人 한인 かんじん. 漢學 한학 かんがく. ❺사내 男. ◧惡漢 악한 あっかん. 好漢 호한 こうかん.

【閑】中學 한 カン. ❶조용하다 しずかだ. ◧閑寂 한적 かんじゃく. 閑雅 한아 かんが. ❷한가하다 ひまである. ◧閑居 한거 かんきょ. 閑職 한직 かんしょく. ◧有閑 유한 ゆうかん. 農閑期 농한기 のうかんき. ❸등한히 하다 なおざりにする. ◧閑却 한각 かんきゃく. ◧等閑 등한 とうかん. なおざり.

【限】中學 한 ゲン. 한 かぎり. 한정하다 かぎる. ◧限界 한계 げんかい. 限度 한도 げんど. ◧無限 무한 むげん. 制限 제한 せいげん.

【韓】中學 한 カン. ❶나라 이름 国の名. 주대의 제후의 나라 周代の諸侯の国. ❷상고 시대에 한국의 남쪽에 있었던 삼한 上古時代韓国の南部にあった三韓. ◧馬韓 마한 ばかん. ❸㉠조선 시대의 대한 제국 朝鮮王朝時代の大韓帝国. ㉡이차 대전 이후의 대한민국 二次大戦以後の大韓民国.

한-가락〈名〉❶一つの曲調. 一節. ❷ある方面での腕前. 句例 ~하는 사람 腕に覚えのある人.

한가락 뽑다 歌や芸などの腕前を見事にひろうして見せる.

한가-롭다【閑暇―】(→롭다)〈形〉⇨ 한가하다. 句例 한가로운 시절 暇のある〔のんびりしている〕時期. **한가로이**〈副〉のんびりと.

***한-가운데**〈名〉真ん中. 中心. 中央. 句例 길 ~에 서다 道の真ん中に立つ. 類한복판.

한-가위〈名〉陰暦八月十五日. 仲秋. 類추석(秋夕).

****한-가지**〈名〉(性質・種類が)同一. 同じ. 文例 값은 다르지만 품질은 ~다 値段は違

ちがうが品質は同じだ．

한가-하다【閑暇—】(→하다)〈形〉暇だ．のんびりしている．[句例] 한가한 시간 暇な時間 / 한가할 때 전화를 걸다 暇なときに電話をかける．

한가히〈副〉のんびりと．

한갓〈副〉単に．ただ．[文例] 그것은 ～ 공상에 지나지 않는다 それは単に空想にすぎない．

한갓-지다〈形〉静まりかえっている．静かである．のんびりしている．ひっそりしている．[文例] 창가에 한갓지게 앉아서 책을 읽고 있다 窓べにのんびり座って本を読んでいる．

*__한-강__【漢江】[ha:n—]〈名〉❶〔地〕漢江．太白山脈に源を発しソウルの中心部を通り抜いて黄海に流れ込む川．❷(比喩的に) 水浸し．[文例] 둑이 무너져서 길이 ～이 되었다 堤がきれて道路が水びたしになった．

한강에 돌 던지기 漢江に石投げ．投資や努力をいくらしてもかいのないこと．

한-걸음 [han-gŏrum]〈名〉一歩．ひと足．[句例] ～ 빠르다 ひと足速い．

한걸음-에 [han-gŏrume]〈副〉ひと走りに．[句例] ～ 달려가다 ひと走りに駆けつける．

한-겨울〈名〉真冬．[句例] ～의 추위 真冬の寒さ．

*__한결__〈副〉ひとしお．いっそう．ひときわ．はるかに．[句例] ～ 더워지다 ひときわ暑くなる．[文例] 참고서로 공부하니까 ～ 쉽다 参考書で勉強するとはるかにやさしい．

*__한결-같다__〈形〉終始一貫している．始めから終わりまで同じだ．いちず(一途)である．[句例] 마음이 ～ 心がいちずだ / 한결같은 소망 いちずな本望．**한결같이** [—gach'i]〈副〉ひたすら．いちずに．一様に．[文例] 모두가 한결같이 반대했다 みんなが一様に反対した．

*__한계__【限界】[ha:n-gye]〈名〉限界．リミット．[句例] 재력의 ～ 財力の限界 / 체력의 ～ 体力の限界．

한-고비〈名〉もっとも重大な局面．正念場．峠．盛り．[文例] 병은 ～ 넘겼다 病気は峠を越えた / 지금이 승패의 ～다 今が勝敗の重大な局面だ．

한-구석〈名〉片隅．[文例] 방 ～에 앉아 있거라 部屋の片隅に座っていなさい．

⁑__한국__【韓國】[ha:n-guk]〈名〉韓国．❶〔地〕大韓民国．[語例] ～적 韓国的．❷〔史〕大韓帝国．

한국 산업 규격【韓國産業規格】[ha:n-guksa:nŏpkyugyŏk]〈名〉韓国産業規格．規格の合格品にはKSマークがつく．

한국-어【韓國語】[ha:n-gugŏ]〈名〉韓国語．略して'한어(韓語)'ともいう．＝조선어(朝鮮語)．국어(國語)．

한국 은행【韓國銀行】[ha:n-gugŭnhaeng]〈名〉韓国銀行．略して'한은(韓銀)'ともいう．

한국 음식【韓國飮食】[ha:n-gugŭmshik]〈名〉韓国特独の食べもの．略して'한식(韓食)'ともいう．＝한국 요리

한국-화【韓國畫】[ha:n-guk'wa]〈名〉韓国画．

한-군데〈名〉一か所．ひと所．同じ所．[句例] 책을 ～에 쌓아두다 本を一か所に積んでおく．

한-귀〈名〉片方の耳．

한귀로 흘리다 聞いても知らんぷりをする．聞き流す．

한-그루〈名〉年一回の農作．一毛作．

*__한글__〈名〉ハングル．韓国固有の文字．[文例] ～은 배우기 쉬운 글자다 ハングルは学びやすい文字だ．[語例] ～ 문학 ハングルで書かれた文学．

*__한글-날__ [han-gŭllal]〈名〉ハングルの日．1446年ハングルの頒布を記念する日(十月九日)．

한글 맞춤법【—法】[han-gŭlmatch'umppŏp]〈名〉ハングルの正書法．

한글 창제【—創製】[han-gŭlch'a:ngje]〈名〉ハングルの創製．1443年に朝鮮朝第四代の王世宗によって創製され，三年後に頒布された．

한기【寒氣】〈名〉寒気．寒け．寒さ．悪寒．[句例] ～가 들다 悪寒がする．

*__한-길__〈名〉大通り．おもて通り．[文例] 위험하니까 ～에서 놀지 마라 危ないから大通りで遊ばないようにしなさい．

*__한꺼번-에__ [hankkŏbŏne]〈副〉一度に．いっぺんに．一息で．一気に．[文例] 밀려 있던 일을 ～ 해치웠다 たまっていた仕事を一気にやってしまった．

한-껏【限—】[ha:nkkŏt]〈副〉できる限り．力の限り．精一杯．思い切り．[句例] ～ 노력하다 精一杯努力する / ～ 멋을 내다 思い切りおしゃれする．

한-끝〈名〉片端．一方の端．一端．[文例] ～을 붙잡아요 片端をつかみなさい．

한-끼〈名〉(一日三度の食事のうち)一度の食事．

한-나라【漢—】[ha:n—]〈名〉〔史〕漢．古代中国の王朝の名．

한-나절〈名〉半日．昼の半分．[文例] ～이나 걸렸다 半日もかかった．

*__한-낮__〈名〉真昼．白昼．昼日中．[句例] ～의 햇볕 真昼の日差し．

*__한낱__〈冠〉❶ただ一つの．❷取るに足りない．一介の．単なる．[文例] ～ 평사원에 불과하다 単なる平社員にすぎない / ～ 구실에 지나지 않는 변명이다 つまらない〔取るに足りない〕口実にすぎない弁明だ．

*__한-눈__¹〈名〉('～에'の形で) 一目．[句例] ～에 내려다보이는 들판 一目で見下ろせる野原．[文例] ～에 가짜라는 것을 알았다 一目でにせ物であることがわかった．

*__한눈__² [ha:nnun]〈名〉よそ見．わき見．

한눈(을) 팔다 よそ見をする．[文例] 한눈을 팔다가 넘어졌다 よそ見をしていて転んだ．

한다-한〈冠〉['한다고 하는'の略] いわれのある．由緒ある．れっきとした．[句例] ～ 집안 由緒ある家柄．[文例] 그는 ～ 작가다 彼はれっきとした作家だ．

한달음-에 [handarŭme]〈副〉ひと走りで．一息に．[文例] ～ 달려왔다 一息に走って来た．

한대【寒帶】〈名〉〔地〕寒帯．[語例] ～ 기후 寒帯気候 / ～ 식물 寒帯植物 / ～ 지방 寒帯地

方.

한-덩어리 〈名〉 ひと塊. 一丸. 句例 ～가 되어 돌진하다 一丸となって突進する.

***한-데¹** [ha:nde] 〈名〉 屋外. 戸外. 露天. 露地. 句例 ～서 기다리고 있는 어머니 屋外で待っている母は. 語例 ～ 아궁이 屋外のたき口 / 한뎃부엌 屋外に設けた台所.

***한-데²** 〈名〉 ひと所. 一か所. 同じ所. 句例 ～ 모여 있다 ひと所に集まっている / ～ 쌓아 올리다 一か所に積み上げる.

한도 【限度】 [ha:ndo] 〈名〉 限度. 文例 체력에도 ～가 있다 体力にも限度がある / 참는 것도 ～가 있다 こらえるにも限度がある. 語例 최대 ～ 最大限度.

한도막 형식 【一形式】 [handomak'yongshik] 〈名〉〔樂〕 二つの小楽節からなる楽曲. 普通八小節でなりたつ.

한-돌 〈名〉 ❶一周年. 一年目. 句例 설립한 지 ～이 되다 設立して一周年になる. ❷丸一日. 文例 작업이 ～만에 끝났다 作業が丸一日で終わった.

한-동기 【一同氣】 〈名〉 (同じ父母の) 兄弟姉妹. 語例 ～간 (同じ父母の) 兄弟姉妹の間柄.

한-동안 〈名〉 しばらく. 一時. 文例 나도 ～은 행복했었다 わたしも一時は幸福だった / ～ 계속 비가 내렸다 しばらく雨が降り続いた.

한-되다 【恨一】 [ha:n—] 〈自〉 恨みとなる. 無念を残す. 文例 그때의 실패가 지금도 한이 된다 その時の失敗が今でも恨みとなる.

***한-두** 〈冠〉 一つか二つの. 一二の. 句例 ～ 가지가 아니다 一つや二つではない. 語例 ～ 사람 一人か二人 / ～ 번 一二度.

한-둘 〈數〉 一二. 一つか二つ. 文例 ～쯤 없어도 된다 一つか二つぐらい無くてもかまわない.

한들-거리다 〈自他〉 軽く揺れる. 文例 처마 끝의 풍경이 바람에 한들거린다 軒先の風鈴がそよ風に軽く揺れている.

한들한들 〈副・하自他〉 ゆらゆら. ゆらりゆらり.

***한-때** 〈名〉 ひととき. 一時. しばらくの間. 句例 ～ 유행했던 디자인 一時流行したデザイン / ～의 행복 ひとときの幸福.

한-뜻 〈名〉 同じ考え. 同じ志.

한란-계 【寒暖計】 [hallan—] 〈名〉 寒暖計.

한랭 전선 【寒冷前線】 [hallaeng—] 〈名〉〔氣〕 寒冷前線.

한량-없다 【限量一】 [ha:llyang-ŏpta] 〈形〉 限りがない. はかり知れない. 句例 한량없는 부모의 은혜 はかり知れない父母の恩恵. **한량없이** [—ŏpshi] 〈副〉 限りなく.

한련 【旱蓮】 [ha:llyŏn] 〈名〉〔植〕 たかさぶろう.

한류 【寒流】 [hallyu] 〈名〉〔地〕 寒流. 對난류 (暖流).

한-마음 〈名〉 心を一つに合わせること: 一心. 句例 고향으로 돌아가고 싶다는 ～으로… 里に帰りたい一心で… / ～으로 작업을 해내다 心を一つに合わせて作業をなしとげる.

한목-에 [hanmoge] 〈副〉 いっしょに. 一度にみな. まとめて. 句例 빚을 ～ 다 갚다 借金を一度にみな返す.

한-몫 [hanmok] 〈名〉 一人前. 分け前. 取り分. 一口. 一役. 句例 ～ 끼다 一口乗る. 文例 계획에 나도 ～ 거들겠습니다 計画にわたしも一役買いましょう. →몫 參考

***한문** 【漢文】 [ha:nmun] 〈名〉 漢文. 語例 ～책 漢字でかいた本 / ～체 漢文体.

한문-학 【漢文學】 [ha:nmunhak] 〈名〉 漢文学. ❶漢文を研究する学問. ❷中国古来の文学.

한물 〈名〉 (野菜・果物・魚類などの) 旬. 出盛り.

한물 가다 旬が過ぎる. 盛りが過ぎる. 句例 한물 간 과일 旬をはずれた果物. 文例 수박은 이제 한물 갔다 すいかはもう旬が過ぎた.

한물 지다 盛りになって豊かに出回る. 盛りになる.

한미-하다 【寒微一】 (→하다) 〈形〉 貧しくて身分が低い.

한-민족 【韓民族】 [ha:n—] 〈名〉 ⇨ 한족 (韓族)

한-밑천 〈名〉 まとまった相当な資金. 一財産. 句例 ～ 잡다 一財産もう(儲)ける〔つくる〕.

***한-바퀴** 〈名〉 一回り. 一周. 句例 운동장을 ～ 달리다 運動場を一回り走る.

한-바탕 〈名・副〉 ひとしきり. 一幕. 文例 ～ 소동이 일어났다 ひとしきり騒動が起こった / ～ 크게 웃었다 ひとしきり大きく笑った.

***한-반도** 【韓半島】 [ha:n—] 〈名〉 韓半島. 朝鮮半島.

한발 【旱魃】 [ha:nbal] 〈名〉 旱魃. 日照り. 句例 극심한 ～ はなはだしい旱魃.

한-밤중 【一中】 [hanbamtchung] 〈名〉 真夜中. 深夜. 句例 ～에 찾아온 손님 真夜中に訪ねて来たお客.

한-방 【一放】 〈名〉 一発. 句例 ～ 쏘다 一発打つ / ～의 총소리 一発の銃声.

한-방 【一房】 〈名〉 ❶同じ部屋. 同室. 句例 ～에 투숙하다 同じ部屋に泊まる. ❷部屋いっぱい. 文例 책이 ～ 가득 찼다 本が部屋いっぱいだ.

한방 【漢方】 [ha:nbang] 〈名〉 漢方.

***한방** 【韓方】 [ha:nbang] 〈名〉〔韓醫〕 韓方. ❶中国から伝わって韓国で発達した医術. 語例 ～약 韓方薬 / ～의 韓方医. ❷韓方医術の処方.

****한-번** 【一番】 〈名〉 一回. 一度. 一ぺん. 文例 좌우간 ～ 만납시다 とにかく一度会いましょう / ～ 읽어 보아라 一回読んでみなさい.

한번 실수는 병가의 상사 一度の失敗は兵家の常. だれにも少少のしくじりはよくあるものである.

한번 엎지른 물은 다시 주워 담지 못한다 一度こぼれた水は再び注ぎ入れることができない. 覆水盆に返らず.

***한복** 【韓服】 [ha:nbok] 〈名〉 韓国服. 朝鮮服.

한-복판 〈名〉 真ん中. 中心のところ. 句例 마을 ～에 있는 학교 村の中心にある学校 / 바다 ～에서 海の真ん中で.

***한사-코** 【限死一】 [ha:nsak'o] 〈副〉 命がけで. 必死に. あくまでも. 句例 ～ 반대하다 命が

けで反対する / ～ 우기다 必死に言い張る. 文例 ～ 이기고야 말겠다 あくまでも勝ち抜くつもりだ.

***한산-하다**【閑散—】(→하다)〈形〉❶閑散としている. 句例 겨울의 공원은 ～ 冬の公園は閑散としている / 거래가 ～ 取引が閑散としている. ❷暇だ. 文例 한산한 하루하루를 보내고 있다 暇な毎日を送っている. **한산히**〈副〉閑散として.

한-살이 [hansari]〈名〉❶一生. ❷〔蟲〕(昆虫の変態過程の)一巡り. 一回り.

한삼-덩굴 [ha:nsam—]〈名〉〔植〕かなむぐら(金葎).

한서【漢書】[ha:nsŏ]〈名〉漢書. ❶漢文の書物. ❷〔史〕中国前漢の正史.

한성【漢城】[ha:nsŏng]〈名〉〔史〕ソウルの古称.

한-세상【一世上】〈名〉❶一生. 一生涯. 句例 ～을 편히 지내다 一生を楽に暮らす. ❷わが世の春. 豊かに暮らす時期. 文例 우리도 ～ 만날 때가 있겠지 我々にも豊かに暮らせる時期があるだろう.

한-세월【閑歳月】〈名〉暇な歳月. のんびりと暮らす歳月. 句例 농촌에서 ～을 보내다 農村で暇な歳月を送る.

한솥-밥〈名〉(同じかまで炊いた飯の意で)生活を共にすること. 文例 우리는 ～을 먹고 자랐다 我らは同じかまの飯を食べて育った.

한솥밥 먹고 송사한다 同じかまの飯を食べて訴訟を起こす. 親しい間柄同士で相争うこと.

한수【漢水】[ha:nsu]〈名〉❶大きな川. ❷漢江の別称. 語例 ～ 이북 漢江以北.

한-술〈名〉一さじ(匙). わずかな食物. 文例 아침을 ～도 먹지 않았다 朝御飯を一さじもとらなかった.

한술 더 뜨다 さらに欲をだす. 一層ひどくなる.

한술 밥에 배부르랴 一さじの飯で腹いっぱいになろうか. 初めから大きな効果を期待することはできない.

***한-숨**〈名〉❶ひと息. ひと呼吸. 句例 ～ 놓다 ほっとひと息つく. ❷ひと休み. ひと眠り. 文例 여기서 ～ 쉬고 가자 ここでひと休みして行こう. ❸ため息.

한숨(을) 쉬다 ため息をつく. 吐息をつく.

한숨 짓다 '한숨(을) 쉬다'のこと.

한숨-에 [hansume]〈副〉ひと息に. 一気に. 句例 ～ 써버리다 ひと息に書き上げる.

한-스럽다【恨—】[ha:n—](→스럽다)〈形〉恨めしい. 無念である.

한-시【一時】〈名〉❶寸時. 一刻. わずかな時間. 句例 ～가 바쁘다 一刻を争うほど忙しい. 文例 ～ 바삐 귀국하고 싶다 一刻も早く帰国したい. ❷同じ時刻. 句例 한날 ～에 태어나다 同じ日の同じ時刻に生まれる / ～도 잊지 못하다 片時も忘れられない.

한시【漢詩】[ha:nshi]〈名〉漢詩.

한-시름〈名〉大きな心配事.

한시름 놓다 心配事がなくなる. いったん安心する. 一息つく.

한식【寒食】〈名〉寒食. 冬至から百五日目の日.

한식【韓食】[ha:nshik]〈名〉'한국 음식'の略: 韓国式の食事. 韓国料理.

한-식경【一食頃】〈名〉(一度の食事をとる時間の意で)ごく短い時間. しばらく.

한심-스럽다【寒心—】(→스럽다)〈形〉情けない. 嘆かわしい. 句例 한심스러운 세상 嘆かわしい世の中. **한심스레**〈副〉みじめに. 情けなく. 嘆かわしく.

한심-하다【寒心—】(→하다)〈形〉哀れだ. みじめだ. 情けない. 嘆かわしい. 文例 어린 학생이 술에 취하다니 한심한 일이다 幼い学生が酒に酔うとは嘆かわしい〔情けない〕ことだ.

한약【漢藥】[ha:nyak]〈名〉漢薬. 漢方薬.

한약【韓藥】[ha:nyak]〈名〉韓薬. 韓方薬. 語例 ～국〔방〕韓方薬局 / ～재 韓薬の材料.

한양【漢陽】[ha:nyang]〈名〉〔史〕漢陽. ソウルの古称.

한어【韓語】[ha:nŏ]〈名〉'한국어(韓國語)'の略.

한얼 [hanŏl]〈名〉〔宗〕韓民族固有の宗教である大倧教で言う宇宙.

***한-없다**【限—】[ha:nŏpta]〈形〉限りない. きりがない. 果てしない. 句例 한없이 펼쳐진 들판 果てしなく広がった野原. **한없이** [ha:nŏpshi]〈副〉限りなく. 果てしなく.

***한-여름** [hannyŏrŭm]〈名〉真夏. 盛夏. 句例 ～의 더위 真夏の暑さ.

한역【韓譯】[ha:nyŏk]〈名・하他〉韓訳. 韓国語訳.

한-옆 [hannyŏp]〈名〉片隅. 一隅. 片側. 句例 방 ～으로 몰다 部屋の片隅によせる.

***한옥**【韓屋】[ha:nok]〈名〉韓国式の家屋.

한우【韓牛】[ha:nu]〈名〉〔動〕韓国在来種の牛.

한울 [hanul]〈名〉〔宗〕(天道教で言う)宇宙の本体. 天.

한울-님 [hanullim]〈名〉〔宗〕(天道教で言う)宇宙をつかさどる神.

한의【韓醫】[ha:nŭi]〈名〉'한방의(韓方醫)'の略.

한-의사【韓醫師】[ha:nŭisa]〈名〉〔韓醫〕韓方医.

한인【韓人】[ha:nin]〈名〉韓人. 韓国人.

한일【韓日】[ha:nil]〈名〉❶韓国と日本. ❷韓国語と日本語.

한일 합방【韓日合邦】[ha:nil—]〈名〉〔史〕韓国の統治権と外交権を強圧によって日本に奪われた歴史的事件(1910年8月29日).

***한자**【漢字】[ha:ntcha]〈名〉漢字. 語例 ～어 漢字の語. 漢語.

한-자리〈名〉❶同じ席. 同じ場所. 句例 ～에 모이다 同じ場所に集まる. ❷一つの席. 一か所. ❸(一つの)職位. 官職. 句例 벼슬 ～ 못하다 何か一つの官職につくことすらできない.

한자리-하다 (→하다)〈自〉官職に就く. 重要な地位に就く. 文例 그는 드디어 한자리 했다 彼はついに重要な地位に就いた.

한-잠〈名〉❶深い眠り．熟睡．文例 오랜만에 ~ 푹 잤다 久しぶりにぐっすり眠った．❷一眠り．一睡．文例 ~ 자고 출발하자 一眠りしてから出発しよう．

한재【旱災】[ha:njae]〈名〉旱災．日照りの災害．旱害．句例 ~를 입다 旱災を被る．

한적-하다【閑寂―】[hanjŏk'ada]（→하다）〈形〉もの静かだ．もの寂しい．句例 한적한 생활 もの寂しい生活／한적한 겨울의 공원 もの寂しい冬の公園．對소란(騷亂)하다．**한적히** [hanjŏk'i]〈副〉もの静かに．もの寂しく．ひっそりと．

한정【限定】[ha:njŏng]〈名・하他〉限定．句例 ~된 지면 限られた〔限定された〕紙面．語例 ~ 능력 限定能力／~ 치산〔法〕準禁治産．

한정-판【限定版】[ha:njŏngp'an]〈名〉限定版．部数を限定して出版したもの．

한제【韓製】[ha:nje]〈名〉韓国製．韓国産．

한족【漢族】[ha:njok]〈名〉（中国の）漢族．漢民族．

한족【韓族】[ha:njok]〈名〉韓族．韓民族．朝鮮民族．

한-줄기〈名〉❶一つの系統．❷ひとしきり．句例 소나기가 ~ 오다 夕立がひとしきり降る．❸一筋．一条．句例 ~ 빛이 눈에 들어오다 一条の光が目に入る．

한-줌〈名〉一握り．ひとつか（一摑）み．句例 ~의 재 一握りの灰．文例 사람은 단지 ~의 흙에 지나지 않는다 人はただ一握りの土に過ぎない．

한중【閑中】〈名〉閑中．暇なとき．

한-중간【一中間】〈名〉真ん中．真っ最中．文例 강의 ~에 밖으로 나가다 講義の最中に外へ出る．

한중-망【閑中忙】〈名〉暇なうちにも忙しいこと．

한증【汗蒸】[ha:njŭng]〈名・하自〉蒸し風呂．語例 ~막 蒸し風呂の施設．

한지【韓紙】[ha:nji]〈名〉韓紙．

한직【閑職】〈名〉閑職．

한-집안 [―jiban]〈名〉❶一家．一家族．句例 ~이 뿔뿔이 흩어지다 一家が離れ離れになる．❷親類．親族．一族．語例 ~간 親族の間柄．

-한-째〈尾〉…一番目．語例 열~ 十一番目／스물~ 二十一番目／백~ 百一番目／천~ 千一番目．
參考 ただの一番目は'첫째'と言う．

***한-쪽**〈名〉一方．片方．片側．句例 ~ 귀가 멀다 片方の耳が遠い／~이 무겁다 一方が重い．

한-차례〈名〉一度．一わたり．ひとしきり．句例 관내를 ~ 돌다 管内を一わたり回る／소나기가 ~ 쏟아지다 夕立がひとしきり降る．

***한-참** ㊀〈名〉❶〔史〕二つの宿場の間の道のり．❷はるかに．ずっと．文例 그는 나보다 ~이나 선배이다 彼は僕よりずっと先輩である．❸（時間的に）かなりの間：しばらくの間．文例 그는 ~만에야 입을 열었다 彼はしばらくの間たってから口を開いた．
㊁〈副〉しばらく．句例 ~ 걷다 しばらく歩く／~ 쉬다 しばらく休む．

***한창** ㊀〈名〉絶頂．真っ盛り．最中．句例 꽃이 ~이다 花が真っ盛りだ／모내기가 ~이다 田植えが真っ最中だ／선거전이 ~이다 選挙戦がたけなわである．
㊁〈副〉盛んに．非常に．最も．句例 ~ 일할 나이 働き盛りの年．文例 농촌이 ~ 바쁜 철이다 農村が最も忙しい時だ．

한천【寒天】〈名〉寒天．❶ところてん．❷冬の空．寒空．句例 ~에 피는 국화 寒天に咲く菊の花．

한-철〈名〉❶季節の盛り．❷一時期．（四季のうち）一季節．文例 여름 ~만 흥청거린다 夏一時期だけにぎわう．

***한-층**【一層】〈副〉一層．ひとしお．ひときわ．句例 ~ 더 더워지다 一層暑くなる／~ 더 열심히 일하다 より一層懸命に働く．文例 그녀는 ~ 더 예뻐졌다 彼女はひとしお美しくなった．

한탄【恨歎】[ha:nt'an]〈名・하他〉嘆き．文例 정계의 부패를 ~하다 政界の腐敗を嘆く／항상 능력 부족을 ~했다 いつも能力不足を嘆いた．

한-탕〈名〉'한바탕 一度'の俗っぽい言いかた：一発．一仕事．一往復．文例 운전대를 잡고 ~ 뛰었다 ハンドルを握って一往復した．
한탕 치다 一発やらかす．

한-턱〈名・하自〉おごり．人にごちそうすること．もてなすこと．
한턱 내다 ごちそうする．おごる．
한턱 먹다 おごってもらう．ごちそうになる．

한테〈助〉（だれそれ）に．…へ．…のところに．文例 이 책을 너~ 주겠다 この本を君にやろう／책임은 과장~ 있다 責任は課長にある／할아버지~ 갔다 おじいさんのところに行った／선생님 ~ 꾸중을 들었다 先生にしかられた．
參考 '에게'よりくだけた言いかた．

한테-로〈助〉'…에게로'の意．…の所に．…に．句例 형~ 보내는 편지 兄のところに送る手紙．文例 나는 형~ 갔다 わたしは兄のところに行った．
表現 '에게로'よりくだけに言いかた．

한테-서〈助〉'…에게서'の意．…から．句例 어머니~ 온 편지 母から来た手紙．文例 누구~ 샀느냐〔들었느냐〕だれから買った〔聞いた〕のか／친구~ 돈을 꾸었다 友人からお金を借りた．
表現 '에게서'よりくだけた言いかた．

한-통〈名〉'한통속'の略．

한-통속 [―t'ongssok]〈名〉同じ仲間．ぐる．一つ〔同じ〕穴のむじな．略して'한통'ともいう．＝한패．句例 ~이 되다 ぐるになる．文例 그들은 어차피 ~일거야 彼らはどうせ一つ穴のむじなであろう．

한파【寒波】〈名〉〔氣〕寒波．句例 ~의 내습 寒波の襲来．對온파(溫波)．난파(暖波)．

한-판〈名〉ひと勝負．一回のか（賭）け．一局．一丁．一番．句例 바둑을 ~ 두다 碁を一局打つ／오목을 ~ 두다 五目並べを

一番やる / ~에 지다 ひと勝負に負ける. 文例 ~ 이겼다 一回勝った / 장기 ~ 두자 将棋を一丁やろう. 語例 ~ 승부 一番勝負.

한-패 〈名〉一味. 仲間. ぐる. 連中. 身内. 片割れ. 句例 ~가 되다 ぐるになる. 一味〔仲間〕になる / 적의 ~ 敵の一味. 文例 그들은 ~가 되어 나를 속였다 彼らはぐるになってぼくをだました.

***한-편** 【一便】 ■〈名〉 ❶一方. 片方. 片側. 句例 ~으로 비켜서다 片方によけて立つ. 文例 ~ 말만 듣고서는 잘 알 수 없다 一方の話だけではよくわからない / 그들은 ~으로는 우리들을 힘껏 도와 주었다 彼らは一方では我我を力いっぱい手伝ってくれた / ~으로는 이러한 견해도 성립된다 一つにはこういう見解も成り立つ. ❷同じ組. 同じ仲間. 味方. 仲間同士. 文例 그 경기에서 그와 나는 ~이었다 その競技で彼とぼくは味方であった. ■〈副〉一方では. 一つには. 反面. か(且)つは. 傍ら. 句例 ~ 놀라고 ~ 기뻐하다 かつは驚きかつは喜ぶ. 文例 공부에 힘쓰는 ~, 가사를 돕는다 勉学の傍ら, 家事をてつだう.

한-평생 【一平生】〈名〉一生涯. 一生. =일평생(一平生). 句例 ~ 독신으로 지내다 一生涯〔一生〕独身で通す. 文例 그는 조국의 독립을 위해 ~을 바쳤다 彼は祖国の独立のために一生をささげた.

한-푼 〈名〉一文. 一銭. 句例 ~도 없다 一文〔一銭〕もない / ~을 아끼다 一文を惜しむ. 文例 그런 것은 ~의 가치도 없다 そんなものは一文のねうちもない.

한-풀 〈名〉 元気・根気・意気込み・闘志などの一端.

한풀 꺾이다 意気がくじける. 覇気がなくなる. がっくりする. へこたれる. =한풀 죽다. 文例 자신 만만했던 그는 이번 경기에 져서 한풀 꺾였다 自信満満だった彼は今度の試合に負けてがっくりした.

한풀 죽다 '한풀 꺾이다'のこと.

한-풀이 【恨―】[ha:np'uri] 〈名・하自〉 恨みを晴らすこと.

한풍 【寒風】〈名〉寒風. 寒く冷たい風. =찬바람.

한-하다 【限―】[ha:n―] (→하다) 〈他〉 限る. 句例 일요일에 한해서 입장 무료 日曜日に限って入場無料. 文例 100명에 한해 입학을 허가한다 百人に限り入学を許す / 그이에 한해서 그런 일은 없다 彼に限ってそんなことはない.

한학 【漢學】[ha:nhak]〈名〉漢学. 語例 ~자 漢学者.

한해 【旱害】[ha:nhae]〈名〉干害. 日照りの害. 句例 ~를 입다 干害を被る.

한해 【寒害】〈名〉〔農〕寒害. 句例 ~를 입은 지역 寒害をこうむった地域.

한해-살이 [―sari]〈名〉〔植〕一年生. =일년생. 語例 ~풀 一年草. ㊕여러해살이.

한화 【韓貨】[ha:nhwa]〈名〉韓国の貨幣. ㊕외화(外貨).

***할** 【割】〈依名〉割. …掛け. 文例 거기서는 정가의 8~에 팔고 있다 そこでは定価の八掛けで売っている. 語例 3 ~ 三割 / 1~ 할인 一割引き.

할 〔漢字項目〕

【割(割)】 高校 할 カツ. ❶가르다 分ける. ■割讓 할양 かつじょう. ■分割 분할 ぶんかつ. ❷빼앗다 奪う. 점령하다 占領する. ■割據 할거 かっきょ.

할거 【割據】〈名・하自〉割拠. 語例 군웅 ~ 群雄割拠.

할당 【割當】[halttang]〈名〉割り当て. 分け前. 割り前. **~하다** 〈他〉割り当てる. ふり当てる. 句例 일을 ~하다 仕事を割り当てる / 기부금의 ~ 寄付金の割り当て / 비용을 인원수대로 ~하다 費用を頭割りで割り当てる. 語例 ~량〔제〕 割り当て量〔制〕/ ~되다 割り当てられる.

할딱-거리다 〈自他〉 '헐떡거리다'の語感の小さい語.

할딱할딱 [halttak'alttak]〈副・自他〉'헐떡헐떡'の語感の小さい語.

할딱-이다 [halttagida]〈自他〉'헐떡이다'の語感の小さい語.

할똥-말똥 〈副・하他〉気乗りがせずにためらうさま: ぐずぐず(と). するのやらしないのやら.

할렐루야 〈名〉〔基〕ハレルヤ. ◇히 hallelujah

할-말 〈名〉言いたいこと. 言うべきこと. 文句. 言い分. 文例 ~은 해야 한다 言うべきことは言わなければならない / ~있나 文句あるか / ~이 있으면 다 해봐라 言い分があったらみんな言ってみろ.

할말-없다 [halmarŏpta]〈形〉面目がない. 弁明の余地がない. **할말없이** [halmarŏpshi]〈副〉面目なく. 弁明の余地なく. 文句なく.

***할머니** 〈名〉 ❶祖母. おばあ(祖母)さん. =조모(祖母). ❷年老いた女性の尊称: おばあ(婆)さん. おばあちゃん. ▷㊕할아버지.

할머-님 〈名〉'할머니'の尊敬語. おばあさま.

***할미-꽃** 〈名〉〔植〕おきなぐさ(翁草).

할복 【割腹】〈名・하自〉割腹. 切腹. 腹切り. 語例 ~ 자살 割腹自殺.

할부 【割賦】〈名・하他〉割賦. 分割払い. 語例 ~ 판매 割賦販売.

할 수 없다 [―ssuŏpta] ⇨'하다'の小項目

할아버-님 [harabŏ―]〈名〉'할아버지'の尊敬語. おじいさま.

***할아버지** [harabŏji]〈名〉 ❶祖父. おじい(祖父)さん. 文例 ~는 작년에 돌아가셨습니다 おじいさんは昨年亡くなられました. ❷年老いた男性の尊称. おじい(爺)さん. ▷㊕할머니.

할애 【割愛】[harae]〈名・하他〉割愛. 割くこと. 句例 지면을 ~하다 紙面を割く / 귀중한 시간을 ~하여 貴重な時間を割愛して〔割いて〕.

할양 【割讓】[haryang]〈名・하他〉割譲. 句例 영토를 ~하다 領土を割譲する.

할인 【割引】[harin]〈名〉割引. 勉強《俗》. **~하다** 〈他〉割引する. 割り引く. 句例 잔품을 ~해서 팔다 残品を割引して売る / 어음을 은행에서 ~하다 手形を銀行で割り引いてもらう. 文例 1할 ~해 드리겠습니다 一割

ㅎ

引きで差し上げます / 이 상가에서는 ~이 안 됩니다 この商店街では割引はできません. 語例 ~ 판매 割引販売 / ~권 割引券 / 어음 ~〔經〕手形割引 / 조조 ~ 早朝割引. 對할증(割增).

할증【割增】[haltchŭng]〈名・하他〉割り増し. 語例 ~금 割り増し金 / ~ 요금〔발행〕割り増し料金〔発行〕. 對할인(割引).

할퀴다〈他〉ひっかく. 句例 손톱으로 얼굴을 ~ つめで顔をひっかく / 태풍이 할퀸 자국 台風のつめあと.

*__핥다__ [haltta]〈他〉なめる. しゃぶる. 句例 엿을 ~ あめをなめる / 고양이가 할짝할짝 접시를 ~ 猫がべろべろ(と)皿をなめる. 文例 어미 고양이가 새끼 고양이를 핥아 주고 있다 親猫が子猫をなめて(やって)いる.

參考 '핥고 なめて' '핥으면 なめると'は [halkko], [halt'ŭmyŏn]と読む.

핥아-먹다 [halt'a—]〈他〉なめる. なめて食べる. 文例 강아지가 접시를 깨끗이 핥아먹었다 子犬が皿のものをきれいになめつくした / 고양이가 접시의 우유를 핥아먹고 있다 猫が皿の牛乳をなめている.

*__함__【函】[ha:m]〈名〉❶結婚式の前日に新郎がわから新婦の家に婚礼の書状・贈り物などを入れて送る箱. ❷衣類などを入れて置く箱.

-함【函】〈尾〉…箱. 語例 사서~ 私書箱 / 보석~ 宝石箱 / 투표~ 投票箱.

함 〔漢字項目〕

【含】高校 함 ガン. 포함하다 含む. 머금다 口の中に入れる. ■含有 함유 がんゆう. 含嗽 함수 がんそう. ■包含 포함 ほうがん.

【咸】高校 함 カン. ❶다 すべて. ❷모두 皆. ■咸告 함고 かんこく. ❸같다 同じだ.

【陷(陥)】高校 함 カン. ❶빠지다 陥ちる. ■陷沒 함몰 かんぼつ. 陷穽 함정 かんせい. ❷함락하다 おとしいれる. ■陷落 함락 かんらく. ❸부족한 점 欠ける点. ■缺陷 결함 けっかん.

함구【緘口】〈名・하自〉緘口. 口を閉じてなにも言わないこと. 句例 ~하고 말하지 않다 緘口して語らない. 語例 ⇨ 함구령. 對개구(開口).

함구-령【緘口令】〈名〉緘口令. 句例 ~을 내리다 緘口令をしく.

**__함께__〈副〉一緒に. 共に. 共共. もろとも. =같이. 句例 ~ 가다〔일하다〕一緒に行く〔働く〕/ ~ 배운 친구 共に学んだ友 / 배와 ~ 가라앉다 船もろとも沈む / 부부가 ~ 벌이 나가다 夫婦共共働きに出る. 文例 모두 ~ 사진을 찍었다 みんな一緒に写真をとった / 그도 ~ 웃었다 彼も一緒になって笑った / 아내와〔형과〕~ 공원까지 다녀왔다 妻と〔兄と〕一緒に公園まで行って来た.

함께-하다 (→하다)〈他〉共にする. 句例 생사를〔운명을〕~ 生死〔運命〕を共にする / 행동을 ~ 行動を共にする.

ㅎ

함대【艦隊】[ha:mdae]〈名〉艦隊. 句例 대서양에 ~를 파견하다 大西洋に艦隊を派遣する. 語例 ~ 사령관 艦隊司令官 / 무적 ~ 無敵艦隊.

함락【陷落】[ha:mnak]〈名・하自他〉陥落. ❶(地面などが)落ちこむこと. =함몰(陷沒). 句例 지반의 ~ 地盤の陥落. ❷攻め落とされること. 句例 성이 ~되다 城が陥落される〔落ちる〕/ 성을 ~시키다 城を陥れる〔攻め落とす〕/ 설득해서 ~시키다 くどいて陥落させる. 語例 수도 ~ 首都陥落.

함량【含量】[hamnyang]〈名〉'함유량 含有量'の略: 含量. 句例 비타민의 ~ ビタミンの含量.

함몰【陷沒】[ha:mmol]〈名・하自〉陥没. 句例 도로의 ~ 道路の陥没 / ~된 지대 陥没した地帯. 語例 ~호〔地〕陥没湖.

함박-꽃〈名〉〔植〕❶おおやまれんげの花. ❷しゃくやくの花. ▷略して'함박'ともいう.

*__함박-눈__ [hambang—]〈名〉ぼたん雪. ぼた雪. 綿雪. 句例 ~이 내리다 ぼたん雪が降る. 對가루눈.

*__함부로__〈副〉むやみに. やたらに. みだりに. むちゃに. 無作法に. 句例 ~ 산의 나무를 베다 むやみに山の木を切る / 남의 말을 ~ 믿다 人の言うことをむやみに信じる / ~ 떠들다 やたらに騒ぐ / 돈을 ~ 쓰다 お金をみだりに使う. 文例 ~ 약속하지 마라 むやみに約束するな / ~ 출입함을 금함 みだりに立ち入ることを禁ず / 장소를 가리지 않고 ~ 침을 뱉는 사람이 많다 所構わず, むやみやたらにつばを吐く人が多い.

함빡〈副〉❶満ちあふれるさま: いっぱいに. たっぷり. うんと. 句例 ~ 웃음 진 얼굴 笑みがあふれる顔. ❷ずぶぬれになるさま: びっしょり. ぐっしょり. 句例 소나기를 ~ 맞다 にわか雨にびっしょりぬれる. 文例 옷이 ~ 젖어 있다 服がぐっしょりぬれている.

함상【艦上】[ha:msang]〈名〉艦上. 語例 ~ 회담 艦上会談.

함석〈名〉トタン. 句例 ~으로 지붕을 덮다 トタンで屋根をふく. 語例 ~ 지붕 トタンぶき(の屋根) / ~집 トタンぶきの家 / ~판(板) トタン. トタン板.

함선【艦船】[ha:msŏn]〈名〉艦船.

함성【喊聲】[ha:msŏng]〈名〉喊声. ときの声. 句例 ~을 올리다〔지르다〕喊声をあげる. ときの声をあげる / 승리의 ~을 지르다 勝ちどきをあげる.

함수【函數】[ha:mssu]〈名〉〔數〕関数. 語例 ~ 관계 関数関係 / ~ 표 関数表 / 삼각 ~ 三角関数.

함수 탄소【含水炭素】[—t'a:nso]〈名〉〔化〕含水炭素.

參考 今は, '탄수화물 炭水化物'という.

함양【涵養】[hamyang]〈名・하他〉涵養. 句例 도덕심을 ~하다 道徳心を涵養する.

함유【含有】[hamyu]〈名〉含有. **~하다**〈他〉含有する. 含む. 句例 칼슘을 많이 ~한 식품 カルシウムを多く含有する食品 / 포도주에 ~되어 있는 알코올량 ぶどう酒に含まれている

アルコールの量. 語例 ～량 含有量 / ～ 성분 含有成分.

함자【銜字】[hamtcha]〈名〉他人の名前の尊敬語. お名前. ＝존함(尊啣). 文例 ～를 말씀해 주십시오 お名前をおっしゃってください.

***함정**【陷穽】[haːmjŏŋ]〈名〉陥穽. わな. ❶(獣を捕るための)落とし穴. ＝허방다리. 句例 ～을 만들다 わなを仕掛ける / 다니는 길목에 ～을 파다 通り道に落とし穴をつくる. ❷(人を陥れる)計略. 句例 ～에 걸리다 わなに掛かる / ～에 빠지다 わなに落ちる〔はまる〕/ 적을 ～에 빠뜨리다 敵をわなにはめる. 文例 뜻하지 않은 곳에 ～이 있었다 思いかけないところに陥穽があった.

함정에 든 범 落とし穴に入ったとら(虎). 最後の運命を待つばかりの境遇のたとえ. 袋のねずみ.

함정에서 뛰어나온 범 わなから抜け出たとら. 九死に一死を得るの意.

함정【艦艇】[haːmjŏŋ]〈名〉艦艇.

함지-박〈名〉丸木をくり抜いて作った縁のないやや大きな容器. 水をくみ入れたり物を入れたりするのに用いる.

함축【含蓄】〈名・하他〉含蓄. 含み. 文例 ～하는 바가 크다 含蓄する所が大だ / 이 말은 그 뜻을 ～하고 있다 この語はその意味を含んでいる. 語例 ⇨ 함축성

함축-성【含蓄性】〈名〉含蓄(性). 含み. 句例 ～ 있는 문장 含蓄のある文章 / ～이 풍부한 말 含蓄に富んだことば / ～ 있는 발언 含みのある発言. 文例 그는 퍽 ～ 있는 말을 하였다 彼はなかなか含蓄のある話をした.

함흥-차사【咸興差使】〈名〉使いに行って帰って来ない人や消息のない人のたとえ. 鉄砲玉. 梨のつぶて. 文例 심부름을 보내면 늘 ～다 使いに出すといつも鉄砲玉だ.
參考 朝鮮朝の始祖太祖がその第五王子太宗を嫌ってふるさとである東北の感興に引退していたとき, 太宗が上京を勧めるために送った'차사 使臣'を殺したり, 監禁したりしてすぐ帰さなかった故事から出た言葉.

합【合】〈名〉〔數〕和. 合計. 句例 ～을 구하다 和を求める. 文例 1과 2의 ～은 3이다 一と二の和は三だ. →합(合)하다

합 〔漢字項目〕

【合】中學 합 ゴウ. ガッ. カッ. 홉 ゴウ. ■〔합〕❶합하다 合わせる. 일치하다 一致する. ▌合計 합계 ごうけい. 合同 합동 ごうどう. ▌結合 결합 けつごう. 混合 혼합 こんごう. 離合 이합 りごう. ❷적합하다 かなう. 맞다 合う. ▌合法 합법 ごうほう. 合理 합리 ごうり. ▌適合 적합 てきごう.
■〔홉〕❶용적의 단위. 容積の単位. ごう. ▌一升五合 일승 오홉 いっしょうごごう. ❷면적의 단위 面積の単位. ごう. ▌坪二合 일평 이홉 ひとつぼにごう.

합격【合格】〈名〉合格. パス. **～하다**〈自〉合格する. 受かる《口》. 句例 입시〔심사〕에 ～하다 入試〔審査〕に合格する / 시험에 ～하다 試験に受かる〔パスする〕/ ～권 내에 들다 合格圏内に入る. 語例 ～자〔품〕 合格者〔品〕/ ～되다 合格する. 對불(不)합격.

***합계**【合計】〈名・하他〉合計. 締め高. トータル. ＝합산(合算). 句例 ～를 내다 合計〔締め高〕を出す. 文例 ～가 얼마나 됩니까 合計〔トータル〕はいくらになりますか / ～해서 얼마요 締めていくらですか. 語例 ～액 合計額.

합금【合金】〈名〉〔化〕合金. アロイ. 句例 구리와 주석의 ～을 만들다 銅と錫の合金をつくる. 語例 ～강 合金鋼 / 알루미늄 ～ アルミニウムアロイ.

합기도【合氣道】〈名〉合気道.

합당【合當】〈名〉適当. **～하다**〈形〉適当だ. ふさわしい. 句例 ～한 방법 適当な方法 / (그에) ～한 조처〔인물〕 しかるべき処置〔人物〕.

***합동**【合同】〈名・하自他〉合同. 句例 ～ 결혼식을 올리다 合同結婚式を挙げる / ～인 도형〔삼각형〕 合同な図形〔三角形〕. 文例 양교 ～으로 학예회를 열었다 二校合同で学芸会を開いた. 語例 ～ 연설회〔위령제〕 合同演説会〔慰霊祭〕/ ～ 콘서트 ジョイントコンサート / 기업 ～ 企業合同.

합력【合力】[hamnyŏk]〈名・하自〉合力. 力を合わせること. 句例 ～해서 일을 성취하다 力を合わせて事を成し遂げる.

합류【合流】[hamnyu]〈名〉合流. **～하다**〈自〉合流する. 落ち合う. 句例 두 강이 ～하다 二つの川が合流する〔落ち合う〕/ 본대에 ～하다 本隊に合流する. 語例 ～점 合流点 / ～되다 合流する.

합리-성【合理性】[hamnissŏŋ]〈名〉合理性. 句例 ～이 결여되다 合理性を欠く / ～을 추구한 설계 合理性を追究した設計. 對불(不)합리성.

***합리-적**【合理的】[hamnijŏk]〈名・冠〉合理的. 句例 ～인 방법〔사고 방식〕 合理的な方法〔考え方〕/ ～으로 생각하다 合理的に考える. 對비(非)합리적.

합리-주의【合理主義】[hamni—]〈名〉合理主義. 對비(非)합리주의.

합리-화【合理化】[hamni—]〈名・하他〉合理化. 句例 경영의 ～를 꾀하다 経営の合理化をはかる / 자기 일을 즉시 ～하는 사람 自分のことをすぐ合理化する人.

합반【合班】〈名・하自〉学級を合わせて一つにすること. クラスを合併すること. 語例 ～ 수업 合併授業.

합방【合邦】〈名・하自他〉合邦. 句例 양국을 ～하다 両国を合邦する.

합법【合法】〈名〉合法. 句例 ～이란 가면을 쓰고 合法の仮面をかぶって / …을 ～화하다 …を合法化する. 語例 ～성 合法性 / ～주의 合法主義. 對불법(不法). 類적법(適法).

합법-적【合法的】〈名・冠〉合法的. 句例 ～으로 싸우다 合法的に闘う. 文例 거래는 ～으로 이루어졌다 取り引きは合法的に行なわれた. 語例 ～ 수단 合法的手段.

합병【合併】〈名・하自他〉合併. 併合. 句例 회사를 ～하다 会社を合併する / 읍・면이 ～하

다 町・村が合併する. 語例 ~증〔醫〕合併症. 余病 / ~되다 合併される.

합본【合本】〈名・하自他〉合本. 合冊. 句例 잡지를 1년분씩 ~하다 雑誌を一年分ずつ合本する.

합산【合算】〈名・하他〉合算. 合計. 句例 예금 잔고를 ~하다 預金の残高を合算する.

합석【合席】〈名・하自〉相席〔合席〕. 句例 모르는 사람과 ~하다 見知らぬ人と合席する. 文例 죄송합니다만, ~해 주시길 바랍니다 恐れ入りますが, ご相席をお願いいたします.

합선【合線】〈名・하自〉〔電〕短絡. ショート. 文例 ~하여 휴즈가 나갔다 ショートしてヒューズが飛んだ.

합섬【合纖】〈名〉['합성 섬유 合成繊維'の略] 合繊.

*__합성__【合成】〈名・하自他〉合成. 句例 음성을 ~하다 音声を合成する. 文例 이 두 물질은 ~이 불가능하다 この二つの物質は合成が不可能である. 語例 ~ 고무 合成ゴム. 人造ゴム / ~ 섬유 合成繊維. 合繊《略語》/ ~ 세제〔수지〕合成洗剤〔樹脂〕/ ~ 피혁 合成皮革.

합세【合勢】〈名・하自〉勢力・力を合わせること. 加勢. 句例 ~해서 적을 물리치다 力を合わせて敵を退ける.

합쇼-체【一體】〈名〉〔言〕'상대 높임법'の一つ. 最もていねいなことばづかい. '드십쇼 お召し上がりなさいませ', '앉으십쇼 お座りなさいませ'など. '하오체(體)'の上にあたる.

합쇼-하다 (→하다)〈自〉最もていねいなことばづかいで話す.

합숙【合宿】〈名・하自〉合宿. 句例 ~(생활)을 하다 合宿(生活)をする. 語例 ~소 合宿所. トレーニングキャンプ / ~ 연습 合宿練習.

합승【合乘】〈名・하他〉相乗り. 乗り合い. 句例 택시에 ~하다 タクシーに相乗りする. 文例 그들은 ~해서 왔다 彼らは相乗りでやって来た / ~ 좀 해 주시겠습니까 (タクシーの運転手がお客に)相乗りをしていただけないでしょうか. 語例 택시 ~ タクシーの相乗り.

합심【合心】〈名・하自〉心を合わせること. 句例 상하 ~하여 上下心を合わせて. 文例 모두가 ~해서 그 일을 완수했다 みんな心を合わせてそれを成しとげた.

합의【合意】[habŭi]〈名・하自〉合意. 句例 ~를 보다 合意を見る / ~에 이르다 合意に達する / ~가 이루어지다 合意が成り立つ / 쌍방의 ~에 의거한 결정 双方の合意に基づく決定. 語例 ~ 사항 合意事項 / ~ 이혼 合意離婚.

합의【合議】[habŭi]〈名〉合議. 申し合わせ. **~하다**〈他〉合議する. 申し合わせる. 句例 ~해서 결정하다 合議の上で決める. 語例 ~ 기관 合議機関 / ~ 사항 申し合わせ事項 / ~제 合議制.

합작【合作】〈名・하他〉合作. 句例 두 사람의 ~으로 이루어진 작품 二人の合作によってでき上がった作品. 語例 한미 ~ (영화) 韓米合作(の映画).

합장【合掌】〈名・하自〉合掌. 句例 ~하며 인사하다 合掌してあいさつする. 語例 ~ 배례 合掌拝礼.

합장【合葬】〈名・하他〉合葬. 夫婦の死骸を一つの墓に葬ること. 對각장(各葬).

*__합주__【合奏】〈名・하自他〉〔樂〕合奏. =협주(協奏). 句例 피아노와 바이올린의 ~ ピアノとバイオリンの合奏. 語例 ~곡 合奏曲 / ~단 合奏団. アンサンブル / 현악 ~ 弦楽合奏. 對독주(獨奏).

합죽-선【合竹扇】〈名〉薄い竹切れを接ぎ合わせて骨をつくった扇子. 絵

〈합죽선〉

합중-국【合衆國】〈名〉合衆国. 語例 아메리카 ~ アメリカ合衆国.

*__합창__【合唱】〈名・하他〉〔樂〕合唱. コーラス. 句例 …의 반주로 ~하다 …の伴奏で合唱する. 語例 ~곡〔단〕合唱曲〔団〕/ 여성 ~ 女声合唱 / 혼성 ~ 混声合唱. 對독창(獨唱).

합치【合致】〈名・하自〉合致. 句例 목적에 ~하다 目的に合致する / 사실과 ~하다 事実と合致する. 語例 ~점 合致点. 類일치(一致).

합-치다【合一】〈自他〉'합(合)하다'の強調語: 合わせる. 合する. (ひとつに)まとめる. 取り混ぜる. 句例 힘〔마음〕을 ~ 力〔心〕を合わせる / 두 강이 ~ 二つの川が合する / 두 마을을 ~ 両村を併せる / 서류를 하나로 ~ 書類をひとまとめにする. 文例 모든 힘을 하나로 합쳐 열심히 일했다 すべての力を一つに合わせて一生懸命に働いた / 이것 저것 한데 합쳐 보냈다 あれこれ取り混ぜて送った / 입학금을 합쳐서 3백만원이 필요하다 入学金をくるめて三百万ウォンが要る. 語例 합쳐지다 合わせられる.

*__합판__【合板】〈名〉合板・合板. ベニヤ板.

합-하다【合一】[hap'ada] (→하다)〈自他〉合わせる. 合する. 合計する. 句例 서로 힘을 ~ 互いに力を合わせる / 모두가 마음을 ~ みんなが心を合わせる. 文例 이것과 저걸 합해서 얼맙니까 これとあれを合わせていくらですか / 여러 물줄기가 합하여 강을 이룬다 いくつもの水流が合して川をなす. 語例 합해지다 合わせられる. 合わされる.

합헌【合憲】[hap'ŏn]〈名〉合憲.

핫-길【下一】[ha:t—]〈名〉下等の品質(の物). 對상(上)길.

핫 도그〈名〉ホットドッグ. ◇hot dog

핫 머니 [hanmŏni]〈名〉〔經〕ホットマネー. ◇hot money

핫-바지〈名〉❶綿入れのバジ. ❷田舎っぺい. 無学な愚か者.
表現 ②は俗っぽい言いかた.

핫 케이크〈名〉ホットケーキ. ◇hot cake

*__항__【項】[ha:ng]〈名〉項. 項目. 句例 몇 개의 ~으로 나누다 いくつかの項に分ける / '쓰다'의 ~을 찾아보다 (辞典の)'書く'の項を引いてみる. 語例 제1조 제2~ 第一条第二項.

항-【抗】[ha:ng]〈頭〉抗…. 語例 ~히스타민제 抗ヒスタミン剤.

-항【港】〈尾〉…港. 語例 무역~ 貿易港 / 제주 ~ 済州港.

항 〔漢字項目〕

【巷】高校 항 コウ. ❶거리 ちまた. 가로 街路. ▮巷街 항가 こうがい. ▮陋巷 누항 ろうこう. ❷마을 村. 일반 세간 一般の世間. ▮巷説 항설 こうせつ. 巷談 항담 こうだん.

【恒】中學 항 コウ. ❶항구 恒久. 영구 永久. ▮恒産 항산 こうさん. ❷영원하다 永遠だ. ▮恒久 항구 こうきゅう.
參考 正字は'恆'.

【抗】高校 항 コウ. ❶들다 持ち上げる. ❷겨루다 はりあう. 대항하다 歯向かう. ▮抗争 항쟁 こうそう. 抗議 항의 こうぎ. ▮反抗 반항 はんこう. 抵抗 저항 ていこう.

【港(港)】高校 항 コウ. ❶분류 分流. ❷항구 港. ▮港灣 항만 こうわん. 港外 항외 こうがい. ▮良港 양항 りょうこう. 空港 공항 くうこう.

【航】高校 항 コウ. ❶배로 건너다 船でわたる. ▮航海 항해 こうかい. 航行 항행 こうこう. ▮渡航 도항 とこう. 回航 회항 かいこう. 歸航 귀항 きこう. ❷하늘을 날다 空を飛ぶ. ▮航空 항공 こうくう.

【項】高校 항 コウ. ❶목덜미 えりくび. 목의 뒤쪽 うなじ. ▮項背 항배 こうはい. ❷항 こう. ㉠사물을 세분한 것 중의 하나. ものを順序だてて分けたものの一つ. ▮項目 항목 こうもく. ▮條項 조항 じょうこう. ㉡수학상의 술어 数学上の術語. ▮多項式 다항식 たこうしき.

항간【巷間】[ha:nggan]〈名〉巷間. ちまた. 世間. 句例 ~의 속설 巷間の俗説 / ~에 떠도는 소문 世間〔ちまた〕に広まっているうわさ.

항거【抗拒】[ha:nggŏ]〈名〉抗拒. ~하다〈自〉抗拒する. あらが(抗)う. 抗する. 句例 ~ 불능의 상태 抗拒不能の状態 / 권세에 ~하다 権勢にあらがう. 語例 ~죄 抗拒罪.

항고【抗告】[ha:nggo]〈名・하自〉〔法〕抗告. 句例 가처분 결정에 ~하다 仮処分の決定に抗告する. 語例 ~심 抗告審.

항공【航空】[ha:nggong]〈名〉航空. 語例 ~권 航空券 / ~기 航空機 / ~ 관제탑 航空管制塔. コントロールタワー / ~ 사진 航空写真 / ~ 모함 航空母艦. 空母《略語》.

항공-편【航空便】[ha:nggong—]〈名〉航空便. ❶['항공 우편 航空郵便'の略] エアメール. 句例 ~으로 편지를 붙이다 航空便で手紙を出す. ❷航空機の便. 飛行便. 句例 ~으로 여행하다 航空便で旅行する.

항구【恒久】〈名・하形〉恒久. =영구(永久). 句例 ~적 평화를 확립하다 恒久の平和を確立する / ~적인 설비 恒久的な設備. 語例 ~대책 恒久対策.

**항구【港口】[ha:nggu]〈名〉港. 句例 ~에 들어가다 港に入る / ~로 돌아오다 港に帰る / 배가 ~를 떠나다 船が港を出る. 語例 ~ 도시 港町.

항도【港都】[ha:ngdo]〈名〉['항구 도시(都市)'の略] 港町.

항렬【行列】[hangnyŏl]〈名〉同じ血族間の世数関係を表わす語. =돌림. 文例 사촌끼리는 같은 ~ 이다 いとこ同士は同じ世数である.

항렬-자【行列字】[hangnyŏltcha]〈名〉血族間で, 同じ親等を表わすため名前の二字のうち一字を共通にする字. 五行(木・火・土・金・水)にもとづいてつける. =돌림자.

항로【航路】[ha:ngno]〈名〉航路. ライン. 船路. 句例 ~를 남쪽으로 잡다〔돌리다〕船路を南に取る〔転じる〕/ 뉴욕 ~에 취항하다 ニューヨーク航路に就航する. 語例 ~ 표지 航路標識 / 정기 ~ 定期航路 / 홍콩 ~ ホンコンライン.

항만【港灣】[ha:ngman]〈名〉港湾. 句例 ~을 출입하는 선박 港湾を出入りする船舶. 語例 ~ 시설 港湾施設 / ~ 노동자 港湾労働者.

항명【抗命】[ha:ngmyŏng]〈名・하自〉抗命. 語例 ~죄〔軍〕抗命罪.

*항목【項目】[ha:ngmok]〈名〉項目. =조목(條目). 句例 ~별로 써서 늘어놓다 項目別に書き並べる / 논문을 10개 ~으로 나누다 論文を十項目に分ける.

항문【肛門】[ha:ngmun]〈名〉〔生〕肛門. =똥구멍. 語例 ~ 괄약근〔生〕肛門括約筋.

항법【航法】[ha:ngppŏp]〈名〉航法. 語例 계기 ~ 計器航法.

항변【抗辯】[ha:ngbyŏn]〈名・하他〉抗弁. 句例 상대방의 주장에 ~하다 相手の主張に抗弁する / 지지 않고 굳세게 ~하다 まけずに強く抗弁する. 語例 ~권〔法〕抗弁権.

항복【降伏・降服】〈名〉降伏〔降服〕. 降参. ~하다〈自〉降伏する. 降参する. 下る. かぶとを脱ぐ. 句例 ~해 오다 降伏してくる / 적에게 ~하다 敵に下る / 어이없게 ~하다 手もなく降参する / 백기를 내걸고 ~하다 白旗を掲げて降参する. 語例 ~기 降伏の旗. 白旗 / 무조건 ~ 無条件降伏.

**항상【恒常】〈副〉常に. いつも. 日ごろ. 常時. 年中. ふだん. 句例 ~ 변치 않는 마음 いつも変わらない心 / ~ 바쁘다 いつも〔年中〕忙しい / ~ 인화를 생각하다 常に人の和を考える. 文例 자네 행동은 ~ 올바르다 君の行動はいつも正しい / 그는 ~ 놀고만 있다 彼はいつも遊んでばかりいる / 저 학교는 ~ 분쟁이 끊이지 않는다 あの学校はしょっちゅうもめている.

항생 물질【抗生物質】[ha:ngsaengmultchil]〈名〉抗生物質.

항생-제【抗生劑】[ha:ngsaeng—]〈名〉抗生剤.

항설【巷說】[ha:ngsŏl]〈名〉巷説. 風説.

항성【恒星】〈名〉〔天〕恒星. =붙박이별. 語例 ~표〔天〕恒星表. 對 행성(行星).

항소【抗訴】[ha:ngso]〈名・하自〉〔法〕控訴. 句例 검사의 ~ 検事の控訴 / ~를 기각하다 控訴を棄却する. 語例 ~심 控訴審.

항시【恒時】❶〈名〉常時. 普通の時. =상시(常時).
❷〈副〉常に. いつも. =늘. 文例 ~ 술에 취해

있다 いつも酒浸りだ.

**항아리【缸一】〈名〉かめ(甕). つぼ. 文例 김치가 들어 있는 ~가 깨졌다 キムチが入っているかめが壊された. 語例 물~ 水がめ.
参考 '독'よりは小さい.

항용【恒用】■〈名〉普通. 通常.
■〈副〉常に. いつも. =늘. 句例 ~ 있는 일 常にあること.

항원【抗原・抗元】[ha:ng-won]〈名〉〔生〕抗原. 語例 ~ 물질 抗原物質.

항의【抗議】[ha:ng-ŭi]〈名・하他〉抗議. 句例 ~의 소리 抗議の声 / ~를 제기하다 抗議を申し立てる / ~를 받아들이다 抗議を受け入れる / 엄중한 ~를 받다 厳重な抗議を受ける. 語例 ~ 각서 抗議覚え書き / ~ 데모〔집회〕抗議デモ〔集会〕.

항일【抗日】[ha:ng-il]〈名・하自〉抗日. 語例 ~ 운동 抗日運動 / ~ 전쟁 抗日戦争 / ~ 독립 투사 抗日独立闘士. 對친일(親日). 類배일(排日).

항쟁【抗爭】[ha:ngjaeng]〈名・하自〉抗争. =항전(抗戰). 句例 ~을 반복하다 抗争をくりかえす / 필사적으로 ~하다 必死に抗争する. 語例 무력 ~ 武力抗争. 對투항(投降).

항전【抗戰】[ha:ngjŏn]〈名・하自〉抗戦. =항쟁(抗爭). 句例 소수 병력으로 ~하다 少数の兵力で抗戦する / 필사적으로 ~하다 必死になって抗戦する. 對항복(降伏).

항체【抗體】[ha:ngch'e]〈名〉〔生〕抗体.

항해【航海】[ha:nghae]〈名・하自他〉航海. 句例 무사히 ~를 계속하다 無事に航海を続ける / 태평양을 ~하다 太平洋を航海する. 語例 ~도 航海図 / ~사 航海士 / 처녀 ~ 処女航海 / 원양 ~ 遠洋航海.

항행【航行】[ha:nghaeng]〈名・하自〉航行. 句例 ~ 중인 선박 航行中の船舶.

**해〈名〉❶日. ㉠太陽. 句例 ~와 달 太陽と月 / ~가 뜨다 日が出る〔昇る〕/ ~가 높다 日が高い / 아침 ~가 떠오르다〔솟다〕朝日が昇る. 文例 ~는 동쪽에서 떠서 서쪽으로 진다 日は東より出て西に沈む. 語例 지는 ~ 入り日.
㉡日光. 日ざし. 句例 ~가 비치다 日が差す. 文例 이 방은 ~가 잘 든다〔들지 않는다〕この部屋は日当たりがいい〔悪い〕.
㉢昼. 昼間. 句例 ~가 길다(→小項目) / ~가 짧다(→小項目) / 뜨거운 여름 ~ 暑い夏の日. 文例 겨울 ~는 짧다 冬の日は短い.
❷年. 一年. 句例 가는 ~ ゆく年 / 오는 ~ くる年 / ~를 넘기다 年を越す / ~가 바뀌다 年が改まる〔変わる〕. 文例 여러 ~ 동안의 노력이 열매를 맺었다 長年の努力が実った / 묵은 ~를 보내고 새 ~를 맞이했다 去る年を送り新しい年を迎えた. 語例 새~ 新年 / 그 ~ その年 / 다음다음 ~ 翌翌年 / 지난 ~ 昨年. 去年.

해가 길다 日が長い. 句例 해가 길어지다 日が長くなる. 日あしがのびる. 文例 봄엔 ~ 春の日は長い. 對해가 짧다.

해가 서쪽에서 뜨다 太陽が西から昇る. 絶対にあり得ないことのたとえ.

해가 저물다 日が暮れる. 文例 해는 저물고 갈 길은 멀다 日暮れて道遠し.

해가 지다 日が沈む. 句例 해가 서산에 지다 日が西に沈む.

해가 짧다 日が短い. 句例 해가 짧아지다 日が短くなる. 對해가 길다.

*해【害】[hae:]〈名・하他〉害. ❶利がないこと. 弊害. 害毒. 句例 마약의 ~ 麻薬の害 / ~가 되다 害になる. ❷損傷. 損なうこと. 句例 ~를 입다 害を被る〔受ける〕/ 남에게 ~를 끼치다 人に害を及ぼす. ❸危害. 殺すこと. 句例 인명을 ~하다 人命を害する.
→해(害)치다

해[1] [hae:]〈副・하自〉'헤[1]'の語感の小さい語.

해[2] [hae:]〈副・感・하自〉'헤[2]'の語感の小さい語.

-해【海】〈尾〉…海. 語例 다도~ 多島海 / 지중~ 地中海 / 아랄~ アラル海.

해　〔漢字項目〕

【亥】中學 해 ガイ. 십이지의 열두째 十二支の第十二. ■乙亥 을해 いつがい. きのとい. 辛亥革命 신해 혁명 しんがいかくめい.

【奚】高校 해 ケイ. 혜 ケイ. ■〔해〕종 しもべ. 노복 奴僕. ■奚奴 해노 けいど. 奚童 해동 けいどう.
■〔혜〕어느 곳 いずこ. どこ.

【害(害)】中學 해 ガイ. ❶해치다 がいする. ■害惡 해악 がいあく. 害毒 해독 がいどく. ■被害 피해 ひがい. 傷害 상해 しょうがい. ❷해 がい. 재난 わざわい. ■災害 재해 さいがい. 冷害 냉해 れいがい. ❸훼방하다 さまたげる. ■妨害 방해 ぼうがい. ❹요해지 要害地. ■要害 요해 ようがい.

【海(海)】中學 해 カイ. ❶바다 うみ. ■海洋 해양 かいよう. 海流 해류 かいりゅう. ■大海 대해 たいかい. 領海 영해 りょうかい. ❷사물이 많이 모이는 곳. 또, 넓고 큰 모양 事物の多く集まる所. また, 広く大きいさま. ■海容 해용 かいよう. ■學海 학해 がっかい.

【解】中學 해 カイ ゲ. ❶풀다 とく. ㉠얽힌 것・맨 것 등을 풀다 もつれたものや結んだものなどを解く. 분해하다 分解する. ■解離 해리 かいり. ■電解 전해 でんかい. ㉡잘 처리하다 うまく処理する. ■解決 해결 かいけつ. ㉢원한・독 따위를 없애다 恨みや毒などをなくす. ■解毒 해독 かいどく. 解熱 해열 かいねつ. ■和解 화해 わかい. ㉣설명하다 ときあかす. 알다 さとる. ■解明 해명 かいめい. 解說 해설 かいせつ. ■理解 이해 りかい. ㉤속박하던 것을 풀다 束縛したのをゆるめる. ■解禁 해금 かいきん. 解除 해제 かいじょ. ❷흩어지다 ばらばらになる. 가르다 分ける. ■解散 해산 かいさん. 解剖 해부 かいぼう. 解體 해체 かいたい.

【該】高校 해 ガイ. ❶갖추다. そなえる. ■該博 해박 がいはく. ❷맞다 あう. 일치하다 一致する. 문제가 되고 있는 그것 問題になっているその事柄. ■該當 해당 がいとう. ■當該 당해 とうがい.

해갈【解渴】[hae:gal]〈名・하自〉❶渇きをいや

ㅎ

すこと. ❷雨が降って干ばつをやっと免れること.

해감〈名〉水のおり(澱). 水あか.

해-거름〈名〉日が西に沈むころ. 日暮れ.

***해결**【解決】[hae:gyŏl]〈名・하他〉解決. 句例 ~이 나다 解決がつく / ~을 보다 解決をみる / ~의 실마리를 잡다 解決の糸口をつかむ / ~법을 모색하다 解決法をさぐる. 文例 그 문제는 시간이 ~할 것이다 その問題は時間が解決するだろう / 돈이 아니고서는 아무래도 ~ 안 된다 金でなければどうしてもまとまらない / 예의 그 사건은 가까스로 ~되었다 例の事件は, やっと片づいた. 語例 ⇨ 해결책 / 미~ 未解決 / ~되다 解決される.

해결(을) 짓다 解決をつける. 解決する.

해결-책【解決策】[hae:gyŏlch'aek]〈名〉解決策. 句例 ~을 강구하다〔찾아내다〕解決策を講じる〔見いだす〕. 文例 지금으로선 ~이 없다 今のところは解決策がない.

해고【解雇】[hae:go]〈名〉解雇. 首. お払い箱. **~하다**〈他〉解雇する. 首にする. 句例 종업원을 ~하다 従業員を解雇する. 文例 불황으로 ~당했다 不況で解雇された〔首になった〕. 語例 ~ 수당 解雇手当て / ~되다〔당하다〕解雇される. 首になる. 對고용(雇用).

해골【骸骨】〈名〉骸骨. ❶からだの骨. 骨格. ❷髑髏. されこうべ. 野ざらし. 句例 ~처럼 마르다 骸骨のようにやせる. 類백골(白骨). ❸(考える)頭. 文例 ~이 복잡하다 頭がこんがらかっている.

表現 ③は俗っぽい言いかた.

해괴망측-하다【駭怪罔測―】[haegoemanygch'ŭk'ada](→하다)〈形〉非常に奇怪で想像がつかない. 奇怪至極だ. 句例 ~한 이야기 非常に奇怪でいやらしい話.

해괴-하다【駭怪―】(→하다)〈形〉非常に奇怪だ. 句例 해괴한 일〔소문〕非常に奇怪な出来事〔うわさ〕.

****해군**【海軍】[hae:gun]〈名〉海軍. 語例 ~ 장교 海軍将校 / ~ 대장 海軍大将. アドミラル / ~ 기지 海軍基地.

해금【解禁】[hae:gŭm]〈名・하他〉解禁. 句例 기사를 ~하다 記事を解禁する. 文例 수렵이 ~되었다 狩猟が解禁になった.

해난【海難】[hae:nan]〈名〉海難. 句例 ~을 당하다 海難に会う. 語例 ~ 구조 海難救助. サルベージ / ~ 사고 海難事故 / ~ 심판 海難審判.

***해-내다** [hae:―]〈他〉❶(仕事などを)成し遂げる. やり抜く. やってのける. 句例 큰일을 ~ 大事を成し遂げる / 훌륭히 ~ 立派にやってのける〔やりこなす〕. 文例 이 일은 맹세코 해내겠다 この事は誓ってやり遂げる / 남자라면 끝까지 해내야지 男なら最後までなしとげなくちゃ / 그 일을 혼자 해낸 데에는 놀랐다 あの仕事をひとりでやってのけたのには驚いた. ❷(相手を)打ち負かす. やっつける. やり込める.

해-넘이 [―nŏmi]〈名〉日没. 日暮れ. =일몰(日沒). 對해돋이.

해녀【海女】[hae:nyŏ]〈名〉海女.

***해-님**〈名〉お日さま《女・児》. おてんと様《口》. 今日様《老》. 對달님.

해답【解答】[hae:dap]〈名・하自他〉解答. 答え. 略して'답(答)'ともいう. 句例 ~이 맞다 解答が合う / ~을 구하다 解答を求める / 시험 문제의 ~ 試験問題の解答 / 올바른 ~ 正しい解答.

***해당**【該當】〈名・하自〉該当. 相当. あてはまること. 句例 그 조건에 ~하는 인물 その条件に該当する人物. 文例 ~ 사항 없음 該当事項無し / ~자는 없다 該当者はいない / 그것에 ~하는 영어는 없다 それに相当する英語はない. 語例 ~란 該当欄 / ~되다 該当する.

해당-화【海棠花】[hae:danghwa]〈名〉〔植〕かいどう(海棠). はまなす.

해-대다 [hae:daeda]〈他〉❶くってかかる. やりこめる. やっつける. 句例 홧김에 ~ 腹立ちまぎれにくってかかる. ❷(仕事などを)手っ取り早くやってのける. 文例 시간에 쫓겨 나머지 일을 마구 해댔다 時間に追われて残りの仕事をやつぎばやにやってのけた.

해도【海圖】[hae:do]〈名〉〔地〕海図. 航海図.

해독【害毒】[hae:dok]〈名〉害毒. 句例 사회에 ~을 끼치다 社会に害毒を流す〔及ぼす〕. 類해악(害惡).

해독【解毒】[hae:dok]〈名・하自〉解毒. 毒消し. 語例 ~ 작용〔제〕解毒作用〔剤〕.

해독【解讀】[hae:dok]〈名・하他〉解読. 句例 고전을 ~하다 古典を解読する / 암호를 ~하다 暗号を解読する.

***해-돋이** [haedoji]〈名〉日出. 日の出. =일출(日出). 句例 산꼭대기에서 ~를 맞이하다 山の頂上で日の出を迎える. 對해넘이.

해동【海東】[hae:dong]〈名〉渤海の東にある国の意で, 昔の韓国の別称. 語例 ~ 성국(盛國)〔史〕渤海の別称.

해동【解凍】[hae:dong]〈名・하自〉解凍. ❶(春になって)氷が解けること. 解氷. ❷冷凍したものを解かしてもどすこと. 句例 냉동 식품이 ~하다 冷凍食品が解凍する. 對냉동(冷凍).

해라-체【―體】[hae:ra―]〈名〉〔言〕'상대 높임법'の一つ. 目下の者に対する最もぞんざいな終結形のことば遣い. '해라 やれ. しろ' '앉아라 座れ'など. この上は'하게체(體)'という.

해라-하다 [hae:ra―](→하다)〈自〉〔言〕目下の者に対して最もぞんざいなことば遣いをする.

해로【海路】[hae:ro]〈名〉海路. 航路. =바닷길. 句例 ~로 일본에 가다 海路で日本に赴く. 對육로(陸路).

해로【偕老】〈名・하自〉偕老. 相老い. 語例 ~ 동혈 偕老同穴.

***해-롭다**【害―】[hae:ropta](→롭다)〈形〉害になる. 有害である. 句例 건강에 해로운 식품 健康に有害な食品. 文例 담배는 몸에 ~ タバコはからだに有害である / 과음은 건강에 ~ 飲み過ぎは健康に害になる. 對이(利)롭다. **해로이**〈副〉有害に. 悪く.

해롱-거리다〈自〉しきりにへらへらとふざける.

해롱해롱 〈副・하自〉 しきりにふざけるさま：へらへら. 文例 자꾸 ～ 까분다 しきりにへらへらふざける.

해류【海流】[hae:ryu]〈名〉海流. 句例 ～를 타다 海流に乗る. 語例 ～도 海流図 / ～ 발전 海流発電.

해리【海里】[hae:ri]〈依名〉海里. 海上距離の単位.

해-마다〈副〉毎年. 年ごとに. 句例 ～ 인구가 늘어가다 年ごとに人口が増えていく.

해-말갛다 [haemalgat'a]（해말가니, 해말가오）〈形〉（肌色が）白く透き通っている. 白くすっきりしている. 文例 신부의 얼굴이 해말갛고 예쁘다 花嫁の顔が白くすっきりして美しい.

해말쑥-하다 [haemalssuk'ada]（→하다）〈形〉（顔色が）白く透き通っている.

해-맑다 [haemakta]〈形〉白くて透き通っている. 白くすっきりしている. 句例 해맑은 얼굴의 소녀 白くすっきりした顔の少女. →맑다 参考

해머〈名〉ハンマー. 語例 ～던지기 ハンマー投げ. ◇hammer

해-먹다 [hae:mŏkta]〈他〉❶食べ物をつくって食べる. 句例 저녁을 ～ 夕御飯をつくって食べる.
❷横領する. 着服する. 句例 공금을 ～ 公金を横領する.
❸（ある事を）なりわい（生業）として暮らす. 句例 밭일을 해먹고 살다 畑仕事をして暮らす / 장사를 ～ 商売をして暮らす.
❹人に害を及ぼす.
❺する. やる. 文例 이렇게 더워서야 어디 일을 해먹을 수 있겠나 こんなに暑くてはどうして仕事ができようか.
表現 ②⑤は俗っぽい言いかた.

해면【海面】[hae:myŏn]〈名〉海面. 句例 갈매기가 ～ 위를 날아다니다 かもめが海面の上を飛び回る.

해면【海綿】[hae:myŏn]〈名〉海綿. スポンジ. 語例 ～ 동물〔조직〕海綿動物〔組織〕/ ～질 海綿質 / ～체 海綿体.

해명【解明】[hae:myŏng]〈名・하他〉解明. 釈明. 句例 원인을 ～하다 原因を解明する. 文例 ～할 여지가 없었다 釈明の余地がなかった.

해몽【解夢】[hae:mong]〈名・하自他〉夢解き. 夢判じ. 夢うら.
꿈보다 해몽이 좋다 夢より夢解きの方がよい. 説明いかんによって物事の善しあしが決まることのたとえ.

해-묵다〈自〉❶（品物が）年を越す. 越年する. ❷（仕事が）次の年へ繰りこしになる.

**해-바라기〈名〉〔植〕ひまわり.

해-바라지다〈形〉 みっともなく広く開いている. 不格好に広く開いている.

해박-하다【該博—】[haebak'ada]（→하다）〈形〉該博だ. 物事に広く通じている. 句例 해박한 지식 該博な知識.

해발【海拔】[hae:bal]〈名〉海抜. 標高. 語例 ～ 고도 海抜高度.

해발쪽-이 [haebaltchogi]〈副〉平たくやや開いて.

해발쪽-하다 [haebaltchok'ada]（→하다）〈形〉（口・穴などが）平たくやや開いている.

해방【解放】[hae:bang]〈名・하他〉解放. 句例 압박에서 ～된 자유로운 생활 圧迫から解放された自由な生活. 語例 ～둥이 解放っ子《1945年生まれの人》/ 노예 ～ 奴隷解放 / 민족 ～ 民族解放 / 성～ 性の解放. 對속박（束縛）.

***해변**【海邊】[hae:byŏn]〈名〉海べ. 海ぎわ. 海浜. ビーチ. 句例 ～을 거닐다 海べを散歩する / 파도치는 ～ 波うつ浜べ. 句例 ～ 식물 海浜植物 / ～ 학교 海浜〔臨海〕学校.

***해-보다** [hae:boda]〈他〉〔'하여 보다'の略〕やってみる. 試みる. 試してみる. 語例 시험삼아 ～ 試しにやってみる.

***해부**【解剖】[hae:bu]〈名・하他〉解剖. 句例 개구리〔시체〕를 ～하다 かえる〔死体〕を解剖する. 文例 주인공의 성격을 ～해 보자 主人公の性格を解剖してみよう. 語例 ～도 解剖図 / ～실 解剖室 / ～술 解剖術 / ～학 解剖学 / 생체 ～ 生体解剖.

해빙【海氷】[hae:bing]〈名〉海氷. 海水が氷結したもの.

해빙【解氷】[hae:bing]〈名・하自〉解氷. ❶氷がとけること. 語例 ～기 解氷期. 對결빙（結氷）. ❷国際間の緊張緩和. 雪解け. デタント. 句例 동서 양대 진영의 ～기 東西両大陣営の解氷期.

해사【海士】[hae:sa]〈名〉'해군 사관（士官）학교 海軍士官学校'の略.

해사-하다（→하다）〈形〉（顔色が）白くすっきりしている.

해산【解産】[hae:san]〈名・하自〉お産. 分娩. 出産. 句例 ～할 기미가 있다 産気づく / ～달이 가까워지다 臨月〔産み月〕が近づく. 語例 ～바라지〔구완〕助産. 出産の世話をすること / ～ 어미 産婦.

해산【解散】[hae:san]〈名・하自他〉解散. 句例 데모 군중을 ～시키다 デモの群衆を解散させる / 국회가 ～하다 国会が解散する. 語例 ～명령 解散命令.

해산-물【海產物】[hae:sanmul]〈名〉海産物. 略して'해물（海物）'ともいう.

해삼【海蔘】[hae:sam]〈名〉〔動〕なまこ.

***해상**【海上】[hae:sang]〈名〉海上. 句例 ～에서 일어난 사건 海上で起こった事件. 語例 ～교통 海上交通 / ～ 근무 海上勤務 / ～권 海上権 / ～ 보험 海上保険 / ～ 봉쇄 海上封鎖 / ～ 운송 海上運送. 對육상（陸上）.

해서【楷書】〈名〉楷書. 漢字書体の一つ. 句例 ～로 쓰다 楷書で書く. 對행서（行書）. 초서（草書）.

해석【解析】[hae:sŏk]〈名・하他〉解析. ❶物事を分析的に研究すること. 句例 데이터를 ～하다 データを解析する. 語例 구문 ～ 構文解析. ❷〔數〕'해석학 解析学'の略. ❸〔數〕'해석 기하학 解析幾何学'の略.

해석【解釋】[hae:sŏk]〈名〉解釈. **～하다**〈他〉解釈する. 取る. 解する. 句例 선의〔악의〕로

~하다 善意〔悪意〕に解釈する / 글자 그대로 ~하다 文字通りに取る. 文例 고문은 ~하기 어렵다 古文は解釈しにくい / ~을 잘못했다 解釈を間違った / 그것은 ~의 차이다 それは解釈の相違である / ~ 여하에 따라 여러 가지로 생각할 수 있다 解釈のしようでどうにでも取れる. 語例 영문 ~ 英文解釈.

***해설**【解說】[hae:sŏl]〈名・하他〉解説. 語例 뉴스 ~ ニュース解説 / 시사 ~ 時事解説 / ~자 解説者.

해소【解消】[hae:so]〈名・하他〉解消. 句例 스트레스를 ~하다 ストレスを解消する / 교통난을 ~하다 交通難を解消する / 사회 불안을 ~하다 社会の不安を解消する. 文例 고민이 ~되었다 悩みが解消した.

해송【海松】[hae:song]〈名〉〔植〕❶浜松の総称. ❷黒松.

해수【咳嗽】〈名〉〔醫〕がいそう(咳嗽). せき. =기침. 語例 ~병 がいそう病.

해수【海水】[hae:su]〈名〉海水. =바닷물. 文例 ~를 증발시키면 소금이 된다 海水を蒸発させると塩になる. 語例 ~면(面) 海水の表面. 對육수(陸水).

해수【海獸】[hae:su]〈名〉〔動〕海獣. 海にすむ哺乳類の総称.

해수-욕【海水浴】[hae:suyok]〈名・하自〉海水浴. 句例 ~을 즐기다 海水浴を楽しむ. 語例 ~복(服) 海水着. 水着 / ~장 海水浴場.

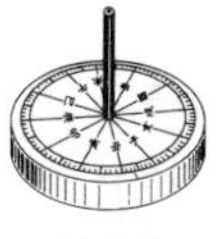
〈해시계〉

해-시계【一時計】〈名〉〔天〕日時計. 絵

해식【海蝕】[hae:shik]〈名〉〔地〕海食. 語例 ~ 단구 海食段丘 / ~대(臺) 海食台地 / ~ 작용 海食作用 / ~ 해안 海食海岸.

해신【海神】[hae:shin]〈名〉海神. わたつみ《雅》. 海の神.

해심【害心】[hae:shim]〈名〉害心. =해의(害意). 句例 ~을 품다 害心を抱く.

해쓱-하다 [haessŭk'ada](→하다)〈形〉(顔から血の気が引いて)蒼白だ. 青ざめている. 青白い. 句例 얼굴이 해쓱해지다 顔面が蒼白になる.

해악【害惡】[hae:ak]〈名〉害悪. 句例 ~을 끼치다 害悪を及ぼす.

***해안**【海岸】[hae:an]〈名〉海岸. 句例 ~에서 자란 소년 海岸で育った少年 / ~을 따라 가다 海岸に沿って行く. 文例 ~이 후미져 있다 海岸が入り江になっている. 語例 ~ 기후 海岸気候 / ~ 방풍림 海岸防風林 / ~선 海岸線 / ~ 지대 海岸地帯.

해약【解約】[hae:yak]〈名・하他〉解約. ❶約束を取り消すこと. キャンセル. =파약(破約). ❷〔法〕'해지(解止)'の旧称.

***해양**【海洋】[hae:yang]〈名〉海洋. 語例 ~ 개발 海洋開発 / ~ 목장 海洋牧場 / ~성 기후 海洋性気候 / ~ 자원 海洋資源 / ~학 海洋学.

해어-뜨리다〈他〉(着物などを)すり減らしてしまう. ぼろぼろにする. 略して'해뜨리다'とも言う.

해어-지다〈自〉(着物などが)すり減る. すり切れる. 略して'해지다'ともいう. 句例 바짓부리가 ~ ズボンのすそがすり切れる / 해어진 구두 すり切れた靴.

해역【海域】[hae:yŏk]〈名〉海域. 句例 카리브 ~을 봉쇄하다 カリブ海域を封鎖する. 語例 조업 금지 ~ 操業禁止海域.

해연【海淵】[hae:yŏn]〈名〉〔海・地〕海淵. 海溝のうち最も深いところ.

해열【解熱】[hae:yŏl]〈名・하自〉〔醫〕解熱. 語例 ~제 解熱剤.

해오라기〈名〉〔鳥〕さぎ(鷺). =백로(白鷺).

해오라기-난초【一蘭草】〈名〉〔植〕さぎそう.

해왕-성【海王星】[hae:wangsŏng]〈名〉〔天〕海王星. ネプチューン.

***해외**【海外】[hae:oe]〈名〉海外. 外国. 句例 ~에 이름을 떨치다 海外に名をとどろかす. 語例 ~ 동포 海外同胞 / ~ 무역 海外貿易 / ~ 방송 海外放送 / ~ 시장 海外市場 / ~ 이민 海外移民 / ~ 지점 海外支店.

해요-체【一體】[hae:yoch'e]〈名〉〔言〕'상대 높임법'の中で'비격식체 非格式体'の一つ. '하오체'と'합쇼체'よりややうちとけたことば遣い. '해요 しなさいよ' '써요 書きなさいよ'など.

해우【海牛】[hae:u]〈名〉〔動〕かいぎゅう(海牛). =바다소.

해운【海運】[hae:un]〈名〉海運. 海上運送. 語例 ~ 시장 海運市場 / ~업 海運業 / ~ 협정 海運協定 / ~ 회사 海運会社. 對육운(陸運). 공운(空運).

해의【害意】[hae:ŭi]〈名〉害意. 句例 ~를 품다 害意を抱く / ~가 없다 害意がない.

해이【解弛】[hae:i]〈名・하自〉弛緩. 緩むこと. だらけること. 句例 규율이 ~해지다 規律が緩む / 정신이 ~해지다 精神がだらける.

해일【海溢】[hae:il]〈名・하自〉〔地〕津波. 高潮. 句例 ~이 일어나다 津波が起こる / ~이 덮치다 津波が襲う.

해임【解任】[hae:im]〈名・하他〉解任. =해직(解職). 句例 과장을 ~하다 課長を解任する / 부장이 ~되다 部長が解任される. 語例 ~장 解任状.

해장 [hae:jang]〈名・하自〉[もとの語形は'해정(解酲)'] 迎え酒を飲むこと. 句例 ~술에 취하다 迎え酒に酔う. 語例 ~국 酔よい覚ましの汁〔スープ〕/ ~술 迎え酒.

해장【海葬】[hae:jang]〈名・하他〉海中に死体を葬ること. 類수장(水葬).

해저【海底】[hae:jŏ]〈名〉海底. 句例 ~에 가라앉히다〔침몰하다〕 海底に沈める〔沈没する〕. 語例 ~ 유전 海底油田 / ~ 지진 海底地震 / ~ 전신 海底電信 / ~ 탐험 海底探険 / ~ 케이블 海底ケーブル / ~ 터널 海底トンネル / ~ 화산 海底火山.

***해적**【海賊】[hae:jŏk]〈名〉海賊. 句例 ~이 출몰하다 海賊が出没する / ~ 행위를 하다 海賊行為を働く. 語例 ~선 海賊船 / ~판 海賊版.

해-전【一前】〈名〉日暮れ前. 日没前. 文例 ~에 돌아오도록 해라 日暮れ前に帰るようにしなさい.

해전【海戰】[hae:jŏn]〈名・하自〉〔軍〕海戦. 句例 ~에 패하다 海戦に敗れる. 語例 아부키르~〔史〕アブキール海戦.

해제【解除】[hae:je]〈名・하他〉解除. 句例 무장을 ~하다 武装を解除する / 통행 금지를 ~하다 通行禁止を解除する / 계약의 ~ 契約の解除 / 호우 주의보를 ~하다 大雨注意報を解除する.

해조【害鳥】[hae:jo]〈名〉害鳥. 人間生活に害を与える鳥. 對익조(益鳥).

해조【海鳥】[hae:jo]〈名〉海べや島などにすむ鳥. ＝바닷새.

해조【海藻】[hae:jo]〈名〉〔植〕海藻. 藻. ＝바닷말.

해조-음【海潮音】[hae:joŭm]〈名〉海潮音. しおさい(潮騒). しおざい.

***해-주다** [hae:juda]〈他〉['하여 주다'の略] してやる. してくれる. 代わってやる. 句例 심부름을 ~ 使いを代わりにしてやる / 옷을 ~ 衣服を仕立ててやる. 文例 수고 좀 해주겠나 一苦労願おうか.

해죽〈副〉(満足げに)ちょっと笑いを浮かべるさま：にっと. にっこり. にこっと. 句例 ~ 웃다 にっと笑う. 文例 ~ 웃으며 윙크를 보낸다 にこっと笑いながらウィンクを送る. **~거리다**〈自〉しきりににこにこする.

해죽해죽 [haejuk'aejuk]〈副・하自〉にこにこ. 文例 ~ 웃기만 한다 にこにこ笑うだけだ.

해죽-이 [haejugi]〈副〉⇨ 해죽

해중【海中】[hae:jung]〈名〉海中. 語例 ~ 공원 海中公園 / ~ 촬영 海中撮影.

해지【解止】[hae:ji]〈名・하他〉〔法〕解約. 句例 매매 계약을 ~하다 売買契約を解約する / ~ 절차를 밟다 解約の手続きを取る.

해-지다 [hae:jida]〈自〉'해어지다'の略：すり減る. 句例 해진 양복 すり減った洋服.

해직【解職】[hae:jik]〈名・하自他〉解職. 免職. 句例 교장직에서 ~되다 校長の地位から解職される.

해질-녘 [haejillyŏk]〈名〉日暮れどき. 夕暮れ. 夕方. 暮れ方. 句例 ~에 도착하다 夕暮れに到着する.

해-체【一體】[hae:ch'e]〈名〉〔言〕'상대 높임법'の中で, '비격식체 非格式体'の一つ. '해라체'と '하게체' よりややうちとけたことば遣い. '해 やれよ. しろよ' '앉아 座れよ'など.

해체【解體】[hae:ch'e]〈名・하自他〉❶解体. 句例 재벌의 ~ 財閥の解体 / 정당을 ~하다 政党を解体する. ❷〔生〕解剖.

해초【海草】[hae:ch'o]〈名〉〔植〕海草. ＝바닷말. 해조(海藻).

***해충**【害蟲】[hae:ch'ung]〈名〉〔動〕害虫. 句例 사회의 ~ 社会の害虫. 語例 ~ 구제 害虫駆除. 對익충(益蟲).

***해-치다**【害一】[hae:ch'ida]〈他〉❶害する. 損なう. 句例 건강을 ~ 健康を損なう〔害する〕/ 학교 규칙을 해치는 학생 学校の規則を害する学生 / 도시의 미관을 ~ 都市の美観を害する / 동심을 ~ 童心を むしばむ. ❷(人を)傷つける. あやめる. 殺す. 句例 사람을 ~ 人を傷つける / 가축을 해치는 늑대 家畜を殺すヌクテー.

해-치우다 [hae:ch'iuda]〈他〉❶(仕事などを)さっぱり終える. やってのける. 仕上げる. 句例 오늘 중으로 ~ 今日中にさっぱり終える / 간단히〔손쉽게〕~ 無造作にやってのける. ❷(邪魔者を)取り除く. 片付ける. 文例 놈을 빨리 해치워라 やつを早く片付けろ.

해-코지【害一】[hae:k'oji]〈名・하他〉人に損害や迷惑を及ぼすふるまい. 文例 남을 ~하는 자는 언젠가는 자신도 당한다 他人を損ねる者はいつか自分もやられる.

해탈【解脫】[hae:t'al]〈名・하自他〉〔佛〕解脱. 句例 고뇌로부터 ~하다 苦悩から解脱する. 語例 ~덕〔佛〕解脱の徳.

해태 [hae:t'ae]〈名〉獬豸. 善悪をわきまえるという獅子に似た想像上の動物.

해태【海苔】[hae:t'ae]〈名〉〔植〕のり. ＝김.

해토【解土】[hae:t'o]〈名・하自〉凍った土が解けること.

해토-머리【解土一】[hae:t'omŏri]〈名〉(春になって)凍った土が解け始めるころ.

해트〈名〉ハット. 中折れ帽子. ＝중절(中折)모자. ◇hat

해파리 [hae:p'ari]〈名〉〔動〕くらげ(水母).

해판【解版】[hae:p'an]〈名・하他〉〔印〕解版. 文例 ~하기 전에 지형을 뜬다 解版する前に紙型を取る.

해풍【海風】[hae:p'ung]〈名〉海風・うみかぜ. 海の風. ＝바닷바람.

해프닝〈名〉ハプニング. 句例 ~으로 끝나다 ハプニングとして終わる. ◇happening

해피 엔딩〈名〉ハッピーエンド. 句例 ~으로 마무리되다 ハッピーエンドにまとめられる. ◇happy ending

해-하다【害一】[hae:—](→하다)〈他〉(他人に)害を与える. 損ねる. 害する. 殺す. → 해(害)

해학【諧謔】〈名〉かいぎゃく(諧謔). ユーモア. 句例 ~을 즐기다 かいぎゃくをもてあそぶ. 語例 ~ 소설〔문학〕かいぎゃく小説〔文学〕.

해해〈副・하自〉人をあざけって笑うさま. また, 満足げに笑うさま：へへ. へらへら. **~거리다**〈自〉しきりにへらへらと笑う. 文例 샐쭉했다가도 금방 ~거리며 웃는다 すねてはすぐへらへらと笑う.

해협【海峽】[hae:hyŏp]〈名〉〔地〕海峡. 句例 ~에 다리를 놓다 海峡に橋を架ける.

핵【核】〈名〉核. 句例 ~을 보유하다 核を保有する / 방문 판매를 ~으로 한 상법 訪問販売を核にした商法. 語例 ~가족 核家族 / ~무기 核兵器 / 세포~ 細胞核 / ~실험 核実験 / ⇨ 핵우산 / ~전쟁 核戦争 / ~폭발 核爆発.

핵 〔漢字項目〕

【核】高校 핵 カク. ❶단단한 알맹이로 된 씨 固い中味の実. ▮核果 핵과 かっか. ❷사물의 가장 요긴한 곳 物事の最も重要なところ. ▮核心 핵심 かくしん. ▮中核 중핵 ちゅうかく. ❸세포의 중심이 되는 것 細胞の中心になるもの. ▮細胞核 세포핵

ㅎ

さいぼうかく. 結核 결핵 けっかく. ❹원자핵 原子核. ▮核爆發 핵폭발 かくばくはつ. 核分裂 핵분열 かくぶんれつ. 核武器 핵무기 かくへいき(核兵器).

핵-발전소【核發電所】[—paltchŏnso]〈名〉原子力発電所.

핵-사찰【核査察】〈名〉核査察. 句例 ~을 받는 국가 核査察を受ける国家.

***핵심**【核心】〈名〉核心. 句例 ~을 건드리다 核心にふれる / 문제의 ~을 찌르다 問題の核心をつく. 語例 ~ 인물 核心人物 / ~체 核心体.

핵-에너지【核energy】[haegenŏji]〈名〉〔物〕核エネルギー.

핵-연료【核燃料】[haegyŏllyo]〈名〉〔物〕核燃料.

핵-우산【核雨傘】[haegusan]〈名〉核の傘. 句例 대국의 ~에 들어가다 大国の核の傘に入る.

핵-융합【核融合】[haengnyunghap]〈名〉〔物〕核融合.

핵자【核子】〈名〉核子. ❶粒. ❷〔物〕原子核を構成する陽子と中性子の総称.

핵-자기【核磁氣】〈名〉〔物〕核磁気. 語例 ~ 모멘트 核磁気モーメント / ~ 유도 核磁気誘導.

핵질【核質】〈名〉〔生〕核質.

핵-폐기물【核廢棄物】〈名〉核廃棄物.

핵확산 방지 조약【核擴散防止條約】[haek'waksan—]〈名〉核拡散防止条約.

핸드〈名〉ハンド. 手. 語例 ~ 마이크 ハンドマイク / ~북 ハンドブック / ~볼 ハンドボール. ◇hand

핸들〈名〉ハンドル. 句例 ~을 돌리다〔잡다〕ハンドルを回す〔握る〕/ ~에서 손을 떼다 ハンドルから手を離す / ~을 (우측으로) 꺾다 ハンドルを(右に)切る. ◇handle

핸디캡〈名〉ハンディキャップ. ハンデ《略語》. ハンディ《略語》. 句例 ~이 붙다〔따르다〕ハンディキャップがつく / ~을 극복하다 ハンディキャップを克服する. ◇handicap

핸섬〈名〉ハンサム. **~하다**〈形〉ハンサムだ. 句例 ~한 젊은이 ハンサムな若者. 語例 ~ 보이 ハンサムボーイ. ◇handsome

핼쑥-하다 [haelssuk'ada] (→하다)〈形〉(顔に血の気がなく)青ざめている. やつれている. 句例 앓아서 핼쑥해진 얼굴 病み上がりのやつれた顔.

***핵**[1]〈名〉ハム. 語例 ~ 샌드위치 ハムサンドイッチ. ハムサンド《略語》. ◇ham

햄[2]〈名〉ハム. アマチュア無線家. ◇ham

햄릿-형【Hamlet型】[haemrit'yŏng]〈名〉〔心〕ハムレット型.

햄버거〈名〉ハンバーガー. ◇hamburger

햅-쌀〈名〉新米. 新たに収穫した米. 語例 ~밥 新米で炊いたご飯.

햇-〈頭〉その年に産出したものの意を表わす語: 新…. 初物の…. 語例 ~가지 初物のなす / ~곡식 新穀 / ~나물 初物の山菜.

햇-것〈名〉(穀物・野菜などの)初物. はしり. 文例 시장에 ~이 나돈다 市場に初物が出回る.

햇-과일〈名〉果物のはしり. 初物の果物.

햇-무리 [haenmuri]〈名〉にちうん(日暈). 日がさ. 太陽のかさ.

햇-발〈名〉日差し. 句例 ~이 옮겨 가다 日差しが移る.

햇-병아리〈名〉❶新しく〔その年に〕孵化したひよこ. ❷(駆け出しの)新米. 語例 ~ 기자〔외교관〕駆け出しの記者〔外交官〕/ ~ 순경 新米の巡査.

***햇-별**〈名〉日. 日光. 日差し. 陽光. 天日. 略して'볕'ともいう. 句例 ~에 말리다 天日に干す / ~이 들다 日が差す / ~을 쬐다 日光を浴びる / 이불을 ~에 말리다 ふとんを日ぼしにする. 文例 ~에 탄 얼굴이 건강하게 보인다 日焼けした顔が健康にみえる.

햇-보리〈名〉初物の大麦.

***햇-빛**〈名〉❶日光. 日の光. 日差し. 陽光. 句例 ~이 밝다 日の光が明るい / ~이 스며들다 日差しがしみこむ / 오랜만에 ~을 보다 久しぶりに陽光を見る. ❷日の目. 世間の注目. 句例 ~을 보지 못하다 日の目を見ない. 文例 오랜 고생 끝에 그의 연구는 겨우 ~을 보게 되었다 長い苦労の末彼の研究はようやく日の目を見ることになった.
参考 '햇볕'は熱に, '햇빛'は光の明るさに, '햇살'はその両方に重きが置かれる傾向がある.

***햇-살**〈名〉(降り注ぐ)太陽の光線. 日差し. 陽光. 句例 ~이 세다 日差しが強い / 따가운 ~ 焼けつくような日差し / 빛나는 아침 ~ 輝く朝の陽光.

햇-솜〈名〉〔植〕初物の綿.

햇-수【—數】〈名〉年数. 年の数. 文例 금년이면 ~로 3년 째다 今年で足かけ三年目だ / 그가 죽은 지도 벌써 ~로 5년이 지났다 彼が死んでからもう年数で五年が過ぎた.

행【行】〈名〉(文章の)行. くだり. 句例 ~을 바꾸다 行を変える. 語例 다음 ~ 次の行. 次行 / 마지막 ~ 最後の行.

행【幸】[haeːng]〈名〉'다행(多幸)'の略: 幸・幸い. 句例 ~인지 불행인지… 幸か不幸か… / ~불행을 막론하고… 幸不幸を問わず….

-행【行】〈尾〉地名についてそこへ行くことを表わす語: …行き. 句例 부산~(의) 항공편 釜山行きの航空便. 語例 서울~ ソウル行き.

행 〔漢字項目〕

【幸】中學 행 コウ. ❶행복 さいわい. ▮幸運 행운 こううん. ▮不幸 불행 ふこう. ❷총애하다 かわいがる. ▮幸臣 행신 こうしん. ▮寵幸 총행 ちょうこう. ❸천자의 행차 天子の外出. ▮行幸 행행 ぎょうこう. 巡幸 순행 じゅんこう.

【行】中學 행 コウ. ギョウ. アン. 항 コウ. ▮〔행〕❶다니다 かよう. 가다 いく. ▮行路 행로 こうろ. 行進 행진 こうしん. ▮急行 급행 きゅうこう. 旅行 여행 りょこう. ❷가게 하다 いかせる. ▮行軍 행군 こうぐん. ❸줄 列. ▮行列 행렬 ぎょうれつ. 行間 행간 ぎょうかん. ❹돌아다니다 歩きまわる. ▮行商 행상 ぎょう

ㅎ

しょう. 行脚 행각 あんぎゃ. ❺행하다 おこなう. ■行動 행동 こうどう. ■實行 실행 じっこう. ■〔항〕❶항렬 親族関係の親疎をはかる単位. ❷대열 隊列. ■行伍 항오 こうご.

행간【行間】〈名〉行間. 行と行の間. 句例 ~을 넓히다〔좁히다〕行間を広げる〔狭める〕/ ~을 띄어 두다 行間をあけておく.

행군【行軍】〈名・하自〉行軍. 句例 눈 속을 ~하다 雪の中を行軍する. 語例 ~ 나팔 行軍ラッパ / 강~ 強行軍.

행궁【行宮】〈名〉行宮. 行在所.

행-글라이더〈名〉ハンググライダー. ハンググライダー. ◇hang glider

행낭【行囊】〈名〉郵袋《行嚢は旧称》.

***행동**【行動】〈名・하自〉行動. 行ない. ふるまい. 挙動. 仕業. 句例 ~으로 옮기다 行動にうつす / 기민한 ~을 취하다 機敏な行動を取る / ~을 시작하다 行動を起こす / ~이 수상하다 挙動があやしい / ~이 재빠르다 行動がすばしこい / 제멋대로 ~하다 自分勝手にふるまう. 勝手な行動をする. 語例 ~파 行動派 / 개인 ~ 個人の行動 / 자유 ~ 自由行動 / 그룹 ~ グループ行動.

행동-거지【行動擧止】〈名〉立ち居振る舞い. 行儀. 文例 ~가 점잖다 立ち居振る舞いが上品だ.

행동 과학【行動科學】〈名〉行動科学. 句例 날이 갈수록 관심을 끄는 ~ 日がたつにつれて関心を引く行動科学.

행동 반경【行動半徑】[—ba:n-gyŏng]〈名〉行動半径. 文例 그의 ~은 넓다 彼の行動半径は広い.

행락【行樂】[haengnak]〈名・하自〉行楽. 語例 ~철 行楽シーズン / ~지 行楽地.

행랑【行廊】[haengnang]〈名〉行廊. 伝統的様式の家屋で表門の両側にある部屋《召し使いなどが居住する》. 語例 ~살이 召し使いの生活 / ~어멈 女の召し使い. 下女.

행려【行旅】[haengnyŏ]〈名・하自〉行旅. 語例 ~ 병자 行旅病人.

행렬【行列】[haengnyŏl]〈名・하自〉行列. 句例 ~을 짓다 行列をつくる / ~의 선두에 서다 行列の先頭に立つ. 語例 시위(示威) ~ デモの行列 / 축하 ~ 祝賀行列.

행로【行路】[haengno]〈名〉行路. ❶道路. 道筋. ❷世渡り. 人として生きて行く道. 語例 인생 ~ 人生行路.

행림【杏林】[hae:ngnim]〈名〉杏林. ❶あんず(杏)の木の林. ❷医者の別称. 語例 ~계(界) 医者の世界.

행마【行馬】〈名・하自〉(碁や将棋などで)こま(駒)を使うこと.

행망-쩍다 [hae:ngmang—]〈形〉うっかりしている. 間抜けている. 不注意である.

행방【行方】〈名〉行方. 行き先. 句例 ~을 감추다 行方をくらます / ~을 쫓다〔찾다〕行方を追う〔さがす〕/ ~이 묘연하다 行方が分からない. 語例 ~ 불명 行方不明.

****행복**【幸福】[hae:ngbok]〈名〉幸福. 幸せ. 幸い. **~하다**〈形〉幸福だ. 幸せだ. 句例 ~을 빌다 幸福を祈る / ~한 생활 幸福な生活〔暮らし〕/ ~에의 길 幸福への道 / ~하게 살다 幸せに〔幸福に〕暮らす. 文例 더할 나위 없이 ~하다 この上なく幸福〔幸せ〕だ / ~이란 자기 마음속에 있는 것 같다 幸福とは自分の心の中にあるもののようだ. 語例 ~감 幸福感. 對불행(不幸). **~스럽다** (→스럽다)〈形〉幸福そうである. 幸福である. 句例 ~스러운 가정 幸福そうな家庭. 文例 그녀는 ~스럽게 보인다 彼女は幸福そうに見える. **~스레**〈副〉幸福そうに. 幸福に. 幸せに.

행-불행【幸不幸】[hae:ng—]〈名〉幸不幸. 幸福と不幸. 句例 ~의 갈림길 幸不幸の分かれ道〔岐路〕.

행사【行使】〈名・하他〉使使. 句例 거부권의 ~ 拒否権の行使 / 묵비권을〔권리를〕~하다 黙秘権〔権利〕を行使する / 실력 ~로 나오다 実力行使に出る. 語例 무력 ~ 武力行使.

***행사**【行事】〈名・하自〉行事. 催し. 文例 이 달에는 ~가 많다 今月には行事が多い. 語例 기념 ~ 記念行事 / 연중 ~ 年中行事 / ~장 行事場.

행상【行商】〈名・하自〉行商(人). 旅商い. 旅あきんど. ＝도붓(到付)장사〔장수〕. 句例 ~ 나가다 行商に出かける. 旅商いに出る.

행색【行色】〈名〉いでたち. 身なり. 身支度. 装い. 旅装. 句例 ~을 갖추다 旅装を整える / ~이 초라한 나그네 身なりのみすぼらしい旅人.

행선-지【行先地】〈名〉行き先. 行く先. 目的地. 句例 ~를 정하다 行き先をきめる / ~를 모르다 行く先がわからない. 文例 ~는 서울이다 行き先はソウルである / 그의 ~는 확실치 않다 彼の行き先ははっきりしない.

***행성**【行星】〈名〉〔天〕惑星. 遊星. ＝떠돌이별. 對항성(恒星).

행세【行世】〈名・하自〉❶関係のない者があたかも当事者のようにふるまうこと. …になり済ますこと. 句例 남편〔의사〕~를 하다 夫〔医者〕になり済ます / 사장 ~를 하다 社長のふりをする / 주인 ~를 하다 主人顔をする. 文例 그 놈은 돈이 없는데도 부자 ~를 한다 あいつは金もないのに金持ちのようにふるまう. ❷処世. 世渡り. 文例 사람답게 ~하라 人間らしく処世せよ.

행세【行勢】〈名・하自〉権勢を振るうこと. 羽振りをきかすこと. 句例 옛날부터 ~하던 가문 昔から権勢を振るってきた家柄.

행수【行數】[haengssu]〈名〉(文章の)行数. 文例 이 페이지에는 ~가 너무 많다 このページには行数があまり多い.

행실【行實】[hae:ngshil]〈名〉品行. 行ない. 身持ち. ＝품행(品行). 句例 ~이 올바른 청년 品行方正な青年 / ~이 나쁜 여자 身持ちのよくない女.

행여【幸―】[hae:ng-yŏ]〈副〉もしや. ひょっとしたら. うまい具合にちょうど. もしかすると. 文例 ~ 잘못되면 어쩌나 もしやだめだったらどうしよう / ~ 그가 올까 하고 기다리고 있었다 ひょっとしたら彼が来るのではないかと待っ

ていた.

행여-나【幸一】[haeːng-yŏna]〈副〉'행여'の強調語.

***행운**【幸運】[haeːng-un]〈名〉幸運. 幸せ. 句例 ~을 만나다 幸せに恵まれる / ~을 빌다〔잡다〕幸運を祈る〔つかむ〕/ ~의 여신이 미소짓다 幸運の女神がほほえむ / ~의 열쇠 幸運のかぎ. 語例 ~아 幸運児. 對불운(不運).

행원【行員】〈名〉'은행원 銀行員'の略.

행위【行爲】〈名〉行為. 行ない. 句例 용기있는 ~ 勇気のある行為 / 부끄러운 ~ 恥ずかしい行ない / 영웅적인 ~英雄的な行為. 語例 법률 ~ 法律行為 / 부정 ~ 不正行為 / 기부 ~ 寄付行為.

***행인**【行人】〈名〉行人. 通行人. 句例 ~이 드문 오솔길 人通りのまばらな寂しい小道 / ~이 드문 고개의 밤길 行人まれな峠の夜中道.

행장【行裝】〈名〉行装. 旅支度. 旅装. 句例 ~을 꾸리다〔챙기다〕旅支度を整える / ~을 풀다 旅装をとく.

행적【行蹟・行績】〈名〉行跡. 句例 ~을 추적하다 行跡を追おう.

***행정**【行政】〈名〉行政. 文例 그는 ~적 수완이 있다 彼は行政的手腕がある. 語例 ~관 行政官 / ~ 구역 行政区域 / ~ 기관 行政機関 / ~ 명령 行政命令 / ~법 行政法 / ~부 行政府 / ~ 재판 行政裁判 / ~ 처분 行政処分.

행정【行程】〈名〉行程. ❶道のり. 句例 하루의 ~ 一日の行程. ❷〔工〕シリンダー内でピストンの往復する距離.

****행주**〈名〉布巾. 句例 ~로 훔치다 布巾でふく. 語例 ~질 布巾がけ / ~치마 前掛け. エプロン / 행줏감 布巾をつくる布ぎれ.

행주(를) 치다 布巾か をする. 布巾でふく. =행주질(을) 치다.

***행진**【行進】〈名・하自〉行進. 句例 시가를 ~하다 市街を行進する / 당당하게 ~하다 堂堂と行進する. 語例 ~곡 行進曲. マーチ.

행짜 [haeːngtcha]〈名〉人に意地悪すること. 句例 ~(를) 부리다 意地悪をする.

행차【行次】〈名・하自〉(目上の人の)お出まし. 句例 임금의 ~ 国王のお出まし. 文例 어느 분의 ~인가? どなたのお出ましかね?

행차 뒤에 나팔 お出まし後のラッパ. 後のまつり. →뒷북치다

행커치프 [hangk'ŏch'iːp'ŭ]〈名〉ハンカチーフ. ハンカチ《略語》. ◇handkerchief

행패【行悖】〈名・하自〉狼籍. 悪行. 道理に逆らう行ない. 句例 ~를 부리다 狼籍を働く.

***행-하다**【行一】(→하다)〈他〉行なう. 施行する. なす. やる. 実行する. 行動する. 句例 관례에 따라 ~ 通例によって行なう / 기적을 ~ 奇跡を行なう / 선을 행하는 자 善を行なう人. 文例 말하기는 쉬워도 행하기는 어렵다 言うのはやすいが実行するのは難しい. 語例 행해지다 行なわれる.

향【向】[hyaːng]〈名〉向き. 方向《特に墓地・宅地などの位置する方向》. 句例 남~으로 난 집터 南向きの敷地.

향【香】〈名〉香. ❶(身につける)香料. ❷香木. 線香. 句例 ~을 피우다 香をたく.

향〔漢字項目〕

【享】高校 향 キョウ. ❶(공양을) 드리다 そなえる. (제물을) 바치다 ささげる. ◧享祀 향사 きょうし. 享祭 향제 きょうさい. ❷대접하다 もてなす. ◧享宴 향연 きょうえん. ❸받다 受ける. ◧享受 향수 きょうじゅ. 享樂 향락 きょうらく. 享有 향유 きょうゆう.

【向】中學 향 コウ. キョウ. ❶바라보다 むく. 향해 가다 むかう. ◧向上 향상 こうじょう. 向學 향학 こうがく. ◨趣向 취향 しゅこう. ❷좇다 従う. ◧向背 향배 こうはい.

【鄕(郷)】中學 향 キョウ. ゴウ. ❶마을 むら. ◧鄕邑 향읍 きょうゆう. ◨異鄕 이향 いきょう. ❷곳・장소・토지 ところ・場所・土地. ◨仙鄕 선향 せんきょう. 理想鄕 이상향 りそうきょう. ❸고향 ふるさと. ◧鄕里 향리 きょうり. ◨故鄕 고향 こきょう.

【響(響)】高校 향 キョウ. 울리다 ひびく. こだまする. ◨音響 음향 おんきょう. 影響 영향 えいきょう.

【香】中學 향 コウ. キョウ. ❶향기 かおり. ◧香水 향수 こうすい. ◨芳香 방향 ほうこう. ❷향 ねりこう. ◨線香 선향 せんこう. 燒香 소향 しょうこう.

향가【鄕歌】〈名〉鄕歌. 新羅中期から高麗初期まで, 民間に流行した古代詩歌.

향교【鄕校】〈名〉〔史〕昔, 地方にあった孔子廟とそれに付属した学校.

향군【鄕軍】〈名〉❶'재향 군인(在鄕軍人)'の略. ❷'향토 예비군(鄕土豫備軍)'の略.

향긋-이 [hyanggŭshi]〈副〉芳しく. かぐわしく. 文例 라일락꽃 향기가 ~ 풍겨 온다 ライラックの香りがかぐわしく香ってくる.

향긋-하다 [hyanggŭt'ada] (→하다)〈形〉芳しい. かぐわしい. 句例 꽃 냄새가 ~ 花の香りがかぐわしい / 향긋한 국화꽃 芳しい菊の花.

향기【香氣】〈名〉香〔薫〕り. 香気. (いい)におい. 句例 ~가 나다 におう. 香る / ~가 높다 香りが高い. 文例 이 향수는 좋은 ~가 난다 この香水はいい香りがする. **~롭다** (→롭다)〈形〉かぐわしい. 芳しい. 句例 ~로운 장미꽃 かぐわしいばらの花. **~로이**〈副〉かぐわしく. 芳しく.

향-내【香一】〈名〉['향(香)냄새'の略] におい. 香り. 句例 ~가 나다 におう.

향년【享年】[hyaːngnyŏn]〈名〉享年. 行年. 文例 ~ 90세로 별세하셨다 享年九十歳で亡くなった.

향락【享樂】[hyaːngnak]〈名・하他〉享楽. 句例 ~에 빠지다 享楽にふける. 語例 ~주의 享楽主義.

향로【香爐】[hyangno]〈名〉香炉. [illegible]

향로-차【香爐茶】[hyangno—]〈名〉香木を焚いて沸かしたお茶.

향리【鄕吏】[hyangni]〈名〉〔史〕地方の官庁で世襲的に行政の実務を担当

した下級官吏.

향리【鄕里】[hyangni]〈名〉郷里. 田舎. ふるさと. お国. 句例 ~로 돌아가다 郷里〔ふるさと〕に帰る.

향방【向方】[hya:ngbang]〈名〉行く先. 行方. 向かって行く所. 句例 범인이 ~을 감추다 犯人が行方をくらます. 語例 ~ 부지(不知) どこがどこやら見分けがつかないこと.

향-불【香—】[hyangppul]〈名〉香を焚く火. 香火.

향불(을) 피우다 ❶香を焚く. ❷(僧の隠語で) タバコを吸う.

***향상**【向上】[hya:ngsang]〈名・하自〉向上. 句例 체위의 ~ 体位の向上 / 기술의 ~ 技術の向上 / 지위 ~을 꾀하다 地位の向上を図る / 실력이 ~되다 実力が向上する.

향속【鄕俗】〈名〉郷俗. 郷土の風俗. ＝향풍(鄕風).

향수【享受】[hya:ngsu]〈名・하他〉享受. 句例 복락을 ~하다 福楽を享受する.

향수【享壽】[hya:ngsu]〈名・하自〉長寿の福を享受すること.

향수【香水】〈名〉香水. 句例 몸에 ~를 바르다 からだに香水をつける / 손수건에 ~를 뿌리다 ハンカチに香水をふりかける. 語例 ~병 香水瓶 / ~ 냄새 香水の香り.

향수【鄕愁】〈名〉郷愁. ノスタルジア. 句例 ~에 젖다〔잠기다〕郷愁にひたる〔ふける〕/ ~를 느끼다 郷愁を感じる〔覚える〕/ ~를 불러일으키다 郷愁をそそる.

향수-병【鄕愁病】[—ppyŏng]〈名〉ホームシック. 懐郷病. 句例 ~에 걸리다 ホームシックにかかる.

향신-료【香辛料】[hyangshinnyo]〈名〉香辛料. 句例 ~로 맛을 살리다 香辛料を利かせる.

향악【鄕樂】〈名〉〔樂〕'삼국 시대 三国時代'以後朝鮮朝までの宮中音楽の一つ. 韓国固有の音楽で, 唐楽に対して言うことば.
参考 宮中音楽には'아악(雅樂)・당악 唐楽・향악'があった.

***향약**【鄕約】〈名〉〔史〕朝鮮朝時代, 徳化と相互協調を目的としてつくられた郷村の自治規約.

향연【饗宴】[hya:ng-yŏn]〈名〉饗宴. 句例 ~을 베풀다 饗宴を催す〔張る〕/ 여름의 ~ 夏の饗宴.

향유【享有】[hya:ng-yu]〈名・하他〉享有. 句例 자유를 ~하다 自由を享有する.

향응【饗應】[hya:ng-ŭng]〈名・하他〉供応. 句例 ~을 받다 供応を受ける.

향일-성【向日性】[hya:ng-ilssŏng]〈名〉〔植〕向日性. 正の屈光性. 對 배일성(背日性).

향전【香奠】〈名〉香典. ＝부의(賻儀).
参考 お悔やみのとき, お金を紙につつんで封筒に入れ, おもてに'香奠'・'賻儀'などと書く.

향지-성【向地性】[hya:ngjissŏng]〈名〉〔植〕向地性. 正の屈地性. 對 배지성(背地性).

향찰【鄕札】〈名〉新羅時代, 漢字の音・訓を用いて韓国の固有語を当て字式に書き表わした文. また, その表記法. →이두(吏讀)

향탁【香卓】〈名〉祭具の一つ. 香炉を載せておく小さな台.

향토【鄕土】〈名〉郷土. ＝향촌(鄕村). 句例 ~를 사랑하다 郷土を愛する. 語例 ~ 민요 郷土民謡 / ~ 예술 郷土芸術 / ~애 郷土愛 / ~ 요리 郷土料理.

향토 문화제【鄕土文化祭】〈名〉郷土文化祭. 伝統文化の伝承・発達及びその普及を図るため, 各地方で行なわれている郷土祝祭及び郷土文化行事. 各地に二百余種の行事がある.

향토-색【鄕土色】〈名〉郷土色. ＝지방색(地方色). 句例 ~이 짙은 소설 郷土色の濃い小説.

향토 예비군【鄕土豫備軍】[—ye:bigun]〈名〉郷土防衛のために予備役の人で編成された非正規軍. 略して'예비군' '향군(鄕軍)'ともいう.

향-피리【鄕—】〈名〉〔樂〕'세(細)피리''당(唐)피리'と共に伝統音楽の演奏に用いられる縦笛の一種.
参考 した〔リード〕があり穴は八つで'세피리'より管が太く, 宮中音楽用は民謡用よりやや長い.

***향-하다**【向—】[hya:ng—] (→하다)〈自他〉向く. 向かう. 向ける. ❶(顔を)向くようにする. 句例 뒤를 ~ 後ろを向く / 얼굴을 아래로 ~ 顔を下に向ける.
❷(心を)傾ける. 句例 님 향한 일편 단심 主君に対するひたむきな丹心. 文例 마음은 그리운 고향을 향하고 있었다 心は懐かしい故郷に向かっていた.
❸対する. 面する. 句例 벽을 향해 서다 壁の方を向いて立つ / 마주 ~ 向き合う. 相対する / 바다를 향하여 외치다 海に向かって叫ぶ / 북을 ~ 北に向く. 文例 우리집은 남쪽을 향해 있다 わたしの家は南を向いている.
❹赴く. 目指す. 句例 전선으로 ~ 前線に向かう / 서쪽을 향해서 가다 西を指して行く / 남쪽을 향해 항해하다 南に向かって航海する / 현장으로 ~ 現場に赴く / 골을 향해 달리다 ゴールに向かって走る.

향학【鄕學】〈名〉〔史〕郷学. 高麗第十七代の王仁宗五年(1127), 各州においた地方教育機関. ここで儒教的な教養を身につけて科挙に合格した人が官吏に選ばれた.
参考 中央には'국자감(國子監)・국학(國學)'があった.

향학-심【向學心】[hya:nghak—]〈名〉向学心. 句例 ~에 불타다 向学心に燃える.

향학-열【向學熱】[hya:nghangnyŏl]〈名〉向学熱. 句例 높은 ~ 高い向学熱.

향합【香盒】〈名〉香合. 祭祀のとき, '향나무いぶき'の心材をけずった香を入れるふた付きの容器. 香炉といっしょに'향탁(香卓)'におく. →제기 絵

参考 家庭などではいぶきの香の代わりに線香を使っている.

향후【向後】[hyaːŋhu]〈名・副〉向後. 今後. 以後. 向こう. 句例 ~의 문제 向後の問題 / ~ 1주일 向こう一週間.

허【虛】〈名〉虚. 句例 ~와 실 虚と実 / ~를 찌르다 虚を突く. 不意を突く / ~를 찔리다 不意を食う / ~를 틈타다 虚に乗じる. →허하다

허[1] [hŏː]〈副・하自〉(凍えた手を暖めたり, 辛い食べ物を食べるときなどに)息を大きく吐きだす声: ほう. はあ. ふう.

***허**[2]〈感〉喜怒哀楽の感情を表わす声: ほう. はあ. へえ. 文例 ~, 자네가 국회 의원이 된다는 건가 ほう, きみが代議士になるというのかい / ~, 대단한데 へえ, たいしたものだね / ~, 그런 일이 있을까요 へえ, そんなことがありますかね / ~, 그게 사실이야 ほう, それがほんとうかい.

허 〔漢字項目〕

【虛(虛)】 中學 허 キョ. ❶속이 비다 中身がない. ▮虛無 허무 きょむ. ▮空虛 공허 くうきょ. ❷방비가 없다 備えがない. ▮虛實 허실 きょじつ. ❸진실이 아니다 事実でない. ▮虛名 허명 きょめい. 虛構 허구 きょこう. ❹사심이 없다 私心がない. ▮虛心 허심 きょしん. ▮謙虛 겸허 けんきょ.

【許】 中學 허 キョ. 허락하다 ゆるす. ▮許可 허가 きょか. ▮聽許 청허 ちょうきょ.

허가【許可】〈名〉許可. 許し. **~하다**〈他〉許可する. 許す. 句例 영업을 ~하다 営業を許可する〔許す〕/ ~가 필요하다 許可がい(要)る / ~가 나오다 許可がおりる / 당국의 ~를 얻다 当局の許可をえる. 文例 ~없이 입실을 금함《掲示》許可なく入室を禁ず. 語例 ~증 許可証 / ~제 許可制 / 수입 ~품 輸入許可品.

허겁-지겁〈副・하自〉(落ち着きを失って)非常にあわてふためくさま: あたふた(と). 句例 ~ 뛰어들다 あたふたと駆けこむ. 文例 사고 소식을 듣고 ~ 달려왔다 事故の知らせを聞いてあたふたと駆けつけた.

허공【虛空】〈名〉虚空. 宙. 空. 句例 발이 ~에 뜨다 足が宙に浮く / ~으로 사라지다 空に消え去る. 文例 ~을 짚고 넘어졌다 虚空をつかんで倒れた / 벼랑에서 ~에 매달렸다 がけで宙づりになった / ~을 짚으며 보기 좋게 나가떨어졌다 空を切ってもんどりうった.

허구【虛構】〈名・하他〉虚構. ＝거짓. 픽션. 文例 그 설은 완전한 ~다 その説は全くの虚構だ. 語例 ~성 虚構性.

허구-하다【許久―】(→하다)〈形〉(年月が)大変長い. とても久しい. 句例 허구한 나날 長い日日. 文例 허구한 날 놀고만 있다 長い年月を遊んでばかりいる.

허기【虛飢】〈名〉飢え. ひもじさ. 句例 ~를 느끼다 ひもじくなる / [illegible] 세우다 空腹を満たす.

허기-증【虛飢症】[―tchŭŋ]〈名〉飢えのため力が抜けて空腹を感じる症状.

허기-지다【虛飢―】〈自〉ひどくひもじくなる. ひもじくて元気がなくなる. 文例 허기진 배를 안고 간신히 걸어왔다 すき腹をかかえてやっと歩いてきた.

허깨비〈名〉幻. 幻影. 幻覚. 文例 눈에 보인 것은 ~였던가 目に見えたのは幻だったのだろうか.

허니-문 [―muːn]〈名〉ハネムーン. ＝밀월(密月). 신혼 여행. ◇honeymoon

허다-하다【許多―】(→하다)〈形〉数多い. 多数ある. あまたある. 句例 허다하게 볼 수 있는 예 数多く見られる例 / 허다한 실례 幾多の実例. 許多の実例 / 허다한 사람 あまたの人. 文例 그런 물건은 허다하게 있다 そのような品は数多くある. **허다히**〈副〉たくさん. あまた. 数多く.

허덕-거리다〈自〉❶苦闘する. あくせくする. 非常に骨を折る. 句例 돈벌이를 위해 허덕거리며 일을 하다 金もうけのためにあくせくと働く. ❷あえぐ. あっぷあっぷする. ＝쩔쩔매다. 句例 빚에 ~ 借金にあえぐ / 불황에 ~ 不況にあえぐ. ❸(赤ん坊が)手足をばたつかせる. ばたばたさせる.

허덕허덕 [hŏdŏk'ŏdŏk]〈副・하自〉❶苦しむさま. ❷あえぐさま: あえぎあえぎ. ふうふう. あっぷあっぷ. 文例 불황으로 ~하는 상태에 놓여 있다 不況であっぷあっぷの状態だ.

허덕-이다 [hŏdŏgida]〈自〉❶(力に余って)あえぐ. 苦しむ. 句例 경영난에 ~ 経営難にあえぐ / 생활고에 ~ 生活苦にあえぐ / 허덕이면서 산에 오르다 あえぎあえぎ山に登る. ❷(幼児が)手足をばたつかせる. ばたばたさせる.

허덕-지덕〈副・하自〉非常に疲れはててあえぐさま: あえぎあえぎ. あたふた. 文例 학교에 늦지 않으려고 ~ 달려왔다 学校に遅れないようにとあたふたと駆けつけた.

허두【虛頭】〈名〉(文章や話の)冒頭. 語頭. 文頭.

허두를 떼다 口を切る. 文章を書きはじめる.

허둥-거리다〈自〉あわてふためく. じたばたする. うろたえる. うろうろする. おろおろする. 句例 허둥거리며 도망치다 倉皇として逃げる / 먼저 가려고 ~ 先に行こうとばたつく. 文例 갑자기 질문을 받으면 허둥거리기 마련이다 突然質問されると面くらうものだ.

허둥허둥〈副・하自〉あわてふためくさま: じたばた. あたふた. うろうろ. おろおろ. 倉皇と.

허둥-대다〈自〉⇨ 허둥거리다

허둥-지둥〈副・하自〉あわてふためくさま: そそくさと. あたふた. おろおろ. 句例 꾸중을 듣고 ~하다 しかられておろおろする / ~ 도망치다 すたこら(と)逃げ出す. 風をくらう. ほうほうの体で逃げる. 文例 갑자기 대답이 나오지 않아 ~했다 急に答えられずとぎまぎした / ~ 집으로 뛰어들었다 あたふたと家にかけこんだ / ~ 옷을 갈아입고 나갔다 そそくさと着替えてでかけた.

허드레〈名〉さして大切でない物. (手軽に使える)はんぱ物. がらくた. 雑用. 語例 ~옷 着古るし. 着古した着物.

허드렛-물 [hŏdŭrenmul]〈名〉(飲用以外の)雑用の水. 使い水.

허드렛-일 [hŏdŭrennil]〈名〉雑用. 雑務.

허들 [hŏ:dŭl]〈名〉ハードル. 語例 ～ 레이스 ハードルレース. ◇hurdle

***허락**【許諾】〈名・하他〉許諾. 許すこと. ＝승락(承諾). 句例 ～을 받다 許諾〔許し〕を得る / 시간이 ～하는 한 時間の許す限り / 사정이 ～하면 事情が許せば. 都合がよければ / 쾌히 ～하다 快く許諾する / 딸의 결혼을 ～하다 娘の結婚を許す / ～ 여부를 확인하다 許否を確かめる.

表現 罪や過ちの許しは'용서(容恕)'という.

허랑방탕-스럽다【虛浪放蕩―】(→스럽다)〈形〉⇨ 허랑방탕하다

허랑방탕-하다【虛浪放蕩―】(→하다)〈形〉言動が不実で身持ちが悪い.

허랑-하다【虛浪―】(→하다)〈形〉言動がうわついて不実だ.

허례【虛禮】〈名〉虚礼. 句例 ～를 폐지하다 虚礼を廃止する. 語例 ～ 허식 虚礼虚飾.

허름-하다 (→하다)〈形〉❶(値段が)いくぶん安い. 安めだ. 句例 허름한 가구 少し安い〔古びた〕家具. ❷少し古びている. 少しくたびれている. みすぼらしい. もの足りない. 句例 허름한 구두〔양복〕 少しくたびれた靴〔洋服〕/ 허름한 옷차림 みすぼらしい身なり.

****허리** 〈名〉❶腰. ㉠〔生〕腰部. 句例 ～를 구부리다 腰をまげる / ～가 구부러지다 腰がまがる / 가는 ～ 細腰 / 굵은 ～ 太い腰. 語例 ～뼈 腰骨 / 개미 ～ くびれて細い腰. ㉡'바지 バチ'・'치마 チマ'・'고의(袴衣)'などの一番上の部分. また，そこにあてる布地. 語例 바지 ～ バチの腰.

❷(高さや長さのある物の)中間部分. 句例 산～에 낀 안개 山の中腹にかかっている霧.

허리가 꼿꼿하다 ❶年の割りに若く見える. ❷からだが疲れている.

허리가 부러지다 ❶堂堂たる気勢がそがれる. 腰が砕ける. ❷ひどく笑わせる. とてもおかしい. 文例 너무나 웃겨서 허리가 부러질 지경이다 あまりにも笑わせて腰がよじれるほどだ.

허리를 굽히다 ❶腰をかがめてお辞儀をする. ❷腰が低い. けんそんな態度をとる. ❸腰を折る. 頭を下げて屈服する.

허리를 못 펴다 (弱点をつかれて)頭が上がらない. 気がくじけて小さくなる.

허리를 잡다 腹をかかえる. 腹の皮がよじれる.

허리를 쥐고 웃다 ❶腹をかかえて笑う. 笑いこける. ❷'허리를 잡다'のこと.

허리를 펴다 ❶腰をのばす. 句例 허리를 펴고 기지개를 켜다 腰をのばして伸びをする. ❷くつろぐ. 文例 바빠서 허리(를) 펼 틈도 없다 忙しくてくつろぐ暇もない.

허리-끈〈名〉腰ひも.

****허리-띠**〈名〉帯. 腰帯. 腰ひも. ベルト. 句例 ～를 풀다〔끄르다〕帯を解く / ～를 매다 帯を締める〔結ぶ〕.

허리띠를 늦추다 ❶生活にゆとりができる. ❷緊張をほぐして心のゆとりを持つ.

허리띠를 졸라매다 ❶質素な生活をする. 倹約する. ❷固い覚悟のもとに仕事にとりかかる. ❸ひもじいのを辛抱して耐える.

허리-춤〈名〉からだと'바지 バチ'の腰の間. また，'치마 チマ'と下着の間. 腰のところ. 句例 지갑을 ～에 넣다 財布を腰のところにさしこむ. 文例 옷을 걷어올려 ～에 찔렀다 服をはしょって腰のところにたくし込んだ.

허리케인〈名〉〔氣〕ハリケーン. 句例 ～의 발생지 ハリケーンの発生地. ◇hurricane

허리-통〈名〉腰回り. 句例 ～이 굵어지다 腰回りが太くなる.

허릿-심〈名〉腰の力. 句例 ～이 세다 腰が強い.

허망-스럽다【虛妄―】(→스럽다)〈形〉⇨ 허망(虛妄)하다

허망-하다【虛妄―】(→하다)〈形〉あっけなくむなしい. でたらめで頼りにならない. 句例 허망한 꿈 あだ(徒)夢 / 허망한 설 虚妄の説 / 허망한 소문을 퍼뜨리다 虚妄のうわさを立てる / 허망한 결말 むなしい結末.

허명【虛名】〈名〉虚名. 句例 ～뿐인 시인 虚名のみの詩人.

허무【虛無】〈名・하形〉虚無. むなしいこと. はかないこと. あえないこと. ＝니힐. 句例 ～한 생각 むなしい思い / ～한 운명 はかない運命 / ～한 최후를 마치다 あえない最後をとげる. 語例 ～적(인 생각) 虚無的(な考え) / ～감 虚無感.

허무맹랑-하다【虛無孟浪―】[hŏmumaengnang―](→하다)〈形〉でたらめで中身がない. なんらの根拠もなく全くでたらめだ. 句例 허무맹랑한 말 なんらの根拠もない話.

허무-주의【虛無主義】〈名〉〔哲〕虚無主義. ＝니힐리즘.

허물[1]〈名〉❶皮膚の皮. 表皮. 文例 햇볕에 그을어 ～이 벗겨졌다 日焼けして皮がむけた. ❷(蛇・せみなどの)抜け殻.

허물(을) 벗다 ❶(皮膚の)皮がむける. ❷(蛇・せみなどが)脱皮する.

허물[2]〈名〉❶過ち. 過失. 句例 ～을 덮어 주다 過失を見逃がしてやる. 文例 ～이 없는 사람은 없다 過ちのない人はいない. ❷欠点. 粗. きず. とが(咎). ＝흉. 語例 ⇨ 흉허물.

허물(을) 벗다 ぬれぎぬを晴らす. 汚名をすすぐ.

허물다 (허무니, 허물어서)〈他〉(取り)崩す. (取り)壊す. 句例 벽을 ～ 壁を崩す / 낡은 집을 ～ 古い家を壊す. 類 헐다.

허물어-뜨리다 [hŏmurŏ―]〈他〉壊してしまう. 崩す. ＝허물어트리다. 句例 담을 ～ 塀を崩す. 類 무너뜨리다.

허물어-지다 [hŏmurŏ―]〈自〉崩れる. 壊れる. 句例 집이 ～ 家が崩れる. 類 무너지다.

허물-없다 [hŏmurŏpta]〈形〉隔てなく心安い. 気安い. 気が置けない. 句例 허물없는 친구 気安い友 / 허물없는 사이 気の置けない仲. **허물없이** [hŏmurŏpshi]〈副〉心安立てに. 気安く. うちとけて. 心おきなく. 句例 허물없이 이야기하다 心おきなく〔うちとけて〕話す. 類 흉허물없다.

허밍 〈名〉〔樂〕ハミング. [語例] ~ 코러스 ハミングコーラス. ◇humming

허방 〈名〉くぼ(窪)地. くぼみ. [句例] ~을 딛다 くぼ地を踏む.

허방(을) 짚다 見当違いをする. 誤算する.

허방(을) 치다 当てが外れる. 失敗する.

허방-다리 〈名〉落とし穴. わな(罠). =함정(陷穽).

***허벅-다리** 〈名〉高もも(股). もものつけ根の部分.

허벅지 〈名〉高もも(股)の内側. [句例] ~를 드러내놓고 高ももの内側をさらけ出して.

허벅허벅-하다 [hŏbŏk'ŏbŏk'ada] (→하다) 〈形〉(果物などが水気や粘り気がなく)かすかすだ. ぱさぱさだ. すかすかだ. [句例] 허벅허벅한 사과 かすかすのりんご.

허보【虛報】〈名・하他〉虚報. [句例] ~로 밝혀지다 虚報と分かる.

허비【虛費】〈名・하他〉無駄遣い. 空費. 費やすこと. [句例] 예산을 ~하다 予算を無駄遣いする / 시간을 ~하다 時間を空費する. [文例] 시간을 ~할수록 손해다 時間を費やすだけ損だ. ㊫낭비(浪費).

허사【虛事】〈名〉無駄(なこと). ふい. =헛일. [句例] 모두 ~가 되다 みんな無駄になる. [文例] 모처럼의 기회가 ~가 되었다 せっかくのチャンスがふいになった.

허상【虛像】〈名〉虚像. [句例] 여러 가지 ~에 현혹되다 いろいろな虚像にまどわされる / 역사의 ~을 벗기다 歴史の虚像をあばく.

허섭-스레기 〈名〉くず物. がらくた. [句例] ~만 남다 がらくただけが残る.

허세【虛勢】〈名〉虚勢. 空元気. 空威張り. =허위(虛威). [句例] ~를 부리다 虚勢をはる. 空威張りをする.

허송【虛送】〈名・하他〉(時を)むなしく過ごすこと. [句例] 젊은 시절을 ~하다 若い時をむなしくすごす.

허송 세월【虛送歲月】 [—se:wol] 〈名〉なすことなく〔無為に〕歳月を送ること.

허수【虛數】〈名〉〔數〕虚数. ㊐실수(實數).

허수아비 〈名〉❶かかし. ❷傀儡. 操り人形. ロボット. [文例] 회장은 ~에 지나지 않는다 会長は傀儡〔操り人形〕に過ぎない. [語例] ~ 정권 傀儡政権. ▷略して'허사비'ともいう.

허술-하다 (→하다) 〈形〉❶みすぼらしい. 粗末だ. [句例] 허술한 옷 粗末な服 / 허술한 차림새 みすぼらしい身なり. ❷おろそかだ. 手薄だ. 不用心だ. [句例] 경비가 허술한 곳 警備が手薄なところ / 준비가 ~ 準備がおろそかだ / 허술한 틈을 타다 手薄に乗じる. **허술히** 〈副〉おろそかに. 粗末に. 手薄に.

허스키 〈名・하形〉ハスキー. [句例] ~한 목소리 ハスキーな声. [語例] ~ 보이스 ハスキーボイス. ◇husky

허식【虛飾】〈名・하自〉虚飾. 見え. 飾り(気). [句例] ~이 없는 사람 飾り気のない人 / ~을 버리다 虚飾を捨てる / ~에 찬 생활 虚飾に満ちた生活. [語例] 허례 ~ 虚礼虚飾.

허실【虛失】〈名・하他〉かいなく失うこと. 無駄に無くすこと. [句例] ~이 없도록 아껴 쓰다 無駄のないよう大切に使う.

허실【虛實】〈名〉虚実. [句例] ~을 밝히다 虚実を明らかにする.

허심탄회-하다【虛心坦懷—】(→하다) 〈形〉虚心坦懐だ. [句例] 서로 허심탄회하게 이야기하다 虚心坦懐に話し合う / 허심탄회하게 듣다 虚心坦懐に聞く.

허약-하다【虛弱—】 [hŏyak'ada] (→하다) 〈形〉虚弱だ. ひ弱い. [句例] 허약한 체질 虚弱な体質.

허여-멀겋다 [—mŏlgŏt'a] (—멀거니, —멀거오) 〈形〉肌が白くて清らかだ. [句例] 허여멀겋게 생긴 얼굴 色白で清らかな顔立ち.

허영【虛榮】〈名〉虚栄. 見え. [句例] ~에 들뜬 사람 見えっぱり. 見え坊. [文例] 쓸데없는 ~으로 비싼 외제차를 몰고 다닌다 つまらない虚栄から高価の外車を乗り回している.

허영-심【虛榮心】〈名〉虚栄心. [句例] ~이 강하다 虚栄心が強い / ~을 만족시키다 虚栄心を満足させる.

허옇다 [hŏ:yŏt'a] (허여니, 허여오) 〈形〉やや濁ったように白い. [句例] 머리가 허옇게 센 노인 白髪の老人.

허예-지다 [hŏ:ye—] 〈自〉白っぽくなる. 白む. 白ける. [句例] 빛깔이 바래서 ~ 色があせて白ける.

허욕【虛慾】〈名〉無駄な欲張り. つまらない欲. [句例] ~을 부리다 つまらない欲をだす.

허용【許容】〈名・하他〉許容. 許すこと. [句例] ~할 수 없다는 듯한 태도 許しがたい〔許容しがたい〕といったような態度. [文例] 그것은 편의상 ~되고 있다 それは便宜上許容されている. [語例] ~ 범위 許容範囲 / ~ 한도 許容限度 / ~량 許容量.

허우대 〈名〉恰幅. 押し出し. [句例] ~가 좋은 신사 恰幅のいい紳士. [文例] ~는 멀쩡한데 하는 짓은 칠칠치 못하다 押し出しは立派だが振る舞いはだらしがない.

허우적-거리다 〈自他〉しきりにあがく〔もがく〕. あっぷあっぷする. じたばたする. [句例] 물에 빠져 ~ 水におぼれてあっぷあっぷする.

허우적허우적 [hŏujŏk'ŏujŏk] 〈副・하自他〉(危ないめにあって)しきりにあがくさま: じたばた. あっぷあっぷ.

허울 〈名〉外見. 上べ. 見掛け. 体. [文例] 그는 ~뿐인 사장이야 彼は飾り物の社長さ.

허울 좋다 見掛けはいい. 外見はいい. [句例] 허울 좋은 말 体のいいことば. [文例] 허울은 좋은데 속은 어떨까 外見はいいが, 中身はどうかな.

허울 좋은 하늘타리 外見のいいからすうり. 見掛け倒し. 看板倒れ. 山師の看板.

허위【虛威】〈名〉虚威. =허세(虛勢).

허위【虛僞】〈名〉虚偽. [語例] ~ 신고 虚偽の申告 / ~ 보도 虚偽の報道 / ~ 진술 虚偽陳述. ㊐진실(眞實). 사실(事實).

허장-성세【虛張聲勢】〈名・하自〉いたずらに虚勢をはること. 空威張り. [文例] 실력이라도 있는 듯이 ~를 하며 아는 체하고 있다 実力でもあるかのように虚勢をはりながら知ったかぶ

りをしている.

허전-하다 (→하다)〈形〉空虚な感じだ. (もの)寂しい. もの足りない. [文例] 마누라가 없어서 마음이 ～ 妻がいなくてうら寂しい気がする / 돈이 떨어져 주머니가 ～ お金が尽きて懐が寂しい / 텅 빈 방에 혼자만 남아 허전한 생각이 든다 がらんどうの部屋に一人だけ残り, 空虚な感じがする.

허점【虛點】[hŏtchŏm]〈名〉虚. 透き. ＝약점(弱點). [句例] ～을 보이다 透きを見せる / 한 치의 ～도 없는 자세 一分の透きもない構え / ～을 찌르다 虚をつく.

허청-거리다〈自〉(気力が衰えて)よろよろする. よろめく. ふらふらする. ふらつく. [句例] 발이 ～ 足がふらつく.

허청허청〈副・하自〉よろよろ. ふらふら.

허탈【虛脫】〈名・하形〉虚脱. [句例] ～ 상태에 빠지다 虚脱状態に陥る. [語例] ～감 虚脱感.

허탕〈名〉徒労. 無駄骨. 無駄. [文例] 구석구석 찾아 보았으나 ～이었다 すみずみまで探してみたが無駄だった.

허탕(을) 짚다 徒労になる. 無駄骨を折る.

허탕(을) 치다 徒労に終わる. (狩りや釣りで)あぶれる. [文例] 기다리다가 허탕쳤다 待っていたが徒労に終わった / 낚시질을 갔으나 바다가 거칠어 완전히 허탕을 쳤다 釣りに行ったがしけですっかりあぶれた.

허투루〈副〉見くびって. 軽軽しく. いいかげんに. ぞんざいに. でたらめに. [句例] ～ 보다 高をくくる. 見くびる / ～ 다루다 ぞんざいに扱う. [文例] 어린아이라고 ～ 보는 것일까 子供といって見くびっているのかしら.

허튼〈冠〉名詞の上について, '함부로 하는 いいかげんな. でたらめな' '헤픈 ふしだらな' '쓸데없는 くだらない'の意を表わす語. [句例] ～ 사람 うわついて不実な人 / ～ 맹세 いいかげんな誓い. でたらめな誓い.

허튼-소리〈名〉 いいかげんな話. でたらめな話. 出任せのことば. [句例] ～를 하다 (口まかせの)でたらめを言う. 出任せを言う. よたを飛ばす. [文例] ～ 하지 마라 でたらめ(なこと)を言うな.

허튼-수작【一酬酌】〈名〉でたらめな言動. 出任せ. 口任せ. [文例] ～을 부리지 마라 でたらめなことをするな.

*허파〈名〉〔生〕肺. ＝폐(肺).

허파에 바람 들었다 肺に風がつまっている. (ばからしく)でたらめに振る舞う人やつまらないことにもよく笑う人のたとえ.

허팟줄이 끊어졌다 肺の管が切れたの意で, おかしくてたまらないことのたとえ.

허파-꽈리〈名〉〔生〕'폐포 肺胞'のくだけた言いかた.

*허풍【虛風】〈名〉ほら(法螺). 誇張. 略して'풍(風)'ともいう. [文例] 그는 ～이 심해서 신용할 수 없다 彼はほらがひどいので信用できない.

허풍(을) 떨다 (しきりに)ほらを吹く.

허풍이 세다 ひどいほら吹きだ. あまり誇張し過ぎる.

허풍(을) 치다 大風呂敷を広げる. 大きいことを言う. [句例] 크게 ～ 大ぼらを吹く.

허풍선-이【虛風扇—】[hŏp'ungsŏni]〈名〉ほら吹き. ＝허풍선.

허-하다【虛—】(→하다)〈形〉❶がっちりしていない. 虚弱だ. ひ弱い. [句例] 몸이 ～ からだがひ弱い. ❷うつろだ. 空いている. ❸胆力がない. ❹〔韓醫〕気力が衰えている. [句例] 기(氣)가 ～ 活力がない. 無気力だ.

허행【虛行】〈名・하自〉⇨ 헛걸음

*허허〈副・感・하自〉'하하'の語感の大きい語.

허허-바다〈名〉果てしない海. 大海原.

허허-벌판 〈名〉 果てしなく広広とした平原. 大平原.

허허-실실【虛虛實實】〈名〉虚虚実実. [句例] ～의 흥정 虚虚実実のかけひき.

허황-되다【虛荒—】[—ttoeda]〈形〉⇨ 허황하다 [句例] 허황된 이야기 荒唐無稽な話. 雲をつかむような話.

허황-하다【虛荒—】(→하다)〈形〉荒唐無稽だ. [句例] 허황한 계획 荒唐無稽な計画.

*헌 [hŏ:n]〈冠〉'낡은 古い'の意を表わす語: 古. [語例] ～ 신문 古新聞 / ～ 양복 着古しの洋服 / ～ 책 古本・古本 / ～ 옷 古着. 對새.

헌 신같이 버린다 弊履のごとく捨てる.

헌 〔漢字項目〕

【憲(憲)】 高校 헌 ケン. ❶기본 법칙 基本の法則. ■憲法 헌법 けんぽう. ❷관리 役人. ■官憲 관헌 かんけん.

【獻(献)】 高校 헌 ケン. コン. ❶바치다 ささげる. ■獻上 헌상 けんじょう. ■貢獻 공헌 こうけん. ❷권하다 勧める. ■獻酬 헌수 けんしゅう.

【軒】 高校 헌 ケン. ❶처마 のき. ■軒燈 헌등 けんとう. ❷오르다 高まる. ■軒昂 헌앙 けんこう.

헌-것 [hŏ:n—]〈名〉古物. 古びた物. 對새것.

헌금【獻金】[hŏ:n-gŭm]〈名・하自他〉献金. [句例] 자선 사업에 ～하다 慈善事業に献金する / 교회에 ～하다 教会に献金する / ～을 모으다 献金を集める / 백만 원을 ～하다 百万ウォンを献金する. [語例] 정치 ～ 政治献金. 類기부(寄附). 성금(誠金).
[表現] 教会では'헌금'を特に'연보(捐補)'ともいう.

헌납【獻納】[hŏ:nnap]〈名・하他〉献納. [文例] 소유하고 있던 문화재를 국가에 ～했다 所有していた文化財を国家に献納した. [語例] ～품 献納品.

헌당【獻堂】[hŏ:ndang]〈名・하自〉〔基〕献堂. [語例] ～식 献堂式.

헌-데 [hŏ:n—]〈名〉出来物. はれ物. お出来. ＝부스럼. [句例] ～가 도지다 はれ物がとがめる〔悪化する〕.

헌법【憲法】[hŏ:nppŏp]〈名〉憲法. [句例] ～을 제정하다 憲法を制定する / ～을 공포하다 憲法を公布する. [語例] ～ 개정 憲法改正 / ～ 위반 憲法違反. →제헌절(制憲節)

*헌병【憲兵】[hŏ:nbyŏng]〈名〉〔軍〕憲兵. [語例]

ㅎ

~대 憲兵隊.

헌상【獻上】[hŏ:nsang]〈名・하他〉献上. 語例 ~품 献上品.

헌-쇠 [hŏ:n—]〈名〉くず鉄. 古がね. =고철(古鐵). 파쇠.

헌신【獻身】[hŏ:nshin]〈名・하自〉献身. 句例 나라를 위해 ~한 사람 国のために献身した人/~적인 봉사 献身的な奉仕.

헌-신짝 [hŏ:n—]〈名〉弊履. 破れた履物.

헌신짝 버리듯 하다 弊履のごとく捨てる.

헌장【憲章】[hŏ:njang]〈名〉憲章. 語例 어린이 ~ 児童憲章/국제 연합 ~ 国際連合憲章.

헌정【憲政】[hŏ:njŏng]〈名〉憲政. =입헌 정치(立憲政治). 句例 ~의 위기 憲政の危機.

헌집-고치기 [hŏ:njip—]〈名〉古家なおし. 手をつけ始めたらあれこれとなおすべき所が切りもなく出てくるとの意.

헌-짚신 [hŏ:n—]〈名〉古わらじ.

헌짚신도 짝이 있다 古わらじにも対になるものがある. 割れなべ(鍋)にと(綴)じぶた(蓋).

헌칠-하다 (→하다)〈形〉からだが大きくすらりとして釣り合いがとれている. 句例 헌칠한 허우대 すらっとして釣り合いのとれたからだつき.

헌털-뱅이 [hŏ:nt'ŏl—]〈名〉'헌것'の下品な言いかた.

헌팅-캡〈名〉ハンチングキャップ. 鳥打ち帽. ◇hunting cap

***헌혈**【獻血】[hŏ:nhyŏl]〈名・하自〉献血. 語例 ~ 운동 献血運動/~차 献血車/집단 ~ 集団献血.

헌화【獻花】[hŏ:nhwa]〈名・하自〉献花. 句例 ~하는 사람의 행렬 献花する人の行列.

헐-값【歇—】[—kkap]〈名〉安値. 捨て値. =헐가(歇價). 句例 ~으로 팔아 치우다 捨て値で売りはらう/~에 사다 安値で買う. →값 参考

헐겁다 (헐거우니, 헐거워서)〈形〉緩い. 甘い. すぼすぼする. 句例 마개가 ~ 栓が甘い〔緩い〕/너트가 너무 ~ ナットがゆる過ぎる/나사가 헐거워지다 ねじが甘くなる.

헐다[1] [hŏ:lda] (허니, 헐어서) ■〈自〉ただ(爛)れる. 句例 피부가 ~ 皮膚がただれる/상처가 ~ 傷口がただれる.

■〈形〉古くなる. 古びている. 文例 집이 헐어서 지저분하다 家が古びてきたならしい.

헐다[2] [hŏ:lda] (허니, 헐어서)〈他〉❶崩す. ㉠(家や積み物などを)壊す. 句例 담을 ~ 塀を崩す. ㉡(お金を)こまかくする. 文例 만 원짜리 지폐를 헐어서 책을 샀다 一万ウォン札を崩して本を買った. ❷(人を)けなす.

表現 ②は'헐뜯다'の方がよく使われる.

헐떡-거리다〈自他〉❶しきりにあえぐ. ぜいぜい言う. ふうふう言う. 句例 헐떡거리며 언덕길을 오르다 あえぎあえぎ坂道をのぼる. ❷(履物などが)しきりにぶかぶかする. また, すかすかする.

헐떡헐떡 [hŏlttŏk'ŏlttŏk]〈副・하自他〉❶ぜいぜい(喘), ふうふう. あえぎあえぎ. ❷ぶかぶか. すかすか.

헐떡-이다 [hŏlttŏgida]〈自他〉❶あえ(喘)ぐ. 息切れする. ふうふう言う. 句例 헐떡이며 뛰다 息を切らして走る. ❷(履物が)ぶかぶかする.

헐떡-하다 [hŏlttŏk'ada] (→하다)〈形〉❶(顔が)やせほそり血の気がない. 青ざめている. 文例 일에 지쳐서 얼굴이 헐떡해져서 돌아왔다 仕事に疲れて顔が青ざめて帰ってきた. ❷目が落ちくぼんでいる. 文例 너무 애를 써서 눈이 ~ あまり苦労をして目が落ちくぼんでいる. 類걸떡하다.

表現 語感の小さい語は'할딱하다'.

헐-뜯다 [hŏ:l—]〈他〉けなす. そしる. こき下ろす. くさす. 句例 남을 몹시 ~ 人をさんざんにけなす〔こき下ろす〕/뒤에서 남을 ~ 陰で人をそしる/남의 작품을 ~ 人の作品をこき下ろす〔くさす・けなす〕.

헐렁-거리다〈自〉❶(ぴったり合わず緩すぎて)だぶだぶする. だぶつく. ぶかぶかする. 句例 외투가 너무 커서 ~ オーバーが大きすぎてだぶつく. ❷軽軽しくふるまう. うわつく.

헐렁헐렁〈副・하自〉❶だぶだぶ. ぶかぶか. 句例 ~한 구두 ぶかぶかの靴/~한 바지 ぶかぶかなズボン. ❷(言動が)だらだらとしているさま.

헐렁-이〈名〉軽率な人. おっちょこちょい.

헐렁-하다 (→하다)〈形〉(ぴったり合わずに)緩い. だぶだぶだ. ぶかぶかしている. 句例 티셔츠가 ~ ティーシャツがだぶだぶだ.

헐레-벌떡〈副・하自他〉あえぐさま. 息がはずむさま. また, 息せき切るさま: はあはあ. ふうふう. あえぎあえぎ. 句例 ~하며 달리다 息せき切って走る. **~거리다**〈自他〉しきりに息がはずむ. また, 息をはずませる.

헐레벌떡헐레벌떡 [—bŏlttŏk'ŏlle—]〈副・하自他〉はあはあ. ふうふう.

헐리다〈自〉'헐다[2]'の受け身: 壊される. つぶされる. 文例 도시 개발 사업으로 집이 헐렸다 都市開発事業で家がとり壊された.

헐-벗다 [hŏ:l—] ■〈自〉ぼろをまとう. 句例 헐벗고 굶주리다 ぼろをまとい食うにこと欠く.

■〈形〉山がはげている. 句例 헐벗은 산 はげ山.

헐-하다【歇—】(→하다)〈形〉❶(値段が)安い. 句例 값이 ~ 値段が安い/헐하게 사다 安く買う. ❷(思ったより)たやすい. 易しい. 句例 헐한 일 たやすい仕事. ❸(罰などが)きびしくない. 軽い. 句例 헐한 벌 軽い罰. ▷略して'헗다'ともいう.

험 〔漢字項目〕

【險(険)】 高校 험 ケン. ❶험하다 けわしい. ▮險路 험로 けんろ. ❷위태롭다 危うい. ▮危險 위험 きけん. 冒險 모험 ぼうけん. ❸음흉하다 腹黒い. ▮陰險 음험 いんけん. ❹험악하다 顔つきがけわしい. ▮險相 험상 けんそう.

【驗(験)】 高校 험 ケン. ゲン. ❶증좌 しるし. ▮驗左 험좌 けんさ. ▮符驗 부험 ふけん. ❷시험 ためし. ▮試驗 시험 しけん. 實驗 실험 じっけん. ❸효능 ききめ. ▮效驗 효험 こうけん.

험구【險口】[hŏ:mgu]〈名・하他〉人をそしること. 口の悪いこと. そしり. また, そのような人. 句例 온갖 ~를 다하다 そしりの限りをつ

ㅎ

くす. 語例 ~가(家) けなし屋(や).

험난-하다【険難―】[hŏ:mnan―] (→하다)〈形〉 険難(けんなん)だ. 険(けわ)しい. 句例 험난한 인생 険難な人生(じんせい). 険しい人生 / 험난한 산길 険しい山道(やまみち). 文例 그의 앞길은 너무나 험난할 것이다 彼(かれ)の前途(ぜんと)はあまりにも険しいだろう.

험담【険談】[hŏ:mdam]〈名・하他〉悪口(わるくち). 陰口(かげぐち). 中傷(ちゅうしょう). =흠구덕. 句例 친구를 ~하다 友(とも)を悪(わる)く言(い)う / 뒤에서 ~하다 陰口をきく. 陰(かげ)で悪口を言う / 뒤에서 ~을 늘어놓다 陰口をたたく.

험로【険路】[hŏ:mno]〈名〉険路(けんろ). 句例 산속의 ~ 山奥(やまおく)の険路.

험산【険山】[hŏ:msan]〈名〉険山(けんざん). 句例 ~ 이 중첩하다 険山が重畳(ちょうじょう)する.

험상【険相】[hŏ:msang]〈名〉険相(けんそう). 険悪(けんあく)な人相(にんそう). 句例 ~으로 생긴 얼굴 険相な面構(つらがま)え.

험상-궂다【険狀―】[hŏ:msang―]〈形〉(顔立(かおだ)ちや目(め)つきなどが)険悪(けんあく)だ. 険(けわ)しい. 句例 표정이 ~ 表情(ひょうじょう)が険(けわ)しい / 험상궂은 눈 険しい目(め)つき / 험상궂은 얼굴 険悪な顔立ち / 험상궂은 눈으로 보다 険悪な目つきで見(み)る.

험상-스럽다【険狀―】[hŏ:msang―] (→스럽다)〈形〉(顔立(かおだ)ちが見(み)るからに)険悪(けんあく)だ. (いかにも)険(けわ)しい. 句例 험상스러운 얼굴 険悪な顔(かお). **험상스레**〈副〉険悪に. 険しく.

험악-스럽다【険悪―】[hŏ:mak―] (→스럽다)〈形〉(見(み)るからに) 険悪(けんあく)だ. (いかにも)険(けわ)しい. **험악스레** [hŏ:mak―]〈副〉険悪に. 険しく.

험악-하다【険悪―】[hŏ:mak'ada] (→하다)〈形〉険悪(けんあく)だ. 険(けわ)しい. 句例 험악한 분위기〔정세〕険悪なふんいき〔情勢(じょうせい)〕/ 험악한 날씨 荒(あ)れた天気(てんき) / 길이 ~ 道(みち)が険しい / 험악한 세상 世知辛(せちがら)い世(よ)のなか.

험준-하다【険峻―】[hŏ:mjun―] (→하다)〈形〉険峻(けんしゅん)だ. 句例 험준한 산악 지대 険峻な山岳地帯(さんがくちたい).

*__험-하다__【険―】[hŏ:m―] (→하다)〈形〉❶険(けわ)しい. ㉠(地形(ちけい)が)険阻(けんそ)だ. 句例 험한 산골 険しい山奥(やまおく) / 산세가 ~ 山勢(さんせい)が険しい.
㉡(顔(かお)つきや形勢(けいせい)などが)険悪(けんあく)だ. 句例 인상이 ~ 人相(にんそう)が険悪だ / 분위기가 ~ ふんいきが険悪だ.
㉢困難(こんなん)なことがありそうだ. 句例 험한 인생길 険しい人生(じんせい)の道(みち).
❷(言行(げんこう)が)荒(あら)い. 乱暴(らんぼう)だ. とげとげしい. 句例 험한 말투 とげとげしい口(くち)ぶり. 文例 그는 입이 너무 ~ 彼(かれ)は言葉遣(ことばづか)いがあまりにも乱暴だ.
❸(衣食(いしょく)などが)粗末(そまつ)だ. みすぼらしい. 文例 하고 다니는 꼴이 ~ みっともない身(み)なりをしている.
❹(仕事(しごと)などが)きつく危(あぶ)ない. 句例 험한 일 きつく危険(きけん)な仕事.
험히〈副〉険しく. 険悪に. 乱暴に. 危険(きけん)に.

협수룩-하다 [hŏpsuruk'ada] (→하다)〈形〉❶(髪(かみ)やひげが)ぼうぼうとしている. もじゃもじゃだ. 類텁수룩하다. ❷(身(み)なりが)みすぼらしい. 句例 옷차림이 ~ 身なりがみすぼらしい. 對말쑥하다. 類허름하다. **협수룩히** [hŏpsuruk'i]〈副〉❶ぼうぼうと. もじゃもじゃと. ❷みすぼらしく.

협협-하다 [hŏp'ŏp'ada] (→하다)〈形〉❶気前(きまえ)がいい. けちけちしない. 句例 돈을 협협하게 쓰는 사람 お金(かね)を気前(きまえ)よく使(つか)う人(ひと). ❷融通性(ゆうずうせい)があって活発(かっぱつ)だ.

헛-〈頭〉❶'むなしい…' '無駄(むだ)な…' '偽(いつわ)りの…' などの意(い)を表(あら)わす語(ご). 語例 ~수고 徒労(とろう) / ~걸음 無駄足(あし). ❷'誤(あやま)った'の意を表わす語. 句例 ~듣다 聞(き)き損(そこ)なう. 聞き違(ちが)える. 聞き誤る.

헛-간【―間】〈名〉戸(と)のない物置(ものおき)〔納屋(なや)〕.

헛-갈리다〈自〉入(い)り交(ま)じって見分(みわ)けがつかない. 紛(まぎ)れる. 文例 그 형제는 헛갈릴 정도로 비슷하게 닮았다 その兄弟(きょうだい)は見分けのつかないほど似通(にかよ)っている. 類헷갈리다.

헛-걸음 [―kŏrŭm]〈名〉無駄足(むだあし). =허행(虚行). **~하다**〈自〉無駄足を踏(ふ)む. 文例 만나러 갔으나 십분 늦어서 ~했다 会(あ)いに行(い)ったが十分(じっぷん)遅(おく)れて無駄足を踏んだ.

헛걸음-치다 [hŏtkŏrŭm―]〈自〉無駄足(むだあし)を踏(ふ)む. =헛걸음하다.

헛-것〈名〉むだごと. =헛일. 허사(虚事). 文例 아무리 말해 봤자 말짱 ~이다 いくら言(い)ったってみんなむだごとだ.

헛-고생【―苦生】〈名〉かいのない苦労(くろう). 無駄骨(むだぼね). 骨折(ほねお)り損(ぞん). **~하다**〈自〉無駄骨を折(お)る. 骨折り損をする. 文例 힘을 다하여 일한 것이 ~이 되고 말았다 力(ちから)を尽(つ)くして働(はたら)いたのも無駄骨になってしまった.

헛-공론【―公論】[―kongnon]〈名・하自他〉無駄(むだ)な議論(ぎろん). 文例 본론에 들어가지 않고 ~만 하고 있다 本論(ほんろん)に入(はい)らずに無駄な議論ばかりしている.

헛-구역【―嘔逆】〈名〉空(から)えずき. =건(乾)구역. 句例 ~질만 하다 空えずきばかりする.

헛-기침〈名・하自〉(わざとする)空(から)せき. せき払(ばら)い. 句例 에헴 하고 ~하다 えへん〔おほん〕とせき払いをする. 文例 ~을 하고 나서 문을 열었다 せき払いをしてから戸(と)を開(あ)けた.

헛-농사【―農事】[hŏn―]〈名〉だめになった農作(のうさく). 文例 날이 가물어서 ~가 될 것 같다 日照(ひで)り続(つづ)けで不作(ふさく)になりそうだ.

헛다리-짚다〈自〉期待外(きたいはず)れになる. 見当違(けんとうちが)いをする. 無駄足(むだあし)を踏(ふ)む. 文例 헛다리 짚는 셈 치고 한 번 가봅시다 無駄足を踏むつもりで一度(いちど)行(い)ってみましょう.

헛-돌다 (―도니, ―돌아서)〈自〉(車輪(しゃりん)などが)空回(からまわ)りする. 文例 웅덩이에 빠진 차는 바퀴가 헛돌 뿐이고 조금도 움직이지 않았다 水(みず)たまりにはまった車(くるま)は車輪が空回りするばかりでちっとも動(うご)かなかった.

헛-되다〈形〉❶かい(甲斐)がない. むだだ. むなしい. 句例 헛된 세상 むなしい世(よ)のなか / 헛된 노력 むなしい努力(どりょく). ❷でたらめで信(しん)じられない. 句例 헛된 소문 でたらめなうわさ.

헛-되이〈副〉むなしく. むだに. かいなく. 句例 인생을 ~ 보내다 人生(じんせい)をむなしくすごす. 文例 그 계획은 ~ 끝났다 その計画(けいかく)は空(くう)に帰(き)した.

헛된-말〈名〉荒唐無稽(こうとうむけい)な話(はなし). そらごと. たわごと. 句例 ~을 늘어 놓다 くだらないそらごとを並(なら)び立(た)てる.

헛-듣다 (헛들으니, 헛들어서)〈他〉❶聞き損なう. 聞き違える. 聞き誤る. 句例 헛듣고 한 이야기 聞き間違えて伝えた話. ❷聞き流す. 上の空で聞く.

헛-들리다〈自〉あらぬことが聞こえる. 間違えて聞こえる. 文例 불지도 않는 바람소리가 헛들렸다 吹きもしない風の音が聞こえてきた.

헛-디디다〈他〉踏み外す. 踏み違える. 句例 발을 ~ 足を踏み外す. 文例 헛디뎌서 계단에서 굴러 떨어졌다 踏み違えて階段から転び落ちた.

헛-물관【一管】[hŏn—]〈名〉〔植〕仮導管.

헛물-켜다 [hŏnmul—]〈自〉骨折り損をする. 無駄骨を折る. ばかを見る. 徒労に終わる. 文例 헛물켜지 말고 정신 차려 無駄骨を折らないでしっかりしろ.

헛-발〈名〉❶踏み外した足. また, けり間違えた足. ❷〔生〕偽足. 仮足. ＝위족.

헛발-질〈名・하自〉ねらいが外れた足げ(蹴). 對 헛손질.

헛-방【一放】〈名〉❶的を外れた射撃. ❷空砲. 空発. ❸無駄な〔信じられない〕話.

헛방(을) 놓다 ❶当たらない弾をうつ. ❷空砲をうつ. ❸無駄口をたたく. ほらを吹く.

헛-배〈名〉(消化不良などで)食べないのに張る腹.

헛배(가) 부르다 ❶食べないのに腹が張る. ❷実利はなく気分だけがいい. ❸空想や夢想が頭いっぱいになる.

헛-보다〈他〉見間違える. 見誤る. 見損なう. 句例 사람을 ~ 人違いをする.

헛-보이다〈自〉あらぬものが見える. 間違って見える.

헛-뿌리〈名〉〔植〕仮根.

헛-소리〈名・하自〉❶(病人の)うわごと. 句例 고열로 가위눌려서 ~를 하다 高熱にうなされてうわごとをいう. ❷たわごと. そらごと. 文例 ~하지 마라 たわごとを言うな.

헛-소문【一所聞】〈名〉根も葉もないうわさ. ＝뜬소문. 句例 ~이 퍼지다 根もないうわさが流れる. 文例 항간에는 ~이 돌고 있다 ちまた(巷)には根も葉もないうわさが立っている.

헛-손질〈名・하自〉❶(病人が)手を無意識に振ること. ❷無駄な手入れ. いたずらに手で触ること. ❸(ねらいの外れた)空振り. なぐり損なうこと.

헛-수【一手】〈名〉❶(碁や将棋で)無駄な手. 句例 ~를 두다 無駄な手をさす. ❷失敗した計略.

*__헛-수고__〈名・하自〉無駄骨(折り). くたびれもうけになること. 文例 가르쳐 주어봤자 아무 득이 없는 ~가 될 뿐이다 教えてやったって骨折り損のくたびれもうけになるだけだ.

헛-웃음 [hŏdusŭm]〈名〉つくり笑い. 偽りの笑い. 文例 우습지도 않은데 ~을 웃다 おもしろくもないのにつくり笑いをする.

*__헛-일__ [hŏnnil]〈名・하自〉無駄なこと. 無駄事 やりがいのないこと. 文例 이제까지 한 것은 모두 ~이다 今までやったことはみんな無駄事だ.

헛-잡다〈他〉つかみ損なう. 間違えてつかむ. 文例 찻잔을 헛잡아 떨어뜨렸다 茶わんを持ち損なって落とした.

헛-잡히다 [—chap'ida]〈自〉'헛잡다'の受け身: 間違えてつかまれる.

헛헛-하다 [hŏt'ŏt'ada] (→하다)〈形〉ひもじい. 空腹感を覚える.

**__헝겊__ [hŏ:ŋggŏp]〈名〉布切れ. 句例 ~으로 인형을 만들다 布切れで人形をつくる.

헝클다 (헝크니, 헝클어서)〈他〉(物事を)絡ませる. もつれさせる.

헝클어-뜨리다 [hŏŋk'ŭrŏ—]〈他〉絡ませる. もつれさせる. 乱れさせる.

헝클어-지다 [hŏŋk'ŭrŏjida]〈自〉(糸などが)もつれる. 絡み合う. こんがらかる. 句例 실이 ~ 糸がもつれる / 여러 가지 일이 ~ 色色な事情がからみ合う.

헤[1] [he:]〈副・하自〉口をぎこちなく開けるさま: ぽかん. はあん. 句例 입을 ~ 벌리다 口をぽかんと開ける.

헤[2] [he:]〈副・感・하自〉口を半分ぐらい開けてうつろに笑うさま. また, その声: うふっ. ふふっ. 句例 ~하고 웃다 ふふっと笑う.

헤게모니〈名〉ヘゲモニー. ＝주도권(主導權). 句例 ~를 잡다 ヘゲモニーを握る〔取る〕. ◇독 Hegemonie

헤드〈名〉ヘッド. 語例 ~ 라인 ヘッドライン / ~ 코치 ヘッドコーチ. ◇head

헤드-라이트〈名〉ヘッドライト. ＝전조등(前照燈). ◇headlight

헤드-폰 [—p'o:n]〈名〉ヘッドフォン. ◇headphone

헤딩〈名・하他〉(サッカーで)ヘッディング. 語例 ~ 슛 ヘッディングシュート. ◇heading

헤뜨러-지다〈自〉散らばる. ばらつく. 散らかる. 文例 여기저기 헤뜨러져 있다 あちこちに散らかっている / 휴지 조각이 헤뜨러져 있다 紙くずが散らばっている.

헤-뜨리다〈他〉散らかす. 取り散らかす. 追い散らす. 句例 장난감을 ~ おもちゃを散らかす / 방 안을 ~ 部屋の中を取り散らかす.

헤로인〈名〉ヘロイン. 麻薬の一つ. ◇heroin

헤르니아〈名〉〔醫〕ヘルニア. ◇라 hernia

헤르츠〈依名〉〔物〕(周波数などの)ヘルツ. 語例 킬로~ キロヘルツ / 메가~ メガヘルツ. ◇독 hertz

헤-매다〈自他〉❶さまよう. ほっつく. うろつく. 迷う. 句例 눈보라 속을 ~ 吹雪の中をさまよう / 생사의 갈림길을 ~ 生死の境をさまよう. ❷(心が)落ちつかない. 句例 이럴까 저럴까 헤매는 마음 こうしようか, ああしようかと落ちつかない心.

헤모글로빈〈名〉〔生〕ヘモグロビン. ＝혈색소(血色素). ◇hemoglobin

헤벌어-지다 [hebŏrŏ—]〈自〉口がしまりなく開く. 句例 기뻐서 입이 ~ うれしくて口がしまりなく開く.

헤비-급【heavy級】〈名〉(ボクシングの)ヘビー級. 語例 ~ 복서 ヘビー級のボクサー.

헤살 [he:sal]〈名・하他〉妨げること. 邪魔だてすること. 妨害すること. 句例 ~꾼을 쫓아내다 妨害者を追い払う.

헤살(을) **놓다** 邪魔をする. 妨害する.

헤살(을) **부리다** 邪魔をする. 妨げる. 句例 일하는 사람 곁에서 ~ 仕事をする人のそばで邪魔だてをする.

헤-식다 [he:shikta]〈形〉❶砕けやすい. 崩れやすい. もろい. 句例 헤식은 쌀 もろい米. ❷だらしがない. しまりがない. 句例 헤식은 사나이 だらしのない男.

***헤아리다** [he:arida]〈他〉❶数える. 計算する. 句例 입장객을 ~ 入場客を数える. ❷推し量る. 察する. くみとる. 句例 고충을 ~ 苦衷を推し量る.

***헤어**〈名〉ヘア. 語例 ~ 드라이어 ヘアドライヤー / ~ 로션 ヘアローション / ~ 스타일 ヘアスタイル. ◇hair

헤어-나다 (헤어나거라)〈他〉抜け出る. 抜け出す. 切り抜ける. 略して'헤나다'ともいう. 句例 난관을 ~ 難関を切り抜ける / 경제적인 위기에서 ~ 経済的な危機から抜け出る.

***헤어-지다**〈自〉❶別れる. 離れる. 散り散りになる. 句例 남편과 ~ 夫と別れる. 文例 회의가 끝나자 사람들은 곧 헤어졌다 会議が終わると人人はすぐ散り散りになった. ❷(皮膚に)ひびが切れる. 荒れる. 句例 손등이 ~ 手の甲にひびが切れる / 살갗이 ~ 肌が荒れる. ▷略して'헤지다'ともいう.

헤엄〈名・하自〉泳ぎ. 水泳. 略して'헴'ともいう. 語例 개~ 犬かき. 犬泳ぎ.

헤엄을 잘 치는 놈 물에 빠져 죽고, 나무에 잘 오르는 놈 나무에서 떨어져 죽는다 泳ぎ上手がおぼれ死に, 木登り上手が落ちて死ぬ. 猿も木から落ちる.

헤엄(을) **치다** 泳ぐ. 句例 헤엄쳐 건너가다 泳いで渡る.

헤적-이다 [hejŏgida]〈他〉ほじくる. かき分ける. 掘り返す. 句例 조개를 잡으려고 갯벌을 ~ 貝をとるために干潟を掘り返す.

헤-지다 [he:—]〈自〉'헤어지다'の略.

헤집다〈他〉ほじくり返す. かき散らす. 句例 닭이 흙을 ~ 鶏が地面をほじくり返す.

***헤치다**〈他〉❶掘り返す. 広げる. かき分ける. 句例 보따리를 풀어 ~ 包みを解いて広げる / 땅을 파 ~ 地面を掘り返す.

❷追い散らす. 解散させる. 散らす. 句例 경찰이 군중을 ~ 警官が群衆を追い散らす.

❸かき分ける. 押し分ける. 句例 인파를 헤치고 나아가다 人込みをかき分けて進む.

❹(すそなどを)開く. はだける. 句例 앞가슴을 풀어 ~ 胸をはだける.

❺(困難・障害などを)切り抜ける. 克服する. 句例 난국을 헤쳐 나가다 難局を切り抜ける.

헤프다 [he:p'ŭda] (헤프니, 헤퍼서)〈形〉❶減りやすい. もろい. 文例 이 비누는 물러서 ~ このせっけんはもろいので, すぐ減る. ❷荒い. 無駄だ. 句例 돈 씀씀이가 헤픈 사람 金づかいの荒い人. ❸口が軽い. おしゃべりだ. 口数が多い. 文例 그는 말이 ~ 彼は口数が多い.

헤피 [he:p'i]〈副〉無駄に. 不経済に. 句例 돈을 ~ 쓰다 お金を無駄につかう.

헤-하다 [he:—] (→하다)〈自〉うれしくて口を開けて笑う. ははと笑う. ふふと笑う.

헤-헤〈副・하自〉口を半分ぐらい開けてそこつに笑う声〔さま〕: へへえ. あはは. **~거리다**〈自〉しきりにへへえと笑う.

헥타르 [hekt'a:rŭ]〈依名〉ヘクタール. 面積の単位. ◇hectare

헥토-〈頭〉ヘクト…. '100'の意. 語例 ~파스칼 ヘクトパスカル. ◇ユ hecto-

헬-기【―機】〈名〉'헬리콥터'の略: ヘリ.

헬레니즘〈名〉〔史〕ヘレニズム. ◇Hellenism

헬렐레〈副・하自〉ぐでんぐでんに酔ってからだを支えられないさま.

헬륨〈名〉〔化〕ヘリウム. ◇helium

***헬리콥터**〈名〉ヘリコプター. 略して'헬기'とも言う. ◇helicopter

헬리-포트 [—p'o:t'ŭ]〈名〉ヘリポート. ◇heliport

헬멧〈名〉ヘルメット. =안전모(安全帽). 絵 ◇helmet

〈헬멧〉

헴[1] [he:m]〈名〉'헤엄'の略.

헴[2]〈感〉気取ったり癖になったりして出す軽いせきばらいの音: おほん. ごほん.

헷-갈리다〈自〉❶(入り混じって)判断がつかない. 見分けがつかない. こんがらかる. 句例 비슷비슷해서 ~ 似たりよったりで見分けがつかない. 文例 뭐가 뭔지 헷갈려서 잘 모르겠다 何がなんだかこんがらかってよく分からない. ❷(気が)散る. (気持ちが)乱れる. 文例 밖이 소란해서 정신이 헷갈린다 外が騒がしくて気が散る. →헛갈리다

헹〈副・하自〉強く鼻をかむ音: ちいんと. 句例 코를 ~하고 풀다 鼻をちいんとかむ.

헹-가래〈名〉胴上げ.

헹가래(를) 치다 胴上げをする. 文例 이긴 팀의 선수들은 감독을 헹가래 쳤다 勝ったチームの選手たちは監督を胴上げした.

***헹구다**〈他〉ゆすぐ. すすぐ. 洗いおとす. 句例 빨래를 ~ 洗濯物をゆすぐ.

혀

〈名〉舌. ❶(動物の)べろ. 句例 ~가 깔깔하다 舌がざらざらする / ~가 얼얼하다 舌がひりひりする / ~가 잘 안 돌다 舌がよく回らない. ❷〔樂〕(木管楽器などの)した(簧). リード. 句例 피리의 ~ 笛のした.

혀가 돌아가다 舌が回る. よど(淀)みなくよくしゃべる.

혀가 짧다 舌足らずである. ❶ことばが不明瞭だ. ❷どもる.

혀(가) 꼬부라지다 酒に酔ったり病気などでろれつが回らない.

혀를 굴리다 ❶舌をよく動かす. ❷'ㄹ'発音をする.

혀를 내두르다 舌を巻く. ひどく驚く. ひどく感心する.

혀를 내밀다 舌を出す. ❶陰でそしったりあざけたりするときの動作. ❷自分の失敗を恥じるときの動作.

혀를 빼 물었다 舌を垂らした. 苦しくて音を上げる.

혀 아래 도끼 들었다 舌の下に斧が入っている. 口は災いの元.

혀(를) 차다 舌打ちする.
**혀-끝 〈名〉舌先. 舌端.
혀끝에 오르내리다 口にのぼる. 話題にのぼる.
혀-뿌리 〈名〉舌の根.
혀-차다 ⇨'혀'の小項目

혁 〔漢字項目〕

【革】高校 혁 カク. ❶가죽 なめしがわ. ◧革帯 혁대 かくたい. かわおび. ◨皮革 피혁 ひかく. ❷가죽으로 만든 갑주(甲冑) かわのよろい. ◨甲革 갑혁 こうかく. ❸고치다 あらためる. ◧革命 혁명 かくめい. ◨改革 개혁 かいかく.

혁대【革帶】〈名〉革帯. バンド. ベルト.
*__혁명__【革命】[hyŏngmyŏng]〈名・하自他〉革命. 句例 대학 입학 시험의 일대 ~ 大学入学試験の一大革命. 語例 기술 ~ 技術革命 / 산업 ~ 産業革命 / ~ 재판 革命裁判 / ~ 정권 革命政権.
혁신【革新】〈名・하他〉革新. 改新. 句例 ~ 운동을 일으키다 革新運動を起こす / 사상의 ~ 思想の革新. 語例 기술 ~ 技術革新 / ~ 정치 革新政治.
혁파【革罷】〈名・하他〉(古い機構・制度・法令などの)廃止.
혁혁-하다【赫赫―】[hyŏk'yŏk'ada] (→하다)〈形〉輝かしい. 句例 혁혁한 공로 輝かしい功労. **혁혁히** [hyŏk'yŏk'i]〈副〉輝かしく.
현【絃】〈名〉(絃楽器の)絃.
현【弦】〈名〉弦. ❶弓弦《雅》. =활시위. ❷上下のゆみはりづき. ❸〔數〕円周上の二点を結ぶ直線. ❹〔數〕直角三角形の斜辺.
*__현-__【現】[hyŏːn]〈頭〉現…. 現在の. 語例 ~단계 現在の段階 / ~주소 現住所.
현【舷】〈名〉舷. =뱃전. 語例 좌~ 左舷.

현 〔漢字項目〕

【弦】高校 현 ゲン. ❶활시위 弓のつる. ◨弓弦 궁현 ゆづる. ゆみづる. 鳴弦 명현 めいげん. ❷초승달 新月. ◧弦月 현월 げんげつ. ◨上弦 상현 じょうげん. ❸직각 삼각형의 빗변 直角三角形の斜辺. ◨正弦 정현 せいげん.

【懸】高校 현 ケン. ケ. ❶달다. 걸다 かける. ◧懸垂 현수 けんすい. 懸賞 현상 けんしょう. 懸念 현념 けねん. ❷동떨어지다 へだたる. ◧懸隔 현격 けんかく. 懸絶 현절 けんぜつ.

【玄】高校 현 ゲン. ❶검다 くろい. ◧玄米 현미 げんまい. 玄黄 현황 げんこう. ❷심오한 도리 深遠な理. ◧玄妙 현묘 げんみょう. ◨幽玄 유현 ゆうげん.

【現】中學 현 ゲン. ❶나타나다 あらわれる. ◧現象 현상 げんしょう. ◨出現 출현 しゅつげん. ❷지금 いま. ◧現代 현대 げんだい. 現在 현재 げんざい.

【絃】高校 현 ゲン. (현악기의) 줄 楽器にはりわたす糸. ◧絃楽器 현악기 げんがっき. ◨管絃 관현 かんげん.

【縣(県)】高校 현 ケン. 중국의 행정상 구획 中国の行政区画の一つ. ◧縣治 현치 けんち. ◨郡縣制度 군현제도 ぐんけんせいど.

【賢】中學 현 ケン. 어질다 かしこい. ◧賢愚 현우 けんぐ. ◨先賢 선현 せんけん.

【顯(顕)】高校 현 ケン. ❶나타나다 あらわれる. 드러나다 明らかになる. ◧顯著 현저 けんちょ. ◨露顯 노현 ろけん. ❷알려지다 名高くなる. ◧顯職 현직 けんしょく. ◨貴顯 귀현 きけん. ❸밀교 이외의 불교 密教以外の仏教. ◧顯教 현교 けんぎょう. けんきょう.

현격-하다【懸隔―】[hyŏːnkkyŏk'ada] (→하다)〈形〉かけ離れている. 句例 현격한 실력의 차이 かけ離れた実力の差異. 文例 두 사람의 의견에는 현격한 차이가 있다 二人の意見にはかけ離れた差異がある.
*__현관__【玄關】〈名〉玄関. 句例 ~에서 맞아들이다 玄関で迎え入れる.
*__현금__【現金】[hyŏːn-gŭm]〈名〉❶現金. キャッシュ. =현찰(現札). 句例 ~으로 바꾸다 現金に換える / ~으로 치르다 現金で払う. 語例 ~가 現金正価 / ~ 거래 現金取引 / ~ 매매 現金売買 / ~ 지급 現金払い. ❷⇨ 맞돈
*__현기-증__【眩氣症】[hyŏːn-gitchŭng]〈名〉目まい. =어지럼증. 어질증. 句例 ~이 나다 目まいがする.
현-단계【現段階】[hyŏːn―]〈名〉現段階. 文例 ~에선 불가능하다 現段階では不可能である / ~로선 뭐라고 말할 수 없다 現段階としてはなんとも言えない.
현답【賢答】〈名〉賢答. 語例 우문 ~ 愚問賢答.
*__현대__【現代】[hyŏːndae]〈名〉現代. 当世. 現今. =현시대. 句例 ~에 사는 사람 現代に生きる人間. 語例 ~ 건축 現代建築 / ~ 문학 現代文学 / ~인 現代人 / ~화 現代化. 参考 韓国史での現代は, 朝鮮朝の高宗・純宗時代(1900年前後)から現在まで.
현대-적【現代的】[hyŏːndae―]〈名・冠〉現代的. 句例 ~인 감각 現代的な感覚.
현란-하다【絢爛―】[hyŏːllan―] (→하다)〈形〉絢爛としている. きらびやかである. けばけばしい. 句例 현란한 의상 絢爛たる衣装 / 현란한 문장 絢爛たる文章.
현명-하다【賢明―】(→하다)〈形〉賢明だ. 賢い. 句例 현명한 사람 賢明な〔賢い〕人 / 현명한 판단 賢明な判断. **현명히**〈副〉賢明に. 句例 현명히 대처하다 賢明に対処する.
현모【賢母】〈名〉賢母. 文例 에디슨의 어머니는 ~였다 エジソンのお母さんは賢母であった. 語例 ~ 양처 良妻賢母.
현몽【現夢】[hyŏːnmong]〈名・하自〉夢に現れること. 夢まくら(枕). 句例 신불(神佛)이 ~하다 夢まくらに立つ.
현무-암【玄武岩】〈名〉〔鑛〕玄武岩.
현문【賢問】〈名〉賢問. 語例 ~ 우답 賢問愚答. 對우문(愚問).
현물【現物】[hyŏːnmul]〈名〉現物. ❶現にある物品. 実際の品物. 文例 ~을 안 보고서는 얘기가 되지 않는다 現物を見ないことに

は話にならない. 類현품(現品). ❷金銭以外の物品. 語例 ~ 지급 現物支給.

현미【玄米】〈名〉玄米. 語例 ~빵 玄米パン.

***현미-경**【顯微鏡】[hyŏ:nmi—]〈名〉顕微鏡. 語例 ~ 사진 顕微鏡写真.

현부【賢婦】〈名〉賢婦. 賢い婦人.

현상【現狀】[hyŏ:nsang]〈名〉現状. 句例 ~을 유지하다 現状を保つ. 文例 ~ 그대로 알려 주었다 現状をありのままに知らせてやった. 語例 ~ 유지 現状維持.

***현상**【現象】[hyŏ:nsang]〈名〉現象. 句例 진기한 ~이 나타나다 珍しい現象が現れる. 語例 물리 ~ 物理現象 / 사회~ 社会現象 / ~계 現象界 / 자연 ~ 自然現象.

현상【現像】[hyŏ:nsang]〈名・하他〉現像. 句例 필름을 ~하다 フィルムを現像する. 語例 ~액 現像液 / ~약 現像薬.

현상【懸賞】[hyŏ:nsang]〈名・하他〉懸賞. 句例 작품을 ~모집하다 作品を懸賞募集する. 語例 ~금 懸賞金.

현세【現世】[hyŏ:nse]〈名〉❶現世. この世. 句例 ~의 영화 現世の栄華. ❷〔佛〕現世. ❸〔地〕現世.

현손【玄孫】〈名〉玄孫. やしゃご.

현수【懸垂】[hyŏ:nsu]〈名〉懸垂. ❶垂れ下がること. 語例 ~막 垂れ幕. ❷'현수 운동(=턱걸이) 懸垂運動'の略.

현수-교【懸垂橋】[hyŏ:nsugyo]〈名〉釣り橋. =적교(吊橋).

현숙-하다【賢淑—】[hyŏnsuk'ada] (→하다)〈形〉(女性が)賢くしとやかだ. 句例 현숙한 부인 賢くしとやかな婦人.

현-시대【現時代】[hyŏ:n—]〈名〉現時代.

현-시점【現時點】[hyŏ:nshitchŏm]〈名〉現時点. 句例 ~의 상황 現時点の状況.

현실【現實】[hyŏ:nshil]〈名〉現実. 句例 ~로 돌아오다 現実に帰る / ~을 직시하다 現実を直視する / ~에 적응하다 現実に適応する. 語例 ~ 도피 現実逃避 / ~성 現実性 / ~적 現実的.

현악【絃樂】[hyŏnak]〈名〉〔樂〕弦楽. 語例 ~ 사중주 弦楽四重奏.

현악-기【絃樂器】[hyŏnak—]〈名〉〔樂〕弦楽器.

현안【懸案】[hyŏ:nan]〈名〉懸案. 句例 양국간의 ~ 문제 両国間の懸案問題.

현역【現役】[hyo:nyŏk]〈名〉現役. ❶〔軍〕現在軍務についていること〔軍人〕. 語例 ~병 現役兵 / ~함 現役艦. ❷現在ある職務に従事していること〔人〕. 句例 ~을 은퇴하다 現役を引退する.

현왕【賢王】[hyŏnwang]〈名〉賢王.

현유【現有】[hyŏ:nyu]〈名〉現有. 語例 ~ 세력 現有(の)勢力.

현인【賢人】[hyŏnin]〈名〉賢人. 賢者. 語例 ~ 군자 賢人君子.

ㅎ

현자【賢者】〈名〉⇨ 현인(賢人)

***현장**【現場】[hyŏ:njang]〈名〉現場・現場. 句例 ~에 달려가다 現場に駆けつける / ~에서의 생중계 現場からの生中継 / ~을 덮치다 現場を襲う. 語例 ~ 감독 現場監督 / ~ 검증 現場検証 / ~ 부재 증명 現場不在証明. アリバイ / ~ 취재 現場取材.

***현재**【現在】[hyŏ:njae]〈名〉現在. 句例 ~ 머무르고 있는 곳 現在泊まっている所 / ~의 국제 정세 現在の国際情勢 / 오월 말일 ~의 재고품 五月末日現在の在庫品.

현저-하다【顯著—】[hyŏ:njŏ—] (→하다)〈形〉顕著だ. 著しい. 句例 …의 업적이 ~ …の業績が著しい / 현저한 변화 著しい変化 / 현저한 차이〔진보〕顕著な差異〔進歩〕. **현저히**〈副〉顕著に. 著しく. 句例 현저히 부족하다 著しく不足する.

현-정부【現政府】[hyŏ:n—]〈名〉現政府. 句例 ~의 실권파 現政府の実権派.

현존【現存】[hyŏ:njon]〈名・하自〉現存・現存. 句例 ~하는 인물 現存する人物 / ~하는 문화재 現存する文化財. 文例 그 집단은 ~하는 세력 중에서 가장 강하다 その集団は現存する勢力のうち最も強い.

현-주소【現住所】[hyŏ:n—]〈名〉現住所. 略して'현주(現住)'ともいう.

현지【現地】[hyŏ:nji]〈名〉現地. 句例 ~로 가다 現地に赴く / 노무자를 ~에서 채용하다 労務者を現地で採用する. 語例 ~ 답사 現地踏査 / ~ 입대 現地入隊.

현직【現職】[hyŏ:njik]〈名〉現職. 文例 그의 ~은 교수이다 彼の現職は教授だ. 語例 ~ 경관 現職の警官 / ~ 총리 現職の総理. 對 전직(前職). 類현역(現役).

현찰【現札】[hyŏ:nch'al]〈名〉現金. 現なま. 句例 수표를 ~로 바꾸다 小切手を現金に換える. 語例 ~ 판매 現金販売.

현충-사【顯忠祠】[hyŏ:nch'ungsa]〈名〉顕忠祠. 李舜臣将軍の忠節を追慕するため建てた祠堂.

현충-일【顯忠日】[hyŏ:nch'ung—]〈名〉顕忠日. 国のため命をささげた人人の忠烈をたたえて霊を慰める記念日. 六月六日.

현충-탑【顯忠塔】[hyŏ:nch'ungt'ap]〈名〉顕忠塔. 国のために命をささげた人人の忠烈をたたえて建てた塔.

현판【懸板】[hyŏ:np'an]〈名〉扁額. 絵や文字を刻んで壁や門の上などに掲げる額.

현품【現品】[hyŏ:np'um]〈名〉現品. 現物. 句例 ~을 보고 사다 現品を見てから買う. 文例 ~이 견본보다 못하다 現品が見本より落ちる.

현행【現行】[hyŏ:nhaeng]〈名・하自他〉現行. 語例 ~ 교과서 現行の教科書 / ~ 규정 現行規程 / ~범 現行犯 / ~법 現行法.

현혹【眩惑】[hyŏ:nhok]〈名・하自他〉眩惑. 文例 속임수를 써서 상대를 ~했다 詭計を使って相手を惑わした.

현화-식물【顯花植物】[hyŏ:nhwashingmul]〈名〉〔植〕顕花植物. =종자식물. 꽃식물.

현황【現況】[hyŏ:nhwang]〈名〉現況. 句例 사고의 ~ 보고 事故の現況報告 / 회사 자산의 ~ 会社の資産の現況. 語例 무역 ~ 貿易の現況 / ~ 파악 現況把握.

혈【穴】〈名〉穴. ❶〔民〕(地相で)精気の集

あ(つ)まった所(ところ). ❷〔韓醫〕はり(鍼)をうつべき箇所(かしょ). =경혈(經穴).

혈 〔漢字項目〕

【穴】高校 혈 ケツ. ❶움. 굴 あな. ◧穴居 혈거 けっきょ. ◧虎穴 호혈 こけつ. ❷구덩이 はかあな. ◧墓穴 묘혈 ぼけつ.

【血】中學 혈 ケツ. ❶피 ち. ◧血液 혈액 けつえき. ◧流血 유혈 りゅうけつ. ❷핏줄 血筋(ちすじ). ◧血統 혈통 けっとう. ◧混血 혼혈 こんけつ. ❸세찬 생명력 さかんな生命力(せいめいりょく). ◧血氣 혈기 けっき. ◧熱血 열혈 ねっけつ. ❹피투성이 싸움 血(ち)まみれのたたかい. ◧血戰 혈전 けっせん. 血路 혈로 けつろ.

혈거【穴居】〈名・하自〉穴居(けっきょ). 語例 ~ 생활 穴居生活(せいかつ) / ~ 민족 穴居民族(みんぞく).

혈관【血管】〈名〉血管(けっかん). 句例 ~이 파열하다 血管が破裂(はれつ)する. 語例 ~ 주사 血管注射(ちゅうしゃ) / 모세 ~ 毛細(もうさい)血管.

혈구【血球】〈名〉〔生〕血球(けっきゅう). 語例 백~ 白血球(はっけっきゅう).

혈기【血氣】〈名〉血気(けっき). 句例 ~ 왕성한 청년 血気旺盛(おうせい)な青年(せいねん). 文例 ~에 치우쳐 실수를 범했다 血気にはやって過(あやま)ちを犯(おか)した. 語例 ~방장(方壯)(하다) 血気ざかり(だ).

혈당【血糖】[hyŏlttang]〈名〉〔生〕血糖(けっとう). 語例 ~치 血糖値(ち).

혈로【血路】〈名〉血路(けつろ). 句例 ~를 뚫다 血路を開(ひら)く.

혈루【血淚】〈名〉血涙(けつるい). =피눈물.

혈맥【血脈】〈名〉血脈(けつみゃく). ❶〔生〕血管(けっかん). ❷⇨혈통(血統)

혈변【血便】〈名〉血便(けつべん). =피똥.

혈색【血色】[hyŏlssaek]〈名〉血色(けっしょく). 血(ち)の色(いろ). 血の気(け). 顔色(かおいろ). 句例 ~이 좋다 血色がいい / ~이 좋은 여성 顔色のいい女性(じょせい).

혈서【血書】[hyŏlssŏ]〈名〉血書(けっしょ). 句例 ~를 쓰다 血書をしたためる〔書(か)く〕/ ~로 탄원하다 血書をもって嘆願(たんがん)する.

혈세【血稅】[hyŏlsse]〈名〉血税(けつぜい). 句例 국민의 ~ 国民(こくみん)の血税.

혈안【血眼】[hyŏran]〈名〉血眼(ちまなこ). 句例 ~이 되어 범인을 찾다 血眼になって犯人(はんにん)をさがす / 기업 확장에 ~이 되다 企業(きぎょう)の拡張(かくちょう)に血眼になる.

혈압【血壓】[hyŏrap]〈名〉血圧(けつあつ). 句例 ~이 높다 血圧が高(たか)い / ~이 오르다 (興奮(こうふん)して)血(ち)がのぼる. 逆上(ぎゃくじょう)する. 語例 ~계 血圧計(けい).

*__혈액__【血液】[hyŏraek]〈名〉血液(けつえき). =피. 語例 ~ 검사 血液検査(けんさ) / ~ 순환 血液循環(じゅんかん) / ~ 응고 血液凝固(ぎょうこ).

혈액-원【血液院】[hyŏraegwon]〈名〉血液(けつえき)センター.

혈액 은행【血液銀行】[hyŏraegŭnhaeng]〈名〉'혈액원(血液院)'の通称(つうしょう): 血液銀行(けつえきぎんこう).

혈액-형【血液型】[hyŏraek'yŏng]〈名〉〔生〕血液型(けつえきがた). 句例 ~을 검사하다 血液型を検査(けんさ)する.

혈연【血緣】[hyŏryŏn]〈名〉血縁(けつえん). 血族(けつぞく). 語例 ~ 관계(에 있다) 血縁関係(かんけい)(にある) / ~ 단체 血縁団体(だんたい) / ~ 사회 血縁社会(しゃかい).

혈육【血肉】[hyŏryuk]〈名〉血肉(けつにく). 血筋(ちすじ). 骨肉(こつにく). 文例 이 아이는 하나밖에 없는 ~이다 この子(こ)はただ一人(ひとり)の血肉(けつにく)である. 語例 ~지간(之間) 血肉の間柄(あいだがら).

혈장【血漿】[hyŏltchang]〈名〉〔生〕血漿(けっしょう).

혈전【血栓】[hyŏltchŏn]〈名〉〔生〕血栓(けっせん). 語例 뇌~ 脳(のう)血栓.

혈전【血戰】[hyŏltchŏn]〈名・하自〉血戦(けっせん). 句例 ~이 벌어지다 血戦が繰(く)り広(ひろ)げられる. 類혈투(血鬪).

혈족【血族】[hyŏltchok]〈名〉血族(けつぞく). 血縁(けつえん). 血筋(ちすじ). 句例 ~ 관계에 있는 사람 血族関係(かんけい)にある人(ひと) / ~끼리의 싸움 血族どうしの争(あらそ)い. 語例 ~친 血族親(しん).

혈청【血淸】〈名〉〔醫〕血清(けっせい). 語例 ~ 반응 血清反応(はんのう) / ~ 요법 血清療法(りょうほう).

혈침【血沈】〈名〉〔醫〕['적혈구 침강 속도(赤血球沈降速度)'の略] 血沈(けっちん).

혈통【血統】〈名〉血統(けっとう). 血筋(ちすじ). 句例 ~이 좋은 가문 血筋のいい家柄(いえがら) / ~을 이어 받다 血筋をひく. 文例 ~은 속일 수 없다 血筋は争(あらそ)えない. 語例 ~서 血統書(しょ).

혈투【血鬪】〈名・하自〉血闘(けっとう). 句例 운명을 건 ~ 運命(うんめい)をかけた血(ち)みどろの戦(たたか)い. 類혈전(血戰).

혈행【血行】〈名〉〔生〕血行(けっこう). 血(ち)の巡(めぐ)り. 句例 ~이 좋다 血行がいい.

혈흔【血痕】〈名〉血痕(けっこん). =핏자국. 句例 사고 현장에 남은 ~ 事故(じこ)の現場(げんば)に残(のこ)った血痕.

혐오【嫌惡】[hyŏmo]〈名・하他〉嫌悪(けんお). 句例 ~의 대상 嫌悪の対象(たいしょう) / 악한을 ~하다 悪漢(あっかん)を嫌悪する. 語例 ~감 嫌悪感(かん).

혐의【嫌疑】[hyŏmŭi]〈名・하自他〉❶疑(うたが)い嫌(きら)うこと. ❷嫌疑(けんぎ). 疑(うたが)い. 容疑(ようぎ). 句例 ~가 걸리다 嫌疑がかかる / ~가 풀리다 嫌疑〔疑い〕が晴(は)れる / ~를 받다 嫌疑をかけられる. 文例 타살(의) ~가 짙다 他殺(たさつ)の疑いが濃(こ)い. **~스럽다** (→스럽다)〈形〉疑(うたが)わしい.

혐의-쩍다【嫌疑—】[hyŏmŭi—]〈形〉⇨혐의스럽다

협 〔漢字項目〕

【協】中學 협 キョウ. 협력하다 力(ちから)をあわせる. ◧協力 협력 きょうりょく. ◧妥協 타협 だきょう.

【脅】高校 협 キョウ. 위협하다 おどす. ◧脅迫 협박 きょうはく. 脅喝 협갈 きょうかつ.

협궤【狹軌】〈名〉狭軌(きょうき). 語例 ~ 철도 狭軌鉄道(てつどう). 對광궤(廣軌).

협곡【峽谷】〈名〉峡谷(きょうこく). 句例 적군을 ~에 몰아넣다 敵軍(てきぐん)を峡谷に追(お)い込(こ)む.

협공【挾攻】〈名・하他〉挟攻(きょうこう). 挟(はさ)み撃(う)ち. 挟撃(きょうげき). 句例 ~을 당하다 挟み撃ちにされる.

*__협동__【協同】〈名・하自〉協同(きょうどう). 句例 ~으로 연구하다 協同で研究(けんきゅう)する. 語例 ~ 기업 協同企業(きぎょう) / ~ 구매 協同購買(こうばい) / ~심 協同心(しん) / ~ 생활 協同生活(せいかつ) / ~ 작전 協同作戦(さくせん) / ~체 協同体(たい).

협동 조합【協同組合】〈名〉協同組合(きょうどうくみあい). 語例 농업 ~ 農業(のうぎょう)協同組合.

*협력【協力】[hyŏmnyŏk]〈名・하自〉協力. 句例 ～을 받다 協力を得る / ～을 아끼지 않다 協力を惜しまない / 서로가 ～하다 お互いに協力し合う. 語例 ～자 協力者 / ～ 체제 協力体制.

협만【峽灣】[hyŏmman]〈名〉〈他〉峡湾. ＝피오르드(fjord).

협박【脅迫】〈名・하他〉脅迫. 脅かし. 句例 ～을 받다 脅迫される. 文例 아무리 ～해도 꿈쩍도 하지 않는다 いくら脅かしてもびくともしない. 語例 ～장 脅迫状 / ～죄 脅迫罪.

협상【協商】〈名・하他〉協議. 話し合い. 協商. 協定. 句例 한중 양국간의 ～ 韓中両国間の協商. 語例 삼국 ～ 三国協商 / ～ 문제 協商問題.

협소-하다【狹小―】(→하다)〈形〉狭小である. 狭くて小さい. 句例 장소가 ～ 場所が狭苦しい / 협소한 농장 狭小な農場.

협약【協約】[hyŏbyak]〈名・하他〉[‘협상 조약(協商條約)’の略] 協約. 句例 ～을 맺다 協約を結ぶ. 語例 노동 ～ 労働協約 / 단체 ～ 団体協約 / 신사 ～ 紳士協約. 類 협정(協定).

협업【協業】[hyŏbŏp]〈名・하自〉〔經〕協業.

협의【協議】[hyŏbŭi]〈名・하他〉協議. 打ち合わせ. 句例 대책을 ～하다 対策を協議する / ～해서 결정하다 協議して決定する. 語例 ～안 協議案 / ～회 協議会.

협잡【挾雜】〈名・하他〉ごまかすこと. 詐欺. いかさま. いんちき. 文例 이 승부는 ～이다 この勝負はいんちきだ. 語例 ～꾼 いんちき屋. 詐欺師. ぺてん師.

협잡-질【挾雜―】〈名・하自〉詐欺. いかさま. 句例 ～을 일삼다 いつも詐欺を働く.

협정【協定】〈名・하他〉協定. 句例 가격을 ～하다 価格を協定する / 항공 ～을 맺다 航空協定を結ぶ / ～을 파기하다 協定を破る / ～이 이루어지다 協定が成立する. 語例 ～ 가격 協定価格 / 평화 ～ 平和協定 / 어업 ～ 漁業協定 / 잠정 ～ 暫定協定.

협조【協助】〈名・하自他〉力を合わせて互いに助け合うこと. 助け合い. 句例 ～하는 마음 助け合う心 / 서로 ～하도록 하다 互いに助け合うようにする.

협조【協調】〈名・하自他〉協調. 句例 ～적인 태도 協調的な態度. 文例 노사간에는 무엇보다도 ～가 필요하다 労使の間には, 何よりも協調が必要である. 語例 ～ 체제 協調体制 / ～적 協調的.

협주-곡【協奏曲】〈名〉〔樂〕協奏曲. ＝콘체르토. 語例 바이올린〔피아노〕～ バイオリン〔ピアノ〕協奏曲.

협착【狹窄】〈名・하形〉狭窄. 語例 유문 ～ 幽門狭窄.

협찬【協贊】〈名・하他〉協賛. 句例 ～을 얻다 協賛を得る. 文例 행사에 신문사가 ～하였다 行事に新聞社が協賛した.

협회【協會】[hyŏp'oe]〈名〉協会. 句例 ～에 가입하다 協会に加入する. 語例 야구 ～ 野球協会 / 공업 기술 ～ 工業技術協会.

혓-바늘〈名〉〔韓醫〕舌苔.

혓-바닥〈名〉❶舌の表面. 舌の上部. ❷‘혀’の俗っぽい言いかた.

혓-소리〈名〉〔言〕舌音. ‘ㄱ・ㄷ・ㄸ・ㅌ’などの音.

**형【兄】〈名〉❶兄. お兄さん. 語例 큰～ 長兄 / 사촌～ いとこ(従兄). ❷同年輩やよそよそしい間柄の年下の人に対する敬称. 語例 김～ 金兄貴 / 박～ 朴兄貴.

형【刑】〈名〉〔法〕‘형벌(刑罰)’の略: 刑. 句例 1년 ～을 선고하다 一年の刑を宣告する / 3년 ～에 처하다 三年の刑に処する / ～을 감면하다 刑を減免する.

*형【形】━〈名〉‘형상(形狀)’の略: 形・かた. 句例 ～을 고치다 形を直す / ～이 나쁘다 形が悪い / 초승달 ～ 三日月形.
━〈尾〉…形. 語例 삼각～ 三角形 / 종지～ 終止形 / 활용～ 活用形 / 기본～ 基本形 / 타원～ 楕円形.

형【型】〈尾〉…型・けい. …タイプ. 句例 혈액～은 A～ 血液型はA型. 語例 최신～ 最新型 / 비만～ 肥満型 / 학자～ 学者タイプ / 유선～ 流線型.

형 〔漢字項目〕

【亨】高校 형 コウ. キョウ. 형통하다 さしさわりなく行なわれる. ▮亨通 형통 こうつう.

【兄】中學 형 ケイ. キョウ. ❶형 あに. ▮兄弟 형제 きょうだい. ▮長兄 장형 ちょうけい. ❷친우간의 경칭 同輩に対する敬称. ▮學兄 학형 がっけい.

【刑】中學 형 ケイ. ❶벌주다 罰する. ▮刑法 형법 けいほう. ▮體刑 체형 たいけい. ❷본보기 手本. ▮儀刑 의형 ぎけい.

【形】中學 형 ケイ. ギョウ. ❶형상 かたち. ▮形態 형태 けいたい. ▮人形 인형 にんぎょう. ❷꼴을 이루다 かたちづくる. ▮形成 형성 けいせい. 形容 형용 けいよう.

【螢(蛍)】高校 형 ケイ. 개똥벌레 ほたる. ▮螢雪 형설 けいせつ. 螢光燈 형광등 けいこうとう.

형광【螢光】〈名〉蛍光. 語例 ～ 도료 蛍光塗料 / ～ 물질 蛍光物質 / ～ 염료 蛍光染料 / ～판 蛍光板.

**형광-등【螢光燈】〈名〉蛍光灯.

형극【荊棘】〈名〉荊棘. ❶いばら. ＝가시. ❷困難. 句例 ～의 길 荊棘の道.

형기【刑期】〈名〉刑期. 句例 3년 ～를 마치다 三年の刑期を終える / ～를 마치고 출감하다 刑期を終えて出所する.

*형-님【兄―】〈名〉❶‘형 兄’の尊敬語: お兄さん. ❷夫の兄嫁や姉に対する呼称: お姉さん. ❸妻の兄に対する呼称: お兄さん.

형무-소【刑務所】〈名〉‘교도소(矯導所) 刑務所’の旧称.

형벌【刑罰】〈名・하他〉〔法〕刑罰. 句例 ～을 받다 刑罰を受ける. 語例 ～권 刑罰権.

형법【刑法】[hyŏngppŏp]〈名〉〔法〕刑法. 句例 ～에 따라 처벌하다 刑法に従って罰する.

형부【兄夫】〈名〉(妹から見て)姉の夫. 義兄.

ㅎ

형사【刑事】〈名〉刑事. ❶〔法〕刑法が適用される事件. [語例] ～ 사건 刑事事件 / ～ 처분 刑事処分. ❷犯罪の捜査などをする警官. [句例] ～가 잠복하다 刑事が張りこむ / 수사를 담당한 ～ 捜査を受け持った刑事. [語例] 사복 ～ 私服刑事 / ～범 刑事犯 / 민완 ～ 敏腕刑事.

형상【形狀・形相】〈名〉形状. 形相. [句例] 무서운 ～ 恐ろしい形相 / 여러 가지 ～ いろいろな形状.

형상【形象】〈名・하他〉形象. [語例] ～ 예술 形象芸術.

형설【螢雪】〈名〉蛍雪. [句例] ～의 공을 쌓다 蛍雪の功を積む.

형성【形成】〈名・하自他〉形成. [句例] 세력권을 ～하다 勢力圏を形成する / 인격이 ～되다 人格が形成される. [語例] ～기 形成期.

형세【形勢】〈名〉❶暮らし向き. 生活状態. [句例] 넉넉한 ～ ゆとりのある暮らし向き. ❷形勢. 情勢. なりゆき. 旗色. [句例] ～가 역전되다 形勢が逆転する. ❸(風水説で)山の形と地勢.

형수【兄嫂】〈名〉兄嫁. 義姉.

***형식**【形式】〈名〉形式. [句例] ～과 내용을 갖추다 形式と内容を備える / ～에 치우치다〔흐르다〕 形式に偏る〔流れる〕 / ～에 중점을 두다 形式に重きをおく. [語例] ～미 形式美 / ～화 形式化. (對)실질(實質). 내용(內容).

형식 명사 [hyŏngshingmyŏngsa]〈名〉〔言〕'의존명사(依存名詞)'の旧称.

***형식-적**【形式的】〈名・冠〉 形式的. [句例] ～인 인사 形式的なあいさつ. (對)실질적(實質的).

형언【形言】〈名・하他〉 名状. 言い表わすこと. [句例] 말로 ～할 수 없는 광경 口で言い表わせない光景 / 이루 ～할 수 없는 참상 とうてい名状しがたい惨状.

형용【形容】〈名・하他〉 形容. [句例] 교묘하게 ～하다 巧みに形容する / ～할 수 없는 상태 形容のできない状態. [語例] ～구 形容句.

형용-사【形容詞】〈名〉〔言〕形容詞. ＝그림씨. [語例] 불규칙 ～ 不規則活用の形容詞.

형이-상【形而上】〈名〉〔哲〕形而上. [語例] ～학 形而上学. (對)형이하(形而下).

형이-하【形而下】〈名〉〔哲〕形而下. [語例] ～학 形而下学. (對)형이상(形而上).

형장【刑場】〈名〉刑場. [句例] ～으로 끌려가다 刑場に引っ張られる.

형장의 이슬로 사라지다 刑場の露と消える.

형적【形迹】〈名〉形跡. 跡形. [句例] ～도 없이 사라지다 跡形もなく消える / ～을 남기지 않다 形跡を残さない.

***형제**【兄弟】〈名〉❶兄弟. [句例] 사이 좋은 ～ なかのよい兄弟. [文例] 아들 ～와 딸 ～를 두었습니다 息子が二人と娘が二人おります. [語例] 이복〔배다른〕 ～ 腹違いの兄弟 / ～ 자매 兄弟姉妹. ❷⇨ 동기(同氣)

형지【型紙】〈名〉型紙. [句例] ～를 뜨다 型紙をとる. [illegible]본.

형체【形體】〈名〉形体. 形. 姿. [句例] ～없는 괴한 姿無き怪漢. [文例] 이미 도망쳐서 ～도 그림자도 안 보인다 すでに逃げ去って形も影も見えない.

***형태**【形態】〈名〉形態. 形. [句例] ～를 바꾸다 形態を変える / ～에 따라 분류하다 形態によって分類する / 협의체의 ～를 취하다 協議体の形態をとる. [語例] 정치 ～ 政治形態 / 국가 ～ 国家の形態.

형통【亨通】〈名・하自〉亨通. すべて思い通りにうまくいくこと. [語例] 만사 ～ 万事うまくいく.

형-틀【刑―】〈名〉刑具. [句例] ～에 묶다 刑具にしばりつける.

형-틀【型―】〈名〉型. 型わく.

***형편**【形便】〈名〉❶(事の)成り行き. ありさま. 状況. 具合. ＝경로(經路). 결과(結果). [句例] ～을 지켜보다 成り行きを見守る / ～에 따르다 成り行きに従う.
❷暮らし向き. [文例] 집안 ～이 좋아졌다 家の暮らし向きがよくなった.
❸事情. 状態. 都合. 具合. [文例] 가정 ～이 좋아졌다 家庭の事情がよくなった.

형편-없다【形便―】[hyŏngp'yŏnŏpta]〈形〉❶(成り行き・結果などが)思わしくない. よくない. [句例] 수금 상태가 ～ 集金の状態が思わしくない. ❷(外見や内容が)取るに足りない. つまらない. みすぼらしい. [句例] 형편없는 영화 つまらない映画 / 형편없는 물건 みすぼらしい品物. **형편없이** [hyŏng-p'yŏnŏpshi]〈副〉❶非常に. 大変. ひどく. [文例] 어머니 병세는 형편없이 나빠졌다 母の病状はひどく悪化した. ❷どうしようもなく. めちゃくちゃに. さんざんに. [文例] 그는 첫 시합에서 형편없이 졌다 彼は最初の試合でさんざんに負けた.

형평【衡平】〈名〉❶衡平. 平衡. [句例] ～을 유지하다 衡平を保つ. ❷⇨ 수평(水平)

형형-색색【形形色色】〈名〉色とりどり. さまざま. [句例] ～의 옷차림 色とりどりの服装 / 장내를 ～으로 장식하다 場内を色とりどりに飾る.

형형-하다【炯炯―】[hyŏ:nghyŏng―] (→하다)〈形〉炯炯としている. ぴかぴかと光っている. [句例] 형형한 눈빛 炯炯たる眼光

혜 〔漢字項目〕

【兮】[高校] 혜 ケイ. 어구 사이에 넣거나 어미에 붙여 어기가 일단 그쳤다가 음조가 다시 올라가는 것을 나타내는 조사《주로 시부(詩賦)에 쓰임》. 語句の間に挟まれるか語尾について, 語気がいったん止まって再び音調が上がることを示す助辞.

【惠(恵)】[中學] 혜 ケイ. エ. ❶은혜 めぐみ. 자비 いつくしみ. ◧惠顧 혜고 けいこ. 惠贈 혜증 けいぞう. 惠澤 혜택 けいたく. ◨仁惠 인혜 じんけい. 慈惠 자혜 じけい. ❷슬기롭다 かしこい.

【慧】[高校] 혜 ケイ. エ. ❶슬기롭다 かしこい. ◧慧敏 혜민 けいびん. 慧眼 혜안 けいがん. えげん. 慧悟 혜오 けいご. ❷슬기 ちえ. ◨智慧 지혜 ちえ(知恵).

혜성【彗星】[hye:sŏng]〈名〉〔天〕彗星. ほうき星. [句例] ～처럼 나타난 신예 작가 彗星のごと

く現れた新鋭作家. 語例 헬리 ~ ハレー彗星.

***혜택**【惠澤】[hye:t'aek]〈名〉恵沢. 恵み. 恩恵. 句例 문명의 ~ 文明の恵沢〔恵み〕/ ~받은 환경 恵まれた環境 / 자연의 ~을 누리다〔받다〕 自然の恵みを受ける / 조상의 ~을 입다 祖先の恩恵を被る.

호【戶】[ho:] ㊀〈名〉戸籍上の家. 戸. ㊁〈依名〉家数を数える語: 戸. 文例 약 100여 ~ 된다 約100余戸ある. 語例 일만 ~ 一万戸.

***호**【弧】〈名〉〈數〉弧. 句例 ~에 접선을 긋다 弧に接線を引く / 둥글게 ~를 그리다 山なりに弧を描く.

호【號】[ho:] ㊀〈名〉号. 本名や字のほかに使う雅名. =아호(雅號). 句例 ~를 붙이다 号をつける.

㊁〈依名〉号. ❶順序を表わす語. 句例 ~를 거듭하다 号をかさねる. 文例 다음 ~에는 별책 부록이 나온답니다 次の号には別冊付録がつくそうです. 語例 제3~ 第三号 / 5월~ 5月号 / 5~ 활자 五号活字 / 100~ 그림 100号の絵. ❷航空機や列車・船など乗り物の名前につける語. 語例 통일~ 統一号《列車の名》/ 아폴로 11~ アポロ11号 / 금강~ 金剛丸《船名》.

호 〔漢字項目〕

【乎】中學 호 コ. ❶그런가 そうか. 영탄・의문의 반어 詠嘆・疑問の反語. か. かな. ❷어조사 助辞. 語勢を強める語. ◨斷乎 단호 だんこ. 確乎 확호 かっこ.

【互】高校 호 ゴ. ❶서로 互いに. ◧互角 호각 ごかく. 互選 호선 ごせん. ◨相互 상호 そうご. ❷번갈아 かわるがわる. ◧互換 호환 ごかん. 互先 호선 ごせん. ◨交互 교호 こうご. ❸어긋매끼다 筋交う. ◧互生 호생 ごせい.

【呼】中學 호 コ. ❶숨을 내쉬다 息をはく. ◧呼氣 호기 こき. 呼吸 호흡 こきゅう. ❷부르다 よぶ. ◧呼應 호응 こおう. 呼稱 호칭 こしょう. ◨點呼 점호 てんこ. ❸외치다 さけぶ. ◨叫呼 규호 きゅうこ. 連呼 연호 れんこ. 歡呼 환호 かんこ.

【好】中學 호 コウ. ❶좋아하다 好む. ◧好奇 호기 こうき. 好事 호사 こうじ. ◨同好 동호 どうこう. 愛好 애호 あいこう. ❷좋다 よろしい. ◧好感 호감 こうかん. 好機 호기 こうき. 好男 호남 こうだん. 好評 호평 こうひょう. ◨選好 선호 せんこう. ❸친분 よしみ. ◧好誼 호의 こうぎ.

【戶(戸)】中學 호 コ. ❶지게문 とびら. ◧戶外 호외 こがい. ◨門戶 문호 もんこ. ❷집 いえ. 방 へや. ◧戶口 호구 ここう. 戶數 호수 こすう. 戶主 호주 こしゅ. 戶籍 호적 こせき.

【浩(浩)】高校 호 コウ. 넓다 広い. ❶물이 넓게 흐르는 모양 水が広く流れるさま. ◧浩然 호연 こうぜん. 浩浩滔天 호호도천 こうこうとうてん. ❷광대하다 広広としている. ◧浩汗 호한 こうかん. 浩蕩 호탕 こうとう.

【湖】中學 호 コ. ❶호수 みずうみ. ◧湖畔 호반 こはん. 湖上 호상 こじょう. 湖水 호수 こすい. ◨火口湖 화구호 かこうこ. ❷중국 동정호의 별칭 中国洞庭湖の別称. ◨湖南 호남 こなん. 湖北 호북 こほく.

【毫】高校 호 ゴウ. ❶잔털 細かい毛. ◧毫端 호단 ごうたん. 毫毛 호모 ごうもう. ❷붓 筆. ◨揮毫 휘호 きごう. ❸분량의 단위 量の単位. 1리의 10분의 1 一釐の十分の一.

【虎(虎)】中學 호 コ. 호랑이 とら. ◧虎口 호구 ここう. 虎威 호위 こい. 虎穴 호혈 こけつ. ◨猛虎 맹호 もうこ. 騎虎 기호 きこ. 龍虎 용호 りゅうこ. りょうこ.

【號(号)】中學 호 ゴウ. ❶부르짖다 さけぶ. 큰소리로 울다 大声で泣く. ◧號令 호령 ごうれい. 號泣 호읍 ごうきゅう. ◨呼號 호호 こごう. ❷신호 あいず. 기호 しるし. ◨記號 기호 きごう. 信號 신호 しんごう. 暗號 암호 あんごう. ❸부르는 이름 よびな. ◨國號 국호 こくごう. 雅號 아호 がごう. ❹순위를 나타내는 말 順位を表わす語. ◨第一號 제일호 だいいちごう. 三號室 삼호실 さんごうしつ.

【胡】高校 호 コ. ❶오랑캐 えびす. ◧胡笳 호가 こか. 胡弓 호궁 こきゅう. 胡馬 호마 こば. 胡人 호인 こじん.

【護】高校 호 ゴ. ❶지키다 まもる. ◧護衛 호위 ごえい. ◨警護 경호 けいご. 保護 보호 ほご. 守護 수호 しゅご. ❷돕는다 たすける. ◨看護 간호 かんご. 掩護 엄호 えんご. 擁護 옹호 ようご.

【豪】高校 호 ゴウ. ❶뛰어나다 ひいでる. 굳세다 つよい. ◧豪傑 호걸 ごうけつ. 豪族 호족 ごうぞく. ◨文豪 문호 ぶんごう. 富豪 부호 ふごう. ❷야수의 이름 野獣のなまえ. ◧豪豬 호저 ごうちょ.

호가【呼價】[hokka]〈名〉❶言い値. **~하다**〈他〉値をつける. 句例 ~대로 사다 言い値で買う / 10만 달러를 ~하는 다이아 반지 10万ドルの値がついたダイヤの指輪. ❷〔經〕呼び値.

호-가호위【狐假虎威】[hogaho:wi]〈名〉虎の威を借るきつね. 他人の権勢を借りて威勢を振るうことのたとえ.

호각【互角】[ho:gak]〈名〉互角. 句例 ~의 승부 互角の勝負 / ~으로 싸우다 互角にたたかう〔渡り合う〕. 文例 두 사람의 실력은 ~이다 二人の実力は互角だ. 語例 ~지세 互角の勢い. 類 백중(伯仲).

****호각**【號角】〈名〉呼び子. 呼ぶ子. 句例 ~을 불다 呼び子を鳴らす. 類 호루라기.

호감【好感】[ho:gam]〈名〉['호감정(好感情)'の略] 好感. 句例 ~을 갖다〔품다〕 好感をいだく / ~을 주다 好感を与える / 남에게 ~을 주는 얼굴 人好きのする顔 / ~이 가는 인물〔얼굴〕 好感がもてる人物〔顔〕.

호강〈名・하自〉なに不自由なく豪奢に暮らすこと. ぜいたくに暮らすこと. おごり. 句例 부모 덕에 ~을 하다 親のおかげでぜいたくな暮らしをする. **~스럽다**(→스럽다)〈形〉ぜいたく

ㅎ

だ. 句例 호강스럽게 자라다 なに不自由なくぜいたくに育つ. ～스레〈副〉ぜいたくに.

호걸【豪傑】〈名〉豪傑. 句例 천하〔당대〕의 ～ 天下〔当代〕の豪傑 / ～풍(風)의 사나이 豪傑肌の男. 語例 ～ 웃음 豪傑笑い / 영웅 ～ 英雄豪傑.

호격 조사【呼格助詞】[hokkyŏkcho:sa]〈名〉〔言〕呼格助詞. ‘격조사(格助詞)’の一つ. 呼びかけに用いる助詞. ‘길동아 キルトンよ’の‘아’, ‘순이야 スニよ’の‘야’など.

호-경기【好景氣】[ho:—]〈名〉好景気. 好況. 句例 작금의 ～ 昨今の好況. 文例 대단한 ～다 大変な景気だ. 對불경기(不景氣).

호구【戶口】[ho:gu]〈名〉戸口. 戸数と人口. 語例 ～ 조사 戸口調査.

호구【虎口】[ho:gu]〈名〉❶虎口. 句例 ～를 벗어나다 虎口を脱する〔のがれる〕. ❷(囲碁で)三方が囲まれている状態.

호구지-책【糊口之策】〈名〉 糊口の道〔策〕. ＝호구지계(糊口之計). 略して‘호구책(策)’ともいう. 句例 아르바이트를 해서 ～을 해결하다 アルバイトをして糊口をしのぐ. 文例 당장의 ～도 어렵다 当座の口しのぎにも困る.

호국【護國】[ho:guk]〈名・하自〉護国. 句例 ～의 영령 護国の英霊. 語例 ～ 정신 護国精神.

호기【好機】[ho:gi]〈名〉好機. チャンス. 句例 ～를 놓치다 好機を逃す〔逸する〕/ ～를 잡다 好機をとらえる / 천재일우의 ～ 千載一遇の好機. 語例 ～ 도래 好機到来 / 물실(勿失) ～ 好機逸すべからず.

호기-심【好奇心】[ho:gi—]〈名〉 好奇心. 句例 ～이 강한 아이 好奇心の強い子 / ～을 돋우다〔만족시키다〕 好奇心をそそる〔満足させる〕/ ～에 끌리다 好奇心に駆られる.

호-기회【好機會】[ho:—]〈名〉好機会. 好機.

*__호남__【湖南】〈名〉〔地〕湖南. 全羅南・北道地域の呼称.

호농【豪農】〈名〉豪農. ＝대농(大農). 句例 마을의 ～ 村の豪農. 對빈농(貧農).

호다 [ho:da]〈他〉刺し縫いする. 句例 걸레를 누비어 ～ 雑巾を刺し子に縫う.

호도【糊塗】〈名・하他〉糊塗. ごまかすこと. 句例 진실을 ～하다 真実をごまかす / 일시적으로 그 자리를 ～하다 一時その場を糊塗する. 文例 잘못을 ～하는 데만 급급하다 過ちを糊塗するのに汲汲としている.

호되다〈形〉ひどい. 手厳しい. 手ひどい. 句例 호된 비판 手厳しい〔手ひどい〕批判 / 호된 추위 きびしい寒さ / 호되게 꾸짖다 手ひどくしかる. びしびし(と)しかる / 호되게 경치다 こっぴどい目に会う. 散散な目に会う.

**__호두__【胡—】〈名〉[もとの語形は‘호도(胡桃)’] くるみ(胡桃). 句例 ～를 까다 くるみを割る.

호들갑〈名〉軽はずみにふるまうしぐさ. **～스럽다** (→스럽다)〈形〉軽はずみだ. 大げさだ. 句例 ～스러운 몸짓 おおぎょうなしぐさ.

호들갑(을) 떨다 むやみにそそっかしく〔大げさに〕ふるまう.

호-떡【胡—】〈名〉焼いた中国式のパン.

호떡집에 불난 것 같다 中国人のパン屋に火がついたよう. ひどく騒騒しいことのたとえ.

호락-호락 [horak'orak]〈副〉❶おいそれと. むざむざ(と). やすやす(と). たやすく. まんまと. ＝쉽사리. 句例 ～ 넘어가다 むざむざ(と)ひっかかる. 文例 네 감언 이설에 ～ 넘어갈 내가 아니다 おまえの口車にまんまと乗せられるようなおれじゃない. ❷(性格が)くみしやすく能力のないさま. **～하다**〈形〉くみしやすい. あまい.

호란【胡亂】〈名〉 ❶胡人〔清軍〕による兵乱. ❷〔史〕‘병자호란(丙子胡亂)’の略.

호랑-나비【虎狼—】[ho:rang—]〈名〉〔蟲〕あげはちょう. ＝범나비.

**__호랑-이__【虎狼—】[ho:rang—]〈名〉❶〔動〕とら(虎). ＝범. 句例 ～를 맨손으로 잡다 とらを手捕りにする. 語例 종이 ～ 張り子のとら. ❷非常にこわい人のたとえ. 語例 ～ 선생님 (とらのように)恐ろしい先生.

호랑이굴에 가야 호랑이 새끼를 잡는다 虎穴に入らずんば虎児を得ず.

호랑이는 죽어서 가죽을 남기고, 사람은 죽어서 이름을 남긴다 とらは死して皮を残し, 人は死して名を残す.

호랑이 담배 먹던 시절 とらがタバコを吸っていた時分. 大昔のたとえ. ＝호랑이 담배 먹을 적.

호랑이도 제 말 하면 온다 うわさをすれば影(がさす).

호령【號令】[ho:ryŏng]〈名・하他〉 ❶号令. 句例 천하를 ～하다 天下に号令する. ❷大声でどなりつけること. 句例 불～이 떨어지다 容赦なく大声でどなりつける.

호롱〈名〉石油灯の油つぼ. 語例 ⇨ 호롱불

호롱-불 [—ppul]〈名〉(‘호롱’に付けた)ともしび. 灯火. 類등잔불.

**__호루라기__〈名〉呼び子. 呼ぶ子. ホイッスル.

호르몬〈名〉〔生〕ホルモン. 語例 ～제〔藥〕ホルモン剤 / 성장 ～ 成長ホルモン. ◇hormone

호른〈名〉〔樂〕ホルン. ◇도 Horn

호리다〈他〉❶誘惑する. 魅惑する. 句例 달콤한 말로 여자를 ～ 甘い言葉で女を惑わす〔誘惑する〕. ❷だます. たぶらかす. 惑わす. 句例 친구를 호려서 돈을 내놓게 하다 友だちをたぶらかして金を出させる.

호리-병【葫—甁】〈名〉[もとの語形は‘호로병(‘葫蘆甁’)’] (容器としての)ひょうたん. ひさご. 絵

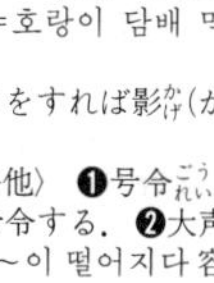
〈호리병〉

호리병-박【葫—甁—】〈名〉〔植〕ひょうたん(瓢簞). ひさご.

호리호리-하다 (→하다)〈形〉(背丈が)すらっとしている. すんなりしている. ほっそりしている. 句例 호리호리한 키 すらっとした背丈 / 호리호리한 미인〔몸매〕 ほっそりとした美人〔からだつき〕.

表現 語感の大きい語は‘후리후리하다’.

호명【呼名】〈名・하自〉名を呼ぶこと. 句例 출석자를 ～하다 出席者の名を呼び上げる.

호모 사피엔스〈名〉ホモサピエンス. ◇라 Homo

ㅎ

sapiens

호미〈名〉〔農〕草取り用のてくわ(手鍬). 絵

〈호미〉

호미로 막을 것을 가래로 막는다 てくわで取り除くべきものをすき(鋤)で取り除く. 今日の一針明日の十針の意.

호-밀【胡—】〈名〉〔植〕ライ麦. ＝라이(rye) 보리. 語例 ~빵 黒パン.

⁑**호박** [ho:bak]〈名〉❶〔植〕カボチャ(南瓜). ❷醜い女をあざける語: ぶす. おかめ. 句例 ~ 같은 여자 カボチャに目鼻. 不器量な女.

호박이 넝쿨째로 굴러 떨어졌다 カボチャがつるごとに転がり込む. 棚からぼたもちの意. '호박이 굴렀다' '호박이 떨어졌다'ともいう.

호박【琥珀】[ho:bak]〈名〉〔鑛〕琥珀. 語例 ~ 단추 琥珀のボタン / ~색 琥珀色.

⁑**호박-꽃** [ho:bak—]〈名〉❶〔植〕カボチャの花. ❷不器量な女. ぶす. お多福.

호박꽃도 꽃이냐 カボチャの花も花か. ぶすも女と言えるのか.

호박-씨 [ho:bak—]〈名〉カボチャの種.

호박씨 까서 한입에 털어 넣는다 カボチャの種をむいて一口にほおり込む. 倹約して少しずつ蓄えたものを一度に使い果たすことのたとえ.

호반【湖畔】〈名〉湖畔. 湖のほとり. 句例 ~의 별장 湖畔の別荘 / ~의 여관 湖畔の宿.

호방-하다【豪放—】(→하다)〈形〉豪放だ. 句例 호방한 성격〔필치〕豪放な性格〔筆致〕/ 호방한 거동 豪放の挙動.

호-배추【胡—】〈名〉❶中国種の白菜. ❷キャベツ.

호별【戸別】[ho:byŏl]〈名〉戸別. 家ごと. 語例 ~ 방문 戸別訪問 / ~ 할당 戸別割り(当て).

호-불호【好不好】[ho:—]〈名〉好き不好き. 好き嫌い. ＝호부(好否). 文例 누구에게나 ~는 있다 だれにも好き嫌いはある.

호사【豪奢】〈名〉豪奢. **~하다**〈自他〉ぜいたくをする. 語例 ~바치 おしゃれな人. おめかし屋. **~스럽다**(→스럽다)〈形〉豪奢だ. 句例 ~스런 생활〔옷차림〕豪奢な生活〔装い〕. **~스레**〈副〉豪奢に.

호사-가【好事家】[ho:sa—]〈名〉好事家. 物好きな人.

호사-다마【好事多魔】[ho:sa—]〈名・하形〉好事魔多し. よいことにはとかく邪魔がはいりやすい.

호서【湖西】〈名〉〔地〕忠清南北道の称.

호선【互先】[ho:sŏn]〈名〉(囲碁で)互い先. ＝맞바둑. 句例 ~으로 두다 互い先で打つ. 對 정선(定先).

호선【互選】[ho:sŏn]〈名・하他〉互選. 文例 위원장은 위원회에서 ~한다 委員長は委員会で互選する.

호소【呼訴】〈名〉訴え. **~하다**〈他〉訴える. 呼び掛ける. 句例 고통을 ~하다 苦痛を訴える / 이성〔여론〕에 ~하다 理性〔世論〕に訴える / 완력〔무력〕에 ~하다 腕力〔武力〕に訴える / 결속을 ~하다 結束を呼びかける / 전국의 농민에게 ~하다 全国の農民に呼びかける. 文例 이 심정을 ~할 데가 없다 この心情を訴える場がない.

호송【護送】[ho:song]〈名・하他〉護送. 句例 금괴를 ~하다 金塊を護送する / 범인을 ~하다 犯人を護送する. 語例 죄수 ~차 囚人護送車.

호수【戸數】[ho:ssu]〈名〉戸数. 家の数. 家数. 句例 마을 ~가 늘다〔줄다〕村の戸数が増える〔減る〕.

***호수【湖水】**〈名〉〔地〕湖水. 湖. 句例 ~ 위를 비추는 달 湖の上を照らす月 / 바닷물이 들어오는 ~ 湖入りの湖. 語例 호숫가 湖のほとり. 湖畔.

호스 [ho:sŭ]〈名〉ホース. 句例 ~로 물을 뿌리다 ホースで水をまく. ◇hose

호스텔〈名〉ホステル. 語例 유스 ~ ユースホステル. ◇hostel

호-시절【好時節】[ho:—]〈名〉好期.

호시-탐탐【虎視眈眈】[ho:shi—]〈名〉虎視眈眈. 句例 ~ 기회를 엿보다 虎視眈眈とチャンス〔機会〕をねらう.

호신【護身】[ho:shin]〈名・하自〉護身. 語例 ~술 護身術 / ~용(의 단도) 護身用(の短刀).

호안【護岸】[ho:an]〈名〉護岸. 語例 ~ 공사 護岸工事.

호양【互讓】[ho:yang]〈名・하他〉互讓. 句例 ~의 정신 互讓の精神.

호언【豪言】〈名・하自〉豪語. 大言. ＝큰소리. 文例 절대로 지지 않는다고 ~했다 絶対負けないと豪語した.

호언-장담【豪言壯談】〈名・하自〉大言壮語. 文例 자신만만하다고 ~했다 自信満満だと大言壮語を吐いた.

호연【好演】[ho:yŏn]〈名〉好演. 句例 여주인공 역을 ~하다 ヒロイン役を好演する. 文例 신인이지만 ~을 보였다 新人ながら好演だった.

호연지-기【浩然之氣】[ho:yŏnjigi]〈名〉浩然の気. 句例 ~를 기르다 浩然の気を養う.

호열자【虎列刺】[ho:yŏltcha]〈名〉〔醫〕'콜레라 コレラ'の音訳.

호외【號外】[ho:oe]〈名〉号外. 句例 ~를 발행하다 号外を発行する.

호우【豪雨】〈名〉豪雨. 大雨. 句例 ~를 만나다 豪雨に会う. 語例 집중 ~ 集中豪雨. 對 소우(小雨).

호위【護衛】[ho:wi]〈名・하他〉護衛. 句例 ~가 붙다 護衛がつく / 요인에게 ~를 붙이다 要人に護衛をつける. 語例 ~병〔함〕護衛兵〔艦〕. 類 경호(警護).

호응【呼應】〈名・하自〉呼応. 句例 동서에서 ~하여 공격하다 東西から呼応して攻める.

호의【好意】[ho:ŭi]〈名〉好意. 句例 ~를 품다〔갖다〕好意をいだく〔持つ〕/ ~를 보이다 好意を寄せる / ~를 저버리다 好意を無にする / ~에 보답하다 好意にこたえる. 文例 모처럼의 ~가 헛일이 되었다 せっかくの好意が無になった. 對 악의(惡意).

호의-적【好意的】[ho:ŭi—]〈名・冠〉好意的. 句例 ～으로 해석하다 好意的に解釈する. 語例 ～ 반응 好意的反応.

호의-호식【好衣好食】[ho:ŭiho:shik]〈名・하自〉よい衣服を着てよい食べ物を食べること. ぜいたくに暮らすこと. 對악의악식(惡衣惡食).

호인【好人】[ho:in]〈名〉お人好し. 好人物. 句例 비할 데 없는 ～ 無類のお人好し〔好人物〕. 文例 저런 ～은 드물다 あんな好人物は珍しい.

호적【戶籍】[ho:jŏk]〈名〉戸籍. 句例 ～에 올리다〔넣다〕戸籍にのせる〔入れる〕/ ～에서 빼다 戸籍から抜く / ～ 조사를 하다 戸籍調べをする. 語例 ～ 등본 戸籍謄本 / ～ 초본 戸籍抄本 / ～부 戸籍簿.

호-적수【好敵手】[ho:—]〈名〉好敵手. ライバル. ＝맞수(手). 句例 ～가 나타나다 好敵手が現われる / ～를 만나다 好敵手に会う. 文例 그는 나의 ～다 彼はわたしの好敵手だ.

호전【好轉】[ho:jŏn]〈名・하自〉好転. 句例 경기〔사태〕가 ～되다 景気〔事態〕が好転する. 文例 병세가 차츰 ～되고 있다 病状がだんだん好転している. 對악화(惡化).

호전-적【好戰的】[ho:jŏn—]〈名・冠〉好戦的. 句例 ～인 성격〔민족〕好戦的な性格〔民族〕.

호젓-이 [hojŏshi]〈副〉ひっそり(と). 寂しく. 句例 혼자 ～ 살다 独りでひっそり(と)暮らす.

호젓-하다 [hojŏt'ada]〈→하다〉〈形〉ひっそりしている. 静かでもの寂しい. 句例 호젓한 산길 ひっそりしている山道 / 인적 없는 호젓한 길 人けのない寂しい道.

호조【戶曹】[ho:jo]〈名〉〔史〕戸曹. 高麗・朝鮮朝の六曹の一つ. 語例 ～ 판서(判書) 戸曹の長.

***호조**【好調】[ho:jo]〈名〉好調. 句例 ～를 유지하다 好調をたもつ / ～의 물결을 타다 好調の波に乗る. 文例 영업이 ～를 보이고 있다 営業が好調に向かっている.

호주【戶主】[ho:ju]〈名〉戸主. 語例 ～권 戸主権.

****호-주머니**〈名〉ポケット. 懐. 懐中. ＝주머니. 句例 ～에 손을 넣다 ポケットに手を入れる / ～를 뒤지다 ポケットをさぐる / 남의 ～를 노리다 人のふところをねらう / ～가 비다〔두둑하다〕ふところが寒い〔暖かい〕/ ～ 사정이 좋다〔나쁘다〕ふところ具合がいい〔悪い〕.

호출【呼出】〈名〉呼び出し. **～하다**〈他〉呼び出す. 句例 ～에 응하다 呼び出しに応じる / ～을 받다 呼び出しを受ける / 경찰로부터의 ～ 警察からの呼び出し. 語例 ～ 부호 呼び出し符号. コールサイン / ～되다〔당하다〕呼び出される.

호치키스〈名〉ホッチキス. ホチキス. ◇Hotch-kiss

호칭【呼稱】〈名・하他〉呼称. 呼び名. 称呼. 句例 ～을 생략하다 呼称を略する. 文例 ～이 학자에 따라 구구하다 称呼が学者によってまちまちだ.

호-콩【胡—】〈名〉〔植〕⇨ 땅콩

호쾌-하다【豪快—】(→하다)〈形〉豪快だ. 句例 호쾌한 홈런 豪快なホームラン / 호쾌하게 웃어 넘기다 豪快に笑い飛ばす.

호크〈名〉ホック. ＝갈고리 단추. ◇네 hock

호탕-하다【豪宕—】(→하다)〈形〉豪宕だ. 豪放だ. 句例 호탕한 사람 豪宕な人 / 호탕한 성품 豪放な気性.

호텔〈名〉ホテル. 句例 ～에 묵다 ホテルに泊まる. 文例 지금 어느 ～에 묵고 계십니까 今どのホテルに泊まっていらっしゃいますか. 語例 ～ 프론트 ホテルのフロント. ◇hotel

호통〈名・하自〉怒号. どなること. 文例 아버지한테 ～맞았다 父にどなられた.

호통(을) 치다 どなる. どなりつける. けんつくを食わす. 句例 눈을 부라리고 ～ 目をむいてどなりつける.

호투【好投】[ho:t'u]〈名・하自〉〔野〕好投. 句例 ～를 보이다 好投を見せる. 對악투(惡投).

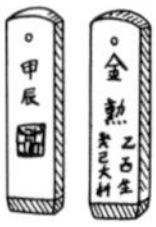
〈호패〉

호패【號牌】[ho:p'ae]〈名〉〔史〕朝鮮時代に16歳以上の男子が携帯した名札《姓名と生年月日などが刻まれ官庁の烙印が押してある》. 絵

호평【好評】[ho:p'yŏng]〈名・하他〉好評. 句例 ～을 받다 好評を博する / ～을 얻다 好評を得る. 語例 대～ 大好評. 對악평(惡評).

호프 [ho:p'ŭ]〈名〉ホープ. 句例 우리 회사의 ～ わが社のホープ / 영화계의 ～ 映画界のホープ. ◇hope

호형-호제【呼兄呼弟】〈名・하自〉親しい友との間で兄や弟と呼び合うこと. 文例 그와는 ～하는 사이다 彼とは兄弟のように親しい間柄である.

호혜【互惠】[ho:hye]〈名〉互恵. 語例 ～ 관세 互恵関税 / ～ 조약 互恵条約.

호호[1]〈副・하自〉(主に女が)軽く笑うときの声: ほほ. 句例 ～하고 웃다 ほほと笑う.

호-호[2] [ho:ho]〈副・하他〉口をすぼめてしきりに息を吹くさま. また, その音: ほうほうと. ふうふうと. 文例 추워서 손을 ～ 불었다 寒くて手をほうほうと吹いた.

호호-백발【皓皓白髮】[ho:ho—]〈名〉真っ白い白髪. 白髪の老人.

호화【豪華】〈名・하形〉豪華. デラックス. 語例 ～선 豪華船 / ～ 찬란 豪華絢爛. **～스럽다**(→스럽다)〈形〉⇨ 호화롭다

호화-롭다【豪華—】(→롭다)〈形〉豪華だ. ぜいたくだ. デラックスだ. 句例 호화로운 저택〔의상〕豪華な邸宅〔衣装〕/ 호화로운 건물 ぜいたくな建物. **호화로이**〈副〉豪華に. ぜいたくに.

호화찬란-하다【豪華燦爛—】[hohwach'allan—](→하다)〈形〉まぶしいほど豪華だ.

호화-판【豪華版】〈名〉豪華版. デラックス. 句例 장정에 돈을 들인 ～ 装丁にお金をかけた豪華版. 文例 와, 오늘 저녁 식사는 ～이구나 うわあ, 今夜の食事は豪華版だなあ. 語例 ～ 연회 豪華版〔デラックスな〕宴会.

호황【好況】[ho:hwang]〈名〉好況. 句例 ～의 물결을 타다 好況の波にのる / 뜻밖의 ～을

보이다 意外の好況を呈する. ㉷불황(不況).

*호흡【呼吸】〈名〉呼吸. 息. ～하다〈自〉呼吸する. 息をする. [句例] ～이 멎다 呼吸が止まる / ～을 가다듬다 呼吸をととのえる / ～이 가빠지다 息が苦しくなる / ～을 맞추다 呼吸を合わせる. [語例] ～ 곤란 呼吸困難 / ～기 呼吸器 / 심～ 深呼吸.

호흡(이) 맞다 呼吸が合う. 気が合う. 息が合う. [句例] 호흡이 맞는 콤비 息の合ったコンビ.

혹〈名〉こぶ. たんこぶ《俗》. [句例] ～이 나다〔생기다〕こぶができる / ～을 떼다 (たん)こぶを取る. こぶを切る / 낙타의 ～ ラクダのこぶ. [文例] 머리에 큰 ～이 날 정도로 얻어맞았다 頭に大きなこぶができるほどなぐられた.

혹 떼러 갔다가 혹 붙여 온다 こぶを取除け行にいったがかえってこぶをつけてくる. ミイラ取りがミイラになる.

혹【或】〈副〉'혹시(或是)'の略: あるいは. もしか(すると). もしくは. ひょっとしたら. たまに. [文例] ～ 그럴는지도 모른다 あるいはそうかもしれない / ～ 내일 못 갈지도 모른다 もしかするとあしたは行けないかもしれない / ～은 안 오는 수도 있다 たまには来ないこともある.

혹 〔漢字項目〕

【惑】高校 혹 ワク. 미혹하다 惑う. 미혹하게 하다 惑わす. ◧當惑 당혹 とうわく. 困惑 곤혹 こんわく. 誘惑 유혹 ゆうわく. 魅惑 매혹 みわく.

【或】中學 ❶혹. 혹시 あるいは. もしか. 상상・추측의 말 想像・推測のことば. ◧或者 혹자 あるもの. ❷어떤 사람. ある人. ◧或曰 혹왈 ある人いわく.

혹독-하다【酷毒―】[hoktok'ada] (→하다)〈形〉むごくひどい. 酷烈だ. 残酷だ. [句例] 혹독한 추위 非常にきびしい寒さ / 혹독한 기후 酷烈な気候 / 혹독한 비평 手きびしい批評. 혹독히 [hoktok'i]〈副〉むごく. ひどく. 残酷に.

혹-부리〈名〉(からかって)顔にこぶのある人. [語例] ～ 영감 こぶじいさん.

혹사【酷使】〈名〉酷使. ～하다〈他〉酷使する. こき使う. [句例] ～에 견디다 酷使にたえる / 몸을 ～하다 からだを酷使する / 마소처럼 ～당하다 牛馬のごとくこき使われる.

혹서【酷暑】〈名〉酷暑. 猛暑. きびしい暑さ. [句例] ～에 축 늘어지다 酷暑にぐったりとなる / ～를 무릅쓰고 연습하다 酷暑を冒して練習する / ～를 피하여 바다로 가다 猛暑を避けて海に行く. ㉷혹한(酷寒).

혹세-무민【惑世誣民】[―mu:min]〈名・하自〉世人を惑わしだますこと.

*혹시【或是】〈副〉❶もし. 万一. [句例] ～ 비가 오면 もし雨が降れば. [文例] ～ 실패하더라도 낙심하지 마라 万一失敗しても落胆するな. ❷もしか(したら). ひょっとしたら. もしや. あるいは. [句例] ～ 진다면 もしか負けたら / ～ 내 자식이 아닐까 하고… もしかわが子ではないかと…. [文例] ～ 당신이 아닐까 하고 생각했습니다 もしやあなたではなかろうかと思いました / 실례지만 ～ 김선생님이 아니십니까 失礼ですが, もしや, 金先生ではございませんか / ～ 내일은 비가 올지도 모른다 ひょっとすると明日は雨になるかもしれない.

혹시-나【或是―】〈副〉もしや. もしかして. ひょっとして. ＝행여나. [句例] ～ 하고 생각하여 もしやと思って / ～ 하고 물어봤더니… もしかしてと思って尋ねてみたら…. [文例] ～ 했던 일이 정말 그렇게 되었다 もしやと思ったことが本当にそうなった.

*혹-은【或―】[hogŭn]〈副〉あるいは. または. [句例] ～ 강하게 ～ 약하게 あるいは強くあるいは弱く / 전화 ～ 구두로 신고하다 電話あるいは口頭で申告する. [文例] 검정 ～ 청색 잉크로 써주십시오 黒または青色のインクで書いてください.

혹자【或者】㊀〈名〉ある者〔人〕. [句例] ～가 말하기를 ある人が言うには.
㊁〈副〉ある(或)いは. ＝혹시.

혹평【酷評】〈名・하他〉酷評. [句例] ～을 가하다 酷評を加える / ～을 받다 酷評をあびる〔受ける〕.

혹-하다【惑―】[hok'ada] (→하다)〈自〉すっかりほれこむ. おぼれて夢中になる. [句例] 여자에 ～ 女に夢中になる. [文例] 그는 돈이라면 혹한다 彼は金といえば飛びつく.

혹한【酷寒】[hok'an]〈名〉酷寒. きびしい寒さ. [句例] ～에 견디다 酷寒に耐える. ㉷혹서(酷暑).

*혼【魂】〈名〉魂. 霊魂. ＝넋. 얼. [句例] ～이 담기다 魂がこもる / ～이 나가다 魂が抜ける / 고인의 ～을 부르다 故人の霊魂を呼ぶ.

혼(이) 나다 ひどい〔怖い〕目にあう. とんだ〔さんざんな〕目にあう. お目玉をくう. たまげる. [文例] 어젯밤에는 더위 때문에 혼났다 昨晩は暑さのためにひどい目にあった / 난 어저께 아버지한테 혼났어요 ぼくはきのうお父さんに怒られました.

혼(을) 내다 ひどい目にあわせる. 懲らしめる. とっちめる. [句例] 장난꾸러기를 혼내 주다 いたずら者をこらしめる. [文例] 이 녀석을 혼내 줘야지 こいつをこらしめてやらなくちゃ / 저놈 건방지니까 혼내 주자 あいつ生意気だからとっちめてやろう.

혼 〔漢字項目〕

【婚】中學 혼 コン. 혼인하다 婚姻する. ◧婚家 혼가 こんか. 婚禮 혼례 こんれい. 婚約 혼약 こんやく. ◧求婚 구혼 きゅうこん. 新婚 신혼 しんこん. 再婚 재혼 さいこん.

【昏】高校 혼 コン. ❶(날이) 저물다(日が)暮れる. ◧昏黑 혼흑 こんこく. ◧黃昏 황혼 こうこん. たそがれ. ❷어둡다 暗い. ◧昏迷 혼미 こんめい. 昏睡 혼수 こんすい. 昏昧 혼매 こんまい.

【混】中學 혼 コン. ❶섞이다 まじる. 섞다 まぜる. ◧混一 혼일 こんいつ. 混在 혼재 こんざい. 混合 혼합 こんごう. 混血 혼혈 こんけつ. 混食 혼식 こんしょく. ❷복잡하게 섞이다 ふくざつにまじっている. ◧混沌 혼돈 こんとん. 混線 혼선 こんせん. 混雜 혼잡 こんざつ. 混濁 혼탁 こんたく.

【魂】高校 혼 コン. ❶넋 たましい. ■魂氣 혼기 こんき. 魂魄 혼백 こんぱく. ■鎭魂 진혼 ちんこん. 招魂 초혼 しょうこん. ❷마음 こころ. 정신 せいしん. ■魂膽 혼담 こんたん. ■商魂 상혼 しょうこん. 鬪魂 투혼 とうこん.

혼기【婚期】〈名〉婚期. 句例 ~를 놓치다 婚期を逸する / ~가 지나다 婚期が過ぎる / ~가 된 아가씨 年ごろのむすめ.

⁑**혼-나다**【魂―】⇨'혼(魂)'の小項目

혼-내다【魂―】⇨'혼(魂)'の小項目

혼담【婚談】〈名〉 縁談. 結婚話. 句例 ~이 이루어지다〔깨지다〕 縁談がまとまる〔破れる〕/ 어울리지 않는 ~ 不釣り合いな縁談. 文例 딸에게 ~이 있다 娘に縁談がある.

혼돈【混沌・渾沌】[ho:ndon]〈名・하形〉混沌. 句例 ~되어 있다 混沌としている / ~ 상태에 빠지다〔있다〕 混沌たる状態に陥る〔ある〕.

혼동【混同】[ho:ndong]〈名・하他〉混同. 句例 ~하기 쉬운 상표 紛らわしい商標 / 공사를 ~하다 公私を混同する. 文例 자유와 방종을 ~해서는 안된다 自由と放縦とを混同してはいけない / 이 둘은 아무래도 ~하기 쉽다 この二つはどうも紛らわしい. 語例 ~되다 混同される.

*__혼란__【混亂】[ho:llan]〈名・하形〉混乱. 句例 ~이 일어나다 混乱が起きる / ~을 틈타서 混乱に乗じて / 대~에 빠지다 大混乱に陥る / ~상(相)을 나타내다 混乱状態を呈する. 文例 머리가 ~해서 뭐가 뭔지 모르겠다 頭が混乱して何が何やらわからない. 語例 ~기 混乱期 / ~시키다 混乱させる.

혼령【魂靈】[hollyŏng]〈名〉霊魂.

혼례【婚禮】[hollye]〈名〉婚礼. 婚儀. 句例 ~를 올리다 婚礼を挙げる. 文例 ~는 경사스럽게 끝났다 婚礼はめでたく済んだ. 語例 ~식 結婚式.

혼미【昏迷】〈名・하形〉混迷. 句例 ~한 정신 混迷した精神 / ~에 빠지다 混迷に陥る / ~를 초래하다 混迷を招く / 정국의 ~가 계속되다 政局の混迷が続く.

혼방【混紡】[ho:nbang]〈名・하他〉混紡. 句例 면과 모의 ~ 綿と毛の混紡. 語例 ~사 混紡糸.

혼백【魂魄】〈名〉 魂魄. 霊魂. ＝넋. 句例 ~이 이승을 방황하다 魂魄この世にさまよう.

혼비-백산【魂飛魄散】〈名・하自〉非常に驚いて肝をつぶすこと. 句例 ~하여 달아나다 びっくり仰天して逃げ出す.

혼사【婚事】〈名〉結婚に関すること.

혼선【混線】[ho:nsŏn]〈名・하自〉混線. 句例 ~을 빚다 混線を引き起こす. 文例 전화가 ~되어 말을 잘 알아 들을 수 없다 電話が混線してよく聞き取れない / 얘기가 ~되어 엉뚱한 착각을 하였다 話が混線してとんだ勘違いをした.

혼성【混成】[ho:nsŏng]〈名・하自他〉混成. 語例 ~암〔鑛〕混成岩 / ~팀 混成チーム.

혼성【混聲】[ho:nsŏng]〈名〉混声. 語例 ~ 합창 混声合唱.

혼수【昏睡】〈名・하自〉昏睡. 句例 ~에 빠지다 昏睡におちいる. 語例 ~ 상태 昏睡状態.

혼수【婚需】〈名〉結婚に必要な品物.

혼식【混食】[ho:nshik]〈名・하自〉混食. 文例 ~은 건강에 좋다 混食は健康によい. 語例 ~장려 混食奨励.

혼신【渾身】[ho:nshin]〈名〉渾身. からだ全体. 全身. 文例 ~의 힘을 다하여 싸웠다 渾身の力をふりしぼって戦った.

혼약【婚約】[honyak]〈名〉婚約. ＝약혼(約婚).

혼연 일체【渾然一體】[ho:nyŏnilch'e]〈名〉渾然一体. 句例 ~가 되다 渾然一体となる.

혼용【混用】[ho:nyong]〈名・하他〉混用. 文例 한글과 한자의 ~이 바람직하다 ハングルと漢字の混用が望ましい.

혼인【婚姻】[honin]〈名・하自〉婚姻. 結婚. 語例 ~ 신고(申告) 婚姻届.

혼입【混入】[ho:nip]〈名・하自他〉混入. 句例 불순물의 ~ 不純物の混入. 語例 ~되다 混入する.

⁑**혼자**〈名・副〉一人. 独りで. 単独で. 句例 ~ 식사하다 一人で食事する / ~서 산책하다 一人で散歩する / ~ 사는 노인 一人暮らしの老人 / ~ 집을 지키다 一人で留守番をする. 文例 ~서도 할 수 있다 一人でもやれる / ~ 할 수 있겠느냐 一人でできるかね / 이번 일은 내 ~ 힘으로 해냈다 こんどの仕事は自分一人の力でやりとげた. 語例 단 ~ 一人ぼっち / 자기 ~ 自分一人.

*__혼자-말__〈名・하自〉独り言. ＝혼자소리. 句例 ~로 투덜거리다 独り言をぶつぶついう.

혼잡【混雜】[ho:njap]〈名〉混雑. **~하다**〈形〉混雑している. ごたごたしている. 句例 ~한 곳 ごたごたした所 / (러시 아워의) ~을 피하다 (ラッシュアワーの)混雑を避ける / 살인적인 대~ 殺人的な大混雑. 文例 해수욕 손님으로 역이 ~하다 海水浴の客で駅が混雑する / 차량으로 도로가 아주 ~하다 車で道路がとても混雑している / 범인은 ~을 틈타서 도주했다 犯人は雑踏に紛れて逃走した. **~스럽다** (→스럽다)〈形〉(込み合って)ごたごたしている. **~스레**〈副〉混雑して. ごたごたして.

혼전【混戰】[ho:njŏn]〈名・하自〉混戦. 乱戦. 句例 ~ 상태가 되다 混戦状態となる / 삼파가 벌이는 ~ 三つどもえの混戦.

혼처【婚處】〈名〉結婚に適した相手. 句例 ~가 생기다〔나다〕 ふさわしい結婚相手ができる〔現れる〕.

혼탁-하다【混濁―】[ho:nt'ak'ada] (→하다)〈形〉混濁している. 句例 혼탁한 공기 混濁した空気 / 혼탁한 세상 混濁の世. 濁った世の中 / 물이 혼탁해지다 水が混濁する.

혼합【混合】[ho:nhap]〈名・하自他〉混合. まじり合うこと. まぜ合わせること. ミックス. 句例 원료를 ~하다 原料を混合する. 文例 물과 기름은 ~되지 않는다 水と油は混合しない〔混ざらない〕. 語例 ~ 비료 混合肥料 / ~비 混合比 / ~ 복식(複式) (テニスやピンポンなどで)混合ダブルス.

*__혼합-물__【混合物】[ho:nham―]〈名〉混合物. 句例 두 성분의 ~ 二つの成分の混合物.

혼혈-아【混血兒】[ho:nhyŏra]〈名〉混血児. ＝튀기.

홀 [ho:l]〈名〉ホール. ❶大広間. 句例 200명 정도는 충분히 들어갈 수 있는 넓은 ~ 200名ぐらいは十分に入れる広いホール. 語例 콘서트 ~ コンサートホール. ❷'댄스 홀 ダンスホール'の略. ◇hall

홀 〔漢字項目〕

【忽】高校 홀 コツ. ❶홀연 突然. ▮忽焉 홀언 こつえん. 忽然 홀연 こつぜん. 忽地 홀지 こっち. ❷소홀히 하다 おろそかにする. ▮忽略 홀략 こつりゃく. 忽諸 홀저 こっしょ. ▮疏忽 소홀 そこつ(粗忽).

홀가분-하다 (→하다)〈形〉❶(気持ちが)軽い. 気楽だ. 句例 마음이 ~ 気が軽い. 文例 그는 홀가분한 기분으로 여행을 떠났다 彼は軽い気分で旅に出た. ❷身軽だ. ㉠(身なりなどが)軽やかだ. 句例 홀가분한 옷차림 身軽な身なり〔服装〕. ㉡(重荷・責任・足手まといがなくて)軽い. 気楽だ. 句例 홀가분한 독신자 身軽な独り者/홀가분한 일 気楽な仕事. 文例 처자가 없어 ~ 妻子がなくて身軽だ/책임이 없어서 ~ 責任がないので肩が軽い.

홀딱〈副〉❶すっかりほれ込んだりだまされたりするさま: ぞっこん. まんまと. すっかり. 句例 ~ 반하다 ぞっこんほれこむ〔まいる〕/~ 반할 만한 미인 見ほれるような美人. 文例 한눈에 ~ 반해 버렸다 一目でぞっこんほれ込んでしまった/난 그녀에게 ~ 반했다 ぼくは彼女に首ったけだ/사기꾼에게 ~ 속았다 詐欺師にまんまとだまされた. ❷一つも残さないさま: すっかり. ＝죄다. 句例 재산을 ~ 날리다 財産をすっかり使いはたす/속옷까지 ~ 벗다 肌着まですっかり脱ぐ. ❸一気に飛び越えるさま: ひょいと. ひらりと. 句例 울타리를 ~ 뛰어넘다 垣根をひょいと飛び越える. ❹ひっくり返る〔返す〕さま: くるっと. 句例 배가 ~ 뒤집히다 船がくるっとひっくり返る.

홀랑〈副〉'훌렁'の語感の小さい語.

홀로〈副〉独りで. 一人きりで. 一人ぼっちで. 句例 ~ 걷다 独りで歩く/~ 여행을 떠나다 独り旅に出る. 文例 ~ 서 있다 一人きりで立っている.

홀로-되다〈自〉❶一人になる. ❷(連れ合いが死んで)やもめ〔男やもめ〕になる.

홀로-서다〈自〉独り立ちする. 独り歩きする. ＝독립(獨立)하다.

홀리다〈自〉❶ほれ込む. 魅惑される. 句例 미모에 ~ 美貌のとりこになる. ❷惑わされてぼうっとする. 句例 여우에게 홀린 것 같은 이야기 きつねにつままれたような話/마치 무엇에 홀린 것처럼 ものに取りつかれたように/여우한테 ~ きつねにつままれる〔化かされる〕.

홀-몸〈名〉独り身. 独身. 文例 아직 ~입니다 まだ独り身です.

*__홀-소리__ [—ssori]〈名〉〔言〕母音. 對닿소리.

*__홀-수__【—數】[—ssu]〈名〉奇数. ＝기수(奇數). 對짝수.

홀-씨〈名〉〔植〕胞子. 語例 ~ 식물 胞子植物.

홀-아비 [horabi]〈名〉男やもめ. やもお. 語例 ~ 살림 男やもめ暮らし. 對홀어미.

홀아비는 이가 서 말이고, 홀어미는 은이 서 말이다 男やもめはシラミが三斗, 女やもめは銀が三斗《男やもめにウジがわき, 女やもめに花が咲く》.

홀-어미 [horŏmi]〈名〉やもめ. 後家. ＝과부(寡婦). 對홀아비.

홀연-히【忽然—】[horyŏn—]〈副〉忽然と. 突然. にわかに. 句例 ~ 나타나다〔사라지다〕 忽然と現れる〔消えうせる〕/~ 자취를 감추다 忽然と姿を消す.

홀짝〈副〉❶少量の液体を一息に飲み込むさま: ごくり(と). 句例 독한 술을 ~ 마시다 強い酒をごくりと飲み込む. ❷鼻水をすするさま: ずるっと. **~거리다**〈他〉❶ちびりちびり飲む. ❷しくしく泣く. 句例 잘 ~거리는 아이 よくめそめそする子供. 文例 그 사람은 ~거리며 울고 있었다 その人はしくしく泣いていた.

홀짝홀짝 [holtchak'oltchak]〈副・하他〉❶ちびちび(と). 句例 술을 ~ 마시다 ちびちびと酒を飲む. ❷めそめそ(と). 句例 ~ 울다 めそめそと泣く.

홀쭉-이 [holtchugi]〈名〉やせっぽち. やせこけた人. 對뚱뚱이.

홀쭉-하다 [holtchuk'ada] (→하다)〈形〉❶(からだが)ほっそりしている. 句例 홀쭉한 체격 ほっそりしたからだつき. ❷先がとがって長い. ❸(病気などで)やつれている. げっそりやせている. 文例 설사를 하고 나서 얼굴이 홀쭉해졌다 下痢をして顔がげっそりとやせた.

홀치기 염색【—染色】[—yŏ:msaek]〈名〉絞り染め. 絞り《略語》. 略して'홀치기'ともいう. 句例 ~의 일본옷 絞りの着物/~을 하다 絞り染めをする. 絞る.

홀홀 [ho:lhol]〈副〉❶(鳥・ちょうなどが飛ぶときに)軽く羽ばたくさま: ひらひら(と). ふわふわ(と). 文例 나비가 ~ 날고 있다 ちょうがひらひらと飛んでいる.
❷身軽に飛び跳ねるさま:ひょいひょい(と). ぴょんぴょん(と).
❸軽く小さい物を遠くへしきりに投げたりほうり出すさま: ぽいぽい(と).
❹ほこりなどをしきりに軽くはたくさま: ぽんぽん(と). ぱんぱん(と). 句例 먼지를 ~ 털어내다 ほこりをぱんぱんとはたいて落とす.
❺(ほこりなど微細な物が)軽く飛び散るさま: ふわふわ(と).
❻かゆ(粥)や飲み物などを少しずつすするさま: ちびちび. 句例 홍차를 ~ 마시다 紅茶をちび(り)ちび(り)飲む.
❼火が少しずつ燃え上がるさま: ちょろちょろ(と). ちろちろ(と). 句例 불이 ~ 타오르다 火がちょろちょろと燃え上がる.
❽服を軽く脱ぎ捨てるさま: はらりと. さらりと. さっさっと.

홈[1]〈名〉溝. 句例 판자에 ~을 파다 板に溝を彫る.

홈[2] [ho:m]〈名〉❶ホーム. 家庭. 語例 ~ 드라마 ホームドラマ/~ 드레스 ホームドレス. ❷〔野〕'홈 베이스 ホームベース'の略. 語例 ~ 그라

운드 ホームグラウンド / ~런 ホームラン / ~ 스틸 ホームスチール. ◇home

***홈-질** [ho:mjil]〈名・하他〉くし縫い. 並縫い. 運針縫い.

홈치다〈他〉⇨ 훔치다

홈-통【一桶】〈名〉❶とい(樋). かけひ. 句例 샘물을 ~으로 끌어오다 泉の水をかけひで引く. ❷(引き戸・障子などの枠の上下に)長く彫った溝. 敷居と鴨居の溝.

홉〈名〉〔植〕ホップ. ◇hop

홉【合】〈依名〉[もとの語形は'합(合)'] 容量の単位: 合. 語例 참깨 세 ~ ごま(胡麻)三合 / 간장 두 ~ しょうゆ二合.

홍【紅】〈名〉'홍색(紅色)'の略: 紅・くれない.

홍 〔漢字項目〕

【弘】高校 홍 コウ. グ. ❶넓다 広い. 넓히다 広める. ▮弘遠 홍원 こうえん. 弘誓 홍서 ぐぜい. 弘法 홍법 ぐほう. 弘量 홍량 こうりょう. ❷활 시위의 소리 ゆみのつるの音.

【洪】高校 홍 コウ. ❶큰물 おおみず. 범람하는 것 氾濫すること. ▮洪水 홍수 こうずい. 洪積世 홍적세 こうせきせい. ❷크다 おおきい. ▮洪基 홍기 こうき. 洪烈 홍렬 こうれつ. 洪範 홍범 こうはん.

【紅】中學 홍 コウ. ク. ❶선홍색 くれない. ▮紅軍 홍군 こうぐん. 紅燈 홍등 こうとう(紅灯). 紅梅 홍매 こうばい. 紅顔 홍안 こうがん. ▮暗紅 암홍 あんこう. 眞紅 진홍 しんく. しんこう. ❷연지 べに. 여성에 관한 말 女性にかんする語. ▮紅粉 홍분 こうふん. 紅裙 홍군 こうくん. 紅粧 홍장 こうしょう. 紅脂 홍지 こうし.

【鴻】高校 홍 コウ. ❶큰기러기 おおとり. ▮鴻雁 홍안 こうがん. 鴻爪 홍조 こうそう. 鴻毛 홍모 こうも. ❷크고 광대하다 大きく広大だ. ▮鴻基 홍기 こうき. 鴻大 홍대 こうだい. 鴻恩 홍은 こうおん. 鴻筆 홍필 こうひつ.

홍-당무【紅唐一】〈名〉❶〔植〕にんじん(人参). ❷〔植〕赤だいこん. ❸赤面. 文例 그녀는 부끄러워서 얼굴이 ~가 되었다 彼女は恥ずかしくて顔が真っ赤になった.

홍두깨〈名〉 ❶あや巻き《きぬた(砧)で布を打つとき, その布を巻きつける棒》. ❷牛の臀部の肉. =홍두깨살. ❸〔農〕よく耕されていない田畑のうねの間の土.

홍두깨-다듬이 [—dadŭmi]〈名・하他〉あや巻きに布を巻いてきぬた(砧)を打つこと.

홍보【弘報】〈名・하他〉 広報. 語例 ~과 広報課 / ~활동 広報活動. ピーアール.

홍살-문【紅一門】〈名〉〔史〕宮殿・官庁・陵墓などの入り口に建てた赤く塗った門. 図

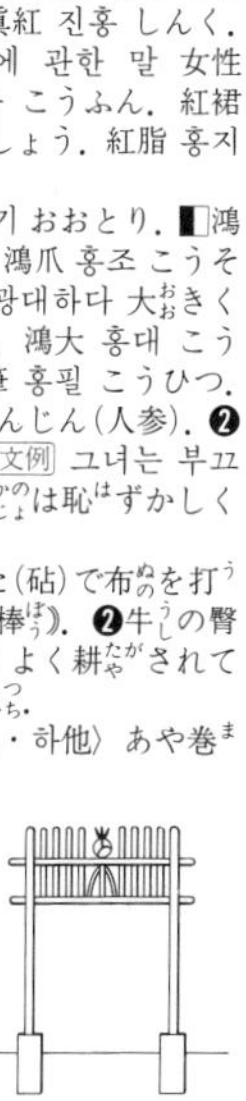

(홍살문)

홍-삼【紅蔘】〈名〉紅参. 生のにんじんである'수삼(水蔘)'を蒸した後, 干してつくったやや赤味のさす朝鮮人参. 對백삼(白蔘).

홍색【紅色】〈名〉 紅色・べに色. 紅・べに. 語例 담~ 淡紅色.

홍색 인종【紅色人種】[hongsaeginjong]〈名〉アメリカインディアン.

홍송【紅松】〈名〉〔植〕ちょうせんごようまつ.

***홍수**【洪水】〈名〉洪水. ❶大水. 句例 ~가 나다〔지다〕洪水になる / ~로 둑이 무너지다 大水で堤が切れる〔崩れる〕. 語例 ~ 경보 洪水警報 / ~막이 洪水を防ぐために堤防を築くこと. ❷ものがあふれること. 句例 엄청난 정보의 ~ おびただしい情報の洪水. 文例 도로는 자동차의 ~다 道路は自動車の洪水だ.

홍수를 이루다 人や物があふれるほど多くあること.

홍시【紅柿】〈名〉 熟柿. よく熟したかき(柿). =연(軟)감. 연시(軟柿).

홍-실【紅一】〈名〉赤色の糸.

홍안【紅顔】〈名〉紅顔. 句例 ~의 미소년 紅顔の美少年.

홍어【洪魚】〈名〉〔魚〕がんぎえい(雁木鱝).

***홍역**【紅疫】〈名〉〔醫〕はしか. 句例 ~에 걸리다 はしかにかかる.

홍역(을) 치르다 (はしかにかかってひどいめに会うの意で)大きな困難などをやっときりぬける.

홍예-문【虹霓門】〈名〉アーチ型の門. せ(迫)りも(持)ち.

홍옥【紅玉】〈名〉紅玉. ❶ルビー. ❷りんごの一品種.

홍익【弘益】〈名・하他〉❶弘益. 大きな利益. ❷広益. 広く益すること. 語例 ⇨ 홍익 인간

홍익 인간【弘益人間】[hong-igin-gan]〈名〉広く人間社会に利益をもたらすこと《韓国の開国神である'단군 檀君'の建国理念》.

홍-인종【紅人種】〈名〉 '홍색 인종(紅色人種)'の略.

홍-일점【紅一點】[—iltchŏm]〈名〉紅一点. 文例 그녀는 회원 중에서 ~이다 彼女は会員のうちの紅一点だ.

홍조【紅潮】〈名〉紅潮. ❶(朝日に)赤く輝いている海の波. ❷(恥ずかしさなどで)赤くなった顔. ❸月経.

***홍차**【紅茶】〈名〉紅茶. 句例 ~를 마시다 紅茶を飲む.

홍학【紅鶴】〈名〉〔鳥〕フラミンゴ. 紅鶴.

홍합【紅蛤】〈名〉〔貝〕いがい(貽貝).

홑-〈頭〉一つ・単一の意を表わす語: 一重の…. 単一の…. 語例 ~바지 ひとえ(単衣)のズボン. 對겹-.

홑-겹〈名〉一重.

홑-껍데기〈名〉❶一重仕立ての表地. ❷(あわせ(袷)用の)表地.

홑-옷 [hodot]〈名〉ひとえ(単衣)の服. 對겹옷.

홑-이불 [honnibul]〈名〉一重の掛け布団.

홑-창【一窓】〈名〉〔建〕 一重の窓. 對겹창(窓).

***화**【火】[hwa:]〈名〉❶怒り. 憤り. 立腹. 句例 ~가 치밀다 怒りが込み上げる / ~를 잘 내는 사람 おこりっぽい人. ❷'화기(火氣)'の略. ❸'화요일(火曜日)'の略. ❹〔民〕五行の一

ㅎ

つ. 方位では南, 四季では夏, 色では赤にあたる.

화가 머리 끝까지 나다 怒り心頭に発する.

화(가) 나다 腹が立つ. 句例 화난 김에 腹立ちまぎれに. 文例 화가 나서 참을 수가 없다 腹が立って耐えきれない.

화(를) 내다 腹を立てる. 怒る. 句例 몹시 ~ まっかになって怒る / 지고 나서 ~ 負け腹を立てる. 文例 그는 마음에 안 들면 곧 화를 낸다 彼は気に入らないとすぐ腹を立てる.

화【禍】[hwa:]〈名〉災い. 句例 ~를 입다 災いをこうむる / ~를 면하다 災いをまぬかれる / ~를 자초하다 自ら災いを招く.

-화【化】〈尾・하自他〉…化. 句例 국유~하다 国有化する / 민주~하다 民主化する. 語例 기계~ 機械化 / 생활~ 生活化.

-화【畫】〈尾〉…画. 語例 동양~ 東洋画 / 정물~ 静物画 / 풍경~ 風景画.

화 〔漢字項目〕

【化(化)】 中學 화 カ. ケ. ❶바뀌다 かわる. 바꾸다 かえる. ◧化石 화석 かせき. 化膿 화농 かのう. 化學 화학 かがく. ◨感化 감화 かんか. 開化 개화 かいか. 氣化 기화 きか. 強化 강화 きょうか. 電化 전화 でんか. ❷인격에 영향을 주다 人格にえいきょうをおよぼす. ◨教化 교화 きょうか. 改化 개화 かいか. 訓化 훈화 くんか. ❸모습을 바꾸다 すがたをかえる. ◧化身 화신 けしん. 化粧 화장 けしょう.

【和】 中學 화 ワ. ❶온화하다 おだやかだ. ◧和氣 화기 わき. 和樂 화락 わらく. ◨溫和 온화 おんわ. 柔和 유화 にゅうわ. ❷화목하다 仲よくする. ◧和睦 화목 わぼく. 和合 화합 わごう. ◨講和 강화 こうわ. 融和 융화 ゆうわ. 平和 평화 へいわ. ❸합하다 あわせる. ◧和聲 화성 わせい. 和音 화음 わおん. ◨總和 총화 そうわ. 協和 협화 きょうわ. ❹일본의 별칭 日本の別称. ◧和英 화영 わえい. 和漢 화한 わかん.

【火】 中學 화 カ. ❶불 ひ. 불꽃 ほのお. ◧火氣 화기 かき. 火急 화급 かきゅう. 火傷 화상 かしょう. 火藥 화약 かやく. 火災 화재 かさい. 火砲 화포 かほう. ◨發火 발화 はっか. 防火 방화 ぼうか. 鎭火 진화 ちんか. ❷등불 ともしび. ◨燈火 등화 とうか. ともしび(灯火). 燐火 인화 りんか. ❸불로 음식을 익히다 火で食物を煮る. ◧火食 화식 かしょく.

【畫(画)】 中學 화 ガ. 획 カク. ㊀〔화〕그림 絵. ◧畫家 화가 がか. 畫工 화공 がこう. 畫壇 화단 がだん. 畫伯 화백 がはく. 畫商 화상 がしょう. ◨劇畫 극화 げきが. 原畫 원화 げんが. 壁畫 벽화 へきが.

㊁〔획〕❶구분짓다 くぎる. ◧畫然 획연 かくぜん. 畫一 획일 かくいつ. ❷꾀하다 謀る. ◧畫策 획책 かくさく. ❸한자를 구성하는 자획 漢字を構成する字画. ◧畫數 획수 がくすう.

【禍(禍)】 高校 화 カ. 재화 わざわい. ◧禍根 화근 かこん. 禍機 화기 かき. 禍福 화복 かふく. 禍患 화환 かかん. ◨奇禍 기화 きか. 災禍 재화 さいか. 慘禍 참화 さんか. 筆禍 필화 ひっか.

【禾】 高校 화 カ. ❶벼 いね. ◧禾穎 화영 かえい. 禾粟 화속 かぞく. ◨嘉禾 가화 かか. ❷곡물의 총칭 穀物の総称. ◨禾穀 화곡 かこく. 禾稼 화가 かか.

【花(花)】 中學 화 カ. ❶꽃 はな. 꽃이 피다 はながさく. ◧花冠 화관 かかん. 花壇 화단 かだん. 花瓶 화병 かびん. 花信 화신 かしん. ◨菊花 국화 きくか. 國花 국화 こっか. 造花 조화 ぞうか. ❷꽃처럼 아름다운 것 花のように美しいもの. ◧花顔 화안 かがん. 花押 화압 かおう.

【華】 中學 화 カ. ケ. ❶꽃 はな. 꽃이 피다 はながさく. ◧華道 화도 かどう. 華容 화용 かよう. 華實 화실 かじつ. ◨國華 국화 こっか. 散華 산화 さんげ. 蓮華 연화 れんげ. ❷화려하다 はなやかだ. ◧華侈 화치 かし. 華奢 화사 かしゃ. ❸중국의 자칭 中国の自称. ◧華北 화북 かほく. 華僑 화교 かきょう.

【話】 中學 화 ワ. ❶이야기하다 はなす. ◧話題 화제 わだい. 話頭 화두 わとう. ◨談話 담화 たんわ. 對話 대화 たいわ. 會話 회화 かいわ. ❷이야기 はなし. ◨史話 사화 しわ. 神話 신화 しんわ. 夜話 야화 やわ.

【貨(貨)】 中學 화 カ. ❶값어치가 있는 금품 価値のある金品. ◧貨器 화기 かき. 貨寶 화보 かほう. ◨家貨 가화 かか. 財貨 재화 さいか. ❷상품 商品. ◧貨客 화객 かきゃく. 貨物 화물 かもつ. ◨百貨 백화 ひゃっか. 雜貨 잡화 ざっか. 滯貨 체화 たいか. ❸돈 おかね. 금전 金銭. ◧貨殖 화식 かしょく. 貨幣 화폐 かへい. ◨金貨 금화 きんか. 外貨 외화 がいか.

화가【畫家】[hwa:ga]〈名〉画家. 語例 서양 ~ 西洋画家.

화각【畫角】[hwa:gak]〈名〉画角. ❶牛の角を薄く削って文様を施し彩色したものを表面に張りつけた工芸品. ❷〔樂〕牛の角でつくった管楽器の一つ. ❸〔物〕写真レンズで撮影できる範囲がレンズ中心に張る角度.

화강-암【花崗岩】〈名〉〔鑛〕花崗岩. 御影石.

화공【畫工】[hwa:gong]〈名〉画工. 絵かき. 絵師. トレース工.

화공 약품【化工藥品】[—nyakp'um]〈名〉化学工業で生産される薬品.

화관【花冠】〈名〉❶〔植〕花冠. =꽃부리. ❷七宝で飾った礼装用の女性の冠.

화교【華僑】〈名〉華僑. 句例 ~의 상술을 배우다 華僑の商術を習う.

화구【火口】[hwa:gu]〈名〉火口. ❶(かまの)たき口. ❷〔地〕(火山の)噴火口.

화구【畫具】[hwa:gu]〈名〉画具. 画材. 語例 ~상 画具商.

화근【禍根】[hwa:gŭn]〈名〉禍根. 災いのもと. 句例 ~을 없애다 禍根をなくす / ~을 제거하다 禍根を除く / 장래에 ~을 남기다 将来に禍根をのこす. 語例 ~ 거리 禍根のもと. 災いの種.

화급-하다【火急—】[hwa:gŭp'ada] (→하다)〈形〉火急だ. 句例 화급한 통지 火急な知ら

せ / 화급한 용무로 상경하다 火急の用で上京する. **화급히** [hwa:gŭp'i] 〈副〉 大急ぎで. 句例 화급히 연락하다 大急ぎで連絡する.

화기 【火氣】 [hwa:gi] 〈名〉 ❶火気. 火の気. 語例 ～ 엄금 火気厳禁. ❷怒気.

화기-애애 【和氣藹藹】〈名・하形〉和気藹藹. 句例 ～한 분위기 和気藹藹とした雰囲気.

화끈 〈副・하形〉 急に熱気を帯びるさま: かっと. ふわっと. ぽっと. 句例 얼굴이 ～해지다 顔がかっとほてる / 난로가 ～하게 달아오르다 ストーブの火がかっと燃え上がる. **～거리다** 〈自〉 かっかとほてる. ぼうっとほてる. 文例 술을 마셨더니 얼굴이 ～거리기 시작했다 酒を飲んだら顔がかっかとほてり始めた.

화끈화끈 〈副・하自〉 かっかと. 赤赤と.

⁑**화-나다** 【火一】 [hwa:nada] ⇨ '화(火)'の小項目

⁑**화-내다** 【火一】 [hwa:naeda] ⇨ '화(火)'の小項目

화농 【化膿】 [hwa:nong] 〈名・하自〉〔醫〕 化膿. 句例 상처가 ～하다 傷口が化膿する. 語例 ～균 化膿菌.

화닥닥 〈副・하自〉 ❶急に立ち上がったり飛び出したりするさま: ぱっと. ぱたぱたっと. 文例 문을 박차고 ～ 뛰어 나갔다 ドアをけとばしてぱっと飛び出した. ❷すばやく事を運ぶさま: ぱっぱっと. さっさと. ぱたぱたと. 句例 숙제를 ～ 해치우다 宿題をさっさとやりとげる. 文例 밥을 ～ 먹어 치웠다 ご飯をさっさと食べてしまった. **～거리다** 〈自〉 ぱたぱたする. あたふたする.

화닥닥화닥닥 [hwadaktak'wadaktak] 〈副・하自〉 ぱたぱた. どたばたどたばた.

⁑**화단** 【花壇】〈名〉 花壇. 花畑. 句例 뜰에 ～을 만들다 庭に花壇をつくる.

화답 【和答】〈名・하自〉 他人の詩歌に和して自分の詩歌を贈ること.

화덕 【火一】 [hwa:dŏk] 〈名〉 ❶炭火をおこして入れる大きな火鉢. ❷粘土や鉄板でつくったかまど.

화두 【話頭】〈名〉 話頭. 話の糸口.

화-딱지 【火一】 [hwa:—] 〈名〉 '화(火)①怒り'の俗っぽい言いかた: しゃく. かんしゃく. 文例 ～가 나서 못 견디겠다 しゃくにさわってたまらない.

화락 【和樂】〈名・하形〉和楽. むつまじく楽しいこと. 句例 ～한 가정 むつまじい家庭.

***화랑** 【花郎】〈名〉〔史〕 花郎. 新羅時代の青少年の民間修養団体《門閥と学識のある端正な顔だちの少年たちで組織された》. 語例 ～도(徒) 花郎の衆徒.

화랑 【畫廊】 [hwa:rang] 〈名〉 画廊. ギャラリー.

화랑-도 【花郎道】〈名〉〔史〕 '화랑 花郎'のとるべき道.

***화려-하다** 【華麗一】 (→하다) 〈形〉 華麗だ. はでやかで美しい. 句例 화려하게 등장하다 はでやかに登場する / 화려한 옷차림의 여인 はでな装いの女性 / 화려한 무대에 서다 華麗な舞台に立つ / 생활이 ～ 生活がはでだ / 화려한 무늬 華やかな模様.

화력 【火力】 [hwa:ryŏk] 〈名〉 火力. ❶火の力. 句例 ～이 세다 火力が強い. 語例 ～ 발전소 火力発電所. ❷〔軍〕 銃砲の威力. 句例 최신 ～을 갖춘 부대 最新の火力を備えた部隊.

화로 【火爐】 [hwa:ro] 〈名〉 火鉢. 句例 ～에 불을 담다 火鉢に火を入れる / ～를 쬐다 火鉢に当たる / ～를 둘러싸고 앉다 火鉢を囲んで座る. 語例 화롯불 火鉢の火.

화륜-선 【火輪船】 [hwa:ryunsŏn] 〈名〉 '기선 汽船'の旧称: 火輪船.

***화면** 【畫面】 [hwa:myŏn] 〈名〉 画面. 句例 ～ 가득히 그려진 풍경화 画面いっぱいに描かれた風景画 / 텔레비전의 ～이 밝다〔어둡다〕 テレビの画面が明るい〔暗い〕.

***화목-하다** 【和睦一】 [hwamok'ada] (→하다) 〈形〉 仲むつまじい. 句例 화목한 가정 むつまじい家庭. 文例 그 부부는 ～ その夫婦はむつまじい.

화-무십일홍 【花無十日紅】 [hwamushibilhong] 〈名〉 (十日も持つ赤い花はないという意で)一度栄えれば必ず衰えるときが来ることのたとえ. 満つれば欠くる世の習い.

화문 【花紋】〈名〉 花紋. 花模様. ＝꽃무늬. 語例 ～석(席) 花ござ.

화물 【貨物】 [hwa:mul] 〈名〉 貨物. 句例 ～을 수송하다 貨物を輸送する. 語例 ～ 열차 貨物列車 / ～차 貨物車 / ～선 貨物船.

화백 【畫伯】 [hwa:baek] 〈名〉 画伯.

화법 【話法】 [hwappŏp] 〈名〉 話法. 話し方. ㊫화술(話術).

화법 【畫法】 [hwa:ppŏp] 〈名〉 画法. 句例 전위적인 ～ 前衛的な画法.

⁑**화병** 【火病】 [hwa:ppyŏng] 〈名〉 '울화병(鬱火病)'の略.

화보 【畫報】 [hwa:bo] 〈名〉 画報. 語例 올림픽 대회 ～ オリンピック大会の画報.

화복 【禍福】 [hwa:bok] 〈名〉 禍福. 語例 길흉 ～ 吉凶禍福.

⁑**화분** 【花盆】〈名〉植木鉢. 句例 ～에 꽃을 심다 植木鉢に花を植える. 文例 넘어지는 바람에 ～을 깨뜨렸다 倒れたはずみに植木鉢を割った. 語例 ～흙 植木鉢の土.

화사-하다 【華奢一】 (→하다) 〈形〉 華やかだ. はでやかだ. 句例 화사한 옷차림 華やかな身なり〔装い〕 / 화사한 사고 방식 はでやかな〔華奢な〕考え方.

***화산** 【火山】 [hwa:san] 〈名〉〔地〕 火山. 句例 ～이 터지다 火山が爆発する. 語例 ～대 火山帯 / ～ 분출물 火山の噴出物 / ～섬 火山島 / ～암 火山岩 / ～재 火山灰 / ～호 火山湖 / ～ 활동 火山活動.

***화살** 〈名〉 矢. 句例 ～이 꽂히다 矢が刺さる / ～을 쏘다 矢を射る / ～을 (시위에) 메기다 矢をつがえる. 語例 ～대 矢柄 / ～촉 やじり(鏃) / ～표(標) 矢印.

화상 【火傷】 [hwa:sang] 〈名〉 やけど. 火傷. 句例 ～ 입은 자리 やけどのあと / ～으로 물집이 생기다 やけどで火ぶくれができる / 손에 ～을 입다 手にやけどを負う〔する〕.

화상 【畫像】 [hwa:sang] 〈名〉 ❶画像. ㉠肖像画. 絵すがた. 句例 ～을 그리다 画像を描く. 語例 자～ 自画像. ㉡(テレビなどの)映

ㅎ

像. 句例 ~이 일그러지다 画像がゆがむ〔ずれる〕/ 선명한 ~ 鮮明な画像. ❷㉠顔. 面. ㉡気に食わない人を指す語. 文例 저 ~이 또 나타났군 あの面がまた現れたね.
表現 ②は俗っぽい言いかた.

화색【和色】〈名〉❶温和な顔色. ❷血色がよくて明るい表情. 句例 얼굴에 ~이 돌다 顔に血の色がさす. 顔色が明るい.

화생방-전【化生放戰】〈名〉〔軍〕化学・生物学・放射能兵器を使用する戦争. =시비아르전(CBR戰).

***화석**【化石】[hwa:sŏk]〈名〉〔地〕化石. 語例 ~ 인류 化石人類 / ~학 化石学.

***화-선지**【畫宣紙】[hwa:sŏnji]〈名〉画仙紙.

***화성**【火星】[hwa:sŏng]〈名〉〔天〕火星. マース. 語例 ~인 火星人 / ~ 탐사 위성 火星探査衛星.

화성【和聲】〈名〉〔樂〕和声. ハーモニー. 語例 ~법 和声法.

화성-암【火成岩】[hwa:sŏng-am]〈名〉〔地〕火成岩.

화수분〈名〉無尽蔵の富. 金のなる木. 文例 내가 ~인 줄 아냐 僕が金のなる木とも思うのか.

화수-회【花樹會】〈名〉同じ名字をなのる氏族の親睦会.

화술【話術】〈名〉話術. 話し方. 句例 ~이 뛰어난 사람 話術に秀でた人.

화승-총【火繩銃】[hwa:sŭngch'ong]〈名〉火縄銃.

화식【貨殖】[hwa:shik]〈名・하自〉貨殖. 資産を殖やすこと.

화신【化身】[hwa:shin]〈名〉化身. 句例 권력의 ~ 権力の化身 / 미의 ~ 美の化身 / 악마의 ~ 悪魔の化身.

화신【花信】〈名〉花信. 花だより.

화실【畫室】[hwa:shil]〈名〉画室. アトリエ. =아틀리에.

화씨【華氏】〈名〉〔物〕カ氏. 語例 ~ 온도 カ氏温度. 對섭씨(攝氏).

***화약**【火藥】[hwa:yak]〈名〉火薬. 句例 ~을 재다 火薬をこめる. 語例 ~고 火薬庫.

화약을 지고 불로 들어간다 火薬を背負って火の中に入る. 飛んで火に入る夏の虫.

화염【火焰】[hwa:yŏm]〈名〉火炎. 炎. 句例 ~에 싸이다 火炎に包まれる. 語例 ~ 방사기 火炎放射器 / ~병 火炎瓶.

화요-일【火曜日】〈名〉火曜日. 文例 ~에 출발한다 火曜日に出発する.

화원【花園】〈名〉花園. 花畑. =꽃동산.

***화음**【和音】〈名〉〔樂〕和音.

화음 기호【和音記號】〈名〉〔樂〕和音記号. 和音の種類を表わす記号.

화의【和議】〈名〉和議. 句例 ~가 성립되다 和議が成立する / ~를 제의하다〔맺다〕和議を持ちかける〔結ぶ〕.

화이트〈名〉ホワイト. 語例 ~ 칼라 ホワイトカラー. ◇white

화장【—長】〈名〉(衣服の)ゆき(裄). 句例 ~이 길다 ゆきが長い.

화장【化粧】〈名・하他〉化粧. 句例 ~을 고치다 化粧を直す / ~을 지우다 化粧を落とす / 짙은〔엷은〕~ 厚〔薄〕化粧. 文例 ~을 안 해도 참 예쁘시군요 化粧をしなくても本当にきれいですね. 語例 ~기 化粧っ気 / ~대 化粧台 / ~품 化粧品 / ~지(紙) トイレットペーパー. ティッシュペーパー.

화장【火葬】[hwa:jang]〈名・하他〉火葬. 句例 유해를 ~하다 なきがらを荼毘に付する. 語例 ~터〔장〕焼き場. 火葬場.

화장-실【化粧室】〈名〉化粧室. ❶お手洗い. トイレ. =변소(便所). 句例 잠깐 ~에 가다 ちょっとトイレに立つ. 文例 ~이 어딥니까 トイレはどこですか. お手洗いはどちらですか. 語例 여자용 ~ 婦人用トイレ. ❷化粧部屋.

***화재**【火災】[hwa:jae]〈名〉火災. 火事. 句例 ~가 발생하다 火災が発生する / ~를 당하다 火事に会う. 文例 ~를 미처 피하지 못해 타죽었다 火事に逃げ後れて焼死した. 語例 ~ 경보기 火災報知機 / ~ 보험 火災保険 / ~ 위문 火事見舞い.

화전【火田】[hwa:jŏn]〈名〉火田. 焼き畑. 語例 ~민 火田民.

화전【和戰】〈名・하自〉和戦. ❶平和と戦争. 句例 ~ 양면의 태세 和戦両様の構え. ❷戦いをやめてむつ(睦)まじくすること. 語例 ~ 조약 和戦条約.

화점【花點】[hwatchŏm]〈名〉星. 碁盤の目の上にしるした九つの黒点.

화제【話題】〈名〉話題. 句例 ~에 오르다 話題にのぼる / ~의 주인공 話題の主人公 / ~로 삼다 話題にする / ~를 뿌리다 話題をまく. 語例 화젯거리 話題の種.

화주【貨主】[hwa:ju]〈名〉貨主. 荷主.

화주-승【化主僧】[hwa:jusŭng]〈名〉〔佛〕化主. 化主僧. 施物を請い寺院の費用などを満たしたりする僧. =화주(化主). 시주승(施主僧).

화증【火症】[hwa:tchŭng]〈名〉怒り. 腹立ち. かんしゃく. 句例 ~을 내다 かんしゃくを起こす.

화차【火車】[hwa:ch'a]〈名〉火車. ❶昔の戦闘で火攻めに用いた兵車. ❷(中国で)汽車.

화차【貨車】[hwa:ch'a]〈名〉貨車. 句例 석탄을 ~로 운송하다〔실어 내다〕石炭を貨車で運送する〔積み出す〕.

***화창-하다**【和暢—】(→하다)〈形〉(天気や風が)のどかだ. うららかだ. 句例 화창한 날씨 のどかな天気 / 화창한 봄날 うららかな春の日.

화채【花菜】〈名〉〔料理〕はちみつ(蜂蜜)や砂糖で, または五味子の汁でつくって松の実などを浮かべた冷たい飲み物.

****화초**【花草】〈名〉❶草花. 観賞用の植物. 句例 뜰에 ~를 심다 庭に草花を植える. ❷(一部の名詞の前について) 飾り物や遊び道具の意を表わす語. 語例 ~담〔墻〕いろいろな模様と色彩で飾った塀 / ~밭 花園. 花畑 / ~장(欌) 草花の模様をあしらったたんす(簞笥).

화촉【華燭】〈名〉華燭. ❶色をつけたろうそく. ❷'結婚'の美称. 語例 ~지전 華燭の

典《'結婚式'の美称》.

화촉을 밝히다 結婚式をあげる.

화친【和親】〈名・하自〉和親. 句例 ~ 조약을 맺다 和親条約を結ぶ.

화톳-불〈名〉かがり火. たき火. 句例 ~을 놓다〔피우다〕かがり火をたく / ~을 둘러싸고 앉다 かがり火をとり囲んで座する.

화투【花闘】〈名・하自〉花札. 花ガルタ. 句例 ~놀이(를) 하다 花ガルタを合わせる. 語例 ~놀이 花合わせ / ~짝 花札の札.

화투(를) 치다 ❶花札をする. ❷花札を切る.

화평【和平】〈名・하形〉和平. 平和. 句例 ~을 맺다 和平をむすぶ. 語例 ~ 교섭 和平交渉 / ~ 조약 和平条約.

***화폐**【貨幣】[hwa:p'ye]〈名〉貨幣. 句例 ~ 가치가 떨어지다〔올라가다〕貨幣価値が下がる〔上がる〕. 語例 ~ 개혁 貨幣改革 / ~ 단위 貨幣単位 / ~ 유통 속도 貨幣の流通速度 / ~ 자본 貨幣資本.

화포【火砲】[hwa:p'o]〈名〉〔軍〕火砲. 大砲などの火器. 句例 ~를 쏘다 大砲をうつ.

화폭【畫幅】[hwa:p'ok]〈名〉画幅. 画布. 絵画. 掛け軸. 句例 남산의 전경을 ~에 담다 南山の全景を画幅におさめる.

화-풀이【火—】[hwa:p'uri]〈名・하自〉腹いせ. 当たり散らすこと. 句例 엉뚱한 사람에게 ~하다 とんでもない人に当たり散らす.

화-하다【化—】[hwa:hada]（→하다）〈自〉❶('…(으)로 화하다'の形で)…と化す. …に変わる. 句例 폭도로 ~ 暴徒と化する / 액체가 고체로 ~ 液体が固体に変わる / 수라장으로 ~ 修羅場に化する. ❷熟達する. …に秀でる.

-화-하다【化—】（→하다）〈尾〉…化する. 句例 공업~ 工業化する / 현대~ 現代化する.

***화학**【化學】〈名〉化学. 語例 ~ 비료 化学肥料 / ~ 기호 化学記号 / ~ 반응 化学反応 / ~ 병기 化学兵器 / ~ 실험 化学実験 / ~ 작용 化学作用 / ~ 조미료 化学調味料.

화합【化合】〈名・하自〉〔化〕化合. 文例 산소와 수소가 ~하면 물이 된다 酸素と水素が化合すると水になる. 語例 ~력 化合力 / ~물 化合物. ㉠분해(分解).

화합【和合】〈名・하自〉和合. 仲よくすること. 句例 이웃끼리 ~하다 隣どうしが仲よくする. 文例 부부는 ~해야 한다 夫婦は和合せねばならない.

화해【和解】〈名・하自〉和解. 仲直り. 句例 서로 ~하다 互いに和解する / ~가 이루어지다 和解がなりたつ / 쌍방을 달래서 ~시키다 双方をなだめて仲直りさせる. 文例 빨리 ~해라 早く仲直りしなさい.

화형【火刑】[hwa:hyŏng]〈名〉火刑. 火あぶりの刑. 句例 ~에 처하다 火刑に処する.

화혼【華婚】〈名〉他人の結婚を高めて言う語. ご結婚.

화환【花環】〈名〉花輪. 句例 ~을 목에 걸다 花輪を首にかける.

화훼【花卉】〈名〉花卉. 草花. 花の咲く草. 語例 ~ 원예 花卉園芸.

확[1] [hwa:k]〈名〉❶石うす・鉄うすなどの総称. ❷うす(臼)のくぼんだ内部.

확[2]〈副・하自〉❶風が急に強く吹くさま: ぴゅうと. ひゅうっと. 句例 바람이 ~ 불다 風がぴゅうと吹く.
❷くすぶっていた火が急に燃え上がるさま: ぱっと. ぽっと. 句例 불이 ~ 타오르다 火がぱっと燃え上がる.
❸急にある感情がこみ上げるさま: かっと. どっと. 句例 눈물이 ~ 쏟아지다 涙がどっとこみあげる.
❹力をこめてすばやく行なうさま: ぱっと. さっと. 句例 개가 ~ 달려들다 犬がぱっと飛びかかる / 물을 ~ 뿌리다 水をぱっと振りかける.
❺縛られた物が急に解けるさま: ぱっと. すっと. するすると. 句例 고무줄이 ~ 풀어지다 ゴムひもがすっとほどける.
❻気持ちがほぐれるさま: すっと. 文例 속이 ~ 풀렸다 気持ちがすっと落ちついた.

확 〔漢字項目〕

【擴(拡)】 高校 확 カク. 넓히다 広げる. ▮擴大 확대 かくだい. 擴散 확산 かくさん. 擴張 확장 かくちょう. ▮開擴 개확 かいかく. 軍擴 군확 ぐんかく.

【確】 高校 확 カク. ❶굳다 かたい. 견실하다 しっかりしている. ▮確固 확고 かっこ. 確立 확립 かくりつ. 確信 확신 かくしん. 確保 확보 かくほ. 確定 확정 かくてい. ❷확실하다 たしかだ. 틀림없다 まちがいない. ▮確率 확률 かくりつ. 確實 확실 かくじつ. 確認 확인 かくにん. ▮明確 명확 めいかく. 正確 정확 せいかく.

【穫】 高校 확 カク. 곡물을 거두어들이다 穀物をとり入れる. ▮收穫 수확 しゅうかく. 多穫 다확 たかく.

확고-부동【確固不動】〈名・하形〉確固不動. 確固として動揺しない. 文例 그의 결심은 ~하다 彼の決心は確固として動かすことができない.

확고-하다【確固—】（→하다）〈形〉確固としている. しっかりしている. 句例 확고한 정신〔신념〕確固たる精神〔信念〕/ 확고한 증거 確固とした証拠. 文例 마음가짐이 ~ 心構えがしっかりしている.

확답【確答】〈名・하他〉確答. 句例 ~을 받다 確答を得る / ~을 피하다 確答を避ける.

확대【擴大】〈名・하他〉拡大. 句例 규모를 두 배로 ~하다 規模を二倍に拡大する / 사진을 ~하다 写真を引き伸ばす. 語例 ~경 拡大鏡. 虫眼鏡 / ~도 拡大図 / ~기 引き伸ばし機 / ~율 拡大率. ㉠축소(縮小).

확률【確率】[hwangnyul]〈名〉〔數〕確率. 文例 당선될 ~이 높다〔낮다〕当選する確率が高い〔低い〕.

***확립**【確立】[hwangnip]〈名・하自他〉確立. 句例 제도를 ~하다 制度を確立する / 지위를 ~하다 地位を確立する.

확보【確保】〈名・하他〉確保. 句例 기반을 ~하다 基盤を確保する / 인원이 ~되다 人員が

確保される.

확산【擴散】〈名・하自〉拡散. 広がり散ること. 句例 핵무기의 ~ 核武器の拡散. 文例 절약 운동이 전국으로 ~되다 節約の運動が全国に拡散する.

확성-기【擴聲器】〈名〉拡声器. スピーカー.

확신【確信】〈名・하他〉確信. 句例 ~을 얻다 確信を得る. 文例 그의 당선을 ~한다 彼の当選を確信する. 語例 ~범〔法〕確信犯.

확실【確實】〈名〉確実. **~하다**〈形〉確実だ. 確かだ. 句例 ~한 계획 確かな計画 / ~한 물증 確実な物証. 文例 ~한 것은 아직 모른다 確かなことはまだわからない. 語例 ~성 確実性 / ~시 確実視. 對불(不)확실. **~히**〈副〉確実に. 確かに. 文例 ~히 그 사람은 머리가 좋다 確かにあの人は頭がいい.

확약【確約】[hwagyak]〈名・하他〉確約. 句例 ~을 얻다 確約をえる / 다시 만나기로 ~하다 再会を確約する / 신분 보장을 ~하다 身分保障を確約する. 文例 오늘 당장 ~하는 건 곤란하다 今日すぐに確約することは難しい.

확언【確言】[hwagŏn]〈名・하他〉確言. 句例 틀림없다고 ~하다 間違いないと確言する / 승리한다고 ~하다 勝利すると確言する.

***확인**【確認】[hwagin]〈名・하他〉確認. 句例 신원을(인원수를) ~하다 身元〔人数〕を確認する / …의 의사를 ~하다 …の意思を確かめる. 文例 신호를 ~하고 나서 길을 건너시오 信号を確かめてから道を渡りなさい. 語例 미~ 未確認.

확장【擴張】〈名・하他〉拡張. 句例 사업을 ~하다 事業を拡張する / ~된 생산 체계 拡張された生産体系.

확정【確定】〈名・하他〉確定. 句例 범위를 ~하다 範囲を確定する / ~된 법률안 確定された法律案 / 기일〔우승〕이 ~되다 期日〔優勝〕が確定される. 語例 ~ 신고 確定申告 / ~ 재판 確定裁判 / ~ 판결 確定判決 / ~되다 確定する. 確定される.

확정-적【確定的】〈名・冠〉確定的. 文例 이미 승리는 ~이다 もはや勝利は確定的だ.

확증【確證】〈名・하他〉確証. 句例 임상 실험을 통해 ~된 학설 臨床実験を通じて確証された学説 / 범행의 ~을 잡다 犯行の確証を握る.

확충【擴充】〈名・하他〉拡充. 句例 시설을 ~하다 施設を拡充する / ~된 행정 기구 拡充された行政機構.

환【換】[hwa:n]〈名〉〔經〕為替. 語例 ~어음 為替手形 / ⇨ 환시세 / ~차익 為替差益 / 외국~ 外国為替 / 원표시~ ウォン建て為替.

환　〔漢字項目〕

【丸】高校 환 ガン. ❶알. 탄알 たま. ◧彈丸 탄환 だんがん. ❷둥근 것 まるいもの. ◧丸藥 환약 がんやく. ◧砲丸 포환 ほうがん.

【患】中學 환 カン. ❶근심 なやみ. うれい. ◧患苦 환고 かんく. ◧後患 후환 こうかん. ❷병 やまい. 앓다 わずらう. ◧患者 환자 かんじゃ. ◧重患 중환 じゅうかん.

【換】高校 환 カン. 바꾸다 かえる. ◧換言 환언 かんげん. 換氣 환기 かんき. ◧交換 교환 こうかん.

【歡(歓)】中學 환 カン. 기뻐하다 よろこぶ. 기쁨 よろこび. ◧歡迎 환영 かんげい. 歡待 환대 かんたい. ◧哀歡 애환 あいかん.

【環(環)】高校 환 カン. ❶고리모양의 옥 玉のわ. ◧佩環 패환 はいかん. ❷고리 わ. ◧環礁 환초 かんしょう. ◧耳環 이환 みみわ. ❸돌다 まわりめぐる. ◧環境 환경 かんきょう. ◧循環 순환 じゅんかん.

【還(還)】高校 환 カン. ❶돌아오다 もとへもどる. ◧還元 환원 かんげん. ◧生還 생환 せいかん. 歸還 귀환 きかん. ❷돌려 보내다 かえす. ◧還付 환부 かんぷ. ◧返還 반환 へんかん. 償還 상환 しょうかん.

환각【幻覺】[hwa:n-gak]〈名〉〔心〕幻覚. 句例 ~을 일으키다 幻覚をおこす. 語例 ~범 幻覚犯 / ~제 幻覚剤.

***환갑**【還甲】〈名〉還暦. ＝회갑(回甲). 句例 ~을 맞이하다 還暦を迎える. 語例 ~날 還暦の日《還暦を迎える誕生日》/ ~ 잔치 還暦祝い(の宴).

환갑 진갑(進甲) **다 지내다** 還暦および, その翌年もとっくに過ぎた. ずいぶん長生きしたつもりだの意.

***환경**【環境】〈名〉環境. 句例 ~이 좋다〔나쁘다〕環境がいい〔悪い〕/ 주위 ~에 적응하다 周りの環境に適応する / 자연 ~이 오염되다 自然環境が汚染される. 文例 인간은 ~에 지배된다 人間は環境に支配される. 語例 ~변이〔生〕環境変異 / ~ 보전법 環境保全法 / ~ 위생 環境衛生 / ~ 파괴 環境破壊 / 생활 ~ 生活環境.

환경-부【環境部】〈名〉環境部. 日本の環境庁に当たる. 語例 ~ 장관 環境部長官.

환금【換金】[hwa:n-gŭm]〈名・하他〉❶換金. 句例 상품을 팔아 ~하다 商品を売り換金する. 對환물(換物). 語例 ~ 작물〔農〕換金作物. ❷〔經〕両替. 句例 수표를 ~하다 小切手を換金する.

환급【還給】〈名・하他〉返してやること. 戻してやること. ＝환불.

환기【喚起】[hwa:n-gi]〈名・하他〉喚起. 句例 주의를 ~하다 注意を喚起する / 여론을 ~하다 世論を喚起する.

환기【換氣】[hwa:n-gi]〈名・하自〉換気. 通風. 句例 ~가 잘 되다 風通しがいい. 換気がいい. 文例 창고는 ~가 중요한 조건이다 倉庫は通風が重要な条件である. 語例 ~ 장치 換気装置 / ~창(窓) 風窓 / ~통 換気筒. 通気孔.

환담【歡談】〈名・하自〉歓談. 句例 ~을 나누다 歓談をかわす / 친구들과 ~하다 友達と歓談する.

환대【歡待】〈名・하他〉歓待. 手厚いもてなし. 句例 손님을 ~하다 お客さんを歓待する / 정성어린 ~를 받다 手厚いもてなしを受ける. 類환영(歡迎).

환도【還都】〈名・하自〉還都. 内乱などで地

方に移った政府が再び首都に戻ること.

환등【幻燈】[hwa:ndŭng]〈名〉幻灯. スライド. 語例 ~기 幻灯機.

환락【歡樂】[hwallak]〈名・하自〉歓楽. 句例 ~을 쫓는 사람들 歓楽を追い求める人人 / ~에 빠지다 歓楽におぼれる.

환매【還買】〈名・하他〉買い戻すこと.

환멸【幻滅】[hwa:nmyŏl]〈名〉幻滅. 句例 ~을 느끼다 幻滅を感じる. 語例 ~감 幻滅感.

환부【患部】[hwa:nbu]〈名〉患部. 句例 ~를 절개하다 患部を切開する / ~에 약을 바르다 患部に薬を塗る.

환불【還拂】〈名・하他〉(料金などを)払い戻すこと. 句例 세금을 ~하다 税金を払い戻す / 입장료를 ~하다 入場料を払い戻す.

환산【換算】[hwa:nsan]〈名・하他〉換算. 句例 달러를 원으로 ~하다 ドルをウォンに換算する / 돈으로 ~하다 金に換算する / 피트를 미터로 ~하다 フィートをメートルに換算する. 語例 ~표 換算表.

환상【幻想】[hwa:nsang]〈名〉幻想. ファンタジー. 句例 ~을 품다 幻想をいだく / ~에 젖다 幻想に浸る. 語例 ~곡〔樂〕幻想曲. ファンタジア / ~미 幻想美 / ⇨ 환상적 / ~주의 幻想主義 / ~가 幻想家.

환상【幻像】[hwa:nsang]〈名〉〔心〕幻像. 幻. ＝환영(幻影). 句例 ~을 보다 幻像を見る / ~을 좇다 幻を追う.

환상【環狀】〈名〉環状. 語例 ~ 도로 環状道路 / ~선 環状線.

환상-적【幻想的】[hwa:nsang—]〈名・冠〉幻想的. 句例 ~인 분위기를 자아내다 幻想的な雰囲気を醸し出す.

환성【歡聲】〈名〉歓声. 句例 ~을 지르다 歓声をあげる / 기쁨에 넘치는 ~ 喜びにあふれる歓声.

환송【還送】〈名〉還送. 送還. **~하다**〈他〉還送〔送還〕する. 送り返す. 差し戻す. ＝반송(返送). 句例 서류를 ~하다 書類を差し戻す. 文例 사건이 원심으로 ~되었다 事件が原審に送還された.

환송【歡送】〈名・하他〉歓送. 句例 기쁜 마음으로 ~하다 うれしい心で歓送する. 語例 ~회 歓送会. 對환영(歡迎).

환수【還收】〈名・하他〉還収. (一度他人の手に渡ったものを)取り戻すこと. 句例 대부금을 ~하다 貸し付け金を還収する.

환-시세【換時勢】[hwa:nshise]〈名〉〔經〕為替相場. 為替レート. ＝환율(換率).

환심【歡心】〈名〉歓心.
환심(을) 사다 歓心を買う. 機嫌をとる. 句例 …의 환심을 사다 …の歓心を買う.

환약【丸藥】[hwanyak]〈名〉丸薬. 文例 ~ 두 알만 먹어라 丸薬二粒だけ飲みなさい. ＝알약. 對가루약. 탕약(湯藥).

환-어음【換—】[hwa:nŏŭm]〈名〉〔經〕為替手形.

환영【幻影】[hwa:nyŏng]〈名〉幻影. 幻. 句例 ~을 좇다 幻を追う.

환영【歡迎】[hwanyŏng]〈名・하他〉歓迎. 句例 성대한 ~을 받다 盛大な歓迎を受ける. 文例 여러분을 진심으로 ~합니다 皆様を心から歓迎します. 語例 ~사 歓迎の辞 / ~연 歓迎の宴 / ~식 歓迎式. 對환송(還送).

환원【還元】[hwanwon]〈名・하自他〉還元. ❶元の状態に戻す〔戻る〕こと. 句例 이익을 ~하다 利益を還元する. 文例 받은 은혜를 사회에 ~하다 うけた恩恵を社会に還元する. ❷〔化〕酸化物から酸素をとりさること. 文例 산화철을 ~하면 철이 된다 酸化鉄を還元すると鉄になる. 語例 ~제 還元剤. 對산화(酸化). ❸(天道教で)人間の死.

환율【換率】[hwa:nyul]〈名〉〔經〕為替相場. 為替レート. ＝환시세(換時勢).

환-은행【換銀行】[hwa:nŭnhaeng]〈名〉〔經〕為替銀行. ＝외환(外換) 은행.

*__환자__【患者】[hwa:nja]〈名〉患者. 病人. 句例 ~를 진찰하다 患者を診察する. 語例 외래 ~ 外来患者 / 입원 ~ 入院患者.

환장【換腸】[hwa:njang]〈名・하自〉['환심장(換心腸)'の略] 気がいつもと違うこと. 気がおかしくなること. 狂いそうになること. 文例 요즘 바빠서 ~하겠네 このごろ忙しくて狂いそうだ / ~할 지경이다 気がおかしくなりそうだ.

환-쟁이 [hwa:n—]〈名〉三文画家.

환전【換錢】[hwa:njŏn]〈名・하他〉両替. 語例 ~상(商) 両替屋.

환절【換節】[hwa:njŏl]〈名・하自〉❶季節が変わること. 語例 ⇨ 환절기 / ~머리 季節の変わるごろ. ❷変節.

환절-기【換節期】[hwa:njŏlgi]〈名〉季節の変わり目. 文例 요즘 ~니까 감기에 주의하세요 近ごろ, 季節の変わり目だから風邪に注意しなさい.

환조【丸彫】〈名〉〔美〕丸彫り. 物体の形象を立体的に彫刻すること.

환지【換地】[hwa:nji]〈名・하自〉替え地. 換地. ＝환토(換土). 語例 ~ 처분 換地処分.

환풍-기【換風機】[hwa:np'unggi]〈名〉送風機. ブロワー.

환-하다 [hwa:nhada] (→하다)〈形〉❶明るい. 句例 전등이 ~ 電灯が明るい / 방이 ~ 部屋が明るい. 文例 방은 밤새 환하게 불이 켜져 있었다 部屋は夜が明けるまで明明と灯がともっていた.

❷(前方が)ぱっと開けている. 見通しがいい. 句例 장래가 환한 청년 前途の見通しがいい青年 / 환하게 트인 길 ぱっと開けたまっすぐな道.

❸(中身が)透けて見える. 明らかだ. 句例 살이 환하게 비치는 여름옷 肌が透けて見える夏服.

❹(物事に)明るい. 精通している. 通じている. 詳しい. 句例 이곳 지리에 ~ この辺の地理に明るい. 文例 그는 건축에 대해선 ~ 彼は建築に対しては詳しい.

❺(容貌・風采などが)立派だ. 際立っている. 晴れやかだ. 句例 얼굴이 ~ 顔が晴れやかだ.

❻(表情などが)晴れやかだ. (性格が)朗

らかだ．（色が）明るい．

❼（口の中が）さわやかだ．文例 은단을 먹었더니 입안이 ～ 仁丹をかんだので口の中がさわやかだ．

환히〈副〉明らかに．はっきりと．よく．文例 그의 속은 ～ 알고 있다 彼の心中はよくわかっている．

환호【歡呼】〈名・하自〉歓呼．文例 사람들은 ～하며 선수단을 맞이하였다 人人は歓呼の声を上げて選手団を迎えた．語例 ～성 歓呼の声．

환후【患候】[hwa:nhu]〈名〉目上の人の病気をたかめて言う語：ご病気．

환희【歡喜】[hwanhi]〈名〉歓喜．喜び．句例 ～의 노래 歓喜の歌／～의 눈물을 흘리다 歓喜の涙を流す．

***활**〈名〉❶弓．句例 ～을 쏘다 弓を射る／～의 명수 弓の名手／～에 살을 메기다 弓に矢をつがえる／～을 잔뜩 (잡아)당기다 弓を引きしぼる．❷（弦楽器の）弓．句例 바이올린의 ～ バイオリンの弓．

활(을) 메우다 弓を張る．

활(을) 부리다 弓の弦をはずす．

활 〔漢字項目〕

【活】中學 활 カツ．❶살다 いきる．살리다 いかす．◧活潑 활발 かっぱつ．活人 활인 かつじん．◨死活 사활 しかつ．❷살림 くらし．◧活計 활계 かっけい．◨生活 생활 せいかつ．❸(인쇄의) 자형 (印刷の)字形．◧活字 활자 かつじ．活版 활판 かっぱん．

활강【滑降】〈名・하自〉滑降．句例 맹스피드로 ～하다 猛スピードで滑降する．語例 ～ 경기 (スキーの)滑降競技．

활개〈名〉❶(鳥の)翼．❷(人間の)両腕．大手．

활개(를) 젓다 大手を振る．(歩きながら)両手を大きく振る．

활개(를) 치다 ❶羽ばたく．文例 새는 활개를 치며 날아갔다 鳥は羽ばたきながら飛び去った．❷意気揚揚とふるまう．横行する．句例 활개 치고 다니다 いばって歩く．文例 불량배가 활개를 치고 있다 ならず者が横行している．

활공【滑空】〈名・하自〉滑空．発動機を使わずに空を飛ぶこと．語例 ～기 滑空機．グライダー．

활극【活劇】〈名〉活劇．乱闘劇．句例 ～을 벌이다 乱闘劇を演じる．

활기【活氣】〈名〉活気．生気．句例 ～찬 생활 活気のある生活／～를 띠다 活気を帯びる．活気づく／～를 잃다 活気を失う．文例 증권 시장이 ～를 되찾았다 証券市場が活気を取り戻した．

활달-하다【豁達―】[hwalttal―]（→하다）〈形〉闊達だ．句例 자유 활달한 인품 自由闊達な人柄／활달한 인물 闊達な人物．

****활동**【活動】[hwalttong]〈名・하自〉活動．句例 정계에서 ～하다 政界で活動する／～을 개시하다 活動を開始する／눈부신 ～ 目ざましい活動／머리 ～이 둔해지다 頭の働きが鈍くなる．語例 ～ 무대 活動の舞台／～량 活動量／과외 ～ 課外活動／연주 ～ 演奏活動／자원 봉사 ～ ボランティア活動．

활력【活力】〈名〉活力．句例 ～을 불어넣다 活力を与える〔吹き込む〕／～이 넘치다 活力にあふれる／～을 되찾다〔기르다〕 活力を取り戻す〔たくわえる〕／～ 있는 사람 活力のある人．語例 ～소 活力素．

활로【活路】〈名〉活路．句例 ～가 열리다 活路が開かれる／～를 개척하다 活路を開く／～를 찾아내다 活路を見いだす．

***활발-하다**【活潑―】（→하다）〈形〉活発だ．盛んだ．句例 동작이 ～ 動作が活発だ／활발한 움직임 活発な動き／활발한 소년〔성격〕 活発な少年〔性格〕／활발하게 토론하다 活発に討論する．**활발히**〈副〉活発に．

활보【闊步】〈名・하自〉闊歩．句例 대로를 ～하다 大路〔大通り〕を闊歩する．

활석【滑石】[hwalssŏk]〈名〉〔鑛〕滑石．タルク．＝곱돌．탤크(talc)．

활-선어【活鮮魚】[―ssŏnŏ]〈名〉〔魚〕活魚．語例 ～ 수출 活魚の輸出．

활성【活性】[hwalssŏng]〈名〉活性．句例 조직의 ～화를 꾀하다 組織の活性化を図る．語例 ～ 비타민 活性ビタミン／～탄 活性炭／～탄소 活性炭素．

활-시위 [―ssiwi]〈名〉弦．弓弦．略して'시위'ともいう．＝활줄．

활시위(를) 얹다 弓に弦を張る．

***활약**【活躍】[hwaryak]〈名・하自〉活躍．句例 ～상(相)이 주목되다 活躍ぶりが注目される／기자로서 ～하다 記者として活躍する．文例 눈부신 ～이 기대된다 目ざましい活躍が期待される．

활엽-수【闊葉樹】[hwaryŏpssu]〈名〉〔植〕闊葉樹．広葉樹．(對)침엽수(針葉樹)．

***활용**【活用】[hwaryong]〈名・하他〉❶活用．句例 인재를 잘 ～하다 人材を上手に活用する．文例 이것을 최대한으로 ～하자 これを最大限に活用しよう．❷〔言〕(用言の)活用．句例 동사의 ～ 動詞の活用．語例 ～형 活用形／불규칙 ～ 不規則活用．

***활자**【活字】[hwaltcha]〈名〉活字．句例 ～를 뽑다〔고르다〕 活字を拾う／～를 짜다 活字を組む／～의 오식 活字の誤植／고딕체의 ～ ゴシック体の活字．語例 8포인트 ～ 八ポイント活字／～본 活字本／～체 活字体／～판 活字版／～화 活字化．

활주【滑走】[hwaltchu]〈名・하自〉滑走．語例 ～로 滑走路．

활-집 [hwaltchip]〈名〉ゆぶくろ(弓袋)．ゆみぶくろ．弓を入れて置く袋．＝궁대(弓袋)．궁의(弓衣)．

***활짝**〈副〉❶(戸などを)開け放しているさま：大きく．いっぱい．句例 창문을 ～ 열다 窓をいっぱい開け放す／두 팔을 ～ 벌리다 両手を大きく広げる．

❷(遠くまで)広く開けたさき：からりと．広広と．句例 ～ 트인 전망 広広と開けた眺め／～ 트인 성격 からりとした性格．

❸(天気が)晴れたさま：からりと．からっと．句例 ～ 갠 하늘 からりと晴れ上がった空．

文例 하늘이 ～ 개었다 空がからりと晴れた.
❹(葉や花などが)完全に開いたさま：ぱあっと. 文例 꽃이 ～ 피어 있었다 花がぱあっと咲いていた.
❺さわやかに笑うさま：にっこりと. 句例 ～ 웃다 にっこりと笑う. 破顔一笑する.
❻夜がすっかり明けたさま：ぱあっと. すっかり. 文例 날이 ～ 밝았다 夜がすっかり明けた.

활차【滑車】〈名〉滑車. ＝도르래. 句例 큰 돌을 ～로 들어올리다 大きな石を滑車でつり上げる.

활-촉【一鏃】〈名〉'화살촉'の略.

활-터〈名〉弓場・ゆば. 射場・いば. 矢場.

활-화산【活火山】〈名〉〔地〕活火山. 對사화산(死火山). 휴화산(休火山).

활활〈副〉❶火が勢いよく燃えるさま：ぼうぼうと. めらめらと. かんかんと. 句例 숯불이 ～ 피어 오르다 炭火がかんかんとおこる / 불길이 ～ 솟아오르다 火柱がぼうぼうと上がる.
❷(鳥などが)軽やかに空を飛ぶさま：すいすいと. ひらひらと. 句例 갈매기가 ～ 날아가다 かもめがすいすいと飛んで行く.
❸勢いよく衣服を脱ぎ捨てるさま：さっと. さっさと. 句例 웃도리를 ～ 벗어던지다 上着をさっさと脱ぎ捨てる.
❹うちわで勢いよくあおぐさま：ぱたぱたと. 句例 ～ 부채질을 하다 ぱたぱたと勢いよくうちわをあおぐ.

활황【活況】〈名〉活況. 好況. 句例 ～을 되찾다 活況を取り戻す / ～을 띠다 活況を帯びる〔呈する〕.

홧-김【火一】[hwa:tkim]〈名〉腹立ちまぎれ. 腹いせ. 文例 ～에 따귀를 후려갈겼다 腹立ちまぎれに横っ面を張り飛ばした.
홧김에 서방질한다 腹いせに不貞を働く. 憤りのあまり分別を失うことのたとえ.

황【黃】〈名〉❶'황색(黃色)'の略：黄. 黄色. ❷〔化〕硫黄. ❸〔韓方〕牛・犬の肝で黄疸にかかった部分. 牛黄と狗黄. ❹朝鮮人参の表面にできる病的な黄色い傷. ❺麦の茎につく病的な黄色い粉.
황(이) 끼다 (朝鮮人参に)黄色い傷がつく.
황(이) 들다 (牛や犬が)黄疸にかかる.

황 〔漢字項目〕

【況】高校 황 キョウ. 모양 ありさま. ◧狀況 상황 じょうきょう. 近況 근황 きんきょう.

【皇】中學 황 コウ. オウ. ❶임금 君主. ◧皇城 황성 こうじょう. 皇室 황실 こうしつ. ❷겨를 いとま. ◨倉皇 창황 そうこう.

【荒(荒)】高校 황 コウ. ❶거칠다 あらい. ◧荒地 황지 こうち. 荒野 황야 こうや. ❷흉년 들다 不作になる. ◧荒年 황년 こうねん. ◨救荒 구황 きゅうこう. ❸변방 くにのはて. ◧荒僻 황벽 こうへき. ◨八荒 팔황 はっこう. ❹빠지다 ふける. ◧荒亡 황망 こうぼう. 荒淫 황음 こういん.

【黃(黄)】中學 황 コウ. オウ. ❶누른 빛 きいろ. ◧黃色 황색 おうしょく. ◨天地玄黃 천지현황 てんちげんこう. ❷노래지다 きいろくなる. ◧黃葉 황엽 こうよう. 黃落 황락 こうらく. ❸늙은이 としより. ◧黃髮 황발 こうはつ. ❹황금 こがね. ◧黃金 황금 おうごん.

황-고집【黃固執】〈名〉非常にかたくなで意地の強いこと. また, そんな人. 意地っ張り. 片意地.

황공【惶恐】〈名・하形〉恐縮. 恐れ多いこと. 句例 ～하여 몸 둘 바를 모르다 恐縮して身の置きどころを知らない. 語例 ～ 무지(無地) 恐れ多くて身の置きどころを知らないこと.

황구【黃狗】〈名〉〔動〕毛の黄色い犬. ＝누렁개. 누렁이.

황금【黃金】〈名〉黄金. ❶金. お金. 句例 ～에 눈이 멀다 黄金に目がくらむ / ～으로 만든 훈장 黄金でつくった勲章. ❷とても価値のあるもの. 句例 ～의 다리 黄金の足 / ～의 왼팔 투수 黄金の左腕投手〔サウスポー〕. 語例 ～률 黄金律 / ～ 분할〔數〕黄金分割 / ～ 어장 黄金漁場・ぎょば.

황금 만능【黃金萬能】[—ma:nnŭng]〈名〉黄金万能. 句例 ～의 풍조 黄金万能の風潮. 文例 미국은 ～의 나라다 米国は黄金万能の国だ. 語例 ～주의(자) 黄金万能主義(者).

황금 시대【黃金時代】〈名〉黄金時代. 句例 무성 영화의 ～ 無声映画の黄金時代. 文例 그때가 그의 ～였다 その時が彼の黄金時代であった. 類전성(全盛) 시대.

황급-하다【遑急—】[hwanggŭp'ada] (→하다)〈形〉慌てて急いでいる. 慌てている. 句例 황급한 상태 慌て急ぐ状態. **황급히** [hwanggŭp'i]〈副〉慌てて. 句例 황급히 달려가다〔달려오다〕倉皇としてかけつける. 文例 급보에 황급히 집을 뛰어나갔다 急報に慌ただしく家を飛び出した.

황당【荒唐】〈名・하形〉荒唐. 語や考えによりどころがなく, とりとめのないこと. でたらめ.

황당무계-하다【荒唐無稽—】(→하다)〈形〉荒唐無稽だ. でたらめだ. 句例 황당무계한 이야기 荒唐無稽な話.

황도【黃道】〈名〉〔天〕黄道. 語例 ～광〔天〕黄道光 / ～대(＝수대(獸帶)) 黄道帯 / ～ 십이궁 黄道十二宮. 十二宮.

황량-하다【荒涼—】[hwangnyang—] (→하다)〈形〉荒涼としている. 荒れ果てている. 句例 황량한 들판 荒涼たる原野 / 황량한 사막 荒涼とした沙漠 / 황량한 풍경 荒涼とした風景.

황린【黃燐】[hwangnin]〈名〉〔化〕黄燐. 燐の同素体の一つ.

황마【黃麻】〈名〉〔植〕黄麻. つなそ(黄麻). 語例 ～지 黄麻紙.

황무-지【荒蕪地】〈名〉荒蕪地. 荒れ地. 句例 ～를 일구다 荒れ地を耕す / ～를 개간하다 荒れ地を開く〔開墾する〕.

황-밤【黃—】〈名〉かちぐり(搗栗). ＝황률(黃栗).

황사【黃砂】〈名〉黄砂. ばい(霾). 語例 ～ 현상 黄砂現象.

황산【黃酸】〈名〉〔化〕硫酸. 語例 ～구리 硫酸銅 / ～지 硫酸紙 / ～ 칼슘 硫酸カルシウム.

황-새 [hwa:ngsae]〈名〉〔鳥〕こうのとり(鸛).

語例 ~ 걸음 大また歩き.

황색【黄色】〈名〉黄色(きいろ・おうしょく). 語例 ~ 인종 黄色人種.

*__황-소__【黄—】〈名〉❶〔動〕大きい雄牛. あめ牛. 黄牛. 對암소. ❷(比喩的に)からだの大きい人. 文例 기운이 ~같다 力が雄牛のように強い.

황소 불알 떨어지면 구워 먹으려고 다리미에 불담아 다닌다 牛の金玉が落ちたら焼いて食べようと, 火のしに火を起こして持ち回る《とんでもない幸運を待っている愚かさのたとえ》.

황소 제 이불 뜯어 먹기 牛が自分のわら布団をは(食)む《あることをようやく間に合わせたが結局は自分の損失になることのたとえ》.

황소-걸음【黄—】[—gŏrŭm]〈名〉牛の歩み. 牛歩. ❶のろい歩み. ❷(比喩的に)のろいけれども, 堅実に行なう行動のたとえ.

황소-바람【黄—】〈名〉強いすきま風.

황소-자리【黄—】〈名〉〔天〕雄牛座.

황송-하다【惶悚—】(→하다)〈形〉恐縮している. 恐れ入っている. ＝황공(惶恐)하다. 文例 말씀드리기 황송합니다만… 申し上げるのも恐れ多いのですが…. 語例 황송하게도 かしこくも. 恐れ多くも.

황숙-기【黄熟期】〈名〉黄熟期. (穀物・果実などが)黄色く実る時期.

황실【皇室】〈名〉皇室.

황야【荒野】〈名〉荒野. 荒れ果てた野原. 句例 ~의 서부 荒野の西部 / ~를 개간하다 荒れ野を開墾する〔開く〕/ 끝없는 ~ 果てしない荒野.

황옥【黄玉】〈名〉〔鑛〕黄玉(おうぎょく・こうぎょく). トパーズ.

황우【黄牛】〈名〉〔動〕⇨ 황소①

황-인종【黄人種】〈名〉'황색 인종 黄色人種'の略.

황제【皇帝】〈名〉皇帝.

황조【黄鳥】〈名〉〔鳥〕黄鳥. こうらいうぐいす(高麗鶯). ＝꾀꼬리.

황족【皇族】〈名〉皇族.

황천【黄泉】〈名〉黄泉. よみ(黄泉). 冥土. あの世. ＝저승. 句例 ~으로 떠나다 黄泉へ旅立つ. 死ぬ. 語例 ⇨ 황천객 / ⇨ 황천길

황천-객【黄泉客】〈名〉黄泉の客. 死んだ人.

황천객이 되다 黄泉の客となる. 死ぬ.

황천-길【黄泉—】[—kkil]〈名〉よみじ(黄泉路). やみ路. ＝저승길. 句例 ~로 떠나다 やみ路におもむく. 冥土の旅に出る. 死ぬ.

황체【黄體】〈名〉〔生〕黄体. 語例 ~ 호르몬 黄体ホルモン.

황-태자【皇太子】〈名〉皇太子. 春の宮. 句例 ~를 책립하다 皇太子を冊立する. 語例 ~비 皇太子妃.

황토【黄土】〈名〉黄土(おうど・こうど). 語例 ~벽 黄土の壁 / ~색 黄土色 / ~ 지대 黄土地帯.

황폐【荒廢】〈名・하自〉荒廃. 句例 전쟁으로 국토가 ~해지다 戦争で国土が荒廃する / ~해진 논과 밭 荒廃した田と畑 / ~해진 집 荒れ果てた家 / 인심의 ~화 人心の荒廃化.

황포【黄布】〈名〉黄色の布.

황혼【黄昏】〈名〉黄昏. たそがれ(黄昏). 夕暮れ. 日暮れ. 句例 ~의 거리 たそがれの街 / 인생의 ~기 人生のたそがれ時 / ~이 되다 夕暮れになる.

황홀【恍惚・怳惚・慌惚】〈名〉恍惚. うっとりすること. エクスタシー. **~하다**〈形〉うっとりする. 恍惚としている. 句例 ~한 기분이 되다 うっとりした気分になる / ~한 표정 恍惚とした表情. 文例 그녀는 사람을 ~하게 할 만큼 아름다웠다 彼女は人を恍惚とさせるほど美しかった. 語例 ~감 恍惚感 / ~경(境) 恍惚の境. **황홀히**〈副〉うっとりして. 恍惚として.

황화【黄化】〈名・하自〉❶〔化〕硫化. 語例 ~구리 硫化銅 / ~물 硫化物 / ~수소 硫化水素 / ~철 硫化鉄. ❷〔植〕黄化. 日光の欠乏で植物が黄色くなること. ＝황화 현상(現象).

황후【皇后】〈名〉皇后. きさき. 句例 ~를 책립하다 皇后を冊立する〔立てる〕.

홰[1] ━〈名〉❶止まり木. 文例 닭이 ~에 앉아 있다 鶏が止まり木に止まっている. ❷'횃대 えもん掛け'の略.

━〈依名〉 夜明けに鶏が羽ばたく回数を数える語. 文例 닭이 세 ~째 운다 鶏が三度めの羽ばたきをして鳴く.

홰(를) 치다 (鶏が)羽ばたく. 夜明けを告げる.

홰[2]〈名〉たいまつ(松明). ＝횃불.

홰-꾼〈名〉❶たいまつ(松明)を持つ人. ❷〔史〕官吏が夜道を歩くとき, たいまつで足元を照らした人.

홱〈副〉❶すばやく動く〔動かす〕さま: ぱっと. さっと. 句例 일을 ~ 해치우다 仕事をさっと片付ける.

❷(ドアなどを)すばやく開閉するさま: ぐいと. ぱっと. 句例 문을 ~ 열고 나가다 扉をぐいと押し開けて飛び出す.

❸すばやく回る〔回す〕さま: くるっと. さっと. 句例 고개를 ~ 돌리다 首をさっと回す / 핸들을 ~ 돌리다 ハンドルをさっと回す / 몸을 ~ 비키다 さっと身をかわす.

❹すばやく投げるさま: ぽんと. 句例 책을 ~ 집어 던지다 本をぽんとほうり投げる / 쓰레기통에 ~ 던져 넣다 ごみ箱にぽんと投げ入れる.

❺(風などが)急に吹くさま: ひゅうっと. ふっと. 句例 바람이 ~ 몰아치다 風がひゅうっと吹きつける.

❻すばやく通り過ぎるさま: さっと. すっと. 句例 오토바이가 ~ 지나가다 オートバイがさっと通り過ぎる.

횃-대〈名〉(棒の両端をひもでつるして衣服をかけるようにした)えもん掛け. 衣服掛け. 略して'홰'ともいう. 語例 횃댓보(褓)(えもん掛けに掛けた)衣服にかぶせる覆い.

횃-불〈名〉たいまつ(松明). 句例 ~을 켜다 たいまつをともす.

횅댕그렁-하다 (→하다)〈形〉(広い空間に何もなく)がらんとしている. 句例 횅댕그렁한 방 がらんとした部屋. 文例 철 지난 해수욕장이라 ~ 季節はずれの海水浴場なのでがら

んとしている.

횅-하다 (→하다)〈形〉❶よく知っている. 通じている. 明るい. 文例 이곳 지리에 ~ この辺の地理に明るい. ㊫훤하다. ❷(穴のようなものが)ずうっと通じている. 文例 터널이 횅하니 뚫려 있다 トンネルががらんと貫通している. ❸'횅댕그렁하다'の略.

회【灰】〈名〉〔化〕❶'석회(石灰)'の略. ❷'산화칼슘 酸化カルシウム'の俗っぽい言いかた: 生石灰.

회【蛔】〈名〉〔動〕回虫.

회가 동(動)한다 (回虫が動くの意で)食欲をそそる.

회【膾】[hoe:]〈名・하他〉刺し身. なます(膾). 句例 도미를 ~로 먹다 たい(鯛)を刺し身にして食べる. 語例 ~칼 刺し身包丁 / 다랑어〔오징어〕~ まぐろ〔いか〕の刺し身.

회(를) 치다 刺し身に作る〔する〕.

회【回】━〈名〉回. 句例 ~를 거듭함에 따라 回を重ねるにつれて.

━〈依名〉回. ❶度数. 句例 몇 ~고 되풀이하다 何回も繰り返す. 語例 1~ 一回 / 제2~전 第二回戦. ❷まわり番. 語例 최종~ 最終回.

회 〔漢字項目〕

【回】中學 회 カイ. エ. ❶돌다 回る. 돌리다 回す. ▮回轉 회전 かいてん. ▮旋回 선회 せんかい. ❷돌아오다 元へ戻る. ▮回歸 회귀 かいき. ❸돌아보다 かえりみる. ▮回顧 회고 かいこ. ❹둘레 回り. ▮周回 주회 しゅうかい. ❺횟수 度数. ▮回數 횟수 かいすう.

【悔(悔)】高校 회 カイ. 뉘우치다 くやむ. ▮悔悟 회오 かいご. 悔恨 회한 かいこん. ▮後悔 후회 こうかい.

【懷(懐)】高校 회 カイ. ❶생각을 품다 心にいだく. ▮懷疑 회의 かいぎ. 懷古 회고 かいこ. ❷애를 배다 はらむ. ▮懷妊 회임 かいにん. ❸따르다 従う. ▮懷柔 회유 かいじゅう. ❹품 ふところ. ▮懷中 회중 かいちゅう. 懷抱 회포 かいほう.

【會(会)】中學 회 カイ. ❶모이다 あう. あつまる. ▮會同 회동 かいどう. ▮集會 집회 しゅうかい. ❷모임 集まり. つどい. ▮會合 회합 かいごう. ▮總會 총회 そうかい. ❸기회 折. ▮機會 기회 きかい. 際會 제회 さいかい. ❹셈 計算. ▮會計 회계 かいけい. ❺깨닫다 さとる. ▮會得 회득 えとく.

【灰】高校 회 カイ. ❶재 はい. ▮灰塵 회진 かいじん. 灰燼 회신 かいじん.

회갑【回甲】〈名〉 還暦. =환갑(還甲). 語例 ~연 還暦祝いの宴.

회개【悔改】[hoe:gae]〈名・하他〉悔い改めること. 悔悟. 句例 죄를 ~하다 罪を悔い改める.

***회견**【會見】[hoe:gyŏn]〈名・하自〉会見. 句例 ~을 신청하다 会見を申し込む / ~에 응하다 会見に応じる. 語例 기자 ~ 記者会見 / ~ 장소 会見場所. ㊫접견(接見).

회계【會計】[hoe:gye]〈名・하他〉❶会計. 句例 ~를 맞추다 会計を合わせる. 語例 ~ 감사 会計監査 / ~ 연도 会計年度 / 일반 ~ 一般会計. ❷(店での)勘定. (代金の)支払い. 句例 ~를 마치다 勘定をすます.

회고【回顧】〈名・하他〉回顧. 句例 학생 시절을 ~하다 学生時代を回顧する. 語例 ~록 回顧録.

***회관**【會館】[hoe:gwan]〈名〉会館. 語例 시민 ~ 市民会館 / 신문 ~ 新聞会館.

회교【回教】〈名〉〔宗〕回教. イスラム教. マホメット教. =이슬람교. 語例 ~국 回教国 / ~도 回教徒. ムスリム / ~ 사원 回教寺院.

회귀【回歸】〈名・하自〉回帰. 語例 ~년〔天〕回帰年 / ~성 回帰性 / (남(南))~선 (南)回帰線.

회기【會期】[hoe:gi]〈名〉会期. 句例 국회의 ~를 연장하다 国会の会期を延長する. 語例 ~중 会期中.

회담【會談】[hoe:dam]〈名・하他〉会談. 句例 양국 대표가 ~하다 両国の代表が会談する / 어업 ~이 타결〔결렬〕되다 漁業会談が妥結〔決裂〕する. 語例 수뇌 ~ 首脳会談.

***회답**【回答】〈名・하他〉 回答. 返事. 句例 ~을 요구하다 回答を求める / 구두로 ~하다 口頭で回答する / ~을 보류하다 回答を見合わせる. 文例 ~이 늦어서 죄송합니다 返事が遅くなって申し訳ありません.

회동【會同】[hoe:dong]〈名・하自〉会同. 句例 관계자의 ~ 関係者の会同 / 대책을 세우기 위하여 ~하다 対策を立てるため会同する. ㊫회합(會合).

회람【回覽】〈名・하他〉回覧. 句例 ~을 돌리다 回覧を回す. 語例 ~판 回覧板.

***회로**【回路】〈名〉〔物〕回路. サーキット. 句例 ~를 닫다 回路を閉じる. 語例 ~ 검사기 回路検査機 / ~도 回路図 / ~망 回路網 / ~ 소자 回路素子 / 전기 ~ 電気回路 / 집적 ~ 集積回路. アイシー(IC)《略語》.

회복【回復】〈名・하他〉回復. 句例 실지를 ~하다 失地を回復する / 국교가 ~되다 国交が回復する / 정상으로 ~하다 正常に復する. 語例 ~ 등기〔法〕回復登記 / 명예 ~ 名誉の回復.

회복【恢復】〈名・하他〉(病気などの)回復. 句例 건강을 ~하다 健康を回復する / 경기가 ~되다 景気が回復する / 병〔몸〕이 ~되다 病気〔からだ〕が回復する. 語例 ~기 回復期 / 피로 ~ 病労回復.

회부【回付】〈名・하他〉回付. 回すこと. 句例 법안을 국회에 ~하다 法案を国会に回付する〔回す〕/ 재판에 ~되다 裁判に回付される.

회분【灰分】〈名〉灰分.

회비【會費】[hoe:bi]〈名〉会費. 句例 ~를 모으다〔납입하다〕 会費を集める〔納める〕/ ~를 걷다 会費を徴収する.

***회사**【會社】[hoe:sa]〈名〉会社. 句例 ~에 다니다 会社に通う / ~를 차리다 会社を構える / ~에 근무하다 会社に勤める / ~를 그만두다 会社をやめる / 규모가 큰 ~ 大手の会社. 語例 ~원 会社員 / 모(母)~ 親会社 / 상장 ~ 上場会社 / 주식 ~ 株式会社.

회상【回想】〈名・하他〉回想. 句例 학생 시절을

ㅎ

~하다 学生時代を回想する / ~에 잠기다 回想にふける. [語例] ~록 回想録. (類)회고(回顧). 추억(追憶).

회색【灰色】〈名〉灰色. ＝잿빛. [句例] 엷은 ~ 薄い灰色 / 밝은 ~ 明るい灰色. [語例] ~ 분자(分子) 灰色の人物 / ~ 인생 灰色の人生.

회생【回生】〈名・하自〉 回生. ＝소생(蘇生). [句例] 사경에서 ~하다 死のふち(淵)から回生する. [語例] 기사 ~ 起死回生.

회수【回收】〈名・하他〉回収. [句例] 앙케트를 ~하다 アンケートを回収する / 답안지를 ~하다 答案用紙を回収する.

회수-권【回數券】[hoesukkwon]〈名〉回数券. [語例] 버스〔지하철〕 ~ バス〔地下鉄〕の回数券.

***회식**【會食】[hoe:shik]〈名・하自〉会食. [句例] 임원 일동이 ~하다 役員一同が会食する. [文例] 오늘은 레스토랑에서 ~하자 きょうはレストランで会食をしよう.

회신【回信】〈名・하自〉回信. 返信. 回書. [文例] ~을 빨리 보내라 返信を早く送りなさい. [語例] ~용 엽서 返信用はがき.

회심【會心】[hoe:shim]〈名〉会心. [句例] ~의 미소를 짓다 会心の笑みを浮かべる〔もらす〕. [語例] ~작 会心の作.

회양-목【一楊木】〈名〉〔植〕ちょうせんひめつげ.

회오리-바람〈名〉つむじ風. 竜巻. 旋風. [句例] 정계에 ~을 일으키다 政界に旋風を巻きおこす.

회원【會員】[hoe:won]〈名〉会員. [句例] ~으로 가입하다 会員として加入する / ~을 모으다〔모집하다〕 会員をつのる〔募集する〕. [語例] ~국 会員国 / ~증 会員証 / 종신 ~ 終身会員 / 특별 ~ 特別会員.

회유【懷柔】〈名・하他〉懐柔. [句例] 적을 ~하다 敵を懐柔する. [語例] ~책 懐柔策.

***회의**【會議】[hoe:ŭi]〈名・하他〉会議. [句例] ~를 끝내다 会議を終える / ~장으로 모이다 会議場に集まる / ~를 열다 会議を開く / ~에 임하다〔참석하다〕 会議にのぞむ〔参加する〕. [語例] ~록 会議録 / ~소 会議所 / 편집 ~ 編集会議 / 학술 ~ 学術会議. (類)회담(會談). 의논(議論).

회의【懷疑】〈名・하他〉懐疑. [句例] ~를 품다 懐疑をいだく. [語例] ~적 懐疑的 / ~주의(자) 懐疑主義(者).

회자-정리【會者定離】[hoe:jajŏ:ngni]〈名〉会者定離《会う者は必ず別れる運命にあるということ》.

회장【會長】[hoe:jang]〈名〉会長. 会頭. [句例] ~을 선출하다 会長を選ぶ. [語例] 동창회 ~ 同窓会会長 / 이사회 ~ 理事会の会長.

회장【會場】[hoe:jang]〈名〉会場. [句例] ~으로 모이다 会場に集まる / ~을 설치 운영하다 会場を設営する. [文例] ~은 청중들로 꽉 찼다 会場は聴衆でいっぱいだ. [語例] 전시 ~ 展示会場 / 총회 ~ 総会の会場.

***회전**【回轉・廻轉】〈名・하自他〉回転. ❶くるくる回ること. [語例] ~ 무대 回り舞台 / ~ 의자 回転椅子 / ~문 回転ドア.

❷周囲を回ること. [文例] 달은 지구 주위를 ~한다 月は地球のまわりを回転する. [語例] ~ 목마 回転木馬. メリーゴーラウンド.

❸方向を変えること. [句例] 스키의 ~ 경기 スキーの回転競技. [文例] 여기서 우~하시오 ここで右に曲がりなさい〔右折しなさい〕.

❹(判断力としての)頭の働き. [句例] 두뇌 ~이 빠르다〔느리다〕 頭の回転が速い〔遅い〕.

❺(資金の投資から回収に至るまでの)一巡. [句例] 자금 ~이 빠르다 資金の回転が速い. [語例] ~율 〔經〕 回転率.

회전 운동【回轉運動】[hoejŏnu:ndong]〈名〉〔物〕回転運動. (對)왕복(往復) 운동.

회전-창【回轉窓】〈名〉〔建〕回転窓.

***회전-축**【回轉軸】〈名〉〔物〕回転軸. 心棒. [句例] 모터의 ~ モーターの回転軸.

회진【回診】〈名・하自他〉〔醫〕回診. [句例] 원장의 ~을 기다리다 院長の回診を待つ / 하루에 세 번 ~하다 一日に三回回診する. [文例] 이제 곧 ~ 시간이다 もうすぐ回診時間だ.

회초리〈名〉むち(鞭).

***회충**【蛔蟲】〈名〉〔動〕回虫. 腹の虫. 略して'회(蛔)'とも言う. ＝거위. [句例] ~을 없애다 虫をくだす / ~약을 먹다 虫下しを飲む.

회-치다【膾―】[hoe:―] ⇨'회(膾)'の小項目.

회칙【會則】[hoe:ch'ik]〈名〉会則. [句例] ~의 초안을 작성하다 会則の草案を作成する / ~을 만들다 会則をつくる. [語例] ~ 개정 会則の改正.

회포【懷抱】〈名〉懐抱. 心に抱いている思い. [句例] 다년간의 ~를 풀다 多年間の懐抱を解く.

회피【回避】〈名・하他〉 回避. 避けること. [句例] 책임을 ~하다 責任を回避する.

회한【悔恨】[hoe:han]〈名・하他〉悔恨. [句例] ~의 정 悔恨の情 / ~의 눈물 悔恨の涙 / 깊은 ~에 사로잡히다 深い悔恨にとらわれる.

회합【會合】[hoe:hap]〈名〉会合. 集まり. 集い. ＝모임. **~하다**〈自〉会合する. 会する. 集う. [句例] ~을 열다 会合を開く / 야외에서 ~하다 野外で会合する / ~에 나가다 会合に出る. [文例] 오늘은 중요한 ~이 있다 今日は重要な会合がある.

회항【回航】〈名・하自〉 回航. [句例] 본국으로 ~하다 本国に回航する / ~선을 타다 回航船に乗る.

회향-병【懷鄕病】[―ppyŏng]〈名〉懐郷病. ＝홈식(homesick).

회화【會話】[hoe:hwa]〈名・하自〉会話. [文例] 외국인과 영어로 ~하고 있다 外国人と英語で会話している. [語例] 영어 ~(를 배우다) 英語の会話(を習う) / ~체(로 쓰다) 会話体(で書く).

회화【繪畫】[hoe:hwa]〈名〉 絵画. ＝그림. [語例] 현대 프랑스 ~ 現代フランス絵画.

회흑-색【灰黑色】〈名〉灰黒色. 消し炭色. チャコールグレー.

***획**【畫】㊀〈名〉(漢字の)画. 字画. [句例] ~이 굵은〔가는〕 글자 肉太〔肉細〕の字.
㊁〈依名〉画数を表わす語. 画. [句例] 칠~의 글자 七画の字.

ㅎ

획을 긋다 画する．範囲や期間をくぎる．

획 〈副〉❶急に回ったり，かすめたりするさま：くるっと．さっと．すっと．ひらりと．句例 고개를 ～ 돌리다 首をさっとそむける / ～ 몸을 피하다 ひらりと身をかわす．❷風が強く吹くさま：びゅう．❸にわかに力強く投げつけたり振り放したりするさま：ぽいと．ぴゅっと．句例 돌멩이를 ～ 내던지다 石ころをぽいと投げつける．

획 〔漢字項目〕

【劃(画)】 高校 획 カク．❶가르다 くぎる．◧劃一 획일 かくいつ．◧區劃 구획 くかく．❷긋다 線をひく．◧劃數 획수 かくすう．◧點劃 점획 てんかく．

【獲】 高校 획 カク．얻다 える．손에 넣다 手に入れる．◧獲得 획득 かくとく．◧捕獲 포획 ほかく．

***획기-적**【劃期的】〈名・冠〉画期的．句例 ～인 발명〔개혁〕画期的な発明〔改革〕．

획득【獲得】〈名・하他〉獲得．句例 권리를 ～하다 権利を獲得する．語例 ～물 獲得物．

획수【畫數】〈名〉画数．句例 ～가 많은 글자 画数の多い字．文例 '典'의 ～는 8획이다 '典'の画数は八画である．語例 ～ 색인 画引き索引．

획순【畫順】〈名〉筆順．句例 ～에 따라 쓰다 筆順に従って書く．

획일-적【劃一的】[hoegiltchŏk]〈名・冠〉画一的．句例 ～인 교육〔방식〕画一的な教育〔やり方〕/ ～으로 다루다 画一的にあつかう．

획일-화【劃一化】[hoegil—]〈名・하他〉画一化．句例 ～된 공정 画一化された工程．

획책【劃策】〈名・하他〉画策．句例 이면에서 ～하다 かげで画策する．文例 그들은 세력의 만회를 비밀히 ～하고 있다 彼らは勢力の挽回をひそかに策している．

획-획 [hoek'oek]〈副〉❶続けざまに早く回るさま：くるくる．ぐるぐる．すっすっと．ぶんぶん．びゅんびゅん．句例 톱니바퀴가 ～ 돌아가다 歯車がぶんぶん回る / 차가 ～ 달리다 車がびゅうびゅう走る．❷風が強く吹き続くさま：ひゅうひゅう．びゅうびゅう．句例 바람이 ～ 불다 風がびゅうびゅう吹く．❸続けざまに強く投げつけるさま：びゅんびゅん．

횟-가루【灰—】〈名〉'산화칼슘 酸化カルシウム'の俗っぽい言いかた．＝생석회(生石灰)．

횟-감【膾—】[hoe:t—]〈名〉刺し身やなますの材料．

횟-돌【灰—】〈名〉〔鑛〕⇨ 석회암(石灰岩)

횟-배【蛔—】〈名〉〔韓醫〕(回虫による)虫腹．＝거위배．句例 ～를 앓다 虫腹が痛む．

***횟수**【回數】〈名〉回数．句例 ～를 거듭하다 回数をかさねる．→회수권(回數券)

횟-집【膾—】[hoe:t—]〈名〉刺し身屋．

횡 〔漢字項目〕

【横(橫)】 高校 횡 オウ．❶가로 よこ．◧横書 횡서 おうしょ．◧縱横 종횡 じゅうおう．❷옆 よこ．そば．◧横擊 횡격 おうげき．❸가로지르다 よこぎる．◧横斷 횡단 おうだん．◧横貫 횡관 おうかん．❹방자하다 気ままだ．◧横暴 횡포 おうぼう．◧전횡 專横 전횡 せんおう．❺거스르다 逆らう．◧横逆 횡역 おうぎゃく．

횡격-막【横隔膜】[hoenggyŏng—]〈名〉〔生〕横隔膜．＝가로막．

횡단【横斷】〈名・하他〉横断．句例 도로를 ～하다 道路を横断する / 태평양을 ～하다 太平洋を横断する．語例 ～면 横断面 / 대륙 ～ 여행 大陸横断旅行．對종단(縱斷)．

횡단 보도【横斷步道】[—bo:do]〈名〉横断歩道．句例 ～의 교통 신호기 横断歩道のゴーストップ．

횡대【横隊】〈名〉横隊．語例 일렬 ～ 一列横隊．對종대(縱隊)．

횡렬【横列】[hoengnyŏl]〈名〉横列．句例 ～을 짓다 横列をつくる．對종렬(縱列)．

횡령【横領】[hoengnyŏng]〈名・하他〉横領．横取り．句例 공금을 ～하다 公金を横領する．語例 ～죄 横領罪．

횡목【横木】〈名〉横木．バー．＝가로대．가로장．

횡사【横死】〈名〉横死．＝변사(變死)．**～하다**〈自〉横死する．横死を遂げる．句例 사고로 ～하다 事故で横死を遂げる．

횡서【横書】〈名・하他〉❶横書き．＝가로쓰기．對종서(縱書)．❷横文字．＝가로글씨．

횡설-수설【横說竪說】〈名・하自〉でたらめなことをやたらにしゃべること．世まい言．ちんぷんかんぷん．しどろもどろにしゃべること．句例 ～하는 답변 しどろもどろの答弁 / ～하는 이야기 ちんぷんかんぷんな話．文例 추궁당하여 갈피를 못 잡고 ～하였다 追窮されてしどろもどろに答えた / ～하지 마라 世まい言をいうな．

횡액【横厄】〈名〉['횡래지액(横來之厄)'の略] 思いがけない災難．

횡재【横財】〈名・하自〉思いがけない財物を得ること．また，その財物．拾い物．句例 뜻밖의 ～를 하다 思いがけない拾い物をする．

횡-적【横的】[—tchŏk]〈名・冠〉ある物事に対して横に関係するもの．横の．文例 타사와의 ～ 관계를 긴밀히 유지하고 있다 他社との横の関係を緊密に保っている．語例 ～ 연락 横の連絡．對종적(縱的)．

횡파【横波】〈名〉(船の)横波．句例 ～에 부딪히다 横波をくう．

횡포【横暴】〈名〉横暴．**～하다**〈形〉横暴だ．句例 ～를 부리다 横暴なふるまいをする / 온갖 ～를 다하다 横暴をきわめる．

횡행【横行】〈名〉横行．**～하다**〈自〉横行する．はびこる．句例 노상 강도가 ～하는 무법 지대 おいはぎの横行する無法地帯 / 악이 ～하다 悪がはびこる．

효【孝】[hyo:]〈名・하自〉孝．孝行．句例 ～는 백행의 근본 孝は百行の本 / 부모에게 ～를 다하다 親に孝を尽くす．對불효(不孝)．

효 〔漢字項目〕

【孝】 中學 효 コウ．❶효도 孝．◧孝行 효행 こうこう．◧忠孝 충효 ちゅうこう．❷효자 孝行な人．◧孝子 효자 こうし．

【效(効)】中學 효 コウ. ❶본받다 ならう. ■倣效 방효 ほうこう. ❷힘쓰다 つくす. ■效忠 효충 こうちゅう. ❸효험 ききめ. ■效力 효력 こうりょく. ■失效 실효 しっこう. 特效 특효 とっこう.

【曉(暁)】高校 효 ギョウ. ❶새벽 あかつき. ■曉星 효성 ぎょうせい. 曉天 효천 ぎょうてん. ❷환히 알다 物事に明るい. ■曉達 효달 ぎょうたつ. ■通曉 통효 つうぎょう. ❸타이르다 さとす. ■曉諭 효유 ぎょうゆ.

*효과【效果】[hyo:gwa]〈名〉効果. 効き目. 句例 ~가 있다 効果がある. 効き目がある / ~가 나타나다 効果があらわれる / ~를 올리다 効果をあげる / ~가 없다 効果がない. 効き目がない. 語例 ~ 음악 効果音楽 / 음향 ~ 音響効果 / 선전 ~ 宣伝効果 / 역~(를 가져오다) 逆効果(をもたらす).

*효과-적【效果的】[hyo:gwa—]〈名・冠〉効果的. 句例 ~인 방법 効果的な方法.

효녀【孝女】[hyo:nyŏ]〈名〉孝行娘. 孝女. 語例 ~ 심청 孝行娘の沈清.

효능【效能】[hyo:nŭng]〈名〉効能. 効き目. 句例 약의 ~ 薬の効能 / ~이 있다 効能がある / ~이 나타나다 効能〔効き目〕が現われる. 語例 ~서 効能書き.

*효도【孝道】[hyo:do]〈名・하自〉孝道. (親)孝行. 句例 부모에게 ~를 다하다 親に孝行を尽くす / ~를 제일로 치다 孝行を旨とする / 부모에게 ~하다 親に孝行する.

효도(를) 보다 (子供たちや嫁から)孝行を受ける. (子供たちや嫁が)孝行してくれる. 句例 늙어서 ~ 老年になってから孝行を受ける.

효력【效力】[hyo:ryŏk]〈名〉効力. 効き目. 句例 ~이 있다 効力がある / ~을 발휘하다 効力を発揮する. 文例 두 나라 사이의 조약은 완전히 ~을 잃었다 二国間の条約は全く効力を失った. 語例 ~ 정지 効力停止.

효모【酵母】〈名〉〔植〕['효모균 酵母菌'の略] 酵母. イースト. 句例 ~의 발효 작용 酵母の発酵作用.

효부【孝婦】[hyo:bu]〈名〉孝婦. 孝行嫁. 夫の親によくつくす嫁. 語例 ~상 孝婦(にあたえる)賞.

효성【孝誠】[hyo:sŏng]〈名〉親に仕える真心. 親思い. 句例 ~이 지극하다 孝心がこの上もなく厚い. **~스럽다** (→스럽다)〈形〉~스러운 자식 親思いの子. 孝心の厚い子.

효소【酵素】〈名〉〔化〕酵素. 語例 ~제 酵素剤 / 발효 ~ 発酵酵素.

효수【梟首】〈名・하自〉〔史〕梟首. さらし首. 獄門. 語例 ~형(에 처하다) 梟首の刑(に処する).

효시【嚆矢】〈名〉嚆矢. ❶かぶら矢. =우는 살. ❷物事のはじめ. 句例 이 나라 근대극의 ~ この国の近代劇の嚆矢 / …으로써 ~로 삼다 …をもって嚆矢とする.

효심【孝心】[hyo:shim]〈名〉孝心. 句例 ~이 깊다 孝心が深い / ~이 지극하다 孝心がこの上もなく厚い.

효용【效用】[hyo:yong]〈名〉効用. 句例 ~이 있다〔없다〕効用がある〔ない〕/ 신제품의 ~ 新製品の効用.

효율【效率】[hyo:yul]〈名〉効率. 句例 ~이 좋은 기계 効率のいい機械 / ~을 올리는 방법 効率をあげる方法. 語例 열~(이 좋다) 熱効率(がいい).

효율-적【效率的】[hyo:yultchŏk]〈名・冠〉効率的. 句例 ~인 방안 効率的な方案.

효자【孝子】[hyo:ja]〈名〉孝子. 孝行息子. 親思いの息子. 文例 그는 보기 드문 ~다 彼はまれに見る孝行者だ. 語例 ~비(碑) 孝行者をたたえて建てる碑.

효행【孝行】[hyo:haeng]〈名〉孝行. 句例 ~을 다하다 孝行を尽くす.

효험【效驗】[hyo:hŏm]〈名〉効験. 効き目. 効能. 略して'효(效)'ともいう. 句例 약의 ~ 薬の効能〔効き目〕/ ~이 있다〔없다〕効験がある〔ない〕. 効き目がある〔ない〕/ ~이 뚜렷한 신약 効験あらたかな新薬.

효험(을) 보다 効験を得る. いい効き目を得る.

**후【後】[hu:]〈名〉❶後. あと. のち. 句例 십년 ~ 十年後. 十年あと / 저녁 식사 ~에 夕食ののちに / 흐린 ~(에) 맑음 くもりのち晴れ. 對 전(前). ❷'추후(追後)'の略.

*후¹〈副・하他〉口をまるくすぼめて息を吹きかける音: ふう. ふっ. ほう. 文例 촛불을 ~하고 불어서 껐다 ろうそくの火をふっと吹き消した.

후²[hu:]〈感〉'후유'の略.

후 〔漢字項目〕

【侯】高校 후 コウ. ❶후작 侯爵. ■公侯伯子男 공후백자남 こうこうはくしだん. ❷봉건 시대의 영주 封建時代の領主. ■侯伯 후백 こうはく. ■諸侯 제후 しょこう. 王侯 왕후 おうこう.

【候】高校 후 コウ. ❶기다리다 待つ. ■候補 후보 こうほ. ❷엿보다 うかがう. 동정을 살피다 様子を見る. ■斥候 척후 せっこう. ❸철 時節. 날씨 天気. ■候鳥 후조 こうちょう. ■時候 시후 じこう. ❹조짐 きざし. 전조 前触れ. ■徵候 징후 ちょうこう. 兆候 조후 ちょうこう.

【厚】中學 후 コウ. ❶두껍다. 두텁다 あつい. 정성스럽다 てあつい. ■厚薄 후박 こうはく. 厚誼 후의 こうぎ. 厚意 후의 こうい. ❷낯두껍다 あつかましい. ■厚顔無恥 후안무치 こうがんむち. ❸천박하지 않다 浅はかでない. ■重厚 중후 じゅうこう. ❹진하다 濃い. ■濃厚 농후 のうこう.

【喉】高校 후 コウ. 목구멍 のど. ■喉頭 후두 こうとう. 喉舌 후설 こうぜつ. ■咽喉 인후 いんこう.

【後】中學 후 ゴ. コウ. ❶뒤 のち. うしろ. あと. ■後列 후열 こうれつ. 後日 후일 ごじつ. ■戰後 전후 せんご. 死後 사후 しご. ❷뒤지다 おくれる. ■落後 낙후 らくご.

후【臭】⇨ 취【臭】

후각【嗅覺】〈名〉〔生〕嗅覚. 臭覚. 句例 ~이 예민하다 嗅覚が鋭い.

후견【後見】[hu:gyŏn]〈名〉後見. 語例 ~인 後

ㅎ

見人.

후계【後繼】[hu:gye]〈名・하自〉後継. 語例 ~내각 後継内閣. ㊣계승(繼承).

후계-자【後繼者】[hu:gye—]〈名〉後継者. 跡継ぎ. 句例 새로운 ~를 키우다 新しい後継者を育てる.

후광【後光】[hu:gwang]〈名〉❶〔佛〕後光. 背光. 句例 ~이 비치다 後光がさす. ❷後ろ盾となる背景. ひいき. バック. 引き立て. 文例 아버지의 ~을 업고 데뷔하였다 父をバックに(して)デビューした. 父の影響力をあてにしてデビューした.

후궁【後宮】[hu:gung]〈名〉〔史〕後宮. ❶帝王のめかけ. ㊣정궁(正宮). ❷正殿の後方にある宮殿.

후기【後記】[hu:gi]〈名・하他〉後記. 句例 ~와 같이 後記のごとく. 語例 편집 ~ 編集後記. ㊣전기(前記).

***후기**【後期】[hu:gi]〈名〉['후반기 後半期'の略] 後期. 語例 ~ 시험 後期試験 / 중세 ~ 中世後期. ㊣전기(前期).

후끈〈副・하形〉熱でほてるさま: かっかと. ぽかぽかと. 文例 난로가 달아서 ~하다 ストーブがかっかとほてっている. **~거리다**〈自〉続けざまにかっかとほてる. ぽかぽかする. 文例 몹시 취해서 온몸이 ~거렸다 酔っぱらって全身がかっかとほてった.

후끈후끈〈副・하形〉かっかと. かっかっと. ぽかぽか. ぽっぽ.

후끈-달다 (—다니, —달아서)〈自〉❶'뜨겁게 달다 熱気で熱くなる'の俗っぽい言いかた: かっかと熱くほてる. 文例 부끄러워서 얼굴이 후끈달아 올랐다 恥ずかしくて顔がぽうっとほてった. ❷'불끈하다 かっとなる'の俗っぽい言いかた: 怒りでかっかとなる. いきまく.

후년【後年】[hu:nyŏn]〈名〉❶再来年. 明後年. =내내년(來來年). ❷後年. 文例 정계에서 세력을 떨쳤으나, ~에 은퇴하고 고향으로 돌아갔다 政界に勢力を振るったが, 後年引退して故郷に帰った.

후닥닥〈副〉❶急に勢いよく行動するさま: さっと. ぱっと. がばっと. すたこら. 句例 ~ 일어나다 がばっとはね起きる / ~ 도망치다 すたこら(と)逃げ出す. ❷仕事を手早く片付けるさま: さっさと. ぱたぱたと. てきぱき(と). 句例 청소를 ~ 끝내다 掃除をぱたぱた(と)済ます / 뒤처리를 ~ 해치우다 後かたづけをさっさと済ます. **~거리다**〈自〉しきりにさっさと動く. しきりにぱたぱたする. 文例 닭이 놀라서 후닥닥거리며 도망쳤다 鶏が驚いてぱたぱたと逃げて行った.

후닥닥후닥닥 [hudaktak'udaktak]〈副・하自〉ぱたぱた. さっさっと. ぱっぱっと. ばばっと.

후대【後代】[hu:dae]〈名〉後代. =아랫대(代). 句例 이름을 ~에 남기다 名を後代に残す. 語例 ~ 사람 後代の人. ㊣선대(先代).

후대【厚待】[hu:dae]〈名・하他〉厚遇. 手厚くもてなすこと. 句例 ~를 받다 手厚いもてなしを受ける / 급료면에서 ~받다 給料の面で厚遇される. ㊣박대(薄待).

후덕【厚德】[hu:dŏk]〈名・하形〉厚徳. 徳が広く大きいこと. 句例 ~한 사람 厚徳の人. ㊣박덕(薄德).

후두【後頭】[hu:du]〈名〉⇨ 뒤통수

후두【喉頭】〈名〉〔生〕喉頭. 語例 ~염〔醫〕喉頭炎 / ~ 결핵 喉頭結核.

후두두〈副〉大粒の雨や小石などが落ちてくる音: ばらばら. ぼとぼと. ぼたぼた. ぼつぼつ. 文例 싸락눈이 ~ 내리기 시작했다 あられがばらばら(と)降り出した.

후-둥이【後—】[hu:—]〈名〉双子のうち後から生まれた子. ㊣선(先)둥이.

후드〈名〉フード. 句例 ~를 쓰다 フードをかぶる. ◇hood

후드득-거리다〈自〉❶(ごま(胡麻)や豆をい(炒)るときはじけて)しきりにぱちぱち音を立てる. ❷(鉄砲を撃つ音などが)ぱんぱんと鳴る. ❸(干からびた薪や小枝などが)勢いよく燃えながらしきりにぱちぱちする. ❹しきりにせかせかする. そそっかしくふるまう.

후드득후드득 [hudŭdŭk'udŭdŭk]〈副・하自〉ぱちぱち. ぱんぱん. せかせか.

후들-거리다〈自他〉(手足やからだなどが)ぶるぶる〔がたがた〕震える. また,(手足やからだを)ぶるぶる〔がたがた〕震わせる. 身震いする. 文例 몸이 쇠약해져서 서 있기만 해도 다리가 후들거린다 からだが弱くなって, 立っているだけでも足ががたがた震える.

후들후들〈副・하自他〉がたがた. ぶるぶる. がくがく. わなわな. 句例 무서워서 ~ 떨다 怖くてわなわな震える.

후딱〈副〉素早く行動するさま: さっさと. ぱっと. 素早く. 句例 ~ 해치우다 さっさと〔素早く〕やってのける.

후딱-후딱 [huttak'uttak]〈副〉片っ端から素早くやりのけるさま: さっさっと. ぱっぱっと. ぱぱっと. 文例 일을 ~ 해치웠다 仕事をさっさっとやってしまった.

후레-아들〈名〉不作法なやつ. 無礼なやつ.

후레-자식【—子息】〈名〉⇨ 후레아들

후려-갈기다〈他〉ぶん殴る. 殴り付ける. 張り飛ばす. ひっぱたく. 句例 홧김에 주먹으로 ~ 腹立ちまぎれにこぶしでぶん殴る / 옆구리를 ~ わきの下を殴り付ける / 따귀를 ~ 横っ面を張り飛ばす.

후려-치다〈他〉殴り付ける. 打ち据える. ぶん殴る. 句例 채찍으로 ~ むちを振るう.

후련-하다 (→하다)〈形〉(不安やもやもやした気分が晴れて)さっぱりしている. せいせいしている. すっきりしている. 透いている. すかっとしている. さばさばしている. 句例 속〔가슴〕이 후련해지다 胸がすく. 文例 빚을 갚고 나니 이제야 후련해졌다 借りを返してやっとせいせいした. ㊣개운하다. **후련히**〈副〉さっぱり. さばさば. すかっと.

후렴【後斂】[hu:ryŏm]〈名〉〔樂〕折り返し. リフレーン. =리프레인.

후루루〈副・하自他〉❶呼子などを吹く音: ぴりぴり. ぴりり. ぴいぴい. ❷⇨ 후르르

후루룩〈副・하自他〉❶鳥などが急に羽ばたいて飛びたつ音: ばたばた. ぱたぱた. 句例 물새가 ~ 날아 오르다 水鳥がばたばたと飛び

上がる. ❷かゆ(粥)などをすす(★)る音:するする. ずるずる. 句例 묽은 죽을 ~ 들이마시다 薄いかゆをずるずるとすする. ❸呼び子などを鳴らす音:ぴりぴり. ▷略して'후룩'ともいう. **~거리다** 〈自他〉ばたばたする. するするとすする. ぴりぴり吹き鳴らす.

후루룩후루룩 [hururuk'ururuk] 〈副・하自他〉ばたばた. ぴりぴり. ずるずる.

후룩 〈副〉'후루룩'の略. **~거리다** 〈自他〉'후루룩거리다'の略.

후룩후룩 [huruk'uruk] 〈副・하自他〉'후루룩후루룩'の略.

후르르 〈副・하自〉 ❶鳥が飛び立つ音:ばたばた. 句例 비둘기 떼가 ~ 날다 はと(鳩)の群れがばたばたと飛ぶ. ❷紙などがまたたくまに燃えるさま:めらめら. 句例 문종이가 ~ 타다 障子紙がめらめらと燃える.

후리 〈名〉'후릿그물'の略.

후리다 〈他〉❶駆り立てる. 追いたてる. 句例 새를 ~ 長い綱などを振り回して鳥を追いたてる. ❷角を削ずる. 句例 대패로 모서리를 ~ かんなで角を削る. ❸ひったくる. かっぱらう. さらい取る. ❹(甘言で)たぶらかす. おび(誘)きさらう. だまし取る. 句例 가출 소녀를 ~ 家出少女をたぶらかす.

후리-질 〈名・하自〉引き網で魚を捕ること. 地引き. 句例 ~을 하다 地引きをする.

후리후리-하다 (→하다)〈形〉すらりとしている. すんなりとしている. 句例 키가 후리후리한 청년 背のすらりとした青年.

후릿-그물 〈名〉引き網. 地引き網. 略して'후리'ともいう.

후면【後面】[hu:myŏn]〈名〉後面. うしろがわ. =뒷면. 句例 건물의 ~ 建物のうしろがわ. 對전면(前面). 정면(正面).

후무리다 〈他〉(こっそり)着服する. 横領する. かす(掠)める. くすねる. ちょろまかす. 句例 남의 임금을 ~ 人の賃金をかすめる/가게 물건을 ~ 店の物をくすねる/매상금을 ~ 売上金をちょろまかす.

후문【後門】[hu:mun]〈名〉後門. 裏門. =뒷문. 對정문(正門). 전문(前門).

후문【後聞】[hu:mun]〈名〉後聞. =뒷소문. 句例 ~을 꺼리다 後聞をはばかる.

후물-거리다 〈自他〉(歯の抜けた人が)口をしきりにもぐもぐさせる. しきりにもごもごさせる. 句例 후물거리며 씹다 もぐもぐかむ.

후물후물 〈副・하自他〉もぐもぐ. 句例 사과를 ~ 씹어 먹다 りんごをもぐもぐかんで食べる.

후-물림【後―】[hu:―]〈名〉お古. お下がり. お流れ. 句例 형의 ~ 兄のお古〔お下がり〕.

후미 〈名〉入り江. 江. 語例 ⇨후미지다

후미【後尾】[hu:mi]〈名〉後尾. しんがり(殿). 句例 행렬의 ~ 行列のしんがり.

후미-지다 〈形〉❶入り江が深い. 文例 해안이 후미져 있다 海岸が入り江になっている. ❷ひっそりとして奥まっている. 奥深くひなびている. へんぴだ. 句例 후미진 산길 ひっそりとしてへんぴな山道/후미진 방 奥まった部屋.

후반【後半】[hu:ban]〈名〉後半. 句例 20세기 ~에 20世紀の後半に. 語例 ~기 後半期/~부 後半部. 對전반(前半).

후반-전【後半戰】[hu:ban—]〈名〉後半戦. 對전반전(前半戰).

후발-대【後發隊】[hu:balttae]〈名〉後発隊. 對선발대(先發隊).

후방【後方】[hu:bang]〈名〉後方. 句例 ~으로 물러나다 後方にしりぞく〔さがる〕. 語例 ~ 근무(로 돌려지다) 後方勤務(に回される)/~ 부대 後方部隊. 對전방(前方).

후배【後輩】[hu:bae]〈名〉後輩. 句例 ~를 돌보다 後輩のめんどうをみる/2년 ~되는 사람 二年後輩にあたる人. 對선배(先輩).

후보【候補】〈名〉候補. 句例 ~에 오르다 候補にあがる/~로 나서다 候補に立つ. 語例 ~자 候補者/~작 候補作/간부 ~생 幹部候補生.

후부【後部】[hu:bu]〈名〉後部. 語例 ~ 갑판 後部甲板. 對전부(前部).

후불【後拂】[hu:bul]〈名・하他〉後払い. 後金払い. 語例 ~ 요금 後払い料金. 對선불(先拂).

후비다 〈他〉(穴などを)ほじくる. ほじる. くじる. 句例 코딱지를 후벼내다 鼻くそをほじくりだす/귀를 ~ 耳をほじくる.

후비적-거리다 〈他〉しきりにほじくる. しきりにくじる.

후비적후비적 [hubijŏk'ubijŏk]〈副・하他〉しきりにほじくるさま. しきりにくじるさま.

후사【後事】[hu:sa]〈名〉後事. 句例 아우에게 ~를 부탁하다 弟に後事を託する.

후사【後嗣】[hu:sa]〈名〉後嗣. 跡継ぎ. 世継ぎ. 跡取り. 文例 아직도 ~가 없다 まだ跡継ぎがない.

후사【厚謝】[hu:sa]〈名・하自〉厚謝. 深謝. 文例 가출한 사람의 행방을 알려 주시는 분에게는 ~하겠습니다 家出した人の行方を知らせてくださる方には厚く謝礼いたします.

후-삼국【後三國】[hu:—]〈名〉〔史〕新羅・後百済・泰封の三国.

후생【厚生】[hu:saeng]〈名〉厚生. 語例 ~ 시설 厚生施設/복리 ~ 福利厚生.

후생【後生】[hu:saeng]〈名〉後生.

후생이 가외(可畏)라 後生おそるべし.

후설 모음【後舌母音】[hu:sŏlmo:ŭm]〈名〉〔言〕後舌母音. 奥舌母音. 舌の奥と軟口蓋のあいだで発音される母音. 'ㅡ・ㅓ・ㅏ・ㅜ・ㅗ'など. =뒤홀소리. →전설(前舌) 모음

*__후세__【後世】[hu:se]〈名〉後世. 後の世. 後代. 句例 이름을 ~에 남기다 名を後世に残す/명성이 ~에 전하다 名声が後世に伝わる. 語例 ~ 사람 後世の人.

후속【後續】[hu:sok]〈名・하自〉後続. 語例 ~ 부대 後続部隊/~ 조치(를 취하다) 後続措置(を取る).

*__후손__【後孫】[hu:son]〈名〉(何代も)後の子孫. 後裔. 後. 略して'손(孫)'ともいう. 句例 ~이 끊기다 後が絶える/~이 번성하다 子孫が栄える. 文例 명문의 ~이 파락호로 영락했다 名門の後裔がごろつきに落ちぶれた.

후송【後送】[hu:song]〈名・하他〉後送. 句例 부상병을 ~하다 負傷兵を後送する. 文例

ㅎ

짐은 다른 편으로 ~하겠습니다 荷物は別便で後送します. 語例 ~ 병원 後送病院 / ~ 환자 後送患者.

후수【後手】[hu:su]〈名〉(碁や将棋の) 後手. ㉯선수(先手).

후술【後述】[hu:sul]〈名・하自他〉後述. 文例 상세한 것은 ~하기로 한다 詳細は後述することにする. ㉯전술(前述).

후식【後食】[hu:shik]〈名・하他〉❶後で食べること. ❷デザート.

후신【後身】[hu:shin]〈名〉後身. 文例 A대학은 B전문 학교의 ~이다 A大学はB専門学校の後身だ. ㉯전신(前身).

후안-무치【厚顔無恥】[hu:an—]〈名・하形〉厚顔無恥. 句例 ~한 무리 厚顔無恥の徒.

후열【後列】[hu:yŏl]〈名〉後列. =뒷줄. 句例 ~ 우측 끝에 있는 사람 後列の右がわの末の人. ㉯전열(前列).

후엽【後葉】[hu:yŏp]〈名〉後葉. =말엽(末葉). 후대(後代).

후예【後裔】[hu:ye]〈名〉後裔. 句例 충무공의 ~ 忠武公の後裔.

후원【後援】[hu:won]〈名・하他〉後援. 句例 선배의 ~을 받다 先輩の後援を受ける / 후보자를 ~하다 候補者を後援する. 語例 ~ 단체 後援団体. ㉮지원(支援).

후원【後園】[hu:won]〈名〉後園. 句例 ~의 화단 後園の花壇.

후원-자【後援者】[hu:won—]〈名〉後援者. 後押し. 句例 ~를 뽑다 後援者を募る.

후원-회【後援會】[hu:won—]〈名〉後援会. 句例 ~를 조직하다 後援会を組織する.

후위【後衛】[hu:wi]〈名〉後衛. 句例 ~의 포지션을 바꾸다 後衛のポジションをかえる.

***후유** [huyu:]〈感〉❶力仕事などにくたびれて思わず吐き出す声: ふう. ふうっ. 句例 ~하고 짐을 내려 놓다 ふうっと息をついて荷をおろす. ❷難関を乗りこえて安堵の胸をなでおろすとき出す声: ふう. ほっと. 句例 ~하고 한숨 쉬다 ほっと一息つく. ▷略して'후'ともいう.

후유-증【後遺症】[hu:yutchŭng]〈名〉後遺症. 文例 교통 사고의 ~으로 고생하다 交通事故の後遺症で苦しむ.

후의【厚意】[hu:ŭi]〈名〉厚意. 句例 ~를 거절하다 厚意を断る. 文例 ~를 감사하게 여기고 있습니다 御厚意を感謝しております.

후의【厚誼】[hu:ŭi]〈名〉厚誼. 厚情. 文例 그간의 ~에 감사드립니다 今までのご厚誼に感謝いたします.

후일【後日】[hu:il]〈名〉後日. またの日. =뒷날. 句例 ~의 참고로 삼다 後日の参考とする / ~로 미루다 後日にゆずる. 文例 ~ 다시 검토하기로 했다 後日改めて検討することにした. 語例 ~담 後日談.

후임【後任】[hu:im]〈名〉後任. 句例 ~을 물색하다 後任を物色する. 語例 ~ 과장 後任の課長. ㉯선임(先任).

후임-자【後任者】[hu:im—]〈名〉後任者. 句例 마땅한 ~를 구하다 適当な後任者をさがす. ㉯선임자(先任者).

후자【後者】[hu:ja]〈名〉後者. 句例 ~를 택하다 後者をえらぶ / ~의 경우는 後者の場合は. 文例 ~보다 전자가 훨씬 좋다 後者よりも前者の方がずっといい. ㉯전자(前者).

후작【侯爵】〈名〉侯爵. 語例 ~ 부인 侯爵夫人.

후조【候鳥】[hu:jo]〈名〉〔鳥〕候鳥. 渡り鳥. =철새. ㉯유조(留鳥).

후줄근-하다 (→하다)〈形〉くたびれている. くたくただ. ❶(紙や布などがぬれてのり(糊)気がなくて)だらっとしている. 句例 후줄근한 옷차림 くたびれた身なり. ❷(からだが疲れて)ぐったりしている. 文例 너무 지쳐서 몸이 ~ 疲れきってからだがくたくただ.

후지【後肢】[hu:ji]〈名〉⇨ 뒷다리

후지다〈形〉(地域や学校などが) '뒤떨어져 있다 劣っている'の俗っぽい言いかた: へんぴで劣っている. 句例 후진 동네 へんぴな町 / 후진 학교 設備などが立ち後れている三流の学校.

후진【後陣】[hu:jin]〈名〉後陣・ごじん. 句例 ~을 지키다 後陣を守る. ㉯전진(前陣).

후진【後進】[hu:jin]〈名・하自〉後進. ❶(車などを)後ろにもどすこと. バック. 句例 차를 ~시키다 車をバックさせる. ㉯전진(前進). ❷後輩. 句例 ~에게 길을 양보하다 後進に道をゆずる / ~ 지도에 임하다 後進の指導にあたる. ❸(文物の)進歩がおくれること. 語例 ⇨ 후진국. ㉯선진(先進).

후진-국【後進國】[hu:jin—]〈名〉後進国. 文例 ~에서 중진국을 목표로 하여 나아가고 있다 後進国から中進国を目指して進んでいる. ㉯선진국(先進國).

参考 現在は'개발 도상국 開発途上国'または '발전 도상국 発展途上国'という.

후진-성【後進性】[hu:jinssŏng]〈名〉後進性. 句例 ~에서 탈피하다 後進性から脱皮する.

후천-성【後天性】[hu:ch'ŏnssŏng]〈名〉後天性. 語例 ~ 장애 後天性障害.

후천-적【後天的】[hu:ch'ŏn—]〈名・冠〉後天的. 句例 ~으로 형성된 성격 後天的に形成された性格. ㉯선천적(先天的).

후추〈名〉胡椒の実.

후춧-가루〈名〉胡椒の粉末《香辛料の一つ》. 句例 ~를 치다 胡椒を振りかける.

후탈【後頉】[hu:t'al]〈名〉❶病後や産後の病気. =후더침. ❷後腐れ・あとくされ. 事後の差し障り. =뒤탈. 文例 ~이 없도록 손을 써 두었다 後腐れがないように手をうっておいた.

후터분-하다 (→하다)〈形〉(不快なほど)蒸し暑い. むんむんする. 蒸し蒸しする. 句例 후터분한 날씨 むんむんする天気.

후텁지근-하다 (→하다)〈形〉いやに蒸し暑い. ひどくむんむんする. 文例 사람들의 열기로 방안이 ~ 人いきれで部屋がむんむん(と)する.

후퇴【後退】[hu:t'oe]〈名・하自〉後退. 後戻り 句例 경기가 ~하다 景気が後退する〔後戻りする〕/ ~를 거듭하다 後退を重ねる / 차를 ~시키다 車を後退させる / 일선에서 ~하다 一線から後退する. ㉯전진(前進).

후편【後便】[hu:p'yŏn]〈名〉❶後方. 後ろが

わ. ＝뒤쪽. 對전편(前便). ❷後の人や車の便. 對선편(先便).

후편【後篇】[hu:p'yŏn]〈名〉後編. 對전편(前篇). 중편(中篇).

후프 [hu:p'ŭ]〈名〉フープ. 語例 훌라 ～ フラフープ. ◇hoop

후-하다【厚─】[hu:─]（→하다）〈形〉❶人情深い. 情け深い. 句例 인심이 ～ 人情が厚い. ❷寛大だ. 手厚い. 甘い. 句例 점수가 ～ 点が甘い / 후한 대접 手厚いもてなし. ▷對박(薄)하다. **후히**〈副〉手厚く. 甘く. 句例 후히 대접하다 手厚くもてなす.

후학【後學】[hu:hak]〈名〉後学. ❶後進の学者. 文例 ～들을 위해 좋은 말을 남겼다 後学のためになることばを残した. 對선학(先學). ❷のちのためになる知識. 文例 ～을 위해 들어두자 後学のために聞いておこう.

후항【後項】[hu:hang]〈名〉後項. 句例 ～의 부호 後項の符号. 語例 ～ 참조 後項参照. 對전항(前項).

후환【後患】[hu:hwan]〈名〉後患. 句例 ～을 없애다 後患を絶つ / ～을 남기다 後患を残す.

*** 후회**【後悔】[hu:hoe]〈名・하他〉後悔. ＝뉘우침. 句例 자기가 한 일을 ～하다 自分のしたことを後悔する. 文例 나중에 ～하지 않도록 열심히 일하자 後になって後悔しないように, 熱心に働こう.

후회-막급【後悔莫及】[hu:hoe─]〈名〉後悔しても及ばないこと. 文例 ～이다 後悔先に立たず.

*** 후-후** [hu:─]〈副・하他〉唇をとがらして息をしきりに吹きかけるさま: ふうふう. 文例 뜨거운 차를 ～ 불면서 마시다 熱いお茶をふうふう吹きながら飲む. **～거리다**〈他〉ふうふうする.

훅[1]〈名〉フック. ❶ホック. 洋服の留め金. ＝호크. ❷(ボクシングで)ひじを曲げて側面から打つ攻撃. ◇hook

훅[2]〈副・하他〉❶(水などを)一息に飲むさま: ぐっと. ぐいと. ❷息を強く吹く音: ふっと. ふうっと. 句例 촛불을 ～ 불어서 끄다 ろうそくの灯をふっと吹き消す. ❸(高い所を)軽く飛び越えるさま: ひょいと.

훅-훅 [huk'uk]〈副〉❶(水などを)少しずつしきりに飲み込むさま: ちびちび. すうすう. ❷(息を)しきりに吹き出す音: ふっふっ. ふうふう. ❸熱気がたちこめるさま: むんむんと. 句例 ～ 찌는 날씨 むんむんと蒸すような天気.

훈【訓】[hu:n]〈名〉(漢字の)訓. ＝새김. 句例 한자에 ～을 달다 漢字に訓を当てる / ～과 음 訓と音. 對음(音).

훈 〔漢字項目〕

【訓】中學 훈 クン. ❶가르치다 教える. 가르침 教え. ◧訓育 훈육 くんいく. 訓示 훈시 くんじ. ◨教訓 교훈 きょうくん. 家訓 가훈 かくん. ❷자구의 뜻을 해석하다 字句の意味を解釈する. ◧訓詁 훈고 くんこ. ◨音訓 음훈 おんくん.

훈계【訓戒】[hu:n-gye]〈名〉訓戒. 戒め. **～하다**〈他〉訓戒する. 戒める. 句例 엄하게 ～하다 きびしく戒める / 부모의 ～를 잘 지키다 親の戒めをよく守る.

훈계 방면【訓戒放免】[hu:n-gyeba:ngmyŏn]〈名〉〔法〕(軽い犯罪者などを)訓戒して放免すること. 略して'훈방(訓放)'ともいう.

훈공【勳功】〈名〉勲功. 句例 ～을 세우다 勲功を立てる.

훈기【薰氣】〈名〉❶暖かい気. ぬく(温)もり. 文例 코트에 ～가 남아 있다 コートにぬくもりが残っている. 類온기(溫氣). ❷⇨ 훈김

훈-김【薰─】〈名〉❶蒸気などによる暖かい気. ❷権力者の威勢. 威光.

훈도【薰陶】〈名・하自〉薫陶. 句例 스승의 ～ 덕택 先生の薫陶のたまもの / 선생님의 ～를 받다 先生の薫陶を受ける.

훈독【訓讀】[hu:ndok]〈名・하他〉訓読. 訓読み. 句例 한자를 ～하다 漢字を訓読〔訓読み〕する. 對음독(音讀).

*** 훈련**【訓練】[hu:llyŏn]〈名〉訓練. **～하다**〈他〉訓練する. 仕込む. 句例 ～을 쌓다 訓練を積む / ～을 받다 訓練を受ける / ～을 잘 받은 개 仕込みのいい犬. 語例 ～병 訓練兵 / 직업 ～ 職業訓練.

훈련-소【訓練所】[hu:llyŏn─]〈名〉訓練所. 語例 신병 ～ 新兵訓練所.

훈령【訓令】[hu:llyŏng]〈名・하他〉訓令. 句例

《古歌 8》

훈민가 訓民歌

朝鮮朝の相国・詩人鄭澈(1536-93)が江原道の方伯を勤める時, 民を戒める意で綴った十六首の短歌.

歌詞 (第一首)

〈古　文〉	〈現 代 文〉	
아바님 날 나흐시고 어마님 날 기르시니,	아버님 날 나으시고 어머님 날 기르시니,	父御我れを生み 母御我れを育てたもう,
두분곳 아니면 이몸이 사라시랴.	두분만 아니시면 이몸이 살았을까.	この二方によらざれば この身はいかに成り立たん.
하늘 ᄀᆞ튼은덕을 어디 다혀 갑ᄉᆞ오리.	하늘 같은 가없는 은덕을 어찌 다 갚으리.	限りないこの恩徳に いかにぞ報い奉らん.

ㅎ

본국 정부의 ～을 청하다 本国政府の訓令を仰ぐ.

***훈민-정음**【訓民正音】[hu:nminjŏ:ng-ŭm]〈名〉訓民正音. 朝鮮朝第四代の王世宗が学者たちの輔弼を受けて, 世宗二十五年(1443)に創製し, 同二十八年(1446)公布した, 28字からなる韓国固有の文字. また, 公布当時刊行されたこの文字の解説書. 文字と本は略して'정음(正音)'ともいい, 文字は現在ハングルと呼ばれている. →한글날

훈방【訓放】[hu:nbang]〈名・하他〉'훈계 방면(訓戒放免)'の略.

훈수【訓手】[hu:nsu]〈名・하他〉(碁や将棋などで)横から手を教えてやること. また, その手. 助言.

훈시【訓示】[hu:nshi]〈名・하他〉訓示. 句例 학생에게 ～하다 学生に訓示する. 文例 장황한 사장의 ～에 두 손 들었다 長たらしい社長の訓示に閉口した.

훈위【勳位】[hunwi]〈名〉勲位.

훈육【訓育】[hu:nyuk]〈名・하他〉訓育. 句例 자제를 ～하다 子弟を訓育する.

훈장【訓長】[hu:njang]〈名〉'글방(房) 寺子屋'の先生. ＝학구(學究).
参考 教員の俗っぽい言いかたとしても使われる.

훈장【勳章】〈名〉勲章. 句例 ～을 수여하다 勲章を授与する. 語例 문화 ～ 文化勲章.

훈제【燻製】〈名〉薫製. 語例 ～ 연어 さけの薫製 / ～품 薫製品.

훈증【燻蒸】〈名・하他〉薫蒸. いぶし蒸すこと. 語例 ～제 薫蒸剤.

훈풍【薰風】〈名〉薫風. 句例 ～이 싱그러운 오월 薫風かおる五月. 文例 신록의 향기를 몰고 오는 ～이 향기롭다 青葉の香りき吹きおくる初夏の風が芳しい.

훈화【訓話】[hu:nhwa]〈名〉訓話. 句例 교장 선생님의 ～ 校長先生の訓話.

훈훈-하다【薰薰―】(→하다)〈形〉(気温が)ほどよく暖かい. ぽかぽかしている. (雰囲気が)和やかだ. 句例 훈훈한 봄바람 暖かい春風. 文例 집안 분위기가 ～ 家の中の雰囲気が和やかだ. **훈훈히**〈副〉暖かく. ぽかぽかと.

훌떡〈副〉❶衣服などを全部脱ぐさま: さらりと. すぱっと. 句例 옷을 ～ 벗다 服をさらりと脱ぐ. ❷ひっくり返るさま: がらっと. ころっと. 句例 보트가 ～ 뒤집히다 ボートががらっとひっくり返る. ❸高い所を飛び越えるさま: ひらりと. ひょいと. 句例 장애물을 ～ 뛰어넘다 障害物をひょいと飛び越える. ❹皮などがむけるさま: べろっと. つるっと. 句例 머리가 ～ 벗어진 사람 頭がつるっとはげた人. **～거리다**〈自〉(履物などが足に合わずしきりに脱けそうになり)たぶたぶする. ぶかぶかする. すぽすぽする. 文例 구두가 커서 ～거린다 靴が大きすぎてすぽすぽする
表現 語感の小さい語は'홀딱'.
훌떡훌떡 [hulttŏk'ulttŏk]〈副・하自〉たぶたぶ. ぶかぶか. ㊝훌렁훌렁. 「hula dance

훌라 댄스〈名〉フラダンス. フラフラダンス. ◇

훌렁〈副〉❶中の物がみなむき出るさま: すっぽり. はらり. さっと. ぺろっと. 文例 그는 외투를 ～ 벗었다 彼はオーバーコートをさっと脱いだ. ❷簡単に飛び越えるさま: ぴょんと. ひょいと. 句例 높은 담을 ～ 넘어가다 高い垣根をひょいと飛び越える. ❸寸法が大きすぎるさま: すぽっと. だぶだぶ. ぶかぶか. 句例 마개가 헐거워 ～ 들어가다 栓がゆるくてすぽっと入る. ❹簡単にひっくり返るさま: ごろりと. すってんころりと. 句例 보트가 ～ 뒤집히다 ボートがころりとひっくり返る. **～거리다**〈自〉(衣服などが)だぶだぶする. ゆるゆるする. (ネジなどが)緩んで締まらない.
表現 語感の小さい語は'홀랑'.
훌렁훌렁〈副・하形〉だぶだぶ. ぶかぶか.

***훌륭-하다** (→하다)〈形〉立派だ. 見事だ. 偉い. すばらしい. 十分だ. 句例 경치가 ～ 景色がすばらしい / 훌륭한 사람이 되다 偉い人になる / 모습이 ～ 姿が立派だ. 文例 그 정도면 ～ それくらいで十分だ / 오늘의 연극은 훌륭했다 今日の芝居は見事でした. **훌륭히**〈副〉立派に. 見事に. 十分に. 文例 그는 훌륭히 할 수 있습니다 彼は十分にできます.

훌쩍[1]〈副〉❶軽く飛び上がったり一気に飛び越えるさま: ひょいと. ぴょんと. ひらりと. 句例 도랑을 ～ 건너뛰다 溝をひょいと飛び越える / 말에 ～ 올라타다 馬にひらりと飛び乗る. ❷液体を一息に飲みほすさま: ぐっと. ぐいっと. ごくっと. 句例 커피를 ～ 마시다 コーヒーをごくっと飲む. ❸鼻水をすすり上げるさま. また, その音. **～거리다**〈他〉❶ちびりちびりと飲む. 句例 술을 ～거리며 마시다 酒をちびりちびりと飲む. ❷すばやく飛び上がる. ❸(鼻水をすすりながら)すすり泣く. 句例 어린애가 ～거리며 울다 子供がすすり泣く.
表現 語感の小さい語は'홀짝'.
훌쩍훌쩍 [hultchŏk'ultchŏk]〈副・하他〉ちびりちびりと. ひらりと. しくしく(と). 句例 ～ 계속 울다 しくしく 泣き続ける.

훌쩍[2]〈副〉気軽に出かけるさま: ふらりと. ふらっと. 句例 ～ 여행을 떠나다 ふらりと旅に出る.

훌쭉-하다 [hultchuk'ada] (→하다)〈形〉❶細長い. ほっそりしている. 句例 훌쭉한 몸매 ほっそりしたからだつき. ❷先がとがって長い. 文例 삼각뿔처럼 끝이 ～ 三角錐のように先がとがっている. ❸からだがやせてげっそりしている. 文例 앓고 난 탓인지 볼이 ～ 病み上がりのせいか, ほおがこけている. ❹(中の方へ)引っこんでいる. へこんでいる. 句例 배가 ～ 腹がへこんでいる. **훌쭉히** [hultchuk'i]〈副〉細長く. 先がとがって.
表現 語感の小さい語は'홀쭉하다'.

훌훌 [hu:lhul]〈副〉❶軽やかに飛ぶさま: すいすいと. ゆうゆうと. 句例 두루미가 ～ 날아가다 つるがゆうゆうと飛んで行く.
❷物を遠くへ投げたりふりまいたりするさま: ぽんぽんと. ばらばらと. 句例 모래를 ～ 뿌리다 砂をばらばらとまく.
❸衣服などをすばやく脱ぎすてるさま: さっさと. 句例 옷을 ～ 벗어 던지다 服をさっさと脱ぎすてる.

❹ほこりなどを払い落とすさま：ばたばたと．ぽんぽんと．[句例] 옷의 먼지를 ～ 털다 衣服のほこりをばたばたと払う．
❺水や薄いかゆ(粥)をすするさま：ごくりごくり．ぐいぐい．[句例] 샘물을 ～ 마시다 泉の水をぐいぐいと飲みほす．

훑다 [hultta]〈他〉❶しごく．落とす．[句例] 벼 이삭을 ～ 稲の穂をしごく．❷(皮などを)はぎ取る．むしり取る．[句例] 소나뭇가지 껍질을 ～ 松の枝の皮をはぎ取る．❸(中のものを)すっかり取り出す．[句例] 생선 내장을 ～ 魚のはらわたを取り出す．❹隅隅まで調べる．
[參考] '훑으면 しごくと' '훑고 しごいて'は [hult'ŭmyŏn], [hulkko] と読む．

훑어-보다 [hult'ŏ—]〈他〉じろっと見る．一瞥する．(ざっと)目を通す．[句例] 편지〔서류〕를 대충 ～ 手紙〔書類〕にざっと目を通す．

훑이다 [hulch'ida]〈自〉❶'훑다'の受身：(付いているものが)しごかれる．[句例] 벼가 잘 훑이지 않는다 稲がうまくしごけない．❷(かさばっていたものが減って)しなびる．縮む．

훔쳐-내다 [humch'ŏ—]〈他〉❶(水気・ほこりなどを)ふき取る．ぬぐう．[句例] 걸레로 먼지를 ～ ぞうきんでほこりをふき取る．❷(他人の物を)かすめ取る．盗み出す．抜き取る．[句例] 사무실에서 서류를 ～ 事務室から書類を盗み出す．❸(手探りで)つかんで出す．

훔쳐-먹다 [humch'ŏ—]〈他〉(人の物を)盗んで食べる．盗み食いする．[句例] 훔쳐먹는 도둑 고양이 盗み食いする野良猫．

훔쳐-보다 [humch'ŏboda]〈他〉❶のぞき見する．＝엿보다．[句例] 문틈으로 ～ 門の透き間からのぞき見する．❷盗み見する．盗み見る．[句例] 남의 답안을 ～ 人の答案を盗み見する．

****훔치다**〈他〉❶盗む．かすめる．こっそり取る．[句例] 남의 지갑을 ～ 人の財布を盗む．❷ふ(拭)く．ぬぐう．[句例] 마루를 ～ 床をふく／눈물을 ～ 涙をぬぐう．❸強く殴る．ぶん殴る．ひっぱたく．[句例] 빰을 훔쳐 때리다 ほお(頬)をぶん殴る．❹手探りする．❺(田畑の)雑草をむしり取る．

훗-날【後—】[hu:nnal]〈名〉次の日．後日．＝뒷날．[句例] ～로 미루다 後日に譲る．

훗-일【後—】[hu:nnil]〈名〉⇨ 뒷일

훤칠-하다 (→하다)〈形〉❶すらりとしている．[句例] 훤칠한 키 すらりとした背丈．❷(遮るものがなくて)広広と広がっている．

훤-하다 [hwo:n—] (→하다)〈形〉❶薄明るい．白んでいる．ほのぼのとしている．[句例] 동쪽 하늘이 훤하게 틀 무렵 東の空がほのぼのと明けるころ．❷(前方が開けて)広広としている．[文例] 앞이 훤하게 트였다 前方が広広と開けている．❸(物事に)明るい．よく知っている．精通している．[句例] 고고학에 ～ 考古学に精通している．❹(顔形が)すっきりしている．うるわしい．美しい．[句例] 얼굴이 ～ 顔つきがすっきりしている．**훤히** [hwo:nhi]〈副〉ほのぼのと．広広と．明るく．

****훨씬**〈副〉ずっと．はるかに．[句例] ～ 크다〔못하다〕はるかに大きい〔劣る〕．[文例] 일은 생각보다 ～ 빨리 끝났다 仕事は思ったよりずっと早く終わった／그가 ～ 잘 한다 彼がずっとうまい／～ 저쪽에 있다 ずっと向こうにある／그녀가 ～ 젊다 彼女がはるかに若い．

훨-훨 [hwo:lhwol]〈副〉❶大きな鳥がゆっくり飛ぶさま：ふわりふわりと．[句例] 갈매기가 ～ 날아가다 かもめがふわりふわりと飛んで行く．❷火が勢いよく燃えるさま：ぼうぼうと．[句例] ～ 타오르는 성화 ぼうぼうと燃え上がる聖火．❸潔よく脱ぐさま：さっと．さらりと．[句例] 옷을 ～ 벗어 던지다 服をさっと脱ぎ捨てる．❹大きな扇であおぐさま：ばたばたと．

훼　〔漢字項目〕

【毁】[高校] 훼 キ．❶헐다 こわす．부서지다 こわれる．◧毁損 훼손 きそん．毁棄 훼기 きき．◨破毁 파훼 はき．❷험담을 하다 そしる．◧毁謗 훼방 きぼう．

훼방【毁謗】[hwe:bang]〈名・하他〉❶毁謗．そしること．❷妨害．妨げること．[句例] 남의 일을 ～하다 人の仕事を妨げる．[語例] ～꾼 邪魔者．妨害者．

훼방(을) 놓다 邪魔をする．妨害する．[文例] 그 놈은 언제나 내 일에 훼방을 놓는다 あいつりいつもわたしの邪魔をする．

훼손【毁損】[hwe:son]〈名・하自他〉毁損．❶壊すこと．壊れること．[句例] 문화재를 ～하다 文化財を毁損する．❷(名誉を)傷つける．[語例] 명예 ～ 名誉毁損．

휑뎅그렁-하다 (→하다)〈形〉(中が空っぽで)がらんとしている．だだっ広い．略して'휑하다'ともいう．[句例] 휑뎅그렁한 방 がらんとした部屋．

휑-하다 (→하다)〈形〉❶よく知っている．よく通じている．知り尽くしている．[文例] 기계 공학에 대해서는 ～ 機械工学に対しては知り尽くしている．❷(穴などが)大きく開いている．[句例] 휑하게 뚫린 구멍 ぽかっと開いている穴．❸目がくぼんで生気がない．[文例] 눈이 휑하게 들어갔다 目がぽかっとくぼんでいる．❹'휑뎅그렁하다'の略．

휘 [hwi:]〈副〉❶強く吹きすさぶ風の音：ひゅうっと．びゅうっと．[句例] 바람이 ～ 불어오다 風がひゅうっと吹いてくる．❷強く吐くため息の音：ふうっと．[句例] ～ 하고 숨을 크게 내쉬다 ふうっと大きく息を吐き出す．❸周囲を見回すさま：ぐるっと．ぐるりと．[句例] 사방을 ～ 둘러 보다 あたりをぐるっと見回す．

휘　〔漢字項目〕

【揮】[高校] 휘 キ．❶휘두르다 振る．◧揮毫 휘호 きごう．◨指揮 지휘 しき．❷(실력 등을) 보이다 (実力などを)見せる．나타내다 あらわす．◨發揮 발휘 はっき．❸(액체를) 뿌리다 (液体を)まきちらす．◧揮涙 휘루 きるい．揮發 휘발 きはつ．

【輝】[高校] 휘 キ．빛나다 かがやく．빛남 かがやき．◧輝石 휘석 きせき．◨光輝 광휘 こうき．

휘-갈기다〈他〉❶ぶん殴る．[句例] 몽둥이로 ～ こん棒でぶん殴る．❷書き殴る．書き散らす．

句例 낙서를 ~ 落書きを書き散らす.

휘-감기다 〈自〉❶ぐるぐる巻かれる. 巻きつく. からまる. からみつく. 文例 담쟁이덩굴이 나무에 휘감겨 있다 かずらが木に巻きついている. ❷(気が)ふらふらする. ふらつく.

휘-감다 [hwigamtta] 〈他〉ぐるぐる巻く. 巻きつける. 絡む. 句例 실패에 실을 ~ 糸巻きに糸を巻きつける.

휘갑-치다 〈他〉❶(ござ・布などの縁をほつれないように)かがり縫いする. ❷(後腐れのないように)うまく締めくくる. けりをつける. 片付ける. ❸口止めをする. ❹(困った問題などを)一時的にとり繕う.

***휘-날리다** 一〈自〉❶(旗などが風に)はたはたと翻る. ひらめく. はためく. 句例 국기가 ~ 国旗が翻る. ❷(激しく)飛び散る. 散らばって飛ぶ. 散らばる. 句例 눈보라가 ~ 吹雪が乱れ飛び散る.

二〈他〉❶翻す. ひらめかす. 句例 깃발을 ~ 旗を翻す. ❷飛び散らす. 句例 바람이 먼지를 ~ 風がほこりを飛び散らす. ❸(名声などを)とどろかせる. 句例 명성을 온 세계에 ~ 名声を全世界にとどろかす.

휘-늘어지다 [hwinŭrŏjida] 〈自〉だらりと垂れる. 句例 휘늘어진 버들가지 垂れ下がったやなぎの枝.

***휘다** 一〈自〉曲がる. しなう. たわむ. 反る. 句例 낚싯대가 ~ 釣りざおがたわむ. 文例 등이 휘어 있다 背中が曲がっている.

二〈他〉❶曲げる. しなわせる. たわませる. 句例 철사를 ~ 針金を曲げる. ❷(人を)意のままにする. 思いどおりにする. 句例 과장을 휘어잡다 課長を意のままにする.

***휘-돌리다** 〈他〉ぐるぐる回す. 振り回す.

***휘-두르다** (휘두르니, 휘둘러서)〈他〉❶(物をつかんで)振り回す. 句例 막대기를 ~ 棒を振り回す / 칼을 ~ 刀を振り回す. ❷牛耳る. 支配する. あごで使う. 尻に敷く. 文例 그녀는 남편을 제 마음대로 휘두르고 있다 彼女は夫を尻に敷いている. ❸(権力・腕力などを)みだりに使う. 振るう. 句例 권력을 ~ 権力を振るう.

휘-둥그렇다 [hwidunggŭrŏt'a] 〈形〉(휘둥그러니, 휘둥그러오)(驚きや恐れで)目をまるくしている. 目を見張っている.

휘둥그레-지다 〈自〉目を大きく見開く. 見張る.

휘-말다 (휘마니, 휘말아서)〈他〉❶ぐるぐる巻く. 句例 종이를 둘둘 ~ 紙をぐるぐる巻く. ❷(衣服などを)ぬらして汚す.

휘-모리 〈名〉〔樂〕韓国伝統音楽の拍子の一種. 最も速度が速いもの.

휘-몰다 (휘모니, 휘몰아서)〈他〉❶せき立てる. 急がせる. 文例 사람을 너무 휘몰지 마라 人をあまりせき立てるな. ㊝다그치다. ❷(家畜などを)追い立てる. 句例 젖소를 휘몰아 오다 乳牛を追い立ててくる. ❸(馬・車などを)走らせる. 快走させる.

휘-몰아치다 [hwimorach'ida] 〈自〉(風雨が)吹きすさぶ. 吹きまくる. 句例 찬 바람이 휘몰아치는 들판 冷たい風が吹きすさぶ野原.

휘-묻이 [hwimuji] 〈名・하他〉〔農〕取り木. 圧条. 取り枝. →꺾꽂이

휘발【揮發】〈名・하自〉揮発. 語例 ~성 물질 揮発性の物質 / ~유 揮発油. ガソリン.

휘슬 〈名〉ホイッスル. ❶口笛. =휘파람. ❷呼び子. =호각(號角). 句例 ~이 울리다 ホイッスルが鳴る. ◇whistle

휘어-가다 〈自〉曲がりくねって流れる〔進む〕.

휘어-잡다 〈他〉❶(物を)曲げて握る. 句例 나뭇가지를 ~ 木の枝を曲げて握る. ❷(人を)意のままにする. 支配する. 頭を抑える. 文例 그는 계장을 휘어잡고 있다 彼は係長を意のままにしている.

휘어-지다 〈自〉曲がる. しなう. たわむ. 句例 낚싯대가 ~ 釣りざおがたわむ.

휘영청 〈副〉非常に明るいさま: 皓皓と. 文例 ~ 달 밝은 밤 皓皓と明るい月夜.

휘장【揮帳】〈名〉とばり(帳). 幕. 垂れ絹. 句例 ~을 둘러치다 幕を張り巡らす.

휘-젓다 (휘저으니, 휘저어서)〈他〉❶(よく混じるように)かき混ぜる. かき回す. 句例 계란을 휘저어 섞다 たまごをかき混ぜる / 국자로 국냄비를 ~ ひしゃくで汁なべをかき混ぜる. ❷(歩くとき)大手をふる. ❸かき乱す. 句例 서랍 속을 ~ 引き出しの中をかき乱す.

휘청-거리다 〈自〉(足元が)ひょろひょろする. ふらつく. よろめく. 句例 다리가 ~ 足がふらつく / 줄다리가 ~ 釣り橋がふらつく.

휘청휘청 〈副・하自〉ひょろひょろ. よろよろ. ふらふら.

****휘파람** 〈名〉口笛.

휘파람(을) 불다 口笛を吹く.

휘하【麾下】〈名〉麾下. 指揮下. 句例 A장군~에 들어가다 A将軍の麾下に入る. 語例 ~ 장병 麾下の将兵.

휘호【揮毫】〈名・하他〉揮毫. 語例 ~료 揮毫料 / 신춘(新春) ~ 書き初め.

휘황찬란-하다【輝煌燦爛—】[hwihwangch'al-lan—] (→하다)〈形〉❶(光彩が)まばゆいほど輝いている. きらびやかだ. 句例 휘황찬란한 샹들리에 まばゆいシャンデリア. ❷やたらにけばけばしい.

휘휘 [hwi:hwi] 〈副〉❶何度も巻きつけたりかき回したりするさま: ぐるぐると. 句例 죽을 ~ 휘젓다 かゆをぐるぐるかき混ぜる. ❷あちこちふり回すさま: ぴゅんぴゅんと.

획 〈副〉❶急に速く回るさま: ぐるっと. くるりと. ぐるりと. 句例 뒤를 ~ 돌아보다 後ろをくるりと振り向く.

❷風が急に強く吹くさま: ひゅうっと. ぴゅうっと. さっと. 文例 찬 바람이 ~ 불어 왔다 冷たい風がぴゅうっと吹いてきた.

❸物を投げるさま: ぽんと. 句例 돌을 ~ 던지다 石ころをぽんと投げる.

❹速く通り過ぎるさま: さっと. 句例 자동차가 ~ 지나가다 自動車がさっと通り過ぎる.

❺軽く飛び上がるさま: ひょいと. 句例 높은 담을 ~ 뛰어 넘다 高い垣根をひょいと飛び越える.

❻仕事を手早く済ませるさま: さっと. さっさと. 句例 일을 ~ 해치우다 仕事をさっと片付ける.

획획 [hwik'wik]〈副〉ぐるぐると. ひゅうひゅうと. さっさと. 句例 바람개비가 ~ 돌아가다 風車がぐるぐる回る.

휠-체어 [hwi:l—]〈名〉ホイールチェア. 車いす. ◇wheel chair

휩-싸다〈他〉❶くるむ. 句例 타월로 몸을 ~ タオルでからだをくるむ. ❷(他人の失敗や欠点を)包み隠す. かばってやる. ❸(あるものが他のものを)すっかり覆う. 包む.

휩-싸이다〈自〉'휩싸다'の受け身: 包まれる. 覆い隠される. (恐れなどに)襲われる. 句例 불길에 휩싸인 집 炎に包まれた家 / 공포에 ~ 恐怖に襲われる.

휩-쓸다 (휩쓰니, 휩쓸어서)〈他〉❶襲う. 覆う. 荒らす. 支配する. 句例 폭풍우가 온 마을을 ~ 暴風雨が村じゅうを襲う. ❷さらう. 全部持ち去る. 句例 상을 ~ 賞をさらう / 인기를 ~ 人気をさらう. ❸のさばる. 闊歩する. 文例 깡패들이 거리를 휩쓸고 다닌다 ごろつきたちが町をのさばり歩く.

휩-쓸리다〈自〉'휩쓸다'の受け身. ❶襲われる. 荒らされる. 押し流される. 巻き込まれる. 句例 사건에 ~ 事件に巻き込まれる / 감정에 ~ 感情に流される / 폭풍우에 휩쓸린 배 暴風雨に襲われた船. ❷飲まれる. 句例 파도에 ~ 波にのまれる〔さらわれる〕.

휴 〔漢字項目〕

【休】 中學 휴 キュウ. ❶쉬다 休む. 휴식 休み. ◨休憩 휴게 きゅうけい. 休暇 휴가 きゅうか. ◨公休 공휴 こうきゅう. 運休 운휴 うんきゅう. 無休 무휴 むきゅう. ❷그치다 やめる. 중지하다 中止する. ◨休止 휴지 きゅうし. ❸기뻐하다 喜ぶ. 기쁘다 喜ばしい. ◨休戚 휴척 きゅうせき.

【携】 高校 휴 ケイ. ❶끌다 引く. 손을 맞잡다 手を携える. ◨提携 제휴 ていけい. ❷손에 가지다 手に持つ. ◨携帯 휴대 けいたい. ◨必携 필휴 ひっけい.

휴가【休暇】〈名〉休暇. 休み. 句例 ~를 얻다 休暇をとる / ~를 주다 休暇を与える. 語例 여름 ~ 夏休み / 생리 ~ 生理休暇 / 유급 ~ 有給休暇.

휴간【休刊】〈名・하他〉休刊. 句例 신문의 ~ 新聞の休刊.

휴강【休講】〈名・하自〉休講. 文例 둘째 시간은 ~이다 二時間めは休講だ. 語例 금일 ~ 本日休講.

휴게【休憩】〈名・하自〉休憩. 休息. 休み. =휴식(休息). 語例 ~소 休憩所 / ~ 시간 休憩時間 / ~실 休憩室.

휴대【携帯】〈名・하他〉携帯. 句例 여권을 ~하다 パスポートを携帯する. 文例 총기 ~는 금지되어 있다 銃器の携帯は禁じられている. 語例 ~용 녹음기 携帯用録音機 / ~ 식량 携帯食糧 / ~품 携帯品. 持ち物.

휴대 전화기【携帯電話機】[—jŏ:nhwagi]〈名〉携帯電話機. =휴대폰.

휴머니즘 [hyu:mŏnijŭm]〈名〉ヒューマニズム. ◇humanism

휴면【休眠】〈名・하自〉休眠. 語例 ~기 休眠期 / ~ 상태 休眠状態.

휴무【休務】〈名・하自〉休務. 勤めをしばらく休むこと.

***휴식**【休息】〈名・하自〉休息. 休み. =휴게(休憩). 句例 ~을 취하다 休息をとる. 語例 ~ 시간 休み時間.

휴양【休養】〈名・하自他〉休養. 句例 차분히 ~하다 ゆっくり休養する. 語例 ~ 시설 休養施設 / ~지 休養地 / ~ 지대 休養地帯.

휴업【休業】〈名・하自〉休業. 語例 금일 ~ 本日休業 / 임시 ~ 臨時休業.

휴일【休日】〈名〉休日. 休み. 文例 내일은 ~이다 明日は休みだ / 일이 밀려 ~에도 출근했다 仕事に追われて休日にも出勤した. 對평일(平日).

휴전【休戰】〈名・하自〉休戦. 句例 ~ 협정이 조인되다 休戦協定が調印される. 語例 ~ 교섭 休戦交渉 / ~선(線) 休戦ライン / ~ 조약 休戦条約 / ~ 회담 休戦会談.

휴지【休止】〈名・하自〉休止. 句例 ~ 상태에 있다 休止状態にある.

***휴지**【休紙】〈名〉❶ちり紙. 鼻紙. トイレットペーパー. 句例 ~로 코를 풀다 ちり紙で鼻をかむ. ❷紙くず. ほご(反故・反古). 句例 ~를 줍다 紙くずを拾う. 語例 ~통(桶) ごみ箱. 紙くずかご. くず入れ.

휴지-부【休止符】〈名〉〔樂・言〕⇨ 쉼표(標)

휴지-화【休紙化】〈名・하自他〉(条約・約束などを)ほご同然にすること. 句例 약속을 ~하다 約束をほごにする.

휴직【休職】〈名・하自〉休職. 文例 그는 병으로 ~중에 있다 彼は病気で休職中だ. 語例 ~급(給) 休職中の給与.

휴진【休診】〈名・하自〉休診. 文例 오늘은 ~합니다 今日は休診します.

휴학【休學】〈名・하自〉休学. 句例 ~계를 내다 休学届けを出す.

휴-화산【休火山】〈名〉〔地〕休火山.

휴회【休會】〈名・하他〉休会. 句例 ~가 되다 休会になる / ~를 선언하다 休会を宣する / ~하기로 결정하다 休会することに決める.

흉〈名〉❶傷跡. 文例 목에 ~이 있는 험상스런 사나이 首に傷跡のある恐ろしい人相の男. ❷欠点. あら. 文例 남의 ~은 눈에 잘 띈다 他人の欠点はよく目につく / ~없는 사람은 없다 欠点のない人はいない.

흉(을) **보다** 悪口を言う. 欠点をあげつらう. 陰口をきく. 文例 뒤에서 남을 흉보지 마라 陰で人の欠点をあげつらうな.

흉(을) **잡다** あらさがしをする. けちをつける.

흉(을) **잡히다** 人に欠点をつか(摑)まれる.

흉 〔漢字項目〕

【凶】 中學 흉 キョウ. ❶흉하다 縁起が悪い. 불길하다 不吉だ. ◨凶夢 흉몽 きょうむ. 凶兆 흉조 きょうちょう. ◨吉凶 길흉 きっきょう. ❷흉년들다 作物の出来がわるい. ◨凶作 흉작 きょうさく. 凶年 흉년 きょうねん. ❸흉악하다 性質がわるい. 악한 悪漢. ◨凶惡 흉악 きょうあく. 凶計 흉계 きょうけい. ◨元凶 원흉 げんきょう.

【胸】 中學 흉 キョウ. 가슴 胸. 마음 こころ. ■胸廓 흉곽 きょうかく. 胸像 흉상 きょうぞう. 胸中 흉중 きょうちゅう. ■氣胸 기흉 ききょう.

흉계【凶計】〈名〉悪巧み. 悪い計画. 句例 ~를 꾸미다 悪巧みを企てる / ~에 빠지다〔걸리다〕悪巧みにかかる.

흉금【胸襟】〈名〉胸襟. 句例 ~을 털어놓고 이야기하다 胸襟を開いて話しをする.

흉기【凶器】〈名〉凶器. 句例 ~를 든 강도 凶器を持った強盗 / ~를 단속하다 凶器を取り締まる.

****흉내**〈名〉まね(真似). 模倣. 句例 우는 ~ 泣きまね. 語例 ~쟁이 ものまねのうまい人. まね師 / 선생님 ~ 先生のまね.

흉내(를) 내다 まねる. まねをする. 句例 남의 말투를 흉내내다 人との話し方をまねる. 文例 남의 흉내를 내지 마라 人のまねをするな.

흉년【凶年】〈名〉凶年. 句例 ~이 계속되다 凶年が続く. 文例 금년은 ~이다 今年は凶年だ. ㊐풍년(豊年).

흉년(이) 들다 凶年になる. ㊐풍년(이) 들다.

흉년-거지【凶年―】〈名〉凶年の乞食. 努力しても報われることが少ないことのたとえ.

흉노【匈奴】〈名〉〔史〕匈奴. フンヌ.

흉물【凶物】〈名〉凶悪な人物.

흉물(을) 떨다 (まじめなふりをして) 陰険で凶悪にふるまう.

흉물-스럽다【凶物―】(→스럽다)〈形〉(性質や行動が) 陰険だ. 凶悪だ. **흉물스레**〈副〉凶悪に. 陰険に.

흉배【胸背】〈名〉❶胸背. 胸と背. ❷〔史〕昔の官服の胸と背に付けて地位を表わした刺繡入りの布切れ.

흉-보다 ⇨'흉'の小項目

흉복【胸腹】〈名〉胸腹. 胸と腹. 語例 ~통(=가슴앓이) 胸腹痛.

흉부【胸部】〈名〉〔生〕胸部. 語例 ~ 질환 胸部疾患.

흉상【胸像】〈名〉胸像. 句例 창립자의 ~ 創立者の胸像.

흉악【凶惡】〈名・하形〉凶悪. 句例 ~한 강도 凶悪な強盗 / 가장 ~한 범죄 最も凶悪な犯罪. 語例 ~범 凶悪犯人. **~스럽다** (→스럽다)〈形〉凶悪だ. **~스레**〈副〉凶悪に.

흉어【凶漁】〈名〉凶漁. 不漁. 句例 청어의 ~ にしんの凶漁. ㊐풍어(豊漁).

흉-업다【凶―】(흉어우니, 흉어워)〈形〉醜い. 見苦しい. 文例 그가 한 분장은 ~ 彼のした扮装は見苦しい.

흉위【胸圍】〈名〉胸囲. バスト. =가슴둘레. 句例 ~를 재다 胸囲を測る.

흉작【凶作】〈名〉凶作. 不作. 句例 ~의 해 凶作の年. ㊐풍작(豊作).

흉-잡다 ⇨'흉'の小項目

흉-잡히다 [jap'ida] ⇨'흉'の小項目

흉측-하다【凶測―】[hyungch'ŭk'ada] (→하다)〈形〉 ❶(容貌が)ぞっとする〔身の毛がよだつ〕ようだ. 句例 흉측한 얼굴 ぞっとするような顔. ❷陰険で腹黒い. 句例 심보가 ~ 根性が陰険だ.

흉측-스럽다【凶測―】(→스럽다)〈形〉⇨흉측하다. 句例 흉측스러운 생각 陰険な考え.

흉탄【凶彈】〈名〉凶弾. 句例 ~에 쓰러지다 凶弾に倒れる.

흉-터〈名〉傷跡. 文例 관자놀이에 ~가 있다 こめかみに傷跡がある.

흉-하다【凶―】(→하다)〈形〉❶不吉だ. 忌まわしい. 句例 흉한 꿈 忌まわしい夢. ❷(顔・態度などが)醜い. 見苦しい. 句例 옷차림이 ~ 身なりが見苦しい. ❸(心が)陰険だ. ❹縁起が悪い.

흉한【凶漢】〈名〉凶漢. 句例 ~에게 습격당하다 凶漢に襲われる.

흉허물-없다 [―hŏmurŏpta]〈形〉心安い. 親密である. 気兼ねしない. 文例 우리는 서로 흉허물없는 사이다 我我は互いに心安い間柄だ. **흉허물없이** [―hŏmurŏpshi]〈副〉心安く. 気兼ねしないで. 句例 흉허물없이 돈을 꾸다 気兼ねしないで金を借りる.

흉흉-하다【洶洶―】(→하다)〈形〉❶荒波が立っている. ❷(人人の心が乱れて)ざわめいている. 慌ただしい. びくびくしている. 句例 인심이 ~ 人心がざわめいて〔ひどく動揺して〕いる.

***흐-느끼다**〈自〉むせび泣く. むせぶ. すすり泣く. 句例 비보를 듣고 ~ 悲報に接してすすり泣く. 文例 관중 속에서 흐느끼는 소리가 들리기 시작했다 観衆の中からすすり泣く声が聞こえ始めた.

흐느적-거리다〈自〉(細長い枝・葉などが) ゆらゆらする. 略して'흐늑거리다'ともいう. 句例 수양버들이 바람에 ~ しだれ柳が風にゆらゆらする.

表現 語感の小さい語は'하느작거리다'.

흐느적흐느적 [hŭnŭjŏk'ŭnŭjŏk]〈副・하自〉ゆらゆら.

흐늘흐늘-하다 (→하다) 〈形〉 ふにゃふにゃ〔ぐにゃぐにゃ〕している. 句例 흐늘흐늘해지도록 삶다 ふにゃふにゃになるまで煮る.

흐려-지다〈自〉曇る. 濁る. ぼける. 句例 눈〔색〕이 ~ 目〔色〕が濁る / 안색이 ~ 顔色が曇る / 하늘이 ~ 空が曇る〔陰る〕/ 머리가 ~ 頭がぼける / 김이 서려 유리가 ~ 湯気でガラスが曇る. 文例 비 때문에 강물이 흐려졌다 雨のため川の水が濁った.

**흐르다

(흐르니, 흘러서)〈自〉❶流れる. ㉠(液体が)ある方向へ動く. 句例 물〔땀〕이 ~ 水〔汗〕が流れる / 강이 ~ 川が流れる / 피가 줄줄 ~ 血がだらだら流れる. 文例 쓰레기로 하수가 막혀서 흐르지 않는다 ごみで下水がつかえて流れない. 文例 흙탕물이 흘러들어왔다 どろ水が流れ込んだ / 강물이 바다로 흘러들어간다 川の水が海に注ぎ込む. ㉡こぼれる. こぼれ落ちる. 句例 눈물이 ~ 涙がこぼれる〔流れる〕/ 가마니에서 쌀이 ~ かますから米がこぼれる. ㉢時がたつ. 句例 세월이 ~ 歳月が流れる. 文例 그로부터 10년의 세월이 흘렀다 それから十年の歳月〔月日〕が流れた. ㉣(望ましくない方向に)傾く. 走る. 句例

감정에 ～ 感情に流れる〔走る〕/ 생활이 나태에 ～ 生活が怠惰に流れる / 극단으로 ～ 極端に走る〔偏る〕. 文例 자칫하면 비현실적인 논의로 흐른다 ともすれば非現実的な議論に流れる.

㊀(水が流れるように物が)移動する. 句例 구름이 ～ 雲が流れる / 은하수가 흐르는 밤하늘 天の川が流れる夜空 / 전류가 ～ 電流が流れる.

❷漂う. 広がる. 句例 침묵이 ～ 沈黙が漂う.

❸(つやつやした光沢が)出る. 句例 윤기가 흐르는 얼굴〔검은 머리〕 つやつやした顔〔黒髪〕.

흐리다[1] 〈他〉❶(姿などを)消す. 句例 오징어가 먹물로 자취를 ～ いかが墨で姿を消す. ❷(言葉を)濁す. ぼやかす. 句例 말끝을 ～ 言葉じりを濁す / 미사여구를 늘어놓아 본뜻을 ～ 美辞麗句をつらねて本旨をぼやかす. ❸(澄んだ水を)濁す. 濁らす. 句例 우물물을 ～ 井戸水を濁す. ❹(名誉などを)汚す. 句例 집안의 명예를 흐리게 한 놈 家門の名誉を傷つけたやつ.

*__흐리다__[2] 〈形〉❶(記憶力・判断などが)はっきりしない. ぼんやりしている. 句例 정신이 ～ 気がぼうっとしている.

❷(水・ガラスなどが)濁っている. 澄んでいない. 句例 물이 ～ 水が濁っている / 유리가 ～ ガラスが曇っている.

❸(天気が)曇っている. 句例 안개 낀 흐린 하늘 霧のかかった曇っている空 / 날씨가 ～ 天気が曇っている.

❹(明かりなどが)薄暗い. ぼんやりしている. ほの暗い. 句例 흐린 전등불 ほの暗い電灯の光.

❺(視力・聴力が衰えて)はっきりしない. ぼうっとしている. 文例 눈도 흐리고 귀도 ～ 目も耳もぼうっとなっている.

❻(印刷などが)はっきりしない. 句例 인쇄〔글씨〕가 ～ 印刷〔文字〕がはっきりしない.

❼(支払いが)ルーズだ. 文例 그렇게 셈이 흐려서야 누가 돈을 꿔주겠나 そんなに支払いがルーズではだれがお金を貸してくれるかね.

흐리멍덩-하다 (→하다)〈形〉ぼんやりしている. はっきりしない. 句例 흐리멍덩한 눈 どんよりした目 / 기억이 ～ 記憶がはっきりしない. 文例 잠에 취해서 머리가 ～ 寝ぼけて頭がぼんやりしている.

흐리터분-하다 (→하다)〈形〉❶はっきりしない. うっとうしい. 句例 흐리터분한 날씨 うっとうしい天気. ❷(性質が)煮え切らない. ずぼらだ. 句例 흐리터분한 사람 煮え切らない人.

흐림 〈名〉曇り. 句例 맑은 후 ～ 晴れのち曇り. 對맑음.

흐릿-하다 [hŭrit'ada] (→하다)〈形〉うすぼんやりしている. 少し曇っている. どんよりしている. 句例 흐릿한 날씨 どんより(と)した天気 / 글씨가 ～ 字がぼやけている. 文例 안개 속에 집이 흐릿하게 보인다 霧の中に家がぼんやりと見える.

흐물-흐물 〈副・하形〉熟しすぎたり煮すぎたりして軟らかくなったさま: どろどろ. ぐじゃぐじゃ. ぐずぐず. 句例 ～해지도록 야채를 삶다 どろどろになるまで野菜を煮る / ～하게 잘 익은 감 ぐじゃぐじゃの熟柿.

흐뭇-이 [hŭmushi]〈副〉満足げに. ほほえましく.

*__흐뭇-하다__ [hŭmut'ada] (→하다)〈形〉満足だ. ほほえましい. 心暖まる. 句例 흐뭇한 광경 ほほえましい光景 / 흐뭇한 느낌 心暖まる思い. 文例 들으면 들을수록 흐뭇해지는 이야기다 聞けば聞くほどほほえましくなる話だ.

흐지-부지 〈副・하他〉うやむやに. 句例 ～ 끝나다 うやむやのうちに終わる. たち消えになる / 책임을 ～해버리다 責任をうやむやにする. 文例 사건의 조사는 ～ 끝났다 事件の調査はうやむやに終わった / 결론은 ～되고 말았다 結論はうやむやになってしまった.

흐트러-뜨리다 〈他〉散らかす. まき散らす. 句例 닭이 모이를 ～ 鶏がえさをかき散らす / 방 안을 ～ 部屋の中を散らかす / 머리를 흐트러뜨리고 髪を振り乱して / 순서를 ～ 順を狂わせる.

*__흐트러-지다__ 〈自〉乱れる. 崩れる. 散り散りになる. 句例 머리가 ～ 髪が乱れる / 마음〔복장〕이 ～ 心〔服装〕が乱れる / 자세〔대오〕가 ～ 姿勢〔隊伍〕が崩れる.

흐흐 〈副・하自〉しまりなく笑うさま〔声〕: ふふ.

흑 〈副・하自〉すすり泣く声: しくと.

흑 〔漢字項目〕

【黑(黒)】中學 흑 コク. ❶검은 빛 くろ. くろい色. ▮黑白 흑백 こくびゃく. こくはく. ▮漆黑 칠흑 しっこく. ❷검다 くろい. 마음이 검다 心がくろい. ▮黑人 흑인 こくじん. 黑心 흑심 腹黒い心. ❸어둡다 くらい. ▮暗黑 암흑 あんこく.

흑-갈색【黑褐色】[hŭkkalssaek]〈名〉黒褐色. 黒茶色.

흑막【黑幕】[hŭngmak]〈名〉黒幕. 裏. 句例 사건의 ～ 事件の黒幕〔裏〕. 文例 뭔가 ～이 있는 것 같다 何か黒幕〔裏〕があるらしい.

흑-맥주【黑麥酒】[hŭng—]〈名〉黒ビール.

흑백【黑白】〈名〉黒白・白黒. ❶黒と白. 語例 ～ 사진〔영화〕 白黒写真〔映画〕/ ～ 텔레비전 白黒テレビ. ❷是と非. 正邪. 善悪. 句例 ～을 가리다(→小項目) / ～을 밝히다 黒白を明らかにする. ❸(碁で)黒石と白石. 先手と後手. ❹黒人と白人. 語例 ～ 분규 黒白の紛糾.

흑백을 가리다 黒白をつける〔弁じる〕. 白黒を決める. 句例 흑백을 가리기가 어려운 사건 黒白のつけにくい事件 / 흑백을 가리기 위해 다투다 黒白をあらそう.

흑사-병【黑死病】[—ppyŏng]〈名〉〔醫〕黒死病. ペスト.

흑색【黑色】〈名〉黒色・黒. ブラック. 語例 ～ 잉크 黒インキ / ～ 화약 黒色火薬 / ～ 선전 悪宣伝. デマ.

흑색 인종【黑色人種】[hŭksaeginjong]〈名〉黒色人種. 略して'흑인종(黑人種)'ともいう.

*__흑-설탕__【黑雪糖】〈名〉黒砂糖.

흑심【黑心】〈名〉腹黒い心. 陰険な心. 句例 ~을 품다 陰険な心を抱く.

흑연【黑鉛】[hūgyŏn]〈名〉〔鑛〕黒鉛. =석묵(石墨). 語例 ~광 黒鉛鉱.

흑인【黑人】[hūgin]〈名〉黒人. 語例 ~ 영가 黒人霊歌.

흑-인종【黑人種】[hūginjong]〈名〉'흑색 인종'の略.

흑자【黑字】〈名〉黒字. 句例 ~가 되다 黒字になる / ~가 나다 黒字が出る / 절약해서 가계를 ~로 만들다 節約して家計を黒字にする. 語例 ~ 도산〔재정〕黒字倒産〔財政〕. 對적자(赤字).

흑점【黑點】〈名〉黒点. ❶黒色の点. ❷〔天〕'태양 흑점 太陽黒点'の略. 句例 ~이 나타나다 黒点が現われる.

흑판【黑板】〈名〉⇨ 칠판(漆板)

흑-흑 [hūk'ūk]〈副・하自〉すすり泣くさま. しゃくり上げるさま: しくしく(と). 句例 ~ 느껴 울다 しくしくむせび泣く.

흔들-거리다〈自他〉揺らぐ. ゆらゆら揺れる. ゆらゆらする. ぐらぐらする〔させる〕. たゆたう. 句例 이가 ~ 歯がぐらつく / 바람에 흔들거리는 단풍잎 風にたゆたう紅葉 / 책상 다리가 ~ 机の足がぐらぐらする.

흔들흔들〈副・하自他〉ぶらぶら. ゆらゆら. ぐらぐら. 文例 지진으로 빌딩이 ~ 움직였다 地震でビルがぐらぐら動いた.

****흔들다** (흔드니, 흔들어서)〈他〉❶(前後・左右に)揺する. 振る. 揺さぶる. 揺らす. 句例 손을〔기를〕~ 手〔旗〕を振る / 음악에 맞추어 몸을 ~ 音楽に合わせてからだを揺する / 나뭇가지를 ~ 木の枝を揺する〔揺らす〕. 文例 나무를 흔들어서 열매를 떨어뜨렸다 木をゆさぶって実を落とした / 지축을 흔드는 소리를 내며 전차가 지나갔다 地響きを立てながら戦車が通り過ぎた / 자는 애를 흔들어 깨웠다 眠っている子を揺すって起こした.

❷(民心を)あおりたてる. 揺り動かす. 動揺させる. 句例 고요한 마음을 흔들어 놓다 静かな心を揺り動かす.

***흔들리다**〈自〉'흔들다'の受け身. 揺れ動く. ❶揺れる. 震える. 揺らぐ. 句例 흔들리는 배 揺れる舟 / 차가 몹시 ~ 車がひどく揺れる / 토대가 ~ 土台が揺るぐ / 나뭇가지가 바람에 ~ 木の枝が風に揺らぐ〔揺れる〕/ 폭음으로 유리창이 ~ 爆音で窓ガラスが震える.

❷(決心・地位などが)揺らぐ. 揺るぐ. ぐらつく. 句例 생각이 ~ 考えがぐらつく〔揺れる〕/ 결심이 ~ 決心がぐらつく〔揺らぐ〕/ 돈에 마음이 ~ お金に心が動く / 내각이 크게 ~ 内閣が大いに揺れる. 文例 그 회사의 신용은 흔들리기 시작했다 その会社の信用が揺るぎだした.

흔들-바위〈名〉揺るぎ岩. (山などで)人が押すと揺れ動く大きな岩.

흔들 의자【―椅子】[hŭndŭrŭija]〈名〉揺り椅子. ロッキングチェア.

***흔적**【痕迹・痕跡】〈名〉痕跡. 跡形. 跡. 句例 ~을 남기다 痕迹をとどめる / ~을 남기지 않다 痕迹〔跡〕を残さない / ~도 없이 타버리다 跡形もなく焼けてしまう / 조작한 ~이 보이다 作為の跡が見える. 文例 둔기로 때린 ~이 있다 鈍器で殴った跡がある. 語例 ~ 기관〔生〕痕跡器官.

흔쾌-하다【欣快―】(→하다)〈形〉欣快である. 喜ばしく快い. 文例 흔쾌하기 짝이 없다 欣快の至りである. 欣快に堪えない. **흔쾌히**〈副〉欣快に. 喜んで. 句例 흔쾌히 승낙하다 喜んで承諾する.

흔-하다 (→하다)〈形〉ありふれている. ❶珍しくない. どこにでもある. 句例 흔한 꽃〔이야기〕ありふれた花〔話〕/ 흔한 일 ありふれた事. 文例 젖먹이에게 흔한 병입니다 乳飲み子にありふれた病気です. 對드물다. ❷得やすい. 手に入れやすい. 句例 흔한 책 得やすい本. ありふれた本. 文例 돈이 ~ 金があり余っている. 對귀하다. ▷略して'흔타'ともいう. →흔히

흔해-빠지다〈自〉ごくありふれている. 句例 흔해빠진 물건 ごくありふれた品物.

***흔-히**〈副〉よく. 多く. 俗に. 句例 젊은이들이 ~ 범하기 쉬운 과실 若者がよく犯しやすい過ち / (세상에서) ~ 말하는 俗にいう. 文例 그런 일은 세상에 ~ 있는 일이다 そんなことは世間によくある事だ.

흘게〈名〉締まり具合.

흘게(가) 늦다 ❶締まりがない. 緩んでいる. ❷だらしがない. 句例 흘게 늦은 사람 だらしがない人.

흘겨-보다〈他〉横目でにらむ. 横目でじろっと見る.

흘기다〈他〉横目でにらむ. 句例 눈을 ~ 横目でにらみつける.

흘끔〈副〉きょろりと. 句例 얼굴을 들어 ~ 곁눈질하다 顔をあげてきょろりと見る. **~거리다**〈他〉しきりにきょろりと見る.

흘끔흘끔〈副・하他〉きょろりきょろり.

***흘러-가다**〈自〉流れて行く. 流れる. 句例 구름이 ~ 雲が流れる / 바다로 ~ 海に流れて行く / 세월이 ~ 月日が流れる. 文例 흐르는 강처럼 세월도 흘러 간다 流れる川のように歳月も流れて行く.

흘러-나오다〈自〉流れ出る. 句例 음악실에서 흘러나오는 멜로디 音楽室から流れ出るメロディー / 바위틈에서 물이 ~ 岩の透き間から水が流れ出る / 물이 넘쳐 ~ 水があふれて流れ出す.

흘러-내려가다〈自〉(川下に)流れて行く.

***흘러-내리다**〈自〉❶流れる. 流れ落ちる. 句例 골짜기에서 흘러내리는 냇물 谷間から流れる小川. 文例 눈물이 볼을 타고 주르르 흘러내렸다 涙がほおを伝ってぼろぼろと流れ落ちた. ❷ずり落ちる. (ずり)下がる. 句例 안경이 ~ 眼鏡がずり落ちる / 바지가 ~ ズボンが(ずり)下がる / 양말이 흘러내리지 않게 하다 靴下を下がらないようにする.

****흘리다**〈他〉❶流す. こぼす. 句例 피를 ~ 血を流す / 땀을 ~ 汗を流す〔かく〕/ 눈물을 ~ 涙を流す〔こぼす〕/ 빵부스러기를 ~ パンくずをこぼす.

❷(液体を)滴らせる. 垂らす. 句例 침을 ~ よだれを垂らす / 콧물을 ~ はな〔鼻水〕を垂

らす.

❸失う. 落とす. 句例 돈을 자주 ~ お金をよく落とす.

❹崩し書きをする. 句例 편지〔글씨〕를 흘려 쓰다 手紙〔字〕を崩して書く.

❺聞き流す. 句例 흘려 들은 이야기 空聞きの話. 文例 아무리 충고해봤자 한 귀로 듣고 한 귀로 흘린다 いくら忠告したって右から左へ筒抜けだ.

❻(秘密を)漏らす. 句例 비밀을 ~ 秘密を漏らす.

흘림 〈名〉 草書. 崩し字. 崩し書き. 句例 ~으로 글을 쓰다 草書で文を書く. 語例 ~체 草書体.

흘수【吃水】[hŭlssu]〈名〉喫水. 船足. 句例 ~가 깊은 배 喫水の深い船 / ~가 얕다 喫水〔船足〕が浅い. 語例 ~선 喫水線.

**흙 [hŭk]〈名〉土. 土壌. 句例 ~을 덮다 土をかぶせる / ~으로 돌아가다 土にかえる / 화분에 ~을 담다 植木ばちに土を入れる / 구두에 묻은 ~을 털다 靴についた土を払う. 文例 사람은 한 줌의 ~에 지나지 않는다 人間はひと握りの土に過ぎない. 語例 ~먼지 土ぼこり. 土煙 / ~벽 土壁 / ~내 土のにおい.

参考 '흙이 土が' '흙과 土と'は [hŭlgi], [hŭkkwa]と読む.

흙-더미 [hŭk—]〈名〉土の山. 句例 ~ 속에 파묻히다 土砂の山にうずもれる.

흙-덩어리 [hŭk—]〈名〉⇨ 흙덩이

흙-덩이 [hŭk—]〈名〉土の塊. 土くれ. 土塊.

흙-물 [hŭng—]〈名〉泥水.

흙-받기 [hŭk—]〈名〉❶(左官用の)こて板. ❷(自動車・自転車などの)泥よけ. 句例 ~를 차바퀴에 달다 泥よけを車輪につける.

흙-빛 [hŭk—]〈名〉❶土の色. ❷土色. 土気色. 句例 얼굴이 ~이 되다 顔が土色になる.

흙-손 [hŭk—]〈名〉(左官用の)こて. 絵 句例 ~으로 벽을 바르다 こてで壁を塗る. 語例 ~질 こて(で塗る)仕事.

〈흙손〉

흙-일 [hŭngnil]〈名・하自〉土仕事.

흙-장난 [hŭk—]〈名・하自〉土遊び. 句例 아이들이 ~을 하다 子供だちが土遊びをする.

흙-탕 [hŭk—]〈名〉'흙탕물'の略. 語例 ~길 泥んこ道.

흙탕(을) 치다 泥水にする. 水を濁す.

**흙-탕물 [hŭk—]〈名〉泥水. 濁浪. 句例 ~에 잠기다 泥水に漬かる / ~이 튀기다 泥水が跳ねかかる / 홍수로 집이 ~에 휩쓸리다 大水で家が濁浪にのまれる.

*흙-투성이 [hŭk—]〈名〉泥だらけ. 泥まみれ. 句例 ~가 된 구두 泥だらけの靴. 文例 ~가 되어 쓰러졌다 泥まみれになって倒れた.

흠【欠】[hŭ:m]〈名〉❶傷. 傷跡. =흉. 句例 ~을 내다(→小項目) / 얼굴에 ~이 생기다 顔に傷ができる.

❷(品物の)きず. ひび. 句例 ~이 없는 공기 無傷の茶わん / 물건의 ~을 들추어내다 品物のあらを探し出す. 文例 ~이 있으니 조금 더 싸게 파시오 きずがあるからもう少し負けなさい.

❸欠点. 欠陥. あら. 非. =하자(瑕疵). 句例 남의 ~을 들춰 내다 人のあらを探し出す / 공사의 ~이 드러나다 工事の欠陥が明らかになる. 文例 ~ 없는 사람은 없다 欠点のない人はいない.

흠(이) 가다 '흠(이) 지다'のこと.

흠(이) 나다 '흠(이) 지다'のこと.

흠(을) 내다 傷をつける. 句例 명성〔상품〕에 흠을 내다 名声〔商品〕に傷をつける.

흠(을) 뜯다 けちをつける. 難癖をつける.

흠(을) 잡다 欠点を探す. 粗探しをする. けちをつける. 文例 흠 잡을 데가 전혀 없다 けちをつけるところが全然ない. 非の打ち所がない.

흠(이) 지다 傷がつく. 傷ができる. 句例 명성에 흠이 지다 名声に傷がつく / 흠진 물건을 팔다 傷物を売る.

흠모【欽慕】〈名・하他〉 欽慕. =흔모(欣慕). 句例 고향 사람들의 ~를 받다 くにの人人から慕われる.

흠뻑 〈副〉❶すっかりぬれるさま: びっしょり. びしょびしょ. 句例 ~ 젖다 ずぶぬれになる / 땀을 ~ 흘리다 びっしょり(と)汗をかく / ~ 젖은 셔츠 びしょびしょにぬれたシャツ. ❷十分に. 思う存分. 心ゆくまで. 句例 비가 ~ 내리다 雨が十分に降る / 취할 때까지 ~마시다 酔っぱらうまで思う存分飲む.

흠씬 〈副〉❶びっしょり(と). ずぶぬれに. =흠뻑. 句例 비에 ~ 젖다 雨にびっしょりぬれる. ❷いっぱい. たっぷり. 十二分に. 句例 ~ 두들겨 맞다 いやというほど殴られる.

흠-잡다【欠—】[hŭ:m—] ⇨'흠'の小項目

흠-지다【欠—】[hŭ:m—] ⇨'흠'の小項目

흠-집【欠—】[hŭ:mtchip]〈名〉傷. 傷跡. 欠点. あら. 句例 ~이 있는 꽃병 傷物の花瓶 / 얼굴에 ~이 생기다 顔に傷ができる.

흠칫〈副・하自他〉驚いたりおじけたりして, 肩や首をすくめるさま: びくっと. びくりと. 句例 ~ 놀라서 멈춰 서다 びくっとして立ちどまる. **~거리다**〈自他〉びくつく. びくびくする.

흠칫흠칫 [hŭmch'it'ŭmch'it]〈副・하自他〉びくびく. 句例 무서워서 ~하다 恐ろしさにびくびくする.

흡 〔漢字項目〕

【吸(吸)】高校 흡 キュウ. ❶숨을 들이쉬다 息をすう. ▌呼吸 호흡 こきゅう. ❷마시다 すう. 빨아들이다 すいこむ. ▌吸収 흡수 きゅうしゅう. 吸入 흡입 きゅうにゅう. 吸血 흡혈 きゅうけつ.

흡기【吸氣】〈名・하自〉吸気. 語例 ~관 吸気管. 吸い込み管. 對 호기(呼氣). 배기(排氣).

흡반【吸盤】〈名〉〔動〕⇨ 빨판

흡사【恰似】[一]〈名〉 よく似ていること. **~하다**〈形〉(とてもよく)似ている. そっくりだ. 句例 얼굴이 ~하다 顔がよく似ている. 文例 언뜻 봐선 구별을 못할 정도로 ~하다 ちょっと見た目には区別ができないぐらいに似ている.

[二]〈副〉よく似ているさま: ちょうど. あたかも.

まるで. 句例 ～ 그림 같다 まるで〔あたかも, ちょうど〕絵のようだ / ～ 대낮처럼 밝다 まるで昼のように明るい.

*흡수【吸收】〈名・하他〉吸収. 句例 양분〔지식〕을 ～하다 養分〔知識〕を吸収する / 대자본에 ～되다 大資本に吸収される. 文例 검정은 열을 잘 ～한다 黒は熱をよく吸収する. 語例 ～력 吸収力 / ～ 작용 吸収作用 / ～ 합병〔經〕吸収合併.

흡연【吸煙】[hŭbyŏn]〈名・하自〉喫煙. ＝끽연. 文例 이곳에서는 ～을 삼가십시오 ここではタバコをご遠慮してください. 語例 ～실〔자〕喫煙室〔者〕. 對금연(禁煙).

흡인【吸引】[hŭbin]〈名〉吸引. 句例 공기를 ～하다 空気を吸引する. 文例 이 청소기는 ～력이 강하다 この掃除器は吸引力が強い. 語例 ～ 작용 吸引作用.

흡입【吸入】[hŭbip]〈名・하他〉吸入. 吸いこむこと. 語例 ～기〔관〕吸入器〔管〕/ 산소 ～ 酸素吸入. 對배출(排出).

*흡족-하다【洽足—】[hŭpchok'ada] (→하다)〈形〉十分だ. 満ち足りている. 句例 흡족한 얼굴 満ち足りた顔 / 흡족하게 비가 오다 十分に雨が降る / 흡족한 대우를 받다 満ち足りた待遇を受ける. 文例 선생님은 내 작품을 보시고 흡족해하셨다 先生はわたしの作品をご覧になって満足なさった / 그는 생일 선물로 지갑을 받고 흡족해했다 彼は誕生日のプレゼントに財布をもらって満足した. **흡족히** [hŭpchok'i]〈副〉十分に. 満足に. 句例 흡족히 물을 주다 十分に水をやる.

흡착【吸着】〈名・하自〉吸着. 語例 ～제 吸着剤.

흡혈-귀【吸血鬼】[hŭp'yŏl—]〈名〉吸血鬼. ドラキュラ.

*흥【興】[hŭ:ng]〈名〉興. 興趣. 句例 ～이 깨지다〔식다〕興ざめする. 不興になる / ～을 돋우다 興を添える / ～을 깨다 興を冷ます. 文例 모처럼의 여흥도 저러면 ～이 깨진다 せっかくの余興もあれじゃ興ざめする.

흥(이) 나다 興〔興趣〕がわく. 興に乗る. 句例 흥이 나는 대로 興のおもむくままに / 흥이 나서 춤을 추다 興に乗って踊る. 文例 흥이 나면 시를 읊는다 興趣がわいたら詩を吟じる.

흥[1]〈副〉鼻をかむ音: ちん. 句例 ～ 하고 코를 풀다 ちんと鼻をかむ.

*흥[2]〈感〉❶相手を軽んじて鼻から出す声: ふん. ふむ. 文例 ～, 무슨 말을 하는 거야 ふん, 何をいうのか. ❷興に乗って発する感嘆の声: ふん. ふむ.

흥 〔漢字項目〕

【興】中學 흥 キョウ. コウ. ❶성하여지다 さかんになる. 일다 起こる. ◧興亡 흥망 こうぼう. 興起 흥기 こうき. ◧勃興 발흥 ぼっこう. 中興 중흥 ちゅうこう. ❷일으키다 おこす. 성하게 하다 さかんにする. ◧興業 흥업 こうぎょう. ◧復興 부흥 ふっこう. ❸좋아하다 おもしろがる. ◧興味 흥미 きょうみ. 興趣 흥취 きょうしゅ. ◧感興 감흥 かんきょう. 酒興 주흥 しゅきょう.

흥건-하다 (→하다)〈形〉❶(水などが)いっぱいたまっている. 文例 논에 물이 ～ 田に水がいっぱいたまっている. ❷(食べ物に)汁が多い. **흥건히**〈副〉じっとり(と). 句例 흥건히 땀이 배다 じっとり(と)汗ばむ.

*흥-겹다【興—】[hŭ:ng—] (흥겨우니, 흥겨워서)〈形〉興に乗っている. (非常に)楽しい. 陽気だ. 句例 흥겹게 놀다 楽しく遊ぶ. 興に乗って遊ぶ. 文例 오늘의 동창회는 흥겨운 모임이었다 今日の同窓会は楽しい集まりだった. 語例 흥겨워하다 興がる.

흥-나다【興—】[hŭ:ng—] ⇨'흥(興)'の小項目

흥망【興亡】〈名〉興亡. 句例 ～을 되풀이하다 興亡をくり返す / 나라의 ～에 관계되는 사건 国の興亡にかかわる事件.

흥망 성쇠【興亡盛衰】[—sŏ:ngsoe]〈名〉興亡盛衰. 浮き沈み. 句例 로마 제국의 ～ ローマ帝国の興亡盛衰 / ～가 심한 인간 세상 浮き沈みの激しい世の中. 文例 ～는 세상의 상사(常事)다 浮き沈みがあるのは世の常だ.

*흥미【興味】[hŭ:ngmi]〈名〉興味. おもしろみ. 句例 ～의 대상 興味の的 / ～를 끌다〔돋우다〕興味を引く〔そそる〕/ ～가 있다〔솟다〕興味がある〔わく〕/ ～를 느끼다〔잃다〕興味を覚える〔失う〕. 文例 그는 특히 묵화에 ～를 갖고 있다 彼は特に墨絵に興味を持っている. 語例 ～ 본위 興味本位. **～롭다** (→롭다)〈形〉興味がある. 興味がわく. おもしろみがある. 句例 ～로운 이야기 興味のある話.

흥미진진-하다【興味津津—】[hŭ:ngmi—] (→하다)〈形〉興味津津だ. 文例 그 이야기에는 흥미진진한 데가 있다 その話には興味津津たるものがある / 사건이 ～하게 전개되었다 事件が興味津津と展開した.

흥분【興奮】〈名〉興奮. **～하다**〈自〉興奮する. 上がる. 高ぶる. 句例 ～을 억누르다〔가라앉히다〕興奮をおさえる〔しずめる〕/ ～한 청중 興奮した聴衆 / 사소한 일에 곧잘 ～하다 ちょっとした事によくのぼせる〔興奮する〕/ ～의 도가니로 화하다 興奮のるつぼと化する. 文例 그는 ～한 나머지 잠들지 못했다 彼は興奮のあまり眠れなかった / 신경이 ～되어 잠을 이룰 수 없었다 神経が高ぶって眠られなかった. 語例 ～제 興奮剤 / ～ 상태 興奮状態 / ～되다〔시키다〕興奮する〔させる〕.

흥신-소【興信所】〈名〉興信所. 文例 ～에 부탁해서 신원을 조사하였다 興信所に頼んで身元を調べた.

*흥얼-거리다〈自〉❶(興に乗じて)鼻歌を歌う. (ふんふんと)口ずさむ. 文例 유행가를 흥얼거리면서 일을 하고 있다 流行歌を口ずさみながら仕事をしている. ❷ぶつぶつつぶやく. もぐもぐいう.

흥얼흥얼〈副・하自〉ふんふん. ぶつぶつ. もぐもぐ. 句例 혼자 ～ 노래하다 独りでふんふんと歌う.

*흥정〈名・하他〉❶取り引き. ＝매매(賣買). 句例 ～이 없다〔많다〕取り引きがない〔多い〕. 文例 ～이 잘 되었다 取り引きがうまくいった / ～이 끝났으니 한 잔 내겠네 取り引きが終わったから一杯おごるよ. ❷(売買・交渉などの)駆

かけ引き．話し合い．句例 값을 ～하다 値段を掛け合う／～을 잘하다〔이 서툴다〕駆け引きがうまい〔下手だ〕．文例 ～을 해서 좀 깎았다 掛け合って少し負けてもらった．❸有利な折衝．句例 정치적으로 ～하다 政治的に駆け引きする．文例 정부와 야당이 선거구에 대한 ～을 했다 政府と野党が選挙区に對する取り引きをした．

흥정(을) 붙이다 仲立ちをする．

흥정은 붙이고 싸움은 말리랬다 話し合いは取り持ち，けんかはやめさせよと言われている．いいことは勧め，悪いことはやめさせるのが当然だとの意．

흥정-꾼 〈名〉仲立ち(人)．仲買人．ブローカー．

흥청-거리다 〈自〉❶思う存分楽しむ．にぎわう．陽気に浮かれる．文例 요릿집을 드나들며 만판 흥청거리고 있다 料亭に出入りしながら思う存分遊んでいる／온 거리가 크리스마스로 흥청거린다 町じゅうがクリスマスでにぎわう／연말이라 거리도 흥청거리고 있다 年の暮れで町もにぎわっている．❷豪勢な暮らしをする．お金をふんだんに使いまくる．文例 돈을 벌어서 흥청거리며 살고 있다 金をもうけて豪勢に暮らしている．

흥청흥청 〈副・하自〉ふんだんに．句例 돈을 ～ 마구 뿌리다 金をふんだんにまき散らす．

흥청-망청 〈副・하自〉❶興に乗じて存分に楽しむさま．句例 ～ 마시고 놀다 夢中になって飲んで遊ぶ．❷金や物などをむやみやたらに使ってしまうさま：ふんだんに．句例 돈을 ～ 쓰다 金をふんだんに費やす．

흥취【興趣】 [hŭ:ngch'wi]〈名〉興趣．おもむき．句例 ～를 자아내다 興趣をそそる／～가 솟다 興趣がわく／～가 고조되다 興趣が高まる／한층 ～가 더해지다 一段と興趣が募る．文例 산장의 황혼은 ～가 있다 山荘の夕暮れは趣がある．

흥-하다【興―】 (→하다)〈自〉興る．繁栄する．盛んになる．句例 나라가 크게 ～ 国が大いに興る／사업이 ～ 事業が盛んになる．㊌망(亡)하다．

흥행【興行】〈名・하他〉興行．句例 ～ 가치가 없는 연극 興行価値のない演劇．語例 ～사 興行師／～권 興行権／～계 興行界／장기 ～ 長期興行／(가설) ～장 (仮設)興行場／지방 순회 ～ 地方巡業．

흥흥 〈感・하自〉相手の話を軽んじて出す鼻声：ふふん．ふんふん．

흩-날리다 [hŭn―]〈自〉飛び散る．舞い散る．舞う．句例 색종이가 눈보라처럼 ～ 色紙が吹雪のように舞い散る／꽃이 바람에 ～ 花が風に飛び散る／머리를 흩날리며 달리다 髪を振り立てて走る／나뭇잎〔눈〕이 ～ 木の葉〔雪〕が舞う．

흩-뜨리다 〈他〉散らかす．散らす．乱す．句例 머리카락을 ～ 髪を散らかす〔散らす・乱す〕／줄〔열〕을 ～ 列を乱す〔崩す〕／무늬를 흩뜨려서 넣다 模様を散らかして入れる．

흩어-뿌리기 [hŭt'ŏ―]〈名〉〔農〕散播．種を散らばるようにまくこと．

***흩어-지다** [hŭt'ŏ―]〈自〉散らばる．❶(乱雑に)散らかる．ばらつく．句例 종잇조각이 바람에 ～ 紙切れが風に散らばる／머리카락이 ～ 髪がばらつく／가족이 뿔뿔이 ～ 家族が離れ離れ〔散り散り・ばらばら〕になる．文例 책상 위가 흩어져 있다 机の上が散らばっている／전단(傳單)이 흩어져 있다 ビラ〔散らし〕が散らかっている．❷広がる．文例 지점이 전국에 흩어져 있다 支店が全国に散らばっている．

희 〔漢字項目〕

【喜】 中學 희 キ．❶기뻐하다 よろこぶ．◧喜悅 희열 きえつ．喜色 희색 きしょく．◨歡喜 환희 かんき．❷기쁨 よろこび．기쁜 일 よろこばしいこと．◧喜怒 희노 きど．喜悲 희비 きひ．喜樂 희락 きらく．

【噫】 高校 희 イ．エ．애 アイ．一〔희〕한숨쉬다．또，그 소리 ためいきをつく．また，その声．◧噫呼 희호 ああ．噫嗚 희오 いお．二〔애〕하품 あくび．트림 おくび．◧噫氣 애기 あいき．噫欠 애흠 あいけん．

【希】 中學 희 キ．❶바라다 のぞむ．◧希望 희망 きぼう．希求 희구 ききゅう．❷드물다 まれだ．◧希有 희유 きゆう．けう．希代 희대 きだい．❸성기다 薄い．◧希薄 희박 きはく．

參考 ②③は'稀'と同字．

【戲(戱)】 高校 희 ギ．❶놀다 あそぶ．◨遊戲 유희 ゆうぎ．兒戲 아희 じぎ．❷희롱하다 たわむれる．◧戲弄 희롱 ぎろう．戲畫 희화 ぎが．❸연극 しばい．◧戲曲 희곡 ぎきょく．◨演戲 연희 えんぎ．

【熙】 高校 희 キ．❶빛나다 ひかる．◧熙朝 희조 きちょう．❷넓다 ひろい．넓히다 ひろめる．넓어지다 ひろまる．◧熙隆 희륭 きりゅう．❸화목하게 즐기다 なごやかに楽しむ．기뻐하다 喜ぶ．◧熙熙 희희 きき．熙笑 희소 きしょう．

【稀】 高校 희 キ．ケ．❶드물다 めったにない．적다 すくない．◧稀少 희소 きしょう．稀有 희유 けう．きゆう．◨古稀 고희 こき．❷묽다 うすい．まばらである．◧稀薄 희박 きはく．稀塩酸 희염산 きえんさん．

희곡【戲曲】 [higok]〈名〉戲曲．句例 ～을 상연하다 戲曲を上演する／소설을 ～으로 각색하다 小説を戲曲に脚色する．語例 ～집 戲曲集．

희구【希求】 [higu]〈名・하他〉希求．願い望むこと．句例 자유와 평화를 ～하다 自由と平和を希求する．

***희귀-하다【稀貴―】** [higwi―](→하다)〈形〉珍しく貴重だ．句例 희귀한 물건 珍しい物／희귀한 책 珍しくて貴重な本．希覯本．文例 그것은 정말 희귀한 일이다 それは全く珍しいことである．㊇희한(稀罕)하다．

희극【喜劇】 [higŭk]〈名〉喜劇．コメディー．文例 엉뚱한 ～을 연출하고 말았다 とんだ喜劇を演じてしまった／한바탕 ～이 벌어졌다 ひとしきり喜劇が繰り広げられた．語例 ～ 영화 喜劇映画／～ 배우 喜劇俳優〔役者〕．コメディアン．㊌비극(悲劇)．

희끗-희끗 [hikkŭt'ikkŭt]〈副・하形〉白色が点在しているさま：点点と白く. 句例 머리가 ~하다 髪がところどころ白い. ごま塩頭である.

***희다** [hida]〈形〉白い. 句例 흰 종이 白い紙 / 흰 셔츠 白いシャツ / 흰 살결 白い肌 / 색이 ~ 色が白い. 文例 가장 좋아하는 색은 흰색입니다 いちばん好きな色は白です. 語例 흰 머리 白髪 / 희어지다 白くなる / 희디~ 真っ白い. 對검다.

희대【稀代】 [hidae]〈名〉希代・きだい. 希世. 句例 ~의 영웅 希代の英雄 / ~의 사기꾼 希代の詐欺師.

희랍【希臘】 [hirap]〈名〉〔地〕'그리스'の漢字音表記：ギリシャ. ギリシア. 語例 ~ 문화 ギリシャ文化 / ~ 신화 ギリシャ神話 / ~ 철학 ギリシャ哲学 / ~어 ギリシャ語.

희로-애락【喜怒哀樂】 [hiro—]〈名〉[もとの語形は'희노애락'] 喜怒哀楽. 文例 ~을 얼굴에 나타내지 않는다 喜怒哀楽を顔に表わさない.

희롱【戲弄】 [hirong]〈名・하他〉戯弄. (慰みものにして)もて遊ぶこと. ふざけること. 冷やかすこと. 句例 지나가는 여자를 ~하다 通りすがりの女を冷やかす. 語例 ~당하다 もて遊ばれる.

***희망【希望】** [himang]〈名・하他〉希望. 望み. 見こみ. 句例 ~을 잃다 希望を失う / ~에 넘치다 希望にあふれる / ~이 이루어지다 希望がかなう. 文例 살아 있을 ~은 거의 없다 生きている見こみはほとんどない / 아직 ~은 있다 まだ見こみはある. 語例 ~자 希望者 / ~곡 希望曲 / ~적(인 의견) 希望的(な意見).

***희미-하다【稀微—】** [himi—] (→하다)〈形〉かすかだ. ほのかだ. ぼんやりしている. ぼうっとしている. 句例 희미한 가로등 불빛 ぼんやりとした街灯の光 / 희미한 추억 かすかな思い出 / 희미하게 들리는 사람 소리 かすかに聞こえる人の声.

희박-하다【稀薄—】 [hibak'ada] (→하다)〈形〉希薄だ. (可能性などが)薄い. 乏しい. 弱い. 句例 공기가 ~ 空気が希薄だ. 文例 도덕 관념이 매우 ~ 道徳観念が非常に希薄だ / 그 계획은 성공할 가능성이 ~ その計画は成功の可能性が薄い / 시국에 대한 정치 의식이 ~ 時局に対する政治意識に乏しい.

희번덕-거리다 [hibŏndŏk—]〈他〉❶(目を)白黒させる. ぎょろつかせる. ぱちぱちさせる. 目をむく. 句例 눈을 희번덕거리며 노려보다 目をむいてにらみつける. ❷(魚が身をくねらせて)きらっと光る.

희번덕희번덕 [hibŏndŏk'ibŏndŏk]〈副・하他〉❶(目を)白黒させるさま：ぎょろぎょろ(と). ぱちぱち(と). ❷魚のうろこなどが光るさま：きらきら(と).

희비【喜悲】 [hibi]〈名〉悲喜. 喜びと悲しみ. 句例 ~가 엇갈리다 悲喜がこもごもである / ~가 엇갈리는 인생 泣き笑いの人生. 語例 ~극 悲喜劇 / ~ 쌍곡선 悲喜双曲線. 類애환(哀歡).

희사【喜捨】 [hisa]〈名・하他〉喜捨. 寄付. 寄金. 句例 돈을 ~하다 お金を寄付する / 재산을 ~하다 財産を喜捨する. 語例 ~금 喜捨金. 寄付金.

희색【喜色】 [hisaek]〈名〉喜色. うれしそうな顔つき. 文例 편지를 받자 얼굴에 ~이 떠올랐다 手紙を受け取るや顔に喜びの色が浮かんだ. 語例 ~ 만면 喜色満面.

희생【犧牲】 [hisaeng]〈名・하他〉犠牲. 句例 전쟁의 ~이 되다 戦争の犠牲になる. 文例 자유를 위해 큰 ~을 치렀다 自由のために大きな犠牲を払った. 語例 ~물 犠牲になった物. いけにえ / ~자 犠牲者 / ~타〔野〕犠打.

희석【稀釋】 [hisŏk]〈名・하他〉希釈. 薄めること. 文例 농축된 액체를 물로 ~했다 濃縮された液体を水で希釈した〔薄めた〕. 語例 ~제 希釈剤.

희소【稀少】 [hiso]〈名・하形〉希少. まれで少ないこと. 文例 이것은 매우 ~한 물건이다 これはきわめてまれな品物だ. 語例 ~ 가치(가 있다) 希少価値(がある).

희-소식【喜消息】 [hi—]〈名〉吉報. 朗報. 喜ばしい知らせ. 句例 시험에 붙었다는 ~ 試験に受かったとの朗報 / ~을 전하다 吉報を伝える.

희수【喜壽】 [hisu]〈名〉喜寿. 七十七歳の別称.

희언【戲言】 [hiŏn]〈名〉戯言. ざれごと. たわごと.

희열【喜悅】 [hiyŏl]〈名・하自〉喜悦. 喜び.

희유【稀有】 [hiyu]〈名・하形〉希有・きゆう. 句例 ~한 사건 希有な事件. 語例 ~ 원소 希有元素. 希元素.

희읍스름-하다 [hiŭpsŭrŭm—] (→하다)〈形〉白みがかっている. ほの白い. 句例 하늘이 희읍스름하게 밝아오다 空が白白と明るくなる.

희읍스름히 [hiŭpsŭrŭmhi]〈副〉ほの白く.

희작【戲作】 [hijak]〈名〉戯作. 遊び半分に書いた文.

희-짓다【戲—】 [hijitta] (희지으니, 희지어서)〈他〉妨げる. 妨害する. 邪魔する. 文例 남의 일을 희짓지 마라 人のすることを邪魔するな.

희치-희치 [hich'ihich'i]〈副・하形〉❶布や紙などがところどころ薄くなったり穴が開いているさま. ❷物の面がところどころはげているさま. 文例 책상의 칠이 ~ 벗겨졌다 机の塗りがところどころはげている.

희학【戲謔】 [hihak]〈名・하自〉戯謔. 戯れおどけること. ふざけること. 語例 ~질 ふざけること. おどけること.

희한-하다【稀罕】 [hihan—] (→하다)〈形〉非常にまれだ. 非常に珍しい. 変わっている. 変んだ. 句例 희한한 꿈을 꾸다 珍しい夢を見る. 文例 일찍 일어나다니 참으로 ~ 早起きするなんて, ほんとうに珍しい.

희희-낙락【喜喜樂樂】 [hihinangnak]〈名・하自〉非常に喜んで楽しむこと. 句例 ~하게 놀다 嬉嬉として戯れる.

흰-개미 [hin—]〈名〉〔蟲〕しろあり(白蟻).

흰-나비 [hin—]〈名〉〔蟲〕❶白いちょう(蝶)類の総称. ❷⇨ 배추흰나비

흰-독말풀【—毒—】[hindongmalp'ul]〈名〉〔植〕ちょうせんあさがお.

흰-둥이 [hin—]〈名〉❶色の白い人〔動物〕. ❷白人. ㉆검둥이.

흰-떡 [hin—]〈名〉うるち(粳)で作った白い棒状のもち(餅).

흰-밥 [hin—]〈名〉米だけで炊いたご飯.

흰-불나방〈名〉[hinbullabang]〔蟲〕しろほそば.

흰-빛 [hinppit]〈名〉白い色. 白色. ＝백색(白色).

흰-자위 [hin—]〈名〉❶卵白. 白身. ❷〔生〕白目. 目玉の白い部分. ▷略して'흰자'とも言う.

흰자-질【—質】[hinja—]〈名〉⇨ 단백질(蛋白質)

흰-죽【—粥】[hin—]〈名〉白がゆ(粥). 米だけで炊いたかゆ.

흰-쥐 [hin—]〈名〉〔動〕しろねずみ(白鼠).

-히-〈尾〉❶'ㄱ・ㄷ・ㅂ・ㅈ・ㄵ・ㄺ・ㄼ'などの終声のある語幹について, 動詞を使役や受け身に, また形容詞を他動詞にする語. 語例 먹~다 食われる / 앉~다 座らせる / 밝~다 明るくする. 明かす. →-기-, -리-, -이-

-히〈尾〉形容詞の語根や, '하다'形容詞の語幹について副詞を作る語. 句例 당당~ 행진하다 堂堂と行進する / 대단~ 어렵다 非常に難しい / 천천~ 걷다 ゆっくりと歩く.

参考 一部の形容詞には'-이'がつく. '많이 多く''같이 同じく'など.

히뜩〈副〉❶振り返るさま: ちらっと. ちらりと. 句例 ~ 돌아보고는 도망치다 ちらっと振り返って逃げ去る. ❷たわいなく転んだり倒れたりするさま: ころりと. ばったり. 句例 ~ 넘어지다 ばったり倒れる. **~거리다**〈自他〉しきりに見返る. しきりに転ぶ.

히뜩히뜩 [hittŭk'ittŭk]〈副・하自他〉ちらりちらり. ころりころり.

히스테리〈名〉〔醫〕ヒステリー. 句例 ~를 일으키다 ヒステリーを起こす. ◇도 Hysterie

히어링〈名〉ヒアリング. 聞き取り. 聞き方. ＝듣기. ◇hearing

히죽〈副〉満足げに笑うさま: にやりと. にたりと. にんまりと. 文例 소년은 ~ 웃었다 少年はにやりと笑った. **~거리다**〈自〉にやにや笑う. にやにやする.

히죽히죽 [hijuk'ijuk]〈副・하自〉にやにや(と). にたにた(と). 句例 신문을 보면서 ~ 웃다 新聞を見ながらにやにや笑う.

表現 語感の小さい語は '해죽'. 語勢の強い語は ≣ '히쭉'.

히죽-이 [hijugi]〈副〉にやりと. にたりと. にんまりと.

히치하이크〈名・하自〉ヒッチハイク. 文例 ~하여 돌아왔다 ヒッチハイクして帰ってきた. ◇hitchhike

히터 [hiːt'ŏ]〈名〉ヒーター. ＝난방 장치. 난방기(暖房機). ◇heater

히트〈名・하自〉ヒット. ❶〔野〕安打. 語例 ~ 앤드 런 ヒットアンドラン. ❷当たり. 命中. 句例 신곡이 ~하다 新曲がヒットする. 語例 ~송 ヒットソング. ◇hit

히트(를) 치다 ヒットを打つ. ヒットを飛ばす. 大当たりする.

히프〈名〉ヒップ. ＝엉덩이. ◇hip

히히〈副・하自〉せせら笑う声: ひひ. へへ. **~거리다**〈自〉ひひ〔へへ〕と笑う.

힌두-교【Hindu教】〈名〉〔宗〕ヒンズー教.

힌트〈名〉ヒント. 句例 ~를 주다 ヒントを与える / ~를 얻다 ヒントを得る. ◇hint

*__힐끔__〈副〉横目でうかがい見るさま: ちらっと. 句例 ~ 쳐다보다 ちらっと横目で見る. **~거리다**〈他〉しきりにちらちら見る.

힐끔힐끔〈副・하他〉ちらちら(と). じろじろ(と).

*__힐끗__〈副・하自他〉❶目にちらっと入るさま: ちらっと. ちらりと. 文例 그의 모습이 ~ 눈에 띄었다 彼の姿がちらりと目についた. ❷目を動かして早く見るさま: じろりと. 句例 곁눈질로 ~ 쏘아 보다 じろりと横目でにらむ. **~거리다**〈自他〉じろりじろりと見る.

힐끗힐끗 [hilkkŭt'ilkkŭt]〈副・하自他〉ちらちら(と). じろじろ(と).

힐난【詰難】[hillan]〈名・하他〉詰難. 難詰. 句例 날카롭게 ~하다 するどく難詰する.

힐책【詰責】〈名・하他〉詰責. 問いつめて責めること. 句例 호되게 ~당하다 ひどく詰責される.

힘〈名〉力. ❶体力. 精力. 元気. 句例 목소리에 ~이 없다 声に力がない / 있는 ~을 다하다 ありったけの力を出す / ~을 자랑하다 力を誇る.

❷権力. 勢力. 威力. 句例 돈의 ~으로 밀어붙이다 お金の威力で押しつける. 文例 경찰의 ~이 범죄를 막는다 警察の力が犯罪を防ぐ.

❸手助け. おかげ. 骨折り. 尽力. 句例 그의 ~이 크다 彼の力が大きい / ~이 되어 주다 力になってやる.

❹能力. 力量. 学識. 効能. 句例 약의 ~ 薬の効き目 / ~을 모으다 力を合わせる.

❺(物理的な)働き: 圧力・動力・引力・電力・馬力など. 句例 바람의 ~ 風の力 / 증기의 ~ 蒸気の力.

❻暴力. 腕力. 句例 ~으로 해결하다 暴力で解決する / ~으로 맞서다 力で立ち向かう / ~의 정치 力の政治. 文例 ~에는 ~으로 대항한다 腕力には腕力で対抗する.

힘(에) 부치다 力に余る. 力が及ばない. 手におえない. 句例 힘(에) 부치는 일 力が及ばない仕事.

힘-겨룸〈名・하自〉力くらべ.

힘-겹다 (힘겨우니, 힘겨워서)〈形〉力に余る. 文例 나에게는 힘겨운 일이다 僕には力に余る仕事だ.

*__힘-껏__〈副〉力の限り. 精いっぱい. 力いっぱい. 懸命に. 句例 ~ 노력하다 力の限り努力する / ~ 내리치다 力いっぱいたたき付ける / ~ 내던지다 力任せに投げつける.

힘-내다〈自〉力を出す. 元気を出す. がん

ばる. 句例 힘내라 がんばれ. 力を出せ.

힘-닿다 [—dat'a]〈自〉力が及ぶ. 文例 힘닿는 데까지 원조하겠습니다 力の及ぶ限り援助いたします.

힘-들다 (—드니, —들어서)〈自〉❶(肉体的に)力が要る. 力を要する. 文例 그것은 힘이 드는 일이다 それは力の要る仕事だ. ❷難しい. 手におえない. 大変だ. 句例 이해하기 ~ 理解しがたい / 참기 ~ 耐えがたい. ❸苦労する. 苦心する.

힘-들이다 [himdŭrida]〈自〉力を入れる. 努力する. 精力を傾ける. 句例 보고서를 힘들여 쓰다 報告書を力を入れて書く.

힘-부치다 ⇨'힘'の小項目

힘-살 [—ssal]〈名〉〔生〕筋肉.

힘-세다〈形〉力が強い. 力強い. 句例 힘센 사람 力の強い人. 力持ち.

***힘-쓰다** (힘쓰니, 힘써서)〈他〉❶(肉体的に)力を出す. 句例 힘을 써서 들어 올리다 力を出して持ち上げる. ❷努力する. 精を出す. がんばる. 努める. 句例 오로지 공부에만 ~ ただ勉強にだけ精を出す. ❸苦労する. 苦心する. 文例 힘쓴 보람이 있다 苦労したかいがある / 힘써서 한 일이다 苦心してした事だ. ❹手助けする. 助ける. 尽力する. 句例 친구의 취직을 위해 ~ 友達の就職のため尽力する.

***힘-없다** [himŏpta]〈形〉力がない. 元気がない. 能力がない. 無能だ. 弱い. 句例 힘없는 나라 国力の弱い国 / 힘없는 목소리 力無い声. **힘없이** [himŏpshi]〈副〉力なく. 元気なく. 弱って. 力が抜けて. 句例 힘없이 대답하다 力無げに答える.

힘-입다 [himnipta]〈自〉人の助けを受ける. 世話をかける. 文例 그에게 힘입은 바가 크다 彼の助けによるところが大きい.

힘-있다 [himitta]〈形〉力が強い. 能力がある.

힘-주다〈自〉力をこめる. 力を傾ける. 強調する. 句例 힘주어 말하다 強調して話す.

힘-줄 [himtchul]〈名〉〔生〕❶腱. 筋. =건(腱). 句例 어깨의 ~을 다치다 肩の筋を痛める. ❷血管. 血脈. ❸筋肉繊維.

힘줌-말〈名〉強勢語. 強調語.

***힘-차다**〈形〉❶力強い. 非常に元気だ. 句例 힘차게 추진하다 力強く押し進める. ❷力に余る. 骨が折れる. 語例 힘찬 일 手に余る仕事.

힝〈副〉❶鼻をかむ音: ちん. 句例 코를 ~ 풀다 鼻をちんとかむ. ❷鼻先でせせら笑う声: ふん. 句例 ~ 네가 뭔데! ふん, お前がいったいなんだ.

힝-힝 ➊〈副〉ひき続き鼻をかむ音: ちんちん. ➋〈感〉鼻先であざけり笑う声: ふんふん.

부록

付録

차례 もくじ

인사말 あいさつのことば

東西(とうざい)を問(と)わずあいさつは礼儀(れいぎ)の中心(ちゅうしん)とみなされているので, よくわきまえておくようにしましよう.

1. 毎日(まいにち)のあいさつのことば

(1) 朝(あさ)や晩(ばん)のあいさつ

㉠ 朝(あさ)起(お)きて

(目上(めうえ)の方(かた)に)
안녕히 주무셨습니까.
おはようございます
《十分(じゅうぶん)お眠(ねむ)りになれましたか》.

(ややくだけて) 일어나셨군요. 起(お)きられましたね.
(目下(めした)のものに) 잘 잤니?
おはよう(よく眠れたの?)

㉡ 夜(よる)休(やす)むとき

(目上の方に) 안녕히 주무십시오. (ごゆっくり)お休(やす)みなさい.
(目下のものに) 잘자거라. お休み.

(2) 食事(しょくじ)のとき

㉠ 食事の前(まえ)に

어서 잡수십시오.	どうぞ召(め)し上(あ)がりください.
식기 전에 드시지요.	熱(あつ)いうちにどうぞ.

그럼 잘 먹겠습니다.
では, 遠慮(えんりょ)なくいただきます.

㉡ 食事を終(お)えて

잘 먹었습니다.
ごちそうさま(でした).

(3) 外出(がいしゅつ)や帰(かえ)ったとき

다녀오겠습니다.
行(い)ってまいります.

다녀오세요.	行っていらっしゃい.

다녀왔습니다.
ただいま.

잘 다녀왔니?	다녀오셨습니까?	お帰りなさい.

2. 場合(ばあい)場合のあいさつ

(1) 紹介(しょうかい)や対面(たいめん)のとき

안녕하십니까《낮》.	こんにちは《昼(ひる)》.
오래간만입니다.	お久(ひさ)しぶりです.
처음 뵙겠습니다.	初(はじ)めてお目(め)にかかります. 初めまして.
소개하겠습니다.	ご紹介(しょうかい)します.

소개해 올리겠습니다.
ご紹介させていただきます.

김○○라고 합니다.	金(キム)○○と申(もう)します.
만나뵈어 영광입니다.	お目にかかれて光栄(こうえい)です.
미안하지만 누구시죠?	失礼(しつれい)ですが, どちら様(さま)で?
어디에 근무하십니까.	どちらにお勤(つと)めですか.

(2) 別(わか)れのあいさつ

안녕히 가십시오〔계십시오〕. さようなら.

조심하십시오.	お気をつけて！

(3) お礼やおわびのことば

정말 고마웠습니다.	ほんとうにありがとうございました.
신세 많이 졌습니다.	たいへんお世話になりました.
수고하셨습니다.	ご苦労さまでした.
폐를 끼쳤습니다.	ご面倒をおかけしました.
심려를 끼쳐드렸습니다.	ご心配をおかけいたしました.
미안합니다.	すみません.
실례했습니다.	失礼しました.
무어라 사과 드릴 말씀이 없군요.	なんとおわびしたらよいのやら.
별 말씀을.	どういたしまして.
아뇨.	いえいえ.

(4) 訪問や接待のことば

계십니까.	ごめんください.
기수씨 댁에 계십니까.	基洙氏はご在宅ですか.
M사의 박이라고 하는데, 부장님 뵈러 왔습니다.	M社の朴と申しますが, 部長さんにお目にかかりたくまいりました.
어서 오세요.	いらっしゃいませ.
기다리고 있었습니다.	お待ちしていました.
잠시 기다려 주십시오.	ちょっとお待ちください.

어서 (들어)오십시오.
どうぞ, お上がりください.

안으로 드시죠.	奥へどうぞ.
실례합니다.	お邪魔いたします.

(用事がすんで)

그럼 실례하겠습니다.	では, おいとまいたします.
시간 많이 빼앗았습니다.	すっかりお邪魔しました.
또 오십시오.	どうぞまたおいでください.
조심해서 가십시오.	どうぞお気をつけて.

(5) 부탁하는 말　お願いのことば

저 실례합니다만.	ちょっとすみませんが.
잠깐 묻겠습니다.	ちょっとおたずねします.
저, 잠깐.	あの, ちょっと.
죄송합니다만.	おそれ入りますが.
말씀드리기 거북합니다만.	誠に申しかねますが.
잘 부탁 드리겠습니다.	どうぞよろしくお願いします.

(6) 신년 인사 新年のあいさつ

새해 복 많이 받으십시오.
新年おめでとうございます. 明けましておめでとうございます.

(7) 축하 인사 お祝いのことば

(一般的) 축하합니다 おめでとうございます.
성탄절을 축하합니다 クリスマスおめでとう.

졸업을 축합니다
ご卒業おめでとう.

(8) 문상의 말 おくやみのことば

삼가 조의를 표합니다.
つつしんで弔意を申しあげます.

얼마나 슬프십니까. ご愁傷さま.

문장 부호 文章符号

区分	符号名	符号	使い方	例
마침표 終止符	온 점 ピリオド (横書きの時) 고리점 句点 (縦書きの時)	. 。	(1) 文章の終わりに用いる. ただし, 見出し語とか標語には用いない. (2) 数字だけで年月日を表わす時	○ 로마는 하루 아침에 이루어지지 않았다. ローマは一日にして成らず. ○ 꺼진 불도 다시 보자《표어》 消えた火もさらに見よう《標語》 ○ 1996. 1. 10. 1996年 1月 10日
	물음표 疑問符	?	問う時や, 疑問が起こる時	○ 네 집이 어디지? 君の家はどこなの? ○ 저 사람은 누구지? あの人はだれなの?
	느낌표 感嘆符	!	感嘆や驚き, 唱え, 命令など強烈な感じを表わす時	○ 아, 달이 밝구나! おう, 月の明るいこと! ○ 어서 빨리 가! さあ, 早く行け! ○ 부디 몸조심하게! くれぐれもおからだを大事に! ○ 지금 곧 대답해! 今すぐ答えろ! ○ 오, 고마워라! おう, ありがたや!
쉼표 休止符	반 점 コンマ (横書きの時) 모 점 読点 (縦書きの時)	, 、	文章の中で短い休止を表わす. (1) 同等の格の語句を列挙する時 (2) 対をなして区別する必要のある時 (3) 数のけた(桁)を表わす時	○ 근면, 성실, 협동은 우리 회사의 사훈이다. 勤勉, 誠実, 協同は我が社の社訓である. ○ 남산, 관악산은 서울에 있는 명산이다. 南山, 冠岳山はソウルにある名山である. ○ 닭과 지네, 개와 고양이는 서로 상극이다. 鶏とむかで, 犬と猫は相いれない. ○ 58, 916
	가운뎃점 中点	·	(1) 休止符で列挙された語が, さらにいくつかに分けられる時 (2) 特定の意味をなす日を数字で表わす時	○ 동진·미자, 광수·연희가 서로 짝이 되어 게임을 하였다. トンジン·ミジャ, クワンス·ヨンヒがそれぞれ対をなしてゲームをした. ○ 3·1 운동 3·1(民族)運動 ○ 4·19 의거 4·19義挙

	쌍 점 コロン	:	(1) 時間と分，章と節などを区別する時や二つ以上のものを対比する時 (2) 内包する種類を挙げる時	○ 오전 9:20 午前9時20分 ○ 요한 3:15 ヨハネ福音書3章15節 ○ 문방사우: 붓, 먹, 벼루, 종이 文房四宝：筆，墨，硯，紙
따옴표 引用符	큰따옴표 ダブルクォーテーションマーク (横書きの時) 겹낫표 二重かぎ (縦書きの時)	“ ” 『 』	対話，引用，特別な語などを表わす時 (1) 文章の中で直接対話を表わす時 (2) 人の言葉をそのまま書き移す時	○ “일본에 가 본 일이 있나?”——“물론 있지” “日本に行ったことがあるかね?”——“もちろんあるとも” ○ 예로부터 “민심은 곧 천심이다.”라고 하였다. 古から“民草の心はこれ天の心なり”と言われていた.
	작은 따옴표 シングルクォーテーションマーク (横書きの時) 낫표 かぎかっこ(括弧)	‘ ’ 「 」	(1) 引用語の中で，また引用の言葉を用いる時 (2) 文章の中で重要な部分を目立つようにするため，くろまるのかわりに用いる	○ “여러분! 시간을 아낍시다. ‘시간은 금이다’라고 하지 않습니까.” “皆さん！ 時間を惜しみましょう. ‘時は金なり’と言われていませんか.” ○ 지금 우리가 원하는 것은 ‘사상’이 아니라 ‘자유’입니다. 今私たちが欲するのは‘思想’ではなく‘自由’なのです.
묶음표 括弧	소괄호 小かっこ	( )	(1) もとの語，年代，説明などを差し入れる時 (2) 記号や記号的用をなす文字，単語，句に用いる	○ 컴퓨터(computer) コンピューター(computer) ○ 4·19 의거(1961) 때 나는 학생이었다. 4·19義挙(1961)の時わたしは学生であった. ○ 이승만(대한민국의 초대 대통령) リスンマン(大韓民国の初代の大統領)
	중괄호 中かっこ	{ }	いくつかの話を同等にまとめて表わす時	○ 색의 3요소 色の3要素 {명도 明度 / 색상 色相 / 채도 彩度}
	대괄호 大かっこ	〔 〕	(1) かっこ内の語が外の語と音読みがちがう時 (2) かっこ内に，またかっこがある時	○ 나이〔연세(年歲)〕 年 ○ 낱말〔단어(單語)〕 単語 ○ 명령에 있어서의 불확실〔단호(斷乎)하지 못함〕은… 命令において不確実〔断固ならざるの〕は…

이음표	줄표 ダッシュ	—	(1) 前(まえ)の言葉を説明(せつめい)する言葉を差し入れる時 (2) 前の言葉を訂正(ていせい)，あるいは弁明(べんめい)する言葉が来(く)る時	○ 선생님께 말했다가 — 아니, 말씀 드렸다가 — 거절당하였다. 先生(せんせい)に言(い)ったが — いや，申(もう)し上(あ)げたが — ことわられた.
	물결표 波形(なみがた)記号	～	(1) '乃至(ないし)'と言う意味(いみ)で用いる時 (2) ある言葉の前(まえ)か後(あと)に付(つ)く言葉のかわりに用いる	○ 9월 10일 ～ 9월 25일 9月(くがつ)10日(とおか)乃至 9月25日(にじゅうごにち) ○ 자치 : ～ 운동 自治(じち) : ～ 運動(うんどう) ○ ～가(家) : 음악～ ～家(か) : 音楽(おんがく)～
드러냄표 黒円(くろまる)・白円(しろまる)	드러냄표 黒円(くろまる) 白円(しろまる)	● ○	文(ぶん)の内容中(ないようちゅう)重要な部分を特(とく)に目立たして表わそうとする時	○ 한글의 본 이름은 훈민정음이다. ハングルのもとの名称(めいしょう)は訓民正音(フンミンジョンウム・くんみんせいおん)である.
안드러냄표	숨김표 伏(ふ)せ字(じ)	×× ○○	おおっぴらに書(か)くことがはばかれる言葉のかわりにその字数だけを空(あ)けて表わす	○ 그 순간 ×××란 말이 목구멍까지 치밀었다. その瞬間(しゅんかん)×××という言葉がのどまで込(こ)み上(あ)がった.
	빠짐표 伏せ字	□	(1) 文字の位置(いち)の空(あ)いていることを示(しめ)す時 (2) 古(ふる)い碑文(ひぶん)とか記録(きろく)で文字が不明瞭(ふめいりょう)な時	○ 大師爲法主□□賴之大□薦《古い碑文》 ○ 훈민정음의 초성 중에서 아음(牙音)은 □□□의 석 자다. 訓民正音の初声(しょせい)のなかで牙音(がおん)は□□□の3字(さんじ)である.
	줄임표 点線(てんせん)	……	(1) 言(い)うべき言葉を省(はぶ)く時 (2) 言葉のないのを表わす時	○ "어디 나와 한 판 ……"하면서 그는 소매를 걷어부쳤다. "どれ，僕(ぼく)と一番(いちばん)…"と言いながら彼(かれ)はそでをまくり上(あ)げた.

친족 관계 親族関係(しんぞくかんけい)

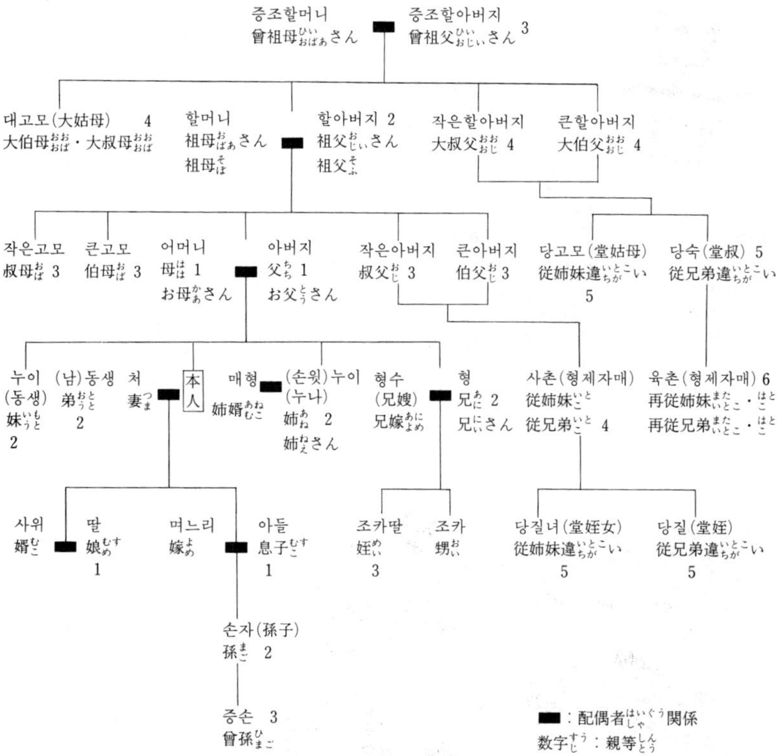

사계절 —— 달력・절기・연중 행사・농사・초목・명절

春

봄

제비 燕
눈석임 雪解け
소쩍새 このはづく
개나리 連翹
진달래 躑躅
벚꽃 桜
매화 梅
연날리기 凧上げ

暦	節季
二月	立春 雨水
三月 삼일절 (三一節) (三月一日)	啓蟄 春分
四月 식목일(植木日) (四月五日) 사일구 혁명일 (四月十九日) 과학의 날 (四月二十一日)	清明 穀雨

旧暦
맹춘월(孟春月) 睦月(旧一月) 설날(一月一日) 대보름 (一月十五日)
중춘월(仲春月) 如月(旧二月)
계춘월(季春月) 弥生(旧三月) 삼월 삼짇날 (三月三日頃)

세배(歳拝) 旧正月には，そろって '설빔 晴れ着'を着て年配の方を訪ね年始回りをする．

대보름 旧暦の正月十五日には，'부럼' '귀밝이술 いい話が聞けると言って飲む朝酒'などをわかち合い， 昨年乾かしておいた野菜の和え物を食べる．

農事	보리의 생육 조사 麦の生育調査．종자 고르기 種選び．보리 파종 大麦の種まき．보리에 덧거름 주기 麦の追肥．

입춘대길 건양다경(立春大吉 建陽多慶) 立春にいい運勢を祈る文．これを紙に書いて門の表に張り付ける．

떡국 もちの輪切りを入れてつくった雑煮．

나물캐기 若菜摘み．

화전(花煎)・진달래화채(花菜) 삼월 삼짇날の節供．

제비의 지저귐
燕の囀り

졸졸 흐르는 개울물
小川のせせらぎ

개구리 울음소리
蛙の鳴き声

민들레 蒲公英

평지꽃 菜の花

夏(なつ)

여름

물놀이 水遊(みずあそ)び
천렵 川猟(かわりょう)・川狩(かわがり)
무지개 虹(にじ)
우레 雷(かみなり)
뭉게구름 積雲(せきうん)・入道雲(にゅうどうぐも)
홍수 出水(でみず)
장마 梅雨(つゆ)・長雨(ながあめ)
매미 蟬(せみ)
잠자리 蜻蛉(とんぼ)
두견새 時鳥(ほととぎす)
뻐꾸기 郭公(かっこう)
함박꽃 おおやまれんげ
아카시아 アカシア
백일홍 百日紅(はくじつこう)
녹음 緑陰(りょくいん)

暦	節季	旧暦
五月(ごがつ) 근로자의 날 (五月一日) 어버이날 (五月八日) 성년의 날 (五月二十日)	**立夏(りっか)** **小満(しょうまん)**	맹하월(孟夏月) 卯月(うづき)(旧四月) 석가탄신일 (초파일) (四月八日)
유월 **六月(ろくがつ)** 현충일 (六月六日) 육이오 사변일 (六月二十五日)	**芒種(ぼうしゅ)** **夏至(げし)**	중하월(中夏月) 皐月(さつき)(旧五月) 단오날(五月五日)
七月(しちがつ) 제헌절 (七月十七日)	**小暑(しょうしょ)** **大暑(たいしょ)**	계하월(季夏月) 水無月(みなづき)(旧六月) 초복(初伏) 중복(中伏) 유두(流頭)

석가 탄신일(釋迦誕辰日) '초파일'とも言(い)って, 花祭(はなまつ)りの行事(ぎょうじ)を行(おこ)なう.

단오(端午) もと, 農耕(のうこう)の豊作(ほうさく)を祈(いの)った祭りで, 今(いま)は主(おも)に農村(のうそん)などで米(こめ)の粉(こ)に'수리취 やまぼくち'をまぜたもちを食(た)べ, '그네 뛰기'や'씨름'などをして遊(あそ)ぶ.

풋콩 枝豆(えだまめ)
오이 胡瓜(きゅうり)
가지 茄子(なす)
딸기 苺(いちご)
토마토 トマト
창포 菖蒲(しょうぶ)
난초 蘭(らん)
모란 牧丹(ぼたん)

農事	봄누에 털기 春蚕(はるご)の掃(は)き立(た)て. 모내기 준비 田植(たう)えの支度(したく). 보리 베기 麦の刈(か)り取(と)り. 모내기 田植え. 감자・삼 수확 じゃがいも・麻(あさ)の取(と)り入(い)れ. 무밭갈기 大根畑(だいこんばたけ)の耕(たが)やし.

사계절 —— 달력・절기・연중 행사・농사・초목・명절

暦	節季	旧　　暦
八月	立秋 処暑	맹추월(孟秋月) 文月(旧七月) 말복(末伏) 칠석(七夕)(七月七日)
九月	白露 秋分	중추월(仲秋月) 葉月(旧八月) 추석(秋夕)(八月十五日)
시월 十月	寒露 霜降	계추월(季秋月) 長月(旧九月) 중양절(重陽節)(九月九日)

칠석(七夕) '견우 牽牛'と'직녀 織女'が'오작교(烏鵲橋) 鵲の橋'で会うという伝説がある.

추석(秋夕) 家ごとに新穀の'송편'や '토란탕'を供えて祖先に対する祭祀を行なう.

기러기 雁
철새 渡り鳥
딱따구리 啄木鳥

農事	무・배추 심기 青菜の種まき. 작물의 결실 作物の実り. 잠구 준비 蚕具の準備. 가을 추수 秋の取り入れ. 보리 심기 麦の種まき.

귀뚜라미
　蟋蟀
여치
　きりぎりす

햇곡식
　新穀
햅쌀 新米
밤 栗
대추 棗
사과 林檎
배 梨
감 柿
곶감 串柿
버섯 茸

명월 名月
태풍 台風
허수아비
　案山子
이삭 落ち穂

국화 菊
도라지 桔梗
억새풀 薄

농악 農楽
상모 돌리기
소풍 遠足

벌렛소리
　虫の音
단풍 紅葉

秋

가을

송편 松葉のもち
토란탕 里芋のおつゆ
짐승 털갈이 鳥獣の毛変わり

벼베기 稲刈り

四季 —— 暦・節季・年中行事・農事・草木・節句

동지 팥죽 冬至の小豆粥(あずきがゆ)
시루떡 蒸籠(せいろ)で蒸(む)したもち
제육 편육 薄切(うすぎ)りの豚(ぶた)の蒸し肉(にく).
김장 冬至前後(ぜんご)のキムチの漬(つ)け込(こ)み
얼음 지치기 氷滑(こおりすべ)り
팽이 独楽(こま)
모닥불 焚火(たきび)
낙엽 落(お)ち葉(ば)
마른잎 枯(か)れ葉(は)
연날리기 凧上(たこあ)げ
명태 明太(めんたい)・介党鱈(すけとうだら)
북어 干(ほ)し明太
대구 鱈(たら)
눈 雪(ゆき)
얼음 氷(こおり)
고드름 氷柱(つらら)
진눈깨비 霙(みぞれ)
싸락눈 霰(あられ)
서리 霜(しも)

무 大根(だいこん)
배추 白菜(はくさい)
고추 唐辛子(とうがらし)
파 葱(ねぎ)
마늘 大蒜(にんにく)

겨울산이 잠들다《겨울산의 형용》 冬(ふゆ)の山眠(やまねむ)る

暦	節季
十一月(じゅういちがつ)	立冬(りっとう) 小雪(しょうせつ)
十二月(じゅうにがつ)	大雪(たいせつ) 冬至(とうじ)

旧暦
맹동월(孟冬月) 神無月(かんなづき)(旧十月)
동짓달 중동월(仲冬月) 霜月(しもつき)(旧十一月)
섣달 계동월(季冬月) 師走(しわす)(旧十二月)

一月(いちがつ) 신정 元日(がんたん) (新正)	小寒(しょうかん) 大寒(だいかん)

참새 雀(すずめ)
소쩍새 みみずく
오리 鴨(かも)
고목 枯(か)れ木(き)

군고구마 焼(や)き芋(いも)

冬(ふゆ)

겨울

用言分類表

(1) 動 詞 活 用 表

分類	形態	動詞	活 終結形(語幹＋終結語尾)
規則動詞	語幹＋語尾	웃다・읽다・얻다 など	옷을 입는다 着物を着る. 옷을 다 입었느냐 着物をみな着たか.
不規則動詞			
ㅅ不規則動詞	잇다 잇＋어 → 이어 結ぶ　結んで	긋다・짓다・붓다 など	실을 잇는다 糸を結ぶ. 실은 이었느냐 糸は結んだか.
ㅂ不規則動詞	돕다 돕＋아 → 도와 助ける　助けて	굽다・눕다・깁다 など	남을 돕는다 人を助ける. 얼마나 도왔느냐 どれほど助けたか.
ㄷ不規則動詞	싣다 싣＋어 → 실어 載せる	듣다・묻다・깨닫다 など	짐을 싣는다 荷物を積む. 짐은 다 실었느냐 荷物はみな積んだか.
르不規則動詞	나르다 나르＋아 → 날라 運ぶ	오르다・흐르다・누르다 など	책을 나른다 本を運ぶ. 전부 날랐느냐 全部運んだか.
ㅜ不規則動詞	푸다 푸＋어 → 퍼 くみとる	푸다 だけ	물을 푼다 水をくみとる. 물은 언제 펐느냐 水はいつくみとったか.
여不規則動詞	하다 하＋어 → 하여 する	하다 だけ	열심히 공부한다 熱心に勉強する. 열심히 공부했느냐〔하였느냐〕熱心に勉強したか.
러不規則動詞	이르다 이르＋어 → 이르러 至る	이르다 だけ	목적지에 이르렀다 目的地に着いた. 목적지에 이르렀느냐 目的地に着いたか.
거라不規則動詞	가다 가＋아라 → 가거라 行く	가다(나다・자다)	조심해서 가거라 用心して行け.
너라不規則動詞	오다 오＋아라 → 오너라 来る	오다	빨리 오너라 早くこい.

●'ㄹ'終声語幹の動詞：ㄹ＋는 → 는. ㄹ＋ㅂ니다 → ㅂ니다. 例外なく'ㄹ'が脱落する. 날다 飛ぶ 날＋니 → 나니 飛ぶと. 놀다・살다・불다 など.

●'ㅡ'語幹の動詞：ㅡ＋어 → ㅓ. 例外なく'ㅡ'が縮約される. 뜨다 浮かぶ 뜨＋어서 → 떠서 浮んで. 쓰다 使う・書く など.

この二つの動詞は '학교 문법 規範文法(きはんぶんぽう)' で規則動詞となっている.

◎上の表と '語尾一覧表'を参照してもっと広く活用されるようにしてください.

用形	
連結形(語幹＋連結語尾)	轉成形(語幹＋轉成語尾)
외투를 입으면… オーバーを着たら…. 옷을 입어서… 着物を着て….	옷을 입는 사람 着物を着る人. 그 옷을 입기가 싫다 その着物を着るのが嫌だ.
실을 이으니… 糸を結ぶと…. 실을 이어서 쓴다 糸を結んで使う.	실을 잇는 일 糸を結ぶ仕事. 실 잇기 糸を結ぶこと.
서로 도우면서 지내자 互いに助け合いながら暮そう. 남을 도와서… 他人を助けて….	돕는 사람 助ける人. 서로 돕기 互いに助け合うこと.
많이 실으면… 多く積むと…. 많이 실어야 한다 多く積まなければならない.	짐을 싣는 사람 荷を積む人. 짐 싣기 荷積み.
책을 나르니… 本を運んだら…. 많이 날라야 한다 多く運ばなければならない.	책 나르는 사람 本を運ぶ人. 책 나르기 本を運ぶこと.
언제 물을 푸느냐 いつ水をくみとろうとするのか. 물을 퍼서… 水をくんで….	물을 푸는 일 水のくみとり. 물 푸기 水のくみとり.
공부하려고… 勉強しようと…. 공부하여… 勉強して….	공부하는 시간 勉強する時間. 공부하기 勉強すること.
목적지에 이르렀으니 쉬자 目的地に着いたから休もう. 여기에 이르러서… ここに至って….	종점에 이르는 사람 終点に到る人. 목적지에 이르기가… 目的地に到るのが….

(2) 形 容 詞 活 用 表

種　類	形　態	形容詞	終結形(語幹＋終結語尾)
規則形容詞	語幹＋語尾	차다・맑다・좋다 など	산이 높다 山が高い. 그 산은 얼마나 높으냐 その山はどれほど高いか.
不規則形容詞			
ㅅ不規則形容詞	낫다 勝る・いい 낫＋아→나아	낫다(一つだけ)	그것보다 낫다 それよりいい. 그것보다 나으냐 それよりいいのか.
ㅂ不規則形容詞	덥다 暑い 덥＋어→더워	곱다・춥다・부럽다 など	꽤 덥다 相当暑い. 그곳은 얼마나 더우냐 そこはどれほど暑いか.
르不規則形容詞	다르다 違う・異なる. 다르＋아→달라	고르다・이르다 早い・배부르다など	모양이 다르다 ようすが違う. 어디가 다르냐 どこが違っているか.
여不規則形容詞	하다 だ・としている 하＋어→하여→해	하다	방이 깨끗하다 部屋がきれいだ. 방은 깨끗합니까 部屋はきれいですか.
러不規則形容詞	푸르다 青い 푸르＋어→푸르러	푸르다・누르다(だけ)	하늘이 푸르다 空が青い. 어느 것이 푸르냐 どちらが青いのか.
ㅎ不規則形容詞	파랗다 青い 파랗＋아→파래　파랗＋ㄴ→파란	노랗다・까맣다・커다랗다 など	강물이 파랗다 河の水が青い. 강물이 파랗더냐 河の水が青かったか.

形容詞にも動詞と同じく'ㄹ'終声の語幹の活用と'ㅡ'語幹の活用があるが, これらは規則形容詞となっている.

- 'ㄹ'終声語幹の形容詞：길다 長い 길＋니→기니 長いので・길＋오→기오 長いです(か). 달다・멀다・여물다 など.
- 'ㅡ'語幹の形容詞：쓰다 苦(にが)い 쓰＋어서→써서 苦いので. 쓰＋어야→써야 苦くてこそ. 크다・아프다・예쁘다・기쁘다 など

活用形	
連結形(語幹＋連結語尾)	轉成形(語幹＋轉成語尾)
산이 높으면 바위도 많다 山が高ければ岩も多い. 산이 높아… 山が高いので….	높은 산 高い山. 산의 높이 山の高さ.
그것보다 나으니… それよりいいから…. 질은 나아도 너무 비싸다 品質はいいがあまり高い.	더 나은 것이 있느냐 もっといいのがあるか. 낫기는 한데 너무 크다 質はいいが あまり大きい.
더우면… 暑ければ…. 더워서 못 견디겠다 暑くてたまらない.	더운 날 暑い日. 이곳도 덥기는 마찬가지다 ここも暑いのは同じだ.
모양이 다르면… 形が異なると…. 빛깔이 달라도… 色が異なっても….	모양이 다른… 形が違う…. 다름 違い.
겉이 깨끗하면… 表がきれいなら…. 깨끗하여… きれいで….	깨끗한 방 きれいな部屋. 깨끗하기가 이를 데 없다 たとえようもなくきれいだ.
하늘이 푸르니… 空が青いので…. 바다가 하도 푸르러서 海がとても青いので….	푸른 하늘 青い空. 푸르기가 바다 같다 青さが海のようだ.
강물이 파라니… 河の水が青いので…. 얼굴이 파래서… 顔が青ざめで….	파란 강물 青い 河の水. 파랗기가 초록 같다 青さが緑のようだ.

補助用言分類表

(1) 補助動詞

分類	種類・形態	例文
遂行	-아〔-어〕 내다 …し抜く．…し尽す	읽어 내다 読み尽す．
完了	-아〔-어〕 버리다 …てしまう -고 나다 …てから…する -고(야) 말다 必ず…される	먹어 버리다 食べてしまう． 읽고 나서 쉬다 読んでから休む． 실현되고야 말았다 実行されるにいたった．
被動(受け身)	-아〔-어〕 지다 …になる -게 되다 …ようになる	잘 이루어졌다 立派に成り立った． 성공하게 되었다 成功するようになった．
使動(使役)	-게 하다 …させる -게 만들다 …ようにする．	책을 읽게 하다 本を読ませる． 잘 살게 만들다 暮らしいいようにする．
進行	-아〔-어〕 가다 …つつある．…ていく -아〔-어〕 오다 …てくる -고 있다 …ている -고 계시다 …ていらっしゃる	잘 되어 가다 うまくいく． 날이 밝아 온다 夜が明けてくる． 책을 읽고 있다 本を読んでいる． 책을 읽고 계시다 本を読んでいらっしゃる．
奉仕	-아〔-어〕 주다 …てやる -아〔-어〕 드리다 …て上げる	책을 읽어 주다 本を読んでやる． 책을 읽어 드려라 本を読んであげなさい．
保有	-아〔-어〕 두다 …ておく -아〔-어〕 놓다 …ておく -아〔-어〕 가지다 持って…する	잘 보아 두다 よく見ておく． 잡아 놓다 止めておく． 손으로 집어 가지고 가다 手に持って行く．
強調	-아〔-어〕 대다 …したてる．…しちらす	지껄여 대다 しゃべりまくる．
否定	-지 말다〔마라〕 …な -지 못하다 …できない．…(ら)れない -지 아니하다〔않다〕 …ない	뛰지 마라 跳ぶな． 가지 못하다 行けない．行かれない． 울지 아니한다〔않는다〕 泣かない．
試行 推量 必然 是認	-아〔-어〕 보다 …てみる -아〔-어〕 보이다 …に見える -어야 한다 …しなければならない -기는 하다 …するのはする	읽어 보아라 読んでみなさい． 위태로워 보이다 危なげに見える． 건강하여야 한다 健康でなければならない． 간다고 하기는 하나… 行くとは言うものの…．

(2) 補助形容詞

分類	種類・形態	例文
狀態	-아〔-어〕 있다 …ている．…てある -아〔-어〕 계시다 …ていらっしゃる	젖어 있다 ぬれている．적혀 있다 書いてある． 앉아 계시다 座っていらっしゃる．
否定	-지 아니하다〔않다〕 …く〔で〕ない -지 못하다 …く〔で〕ない	크지 아니하다〔않다〕 大きくない． 그다지 좋지 못하다 それほどよくはない．
希望	-고 싶다 …たい	읽고 싶다 読みたい．
推量	-는가〔-ㄴ가・-나〕 보다 …らしい．…らしく見える -는가〔-나・-(으)ㄹ까〕 싶다 …ようだ	오는가 보다 くるらしい． 좀 큰가 싶다 ちょっと大きいようだ．
是認	-기는 하다 …く〔で〕はある	아름답기는 하나… 美しくはあるが…．

品詞分類表

<table>
<tr><td></td><td colspan="2">分　類</td><td>品　詞</td><td>種　類</td><td>略語</td></tr>
<tr><td rowspan="10">單語</td><td rowspan="7">不變語</td><td rowspan="3">體　言</td><td>名　詞</td><td>固有名詞 한국. 普通名詞 꽃 / 依存名詞 것・듯. 自立名詞 귀.</td><td>名</td></tr>
<tr><td>代名詞</td><td>人稱代名詞 나・누구. 指示代名詞 이것・저기.</td><td>代</td></tr>
<tr><td>數　詞</td><td>數量詞 둘・삼. 序數詞 첫째・제삼.</td><td>數</td></tr>
<tr><td rowspan="2">修飾言</td><td>冠形詞</td><td>새 新しん. 각 各かく.</td><td>冠</td></tr>
<tr><td>副　詞</td><td>成分副詞 많이・퍽. 文章副詞 설마・그러나.</td><td>副</td></tr>
<tr><td>獨立言</td><td>感歎詞</td><td>저런 おや・まあ. 옳지 そうだ.</td><td>感</td></tr>
<tr><td>關係言</td><td>助　詞</td><td>格助詞 이・에게. 補助詞 은・도. 接續助詞 고・이고・하여.</td><td>助</td></tr>
<tr><td rowspan="3">可變語</td><td colspan="3">(敍述格助詞 이다)</td><td></td></tr>
<tr><td rowspan="2">用　言</td><td>動　詞</td><td>(本)動詞 먹다・날다. 他動詞 읽다. 自動詞 웃다.
不完全動詞 데리다. 補助動詞 두다.</td><td>動</td></tr>
<tr><td>形容詞</td><td>(本)形容詞 크다. 補助形容詞 싶다.</td><td>形</td></tr>
</table>

보기 : '좋아, 내 예쁜 새 모자 한 개를 지금 줄게.'
　　　感　代　形　冠　名　數 名助　副　動(語尾)

助詞分類表

격조사(格助詞)
　주격(主格) 조사 … 이〔가〕 が. 께서 が(敬語) など
　관형격(冠形格) 조사 … 의 の
　목적격(目的格) 조사 … ㄹ〔을・를〕 を
　보격(補格) 조사 … 이〔가〕 が・は
　부사격(副詞格) 조사 … 에 に・へ. 에서 に. 에게 に. 한테 に. (으)로 にへ など
　호격(呼格) 조사 … 아〔야〕 よ・や
　서술격(敍述格) 조사 … 이다 だ・である
접속 조사(接續助詞) … 와〔과〕 と. 하고 と. 에(다) に. (이)며 や(ら). とか. 이(랑) や(ら). とか など
보조사(補助詞) … 은〔는〕 は. 도 も. 만 だけ. 까지 まで. 마저 も(みな)・まで. 마다 ごと(に). (이)야말로 こそ. (이)나 も. (이)나마 でも. (이)ㄴ들 だって・だとて. 밖에 しか・きり・外ほか. (으)ㄹ랑 こそは・だけは・は など

어미 일람표 語尾一覧表

I. 어말 어미 語末語尾

分類				動詞	形容詞	이다(助詞)	日譯
終結語尾	平敍形(平叙の形)	합쇼體 尊敬語体	現在	-ㅂ니다, -습니다	-ㅂ니다, -습니다	-ㅂ니다	ございます
			過去	-ㅂ디다, -습디다	-ㅂ디다, -습디다	-ㅂ디다	ございました, でした
			未來	-(으)리다	-(으)리다		ございましょう, でしょう
		하오體 対等的な敬語体		-(으)오, -소	-오, -소	-오	ます, です
		하게體 目下・同輩に対する中間のことばづかい	現在	-네	-(으)이	-네	だ
			過去	-데	-데		だったよ, たよ
			未來				
		해라體 目下に対するぞんざいな言いかた	現在	-(ㄴ)다, -(는)다	-다	-다	だ
			過去	-더라	-더라	-더라	だった
			未來	-(으)리라	-(으)리라	-리라	だろう
	疑問形	합쇼體	現在	-ㅂ니까, -습니까	-ㅂ니까, -습니까	-ㅂ니까	ございますか, ますか, ですか
			過去	-ㅂ디까, -습디까	-ㅂ디까, -습디까	-ㅂ디까	ございましたか, でしたか
			未來	-(으)리까			ございましょうか, でしょうか
		하오體		-(으)오, -소	-오, -소	-오	ますか, ですか
		하게體	現在	-는가, -나	-(으)ㄴ가	-ㄴ가	か
			過去	-던가	-던가	-던가	だったか
			未來	-(으)ㄹ까	-(으)ㄹ까	-ㄹ까	だろうか
		해라體	現在	-느냐	-(으)냐	-냐, -ㄴ가	か
			過去	-더냐	-더냐	-더냐	だったか
			未來	-(으)랴	-(으)리	-랴, -리	だろうか
	命令形	합쇼體		-(으)십시오, -(ㅂ)시오			なさいませ, なさい
		하오體		-오, -소, -(으)시오			なさい
		하게體		-게			よ, たまえ
		해라體		-아〔-어〕라			
	請誘形(勧誘の形)	합쇼體		-(으)시지요			ましょう
		하오體		-(으)ㅂ시다			
		하게體		-세			よう
		해라體		-자			
	感歎形	합쇼體					
		하오體		-는구려	-구려	-로구려	ですね
		하게體		-는구먼	-네, -(으)이	-로구먼	なあ, ね
		해라體		-는구나	-구나	-로구나	なあ, ね

文例					
학교에 갑니다.	책을 읽습니다.	사과가 큽니다.	달이 밝습니다.	이것은 책입니다.	
학교에 갑니다.	책을 읽습니다.	사과가 꽤 큽니다.	달이 밝습니다.	이것은 책입니다.	
학교에 가리다.	책을 읽으리다.	좋은 날도 있으리다.			
학교에 가오.	책을 읽으오.	사과가 크오.	달이 밝소.	이것은 책이오.	
학교에 가네.	책을 읽네.	사과가 크네.	달이 밝네.	이것은 책이네.	
학교에만 잘도 가데.	책만 잘도 읽데.	사과가 꽤 크데.	달이 참 밝데.	참 좋은 책이데.	
학교에 간다.	책을 읽는다.	사과가 크다.	달이 밝다.	이것은 책이다.	
학교에 가더라.	책을 읽더라.	사과가 크더라.	달이 밝더라.	좋은 책이더라.	
학교에 가리라.	책을 읽으리라.	사과가 컸었으리라.	달이 밝았으리라.	아마 좋은 책이리라.	
학교에 갑니까.	책을 읽습니까.	사과가 큽니까.	달이 밝습니까.	이것이 책입니까.	
학교에 갑디까.	책을 읽습디까.	사과가 큽디까.	달이 밝습디까.	이것이 책입디까.	
학교에 가리까.	책을 읽으리까.				
학교에 가오.	책을 읽으오.	사과가 크오.	달이 밝으오.	이것은 책이오.	
학교에 가는가.	학교에 가나.	책을 읽는가.	사과가 큰가.	달이 밝은가.	이것이 책인가.
학교에 가던가.	책을 읽던가.	사과가 크던가.	달이 밝던가.	좋은 책이던가.	
학교에 갈까.	책을 읽을까.	사과가 그렇게 클까.	달이 얼마나 밝을까.	좋은 책일까.	
학교에 가느냐.	책을 읽느냐.	사과가 크냐.	달이 밝으냐.	이것이 책인가.	
학교에 가더냐.	책을 읽더냐.	사과가 크더냐.	달이 밝더냐.	좋은 책이더냐.	
나도 학교에 가랴.	어찌 혼자서만 읽으랴.	이를 어찌 하면 좋으리.	그게 어찌 사람이 할 짓이랴.		
학교에 가십시오.	책을 읽으십시요.				
학교에 가오.	책을 읽으시오.				
학교에 가게.	책을 읽게.				
학교에 가라.	책을 읽어라.				
학교에 가시지요.	책을 읽으시지요.				
학교에 갑시다.	책을 읽읍시다.				
학교에 가세.	책을 읽세.				
학교에 가자.	책을 읽자.				
학교에 가는구려.	책을 읽는구려.	사과가 크구려.	달이 밝구려.	좋은 책이로구려	
학교에 가는구먼.	책을 읽는구먼.	사과가 크네.	달이 밝네.	좋은 책이로구먼.	
학교에 가는구나.	책을 읽는구나.	사과가 크구나.	달이 밝구나.	좋은 책이로구나.	

連結語尾	對等的	羅列	-(으)며, -고	-(으)며, -고	-고, 며	て, で
		同時	-(으)면서	-(으)면서	-면서	ながら, て, で
		對立	-(으)락 -거니 -거나 -느니 -든지	-(으)락 -거나 -느니(있다, 없다) -든지	 -거니 -거나 -든지	たり, かったり かまいか とか ようが, ても
	從屬的	條件・假定	-(으)면, -거든, -더라도	-(으)면, -거든, -더라도	-면, -거든, -더라도, -라면	ならば, たら
		理由・原因	-(으)니까, -(으)므로, -아서〔-어서〕	-(으)니까, -(으)므로, -아서〔어서, 러서〕	-니까, -므로, -어서	から, ので
		相反	-(으)나, -아도〔-어도〕, -지마는, -라도, -되	-(으)나, -아도〔-어도〕, -지마는, -라도, -되	-나, -어도, -지마는, -라도, -되	が
		順次	-아서〔-어서〕, -고서			て
		添加	-(으)ㄹ뿐더러, -ㄹ수록	-(으)ㄹ뿐더러, -ㄹ수록	-ㄹ뿐더러, -ㄹ수록	ばかりか, ほど
		移行	-다가	-다가		たが, で, ていて
		意圖	-(으)려고, -고자			ようと
		目的	-(으)러			に
		必要・必須	-아〔-어・-아야・-어야〕	-아〔어・-아야・-어야〕	-어야, -라야	こそ, でなければ
		背景	-는데, -(으)ㄴ데	-(으)ㄴ데	-ㄴ데	のに, が
		到及	-도록	-도록		まで, ように
		同時	-자, -자마자			と, や(いなや)
	補助的	補助用言	-아〔어・-게・-지・-고〕	-아〔-어・-게・-지・-고〕		て, で
轉成語尾	冠形詞形	過去	-(으)ㄴ, -던	-던	-던	た, かった
		現在	-는	-(으)ㄴ	-ㄴ	基本形, である
		未來	-(으)ㄹ	-(으)ㄹ	-ㄹ	基本形(べき)
	名詞形		-(으)ㅁ, -기	-(으)ㅁ, -기		こと, かた

注: '춥사옵니다 寒(さむ)うございます' '읽으시옵소서 お読(よ)みなさいませ'のような '하소서體 最上(さいじょう)の敬語体' は文語体(ぶんごたい)で, 今(いま)はほとんど使(つか)われない.

학교에 가고. 집으로 오고. 책을 읽으며 쓴다. 사과가 크고 붉다. 달이 밝고 크다. 좋은 책이고 싸다.

학교에 가면서 노래한다. 책을 읽으면서 생각한다. 사과가 크면서 달다. 달이 밝으면서 크다.

비가 오락가락 한다. 얼굴이 붉으락푸르락한다.
주거니 받거니 이야기를 나눈다.
가거나 오거나 네 마음대로 해라. 크거나 작거나 값은 같다. 사람이거나 짐승이거나 모두 생물이다.
서로 가느니 안 가느니 미루기만 한다. 증거가 있느니 없느니 하고 다툰다.
가든지 오든지 마음대로 해라. 쓰든지 달든지 약은 먹어야 한다. 연필이든지 볼펜이든지 상관없다.

같이 가면 좋겠소. 많으면 덜어서 쓰시오. 사람이라면 양심이 있어야지.

집에 오니까 비가 그쳤다. 크니까 자르자. 밝아서 잘 보인다. 학생이므로 순수하다.

마셔도 목이 마르다. 떠나지마는 곧 돌아오겠소. 가기는 가되 혼자 가겠소.
가다가 짐승이라도 만나면 어쩌죠.

윗옷을 벗어서 걸었다. 문을 열고서 짐을 들여 놓았다. 기회를 보아서 가마.

신문만 볼뿐더러 말이 없다. 갈수록 태산이다. 많을수록 좋다. 학생일뿐더러 성인은 아니다.

손을 잡았다가 놓아준다. 울다가 잠이 들었다. 사이가 좋다가 틀어졌다.

구경하려고 모여든다. 꽃을 꺾으려고 한다. 성공하고자 노력한다.

책을 읽으러 도서관으로 간다. 점심을 먹으러 가자.

손발이 맞아야 성사가 되지. 꼭 가야 하나요. 이상은 높아야 한다. 어른이라야 알 수 있다.

나는 가는데 그는 온다. 키는 작은데 힘이 세다. 사람은 사람인데 잘 안 보인다.

잘 되도록 힘쓰자. 크게 읽도록 일러주었다. 늦도록 공부한다. 그런 일 없도록 해라.

정들자 이별이다. 눕자마자 잠이 들었다.

책을 읽어 두다. 우표를 모아 놓다. 먹고 싶다. 입고 있다.

어제 읽던 책. 먹던 밥. 그렇게 곱던 얼굴. 학자이던 사람.

배우는 사람. 큰 포부. 흰 꽃. 시인인 교사.

입을 옷. 갈 사람. 떠날 날.

젊다 → 젊음. 웃다 → 웃음. 가물다 → 가뭄. 읽다 → 읽기. 쓰다 → 쓰기. 달리다 → 달리기.
굵다 → 굵기.

해體と 해요體 前の格式的な表現に対して格式的でない表現. 해體は'해라體'と '하게體'の代わりに, 해요體は '하오體'と '합쇼體'の代わりに使われる.

分類		動詞	形容詞	이다(助詞)	日譯
해體	平敍文	-어〔-아〕	-어〔-아〕	-야	で(よ), よ
	感歎文	-군	-군	-군	
	疑問文	-어〔-아〕	-어〔-아〕	-야	
	命令文	-어〔-아〕			
	請誘文	-어〔-아〕			
해요體	平敍文	-어요〔-아요〕	-어요〔-아요〕	-어, -지요	
	感歎文	-는군요	-군요	-군요	
	疑問文	-어요〔-아요〕	-어요〔-아요〕	-요	
	命令文	-어요〔-아요〕			
	請誘文	-어요〔-아요〕			

Ⅱ. 선어말 어미 先語末語尾

分類		動詞	形容詞	이다(助詞)
時制先語末語尾	現在	-는-〔-ㄴ-〕		
	過去	-았-〔-었-〕	-았-〔-었-〕	-었-
	未來(推測)	-겠-	-겠-	-겠-
	回想	-더-	-더-	-더-
높임(敬語體)	尊敬	-(으)시-	-(으)시-	-시-
	恭遜(丁寧)	-옵-, -오-	-(시-)옵-	-옵-, -오-

注：二つ以上の'선어말 어미'が続く時は '尊敬＋時制＋丁寧'の順になる.

읽<u>으시었</u>다 お読みになった. 읽<u>으시었사오</u>이다 お読みになられました.

文　　　　　　　　例
난 알아. 그건 좋아. 나는 싫어. 저것은 책이야.
참 잘 됐군. 꽤 많군. 너무 좋은 사람이군.
무얼 읽어. 그게 작아. 이게 책이야.
깊이 파 묻어. 잘 생각해. 위에다 입어.
함께 보아. 어서 들어. 빨리 뛰어.
이젠 못 참겠어요. 너무 좋아요. 여기가 우리 집이지요.
잘도 읽는군요. 무척 작군요. 매우 착한 사람이군요.
무얼 읽어요. 꽤 많아요. 이게 책이요.
어서 가요. 천천히 마셔요. 늦지 말아요.
이리 오도록 해요. 잘 부탁해요.

文　　　　　　　　例
책을 읽는다. 학교에 간다. 신문을 본다. 바람이 분다.
잘 받았다. 책을 읽었다. 상당히 좋았다. 전에는 여기에 집이 있었다.
내일 떠나겠다. 가을이 되면 붉겠지. 내년은 윤년이겠지.
책을 읽더라. 너무 곱더라. 그렇게 좋더냐. 그게 사실이더냐.
아버님께서 오시었다. 그분은 참 예쁘시다. 이분이 선생님이시다.
이만 물러가옵나이다. 집으로 가오니…. 그리 하오리다. 매우 곱사옵고…. 그것은 경사이옵고….

문학의 흐름 文学の流れ —— 文学年表

時代區分	作品(作者 編者 年代)	特色
三國時代	황조가 黃鳥の歌(高句麗の瑠璃王 17B.C.)	韓国最古の歌
	도솔가 兜率の歌(作者未詳 A.D. 18)	歌詞の始まり
	구지가 龜旨の歌(呪文の一つ 42)	韓国原始詩歌の一つ
	서동요 薯童謠(百濟の武王 517)	善花公主を慕う郷歌・の一つ
	혜성가 彗星の歌(融天師 632)	十句体の郷歌
統一新羅時代	모죽지랑가 竹旨郎を慕う歌(得烏 692-702)	八句体の郷歌
	화랑세기 花郎世紀(金天問 704)	花郎の伝説
	왕오천축국전 往五天竺國傳(慧超 724)	僧侶慧超の印度旅行記
	제망매가 亡き妹を祭る歌(僧 月明師 763)	法事に関する十句体の郷歌
	처용가 處容の歌(處容 879)	人に扮して人妻に不貞を働く厄神をいましめる郷歌
	삼대목 三代目(魏弘と僧侶 大矩 888)	文献上，最初の郷歌集
高麗時代	계원필경집 桂苑筆耕集(崔致遠 927)	崔致遠が唐にいたときの漢詩文集
	균여전 均如傳(赫連梃 1075)	僧侶 均如の伝記
	도이장가 悼二將歌(睿宗 1120)	吏読の景畿体の歌
	삼국사기 三國史記(金富軾 1145)	韓国最初の歴史書
	정과정 鄭瓜亭(鄭敍 1147-70)	鄭敍が配流の地で王を慕い歌った歌
	국순전 麴醇傳(林椿 1197)	假想的伝記説話
	해동고승전 海東高僧傳(覺訓 1215)	韓国高僧の伝記
	백운소설 白雲小說(李奎報 1214-41)	說話と雜記
	한림별곡 翰林別曲(1215-16)	翰林の儒者らが歌った景幾体歌
	고금상정예문 古今詳定礼文(崔允儀 など 1234)	古今の礼儀事項を集めて考証した典礼書．活字版で刊行
	동국이상국집 東國李相國集(李奎報 1251)	詩文と歴史の文集
	보한집 補閑集(崔滋 1254)	詩句・史実・趣味などの物語
	파한집 破閑集(李仁老 1260)	說話文学集(作者の子が刊行)
	삼국유사 三國遺事(僧 一然 1285)	三国史記と共に韓国最古の史書
	제왕운기 帝王韻記(李承休 1287)	史書．韓国と中国に関する歴史詩．七言で記す
	죽계별곡 竹溪別曲 관동별곡 關東別曲 (安軸 1330)	竹溪の勝景を歌った景幾体歌 關東の絶景を歌った景幾体歌
	익재난고 益齋亂藁(李斉賢 1363)	作者の詩文集
	어부사 漁夫詞(李賢輔 1348)	七言漢詩の高麗俗謡
	저생전 楮生傳(李詹 1400ごろ)	このごろ高麗俗謡が現れる
	고려속요 高麗俗謠(動動・處容の歌・思母曲・青山別曲・가시리・西京別曲・鄭石の歌・滿殿春など14世紀)	

* 日本文學은 三省堂 刊 '例解国語辞典'에 의함

日　本　文　学	世　界　文　学
	도덕서간 道徳書簡どうとくしょかん(세네카 セネカ 63-65)
古事記こじき(太安万侶おおのやすまろ 712) 日本書記にほんしょき(舎人親王とねりしんのうなど 759) 万葉集まんようしゅう(大伴家持おおともやかもちなど 759) 竹取物語たけとりものがたり(900ごろ) 古今和歌集こきんわかしゅう(紀貫之きのつらゆき 905) 伊勢物語いせものがたり (900ごろ)	당시(唐詩)의 융성 唐詩とうしの隆盛りゅうせい(두보・왕유 등 杜甫とほ・王維おういなど 750ごろ) 장한가 長恨歌ちょうごんか(백거이 白居易はくきょい 806)
土佐日記とさにっき(紀貫之 935) 蜻蛉かげろう日記(藤原道綱ふじわらのみちつなの母 974) 枕草紙まくらのそうし(清少納言せいしょうなごん 1001ごろ) 源氏げんじ物語(紫式部むらさきしきぶ 1000ごろ) 和泉式部いずみしきぶ日記(1007) 紫式部日記(1010) 更級さらしな日記(菅原孝標すがわらのたかすえの娘 1060) 大鏡おおかがみ(1119) 今昔こんじゃく物語集しゅう (1120以後) 山家集さんかしゅう (西行さいぎょう 1190) 新古今和家集しんこきんわかしゅう (藤原定家ふじわらのさだいえなど 1206) 方丈記ほうじょうき(鴨長明かものちょうめい 1212) 平家へいけ物語(1220以後) 正法眼蔵しょうほうげんぞう(道元どうげん 1253以後) 徒然草つれづれぐさ(吉田兼好よしだけんこう 1330ごろ)	적벽부 赤壁賦せきへきのふ(소식 蘇軾そしょく 1082) 자치통감 資治通鑑しじつがん(사마광 司馬光しばこう 1084) 아라비안 나이트 (1100) アラビアンナイト 신학대전 神学大全しんがくたいぜん(토마스 아퀴나스 1266) (トマスアクィナス) 신생 新生しんせい(단테 ダンテ 1293) 신곡 神曲しんきょく(단테 1307-21) 데카메론 (보카치오 1340) デカメロン(ボッカチオ)

近世朝鮮時代	신도가 新都歌(鄭道傳 1394)	新しき都をたたえた楽章
	고려사 高麗史(鄭道傳など 1395)	(三七巻)
	양촌집 陽村集(權近 1409ごろ)	詩文集(詩十巻, 文三十巻)
	훈민정음 창제 訓民正音創製 1443)	世宗の命によるハングルの制定
	용비어천가 龍飛御天歌	朝鮮王朝の創業をたたえたハングルの歌
	석보상절 釋譜詳節(首陽大君 1447)	ハングルで訳した釈迦の一代記
	월인천강지곡 月印千江の曲(世宗 1447)	釈迦の功徳をたたえた歌集
	고려사절요 高麗史節要(金宗瑞など 1452)	高麗の編年史(三十五巻)
	국조보감 國朝寶鑑(申叔舟など 1458)	太祖・太宗・世宗・文宗四代の歴史書(編年体)
	능엄경 언해 楞嚴經諺解(世祖 1462)	楞厳経のハングル訳
	경국대전 經國大典(崔恒など 1469)	世祖の命でつくった法典
	삼국사절요 三國史節要(盧思愼など 1476)	三国の編年体史書
	두시언해 杜詩諺解(柳允謙など 1481)	杜甫の詩のハングル訳(二十五巻 十七冊)
	동국통감 東國通鑑(徐居正など 1484)	新羅から高句麗・百濟・高麗にいたるまでの史書(五十六巻二十六冊)
	속동문선 續東文選(申用漑 1518)	成宗以後の詩文集(二十三巻)
	화전별곡 花田別曲(金綵 1533)	花田の自然美を歌った景畿体歌(六章)
	남정가 南征歌(楊士俊 1555)	倭寇を退けた戦捷記
	관서별곡 關西別曲(白光弘 1556)	關西の絶景を歌った歌辞
	성산별곡 星山別曲(鄭澈 1560)	星山の景色を歌った歌辞
	미인별곡 美人別曲(楊士彦 1567)	美人をたたえた歌辞
	패관잡기 稗官雜記(魚叔權 1546-67)	政事・風俗・人物・詩話・制度などを記録した本(四巻)
	관동별곡 關東別曲(鄭澈 1580)	關東の絶勝を歌った四四調の歌辞
	매월당집 梅月堂集(金時習 1583)	詩文集 (二十三巻六冊)
	장진주사 將進酒辭(鄭澈 1568-92)	酒を勧める歌. 辭說時調形式の歌曲
	지봉유설 芝峰類說(李睟光 1614)	天文・地理など二十五部門にわたる引用・説明書(二十巻 十冊)
	태평사 太平の辞(朴仁老 1598)	壬辰の倭乱での水軍を慰め, 太平の世の到来を望んだ四四調の歌辞体の長歌
	어우야담 於于野談(柳寅夢 1622)	すぐれた説話文学
	노계가 蘆溪の歌(朴仁老 1636)	蘆溪の絶景を歌った歌辞時調(十八首)
	산중신곡 山中新曲(尹善道 1638)	時調(十八首)
	어부사시사 漁父四時詞(尹善道 1651)	四季の漁師生活を歌った連形時調(四十首)
	시화총림 詩話叢林(洪萬宗 1652)	歴代の詩話集(四巻四冊)
	순오지 旬五志(洪萬宗 1660)	古来の説話に関する論評とことわざを集めた本(二巻一冊)
	요로원야화기 要路院野話記 朴世斗 1678)	両班の風俗と社会制度を批評した随筆集
	구운몽 九雲夢(金萬重 1689)	ハングルの小説
	사씨남정기 謝氏南征記(金萬重 1692)	ハングルの小説
	송강가사 松江歌辭(鄭澈 1708)	作品集(上下二巻)
	청구 영언 青丘永言(金天澤 1728)	歴代の時調集. 三大歌集の一つ
	유우춘전 柳禹春傳(柳得恭 1749)	伝記的な漢文短編小説
	해동가요 海東歌謠(金壽長 1763)	金壽長編集の時調集(約九百首)
	담헌일기 湛軒日記(洪大容 1766ごろ)	燕京紀行文. 代表的な記録文学の一つ
	북학의 北學議(朴齊家 1778)	清への視察記録. 実学思想の良き資料

風姿花伝(ふうしかでん)(世阿弥(ぜあみ) 1402ごろ)	캔터베리 이야기 カンタベリー物語(ものがたり)(초서 チョーサー 1393-1400)
	유토피아 ユートピア (T. 모어 トマスモーア 1516)
	군주론 君主論(くんしゅろん)(마키아벨리 マキアベリ 1532)
	서유기 西遊記(さいゆうき)(오승은 呉承恩(ごしょうおん) 1570)
	햄릿(셰익스피어 1602) ハムレット(シェークスピア)
	오셀로 オセロ(셰익스피어 1604)
	돈키호테 ドンキホーテ(세르반테스 セルバンテス 1605) 흠정 영역 성서 欽定(きんてい)訳聖書(やくせいしょ) 完成(1611)
	인간 혐오 人間嫌(にんげんぎら)い(몰리에르 モリエール 1666)
	실락원 失楽園(しつらくえん)(밀턴 ミルトン 1667)
	팡세(파스칼 1670) パンセ(パスカル)
好色一代男(こうしょくいちだいおとこ)(井原西鶴(いはらさいかく) 1682) 日本永代蔵(にほんえいたいぐら)(西鶴 1688)	
奥(お)くの細道(ほそみち)(松尾芭蕉(まつおばしょう) 1702) 国姓爺合戦(こくせんやがっせん)(近松門左衛門(ちかまつもんざえもん) 1715) 心中天網島(しんじゅうてんのあみじま)(近松門左衛門 1720)	강희자전 康熙字典(こうきじてん) 完成(1716) 로빈슨 크루소(디포 1719) ロビンソンクルーソー(デフォー)
仮名手本忠臣蔵(かなでほんちゅうしんぐら)(竹田出雲(たけだいずも) 1748)	걸리버 여행기(스위프트 1726) ガリバー旅行記(りょこうき)(スウィフト)
	마농레스코(프레보 1732) マノンレスコー(プレボー)
	법의 정신(몽테스키외 1748) 法(ほう)の 精神(せいしん)(モンテスキュー)
	홍루몽 紅楼夢(こうろうむ)(조설근 曹雪芹(そうせつきん))
誹風(はいふう)柳多留(やなぎだる)初編(しょへん) (1765)	에밀·사회 계약론 エミール・社会契約論(しゃかいけいやくろん)(루소 ルソー 1762)
雨月物語(うげつものがたり)(上田秋成(うえだあきなり) 1768)	젊은 베르테르의 슬픔 若(わ)かきヴェルテルの悩(なや)み(괴테 ゲーテ 1774)

近世朝鮮時代	연려실기술 燃藜室(ヨンヨルシル)記述(李肯翊(イーグンイク) 1798)	太祖(テジョ)から顕宗(ヒョンジョン)までの歴史書
	한중록 閑中録(かんちゅうろく)(恵慶宮(ヘギョングン)洪氏(ホンし) 1805)	ハングルの女性書簡体の記録. 宮中文学の白眉(はくび)
	열하일기 熱河(ねっか)日記(朴趾源(パクチウォン))	清(しん)への紀行文. 雄渾な文章が清にまでとどく(二十六巻)
	허생전 許生傳(ホセンでん)(朴趾源)	漢文小説
	양반전 両班傳(ヤンバンでん)(朴趾源)	両班をもじった漢文小説
	목민심서 牧民心書(ぼくみんしんしょ)(丁若鏞(チョンヤクヨン) 1818)	官吏の通弊を指摘し, 人民を啓蒙した近世社会研究の貴重な資料(四十六巻十六冊)
	의유당일기 意幽堂(ウィユダン)日記(意幽堂金氏(キムし) 1832)	女流の紀行伝記文集
	농가월령가 農家月令歌(のうかげつれいか)(作者未詳 1834ごろ)	歌辞形式の勧農(かんのう)の歌. 筆写体
	남훈태평가 南薫太平歌(ナムフンたいへいか)(作者未詳 1863ごろ)	ハングルで書かれた歌曲本. 時調(シジョ)・雑歌(ざつか)・歌辞の三部からなる. 現存する唯一の版本
	가곡원류 歌曲源流(かきょくげんりゅう)(朴孝寛(パクヒョグワン)・安玟英(アンミンヨン) 1876)	時調(シジョ)・歌辞集. 三大時調集の一つ
	동경대전 東經大典(とうけいたいてん)(崔濟愚(チェジェウ) 1882)	東学(とうがく)の聖典
	서유견문록 西遊見聞録(さいゆうけんぶんろく)(兪吉濬(ユギルチュン) 1895)	アメリカ視察の紀行文. ハングルと漢文の混用
	국어문법 國語文法(周時經(チュシギョン) 1896)	ハングルの文法書
	혈의 루 血の涙(なみだ)(李人稙(イーインジク) 1906)	最初の新小説
	귀의 성 鬼の声(こえ)(李人稙 1907)	初期新小説の代表作
	은세계 銀世界(ぎんせかい)(李人稙 1908)	
	치악산 雉岳山(チアクサン)(上同)	
	빈상설 鬢上雪(びんじょうせつ)(李海朝(イーヘジョ) 1908)	
	금수회의록 禽獣(きんじゅう)會議録(かいぎろく)(安國善(アングクソン) 1908)	新小説
	설중매 雪中梅(せっちゅうばい)(具然學(グヨンハク) 1908)	
	자유종 自由(じゆう)の鐘(かね)(李海朝 1910)	代表的な政治小説

古事記伝《こじきでん》(本居宣長《もとおりのりなが》 1798)	
東海道中膝栗毛《とうかいどうちゅうひざくりげ》(十返舎一九《じっぺんしゃいっく》 1802)	
蕪村七部集《ぶそんしちぶしゅう》(与謝《よさ》蕪村 1808)	파우스트 제1부(괴테 1808)
	ファウスト 第一部《だいいちぶ》(ゲーテ)
浮世風呂《うきよぶろ》(式亭三馬《しきていさんば》 1809)	
南総《なんそう》里見八犬伝《さとみはっけんでん》(滝沢馬琴《たきざわばきん》 1814)	
おらが春《はる》(小林一茶《こばやしいっさ》 1819)	
東海道四谷《とうかいどうよつや》 怪談《かいだん》(鶴屋南北《つるやなんぼく》 1825)	적과 흑(스탕달 スタンダール 1830)
	赤《あか》と黒《くろ》
	백경
	白鯨《はくげい》(멜빌 メルヴィル 1851)
전쟁과 평화(톨스토이 1862)	레미제라블(위고 1862)
戦争《せんそう》と 平和《へりわ》(トルストイ)	レ・ミゼラブル(ユーゴー)
西洋《せいよう》道中膝栗毛(仮名垣魯文《かながきろぶん》 1870)	전쟁과 평화(톨스토이 1862)
	戦争《せんそう》と平和《へいわ》(トルストイ)
学問のすゝめ(福沢諭吉《ふくざわゆきち》 1872)	카라마조프의 형제(도스토예프스키 1879)
	カラマーゾフの兄弟《きょうだい》(ドストエフスキー)
経国美談《けいこくびだん》(矢野竜渓《やのりゅうけい》 1885)	
当生書生気質《とうせいしょせいかたぎ》(坪内逍遥《つぼうちしょうよう》 1885)	여자의 일생(모파상 1883)
小説神髄《しょうせつしんずい》(逍遥 1885)	女《おんな》の一生《いっしょう》(モーパッサン)
浮雲《うきぐも》(二葉亭四迷《ふたばていしめい》 1887)	
舞姫《まいひめ》(森鷗外《もりおうがい》 1890)	
五重塔《ごじゅうのとう》(幸田露伴《こうだろはん》 1891)	
たけくらべ・にごりえ(樋口一葉《ひぐちいちよう》 1895)	
金色夜叉《こんじきやしゃ》(尾崎紅葉《おざきこうよう》 1897)	
若菜集《わかなしゅう》(島崎藤村《しまざきとうそん》 1897)	
武蔵野《むさしの》(国木田独歩《くにきだどっぽ》 1898)	부활
	復活《ふっかつ》(톨스토이 トルストイ 1899)
高野聖《こうやひじり》(泉鏡花《いずみきょうか》 1900)	
思《おも》い出《で》の記《き》(徳富蘆花《とくとみろか》 1900)	장크리스토프(로망롤랑 1904)
	ジャン・クリストフ(ロマン・ロラン)
みだれ髪《がみ》(与謝野晶子《よさのあきこ》 1901)	
吾輩《わがはい》は猫《ねこ》である(夏目漱石《なつめそうせき》 1905)	벚꽃 동산(체호프 チェーホフ 1904)
	桜《さくら》の園《その》
野菊《のぎく》の墓《はか》(伊藤左千夫《いとうさちお》 1906)	
破戒《はかい》(島崎藤村 1906)	파랑새(마테를링크 1908)
坊《ぼっ》ちゃん(夏目漱石 1906)	青《あお》い鳥《とり》(メーテルリンク)
蒲団《ふとん》(田山花袋《たやまかたい》 (1907)	
何処《どこ》へ(正宗白鳥《まさむねはくちょう》 1908)	
三四郎《さんしろう》(夏目漱石 1908)	
田舎教師《いなかきょうし》(田山花袋 1909)	
一握《いちあく》の砂《すな》(石川啄木《いしかわたくぼく》 1910)	
刺青《しせい》(谷崎潤一郎《たにざきじゅんいちろう》 1910)	
土《つち》(長塚節《ながつかたかし》 1910)	

現代	추월색 秋月色(しゅうげつしょく)(崔瓚植(チェチャンシク) 1912)	代表的新小説
	한국통사 韓國痛史(つうし)(朴殷植(パクウンシク) 1915)	近世史の漢文史書
	무정 無情(むじょう)(李光洙(イークワンス) 1917)	最初の現代小説(長編)
	배따라기 船出(ふなで)(金東人(キムドンイン) 1921)	近代短編小説の定形をなす
	표본실의 청개구리 標本室(ひょうほんしつ)のあおがえる (廉想涉(ヨンサンソプ) 1921)	最初の自然主義風の小説
	진달래꽃 つつじの花(はな)(金素月(キムソウォル) 1922)	叙情詩集
	아름다운 새벽 うつくしきあかつき(朱耀翰(チュヨハン) 1924)	叙情詩集
	벙어리 삼룡 おしの三龍(サムヨン)(羅稻香(ナドヒャン) 1925)	写実主義の短編小説
	빼앗긴 들에도 봄은 오는가 奪(うば)われた野辺(のべ)にも春(はる)来(きた)るや(李相和(イーサンファ) 1926)	日本強占期のうっぷんを吐露(とろ)した自由詩
	님의 침묵 あなたの沈黙(韓龍雲(ハンヨンウン) 1926)	民族愛の詩集
	임꺽정전 林居正(イムコクチョン)傳(洪命熹(ホンミョンヒ) 1928)	明宗(ミョンジョン)時代の義賊物語
	탁류 濁流(だくりゅう)(蔡萬植(チェマンシク) 1930)	代表的長編小説
	삼대 三代(さんだい)(廉想涉(ヨンサンソプ) 1931)	日本強占期の時代相をえがいた三十年代の家系小説の代表作
	흙 土(つち)(李光洙 1932)	農民のなかで真の人間性を見(み)いだした長編小説
	김교사와 티교수 金教師(キムきょうし)とT教授(ティーきょうじゅ) (兪鎭午(ユジンオ) 1933)	民族抗日期における惰弱な知識人をえがいた短編小説
	운현궁의 봄 雲峴宮(ウンヒョンゲン)の春(はる)(金東仁(キムドンイン) 1933)	李昰應(イーハウン)を中心とした長編歴史小説
	오감도 烏瞰圖(うかんず)(李箱(イーサン) 1934)	反理論・反現実的なイメージを通じて現代人の人間関係をえがいた難解な詩
	백치 아다다 白痴(はくち)のアダダ(桂鎔默(ゲヨンムク) 1935)	運命的な不幸による人間の悲劇をえがいた短編小説
	상록수 常緑樹(じょうりょくじゅ)(沈熏(シムフン) 1935)	'흙'と共に農村小説の代表作
	사랑방 손님과 어머니 客間のお客と母(朱耀燮(チュヨソプ) 1935)	封建秩序から開放社会への過渡期における人間関係をテーマにした短編小説
	유정 有情(ゆうじょう)(李光洙 1935)	理想的な愛を説(と)いた恋愛小説
	날개 羽(はね)(李箱 1935)	韓国小説史の伝統上，変革をもたらした画期的な短編小説
	무녀도 巫女圖(みこのず)(金東里(キムドンリ) 1936)	歴史的な時間性の超克によって人間的な生(せい)の普遍性を示した短編
	금삼의 피 錦衫(きんさん)の血(ち)(朴鍾和(パクジョンファ) 1936)	朴鍾和の代表的歴史小説

雁(森鷗外 1911) 悲しき玩具(石川啄木 1912) 赤光(斎藤茂吉 1913) こころ(夏目漱石 1914) 道程(高村光太郎 1914)	
あらくれ(徳田秋声 1915) 羅生門(芥川竜之介 1915)	인간의 굴레(몸 1915) 人間の絆(モーム)
山椒大夫(森鷗外 1915) 鼻(芥川竜之介 1916)	변신 変身(카프카 カフカ 1916)
高瀬舟(森鷗外 1916) 明暗(夏目漱石 1916) 出家とその弟子(倉田百三 1916) 城の崎にて・和解(志賀直哉 1917) 父帰る(菊池寛 1917) 月に吠える(萩原朔太郎 1917) 地獄変(芥川竜之介 1918) 田園の憂鬱(佐藤春夫 1918) 或る女(有島武郎 1919) 友情(武者小路実篤 1919)	광인일기 狂人日記(노신 魯迅1918)
一房の葡萄(有島武郎 1920) 暗夜行路(志賀直哉 1921) トロッコ(芥川竜之介 1922)	티보가의 사람들(마르탱 뒤 가르 1922) チボー家の人人(マルタン・デュ・ガール) 율리시스(조이스 1922) ユリシーズ(ジョイス)
注文の多い料理店・風の又三郎(宮沢賢治 1924)	채털리 부인의 사랑(로렌스 1928) チャタレイ夫人の恋人(ロレンス)
檸檬(梶井基次郎 1925) 伊豆の踊子(川端康成 1927) 河童(芥川竜之介 1927) キャラメル工場から(佐多稲子 1928) 蟹工船(小林多喜二 1929)	고요한 돈 강(숄로호프 1928) 静かなドン(ショーロホフ) 야간 비행 夜間飛行(생텍쥐페리 サン・テグジュペリ 1931)
夜明け前(島崎藤村 1929) 太陽のない街(徳永直 1929)	대지 大地(펄 벅 パール・バック 1931)
屋根の上のサワン(井伏鱒二 1929) 機械(横光利一 1930) 春琴抄(谷崎潤一郎 1933) 美しい村(堀辰雄 1933) あにいもうと(室生犀星 1934) 山羊の歌(中原中也 1934) 雪国(川端康成 1935) 風立ちぬ(堀辰雄 1936)	바람과 함께 사라지다(미첼 1936) 風と共に去りぬ(ミッチェル)

現代	성황당(城隍堂) 氏神の堂(鄭飛石 1937)	新鮮な原始性とともに効果的技法を駆使した短編
	찔레꽃 のいばらの花(金末峰 1937)	大衆小説の典範となった長編
	무영탑 無影塔(玄鎭健 1938)	歴史小説の典型として意義のある長編小説
	파초 芭蕉(金東鳴 1938)	三十年代後期の田園的傾向の基本資料となる詩集
	순애보 殉愛譜(朴啓周 1939)	至純な愛をたたえ，大衆の熱烈な呼応を得た長編小説
	황토기 黃土記(金東里 1939)	呪われた運命の国運を象徴化した短編小説
	화상보 華想譜(兪鎭午 1939)	万事は必ず正理に帰する倫理意識を提示した長編小説
	다정불심 多情佛心(朴鍾和 1940)	宮中の言語・風習などをくわしく表わした長編歴史小説
	대수양 大首陽 (金東里 1941)	改革意志を表わした歴史小説
	청록집 青鹿集(朴木月・朴斗鎭・趙芝薫 1946)	三人の詩集，青鹿派の由来となる
	백록담 白鹿潭 (鄭芝鎔 1946)	現代詩のイメージを強く浮刻した詩集
	생명의 서 生命の書(柳致環 1947)	八・一五光復後，民族陣営を代表する記念碑的な詩集
	혈맥 血脈(金永壽 1947)	八・一五光復直後の世相をえがいた戯曲
	하늘과 바람과 별과 시 空と風と星と詩 (尹東柱 1948)	抗日期の暗黒を耐え抜く予言者的な詩集
	한하운시집 韓何雲詩集(韓何雲 1949)	ハンセン氏病を病んだ氏の叙情的民謡風の詩
	독 짓는 늙은이 かめづくりの老人 (黃順元 1950)	苦痛をしのび行く孤老をテーマにした短編
	원술랑 元述郎(柳致眞 1952)	ロマンチックな啓蒙史劇の戯曲
	카인의 후예 カインの後裔(黃順元 1953)	韓国戦争の文学史的な意義のある代表的作品の一つ（長編）
	명정 사십년 酩酊四十年(卞榮魯 1953)	酩酊の失態記をユーモアと風刺でえがいたエッセイ集
	자유 부인 自由夫人(鄭飛石)	韓国戦争後の退廃的な風潮を取りあげた長編小説
	임진 왜란 壬辰倭亂(朴鍾和 1954)	歴史小説の典型をなした記念碑的な長編小説
	산도화 山桃花(朴木月 1955)	仙の世界を構築した詩集
	사반의 십자가 サバンの十字架(金東里 1955)	宗教の理想と現実の乖離を暗示した長編小説
	흑산도 黑山島(金光鏞 1955)	写実主義的な短編小説
	갯마을 干潟の村(呉永壽 1955)	土俗的な人間像を通じて自然と人間の融和を表わした短編小説
	요한 시집 ヨハネ詩集(張龍鶴 1995)	自由の問題を小説化した短編小説
	학 鶴(黃順元 1956)	理念の相異と友情や愛情の絡みあいをヒューマニズムを通じてえがいた短編小説
	바비도 バビド(金聲翰 1956)	社会の正義と個人の良心を通じて現代人の悲劇を描いた短編小説
	암사 지도 暗射地圖(徐基源 1956)	五十年代の社会相を反影させた短編小説
	불꽃 火花(鮮于煇 1957)	時代理念の葛藤の中で迷う過渡期の人間を描いた短編
	사슴의 노래 鹿の歌(盧天命 1958)	詩集
	감정이 있는 심연 感情のある心淵 (韓戊淑 1959)	虚栄と仮飾のむなしさを描いた短編小説
	광장 広場(崔仁勲 1960)	南北分断の主題を分析・批評した長編小説
	나무들 비탈에 서다 坂に木並ぶ(黃順元 1960)	戦後文学の指標となった長編小説
	인간사 人間史(崔貞熙 1960)	民族の激動期における個人の軌跡を表わした長編小説
	등신불 等身仏(金東里 1961)	仏教思想への深化を表わした短編小説
	전야제 前夜祭(徐基源 1961)	限界状況における意識の葛藤を描いた長編小説

濹東綺譚(永井荷風 1937)
旅愁(横光利一 1937)

歌のわかれ(中野重治 1939)
如何なる星の下に(高見順 1939)
夫婦善哉(織田作之助 1940)
走れメロス(太宰治 1940)

智恵子抄(高村光太郎 1941)
細雪(谷崎潤一郎 1943)
李陵(中島敦 1943)
播州平野(宮本百合子 1946)
暗い絵(野間宏 1946)
白痴(坂口安吾 1946)
桜島(梅崎春生 1946)
焼跡のイエス(石川淳 1946)
堕落論(坂口安吾 1946)
ビルマの竪琴(竹山道雄 1947)
斜陽(太宰治 1947)
虫のいろいろ(尾崎一雄 1948)
俘虜記(大岡昇平 1948)
人間失格(太宰治 1948)
千羽鶴(川端康成 1949)
夕鶴(木下順二 1949)

鳴海仙吉(伊藤整 1950)
真空地帯(野間宏 1951)
原爆詩集(峠三吉 1951)
むらぎも(中野重治 1954)
潮騒(三島由紀夫 1954)
アメリカン・スクール(小島信夫 1954)
プールサイド小景(庄野潤三 1954)
雲の墓標(阿川弘之 1955)
太陽の季節(石原慎太郎 1955)
森と湖のまつり(武田泰淳 1955)
金閣寺(三島由紀夫 1956)
楢山節考(深沢七郎 1956)
天平の甍(井上靖 1957)
パニック(開高健 1957)
飼育(大江健三郎 1958)
海辺の光景(安岡章太郎 1959)
しろばんば(井上靖 1960)

구토
嘔吐(사르트르 サルトル 1938)

분노의 포도(스타인백 1939)
怒りの葡萄(スタインベック)

누구를 위하여 종은 울리나(헤밍웨이 1940)
誰がために鐘は鳴る(ヘミングウェイ)

이방인
異邦人(카뮈 カミュ 1942)

1984년
一九八四年(오웰 オーウェル·1949)

제이의 성(보부아르 1949)
第二の性(ボーヴォワール)

노인과 바다(헤밍웨이 1952)
老人と海(ヘミングウェイ)

슬픔이여 안녕(사강 サガン 1954)
悲しみよこんにちは

의사 지바고(파스테르나크 1956)
ドクトル・ジバゴ(パステルナーク)

	김약국의 딸들 金薬局(キムやっきょく)の娘たち (朴景利(パクキョンニ) 1962)	欲望の交差と女性の運命を描いた長編小説
	임진강의 민들레 臨津江(イムジンガン)のたんぽぽ (康信哉(カンシンジェ) 1962)	戦争の極限的な状況を描いた長編小説
	절망 뒤에 오는 것 絶望のあとに来るもの (田炳淳(ジョンビョンスン) 1962)	新聞小説の制約を克服した長編小説
	아가 雅歌(がか)(金南祚(キムナムジョ) 1963)	伝統的な叙情詩
	조선 총독부 朝鮮總督府(柳周鉉(ユジュヒョン) 1964)	総督府の侵略相を史実に基づいて描いた長編小説
現	분지 糞地(ふんち)(南廷賢(ナムジョンヒョン) 1965)	六十年代の代表作の一つ(短編)
	까토의 자유 カトーの自由(鄭乙炳(チョンウルビョン) 1966)	ローマのカトーの自由守護思想を追求した長編小説
	분례기 糞禮記(ブンニェき)(方榮雄(バンヨンウン) 1967)	田舎娘の糞禮を通じて，農村を土俗的かつ原色的に描写した長編小説
代	성북동의 비둘기 城北洞(ソンブクトン)のはと (金珖燮(キムグヮンソプ) 1969)	機械文明の中に生きながら，平和な世界をあこがれる心を描いた詩集
	수라도 修羅道(しゅらどう)(金廷漢(キムジョンハン) 1969)	近代社会の変遷を描いた中編小説
	토지 土地(とち)(朴景利(パクキョンニ) 1969)	大河小説(五部作・十五巻)
	동토 凍土(とうど)(朴敬洙(パクキョンス) 1969)	貧富の差別による劣等感をリアルに描いた長編小説
	장한몽 長恨夢(ちょうこんむ)(李文求(イームング) 1970)	長編小説
	소문의 벽 うわさの壁(李清俊(イーチョンジュン) 1971)	精神分裂を起こす，一作家の潜在意識をたどった中編小説
	별들의 고향 星(ほし)らの故郷(こきょう) (崔仁浩(チェインホ) 1973)	七十年代の消費文化の問題点を取り上げた長編愛情小説
	객주(客主) 問屋(といや)(金周榮(キムジュヨン) 1979)	十九世紀後半の商人社会を中心に，社会的変動を透視した大河小説
	아베의 가족 アベの家族(全相國(チョンサングク) 1979)	分断時代の民族の苦悩を表わした小説

島(しま)へ(島尾敏雄(しまおとしお) 1962) 楡家(にれか)の人(ひと)びと(北杜夫(きたもりお) 1962) 砂(すな)の女(おんな)(安部公房(あべこうぼう) 1962)	이반 데니소비치의 하루(솔제니친 1962) イワン・デニーソヴィッチの一日(いちにち) (ソルジェニーツィン)
されどわれらが日々(ひび)(柴田翔(しばたしょう) 1964) 個人的(こじんてき)な体験(たいけん)(大江健三郎 1964) 夕(ゆう)べの雲(くも)(庄野潤三 1964) 黒(くろ)い雨(あめ)(井伏鱒二 1965) 抱擁家族(ほうようかぞく)(小島信夫(こじまのぶお) 1965) 沈黙(ちんもく)(遠藤周作(えんどうしゅうさく) 1966) 華岡青洲(はなおかせいしゅう)の妻(つま)(有吉佐和子(ありよしさわこ) 1966) 万延元年(まんえんがんねん)のフットボール(大江健三郎 1967)	
アカシヤの大連(だいれん)(清岡卓行(きよおかたかゆき) 1969)	
枯木灘(かれきなだ)(中上健次(なかがみけんじ) 1976)	
狂風記(きょうふうき)(石川淳(いしかわじゅん) 1980)	

新韓日辭典 (例解)

1996년 4월 20일 초 판 발행
2025년 1월 10일 제29쇄 발행

編 者 金 貞 淑

發行人 金 哲 煥

발행처 사전 전문 民衆書林

10881 경기도 파주시 회동길 37-29
(파주출판문화정보산업단지)

전화 (영업) 031) 955-6500~6 (편집) 031) 955-6507
Fax (영업) 031) 955-6525 (편집) 031) 955-6527
E-mail editmin@minjungdic.co.kr (편집)
홈페이지 http: // www.minjungdic.co.kr
등록 1979. 7. 23. 제2-61호

ISBN 978-89-387-0310-1

정가 23,000원

* 파본은 교환해 드립니다.
* 상호(商號)에 대한 주의 요망 *
사전의 명문 민중서림은 유사 민중○○
들과 다른 회사입니다.
구매에 착오 없으시기 바랍니다.

박스 기사 목차 囲み記事 目次